RUSSIAN-ENGLISH DICTIONARY

55 000 entries approx:

Under the general direction
of Professor A. I. SMIRNITSKY

13th Revised and Enlarged Edition under the Editorship
of Professor O. S. AKHMANOVA

With a supplement containing a brief account of English
grammar and pronunciation and notes on Russian grammar
by Prof. A. I. SMIRNITSKY

MOSCOW
RUSSKY YAZYK
1985

РУССКО-
АНГЛИЙСКИЙ
СЛОВАРЬ

RUSSIAN-
ENGLISH
DICTIONARY

РУССКО-АНГЛИЙСКИЙ СЛОВАРЬ

около 55 000 слов

Под общим руководством
проф. А. И. СМИРНИЦКОГО

Издание 13-е исправленное и дополненное под ред.
проф. О. С. АХМАНОВОЙ

С приложением кратких сведений по английской грамматике и орфоэпии, составленных проф. А. И. СМИРНИЦКИМ

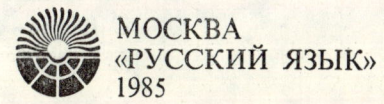

МОСКВА
«РУССКИЙ ЯЗЫК»
1985

ББК 81.2 АНГЛ
Р89

Авторы:
проф. О. С. АХМАНОВА, З. С. ВЫГОДСКАЯ,
Т. П. ГОРБУНОВА, Н. Ф. РОТШТЕЙН, проф.
А. И. СМИРНИЦКИЙ, проф. А. М. ТАУБЕ

Compiled by:
Professor O. S. AKHMANOVA, Z. S. VIGODSKAYA,
T. P. GORBUNOVA, N. F. ROTHSTEIN, Professor
A. I. SMIRNITSKY, Professor A. M. TAUBE

Рецензенты:
СТРЕЛКОВА Н. С., РОМАНОВА С. П.

Reviewers:
STRELKOVA N. S., ROMANOVA S. P.

Русско-английский словарь: Ок. 55 000 слов. С прил.
Р 89 крат. сведений по английской грамматике и орфоэпии, сост. А. И. Смирницким / Сост. О. С. Ахманова, З. С. Выгодская, Т. П. Горбунова и др.; Под общ. рук. А. И. Смирницкого.— 13-е изд., испр. и доп., под ред. О. С. Ахмановой.— М.: Рус. яз., 1985 — 768 с.

Словарь содержит около 55 тыс. слов современного русского литературного языка. В словаре отражена многозначность русского слова, показано его употребление, дано большое количество словосочетаний, фразеологических выражений. Все русские слова снабжены подробной грамматической характеристикой. Дается произношение английских слов.
Для иностранцев, пользующихся словарём, даны грамматические таблицы русского языка, а также сведения о произношении русских слов.
Предназначается для переводчиков, преподавателей и студентов институтов и факультетов иностранных языков, для научных работников, а также для иностранцев, изучающих русский язык.

$$\text{Р } \frac{4602020000-190}{015(01)-85} \text{ 155-85}$$

ББК 81.2 АНГЛ

© Издательство «Русский язык», 1985, с изменениями

ОГЛАВЛЕНИЕ

Русский алфавит	6
Предисловие, *О. Ахманова*	7
Предисловие к седьмому изданию, *О. Ахманова*	7
Предисловие к третьему изданию, *О. Ахманова*	8
Предисловие к первому изданию, *А. Смирницкий*	9
Структура словаря	12
Лексикографические источники	16
Preface, *Olga Akhmanova*	17
Preface to the seventh edition, *Olga Akhmanova*	17
Preface to the third edition, *Olga Akhmanova*	17
Preface to the first edition, *A. Smirnitsky*	19
The use of the dictionary, *R. C. Daglish*	22
Условные сокращения	
List of abbreviations	23
А	25
Б	36
В	63
Г	118
Д	138
Е	168
Ж	171
З	177
И	213
Й	229
К	229
Л	265
М	277
Н	302
О	350
П	401
Р	521
С	560
Т	626
У	654
Ф	678
Х	685
Ц	693
Ч	696
Ш	706
Щ	714
Э	715
Ю	720
Я	721
Список географических названий	724
О чтении (произношении) английских слов	730
Список слов, читающихся с отступлениями от изложенных правил, но приводимых в словаре без транскрипции	739
Краткие сведения по английской грамматике, *проф. А. И. Смирницкий*	740
Список важнейших слов, изменяющихся не по общим правилам	751
The Russian Sound-System and the Russian Alphabet, *A. I. Smirnitsky*	754
Notes on Russian Grammar, *A. I. Smirnitsky*	757

РУССКИЙ АЛФАВИТ
Russian alphabet

Буквы печатные	Название буквы	Буквы рукописные	Буквы печатные	Название буквы	Буквы рукописные
А а	а	*А а*	Р р	эр	*Р р*
Б б	бэ	*Б б*	С с	эс	*С с*
В в	вэ	*В в*	Т т	тэ	*Т т*
Г г	гэ	*Г г*	У у	у	*У у*
Д д	дэ	*Д д*	Ф ф	эф	*Ф ф*
Е е, Ё ё	е, ё	*Е е, Ё ё*	Х х	ха	*Х х*
Ж ж	жэ	*Ж ж*	Ц ц	цэ	*Ц ц*
З з	зэ	*З з*	Ч ч	чэ	*Ч ч*
И и	и	*И и*	Ш ш	ша	*Ш ш*
Й й	й	*Й й*	Щ щ	ща	*Щ щ*
К к	ка	*К к*	ъ	твердый знак	*ъ*
Л л	эль	*Л л*	ы	ы	*ы*
М м	эм	*М м*	ь	мягкий знак	*ь*
Н н	эн	*Н н*	Э э	э	*Э э*
О о	о	*О о*	Ю ю	ю	*Ю ю*
П п	пэ	*П п*	Я я	я	*Я я*

ПРЕДИСЛОВИЕ

Последнее исправленное и дополненное издание Словаря (7-е) вышло в 1965 г. Последующие издания (8, 9, 10, 11, 12) издавались стереотипно.

Подготовка настоящего, 13-го, исправленного и дополненного издания потребовала учета созданных за это время лексикографических пособий и словарей, прежде всего 9-го издания Словаря русского языка С. И. Ожегова (под редакцией проф. Н. Ю. Шведовой), в которое включено большое количество новых слов, исключены слова явно устаревшие, уточнены толкования значений и др. Это те направления, по которым шла работа по исправлению и дополнению русского словника Словаря.

В двуязычном словаре при этом следует учитывать необходимость проверки тематической и стилистической адекватности переводов. Понятно поэтому, что пристального внимания потребовал также словарь М. Уилера (под редакцией проф. Б. О. Унбегауна). В высшей степени кропотливая и трудоемкая работа — сплошное сопоставление русской части в словарях Ожегова и Смирницкого и сравнение английской части в словарях Смирницкого и Уилера-Унбегауна — была выполнена под моим руководством С. С. Долицкой (из первоначальных составителей, кроме меня, в живых осталась только Т. П. Горбунова, но и она давно не принимает участия в работе над данным словарем). Необходимо также отметить работу С. С. Долицкой в области специальной и технической терминологии, которая была ею тщательно проанализирована и проверена по последним специальным словарям.

На завершающем этапе работы рукопись словаря была направлена в издательство Оксфорд Юниверсити Пресс. Таким образом, я располагала еще и значительным количеством ценных предложений, касающихся, главным образом, переводов на английский язык фразеологии. То, что вся рукопись была прочтена высококвалифицированными английскими лексикографами, явилось важным шагом вперед в развитии международного сотрудничества в области двуязычной лексикографии.

Уже в процессе подготовки рукописи к печати неоценимую помощь оказала доц. МГУ Л. В. Минаева, объединяя усилия всех звеньев и оперативно способствуя решению возникающих проблем, включая проблемы организационно-технические.

Важное значение при подготовке настоящего издания имело создание первого в истории лексикографии «Словаря омонимов русского языка»: на основании материала этой книги была тщательно проверена подача омонимов. Это еще больше расширило сферу деятельности Н. П. Григорьевой, не только бессменного редактора всех изданий словаря, но и непосредственной участницы осуществления лексикографических идей А. И. Смирницкого, теперь уже многократно проверенных на практике, но все еще требующих неустанного внимания специалиста. Понятно, что все это далеко выходит за рамки работы издательского редактора. Под ее руководством большая и ответственная работа была выполнена Т. М. Красавиной.

По согласованию с Н. П. Григорьевой, взявшей на себя ответственность за неукоснительное выполнение системы правил произношения английских слов, разработанной А. И. Смирницким, я отказалась от изменения принятых в словаре знаков транскрипции: произвольная замена в данной семиотической системе знака [ou] знаком [əu], например, т. е. одного знака без соответствующего изменения системы, было бы бесцельной затратой времени и сил.

На протяжении более тридцати лет работы мы получили много замечаний и неоднократно пользовались советами квалифицированных английских филологов. Особенно следует отметить участие леди Сазерленд, Питера Уэйна, Шейлы Пламмер и Дженни Сэлливен.

1982 г.

О. Ахманова

ПРЕДИСЛОВИЕ К СЕДЬМОМУ ИЗДАНИЮ

Настоящее издание является первым, которое после 3-го издания и многих стереотипных переизданий снова набирается. Поэтому авторы имели возможность пересмотреть весь словарь.

Авторы и редакция не нашли нужным вносить какие-либо изменения в принятую лексикографическую систему словаря, так как она себя вполне оправдала. Единственная область, в отношении которой были сделаны критические замечания принципиального характера, это система подачи фразеологических единиц. В отдельных случаях удалось внести исправления, однако полный пересмотр этой части словаря при подготовке данного издания к набору осуществить не удалось.

Основные усилия были направлены на дополнение и исправление состава словаря, его словника: со времени выхода в свет 3-го издания появилось много новых слов и выражений, изменилась частотность и стилистические свойства слов, существовавших прежде. Авторами и редакцией было получено большое число частных замечаний и исправлений, которые были тщательно изучены и с благодарностью приняты. Авторы и редакция пользуются случаем выразить благодарность всем лицам, замечания которых способствовали улучшению словаря. Они считают своим приятным долгом особенно отметить помощь, оказанную при подготовке настоящего издания Д-ром Е. И. Ламперт, К. Г. Ламперт (Оксфордский университет), Д-ром А. Б. Мэрфи (Университет Свонзи), Д-ром Лоис Спенсер (Лондонский университет), А. Дэвисом (Массачусетский университет) и К. Кацнером (Нью-Йорк).

1965 г.

О. Ахманова

ПРЕДИСЛОВИЕ К ТРЕТЬЕМУ ИЗДАНИЮ

Настоящее издание Русско-английского словаря выходит в свет через три с лишним года после смерти проф. А. И. Смирницкого, который создал положенную в основу этого словаря лексикографическую систему, повседневно руководил работой авторского коллектива и сам написал большое число наиболее сложных статей. Поэтому в предисловии к этому изданию представляется необходимым подвести итог той большой творческой работы, которая была вложена в словарь А. И. Смирницким, и затем указать, в каком направлении шла дальнейшая работа над словарем после его смерти.

Продолжая традиции советской лексикографии (Д. Н. Ушаков, Л. В. Щерба, В. В. Виноградов), А. И. Смирницкий углублял и развивал научные принципы построения словаря,— в частности русско-английского словаря. Успехи, достигнутые им в этой области, в большой степени определялись тем, что непосредственной работе А. И. Смирницкого над русско-английским словарем предшествовали многие годы научной работы в области сопоставления систем русского и английского языков. Эта работа нашла отражение в его известных учебниках русского языка для англичан и в его многочисленных лекционных и практических курсах.

Так же, как и его предшественники, А. И. Смирницкий смотрел на составление словаря как на серьезный научный труд. Он считал, что составление двуязычного словаря требует систематического сопоставительного исследования обоих языков, так как только таким путем можно, с одной стороны, определить и выделить те моменты, которые сближают обе сопоставляемые системы, а с другой,— и в этом основная задача — определить и научно охарактеризовать то, что их различает и, поэтому, представляет особые трудности при переводе.

Значение систематического сопоставительного исследования двух языков для лексикографии можно показать на следующих примерах. Как известно, различие между языками отнюдь не ограничивается отдельными словами, их индивидуальной спецификой. В лексике каждого языка могут быть выделены определенные классы, или группы, или типы слов, представляющие собой лексические категории, не только более мелкие, но и гораздо менее изученные и определенные, чем части речи.

К таким лексическим категориям относятся, например, отглагольные существительные, приставочные глаголы, отыменные прилагательные и т. д., которые дают нередко очень сложную картину при сопоставлении их в разных языках; поэтому разработке способов их единообразного лексикографического оформления должно обязательно предшествовать их сопоставительное изучение по существу. Такое же изучение должно предшествовать лексикографической обработке в двуязычном словаре, например, разных типов местоимений, союзов и предлогов в их соотношении с наречиями и т. д. (Более конкретно о выполненной А. И. Смирницким работе можно судить по его предисловию к первому изданию настоящего словаря (стр. 9—11), по написанной им и подвергшейся лишь незначительным изменениям (о которых см. ниже) статье «Структура словаря» (стр. 12—15) и по его приложениям к словарю (стр. 730—765).

Для каждой из выделенных лексических категорий А. И. Смирницким была разработана единая система лексикографического оформления, причем всегда предусматривалось не только то общее, что присуще всем словам данной категории, но и возможность индивидуальных особенностей и отклонений, отличающих то или другое слово или слова от остальных слов данной категории. Таким образом, общая система, общее правило оформления, предлагаемые для той или другой лексической категории слов, не только не приводили к затушевыванию индивидуальных особенностей отдельных слов, но, напротив, давали тот общий фон, на котором особенности выступают наиболее рельефно.

Следуя традиции русской лексикографии в области семантического анализа слова, А. И. Смирницкий уделял большое внимание разграничению полисемии и омонимии свободных и фразеологически связанных значений, а также значений и употреблений слова. Он разработал четкую систему разграничения полисемии и омонимии в области приставочных глаголов и не только подверг глубокому анализу семантическое строение предлогов и союзов русского языка, но и реализовал результаты этого исследования в написанных им статьях словаря. Совершенно оригинальной является также предложенная им трактовка в словаре грамматической омонимии, реализованная, в частности, в лексикографическом оформлении таких пар, как краткое прилагательное и наречие и др.

Много нового внес А. И. Смирницкий также в область собственно лексикографии. Так, им была введена оригинальная система обозначения произношения английских слов (как известно, прежде вообще не делалось попыток обозначения произношения английских слов в русско-английском словаре). Далее им была предложена детально разработанная система обозначения особенностей сочетания переводимых слов; при этом А. И. Смирницкий исходил из того положения, что для правильного перевода необходимо не только найти соответствующие слова, но и знать способы их связи, их соединения друг с другом.

Детальная грамматическая характеристика слов в словаре должна, по мысли А. И. Смирницкого, выступать в роли необходимой подготовки, или «предварительной обработки» слова, облегчающей реальное использование его в речи. А. И. Смирницкий неукоснительно стремился возможно более последовательно указывать в словаре, какие способы соединения слов применяются в русском языке для обозначения тех или иных отношений и какими способами те же отношения обозначаются в английском языке при употреблении слов, являющихся переводом данных русских слов.

Добиваясь подлинно научной, основанной на принципах марксистского языкознания трактовки разнообразных вопросов, А. И. Смирницкий всячески стремился расширить общелингвистический кругозор пользующегося словарем. Он решительно восставал против деляческого подхода к лексикографии: словарь ни в коем случае не должен, по его мнению, снижаться до уровня наименее подготовленного читателя, а должен наоборот поднимать его до своего уровня. Научная лексикография, основанная на положениях марксистской науки о языке,— это один из основных каналов распространения лингвистической культуры, т.к. словарь — это самое массовое лингвистическое пособие.

* *
*

При подготовке настоящего издания словаря внимание авторского коллектива было прежде всего направлено, с одной стороны, на то, чтобы по возможности отразить изменения, происходящие в словарном составе русского и английского языков, а с другой — детальнее разработать и уточнить семантические разветвления слов словарного состава, уже прежде включенных в словарь,— в частности, тех, которые вошли в новые выражения и фразеологические единицы.

Особое внимание при этом было обращено на пополнение фразеологии словаря новыми выражениями, имеющими актуальное общественно-политическое значение. В частности, в третье издание словаря была включена часть материала, предложенного авторам старшим преподавателем Ярославского педагогического института А. И. Розенманом, в течение ряда лет собиравшим актуальную русскую фразеологию с английскими переводами из текущей периодической и художественной литературы.

Следует заметить, что в этом издании, как и в предыдущих, в словарь включались только те слова и выражения, которые могут быть отнесены к общенародному языку (жаргонные слова и выражения включались в словарь в минимальном количестве и только в том случае, если они уже проникли в литературу и общенародное употребление и выходят, таким образом, за пределы собственно жаргонов). Такие слова обязательно сопровождаются специальными пометами, поясняющими их специфический характер, их особую стилистическую окраску, которой они выделяются на фоне общенародного языка.

Лексикографическая система, разработанная А. И. Смирницким и проверенная в двух предыдущих изданиях настоящего словаря, не подверглась в настоящем издании никаким изменениям по существу. Это не значит, конечно, что при подготовке данного издания авторы не уделяли внимания лексикографической стороне. Напротив, в процессе работы не только выявилась необходимость более последовательного проведения принятых общих принципов и конкретных приемов, но и возникла необходимость дополнительного выяснения и уточнения некоторых вопросов. К моментам, потребовавшим более последовательной трактовки в соответствии с требованиями данной лексикографической системы, относятся: унифицирование лексикографического оформления некоторых категорий слов, таких, как например, порядковые числительные, отдельные типы сложных слов и т. п.; уточнение соотносительной грамматической характеристики русских и английских слов и выражений; устранение, насколько возможно, еще встречающихся в словаре случаев, когда в качестве переводов-синонимов даются слова и выражения, являющиеся *переводами* не данного заголовочного слова, а других, синонимичных ему слов (см. Предисловие к 1-му изданию, пункт 12); более последовательное, чем в предыдущих изданиях, выделение в виде отдельных заголовочных слов-омонимов разных глаголов, связанных частично омонимией видовых форм, и т. п.

К вопросам, потребовавшим дополнительного выяснения и уточнения, относятся:

1. вопрос о фразеологии. Согласно принятой в словаре системе, фразеология в гнезде размещается не в алфавитном, а в систематическом порядке, т. е. лексикографически четко разграничиваются: а) иллюстративная фразеология; б) словосочетания, в которых данное слово переводится особо, т. е. не так, как вне этих сочетаний (без превращения, однако, этого сочетания в сложное наименование или фразеологическую единицу) и в) фразеологические единицы, относимые за ромб (◊). Однако вопрос о фразеологии не ограничивается определением правил расположения словосочетаний в пределах данной словарной статьи, а требует также единообразного выбора заголовочного слова. Для наиболее распространенных типов словосочетания этот вопрос решается так: в случае словосочетания прилагательное + существительное и глагол + дополнение перевод, как правило, дается под прилагательным и глаголом. Перевод дается также под вторым словом, т. е. под определяемым существительным или существительным, выступающим в функции прямого дополнения, лишь в тех случаях, когда это необходимо для более детальной семантической разработки этих существительных;

2. вопрос о некоторых типах производных слов. В качестве примера можно указать отглагольные существительные на -ание, -ение (ср. пункт 5 «Структуры словаря»). (Касаясь этого типа производных слов, нельзя не заметить, что в русском языке они могут соотноситься не только с основными глаголами, но и с глаголами на -ся).

Много внимания было уделено при подготовке настоящего издания вопросу о полной лексической омонимии, вопросу о стилистической дифференциации слов, о свободных и фразеологически связанных значениях слова и др. Однако общее направление работы во всех этих сложнейших областях лексикологии и лексикографии не может быть с достаточной полнотой охарактеризовано в словарном предисловии. Для этого необходимо обратиться к специальным работам. (См., в частности, О. С. Ахманова, «Очерки по общей и русской лексикологии», Учпедгиз. М., 1957).

Как указано в предисловии к 1-му изданию настоящего словаря (пункт 12), переводы должны как можно точнее соответствовать переводимым словам. Поэтому, теоретически рассуждая, к каждому отдельному значению переводимого слова должен был бы даваться только один перевод. Однако во многих случаях подыскать один вполне эквивалентный перевод бывает настолько трудно, что приходится давать несколько слов-синонимов. Все же такие синонимы приводятся только в том случае, если они выступают именно как переводы данного заголовочного слова, а не как представители соответствующих синонимических рядов. Отступления от этого принципа могут оправдываться только трудностью четкого разграничения этих двух категорий, т. е. синонимических переводов заголовочного слова и синонимов к тому или другому из слов-переводов, не являющихся эквивалентами заголовочного слова.

Подготовляя словарь к третьему изданию, авторы и редакция отнеслись с должным вниманием ко всем замечаниям, имевшимся в рецензиях на словарь. Большинство этих замечаний касалось переводов отдельных терминов и фразеологических единиц. Все правильные замечания были с благодарностью приняты во внимание, и соответствующие исправления и уточнения были внесены в новое издание.

Авторы считают своим долгом выразить благодарность магистру наук Оксфордского университета М. К. К. Уилеру, проработавшему предыдущее издание словаря и приславшему ценные замечания, которые помогли улучшить переводы.

1958 г.
О. Ахманова

ПРЕДИСЛОВИЕ К ПЕРВОМУ ИЗДАНИЮ

1. Настоящий Русско-английский словарь в основном является двуязычным переводным словарем обычного типа, но вместе с тем он отличается от других аналогичных словарей некоторыми особенностями, которые могут как учитываться, так и не учитываться при пользовании им,— в зависимости от той цели, какую ставит перед собой обращающийся к словарю, и от того, насколько он знает русский язык, с одной стороны, и английский — с другой. Таким образом, тот, кто желает лишь найти в словаре английские эквиваленты тех или других русских слов и выражений, может пользоваться данным словарем, как и всяким другим подобным, ознакомившись лишь с соответствующими указаниями и не принимая во внимание различных дополнительных данных, сопровождающих как русские слова и выражения, так и их английские переводы.

2. К числу особенностей данного словаря относится прежде всего то, что в нем в большей мере, чем это обычно делается в подобных словарях, уделено внимание фонетическому и грамматическому аспектам слова.

3. Произношение русских слов большей частью достаточно ясно из их орфографии, если указано место ударения. В связи с этим в наших словарях последнего времени общепринятые написания русских слов обычно снабжаются знаком ударения, если слово имеет более одного слога, хотя в русском правописании знак ударения употребляется лишь в особых редких случаях. Данный словарь следует этой, уже достаточно установившейся, традиции: место ударения в русских словах в нем отмечается подобным же образом.

В тех немногих случаях, когда орфография русского слова, даже если место ударения известно, не дает правильного представления о произношении, последнее обозначается особо, в квадратных скобках [ ], причем, в целях сокращения места, обозначается произношение лишь той части слова, в которой имеется отклонение от общих правил чтения; например: [-во́-] после слова сего́дня показывает, что оно произносится сево́дня.

4. Английская орфография, как известно, менее ясно отражает произношение, чем русская, однако, знание места ударения очень существенно помогает правильному чтению английских слов. Поэтому и английские слова, подобно русским, даются в словаре со знаками ударения, хотя в английской орфографии эти знаки и не применяются, так же как они обычно не применяются и в русской. При этом нужно заметить, что в английских словах отмечаются и *второстепенные* ударения, например: **órganìze, cóncentràte**. Это придает написаниям английских слов несколько необычный вид, но поскольку знаки ударения применяются в словарях в русских словах (а также и в немецких), постольку написание английских слов со знаками ударения является по существу лишь новым применением уже достаточно распространенного принципа.

Хотя английская орфография и очень непоследовательна, тем не менее известные правила чтения букв и буквенных сочетаний в английских словах могут быть установлены. Всякий, хоть немного знающий английский язык, прочтет слово **brake** как брэйк, даже если это слово ему неизвестно. Поэтому, если место ударения определено, нет надобности давать особо обозначение произношения (фонетическую транскрипцию) каждого английского слова: можно обозначать произношение только в тех случаях, где чтение не соответствует общим правилам. Таких случаев обычно для английского языка окажется несравнимо большее число, чем для русского.

Вместе с этим, «правила» чтения английских написаний недостаточно четко отграничиваются от «исключений». Поэтому необходимо особо тщательное и точное, хотя бы и более или менее условное, определение этих правил. Такое определение дается в соответствующем приложении к словарю (см. стр. 730); и в тех случаях, когда чтение следует данным правилам, произношение особо не обозначается. В тех же случаях, когда имеется какое-либо отступление от правил, произношение изображается посредством фонетической транскрипции, как это принято в англо-русских словарях, но нередко в сокращенном виде, т. е. путем транскрибирования только той части слова, в чтении которой имеется несовпадение с правилами. Особо трактуются лишь некоторые наиболее употребительные слова, список которых приводится в приложении: к этим словам транскрипция вообще не применяется, даже если их чтение расходится с принятыми правилами, так как каждому, кто будет пользоваться этим словарем, произношение этих слов должно быть известно или, по меньшей мере, должно стать известным.

Таким образом, в словаре дается возможность определить произношение каждого английского слова, встречающегося в нем,— либо непосредственно по приведенной транскрипции, либо с помощью правил чтения, данных в приложении, либо тем и другим путем в их соединении друг с другом. Полная транскрипция всех английских слов, приводимых в русско-английском (не англо-русском!) словаре, технически невозможна, так как она слишком увеличила бы объем такого словаря. Поэтому русско-английские словари обычно даются вообще без всякого обозначения произношения английских слов, и, найдя в таком словаре английский перевод русского слова, приходится для выяснения его произношения обращаться к англо-русскому словарю. Конечно, система правил чтения и частичной транскрипции, принятая в настоящем словаре, является значительно более сложной, чем система сплошного обозначения произношения посредством фонетической транскрипции, но все же представляется более целесообразным дать хотя бы такую сложную систему, чем не давать вообще никаких сведений относительно произношения английских переводов русских слов. При этом нужно заметить также, что ознакомление с правилами чтения, приведенными в словаре, полезно само по себе: эти правила могут быть применены в большом числе случаев при чтении английского текста без словаря, так как очень многие незнакомые английские слова, понятные из контекста или вследствие их «интернационального» характера, могут быть верно прочтены с помощью этих правил; далее, зная эти правила, можно в большинстве случаев фиксировать для себя произношение английских слов, не записывая их транскрипцию, а только отмечая в них ударения. Кроме того, нужно заметить также, что многие из этих правил практически знакомы каждому, более или менее знающему английский язык, почему при пользовании словарем большей частью не будет надобности усваивать заново все приводимые в нем правила чтения или постоянно обращаться за справкой к их списку.

5. В словаре трактуются преимущественно слова, а не отдельные их формы. Поэтому каждая форма грамматически изменяемого слова, если она не выделяется особо как именно данная его форма, является, так сказать, представителем всего слова в целом, всей совокупности грамматических его форм. Так, например, форма именит. падежа единств. числа ло́шадь представляет собой все это слово в целом, со всеми его грамматическими формами: ло́шадь, ло́шади, ло́шадью, лошаде́й и т. д.; равным образом и английское **horse** (лошадь) обычно выступает как представитель всей совокупности грамматических форм этого слова: **horse, horse's, horses, horses'**. Обычно, переводимое русское слово и английское слово, являющееся его переводом, даются, по возможности, в формах, соответствующих друг другу настолько, насколько вообще между формами русского и английского языков могут быть установлены некоторые общие соответствия. Более частные, специальные соотношения между русскими и английскими формами, разумеется, не могут быть отражены в словаре: они могут быть определены только на основе знания грамматики. Таким образом, хотя в словаре и учитываются, по возможности, соответствия между русскими и английскими грамматическими формами, причем при переводе известных фразеологических сочетаний принимаются во внимание и отдельные частные соответствия,— тем не менее не следует всегда пользоваться только тем грамматическим оформлением слова, какое дано ему в словаре, но нужно применять и свои знания грамматики и в известных случаях вносить в предлагаемый перевод некоторые грамматические изменения. Это касается, в частности, переводов целых фраз или словосочетаний, где данный в переводе порядок слов или употребленное в нем время глагола нередко может оказаться непригодным для определенного контекста.

6. Особо нужно заметить, что в словаре совершенный и несовершенный виды русских глаголов в очень многих случаях рассматриваются как *формы одного и того же слова-глагола*, а *не как разные глаголы*, почему формы разных видов в очень большом числе случаев и переводятся вместе — независимо от того, различаются ли эти виды в английском переводе или нет.

Если формы разных русских глагольных видов могут или даже, в определенных случаях, должны быть переведены различными английскими глаголами, то это отмечается особо. При этом обычно бывает такое соотношение между различными видами русского глагола и различными английскими словами-переводами: в известных случаях формы обоих видов переводятся одними и теми же словами, тогда как в других случаях формы несовершенного вида имеют свои особые переводы, не относящиеся к формам совершенного вида; последние же не имеют таких переводов, которые никогда не относились бы к несовершенному виду. При таком соотношении перевод форм совершенного вида не представляет затруднений; при переводе же несовершенного вида следует сделать выбор между теми английскими глаголами, которыми переводятся оба вида, и теми, которые применяются для перевода только несовершенного вида (они даются после пометы *несов. тж.*, т. е. «несовершенный вид переводится *также* следующими словами»). Ср. «Структура словаря», п. 6.

7. Обычно глаголы, имеющие формы как совершенного, так и несовершенного вида, приводятся под формой ин-

финитива *несовершенного* вида, но после этой формы даётся и форма инфинитива совершенного вида. Только те глаголы, которые очень редко употребляются в несовершенном виде, и, разумеется, те, у которых вообще нет этого вида, даются лишь в форме совершенного вида. Такие глаголы помечаются сокращением *сов.*, тогда как глаголы, данные в форме несовершенного вида, а также и приводимые в формах обоих видов, особо не отмечаются (в последнем случае самый порядок форм показывает, какая из них является формой несовершенного и какая совершенного вида; ср. выше).

8. Русские глагольные формы, обозначающие неопределённо направленное движение, т. е. движение в различных направлениях, туда и сюда (например, бе́гать, лета́ть), и обозначающие то же движение, как происходящее в определённом направлении (бежа́ть, лете́ть), рассматриваются в словаре как формы одного и того же слова-глагола (бе́гать — бежа́ть, лета́ть — лете́ть) и приводятся вместе — под инфинитивом, имеющим первый оттенок значения (т. е., например, под бе́гать, лета́ть).

Однако инфинитивы, обозначающие определённо направленное движение (отмечаемые пометой *опред.*), помещаются в словаре и отдельно, со ссылкой при них на соответствующие инфинитивы со значением неопределённо направленного движения; а если они имеют специальные значения и особые переводы, то такие переводы, ради практического удобства, даются тут же.

9. Английские глаголы (так же, как и русские) обычно приводятся в форме инфинитива, но без частицы to, так как эта частица отнюдь не является постоянной принадлежностью инфинитива (ср. he may go «он может идти»). Равным образом, поэтому, и в грамматическом справочнике, прилагаемом к словарю (ср. п. 10), английские инфинитивы большею частью даются без to. Но, разумеется, в тех словосочетаниях, в которых необходимо употребление инфинитива с to, эта частица не опускается (например: он хочет пойти — he wants to go). Особенно важно обратить внимание на то, что условное обозначение (+ *inf.*) показывает, что предшествующее английское слово (или словосочетание) требует инфинитива без to; если же данное слово (или словосочетание) требует употребления инфинитива с to, то это указывается условным обозначением (+ to *inf.*); например: must (+ *inf.*); ought (+ to *inf.*).

10. Так как очень многие английские слова имеют по нескольку различных грамматических форм, между тем как в словаре они обычно даются лишь в одной их форме (ср. п. 5), то необходимым приложением к словарю является справочник по образованию форм изменяемых английских слов. Во многих словарях такой справочник сводится к «списку неправильных глаголов», в котором приводятся основные их формы.

К данному словарю прилагается более полный справочник такого рода: в нём даются общие правила образования форм различных слов (существительных, прилагательных, глаголов) с соответствующими примерами и список слов, имеющих какие-либо особенности в своих грамматических изменениях, причём в этот список включаются не только неправильные глаголы в их основных формах, но и существительные, имеющие необычные формы множественного числа, и прилагательные и наречия, образующие степени сравнения не по общим правилам. Кроме того, разумеется, в справочнике приводятся и формы местоимений, хотя некоторые местоимения и в самом словаре даются во всех своих формах. Формы множественного числа существительных, заимствованные из других языков (греческого, латинского и пр.), в справочнике не приводятся, но указываются в самом словаре. Все слова, формы которых даются в списке слов с особым грамматическим изменением, отмечены в словаре звёздочкой (*).

11. Для правильного перевода текста важно не только найти соответствующие слова, но и должным образом связать их между собой. Поэтому в словаре много внимания уделено тому, как данные слова следует сочетать с другими. Конечно, в основном правила построения словосочетаний относятся к грамматике, но некоторые явления этой области одновременно относятся и к словарю, так как они известным образом характеризуют отдельные слова и нередко бывают связаны с различными их значениями.

Поэтому в словаре регулярно отмечаются различные особенности отдельных слов, относящиеся к тому, каким способом эти слова сочетаются с другими. Так, при русских предлогах указываются падежи, с которыми они употребляются, при глаголах указываются падежи и предлоги и т. п. При этом особое внимание уделялось тому, чтобы между такими сведениями относительно русских и английских слов устанавливалось строгое соответствие, т. е. чтобы было совершенно ясно, какие средства связи в одном языке соответствуют данным средствам связи в другом.

12. Относительно самих переводов слов нужно заметить следующее. В словаре даются по возможности точные переводы, соответствующие переводимым словам не только по общему значению, но и по стилистическому характеру и по эмоциональному тону. Поэтому, например, при глаголе ви́деть даётся перевод see, тогда как такое слово как behold, имеющее иную эмоционально-стилистическую окраску, в качестве перевода русского слова ви́деть не приводится. В связи с этим нередко даётся только один перевод — для одного значения русского слова, — а если приводится несколько переводов-синонимов, то число их всё же большею частью бывает очень ограничено. Если желательно найти другие, близкие по значению слова, то следует отыскать какие-либо синонимы данного *русского* слова и посмотреть, какие английские слова даны там. Так, например, если желательно узнать, какие английские слова близки по значению к английскому see и тем самым более или менее приближаются по значению и к русскому ви́деть, следует посмотреть такие русские слова, как зреть, лицезре́ть.

Различные значения русских слов и различные случаи их употребления по возможности чётко отграничиваются друг от друга и определяются краткими пометами в скобках. В особо сложных случаях даются примеры, иллюстрирующие значение или употребление данного слова.

13. Много внимания уделено таким распространённым в литературном языке фразеологическим сочетаниям, в которых данное слово переводится особо, не так, как в других случаях. Но стилистически сильно окрашенной идиоматике, поговоркам, пословицам и т. п. в словаре отведено очень ограниченное место.

14. Как можно видеть из всего сказанного, данный словарь во многом следует тем принципам, на которых построен Русско-французский словарь под редакцией Л. В. Щербы, но наряду с этим в нём есть и дополнения к этой системе и некоторые другие отличительные особенности, важнейшие из которых были отмечены выше.

Введение в словарь различных дополнительных сведений (фонетических и грамматических) значительно осложнило работу по его составлению, вследствие чего в нём, несомненно, не удалось избежать ряда погрешностей относительно принятой системы. Авторы и редакция будут очень благодарны за все замечания и предложения.

В заключение необходимо отметить ту огромную, тщательно и вдумчиво проведённую работу над данным словарём, которую выполнили редакторы Издательства З. С. Выгодская и Н. П. Григорьева. Авторы и редакция пользуются случаем выразить им свою искреннюю благодарность за всё, сделанное ими на различных этапах подготовки словаря к выходу в свет.

С тем же чувством благодарности авторы и редакция словаря отмечают плодотворное участие в работе над ним А. В. Литвиновой, любезно согласившейся прочесть его в гранках и предложившей множество удачных новых переводов.

1948 г.   *А. Смирницкий*

СТРУКТУРА СЛОВАРЯ

1. Русские слова, перевод которых дается в словаре, напечатаны *жирным* шрифтом и расположены в строго *алфавитном* порядке. При многих словах даются и переводятся также те или иные словосочетания. Последние приводятся под соответствующими словами не в алфавитном, а в *систематическом* порядке (см. п. 16).

При этом то слово, которое напечатано жирным шрифтом в начале данной словарной статьи, заменяется в словосочетаниях *тильдой* (∼), если оно употреблено в *неизмененной* форме; исключение составляют короткие слова, например, предлоги, которые повторяются в словосочетаниях, поскольку в этом случае употребление тильды не дало бы существенной экономии места (ср. п. 2).

2. Русские слова, имеющие в начале общую часть, нередко объединяются в одно гнездо, в котором общая часть данных слов приводится только один раз — в первом слове гнезда, где она отделяется *параллельками* (‖); в прочих же словах того же гнезда она заменяется *тильдой* (∼); например:

у́ли‖ца и ∼чный = у́лица и у́личный.

Заменяемая тильдой общая часть слов данного гнезда может равняться и всему первому слову этого гнезда; например:

писа́тель и ∼ница = писа́тель и писа́тельница.

Каждое новое слово, приводимое внутри гнезда сокращенно, с тильдой, дается жирным шрифтом, и алфавитный порядок соблюдается и в отношении таких слов.

Тильдой заменяется также неизменная часть начального слова данной словарной статьи (совпадающая со всем этим словом или отделенная в нем параллельками), когда в словосочетаниях это слово приводится в *измененной* форме; например:

∼а́я (в статье на слово больш‖о́й) = больша́я.
(Ср. п. 1).

3. Русские омонимы даются раздельно и отмечаются *римскими* цифрами; например:

уж I *м.* (змея)...
уж II *частица*...

4. Помимо целых слов, в словаре даются и переводятся на соответствующем месте по алфавиту некоторые приставки и составные части сложных слов.

Поэтому, в случае ненахождения в словаре какого-либо русского слова с приставкой (в особенности это относится к глаголам с наиболее употребительными приставками) или сложного слова, следует посмотреть, не приведена ли в нем данная приставка или часть сложного слова отдельно, и, если такая приставка или часть сложного слова имеется, использовать приведенные при ней указания, сочетая их с переводом остальной части данного приставочного или сложного слова. Так, например, не найдя в словаре глагола **додиктова́ть**, следует отыскать приставку **до-**, выбрать из указанных при ней способов ее передачи тот, который подходит к данному случаю, и применить его в сочетании с переводом глагола **диктова́ть**.

5. В словаре не приводятся:

а) существительные, образованные посредством суффикса **-ание** (например, **броса́ние**) от глаголов на **-ать** (ср. **броса́ть**) и посредством суффикса **-ение** (например, **пиле́ние**) от глаголов на **-ить** (ср. **пили́ть**), если в английском языке им соответствуют только отглагольные существительные на -ing (например, throwing, sawing — от глаголов throw «бросать», saw «пилить»), — за исключением наиболее употребительных. При этом, если кроме отглагольного существительного на -ing отглагольное существительное на **-ание, -ение** переводится еще и другими словами, то эти слова, естественно, приводятся в словаре с указанием на возможность перевода данных *русских* слов существительными на -ing, образованными от соответствующих глаголов. (О пояснении различий значения в этих случаях см. п. 14);

б) существительные, образованные от прилагательных присоединением суффикса **-ость** к неизмененной основе (например, **зеленова́тость** от зеленова́тый), если в английском этим существительным соответствуют только образованные с суффиксом -ness (например, greenishness от greenish «зеленоватый»), — за исключением наиболее употребительных;

в) наречия, правильно образованные от прилагательных посредством суффиксов **-о** (например, сме́ло), **-е** (кра́йне), **-и** (практи́чески), если в английском им соответствуют только наречия на -ly (например, boldly, extremely, practically); также наречия с суффиксом **-и** или **-ому, -ему** и приставкой **по-** (**по-ли́сьи, по-осо́бенному**), кроме наиболее употребительных;

г) так называемые превосходные степени на **-ейший**, в том числе и с приставкой **наи-** (**наиполе́знейший**), — за исключением самых употребительных, — если они переводятся правильно образованными превосходными степенями;

д) правильно образованные сравнительные степени на **-ее, -ей**, если в английском соответствующие формы также образованы правильно;

е) сравнительные степени (в том числе и неправильные) с приставкой **по-** (**посмеле́е, поре́зче**), за исключением самых употребительных.

Для перевода слов и форм указанных категорий следует отыскать в словаре соответствующие глаголы (в случае «а»), прилагательные (в случаях «б» — «г»), или прилагательные и наречия в случаях «д» — «е») и от данных при них английских слов-переводов образовать по общим правилам искомые слова или формы. Слова же с приставкой **по-** (в случаях «в» и «е») следует заменить подходящими синонимическими выражениями — и затем переводить уже эти последние; так, **по-ли́сьи** можно заменить через выражение **как лиса́** и перевести соответственно like a fox; **посмеле́е** — через **немно́го смеле́е** a little bolder.

6. Русские глаголы, имеющие несовершенный и совершенный виды, приводятся под формой несовершенного вида, после чего дается форма совершенного вида — обычным (не жирным) шрифтом; например:

объясня́ть, объясни́ть.

Английский перевод в таких случаях, если при нем не указывается вид соответствующего русского глагола, относится к формам обоих видов. Если же перед переводом имеется помета *тк. несов.* или *тк. сов.*, то он относится, соответственно, либо *только к несовершенному*, либо *только к совершенному виду*. Пометой *несов. тж.* (т. е. несовершенный вид переводится *также*) вводится такой перевод, который относится только к формам *несовершенного* вида и притом именно в тех случаях, когда этими формами обозначается действие, *не* достигающее результата. Если же в переводимой фразе глагол, хотя он и употреблен в форме несовершенного вида, все же обозначает *достижение* результата действия, то следует выбрать подходящий *общий* перевод, относящийся к *обоим* видам данного глагола. Например, если фраза «он всегда добивался успеха» значит «*ему всегда удавалось добиться успеха*», то нужно выбрать такой перевод глагола **добива́ться** — добиться, который относится к обоим его видам; но в том случае, когда такая фраза означает примерно то же, что «он *стремился* добиться успеха (но *безрезультатно!*)», то нужно выбрать соответствующий перевод, данный после пометы *несов тж*.

7. Русские глагольные формы, обозначающие о п р е д е л е н н о направленное движение,— такие, как **бежа́ть, вести́** — даются с пометой *опред.* под формами, обозначающими соответствующее н е о п р е д е л е н н о направленное движение, как **бе́гать, носи́ть**; например:

носи́ть, *опред.* нести́, *сов.* понести́.

При этом, если перевод относится и к тем, и к другим формам, то это особо не отмечается; если же он относится *только* к одной из этих категорий, то это указывается, соответственно, пометами *тк. неопред.* и *тк. опред.* (ср. также Предисловие к первому изданию, п. 8).

8. Слова (или их части), являющиеся ф а к у л ь т а т и в н ы м и, необязательными в данном выражении, даются в *круглых скобках* ( ) *прямым* шрифтом — в отличие от пояснений и специальных помет (ср. п. II); например:

all (the) day = all the day *или* all day;
gýps(um) = gýpsum *или* gyps

Если и русское выражение, и его английский перевод содержат слово или слова в скобках, то содержанию скобок в английском переводе соответствует тому, что заключено в скобки в данном русском выражении; например:

от трёх до пяти́ (часо́в) from three to five (o'clóck): здесь английское o'clóck соответствует русскому слову в скобках (часо́в). См. также п. 21

9. Английские слова, данные *курсивом* и вместе с тем входящие в состав самого перевода (т. е. *не* грамматические определения и т. п.), могут заменяться другими — соответственно контексту.

Так, например, если определенный артикль *the* дан в переводе курсивом, то это значит, что он, в зависимости от контекста, может быть заменен неопределенным артиклем (*a, an*), местоимением и т. п. В частности, местоименные формы *one* и *one's*, если они даны *курсивом*, обычно должны заменяться соответствующими формами того существительного или тем местоимением, которого требует контекст.

В тех случаях, однако, когда замена какого-либо слова другим точно определяется самим *составом предложения*, данное слово особо *не* выделяется. Так, местоименные формы one's, oneself, its, itself (при глаголах в инфинитиве) даются обычным шрифтом, если их замена соответствующими другими местоимениями строго определяется *подлежащим* предложения; ср. грамматическое приложение, примеч. к табл. 7, стр. 743.

10. Разные п е р е в о д ы одного и того же русского слова разделяются *запятой*, если передаваемые ими оттенки значения не поддаются разъяснению. В этих случаях особое внимание следует обращать на *словосочетания* (см. ниже, п. 16). Но как правило, т. е. тогда, когда такое разъяснение возможно, оно дается курсивом в скобках перед каждым английским переводом, выделяя тот оттенок значения *русского* слова, которому соответствует данный английский перевод. В отдельных случаях несущественные различия между синонимами отмечаются точкой с запятой. Иногда точка с запятой ставится из технических соображений, например, в таком случае, как **грубия́н** rude fellow; churl, boor, точка с запятой отделяет перевод словосочетанием от перевода словом.

11. Различные з н а ч е н и я одного и того же русского слова выделяются жирными *арабскими* цифрами с точкой (**1., 2.** и т. д.), после которых так или иначе указывается, какое значение имеется в виду в каждом отдельном случае (как было сказано в предыдущем параграфе). Подобными же пояснениями дифференцируются и различные случаи употребления слова в том же самом значении, если эти случаи различаются в английском переводе. И наоборот, разные значения русского слова, если различия между ними не отражаются в переводе, могут не разделяться (т. е. не выделяться цифрами или объединяться под одной цифрой). Если при этом важно обратить внимание на *объединение разных значений*, то в скобках курсивом дается помета (*в разн. знач.*). Различные значения и употребления русского слова дифференцируются либо краткими их пояснениями (*курсивом* в скобках), либо указанием на о б л а с т ь п р и м е н е н и я слова (*медицина, техника, военное дело* и т. п.) или на с т и л ь р е ч и (*разговорный, поэтический*), либо определенными *грамматическими* данными (*как существительное, во множественном числе, в совершенном виде, с творительным падежом, с предлогом* **на** + *предложный падеж, без дополнения*); ср. список сокращений, стр. 23.

12. С п е ц и а л ь н ы е п о м е т ы (стилистические и грамматические и т. п.), данные *до* перевода, относятся к *русскому* слову или выражению. При этом перевод дается по возможности такой, который по своему характеру (по стилю, по грамматической форме и т. п.) соответствует предшествующим пометам, и в случае такого соответствия он особыми пометами не сопровождается. Если же такого соответствия нет, то *после* перевода дается необходимая помета, указывающая на ту или иную особенность английского слова или выражения; например, если английское прилагательное, в отличие от русского, может быть употреблено только предикативно, оно сопровождается пометой *predic*. Ср. также:

черни́ла *мн*. ink *sg*.: здесь помета *sg*. (т. е. *singular*, *единственное число*) обращает внимание на то, что английское ink имеет форму единственного числа, тогда как переводимое русское слово — форму множественного.

Следует, однако, заметить, что совершенно очевидные особенности английских выражений специально не отмечаются; так, например, перевод русского прилагательного английским предложным оборотом (of + существительное и т. п.) не сопровождается какой-либо особой пометой.

13. Если английское слово является членом омонимической группы, то оно сопровождается указанием на то, какой из омонимов имеется в виду в данном случае; например:

весна́ spring (*season*).

14. Если различные переводы русского отглагольного существительного даны без дифференцирующих пояснений (ср. п. 11), но со *ссылкой* на соответствующий глагол, то это значит, что различия в значении и употреблении данных английских слов-переводов существительного определяются различиями между теми английскими глаголами, которыми переводится указанный русский глагол; поэтому пояснения к его переводам относятся и к переводам данного отглагольного существительного; например:

шипе́ние híssing; spitting; sizzling; fizzing; spúttering; (*ср.* шипе́ть) = **шипе́ние** (*о змее, гусе*) híssing; (*о кошке*) spitting; (*о масле на сковороде*) sizzling; (*о напитках*) fizzing; (*о сырых дровах*) spúttering, так как приведенные в скобках пояснения даны при глаголах hiss, spit, sizzle, fizz и spútter, которыми переводится глагол **шипе́ть**.

15. Перевод прилагательных в тех их значениях, которые они имеют при субстантивизации, дается после пометы *как сущ.* (т. е. *как существительное*) при соответствующих прилагательных, если они не стали совершенно самостоятельными существительными. Например, перевод прилагательного **больно́й**, данный после пометы *как сущ.*, относится к тем случаям употребления этого слова, когда оно означает «больной человек» и т. п.

Если же субстантивированное прилагательное стало полностью самостоятельным существительным, как, например, **больно́й** в значении «пациент» или **мастерска́я** (в значении предприятия, помещения), то оно дается как отдельное слово-существительное с пометой *скл. как прил.* (т. е. *склоняемое как прилагательное*).

16. Перевод отдельных слов или особых выражений иногда сопровождается примерами таких словосочетаний, в которых данные слова или выражения переводятся именно так, как они переведены отдельно. Такие иллюстративные словосочетания отделяются от предшествующего перевода *двоеточием* (:). Значительно чаще, однако, даются не иллюстративные словосочетания, а такие, в которых те или иные слова переводятся особо, не так, как вне этих словосочетаний. Такие словосочетания отделяются от предшествующего перевода точкой с запятой (;), а если они следуют за переводом иллюстративных словосочетаний, то точкой с запятой и тире (; —).

17. Если данное русское слово, вообще или в каком-либо из его значений, переводится на английский язык только в составе определенного словосочетания, то после этого слова или после соответствующей арабской цифры (ср. п. 11) ставится двоеточие (:), а далее следует то словосочетание, которое переводится на английский язык.

18. В известных случаях русские слова, данные в словаре, сопровождаются не переводом, а пометой, указывающей на их отношение к другим словам. При этом:

а) помета *уменьш. от* (т. е. *уменьшительное от* такого-то слова) означает, что слово, за которым она следует, может переводиться так же, как то слово, которое дано после пометы, но только с прилагательными little или small; например:

иго́лочка *уменьш. от* **игла́** = little needle или small needle *и пр.*, так как слово **игла́** имеет перевод needle *и пр.*

При этом нужно заметить, что little придает выражению более эмоциональный характер, чем small. Если же передача оттенка уменьшительности вообще несущественна, то прибавлять эти прилагательные не следует;

б) помета *прил. к* (т. е. *прилагательное к* такому-то существительному) означает, что данное прилагательное переводится так же, как существительное, следующее за пометой, причем соответствующее английское существительное может быть либо превращено в прилагательное и употреблено атрибутивно без какого-либо изменения, либо взято в форме притяжательного падежа (с окончанием -'s), или в сочетании с предлогом of; например:

ле́тний *прил. к* **ле́то** = súmmer (*attr.*), súmmer's, of the súmmer, так как слово **ле́то** переводится словом súmmer;

при этом следует заметить, что притяжательный падеж или сочетание с предлогом of обычно может применяться тогда, когда русское прилагательное может быть заменено родительным падежом;

в) помета *страд. к* (т. е. в значении *страдательного залога к* такому-то глаголу) означает, что данный глагол с окончанием -ся или -сь переводится так же, как глагол без -ся (-сь), указанный после этой пометы, но формами страдательного залога; например:

писа́ться *страд. к* **писа́ть** = be wrítten *и т. д.*; так как **писа́ть** переводится через write *и т. д.*, а страд. залог (*passive*) от write есть be wrítten;

г) помета *как сов. к* (т. е. *как совершенный вид к* такому-то глаголу) означает, что предшествующий ей глагол в известных случаях имеет значение совершенного вида того глагола, который указан после этой пометы, и переводится так же, как этот последний; например:

закрича́ть *сов.* **1.** (*начать кричать*) begin * to cry *и т. д.*; **2.** *как сов. к* **крича́ть**; следовательно, во 2-м своем значении глагол **закрича́ть** должен переводиться просто как cry и т. д., т. е. так же, как глагол **крича́ть**.

19. Произношение обозначается только в тех случаях, когда данное слово читается не по общим правилам. Обозначение произношения приводится в *квадратных скобках* [ ] *после* того слова, к которому оно относится, или, если это слово входит в состав словосочетания, после всего словосочетания, причем слова, произношение которых не обозначается, заменяются в квадратных скобках *отточием* (...); например:

live be:yónd one's means [liv...].

Во многих случаях обозначается произношение только *части* слова (той, в чтении которой имеется отклонение от общих правил). Прочие части слова в таких случаях заменяются в квадратных скобках *дефисом* (черточкой: -); например:

сего́дня [-во́-];

knówledge ['nɔ-].

Обозначение произношения русских слов не требует особых разъяснений; оно дается лишь в очень редких случаях, так как большей частью указание места ударения достаточно для правильного чтения русского слова.

Обозначение произношения английских слов подробно объяснено в приложении «О чтении (произношении) английских слов», стр. 730.

20. Важнейшие грамматические сведения о слове даются в виде:

а) грамматических определений слова (*существительное, предикативное слово-полуглагол, наречие, существительное женского рода* и т. п.) или его формы (*множественное число, женский род прилагательного, совершенный вид*);

б) указаний относительно способов сочетания данного слова с другими словами (сведения об управлении слова); см. п. 21.

Те слова, форма которых и принадлежность к той или иной части речи достаточно ясны, грамматическими определениями обычно не сопровождаются (ср. пп. 6, 7, 12).

21. Сведения об управлении слова (о характерных для него способах его сочетания с другими словами) приводятся в *круглых скобках после* данного слова (и *после* обозначения его произношения, ср. п. 19) или *после* соответствующей арабской цифры, если данное управление слова связано с определенным его значением (ср. п. 11).

После русского слова приводится в круглых скобках тот *предлог*, а иногда *союз*, которого требует данное слово, или указывается та *форма*, которую имеет управляемое (зависящее) слово, в частности — требуемый падеж существительного или местоимения; например:

зави́сеть (от);

руководи́ть (*тв.*) = **руководи́ть**, сочетается с *творительным* падежом;

для *предлог* (*рд.*) = **для** *предлог*, требующий *родительного* падежа.

При предлоге, данном в скобках, падеж указывается лишь в тех случаях, когда этот предлог вообще может употребляться с разными падежами; например:

смотре́ть, посмотре́ть (на *вн.*): здесь сокращение *вн.* показывает, что предлог на (который вообще может употребляться и с предложным падежом) в данном случае требует *винительного* падежа.

После английского слова указываются в круглых скобках те способы его сочетания с другими словами, которые соответствуют показателям управления, приведенным при русском слове; например:

зави́сеть (от) depénd (on): русскому предлогу **от** при данном глаголе соответствует английский on.

При этом сокращение (*d.*), т. е. *direct object* (прямое дополнение), обозначает употребление существительного в общем падеже или местоимения в объектном (me, а не I; him, а не he и т. п.; см. грамматическое приложение, стр. 742) без предлога; сокращение же (*i*), т. е. *indirect object* (косвенное дополнение), обозначает употребление тех же форм (общего или объектного падежа) без предлога в положении *перед* прямым дополнением; например, в предложении give him the letter (дайте ему письмо) слово him является косвенным дополнением (*i.*), так как оно стоит (без предлога) перед прямым дополнением (*d.*) — the letter. Нужно заметить, однако, что при прямом дополнении it косвенное дополнение ставится после прямого; так, во фразе give it him (дайте его ему) косвенным дополнением (*i.*) является him, — так же, как в предыдущем примере. Косвенное дополнение (*i.*) может заменяться предложным сочетанием «to + существительное или местоимение», которое, как и всякое *предложное* дополнение, обычно ставится *после* прямого; так, give him the letter может быть заменено через give the letter to him (дайте письмо ему).

Если имеется более одного показателя управления, то такие показатели при английском слове даются в том *порядке*, в каком приведены *соответствующие* им показатели при переводимом русском слове. Этот порядок может не совпадать с тем, который применяется в связной английской речи, а именно, как было отмечено выше:

i. + *d.* + предложн. доп. (за исключением случая с d. = it).

Поэтому при переводе следует руководствоваться указанными общими правилами порядка слов, а не тем порядком, в котором даны показатели управления, так как их порядок служит *только* для определения *соответствия* между ними и показателями при русском слове; например:

заменя́ть, заменить (*вн. тв.*) sùbstitùte (for *d.*), repláce (*d.* by); здесь порядок показателей (*d.* by) при replace и (for *d.*) при substitute указывает на то, что *винительный* падеж при данном русском глаголе передается через прямое дополнение (*d.*) при глаголе replace, но через дополнение с предлогом for при глаголе substitute, а *творительный* падеж — через дополнение с предлогом by в первом случае и через прямое дополнение (*d.*) — во втором. Порядок «replace + *d.* (прям. доп.) + by (предложн. доп.)» является нормальным, но порядок «substitute + for (предложн. доп.) + *d.* (прям. доп.)» *невозможен*; он должен быть изменен в связной речи тем порядком, который удовлетворяет *общим правилам*: substitute + *d.* (прям. доп.) + for (предложн. доп.).

22. Если слово, управление которого указывается (ср. п. 21), входит в состав словосочетания, то скобки с указанием управления помещаются *после всего словосочетания* — также и в том случае, когда в связной речи управляемое слово ставится внутри словосочетания; например:

send back (*d.*) = send + *d.* (прямое дополнение) + back.

В тех случаях, однако, когда в данное словосочетание входят *два глагола*, соответствующие указания даются *после того глагола*, к которому они относятся; например:

втя́гивать... **2.** (*вн. в вн.*; *вовлекать*)... indúce (*d.*) to partícipàte (in).

23. При всех русских именах существительных, а также при субстантивированных именах прилагательных дается указание на род курсивными буквами с точкой: *м.* — мужской род; *ж.* — женский род; *с.* — средний род.

24. Условные знаки:

‖ (параллельки) отделяют в первом слове гнезда начальную часть слова, заменяемую в последующих словах того же гнезда тильдой (см. п. 2).

~ (тильда) заменяет первое слово гнезда, а также общую часть русских слов, объединенных в одно гнездо. В первом слове гнезда эта общая часть отделяется параллельками (‖); если же первое слово гнезда не разделено параллельками, то это значит, что общая часть слов данного гнезда совпадает с его первым словом (см. п. 2).

* (звездочка) показывает, что английское слово, после которого она стоит, изменяется не по общему правилу. Формы таких слов приведены в грамматическом приложении в особом списке (стр. 751 и сл.). Однако глаголы be, have, do, shall, can *и др.*, формы которых приведены в особой таблице (№ 10, стр. 744—745), приводятся без звездочки.

◊ (ромб) означает, что словосочетания, следующие за ним, представляют собой фразеологические единицы: «слитные словосочетания», особые составные термины, идиоматические выражения и т. п. Так, например, если словосочетание **бе́лый гриб** помещено за ромбом, то это значит, что имеется в виду особый род грибов, а не просто гриб белого цвета.

/ (косая черта) означает «или» и показывает, что любое из слов, между которыми поставлен этот знак, может быть употреблено в данном сочетании; например:

big / great toe = big toe *или* great toe (два возможных перевода словосочетания «большой палец ноги»). rèvolútionary-mínded / rèvolútionary-dispósed man*, writer = rèvolútionary-mínded man* *или* rèvolútionary--dispósed man*, rèvolútionary-mínded writer *или* rèvolútionary-dispósed writer.

⋮ (вертикальная пунктирная черта) разделяет в английских словах их составные части — там, где такое разделение помогает правильному их чтению (см. приложение «О чтении (произношении) английских слов», стр. 730). Кроме того, этой чертой отделяется та часть, сложного слова, к которой относится звездочка (*), т. е. которая приводится в списке слов, изменяющихся не по общим правилам; например:

cóach⋮man*: -man в этом слове изменяется так же, как отдельное слово man, приведенное в списке.

= (знак равенства) между двумя русскими словами означает, что первое из них переводится так же, как второе.

≅ (знак приблизительного равенства) предупреждает, что следующий за ним перевод лишь приблизительно соответствует русскому выражению, стоящему перед этим знаком.

+ (плюс) значит «в сочетании с»; например + *inf.* (т. е. *infinitive*) значит «в сочетании с инфинитивом».

( ) (круглые скобки) заключают в себе пояснения относительно значения или употребления (даются *курсивом*, см. п. 11), сведения об управлении слова (см. п. 21), а также словá или части слов факультативные, являющиеся необязательными в данном выражении (даются обычным, прямым шрифтом, см. п. 8).

[ ] (квадратные скобки) заключают в себе обозначение произношения (см. п. 19, а также приложение «О чтении (произношении) английских слов», стр. 730).

Относительно особых случаев употребления знаков препинания см. пп. 10, 16, 17; относительно отточия (...) при обозначении произношения см. п. 19 и приложение «О чтении (произношении) английских слов», стр. 730.

Относительно употребления цифр см. пп. 3. и 11.

Отдельным приложением даны:
Список географических названий.
О чтении (произношении) английских слов, проф. А. И. Смирницкий.
Краткие сведения по английской грамматике, проф. А. И. Смирницкий.
The Russian Sound-System and the Russian Alphabet by A. I. Smirnitsky, prof.
Notes on Russian Grammar by A. I. Smirnitsky, prof.

ЛЕКСИКОГРАФИЧЕСКИЕ ИСТОЧНИКИ

Толковый словарь русского языка/Под ред. проф. Д. Н. Ушакова. М., 1935—1940. Т. 1—4.

Словарь русского языка/АН СССР, Ин-т рус. яз. М., 1957—1961. Т. 1—4.

Ожегов С. И. Словарь русского языка/Под ред. Н. Ю. Шведовой. 14-е изд., стер. М., 1982.

Новые слова и значения: Словарь-справочник по материалам прессы и литературы 60-х годов/АН СССР, Ин-т рус. яз.; Под ред. Н. З. Котеловой, Ю. С. Сорокина. М., 1971.

Русско-французский словарь / Под ред. Л. В. Щербы. М., 1977.

Александров А. Русско-английский словарь. М., 1927.

Мюллер В. К. Англо-русский словарь. 19-е изд., стер. М., 1982.

Русско-английский политехнический словарь/Под ред. Б. В. Кузнецова. 2-е изд., стер. М., 1982.

Англо-русский биологический словарь. М., 1979.

Англо-русский экономический словарь/Под ред. А. В. Аникина. М., 1977.

Callaham L. I. Russian-English Chemical and Polytechnical Dictionary. New York, 1975.

Wheeler M. The Oxford Russian-English Dictionary. Oxford, at the Clarendon Press, 1972.

The Oxford English Dictionary. With Supplement and Bibliography / Murray J., Bradley H., Craigie W., Onions C. Oxford, 1933. Vol. 1—12.

The Shorter Oxford English Dictionary. 3d ed. Oxford, 1973. Vol. 1—2.

Webster's New International Dictionary of the English Language. 3d ed. Springfield, Mass., 1964.

Wyld H. C. The Universal Dictionary of the English Language. London, 1956.

The Concise Oxford Dictionary of Current English / Edited by J. B. Sykes. 6th ed. Oxford, 1976.

Chambers's Twentieth Century Dictionary / Edited by A. M. Macdonald. Great Britain, the Pitman Press, Bath, 1981.

Jones D. An English Pronouncing Dictionary. 11th ed. London, 1957.

The American College Dictionary / Edited by C. L. Barnhart. New York, 1959.

Collins New English Dictionary / Edited by A. H. Irvine. London, 1958.

Hornby A. S. with Cowie A. P., Gimson A. C. Advanced Learner's Dictionary of Current English. Oxford, 1981.

Webster's New World Dictionary of the American Language. New York, 1962.

PREFACE

The Dictionary was last reset for the 7th edition in 1965. The subsequent ones (8, 9, 10, 11, 12) were stereotyped.

To bring the present (amended and enlarged) edition up to date, it was essential to collate the text with lexicographic publications which came out in the course of the intervening years. Primarily, the 9th edition of Ozhegov's Russian dictionary, ed. by prof. N. Yu. Shvedova which contains a large number of new words, has discarded obsolete ones and revised the semantic structure of the entries. These are the general directions of work in all cases of this kind; for a bilingual dictionary attention must also be given to the semantic and stylistic adequacy of translation. Next comes the Russian-English Dictionary, compiled by Marcus Wheeler under the general editorship of prof. B. O. Unbegaun. The exacting task of comparing, point by point, the Russian part in Ozhegov and Smirnitsky and the English one in Smirnitsky and Wheeler-Unbegaun, was painstakingly carried out, under my supervision by Sophie Dolitskaya (only one of the original compilers, Tatyana Gorbunova, is still alive, but she has taken no part in the work on the dictionary for a long time). Special mention must also be made of Dolitskaya's contribution to the revision of special and technical terms, which were examined and compared with the latest special terminological dictionaries.

In conclusion, a xerox copy of the manuscript was sent to the lexicographic section of the Oxford University Press. As a result, what I had before me as Editor comprised not only the overall material described above, but also a considerable number of valuable suggestions, especially important for the idiomatic translation of Russian idiomatic and set-expressions. The fact that the manuscript as a whole has been given a thorough scrutiny by competent English lexicographers is an important step forward in the development of international cooperation in the field of bilingual lexicography. When the manuscript was being made ready for print, invaluable assistance was rendered by Lyudmila Minaeva, who took charge of efficiency and consolidated the efforts of all concerned.

An historic event was the publication of the Dictionary of Russian Homonyms — the first of its kind; the treatment of homonyms in the present Dictionary was carefully compared with this authoritative volume. This fact has widened still further the scope of the activities of Nina Grigorieva, who has been constantly in charge from the outset. She had also taken an active part in the realization of A. I. Smirnitsky's lexicographic ideas. Although now these are generally recognized, their implementation still requires the unswerving attention of a specialist. Under her supervision Tatyana Krasavina has been able to contribute largely to the quality of the final text.

Nina Grigorieva had also borne all along the responsibility for the strictest observance of the rules of phonetic transcription as explained by A. I. Smirnitsky in the appendix (pp. 730—739). By mutual consent, we have not introduced any innovations, such as substitution of [ou] for [əu]: arbitrary changes in a given semiotic system of single signs without a revision of the system would be wasteful.

In the course of more than three decades of work we have benefited by useful comments made on a large number of entries. For the present edition, special thanks are due to Lady Sutherland, Peter Wain, Sheila Plummer and Jenny Sullivan.

1982

Olga Akhmanova

PREFACE TO THE SEVENTH EDITION

The present edition is the first to be reset after several reprintings of the third. It has, therefore, given the authors an opportunity to reconsider the whole book.

The authors and the editors have not found it in any way essential to change the underlying lexicographic system, as it had proved useful and convenient. The only complaint that has ever been made in this connection was the arrangement of phraseological units. Where possible this has been made more consistent. A general overhaul of their presentation has not, however, been possible within the time-limits, alotted for the work.

The main efforts were directed at a careful revision of the inventory of the vocables: since the 3d edition many new words and expressions have emerged, the frequency and stylistic characteristics of the already existing ones have altered. Needless to say, all the addenda and corrigenda that have been suggested by readers have been very carefully considered and are most gratefully acknowledged. Special thanks are due to Dr. E. Lampert and Mrs. K. Lampert (Oxford University), Dr. A. B. Murphy (The University of Swansea), Dr. Lois Spencer (The University of London), Mr. A. Davis and Mr. K. Katzner.

1965

Olga Akhmanova

PREFACE TO THE THIRD EDITION

This edition of the Russian-English dictionary appears more than three years after the death of Professor Smirnitsky, who evolved the original plan and method of the dictionary, directed the work of the authors and himself wrote the greater part of the more complex articles. It therefore seems appropriate to include in this preface an appreciation of his valuable contribution to this dictionary as well as a brief summary of what has been done since his death.

Following the principles of the USSR School of lexicographers (D. N. Ushakov, L. V. Shcherba, V. V. Vinogradov), Professor Smirnitsky gave much time and attention to the elaboration of scientific methods in lexicography, particularly bilingual Russian-English lexicography; his success in this field was largely due to the fact that, prior to actual work on the dictionary, he spent many years scientifically comparing the systems of the two languages. (For an idea of the scope of this branch of Professor Smirnitsky's activities the reader is referred to his textbooks of Russian for English-speaking people, and other manuals).

Systematic and detailed comparative study of two languages enables the lexicographer to decide what parts of their vocabularies diverge and thus require special attention in translation. It also shows that the divergencies are not confined to separate words, their individual and specific lexical characteristics. In the vocabularies of all languages there exist certain types or classes of words, certain lexical *categories* (for instance verbal nouns, verbs with aspective prefixes, abstract nouns formed from adjectival stems, various types of pronouns, prepositions, conjunctions and the like). For each of such lexical categories Smirnitsky elaborated a uniform and consistent lexicographic method, which was so devised as to provide not only for uniformity and consistency, but also, if need be, to provide a convenient way or bringing out the specific and individual in each representative of the category in question. Thus, as Smirnitsky has shown in his preface to the first edition, general lexicographic patterns form a background against which the individual characteristics may be brought out in sharper relief.

In keeping with the general principles of Soviet lexicography Professor Smirnitsky also attached great importance to the distinction between polysemy and homonymy, between the "syntactical" or "free" meanings of words and their "phraseological" or "bound" meanings, the variety of meanings as opposed to variety of uses, etc. He elaborated a precise and consistent system for the delimitation of polysemy and homonymy in verbs with aspective prefixes; his profound scientific investigation into the semantic structure of Russian prepositions and conjunctions is embodied in the respective articles of the dictionary. Mention should also be made of his independent approach to grammatical homonymy, displayed, among other instances, in the lexicographical treatment of such pairs as the "short" form of the adjective and the adverb in -o.

Smirnitsky made many useful innovations in the field of lexicography proper. He devised an original pronunciation system for *English* words (no attempt to indicate the pronunciation of English words in a Russian-English dictionary had previously been made).

He also elaborated a consistent method of indicating the right treatment of words as used in speech, his first principle being that to ensure correct translation of a word a dictionary should not only supply its correct lexical equivalent but should also make clear its grammatical and idiomatic usage. In this way the words are, as it were, "prefabricated" for right treatment in actual speech.

When Professor Smirnitsky insisted on *scientific* methods in lexicography, based on Marxist linguistics, one of his major aims was to broaden the user's linguistic outlook. He was an irreconcilable opponent of the purely pragmatic approach; it was his firm conviction that far from lowering its standards to the level of the less educated reader, a dictionary should raise him to the level of scientific lexicography, which is one of the main channels of linguistic culture.

* *
*

In preparing this edition of the dictionary the authors' main attention has been focussed on keeping track as far as possible of recent changes in the vocabularies of the two languages, and on working out in greater detail the meanings of the words already included in the dictionary, especially the new expressions and idioms connected with them. Particular importance has been attached to the inclusion of expressions pertaining to social and political life; in this respect the authors wish to acknowledge the use that has been made of part of the materials submitted to them by a senior lecturer of the Yaroslavl Pedagogical Institute, A. I. Rosenman.

The dictionary's lexicographical system, which was elaborated by Professor Smirnitsky, and which has stood the test of two editions, has not been altered in the present edition. This does not mean, of course, that questions of method were completely disregarded. In the process of work the authors found wide scope for improvement in applying the original principles more consistently.

The treatment of different verbs with homonymous aspect-forms has also been more consistent than in previous editions.

Among other improvements may be mentioned a more consistent and uniform treatment of certain types of words (such as ordinal numbers, various kinds of compounds, etc.); more consistent and detailed indication of the grammatical characteristics of words and expressions; more judicious discrimination between synonymous translations and words having a general bearing on the subject but not usable as translation-equivalents of the word in question (cf. Preface to the first edition § 12).

In some cases the principles and methods themselves had to be clarified. Phraseology in a wide sense was a case in point. According to the original method, the arrangement of phrases within the articles is not alphabetical, but *systematic*, *i. e.* phrases are arranged accordingly as they fall into the following three groups: a) illustrative phrases, *i. e.* phrases introduced to illustrate the use of the words given as general translation-equivalents; b) phrases in which the word in question requires a specific translation and cannot be rendered by the word or words given as its "general" or "free" equivalents; and c) idiomatic expressions, which come after a "rhombus" (◊).

That does not, however, exhaust the problem of phraseology. There remains the task of choosing the vocable, as well as the right article for each expression.

The commoner types of phrases of the adjective + noun and verb + object types are now normally listed under the appropriate adjectives and verbs respectively; they are also entered under the nouns if this is essential for a more complete translation of the latter. But in a very large number of cases the choice of the vocable remains more or less arbitrary.

Certain modifications had also to be introduced in the treatment of compounds (*i. e.* verbal nouns in -ание, -ение), as well as in some other cases.

Very much time and attention was given to problems of complete lexical homonymy, stylistic differentiation, "free" and "phraseologically-bound" meanings, etc. (For a treatment of more general problems of this kind see, inter alia, O. S. Akhmanova, "Ocherky po obshchey i russkoy leksikologii", Moscow, 1957).

In the Preface to the first edition (§ 12) it is claimed that the translations should correspond to the original words as closely as possible. Hence, in theory **only one** equivalent should be offered for each meaning of the vocable. In practice, however, this is very often not feasible. Hence an unavoidable accumulation of synonyms, for which it has not always been possible to find adequate qualifications and illustrations that would show the reader how far they are co-extensive with the original word, or to provide the abundance of contexts required to ensure correct choice and usage in all cases.

In preparing the third edition the authors and the editors have given due attention to all the additions and corrections suggested by readers and reviewers, most of which concerned the translation of certain terms and phrases. Many of these were gratefully accepted.

The authors would like to express their special thanks to Mr. M. C. C. Wheeler M. A., of Oxford University, who while working through the previous edition of the dictionary sent us valuable material that has helped us to improve our translations.

1958

Olga Akhmanova

PREFACE TO THE FIRST EDITION

§ 1. This Russian-English dictionary is basically a bilingual dictionary of the usual type. It differs, however, from other dictionaries of its kind on account of certain peculiarities that may or may not be taken into consideration, according to the aim of the person referring to the dictionary, and his knowledge of either the Russian language, on the one hand, or English, on the other. The reader who wishes to find in the dictionary only the English equivalent of this or that Russian word may treat this dictionary as he would treat any other similar dictionary, paying attention only to the directions that are of use to him and ignoring the various additional information that accompanies both Russian words and expressions and their English translations.

§ 2. Chief among the peculiar features of the present work is the fact that more attention than usual has been paid to the phonetic and grammatical aspects of words.

§ 3. For the most part, provided the stress is indicated, the pronunciation of Russian words is sufficiently clear from their spelling*. Thus, in the majority of modern Soviet dictionaries the standard Russian spelling, where the word has more than two syllables, is supplemented with a stress accent, although such accents are employed in Russian orthography only in very rare cases. In similarly indicating the stress of Russian words the present work follows a tradition that is already sufficiently well established.

In the few cases where the spelling of the Russian word, even when the stress is indicated, fails to give a correct impression of the pronunciation, special indications as to pronunciation are provided in square brackets; in order to save space, however, only the pronunciation of the part of the word that does not conform to the general rule is indicated. For example, [-вó-] after the word сегодня shows that it is pronounced севóдня (sevódnya).

§ 4. As we know, English orthography reflects pronunciation less clearly than Russian; nevertheless, knowledge of the correct stress of an English word is of material assistance to the correct reading of it. English words, therefore, like the Russian, are given with accents, although such signs are not normally employed in either English or Russian orthography. Moreover, it should be noted that some English words in the dictionary are also marked with *secondary* accents (weak stress): e. g. órganìze, cóncentràte. This gives the spelling of such words a rather unusual appearance, but since stress accents are used in various dictionaries for Russian words (and for German words, too), the writing of English words with stress accents is, in fact, merely a fresh application of a sufficiently widely adopted principle.

Although English orthography is extremely inconsistent, certain rules for the pronunciation of letters and combinations of letters in English words can be established. A person with even the smallest knowledge of English can read the word "brake" correctly, even if he does not know the word. There is no need, therefore, to indicate specially (by means of phonetic transcription) the pronunciation of every English word. Pronunciation need be indicated only in cases where the reading does not correspond to the general rules. The number of such cases, however is usually found to be incomparably larger in English than in Russian.

Nevertheless, the "rules" of English pronunciation are not sufficiently clearly delimited from the "exceptions". It has been considered essential to make the definition of these rules, even if more or less arbitrary, as clear and exact as possible. Such a definition is given in the corresponding appendix to the dictionary (see p. 730); in cases where pronunciation follows the stated rules no special indication is supplied.

* See appendix on Russian pronunciation, p. 754.

In those cases, however, where there is any deviation from the rules, the pronunciation is shown by means of phonetic transcription in the accepted manner of English-Russian dictionaries, but quite frequently in abbreviated form, that is by transcribing only the part of the word where the rules of pronunciation do not apply. Special treatment is reserved only for certain of the most commonly used words, a list of which is supplied in the appendix. With these words no further transcription is given even if their pronunciation differs from the accepted rule, on the assumption that they will be known to most people who use the dictionary or can be looked up in the appendix.

In this way the reader has the opportunity of determining the pronunciation of every English word he finds in the dictionary by direct reference to the transcription, by applying the rules of pronunciation, or by a combination of both methods. The full transcription of all the English words in a Russian-English (not an English-Russian!) dictionary is technically impossible without making the dictionary too large. Russian-English dictionaries are usually compiled without any indication as to the pronunciation of English words; when one has found the translation of the Russian word in such a dictionary, one is then obliged to refer to an English-Russian dictionary to discover how to pronounce it. Naturally the system of giving rules of pronunciation and partial transcription employed in this work is distinctly more complicated than that of giving the full phonetic transcription of every word, yet it would appear to be more expedient to use even such a complicated system than not to supply any information at all concerning the pronunciation of the English renderings of Russian words. It should also be noted that an acquaintance with the rules of pronunciation included in the dictionary is useful in itself. These rules may be applied in a great number of cases when reading an English text without the aid of a dictionary, since very many unfamiliar English words which are nevertheless understandable from the context or by virtue of their "international" character, can with the help of these rules be read correctly; furthermore, knowing these rules, one may in the majority of cases memorize the pronunciation of English words by merely marking the accent without noting the transcription. In addition, it should also be observed that many of these rules are in practice familiar to anyone with some knowledge of English; for this reason it will not generally be necessary to relearn all the rules of pronunciation that are given, or to be constantly referring to them for information.

§ 5. For the most part the dictionary deals with words, and not their different forms. Every form of an inflected word is therefore, so to speak, a representative of the word as a whole, in all its grammatical forms or inflections. Thus, for example, the nominative singular form of the word лóшадь (horse) represents the word as a whole, with all its grammatical forms: лóшади, лóшади, лóшадью, лошадéй and so on. Similarly, the English **horse** usually stands as representative of all its grammatical forms (inflections): **horse, horse's, horses, horses'**. As far as the differences of form between the Russian and English languages allow, the translated Russian word and the English word that translates it are usually given in the forms that correspond to each other. The more specific correlations between Russian and English forms naturally cannot be reflected in the dictionary and can be successfully handled only by those with a sound knowledge of grammar. Consequently, although, as far as possible, the correlations between Russian and English grammatical forms are taken into account (particularly as far as idiomatic expressions are concerned), no translator should rely exclusively on the grammatical information given with a particular word but should make such changes in it as his own knowledge of grammar and syntax suggests to him. This applies particularly to renderings of complete phrases or word-combinations, in which the word-order or the tense may not infrequently turn out to be unsuitable for the given context.

§ 6. It is particularly necessary to point out that the perfective and imperfective aspects of Russian verbs are in very many cases regarded as *forms of one and the same verb*, and *not* as different verbs; for this reason, in a great number of cases the various aspects of the same verb are translated in the same article irrespective of whether these aspects have different translations in English or not.

If the forms of various Russian verb aspects may be translated, or if, as in certain cases, they must be translated, by different English verbs, this is specially indicated. Moreover, the relationship between the different aspects of the Russian verb and the different English words used to translate them is usually as follows. In certain cases both aspect forms are translated by the same words, while in a number of other cases the imperfective aspect forms have their own special renderings that do not apply to the perfective aspect; the latter, however, have no renderings which could never be used to translate the imperfective aspect. In such correlations the rendering of the form of the perfective aspect presents no difficulty; in translating the imperfective aspect, however, one must make a choice between those English verbs that render both aspects and those that can be used for rendering only the imperfective aspect (these are given after the indication *несов. тж.*, i.e. imperfective aspect translatable also by the following words. Cf. Struktura Slovarya § 6).

§ 7. Usually the verbs that have both perfective and imperfective aspects are given in the form of the infinitive of the *imperfective* aspect, but after this form the infinitive of the perfective aspect is also given. Only those verbs that are very rarely used in the imperfective aspect, and those, of course, that do not possess such an aspect, are given in the perfective aspect alone. Such verbs are marked by the abbreviation *сов.* (i.e., perfective aspect), while verbs given in the form of the imperfective aspect, as well as those given in both aspects, are not specially differentiated, since in the latter case the aspects can easily be distinguished by the order in which they appear. (Cf. above).

§ 8. The Russian verb forms indicating indefinitely directed motion, i.e. motion in various directions (e.g. бе́гать, лета́ть), and those that indicate the same motion in a definite direction (бежа́ть, лете́ть) are regarded in the dictionary as forms of the same verbs (бе́гать—бежа́ть, лета́ть—лете́ть), and are given together, under the infinitive supplying the first shade of meaning (i.e. under бе́гать and лета́ть).

Infinitives indicating definitely directed motion (noted with the abbreviation *опред.*) are, however, also given in the dictionary separately and with a reference to the corresponding infinitives indicating the same motion in an indefinite direction; if they have special meanings and require specific renderings, such renderings are for the sake of convenience given together with the infinitives in question.

§ 9. English verbs, like the Russian, are usually given in their infinitive form, but without the particle "to", since the particle is by no means a permanent accessory of the infinitive (cf. he may go он мо́жет идти́). For the same reason the infinitive is given without "to" in the summary of English grammar appended to the dictionary (see § 10). But, of course, in those cases in which the use of the infinitive with the particle "to" is obligatory, the particle is not omitted (for example: he wants to go он хо́чет пойти́). It should be particularly noted that the indication (+ *inf.*) shows that the preceding English word or phrase requires the use of the infinitive without "to"; if, however, the word or phrase in question requires the use of the infinitive with "to", this is marked (+ to *inf.*). For example: must (+ *inf.*); ought (+ to *inf.*).

§ 10. Since very many English words possess several grammatical forms, although they are usually given in the dictionary in only one form (cf. § 5), it has been considered essential to supply the dictionary with a summary of instructions regarding the formation of inflected English words. In many dictionaries such summaries are confined to a "list of irregular verbs" giving the basic forms of such verbs.

This dictionary is supplemented with a fuller summary of that kind. The present summary gives both the general rules concerning the inflection of various words (nouns, adjectives, verbs) with corresponding examples, and also a list of words that have any peculiarities in their grammatical inflections, including not only irregular verbs in their basic forms, but also nouns with unusual plural forms, as well as adjectives and adverbs forming degrees of comparison at variance with the general rules. The forms of pronouns are, of course, also given in the summary, although certain pronouns appear in the dictionary itself in all their forms. The plural forms of nouns borrowed from other languages (Greek, Latin, etc.) are not shown in the reference section, but are indicated in the dictionary itself. All words in the list having unusual grammatical inflections are marked in the dictionary with an asterisk (*).

§ 11. In order to translate a text correctly, besides finding the necessary words, one must also be able to combine them in a suitable manner. Much attention has, therefore, been paid to the way words are combined. Basically, of course, the rules governing constructions belong to grammar, but certain phenomena of this kind are at the same time lexicological in character, since in a way they characterize individual words and are not infrequently connected with polysemy.

The various peculiarities of individual words relating to the way these words are combined with others are therefore regularly noted in the dictionary. The cases used with Russian prepositions are indicated, as are the cases and prepositions required by Russian verbs, and so on. The compilers of the dictionary have taken special care to maintain strict correspondence between the grammatical information given for Russian words and that given for English words, in order to make it quite clear what syntactical devices in the one language correspond to the syntactical devices of the other.

§ 12. As regards the actual renderings of words, attention must be drawn to the following. The dictionary offers renderings that are as far as possible exact and correspond to the words they translate not only in general meaning, but also stylistically and in their emotional connotation (affectively). Thus, for example, under the word ви́деть we find the translation "see", whereas a word like "behold" which has a different stylistic and emotional connotation, is not given as a translation of the Russian word ви́деть. Consequently it is not uncommon to find a single rendering for each meaning of the Russian word, and even where additional synonymous translations are added, their number is usually very limited. Other words close in meaning to the suggested English rendering may be found by referring to the synonyms of the Russian word in question. For example, if one wishes to know what English words are semantically connected with the English "see", and consequently approximate in meaning to the Russian ви́деть one should look up such Russian words as зреть and лицезре́ть.

The different meanings of Russian words and their different usage have as far as possible been clearly differentiated and are defined by brief notations in brackets. Examples illustrating the meaning or usage of the word in question have been supplied in particularly complex instances.

§ 13. Much attention has been paid to the idiomatic expressions commonly found in the literary language, where a particular word is translated in a special way, differing from the normal rendering. But stylistically highly coloured idioms, sayings, and proverbs, have been given only a restricted place in the dictionary.

§ 14. From what has been said it will be appreciated that the present work follows to a considerable extent the principles governing the structure of the Russian-French dictionary edited by L. V. Shcherba; at the same time it contains additions to that system and certain other distinguishing features, the most important of which have been mentioned above.

The introduction into the dictionary of various additional information (phonetic and grammatical) has to a large degree complicated the work of the compilers; consequently, it has undoubtedly been impossible to avoid a number of departures from the accepted system. The compilers and editors of the dictionary will be deeply grateful for any comments and suggestions they may receive.

In conclusion, I must draw attention to the immense amount of painstaking and thoughtful work that has been devoted to this dictionary on the part of the Publishing House editors Z. S. Vigodskaya and N. P. Grigorieva. The compilers and editors take this opportunity of expressing their sincere gratitude for everything they have done at various stages in preparing the dictionary for publication.

With the same feeling of gratitude the compilers and editors of the dictionary wish to acknowledge the fruitful participation of I. W. Litvinova, who kindly consented to read the proofs and suggested a large number of very suitable renderings.

1948

A. Smirnitsky

THE USE OF THE DICTIONARY

It has not been considered necessary to translate into English the exhaustive account of the structure of the dictionary given on pages 12—15, which is mainly of interest to the Russian-speaking student. Since the dictionary itself, however, has been designed to cater for English people as well as Russians, a few remarks in English about the arrangement of the dictionary may be found useful.

With the possible exception of the accents indicating English stress (cf. Preface to the first edition § 3) all instructions concerning English pronunciation will naturally be ignored by the person whose native language is English. It is hoped, however, that the summary of the rules of Russian pronunciation (p. p. 754—756) included in the present edition will in combination with the indications of Russian stress provide him with a satisfactory guide to the pronunciation of the Russian words in the dictionary.

A summary of Russian grammar has also been given in English to supplement the information on the use of cases and prepositions already supplied in the body of the dictionary. The Russian abbreviations used to denote the cases required by Russian verbs, and the gender of Russian nouns, as well as other general abbreviations (e. g. *ист.*—historical, *разг.*—colloquial), will be found fully translated into English in the table on pages 23—24.

The dictionary does not include derivatives, if they follow a clear and productive pattern. Thus, as a rule, verbal nouns formed with -ание (е. g. бросание) and with -ение (е. g. дробление) are not given in the dictionary if they can be rendered properly by the -ing forms of the corresponding English verbs. When other translations are needed (cf. образование), this is shown in full. Similarly the comparative and superlative forms of adjectives, and also regular adverbial forms, are not given, with the exception of commonly met forms (е. g. получше), or those which offer some specific difficulty of translation. For information on the handling of adverbial forms in -и, -ому and -ему (е. g. по-лисьи, по-особенному) reference should be made to the articles по- I, II, III.

Unlike most Russian and many Russian-English dictionaries, the present work gives the perfective and imperfective aspects of Russian verbs together in the same article, and also in alphabetical order. Thus the English student confronted with a perfective form such as загнуть will have no difficulty in tracing the imperfective загибать. Since the meaning of the verb usually given under the *imperfective* aspect (if the meaning is given with the perfective aspect, the verb is marked *сов.*, i. e. perfective), he will easily be able to tell which aspect of the verb he is dealing with (cf. покупать, купить).

Further references concerning the translation of the imperfective aspect (e. g. *несов. тж.*) may be ignored by the reader with a sound knowledge of English since he will usually be able to select the best rendering from among the renderings offered, by considering the context.

Mention should also be made of the treatment of the basic Russian verbs of motion (нести, бежать, *etc.*). These are given not only in perfective and imperfective form, but also with the corresponding forms that express directed motion, shown by the Russian abbreviation *опред*. For example, носить, *опред*. нести, *сов*. понести.

Each of these verb forms is dealt with separately in articles treating extensively of their meaning and usage.

The present edition strives to give as wide a selection of renderings as possible without sacrificing the principle of accuracy, the sign $\simeq$ that brands the approximate translation being used only in cases of extreme necessity. The rendering that is considered nearest to the basic meaning of the Russian word is given first; where synonymous renderings are offered they are divided by commas.

As the English user of the dictionary will readily appreciate, a semi-colon division indicates a distinct shade of difference in the meaning or usage of the rendering that follows it. For the benefit of the Russian reader these differences, wherever it has been possible to do so briefly, have been defined in Russian, and these definitions appear italicized in round brackets, before the English word or phrase in question. For example: подходить (*быть к лицу*) **suit, become**. Though of no direct use to the English reader as such, these definitions (in some cases synonyms of the Russian) may well prove useful to him when referring to the dictionary for information on the nature of a Russian word he wishes to use in translating English into Russian; alternatively they may be regarded as signposts to other parts of the dictionary where further, more approximate renderings of the Russian word in question may be found.

English words that are placed in brackets but **not** italicized may be omitted from a rendering without appreciably changing the sense, *e. g.* all day (long). A stroke (/) between two words shows them to be of equal value for expressing the sense of the Russian. Apart from the references explained above, other reference marks employed in the body of the dictionary, such as the italicizing of articles, may be taken as addressed purely to the reader whose native language is Russian.

1958

R. C. Daglish

СПИСОК УСЛОВНЫХ СОКРАЩЕНИЙ
LIST OF ABBREVIATIONS

Русские — Russian

ав. — авиация — aeronautics
авт. — автомобильное дело — motor transport
ак. — акустика — acoustics
амер. — американизм; американский — American
анат. — анатомия — anatomy
англ. — английский — English
антроп. — антропология — anthropology
арх. — архитектура — architecture
археол. — археологический — archaeology
астр. — астрономия — astronomy
бакт. — бактериология — bacteriology
без доп. — без дополнения — without object
безл. — безличная форма — impersonal form
библ. — библейское выражение — biblical
биол. — биология — biology
биохим. — биохимия — biochemistry
бот. — ботаника — botany
бран. — бранное слово — abusive
бух. — бухгалтерия — book-keeping
б. ч. — большей частью — in most cases
вводн. сл. — вводное слово — parenthesis
вет. — ветеринария — veterinary
вн. — винительный падеж — accusative (case)
воен. — военное дело — military
возвр. — возвратный залог — reflexive voice
вопрос. — вопросительный — interrogative
г. — город — town, city
геогр. — география — geography
геод. — геодезия — geodesy
геол. — геология — geology
геом. — геометрия — geometry
гл. — глагол — verb
гл. обр. — главным образом — mainly
горн. — горное дело — mining
грам. — грамматика; грамматический термин — grammar, grammatical term
груб. — грубое выражение — vulgar
дип. — дипломатия — diplomacy
дт. — дательный падеж — dative (case)
ед. — единственное число — singular
ж. — женский род — feminine
ж.-д. — железнодорожное дело — railway
жив. — живопись — painting
зоол. — зоология — zoology
идиом. — идиоматическое выражение — idiomatic
им. — именительный падеж — nominative (case)
ирон. — ироническое выражение — ironic
иск. — искусство — art
ист. — исторический — historical
ист. лит. — история литературы — history of literature
ист. театр. — история театрального искусства — history of theatrical art
канц. — канцелярское выражение — office term
карт. — карточная игра — card game
кин. — кинематография — cinema
косв. пад. — косвенный падеж — oblique case
кул. — кулинария — cooking

л. — лицо — person
-л. — либо — either
ласк. — ласкательная форма — affectionate form
лес. — лесное дело — forestry
лингв. — лингвистика — linguistics
лит. — литература — literature
личн. — личный — personal
м. — мужской род — masculine
мат. — математика — mathematics
мед. — медицина — medicine
межд. — междометие — interjection
мест. — местоимение — pronoun
метал. — металлургия — metallurgy
метеор. — метеорология — meteorology
мин. — минералогия — mineralogy
миф. — мифология — mythology
мн. — множественное число — plural
мор. — морское дело — nautical
муз. — музыка — music
напр. — например — for example
нареч. — наречие — adverb
научн. — употребляется только как научный термин — strictly scientific
неизм. — неизменяемое — invariable
неодобр. — неодобрительно — disapproving
неол. — неологизм — neologism
неопред. — неопределенно направленное движение — indirect motion
нескл. — несклоняемое — indeclinable
несов. — несовершенный вид — imperfective aspect
об. — обыкновенно — usually
общ. — общий — general
о-в(а) — остров(а) — island, islands
оз. — озеро — lake
ок. — около — approximately, near
опред. — определенно направленное движение — definitely directed motion
опт. — оптика — optics
особ. — особенно — especially
относит. — относительный — relative
отриц. — отрицательный — negative
офиц. — официальный — official
охот. — охота — hunting
палеонт. — палеонтология — palaeontology
перен. — переносное значение — figurative
пов. — повелительное наклонение — imperative
п-ов — полуостров — peninsula
погов. — поговорка — saying, adage
полигр. — полиграфия — printing
полит. — политика — politics
посл. — пословица — proverb
поэт. — поэтическое выражение — poetic
пр. — предложный падеж — prepositional case
превосх. — превосходная степень — superlative degree
предик. — предикативное употребление — predicative use
предл. — предлог — preposition
презр. — презрительно — contemptuous

преим. — преимущественно — largely
пренебр. — пренебрежительно — disdainful
прибл. — приблизительное значение — approximate meaning
прил. — имя прилагательное — adjective
притяж. — притяжательное местоимение — possessive pronoun
прич. — причастие — participle
прям. — в прямом смысле — in the direct sense
психол. — психология — psychology
р. — река — river
рад. — радиотехника — radio
разг. — разговорное слово, выражение — colloquial
разн. знач. — разные значения — various senses
рд. — родительный падеж — genitive (case)
рел. — религия — religion
рыб. — рыболовство — fishing
с. — средний род — neuter
скл. — склоняется — declinable
см. — смотри — see
собир. — собирательно — collectively
сов. — совершенный вид — perfective aspect
сокр. — сокращение; сокращенно — abbreviation, abbreviated
спорт. — физкультура и спорт — sport
ср. — сравни — compare
сравн. ст. — сравнительная степень — comparative degree
стр. — строительное дело — building
страд. — страдательный залог — passive
сущ. — имя существительное — noun
с.-х. — сельское хозяйство — agriculture
тв. — творительный падеж — instrumental (case)
театр. — театральное выражение — theatrical

текст. — текстильное дело — textile industry
тех. — техника — technical
тж. — также — also
тк. — только — only
тлв. — телевидение — television
топ. — топография — topography
торг. — торговый термин — commerce
уменьш. — уменьшительная форма — diminutive form
уст. — устаревшее слово, выражение — obsolete
фарм. — фармакология — pharmacology
физ. — физика — physics
физиол. — физиология — physiology
филос. — философия — philosophy
фин. — финансы — finance
фольк. — фольклор — folklore
фон. — фонетика — phonetics
фот. — фотография — photography
фр. — французский — French
хим. — химия — chemistry
хир. — хирургия — surgery
церк. — церковное выражение — ecclesiastical
числит. — имя числительное — numeral
шахм. — шахматы — chess
школ. — школьное выражение — school slang
шутл. — шутливо — jocular
эк. — экономика — economics
экол. — экология — ecology
эл. — электротехника — electrical engineering
элк. — электроника — electronics
этн. — этнография — ethnography
юр. — юридическое выражение — law

Английские — English

adj. — adjective — имя прилагательное
adv. — adverb — наречие
attr. — attributive — атрибутивное употребление (в качестве прилагательного)
compar. — comparative degree — сравнительная степень
conj. — conjunction — союз
d. — direct object — прямое дополнение
f. — feminine — женский род
ger. — gerund — герундий
i. — indirect object — косвенное дополнение
imper. — imperative — повелительное наклонение
impers. — impersonal — безличное, -ный
indef. — indefinite — неопределенный
indic. — indicative — изъявительное наклонение
inf. — infinitive — инфинитив («неопределенное наклонение»)
m. — masculine — мужской род

n. — neuter — средний род
obj. — objective case — косвенный падеж
pass. — passive — страдательный залог
perf. — perfect — перфект
pl. — plural — множественное число
poss. — possessive case — притяжательный падеж; possessive pronoun — притяжательное местоимение
predic. — predicative — предикативное употребление
prep. — preposition — предлог
pres. — present — настоящее время
pron. — pronoun — местоимение
sg. — singular — единственное число
subst. — substantive — существительное
superl. — superlative degree — превосходная степень
v. — verb — глагол

А

а I *союз* 1. (*тогда как*) while; (*без противоположения*) and; (*но*) but: родители ушли, а дети остались дома the parents went out while the children remained at home; вот перо, а вот бумага here is a pen, and here is a sheet of paper; —не..., а... not..., but...: не он, а его помощник not he, but his assistant; —а не... (and) not: это его книга, а не ваша it is his book (and) not yours; это его друг, а это его сестра this is his friend and that is his sister [...frend...]; 2. (*после предложений с уступительными союзами*) yet или не переводится: хотя она и утверждает это, а он сомневается she affirms it, yet he doubts it [...dauts...]; хотя ему и очень весело, а надо уходить although he is enjoying himself very much, he must go [ɔːˈɪˈðou...]; 3. (*однако, тем не менее*) and: поезд уходит через полчаса, а ты ещё не готов the train leaves in half an hour, and you are not ready yet [...hɑːf...auə.ˈredɪ...]; 4. (*если*) if: а не понимаешь, так и не говори if you don't understand, don't talk; ◇ а именно namely; viz (*сокр. от* videlicet [vɪˈdiːlɪset] *читается* namely); а (не) то (or) else; otherwise: спеши, а (не) то опоздаешь hurry up, (or) else you will be late; hurry up, otherwise you will be late; а так как now as, but as: а так как он не пришёл... now / but as he did not come...

а II *частица* (*в начале предложения*) *об. не переводится*; (*в начале нового вопроса*) and: откуда вы это знаете? А мне товарищ сказал! how do you know [...nou]? A friend told me [..frend...]; а вам какое дело? what business is it of yours? [...bɪzn-...]; это Иванов. А кто это? this is Ivanov. And who is that?; ◇ а ну тебя, надоел! oh, bother you, I'm sick of you!

а III *частица* (*при переспросе*) what?; eh? [eɪ].

а IV *межд.* 1. (*удивление, боль, ужас*) ah; oh [ou]; 2. (*решимость с оттенком досады*) oh well; а, всё равно, будь, что будет oh well, it's all the same; oh well, come what may.

а- (*приставка в иностр. словах, придающая отрицательное значение*) a-; non-: асимметрический asymmetric(al); аморальный amoral, non-moral.

абажур *м.* lámpshàde, shade.

аббат *м.* 1. (*настоятель католического монастыря*) ábbot; 2. (*во Франции: католический священник*) (Róman Cátholic) priest [...priːst]. **~ство** *с.* ábbey.

аббревиатура *ж.* abbrèviátion.

аберрация *ж.* àberrátion.

абзац *м.* 1. (*отступ в начале строки*) indèntátion, indéntion; делать ~ indént; c ~a indénted; начать с ~a indént a line; begin* a new line / páragràph. 2. (*часть текста*) páragràph.

абиссин||ец *м.*, **~ка** *ж.*, **~ский** Abyssínian.

абитуриент *м.* 1. *уст.* (*выпускник средней школы*) schóol-leaver; 2. (*поступающий в вуз*) ùniversity éntrant.

аблаут *м. лингв.* áblaut [ˈæblaut].

аболицион||изм *м.* àbolítionism. **~ист** *м.* àbolítionist.

абонемент *м.* (*на вн.*) subscríption (to, for); (*многоразовый билет в театр*) séason tícket [-zˈn...] (*тж. на футбол и т.п.*); ◇ сверх ~a éxtra; beyònd the terms of agréement. **~ный** subscríption (*attr.*).

абонент *м.*, **~ка** *ж.* subscríber; (*телефона*) télephòne subscríber. **~ный** *прил. к* абонент.

абонировать *несов. и сов.* (*вн.*) subscríbe (to); (*о месте в театре и т.п. тж.*) take* out a bóoking (for); resérve a seat [-ˈzɜːv...] (for). **~ся** *несов. и сов.* 1. (*на вн.*) subscríbe (to); (*на место в театре и т.п. тж.*) take* out a bóoking (for); 2. *страд. к* абонировать.

абордаж *м. мор.* bóarding; брать на ~ (*вн.*) board (*d.*). **~ный** *прил. к* абордаж; ~ный крюк grápnel.

абориген *м.* àboríginal.

аборт *м.* abórtion; (*выкидыш*) miscárriage [-rɪdʒ]; сделать себе ~ have an abórtion. **~ивный** abórtive.

абразив *м.* abrásive. **~ный** abrásive; ~ный материал = абразив.

абразия *ж. геол.* abrásion.

абракадабра *ж.* àbracadábra [-ˈdæ-].

абрикос *м.* 1. (*плод*) ápricòt [ˈeɪ-]; 2. (*дерево*) ápricòt(-tree) [ˈeɪ-]. **~ный** *прил. к* абрикос. **~овый** ápricòt [ˈeɪ-] (*attr.*); (*приготовленный из абрикосов*) made of ápricòts.

абрис *м.* cóntour [-tuə], óutline.

абсент [-сэ́-] *м.* (*ликёр*) ábsinth.

абсентеизм [-сэнтэ-] *м.* àbsentéeìsm.

абсолют *м. филос.* the ábsolùte.

абсолют||изм *м.* ábsolùtism. **~ист** *м.* ábsolùtist. **~истский** ábsolùtist.

абсолютн||о *нареч.* ábsolùtely; (*совершенно тж.*) pérfectly, útterly; это ~ невозможно it is ábsolùtely impóssible; it is a sheer impóssibility *идиом.* **~ый** ábsolùte; (*совершенный, полный тж.*) pérfect, útter; ~ый прирост населения ábsolùte growth of pòpulátion [...-ouθ...]; ~ый покой complète rest; ~ое повиновение implícit obédience; ~ое невежество complète / rank / sheer / útter ígnorance; ◇ ~ый нуль *физ.* ábsolùte zèrò; ~ый слух *муз.* pérfect pitch; ~ый чемпион áll-róund chámpion; suprème chámpion; ~ая монархия ábsolùte mónarchy [...-kɪ]; ~ое большинство ábsolùte majórity.

абсорб||ировать *несов. и сов. (вн.), хим., физ.* absórb (*d.*). **~ся** *несов. и сов. хим., физ.* 1. be absórbed; 2. *страд. к* абсорбировать.

абсорбция *ж. хим., физ.* absórption.

абстраг||ировать *несов. и сов. (вн.)* ábstràct (*d.*). **~ся** *несов. и сов.* 1. (*от*) disengáge onesélf (from); 2. *страд. к* абстрагировать.

абстрактн||ость *ж.* ábstràct / abstrúse cháracter [...ˈkæ-]; abstrúseness [-s-]. **~ый** ábstràct.

абстракцион||изм *м.* ábstràct art. **~ист** *м.*, **~истка** *ж.* ábstràct ártist. **~истский** àbstráctionist (*attr.*).

абстракция *ж.* abstráction.

абсурд *м.* absúrdity; nónsense; довести до ~а (*вн.*) cárry to the point of absúrdity (*d.*). **~ность** *ж.* absúrdity; (*нелепость*) inéptitùde. **~ный** absúrd; (*нелепый*) inépt, prepósterous.

абсцесс *м. мед.* ábscess.

абсцисса *ж. мат.* ábsciss, abscíssa (*pl.* -sas, -sae).

абулия *ж. мед.* abúlia.

абхаз *м.*, **~ец** *м.*, **~ка** *ж.*, **~ский** Abkházian; ~ский язык Abkházian, the Abkházian lánguage.

абы *союз разг.* províded that, as long as; возьмём любого работника, ~ честный был we can engáge ánybody, as long as he is an hónest man* [...ˈɒn-...]; ◇ ~ как ányhow.

авангард *м. воен.* advánce-guàrd, advánced guàrd, van; (*перен.*) vánguàrd, van; ◇ в ~e in the fórefrònt / vánguàrd [...-ʌnt...].

АВА – АВТ

авангард||**и́зм** *м.* avant-gardism (*фр.*) [ə,vɑ:ŋ'gɑ:dɪzm], avant-garde téndencies / móve:ment [ə,vɑ:ŋ'gɑ:d... 'mu:v-]. ~ **и́ст-ский** avant-garde (*фр.*) [ə,vɑ:ŋ'gɑ:d].

аванга́рдн||**ый** ván:guard (*attr*.); ~ая роль léading role; ~ бой advánce(d)--guárd áction.

аванза́л *м.* (éntrance) hall, ánte-room.

аванпо́рт *м.* óuter hárbour.

аванпо́ст *м.* óutpòst [-poust].

ава́нс *м.* advánce; (*в счёт платежа*) páyment on accóunt; ◇ де́лать ~ы (*дт.*) make* advánces / óver:tures (to).

аванси́ровать *несов. и сов.* (*вн.*) advánce móney [...'mʌ-] (to); ~ предприя́тие *и т.п.* advánce móney to *an* énterprise, *etc*.

ава́нсовый *прил.* к ава́нс.

ава́нсом *нареч.* in advánce; плати́ть ~ advánce, pay* on accóunt; получи́ть ~ recéive on accóunt [-'si:v...].

авансце́на *ж.* proscénium (*pl.* -ia).

аванта́ж||**ный** *уст.* fine; быть ~ым look véry fíne, look one's best, show* to advántage [ʃou...].

авантю́р||**а** *ж.* házardous àctivity, gamble, vénture; (*неблаговидное дело*) shády énterprise; пуска́ться в ~ы ≅ embárk on shády énterprises. ~ **и́зм** *м.* disposítion to en:gáge in véntures [-'zɪ-...]. ~ **и́ст** *м.* advénturer. ~ **исти́ческий** advénturist. ~ **и́стка** *ж.* advénturess. ~ **и́стский** = авантюристи́ческий. ~ **ный** 1. advénturous, vénture:some; rísky; 2. (*описывающий приключения*) adventure (*attr*.); ~ный рома́н advénture stóry.

ава́рец *м.* Àvár [ɑ:'vɑ:].

авари́йн||**ость** *ж.* áccident rate, bréakdown ráte ['breɪk-]; борьба́ с ~остью cómbating of áccidents, lówering the áccident rate ['lou-...]. ~**ый** 1. (*для ликвидации аварии*) repáir (*attr.*), bréakdown ['breɪk-] (*attr*.); wrécking *амер.*; ~ный ремо́нт emérgency repáirs *pl.*; ~ая маши́на bréakdown van / lórry, sérvice truck; 2. (*запасный, на случай аварии*) emérgency (*attr.*); ~ый запа́с emérgency stock; ◇ ~ая поса́дка crash lánding; ~ая кома́нда crash crew.

авари́йщик *м. разг.* 1. (*несущий аварийную службу*) emérgency wórker; wórker in bréakdown sérvice [...'breɪk-...]; 2. (*нерадивый работник*) cáre:less / áccident-prone wórker.

ава́р||**ия** *ж.* 1. (*крушение*) wreck; *ав.* crash; (*несчастный случай*) áccident; mís:háp (*тж. перен.*); (*повреждение*) dámage; (*о порче машины*) bréakdown ['breɪk-]; ~ су́дна ship:wréck; морска́я ~ áccident at sea; потерпе́ть ~ию have an áccident, meet* with a mís:háp; (*о самолёте тж.*) crash; (*потерпеть крушение*) be wrécked; (*быть повреждённым*) be dámaged; 2. *юр.* (*убытки, причинённые аварией судна*) áverage.

ава́рка *ж.* к ава́рец. ~ **ский** Avárian [ɑ:-]; ~ский язы́к Avár [ɑ:-], the Avárian lánguage.

а́вгиев: ~ы коню́шни *см.* коню́шня.

авгу́р *м. ист.* (*тж. перен.*) áugur, sóothsàyer.

а́вгуст *м.* Áugust; в ~е э́того го́да in Áugust; в ~е про́шлого го́да last Áugust; в ~е бу́дущего го́да next Áugust. ~ **овский** *прил.* к а́вгуст; ~овский день an Áugust day, a day in Áugust.

авиа- (*в сложн.*) air(-).

авиа||**ба́за** *ж.* áir-bàse [-s]. ~ **биле́т** *м.* áeropláne tícket ['ɛərə-...]. ~ **бо́мба** *ж.* áircraft bomb. ~ **деса́нт** *м.* áirbòrne lánding. ~ **деса́нтный**: ~деса́нтные войска́ áirbòrne troops. ~ **компа́ния** *ж.* áirline. ~ **констру́ктор** *м.* áircraft desígner [...-'zaɪnə]. ~ **ли́ния** *ж.* áirline, áir-ròute [-ru:t], áirway. ~ **мая́к** *м.* air béacon.

авиа||**модели́зм** [-дэ-] *м.* módel áircraft constrúction ['mɔ-...]. ~ **модели́ст** [-дэ-] *м.* módel áircraft constrúctor ['mɔ-...]. ~ **моде́ль** [-дэ-] *ж.* módel áircraft ['mɔ-...].

авиа||**но́сец** *м.* áircraft cárrier. ~ **отря́д** *м.* squádron ['skwɔ-]. ~ **пассажи́р** *м.* air pássenger [...-ndʒə]. ~ **перево́зки** *мн.* air tráffic. ~ **по́чта** *ж.* air mail. ~ **по́чтой** *нареч.* (by) air mail. ~ **прибо́ры** *мн.* áircraft ínstruments. ~ **разве́дка** *ж.* air recónnaissance [...-nɪs-]. ~ **связь** *ж.* air commùnicátion. ~ **строе́ние** *с.* áircraft búilding [...'bɪ-]. ~ **съёмка** *ж.* áerial súrvey ['ɛə-...], áerial máp̀ping.

авиа́тор *м.* áir:man*, áviàtor, pílot; же́нщина-~ áir:wòman* [-wu-], wóman* pílot ['wu-...].

авиа||**торпе́да** *ж.* áerial tòrpédò ['ɛə-...]. ~ **тра́нспорт** *м.* air tránspòrt. ~ **тра́сса** *ж.* áir-ròute [-ru:t].

авиацио́нн||**ый** áviátion (*attr.*), áircraft (*attr.*); ~ая промы́шленность áircraft índustry; ~ заво́д áircraft works; ~ мото́р, дви́гатель áircraft éngine [...'endʒ-]; ~ склад áircraft dépòt [...'depou]; ~ая шко́ла flýing school.

авиа́ция *ж.* àviátion; *собир. тж.* áircraft; вое́нная ~ air force; гражда́нская ~ cívil àviátion, cívil air fleet; тра́нспортная ~ tránspòrt áircraft; сельскохозя́йственная ~ àgricúltural áircraft / àviátion; бомбардиро́вочная ~ bómber force; bombárdment àviátion *амер.*; войскова́я ~ ármy-cò-òperátion áircraft; истреби́тельная ~ fíghters *pl.*; пресу́ит àviátion [-'sju:t-] *амер.*; разве́дывательная ~ recónnaissance áircraft [-nɪs-...]; recónnaissance àviátion *амер.*; штурмова́я ~ assáult áircraft; lów-flying ['lou-...]; attáck àviátion *амер*.

авиача́сть *ж.* áir-fòrce únit.

авие́тка *ж.* báby plàne, àviètte.

ави́зо I *с. нескл. фин.* létter of advíce.

ави́зо II *с. нескл. мор.* avísò [-zou], advíce boat.

авитамино́з *м. мед.* avìtaminósis [əvaɪ-...].

аво́сь *вводн. сл. разг.* perháps, may be; ~ не опозда́ем with luck we may get there on time, ◇ на ~ on the óff-chánce.

аво́ська *ж. разг.* string-bàg.

авра́л *м. мор.* work invólving all hands; (*перен.*) emérgency job; rush job *разг.*; ~ ! all hands on deck!; (*перен.*) all hands to the pump!

авра́льный emérgency (*attr*.).

Авро́ра *ж. миф.* Auróra.

авро́ра *ж. поэт.* auróra, dawn.

австрал||**и́ец** *м.,* ~ **и́йка** *ж.,* ~ **и́йский** Austrálian.

австр||**и́ец** *м.,* ~ **и́йка** *ж.,* ~ **и́йский** Áustrian.

авта́ркия *ж. эк.* áutarchy [-kɪ].

а́вто *с. нескл.* mótor càr.

а́вто- I (*в сложн.; со знач. автомати́ческий*) àuto-.

а́вто- II (*в сложн.; со знач. автомоби́льный*) mótor-.

а́вто- III (*в сложн.; со знач. само-*) self-.

автоба́за *ж.* mótor dépòt [...'depou].

автоба́н *м.* àutobáhn [-ɑ:n].

автобиографи́ч||**еский** àutobiográphic(al). ~**ность** *ж.* àutobiográphical cháracter [...'kæ-]. ~ **ный** àutobiográphic(al).

автобиогра́фия *ж.* àutobíogràphy.

автоблокиро́вка *ж. ж.-д.* automátic block sýstem.

автобу́с *м.* bus; (*о туристском, междугороднем*) coach. ~**ный** *прил.* к автобу́с.

автовокза́л *м.* bus / coach státion; àutotérminal, àutotérminus.

автогара́ж *м.* gáràge, mótor-gàrage.

автоге́нн||**ый** *тех.* autógenous; ~ая сва́рка autógenous wélding; ~ая ре́зка autógenous cútting.

автого́н||**ки** *мн.* mótor ráces. ~ **щик** *м.* rácing mótor:ist, ráce-drìver.

автогра́ф *м.* áutogràph.

автогужево́й hórse-dràft and áutomòbile [...-bi:l] (*attr*.).

автоде́ло *с.* àutomòbile èngineéring [-bi:l endʒ-].

автодоро́жный róad-trànspòrt (*attr*.), vehícular.

автодрези́на *ж. ж.-д.* (rail) mótor-trólley; (*для осмотра линии*) mótor-line-inspéction-tròlley.

автожи́р *м. ав.* áuto:gýrò.

автозаво́д *м.* (mótor-)càr works, (mótor-)càr fáctory; àutomóbile plant [-bi:l -ɑ:nt] *амер*.

автозапра́вочн||**ый**: ~ая ста́нция fílling / sérvice státion.

автозапра́вщик *м.* bówser, refúeller.

автоинспе́к||**тор** *м.* tráffic inspéctor / políce:man* [...-li:s-]. ~ **ция** *ж.* mótor licencing and inspéction depártment [...'laɪ-...]; (*надзор*) róadwòrthiness inspéction [-ðɪ-...].

автока́р *м.* (mótor-)trólley.

автокла́в *м. тех.* áuto:clàve.

автоколо́нна *ж.* áutocàde, mótorcàde.

автокорму́шка *ж.* automátic féeder.

автокра́н *м.* truck crane.

автократи́ческий àutocrátic.

автокра́тия *ж.* àutócracy.

автол *м. тех.* àutomótive éngine oil [-tou- endʒɪn...].

автола́вка *ж. разг.* móbile shop ['mou-...].

автолюби́тель *м.* mótor-càr enthúsiàst [...-zɪ-...].

автомагистра́ль *ж.* mótor:wày, mótor híghway.

автома́т *м.* 1. automátic machíne [...-ʃi:n]; (*действующий при опускании монеты*) slót-machìne [-ʃi:n], vénding machíne; (*перен.*; *о человеке*) áutomaton;

билéтный ~ tícket machíne; 2. воен. sub-machíne-gùn [-'ʃi:n-]; machíne cárbine амер.; tómmy-gùn разг.

автоматизáция ж. automátion.

автоматизи́рованный прич. и прил. áutomàted, áutomàtized.

автоматизи́ровать несов. и сов. (вн.) 1. áutomàtize (d.); 2. (о производстве) introdúce automátion (into), áutomàte (d.).

автомати́зм м. automatism.

автомáтика ж. 1. (отрасль науки и техники) automátion; 2. (механизмы) áutomàted mechánisms [...-k-] pl., automátic machínery / devíces [...-ʃi:-...].

автомати́ческ‖**ий** 1. automátic, sélf-ácting; ~ая телефóнная стáнция automátic télephòne exchánge [...-eɪndʒ]; ~ая межпланéтная стáнция áutomàted ìnterplánetary státion / labóratory; ~ая стáнция исслéдования probe; 2. (машинальный) mechánical [-'k-], automátic; ◇ ~ая рýчка fóuntain-pèn.

автомати́чный = автомати́ческий 2.

автомáтн‖**ый** прил. к автомáт 2; ~ая óчередь burst of sub-machíne-gùn fire [...-'ʃi:n-].

автомáтчик м. 1. (рабочий, обслуживающий автоматы) áutomàted machínes óperator [...-'ʃi:nz...]; 2. воен. sub--machíne-gùnner [-'ʃi:n-].

автомаши́на ж. mótor véhicle / car [...'vi:ɪkl...]; (грузовик) (mótor-)lórry; truck амер.

автомобилестроéние с. mótor-càr constrúction.

автомобил‖**и́зм** м. mótor;ing. ~и́ст м., ~и́стка ж. mótor;ist.

автомоби́л‖**ь** м. mótor car; car разг.; áutomobìle [-bi:l] (амер., в Англии редко); грузовóй ~ lórry; truck амер.; легковóй ~ (pássenger) car [-ndʒə-]; закры́тый ~ salóon car, límousine [-mu:zi:n]; санитáрный ~ ámbulance; éхать на ~е mótor, go* by (mótor-)càr; управля́ть ~ем drive* a (mótor-)càr.

автомоби́льн‖**ый** mótor-càr (attr.); car (attr.) разг.; ~ завóд mótor-càr works; áutomobìle plant [-bi:l -ɑ:nt]; mótor-càr fáctory; ~ спорт mótor;ing; ~ трáнспорт mótor trànspòrt; ~ая промы́шленность mótor-càr índustry; ~ая ши́на áutomobìle tire (тж. tyre); ~ гудóк (mótor-)hòrn.

автомотри́са ж. ж.-д. rail (diesel) car [...'di:z-...].

автонóм‖**ия** ж. autónomy; sélf-góvernment [-'gʌл-]. ~ный autónomous; ~ная респýблика autónomous repúblic [...-'рʌl-]; ~ная óбласть autónomous région.

автопилóт м. automátic / róbòt pílot.

автоплýг м. с.-х. mótor plough.

автопогрýзчик м. fórk-lift truck, autolóader.

автопоéзд м. àrticulàted lórry, lórry and tráiler(s); (с тягачом) tráctor-tráiler còmbinátion.

автопóйлка ж. с.-х. automátic drínking bowl.

автопокры́шка ж. tíre-còver [-kʌ-], (óuter) tíre.

автопортрéт м. sélf-pórtrait [-rɪt].

автоприцéп м. (для жилья) tráiler, cáravan.

автопробéг м. mótor race, mótor rálly.

áвтор м. áuthor; (о женщине) áuthoress; (литературного произведения тж.) wríter; (музыкального произведения) compóser; (перен.) begétter [-'ge-]; ~ предложéния, резолю́ции móver ['mu:-].

авторáлли с. нескл. mótor rálly.

авторемóнтный (mótor-)càr repáir sérvice (attr.).

авторефератт м. áuthor's ábstract (of dissertátion, etc.), ábstràct of thésis (prepared by candidate).

авторизóванный прич. и прил. áuthorized; ~ перевóд áuthorized trànslátion [...-ɑ:n-].

авторизовáть несов. и сов. (вн.) áuthorize (d.).

авторитáрный authoritárian.

авторитéт м. authórity; пóльзоваться ~ом (y) enjóy authórity (óver, with), have prèstíge [...-'ti:ʒ] (with); завоевáть ~ gain / win* authórity / prèstíge; э́то снискáло емý огрóмный ~ this earned / won him imménse prèstíge [...ɔ:nd...]; непререкáемый ~ indispútable / ìn;contéstable authórity. ~ный authóritàtive; (знающий) cómpetent; он ~ный учёный he is a schólar of authórity [...'skɔ-...].

авторóта ж. воен. mechánical / mótor trànspòrt cómpany [-'kæ-... 'kʌm-].

áвтор‖**ский** прил. к áвтор; ~ гонорáр áuthor's emóluments pl., (с тиража) róyalties pl.; ~ экземпля́р áuthor's cópy [...'kɔ-]; ~ское прáво cópyright; ~ские правá заявлены all rights resérved [...-'z-]; нарушéние ~ского прáва píracy ['paɪə-], breach of cópyright. ~ство с. áuthorship.

авторýчка ж. fóuntain pen.

автосáни мн. mótor-sleigh sg.

автостóп м. 1. ж.-д. automátic bráking gear [...gɪə]; 2. (документ) hítch-hiking pérmit; путешéствовать по ~y hítch-hike.

автострáда ж. mótor;way, mótor híghway; trúnk-road; súperhighway амер.

автосцéпка ж. ж.-д. automátic cóupling [...'kʌ-].

автоти́пия ж. полигр. áutotype.

автотрáкторный mótor and tráctor (attr.).

автотрáнспорт м. mótor trànspòrt. ~ный mótor trànspòrt (attr.).

автотрáсса ж. mótor;way.

автотур‖**и́зм** м. (sýstem of) tóuring by car / coach [...'tuə-...], mótor-tóuring [-tuə-]. ~и́ст м. mótor-càr tóurist [...'tuə-], tóurist trávelling by car / coach.

автофургóн м. mótor-vàn, pàntéchnicon, lóng-dìstance truck.

автохтóны мн. (ед. автохтóн м.) autóchthons, áboriginals.

автоцистéрна ж. tánk-lòrry, tánk-trùck.

агá межд. разг. ahá! [ɑ:'hɑ:].

агáва ж. бот. agáve [-vi].

агáт м. мин. ágate. ~овый ágate (attr.).

агглютини́н‖**ативный** биол., лингв. agglútinative. ~áция ж. биол., лингв. agglùtinátion. ~и́рующий лингв. agglútinàting.

агéнт I м. (в разн. знач.) ágent; ~ по снабжéнию supplý ágent.

агéнт II м. физ., хим. ágent.

АВТ – АГР A

агéнтство с. ágency ['eɪ-]; телегрáфное ~ news / télegràph ágency [nju:z...]; трáнспортное ~ trànspòrt ágency; торгóвое ~ ágency.

агентýр‖**а** ж. 1. (разведывательная служба) sécret / intélligence sérvice; 2. собир. ágents pl.; врáжеская ~ énemy / hóstile ágents pl. ~ный sécret-sérvice (attr.); ~ные свéдения intélligence sg.

аги́т‖**áтор** м. pròpagándist, ágitàtor; (агитирующий за кандидата) cánvasser. ~áторский прил. к агитáтор. ~ациóнный àgitátion (attr.), pròpagánda (attr.). ~áция ж. àgitátion, pròpagánda; предвы́борная ~áция eléction càmpaign [...-'peɪn].

агитбригáда ж. team of ágitàtors / cánvassers (ср. агитáтор); pròpagánda team; (на выборах тж.) electionéering brigáde.

агити́ровать, сагити́ровать 1. тк. несов. (за, прóтив) càmpaign [-'peɪn] (for, against), ágitàte (for, against), keep* up an àgitátion (for, against), cárry on pròpagánda (for, against); 2. (вн.) разг. (воздействовать на кого-л.) persuáde [-'sweɪd] (d.); сов. тж. gain / win* óver (d.).

аги́тка ж. разг. ítem of pròpagánda; (агитационная пьеса) pròpagánda play; (книга) pròpagánda book.

агитколлекти́в м. team of pròpagándists / ágitàtors.

агитмáссов‖**ый** máss-pròpagánda (attr.); máss-àgitátion (attr.); ~ая рабóта pròpagánda work among the másses.

агитпрóп м. ист. àgitátion and pròpagánda depártment.

агитпýнкт м. pròpagánda / àgitátion centre; (в предвыборной кампании) cánvassing / càmpáigning centre [...-'peɪnɪŋ...], eléction càmpaign centre / óffice [...-'peɪn...].

агломерáт м. геол. agglómerate; (перен.) àgglomerátion. ~áция ж. àgglomerátion.

áгнец м. уст. lamb (тж. перен.); прики́нуться áгнцем feign méekness [feɪn...], play the ínnocent; come* the ínnocent разг.

агнóстик м. agnóstic.

агностици́зм м. филос. agnósticism.

агони́‖**зи́ровать** be in one's déath-àgony / déath-thròes [...'deθ-], be at one's last gasp.

агóн‖**ия** ж. déath-àgony ['deθ-]; pangs / throes of death [...deθ]; быть в ~ии be in ágony.

агрáр‖**ий** м. rich lándowner [...-ou-]. ~ный agrárian; ~ная поли́тика agrárian pólicy; ~ная рефóрма agrárian / land refórm; ~ный кри́зис agrárian crísis.

агрегáт м. 1. ággregate, àggregátion; убóрочный ~ hárvester; 2. (часть какой-л. машины) únit, assémbly, set.

агремáн м. дип. agrément (фр.) [ɑ:greɪ'mɑ:ŋ].

агресси́вн‖**ый** aggréssive; (воинственный) bélligerent; ~ые плáны aggréssive desígns [...-'zaɪnz].

АГР – АКА

агре́сс||ия ж. aggréssion. **~ор** м. aggréssor.

агрикульту́р||а ж. уст. = агрокульту́ра. **~ный** уст. = агрокульту́рный.

агробиологи́ческ||ий àgrobiológical; ~ая нау́ка àgrobiólogy, àgricúltural bíology, àgrobiólogical science.

агробиоло́гия ж. àgricúltural bíology, àgrobíology.

агрокульту́р||а ж. àgricùlture. **~ный** àgricúltural; àgricùlture (attr.).

агрометеороло́гия ж. àgricúltural mèteoról ogy.

агромини́мум м. mínimum of àgricúltural knówledge [...'nɔ-].

агроно́м м. àgricúlturist, agrónomist. **~и́ческий** àgricúltural, àgronómical; ~и́ческий пункт àgricúltural / àgronómical státion / centre. **~ия** ж. agronómics, agrónomy, àgricúltural science.

агропо́мощь ж. àgricúltural aid.

агропромы́шленный àgrò-indústrial [æ-]; ~ ко́мплекс the àgrò-indústrial cómplex.

агро́||пропага́нда ж. àgricúltural impróvement propagánda [...-'pruːv-...]. **~пу́нкт** м. àgricúltural / àgronómical státion / centre.

агроте́хн||ик м. àgricúltural tèchnícian, àgrotèchnician. **~ика** ж. àgrotèchnics. **~и́ческий** àgrotèchnical.

агрохими́ческий прил. к агрохи́мия.

агрохи́мия ж. àgricúltural chémistry [...'ke-].

ад м. hell; лит. Hádes [-iːz], the Únderwòrld.

ада́жио с. нескл., нареч. муз. adágio.

адамси́т м. хим. ádamsìte [-zaɪt].

адапта́ция ж. àdaptátion.

ада́птер [-тэр] м. adápter; муз. pick-up.

адапти́ровать несов. и сов. (вн.) adápt (d.).

адвербиа́льный лингв. advérbial.

адвока́т м. ádvocàte (тж. перен.); (выступающий в суде) bárrister; (поверенный) solícitor; láwyer; лиша́ть зва́ния ~а (вн.) disbár (d.); стать ~ом be called to the bar.

адвокату́р||а ж. 1. (профессия) proféssion of bárrister; the Bar; занима́ться ~ой attènd the Bar, be a práctising bárrister [...-sɪŋ...]; 2. собир. the Bar, the légal proféssion.

адеква́тный [-дэ-] ádequate.

адено́иды [-дэ-] мн. мед. ádenoids.

адено́ма [-дэ-] ж. мед. adenóma (pl. -mata [-mətə], -mas [-məz]).

аде́пт [-э́-] м. adhérent; (последователь) fóllower.

аджа́р||ец м., **~ка** ж. Ádzhàr ['ɑːdʒɑː], Adzhárian [ə'dʒɑːrɪən]. **~ский** Adzhárian [ə'dʒɑːrɪən].

администрати́вно-управле́нческий: ~ аппара́т administrative and mánagement pèrsonnél.

администрати́вн||ый administrative; mànagérial; ~ое деле́ние administrative division; ~ые спосо́бности administrative ability sg.; ~ое взыска́ние offícial réprimànd [...-ɑːnd]; ◇ в ~ом поря́дке by administrative means.

администр||а́тор м. administrátor; (распорядитель) mánager; театр. búsiness mánager ['bɪzn-...]. **~а́торский** прил. к администра́тор; ~а́торские спосо́бности administrative ability sg. **~а́ция** ж. 1. administrátion; (гостиницы, театра) mánagement; 2. собир. (должностные лица) the mánagement. **~и́рование** с. administrátion; го́лое ~и́рование administrátion by mere injúnction. **~и́ровать** run* (an òrganizátion, etc.) by means of órders and decrées [...-naɪ-...].

адмира́л м. ádmiral; ~ фло́та Ádmiral of the Fleet.

адмиралте́йство с. the Ádmiralty.

адмира́льск||ий прил. к адмира́л; ~ чин, ~ое зва́ние admiral's rank; ~ кора́бль (флагман) flágship; ádmiral.

а́дов разг.: ~о терпе́ние the pátience of Job.

адренали́н м. adrénalin.

а́дрес м. (в разн. знач.) address; доста́вить письмо́ по ~у deliver a létter at the right address [-'li-...]; доста́вить письмо́ по ~у X deliver a létter to the address of X; ◇ по чьему́-л. ~у, в чей-л. ~ about, smb, concérning smb.; по его́ ~у about him; угро́зы по ~у кого́-л. threats dirécted against smb. [θrets...]; не по ~у to the wrong quárter / door [...dɔː]; ва́ше замеча́ние сде́лано не по ~у your remárk is mìsdirécted. ~а́нт м. sénder. ~а́т м. àddressèe; в слу́чае ненахожде́ния ~а́та if ùndelivered [...-'li-...]; за ненахожде́нием ~а́та (помета на письмах) ≈ not known [...noun]. **~ный** address (attr.); ~ный стол address bùreau [...-'rou]; ~ная кни́га diréctory.

адресова́ть несов. и сов. (вн. дт., куда́-л.; прям. и перен.) address (d. to), dirèct (d. to). ~ся несов. и сов. 1. (к; в вн.) address òneself (to); 2. страд. к адресова́ть.

а́дск||и нареч. разг. inférnally, fríghtfully, térribly, áwfully. **~ий** héllish, inférnal; (перен.) fríghtful; áwful, térrible разг.; ~ое терпе́ние = а́дово терпе́ние см. а́дов; ~ая ску́ка infèrnal bore; ◇ ~ая маши́на уст. infèrnal machine [...-'fiːn].

адсорби́ровать (вн.) физ., хим. àdsórb (d.).

адсо́рбция ж. физ., хим. àdsórption.

адъю́нкт м. 1. (pòst-)gráduate, или advánced stúdent, in a mílitary acádemy / còllege ['poust-...]; 2. уст. júnior scientífic assístant. **~у́ра** ж. (pòst-)gráduate, или advánced stúdents', work at a mílitary acádemy / còllege ['poust-...].

адъюта́нт м. áide-de-cámp ['eɪddə'kɑːŋ] (pl. áides-de-cámp); ádjutant; aide амер.

адыг||е́ец м. Adygéi [ɑːdə'geɪ]. **~е́йка** ж. Adygéi (wóman*) [ɑːdə'geɪ 'wu-]. **~е́йский** Adygéi [ɑːdə'geɪ]; ~е́йский язы́к Adygéi, the Adygéi lánguage.

адюльте́р м. уст. adúltery.

а́жио с. нескл. торг. ágio.

ажиота́ж м. stòck-jóbbing, ágiotage ['ædʒɪətɑːʒ], rush; (перен.) stir, hùllabalóo.

ажита́ц||ия ж. уст. разг. excíte;ment, alárm; быть в ~ии be excíted, be in a flúrry, be wórked-úp.

ажу́р I м. (ажурная работа) ópen-wòrk.

ажу́р II нареч. бух. up to date.

ажу́р III м.: в ~е разг. in pérfect órder; все дела́ в ~е éverything's fine, или in órder.

ажу́рн||ый ópen-wòrk(ed); (перен.: тонко исполненный) délicate; ~ая стро́чка hémstitch; ~ая рабо́та ópen-wòrk; (об архитектурном орнаменте) trácery [-eɪs-].

аз м. 1. az (Slavónic name of the létter A); 2. мн. разг. ABC ['eɪ'biː'siː] sg.; éléments, rúdiments; начина́ть с ~о́в begín* at the begínning; ◇ он ни а́з не зна́ет разг. he does not know a thing [...nou...].

аза́лия ж. бот. azálea [-lj ə].

аза́рт м. (запальчивость) heat; (возбуждение) excíte;ment; (увлечение) árdour, pássion; в ~е in one's excíte;ment; войти́ в ~ grow* héated [-ou...], get* excíted. **~ничать** разг. grow* héated [grou...], get* excíted. **~но** нареч. récklessly; (запальчиво) héatedly, excítedly; игра́ть ~но play récklessly; ~но спо́рить árgue héatedly / excíte;dly. **~ный** réckless; (запальчивый) excítable, hót-témpered; (склонный к риску) vénturesome; ◇ ~ная игра́ game of chance.

а́збука ж. 1. (алфавит) álphabet; the ABC ['eɪ'biː'siː] разг.; (рд.; перен.) the ABC (of); слогова́я ~ sýllabary; 2. (букварь) ABC-book ['eɪ'biː'siː-]; ◇ ~ Мо́рзе Morse code.

а́збучн||ый; ~ая и́стина trúism.

азербайджа́н||ец м., **~ка** ж. Àzerbaijánian [ɑːzə:baɪ'dʒɑːnɪən]. **~ский** Àzerbaiján [ɑːzə:baɪ'dʒɑːn]; ~ский язы́к Àzerbaijáni [ɑːzə:baɪ'dʒɑːnɪ].

азиа́т м. 1. Àsiátic [eɪʃɪ'ætɪk]; 2. уст. разг. bàrbárian; ах ты, ~! you, boor!, what a bàrbárian you are!

азиа́тский Ásian ['eɪʃən]; Àsiátic [eɪʃɪ'ætɪk].

а́зимут м. ázimuth.

азо́т м. хим. nítrogen ['naɪ-]; за́кись ~а nítrous óxide; о́кись ~а nítric óxide ['naɪ-...].

азо́тистый хим. nítrous.

азотноки́слый хим. nítric ácid (attr.); ~ на́трий sódium nítràte [...-'naɪ-]; ~ ка́лий potássium nítràte.

азо́тн||ый хим. nítric ['naɪ-]; ~ая кислота́ nítric ácid.

азы́ см. аз 2.

а́ист м. stork.

ай межд. 1. (выражает боль, испуг) oh! [ou]; 2. (выражает упрёк) tút-tút!; ◇ ай да молоде́ц! well done!, good man* / lad!, good for you / him!

ай-ай-ай [айяя́й] межд. разг. oh, oh, oh!; ~ как сты́дно! fie shame!

айв||а́ ж. тк. ед. quince; (дерево тж.) quince-tree. **~о́вый** quince (attr.).

айда́ межд. разг. come alóng / on!, let's go!

а́йсберг м. íce;bèrg.

академи́зм м. acadèmic mánner.

акаде́м||ик м. acàdemícian. **~и́ческий** (в разн. знач.) acadèmic; ~и́ческий слова́рь Acàdemy díctionary. **~и́чность** ж. 1. acadèmic appróach; 2. (оторванность от жизни) ábstràct / ábstrúse appróach [...-s...]. **~и́чный** ábstràct, àbstrúse [-s].

акаде́мия ж. acádemy; Акаде́мия нау́к Acádemy of Sciences; Акаде́мия сельскохозя́йственных нау́к Acádemy of Agricúltural Sciences; Акаде́мия худо́жеств Acádemy of Arts; Вое́нная ~ Military Acádemy; Вое́нно-возду́шная ~ Air Force Acádemy; Вое́нно-медици́нская ~ Army Médical Cóllege; Вое́нно-морска́я ~ Nával Acádemy.

ака́нт м. бот., арх. acánthus (pl. -es, -thi).

а́канье с. лингв. ákanje [ɑ:-].

а́кать fail to differéntiate únstressed back vówel-sounds in Rússian and Byelorússian [...-ʃən...-ʃən].

ака́фист м. церк. acathístus.

ака́ция ж. acácia.

аквала́нг м. áqualùng.

акваланги́ст м. skin-diver; scúba díver амер.

аквамари́н м. мин. àquamaríne [-i:n]. ~овый àquamaríne [-i:n].

акв́анавт м. áquanaut, déep-sea díver, frógˈman*.

акварели́ст м., ~ка ж. wáter-còlour páinter [ˈwɔ:təkʌ-...], páinter in wáter-còlours.

акваре́ль ж. 1. (краски) wáter-còlour [ˈwɔ:təkʌ]; 2. собир. (картины) wáter-còlours pl. ~ный: ~ный портре́т pórtrait in wáter-còlours [-rɪt... ˈwɔ:təkʌ-]; ~ная кра́ска wáter-còlour.

аква́риум м. aquárium (pl. -iums, -ia).

акв́атинта ж. полигр. áquatint.

аквато́рия ж. (defined) área of wáter [...ˈɛərɪə... ˈwɔ:-].

акведу́к м. áqueduct.

акклиматиза́ция ж. acclìmatizátion [-aɪmətaɪ-].

акклиматизи́ровать несов. и сов. (вн.) acclímatize [-aɪm-] (d.). ~ся несов. и сов. 1. acclímatize oneˈself [-aɪm-...]; 2. страд. к акклиматизи́ровать.

аккомода́ция ж. accòmmodátion, adjústment; ~ гла́за accòmmodátion of the eye [...aɪ].

аккомпан||еме́нт м. (к) accómpaniment [əˈkʌ-] (to); петь под ~ (рд.) sing* to the accómpaniment (of). ~иа́тор м. accómpanist [əˈkʌ-]. ~и́ровать (дт. на пр.) accómpany [əˈkʌ-] (d. on).

акко́рд м. chord [k-]; заключи́тельный ~ finále [-ɑ:lɪ].

аккордео́н м. accórdion.

аккордеони́ст м. accórdion pláyer, accórdionist.

акко́рдн||ый: ~ая пла́та piece páyment [pi:s...]; ~ая рабо́та piece-wòrk [ˈpi:s-].

аккредити́в м. фин. létter of crédit.

аккредитова́ть несов. и сов. (вн.) дип., фин. accrédit (d.).

аккумул||и́ровать несов. и сов. (вн.) accúmulàte (d.). ~я́тор м. accúmulàtor. ~я́торный: ~я́торная батаре́я stórage báttery. ~я́ция ж. accùmulátion.

аккура́т нареч. разг. exáctly, precíseˈly [...-ˈsaɪs-]; ~ через час он пришёл he came exáctly in an hour [...auə]; ◇ в ~ = аккура́т.

аккурати́ст м., ~ка ж. разг. pédant [ˈpe-], stíckler for detáil [...ˈdi:-].

аккура́тн||ость ж. 1. (точность) exáctness, pùnctuálity; 2. (тщательность) cáreˈfulness; (исполнительность) páinstàkingˈness [-nz-], cònsciéntiousˈness [kɔnʃɪ-]. ~ый 1. (точный) exáct; púnctual; 2. (тщательный) cáreˈful; thórough

[ˈθʌrə]; (исполнительный) páinstàking [-nz-], cònsciéntious [kɔnʃɪ-].

акмеи́зм м. лит. ácmeˈism (early 20th century literary movement).

акр м. acre.

акри́д||ы мн.: а пи́щей его́ бы́ли ~ и ди́кий мёд he lived on lócusts and wild hóney [...lɪvd...ˈhʌ-]; пита́ться ~ами (и ди́ким мёдом) ирон. live méagreˈly [lɪv...].

акроба́т м. ácrobàt. ~ика ж. àcrobátics. ~и́ческий àcrobátic. ~ка ж. к акроба́т.

акро́поль м. ист. acrópolis.

акрости́х м. лит. acróstic.

акселера́тор м. accélerator.

акселера́ция ж. мед., тех. accèlerátion.

аксельба́нты мн. (ед. аксельба́нт м.) aiguillèttes [-gwɪ-], áglets [ˈæg-], áiglets [ˈæg-].

аксессуа́р м. 1. accéssory; 2. театр. próperty.

аксио́ма ж. áxiom; э́то ~ (самоочеви́дно) that is sélf-évident / àxiomátic.

аксиома́тика ж. áxioms pl., àxiomátic básis.

акт м. 1. (действие, поступок) act; 2. театр. act; 3. юр. deed, dócument; обвини́тельный ~ (bill of) indíctment [...-ˈdaɪt-]. 4. (документ) státeˈment; соста́вить ~ draw* up a státeˈment (of the case) [...-s]; (о неисправности чего-л.) draw* up a repórt; 5. уст. (в учебном заведении) spéech-day; commènceˈment амер.

актёр м. áctor; (исполнитель тж.) pláyer; коми́ческий ~ comédian; траги́ческий ~ tragédian; ~ на выходны́х роля́х, ~ на ма́леньких роля́х ùtility manˈ*. ~ский прил. к актёр.

акти́в I м. собир. the most áctive mémbers pl.; парти́йный ~ the áctive mémbers of a Párty òrganizátion [...-naɪ-] pl., the Párty áctivists pl.

акти́в II м. фин. ássets pl.; ~ и пасси́в ássets and liabílities; записа́ть в ~ (вн.) énter on the crédit side (of an accóunt) (d.); в ~е (прям. и перен.) on the crédit side.

активиза́ция ж. àctivizátion [-vaɪ-], stírring up.

активизи́ровать несов. и сов. (вн.) make* more áctive (d.), stir up (d.), stir to àctivity (d.); ~ ма́ссы stir the másses to gréater àctivity [...ˈgreɪtə-]; ~ рабо́ту líven / brisk up the work. ~ся несов. и сов. líven up.

активи́рованный прич. и прил. хим. áctivàted; ~ у́голь áctivàted chárcoal / cárbon.

активи́ровать (вн.) хим. áctivàte (d.).

активи́ст м. áctive wórker (in públic and sócial affáirs) [...ˈpʌb-...].

активн||о нареч. áctiveˈly; ~ уча́ствовать (в пр.) take* an áctive part (in). ~ость ж. àctivity; полити́ческая ~ость масс polítical àctivity of the másses.

акти́вн||ый I áctive; ~ая оборо́на воен. áctive / aggréssive defénce; ◇ ~ое избира́тельное пра́во súffrage, the vote.

акти́вный II бух.: ~ бала́нс fávourˈable bálance.

акти́ний м. хим. actínium.

АКА – АЛБ

акти́ния ж. зоол. actínia (pl. -ae, -as), sea anémone [...-nɪ].

акти́ровать несов. и сов. (сов. тж. заакти́ровать) (вн.) cértify présence (ábsence) [...ˈprez-...] (of).

а́ктов||ый 1.: ~ая бума́га stamped / official páper; 2.: ~ зал assémbly hall; (в школе) school hall.

актри́са ж. áctress; коми́ческая ~ cómic áctress, comèdiénne [kɔmedɪˈen]; траги́ческая ~ trágic áctress, tragèdiénne [trəʒɪˈdɪen]; ~ на выходны́х роля́х, ~ на ма́леньких роля́х ùtility áctress.

актуа́льн||ость ж. 1. àctuálity; 2. (насущность) úrgency; (злободневность) tòpicálity. ~ый 1. (существующий в действительности) áctual; 2. (насущный) úrgent; (своевременный) tímeˈly; tópical; ~ая пробле́ма préssing / úrgent / tópical próblem [...ˈprɔ-], próblem of toˈday.

аку́ла ж. shark; (некрупная) dóg-fish.

акупункту́ра ж. àcupúnctˈure [-kju-].

аку́стик м. 1. (специалист в области акустики) acoustícian [əku:s-]; 2. (работник, обслуживающий звукоулавливающие аппараты) soundˈman*, sound tèchnícian [...-kˈnɪʃn].

аку́ст||ика ж. acóustics [əˈku:s-]. ~и́ческий acóustic [əˈku:s-].

акуше́р м. accoucheúr [ækuːˈʃəː], obstetrícian.

акуше́р||ка ж. mídˈwife*. ~ский obstétric(al); ~ские ку́рсы òbstétrics / mídwifery clásses [...-wɪfrɪ-]. ~ство с. obstétrics, mídwifery [-wɪfrɪ].

акце́нт м. (в разн. знач.) áccent; говори́ть с ~ом speak* with an áccent; сде́лать ~ (на пр.) àccéntuàte (d.), stress (d.), únderline (d.). ~и́ровать несов. и сов. (вн.) áccent (d.); àccéntuàte (d.) (тж. перен.). ~ный прил. к акце́нт; àccéntual. ~оло́гия ж. лингв. àccentólogy. ~уа́ция ж. лингв. àccentuátion.

акце́пт м. фин. accéptance.

акцептова́ть несов. и сов. (вн.) фин. accépt (d.).

акци́з м. excíse, excíse-dùty; взима́ть ~ excíse; сбо́рщик ~а excíseˈman*; подлежа́щий обложе́нию ~ом excísable [-z-]. ~ный прил. к акци́з; ~ный сбор excíse.

акционе́р м. sháreˈhòlder, stóckhòlder. ~ный jóint-stòck (attr.); ~ный капита́л joint stock, share cápital; ~ное о́бщество jóint-stòck cómpany [...ˈkʌ-].

а́кц||ия I ж. эк. share; (перен.) разг. stock; ~ на предъяви́теля órdinary share; именна́я ~ nóminal share; привилегиро́ванная ~ préference share; ~ии поднима́ются shares go up; ~ии па́дают shares go down, shares give way; спекуля́ция ~иями stóck-jòbbing; его́ ~ии си́льно поднима́ются his stock is rísing rápidly.

а́кция II ж. (действие) áction; диплома́тическая ~ démarche (фр.) [ˈdeɪmɑːʃ].

аки́н м. akýn (Kazakh or Kirghiz folk poet and singer).

алба́н||ец м., ~ка ж., ~ский Albánian; ~ский язы́к Albánian, the Albánian lánguage.

а́лгебра *ж.* álgebra. ~и́ческий àlgebráic(al).

алгори́тм *м. мат.* álgorithm [-ðm]. ~и́ческий àlgoríthmic [-ðm-].

алеба́рда *ж.* hálberd.

алеба́стр *м.* álabàster. ~овый *прил.* к алеба́стр.

александри́йский Àlexándrine; *(относящийся к городу Александрии)* Àlexándrian; ◇ ~ стих Àlexándrine (verse); ~ лист sénna.

александри́т *м. мин.* àlexándrite.

але́ть 1. *(становиться алым)* rédden; *(о лице)* flush; *(о закате)* glow [-ou]; **2.** *(виднеться)* show* red [ʃou...]. ~ся = але́ть 2.

алеу́т *м.* Aleútian [ə'lju:-]. ~ка *ж.* Aleútian (wóman*) [ə'lju:- 'wu-]. ~ский Aleútian [ə'lju:-].

алжи́р‖**ец** *м.*, ~ка *ж.*, ~ский Àlgérian.

а́либи *с. нескл. юр.* álibì; доказа́ть своё ~ estáblish / prove one's álibi [...pru:v...].

ализари́н *м. хим.* àlizárin. ~овый *прил.* к ализари́н.

алиме́нтщик *м. разг.* man* páying álimony; *(см. алиме́нты).*

алиме́нты *мн.* allówance due to children from fáther on sèparátion / divórce / desértion [...fə:...-'zɔ:-] *sg.*; álimony *sg.*, máintenance *sg.*

алкало́ид *м. хим.* álkaloid ['ælk-].

алка́ть *(рд.) уст.* crave (for), húnger (for).

алкоголи́зм *м.* dìpsománia, álcohòlism.

алкого́л‖**ик** *м.* dìpsomániac, álcohólic; *разг. (пьяница)* drúnkard. ~и́ческий *прил.* к алкоголи́зм.

алкого́ль *м.* **1.** *хим.* álcohòl; **2.** *(спиртные напитки)* spírit(s) *(pl.).* ~ный àlcohólic; ~ные напитки spírituous líquors, strong drinks, spírits.

алла́х *м.* Allah.

аллегори́ч‖**еский** àllegóric(al). ~ность *ж.* àllegórical náture / cháracter [...'neı-'kæ-]. ~ный àllegórical; ~ный стиль àllegórical style.

аллего́рия *ж.* állegory.

алле́гро *с. нескл., нареч. муз.* allégrò [ə'leı-].

аллерг‖**éн** *м.* állergèn. ~и́ческий *мед.* allérgic. ~и́я *ж. мед.* állergy.

аллерго́лог *м.* állergist, àllergólogist [-'dʒɔlə-].

аллерголо́гия *ж.* àllergólogy [-'dʒɔ-].

алле́я *ж.* ávenue; *(дорожка в парке)* path*, lane.

аллига́тор *м. зоол.* álligàtor.

аллилу́йщик *м. разг.* tóady.

аллилу́йя *межд.* àllelúia [-'lu:jə], hàllelújah!

аллитера́ция *ж. лит.* àlliterátion.

алло́ *межд.* húllo!; héllo! *амер.*

аллопа́т *м.* állopàth, állopathist. ~и́ческий àllopáthic. ~ия *ж.* allópathy.

аллопла́ст‖**ика** *ж.* álloplàsty. ~и́ческий àlloplástic.

аллювиа́льный *геол.* allúvial.

аллю́вий *м. геол.* allúvion, allúvium.

аллю́р *м.* pace, gait; бе́шеным ~ом at bréakneck speed [...'breık-...].

алма́з *м.* **1.** *(ún;cút)* díamond; **2.** *(для резки стекла)* glázier's díamond. ~ный *прил.* к алма́з 1.

ало́э *с. нескл.* **1.** *бот.* áloè; **2.** *мед.* áloès *pl.*

алта́йский Altái [æl'teı] *(attr.)*, Àltáic [æl'teık], Àltáian [æl'teıən].

алта́рь *м.* áltar ['ɔ:-]; ◇ возложи́ть, принести́ что-л. на ~ чего́-л. sácrifice smth. to smth.

алты́н *м. уст.* thrèe-cópeck piece [...pi:s]; ◇ не́ было ни гроша́, да вдруг ~ *посл.* ≅ what a súdden change from scárcity to plénty! [...tʃeı-...'skeəs-...].

алфави́т *м.* álphabet; по ~у in àlphabétical órder, àlphabétically. ~ный àlphabétical; ~ный указа́тель àlphabétical índex *(pl.* -es, índices).

алхи́м‖**ик** *м.* álchemist [-k-]. ~ия *ж.* álchemy [-k-].

алчн‖**ость** *ж.* (к) avídity (of, for); greed (of, for); *(к деньгам)* cupídity. ~ый grásping; (к, до) ávid (of, for), gréedy (of, for).

а́лчущий 1. *прич. см.* алка́ть; **2.** *прил. (рд.)* húngry (for), cráving (for, after).

а́л‖**ый** vermílion; crímson [-z'n], scárlet; ~ая ле́нта scárlet / crímson ríbbon; ~ые стя́ги scárlet bánners; ~ые гу́бы chérry-rèd lips.

алыча́ *ж. тк. ед. (дерево и плод)* chérry-plùm.

альбатро́с *м. зоол.* álbatròss.

альбин‖**и́зм** *м. биол.* álbinism. ~о́с *м.* àlbíno [-'bi:-] *(pl.* -òs [-ouz]).

альбо́м *м.* álbum; ~ для рису́нков skétch-book; ~ для ма́рок stamp álbum.

альбуми́н *м. биохим.* álbumen. ~ный *биохим.* àlbúminous.

альвео́л‖**а** *ж. анат.* àlvéolus [-'vıə-] *(pl.* -lì). ~я́рный *анат., лингв.* àlvéolar [-'vıə-].

альдеги́д *м. хим.* áldehỳde ['æl-].

алько́в *м.* álcove.

альмана́х *м.* **1.** *(литературный сборник)* ànthólogy, literary miscéllany; **2.* ист. (календарь)* álmanàc ['ɔ:-].

альпа́га *с. нескл.* = альпака́ I.

альпака́ I *с. нескл. (животное и материя из его шерсти)* àlpáca [-'pæ-].

альпака́ II *с. нескл. (посеребрённый мельхиор)* Gérman sílver.

альпи́йск‖**ий 1.** *(относящийся к Альпам)* Álpine; **2.** *(высокогорный)* álpine; ~ая фиа́лка cýclamen; ~ие луга́ álpine grásslands / méadows [...'med-]

альпиниа́да *ж. спорт.* alpíniad, mass ascént.

альпин‖**и́зм** *м.* Álpinism; móuntaineering. ~и́ст *м.*, ~и́стка *ж.* Álpinist; móuntain-climber [-klaımə], mountaíneer. ~и́стский álpinist *(attr.);* ~и́стский ла́герь álpinist / móuntaineering camp.

альт *м.* **1.** *(музыкальный инструмент)* viólà; **2.** *(голос, певец)* áltò ['æl-].

альтера́ция [-тэ-] *ж. муз.* chánges in the pitch of notes ['tʃeı-...] *pl.*; зна́ки ~ии àccidéntals.

альтернати́в‖**а** [-тэ-] *ж.* àltérnative. ~ный [-тэ-] àltérnative.

альтерна́ция [-тэ-] *ж. лингв.* àlternátion.

альтиме́тр *м. ав.* àltímeter [æl-].

альти́ст *м.*, ~ка *ж.* violà pláyer.

альто́вый *прил.* к альт.

альтру‖**и́зм** *м.* áltruism ['æl-], únsélfishness. ~и́ст *м.* áltruist ['æl-]. ~исти́ческий àltruístic [æl-], únsélfish.

альф‖**а** *ж. (греческая буква)* álpha; ◇ ~ и оме́га Álpha and Omega; beginning and end; от ~ы до оме́ги from A to Z, from beginning to end.

а́льфа-лучи́ *мн. физ.* álpha rays.

а́льфа-части́ца *ж. физ.* álpha párticles *pl.*

алья́нс *м.* alliance, únion.

алюми́ниевый *прил.* к алюми́ний.

алюми́ний *м.* alumínium; alúminum *амер.*

аляпова́тый clúmsy [-zı], táste;less; crúde;ly constrúcted.

амазо́нка *ж.* **1.** *миф.* Ámazon; **2.** *уст. (всадница)* hórse;wòman* [-wu-]; **3.** *уст. (платье)* ríding-hàbit.

амальга́м‖**а** *ж. хим.* amálgam [-'gæm]; *(перен.)* amàlgamátion. ~и́ровать *несов. и сов. (вн.)* amálgamàte *(d.).*

а́мба *ж. нескл., предик. разг.* kapút ['-put], it's all up; ему́ ~ he is done for.

амба́р *м.* barn, gránary; *(для хранения товаров)* wáre;house* [-s], store;house* [-s]; скла́дывать в ~ *(вн.)* store in gránary *(d.).* ~ный *прил.* к амба́р.

амби́ц‖**ия** *ж.* pride; *(спесь)* árrogance; челове́к с ~ией árrogant man*; *(перен.)* вломи́ться, уда́риться, войти́ в ~ию take* offénce and speak* ángrily; be hurt and véry ángry; take* offénce and refúse to budge an inch.

а́мбра *ж.* **1.** ámbergris; **2.** *(аромат)* frágrance ['freı-], perfúme.

амбразу́ра *ж.* embrásure [-'breı-]; *воен. тж.* gún-pòrt.

амбро́зия *ж. тк. ед.* àmbrósia [-z-].

амбулато́р‖**ия** *ж.* óut-pàtients' clínic / depártment. ~ный *прил.* к амбулато́рия; ~ный больно́й óut-pàtient; wálking pátient; ~ный приём óut-pàtient recéption hours [...auəz] *pl.*, súrgery hours *pl.*

амво́н *м. церк.* àmbò.

аме́ба *ж. зоол.* amóeba [ə'mi:-] *(pl.* -as, -ae).

америка́н‖**ец** *м.* Américan; *разг.* Yánkee [-kı], Yank *амер.* ~изи́рованный *прич. и прил.* américanized. ~изи́ровать *несов. и сов. (вн.)* américanize *(d.).* ~и́зм *м. лингв. (слово, словосочетание или оборот речи)* Américanism. ~ка *ж.* Américan (wóman*) [...'wu-]. ~ский Américan; ◇ ~ский замо́к Yale lock.

амети́ст *м.* ámethyst. ~овый ámethyst *(attr.).*

аминокислота́ *ж. хим.* amínò ácid [ə'mi:-...].

ами́нь *межд.* àmén! [a:-].

аммиа́к *м. хим.* ammónia, ammónium hýdràte [...'haı-]. ~чный *хим.* ammóniac.

аммона́л *м.* ámmonal.

аммо́ний *м. хим.* ammónium; хло́ристый ~ ammónium chlóride, ammónium salt.

амнисти́ровать *несов. и сов. (вн.)* ámnèsty *(d.).*

амни́ст‖**ия** *ж.* ámnèsty; free párdon; объяви́ть ~ию annóunce / grant an ámnèsty [...-a:nt...]; о́бщая ~ géneral ámnèsty / párdon.

аморáль∥ность ж. amorálity; (*безнравственность*) immorálity. ~ый amóral [-ɔr-]; (*безнравственный*) immóral [-ɔr-].

амортиз∥áтор м. *тех.* shock-absòrber. ~**ацио́нный 1.** *эк., юр.* amòrtizátion (*attr.*); ~ационный капитáл sínking-fùnd; **2.** *тех.* shock-absòrber (*attr.*). ~**áция** ж. **1.** *эк., юр.* amòrtizátion; **2.** (*изнашивание имущества*) wear and tear [weə...teə], depreciátion; **3.** *тех.* shock-absòrption. ~**и́ровать** *несов. и сов.* (*вн.*) ámortize (*d.*).

амо́рфный amórphous.

ампе́р м. *физ.* ámpère ['æmpɛə]. ~**ме́тр** м. *физ.* ámpèremèter [-rɛə-], ámmèter. ~-**ча́с** м. *физ.* ámpère hour ['æmpɛə auə].

ампи́р м. *иск.* Émpire style. ~**ный** *иск.* Émpire-style (*attr.*).

амплиту́да ж. *физ.* ámplitùde.

амплифика́ция ж. *лит.* àmplificátion.

амплуа́ с. *нескл. театр.* line of búsiness [...'bɪzn-], line; (*перен.*) role; актёр на ра́зные ~ vérsatile áctor; ~ пе́рвого любо́вника, резонёра the role / part of the jeune premier, of the móralizer [...ʒə:npɾə'mjɛə...]; како́е ~ у э́того актёра? what kind of parts does that áctor play?

а́мпула ж. ámpoule [-pu:l].

ампут∥а́ция ж. àmputátion. ~**и́ровать** *несов. и сов.* (*вн.*) ámputate (*d.*).

амуле́т м. ámulet, charm.

амуни́ция ж. *тк. ед. собир. уст.* accóutrements [ə'ku:tə-] *pl.*

аму́р м. **1.** (A.) *миф.* Cúpid; **2.** *мн. уст. разг.* love affáirs [lʌv...]. ~**ный** *уст. разг.* love [lʌv] (*attr.*).

амфи́бия ж. amphíbian.

амфибра́хий м. *лит.* ámphibràch [-k].

амфитеа́тр м. **1.** *ист.* ámphitheatre [-θɪə-]; **2.** *театр.* circle, ámphitheatre, pàrtérre [-'tɛə] *амер.*

а́мфора ж. ámphora.

ан *разг.* **1.** *союз противит.* on the cóntrary; ду́мали, его́ не бу́дет, ан он-то и пришёл they thought he would not be there and never expécted him to turn up; they didn't think he'd be there, but there he was; **2.** *частица*: ан нет not by any means.

анабио́з м. *биол.* ànabiósis.

анаболи́зм м. anábolism.

анагра́мма ж. *лит.* ánagràm.

анако́нда ж. (*змея*) ànacónda.

анакреонти́ческий *лит.* ànàcreóntic.

ана́лиз м. análysis (*pl.* -ses [-si:z]); ~ кро́ви blood test [blʌd...]; сде́лать ~ кро́ви на маляри́ю test the blood for malária; не поддаю́щийся ~у únànalỳsable [-z-]. ~**а́тор** м. ánalỳser. ~**и́ровать**, **проанализи́ровать** (*вн.*) ánalỳse (*d.*).

анали́т∥ик м. ánalyst. ~**ика** ж. *разг.* (*аналитическая геометрия*) ànalýtic geómetry. ~**и́ческий** ànalýtic(al); ~и́ческий ум ànalýtical mind; ◇ ~и́ческая хи́мия ànalýtical chémistry [...'ke-]; ~и́ческая геоме́трия ànalýtic geómetry.

ана́лог м. ánalògue.

аналоги́ч∥еский ànalógic(al). ~**ный** análogous; быть ~ным (*дт.*) be análogous (to), have ánalogy (to, with).

анало́г∥ия ж. análogy; по ~ии (*с тв.*) by análogy (with), on the análogy (of); проводи́ть ~ию (*с тв.*) draw* an análogy (to, with).

аналóй м. *церк.* léctern.

ана́льный *анат.* ánal.

ана́мнез [-нэз] м. *мед.* anámnesis.

анана́с м. (*растение и плод*) pine-àpple. ~**ный**, ~**овый** píne:àpple (*attr.*); ~ная тепли́ца pínery ['paɪ-].

ана́пест м. *лит.* ánapaest.

анарх∥и́зм м. ánarchism [-k-]. ~**и́ст** м., ~**и́стка** ж. ánarchist [-k-]. ~**и́стский** *прил. к* анархи́ст. ~**и́ческий** ànárchic(al) [-k-].

анархи́чный ànárchic(al); (*перен.*) disórderly, chàótic [keɪ-].

ана́рхия ж. ánarchy [-kɪ].

ана́рхо-синдикал∥и́зм м. ànárcho-sýndicalism [-kə-]. ~**и́ст** м. ànárcho-sýndicalist [-kə-].

ана́том м. anátomist. ~**и́рование** *с.* anátomy, disséction. ~**и́ровать** *несов. и сов.* (*вн.*) anátomize (*d.*), disséct (*d.*). ~**и́ческий** ànatómic(al).

анато́мия ж. anátomy; ~ челове́ка húman anátomy; ~ живо́тных ánimal anátomy; ~ расте́ний plant anátomy [-a:nt...].

анафе́м∥а ж. *церк.* anáthema; преда́ть ~е (*вн.*) anáthematize (*d.*); read* / pronóunce an anáthema (against). ~**ский** *разг.* accúrsed.

ана́фора ж. *лит.* anáphora.

анахоре́т м. *уст.* ánchorite ['æŋk-], ánchorèt ['æŋk-].

анахрон∥и́зм м. anáchronism. ~**и́ческий**, ~**и́чный** ànachronístic.

ангаж∥еме́нт м. *уст.* en:gáge:ment. ~**и́ровать** *несов. и сов.* (*вн.*) *уст.* en:gáge (*d.*).

анга́р м. *ав.* hángar.

а́нге∥л м. ángel ['eɪndʒ'l]; ◇ день ~ла *уст.* náme-day; поздравля́ть кого́-л. с днём ~ла *уст.* con:grátulàte smb. on *his* náme-day. ~**лóчек** м. chérub ['tʃe-].

а́нгельск∥ий angélic [æn'dʒ-]; ◇ ~ое терпе́ние bóundless pátience.

ангидри́д м. *хим.* anhýdride [-'haɪ-].

анги́на ж. *мед.* quínsy [-zɪ].

англи́йск∥ий English ['ɪ-]; (*о населении Великобритании тж.*) Brítish; ~ язы́к English, the English lánguage; ◇ ~ая соль *уст.* Épsom salts *pl.*; ~ая боле́знь *уст.* ríckets; ~ая була́вка sáfety-pin.

англика́нск∥ий Ánglican; ~ая це́рковь the Ánglican Church, the Church of England [...'ɪ-].

англи́ст м. Ánglicist, spécialist in Énglish philólogy ['spe-... 'ɪ-...], English philólogist. ~**ика** ж. English philólogy ['ɪ-...].

англици́зм м. *лингв.* Ánglicism.

англича́н∥ин м. Énglish:man* ['ɪ-]; *мн. собир.* the Énglish [...'ɪ-]; (*о населении Великобритании тж.*) the Brítish. ~**ка** ж. Énglish:woman* ['ɪ- -wu-].

а́нгло-америка́нский Ánglò-Américan.

англома́н м. an extréme Ánglo:phile. ~**ия** ж. Ánglo:mánia.

англоса́кс м. Ánglo-Sáxon.

англосаксо́нский Ánglo-Sáxon.

англо∥фи́л м. Ánglo:phile. ~**фо́б** м. Ánglò:phòbe.

анго́рск∥ий Àngóra (*attr.*); ~ая ко́шка Àngóra / Pérsian cat [...-ʃən...]; ~ая коза́ Àngóra goat.

анда́нте [-тэ] *с. нескл., нареч. муз.* àndánte [-tɪ].

аневри́зма ж. *мед.* áneurism, áneurysm.

анекдо́т м. ánecdòte; fúnny stóry; (*шутка тж.*) joke; ◇ э́то про́сто ~! it is símply ridíсulous! **и́ческий** ànecdótal; ~и́ческий расска́з fár-fétched stóry. ~**и́чный** imprόbable; húmorous; э́то ~и́чно it sounds / seems imprόbable, húmorous.

анеми́ч∥еский, ~**ный** anáemic.

анеми́я ж. *мед.* anáemia.

анемо́∥граф м. ànémogràph. ~**метр** м. ànemómeter, wind-gauge ['wɪndgeɪdʒ].

анемо́н м. *бот.* anémone [-nɪ].

анеро́ид м. ànerόid.

анестезио́лог [-нэстэ-] м. ànáesthetist, ànaesthèsiólogist [-nɪsθiːz-].

анестезиологи́ческий [-нэстэ-] ànaesthétic [-nɪs-].

анестезиоло́гия [-нэстэ-] ж. ànaesthèsiólogy [-nɪsθɪzɪ-].

анестези́р∥овать [-нэстэ-] *несов. и сов.* (*вн.*) *мед.* ànáesthetize (*d.*). ~**ующий** [-нэстэ-] **1.** *прич. см.* анестези́ровать; **2.** *прил.* ànaesthétic [ænɪs-]; ~ующее сре́дство ànaesthétic.

анестези́я [-нэстэ-] ж. ànaesthésia [ænɪs'θɪːz-]; ме́стная ~ lòcal ànaesthésia.

анили́н м. *хим.* ániline [-liːn]. ~**овый** *прил. к* анили́н; ~овая кра́ска ániline dye [-liːn...].

анимали́ст м. (*живописец*) ánimal páinter; (*скульптор*) ánimal scúlptor.

аним∥и́зм м. ánimism. ~**исти́ческий** ànimístic.

ани́с м. *тк. ед.* **1.** (*растение*) ánise [-ɪs]; **2.** (*сорт яблок*) ánise ápples *pl.* ~**овка** ж. *разг.* **1.** = ани́с 2; **2.** (*водка*) ànisétte [-'zet]. ~**овый** ánise [-ɪs] (*attr.*); (*относящийся к семени*) ániseed (*attr.*).

а́нкер м. *тех.* **1.** (*железная скрепа*) ánchor ['æŋkə]; **2.** (*в часах*) crutch. ~**ный** *прил. к* а́нкер; ~ный болт ánchor bolt ['æŋkə...], rág-bòlt; ~ный кол ánchoring pícket ['æŋkə-...], ánchor post [...poust]; ~ные часы́ léver watch *sg.*

анке́т∥а ж. form, quèstionnáire [ke-]; запо́лнить ~у fill in *a* form / quèstionnáire, complète *a* form. ~**ный** *прил. к* анке́та; ~ные да́нные pérsonal partícu·lars.

анна́лы *мн.* ánnals, récords ['re-].

аннекси́ровать [анэ-] *несов. и сов.* (*вн.*) annéx (*d.*).

анне́ксия ж. [анэ-] ànnèxátion.

аннигиля́ция ж. *физ.* ànnihilátion [əпаɪə-].

аннот∥а́ция ж. ànnotátion. ~**и́ровать** *несов. и сов.* (*сов. тж.* проанноти́ровать) (*вн.*) ánnotàte (*d.*).

аннули́рование *с.* annúlment; (*о долге, постановлении*) càncellátion; (*отмена*) àbrogátion, abolítion; (*о мандате и т.п.*) núllificátion.

аннули́ровать *несов. и сов.* (*вн.*) annúl (*d.*); (*о долге, постановлении*) cáncel (*d.*); (*отменить*) ábrogàte (*d.*), rescínd [-'sɪ-]

АНО — АПЕ

(d.), repéal (d.), revóke (d.), abólish (d.); (о мандате и т.п.) núllify (d.); ~ договóр annúl a tréaty; scrap a tréaty разг.; ~ долг write* off a debt [...det].

анóд м. эл. ánode; **~ный** эл. anódic; ánode (attr.).

анодировать несов. и сов. (вн.) тех. ánodize (d.).

аномáл||ия ж. anómaly. **~ьный** anómalous; abnórmal.

анонúм м. 1. (автор) anónymous áuthor; 2. (сочинение) anónymous work. **~ка** ж. разг. неодобр. líbellous anónymous létter ['laɪ-...]. **~ный** anónymous. **~щик** м. разг. презр. writer of líbellous anónymous létters.

анóнс м. (объявление) annóuncement, nótice ['nou-]; (афиша) bill, póster ['pou-]. **~ировать** несов. и сов. (вн.) annóunce (d.).

анорáк м. ánorak.

анормáльный abnórmal.

анóфелес м. зоол. anópheles [-liːz].

ансáмбль м. ensémble [ɑːnˈsɑːmbl]; архитектурный ~ architéctural ensémble [ɑːkɪ-...], group of búildings [gruːp... ˈbɪl-]; ~ пéсни и пляски ensémble of folk sínging and dáncing.

антагон||úзм м. antágonism. **~úст** м. antágonist. **~истический** antagonístic; **~истические клáссы** antagonístic / oppósing clásses.

Антáнта ж. ист. the Enténte [ɑːnˈtɑːnt]; Мáлая ~ the Little Enténte.

Антáрктика ж. the Antárctic; the àntárctic régions pl.

антарктический antárctic.

антéнна [-тэ-] ж. 1. рад. áerial ['ɛə-], anténna (pl. -ae); рáмочная ~ loop áerial; 2. зоол. anténna (pl. -ae).

анти- (в сложн.) anti-

антиамерикáнский ánti-Américan.

антибиóтики мн. (ед. антибиóтик м.) antibiótics.

антивеществó с. физ. antimátter.

антивúрус м. antivírus.

антивоéнный ánti-wár.

антигéн м. биохим. ántigen. **~ный** прил. к антигéн.

антигигиенический unhygiénic [-haɪˈdʒi-], insánitary.

антигосудáрствен||ный ántistáte; **~ая дéятельность** ántistáte áctivities pl.

антидемократический ánti-démocrátic.

антиимпериалистический ánti-impérialist.

антиистор||úзм м. unhistóricalness. **~úческий** unhistórical.

антиквáр м. antiquárian, ántiquary. **~ный** 1. antique [-ˈtiːk]; **~ная вáза** antíque vase [...vɑːz]; 2. (о торговле старинными вещами); **~ный магазúн** antíque-shop [-ˈtiːk-]; curiósity shop разг.

антиколониалúзм м. ánti-colónialism.

антиколониáльный ánti-colónial.

антикоммун||úзм м. ánti-Cómmunism. **~истический** ánti-Cómmunist.

антилóпа ж. зоол. ántelòpe.

антимарксúстский ánti-Márxist.

антиматéрия ж. физ. antimátter, contratérrene mátter.

антимилитар||úзм м. ánti-mílitarism. **~úст** м. ánti-mílitarist. **~истический** ánti-mílitarist.

антимúр м. ántiwórld.

антимóн||ия ж.: **~ии разводúть** разг. engáge in idle talk, talk ídly; shoot* the breeze.

антимонополистическ||ий ántimonópoly (attr.); **~ое законодáтельство** ántimonópoly legislátion.

антинарóдный ánti-pópular.

антинаýчный ánti-scientífic.

антинациональный ánti-nátional [-ˈnæ-].

антинейтрúно с. нескл. физ. ántineutrínò [-ˈtriː-].

антинейтрóн м. физ. ántinéutron.

антиномия ж. филос. antínomy.

антиобщéствен||ный ánti-sócial; ~ постýпок ánti-sócial act; **~ое поведéние** ánti-sócial behaviour.

антипартúйный ánti-Párty (attr.).

антипассáт м. метеор. ánti-tráde (wind) [...wɪ-].

антипатúчный àntipathétic.

антипáт||ия ж. (к) antípathy (against); питáть ~ию к кому-л. feel* an antípathy agáinst smb.

антипатриотический únpatriótic [-pæ-].

антипирúн м. фарм. antipýrine [-ˈpaɪə-].

антипóд м. antípode (pl. -des [-diːz]); мн. собир. the antípodes.

антипротóн м. antíproton.

антирабóч||ий ánti-wórking-clàss, ánti-lábour; **~ее законодáтельство** ánti-wórking-clàss / ánti-lábour legislátion.

антиракéта ж. ánti-rócket míssile.

антирелигиóзный ánti-relígious.

антисанитáрный insánitary.

антисемúт м. ánti-Sémite. **~úзм** м. ánti-Sémitism. **~ский** ánti-Semític.

антисéпт||ика [-сэ-] ж. мед. 1. собир. (обеззараживающие средства) àntiséptics pl.; 2. (обеззараживание ран) àntisépsis. **~úческий** [-сэ-] мед. antiséptic.

антисоветúзм м. ánti-Sóvietism.

антисовéтский ánti-Sóviet.

антисовéтч||ик м. презр. ánti-Sóviet propagándist. **~ина** ж. презр. ánti-Sóviet propagánda.

антисоциáльный ánti-sócial.

антитé||за [-тэ-] ж. филос., лит. antíthesis (pl. -sès [-siːz]). **~зис** [-тэ-] м. филос. antíthesis (pl. -sès [-siːz]).

антитéло с. биохим. ántibòdy [-bɔ-].

антитетический [-тэ-] àntithétic.

антитокс||úн м. биохим. ántitóxin. **~úческий** мед. ántitóxic.

антифашúст м., **~ский** ánti-fáscist [-ˈfæʃ-].

антифрúз м. ántifréeze, ántifréezing cómpound.

антихрúст м. рел. ántichrist [-aɪst].

антихудóжественный inártistic.

антициклóн м. метеор. ánticýclone [-ˈsaɪ-].

античастúца ж. физ. ánti-párticle.

антúчн||ость ж. antíquity. **~ый** áncient ['eɪn-], clássical; **~ый мир** the áncient world; **~ый стиль** the style of áncient art; **~ая литератýра** clássical líterature.

антиэлектрóн м. àntieléctron.

антологический ànthológical.

антолóгия ж. anthólogy.

антóним м. лингв. ántonym. **~úчный** лингв. antónymous.

антóнов: ~ огóнь уст. gángrene.

антóнов||ка ж. тк. ед. (сорт яблок) antónovka apples pl. (kind of winter apples). **~ский:** **~ские яблоки** = антóновка.

антрáкт м. 1. ínterval; 2. муз. entr'ácte ['ɔntrækt], ínterlùde.

антрацéн м. хим. ánthracène.

антрацúт м. ánthracite. **~ный, ~овый** ànthracític, ànthracítous.

антрашá с. нескл. entrechat (фр.) [ɑːntrəˈʃɑː]; выдéлывать ~ разг. cut* cápers.

антрекóт м. кул. entrecôte (фр.) [ɑːntrəˈkout], steak [steɪk].

антрепренёр м. imprésáriò [-ˈsɑː-]; entrepreneur (фр.) [ɔntrəprəˈnəː].

антрепрúз||а ж. уст. private theátrical énterprise ['praɪ-θɪˈæ-...], theátrical concérn; держáть ~у run* a théatre [...ˈθɪə-].

антресóли мн. (ед. антресóль ж.) mézzanìne [-niːn] sg.; (верхний полуэтаж) áttic stórey sg.

антропóид м. ánthropoid.

антропó||лог м. ànthropólogist. **~логический** ànthropológical. **~лóгия** ж. ànthropólogy.

антропо||метрический ànthropométric. **~мéтрия** ж. ànthropómetry.

антропо||морфúзм м. ànthropomórphism. **~морфúческий** ànthropomórphic. **~мóрфный** ànthropomórphous.

антропо||фáг м. ànthropóphagus (pl. -gi), cánnibal. **~фáгия** ж. ànthropóphagy, cánnibalism.

антурáж м. уст. énvironment; entourage (фр.) [ɔntuˈrɑːʒ]; (среда) milieu (фр.) [miːˈljəː]; surróundings pl.; (окружающие) assóciates pl., connéctions pl.

анфáс нареч. full face; сняться ~ have a fúll-fáce phótográph táken, be táken full face.

анфилáда ж. suite (of rooms) [swiːt...].

анчáр м. бот. úpas-tree, ántiar.

анчóус м. anchóvy.

аншлáг м. 1. театр. the "sold out" nótice [...ˈnou-]; full house [...-s]; пьéса идёт с ~ом the show is sold out for every perfórmance [...ˈfɔː...]; the house is full; 2. (крупный заголовок в газете) bánner-héadline [-ˈhed-].

анютин: ~ы глáзки мн. pánsies [-zɪz].

аóрист м. лингв. áorist ['ɛə-].

аóрта ж. анат. aórta.

апартáменты мн. (ед. апартáмент м.) уст. a lúxury suite [...-kʃə- swiːt] sg., a large and súmptuous set of rooms.

апартеúд [-тэ-] м., **апáртхейд** м. apártheid [-heɪt].

апатúт м. мин. ápatite. **~овый** прил. к апатúт.

апатúчн||ость ж. ápathy. **~ый** ápathétic.

апáтия ж. ápathy.

апáш м. apáche [əˈpɑːʃ]; ◊ рубáшка ~ "apáche" shirt (shirt with turn-down collar).

апелл||úровать несов. и сов. (к) appéal (to). **~яНт** м. appéllant. **~яциóнный** прил. к апелляция; **~яциóнный суд** Court of Appéal [kɔːt...]. **~яция** ж. appéal; подавáть ~яцию на решéние суда́ appéal agáinst the court's decísion [...kɔːts...]; отклони́ть ~я́цию dismíss an appéal.

апельси́н м. 1. (плод) órange; 2. (дерево) órange-tree. ~ный, ~овый прил. к апельси́н; цветы́ ~ового де́рева órange-blóssoms; ~овая планта́ция órangery; ~овый сок órange juice [...dʒuːs]; ~овый цвет órange(-cólour) [-kʌ-].

аплоди́||ровать (дт.) appláud (d.), cheer (d.); бу́рно ~ accláim; appláud / cheer to the échò [...'ekou]. ~исме́нты мн. appláuse sg., cláppying sg.; cheers; гро́мкие, продолжи́тельные ~исме́нты loud and prolónged appláuse sg.; бу́рные ~исме́нты storm of appláuse sg.; loud cheers разг.

апло́мб м. aplòmb [əˈplɔm]; assúrance [əˈʃuə-], sélf-cónfidence; держа́ться с ~ом be sélf-assúred [...-əˈʃuəd]; говори́ть с ~ом speak* with aplomb; у него́ не хвата́ет ~а he lacks assúrance / aplomb, he is not sufficiently sélf-cónfident.

апог||е́й м. астр. ápogee; (перен.) clímax, cùlminátion, ácme [-ɪ]; ~ сла́вы height / súmmit of glóry [haɪt...]; его́ тала́нт дости́г своего́ ~е́я his tálent is at its zénith [...ˈtæ-...], he is at his zénith.

апокали́п||сис м. Apócalypse; the Revelátion. ~си́ческий, ~ти́ческий apòcalýptic(al).

апо́криф м. лит. apócrypha pl. ~и́ческий apócryphal.

аполити́зм м. = аполити́чность.

аполити́чн||ость ж. political indífference ~ый apolítical; polítically indífferent.

апологе́т м. apólogist.

аполо́гия ж. an immóderate eúlogizing, an excéssive apológia.

апоплекси́ческий мед. apopléctic; ~ уда́р apopléctic stroke / fit, séizure [ˈsiːʒə].

апопле́ксия ж. мед. apóplexy.

апо́рт I м. тк. ед. (сорт яблок) Opórtò apples pl.

апо́рт II межд. (приказание собаке на охоте) fetch!

апоселе́ний м. астр. ápolùne.

апостерио́р||и [-тэ-] нареч. филос. à postèrióri. ~ный [-тэ-] филос. à postèrióri (attr.).

апо́стол м. рел. 1. apóstle (тж. перен.); 2. (книга) Books of the Apóstles pl., the Acts of the Apóstles pl.

апо́стольский рел. apostólic.

апостро́ф м. apóstrophe [-fɪ].

апофео́з м. apotheósis.

апоце́нтр м. астр. apocèntre.

аппара́т м. 1. apparátus; фотографи́ческий ~ cámera; светосигна́льный ~ воен. sígnal lamp; 2. физиол. órgans pl.; дыха́тельный ~ respíratory órgans [-ˈpraɪə-...]; 3. (совокупность учреждений) machínery [-ˈʃiː-]; bódies [ˈbɔ-] pl.; госуда́рственный ~ State machínery, the machínery of the State; 4. собир. (штат) staff, pèrsonnél; ◇ нау́чный ~ apparátus críticus (scientífic publicátions, literature cited, réferences). ~ная ж. скл. как прил. apparátus room.

аппарату́ра ж. тк. ед. собир. apparátus, equipment.

аппара́тчик м. (machíne) óperative [-ˈfiːn...], man* in charge of apparátus.

аппе́ндикс м. анат. appéndix (pl. -ixes, -icès [-isiːz]); 2. тех. neck.

аппендици́т м. мед. appendícitis.

апперцеп||ти́вный, ~цио́нный психол. appercéptive.

апперце́пция ж. психол. appercéption.

аппети́т м. áppetite; (к чему́-л.) rélish (for smth.); дразни́ть чей-л. ~ make* smb's mouth wáter [...ˈwɔː-]; ◇ ~ прихо́дит во вре́мя еды́ the áppetite comes with éating; прия́тного ~а! bon appétit! (фр.) [bɔn apeˈti], I hope you enjoy your bréakfast, dínner, etc. [...ˈbrek-...]. ~ный áppetizing.

апплика́тура ж. муз. fingering.

апплика́ция ж. 1. (способ отделки) appliqué (фр.) work [æˈpliːkeɪ...]; 2. (отделка) appliqué.

апприти́||ровать несов. и сов. (вн.) тех. dress (d.). ~у́ра ж. тех. dréssing. ~у́рщик м. dresser.

апре́л||ь м. April [ˈeɪ-]; в ~е э́того го́да in April; в ~е про́шлого го́да last April; в ~е бу́дущего го́да next April; ◇ пе́рвое ~я («обманный день») All Fools' Day, April Fool's Day.

апре́льский прил. к апре́ль; ~ день [...ˈeɪ-...], a day in April.

априо́р||и нареч. филос. á prióri. ~ный филос. á prióri (attr.).

апроб||а́ция ж. àpprobátion, appróval [-uːv-]. ~и́ровать несов. и сов. (вн.) appróve [-uːv] (d.).

апси́да ж. арх., астр. apse.

апте́||ка ж. chémist's (shop) [ˈkeː-...], phármacy; drúg-stòre амер.; ◇ как в ~ке разг. шутл. couldn't be bétter! ~карский pharmacéutical; ~карский магази́н non-dispénsing chémist's (shop), drúg-stòre. ~карь м. уст. chémist [ˈkeː-] drúggist. ~чка ж. (ящик с лекарствами) médicine chest; (первой помощи) fírst-aid set / kit. ~чный прил. к апте́ка.

ар м. (100 м²) are (100 sq. m.).

ара́б м. Árab [ˈæ-], Arábian.

арабе́ска ж. àrabésque.

араби́ст м. Árabist, spécialist in Árabic philólogy [ˈspe-...], Árabic philólogist. ~ика ж. Árabic philólogy.

ара́б||ка ж. к ара́б. ~ский Arab [ˈæ-] (attr.), Arábian, Árabic; ~ский язы́к Árabic; the Árabic lánguage; ~ские стра́ны Árab cóuntries [...ˈkʌn-]; ◇ ~ская ци́фра Árabic númeral / figure.

арави́йский Arábian, of Arábia.

аракче́евщина ж. ист. Arakchéyev règime [...reɪˈʒiːm].

аранжи́р||овать несов. и сов. (вн.) муз. arránge [-eɪndʒ] (d.). ~о́вка ж. муз. (для) arrángement [-eɪndʒ-] (for).

ара́п м. уст. 1. (чернокожий человек) bláckamoor; 2. разг. (плут) cheat, swíndler; ◇ на ~а by blúffing.

ара́пник м. húnting-whip, húnting-crop.

араука́рия ж. бот. àraucária.

ара́хис м. (растение и плод) gróund-nùt, péanùt. ~овый péanùt (attr.).

арба́ ж. búllock cart [ˈbul-...].

арбале́т м. árbalèst.

арби́тр м. árbiter, árbitràtor; (в спортивных состязаниях) úmpire.

арбитра́ж м. àrbitrátion; переда́ть вопро́с на ~ submít the quéstion to àrbitrátion [...-stʃ-...]. ~ный прил. к арбитра́ж; ~ный суд court of àrbitrátion [kɔːt...], àrbitrátion tribúnal.

арбу́з м. wáter-mélon [ˈwɔːtəme-].

аргама́к м. àrgamák (Central Asian breed of sáddle-hòrse).

аргенти́н||ец м., ~ка ж. Àrgentínean [-ɪən]. ~ский Argentine.

арго́ с. нескл. лингв. slang; воровско́е ~ thieves' cant / Látin [θiː-...].

арго́н м. хим. árgon.

аргона́вт м. миф. Árgonaut.

арготи́||зм м. лингв. slang / cant expréssion. ~ческий лингв. slang (attr.).

аргуме́нт м. árgument; ве́ский ~ télling / wéighty / fórcible árgument. ~а́ция ж. àrgumèntátion; (совокупность доводов) réasoning [-zn-].

аргументи́ров||ать несов. и сов. (вн.) árgue (d.); э́то ну́жно отде́льно ~ it must be árgued séparately; хорошо́ ~анная речь wéll-réasoned speech [-z-...].

А́ргус м. миф. Árgus; бди́тельный как ~ Árgus-èyed [-ˈaɪd].

ареа́л м. 1. зоол., бот. nátural hábitàt; 2. лингв. área.

аре́н||а ж. aréna; цирково́й ~ circus ring; ~ де́ятельности field / sphere of áction [fiːld...]; междунаро́дная ~ internátional scene [-ˈnæ-...]; мирова́я ~ world aréna / scene; на мирово́й ~е on the world aréna; вы́йти на ~у междунаро́дной жи́зни énter the internátional scene.

аре́нд||а ж. 1. (наём) lease [-s]; взять в ~у (вн.) lease [-s] (d.), take* on lease (d.); сдать в ~у (вн.) lease [-s], grant on lease [-ɑːnt-] (d.); rent (d.) амер.; 2. (плата) rent; взять сли́шком высо́кую ~у (за вн.) charge too high a rent (for). ~а́тор м. lease:hòlder [-s-], lèssée, ténant [ˈte-]. ~ный прил. к аре́нда; ~ный догово́р lease [-s]; (о квартире и т.п.) ténancy agréement; ~ная пла́та rent, réntal; освобождённый от ~ной пла́ты rént-frée; ~ное пра́во ténant right [ˈte-...].

арендо́ванный прич. и прил. léased [-st], rénted.

арендова́ть несов. и сов. (вн.) lease [-s] (d.), have on lease (d.), hold* on lease (d.), rent (d.).

арео́метр м. физ. àreómeter.

ареопа́г м. ист. Àreópagus.

аре́ст м. 1. arrést; взять под ~ (вн.) arrést (d.), put* únder arrést (d.), take* into cústody (d.); находи́ться под ~ом be únder arrést (d.); 2. (об имуществе и т.п.) sèquèstrátion [siː-...]; séizure [ˈsiːʒə]; attáchment юр.; снять ~ (с рд.) reléase [-s-] (d.); наложи́ть ~ (на вн.) séquestràte (d.), seize [siːz] (d.); attách (d.) юр.

аресто́нт м. уст. prísoner [-iz-]. ~ский прил. к аресто́нт; ~ская ро́та уст. cónvict lábour gang.

аресто́ванный 1. прич. см. аресто́вывать; 2. м. как сущ. prisoner [-iz-].

арестова́ть сов. см. аресто́вывать.

аресто́вывать, арестова́ть (вн.) arrést.

ари́||ец м., ~йка ж., ~йский Áryan [ˈɛə-].

АРИ – АСП

ариозо с. нескл. муз. àriósò [a:rı'ouzou].
аристократ м. àristocràt. ~**изм** м. àristócratism. ~**ический**, ~**ичный** àristocrátic; ирон. grand. ~**ия** ж. àristócracy; (высшее дворянство) nobílity; финансовая ~**ия** plùtócracy. ~**ка** ж. к аристокра́т.
аритм||**и́чный** únrhýthmical; мед. arrhýthmic. ~**ия** ж. мед. arrhýthmia.
арифмет||**ика** ж. aríthmetic. ~**и́ческий** àrithmétical; ~**и́ческая задача** sum.
арифмо||**граф** м. aríthmogràph. ~**метр** м. àrithmómeter.
а́рия ж. муз. ária ['a:-], air.
а́рка ж. arch.
арка́да ж. арх. àrcáde.
арка́н м. lássò [тж. læ'su:]; ловить ~**ом** (вн.) lássò (d.).
арка́нить, **заарка́нить** (вн.) lássò (d.).
Арктика ж. the Árctic; the Árctic régions pl.
аркти́ческий árctic.
арлеки́н м. hárlequin. ~**а́да** ж. hàrlequináde.
арма́да ж. àrmáda [-'ma:-]; ◇ непобеди́мая ~ the Invíncible Àrmáda.
армату́р||**а** ж. тк. ед. 1. собир. тех. (приборы) àccessories pl., fittings pl., fixtures pl.; 2. стр. rè:inforce:ment; желе́зная ~ rè:inforcing steel, steel rè:inforce:ment. ~**щик** м. smith for rè:inforced cóncrète [...-nk-]; fitter.
арме́ец м. sérvice:man*; sóldier ['souldʒə].
арме́йский прил. к а́рмия.
арми́ров||**анный** прич. и прил. тех. rè:inforced; ~ **бето́н** rè:inforced cóncrète [...-nk-]. ~**а́ть** несов. и сов. (вн.) тех. rè:inforce (d.).
а́рмия ж. 1. ármy; fórces pl.; Сове́тская А́рмия the Sóviet Ármy; Кра́сная А́рмия ист. the Red Ármy; де́йствующая ~ Ármy in the Field [...fi:-]; Field Fórces pl. амер.; регуля́рная ~ régular / stánding ármy; 2. (множество) ármy, host; многомиллио́нная ~ (рд.) míllions-strong ármy (of).
армя́к м. уст. àrmiák [-ja:k] (peasant's coat of heavy cloth).
армяни́н м. Árménian.
армя́н||**ка** ж., ~**ский** Árménian; ~**ский язы́к** Árménian, the Árménian lánguage.
арнау́тка ж. тк. ед. с.-х. àrnáutka [-na:'u:t-] (kind of wheat).
арома́т м. (прям. и перен.) aróma; (благоухание) frágrance ['freı-]; ~ **цветов** frágrance of flówers; то́нкий ~ délicate aróma, ~ **ку́шаний** ódour / smell of food.
~**и́ческий**, ~**и́чный** àromátic, frágrant; ~**и́ческие соедине́ния** àromátic cómpounds. ~**ный** àromátic, frágrant; (о вине и т.п.) flávour:ed; (о воздухе) bálmy ['ba:-].
а́рочный arched, váulted; ~ **мост** arched bridge.
арпе́джио с. нескл., нареч. муз. àrpéggiò [-dʒıou].
арсена́л м. ársenal; ármoury; (перен.: большое количество чего-л., запас) a store (of); stores (of) pl.

арт- (в сложн.) àrtíllery (attr.); órdnance (attr.): **артого́нь** àrtíllery fire; **артскла́д** órdnance dépòt [...'depou].
арта́читься, **заарта́читься 1.** (о лошади) jib, be réstive; **2.** разг. (упрямиться) be óbstinate / píg-héaded [...-'hed-]; по́лно тебе́ ~ we have had enóugh of your óbstinacy [...ı'nʌf...].
артезиа́нский: ~ **коло́дец** àrtésian well [-zıən...].
арте́ль ж. àrtél (co-operative association of workmen or peasants); **сельскохозя́йственная** ~ àgricúltural àrtél, kòlkhóz, colléctive farm; **промысло́вая** ~ small prodúcers' àrtél. ~**ный** прил. к арте́ль; ◇ ~**ный челове́к**, па́рень good* míxer; compánionable féllow. ~**щик** м. уст. mémber of an àrtél (of porters, stevedores, etc.).
артериа́льный анат. àrtérial.
артериосклеро́з м. мед. àrtèriosclerósis.
арте́рия ж. анат. (тж. перен.) árter:y; **со́нная** ~ carótid (ártery); **во́дная** ~ wáter:way ['wɔ:-].
арти́кль м. лингв. árticle.
арти́кул м. árticle.
артикули́ровать лингв. àrtículàte. ~**я́ция** ж. лингв. àrticulátion.
артиллери́йск||**ий** прил. к артилле́рия; ~ **склад** órdnance dépòt [...'depou] ~**ая подгото́вка** àrtíllery prèparátion, prepáratory bòmbárdment; ~**ое ору́дие** piece of órdnance [pi:s...], gun; ~**ие ору́дия** órdnance sg.
артиллери́ст м. àrtíllery:man*, gúnner.
артилле́рия ж. àrtíllery; ~ **ко́нной тя́ги** hórse-drawn àrtíllery; ~ **механи́ческой тя́ги** méchanized àrtíllery [-kə-...]; **самохо́дная** ~ sélf-propélled àrtíllery; **тра́кторная** ~ tráctor-drawn àrtíllery; **берегова́я** ~ coast àrtíllery; **го́рная** ~ móuntain àrtíllery; **полева́я** ~ field àrtíllery [fi:-...]; **дальнобо́йная** ~ lóng-ránge àrtíllery / órdnance [-reı-...]; **зени́тная** ~ ánti-áircràft àrtíllery; **лёгкая** ~ light àrtíllery; **тяжёлая** ~ héavy àrtíllery ['hevı...]; **противота́нковая** ~ ánti-tánk àrtíllery; **среднекали́берная** ~ médium àrtíllery; **а́томная** ~ atómic àrtíllery.
арти́ст м. ártist; (актёр) áctor; ~ **дра́мы** áctor; ~ **бале́та** bállet-dáncer ['bæleı-]; **о́перный** ~ ópera síng:er; ~ **кино́** film áctor; ~ **эстра́ды** varíety áctor; **заслу́женный** ~ Hónoured Ártist; **наро́дный** ~ СССР Péople's Ártist of the USSR [pi:-...].
артисти́зм м. ártistry.
артисти́ческая ж. скл. как прил. (фойе) gréen-room; (уборная) dréssing-room; (при концертном зале) ártists' room.
артисти́ч||**еский** ártistic. ~**ность** ж. ártistry. ~**ный** àrtístic.
арти́стка ж àrtíste [-'ti:-]; (актриса) áctress; ~ **дра́мы** áctress и т.д. (ср. арти́ст).
артишо́к м. бот. ártichòke.
артналёт м. (артиллерийский налёт) àrtíllery attáck.
артобстре́л м. (артиллерийский обстрел) àrtíllery bòmbárdment.
артподгото́вка ж. = артиллери́йская подгото́вка см. артиллери́йский.
артри́т м. мед. àrthrítis.

а́рф||**а** ж. harp. ~**ист** м., ~**истка** ж. hárpist, hárp-player.
архаизи́ровать несов. и сов. (вн.) árchàize [-k-] (d.).
архаи́зм м. árchà:ism [-k-].
арха́ика ж. àrchá:ic cháracter [-'k-'kæ-]; (старина) àntíquity.
архаи́ч||**еский**, ~**ный** àrchá:ic [-'k-].
арха́нгел м. árchàngel [-keındʒ-].
арха́р м. зоол. wild ram.
арха́ровец м. разг. rúffian.
архео́граф м. spécialist in stúdy (and pùblicátion) of éarly texts ['spe-... 'stʌ-... рл-... 'ə:-...].
археогра́фия ж. stúdy (and pùblicátion) of éarly texts ['stʌ-...рл-...'ə:-...].
архео||**лог** м. àrchaeólogist [a:kı-]. ~**логи́ческий** àrchaeológical [a:kı-]. ~**ло́гия** ж. àrchaeólogy [a:kı-].
архи- (в сложн.) arch-: **архилгу́н** árch:líar.
архи́в м. árchives ['a:k-] pl.; **госуда́рственный** ~ State Árchives pl.; (в Англии) Récord Óffice ['re-...]; ◇ **сдать в** ~ (вн.) разг. shelve (d.), consígn to oblívion [-'saın...] (d.). ~**а́риус** м. árchivist ['a:kı-]. ~**ный** прил. к архи́в.
архиепи́скоп м. церк. arch:bíshop.
архиере́й м. церк. bíshop.
архимандри́т м. àrchimándrite [-k-].
архипела́г м. геогр. àrchipélagò [-k-].
архитекто́н||**ика** ж. àrchitectónics [a:kı-]. ~**и́ческий** àrchitectónic(al) [a:kı-].
архите́кт||**ор** м. árchitèct ['a:k-]. ~**орский** прил. к архите́ктор. ~**у́ра** ж. árchitècture ['a:kı-]. ~**у́рный** àrchitéctural [a:kı-].
арши́н м. уст. àrshín (= 0,71 м); ◇ **как, бу́дто, сло́вно** ~ **проглоти́л** разг. ≅ as stiff as a póker; **он сиди́т как** ~ **проглоти́л** he sits bolt úp:right; **ме́рить други́х, всех, всё на свой** ~ разг. ≅ méasure / judge others, évery:thing by one's own stándard ['me...oun...]; méasure others' corn by one's own búshel [...'buʃ'l] идиом.
-арши́нный (в сложн. словах, не приведённых особо) -árshín; of... àrshíns; напр. **трёхарши́нный** thrée-àrshín; of three àrshíns.
ары́к м. àrýk, ìrrigátion ditch / chánnel (in Central Asia).
арьерга́рд м. воен. réargùard. ~**ный** прил. к арьерга́рд.
ас м. ace (airman); (перен.) past máster.
асбе́ст м. àsbéstòs [æz'b-]. ~**овый** àsbéstòs [æz'b-] (attr.), àsbéstine [æz'b-].
асе́пт||**ика** [-сэ-] ж. мед. àsépsis. ~**и́ческий** [-сэ-] мед. àséptic.
асе́ссор м.: **колле́жский** ~ ист. collégiate assésser (civil rank in tsarist Russia).
асимметри́ч||**еский**, ~**ный** àsymmétric(al).
асимметри́я ж. àsýmmetry.
аскари́да ж. зоол. мед. áscarid.
аске́т м. ascétic. ~**и́зм** м. ascéticism. ~**и́ческий** ascétic.
аскорби́нов||**ый**: ~**ая кислота́** хим. ascórbic ácid.
аспе́кт м. áspèct.
а́спид I м. 1. зоол. asp; 2. разг. (злой человек) víper.

аспид II *м. мин.* slate. ~**ный** *прил.* к аспид II; ~ная доска slate.

аспирант *м.*, ~**ка** *ж.* (póst-)gráduate (stúdent) ['pou-...]. ~**ура** *ж.* 1. (póst-)gráduate stúdy ['pou- 'stл-], (póst-)gráduate course [...kɔːs]; оставить кого-л. в ~уре grant / óffer smb. a (póst-)gráduate stúdentship / work; 2. *собир. разг.* (póst-)-gráduate stúdents *pl.*

аспирин *м. фарм.* áspirin; принять две таблетки ~а take* two áspirins, *или* two áspirin táblets [...'tæ-].

ассамблея *ж.* assémbly; Генеральная Ассамблея Организации Объединённых Наций the Géneral Assémbly of the Únited Nátions Organizátion [...-naɪ-].

ассениз∥ационный: ~ обоз séwage--dispósal men [-'pouz-...]. ~**ация** *ж.* séwage dispósal [...-'pouz-].

ассигнация *ж. уст.* (денежный знак) bánknòte.

ассигнован∥ие *с.* 1. assignátion, apprópriátion, àllocátion, assígnment [ə'saɪn-]; 2. (*сумма*) grant [-aːnt]; ~ия на культурные нужды àllocátions for cúltural sérvices.

ассигновать *несов. и сов.* (*вн. на вн.*) assign [ə'saɪn] (*d.* to, for); (*вн. дт.*) állocàte (*d.* to), apprópriate (*d.* to); (*вн. на вн.*) *разг.* (*намечать израсходовать*) éar-mark (*d.* for).

ассигновка *ж.* = ассигнование 1.

ассимилировать *несов. и сов.* (*вн.*) assímilàte (*d.*). ~**ся** *несов. и сов.* (*дт.*, с *тв.*) assímilàte (to, with).

ассимилятивный assímilàtive.

ассимиляц∥ия *ж.* assimilátion; способный к ~ии assímilàtive.

ассир∥иец *м.*, ~**ийка** *ж.*, ~**ийский** Assýrian.

ассистент *м.*, ~**ка** *ж.* 1. assístant; ~ на экзаменах assístant examíner; 2. (*преподаватель высшего учебного заведения*) (assístant) lécturer.

ассистировать (*дт.*) assist (*d.*).

ассонанс *м. лит.* assonance.

ассорти *с. нескл.* assórtment; шоколадное ~ assórted chócolates *pl.*

ассортимент *м.* (*подбор*) assórtment; (*комплект*) set; (*большой*) ~ товаров (big) váriety / range of goods [...reɪ-... gudz]; расширять ~ товаров expánd the range of goods.

ассоциативный assóciàtive.

ассоциац∥ия *ж.* (*в разн. знач.*) assòciátion; по ~ии by assòciátion of idéas [...aɪ'dɪəz].

ассоциировать *несов. и сов.* (*вн. с тв.*) assóciàte (*d.* with). ~**ся** *несов. и сов.* (с *тв.*) assóciàte (with).

астен∥ический [-тэ-] *мед.* asthénic. ~**ия** [-тэ-] *ж. мед.* asthénia.

астероид [-тэ-] *м. астр.* ásteroid.

астигмат∥изм *м. мед.* àstígmatism. ~**ический** *мед.* àstigmátic.

астм∥а *ж. мед.* ásthma ['æsmə]; бронхиальная ~ brónchial ásthma [-ŋk-...]; сердечная ~ cárdiac ásthma. ~**атик** *м.*, ~**атический** *мед.* asthmátic [æs'mæ-].

астра *ж.* áster.

астральный ástral.

астробиология *ж.* àstro:biólogy.

астроботаника *ж.* àstro:bótany.

астрогеология *ж.* àstro:geólogy.

астро∥лог *м.* astróloger. ~**логия** *ж.* astrólogy.

астролябия *ж. уст.* astrolábe.

астрометрический àstrométric.

астрометрия *ж.* àstrómetry.

астронавигация *ж.* àstro:navigátion.

астронавт *м.* ástronaut; (*космонавт тж.*) spáce:màn*. ~**ика** *ж.* àstronáutics.

астроном *м.* astrónomer. ~**ический** àstronómic(al) (*тж. перен.*); ~ические числа, цифры àstronómical númbers, figures. ~**ия** *ж.* astrónomy.

астроф∥изика *ж.* àstro:phýsics [-zɪ-]. ~**ический** àstro:phýsical [-zɪ-].

астрохимия *ж.* àstro:chémistry [-'ke-].

асфальт *м.* ásphàlt [-fælt]. ~**ировать** *несов. и сов.* (*сов. тж.* заасфальтировать) (*вн.*) ásphàlt [-fælt] (*d.*). ~**овый** *прил.* к асфальт.

асфальтоукладчик *м.* ásphàlt páver [-fælt...].

асфиксия *ж. мед.* asphýxia.

атав∥изм *м. биол.* átavism. ~**истический** àtavístic.

атак∥а *ж.* attáck; (*пехотная*) assáult; воздушная ~ air attáck; кавалерийская ~ cávalry charge; пойти, броситься в ~у advánce; rush to the attáck; (*о конном строе чаще*) charge; фронтальная ~ fróntal attáck ['frʌ-...]; штыковая ~ báyonet attáck / charge, assáult with the báyonet.

атаковать *несов. и сов.* (*вн.*) attáck (*d.*); (*о кавалерии*) charge (*d.*); (*о пехоте*) assáult (*d.*); ~ во фланг с фланга take* in flank (*d.*); ~ с тыла take* in rear (*d.*).

атакующий 1. *прич. см.* атаковать; 2. *м. как сущ.* attácker.

атаман *м.* 1. *ист.* átaman (*Cossack chieftain*); 2. (*предводитель разбойничьей шайки*) (gáng-)léader, róbber chief [...tʃiːf].

ате∥изм [-тэ-] *м.* átheism ['eɪθɪ-]. ~**ист** [-тэ-] *м.* átheist ['eɪθɪ-]. ~**истический** [-тэ-] àtheístic [eɪθɪ'ɪ-].

ателье [-тэ-] *с. нескл.* 1. atelier (*фр.*) ['ætəlɪeɪ]; wórkshòp; (*художника тж.*) stúdiò; 2. (*швейная мастерская*) drèssmáking and táiloring estáblishment; ◊ ~ мод fáshion house* [...haus].

атеросклероз [-тэ-] *м. мед.* atherò:sclerósis.

атеросклеротический [-тэ-] *прил.* к атеросклероз.

атлантический Atlántic; Атлантический пакт the Atlántic pact.

атлас *м.* átlas ['æ-].

атлас *м.* sátin. ~**истый** sátiny. ~**ный** *прил.* к атлас; ~ная кожа sátin skin.

атлет *м.* áthlète [-liːz]. *разг.* (*сильный человек*) Hércules [-liːz]. ~**изм** *м* 1. (*крепкое и красивое телосложение*) àthlétic build [...bɪld]; 2. (*культуризм*) bódy--bùilding àthlétic éxercises aimed at óver:àll phýsical tráining and devélopment of húman bódy ['bɔdɪbl- ...-zɪ-... 'bɔ-...]; 3. (*в спорте*) àthléticism. ~**ика** *ж.* àthlétics; лёгкая ~ика track and field àthlétics [...fiːld...]; тяжёлая ~ика wéight-lífting. ~**ический** àthlétic.

атмосфер∥а *ж.* (*в разн. знач.*) átmosphère. ~**ический**, ~**ный** àtmosphéric; ~ное давление àtmosphéric préssure;

~ные осадки àtmosphéric precipitátion *sg.*; (*дождь*) ráinfàll *sg.*

атолл *м.* átóll.

атом *м.* átom ['æ-]. ~**изм** *м.*, ~**истика** *ж.* átomism. ~**истический** àtomístic.

атомник *м.* átomic scientist.

атомность *ж. хим.* àtomícity.

атомн∥ый àtómic; ~ вес *хим.* atómic weight; ~ая бомба átom / atómic bomb ['æ-...], A-bòmb ['eɪ-]; ~ое оружие atómic wéapon [...'wep-]; ~ая война atómic wárfàre; ~ взрыв atómic explósion; ~ая энергия atómic / núclear énergy; ~ котёл, реактор atómic pile, rèáctor; ~ое ядро atómic núcleus; ~ая физика atómic phýsics [...-zɪ-]; ~ая электростанция núclear power státion.

-атомный (*в сложн. словах, не приведённых особо*) -átom [-'æ-...] (*attr.*).

атомоход *м.* atómic-pówered véssel.

атомщик *м. разг.* 1. = атомник; 2. *презр.* átom-mònger ['æ- -mл-], átom-bòmb máníac ['æ-...].

атон∥ический *мед.* atónic. ~**ия** *ж. мед.* átony.

атрибут *м. филос., грам.* áttribùte. ~**ивный** *грам.* attríbutive.

атропин *м. фарм.* átropine [-piːn].

атроф∥ированный átrophied. ~**ироваться** *несов. и сов.* átrophy. ~**ия** *ж.* átrophy.

атташе *м. нескл.* attaché (*фр.*) [ə'tæʃeɪ].

аттест∥ат *м.* 1. (*свидетельство*) certíficate; ~ зрелости school-léaving certíficate; 2. (*служебный*) tèstimónial, réference; (*рекомендация*) rècommendátion; 3. *воен.* remíttance páper, fámily allótment. ~**ационный** — ~ационное свидетельство tèstimónial; ~ационная комиссия àttestátion commíssion. ~**ация** *ж.* 1. àttestátion; 2. (*рекомендация*) tèstimónial.

аттестовать *несов. и сов.* (*вн.*) 1. attést (*d.*); 2. (*рекомендовать*) presént with a tèstimónial [-'zent...] (*d.*).

аттическ∥ий Áttic; ◊ ~ая соль Áttic salt.

аттракцион *м.* 1. attráction; главный ~ (*в цирке и т.п.*) star turn; 2. (*в парке*) síde-show [-ʃou].

ату *межд. охот.* tálly-hó!, hallóo!; ~ его! tálly-hó!, sick him!

ау *межд.* hallóo!, hi!

аудиенц∥ия *ж.* áudience; дать ~ию (*дт.*) give* / grant an áudience [...-aːnt...] (to); получить ~ию (y) have an áudience (with).

аудитория *ж.* 1. (*помещение*) lécture--hàll, lécture-room; 2. *собир.* (*слушатели*) áudience.

аукать, аукнуть hallóo, shout "hi", call out. ~**ся**, аукнуться hallóo to each other; ◊ как аукнется, так и откликнется *посл.* ≃ as the call, so the échò [...-k-]; do as you would be done by.

аукнуть(ся) *сов. см.* аукать(ся).

аукцион *м.* áuction; продавать с ~а (*вн.*) sell* by áuction (*d.*).

аукционер *м.* pérson atténding an áuction.

аукционист *м.* áuctioneer.

аукцио́нный áuction (*attr.*); ~ зал áuction / sale room.
аул *м.* àúl [ɑːˈuːl] (*village in the Caucasus and Central Asia*).
аут *м. спорт.* out.
аутенти́ч‖**еский**, ~**ный** [-тэ-] authéntic.
аутодафе́ *с. нескл. ист.* auto-da-fé (*португальск.*) [ˈɔːtoudɑːˈfeɪ].
аутса́йдер *м.* outsíder.
афа́зия *ж. мед.* aphásia.
афга́н‖**ец** *м.*, ~**ка** *ж.*, ~**ский** Áfghan [ˈæfgæn]; ~ский язы́к Áfghan, the Áfghan lánguage.
афе́р‖**а** *ж. разг.* shády trànsáction [...-z-]; fraud, swindle; пусти́ться в ~ы engáge in a swindle. ~**и́ст** *м.*, ~**и́стка** *ж. разг.* shády déaler, swindler, crook, spiv.
афи́н‖**ский**, ~**янин** *м.*, ~**янка** *ж.* Athénian.
афи́ш‖**а** *ж.* bill, plácàrd [ˈplæ-], póster [ˈpou-]; театра́льная ~ pláybill. ~**и́ровать** *несов. и сов.* (*вн.*) paráde (*d.*); make* a show [...ʃou] (of).
афор‖**и́зм** *м.* áphorism. ~**исти́ческий** àphorístic.
афористи́чн‖**ость** *ж.* àphorístic cháracter [...ˈkæ-]. ~**ый** àphorístic(al).
африка́н‖**ец** *м.*, ~**ка** *ж.*, ~**ский** Áfrican.
а́фро-азиа́тский Àfro-Ásian [-ˈeɪʃn].
афро́нт *м. уст.* affrónt [-ʌnt]; потерпе́ть ~ súffer an affrónt.
а́фты *мн. мед.* áphthae; thrush *sg.*
аффе́кт *м.* fit of pássion; *психол., мед.* témporary insánity.
аффект‖**а́ция** *ж.* àffectátion. ~**и́вный** highly emótional. ~**и́рованный** affécted, preténtious; ~и́рованные мане́ры afféctionate mánners.
а́ффикс *м. лингв.* áffix.
ах *межд.* ah!, oh! [ou].
а́х‖**ать**, **а́хнуть** *разг.* (*от удивления*) excláim, gasp; (*с сожалением*) sigh; он так и ~нул he simply ópen:ed his mouth; ~нуть от удивле́ния gasp with surpríse; ◇ он и ~нуть не успе́л ≅ before he knew where he was, before he could say knife.
ахилле́сов *прил.*: ~а пята́ Achilles heel [əˈkɪliːz...]; ~о сухожи́лие *анат.* Achilles téndon.
ахин‖**е́я** *ж. разг.* rot, nónsense; нести́ ~е́ю talk through one's hat, talk nónsense / rot.
а́хнуть *сов.* 1. *см.* **а́хать**; 2. (*вн.*) *разг.* (*ударить*) bang (*d.*); 3. *разг.* (*о внезапном резком шуме*) go* off with a bang.
а́ховый *разг.* 1. (*плохой*) hópe:lessly bad, rótten; 2. (*отчаянный, озорной*) foolhárdy, dévil-may-cáre.
ахрома́т‖**и́зм** *м. опт.* achrómatism [-ˈrou-]. ~**и́ческий** *опт.* àchromátic.
ахтерште́вень *м. мор.* stérnpòst [-poust].
ахти́ *межд. разг.* = ах; ◇ не ~ как (*не особенно*) not particularly; (*плоховато*) not particularly good; не ~ како́й nothing spécial [...ˈspe-], not up to much; он не ~ как говори́т по-англи́йски his Énglish is not up to much

[...ˈɪŋ...]; матема́тик он не ~ како́й he is not much of a màthematícian.
ацета́т *м.* ácetàte. ~**ный** ácetàte (*attr.*); ~ное волокно́ ácetàte fibre; ~ный шёлк ácetàte silk.
ацетиле́н *м. хим.* acétylène. ~**овый** *прил.* к ацетиле́н.
ацето́н *м. хим.* acetòne. ~**овый** ácetòne (*attr.*).
ацидофили́н *м.* àcidophilín (*sour fermented milk*).
ашу́г *м.* ashúg [-uːg] (*Caucasian folk poet and singer*).
аэра́‖**рий** *м.* aerárium [eɪə-]. ~**цио́нный** aerátion [eɪə-] (*attr.*). ~**ция** *ж.* aerátion [eɪə-].
аэро- (*в сложн.*) aero- [eə-].
аэро́бный *биол.* aeróbic [eə-].
аэро́бус *м.* áir-bùs.
аэро́бы *мн.* (*ед.* аэро́б *м.*) *биол.* aeróbes [ˈeə-].
аэровокза́л *м.* air términal.
аэро‖**дина́мика** *ж.* aero:dynámics [ˈeəroudaɪ-]. ~**динами́ческий** aerodynámical [ˈeəroudaɪ-]. ~**дро́м** *м.* áirfield [-fiː-], áerodròme [ˈeərə-]; áirdròme *амер.* ~**зо́ль** *м.* áerosol [ˈeə-]. ~**зо́льный** áerosol (*attr.*). ~**клу́б** *м.* flýing club. ~**ла́к** *м.* dope.
аэроли́т *м. астр.* áerolite [ˈeə-], áerolith [ˈeə-].
аэро́лог *м.* aerólogist [eə-].
аэроло́гия *ж.* aerólogy [eə-].
аэромая́к *м.* béacon.
аэро‖**ме́тр** *м.* aeróméter [eə-]. ~**меха́ника** *ж.* áeromechánics [ˈeərəmɪˈk-]. ~**навигацио́нный** àeronàvigátion [ˈeərə-] (*attr.*). ~**навига́ция** *ж.* àeronàvigátion [ˈeərə-], air nàvigátion.
аэрона́вт *м.* áeronaut [ˈeərə-]. ~**ика** *ж.* àeronáutics [ˈeərə-].
аэропла́н *м.* áeroplàne [ˈeərə-], áircràft; plane *разг.*; áirplane *амер.*
аэро‖**по́рт** *м.* áirpòrt. ~**са́ни** *мн.* áero-sleigh [ˈeə-] *sg.*, propéller-sleigh *sg.* ~**се́в** *м.* áerial sówing [ˈeə- ˈsou-].
аэроста́т *м.* bàlloon; ~ загражде́ния bárràge ballóon [-ɑːʒ...].
аэроста́тика *ж.* aerostátics [ˈeəro-].
аэрофо́то‖**аппара́т** *м.* áerial cámera [ˈeə-...]. ~**гра́фия** *ж.* aerophotógraphy [eə-...]. ~**сни́мок** *м.* áerial phóto:gràph [ˈeə-...]. ~**съёмка** *ж.* áerial / air photógraphy [ˈeə-...].
АЭС (а́томная электроста́нция) *ж.* núclear pówer státion.

Б

б *частица см.* бы.
ба *межд. разг.* (*удивление*) oh! [ou]; (*при появлении кого-л., чего-л.*) hulló!; ба, да э́то мой однока́шник! well, if it is:n't my old schóolmàte!
ба́ба I *ж.* 1. *уст.* (*песанка*) wóman* [ˈpez- ˈwu-]; 2. *пренебр.* wóman*; (*перен.; о мужчине*) mílksòp, mólly-còddle, old wóman*; 3. *разг., обл.* (*жена*) wife*, old wóman*; ◇ ка́менная ~ stone ímage; сне́жная ~ snówman* [ˈsnou-].
ба́ба II *ж. тех.* (*копровая*) ram (of a píle-driver).
ба́ба III *ж. кул.* bábà [ˈbɑːbɑː] (*tall cylindrical cake*); ро́мовая ~ rum bábà / cake.
баба́хнуть *сов. разг.* 1. (*вн.; без доп.*) give* a resóunding slap [...-ˈzau-] (*i.*); 2. (*о внезапном резком звуке*) go* off with a bang; (*из; стрельнуть*) fire with a bang (*d.*). ~**ся** *сов. разг.* have a bad fall.
ба́ба-яга́ *ж.* Bábà-Yàgá [ˈbɑːbɑːjɑːˈgɑː] (*a witch in Russian folk tales*).
бабби́т *м. тех.* bábbit. ~**овый** *прил.* к бабби́т.
ба́бёнка *ж. разг.* wench.
ба́б‖**ий** *разг.* wóman's [ˈwu-]; wómen's [ˈwɪ-]; wómanish [ˈwu-]; ◇ ~ьи ска́зки old wives' tales; ~ье ле́то ≅ Índian súmmer (*summery days in early autumn*).
ба́бка I *ж. разг.* 1. (*бабушка*) grándmòther [-mʌ-]; 2. = повива́льная ~ *см.* повива́льный.
ба́бк‖**а** II *ж.* 1. (*надкопытный сустав*) pástèrn; 2. (*игральная кость*) knúckle:bòne; игра́ть в ~и play knúckle:bònes.
ба́бка III *ж. тех.* mándrel.
ба́бкин *прил.* к ба́бка I.
ба́бник *м. разг.* ládies' man*, philánderer, wómanizer [ˈwu-].
ба́бочка I *ж.* bútterfly; ночна́я ~ moth (*nocturnal*).
ба́бочка II *ж.* (*галстук*) bów-tie [ˈbou-], dícky-tie.
бабу́ся *ж. ласк.* gránny.
бабу́ши *мн.* cárpet slíppers.
ба́бушка *ж.* grándmòther [-mʌ-]; grándmammà [-mɑː], grándmà [-mɑː], gránny *ласк.*
ба́бушкин *прил.* к ба́бушка.
бабьё *с. собир. разг. пренебр.* the wómen [...ˈwɪ-], wómenfòlk [ˈwɪ-].
бава́р‖**ец** *м.*, ~**ка** *ж.*, ~**ский** Bavárian.
бага́ж *м.* lúggage; bággage (*гл. обр. амер.*); ручно́й ~ hand / pérsonal / small lúggage; сдава́ть (ве́щи) в ~ régister one's lúggage, have one's lúggage régistered; отпра́вить что-л. ~о́м send* smth. as héavy lúggage [...he-...]; ◇ у́мственный ~ store of knówledge [...ˈnɔ-], erudítion, méntal óutfit. ~**ник** *м.* lúggage rack; (*у автомобиля*) boot; trunk *амер.* ~**ный** *прил.* к бага́ж; ~ная квита́нция lúggage recéipt [...-ˈsiːt]; ~ный ваго́н lúggage van; bággage car *амер.*
баге́т *м.* bàguétte [-ˈget] (*moulding*). ~**ный**, ~**овый** *прил.* к баге́т.
бaго́p *м.* hook; (*морской*) bóat-hook; (*рыболовный*) gaff.
ба́гр‖**енье** *с.* gáffing. ~**и́ть** (*вн.*) hook (*d.*), gaff (*d.*), spear (*d.*).
багрове́ть, **побагрове́ть** grow* / turn crímson / púrple [-ou... -z-...], rédden; (*о лице тж.*) flush; ~ от гне́ва flush with ánger, turn púrple with rage.
багро́вый crímson [-z-]; (*с фиолетовым оттенком*) púrple.
багря́н‖**ец** *м.* crímson [-z-]; púrple. ~**ый** *поэт.* crímson [-z-]; (*с фиолетовым оттенком*) púrple.
багу́льник *м. бот.* lédum; Lábrador tea.
бадминто́н *м.* bádminton. ~**и́ст** *м.* bádminton pláyer.
бадья́ *ж.* tub; подъёмная ~ búcket.
ба́з‖**а** *ж.* (*в разн. знач.*) base [-s-]; (*гл. обр. отвлеч.*) básis (*pl.* -sès [-iːz]);

~ колонны *арх.* base of a cólumn; военная ~ mílitary base; сырьевая ~ source of raw matérials [sɔːs...], ráw-matérial base; кормовая ~ fórage resérve [...-ˈzəːv]; энергетическая ~ source of pówer (supplý); pówer base; материальная ~ matérial resóurces [...-ˈɔːs-] *pl.*; экономическая ~ ecónomic básis [iːk-...]; подводить ~у под(о) что-л. give* good grounds for smth; подводить научную ~у под(о) что-л. adduce / fúrnish scientífic proof in suppórt of smth.; ◇ на ~е чего-л. on the básis of smth.

базальт *м.* básàlt. ~**овый** básàlt (*attr.*); basáltic.

базар *м.* 1. márket; (*на Востоке, тж. благотворительный и т.п.*) bazáar [-ɑː]; 2. (*предпраздничный, сезонный*) fair, sale; весенний книжный ~ spring book sale / fair; 3. *разг.* (*шум, крики*) úpːroar, row; устроить ~ create úpːroar; ◇ птичий ~ bird cólony on the séashòre. ~**ный** *прил. к* базар; ~ный день márket day.

базедов [-зэ-]: ~а болезнь èxophthálmic goitre, Básedow's diséase [ˈbɑːzɪdouz dɪˈziːz].

базилика *ж. арх.* basílica [-ˈzɪ-].

базировать (*вн. на пр.*) base [beɪs] (*d.* on, upːón), found (*d.* on, upːón), ground (*d.* on, upːón); ~**ся** 1. (*на пр.*) rest (on, upːón); (*о теории и т.п.*) be based / fóunded / gróunded [...beɪst...] (on, upːón); 2. (*на вн., пр.*; *размещаться*) be based (on, upːón).

базис I *м.* base [-s]; ~ колонны base of a cólumn.

базис II *м.* básis (*pl.* -sès [-siːz], base [-s]; ~ и надстройка matérial básis and the ideológical súperstrùcture [...aɪ-...].

базисный I *прил. к* базис I.

базисн‖**ый** II *прил. к* базис II; ◇ явление ~ого порядка phenómenon reláting to the básis.

бай *м. ист.* bai [baɪ] (*rich landówner in Central Asia*).

бай-бай býe-býe(s).

байбак *м.* 1. *зоол.* steppe mármot; 2. *разг.* (*лентяй*) lázyːbònes; (*неповоротливый человек*) slúggard.

байдар‖**ка** *ж.* káyak. ~**очный** káyak (*attr.*); ~очная гребля káyak-páddling.

байка I *ж.* (*ткань*) thick flànnelétte.

байка II *ж. разг.* (*выдумка*) fáirytàle, fable; *мн. тж.* old wives' tales.

байков‖**ый** *прил. к* байка I; ~ое одеяло cótton / flànnelétte blánket.

байрон‖**изм** *м. лит.* Býronːism. ~**ический** *лит.* Býrónic [baɪ-].

байский *прил. к* бай.

бак I *м.* 1. tank (*vessel*); (*для кипячения белья*) clóthes-boiler [ˈklou-]; 2. *мор.* (*посуда*) méss-dish; 3. *мор.* (*группа матросов, получающих пищу совместно*) (séaːmen's) mess.

бак II *м. мор.* (*передняя часть верхней палубы корабля*) fórecastle [ˈfouksˌl], fóreːdèck.

бакалавр *м.* báchelor (*holder of a degree*); степень ~а báchelor's degrée; bàccaláureate [-rɪt].

бакале‖**йный** grócery [-ou-] (*attr.*); ~ная лавка grócery (store), grócer's (shop). ~**щик** *м. разг.* grócer.

бакалея *ж. собир.* grócery [-ou-]; gróceries [-ou-] *pl.*

бакан *м.* = бакен.

бакаут *м. бот.* lígnum vítae [...ˈvaɪtiː], guaiácum [gwaɪ-]. ~**овый** *прил. к* бакаут; ~овое дерево = бакаут.

бакен *м.* búoy [bɔɪ].

бакенбарды *мн.* (*ед.* бакенбарда *ж.*) whískers, síde‖whìskers.

бакенщик *м.* búoy-kéeper [ˈbɔɪ-].

баки *мн. разг.* = бакенбарды.

баккара *с. нескл.* Báccarà(t) [-ɑː], fíne-cùt glass.

баклага *ж.* flask, wáter-bòttle [ˈwɔː-].

баклажан *м.* égg-plànt [-ɑːnt]; áubergìne [ˈoubədʒiːn]. ~**ный** áubergìne [ˈoubədʒiːn] (*attr.*); ~ная икра áubergìne paste [...peɪst].

баклажка *ж.* = баклага.

баклан *м. зоол.* córmorant.

баклуши *мн.*: бить ~ *разг.* ≅ twíddle one's thumbs; frítter aːwáy, *или* waste, one's time [...weɪ-...].

бактер‖**иальный**, ~**ийный** bactérial; ~иальные удобрения bactérial fértilizers.

бактерио‖**лог** *м.* bàctèriólogist. ~**логический** bàctèriológical; germ (*attr.*); ~логическая война germ / bàctèriológical wárfàre. ~**логия** *ж.* bàctèriólogy.

бактерицидный *бакт., мед.* bàctèricídal [-tɪə-].

бактерия *ж.* bactérium (*pl.* -ia).

бал *м.* ball; (*более скромный*) dance, dáncing párty; ~-маскарад màsqueráde [-kə-]; костюмированный ~ fáncy-drèss ball; ◇ кончен ~ *разг.* it's all óver, that's that; the game is up.

балаболка *м. и ж. разг.* chátterbòx.

балаган *м. уст.* 1. (*деревянная постройка*) booth [-ð]; (*для представления*) show-booth [ˈʃoubuːð]; 2. (*зрелище*) show [ʃou]; (*перен.*) *разг.* farce, low farce [lou...], prepósterous piece of búffoonery [...piːs...].

балаган‖**ить** *разг.* play the bùffoon / fool; clown about. ~**ный** *прил. к* балаган; ~ный шут bùffoon. ~**щик** *м. разг.* 1. (*хозяин балагана*) shówːman* [ˈʃou-]; 2. (*комедиант*) clown, jóker.

балагур *м.* jóker, jéster. ~**ить** *разг.* joke, jest. ~**ство** *с. разг.* bùffoonery, foolery.

балалаечник *м.* bàlaláika-pláyer [-aɪkə-].

балалайка *ж.* bàlaláika [-aɪkə] (*stringed musical instrument*).

баламут *м. разг.* tróuble-màker [ˈtrʌ-], méddler.

баламутить, **взбаламутить** (*вн.*) *разг.* trouble [trʌ-] (*d.*), stir up (*d.*); (*перен.*) disturb (*d.*), upsét* (*d.*).

баланда *ж. разг.* skílly.

баланс I *м. эк.* bálance; (*ведомость*) bálance-sheet; подводить ~ bálance the accóunts; подвести ~ strike* a bálance.

баланс II *м. собир. лес.* púlpwood [-wud], páper wood [...wud].

балансёр *м.* tíghtròpe-wálker.

балансир *м.* 1. *тех.* (*рычаг*) beam; 2. (*в часах*) bálance-wheel.

балансирование *с.* bálancing; ◇ на грани войны brínkmanship.

балансировать, сбалансировать 1. *тк. несов.* (*сохранять равновесие*) bálance, keep* one's bálance; 2. (*вн.*) *бух.* bálance (*d.*).

балансовый I *прил. к* баланс I; ~ отчёт bálance-sheet.

балансов‖**ый** II *прил. к* баланс II; ~ая древесина púlpwood [-wud].

балахон *м.* loose óverːàll [-s...].

балбес *м. разг.* bóoby. ~**ничать** *разг.* idle / frítter aːwáy, *или* waste, one's time [...weɪst...].

балда 1. *ж.* (*молот*) héavy slédge-hàmmer [ˈhe-...]; 2. *м. и ж. разг.* blóckhead [-hed], dúnderhead [-hed].

балдахин *м.* cánopy.

балерина *ж.* bállet-dàncer [-leɪdɑː-], bàllerína [-ˈriː-].

балет *м.* bállet [-leɪ].

балетмейстер *м.* bállet-màster [-leɪ-], chòreógrapher [k-].

балетный bállet [-leɪ] (*attr.*); ballétic.

балетоман *м.* bálletomàne; bállet fan [-leɪ...] *разг.*

балетомания *ж.* bàlletománia.

балистика *ж.* = баллистика.

балка I *ж.* (*брус*) beam, gírder [ˈg-]; анкерная ~ tíe-beam; двутавровая ~ I-beam [ˈaɪ-]; поперечная ~ cross-beam; решётчатая ~ láttice gírder.

балка II *ж.* (*овраг*) (nárrow) gorge, gúlly.

балканский Bálkan.

балкар‖**ец** *м.* Bàlkár [bɑːl-]. ~**ка** *ж.* Bàlkár (wóman*) [bɑːl- ˈwu-]. ~**ский** Bàlkár [bɑːl-].

балкон *м.* bálcony. ~**ный** *прил. к* балкон.

балл *м.* 1. númber; ветер в 6 *и т.п.* ~ов wind force 6, *etc.* [wɪ-...]; 2. (*отметка*) mark; проходной ~ (*на экзаменах*) pass mark; 3. *спорт.* point.

баллада *ж.* 1. *лит.* bállad; 2. *муз.* bàlláde [-ɑːd]; ◇ французская ~ bàlláde [-ɑːd].

балласт *м.* 1. bállast (*тж. ж.-д.*); (*перен.*) lúmber; 2. (*ненужное, лишнее*) wórthless stuff. ~**ировка** *ж. ж.-д.* bállasting. ~**ный** *прил. к* балласт.

баллист‖**ика** *ж.* ballístics. ~**ический** ballístic; ~ическая межконтинентальная ракета ìntercòntinéntal ballístic míssile.

баллон *м.* 1. contáiner; tank; ~ с кислородом óxygen cýlinder; газовый ~ gás-cylinder; 2. (*автомобиля*) (ballóon) tyre; у него лопнул ~ he burst / blew a tyre; 3. (*аэростата*) énvelòpe.

баллотировать (*вн.*) vote (for), bállot (for). ~**ся** 1. (*в вн.*) be a cándidàte (for), stand* (for); run* (for) *разг.*; 2. *страд.* (*быть поставленным на голосование*) be put to the vote.

баллотировка *ж.* vóting, bálloting, pólling.

-балльный (*в сложн. словах, не приведённых особо*) 1. (*об отметках*) -mark; 2. *метеор.*: восьмибалльный шторм fórce-eight gale.

балованный *прич. и прил.* pámpered, spoilt (*by indulgence*).

баловать (вн.) 1. spoil* (d.); (ласкать) pet (d.); (потворствовать) indúlge (d.), húmour (d.); (изнеживать) pámper (d.); 2. (доставлять удовольствие) give* a treat (i.). ~ся разг. 1. (шалить) frólic, play abóut, fool aróund, mess abóut; не балу́йся don't be náughty / míschievous; 2. (тв.; позволять себе что-л.) indúlge (in), treat onesélf (to).

баловень м. разг. 1. pet; быть общим ~нем be the géneral fávourite; 2. = баловни́к I ◇ ~ судьбы́ fávourite, или a spoilt child*, of fórtune [...-tʃən].

баловни́к I м. 1. míschievous / náughty child* [-tʃɪv-...]; 2. разг. (любимец) pet.

баловни́к II м. уст. one who spoils children.

баловни́ца I, II ж. к баловни́к I, II.

баловно́й разг. náughty; ~ мальчи́шка náughty boy.

баловство́ с. разг. 1. pétting, spóiling, óver-indúlgence; 2. (шалость, озорство) míschievousness [-tʃɪv-...], náughtiness; mónkey tricks [ˈmʌŋ-...] pl.

балти́ец м. sáilor of the (Sóviet) Báltic Fleet.

балти́йский Báltic; ~ флот the (Sóviet) Báltic Fleet.

балы́к м. balýk (cured fillet of sturgeon, etc.).

бальза́м м. bálsam [ˈbɔːl-]; (перен. гл. обр.) balm [bɑːm].

бальзами́н м. бот. bálsam [ˈbɔːl-].

бальзами́р||**ование** с. embálming [-ɑːm-]. ~**овать**, забальзами́ровать, набальзами́ровать (вн.) embálm [-ɑːm] (d.).

бальзами́ческий bálsámic [bɔːl-]; (перен.) bálmy [ˈbɑːmɪ].

бальза́мный прил. к бальза́м.

бальнео́||**лог** м. balneólogist. ~**логи́ческий** balneológical. ~**ло́гия** ж. balneólogy.

ба́ль||**ный** прил. к бал; ~ое пла́тье báll-dréss; ~ые та́нцы bállroom dánces.

балюстра́да ж. арх. bálustráde; (лестницы) bánisters pl.

баля́сина ж. стр. báluster.

баля́сничать = точи́ть баля́сы см. баля́сы.

баля́сы мн.: точи́ть ~ разг. chátter, talk ídly.

бамбу́к м. bambóo. ~**овый** прил. к бамбу́к.

ба́мпер м. búmper.

бана́ль||**ность** ж. 1. тк. ед. banálity; tríteness; 2. (избитая мысль и т.п.) cómmonplace, plátitúde. ~**ый** banál [-ɑːl], cómmonplace, háckneyed [-nɪd]; (избитый) trite.

бана́н м. (растение и плод) banána [-nɑː-]. ~**овый** прил. к бана́н.

ба́нда ж. band, gang.

бандаж м. 1. мед. súrgical córset, (abdóminal) suppórt; (грыжевой) truss; спорти́вный ~ athlétic suppórt; jóck-strap разг.; 2. тех. tyre, band. ~**и́ст** м. bándage-màker.

бандеро́ль ж. 1. (обёртка) (póstal) wrápper [ˈpou-]; 2. (почтовое отправление) prínted mátter, bóok-pòst [-poust]; посла́ть ~ю (вн.) send* as prínted mátter (d.), send* by bóok-pòst (d.) (в отличие от párcel-pòst посылкой).

ба́нджо с. нескл. bánjò.

банди́т м. gúnman*, bándit, gángster, armed róbber. ~**и́зм** м. gángsterism. ~**ский** armed róbbery (attr.), gángster (attr.); ~**ская ша́йка** gang of armed róbbers, или gángsters; ~**ское нападе́ние** gángster / gúnman attáck.

банду́р||**а** ж. муз. bandúra [-ˈduː-]. ~**и́ст** м. bandúra-pláyer [-ˈduː-].

бандю́га м. и ж. разг. презр. = банди́т.

банк м. 1. bank; Госуда́рственный ~ СССР the State Bank of the USSR; акционе́рный ~ jóint-stòck bank; класть де́ньги в ~ depósit móney at a bank [-z- ˈmʌ-...]; быть клие́нтом ~а be a cústomer of a bank, bank (with); 2. карт.: держа́ть ~ be bánker, keep* the bank; сорва́ть ~ break* the bank [breɪk...]; мета́ть ~ keep* the bank; 3. (карточная игра) fáro.

ба́нк||**а** I ж. 1. jar, pot; (жестянка) tin; ~ для варе́нья jam jar, jám-pòt; апте́чная ~ gállipòt; 2. мед. cúpping-glàss; поста́вить ~и (дт.) apply cúpping-glàsses (to).

ба́нка II ж. мор. (отмель) (sánd-)bank, shoal.

ба́нка III ж. (скамья для гребца) thwart.

банке́т м. bánquet; устро́ить ~ (в честь кого́-л.) give* a bánquet (in sómebody's hónour) [...ˈɔnə].

банки́р м. bánker. ~**ский** (относящийся к банкиру) bánker's; (относящийся к банку) bánking (attr.); ~**ский дом** bánking-hóuse* [-s]; ~**ская конто́ра** bank.

банкно́т м. bánk-nòte.

ба́нк||**овский**, ~**овый** прил. к банк 1; ~**овое де́ло** bánking; ~**овская счётная кни́жка** páss-book; bánk-book; ~**овый аккредити́в** círcular note; ~**овый капита́л** bánk(ing) cápital; ◇ ~**овый биле́т** bánk-nòte.

банкомёт м. bánker (in card games).

банкро́т м. bánkrupt; объявля́ть ~ом (вн.) decláre bánkrupt (d.).

банкро́тство с. bánkruptcy (тж. перен.); insólvency.

ба́нник м. воен. cléaning rod.

ба́нный прил. к ба́ня; ◇ приста́л, как ~ лист ≅ stick(s) like a leech, или like glue.

бант м. bow [bou]; завя́зывать ~ом (вн.) tie in a bow (d.).

ба́нтик м. уменьш. от бант; ◇ гу́бки ~ом Cúpid's bow [...bou].

ба́нту м. нескл. Bántu.

ба́нщ||**ик** м., ~**ица** ж. báth-house atténdant [-s...].

ба́н||**я** ж. Rússian baths [-ʃən -ðz] pl.; (здание) báth-house* [-s]; (перен.; о духоте) hóthouse* [-s]; по́сле ~и áfter one's bath; у вас здесь ~ it's like a hóthouse* (in) here, it's stífling (in) here; водяна́я ~ хим. wáter bath [ˈwɔː-...]; ◇ зада́ть кому́-л. ~ю give* it smb. hot, tear* smb. off a strip [teə...], give* smb. what for; крова́вая ~ blood-bàth* [-ʌd-].

баоба́б м. бот. báobab; плоды́ ~а mónkey-bread [ˈmʌŋkɪbred] sg.

бапти́ст м. Báptist.

бар I м. (ресторан) bar; snáck-bàr.

бар II м. метеор. bar.

бар III м. (отмель) sánd-bàr.

бараба́н м. 1. drum; бить в ~ drum, beat* the drum; 2. тех. drum; (в часах и т.п.) bárrel.

бараба́нить drum, beat* the drum; (перен.) drum; (о дожде) pátter; (пальцами) drum, tattóo, beat* a tattóo; (быстро говорить) gábble awáy; ~ на роя́ле разг. thump (on) the piáno [...ˈpjæ-]; ~ в дверь hámmer on the door [...dɔː].

бараба́н||**ый** прил. к бараба́н; ~ бой beat of (the) drum; ~**ая дробь** drúm-ròll; ◇ ~**ая перепо́нка** éar-drum; týmpanum (pl. -nums, -na), tympánic mémbrane научн.

бараба́нщик м. drúmmer.

бара́к м. bárrack; воен. hut.

бара́н м. ram; (кастрированный) wéther; (как название породы) sheep*; ста́до ~ов flock of sheep; (перен.) mob; ◇ смотре́ть, как ~ на но́вые воро́та ≅ look quite lost, be complétely flúmmoxed. ~**ий** 1. (относящийся к барану) sheep's; 2. (о мехе) shéepskin (attr.); ~**ья ша́пка** shéepskin cap; ~**ий полушу́бок** hálf-length shéepskin coat [ˈhɑːf-...]; 3. (о мясе) mútton (attr.); ~**ья котле́та** mútton chop; ◇ согну́ть кого́-л. в ~ий рог ≅ make* smb. knúckle únder, или toe the line.

бара́нина ж. mútton; молода́я ~ lamb.

бара́нка ж. 1. baránka (ring-shaped roll); 2. разг. (руль автомобиля) stéering-wheel.

барахли́ть разг. pink; мото́р барахли́т the éngine is pínking [...ˈendʒ-...].

барахло́ с. тк. ед. собир. 1. (пожитки) goods and cháttels [ɣudz...] pl.; (об одежде и т.п.) one's belóngings pl.; gear [gɪə]; togs pl.; 2. (хлам) odds and ends pl.; trash, junk.

бара́хтаться flóunder; (валяться) roll, wállow.

бара́чн||**ый** прил. к бара́к; ~**ая постро́йка** hútment; ~**ого ти́па** líght-constrúction (attr.).

бара́шек I м. 1. уменьш. от бара́н; 2. разг. (ягнёнок) lamb; 3. (мех) lámbskin.

бара́шек II м. тех. wíng-nùt, thúmbscrew.

бара́шки I мн. см. бара́шек I 1 и 2.

бара́шки II мн. см. бара́шек II.

бара́шк||**и** III мн. 1. (облака) fléecy clouds; не́бо, покры́тое ~ами máckerel sky; 2. (на воде) white hórses, white-càps.

бара́шковый lámbskin (attr.).

барбари́с м. тк. ед. 1. собир. bárberries pl.; 2. (об отдельной ягоде) bárber(r)y; 3. (куст) bárber(r)y.

барбо́с м. móngrel wátch-dòg [ˈmʌ-...].

барви́нок м. бот. périwinkle.

бард м. поэт. bard.

барда́ ж. grains pl. (distillery refuse).

барелье́ф м. bás-relíef [ˈbɑːrɪlɪːf].

баржа́ ж. barge.

ба́риев||**ый** хим. báric; ~**ая ка́ша** мед. bárium meal.

ба́рий м. хим. bárium.

ба́рин *м. уст.* bárin ['bɑ:-] (*in pre-revolutionary Russia a man belonging to the upper strata of society*); géntleman*; (*помещик*) lándowner [-ou-], lord of the mánor [...'mæ-]; (*хозяин*) máster; (*в обращении*) sir; (*перен.*) презр. lord; grand géntle⁞man*; ◇ жить ~ом live like a lord [liv...]; сиде́ть ~ом look on, take* no part in the work, keep* / stand* alóof.

бари́т *м. мин.* barýtes [-i:z]; héavy spar ['he-...].

барито́н *м.* báritone. ~**а́льный** bàritónal; ~**а́льный бас** deep báritone.

ба́рич *м. уст.* (*сын барина*) bárin's son ['bɑ:- sʌn] *и т. д.* (*ср.* ба́рин); (*молодой барин*) young bárin [jʌŋ...] *и т. д.*; (*перен.*) презр. fine géntle⁞man*.

барк *м. мор.* barque; *уст. поэт.* bark.

ба́рка *ж.* wóoden barge ['wu-...].

баркаро́ла *ж. муз.* bárcaròle, bárcaròlle.

барка́с *м.* (*в военно-морском флоте*) launch; (*в парусном флоте*) long boat, pínnace.

ба́рмен *м.* bár⁞man*.

ба́рмы *мн. ист.* part of cerèmónial robes cóvering shóulders [...'kʌ- 'ʃou-] *sg.*

баро́граф *м. метеор.* sélf-recórding baròmeter, bárogràph.

барока́мера *ж. ав.* áltitùde chámber ['æ- 'tʃeɪ-], préssure chámber.

баро́кко *с. нескл. иск.* baróque; в сти́ле ~ in baróque.

баро́метр *м.* baròmeter. ~**и́ческий** bàromètric(al).

баро́н *м.* báron ['bæ-]. ~**е́сса** *ж.* bároness. ~**ский** barónial; ~**ское поме́стье** bárony. ~**ство** *с.* bárony.

бароско́п *м. метеор.* bároscòpe.

бароэпергия *ж.* bárothèrapy.

ба́рочник *м.* bárgee.

барражи́ров||ание *с. ав.* (air) stánding patról [...-oul]. ~**ать** *ав.* patról [-oul].

баррика́да *ж.* bárricàde.

баррикади́ровать, забаррикади́ровать (*вн.*) bàrricáde (*d.*). ~**ся, забаррикади́роваться** 1. bàrricáde òneself; 2. *страд.* к баррикади́ровать.

баррика́дный bàrricáde (*attr.*); ~ бой bàrricáde fighting.

барс I *м. зоол.* ounce, snow léopard [snou 'lep-].

барс II *м. ав.* pórpoising [-pəs-].

ба́рск||ий lórdly, ~ дом mán⁞or-house* ['mæ- -s]; ~**ие зама́шки** háughty mánners; high-and-mighty mánners; ◇ жить на ~**ую но́гу** live in grand style [liv...]; дом был поста́влен на ~**ую но́гу** the house* was run in grand style [...-s...].

ба́рственный *прил.* к ба́рство 2.

ба́рство *с.* 1. *собир.* the géntry, the nóbility; 2. (*избалованность*) lórdliness; (*о манере поведения тж.*) háughtiness; high-and-mighty mánners *pl.* ~**вать** live in ídle⁞ness and plénty [liv...].

барсу́к *м. зоол.* bádger.

барха́н *м.* bàrkhán [-'kɑ:n] (*sand-hill*).

ба́рхат *м.* vélvet; бума́жный ~ velvetéen. ~**истый** vélvety; ~**истая ко́жа** vélvety skin. ~**ка** *ж.* vélvet ríbbon. ~**ный** *прил.* к ба́рхат; (*перен.*) vélvety; ~ **го́лос** rich / méllow voice; ◇ ~**ный сезо́н** the "vélvet" séason [...-z-] (*the warm autumn months — September and October in the South*).

ба́рхатцы *мн.* (*ед.* ба́рхатец *м.*) *бот.* (Áfrican) márigòld *sg.*

бархо́тка *ж. разг.* = ба́рхатка.

барч||о́нок *м.*, ~**у́к** *м. уст.* (*сын барина*) bárin's son ['bɑ:- sʌn] *и т. д.* (*ср.* ба́рин); (*сын хозяина*) young máster [jʌŋ...]; презр. young swell, lórdling.

ба́рщин||а *ж. тк. ед. ист.* corvée (*фр.*) ['kɔ:veɪ]. ~**ный** *ист.* corvée (*фр.*) ['kɔ:veɪ] (*attr.*).

ба́рыня I *ж. уст.* bárin's wife* ['bɑ:-...]; (*дама*) lády; (*помещица*) lándowner's wife* [-ou-...], lády of the mánor [...'mæ-]; (*хозяйка*) mistress; (*в обращении*) mádam ['mæ-]; (*перен.*) презр. (grand) lády, fine lády.

ба́рыня II *ж. фольк.* bárinia ['bɑ:-] (*Russian song and dance*).

бары́ш *м. разг.* prófit, gain; получи́ть (сто́лько-то) чи́стого ~**а́** clear (so much), net (so much). ~**ник** *м. уст.* 1. pròfitéer; 2. (*торговец лошадьми*) hórse⁞dealer, hórse⁞jòbber.

бары́шни||чать *уст.* pròfitéer, job; (*чем-л.*) spéculàte (in smth.). ~**чество** *с. уст.* 1. pròfitéering; 2. (*торговля лошадьми*) hórse⁞dealing.

ба́рышня *ж. уст.* (*дочь барина*) bárin's dáughter ['bɑ:-...] *и т. д.* (*ср.* ба́рин); (*дочь хозяина*) young místress [jʌŋ...]; (*девушка*) girl [g-], young lády [jʌŋ...]; (*в обращении*) miss.

барье́р *м.* (*прям. и перен.*) bárrier; (*перен. тж.*) bar; (*на скачках*) hurdle; взять ~ clear a hurdle; устрани́ть ~**ы** (*перен.*) elíminàte / remóve bárriers [...'mu:v...]; звуково́й ~ sound / sónic bárrier.

бас *м...* bass [beɪs]; (*певец тж.*) bass sing⁞er. ~**истый** bass [beɪs], déep-vóiced.

баси́ть speak*, sing* in a deep voice.

баск *м.* Basque.

ба́ска *ж.* basque.

баскетбо́л *м. спорт.* básketbàll. ~**и́ст** *м.*, ~**и́стка** *ж.* básketbàll-pláyer.

баскетбо́льн||ый *прил.* к баскетбо́л; ~**ая кома́нда** básketbàll team.

баско́нка *ж.* Basque (wóman*) [...'wu-...].

ба́скский Basque; ~ язы́к Basque, the Basque lánguage.

ба́сма *ж.* básma (*a brown hair dye*).

басма́ч *м.* basmátch (*member of a counter-revolutionary robber band in Central Asia during the Civil War*).

баснопи́сец *м.* writer of fables, fábulist.

баснословн||ый 1. (*легендарный*) légendary; 2. (*неимоверный*) fábulous, incrédible; по ~**ой цене́** at a fábulous price.

ба́сня *ж.* fable; (*выдумка, вымысел тж.*) cóck-and-búll stóry [...-'bul-...].

басови́тый *разг.* = баси́стый.

басо́вый bass [beɪs]; ~ ключ *муз.* bass clef.

басо́к *м.* méllow bass voice [...beɪs...].

басо́н *м.* braid, gallóon, lace.

бассе́йн *м.* 1. (*ман-máде*) pool; ~ для пла́вания (*закрытый*) swimming-bàth*; (*открытый*) swimming-pool. 2.: ~ реки́ ríver básin ['rɪ- 'beɪs-]; 3.: каменноу́гольный ~ coal básin, cóalfield [-fi:ld-].

БАР – БАХ

ба́ста *межд. разг.* stop, that'll do, that's enóugh [...ɪ'nʌf].

бастио́н *м. воен. уст.* bástion; (*перен. тж.*) búlwark ['bu-].

бастова́ть strike*, go* on strike, come* / walk out; (*принимать участие в забастовке*) be on strike, be out.

басту́ющ||ий 1. *прич. см.* бастова́ть; 2. *прил.*: ~**ие рабо́чие** men on strike, strikers; 3. *м. как сущ.* striker.

басурма́н *м. уст.* ínfidel.

батали́ст *м. жив.* páinter of báttle-pìeces [...-pi:s-].

бата́лия *ж. уст.* battle; (*перен.*) fight, row, squabble.

бата́льн||ый *прил.* к бата́лия; ~**ая карти́на** báttle-pìece [-pi:s], báttle-páinting.

батальо́н [-льён] *м.* battálion [-'tæ-]; стрелко́вый ~ rifle battálion; ~ свя́зи sígnal battálion; сапёрный ~ field ènginéer battálion [fi:ld endʒ-...]. ~**ный** [-льё-] *прил.* к батальо́н; ~**ный команди́р** battálion commánder [-'tæ- -ɑ:n-].

батаре́ец *м. воен. разг.* gúnner.

батаре́йка *ж. эл.* (eléctric) báttery.

батаре́я *ж.* (*в разн. знач.*) báttery; ~ парово́го отопле́ния rádiàtor; ~ сухи́х элеме́нтов dry báttery.

ба́тенька *м. разг.* (*в обращении*) old man, old chap.

батипла́н *м. мор.* báthyplàne.

батиска́ф *м. мор.* báthyscàphe [-skeɪf].

бати́ст *м.* cámbric ['keɪm-], lawn. ~**овый** *прил.* к бати́ст.

батисфе́ра *ж.* báthysphère.

ба́тник *м.* bátnik ['bɑ:-] (*close-fitting man's shirt or woman's blouse with buttons*).

бато́г *м.* rod, cúdgel, stick.

бато́жок *м. уменьш. от* бато́г.

бато́н *м.* (*хлеб*) long loaf*, bread stick [bred...].

бато́нчик *м.* 1. *уменьш. от* бато́н; 2. (*кондитерское изделие*) stick of confectionery; шокола́дный ~ bar of chócolate.

батра́||к *м.* farm láboùr⁞er, fárm-hànd; hired man* *амер.* ~**цкий** farm láboùr⁞er's, fárm-hànd's.

батра́чество *с.* 1. *собир.* (farm) láboùr⁞ers *pl. и т. д.* (*ср.* батра́к); àgricúltural pròletáriat [...-prou-]; 2. (*занятие*) wórking as, *или* béing, a farm láboùr⁞er.

батра́ч||ить work as a (farm) láboùr⁞er. ~**ка** *ж.* fárm-hànd, farm girl [...-g-].

баттерфля́й [-тэ-] *м. спорт.* bútterfly stroke.

бату́д, бату́т *м. спорт.* trámpoline.

ба́тюшк||а *м.* 1. *уст.* (*отец*) fáther ['fɑ:-]; как Вас по ~е? what is your pàtronýmic?; 2. *уст.* (*в обращении*) my dear féllow; 3. *разг.* (*священник*) párson; fáther (*тк. в обращении*); ◇ ~**и (мой)!** good gráciòus!

ба́тя *м. разг.* 1. (*отец*) fáther ['fɑ:-]; 2. (*священник*) párson.

бау́л *м.* pòrtmánteau [-tou], trunk.

бах *межд.* bang!

ба́хать, ба́хнуть *разг.* 1. (*издавать резкий звук*) bang; (*об орудии*) bark;

БАХ – БЕД

2. (*вн.*; *с шумом ударять, бросать*) bang (*d.*).

бахва́л *м. разг.* bràggart, bóaster. **~иться** (*тв.*) *разг.* brag (of, abóut).

бахва́льство *с. разг.* brágging, bóasting.

ба́хнуть *сов. см.* ба́хать.

бахрома́ *ж. тк. ед.* fringe; украша́ть **~о́й** (*вн.*) fringe (*d.*).

бахро́мчатый fringed.

бахча́ *ж.* wáter-mèlon, mélon and gourd plantátion ['wɔ:- -me- 'me-...].

бахчево́д *м.* wáter-mèlon, mélon and gourd grówer ['wɔ:- -me- 'me-... 'grouə].

бахчево́дство *с.* wáter-mèlon, mélon and gourd grówing / cultivátion ['wɔ:- -me- 'me-... 'grou-...].

бахчев|о́й *прил. к* бахча́; **~ы́е** культу́ры wáter-mèlons, mélons and gourds ['wɔ:- -me- 'me-...].

бац *разг.* **1.** *межд.* bang!; **2.** *предик.:* он его́ **~** по голове́ he gave him a crack on the head [...hed].

ба́цать, **ба́цнуть** = ба́хать, ба́хнуть.

баци́лла *ж.* bacíllus (*pl.* -li).

бациллоноси́тель *м.* bacílli-cárrier.

ба́цнуть *сов. см.* ба́цать.

ба́чки *мн. уменьш. от* ба́ки.

бачо́к *м. уменьш. от* бак I 1.

баш: ~ на ~ *разг.* on équal terms [...'i:-...]; обменя́ть **~ на ~** swap, make* a straight swap.

ба́шен|ка *ж.* túrret. **~ный** *прил. к* ба́шня; **~ные часы́** tówer clock *sg.*

башибузу́к *м. уст. разг.* desperádo [-ɑ:d].

башка́ *ж. тк. ед. разг.* noddle, head [hed]; глу́пая **~** blóckhead [-hed].

башки́р *м.*, **~ка** *ж.*, **~ский** Bàshkír; **~ский язы́к** Bàshkír, the Bàshkír lánguage.

башкови́тый *разг.* sharp, cléver ['kle-]; quick on the úptake, bráiny.

башлы́к *м.* bàshlýk, hood [hud].

башма́к I *м.* shoe [ʃu:]; (*выше щи́колотки*) boot; деревя́нный **~** clog; быть под **~о́м** у кого́-л. be únder smb's heel; (*у жены́ тж.*) be henpècked.

башма́к II *м. тех.* shoe [ʃu:].

башма́чн|ик *м. уст.* shóe-máker ['ʃu:-], cóbbler. **~ый** *прил. к* башма́к I.

ба́шня *ж.* **1.** tówer; (*орудийная*) túrret.

башта́н *м.* = бахча́.

ба́ю-ба́й, **ба́ю-ба́юшки-баю** lúllaby.

баю́кать (*вн.*) lull to sleep (*d.*); (*пением тж.*) sing* lúllabies (to); (*укачивая тж.*) rock to sleep (*d.*).

баядер|ка [-дэ-] *ж.* bayadère (*фр.*) [bɑ:jə'dɛə].

бая́н *м.* **1.** (*муз. инструмент*) bayán [-ɑ:n] (*kind of accordion*) **2.** *ист.* (*певец*) (old Rússian) bard [...-ʃən]. **~и́ст** *м.* bayán-pláyer [-ɑ:n-].

бде́ние *с.* vigil; ночно́е **~** night watch.

бдеть *уст.* keep* watch / vigil.

бди́тельн|ость *ж.* vigilance, wátchfulness; повыша́ть **~** incréase / héighten / redóuble one's vígilance [-i:s 'haɪ-'dʌl-...]; осла́бить **~** reláx one's vígilance, be off one's guard; проявля́ть **~** éxercise / displáy vígilance. **~ый** vígilant, wátchful.

бе: я, он и *т.д.* **в э́том ни бе, ни ме́** I do, he does, *etc.*, not know a thing abóut it [...nou...].

бег *м.* run, rúnning; *спорт.* race; на **~у́** (while) rúnning; **~ на коро́ткие диста́нции** sprint; **~ на дли́нные диста́нции** lóng-distance race; **~ на ме́сте** rúnning on the spot; (*перен.: отсу́тствие движе́ния вперёд*) márking time.

бега́ I *мн.* (*состяза́ния лошаде́й*) the ráces (*of harnessed horses*).

бега́ II *мн. уст.* híding; ◊ быть в **~х** *разг.* be on the run; *уст.* (*скрыва́ться*) be in híding, be óutlawed.

бе́га|ть, *опред.* бежа́ть, *сов.* побежа́ть **1.** (*в разн. знач.*) run*; *неопред.* (*туда́-сюда́*) run abóut; **~ взапуски́** *разг.* chase each óther [-s...]; бежа́ть бего́м húrry; fly* *разг.*; бежа́ть со всех ног, бежа́ть сломя́ го́лову run* at bréaknèck pace [...'breɪk-...]; **~ для кого́-л., и́ли дея́тельно, life; run* as fast as one's legs will cárry one, run* at top speed, tear* alóng [tɛə...]; **~ ры́сью** trot; **~ за кем-л.** (*прям. и перен.*) run* áfter smb., chase (áfter) smb.; **2.** *тк. несов.* (*о глаза́х*) be shífty; róve; глаза́ его́ так и **~ют** he has réstless eyes [...aɪz]; (*о хи́тром взгля́де*) he has shífty eyes, his eyes are shífty; **3.** *тк. несов. см.* бежа́ть II 3; **4.** *тк. опред. и сов. см.* бежа́ть I.

бегемо́т *м.* hippopótamus (*pl.* -ses, -mi).

бегле́ц *м.* fúgitive, rún:a:way; (*из заключе́ния*) jáil-breaker [-eɪkə].

бе́гл|о *нареч.* **1.** (*легко́*) flúently; **~ чита́ть** read* flúently; **~ игра́ть** (на роя́ле *и т. п.*) play (the piáno, *etc.*) with facílity [...'pjæ-...]; **2.** (*пове́рхностно*) sùperfícially, cúrsorily; **~ просмотре́ть кни́гу** glance óver / through *a* book; **~ ознако́миться с материа́лом** glance óver the matérial, take* a look at the matérial. **~ость** *ж.* (*о чте́нии, ре́чи и т. п.*) flúency; (*па́льцев*) dextérity, rapídity; (*ср. тж.* бе́глый).

бе́гл|ый 1. (*лёгкий, свобо́дный*) flúent; quick; **2.** (*пове́рхностный*) sùperfícial; (*о чте́нии, осмо́тре тж.*) cúrsory; **~ обзо́р** brief súrvey [bri:f...]; **~ое ознакомле́ние** (с *тв.*) cúrsory acquáintance (with); **3.** *фон.* (*о зву́ке*) únstable. **4.** *тж. как сущ.* (*убежа́вший*) fúgitive, rún:a:way; ◊ **~ взгляд** (*pássing*) glance; броса́ть **~ взгляд** (на *вн.*) glance (at), cast* / dart / shoot* a glance (at), run* one's eyes [...aɪz] (óver); **~ое замеча́ние** brief / pássing remárk; **~ ого́нь** *воен.* rúnning fire.

бегля́нка *ж.* fúgitive.

бегов|о́й I *прил. к* бег, **~а́я доро́жка** (*гаревая*) cínder-tràck, rúnning-tràck; **~ы́е дро́жки** rácing súlky *sg.*; **~ы́е коньки́** rácing skates.

бегов|о́й II *прил. к* бега́ I; **~ ипподро́м** ráce:course [-kɔ:s]; **~а́я ло́шадь** ráce:hòrse, rácer; **~а́я програ́мма** rácing schédule [...'ʃe-]; **~о́е состяза́ние** ráce-meeting.

бего́м *нареч.* at a run; rúnning; *воен.* at the double [...dʌbl], dóuble-quick [dʌbl-]; бежа́ть **~** húrry; fly* *разг.*; **~ марш!** *воен.* (at) the double!

бего́ния *ж. бот.* begónia.

бегот|ня́ *ж. разг.* rúnning abóut; весь день в **~е́** on the run all day.

бе́гство *с.* flight; (*из пле́на*) escápe; пани́ческое **~** stámpede, pánic flight; обраща́ть в **~** (*вн.*) put* to flight (*d.*); обраща́ться в **~** take* to flight; спаса́ться **~м** escápe, run* awáy; (*от суда́, сле́дствия*) abscónd.

бегу́н *м.* **1.** rúnner; **~ на коро́ткие диста́нции** sprínter; **~ на дли́нные диста́нции** lóng-distance rúnner; **2.** *мн. тех.* rúnners.

бегунки́ *мн.* **1.** *уст.* (*беговы́е дро́жки и́ли са́нки*) súlky *sg.*; **2.** *см.* бегуно́к 1.

бегуно́к *м.* **1.** *тех.* rúnner; **2.** *разг.* (*обходно́й лист*) cléarance chit, loan slip.

бегу́нья *ж. к* бегу́н 1.

бед|а́ *ж.* **1.** misfórtune [-tʃən], trouble [trʌ-]; быть **~е́!** look out for trouble!, there's trouble bréwing!; в **~е́** in trouble; попа́сть в **~у́** get* into trouble; come* to grief [...-i:f] *идиом.*; помо́чь кому́-л. в **~е́** help smb. out; **2.** *предик.:* (*про́сто*) **~!** it's a bad job!; **~** (не) в том, что the trouble is (not) that; в чём **~?** where's the harm?; в то́м-то и **~** that's just the trouble; **~ мне с ним** *разг.* ≅ he is giving me a great deal of trouble [...greɪt...]; he is nothing but trouble; ◊ на **~у́** unfórtunate:ly [-tʃən-]; как на **~у́** as ill luck would have it; накли́кать **~у́** court disáster [kɔːt -'zɑː-]; что за **~?** what does it mátter?, so what?; не **~** it does:n't mátter; пришла́ **~** — отворя́й воро́та *посл.* misfórtunes néver come síngly; ≅ it néver rains but it pours [...pɔ:z]; семь бед — оди́н отве́т *посл.* ≅ as well be hang:ed for a sheep as for a lamb; in for a pénny, in for a pound; **~, коль пироги́ начнёт печи́ сапо́жник** ≅ let the cóbbler stick to his last.

бедла́м *м. разг.* bédlam ['be-].

бедне́ть, обедне́ть becóme* / grow* póorer [...grou...]; (*тв.*) grow* póorer (in).

бе́дн|ость *ж.* **1.** póverty; (*ску́дость*) póorness; **~ по́чвы** póorness of the soil; **~ воображе́ния** póverty of one's imaginátion; **2.** (*нужда́*) póverty, indigence, pénury; жить в **~ости** live in póverty [lɪv...]; **~ота́** *ж. собир.* the poor *pl.*; дереве́нская **~ота́** the poor péasants [...'pez-] *pl.*; the víllage poor; городска́я **~ота́** the úrban poor. **~ый 1.** *прил.* (*в разн. знач.*) poor; (*по за́мыслу, содержа́нию и т. п. тж.*) jejúne, meagre, bárren; **~ый челове́к** poor man*; **~ое воображе́ние** meagre imaginátion; **2.** *как сущ. м.* poor man*; *мн. собир.* the poor.

бедн|я́га *м. разг.* poor féllow / boy / thing; (*о взро́слом мужчи́не тж.*) poor dévil. **~я́жка** *разг.* **1.** *м.* = бедня́га; **2.** *ж.* poor thing; (*о де́вушке и́ли де́вочке тж.*) poor girl [...g-]; (*о взро́слой же́нщине тж.*) poor wóman* [...'wu-].

бедня|́к *м.* **1.** poor man*; **2.** (*о крестья́нине*) poor péasant [...'pez-]. **~цкий** *прил. к* бедня́к 2; **~цко-середня́цкий** *ист.* of poor and middle péasants [...'pez-]. **~чка** *ж.* poor péasant wóman* [...'pez- 'wu-].

40

бедо́вый *разг.* sharp, lively; ~ челове́к dáredèvil.

бедокýр *м. разг.* míschief-màker [-tʃɪf-].

бедокýрить, набедокýрить *разг.* get* up to míschief [...-tʃɪf], do a lot of míschief.

бедола́га *м. и ж. разг.* poor dévil; smb. down on his luck.

бе́дренн∥ый *анат.* fémoral; ~ая кость thígh-bòne, fémur.

бедро́ *с.* 1. (*от таза до колена*) thigh; (*наружная сторона таза и верхней части ноги у человека*) hip; 2. (*часть туши*) leg, round.

бе́дственн∥ый calámitous, disástrous [-'zɑː-]; ~ое положе́ние gríevous / disástrous state ['griː-...], distréss; он в ~ом положе́нии he is in great distréss [...greɪt...].

бе́дствие *с.* calámity, disáster [-'zɑː-]; (*бедственное положение*) distréss; стихи́йное ~ nátural calámity.

бе́дствовать live in póverty [lɪv...].

бедуи́н *м.* bèdouín [bedu'iːn].

беж *прил. неизм.* beige [-ʒ], fáwn-(-còlour∣ed) [-kʌl-].

бежа́ть I, побежа́ть 1. (*в разн. знач.*) *см.* бе́гать 1 (*спешить*) húrry; (*течь*) run*; (*о времени*) fly*; 2. (*при кипении*) boil óver.

бежа́ть II *несов. и сов.* 1. (*спаса́ться*) escápe; ~ из тюрьмы́ break* out of príson [-eɪk...-ɪz-], escápe from príson; 2. (*обращаться в бегство*) take* to flight; *тк. несов.* (*отступать*) flee*; 3. (*от или уст. рд. без предл.; удаляться, избегать*) avóid (*d.*), shun (*d.*); flee* (from) *поэт.*; ~ (от) све́та (*избегать общества*) shun socíety.

бе́жевый *разг.* = беж.

бе́жен∥ец *м.*, ~ка *ж.* réfugèe.

без, безо *предл.* (*рд.*) without; (*за вычетом*) mínus; не ~ интере́са not without ínterest, of some ínterest; ~ исключе́ния without excéption; ~ сомне́ния without / beyónd doubt [...daut]; ~ глу́постей! no nónsense now!; ~ одно́й мину́ты, двух, трёх (мину́т) час, два, три *и т.д.* one mínute [...-ɪt], two, three (mínutes) to one, two, three, *etc.*; ~ че́тверти час, два *и т.д.* a quárter to one, two, *etc.*; год ~ трёх дней three days short of a year; ~ вас (*в ваше отсутствие*) in your ábsence; ◊ и ~ того́ пло́хо it is bad enóugh as it is, или ány∣way [...ɪ'nʌf...].

безава́рийн∥ый having had no áccident; áccident-frée; ~ая рабо́та маши́н rúnning / wórk(ing) of machínes without bréakdowns [...-'fiːnz...'breɪk-].

безала́берн∥о *разг.* in a disórderly mànner, cárelessly; жить ~ go* through life in a háppy-gò-lúcky fáshion. ~ость *ж. разг.* disórder. ~ый *разг.* disórderly; (*беспорядочный*) cáreless, négligent, slápdàsh, slóppy.

безала́берщина *ж. разг.* state of cháòs / confúsion [...'keɪ-...].

безалкого́льный nòn-àlcohólic; ~ напи́ток nòn-àlcohólic / témperance drink; soft drink *разг.*

безапелляцио́нный perémptory, càtegórical; (*о приговоре и т.п.*) allówing of no appéal; ~ тон perémptory tone.

безато́мн∥ый átom-frée ['æ-]; ~ая зо́на átom-frée zone.

безбе́дн∥о *нареч.* cómfortably ['kʌl-]; жить ~ live (fairly) cómfortably [lɪv...], be fáirly wéll-to-dó. ~ый cómfortable ['kʌl-], fáirly wéll-to-dó.

безбиле́тный without a tícket; ~ пасажи́р pássenger trávelling without a tícket; (*на судне, самолёте*) stów∣away ['stou-].

безбо́ж∥ие *с.* átheism ['eɪθɪzm], gódlessness. ~ник *м.* átheist ['eɪθɪɪst]. ~ный gódless; (*перен.*) scándalous, shámeless; ~ная клевета́ ínfamous / vile slánder [...-ɑː-]; ~ный враль shámeless / unmítigated líar; ~ные це́ны outrágeous príces.

безболе́зненный páinless; (*перен. тж.*) smooth [-ð].

безборо́дый béardless.

безбоя́зненный féarless, intrépid; unflínching.

безбра́ч∥ие *с.* 1. célibacy; сторо́нник ~ия cèlibatárian, ádvocate of célibacy; 2. *биол.* ágamy. ~ный 1. célibate; 2. *биол.* ágamous.

безбре́жный bóundless; imménse.

безбро́вый éyebrowless ['aɪ-].

безве́рие *с.* únbelièf [-'liːf].

безве́ст∥ность *ж.* obscúrity [-сн-]; жить в ~ости live in obscúrity [lɪv...]. ~ный [-сн-] obscúre; (*неизвестный*) únknown [-oun].

безве́тр∥енный wíndless ['wɪ-]. ~ие *с.* calm [kɑːm].

безвинно *нареч.* gúiltlessly, without guilt. ~ный gúiltless (of the offénce).

безвку́с∥ие *с.*, ~ица *ж.* lack / want of taste [...teɪ-], bad taste; что за ~ица!, кака́я ~ица! what bad taste! ~ный 1. tásteless ['teɪ-], (*об одежде, манерах*) vúlgar; 2. (*невкусный, пресный*) insípid.

безвла́стие *с.* ánarchy [-kɪ].

безво́дн∥ый 1. wáterless ['wɔː-]; (*сухой*) árid; ~ая пусты́ня árid désert [...'dez-]; 2. *хим.* ànhýdrous.

безво́дье *с.* lack of wáter [...'wɔː-]; (*сухость*) áridity.

безвозбра́нно *нареч.* = беспрепя́тственно.

безвозвра́тн∥о *нареч.* irrétrievably [-riːv-], irrévocably; ушло́ ~ has gone néver to retúrn [...gɔn...]. ~ый 1. irretríevable [-riːv-], irrévocable; 2. (*не подлежащий возврату*) pérmanent; ~ая ссу́да grant, nón-repáyable súbsidy.

безвозду́шн∥ый áirless; ~ое простра́нство *физ.* vácuum (*pl.* -ms, -cua).

безвозме́здн∥о *нареч.* (*даром*) grátis, free of charge; (*без компенсации*) without indémnity / cómpensàtion; переда́ть что-л. ~ в со́бственность кому́-л. tránsfer smth. without còmpensátion to smb., hand óver smth. without còmpensátion to smb. ~ый gratúitous; (*о труде*) unpáid; ~ая услу́га deed of gift [...g-].

безво́лие *с.* weak will, lack of will.

безволо́сый háirless.

безво́льн∥ый wéak-wílled; быть ~ым челове́ком lack báckbone.

безвре́дн∥ый hármless, innócuous; ~ое лека́рство innócuous médicine.

безвре́менн∥о *нареч.* prèmatúre∣ly; он ~ сконча́лся he died, *или* passed away, prèmatúre∣ly / ùntíme∣ly; ~ сконча́вшийся ùntíme∣ly decéased [...-'siːst]. ~ый ùntíme∣ly, prèmatúre.

безвре́менье *с. уст.* hard times *pl.*; périod of sócial stàgnátion.

безвы́ездн∥о *нареч.* without quítting *the place*, without break [...-eɪk]. ~ый ùninterrúpted; ~ое пребыва́ние contínuous résidence [...-zɪ-].

безвы́ходно *нареч. разг.*: жить где-л. ~ never budge from a place; stay put.

безвы́ходно I *прил. кратк. см.* безвы́ходный.

безвы́ходно II *нареч.* (*не покидая дома*) without gó∣ing out.

безвы́ходн∥ый (*безнадёжный*) hópeless, désperate; ~ое положе́ние hópeless / désperate situátion / condítion.

безгла́зый éyeless ['aɪ-]; (*не имеющий одного глаза*) óne-éyed [-'aɪd], síngle-éyed [-'aɪd].

безгла́сный *уст.* (*молчаливый*) mute, sílent; (*не смеющий высказаться*) dumb.

безголо́вый héadless ['hed-]; (*перен.*) *разг.* (*глупый*) bráinless; (*рассеянный*) scátter-brained, háre-brained.

безголо́сица *ж. разг.* lack of good vóices; poor sínging.

безголо́сый weak of voice, féeble-vóiced; vóiceless; э́тот певе́ц ~ this sínger has no voice at all; (*о потерявшем голос*) this sínger's voice is quite rúined.

безгра́мотн∥о *нареч.* (*с ошибками*) with gross òrthográphic / spélling mistákes [...grous...]; он ~ пи́шет his spélling is bad. ~ость *ж.* 1. illíteracy; poor spélling; 2. (*невежественность*) ígnorance. ~ый 1. (*неграмотный*) illíterate; ~ое письмо́ illíterate létter; 2. (*невежественный*) ígnorant.

безграни́чно I *прил. кратк. см.* безграни́чный.

безграни́чн∥о II *нареч.* ínfinite∣ly. ~ый ínfinite, bóundless.

безгре́шный sínless.

безда́рно I *прил. кратк. см.* безда́рный.

безда́рн∥о II *нареч.* without any show of tálent [...ʃou...'tæ-]. ~ость *ж.* 1. (*отсутствие таланта*) lack of tálent [...'tæ-]; 2. *разг.* (*человек, лишённый таланта*) pérson without tálent; (*о писателе тж.*) hack; (*об актёре тж.*) ham; (*тупица*) dúllard. ~ый dull, úntalented [-'tæ-], úngifted [-'gɪ-]; (*о художественном произведении*) vápid, feeble; ~ый перево́д hack translátion [...-ɑː-].

бе́здарь *ж. разг.* = безда́рность 2.

безде́йственный ináctive, idle.

безде́йствие *с.* ináction, inactívity; (*пассивность*) inértia, inértness.

безде́йств∥овать be ináctive, do nóthing; (*о машине, приборе и т.п.*) be idle, be ináctive; (*из-за неисправности*) not work; маши́на ~ует the machíne is idle [...-'fiːn...], the machíne is not in áction; the machíne is not wórking / rúnning. ~ующий 1. *прич. см.* безде́йствовать; 2. *прил.* ináctive, ínoperative.

безде́лица *ж.* trifle, bàgatélle.

БЕЗ – БЕЗ

безделу́шка *ж.* trínket; (*для украшения комнаты*) kníck-knàck.

безде́ль||**е** *с.* ídle:ness. ~**ник** *м.*, ~**ница** *ж. разг.* **1.** ídler, lóafer; (*лентяй*) lázy:bònes; **2.** *бран.* góod-for-nòthing, né'er-do-wèll ['nɛə-]. ~**ничать** idle, loaf. ~**ный** *разг.* idle; ~**ное существова́ние** idle existence.

безде́нежн||**ый 1.** *разг.* (*о человеке*) impecúnious; pénniless; **2.**: ~**ые расчёты** *бух.* cléaring òperátions, nón-mónetary òperátions.

безде́нежье *с.* shórtage / lack of móney [...'mʌ-], impecúnious:ness.

безде́т||**ность** *ж.* child:lessness. ~**ый** child:less.

бездефици́тный entáiling no déficit, sélf-suppòrting.

безде́ятельн||**ость** *ж.* inactívity, inértia. ~**ый** inactive, slúggish.

бе́здна [-зн-] *ж.* **1.** abýss, chasm [k-]; **2.** (*рд.*) *разг.* (*множество*) a huge númber (of), a heap (of); ~ дел a thóusand and one things to see to [...'θauz-...]; ~ неприя́тностей a heap / sea of trouble [...trʌbl]; ◇ ~ прему́дрости *шутл.* wísdom ínfinite [-z-...].

бездо́ждье [-жье] *с.* dry spell; dry wéather [...'we-].

бездоказа́тельн||**ый** únsubstántiated, unfóunded; ~**ое обвине́ние** unfóunded accusátion [...'zeɪ-].

бездо́мный hóme:less; (*особ. о живо́тном*) stray.

бездо́нн||**ый** bóttomless; (*перен.*) unfáthomable [-ŏ-], fáthomless [-ŏ-]; ~**ая про́пасть** fáthomless pit; ◇ ~**ая бо́чка** sóaker; (*прорва*) drain on resóurces [...'sɔːs-].

бездоро́жье *с.* **1.** (*недостаток проезжих дорог*) lack of (good) roads; **2.** (*распутица*) bad condítion of roads, time / séason when roads are impássable.

бездохо́дный *эк.* únprofitable, prófitless.

безду́мн||**ость** *ж.* thóughtlessness, insouciance (*фр.*) [ɪn'suːsɪəns]. ~**ый** thóughtless, insouciant (*фр.*) [ɪn'suːsɪənt], únthinking, féckless.

безду́мье *с.* thóughtlessness.

безду́ш||**ие** *с.*, ~**ность** *ж.* cállousness, héartlessness ['hɑːt-]. ~**ый 1.** (*бессердечный*) cállous, héartless ['hɑːt-]; **2.** (*лишённый живой идеи*) sóul:less ['sou-]; (*без живо́го отношения тж.*) cóld-héarted [-'hɑːt-].

безды́мный smóke:less.

бездыха́нный lífe:less.

безе́ [-зэ] *с. нескл.* meríngue [mə'ræŋ].

безжа́лостный [-сн-] pítiless, mérciless; (*жесто́кий*) rúthless ['ruː-].

безжи́зненн||**ость** *ж.* lífe:lessness; insipídity; (*ср. безжи́зненный*). ~**ый** (*в разн. знач.*) lífe:less; inánimate; (*о сти́ле*) insípid; (*о глаза́х*) láckl ustre; ~**ый ландша́фт** dull lándscàpe.

беззабо́тн||**о** *нареч.* líght-héarted ly [-'hɑːt-], líght-héartedly; cáre:lessly. ~**ость** *ж.* líght-héartedness [-'hɑːt-], cáre:lessness. ~**ый** líght-héarted [-'hɑːt-], cáre:less; cárefree; ~**ое существова́ние** cárefree existence / life; (*ср.* безмяте́жный, беспе́чный).

беззаве́тн||**о** *нареч.* sélflessly, devóted ly, whóle-héartedly ['houl'hɑːt-]; ~ пре́данный útterly devóted, devóted heart and soul [...hɑːt...soul]. ~**ый** sélfless, devóted, whóle-héarted ['houl'hɑːt-]; ~**ая пре́данность** útter / sélfless devótion; ~**ое служе́ние чему́-л.** sélfless sérvice to smth.

беззако́н||**ие** *с.* **1.** (*отсутствие законности*) illegálity, láwlessness; **2.** (*беззако́нный посту́пок*) únlawful áction. ~**ничать** *разг.* tránsgréss / infrínge / break* the law [...breɪk...]. ~**ный** láwless, illégal, únlawful.

беззасте́нчив||**ость** *ж.* sháme:lessness, ímpudence. ~**ый** sháme:less, ímpudent; (*о человеке тж.*) únblúshing; ~**ый лгун** brázen-fàced / únblúshing liar; ~**ая ложь** báre:fàced lie.

беззащи́т||**ность** *ж.* deféncelessness. ~**ый** defénce:less, únprotécted.

беззвёздный stárless.

беззву́чный sóundless; (*тихий*) sílent; (*бесшу́мный*) nóise:less; ~ смех sílent láughter [...'lɑːf-].

безземе́ль||**е** *с.* lack of (árable) land. ~**ный** lándless; ~**ный крестья́нин** lándless péasant [...'pez-]; **Иоа́нн Безземе́льный** *ист.* John Láckland.

беззло́б||**ие** *с.*, ~**ность** *ж.* kínd:liness, good náture [...'neɪ-]. ~**ный** kínd:ly; (*о человеке тж.*) góod-nátured [-'neɪ-]; ~**ная насме́шка** bánter, ráillery.

беззу́б||**ый** tóothless; *зоол.* e:déntàte; (*перен.: лишённый остроты*) insípid; ~**ая кри́тика** feeble / insípid críticism.

безлепестко́вый *бот.* apétalous.

безле́сн||**ый** trée:less; ~**ая равни́на** trée:less plain.

безле́сье *с.* ábsence of fórests [...'fɔ-].

безли́кий fáce:less, féature:less.

безли́ст||**венный**, ~**ный** léafless.

безли́ч||**ие** *с.*, ~**ность** *ж.* lack of pèrsonálity, lack of individuálity; impèrsonálity. ~**ный 1.** (*о лю́дях*) without pèrsonálity, without individuálity; **2.** *грам.* impèrsonal; ~**ный* глаго́л** impèrsonal verb; ~**ное предложе́ние** impèrsonal séntence.

безлоша́дный not posséssing a horse [...-ze-...], without a horse of one's own [...oun].

безлу́дный móonless.

безлю́дный ún:inhábited; (*малонаселённый*) spárse:ly / thínly pópulàted; (*пусты́нный*) lóne:ly, sólitary, únfrequénted.

безлю́дье *с.* **1.** (*отсутствие людей*) ábsence of húman béings, *или* of people [...piː-]; **како́е здесь ~!** how lóne:ly this place is!; **2.** (*недостаток нужных людей*) lack / defíciency / want of the right people.

безма́ла *нареч. уст.* = без ма́ла, без ма́лого *см.* ма́лый I.

безме́н *м.* stéel:yàrd; (*пружинный*) spríng-bàlance.

безме́рн||**о** *нареч.* ínfinite:ly, beyónd all méasure [...'meʒə]. ~**ый** bóundless, ínfinite.

безмо́зглый *разг.* bráinless.

безмо́лв||**ие** *с.* sílence ['saɪ-]; (*внеза́пная тишина́*) hush. ~**ный** (*без слов*) spéechless, mute; (*тихий*) sílent; ~**ное согла́сие** tácit consént.

безмо́лвствовать [-лст-] keep* sílence.

безмото́рный *ав.* éngine:less ['endʒ-]; (*с выключенным мотором*) únpówered; ~ полёт glíding.

безмяте́ж||**но** *нареч.* seréne:ly, quíetly; **спать ~** sleep* péace:fully. ~**ость** *ж.* serénity, tranquíllity, plácidity. ~**ый** seréne, tránquil, plácid; ~**ый сон** untróubled sleep [-'trʌb-...].

безнадёж||**ность** *ж.* hópe:lessness; (*отча́яние*) despáir. ~**ый** hópe:less; ~**ый больно́й** hópe:less case [...-s]; **больно́й безнадёжен** the pátient's condítion is hópe:less; ~**ое положе́ние** hópe:less situátion; ~**ый взгляд** despáiring glance.

безнадзо́рн||**ость** *ж.* negléct; **де́тская ~** child negléct. ~**ый** ún:cáred-fòr, negléctéd.

безнака́занн||**о** *нареч.* with impúnity; **им всё прохо́дит ~** they do whatéver they like with pérfect impúnity; **ему́ э́то не пройдёт ~** he won't get awáy with that [...wount...]. ~**ость** *ж.* impúnity. ~**ый** únpúnished [-'pʌ-]; остава́ться ~**ым** go* únpúnished.

безнали́чн||**ый** without cash tránsfer; ~ расчёт *бух.* cléaring; по ~**ому** расчёту by written órder.

безнача́лие *с.* ánarchy [-kɪ].

безно́гий 1. lég:less; (*не имеющий одной ноги*) óne-légged; **2.** *зоол.* ápod [ˈæ-], ápodal.

безно́сый 1. nóse:less; **2.** (*без носика*) spóutless; ~ ча́йник spóutless téa-pòt.

безнра́вственн||**ость** *ж.* **1.** immorálity; **2.** (*распущенность*) díssolùte:ness. ~**ый 1.** immóral [-'mɔ-]; **2.** (*распу́щенный*) díssolùte.

безо *предл. см.* без.

безоби́дн||**о** *нареч.* inoffénsive:ly; ~ пошути́ть make* a hármless / ínnocent joke. ~**ый** inoffénsive; (*безвре́дный*) hármless.

безо́блачн||**ость** *ж.* clóudlessness; (*перен.*) serénity. ~**ый** clóudless; (*перен.*) ún:clóuded, seréne; ~**ое сча́стье** ún:clóuded háppiness.

безобра́з||**ие** *с.* **1.** *тк. ед.* úgliness ['ʌ-]; (*уро́дство*) defórmity; **2.** (*беспоря́док, бесчи́нство*) óutràge; disgráce:ful góings-ón *pl.*; там творя́тся ~**ия** what is góing on there is an ábsolùte disgráce; **с таки́ми ~иями на́до поко́нчить** these disgráce:ful / scándalous práctices must be put an end, *или* a stop, to; these disgráce:ful / scándalous práctices must be stopped; **3.** *разг.*: **что за ~!** it's disgráce:ful / scándalous!; **э́то про́сто ~** it's símply a disgráce / scándal.

безобра́зить I (*вн.; делать некраси́вым*) disfígure (*d.*), mar the appéarance (of).

безобра́зить II *разг.* = безобра́зничать.

безобра́зни||**к** *м. разг.* hóoligan; (*озорни́к*) scamp. ~**ца** *ж. разг.* virágò [-'rɑː-], (*о ребёнке*) bad girl [...g-].

безобра́зничать *разг.* beháve, *или* cárry on, outrágeous:ly / disgráce:fully, make* a núisance of òne:sélf [...njuːs-...].

безо́бразный lácking in ímagery, féature:less (*of style*).

безобра́зн||**ый 1.** (*о вне́шности*) úgly ['ʌ-]; (*отврати́тельный*) hídeous ['hɪ-]; (*уро́дливый*) defórmed; **2.** (*возмути́тель-*

безогля́дный réckless.
безоговóрочн‖**о** *нареч.* únˈresérvedly [-ˈzə:v], without resérve [...-ˈzə:v], únˈcondítionally; ~ повиновáться obéy implícitly. ~**ый** únˈresérved [-ˈzə:vd], únˈqualified, únˈcondítional; ~**ая капитуля́ция** únˈcondítional surrénder.
безопáсно I 1. *прил. кратк. см.* безопáсный; **2.** *предик. безл.* it is safe.
безопáсно II *нареч.* safeˈly.
безопáсн‖**ость** *ж.* sáfeˈty; (*общественная*) secúrity; **в ~ости in sáfety**, out of dánger [...ˈdeɪn-], out of harm's way; **госудáрственная ~** State secúrity; **óрганы ~ости** secúrity sérvices; **систéма коллектúвной ~ости** colléctive secúrity sýstem, sýstem of colléctive secúrity; **охрáна госудáрственной ~ости** defénce / sáfeˈguarding of State secúrity; **тéхника ~ости** indústrial sáfety; áccident prevéntion; **Совéт Безопáсности** Secúrity Cóuncil. ~**ый 1.** *тж.* ~**ое мéсто** safe place; **на ~ом расстоя́нии** at a safe distance; **2.** *тех.* sáfety (*attr.*); (*защищённый от неосторóжного, неумéлого обращéния*) fóolproof; ~**ая брúтва** sáfety rázor.
безору́жный únˈarmed; (*перен.*: *беззащúтный*) défenceˈless.
безоснóвательный gróundless.
безостанóвочный únˈceasing [-ˈsiːs-], céaseˈless [ˈsiːs-]; (*о пóезде и т. п.*) nónˈstop.
безóст‖**ый**: ~**ая пшенúца** *бот.* únˈbéarded wheat.
безотвéтн‖**ый 1.** únˈrecíproˈcated, únˈrequíted; ~**ая любóвь** únˈrequíted love [...lʌv]; **2.** (*крóткий*) meek, mild.
безотвéтственн‖**о** *нареч.* irrespónsibly; **поступáть ~** act irrespónsibly; play fast and loose [...-s] *идиом.* ~**ость** *ж.* irrespónsibility. ~**ый** irrespónsible; ~**ое поведéние** irrespónsible behávior.
безоговорóчн‖**о**, ~**ый** = беспрекослóвно, беспрекослóвный.
безотка́зн‖**о** *нареч.* smóothly [-ð-], without a hitch. ~**ый** fáultˈless, únˈfáiling; (*надёжный*) relíable.
безотлагáтельн‖**о** *нареч.* úrgently, without deláy. ~**ый** préssing, úrgent.
безотлу́чн‖**о** *нареч.* without ábsenting oneˈself for an ínstant, without góˈing aˈway for an ínstant; **он ~ находúлся при больнóм** he néver left the pátient's bédside. ~**ый** éverˈprésent [...-ez-]; (*непреры́вный*) únˈinterrúpted, contínuous.
безотносúтельн‖**о** *нареч.* irrélative; ~ **к чему́-л.** irrespéctive of smth. ~**ый** irrélative, irrespéctive.
безотрáдн‖**ость** *ж.* chéerˈlessness. ~**ый** chéerˈless, dísmal [-z-], dréary; ~**ый пейзáж** dréary lándˈscape; ~**ые перспектúвы** black óutlook *sg.*, glóomy próspect(s).
безотцóвщина *ж.* **1.** (*жизнь и воспитáние ребёнка без отцá*) fátherˈlessness [ˈfɑː-]; **2.** *разг.* (*о ребёнке без отцá*) fátherless child* [ˈfɑː-...].
безотчёт‖**ность** *ж.* **1.** (*отсу́тствие контрóля*) ábsence of contról [...-oul]; **2.** (*бессознáтельность*) únˈaccóuntableˈness. ~**ый 1.** (*бесконтрóльный*) not líable to account, not subject to control

[...-oul]; **2.** (*бессознáтельный*) únˈaccóuntable; (*инстинктúвный*) instínctive, únˈcónscious [-ʃəs].
безошúбочн‖**ость** *ж.* fáultˈlessness; (*прáвильность*) corréctness; (*тóчность*) exáctitude. ~**ый** únˈérring, fáultless; (*прáвильный*) corréct; (*тóчный*) exáct.
безрабóт‖**ица** *ж.* únˈemplóyment. ~**ный 1.** *прил.* únˈemplóyed; jóbˈless *амер.*; **быть ~ным** be únˈemplóyed, be out of work; **полностью ~ный** tóˈtally únˈemplóyed; **частúчно ~ный** pártially únˈemplóyed; **2.** *как сущ. м.* únˈemplóyed pérson; *мн. собир.* the únˈemplóyed.
безрáдостный jóyless, dísmal [-z-], chéerless.
безраздéльн‖**о** *нареч.* **1.** úndivíˈdedly, complétely; ~ **госпóдствовать** éxercise complète sway, *или* úndivíded rule; have complète domínion; **2.** (*беззавéтно*) wholeˈhéartedly [ˈhoulˈhɑːt-]. ~**ый 1.** (*не разделённый*) úndivíded; **2.** (*беззавéтный*) wholeˈhéarted [ˈhoulˈhɑːt-].
безразлúчи‖**е** *с.* indífference; (*бесстрáстие*) nónchalance [-ʃ-].
безразлúчно I 1. *прил. кратк. см.* безразлúчный; **2.** *предик. безл.* it does not mátter, it's all the same; ~ **кто, куда́** *и т. п.* no mátter who, where, *etc.*; **мне ~** it is all the same to me, it makes no dífference to me.
безразлúчн‖**о II** *нареч.* with indífference; **относúться (совершéнно) ~ (к)** be (pérfectly) indífferent (to). ~**ый** indífferent; (*бесстрáстный*) nónchalant [-ʃ-].
безразмéрн‖**ый** stretch (*nylon, etc.*); ~**ые носкú** stretch (nýlon) socks; ~**ые чулкú** strétch-nýlons.
безрассу́дно I *прил. кратк. см.* безрассу́дный.
безрассу́дно II *нареч.* ráshˈly, récklessly.
безрассу́д‖**ный** rash, réckless; (*неблагоразу́мный*) imprúdent; (*опромéтчивый*) fóolˈhardy; **э́то ~но that is fóolˈhardy**, that is mere fóolˈhardiness; that is imprúdent. ~**ство** *с.* ráshness, récklessness; imprúdence; fóolˈhardiness; (*ср.* безрассу́дный); **бы́ло бы ~ством** (*предположúть и т. п.*) it would be fólly (to suppóse, *etc.*).
безрезультáтн‖**о** *нареч.* without resúlt [...-ˈzʌl-], in vain, to no púrpose [...-s]. ~**ость** *ж.* futílity; (*неуспéх*) únˈsuccéss, fáilure.. ~**ый** fútile, inefféctual; (*безуспéшный*) únˈsuccéssful; (*тщéтный*) vain.
безрéльсовый tráckless; ~ **трáнспорт** (*автомобúльный*) mótor-tránˈsport.
безрессóрный spríngˈless, únˈsprúng.
безрóг‖**ий** hórnˈless; ~**ое живóтное** pollard; ~ **вол** póllˈbúllock [-bu-]; ~**ая корóва** hórnˈless cow, póllˈcow.
безрóдный without kith or kin.
безрóпотн‖**о** *нареч.* without a múrmur. ~**ый** únˈmúrmuring, únˈcompláining; (*покóрный*) resígned [-ˈzaɪnd], submíssive.
безру́дный *горн.* bárren.
безрукáвка *ж.* sléeveˈless jácket, sléeveˈless blouse; (*вя́заная*) sléeveˈless púllóver [...ˈpul-]; sléeveˈless cárdigan.
безру́к‖**ий** áˈrmless, (*не имéющий однóй руки́*) oneˈarmed; (*перен.*) *разг.* áwkward, clúmsy [-zɪ].

БЕЗ – БЕЗ   **Б**

безры́бье *с.*: **на ~ и рак ры́ба** *посл.* ≃ half a loaf is bétter than no bread [hɑːf...bred].
безубы́точн‖**ый** bréakˈèven [ˈbreɪk-] (*attr.*); ~**ое предприя́тие** bréakˈèven énterprise.
безудáрный *лингв.* únˈàccénted, únˈstréssed.
безу́держн‖**о** *нареч.* without restráint, únˈrestráinedly; (*бу́рно*) impétuouˈsly. ~**ый** únˈrestráined; (*несдéрживаемый*) únˈchécked; (*бу́рный*) impétuous; ~**ый смех** únˈrestráined láughter [...ˈlɑːf-]; ~**ые слёзы** tears gúshing from one's eyes [...aɪz].
безу́держу = **без у́держу** *см.* у́держ.
безукорúзненн‖**о** *нареч.* impéccably; **он ~ говорúт по-англúйски** his Énglish is impéccable [...ɪŋ-...]. ~**ость** *ж.* irréproachabílity. ~**ый** irréproachable, impéccable; ~**ое поведéние** impéccable cónduct.
безу́мец *м.* mádˈman*.
безу́м‖**ие** *с.* **1.** (*безрассу́дство*) fólly; **любúть до ~ия** love to distráction [lʌv...]; **э́то прóсто ~** this / it is sheer lúnacy; **2.** *уст.* (*сумасшéствие*) mádness, insánity; **вы меня́ доведёте до ~ия** you will drive me crázy. ~**но** *нареч.* mádˈly; (*крáйне*) áwfully, fríghtfully; **он ~но лю́бит сы́на** he loves his son to distráction [...lʌvz...sʌn...]; **я ~но устáл** I am térribly tired. ~**ный 1.** (*безрассу́дный*) réckless; ~**ный посту́пок** mad / sénseˈless act, an act of fólly / mádness; **2.** *разг.* (*óчень сúльный*) térrible, dréadful [ˈdred-]; **3.** *уст.* (*сумасшéдший*) mad, insáne; ~**ные глазá** wíldˈlooking eyes [...aɪz], wild eyes; ◊ ~**ный день** distrácting day; ~**ные цéны** fáncy / ský-high príces; **там ~ные цéны éveryˈthing costs the earth there** [...ɜːθ...].
безумóлку = **без умóлку** *см.* умóлк.
безумóлчный *поэт.* únˈcéasing [-ˈsiːs-]; (*о шу́ме*) incéssant.
безу́мство *с.* mádness, fóolˈhardiness. ~**вать** beháve like a mádˈman*; (*неистóвствовать*) rave.
безупрéчн‖**ость** *ж.* irréproachabílity, bláˈmeˈlessness. ~**ый** irréproachable,, bláˈmeˈless; (*о репутáции тж.*) únˈstáined, stáinless; ~**ая рабóта, слу́жба** irréproachable / únˈexcéptionable / fáultˈless work, sérvice.
безуслóвн‖**о 1.** *нареч.* (*несомнéнно*) undóubtedly [-ˈdaut-]; (*абсолю́тно*) ábsoluteˈly; (*безоговóрочно*) únˈcondítionally; **2.** *вводн. сл.* (*конéчно*) there is no doubt that [...daut...], of course [...kɔːs], undóubtedly; (*отвéт*) cértainly; ~ **он знáет об э́том there is no doubt that he knows about it** [...nouz...], he cértainly knows about it. ~**ый 1.** (*абсолю́тный*) ábsolute; ~**ое доказáтельство** ábsolute proof, proof pósitive [...-z-]; ~**ое повиновéние** implícit obédience; **2.** (*несомнéнный*) undóubted [-ˈdaut-], indísputable; (*безоговóрочный*) únˈcondítional; (*совершéнный*) complète; ◊ ~**ый рефлéкс** únˈcondítioned réflèx.

43

безуспе́шно I 1. *прил. кратк. см.* безуспе́шный; 2. *предик. безл.* to no efféct, without succéss.
безуспе́шн‖**о II** *нареч.* únsuccéssfully, without succéss. ~**ый** únsuccéssful, ún‖aváiling, ineffective.
безу́стали = без у́стали *см.* у́сталь.
безуста́нный indefátigable, tíre‖less, ùnwéarying; (*непрестанный*) ún‖remítting.
безу́сый 1. wéaring no moustáche ['weə-...məs'tɑː∫]; (*перен.*) cállow, immatúre; ~ мальчи́шка gréenhòrn; 2. *бот.* = безо́стый.
безуте́шный in‖cónsolable.
безу́хий éarless; (*не имеющий одного уха*) óne-éared.
безуча́ст‖**ие** *с.* ápathy; (*к чему-л.*) índifference (to), ún‖concérn (for). ~**но** [-сн-] *нареч.* àpathétically; (*к чему-л.*) with indífference (to). ~**ность** [-сн-] *ж.* = безуча́стие. ~**ный** [-сн-] (*о взгляде, виде и т.п.*) àpathétic; (*к чему-л.*) índifferent (to).
безъя́дерн‖**ый** núclear-free; ~**ая зо́на** núclear-free zone, dè‖núclearìzed zone.
безъязы́кий without a tongue [...tʌŋ]; (*лишённый речи*) dumb.
безыде́йн‖**ость** *ж.* ábsence / lack / want of prínciples and ìdéals [...aɪ'dɪə-]. ~**ый** devóid of prínciples and ìdéals [...aɪ'dɪə-], háving no prínciples or ìdéals.
безызве́стн‖**ость** [-сн-] *ж.* obscúrity. ~**ый** [-сн-] obscúre.
безымя́нный náme‖less; (*анонимный*) anónymous; ◇ ~ па́лец fourth fínger [fɔːθ...]; (*на левой руке тж.*) ríng-fìnger.
безынициати́вный lácking ìnitiative, pássive, inért.
безыску́сственный ártless, ingénuous, ùnsophísticàted.
безысхо́дн‖**ый** irréparable; (*нескончаемый*) énd‖less, hópe‖less; ~**ое го́ре** in‖cónsolable grief [...-iːf].
бей *м.* (*титул*) bey.
бейдеви́нд *м. мор.* by the wind [...wɪ-]; идти́ (в) ~ sail by the wind; идти́ в круто́й ~ sail clóse-háuled [...-s...], sail clóse-háuled [...-s-].
бейсбо́л *м. спорт.* báse‖bàll [-s-].
бек *м.* = бей.
бека́р *м., как неизмен. прил. муз.* nátural; до ~, ре ~ *и т. д.* C nátural, D nátural, *etc.* [siː..., diː...].
бека́с *м. зоол.* snipe; охо́та на ~ов sníping. ~**и́нник** *м. охот.* small shot. ~**иный** *прил. к* бека́с.
беко́н *м.* bácon.
белёк *м.* young seal [jʌ...], seal cub.
белен‖**а́** *ж. бот.* hénbàne; ◇ что ты, ~**ы́ объе́лся?** *разг.* ≅ are you crázy?, have you gone crázy? [...gɒn...].
беле́ние *с. текст.* bléaching.
белёный *текст.* bleached.
белесова́тый, белёсый whítish ['waɪ-], óff-whìte.
беле́‖**ть, побеле́ть** 1. (*становиться белым*) turn / grow* white [...grou...]; его́ во́лосы побеле́ли his hair has turned white; 2. *тк. несов.* (*виднеться*) show* up white [∫ou...]; подсне́жники ~**ют в траве́** the snów‖drops show up white

in the grass [...'snou-...], the white snów‖drops show in the grass. ~**ться** = беле́ть 2.
бе́ли *мн. мед.* leucorrhóea [ljuːkə'riːə] *sg.*; the whites.
белиберда́ *ж. тк. ед. разг.* bálderdàsh, rúbbish, nónsense; кака́я ~ ! what rúbbish!
белизна́ *ж.* whíte‖ness.
бели́ла *мн.* 1. (*краска*) whíte‖wàsh *sg.*, whíting *sg.*; свинцо́вые ~ white lead [...led] *sg.*; ceru̇se ['sɪəruːs] *sg.*; ци́нковые ~ zinc white *sg.*; 2. (*космети́ческие*) cérùse.
бели́льня *ж.* bléaching works, bléach‖ery.
бели́ть I, побели́ть (*вн.*; *о помещении и т.п.*) whíte‖wàsh (d.).
бели́ть II, отбели́ть (*вн.*) *текст.* bleach (d.).
бели́ть III, набели́ть (*вн.*; *о лице*) whíten (d.).
бели́ться, набели́ться whíten one's face (with cerúse) [...'sɪəruːs].
бели́чий *прил. к* бе́лка; ~ мех squírrel (fur).
бе́лка *ж.* (*животное и мех*) squírrel; как ~ в колесе́ ≅ run* round like a squírrel in a cage.
белк‖**о́вый** *ж. биол., хим.* álbumen. ~**о́вый** *биол., хим.* àlbúminous; ~**о́вое вещество́** álbumen; ~**о́вое перерожде́ние** àlbúminous diséase [...-'ziːz].
беладо́нна *ж. тк. ед.* bèlladónna; (*растение тж.*) déadly níghtshàde ['ded-].
беллетри́ст *м.* fíction wríter; (*романист*) nóvelist. ~**ика** *ж.* fíction. ~**и́ческий** *прил. к* беллетри́стика.
белобиле́тник *м. разг.* hólder of "white chit" (*person exempted from military service*).
белобо́к‖**ий** white-síded, white-flánked; соро́ка ~**а** mágpie.
белобры́сый *разг.* tów-haired ['tou-].
белова́тый whítish ['waɪ-].
белови́к *м.* fair cópy [...'kɔ-], final draft.
белов‖**о́й** clean, fair; ~**а́я ру́копись** = белови́к.
беловоло́сый white-haired.
белогварде́ец *м. ист.* White Guard.
белогварде́йский *прил. к* белогварде́ец.
белоголо́вый whíte-haired; (*белокурый*) fáir-haired.
белодеревец *м.* jóiner.
бело́к *м.* 1. (*глаза*) white (of the eye) [...aɪ]; (*яйца*) white (of an egg), égg-whìte; 2. *биол., хим.* álbumen; 3. *хим.* prótèin [-tiːn].
белокро́вие *с. мед.* leukáemia.
белоку́р‖**ый** bloud, fair, fáir-haired; ~**ая же́нщина** blonde (wóman*) [...'wu-].
белоли́цый whíte-fàced.
белору́с *м.*, ~**ка** *ж.*, ~**ский** Byèlorússian [-∫ən]; ~**ский язы́к** Byèlorússian, the Byèlorússian lánguage.
белору́чка *м. и ж. разг.* sóftie; pérson shírking rough or dírty (phýsical) work [...rʌf-...-ziː-...].
белоры́бица *ж.* white sálmon [...'sæm-].
белосне́жный snówy ['snou-], snów-whìte ['snou-].
белоте́лый whíte-skìnned, fáir-skìnned.
белошве́й‖**ка** *ж.* séamstress ['sem-].

~**ный** línen ['lɪ-]; ~**ная мастерска́я** línen wórkshòp.
белоэмигра́нт *м.* white émigré (*фр.*) [...'emigreɪ] (*counter-revolutionary émigré of early days of Soviet power*).
белу́г‖**а** *ж.* belúga, white stúrgeon; ◇ реве́ть ~**ой** *разг.* ≅ béllow, scream one's head off [...hed...].
белу́ха *ж. зоол.* white whale.
бе́л‖**ый** 1. *прил.* (*в разн. знач.*) white; ~ хлеб white bread [...bred]; ~**ое вино́** white wine; ~ медве́дь *зоол.* pólar bear [...beə]; 2. *м. как сущ. ист.* White (Guard); 3. *м. как сущ.* (*о расе*) White; 4. *мн. как сущ. шахм.* White *sg.*; ◇ ~ гриб (édible) bolétus (*kind of mushroom*); ~**ое мя́со** white meat; ~ у́голь white coal, wáter-pòwer ['wɔː-]; ~**ая берёза** silver birch; ~**ая горя́чка** delírium trémens (*сокр. D. T.*); ~**ая кость** ≅ blue blood [...blʌd]; ~**ые стихи́** blank verse *sg.*; на ~**ом све́те** in all the wide world; средь ~**а дня** in broad dáylight [...-'daɪd...]; ~**ые но́чи** "white nights", "mídnight sun"; ~**ые пя́тна на ка́рте** blank spáces on the map; э́то ши́то ~**ыми ни́тками** *разг.* it is all too óbvious, it is quite trànspárent, it is blátant‖ly óbvious; чёрным по ~**ому** in black and white; ~**ая гва́рдия** *ист.* White Guard; Бе́лый дом the White House [...-s]; ~ биле́т "white chit" (*certificate of exemption from military service*).
бельведе́р [-дэр] *м. арх.* bélvedère.
бельг‖**и́ец** *м.*, ~**и́йка** *ж.*, ~**и́йский** Bélgian.
бель‖**ё** *с. тк. ед. собир.* línen ['lɪ-]; (*для или из стирки*) wáshing; ни́жнее ~ únderclòthes [-klou-] *pl.*, únderclòthing [-klou-], únderwear [-weə]; посте́льное ~ béd-clòthes [-klou-] *pl.*; столо́вое ~ táble-línen [-lɪ-]. ~**ева́я** *ж. скл. как прил.* línen stóre(-ròom) ['lɪ-...]. ~**ево́й** *прил. к* бельё; ~**ево́й магази́н** línen-drápery shop ['lɪ- -dreɪ-...]; ~**евы́е тка́ни** matérials / fábrics for hóuse‖hòld línen and únderwear [...'haus- 'lɪn-...-weə].
бельме́с *м.*: он ни ~**а не знает**, не понима́ет *разг.* he does‖n't know, ùnderstánd a thing [...nou...].
бельмо́ *с.* wáll-eye [-aɪ]; ◇ как ~ на глазу́ *разг.* ≅ an éye‖sòre [...'aɪ-], a thorn in one's side / flesh.
бельэта́ж *м.* 1. first floor [...flɔː]; 2. *театр.* dress círcle.
беля́к *м.* (*заяц*) white hare.
бемо́ль *м. муз.* flat; до ~, ре ~ *и т. д.* C flat, D flat, *etc.* [siː..., diː...].
бенга́л‖**ец** *м.*, ~**ка** *ж.* Bèngáli [-ɔːli], Bèngalése; *мн. собир.* the Bèngalése.
бенга́льский Bèngál [-ɔːl], Bèngalése; ~ язы́к Bèngáli [-ɔːli], the Bèngáli lánguage; ~ тигр Bèngál tíger [...-gə]; ◇ ~ ого́нь spárklers *pl.*
бенефи́‖**с** *м. театр.* bénefit perfórmance. ~**циа́нт** *м. театр.* ártist for whom bénefit perfórmance is given.
бензи́н *м.* bénzine [-ziːn]; (*для автомобиля*) pétrol ['pe-]; gásolìne [-iːn], gas *амер.*; ~**овый** *прил. к* бензи́н.
бензиноме́р *м.* pétrol gauge ['pe- -geɪdʒ].
бензоба́к *м.* pétrol tank ['pe-...]; gásolìne tank [-iːn...] *амер.*

бензово́з м. pétrol / gásoline tánker ['pe- -i:n...]; tank truck.

бензозапра́вка ж. разг. fílling státion.

бензозапра́вочн||ый: ~ая коло́нка = бензоколо́нка; ~ая ста́нция fílling státion.

бензозапра́вщик м. pétrol tánker ['pe-...], fuelling lórry ['fjuəl-...]; ав. bówser.

бензоколо́нка ж. pétrol pump ['pe-...]; fílling státion, pétrol státion; gas státion амер.

бензо́л м. хим. bènzéne, bénzòl.

бензопрово́д м. pétrol pipe ['pe-...]; fuel pipe / lead [fjuəl-...].

бензохрани́лище с. pétrol dépòt / store / tank ['pe- 'dəpou...].

бентони́т м. геол., стр. béntonìte.

бенуа́р м. театр. lówer bóxes ['louə...] pl.

бергамо́т м. (сорт груши) bérgamòt (kind of pear).

берда́нка ж. (винтовка) Bérdan rifle.

бёрдо с. текст. reed (in loom).

берды́ш м. ист. pôle-axe.

бе́рег м. (канала, реки) bank; (моря, большого озера) shore; (береговая линия) (séa)cóast; (пляж) beach; ~ мо́ря séashóre; на ~у́ реки́, о́зера (о доме и т. п.) on the ríverside, on the lákeside [...rı-...]; вы́йти из ~о́в (о реке) burst* its banks; скали́стый морско́й ~ cliffs pl.; пое́хать на ~ мо́ря go* to the séaside; сойти́ на ~ go* ashóre; дости́чь ~а reach land; к ~у shóre-ward, lándward, towards the shore; на ~у́ ashóre, on shore.

берегов||о́й wáterside ['wɔː-] (attr.); (при море) coast (attr.); cóastal; (при реке) ríverside ['rı-] (attr.); (при озере) lákeside (attr.); ~ ве́тер óff-shòre wind [...wı-], lánd-wind [-wı-], lánd-breeze [...-]; ~áя ли́ния cóastline, shore line; ~óe судохо́дство cóastal shípping; ~ знак мор. béacon.

береди́ть, разбереди́ть (вн.) разг. írritàte (d.), chafe (d.); ~ ста́рые ра́ны ré-ópen old wounds / sores [...wu:-...].

бережли́в||ость ж. thrift, èconomy [i:-]. ~ый thrífty, èconómical [i:-].

бережн||о нареч. with care; (осторожно) cáutiously; (заботливо) solícitously; with sollicitude; ~ испо́льзовать приро́дные бога́тства make* thrífty use of nátural resóurces [...-s... -'sɔ:sɪz]; ~ относи́ться к наро́дному добру́ make* thrífty use of the péople's wealth [...pi:we-]. ~ость ж. care; (осторожность) cáution; (заботливость) solícitude. ~ый cáreful; (осторожный) cáutious; (заботливый) solícitous; ~ое отноше́ние (к) care (of); (к человеку) regárd (for), consideration (for).

берёза ж. birch.

березня́к м. тк. ед. birch wood [...wud].

берёзовик м. (гриб) brown múshroom.

берёзов||ый прил. к берёза; ~ сок birch sap; ~ая ро́ща birch grove; ◇ ~ая ка́ша разг. the birch, a flógging.

бере́йтор м. ríding-màster.

бере́ме́н||еть become* prégnant. ~ная prégnant; ~ная же́нщина expéctant móther [...'mʌ-]; она́ на ~на she is prégnant, she is góing to have a báby, she is expécting a báby. ~ность ж. prégnancy; она́ на тре́тьем ме́сяце ~ности she is in her third month (of prégnancy) [...mʌ...]; she is three months gone [...gɔn] разг.

берёст||а ж. тк. ед. birch bark. ~овый, берестяно́й прил. к берёста.

бере́т м. béret ['bereɪ].

бере́||чь 1. (вн.; хранить) take* care (of); (щадить) spare (d.); ~ своё здоро́вье take* care of one's health [...he-]; ~ свой си́лы spare one's strength; ~ своё вре́мя make* the most of one's time, not waste time [...weɪst...]; ~ та́йну keep* a sécret; ~ про себя́ keep* to óneself; ~ сокро́вища свое́й национа́льной культу́ры cherish / tréasure one's nátional cúlture ['tʃe- 'treʒə... 'næ-...], cherish the tréasures of one's nátional cúlture; 2. (вн. от; предохранять) protéct (d. against); ~ ребёнка от зара́зных боле́зней protéct a child* against inféctious diséases [...-'zi:z-]. ~чься 1. (быть осторожным) be cáreful; 2. (рд.; остерегаться) beware (of) (не спрягается, употр. обычно в повелительном накл.); be on one's guard (against); be cáreful, или take care, not to (+ inf.); ~ги́(те)сь! mind!, cáreful!, look out!; ~ги́(те)сь соба́ки! beware of the dog!; 3. страд. к бере́чь.

бери́лл м. мин. béryl ['be-].

бери́ллий м. хим. beryllium, glucínium.

бе́ркут м. зоол. gólden eagle.

берли́нск||ий Bèrlín (attr.); ◇ ~ая лазу́рь Prússian blue [-ʃən...].

берло́га ж. den, lair.

бертоле́тов: ~а соль potássium chlóràte.

берцо́в||ый анат. tíbial; больша́я ~ая кость shín-bòne; tíbia (pl. -iae) научн.; ма́лая ~ая кость fíbula (pl. -ae, -as).

бес м. démon; ◇ рассы́паться ме́лким ~ом пе́ред кем-л. разг. ≃ fawn on smb., seek* to in:grátiàte ònesélf with smb., kówtow to smb.

бесе́д||а ж. 1. (разговор) cònversátion, talk; дру́жеская ~ fríendly chat ['fren-...]; заду́шевная ~ héart-to-héart talk ['ha:t-...]; 2. (лекция с обменом мнений) debáte, discússion; (по радио) talk; провести́ ~у give* a talk, hold* / lead* a discússion; 3. (интервью) ínterview [-vju:].

бесе́дка ж. súmmer-house* [-s], pavílion; (украшенная растениями) árbour, pérgola.

бесе́довать (с тв.) talk (to, with), convérse (with).

бесе́дчик м. разг. discússion-leader.

бесёнок м. imp.

беси́ть, взбеси́ть (вн.) enráge (d.), infúriàte (d.), mádden (d.), drive* wild (d.). ~ся, взбеси́ться (о животном) go* mad, become* rábid; (перен.: о человеке) rage, be fúrious; сов. тж. get* / fly* into a rage, get* fúrious; ◇ с жи́ру ~ся разг. grow* fastídious / fússy [-ou...]; be too well off.

бескла́ссов||ый clássless; ~ое о́бщество clássless socíety.

бескозы́рка ж. péakless cap; матро́сская ~ sáilor's cap.

бескондукторный: ~ маршру́т авто́буса и т.п. bus, etc., line wórking without a tícket-collèctor / condúctor.

бесконе́чн||о нареч. ínfinite:ly; (безгранично) extrémely; (без конца) éndlessly, without end; ~ ма́лый мат. infinitésimal; ~ ма́лая величина́ мат. infinitésimal (quántity). ~ость ж. éndlessness; infínity (тж. мат.); (о времени) etérnity; ◇ до ~ости for éver and éver; éndlessly; ad infínitum. ~ый éndless, ínfinite; (слишком длинный) intérminable; (вечный) etérnal; (не прекращающийся) éverlàsting, perpétual; ~ый ряд мат. infínite séries [...-i:z]; ~ая дробь мат. recúrring décimal; ~ое мирово́е простра́нство ínfinite space, the ínfinite; ~ый винт тех. éndless screw, worm; ~ые жа́лобы perpétual / éndless / uncéasing / intérminable compláints [...-sɪŋ...].

бесконтро́льн||о нареч. un:contróllèdly [-oul-], without any contról [...-oul]; ~ость ж. ábsence of contról [...-oul], un:contróllèdness [-oul-]. ~ый un:contrólled [-ould], unchécked.

бесконфли́ктный solved by mútual agréement.

беско́рмица ж. с.-х. fódder shórtage.

бескоро́вный ист. without a milch cow (of poor peasants).

бескоры́ст||ие с., ~ность [-сн-] ж. disínterestedness; (альтруизм) únsélfishness. ~ный [-сн-] disínterested; (альтруистичный) únsélfish; ~ная по́мощь disínterested aid / assístance.

беско́стный bóne:less.

бескра́йний bóundless.

бескри́зисный crísis-free; without crísès [...-si:z].

бескро́вный I 1. blóodless ['blʌd-]; (бледный) pale, pállid; (малокровный) anáemic; 2. (без кровопролития) blóodless.

бескро́вный II уст. (без крова) hóme:less, without a roof óver one's head [...hed].

бескры́лый wíng:less; ápterous научн.; (перен.) ún:inspired.

бескульту́рье с. lack of cúlture.

беснова́тый ráging, ráving, posséssed [-'ze-].

бесно́ва́ться rage, rave (like one posséssed) [...-'zest].

бесо́вский dévilish.

беспа́лубный мор. without decks.

беспа́лый míssing one or more fíngers.

беспа́мят||ность ж. разг. forgétfulness [-'g-], bad / poor mémory. ~ный разг. forgétful [-'g-]. ~ство с. 1. un:cónsciou:sness [-nʃəs-]; лежа́ть в ~стве lie* un:cónscious [...-nʃəs-]; впасть в ~ство lose* cónsciousness [lu:z -nʃəs-]; 2. (исступление) frénzy; быть в ~стве (от) (вне себя) be besíde òne:sélf (with).

беспардо́нный разг. sháme:less, brázen.

беспарти́йн||ый 1. прил. non-Párty (attr.); ~ большеви́к non-Párty Bólshevik; 2. как сущ. м. non-Párty man*; ж. non-Párty wóman* [...'wu-]; мн. non-Párty péople [...pi:-].

БЕН — БЕС Б

45

БЕС – БЕС

беспа́спортный not having a pássport, having no idèntificátion pápers [...aɪ-...].

беспате́нтный ún:licensed [-'laɪ-].

бесперебо́йн||о *нареч.* without interrúption; (*регуля́рно*) régularly. ~**ость** *ж.* còntinúity. ~**ый** ùn:interrúpted; (*регуля́рный*) régular; ~**ое снабже́ние** ùn:interrúpted / cónstant / régular / sỳstemátic supply.

бесперса́дочн||ый: ~**ое сообще́ние** (*по́ездом*) diréct connéction; (*самолётом*) diréct flight.

бесперспекти́вн||ость *ж.* lack / ábsence of any próspect; (*безнадёжность*) hópelessness. ~**ый** háving no próspects, hàving no fúture; (*безнадёжный*) hópeless; (*мра́чный*) glóomy, dark.

беспеча́льн||о *нареч.*: жить ~ lead* a háppy life. ~**ый** cáre:free, ùn:troubled [-'trʌ-]; ~**ое существова́ние** cáre:free existence.

беспе́чн||о *нареч.* light-héartedly [-'hɑ:t-], with compléte ùn:concérn. ~**ость** *ж.* ùn:concérn. ~**ый** light-héarted [-'hɑ:t-], ùn:concérned, háppy-gò-lùcky; (*о жи́зни и т.п.*) ùn:troubled [-'trʌ-], cárefree.

беспи́сьменный 1. having no written language; 2. (*о языке́*) ún:written, óral.

беспла́нов||ость *ж.* lack of plánning, lack of a plan. ~**ый** plán:less, ùn:planned.

беспла́тн||о *нареч.* free of charge, grátis. ~**ый** free (of charge), gratúitous; (*о кварти́ре и т.п.*) rént-free; ~**ый биле́т** free / còmpliméntary ticket, free pass; ~**ое обуче́ние** free education.

бесплацка́ртн||ый 1. (*о ваго́не*) without resérved seats [...-'z-...], with ùn:resérved seats ónly [...-'z-...]; 2. (*о пассажи́ре*) háving nó, *или* without a, resérved seat.

беспло́дие *с.* bárrenness, stèrility.

беспло́дно I *прил. кратк. см.* бесплодный.

беспло́дно II *нареч.* (*безуспе́шно*) in vain, váinly, ùn:aváiling:ly.

беспло́дность *ж.* futility, frúitlessness ['fru:t-].

беспло́дн||ый bárren, stérile; (*перен.*) fruitless ['fru:t-], vain, ùn:aváiling; ~**ая по́чва, земля́** bárren soil; ~**ая попы́тка** vain attémpt; ~**ая диску́ссия** stérile / fútile discussion.

бесплóтный *уст.* in:córporeal [-rɪəl].

бесповорóтн||ый irrévocable, final; ~**ое реше́ние** final decísion.

бесподлежа́щ||ий *грам.*: ~**ое предложе́ние** súbjectless séntence.

бесподóбн||о I *прил. кратк. см.* бесподóбный; 2. *предик. безл.* it is éxcellent; ~! éxcellent!, spléndid!, supérb!; súper! *разг.*

бесподóбн||о II *нареч. разг.* (*превосхо́дно*) éxcellently, spléndidly. ~**ый** *разг.* (*превосхóдный*) mátchless, inímitable, péerless; (*несравне́нный*) in:cómparable.

беспозвонóчн||ые *мн. скл. как прил. зоол.* invértebrate. ~**ый** *зоол.* invértebrate; ~**ое живо́тное** invértebrate (ánimal).

беспокóи́||ть (*вн.*) 1. (*волнова́ть*) wórry ['wʌ-] (*d.*), disquíet (*d.*); pertúrb (*d.*); make* ánxious / ùn:éasy [...-zɪ] (*d.*); 2. (*меша́ть*) distúrb (*d.*); (*утружда́ть*) trouble [trʌ-] (*d.*); (*причиня́ть неудо́бство*) in:convénience (to), cause in:convénience (to), put* to in:convénience (*d.*); bóther (*d.*) *разг.* ~**иться** 1. (*о пр.*; *волнова́ться*) wórry ['wʌ-] (about), be ánxious / ùn:éasy [...-zɪ] (about); 2. (*утружда́ть себя́*) trouble [trʌ-]; bóther *разг.*; не ~**и́тесь!** don't wórry!

беспокóйно I *прил. кратк. см.* беспокóйный.

беспокóйн||о II *нареч.* ùn:éasily [-zɪ-]. ~**ый** (*трево́жный*) ùn:éasy [-zɪ], réstive, ánxious; ~**ый взгляд** troubled / ánxious look [trʌ-...]; ~**ое мо́ре** chóppy / ágitated sea; 2. (*причиня́ющий беспокóйство*) distúrbing; (*подви́жный*) réstless; ~**ый ребёнок** fídgety / réstless child*; ~**ый** fídget.

беспокóйств||о *с.* 1. (*трево́жное состоя́ние*) ánxiety [-ŋ'z-], concérn, ùn:éasiness [-zɪ-]; (*волне́ние*) nérvous:ness, àgitátion; 2. (*наруше́ние поко́я*) trouble [trʌ-]; прости́те за ~, (I am) sórry to trouble you, (I am) sórry for the trouble I am giving you; причиня́ть ~ (*дт.*) trouble (*d.*), give* trouble (*i.*); (*причиня́ть неудо́бство*) cause in:convénience (to), put* to in:convénience (*d.*); (*волнова́ть*) cause ánxiety / concérn (to); никако́го ~**а!** no trouble at all!

бесполе́зно I 1. *прил. кратк. см.* бесполе́зный; 2. *предик. безл.* it is úseless [...-s-]; это ни к чему́, it is of no use [...-s-]; ~ разгова́ривать it is úseless to talk; it is no use tálking, it is no good tálking *разг.*

бесполе́зн||о II *нареч.* úse:lessly [-s-]. ~**ость** *ж.* úse:lessness [-s-]. ~**ый** úse:less [-s-], ùn:aváiling, vain; ~**ое начина́ние** vain ùndertáking; ~**ые уси́лия** ùn:aváiling / vain éfforts; все его́ уси́лия бы́ли ~**ы** all his éfforts were to no púrpose [...-s-], all his lábour was in vain, all his éfforts were wásted [...'weɪ-]; ~**ая тра́та вре́мени, де́нег** *и т.п.* waste of time, móney, etc. [...'mʌ-].

беспóл||ый séxless; agámic, ágamous *научн.* ~**ое размноже́ние** *биол.* aséxual rè:productión.

беспóмощ||ность *ж.* 1. hélplessness; 2. (*бесси́лие*) féeble:ness. ~**ый** 1. hélpless; 2. (*бесси́льный, безда́рный*) féeble, ímpotent, éffete.

беспорóдный not thóroughbred [...'θлɡə-], not pédigree; (*о соба́ке*) móngrel ['mʌŋɡ-].

беспорóчный *уст.* bláme:less, fáultless; irrepróachable.

беспоря́дки *мн.* (*волне́ния*) distúrbance(s).

беспоря́д||ок *м.* disórder; (*расстро́йство*) confúsion; приводи́ть в ~ (*вн.*) put* into disórder (*d.*), disarránge [-eɪndʒ] (*d.*); (*о ко́мнате, столе́, волоса́х тж.*) make* ùntídy (*d.*); *воен.* throw* into confúsion [-ou-...] (*d.*); в ~**ке** in disórder, ùntídy; (*в спе́шке, сумато́хе*) hélter-skélter; отступа́ть в ~**ке** retréat in confúsion / disórder; в большо́м ~**ке** (*о ко́мнате, кварти́ре*) úpside-dówn; in a mess *разг.*; ◊ худо́жественный ~ àrtistic confúsion.

беспоря́дочн||о *нареч.* in confúsion, in disórder; híggledy-píggledy *разг.* ~**ость** *ж.* disórderliness, ùntídiness [-'taɪ-], slóvenliness ['slʌ-]; (*ср.* беспоря́дочный). ~**ый** (*хаоти́ческий*) disórderly, confúsed; (*неаккура́тный, неря́шливый*) ùntídy, slóvenly ['slʌ-].

беспоса́дочный: ~ **перелёт** *ав.* nón-stop flight.

беспочвенн||ость *ж.* gróundlessness. ~**ый** gróundless, ùnfóunded, ùnsubstántiated.

беспóшлинн||о *нареч.* free of dúty, dúty-free. ~**ый** dúty-free; ~**ая торго́вля** free trade.

беспоща́дн||ость *ж.* mércilessness, rúthlessness ['ru:-]; с ~**остью** without mércy. ~**ый** mérciless, rúthless ['ru:-], reléntless; (*ср.* безжа́лостный).

беспра́в||ие *с.* 1. (*беззако́ние*) láwlessness, illegálity; 2. (*отсу́тствие прав у кого́-л.*) state of posséssing no cívil rights [...-'ze-...]. ~**ный** without rights; (*о челове́ке тж.*) depríved of, *или* denied, cívil rights; ~**ное положе́ние** ùnfránchised státus; condítion without rights.

беспреде́льный ínfinite, bóundless.

беспредме́тн||ость *ж.* (*бессодержа́тельность*) póintlessness; (*бесце́льность*) áimlessness. ~**ый** (*бессодержа́тельный*) póintless; (*бесце́льный*) áimless, púrposeless [-s-]; ~**ая кри́тика** póintless críticism; ~**ый спор о чём-л.** póintless árgument about smth.

беспрекосло́вн||о *нареч.* implícitly, ùnquéstioningly [-stʃə-], without demúr. ~**ый** ábsolute, implícit, ùn:quéstioning [-stʃə-]; ~**ое повинове́ние** implícit obédience.

беспреме́нно *нареч. разг.* without fail; cértainly.

беспрепя́тственн||о *нареч.* without difficulty, without híndrance, without obstrúction; fréely; ~ прони́кнуть в дом make* one's way ínto *the* house* ùn:impéded / ùnhíndered, *или* without híndrance [...haus-...]. ~**ый** free, ùnimpéded.

беспреры́вн||о *нареч.* contínuous:ly, ùn:interrúptedly, without a break [...-eɪk]; ~ в тече́ние ча́са for an hour without a break [...auə...], for a whole hour without pause, for a sólid hour; ~ в тече́ние трёх дней, неде́ль, ме́сяцев for three days, weeks, months on end [...mʌ-...], for three days, weeks, months rúnning. ~**ый** contínuous, ùn:interrúpted; ~**ый дождь** incéssant rain(s) (*pl.*).

беспреста́нн||о *нареч.* contínually, incéssantly; ~ повторя́ть одно́ и то́ же repéat the same thing óver and óver agáin. ~**ый** contínual, incéssant.

беспрецеде́нтный ùnprécedented, ùnpáralleled.

беспри́быльный ùnprófitable, prófitless.

беспридáнница *ж. уст.* dówerless girl [...-ɡ-], girl without a dówry.

беспризóрн||ик *м.* hóme:less child*, waif; *мн. тж.* waifs and strays. ~**ичать** *разг.* be a hóme:less child* / waif. ~**ость** *ж.* 1. (*забро́шенность*) néglect; 2. (*дете́й*) hóme:lessness. ~**ый** 1. *прил.* (*забро́шенный*) negléct:ed; 2. *прил.* (*бездóмный*) hóme:less; 3. *м. как сущ.* = беспризóрник.

беспримéрный ùn:exámpled [-ɑ:m-], ùnpáralleled; ~ геройзм óutstanding héroìsm [...'he-]; ~ пóдвиг ùnpáralleled feat.

беспримéсный ùn:allóyed, pure.

беспринцйп||ость ж. ùnscrúpulousness. ~ый ùnprincipled, ùnscrúpulous; ~ый человéк ùnprincipled man*, man* without scruples / principles.

беспристрáст||ие с. ìmpàrtiálity. ~но [-сн-] нареч. impártially, without bías. ~ность [-сн-] ж. = беспристрáстие. ~ный [-сн-] impártial, ùnbías(s)ed; ~ный судьá impártial judge; ~ная крйтика ùnbías(s)ed críticism.

беспритязáтельный уст. ùn:exácting, ùn:assúming, éasily pleased [-z-...].

беспричи́н||о нареч. without cause, without mótive, for no réason [...-z-]. ~ый cáuse:less, gróundless, mótive:less.

бесприю́тный hóme:less, shélterless.

беспробу́дн||о нареч. without wáking; (тяжело) héavily ['he-]; ~ый 1. (очень крепкий) deep, héavy ['he-]; спать ~ым сном be in a deep / héavy sleep; be dead to the world [...ded...]; (о мёртвом) sleep* the etérnal sleep; 2. (о пьянстве) habítual, ùn:restráined.

беспроволо́чный wíre:less; ~ телегрáф wíre:less telégraphy, wíre:less.

беспройгрышн||ый safe, sure [ʃuə]; without risk of loss; ~ое дело nón-risk énterprise; ~ая лотерéя lóttery in which no compétitor lóses [...'lu:z-], prízes-for-áll lóttery.

беспросвéтн||ый pitch dark; black; (перен.) (мрáчный) chéerless, glóomy; (безнадёжный) hópe:less; ~ая тьма thick dárkness; ~ая нуждá hópe:less pénury.

беспросы́пный 1. (о сне) deep; 2. (о пьянстве) habítual, ùn:restráined.

беспросы́пу = без просы́пу см. просы́п.

беспроцéнтный béaring no ínterest ['bɛə-...] пóсле сущ.

беспýтица ж. = бездорóжье.

беспу́тничать разг. lead* a dissolúte / díssipated life, be a débauchee.

беспу́т||ный díssipated, dissolúte; (развра́тный) licéntious [laɪ-]. ~ство с. dissipátion; (разврáт) debáuchery. ~ствовать = беспу́тничать.

бессвя́зн||ость ж. in:cóherence [-kou'hɪə-]. ~ый in:cóherent [-kou-]; (ср. непоследо́вательный); ~ый расскáз disjóinted accóunt.

бессемéйный having no fámily пóсле сущ.

бессеменодóльный бот. àcòtylédonous [-'li:-].

бессемеро́в||ание с. тех. Béssemer prócess. ~ский тех. Béssemer; ~ское производство стáли Béssemer prócess of steel prodúction.

бессемя́нный бот. séedless.

бессерде́ч||ие с., **~ность** ж. héartless-ness ['hɑ:t-], hárd-héartedness [-'hɑ:t-], cállous:ness. ~ный héartless ['hɑ:t-], hárd-héarted [-'hɑ:t-], cállous, ùnféeling.

бесси́лие с. wéakness, féeble:ness; (о больном) debílity; (перен.) ímpotence; больнóй жáловался на пóлное ~ the pátient compláined of a tótal loss of strength; чýвствовать своё ~ be a:wáre of one's ímpotence; половóе ~ мед. ímpotence.

бесси́льный weak, féeble; (перен.) pówerless; (беспомощный) hélpless; (о злóбе и т.п.) ímpotent.

бессистéмн||ость ж. ùnsystèmátic / ùnmethódical cháracter [...'kæ-]; lack of sýstem / méthod. ~ый ùnsystèmátic, ùnmethódical.

бесслáв||ие с. ínfamy, ígnominy. ~ный ignomínious, in:glórious.

бесслéдн||о нареч. without léaving a trace. ~ый without trace, without léaving a trace; ~ое исчезновéние compléte disappéarance, disappéarance without trace.

бессловéсн||ый 1. dumb; 2. (неразгово́рчивый) sílent; (безропотный) meek, húmble, lówly ['lou-]; ◇ ~ая роль теа́тр. sílent part.

бессмéнн||о нареч. at a stretch, contínuous:ly; on end; ~ прослужи́ть дéсять лет в одно́м учрежде́нии work in one place for ten years rúnning, work in one place for ten years at a stretch, work contínuous:ly in one place for ten years. ~ый pérmanent; (постоянный) contínuous.

бессмéртие с. ìmmòrtálity.

бессмéртник м. бот. ìmmortélle.

бессмéртн||ый immórtal; (незабывáемый) ùndýing, ùnfáding; ~ подвиг immórtal feat; ~ая слáва immórtal fame.

бессмы́сленно I 1. прил. кратк. см. бессмы́сленный; 2. предик. безл. there is no sense / point; ~ идти́ тудá there is no sense / point in góing there.

бессмы́сленн||о II нареч. 1. (бесполéзно, неразу́мно) sénse:lessly; 2. (глу́по) fóolishly; ~ улыбнýться smile inánely. ~ость ж. sénselessness; fóolishness; inánity, vácancy ['veɪ-]; (ср. бессмы́сленный). ~ый 1. (бесполéзный, неразу́мный) sénse:less; nònsénsical; (о злóбе и т.п.) insénsate; ~ый поступок sénse:less áction; 2. (лишённый смы́сла) méaning:less, ùnméaning; ~ый взгляд vácant / vácuous stare; 3. (глу́пый) fóolish, inàne, sílly; э́то ~о (глу́по) it is sílly, it is fóolish.

бессмы́слица ж. nónsense; (бессмы́сленный поступок) absúrdity.

бессне́жный snówless [-ou-].

бессо́вестно [-сн-] I 1. прил. кратк. см. бессо́вестный; 2. предик. безл. it shows lack of scruple [...ʃouz...].

бессо́вестн||о [-сн-] II нареч. ùnscrúpulous:ly, without scruple. ~ость [-сн-] ж. 1. ùnscrúpulous:ness; (нечéстность) dishónesty [dɪs'ɔ-]; 2. (бесстыдство) shame:lessness; (нáглость) impudence. ~ый [-сн-] 1. ùnscrúpulous; (нечéстный) dishónest [dɪs'ɔ-]; 2. (бессты́дный) shame:less; (нáглый) ímpudent, báre:fàced, brázen(-fàced).

бессодержáтельн||ость ж. émptiness; insipídity, vapídity, dúllness; (ср. бессодержáтельный). ~ый émpty; (неинтерéсный) insípid, vápid, dull; ~ая болтовня́ émpty talk; gas разг.

бессознáтельн||о нареч. ùn:cónscious:ly [-nʃəs-], instínctive:ly. ~ость ж. ùn:cónscious:ness [-nʃəs-]. ~ый 1. ùn:cónscious [-nʃəs]; быть в ~ом состоя́нии be ùn:cónscious; 2. (безотчётный) instínctive, ùn:inténtional.

бессолев||о́й: ~а́я диéта sált-free díet.

бессо́нн||ица ж. insómnia, sléeplessness. ~ый sléepless.

бессою́зн||ый грам. àsyndétic; cònjúnction:less; ~ая связь àsýndeton.

бесспо́рно I 1. прил. кратк. см. бесспо́рный; 2. предик. безл. there is no doubt [...daut].

бесспо́рн||о II 1. нареч. indispútably, ùn:quéstionably [-stʃən-], ùndóubtedly [-'daut-]; 2. вводн. сл. to be sure [...ʃuə], assúredly [ə'ʃuər-], beyònd quéstion [...stʃən-]. ~ый indispútable, ùn:quéstionable [-stʃən-], ùndeníable; (очеви́дный) self-évident, in:còntrovértible.

бессрéбреник м. dìsínterested pérson; он ~ he is abóve táking móney [...'mʌ-].

бессро́чн||ый with no fixed term; without time-limit, ópen-énded; (постоянный) pérmanent; ~ óтпуск indéfinite leave; ~ пáспорт pérmanent pássport; ~ая ссýда pérmanent loan.

бесстрáст||ие с. ìmpássivity. ~ный [-сн-] impássive, pássion:less.

бесстрáш||ие с. féarlessness, intrepídity. ~ный féarless, intrépid.

бессты́д||ник м. разг. shame:less man* / féllow; (о мáльчике) shame:less boy. ~ница ж. разг. shame:less wóman* [...'wu-], shame:less créature / hússy; (о де́вочке) shame:less girl [...-g-]. ~ный shame:less; (нáглый) báre:fàced, brázen(-fàced); ~ная ложь báre:fàced lie; ~ное поведéние shame:less beháviour; ~ство с. shame:lessness; (нáглость) impudence, ínsolence.

бессты́жий разг. shame:less; ímpudent, brázen, ínsolent.

бессчётный [-щё-] innúmerable, cóuntless.

бессюжéтный plót:less, without a plot / story / theme.

бестáктн||ость ж. 1. táctlessness; 2. (о поступке) táctless áction; indiscrétion. ~ый táctless; (неуме́стный тж.) clúmsy [-zɪ], impróper [-'prɔ-]; ~ый поступок táctless áction.

бестала́нный I ùntálented; (заурядный) médiòcre; ~ поэ́т ùntálented póet; pòetáster.

бестала́нн||ый II фольк. (несчáстный) ill-stárred; ~ая головýшка ill-stárred / lúckless féllow; ùnfórtunate / poor dévil [-'fɔ:tʃ-...].

бестелéсный immatérial, in:còrpóreal [-əl].

бéстия ж. rogue [roug]; ◇ тóнкая, продувнáя ~ cráfty dévil, sly fox, a deep one.

бестолко́в||ость ж. 1. (непонятливость) múddle-héadedness [-hed-], stupídity; 2. (несвязность) in:cóherence [-kou'hɪə-], confúsion. ~щина ж. разг. confúsion, múddle. ~ый 1. (непонятливый) múddle-héaded [-hed-], stúpid; ~ый человéк múddle-héaded pérson; 2. (несвязный) confúsed, in:cóherent [-kou-]; ~ый расскáз in:cóherent story, confúsed accóunt.

бестолочь *ж. разг.* 1. = бестолковщина; 2. (*бестолковый человек*) muddle-headed person [-hed-...]; *собир.* a lot of blockheads [...-hedz].
бестрепетный *поэт.* intrepid, dauntless.
бестселлер *м.* best seller.
бесформенный formless, shapeless.
бесхарактерн||ость *ж.* weakness of will, spine:lessness. ~ый weak-willed, spine:less; он ~ he has no strength of character [...'kæ-].
бесхвостый tail:less; ecaudate *научн.*
бесхитростный [-сн-] artless, unsophisticated; (*простодушный*) simple, ingenuous [ɪn'dʒe-].
бесхозн||ый ownerless ['ou-]; ~ая земля no man's land; ~ое имущество property in abeyance.
бесхозяйный *уст.* = бесхозный.
бесхозяйственн||ость *ж.* thriftlessness, bad management, mismanagement; (*нерадение*) negligence. ~ый thriftless, unpractical; improvident; ~ый человек bad* manager; ~ое ведение дел mismanagement; ~ое отношение к оборудованию и т.п. careless and wasteful way of handling equipment, *etc.* [...'weɪst-...].
бесхребетный spine:less; (*перен.*) *разг.* without backbone, weak, vacillating; (*беспринципный*) unprincipled.
бесцветн||ость *ж.* colour:lessness ['kʌ-]; (*перен. тж.*) insipidity, flatness, tame:ness. ~ый colour:less ['kʌ-] (*перен. тж.*) insipid, flat, tame; (*скучный, однообразный*) drab; (*о лице, внешности*) wan [wɔn]; ~ая речь tame / colour:less speech.
бесцельн||ость *ж.* aimlessness; (*бесполезность*) idle:ness, pointlessness, futility; ~ спора idle:ness of *the* argument. ~ый aimless; (*бесполезный*) idle, pointless; это ~ it would serve no purpose [...-s], it would be pointless / futile.
бесценн||ость *ж.* 1. (*большая ценность*) price:lessness; 2. *уст.* (*малоценность*) value:lessness. ~ый 1. (*очень дорогой*) price:less, invaluable; (*любимый*) beloved [-'lʌ-]; 2. *уст.* (*малоценный*) value:less, worthless.
бесценок *м.*: за ~ *разг.* dirt-cheap; купить что-л. за ~ buy* smth. for a song *идиом.*
бесцеремонн||о *нареч.* without ceremony, in a free and easy manner [...'i:zɪ...], with undue familiarity. ~ость *ж.* unceremonious:ness; (*развязность*) undue familiarity, forwardness; (*наглость*) impudence. ~ый unceremonious, off:hand(ed); (*развязный*) unduly familiar, forward; (*невежливый*) unmannerly; (*наглый*) impudent; too free (and easy) [...'i:zɪ]; ~ое обращение с кем-л. taking liberties *with* smb., off:hand treatment of smb.; ~ое обращение с фактами arbitrary treatment of facts; это ~о that is too free and easy [...'i:zɪ], that is taking liberties; (*развязно*) that is too familiar.
бесчеловечн||ость *ж.* in:humanity, brutality. ~ый in:human, brutal.
бесчест||ить, обесчестить (*вн.*) disgrace (*d.*), bring* dishonour [...dɪs'ɔ-] (on), be a disgrace (to); (*женщину тж.*) dishonour (to). ~ность [-сн-] *ж.* dishonour:ableness [dɪs'ɔ-]. ~ный [-сн-] dishonour:able [dɪs'ɔ-].
бесчестье *с.* disgrace, dishonour [dɪs'ɔ-].
бесчинн||ый *уст.* outrageous, scandalous. ~ство *с.* excess, outrage. ~ствовать commit excesses / outrages.
бесчисленн||ость *ж.* innumerable quantity. ~ый countless, innumerable, numberless; ~ое количество раз times without number, over and over again; ~ое множество infinite number; countless numbers *pl.*
бесчувственн||ость [-ус-] *ж.* 1. insensibility; insensitivity; 2. (*бессердечие*) callousness, hard-heartedness [-'hɑ:t-]. ~ый [-ус-] 1. insensible; insensitive; находиться в ~ом состоянии be unconscious [...-nʃəs]; 2. (*бессердечный*) unfeeling, callous, hard-hearted [-'hɑ:t-]; heartless ['hɑ:t-].
бесчувств||ие [-ус-] *с.* 1. loss of consciousness [...-nʃəs-]; до ~ия till one loses consciousness [...'lu:z-...]; в ~ии unconscious [-nʃəs]; пьяный до ~ия dead drunk [ded...]; 2. (*бессердечие*) callousness, hard-heartedness [-'hɑ:t-], heartlessness ['hɑ:t-].
бесшабашн||ость *ж. разг.* recklessness. ~ый *разг.* reckless, dare-devil; ~ый человек dare-devil.
бесшумный noise:less.
бета *ж.* (*греческая буква*) beta.
бета-лучи *мн. физ.* beta rays.
бетатрон *м. физ.* betatron ['bi:-]. ~ный *прил.* к бетатрон.
бета-частица *ж. физ.* beta particle.
бетон *м.* concrete [-nk-]; укладывать ~ pour concrete [pɔ:...]. ~ировать, забетонировать (*вн.*) concrete [-nk-] (*d.*). ~ка *ж. разг.* (*дорога*) concrete-surfaced road [-nk-...]; (*взлётная полоса*) concrete runway [-nk-...]. ~ный concrete [-nk-].
бетономешалка *ж. тех.* concrete mixer [-nk-...].
бетонщик *м.* concrete worker [-nk-...].
бефстроганов *м. кул.* beef Stroganoff.
беч||ева *ж. тк. ед.* tow(ing)-line ['tou-], tow(ing)-rope ['tou-]; тянуть ~евой (*вн.*) tow [tou] (*d.*). ~ёвка *ж.* string, twine; (*для пакетов*) pack-thread [-θred]. ~евой 1. *прил.* к бечева; ~евая тяга towing ['tou-]; 2. *ж. как сущ. уст.* tow-path* ['tou-].
бешамель *ж. кул.* béchamel sauce (*фр.*) [beʃə'mel...].
бешен||ство *с.* 1. (*болезнь*) hydrophobia; (*у животных*) rabies [-ii:z]; 2. (*неистовство*) fury, rage; довести до ~ства (*вн.*) infuriate (*d.*), drive* wild (*d.*); доведённый до ~ства enraged, furious; быть в ~стве in a rage, incensed. ~ый 1. rabid, mad; ~ая собака mad dog, rabid dog; 2. (*неистовый*) furious; ~ый характер violent character [...'k-]; ~ая ненависть rabid hate; ◇ ~ая скорость furious / break-neck speed / pace [...'breɪk-]; ~ая сила stupendous strength; ~ые деньги easy money ['i:zɪ 'mʌ- *sg.*]; (*большие*) fantastic sum *sg.*; ~ые цены *разг.* exorbitant / extravagant prices; ~ая гонка вооружений frenzied arms drive / race.
бешмет *м.* beshmet (*quilted coat*).
бзик *м. разг.* quirk, oddity.
биатлон *м. спорт.* biathlon. ~ист *м.*, ~истка *ж.* biathlonist. ~ный biathlon (*attr.*).
библейский biblical, scriptural.
библиограф *м.* bibliographer. ~ический bibliographic(al); ◇ ~ическая редкость rare book.
библиография *ж.* bibliography.
библиоман *м.* bibliomaniac.
библиотек||а *ж.* library ['laɪ-]; (*с выдачей книг на дом*) lending library; (*без выдачи на дом*) reference library; ~-читальня reading-room, reading-hall. ~арша *ж. разг.*, ~арь *ж.* librarian [laɪ-].
библиотековедение *с.* library science ['laɪ-...].
библиотечка *ж. разг.* set / collection of books on a given subject; ~ садовода set / collection of gardening books.
библиотечный *прил.* к библиотека.
библиофил *м.* bibliophil(e).
библиофиль||ский bibliophilic. ~ство *с.* bibliophilism.
библия *ж.* the Bible; (*экземпляр библии*) bible.
бива||к *м.* bivouac [-vuæk], camp; стоять ~ком, стоять на ~ках bivouac, camp. ~чный bivouacking [-vuæk-]; bivouac [-vuæk] (*attr.*); ~чная жизнь bivouacking.
бивуак *м. уст.* = бивак; ◇ жить (как) на ~ах camp out, rough it [rʌf...].
бигуди *мн. нескл.* (hair-)rollers.
бидон *м.* can; ~ для молока milk-can; (*большой — для перевозки молока и т.п.*) milk-churn.
биение *с.* (*сердца*) beating; heartbeat ['hɑ:t-]; *мед.* throbbing; (*пульса*) pulse, pulsation; ~ жизни the pulse / pulsation of life.
бижутерия *ж.* bijouterie (*фр.*) [bi:'ʒu:təri]; costume jewellery.
бизань *ж. мор.* driver; (*у барка, шлюпки*) mizzen, mizzensail; ~-мачта *ж. мор.* mizzen-mast.
бизнес [-нэс] *м. разг.* business ['bɪzn-]; большой ~ big business.
бизнесмен [-нэ-] *м.* business:man* ['bɪzn-].
бизон *м. зоол.* bison.
бикарбонат *м. хим.* bicarbonate.
биквадрат *м. мат.* bi:quadrate. ~ный мат. bi:quadratic.
бикини *с. нескл.* (*женский купальный костюм*) bikini.
бикфордов: ~ шнур *тех.* safety fuse, Bickford fuse.
билабиальный *лингв.* bi:labial.
билет *м.* 1. ticket; железнодорожный, трамвайный ~ railway, tram ticket; ~ в один конец single (ticket); ~ туда и обратно return (ticket); входной ~ ticket of admittance, entrance ticket / permit; пригласительный ~ invitation card; экзаменационный ~ question card [-stf-...], examination question; все ~ы проданы all seats are sold; (*как объявление*) all seats sold; 2. (*как удостоверение*) card; партийный ~ Par-

ty-mémbership card; профсоюзный ~ trade únion card; ◇ кредитный ~ bánk-nòte.

билетёр *м.* tícket collèctor; (*в кинотеатре*) úsher.

билетёрша *ж. разг.* tícket collèctor; (*в кинотеатре*) usherétte [-´ret].

билетн∥ый *прил. к* билет; ~ая касса bóoking-òffice; (*театральная и т.п.*) bóx-òffice.

биллион *м.* bíllion (1 000 000 000 000).

билль *м.* bill.

бильдаппарат *м. тех.* pícture trànsmítter, telewríter, teleáutogràph.

бильярд *м.* 1. bílliards; играть в ~ play bílliards; партия в ~ game of bílliards; 2. (*стол*) bílliard-table; играть на ~e bílliard (*attr.*); ~ный 1. *прил.* bílliard (*attr.*); ~ный шар bílliard ball; 2. *ж. как сущ.* bílliard-room.

биметалл *м.* bìmétal [-´me-].

биметалли∥зм *м. эк.* bìmétallism. ~ческий *эк.* bìmetállic; ~ческая денежная система bìmetállic mónetary sýstem [...´mʌ-...].

бимсы *мн.* (*ед.* бимс *м.*) *мор.* beams.

бинокль *м.* bìnócular(s) [baɪ-] (*pl.*), pair of glásses; полевой ~ fíeld-glàss(es) [´fiː-] (*pl.*); театральный ~ ópera-glàss(es) (*pl.*).

бинокулярн∥ый bìnócular [baɪ-]; ~ое зрение bìnócular vísion.

бином *м. мат.* bìnómial; ~ Ньютона Bìnómial théorèm [...´θɪə-].

бинт *м.* bándage. ~овать, забинтовать (*вн.*) bándage (*d.*).

биогенез [-нэ́з] *м.* = биогенéзис.

биогене∥зис [-нэ́-] *м.* bìogénesis. ~тический [-нэ-] bìogenétic(al).

биогенный bìogénic, bìogenétic.

биогеография *ж.* bìogeógraphy.

био∥граф *м.* bìógrapher. ~графический bìográphic(al). ~графия *ж.* bìógraphy.

биодатчик *м.* bìosénsor.

биокибернетика *ж.* bìocybernétics [-saɪ-].

био∥лог *м.* bìólogist. ~логический bìológical. ~логия *ж.* bìólogy; ~логия клетки cell bíology.

биомеханика *ж.* bìomechánics [-´k-].

бионик *м.* bìónicist.

бионика *ж.* bìónics.

бионический bìónic.

биопсия *ж. мед.* bíopsy.

биосинтез *м.* bìosýnthesis.

биостанция *ж.* (биологическая станция) bìológical reséarch státion [...-´səːtʃ-...].

биосфера *ж.* bìósphère.

биотоки *мн.* bìológical cúrrents.

биотрон *м.* bíotron.

био∥физик *м.* bìophýsicist [-z-]. ~физика *ж.* bìophýsics [-z-]. ~физический bìophýsical [-z-].

био∥химик *м.* bìochémist [-´k-]. ~химический bìochémical [-´k-]. ~химия *ж.* bìochémistry [-´k-].

биоценоз *м.* bìocoènósis [-siː´nou-].

биоценология *ж.* bìocoènólogy [-siː n-].

биоцикл *м.* bíocycle.

биоэлектрический bìoeléctric.

биплан *м.* bìpláne.

биполярн∥ость *ж. физ.* bìpolárity. ~ый bìpólar.

4. Русско-англ. словарь

бирж∥а *ж.* 1. exchánge [-´tʃeɪ-]; фондовая ~ stock exchánge; труда́ lábour exchánge; товарная ~ commódity exchánge; 2. *уст.*: извозчичья ~ cáb-stànd; ◇ чёрная ~ illégal exchánge.

биржев∥ик *м.* stóckjòbber, stóckbròker. ~ой *прил. к* биржа 1; ~ой маклер stóckbròker; ~ая сделка stóck-exchànge deal [-tʃeɪ-...]; ~ая игра stóckjòbbing.

бирка *ж.* 1. tálly (*notched stick*); 2. (*дощечка с надписью*) náme-plàte; lábel, tag.

бирман∥ец *м.*, ~ка *ж.* Bùrmése, Búrman; *мн. собир.* the Bùrmése. ~ский Bùrmése, Búrman; ~ский язык Bùrmése, the Bùrmése lánguage.

бирюз∥а *ж.* túrquoise [-kwɑːz]. ~овый *прил. к* бирюза; ~овый перстень túrquoise ring; ~овый цвет túrquoise (blue / green).

бирюк *м.* lone wolf* [...wulf]; (*перен. тж.*) ùnsóciable pérson; ◇ смотреть ~ом look morόse / súllen / súrly.

бирюльки *мн.* (*ед.* бирюлька *ж.*) spíllikins; игра в ~ spíllikins *pl.*, game of spíllikins; играть в ~ play at spíllikins; (*перен.*) waste one's time on trifles [waɪst...], trifle awáy one's time.

бис *межд.* encóre [ɔŋ-]; спеть, сыграть на ~ sing*, play an encóre.

бисер *м. тк. ед. собир.* (glass) beads *pl.*; ◇ метать ~ перед свиньями cast* pearls befóre swine; ~ина *ж.*, ~инка *ж.* bead. ~ный *прил. к* бисер; (*перен.: очень мелкий*) very small, minúte [maɪ-]; ~ный почерк minúte hándwriting.

бисирова∥ть *несов. и сов.* (*вн.*; *повторять*) repéat (*d.*); (*без доп.*; *исполнять один раз сверх программы — об игре*) play an encóre [-ɔŋ-]; (*то же — о пении*) sing* an encóre; скрипач ~л четыре раза the violinist played four encóres [...fɔː...].

бисквит *м.* 1. (*печенье*) spónge-càke [-ʌndʒ-]; 2. (*неглазированный фарфор*) bíscuit [-kɪt] (*unglazed porcelain*). ~ный sponge [-ʌndʒ] (*attr.*); ~ный рулет Swiss roll.

биссектриса *ж. мат.* bìséctor.

бистро *с. нескл.* bístrò.

бисульфат *м. хим.* bìsúlphate.

бит *м. муз.* beat.

бита *ж. спорт.* bat.

битва *ж.* báttle; (под *тв.*, при, у) báttle (of).

битки *мн.* (*ед.* биток *м.*) *кул.* round ríssòles [...´riː-], méatbàlls.

битком *нареч.*: ~ набитый packed, chóck-fùll, crám-fùll; автобус был ~ набит the bus was (jám-)pácked with people [...piː-].

битник *м.* béatnik. ~овский *прил. к* битник.

битум *м.* bítumen. ~инозный bìtúminous.

бит∥ый 1. *прич. см.* бить I 1, 2, 3, 4; 2. *прил.*: ~ая птица (dressed) póultry [´pou-]; ~ые сливки whipped cream *sg.*; ~ое стекло bróken* glass; ◇ ~ час for a sólid hour [...auə], for a good hour.

бить I, побить 1. (*вн.*; *в разн. знач.*, *тж. перен.*) beat* (*d.*); ~ кнутом whip

БИЛ—БИЦ Б

(*d.*); ~ врага его же оружием báffle / foil / confúte an oppónent with his own wéapon [...oun ´we-]; make* an oppónent's wéapon recóil against him; beat* smb. at his own game; 2. *тк. несов.* (по *дт.*; *ударять*) hit* (*d.*); (*перен.: бороться*) fight* (*d.*, agáinst), strúggle (agáinst, with), ~ по лицу (о ветвях и т.п.) strike* in the face; ~ по недостаткам strúggle with deféсts, wage war on deféсts; ~ в цель hit* the mark; 3. *тк. несов.* (*вн.*; *убивать*) kill (*d.*); *охот. тж.* shoot* (*d.*); (*о скоте тж.*) sláughter (*d.*); ~ рыбу острогой spear fish (with a gig) [...g-]; ~ гарпуном harpóon (*d.*); ~ на лету shoot* on the wing (*d.*); 4. *тк. несов.* (*вн.*; *о посуде и т.п.*) break* [-eɪk] (*d.*); 5. *тк. несов.* (*о воде и т.п.*) gush out; (*о роднике*) well out; ~ струёй spurt; ~ ключом well out, spout; (*перен.*) be in full swing; жизнь, энергия в нём бьёт ключом he is òverflówing, *или* búbbling / brímming óver, with vitálity, énergy [...-oun-vaɪ-...]; 6. *тк. несов.* (*о ружье и т.п.*) shoot*; (*на расстояние*) have a range [...eɪ-]; ◇ ~ в глаза strike* the eye [...aɪ]; ~ в ладоши clap one's hands; ~ в одну точку hámmer smth. home; ~ карту cóver a card [´kʌ-...]; бьющий через край exúberant; ~ масло churn bútter; ~ на эффект strive* áfter efféct; ~ наверняка be sure of one's aim [...ʃuə-...]; ~ кого-л. по карману hit* smb. in his pócket; hit* where it hurts; ~ по рукам strike* a bárgain; ~ по чьему-л. самолюбию wound smb.'s pride / vánity / sélf-estéem [wuː-...]; его бьёт лихорадка he is shívering with féver [...ʃɪ-...]; ~ задом (*о лошади*) kick; ~ хвостом lash / swish the tail.

бить II, пробить (*давать сигнал*) sound; (*о часах*) strike*; ~ в набат, ~ тревогу raise the alárm, sound / ring* the tócsin; ~ отбой (*тж. перен.*) beat* a retréat.

биться 1. (*с тв.*) fight* (with, agáinst); 2. (*о вн.*) knock (agáinst), hit* (agáinst), strike* (*d.*); 3. (*пульсировать*) beat*; сердце сильно бьётся the heart is thróbbing / thúmping / béating [...hɑːt...]; 4.: ~ в истерике writhe in hystérics [raɪð-...]; 5. (*над*) strúggle (with); он бьётся над этой задачей he is strúggling with this próblem [...´prɔ-], he is rácking his brains over this próblem, howéver hard he tried; 6. *страд. к* бить I 4; это стекло бьётся this glass is bréakable [...´breɪk-]; ◇ ~ головой об стену ≅ be up agáinst a blank / brick wall; ~ как рыба об лёд ≅ strúggle désperate:ly; ~ об заклад bet, wáger.

битюг *м.* bityúg (*a Russian breed of cart-horse*); (*перен.*) *разг.* strong man*; он настоящий ~ he is as strong as a horse.

бифуркация *ж.* bìfurcátion [baɪ-].

бифштекс [-тэ-] *м. кул.* (béef)stéak [-eɪk].

бицепс *м. анат.* bíceps.

49

БИЧ – БЛА

бич *м.* whip, lash; (*перен.*) scourge [-ɜːdʒ]; ~ общества sócial scourge / évil [...ˈiːv-].

бичева *ж.* = бечева.

бичев||ание *с.* flàgellátion, flógging; (*перен.*) càstigátion. ~**ать** (*вн.*) flágellàte (*d.*), scourge [-ɜːdʒ] (*d.*), lash (*d.*); (*перен.*) cástigàte (*d.*); ~ать пороки cástigàte vice.

бичёвка *ж.* = бечёвка.

бишь *частица разг.* now; как ~ его зовут? what is his name, now?; то ~ that is to say.

благ||о I *с.* bléssing, boon; (*счастье*) good; желаю вам всех благ I wish you every háppiness; ~а жизни the good things of life, créature cómforts [...ˈkʌ-]; материальные ~а matérial wélfàre; произвóдство материáльных благ prodúction of material wealth [...we-]; земные ~а éarthly bléssings [ˈɜː-...]; общее ~ cómmon / géneral weal; cómmon good; на ~, для ~а (*рд.*) for the wélfàre (of); для ~а человечества for the wélfàre of, или the good, of mankínd; ◇ всех благ! *разг.* (*до свидания*) all the best!, so long!; ни за какие ~а (в мире) not for the world; счесть за ~ consíder / deem it right and próper [-ˈsɪ-...ˈprɔ-].

благо II *союз разг.* since; séeing / considering that; пользуйтесь случаем, ~ вы здесь use the opportúnity since you are here.

благоверн||ая *ж. скл. как прил. шутл.* bétter half [...hɑːf]; ~**ый** *м. скл. как прил. шутл.* lord and máster.

благовест *м. тк. ед. уст.* (rínging of) church bells. ~**ить**, отблаговестить, разблаговестить *уст.* 1. *при сов.* отблаговестить ring* for church; 2. *при сов.* разблаговестить (о *пр.*) *разг.* (*разносить новости*) públish [ˈpʌ-] (*d.*), spread* [-ed] (*d.*), noise abroad [...-ɔːd] (*d.*).

благовещение *с. церк.* Lády Day, Annùnciátion.

благовидн||ый 1. *уст.* cómely [ˈkʌ-]; 2. (*приличный*) spécious, pláusible [-z-]; ◇ ~ предлóг pláusible excúse / prétext [...-s...], spécious excúse / prétèxt; под ~ым предлóгом on a pláusible prétèxt.

благовол||ение *с. уст.* góodːwill, kíndːness; пользоваться чьим-л. ~ением be in smb.'s good gráces / books, stand* high in smb.'s fávour, be in high fávour with smb. ~**ить** *уст.* 1. (к) (*дт.*) fávour (*d.*), regárd with fávour (*d.*), fávourːably dispósed (toward); 2. *тк. пов.* (+ *инф.*) have the kíndːness (+ to *inf.*), kíndːly (*imper.*): ~ите ответить have the kíndːness to ánswer [...ˈɑːnsə], kíndːly ánswer.

благовон||ие *с. уст.* 1. frágrance [ˈfreɪ-], aróma, pérfùme; наполнить ~ием (*вн.*) perfúme (*d.*); 2. *мн.* (*ароматические вещества*) íncènse *sg.* ~**ный** frágrant, perfúmed, àromátic.

благовоспитанн||о *нареч.* políteːly, cóurteousːly [ˈkɔt-]; он ведёт себя ~ he has good* mánners. ~**ость** *ж.* good

bréeding; good mánners *pl.* ~**ый** wéllːbréd, well brought up.

благовремени||е *с.*: во ~и *уст.* opportùneːly, in good time.

благоглупость *ж. ирон.* high-sounding nónsense; pómpous triviálity.

благогов||ейный áweːsome; ~**ение** *с.* (*перед*) awe (of); rèveréntial (for, before), vèneráton (for).

благоговеть (*перед*) revére (*d.*), hold* in réverence (*d.*), regárd with réverence (*d.*), véneràte (*d.*).

благодар||ить, поблагодарить (*вн.*) thank (*d.*); ~ю вас! thank you!

благодар||ность *ж.* 1. *тк. ед.* (*чувство признательности*) grátitùde; 2. *мн. разг.* (*слова, выражающие это чувство*) thanks; рассыпаться в ~ностях thank effúsiveːly, pour out one's thanks [pɔː...]; 3.: вынести, объявить ~ кому-л. за что-л. thank smb. officially for smth.; ◇ не стоит ~ности don't méntion it, not at all. ~**ный** grátefːul, thánkful, (*перен.*) grátifying; ~ный труд grátifying lábour; rewárding work; ◇ я вам очень ~ен thank you very much (indéed), I am very much obligéd to you; much obligéd *разг.*

благодарственн||ый *уст.* expréssing thanks; thánksːgiving; ~ое письмо létter of thanks; ~ молебен thánksːgiving (sérvice).

благодаря *предл.* (*дт.*) thanks to; (*вследствие*) ówing to [ˈou-...]; becáuse of [-ˈkɔz...]; ~ тому, что thanks to the fact that, ówing to the fact that.

благод||атный bèneficial; (*изобильный*) abúndant; ~ край land of plénty. ~**ать** *ж.* 1. *разг.* plénty, abúndance; (*перен.*) páradise [-s-]; тут ~ать it's héavenly here [...ˈhev-...]; 2. *церк.* grace.

благоденств||ие *с.* prospérity. ~**овать** *уст.* prósper, flóurish [ˈflʌ-]; be in clóver *разг.*

благодетель *м.* bénefàctor. ~**ница** *ж.* bènefàctress. ~**ный** bèneficial, benéficent. ~**ствовать** (*дт.*) *уст.* be a bénefàctor (to).

благодеяние *с.* (*доброе дело*) good deed; (*одолжение*) fávour.

благодушествовать peaceːfully enjóy oneːsélf, take* it éasy [...ˈiːzɪ].

благодуш||ие *с.* kíndːliness; (*спокойствие*) plácidity; (*доброта, мягкость*) míldːness of témper, good húmour; впадать в ~ be lúlled into complácency [...-pleɪ-]. ~**ный** complácent; (*спокойный*) plácid; équable; (*добродушный*) góod-húmourːed, kíndːly; ~ное настроение benígn / complácent mood [-ˈnaɪn...], good húmour.

благожелательн||о *нареч.* with kíndːness; (*благосклонно*) fávourːably; относиться ~ (к) be kíndːly / fávourːably dispósed (towards). ~**ость** *ж.* kíndːness, benévolence, góodːwill. ~**ый** kíndːly; wéll-dispósed, benévolent, kíndːly dispósed; ~ый приём kind / friendly / warm wélcome / recéption [...ˈfrend-...]; ~ое отношение (к) góodːwill (to, towards); ~ая рецензия fávourːable revíew [...-ˈvjuː].

благозвуч||ие *с.*, ~**ность** *ж.* hármony; (*в сочетании слов*) éuphony. ~**ный** harmónious; (*о голосе*) melódious; (*о

сочетании слов*) euphónious, euphónic.

благ||ой I *уст.* good; ~**ая** мысль háppy thought; ~ое намерение good inténtion; избрать ~ую часть *ирон.* choose* the bétter part.

благ||ой II: кричать, орать ~**им** матом *разг.* shout, yell at the top of one's voice; cry blue múrder.

благолепие *с. уст.* splèndour, grándeur.

благонадёжн||ость *ж.* 1. trústwòrthiness [-ðɪ-], reliability; 2. *уст.* lóyalty. ~**ый** 1. trústwòrthy [-ðɪ], relíable; 2. *уст.* lóyal.

благонамеренн||ость *ж. уст.* lóyalty. ~**ый** *уст.* lóyal; lóyalist (*attr.*).

благонрав||ие *с. уст.* good cónduct, good behàviour. ~**ный** *уст.* wéll-behàved.

благообраз||ие *с.* good looks *pl.*, nóble appéarance. ~**ный** hándsome [-ns-], fine-lóoking; ~ный вид fine appéarance.

благополуч||ие *с.* prospérity, wéll-béing; (*счастье*) háppiness; материальное ~ matérial wéll-béing. ~**но** *нареч.* all right, well; (*счастливо*) háppily: всё (обстойт) ~но éveryːthing is all right, all is well; всё кончилось ~но éveryːthing énded well / háppily; — они прибыли ~но they arríved sáfeːly. ~**ный** háppy, succéssful; safe; пожелать кому-л. ~ного пути wish smb. a safe jóurney [...ˈdʒɜː-].

благоприобретенный acquíred.

благопристойн||ость *ж. уст.* décency [ˈdiː-], decórum, séemliness. ~**ый** *уст.* décent, décorous, séemly.

благоприятн||ый 1. fávourːable, propítious, auspícious; ~ ветер, ~ая погóда fávourːable / propítious wind, wéather [...wɪ-ˈwe-]; ~ момент opportúnity; ~ые условия fávourːable / auspícious condítions; 2. (*одобрительный, хороший*) fávourːable; ~ ответ fávourːable replý; ~ые вести good* news [...-z] *sg.*

благоприятств||овать (*дт.*) fávour (*d.*), be fávourːable (to); обстановка ему ~овала the situátion fávourːed him, the situátion was fávourːable to him; во время поездки погóда нам ~овала dúring our trip we were fávourːed with good wéather [...ˈweðə]; обстоятельства ~уют circumstances are fávourːable.

благоприятствуем||ый: наиболее ~ая держáва most fávourːed nátion.

благоразум||ие *с.* sense, wísdom [-z-]; (*осторожность*) prúdence. ~**ный** réasonable [-z-], sénsible; (*рассудительный*) judícious, wise; (*осторожный*) prúdent; это ~но that is sénsible; that is prúdent.

благорасположение *с. уст.* fávour, fávourːable dispositîon [...-ˈzɪ-].

благорасположенный *уст.* fávourːable.

благорастворение *с.*: ~ воздухов *шутл. уст.* héalthful clímate [ˈhe- ˈklaɪ-].

благородие *с. ист.*: ваше, его, её и т.д. ~ your, his, her, *etc.*, hónour [...ˈɔnə].

благород||ный (*в разн. знач.*) nóble; ~ поступок nóble áction / deed; ◇ ~ газ nóble gas; ~ые металлы précious métals [ˈpre- ˈme-]; ~ое негодова́ние righteous indignátion. ~ство с. nobílity, nóbleness; (перен.) generósity.

благоскло́нн||о нареч. with fávour, fávourably; ~ слу́шать (вн.) hear* fávourably (d.), listen fávourably ['lɪsn...] (to), inclíne one's ear (to). ~ость ж. benévolence, fávour, góodwill; проявля́ть ~ость к кому́-л. regárd smb. with fávour, fávour smb.; заслужи́ть чью́-л. ~ость win* smb.'s fávour, earn smb.'s góodwill [ə:n...]; по́льзоваться чье́й-л. ~остью be in smb.'s good gráces / books, stand* high in smb.'s fávour, be in high fávour with smb. ~ый fávourable, benévolent, grácious.

благослов||е́ние с. bléssing(s) (pl.); benedíction; ◇ с его́, её и т. д. ~е́ния шутл. with his, her, etc., bléssing. ~ённый поэт. bléssed. ~и́ть сов. см. благословля́ть.

благословля́ть, благослови́ть (вн.) 1. bless (d.); 2. разг. (давать согласие) give* one's bléssing (to); ◇ ~ судьбу́ thank one's stars.

благосостоя́ние с. wélfare, wéll-béing, prospérity; ~ наро́да wéll-béing of the people [-pi:-]; подня́ть ~ impróve the wéll-béing [-u:v...].

бла́гостный [-сн-] уст. méllow, soft and pléasing.

благотвори́тель м. philánthropist; разг. dò-góoder [-'gudə]. ~ность ж. chárity, philánthropy. ~ный cháritable, philanthrópic; ~ный спекта́кль chárity perfórmance; с ~ной це́лью for a cháritable púrpose / óbject [...-s...].

благотво́рно I прил. кратк. см. благотво́рный.

благотво́рн||о II нареч. beneficially; де́йствовать ~ have a whólesome effect [...'houl-...]. ~ость ж. whólesomeness ['houl-], sálutariness; sálutary / beneficial náture [...'peɪ-]; (о климате и т. п.) salúbrity. ~ый benefícial, sálutary, whólesome ['houl-].

благоусмотре́ние с. уст. considerátion, discrétion [-re-]; отда́ть на чье́й-л. ~ (вн.) submit for smb.'s considerátion (d.).

благоустра́ивать, благоустро́ить (вн.) equíp with módern ameníties [...'mɔ-ə'mi:-].

благоустро́енный 1. прич. см. благоустра́ивать; 2. прил. cómfortable ['kʌ-], well órganized; wéll-equípped; ~ го́род town with good ameníties, или with módern convéniences [...ə'mi:-...'mɔ-...]; ~ дом house* with módern ameníties [haus...].

благоустро́ить сов. см. благоустра́ивать.

благоустро́йство с. equípping with sérvices and utílities; impróvement [-ru:v-].

благоуха́н||ие с. frágrance ['freɪ-], perfúme, sweet smell. ~ный frágrant, perfúmed, aromátic, swéet-smélling.

благоуха́||ть be frágrant, smell* sweet. ~ющий = благоуха́нный.

благочести́вый уст. pious, devóut.

благоче́стие с. уст. piety.

благочи́нный 1. прил. уст. décent, décorous; 2. м. как сущ. церк. rúral dean.

блаже́н||ный 1. прил. (счастливый) blíssful; 2. прил. церк. bléssed; 3. м. как сущ. (юродивый) "God's fool"; ◇

~ное состоя́ние state of bliss; ~ной па́мяти of bléssed mémory. ~ство с. bliss, beátitùde, felícity; ◇ на верху́ ~ства in pérfect bliss, in the séventh héaven [...'se-'he-].

блаже́нствовать be in bliss, be in a state of bliss, be blíssfully háppy.

блаж||и́ть разг. be capricious, indúlge whims, be eccéntric. ~но́й разг. capricious; eccéntric; únbálanced.

блажь ж. разг. caprice [-i:s], whim, whimsy [-zɪ]; на него́ нашла́ ~ he has been seized / táken by a súdden whim [...siːzd...].

бланк м. form; заполня́ть ~ fill in a form. ~овый: ~овая на́дпись endórsement.

бланши́ровать (вн.) тех. blanch [-a:-] (d.).

блат I м. (воровской язык) thieves' cant [θi:-...], thieves' Látin.

блат II м. разг. (знакомство, связи) protéction, pull [pul]; a friend at court [...fre-...kɔ:t]; по ~у by báckstáir(s) ínfluence; у него́ есть ~ (в пр.) he has a pull (in), he has a friend at court.

блатн||о́й разг. 1. прил. thieves' [θi:-]; 2. м. как сущ. criminal; ◇ ~а́я му́зыка thieves' cant, thieves' Látin.

блев||а́ть груб. vómit, puke. ~о́та ж. груб. vómit.

бледне́ть, побледне́ть 1. turn / grow* pale [...-ou-...]; ~ от стра́ха blanch with térror [-a:ntʃ...]; 2. (перед) pale (befóre), pale (by the side of).

бле́дно-голубо́й pale / light blue.

бле́дно-жёлтый pale yéllow.

бле́дно-зелёный pale green.

бледноли́цый with a pale face.

бле́дн||ость ж. pállor, páleness; (перен.) insipídity, cólourlessness ['kʌl-]. ~ый pale, pállid; (от утомления) wan [wɔn]; (перен.) insípid, cólourless ['kʌl-]; ~ый как полотно́ white as a sheet, pale as a ghost [...-gou-]; ~ый расска́з insípid stóry; ~ая не́мочь мед. chlorósis, gréensickness.

блези́р м.: для ~у разг. for appéarance' sake.

блёк||лый fáded; ~лая (ме́дная) руда́ мин. tétrahédrite. ~нуть, поблёкнуть fade; (о растениях тж.) wíther.

бленноре́я ж. мед. blènnorrhóea [-'ri:ə].

блеск м. 1. (прям. и перен.) lustre, brilliance, brilliancy; (перен.: пышность) magníficence, górgeousness; ~ со́лнца brilliance / bríghtness of the sun; ~ ста́ли glitter of steel; придава́ть ~ (дт.; перен.) add lustre (to), shed* lustre (on); ~ остроу́мия brilliancy of wit, spárkling / dázzling wit; ~ сла́вы lustre of fame; ~ наря́да magníficence of dress; показно́й ~ tínsel (show); во всём ~е in all one's glóry; с ~ом brilliantly; 2. мин.: желе́зный ~ háematíte, свинцо́вый ~ galéna.

блесна́ ж. рыб. spóon-bait.

блесну́||ть сов. (прям. и перен.) flash; (тв.; тк. перен.) make* a brilliant displáy (of); ~ла мо́лния there was a flash of lightning; у меня́ ~ла мысль a thought flashed across my mind; ~ красноре́чием make* a brilliant displáy of éloquence; у меня́ ~ла наде́жда I was inspired with hope, I saw a ray of hope; он лю́бит ~ свои́м умо́м he likes to make a show of his wit [...ʃou...], he likes to show off his cléverness.

блест||е́ть (прям. и перен.) shine*; (о металле и т. п.) glitter; (искриться) sparkle; её глаза́ ~е́ли ра́достью her eyes shone with joy [...aɪz...]; глаза́ ~я́т гне́вом eyes blaze / flash with ánger; он не бле́щет умо́м his intélligence does not strike you, he is no génius; he is not óverbléssed with intélligence; он ниче́м не бле́щет he does not shine in ánything; он бле́щет остроу́мием he is full of wit, his wit sparkles, he sparkles with wit.

блёстк||и мн. (ед. блёстка ж.) 1. spárkles, spárklets; (перен.: остроумия и т. п.) flashes; 2. (украшение) spangles; усе́янный ~ами spangled.

блестя́щ||е нареч. brilliantly; не ~ not too good, só-so; дела́ иду́т ~ things are góing fine. ~ий 1. прич. см. блесте́ть; 2. прил. shining, bright; (перен.) brilliant; ~ие глаза́ shining eyes [...aɪz...]; ~ий ум brilliant mind; ~ая побе́да signal / brilliant / spléndid / magníficent víctory.

блеф м. bluff (decéption).

бле́яние с. bléat(ing).

бле́ять bleat.

ближа́йш||ий (превосх. ст. прил.) néarest; (непосредственно следующий) next; (непосредственный) ímmediate; ~ друг clósest, или most íntimate, friend [-s- ...fre-]; ~ая зада́ча ímmediate task; ~ по́вод ímmediate / próximate cause; ~ ро́дственник néarest relátion, néxt-of--kin; ~ сосе́д néxt-door néighbour [-də...]; в ~ем бу́дущем in the near fúture; в ~ие дни within the next few days; ~ее уча́стие pérsonal participátion; при ~ем рассмотре́нии on clóser examinátion [...-sə...].

бли́же I сравн. ст. прил. см. бли́зкий.

бли́же II (сравн. ст. от нареч. бли́зко) néarer; (о людях) clóser [-sə], more íntimate; он с ним ~ знако́м he knows him bétter [...nouz...], he is more íntimate with him.

ближневосто́чный Néar-Éastern.

бли́жний I прил. near; (тк. о месте) néighbouring.

бли́жний II м. скл. как прил. уст. one's néighbour.

близ предл. (рд.) near, close to [-s...]; ~ бе́рега near the coast.

бли́зиться draw* near, appróach; ~ к концу́ appróach the end.

бли́зк||ий 1. (недалёкий) near; (приближающийся, угрожающий) íminent; на ~ом расстоя́нии at a short distance, a short way off; (стрелять, фотографировать) at short range [...reɪ-]; 2. (по, к; сходный) like; similar (to); (о переводе) close [-s] (to); (о копии и т.п.) fáithful; ~ по ду́ху челове́к congénial soul [...soul], kindred spírit; 3. (об отношениях) íntimate, close, near; ~ ро́дственник near relátion; быть ~им с кем-л. be íntimate with smb.; быть ~им кому́-л. be dear to smb.; быть ~им

БЛИ – БОГ

сердцу be near *smb.'s* heart [...hɑːt]; быть в ~их отношениях с кем-л. be on terms of íntimacy, *или* be íntimate, with smb.; ~ к политическим кругам clóse‖ly connécted with polítical círcles [-sl...]; **4.** *мн. как сущ. (родственники)* one's people / relátions [...piː-...]; one's néarest and déarest; *(друзья)* friends [fre-].

близко I 1. *прил. кратк. см.* близкий; **2.** *предик. безл.* it is not far; до города ~ it is not far to the town; ему ~ ходить, ездить *и т.п.* he has not far to go, *etc.*

близко II *нареч.* near, close by [-s...]; *(перен. тж.)* néarly; жить ~ live near [lɪv...], live close by, live hard by; совсем ~ round the córner, (near / close) at hand; ~ от *(кого-л., чего-л.)* near (smb., smth.), close to (smb., smth.); ~ касаться *(рд.)* concérn néarly (*d.*); ~ познакомиться *(с тв.)* become* clóse‖ly acquáinted [...sl...] (with); ~ сойтись *(с тв.)* become* very íntimate (with); принимать ~ к сердцу *(вн.)* take* to heart [...hɑːt] (*d.*).

близлежащий [блись-] néighbour‖ing, néarby.

Близнецы́ *мн. астр.* Géminì, the Twins.

близнец‖ы́ *мн. (ед.* близнец *м.)* twins; сёстры-~ twin sísters; братья-~ twin bróthers [...'brʌð-...], trое, четверо ~ов tríplets, quádruplets ['trɪ-...].

близорук‖ий near-sighted; short-sighted *(тж. перен.)*; myópic *мед.*; ~ая политика short-sighted pólicy. **~ость** *ж.* short / near sight; myópia *мед.*; *(перен.)* short-sightedness, lack of fóre‖sight.

близост‖ь *ж.* **1.** *(о расстоянии; тж. перен.)* néarness, clóseness [-s-], próximity; *(тж. родства)* propínquity; ~ к источникам сырья́ próximity to the sóurces of raw matérials [...'zɔːsɪz...]; в непосре́дственной ~и (к) in immédiate próximity (to); **2.** *(об отношениях)* íntimacy.

блик *м.* speck / patch of light; *(в живописи)* híghlight; со́лнечный ~ patch of sún‖light.

блин *м.* blin (*kind of pancake*); ◊ пе́рвый ~ ко́мом *погов.* ≅ you must spoil befóre you spin, práctice makes pérfect; печь как ~ы́ make*, *или* turn out, smth. véry quíckly, *или* in quántities.

блинд‖а́ж *м. воен.* shélter, dúg-out. **~и́ровать** *несов. и сов. (вн.) воен.* blind (*d.*).

блинна́я *ж. скл. как прил.* blinȳ bar, pán‖cake house* [...-s].

бли́нн‖ый: ~ая мука́ self-ráising flour.

бли́нчатый pán‖cake (*attr.*); ~ пиро́г pán‖cake pie; ◊ ~ лёд pán‖cake ice.

бли́нчик *м.* (small) pán‖cake, frítter.

блиста́тельн‖ый brílliant, respléndent, spléndid; ~ успе́х brílliant succéss; ~ая побе́да glórious / spléndid víctory.

блиста́ть 1. *(тв.; выделяться чем-л.)* shine* (with), be conspícuous (by); ~ красото́й и мо́лодостью be rádiant with youth and beáuty [...juːθ...'bjuː-]; **2.** *уст.* = блесте́ть; ◊ ~ *(свои́м)* отсу́тствием *ирон.* be conspícuous by one's ábsence.

блиц- *(в сложн.)* líghtning-speed (*attr.*), blitz.

блицтурни́р *м.* líghtning tóurnament [...'tuən-].

блок I *м. полит.* bloc; ~ коммуни́стов и беспарти́йных the bloc of Cómmunists and nón-Párty people [...piː-].

блок II *м. тех.* púlley ['pu-], block.

блок III *м. стр.* pré‖fábricated búilding únit [...'bɪl-...].

блок IV *м.:* почто́вый ~ sóuvenir sheet ['suːvənɪə...].

блока́д‖а *ж. тк. ед. (в разн. знач.)* blóckáde; *воен. тж.* siege [siːdʒ]; объявля́ть ~у declare a blóckáde; снима́ть ~у raise the blóckáde; прорыва́ть ~у run* the blóckáde; экономи́ческая ~ económic blóckáde [iːk-...]; новокаи́новая ~ nóvocaine blóckáde; континента́льная ~ *ист.* the Contіnéntal sýstem.

блок-аппара́т *м. ж.-д.* sígnal-box.

блокга́уз *м. воен.* blóck‖house* [-s].

блоки́ровать *несов. и сов. (вн.)* **1.** *воен.* blóckáde (*d.*) *(тж. перен.);* **2.** *ж.-д.* block (*d.*).

блоки́роваться I *несов. и сов. (с тв.) полит.* form a bloc (with), form an alliance (with).

блоки́роваться II *страд. к* блоки́ровать.

блокиро́вка *ж. ж.-д.* block sýstem.

блокиро́вочн‖ый *ж.-д.* block (*attr.*); ~ая систе́ма block sýstem.

блокно́т *м.* nóte-book; *(с почто́вой бума́гой)* wríting-pàd.

блок‖по́ст *м. ж.-д.* blóck‖house* [-s], block státion. **~-уча́сток** *м.* block séction.

блонди́н *м.* man* with blond / fair hair, fair / fáir-háired man*; он ~ he is a blond. **~ка** *ж.* blonde; она́ ~ка she is a blonde.

блоха́ *ж.* flea.

бло́чн‖ый I *прил. к* блок II.

бло́чн‖ый II *стр.* séctional; pánel ['pæ-] (*attr.*); ~ые дома́ fráme-and-pànel hóuses [-pæ-...]; ~ое строи́тельство búilding of pré‖fábricated / séctional hóuses ['bɪl-...].

блоши́ный *прил. к* блоха́; ~ уку́с fléa-bite.

бло́шки *мн. (игра́)* tíddly-winks.

блуд *м. уст.* léchery, fornicátion.

блуди́ть I *разг.* lécher, fórnicàte.

блуди́ть II *разг.* = плута́ть.

блуд‖ли́вость *ж. уст.* lascívious‖ness. **~ли́вый** *уст.* **1.** lascívious, lécherous; **2.** *разг. (проказливый)* mís‖chievous [-tʃɪ-], thíevish ['θiː-]; ◊ блудли́в как ко́шка, трусли́в как за́яц *погов.* thíevish as a cat, tímid as a hare. **~ни́ца** *ж. уст.* loose wóman* [-s 'wu-], whore [hɔː].

блу́дный: ~ сын pródigal son [...sʌn].

блужда́‖ние *с.* róaming, wándering; ~ по у́лицам strólling abóut the streets. **~ть** roam; wánder *(тж. перен.)*, rove; *(бродить по лесу и т.п.)* ramble; ~ть по све́ту rove / roam abóut the world. **~ющий** *прич. и прил.* wándering, róaming; ~ющий взгляд wándering / róving look; ~ющие звёзды *уст.* cómets ['kɔ-]; ~ющие то́ки *эл.* stray cúrrents; ◊ ~ющая по́чка flóating kídney; ~ющий нерв vágus (nerve), pneumogástric (nerve); ~ющий огонёк will-o'-the-wisp; ígnis fátùus *научн.*

блу́з‖а *ж.* (wórking) blouse, smock. **~ка** *ж.* blouse.

блю́дечко *с.* sáucer; *(для варе́нья)* jam dish.

блю́д‖о *с.* **1.** *(посу́да)* dish; **2.** *(ку́шанье)* dish; *(часть обеда, ужина и т.п.)* course [kɔːs]; его́ люби́мое ~ his fávour‖ite dish; обе́д из трёх блюд thrée-course dínner [-kɔːs...].

блюдолиз *м. уст.* tóady, líckspittle.

блю́дце *с.* sáucer.

блюз *м. муз.* blues.

блю́минг *м. тех.* blóoming (mill).

блюсти́, соблюсти́ *(вн.)* guard (*d.*); ~ зако́ны obsérve the laws [-'zɔːv...], abíde by the laws; ~ интере́сы watch óver the ínterests; ~ поря́док keep* órder. **~тель** *м.* kéeper, guárdian; ◊ ~тель поря́дка *ирон.* ≅ arm of the law.

бля́мба *ж. разг.* bump, lump, knob; ~ у кого́-л. на лбу a bump on smb.'s fórehead [...'fɔrɪd].

бля́ха *ж.* náme-plàte; númber-plàte; *(носи́льщика и т.п.)* badge; *(украше́ние)* péndant.

боа́ *нескл.* **1.** *м. зоол.* bóa ['bouə]; **2.** *с. уст. (шарф)* bóa.

боб *м.* **1.** bean; **2.** *мн. (расте́ние)* beans; ◊ оста́ться на ~а́х *разг.* get* nóthing for one's pains.

бобёр *м.* béaver (*fur*).

боби́на *ж. тех.* bóbbin.

бобко́в‖ый bay (*attr.*); ~ое ма́сло báy-oil.

бобо́вый 1. *прил. к* боб; legúminous *научн.;* ~ стручо́к béan-pòd; **2.** *мн. как сущ. бот.* legúminous plants [...-ɑːn-].

бобр *м.* béaver (*animal*); ◊ уби́ть ~а́ ≅ hit* the jáckpot.

бо́брик *м. текст.* cástor. **~овый** *прил. к* бо́брик.

бо́бриком *нареч.:* во́лосы ~ short brúshed-ùp hair *sg.*, French crop *sg.*, créw-cùt *sg.*

бобро́в‖ый *прил. к* бобёр и бобр; ~ мех béaver (*fur*); ~ая плоти́на béaver dam; ~ая струя́ *мед.* cástor.

бо́бслей *м. спорт.* bób-slèd, bób-sleigh.

бобы́л‖ь *м.* **1.** *уст. (одино́кий, безземе́льный крестья́нин)* poor lándless péasant [...'pez-]; **2.** *разг. (бессеме́йный челове́к)* lóne‖ly / sólitary man*; *(холостя́к)* (old) báchelor; жить ~ём live a lóne‖ly life* [lɪv...], lead* a lóne‖ly exístence.

бобы́шка *ж. тех.* boss.

бог *м.* God; *(язы́ческий, тж. идол, куми́р)* god; ◊ ~ его́ зна́ет! góod‖ness knows! [...nouz], God knows!; сла́ва ~у! *разг.* thank God!, thank góod‖ness!; не дай ~ God forbíd; ра́ди ~а for góod‖ness' sake, for God's sake; ей-~у! réally! ['rɪə-], réally and trúly!; как ~ на́ душу поло́жит ány‖how, híggledy-píggledy; at rándom; ~ с ним, с ней *и т.д.* let it pass, forgét abóut him, her, *etc.* [-'get...]; не ~ весть что ≅ nóthing to write home abóut; заку-

сить, чем ~ послал ≅ take* pot luck; а он давай ~ ноги he took to his heels.

богаде́льня ж. уст. álms-house* ['ɑ:mzhaus].

богара́ ж. с.-х. drý-fàrming land (in Central Asia).

богате́ть, разбогате́ть grow* rich [-ou...].

бога́тств‖**о** с. 1. ríches pl., wealth [we-]; приро́дные ~а nátural resóurces [...'sɔ:-]; духо́вные ~а spíritual wealth sg.; ~ кра́сок wealth of cólour [...'kʌl-]; 2. (великолепие) ríchness, respléndence, górgeous·ness.

бога́т‖**ый** 1. прил. (в разн. знач.) rich (о человеке, государстве и т.п. тж.) wéalthy ['we-]; ~ чем-л. rich in smth.; ~ая земля́, жа́тва rich soil, hárvest; ~ая расти́тельность lùxúriant vègetátion; ~ое убра́нство rich / spléndid / górgeous òrnamèntátion; урожа́й búmper crop / hárvest; ~ о́пыт abúndant / great / wide expérience [...greit...]; 2. как сущ. м. rich man*; мн. собир. the rich; ◇ чем ~ы, тем и ра́ды you are welcome to all we have.

богаты́рск‖**ий** Hercúlean, àthlétic; ~ го́лос stèntórian voice; ~ рост gíant státure; ~ое здоро́вье íron cònstitútion ['aɪən...], robúst health [...he-]; ~ое сложе́ние pówerful physíque [...-'zi:k], Hércúlean / àthlétic build [...bɪ-]; (ру́сский) ~ э́пос ист. лит. (Rússian) folk épic [-ʃən...]; ◇ ~ сон sound / profóund sleep.

богаты́рь м. 1. bogatýr (hero in Russian folklore); 2. (силач) hércules [-i:z], áthlète.

бога́ч м. rich man*; мн. собир. the rich, the wéalthy [...'we-].

бога́че (сравн. ст. от прил. бога́тый) rícher.

богдыха́н м. ист. Chínese Émperor ['tʃaɪ...].

богéм‖**а** ж. Bòhémia [bou-], Bohémianism; литерату́рная ~ líterary Bòhémia; представи́тель ~ы Bòhémian [bou-].

боги́ня ж. góddess.

богобо́рец м. церк. theómachist [-k-].

богобоя́зненный Gód-fearing.

богоиска́тельство с. ист. "Gód-seeking" (seeking after truth in religion).

богома́з м. разг. ícon-dauber.

богомо́лец м. (паломник) pílgrim.

богомо́лье с. pílgrimage.

богомо́льный devóut.

богоотсту́пн‖**ик** м. церк. apóstate. ~ичество с. церк. apóstasy.

богоро́дица ж. рел. the Vírgin, Our Lády.

богосло́в м. theológian, divíne. **~ие** с. theólogy, divínity. **~ский** theológical.

богослуже́ние с. divíne sérvice, públic wórship ['pʌ-...].

богоспаса́емый ирон. bléssed.

боготвори́ть (вн.) déify ['di:-] (d.), ídolìze (d.), wórship (d.).

богоуго́дн‖**ый** уст. pléasing to God; ◇ ~ое заведе́ние cháritable institútion.

богоху́л‖**ьный** уст. bláphemous. **~ство** уст. с. bláphemy. **~ствовать** уст. bláspheme.

богоявле́ние с. церк. Epíphany, Twélfth-day.

бода́ть (вн.) butt (d.). **~ся** 1. butt; 2. (бодаться друг друга) butt each other.

бодли́в‖**ый** given to bútting, apt to butt; э́та коро́ва ~а this cow is given to bútting; ◇ ~ой коро́ве бог рог не даёт посл. God sends a cússed cow short horns, cússed cows have cut horns.

бодну́ть сов. (вн.) butt (d.), give* a butt (i.).

бодр‖**и́ть** (вн.) stímulàte (d.), invígoràte (d.); во́здух ~и́т the air is brácing. **~и́ться** try to keep one's spirits up.

бо́др‖**о** нареч. chéerfully; (с живостью) brískly; он ещё ~ вы́глядит (о старике) he is still hale. **~ость** ж. chéerfulness; (мужество) cóurage ['kʌ-]; ~ость ду́ха good* spírits pl., cóurage; придава́ть ~ости кому́-л. héarten smb. ['hɑ:-...], put* heart into smb. [...hɑ:t...].

бо́дрствовать (не спать) be awáke; (намеренно не спать) keep* awáke, keep* vígil.

бо́др‖**ый** chéerful; (живой) brisk; ду́хом of good* cheer; он всегда́ бодр he is álways bright and chéerful [...'ɔ:lwəz...]; в ~ом настрое́нии in good* spírits, chéerful; ~ стари́к hale old man*; стари́к о́чень бодр the old man* is hale and héarty [...hɑ:-]. **~я́к** м. разг. brisk / chéerful pérson. **~я́цкий** прил. к бодря́к. **~я́щий** 1. прич. см. бодри́ть; 2. прил. brácing, invígoràting.

бодя́г‖**а** ж. 1. зоол. fréshwàter sponge [-wɔ:- spʌndʒ]; 2. разг. (болтовня) nónsense, rot; разводи́ть ~у talk through one's hat.

боеви́к м. (фильм) hit; ~ сезо́на the hit of the séason [...-z'n].

боеви́т‖**ость** ж. pérkiness. **~ый** pérky, lívely.

боев‖**о́й** 1. battle (attr.), fíghting; ~ самолёт battle plane, fíghting machíne [...-'ʃi:n]; ~ кора́бль fíghting / cómbatant ship; ~ патро́н live cártridge, báll-càrtridge, ~ поря́док battle formátion; ~ое положе́ние (об орудии) fíring órder; ~а́я заслу́га sérvice in battle; ~а́я мощь fíghting strength; в ~ гото́вности in fíghting trim, réady / prepáred for áction ['re-...], on a war fóoting [...'fut-]; (о корабле) cleared for áction; в ~ы́х усло́виях in field condítions [...fi:ld...]; ~а́я пружи́на (в оружии) máinspring; 2. (воинственный) béllicòse [-s]; (воинствующий) mílitant; ~ дух fíghting spírit; 3. (очень важный, неотложный) úrgent; ~а́я зада́ча úrgent task; ◇ ~ па́рень разг. gó-ahead féllow [-hed-]; detérmined féllow; ~о́е креще́ние báptism of fíre.

боеголо́вк‖**а** ж. воен. wár-head [-hed] я́дерная ~ núclear wár-head.

боезапа́с м. мор. àmmunítion.

боезаря́д м. mílitary load.

боёк м. тех. fíring-pin.

боепита́ние с. воен. munítions supplý.

боеприпа́сы мн. воен. àmmunítion sg.

боеспосо́бн‖**ость** ж. fíghting efficiency / ability / capácity. **~ый** effícient; **~ые** войска́ effícient troops.

боец I м. 1. (воин) fíghting-man*, fíghter; 2. (рядовой) man*; private ['praɪ-]; бойцы́ N-ского полка́ the men of the N régiment; 3. уст. (участник состязания) fíghter; кула́чный ~ púgilist, fíghter; пету́х-~ gámecòck, fíghting cock.

боец II м. (рабочий-мясник на бойне) bútcher ['bu-], sláughter·man*.

божба́ ж. swéaring [-ɛə-].

бо́же межд. (выражение удивления) good God!, good Lord!, góod·ness!; (досады и т.п.) oh, Lord! [ou...]; (ужаса и т.п.) (my) God!; (восхищения) Lord!; ~ мой! my God!, góodness grácious!, góod·ness me!

бо́жеск‖**ий** 1. divíne; 2. разг. (подходящий) fair, just; ~ие це́ны fair príces.

боже́ственный divíne.

божество́ с. déity ['di:-]; divíne béing; (кумир) ídol.

бо́ж‖**ий** God's; ~ья коро́вка зоол. ládybird; (перен.) meek / lámb·like créature; ◇ я́сно как ~ день it is as clear as nóonday; ка́ждый ~ день every day of the week.

божи́ться, побожи́ться swear* [-ɛə].

божни́ца ж. уст. ícon-càse [-s].

божо́к м. 1. (небольшой идол) (small) ídol / ímage; 2. (любимец) ídol; tin god разг.

бо‖**й** I м. 1. (сражение) battle, fight, áction, cómbat; (борьба) struggle; дать ~ give* battle; бли́жний ~ in-fighting, close cómbat [-s...]; возду́шный ~ air cómbat; реши́тельный ~ decísive battle; наступа́тельный ~ offénsive battle / áction; оборони́тельный ~ defénsive battle / áction; ~й ме́стного значе́ния lócal fíghting sg., lócal engáge·ments; ожесточённые ~й fúrious / víolent fíghting sg.; тяжёлые ~й héavy fíghting ['hevɪ...] sg.; кру́пные ~й major engáge·ments; в ~ю́ in áction, in battle; 2. разг. (побои): бить кого́-л. сме́ртным ~ем thrash smb. within an inch of his life; ◇ взять с ~ю take* by force; взять без ~я take* without stríking a blow [...-ou]; ~ быко́в búllfight ['bu-]; петуши́ный ~ cóck-fight(ing); кула́чный ~ fisticúffs pl.; ~-ба́ба разг. ènergétic / héadstròng wóman* [...'hed- 'wu-]; ~-де́вка разг. ènergétic / héadstròng girl [...g-].

бой II м. тк. ед. (разбивание, тж. битая посуда и т.п.) bréakage ['breɪ-].

бо‖**й** III м. тк. ед.: ~ часо́в stríking of a clock; часы́ с ~ем stríking clock sg.; э́ти часы́ с ~ем this clock strikes the hours [...auəz]; бараба́нный ~ beat of (the) drum.

бо́йк‖**ий** 1. smart; (разбитной) sharp (дерзкий) pert, fórward; (находчивый) réady ['re-], glib; ~ ум réady wit; у него́ ~ое перо́ (he) writes with a wítty / incísive pen; ~ язы́к glib / quick tongue [...tʌŋ]; ~ая речь glib speech; glib words pl.; 2. (оживлённый, людный) búsy ['bɪzɪ], ánimàted; ~ая у́лица búsy street, thóroughfàre ['θʌrə-]; ~ая торго́вля brisk trade. **~о** нареч. smártly; ~о говори́ть speak* glíb·ly; ~о говори́ть по-францу́зски, по-англи́йски и т.п. speak* French, Énglish, etc., flúently [...'ɪŋ-...]; ~о отвеча́ть на вопро́сы ánswer qués-

БОЙ – БОЛ

tions smártly [ˈɑːnsə -stʃ-...]. **~ость** ж. smártness; (*языка*) glíbness, flúency; (*пера*) facílity, réadiness [ˈre-]; (*характера*) alértness, brískness, pértness.

бойкот м. bóycott; объявить кому-л. ~ decláre a bóycott agáinst smb. **~и́ровать** несов. и сов. (вн.) bóycott (d.).

бойлер м. тех. bóiler.

бойлерная ж. скл. как прил. тех. bóiler-room, bóiler-house [-s].

бойница ж. lóop-hòle, gún-slòt.

бойня ж. 1. sláughter-house* [-s]; shámbles sg. и pl.; abattoir (фр.) [ˈæbətwɑː]; 2. (побоище) cárnage, mássacre, sláughter, bútchery [ˈbu-].

бойскаут м. (boy) scout.

бок м. (в разн. знач.) side; flank; по ~áм on each side; ◊ ~ ó side by side; пó ~у разг. aside; пó ~у весь этот вздор! enóugh of this nónsense! [ɪˈnʌf...]; пóд ~ом hard by, close by [-s...], quite near; с ~у нá ~ from side to side; взять кого-л. за ~á разг. put* the screw on smb.; схватиться за ~á (от смéха) split* one's sides (with láughter) [...ˈlɑːf-]; подходить не с тогó ~у take* the wrong appróach; лежáть на ~ý idle, idle aʷáy one's time.

бокáл м. glass, góblet [ˈgɔ-]; ◊ поднимáть ~ (за вн.) raise one's glass (to).

боковóй прил. к бок; láteral научн.; **~áя** кáчка мор. rólling; ◊ **~áя линия** (о родстве) collátera line; branch [-ɑːn-]; (отправляться, идти) на ~ýю разг. turn in; get* some shút-eye [...-aɪ], hit* the sack (амер.).

бóком нареч. síde:ways; протиснуться ~ в дверь edge oneʲsélf through the dóor(way) [ˈdɔː-]; ◊ выйти ~ разг. turn out a próper mess [...ˈrɔ-...]; turn out bádːly.

бокс I м. спорт. bóxing; (профессиональный тж.) púgilism.

бокс II м. (стрижка) bóxer cut, short back and sides (cut).

бокс III м. мед. box, isolátion compártment in hóspital [aɪ-...].

бокс м. IV (хромовая кожа особой выделки) bóxcàlf [-kɑːf].

боксёр I м. bóxer; (профессионал тж.) púgilist.

боксёр II м. (порода собак) bóxer.

боксёрскʲʲий прил. к боксёр I; **~ие** перчáтки bóxing gloves [-glʌ-].

боксировать спорт. box.

боксит м. мин. báuxite.

болван м. 1. разг. (дурак) blóckhead [-hed], clot, dím-wit; 2. (для расправления шляп и т.п.) block; 3. карт. dúmmy.

болванка ж. 1. тех. pig; чугун в ~х píg-iron [-aɪən]; 2. (заготовка) blank; 3. = болван 2.

болгáрʲʲин, **~ка** ж., **~ский** Bulgárian; **~ский язык** Bulgárian, the Bulgárian lánguage.

болевóй páinful; **~óе ощущение** (sensátion of) pain.

бóлее нареч. (тж. для образования сравн. степени) more (об. тк. с двух-

и многосложн. прил. и нареч.): ~ полéзный more úseːful [...-s-]; ◊ (всё) ~ и ~ more and more; шум всё ~ и ~ усиливался the noise grew lóuder and lóuder; ~ всегó most of all; ~ или мéнее more or less; тем ~ all the more; тем ~, что espécially as [-ˈpe-...], the more so, as; ~ тогó and what is more; ~ чем more than; не ~ и не мéнее, как néither more nor less than [ˈnaɪ-...], no less than; (ср. больше).

болéзненнːо нареч. páinfully; (перен.) bádːly*, òverːsénsitiveːly. **~ость** ж. 1. (слабость здоровья) sickliness; (перен.: отклонение от нормы) mórbidness; **~ость воображéния** mòrbídity of the imàginátion 2. (ощущéние боли) páinfulness. **~ый** 1. (слабый здоровьем) áiling, síckly; (нездоровый) únhéalthy [-ˈhe-]; (перен.: ненормальный) mórbid; **~ые явлéния únhéalthy symptoms**, sýmptoms of disèase [...-ˈziːz]; **~ое состояние** ùnhéalthy condition; **~ый вид** síckly look; у него́ ~ый вид he looks ill / séedy; **~ый румянец** únhéalthy flush; **~ое любопытство** mórbid curiósity; 2. (причиняющий боль) páinful.

болезнетвóрный pàthogénic, mòrbífic.

болéзнь ж. illness; sickness; (определённая) disèase [-ˈziːz]; (нездоровье) áilment, málady; заразная ~ inféctious / contágious disèase; хроническая ~ chrònic áilment; тяжёлая ~ sérious / páinful illness; ◊ **морская ~** sèa-sickness; **~ рóста** gròwing pains [-oʊ-...] pl.

болéльщик м. разг. fan, suppórter; **~ футбóла** fóotball fan.

бóлен прил. кратк. см. больнóй I.

болерó с. нескл. bolèrò [-ˈleə-].

болʲʲéть I 1. (тв.; быть больным) be ill (with); be down (with) разг.; (часто, постоянно и т.п. быть больным) be áiling, be in poor health [...helθ]; он ~éет воспалéнием лёгких he is ill with pneumónia [...n-], he is down with pneumónia; он ~éет с дéтства he has been áiling since childhood [...-hʊd]; он всегдá ~éет he is álways áiling [...ˈɔːwəz...]; 2. (о пр., за вн.; сильно беспокоиться) grieve [-iːv] (about, over); be ánxious / wórried [...ˈwʌ-] (about); 3. (за вн.) разг. (переживать успехи и неудачи спортсмена и т.п.) be a fan (of), suppórt (d.); ◊ душóй, сéрдцем (о пр.) grieve (about, for, over); (о чём-л. тж.) grieve (at).

болʲʲéть II (о теле, части тела, органе и т.п.) ache [eɪk], hurt*; (чувствовать боль где-л.) have a pain; (о жгучей боли) smart; что у вас ~ит? what's your trouble? [...trʌ-]; у него́ ~ит ногá his foot* hurts [...fʊt...], he has a pain in his foot*; у него́ ~ит головá his head aches [...hed...], he has a héadache [...ˈhedeɪk]; у него́ ~ит гóрло he has a sore throat; у него́ ~ят глазá he has sore eyes [...aɪz]; (об острой боли) his eyes hurt; глазá ~ят от дыма the smoke makes one's eyes smart; ◊ **душá, сéрдце ~ит у него́** (о пр.) his heart bleeds [...hɑːt...] (for, óver, about), he grieves [...-iːvz] (óver, at).

болеутоляющːий sédative; ànalgésic [-ˈdʒiː-], ánodỳne мед.; **~ее срéдство**

sédative drug; ànalgésic, ánodỳne мед.

боливʲʲéц м., **~и́йка** ж., **~и́йский** Bolívian.

болид м. астр. fire-bàll; реже bólide [ˈboʊ-].

болонка ж. láp-dòg.

болóнья ж. 1. (ткань) light nýlon wáterproof cloth [...ˈwɔː-...]; 2. (плащ) light nýlon ráincoat.

болóтʲʲистый bóggy, márshy, swámpy; **~истая мéстность** márshland, fen; **~истая пóчва** swámpy soil. **~ный** marsh (attr.); **~ная птица** wáder; **~ный газ** marsh gas; méthàne научн.; **~ная водá** stágnant wáter [...ˈwɔː-]; **~ная лихорáдка** marsh féver.

болóто с. bog, morás, swamp, marsh; (перен.) mire, slough; торфянóе ~ péat-bòg.

болт м. тех. bolt; нарезнóй ~ scréw-bòlt; скреплять ~áми (вн.) bolt (d.).

болтáнка ж. ав. разг. rough air [rʌf...], búmpy air; bumps pl.

болтáть I, сболтáть 1. (вн.; перемéшивать) stir (d.); 2. тк. несов. (тв.; качать) dangle (d.); ~ ногáми dangle one's legs; 3. тк. несов. безл. (о движéнии самолёта) rock.

болтáʲʲть II разг. (говорить – быстро, несерьёзно) chátter, jábber; nátter, gábble; (бестолково, невнятно) bábble; twáddle; (о детской речи) práttle; ~ вздор talk rúbbish; drível [ˈdrɪ-]; ~ глýпости talk nónsense; ~ по-английски, по-францýзски и т.п. jábber Énglish, French, etc. [...ˈɪŋ-...]; о чём там ~ет? what is he drívelling / tálking abóut?, what's he gó:ing on abóut?; ~ языкóм wag one's tongue [wæg... tʌŋ]; clack, blab.

болтáться разг. 1. (висеть, колыхаясь) dangle; (об одежде и т.п.) hang* lóoseːly [...-s-]; ~ в седлé jolt in the sáddle; 2. (слоняться) hang* abóut, lounge (abóut), loaf (abóut).

болтливːость ж. gárrulity, tálkativeːness; indiscrétion [-re-]; (ср. болтливый). **~ый** (говорливый) gárrulous, tálkative; (не умеющий хранить тайну) indiscréet; blábbing разг.

болтовня́ ж. разг. talk, chátter; jábber; (пустословие) twáddle; (выдумка, сплетня) títtle-tàttle; (с прил.: пустáя, скýчная и т.п.) idle, dull, etc.) talk; это только и ~ it's nothing but talk, that's all talk.

болтýн I м. разг. 1. (пустослов) tálker, chátterer, gás-bàg, wíndbàg [ˈwɪ-]; (гл. обр. о ребёнке) chátterbòx; 2. (сплетник) góssip, táttler.

болтýн II м. разг. (яйцо) áddle(d) egg.

болтýнья I ж. к болтýн I.

болтýнья II ж. (яичница) scrambled eggs pl.

болтýшка I, II ж. = болтýнья I, II.

болтýшка III ж. (пойло) mash.

боль ж. pain; (внезапная резкая) pang; (колотьё) stab; ~ в боку́ stitch; головнáя ~ héadache [ˈhedeɪk]; зубнáя ~ tóothache [-eɪk]; испытывать ~ feel* / have a pain; причинять ~ (дт.) hurt* (d.); ◊ **душéвная ~** méntal ánguish; с ~ю в сéрдце with a héavy heart [...ˈhevi hɑːt].

больнáя ж. скл. как прил. (пациентка) pátient; (ср. больнóй II; ср. тж. больнóй I 2).

больни́||ца ж. hóspital; ложи́ться в ~цу be admítted to hóspital; лежа́ть в ~це be in hóspital; выпи́сывать из ~цы (вн.) dischárge from hóspital (d.). ~чный прил. к больни́ца; ~чный лист síck-leave certíficate, médical certíficate (of únfitness for work), síck-líst.

бо́льно I предик. безл. it is páinful; ему́ ~ it hurts him, he is in pain; де́лать ~ (дт.) hurt* (d.); глаза́м ~ the eyes hurt [...aɪz...]; ~! it hurts!; ему́ ~ слы́шать таки́е слова́ it hurts / pains him to hear such words; ему́ ~, что... it grieves him that... [...-i:vz...]; he is sórry that...; ему́ ~ за неё he is grieved / sórry for her, или for her sake.

бо́льно II нареч. bádly; (сильно) hard; ~ уколо́ться prick onesélf bádly; ~ ушиби́ться be bádly bruised [...-u:zd]; ~ (вн.) hit* hard (d.), give* a páinful / násty blow [...-ou] (i.); ~ оби́деть (вн.) hurt* / offénd déeply (d.).

бо́льно III нареч. разг. (очень) very, míghty, bádly; (слишком) a bit too; он ~ хитёр he is a bit too cúnning, he is a sly one.

больн||о́й I 1. прил. (о человеке, животном) sick; (об органе) diséased [-'zi:zd]; (о повреждённой части тела; тж. перен.) sore; (перен.) mórbid; ~ма́льчик sick boy; ~о́е се́рдце diséased heart [...hɑ:t]; bad heart разг.; ~ глаз sore eye [...aɪ]; ~ зуб, па́лец bad tooth*, finger; психи́чески ~ méntally diséased / ill; он (тяжело́) бо́лен he is (sérious:ly) ill; ~о́е воображе́ние mórbid imaginátion; **2.** как сущ. м. sick man*, ínvalid [-i:d]; ж. sick wóman* [...'wu-], ínvalid; ◊ ~ вопро́с sore súbject; (животрепещущий) búrning quéstion [...-stʃ-]; ~о́е ме́сто (прям. и перен.) ténder / sore place / spot; бить по ~о́му ме́сту hit* where it hurts; вали́ть с ~ головы́ на здоро́вую ≅ lay* the blame on smb. else, lay* one's own fault at smb. élse's door [...oun- dɔ:].

больно́й II м. скл. как прил. (пациент) pátient; амбулато́рный ~ óut-pàtient; стациона́рный ~ ín-pàtient, hóspital pátient; туберкулёзный ~ tubércular pátient; (лёгочный) consúmptive (pátient); хрони́ческий ~ chrónic ínvalid [...-i:d]; ~ тяжёлый ~ sérious case [...-s]; он тяжёлый ~ he is sérious:ly ill, his case is sérious.

больша́к м. I (дорога) híghroad, main road.

больша́к м. II разг. (старший в семье) head of the fámily [hed...].

бо́льше I прил. (сравн. ст. от большо́й) bígger, lárger; (гл. обр. об отвлеч. поня́тиях) gréater ['greɪ-].

бо́льше II нареч. 1. (сравн. ст. от мно́го 3) more; как мо́жно ~ (с сущ. в ед. ч.) as much as póssible; (с сущ. во мн. ч.) as many as póssible; мно́го ~ (с сущ. в ед. ч.) much more; (с сущ. во мн. ч.) many more; немно́го ~ a little more; чем ~..., тем ~... the more... the more...; 2.: ~ не no more; not... any more / lónger: он там ~ не живёт he lives there no lónger [...lɪvz...], he does not live there any more; ~ ~ он туда́ не пойдёт he will not go there any more, или agáin, he will go there no more; ◊ ему́ э́то ~ нра́вится he likes this bétter; ~ того́ and what is more; ~ не бу́ду! I won't do it agáin! [...wount...]; чтоб э́того ~ не́ было don't let it háppen agáin; что́бы не сказа́ть ~ to say the least (of it).

большеви́||зм м. Bólshevism. ~к м. Bólshevik. ~и́стский Bólshevist, Bólshevik; ~и́стское руково́дство Bólshevist léadership; ~и́стская зака́лка Bólshevist hárdiness.

большеголо́вый with a large head [...hed]; màcrocéphalous научн.

большегру́зный héavy ['he-]; héavy-load ['he-] (attr.); ~ самосва́л héavy dúmp-bòdy truck [...-bɔ-...], héavy dúmp-lòrry / dúmp-truck.

больш||о́й (сравн. ст. от большо́й) gréater [-eɪtə]; ~ая часть (рд.) the gréater / most part (of); (с сущ. во мн. ч. тж.) most (of); ◊ ~ей ча́стью, по ~ей ча́сти for the most part, móstly; са́мое ~ее (не бо́лее) at most, at the óutside.

большинств||о́ с. majórity; (о лю́дях тж.) most people [...pi:-]; ~ голосо́в majórity of votes, a majórity vote; просто́е ~ голосо́в símple majórity; абсолю́тное ~ ábsolùte majórity; значи́тельное ~ large majórity, огро́мное ~ vast majórity; ~ в две тре́ти twó-thirds' majórity; ~о́м голосо́в by a majórity vote; подавля́ющее ~ òver:whélming majórity; незначи́тельное ~ nárrow / bare / scant / slight majórity; ~ его́ друзе́й most of his friends [...fre-], the majórity of his friends; ◊ в ~е́ слу́чаев in most cáses [...-s-], in the majórity of cáses.

больш||о́й 1. big (о неодушевл. предме́тах тж.) large; ~ ма́льчик big boy; ~ зал big / large hall; ~ промежу́ток wide ínterval; ~о́е знако́мство wide range of acquáintance [...reɪ-...]; ~о́е число́ great / large númber [-eɪt...]; ~ Ло́ндон, ~ая Москва́ и т. п. Gréater Lóndon, Gréater Móscow, etc. ['greɪ- 'lʌ-...]; **2.** (значительный; выдающийся) great; ~ая побе́да great víctory; ~ая ра́зница great dífference; **3.** (важный) impórtant; **4.** разг. (взрослый) grówn-úp [-oun-]; ~ па́лец (пра́вой, ле́вой) руки́ (right, left) thumb; ~ па́лец (пра́вой, ле́вой) ноги́ (right, left) big toe; Большо́й теа́тр Bolshói Théatre [...-θɪə-]; ~а́я бу́ква cápital létter; ~ая доро́га híghroad, híghway, main road; ~ спорт bíg-time sports.

большу́ха ж. разг. místress (of the house).

больщу́щий разг. treméndous, huge.

боля́чка ж. sore; scab; (перен.) deféct, weak spot.

боля́щий м. скл. как прил. разг. pátient, ínvalid [-i:d], súfferer.

бо́мб||а ж. bomb; ◊ влете́ть ~ой burst* in.

бомбарди́р м. 1. уст. bòmbardíer [-'dɪə]; 2. ав. bómb-aimer, air bómb:er; 3. разг. (в футболе и т. п.) góal-scòrer; лу́чший ~ сезо́на top góal-scòrer of the séason [...-z'n].

бомбардирова́ние с. ав. bòmbárdment.
бомбардир||ова́ть (вн.; прям. и перен.) bòmbárd (d.); (с самолёта) bomb (d.). ~о́вка ж. bòmbárdment, bómb:ing. ~о́вочный bómb:ing; bòmbárdment (attr.); ~о́вочная авиа́ция bòmbárdment àviátion; bómb:er áircràft / àviátion; bómb:ers pl.

бомбардиро́вщик I м. (самолёт) bómb:er.

бомбардиро́вщик II м. (лётчик) bómb:er pílot.

бомбёжка ж. разг. bómb:ing.

бомби́ть (вн.) разг. bomb (d.), blitz (d.).

бомбово́з м. bómb:er.

бомбо||держа́тель м. bómb-ràck. ~мёт м. bómb-thrower [-ouə]. ~мета́ние с. bómb:ing, bómb-dròpping, bómb-reléase [-li:s]; ~мета́ние с пики́рования díve-bòmb:ing.

бомбосбра́сыватель м. воен. ав. bómb-reléase slip / gear [-'li:s...-g-].

бомбоубе́жище с. áir-ràid shélter, bómb-proof shélter, bomb shélter.

бом-брам-сте́ньга ж. мор. róyal mast.

бонбонье́рка ж. bonbonnière (фр.) [bɔ:nbɔ:'njɛə].

бонда́р||ный cóoper's; ~ про́мысел cóoperage; ~ное ремесло́ cóoper's craft. ~ня ж. cóoperage.

бо́ндарь м. cóoper.

бо́нза м. 1. (буддийский священник) bonze; 2. разг. (о надутом, чванном должностном лице) bígwig.

бо́нна ж. уст. núrsery-góverness [-'gʌ-].

бо́ны I мн. фин. 1. cheques [tʃeks], vóuchers, tókens; 2. (бумажные деньги) páper-mòney [-mʌ-] sg.

бо́ны II мн. (плавучие ограждения на реках и т. п.) boom sg., hárbour boom.

бор I м. (лес) coníferous fórest [...-'fɔ-]; сосно́вый ~ pine fórest; ◊ с ~у да с со́сенки ≅ chósen háp:hazard [...-'hæz-], chósen at rándom.

бор II м. хим. bóron.

бор III м. (зубоврачебный) steel drill.

бо́ргес м. полигр. bourgeois [bɔ:'dʒɔɪs] (print).

бордо́ 1. с. нескл. (вино) cláret [-æ-]; Bòrdéaux [-'dou]; **2.** прил. неизм. (цвет) wíne-còlour:ed [-kʌ-], cláret(-còlour:ed) [-æ- -kʌ-]. ~вый = бордо́ 2.

бордю́р м. bórder.

бор||е́ц м. 1. (за вн.) chámpion (of), fíghter (for); ~цы́ за мир fíghters for peace, peace suppórters; 2. спорт. wréstler.

боржо́ми м. и с. нескл. Bòrzhómi [-rʒ-] (kind of mineral water).

борз||а́я ж. скл. как прил. охот. bórzoi, Rússian wólfhound [-ʃən 'wulf-]. ~о́й bórzoi (attr.).

борзопи́сец м. ирон. hack wríter.

борзы́й ~ конь swift steed, fléet-fóoted steed [-'fu-...].

бормаши́на ж. (déntist's) drill.

бормота́ние с. mútter(ing), múmble, múmbling.

бормота́ть, пробормота́ть (вн. или без доп.) (говорить про себя) mútter (d.); (невнятно говорить) múmble (d.).

БОР — БРА

бо́рн||ый *хим.* borácic, bóric; ~ вазели́н borácic / bóric váseline [...-zıli:n]; ~ая кислота́ bóric / borácic ácid.

бо́ров I *м.* hog; (*перен.*) *разг.* obése man*.

бо́ров II *м.* (*часть дымохода*) hòrizóntal flue.

борови́к *м.* (édible) bolétus (*kind of mushroom*).

бород||а́ *ж.* 1. beard; 2. (*у птиц*) wattle; ◇ смея́ться в бо́роду laugh in one's beard [la:f...]; с ~о́й *разг.* (*об анекдоте, сообщении и т.п.*) stale.

борода́в||ка *ж.* wart. **~чатый** wárty.

борода́тый béarded.

борода́ч *м.* 1. *разг.* béarded man* (*старик*) gréybeard; 2. *бот.* beard grass; 3. *зоол.* béarded vúlture.

боро́дка I *ж.* (*борода*) small beard, tuft.

боро́дка II *ж.* (*ключа*) (kéy-)bit ['ki:].

борозда́ *ж.* fúrrow; *анат.* fissure.

борозди́ть, избороздить (*вн.*) fúrrow (*d.*) (*тж. перен.*); морщи́ны избороздили его́ лицо́ wrinkles have fúrrowed his face; корабли́ ~ят моря́ ships are plóughing / fúrrowing the seas.

борозди́ка *ж.* fúrrow; (*желобок*) groove.

борон||а́ *ж.* hárrow; цепна́я ~ cháinharrow. **~и́ть** = боронова́ть. **~ова́ние** *с.* hárrowing. **~ова́ть** (*вн.*) hárrow (*d.*).

боро́ться 1. (*с тв., про́тив; за вн.*) fight* (*d. или* with, against; for), struggle (with, against; for); (*состязаться, оспаривать*) conténd (with, against; for); strive* (with, against; for); (*с тв., про́тив*) cómbat (*d.*); battle (with, against; for); ~ за мир fight* for peace; ~ с предрассу́дками struggle against préjudices, *или* bíassed views / opinions [...vju:z...]; 2. *спорт.* wrestle; ◇ ~ с сами́м собо́й wrestle with òne:sélf.

борт *м.* 1. (*судна*) side; пра́вый ~ stárboard side ['sta:bəd...]; ле́вый ~ port side; вдоль ~а alóng:síde; ~ о ~ bróadside to bróadside; вы́бросить за ~ (*вн.*) heave* óver:board (*d.*); throw* óver:board [θrou...] (*d.*) (*тж. перен.*); быть вы́брошенным за ~ (*перен.*) go* by the board, be thrown óver:board [...θroun...]; взять на ~ (*вн.*) take* on board (*d.*); к ~у alóng:síde; на ~у́ on board; на ~у́ корабля́ on board (the) ship; на ~у́ самолёта on board the plane; за ~ом óver:board; челове́к за ~ом man* óver:board; 2. (*одежды*) cóat-breast [-est] (*лацкан*) lapél; 3. (*билья́рда*) cúshion ['ku-].

бортжурна́л *м.* áircràft lóg-book; récòrd book ['re-...].

бортмеха́ник *м. ав.* flight èngineér [...endʒ-].

бо́рт||ник *м.* wild-híve béekeeper. **~ничество** *с.* wild-híve béekeeping.

борто́в||о́й *прил.* к борт; ~а́я ка́чка *мор.* rólling.

бортпроводни́||к *м.* air stéward. **~ца** *ж.* stéwardess, air hóstess.

бортради́ст *м.* rádiò óperàtor on áircràft.

борщ *м.* borsch.

борьба́ *ж.* 1. struggle, fight; ~ с кем-л. fight / struggle against smb.; ~ с пожа́рами fire-fighting; (*профилактические мероприятия*) fire-prevéntion; ~ с вреди́телями се́льского хозя́йства pest contról [...-oul], cómbating àgricúltural pests; ~ за мир и междунаро́дное сотру́дничество fight for peace and internátional cò-operátion [...-'næ-...]; кла́ссовая ~ class struggle; ~ за ка́чество drive for high quálity; ~ за эконо́мию ècónomy càmpáign / drive [i:-'pein...]; ~ за существова́ние struggle for existence; ~ не на живо́т, а на́ смерть a life and death struggle [...deθ...]; ~ противополо́жностей *филос.* struggle / cónflict of ópposites [...-z-]; душе́вная ~ méntal strife; 2. *спорт.* wrestling; класси́ческая ~ Grǽeco-Róman wréstling; во́льная ~ frée-style wréstling.

босико́м *нареч.* báre:foot [-fut].

босни́||ец *м.*, **~йка** *ж.*, **~йский** Bósnian.

босо́||й (*о человеке*) báre:fóoted [-'fu-]; (*о ногах*) bare; ◇ на бо́су́ но́гу on bare feet, on one's bare feet; он наде́л башмаки́ на бо́су́ но́гу he put / slipped on his shoes on his bare feet [...ʃu:z...]. **~но́гий** báre:fóoted [-'fu-].

босоно́жка I *ж.* báre:fóoted girl [-'futg-]; (*о танцовщице*) báre:fóot dáncer [-'fut...].

босоно́жка II *ж.* *см.* босоно́жки.

босоно́жки *мн.* (*ед.* босоно́жка *ж.*) (*обувь*) héel-stràp) sándals, ópen-tóe sándals; mules.

босс *м.* boss, máster.

босто́н *м.* Bóston. **~овый** Bóston (*attr.*).

боса́к *м.* down-and-óut, tramp.

боса́цкий *прил.* к боса́к.

бот I *м.* boat; мото́рный ~ mótor boat.

бот II *м.* *см.* бо́ты.

бота́ни||к *м.* bótanist. **~ика** *ж.* bótany. **~и́ческий** botánical; **~и́ческий** сад botánical gárdens *pl.*

ботва́ *ж.* *тк. ед.* léafy tops of root végetables *pl.*; (*свёклы*) beet tops *pl.*

ботви́нья *ж.* botvínia [-i:njə] (*cold soup of fish, pot-herbs and kvass*).

ботвоудаля́ющ||ий: ~ая маши́на plánt-tòp remóving machine [-ɑ:nt- -'mu:v--ʃi:n].

бо́тик I *м.* уменьш. от бот I.

бо́тик II *м.* *см.* бо́тики.

бо́тики *мн.* (*ед.* бо́тик *м.*) high óver:shòes [...-ʃu:z]; (*резиновые тж.*) high galóshes.

боти́нки *мн.* (*ед.* боти́нок *м.*) boots; high shoes [-ʃu:z] *амер.*; (*женские, на тёплой подкладке*) bóotees.

ботфо́рты *мн.* (*ед.* ботфо́рт *м.*) jáck-boots, héssian boots.

бо́ты *мн.* (*ед.* бот *м.*) high óver:shòes [...-ʃu:z]; (*резиновые тж.*) high galóshes.

бо́цман *м.* *мор.* bóatswain ['bousn]; (*на большо́м корабле́*) bóatswain's mate.

боча́р *м.* cóoper. **~ный** *прил.* к боча́р; ~ное ремесло́ cóoperage, cóoper's craft.

бочк||а́ *ж.* 1. bárrel, cask; (*тж. для вина*) tun; вино́ из ~и wine from the wood [...wud]; 2. *ав.* (bárrel-)roll; ◇ де́ньги на ~у! cash down!; порохова́я ~ pówder keg; пить как ~ ≅ drink* like a fish.

бочко́м *нареч.* síde:ways, síde:wise; пробира́ться ~ sídle.

бочо́к *м.* (*часть туши*) flank.

бочо́нок *м.* keg, small bárrel / cask.

боязли́в||ость *ж.* timídity, tímorous:ness. **~ый** tímid, tímorous.

боя́зно *предик. разг.*: мне, ему́ *и т.д.* ~ I am, he is, *etc.*, frightened; мне, ему́ *и т.д.* ~ остава́ться одному́ I am, he is, *etc.*, frightened of béing left alóne.

боя́зн||ь *ж.* dread [-ed], fear; испы́тывать ~ чего́-л., пе́ред чем-л. have a dread of smth.; из ~и for fear of / that / lest; out of fear; из ~и, что он заболе́ет for fear of his fálling ill, for fear that / lest he might fall ill.

боя́р||ин *м.* *ист.* bò:yár. **~ский** *ист.* bò:yár (*attr.*), bò:yár's. **~ство** *с. собир. ист.* the bò:yár's *pl.* **~ыня** *ж. ист.* bò:yárynia (*boyar's wife*).

боя́рышник *м. бот.* 1. (*кустарник*) háwthòrn; 2. (*ягода*) haw.

боя́рышня *ж. ист.* bò:yáryshnia (*boyar's unmarried daughter*).

боя́ться (*рд.*) 1. be afráid (of); (*сильно*) dread [-ed] (*d.*); (*опасаться*) fear (*d.*); он бои́тся зара́зы he is afráid of inféction; вам не́чего ~ you have nothing to be afráid of, *или* fear; you need not be afráid; ~ за кого́-л. fear for smb.; бою́сь, что он (не) придёт I am afráid, *или* I fear, he will (not) come; бою́сь, как бы он не пришёл I fear (that) he may come; не ~ тру́дностей not be afráid of difficulties, not be dáunted / intímidàted by difficulties; 2. (*не переносить чего-л.*) be suscéptible (to); фотографи́ческие пласти́нки боя́тся све́та phòto:gráphic plates are sénsitive to light; ◇ бою́сь сказа́ть I would not like to say; I cánnòt say for sure [...ʃuə]; не бо́йся, не бо́йтесь *разг.* don't worry [...wʌ-].

бра *с. нескл.* sconce, lámp-bràcket.

брав||а́да *ж.* bravádò [-'vɑ:-]. **~и́ровать** (*тв.*) flaunt (*d.*), defý (*d.*), brave (*d.*), show* off [ʃou...] (*d.*); (*без доп.*) put* on a show of bravádò [...ʃou...-'vɑ:-]; put* a good face on; **~и́ровать опа́сностью** ≅ paráde one's féarlessness; **~и́ровать свое́й гру́бостью** flaunt one's bóorishness.

бра́в||о *межд.* brávò [-ɑ:-]. **~у́рный** *муз.* bravúra (*attr.*) [-'vu:-].

бра́вый gállant; (*лихой*) dáshing.

бра́га *ж.* hóme-bréwed beer.

брадобре́й *м. уст.* bárber.

бра́жничать caróuse, rével ['re-], drink*.

бразды́: ~ правле́ния the reins of góvernment [...gʌl-].

брази́лец *м.* Brazílian.

брази́ль||ский, **~янка** *ж.* Brazílian.

брак I *м.* márriage [-rıdʒ]; *офиц.* mátrimony, wéd:lòck; ~ по любви́ lóve-màtch ['lʌv-]; ~ по расчёту márriage of convénience; нера́вный ~ misálliance; mésalliance (*фр.*) [me'zæliəns]; вступи́ть в ~ (с кем-л.) márry (smb.); состоя́ть в ~е с кем-л. be márried to smb.; рождённый в ~е born in wéd:lòck; рождённый вне ~а born out of wédlock; свидетельство о ~е certíficate of márriage; márriage lines *pl.*

брак II *м.* 1. (*испорченная продукция*) waste [weɪ-]; (*бракованное изделие*) deféctive goods [...gudz] *pl.*, réjects *pl.*; 2. (*изъян*) flaw, deféct.

бракёр *м.* = браковщик.

бракера́ж *м.* certificátion, inspéction; quálity contról [...oul].

бракованный 1. *прич. см.* браковать; 2. *прил.* deféctive, rejécted; (*о лошади*) cast.

бракова́ть (*вн.*) 1. rejéct as deféctive (*d.*); 2. (*отвергать*) rejéct (*d.*). **~ка** *ж.* rejéction of deféctive árticles, sórting out of árticles, quálity contról [...oul]. **~щик** *м.*, **~щица** *ж.* sórter (of manufáctured árticles); quálity inspéctor / examíner.

бракоде́л *м. разг.* búngler; slípshòd wórker.

браконье́р *м.* póacher. **~ство** *с.* póaching; занима́ться ~ством poach.

бракоразво́дный divórce (*attr.*); ~ процесс divórce suit / case / procéedings [...sjuːt -s...].

бракосочета́ние *с.* márriage [-rɪdʒ]; (*церемония*) wédding; núptials *pl. офиц.*

брамани́зм *м. уст.* = брахмани́зм.

брами́н *м.* bráhmin.

брам-ре́й *м. мор.* tópgàllant yard.

бра́мсель *м. мор.* tópgàllant sail.

брам-сте́ньга *ж. мор.* tópgàllant (mast).

брандахлы́ст *м. разг.* wísh-wàsh; (*о пиве*) swipes *pl.*

брандва́хта [-нтв-] *ж. мор.* guárdship.

бра́ндер *м. мор.* fíre-ship.

брандмайо́р [-нтм-] *м. уст.* head of the fíre:brigàdes (of *a* town) [hed...]; fíre-sérvice chief [...tʃiːf].

брандма́уер [-нтм-] *м. стр.* fíre:proof wall.

брандме́йстер [-нтм-] *м. уст.* fíre:brigàde chief [...tʃiːf].

брандспо́йт [-нтс-] *м.* 1. (*насос*) fíre-pùmp; 2. (*наконечник*) nozzle.

брани́ть (*вн.*) scold (*d.*); (*выговаривать кому-л.*) repróve [-uːv] (*d.*), rebúke (*d.*); (*ругать*) abúse (*d.*), curse (*d.*), rail (agáinst); call names (*i.*) *разг.* **~ся** 1. (*с тв.*, *ссориться*) quárrel (with); (*бранить друг друга*) abúse one another, abúse each other; 2. (*без доп.*; *ругаться*) swear [sweə].

бра́нн||ый I (*ругательный*) abúsive; **~ое** сло́во oath*; swéar-wòrd ['sweə-] *разг.*; **~ое** выраже́ние explétive.

бра́нный II *поэт., уст.* (*воинский*) mártial.

бранчли́вый *разг.* quárrel:some.

брань I *ж.* (*ругательство*) swéaring ['sweə-], bad lánguage; abúse [-s]; invéctive; ◇ **~ на** воро́ту не ви́снет *посл.* ≃ abúse doesn't stick.

бран||ь II *ж. поэт., уст.*: по́ле **~и** field of báttle [fiː-...].

брас *м. мор.* brace.

брасле́т *м.*, **~ка** *ж.* brácelet, bangle.

брасова́ть *мор.* brace, haul in the bráces.

брасс *м. спорт.* bréast-strōke [-est-...]; плыть **~ом** use the bréast-stròke.

брат *м.* 1. bróther ['brʌ-]; двою́родный ~ (first) cóusin [...'kʌzn]; трою́родный, четверою́родный ~ sécond, third cóusin ['se-...]; сво́дный ~ stép-bròther [-brʌ-]; 2. (*в обращении*) old man* / chap; my boy; ◇ наш ~ *разг.* we, the likes of us; ваш ~ *разг.* you, your kind; you and your sort; на ~а, с ~а *разг.* each; ~ милосе́рдия male nurse.

брата́ние *с.* fràternizátion [-naɪ-].

брата́ться, побрата́ться (*с тв.*) fráternize (with).

братва́ *ж. собир. разг.* mates *pl.*, chaps *pl.*, lads *pl.*

бра́т||ец *м.* 1. bróther ['brʌ-]; 2. (*в обращении*) old man* / chap; my boy.

бра́тина *ж. ист.* wíne:bowl [-oul].

брати́шка *м. разг.* 1. (*о ребёнке*) líttle bróther [...'brʌ-]; 2. = брат 2.

бра́тия *ж. собир.* 1. *уст.* (*монашеская община*) commúnity; 2. *разг.* (*компания*) bróhterhood ['brʌðəhud], fratérnity; на́ша ~ our bróhterhood; актёрская ~ ácting fratérnity.

брато́к *м. разг.* = брат 2.

брато||уби́йственный fràtricídal; **~уби́йственная** война́ fràtricídal war. **~уби́йство** *с.* fràtricíde. **~уби́йца** *м.* fràtricíde.

бра́тски *нареч.* fratérnally, like a bróther [...'brʌ-], like bróthers; ~ пожа́ть ру́ку кому́-л. give* smb. a fratérnal hándshàke.

бра́т||ский bróther:ly ['brʌ-], fratérnal; **~ская** дру́жба fratérnal fríendship [...'fre-]; ~ приве́т (*дт.*) fratérnal gréetings (to) *pl.*; **~ская** любо́вь bróther:ly love [...lʌv]; в **~ском** еди́не́нии in fratérnal únion; ~ сою́з fratérnal alliance; **~ская** респу́блика fratérnal repúblic [...-'pʌ-]; **~ские** коммунисти́ческие и рабо́чие па́ртии fratérnal Cómmunist and Wórkers' Párties; ~ наро́д fratérnal / bróther:ly péople [...piː-]; **~ские** стра́ны síster nátions; ◇ **~ская** моги́ла cómmon grave. **~ство** *с.* 1. bróhterhood ['brʌðəhud], fratérnity; 2. *уст.* (*община*) commúnity.

брать, взять 1. (*вн.*; *в разн. знач.*) take* (*d.*); (*об ответственности, расходах и т.п.*) shóulder ['ʃou-] (*d.*); **взаймы́** bórrow (*d.*); ~ напрока́т hire (*d.*); ~ в аре́нду rent (*d.*); ~ биле́ты в теа́тр take* / book tíckets for the théatre [...'θɪə-], book seats at the théatre; ~ под аре́ст arrést (*d.*), put* únder arrést (*d.*); ~ в плен take* prísoner [...-z-] (*d.*); ~ поруче́ние ùndertáke* *a* commíssion; ~ кого́-л. на попече́ние take* charge of smb.; 2. (*вн.*; *нанимать*) hire (*d.*), take* (*d.*); 3. (*тв.*; *достигать способностями и т.п.*) succéed by dint (of), succéed by the aid (of); он берёт умо́м he succéeds by dint of his wits; (*в* ~ *пр.*) ~ ба́рьер clear *a* húrdle; ~ нача́ло (в *пр.*) originate (in, from); ~ на учёт (*вн.*) régister (*d.*); ~ на себя́ (*вн.*) take* upón onesèlf (*d.*); ~ верх (над) take* / gain the úpper hand (óver), prevail (óver); ~ сло́во (*для выступле́ния*) take* the floor [...fləː]; ~ сло́во с кого́-л. get* smb.'s word; ~ приме́р с кого́-л. fóllow smb.'s exámple [...-ɑːm-]; ~ себя́ в ру́ки pull onesèlf togéther [pul-...-'ge-], contról onesèlf [-oul-]; ~ в свои́ ру́ки (*вн.*) take* in hand (*d.*), take* into one's own hands [...oun...] (*d.*); ~ ли́шнее charge too much; ~ на себя́ сме́лость (+ *инф.*) take* the líberty (of *ger.*); make* bold (+ to *inf.*); ~ кого́-л. под ру́ку take* smb.'s arm, slip one's arm through smb.'s; ~ за́ се́рдце touch / move déeply [tʌtʃ...]; нож, коса́ *и т. п.* не берёт the knife*, the scythe, *etc.*, doesn't cut [...saɪð...]; ~ своё (*сказываться*) tell*; have *its* efféct; ста́рость берёт своё old age tells; страх его́ не берёт he feels no fear; его́ берёт страх he is in the grip of fear; его́ берёт отча́яние he is seized / òvercóme with despáir [...siːzd...]; взять напра́во, нале́во turn to the right, left; ~ кого́-л. в свиде́тели call smb. to wítness; ~ на пору́ки (*вн.*) bail (*d.*), go* bail (for); ~ но́ту (*голосом*) sing* *a* note; (*на музык. инструменте*) play *a* note; ~ в ско́бки (*вн.*) brácket (*d.*), place in bráckets (*d.*); ~ курс (на *вн.*) head [hed] (for), make* (for); (*перен.*) séttle (on), detérmine (on).

бра́ться, взя́ться 1. (*за вн. или + инф.*; *брать на себя*) ùndertáke* (*d. или +* to *inf.*); он взя́лся за э́ту рабо́ту he ùndertóok to do the work; 2. (*за вн.*; *приступать, начинать*) begin* (+ to *inf. или ger.*), start (*ger.*), take* up (*d.*); ~ за чте́ние begin* to read; begin* / start réading; get* down to réading; ~ за де́ло get* down to búsiness, *или* to brass tacks [...'bɪzn-...]; он и не бра́лся за кни́гу he never stárted on the book; ~ за перо́, за кисть take* up the pen, the brush; взя́ться за рабо́ту set* abóut the work, apply onesèlf to the work; взя́ться за разреше́ние пробле́мы táckle *a* próblem [...'prɔ-]; 3. (*за вн.*; *руками*) touch [tʌtʃ] (*d.*); (*хвататься*) seize [siːz] (*d.*); ~ за́ руки join hands; link arms; ◇ ~ за ум *разг.* come* to one's sénses, becóme* / grow* réasonable [...-ou 'riːz-]; ~ за кого́-л. *разг.* take* smb. in hand; отку́да э́то берётся? where does all this come from?, what is the source of all this? [...sɔːs...]; отку́да ни возьми́сь *разг.* from nówhère, out of the blue; отку́да что берётся? who would éver have expécted it?, who would have thought it?

бра́унинг *м.* Brówning (*automátic pístol*).

брахицефа́л *м. антроп.* bráchycèphal [-kɪ-] (*pl.* -lì, -lès [-liːz]).

брахма́н *м.* bráhman.

брахмани́зм *м.* bráhmanism.

бра́чн||ый 1. márriage [-rɪdʒ] (*attr.*), cónjugal; ~ контра́кт márriage-cóntràct; ~ сою́з cónjugal únion; **~ые** у́зы cónjugal ties; **~ое** свиде́тельство márriage certíficate; márriage lines *pl.*; **~ое** сожи́тельство còhabitátion [kou-]; 2.: ~ наря́д *зоол.* bréeding-drèss; **~ое** опере́ние *зоол.* bréeding plúmage.

бра́шпиль *м. мор.* wíndlàss ['wɪ-].

бреве́нчатый made of logs; ~ дом log cábin.

бревно́ *с.* 1. log, beam; (*перен.*) dúllard, númskùll; 2. (*гимнастический снаряд*) bálance beam.

БРЕ – БРО

бред *м.* delírium; *(перен.)* gíbberish ['gɪ-]; ~ сумасшéдшего rávings of a mád|man* *pl.*; быть в ~ý be delírious; начался́ ~ delírium has set in.
брéдень *м.* drág-nèt.
брéд‖**ить** be delírious, rave; *(тв.; перен.)* be mad (on); *(чем-л. тж.)* rave (about smth., of smth.); *(кем-л. тж.)* be infátuàted (with smb.); он ~ит теáтром he is mad / crázy about the théatre [...'θιətə]. ~**ни** *мн.* rávings; *(вздор)* nónsense *sg.* ~**овóй** delírious; *(перен.)* wild, crázy, fàntástic. ~**óвый** *разг.* = бредовой.
брéзг‖**ать**, побрéзгать *(тв.)* 1. be fàstídious / squéamish (about); он ~ает пить из чужóго стакáна he is squéamish about drínking out of smb. èlse's glass, it disgústs him to drink out of smb. èlse's glass; 2. *(гнушáться — об. с отриц.)* disdáin *(d.)*, shrink* (from); он не ~ает никакими срéдствами he does not scrúple / disdáin to use any means; he is not squéamish / fàstídious about any means he úses. ~**ливо** *нареч.* with disgúst / dìstáste [...-'teɪ-]. ~**ливость** *ж.* fàstídiousnèss, squéamishness; *(отвращение)* disgúst. ~**ливый** fàstídious, squéamish, fínical; ~ливое чýвство féeling of disgúst.
брезéнт *м.* tàr:páulin. ~**óвый** *прил.* к брезéнт; ~овое пальтó tàr:páulin (coat).
брéзжить, ~**ся** [-éжжи-] *(рассветáть)* dawn; *(мерцáть, тýскло светить)* glímmer; ýтро чуть брéзжится day is just begínning to break [...-eɪk], day is just dáwning.
брейд-вы́мпел *м. мор.* broad pénnant [-ɔːd...].
брелóк *м.* trínket; *(на браслéте)* charm.
брéмсберг *м. горн.* ìn:clíne, grávity ìn:clíne.
брéм‖**я** *с.* 1. búrden, load; *(тяжесть)* weight; ~ забóт load of cares; тяжёлое ~ héavy búrden [he-...]; взвали́ть / возложи́ть тяжёлое ~ на когó-л. lay* / put* / place a héavy búrden on smb.; ~ лет the weight of years; 2.: разреши́ться от ~ени *уст.* be delívered of a child.
брéнн‖**ость** *ж.* périshable náture [...'peɪ-], fráilty; *(ср.* брéнный). ~**ый** *уст. (тлéнный)* périshable; *(преходя́щий)* tránsitory [-z-], fléeting; *(непрóчный)* frail; ◊ ~ые остáнки mórtal remáins.
бренчáть 1. *(тв.)* jingle *(d.)*; *(монéтами)* chink *(d.)*; 2. *(на пр.)* *разг.* *(неискýсно играть на чём-л.)* strum (on, *d.*); ~ на гитáре strum on the guitár.
брести́ plod on one's way, make* one's way; *(с трудóм)* toil / drag òne:sélf alóng; *(задýмчиво)* stroll / go* pénsive:ly alóng.
бретéль [-тэ-] *ж.,* ~**ка** [-тэ-] *ж.* shóulder-stràp ['ʃou-] *(of underclóthing)*.
бретёр *м. уст.* dúellist, swáshbùckler.
брех‖**áть**, брехнýть *разг.* 1. *(лáять)* yelp, bark; 2. *(лгать)* lie, tell* lies. ~**нýть** *сов. см.* брехáть. ~**ня́** *ж.* *разг.* lies *pl.* ~**ýн** *м. разг.* líar.
брешь *ж.* breach, gap; *(перен.)* flaw; пробивáть ~ *(в чём-л.)* breach (smth.), make* a breach (in smth.).

брéющ‖**ий** 1. *прич. см.* брить; 2. *прил.*: ~ полёт lów-lèvel flight ['loulе-...], flight at zéro áltitude [...'æl-], hédge-hòpping (flight); атáка на ~ем полёте lów-flýing attáck ['lou-...].
бриг *м. мор.* brig.
бригáд‖**а** *ж.* 1. brigáde, team; ~ рабóчих brigáde / team of wórkers; ~ коммунисти́ческого трудá Cómmunist lábour team; 2. *воен.* brigáde; *мор.* sùbdivísion; *танк*овая ~ tank / ármoured brigáde; 3. *ж.-д.* crew; поезднáя ~ train crew. ~**и́р** *м.* 1. *(руководи́тель бригáды)* brigáde-léader, téam-léader; 2. *воен. ист.* brigadíer [-'dɪə]. ~**и́рский** *прил.* к бригади́р. ~**ный** *прил.* к бригáда; ~ный подря́д còmprehénsive job cóntract *(based on responsibility for final result)*; ~ный генерáл *ист.* brigadíer-géneral [-'dɪə-].
бригантина *ж. мор.* brìgàntine.
бридж *м. (картóчная игрá)* bridge *(game)*.
бри́джи *мн.* bréeches ['brɪ-].
бриз *м. мор.* breeze; береговóй ~ land breeze, óff:shòre breeze.
бризáнтн‖**ый** *воен.* high explósive; brisánt [brɪ:'zɑːn]; ~ая гранáта tíme(-fúsed) shell; ~ое взрывчатое веществó high explósive.
брикéт *м.* briquétte. ~**и́рование** *с.* briquétting; ~и́рование ýгля coal briquétting; ~и́рование руд ore briquétting.
бриллиáнт *м.,* **брильянт** *м.* díamond. ~**óвый** *прил.* к бриллиáнт.
бристóльский: ~ картóн Brístol board.
британ‖**ец** *м.* Bríton ['brɪ-]; Brítisher *амер.* ~**ский** Brítish.
бри́тв‖**а** *ж.* rázor; безопáсная ~ sáfety rázor; электри́ческая ~ eléctric rázor / sháver. ~**енный** sháving; ~енный прибóр sháving-sèt; ~енные принадлéжности sháving things.
бри́тый *прич. и прил.* (cléan-)sháven.
бри‖**ть**, побри́ть *(вн.)* shave* *(d.)*. ~**тьё** *с.* shave, sháving; ~тьё и стри́жка shave and háircùt. ~**ться**, побри́ться *(самомý)* shave*; *(у парикмáхера тж.)* have a shave.
бри́чка *ж.* brítzka [-ɪts-].
брóвка I *ж. умéньш. от* бровь.
брóвка II *ж.* 1. *спорт.* bórder; 2. *(устýпа, канáвы)* edge, kerb.
бров‖**ь** *ж.* éye:brow ['aɪ-]; brow *(тóлько в нéкоторых выражéниях)*; ~и дугóй arched éye:brows; нави́сшие ~и óver:hàng:ing / béetle / béetling brows; с нави́сшими ~ями béetle-brówed; подня́ть ~ и raise one's éye:brows; хмýрить ~и, frown, knit* one's brows; ◊ он и ~ю не повёл ≃ he did not turn a hair; не в ~, а (прямо) в глаз *погов.* ≅ the cap fits!; попадáть не в ~, а в глаз hit* (the right) nail on the head [...hed], hit* the mark, strike* home.
брод *м.* ford; ◊ не знáя, не спроси́сь ~у, не сýйся в вóду *посл.* ≅ look befóre you leap.
броди́ло *с.* férment.
броди́льн‖**ый** fèrménting, fèrméntative; ~ процéсс fèrméntátion prócess; ~ чан fèrménting vat; ~ фермéнт fèrménting-àgent.
брод‖**и́ть I** ramble, roam; ~ по ýлицам roam (about) the streets; *(прогýливаясь)*

stroll about the streets; ◊ улы́бка ~и́ла по его́ лицý a smile played about his face.
броди́ть II *(о вине́, пи́ве)* férment.
бродя́га *м.* tramp, vágrant; hóbò *амер.*
бродя́жнич‖**ать** be on the road; be a tramp. ~**ество** *с.* vágrancy ['veɪ-].
бродя́чий vágrant; ~ музыкáнт strólling mùsícian [...-'zɪ-], vágrant mùsícian; ~ая собáка stray dog; ◊ ~ сюжéт migrant súbject / theme; ~ая жизнь nomádic / mígratory life [...'maɪ-...].
брожéние *с. хим.* fèrmèntátion; *(перен.)* férment; rúmblings *pl.*; вызывáть ~ *(в пр.) хим.* fèrment *(d.)*; *(перен.)* give* rise to fèrmèntátion (in); ~ умóв intelléctual / méntal férment.
брóйлер *м.* 1. *(цыплёнок)* bróiler; 2. *(аппарáт)* bróiler. ~**ный** bróiler *(attr.)*; ~ное хозя́йство farm for ráising bróilers.
бром *м. хим.* brómine ['broumɪ:n]; *(лекáрство)* brómide ['brou-].
бромáт *м. хим.* brómate ['brou-].
брóмист‖**ый** *хим.* brómide ['brou-]; ~ нáтрий, кáлий и т.п. sódium, potássium, *etc.*, brómide; ~ое серебрó sìlver brómide.
бронеавтомоби́ль *м.* ármour:èd car.
бронебáшня *ж.* ármour:èd túrret.
бронебóй‖**ный** ármour-píercing [-'pɪə-]; ~ снаря́д ármour-píercing shell. ~**щик** *м.* ànti-tánk rífle:man*.
броневи́к *м.* ármour:èd car.
бронев‖**óй** 1. ármour:èd, íron:clàd ['aɪən-]; ~ автомоби́ль = бронеавтомоби́ль; ~ая пáлуба *мор.* ármour:èd deck; protéctive deck *амер.*; ~ пóяс *мор.* ármour belt; 2.: ~ая плита́ ármour-plàte, ármour-plàting.
бронекáтер *м.* ármour:èd launch.
бронемаши́на *ж.* ármour:èd car.
броненóсец I *м. мор. уст.* báttleship, íron:clàd ['aɪən-].
броненóсец II *м. зоол.* ármadíllo.
броненóсный ármour:èd, íron:clàd ['aɪən-]; ~ крéйсер ármour:èd crúiser [...'kruː-].
бронепóезд *м.* ármour:èd train.
бронеси́лы *мн.* ármour:èd fórces.
бронетáнков‖**ый** ármour:èd; ~ые си́лы ármour:èd únits.
бронетранспортёр *м.* ármour:èd tróop-càrrier.
брóнза *ж.* 1. bronze; 2. *собир. (худóжественные изде́лия из брóнзы)* brónzes *pl.*; 3. *разг. (медáль за трéтье мéсто в спорти́вных соревновáниях)* bronze.
бронзир‖**óванный** *прич. и прил.* bronzed. ~**овáть** *несов. и сов. (вн.)* bronze *(d.)*. ~**óвка** *ж.* brónzing.
брóнзов‖**ый** 1. *прил.* к брóнза; ~ая стáтуя bronze státue; ~ая медáль bronze médal; 2. *(о цвéте)* bronzed, tanned; 3. *(явля́ющийся облáдателем медáли за трéтье мéсто в спорти́вных соревновáниях и т.п.)*: ~ призёр bronze médallist; ◊ ~ век the Bronze Age; ~ая болéзнь Áddison's disèase [...dɪ'ziːz].
брониро́ванный *прич. см.* бронировáть; ◊ ~ кулáк the mailed fist.
брони́ровать, заброни́ровать *(вн.;* закрепля́ть за кем-л.*)* resérve [-'zəːv] *(d.)*; ~ мéсто resérve *a* seat / place.

брони́ровать *несов. и сов.* (*вн.*; *покрывать бронёй*) ármour (*d.*).

бро́нхи *мн.* (*ед.* бронх *м.*) *анат.* brónchial tubes [-ŋk-...]; brónchi [-ŋkaɪ] *науч.* ~и́т [-ŋk-].

бронхи́т *мед.* bronchítis [-ŋk-].

бро́н‖**я** *ж.* (*на материалы и т.п.*) resérved quóta [-'zɜːvd...]; (*на место в поезде и т.п.*) rèservátion [-z-]; ráilway wárrant; получи́ть биле́т по ~е get* a reserved tícket; ~ на ко́мнату, кварти́ру rèservátion of a room, flat.

броня́ *ж.* (*защитная обшивка*) ármour; ármour-plàting; па́лубная ~ *мор.* deck ármour.

броса́‖**ть, бро́сить** (*вн.*) 1. (*кидать*) throw* [-ou] (*d.*); (*швырять*) hurl (*d.*); fling* (*d.*); chuck (*d.*) *разг.*; (*небрежно*) throw* abóut (*d.*); (*перен.*) cast* (*d.*), dart (*d.*), fling* (*d.*), hurl (*d.*); ~ ка́мни throw* / hurl / fling* stones; ~ взгляд (*на вн.*) cast* a glance (at); (*о быстром взгляде*) dart / shoot* a glance (at); fling* one's eyes [...aɪz] (at, óver); ~ я́корь cast* / drop ánchor [...'æŋkə]; ~ обвине́ние hurl an àccusátion [...-'zeɪ-]; ~ ре́плику fling* a remárk; броса́ть в тюрьму́ fling* / throw* / cast* into príson / gaol [...'prɪzn dʒeɪl] (*d.*); 2. (*срочно направлять*): ~ войска́ (*куда-л.*) send* troops (*to a place*); ~ войска́ на неприя́теля throw* one's troops on the énemy; ~ войска́ в бой throw* troops into báttle; 3. (*оставлять*) abándon (*d.*), forsáke* (*d.*) relínquish (*d.*); ~ семью́ desért one's fámily [-'zɜːt...]; 4. (*вн., + инф., перестать*) give* up (*d.*, + *ger.*), leave* off (*d.*, + *ger.*); ~ кури́ть give* up, *или* leave* off, smóking; ~ му́зыку give* up músic [...-z-]; ~ рабо́ту give* / throw* up one's work; бро́сить учёбу drop, *или* give* up, one's stúdies [...'stʌ-]; chuck up one's stúdies *разг.*; 5. *безл.*: его́ ~а́ет то в жар, то в хо́лод he keeps góing hot and cold; ◊ ~ ору́жие lay* down (one's) arms; ~ тень (на вн.) cast* a shádow [...'ʃæ-] (on); (*перен.: опорочивать*) cast* aspérsions (on); брось! stop it!; pack it in! *разг.*; ~ де́ньги throw* one's móney [...'mʌ-...]; ~ ка́мнем в кого́-л. cast* a stone at smb. ~**а́ться, бро́ситься** 1. (*к; в вн., на вн.*) throw* òneself [-ou-] (on, upón); (*устремляться*) rush (to); ~а́ться кому́-л. в объя́тия throw* òneself, *или* fall*, into smb.'s arms; ~а́ться на ше́ю кому́-л. fall*, *или* throw* òneself, on smb.'s neck, throw* one's arms round smb.'s neck; ~ в во́ду plunge into the wáter [...'wɔː-]; ~а́ться вплавь jump into the wáter and start swímming; ~а́ться кому́-л. на по́мощь rush to smb.'s help / assístance; ~а́ться бежа́ть take* to one's heels; ~а́ться на коле́ни fall* on one's knees; ~а́ться в ата́ку advánce / rush to the attáck; (*о конном строе*) charge; соба́ка бро́силась на него́ the dog rushed / flew at him; ~а́ться на еду́ *разг.* pounce upón, *или* the food; 2. *тк. несов.* (*тв.; бросать друг в друга*) throw* at each other; 3. *тк. несов.* (*тв.; пренебрегать*) disdáin (*d.*); ◊ ~а́ться в глаза́ be stríking, strike* one's eye [...aɪ], arrést one's atténtion; (*дт.: быть очевидным*) be évident (to); его́ бле́дность ~а́лась в глаза́ his pállor was stríking; ~а́ться кому́-л. в глаза́ strike* smb.; (*быть особенно заметным*) stare smb. in the face, arrést smb.'s atténtion; (*быть очевидным*) be évident to smb.; кровь бро́силась ему́ в лицо́ the blood rushed to his face [...-ʌd...].

бро́сить *сов. см.* броса́ть. ~**ся** *сов. см.* броса́ться 1.

бро́ский *разг.* gárish, loud, gáudy; ~ га́лстук loud tie.

броско́м *нареч. разг.* with one throw [...-ou], with a rush / spurt.

бро́сов‖**ый** *разг.* wórthless; ~ э́кспорт *эк.* dúmping.

бросо́к *м.* 1. throw [-ou]; 2. (*быстрое движение*) rush, spurt; lunge; 3. *спорт.* sprint; сде́лать ~ put* on a spurt.

бро́шенный 1. *прич. см.* броса́ть; 2. *прил.* (*покинутый*) abándoned, desérted [-'zɜː-].

бро́шка *ж.*, **брошь** *ж.* brooch [-outʃ].

брошю́ра *ж.* booklet, pámphlet, bróchure ['brouʃ-].

брошю́р‖**ова́льный** *полигр.* stítching. ~**о́ванный** *прич. см.* брошюрова́ть.

брошюр‖**ова́ть, сброшюрова́ть** (*вн.*) *полигр.* stitch (*d.*). ~**о́вка** *ж. полигр.* stítching. ~**о́вочный**: ~о́вочный цех bóok-stìtching shop. ~**о́вщик** *м.*, ~**о́вщица** *ж.* stítcher.

брудерша́фт [-дэ-] *м.*: вы́пить (на) ~ drink* "Brúderschaft" ['bruːdərʃəft].

брус *м.* squared beam, squared tímber.

бруско́в‖**ый** bar (*attr.*); ~ое желе́зо bár-iron [-'aɪən].

брусни́‖**ка** *ж. тк. ед.* 1. *собир.* cówberries *pl.*, red whórtle:bèrries *pl.*; móuntain cránberries *pl.*; 2. (*об отдельной ягоде*) cówberry, red whórtle:bèrry, móuntain cránberry; 3. (*куст*) cówberry, red whórtle:bèrry. ~**чный** *прил.* к брусни́ка; ~чное варе́нье red whórtle:bèrry jam.

брусо́к *м.* 1. (*точильный*) whétstòne; hone; 2. (*кусок*) bar; ~ мы́ла bar of soap.

бру́ствер *м. воен.* párapet; (*у насыпного окопа*) bréastwòrk ['bre-].

брусча́т‖**ка** *ж.* 1. (*тк. ед. собир.*) páving stones *pl.*; 2. *разг.* (*мостовая*) paved road. ~**ый** (*вымощенный брусчаткой*) paved.

бру́сья *мн.* (*гимнастический снаряд*) párallèl bars.

бру́тто *неизм. прил. торг.* gross [-ous]; вес ~ gross weight.

бруцеллёз *м. мед.* brucellósis.

брыже́йка *ж. анат.* mèsentèry [-terɪ].

брыз‖**гать, бры́знуть** (*тв. на вн.; о жидкостях*) splash (*d.* on); (*о грязи*) spátter (*d.* with); (*вн. тв.; окроплять*) sprínkle (*d.* with); ~ водо́й (*на вн.*) splash wáter [...'wɔː-] (on); ~ слюно́й spútter, splútter; ~нул дождь it begán to spit with rain; ◊ ~нули и́скры sparks flew. ~**гаться** *разг.* 1. (*тв.*) splash (with); ~гаться духа́ми spray òneself with scent; 2. (*брызгать друг в друга*) splash each óther.

бры́зги *мн.* (*жидкости*) spray *sg.*; (*металла*) sparks; ~ гря́зи, кро́ви splásh es of mud, blood [...-ʌd]; ~ дождя́ fine drops of rain.

БРО – БУБ   Б

бры́зну‖**ть** *сов.* 1. *см.* бры́згать; 2. (*забить струёй*) spurt out; кровь ~ла из ра́ны blood spúrted from, *или* gushed out of, the wound [-ʌd... wuːnd].

брык‖**а́ть, брыкну́ть** (*вн.*) kick (*d.*). ~**а́ться, брыкну́ться** (*прям. и перен.*) kick. ~**ну́ть(ся)** *сов. см.* брыка́ть(ся).

бры́нза *ж.* brýnza (*sheep's milk cheese*).

брысь *межд.* shoo! (*to a cat*).

брю́з‖**га́** *м. и ж.* grúmbler. ~**гли́вый** cantánkerous, péevish. ~**жа́ние** [-южжя́-] *с.* grúmbling. ~**жа́ть** [-южжя́-] grúmble, be péevish.

брю́ква *ж.* swede, rùtabága.

брю́ки *мн.* tróusers; pants *амер.*; (*для верховой езды*) bréeches ['brɪ-]; (*короткие и широкие*) plús-fóurs [-'fɔːz]; knìckerbòckers *амер.*

брюне́т *м.* dárk(-haired) man*. ~**ка** *ж.* brunétte, dárk(-haired) wóman* [...wu-], dárk(-haired) girl [...-g-].

брюссе́льск‖**ий** Brússels (*attr.*); ◊ ~ая капу́ста Brússels sprouts *pl.*

брюх‖**о́** *с.* 1. bélly; 2. *разг.* (*у человека*) bélly; (*большой живот*) paunch, còrporátion; наполня́ть ~ fill one's bélly; ◊ на ~е по́лзать пе́ред кем-л. kówtow to smb.

брюхоно́гие *мн. скл. как прил. зоол.* gásteropòds.

брю́чный *прил.* к брю́ки; ~ костю́м tróuser-sùit [-sjuːt], pant(s) suit [...sjuːt].

брюши́н‖**а** *ж. анат.* pèritonéum [-iːəm]; воспале́ние ~ы pèritonítis. ~**ный** *анат.* pèritonéal [-ɪəl].

брю́шк‖**о** *с.* 1. *зоол.* bélly, àbdomèn; 2. *разг.* (*толстеющий живот*) paunch; отрасти́ть ~ devélop a paunch [-'ve-...]. ~**но́й** àbdóminal; ~но́й тиф týphoid / entéric féver ['taɪ-...]; ~на́я по́лость àbdóminal cávity.

бря́к‖**ать, бря́кнуть** *разг.* 1. (*вн.*; *бросать*) bang down (*d.*); drop, *или* let* fall, with a bang / crash (*d.*); (*швырять*) fling* (*d.*), hurl (*d.*); 2. (*тв.; ударять, звякать*) clátter (*d.*), clang (*d.*), clank (*d.*); 3. (*неосторожно говорить то, чего не следует*) blurt out (*d.*). ~**аться, бря́кнуться** *разг.* fall* down héavily [...'he-]. ~**нуть(ся)** *сов. см.* бря́кать(ся).

бряца́ние *с.* clang; (*менее звучное*) clank; ~ шпор the clánking / jíngling of spurs; ◊ ~ ору́жием sábre-ràttling.

бряца́ть clang; clank; (*ср.* бряца́ние); ~ по стру́нам thrum the strings; ◊ ~ ору́жием ráttle the sábre.

бу́бен *м.* tàmbouríne [-'riːn].

бубенц‖**ы́** *мн.* (*ед.* бубене́ц *м.*) (little) bells; колпа́к с ~а́ми cap and bells.

бубе́нчик *м.* bell, cýmbal.

бу́блик *м.* bágel [-g-].

буб‖**ни́ть, пробубни́ть** *разг.* mútter; ~ себе́ под нос mútter únder one's breath [...breθ].

бубно́вый *карт.* of díamonds; ~ туз the ace of díamonds.

бу́бны I *мн. см.* бу́бен.

бу́б‖**ны** II *мн.* (*ед.* бу́бна *ж.*) *карт.* díamonds; ходи́ть с ~ен lead* díamonds.

бубо́н *м. мед.* búbò. ~**ный** *мед.* bubónic; ~ная чума́ bubónic plague [...pleɪg].

БУГ – БУЛ

буга́й *м. разг.* bull [bul].

бу́гель *м.* 1. *тех.* stírrup; hoop; 2. *эл.* bów-collèctor [ˈbou-].

буго́р *м.* híllock, knoll, mound. **~о́к** *м.* 1. knob, protúberance; 2. *анат.* próminence, protúberance; 3. *мед.* túbercle; туберкулёзные ~ки́ tubércular túmours. **~ча́тка** *ж. мед. уст.* tuberculósis. **~ча́тый** 1. (*покрытый бугорка́ми*) knóbby, knóbbly; 2. *анат., мед.* tubérculous; 3. *бот.* túberous.

бугри́стый úneven, hílly.

будд||и́зм *м.* Búddhism [ˈbu-]. **~и́йский** Búddhist [ˈbu-]. **~и́ст** *м.* Búddhist [ˈbu-].

будёнов||ец *м. ист.* budyónovets (*cavalryman in Budyonny's army during the civil war 1918—21*). **~ка** *ж. ист.* budyónovka (*pointed helmet formerly worn by Red-Army men*).

бу́дет I 3 *л. ед. буд. вр. см.* быть; ◊ ~ ему́ за э́то! he'll catch it!

бу́дет II *предик. безл. разг.* (*достаточно*) that'll do!, that's enóugh! [...ˈnʌf]; ~ тебе́ пла́кать stop crýing, don't cry any more; ~ с вас э́того? will that do?

буди́льник *м.* alárm clock.

буди́ровать *уст.* sulk.

буди́ть, разбуди́ть (*вн.*) wake* (*d.*); aːwáke(n) (*d.*); (*перен.*) aːwáken (*d.*), aróuse (*d.*); (*возбуждать*) stir up (*d.*); его́ бу́дят в семь часо́в he is aːwákened / called at séven oːclock [...ˈse-...]; they wake / aːwáke(n) / call him at séven oːclock; разбуди́те меня́ ра́но call me éarly [...ˈɜː-]; ~ воспомина́ния evóke mémories.

бу́дка *ж.* box, booth [-ð]; (*ларёк*) stall; карау́льная ~ séntry-bòx; соба́чья ~ kénnel; железнодоро́жная ~ (ráilway) tráckːmanʼs hut, cróssing-kéeperʼs hut; телефо́нная ~ télephòne box, públic cáll-box [ˈpʌb-...]; téléphòne booth; трансформа́торная ~ transfórmer ùnit; ◊ суфлёрская ~ prómpt-bòx.

бу́дн||и *мн.* wéek-day(s), wórking days; (*перен.*) wórkaday routine [...ruːˈtiːn] *sg.*; сего́дня у нас ~ toːdáy is a wéek-day; по ~ям on wéek-days; трудовы́е ~ évery:dày wórking life *sg.* **~ий** évery:dày wéek-day; ~ий день wéek-day.

бу́днич||ность *ж.* órdinariness. **~ый** wórkaday, évery:dày; ~ое пла́тье évery:dày dress.

будора́жить, взбудора́жить (*вн.*) *разг.* ágitate (*d.*); (*беспокоить*) distúrb (*d.*); (*возбуждать*) excite (*d.*).

бу́дочник *м. уст.* policeːman* on dúty [-iːs-...].

бу́дто 1. *союз* (*словно, как если бы*) as if, as though [...ðou]; у вас тако́й вид, ~ вы не по́няли you look as if, *или* as though, you did not understánd; 2. *союз* (*что — с неуверенностью*) вме́сте с глаго́лом передаётся через it seems that, appárent:ly, *или* глаго́лом proféss: говоря́т, ~ он уе́хал it seems that he has gone aːwáy [...gɒn...], he has gone aːwáy it seems, *или* appárent:ly; он расска́зывает, ~ он получи́л пе́рвую пре́мию he proféss:es to have recéived the first prize [...ˈsiː-...]; 3. *частица* (*разве?*) réally? [ˈrɪə-]; уж ~ вы так непогреши́мы? are you réally so infállible?; ◊ ~ бы (*якобы*) allégedly [əˈle-], osténsibly; (*предположительно*) suppósed:ly.

бу́ду 1 *л. ед. буд. вр. см.* быть.

будуа́р *м. уст.* bóudoir [ˈbuːdwɑː].

бу́дущ||ее *с. скл. как прил.* the fúture; в ~ем in the fúture; (*впредь*) in fúture, for the fúture; споко́йно смотре́ть в ~ face the fúture, *или* look ahéad, cálmly / tránquilly / cónfidently [ˈkɑːm-...]; ~ пока́жет time, *или* the fúture, will show [...ʃou]. **~ий** fúture; to be, to come (*после сущ.*); (*следующий*) next; в ~ем году́ next year; на ~ей неде́ле next week; в ~ий раз next time; ~ее поколе́ние the next generátion; ~ие поколе́ния fúture generátions, generátions to come; ~ий учи́тель téacher to be; ~ее вре́мя *грам.* the fúture (tense). **~ность** *ж.* fúture.

будь, ~те *пов. см.* быть.

буёк *м. мор.* buoy [bɔɪ].

бу́ер *м.* íce-boat, íce-yácht [-ˈjɔt].

буера́к *м.* gúlly.

бу́ерный ~ спорт ice-bóating, íce-yáchting [-ˈjɔt-].

буже́нина *ж.* cold boiled pork.

буза́ I *ж. тк. ед.* (*напиток*) bóza, bóuza [ˈbuː-] (*millet beverage*).

буз||а́ II *ж. тк. ед. разг.* row; подня́ть ~у́ make*, *или* kick up, a row.

бузина́ *ж. тк. ед.* 1. (*ягода*) élderbèrry; 2. (*растение*) élder; 3. (*заросль, кустарник бузины*) élder grove, élder bush [...buʃ].

бузи́ть *разг.* make*, *или* kick up, a row. **~отёр** *м. разг.* rówdy.

буй *м. мор.* buoy [bɔɪ].

бу́йвол *м.* búffalò. **~овый** *прил. к* бу́йвол; ~овая ко́жа buff.

бу́йный víolent, túrbulent, wild; (*тк. о страстях*) unːgóvernable [-ˈɡʌ-]; (*о веселье*) upːróarious; (*пышный*) luxúriant, lush, profúse [-s]; ~ сумасше́дший víolent / ráving lúnatic.

бу́йство *с.* disórderly / unːrúly / ríotous cónduct; víolence. **~вать** get* / be víolent, beháve víolently.

бук *м. бот.* beech.

бу́к||а *м. и ж. разг.* bógy:man* [-ɡɪ-], búgbear [-bɛə]; bùgabóo *амер.*; (*перен.*) súrly / unsóciable pérson; ◊ смотре́ть ~ой look súrly / moróse / crústy [...-s...].

бука́шка *ж.* (small) ínsect.

бу́кв||а *ж.* létter; прописна́я ~ cápital létter; строчна́я ~ small létter; нача́льная ~ initial / first létter; ◊ мёртвая ~ dead létter [ded...]; ~ зако́на the létter of the law; соблюда́ть ~у зако́на cárry out, *или* obsérve, the létter of the law [...-ˈzɔːv...]; ~ в ~у líterally, to the létter.

буквали́зм *м.* óver-líteral réndering.

буква́льн||о *нареч.* líterally; (*дословно*) word for word. **~ый** líteral; (*дословный*) word for word; в ~ом смы́сле сло́ва líterally; ~ое значе́ние líteral méaning / sense; ~ый перево́д líteral, *или* word for word, translátion [...-ɑːn-]; вот его́ ~ый отве́т this is his ánswer word for word, *или* vérbatim [...-ˈɑːnsə-...-ˈbeɪ-].

буква́рь *м.* ABC (book) [ˈeɪˈbiːˈsiː...]; prímer.

бу́квенный in létters.

буквое́д *м. ирон.* pédant [ˈpe-]; drýːasːdùst *разг.* **~ство** *с. ирон.* pédantry.

буке́т *м.* 1. (*цветов*) bunch of flówers; pósy, bouquet [ˈbukeɪ], nóseːgay; 2. (*аромат — о вине и т.п.*) bouquet.

букини́ст *м.* second-hànd bóoksèller [ˈse-...]. **~и́ческий:** ~и́ческий магази́н second-hànd bóokshòp / bóoksellerʼs [ˈse-...]; ~и́ческие кни́ги rare books.

букле́т *м.* pámphlet, bóoklet.

бу́кли *мн.* (*ед.* бу́кля *ж.*) *уст.* curls.

бу́ков||ый *прил. к* бук; (*сделанный из бука*) béechen; béechwood [-wud] (*attr.*); ~ оре́шек béechnùt; ~ое ма́сло béech oil; ~ая ме́бель béechwood fúrniture.

буко́л||ика *ж. лит.* bucólics *pl.*, bucólic líterature. **~и́ческий** *лит.* bucólic, pástoral.

бу́кса *ж. ж.-д.* áxle-bòx, box.

букси́р *м.* 1. (*судно*) tug, túgboat, tówboat [ˈtou-]; 2. (*канат*) tów(ing)-line [ˈtou-]; tów(ing)-ròpe [ˈtou-]; (*перен.*) tówage [ˈtou-]; ба́ржа́ идёт на ~е the barge is béing towed [...toud]; тяну́ть на ~е (*вн.*) tow [tou] (*d.*); (*перен. тж.*) have in tow (*d.*); взять на ~ (*вн., прям. и перен.*) take* in tow (*d.*). **~ный** tów(ing) [ˈtou-]; ~ный парохо́д steam tug.

букси́ровать (*вн.*) tow [tou] (*d.*), tug (*d.*); have in tow (*d.*).

букси́ровка *ж.* tówage [ˈtou-], tówing [ˈtou-].

буксо́в||ание *с.* skídding, slípping, whéel-spin. **~а́ть** skid, slip.

булава́ *ж.* 1. mace; 2. *спорт.* Índian club.

була́в||ка *ж.* pin; ~ для га́лстука tíe-pin, scárf-pin; ◊ англи́йская ~ sáfety pin; де́ньги на ~ки *уст.* pín-mòney [...-mʌ-] *sg.* **~очный:** ~очный *прил. к* була́вка; ~очный уко́л pínprick.

була́ный (light) dun, Ísabèl [ˈɪz-], Ísabélla [ɪz-] (*colour of horse*).

була́т *м. ист.* (*сталь для клинков*) dámask steel [ˈdæ-...]; (*перен.: меч*) sword [sɔːd]. **~ный** *прил. к* була́т.

бу́линь *м. мор.* bówline [ˈbou-].

бу́лка *ж.* (small) loaf*; сдо́бная ~ bun.

бу́лла *ж.* (Pápal) bull [...bul] (*edict*).

бу́лочка *ж.* roll.

бу́лочн||ая *ж. скл. как прил.* bákery [ˈbeɪ-], bákerʼs; ~-конди́терская bákerʼs and conféctionerʼs. **~ик** *м.* báker. **~ый:** ~ые изде́лия ≅ rolls and buns.

бултых||**** *межд. разг.* plop; он ~ в во́ду! he fell plop into the wáter [...ˈwɔː-]. **~а́ть** (*вн.*) shake* (*d.*) (*of a liquid*). **~а́ться** *разг.* flóunder abóut. **~ну́ться** *сов. разг.* (*упасть в воду*) fall* plop into the wáter [...ˈwɔː-]; (*броситься в воду*) plunge / plop into the wáter.

булы́жн||ик *м.* cóbble(-stòne); *собир.* cóbble-stònes *pl.* **~ый** *прил. к* булы́жник; ~ая мостова́я cobbles *pl.*, cóbble-stòne páve:ment / road.

бульва́р *м.* ávenue; boulevard (*фр.*) [ˈbuːlvɑː]. **~ный** *прил. к* бульва́р; ◊ ~ный рома́н ≅ cheap nóvel [...ˈnɔ-]; ~ная газе́та rag (*newspaper*); ~ная пре́сса gútter press. **~щина** *ж. презр.* tráshy / cheap líterary prodúction; gútter press.

бульдо́г м. búlldòg ['bu-].
бульдо́зер м. búlldòzer ['bu-]. ~и́ст м. búlldòzer óperàtor ['bu-...].
бу́льк‖**анье** с. gúrgling. ~**ать** gurgle.
бульо́н м. broth, clear soup [...su:p]; кре́пкий (говя́жий) ~ beef tea; кури́ный ~ chícken broth.
бум I м. *разг.* sensátion, rácket; (*на бирже*) boom; промы́шленный ~ indústrial boom.
бум II м. *спорт. уст.* beam.
бума́г‖**а** I ж. 1. (*в разн. знач.*) páper; (*документ тж.*) dócument; ~ в лине́йку ruled páper; ~ в кле́тку squared páper; газе́тная ~ néws-print [-z-]; почто́вая ~ létter-pàper, nóte-pàper; цветна́я ~ cólou:red páper ['kʌl-...]; изложи́ть на ~е (*вн.*) commit to páper (*d.*); 2. мн. (*ценные*) secúrities ◇ оста́ться на ~е remáin on páper.
бума́г‖**а** II ж. *тк. ед.* (*хлопчатая*) cótton; шерсть с ~ой wool and cótton [wul...]; ~ для што́пки dárning cótton.
бумагодержа́тель I м. (*владелец ценных бумаг*) hólder of secúrities, bóndhòlder.
бумагодержа́тель II м. *канц.* páper-clìp.
бумагомара́тель м. *разг.* scríbbler.
бумагопряд‖**е́ние** с. cótton-spìnning. ~**и́льный**: ~и́льная маши́на cótton-spìnning machìne [...-'ʃi:n]; ~и́льная фа́брика cótton mill. ~**и́льня** ж. cótton mill.
бума́жка ж. 1. scrap of páper; bit of páper (*тж. пренебр.*); ~ от конфе́т sweet wrápper; 2. *разг.* (*бумажные деньги*) note; (páper) móney [...'mʌ-]; пятирублёвая ~ five-rouble note [-ru:-...].
бума́жник I м. (*работающий в бумажной промышленности*) páper-màker, páper-mìll wórker.
бума́жник II м. (*для денег*) wállet ['wɔ-], pócket-book.
бума́жн‖**ый** I páper (*attr.*); (*перен.*) existing ónly on páper; ~ая фа́брика páper-mìll; ~ые де́ньги páper móney [...'mʌ-] *sg.*; ~ая волоки́та red tape; ~ое руково́дство páper / nóminal léade:rship / guìdance [...'gai-].
бума́жн‖**ый** II *прил.* к бума́га II; ~ ткань cótton fábric; ~ая пря́жа cótton yarn.
бума́жонка ж. *разг. пренебр.* scrap of páper.
бумазе́я ж. flannelétte [flænl'et].
бумера́нг м. boomeràng.
бунд м. *ист.* Bund [bu-]. ~**овец** м. *ист.* Búndist ['bu-].
бундеста́г м. Búndestàg ['bundəsta:g] *нем.*
бу́нкер м. 1. búnker; 2. (*подземное укрытие*) únderground shélter.
бункерова́ть *несов. и сов.* (*вн.*) búnker (*d.*). ~**ся** *несов. и сов.* coal.
бункеро́вка ж. búnkering, cóaling.
бунт I м. ríot, rebéllion; (*гл. обр. военный*) mútiny.
бунт II м. (*кипа и т.п.*) bale, pácket, búndle.
бунта́р‖**ский** mútinous, rebéllious, sedítious; ~ дух rebéllious spírit. ~**ство** с. rebéllious:ness; (*подстрекательство к бунту*) sedítion.
бунта́рь м. rébel ['re-], ínsùrgent; incíter to mútiny / rebéllion; mùtinéer; ríoter; (*ср.* бунт I).
бунтов‖**а́ть**, взбунтова́ть, взбунтова́ться 1. *при сов.* взбунтова́ться rebél, revólt (*тж. перен.*); rise* in rebéllion, rise* in revólt; (*о войсках; тж. перен.*) mútiny; 2. *при сов.* взбунтова́ть (*вн.*) incite to rebéllion / mútiny, urìe to revólt (*d.*). ~**а́ться**, взбунтова́ться *разг.* = бунтова́ть 1. ~**ско́й** mútinous, rebéllious. ~**щик** м. ríoter; mùtinéer; (*ср.* бунт I).
бур I м. *тех.* bore, drill; шне́ковый ~ áuger [-gə].
бур II м. (*народность*) Bóer ['bouə].
бура́ ж. *хим.* bórax.
бура́в м. *тех.* gímlet ['gı-]; (*большой*) áuger [-gə]. ~**и́ть** (*вн.*) *тех.* bore (*d.*), drill (*d.*). ~**чик** м. *тех.* gímlet ['gı-].
бура́к м. (*свёкла*) béetroot.
бура́н м. (*severe*) snówstòrm [...'snou-] (*in steppes*).
бурбо́н м. *презр.* (*грубый человек*) churl, coarse féllow.
бургоми́стр м. búrgomàster.
бурда́ ж. *тк. ед. разг.* dísh-wàter [-wɔ:-]; slops *pl.*; это не чай, а ~ this tea tastes like dísh-wàter [...tei-...].
бурдю́к м. wíne:skin, wáter-skin ['wɔ:-]. ~**чный** kept in a wíne:skin.
буреве́стник [-сн-] м. storm(y) pétrel [...'pe-].
бурело́м м. *собир.* wind-fàll:en trees ['wı-...] *pl.*
буре́ние с. *горн.* bóring, drílling; ~ нефтяно́й сква́жины óil-wèll drílling; уда́рное ~ percússion drílling; о́пытное ~ test bóring.
буре́ть, побуре́ть grow* brown [grou...].
буржуа́ м. *нескл.* bourgeois (*фр.*) [buəʒwa:].
буржуази́я ж. bourgeoisie (*фр.*) [buəʒwa:'zi:]; кру́пная ~ úpper bourgeoisie; ме́лкая ~ pétty bourgeoisie; монополисти́ческая ~ monópoly bourgeoisie; monópoly cápitalists *pl.*
буржуа́зно-демократи́ческ‖**ий** bourgeois-dèmocrátic ['buəʒwa:-]; ~ая револю́ция bourgeois-dèmocrátic rèvolútion.
буржуа́зный bourgeois (*фр.*) ['buəʒwa:].
буржу́й м. *разг.* bourgeois (*фр.*) ['buəʒwa:].
бури́ль‖**ный** bóring. ~**щик** м. bórer, dríller, drìll-óperàtor.
буриме́ с. *нескл.* bouts rimés (*фр.*) ['buːriːmei].
бури́ть, пробури́ть (*вн.*) bore (*d.*); (*о колодце*) sink* (*d.*), drill (*d.*).
бу́рка I ж. felt cloak.
бу́рка II ж. см. бу́рки II.
бу́рки I *мн.* см. бу́рка I.
бу́рки II (*ед.* бу́рка ж.) felt boots with léather soles [...'leðə...].
бу́ркнуть *сов.* (*вн.*) *разг.* growl out (*d.*), bark out (*d.*).
бурла́к м. barge háuler. ~**цкий** *прил.* к бурла́к. ~**чить** to be a barge háuler.
бурле́ск м. *лит.* búrlesque.
бурли́вый séething, túrbulent.
бурли́ть seethe; boil up (*тж. перен.*).
бу́рн‖**ый** 1. stórmy; (*о море тж.*) rough [rʌf], héavy ['he-]; 2. (*стремительный*) impétuous; (*быстрый*) rápid; ~ поры́в ве́тра víolent gust of wind [...wı-...]; ~ рост промы́шленности ráp-

id growth of índustry [...-ouθ...]; 3. (*неистовый*) stórmy, víolent; (*о страсти*) wild; ~ разгово́р héated árgument / discússion; high words *pl.*; ~ые аплодисме́нты wild appláuse *sg.*; loud cheers.
бурова́я ж. *скл. как прил.* óil-rig.
буровзрывн‖**о́й**: ~ые рабо́ты blást-hòle drílling *sg.*
burovи́k м. bóring / drílling technícian.
буров‖**о́й** bóring; ~а́я вы́шка dérrick; ~ стано́к bóring machìne [...-'ʃi:n]; ~а́я сква́жина bore, bóre-hòle, bóre-wèll.
бу́рс‖**а** ж. *ист.* séminary. ~**а́к** м. *ист.* séminarist. ~**а́цкий** *прил.* к бурса́к.
бу́рский *прил.* к бур II.
бурт м. *с.-х.* clamp.
буру́н м. *мор.* bréaker [-eıkə], surf; (*под носом корабля*) bow wave.
бурунду́к м. *зоол.* chípmunk.
бурча́ние с. *разг.* 1. múttering; (*бормотание*) múmbling; (*ворчание*) grúmbling; 2. (*в животе*) (stómach) rúmbling ['stʌmək...]; cóllywòbbles *pl.*
бурча́ть, пробурча́ть *разг.* 1. mútter; (*бормотать*) múmble; (*ворчать*) grúmble; ~ себе́ под нос mútter únder / belów one's breath [...-'lou...-eθ]; 2. *тк. несов.* rúmble (*in intestines*); (*в котле и т.п.*) búbble.
бу́р‖**ый** brown; ~ медве́дь brown bear [...beə]; ~ая лиси́ца red fox; ◇ ~ у́голь brown coal.
бурья́н м. *собир.* (tall) weeds *pl.*
бу́ря ж. storm (*тж. перен.*); (*очень сильная; гл. обр. поэт.*) témpest; (*на море*) gale; сне́жная ~ snówstòrm ['snou-], blízzard; магни́тная ~ *физ.* màgnétic storm; ~ пронесла́сь, минова́ла (*перен.*) the storm has blown / passed óver [...bloun...]; ~ восто́ргов storm of cheers; ◇ ~ в стака́не воды́ storm in a téa-cùp; «~ и на́тиск» *ист. лит.* «Sturm und Drang» *нем.*
буря́т м., ~**ка** ж., ~**ский** Buryát [bu'rja:t]; ~ский язы́к Buryát, the Buryát lánguage.
бу́син‖**а** ж., ~**ка** ж. bead.
буссо́ль ж. *геод.* survéying cómpass [...'kʌ-]; *воен.* diréctor; áiming circle *амер.*
бу́сы *мн.* beads.
бут м. *тк. ед. тех.* rúbble, róugh-stòne ['rʌf-].
бута́н м. *хим.* bútàne.
бутафо́р м. *театр.* próperty-man*. ~**ия** ж. *тк. ед. театр.* stàge-próperties *pl.*; props *pl. разг.*; (*в витрине и т.п.*) dúmmies *pl.* (*in shop window*); (*перен.*) sham, wíndow-drèssing, mere show [...ʃou]; это всё одна́ ~ия it is nothing but wíndow-drèssing, it's all show. ~**ский** *прил.* к бутафо́рия; (*перен.*) sham, fake, phóney.
бутербро́д [-тэр-] м. bread and bútter [-ed...]; ópen sándwich [...'sænwıdʒ]; ~ с ветчино́й ham sándwich.
бути́л м. *хим.* bútyl. ~**е́н** м. *хим.* butyléne.
бути́ть, забути́ть (*вн.*) fill with rúbble (*d.*).

БУТ — БЫС

бу́тов‖**ый** rubble (attr.); ~ая кла́дка rúbble·wòrk.

буто́н м. bud.

бутонье́рка ж. búttonhòle, pósy.

бу́тсы мн. (ед. бу́тса ж.) спорт. fóotbàll boots ['fut-...].

бату́з м. разг. kíddy; chúbby little féllow.

буты́л‖**ка** ж. bottle; ◊ в ~ку лезть разг. fly* off the handle, blow* one's top [blou...]. ~очка ж. small bottle; (пузырёк) vial, phíal. ~очный прил. к буты́лка; ◊ ~очного цве́та bóttle-green.

буты́ль ж. large bottle; (оплетённая) cárboy, démijohn [-dʒɔn].

бу́фер м. ж.-д. (тж. перен.) búffer. ~ный прил. к бу́фер; ~ное госуда́рство búffer state.

буфе́т м. 1. (шкаф) síde·board; 2. (закусочная) refréshment room, búffet ['bufei]; (в учреждении, учебном заведении) cantéen; (стойка) (refréshment / snack) bar, cóunter. ~ная ж. скл. как прил. уст. pántry. ~ный прил. к буфе́т. ~чик м. bár·man*; bár·tènder амер. ~чица ж. bár·màid.

буфф прил. неизм. театр. búffo ['bu:-]; о́пера-~ cómic ópera; теа́тр-~ cómedy.

буффона́да ж. slápstick.

бух межд. bang!

буха́нка ж. loaf* of bread [...bred].

буха́р‖**ец** м., ~ка ж., ~ский Bokháran [-'ka:-].

бу́х‖**ать, бу́хнуть** разг. 1. (тв.; ударять) thump (d.), bang (d.); ~ кулаком в дверь bang on the door with one's fist [...dɔ:...]; 2. (без доп.; об орудиях) thúnder, thud; слы́шно бы́ло, как вдали́ ~али пу́шки the thúnder of cánnon could be heard in the dístance [...hɑ:d...]. 3. (вн.; шумно ронять) let* fall with a thud (d.). 4. (вн.; неуместно говорить) blurt out (d.). ~аться, бу́хнуться разг. (падать) fall* héavily [...'he-]; (кидаться) throw* one·sélf down [-ou...]; бу́хнуться на пол, на зе́млю fall* down on the floor, on the ground [...flɔ:...]; бу́хнуться кому́-л. в но́ги fall* down at smb.'s feet.

бухга́лт‖**ер** м. bóok-kèeper, accóuntant; гла́вный ~ accóuntant géneral, chief accóuntant [tʃi:f...]. ~е́рия ж. 1. bóok-kèeping; двойна́я ~ dóuble·éntry bóok-kèeping ['dʌ-...]; 2. (отдел) accóunts depártment; (в небольших учреждениях) cóunting-house* [-s].

бухга́лтерск‖**ий** bóok-kèeping (attr.), accóunt (attr.); ~ая задо́лженность órdinary debts [...dets] pl.; ~ая кни́га accóunt book.

бу́хнуть I сов. см. бу́хать.

бу́хнуть II, **разбу́хнуть** swell*.

бу́хнуться сов. см. бу́хаться.

бу́хта I ж. (залив) bay (in coast).

бу́хта II ж. (троса) coil (of rope).

бу́хточка ж. cove, creek, ínlet ['ɪn-].

бу́хты-бара́хты разг.: с ~ (необдуманно) óff·hànd; off the cuff; (внезапно) súddenly; (ни с того́, ни с сего́) without rhyme or réason [...'ri:-].

бу́ч‖**а** ж. тк. ед. разг. row; подня́ть ~у make*, или kick up, a row.

бу́ч‖**ение** с. wáshing in lye. ~ить, вы́бучить (вн.) wash in lye (d.).

буше́в‖**ать** (прям. и перен.) rage, storm; ве́тер ~а́л всю ночь the wind raged all night [...wɪ-...].

бу́шель м. búshel ['bu-].

бушла́т м. péa-jàcket.

бушпри́т м. мор. bówsprit ['bou-].

буя́н м. rówdy, rúffian; (забияка) brawler. ~ить, набуя́нить make* a row, или an úp·ròar; brawl.

бы, б частица (употребляется для образования сослагательного наклонения): она́ писа́ла бы ему́ ча́сто, е́сли бы не была́ так занята́ she would write to him óften if she were not so búsy [...'ɔ:f(t)°n...'bɪzɪ]; он бы хоте́л, что́бы вы пришли́ ко мне he would like you to come and see me; кто бы э́то мог быть? who could / might that be?; — кто бы ни, что бы ни, когда́ бы ни и т. п. who·éver, what·éver, when·éver, etc. (+ indic.): кто бы ни пришёл who·éver comes; что бы из э́того ни вы́шло what·éver comes of it; что бы ни случи́лось what·éver háppens; когда́ бы он ни пришёл when·éver he comes; ◊ без како́го бы то ни́ было труда́ without any tróuble what·éver / what·so·éver [...trʌ-...]; как бы то ни́ было, он сде́лал большие успе́хи how·éver that may be, или be that as it may, he has made good* prógress; вам бы самому́ э́тим заня́ться you'd bétter see to it your·sélf; я бы вы́пил ча́ю I'd like a cup of tea.

быва́ло вводн. сл. переводится выражением used [ju:st] + to inf. или выражением would + inf.: он, ~, ча́сто е́здил в дере́вню he often used to go to the country [...'ɔ:f(t)°n...'kʌ-], he would often go to the country.

быва́л‖**ый** разг. 1. (много видавший) wórldly-wise; expérienced; ~ солда́т véteran; 2. (привычный) habítual, famíliar; э́то де́ло ~oe this is nothing new.

быв‖**а́ть** 1. (быть, находиться) be; (быть иногда) be some·times: ве́чером он всегда́ ~а́ет до́ма he is álways at home in the évenings [...'ɔ:lwəz...'i:vn...]; он ~а́ет о́чень груб sometimes; 2. (у кого-л.; посещать) go* to see (smb.), vísit [-z-] (smb.); ~ где́-л. go* to a place; он у них ре́дко ~а́ет he séldom vísits them, he séldom goes to see them; он ча́сто ~а́ет в теа́тре he óften goes to the théatre [...'ɔ:f(t)°n...'θɪə-]; 3. (случаться) háppen, occúr; таки́х веще́й со мной никогда́ не ~а́ло such things never háppened to me befóre; ~а́ет, что it háppens that; как э́то ча́сто ~а́ет в таки́х дела́х as so often is the case in such mátters [...keɪs...], as it óften háppens in such mátters...]; 4. (происходить) be held, take* place; заседа́ния ~а́ют раз в ме́сяц meetings are held, или take place, once a month [...wʌns...mʌ-]; ◊ сне́га как не ~а́ло no trace of the snow remáined [...snou...]; его́ как не ~а́ло he vánished without (a) trace; как ни в чём не ~а́ло as if nothing had háppened; as if nothing were wrong; он себе́, как ни в чём не ~а́ло хо́дит quite ún·concérned.

бы́вш‖**ий** 1. прич. см. быть; ~ одно́ вре́мя мини́стром, заве́дующим и т.п. óne-tìme mínister, mánager, etc.; 2. прил. fórmer, late; quóndam [-...]; ~, утра́тившем официа́льное положе́ние тж. ex-; ~ заве́дующий fórmer mánager, ex-mánager; ~ президе́нт a fórmer président [...-z-], an ex-président [-z-]; его́ ~ая кварти́ра his fórmer lódgings pl.; го́род Улья́новск, ~ Симби́рск Uliánovsk, fórmerly Simbírsk; ◊ ~ие лю́ди ci-devants (фр.) [si:də'va:ŋ]; háve-beens разг.

бык I 3 л. ед. прош. вр. см. быть.

бык I м. 1. bull [bul]; (кастрированный) ox*; рабо́чий ~ draught ox* [-ɑ:ft...]; бой ~о́в búllfight ['bul-]; 2. (самец некоторых пород рогатых животных): оле́ний ~ stag; ◊ здоро́в как ~ as strong as an ox; взять ~а́ за рога́ take* the bull by the horns; он упёрся как ~ he is as stúbborn as a mule.

бык II м. (моста) pier [pɪə] (of bridge).

были́на ж. лит. bylína [bɪ'li:nə] (Rússian epic).

были́нка ж. blade of grass.

были́нный épic; ~ э́пос Rússian épos [-ʃən 'e-].

бы́ло I 3 л. ед. прош. вр. см. быть.

бы́ло II частица разг. néarly; (вот-вот) on the point of (+ ger.); он стал засыпа́ть he had néarly fállen asléep, he was on the point of fálling asléep; он ~ во́все не хоте́л приезжа́ть he was on the point of not coming at all; he very néarly did·n't come at all; чуть ~ не (very) néarly; on the point of; он чуть ~ не забы́л he very néarly forgót; его́ чуть ~ не уби́ло he was néarly killed; он чуть ~ не ушёл he was just abóut to leave, he was on the point of go·ing.

бы́л‖**о́е** с. скл. как прил. the past. ~о́й fórmer, past, bý·gòne [-gɔn]; в ~ы́е времена́ in bý·gòne days, in days of old.

быль ж. 1. fact; 2. (рассказ) true story.

былье́ с.: ~м поросло́ long forgótten, búried in oblívion ['be-...].

быстрина́ ж. rápid(s) (pl.).

бы́стро нареч. fast, quíckly, rápidly, with speed; он ~ сообража́ет he is quick-wítted; he is as sharp as a needle идиом.

быстро‖**гла́зый** shárp-éyed [-'aɪd]. ~де́йствующий fást-acting. ~кры́лый swift-winged. ~но́гий swift-fóoted [-'fu-], nímble(-fóoted) [-'fu-]. ~растворя́мый quick-dissólving; ~растворя́мый ко́фе instant cóffee [...-fɪ]. ~расту́щий quick-growing [-grou-]. ~ре́жущий (о стали) high-spèed.

быстрот‖**а́** ж. quíckness, rapídity; (скорость) speed; ~ соображе́ния quickness of ùnderstánding; с ~ой мо́лнии at líghtning speed; с тако́й ~ой at such speed, so rápidly, at so swift a pace.

быстро‖**те́чный** fléeting, tránsient [-zɪ-]. ~хо́дный high-spéed, fast.

быстр‖**ый** quick (тж. проворный); rápid; (тк. о движении) fast; (немедленный) prompt; ~ на что́-л. разг.

cléver at smth. ['kle-...]; ~ое течение rápid / swift cúrrent; ~ая рысь fast trot; ~ое решение prompt / spéedy decísion; ~ая смена впечатлений rápid succéssion of impréssions.

быт *м. тк. ед.* (уклад жизни) mode / way of life; (повседневная жизнь) life; новый ~ new life, new mode of life; new condítions of life *pl.*; сцены из военного ~a scenes from mílitary life; домашний ~ fámily life; в ~ý in prívate life [...'praɪ-...]; служба ~a consúmer sérvices *pl.*

бытие *с.* béːing, exístence; (реальность) objéctive reálity [...rɪ'æ-]; ~ определяет сознание (sócial) béːing detérmines (one's) cónsciousness [...-nʃəs-]; exístence detérmines cónsciousness; ◇ книга Бытия Génesis.

бытность *ж.:* в ~ when; (во время чьего-л. пребывания) dúring smb.'s stay; в ~ моим студентом in my stúdent days; в ~ его там dúring his stay / sójourn there [...-dʒə:n-...].

бытовать exíst, occúr; be cúrrent.

бытовик *м. разг.* = бытописатель.

бытов‖ой *прил. к* быт; (о машинах *и т. п.*) doméstic; ~ые условия condítions of life; ~ уклад mórals and mánners [-mə-...] *pl.*; ~ое явление évery:day occúrrence; ~ые нужды évery:day necéssities (of life); ~ое обслуживание consúmer sérvices; комбинат ~ого обслуживания consúmer sérvices centre; ~ая драма dráma of évery:day life ['drɑ:-...]; ~ая пьеса play of mánners; ~ роман nóvel of évery:day life ['nɔ-...]; ~ая живопись genre páinting [ʒɑ:ŋr-...]; ~ жанр genre art.

бытописатель *м.* wríter on mátters of évery:day life; (о художнике) páinter of scenes of évery:day life.

быть (в разн. знач.; тж. как связка) be: он был здесь he was here; он был рабочим he was a wórker; — у него, у них *и т. д.* есть he has, they have, *etc.*; у него вчера было много работы he had a great deal of work to do yésterday [...greɪt-...-dɪ]; был сильный ветер there was a strong wind [...wɪ-]; ~ вынужденным (+ инф.) be oblíged (+ to inf.), have (+ to inf.): он был вынужден был пойти he was oblíged to go, he had to go; ~ знакомым (с кем-л.) know* [nou] (smb.), be acquáinted (with smb.); (с чем-л.) have a knówledge [...'nɔ-] (of smth.); ~ в пальто wear* a coat [wɛə...], have a coat on; ~ в отсутствии be ábsent *или* awáy; ~ при чём-л. (присутствовать) be présent at / dúring smth. [...'prez-...]; ~ ни при чём have nóthing to do (with): он тут ни при чём he has nóthing to do with it; — будь он проклят damn / curse him; ~ будь его, её *и т. д.* but for him, her, *etc.*, had it not been for him, her, *etc.*; ~ обязанным кому-л. be indébted to smb. [...-'detɪd...], be oblíged to smb.; ~ свидетелем чего-л. witness smth., be a wítness of smth.; ◇ ~ в состоянии (+ инф.) be able (+ to inf.): он не был в состоянии пойти he was not able, *или* he was únːable, to go; — ~ впору (*дт.*) fit (*d.*); (*перен.*) be fit (for); ~ начекý

be on the alért; как ~? what shall we do?, what is to be done?; может ~ (как вводн. сл.) máybè, perháps; ~ чему-л. smth. is sure to háppen [...ʃuə-...]; ~ буре there'll be a storm, there's sure to be a storm; ~ беде there'll be trouble [...trʌ-...]; была не была! here goes!; ~ по-твоему have it your own way [...oun...]; let it be as you wish; будь, что будет come what may; будь то though it were [ðou...]; будьте добры (+ *пов.*) please (+ *imper.*); ~ (+ *инф.*) would you be so kind (+ as to inf.); будьте добры, позвоните, *или* позвонить, ему завтра please ring him up toːmórrow, would you be so kind as to ring him up toːmórrow?; так и ~ all right, very well; right you are, so be it.

бытьё *с. тк. ед. уст.* life.

быч‖ачий = бычий; ◇ ~ачьи глаза large protrúding eyes [...aɪz].

быч‖ий *прил. к* бык; ~ья шея bull neck [bul...]; ~ья кожа óxhide.

бычиться, сбычиться *разг.* scowl, be glóomy.

бычок I *м.* búll-càlf* ['bulkɑ:f].

бычок II *м.* (*рыба*) búllhead ['bulhed], míller's thumb, góby.

бычок III *м. разг.* (*окурок*) cigarétte-bùtt, fág-ènd.

бьеф *м.:* верхний ~ head race [hed...], head wáter [...'wɔ:-]; нижний ~ táil-wàter [-wɔ:-].

бювар *м.* blótting-pàd.

бювет *м.* púmp-room.

бюджет *м.* búdget; предусматривать что-л. в ~е búdget for smth.; проект ~а búdget éstimates *pl.*; доходная часть ~а révenue; расходная часть ~а expénditure; исполнение ~а в ... году fináncial resúlts for the year... [...-'zʌ-...] *pl.*; ◇ выйти из ~а óverspènd* one's búdget. ~ный búdgetary; ~ная статья ítem in the búdget; ~ный год físcal / búdget year.

бюллетенить *разг.* be on síck-leave.

бюллетен‖ь *м.* 1. (*краткое официальное сообщение*) búlletin ['bu-]; ~ о состоянии здоровья médical búlletin; 2. (*избирательный*) bállot-pàper; 3. (*отчёт съезда и т. п.*) repórt; 4. *разг.* (*больничный лист*) síck-leave certíficate, médical certíficate of únfitness for work; он на ~e he is on síck-leave, *или* on the síck-list.

бюргер *м.* búrgher.

бюретка *ж. хим.* burétte, drópping glass.

бюро I *с. нескл.* 1. (*название руководящей части некоторых органов*) Buréau [-'rou]; ~ райкома партии the Buréau of the Párty District Commíttee [...-tɪ]; 2. (*учреждение*) buréau; (*контора*) office; справочное ~ inːquíry óffice, informátion buréau; ~ повреждений (*телефона*) télephone repáirs sérvice; ~ добрых услуг dó-a-jòb buréau, atːyour-sérvice ágency [...'eɪ-]; ~ проката réntal / hire sérvice; ~ находок lost próperty óffice; похоронное ~ úndertàker's óffice.

бюро II *с. нескл.* (*мебель*) secrétaire [sekrə'tɛə], wríting-dèsk, buréau [-'rou].

бюрократ *м.* búreaucrāt [-ro-], réd-tápist; (*педант*) pédant ['pe-]. ~изм *м.*

БЫТ — В

bùreaucratism [-'rɔ-], red tape. ~ический bùreaucrátic [-ro-]. ~ия *ж.* bùreáucracy [-'rɔ-].

бюст *м.* bust, bósom ['buz-]. ~гальтер [-тэр] *м.* brassière (*фр.*) ['brɑːsɪɛə]; bra [brɑ:] *разг.*

бязь *ж. текст.* coarse cálico.

В

в, во *предл.* 1. (*пр.* — где?; *вн.* — куда?) in; (*пр.*; при обозначении небольших населённых пунктов, учреждений, заведений и т. п.) at; (*вн.*; внутрь; *тж. перен.*) into; (*вн.*; при обозначении стран, населённых пунктов, учреждений и т. п.) to; (*вн.*; при названии места назначения) for: в ящике in *the* box; в саду in *the* gárden; в Москве in Móscow; в Европе in Éurope; в армии in *the* ármy; положить в ящик put* in *the* box; в Клину at Klin; в театре at the théatre [...'θɪə-]; в школе at school; вложить в ящик put* into *the* box; войти в сад go* into *the* gárden; вступать в разговор enter into *a* convèrsátion; ехать в Европу, в Москву go* to Éurope, to Móscow; идти в театр go* to the théatre; ходить в школу go* to school; обращаться в милицию apply to the milítia [...-ʃə]; уезжать в Европу, в Москву leave* for Éurope, for Móscow; — входить в зал énter *the* hall; приезжать в Москву, в Клин arríve in Móscow, at Klin; вступать в исполнение обязанностей énter upːon one's dúties; вступать в партию join *the* párty; 2. (*пр., вн.*; при обозначении одежды, оболочки, формы и т. п.) in: одетый в чёрное dressed in black; завёрнутый в бумагу wrapped in páper; в этой форме in this form; в первом лице *грам.* in the first pérson; в хорошем настроении in a good húmour; 3. (*пр.*; при обозначении качества, характера, состава и т. п.) in; комната в беспорядке the room is in disórder; вся тетрадь в кляксах the exercise-book has blots all óver it; у него всё лицо в веснушках his face is cóvered with fréckles [...'kl-...]; в духе времени in the spírit of the times; в пяти действиях in five acts; 4. (*пр.*; при обозначении расстояния от) at a dístance of ... (from) *или не переводится:* в трёх километрах от Москвы (at a dístance of) three kílometres from Móscow; 5. (*пр.*; при обозначении года, месяца) in; (*вн.*; при названиях дней) on; *но при словах* этот this, тот that, прошлый last, будущий next *не переводится;* (*вн.*; при обозначении часа, момента) at: в 1981 году in 1981; в январе in Jánuary; в четверг on Thúrsday [...'θəːzdɪ]; в три часа at three o'clóck; в этом году this year; в тот день that day; в прошлую субботу last Sáturday [...-dɪ]; — в третьем часу *и т. п.* betwéen two

ВАБ – ВАЛ

and three, etc.; **6.** (*вн.*; *в течение*) in, within: он сделает это в три дня он will do it in three days, *или* within three days; **7.** (*вн.*; *при обозначении единицы времени*) *не переводится*: дважды в год twice a year; три раза в день three times a day; **8.** (*вн.*; *при обозначении размера и т. п.*) *не переводится*: длиной в пять метров five metres long; **9.** (*вн.*; *со словом раз — при сравнении, причём сравн. степень передаётся через* as *с положит. степенью*) *не переводится*: в три раза толще three times as thick; в три раза больше (*о количестве*) three times as much, as many (*ср.* много); (*о размере*) three times the size; — в два раза меньше half [hɑːf]; (*о размере*) half the size; в полтора раза больше half as much, *или* as many, as big, again; **10.** (*вн.*; *при выражении изменения*) into, to (*в зависимости от глагола*): превращать(ся) во что-л. turn into smth. (*перен.*) turn to smth.; change into / to smth. [tʃeɪ-...]; превратить в развалины (*вн.*) reduce to ruins / rubble (*d.*); разрывать в куски (*вн.*) tear* to pieces / bits [teə...ˈpiː...] (*d.*); **11.** (*вн. мн. — им.*; *при обозначении должности, профессии и т. п.*) *об. не переводится*: быть избранным в секретари be elected secretary; он был посвящён в рыцари he was knighted; ◇ в случае если if; in case [...-s]; в случае (*рд.*) in case (of); в том числе in:cluding: в том числе и он in:cluding him; — он весь в отца he is the (very) image of his father [...ˈfɑː-]; he is a chip of the old block *разг.*; в конце концов см. конец; играть во что-л. см. играть; *тж. и др. особые случаи, не приведённые здесь, см. под теми словами, с которыми предл. в образует тесные сочетания.*

ва-банк *нареч.*: играть, идти, ставить ~ stake every:thing; (*перен.*) stake one's all.

ваб‖**ик** *м. охот.* lure, decoy. **~ить** (*вн.*) *охот.* lure (*d.*), decoy (*d.*).

вавилонск‖**ий** Babylónian; ◇ ~ое столпотворение bábel; ~ая башня the tówer of Bábel.

вага *ж. уст.* **1.** (*весы*) weighing-machine [-ˈʃiːn]; **2.** (*в экипаже*) splinter-bàr; (*подвижная*) swingle:tree; **3.** (*рычаг*) léver.

вагон *м.* **1.** (*ж.-д. пассажирский*) cárriage [-rɪdʒ], coach; (*трамвайный, тж. амер. ж.-д. пассажирский и товарный*) car; мягкий ~ sóft-séated cárriage; жёсткий ~ hárd-séated / "hard" cárriage; спальный ~ sléeping-càr; sléeper *разг.*; международный ~ *уст.* Internátional Sleeping Car [-ˈnæ-...]; ~ для курящих smóking-cárriage [-rɪdʒ], smóker; ~ для некурящих nón-smóker; багажный ~ lúggage van; bággage car *амер.*; товарный ~ goods van / wág(g)on [gudz...]; (*открытый*) goods truck, freight car *амер.*; почтовый ~ mail van; mail car *амер.*; ~-цистерна tánk-càr; ~-ресторан díning-càr, réstaurant-

-càr [-rɔːŋ-]; ~-платформа flat wág(g)on; flát-càr, plátform-càr *амер.*; трамвайный ~ trámcàr; stréetcar, trólley *амер.*; детский ~ children's cárriage (on train); **2.** *разг.* (*большое количество чего-л.*) loads, lots, másses, heaps, bags; у него ~ игрушек he has loads of toys; у нас ~ времени we have bags of time.

вагонет‖**ка** *ж.* trólley, truck, car. **~чик** *м.* truck / trólley óperator.

вагонник *м.* cárriage-búilding wórker [-rɪdʒˈbɪl-].

вагонный *прил. к* вагон.

-вагонный (*в сложн. словах, не приведённых особо*) of ... cars, -cárriage [-rɪdʒ] (*attr.*), -van (*attr.*); *напр.* десятивагонный of ten cars; tén-cárriage [-rɪdʒ] (*attr.*).

вагоновожатый *м. скл. как прил.* trám-driver.

вагоноопрокидыватель *м.* ráilway truck típper; car dúmper *амер.*

вагоноремонтный: ~ завод ráilway-cárriage repáir works [-rɪdʒ...].

вагоностроение *с.* cárriage búilding [-rɪdʒ ˈbɪl-].

вагоностроительный: ~ завод cárriage-búilding works [-rɪdʒˈbɪ-...]; cár-búilding plant [-ˈbɪl- -ɑːnt] *амер.*

вагончик *м.* **1.** *уменьш. от* вагон; **2.** (*на полевом стане*) cáravan, tráiler.

вагранка *ж. тех.* cúpola, cúpola-fúrnace.

важнейш‖**ий 1.** *превосх. ст. см.* важный 1; **2.** (*главный*) májor, páramount; ~ая проблема májor próblem [...ˈprɔ-].

важнецк‖**ий** *разг.* great [greɪt]; swell *амер.*; а у тебя ~ие ботинки that's a smáshing pair of shoes you have on [...ʃuːz...].

важничанье *с. разг.* airs and gráces *pl.*

важничать *разг.* **1.** put* on airs, give* one:self airs; get* (up) on one's high horse *идиом.*; **2.** (*чем-л.*) plume / pride one:self (on smth.), pique one:self [piːk...] (on, up:on smth.).

важно I 1. *прил. кратк. см.* важный; **2.** *предик. безл.* it is impórtant; (+ *инф.*) it is impórtant (+ *to inf.*): очень ~ знать, в котором часу он ушёл it is very impórtant to know at what hour / time he left [...nou... auə...].

важно II *нареч.* with an air of impórtance, with a cònsequéntial air; (*горделиво*) grándly.

важн‖**ость** *ж.* **1.** impórtance; (*значение*) sígnificance; большой ~ости of great móment / impórtance [...-eɪt...]; **2.** (*важный вид*) self-impórtance, pómpous:ness; напускать на себя ~ put* on airs, try to look impórtant; ◇ не велика ~ *разг.* it does not matter in the least, it is of no cónsequence, it does:n't matter all that much; эка ~! *разг.* what does it mátter? **~ый 1.** impórtant; (*значительный*) sígnificant; **2.** (*горделивый*) grand, pómpous; ◇ ~ая шишка *разг.* bigwig, big knob, big shot.

ваза *ж.* (*высокая*) vase [vɑːz]; (*в форме чаши*) bowl [boul]; ~ для цветов flówer bowl, flówer vase; ~ для фруктов fruit bowl [fruːt...].

вазелин *м.* váseline [-zɪliːn]. **~овый**

прил. к вазелин; ~овое масло *мед.* váseline oil [-zɪliː...].

вазон *м.* flówerpòt.

вакан‖**сия** *ж.* vácancy [ˈveɪ-]. **~тный** vácant.

вакации *мн.* (*ед.* вакация *ж.*) *уст.* vacátion *sg.*

вакс‖**а** *ж.* shoe pólish [ʃuː...], bláck:ing. **~ить**, наваксить (*вн.*) pólish (*d.*), black (*d.*).

вакуум *м. физ., тех.* vácuum [ˈveɪ-] (*pl.* -cua, -ums). **~-насос** *м.* vácuum pump.

Вакх *м. миф.* Bácchus [-k-].

вакх‖**аналия** *ж.* чаще *мн. ист.* bàcchanália [-k-]; (*перен. тж.*) bácchanal [-k-]. **~анка** *ж.* Bacchánte [-ˈkæntɪ], máenad. **~ический** Bácchic [-k-].

вакцин‖**а** *ж. мед.* váccine [-siːn]. **~ация** *ж. мед.* vàccinátion.

вал I *м.* (*волна*) billow, róller; огневой ~ *воен.* (créeping) bárrage [...-rɑːʒ], bárrage fire; ◇ девятый ~ the tenth wave, híghest wave.

вал II *м.* (*насыпь*) bank; *воен.* rámpàrt; *геол.* swell.

вал III *м. тех.* shaft; приводной ~ dríving shaft.

вал IV *м. эк.* gross óutpùt [grous -put]; выполнить план по ~у fulfil the plan in the gross.

валаамов: ~а ослица Báalam's ass.

валандаться *разг.* **1.** hang* abóut, lóiter, dáwdle; **2.** (*с тв.*) mess abóut (with).

валежник *м. тк. ед. собир.* fáll:en trees, twigs and bránches [...ˈbrɑː-] *pl.*

валёк *м.* **1.** (*бельевой*) báttle:dòre; **2.** (*весла*) loom; **3.** (*экипажа*) swíngle:tree; **4.** *полигр.* róller.

валенки *мн.* (*ед.* валенок *м.*) válenki [ˈvɑː-] (*kind of felt boots*).

валентность *ж. хим.* válency [ˈveɪ-].

-валентный (*в сложн. словах, не приведённых особо*) -válent; *напр.* трёхвалентный trìválent [ˈtraɪveɪ-].

валеный = валяный.

валериан‖**а** *ж.*, **~овый** = валерьяна, валерьяновый.

валерьян‖**а** *ж.*, **~овый** valérian; ~овые капли tíncture of valérian *sg.*

валет *м. карт.* knave, Jack.

валик *м.* **1.** *тех.* róller, cýlinder; (*фонографический*) cýlinder; (*пишущей машины*) pláten [-æ-]; ходовой ~ féed-spindle, féed-shàft; **2.** (*диванный*) bólster [ˈbou-].

вал‖**ить I**, повалить **1.** (*вн.*) bring* down (*d.*), throw* down [-ou...] (*d.*); **2.** (*без доп.*) (*о снеге*) fall* héavily [...ˈhe-], fall* in thick flakes; **3.**: дым ~ит из трубы clouds of smoke are bélching from the chímney; **4.** (*без доп.*) *разг.* (*двигаться массой*) flock, throng; валом ~ flock, throng; come* in flocks; народ ~ит толпами people come in flocks / crowds [piː-...].

валить II, свалить (*вн.*) **1.** bring* down (*d.*), (*о деревьях*) fell (*d.*); кого-л. с ног knock smb. down; **2.**: ~ вину на кого-л. lay* / put* / lump the blame on smb.; **3.** (*беспорядочно, в кучу*) heap up (*d.*), pile up (*d.*); ◇ ~ всё в одну кучу *разг.* lump every:thing togéther [...-ˈge-], make* a múddle of things.

вали́ться, повали́ться fall* (down), tumble down, topple (óver, down); ◇ у него́ всё из рук ва́лится (от нело́вкости) he is very áwkward / clúmsy [...-zɪ]; his fingers are all thumbs идиом.; (от бесси́лия, нежела́ния что-л. сде́лать) he has not the heart to do ánything [...hɑːt...]; ~ с ног разг. be réady to drop (with fatígue) [...ˈre-...-ˈtiːg].

ва́лка ж. félling; ~ дере́вьев félling trees.

валки́ мн. 1. тех. róllers; 2. с.-х. swaths [swɔːðz], wíndrows [ˈwɪndrouz].

ва́лк||ий únstéady [-te-], sháky; (о корабле́) cránky; ◇ ни шатко́ ни́ о поговор. ≅ néither good nor bad [ˈnaɪðə...], míddling well.

ва́лкость ж. (о су́дне) cránkiness.

валов||о́й эк. gross [-ous]; ~ дохо́д gross révenue; ~ая проду́кция gross óutput [...-put]; ~ сбор зерна́ gross yield of grain [...jiːld...].

вало́м: ~ вали́ть см. вали́ть I 4.

валориза́ция ж. эк. valorizátion [-raɪ-].

валто́рна ж. муз. French horn.

валу́н м. bóulder [ˈbou-].

ва́льдшнеп м. зоол. wóodcock [ˈwu-].

вальпу́ргиев: ~а ночь лит. Walpúrgis night [-ˈpuəg-...].

вальс м. waltz [wɔːls]. ~и́ровать waltz [wɔːls].

вальц||ева́ть (вн.) тех. roll (d.). ~о́вка ж. тех. rólling. ~о́вщик м. róller, óperative of rólling-mill. ~о́вый тех. rólling; ~о́вая ме́льница rólling-mill. ~ы́ мн. тех. rólling press sg.

валья́жный уст., ирон. impréssive, impósing.

валю́т||а ж. cúrrency; иностра́нная ~ fóreign cúrrency [ˈfɔrɪn...]; твёрдая ~ hard cúrrency (attr.); ~ный курс rate of exchánge [...-eɪndʒ], exchánge; ~ная опера́ция cúrrency tránsáction [...-z-]; ~ный дефици́т fóreign exchánge déficit [ˈfɔrɪn...]. ~чик м., ~чица ж. разг. speculátor in fóreign cúrrency [...ˈfɔrɪn...].

валя́ль||ный: ~ное произво́дство félting, fúlling [ˈfu-]; ~ная маши́на félting machine [...-ʃiːn]; ~ня ж. fúlling-mill [ˈfu-]. ~щик м., ~щица ж. fúller [ˈfu-].

валя́ние с. (сукна́) fúlling [ˈfu-], mílling.

ва́лян||ый felt; ~ые сапоги́ felt boots.

валя́ть I 1. (вн.) разг. drag (alóng) (d.); ~ по́ полу drag alóng the floor [ˈflɔː] (d.); 2. (вн. в пр.) roll (d. in).

валя́ть II, сваля́ть (вн.; о ва́ленках и т. п.) felt (d.), full [ful] (d.); ~ шля́пы make* felt hats; ◇ дурака́ play the fool; валя́й(те)! разг. go / cárry on!, go ahéad!; [...ˈhed].

валя́ться разг. 1. (о веща́х) lie* about, be scáttered all óver; (об одно́й ве́щи) lie*; 2. (о челове́ке) lie*; (безде́льничать) loll abóut; 3. (ката́ться) roll; в гря́зи wállow in mud / mire; ~ в нога́х у кого́-л. próstráte ónesélf befóre smb., fall* down at smb.'s feet.

вам дт. см. вы.

ва́ми тв. см. вы.

вампи́р м. (в разн. знач.) vámpire; зоол. тж. vámpire-bàt.

вана́дий м. хим. vanádium.

ванда́л м. ист. Vándal; (перен.) vándal. ~и́зм м. vándalism.

ванили́н м. vanílin(e). ~овый прил. к ванили́н.

вани́ль ж. vanílla. ~ный прил. к вани́ль; ~ный порошо́к vanílla pówder.

ва́нн||а ж. (в разн. знач.) bath*; сидя́чая ~ híp-bàth*; со́лнечная ~ súnbàth*; возду́шная ~ áir-bàth*; приня́ть ~у have / take* a bath*; закалочная ~ тех. quénching bath*; фотографи́ческая ~ devéloping tray. ~ая ж. скл. как прил. báthroom. ~очка ж. уменьш. от ва́нна; де́тская ~очка báby's bath*; глазна́я ~очка éye-bàth [ˈaɪ-].

ва́нты мн. (ед. ва́нта ж.) мор. shrouds.

ва́нька-вста́нька м. (игрушка) córk-túmbler, tílting doll.

вапориза́||тор м. тех. váporizer [ˈveɪ-]. ~ция ж. тех. vaporizátion [veɪpəraɪ-].

вар м. (смола́) pitch; (сапо́жный) cóbbler's wax [...wæks].

вара́н м. зоол. mónitor lízard [...ˈlɪ-].

ва́рвар м. barbárian. ~и́зм м. лингв. bárbarism. ~ский barbárian; (перен.) bárbarous. ~ство с. ист. bárbarism; (жесто́кость) barbárity; (по отноше́нию к культу́рным це́нностям) vándalism.

ва́рево с. тк. ед. разг. soup [suːp], broth.

ва́режка ж. mítten.

варене́ц м. varenéts (fermented baked milk).

варе́ние с. = ва́рка.

варе́ник м. varénik (curd or fruit dumpling).

варён||ый boiled; ~ая говя́дина boiled beef.

варе́нье с. presérve(s) [-ˈzəːv(z)] (pl.), jam.

вариа́нт м. vérsion; (те́кста тж.) réading, váriant.

вариацио́нн||ый variátion (attr.); ~ое исчисле́ние мат. cálculus of variátions.

вариа́ция ж. variátion; те́ма с ~ми муз. theme and variátions.

вари́ть, свари́ть (вн.) 1. (отва́ривать) boil (d.); (стря́пать, гото́вить) cook (d.); make* (d.); (о́вощи) boil végetables; ~ ка́шу, суп cook / make* pórridge, soup [...suːp]; ~ обе́д cook / make* the dínner; ~ — глинтве́йн mull wine; ~ ко́фе make* cóffee [...-fɪ]; ~ пи́во brew beer; ~ варе́нье make* jam; 2. тех. found (d.); ◇ у него́ желу́док не ва́рит he has indigéstion [...-stʃən]. ~ся, вари́ться 1. be bóiling / cóoking; 2. страд. к вари́ть; ◇ ~ся в со́бственном соку́ разг. stew in one's own juice [...oun dʒuːs].

ва́рка ж. cóoking; ~ варе́нья jám-máking.

ва́рница ж. уст. (солева́рня) sáltwòrks.

варьете́ [-тэ-] с. нескл. variety show [...ˈʃou]; теа́тр-~ variety theatre [...ˈθɪə].

варьи́ровать (вн.) váry (d.), módify (d.).

варя́||г м., ~жский Varángian.

вас рд., вн., пр. см. вы.

василёк м. córnflower.

васили́ск м. зоол., миф. básilisk [-zɪ-].

василько́вый прил. к василёк; (о цве́те) córnflower blue.

васса́л м. ист. vással (тж. перен.), líege:man* [ˈliː-].

васса́льн||ый прил. к васса́л; ~ая зави́симость vássalage.

ва́т||а ж. (для подкла́дки) wádding; (медици́нская) cótton wool [...wul]; пальто́ на ~е coat lined with wádding.

вата́га ж. разг. crowd, throng, band.

ватерклозе́т [-тэ-] м. уст. wáter-clòset [ˈwɔːtəklɔz-], W.C. [ˈdʌbljuːˈsiː].

ватерли́ния [-тэ-] ж. мор. wáter-line [ˈwɔː-]; грузова́я ~ load wáter-line, lóadline.

ватерпа́с [-тэ-] м. wáter-lèvel [ˈwɔːtəle-].

ватерполи́ст [-тэ-] м. wáter-pòlò pláyer [ˈwɔː-...].

ватерпо́ло [-тэ-] с. нескл. спорт. wáter pólò [ˈwɔː-...].

вати́н м. sheet wádding.

ва́тка ж. little piece, или small wad, of cótton wool [...piːs... wul].

ва́тман м. (бума́га) Whátman (páper). ~ский: ~ская бума́га Whátman páper.

ва́тн||ый 1. прил. к ва́та; 2. (на ва́те) lined with wádding; (стёганый) quílted; ~ое одея́ло quilt.

ватру́шка ж. curd tart, chéese-càke.

ватт м. эл. watt. ~-ме́тр м. эл. wáttmèter. ~-час м. эл. wátt-hour [-aʊə].

ва́ф||ельница ж. wáffle-iron(s) [-ˈaɪən(z)] (pl.). ~ельный wáffle (attr.). ~ля ж. wáfer; (с кле́тчатым отти́ском) waffle (attr.).

вахла́к м. разг. lout.

ва́хмистр м. уст. cávalry sérgeant-májor [...ˈsɑː-...].

ва́хт||а ж. мор. watch; стоя́ть на ~е keep* watch, be on watch; ◇ ~ ми́ра efforts for peace. ~енный мор. 1. прил. watch (attr.); ~енный команди́р ófficer of the watch; ófficer of the deck амер.; ~енный журна́л lóg(-book); 2. м. как сущ. watch.

ва́хтер м. уст. sénior wátch:man*. вахтёр м. jánitor, pórter.

ваш 1. мест. (при сущ.) your; (без сущ.) yours: э́то ~а кни́га this is your book; э́та кни́га ~а this book is yours; моя́ кни́га здесь, а ~а там my book is here while yours is there; э́то ~ друг? is he a friend of yours? [...frend...]; по ~ему мне́нию in your opínion; 2. мн. в знач. сущ. your péople / folk [...piː-...]; ◇ ~его мне не ну́жно I do not want ánything of yours; я рабо́таю бо́льше ~его I work more than you; э́то ~е де́ло that is your own búsiness [...oun ˈbɪzn-]; э́то не ~е де́ло it's none of your búsiness [...nʌn...].

вая́||ние с. sculpture. ~тель м. scúlptor.

вая́ть, изва́ять (вн.) sculpture (d.), sculpt (d.) разг.; (из ка́мня, де́рева, ко́сти) chísel [ˈtʃɪzl] (d.), carve (d.); (из гли́ны) módel [ˈmɔ-] (d.); (из бро́нзы) cast* (d.).

вбега́ть, вбежа́ть come* rúnning in; (стреми́тельно) come* rúshing in; (в вн.) run* (into), come* rúshing (into).

вбежа́ть сов. см. вбега́ть.

ВБИ – ВДВ

вбива́ть, вбить *(вн.)* drive* in *(d.)*, hámmer in *(d.)*; вбить клин *(прям. и перен.)* drive* a wedge *◇* ~ кому́-л. в го́лову *разг.* knock / hámmer into smb.'s head [...hed] *(d.)*; вбить себе́ в го́лову get* / take* into one's head *(d.)*.

вбира́ть, вобра́ть *(вн.)* absórb *(d.)*; *(жидкость тж.)* drink* in *(d.)*, suck in *(d.)*; *(воздух)* inhále *(d.)*. ~ся, вобра́ться 1. soak (in, up); 2. *страд. к* вбира́ть.

вбить *сов. см.* вбива́ть.

вблизи́ *нареч.* close by [-s...], néarby; ~ от not far from; дом нахо́дится где́-то ~ the house* is sómewhere néarby [...haus...]; ~ от го́рода not far from the town, near the town; рассма́тривать ~ *(вн.)* exámine clóse:ly [...-s-] *(d.)*.

вбок *нареч. разг.* sídeways.

вбра́сывать, вбро́сить *(вн.) спорт.* throw* in [-ou...] *(d.)*.

вброд *нареч. разг.:* переходи́ть ~ *(вн.)* wade *(d.)*, ford *(d.)*.

вбро́сить *сов. см.* вбра́сывать.

вва́ливать, ввали́ть *(вн. в вн.)* heave* *(d.* into). ~ся, ввали́ться 1. *(становиться впалым)* becòme* hóllow / súnken; 2. *(в вн.) разг. (падать)* tumble (in, into); 3. *(в вн.) разг. (входить)* barge (into), burst* (into).

ввали́вш||**ийся** *прич. и прил.* súnken; *прил. тж.* hóllow; ~иеся глаза́ súnken eyes [...aiz]; с ~ими ще́ками hóllow-chéeked.

ввали́ть(ся) *сов. см.* вва́ливать(ся).

введе́ние *с.* introdúction; *(предисловие тж.)* préface.

ввезти́ *сов. см.* ввози́ть.

ввек *нареч. разг.* néver; ~ э́того не забу́ду I shall never forgét it [...-'g-...], I shall not forgét it as long as I live [...liv].

вверга́ть, вве́ргнуть *(вн. в вн.)* fling* *(d.* into); *(перен.)* plunge *(d.* into); ~ в отча́яние drive* to despáir *(d.)*, plunge into despáir *(d.)*; вве́ргнуть в пучи́ну войны́ plunge into war *(d.)*.

вве́ргнуть *сов. см.* вверга́ть.

вве́рить(ся) *сов. см.* вверя́ть(ся).

вверну́ть *сов. см.* вве́ртывать.

вве́ртывать, вверну́ть *(вн.)* 1. screw in / into *(d.)*; ~ ла́мпочку screw in *an* eléctric bulb; 2. *разг. (слово, замечание)* put* in *(d.)*; ему́ не удало́сь вверну́ть ни слове́чка he could:n't get a word in.

вверх *нареч.* up, úpwards [-dz]; *(по течению)* úpstream; смотре́ть ~ look úp(wards) [...'г-]; ~ по реке́ up the river [...'г-]; идти́ ~ по ле́стнице go* úpstairs; подня́ть ~ *(вн.)* lift up *(d.)*; поднима́ться ~ go* up; mount; поднима́ться ~ по *(дт.)* go* (up), mount *(d.)*; *◇* ~ дном úpside-dówn, tópsy-túrvy; ~ нога́ми head óver heels [hed...]; ру́ки ~! hands up!

вверху́ *нареч.* abóve, óver:héad [-'hed].

вверя́ть, вве́рить *(дт. вн.)* (en)trúst *(d.* with); вве́рить та́йну кому́-л. trust smb. with a sécret, confíde a sécret to smb. ~ся, вве́риться 1. *(дт.)* trust (in); 2. *страд. к* вверя́ть.

ввести́ *сов. см.* вводи́ть.

ввечеру́ *нареч. уст.* in the évening [...'i:vn-].

ввиду́ *предл. (рд.)* in view [...vju:] (of); ~ того́, что as; since; in view of the fact that; *юр.* whère:as; ~ того́, что он здесь as he. is here, in view of the fact that he is here.

ввинти́ть *сов. см.* вви́нчивать.

вви́нчивать, ввинти́ть *(вн. в вн.)* screw *(d.* into).

ввод *м.* 1. *тех.* léad-ín; ~ ка́беля léad-ín of a cable; 2.: ~ в эксплуата́цию, ~ в де́йствие *(рд.)* putting into òperátion *(d.)*, commíssioning (of); ~ в бой en:gáge:ment *(of troops)*, thrówing into battle [-ou-...].

вводи́ть, ввести́ *(вн.; в разн. знач.)* bring* in *(d.)*, introdúce *(d.)*; ~ войска́ в го́род bring* troops into a town; ~ су́дно в га́вань bring* a ship into hárbour; ~ в док *мор.* dock *(d.)*; ~ мо́ду, introdúce a fáshion; ~ в мо́ду bring* into fáshion *(d.)*; ~ в употребле́ние introdúce into práctice *(d.)*; bring* into use / sérvice [...-s...] *(d.)*; *◇* ~ кого́-л. в расхо́д put* smb. to expénse; ~ кого́-л. в заблужде́ние misléad* smb., decéive smb. [-'si:v...]; ~ проти́вника в заблужде́ние misléad* / decéive / confúse the énemy; ~ в бой en:gáge *(d.)*, put* into the field [...fi:ld] *(d.)*, throw* into battle [-ou-...] *(d.)*; ~ кого́-л. в курс чего́-л. acquáint smb. with the facts of smth., put* smb. in the pícture; put* smb. wise to smth. *разг.*; ~ зако́н в де́йствие impleménт a law, put* a law in force, cárry a law into effect; ~ кого́-л. во владе́ние put* smb. in posséssion [...-'ze-]; ~ в де́йствие, эксплуата́цию commíssion *(d.)*, put* into commíssion / òperátion *(d.)*.

вводн||**ый** introdúctory; ~ое сло́во *грам.* parénthesis (*pl.* -sès [-si:z]); pàrenthétical word; ~ое предложе́ние *грам.* pàrenthétical / insérted clause.

ввоз *м. тк. ед.* 1. ímport, ìmportátion; 2. *(совокупность ввозимых товаров)* ímport(s) *(pl.)*. ~и́ть, ввезти́ *(вн.)* bring* in *(d.)*; *(импортировать)* impórt *(d.)*. ~ный *эк.* impórted; ~ная по́шлина ímport dúty; ~ные континге́нты quóta of ímports.

вво́лю *нареч. разг.* to one's heart's contént [...ha:ts...]; *(в изобилии)* in plénty; нае́сться, напи́ться ~ eat*, drink* one's fill.

ввосьмер||**о́** *нареч.* eight times; ~ бо́льше *(с сущ. в ед. ч.)* eight times as much; *(с сущ. во мн. ч.)* eight times as many; ~ ме́ньше one-éighth. ~о́м *нареч.* eight (togéther) [...-'ge-]; мы, они́ и *т. д.* ~о́м eight of us, of them, *etc.* (togéther).

ввысь *нареч.* high into the air.

ввяза́ть(ся) *сов. см.* ввя́зывать(ся).

ввя́зывать, ввяза́ть *(вн.)* knit* in *(d.)*; *(перен.: впутывать) разг.* mix up *(d.)*, invólve *(d.)*. ~ся, ввяза́ться 1. *разг.* meddle; put* one's oar in *идиом.*; ~ся в неприя́тную исто́рию get* mixed up, *или* invólved, in an ùnpléasant búsiness [...-lez-'bizn-]; ~ся в бой en:gáge in battle, en:gáge (with) the énemy; 2. *страд. к* ввя́зывать.

вгиба́ть, вогну́ть *(вн.)* curve / bend* ínwards [...-dz] *(d.)*. ~ся, вогну́ться curve / bend* ínwards [...-dz].

вглубь *нареч. (далеко вниз)* deep down; *(далеко внутрь)* deep into (the heart) [...ha:t]; проника́ть ~ pénetrate deep into.

вгляде́ться *сов. см.* вгля́дываться.

вгля́дываться, вгляде́ться *(в вн.)* look inténtly / nárrowly / clóse:ly [...-s-] (at), peer (at, into), obsérve nárrowly / clóse:ly [-'zə:v...] *(d.)*; ~ в темноту́ peer into the dárkness.

вгоня́ть, вогна́ть *(вн.) разг.* drive* in *(d.)*; *(вн. в вн.)* drive* *(d.* into); *(перен.: приводить в какое-л. состояние)* drive* *(d.* into, to); ~ гвоздь в сте́ну drive* a nail into a wall; *◇* ~ кого́-л. в кра́ску put* smb. to the blush; ~ кого́-л. в пот make* smb. go hot and cold; work smb. to the bone; ~ в гроб *разг.* drive* to the grave *(d.)*, be the death [...deθ] (of).

вгоряча́х *нареч. разг.* in the heat of the móment.

вгрыза́ться, вгры́зться *(в вн.)* get* / sink* one's teeth (into).

вгры́зться *сов. см.* вгрыза́ться.

вдава́ться, вда́ться *(в вн.)* jut out (into); мыс вдаётся в мо́ре the héadland juts out into the sea [...hed-...]; мо́ре вдаётся глубоко́ в су́шу the sea cuts / runs deep ínland; *◇* ~ в кра́йности run to extrémes; ~ в подро́бности go* into détail(s) [...'di:-]; ~ в то́нкости súbtilize ['sʌtɪ-], split* hairs.

вда́виться *сов. см.* вда́вливать(ся).

вда́вливать, вдави́ть *(вн. в вн.)* press *(d.* into). ~ся, вдави́ться 1. press in; 2. *страд. к* вда́вливать.

вда́лбливать, вдолби́ть *(вн. дт.) разг.* ram *(d.* into), drum *(d.* into), din *(d.* into); ~ что-л. кому́-л. в го́лову drum smth. into smb.'s head [...hed], din smth. into smb., ram smth. down smb.'s throat.

вдалеке́, **вдали́** *нареч.* in the dístance, at a dístance, far off; ~ от чего́-л. far from smth., a long way from smth.; ~ от кого́-л. a:wáy from smb., far from smb.; держа́ться ~ keep* alóof; *(перен.)* keep* one's dístance, hold* alóof; исчеза́ть вдали́ vánish into thin air.

вдаль *нареч.* far; гляде́ть ~ look into the dístance.

вда́ться *сов. см.* вдава́ться.

вдвига́ть, вдви́нуть *(вн. в вн.)* move [mu:v] *(d.* in, into), push [puʃ] *(d.* in, into). ~ся, вдви́нуться 1. go* in; 2. *страд. к* вдвига́ть.

вдви́нуть(ся) *сов. см.* вдвига́ть(ся).

вдво́е *нареч.* 1. *(больше)* twice; *(меньше)* half [ha:f]; ~ бо́льше *(с сущ. в ед. ч.)* twice as much; *(с сущ. во мн. ч.)* twice as many; ~ ме́ньше half [ha:f]; ~ вы́ше twice as high / tall, twice the height [...hait]; ~ ни́же half the height; ~ лу́чше twice as good; ~ доро́же twice as expénsive, double the price [dʌ-...]; ~ деше́вле half the price; ~ бли́же much néarer, half as far [ha:f...]; ~ да́льше twice as far, twice the dístance; ~ до́льше twice as long; ~ ста́рше double the age; я ~ ста́рше вас I'm twice your age; он ~ моло́же вас he's half your age; увели́чить ~ *(вн.)* double (d.); уменьшить ~ halve [hɑ:v]; 2. (пополам) in half; сложить ~ (вн.) fold in two (d.); fold double (d.).

вдвоём нареч. two (together) [...-'ge-]; они, мы и т. д. ~ the two of them, of us, etc. (together); давайте поговорим ~ let the two of us, или let us two, have a talk.

вдвойне нареч. double [dʌ-], doubly ['dʌ-]; (перен.: особенно) particularly, especially ['pe-]; заплатить ~ pay* double; он ~ виноват he is doubly to blame; он ~ рад he is particularly / especially glad.

вдевать, вдеть (вн. в вн.) pass (d. through); ~ нитку в иголку thread a needle [θred...]; ~ ногу в стремя set* / put* one's foot* in the stirrup [...'stʌ-].

вдевятер||о нареч. nine times; ~ больше (с сущ. в ед. ч.) nine times as much; (с сущ. во мн. ч.) nine times as many; ~ меньше one-ninth [-'naɪnθ]. ~ом нареч. nine (together) [...-'ge-]; они, мы и т. д. ~ом nine of them, of us, etc. (together).

вделать сов. см. вделывать.

вделывать, вделать (вн. в вн.) fit (d. in, into), fix (d. in, into); (о драгоценном камне) set* (d. in, into).

вдёр||гивать, вдёрнуть (вн. в вн.) pull [pul] (d. through), pass (d. through); ~ нитку в иголку thread a needle [θred...]. **~нуть** сов. см. вдёргивать.

вдесятер||о нареч. ten times; ~ больше (с сущ. в ед. ч.) ten times as much; (с сущ. во мн. ч.) ten times as many; ~ меньше one-tenth. **~ом** нареч. ten (together) [...-'ge-]; они, мы и т. д. ~ом ten of them, of us, etc. (together).

вдеть сов. см. вдевать.

вдобавок нареч. разг. in addition, to boot; moreover; into the bargain; (сверх всего) on top of everything, as well.

вдова ж. widow ['wɪ-]; ◊ соломенная ~ разг. grass widow.

вдов||еть разг. be widowed; (о женщине тж.) be a widow [...'wɪ-]; (о мужчине тж.) be a widower. **~ец** м. widower; ◊ соломенный ~ец разг. grass widower.

вдов||ий прил к вдова; ~ья часть наследства юр. dower, jointure.

вдоволь нареч. 1. (в изобилии) in plenty, in abundance; 2. (до полного удовлетворения) to one's heart's content [...hɑ:ts...]; ~ наесться, напиться eat*, drink* one's fill.

вдовство с. (о женщине) widowhood ['wɪdouhud]; (о мужчине) widowerhood [-hud].

вдовствовать уст. (о женщине) be a widow [...'wɪ-]; (о мужчине) be a widower.

вдовый widowed.

вдогонку нареч. разг. after, in pursuit of [...'sju:t...]; пуститься за кем-л. ~ rush / dash after smb., или in pursuit of smb.; послать письмо ~ send* on a letter; крикнуть кому-л. ~ call after smb.

вдолбить сов. см. вдалбливать.

вдоль 1. предл. (рд.) along: ~ берега, ~ побережья (о морском) along the coast; (о речном) along the bank; 2. нареч. length:ways, length:wise; ◊ ~ и поперёк разг. (во всех направлениях) far and wide; (во всех подробностях) thoroughly ['θʌlgə-], minute:ly [maɪ-]; он изъездил Советский Союз ~ и поперёк he has travelled the length and breadth of the USSR [...-edθ...]; знать что-л. ~ и поперёк know* smth. thoroughly, или through and through [nou...], know* smth. inside out.

вдосталь нареч. разг. to one's heart's content [...hɑ:ts...].

вдох м. inhalation, breath [breθ]; сделать глубокий ~ take* / draw* a deep breath.

вдохнов||ение с. inspiration, enthusiasm [-zɪ-]. **~енно** нареч. inspired:ly, with enthusiasm [...-zɪ-], enthusiastically [-zɪ-]. **~енный** inspired, enthusiastic [-zɪ-]. **~итель** м. inspirer. **~ить(ся)** сов. см. вдохновлять(ся).

вдохновлять, вдохновить (вн.) inspire (d.). **~ся**, вдохновиться 1. be / feel* inspired; вдохновиться чем-л. be inspired by smth., derive inspiration from smth.; 2. страд. к вдохновлять.

вдохнуть I сов. см. вдыхать.

вдохнуть II сов. (что-л. в кого-л.) breathe (smth. into smb.); (внушить) instil (smth. into smb.); (вдохновить) inspire (smb. with smth.); ~ в кого-л. мужество inspire smb. with courage [...'kʌ-]; (внушить мужество) instil courage into smb.; ~ жизнь в кого-л. breathe new life into smb.

вдребезги нареч. into smithereens [...-ð-]; разбивать ~ (вн.) smash into / to smithereens (d.); shatter (d.) (гл. обр. перен.); ◊ ~ пьяный разг. blind drunk.

вдруг нареч. 1. (внезапно) suddenly, all of a sudden; 2. (что если) suppose, what if; а ~ он не придёт? suppose, или what if, he doesn't come?; ◊ все ~ разг. (все вместе) all together [...-'ge-], all at once [...wʌns].

вдрызг нареч. разг.: ~ пьяный blind drunk.

вдувание с. 1. insufflation; 2. мед. pneumothorax [nju:-].

вдувать, вдунуть, вдуть (вн. в вн.) blow* [blou] (d. into).

вдуматься сов. см. вдумываться.

вдумчив||ость ж. thoughtfulness. **~ый** 1. serious, profound; 2. (проникновенный) thoughtful, penetrating.

вдумываться, вдуматься (в вн.; обдумывать) consider [-'sɪ-] (d.), think* over (d.); (размышлять) ponder (over).

вдунуть сов. см. вдувать.

вдуть сов. см. вдувать.

вдыха||ние с. inhalation. **~тельный** respiratory [-'paɪə-].

вдыхать, вдохнуть (вн.) inhale (d.), breathe in (d.); ~ свежий воздух inhale, или breathe in, the fresh air.

вегетариан||ец м., **~ский** vegetarian; ~ский стол vegetarian diet. **~ство** с. vegetarianism.

вегетативн||ый биол. vegetative; ◊ ~ая нервная система vegetative nervous system.

вегетационный бот. vegetation (attr.), vegetative; ~ период vegetation period.

вегетация ж. бот. vegetation.

ведать 1. (вн.) уст. (знать) know* [nou] (d.); 2. (тв.; заведовать) manage (d.), be in charge (of).

веденн||е с. authority; быть, находиться в ~и (рд.) be under the authority (of); юр. be under the jurisdiction (of); это в его ~и this is within his province.

ведение с. conducting; ~ бухгалтерских книг book-keeping; ~ заседания presiding over a meeting [-'zaɪ-...]; ~ дела conduct / management of affairs; ~ судебного дела conduct of a case / suit, или of judicial proceedings [...-s sju:t...]; ~ хозяйства (домашнего) house:keeping [-s-]; ~ огня воен. firing; (ср. тж. вести).

ведёрный 1. прил. к ведро 1; 2. (вместимостью в одно ведро) holding one pailful.

ведом||о: с (без) моего ~а with (without) my knowledge [...'nɔ-]; (о согласии) with (without) my consent / leave.

ведомость ж. 1. list, register; 2. мн. (как название газеты) gazette sg.

ведом||ственный departmental [di:-]; (перен.) narrow, bureaucratic [-ro-]. **~ство** с. department.

ведом||ый 1. прич. и прил. driven ['drɪ-]; ~ая шестерня driven pinion; 2. м. как сущ. ав. supporting aircraft; (о пилоте) second ['se-], wing:man*-; вылететь с двумя ~ыми take* off with two supporting aircraft, или with two partners.

вёдренный разг. fine; ~ день fine sunny day.

ведро с. 1. bucket, pail; полное ~ (чего-л.) a bucketful (of); 2. (мера жидкостей) twenty-one pints [...paɪ-] pl.

вёдро с. разг. fine weather [...'we-].

ведущ||ий 1. прич. см. вести; 2. прил. chief [-i:f], leading; ~ие отрасли промышленности key industries [ki:...]; ~ее начало fundamental principle; ~ее звено воен. leading squad; 3. прил. тех.: ~ее колесо driving-wheel; 4. м. как сущ. ав. leading plane, leader.

ведь союз 1. (дело в том, что) может быть передано выражениями you see, you know [...nou]; при других союзах обычно не переводится: он лежит, ~ он на прошлой неделе заболел he is in bed, he fell ill last week, you know; ~ он знаток he is an expert, you see, или you know; но ~ это всем известно but everyone knows it; (a) ~ он вам говорил but he told you; да ~ это он! why, it's he!; why it's him! разг.; 2. (не правда ли?) передаётся вопросами is it not?, will you not? и т. п.; при отрицании is it?, will you? и т. п.: ~ это правда? it's true, is it not? (isn't it? разг.); ~ это неправда? it is not true, is it?; ~ он пойдёт? he will go, will he not? (won't he? разг.) ~ wount...].

ведьма ж. фольк. witch; (перен.) vixen, hag, harridan; старая ~ old hag.

ВЕЕ – ВЕН

ве́ер *м.* 1. fan; обма́хиваться ~ом fan oneself; 2. *воен.* sheaf of fire; lines of fire *pl.*

веерообра́зный fán-shàped; ~ свод *арх.* fan váulting.

ве́жды *мн. поэт. уст.* éye:lids ['aɪ-].

ве́жливо I 1. *прил. кратк. см.* ве́жливый; 2. *предик. безл.* it is políte / cóurteous / cívil [...'kə:-...].

ве́жлив‖**о** II *нареч.* políte:ly, cóurteous:ly ['kə:-]. ~**ость** *ж.* políte:ness, cóurtesy ['kə:-], civílity. ~**ый** políte, cóurteous ['kə:-], cívil.

везде́ *нареч.* évery:whère; ~, где уго́дно ány:whère; ~ и всю́ду here, there and évery:whère, high and low [...lou].

вездесу́щий ómniprésent [-ez-], ubíquitous.

вездехо́д *м.* Lánd-ròver, cròss-cóuntry véhicle [-'kʌ- 'vi:ikl]. ~**ный** cròss-cóuntry [-'kʌ-].

везе́ние *с. разг.* luck.

везти́ I, повезти́ (*вн.; в разн. знач.*) *см.* вози́ть I.

вез‖**ти́** II, повезти́ *безл.*: ему́, им *и т. д.* ~ёт (*вообще*) he is, they are, *etc.*, lúcky; (*в данное время*) he is, they are, *etc.*, in luck; ему́, им *и т. д.* не ~ёт he has, they have, *etc.*, no luck.

везу́чий *разг.* lúcky.

век *м.* 1. (*столетие*) céntury; 2. (*эпоха*) age; 3. *тк. ед. разг.* (*жизнь*) life:tìme; на моём ~у́ in my life:tìme; он мно́го повида́л на своём ~у́ he has seen much in his life:tìme, he has seen a great deal in his time [...greɪt...]; дожива́ть свой ~ be líving the rest of one's days [...'lɪv-...], spend* the rest of one's life, live out one's day [lɪv...]; отжи́ть свой ~ (*о людях, о вещах*) have had one's day; (*об обычаях, вещах тж.*) go* out of fáshion / use [...-s]; на наш ~ хва́тит it will last our time; 4. *как нареч. разг.* (*очень долго*) for áges: мы с тобо́й ~ не вида́лись, не встреча́лись we have not seen, met each other for áges; 5. *как нареч. разг.* (*постоянно*) álways ['ɔ:lwəz]; ◊ бро́нзовый ~ the Brónze Age; желе́зный ~ the Íron Age [...aɪən...]; ка́менный ~ the Stone Age; сре́дние ~а́ the Míddle Áges; в ко́и-то ~и *разг.* once in a blue moon [wʌns...]; во ~и ~о́в *уст.* for all time, for ever and ever; на ~и ве́чные for ever; ~ живи́ — ~ учи́сь *посл.* live and learn [lɪv...lə:n]; ограбле́ние, уби́йство, нахо́дка ~а the róbbery, the múrder, the find of the céntury.

ве́ко *с.* éye:lid ['aɪ-].

векова́ть: век ~ pass a lífe:tìme.

векове́чный èver:lásting, etérnal.

веков‖**о́й** 1. céntury (*attr.*), céntury-lòng; 2. (*многолетний, давний*) áncient ['eɪn-], àge-óld, cènturies-óld; ~ дуб vénerable oak; ~**и́е** ча́яния àge-óld àspirátions.

векселе‖**да́тель** *м.* dráwer (of *a* bill). ~**держа́тель** *м.* hólder of bill of exchánge [...-eɪndʒ].

ве́ксел‖**ь** *м.* (*простой*) note of hand, prómissory note; (*переводный*) bill (of exchánge) [...-eɪndʒ], draft; учи́тывать ~ díscount *a* bill; упла́тить по ~ю pay* / meet* *a* bill; опротестова́ть ~ protést *a* bill.

ве́ксельный *прил. к* ве́ксель; ~ креди́т páper-crédit; ~ курс rate of exchánge [...-eɪndʒ].

ве́ктор *м. мат.* véctor. ~**ный** *мат.* vectórial.

ве́кша *ж.* (*белка*) squírrel.

веле́нев‖**ый**: ~ая бума́га véllum (páper).

веле́ни‖**е** *с. поэт.* commánd [-ɑ:nd]; behést; díctates *pl.*; ~ до́лга call of dúty; сле́довать ~ю до́лга obéy the call of dúty; ~ ра́зума the díctates of réason [...-z-]; сде́лать что-л. по ~ю се́рдца fóllow the díctates of one's heart / cónscience [...hɑ:t -ʃəns].

велере́чивый *уст.* pómpous, bombástic, magníloquent.

вел‖**е́ть** *несов. и сов.* (*дт. + инф.*) órder (*d.* + to *inf.*), tell* (*d.* + to *inf.*): он ~е́л ему́ сде́лать э́то he órdered / told him to do this; де́лайте, как вам ве́лено do as you are told; ◊ ему́ не ~я́т кури́ть he is not allówed to smoke; со́весть мне не ~и́т my cónscience does not permít / allów me [...-ʃəns...].

вели́к I *прил. кратк. см.* вели́кий.

вели́к II *предик.* too big; сапоги́ ему́ ~и́ the boots are too big for him.

велика́н *м.* gíant. ~**ша** *ж.* gíantess.

вели́к‖**ий** 1. great [greɪt]; (*при со́бственных именах*) the Great; Вели́кая Октя́брьская социалисти́ческая револю́ция The Great Október Sócialist Rèvolútion; ~**ие** держа́вы the Great Pówers; ~ учёный great scíentist; Пётр Вели́кий Péter the Great; 2. *ист.* (*часть титула*) Grand; ~ князь Grand Duke; ◊ от ма́ла до ~а young and old [jʌn...]; ~**ие** ми́ра сего́ the míghty / exálted of the earth [...ə:θ]; ~**ое** мно́жество a great many.

велико́ват *предик. разг.* ráther big / large ['rɑ:-...]; on the big / large side.

великовозра́стный óver:grówn [-oun].

великодержа́вный gréat-pówer [-eɪt-] (*attr.*); ~ шовини́зм gréat-pówer cháuvinism [...'ʃou-].

великоду́ши‖**е** *с.* gènerósity; màgnanímity. ~**ничать, свеликоду́шничать** *разг.* afféct màgnanímity / gènerósity.

великоду́шн‖**ый** I 1. *прил. кратк. см.* великоду́шный; 2. *предик. безл.* it shows gènerósity [...fouz...].

великоду́шн‖**о** II *нареч.* màgnánimous:ly, génerous:ly. ~**ый** màgnánimous, génerous.

великоле́пие *с.* spléndour, màgnifícence.

великоле́пно I 1. *прил. кратк. см.* великоле́пный; 2. *предик. безл.* it is spléndid; ~! spléndid!, éxcellent!

великоле́пн‖**о** II *нареч.* spléndidly; он э́то ~ зна́ет he knows it pérfectly well [...nouz...]. ~**ый** 1. spléndid, màgnífìcent; (*пышный*) górgeous; 2. *разг.* (*отли́чный*) éxcellent, spléndid, fine.

великору́с *м.,* ~**ский** *ист.* Great Rússian [...-ʃən].

великосве́тск‖**ий** *уст.* society (*attr.*), fáshionable; ~**ая** жизнь high life.

велича́в‖**ость** *ж.* státe:liness, májesty. ~**ый** státe:ly, majéstic.

велича́йш‖**ий** the gréatest [...'greɪ-], supréme; ~**ей** ва́жности mátter of the gréatest, *или* of supréme / páramount, impórtance.

велича́ние *с.* 1. glorificátion [glɔ-], extólling; 2. (*народная обрядовая песня*) songs of praise *pl.*

велича́ть (*вн.*) 1. *уст.* (*называть по отчеству*) inclúde the pàtronýmic (of) (*as a form of address*); как Вас ~? what is your pàtronýmic, please?; 2. (*чествовать*) hónour with rites and songs ['ɔnə...] (*d.*).

вели́чественн‖**ость** *ж.* májesty, grándeur, sublímity. ~**ый** majéstic, grand, sublíme.

вели́чество *с.* májesty.

вели́ч‖**ие** *с.* grándeur, gréatness [-eɪt-]; испо́лненный ~**ия** majéstic; ~ ду́ха gréatness of spírit; ◊ ма́ния ~**ия** mègalománia; во всём своём ~**ии** in all his, her spléndour; с высоты́ своего́ ~**ия** from the peak of one's éminence.

величин‖**а́** *ж.* 1. size; 2. *мат.* quántity, mágnitùde; (*значение*) válue; постоя́нная ~ cónstant; неизве́стная ~ únknówn quántity [-'noun...]; бесконе́чно ма́лая ~ infinitésimal (quántity); 3. (*о выдающемся человеке*) great fígure [-eɪt-]; литерату́рная ~ éminent líterary fígure; ◊ ничто́жная ~ négligible quántity.

велого́н‖**ка** *ж.* cycle race. ~**щик** *м.* rácing cýclist [...'saɪ-].

велодро́м *м.* cycle track.

велопробе́г *м.* cycle race.

велосипе́д *м.* bícycle ['baɪ-]; cycle, bike *разг.*; (*трёхколёсный*) trícycle ['traɪ-]; е́хать на ~е cycle, bícycle. ~**и́ст** *м.,* ~**и́стка** *ж.* bícyclist ['baɪ-], cýclist ['saɪ-]. ~**ный** *прил. к* велосипе́д; ~**ный** спорт cycle rácing; ~**ная** езда́ cýcling.

велоспо́рт *м.* cycle rácing.

велотре́к *м.* cycle track.

вельбо́т *м. мор.* whále-boat.

вельве́т *м. текст.* vèlvetéen. ~**овый** *прил. к* вельве́т.

вельмо́ж‖**а** *м. уст.* dígnitary, high offícial; grandée (*тж. ирон.*). ~**ный** *уст.* nòble; *ирон.* grand.

велю́р *м.* velóurs [-'lur]. ~**овый** *прил. к* велю́р.

веля́рный *лингв.* vélar.

ве́на *ж. анат.* vein; воспале́ние вен phlebítis; расшире́ние вен váricòse veins [-kous...] *pl.*

венге́рец *м. уст. см.* венгр.

венге́рка I *ж.* Hùngárian (wóman*) [...'wu-].

венге́рка II *ж.* (*танец*) Hùngárian dance.

венге́рский Hùngárian; ~ язы́к Hùngárian, the Hùngárian lánguage.

венгр *м.* Hùngárian.

венде́тта [-дэ-] *ж.* vèndétta.

Вене́ра *ж. астр., миф.* Vénus.

вене́рик *м. мед. разг.* venéreal pátient [-rɪəl...].

вене́рин: ~ волосо́к *бот.* máidenhair.

венер‖**и́ческий** *мед.* venéreal [-rɪəl]; ~**и́ческая** боле́знь venéreal diséase

68

[...-'zi:z]. ~**о́лог** *м.* venereólogist, spécialist in venéreal diséases ['spe- -rɪəl -'zi:z-]. ~**оло́гия** *ж. мед.* venereólogy, science of venéreal diséases [...-rɪəl -'zi:z-].

венесуэ́л‖**ец** *м.* Venezuélan [-'zweɪlən]. ~**ка** *ж.* Venezuélan wóman* ['-'zweɪlən 'wu-].

венесуэ́льский Venezuélan [-'zweɪlən].

ве́нец *м.* Viennése.

вене́ц *м.* 1. (*корона*) crown (*тж. перен.*); 2. *поэт.* (*венок*) wreath*; 3. *метеор.* coróna; 4. (*в срубе*) row of logs [rou...]; ◊ вести́ под ~ (*вн.*) lead* to the áltar (*d.*); коне́ц де́лу ~ *посл.* ≅ all's well that ends well.

венециа́н‖**ец** *м.*, ~**ка** *ж.*, ~**ский** Venétian; ◊ ~ское окно́ Venétian window.

вене́чный *анат.* corónal; ~ шов corónal súture.

ве́нзель *м.* mónogram.

ве́ник *м.* bésom [-z-], (*для па́рения в ба́не*) switch of green birch twigs.

ве́нка *ж.* Viennése.

вено́зный *анат.* vénous.

вено́к *м.* gárland; wreath* (*тж. надгробный*).

ве́нский Viennése; ◊ ~ стул bént-wood chair [-wud-...].

вентили́ровать, **провентили́ровать** (*вн.*) véntilate (*d.*); air (*d.*).

ве́нтиль *м.* 1. *тех.* valve; 2. *муз.* mute.

вентиля́тор *м.* véntilator; (*с вращающимися крыльями*) fan.

вентиляцио́нн‖**ый** *прил.* к вентиляция; *тж.* vent (*attr.*); ~ая устано́вка véntilator, véntilator plant [...-ɑ:nt].

вентиля́ция *ж.* véntilation.

венцено́сец *м.* mónarch ['mɔnək], sóvereign [-vrɪn], crowned head [...hed], wéarer of a crown ['weə-...].

венча́льн‖**ый** wédding (*attr.*); ~ наря́д wédding-dréss.

венча́ние I *с.* (*на ца́рство*) coronátion.

венча́ние II *с.* (*relígious*) wédding céremony.

венча́ть I *несов. и сов.* (*вн.*) 1. (*на ца́рство*) crown (*d.*); ~ лавро́вым венко́м crown with láurels [...'lɔ-] (*d.*); 2. (*находиться наверху́*) crown (*d.*).

венча́ть II, **повенча́ть** (*вн.*; *женить*) márry (*d.*) (*in church*).

венча́ться I *несов. и сов.* 1. (*на ца́рство*) be crowned; 2. *страд.* к венча́ть I.

венча́ться II, **повенча́ться** 1. be márried (*in church*); *сов. тж.* get* márried (*in church*); 2. *страд.* к венча́ть II.

ве́нчик *м.* 1. hálo, nímbus (*pl.* -bi, -buses [-bəsɪz]); 2. *бот.* corólla.

венчико‖**ви́дный**, ~**обра́зный** corolláceous [-'leɪʃəs], corólliform.

вепрь *м.* wild boar.

ве́р‖**а** *ж.* 1. faith, belief [-i:f]; христиа́нская ~ Christian faith; 2. (*уверенность*) trust, faith; твёрдая ~ (*в вн.*) firm belief (in); в самого́ себя́ faith in onesélf, (sélf)cónfidence; слепа́я ~ blind / implícit faith; ◊ приня́ть на ~у (*вн.*) take* on trust (*d.*); служи́ть кому́-л. ~ой и пра́вдой serve smb. fáithfully / lóyally.

вера́нда *ж.* verándah.

ве́рба *ж.* pússy-willow ['pu-]; (*ветка*) pússy-willow branch [...-ɑ:ntʃ].

верба́льн‖**ый** vérbal; ~ая но́та *дип.* vérbal note.

вербе́на *ж. бот.* verbéna.

верблю́‖**д** *м.* cámel ['kæ-]; одного́рбый ~ óne-húmped / Arábian cámel, drómedary ['drʌ-]; двуго́рбый ~ twó-húmped / Báctrian cámel. ~**дица** *ж.* fémale cámel ['fi:- 'kæ-]. ~**жий** *прил.* к верблю́ду; ~жья шерсть cámel's hair ['kæ-...]; ~жье сукно́ cámel's-hair cloth ['kæ-...]. ~**жо́нок** *м.* young of cámel [jʌŋ... 'kæ-].

ве́рбн‖**ый** pússy-willow ['pu-] (*attr.*); ~ое воскресе́нье *церк.* Palm Súnday [-ɑ:m -dɪ].

верб‖**ова́ть**, **заверобва́ть** (*вн.*) recrúit [-u:t] (*d.*); (*перен.*) win* óver to one's side (*d.*). ~**ова́ться**, **завербова́ться** (*в вн.*) join (*d.*), enlíst (for); (*без доп.*) sign a cóntract [saɪn...]. ~**о́вка** recrúiting [-u:t-], recrúitment [-u:t-]; ~о́вка рабо́чих recrúitment of lábour / wórkers. ~**о́вщик** *м.* recrúiter [-u:tə], recrúiting ágent [-u:t-...].

вербо́в‖**ый** (*состоящий из верб*) pússy-willow ['pu-] (*attr.*); (*сделанный из верб*ы) ósier [-ʒə]; ~ая ро́ща ósier bed; ~ая корзи́на wícker básket.

верди́кт *м. юр.* vérdict.

верёв‖**ка** *ж.* (*толстая*) rope; (*менее толстая*) cord; (*тонкая*) string; ~ для белья́ clóthes-line ['klou-]; связывать ~кой (*вн.*) rope (*d.*), cord (*d.*); tie up (*d.*) (*with a rope, cord, etc.*); повесить бельё на ~ку hang* (up) clothes on the line [...klou-...]; ◊ вить ~ки из кого́-л. *разг.* ≅ turn / twist smb. round one's little finger. ~**о́чка** *ж. уменьш. от* верёвка. ~**о́чный** *прил.* к верёвка; ~очная ле́стница rópe-làdder; ~очная су́мка string bag.

вереди́ть, **развереди́ть** (*вн.*) *разг.* írritàte (*d.*) (*a sore place, etc.*).

верени́ца *ж.* file, row [rou], line; ~ автомоби́лей, экипа́жей *и т. п.* string / line of cars, cárriages, *etc.* [...-rɪdʒ-]; ~ мы́слей succéssion of idéas [...aɪ'dɪəz], train of thought(s).

ве́реск *м. бот.* héather ['he-]; ме́стность, поро́сшая ~ом heath. ~**овые** *мн. скл. как прил. бот.* Ericáceae.

веретено́ *с.* spindle; ~ я́коря shank (of an ánchor) [...'æŋkə].

веретенообра́зный spindle-shàped, fúsifòrm [-z-].

вереща́ть chirp; (*визгливо*) squeal.

верзи́ла *м. и ж. разг.* (*о мужчи́не*) lánky féllow; (*о же́нщине*) lánky wóman* [...'wu-].

вери́ги *мн.* (*ед.* вери́га *ж.*) chains, fétters (*worn by ascetics as an act of penance*).

вери́тельн‖**ый**: ~ые гра́моты *дип.* credéntials, létters of crédence; вруча́ть (свои́) ~ые гра́моты *дип.* presént one's credéntials [-'zent...].

вер‖**и́ть**, **пове́рить** 1. (*дт. и без доп.*) believe [-i:v] (*d.*); (*доверять*) trust (*d.*); я э́тому, ему́ *и т. д.* не ~ю I do not believe it, him, *etc.*; я ему́ не ~ю I do not trust him; хоти́те ве́рьте, хоти́те нет *разг.* believe it or not; — сле́по ~ кому́-л. put* ábsolùte trust in smb., have implícit faith in smb.; 2. (*в вн.*) believe (in); ◊ ~ на́ слово take* on trust; take* smb's word for it *разг.*; я не ~ил свои́м уша́м, глаза́м I could not believe my ears, eyes [...aɪz]. ~**и́ться** *безл.*: мне не ~ится, ~ится с трудо́м I can scárcely / hárdly believe [...'skɛəs-... -i:v], I find it hard to believe.

ве́рмахт *м.* Wéhrmacht ['veɪrmɑ:ht].

вермише́ль *ж. тк. ед.* vermicélli.

ве́рмут *м.* vérmouth [-məθ].

верне́е 1. *сравн. ст. см. прил.* ве́рный и *нареч.* ве́рно; 2. *вводн. сл.* (*точнее*) or ráther [...'rɑ:-].

верниса́ж *м. иск.* ópeniŋg day (*of an exhibition*).

ве́рно I 1. *прил. кра́тк. см.* ве́рный; 2. *предик. безл.* it is true; соверше́нно ~ quite right, quite so, quite true; ~! that's right!

ве́рно II 1. *нареч.* (*правильно*) right, corréctly; ~ говори́ть be right; ~ скопи́ровать cópy exáctly / fáithfully ['kɔ-...]; ~ петь sing* true; 2. *нареч.* (*преданно*) fáithfully, lóyally; 3. *вводн. сл. разг.* (*вероятно*) I suppóse, próbably, most líkely; он, ~, не придёт he is próbably not cóming; he is not cóming, I suppóse; most líkely he will not come; он, ~, уже́ ушёл he must have gone [...gɔn].

верноподданни́ческий *уст.* lóyal, fáithful.

верноподданный *м. скл. как прил. уст.* lóyal súbject.

ве́рност‖**ь** *ж.* 1. (*преданность*) fáithfulness, lóyalty, fidélity; ~ при́нципам adhérence / allégiance to príncìples [-'hɪə-...]; 2. (*правильность*) corréctness; (*истинность*) truth [-u:θ]; для бо́льшей ~и as an addítional precáution; to make assúrance double / dóubly sure [...ə'ʃuədʌ- 'dʌ- ʃuə]; just to make sure.

верну́ть *сов.* (*вн.*) 1. (*отдать обратно*) retúrn (*d.*), give* back (*d.*), bring* back (*d.*); (*потерянное кем-л.*) restóre (*d.*); (*не по праву взятое*) make* rèstitútion (of); ~ кни́гу retúrn a book; ~ долг repáy a debt [...det]; 2. (*вновь обрести*) recóver [-'kʌ-] (*d.*); get* back (*d.*); (*чье-л. расположение и т. п.*) win* back (*d.*); ~ свои́ изде́ржки recóver one's óutlay; ~ зре́ние кому́-л. restóre smb's sight; ~ здоро́вье recóver one's health [...he-]; 3. (*заставить кого́-л. верну́ться*) make* (*d.*) come back. ~**ся** *сов.* retúrn; ~ся наза́д come* back; ~ся домо́й come* / retúrn home; я хочу́, что́бы он верну́лся I want him to come back agáin, I want him to come back; ~ся к вопро́су retúrn / revért to the quéstion [...-stʃ-]; ~ся к вла́сти retúrn to pówer.

ве́рн‖**ый** 1. (*правильный*) corréct, (the) right; (*истинный*) true; у вас ~ые часы́? is your watch (clock *стенные*) right?; 2. (*дт.; преданный*) fáithful (to), lóyal (to), true (to); ~ своему́ сло́ву

ВЕР – ВЕР

as good as one's word; быть ~ым себе be true to oneself; ~ своим убеждениям true to one's convictions / principles; ~ союзник staunch ally; ~ последователь true follower; 3. (надёжный) reliable, sure [ʃuə]; ~ источник reliable source [...sɔːs]; ~ заработок guaranteed wage; ~ое средство infallible / unfailing remedy; 4. (несомненный) certain; ~ая смерть certain death [...deθ]; ~ признак sure sign [...saɪn]; ◊ с подлинным ~о certified true copy [...'kɔ-]; что ~о, то ~о there's no gainsaying / denying that, no doubt about that [...daut...].

ве́рование с. belief [-'liːf]; мн. тж. religion sg., religious beliefs [...-'liːfs]; creed sg.

ве́ровать (в вн.) believe [-iːv] (in).

вероиспове́дан|ие с. (чьё-л.) religion; (разновидность религии) denomination; свобода ~ия religious freedom / liberty, freedom of religion.

вероло́м||ный perfidious, treacherous ['tre-]. ~ство с. perfidy, treachery ['tre-].

верона́л м. фарм. veronal.

веро́ника ж. бот. veronica.

вероотсту́пни||к м. уст. apostate. ~чество с. уст. apostasy.

веротерпи́м||ость ж. toleration, tolerance. ~ый tolerant.

вероуче́ние с. dogma (pl. -as, -ata).

верой́т||ие с. likelihood [-hud], probability. ~но 1. прил. кратк. см. вероятный; 2. вводн. сл. probably; переводится тж. личн. формами must + inf.; он, ~но, здесь he must be here; вы, ~но, знали его you must have known him [...noun...]. ~ность ж. probability; ~ность попадания воен. probability of hitting; теория ~ностей theory of probability ['θɪə-...]; мат. calculus of probability; ◊ по всей ~ности in all probability, most probably / likely, in all likelihood [...-hud]. ~ный probable, likely.

верса́льский Versailles [vɛəˈsaɪlz] (attr.); Версальский договор treaty of Versailles, Versailles treaty.

версифика́ция ж. уст. versification.

ве́рсия ж. version.

верст||а́ ж. уст. 1. verst (3500 feet, 1,06 km); 2. (дорожный столб) milestone; ◊ его за ~у́ видно you can see him a mile off; коломенскую ~, с коломе́нскую ~ beanpole.

верста́к м. joiner's bench.

верст||а́льщик м. полигр. imposer, maker-up. ~а́тка ж. полигр. composing-stick. ~а́ть, сверста́ть (вн.) полигр. make* up (d.), make* into page (d.).

вёрстка ж. полигр. 1. (действие) make-up, making-up; 2. (свёрстанный набор) page-proof.

-вёрстный (в сложн. словах, не приведённых особо) -verst (attr.); of ... versts; пятивёрстный five-verst, of five versts.

верстово́й: ~ столб ≅ milestone.

ве́ртел м. spit (for roasting).

верте́п м. den (of thieves, etc.).

верте́ть (вн.) turn (round and round) (d.); ~ в руках (быстро) twirl (d.); (рассеянно, лениво и т.п.) twist about (d.), twiddle (d.); ~ кем-л. разг. turn / twist smb. round one's (little) finger. ~ся 1. (вращаться) turn (round), revolve; (быстро) spin*; ~ся вокруг чего-л. centre around smth.; 2. (ёрзать) fidget; 3. разг. (изворачиваться) dodge, prevaricate; 4. разг. (находиться около кого-л., чего-л.) hang* about / around, hover about ['hɔ-...]; 5. разг. (возвращаться к одной и той же теме) turn / run* (on); разговор вертится около одного предмета the conversation runs / turns on the same subject; ◊ ~ся в голове run* through one's head [...hed]; ~ся на кончике языка be on the tip of one's tongue [...tʌŋ]; ~ся под ногами be in the way; ~ся перед глазами pester smb. with one's presence [...-z-]; не вертись перед глазами! stop pestering me!; как ни вертись, а придётся согласиться there's nothing for it but to consent.

вертика́ль ж. vertical line; (на шахматной доске) file; (в кроссворде) down. ~ность ж. verticality, perpendicularity. ~ный vertical.

вертихво́стка ж. разг. flirt, coquette [kou'ket].

вёрткий разг. nimble, spry, agile.

вертлю́г м. анат. head of the femur [hed-...]; 2. тех. swivel [-ɪv-]; 3. воен. pivot bracket ['pɪ-...], pivot yoke.

вертля́в||ость ж. разг. fidgetiness. ~ый разг. 1. (подвижной) restless, fidgety, overvivacious; 2. (вихляющийся) wobbly; 3. (легкомысленный) frivolous.

вертодро́м м. heliport.

вертолёт м. ав. helicopter. ~ный: ~ная станция heliport; ~ная площадка helipad. ~чик м. helicopter-pilot.

вертопра́х м. разг. giddy person ['gɪ-...], flibbertigibbet.

верту́шка ж. 1. (дверь) revolving-door [-dɔː]; 2. (рыболовная) trolling-reel; 3. (этажерка, витрина) revolving stand; 4. тех. rotator; 5. разг. (внутренний телефон прямой связи) direct / private (telephone) line [daɪ-'praɪ-...]; 6. разг. (о женщине) flirt, coquette [kou'ket].

ве́рующий 1. прич. см. веровать; 2. мн. как сущ. believers [-'liːv-]; (правоверные) the faithful.

верфь ж. shipyard; yard сокр. dockyard (гл. обр. воен.).

верх м. 1. (верхняя часть) top, head [hed]; (верхний этаж) upper storey; (экипажа) bonnet, hood [hud]; ~ горы top of the mountain; 2. тк. ед. (рд.: высшая ступень, вершина) height (of), summit (of); ~ совершенства the height / acme of perfection [...-mɪ...]; ~ блаженства the height of bliss; 3. тк. ед. (наружная сторона пальто и т.п.) cover ['kʌ-], outside, top; (лицевая сторона материи) right side; ◊ одержать, взять ~ (над) gain the upper hand (over), prevail (over); его мнение взяло ~ his opinion prevailed.

верх||и́ I мн. 1. (общества) the upper strata; ~ summit; совещание в ~а́х summit talks pl.; 2. (какой-л. организации) leadership sg.; 3. муз. high notes.

верх||и́ II мн.: нахвататься ~о́в get* a superficial knowledge [...'nɔ-], get* a smattering (of); скользить по ~ам touch lightly on the surface [tʌtʃ...].

ве́рхн||ий (в разн. знач.) upper; ~ ящик top drawer [...drɔː]; ~ие слои атмосферы upper layers / strata of the atmosphere; ~ее течение Волги the Upper Volga, the upper reaches of the Volga; ~ее платье overcoat, outer clothing [...'klou-]; ~ регистр муз. highest register; ~яя палата (парламента) Upper Chamber [...'tʃeɪ-]; (в англ. парламенте) House of Lords [-s...].

верхове́нство с. уст. command [-ɑːnd], leadership.

верхо́вн||ый supreme; ~ая власть супреме / sovereign power [...-vrɪn...], sovereignty [-vrɪntɪ]; Верховный Совет СССР Supreme Soviet of the USSR; Верховный Суд СССР Supreme Court of the USSR [...kɔːt...]; Верховный главнокомандующий Supreme Commander-in-Chief [...-ɑːn- -'tʃiːf]; ~ое командование high command [...-ɑːnd].

верхово́д м. разг. ringleader. ~ить (без доп.) разг. lord it over; rule the roost, run* the show [...ʃou]; (тв.) boss (over).

верхов||о́й I 1. прил.: ~а́я езда́ riding; ~а́я ло́шадь saddle-horse; 2. м. как сущ. rider; (посыльный) dispatch rider. верхово́й II (расположенный в верхнем течении) up-river [-'rɪ-].

верхо́вье с. upper reaches pl.; riverhead ['rɪvəhed]; ~ Волги upper reaches of the Volga, the Upper Volga.

верхогля́д м. разг. superficial / shallow person; smatterer. ~ство с. разг. superficiality.

верхола́з м. steel erector; spiderman* разг.; (производящий ремонт шпилей) steeplejack.

верхо́м I нареч. (по верхней части): идти, ехать и т.п. ~ take* the upper path* / road.

верхо́м II нареч. разг. to the brim, brim-full; насыпать и т.п. ~ (вн.) fill to overflowing [...-'flou-] (d.), heap (d.).

верхо́м нареч. astride; (на лошади) on horseback; ездить ~ ride* (on horseback); сидеть ~ straddle.

верхоту́р||а ж. разг. attic, penthouse* [-s]; он живёт на самой ~е he lives right up in the attic(s).

верху́шка ж. 1. (верхняя часть) top; apex (pl. -xes, apices ['eɪpɪsiːz]); (горы тж.) summit; ~ лёгкого анат. apex of a lung; 2. разг. (организации) leadership; leaders pl.; правящая ~ ruling clique [...kliːk].

ве́рша ж. рыб. fishing-basket, fish-trap (made of osiers).

верши́на ж. 1. top; (горы тж.) summit, crest, peak; (перен.) acme [-ɪ], height [haɪt], summit; ~ славы summit of glory / fame; 2. мат. (треугольника) apex (pl. -xes, apices ['eɪpɪsiːz]); (угла) vertex.

верши́тель м.: ~ судеб ruler of (the) destinies.

верши́ть (вн., тв.) manage (d.), control [-oul] (d.), direct (d.); ~ судьбами rule / sway the destinies; ~ делами разг. manage / control / direct affairs;

~ всеми делами be in control of every;thing; run* the whole show [...houl ʃou] *идиом. разг.*

вершки *мн. разг.* léafy tops of végetables; мне ~, а тебе корешки *шутл.* ≅ that's how we are góing to share the crops!

вершо́к *м. уст.* vershók (1¾ inches, 4,4 *см*); (*перен.*) inch.

вес I *м.* weight; (*перен.*) weight, influence, authority; а́томный ~ atómic weight; молекуля́рный ~ molécular weight; уде́льный ~ specífic grávity; (*перен.*) position [-'zɪ-]; деся́тичный ~ décimal sýstem of weights; апте́карский ~ apóthecaries' weight; на ~, ~ом by weight, wéighing; он в два килогра́мма wéighing two kílogràmmes [...-græmz]; изли́шек ~а óver;wèight; приба́вить, уба́вить в ~е put* on, lose* weight [...lu:z...]; име́ть большо́й ~ (*перен.*; *о мнении и т. п.*) be highly influéntial; (*о человеке*) cárry weight; ~ пера́ *спорт.* féather-weight ['fe-]; ◊ на ~ зо́лота worth its weight in gold.

вес II *м.*: на ~у́ hánging, suspénded, bálanced; держа́ть на ~у́ hold* suspénded; держа́ться на ~у́ be bálanced.

весе́леньк||ий: ~ое де́ло! a prétty / fine mess! [...'rp...]; ~ая исто́рия! a prétty stóry indéed!; that's a fine tale!

весе́леть, повеселе́ть cheer up, become* mérry / chéerful.

весели́ть (*вн.*) cheer (*d.*), gládden (*d.*); (*забавлять*) amúse (*d.*), divért (*d.*). ~ся enjóy òne;sélf, make* mérry, have a good / jólly time.

весёлка *ж.* dóugh-spàddle ['dou-].

ве́село I 1. *прил. кратк. см.* весёлый; 2. *предик. безл.*: мне ~ I'm enjóying my;sèlf; I'm háving a good time; мне ~ смотре́ть на э́тих дете́й it does my heart good to look at these children [...hɑ:t...]; тебе́ ~, а мне гру́стно you are chéerful while I am sad.

ве́село II *нареч.* mérrily, gáily; ~ провести́ вре́мя have a jólly good time.

весёл||ость *ж.* gáiety, chéerfulness; (*об. о характере*) jòviálity, líve;liness. ~ый mérry, líve;ly, jólly *разг.*; (*бодрый, жизнерадостный*) chéerful; (*о человеке тж.*) jóvial, chéery; ~ая жизнь jóyous life; ~ый па́рень chéerful / jóvial féllow; ~ая де́вочка jólly little girl [...-g-]; ~ое лицо́ mérry / líve;ly face; ~ое настрое́ние mérry mood; high spirits *pl.*; у него́ ~ое настрое́ние he is in a mérry mood, he is in high spirits.

весе́ль||е *с.* mérriment, mirth, gáiety; (*развлечения*) mérry-màking; шу́мное ~ révelry ['re-] *pl.* ~ча́к *м. разг.* jóvial / chéery / mérry féllow.

веселя́щий: ~ газ *хим.* láughing-gàs ['lɑ:f-].

весе́нн||ий *прил. к* весна́; ~ее вре́мя spring;time ['sou-]; ~ee равноде́нствие vérnal équinòx [...'i:-].

ве́сить weigh.

ве́ск||ий wéighty; ~ое сло́во wéighty útterance; ~ факт impréssive / moméntous fact; ~ до́вод fórcible árgument.

ве́ско *нареч.* with authórity; ~ говори́ть speak* with authórity.

весло́ *с.* oar; (*парное*) scull; (*гребок*) páddle; ◊ завя́зить ~ catch* a crab *разг.*; суши́ть вёсла rest on one's oars.

весна́ *ж.* spring (*season*), spring;time; ра́нняя ~ early spring ['ə:-...].

весновспа́шка *ж. с.-х.* spring plóughing.

весн||о́й, ~о́ю *нареч.* in spring.

весну́ш||ки *мн.* (*ед.* весну́шка *ж.*) fréckles. ~чатый *разг.* fréckled.

весов||о́й 1. *прил. к* вес I *и* весы́; ~а́я катего́рия *спорт.* weight class; 2. (*продаваемый на вес*) sold by weight, sold loose [...-s]. ~щи́к *м.* wéigher.

весо́м||ость *ж. физ.* pónderability. ~ый *физ.* pónderable; (*перен.*) héavy ['he-], wéighty; ~ый аргуме́нт wéighty árgument.

вест *м. мор.* 1. (*направление*) west; 2. (*ветер*) west (wind) [...wɪ-].

веста́лка *ж.* véstal, véstal vírgin.

вести́, повести́ 1. (*в разн. знач.*) *см.* води́ть 1; 2. (*вн.*) *руководить*) condúct (*d.*), diréct (*d.*); ~ кружо́к condúct / run* a circle; ~ собра́ние presíde óver a méeting [-'z-...]; ~ (чье-л.) хозя́йство keep* house (for smb.) [...-s...]; ~ дела́ run* a búsiness [...'bɪzn-]; 3. *тк. несов.* (к; куда-л; о дороге, тропе и т. п.) lead* (to), (в двери) ópen (on), lead* (to); куда́ ведёт э́та доро́га? where does this road lead to?; ◊ ~ бой fight* an áction / báttle, be en;gáged in báttle; ~ ого́нь (*по дт.*) fire (on); ~ снаря́дами *тж.*) shell (*d.*); ~ борьбу́ (с тв.) cómbat (*d.*), strúggle (agáinst, with), cárry on a strúggle (agáinst, with); ~ нау́чную рабо́ту do scientífic work, be en;gáged in scientífic work; ~ войну́ wage war, fight* a war; ~ пропага́нду cárry on propagánda; ~ перепи́ску (с тв.) correspónd (with), be in correspóndence (with); ~ кампа́нию cárry on a càmpaign [...-eɪn]; ~ разгово́р have / hold* a cònversátion; talk; ~ перегово́ры (с тв.) negótiàte (with), cárry on negòtiátions (with); ~ расска́з tell* a stóry; ~ пра́вильный о́браз жи́зни lead* a régular life; ~ проце́сс (с тв.) cárry on a láwsùit [...-sju:t] (agáinst), be at law (with); ~ счёт, ~ кни́ги keep* accóunt(s), keep* the books; ~ себя́ condúct òne;sélf, beháve; ~ себя́ ду́рно (*гл. обр. о ребёнке*) misbeháve; ~ себя́ хорошо́ (*гл. обр. о ребёнке*) beháve (*вн.*); веди́ себя́ хорошо́! beháve yoursélf!; ~ своё нача́ло от чего-л. take* rise in smth., have its órigin in smth., originàte from / in smth.; ~ своё нача́ло от кого-л. originàte with / from smb.; ~ свой род (от) be descénded (from).

вестибуля́рный: ~ аппара́т *анат.* vestíbular àpparátus.

вестибю́ль *м.* véstibùle.

вести́сь 1. *разг.*: ведётся обы́чай it is the cústom; э́тот обы́чай ведётся и́здревле this cústom has come down, *или* dates, from áncient times [...'eɪnʃᵊnt...]; летосчисле́ние ведётся с... time is réckoned from...; 2. *страд. к* вести́.

ВЕР — ВЕТ   **В**

ве́стник *м.* 1. hérald ['he-], méssenger; 2. (*периодическое издание*) búlletin ['bu-].

вестово́й I *м. скл. как прил.* órder;ly.

вестово́й II *прил. уст.* sígnal (*attr.*).

ве́сточ||ка *ж. уменьш. от* весть I; пришли́те мне ~у drop me a line, *или* a few lines; да́йте о себе́ ~у let me hear from you.

вест||ь I *ж.* news [-z], piece of news [pi:s...]; ~ об э́том разнесла́сь (по дт.) news / word of this has spread [...-ed] (through;óut); ◊ пропа́сть без ~и be míssing.

весть II *разг.*: бог ~ кто, что, како́й *и т. п. разг.* góod;ness knows who, what, what kind of, *etc.* [...nouz...].

вес||ы́ *мн.* 1. bálance *sg.*; scales; (*для больших тяжестей*) wéighing-machìne [-'ʃi:n] *sg.*; пружи́нные ~ spring-bálance *sg.*; то́чные ~ precísion bálance *sg.*; деся́тичные ~ décimal bálance *sg.*; проби́рные ~ assáy bálance *sg.*; мостовы́е ~ wéighbridge *sg.*; 2. (В.) *астр.* Líbra; ◊ бро́сить на ча́шу ~о́в (*вн.*) throw* into the scale / bálance [-ou...] (*d.*).

весь, вся, всё, все *мест.* 1. all, the whole of [...houl...]; ~ день all day long, the whole day; вся Москва́ all Móscow, the whole of Móscow; по всему́ го́роду all óver the town; ~ гря́зный dírty all óver; ~ мо́крый wet through; ~ в снегу́ cóvered with snow ['kʌ-... snou]; 2. *с. как сущ.* évery;thing; all (*гл. обр. во фразеол. единицах и в более торжественном тоне*): всё хорошо́, что хорошо́ конча́ется all's well that ends well; он сказа́л ей всё he told her all); 3. *мн. как сущ.* évery-body, évery;òne; 4. *предик. разг.* no more left; таба́к ~ there is no more tobàcco, no more tobàcco is left; у меня́ таба́к ~ I have no more tobàcco left; I have run out, *или* I am out, of tobàcco *идиом.*; ◊ ~ в отца́ the (véry) image of his fáther [...'fɑ:-]; во всю мочь with (all one's) might; во ~ го́лос at the top of one's voice; от всего́ се́рдца with all one's heart [...hɑ:t]; при всём том (*кроме того*) móre;òver; (*несмотря на то*) for all that; всего́ хоро́шего! góod-bỳe!, all the best!; всё и вся all and évery;thing; the whole lot; без всего́ without ány;thing; всё мо́жет случи́ться ány;thing can háppen.

весьма́ *нареч.* véry, híghly, gréatly ['greɪ-]; ~ удовлетвори́тельно híghly sàtisfáctory.

ветви́ст||ый bránchy ['brɑ:-].

ветви́ться branch out [brɑ:-...], rámify.

ветвь *ж.* branch [brɑ:-], bough; (*перен.*) branch.

ве́т||ер *м.* wind [wɪ-]; (*лёгкий*) breeze; встре́чный ~ head / cóntrary wind [hed...]; штормово́й ~ gale, gále-strength wind; попу́тный ~ fair wind, táil-wind [-wɪ-]; боково́й ~ láteral wind, cróss-wind [-wɪ-]; кре́пкий ~ *мор.* high wind, half a gale [hɑ:f...]; о́чень кре́пкий ~ *мор.* fresh gale; све́жий ~ fresh wind;

ВЕТ — ВЕЩ

мор. fresh breeze; си́льный ~ strong wind; сла́бый ~ light wind, gentle breeze; ти́хий ~ *мор.* light air; ~ с бе́рега óff-shore wind; ~ подня́лся, стих the wind has rísen, has dropped [...'rɪzn...]; про́тив ~ра agáinst the wind; in the wind's eye [...aɪ] *идиом.*, in the teeth of the wind *идиом.*; по ~ру befóre the wind, down wind; за ~ром *мор.* a-lée; под ~ром *мор.* léeward [...'ljuəd]; (*защищённый от ветра чем-л.*) únder the lee of; ◇ броса́ть слова́ на ~ talk / speak* at rándom, *или* ídly, waste one's breath [weɪst... breθ]; держа́ть нос по ~ру trim one's sails to the wind; подби́тый ~ром *разг.* (*легкомысленный*) émpty-héaded [-'hed-], frívolous; (*без подкладки, холодный*) light, flímsy [-zɪ]; у него́ ~ в голове́ he is a gíddy-pàte / féather-brain [...'gɪ- fe-], he is a thóughtless féllow; ищи́ ~ра в по́ле *разг.* ≅ go on a wild-góose chase [...-s tʃeɪs]; кто се́ет ~, пожнёт бу́рю ≅ sow the wind and reap the whirlwind [sou- -wɪnd]; знать, куда́ ~ ду́ет see*, *или* find* out, which way the wind blows [...blouz].

ветера́н *м.* véteran; old stáger *разг.*; ~ револю́ции véteran of the Octóber Revolútion; ~ труда́ véteran of lábour; ~ войны́ véteran of war.

ветерина́р *м.* véterinary (súrgeon); vet *сокр. разг.* ~ия *ж.* véterinary science / médicine. ~ый véterinary; ~ый пункт véterinary státion; ~ая лече́бница véterinary súrgery / clínic.

ветеро́к *м.* (light) breeze.

ве́тка *ж.* (*в разн. знач.*) branch [brɑː-]; (*тк. о растениях — мелкая*) twig; железнодоро́жная ~ bránch-line ['brɑː-].

ветла́ *ж. бот.* white willow.

ве́то *с. нескл.* véto; наложи́ть ~ (на *вн.*) véto (d.), put* a véto (upón); пра́во ~ the right of véto.

ве́точка *ж.* twig, sprig, shoot.

вето́шник *м. уст.* old clothes déaler [...-ouðz...].

ве́тошь *ж. тк. ед.* rags *pl.*, old clothes [...-ouðz] *pl.*

ветр *м. поэт.* = ве́тер.

ве́треник *м. разг.* frívolous / émpty- -héaded pérson [...-'hed-...].

ве́треница I *ж.* к ве́треник.

ве́треница II *ж. бот.* anémone [-nɪ].

ве́трено II *предик. безл.* it is windy.

ве́трен||**о** II *нареч.* (*легкомысленно*) frívolous;ly. ~ость *ж.* (*легкомыслие*) frívolity; émpty-héadedness [-'hed-]; (*непостоянство*) flíghtiness, instability, fickle;ness. ~ый 1. windy; ~ая пого́да windy wéather [...'weðə]; 2. (*легкомысленный*) frívolous, gíddy ['gɪ-], émpty- -héaded [-'hed-]; (*необдуманный, беспечный*) thóughtless; (*непостоянный*) flíghty, únstable, fickle.

ветри́ло *с. поэт.* sail.

ветров||**о́й**: ~о́е стекло́ wíndscreen ['wɪ-]; wíndshield ['wɪndʃiː-] *амер.*

ветрого́н *м.* = ве́треник.

ветро||**дви́гатель** *м.* wind túrbine [wɪ-...]. ~**защи́тный** wínd-proof [wɪ-]; ~**защи́тная ку́ртка** wínd-cheater ['wɪ-]. ~**ме́р** *м. физ.* anemómeter. ~**непроница́емый** wínd-proof ['wɪ-]. ~**силово́й** wínd-pówered ['wɪ-]. ~**указа́тель** *м. ав.* wind-sòck ['wɪ-], wínd-cone ['wɪ-]. ~**улови́тель** *м. ав.* rúdder-air scoop.

ветря́к *м.* 1. *тех.* wind túrbine [wɪ-...]; 2. *разг.* (*ветряная мельница*) wíndmill ['wɪ-].

ветря́нка I *ж. разг.* (*ветряная мельница*) wíndmill ['wɪ-].

ветря́нка II *ж. разг.* (*ветряная оспа*) chícken-pòx.

ветрян||**о́й** wind [wɪ-] (*attr.*); ~ дви́гатель wind wheel; ~а́я ме́льница wíndmill ['wɪ-].

ветря́ный: ~ая о́спа chícken-pòx.

ве́тх||**ий** decrépit; (*о здании*) rámshackle, túmble;down, dilápidated; ~ое пла́тье thréadbàre clothes ['θred- -ouðz] *pl.*; ◇ Ве́тхий заве́т the Old Téstament.

ветхозаве́тный Old Téstament (*attr.*); (*перен.*) antiquáted.

ветхост||**ь** *ж.* decrépitùde; dilapidátion; (*ср.* ве́тхий); приходи́ть в ~ fall* intо decáy; разруша́ться от ~и crumble with age.

ветчина́ *ж.* ham.

ветша́ть, **обветша́ть** becóme* decrépit, fall* into decáy; (*о здании тж.*) becóme* dilápidated.

вех||**а** *ж.* lándmàrk (*тж. перен.*); пограни́чная ~ bóundary-màrk; *мор.* spár-buoy [-bɔɪ]; ста́вить ~и set* up lándmàrks; ◇ смени́ть ~и éxecute a polítical vólte-fáce [...'vɔlt'fɑːs].

ве́че *с. ист.* véche (*popular assembly in ancient Russia*); ~**во́й** *прил.* к ве́че.

ве́чер *м.* 1. (*собрание*) éevening ['iːvn-]; под ~, к ~у towards évening; по ~а́м in the évenings; 2. (*собрание*) párty, évening; soirée (*фр.*) ['swɑːreɪ]; литерату́рный ~ líterary évening, literary soirée; шко́льный ~ school párty; студе́нческий ~ stúdent párty; танцева́льный ~ dance, dáncing- -párty; музыка́льный ~ músical évening [-z-...]; ~ па́мяти commemorátion méeting; ~ па́мяти Пу́шкина Púshkin commemorátion meeting ['pu-...].

вечер||**е́ть** *безл.*: ~е́ет the day is dráwing to a close [...-s], night is fálling; ~е́ло night was fálling.

вечери́нка *ж.* évening-párty ['iːvn-].

вечерко́м *нареч. разг.* in the évening [...'iːvn-].

вече́рн||**ий** 1. *прил.* к ве́чер 1; ~яя заря́ évening-glów ['iːvnɪŋ'glou], súnsèt; ~яя газе́та évening páper ['iːv-...]; ~ие ку́рсы évening clásses; ~яя шко́ла night school; ~ звон vésper chimes *pl.*; 2. *прил.* к ве́чер 2; ~ее пла́тье évening dress.

вече́рник *м. разг.* évening stúdent ['iːv-...], stúdent atténding évening clásses, níght-school stúdent.

вече́рня *ж. церк.* véspers *pl.*

ве́чером *нареч.* in the évening [...'iːvn-]; по́здно ~ late at night; сего́дня ~ this évening, to;night; вчера́ ~ last évening / night, yésterday évening [-dɪ...]; в воскресе́нье ~ Súnday évening [-dɪ...], Súnday night.

ве́черя *ж. рел.*: та́йная ~ the Last Súpper.

ве́чно *нареч.* always ['ɔːlwəz], etérnally, for ever; (*перен.*) *разг.* (*постоянно*) perpétually, èver;lásting;ly.

вечнозелён||**ый** éver;green; ~ые расте́ния éver;greens.

ве́чн||**ость** *ж.* etérnity; ◇ ка́нуть в ~ fall* / sink* into oblívion; каза́ться ~остью seem an etérnity / age; я его́ не ви́дел це́лую ~ *разг.* I have;n't seen him for áges, it is áges since I saw him. ~ый etérnal, éver;lásting; (*непрерывный*) perpétual; ~ое движе́ние perpétual mótion; в ~ое пользование for use in perpétuity [...-s...], in perpétual ténure; на ~ые времена́ *разг.* for éver; ~ая ка́торга pénal sérvitùde for life; ◇ ~ое перо́ fóuntain-pèn.

вечо́р *нареч. разг.* last night, yésternight.

ве́шалка *ж.* 1. peg, rack, stand; (*в передней*) háll-stànd; 2. (*на платье*) tab; 3. *разг.* (*помещение для хранения верхней одежды*) cloak-room.

ве́шать I, **пове́сить** (*вн.*) hang* (up) (d.); ~ что-л. на верёвку, сте́ну *и т. д.* hang* smth. on / upón the line, the wall, *etc.*; ◇ ~ го́лову hang* one's head [...hed], becóme* / be dejécted / despóndent.

ве́шать II, **пове́сить** (*вн.*; *казнить*) hang (d.); его́ за э́то пове́сят he will be hanged for it, he will hang for it; he will swing for it *разг.*

ве́шать III, **све́шать** (*вн.*) weigh (d.); (*отпускать покупателю*) weigh out (d.).

ве́шаться I *страд.* к ве́шать I.

ве́шаться II, **пове́ситься** 1. (*совершать самоубийство*) hang òne;sélf; 2. *страд.* к ве́шать II; ~ кому́-л. на ше́ю *разг.* throw* òne;sélf at smb. [θrou...], fall* on smb.'s neck.

ве́шаться III, **све́шаться** *разг.* weigh òne;sélf.

ве́шка *ж.* lándmàrk; *геодез.* survéying rod.

ве́шн||**ий** *поэт.* spring (*attr.*), vérnal; ~ие во́ды spring / vérnal floods [...flʌ-].

веща́ние *с. рад.* bróadcàsting ['brɔːd-].

веща́ть I *рад.* bróadcàst ['brɔːd-].

веща́ть II 1. (*вн.*) *уст.* (*прорицать*) próphesỳ (d.); 2. *разг.* (*говорить авторитетно*) lay* down the law.

вещев||**о́й**: ~ мешо́к knápsàck, kít- -bàg; ~о́е дово́льствие *воен.* kit, clóthing [-ou-]; ~ склад wáre;house* [-s]; *воен.* stores *pl.*

веще́ственн||**ый** matérial, substántial; ~ое доказа́тельство matérial évidence; ◇ ~ое и́мя существи́тельное matérial substantive, mass noun.

вещество́ *с.* mátter, súbstance; белко́вое ~ álbumen; органи́ческое ~ orgánic mátter; боево́е отравля́ющее ~ póison-gàs; взры́вчатое ~ explósive.

ве́щий *поэт.* prophétic.

ве́щи||**ца** *ж.* líttle thing; (*безделушка*) kníck-knàck, bàgatélle.

ве́щн||**ый**: ~ое пра́во *юр.* law of estáte.

вещу́н *м.*, ~**ья** *ж. уст.* sóothsayer.

вещ||**ь** *ж.* 1. thing; вот э́то ~! that's sóme;thing like!; 2. *мн.* (*имущество*) things, belóng;ings; (*платье*) clothes [-ouðz]; тёплые ~и warm things / clothes; со все́ми ~а́ми with one's lúggage; with bag and bággage *идиом. разг.*;

дома́шние ~и hóusehòld things [-s-...]; 3. (*о пьесе, книге и т. п.*) work; э́то хоро́шая ~ this is a good* work, play, book, piece of writing [...pi:s...]; я ви́дел лу́чшие ~и э́того драмату́рга I have seen the best works / plays of this pláywright; ◊ ~ ~и рознь *разг.* not éverything is alíke, things díffer; ~ в себе́ *филос.* thing in itsélf.

ве́ялка *ж. с.-х.* wínnowing-machìne [-ʃi:n], winnower.

ве́яние I *с. с.-х.* wínnowing.

ве́ян∥ие II *с.* 1. (*ветра*) bréathing, blówing ['blou-]; 2. (*направление*) trend, téndency; но́вые ~ия new trends / idéas [...aɪ'dɪəz]; ~ вре́мени spírit of the times.

ве́ять I (*вн.*) *с.-х.* wínnow (*d.*).

ве́ять II 1. (*о ветре*) blow* [-ou-]; 2. (*реять, развеваться — о знамёнах и т. п.*) wave, flútter, fly*; ◊ ве́ет весно́й spring is in the air.

вжать *сов. см.* вжима́ть.

вжива́ться, вжи́ться (в *вн.*) get* used [...ʤʌst] (to), grow* accústomed [grou...] (to).

вжив∥и́ть *сов. см.* вживля́ть. ~ле́ние *с.* implantátion [-ɑ:n-]. ~ля́ть, вживи́ть (*вн.*) *биол., мед.* implánt [-ɑ:nt] (*d.*).

вжима́ть, вжать (*вн.*) press / drive* in (*d.*).

вжи́ться *сов. см.* вжива́ться.

взад *нареч. разг.*: ~ и вперёд up and down, to and fro, back and forth, báckwards and fórwards [-dz... -dz]; ходи́ть ~ и вперёд по ко́мнате walk up and down the room, pace the room to and fro, *или* back and forth; ни ~ ни вперёд néither báckwards nor fórwards ['naɪ-...].

взаи́мн∥о *нареч.* mútually, recíprocally; ~ просты́е чи́сла *мат.* recíprocals. ~ость *ж.* mùtuálity, rècipròcity; отвеча́ть кому́-л. ~остью recíprocate smb.'s feelings / love / afféction [...lʌv...]; доби́ться чьей-л. ~ости gain / win* smb.'s love; люби́ть кого́-л. без ~ости love smb. without requítal. ~ый mútual, recíprocal; ~ая зави́симость interdepéndence; ~ая по́мощь mútual aid / assístance; ~ое уваже́ние mútual respéct; ~ое дове́рие mútual cónfidence; ~ая вы́года mútual bénefit / advántage; ~ые сокраще́ния вооруже́ния mútual ármament cútbàcks; ~ый глаго́л *грам.* recíprocal verb; ~ый зало́г *грам.* recíprocal voice.

взаимовы́годн∥ый mútually bèneficial; ~ые свя́зи mútually bèneficial relátions; ~ые экономи́ческие отноше́ния mútually àdvantágeous èconómic relátions [...i:k-...].

взаимовы́ручка *ж.* mútual aid / assístance.

взаимоде́йств∥ие *с.* 1. interáction, recíprocal áction; rècipròcity; 2. *воен.* cò-òperátion, cò-órdinàted áction; те́сное ~ close cò-òperátion [-s...]. ~овать 1. interáct, act recíprocally; 2. *воен.* cò-óperàte.

взаимозави́симость *ж.* interdepéndency.

взаимозаменя́ем∥ость *ж.* interchángeability [-tʃeɪ-]. ~ый interchángeable [-tʃeɪ-].

взаимоисключа́ющие mútually exclúsive / incompátible.

взаимо∥обусло́вленность *ж. филос.* interconditionálity. ~отноше́ние *с.* 1. interrelátion, mútual relátion; 2. *мн.* (*людей, стран и т. п.*) relátions. ~по́мощь *ж.* mútual aid; ка́сса ~по́мощи mútual bénefit fund, mútual aid fund; догово́р о ~по́мощи mútual aid pact. ~понима́ние *с.* mútual understánding. ~связь *ж.* 1. intercommùnicátion; 2. *филос.* còrrelátion, interdepéndence.

взаймы́ *нареч.*: взять, получи́ть (*вн.*) bórrow (*d.*); дать ~ (*дт. вн.*) lend* (*i. d.*).

взаме́н *предл.* (*рд.*) instéad of [-ed...]; (*в обмен*) in retúrn for, in exchánge for [...-'tʃeɪ-...].

взаперти́ *нареч.* 1. locked up, únder lock and key [...ki:]; сиде́ть ~ be locked up; 2. *разг.* (*в уединении*) in seclúsion; жить ~ live in seclúsion [lɪv...].

взапра́вдашний *разг.* real [rɪəl], not imáginary.

взапра́вду *нареч. разг.* réally ['rɪə-], in truth [...tru:θ], indéed.

взапу́ски *нареч. разг.*: бе́гать ~ chase each other [-s...].

взасо́с *нареч. разг.*: целова́ть(ся) ~ exchánge lóng-drawn-óut kísses [-'tʃeɪ-...].

взатя́жку *нареч.*: кури́ть ~ inhále (in smóking).

взахлёб *нареч. разг.* excítedly, effúsively; хвали́ть ~ praise to the skies.

взаше́й *нареч. разг.*: вы́гнать, вы́толкать кого́-л. ~ chuck / kick smb. out.

взба́дривать, взбодри́ть (*вн.*) *разг.* embólden (*d.*), rèassúre [-'ʃʊə] (*d.*); cheer up (*d.*), buck up (*d.*) *разг.*

взбаламу́||тить *сов. см.* баламу́тить. ~ченный *прич. и прил.* ágitàted; ~ченное мо́ре túrbulent sea.

взба́лмошный *разг.* únbálanced, extrávagant; (*с причудами*) whímsical [-z-], crótchety.

взба́лтывание *с.* sháking.

взба́лтывать, взболта́ть (*вн.*) shake* up (*d.*); пе́ред употребле́нием ~ (*этикетка*) shake the bottle before use [...-s].

взбега́ть, взбежа́ть run* up; ~ на го́ру run* up *a* hill; ~ по ле́стнице run* úpstáirs.

взбежа́ть *сов. см.* взбега́ть.

взбелени́ться *сов. разг.* get* enráged; get* mad *амер.*

взбеси́ть(ся) *сов. см.* беси́ть(ся).

взбешённый *прич. и прил. тж.* infúriàted; *прил. тж.* fúrious.

взбива́ть, взбить (*вн.*) 1. (*о подушках и т. п.*) shake* up (*d.*); (*о волосах*) fluff up (*d.*); 2. (*пенить*) beat* up (*d.*), whip (*d.*), whisk (*d.*).

взбира́ться, взобра́ться (на *вн.*) climb [klaɪm] (*d.*), climb up (*d.*), clámber (*d.*), clámber up (*d.*); ~ на го́ру climb up *a* hill, climb to the top of *a* hill.

взби́т∥ый: ~ые сли́вки whipped cream *sg.*; ~ые (в густу́ю пе́ну) белки́ (stíffly) fróthed, *или* béaten up, whites of eggs.

взбить *сов. см.* взбива́ть.

взбодри́ть *сов. см.* взба́дривать.

взболта́ть *сов. см.* взба́лтывать.

взбре́сти́ *сов. разг.* mount with dífficulty; struggle up, clámber; ◊ ему́ ~ло́ в го́лову, ему́ ~ло́ на ум he took it into his head [...hed].

взброс *м. геол.* úpthrùst, úpcàst, úplift.

взбры́згивать, взбры́знуть (*вн.*) sprínkle (*d.*).

взбры́знуть *сов. см.* взбры́згивать.

взбудора́женный *прич. и прил. разг.* ágitàted, distúrbed, wórked-úp, wróught-úp.

взбудора́ж∥ивать, взбудора́жить (*вн.*) *разг.* ágitàte (*d.*), distúrb (*d.*), work up (*d.*). ~ить *сов. см.* будора́жить *и* взбудора́живать.

взбунтова́ть *сов. см.* бунтова́ть 2. ~ся *сов. см.* бунтова́ть 1 *и* бунтова́ться.

взбуха́ть, взбу́хнуть swell*, swell* out.

взбу́хнуть *сов. см.* взбуха́ть.

взбу́чк∥а *ж. разг.* híding, thráshing; (*выговор*) dréssing down; (*ребёнку, близкому человеку*) scólding; дать кому́-л. хоро́шую ~у give* smb. a dréssing down, give* smb. what for; give* smb. a good scólding; give* smb. a good tálking-to *разг.*

взва́ливать, взвали́ть (*вн.* на *вн.*) load (*d.* on to), lift (*d.* on to); ~ на́ спи́ну, на пле́чи shóulder [ʃou-] (*d.*); ~ всю вину́ на кого́-л. lay* / put* all the blame on smb.; ~ всю рабо́ту на кого́-л. load smb. with all the work.

взвали́ть *сов. см.* взва́ливать.

взве́сить(ся) *сов. см.* взве́шивать(ся).

взвести́ *сов. см.* взводи́ть.

взве́шенн∥ый 1. *прич. см.* взве́шивать; 2. *прил. хим.* suspénded; ~ое состоя́ние suspénsion.

взве́шивать, взве́сить (*вн.*; *прям. и перен.*) weigh (*d.*), (*перен. тж.*) consíder [-'sɪ-] (*d.*); ~ все (до́воды) за и про́тив weigh the pros and cons. ~ся, взве́ситься 1. weigh òneself; 2. *страд.* к взве́шивать.

взвива́ть, взвить (*вн.*) raise (*d.*). ~ся, взви́ться 1. (*о птице*) fly* up, soar; (*о лошади*) rear; (*о занавесе*) go* up, rise*; (*о флагах*) go* up, be hóisted, be raised.

взви́згивать, взви́згнуть squeal, screech; (*о собаке*) yelp.

взви́згнуть *сов. см.* взви́згивать.

взвинти́ть *сов. см.* взви́нчивать.

взви́нченн∥ый 1. *прич. см.* взви́нчивать; 2. *прил.* híghly-strúng, strúng-úp, excíted, wróught-úp; не́рвы его́ всегда́ ~ы he is álways on edge [...'ɔ:lwəz...]. ~ие цен price inflátion; inflátion of prices.

взви́нчивать, взвинти́ть (*вн.*) excíte (*d.*), work up (*d.*); ~ себя́ work òneself up, excíte òneself; ◊ ~ це́ны inflàte prices.

взвить(ся) *сов. см.* взвива́ть(ся).

взвихри́ться *сов. разг.* whirl.

взвод I *м. воен.* platóon; (*в англ. артиллерии, инженерных войсках и войсках связи*) séction; (*в англ. кавалерии и танковых войсках*) troop.

взвод II *м.* (*в оружии*) (cócking) recéss; notch; боево́й ~ full bent, sear notch [sɪə...]; на боево́м ~е cocked; куро́к на боево́м ~е the cock is at full bent, the gun is cocked; предохра-

взводи́тельный ~ sáfe:ty recéss / notch; на предохрани́тельном ~е at sáfe:ty; ◇ быть на ~е *разг.* have had a drop too much.

взводи́ть, взвести́ 1. (*вн.; о курке, ударнике*) cock (*d.*); **2.** (*вн.* на *вн.*; *обвинять*) impúte (*d.* to), sáddle (*d.* with); ~ обвине́ние на кого́-л. impúte the fault to smb., lay* the blame on smb., lay* to the charge of smb.; lay* the fault at smb.'s door [...dɔ:] *идиом.*

взво́дный 1. *прил.* к взвод I; **2.** *м. как сущ.* platóon commánder [...-ɑ:n-].

взволно́ванн∥**о** *нареч.* with emótion, with àgitátion; говори́ть ~ speak* in an ágitàted tone, *или* in ágitàted tones, speak* with emótion (in one's voice), speak* with deep féeling. **~ый** ágitàted; (*обеспокоенный*) ùn:éasy [-zɪ], distúrbed, ánxious; (*о море*) chóppy, rough [rʌf]; ~ый вид tróubled / pertúrbed / wórried look [trʌb-... 'wʌ-...].

взволнова́ть *сов. см.* волнова́ть. **~ся** *сов. см.* волнова́ться 1, 2.

взвыть *сов.* howl, set* up a howl.

взгляд *м.* **1.** look; (*пристальный*) gaze, stare; fixed / inténtlook; (*быстрый*) glance; (*настойчивый и враждебный*) glare; ~ укра́дкой cóvert glance ['kʌ-...]; бро́сить ~ (на *вн.*) glance (at), cast* a glance / look (at); (*быстрый*) take* a quick look (at), dart / shoot* a glance (at), run* one's eyes [...aɪz] (at, óver); напра́вить ~ (на *вн.*) diréct one's eyes (to), turn one's eyes (on); перевести́ ~ (на *вн.*) shift one's gaze (to); turn one's eyes (to); прикова́ть ~ (к) fix / rívet one's eyes [...'rɪ-...] (on); у всех бы́ли прико́ваны к э́тому необыча́йному зре́лищу éveryone was stáring at, *или* all eyes were ríveted on, this extraórdinary sight [...ɪks-'trɔ:dnrɪ...]; **2.** (*точка зрения*) view [vju:]; (*мнение*) opínion; на мой ~ to my mind, in my opínion / view, as I see it; to my way of thínking; ◇ на пе́рвый ~ on the face of it; ему́ на пе́рвый ~ лет 30 to look at him he might be thírty; с пе́рвого ~а at first sight.

взгля́∥**дывать, взгляну́ть** (на *вн.*) look (at), give* a glance / look (*i.*), cast* a glance, *или* one's eyes [...aɪz] (at, on) (*тж. перен.*). **~ну́ть** *сов. см.* взгля́дывать.

взго́рье *с.* hill.

взгре∥**ть** *сов.* (*вн.*) *разг.* (*побить*) thrash (*d.*); (*выругать*) give* it hot (*i.*); его́ ~ли за э́то they gave it him hot.

взгромозда́ть, взгромозди́ть (*вн.*) *разг.* pile up (*d.*). **~ся, взгромозди́ться** *разг.* **1.** clámber up; **2.** *страд.* к взгромозда́ть.

взгромозди́ть(ся) *сов. см.* взгромозда́ть(ся).

взгрустну́∥**ть** *сов. разг.* feel* sad / depréssed. **~ться** *сов. разг. безл.* (*дт.*): ему́, им *и т. д.* ~лось he feels, they feel, *etc.*, depréssed / mélancholy [...-k-].

вздва́ивание *с.*: ~ рядо́в *воен.* fórming fours [...fɔ:z].

вздва́ивать, вздво́ить: ~ ряды́ *воен.* form fours [...fɔ:z].

вздво́ить *сов. см.* вздва́ивать.

вздво́ить *сов.* двои́ть 2.

вздёр∥**гивать, вздёрнуть** (*вн.*) *разг.* **1.** (*поднимать*) hitch up (*d.*), jerk up (*d.*); **2.** (*вешать кого-л.*) hang (*d.*), string* up (*d.*). **~нутый**: ~нутый нос snub nose, túrned-úp nose; с ~нутым но́сом snúb-nòsed. **~нуть** *сов. см.* вздёргивать.

вздор *м. разг.* nónsense, rúbbish; (*неправда*) stuff and nónsense; вся́кий ~ all sorts of nónsense *pl.*; моло́ть, городи́ть, нести́ ~ talk nónsense.

вздо́р∥**ить, повздо́рить** *разг.* squabble; *сов. тж.* (с *тв.* из-за) have a quárrel (with smb. óver); (*спорить*) have an árgument (with smb. abóut). **~ный** *разг.* **1.** (*нелепый*) absúrd, fóolish; **2.** (*о человеке*) quárrel:some, càntánkerous; (*глупый*) fóolish.

вздорож∥**а́ние** *с.* rise in price. **~а́ть** *сов. см.* дорожа́ть.

вздох *м.* deep breath [...breθ]; (*как выражение чувства*) sigh; ~ облегче́ния sigh of relief [...-'li:f]; испусти́ть после́дний ~ breathe one's last.

вздохну́ть *сов.* **1.** *см.* вздыха́ть 1; **2.** *разг.* (*отдохнуть*) take* breath [...breθ]; ◇ ~ свобо́дно (*успокоиться*) breathe agáin, breathe fréely, take* a long breath.

вздра́гивание *с.* **1.** (*от неожиданности*) start, stárting; (*от боли*) flínching, wíncing; **2.** (*дрожь*) quíver ['kwɪ-], quívering.

вздра́гивать, вздро́гнуть 1. (*от неожиданности*) start, *сов. тж.* give* a start; (*от боли*) flinch, wince; **2.** *тк. несов.* (*дрожать*) quíver ['kwɪ-], shúdder.

вздремну́ть *сов. разг.* take* a nap.

вздро́гнуть *сов. см.* вздра́гивать 1.

вздува́ть, вздуть (*вн.*) blow* up (*d.*); (*о ценах*) infláte (*d.*). **~ся, вздуться 1.** swell*; **2.** *страд.* к вздува́ть.

взду́м∥**ать** *сов.* (+ *инф.*) take* it into one's head [...hed] (+ to *inf.*); что вы ~али уходи́ть? what makes you go?; ◇ не ~ай(те) (+ *инф.*) don't take it into your head (+ to *inf.*), mind you don't (+ *inf.*.), don't you dare (+ *inf.*). **~аться** *сов. безл.* (*дт.*): ему́, ей *и т. д.* ~алось he, she, *etc.*, took it into his, her, *etc.*, head [...hed]; ◇ как ~ается at one's own sweet will [...oun...].

взду́тие *с.* **1.** *мед.* swélling; ~ живота́ flátulence; hoove *вет.*; **2.**: ~ цен inflátion of príces.

взду́тый *прич. и прил.* swóll:en, infláted, blóated.

вздуть I *сов. см.* вздува́ть.

вздуть II *сов.* (*вн.*) *разг.* (*отколотить*) thrash (*d.*), give* a híding (to).

вздуться *сов. см.* вздува́ться.

вздыбить(ся) *сов. см.* вздыбливать (-ся).

вздыблива́ть, вздыбить (*вн.*) rear (*d.*), raise on its hind legs (*d.*). **~ся, вздыбиться** rear, ramp; ◇ его́ во́лосы вздыбились от ве́тра his hair was blown up by the wind [...bloun... wɪ-].

вздыма́ть (*вн.*) raise (*d.*). **~ся** rise*, heave*.

вздыха́ть, вздохну́ть 1. breathe; (*как выражение чувства*) sigh; *сов. тж.* heave* a sigh; глубоко́ вздохну́ть give* a deep sigh; **2.** *тк. несов.* (о, по *пр.*; *тосковать*) sigh (for), long (for), pine (áfter, for), yearn [jə:n] (for); **3.** *тк. несов.* (по *пр.*) *разг.* (*быть влюблённым*) be sweet on (*d.*).

взима́ние *с.* lévy ['le-], colléction.

взима́ть (*вн.*) lévy ['le-] (*d.*), colléct (*d.*); (*особ. о налогах*) raise (*d.*); ~ дань lévy a tríbute; ~ штраф impóse a fine.

взира́ть (на *вн.*) *уст.* look (at), gaze (at).

взла́мывать, взлома́ть (*вн.*) break* up [-eɪk...] (*d.*); (*о двери, шкафе и т. п.*) break* ópen (*d.*), force (*d.*), burst* (*d.*); *воен.* break* through (*d.*); ~ замо́к force a lock.

взлеза́ть, взлезть (на *вн.*) *разг.* climb up [klaɪm...] (*d.*).

взлезть *сов. см.* взлеза́ть.

взлеле́ять *сов.* (*вн.*) chérish (*d.*), fóster (*d.*).

взлёт *м.* flight (*тж. перен.*); úpward flight; *ав.* táke-óff; ~ с воды́ wáter táke-óff ['wɔ:-...]; ~ фанта́зии flight of fáncy.

взлета́ть, взлете́ть fly* up; (*о птице тж.*) take* wing; (*о самолёте*) take* off; ◇ взлете́ть на во́здух (*взорваться*) blow* up [blou...].

взлете́ть *сов. см.* взлета́ть.

взлётно-поса́дочн∥**ый**: ~ая полоса́ *ав.* táke-óff and lánding strip; rúnway.

взлётн∥**ый** *прил.* к взлёт; ~ая доро́жка rúnway.

взли́зина *ж. разг.* bald patch (above the témples).

взлом *м.* bréaking in / ópen [-eɪk-...] (*ср.* взла́мывать); кра́жа со ~ом hóuse-bréaking [-s- -eɪk-], bréaking and éntering, búrglary. **~а́ть** *сов. см.* взла́мывать. **~щик** *м.* hóuse:breaker [-sbreɪ-], búrglar.

взлохма́∥**тить** *сов. см.* взлохма́чивать. **~ченный** *прич. и прил.* tousled [-z-], rúffled; *прил. тж.* dishévelled; (*о человеке тк.*) dishévelled. **~чивать, взлохма́тить** (*вн.*) tousle [-zl] (*d.*), rúffle (*d.*).

взмах *м.* (*крыльями*) flap, flápping; (*рукой*) wave, móve:ment ['mu:v-]; (*косы*) sweep; (*пловца, вёслами*) stroke; одни́м ~ом at one stroke. **~ивать, взмахну́ть** (*тв.*; *крыльями*) flap (*d.*); (*рукой, платком и т. п.*) wave (*d.*); (*веслом, косой и т. п.*) strike* (with); make* strokes (with). **~ну́ть** *сов. см.* взма́хивать.

взмёт *м. с.-х.* first plóughing.

взметну́ть *сов.*: ~ кры́льями flap its wings; ~ рука́ми fling* up one's hands. **~ся** *сов.* shoot* up.

взмо́кнуть *сов. разг.* **1.** get* wet / soaked; **2.** (*вспотеть*) be cóvered with sweat [...'kʌ- ...swet].

взмоли́ться *сов.* (о *пр.*) beg (for), implóre (for); ~ о поща́де beg / ask for mércy, ask for quárter.

взмо́рье *с.* **1.** (*море у берега*) cóastal wáters [...'wɔ:-] *pl.*; **2.** (*побережье*) (sea) coast, (séa-)shóre; (*пляж*) beach; (*как место отдыха*) séaside; да́ча на ~ séaside cóttage.

взмости́ться *сов.* (на *вн.*) *разг.* perch (on); (*вскарабкаться*) clámber (on;to).

взмыва́ть, взмыть rócket, soar up / úpwards [...-dz]; (*о птице*) shoot* úpwards.

взмы́ленный (*о лошади*) fóamy, láthery [-ð-].

взмы́ливать, взмы́лить (*вн.*) cause to foam / láther [...-ðə] (*d.*); взмы́лить коня́ drive* a horse into a láther.

взмы́лить *сов. см.* взмы́ливать.

взмыть *сов. см.* взмыва́ть.

взнос *м.* páyment; (*членский и т. п.*) fee, due; очередно́й ~ (*при уплате по частям*) instálment [-ɔːl-]; вступи́тельный ~ éntrance fee; профсою́зный ~ trade únion dues *pl.*; чле́нский ~ mémbership dues *pl.*

взнузда́ть *сов. см.* взну́здывать.

взну́здывать, взнузда́ть (*вн.*) brídle (*d.*).

взобра́ться *сов. см.* взбира́ться.

взойти́ *сов. см.* всходи́ть *и* восходи́ть 1.

взопре́ть *сов. см.* преть 4.

взор *м.* look; (*пристальный*) gaze; поту́пить ~ drop one's eyes [...aɪz], cast* down one's eyes; устреми́ть ~ (на *вн.*) fix one's eyes (on), gaze (at, on); обрати́ть ~ на кого́-л. turn one's eyes on smb.; обрати́ть на себя́ все ~ы attráct all eyes; впери́ть ~ (в *вн.*) stare (at), fix one's gaze (on).

взорва́ть *сов.* 1. *см.* взрыва́ть I; 2. (*возмутить кого-л.*) exásperate (*d.*), make* smb.'s blood boil [...blʌd...]; его́ взорва́ло he boiled with rage, he explóded. ~ся *сов. см.* взрыва́ться I.

взрасти́ть *сов. см.* взра́щивать.

взра́щивать, взрасти́ть (*вн.*) 1. (*о растении*) grow [grou] (*d.*), cúltivàte (*d.*); 2. (*воспитывать*) bring* up (*d.*), núrture (*d.*).

взреве́ть *сов.* roar; útter a roar.

взре́зать *сов. см.* взреза́ть.

взреза́ть, взре́зать (*вн.*) cut* up (*d.*), ópen (*d.*).

взросле́ть, повзросле́ть *разг.* appróach / reach mánhood, wómanhood [...-hud 'wumənhud], become* adúlt [...'æ-], matúre.

взросл||ый 1. *прил.* adúlt ['æ-]; ~ челове́к grown man* [-oun...]; ~ сын, ~ая дочь grówn-ùp [-oun-]; ~ые сыновья́, до́чери grówn-ùp son, dáughter [...sʌn...]; 2. *м. как сущ.* adúlt; grówn-ùp *разг.*

взрыв *м.* explósion; (*перен.*) óutbùrst, burst; произвести́ ~, вы́звать ~ set* off an explósion; произвести́ ~ а́томной, водоро́дной бо́мбы explóde *an* átom, *a* hýdrogen bomb [...'æ-...'haɪ-...]; ~ аплодисме́нтов burst of appláuse; ~ сме́ха óutbùrst / peal of láughter [...'lɑːf-]; ~ гне́ва óutbreak / burst of ánger [-breɪk...].

взрыва́тель *м. воен.* détonàting fuse.

взрыва́ть I, взорва́ть (*вн.*) (*разрушать взрывом*) blow* up [blou...] (*d.*); (*скалу и т. п.*) blast (*d.*); ~ заря́д set* off a charge.

взрыва́ть II, взрыть (*вн.*) plough up (*d.*), turn up (*d.*).

взрыва́ться I, взорва́ться 1. burst*; blow* up [blou...]; (*о заряде*) explóde; burst*; (*о газе и т. п.*) explóde; (*перен.; о человеке*) explóde, fly* into a rage; котёл взорва́лся the bóiler burst; кора́бль взорва́лся the ship blew up; услы́шав ложь, он взорва́лся on héaring that lie he flew into a rage; 2. *страд. к* взрыва́ть I.

взрыва́ться II *страд. к* взрыва́ть II.

взрывни́к *м.* shótfìrer.

взрывн||о́й I (*в разн. знач.*) explósive; ~а́я волна́ air blast, shock wave; ~ы́е рабо́ты blásting *sg.*, blásting òperátions.

взрывн||о́й II *лингв.*: ~ы́е согла́сные (ex)plósive / stop cónsonants.

взрывозащищённый explósion-proof.

взрывоопа́сный dángerously / híghly explósive ['deɪndʒ-...].

взрывча́тка *ж. разг.* explósive(s) (*pl.*).

взры́вчат||ый explósive; ~ое вещество́ explósive.

взрыть *сов. см.* взрыва́ть II.

взрыхле́ние *с.* lóosenìng [-s-].

взрыхл||и́ть *сов. см.* взрыхля́ть. ~я́ть, взрыхли́ть (*вн.*) lóosen [-s-] (*d.*).

взъеда́ться, взъе́сться (на *вн.*) *разг.* pitch (into), fall* (on), go* for.

взъезжа́ть, взъе́хать mount (*d.*), drive* up (*d.*), ascénd (*d.*); ~ на́ гору ascénd a hill / móuntain, ride* up a hill / móuntain.

взъерепе́ниться *сов. разг.* fly* out, brístle up; get* on one's hind legs *шутл.*

взъеро́ш||енный 1. *прич. см.* взъеро́шивать; 2. *прил.* dishévelled. ~ивать, взъеро́шить (*вн.*) tóusle [-zl] (*d.*), ruffle (*d.*), rúmple (*d.*). ~иваться, взъеро́шиться ruffle / rúmple one's hair; (*стать взъерошенным*) become* dishévelled. ~ить *сов.* 1. *см.* взъеро́шивать; 2. *как ж. к* еро́шить. ~иться *сов. см.* взъеро́шиваться.

взъе́сться *сов. см.* взъеда́ться.

взъе́хать *сов. см.* взъезжа́ть.

взыва́ть, воззва́ть (к кому́-л. о чём-л.) appéal (to smb. for smth.); ~ о по́мощи call for help; ~ о справедли́вости demánd jústice [-ɑːnd...].

взыгр||а́ть *сов.* 1. become* distúrbed; мо́ре ~а́ло the sea grew rough; 2. (*прийти в возбуждённое, весёлое состояние*) leap* (for joy); се́рдце ~а́ло my heart leapt [...hɑːt lept].

взыска́н||ие *с.* 1. (*наказание*) pénalty, púnishment ['pʌ-]; наложи́ть ~ (на *вн.*) inflíct / impóse *a* pénalty (on), inflict *a* púnishment (on, up;ón); подве́ргнуться ~ию in;cúr a pénalty; 2. *юр.* recóvery [-kʌ-], exáction.

взыска́тельн||ость *ж.* (*требовательность*) exáctingness; (*строгость*) sevérity, strictness. ~ый (*требовательный*) exáctìng; (*строгий*) sevére, demánding [-ɑː-]; быть ~ым к себе́ set* one;self high stándards.

взыска́ть *сов. см.* взы́скивать.

взы́скивать, взыска́ть 1. (*вн. с рд.*) exáct (*d.* from, of); (*получить*) recóver [-kʌ-] (*d.* from); ~ долг recóver a debt [...det]; 2. (*с рд. за вн.*) make* (*d.*) ánswer [...'ɑːnsə] (for); ◇ не взыщи́те! please, forgíve me! [...'gɪv...], don't be hard on me!

взя́тие *с.* táking, séizure ['siːʒə]; ~ кре́пости cápture / séizure of *a* fórtress; ~ кого́-л. в плен táking smb. prísoner [-z-], cápture of smb.

взя́тк||а *ж.* 1. (*подкуп*) bribe; graft *амер.*; pálm-oil ['pɑː-] *разг.*; (*за молчание*) húsh-mòney [-mʌ-]; дать кому́-л. ~у bribe smb.; grease smb.'s palm [...pɑːm] *разг.*; брать ~и take* / accépt bribes; 2. *карт.* trick; ◇ с него́ ~и гла́дки you can't expéct ánything from him [...kɑːnt...], you'll get nothing out of him.

взя́точни||к *м.* bríbe-tàker; gráfter *амер.* ~чество *с.* bríbery [-aɪ-], bríbe-tàking.

взять *сов. см.* брать; ◇ возьми́ да и сде́лай э́то сам just do it your;sélf, can't you [...kɑːnt...]; возьми́ да скажи́ speak up, speak your mind; он взял да убежа́л he up and ran; ни дать ни ~ exáctly, néither more nor less ['naɪ-...]. ~ся *сов. см.* бра́ться.

виаду́к *м.* víadùct.

вибра́||тор *м. физ.* víbrátor [vaɪ-]; *рад.* oscillátor [vaɪ-]. ~ция *ж.* vibrátion [vaɪ-].

вибрио́н *м. бакт.* víbriò.

вибри́р||овать vibráte [vaɪ-]. ~ующий vibrátìng [vaɪ-]; ~ующий го́лос quívering / vibrátìng / trémulous voice.

вивисе́кция *ж.* viviséction.

виг *м. ист.* whig.

вигва́м *м.* wigwàm.

виго́нь *ж.* 1. *зоол.* vicúgna [-uːnjə], vicúña [-kuːnjə]; 2. *текст.* vicúgna / vicúña wool [...wul].

вид I *м.* 1. (*в разн. знач.*) air, appéarance, look, áspect; (*подобие*) sémblance; ко́мната име́ет опря́тный ~ the room looks tídy; дом име́л таи́нственный ~ there was an air of mýstery abóut the house* [...-s]; его́ ~ был неприя́тен he had a disagréeable appéarance [...-'grɪə-...], there was a disagréeable air about him; у него́ незави́симый ~ he has an indepéndent air, he looks indepéndent; он прида́л э́тому ~ шу́тки he gave it the sémblance of a joke; у него́ плохо́й ~ he does;n't look well; име́ть ~ кого́-л., чего́-л. look like smb., smth., have the appéarance of smb., smth. (*тк. о человеке*); принима́ть ~ smb., smth., assúme, *или* put* on, *или* afféct, an air; принима́ть серьёзный, торже́ственный *и т. п.* ~ assúme a grave, a sólemn, *etc.*, air; ему́ на ~ лет 50 he looks abóut fifty; по ~у by appéarance; by looks (*тк. о человеке*); с ~у in appéarance, in looks; 2. (*форма*) form, shape; 3. (*состояние*) condítion, state; в хоро́шем ~е in good* condítion, in a good* state; 4. (*пейзаж, перспектива и т. п.*) view [vjuː]; ~ на́ море view of the sea; ~ спе́реди front view [frʌnt...]; ~ сбо́ку side view; о́бщий ~ géneral view; откры́тка с ~ом pícture póstcard [...'pou-]; 5. *мн.* (*предположения*) prospects; (*намерения*) inténtion *sg.*; ~ы на урожа́й hárvest próspects, éstimate of hárvest; ~ы на бу́дущее próspects of, *или* views for, the future; 6. (*поле зрения*) sight; скры́ться из ~у pass out

ВЗМ — ВИД **В**

ВИД – ВИЛ

of sight, disappear; потерять из ~у (вн.) lose* sight [lu:z...] (of); на ~ý у кого-л. in full view of smb.; быть на ~ý be in the public eye, или public view [...ʹpл- аı...]; при ~е (рд.) at (the) sight (of); ◊ ~ на жительство residential / residence permit [-z- -z-...]; (удостоверение личности) identity card [aı-...]; в ~ах чего-л. with a view to smth., with the aim of smth.; иметь в ~ý (вн.) (подразумевать) mean* (d.); (не забывать) bear* / have in mind [bεə...] (d.); (+ инф.; иметь намерение) intend (d.), mean* (+ to inf.); имейте в ~ý, что mind, или don't forget, that [...ʹget...]; иметь ~ы (на вн.) reckon (on); для ~а разг. for form's sake, for the sake of appearances; видавший ~ы worldly-wise; человек, ~ы видавший old hand; ни под каким ~ом on no account, by no means; под ~ом (рд.) under / in the guise (of), under the pretence (of); делать ~ (,что) pretend (+ to inf.), affect (+ to inf.), make* a show [...ʃou] (of), feign [feın] (that); поставить на ~ кому-л. что-л. reprove smb. for smth. [-ru:v...]; упустить из ~у (вн.) lose* sight (of); fail to take* into account / consideration (d.); не подать, не показать ~у make / give* no sign [...saın], remain imperturbable / impassive.

вид II *м*. 1. (род, сорт) kind, sort; 2. *биол*. species [-ʃi:z] *sg. и pl.*

вид III *м. грам. лингв*. aspect; совершенный, несовершенный ~ perfective, imperfective aspect.

виданн||ый: ~ое ли это дело?, где это видано? have you ever heard of such a thing? [...hə:d...], have you ever seen anything like it?; ≅ who ever heard of such a thing?

видать *разг*. 1. (вн.)· see* (d.); я не ~ал его со вчерашнего дня I haven't seen him since yesterday [...-dı]; 2.: ~ал(и)? what do you think of that, now?; ◊ ничего не ~ one can see nothing; you can't see a thing [...kɑ:nt...]; его не ~ he is not to be seen.

видаться, повидаться *разг*. (с *тв*.) see* (d.), meet* (d.); (без доп.) see* each other, meet*.

видение *с*. vision, sight.

видение *с*. apparition, vision, phantom.

видеозапись *ж*. video:tape recording [ʹvı-...].

видеомагнитофон *м*. video:tape recorder [ʹvı-...]. ~ный video [ʹvı-], video:-taped [ʹvı-].

видеотелефон *м*. video:telephone [ʹvı-]. ~ный video:telephone (*attr*.).

видеть, увидеть (вн.; *в разн. знач*.) see* (d.); видите вы там что-нибудь? can you see anything there?; ~ мельком catch* a glimpse (of); ~ сон dream*, have a dream; ~ во сне (что-л., что) dream* (of, that); (я) рад вас ~ (I am) glad to see you; как только я его увидел as soon as I saw him, the moment I set eyes on him [...aız...]; ~ кого-л. насквозь see* through smb.; это надо ~! it's worth seeing!; ви-

дишь ли, видите ли *вводн. сл*. you see?; do you see?; только его и видели *разг*. he was gone in a flash [...gɔn...]. ~ся, увидеться 1. see* each other; мы редко видимся (друг с другом) we seldom see each other, we don't see much of each other; 2. *тк. несов*. (представляться): ему видится he sees.

видимо *вводн. сл*. apparent·ly, seeming·ly, evidently; *переводится тж. личными формами гл*. seem + *inf*.; он, ~, был занят apparent·ly he was engaged; он, ~, болен he seems to be ill.

видимо-невидимо *нареч. разг*. multitudes (of), huge numbers (of), in immense quantity; народу было ~ there was an immense crowd.

видим||ость *ж*. 1. (различаемость) visibility [-z-...]; поле ~ости field of vision [fi:-...]; быть в поле ~ости (рд.) be in / within the field of vision (of), be in / within view (...vju:] (of); 2. *разг*. (что-л. кажущееся) outward appearances *pl*.; semblance; для ~ости for show [...ʃou], for appearance; ◊ по (всей) ~ости to all appearance(s). ~ый 1. *прич. см*. видеть; 2. *прич*. (доступный зрению) visible [-z-]; 3. *прил*. (очевидный) obvious, apparent [əʹpæ-]; без ~ой причины without apparent cause; 4. *прил. разг*. (кажущийся) seeming, apparent.

видне||ться: ~ется, ~лся *и т. д*. can, could be seen; вдали ~лся лес a forest could be seen in the distance [...ʹfɔ-...].

видно 1. *вводн. сл. разг*. (по-видимому) evidently, obvious·ly, apparent·ly; (вероятно) probably; как ~ apparent·ly, evidently; 2. *предик. безл*. one can see; (*перен*.) it is obvious / evident / clear; несмотря на сумерки было ещё хорошо ~ although it was twilight one could still see quite well [ɔːlʹðou...ʹtwaı-...]; поезда ещё не ~ the train is not yet in sight; конца ещё не ~ the end is nowhere in sight, the end is not yet in sight; всем было ~, что... it was obvious / clear to everyone that...; как ~ (из) as is obvious / evident / clear (from); как ~ из сказанного as the statement indicates; по всему ~, что ... everything points to the fact that...; ◊ оно и ~ that's obvious, it is seen at a glance.

видн||ый 1. visible [-z-]; (заметный) conspicuous; опубликовать на ~ом месте (вн.) display prominently (d.); splash (d.) *разг*.; вам ~ее you know best [...nou...]; 2. (выдающийся) eminent, distinguished, notable, prominent; 3. *разг*. (статный) handsome [-ns-], stately; ~ мужчина fine figure of a man; a man* of handsome presence [...-z-].

видов||ой I *биол*. specific; ~ое различие difference of form, specific difference.

видовой II *прил. к* вид I 4; ~ фильм landscape film, travel-film [ʹtræ-]; travelogue; ~ объектив *фот*. landscape lens [...-nz].

видов||ой III *прил. к* вид III; ~ые различия глагола aspectual distinctions in the verb.

видоизмен||ение *с*. 1. (действие) modification, alteration; 2. (разновидность) modification, variant. ~ить(ся) *сов. см*. видоизменять(ся). ~яемость *ж*. changeability [tʃeı-], variability, mutability.

видоизменять, видоизменить (вн.) modify (d.), alter (d.). ~ся, видоизмениться 1. alter; undergo* a modification; 2. *страд. к* видоизменять.

видоискатель *м*. view-finder [ʹvju:-].

видообразование *с. биол*. formation of species [...-ʃi:z].

виза *ж*. visa [ʹvi:zə].

визави 1. *нареч*. opposite [-z-], facing (each other); они сидели ~ they sat opposite, they sat facing each other; 2. *м. и ж. нескл*. vis-à-vis (*фр*.) [ʹvi:-zɑ:vi:], the person facing one.

визант||иец *м*., ~ийский *ист*. Byzantine; ~ийский стиль Byzantine style.

визг *м*. squeal, screech; ~ пилы whining of a saw; ~ собаки yelp of a dog.

визглив||о *нареч*. shrilly. ~ость *ж*. shrillness. ~ый shrill.

визгнуть *сов*. give* a squeal, give* a yelp.

визжать [-ижжя-] squeal, screech; (*о ребёнке*) squall; (*о пиле и т. п*.) whine; (*о собаке*) yelp; пронзительно ~ screech, utter shrill screams.

визига *ж. тк. ед*. viziga [vıʹzi:gə] (*dried spinal chord of cartilaginous fish*).

визир *м*. 1. (для прицела) sight; sighting device; (аэро)навигационный ~ drift sight; 2. *фот*. view-finder [ʹvju:-].

визирова||ть I *несов. и сов*. (*сов. тж*. завизировать) (вн.) visé (*фр*.) [ʹvi:zeı] (d.), visa [ʹvi:zə] (d.); паспорт ~н the passport has been viséd (*или* visé'd) / visa'd.

визировать II *несов. и сов*. (вн.; *оптическим прибором*) sight (at).

визирь *м*. vizier [-ʹzıə]; ◊ Великий ~ Grand Vizier.

визит *м*. visit [-z-]; (короткий) call; сделать, нанести ~ кому-л., прийти с ~ом к кому-л. pay* smb. a visit / call; отдать ~ кому-л. return smb.'s visit; ~ вежливости courtesy visit / call [ʹkəː-...]; ответный ~ return visit / call; ~ военных кораблей naval visit; прибыть с (двухнедельным) ~ом come* on, *или* arrive for, a (fortnight's) visit.

визитёр *м. уст*. visitor [-z-], caller (*ср*. визит).

визит||ка *ж. уст*. morning coat. ~ный visiting [-z-]; ~ная карточка visiting-card [-z-].

визуально *нареч*. by sight.

визуальн||ый *астр*. visual [ʹvız-]; ~ые наблюдения visual observation [...-zə-] *sg*.

вика *ж. бот*. vetch.

викинг *м. ист*. viking.

виконт *м*. viscount [ʹvaıkaunt].

викторина *ж*. quiz (game); ~ по радио radio quiz (programme) [...ʹprou-].

виктория *ж*. 1. (*сорт садовой земляники*) pine strawberries *pl*.; 2.: ~-регия *бот*. Victoria regia.

вилка *ж*. 1. fork; 2. *эл*.: штепсельная ~ two-pin plug; 3. *воен*. (*при пристрелке*) bracket.

вилкообразный forked.

вилла *ж*. villa.

виллис *м. разг*. (*автомашина*) jeep.

вилóк *м. разг.* (*капусты*) head of cábbage [hed...].

вилообрáзный forked, bifùrcàte ['baɪ-].

ви́лочный *прил.* к ви́лка.

ви́л||ы *мн.* pítchfòrk *sg.*; ◇ э́то ещё ~ами на, по водé пи́сано *погов.* ≃ it is none so sure [...nʌn...ʃuə], it is still quite in the air.

вильну́ть *сов. см.* виля́ть.

виля́ние *с.* 1. wágging ['wæ-]; 2. *разг.* (*уклонение от прямого ответа*) prevàricátion, equivocátion; (*увёртки*) súbterfùges *pl.*, evásions *pl.*

виля́ть, вильну́ть 1. (*тв.*; *хвостом*) wag [wæg] (*d.*); 2. (*делать крутые повороты*) glide a:wáy; turn off shárply, síde-tràck; 3. *разг.* (*уклоняться от прямого ответа*) preváricàte, be evásive.

вин||á *ж.* fault; guilt; по ~é кого́-л. through smb.'s fault; он не по его́ ~é it is through no fault of his, he is not to blame for it; поста́вить кому́-л. в ~ý (*вн.*) repróach smb. (with), accúse smb. (of), blame smb. (for); искупи́ть ~у́ redéem one's fault; свали́ть ~у́ на кого́-л. lay* / put* the blame on smb., lay* the guilt at the door of smb. [...dɔː...]; признава́ть свою́ ~у́ admít / acknówledge one's guilt [...ɔk-'nɔ-...]; *юр.* plead gúilty; отрица́ть свою́ ~у́ dený one's guilt; *юр.* plead not gúilty; взять на себя́ ~у́ take* the blame upón òne:sélf, shóulder the blame ['ʃou-...]; ва́ша ~ you are to blame, it is (it's *разг.*) your fault.

виндсёрф||ер *м. спорт.* wind-súrfer ['wɪnd-]. ~инг *м. спорт.* wind-súrfing ['wɪnd-].

винегрéт *м.* sálad of béetroot, ghérkins, *etc.*, dressed with oil and vínegar ['sæ-...]; (*перен.*) médley ['me-], farrágò ['rɑː-].

вини́тельный: ~ паде́ж *грам.* accúsative (case) [-z- -s].

вини́ть (*вн.*) blame (*d.*), accúse (*d.*). ~ся, повини́ться (в *пр.*) *разг.* conféss (*d.*, to *ger.*).

ви́нкель *м. тех.* set square.

виннокáменн||ый: ~ая кислотá tàrtáric ácid.

ви́нн||ый *прил.* к вино́; (*о запахе, вкусе и т. п.*) wíny, vínous; ~ спирт *хим.* spírit(s) of wine (*pl.*); éthyl álcohòl; ~ое броже́ние vínous fèrmèntátion; ◇ ~ кáмень cream of tártar; (*на зубáх*) tártar, scale; ~ая ягода fig.

вино́ *с.* 1. wine; хле́бное ~ vódka; 2. *тк. ед. разг.* (*спиртное*) líquor [-kə-]; spírits *pl.*

винова́т||ый (в разн. знач.) guilty; быть ~ым в чём-л. be guilty of smth.; быть ~ым перед ке́м-л. be guilty towards smb.; он кругóм винова́т *разг.* he aló́ne is to blame, it is all / entíre:ly his fault; я, он винова́т it is my, his fault; I am, he is to blame; он в э́том винова́т he is to blame for this; он не винова́т it is not his fault, he is not to blame; чем он винова́т? what has he done wrong?; how is he to blame?; ~ взгляд guilty look; (*извиняющийся*) apológetic look; с ~ым ви́дом gúiltily; ◇ винова́т! sorry!, I'm sórry!; excúse me! (*тж.* ввóдн. сл.); без

вины́ ~ guílty though guíltless [...ðou...]; innocent víctim.

винóв||ник *м.* cúlprit; ~ преступле́ния perpetrátor / committer of *a* crime; ◇ ~ торжества́ héro of the occásion. ~ность *ж.* guilt, cùlpabílity. ~ный (в *пр.*) guilty (of); ~ен в крáже guilty of theft; суд призна́л его́ ~ным the court brought in, *или* passed, a vérdict of guílty [...kɔːt...]; обвиня́емый призна́л, не призна́л себя́ ~ным deféndant pléaded gúilty, not gúilty.

виногрáд *м. тк. ед.* 1. *собир.* (*плоды*) grapes *pl.*; муска́тный ~ múscat / múscadìne grapes; сбор ~а grápe-gàther:ing; (*время сбора*) víntage; grape hárvest; 2. (*растение*) vine; разведе́ние ~а víticulture, víne-growing [-grou-]; ◇ зéлен ~! sour grapes!, the grapes are sour! ~арство *с.* víticulture, víne-growing [-grou-]. ~арь *м.* víticulturist, víne-growing [-grouə]. ~ина *ж. разг.* grape. ~ник *м.* vineyard ['vɪnjəd]. ~ный *прил.* к виногрáд; ~ная лозá vine; ~ное су́сло must; ~ный сезо́н (*время сбора*) víntage; grape hárvest; (*на куро́рте*) grape season [...-z-]; ~ное винó wine.

виноде́л *м.* wíne-màker. ~ие *с.* wíne-màking.

виноде́льческий wíne-màking (*attr.*).

винокýр *м.* distíller. ~éние *с.* distillátion. ~енный distílling; ~енный завóд distíllery.

винотéка *ж.* représentative collèction of víntage wines, *или* a good céllar [-'zen-...].

виноторгóв||ец *м.* wíne-mèrchant, víntner. ~ля *ж.* wine trade; (*магазин*) wíne-shòp; wíne-stòre *амер.*

виночéрпий *м. ист.* cúp-bearer [-bɛə-].

винт I *м.* 1. screw; устано́вочный ~ adjústing / set screw [ə'dʒʌ-...]; упóрный ~ stop screw; подъёмный ~ jack screw; 2. (*лопастный*) screw; screw propéller; воздýшный ~ áirscrew, propéller; гребнóй ~ screw propéller.

винт II *м. тк. ед.* (*карт. игра*) vint (*card game*).

ви́нтик *м. уменьш. от* винт I 1; ◇ у негó ~а не хватáет *разг.* he has a screw loose sóme:where [...-s...].

винти́ть I (*вн.*) *разг.* screw up (*d.*).

винти́ть II (*игрáть в винт*) play vint.

винтовáльн||ый: ~ая доска́ *тех.* screw plate.

винтóвка *ж.* rifle.

винтов||óй 1. screw (*attr.*); 2. (*винтообра́зный*) spíral; ~ая перéдача *тех.* hélical gear [...gɪə]; ~ая нарéзка (screw) thread [...-ed]; ~ая пружи́на spíral spring; (в часовóм механи́зме) háirspring; ~ая лéстница spíral stáircàse; ~ая лéстница wínding / spíral stáircàse [...-s]; 3.: ~ парохóд screw stéamer.

винтóвочный *прил.* к винтóвка.

винтокры́л *м.* rótary-wing áircràft ['rou-...], rótor:cràft. ~ый rótary-wing ['rou-] (*attr.*); ~ая маши́на = винтокры́л.

винтóм *нареч.* spírally.

винтомотóрный propéller (*attr.*).

винтообрáзный spíral; hélical.

винторéзн||ый *тех.* scréw-cùtting; ~ станóк, ~ая маши́на scréw-cùtting

lathe, machíne [...leɪð -'ʃiːn], scréw-cùtter.

виньéтка *ж.* vignétte [-'njet].

вио́ла *ж.* viol.

виолончели́ст *м.*, ~ка *ж.* violoncéllist [-'tʃe-], céllist ['tʃe-].

виолончéль *ж.* violoncéllo [-'tʃe-], céllo ['tʃe-].

ви́ра *межд.* lift!

виражý I *м.* 1. (*поворо́т*) turn; крутóй ~ steep turn; 2. (*поворóт спорти́вной доро́жки*) bend, curve.

виражý II *м. фот.* tóner.

виражý-фиксáж *м. фот.* tóne-fíxing bath*.

вири́ровать *несов. и сов.* (*вн.*) *фот.* inténsify (*d.*).

виртуóз *м.* virtuósò [-z-]. ~ность *ж.* virtuósity. ~ный másterly.

вирулéнтн||ость *ж. мед., бакт.* virulence. ~ый *мед., бакт.* vírulent.

ви́рус *м. мед.* vírus. ~ный *мед.* víral; ~ный грипп víral / vírus influénza.

вирусóлог *м.* virólogist [vaɪə-].

вирусолóгия *ж.* virólogy [vaɪə-].

ви́рши *мн.* 1. *лит.* (syllábic) vérses; 2. *разг.* (*плохи́е стихи*) dóggerel *sg.*

вис *м. спорт.* hang.

ви́селица *ж.* gállows, gíbbet.

ви́сельник *м.* 1. (*повéшенный*) hanged man*; 2. *разг.* (*досто́йный ви́селицы*) gállows-bìrd.

висéть 1. hang*; (*быть подвéшенным*) be háng:ing, be suspénded; 2. (*над*; *нависáть*) hang* óver (*d.*), óver:háng* (*d.*); ◇ ~ в во́здухе be in the air; ~ на волоскé hang* by a thread [...θred]; ~ на телефóне *разг.* hang* on the phone.

ви́ски *с. нескл.* whísky.

виско́з||а *ж.* 1. *тех.* víscòse [-s-]; 2. (*искýсственный шёлк*) ráyon. ~ный víscòse [-s-] (*attr.*); ráyon (*attr.*).

вислозáд||ый: ~ая лóшадь slóping-cròup horse [-uːp...].

вислоýхий lóp-eared.

ви́смут *м. хим.* bísmuth [-z-].

ви́снуть 1. (*свисáть*) droop; 2. (*на пр.*) hang* on (to); (*льнуть к кому́-л.*) cling* (to); ◇ ~ у когó-л. на шéе *разг.* hang* on smb.'s neck.

висóк *м.* temple (*part of head*).

високóсный: ~ год léap-year.

височ||ный *анат.* témporal; ~ая кость témporal (bone).

вист *м.* (*кáрточная игрá*) whist.

вислю́лька *ж. разг.* péndant.

вися́чий háng:ing, péndent; ~ замóк pád:lòck; ~ мост suspénsion bridge; ~ая лáмпа péndent lamp, óver:head lamp [-hed...].

витали́зм *м.* vítalism ['vaɪ-]. ~и́ст *м.* vítalist ['vaɪ-]. ~и́стический vitalístic [vaɪ-].

витами́н *м. биол.* vítamin. ~ный *прил.* к витами́н; vitáminous. ~óзный rich in vítamin cóntent, rich in vítamins.

витáть soar, hóver ['hɔ-]; (*о мы́слях*) wánder; ◇ ~ в облакáх *разг.* be up in the clouds, go* wòolgáther:ing [...'wul-].

витиевáто I *прил. крáтк. см.* витиевáтый.

ВИЛ – ВИТ   **В**

витиева́т||о II *нареч.* in a flórid / flówery style; сли́шком ~ in too flórid / flówery a style. **~ость** *ж.* floridity, flóweriness, òrnáte:ness. **~ый** flórid, flówery, òrnáte, rhetórical.

вити́йствовать *уст.* oráte.

вити́я *м. уст.* órator.

ви́т||ой twisted; **~áя колóнна** twisted cólumn; **~áя лéстница** winding / spíral stáircàse [...-s].

витóк *м.* coil; (*один оборот тж.*) turn; (*один оборот по орбите*) círcuit [-kıt].

витра́ж *м.* stáined-glàss window.

витри́на *ж.* 1. (*магазина*) (shop) window; 2. (*ящик под стеклом*) shów-càse ['ʃoukeıs], glass case [...-s].

вить, свить (*вн.*) 1. twist (*d.*); 2. (*плести*) weave* (*d.*); ~ венóк weave* a gárland; ~ гнездó build* a nest [bıld...]; ◊ ~ верёвки из когó-л. *разг.* ≅ turn / twist smb. round one's little finger. **~ся** 1. (*о волосах*) curl; (*лежать волнами*) wave; 2. (*вокруг, по*; *о растениях*) twine (abóut, round); 3. (*о птице, пчеле и т. п.*) hóver ['hɔ-]; 4. (*о пыли и т. п.*) éddy, whirl; 5. (*о реке, дороге*) wind*, meánder [mı'æn-]; 6. (*о змее*) twist, writhe [raıð]; 7. (*развеваться*) flútter; 8. *страд.* к вить.

витю́тень *м. зоол.* wóod-pìgeon ['wudpıdʒın].

ви́тязь *м. поэт.* knight, héro.

вихля́ть *разг.* sway. **~ся** *разг.* wobble, swing*, dangle.

вих||óр *м. разг.* tuft; (*на лбу*) fóre:lock; вóлосы у негó торчáт ~рáми he has shággy hair, he has brístling hair; отодрáть когó-л. за ~ры pull smb.'s hair [pul...]; ~ра́стый *разг.* shággy; (*о человеке*) móp-headed [-hed-], shóck-headed [-hed-].

вихрев||óй *физ.* vórtical; **~óe движéние** vórtical móve:ment [...'mu:-].

ви́хрем *нареч.* like the wind [...wı-].

вихри́||ться *разг.* whirl; пыль ~лась на дорóге dust was whírling on the road.

вихр||ь *м.* whírlwind [-wınd]; (*перен. тж.*) vórtex (*pl.* -es, -tices [-si:z]); снéжный ~ snówstorm ['snou-], blízzard; в ~е собы́тий in the vórtèx of evènts.

ви́це- (*в сложн.*) vice-.

ви́це||-адмирáл *м.* více-ádmiral. **~-адмирáльский** *прил.* к ви́це-адмирáл. **~-кóнсул** *м.* více-cónsul. **~-корóль** *м.* více:roy. **~-президéнт** *м.* více-président [-z-].

ви́шенник *м.* chérry órchard; (*заросли*) chérry grove.

вишнёв||ка *ж.* chérry liquéur / brándy [...lı'kjuə-]. **~ый** 1. *прил.* к ви́шня; **~ый цвет** (*цветы*) chérry blóssom; **~ый сад** chérry órchard; **~ая нали́вка** = вишнёвка; **~ое варéнье** chérry jam; 2. (*о цвете*) chérry (*attr.*); chérry-cóloured [-kʌl-].

ви́шня *ж.* 1. *тк. ед. собир.* chérries *pl.*; 2. (*об отдельной ягоде*) (sour) chérry; 3. (*дерево*) chérry(-tree).

вишь (*сокр. от* ви́дишь) *разг.* look!, just look!; ~, что сдéлал! look what he's done!; ~ он какóй! so that is what he is like!; ~, что вы́думал! what next will he take into his head? [...hed]; ~, как разодéлся! has:n't he got hìm:sélf up?

вкáлывать, вколóть 1. (*вн. в вн.*) stick* (*d.* in, into); 2. *тк. несов. разг.* (*работать*) work hard.

вкáпывать, вкопáть (*вн.*) dig* in / into (*d.*), plant [-ɑ:-] (*d.*).

вкáти́ть(ся) *сов. см.* вкáтывать(ся).

вкáтывать, вкати́ть (*вн.*) roll into (*d.*); (*на колёсах*) wheel in (*d.*); (*вн. в вн.*; *на вн. и т. п.*) roll (*d.* into; up, on, *etc.*); wheel (*d.* into; up, on, *etc.*). **~ся**, вкати́ться 1. roll in; (*перен.: вбегать*) *разг.* run* in; 2. *страд.* к вкáпывать.

вклад *м.* (*в банк, сберкассу*) depósit [-z-]; (*для оборота*) invéstment; (*перен.*) contribútion; бессрóчный ~ cúrrent accóunt; срóчный ~ depósit accóunt; изъя́ть ~ withdráw* a depósit; сдéлать ~ depósit móney, *etc.* [...mʌ-]; внести́ большóй ~ have contríbuted héavily [...'hev-]; внести́ цéнный ~ в наýку make* a váluable contribútion to science.

вкла́д||ка *ж. полигр.* supplementary sheet. **~нóй** 1. *прил.* к вклад; 2. *полигр.* supplementary; **~нóй лист** = вкла́дыш 1.

вкла́дчик *м.* depósitor [-z-]; invéstor; мéлкий ~ small depósitor.

вкла́дывать, вложи́ть (*вн.*) 1. put* in (*d.*); (*вн. в вн.*) insért (*d.* in, into); ~ в нóжны sheathe (*d.*); ~ в конвéрт (*с письмом*) en:clóse in *an* envélope (*d.*); ~ мнóго сил, энéргии put* much éffort, énergy (into), expénd much éffort, énergy (on), devóte / applý much éffort, énergy (to); 2. *эк.* (*о деньгах*) invést (*d.*); ◊ вложи́ть комý-л. в устá put* into smb.'s mouth (*d.*); ~ сóбственный смысл в чьи-л. словá read* one's own thoughts into smb.'s words [...ɔ:n...]; ~ всю дýшу во что-л. put* one's whole soul into smth. [...houl soul...].

вкла́д||ыш *м.* 1. (*в книге*) loose leaf [-s...]; 2. *тех.* bush [buʃ]; (*подшипника*) (béaring) shell ['bɛə-...].

вкле́ивать, вкле́ить (*вн.*) paste in [peıst...] (*d.*).

вкле́ить *сов. см.* вкле́ивать.

вкле́йка *ж.* 1. (*действие*) pásting-in ['peıst-]; 2. (*в книге и т. п.*) ínsèt.

вкли́н||ивать, вклини́ть (*вн.*) wedge in (*d.*); (*перен.*) *разг.* put* in (*d.*). **~иваться**, вклини́ться (в *вн.*) wedge òne:sélf (in); edge one's way (into); (*между*) be wedged in (betwéen); ~иваться в оборóну проти́вника drive* a wedge into the énemy's defénces. **~и́ть(ся)** *сов. см.* вкли́нивать(ся).

включ||áть, включи́ть 1. (*вн. в вн.*) in:clúde (*d.* in); (*в списки и т. п.*) in:scríbe (*d.* in, on); (*вставлять*) insért (*d.* in); ~ в повéстку дня énter on the agénda (*d.*); 2. *тк. несов.* (*вн.*; *охватывать*) in:clúde (*d.*), embráce (*d.*); 3. (*вн.*) *тех.* (*о механизме*) en:gáge (*d.*); (*об электрическом токе*) switch on (*d.*); (*пускать в ход*) start (*d.*); ~ рáдио put* the rádio / wíre:less on (*d.*); ~ газ turn on the gas; ~ сцеплéние let* / throw* in the clutch [...-ou...]. **~áться**, включи́ться 1. (*в вн.*) join (in), take* part (in); ~и́ться в борьбý за мир join in the fight for peace; 2. *страд.* к включáть.

включá *в знач. предл.* in:clúding; in:clúded (*после сущ.*); ~ всех, ~ всё all told.

включ||éние *с.* 1. in:clúsion; (*в списки и т. п.*) insértion; со ~éнием (*рд.*); with the in:clúsion (of); 2. *тех.* (*механизма и т. п.*) en:gáging; (*электрического тока*) switching on; (*газа*) túrning on. **~и́тельно** *нареч.* in:clúsive; с 15-го по 25-е ~и́тельно from the 15th to the 25th in:clúsive.

включи́ть *сов. см.* включáть 1, 3. **~ся** *сов. см.* включáться.

вкола́чивание *с.* dríving in, hámmering in.

вкола́чивать, вколоти́ть (*вн.*) drive* in (*d.*), hámmer in (*d.*), knock in (*d.*).

вколоти́ть *сов. см.* вкола́чивать.

вколо́ть *сов. см.* вкáлывать 1.

вконéц *нареч. разг.* compléte:ly, útterly.

вкóпанный *прич. см.* вкáпывать; ◊ как ~ as if róoted to the ground / spot; он остановился как ~ he stopped dead (in his tracks) [...ded...].

вкопáть *сов. см.* вкáпывать.

вкорени́ть(ся) *сов. см.* вкореня́ть(ся).

вкореня́||ть, вкорени́ть (*вн.*) root in (*d.*), ín:cùlcate (*d.*). **~ся**, вкорени́ться 1. take* root, becóme* róoted; be in:cúlcated; 2. *страд.* к вкореня́ть.

вкось *нареч.* oblíque:ly [-'li:-], slántwise [-ɑ:n-], aslánt [-ɑ:nt].

ВКП(б) (Всесою́зная Коммунисти́ческая па́ртия [большевикóв]) *ист.* C.P.S.U.(B.) (Cómmunist Párty of the Sóvièt Únion [Bólsheviks]).

вкрáдчиво I *прил. кратк. см.* вкрáдчивый.

вкрáдчив||о II *нареч.* insinuáting:ly, in:grátiating:ly. **~ость** *ж.* (*о голосе*) in:grátiating / insínuative tones *pl.*; (*о манере*) in:grátiating / insínuating mánner. **~ый** insínuating, in:grátiating.

вкрáдываться, вкрáсться steal* in / into, creep* in / into, slip in / into; ~лась опечáтка a mísprint has crept in, into, *или* has slipped in; ◊ вкрáсться в довéрие к комý-л. insínuàte / worm òne:sélf into smb.'s cónfidence.

вкрáпить(ся) *сов. см.* вкрáпливать (-ся).

вкраплéние *с. геол.* disseminátion, imprègnátion.

вкрáпливать, вкрáпить (*вн.*) sprinkle (with); (*перен.*) interspérse (with), pépper (with). **~ся**, вкрáпиться 1. be sprinkled; (*перен.*) be interspérsed, be péppered; 2. *геол.* be imprégnated.

вкрапля́ть(ся) = вкрáпливать(ся).

вкрáсться *сов. см.* вкрáдываться.

вкрáтце *нареч.* bríefly [-i:f-], in brief [...-i:f], in short.

вкривь *нареч. разг.* aslánt [-ɑ:nt]; (*искажённо, превратно тж.*) wróng:ly, pervérse:ly; ◊ ~ и вкось ≅ hápházard.

вкруговýю *нареч. разг.* round; пусти́ть чáшу ~ send* the cup round.

вкрути́ть *сов. см.* вкрýчивать.

вкрутýю *нареч.*: яйцó ~ hárd-bóiled egg; свари́ть яйцó ~ boil *an* egg hard.

вкручивать, вкрутить (*вн.*) *разг.* twist in (*d.*).

вкупе *нареч.* (с *тв.*) *уст.* together [-'ge-] (with); ◇ ~ и влюбе in (perfect) unison / concord.

вкус *м.* 1. (*в разн. знач.*) taste [teist]; пробовать на ~ (*вн.*) taste (*d.*); быть горьким, сладким *и т. п.* на ~ taste bitter, sweet, *etc.*, have a bitter, sweet, *etc.*, taste; человек со ~ом a man* of taste; это дело ~а that is a matter of taste; у него плохой ~ he shows bad* taste [...ʃouz...]; одеваться со ~ом dress tastefully [...'tei-]; приобрести ~ к чему-л. acquire / develop a taste for smth. [...-'ve-...]; это (не) по моему ~у that is (not) to my taste; (*перен.*) that is (not) to my liking; прийтись по ~у кому-л. be to smb.'s taste, suit smb.'s taste [sjuːt...]; 2. (*стиль, манера*) manner, style; ◇ входить во ~ чего-л. begin* to enjoy / relish smth., acquire a taste for smth.; на ~ и цвет товарищей нет *посл.* ≅ tastes differ; one man's meat is another man's poison [...-z̵n] *идиом.*; у всякого свой ~ every man* to his taste.

вкусить *сов. см.* вкушать.

вкусно I *прил. кратк. см.* вкусный.

вкусн||**о** II *нареч.*: ~ приготовить обед cook / prepare an appetizing / tasty / nice dinner [...'tei-...]; ~ есть eat* well. ~**ота** *ж. разг.* tastiness ['tei-]; какая ~ота! how delicious! ~**ый** (very) good*, delicious; nice *разг.*; tasty ['tei-], palatable, savoury ['seivə-] (*об. не о сладком*); пирог (очень) ~ый the pie is / tastes delicious [...tei-...], the pie is very good* / nice; ~ое блюдо tasty / savoury / palatable dish; ~ая пища appetizing / delicious / nice food.

вкусов||**ой** 1. gustatory; ~ое ощущение gustatory sense; 2. (*придающий вкус*) flavouring; ~ые вещества flavouring substances; 3. (*основанный на индивидуальном вкусе*) (grossly) subjective ['grou-...], arbitrary.

вкусовщина *ж. разг. неодобр.* lack of objective criteria [...krai-], judging / going by one's personal predilections [...pri-].

вкушать, вкусить (*рд., вн.*) partake* (of); (*перен. тж.*) taste [tei-] (*d.*, of); ~ плоды чего-л. enjoy the fruits of smth. [...fruːts...].

влага *ж.* moisture [-stʃə].

влагалище *с. анат., бот.* vagina (*pl.* -ae, -as).

влаго||**непроницаемый** moisture-proof [-stʃə-], damp-proof. ~**стойкий** moisture resistant [-stʃə- -'zɪ-].

владе||**лец** *м.* owner ['ou-], proprietor, holder. ~**лица** *ж.* proprietress. ~**ние** *с.* 1. (*обладание*) ownership ['ou-], proprietorship, possession [-'ze-]; вступить во ~ние чем-л. take* / assume possession of smth.; находиться в чьём-л. ~нии be in the possession of smb.; 2. (*собственность*) property; (*земельное*) property, estate; 3. *мн.* possessions. ~**тельный** *уст.* sovereign ['sɔvrin].

владе||**ть** (*тв.*) 1. (*иметь*) own [oun] (*d.*), have (*d.*), possess [-'zes] (*d.*); (*перен.*) possess (*d.*), be master (of); be in possession [-'ze-] (of); ~ чьим-л. вниманием hold* smb.'s attention; ~ аудиторией hold* one's audience; ~ своей темой be master of one's subject; ~ сердцами, умами *и т. п.* reign over the hearts, minds, *etc.* [rein... haːts...]; 2. (*уметь, мочь пользоваться*) be able to use (*d.*); (*оружием*) wield [wiːld] (*d.*); он не ~ет (снова ~ет) ногами he has lost (has recovered) the use of his legs [...'klʌ... juːs...]; ~ иностранным языком speak* / know* a foreign language [...nou... 'fɔrin...], have a good command of a foreign language [...-ɑːnd...]; ◇ ~ пером wield a skilful pen; ~ собой control oneself [-oul...], be self-controlled [...-ould]; не ~ собой have no control over oneself.

владыка *м.* 1. lord, ruler, sovereign ['sɔvrin]; 2. *церк.* member of higher orders of clergy.

владычество *с.* dominion [-injən], empire, sway. ~**вать** (над) rule (over), hold* (*d.*), sway (over), exercise dominion / sovereignty [...'sɔvrinti] (over).

владычица *ж.* sovereign ['sɔvrin], mistress.

влажнеть become* humid, damp.

влажн||**ость** *ж.* humidity, moisture [-stʃə]; (*сырость*) dampness. ~**ый** humid, moist; damp; (*мокрый*) wet; ~ый климат damp climate [...'klai-]; ~ый воздух moist / humid air; ~ый ветер wet wind [...wɪ-].

вламываться, вломиться (в *вн.*) break* [-eik] (into); (*перен.*) burst* (into); ~ в дом break* into a house [...-s]; ~ в комнату burst* into the room; ◇ вломиться в амбицию take* offence and speak* angrily; be hurt and very angry; take* offence and refuse to budge an inch.

властвовать (над) rule (over), hold* sway (over), wield power [wiːld...] (over).

властелин *м.* lord, ruler, master, sovereign ['sɔvrin].

властитель *м.* = властелин; ~ дум ruling / dominant influence. ~**ница** *ж.* mistress, sovereign ['sɔvrin].

власт||**ность** [-сн-] *ж.* imperiousness. ~**ный** [-сн-] imperious, commanding [-ɑː-], authoritative; (*деспотический*) masterful; ~ный взгляд imperious look; ~ный человек masterful man*; ~ный тон peremptory tone, high tone; ◇ он в этом не ~ен he has not the power to do it, it does not lie, *или* it is not, in his power to do it.

власто||**любивый** power-loving [-lʌ-], power-seeking, ambitious; (*стремящийся к власти*) aspiring to power. ~**любие** *с.* love of power [lʌv...], ambition; craving / aspiration / lust for power.

власт||**ь** *ж.* (*в разн. знач.*) power, authority; (*владычество*) rule; государственная ~ State power, State authority; the power / authority of the State; Советская ~, Советов Совет ower, Soviet Government [...'gʌ-]; исполнительная ~ executive power, executive; законодательная ~ legislative power; верховная ~ supreme / sovereign power [...'sɔvrin...-rinti-]; местная ~, на местах local authorities *pl.*, быть, находиться, стоять у ~и hold* power, be in power; прийти к ~и, достигнуть ~и come* into / to power; захватить ~ seize power [siːz...]; взять ~ assume power; держаться у ~и remain in power; приход к ~и advent / accession to power; под ~ью кого-л. under the dominion of smb. [...-injən...]; подчиняться ~и кого-л. be subject to smb.; иметь ~ над кем-л. have power over smb.; собственной ~ью on one's own authority [...oun...]; превышение ~и exceeding one's powers / commission; ◇ во ~и кого-л. at the mercy of smb.; in the power of smb.; под ~ью чего-л. ruled / swayed by smth.; во ~и предрассудков ridden by prejudices; ~ над самим собою control over oneself [-oul...]; ваша ~ *разг.* please yourself; it is up to you; не в моей, твоей *и т. д.* ~и beyond my, your, *etc.*, control / power; out of my, your, *etc.*, power; ~и предержащие *уст., ирон.* the powers that be.

власяница *ж. уст.* hair-shirt.

влачить (*вн.*) *уст.* drag (*d.*); ◇ ~ жалкое существование drag out a miserable existence [...-z-...].

влево *нареч.* to the left.

влеза||**ть,** влезть 1. get* in, climb in [klaim...]; (в *вн.*) get* (into), climb (into); ~ в окно climb in, *или* get* in, through the window; ~ в трамвай *разг.* get* on the tram; 2. (на *вн.*) climb (*d.*); ~ на дерево climb (up) a tree; 3. (в *вн.*) *разг.* (*умещаться*) go* in; ◇ ~ в долги get* into debt [...det]; сколько влезет *разг.* as much as you like.

влезть *сов. см.* влезать.

влепить *сов. см.* влеплять.

влеплять, влепить (*вн.*) *разг.* 1. stick* in (*d.*), fasten in (*d.*); 2.: влепить кому-л. пулю в лоб put* a bullet in smb.'s brain [...'bu-...]; влепить кому-л. пощёчину give* smb. a slap / smack on the face.

влёт *нареч.*: бить птицу ~ shoot* birds in flight.

влет||**ать,** влететь 1. fly* in; (в *вн.*) fly* (into); (*перен.: вбегать*) *разг.* rush / dash (into); ~ в окно fly* in through the window; 2. *безл.* (*дт.*) *разг.*: ему ~ело he got it hot; боюсь, ~ит мне (от) I'm afraid I'll catch it (from); ◇ ~еть в историю *разг.* get* into a mess, land in a mess; get* into trouble [...trʌ-].

влететь *сов. см.* влетать.

влечение *с.* (к) bent (for), inclination (for); (*тяготение*) attraction (to); следовать своему ~ию follow one's bent / inclination; иметь ~ к чему-л., к кому-л. be / feel* drawn to smth., to smb.

влечь (*вн.*) 1. (*тащить, тянуть*) draw* (*d.*), drag (*d.*); 2. (*привлекать*) attract (*d.*); ◇ ~ за собой involve (*d.*); entail (*d.*).

вливание *с. мед.* infusion; ~ глюкозы glucose injection [-s...]; делать внутривенное ~ inject intravenously, administer by the intravenous route [...ruːt].

вливать, влить (*вн.*) pour in [pɔː...] (*d.*); instil (*d.*); (*вн.* в *вн.*) pour (*d.*

into); (перен.) bring* in (d.); ~ по ка́пле instil, или put* in, by drops (d.), put* in drop by drop (d.); ~ му́жество, реши́мость и т. п. instil courage, resolution, etc. [...'kʌ- -z-]. ~ся, вли́ться 1. (в вн.) flow [flou] (into); (перен.: в какую-л. организацию и т. п.) join the ranks (of); 2. страд. к вливать.

влипа́ть, вли́пнуть 1. (в вн.) be stuck (in); 2. разг. (попадать в неприятное положение) get* caught; вли́пнуть в исто́рию разг. get* into a pretty mess [...'prɪ-...].

вли́пнуть сов. см. влипать.

влит||о́й: (пла́тье и т. п.) как ~о́е сиди́т the dress fits like a glove [...glʌv].

вли́ть(ся) сов. см. вливать(ся).

влия́||ние с. 1. influence; (об общественных явлениях) impact; находи́ться под ~нием (рд.) be under the influence / ascendancy (of); поддава́ться чьему́-л. ~нию come* / fall* under smb.'s influence, submit to the influence of smb.; ока́зывать ~ (на вн.) influence (d.), exert influence (upon, over, on), have influence (on); подчиня́ть своему́ ~нию (вн.) subject to one's influence (d.); сфе́ра ~ния sphere of influence; 2. (авторитет, власть) authority, ascendancy; по́льзоваться ~нием have great influence [...-eɪt...], be influential. ~тельный influential.

влия́ть, повлия́ть (на вн.) influence (d.), have an influence (on, upon); (действовать) affect (d.).

ВЛКСМ (Всесою́зный Ле́нинский Коммунисти́ческий Сою́з Молодёжи) L.Y.C.L.S.U. (the All-Union Leninist Young Communist League of the Soviet Union [...jən...]).

влож||е́ние с. 1. enclosure [-'klou-]; (письмо́) с ~е́нием letter with enclosure; 2. эк. investment; капита́льные ~е́ния capital investments. ~и́ть сов. см. вкла́дывать.

вломи́ться сов. см. вла́мываться.

вло́паться сов. разг. 1. (в вн.; попа́сть во что-л. неча́янно) plump (into); flop (into); 2. (без доп.; попа́сть впроса́к) put* one's foot in it [...fut...]; get* into an awkward situation.

влюби́ть(ся) сов. см. влюбля́ть(ся).

влюблённо нареч. loving:ly ['lʌ-], amorous:ly; ~ смотре́ть на кого́-л. eye smb. amorous:ly [aɪ...], look with eyes full of love at smb. [...lʌv...]. ~ый ж. being in love [...lʌv]. love. ~ый 1. прил. (в вн.; о челове́ке) in love [...lʌv] (with), enamour:ed (of); ~ый мужчи́на man* in love; быть ~ым be in love (with); ~ая па́ра loving couple ['lʌ- kʌpl], pair of lovers / sweet:hearts [...'lʌ- -hɑːts]; 2. прил. (о взгля́де и т. п.) amorous, tender; 3. м. как сущ. lover.

влюбля́ть, влюби́ть (вн. в вн.) make* (d.) fall in love [...lʌv] (with). ~ся, влюби́ться (в вн.) fall* in love [...lʌv] (with).

влюбчив||ость ж. amorous:ness. ~ый amorous, of an amorous disposition [...-'zɪ-].

вля́паться сов. (в вн.) разг. 1. walk smack (into); ~ в грязь plunge one's foot inadvertently into a muddy part of the road, etc. [...fut...]; 2.: ~ в неприя́тность get* into a jam, или a tough spot [...tʌf...].

вма́з||ать сов. см. вма́зывать. ~ка ж. putting, cementing; fixing; (ср. вма́зывать). ~ывать, вма́зать (вн.) (о стекле́) putty in (d.), (о кирпиче́) cement / mortar in (d.); (укрепля́ть) fix in (d.).

вмени́ть сов. см. вменять.

вменя́ем||ость ж. юр. responsibility. ~ый юр. responsible; of sound mind; sane; во ~ом состоя́нии responsible; of sound mind.

вменя́ть, вмени́ть (вн. дт.) impute (d. to), lay* to the charge (d. of); ~ что-л. в вину́ кому́-л. charge smb. with.; lay* smth. at smb.'s door [...dɔː] идиом.; ~ что-л. в заслу́гу кому́-л. regard smth. as a merit on smb.'s part; ~ что-л. в обя́занность кому́-л. impose upon smb. the duty of doing smth., make* it smb.'s duty to do smth., charge smb. (+ to inf.).

вмерза́ть, вмёрзнуть be ice-bound.

вмёрзнуть сов. см. вмерза́ть.

вме́ру = в меру см. ме́ра II.

вмеси́ть (вн.) knead / mix in (d.), add by kneading / mixing in (d.).

вме́сте нареч. together [-'ge-]; ~ с тоге́тер with; (о тесной связи) coupled with [kʌ-...]; ◊ ~ с тем at the same time; всё ~ взя́тое everything taken together.

вмести́ сов. см. вметать I.

вмести́лище с. receptacle.

вмести́мость ж. capacity; (о су́дне) tonnage ['tʌn-].

вмести́тельн||ость ж. capacious:ness; (помеще́ния) roominess, spacious:ness. ~ый capacious; (о помеще́нии) roomy, spacious; ~ая су́мка roomy handbag.

вмести́ть(ся) сов. см. вмеща́ть(ся).

вме́сто предл. (рд.) instead of [-ed-], in place of; ~ моего́ бра́та instead of my brother [...'brʌ-], in my brother's place; ~ того́, что́бы (+ инф.) instead of (+ ger.).

вмета́ть I, вмести́ (вн.) sweep* in(to) (d.); ве́тер ~а́л снег в откры́тую дверь the wind was drifting the snow in through the open door [...wɪ-...snou...dɔː].

вмета́ть II сов. см. вмётывать.

вмётывать, вмета́ть (вн.) tack in (d.).

вмеша́||тельство с. interference [-'fɪə-]; (тж. полити́ческое) intervention; (тк. нежела́тельное) meddling; хирурги́ческое ~ surgical operation. ~ть(ся) сов. см. вме́шивать(ся).

вме́шивать, вмеша́ть (вн. в вн.) mix in (d.); (перен.: впу́тывать) mix up (d. in), implicate (d. in). ~ся, вмеша́ться (в вн.) interfere (in); intervene (in); (о нежела́тельном вмеша́тельстве) meddle (in); (для пресече́ния нежела́тельных после́дствий) step in; ~ся в чужи́е дела́ meddle with / in other people's business [...piː- -'bɪzn-]; не вме́шивайтесь в чужи́е дела́ mind your own business [...oun...]; ~ся в разгово́р cut* in; break* into a conversation [-eɪk-]; суд вмеша́лся the court intervened

[...kɔːt...], the law stepped in; ~ся во вну́тренние дела́ други́х стран interfere in the domestic / internal affairs of other countries [...'kʌ-].

вмеща́||ть, вмести́ть (вн.) 1. (заключа́ть в себе́) contain (d.); (о жило́м помеще́нии, тра́нспорте и т. п.) accommodate (d.); (о зри́тельном за́ле и т. п.) seat (d.). 2. (име́ть ёмкость) hold* (d.), contain (d.); 3. (вн. в вн.; помеща́ть, класть во что-л.) get* (d. into). ~ться, вмести́ться go* in; тж. переводится выражением there is room for; в кувши́н ~ется три ли́тра three litres will go into the jug [...liː-...], the jug holds three litres; в шкаф ~ется пятьдеся́т книг there is room for fifty books in the bookcase [...-s].

вмиг нареч. in an instant, in a moment, in a flash; in a twinkling, in no time (at all) разг.

вмина́ть, вмять (вн.) разг. press in (d.).

вмонти́ровать сов. (вн.) set* into (d.).

вмурова́ть сов. см. вмуро́вывать.

вмуро́вывать, вмурова́ть (вн.) wall in (d.), wall (d.) into.

вмя́тина ж. dent.

вмять сов. см. вмина́ть.

внаём, внаймы́ нареч.: брать ~ (вн.) hire (d.); (о кварти́ре и т. п.) rent (d.); отдава́ть ~ (вн.) hire out (d.); (о кварти́ре и т. п.) let* (d.); сдаётся ~ to let; э́та да́ча сдаётся ~ this country-house* is to let [...'kʌ- -s...].

внаки́дку нареч. разг.: наде́ть пальто́ ~ throw* one's coat over one's shoulders [θrou... ʃou-].

внакла́де нареч.: оста́ться ~ be the loser [...'luːzə], lose* [luːz]; не оста́ться ~ от чего́-л. be none the worse for smth. [...nʌn...].

внакла́дку нареч. разг.: пить чай ~ ≅ drink* tea with sugar in [...'ʃu-...].

внача́ле нареч. at first, in the beginning.

вне предл. (рд.) outside; ~ го́рода outside the town; ~ о́череди out of (one's) turn, without waiting for one's turn; ~ ко́нкурса hors concours (фр.) [hɔːkɔŋ'kuːə]; ~ пла́на over and above the plan; ~ вся́ких пра́вил without regard for any rules; ~ подозре́ния above suspicion; ~ опа́сности out of danger [...'deɪndʒə], safe; ~ сомне́ния beyond / without doubt [...daut]; ◊ объявля́ть ~ зако́на (вн.) outlaw (d.), proscribe (d.); челове́к ~ зако́на outlaw; ~ себя́ beside oneself; ~ себя́ от ра́дости beside oneself with joy, overjoyed, transported with joy; ~ себя́ от гне́ва beside oneself with rage, boiling over with rage; ~ вре́мени и простра́нства regardless of time and space; unreal [-'rɪəl].

внеатмосфе́рный extra-atmospheric.

внебра́чн||ый extramarital; (о ребёнке) natural; ~ая связь liaison [liː'eɪzɔːŋ].

военсковы́||й: ~ая подгото́вка military training for civilians.

внеевре́менный time:less.

внегалакти́ческий extragalactic.

внедре́ние с. 1. inculcation; ~ передовых ме́тодов труда́ introduction of advanced / progressive methods of work;

~ но́вой те́хники introdúction of new techníques [...-'ni:ks]; 2. *геол.* intrúsion.

внедри́ть(ся) *сов. см.* внедря́ть(ся).

внедря́ть, внедри́ть (*вн. в вн.*) ínculcate (*d.* in, upón); (*прививать*) instíl (*d.* into); ~ в произво́дство (*вн.*) applý in índustry (*d.*); ~**ся,** внедри́ться 1. strike* / take* root; 2. *страд. к* внедря́ть.

внеевропе́йск‖**ий** nón-Europé:an; ~ие стра́ны nón-Europé:an cóuntries [...'kʌl-].

внеза́пно I *прил. кратк. см.* внеза́пный.

внеза́пн‖**о** II *нареч.* súddenly, all of a súdden; ~ замолча́ть stop short. ~**ость** *ж.* súdden:ness; *воен.* surpríse. ~**ый** súdden; *воен.* surpríse (*attr.*).

внеземно́й èxtraterréstrial.

внекла́сcн‖**ый** in óut-of-school hours [...auəz]; éxtracurrícular; óut-of-schóol (*attr.*); ~ое чте́ние réading in óut-of--schóol hours, home réading; ~ые заня́тия óut-of-school àctívities.

внекла́ссовый nón-cláss.

внеконку́рсный óut-of-còmpetítion.

внема́точн‖**ый** *мед.* ~ая бере́менность éxtra-úterine prégnancy.

внеочередн‖**о́й** 1. (*сверх очереди*) extraórdinary [ìks'trɔ:dnrɪ], spécial ['spe-]; ~а́я се́ссия spécial séssion; 2. (*вне очереди*) out of turn, out of órder; ~ вопро́с quéstion put out of órder [-stʃ-...].

внепарла́ментский éxtraparliaméntary [-lə'm-].

внепарти́йный nón-Párty; óutsíde the Párty.

внепла́новый not províded for by the plan (*predic.*); (*добавочный*) extraórdinary [ìks'trɔ:dnrɪ]; ~ рост проду́кции íncrease of óutpùt óver and abóve, *или* be:yónd, the provísions of the plan [-is... -pùt...].

внесе́ние *c.* 1. (*внутрь чего-л.*) bríng:ing in, cárrying in; 2. (*денег*) páyment; (*в сберкассу и т.п.*) depósit [-z-], páying in; 3. (*включение*) éntering, éntry; ~ в спи́сок éntry into the list, in:clúsion in the list; ~ в протоко́л éntering / éntry in the mínutes [...'mɪnɪts]; 4. (*о предложении*) móving ['mu:v-]; (*о законопроекте*) introdúction; ~ на рассмотре́ние (кого-л.) submítting to (smb.'s inspéction); 5. *с.-х.*: ~ удобре́ний appl:ying fértilizers.

внеслуже́бн‖**ый** óut-of-óffice; ~ые часы́ óut-of-òffice hours [...auəz].

внести́ *сов. см.* вноси́ть.

внесуде́бный *юр.* éxtrajudícial.

внешко́льн‖**ый** óut-of-schóol (*attr.*); ~ое образова́ние (*для взрослых*) ádult educátion; ~ая рабо́та с детьми́ èducátional àctívities in óut-of-schóol hours [...auəz].

вне́шне *нареч.* óutwardly, in óutward appéarance.

внешнеполити́ческ‖**ий** fóreign-pólicy ['fɔrɪn...] (*attr.*), of fóreign pólicy; ~ие вопро́сы quéstions of fóreign pólicy [-stʃ-...].

внешнеторго́вый fóreign trade ['fɔrɪn...] (*attr.*), of fóreign trade.

внешнеэкономи́ческ‖**ий** èxtérnal èconómic [...i:k-]; ~ие свя́зи èxtérnal èconómic links.

вне́шн‖**ий** 1. óutward, èxtérnal, óuter; ~ вид (óutward) appéarance; ~ у́гол *мат.* èxtérnal angle; ~яя часть óutsíde; ~ее схо́дство óutward / sùperfícial / fórmal resémblance [...-z-]; ~яя среда́ *биол.* envíron:ment; ~ рейд óuter hárbour; 2. (*поверхностный*) sùperfícial; ~ лоск súrface pólish, gloss; ~ осмо́тр sùperfícial exàminátion; 3. (*иностранный*) fóreign ['fɔrɪn]; ~яя поли́тика fóreign pólicy; ~ ры́нок fóreign márket; ~яя торго́вля fóreign trade; ~ие сноше́ния fóreign relátions. ◊ ~ мир óutsíde / óuter world.

вне́шност‖**ь** *ж.* appéarance; extérior (*тж. наружная сторона*); суди́ть по ~и judge by appéarances.

внешта́тный not on pérmanent staff; sùpernúmerary; frée-lànce (*attr.*); ~ сотру́дник mémber of párt-time staff.

вниз *нареч.* down, dównwards [-dz]; гляде́ть ~ look dówn(wards); спуска́ться ~ go* down, descénd; ~ по ле́стнице dównstáirs; ~ голово́й head first / fóre:most [hed...]; ~ по тече́нию dównstream; плыть ~ по тече́нию go* / float down stream, go* with the stream / cúrrent; ~ по Во́лге down the Vólga.

внизу́ 1. *нареч.* belów [-'lou-]; ùnderneáth; (*в нижнем этаже*) dównstáirs; 2. *предл.* (*рд.*) at the foot [...fut...] (of), at the bóttom (of); ~ страни́цы at the foot of the page.

вника́‖**ть,** вни́кнуть (*в вн.*) go* deep (into); consíder cáre:fully [-'sɪ-...] (*d.*); *несов. тж.* try to grasp / ùnderstánd (*d.*); необходи́мо вни́кнуть в э́то де́ло the mátter must be thóroughly invéstigàted / exámined / scrútinízed [...'θʌɡəlɪ...], the mátter must be gone into [...gɔn...]; не ~я в суть де́ла without in:quíring / gó:ing into the heart of the mátter [...hɑ:t...], without gó:ing to the root of the mátter.

вни́кнуть *сов. см.* вника́ть.

внима́н‖**ие** *с.* 1. atténtion; nótice ['nou-], note; обраща́ть, обрати́ть ~ (на) pay* atténtion (to), take* nótice (of); (*замечать*) nótice (*d.*); take* heed (of), give* / pay* heed (to) (*ocoб. в отриц.*: take* no heed *и т.п.*); обраща́ть чьё-л. ~ на что-л. call / draw* / diréct smb.'s atténtion to smth.; сосредото́чивать ~ на чём-л. cóncentràte / fix / fócus one's atténtion on smth.; привлека́ть чьё-л. ~ attráct / arrést / draw* smb.'s atténtion; прико́вывать чьё-л. ~ en:gróss / rivet / arrést / compél smb.'s atténtion [-'grous 'rɪ-...]; оставля́ть без ~ия (*вн.*) set* asíde (*d.*), disregárd (*d.*); досто́йный ~ия worth nótice, wórthy of note [-ðɪ...], desérving atténtion / consìderátion [-'zə:-...]; он весь ~ he is all ears / atténtion; не обраща́йте ~ия do not (don't *разг.*) take any nótice; never mind *разг.*; быть в це́нтре ~ия (*рд.*) be (at) the centre of atténtion (of), be úpper:most in the mind(s) (of), be of supréme / páramount / pre-éminent concérn (to); уделя́ть большо́е ~ (*дт.*) give* / devóte much atténtion (*i.*); в газе́тах мно́го ~ия уделя́ется (*дт.*) much próminence is given by the néwspàpers (to); 2. (*к; предупредительное отношение*) kind:ness (to), considerátion (for); оказа́ть кому́-л. ~ do smb. a cóurtesy [...'kə:tɪsɪ], show* smb. atténtion [ʃou...]; по́льзоваться ~ием be the óbject of atténtion / considerátion; ◊ ~! atténtion!; (*берегись*) look out!; mind!; ~, на старт! *спорт.* on your marks!; принима́ть во ~ (*вн.*) take* into accóunt / considerátion (*d.*); принима́я во ~ (*вн.,* что) consídering (*d.,* that), táking into accóunt / considerátion (*d.,* that), in view [...vju:] (of); приня́в всё во ~ all things consídered.

внима́тельно I *прил. кратк. см.* внима́тельный.

внима́тельн‖**о** II *нареч.* 1. atténtive:ly; (*тщательно*) cáre:fully; (*сосредоточенно*) inténtly; прочти́те э́то ~ read it through cáre:fully; ~ следи́ть за чем-л. watch smth. clóse:ly [...-s-]; 2.: ~ относи́ться к кому́-л. show* considerátion for smb. [ʃou...], be consíderate towards smb. ~**ость** *ж.* 1. atténtive:ness; 2. (*к: любезность*) cóurtesy ['kə:tɪsɪ] (towards), considerátion (for), thóughtfulness (for), kind:ness (to). ~**ый** 1. atténtive; (*тщательный*) cáre:ful; (*сосредоточенный*) intént; 2. (*к; по отношению к*) consíderate (towards), thóughtful (for), oblíging (towards), kind (to).

внима́ть, внять (*дт.*) *поэт.* lísten ['lɪsn] (to), hark (to); *сов. тж.* heed (*d.*); он внял мое́й про́сьбе he héeded my requést.

вничью́ *нареч.*: око́нчиться ~ end in a draw; сыгра́ть ~ make* a draw.

вно́ве *предик.* new, strange [streɪ-]; ему́ здесь всё ~ évery:thing here is new to him.

вновь *нареч.* 1. (*опять*) anéw, agáin, once agáin [wʌns...]; (*ещё раз*) once more; 2. (*недавно*) néwly, récent:ly; ~ прибы́вший (*прил.*) néwly arríved; (*сущ.*) néwcomer [-'kʌ-], new arríval; ~ назна́ченный néwly-appóinted.

вноси́ть, внести́ (*вн.*) 1. bring* in (*d.*), cárry in (*d.*); 2. (*о деньгах*) pay* in (*d.*); depósit [-z-] (*d.*); 3. (*причинять, вызывать*) bring* in / abóut (*d.*), introdúce (*d.*); внести́ оживле́ние, весе́лье brighten up; ~ беспоря́док cause, *или* bring* about, disórder; 4. (*включать, вписывать*) introdúce (*d.*), énter (*d.*); ~ измене́ния (*в вн.*) make* àlterátions / chánges [...'tʃeɪ-] (in); ~ попра́вки (*в вн.*) insért / introdúce améndments (into); ~ в спи́сок énter in the list (*d.*), put* on the list (*d.*); ~ в протоко́л énter in the mínutes [...'mɪnɪts]; 5. (*представлять, предлагать собранию*) move [mu:v] (*d.*), bring* in (*d.*), bring* / put* fórward (*d.*); ~ предложе́ние make* a suggéstion [...-'dʒestʃən], put* fórward a propósal [-'zəl]; (*в парламенте и т.п.*) introdúce / table a mótion; ~ предложе́ние на рассмотре́ние (*рд.*) submít a propósal (to), place a propósal (befóre); ~ це́нное предложе́ние make* a váluable suggéstion; ~ предложе́ние (*о том, чтобы*) move (that); ~ законопрое́кт introdúce a bill; 6. *с.-х.*: ~ удобре́ния applý fértilizers.

внук *м.* 1. grándsòn [-sʌn], gránd:child*; 2. *мн.* (*потомки*) (our) chíldren, (our) chíldren's chíldren, (our) descéndants.

ВНУ — ВОД

вну́тренне *нареч.* inwardly.

вну́тренн‖**ий** 1. inside, intérior, ínner, intérnal; (*перен.*) ínward, ínner; (*присущий*) inhérent, intrínsic; ~яя дверь ínner door [...dɔ:]; ~ие боле́зни intérnal diséases [...-'zi:z-]; для ~его употребле́ния (*о лекарстве*) for intérnal use [...-s]; ~ мир ínward / ínner life; ~ие причи́ны intrínsic cáuses; ~ смысл inhérent / intrínsic méaning; ~ие зако́ны разви́тия inhérent laws of devélopment; ~ распоря́док routíne [ru:'ti:n]; пра́вила ~его распоря́дка (*в учреждении, на фабрике и т.п.*) óffice, fáctory, *etc.*, règulátions; ~ие раздо́ры intérnal díscòrd *sg.*; 2. (*в пределах одного государства*) home, ín:land; doméstic; ~яя поли́тика home / intérnal pólicy; ~яя торго́вля home / ín:land trade; ~ ры́нок home márket; ~ие во́ды ín:land wáters [...'wɔ:-]; ~ие дела́ home affáirs; э́то ~ее де́ло страны́ it is a mátter of doméstic concérn, it is a doméstic affáir; ~ие и вне́шние враги́ intérnal and extérnal énemies; ~ие ресу́рсы intérnal resóurces [...-ɔ:s-].

вну́тренно = вну́тренне.

вну́тренности *мн. анат.* intérnal órgans; inside *sg. разг.*; (*кишки*) éntrails, intéstines; víscera *анат.*

вну́тренность *ж.* intérior.

внутри́ 1. *нареч.* inside; 2. *предл.* (*рд.*) insíde, withín; находя́щийся ~ страны́ ín:land; ~ госуда́рства withín the State.

внутриа́томн‖**ый** intra-atómic; ~ая эне́ргия intra-atómic énergy.

внутриве́нн‖**ый** intravénous; ~ое влива́ние intravénous injéction.

внутривидово́й intraspecífic.

внутризаводск‖**и́й, ~о́й** (ínside) fáctory (*attr.*); ~ тра́нспорт (ínside) fáctory tránspòrt.

внутримы́шечный intramúscular.

внутрипарти́йн‖**ый** ínner-Párty; ~ая демокра́тия ínner-Párty demócracy; ~ая диску́ссия ínner-Párty discússion, discússion withín the Párty.

внутриполити́ческ‖**ий** of home pólicy; ~ие вопро́сы quéstions of home pólicy [-stʃ-...]; ~ое положе́ние intérnal polítical situátion.

внутрия́дерный intranúclear.

внутрь 1. *нареч.* in, insíde; ínwards [-dz]; он вошёл ~ he went in; приня́ть лека́рство ~ take* a médicine; открыва́ться ~ ópen ínwards; 2. *предл.* (*рд.*) in(to), insíde; ~ страны́ ín:land.

вну́чат‖**а** *мн.* grándchildren. **~ный, ~ый** ~ный, ~ый племя́нник gránd--nèphew [-vju:].

вну́чек *м. уменьш. от* внук 1.

вну́чка *ж.* gránddaughter, gránd:child*.

внучо́нок *м.* = вну́чек.

внуша́емость *ж.* suggestibílity [-dʒe-].

внуш‖**а́ть**, внуши́ть (*вн. дт.*) 1. suggést [-'dʒe-] (*d. i.*), inspíre (with *d.*); fill (with *d.*); ~ уваже́ние кому́-л. commánd smb.'s respéct [-a:nd...]; ~ мысль кому́-л. suggést an idéa to smb. [...aɪ'dɪə...]; ~ опасе́ния (*кому-л.*) fill* (smb.) with mis:givings / apprehénsion; 2. (*убеждать*) bring* home (*d.* to); (*наставлять*)

instíl(l) (*d.* into), impréss (*d.* on). **~е́ние** *с.* 1. suggéstion [-'dʒestʃ-]; (*гипноз*) hypnósis; лечи́ть ~ением (*вн.*) treat by suggéstion / hýpnotism (*d.*); 2. (*выговор*) repróof, réprimànd [-ma:-]; сде́лать кому́-л. ~е́ние réprimànd smb. **~и́тельный** impósing; (*производящий впечатление*) impréssive.

внуши́ть *сов. см.* внуша́ть.

вня́тно I *прил. кратк. см.* вня́тный.

вня́тн‖**о II** *нареч.* distínctly. **~ость** *ж.* distínctness. **~ый** distínct.

внять *сов. см.* внима́ть.

во = в; ◇ во цве́те лет in the príme of life, in one's prime; во всеуслы́шание públicly ['ʌ-], in éveryòne's héaring; во всеору́жии (*рд.*) fúlly armed ['fu-...] (with), fúlly posséssed [...-'zest] (of), in full posséssion [...-'ze-] (of); во что бы то ни ста́ло at any price, at all costs; во главе́ (*рд.*) at the head [...hed] (of); во и́мя (*рд.*) in the name (of).

во́бла *ж.* vóbla, Cáspian roach.

вобра́ть(**ся**) *сов. см.* вбира́ть(ся).

вове́к, вове́ки *нареч.* 1. (*всегда, вечно*) for éver; 2. (*при глаголе с отриц.; никогда*) néver.

вовлек‖**а́ть, вовле́чь** (*вн. в вн.*) 1. draw* (*d.* in, into); 2. (*впутывать*) invólve (*d.* in); (*склонять к участию в чём-л. плохом*) invéigle [-'vi:gl] (*d.* into). **~ся, вовле́чься** 1. (в *вн.*) be drawn (into); 2. *страд. к* вовлека́ть.

вовлече́ние *с.* dráwing in, invólving (*ср.* вовлека́ть).

вовле́чь(**ся**) *сов. см.* вовлека́ть(ся).

вовне́ *нареч.* outsíde.

вовну́трь *разг.* = внутрь.

во́время *нареч.* in time; at the right / próper time [...'prɔ-...]; (*кстати*) opportúne:ly; ~ ска́занное сло́во a word in séason [...-zn]; не ~ inopportúne:ly, at the wrong time.

во́все *нареч. разг.* (*без отриц.*) quíte; (*с отриц.*) not... at all; я ~ э́того не сказа́л I did not say that at all, I néver said that [...sed...]; ~ нет not at all, not in the least.

вовсю́ *нареч. разг.* to one's út:mòst; бежа́ть ~ run* at top speed, run* as fast as one's legs will cárry one; гнать ~ drive* as hard as one can; луна́ све́тит ~ the moon is shíning its bríghtest, the moon is at its bríghtest.

во-вторы́х *вводн. сл.* in the sécond place [...'se-...]; (*при перечислении тж.*) sécondly.

вогна́ть *сов. см.* вгоня́ть.

во́гнут‖**ость** *ж.* còn:cávity. **~ый** cón:cáve.

вогну́ть(**ся**) *сов. см.* вгиба́ть(ся).

вод‖**а́** *ж.* (*в разн. знач.*) wáter ['wɔ:-]; дождева́я ~ ráin-wáter [-wɔ:-]; морска́я ~ séa-wáter [-wɔ:-]; пре́сная ~ fresh / sweet wáter; минера́льная ~ míneral wáter; тяжёлая ~ *хим.* héavy wáter ['he-....]; е́хать ~о́ю go* / trável by wáter [...'træ-...]; ◇ выводи́ть на чи́стую во́ду (*вн.*) expóse (*d.*), unmásk (*d.*), show* up [ʃou...] (*d.*); как с гу́ся ~ ≅ like wáter off a duck's back; ~о́й не разольёшь *разг.* ≅ thick as thieves [...θi:vz]; толо́чь во́ду в сту́пе ≅ beat* the air, mill the wind [...wɪnd]; как в во́ду опу́щенный dejécted, dówncàst; (*похожи*) как две ка́пли ~ы́ ≅ as like as two peas; и концы́ в во́ду *разг.* ≅ and no one will be the wíser; мно́го ~ы́ утекло́ с тех пор much wáter has flowed únder the brídge(s) since then [...floud...]; он ~ы́ не замути́т ≅ he looks as if bútter would not melt in his mouth; чи́стой ~ы́ (*о драгоценном камне*) of the first wáter; молчи́т, сло́вно ~ы́ в рот набра́л *разг.* he does not say a word, he keeps mum.

водворе́ние *с.* séttle:ment; estáblish:ment; (*ср.* водворя́ть). **~и́ть**(**ся**) *сов. см.* водворя́ть(ся).

водвор‖**я́ть, водвори́ть** (*вн.*) 1. instáll (*d.*); (*поселять*) house (*d.*), séttle (*d.*); ~ что-л. на ме́сто put* smth. back in its place; 2. (*устанавливать*) estáblish (*d.*). **~ся, водвори́ться** 1. (*поселяться*) séttle; 2. *страд. к* водворя́ть.

водеви́ль *м.* váudeville ['vou-], cómic sketch (with songs).

води́тель *м.* (*транспорта*) dríver; ~ авто́буса bús-driver; ~ такси́ táxi-dríver. **~ский** dríver's; ~ские права́ dríving lícence [...'laɪ-].

води́тельство *с.* léadership; под ~м па́ртии únder the léadership of the Párty.

води́ть, *опред.* вести́, *сов.* повести́ 1. (*вн.*) lead* (*d.*); condúct (*d.*); ~ по́езд drive* a train; ~ кора́бль návigate / steer* a ship; ~ самолёт pílot / fly* a plane; 2. (*тв. по дт.*) pass (*d.* óver); ~ смычко́м по стру́нам run* one's bow óver the strings [...bou...]; 3. *см.* вести́; ◇ ~ глаза́ми let* one's eyes rove [...aɪz...]; а он и у́хом не ведёт *разг.* he pays no heed; ~ дру́жбу с кем-л. be friends with smb. [...fre-...]; ~ за́ нос кого́-л. *разг.* ≅ pull the wool óver smb.'s eyes [pul... wul... aɪz], lead* smb. up the gárden path; ~ знако́мство (с *тв.*) keep* up an acquáintance (with).

води́ться 1. (с *тв.*) *разг.* assóciate (with), consórt (with); (*о детях*) play (with); я с тобо́й не вожу́сь I'm not pláying with you; 2. (*без доп.*) *иметься, встречаться где-л.*) be found, be: в реке́ во́дится ры́ба there is fish in the ríver [...'rɪ-], fish is found in the ríver; ◇ как во́дится as úsual [...-ʒuəl]; так у нас во́дится it is our cústom, it is the cústom here; э́то за ним во́дится it's the sort of thing that háppens with him; he's álways dóing that [...'ɔ:lwəz...].

во́дк‖**а** *ж.* vódka; ца́рская ~ *хим.* áqua-régia.

во́дник *м.* wáter-tránspòrt wórker ['wɔ:-...].

водолы́жн‖**ик** *м.*, **~ица** *ж.* wáter--skíer ['wɔ:- ski:ə, -ʃi:ə]. **~ый** wáter-skí ['wɔ:- ski:, -ʃi:] (*attr.*); ~ый спорт wáter-skíing ['wɔ:- 'ski:-, -ʃi:-].

во́дн‖**ый** 1. *прил. к* вода́; ~ое простра́нство expánse of wáter [...'wɔ:-]; ~ тра́нспорт wáter tránspòrt; ~ые пути́ wáterways ['wɔ:-]; ~ спорт aquátics *pl.*, aquátic sports *pl.*; ~ая ста́нция aquátic sports centre; ~ое по́ло wáter pólo; ~ые лы́жи wáter-skís ['wɔ:-'ski:z, -ʃi:z]; 2. *хим.* áqueous; ~ раство́р áqueous solútion.

водобоязнь ж. мед. hýdro:phóbia; (у животных) rábies [-bi:z].

водово́з м. wáter-càrrier ['wɔ:-]. ~ный: ~ная бо́чка wáter-càrrier's bárrel ['wɔ:-...].

водоворо́т м. whírlpool; (небольшой) éddy; (перен.) vórtex (pl. -xes, -tices [-tısi:z]), whirl, máelstrom ['meılstroum].

водогре́йный wáter-heating ['wɔ:-] (attr.).

водоём м. réservoir ['rezəvwa:].

водозащи́тный wáterproof ['wɔ:-].

водоизмери́тельный wáter-gauge ['wɔ:-təgeıdʒ] (attr.).

водоизмеще́ние с. мор. displáce:ment; су́дно ~м 5000 тонн ship of 5000 tons displáce:ment [...tʌnz...].

водока́чка ж. wáter-tower ['wɔ:-].

водола́з м. 1. díver; 2. (собака) Newfóundland (dog). ~ный ~ный ко́локол díving-bèll; ~ный костю́м díving-sùit [-sju:t]; ~ный шлем díver's hélmet.

Водоле́й м. (созвездие) Aquárius, Wáter-càrrier ['wɔ:-].

водоле́й м. разг. (болтун) spóuter, wáffler.

водолече́∥**бница** ж. hýdro:páthic (estáblishment). ~**ние** с. hydrópathy [haı-], hýdro:páthic tréatment: wáter-cùre ['wɔ:-].

водоли́в м. chief bàrgée [tʃi:f...].

водолюби́вый бот. hydróphilous [haı-].

водоме́р м. тех. wáter-gauge ['wɔ:-geıdʒ]. ~**ный** тех.: ~ный кран gáuge-còck ['geı-]; ~ное стекло́ gáuge-glàss ['geı-]; ~ная тру́бка gáuge-tùbe ['geı-].

водомо́ина ж. gúlly, ravíne [-'vi:n].

водонапо́рн∥**ый**: ~ая ба́шня wáter-tower ['wɔ:-].

водонепроница́ем∥**ость** ж. wátertightness ['wɔ:-], impèrmeabílity to wáter [-mıə-... 'wɔ:-]. ~**ый** wátertight ['wɔ:-]; (непромокаемый) wáterproof ['wɔ:-]; ~ая перебо́рка мор. wátertight búlkhead [...-hed]; ~ый грунт impérmeable súbsoil [-mıə-...].

водоно́с м. wáter-càrrier ['wɔ:-]. ~**ный** геол. wáter-béaring ['wɔ:tə'bɛə-].

водообеспе́ченность ж. suffíciency of wáter-supplỳ [...'wɔ:-].

водоотво́д м. óver:flòw(-pìpe) [-ou-], dráinage sỳstem. ~**ный** dráinage (attr.), drain (attr.); ~ная кана́ва dráinage dítch; ~ный кана́л dráinage canál.

водоотли́в м. púmping.

водоотли́вный dis:chárge (attr.).

водоотта́лкивающий wáter-repéllent ['wɔ:-].

водоочисти́тельный wáter-púrifyìng ['wɔ:-], wáter-pùrificátion ['wɔ:-]; ~ фильтр wáter-púrifyìng / wáter-pùrificátion fílter.

водопа́д м. wáterfàll ['wɔ:-]; falls pl., cátaràct; (небольшой) càscáde.

водопла́вающ∥**ий**: ~ие пти́цы wáterfowl ['wɔ:-] sg.

водоподъёмн∥**ый**: ~ая маши́на wáter-lìfting éngine ['wɔ:- -endʒ-].

водопо́й м. 1. wátering ['wɔ:-]; 2. (место) wátering-plàce ['wɔ:-]; (для скота́ тж.) pond; (для лошаде́й тж.) hórse-pònd.

водопрово́д м. wáter-pipe ['wɔ:-]; (магистра́ль) wáter-main ['wɔ:-]; (водоснабже́ние)

wáter-supplỳ ['wɔ:-]; городско́й ~ úrban wáter-supplỳ; дом с ~ом house* with rúnning wáter [-s... 'wɔ:-]. ~**ный**: ~ная сеть wáter-supplỳ ['wɔ:-]; ~ная ста́нция wáterworks ['wɔ:-]; ~ная труба́ wáter-pipe ['wɔ:-]; ~ная магистра́ль wáter-main ['wɔ:-]. ~**чик** м. plúmb:er.

водопроница́емый pérmeable to wáter [-mıə-...'wɔ:-] (predic.).

водоразбо́рн∥**ый**: ~ая коло́нка wáter-pùmp ['wɔ:-].

водоразде́л м. геогр. wátershèd ['wɔ:-].

водораспредели́тель м. wáter-distríbutor ['wɔ:-].

водоре́з м. мор. cútwàter [-wɔ:-].

водоро́д м. хим. hýdrogen ['haı-]. ~**ный** хим. hydrógenous [haı-]; hýdrogen ['haı-] (attr.); ~ная бо́мба hýdrogen bomb, H-bomb ['eıtʃ-].

во́доросль ж. wáter-plànt ['wɔ:- -a:-]; морска́я ~ séaweed; álga (pl. -ae) научн.

водосбро́с м. spíllway.

водосли́в м. тех. spíll:way, weir [wıə]. ~**ный**: ~ная плоти́на óver:flòw / spíllway dam [-flou..].

водоснабже́ние с. wáter-supplỳ ['wɔ:-]; ~ и канализа́ция wáter-supplỳ and séwerage.

водо∥**спу́ск** м. тех. flóodgàte ['flʌd-]. ~**сто́йкий** wáter-resístant ['wɔ:tərı'zı-]. ~**сто́к** м. drain; (на улице) gútter. ~**сто́чный** прил. к водосто́к; ~сто́чный жёлоб gútter; ~сто́чная труба́ dráin(-pìpe); ~сто́чная кана́ва drain, gúlly, gútter.

водотру́бный: ~ котёл тех. wáter-tùbe bóiler ['wɔ:-...].

водоупо́рный тех. wáterproof ['wɔ:-].

водохрани́лище с. réservoir ['rezəvwa:], stórage pond / pool.

водочерпа́∥**лка** ж. тех. wáter-èngine ['wɔ:tərendʒ-]. ~**тельный** тех. wáter-lìfting ['wɔ:-].

во́дочный прил. к во́дка; ~ заво́д vódka distíllery.

водру∥**жа́ть**, **водрузи́ть** (вн.) eréct (d.); (о флаге, знамени) hoist (d.). ~**зи́ть** сов. см. водружа́ть.

во́д∥**ы** мн. 1. (во́дные простра́нства и пр.) wáters ['wɔ:-]; территориа́льные ~ tèrritórial wáters; 2. (минера́льные) (míneral) wáters, medícinal wáters; (куро́рт) wátering-plàce ['wɔ:-] sg., spa [-a:] sg.; лечи́ться на ~ах take* the wáters.

водяни́стый (прям. и перен.) wátery ['wɔ:-]; (слишком разбавленный водой; тж. перен.) wáshy; wìshy-wàshy разг.; ~ карто́фель wátery potátoes pl.; ~ стиль wátery / insípid style.

водя́нка ж. мед. drópsy.

водян∥**о́й** 1. прил. к вода́; (о расте́ниях, живо́тных, пти́цах) wáter (attr.); (о расте́ниях и живо́тных тж.) aquátic; ~а́я ме́льница wáter-mìll ['wɔ:-]; ~а́я турби́на wáter-tùrbine ['wɔ:-]; 2. м. как сущ. фольк. wáter-sprìte ['wɔ:-]; ◊ знак wátermàrk ['wɔ:-]; ~о́е отопле́ние hót-wàter héating [-wɔ:-...]; ~ газ wáter-gás ['wɔ:-].

воева́ть (с тв.) 1. be at war (with), fight* (d.), agáinst), wage war (on), make* war (on); 2. разг. (ссо́риться) quárrel (with), war (with).

ВОД — ВОЕ B

воево́д∥**а** м. 1. ист. vóevòde (commánder of an army, góvernor of a próvince in ancient Russia); 2. góvernor of próvince (in Poland). ~**ство** с. 1. ист. óffice of vóevòde; 2. próvince (in Poland).

воеди́но нареч. togéther [-'ge-]; собра́ть ~ (вн.) colléct / bring* togéther (d.).

военача́льник м. mílitary léader, commánder [-a:n-]; léader in war.

воениз∥**а́ция** ж. militarizátion [-raı-]. ~**и́рованный** прич. и прил. mílitarìzed; прил. тж. pàra-mílitary [pæ-]. ~**и́ровать** несов. и сов. (вн.) mílitarìze (d.); place on a war fóoting [...'fut-] (d.).

военко́м м. (вое́нный комисса́р) mílitary còmmissár.

военкома́т м. (вое́нный комиссариа́т) mílitary règistrátion and enlístment óffice.

военко́р м. (вое́нный корреспонде́нт) war / mílitary còrrespóndent.

вое́нно∥-**возду́шный**: ~-возду́шные си́лы Air Fórce(s). ~-**морско́й** navál; ~-морско́й флот Návy.

военнообя́занный м. скл. как прил. man* líable for cáll-ùp (inclúding resérvist [-'zə:-]).

военнопле́нный м. скл. как прил. prísoner of war [-z-...].

вое́нно-полев∥**о́й**: ~ суд court mártial [kɔ:t...]; быть пре́данным ~о́му суду́ be cóurt-mártialled [...'kɔ:t-].

вое́нно-полити́ческий mílitary-polítical.

вое́нно-революцио́нный: ~ комите́т rèvolútionary mílitary commíttee [...-tı].

военнослу́жащий м. скл. как прил. sérvice:man*; он ~ he is in the sérvices.

вое́нно-уче́бн∥**ый** mílitary tráining (attr.); ~ое заведе́ние mílitary school; sérvice school амер.

вое́нно-экономи́ческий (о сырье́, ресу́рсах) stratégic [-'ti:-], of stratégic sígnificance / válue; ~ потенциа́л war ècónomy poténtial [...i:-...], stratégic poténtial.

вое́нн∥**ый** I прил. к война́; (тж. гл. обр. о сухопу́тной а́рмии) mílitary; ~ая нау́ка science of war, mílitary science; ~ое иску́сство art of war; ~ коммуни́зм ист. war cómmunism; ~ое вре́мя wártime, time of war; ~ые де́йствия mílitary òperátions; hostílities; ~ комиссариа́т см. военкома́т; ~ое министе́рство Mínistry of Defénce (в Англии); Defénce Depártment (в США); ~ мини́стр Sécretary of State for Defénce (в Англии); Sécretary of Defénce (в США); ~ кора́бль wárship, màn-of-wàr (pl. mèn-); ~ая акаде́мия Mílitary Acádemy; ~ая промы́шленность war índustry; ~ заво́д munítions fáctory; ~ая слу́жба mílitary sérvice; ~ атташе́ mílitary attaché (фр.) [...ə'tæʃeı]; ~ая доро́га mílitary road; ~ о́круг mílitary district; Commánd [-a:nd] (в Англии); ~ суд court mártial [kɔ:t...]; ~ое положе́ние mártial law; ~ое обуче́ние mílitary tráining; ~ престу́пник war críminal; ~ая авантю́ра mílitary advénture.

ВОЕ – ВОЗ

вое́нный II *м. скл. как прил.* sóldier [-dʒə], mílitary man*, sérvice⁞man*; *мн. собир.* the mílitary; он ~ he is a sóldier / sérvice⁞man*, he is in the ármy, *или* in the sérvices.

военру́к *м.* (вое́нный руководи́тель) mílitary instrúctor.

вое́нщина *ж. тк. ед. собир. неодобр.* sóldiery [-dʒə-]; mílitarists *pl.*, mílitary clíque [...-iːk].

вожа́к *м.* 1. (*руководитель*) léader; 2. (*проводник*) guide, léader; ~ у слепо́го blind man's guide; ~ медве́дя béar-leader ['bɛə-]; 3. (*о животном в стаде*) léader (*in herd*).

вожа́тый *м. скл. как прил.* 1. (*пионеротряда*) Young Pionéer léader [jʌn]; 2. *разг.* (*трамвая*) trám-driver; 3. (*проводник*) guide.

вожделе́н||ие *с.* (*страстное желание*) lónging; (*плотское*) lust, desíre [-'z-], con⁞cúpiscence; ~ный *прич. и прил. поэт.* desíred [-'z-], lónged-fòr.

вожде́ние *с.* (*о поездах, автомашинах*) dríving; (*о кораблях*) navigátion, stéering; (*о самолётах*) flýing, pílot⁞ing.

вождь *м.* 1. léader; 2. *уст.* (*предводитель войска*) cáptain; 3. (*предводитель племени*) chief [tʃiːf].

вожжа́ться [-жьжя́-] (*с тв.*) *разг.* bóther òne⁞sélf (with); tróuble òne⁞sélf [trʌbl...] (óver); waste one's time [weist...] (on).

во́жжи [-жьжи́] *мн.* (*ед.* вожжа́ *ж.*) (*прям. и перен.*) reins; ríbbons *разг.*; отпусти́ть ~ give* a horse the reins; (*перен.*) slácken the reins; держа́ть в рука́х (*прям. и перен.*) hold* the reins.

воз *м.* 1. cart; ~ с се́ном háy-càrt; ~ с дрова́ми cart lóaded with wood [...wud]; 2. (*рд.; как мера*) cárt-load (of), cártful (of); (*перен.; множество*) *разг.* a heap (of), heaps (of); купи́ть ~ дров buy* a cárt-load of wood; ◊ что с ~ у упа́ло, то пропа́ло *посл.* ≅ it is no use crýing óver spilt milk [...juːs]; а ~ и ны́не там ≅ things are⁞n't móving [...'muːv-].

возблагодари́ть *сов.* (*вн.*) *уст.* rénder thanks (to).

возбрани́ть *сов. см.* возбраня́ть.

возбран||я́ть, возбрани́ть (*дт. вн.*) *уст.* prohíbit (*d. from ger.*), forbíd* (*i. d.*); ~я́ться *чаще безл. уст.* be prohíbited / forbídden; э́то не ~я́ется this is not prohíbited / forbídden.

возбуди́||мость *ж.* excitabílity [-sai-]. ~мый excítable. ~тель *м.* 1. (*в разн. знач.*) stímulus (*pl.* -li); ~тель боле́зни páthogène, pàthogénic órganism; 2. *тех.* excíter.

возбуди́ть(ся) *сов. см.* возбужда́ть(ся).

возбужд||а́ть, возбуди́ть 1. (*вн.*) excíte (*d.*); (*вызывать*) rouse (*d.*), aróuse (*d.*), stir up (*d.*); ~ аппети́т provóke / stímulàte / shárpen / whet the áppetite; ~ жа́жду (у) make* thírsty (*d.*); ~ чьё-л. удивле́ние surpríse / astónish smb.; ~ любопы́тство aróuse / rouse / excíte / stir / provóke curiósity; ~ негодова́ние rouse / excíte indignátion; ~ наде́жды на что-л. raise hopes of smth.; ~ подозре́ния aróuse suspícion; ~ в ком-л. страсть inspíre smb. with pássion; ~ себя́ чем-л. stímulàte òne⁞sélf with smth.; 2. (*вн. против; восстанавливать*) stir up (*d.* agáinst), ínstigàte (*d.* agáinst), incíte (*d.* agáinst); 3. (*вн.; предлагать на обсуждение*) raise (*d.*); ~ вопро́с raise a quéstion [...-stʃ-]; ~ де́ло, проце́сс про́тив кого́-л. ínstitùte procéedings agáinst smb., bring* an áction agáinst smb.; ~ иск про́тив кого́-л. bring* a suit agáinst smb. [...sjuːt]; ~ хода́тайство о чём-л. presént / submít a petítion, *или* àpplicátion, for smth. [-'zeː-...], petítion for smth. ~а́ться, возбуди́ться 1. becóme excíted; 2. *страд. к* возбужда́ть. ~а́ющий 1. *прич. к* возбужда́ть; 2. *прил.* stímulant; ~а́ющее сре́дство *мед.* stímulant.

возбужде́н||ие *с.* 1. (*действие*) excitátion; ~ де́ятельности се́рдца stimulátion of the áction of the heart [...hɑːt]; 2. (*приподнятое настроение*) excíte⁞ment; (*волнение*) àgitátion; быть в (си́льном) ~ии, испы́тывать ~ be (extréme⁞ly / gréatly) excíted [...'greit-...]. ~ный *прич. и прил.* excíted; ~ вид excíted appéarance.

возведе́ние *с.* 1. (*сооружение*) eréction; 2. *мат.*: ~ во втору́ю, тре́тью *и т. д.* сте́пень ráising to the sécond, third, *etc.*, pówer [...'seː-...].

возвели́чивать, возвели́чить (*вн.*) glórify ['gloː-] (*d.*), exált (*d.*).

возвели́чить *сов. см.* возвели́чивать.

возвести́ *сов. см.* возводи́ть.

возвести́ть *сов. см.* возвеща́ть.

возвеща́ть, возвести́ть (*вн., о чём-л.*) annóunce (*d.*), procláim (*d.*), héral⁞d ['heː-] (*d.*); ~ нача́ло но́вой э́ры úsher in, *или* héral⁞d / annóunce, a new éra.

возводи́ть, возвести́ 1. (*вн.; сооружать*) eréct (*d.*), raise (*d.*); 2. (*вн. в вн.; в сан*) élevàte (*d.* to), raise (*d.* to); ~ на престо́л élevàte to the throne (*d.*); 3. *мат.*: ~ во втору́ю тре́тью *и т. д.* сте́пень raise to the sécond, third, *etc.*, pówer [...'seː-...]; 4. (*вн.*) *уст.* (*поднимать глаза, руки*) raise (*d.*), lift up (*d.*); 5. (*вн.; устанавливать происхождение*) deríve (*d.* from), trace (*d.* to); ◊ ~ что-л. в при́нцип make* smth. a príncìple, make* a príncìple of smth.; ~ клевету́ на кого́-л. cast* aspérsions on smb.; ~ обвине́ние на кого́-л. в чём-л. accúse smb. of smth., charge smb. with smth.

возвра́т *м.* retúrn; (*о деньгах*) re⁞páyment; (*об имуществе*) restitútion; (*о расходах*) re⁞ímburse⁞ment; ~ боле́зни recúrrence of an íllness. ~и́ть(-ся) *сов. см.* возвраща́ть(ся). ~ный 1. *мед.* recúrrent; ~ный тиф relápsing féver, recúrrent féver; 2. *грам.* refléxive; ~ный глаго́л refléxive verb; ~ное местоиме́ние refléxive prónoun; 3. (*о денежных средствах*) re⁞páyable.

возвраща́||ть, возврати́ть (*вн.*) retúrn (*d.*), give* back (*d.*), restóre (*d.*); (*о письме, посылке и т. п.*) send* back (*d.*); (*о деньгах*) re⁞páy* (*d.*), pay* back (*d.*); (*о расходах*) re⁞ímbùrse (*d.*), re⁞fúnd (*d.*). ~ться, возврати́ться 1. retúrn; (*куда-л.*) go* back; (*откуда-л.*) come* / be back; (*к; к чему-л. прежнему*) revért (to); (*мысленно; в разговоре*) recúr (to); ~ться домо́й go* home, retúrn home; ~ться к ста́рым привы́чкам revért / retúrn to one's old hábits; ~ться к те́ме revért / recúr / retúrn to the súbject; 2. (*возобновляться, восстанавливаться*) be restóred, retúrn, come* back; 3. *страд. к* возвраща́ть. ~е́ние *с.* retúrn; (*неоднократное*) recúrrence; ~е́ние домо́й, на ро́дину hóme⁞còming, retúrn home.

возвы́сить *сов. см.* возвыша́ть 1. ~ся *сов. см.* возвыша́ться 1.

возвыш||а́ть, возвы́сить (*вн.*) 1. raise (*d.*); 2. *тк. несов.* (*облагораживать*) élevàte (*d.*), ennóble (*d.*); ◊ го́лос raise one's voice. ~а́ться, возвы́ситься 1. rise*; 2. *тк. несов.* (*над; высоко подниматься над чем-л.*) rise* / tówer (abóve), dóminàte (*d.*); (*перен.*) surpáss (*d.*), tówer (abóve); 3. *страд. к* возвыша́ть. ~е́ние *с.* 1. (*действие*) rise; 2. (*место*) éminence; (*в зале*) dáis ['deɪs]; (*холм и т. п.*) rísing ground, height; стоя́ть на ~е́нии stand* on an éminence, *или* on rísing ground; (*о помосте*) stand* on a dáis; 3. *воен.* èlevátion.

возвы́шенн||ость *ж.* 1. *геогр.* height [hait]; éminence; Валда́йская ~ Váldai Hills ['vɑːldai...] *pl.*; 2. *тк. ед.* (*мыслей, чувств*) lóftiness, sublímity. ~ый high, élevàted; (*перен.*) lófty, exálted, sublíme.

возгла́вить *сов. см.* возглавля́ть 1.

возглавля́ть, возгла́вить (*вн.*) 1. (*становиться во главе*) place òne⁞sélf at the head [...hed] (of); возглавля́ть движе́ние за мир be in the fóre⁞frònt of the peace móve⁞ment [...-frʌnt... 'muːv-]; 2. *тк. несов.* (*быть во главе*) head (*d.*), be at the head (of); lead* (*d.*); делега́цию возглавля́ет тако́й-то the délegation is led / héaded by só-and-sò [...'hed-...]; ~ предприя́тие be at the head of *the* énterprise. ~ся (*тв.*) be únder the diréction (of); (*об экспедиции и т. п.*) be héaded [...'hed-] (by); (*о войсках*) be led (by).

во́зглас *м.* èxclamátion, cry; ~ы с мест cries / èxclamátions from the áudience. ~и́ть *сов. см.* возглаша́ть.

возглаша́ть, возгласи́ть (*вн.*) *уст.* procláim (*d.*).

возго́н||ка *ж. хим.* sùblimátion. ~я́ть (*вн.*) *хим.* súblimàte (*d.*).

возгора́ем||ость *ж.* inflàmmabílity. ~ый inflámmable.

возгор||а́ться, возгоре́ться 1. (*разгораться*) flare up (*тж. перен.*); из и́скры ~и́тся пла́мя the spark will kíndle a flame; сно́ва ~е́лась борьба́ the strife flared up agáin; 2. (*тв.; испытывать внезапное увлечение чем-л.*) be seized / inflámed [...siːzd...] (with), be smítten (with) *разг.*; ~ любо́вью be smítten with love [...lʌv]; ~ жела́нием be seized with a lóng⁞ing / desíre [...-'zaiə] (for).

возгорди́ться *сов.* (*тв.*) becóme* proud (of); (*стать кичливым*) (begín* to) plume òne⁞sélf (on), get* concéited [...-'siː-] (about); get* a swélled head [...hed] (óver) *разг.*

возгоре́ться *сов. см.* возгора́ться.
воздава́ть, возда́ть (*вн., тв.*) rénder (*d.*); ~ по́чести (*дт.*) rénder hómage (to); ~ кому́-л. по заслу́гам rewárd smb. accórding to his desérts [...-'zə:-]; ~ до́лжное кому́-л. give* smb. his due; ~ добро́м за зло rénder good for évil.
возда́ть *сов. см.* воздава́ть.
воздая́ние *с. уст.* réquital, récompénse; (*возмездие*) rètribútion.
воздвига́ть, воздви́гнуть (*вн.*) eréct (*d.*); ~ па́мятник raise / eréct a mónument. ~ся, воздви́гнуться 1. aríse*; 2. *страд. к* воздвига́ть.
воздви́гнуть(ся) *сов. см.* воздвига́ть(-ся).
воздви́жение *с.* (*церк. праздник*) Èxaltátion of the Cross.
воздева́ть, возде́ть: возде́ть ру́ки *поэт., уст.* lift up one's hands.
возде́йств||**ие** *с.* (на *вн.*) ínfluence (upón, on, óver); мора́льное ~ ascéndancy / ínfluence (óver); физи́ческое ~ còercion, force; ока́зывать ~ (на *вн.*) ínfluence (*d.*), have an ínfluence (upón); ока́зывать мора́льное ~ (на *вн.*) bring* móral préssure to bear [...'mɔ-...bɛə] (upón). **~овать** *несов. и сов.* (на *вн.*) ínfluence (*d.*), exért ínfluence (upón), bring* ínfluence to bear [...bɛə]; ~овать на кого́-л. приме́ром ínfluence smb. by one's exámple [...-a:m-]; ~овать си́лой use force.
возде́лать *сов. см.* возде́лывать.
возде́лыва||**ть,** возде́лать (*вн.*) 1. till (*d.*); ~ зе́млю till / cúltivate the land; 2. (*выращивать*) grow* [-ou] (*d.*); ~ свёклу grow* béetroot.
воздержа́в||**шийся 1.** *прич. см.* воздержа́ться; 2. *м. как сущ.* abstáiner; ~шихся не́ было there were no àbsténtions, no one abstáined from vóting; при пяти́ ~шихся with five àbsténtions.
воздержа́ние *с.* 1. (от) absténtion (from); 2. (*умеренность*) abstémious:ness, témperance; (*половое*) cóntinence.
воздерж||**а́нность** *ж.* ábstinence; (*умеренность*) abstémious:ness, témperance. **~анный** ábstinent; (*умеренный*) abstémious, témperate. **~а́ться** *сов. см.* возде́рживаться.
возде́рж||**иваться,** воздержа́ться (от) abstáin (from), refráin (from); (*отказываться*) declíne (+ *to inf.*), fòrbéar* [-'bɛə] (from, + *ger.*); ~ от голосова́ния abstáin from vóting; ~ от еды́ abstáin from food / éating; он не мог ~а́ться от замеча́ния he could not refráin from máking a remárk; he could not forbéar from máking a remárk; he could not help máking a remárk *разг.*
возде́ть *сов. см.* воздева́ть.
во́здух I *м.* air; подыша́ть све́жим ~ом take* / get* / catch* / have a breath of fresh air [...breθ...]; ◊ на (откры́том) ~е in the ópen (air), out of doors [...dɔ:z]; вы́йти на ~е go* out of doors, go* into the fresh air; быва́ть на ~е go* out of doors; носи́ться в ~е be in the air; необходи́м как ~ nécessary as the breath of one's nóstrils, или of life.
во́здух II *м.* (*мн.* во́здухи) *церк.* veil.

воздуходу́в||**ка** *ж. тех.* blást-èngine [-endʒ], blówer [-ouə]. **~ный** *тех.* blast (*attr.*).
воздухоме́р *м. физ.* aeróметр [ɛə'rɔ-].
воздухонагнета́тельный: ~ насо́с *тех.* blást-machíne [-'ʃi:n].
воздухообме́н *м.* vèntilátion, repláce:ment of air; пробле́ма ~а в многоэта́жных зда́ниях vèntilátion próblems in múltistorey buildings [...'prɔ-...'bı-].
воздухопла́ва||**ние** *с.* aeronáutics [ɛərə-], aerostátics [ɛərə-]. **~тель** *м.* áeronaut ['ɛərə-]. **~тельный** aeronáutic [ɛərə-], aerostátic [ɛərə-]; *воен.* ballóon (*attr.*).
возду́шно-кана́т||**ный:** ~ая доро́га áerial rópe:way ['ɛə-...].
возду́шно-косми́ческий áerospáce ['ɛərə-] (*attr.*).
возду́шн||**ость** *ж.* (*лёгкость*) áiriness, líghtness. **~ый 1.** air (*attr.*), áerial ['ɛə-]; ~ое простра́нство áirspàce; ~ое сообще́ние air sérvice, áerial commùnicátion; прямо́е ~ое сообще́ние diréct air sérvice; ~ая ли́ния áir-lìne; ~ая по́чта air mail; ~ый шар ballóon; ~ый винт áirscrew, propéller; ~ая я́ма *ав.* áir-pòcket; ~ый флот air fleet; air fórces *pl.*; ~ый пара́д air displáy; ~ая ата́ка air attáck; ~ая война́ air wárfàre, war in the air; ~ая трево́га áir-raid wárning; ~ый мост áirlift; ~ый кана́л *ан.* air duct / cónduit [...-dit]; ~ый насо́с áir-pùmp; ~ая прово́дка *эл.* óver:head wires [-'hed...] *pl.* 2. (*лёгкий*) áiry, light; ◊ ~ый змей kite; ~ый пиро́г merìngue [-'ræŋ]; посла́ть ~ый поцелу́й кому́-л. kiss one's hand to smb.; посыла́ть ~ые поцелу́и blow* kisses [-ou-...]; ~ые за́мки castles in the air, castles in Spain.
воззва́ние *с.* appéal; (*провозглашение*) pròclamátion, Стокго́льмское ~ the Stóckhòlm Appéal [...-houm-...]; ~ о запреще́нии а́томного ору́жия the Appéal to ban atómic wéapons [...'we-].
воззва́ть *сов. см.* взыва́ть.
воззре́ние *с.* 1. view [vju:]; 2. *мн.* views, idéas [aı'dıəz], opínions; áttitude *sg.*, óutlook *sg.*
воззри́ться *сов.* (на *вн.*) *разг.* stare (at).
вози́ть I, *опред.* везти́, *сов.* повезти́ (*вн.*) 1. convéy (*d.*), cárry (*d.*), take* (*d.*); (*в телеге*) cart (*d.*); (*кого-л. в экипаже и т. п.*) drive* (*d.*); (*привозить*) bring* (*d.*); 2. (*тянуть — о лошади и т. п.*) draw* (*d.*).
вози́ть II *разг.*: ~ нога́ми shuffle one's feet.
вози́ться I 1. (*без доп.*; *шуметь — о детях*) romp; 2. (*копошиться*): в углу́ кто́-то во́зится smb. is búsy, *или* búsying him:sélf, óver there in the córner [...'bızı...]; 3. (с *тв.*) *разг.* (*заниматься*) spend* much time (óver); mess abóut (with) *пренебр.*; (*о причиняющем хлопоты, затруднения*) have trouble [...trʌ-] (with), bóther (with), have bóther (with); что ты там так до́лго во́зишься? what are you bóthering / méssing abóut with so long?; он опя́ть во́зится со свое́й маши́ной he is agáin háving trouble, *или* tínkering, with his car; она́ во́зится на ку́хне she is póttering abóut in the kítchen.
вози́ться II *страд. к* вози́ть I.
во́зк||**а** *ж. разг.* cárriage [-rıdʒ]; ~на теле́ге cártage, cárting; дров оста́лось

на три ~и three cártloads of wood are left [...wud...].
возлага́ть, возложи́ть (*вн.* на *вн.*) lay* (*d.* on), place (*d.* on); (*перен.*) entrúst (*d.* to); ~ вено́к на моги́лу lay* a wreath* on *a* grave; возложи́ть свою́ рабо́ту на кого́-л. entrúst the job to smb.; возложи́ть отве́тственность на кого́-л. put* the mátter in smb.'s hands; ~ поруче́ние на кого́-л. entrúst smb. with *a* task; ~ кома́ндование на кого́-л. give* smb. the command [...-a:nd]; ~ наде́жды (на *вн.*) set* / pin one's hopes (on), repóse / place one's hopes (in); ~ отве́тственность на кого́-л. за что́-л. make* smb. respónsible for smth.; ~ (всю) вину́ на кого́-л. lay* / put* the (whole) blame on smb. [...houl...], lay* / put* all the blame on smb.
во́зле *нареч. и предл.* (*рд.*) by, near, close by [klous...]; ~ него́ by / near him; by his side, besíde him.
возлежа́ть, возле́чь *уст., шутл.* reclíne.
возле́чь *сов. см.* возлежа́ть.
возликов||**а́ть** *сов.* rejóice; наро́д ~а́л the péople rejóiced [...pi:-...].
возлия́ние *с.* libátion.
возложи́ть *сов. см.* возлага́ть.
возлюби́ть *сов.* (*вн.*) *уст.* love [lʌv] (*d.*); ~ бли́жнего своего́ love one's néighbour.
возлю́бленная *ж. скл. как прил.* swéetheart [-ha:t], belóved [-'lʌvɪd]; one's love [...lʌv], lády-lòve [-lʌv] *шутл.*; girl-friend ['g- -fre-].
возлю́бленный I *прил.* belóved [-'lʌvɪd].
возлю́бленный II *м. скл. как прил.* swéetheart [-ha:t], belóved [-'lʌvɪd], one's love [...lʌv]; bóy-friend [-fre-].
возме́здие *с.* rètribútion, réquital; (*кара*) púnishment ['pʌ-]; заслу́женное ~ desérved / condígn púnishment [-'zə:vd -'daın -'pʌ-]; получи́ть ~ be réquited / púnished [...'pʌ-].
возмести́ть *сов. см.* возмеща́ть.
возмечта́ть *сов.*: ~ о себе́ *разг.* concéive / form a high opínion of òne:sélf [-'si:v...].
возмещ||**а́ть,** возмести́ть (что-л. кому́-л.) cómpènsate (for smth. smb.), make* up (for smth. to smb.); возмести́ть кому́-л. расхо́ды rè:fúnd smb.'s expénses; ~ кому́-л. убы́тки *юр.* indémnify smb. for lósses. **~е́ние** *с.* 1. (*действие*) còmpènsátion; (*тк. о расходах*) rè:ímbùrsement, indèmnificátion; 2. (*сумма*) cómpènsation; (*тк. о расходах*) indémnity; (*по суду́*) dámages *pl.*
возмо́жно I 1. *прил. кратк. см.* возмо́жный; 2. *предик. безл.* it is póssible, it may be, it is not ùn:líkely; е́сли ~ if póssible; о́чень ~ quite póssible, very líke:ly; о́чень ~, что it may well be that, it is very líke:ly that, it is quite póssible that; ско́лько ~ (*с сущ. в ед. ч.*) as much as póssible; (*с сущ. во мн. ч.*) as many as póssible; наско́лько ~ as far as póssible.
возмо́жно II 1. *нареч.* (*при сравн. ст.*) as... as póssible; ~ скоре́е as soon as póssible; ~ быстре́е as quick as póssible;

ВОЗ – ВОИ

~ лу́чше as well as póssible; 2. *как вводн. сл.* póssibly, perháps.

возмо́жн||ость *ж.* 1. pòssibílity; 2. (*удобный случай*) òpportúnity, chance; предоста́вить кому́-л. ~ give* smb. a chance, give* / affórd smb. an òpportúnity; предоста́вить кому́-л. широ́кую ~ provide smb. with ample òpportúnity; когда́ предста́вится ~ when an òpportúnity óffers / occúrs, *или* presénts itsélf [...-'zents...]; 3. *мн.* means, resóurces [-'sɔ:sɪz]; материа́льные ~ости means; произво́дственные ~ости prodúction potèntiálities; ~ости, зало́женные (в *пр.*) potèntiálities inhérent / látent (in), potèntiálities (of); ◇ по (ме́ре) ~ости as far as póssible, within the límits of the póssible; при пе́рвой ~ости as soon as póssible; at one's éarliest convénience [...'ɜ:-...], at the first òpportúnity. ~ый *прил.* póssible, féasible [-z-]; 2. *с. как сущ.*: сде́лать всё ~ое do one's útmòst, do all in one's pówer, do one's (lével) best [...'le-...].

возмужа́л||ость *ж.* matúrity; (*тк. о мужчине*) virílity, mánhood. ~ый grown-úp [-oun-], matúre; (*тк. о мужчине*) virile, mánly; вы́глядеть ~ым have a virile look.

возмужа́ть *сов.* 1. (*стать взрослым*) grow* up [-ou...]; be grown up [...-oun...]; come* to man's estáte *поэт.*; 2. (*окрепнуть*) gain in strength, grow* stróng(er).

возмути́тельно I 1. *прил. кратк. см.* возмути́тельный; 2. *предик. безл.* it is a scándal, it is scándalous; ~! disgústing!, disgráce:ful!, shócking!

возмути́тельн||о II *нареч.* scándalous:-ly, outrágeous:ly. ~ый scándalous, revólting, outrágeous, disgráce:ful, shócking.

возмути́ть(ся) *сов. см.* возмуща́ть(ся).

возмуща́ть, возмути́ть (*вн.*) 1. (*приводить в негодование*) revólt (*d.*), fill with ìndignátion (*d.*), rouse the indignátion (of), make* indignant (*d.*); си́льно ~ кого́-л. make* smb.'s blood boil [...blʌd...], éxásperàte smb. (*d.*); 2. *уст.* (*побуждать к мятежу*) stir up (*d.*); 3. *поэт.* (*выводить из состояния покоя*) tróuble [trʌ-] (*d.*), distúrb (*d.*), pertúrb (*d.*). ~ся, возмути́ться 1. (*чем-л., кем-л.*) be indignant (at smth., with smb.), be filled with ìndignátion (at smth., at smb.), be éxásperàted (by smth., by smb.); (*сильно негодовать*) be óutràged; 2. (*против*) *уст.* (*восставать*) rebél (agáinst).

возмущ||е́ние *с.* 1. (*негодование*) ìndignátion; (*от оскорбления, обиды*) reséntment [-'z-]; 2. *уст.* (*восстание*) rebéllion, ìnsurréction; 3. *астр.* pèrturbátion; магни́тное ~ *физ.* mágnetic distúrbance. ~ённый 1. *прич. см.* возмуща́ть; 2. *прил.* (*тв.*) ìnsígnant (at).

возногради́ть *сов. см.* вознагражда́ть.

вознагражд||а́ть, вознагради́ть (*вн. за вн.*) rewárd (*d.* for), récompènse (*d.* for); (*возмещать*) make* up (to smb. for); cómpènsàte (*d.* for). ~е́ние *с.* rewárd, récompènse; (*оплата*) remùnerátion, (*гонорар*) fee; (*компенсация*) còmpènsátion; за (небольшо́е) ~е́ние for a (small) consìderátion.

вознаме́риваться, вознаме́риться (+ *инф.*) concéive a desígn / idéa [-'si:v...-'zaɪn aɪ'dɪə] (+ to *inf.*); он вознаме́рился уе́хать he took it into his head to leave [...hed...].

вознаме́риться *сов. см.* вознаме́риваться.

вознегодова́ть *сов.* be filled with ìndignátion; (на что-л., кого́-л.) be indignant (at smth., with smb.).

возненави́деть *сов.* (*вн.*) concéive a hátred [-i:v...] (for), come* to hate (*d.*).

вознесе́ние *с.* (*церк. праздник*) Ascénsion (Day).

вознести́(сь) *сов. см.* возноси́ть(ся).

возник||а́ть, возни́кнуть aríse*, spring* up; come* into exístence / béìng; crop up *разг.*; (*появляться*) appéar; у него́ возни́кла мысль it has occúrred to him; у него́ возни́кло чу́вство he had a féeling; но́вые города́ ~а́ют по всей стране́ new towns are spríng:ing up, *или* coming into béìng, all over the cóuntry [...'kʌ-]; причи́на ~нове́ния пожа́ра órigin of the fire; ~нове́ние жи́зни на земле́ beginnings of life on Earth [...ɜ:θ]; ~нове́ние но́вых городо́в emérgence / rise of new towns; задо́лго до его́ ~нове́ния (*о городе и т. п.*) long before it came into béìng / exístence.

возни́кнуть *сов. см.* возника́ть.

возни́ца *м.* driver; (*кучер*) cóach:man*.

возноси́ть, вознести́ (*вн.*) *поэт.* raise high (*d.*), ùplíft (*d.*). ~ся, вознести́сь 1. *поэт.* (*подниматься*) rise*; (*возвышаться*) tówer; 2. *разг.* (*становиться высокомерным*) become* concéited [...'si:-], become* stúck-úp.

возня́ *ж. разг.* 1. fuss, bústle (*шум*) noise, rácket; мыши́ная ~ (*перен.*) pétty íntrìgues [...-i:gz] *pl.*; 2. (*хлопоты*) bóther, tróuble [trʌ-].

возоблад||а́ть *сов.* (над) prevaíl (óver); чу́вство до́лга ~а́ло над стра́хом sense of dúty prevaíled over fear.

возобнов||и́ть(ся) *сов. см.* возобновля́ть(ся). ~ле́ние *с.* renéw:al; (*после перерыва*) resúmption [-'zʌ-], rè:commènce:ment; (*пьесы*) revival.

возобновля́ть, возобнови́ть (*вн.*) renéw (*d.*); (*после перерыва*) resúme [-'z-] (*d.*), rè:commènce (*d.*); (*о пьесе*) revive (*d.*); ~ абонеме́нт, догово́р renéw a subscríption, an agréement; ~ заня́тия resúme / rè:commènce léssons; ~ диплома́тические отноше́ния resúme dìplomátic relátions; ~ перегово́ры rè:ópen / resúme negòtiátions / talks / discússions [...-gou-...]. ~ся, возобнови́ться 1. rè:commènce; 2. *страд. к* возобновля́ть.

возо́к *м.* closed sleigh.

возомни́ть *сов.*: ~ о себе́ have too high an opínion of òne:sélf, get* a false idéa of one's own impórtance [...fɔ:ls aɪ'dɪə... oun...].

возопи́ть *сов. уст.* cry out.

возра́д||оваться *сов. уст.* be òver:jóyed; так, что не ~уешься *шутл.* ≅ you'll get it hot, you'll catch it.

возраж||а́ть, возрази́ть 1. (*против*) objéct (to), raise an objéction (to, agáinst), take* excéption (to); про́тив э́того не́чего бы́ло возрази́ть nothing could be said agáinst that [...sed...]; не ~а́ю I don't mind, I have no objéction; вы не ~а́ете? have you any objéction?, do you mind?; ему́ все единоду́шно ~а́ли all with one accórd oppósed him; 2. (*отвечать*) retúrn, rejoin; (*резко*) retórt. ~е́ние *с.* objéction; (*резкий ответ*) retórt; без ~е́ний! don't árgue!; ~е́ний нет there is no òpposítion [...-'zɪ-], no one is against.

возрази́ть *сов. см.* возража́ть.

во́зраст *м.* age; одного́ ~а of the same age; преде́льный ~ age límit; шко́льный ~ school age; в ~ of / at the age of...; aged...: в ~е 15 лет at the age of 15, aged 15; ◇ на ~е of age; no lónger a child; вы́йти из ~а (для чего́-л.) be too old (for smth.), pass the age, excéed the age limit; (*для военной службы и т. п.*) be óver age; вы́йти из шко́льного ~а be no lónger of school age.

возраст||а́ние *с.* growth [-ouθ], íncrease [-s]; (*особ. о звуках*) augmèntátion. ~а́ть, возрасти́ grow* [-ou], íncrease [-s]; (*особ. о звуках*) augmént. ~а́ющий 1. *прич. см.* возраста́ть; 2. *прил.:* ~а́ющая ско́рость *физ.* àccéleràted velócity; ~а́ющая прогре́ссия *мат.* in:creasing progréssion [-s-].

возрасти́ *сов. см.* возраста́ть.

возрастн||о́й *прил.* к во́зраст; ~ ценз age quàlificátion; ~ая гру́ппа age group [...gru:p].

возроди́ть(ся) *сов. см.* возрожда́ть(ся).

возрожда́ть, возроди́ть (*вн.*) 1. (*восстанавливать*) revive (*d.*); ~ к жи́зни restóre to life (*d.*), resúscitàte (*d.*); 2. (*вливать силы*) regénerate (*d.*), breathe new life (into), revìtalize [-'vaɪ-] (*d.*). ~ся, возроди́ться 1. revive; 2. (*почувствовать прилив энергии и т. п.*) retúrn to life, be restóred to life; 3. *страд. к* возрожда́ть.

Возрожде́ни||е *с. ист.* Renáissance, Renáscence; эпо́ха ~я Renáissance, Renáscence.

возрожде́ние *с.* revival, rè:birth, renáscence; ~ к жи́зни rè:birth; ~ промы́шленности rè:birth / revival of índustry.

во́зчик *м.* cárter, cárrier.

возыме́ть *сов.* (*вн.*) concéive [-i:v] (*d.*), form (*d.*); ~ жела́ние concéive a desíre [...-'zaɪə]; ~ наме́рение form the inténtion; ◇ ~ де́йствие have / prodúce an effèct; ~ си́лу come* into force.

во́ин *м.* fighting man*; wárrior *поэт.* ~ский military; (*подобающий военному*) mártial; ~ская часть mìlitary únit; ~ский по́езд military / troop train; ~ский дух martial spírit; ~ские до́блести military válour [...'væ-]; ~ские по́чести mìlitary hónours [...'ɔ-]; всео́бщая ~ская обя́занность ùnivérsal military òbligátion; ~ская пови́нность liability for military service.

войнственно I *прил. кратк. см.* войнственный.

войнственн||о II *нареч.*: вы́глядеть ~ look béllicòse [...-s]; быть ~ настро́енным be béllicòse. ~ость *ж.* bèllicósity, wárlike cháracter [...'k-]. ~ый mártial; wárlike; béllicòse [-s] (*тж. перен.*); ~ый вид, тон wárlìke / béllicòse air, tone.

войнство с. тк. ед. собир. ármy, host [hou-].
войнствующий mílitant.
воистину нареч. trúly, in truth [...truːθ], indéed; vérily уст.
войтель м., **~ница** ж. поэт. fighter.
вой м. тк. ед. howl, hówling; (жалобный) whine; (о плаче) wail; ~ ветра wail / wáiling of the wind [...wɪ-]; поднять ~ set* up a howl / wail.
войло||к м. thick felt. ~**чный** felt (attr.).
войн||а ж. war; (ведение войны) wárfare; гражданская ~ civil war; партизанская ~ pàrtisán / guer(r)illa wárfare [-ˈz-gə-...]; Великая Отечественная ~ the Great Pàtriótic war [...-eɪt...]; справедливая ~ just war; мировая ~ world war; империалистическая ~ impérialist war; морская ~ nával wárfare, sea war; химическая ~ chémical / gas wárfare [ˈke-...]; воздушная ~, ~ в воздухе air wárfare, war in the air; холодная ~ cold war; термоядерная ~ núclear wárfare; началась ~ war broke out; объявить ~у (дт.) declare war (on); вести ~у wage war, fight* a war; находиться в состоянии ~ы (с тв.) be at war (with); на ~е in the war; бороться против ~ы fight* against war.
войска мн. troops; force(s); сухопутные ~ land fórces; ~ прикрытия cóvering force [ˈkʌ-...] sg.: бронетанковые ~ ármour:ed troops / fórces; ~ связи signal troops; commùnicátion troops амер.; инженерные ~ sáppers; (в Англии) (Róyal) Èngineers [...endʒ-]; наёмные ~ mércenary ármy sg., mércenaries.
войско с. ármy; fórces pl. ~**вой** ármy (attr.), mílitary.
войти сов. см. **входить**.
вокабула ж. 1. лингв. vócable; 2. (заглавное слово словарной статьи) héadwòrd in díctionary [ˈhed-], éntry.
вокализация ж. лингв., муз. vòcalizátion [voukəlaɪ-].
вокализм м. лингв. vócal:ism.
вокализы мн. муз. éxercise in vòcalizátion [...voukəlaɪ-] sg.
вокалист м. муз. vócalist [ˈvou-].
вокальн||ый vócal; ~**ая музыка** vócal músic [...-z-].
вокзал м. (ráilway) státion búilding [...ˈbɪ-]; морской ~ port arríval and depárture búilding; maríne pássenger términal [-iːn -ndʒə-...]; речной ~ ríver-boat státion [ˈrɪ-...].
вокзальный прил. к вокзал.
вокруг нареч. и предл. (рд.) round, aróund; осматриваться ~ look aróund; ~ света round the world; путешествие ~ света vóyage round the world; ◇ вертеться, ходить ~ да около разг. ≅ beat* about the bush [...buʃ].
вол м. ox*, búllock [ˈbu-]; ◇ работать как ~ ≅ work like a horse, или a Trójan.
волан м. 1. (оборка) flounce; 2. (для игры) shúttle:còck; игра в ~ báttle:dòre and shúttle:còck.
волглый damp, húmid.
волдырь м. (пузырь) blíster; (шишка) bump.
волевой 1. vòlítional [vou-]; ~ импульс vòlítional ímpulse; 2. (решитель- ный) stróng-willed, résolùte [-z-], detérmined.
волеизъявление с. will; (желание) desíre [-ˈz-].
волейбол м. спорт. vólley-báll. ~**ист** м., ~**истка** ж. vólley-bàller, vólley-báll pláyer.
волейбольный прил. к волейбол.
волей-неволей нареч. wílly-nílly, like it or not.
волжан||ин м., ~**ка** ж. nátive of the Vólga région.
волжский Vólga (attr.), of the Vólga.
волк м. wolf* [wulf]; ◇ в овечьей шкуре a wolf in sheep's clóthing [...-ou-...]; морской ~ разг. old salt, séa-dòg; ~ом смотреть scowl, lour; хоть ~ом вой it's enóugh to make you despáir [...ɪˈpɛə...]; с ~ами жить — по-волчьи выть посл. ≅ when in Rome do as the Rómans do, who keeps cómpany with the wolf will learn to howl [...ˈkʌm-...lɜːn...]; ~ов бояться — в лес не ходить посл. ≅ nothing vénture, nothing have.
волк-машина ж. текст. willow.
волкодав м. wólf-hound [ˈwu-].
волна ж. (в разн. знач.) wave; (разбивающаяся у берега) bréaker [-eɪkə]; большая ~ héavy wave [ˈhe-...], bíllow; взрывная ~ blast; электромагнитные волны eléctromàgnetic waves; растущая ~ недовольства rísing tide of díscontént.
волнен||ие с. 1. àgitátion; (душевное) emótion; (нервное состояние) nérvousness; (сильная тревога) alárm; в ~ии àgitáted, excíted; 2. (на воде) chóppiness, róughness [ˈrʌf-]; на море ~ rough / héavy sea [rʌf heˈ-...]; 3. мн. (беспорядки) ún:rést; distúrbance(s).
волнист||ый wávy; (о металле) córru- gàted; ~**ые волосы** wávy hair sg.
волнительный разг. = волнующий.
волновать, **взволновать** (вн.) 1. àgitàte (d.), trouble [trʌ-] (d.); (возбуждать) excíte (d.); (умы) stir (d.); (беспокоить) distúrb (d.), wórry [ˈwʌ-] (d.); (тревожить) alárm (d.); (расстраивать) upsét* (d.); волнуемый воспоминаниями troubled by mémories [trʌ-...]; 2. (о поверхности чего-л.) rúffle (d.). ~**ся**, **взволноваться** 1. be àgitáted, be in àgitátion; (быть расстроенным) be upsét; (беспокоиться) be distúrbed, be wórried [...ˈwʌ-], be únːeasy [...-zɪ]; (тревожиться) be alármed; (нервничать) be nérvous; get* / be excíted; ~ся из-за чего-л. wórry abóut smth. [ˈwʌ-...], fret òneːsélf about smth.; 2. (о воде) be chóppy / àgitáted; (слегка) rípple; (о море) be rough [...rʌf]; (вздыматься) rise* in waves, surge, bíllow; 3. тк. несов. уст. (о народных волнениях) be in a state of férment / únːrést.
волнов||ой физ. wave (attr.); (идущий волнами) úndulatory; ~**ая теория** wave théory [...ˈθɪə-...]; ~**ое движение** úndulatory / úndulàting móve:ment [...ˈmuːv-].
волнолом м. bréakwàter [-eɪkwɔː-].
волномер м. рад. wáve-mèter.
волнообразн||ый úndulàting, úndulatory, wávy; ~**ая поверхность** úndulàting / wávy súrface; ~**ая обмотка** эл. wave winding.

ВОИ — ВОЛ **В**

волнорез м. bréakwàter [-eɪkwɔː-].
волноуловитель м. рад. wave detéctor.
волнушка ж. (гриб) córal mílky cap [ˈkɔ-...].
волнующ||ий (тревожный) pertúrbing, distúrbing; (нервирующий) nérve-ràcking; (возбуждающий) excíting, stírring; (полный очарования) thrílling; ~**ие события** stírring evénts; ~**ая речь** móving speech [ˈmuːv-...]; ~**ая пьеса** stírring / thrílling play; ~ **голос** thrílling voice.
волов||ий прил. к вол; ~**ья шкура** óx-hide.
волок м. pórtage (carrying place between two navigable waters).
волокита I ж. (канцелярская) red tape; pròcrastinátion.
волокита II м. уст. разг. (ухаживатель) ládies' man*, ládykiller; старый ~ old spark / rake.
волокитчик м. разг. réd-tápist [-ˈteɪ-], réd-tápe mérchant / mónger [...ˈmʌ-]; pròcrástinàtor.
волокнист||ый fíbrous; ~ **лён** fíbrous flax; ~**ое мясо** stríng:y meat.
волокно с. fibre, fílament; (дерева) grain; искусственное ~ àrtifícial fibre.
волоком нареч.: тащить ~ (вн.) разг. drag (d.), tow (d.); переправлять ~ (вн.) pórtage (d.).
волокуш||а ж. с.-х. sweep / búnching búck-ràke; тракторная ~ tráctor móunted búck-ràke.
волонтёр м. vòluntéer.
волоокий óx-eyed [-aɪd].
Волопас м. (созвездие) Boötes [-tiːz].
волос м. hair; конский ~ hórseːhair; светлые ~ы fair hair sg., седые ~ы grey hair sg.; ◇ ~ы становятся дыбом one's hair stands on end; это притянуто за ~ы it is fàr-fétched; краснеть до корней волос blush to the roots of one's hair; ни на ~ not a grain; рвать на себе ~ы tear* one's hair [tɛə-...]. ~**атик** м. зоол. háir-wòrm. ~**атый** háiry; hírsùte научн.; (косматый) shággy. ~**истый** мин. fíbrous. ~**ной** физ. capíllary; ~**ные сосуды** анат. capíllaries.
волосность ж. физ. càpillárity.
волос||ок м. 1. уменьш. от **волос**; 2. (в часах) háirspring; (в электрической лампочке) fílament; (в оптическом приборе) hair; ◇ быть на ~ от чего-л. be within a háirbreadth of smth. [...-bre-...]; висеть, держаться на ~ке hang* by a thread [...θred]; не тронуть ~ка у кого-л. not touch a hair of smb.'s head [...tʌtʃ...hed].
волостной прил. к волость.
волость ж. ист. vólost (small rural district).
волосяной прил. к волос; ~ **покров** (головы) scalp; ~ **матрас** hórseːhair máttress.
волоч||ение с. 1. drágging; 2. тех. wire-dráwing. ~**ильный** тех. wire-dráwing (attr.); ~**ильная машина** dráwing-machine [-ˈʃiːn]; ~**ильная доска** тех. dráw-plàte. ~**ильщик** м. wire-dráwer. ~**ить** (вн.) 1. drag (d.); ~**ить подол** drággle one's skirts; ~**ить ноги** (при

ВОЛ – ВОО

ходьбе) shuffle one's feet; éле нóги ~и́ть *разг.* be hárdly áble to drag one's legs alóng; 2. *тех.* draw* (*d.*).

волочи́ться I drag, trail, be drágged, be tráiled.

волочи́ться II (за *тв.*) *разг.* (*уха́живать*) dángle (áfter), run* (áfter), chase [-s] (áfter).

волхв *м.* sóothsayer, sórcerer.

волхвы́ *мн. рел.* the Mági, the Three Wise Men.

волча́нка *ж. мед.* lúpus.

волча́та *мн. см.* волчо́нок.

во́л∥чий *прил. к* волк; lúpine *научн.*; ~чья шу́ба wólfskin coat ['wu-...]; ~чья пасть *мед.* cleft pálate; ~чья я́года *бот.* spúrge-flax; ~чья я́ма *воен.* wólf-hòle ['wu-]; ◇ ~ аппети́т *разг.* gargántuan áppetite; получи́ть ~ па́спорт *разг.* get* on the black list, be bláck-listed.

волчи́ха *ж.*, **волчи́ца** *ж.* shé-wòlf [-'wu-].

волчко́м *нареч.*: верте́ться ~ spin* round and round, spin* like a top.

волчо́к *м.* (*игрушка*) whípping top.

волчо́нок *м.* wólf-cùb ['wu-].

волше́б∥ник *м.* magícian, sórcerer, wízard ['wɪ-]. ~ница *ж.* enchántress [-ɑ:n-], sórceress. ~ный mágic(al); (*чарующий*) be:witching, enchánting [-ɑ:n-]; ~ные зву́ки mágic / be:witching sounds; ~ная красота́ enchánting béauty [...'bju:-]; ◇ ~ное ца́рство Fáiryland, enchánted kíng:dom [-ɑ:n...]; ~ный фона́рь mágic lántern; ~ная па́лочка mágic wand. ~ство́ *с.* mágic, sórcery; (*очарование*) mágic, enchántment [-ɑ:n-]; по ~ству́ by mágic.

волы́н∥ить *разг.* procrástinate, dáwdle, deláy, slack; что он ~ит? why does he keep on pútting it off?

волы́нка I *ж.* (*музык. инструмент*) bágpipes *pl.*

волы́нк∥а II *ж. тк. ед. разг.* (*медлительность, затягивание дела*) dáwdling, deláy, dilátoriness, léngthy búsiness [...'bɪzn-]; тяну́ть ~у dáwdle; drag out, be dilátory.

волы́нщик I *м.* (*музыкант*) píper.

волы́нщик II *м. разг.* dáwdler.

вольгóтн∥о *нареч. разг.* in fréedom. ~ый *разг.* cáre:free, free and éasy [...-zɪ], untrámmelled; ~ая жизнь cáre:free life.

вольéр *м.*, ~а *ж.* ópen-air cage; en:clósure [-'klouʒə].

во́льн∥ая *ж. скл. как прил. ист.* létter of enfránchise:ment; дава́ть кому́-л. ~ую give* smb. his fréedom.

во́льница I *ж. тк. ед. собир. ист.* fréemen *pl.*; óutlaws *pl.* (*runaway serfs, Cossacks, etc., in Muscovite Russia*).

во́льница II *м. и ж. разг.* sélf-willed pérson, child*.

во́льничать (с *тв.*) take* líberties (with), make* free (with).

во́льно *нареч.* 1. (*свободно*) fréely; 2. *воен., спорт.* at ease; ~! (*команда*) stand at ease!

во́льно *предик. разг.*: ~ тебе́ it's of your own chóosing [...oun...], you your:sélf chose it, of your own free will.

вольноду́м∥ец *м. уст.* frée-thìnker. ~ный *уст.* frée-thinking. ~ство *с. уст.* frée-thìnking.

вольнолюби́вый *уст.* fréedom-lòving [-lʌ-].

вольномы́слие *с. уст.* frée-thìnking, free thought.

во́льно∥наёмный civílian (*employed in or for military establishment*). ~определя́ющийся *м. скл. как прил. ист.* (в а́рмии) vòlunteer.

вольноотпу́щенн∥ик *м. ист.* (о рабе) emáncipated slave; fréed:man*; (о крепостном) emáncipated serf. ~ица *ж. ист.* fréed:wòman* [-wu-]. ~ый *ист.* 1. *прил.* freed, emáncipated; 2. *м. как сущ.* = вольноотпу́щенник.

во́льно∥практику́ющий: ~ врач prívate práctitioner ['præ-...]. ~слу́шатель *м.*, ~слу́шательница *ж. уст.* "lécture:gòer" (*permitted to attend university, etc., lecture courses without having the formal status of student*).

во́льн∥ость *ж.* 1. líberty, fréedom; поэти́ческая ~ poétic lícence [...'laɪ-]; 2. (*излишняя непринуждённость*) líberty, familiárity; в обраще́нии úndue familiárity; позволя́ть себе́ ~ости take* líberties; 3. *ист.* líberties *pl.*, rights *pl.* ~ый 1. free; 2. (*не стеснённый законами и т. п.*) un:rèstrícted; ~ая прода́жа un:rèstrícted sale; по ~ой цене́ at an agréed price; 3. *спорт.* frée-style; ~ая борьба́ frée-style wréstling; 4. (*излишне непринуждённый*) free; famíliar; (*нескромный*) impudent; ~ое поведе́ние ímpudent behàviour; ◇ ~ый го́род free city [...'sɪ-]; ~ая га́вань free port; ~ый перево́д free translátion [...-ɑ:n-]; ~ые упражне́ния floor éxercises [flɔ:...]; на ~ом во́здухе in the ópen (air); ~ая пти́ца *разг.* one's own máster [...oun...].

вольт I *м. физ.* volt.

вольт II *м.* (*конный спорт*) vólte ['vɔltɪ].

вольта́ж *м. физ.* vóltage.

вольта́метр *м. физ.* vòltámeter [vɔ-].

вольте́ровск∥ий [-тэ-]: ~ое кре́сло Vóltaire ármchàir ['vɔltɛə...] (*deep and high-backed*).

вольтерья́н∥ец [-тэ-] *м. ист.* Vòltáirian [vɔ-]. ~ство [-тэ-] *с. ист.* Vòltáirianism [vɔ-].

вольтиж∥ёр *м. спорт.* equéstrian ácrobat / váulter, trick-rìder. ~и́ровать *спорт.* do ácrobàtics, *или* vault (on hórse:bàck). ~иро́вка *ж. спорт.* equéstrian váulting.

вольтме́тр *м. физ.* vólt:mèter.

вольфра́м *м. хим.* túngsten [-ŋs-]. ~овый túngsten [-ŋs-] (*attr.*); ~овая ла́мпочка túngsten lamp; ~овая руда́ túngsten ore.

волюнтари́зм *м. филос.* vóluntarism.

волю́та *ж. арх.* volúte.

во́л∥я *ж.* 1. (*в разн. знач.*) will; свобо́дная ~ free will; си́льная ~ strong will; име́ть си́лу ~и сде́лать что-л. have the will-pòwer, *или* the strength of will / mind, to do smth.; лю́ди до́брой ~и people of good will [pi:-...]; э́то в ва́шей ~е it is in your pówer; по до́брой ~е vóluntarily, of one's own free will [...oun...], of one's own accórd; по свое́й ~е of one's own free will; не по свое́й ~е against one's own free will; помимо его́ ~и in spite of him:sélf; ~ к побе́де will to win; 2. (*свобода*) fréedom, líberty; он на ~е he is at líberty, he is free; отпуска́ть на ~ю (*вн.*) set* at líberty (*d.*), líberàte (*d.*); 3. (*отмена крепостного права*) Emàncipátion; ◇ ~ ва́ша *разг.* as you please, as you like; дава́ть себе́ ~ю let* òne:sélf go; дава́ть ~ю чему́-л. (*чувствам и т. п.*) give* vent to smth.; не дава́ть ~и своему́ чу́вству keep* / hold* one's féeling(s) in check, curb one's féeling(s); дава́ть ~ю воображе́нию give* free rein to one's imàginátion; дава́ть ~ю рука́м *разг.* be réady / free with one's hands / fists [...'re-...]; ~ею судéб as the fates decrée, as fate (has) willed; на ~ю (*на свежий воздух*) into the fresh air, into the ópen.

вон I 1. *нареч.* (*прочь*) out; вы́йти ~ go* out; вы́гнать ~ (*вн.*) drive* out (*d.*), turn out (*d.*); 2. *как межд.*: ~! get / go awáy!; ~ отсю́да!, пошёл ~! get out (of here)!, clear out!; ~ его́! out with him!; ◇ из рук ~ пло́хо thóroughly bad ['θʌ...]; сде́лать что-л. из рук ~ пло́хо búngle a job, make* a hash of smth.; из ря́да ~ выходя́щий óut:stànding, extraórdinary [ɪks'trɔ:dnrɪ], un:úsual [-ʒu-], out of the cómmon (run); э́то у меня́ (совсе́м) из ума́ ~ *разг.* it quite escáped me, I had clean forgótten it.

вон II *частица* (*там*) there, óver there; ~ он идёт there he is / goes; ◇ ~ он како́й! so that's the sort of féllow he is, is it?; ~ оно́ что! *разг.* so that's it!

вонз∥а́ть, вонзи́ть (*вн.* в *вн.*) stick* (*d.* into); (о кинжале и т. п.) thrust* (*d.* into); plunge (*d.* into). ~а́ться, вонзи́ться 1. pierce [pɪəs], go* into; 2. *страд. к* вонза́ть. ~и́ть(ся) *сов. см.* вонза́ть(ся).

вон∥ь *ж. разг.* stink, stench. ~ю́чий *разг.* stínking, fétid. ~ю́чка *ж.* 1. *зоол.* skunk; 2. *м. и ж. разг.* (*о человеке*) stínker. ~я́ть (*тв.*) stink* (of); reek (of); (*без доп. тж.*) have a foul / fétid smell.

вообража́ем∥ый imáginary; ~ая ли́ния *мат.* imáginary line.

вообра∥жа́ть, вообрази́ть (*вн.*) imágine (*d.*), fáncy (*d.*); вообрази́ть себе́ что-л. imágine smth., take* smth. into one's head [...hed], fáncy smth.; ◇ вообрази́те! fáncy!; ~ о себе́ *разг.* think* too much of òne:sélf; fáncy òne:sélf; ~а́ю! *разг.* I can just imágine! ~жа́ться, вообрази́ться 1. seem; 2. *страд. к* вообража́ть. ~же́ние *с.* imàginátion; спосо́бность ~же́ния imáginative:ness; име́ть (большу́ю) си́лу ~же́ния be (híghly) imáginative, have a great pówer of imàginátion [...greɪt...]; в ~же́нии in imàginátion, in fáncy, in the mind's eye [...aɪ]; живо́е ~же́ние líve:ly imàginátion; э́то то́лько твоё ~же́ние it's just your imàginátion; ему́ не хвата́ет ~же́ния he lacks imàginátion.

вообраз∥и́мый imáginable. ~и́ть(ся) *сов. см.* вообража́ть(ся).

вообще *нареч.* 1. (*в общем*) in géneral, génerally (spéaking); (*в целом*) áltogether [-'ge-], on the whole [...h-], upón the whole; 2. (*всегда*) álways ['ɔːlwəz]; он ~ такóй he is álways like that; 3. (*совсем—при* не, *если*) at all: он ~ не придёт he won't come at all [...wount...]; ◊ ~ говоря́ (*в общем*) génerally spéaking; (*собственно говоря*) as a mátter of fact.

воодушеви́ть(ся) *сов. см.* воодушевля́ть(ся).

воодушевл‖**éние** *с.* 1. (*действие*) inspíriting, róusing; 2. (*увлечение*) árdour, enthúsiasm [-zɪ-], férvour; (*вдохновение*) inspirátion. **~ённый** 1. *прич. см.* воодушевля́ть; 2. *прил.* enthusiástic [-zɪ-], férvent; (*вдохновенный*) inspíred.

воодушевля́ть, воодушеви́ть (*вн.*) inspíre (*d.*); (*побуждать к деятельности*) héarten ['hɑːt-] (*d.*), inspírit (*d.*); (*увлекать*) inspíre / fill with enthúsiasm [...-zɪ-] (*d.*). **~ся**, воодушеви́ться be ánimated, be inspíred, be filled with enthúsiasm [...-zɪ-].

воруж‖**áть**, вооружи́ть 1. (*вн. тв.; прям. и перен.*) arm (*d.* with); (*перен. тж.*) make* máster (*d.* of), put* in posséssion [...-ze-] (*d.* of); вооружи́ть когó-л. зна́ниями arm / equíp smb. with knówledge [...'nɔ-]; вооружи́ть когó-л. необходи́мыми све́дениями instrúct smb., supplý smb. with informátion; **~ённый те́хникой** armed with téchnical means / appliánces; 2. (*вн. против; восстанавливать*) instígate (*d.* against), set* (*d.* against). **~ся**, вооружи́ться 1. arm; (*тв.; перен.*) arm / províde / fúrnish òneself (with); вооружи́ться до зубо́в be armed to the teeth; **~и́ться терпе́нием** arm òneself with pátience, be pátient, have pátience; вооружи́ться знания́ми arm / equíp òneself with knówledge / informátion [...'nɔ-]; 2. *страд. к* вооружа́ть. **~éние** *с.* 1. (*действие*) árming; 2. (*оружие*) ármament; arms *pl.*; быть, состоя́ть на ~éнии (*рд.*) be adópted (by, in); име́ть на ~éнии (*вн.*) be armed (with); приня́ть, взять на ~éние add to one's ármoury; сокраще́ние ~éний redúction of arms; 3. (*приспособления, принадлежности*) equípment; réquisites [-zɪts] *pl.*; па́русное ~éние *мор.* (sáiling) rig. **~ённый** 1. *прич. см.* вооружа́ть; 2. *прил.* armed; (*тв.; перен.*) posséssed [-'ze-] (of), in posséssion [...-'ze-] (of), armed (with); **~ённые си́лы** armed fórces; **~ённое восста́ние** armed revólt / rísing / insurréction; rísing in arms; **~ённое столкнове́ние** armed cónflict; (*стычка*) pássage of arms; **акт ~ённой агре́ссии** act of armed aggréssion; ◊ ~ённый до зубо́в armed to the teeth. **~и́ть(ся)** *сов. см.* вооружа́ть(ся).

воо́чию *нареч.* with one's own eyes [...oun aɪz]; ~ убеди́ться в чём-л. see* smth. with one's own eyes, see* smth. for òneself.

во-пе́рвых *вводн. сл.* first, first of all, in the first place, for one thing; first:ly (*тк. при перечислении*).

вопи́ть *разг.* yell, howl.

вопию́щ‖**ий** scándalous, crýing; ~ая несправедли́вость crýing injústice; ~ факт scándalous thing / mátter; ~ее безобра́зие crýing shame; ~ее противоре́чие flágrant / gláring contradíction; ◊ глас ~его в пусты́не voice (crýing) in the wilderness.

вопия́ть *уст.* cry out, clámour, shout.

воплоти́ть(ся) *сов. см.* воплоща́ть(ся).

воплощ‖**áть**, воплоти́ть (*вн.*) incárnate (*d.*), embódy [-'bɔ-] (*d.*); (*олицетворять*) persónify (*d.*); ~ в себе́ be the incárnation (of), be the persónificátion / embódiment (of), persónify (*d.*); ~ в жизнь réalize ['rɪə-] (*d.*), embódy (*d.*), convért into a fact (*d.*). **~áться**, воплоти́ться be incárnated / embódied [...-'bɔ-]; (*олицетворяться*) be persónified; (*осуществляться*) be réalized [...'rɪə-]. **~éние** *с.* incárnation, embódiment; (*олицетворение*) persónificátion; (*осуществление*) realizátion [rɪəlaɪ-]; он ~éние скупости he is méanness persónified / incárnate; он ~éние здоро́вья he is the picture of health [...helθ]. **~ённый** 1. *прич. см.* воплоща́ть; 2. *прил.* incárnate; (*олицетворённый*) persónified (*после сущ.*); он ~éнное благоро́дство he is the soul of hónour [...soul...'ɔnə]; он ~éнная че́стность he is hónesty itsélf [...'ɔn-...].

вопль *м.* yell, howl, scream, (loud) cry; ~ отча́яния howl of despáir; ~ души́ cry from the heart [...hɑːt], cri de cœur (*фр.*) [kriːdəˈkəː].

вопреки́ *предл.* (*дт.*) in spite of; despíte; (*несмотря*) nòtwithstánding; (*противно*) against; (*наперекор*) in defiance of, regárdless of, in the teeth of, cóntrary to; ~ всем пра́вилам regárdless of the rules, in the teeth of évery rule; ~ чьему́-л. жела́нию nòtwithstánding / despíte / agáinst smb.'s wíshes; ~ да́нному слову in spite of one's prómise [...-ɪs]; ~ чьему́-л. сове́ту agáinst, *или* regárdless of, smb.'s advíce.

вопро́с *м.* (*в разн. знач.*) quéstion [-stʃ-]; (*дело тж.*) mátter; (*предмет спора, обсуждения*) íssue; (*проблема*) próblem ['prɔ-]; зада́ть ~ ask / put* a quéstion; спо́рный ~ moot point, vexed quéstion; ~ не в э́том that is not the quéstion; что за ~? what a quéstion!, of course! [...kɔːs]; ~ состои́т в том, что the quéstion / próblem is; весь ~ в том, что́бы (+ *инф.*) the whole point is [...houl...] (+ to *inf.*); оста́ться под ~ом remáin undecíded; поста́вить под ~ (*вн.*) quéstion (*d.*), call in quéstion (*d.*); э́то ещё ~, согласи́тся ли он it remáins to be seen whéther he will agrée; подня́ть ~ raise a quéstion; изучи́ть ~ stúdy *the* quéstion ['stʌ-...], go* into *the* quéstion; ~ вре́мени quéstion of time; ~ че́сти point of hónour [...'ɔnə]; ~ жи́зни и сме́рти a mátter of life and death [...deθ]; э́то совсе́м друго́й ~ that is quite anóther, *или* a dífferent, mátter / quéstion; ~ы, стоя́щие в поря́дке дня the agénda *sg.*; ítems on the agénda.

вопроси́тельн‖**ый** interrógative; (*о взгляде, тоне и т. п.*) inquíring, quéstioning [-stʃ-]; of inquíry; ~ знак quéstion-màrk [-stʃ-], note / mark of interrogátion; ~ое предложе́ние *грам.* interrógative séntence.

BOO — ВОР **В**

вопроси́ть *сов. см.* вопроша́ть.

вопро́сник *м.* quèstionnáire [kwestɪəˈnɛə].

вопро́сный: ~ лист quéstion-pàper [-stʃ-]; form.

вопрош‖**áть**, вопроси́ть (*вн.*) *уст.* inquíre (of), quéstion [-stʃ-] (*d.*). **~áющий**: ~áющий взгляд inquíring look.

вор *м.* thief* [θiːf]; (*мелкий*) pilferer; карма́нный ~ píckpocket; магази́нный ~ shóplifter; держи́те ~а! stop thief*!; ◊ на ~е ша́пка гори́т *погов.* ≅ an únéasy cónscience betráys itsélf [...-zɪ-ʃəns...].

во́рвань *ж.* tráin-oil, blúbber-oil.

ворва́ться *сов. см.* врыва́ться II.

вори́шка *м.* pilferer, pétty thief* [...θiːf]; (*малолетний вор*) young thief* [jʌn].

ворков‖**áние** *с.* cóoing. **~ть** coo; (*перен.*) bill and coo.

воркотня́ *ж. разг.* grúmbling.

воробе́й *м.* spárrow; ◊ ста́рого ~ья́ на мяки́не не проведёшь an old bird is not caught with chaff; стре́ляный, ста́рый ~ *разг.* knówledge:able old bird ['nɔl-...], old stáger.

вороб‖**ьи́ный** *прил. к* воробе́й; pásserine *научн.*; ~ья́ ста́я flock of spárrows; ◊ ~ья́ ночь short súmmer night; (*с грозой или зарницами*) thúndery súmmer night.

воров‖**áнный** stólen. **~áтый** *разг.* thíevish [θiː-], fúrtive, stéalthy ['ste-].

воров‖**áть** (*вн.*) steal* (*d.*); be a thief* [...θiːf]; (*о мелкой краже*) pílfer (*d.*); filch (*d.*), pinch (*d.*) *разг.*; ~ что-л. у кого́-л. steal* / filch smth. from smb.

воро́в‖**ски́й** *м.* thief* [θiːf]. **~скі́** *нареч.* thíevishly ['θiːv-], in an únderhànd way. **~ско́й** *прил. к* вор; (*свойственный вору*) thíevish ['θiːv-]; ~ско́й жарго́н thieves' cant / Látin [θiː-...]; ~ско́й прито́н den of thieves; ~ски́е приёмы thíevish méthods. **~ство́** *с.* stéaling, theft; (*мелкое*) pílfering, fílching, pínching *разг.*; занима́ться ~ство́м be a thief* [...θiːf]; ◊ литерату́рное ~ство́ plágiarism.

ворожба́ *ж. тк. ед. уст.* sórcery; fortune-tèlling [-tʃən-].

ворож‖**ея́** *ж. уст.* fórtune-tèller [-tʃən-], sóothsayer. **~и́ть**, поворожи́ть *уст.* tell* fórtunes [...-tʃənz]; ~и́ть кому́-л. tell* smb.'s fórtune; ◊ ему́ ба́бушка ~и́т ≅ (*о том, кому́ всё легко́ даётся*) he holds good cards; (*о том, кто пользуется протекцией*) he has a friend at court [...freː...kɔːt].

во́рон *м.* ráven; ◊ ~ у глаз не выклюет *посл.* ≅ dog does not eat dog; crows do not pick crow's eyes [-ouz...aɪz].

воро́на *ж.* crow [-ou]; (*перен.: ротозей*) gawk, gáper, lóafer; ◊ ~ в павли́ньих пе́рьях ≅ daw in péacock's féathers [...'fe-]; ~ счита́ть *разг.* gape; бе́лая ~ rára ávis; пу́ганая ~ куста́ бои́тся ≅ a burnt child dreads the fire [...dredz...].

воронён‖**ый** *тех.* blued; ~ая сталь blue(d) steel, búrnished steel.

ВОР – ВОС

воро́ний *прил.* к воро́на; córvine *научн.*

ворони́ть (*вн.*) *тех.* blue (*d.*), búrnish (*d.*).

воро́нка *ж.* 1. (*для наливания*) fúnnel; 2. (*яма*) cráter; (*от снаряда*) shéll-hòle; ми́нная ~ míne-cràter.

воронкообра́зный fúnnel-shàped.

во́ронов: цве́та ~а крыла́ ≅ jét-black; ráven-blàck.

воро́н||о́й black: ~а́я ло́шадь black horse; ◇ прокати́ть на ~ы́х (*вн.*) *уст. разг.* (забаллоти́ровать) bláckbàll (*d.*).

воронье́ *с. тк. ед. собир.* cárrion-cròws [-ouz] *pl.* (*тж. перен.*).

во́рот I *м.* (*одежды*) cóllar; схвати́ть за ~ (*вн.*) take* by the scruff of the neck (*d.*), cóllar (*d.*).

во́рот II *м. тех.* winch, wíndlass ['wind-].

воро́та *мн.* gate *sg.*, gates; (*в футбо́ле*) goal *sg.*; (*в кроке́те*) hoop *sg.*; шлю́зные ~ lóck-gàte *sg.*; стоя́ть в ~х stand* in the gáte:wày; пройти́ ми́мо воро́т (*о мяче*) miss the goal; ◇ триумфа́льные ~ triúmphal arch *sg.*; пришла́ беда́ — отворя́й воро́та *посл.* ≅ misfórtunes never come síngly [-tʃɔnz-]; it never rains but it pours [...rɔːz].

вороти́ла *м. разг.* big pot, big noise, bígwig, boss.

вороти́ть I *сов. разг.* = верну́ть 3; сде́ланного не воро́тишь what's done can't be úndòne [...kɑːnt...].

вороти́ть II *разг.* 1. (*вн.*): ~ нос (от) turn up one's nose (at); его́ воро́тит от э́того it makes him sick to look at this; 2. (*распоряжа́ться*) = воро́чать 2.

вороти́||ться *сов. разг.* retúrn; он уже́ ~лся he is back.

вороти́к *м.* cóllar; стоя́чий ~ stánd-ùp cóllar.

воротничо́к *м.* cóllar; крахма́льный ~ stiff cóllar; мя́гкий ~ soft cóllar.

воро́тн||ый: ~ая ве́на *анат.* pórtal vein.

во́рох *м.* pile; heap (*тж. перен.*); ~ бума́г pile / heap of pápers; ~ новосте́й heaps / lots of news [...-z] *pl.*; ~ ра́зных дел a heap of things to do; heaps / lots of things to do *pl.*

воро́чать *разг.* 1. (*вн.*) move [muːv] (*d.*), shift (*d.*); (*переворачивать*) turn (*d.*); 2. (*тв.; распоряжа́ться*) run* (*d.*); have contról [...-oul] (of); boss (*d.*), be boss (of); всем ~ be the boss; boss the whole show [...houl ʃou] *разг.*; больши́ми дела́ми ~ boss / big shot; ◇ ~ глаза́ми roll one's eyes [...aiz].

~ся *разг.* 1. turn; (*с боку на бок*) toss and turn; (*пошевеливаться*) move [muːv]; 2. *страд.* к воро́чать 1.

вороши́ть *разг.* stir up (*d.*); turn up (*d.*); ~ се́но toss the hay. **~ся** *разг.* move about [muːv...].

ворс *м. тк. ед.* (*сукна́*) nap; (*ба́рхата, ковра́*) pile; по ~у with the nap / pile; про́тив ~а agáinst the nap / pile. **~и́стый**: ~и́льная ши́шка *текст.* téasel [-zl]. **~и́льщик** *м.* téaseler [-z-]. **~и́нка** *ж.* 1. hair; 2. *анат., бот.* fíbre.

~и́стый 1. fléecy, with a thick pile; 2. *бот.* lánate.

ворс||и́ть = ворсова́ть. **~ова́льный**: ~ова́льная маши́на fríezing machíne ['friːz- -'ʃiːn]. **~ова́ние** *с. текст.* téaseling [-z-], téasing.

ворсова́ть (*вн.*) *текст.* tease (*d.*).

ворсов||о́й, во́рсовый nap (*attr.*), with nap; ~а́я ткань matérial with nap.

ворч||а́ние *с.* 1. grúmbling; grúmble; 2. (*соба́ки*) grówling. **~а́ть** (на *вн.*) 1. grúmble (at); ~а́ть себе́ под нос mútter (into one's beard); 2. (*о собаке*) growl (at), snarl (at).

ворчли́в||о *нареч.* péevishly, quérulous:ly. **~ость** *ж.* péevishness, quérulousness. **~ый** grúmbling, gróusing, quérulous; (*брюзгли́вый*) grúmpy *разг.*

ворчу́н *м.*, **ворчу́нья** *ж.* grúmbler.

восвоя́си *нареч. разг.*: отпра́виться ~ go* home, go* back where one came from.

восемна́дцати- (*в сло́жн. слова́х, не приведённых осо́бо*) of eightéen, или eightéen — *соотв. тому́, как даётся перево́д второ́й ча́сти сло́ва; напр.* восемна́дцатидне́вный of eightéen days, eightéen-day (*attr.*) (*ср.* -дне́вный: of... days, -day *attr.*); восемна́дцатиме́стный with berths, seats for 18; (*о самолёте, автомаши́не и т. п.*) eightéen-séater (*attr.*) (*ср.* -ме́стный).

восемна́дцатиле́тний 1. (*о сро́ке*) of eightéen years; eightéen-year (*attr.*); 2. (*о во́зрасте*) of eightéen; eightéen-year-óld; ~ ю́ноша a youth of eightéen [...juːθ...], eightéen-year-óld youth.

восемна́дцат||ый eightéenth; ~ое апре́ля и т. п. the eightéenth of Ápril, *etc.* [...'eɪ-]; Ápril, *etc.*, the eightéenth; страни́ца, глава́ ~ая page, chápter eightéen; ~ но́мер númber eightéen; ему́ (пошёл) ~ год he is in his eightéenth year; одна́ ~ая one eightéenth.

восемна́дцать *числит.* eightéen; ~ раз eightéen times eightéen; eightéen eightéens.

во́семь *числит.* eight.

во́семьдесят *числит.* éighty; ~ оди́н и т. д. éighty-òne, *etc.*; ~ пе́рвый и т. д. éighty-fírst, *etc.*; лет ~ (*о вре́мени*) about éighty years; (*о во́зрасте*) about éighty years; лет ~ тому́ наза́д about éighty years agó; ему́ лет ~ he is / looks about éighty; ему́ под ~ he is néarly éighty; ему́ под ~ (перевали́ло) за ~ he is óver éighty, he is in his éighties; челове́к лет восьми́десяти a man* of / about éighty; в восьми́десяти киломе́трах (от) éighty kilòmetres (from).

семьсо́т *числит.* eight húndred.

во́семью *нареч.* eight times; ~ во́семь eight times eight.

воск *м.* wax [wæ-], bées:wàx [-zwæ-]; натира́ть ~ом (*вн.*) wax (*d.*); ◇ го́рный ~ míneral wax; ozócerite [-ou-], ozókerite [-ou-] *научн.*

воскли́кнуть *сов. см.* восклица́ть.

восклица́||ние *с.* exclamátion. **~тельный** exclámatory; ~тельный знак exclamátion mark; note / mark of exclamátion.

восклица́ть, воскли́кнуть exclaím, cry.

восковка *ж.* wáx-pàper ['wæ-].

восковни́ца *ж. бот.* wáx-mýrtle ['wæ-].

восков||о́й *прил.* к воск; (*перен.*) wáxen ['wæ-]; ~а́я свеча́ wax candle [wæ-...]; ~о́е лицо́ wáxen compléxion; ◇ ~а́я спе́лость, зре́лость wax stage of rípe:ness.

воскрес||а́ть, воскре́снуть rise* agáin, rise* from the dead [...ded] (*d.*); (*перен.*) revíve, be resúrrected [-zə-]; ~ в па́мяти come* back, recúr to one's mémory. **~е́ние** *с. рел.* resurréction [-zə-]; (*перен.*) revíval.

воскресе́нь||е *с.* (*день*) Súnday [-dɪ]; по ~ям on Súndays, every Súnday.

воскреси́ть *сов. см.* воскреша́ть.

воскре́сник *м.* vóluntary Súnday work [...-dɪ...].

воскре́снуть *сов. см.* воскреса́ть.

воскре́сный *прил.* к воскресе́нье; ~ день Súnday [-dɪ].

воскре||ша́ть, воскреси́ть (*вн.*; возвраща́ть к жи́зни*) raise from the dead [...ded] (*d.*); (*перен.*) revíve (*d.*), resúscitàte (*d.*); (*оживля́ть*) reánimàte (*d.*); (*в па́мяти*) recáll (*d.*); ~си́ть наде́жду у кого́-л., в ком-л. make* smb. hópeful agáin, give* smb. new hope; воскреси́ть в па́мяти про́шлое cónjure up the past ['kʌn-...]. **~ше́ние** *с.* resurréction [-zə-]; ráising from the dead [...ded]; (*перен.*) revíval.

воскури́ть *сов. см.* воскуря́ть.

воскуря́ть, воскури́ть: ~ фимиа́м кому́-л. sing* smb.'s práises, praise smb. to the skies.

воспал||е́ние *с.* inflammátion; ~ лёгких pneumónia [njuː'mounjə]; ~ брюши́ны peritonítis; ро́жистое ~ erýsipelas; ~ кишо́к enterítis; ~ по́чек nephrítis; ~ по́чечных лоха́нок pyelítis. **~ённый** *прич. и прил.* inflámed; (*перен.*) féver:ed; ~ённое воображе́ние féver:ed imaginátion. **~и́тельный** inflámmatory; ~и́тельный проце́сс inflámmatory prócess, inflammátion. **~и́ть(ся)** *сов. см.* воспаля́ть(ся), **~я́ть**, воспали́ть (*вн.*) *уст.* inflàme (*d.*). **~я́ться**, воспали́ться becòme* inflámed (*тв.; перен.*) be inflámed (with, by); ~и́ться гне́вом flare up with rage.

воспари́ть *сов. уст.* soar; ◇ ~ мы́слью have lófty thoughts.

воспева́ть, воспе́ть (*вн.*) sing* (*d.*, of), glórify ['glɔː-], célebràte (*d.*).

воспе́ть *сов. см.* воспева́ть.

воспита́ние *с.* 1. èducátion; (*ребёнка тж.*) úpbring:ing; (*подготовка*) tráining; полити́ческое ~ polítical èducátion; коммунисти́ческое ~ Cómmunist èducátion; физи́ческое ~ phýsical tráining [-zɪ-...]; 2. (*воспи́танность*) bréeding, good bréeding.

воспи́танн||ик *м.*, **~ица** *ж.* 1. púpil; *мн. тж.* boys, girls [g-]; alúmni *амер.*; ~ де́тского до́ма ínmate of a Children's Home; он ~ де́тского до́ма (*бы́вший*) he was brought up in a Children's Home; 2. (*приёмыш*) ward. **~ость** *ж.* bréeding, good bréeding. **~ый** 1. *прич. см.* воспи́тывать; 2. *прил.* well brought up; cóurteous ['kəːtɪəs]; ду́рно ~ый íll-bréd, bád:ly brought up.

воспита́тель *м.* èducàtor; (*в часто́м до́ме*) tútor; его́ воспита́телем был ста́рший брат he was brought up by his élder bróther [...'brʌð-]; он хоро́ший

~ he is a good* educator. ~**ница** ж. téacher, místress; (в частном доме) góverness ['gʌ-]. ~**ный** educátional, éducative; ~**ная** работа educátional work; ◇ ~**ный** дом уст. fóundling hóspital. ~**ский** прил. к воспитатель.

воспитать(ся) сов. см. воспитывать(-ся).

воспитывать, воспитать 1. (вн.) bring* up (d.), rear (d.); (давать образование) éducate (d.); ~ ребёнка в уважении к труду bring* up a child* to respéct work, или to hold work in respéct; 2. (кого-л. из кого-л.) train (smb. to be smb.), éducate (smb. to be smb.); воспитать из кого-л. педагога train smb. to be a teacher; 3. (вн.; прививать, внушать) fóster (d.), cúltivate (d.); ~ в ребёнке любовь к Родине bring* up a child* to love its country [...lʌv... 'kʌ-]. ~**ся**, воспитаться be brought up.

воспламен|ение с. ignítion, inflammátion. ~**ить(ся)** сов. см. воспламенять(-ся). ~**яемость** ж. inflammability. ~**яемый** inflámmable, flámmable.

воспламенять, воспламенить (вн.) set* on fire (d.), ignite (d.); (перен.) fire (d.), inflame (d.). ~**ся**, воспламениться take* / catch* fire; ignite; (вспыхивать) blaze up; (перен.) take* fire, flare up.

восполнить сов. см. восполнять.

восполнять, восполнить (вн.) fill in (d.), supply (d.); восполнить пробел make* up a déficiency, meet* a lack, fill a want; ~ пробелы в своих знаниях fill in the gaps in one's knówledge [...'nɔ-]; ~ что-л. чем-л. make* up for smth. with smth.

воспользоваться сов. (тв.) avail onesélf (of), prófit (by), take* advántage [...-'va:-] (of); (присвоить) apprópriate (d.); ~ случаем (+ инф.) take* occásion [...siːz...] (+ to inf.); take* / seize the opportúnity (+ of ger.), aváil onesélf of the opportúnity (+ to inf., of ger.); ~ своим законным правом avail onesélf of one's láwful rights, use / éxercise one's láwful rights.

воспоминание с. 1. recolléction, mémory, réminiscence; 2. мн. лит. mémoirs [-mwɑːz], réminiscences; ◇ осталось одно ~ разг. ≅ not a trace is left.

воспослéдов|ать сов. уст. fóllow, ensúe; вскоре ~ало решение shórtly áfter a decísion ensúed.

воспрепятствовать сов. (кому-л. в чём-либо) prevént (smb. from ger.); (чему-л.) prevént (smth.), hínder ['hɪ-] (smth.).

воспрет|ительный уст. prohíbitive. ~**ить** сов. см. воспрещать.

воспре|щать, воспретить (вн.) forbíd* (d.), prohíbit (d.); ~ кому-л. делать что-л. prohíbit smb. from doing smth.; вход ~щён no admíttance / éntry; курить ~щается no smóking. ~**щение** с. prohibítion [prouɪ-].

восприемни|к м. церк. gódfather [-fɑː-]. ~**ца** ж. церк. gódmother [-mʌ-].

восприимчив|ость ж. recéptivity; susceptibílity; (ср. восприимчивый). ~**ый** 1. (об уме) recéptive, quick on the uptáke; ~**ый** ребёнок intélligent child*; 2. (подверженный влияниям) suscéptible; ~**ый** к болезням suscéptible to diséase [...-'z-].

воспринимать, воспринять (вн.) percéive [-'siːv] (d.), apprehénd (d.); (постигать) grasp (d.), take* in (d.); (вн. как; понимать) take* (d. as, for), intérpret (d. as); неправильно ~ что-л. misàpprehénd smth., misínterpret smth.; это решение было воспринято с удовлетворением this decísion was wélcomed.

восприн|ять сов. см. воспринимать. ~**ятие** с. percéption.

воспроизв|едéние с. rèprodúction. ~**вести(сь)** сов. см. воспроизводить(ся). ~**водительный** rèprodúctive.

воспроизводить, воспроизвести (вн.) 1. rèprodúce (d.); 2. (в памяти) recáll (d.), call to mind (d.); 3. (повторять) repéat (d.); 4. (воссоздавать) rénder (d.); 5. (перепечатывать) réprint (d.). ~**ся**, воспроизвестись 1. be rèprodúced; (возникать вновь) repéat, recúr; 2. (в памяти) recúr (to one's mind), come* back (to one's mémory, to smb.); 3. страд. к воспроизводить.

воспроизводство с. эк. rèprodúction; простое ~ rèprodúction on a simple scale, simple rèprodúction; расширенное ~ rèprodúction on an enlárged scale, exténded rèprodúction.

воспротивиться сов. см. противиться.

воспрянуть сов. cheer up, líven up; ◇ ~ духом take* heart [...hɑːt], héarten up ['hɑː-...]; ~ ото сна rise* from one's sleep / slúmbers.

воспылать сов. (тв.) be inflámed (with), blaze up (with); ~ гневом be inflámed / afíre / ablaze with ánger; ~ негодованием be fired with indignátion; ~ любовью (к) become* enámoured (of); be smítten with love [...lʌv] (for) разг.

восседать sit* (in state, sólemnly).

воссесть сов.: ~ на престол уст. mount the throne.

восславить сов. см. восславлять.

восславлять, восславить (вн.) praise (d.), éulogize (d.).

воссоедин|éние с. rèúnion, rèunificátion. ~**ённый** прич. и прил. rèúnited. ~**ить(ся)** сов. см. воссоединять(ся).

воссоединять, воссоединить (вн. с тв.) rèúnite (d. with). ~**ся**, воссоединиться 1. (с тв.) rèúnite (with); 2. страд. к воссоединять.

воссозд|авать, воссоздать (вн.) rè-créate (d.); (восстанавливать) rèconstitúte (d.), rèconstrúct (d.), renéw (d.); ~**ать** в памяти recáll (d.), rèconstitúte (d.) / renéw in the mind (d.), call up (d.). ~**аваться**, воссоздаться 1. be rè-créated / rèconstrúcted / rèconstitúted; 2. страд. к воссоздавать. ~**ание** с. rè-creátion; rèconstitútion, rèconstrúction, renéwal; (ср. воссоздавать). ~**ать(ся)** сов. см. воссоздавать(ся).

восставать, восстать (против) 1. rise* (agáinst); oppóse stróngly (d.); (поднимать восстание) rise* in rebéllion (agáinst); ~ с оружием в руках rise* in arms (agáinst); 2. (противиться) revólt (agáinst), be up in arms (agáinst).

восстáвить сов. (вн.): ~ перпендикуляр (к) мат. raise a pèrpendícular (to).

ВОС — ВОС   В

восстанáвливать, восстановить 1. (вн.; в разн. знач.) restóre (d.), rè-estáblish (d.), rèhabílitate [riːə-] (d.); (возобновлять) renéw (d.); ~ хозяйство restóre the económy [...iː-]; ~ чьё-л. здоровье restóre smb. to health [...he-]; ~ (своё) здоровье recóver one's health [-'kʌ-...]; ~ положение воен. restóre / retríeve the situátion [...-iːv...]; ~ отношения restóre / rè-estáblish relátions; 2. (кого-л. в чём-л.) rèinstáte (smb. in smth.); ~ кого-л. в правах restóre smb.'s rights, rèhabílitate smb.; 3. (вн.; припоминать) call to mind (d.), recáll (d.), rècolléct (d.); 4. (кого-л. против) set* (smb. agáinst); ~ кого-л. против себя turn smb. agáinst onesélf, àntágonize smb.; 5. (вн.) хим. redúce (d.). ~**ся**, восстановиться 1. rèhabílitate onesélf [riːə-...]; 2. (о здоровье) be restóred; 3. страд. к восстанавливать.

восстáние с. (úp)rising, revólt, insurréction; вооружённое ~ armed revólt / rising / insurréction; rising in arms; народное ~ pópular úprising.

восстановитель I м. (рабочий) repáirer, man* (emplóyed in) repáiring / restóring smth.

восстановитель II м. (средство для восстановления цвета волос) restórative for hair.

восстанов|ительный rèstorátion (attr.); ~ период périod of rèconstrúction, périod of rèhabilitátion [...'riːəbɪlɪ-]. ~**ить (-ся)** сов. см. восстанавливать(ся). ~**лéние** с. 1. rèstorátion; renéwal; (ср. восстанавливать 1); ~**лéние** промышленности rèconstrúction / rèstorátion / rèhabilitátion of índustry [...'riːə-...]; ~**лéние** здоровья recóvery of one's health [-'kʌ-... helθ]; ~**лéние** в памяти rècolléction; 2. (кого-л. в чём-л.) rèinstátement (in); ~**лéние** в правах rèstorátion of one's rights, rèhabilitátion; 3. хим. redúction. ~**лять** = восстанавливать.

восстáть сов. см. восставáть.

восток м. 1. (страна света) east; на ~, к ~у (от) to the east (of), éast(wards) [-dz] (of); мор. тж. to the éastward (of); на ~е in the east; идти, ехать на ~ go* east; 2. (В.) восточные страны the Órient (гл. обр. поэт.); Ближний Восток the Middle East, the Near East; Средний Восток the Middle East; Дальний Восток the Far East.

востоковéд м. òrientalist. ~**éние** с. òriental stúdies [...'stʌ-] pl. ~**ный**, ~**ческий** òriental; (об институте и т.п. тж.) of òriental stúdies [...'stʌ-].

восторг м. delight, enthúsiàsm [-zɪ-], rápture, écstasy; (восхищение) tránspòrts pl. разг.; быть в ~е (от) be delíghted (with), be enthùsiástic [...-zɪ-] (óver, about), be in ráptures (óver); быть вне себя от ~а (от) be in ráptures / ècstasies / tránspòrts (óver); be besíde onesélf with delíght; приводить в ~ (вн.) delíght (d.), enrápture (d.), entránce (d.); приходить в ~ (от) be delighted (with), be enthùsiástic (óver, abóut);

ВОС — ВОТ

be enráptured (with), be enchánted [...-a:n-] (with); go* into ráptures / écstasies (óver) *разг.*; не проявлять большо́го ~а по по́воду чего́-л. not be particularly enthùsiástic about smth. ~**а́ть** (*вн.*) delight (*d.*), enrápture (*d.*), rávish (*d.*), entránce (*d.*). ~**а́ться** (*тв.*) be delíghted (with), be enthùsiástic [...-zi-] (óver, about), be enráptured (with); go* into, *или* be in, ráptures / écstasies (óver) *разг.*

восто́рженн||о *нареч.* enthùsiástically [-zi-], rápturous;ly; говори́ть ~ о ком-л. speak* enthùsiástically about smb.; go* into ráptures about smb. *разг.* ~**ость** *ж.* enthùsiàsm [-zi-]; (*экзальтация*) èxaltátion. ~**ый** enthùsiástic [-zi-], rápturous; (*склонный к экзальтации*) óver-férvid, wild;ly enthùsiástic; rhapsódical; ~ый челове́к enthùsiást [-zi-]; ~ая де́вица gúshing young wóman* [...ʌn 'wu-]; ~ая голова́ wild;ly enthùsiástic pérson, óver;enthùsiástic / exálted mind [-zi-...]; ~ый о́тзыв enthùsiástic revíew [...-'vju:]; ~ая речь enthùsiástic speech; rhápsody *разг.*; оказа́ть ~ый приём (*дт.*) give* an enthùsiástic wélcome (*i.*), wélcome enthùsiástically [...-zi-] (*d.*).

восторжествова́ть *сов.* (над) tríumph (óver).

восто́чник *м. разг.* òrièntalist.

восто́чн||**ый** east, éastern*; (*о культуре и т.п.*) òriéntal; (*о направлении, ветре*) éasterly; ~ ве́тер east / éasterly wind [...wind]; ~ая грани́ца éastern fróntier [...'frʌn-]; ~ая часть го́рода east end, éast(ern) part of *a* town; в ~ом направле́нии éastwards [-dz]; in an éasterly diréction; ~ая Евро́па Éastern Éurope; ◊ Восто́чная це́рковь the Éastern Church.

востре́бова||**ние** *с.* cláiming, demánd [-a:nd]; ◊ до ~ния (*о письмах*) to be called for; poste restante (*фр.*) ['poust 'resta:nt]; géneral delívery *амер.*; посла́ть письмо́ до ~ния send* a létter to be called for; poste restante. ~**ть** *сов.* (*вн.*) claim (*d.*).

востро́ *нареч.*: держа́ть у́хо ~ *разг.* ≃ be on the alért, be on one's guard; keep* one's weather eye ópen [...'we-a:...] *идиом.*

восхвал||**е́ние** *с.* práising, laudátion, éulogy. ~**и́ть** *сов. см.* восхваля́ть.

восхваля́ть, восхвали́ть (*вн.*) éulogize (*d.*), laud (*d.*), extól (*d.*), praise (*d.*).

восхит||**и́тельный** delíghtful; (*о красоте*) rávishing, (*прелестный*) éxquisite [-zit]; héavenly ['he-] *разг.*; (*о вкусе, запахе*) delícious. ~**и́ть(ся)** *сов. см.* восхища́ть(ся).

восхищ||**а́ть**, восхити́ть (*вн.*) enrápture (*d.*), delight (*d.*); (*более сильно*) rávish (*d.*). ~**а́ться**, восхити́ться (*тв.*) admíre (*d.*), be delíghted (with); (*увлекаться*) be cárried awáy (by). ~**е́ние** *с.* admirátion, delight, rápture; с ~ением admíringly, with admirátion; быть в ~ении = восхища́ться. ~**ённый** *прич. и прил.* enráptured; *прил.* admíring; (*восторженный*) ráptúrous; ~ённое внима́ние rapt atténtion.

восхо́д *м.* rísing; ~ со́лнца súnrise.

восходи́тель *м.* móuntain-climber [-klaimǝ], Álpinist ['æl-].

восхо||**ди́ть**, взойти́ 1. *поэт.* = всходи́ть 1, 2; 2. *тк. несов.* (к источнику) go* back (to), date (from); (к эпохе и т.п.): э́то восхо́дит к XV ве́ку it goes back, *или* it can be traced back, to the fifteenth céntury. ~**дя́щий** ascénding; по ~дя́щей ли́нии in the line of ascent; ◊ ~дя́щая звезда́ rísing star.

восше́ствие *с.*: ~ на престо́л accéssion to the throne.

восьма́я 1. *прил. см.* восьмо́й; **2.** *ж. как сущ.* (*дробь*) eighth [-tθ]; *муз.* quáver.

восьмери́чн||**ый**: «и» ~ oe name of létter «и» in old Rússian òrthógraphy.

восьмёрка *ж.* **1.** *разг.* (*цифра*) an eight; **2.** (*фигура*) (figure of) eight; **3.** *карт.* the eight; ~ черве́й, пик и т.п. the eight of hearts, spades, etc. [...ha:ts...]; **4.** (*лодка*) eight (boat).

во́сьмеро *числит.* eight; для всех восьмеры́х for all eight; нас ~ there are eight of us.

восьми- (в сложн. словах, не приведённых особо) of eight, *или* éight— *соотв. тому, как даётся перевод второй части слова*; *напр.* восьмидне́вный of eight days, éight-day (*attr.*) (ср. -дне́вный: of... days, -day *attr.*); восьмиме́стный with berths, seats for 8; (*о самолёте, автомашине и т.п.*) éight-séater (*attr.*) (ср. -ме́стный).

восьмивесе́льный éight-oared.

восьмигра́нн||**ик** *м.* òctahédron [-'he-]. ~**ый** òctahédral [-'he-].

восьмидесяти- (в сложн. словах, не приведённых особо) of éighty, *или* éighty— *соотв. тому, как даётся перевод второй части слова*; *напр.* восьмидесятидне́вный of éighty days, éighty-day (*attr.*) (ср. -дне́вный: of... days, -day *attr.*); восьмидесятиме́стный with berths, seats for 80; (*об автобусе и т.п.*) éighty-séater (*attr.*) (ср. -ме́стный).

восьмидесятиле́т||**ие** *с.* **1.** (*годовщина*) éightieth ànnivérsary; (*день рождения*) éightieth birthday; **2.** (*срок в 80 лет*) éighty years *pl.* ~**ний 1.** (*о сроке*) of éighty years, éighty-year (*attr.*); **2.** (*о возрасте*) of éighty, éighty-year-óld; ~ний мужчи́на man* of éighty, éighty-year-óld man*.

восьмидеся́тый éightieth; страни́ца ~ая page éighty; ~ но́мер númber éighty; ему́ (пошёл) ~ год he is in his éightieth year; ~ые го́ды (*столетия*) the éighties; в нача́ле ~ых годо́в in the éarly éighties [...'ə:-...]; в конце́ ~ых годо́в in the late éighties; одна́ ~ая óne-éighteenth.

восьмикла́ссн||**ик** *м.* éighth-fòrm boy; éighth-fòrmer *разг.* ~**ица** *ж.* éighth-fòrm girl [...gə:l].

восьмикра́тный éightfòld; *реже* óctuple.

восьмиле́т||**ие** *с.* **1.** (*годовщина*) eighth ànnivérsary [-tθ-]; **2.** (*срок в 8 лет*) eight years *pl.* ~**ний 1.** (*о сроке*) of eight years, éight-year (*attr.*); **2.** (*о возрасте*) of eight (years); éight-year-óld; ~ний ма́льчик boy of eight; éight-year-óld boy.

восьмисотле́т||**ие** *с.* **1.** (*годовщина*) éight-húndredth ànnivérsary, òctingèntenary [-'ti:-]; **2.** (*срок в 800 лет*) eight húndred years *pl.*, eight céntúries *pl.* ~**ний 1.** (*о сроке*) of eight húndred years; **2.** (*о годовщине*) éight-húndredth.

восьмисо́т||**ый** éight-húndredth; страни́ца ~ая page eight húndred; ~ но́мер númber eight húndred; ~ая годовщи́на éight-húndredth ànnivérsary; ~ год the year eight húndred.

восьми||**сти́шие** *с. лит.* óctave, òctét. ~**сто́пный** *лит.* éight-foot [-fut] (*attr.*); ~сто́пный ямб iàmbic òctámeter. ~**стру́нный** éight-stringed, òctachòrd [-kɔ:d].

восьмиты́сячный 1. the éight-thóusandth [...-zə-]; **2.** (*ценою в 8 000 рублей*) eight thóusand roubles worth [...-zə- ru:-...], cósting 8 000 roubles; **3.** (*состоящий из 8 000*) 8 000 strong.

восьмиуго́льн||**ик** *м. мат.* óctagon. ~**ый** òctágonal.

восьмичасово́й 1. (*о продолжительности*) of eight hours [...auǝz]; éight-hour [-auǝ] (*attr.*); ~ рабо́чий день éight-hour wórking-day; **2.** (*назначенный на восемь часов*) eight o'clóck; ~ по́езд the eight o'clock train; the eight o'clóck *разг.*

восьм||**о́й** eighth [-tθ]; ~о́е января́, февраля́ *и т.п.* the eighth of Jánuary, Fébruary, etc.; Jánuary, Fébruary, etc., the eighth; страни́ца, глава́ ~а́я page, chápter eight; ~ но́мер númber eight; ему́ (пошёл) ~ год he is in his eighth year; ему́ ~ деся́ток пошёл he is past séventy; уже́ ~ час it is past séven [...'se-]; в ~ом часу́ past / áfter séven; полови́на ~о́го half past séven [ha:f...]; три че́тверти ~о́го a quárter to eight; одна́ ~а́я one eighth. ~**у́шка** *ж.* **1.** (*вес*) an eighth of a pound [...-tθ...]; **2.** (*формат в 1/8 до́лю бума́жного листа́*) òctávo (*сокр.* 8-vo).

вот *частица* **1.** (*там*) there; (*здесь*) here; ~ хоро́ший приме́р here is a good* exámple [...-'za:-]; ~ и я here I am; ~ он бежи́т there he is rúnning; **2.** (*с сущ.; в восклицаниях*) there is, *или* there's, a... (*часто с* for you! *в конце*); ~ невежда! there's an ignorámus (for you)!; **3.** (*в сочетании с мест. и нареч.*): ~ что this / that is what; ~ где this / that is where; ~ чей this / that is whose; ◊ ~ и всё and that's all; ~ не ду́мал, что... well, I nèver thought that...; вот так так!, вот тебе (и) на! *разг.* well!, well, réally! [...'rɪǝ-]; well, I nèver!; ~ тебе и... there's / here's your...; вот тебе, вот тебе! take that, and that!; ~ ещё! indéed!; well, I like that!; what next!; вот как!, вот что! réally? ['rɪǝ-]; indéed!; is that so?; that's it, is it?; you don't say (so)!; (*слушайте*) now look here!; ~ та́к! (*одобрение*) that's the way, that's right; вот так..! (*при сущ.*) *пренебр.* а nice ~ for you! (+ *личн. форма глаг.*) that's a nice way (of *ger.*): вот так кни́га! there's a nice book for you!; вот так сказа́л! that's a nice way of tálking!, that's a nice thing to say!; —

вот так история! that's a nice búsiness / mess / thing! [...'bɪzn-...]; there's, *или* here's, a prétty kettle of fish! [...'prɪ-...] *идиом.*; ~ это да! *разг.* now, that's sóme⁞thing like!

вот-вот 1. *нареч.* (+ *буд. вр.*) just on the point (of *ger.*), just about (+ to *inf.*): он ~ уйдёт he is just on the point of góing, he is just about to go; **2.** *частица*: ~! that's it!

вотировать *несов. и сов.* (*вн.*) vote (*d.*).

воткать *сов.* (*вн.*) interwéave* (*d.*).

воткнуть *сов. см.* втыкать.

вотум *м. тк. ед.* vote; ~ доверия vote of confidence; ~ недоверия vote of no-confidence, vote of censure.

вотчин|**а** *ж. ист.* áncestral lands *pl.*, pátrimony, (pàtrimónial) estáte; смотреть на что-л. как на свою ~у look upón smth. as one's own prívate domáin ['oun 'praɪ-...]. **~ник** *м. ист.* great lándowner [greɪt -ounə]. **~ный** *ист.* pàtrimónial.

вотще *нареч. уст., поэт.* in vain.

воцар||**éние** *с.* accéssion (to the throne). **~иться** *сов. см.* воцаряться.

воцар||**иться**, воцариться **1.** *уст.* ascénd the throne; **2.** (*наступать*) set* in, be estáblished; ~илась тишина sílence fell ['saɪ-...]; ~илось молчание sílence reigned.

вошь *ж.* louse* [-s].

вощ||**áнка** *ж.* (*бумага*) wáx-páper ['wæks-]. **~ёный** waxed [wækst]. **~ина** *ж.* **1.** *собир.* (*пустые соты*) émpty hóneycòmb [...'hʌnɪkoum]; **2.** (*неочищенный воск*) únrefined béeswàx [...-zwæ-]. **~ить**, навощить (*вн.*) wax [wæks] (*d.*), pólish with wax (*d.*).

воюющ||**ий 1.** *прич. см.* воевать; **2.** *прил.* belligerent, warring; **~ая** держава belligerent pówer; **~ие** стороны the belligerents.

вояж *м. уст., ирон.* jóurney ['dʒə:-], tour [tuə].

вояка *м. ирон.* warrior; (*задира*) fighting-còck, fire-èater; cock spárrow (*гл. обр. о мальчике*).

впад||**áть**, впасть **1.** *тк. несов.* (*в вн.*; *о реке*) fall* (into), flow [flou] (into); **2.** (*в вн.*; *в какое-л. состояние*) fall* (into), lapse (into), sink* (into); ~ в задумчивость fall* into a réverie; ~ в отчаяние give* way, *или* give* òne⁞self up, to despáir; ~ в сомнение begin* to have / entertáin / hárbour doubts [...dauts]; **3.** (*без доп.*; *вваливаться — о щеках, глазах*) sink* in, become* hóllow / súnken; **4.** *тк. несов.* (*в вн.*; *принимать оттенок*) verge on (*d.*), bórder upón (*d.*). ◇ впасть в немилость fall* into disgráce; ~ в детство énter one's sécond chíld⁞hood [...'se- -hud], be in one's dótage [...'dou-], become* sénile [...'siːnaɪl]. **~ение** *с.* (*место слияния двух рек*) cónfluence; (*устье*) mouth*.

впадина *ж.* hóllow, cávity; (*о местности тж.*) depréssion; глазная ~ éye-sòcket ['aɪ-].

впаивать, впаять (*вн.*) sólder in ['soː-...] (*d.*).

впайка *ж.* **1.** (*действие*) sóldering (in) ['soː-...]; **2.** (*впаянная часть*) sóldered-in part ['soː-...].

впалый hóllow, súnken.
впасть *сов. см.* впадать 2, 3.
впаять *сов. см.* впаивать.
впервой *нареч. разг.* for the first time ever.
впервые *нареч.* for the first time; first; ~ в жизни for the first time in one's life.
вперевалку *нареч.*: ходить ~ wáddle.
вперегиб *нареч. разг.*: согнуться ~ bend* down, *или* very low [...lou].
вперегонки *нареч.*: бегать ~ run* ráces.

вперёд *нареч.* **1.** fórward, ahéad [ə'hed]; идти ~, продвигаться ~ advánce; идти прямо ~ go* straight on; **2.** (*впредь*) in the fúture, hénce⁞forward, hénce⁞forth; **3.** (*авансом*) in advánce; платить ~ pay* in advánce, pay* befóre⁞hand; **4.** *разг.*: часы (идут) ~ the clock, the watch is fast; **5.** *как межд.* fórward!; ◇ ни взад ни ~ *разг.* néither báckwards nor fórwards ['naɪ- -dz -dz]; дать несколько очков ~ give* odds / points.

впереди 1. *нареч.* in front [...-ʌnt]; ahéad [ə'hed]; before (*тж. перен.*); идти ~ go* in advánce; быть ~ be in advánce; (*в каком-л. деле*) take* the lead; у него ещё целая жизнь ~ his whole life is before him, *или* ahéad of him [...houlə'hed...]; у меня много времени ~ I have plénty of time (before me); **2.** *предл.* (*рд.*) in front of; before; идти ~ всех go* in advánce of all, go* ahéad of all.

передсмотрящий *м. скл. как прил. мор.* sáilor charged to cárry out inspéction; (*перен.*) fár-sìghted pérson.

вперемежку *нареч.* álternate⁞ly; in turn, turn and turn about; ~ с красными идут синие полосы red and blue stripes run álternate⁞ly, red stripes álternàte with blue ones.

вперемешку *нареч.* pell-mèll, hìggledy-píggledy, in a júmble; ~ с чем-л. mixed up with smth.

вперить(ся) *сов. см.* вперять(ся).

вперять(ся), вперить (*вн. в вн.*) fix (*d.* upón); вперить взор, взгляд в кого-л. fix / fásten one's gaze upón smb., stare at smb. **~ся**, впериться (*в вн.*) stare (at), fix / fásten one's eyes [...aɪz] (upón).

впечатл||**éние** *с.* (*воздействие, влияние*) ínfluence, effèct; находиться под **~ением** чего-л. be impréssed by smth.; делиться **~ениями** с кем-л. share one's impréssions / expériences with smb.; произвести ~ на кого-л. make* / prodúce an impréssion on / upón smb., impréss smb., have an effèct on smb. **~ительность** *ж.* impressionábility, sénsitive⁞ness. **~ительный** impréssionable, sénsitive. **~ять** impréss.

впивать (*вн.*) absórb (*d.*), imbíbe (*d.*).
впив||**аться**, впиться (*в вн.*) **1.** (*вонзаться*) stick* (into), pierce [pɪəs] (*d.*); (*о пиявке*) bite* (into); (*вонзать жало — о змее*) drive* its sting (into); (*о змее*) dig* its fangs (into); ~ зубами dig* one's teeth (into); ~ когтями dig* its claws (into); **2.** (*взором, взглядом, глазами*) fix one's eyes [...aɪz] (on), fix with one's eyes (*d.*), fásten one's eyes ['fɑːs'n-...] (upón); glue one's eyes (to) *разг.*; он

впился в неё глазами he couldn't take his eyes off her.

впи́санный 1. *прич. см.* вписывать; **2.** *прил. мат.* inscríbed.
вписа́ть(ся) *сов. см.* вписывать(ся).
впи́ска *ж. разг.* éntry, insértion.
впи́сывать, вписать (*вн.*) **1.** (*в список*) énter (*d.*); put* down (*d.*); (*приписывать*) insért (*d.*); **2.** *мат.* inscríbe (*d.*); ◇ вписать яркую страницу (в *вн.*) add a vívid page (to); вписать славную страницу в историю add a glórious page to history. **~ся**, вписаться (*в вн.*) **1.** *разг.* (*вступать*) join (*d.*); **2.** (*сочетаться с обстановкой*) blend (with); **3.** *страд. к* вписывать.

впита́ть(ся) *сов. см.* впитывать(ся).
впи́тыва||**ние** *с.* absórption. **~ть**, впитать (*вн.*) absórb (*d.*), drink* in (*d.*); (*перен.*) imbíbe (*d.*), take* in (*d.*). **~ться**, впитаться **1.** (*в вн.*) soak (into), be absórbed (by); **2.** *страд. к* впитывать.

впи́ться *сов. см.* впиваться.
впи́хивать, впихнуть (*вн.*) *разг.* shove in [ʃʌv...] (*d.*), push in [puʃ...] (*d.*); (*вн. в вн.*) shove (*d.* into), push (*d.* into); (*втискивать*) stuff (*d.* into), cram (*d.* into).

впихну́ть *сов. см.* впихивать.
впла́вить *сов. см.* вплавлять.
вплавля́ть, вплавить (*вн.*) fuse in (*d.*); (*вн. в вн.*) fuse (*d.* into).
вплавь *нареч.* swímming; броситься ~ jump into the water and start swímming [...'wɔː-...]; переправиться через реку ~ swim* acròss the ríver [...'rɪ-].

вплести́ *сов. см.* вплетать.
вплета́ть, вплести (*вн. в вн.*) intertwíne (with *d.*), ìnterláce (with *d.*); (*гл. обр. в волосы*) plait [plæt] (*d.* into); (*перен.*; *в речи и т. п.*) ìnterspérse (with *d.*), work (*d.* into).

вплотну́ю *нареч.* close [-s]; (*перен.*) in real éarnest [...rɪəl 'əː-]; ~ один к другому close to each other; подойти ~ к чему-л. come* close to smth.; приняться за что-л. ~ begin* to do smth., *или* get* down to smth., in real éarnest.

вплоть *частица*: ~ до (right) up to; ~ до самого утра, вечера (right) up to the mórning, the évening [...'iːv-]; ~ до мельчайших подробностей down to the smáll⁞est détails [...'diː-].

вплыва́ть, вплыть (*о человеке и животном*) swim* in; (*о лодке*) float in; (*ср. тж.* плавать и плыть).

вплы́ть *сов. см.* вплывать.
впова́лку *нареч. разг.* side by side in a row [...rou]; (*всем*) спать ~ на полу sleep* (all of them) side by side in a row on the floor [...flɔː].

вполглаза *нареч. разг.*: спать ~ sleep* with one eye ópen [...aɪ...].
вполголоса *нареч.* in an úndertòne, in a low voice [...lou]; únder one's breath [...breθ]; петь ~ hum.
вполз||**áть**, вползти (*в вн.*; *на вн.*) crawl (in, into; on, up), creep* (in, into, on, up).

вползти́ *сов. см.* вползать.
вполнака́ла *нареч.* dímly ['dɪ-]; (*перен.*) hálf-héartedly ['hɑːfhɑːt-].

вполне́ *нареч.* quite, fúlly ['fu-]; ~ успоко́енный fúlly rè:assúred [...-'ʃuəd]; э́то его́ ~ успоко́ило it rè:assúred him entíre:ly; ~ образо́ванный wéll-éducàted; ~ доста́точно quite enóugh [...ɪ'nʌf]; не ~ not quite; ~ заслужи́ть (*вн.*) be well desérving [...-'zə:-] (of); (*о похвале и т.п. тж.*) fúlly desérve [...-'zə:v] (*d.*); (*о порицании и т.п. тж.*) richly desérve (*d.*).

вполоборо́та *нареч.* hálf-túrned ['hɑ:f-]; (*о портрете*) hálf-fáce ['hɑ:f-].

вполови́ну *нареч. разг.* half [hɑ:f]; ~ бо́льше half as much; ~ ме́ньше half.

вполси́лы *нареч. разг.*: рабо́тать ~ not work to one's full capácity.

вполуоборо́т = вполоборо́та.

вполу́ха *нареч. разг.*: слу́шать ~ lísten with half an ear [-s'n...hɑ:f...].

впопа́д *нареч. разг.* ápropos ['æprəpou], to the point / púrpose [...-s].

впопыха́х *нареч. разг.* (*наскоро*) in a húrry, hástily ['heɪ-], húrry-scúrry; (*в спешке*) in one's haste / flúrry [...heɪ-...]; де́лать что-л. ~ do smth. hástily / húrry-scúrry; ~ он не заме́тил, что in his haste / flúrry he never nóticed that [...'nou-...].

впо́ру *разг.* 1. *нареч.* (*как раз по мерке*) just right; быть, прийти́сь, оказа́ться ~ (*дт.*) fit (*d.*), be the right size (for); 2. *предик.* (+ *инф.*; *только и, остаётся лишь*) one might as well (+ *inf.*), one can do little more than (+ *inf.*); ~ хоть на четвере́ньках ползти́ one might as well crawl on all fours [...fɔ:z].

впорхну́ть *сов.* flit in; (*в вн.*) flit (into).

впосле́дствии *нареч.* áfterwards [-dz], láter, láter on, súbsequently.

впотьма́х *нареч.* in the dark; броди́ть ~ (*перен.*) be in the dark.

впра́вду *нареч. разг.* réally ['rɪə-], réally and trúly.

впра́ве: быть ~ (+ *инф.*) have *a* righ*t* (+ *to inf.*).

впра́в∥ить(ся) *сов. см.* вправля́ть(ся). **~ка** *ж. хир.* sétting, redúction.

вправля́ть, впра́вить (*вн.*) *хир.* set* (*d.*), redúce (*d.*). **~ся**, впра́виться 1. set* (*d.*); 2. *страд.* к вправля́ть.

впра́во *нареч.* to the right; находи́ться ~ от чего́-л. be on / to the right of smth.

впрах = в прах *см.* прах.

впредь *нареч.* hénce:fórth, hénce:fórward, in fúture, for the fúture; (*в бу́дущем*) in the fúture; from this time ónward(s) [...-dz]; ◇ ~ до pénding, until; ~ до его́ прие́зда pénding / until his arríval, until he comes.

вприда́чу = в прида́чу *см.* прида́ча.

вприку́ску *нареч.*: пить чай ~ drink* únswéetened tea while hólding a piece of loaf súgar in one's mouth [...pi:s...'ʃu-...].

вприпры́жку *нареч.* skípping, hópping; бежа́ть ~ skip alóng, run* skípping(:ly) alóng.

вприся́дку *нареч.*: пляса́ть ~ ≅ dance squátting.

впритиркру *нареч. разг.* very tíghtly.

впри́тык *нареч. разг.* very close [...-s].

впро́голодь *нареч.* hálf-stárving ['hɑ:f-]; жить ~ starve, live in want [lɪv...]; live from hand to mouth; есть, пита́ться ~ be hálf-stárving / únderféd.

впрок 1. *нареч.* (*про запас*) for fúture use [...ju:s]; заготовля́ть ~ (*вн.*) lay* in / up (*d.*), store up (*d.*); (*о проду́ктах*) presérve [-'zə:v] (*d.*); put* by (*d.*); 2. *предик.* (*на пользу*) to advántage; ◇ ему́ всё ~ (идёт) he prófits by ány:thing and évery:thing; all is grist that comes to his mill *идиом.*; э́то не пойдёт ему́ ~ it will not prófit him, he will do no good by it; ху́до нажи́тое ~ не идёт *посл.* ill-gótten wealth never thríves [...welθ...].

впроса́к *нареч.*: попа́сть ~ *разг.* (*сде́лать нело́вкость*) put* one's foot in it [...fut...]; (*быть обма́нутым*) be táken in, be trapped.

впросо́нках *нареч. разг.* ≅ (bé:ing) still half asléep [...hɑ:f...], (bé:ing) ónly half a:wáke.

впро́чем *союз* howéver; though [ðou] (*обычно в конце фразы*); (*с отрицанием*) not that (*тем не менее*) nèver:thè:léss; ~ он туда́ не пойдёт he won't go there, though [...wount...]; он не мо́жет пойти́ так, как он простужен, ~ ему́ и не о́чень хоте́лось he can't go becáuse he has got a cold, not that he wánted to go particulárly [...kɑ:nt... bɪ'kɔ:z...].

впры́гивать, впры́гнуть (в *вн.*; на *вн.*) jump (into; on).

впры́гнуть *сов. см.* впры́гивать.

впры́скив∥ание *с.* injéction; подко́жное ~ hypodérmic injéction [haɪ-...]. **~ать**, впры́снуть (*вн.*) injéct (*d.*), give* an injéction (of).

впры́снуть *сов. см.* впры́скивать.

впряга́ть, впрячь (*вн.* в *вн.*) hárness (*d.* to), put* (*d.* to). **~ся**, впря́чься 1. hárness òne:sélf; 2. *страд.* к впряга́ть.

впрямь *вводн. сл. разг.* réally ['rɪə-], indéed.

впрячь(ся) *сов. см.* впряга́ть(ся).

впуск *м.* admíttance, admíssion; *тех.* *тж.* íntake, ín:let. **~а́ть**, впусти́ть (*вн.*) let* in (*d.*), admít (*d.*); не ~а́йте его́ keep him out, don't let him in. **~но́й** *тех.* éntrance (*attr.*); (*о клапане, трубе и т.п.*) ín:let (*attr.*), admíssion (*attr.*).

впусти́ть *сов. см.* впуска́ть.

впусту́ю *нареч. разг.* for nóthing, to no púrpose [...-s], in vain.

впу́тать(ся) *сов. см.* впу́тывать(ся).

впу́тывать, впу́тать (*вн.*) twist in (*d.*); (*перен.*) *разг.* invólve (*d.*), implicáte (*d.*), entángle (*d.*). **~ся**, впу́таться 1. (в *вн.*) get* twisted in; (*перен.*) *разг.* be / get* mixed up (in); (*вмешиваться*) méddle (in); interfére (with); 2. *страд.* к впу́тывать.

впя́теро *нареч.* five times; ~ бо́льше (*с сущ. в ед. ч.*) five times as much; (*с сущ. во мн. ч.*) five times as mány; ~ ме́ньше (*рд.*) one fifth (of); увели́чить (*вн.*) múltiply by five (*d.*); quíntuple (*d.*); *науч.*; уме́ньшить (*вн.*) take* a fifth (part) (of); ~ бо́льшая су́мма five times the sum, a sum five times as great [...greɪt]; ~ ме́ньшая су́мма a fifth of the sum.

впятеро́м *нареч.* five (togéther) [...-'ge-]; они́ рабо́тали, гуля́ли *и т.п.* ~ the five of them worked, went out, *etc.*, togéther.

в-пя́тых *вводн. сл.* fífthly, in the fifth place.

враг *м.* (*в разн. знач.*) énemy; foe *поэт.*; (*противник чего-л.*) oppónent (of smth.); зле́йший ~ worst / bítterest énemy. **~жда́** *ж.* énmity, hostílity, ànimósity; пита́ть ~жду́ к кому́-л. feel* ànimósity towards / agáinst smb.

вражде́бно I *прил. кратк. см.* вражде́бный.

вражде́бн∥о II *нареч.* hóstile:ly, with énmity, with ànimósity. **~ость** *ж.* hostílity, ànimósity. **~ый** hóstile, inímical.

враждова́ть (с *тв.*, ме́жду собо́й) quárrel (with, with each other), be at war / lóggerheads [...hedz] (with, with each other).

вра́ж∥еский, **~ий** *прил. к* враг; *тж.* hóstile.

враз *нареч. разг.* all togéther [...-'ge-]; simultáneous:ly.

врасби́вку *нареч. разг.* at rándom, at háp:hàzard [...-'hæz-].

врасбро́д *нареч. разг.* séparate:ly; (*недру́жно*) disúnited:ly, in disúnity; де́йствовать ~ act without cò-òrdinátion, not act in cóncert.

врасбро́с *нареч. разг.* séparate:ly; кни́ги лежа́ли ~ the books lay scáttered abóut.

вразва́лку *нареч. разг.*: ходи́ть ~ wáddle.

вразнобо́й *нареч. разг.* discórdantly; де́йствовать ~ act out of cóncord.

вразно́с *нареч. разг.*: торгова́ть ~ péddle, hawk.

вразре́з *нареч. разг.*: идти́ ~ с чем-л. (*не соглаша́ться*) be / go* agáinst smth., oppóse smth.; (*противоре́чить чему́-л.*) be cóntrary to smth., be in cónflict with smth., cónflict with smth.; ~ с ва́шим мне́нием cóntrary to your opínion.

вразря́дку *нареч. полигр.*: набира́ть ~ (*вн.*) space (*d.*).

вразуми́тельный intélligible, perspícuous; (*убедительный*) persuásive [-'sweɪ-], instrúctive.

вразуми́ть *сов. см.* вразумля́ть.

вразумля́ть, вразуми́ть (*вн.*) make* ùnderstánd (*d.*); (*убежда́ть*) convínce (*d.*); (*наставля́ть*) make* (*d.*) lísten to réason [...'li:s'n... -z'n], bring* to one's sénses (*d.*); его́ ниче́м не вразуми́шь he won't lísten to réason [...wount...], you can't make him lísten to réason [...kɑ:nt...]; he'll néver learn [...lə:n] *разг.*

вра́ки *мн. разг.* (*вздор*) nónsense *sg.*, rúbbish *sg.*; idle talk *sg.*; (*ложь*) fibs, lies; ~! bosh!, húmbùg!

вра∥ль *м. разг.* fíbber, líar. **~ньё** *с. разг.* fib; lies *pl.*; (*вздор*) nónsense, rot; сплошно́е ~ньё a pack of lies.

враспло́х *нареч.* ùn:a:wáres, by surpríse; заста́ть, засти́гнуть (*вн.*) ~ take* ùn:a:wáres (*d.*), surpríse (*d.*), take* by surpríse (*d.*); catch* nápping (*d.*) *разг.*

врассыпну́ю *нареч.* in all diréctions; hélter-skélter; бро́ситься ~ scátter in all diréctions.

враста́ние *с.* grówing in [-ou-...]; (*в вн.*) grówing (into); (*перен.*) róoting (into).

враста́ть, врасти́ grow* in [-ou-...], take* root; (*в вн.*) grow* (into); (*перен.*) root itsélf (in).

врасти́ *сов. см.* враста́ть.

растя́жку *нареч. разг.* 1. at full length; лежа́ть ~ lie* at full length, lie* stretched out; упа́сть ~ fall* flat; 2. (*замедляя речь*): говори́ть ~ drawl.

врата́ *мн. уст., поэт.* = воро́та.

врата́рь *м. спорт.* góalkeeper.

врать, совра́ть *разг.* 1. lie*, tell* lies; (*пустословить*) talk nónsense; 2. *тк. несов.* (*быть неточным*) be wrong; часы́ врут the clock, watch is wrong; 3. *муз.* (*фальшивить*) play a wrong note; (*о пении*) sing* out of tune; ◇ врёшь! ≅ it's a lie!, stuff and nónsense!

врач *м.* physícian [-'zɪ-]; dóctor *разг.*; же́нщина-~ wóman* dóctor ['wu-...]; по всем боле́зням *разг.* géneral práctitioner; вое́нный ~ ármy dóctor, médical ófficer; ármy súrgeon *амер.*; ветерина́рный ~ véterinary (súrgeon); зубно́й ~ déntist; позва́ть ~á call the dóctor.

враче́бн||ый médical; ~ обхо́д dóctor's rounds *pl.*; де́лать ~ обхо́д make* / go* one's rounds; ~ осмо́тр médical inspéction / examinátion; ~ая по́мощь médical assístance; ~ая пра́ктика médical práctice; у него́ 10 лет ~ой пра́ктики he has been práctising (médicine) for ten years [...-sɪŋ...].

враче́в||ание *с. уст.* dóctoring, (médical) tréatment; ~а́ть (*вн.*) *уст.* dóctor (*d.*), treat (*d.*); (*исцелять*) heal (*d.*).

врачи́ха *ж. разг.* wóman* dóctor ['wu-...].

враща́тельн||ый rótatory ['rou'teɪ-], rótary ['rou-]; ~ое движе́ние rótatory móvement [...'mu:v-].

враща́ть (*вн.*) revólve (*d.*), rótate [rou-] (*d.*), turn (*d.*); ◇ ~ глаза́ми roll one's eyes [...aɪz]. ~ся 1. revólve, rótate [rou-], turn; ~ся вокру́г свое́й о́си revólve on its áxis; (*о колесе тж.*) run; 2. *страд. к* враща́ть; ◇ ~ся в кругу́, в о́бществе кого́-л. move in smb.'s circle [mu:v...], frequént the socíety of smb.; mingle / assóciate / mix / consórt with smb.

враща́ющийся 1. *прич. см.* враща́ться; 2. *прил.* adjústable, revólving; ~ стул revólving chair.

враще́ние *с.* rotátion [rou-]; *тех.* gyrátion [dʒaɪ-]; ~ колеса́ rotátion of *a* wheel; ~ Земли́ вокру́г Со́лнца the Earth's revolútion round the Sun [...ə:θs...].

вред *м.* harm, hurt, ínjury; (*ущерб*) dámage; причиня́ть ~ (*дт.*) harm (*d.*), do harm (to); ínjure (*d.*); dámage (*d.*); во ~ (*дт.*) hármful (to), delétérious (to), injúrious (to); служи́ть во ~ (*дт.*) harm (*d.*), dámage (*d.*); де́латься во ~ (*дт.*) be done to the détriment (of); без ~á (*для*) without détriment (of).

вреди́тель *м.* 1. *с.-х.* pest, vérmin; *мн. собир.* vérmin *sg.*; 2. (*человек, умышленно наносящий вред чему-л.*) wrécker, sabotéur [-tə:]. ~ский *прил. к* вреди́тель 2. ~ство *с.* wrécking, sábotáge [-ta:ʒ]; (*поступок*) act of sábotage.

вреди́ть, повреди́ть (*дт.*) ínjure (*d.*), harm (*d.*), hurt* (*d.*), be injúrious (to); (*причинять ущерб*) dámage (*d.*); ~ здоро́вью be injúrious to health [...he-]; ~ интере́сам кого́-л. dámage / préjudice the ínterests of smb.; э́то вам не повреди́т it will do you no harm, it won't hurt you [...wount...].

вре́дн||о I *прил. кратк. см.* вре́дный; 2. *предик. безл.* it is bad* / hármful / injúrious; ему́ ~ кури́ть it is bad* for him to smoke, smóking is bad* for him; ~ для здоро́вья it is bad* for the health [...helθ].

вре́дн||о II *нареч.:* ~ влия́ть, де́йствовать на что-л., отража́ться на чём-л. have an injúrious / hármful / bad* effect on smth., be injúrious to smth., be bad* for smth. ~ость *ж.* hármfulness; (*вредные условия работы*) únhealthy condítions of work [-'hel-...] *pl.* ~ый hármful, bad*, injúrious, delétérious; (*для здоровья тж.*) únhealthy [-'hel-]; ~ый газ nóxious gas; ~ая привы́чка bad* / pernícious hábit; ~ое произво́дство únhealthy trade.

вредоно́сный hármful.

вре́зать *сов. см.* вреза́ть.

вреза́ть, вре́зать 1. (*вн.*) cut* in (*d.*); (*вставлять*) fit in (*d.*); (*вн. в вн.*) cut* (*d.* into); fit (*d.* into); 2. (*дт.*) *разг.* (*сильно ударять*) strike* héavily [...'hev-] (*d.*), give* a sharp blow [...-ou] (to); 3. (*кому-л.*) *разг.* (*говорить прямо и резко*) say* smb. sharp words straight in the face, make* cútting remárks to smb.'s face.

вре́заться *сов.* 1. *см.* вреза́ться; 2. *разг.* (*влюбиться*) be óver head and ears in love [...hed... lʌv] (with).

вреза́ться, вре́заться (*в вн.*) 1. cut* (into); (*без доп.*) друг в дру́га: *при столкновении — о поездах и т. п.*) be télescóped; (*врываться*) force one's way (into); вре́заться в зе́млю (*о самолёте*) crash to, *или* dig* / tear* into, the ground [...tɛə...]; ~ в толпу́ run* into the crowd; 2. (*запечатлеваться*) be engráved (on).

времена́ *мн. см.* вре́мя.

времена́ми *нареч.* at times, (évery) now and then, now and agáin, from time to time.

вре́менно *нареч.* témporarily, provísionally; ~ исполня́ющий обя́занности (*секретаря и т. п.*) ácting (sécretary, *etc.*).

временно́й *научн.* témporal.

вре́менн||ый témporary; (*о мероприятиях и т. п.*) provísional; (*о должностных лицах*) ácting; ~ая ме́ра stóp-gap méasure [...'me-]; ◇ Вре́менное прави́тельство Provísional Góvernment [...-'gʌ-]; ~ комите́т ínterim committee [...-tɪ].

временщи́к *м. ист.* fávourite.

врем||я *с.* 1. (*в разн. знач.*) time; во вся́кое ~ at any time; мно́го ~ени a long time / while; (*для чего-л.*) much, *или* plenty of, time; на ~ for a time, for a while; до сего́ ~ени híthertó; до того́ ~ени till then, up to that time; с того́ ~ени since then; со ~ени since; к тому́ ~ени by that time; ско́лько ~ени? *разг.* what is the time?; в 10 ч. 30 м. по моско́вскому ~ени at 10.30 Móscow time; у меня́ нет ~ени I have no time; име́ть ма́ло ~ени be pressed for time; за отсу́тствием ~ени for lack of time; 2. (*эпоха*) time; times *pl.*; во все ~ена́ at all times; в на́ше ~ in our time, nówadays; в э́то, то ~ at that time; за сове́тской вла́сти in Sóviet times; э́то была́ больша́я а́рмия да́же для того́ ~ени (по тому́ ~ени) it was a large ármy éven for those times / days; 3.: ~ го́да séason [-z'n]; четы́ре ~ го́да the four séasons [...fɔ:...]; ~ жа́твы hárvest(-time); 4.: вече́рнее ~ évening ['i:vn-]; у́треннее ~ mórning, fórenóon; ночно́е ~ night-time; послеобе́денное ~ afternóon; 5. *грам.* tense; ◇ от ~ени, от ~ени до ~ени, по ~ена́м at times, from time to time, (évery) now and then, now and agáin; ~ те́рпит there is no húrry, there's plenty of time; ~ не ждёт time présses, there is no time to be lost; ~ не позволя́ет time forbíds, there is no time; ~ пока́жет time will show [...ʃou]; свобо́дное ~ spare time; в свобо́дное ~ at léisure [...'le-], in one's spare time; всё ~ álways ['ɔ:lwəz], all the time, the whole time [...houl...]; одно́ ~ at one time; в то ~ как while; (*при противопоставлении*) whéreas; в то са́мое ~ как just as; в после́днее ~ látely, récently, látterly, of late; for some time past; в настоя́щее ~ at présent [...-ez-], todáy; во ~ (*в течение*) dúring; в своё ~ (*когда-то*) at one time; in its, my, his, *etc.*, time; (*своевременно*) in due course [...kɔ:s], in good time; всему́ своё ~ there is a time for éverything, évery thing is good in its séason; ра́ньше ~ени prematúrely; на пе́рвое ~ for a start; в пе́рвое ~ at first; во ~ о́но of yore, in ólden days, in days of old; тепе́рь (не) ~ (+ *инф.*) now is (not) the time (+ to *inf.*); са́мое ~ now is the time; са́мое ~ я́блокам apples are in séason; не ~ я́блокам apples are out of séason; до поры́ до ~ени for the time béing; с тече́нием ~ени in time, in due course [...-kɔ:s], evéntually; с незапа́мятного ~ени, с незапа́мятных ~ён from time immemórial, time out of mind; со ~енем in due course; тем ~енем meanwhíle.

времяисчисле́ние *с.* cálendar.

время́нка *ж. разг.* 1. (*переносная лестница*) short ládder; 2. (*железная печка*) small stove.

времяпрепровожде́ние *с.* pástime ['pa:-].

времяпровожде́ние *с.* = времяпрепровожде́ние.

вро́вень *нареч.* (*с тв.*) flush (with), lével ['le-] (with); ~ с края́ми up to the brim, brím-full.

вро́де 1. *предл.* (*рд.*) like, not únlike; 2. *частица* (*как-то, как например*) such as; что́-то ~, не́что ~ *разг.* a kind of, a sort of.

врождённ||ость ж. ínnáte:ness. ~ый ínnáte, ínbórn, nátive; (*об органических недостатках и т. п.*) còn:génital; ~ые способности nátural / ínnáte / ínhérent abílities.
врóзницу = в рóзницу см. рóзница.
врозь *нареч.* séparate:ly, apárt.
вруб *м. горн.* cut.
вруб||áть, врубить (*вн.*) cut* in (*d.*); (*вн. в вн.*) cut* (*d.* into). ~**áться**, врубиться 1. (*в вн.*) cut* one's way (into); ~иться в ряды противника ≃ break* into the ranks of the énemy [breɪk...]; 2. *страд.* к врубáть. ~**ить(ся)** *сов. см.* врубáть(ся).
врубмашúна ж. = врубовая машина *см.* врубовый.
врубóв||ый: ~ая машина *горн.* cóal-cutter.
врукопáшную *нареч.* hand to hand; схватиться ~ come* to grips.
врун *м.*, **врýнья** *ж. разг.* fíbber, líar.
вруч||áть, вручить (*вн. дт.*) hand (óver) (*d.* to), delíver [-'lɪ-] (*d.* to); (*торжественно*) présent [-'ze-] (*d.* to); (*перен.*) entrúst (*d.* to); ~ гвардéйское знáмя présent the Guards' cólours [...'kʌl-] (to); ~ кому-л. орден invést / présent smb. with *an* órder; ~ судéбную повестку (*дт.*) serve a subpóena [...-'piːnə] (on.); ~ свою судьбý (*дт.*) entrúst *one's* déstiny (to). ~**éние** *с.* (*рд. дт.*) hánding (*d.* to), delívery (of to), sérving (*d.* to); (*ордена*) investíture (with, of), présentátion [-zen-] (with, of). ~**úть** *сов. см.* вручáть.
вручную *нареч.* by hand.
врывáть, врыть (*вн.*) dig* in (*d.*); (*вн. в вн.*) dig* (*d.* into).
врывáться I, врыться 1. (*в вн.*) dig* ònesélf (into); 2. *страд.* к врывáть.
врывáться II, ворвáться (*в вн.*) burst* (into): ~ к кому-л. в кóмнату burst* into smb.'s room.
врыть *сов. см.* врывáть. ~**ся** *сов. см.* врывáться I.
вряд *нареч.*: ~ ли *разг.* scárce:ly [-ɛəs-], hárdly (*в середине предлож.*); I doubt whéther [...daut...], it is dóubtful whéther [...'daut-...] (*в начале предлож.*); (*как ответ*) I doubt it, (it is) not líke:ly; ~ ли он уже придёт I doubt whéther he will come now, he will scárce:ly / hárdly come now.
всадить *сов. см.* всáживать.
всáдни||к *м.* ríder, hórse:man*. ~**ца** *ж.* hórse:wòman* [-wu-].
всáживать, всадить (*вн. в вн.*) 1. stick* (*d.* into), thrust* (*d.* into); (*глубоко*) plunge (*d.* into); всадить нож в спину кому-л. stab smb. in the back; всадить кому-л. пýлю в лоб send* a búllet through smb.'s head [...'bu-... hed], blow* out smb.'s brains [blou...]; 2. *разг.* (*о деньгах, средствах*) put* (*d.* into); spend* (*d.* on); он всадил в это дело 2 000 рублей he sank 2 000 roubles into that búsiness [...ruː-... 'bɪzn-].
всáсывание *с.* súction, (*поглощение*) absórption.
всáсыв||ать, всосáть (*вн.*) suck in (*d.*); (*впитывать*) soak up / in (*d.*); (*погло-* щáть) absórb (*d.*); ◊ всосáть с молоком мáтери imbíbe with one's móther's milk [...'mʌ-...] (*d.*). ~**áться**, всосáться 1. (*в вн.*; *впитываться*) soak (in), be absórbed (into, in); 2. *страд.* к всáсывать. ~**áющий** 1. *прич. см.* всáсывать. 2. *прил.* súction (*attr.*), súcking, ~**áющий** клáпан *тех.* súction-vàlve.
все *мн. см.* весь.
всё *мест. с. см.* весь.
всё I *нареч.* 1. (*всегда*) álways ['ɔːl-wəz]; (*всё время*) all the time, the whole time [...houl...]; 2. (*до сих пор*) still; ~ ещё still; 3. *разг.* (*только*) ónly, all; ~ из-за вас all becáuse of you [...bɪ'kɔz...]; 4. (*однако*) all the same; (*тем не менее*) howéver, nèver:the:léss. 5. (*перед сравн. ст.*) не переводится: он игрáет ~ лýчше и лýчше he plays bétter and bétter; ~ дáльше и дáльше fúrther and fúrther [-ð-...]; ~ легче и легче more and more éasy [...'iːzɪ], éasier and éasier ['iːz-...]; ~ бóлее и бóлее more and more; ~ бóльшая дóля чего-л. an éver-grówing / éver-in:créasing share of smth. [-'grou-sɪŋ...]; ◊ а он приходит he keeps on cóming (*in spite of éverything*); ~ же nèver:the:léss.
всевé||дение *с.* òmníscience. ~**дущий** òmníscient; ~**дущий** человек *ирон.* knów-àll ['nou-].
всевидящий àll-sée:ing.
всевлáстие *с.* ábsolute pówer.
всевозмóжн||ый várious, all sorts / kinds of, all mánner of, of évery sort and kind, évery póssible; ~ые срéдства évery / all póssible means, évery / all means póssible; ~ые товáры, ~ые товáр goods of évery descríption [gudz...], goods of évery sort and kind; ленты ~ых цветóв ríbbons of évery cólour [...'kʌl-].
всеволнóвый: ~ приёмник *рад.* àll-wáve recéiver [...-'siː-].
всевышний *м. скл. как прил. церк.* the Most High.
всегдá *нареч.* álways ['ɔːl-wəz]; как ~ as éver, as álways. ~**шний** *разг.* úsual [-ʒuəl], cústomary; (*о личных качествах*) accústomed, wónted ['wou-]; ~шняя манера wónted mánner.
всего́ I [-вó] *рд. ед. см.* весь.
всего́ II [-вó] *нареч.* 1. (*итого*) in all; 2. (*лишь*) ónly; ◊ ~-нáвсего (*в сумме*) in all; (*лишь*) ónly; ~-то ónly, no more than; тóлько и ~ and that is all, and nothing more; ~ ничего *разг.* next to nothing.
всезнáй||ка *м. и ж. разг.* knów-àll ['nou-]. ~**ство** *с. разг.* beháviour of a knów-àll [...'nou-].
всезнáющий àll-knówing [-'nou-], òmníscient.
вселéние *с.* (*в вн.*) estáblishment (in), installátion (in); *тж.* перевóдится посрéдством гл. install, lodge, move in [muːv...]; ~ нóвых жильцóв в квартиру производилось лéтом the new ténants were lodged / installed in the flat in súmmer [...'te-...], the new ténants moved into the flat in súmmer.
вселéн||ная *ж. скл. как прил.* úniverse. ~**ский** *уст.* únivérsal, òecuménical [iːkjuː'me-]; ~**ский** собо́р *ист.* òecuménical cóuncil.
вселить(ся) *сов. см.* вселять(ся).
всел||я́ть, вселить 1. (*вн. в вн.*; *поселять*) lodge (*d.* in), install (*d.* in), estáblish (*d.* in); ~ жильцов put* ténants in [...'te-...]; ~ к себе жильцов take* in a lódger; их ~или в но́вый дом they have been moved into a new house* [...muːvd... -s]; 2. (*в кого-л. что-л.; внушать*) inspíre (smb. with smth.), inspíre (in smb. smth.), imbúe (smb. with smth.), instíl(l) (into smb. smth.); ~ в кого-л. надéжду give* hope to smb., raise hopes in smb.'s breast [...brest]; ~**ить** страх в кого-л. inspíre smb. with fear; strike* fear into smb.; scare smb. *разг.* ~**я́ться**, вселиться (*в вн.*) 1. move [muːv] (into), install ònesélf (in); 2. (*входить, внедряться*) take* root (in), becóme* implánted [...-ɑːn-] (in); 3. *страд.* к вселять.
всемéрно *нареч.* to the útːmòst, in évery póssible way, in évery way póssible; ~ поощрять (*вн.*) give* the útːmòst enːcóurageːment [...-'kʌ-...] (*d.*), enːcóurage in évery póssible way [-'kʌ-...] (*d.*).
всемéрн||ый (of) évery kind; all and évery; ~ое содéйствие évery kind of assístance, all pósible / concéivable assístance [...-'siːv-...].
всéмеро *нареч.* séven times ['se-...]; sévenfòld ['se-]; ~ мéньше (*рд.*) one séventh [...'seˑ-] (of); ~ бóльше (*с сущ. в ед. ч.*) séven times as much; (*с сущ. во мн. ч.*) séven times as mány; увеличить ~ (*вн.*) múltiplỳ by séven (*d.*).
всемерóм *нареч.* séven (togéther) ['se-'ge-]; они работали, гуляли *и т. п.* ~ the séven of them worked, went out, *etc.*, togéther.
всемирно-историческ||ий of wórld-wíde / world-históric(al) impórtance / signíficance; ~ая роль históric(al) róle of world-wíde signíficance; ~ая побéда épòch-màking víctory [-ok-...], a víctory of world-wíde històric(al) signíficance; ~ого значéния of world-wíde històric(al) signíficance.
всемирн||ый world (*attr.*); (*о славе, известности и т. п.*) world-wíde, ùnivérsal; ~ конгрéсс world cóngrèss; Всемирный Конгресс сторонников ми́ра *the* World Cóngrèss of the Defénders of Peace; Всемирный Совéт Мира the World Peace Cóuncil; ~ая истóрия world hístory, hístory of the world; Всемирная федерация демократической молодёжи the World Federátion of Dèmocrátic Youth [...juːθ]; Всемирная федерация профсоюзов the World Federátion of Trade Únions (*сокр.* W.F.T.U.).
всемогýщ||ество *с.* òmnípotence. ~**ий** òmnípotent, àll-pówerful; (*о боге*) Almíghty [ɔːl-].
всенарóдн||о *нареч.* públicly ['pʌ-]. ~**ый** nátional ['næ-], nátion-wide; ~ая пéрепись géneral cénsus; ~ый прáздник nátional hóliday [...-dɪ]; ~ое торжество nátion-wide tríumph; (*празднество*) nátion-wide cèlebrátion; ~ое дéло the cómmon cause of the nátion.
всéнощная *ж. скл. как прил. церк.* night-sèrvice (*vespers and matins*).
всеобуч *м.* géneral compúlsory educátion.

всеобщ||ий ùnivérsal, géneral; ~ее избирáтельное прáво ùnivérsal súffrage; ~ая пéрепись населéния géneral cénsus (of the pòpulátion); ~ая забастóвка géneral strike; ~ее употреблéние cómmon / géneral use [...ju:s]; ~ее одобрéние, ~ая рáдость и т.п. géneral / ùnivérsal appróval, joy, etc. [...ə'pru:vˡ...].

всеобъéмлющий ùnivérsal, còmprehénsive, áll-embrácing.

всеорýжи||е с.: во ~и (рд.) fúlly armed ['fu-...] (with), in full posséssion [...-'ze-] (of); во ~и знáний armed / equípped with (a) thórough knówledge [...'θлгə 'nɔ-].

всепобеждáющий áll-cónquering, áll--triúmphant.

всепоглощáющий áll-absórbing.

всепогóдный áll-weather [-weðə] (attr.).

всепожирáющий áll-devóuring.

всепрощáющий уст. áll-forgíving [-'gɪ-].

всердцáх = в сердцáх см. сéрдце.

всероссíйский Áll-Rússian [-ʃən].

всерьёз нареч. разг. sérious:ly, in éarnest [...'ə:n-]; принимáть ~ (вн.) take* sérious:ly (d.); вы э́то ~? are you sérious?, are you in éarnest?, do you mean it?

всесíлие с. òmnípotence.

всесíльный òmnípotent, áll-pówerful.

всеславя́нский Áll-Sláv(ic).

всесою́зный Áll-Únion (attr.); Всесою́зная Коммунисти́ческая пáртия (большевикóв) ист. the Cómmunist Párty of the Sóvièt Únion (Bólsheviks); Всесою́зный Лéнинский Коммунисти́ческий Сою́з Молодёжи Léninist Young Cómmunist League of the Sóvièt Únion [...jʌŋ...li:g...]; ~ съезд Áll-Únion Cóngress.

всесторóнн||е нареч. còmprehénsive:ly, thóroughly ['θлгə-], clóse:ly [-s-], in détail [...'di:-]. ~ий còmprhénsive, thórough ['θлгə], óver:áll, détailed ['di:-], áll-round ~ee образовáние, развитие и т.п. áll-round èducátion, devélopment, etc.; ~ее обсуждéние thórough discússion.

всё-таки союз и частица for all that, still, nèver:the:léss, all the same, howéver.

всеуслы́шание с.: во ~ públicly ['pʌ-], for all to hear, in éveryòne's héaring; объяви́ть что-л. во ~ annóunce smth. públicly.

всецéло нареч. compléte:ly, entíre:ly, whólly ['hou-]; (исключительно) exclúsive:ly.

всея́дн||ый òmnívorous; ~ое живóтное зоол. òmnívorous ánimal.

всíлу = в сíлу см. сíла 5.

вскáкивать, вскочи́ть 1. (на вн.; в вн.) jump (on; into); 2. (быстро вставать) jump up, leap* up; ~ с постéли jump out of bed; ~ на нóги jump up, jump to one's feet; 3. разг. (о шишке и т.п.) swell* (up), come* up ◊ это вскóчит емý в копéечку it will cost him a prétty pénny [...'rɪ-...].

вскáпывать, вскопáть (вн.) dig* up (d.).

вскарáбкаться сов. см. вскарáбкиваться.

вскарáбкиваться, вскарáбкаться (на вн.) разг. scrámble (up, up:ón), clámber (up. on to).

вскáрмливание с. réaring; искýсственное ~ àrtifícial féeding.

вскáрмливать, вскорми́ть (вн.) rear (d.); ~ грýдью nurse (d.), bréast-feed* ['bre-] (d.), sucle (d.).

вскачь нареч. at a gállop, full gállop.

вски́дывать, вски́нуть (вн.) throw* up [-ou-...]; ~ на плéчи shóulder ['ʃou-] (d.); ~ ружьё shóulder arms; ~ гóлову jerk up, или toss, one's head [...hed]; ◊ ~ глазá на когó-л. look up súddenly at smb. ~ся, вски́нуться (на вн.) разг. go* (for); jump (on); ну что ты на меня́ вски́нулся? why did you jump on me, или go for me?

вски́нуть(ся) сов. см. вски́дывать(ся).

вскип||áние с. bóiling up. ~áть, вскипéть boil up.

вскипéть сов. 1. см. вскипáть; 2. разг. (о чувстве негодования и т.п.) flare up, fly* into a rage.

вскипяти́ть(ся) сов. см. кипяти́ть(ся).

всклáдчину = в склáдчину см. склáдчина.

всклокóч||енный прич. и прил. разг. tóusled [-z-]; dishévelled. ~ивать, всклокóчить (вн.) разг. tousle [-zl] (d.), dishével [-ev-] (d.). ~ить сов. см. всклокóчивать.

всколыхнýть сов. (вн.) stir (d.); (качнуть) rock (d.); (перен.) stir up (d.), rouse (d.). ~ся сов. разг. stir; (закачаться) rock; (перен.) stir, become* ágitated.

вскользь нареч. cásually [-ʒu-]; упомянýть что-л. ~ make* cásual méntion of smth. [...-ʒu-...], méntion smth. cásually, или in pássing; сдéлать замечáние ~ make* a cásual remárk.

вскопáть сов. см. вскáпывать.

вскóре нареч. soon (áfter), shórtly áfter, befóre long.

вскорми́ть сов. см. вскáрмливать.

вскорости нареч. разг. = вскóре.

вскочи́ть сов. см. вскáкивать.

вскри́к||ивать, вскри́кнуть cry out, útter a scream, útter a shriek [...-i:k]; несов. тж. scream / shriek (agáin and agáin); ~нуть не свои́м гóлосом give* / útter a frénzied scream / shriek. ~нуть сов. см. вскри́кивать.

вскри́чать сов. exclaím.

вскружи́ть сов.: ~ гóлову комý-л. turn smb.'s head [...hed].

вскрывáть, вскрыть (вн.) 1. (распечатывать) open (d.), únseal (d.); ~ конвéрт, письмó open an énvelope, a létter; 2. (обнаруживать) revéal (d.), bring* to light, disclóse (d.); вскрыть (серьёзные) недостáтки expóse, или lay* bare, (sérious) shórt:còmings; 3. (анатомировать) disséct (d.); мед., юр. make* a pòst-mórtem (èxaminátion) [...'pou-...] (of); 4. (о нарыве) lance (d.), cut* (d.), open (d.). ~ся, вскры́ться 1. (обнаруживаться) come* to light, be revéaled, be disclósed; 2. (о нарыве и т.п.) burst*, break* [-eɪk-]; 3.: рекá вскры́лась the ice has bróken up on the ríver [...'rɪ-]; 4. страд. к вскрывáть.

вскры́тие с. 1. (пакета и т.п.) ópening, únsealing; 2. (выявление, обнаруже́ние) rèvelátion, disclósure [-'klou-]; 3. (анатомическое) disséction; мед., юр. pòst--mórtem (èxaminátion) ['pou-...]; 4. (о нарыве) láncing, cútting; 5. (о реках) ópening (of rivers after break-up of ice).

вскрыть(ся) сов. см. вскрывáть(ся).

вскры́ш||ой: ~ые рабóты горн. (óver:-búrden) strípping.

всласть нареч. разг. to one's heart's cóntent [...hɑ:ts...].

вслед 1. нареч.: послáть ~ send* on; ~ за (тв.) áfter, fóllowing; идти́ ~ за кем-л. fóllow smb.; 2. предл. (дт.): смотрéть ~ комý-л. fóllow smb. with one's eyes [...aɪz]; ~ емý раздали́сь кри́ки shouts fóllowed him.

вслéдствие предл. (рд.) ówing to ['ou-...], on accóunt of, in cónsequence of.

вслепýю нареч. 1. (не видя) in the dark; 2. (наугад) blínd:ly; 3. ав.: полёт ~ blínd-flýing.

вслух нареч. alóud.

вслýшаться сов. см. вслýшиваться.

вслýшиваться, вслýшаться (в вн.) listen atténtive:ly ['lɪsn] (to), lend* an atténtive ear (to); не ~ take* no heed (of), give* no heed (to).

всмáтриваться, всмотрéться (в вн.) scrútinize (d.), take* a good look (at); при́стально peer (at), obsérve clóse:-ly [-'zə:v -s-] (d.).

всмотрéться сов. см. всмáтриваться.

всмя́тку нареч.: яйцó ~ sóft-bóiled / lightly-bóiled egg; свари́ть яйцó ~ boil an egg lightly.

всóвывать, всýнуть (вн. в вн.) stick* (d. in); shove [ʃʌv] (d. into, in) разг.; (незаметно) slip (d. into, in).

всосáть(ся) сов. см. всáсывать(ся).

вспáивать, вспои́ть (вн.) rear (d.), bring* up (d.); вспои́ть и вскорми́ть (вн.) bring* up (d.).

вспáрывать, вспорóть (вн.) разг. rip open (d.), open (d.); ~ живóт комý-л. disembówel smb.

вспахáть сов. см. вспáхивать.

вспá||хивать, вспахáть (вн.) plough up (d.). ~шка ж. plóughing.

вспéнивать, вспéнить (вн.) make* foam / froth [...frɔ:θ] (d.); (о пиве и т.п.) froth up (d.); ~ мы́ло make* soap láther; вспéнить коня́ make* one's horse láther. ~ся, вспéниться 1. foam, froth [frɔ:θ]; (о мыле) láther; (о лошади) láther, become* cóvered with láther [...'kл-...]; 2. страд. к вспéнивать(ся).

вспéнить(ся) сов. см. вспéнивать(ся).

всплакнýть сов. (о пр.) разг. shed* a few tears (óver), have a little cry (óver).

всплеск м. splash.

всплéскивать, всплеснýть splash; ◊ всплеснýть рукáми throw* up one's hands [θrou...], lift one's hands; он в ýжасе всплеснýл рукáми he clasped his hands in dismáy.

всплеснýть сов. см. всплéскивать.

всплошнýю нареч. разг. in a sólid mass.

всплывáть, всплыть come* to the súrface; (о подводной лодке) súrface; (перен.: обнаруживаться) come* to light, revéal it:sélf; (о вопросе и т.п.) aríse*; crop up, come* up.

ВСП – ВСТ

всплыть *сов. см.* всплывать.
вспоить *сов. см.* вспаивать.
вспола́скивать, всполосну́ть (*вн.*) *разг.* rinse out (*d.*).
всполосну́ть *сов. см.* всполаскивать.
всполоши́ть *сов.* (*вн.*) *разг.* agitate (*d.*); rouse (*d.*); (*встревожить*) startle (*d.*), alarm (*d.*). ~**ся** *сов. разг.* be thrown into a flutter [...-oun...]; (*встревожиться*) be startled, take* alarm.
вспомин‖**а́ть, вспо́мнить** (*вн.*, *о пр.*) remember (*d.*), recollect (*d.*), recall (*d.*), think* of (*d.*); вспомните хорошенько try and remember; не могу́ вспомнить названия I can't think of the name [...ka:nt...]. ~**а́ться, вспо́мниться** 1. *чаще безл.*: ему́, им *и т. д.* ~а́ется he remembers, they, *etc.*, remember; he calls, they, *etc.*, call to mind; he recalls, they, *etc.*, recall; 2. *страд. к* вспоминать.
вспо́мнить(ся) *сов. см.* вспомина́ть(-ся).
вспомога́тельный auxiliary; (*дополнительный*) subsidiary; ~ отря́д *воен.* auxiliary detachment; ~ глаго́л *грам.* auxiliary (verb).
вспомоществова́ние *с. уст.* relief [-i:f], aid, assistance.
вспоро́ть *сов. см.* вспа́рывать.
вспорхну́ть *сов.* take* wing.
вспоте́ть *сов. см.* потеть I 1.
вспры́гивать, вспры́гнуть (*на вн.*) jump up (on).
вспры́гнуть *сов. см.* вспры́гивать.
вспры́скивание *с.* 1. sprinkling; 2. *мед.* = впрыскивание.
вспры́с‖**кивать, вспры́снуть** 1. (*вн. тв.*) sprinkle (*d.* with); (*смачивать*) damp (*d.* with), moisten [-s⁰n] (*d.* with); 2. (*вн. дт.*) *мед.* = впрыскивать; 3. (*вн.*) *разг.* (*отмечать выпивкой*) have a drink in honour, *или* in celebration [...'ɔnə...] (of); вспры́снуть сделку wet *a* bargain. ~**нуть** *сов. см.* вспры́скивать.
вспу́гивать, вспугну́ть (*вн.*) scare / frighten away (*d.*); (*о птицах*) put* up (*d.*), flush (*d.*).
вспугну́ть *сов. см.* вспу́гивать.
вспуха́ть, вспу́хнуть swell*, become swollen [...-ou-].
вспу́хнуть *сов. см.* вспуха́ть.
вспу́чи‖**вать, вспу́чить** *безл. разг.* swell* up / out; (*вн.*; *о животе*) distend (*d.*); у него́ живо́т ~ло his belly / abdomen is distended. ~**ваться, вспу́читься** *разг.* 1. distend; 2. *страд. к* вспу́чивать.
вспу́чить(ся) *сов. см.* вспу́чивать(ся).
вспыли́ть *сов.* fire / flare / blaze up.
вспы́льчив‖**ость** *ж.* quick / hot temper. ~**ый** hot-tempered, quick-tempered, irascible, hasty ['heɪ]; peppery *разг.*; ~ый хара́ктер hot temper; ~ый челове́к hot-tempered person; spitfire *разг.*
вспы́х‖**ивать, вспы́хнуть** 1. (*воспламеняться*) blaze up; (*о пожаре*) break* out [breɪk...]; (*о пламени*) blaze up; (*об огнях*) flash (out); (*перен.*) break* out; flare up; 2. (*краснеть*) blush, flush. ~**нуть** *сов. см.* вспы́хивать.
вспы́шка *ж.* flash; (*перен.*) outbreak [-eɪk]; (*гл. обр. о страстях*) outburst; ~ гне́ва fit of anger.

вспять *нареч.* back(wards) [-dz]; возврати́ться ~ return.
встава́ние *с.* rising (to one's feet); почти́ть па́мять кого́-л. ~м stand* (up) in honour of smb.'s memory [...'ɔnə...].
встава́ть, встать 1. (*в разн. знач.*) get* up, rise*; (*подняться с постели тж.*) be up; (*на ноги*) stand* up; на что́-л. get* (up) on smth.; ~ из-за стола́ get* up, *или* rise*, from the table; встать! stand up!; пора́ ~ it is time to get up; он уже́ встал he is up; он ещё не встава́л he is not up yet; он сего́дня ра́но встал he was up early this morning [...'ɔ:-...]; он уже́ встаёт (*о больном*) he is beginning to get up; больно́му нельзя́ ~ the patient must remain in bed, *или* must keep his bed, *или* must not get up; встать на́ ноги (*перен.*) become* independent; stand* on one's own feet [...oun...]; встать на путь (*рд.*) choose* / follow the road (of); 2. (*о небесных светилах*) rise*; 3. (*в вн.*; *умещаться*) go* (into), fit (into); стол вста́нет в э́тот у́гол the table will go into this corner; 4. (*подниматься на защиту чего-л.*) stand* up; встать гру́дью за что́-л. defend / champion smth. with all one's might; stand* up staunchly for smth.; 5. (*возникать*) arise*; встал вопро́с the question arose [...-stf-...]; ◇ ~ на коле́ни kneel*; ~ на чью́-л. сто́рону take* smb.'s side, support smb.; ~ на учёт be registered; ~ кому́-л. поперёк доро́ги bar smb.'s road; be in smb.'s way.
вста́вить *сов. см.* вставля́ть.
вста́вка *ж.* 1. (*действие*) fixing; (*в раму*) framing; (*в оправу*) mounting; (*в текст*) insertion; inset; 2. (*у же́нского пла́тья*) inset; (*манишка*) front [-ʌ-], dicky.
встав‖**ля́ть, вста́вить** (*вн. в вн.*) put* (*d.* into, in); (*вделывать*) fix (*d.* into, in); (*в текст*) put* in (*d.*), insert (*d.* into), introduce (*d.* into); ~ карти́ну в ра́му frame *a* picture; ~ ка́мень в опра́ву mount *a* gem; ~ шпо́ны *полигр.* interline; ~ себе́ зу́бы have a denture made; ~ слове́чко put* in a word. ~**но́й**: ~ные ра́мы double window-frames [dʌbl...]; ~ные зу́бы false teeth [...fɔ:ls...]; (*челюсти*) dentures.
встарь *нареч.* in olden times, formerly, in olden days, of old.
встать *сов. см.* встава́ть.
встра́ивать, встро́ить (*вн. в вн.*) build* [bɪld] (*d.* in, into).
встрево́женный *прич. и прил.* alarmed. ~**ся** *сов. см.* тревожиться II
встрево́жить *сов. см.* тревожить II. ~**ся** *сов. см.* тревожиться II
встрёпанный *прич. и прил. разг.* dishevelled; ◇ вскочи́л как ~ jumped up wide awake; jumped up as brisk as a bee *идиом.*
встрепену́ться *сов.* 1. rouse oneself; (*о птице*) shake* its wings, open / spread* its wings [...spred...]; (*вздрогнуть*) start; 2. (*о сердце*) begin* to throb, begin* to beat faster.
встрёпк‖**а** *ж. разг.* 1. (*головомойка*) scolding; зада́ть ~у кому́-л. give* smb. a good scolding, *или* talking-to;

или telling-off; 2. (*душевное потрясение*) shock.
встре́тить(ся) *сов. см.* встреча́ть(ся).
встре́ч‖**а** *ж.* 1. meeting; (*приём*) reception; радостная, дружественная ~ hearty welcome ['hɑ:-...]; при ~е с кем-л. on meeting smb.; собрало́сь мно́го наро́ду для ~и э́того това́рища many people were there to meet that comrade [...pi:pl...]; устро́ить ра́душную ~у (*дт.*) give* a hearty welcome [...'hɑ:-...] (*i.*); ~ с избира́телями meeting with one's constituents; ~ в верха́х *полит.* Summit talks; 2. *спорт.* match, meeting; meet *амер.*; состоя́лись ~и (между) matches were played (between); ◇ ~ Но́вого го́да New Year's Eve party.
встреча́ть, встре́тить (*вн.*) 1. (*в разн. знач.*) meet* (*d.*); (*перен. тж.*) meet* (with); случа́йно встретить знако́мого happen to meet an acquaintance; come* / run* across an acquaintance; ~ ла́сковое отношение meet* with kindness; встретить тёплый, холо́дный приём get* a warm, cool welcome; ~ восто́рженный приём receive, *или* be given, an enthusiastic welcome ['siːv...-zɪ-...]; ~ отка́з meet* with denial; 2. (*принимать*) receive (*d.*), greet (*d.*); хо́лодно встретить кого́-л. receive smb. coldly, give* smb. a cold reception; ~ кого́-л. насмешками meet* / receive / greet smb. with jeers; ~ госте́й welcome one's guests; ~ с удовлетворе́нием welcome (*d.*); ◇ ~ в штыки́ give* a hostile reception (to); ~ Но́вый год celebrate New Year's Eve, see* the New Year in. ~**ся**, встре́титься 1. (*с тв.*) meet* (*d.*, with); (*случайно*) come* / run* across (*на поеди́нке и т. п.*; *тж. перен.*) encounter (*d.*); их взо́ры встретились their eyes met [...aɪz...]; ~ся с затруднениями meet* with difficulties, encounter difficulties. 2. (*с тв.*; *видеться*) see* (*d.*); ре́дко, ча́сто ~ся с кем-л. see* little, a good deal of smb.; 3. (*бывать, попадаться*) be found, be met with; э́ти расте́ния встреча́ются на юге these plants are found, *или* are met with, in the south [...plɑːnts...].
встре́чн‖**ый** 1. *прил.*: ~ ве́тер head / contrary wind [hed...wɪ-]; ~ по́езд train coming from the opposite direction [...-zɪt...]; ~ые перево́зки cross-hauls; ~ план counter-plan; ~ иск counter-claim; ~ бой encounter battle; meeting engagement *амер.*; 2. *м. как сущ.*: пе́рвый ~ *разг.* the first comer [...'kʌ-], the first one who comes along; the first man / person one meets; (*каждый*) ~ и попере́чный *разг.* anybody and everybody; every Tom, Dick and Harry *идиом.*
встро́енный *прич. и прил.*: ~ шкаф (*в стене*) fitted cupboard.
встро́ить *сов. см.* встра́ивать.
встря́ск‖**а** *ж. разг.* 1. shaking; 2. (*потрясение*) shock.
встря́хивать, встряхну́ть (*вн.*) shake* (*d.*); (*перен.*) shake up (*d.*). ~**ся**, встряхну́ться 1. shake* oneself; 2. (*ободряться, оживляться*) rouse oneself, cheer up; (*развлечься*) have a change / fling [...tʃeɪ-...]; 3. *страд. к* встря́хивать.

встряхну́ть(ся) сов. см. встря́хивать(-ся).

вступа́ть, вступи́ть (в вн.) 1. énter (d.); (о войска́х) march (in, into); ~ в го́род march into the town; 2. (поступа́ть) join (d.); ~ в чле́ны (рд.) become* a mémber (of), join (d.); ~ в па́ртию join the párty; 3. (начина́ть) énter (into), start (d.); ~ в спор с кем-л. énter into an árgument with smb., start an árgument with smb.; ~ в разгово́р с кем-л. énter into cònversátion with smb.; — ~ в перегово́ры énter upón, или begin*, negòtiátions; ~ в бой join battle; ◇ ~ в де́йствие come* into òperátion; ~ в си́лу come* into force / effect; ~ во владе́ние (тв.) take*, или come* into, posséssion [...-ze-] (of); ~ в брак с кем-л. márry smb.; get* márried to smb.; ~ в до́лжность assúme / take* óffice, take* up one's post [...pou-], énter upón one's dúties; ~ на престо́л ascénd, или come* to, the throne; ~ в сою́з (с тв.) ally òneself (with), énter into, или form, an alliance (with); ~ в свои́ права́ come* into one's own [...oun]; (перен.) assért òneself; ~ на путь (рд.) embárk on, или take*, the path (of).

вступа́ться, вступи́ться (за вн.) stand* up (for); ~ за кого́-л. stand* up for smb., take* smb.'s part; stick* up for smb. разг.

вступи́тельн||ый éntrance (attr.); (о статье́ и т. п.) introdúctory: ~ экза́мен éntrance exàminátion; ~ взнос éntrance fee; ~ая статья́ introdúctory árticle; ~ая речь ópening addréss; ~ая ле́кция ináugural lécture.

вступи́ть сов. см. вступа́ть.

вступи́ться сов. см. вступа́ться.

вступле́н||ие с. 1. (в вн.) éntry (into); 2. (в вн.; в организа́цию и т. п.) éntry (into), jóining (d.); в год его́ ~ия в па́ртию (in) the year when he joined the párty; 3. (введе́ние в кни́ге и т. п.) introdúction; (в му́зыке тж.) prélude [-ju:d]; (в ре́чи) préamble; ópening / introdúctory remárks pl.; оркестро́вое ~ introdúction; óverture; ◇ ~ на престо́л accéssion to the throne; ~ в до́лжность assúmption of an óffice.

всу́е нареч. уст. in vain.

всу́нуть сов. см. всо́вывать.

всухомя́тку нареч. разг.: есть ~ eat* cold food, live on dry rátions [lɪv... 'ræ-].

всуху́ю нареч. without scóring a point; сыгра́ть ~ make* no score.

всуча́ть, всучи́ть (что-л. кому́-л.) разг. foist / palm smth. off on smb. [...pa:m...], put* off (smth. upón smb.).

всучи́ть сов. см. всуча́ть.

всхли́п||нуть сов. см. всхли́пывать. ~ывание с. sóbbing; (зву́ки) sobs pl.

всхли́пывать, всхли́пнуть sob.

всходи́ть, взойти́ 1. (на вн.) mount (d.), ascénd (d., to); ~ на трибу́ну mount the plátform; ~ на́ гору climb a móuntain [klaɪm...]; ~ на верши́ну ascénd to the súmmit; 2. (о небе́сных свети́лах) rise*; 3. (о семена́х) sprout; 4. (о те́сте и т. п.) rise*.

всхо́ды мн. (corn) shoots; young growth [jʌŋ -oʊθ] sg. ~ жесть ж. с.-х. gèrminátion, gèrmináting pówer / capácity. ~жий с.-х. gèrmináting.

всхрап м. sharp snore, a snóring sound.

всхрапну́ть сов. разг. take* a nap.

всхра́пывать 1. give* a snore; 2. (о ло́шади) snort.

всы́пать I, II сов. см. всыпа́ть I, II.

всыпа́ть I, всы́пать (вн. в вн.; насыпа́ть) pour [pɔː] (d. into).

всыпа́ть II, всы́пать (кому́-л.) разг. (колоти́ть) thrash (smb.), give* smb. a thráshing; (руга́ть) give* smb. a good ráting, tell* smb. off; всыпа́ть по пе́рвое число́ knock into the middle of next week.

всы́пка ж. póuring ['pɔː-] (into córn-bins, etc.).

всю ж. вн. см. весь.

всю́ду нареч. éverywhere.

вся ж. см. весь.

всяк прил. кратк. см. вся́кий 1.

вся́к||ий 1. прил. (любо́й) any; (ка́ждый) every; во ~ое вре́мя at any time; ~ раз every time, each time; без ~ой жа́лости mércilessly, rúthlessly ['ruː-], without any pity [...'pɪ-]; без ~ого сомне́ния beyónd any doubt [...daut]; 2. прил. (ра́зный) all sorts of; 3. м. как сущ. (любо́й челове́к) ányone; (ка́ждый челове́к) éveryone; 4. с. как сущ. ánything; ~ое быва́ет ánything is póssible; ◇ во ~ом слу́чае in any case [...-s], ányhow, ányway, at any rate; на ~ слу́чай to make sure [...ʃuə]; just in case; (как бы чего́ не вы́шло) to be on the safe side; на ~ слу́чай я его́ спрошу́ I'll ask him just to make sure; возьми́ зо́нтик на ~ слу́чай take an úmbrella to be on the safe side.

вся́ко нареч. разг.: ~ быва́ет it takes all kinds to make this world.

вся́|чески нареч. разг. in every way póssible, in every póssible way; ~ стара́ться (+ инф.) try one's best / hárdest (+ to inf.), do all one can (+ to inf.), be at great pains [...-eɪt...]; ~ческий разг. all kinds of; ~ческими спо́собами in every way póssible, in every póssible way. ~чина ж.: вся́кая ~чина разг. all sorts / kinds of things / stuff pl., odds and ends pl. ~чинка ж.: со ~чинкой разг. one way and another.

вта́йне нареч. in sécret; sécretly; ~ гото́виться к чему́-л. be getting réady for smth. in sécret [...'redɪ...].

вта́лкивать, втолкну́ть (вн.) push [puʃ] (d. into), shove [ʃʌv] (d. into) разг.; (тк. о лю́дях) hustle (d. into).

вта́птывать, втопта́ть (вн. в вн.) trample down (d. in); ◇ ~ в грязь (вн.) deféme (d.), vilify (d.).

вта́скивать, втащи́ть (вн. в вн.) drag (d. in, into); (вн. на вн.) drag (d. up, on).

втача́ть сов. см. вта́чивать.

вта́чивать, втача́ть (вн. в вн.) stitch (d. in, into).

втащи́ть сов. см. вта́скивать. ~ся сов. (в вн.) разг. drag òneself (in, into).

втека́ть, втечь (в вн.) flow [-oʊ] (into), dischárge (into).

втёмную нареч. карт. without séeing one's cards; (перен.) разг. blíndly; in the dark; де́йствовать ~ take* a leap in the dark.

втемя́шить сов. (вн. дт.) разг.: ~ себе́ в го́лову что-л. get* smth. into one's head [...hed].

втемя́ши||ться сов. (дт.) разг.: ~лось ему́, ей и т. д. в го́лову, что он, она́ и т. д. he, she, etc., has got / táken it into his, her, etc., head that he, she, etc. [...hed...].

втере́ть(ся) сов. см. втира́ть(ся).

втеса́ться сов. см. втёсываться.

втёсываться, втеса́ться (в вн.) разг. insinuàte / worm òneself (into).

втечь сов. см. втека́ть.

втира́ние с. 1. (де́йствие) rúbbing in; 2. (лека́рство) èmbrocátion, líniment.

втира́ть, втере́ть (вн.) rub (d.); (вн. в вн.) rub (d. in, into); ◇ ~ очки́ кому́-л. разг. húmbug smb., pull the wool óver smb.'s eyes [pul... wul... aɪz]. ~ся, втере́ться 1. (прям. и перен.) insinuàte òneself; ~ся в толпу́ worm one's way in / among the crowd; втере́ться в компа́нию worm òneself into smb.'s cómpany [...'kʌm-]; 2. страд. к втира́ть; ◇ ~ся в дове́рие к кому́-л. разг. worm òneself into smb.'s cónfidence, gain smb.'s cónfidence in an únderhand way, ingrátiate òneself with smb.

вти́скивать, вти́снуть (вн. в вн.) squeeze (d. in, into), cram (d. in, into). ~ся, вти́снуться 1. (в вн.) squeeze (in, into), squeeze òneself (in, into); 2. страд. к вти́скивать.

вти́снуть(ся) сов. см. вти́скивать(ся).

втихаря́ нареч. разг. on the sly.

втихомо́лку нареч. разг. on the quíet, on the sly; without sáying a word.

втиху́ю нареч. = втихаря́.

втолкну́ть сов. см. вта́лкивать.

втолкова́ть сов. см. втолко́вывать.

втолко́вывать, втолкова́ть разг.: ~ что-л. кому́-л. make* smb. understánd smth.; din / ram smth. into smb. разг.; несов. тж. try to make smb. understánd smth.

втопта́ть сов. см. вта́птывать.

втора́ ж. муз. sécond voice ['se-]; (втора́я скри́пка) sécond violín.

вторга́ться, вто́ргнуться (в вн.; в страну́) invàde (d.); (в чужи́е владе́ния, права́ и т. п.) encróach (upón), break* [-eɪk] (in, into), intrúde (into); (перен.: вме́шиваться) intrúde (upón), meddle (in), butt (into).

вто́ргнуться сов. см. вторга́ться.

вторже́ние с. (в вн.; в страну́) invásion (of), incúrsion (into); (в чужи́е владе́ния и т. п.) encróachment (upón), intrúsion (into); (перен.) intrúsion (upón).

вто́рить 1. (дт.; прям. и перен.) écho [-k-] (d.); (об э́хо) repéat (d.); 2. муз. play, sing* the sécond part [...'se-...].

втори́чн||о нареч. a sécond time [...'se-...], for the sécond time. ~ый 1. (второ́й) sécond ['se-]; 2. (второстепе́нный) sécondary; 3.: ~ая форма́ция геол. sécondary formátion; ~ая ткань бот. sécondary tíssue; ~ый спирт хим. sécondary álcohòl.

ВТО – ВЧЕ

вто́рник *м.* Túesday ['tjuːzdɪ]; по ~ам on Túesdays, every Túesday.

второго́дн||ик *м.*, ~ица *ж.* púpil remáining in the same form for sécond year [...'sek-...], púpil repéating the (académic) year.

второ́е 1. *с. скл. как прил.* (*второе блюдо*) sécond course (*of a meal*) ['sekɔːs]; что на ~? what is the sécond course?; 2. *вводн. сл. разг.* (*во-вторых*) sécondly.

втор||о́й 1. sécond ['se-]; ~о́е ма́я, ию́ня *и т.п.* the sécond of May, June, *etc.*, May, June, *etc.*, the sécond; страни́ца, глава́ ~а́я page, chápter two; ~ но́мер númber two; ему́ (пошёл) ~ год he is in his sécond year; уже́ (it is) past one; в ~о́м часу́ past / áfter one; полови́на ~о́го half past one [haːf...]; три че́тверти ~о́го a quárter to two; одна́ ~а́я (*половина*) a / one half*; ~ го́лос sécond part; ~а́я скри́пка sécond violín (*перен.*) sécond fiddle; заня́ть ~о́е ме́сто *спорт.* be the rúnner-úp; 2. (*последний из двух названных*) the látter; ◇ из ~ы́х рук (*купить*) sécond-hand ['se-]; (*узнать и т.п.*) at sécond hand.

второкла́сс||ик *м.* sécond-fórm boy ['se-...]; sécond-fórmer ['se-] *разг.* ~ица *ж.* sécond-fórm girl ['se- gəːl].

второкла́ссный sécond-class ['se-]; (*посредственный*) sécond-ráte ['se-].

второку́рс||ник *м.*, ~ица *ж.* sécond-year stúdent ['se-...].

второочередно́й less impórtant, sécondary, not úrgent / outstánding.

второпя́х *нареч.* hástily ['heɪ-], in haste [...heɪ-], húrriedly; (*во время спешки*) in one's húrry.

второ||разря́дный sécond-ráte ['se-]. ~сортный sécond-quálity ['se-], sécond-gráde ['se-]; (*посредственный*) inférior, sécond-ráte ['se-], of inférior quálity.

второстепе́нный (*менее существенный*; *не главный*) mínor; (*побочный*) áccessory; ~ поэ́т mínor póet; ~ вопро́с mínor quéstion [...-stʃ-], a quéstion of mínor impórtance.

вторсырьё *с.* (*вторичное сырьё*) sálvage, útility waste [...weɪ-].

втрави́ть *сов. см.* втра́вливать.

втра́вливать, втрави́ть (*вн. в вн.*) draw* (*d.* into), invólve (*d.* in); invéigle [-'viː-] (*d.* into).

в-тре́тьих *вводн. сл.* thírdly, in the third place.

втри́дорога *нареч. разг.* triple the price [trɪ-...]; драть ~ charge an exórbitant price; заплати́ть ~ pay* through the nose; купи́ть что-л. ~ buy* smth. at an exórbitant price [baɪ-...]; pay* through the nose for smth. *идиом.*

втро́е *нареч.* three times; увели́чить ~ (*вн.*) triple [trɪ-] (*d.*), treble (*d.*); уме́ньшить ~ take* a third (*of*); сложи́ть ~ (*вн.*) fold in three (*d.*); ~ ме́ньше (*рд.*) a third (of); ~ бо́льше (*с сущ. в ед. ч.*) three times as much; (*с сущ. во мн. ч.*) three times as many; взять чего́-л. ~ бо́льше take* triple the quántity / amóunt of smth.

втроём *нареч.* three (togéther) [...-'ge-]; они́ рабо́тали, гуля́ли *и т.п.* ~ the three of them worked, went out, *etc.*, togéther.

втройне́ *нареч.* three times as much.

втуз *м.* (*высшее техни́ческое учебное заведение*) téchnical cóllege.

вту́лка *ж.* 1. (*колеса и т.п.*) bush [buʃ], búshing ['bu-]; 2. (*пробка, затычка*) plug.

втуне́ *нареч. уст.* in vain.

втыка́ть, воткну́ть (*вн. в вн.*) run* (*d.* in, into), stick* (*d.* in, into); (*с большим усилием*) drive* (*d.* in, into); ~ кол в зе́млю drive* a stake into the ground.

втя́гивать, втяну́ть 1. (*вн. в, на вн.*) pull [pul] (*d.* in, into, on, up), draw* (*d.* in, into, on, up); 2. (*вн. в вн.*; *вовлекать*) draw* (*d.* into), indúce (*d.*) to partícipate (in); (*вну́тывать*) invólve (*d.* in); 3. (*вн.*; *вбирать*) воздух draw* / breathe in the air; ~ жи́дкость suck up, *или* absórb, a liquid; ◇ втяну́ть ко́гти draw* in *its* claws. ~ся, втяну́ться 1. (в *вн.*; *привыкать*) get* used / accústomed [...juːst...] (to); (*увлекаться*) become* keen (on); 2. *страд. к* втя́гивать.

втяжно́й *тех.* súction (*attr.*).

втя́нутый drawn in.

втяну́ть(ся) *сов. см.* втя́гивать(ся).

вуале́тка *ж.* (short) veil.

вуали́ровать, завуали́ровать (*вн.*) veil (*d.*), draw* a veil (óver).

вуа́ль *ж.* 1. veil; 2. *фот.* haze.

вуз *м.* (*высшее учебное заведение*) institute of higher educátion, cóllege.

ву́зовец *м. разг.* stúdent (*at any institute of higher education*).

Вулка́н *м. миф.* Vúlcan.

вулка́н *м.* volcáno; де́йствующий ~ áctive volcáno; поту́хший ~ extínct volcáno; ◇ жить (как) на ~е be líving on the edge of a volcáno [...'lɪv-...].

вулканиз||а́ция *ж. тех.* vulcanizátion [-naɪ-]. ~и́ровать *несов. и сов.* (*вн.*) *тех.* vúlcanize (*d.*).

вулкани́ческий volcánic.

вулкано́лог *м.* volcanist, volcanólogist.

вулканоло́гия *ж.* volcanólogy.

вульгариза́тор *м.* vúlgarizer. ~ский *прил. к* вульгариза́тор.

вульгар||иза́ция *ж.* vulgarizátion [-raɪ-]. ~изи́ровать *несов. и сов.* (*вн.*) vúlgarize (*d.*). ~и́зм *м. лингв.* vúlgarism.

вульга́рн||ость *ж.* vulgárity. ~ый vúlgar; ◇ ~ая латы́нь vúlgar Látin.

вундерки́нд [-дэ-] *м.* ínfant pródigy.

вурдала́к *м.* vámpire.

вход *м.* éntrance, éntry; ~ воспрещён no admíttance; гла́вный ~ main éntrance; ~ по биле́там admíssion / éntrance by ticket ónly; ~ свобо́дный admission free.

вход||и́ть, войти́ 1. (*вступать*) énter (*из данного места внутрь*) go* in; (*извне в данное место*) come* in; (в *вн.*) énter (*d.*); go* (into); come* (into): он вошёл he éntered; he went in; he came in; войдём(те)! (*туда*) let us go in!; войди́те! (*ответ на стук в дверь*) come in!; ~ в зал énter *the* hall; go* into *the* hall; come* into *the* hall; — вхо́дит Ивано́в (*сценическая ремарка*) énter Ivanóv; ~ в порт (*о судне*) sail / steam into *the* port, énter the hárbour; énter port; 2. (в *вн.*; *умещаться*) go* (into); э́то е́ле вхо́дит it will hárdly go in, it is a tight fit; 3. (в *вн.*; в соста́в) be a mémber (of); (*принимать участие*) take* part (in); 4. (в *вн.*; *вникать*) énter (into), go* (into); ~ в чьи-л. интере́сы énter into smb.'s ínterests; ◇ ~ в соста́в (*рд.*) form / be (a) part (of); ~ в счёт count; ~ в число́ (*рд.*) be réckoned (amóng, with); ~ в соглаше́ние (с *тв.*) énter upón an agréement (with); ~ в конта́кт (с *тв.*) come* into cóntact (with); ~ в си́лу, в де́йствие come* into force, come* / go* into effect; ~ в сноше́ния (с *тв.*) énter into relátions (with); ~ в долги́ get* / run* into debt [...det]; ~ в лета́ get* on (in years); ~ в мо́ду come* into fáshion, become* fáshionable; ~ в обихо́д, ~ в быт become* úsual [...-ʒu-], become* the cústom; ~ в привы́чку become* a hábit, grow* into a hábit [grou...]; get* / become* accústomed to smth.; ~ в колею́ settle down, retúrn to nórmal, get* back into a routíne [...ruː'tiːn]; ~ во вкус чего́-л. begin* to enjóy / rélish smth., acquíre a taste for smth. [...teɪst...]; ~ в роль (begin* to) feel at home in one's róle, énter into one's róle; ~ в чьё-л. положе́ние understánd* smb.'s position [...-'zɪ-]; sýmpathize with smb.; ~ в дове́рие к кому́-л. win* smb.'s cónfidence; ~ в погово́рку become* provérbial, pass into a próverb [...'prɔ-]; войти́ в исто́рию go* down in history; ~ в рассмотре́ние чего́-л. exámine smth.; ~ с предложе́нием put* fórward, *или* submít, a propósal [...-zˈl]; (*на собрании и т.п.*) bring* in a mótion; э́то не вхо́дит в расчёт that does not énter the calculátion; that doesːn't come into it *разг.* ~но́й éntrance (*attr.*); ~но́й биле́т éntrance ticket / card, ticket of admíttance; ~но́е отве́рстие ínlet; ~на́я пла́та éntrance fee. ~я́щая *ж. скл. как прил. канц.* íncoming páper; журна́л ~я́щих и исходя́щих correspóndence book. ~я́щий 1. *прич. см.* входи́ть; 2. *прил.* íncoming.

вхожде́ние *с.* éntry.

вхож||ий *разг.*: он вхож к ним, он вхож в их дом he is well recéived at their house* [...-'siːvd... -s], he is well in with those people [...piː-].

вхолосту́ю *нареч.*: рабо́тать ~ run* free / idle.

вцепи́ться *сов. см.* вцепля́ться.

вцепля́ться, вцепи́ться (в *вн.*) seize [siːz] (*d.*), catch* hold (of), clutch (at), cling* (to); вцепи́ться кому́-л. в во́лосы *разг.* seize smb. by the hair.

ВЦСПС *м.* (*Всесою́зный Центра́льный Сове́т Профессиона́льных Сою́зов*) the Áll-Únion Céntral Cóuncil of Trade Únions.

вчера́ *нареч.* yésterday [-dɪ]; ~ у́тром, днём yésterday mórning, áfternoon; ~ ве́чером last évening / night [...'iːv-...], yésterday évening; ~ но́чью last night. ~шний 1. *прил.* yésterday's [-dɪz]; весь ~шний день the whole of yésterday [...houl...]; ~шний конце́рт yésterday's cóncert; **2.** *как сущ. с.*: он пробыл здесь меньше ~шнего he stayed here less time to:dáy than yésterday; ◊ искать ~шнего дня *разг.* ≅ run*, *или* go* on, a wíld-goose chase [...-guːs -s].

вчерне́ *нареч.* in the rough [...rʌf]; речь гото́ва ~ the rough draft of the speech is réady [...ˈre-].

вче́тверо *нареч.* four times [fɔː...]; увели́чить ~ (*вн.*) quádruple (*d.*), múltiply by four (*d.*); уме́ньшить ~ (*вн.*) quárter (*d.*), take* a quárter (of); ~ бо́льше (*с сущ. в ед. ч.*) four times as much; (*с сущ. во мн. ч.*) four times as many; ~ ме́ньше one quárter (of); сложи́ть ~ (*вн.*) fold in four (*d.*); брать ~ бо́льше take* four times as much.

вчетверо́м *нареч.* four (togéther) [fɔːˈge-]; они́ рабо́тали, гуля́ли *и т. п.* ~ the four of them worked, went out, *etc.*, togéther.

в-четвёртых *вводн. сл.* fóurthly [ˈfɔːθ-], in the fourth place [...fɔːθ...].

вчини́ть *сов. см.* вчиня́ть.

вчиня́ть, вчини́ть: ~ иск *юр. уст.* bring* an áction.

вчисту́ю *нареч. разг. уст.* fínalːly; вы́йти ~ (*с военной службы*) retíre, get* one's final disːchárge.

вчита́ться *сов. см.* вчи́тываться.

вчи́тываться, вчита́ться (в *вн.*) read* cáreːfully (*d.*); *несов. тж.* try and grasp the méaning (of); *сов. тж.* get* a grasp (of).

ВЧК [вэчека́] *ж. нескл.* (Всеросси́йская чрезвыча́йная коми́ссия по борьбе́ с контрреволю́цией и сабота́жем) *ист.* Àll-Rússian Spécial Commíssion for Cómbatting Cóunter-rèvolùtion and Sábotàge [-ʃən ˈspe-...-tɑːʒ].

вчу́же *нареч.* as an oútsìder; мне его́ ~ жаль I am sórry for him although it has got nothing to do with me [...ɔːlˈðou...].

вше́стеро *нареч.* six times, síxfòld; увели́чить ~ (*вн.*) múltiply by six (*d.*); уме́ньшить ~ (*вн.*) take* a sixth (of); ~ бо́льше (*с сущ. в ед. ч.*) six times as much; (*с сущ. во мн. ч.*) six times as many; ~ ме́ньше one sixth (of).

вшестеро́м *нареч.* six (togéther) [...ˈge-]; они́ рабо́тали, гуля́ли *и т. п.* ~ the six of them worked, went out, *etc.*, togéther.

вшива́ть, вшить (*вн. в вн.*) sew* [sou] (*d. in*).

вши́веть, обовши́веть becóme* lóusy [...-zɪ], becóme* líce-rìdden.

вшивно́й séwn-in [ˈsoun-].

вши́вːость *ж.* lóusiness [-zɪ-]; pediculósis *научн.* ~ый lóusy [-zɪ], líce-ridden.

вширь *нареч.* in breadth [...bredθ]; разда́ться ~ grow* stout [grou...]; расстра́ться ~ bróaden [-ɔːd-], wíden.

вшить *сов. см.* вшива́ть.

въеда́ться, въе́сться (в *вн.*) eat* (ínto).

въе́дливый *разг.* háir-splìtting, metículous.

въе́дчивый *разг.* **1.** cáustic; **2.** = въе́дливый.

въезд *м.* cárriage-èntrance [-rɪdʒ-], éntry; при ~е в го́род at the éntrance to the síty [...ˈsɪ-]; пра́во ~а right of éntry. ~но́й éntrance (*attr.*); ~на́я ви-

за éntrance vísa [...ˈviːzə]; ~ны́е воро́та gates.

въезжа́ть [-еж'жя-], въе́хать **1.** (в *вн.*) énter (*d.*); (*в экипаже*) drive* (ínto); **2.** (на *вн.*; *подниматься*) go* up (*d.*); (*в экипаже*) drive* up (*d.*); **3.** (в *вн.*; *поселяться*) move [muːv] (in, ínto).

въе́сться *сов. см.* въеда́ться.

въе́хать *сов. см.* въезжа́ть.

въявь *нареч. уст.* in reálity [...rɪˈæ-]; ви́деть ~ see* with one's own eyes [...oun aɪz].

вы, *рд., вн., пр.* вас, *дт.* вам, *тв.* ва́ми, *мест.* you; благодарю́ вас thank you; что с ва́ми? what is the mátter with you?; это ва́ми напи́сано? did you write this?; есть ли у вас..? have you got..?; у вас (*в вашей комнате, квартире и т. п.*) in your room, flat, *etc.*; ◊ быть на вы с кем-л. be on fórmal terms with smb.

выба́лтывать, вы́болтать (*вн.*) *разг.* let* out (*d.*), blab out (*d.*); вы́болтать секре́т let* / blurt out a sécret; let* the cat out of the bag *идиом.*

выбега́ть, вы́бежать run* out; ~ на у́лицу run* out into the street.

вы́бежать *сов. см.* выбега́ть.

вы́белить *сов.* (*вн.*) whíten (*d.*), bleach (*d.*).

выбива́ть, вы́бить (*вн.*) **1.** knock out (*d.*); (*мяч ногой*) kick out (*d.*); ~ из седла́ únseat (*d.*), únhòrse (*d.*); ~ проти́вника dislódge the énemy; **2.** (*ударами очищать от пыли*) beat* (*d.*); ~ пыль из чего́-л. beat* the dust out of smth.; ~ ковёр beat* *a* cárpet; **3.** (*штамповать*) stamp (*d.*); ~ клеймо́ (на *пр.*) mark (*d.*); ~ меда́ль strike* a médal [...ˈme-]; ◊ ~ кого́-л. из колеи́ únsèttle smb.; úpsèt* smb.'s routíne [...ruːˈtiːn]; вы́бить дурь из головы́ *разг.* knock the nónsense out of smb. **~ся, вы́биться 1.** get* out; у неё, у него́ *и т. д.* во́лосы вы́бились из-под шля́пы her, his, *etc.*, hair came out, *или* showed, belów her, his, *etc.*, hat [ˈʃoud -ou-...]; **2.** *страд. к* выбива́ть; ◊ ~ся из сил strain òneːsélf to bréaking point [...ˈbreɪk-...], wear* òneːsélf out [weə-...]; вы́биться из сил be / becóme* exháusted; вы́биться из колеи́ be (complétely) únsèttled; go* off the rails; вы́биться в лю́ди *разг.* make* one's way in the world, get* on in the world; вы́биться на доро́гу get* on well, succéed; make* / find* one's way.

выбира́ть, вы́брать (*вн.*) **1.** choose* (*d.*); (*отбирать*) seléct (*d.*), pick out (*d.*); ~ моме́нт (*для*) choose* the right time (for), time (*d.*); **2.** (*голосованием*) eléct (*d.*); **3.** *уст.* (*о патенте и т.п.*) take* out (*d.*); **4.** *разг.* (*брать до последнего*) take* éveryːthing out; **5.** *мор.* (*тянуть*) haul (*d.*), haul in (*d.*), pull [pul] (*d.*).

выбира́ться I, вы́браться **1.** (*прям. и перен.*) get* out; ~ на доро́гу get* on the right road; ~ из затрудне́ний get* out of a dífficulty; **2.** *разг.* (*переезжать из квартиры*) move [muːv]; **3.** *разг.* (*к кому-л., куда-л.*) mánage to get to, *или* to go out.

выбира́ться II *страд. к* выбира́ть.

ВЧЕ — ВЫБ   В

вы́бить(ся) *сов. см.* выбива́ть(ся).

вы́боина *ж.* dint, dent; (*на дороге*) pótːhòle.

вы́бойка *ж. текст.* print.

вы́боле́ːть *сов. разг.* be worn out with súffering [...wɔːn...]; вся моя́ душа́ ~ла all my heart is worn out with súffering [...hɑːt...].

вы́болтать *сов. см.* выба́лтывать.

вы́бор *м.* choice; (*отбор*) seléction; *офиц.* (*тж. право выбора*) óption; (*из двух возможных тж.*) álternative; останови́ть свой ~ (на *пр.*) choose* (*d.*), fix (up:ón); полага́ться на чей-л. ~ leave* smth., *или* it, (up) to smb. (to choose); ваш ~ хоро́ш, плох you have made a good*, a bad* choice, you have chósen well*, ill*; по со́бственному ~у of one's own choice / chóosing [...oun...]; он мо́жет взять любу́ю кни́гу по со́бственному ~у he may take any book of his own choice / chóosing; у него́ нет ~а he has no choice / óption, he has no (other) álternative; большо́й ~ това́ров large seléction of goods [...gudz], wide choice of goods; ◊ на ~ for choice.

вы́боркːа *ж.* **1.** (*действие*) seléction, excérption; **2.** *обыкн. мн.* (*выбранное*) éxtràct, éxcèrpt; де́лать ~и make* éxtràcts / éxcèrpts.

вы́борнːость *ж.* appóintment by eléction. **~ый 1.** *прил.* eléctive; (*относящийся к выборам*) eléctoral, vóting; ~ая до́лжность eléctive óffice; **2.** *м. как сущ.* délegate.

вы́борочнːый seléctive; ~ая прове́рка spot check; ~ое ороше́ние seléctive / sample írrigation.

вы́борщик *м.* eléctor.

вы́борːы *мн.* eléction *sg.*, eléctions; ~ в Сове́т eléctions to the Sóviet; всео́бщие ~ géneral eléctions; всео́бщие, прямы́е, ра́вные ~ при та́йном голосова́нии univérsal, diréct and équal eléctions by sécret bállot [...ˈiːk-...]; дополни́тельные ~ bý-eléction *sg.*; ~ в парла́мент Pàrliaméntary eléctions.

вы́бранить *сов.* (*вн.*) *разг.* give* a (good) tícking-òff, *или* dréssing-down (*d.*). **~ся** *сов. разг.* swear* [sweə].

выбра́сыватель *м.* (*в оружии*) ejéctor.

выбра́сывать, вы́бросить (*вн.*) **1.** throw* out [-ou-...] (*d.*); ~ на бе́рег (*о море, волнах и т.п.*) cast* aːshòre (*d.*); ~ в окно́ throw* out of the window (*d.*); ~ за́ борт heave* óverːbòard (*d.*); throw* óverːbòard (*d.*), jéttison (*d.*) (*тж. перен.*); **2.** (*выпускать, исключать*) rejéct (*d.*), discárd (*d.*); ◊ ~ това́р на ры́нок throw* goods on the márket [...gudz...]; ~ зря waste [weɪ-] (*d.*); ~ кого́-л. на у́лицу throw* smb. into the street; вы́бросить из головы́ put* it out of one's head [...hed], dismíss (*d.*), get* rid (of). **~ся**, вы́броситься **1.** throw* òneːsélf out [-ou-...]; ~ся с парашю́том bale out; ~ся на мель go* aːgróund; **2.** *страд. к* выбра́сывать.

вы́брать *сов. см.* выбира́ть.

вы́браться *сов. см.* выбира́ться I.

101

ВЫБ – ВЫВ

выбрива́ть, вы́брить (*вн.*) shave* (*d.*). ~**ся**, вы́бриться shave*.

вы́бритый sháven; гла́дко ~ cléan-sháven.

вы́брить(ся) *сов. см.* выбрива́ть(ся).

вы́брос *м. воен.* troop lánding; ~ деса́нта lánding òperátion.

вы́бросить(ся) *сов. см.* выбра́сывать(ся).

вы́броска *ж.* = вы́брос.

вы́бучить *сов. см.* бу́чить.

выбыва́ть, вы́быть (из) leave* (*d.*), quit (*d.*), адреса́т вы́был the áddressee has left; ~ из игры́ be out; ◊ ~ из стро́я quit / leave* the ranks; *воен. тж.* become* a cásualty [...-ʒju-].

вы́бытие *с.*: за ~м из го́рода, из до́ма in view of one's depárture from the town, from home [...vju:...], in view of one's change of abóde [...tʃeɪ-...]; за ~м из спи́сков in view of the remóval of one's name from the list [...-ˈmu:-...].

вы́быть *сов. см.* выбыва́ть.

выва́ливать I, вы́валить (*вн.*) throw* out [-ou...] (*d.*).

выва́лив||**ать** II, вы́валить *разг.* (*выходить толпой*) pour out of [pɔ:...]; толпа́ ~ала из переу́лка the crowd was póuring out of a sìde-street.

выва́ливаться, вы́валиться fall* out; (*тк. о человеке*) túmble out.

вы́валить I, II *сов. см.* выва́ливать I, II.

вы́валиться *сов. см.* выва́ливаться.

вы́валять *сов.* (*вн.*) *разг.*: ~ в грязи́, в снегу́ *и т. п.* drag in / through the mud, the snow, etc. [...snou] (*d.*). ~**ся** *сов. разг.*: ~ся в грязи́, в снегу́ *и т. п.* be cóvered with mud, snow, etc. [...ˈкл-... snou]; он выва́ляется в грязи́, в снегу́ he will get all cóvered with mud, snow, etc.; (*ср.* валя́ться).

выва́ривать, вы́варить (*вн.*) 1. boil down (*d.*); *разг.* (*чрезмерно*) boil to rags (*d.*); ~ ко́сти boil down bones; 2. (*извлекать*) extráct by bóiling (*d.*); ~ соль из морско́й воды́ obtáin salt by evàporátion of sea wáter [...ˈwɔ:-...]. ~**ся** *страд. к* выва́ривать.

вы́варить *сов. см.* выва́ривать.

вы́вар||**ка** *ж.* extráction (*соли и т. п.*) evàporátion. ~**ки** *мн.* resíduum [-ˈzɪ-] *sg.* ~**очный**: ~очная соль salt obtáined by evàporátion.

вы́ведать *сов. см.* выве́дывать.

выве́дывать, вы́ведать (*вн.*) find* out (*d.*), worm out (*d.*); *несов. тж.* try to find out (*d.*); ~ чьи-л. наме́рения find* out smb.'s inténtions; вы́ведать секре́т у кого́-л. worm a sécret out of smb.

вы́везти *сов. см.* вывози́ть 1, 3, 4.

вы́вер||**ить** *сов. см.* выверя́ть. ~**ка** *ж.* adjústment [əˈdʒʌ-]; (*часов*) règulátion.

вы́вернуть(ся) *сов. см.* выве́ртывать(ся).

вы́верт *м. разг.* 1. cáper; танцева́ть с ~ами cáper, cut* cápers; 2. (*причуда*) vágary, èccentrícity; челове́к с ~ом eccéntric; говори́ть с ~ами talk eccéntrically.

выве́ртывать, вы́вернуть (*вн.*) 1. (*вывинчивать*) únscréw (*d.*); 2. *разг.* (*руку, ногу и т. п.*) twist (*d.*), wrench (*d.*); 3. (*наизнанку*) turn (ínside) out (*d.*). ~**ся**, вы́вернуться 1. (*вывинчиваться*) come* únscréwed; 2. (*выскальзывать*) slip out; 3. *разг.* (*из затруднительного положения*) wríggle / get* out of a dífficulty / fix, find* a way out, mánage to escápe scót-frée; 4. *страд. к* выве́ртывать.

выверя́ть, вы́верить (*вн.*) adjúst [əˈdʒʌ-] (*d.*); (*о часах*) règuláte (*d.*).

вы́весить I, II *сов. см.* выве́шивать I, II.

вы́вес||**ка** I *ж.* sign [saɪn], sígnboard [ˈsaɪn-]; (*перен.*) mask; живопи́сец ~ок sígn-painter [ˈsaɪn-]; под ~кой (*рд.*; *перен.*) únder the mask (of).

вы́веска II *ж.* (*о весе*) wéighing.

вы́вести(сь) I, II *сов. см.* выводи́ть(-ся) I, II.

вы́ветренный *прич. и прил. геол.* wéathered [ˈweð-], eróded.

выве́тривание *с.* 1. áiring; 2. *геол.* wéathering [ˈweð-]; (*разрушение*) decáy.

выве́тривать, вы́ветрить (*вн.*) drive* (out) (*d.*), let* out (*d.*); (*проветривать*) air (*d.*), remóve by vèntilátion [-ˈmu:v...] (*d.*); (*перен.*) drive* awáy (*d.*); (*из памяти*) effáce (*d.*). ~**ся**, вы́ветриться 1. be blown awáy [...bloun...]; vánish; disappéar (*тж. перен.*); ~ся из па́мяти be effáced from the mémory; 2. *геол.* wéather [ˈweð-], be wéathered [...ˈweð-]; 3. *страд. к* выве́тривать.

вы́ветрить(ся) *сов. см.* выве́тривать(-ся).

выве́шивать I, вы́весить (*вн.*) hang out (*d.*); (*об объявлении и т. п.*) post up [pou-...], put* up (*d.*).

выве́шивать II, вы́весить (*вн.*; *определять вес*) weigh (*d.*).

вы́винтить(ся) *сов. см.* выви́нчивать(-ся).

выви́нчивать, вы́винтить (*вн.*) únscréw (*d.*); ~ винт lóosen a screw [-s-...]. ~**ся**, вы́винтиться 1. come* únscréwed; 2. *страд. к* выви́нчивать.

вы́вих *м.* dislocátion; (*место вывиха*) díslocàted part; (*перен.*) *разг.* kink. ~**нутый** díslocàted. ~**нуть** *сов.* (*вн.*) díslocàte (*d.*), put* out (of joint) (*d.*); ~нуть но́гу díslocàte one's foot* [...fut].

вы́вод *м.* 1. (*удаление*) withdráwal; 2. (*заключение*) conclúsion, ínference; dedúction *научн.*; сде́лать ~ draw* a conclúsion; conclúde, inférmó́жно сде́лать то́лько оди́н ~ ónly one thing can be ínferred / dedúced, one can draw ónly one conclúsion; прийти́ к ~у come* to, *или* arríve at, a conclúsion; ло́жный ~ false conclúsion [fɔ:ls...]; непра́вильный ~ wrong conclúsion; поспе́шный ~ hásty conclúsion [ˈheɪ-...]; поспеши́ть с ~ом jump to a conclúsion.

выводи́ть I, вы́вести (*вн.*) 1. (*откуда-либо*) take* out (*d.*); (*уводить*) lead* out (*d.*); (*помогать кому-л. выйти*) help out (*d.*); (*заставлять кого-л. выйти*) make* (*d.*) go out, turn out (*d.*); (*о войсках*) withdráw* (*d.*), call off (*d.*); (*устранять*) remóve [-ˈmu:v] (*d.*), take* out (*d.*); 3. (*уничтожать*) éxtirpàte (*d.*), destróy (*d.*); (*паразитов*) extérminàte (*d.*); 4. (*делать вывод*) conclúde (*d.*), infér (*d.*); ~ сле́дствие draw* a conclúsion; ~ фо́рмулу dedúce a fórmula; из э́того он вы́вел, что he conclúded from this that; 5. (*изображать*) depíct (*d.*), pòrtráy (*d.*); ◊ ~ бу́квы trace out each létter páinstàkingly [...-z-]; ~ из затрудне́ния, из затрудни́тельного положе́ния help out of a dífficulty (*d.*); ~ из заблужде́ния undecéive [-i:v] (*d.*); ~ кого́-л. из себя́ drive* smb. out of his wits, drive* smb. to distráction; drive* smb. crázy; ~ из равнове́сия discompóse (*d.*); rúffle (*d.*) *разг.*; ~ кого́-л. из терпе́ния try smb.'s pátience; вы́вести кого́-л. из терпе́ния exásperàte smb.; ~ из стро́я disáble (*d.*), put* out of áction (*d.*); wreck (*d.*); ~ на орби́ту put* into órbit (*d.*); ~ на чи́стую во́ду expóse (*d.*), únmàsk (*d.*), show* up [ʃou...] (*d.*).

выводи́ть II, вы́вести (*вн.*) (*выращивать*) grow* [-ou] (*d.*), raise (*d.*); (*высиживать*; *о наседке*) hatch (*d.*); ~ лу́чшие поро́ды скота́ raise the best strains of cáttle.

выводи́ться I, вы́вестись 1. (*исчезать*; *о животных и т. п.*) become* extínct; 2. (*выходить из употребления*) go* out of use [...-s], fall* into disúse [...-s]; 3. (*о пятнах*) come* out; 4. *страд. к* выводи́ть I.

выводи́ться II, вы́вестись (*о птенцах*) hatch.

вы́водка I *ж.* (*уничтожение*) remóval [-ˈmu:v-].

вы́водка II *ж.* (*лошадей*) éxercising (of horses).

выводн||**о́й** 1. *тех.* dìschárge (*attr.*), vent (*attr.*); ~а́я труба́ vent pipe; 2. *анат.* éxcretory [-i:t-].

вы́водок *м.* brood; hatch; (*тк. о млекопитающих*) litter.

вы́воз *м.* 1. remóval [-ˈmu:-]; 2. *эк.* éxport.

вы́возить *сов.* (*вн.*) *разг.* soil (*d.*), bedrággle (*d.*).

вывози́ть, вы́везти (*вн.*) 1. take* out (*d.*); (*о мусоре и т. п.*) remóve [-ˈmu:v] (*d.*); ~ дете́й за́ город send* / take* the children off to the cóuntry [...ˈкл-]; 2. *тк. несов. эк.* (*за границу*) expórt (*d.*); 3. (*привозить с собой*) bring* back (*d.*); 4. *разг.* (*выручать*) save (*d.*), réscue (*d.*); ◊ вы́везти что-л. на себе́, на свои́х плеча́х take* smth. complétely upón òneself, assúme full responsibility for smth.

вы́возиться *сов. разг.* (*в пыли, в грязи*) cóver òneself (with dust, dirt, mud) [ˈкл-...], dirty òneself.

вывози́ться 1. *эк.* be expórted; 2. *страд. к* вывози́ть.

вы́возка *ж.* remóval [-ˈmu:v-]; ~ му́сора remóval of rúbbish / gárbage.

вывозн||**о́й** éxport (*attr.*); ~а́я по́шлина éxport dúties *pl.*

выола́кивать, вы́волочить, вы́волочь (*вн.*) *разг.* drag out (*d.*).

вы́волочить *сов. см.* вывола́кивать.

вы́волочка *ж. разг.* béating; dréssing-down.

вы́волочь *сов. см.* вывола́кивать.

вывора́чивать, вы́воротить *разг.* = выве́ртывать. ~**ся** *разг.* = выве́ртываться.

вы́воротить *сов. см.* вывора́чивать.
вы́гадать *сов. см.* выга́дывать.
выга́дывать, вы́гадать (*вн.*; *получать выгоду*) gain (*d.*); (*сберегать*) économize [i:-] (*d.*), save (*d.*); он на этом не вы́гадал he gained nothing by it.
вы́гиб *м.* curve, cúrvature. **~áть**, вы́гнуть (*вн.*) bend* (*d.*); ~áть спи́ну (*о животных*) arch *its* back. **~áться**, вы́гнуться 1. bend*; 2. *страд. к* выгибáть.
вы́гладить *сов. см.* гла́дить I.
вы́глаженный *прич. и прил.* íroned ['aɪənd], pressed.
вы́глядеть I *сов.* (*вн.*) *разг.* (*высмотреть*) find* (*d.*), discóver [-'kʌ-] (*d.*); (*о разведчике и т.п.*) spy out (*d.*).
вы́гляд‖**еть** II (*иметь вид*) look; ~ но́вым, молоды́м *и т.п.* look new, young, *etc.* [...jʌŋ]; ~ хорошо́, пло́хо look well*, bad*; он пло́хо ~ит he does not look well.
выгля́дывать, вы́глянуть 1. look out; ~ из окна́ look out of the window; 2. (*показываться*) peep out, emérge; ~ из-за чего́-л. peep out through smth., emérge from behind smth.
вы́глянуть *сов. см.* выгля́дывать.
вы́гнать *сов. см.* выгоня́ть.
выгнива́ть, вы́гнить rot a:wáy, rot at the core.
вы́гнить *сов. см.* выгнива́ть.
вы́гну‖**тый** *прич. и прил.* curved. **~ть(ся)** *сов. см.* выгиба́ть(ся).
выгова́ривать, вы́говорить 1. (*вн.*; *произносить*) artículate (*d.*), pronóunce (*d.*); (*высказывать*) útter (*d.*); 2. *тк. несов. разг.* (*делать замечание*) tell* off (*d.*), réprimánd [-ɑːnd] (*d.*), lécture (*d.*); 3. (*вн.*) *разг.* (*обеспечивать, условливаться*) resérve for / to onesélf [-'zɜːv...] (*d.*), stípulate (*d.*, for).
вы́говор *м.* 1. (*произношение*) pronùnciátion; áccent; у него́ хоро́ший, плохо́й англи́йский ~ he pronóunces Énglish well*, bád*ly [...ɪŋ-...], his Énglish pronùnciátion is good*, bad*; 2. (*порицание*) repróof; dréssing-down, wígging, tálking-tò *разг.*; (*ребёнку, близкому*) scólding; télling-òff *разг.*, *офиц., воен.* réprimànd [-ɑːnd] *строгий* ~ с предупрежде́нием sevére réprimànd and wárning; де́лать ~ (*дт.*) rebúke (*d.*), tell* off (*d.*); réprimànd (*d.*). **~ить** *сов. см.* выгова́ривать 1, 3.
вы́говориться *сов. разг.* say* / have one's say.
вы́год‖**а** *ж.* advántage [-ɑːn-], bénefit; (*прибыль*) gain, prófit; (*интерес*) ínterest; извле́чь ~у (из) bénefit (by), deríve bénefit (from); э́то даёт мно́го вы́год it has many advántages; it pays *разг.*; к о́бщей ~е for the públic ínterest [...'pʌl-...]; в э́том нет никако́й ~ы nothing is gained by it.
вы́годно I 1. *прил. кратк. см.* вы́годный; 2. *предик. безл.* (+ *инф.*) it is advántageous (+ to *inf.*), it is prófitable (+ to *inf.*); it pays (+ to *inf.*) *разг.*
вы́годн‖**о** II *нареч.* advántageously. **~ость** *ж.* advántage [-ɑːn-]; advántageousness. **~ый** advántageous; (*прибыльный*) prófitable; (*хорошо оплачиваемый*) remúnerative; ~ое де́ло páying búsiness [...'bɪzn-]; ◊ представ-

ля́ть в ~ом све́те (*вн.*) show* to the best advántage [[ou...-ɑːn-] (*d.*), place in a good light (*d.*).
вы́гон *м.* pásture; (*общественный*) cómmon.
вы́гонка *ж. тех.* distillátion.
выгоня́ть, вы́гнать (*вн.*) 1. drive* out (*d.*); ~ из до́му turn out of the house* [...-s] (*d.*); ~ кого́-л. с рабо́ты *разг.* give* smb. the sack, sack smb., fire smb.; ~ из шко́лы *разг.* expél from school (*d.*); ~ ста́до в по́ле send* the cattle to grass; 2. *тех.* (*добывать перегонкой*) distíl.
выгора́живать, вы́городить (*вн.*) fence off (*d.*); (*перен.*; *кого-л.*) *разг.* screen (smb.), shield [ʃiːld] (smb.).
выгора́ть I, вы́гореть 1. burn* down, burn* a:wáy / out; be destróyed by fire; ~ дотла́ be redúced to áshes; 2. (*выцветать*) fade (in the sun).
выгора́ть II, вы́гореть *разг.* (*удаваться*) turn out well, be a succéss, come* off; де́ло не вы́горело the affáir did not come off; it all fizzled out, the whole thing fell through, it was a compléte flop.
вы́горевший *прич. и прил.* (*о ткани и т.п.*) fáded.
вы́гореть I, II *сов. см.* выгора́ть I, II.
вы́городить *сов. см.* выгора́живать.
вы́гравировать *сов. см.* гравирова́ть.
выгреба́ть I, вы́грести (*вн.*; *золу и т.п.*) rake out (*d.*); (*нечистоты*) remóve [-'muːv] (*d.*).
выгреба́ть II, вы́грести (*о гребцах*) row [rou] ~ про́тив ве́тра row / pull agáinst the wind [...pul... wɪ-]; ~ про́тив тече́ния row / pull agáinst the cúrrent.
выгребн‖**о́й**: ~áя я́ма césspool.
вы́грести I, II *сов. см.* выгреба́ть I, II.
выгружа́ть, вы́грузить (*вн.*) ún:lóad (*d.*), únláde (*d.*); (*с корабля тж.*) únship (*d.*), disembárk (*d.*); (*из эшелонов*) de:tráin (*d.*). **~ся**, вы́грузиться 1. ún:lóad; (*с корабля*) disembárk, únship (*из эшелонов*) de:tráin; 2. *страд. к* выгружа́ть.
вы́грузить(ся) *сов. см.* выгружа́ть(ся).
вы́грузка *ж.* ún:lóading; (*с корабля*) únshipping, disèmbarkátion; (*из эшелонов*) de:tráining.
выгрыза́ть, вы́грызть (*вн.*) gnaw out (*d.*).
вы́грызть *сов. см.* выгрыза́ть.
выдав‖**а́ть**, вы́дать 1. (*вн.*) hand (*d.*), give* out (*d.*); (*распределять*) distríbute (*d.*); ~ дово́льствие íssue supplíes; ~ кому́-л. удостовере́ние, распи́ску *и т.п.* give* smb. a certíficate, recéipt, *etc.* [...-iːt]; ~ паёк serve out, *или* give* out, a rátion [...ˈræ-]; ~ ве́ксель draw* a bill; ~ зарабо́тную пла́ту pay* out wáges, pay* *a* sálary; 2. (*вн.*; *добывать*; *изготовлять, выпускать*) prodúce (*d.*); вы́дать пла́вку prodúce melt / heat; маши́на вы́дала информа́цию compúter prodúced tape / informátion; 3. (*вн.*; *преступника*) delíver up [-'lɪ-...] (*d.*), give* up (*d.*); (*иностранному государству*) éxtradite (*d.*); 4. (*вн.*; *предавать, обнаруживать*) give* a:wáy (*d.*), betráy (*d.*); его́ улы́бка вы́дала его́ his smile betráyed him; он вы́дал своё прису́тствие he betráyed his présence [...-z-]; вы́дать себя́ give* onesélf a:wáy;

ВЫВ – ВЫД B

вы́дать себя́ с голово́й give* onesélf a:wáy compléte:ly; 5. (*вн.* за *вн.*) make* (*d.*) pass (for), set* up (*d.* for); ~ себя́ за кого́-л. give* onesélf out to be smb., preténd to be smb., pose as smb.; pass onesélf off as smb.; ~ что-л. за своё claim smth. as one's own [...oun]; ◊ ~ за́муж кого́-л. за кого́-л. márry smb. to smb., give* smb. in márriage to smb. [...-rɪdʒ].
выдав‖**а́ться** I, вы́даться 1. (*выступать*) protrúde; jut out; 2. (*тв.*; *выделя́ться чем-л.*) be conspícuous (for), be remárkable (for), be distínguished (by); он ничем осо́бенным не выдаётся he is in no way remárkable; there is nothing spécial abóut him [...'spe-...]; 3. *разг.* (*случаться, наступать*) presént it:sélf [-'ze-...], occúr, háppen to be; когда́ ~áлся слу́чай when an òpportúnity presénted it:sélf, *или* occúrred; when there háppened to be an òpportúnity; у меня́, у него́ *и т.д.* вы́далось не́сколько часо́в свобо́дного вре́мени I, he, *etc.*, háppened to have a few hours' léisure [...auəz 'leʒə]; вы́дался хоро́ший денёк it was a fine day.
выдава́ться II *страд. к* выдава́ть.
вы́давить *сов. см.* выда́вливать.
выда́вливать, вы́давить (*вн.*) 1. (*выжимать*) squeeze out (*d.*); (*перен.*) force (*d.*); вы́давить улы́бку, смех force a smile, a laugh [...lɑːf]; вы́давить слезу́ squeeze out a tear; вы́давить из себя́ сло́во constráin / force onesélf to speak; из него́ ни сло́ва не вы́давишь you cánnot get a word out of him; 2. (*выламывать*) break* [breɪk] (*d.*); вы́давить (око́нное) стекло́ break* in *a* window; 3. (*вытиснять*) embóss (*d.*), stamp (*d.*).
выда́ивать, вы́доить (*вн.*; *корову и т.п.*) milk dry (*d.*).
выда́лбливать, вы́долбить (*вн.*) 1. hóllow out (*d.*); 2. *разг.* (*выучивать*) learn* by heart [lə:n...hɑːt] (*d.*); (*ср. тж.* долби́ть).
вы́данье *с.*: на ~ *разг. уст.* márriage:able [-rɪdʒ-] (*перед сущ.*).
вы́дать *см.* выдава́ть. **~ся** *сов. см.* выдава́ться I.
вы́дача *ж.* 1. delívery; (*раздача*) distribútion, íssue; (*пайка́ и т.п.*) sérving out, gíving out; (*выплата*) páyment; за́втра ~ зарпла́ты to:mórrow is páy-day; 2. (*преступника*) èxtradítion.
выдаю́щ‖**ийся** 1. *прич. см.* выдава́ться I; 2. *прил.* próminent, sálient, protrúding; 3. *прил.* (*замечательный*) remárkable, nótable, distínguished; outstánding; (*поразительный*) stríking; remárkable; (*тк. о человеке*) éminent; ~аяся побе́да sígnal / nótable víctory.
выдвига́ть, вы́двинуть (*вн.*) 1. pull out [pul...] (*d.*), move out [muːv...] (*d.*); push [puʃ] (*d.*); ~ я́щик open *a* drawer [...drɔː]; 2. (*предлагать, приводить и т.п.*) advánce (*d.*), put* / bring* fórward (*d.*); ~ тео́рию suggést / advánce a théory [-'dʒə-...'θɪə-]; ~ доказа́тельство, аргуме́нт adduce *a* proof, *an* árgument; ~ усло́вия lay* down

103

ВЫД – ВЫЕ

conditions; ~ вопрóс raise a quéstion [...-stʃ-]; ~ на пéрвый план put* in the fóre:frònt [...-frʌnt] (d.); выдвинуть на передний план push into the fóre:ground [puʃ...] (d.); ~ обвинéние (прóтив) bring* an accusátion, или préfer a charge [...-...] (against); 3. (предлагать к избранию и т.п.) nóminàte (d.); ~ на дóлжность nóminàte to an óffice (d.); ~ чью-л. кандидатýру nóminàte smb. for eléction, put* fórward smb.'s cándidature, propóse smb. as a cándidate; 4. (на более ответственную работу) promóte (d.); ~ из своéй среды́ prodúce from their ranks; 5. воен. push fórward / out (d.). ~ся, вы́двинуться 1. (вперёд) move (fórward) [mu:v...]; 2. тк. несов. (о ящике и т.п.) slide* in and out, move in and out; 3. (достигать более высокого положения) rise*; rise* from the ranks; (добиваться выдвижения) work one's way up; (выделяться) be distínguished; вы́двинуться на передний план come* to the fore, advance to the fóre:frònt [...-frʌnt]; 4. страд. к выдвигать.

выдвижéнец м. wórker promóted to an admínistrative post [...poust]. **~éние** с. advánce:ment; (по работе) promótion. **~éнка** ж. к выдвиженец.

выдвижнóй slíding; тех. telescópic.

вы́двинуть сов. см. выдвигать. **~ся** сов. см. выдвигаться 1, 3.

вы́дворить сов. см. выдворять.

выдворять, вы́дворить (вн.) turn out (d.), evíct (d.).

вы́деланный прич. и прил. (о коже, о мехе) dressed; (о коже тж.) cúrried.

вы́делать сов. см. выделывать 1, 3.

выделéние с. 1. appórtionment; 2. хим. isolátion [aɪsə-]; 3. чаще мн. физиол. secrétion (pl. -ns, -ta); (об отработанном веществе) excrétion (pl. -ta); (о гное) dis:chárge; гнóйные ~ pus; mátter разг.

выдели́тельн||**ый** физиол. secrétory [-ri:-], éxcretòry [-ri:-] (ср. выделéние); **~ые** óрганы órgans of secrétion, sécretòry órgans; órgans of excrétion, éxcretòry órgans.

вы́делить(ся) сов. см. выделять(ся).

вы́делка ж. 1. (производство) manufácture; ~ кóжи dréssing, cúrrying; 2. (качество) make; 3. (рельефный рисунок на ткани) embóssing.

выдéлыва||**ть, вы́делать** (вн.) 1. (вырабатывать) make* (d.), fáshion (d.); 2. тк. несов. (производить) manufácture (d.), make* (d.); 3. (о коже) dress (d.), cúrry (d.); 4. тк. несов. разг. be up to: что он там ~ет? what is he up to there?

выделя́ть, вы́делить (вн.) 1. (отбирать) pick out (d.), choose* (d.), single out (d.); (предназначать) allót (d.); (намечать) éar-màrk (d.); 2. воен. (об отряде и т.п.) detách (d.); (об охране и т.п.) find* (d.), províde (d.); 3. (об имуществе) appórtion (d.); 4. (отличать) mark out (d.); (отмечать заслуги и т.п.) distínguish (d.); 5. полигр.: ~ курсúвом print in itálics (d.), itálicìze (d.); 6. физиол. secréte (d.); (тк. об отработанном веществе) excréte (d.);

(о гное) dis:chárge (d.); 7. (о жидкости) exúde (d.); 8. хим. edúce (d.), isoláte [ˈaɪsə-] (d.). **~ся, вы́делиться** 1. (тв.; отличаться) be distínguished (by), be nótable (for); stand* out (for); **~ся** на фóне (рд.) stand* out agáinst a báckground (of); 2. (об имущественных отношениях) take* one's share; 3. (о жидкости) ooze out, exúde (d.); 4. страд. к выделять.

выдёргивать, вы́дернуть (вн.) pull out [pul...] (d.); ~ зуб pull out a tooth*.

выдержанн||**ость** ж. 1. (характера) fírmness, stéadfastness [ˈsted-]; (стойкость) stáunchness; (самообладание) sélf-contról [-oul], sélf-commànd [-ɑ:nd], sélf-posséssion [-ˈzeʃ-]; (стройность, последовательность) consístency. **~ый** 1. (умеющий владеть собой) sélf-posséssed [-ˈzest], sélf-restráined; он очень ~ый человéк he posséses great sélf-commánd [...-ze-greɪt-ɑ:nd], he has great commánd óver himsélf [...-ɑ:nd...]; 2. (твёрдый, стойкий) staunch, stéadfast [ˈsted-]; 3 (стройный, последовательный) consístent; ~ый стиль sustáined / dígnified stýle; 4. (о продуктах): ~ый сыр ripe / matúre cheese; ~ый табáк séasoned / ripe tobácco [-zˈnd...]; ~ое винó old / séasoned wine; ~ое дéрево séasoned wood [...wud].

вы́держать сов. см. выдерживать.

выдéрживать, вы́держать 1. (вн.; прям. и перен.) bear* [bεə] (d.), sustáin (d.), stand* (d.); (перен. тж.) endúre (d.); вы́держать экзáмен pass an examinátion; ~ испытáние stand* the test; ~ осáду withstánd* a siege [...si:dʒ]; вы́держать пы́тку endúre tórture; он не мог этого бóльше вы́держать he could not bear / stand it any lónger; его нéрвы не вы́держали his nerve failed him; ~ бýрю wéather a storm [ˈwe-...]; 2. (без доп.) разг. (сдерживаться) contáin onesélf; он не вы́держал и рассмеялся he could not contáin himsélf (any lónger) and burst out láughing [...ˈlɑ:f-], he could not refráin from láughing; он не вы́держал и заплáкал he broke down and cried; 3. (вн.; о товарах) keep* to matúre (d.); (о дереве) séason [-zn] (d.); ◊ вы́держать нéсколько издáний run* into séveral editions; вы́держать пáузу make* / sustáin a pause (d.); ~ под арéстом (вн.) keep* in cústody (d.); вы́держать роль keep* up a part, sustáin an act; вы́держать харáктер be / stand* firm, be stéadfast [...ˈsted-]; не вы́держать харáктера give* way; не ~ крúтики not stand* up to críticism, be no good at all; not hold* wáter [...ˈwɔ:-] идиом.

вы́держка I ж. 1. (самообладание) sélf-contról [-roul], sélf-mástery, sélf-restráint; (стойкость) tenácity; (выносливость) stáying-power, endúrance; 2. фот. expósure [-ˈpouʒə].

вы́держк||**а** II ж. (цитата) éxtract, éxcèrpt, quotátion [kwou-]; привестú ~у (из) quote an éxtract (from), quote (from); ◊ на ~у at rándom.

вы́дернуть сов. см. выдёргивать.

выдирáть, вы́драть (вн.) tear* out [tεə...] (d.).

вы́доить сов. см. выдáивать.

вы́долбить сов. см. выдáлбливать.

вы́дох м. exhalátion. **~нуть(ся)** сов. см. выдыхáть(ся).

вы́дохшийся прич. см. выдыхáться.

вы́дра ж. (животное и мех) ótter.

вы́драть I сов. см. выдирáть.

вы́драть II сов. см. драть I.

вы́дрессировать сов. см. дрессировáть.

вы́дубить сов. см. дубúть.

выдувá||**льщик** м. gláss-blòwer [-bloue]. **~ть, вы́дуть** (вн.) 1. blow* out [-ou-] (d.); всё теплó вы́дуло all the warmth has escáped; 2. тех. blow* (d.); вы́дуть печь тех. blow* out a fúrnace.

вы́дувка ж. тех. (gláss-)blòwing [-ˈblou-]. **~ной** blown [bloun].

вы́дум||**анный** прич. и прил. máde-úp, con:cócted, fábricàted, invénted; ~анная истóрия máde-úp stóry, fàbricátion. **~ать** сов. см. выдýмывать. **~ка** ж. 1. (изобретение) idéa [aɪˈdɪə], devíce; 2. разг. (изобретательность) invéntiveness; 3. (вымысел) invéntion, fíction; (сказка) fable; fib разг. **~щик** м. разг. invéntor; invéntive soul [...soul]; (лгун) líar.

выдýмыв||**ать, вы́думать** (вн.) 1. (изобретать) invént (d.); 2. (сочинять, фантазировать) make* up (d.), con:cóct (d.), fábricàte (d.); ◊ ~ай не противорéчь) don't contradíct, do as you are told; он пóроха не вы́думает разг. ≃ he will néver set the Thames on fire [...temz...].

вы́дуть сов. см. выдувáть.

вы́дых м., **~áние** с. = выдох. **~áтельный** expíratory [-aɪə-].

выдыхáть, вы́дохнуть (вн.) breathe out (d.). **~ся, вы́дохнуться** 1. (терять запах) lose* smell [lu:z...]; (терять аромат) lose* frágrance [...ˈfreɪg-]; (о вине) become* flat; (перен.) be played out, be used up; (о сильном чувстве) spend* itsélf; (об атаке и т.п.) come* to nóthing; fízzle out, be a wásh-òut, péter out разг.; этот писáтель давнó ужé вы́дохся that wríter wrote himsélf out, или exháusted, или used up, his tálent long agó [...ˈtæ-...]; 2. страд. к выдыхáть.

вы́дюжить сов. разг. endúre.

выедáть, вы́есть (вн.; о едких веществах) corróde (d.), eat* a:wáy (d.).

вы́еденн||**ый** прич. см. выедáть; ◊ не стóит ~ого яйцá погов. ≃ it's not worth twópence, или a brass fárthing [...ˈtʌpəns,-ˈðɪŋ].

вы́езд м. 1. depárture; ~ судá юр. vísit of a court [-z- ...kɔ:t]; 2. (место, через которое выезжают) éxit, égress; ~ из гóрода town gates pl.; 3. уст. (экипаж с лошадьми) túrn-òut, équipage. **~úть** сов. см. выезжáть II. **~кá** ж. (лошадей) bréaking-ìn [ˈbreɪ-], tráining. **~нóй:** ~нáя вúза éxit vísa [...ˈvi:zə]; ~нáя сéссия судá assízes pl.; ~нóй спектáкль guest perfórmance; ~нóй лакéй уст. fóot:man* [ˈfut-].

выезжáть [-ежьжя-] I, **вы́ехать** (из) 1. leave* (d.); ~ из гóрода leave* the town; ~ на дáчу, в дерéвню go* to the cóuntry [...ˈkʌ-], go* out of town; ~ из гóрода go* / come* out of the gates; ~ верхóм ríde* out; ~ в экипáже, автомобúле dríve* out; ~ за гранúцу go* abróad [...-ɔ:d]; ~ в свет уст. go* out; 2. (переезжать на другую квартиру) move [mu:v] (from); они выехали из квартиры вчера they moved out yesterday [...-dı]; ◇ ~ на ком-л. make* use of smb. [...ju:s...], exploit smb.; ~ на чём-л. turn smth. to account, profit by smth., make* capital of smth.

выезжать [-ежьжя-] II, выездить (вн.; о лошади) break* (in) (a horse) [breık...], train (horses).

выемка ж. 1. (действие) taking out; (изъятие) seizure [ˈsi:ʒə]; (писем из почтового ящика) collection; 2. горн. excavation; 3. (углубление) hollow, groove, cavity; (в земле тж.) excavation; ж.-д. cutting; (на колонне и т.п.) flute.

выесть сов. см. выедать.

выехать сов. см. выезжать I.

выжать I сов. см. выжимать.

выжать II сов. см. выжинать.

выждать сов. см. выжидать.

выжелтить сов. см. желтить 1.

выжечь сов. см. выжигать.

выжженн‖ый [-жьже-] прич. и прил. burnt, scorched; ~ая земля scorched earth [...ə:θ].

выжива́ть I, вы́жить (оставаться в живых) survive; (после болезни) live [lıv]; больно́й не вы́живет the patient will not live; the patient will not pull through [...pul...] разг.; ~ после чего́-л. survive smth.; ◇ вы́жить из ума́ разг. become* senile [...ˈsi:naıl], lose* possession of one's faculties [...-ˈzeʃ-...].

выжива́ть II, вы́жить (вн.) разг. (выгоня́ть) drive* out (d.), make* the place too hot to hold (d.); (отде́лываться) get* rid (of).

вы́жига м. и ж. разг. cunning rogue [...roug]; (прижи́мистый челове́к) skinflint.

выжига́ние с. 1. burning out; (на поверхности) searing; ~ по де́реву poker-work; 2. мед. cauterization [-raı-], cautery.

выжига́ть, вы́жечь (вн.) 1. burn* out (d.); (истребля́ть огнём) burn* down (d.); (о со́лнце и т.п.) scorch (d.); ~ по де́реву do poker-work; ~ клеймо́ (на пр.) brand (d.); 2. мед. cauterize (d.).

выжида́‖ние с. waiting, temporizing, expectancy. ~тельный waiting, temporizing, expectant; ~тельная политика temporizing policy; policy of wait-and-see разг.; занима́ть ~тельную пози́цию temporize, bide* one's time, mark time.

выжида́ть, вы́ждать (вн., рд.) wait (for); (без доп. тж.) bide* one's time; (пережида́ть) wait till smth. is over; ~ удо́бного слу́чая wait for an opportunity.

выжима́ние с. 1. pressing, squeezing; (белья́) wringing; 2. спорт. weight-lifting, press-up.

выжима́ть, вы́жать (вн.) 1. squeeze out (d., тж. перен.); press out (d.); (о белье и т.п.) wring* (out) (d.); ~ сок из лимо́на squeeze the juice out of a lemon [...dʒu:s... ˈle-]; ~ со́ки из кого́-л. разг. sweat smb. [swet...], drive* smb. hard; 2. спорт. уст. press (d.).

вы́жимка ж. squeezing, pressing; (белья́) wringing.

вы́жимки мн. (виногра́да) husks of grapes, pressed skins; (фру́ктов) marc sg.; (жмыхи́) oil-cake sg.; (льняны́е) linseed-cake sg.

выжина́ть, вы́жать (вн.) reap (d.); (серпо́м) cut* (d.), crop (d.); ~ по́ле пшени́цы reap all the wheat in the field [...fi:ld];

вы́жить I, II сов. см. выжива́ть I, II.

вы́звать(ся) сов. см. вызыва́ть(ся).

вы́звезди‖ть безл.: ~ло stars are out; it is a starlit night.

вы́зволить сов. см. вызволя́ть.

вызволя́ть, вы́зволить (вн.) разг. help / get* out (d.), rescue (d.); (освобожда́ть) liberate (d.); ~ кого́-л. из беды́ help / get* smb. out of trouble [...trʌ-].

выздора́влива‖ть, вы́здороветь get* better, recover [-ˈkʌ-], convalesce, be convalescent; он ~ет he is convalescent / improving [...-u:v-], he is getting better; он уже́ вы́здоровел he is quite recovered now, he is well now; он никогда́ не вы́здоровеет he will never get better, he will never pull round [...pul...]; ~ по́сле гри́ппа recover get* over ˈflu, etc. [...flu:], recover from ˈflu, etc. ~ющий 1. прич. см. выздора́вливать; 2. м. как сущ. convalescent.

вы́здоров‖еть сов. см. выздора́вливать. ~ле́ние с. recovery [-ˈkʌ-], convalescence.

вы́зов м. 1. call; ~ по телефо́ну telephone call; 2. (тре́бование яви́ться) summons; (в суд тж.) subpoena [-ˈpi:nə]; 3. (на состяза́ние, дуэ́ль) challenge; ~ на соцсоревнова́ние challenge to socialist emulation; 4. (дт.; предложе́ние вступи́ть в борьбу́) challenge (to), defiance (to); бро́сить ~ (дт.) defy (d.), bid* defiance (to), set* at defiance (d.), challenge (d.); throw* down the gauntlet [-ou-] идиом.; приня́ть ~ accept a challenge; take* up the gauntlet идиом.

вы́золо‖тить сов. (вн.) gild* [gı-] (d.). ~ченный прич. и прил. gilt [gı-].

вызрева́ть, вы́зреть ripen, grow* ripe [-ou-].

вы́зреть сов. см. вызрева́ть.

вызу́бривать I, вы́зубрить (вн.) разг. learn* by heart, или by rote [lə:n...ha:t...] (d.); cram (d.).

вызу́бривать II, вы́зубрить (вн.; де́лать на чём-л. зазу́брины) notch (d.), cover with notches [ˈkʌ-...] (d.).

вы́зубрить I, II сов. см. вызу́бривать I, II.

вызыва́ть, вы́звать 1. (вн.) call (d.), send* (for); ~ из ко́мнаты call out of the room (d.); ~ по телефо́ну call up (on the phone) (d.), ring* up (d.); ~ к телефо́ну call to the (tele)phone; ~ врача́ call a doctor, send* for a doctor; ~ такси́ order a taxi; ~ актёра call an actor before the curtain; ~ скрипача́, певца́ (на бис) encore a violinist, a singer [ɒŋˈkɔ:...]; ~ а́втора (пьесы и т.п.) call for the author (d.); ~ к доске́ (ученика́) call out (d.), call to the blackboard (d.); 2. (вн. на вн., вн. + инф.; на бой, состяза́ние) challenge (d. to, d. + to inf.); ~ на соцсоревнова́ние challenge to socialist emulation (d.); ~ на дуэ́ль challenge to a duel (d.), call out (d.); 3. (вн.; прика́зывать яви́ться) summon (d.); ~ в суд cite (d.), summon(s) (d.), subpoena

ВЫЕ – ВЫИ

[-ˈpi:nə] (d.); 4. (вн.) (возбужда́ть) provoke (d.), call forth (d.), give* rise (to); (о си́льных чу́вствах) stir up (d.), excite (d.), rouse (d.), arouse (d.); ~ аппети́т whet the appetite (d.); воспомина́ние у кого́-л. (о пр.) remind smb. (of); ~ гнев, любопы́тство provoke / excite, или stir up, anger, curiosity; ~ рво́ту, кровотече́ние, на́сморк и т.п. cause vomiting, bleeding, a cold in the head, etc. [...hed]; ~ ого́нь проти́вника draw* the enemy's fire; ~ слёзы у кого́-л. draw* tears from smb., move smb. to tears [mu:v...]; ~ подозре́ние arouse suspicion; ~ сомне́ния give* rise to doubt [...daut]; raise doubts [...dauts]; вы́званный необходи́мостью necessitated; вы́званный обстано́вкой en:gendered / occasioned by the situation; ~ зло́бу arouse fury; ~ за́висть arouse / excite envy; ~ возмуще́ние arouse / excite / provoke indignation; ~ трево́гу cause alarm; cause, или give* rise to, anxiety [...-nˈz-]; не ~ восто́рга evoke / arouse no enthusiasm [...-zı-]; ◇ ~ на открове́нность draw* out (d.); ~ вы́звать к жи́зни call into being (d.). ~ся, вы́зваться 1. (+ инф.; предлага́ть свои́ услу́ги) volunteer (+ to inf.), offer (+ to inf.): он вы́звался пойти́ he volunteered to go, he offered to go;—он пе́рвый вы́звался he was the first to volunteer; 2. страд. к вызыва́ть.

вызыва́ющ‖ий 1. прич. см. вызыва́ть; 2. прил. defiant; (на́глый) provocative; (угрожа́ющий) aggressive; говори́ть ~им то́ном speak* / answer defiantly [...ˈɑ:nsə-]; ~ее поведе́ние behaviour.

вы́играть сов. см. выи́грывать.

выи́грывать, вы́играть (вн.; в разн. знач.) win* (d.), gain (d.); ~ в лотере́е, в ка́рты win* in a lottery, at cards; вы́играть три рубля́ у кого́-л. win* three roubles of smb. [...ru:-...]; вы́играть де́ло юр. win* one's case [...keıs], gain a suit [...sju:t]; вы́играть бой, сраже́ние win* a battle; вы́играть па́ртию в ша́хматы win* a game of chess; вы́играть у своего́ проти́вника beat* one's opponent; ~ легко́ (в состяза́нии) win* easily [...-zı-], win* hands down разг.; ~ на чём-л. profit / gain by smth.; от э́того он то́лько вы́играет he will only gain / benefit by it; вы́играть вре́мя, день и т.п. gain time, a day, etc.; стара́ться вы́играть вре́мя play for time, temporize.

вы́игрыш м. 1. (в лотере́е, за́йме и т.п.) prize; (вы́игранные де́ньги) winnings pl.; гла́вный ~ first prize; 2. (вы́года) gain; небольшо́й ~ slight gain; ◇ быть в ~е be the winner, be the gainer. ~ный 1. winning, lottery (attr.); ~ный ход winning move [...mu:v]; ~ный заём lottery-loan; premium bonds (issue); ~ный биле́т lottery ticket; 2. (вы́годный) advantageous; ~ная пье́са (музыка́льная) effective piece [...pi:s]; ~ная роль strong / effective role / part; ~ное положе́ние advantageous position [...-ˈzı-].

ВЫИ – ВЫК

вы́искать *сов. см.* выи́скивать.

вы́иск||аться *сов. разг.*: вот у́мник ~а́лся! there's a cléver chap! [...′kle-...].

выи́скивать, вы́искать (*вн.*) discóver [-′kʌ-] (*d.*), find* out (*d.*), hunt out (*d.*), hunt up (*d.*); *несов. тж.* seek* out (*d.*); try to discóver / trace (*d.*), try to find out, *etc.* (*d.*); *сов. тж.* track down (*d.*); ~ удо́бный слу́чай watch / look for an òppportúnity.

вы́йти *сов. см.* выходи́ть 1, 2, 3, 4, 5, 6, 7.

вы́казать *сов. см.* выка́зывать.

выка́зывать, вы́казать (*вн.*) mánifèst (*d.*); (*проявлять*) displáy (*d.*), show* [ʃou] (*d.*); ~ му́жество displáy cóurage [...′kʌ-]; ~ ра́дость mánifèst / betráy joy.

выка́лывать, вы́колоть (*вн.*) prick out (*d.*); вы́колоть глаза́ кому́-л. put* out smb.'s eyes [...aɪz]; ◊ (*темно́*,) хоть глаз вы́коли *разг.* ≅ it is pítch-dárk.

выкама́ривать *разг.* play fóolish pranks, be up to all sorts of nónsense.

выка́пывать, вы́копать (*вн.*) 1. (*о яме и т. п.*) dig* (*d.*); 2. (*откапывать*) dig* up (*d.*), dig* out (*d.*) (*тж. перен.*); (*о трупе*) exhúme (*d.*); (*перен.*) *разг.* ún:éarth [-′ə:θ] (*d.*).

вы́карабкаться *сов. см.* выкара́бкиваться.

выкара́бкиваться, вы́карабкаться *разг.* scrámble out; (*перен.*) get* out, éxtricàte òne:sélf; (*поправляться*) pull through [pul...] (*d.*), get* óver (*d.*).

выка́рмливать, вы́кормить (*вн.*) bring* up (*d.*), rear (*d.*); ~ гру́дью nurse (*d.*), súckle (*d.*), bréast-feed* [′bre:-] (*d.*).

вы́катать *сов.* (*вн.; о белье*) mángle (*d.*).

вы́катить(ся) *сов. см.* выка́тывать(ся).

выка́тыв||ать, вы́катить (*вн.*) roll out (*d.*); (*о кресле и т. п.*) wheel out (*d.*); ◊ ~ глаза́ *разг.* ópen one's eyes wide [...aɪz...], stare. **~аться, вы́катиться** 1. roll out; 2. *страд. к* выка́тывать; ◊ ~айся! *разг.* be off!, get out!, clear off!

вы́качать *сов. см.* выка́чивать.

выка́чивать, вы́качать (*вн.*) pump out (*d.*); (*перен.*) extórt (*d.*), wring* (*d.*); ~ де́ньги из кого́-л. *разг.* fleece smb.

выка́шивать, вы́косить (*вн.*) mow* clean [mou...] (*d.*).

выка́шливать, вы́кашлять (*вн.*) *разг.* cough up (*d.*), hawk up (*d.*). **~ся, вы́кашляться** 1. hawk; 2. *страд. к* выка́шливать.

вы́кашлять(ся) *сов. см.* выка́шливать(-ся).

выки́дывать, вы́кинуть 1. (*вн.*) throw* out (*d.*), a:wáy [θrou...] (*d.*); (*отбрасывать*) discárd (*d.*); (*увольнять*) *разг.* chuck out (*d.*); ~ что-л. в окно́ throw* smth. out of the window; 2. (*без доп.*) *разг.* (*рожать преждевременно нежизнеспособный плод*) have a miscárriage [...-rɪdʒ], míscàrry (*о животном тж.*) slip; ◊ вы́кинуть флаг hoist, *или* break* out, a flag [...breɪk...]; вы́кинуть из головы́ (*вн.*) *разг.* put* out of one's head [...hed] (*d.*), dismíss (*d.*), get* rid (of); вы́кинуть шту́ку, но́мер, фо́кус do a queer / odd / fúnny thing, play a (fine) trick.

вы́кидыш *м.* 1. (*естественный*) miscárriage [-rɪdʒ]; (*искусственный*) abór-tion; 2. (*плод*) fóetus [′fi:təs].

вы́кинуть *сов. см.* выки́дывать.

выкипа́ть, вы́кипеть boil a:wáy.

вы́кипеть *сов. см.* выкипа́ть.

вы́кипятить *сов.* (*вн.*) *разг.* boil (out) (*d.*), boil through (*d.*).

вы́кладк||а *ж.* 1. (*товара и т. п.*) láying-out, spréading-out [-red-]; 2. *мн.* (*вычисления, расчёты*) càlculátion *sg.*, còmputátion *sg.*; математи́ческие ~и còmputátions; статисти́ческие ~и statístical càlculátions, statístics; 3. *воен.* (*солдатский*) pack [-ldʒəz...], (sóldier's) kit; в по́лной ~е in full márching órder, in full equípment.

выкла́дывать, вы́ложить 1. (*вн.*) lay* out (*d.*), spread* out [-ed...] (*d.*); (*перен.*) *разг.* ùnbósom òne:sélf [′bʌz-...] (of), tell* (*d.*); 2. (*вн. тв.*, *обкла́дывать и т. п.*) lay* (*d.* with); ~ дёрном turf (*d.*); ~ пли́тами flag (*d.*); ~ кирпичо́м brick (*d.*); ~ ка́мнем face with másonry [...′meɪ-] (*d.*); ~ моза́икой *и m. n.* ìn:láy* with mosáic, *etc.* [...-′zeɪk] (*d.*). **~ся, вы́ложиться** 1. *разг.* give* all one has got; 2. *страд. к* выкла́дывать.

вы́клевать *сов. см.* выклёвывать.

выклёвывать, вы́клевать (*вн.*) 1. (*вырывать клювом*) peck out (*d.*); 2. (*склёвывать всё*) peck up (*d.*).

выклика́ть, вы́кликнуть (*вн.*) call out (*d.*); *несов. тж.* call the names (of); ~ по спи́ску call òver the roll.

вы́кликнуть *сов. см.* выклика́ть.

выключа́тель *м. эл.* switch.

выключ||а́ть, вы́ключить (*вн.*) 1. (*о газе и т. п.*) turn off (*d.*); (*об электричестве тж.*) switch off (*d.*); (*прекращать пользование газом, телефоном и m. n.*) cut* off (*d.*); ~ ток switch off the cúrrent; ~ мото́р shut* / switch / turn off the éngine [...′endʒ-]; 2. (*исключать*) exclúde (*d.*); ~ кого́-л. из спи́ска take* smb.'s name off the list; 3. *полигр.*: ~ строку́ jústify a line. **~е́ние** *с.* 1. *тех.* túrning-òff; cútting-òff; shútting-òff; (*ср.* выключа́ть 1); 2. *эл.* cóntact bréaking [...′breɪk-], swítching-òff.

вы́ключить *сов. см.* выключа́ть.

выкля́нчивать, вы́клянчить (*что-л. у кого́-л.*) *разг.* obtáin / get* by incéssant bégging (smth. out of smb.), cadge (smth. from / off smb.); *несов. тж.* pés-ter (smb. for smth.), plague [pleɪg] (smb. for smth.).

вы́клянчить *сов. см.* выкля́нчивать.

вы́ковать *сов. см.* выко́вывать.

выко́вывать, вы́ковать (*вн.*) forge (*d.*), hámmer out (*d.*); (*перен.*) fáshion (*d.*), shape (*d.*), mould [mou-] (*d.*); (*создавать*) creáte (*d.*).

выкови́ривать, вы́ковырять (*вн.*) pick out (*d.*), pluck out (*d.*); *несов. тж.* try to pick / pluck out (*d.*).

вы́ковырять *сов. см.* выкови́ривать.

выкола́чивать, вы́колотить (*вн.*) 1. knock out (*d.*), beat* out (*d.*); ~ пыль из чего́-л. beat* the dust out of smth.; ~ ме́бель, ковры́ *и т. п.* beat* the fúrniture, cárpets, *etc.*; ~ пальто́ *и т. п.* beat* a coat, *etc.*; ~ тру́бку knock out a pipe; 2. *разг.* (*получать насильно*) extórt (*d.*), force out (*d.*).

вы́колоситься *сов. см.* колоси́ться.

вы́колотить *сов. см.* выкола́чивать.

вы́колоть *сов. см.* выка́лывать.

вы́колупать *сов. см.* выколу́пывать.

выколу́пывать, вы́колупать (*вн.*) *разг.* pick out (*d.*).

вы́копать *сов. см.* выка́пывать.

вы́кормить *сов. см.* выка́рмливать.

вы́кормок *м.*, **вы́кормыш** *м. разг.* fósterling; (*перен.*) *презр.* créature.

вы́корчевать *сов. см.* выкорчёвывать.

выкорчёвывать, вы́корчевать (*вн.*) 1. (*очищать от пней*) stub (*d.*), grub (*d.*); 2. (*о пнях*) stub / grub up (*d.*); (*перен.*) root out (*d.*), ùp:róot (*d.*); éxtirpàte (*d.*).

вы́косить *сов. см.* выка́шивать.

выкра́дывать, вы́красть (*вн.*) steal* (*d.*).

выкра́ивать, вы́кроить (*вн.*) cut* out (*d.*); (*перен.*) *разг.* make* (*d.*) do; ~ де́ньги на что-л. make* the móney do for smth. [...′mʌ-...], find* the móney for smth.; ~ вре́мя make* / find* time.

вы́красить *сов. см.* выкра́шивать I. **~ся** *сов. см.* выкра́шиваться I.

вы́красть *сов. см.* выкра́дывать.

выкра́шивать I, вы́красить (*вн.*) paint (*d.*); (*о материи, волосах*) dye (*d.*); вы́красить что-л. голубо́й кра́ской paint smth. blue; вы́красить что-л. в голубо́й цвет paint / dye smth. blue.

выкра́шивать II, вы́крошить (*вн.*) crúmble (*d.*).

выкра́шиваться I, вы́краситься 1. *разг.* dye; 2. *страд. к* выкра́шивать I.

выкра́шива||ться II, вы́крошиться 1. crúmble out; у меня́ ~ются зу́бы my teeth are crúmbling out; 2. *страд. к* выкра́шивать II.

вы́крик *м.* cry, shout; (*грубый*) yell.

выкри́кивать, вы́крикнуть (*вн.*) 1. scream out (*d.*); (*грубо*) yell (*d.*); 2. (*вызывать*) call out (*d.*).

вы́крикнуть *сов. см.* выкри́кивать.

выкристаллизова́ться *сов.* crýstallize (*тж. перен.*).

вы́кроить *сов. см.* выкра́ивать.

вы́кройк||а *ж.* páttern; снять ~у cut* out a páttern.

вы́крошить *сов. см.* выкра́шивать II. **~ся** *сов. см.* выкра́шиваться II.

вы́крутас||ы *мн. разг.* íntricate móve:-ments / fígures [...′mu:v-...]; (*в стиле, в музыке*) preténtious floridity and extrávagance [...-vɪ-] *sg.*; (*о почерке*) flóurishes [′flʌ-]; (*перен.*) pecùliárities; mánnerism *sg.*; vagáries, freaks; говори́ть с ~ами speak* afféctedly; челове́к с ~ами an afféctted / preténtious pérson.

вы́крутить(ся) *сов. см.* выкру́чивать(-ся).

выкру́чивать, вы́крутить (*вн.*) *разг.* únscrèw (*d.*). **~ся, вы́крутиться** 1. *разг.* come* únscréwed; (*перен.*) éxtricàte / clear òne:sélf; ~ся из чего́-л. get* out of smth.; ~ся из беды́ get* out of a scrape; 2. *страд. к* выкру́чивать.

вы́кувырнуть (вн.) *разг.* òver:túrn (d.); ~ся be thrown out [...-oun...], fall* out.

вы́куп м. 1. (*действие*) redémption, redéeming; (*пленного*) ránsom; 2. (*плата*) ránsom; тре́бовать ~а за кого́-л. hold* smb. to ránsom.

вы́купать *сов. см.* купа́ть.

выкупа́ть, вы́купить (вн.) redéem (d.); (*о пленном*) ránsom (d.); ~ что-л. из зало́га get* smth. out of pawn.

вы́купаться *сов. см.* купа́ться.

вы́купить *сов. см.* выкупа́ть.

выкупн||о́й *прил. к* выкуп; ~ы́е платежи́ redémption móney [...'mʌ-] *sg.*; ~о́е пра́во right of redémption.

выку́ривать I, вы́курить (вн.; *о папиросе и т. п.*) smoke (d.).

выку́ривать II, вы́курить (вн.; *выгонять дымом*) smoke out (d.); (*перен.: выпроваживать*) *разг.* get* rid (of); drive* out (d.); вы́курить лиси́цу из норы́ smoke a fox from, *или* out of, its hole.

выку́ривать III, вы́курить (вн.) *уст.* (*о спирте*) distíl (d.).

вы́курить I, II, III *сов. см.* выку́ривать I, II, III.

вы́кусить *сов. см.* выку́сывать.

выку́сывать, вы́кусить (вн.) take* a bite (of, from); ◇ на́-ка, вы́куси! *разг.* you'll get nothing out of me!, you shan't have it! [...ʃɑːnt...].

выку́шать *сов. вн. уст.* have (to drink) (d.); imbíbe (d.).

выла́вливать, вы́ловить (вн.) catch* (d.); (*извлекать*) get* out (d.), fish out (d.).

вы́лазк||а ж. 1. *воен.* sálly, sórtie [-ti]; (*перен.*) attáck, ónslaught; сде́лать ~у sálly, make* a sórtie; 2. (*прогулка*) ramble, excúrsion; де́лать лы́жную ~у go* on a skiing excúrsion [...'skiː-, 'ʃiː-...].

вы́лакать *сов.* (вн.) lap up (d.).

выла́мывать, вы́ломать (вн.) break* in / out [breɪk...] (d.); ~ дверь break* ópen / off / down a door [...dɔː]; вы́ломать замо́к wrench out a lock.

выла́мываться 1. *разг.* (*кривляться*) be afféctted, put* on airs; 2. *страд. к* выла́мывать.

вы́лежать *сов. разг.* (*о больном*) stay / remáin in bed; ~ неде́лю, в тече́ние неде́ли keep* one's bed for a week. ~ся *сов.* 1. (*в постели*) have a compléte rest in bed; 2. (*дозреть*) rípen; (*о табаке и т. п.*) mature.

вылеза́ть, вы́лезти, вы́лезть 1. come* out, climb out [klaɪm...]; (*выкарабкиваться*) scramble out; (*ползком*) crawl out; 2. *разг.* (*выходить из трамвая и т. п.*) get* out, alíght; 3. (*о волосах, шерсти*) fall* out, come* out; мех вылеза́ет the fur is wéaring [...'wɛə-]; ◇ из ко́жи вон вы́лезти lay* onesélf out, strain every nerve.

вы́лезти, вы́лезть *сов. см.* вылеза́ть.

вы́лепить *сов. см.* лепи́ть.

вы́лет м. (*птицы*) flight; (*самолёта*) táke óff; боево́й ~ operátional flight; (*об одном самолёте тж.*) sórtie [-tiː]; че́рез два часа́ по́сле ~а из Москвы́ two hours áfter táking off from Móscow [...auəz...].

вылета́ть, вы́летить 1. (*о птице, бабочке и т. п.*) fly* out; (*о самолёте*) take* off; (*перен.: стремительно выходить, выезжать*) dash out, dart out; (*о человеке тж.*) rush out; ~ пу́лей *разг.* go*, *или* take* off, like a shot from a gun; 2. *разг.* (*быть выгнанным с работы и т. п.*) be fired / sacked, be given the sack; ◇ ~ в трубу́ *разг.* go* bánkrupt, go* smash, go* bust; у него́ э́то вы́летело из головы́ he has clean forgótten it; he plumb forgót it *амер.*

вы́лететь *сов. см.* вылета́ть.

вылéчивать, вы́лечить (вн.) cure (d.); ~ кого́-л. от чего́-л. cure smb. of smth. ~ся, вы́лечиться 1. (от) be cured (of), recóver [-'kʌ-] (from); get* óver (d.) (*тж. перен.*); 2. *страд. к* вылéчивать.

вы́лечить(ся) *сов. см.* вылéчивать(ся).

вылива́ть I, вы́лить (вн.) (*воду и т. п.*) pour out [pɔː...] (d.); (*ведро и т. п.*) émpty (d.).

вылива́ть II, вы́лить (вн.) (*отливать из металла, воска*) cast* (d.), mould [mou-] (d.); (*из металла тж.*) found (d.).

вылива́ться I, вы́литься 1. run* out; flow out [flou...]; pour out [pɔː...] (*тж. перен.*); ~ че́рез край òver:flów [-ou-]; 2. (во что-л.; *кончаться чем-л.*) take* the form / shape (of smth.); be expréssed (in smth.), express itsélf (in smth.); во что вы́льется всё э́то? how will it end?, how will it shape?; 3. *страд. к* вылива́ть I.

вылива́ться II *страд. к* вылива́ть II.

вы́лизать *сов. см.* выли́зывать.

выли́зывать, вы́лизать (вн.) lick (d.); (*начисто*) lick clean (d.).

виня́ть *сов.* 1. (*поблёкнуть*) fade; 2. (*о животных, птицах*) moult [mou-]; (*тк. о животных*) shed* its hair.

вы́лит||ый 1. *прич. см.* вылива́ть I, II; 2. *прил.*: ~ оте́ц, ~ая мать *и т. д.* the dead spit, *или* the spitting ímage, of one's fáther, móther, etc. [...ded... 'fɑː- 'mʌ-]; он ~ оте́ц he is the ímage of his fáther; he is a chip off the old block *идиом.*

вы́лить I, II *сов. см.* вылива́ть I, II. ~ся *сов. см.* вылива́ться I.

вы́ловить *сов. см.* выла́вливать.

вы́ложить(ся) *сов. см.* выкла́дывать(ся).

вы́ломать *сов. см.* выла́мывать.

вы́лощ||енный 1. *прич. см.* вы́лощить; 2. *прил.* glóssy, pólished; (*перен.*) fóppish, dándy:ish; ~ молодо́й челове́к fop, dándy. ~ить *сов.* (вн.; *прям. и перен.*) *разг.* pólish (d.).

вы́лудить *сов. см.* вылу́живать *и* луди́ть.

вылу́живать, вы́лудить (вн.) tin (d.).

вы́лупить *сов. см.* вылупля́ть.

вы́лупиться *сов. см.* вылупля́ться.

вылупля́ть, вы́лупить: вы́лупить глаза́ *разг.* góggle.

вылупля́ться, вы́лупиться (*о птенцах*) hatch.

вылу́щивать, вы́лущить (вн.) husk (d.); (*о горохе*) shell (d.).

вы́лущить *сов. см.* вылу́щивать.

вы́мазать(ся) *сов. см.* выма́зывать(-ся).

выма́зывать, вы́мазать (вн. тв.) smear (d. with); *разг.* (*пачкать*) besméar (d. with), dirty (d. with); soil (d. with); ~ дёгтем tar (d.); вы́мазать па́льцы в черни́лах make* one's fingers ínky. ~ся, вы́мазаться 1. *разг.* make* onesélf dirty, besméar / dirty onesélf; вы́мазаться в черни́лах get* ínky all óver, get* cóvered in / with ink [...'kʌ-...]; 2. *страд. к* выма́зывать.

выма́ливать, вы́молить (вн.) beg (for), implóre (d., + to *inf.*); *сов. тж.* get* by pléading (d.); он вы́молил себе́ проще́ние he begged succéssfully for párdon; his entréaties for párdon were not in vain.

выма́нивать, вы́манить 1. (вн. из; *заставлять выйти*) entíce (d. from), lure (d. from, out of); 2. (*что-л. у кого́-л.; получать лестью, хитростью*) coax (smth. out of smb.), wheedle (smth. out of smb.); (*у кого-л. что-л.*) (*обманом*) wheedle (smb. out of smth.); (*о деньгах*) cheat / swindle (smb. out of smth.); у него́ вы́манили все де́ньги he was swindled out of all his móney [...'mʌ-]; у него́ вы́манили обеща́ние he was fooled into prómising [...-s-], a prómise was wheedled out of him [...-s-].

вы́манить *сов. см.* выма́нивать.

вы́марать(ся) *сов. см.* выма́рывать (-ся).

выма́рывать, вы́марать (вн.) *разг.* 1. (*пачкать*) dirty (d.), soil (d.), besméar (d.); (*ср. тж.* выма́зывать); 2. (*зачёркивать*) strike* out (d.), cross out (d.). ~ся, вы́мараться *разг.* 1. get* dirty, dirty onesélf; 2. *страд. к* выма́рывать.

выма́тывать, вы́мотать (вн.) *разг.* (*изнурять*) drain (d.), exháust (d.); ~ все си́лы у кого́-л. drain smb. of all his strength, exháust smb.'s strength; ◇ ~ всю ду́шу кому́-л. wear* smb. out [wɛə...], tire smb. to death [...deθ]; (*надоедать*) annóy smb., exásperàte smb. ~ся, вы́мотаться *разг.* be done up, be worn out.

вы́махать *сов. см.* выма́хивать.

выма́хивать, вы́махать *разг.* 1. (вн.; *махая, удалять*) chase (d.), drive* out (d.); 2. (*вырастать*) grow* inórdinate:ly tall [-ou...]; како́й молоде́ц вы́махал! hasn't he grown into a fine tall féllow?

выма́чивать, вы́мочить (вн.) 1. soak (d.), steep (d.); (*о льне и т. п.*) ret (d.); 2. (*промачивать*) drench (d.), soak (d.); вы́мочить кого́-л. до ни́тки drench / soak smb. to the skin.

вымéнивать, вы́менять (вн. на вн.) bárter (d. for), exchánge [-'tʃeɪ-] (d. for); swop (d. for) *разг.*

вы́менять *сов. см.* вымéнивать.

вы́мереть *сов. см.* вымира́ть.

вымерза́ть, вы́мерзнуть 1. (*погибать от мороза*) be destróyed by frost; 2. (*промерзать насквозь*) freeze* (right through); freeze* sólid.

вы́мерзнуть *сов. см.* вымерза́ть.

вы́мерить *сов. см.* вымеря́ть.

вы́мерш||ий extínct; ~ие живо́тные extínct ánimals.

ВЫМ – ВЫП

вымеря́ть, вы́мерить (*вн.*) méasure ['me-] (*d.*).

вы́месить *сов. см.* выме́шивать I.

вы́мести(сь) *сов. см.* вымета́ть(ся).

вы́местить *сов. см.* вымеща́ть.

вы́метать *сов. см.* вымётывать.

вымета́ть, вы́мести (*вн.*; *о комнате, улице и т.п.*) sweep* (*d.*); (*о соре и т.п.*) sweep* out (*d.*). ~ся, вы́местись 1. *разг.* clear out. 2. *страд. к* вымета́ть.

вы́метаться *сов.* 1. *см.* вымётываться I; 2. (*закончить метание икры*) fínish spáwning.

вымётывать, вы́метать (*вн.*) edge (*d.*), búttonhòle (*d.*); ~ пе́тли work / make* búttonhòles.

вымётываться I, вы́метаться (*о побегах растений*) burst* out, shoot* up.

вымётываться II *страд. к* вымётывать.

вы́мешать *сов. см.* выме́шивать II.

выме́шивать I, вы́месить (*вн.*; *о тесте*) knead (*d.*).

выме́шивать II, вы́мешать (*вн.*; *размешивать*) stir thóroughly [...'θʌrəlɪ] (*d.*).

вымеща́ть, вы́местить ~ зло́бу, доса́ду и т.п. на ком-л. vent / wreak one's ánger, vexátion, *etc.*, on smb.

вымира́ние *с.* dýing out, extínction.

вымира́ть, вы́мереть 1. die out, becóme* extínct; 2. (*пустеть*) becóme* désolate / desérted / dèpópulàted [...-'zə-...].

вымога́тель *м.* extórtioner; (*шантажист*) bláckmailer. ~ский *прил. к* вымога́тель; *тж.* extórtionate. ~ство *с.* extórtion; (*шантаж*) bláckmail.

вымога́ть (*вн. у*) extórt (*d. from*), wring* (*d. from, d. out of*); ~ де́ньги, обеща́ние у кого́-л. extórt móney, a prómise from smb. [...'mʌnɪ...-s...].

вымои́на *ж. разг.* gúlly.

вымока́ть, вы́мокнуть 1. soak, be steeped; (*о льне и т.п.*) be rétted; 2. (*промокать*) be drenched / soaked, be wet through; вы́мокнуть до ни́тки *разг.* be drenched / soaked, *или* get* wet, to the skin.

вы́мокнуть *сов. см.* вымока́ть.

вымола́чивать, вы́молотить (*вн.*) *с.-х.* thresh (*d.*); ~ пшени́цу thresh (all) the wheat.

вы́молвить *сов.* (*вн.*) say* (*d.*); (*выговорить*) útter (*d.*); не ~ ни сло́ва not útter a word, not ópen one's mouth, keep* quíet.

вы́молить *сов. см.* выма́ливать.

вы́молот *м. с.-х.* (*обмолоченное зерно*) threshed corn; (*количество обмолоченного зерна*) total yield of threshed corn [...jiːld...].

вы́молотить *сов. см.* вымола́чивать.

вымора́живание *с.* fréezing.

вымора́живать, вы́морозить (*вн.*) *разг.* 1. (*истреблять морозом*) freeze* out (*d.*); 2. (*о помещении и т.п.*) freeze* (*d.*).

вы́морить *сов.* (*вн.*) extérminàte (*d.*).

вы́морозить *сов. см.* вымора́живать.

вы́морочн||**ый** *юр.* eschéated; ~ое иму́щество eschéat.

вы́мостить *сов.* (*вн.*) pave (*d.*).

вы́мотать(ся) *сов. см.* выма́тывать(-ся).

вы́мочить *сов. см.* выма́чивать.

вы́мпел *м.* 1. pénnant; 2. *мор.* (*количество кораблей*) únit; 3. *ав.* (*с донесением*) dropped méssage bag.

вы́мученный 1. *прич. см.* выму́чивать; 2. *прил.* forced; (*о стиле*) labórious, láboured, forced, pónderous; у него́ ~ стиль his style is láboured; his style smells of the lamp *идиом.*

выму́чивать, вы́мучить *разг.* 1. (*вн.* у) extórt (*d. from*), force (*d. out of*); 2. (*вн.; из себя*) force (*d.*), squeeze out (*d.*); вы́мучить из себя́ мысль squeeze out an idéa [...aɪ'dɪə].

вы́мучить *сов. см.* выму́чивать.

вы́муштровать *сов. см.* муштрова́ть.

вымыва́ть, вы́мыть (*вн.*) 1. wash (*d.*); 2. (*делать вымоину*) hóllow out (*d.*); (*размывать*) wash awáy (*d.*). ~ся, вы́мыться 1. wash, wash òneself; 2. *страд. к* вымыва́ть.

вымы́ливать, вы́мылить (*вн.*) *разг.* use up (*d.*); вы́мылить всё мы́ло use up the soap.

вы́мылить *сов. см.* вымы́ливать.

вы́мысел *м.* (*выдумка*) invéntion, fíction; *поэт.* imaginátion, fáncy; (*ложь*) fálsehòod ['fɔːlshud], lie, fabricátion; сплошно́й ~ pure invéntion.

вы́мыслить *сов. см.* вымышля́ть.

вы́мыть(ся) *сов. см.* вымыва́ть(ся) *и* мы́ть(ся).

вымышл||**енный** (*выдуманный*) invénted; (*фиктивный*) imáginary, fictítious; назва́ться ~енным и́менем take* an assúmed name. ~я́ть, вы́мыслить (*вн.*) invént (*d.*).

вы́мя *с.* údder.

вына́шивать, вы́носить (*вн.*; *ребёнка*) bear* [bɛə] (*d.*); (*перен.*; *о мысли, проекте*) matúre (*d.*), núrture (*d.*).

вынесе́ние *с.*: ~ пригово́ра *юр.* pronóuncement of séntence.

вы́нести I, II *сов. см.* выноси́ть I, II.

вы́нестись *сов. см.* выноси́ться.

вынима́ть, вы́нуть (*вн.*) take* out (*d.*); (*вытаскивать*) pull out [pul...] (*d.*); (*извлекать*) extráct (*d.*); (*деньги из сберкассы и т.п.*) draw* (*d.*); ◇ вынь да поло́жь *разг.* ≅ there and then; here and now, on the spot. ~ся, вы́нуться 1. come* out; 2. *страд. к* вынима́ть.

вы́нос *м.* (*покойника*) cárrying-out, béaring-out ['bɛə-]; ◇ на ~ *уст.* for consúmption off the prémises [...-sɪz].

выноси́ть *сов. см.* вына́шивать.

выноси́ть I, вы́нести 1. (*вн.*) cárry out (*d.*), take* out (*d.*); (*убирать*) awáy (*d.*); ~ на у́лицу take* into the street (*d.*); ~ на ры́нок bring* to márket (*d.*); ~ в мо́ре cárry out to sea (*d.*); ~ на бе́рег wash ashóre (*d.*); 2. (*вн. на вн.*; *предлагать на обсуждение собрания и т.п.*) submít (*d.* to); 3. (*вн.*; *приняв решение, объявлять*): ~ пригово́р (*дт.*) give* / pass / pronóunce séntence (on); ~ резолю́цию pass a resolútion [...-zə-]; ~ реше́ние decíde (*d.*); (*судебное*) give* / pronóunce júdge:ment [...'dʒʌdʒ-]; 4. (*вн.*; *из текста*): ~ на поля́ (*книги*) énter in the márgin (of a book); ~ под строку́ make* a fóotnòte [...'fut-]; 5.: ~ впечатле́ние recéive / get* an impréssion [-'siːv...]; ~ прия́тное, тяжёлое и т.п. впечатле́ние be pléasantly, páinfully, *etc.*, impréssed [...'plez-...]; ~ убежде́ние в чём-л. be convínced of smth.; ◇ ~ сор из избы́ *разг.* ≅ wash one's dírty línen in públic [...'lɪ-...'pʌ-]; не ~ со́ра из избы́ *погов.* ≅ not wash one's dírty línen in públic.

выноси́ть II, вы́нести (*вн.*; *терпеть*) stand* (*d.*), endúre (*d.*), bear* [bɛə] (*d.*); ~ боль stand* pain; не ~ (*рд.*) be unáble to stand / take (*d.*); не ~ како́й-л. дие́ты, лече́ния be allérgic to diet, tréatment; я не выношу́ э́того шу́ма I can't bear this noise; ◇ я его́ не выношу́ I can't stand him [...kɑːnt...].

выноси́ться, вы́нестись 1. dart out, fly* out; 2. *страд. к* выноси́ть I.

вы́носка *ж.* 1. *разг.* (*действие*) remóval [-'muːvl], táking-out, cárrying-out; 2. (*примечание*) note; (*под строкой*) fóotnòte ['fut-]; (*на полях*) márginal note.

выно́сл||**ивость** *ж.* (*powers of*) endúrance; stámina; (*тж. о растениях*) hárdiness; (*стойкость*) stáying pówer; (*моральная*) fórtitùde. ~ый of great endúrance [...-eit-]; hárdy (*тж. о растениях*); он о́чень вы́нослив he is cápable of great endúrance; he is a great stáyer *разг.*

вы́ношенный 1. *прич. см.* вына́шивать; 2. *прил.* (*обдуманный, зрелый*) matúre; 3. *прил. разг.* (*старый, истёртый*) worn-out ['wɔː-], thréadbàre ['θred-].

вы́нудить *сов. см.* вынужда́ть.

вынужда́ть, вы́нудить (*вн.*) force (*d.*), compél (*d.*), oblíge (*d.*), make* (*d.*); ~ согла́сие, призна́ние и т.п. compél assént, admíssion, *etc.*; ~ согла́сие у кого́-л. force assént out of smb., force / compél / oblíge smb. to assént, make* smb. assént; wring* consént from, *или* out of, smb.; он вы́нужден пойти́, сде́лать и т.п. he is obliged / forced / compélled to go, to do, *etc.*

вы́нужденн||**ый** 1. *прич. см.* вынужда́ть; 2. *прил.* forced; ~ая поса́дка *ав.* forced / emérgency lánding.

вы́нуть(ся) *сов. см.* вынима́ть(ся).

вы́нырнуть *сов.* come* up, come* to the súrface, emérge; (*перен.*) turn up.

вы́нюхать *сов. см.* выню́хивать.

выню́хивать, вы́нюхать (*вн.*) *разг.* sniff up (*d.*); (*перен.*) nose out (*d.*), smell* out (*d.*), sniff out (*d.*).

выня́нчивать, вы́нянчить (*вн.*) *разг.* bring* up (*d.*), nurse (*d.*).

вы́нянчить *сов. см.* выня́нчивать.

вы́пад *м.* 1. *спорт.* lunge; де́лать ~ lunge; отве́тный ~ ripóste (*тж. перен.*); 2. (*против*; *враждебное выступление*) attáck (on, upón).

выпад||**а́ть**, вы́пасть 1. (*падать*) fall* out; (*выскальзывать*) slip out; вы́пасть из рук drop out of one's hands; 2. (*о волосах и т.п.*) come* out; 3. (*об осадках*) fall*; вы́пало мно́го дождя́, сне́га there has been a héavy fall of rain, of snow [...'hevɪ...snou]; в э́том году́ вы́пало мно́го дождя́ the ráinfàll has been héavy this year; 4. (*случаться*) occúr; turn out; háppen to be; 5. (*доставаться*) fall*; ему́ вы́пал жре́бий the lot fell upón him; ему́ вы́пала честь the hónour fell on / to him [...'ɔnə...], he had the hónour; ему выпало счастье it was his fórtune [...-tʃən]. ◇ ~ на долю кому-л. fall* to smb.'s lot. ~ение с. fall; (о волосах, зубах) fálling out; (тк. о волосах) shédding; ~ение прямой кишки мед. prólapsus of the réctum ['prou-...], ~ение матки мед. prólapsus of the úterus; ~ение радиоактивных осадков núclear fáll-out.

выпа́ивать, вы́поить: ~ молоко́м (вн.) feed* on milk (d.).

выпа́ливать, вы́палить разг. 1. (без доп.) shoot*, fire; вы́палить из ружья́ fire a gun; 2. (вн.; сказать) blurt out (d.).

вы́палить сов. см. выпа́ливать.

выпа́лывать, вы́полоть (вн.) 1. (о гря́дке и т.п.) weed (d.); 2. (о сорной траве и т.п.) weed out (d.), pull up [pul...] (d.).

выпа́ривание с. хим. evaporátion.

выпа́ривать, вы́парить (вн.) 1. хим. eváporate (d.); 2. разг. (чистить, дезинфицировать парами) steam (d.), clean / disinféct by stéaming (d.).

выпа́риваться I, вы́париться 1. хим. eváporate; 2. (очищаться парами) steam; 3. страд. к выпа́ривать.

выпа́риваться II, вы́париться разг. (в бане) steam òne:sélf in a Rússian bath [...ʃən...].

вы́парить сов. см. выпа́ривать.

вы́париться I, II сов. см. выпа́риваться I, II.

выпа́рывать, вы́пороть (вн.) разг. rip out (d.).

вы́пас м. pásture.

вы́пасть сов. см. выпада́ть.

вы́пачкать сов. (вн.) разг. soil (d.), dirty (d.); (сделать пятно) stain (d.); ~ кра́ской get* paint (on), stain with paint (d.); ~ пальцы черни́лами make* one's fingers inky. ~ся сов. разг. make* òne:sélf dirty; ~ся ме́лом, грязью и т.п. get* chalk, mud, etc., on òne:sélf, make* òne:sélf all chálky, múddy, etc.; ~ся черни́лами make* òne:sélf ínky all óver.

выпека́ть, вы́печь (вн.) bake (d.). ~ся, вы́печься 1. be done, be réady [...'re-], be baked; 2. страд. к выпека́ть.

выпе́ндриваться разг. beháve in an afféctéd mánner; put* on airs; show* off [ʃou...].

вы́переть сов. см. выпира́ть.

вы́пестовать сов. (вн.) fóster (d.), núrture (d.).

вы́печка ж. 1. (действие) báking; 2. (количество выпеченного) batch.

вы́печь(ся) сов. см. выпека́ть(ся).

выпива́||ть, вы́пить 1. (вн., рд.) drink* (d.); вы́пить залпом toss off (d.), drink* off (d.); knock back (d.) разг.; ~ всё, ~ до дна drain (d.); вы́пить ча́шку ча́я, ко́фе и т.п. have / take* a cup of tea, cóffee, etc. [...-fi]; вы́пить воды́ drink* some wáter [...'wɔ:-], have a drink of wáter; он вы́пил (ли́шнее) разг. he has had a drop too much, he's had one too many; he's had one óver the eight идиом.; 2. тк. несов. разг. (употреблять спиртное) be fond of the bóttle; он ~ет he likes a drink, he drinks.

вы́пивка ж. разг. 1. (попойка) drínking-bout, caróuse; 2. (спиртные напитки) drinks pl.

выпиво́ха м. разг. típpler, bóozer.

выпи́ливать, вы́пилить (вн.) saw* (d.), cut* out (d.); (выделывать что-л.) make* (d.); ~ украше́ние, ра́мку и т.п. ло́бзиком make* a frétwork órnament, a frétwork frame, etc.

вы́пилить сов. см. выпи́ливать.

выпира́ть, вы́переть разг. 1. (без доп.; выдаваться вперёд) bulge out, protrúde, stick* out; (перен.) be too próminent / óbvious; 2. (вн.; выталкивать) push out [puʃ...] (d.), shove out [ʃʌv...] (d.) разг.; 3. (вн.; выгонять) chuck / turn out (d.).

вы́писать(ся) сов. см. выпи́сывать(ся).

вы́писк||а ж. 1. (списывание, выборка) extráction; cópying; writing out (ср. выпи́сывать 1); 2. (извлечение из книг, документов) éxtract, éxcerpt; ~ из протоко́ла éxtract from the mínutes [...'mɪnɪts]; 3. (о товарах) órdering; (о периодических изданиях) subscríption; ~ газе́т, журна́лов subscríption to the néwspapers, màgazines [...-'zi:-]; 4. (из больни́цы и т.п.) dis:chárge; больно́й назна́чен к ~е the pátient is to be dis:chárged.

выпи́сывать, вы́писать (вн.) 1. (делать выборку) extráct (d.); (списывать) cópy out ['kɔ-...] (d.); 2. (тщательно писать) write* out (d.), trace out (d.); 3. (составлять какой-л. документ) write* (d.); ~ квита́нцию write* / make* out a recéipt [...-'si:t]; ~ о́рдер write* an órder, give* a written órder / pérmit; ~ реце́пт write* a prescríption; 4. (о книге, товаре) órder (d.); (о периодических изданиях) subscríbe (to); 5. (вызывать письмом) send* (for), write* for smb. to come; 6. (исключать) dis:chárge (d.), strike* off the list (d.); ~ из больни́цы dis:chárge from hóspital (d.). ~ся, вы́писаться 1.: ~ся из домо́вой кни́ги strike* one's name off the list of ténants [...-'te-]; ~ся из больни́цы be dis:chárged from hóspital; он уже́ вы́писался из больни́цы he is álready out of hóspital [...ɔ:l're-...]; 2. страд. к выпи́сывать.

вы́пись ж. уст. éxtract, cópy ['kɔ-]; метри́ческая ~ birth certíficate.

вы́пить сов. см. выпива́ть 1 и пить 1.

выпи́хивать, вы́пихнуть (вн.) разг. push out [puʃ...] (d.); bundle out (d.); shove out [ʃʌv...] (d.) разг.

вы́пихнуть сов. см. выпи́хивать.

вы́плав||ить сов. см. выплавля́ть. ~ка ж. 1. smélting; 2. (выплавленный металл) smélted métal ['me-], melt; увели́чить су́точную ~ку in:créase the dáily melt [-s...].

выплавля́ть, вы́плавить (вн.) smelt (d.).

вы́плакать сов. (вн.) 1. sob out (d.); ~ го́ре sob out one's grief [...gri:f]; 2. разг. (выпросить) obtáin by wéeping (d.), get* by dint of one's tears (d.). ◇ (все) глаза́ ~ cry one's eyes out [...aɪz...]. ~ся сов. have a good cry.

вы́плат||а ж. páyment; ~ до́лга páyment of a debt [...det]; в рассро́чку páyment by instálments [...-tɔ:l-]. ~и́ть сов. см. выпла́чивать.

выпла́чивать, вы́платить (вн.) pay* (d.); (полностью) pay* off (d.), pay* in full (d.); вы́платить долг pay* off a debt [...det], acquít òne:sélf of a debt; ~ в рассро́чку pay* by instálments [...-tɔ:l-].

выплёвывать, вы́плюнуть (вн.) spit* out (d.).

вы́плескать(ся) сов. см. выплёскивать (-ся).

выплёскивать, вы́плескать, вы́плеснуть (вн.) splash out (d.). ~ся, выплеска́ться, вы́плеснуться 1. splash out; 2. страд. к выплёскивать.

вы́плеснуть(ся) сов. см. выплёскивать (-ся).

вы́плести сов. см. выплета́ть.

выплета́ть, вы́плести (вн.) 1. (изготовлять плетением) weave* (d.); 2. (из косы) unpláit [-'plæt] (d.).

выплыва́ть, вы́плыть 1. swim* out; (всплывать; тж. перен.) come* to the súrface, emérge; ~ в открытое мо́ре swim* out to sea; она́ вы́плыла из ко́мнаты she sailed out of the room; луна́ вы́плыла из-за туч the moon emérged from, или appéared from behind, the clouds; 2. разг. (неожиданно появляться — о вопросе и т.п.) crop up; сно́ва ~ be back agáin in one's old place.

вы́плыть сов. см. выплыва́ть.

вы́плюнуть сов. см. выплёвывать.

выпля́сывать разг. shake* a leg.

вы́поить сов. см. выпа́ивать.

выпола́скивать, вы́полоскать (вн.) rinse (d.), rinse out (d.); вы́полоскать рот rinse one's mouth*; вы́полоскать го́рло gargle.

выполза́ть, вы́ползти creep* out, crawl out; (перен.: выходить с трудом) разг. drag òne:sélf out.

вы́ползти сов. см. выполза́ть.

выполн||е́ние с. implementátion, fulfilment [ful-], cárrying-out; (осуществление) accómplishment, realizátion [rɪəlaɪ-]; (об обязанностях, долге) dis:chárge, perfórmance, execútion; ~ пла́на fulfilment of a plan. ~и́мый éxecutable, accómplishable; (возможный) féasible [-zɪbl], prácticable; ~и́мое зада́ние féasible task.

вы́полнить сов. см. выполня́ть.

выполня́ть, вы́полнить (вн.) implemènt (d.), fulfíl [ful-] (d.), cárry out (d.), éxecute (d.); (осуществлять) accómplish (d.), cárry into effect (d.), réalize ['rɪə-] (d.); ~ план fulfíl the plan; вы́полнить план досро́чно compléte the plan ahéad of schédule [...'hed...'ʃe-]; ~ свои́ (служебные) обя́занности dis:chárge one's dúties, perfórm one's fúnctions; ~ долг do / dis:chárge one's dúty; всегда́ ~ свои́ обеща́ния keep* one's prómises [...-s-]; ~ чьи-л. жела́ния fulfíl, или cárry out, smb.'s wíshes; ~ свои́ обяза́тельства meet* one's engágements; ~ догово́р obsérve / implemènt a tréaty [-'zə:v...]; ~ зака́з perfórm the órder; ~ приказа́ние obéy / éxecute / fulfíl, или cárry out, an órder; ~ гимнасти́ческие упражне́ния perfórm gymnástic éxercises.

вы́полоскать сов. см. выпола́скивать.

ВЫП – ВЫР

вы́полоть *сов. см.* выпа́лывать.
вы́пороть I *сов. см.* выпа́рывать.
вы́пороть II *сов. см.* поро́ть I.
вы́порхнуть *сов.* flútter / flit out; *(перен.) разг.* dart out.
вы́потрошить *сов. см.* потроши́ть.
вы́править I, II *сов. см.* выправля́ть I, II.
вы́прав|иться *сов. см.* выправля́ться I. ~ка *ж.* (*осанка*) cárriage [-rɪdʒ], béaring [ˈbɛə-]; вое́нная ~ка mílitary béaring.
выправля́ть I, **вы́править** (*вн.*) **1.** (*выпрямлять*) stráighten (*d.*); **2.** (*исправлять*) corréct (*d.*), réctify (*d.*), stráighten out (*d.*).
выправля́ть II, **вы́править** (*вн.*) *разг. уст.* (*доставать, получать паспорт, билет и т. п.*) get* (*d.*), obtáin (*d.*).
выправля́ться I, **вы́правиться** **1.** becóme* straight, stráighten (òneˈself) up; **2.** (*исправляться*) impróve [-ruːv]; **3.** *страд. к* выправля́ть I.
выправля́ться II *страд. к* выправля́ть II.
выпра́стывать, **вы́простать** (*вн.*) *разг.* **1.** (*высвобождать*) get* out (*d.*); free (*d.*); вы́простать ру́ки get* / work one's hands free; **2.** (*опоражнивать*) émpty (*d.*).
выпра́шивать, **вы́просить** (*что-л. у кого-л.*) get* (smth. out of smb.), get* (smb.) to give one (smth.); *несов. тж.* ask (smb. for smth., smth. of smb.), solícit (smb. for smth., smth. of smb.), try to get (smth. out of smb.), beg (smth. of smb.), beg (smb. for smth.).
выпрова́живать, **вы́проводить** (*вн.*) *разг.* show* the door [ʃou...dɔː] (to); send* pácking (*d.*), send* abóut one's búsiness [...ˈbɪzn-] (*d.*).
вы́проводить *сов. см.* выпрова́живать.
вы́просить *сов. см.* выпра́шивать.
вы́простать *сов. см.* выпра́стывать.
выпры́гивать, **вы́прыгнуть** jump out, leap* out; ~ из окна́ jump out of the window; ~ из-за де́рева spring* out from behínd the tree.
вы́прыгнуть *сов. см.* выпры́гивать.
выпряга́ть, **вы́прячь** (*вн.*) únharness (*d.*). ~ся, вы́прячься únharness.
выпрями́тель *м. эл.* réctifier.
вы́прям|ить(ся) *сов. см.* выпрямля́ть(-ся). ~ле́ние *с.* **1.** stráightening; **2.** *эл.* rèctificátion.
выпрямля́ть, **вы́прямить** (*вн.*) **1.** stráighten (*d.*); **2.** *эл.* réctify (*d.*). ~ся, вы́прямиться **1.** becóme* straight; (*о человеке*) stand* eréct, draw* òneˈself up; **2.** *страд. к* выпрямля́ть.
вы́прячь(ся) *сов. см.* выпряга́ть(ся).
вы́пукл|ый I *прил. кратк. см.* вы́пуклый.
вы́пукло II *нареч.* in relief [...ˈliːf]; *(перен. тж.)* vívidly, gráphically.
вы́пукло-во́гнутый *физ.* cònvéxo-cóncàve.
вы́пукл|ость *ж.* **1.** sálience, protúberance, próminence; (*о буквах*) embóssment; ~ земли́ bulge of the earth [...əːθ]; **2.** *физ.* cònvéxity; **3.** (*рельефность*) relief [-ˈliːf]; (*перен. тж.*) vívidness. ~ый **1.** sálient, protúberant, próminent; búlging *разг.*; (*отчётливый*) distínct; (*о буквах*) embóssed; ~ые глаза́ próminent / búlging eyes [...aɪz]. **2.** *физ.* cònvéx; ~ое стекло́ cónvéx glass; **3.** (*рельефный*) in relief [...ˈliːf]; (*перен. тж.*) gráphic, vívid.

вы́пуск *м.* **1.** (*действие; о деньгах, акциях и т. п.*) íssue; (*о продукции завода*) óutpùt [-put]; (*пара и т. п.*) dis:chárge, emíssion; ~ това́ров на ры́нок putting goods on the márket [...gudz...]; ~ студе́нтов gràduátion; ~ шко́льников gránting of school-léaving certíficates [-ɑːn-...]; ~ за́йма íssue of a loan; **2.** (*группа учащихся, окончивших одновременно; о студентах*) gráduates *pl.*; (*о школьниках*) school-léavers; ~ в э́том году́ бу́дет большо́й there will be a large númber of gráduates this year; **3.** (*сокращение, пропуск*) cut, omíssion; **4.** (*литературного произведения*) part, instálment [-tə:l-], númber.
выпуска́|ть, **вы́пустить** (*вн.*) **1.** let* out (*d.*); не ~ кого́-л. и́з дому not let smb. out of the house* [...-s]; ~ во́ду и т. п. из чего́-л. let* the wáter, *etc.*, out of smth. [...ˈwɔː-...]; ~ (*папиро́сы*) exhále smoke; ~ во́здух let* the air out; ~ из рук let* go (*d.*), lose / leave* hold [luːz...] (of), let* slip out of one's hands (*d.*); ~ торпе́ду *мор.* fire / launch a tòrpédò; ~ пулемётную о́чередь fire a burst; **2.** (*освобождать*) reléase [-s] (*d.*), set* free (*d.*), set* at líberty (*d.*); **3.** (*о займе и т. п.*) íssue (*d.*); **4.** (*давать продукцию*) prodúce (*d.*); put* out (*d.*); (*в продаже*) put* on sale (*d.*), put* on the márket (*d.*); **5.** (*пропускать часть*) omít (*d.*), cut* out (*d.*); ~ часть те́кста omít a pórtion of the text; **6.** (*давать квалификацию*) turn out (*d.*); (*из вуза и т. п. тж.*) gráduate (*d.*); ~ то́карей, офице́ров и т. п. turn out túrners, ófficers, *etc.*; ~ инжене́ров, враче́й и т. п. turn out, *или* gráduàte, èngineers, dóctors, *etc.* [...endʒ-...]; ~ ученико́в grant school-léaving certíficates to púpils [-ɑː-...]. **7.** (*издавать*) públish [ˈpʌl-] (*d.*), put* out (*d.*); вы́пустить специа́льный но́мер (*о газете*) íssue / públish a spécial edítion [...ˈspe-...]; (*о журнале*) íssue / públish a spécial númber; ~ кинокарти́ну (*на экран*) reléase a film; **8.** (*делать длиннее, шире*) let* out (*d.*); ◊ ~ ко́гти show* its claws [ʃou...].
~ни́к *м.* (*о студенте*) gràduáting stúdent, fínal-year stúdent; (*о школьнике*) school-léaver. **~но́й**: ~ны́е экза́мены fínal exàminátions, fínals; (*школьные тж.*) school-léaving exàminátions; ~но́й класс léavers' class; gràduátion-class; ~но́й кла́пан *тех.* exháust valve; ~но́й кран *тех.* exháust / disːchárge cock; ~на́я труба́ *тех.* exháust / disːchárge pipe; ~на́я цена́ *эк.* márket price.
вы́пустить *сов. см.* выпуска́ть.
вы́путаться *сов. см.* выпу́тываться.
выпу́тываться, **вы́путаться** disentángle / dìsenˈgáge / éxtricàte òneˈself; (*из беды*) pull through [pul...].
вы́пученн|ый: ~ые глаза́ protrúding eyes [...aɪz]; с ~ыми глаза́ми *разг.* with búlging eyes, góggle-eyed [-aɪd].

выпу́чивать, **вы́пучить**: вы́пучить глаза́ *разг.* ópen one's eyes wide [...aɪz...], stare; góggle; что ты вы́пучил глаза́? what are you stáring at?
вы́пучить *сов. см.* выпу́чивать.
вы́пушка *ж.* édging, píping.
вы́пытать *сов. см.* выпы́тывать.
выпы́тывать, **вы́пытать** (*что-л. у кого́-л.*) *разг.* elícit (smth. from smb.); (*путём принуждения*) extórt (smth. from smb.), force smb. to tell smth.; *несов. тж.* try to make smb. tell smth., try to get (smth. out of smb.).
выпь *ж. зоол.* bíttern.
вы́пялить *сов.* (*вн.*) *разг.*: ~ глаза́ stare; góggle. ~ся *сов. разг.* stare.
вы́пятить(ся) *сов. см.* выпя́чивать(ся).
выпя́ченный **1.** *прич. см.* выпя́чивать; **2.** *прил.* protrúding; ~ живо́т protrúding bélly, pót-bèlly.
выпя́чивать, **вы́пятить** (*вн.*) stick* out (*d.*), thrust* out (*d.*); (*перен.*) óver-émphasìze (*d.*), óver-stréss (*d.*). ~ся, **вы́пятиться 1.** bulge out, stick* out, protrúde; **2.** *страд. к* выпя́чивать.
выраба́тывать, **вы́работать** (*вн.*) **1.** (*производить*) mànufácture (*d.*), prodúce (*d.*), make* (*d.*); ~ электроэне́ргию gènerate eléctricity; **2.** (*составлять, создавать*) work out (*d.*); (*о плане, программе и т. п.*) draw* up (*d.*), eláboràte (*d.*); **3.** (*воспитывать*) form (*d.*); вы́работать в себе́ си́лу во́ли cúltivàte a strong will; **4.** *разг.* (*зарабатывать*) make* (*d.*), earn [əːn] (*d.*); **5.** *горн.* work out (*d.*).
вы́работать *сов. см.* выраба́тывать.
вы́работк|а *ж.* **1.** (*производство*) mànufácture, máking; ~ электроэне́ргии gèneration of eléctricity; **2.** (*составление*) elàborátion, wórking-out, dráwing-ùp; **3.** (*продукция*) óutpùt [-put]; **4.** *разг.* (*качество продукции*) make; хоро́шей ~и of good* make; wéll-máde; **5.** *чаще мн. горн.* èxcavátion, mine wórking.
выра́внивание *с.* **1.** smóothing, lévelling; **2.** *воен.* alígnment [əˈlaɪn-], èqualizátion [iːkwəlaɪ-]; *переводится также формой на* -ing *от соответствующих глаголов — см.* выра́внивать(ся).
выра́внивать, **вы́ровнять** (*вн.*) **1.** (*делать ровным*) (make*) éven (*d.*); (*делать гладким*) smooth out / down [-ð...] (*d.*); (*по отвесу*) (make*) lével [...ˈle-] (*d.*); ~ доро́гу lével a road; ~ шаг règulàte one's pace; **2.** (*в горизонтальной плоскости*) fly* lével [...ˈle-] (*d.*); ~ самолёт lével out a plane; **3.** (*по прямой линии*) align [əˈlaɪn] (*d.*); range / put* in line [reɪ-...]; ~ ряды́ dress the ranks; **4.** (*уравнивать*) équalize [ˈiː-] (*d.*). ~ся, вы́ровняться **1.** becóme* lével / éven [...ˈle...]; **2.** (*располагаться в ряд*) line up; *воен.* dress; **3.** (*избавляться от недостатков*) impróve [-ruːv]; (*становиться более спокойным*) becóme* more équable; (*в занятиях*) catch* up; **4.** *страд. к* выра́внивать.
выраж|а́ть, **вы́разить** (*вн.*) expréss (*d.*); (*передавать*) convéy (*d.*); (*общее мнение и т. п.*) voice (*d.*), give* voice (to); ~ слова́ми put* into words (*to*); ~ благода́рность (*дт.*) expréss one's thanks (to); ~ собо́ю expréss (*d.*); ~ во́тум дове́рия прави́тельству pass a

vote of cónfidence in the góvernment [...´ʌʌ-], give* the góvernment a vote of cónfidence; ~ беспокойство expréss one's ánxiety / concérn [...´æŋz-...]. ~ **áться**, вы́разиться 1. (*высказываться*) expréss òne;sélf; 2. (*проявляться*) mánifèst ìt;sélf, be expréssed / evínced / mánifèsted; расходы выразились в сýмме... the expénses amóunted to..., the expénses came to..., the expénses tótalled...; 3. *тк. несов. разг.* (*ругаться*) swear* [sweə], use bad / strong lánguage; 4. *страд. к выражáть*; ◊ мя́гко ~ áясь *разг.* to put it míld;ly; to say the least of it. ~ **éние** *с.* (*в разн. знач.*) expréssion; ~ éние лицá expréssion, look; алгебраическое ~ éние àlgebráical expréssion [-ren-...]; идиоматическое ~ éние ìdiomátic expréssion, ídiom; он не нашёл слов для ~ éния своего́ восто́рга words could not expréss his delíght, he could find no words to expréss his delíght; не стесня́ться в ~ éниях not mince words.

вы́раженный *прич. и прил.* 1. expréssed; 2. (*заметный*) pronóunced, marked; я́рко, ре́зко ~ stróng;ly pronóunced; сла́бо ~ féebly marked.

выразитель *м.:* ~ мне́ния expónent, spókes;man*, móuthpiece [-pi:s].

выразительн‖**ость** *ж.* expréssiveness; (*многозначительность*) signíficance. ~ **ый** expréssive; (*многозначительный*) signíficant; ◊ ~ ая речь èlocútion.

вы́разить *сов. см.* выража́ть. ~ **ся** *сов. см.* выража́ться 1, 2.

выраста́ть, вы́расти 1. (*в разн. знач.*) grow* [-ou]; (*о ребёнке*) grow* up; (*из одежды и т.п.*) grow* (out of); (*усиливаться, увеличиваться тж.*) in;créase [-s]; ~ на 20% in;créase twénty per cent; 2. (*в вн.; становиться кем-л.*) grow* (into), devélop [-´ve-] (into); 3. (*появляться*) aríse*, appéar; rise* up; здесь вы́рос но́вый го́род a new town has sprung up here; ◊ вы́расти в чьих-л. глаза́х rise* in smb.'s èstimátion.

вы́расти *сов. см.* выраста́ть.

вы́растить *сов. см.* выра́щивать.

выра́щивать, вы́растить (*вн.*) rear (*d.*); bring* up (*d.*); (*о животных*) rear (*d.*), raise (*d.*), breed* (*d.*); (*о растениях*) grow* [-ou] (*d.*), raise (*d.*), cúltivàte (*d.*); (*о кадрах и т.п.*) train (*d.*), prepáre (*d.*), form (*d.*).

вы́рвать I *сов. см.* вырыва́ть I.

вы́рвать II *сов. см.* рвать II.

вы́рваться *сов. см.* вырыва́ться I.

вы́рез *м.* 1. cut; 2. (*платья*) low neck [lou...]; пла́тье с больши́м ~ ом décolleté dress (*фр.*) [deɪ´kɔlteɪ...], lów-nécked dress [´lou-...]; ◊ покупа́ть арбу́з на ~ buy* a wáter-mèlon on tríal [baɪ...´wɔ:- -me-...].

выреза́ть *сов. см.* выреза́ть.

выреза́ть, вы́резать (*вн.*) 1. cut* out (*d.*); *хир. тж.* èxcíse (*d.*); 2. (*гравировать*) en;gráve (*d.*), carve (*d.*), cut* out (*d.*); 3. (*убивать*) sláughter (*d.*), mássacre (*d.*), bútcher [´bu-] (*d.*).

вырезк‖**а** *ж.* 1. (*действие*) cútting out; en;gráving, cárving; (*ср.* выреза́ть); 2. (*газетная*) préss-cùtting, préss-clípping; ~ и из газе́т, журна́лов и т.п. préss-cùttings; 3. (*сорт мяса*) úndercùt; sírloin, ténderloin *амер.*

вырезно́й carved, cut.

вырезыв‖**áние** *с.* cútting out; en;gráving, cárving; *хир.* èxcísion, àblátion; (*ср.* выреза́ть). ~ **ать** = выреза́ть.

вы́рисовать(ся) *сов. см.* вырисо́вывать(ся).

вырисо́выва‖**ть**, вы́рисовать (*вн.*) draw* (in all its détails) [...´di:-] (*d.*), draw* cáre;fully (*d.*). ~ **ться**, вы́рисоваться 1. (*показываться*) be vísible [...-z-], appéar; (*неясно*) loom; (*на пр.; отчётливо, на фоне*) stand* out (agáinst), stand* out in relíef [...´li:f] (agáinst); на горизо́нте ~ лась го́рная цепь a móuntain chain was vísible on the horízon, *или* stood out agáinst the horízon [...stud...]; вдали́ на́чал ~ ться кора́бль a ship loomed in the dístance; 2. *страд. к* вырисо́вывать.

вы́ровнять(ся) *сов. см.* выра́внивать (-ся).

вы́родиться *сов. см.* вырожда́ться.

вы́родок *м. разг.* mónster; degénerate; он ~ в на́шей семье́ he is the black sheep of our fámily.

вырожд‖**а́ться**, вы́родиться 1. degénerate; 2. (*в вн.*) *разг.* degénerate (into). ~ **а́ющийся** *прич. и прил.* degénerating; *прил. тж.* degénerative. ~ **éние** *с.* degenerátion, degéneracy. ~ **éнческий** degénerative.

вы́ронить *сов.* (*вн.*) drop (*d.*), let* fall (*d.*); ~ что-л. из рук drop smth., drop smth. out of one's hands.

вы́рост *м.:* шить оде́жду на ~ make* clothes with room for growth [...-ouðz...-ouθ].

выростко́вый cálf-leather [´kɑ:fleðə] (*attr.*).

вы́росток *м.* 1. yéar-òld calf [...kɑ:f]; 2. (*кожа*) cálf-leather [´kɑ:fle-].

выруба́ть, вы́рубить (*вн.*) 1. (*о лесе, деревьях и т.п.*) cut* down (*d.*); (*тк. о деревьях*) fell (*d.*); 2. (*о части чего-л.*) cut* out (*d.*); 3. (*о дыре, окне и т.п.*) make* (*d.*).

вы́рубить *сов. см.* выруба́ть.

вы́рубка *ж.* 1. (*действие*) cútting down; (*тк. о деревьях*) félling; 2. (*вы́рубленное место*) glade, cleared space; cléaring.

вы́ругать *сов. см.* руга́ть. ~ **ся** *сов. см.* руга́ться 1.

выру́ливать, вы́рулить *ав.* táxi.

вы́рулить *сов. см.* выру́ливать.

выруча́ть, вы́ручить *разг.* 1. (*кого-л.; приходить на помощь*) réscue (smb.), come* to smb.'s help / aid / assístance; ~ кого́-л. из беды́ help smb. out of trouble [...trʌ-], hold* out a hélping hand to smb.; help a lame dog óver a stile *идиом.*; ~ из пле́на delíver / reléase from càptívity [-´lɪ- -´li:s...]; 2. (*что-л.; о деньгах и т.п.*) make* (smth.), gain (smth.); (*получать прибыль*) net (smth.), clear (smth.); вы́ручить затра́ченное recóver one's expénses [-´kʌ...].

выруч‖**и́ть** *сов. см.* выруча́ть. ~ **ка** *ж. разг.* 1. gain; (*от торговли*) recéipts [-´si:ts] *pl.*; (*заработок*) éarnings [´ə:n-] *pl.*; дневна́я ~ ка dáily recéipts; (*за данный день*) the day's recéipts; 2. (*помощь*) réscue, assístance, aid; приходи́ть на ~ ку (*дт.*) come* to the réscue / assístance / aid (of).

ВЫР – ВЫС

вырыва́ть I, вы́рвать 1. (*вн.*) pull out [pul...] (*d.*), tear* out [teə...] (*d.*); (*о растении*) pull up (*d.*); ~ страни́цу из кни́ги tear* a page out of *a* book; ~ что-л. у кого́-л. из рук snatch smth. out of smb.'s hands, *или* from smb.'s hands; ~ с ко́рнем tear* up by the roots (*d.*), ùp;róot (*d.*); (*перен. тж.*) èrádicàte (*d.*), èxtírpàte (*d.*), root out (*d.*); ~ зуб pull out, *или* extráct, a tooth*; вы́рвать себе́ зуб (*у врача*) have *a* tooth* out; 2. (*вн. у рд.*) *разг.* (*добиваться*) extórt (*d.* from), wring* (*d.* from), wrest (*d.* from); ~ согла́сие у кого́-л. wring* consént from, *или* out of, smb., wrest consént from smb.; ~ призна́ние у кого́-л. wring* a conféssion from, *или* out of, smb.; get* / force smb. to conféss; ~ инициати́ву (у) wrest the initiative (from).

вырыва́ть II, вы́рыть (*вн.*) 1. (*о яме и т.п.*) dig* (*d.*); 2. (*извлекать; прям. и перен.*) dig* up (*d.*), ún;éarth [-´ə:θ] (*d.*); (*о трупе*) èx;húme (*d.*).

вырыва́ться I, вы́рваться (*из, от*) 1. tear* òne;sélf a;wáy [teə...] (from); (*высвобождаться*) break* a;wáy / out [-eɪk...] (from), escápe (*d.*); *несов. тж.* strúggle to break loose [...-s]; (*устремля́ться наружу*) shoot* up; ~ из чьих-л. объя́тий tear* òne;sélf from smb.'s embráce; 2. (*о стоне и т.п.*) escápe (*d.*), burst* (from); сло́во вы́рвалось у него́ a word escáped his lips, a word escáped him; из его́ груди́ вы́рвался стон a groan escáped him; he gave a groan; 3. *страд. к* вырыва́ть I.

вырыва́ться II *страд. к* вырыва́ть II.

вы́рыть *сов. см.* вырыва́ть II.

вы́рядить *сов.* (*вн.*) *разг.* dress up (*d.*). ~ **ся** *сов. разг.* dress up, dress òne;sélf up.

вы́садить I, II *сов. см.* выса́живать I, II.

вы́садиться *сов. см.* выса́живаться I.

вы́садка I *ж.* (*на берег*) dè;bàrkátion, dìsèmbàrkátion; ~ деса́нта lánding (of troops).

вы́садка II *ж.* (*растения*) trànsplánting [-´plɑ:-].

выса́живать I, вы́садить (*вн.*) 1. set* down (*d.*); (*на берег*) put* ashóre (*d.*), disembárk (*d.*), land (*d.*); ~ деса́нт land troops, make* a lánding; ~ кого́-л. из трамва́я make* smb. get out of, *или* get* off, a tram; ~ кого́-л. с су́дна, парохо́да put* smb. ashóre; 2. *разг.* (*выбивать стекло*) smash (*d.*), (*дверь*) break* in / ópen [-eɪk...] (*d.*).

выса́живать II, вы́садить (*вн.*; *о растении*) trànsplánt [-ɑ:nt] (*d.*).

выса́живаться I, вы́садиться 1. (*из трамвая, поезда*) alíght (from), get* (off *или* out of); (*с судна*) land, dìsembárk; ~ из по́езда *воен.* dè;tráin; ~ с автомаши́н *воен.* debús, detrúck; ~ с самолётов *воен.* land; 2. *страд. к* выса́живать I.

выса́живаться II *страд. к* выса́живать II.

выса́сывать, вы́сосать (*вн.*) suck out (*d.*); вы́сосать всё из чего́-л. suck smth.

dry; ◇ вы́сосать все со́ки из кого́-л. exháust smb., wear* smb. out [wɛə...]; ~ из па́льца что́-л. разг. fábricàte smth., dream* the whole thing up [...houl...]; всё э́то из па́льца вы́сосано it is an entire fàbricátion.

вы́сватать сов. (вн.) уст. arránge a márriage [-eɪndʒ... -rɪdʒ] (with).

высве́рливать, вы́сверлить (вн.) drill (d.), bore (d.).

вы́сверлить сов. см. высве́рливать.

вы́сви||стать, ~стеть сов. см. высви́стывать.

высви́стывать, вы́свистать, вы́свистеть (вн.) разг. whistle (d.).

вы́свободить(ся) сов. см. высвобожда́ть(ся).

высвобожда́ть, вы́свободить (вн.) 1. free (d.); (выпускать) let* out (d.); (запутавшееся) disen:gáge (d.), disentàngle (d.); 2. (для использования) reléase [-s] (d.); ~ сре́дства, материа́льные ресу́рсы и т.п. reléase funds, matérial resóurces, etc. [...-'sɔ:s-]. ~ся, вы́свободиться 1. free òne:self, disen:gáge òne:self; (выпутываться) disentàngle òne:self; ~ся из чьих-л. объя́тий reléase òne:self from smb.'s embráce [-s...]; 2. страд. к высвобожда́ть.

вы́сев м. с.-х. sówing ['sou-]; но́рмы ~а stàndard quántity of seed per héctàre [...-tɑ:] sg.

высева́ть, вы́сеять (вн.) sow* [sou] (d.).

вы́севки мн. 1. síftings; (отруби) bran sg.; 2. горн. (угля) dross sg., fines.

высе́ивать = высева́ть.

высека́ть, вы́сечь (вн.) 1. carve (d.); (вырубать) hew (d.); 2. (о скульптуре) scúlpture (d.), cut* (d.); ◇ ~ ого́нь strike* fire (from a flint).

выселе́ние с. évìction; (изгнание) expúlsion.

вы́селить(ся) сов. см. выселя́ть(ся).

вы́селки мн. (ед. вы́селок м.) new víllage sg., séttle:ment sg.

выселя́ть, вы́селить (вн.) 1. evíct (d.); 2. (переводить из одного местожительства в другое) move (from) [mu:v...] (d.), evácuàte (d.). ~ся, вы́селиться 1. move [mu:v]; 2. страд. к выселя́ть.

вы́сечка ж. cárving; (вырубка) héwing.

вы́сечь I сов. см. высека́ть.

вы́сечь II сов. см. сечь I.

вы́сеять сов. см. высева́ть.

вы́сидеть I, II сов. см. выси́живать I, II.

выси́живание с. hátching, in:cubátion, bróoding; (ср. выси́живать II).

выси́живать I, вы́сидеть remáin, stay; вы́сидеть три дня до́ма remáin at home for three days; вы́сидеть до конца́ представле́ния, ле́кции и т.п. sit* out a perfórmance, a lécture, etc.

выси́живать II, вы́сидеть (вн.) (о птицах) hatch (d.); ín:cubàte (d.) научн.; несов. тж. (без доп.) brood.

выси́ться (над) rise* (above), tówer (above).

выска́бливание с. scráping.

выска́бливать, вы́скоблить (вн.) 1. scrape (d.); вы́скоблить сло́во eráse, или scratch out, a word; 2. мед. remóve [-'mu:v] (d.).

вы́сказать(ся) сов. см. выска́зывать(-ся).

выска́зывание с. 1. expréssion, útterance; 2. (высказанное суждение) státe:ment, díctum (pl. -s, -ta); (мнение) opínion, view [vju:].

выска́зывать, вы́сказать (вн.) state (d.), say* (d.), tell* (d.); (выражать) expréss (d.); ~ что́-л. в лицо́ кому́-л. tell* smth. to smb.'s face; give* smb. a piece of one's mind [...pi:s...] opínion; ~ своё мне́ние expréss / advánce an opínion; ~ своё мне́ние (о пр.) give* one's view [...vju:] (on); ~ предположе́ние suggést [-'dʒe-]; он вы́сказал предположе́ние, что he suggésted that, his théory was that [...'θɪə-...]; он ему́ все вы́сказал he told him éverything. ~ся, вы́сказаться 1. speak*; (о пр.; высказывать мнение) speak* (about), expréss one's opínion (about), have / say* one's say (about); ~ся по вопро́су (о пр.) speak* on the súbject (of); он уже́ вы́сказался he has had / said his say [...sed...]; 2. (за вн., против) decláre (for, agàinst); (за предложе́ние и т.п. тж.) suppórt (d.); (против предложения и т.п. тж.) oppóse (d.); 3. страд. к выска́зывать.

выска́кивать, вы́скочить 1. (выпры́гивать) jump out, leap* out; (появляться неожиданно) spring* out, dart out; ~ в коридо́р dart out into the corrídor; ~ из двере́й rush out of the door [...dɔ:]; ~ на мель (о корабле) run* agróund; ~ отку́да-то (перен.) spring* from some:whère; ~ с замеча́нием разг. come* out, или break* in, with a remárk [...breɪk...]; 2. разг. (выпадать) fall* out; drop out; ◇ у него́ э́то вы́скочило из головы́ it quite escáped him, it went clean out of his head [...hed].

выска́льзывать, вы́скользнуть slip (out).

вы́скоблить сов. см. выска́бливать.

выскольза́ть = выска́льзывать.

вы́скользнуть сов. см. выска́льзывать.

вы́скочить сов. см. выска́кивать.

выско́чка м. и ж. разг. upstárt, parvenú.

выскреба́ть, вы́скрести (вн.) 1. scrape off (d.), scrape / scratch out (d.); 2. (выгребать) rake out (d.).

вы́скрести сов. см. выскреба́ть.

вы́слать сов. см. высыла́ть.

вы́следить сов. см. высле́живать.

высле́живать, вы́следить (вн.) trace (d.), track (d.); (следить — о сыщике) shádow ['ʃæ-] (d.); (о самолёте) spot (d.); несов. тж. be on the track (of), watch (d.).

вы́слуг||а ж.: за ~у лет ≃ for long sérvice; вы́плата за ~у лет lóng-sérvice bónus.

выслу́живать, вы́служить 1. (вн.) quálifỳ (for); ~ пе́нсию quálifỳ for a pénsion; 2. разг.: вы́служить 20, 30 лет have a récord of twénty, thírty years' sérvice [...'re-...]. ~ся, вы́служиться 1. (пе́ред) разг. cúrry / gain fávour (with), tóady (to); 2. страд. к выслу́живать.

вы́служить(ся) сов. см. выслу́живать(-ся).

вы́слушать сов. см. выслу́шивать.

выслу́шивание с. мед. auscultátion.

выслу́шивать, вы́слушать (вн.) 1. lísten ['lɪsn] (to), hear* out (d.); 2. мед. sound (d.), áuscultàte (d.).

высма́тривать, вы́смотреть (вн.) 1. (прииски́вать) look out (for); 2. тк. несов. разг. (тайно наблюдая) spy out (d.).

высме́ивать, вы́смеять (вн.) ridícùle (d.), make* fun (of); (издеваться) deríde (d.); scoff (at).

вы́смеять сов. см. высме́ивать.

вы́смолить сов. (вн.) tar (d.).

вы́сморкать(ся) сов. см. сморка́ть(ся).

вы́смотреть сов. см. высма́тривать 1.

высо́вывать, вы́сунуть (вн.) put* out (d.), thrust* out (d.); ~ язы́к put* / stick* one's tongue out [...tʌŋ...]; ◇ нельзя́ но́су вы́сунуть (из дому) you can't éven stick your nose out (of the house*) [...kɑ:nt...-s]; you can't éven show your face outsíde [...ʃou...]; бежа́ть вы́сунув, вы́суня язы́к ≃ run* for one's life. ~ся, вы́сунуться 1. lean* out; hang* out; (показываться) show* òne:self [ʃou...]; ~ся из окна́ lean* out of the window; 2. страд. к высо́вывать.

высо́к||ий 1. (в разн. знач.) high; (о человеке, животном) tall; (о горе, доме тж.) lófty; ~ая вода́ high tide, high wáter [...'wɔ:-]; ~ая ме́стность (горная) híghland dístrict; híghlands pl.; ~ая температу́ра high témperature; ~ое давле́ние, напряже́ние high préssure, ténsion; ~ урожа́й big crop; ~ая произво́дительность труда́ high pròductívity of lábour; ~ие це́ны high príces; ~ая та́лия short waist; 2. (возвышенный, значительный) high, lófty, élevàted; ~ стиль lófty / élevàted style; ~ие це́ли high / lófty / exálted aims; ~ая иде́йность high-príncipled cháracter [...'kæ-]; 3. (о голосе, звуке) high, hígh-pítched; ~ая но́та high note; ◇ ~ лоб high fórehead [...'fɒrɪd]; Высо́кие Догова́ривающиеся Сто́роны the High Contrácting Párties; ~ гость éminent / distínguished guest; быть ~ого мне́ния (о пр.) think* híghly (of), have a high opínion (of); в ~ой сте́пени híghly.

высоко́ I 1. прил. кратк. см. высо́кий; **2.** предик. безл. it is high.

высоко́ II нареч. high; high up; ~ подня́ть зна́мя (чего-л.) raise alóft the stàndard (of smth.); hold* high the bánner (of smth.).

высоково́льтн||ый эл. hígh-vòltage (attr.); ли́ния ~ой переда́чи hígh-vòltage line.

высокого́рный Álpine.

высокодохо́дный híghly remúneràtive, prófitable.

высокоиде́йн||ый hígh-príncipled; ~ое худо́жественное произведе́ние hígh-príncipled work of art.

высокока́чественный hígh-quálity (attr.); of high quálity.

высококвалифици́рованн||ый híghly skilled / quálified; ~ые специали́сты híghly skilled spécialists [...'spe-].

высококульту́рный híghly cúltured.

высокоме́р||ие с. háughtiness, árrogance, supercílious:ness. ~ный háughty, árrogant, supercílious; (самонадеянный) òver:wéening; high and míghty разг.

высокомеханизи́рованн||ый: ~ое се́льское хозя́йство highly-mechanized agriculture / farming [-k-...].
высокомолекуля́рный high molecular.
высоконра́вственный of high moral standards [...'mɔ-...].
высокообразо́ванный highly educated.
высокоодарённый highly gifted [...'gɪ-], very talented.
высокоопла́чиваемый highly paid.
высокопа́рно I прил. кратк. см. высокопа́рный.
высокопа́рн||о II нареч. grandiloquently, bombastically, in a high-flown manner [...-floun...]; говори́ть ~ use high-flown / bombastic / pompous language. **~ость** ж. grandiloquence, turgidity, pomposity. **~ый** grandiloquent, bombastic, turgid; (напыщенный) high-flown [-floun]; high-falutin(g) разг.; **~ый** стиль stilted / inflated style.
высокопоста́вленн||ый high, of high rank, of high standing; **~ое лицо́** person of high rank; V.I.P. ['viː'aɪ'piː] (сокр. от Very Important Person) разг.
высокопро́бный high-standard (attr.); of a high standard; sterling (тж. перен.); (перен.) of high quality.
высокопродукти́вный highly productive; ~ скот highly productive cattle.
высокопроизводи́тельн||ый highly productive; ~ые ме́тоды труда́ highly productive methods of work; ~ое обору́дование efficient equipment.
высокора́звит||ый highly developed; ~ые стра́ны highly developed countries [...'kл-].
высокорента́бельн||ый highly remunerative; ~ое хозя́йство highly remunerative economy [...iː-].
высокосо́ртный high-grade (attr.); of superior quality.
высокотова́рный эк. highly marketable, producing a high marketable surplus.
высокоуважа́емый highly respected.
высокоурожа́йн||ый high-yield [-'jiː-] (attr.); ~ сорт пшени́цы high-yielding variety of wheat [-'jiː-...]; ~ые культу́ры high-yield crops.
высокохудо́жественн||ый highly artistic; ~ое литерату́рное произведе́ние highly artistic literary work, work of high artistic merit.
высокочасто́тный эл. high-frequency [-'friː-] (attr.).
высокочувстви́тельный highly extremely sensitive.
высокоширо́тн||ый of / in the high latitudes; ~ая экспеди́ция expedition into the high latitudes.
вы́сосать сов. см. выса́сывать.
высот||а́ ж. **1.** height [haɪt]; ав., геогр., астр. тж. altitude ['æl-]; (о звуке и т.п.) pitch; (перен.) loftiness, elevation; ~ над у́ровнем мо́ря height above sea level [...'le-]; на ~е́ в 100 ме́трах at a height, или an altitude, of one hundred metres; лета́ть на небольшо́й ~е́ fly* at a low altitude [...lou...]; ~ разры́ва воен. height of burst; **2.** (возвышенность) eminence, ridge, hill; го́рные высо́ты mountain heights; **3.** мат. altitude; ◇ быть, оказа́ться на ~е́ чего́-л. be equal to smth. [...'iːkwəl...], rise*, или be equal, to the occasion; быть на ~е́ положе́ния be up to the mark; rise* to the occasion; не на ~е́ unequal to the occasion [-'iːkwəl...], falling short of the occasion; на должной ~е́ up to the mark.
высо́тка ж. hillock.
высо́тник м. **1.** (о строителе) spiderman*; **2.** (о лётчике) high-altitude flier [-'æl-...]; (об альпинисте) high-altitude climber [...'klaɪ-].
высо́тный 1. high-altitude [-'æl-] (attr.); **2.** (о здании) tall, high-rise; ~ дом tall house* [...-s], high-rise building [...'bɪl-].
высотоме́р м. **1.** ав. altimeter ['æl-]; **2.** воен. height-finder ['haɪt-].
вы́сох||нуть сов. см. высыха́ть. **~ший** прич. и прил. dried-up; прил. тж. dry; (тощий, сморщенный) shrivelled; (о человеке тж.) wizened [wɪznd].
высоча́йший 1. превосх. ст. см. высо́кий; **2.** ист. (царский, императорский) royal, imperial.
высо́чество с. (титул принца, великого князя): ва́ше ~ Your Highness.
вы́спаться сов. см. высыпа́ться II.
выспра́шивать, **вы́спросить** (у кого́-л. что́-л.) разг. question [-stʃ-] (smb. about / on smth.); pump (smb. about smth.) разг.; несов. тж. try to find out (smth.).
вы́спренний lofty, high-flown [-floun]; (высокопарный) bombastic, grandiloquent; high-falutin(g) разг.
вы́спросить сов. см. выспра́шивать.
вы́ставить(ся) сов. см. выставля́ть(ся).
вы́ставк||а ж. **1.** exhibition [eksɪ-], show [ʃou]; ~ карти́н art exhibition; сельскохозя́йственная ~ agricultural exhibition; ~ лошаде́й, соба́к horse, dog show; ~ цвето́в flower-show [-ʃou]; пойти́ на ~у go* to the exhibition; Вы́ставка достиже́ний наро́дного хозя́йства Exhibition of National Economic Achievement [...'næ-...iːk-...iːv-]; **2.** (в магазине) exposition [-'zɪ-], display, show-window ['ʃou-], (shop) window.
вы́ставка-прода́жа ж. exhibition and sale [eksɪ-...].
выставля́ть, **вы́ставить** (вн.) **1.** (вперёд) advance (d.), push / bring* forward [puʃ...] (d.), put* in front [...-ʌnt] (d.); (наружу) put* out (d.); ~ но́гу advance one's foot* [...fut]; thrust* / stick* out one's foot* разг.; ~ что́-л. на середи́ну чего́-л. move smth. out into the middle of smth. [muː...]; ~ на во́здух, на свет expose to the air, to the light (d.); **2.** (предлагать, выдвигать): ~ чью́-л. кандидату́ру propose, или put* forward, smb.'s candidature, propose smb. as a candidate, nominate smb. (for); ~ свою́ кандидату́ру come* forward as a candidate, stand* / run* (for); **3.** (напоказ, на выставку) exhibit (d.); (о това́рах) display (d.), set* out (d.), show* [ʃou] (d.); (перен.) flaunt (d.), show* off (d.); ~ себя́ show* off; ~ себя́ кем-л. разг. pose as, set* up for; ~ напока́з свои́ зна́ния и т.п. parade one's knowledge, etc. [...'nɔlɪdʒ], make* a parade of one's knowledge, etc.; **4.** (вн. тв.; представлять) represent [-'ze-] (d. to be, d. as), make* smb. out (d.); ~ кого́-л. в хоро́шем, плохо́м све́те represent smb. in a favourable, unfavourable light; ~ кого́-л. дурако́м и т.п. make* smb. out a fool, etc.; ~ кого́-л. в смешно́м ви́де make* a laughing-stock of smb. [...'lɑː-...], expose smb. to ridicule; **5.** (о воображениях, доводах и т.п.) lay* down (d.), adduce (d.); ~ тре́бования lay* down one's demands [...-ɑːn-]; ~ аргуме́нты adduce arguments; **6.** (проставлять): ~ отме́тки put* down marks; **7.** разг. (прогоня́ть) turn out (d.), send* out (d.); chuck out (d.); вы́ставить кого́-л. со слу́жбы fire / sack smb., give* smb. the sack; **8.**: ~ око́нную ра́му remove a window-frame [-'muː...]. **~ся, вы́ставиться 1.** (помещать свои работы на выставке) exhibit; **2.** разг. (намеренно показывать свои достоинства) show* off [ʃou-]; **3.** страд. к выставля́ть.
вы́ставочный прил. к вы́ставка; ~ павильо́н pavilion [-ljən]; ~ зал show-room ['ʃou-]; ~ комите́т exhibition committee [eksɪ- -tɪ].
выста́ивать, вы́стоять 1. stand*; (удерживаться в определённом положении) remain standing; дом до́лго не вы́стоит the house* will not remain standing much longer [...-s...]; **2.** об. сов. (против; выде́рживать) hold* out (against), withstand* (d.); (мужественно) stand* up (to); они́ вы́стояли под огнём неприя́теля they held out against the fire of the enemy, they stood up to the fire of the enemy [...stud...]. **~ся, вы́стояться 1.** (приобретать крепость, вкус от времени) mature; **2.** (отдыхать—о лошади) rest.
вы́стегать I, II сов. см. стега́ть I, II.
выстила́ть, вы́стлать (вн.) cover ['kл-] (d.); (с внутренней стороны) line (d.); (мостить) pave (d.).
вы́стирать сов. см. стира́ть II.
вы́стлать сов. см. выстила́ть.
вы́стоять(ся) сов. см. выста́ивать(ся).
вы́страдать сов. (вн.) **1.** suffer (d.), endure (d.); **2.** (достигнуть страданиями) gain / achieve through much suffering [...-iːv-].
выстра́ивать, вы́строить (вн.; в ряды) draw* up (d.), marshal (d.); воен. form up (d.), parade (d.); (расставлять) set* out (d.), line up (d.). **~ся, вы́строиться 1.** (становиться в ряды) draw* up, form; (в линию) line up; вы́строиться вдоль у́лиц line the streets; **2.** страд. к выстра́ивать.
вы́стрел м. shot; (звук) report; произвести́ ~ fire a shot; пу́шечный гу́нсhóт; разда́лся ~ a shot rang out; ◇ на ~ (от) within firing range, или gunshot [...-reɪ-...] (of); сдать без ~а (вн.) surrender without firing a shot (d.).
~ить сов. см. стреля́ть 1; 2. (в вн.) have / take* a shot (at), fire (a shot) (at); shoot* (at); ~ить из ружья́ fire a gun.
выстрига́ть, вы́стричь (вн.) cut* off (d.); (о шерсти) shear* (d.).
вы́стричь сов. см. выстрига́ть.
вы́строгать сов. (вн.) plane (d.).
вы́строить I сов. см. выстра́ивать.

8. Русско-англ. словарь

ВЫС – ВЫС **B**

vourable light; ~ кого́-л. дурако́м и т.п. make* smb. out a fool, etc.;

113

ВЫС – ВЫТ

вы́строить II *сов.* (*вн.*; *о домах и т. п.*) build* [bɪld] (*d.*).

вы́строиться *сов. см.* выстра́иваться.

вы́строчить *сов.* (*вн.*) hémstitch (*d.*).

вы́стругать *сов.* = выстрогать.

вы́студить *сов. см.* выстуживать.

выстуживать, вы́студить (*вн.*) chill (*d.*), cool (*d.*); ко́мнату вы́студило the room had grown cold [...groun...].

вы́стукать *сов. см.* выстукивать.

выстукив∥ание *с. мед.* percússion, tápping. ~**ать, вы́стукать** (*вн.*) 1. *мед.* tap (*d.*); 2. *разг.* (*о ритме и т.п.*) tap out (*d.*).

вы́ступ *м.* 1. protúberance, projéction; ledge; (*горы тж.*) jut; (*берега тж.*) próminence; ~ фро́нта *воен.* sálient [-ljənt]; 2. *тех.* lug.

выступа́ть, вы́ступить 1. come* fórward, advánce; ~ из берегов òver:flów its banks [-ou-...]; 2. *воен.* set* out; вы́ступить в похо́д take* the field [...fi:ld]; 3. (*публично*) come* out, speak*, appéar; (*об актёре, музыканте и т. п.*) perfórm; ~ на сце́не appéar on the stage; act, play; ~ на собра́нии speak* at a meeting; address a meeting (*более официально*); ~ за предложе́ние и т.п. sécond a propósal, etc. ['se-... -zˡl], speak* in suppórt of a propósal, etc., come* out in fávour of a propósal, etc.; ~ про́тив предложе́ния и т.п. oppóse a propósal, etc., rise* in òpposítion to a propósal, etc. [...-ˈzɪ-...]; ~ про́тив чего́-л. come* out agáinst smth.; ~ с протéстом (про́тив) protést (agáinst), make* a prótest (agáinst); (*в печа́ти*) write* in prótest; ~ с ре́чью speak*, make* a speech; вы́ступить с при́зывом (к) appéal (to); ~ в печа́ти appéar in print, write* (for the press); выступить еди́ным фронтом (за, про́тив) come* out in a uníted front, *или* as one man [...frʌnt...] (for, agáinst); ~ в ро́ли кого́-л. take* the part of smb.; (*перен.*) appéar in the role of smb., play the role of smb.; ~ в защи́ту кого́-л. take* the part of smb., take* up the cause of smb., stand* up for smb.; ~ в защи́ту чего́-л. ádvocàte smth.; ~ защи́тником (*рд.*) come* fórward in defénce (of); (*без доп.* — *на суде́*) appéar for the defénce; ~ от и́мени кого́-л. speak* in the name of smb., speak* on behálf of smb. [...-ˈhɑːf...]; ~ инициа́тором be the inítiàtor; ~ впервы́е make* one's début (*фр.*) [...ˈdeɪbuː]; ~ по ра́дио bróadcàst [-ɔːd-]; go* on the air; (*с ре́чью*) give* a bróadcàst talk; give* a talk on the rádiò; (*с докла́дом*) give* a wíre:less / rádiò lécture; (*играть*) play óver the wíre:less / rádiò; (*петь*) sing* over the wíre:less / rádiò; (*по телеви́дению*) appéar on télevìsion; 4. (*проступа́ть*) come* out; пот вы́ступил на лбу the sweat stood out on one's fórehead [...swet stud...ˈfɔrɪd]; пле́сень вы́ступила mould (has) formed [mou-...]; сыпь вы́ступила на лице́ a rash broke out on, *или* all óver, the face; слёзы вы́ступили на глаза́х the tears started to his, her, etc., eyes [...aɪz]; 5. *тк. несов.* (*выдава́ться*) project, jut out, run* out; stick* out *разг.*; (*све́рху*) òverˈháng*; 6. *тк. несов.* (*ходи́ть медленно, чи́нно*) walk with méasured steps [...ˈmeʒ-...]; (*ходи́ть с ва́жным ви́дом*) strut.

вы́ступить *сов. см.* выступа́ть 1, 2, 3, 4.

выступле́ние *с.* 1. (*публи́чное*) appéarance (in públic [...ˈpʌ-]); (*на сце́не*) perfórmance; (*заявление*) státe:ment; (*речь*) speech; (*пе́ред; обраще́ние*) address (to); пе́рвое ~ first perfórmance, début (*фр.*) [ˈdeɪbuː]; (*о ре́чи тж.*) máiden speech; ~ в печа́ти árticle; революцио́нное ~ масс rèvolútionary áction of the másses; 2. (*отправление*) depárture; перево́дится тж. фо́рмой на -ing от соотве́тствующих глаго́лов — см. выступа́ть.

вы́судить *сов. см.* высу́живать.

высу́живать, вы́судить (*вн.*) *разг.* obtáin by court decision [...kɔːt...] (*d.*).

вы́сунуть(ся) *сов. см.* высо́вывать(ся).

высу́шивание *с.* drýing.

высу́шивать, вы́сушить (*вн.*) 1. dry out (*d.*); 2. *разг.* (*истоща́ть*) emáciate (*d.*), waste [weɪ-] (*d.*); 3. *разг.* (*делать неотзывчивым, бессердечным*) hárden (*d.*), cáse-hàrden [-s-] (*d.*), make* cállous (*d.*). ~**ся, вы́сушиться** 1. dry; 2. *страд. к* высу́шивать.

вы́сушить *сов. см.* высу́шивать *и* суши́ть. ~**ся** *сов. см.* высу́шиваться *и* суши́ться.

вы́считать *сов. см.* высчи́тывать.

высчи́тывать, вы́считать (*вн.*) cálculàte (*d.*), figure out (*d.*), réckon (*d.*).

вы́сш∥ий 1. (*бо́лее высо́кий*) hígher; (*по положе́нию, ка́честву*) supérior; 2. (*са́мый высо́кий*) the híghest; ~ее ка́чество híghest / éxtra quálity, top / prime quálity; (*о това́рах*) supérior quálity; 3. (*гла́вный; верхо́вный*) supréme; ~ая инста́нция the hígher authórity; суд ~ей инста́нции *юр.* High Court [...kɔːt]; ~ие о́рганы госуда́рственной вла́сти supréme órgans of gòvernment [...ˈgʌv-]; 4.: ~ее образова́ние hígher èducátion; ~ее уче́бное заведе́ние hígher èducátional estáblishment; ínstitute of hígher èducátion; ~ее техни́ческое уче́бное заведе́ние téchnical cóllege, téchnical ínstitùte; ~ая шко́ла hígher ínstitutes of léarning / èducátion [...ˈlɜːn-...], the Hígher School; ◇ ~ая матема́тика hígher màthemátics; ~ая то́чка ácme [ˈækmɪ]; в ~ей сте́пени híghly, extréme:ly; ~ая ме́ра наказа́ния cápital púnishment [...ˈpʌ-...]; ~ее о́бщество *уст.* (high) society, high life.

высыла́ть, вы́слать (*вн.*) 1. (*посыла́ть*) send* (*d.*); dispátch (*d.*); 2. (*администрати́вно*) bánish (*d.*), éxile (*d.*) (*из страны*) depórt (*d.*), expél (*d.*); 3. *воен.* send* out (*d.*), push out [puʃ...] (*d.*).

вы́сылк∥а *ж.* 1. (*посылка*) dispátch, sénding; *в большинстве́ слу́чаев перево́дится глаго́лом* send*; че́рез ме́сяц по́сле ~и паке́та a month áfter the párcel was sent [...mʌnθ...]; 2. (*административная*) bánishment, éxile; (*из страны*) dèportátion [diː-], expúlsion.

вы́сыпать *сов. см.* высыпа́ть.

высыпа́ть, вы́сыпать 1. (*вн.*) émpty (*d.*), pour out [pɔː...] (*d.*); (*неча́янно*) spill* (*d.*); 2. (*о сы́пи*) break* / come* out [-eɪk...]; вы́сыпало на лице́ a rash has bróken, *или* come*, out on one's face; 3. *разг.* (*о толпе́*) pour out; вы́сыпать на у́лицу pour out into the street, throng the street.

вы́сыпаться *сов. см.* высыпа́ться I.

высыпа́ться I, **вы́сыпаться** 1. pour out [pɔː...]; (*выпада́ть*) spill* out; 2. *страд. к* высыпа́ть I.

высыпа́ться II, **вы́спаться** have a good sleep, have one's sleep out; он сего́дня не вы́спался he didn't have enóugh sleep last night [...ɪˈnʌf...].

высыха́ть, вы́сохнуть 1. dry out; (*о реке́ и т. п.*) dry up; 2. (*увяда́ть*) wíther; (*перен.*; *о челове́ке*) *разг.* waste a:wáy [weɪ-...], fade a:wáy.

высь *ж.* height [haɪt]; (*перен.*) the realms of fáncy [...reɪmz...] *pl.*; вита́ть в заобла́чной выси have one's head in the clouds [...hed...].

выта́лкивать, вы́толкать, вы́толкнуть (*вн.*) 1. (*выгоня́ть*) chuck out (*d.*); ~ в ше́ю *разг.* throw* out [θrou...] (*d.*), chuck out (*d.*); 2. *при сов.* вы́толкнуть (*выбра́сывать что-л.*) push (out) [puʃ...] (*d.*).

вытанцо́выва∥ться (*об. с отриц.*) *разг.* succéed, come* off; де́ло не ~ется it's not wórking out (well); (*ничего́ не вы́йдет*) nothing will come of it.

выта́пливать I, **вы́топить** (*вн.*; *о пе́чи*) heat (*d.*).

выта́пливать II, **вы́топить** (*вн.*; *о са́ле*) melt (*d.*); (*о масле*) clárify (*d.*).

выта́пливаться I, II *страд. к* выта́пливать I, II.

выта́птывать, вы́топтать (*вн.*) trample down (*d.*).

вы́таращить(ся) *сов. см.* тара́щить(-ся).

выта́скивать, вы́тащить (*вн.*) 1. take* out (*d.*); (*вывола́кивать*) drag out (*d.*), pull out [pul...] (*d.*); (*о пу́ле, занозе и т.п.*) extráct (*d.*); (*из воды́*) fish out (*d.*); 2. *разг.* (*красть*) steal* (*d.*); вы́тащить что-л. у кого́-л. steal* smth. from smb.; 3.: вы́тащить кого́-л. на концерт, прогуля́ться и т.п. *разг.* make* smb. go to a cóncert, go for a walk, etc., drag smb. out to a cóncert, out for a walk, etc.; ◇ ~ кого́-л. из беды́ *разг.* help / get* smb. out of trouble [...trʌ-].

выта́чивать, вы́точить (*вн.*) 1. (*на тока́рном станке́*) turn (*d.*); 2. *разг.* (*де́лать о́стрым*) shárpen (*d.*).

вы́тачка *ж.* tuck.

вы́тащить *сов. см.* выта́скивать.

вы́твердить *сов.* (*вн.*) *разг.* learn* by heart / rote [lɜːn... hɑːt...] (*d.*).

вытвор∥я́ть (*вн.*) *разг.* be up (to), do (*d.*); ~ глу́пости fool, do fóolish things; be up to all sorts of nónsense; что он ~я́ет? what is he up to?, what new game is he getting up to now?

вытека́∥ть, вы́течь 1. flow out [-ou...], escápe, run* out; (*ка́пля за ка́плей*) drip out; 2. *тк. несов.* (*из*; *брать нача́ло* — *о реке́ и т.п.*) have its source [...sɔːs] (from), flow (from, out of); 3. *тк. несов.* (*явля́ться сле́дствием*) resúlt [-ˈzʌ-], fóllow, ensúe (from); (*из*) aríse (from); отсю́да ~ет, что (hence) it fóllows that; it fóllows (from this) that; со все́ми ~ющими отсю́да после́дствиями with all the ensúing cónsequences; ◇ глаз вы́тек the eye came out [...aɪ...].

вы́тереть(ся) *сов. см.* вытира́ть(ся).

вытерпе́ть *сов.* (*вн.*) ùndergó* (*d.*), bear* [beə] (*d.*), súffer (*d.*), endúre (*d.*); он е́ле ~л э́то he could hárdly bear / stand it, it was álmòst more than he could bear [...'ɔːlmoust...].

вы́тертый 1. *прич. см.* вытира́ть; **2.** *прил.* (*об одежде*) thréadbàre ['θred-].

вы́тесать *сов. см.* вытёсывать.

вытесне́ние *с.* **1.** óusting; (*замена собою тж.*) supplánting [-ɑːn-]; (*из какой-либо сферы деятельности тж.*) exclúsion; **2.** *физ.* displáce;ment.

вы́теснить *сов. см.* вытесня́ть.

вытесня́ть, вы́теснить (*вн.*) **1.** force out (*d.*), ejéct (*d.*), oust (*d.*); (*из какой-л. сферы деятельности тж.*) exclúde (*d.*); (*заменять собою тж.*) supplánt [-ɑːnt] (*d.*); *воен.* dislódge (*d.*); **2.** *физ.* displáce (*d.*).

вытёсывать, вы́тесать (*вн.*) cut* (out) (*d.*), hew (out) (*d.*); (*делать гладким*) trim (*d.*).

вы́течь *сов. см.* вытека́ть 1.

вытира́ть, вы́тереть (*вн.*) **1.** wipe (*d.*); (*досуха*) dry (*d.*), wipe dry (*d.*); ~ посу́ду dry the díshes / cróckery; ~ но́ги wipe one's feet; ~ лоб wipe one's fórehead [...'fɔrɪd], mop one's brow; ~ пыль dust; **2.** *разг.* (*изнашивать*) wear* thréadbàre / out [weə 'θred-...] (*d.*). ~ся, вы́тереться **1.** wipe / dry onesélf; **2.** *разг.* (*изнашиваться*) becòme* thréadbàre [...'θred-]; **3.** *страд. к* вытира́ть.

вы́тиснить *сов. см.* вытисня́ть.

вытисня́ть, вы́тиснить (*вн.*) stamp (*d.*), imprínt (*d.*), imprèss (*d.*).

вы́ткать *сов.* (*вн.*) weave* (*d.*).

вы́толкать *сов. см.* выта́лкивать **1.**

вы́толкнуть *сов. см.* выта́лкивать.

вы́топить I, II *сов. см.* выта́пливать I, II.

вы́топтать *сов. см.* выта́птывать.

вытора́вывать, вы́торговать (*вн.*) *разг.* **1.** (*о цене*) get* obtáin by bárgaining / hággling (*d.*); *несов. тж.* try to get (*d.*); (*получать уступку*) get* a redúction, *или* an abáte;ment (of); (*перен.*) mánage to get (*d.*); вы́торговать пять, де́сять рубле́й get* a redúction of five, ten roubles [...ruː-]; **2.** (*зарабатывать торговлей*) make* a prófit (of), net (*d.*), clear (*d.*).

вы́точ||енный *прич. и прил.* turned; ◇ сло́вно ~ (*о чертах лица*) chíselled [-z'ld], cléar-cùt; (*о формах тела*) pérfectly-fòrmed. ~ить *сов. см.* выта́чивать.

вы́травить I, II, III *сов. см.* вытравля́ть I, II, III.

вы́травить IV *как сов. к* трави́ть IV

вытравля́ть I, **вы́травить** (*вн.*) (*истреблять*) extérmináte (*d.*).

вытравля́ть II, **вы́травить** (*вн.*) (*о надписи и т. п.*) etch (*d.*); (*о пятнах*) remóve [-'muːv] (*d.*), take* out (*d.*).

вытравля́ть III, **вы́травить** (*вн.*) (*производить потраву*) trample down (*d.*).

вытравля́ться I, II, III *страд. к* вытравля́ть I, II, III.

вы́требовать *сов.* (*вн.*) **1.** súmmon (*d.*), send* (for); ~ кого́-л. в суд пове́сткой súmmons smb.; **2.** (*получать по требованию*) obtáin on demánd [...-ɑːnd] (*d.*); get* smth. out of smb. *разг.*

вытрезви́тель *м.* sóber;ing-úp státion.

вы́трезвить(ся) *сов. см.* вытрезвля́ть (-ся).

вытрезвл||éние *с.* sóber;ing. ~я́ть, вы́трезвить (*вн.*) sóber (*d.*). ~я́ться, вы́трезвиться **1.** becòme* sóber, sóber up; **2.** *страд. к* вытрезвля́ть.

вытряса́ть, вы́трясти (*вн.*) shake* out (*d.*); ~ ковёр shake* out a cárpet.

вы́трясти *сов. см.* вытряса́ть.

вытря́хивать, вы́тряхнуть (*вн.*) *разг.* shake* out (*d.*); (*ронять*) drop (*d.*), let* fall (*d.*).

вы́тряхнуть *сов. см.* вытря́хивать.

вы́турить *сов.* (*вн.*) *разг.* turn / drive* out (*d.*).

выть howl; (*перен. тж.*) wail; ве́тер вóет the wind is hówling [...wɪnd...].

выть́ё *с. разг.* hówl(ing); (*перен. тж.*) wáil(ing).

вытя́гивать, вы́тянуть 1. (*вн.*) draw* out (*d.*) (*тж. перен.*); (*извлекать*) extráct (*d.*); дым вы́тянуло the smoke has escáped; **2.** (*вн.; растягивать*) stretch (*d.*), pull out [pul...]; ~ резинку stretch an elástic; ~ про́волоку stretch a wire; ~ ше́ю stretch out, *или* crane, one's neck; **3.** (*вн.; распрямлять*) stretch (*d.*); **4.** (*без доп.*) *разг.* (*выдерживать*) hold* out (*d.*); он до́лго не вы́тянет he won't stand it (for) long [...wount...]; ◇ вы́тянуть все жи́лы у кого́-л., вы́тянуть всю ду́шу кому́-л., у кого́-л. wear* smb. out [weə...]; из него́ сло́ва не вы́тянешь you can't get a word out of him [...kɑːnt...]. ~ся, вы́тянуться **1.** (*растягиваться*) stretch; резинка вы́тянулась the elástic has stretched; **2.** (*ложиться, растянувшись*) stretch onesélf; лежа́ть вы́тянувшись lie* stretched; **3.** *разг.* (*вырастать*) shoot* up, grow* [-ou]; **4.** (*выпрямляться*) stand* erect; ~ся во фронт stand* at atténtion; **5.** *страд. к* вытя́гивать; ◇ лицо́ у него́ вы́тянулось he pulled a long face [...puld...]; his face fell / lengthened.

вытя́ж||ка *ж.* **1.** (*действие*) dráwing out; **2.** *хим.* éxtràct; (*процесс*) extráction. ~ной: ~но́й шкаф hood [hud]; ~но́й пла́стырь dráwing pláster; ~на́я труба́ ventiláting pipe.

вы́тянуть(ся) *сов. см.* вытя́гивать(ся).

вы́удить *сов. см.* выу́живать.

выу́живать, вы́удить (*вн.*) catch* (*d.*); fish (*d.*); (*перен.*) *разг.* fish out (*d.*), coax out (*d.*); ~ у кого́-л. де́ньги get* móney out of smb. [...'mʌnɪ...]; (*обманом*) swíndle móney out of smb.; вы́удить у кого́-л. секре́т pump a sécret out of smb.

вы́утюжить *сов. см.* утю́жить.

выу́ченик *м.* (*ученик*) pú́pil; (*последователь*) discíple, fóllower; он ~ тако́го-то he was trained by só-and-sò, he was a pú́pil of só-and-sò.

выу́чивать, вы́учить 1. (*вн.*) learn* [lə:n] (*d.*); ~ наизу́сть learn* by heart [...hɑːt] (*d.*); **2.** (*кого́-л. чему́-л., кого́-л. + инф.*) teach* (smb. smth., smth. to smb., smb. + to *inf.*); (*ремеслу и т. п.*) train (smb. + to *inf.*, smb. in *ger.*); вы́учить ребёнка чита́ть teach* a child to read; вы́учить ученико́в англи́йскому языку́ teach* one's pú́pils Énglish [...'ɪŋ-], teach* Énglish to one's pú́pils. ~ся, вы́учиться **1.** (*дт., + инф.*) learn* [lə:n] (*d.*, + to *inf.*); вы́учиться чита́ть learn* to read; вы́учиться англи́йскому языку́ learn* Énglish [...'ɪŋ-], learn* to speak Énglish; **2.** *страд. к* выу́чивать.

вы́уч||ить(ся) *сов. см.* выу́чивать(ся). ~ка *ж.* (*действие*) téaching, tráining; (*школа*) school; боева́я ~ка báttle tráining; профессиона́льная ~ка proféssional tráining; э́то тре́бует специа́льной ~ки it requires spécial tráining [...'speː-...]; отда́ть кого́-л. на ~ку (*дт.*) appréntice smb. (to); он прошёл хоро́шую ~ку he has had a good* / sound schóoling, he has been thóroughly / well schooled [...'θʌrəlɪ...], he has had a good* tráining.

выха́живать I, **вы́ходить** (*вн.*) **1.** nurse (*d.*); *сов. тж.* pull through [pul...] (*d.*); вы́ходить больно́го nurse the pátient / ínvalid back to health [...-iːd...he-]; **2.** (*выращивать, воспитывать*) rear (*d.*), grow* [-ou] (*d.*); (*тк. о человеке*) bring* up (*d.*).

выха́живать II, **вы́ходить** (*вн.*) *разг.* walk óver / round (*d.*); он вы́ходил все окре́стности на мно́го вёрст he has walked this district for miles round.

выхваля́ться *разг.* sing* one's own práises [...oun...]; blow* one's own trúmpet [blou...].

вы́хватить *сов. см.* выхва́тывать.

выхва́тывать, вы́хватить (*вн.*) snatch out (*d.*); ~ что-л. из рук у кого́-л. snatch smth. out of smb.'s hands; ~ цита́ту quote at rándom.

вы́хваченный *прич. см.* выхва́тывать; ◇ вы́хвачен из жи́зни (*о литерату́рном о́бразе и т. п.*) true to life, the véry ímage of life.

вы́хлоп *м. тех.* exháust. ~но́й *тех.* exháust (*attr.*).

вы́хлопотать *сов.* (*вн.*) obtáin get* (áfter much tróuble) [...trʌbl] (*d.*).

вы́ход *м.* **1.** (*в разн. знач.*) gó;ing out, *во многих случаях переводится глаголом* go* out; при ~е (из) on léaving (*d.*), on gó;ing out, on cóming out (of); ~ из го́рода depárture from *a* town; ~ в отста́вку retíre;ment; ~ из организа́ции secéssion from, *или* léavɪng, an órganization [...-naɪ-]; ~ из войны́ with;dráwal from *a* war; ~ из бо́я *воен.* disen;gáge;ment; ~ на рабо́ту appéarance at work; ждать чего́-л. ~a wait for smb. to come out; э́то его́ пе́рвый ~ со вре́мени боле́зни it is the first time he has been out since his íllness; сего́дняшний ~ меня́ утоми́л gó;ing out to;dáy has tíred me; ~ на орби́ту gó;ing into órbit; **2.** (*место выхода*) óutlèt; way out; éxit (*гл. обр. в зале*); street door [...dɔː] (*в доме*); **3.** (*из затруднения и т. п.*) way out; ~ из положе́ния way out of *a* situátion; друго́го ~a нет there is no óther way out, there is no álternative; э́то еди́нственный ~ it is the ónly thing to do; **4.** (*об издании и т. п.*) appéarance (of a publicátion) [...-pʌ-]; по́сле ~a кни́ги áfter *the* book had appéared; **5.** *эк.*

ВЫХ – ВЫЧ

(*о продукции*) yield [ji:ld], óutpùt [-put]; ~ стáли steel óutput; ~ с гектáра yield per héctàre [...-tɑ:]; **6.** *геол.* óutcròp; **7.** *театр.* éntrance; ◊ дать ~ чемý-л. (*какому-л. чувству*) give* vent to smth.; знать все ходы́ и ~ы be pérfectly at home, know* all the ins and outs [nou...].

вы́ходец *м.*: ~ из крестья́нской среды́ péasant by birth ['pez-...]; он ~ из Швéции he is a Swede by birth / órigin, he comes from Swéden, he is of Swédish extráction [...'swi:-...]; ◊ ~ с того́ свéта àpparítion, ghost [gou-].

выходи́ть I, II *сов. см.* выха́живать I, II.

выходи́ть, вы́йти **1.** (*в разн. знач.*) go* out; (*из вагона и т. п.*) alight, get* out; ~ и́з дому go* out (of the house) [...-s], leave* the house; ~ на ýлицу go* into the street; go* out of doors [...dɔ:z] (*особ. погулять*); он вы́шел вчерá в пéрвый раз (*о выздоравливающем*) he went out of doors yésterday for the first time [...-di...]; ~ на рабóту come* to work; turn up for work; ~ в мóре put* to sea, put* out; ~ из берегóв òver:flów *the* banks* [-ou...]; ~ на грани́цу, на рубéж, в райóн *воен.* reach the fróntier, the line, the área [...'frʌntjə... 'ɛərɪə]; ~ с боя́ми fight* one's way; ~ из боя́ break* off the fight, dísen:gáge, come* out of áction; ~ на вы́зовы *театр.* take* one's cúrtain call; **2.** (*появляться, быть изданным*) appéar, be / come* out, be públished [...'pʌl-]; (*о приказе и т. п.*) be íssued; ~ в свет appéar, be out, be públished; кни́га вы́йдет на бýдущей недéле the book will be out, *или* will be on sale, next week; **3.** (*расходоваться; кончаться*) run* out; (*тк. о сроке*) be up; у негó вы́шли все дéньги (all) his móney has run out [...'mʌni...], he has run out of (all his) móney, he has spent all his móney; у негó вы́шла вся бумáга his páper has run out, he has run out of, *или* has used up, all his páper; срок выхóдит time is rúnning out; срок ужé вы́шел time is up; **4.** (*получаться в результа́те*) come*, make*, be; из э́того ничегó не вы́йдет nothing will come of it, it will come to nothing; вы́шло совсéм не так it turned out quite différent; вы́шло, что it turned out that, it appéared that; отсю́да и вы́шли все неприя́тности this was the órigin / cause of all the ùnpléasantness [...-'plez-]; у негó вы́шли неприя́тности he had some trouble [...trʌl...]; из негó вы́йдет хорóший инженéр he will make / be a good* ènginéer [...endʒ-]; его́ доклáд вы́шел óчень интерéсным his lécture was, *или* proved, extréme:ly ínteresting [...pru:vd...]; всё вы́шло хорошó évery:thing has turned out well, *или* all right; э́то плóхо вы́шло it has turned out bád:ly*; задáча не вы́шла the sum has not come out; **5.** (*из*; *получаться*): из э́той матéрии вы́шло óчень краси́вое плáтье that matérial made a very prétty dress [...'rp-...]; **6.** (*быть родом, происходить*)

be by órigin; come*, be; он вы́шел из крестья́н, из рабо́чих he is a péasant, a wórker by órigin [...'pez-...]; он вы́шел из нарóда he is a man* of the péople [...pi:-]; **7.** (*из; выбывать из состава*) leave* (*d.*), drop out (of); ~ из войны́ drop out of the war; **8.** *тк. несов.* (*на вн.*; *быть обращённым в какую-л. сто́рону*) look (on, towards), face (*d.*), front [-л-] (*d.*); (*тк. об окнах*) ópen (on), give* (on); кóмната выхóдит óкнами на ýлицу the room òver:lóoks the street; кóмната выхóдит óкнами на юг the room looks south; окнó выхóдит в сад the window ópens, *или* looks out, on the gárden; ◊ вы́йти в лю́ди make* one's way (in life); get* on in the world; ~ в отстáвку retíre; ~ в тирáж (*об облига́ции и т. п.*) be drawn; (*перен.*) have served one's time; take* a back númber *разг.*; ~ зáмуж (*за вн.*) márry (*d.*); ~ за пределы (*рд.*) óver:stép the limits (of), excéed the bounds (of); ~ из вóзраста (для чего-л.) be too old (for smth.), pass the age, excéed the age limit; (*для военной службы и т. п.*) be óver age; у негó э́то из головы́ не выхóдило he could not get it out of his head [...hed]; ~ из мо́ды go* out of fáshion; ~ из употреблéния, из обихóда be no lónger in use [...ju:s], fall* into disúse [...-s], go* out of use; becóme* óbsolète; ~ из положéния find* a way out; ~ из себя́ lose* one's témper [lu:z...], fly* into a rage; be besíde òne:sélf; ~ из терпéния lose* pátience; ~ нарýжу be revéaled, come* to light; come* out into the ópen; выхóдит (,что) it seems (that), it appéars (that), it fóllows (that); выхóдит, он был непрáв it seems he was wrong, he seems to have been wrong; самó собóй вы́шло it came abóut quite náturally; он рóстом не вы́шел *разг.* he is ány:thing but tall, he is short.

выхо́дк||**а** *ж.* trick; (*неожиданная, причудливая*) freak, èscapáde; (*шаловли́вая*) prank; зла́я ~ прóтив кого́-л. a scúrvy trick on smb.; ребя́ческие ~и chíld:ish tricks.

выходн||**óй 1.** *прил.*: ~áя дверь street door [...dɔ:]; ~ день rést-day, day of rest, day off; ~óе посóбие gratúity, dis:chárge pay; ~áя роль *театр.* supernúmerary part, wálk(ing)-òn part; ~ы́е свéдения, дáнные *полигр.* ímprint *sg.*; partículars as to place and date of publicátion, *etc.* [...-рʌ-]; **2.** *м. как сущ.*: быть ~ы́м *разг.* have one's day off; **3.** *м. и ж. как сущ.*: он сегóдня ~ it is his day off to:dáy.

выхола́щивать, вы́холостить (*вн.*) **1.** càstráte (*d.*), emásculàte (*d.*); (*гл. обр. о лошадях*) geld [ge-] (*d.*); **2.** (*идéю, содержа́ние*) make* vápid / insípid (*d.*), emáscuàte (*d.*).

вы́холенн||**ый** wéll-gróomed, well cáred-fòr; cáre:fully téndéd; ~ая бородá wéll-képt beard; ~ое тéло sleek, *или* well cáred-fòr, bódy [...'bɔ-].

вы́холо||**стить** *сов.* **1.** *см.* выхола́щивать; **2.** *как сов. к* холости́ть. ~**щенный** *прич. и прил.*; càstráted; emásculàted (*тж. перен.*); (*гл. обр. о лошадях*) gélded ['ge-]; ~щенная лóшадь (*мерин*)

géldińg ['ge-]; ~щенные мы́сли vain / émpty idéas [...aɪ'dɪəz].

вы́хухоль *м.* **1.** (*животное*) désman; **2.** (*мех*) músquàsh.

вы́царапать *сов. см.* выцара́пывать.

выцара́пывать, вы́царапать **1.** (*вн.*; *выдирать*) scratch out (*d.*); вы́царапать друг дрýгу глазá scratch each other's eyes out [...aiz...]; **2.** (*вн.*; *царапая, изобража́ть; писа́ть что-л.*) scratch (*d.*); **3.** (*что-л. у кого-л.*) *разг.* (*добывать с трудом*) get* (smth. out of smb.).

вы́цве||**сти** *сов. см.* выцвета́ть. ~**та́ние** *с.* fáding, discòlorátion [-kʌl-].

выцвета́ть, вы́цвести fade.

вы́цедить *сов. см.* выцéживать.

выцéживать, вы́цедить decánt (*d.*); ~ винó из бóчки decánt wine out of a bárrel.

вычёркивать, вы́черкнуть (*вн.*) cross out (*d.*), strike* out (*d.*); (*о части текста*) cut* out (*d.*), èxpúnge (*d.*), delète (*d.*); ~ когó-л. из спи́ска strike* smb., *или* smb.'s name, off the list; ◊ ~ из жи́зни strike* out of one's life (*d.*); ~ из па́мяти raze from one's mémory (*d.*), effáce from one's mind (*d.*).

вы́черкнуть *сов. см.* вычёркивать.

вы́черпать *сов. см.* вычéрпывать.

вычéрпывать, вы́черпать (*вн.*; *истóчник, водоём*) exháust (*d.*); (*содержимое*) scoop out (*d.*), take* out (*d.*); (*воду из лодки*) bail out (*d.*).

вы́чер||**тить** *сов. см.* вычéрчивать. ~**ченный** *прич. и прил.* drawn, traced; *прил. тж.* fíne:ly drawn; ~ченные брóви péncilled éye:brows [...'aɪ-].

вычéрчивать, вы́чертить (*вн.*) draw (*d.*), trace (*d.*).

вы́чес||**ать** *сов. см.* вычёсывать. ~**ки** *мн.* cómbings ['koum-].

вы́честь *сов. см.* вычитáть.

вычёсывать, вы́чесать (*вн.*) comb out [koum...] (*d.*).

вы́чет *м.* dedúction; ◊ за ~ом (*рд.*) less (*d.*), mínus (*d.*), dedúcting (*d.*), allówing (for), with the dedúction (of).

вычислéние *с.* càlculátion.

вычисли́тель *м.* cálculàtor; compúter.

вычисли́тельн||**ый** cálculàting; compúting; ~ая маши́на compúter; ~ая тéхника compúter ènginéering tèchníques [...endʒ- -'ni:ks] *pl.*; ~ центр compúter centre.

вы́числить *сов. см.* вычисля́ть.

вычисля́ть, вы́числить (*вн.*) cálculàte (*d.*), compúte (*d.*).

вы́чистить *сов. см.* вычищáть.

вычита́||**емое** *с. скл. как прил. мат.* sùbtrahénd. ~**ние** *с. мат.* sùbtráction; произвести́ ~ние sùbtráct.

вычита́ть *сов. см.* вычи́тывать.

вычитáть, вы́честь (*вн.*) **1.** (*удéрживать*) dedúct (*d.*), keep* back (*d.*); ~ три процéнта dedúct three per cent; **2.** *мат.* sùbtráct (*d.*).

вычи́тывать, вы́читать (*вн.*) **1.** *разг.* (*узнавать читая*) find* (in a book, *etc.*) (*d.*); **2.** (*о рукописи*) read* (*d.*).

вычищáть, вы́чистить (*вн.*) clean (out, up) (*d.*); вы́чистить щёткой brush (*d.*).

вы́чурно I *прил. кратк. см.* вы́чурный.

вы́чурн||**о** II *нареч.* preténtiou:sly, àrtifícially; (*необычно*) in a bizárre mánner

[...bı′zɑː...]. ~ость ж. fáncifulness, preténtious‡ness, mánnerism, àrtificiálity; (необычность) bizárrerie [biːzɑːrəˈriː]. ~ый fánciful, preténtious, mánnered, affécted, àrtificial; (необычный) bizárre [bıˈzɑː].

вы́чуры мн. (ед. вы́чура ж. разг.) fáncies, mánnerisms.

вышáгивать разг pace, méasure by pácing [ˈmeː-...].

вышвы́ривать, **вы́швырнуть** (вн.) разг throw* out [-ou...] (d.), fling* out (d.), hurl out (d.); (перен. выгонять) chuck out (d.).

вы́швырнуть сов. см. вышвы́ривать.

вы́ше I сравн. ст. прил. см. высо́кий.

вы́ше II 1. сравн. ст. нареч. см. высоко́ II, 2. нареч. и предл. (сверх) above, óver, beːyónd; ~ нуля́ above zéro; это ~ моего́ понима́ния it pásses my còmprehénsion, it is beːyónd me, it is beːyónd my ùnderstánding; ~ мои́х сил beːyónd my pówer / strength, терпе́ть э́то ~ мои́х сил it is more than I can stand, it is beːyónd endúrance; быть ~ чего-л. (перен.) rise* above smth., be supérior to smth.; 3. нареч. (раньше) above; смотри ~ see above; как ска́зано ~ as státed above.

вышеизло́женный fòreːgóːing, abóve-státed.

вышелу́шивать, **вы́шелушить** (вн.) peel (d.), shell (d.).

вы́шелушить сов. см. вышелу́шивать.

вышена́званный afóre-nàmed, afóreːsaid [-sed], abóve-námed.

вышеозна́ченный afóreːsaid [-sed], abóve-méntioned.

вышепоимено́ванный abóve-námed.

вышеприведённый afóre-cìted, cíted above.

вышеска́занный afóreːsaid [-sed].

вышестоя́щий hígher.

вышеука́занный fòreːgóːing, above, afóreːsaid [-sed].

вышеупомя́нутый afóre-méntioned, afóreːsaid [-sed], abóve-méntioned.

вышиба́ть, **вы́шибить** (вн.) разг 1. knock out (d.), (о двери и т.п.) break* in [breık...] (d.), ~ что-л. из рук кого-л. knock smth. out of smb.'s hands, 2. (выгонять) chuck out (d.), kick out (d.), ~ кого-л. со слу́жбы kick smb. out of his job, fire sack smb.

вы́шибить сов см вышиба́ть.

вышива́||льщица ж embróideress. ~ние с embróidery, fáncy-wòrk, fine néedle-wòrk.

вышива́ть, **вы́шить** (вн.), ~ шёлком embróider ın silk

вы́шивка ж embróidery

вышин||а́ height [haıt], ~о́й в 100 ме́тров a húndred métres high, или in height, в ~е́ high up, alóft.

вы́шитый прич. и прил. embróidered.

вы́шить сов. см. вышива́ть.

вы́шка ж. tówer, сторожева́я ~ wátch-tower; суде́йская ~ спорт. rèferées' tówer; бурова́я ~ горн. dérrick; парашю́тная ~ paráchùte tówer [-ʃuːt...]; высоково́льтная переда́чи high-vóltage trànsmíssion tówer.

вы́школить сов. (вн.) разг. school (d.), train (d.), díscipline (d.).

вы́шлифовать сов. (вн.) pólish (d.).

вы́шмыгнуть сов. разг slip out.

выштукату́ривать, **вы́штукатурить** (вн.) pláster (d.), stúccò (d.).

вы́штукатурить сов. см. выштукату́ривать.

вы́шутить сов. см. вышу́чивать.

вышу́чивать, **вы́шутить** (вн.) make* fun (of), rídicùle (d.); (о человеке тж.) poke fun (at).

выщела́чивание с. хим. lixiviátion, léaching.

выщела́чивать, **вы́щелочить** (вн.) хим. lixíviàte (d.), leach (d.).

вы́щелочить сов. см. выщела́чивать.

вы́щербить сов. см. выщербля́ть.

выщербля́ть, **вы́щербить** (вн.) dent (d.), jag (d.).

вы́щипать сов. см. выщи́пывать.

выщи́пывать, **вы́щипать** (вн.) pull out [pul...] (d.), pluck (d.), ~ пе́рья у пти́цы pluck a fowl.

вы́я ж. уст. neck.

вы́яв||ить(ся) сов. см. выявля́ть(ся). ~ле́ние с. expósure [-ˈpou-].

выявля́ть, **вы́явить** (вн.) 1. expóse (d.), únmásk (d.), show* up [ʃou...] (d.); 2. (обнаруживать, показывать) reveál (d.), bring* to light (d.); ~ себя́ reveál oneːsélf; 3. (предавать гласности) bring* out (d.), make* known [...noun] (d.); вы́явить факт elícit a fact. ~ся, вы́явиться 1. come* to light, stand* exposed, be reveáled, mánifèst itːsélf; 2. страд. к выявля́ть.

выясне́ние с elùcidátion, cléaring up; переводится тж формой на -ing от соответствующих глаголов — см. выясня́ть(ся).

вы́яснить I сов. см. выясня́ть.

вы́ясн||ить II сов. безл. clear, have cleared, с ве́чера бы́ли ту́чи, а к утру́ вы́яснило there were clouds in the évening, but by dáybreak the sky (had) cleared [..ˈiːv-...-breık...].

вы́ясниться сов. см. выясня́ться.

выясня́ть, **вы́яснить** (вн.) elúcidàte (d.), clear up (d.), (устанавливать) àscertáin (d.), find* out (d.), ~ вопро́с elúcidàte a quéstion [...-stʃ-], clear up a quéstion. ~ся, вы́ясниться 1. turn out, как вы́яснилось as it turned out, или proved [...pruːvd], 2. страд. к выясня́ть.

вьетна́м||ец м., ~ка ж. Vietnamése [vjet-]; мн. собир. the Vietnamése. ~ский Vietnamése [vjet-], ~ский язы́к Vietnamése, the Vietnamése lánguage.

вью́га ж snówstòrm [ˈsnou-], (пурга) blízzard [-zəd].

вью́ж||ить безл. вчера́ ве́чером си́льно ~ило there was a snówstòrm last night [..ˈsnou-...].

вью́жн||ый: ~ ве́тер blízzard, snówstòrm [ˈsnou-], ~ая ночь a night of blízzards / snówstòrms.

вьюк м. pack.

вьюн м. (рыба) loach, (перен.) разг. fídget; ви́ться ~о́м о́коло кого-л. hóver aróund smb. [ˈhɔ-...], dance atténdance on smb.

вьюно́к м. бот. (сорный) bíndːweed; (декоративный) convólvulus.

вьюро́к м. móuntain finch, brámbling.

вью́ч||ить (вн. на вн.) pack (d. on), load up (d.). ~ный pack (attr.); ~ное живо́тное pack ánimal, beast of búrden; ~ное седло́ páck-sàddle.

ВЫЧ – ВЯЛ   В

вью́шка ж. dámper (in flue).

вью́щ||ийся 1. прич. см. ви́ться; 2. прил. ~иеся во́лосы cúrly hair sg., (очень мелко) frízzy hair sg. разг.; ~ееся расте́ние clímber [ˈklaımə].

вя́жущ||ий 1. прич. см. вяза́ть I, II; 2. прил. astríngent [-ndʒ-]; ~ее вещество́ astríngent; ~ие материа́лы стр. bínding / ceménting matérials.

вяз м. élm(-tree).

вяза́ль||ный (для вязания спицами) knítting; (для вязания крючком) cróchet [ˈkrouʃeı] (attr.); ~ная спи́ца knítting néedle; ~ крючо́к cróchet hook; ~ная маши́на knítting machíne [...-ˈʃiːn]. ~щик м. 1. (снопов) bínder, 2. (трикотажа) knítter

вяза́ние с. 1. (спицами) knítting; (крючком) crócheting [ˈkrouʃıŋ]; 2. (связывание) týing, bínding.

вя́занка ж. разг. knítted gárment.

вяза́нка ж.: ~ дров bundle of wood [...wud]; ~ хво́роста fággot; ~ се́на truss / bundle of hay.

вя́заный (спицами) knítted; (крючком) crócheted [ˈkrouʃeıd].

вяза́нье с. knítting; cróchet(-wòrk) [ˈkrouʃeı].

вяза́ть I, связа́ть 1. (вн.; связывать) bind* (d.), tie up (d.); ~ снопы́ bind* sheaves; ~ кому-л. ру́ки tie smb.'s hands; 2. тк. несов. (без доп., быть вязким) be astríngent [...-ndʒ-]; вя́жет во рту the mouth feels constrícted / drawn.

вяза́ть II, связа́ть (вн.; о чулках и т.п. — спицами) knit* (d.), (крючком) cróchet [ˈkrouʃeı] (d.).

вяза́ться I 1. (с тв., соотве́тствовать) tálly (with), accórd (with), square (with); э́то пло́хо вя́жется (с тв.) it does not accórd / square / tálly (with), it is not in accórdance (with), it conflícts (with), 2. страд. к вяза́ть I. ◇ де́ло не вя́жется разг. things are, или the búsiness is, not máking héadway [...ˈbızn-...ˈhed-], things are not góːing well.

вяза́ться II страд. к вяза́ть II.

вязи́га ж. = визи́га.

вя́зка I ж. (связывание) bínding, týing.

вя́зка II ж. (о чулках и т.п. — спицами) knítting, (крючком) crócheting [ˈkrouʃeıŋ].

вя́зк||ий 1. glútinous, víscid, víscous, (о дне реки, озера и т.п.) míry, óozy, (о почве) bóggy, márshy, swámpy [ˈswɔ-], 2. тех. tough [tʌf], dúctile. ~ость ж. 1. viscídity, viscósity, míriness [ˈmaıə-], óoziness; bógginess, márshiness, swámpiness [ˈswɔ-]; (ср. вя́зкий); 2. тех. tóughness [ˈtʌf-], dùctílity.

вя́знуть stick*; ~ в грязи́ stick* / sink* in the mud; ~ в зуба́х stick* to one's teeth.

вязь ж. лингв. lígature.

вя́кать разг. 1. (отрывисто лаять) bark; 2. (болтать) talk nónsense, bláther.

вя́лен||ие с. drýing, drý-cùring; (о мясе) jérking. ~ый dried; ~ая треска́ dried cod, stóckfish.

ВЯЛ – ГАЙ

вя́л||ить, прови́лить (вн.) dry (d.), dr**ý**-cùre (d.); (о мясе) jerk (d.); ~енный на со́лнце sún-dried. ~**иться**, провя́литься 1. dry; 2. страд. к вя́лить.

вя́ло I прил. кратк. см. вя́лый.

вя́л||о II нареч. límply, lístlessly, inértly; ~ рабо́тать work without spirit. ~**ость** ж. 1. (о мышцах, коже и т.п.) flábbiness; ~ость кише́чника slúggishness of the bówels; 2. (отсутствие бодрости) lánguor [-ŋgə], inértia, lístlessness, límpness; ~ость в рабо́те sláckness in work. ~**ый** 1. (о коже, теле и т.п.) flábby, fláccid; ~ый кише́чник slúggish bówels pl.; 2. (лишённый живости, бодрости) lánguid, lístless, limp, slack, inért, dull, nérve⁝less; (о торговле) slack, stágnant; ~ое настрое́ние slack / lánguid / dull mood; у него́ ~ое настрое́ние he feels lánguid; ~ая рабо́та slack work.

вя́нуть, завя́нуть fade, droop, wíther; ◊ у́ши вя́нут (от) разг. ≅ it makes one sick to hear (d.).

вя́щ||ий уст. gréater [-eɪtə]; к его́, её и т.д. ~ему удово́льствию и т.п. to cap / compléte / crown his, her, etc., joy, etc.; для ~ей предосторо́жности to make assúrance dóubly / dóuble sure [...ə'ʃuə- dʌ- dʌ- ʃuə], as an éxtra caútion; для ~ей убеди́тельности чего́-л. to make smth. more convíncing.

Г

га м. нескл. сокр. см. гекта́р.

габарди́н м. текст. gábardine [-di:n]. ~**овый** gábardine [-di:n] (attr.).

габари́т м. óver:àll diménsions pl.; size разг. ~**ный** óver:àll; ~ный разме́р óver:àll diménsions pl.

гав: ~, ~! bów-wów!

гава́нский Havána [-'væ-] (attr.).

га́вань ж. hárbour; háven поэт.; входи́ть в ~ énter a⋅hárbour.

га́вкать разг. bark.

гаво́т м. муз. gavótte [gə'vɔt].

га́врик м. разг. неодобр. rogue [roug].

га́га ж. зоол. éider ['aɪ-].

гага́р||а ж. зоол. loon, díver. ~**ка** ж. зоол. auk, rázor⁝bill.

гага́т м. jet.

гага́чий прил. к га́га; ~ пух éider-down ['aɪ-].

гад м. зоол. réptile; (перен.) разг. skunk.

гада́лка ж. fórtune-tèller [-tʃən-], sóothsayer.

гада́||ние с. 1. (предсказывание) fórtune-tèlling [-tʃən-]; (по руке) pálmistry ['pɑːm-], chíromàncy ['kaɪəro-]; (на картах) cárd-reading, cártomàncy; 2. (догадка) guéss(ing), guéss-wòrk. ~**тельный** (предположительный) conjéctural, hypo⁝thétical; (сомнительный) dóubtful ['daut-]; э́то ~тельно it is dóubtful, it is all guéss-wòrk, it is mere hypóthesis [...haɪ-].

гада́ть, погада́ть 1. (предсказывать) tell* fórtunes [...-tʃənz], tell* smb.'s fórtune; ~ на ка́ртах tell* fórtunes, или one's fórtune, by cards; 2. тк. несов. (о пр.; предполагать) guess (at), sùrmíse (d.), conjécture (d.); ◊ ~ на кофе́йной гу́ще ≅ read* the téa-leaves, make* wild guésses.

га́дина ж. разг. lóath⁝some / foul / vile créature.

га́дить, нага́дить разг. 1. (о животных) défecàte; 2. (на вн., пр.; в пр.; пачкать) foul (d.), make* foul / dirty (d.); 3. (без доп.; вредить) make* mís⁝chief [...-ɪf]; (дт.) play dírty tricks (on).

га́дкий násty; (о погоде тж.) foul, bad*; (о ребёнке) náughty, bad*; (о поступке об.) vile. ~ челове́к bad* / wícked man*; ◊ ~ утёнок úgly dúckling ['ʌg-...].

гадли́во I прил. кратк. см. гадли́вый.

гадли́в||о II нареч. with lóathing / disgúst. ~**ость** ж. lóathing, avérsion, disgúst; ~**ый**: ~ое чу́вство féeling of disgúst / lóathing; э́то вызыва́ет ~ое чу́вство it excítes one's disgúst, it disgústs one, it fills one with disgúst / lóathing.

га́достный lóathsome, disgústing.

га́дост||ь ж. разг. 1. muck; (грязь) filth; 2. (о поступке) vile act, dírty trick; сде́лать ~ do a vile thing; сде́лать ~ кому́-л. play a dírty trick on smb.; говори́ть ~и say* foul / scúrrilous things.

гадю́ка ж. (змея) ádder; víper (тж. перен.).

га́ер м. уст. buffóon. ~**ство** с. уст. buffóonery, tòmfóolery.

га́ерствовать уст. play the buffóon; clown.

га́ечный: ~ ключ тех. spánner, wrench.

газ I м. 1. gas; 2. мн. (в кишечнике) wind [wɪnd] sg.; скопле́ние ~ов flátulence, wind; ◊ дать ~ разг. press down the accélerator; ~ step on the gas, step on it; сба́вить ~ разг. redúce speed; на по́лном ~у разг. at top speed.

газ II м. (ткань) gauze, góssamer.

газго́льдер м. = газохрани́лище.

газе́ль ж. зоол. gazélle.

газе́т||а ж. néwspàper, páper; (ежедневная) dáily páper; dáily разг.; вече́рняя ~ évening páper ['iːvn-...]; ◊ стенна́я ~ wall néwspàper; жива́я ~ theátrical rèpresentátion of cúrrent evént(s) [θɪ'æ- -zen-...]; ходя́чая ~ разг. líving / wálking néwspàper ['lɪ-...], néwsmònger [-zmʌ-]. ~**ный** прил. к газе́та; ~ный стиль style of néwspàper wríting; (пренебр.) journalése [dʒə-]; ~ная заме́тка páragràph; ~ный ларёк, кио́ск néws-stànd [-zst-]; ~ный рабо́тник jóurnalist ['dʒɔː-]; ~ная бума́га néwsprint [-z-]. ~**чик** м. 1. уст. (продавец газет) néwspàper séller, néws-vèndor [-z-]; (мальчик) néws-boy [-z-], néwspàper-boy; 2. разг. (сотрудник газеты) jóurnalist ['dʒɔː-], néwsman* [-z-], préss⁝man*.

га́зик м. разг. a GAZ car (a car produced by Gorky Automobile plant).

газиро́ванн||ый прич. и прил. áeràted ['eɪə-]; ~ая вода́ áerated wáter [...'wɔː-]; sóda wáter.

газирова́ть (вн.) áeràte ['eɪə-] (d.).

газиро́вка ж. разг. 1. (действие) aerátion [eɪə-]; 2. (газированная вода) fízzy wáter [...'wɔː-].

газифика́ция ж. 1. supplýing with gas; 2. (превращение твёрдого топлива в газ) gàsificátion.

газифици́ровать несов. и сов. (вн.) 1. (проводить газ) instáll gas (in), supplý with gas (d.); 2. (превращать твёрдое топливо в газ) gásify (d.); extráct gas (from).

газоаппарату́ра ж. gás-fittings pl.

газобалло́н м. gas cýlinder.

газова́ть разг. speed up, step on the accélerator / gas.

газовщи́к м. gás-fitter; (контролёр) gás-màn*.

га́зов||ый I прил. к газ I; ~ заво́д gáswòrks; ~ рожо́к gás-bùrner; (стенной) gás-bràcket; ~ счётчик gás-mèter; ~ая коло́нка wáter héater ['wɔː-...], géyser ['giː-]; ~ая плита́ gás-stòve, gas cóoker; ~ое освеще́ние gás-light(ing); ~ое отопле́ние gás-heating; ~ая ка́мера gás-chàmber [-tʃeɪ-]; ◊ ~ая сва́рка óxy-acétylène wélding; ~ая ре́зка gas cútting; ~ая гангре́на gas gángrène.

га́зовый II прил. к газ II.

газогенера́тор м. тех. gas génerator / prodúcer.

газока́льн||ый тех.: ~ая ла́мпа in⁝candéscent gás-làmp; ~ свет, ~ое освеще́ние in⁝candéscent gáslight.

газоли́н м. тех. gásolène, gásoline [-iːn].

газоме́р м. тех. gas méter.

газомёт м. воен. уст. gas projéctor.

газомото́р м. тех. gás-èngine [-ndʒ-].

газо́н м. lawn, gráss-plòt; по ~ам ходи́ть воспреща́ется ≅ keep off the grass.

газонепроница́емый (о ткани, оболочке и т.п.) gás-proof; (о соединении, затворе) gás-tight.

газонокоси́лка ж. láwn-mower [-mouə].

газоно́сный: ~ пласт gás-bearing strátum / seam / bed [-bɛə-...].

газообме́н м. тк. ед. биохим. ínterchànge of gás⁝es [-'tʃeɪ-...].

газообра́зный физ. gáseous [-z-], gásiform.

газообразова́ние с. хим. (превращение в газ) gàsificátion; (выработка газа) gás-gèneration.

газоочисти́тель м. gás-wàsher, scrúbber.

газопрово́д м. gas main, gas pípe⁝line. ~**ный** прил. к газопрово́д; ~ная труба́ gás-pipe.

газопроница́ем||ость ж. gás-pènetrabílity. ~**ый** gás-pènetràting.

газоубе́жище с. gás-proof shélter.

газохрани́лище с. gás-hòlder; (для распределения газа) gàsómeter.

гайдро́п м. guíde-ròpe, drág-ròpe.

га́йка ж. (scréw-)nùt, (fémale) screw ['fiː-...].

гаймори́т м. мед. àntrítis.

га́йморов: ~а по́лость анат. máxillary sínus, ántrum of Híghmòre.

гак I *м. мор.* (*крюк*) hook.
гак II *м. разг.*: с ~ом and óver, or more.
галá *прил. неизм. театр.* gála ['gɑ:-]; ~-представлéние, спектáкль-~ gála perfórmance / show [...ou].
галáктика *ж. астр.* Gálaxy.
галакти́ческий galáctic.
галали́т *м. тех.* gálalith.
галантере́йность *ж. уст. разг.* civílities *pl.*, ùrbánity, gállantry.
галантере́йн‖**ый** 1. *прил. к* галантерéя; ~ магази́н fáncy-goods store [-gudz...], háberdàsher's (shop); ~ товáр, ~ые товáры háberdàshery; 2. *уст. разг.* (*галантный*) cóurtly ['kɔ:-], cívil, gállant, ùrbáne.
галантере́я *ж. тк. ед.* háberdàshery, fáncy goods [...gudz] *pl.*
галáнтн‖**ость** *ж.* cóurtliness ['kɔ:-]; gállantry (*towards women*). ~ый cóurteous ['kɔ:-]; gállant [*тж.* gə'lænt] (*towards women*).
галдёж *м. тк. ед. разг.* húbbùb, din, row; (*ср.* гвалт).
галде́ть *разг.* make* a húbbùb / din.
галени́т *м. мин.* galéna.
галéр‖**а** *ж. ист.* gálley; ссылáть на ~ы (*вн.*) send* / condémn to the gálleys (*d.*).
галере́я *ж.* (*в разн. знач.*) gállery, ми́нная ~ *воен.* (mine) túnnel; ◇ карти́нная ~ pícture-gàllery.
галёрка *ж. тк. ед. разг.* 1. (*вéрхний ярус в теáтре и т.п.*) gállery, 2. (*пýблика*) the gods *pl.*
галéта *ж.* (ship's) bíscuit [...-kɪt]; hard tack *разг*
гáлечн‖**ик** *м.* pebbles *pl.*, shingle. ~ый pebble (*attr.*), shingle (*attr.*); pébbly, shíngly.
галимáтья́ *ж. тк. ед. разг.* rúbbish, nónsense; э́то сплошнáя ~ that is sheer nónsense.
галифé [-фэ́] *мн. нескл.* ríding-breeches [-brɪ-].
гáлка *ж.* jáckdaw, daw.
галл *м.* Gaul.
гáллий *м. хим.* gállium.
галлици́зм *м. лингв.* Gállicism.
галломáн *м. уст.* Gállo:phil(e), Fráncò:phil(e). ~ия *ж. уст.* Gàllò:mánia [-ni:ə], Frànco:mánia [-ni:ə].
галло́н *м.* gállon.
галлофо́б *м. уст.* Gállophòbe.
гáлльский Gállic.
галлюцинáция *ж.* hallùcinátion.
галлюцини́ровать have hallùcinátions.
галоге́н *м. хим.* hálogèn.
галóид *м. хим.* háloid.
галóп *м. тк. ед.* 1. gállop; 2. (*танец*) gálop ['gæ-]. ~и́ровать gállop. ~ом *нареч.* at a gállop; скакáть ~ом gállop.
гáлочий *прил. к* гáлка.
гáлочка I *ж. уменьш. от* гáлка.
гáлочк‖**а** II *ж. разг.* (*помéтка*) tick; помéтить ~ой (*вн.*) tick off (*d.*).
галóш‖**а** *ж.* galósh, golósh; *мн. тж.* rúbbers; ◇ сесть в ~у *разг.* get* into a mess / fix, be in a spot.
галс *м. мор.* tack; прáвый ~ stárboard [-əd...]; лéвый ~ port tack; переменя́ть ~ tack; прáвым (лéвым) ~ом on the stárboard (port) tack.

гáлстук *м.* tie, nécktìe, cravát; повязáть ~ tie one's tie; попрáвить ~ stráighten one's tie, put* one's tie straight; пионéрский ~ Young Pionéer's red néckerchief [jʌŋ... -tʃɪf]; ◇ заложи́ть за ~ *разг.*, *шутл.* put* a:wáy a lot of booze.
галу́н *м.* gallóon; (*золотóй*) gold lace; (*серебряный*) sílver lace; обшивáть ~ом (*вн.*) trim with lace (*d.*).
галу́шка *ж. кул.* dúmpling.
галчо́нок *м.* young jáckdaw [jʌn...], young daw.
гальванизáция *ж.* gàlvanizátion [-naɪ-].
гальвани́‖**зи́ровать** *несов. и сов.* (*вн.*) gálvanize (*d.*); eléctroplàte (*d.*). ~и́зм *м.* gálvanism. ~и́ческий gálvánic; ~и́ческая батарéя, ~и́ческий элемéнт gálvánic cell.
гальвáно *с. нескл. полигр.* eléctrotype.
гальваномéтр *м. физ.* gàlvanómeter.
гальвано‖**плáстика** *ж. тех.* gàlvanoplàstics, eléctrotỳpy. ~скóп *м. физ.* gálvanoscòpe. ~терáпия *ж. мед.* gàlvanothèrapéutics. ~тéхника *ж.* gàlvanotéchnics, eléctrolỳtic métallurgy.
гáльк‖**а** *ж. тк. ед.* pebbles *pl.*; shingle; покры́тый ~ой pébbly, shíngly.
гам *м. тк. ед. разг.* din, rácket, úp:roar, húbbùb; (*ср.* галдёж, гвалт).
гамадри́л *м. зоол.* hàmadryád (baboon).
гамáк *м.* hámmock.
гамáша *ж.* (warm) gáiter, légging.
гамби́т *м. шахм.* gámbit.
гáмм‖**а** I *ж. муз.* scale; (*перен.*) gámut ['gæ-], range [reɪ-], игрáть ~ы play / práctise scales [...-s...], ~ до мажóр scale of C májor, C májor scale, цéлая ~ ощущéний the whole range / gámut of emótions [...houl...].
гáмма II *ж.* (*греческая буква*) gámma.
гáмма-глобули́н *м.* gámma glóbulin.
гáмма‖**-излучáтель** *м.* gámma-ràdiàtor. ~-излучéние *с. физ.* gámma-ràdiátion. ~-лучи́ *мн. физ.* gámma-rays.
гáнглий *м. анат.* gánglion.
гангрéн‖**а** *ж. мед.* gàngrène, mòrtificátion. ~óзный *мед.* gángrènous, ~óзный процéсс mòrtification.
гáнгстер *м.* gángster. ~и́зм *м.* gángsterism. ~ский *прил. к* гáнгстер.
гандбóл *м. спорт.* hándball (*team game*). ~и́ст *м.*, ~и́стка *ж.* hándbàller.
гандбóльный *прил. к* гандбóл.
гандикáп *м. спорт.* hándicàp.
ган‖**éц** *м.*, ~ка *ж.*, ~ский Ghánaian [gɑː'naɪən].
гантéли [-тэ́-] *мн. спорт.* dúmb-bèlls.
гаоля́н *м. бот.* kàoliáng [kɑːɔ-].
гарáж *м.* gárage [*тж.* gə'rɑ:ʒ].
гарáнт *м.* guàrantór. ~и́йный guàrantée (*attr.*); ~и́йный договóр guárantee agréement; ~и́йное письмó létter of guàrantée / indémnity.
гаранти́ровать *несов. и сов.* 1. (*вн.*) guàrantée (*d.*), vouch (for); 2. (*вн. от*; *предохраня́ть*) guàrantée (*d.* agáinst), secúre (*d.* agáinst).
гарáнт‖**ия** *ж.* guàrantée; (от) guàrantée (agáinst); в э́том ~ нáшего успéха this is the pledge / guàrantée / tóken of our succéss; у негó нет никаки́х ~ий, что он не получи́л гарáнтии that; с ~ией guàrantéed; ~ией на шесть *и т.п.* мéсяцев with a six, *etc.*, months' guàran-

ГАК — ГАР Г

téе [...mʌ-...]; часы́ с ~ией на два гóда watch guàrantéed for two years, *или* with a twó-year guàrantée; договóр содéржит достáточные ~ии the tréaty contáins ádequate sáfe;guàrds.
гардемари́н *м. мор. ист.* nával cadét.
гардерóб *м.* 1. (*помещéние*) clóak-room; 2. (*шкаф*) wárdròbe; 3. *тк. ед.* (*одéжда*) clothes [-ou-] *pl.*, wárdròbe. ~ная *ж. скл. как прил.* = гардерóб 1. ~щик *м.*, ~щица *ж.* clóak-room atténdant.
гарди́на *ж.* cúrtain.
гáрев‖**ый**: ~ая доро́жка cínder track, cínder-pàth*.
гарéм *м.* hárem.
гáрк‖**ать**, гáркнуть *разг.* 1. (*вн.*) shout (*d.*); 2. (на *вн.*) shout (at), bark (at); ~нуть на когó-л. bark at smb. ~нуть *сов. см.* гáркать.
гармонизáция *ж. муз.* hàrmonizátion [-naɪ-]. ~и́ровать *несов. и сов.* (*вн.*) *муз.* hármonize (*d.*).
гармóник‖**а** *ж.* 1. (*муз. инструмéнт*) accórdion, còncertína [-'ti:nə]; 2. (*ряд складок*) pleats *pl.*; сложи́ть ~ой (*вн.*) pleat (*d.*); ◇ губнáя ~ móuth-òrgan, hàrmónica.
гармони́ровать (с *тв.*) hármonize (with), be in kéeping (with); go* well togéther [...-'ge-] (with); go* (with), tone (with) (*гл. обр. о красках*).
гармони́ст I *м.* (*о композиторе*) spécialist in hármony ['spe-...], hármonist.
гармони́ст II *м.* (*играющий на гармонике*) accórdion còncertína pláyer [...-'ti:nə...].
гармони́ч‖**еский** 1. (*гармони́чный*) hàrmónious; 2. *муз., мат., физ.* hàrmónic. ~ный hàrmónious.
гармо́ния I *ж.* hármony, (*согласованность тж.*) cóncòrd.
гармо́ния II *ж. разг.* = гармóника 1.
гармо́нь *ж. разг.* = гармóника 1.
гармо́шка *ж. разг.* = гармóника 1.
гарнизóн *м.* gárrison; стáвить ~ом (*вн.*) gárrison (*d.*). ~ный *прил. к* гарнизóн, ~ная слýжба gárrison dúty.
гарни́р *м. кул.* gárnish, (*из овощéй*) végetables *pl.*
гарниту́р *м.* set, ~ мéбели suite of fúrniture [swi:t...]; спáльный ~ bédroom suite, ~ белья́ twó-pìece, *или* thrée-pìece, set of ládies' únderwear [-pi:s..-wɛə].
гарнитýра *ж. полигр.* set.
гáрн‖**ый**: ~ое мáсло lamp oil.
гáрпия *ж.* 1. *миф.* Hárpy, 2. *зоол.* hárpy eagle.
гарпу́н *м.* hàrpóon, бить ~óм (*вн.*) hàrpóon (*d.*).
гарпунёр *м.* hàrpóoner.
гарпу́н‖**ный**: ~ная пýшка hàrpóon-gùn. ~щик *м.* = гарпунёр.
гарт *м. полигр.* týpe-mètal [-me-].
гáрус *м.* wórsted (yarn) ['wus-...]; вы́шивка ~ом wórsted-wòrk ['wus-].
гарцевáть cáracòle, prance.
гарь *ж.* 1.: пáхнет ~ю there is a smell of búrning; 2. (*остáтки от сго-*

119

гасить, погасить (вн.) 1. put* out (d.), extinguish (d.); ~ огонь put* out, или extinguish, a fire; ~ свечу put* out a candle, blow* out a candle [-ou...]; ~ газ turn off the gas; ~ электричество turn / switch off, или put* out, the light; 2. (погашать) cáncel (d.); погасить долг pay* (off) a debt [...det], pay* back; ~ почтовую марку cáncel a póstage stamp [...'pou-...]; 3. (не давать развиваться) suppréss (d.), stifle (d.); 4. тех. redúce (d.); (колебания) damp (d.); ◇ ~ известь slake lime.

гаснуть go* out; (об огне тж.) die out; (переставать светить) become* dim; (перен.) sink*; (иссякать) declíne; он гаснет не по дням, а по часам ≅ he is sínking hóurly [...'auə-].

гастри́т м. мед. gàstrítis. **~ческий** мед. gástric.

гастролёр м., **~ша** ж. guest ártist / áctor, ártist / áctor on tour [...tuə]; (перен.) разг. cásual wórker ['kæʒ-...].

гастроли́ровать (выступать) perfórm / play on tour [...tuə]; (быть на гастролях) tour [tuə], be on tour; (перен.) разг. do a óne-night stand.

гастро́ль ж. tour [tuə]; выезжать на гастроли go* on tour; hit* the road амер. **~ный**: ~ная поездка tour [tuə]; ~ный спектакль guest perfórmance.

гастроно́м I (знаток вкусной еды) góurmet (фр.) ['guəmeɪ], gástronòme.

гастроно́м II м. (магазин) = гастрономи́ческий магазин см. гастрономи́ческий.

гастрономи́ческ||ий gàstronómic; **~ие товары** gróceries and provísions ['grou-...]; dèlicatéssen; **~ магазин** grócery store (gro´cer's shop); (о крупном тж.) big food store, dèlicatéssen.

гастроно́мия ж. 1. (изощрённый вкус в еде) gàstrónomy; 2. (пищевые продукты) gróceries and provísions ['grou-...] pl., dèlicatéssen.

гати́ть, загати́ть: ~ боло́то make* a road of brúshwood acróss márshy ground [...-wud...].

гать ж. (бревенчатая) córduroy·road, lóg-pàth*; (хворостяная) brúshwood-road [-wud-].

га́уби||ца ж. воен. hówitzer [-tsə]. **~чный** прил. к гаубица.

гауптвахта ж. воен. guárd-room, guárd-house* [-s].

гаш||е́ние с. (огня и т.п.) extínguishing; ◇ ~ известии sláking of lime. **~ёный**: ~ёная известь slaked lime.

гашётк||а ж. trígger; нажать на ~у pull the trígger [pul...].

гаши́ш м. háshish.

гвалт м. тк. ед. разг. úp·roar, rúmpus, húbbub, row; (ср. галдёж).

гвард||е́ец м. guárds·man*. **~е́йский** прил. к гвардия; ~е́йское знамя Guards' bánner; ~е́йские цвета Guards' cólours [...'kʌ-] pl.

гва́рди||я ж. тк. ед. Guards pl.; ~и майор Guards májor; ◇ ста́рая ~ old guard.

гвине́||ец м. **~йка** ж. Guínean ['gɪniː-].

гвине́йский Guínean ['gɪniː-].

гвоздик м. tack; (для украшения) stud.

гвоздика I ж. бот. pink; собир. pinks pl.; (крупная садовая) càrnátion; собир. càrnátions pl.; (турецкая) swéet-william.

гвоздика II ж. тк. ед. собир. (пряность) cloves pl.

гвоздильный: ~ завод náilery.

гвоздичный I прил. к гвоздика I.

гвоздичн||ый II clove (attr.); **~ое масло** oil cloves; ◇ ~ое дерево clove, clove tree.

гвозд||ь м. nail; (маленький с широкой шляпкой) tack; (деревянный) peg; прибивать ~ями (вн.) nail (d.); ◇ ~ сезона the hit of the séason [...-z'n]; ~ программы the highlight of the prógràm(me) [...'prou-]; и никаких ~ей! разг. ≅ and that's all there is to it!, and that's it!; ~ём засе́сть разг. become* fírmly fíxed.

где нареч. where; ~ бы ни whèr·éver [weər-]: ~ бы он ни работал, везде им были довольны whèr·éver he worked he álways gave sàtisfáction [...'ɔːlwəz-]; ◇ ~ бы то ни было no mátter where; чем ~ бы то ни было than ány·where else; ~ можно, а ~ нельзя in one place it is permítted, in anóther it is not; different pláces have different rules; ~ (уж) ему понять! разг. how can he ùnderstánd?, it is not for him to ùnderstánd, that is be·yónd him.

где́-либо, **~-нибудь**, **~-то** нареч. sóme·where, (в вопросит. предложении) ány·where: не видали вы ~-нибудь мое́й книги? have you seen my book ány·where?; ~-нибудь в другом месте sóme·where else; ~-то здесь sóme·where here, hére·abòut(s).

Ге́ба ж. миф. Hébe.

гегельян||ец м. Hegélian [-'giː-]. **~ство** с. Hegélianism [-'giː-].

гегемо́н м. predóminant force, léader. **~ия** ж. hègémony [hiː'g-]; suprémacy; ~ия пролетариата в революционном движении the hègémony of the prò·lètáriat in the rèvolútionary móve·ment [...prou-...'muːv-].

гедон||и́зм м. филос. hédon·ism. **~и́ст** м. hédon·ist.

гее́нна ж. церк. Gehénna [g-].

гей межд. разг. hi!

ге́йзер м. géyser [тж. 'giː-].

ге́йша ж. géisha ['g-].

гекато́мба ж. hécatòmb [-toum].

гекза́метр м. лит. hexámeter.

гекса́эдр м. мат. hèxahédron [-'hed-].

гекта́р м. héctàre [-tɑː].

гектова́тт м. эл. héctowàtt.

гекто́граф м. héctogràph.

гектографи́||ровать (вн.) héctogràph (d.). **~ческий** hèctográphic.

гекто||ли́тр м. héctolìtre [-liː-]. **~ме́тр** м. héctomètre.

ге́лиевый прил. к ге́лий.

ге́лий м. хим. hélium.

гелиогравю́ра ж. полигр. hélio·gravúre.

гелио́граф м. астр., воен. hélio·gràph.

гелиогра́фия ж. hèliógraphy [hiː-].

гелио||те́хника ж. sólar ràdiátion èngineéring [...endʒ-]. **sólar ràdiátion ùtilizátion [...-laɪ-]. ~энергетика** ж. sólar pówer èngineéring [...endʒ-].

гелиотро́п м. бот., мин. hélio·tròpe ['heljə-].

гелиоцентри́||зм м. астр. hèlio·céntricism. **~ческий** астр. hèlio·céntric.

гельминтоло́гия ж. hèlminthólogy.

гемато́лог м. haematólogist.

гематологи́ческий haematológical.

гематоло́гия ж. haematólogy.

гемато́ма ж. мед. haematóma.

ге́мма ж. gem; (с выпуклой резьбой) cámeò; (с врезанным орнаментом или надписью) intáglio [-'tɑːl-].

гемоглоби́н м. физиол. haemoglóbin [-lou-].

геморроида́льн||ый мед. háemorrhoidal ['he-]; ~ая шишка pile.

геморро́й м. мед. piles pl., háemorrhoids ['he-] pl. **~ный** háemorrhoidal ['he-].

гемофили́я ж. мед. háemophilia.

ген м. биол. gene.

генеалоги́ческ||ий gènealógical [-nɪə-]; ~ая таблица gènealógical table, pédigree; ~ое дерево gènealógical tree, fámily-tree.

генеало́гия ж. gèneálogy [-nɪ'æ-].

ге́незис [-нэ-] м. génesis, órigin.

генера́л м. géneral; (перед фамилией) Géneral; ~ армии Géneral of the Ármy.

генера́л-губерна́тор м. ист. góvernor-géneral ['gʌv-].

генерали́ссимус м. gènerallíssimò.

генералите́т м. собир. the génerals pl.

генера́л-лейтена́нт м. lieutenant-géneral [lef'te-]; (перед фамилией) Lieuténant-Géneral.

генера́л-майо́р м. májor-géneral; (перед фамилией) Májor-Géneral.

генера́л-полко́вник м. cólonel-Géneral ['kəːnl-]; (перед фамилией) Cólonel-Géneral.

генера́льн||ый (в разн. знач.) géneral; ~ая линия партии básic Párty line ['beɪ-...]; ~ секретарь géneral sécretary; ~ план (рд.) an óver·all plan (for); ~ консул cónsul géneral; Генера́льная Ассамблея Организации Объединённых Наций the Géneral Assémbly of the Úníted Nátions (Òrganizátion) [...-naɪ-]; ~ секретарь ООН UN Sécretary-Géneral; Генера́льный штаб Géneral Staff; ~ое сражение géneral èngáge·ment; ~ая репетиция dress rehéarsal [...-'həː-]; ~ые штаты ист. Státes-Géneral.

генера́льский géneral's; ~ чин rank of géneral.

генера́тор м. тех. génerator; ~ газа gas génerator / prodúcer; ~ тока dýnamò ['daɪ-]; cúrrent génerator; ~ переменного тока àltérnator; ~ постоянного тока dìrect-cúrrent génerator; ~ колебаний óscillator; лампо́вый ~ tube génerator. **~ный** прил. к генератор; ~ный газ prodúcer gas.

генет||ик [-нэ-] м. géneticist. **~ика** [-нэ-] ж. génetics. **~ический** [-нэ-] genétic.

гениа́льн||ость ж. (о человеке) génius; (о творении и т.п.) gréatness ['greɪ-]. **~ый** (о человеке) of génius; (о творении и т.п. — великий) great [greɪt]; (блестящий) brílliant: ~ый композитор, писатель *и т.п.* compóser, wríter, *etc.*, of génius; ~ое изобретéние, откры́тие *и т.п.* great invéntion, discóvery, *etc.* [...-'kʌ-]; ~ый план, за́мысел *и т.п.* brílliant plan, prójėct, *etc.* [...'prɔ-]; ~ый человéк génius, man* of génius; э́то ~ое творéние this is the work of a génius; ~ая идéя *разг.* stroke of génius, brílliant idéa [...aɪ'dɪə].

гéний *м. (в разн. знач.)* génius (*pl.* géniuses; *миф. pl.* géniī); дóбрый ~ good génius; злой ~ évil génius ['i:-...].

геноци́д *м.* génocide.

гéнри *м. нескл. эл.* hénry ['he-].

генсовéт *м.* (генерáльный совéт конгрéсса тред-юнио́нов — в А́нглии) The Géneral Cóuncil of the Trade(s) Únion Cóngress.

генштáб *м.* = генерáльный штаб *см.* генерáльный. ~и́ст *м. разг.* Géneral Staff ófficer.

геоботáника *ж.* gèobótany.

геóграф *м.* 1. geógrapher; 2. *школ. разг.* (*преподаватель географии*) geógraphy teacher. ~и́ческий geográphic(al); ~и́ческая кáрта map; ~и́ческое положéние geográphical situátion / locátion; ~и́ческое назвáние pláce-nàme; ~и́ческая средá geográphical environ:ment.

геогрáфия *ж.* geógraphy.

геодези́ст [-дэ-] *м.* lànd-sùrvéyor.

геодези́ческий [-дэ-] gèodésic, gèodétic; lánd-sùrvéying (*attr.*).

геодéзия [-дэ-] *ж.* lánd-sùrvéying, gèodesy.

геóлог *м.* geólogist.

геологи́ческий gèológical.

геолóгия *ж.* geólogy.

геологоразвéдка *ж.* geológical súrvey / prospécting.

геологоразвéдочн||ый geológical súrvey (*attr.*), geológical prospécting / exploràtion (*attr.*); ~ая экспеди́ция prospécting expedítion.

геологоразвéдчик *м.* prospéctor.

геóметр *м.* gèometrícian [dʒɪ-].

геометри́ческий gèométric(al).

геомéтрия *ж.* gèómetry.

геоморфолóгия *ж.* gèomòrphólogy.

геополи́тика *ж.* gèopólitics.

георги́н *м.*, ~а *ж.* dáhlia ['deɪl-].

геофи́зик *м.* gèophýsicist [-z-].

геофи́зика *ж.* gèophýsics [-z-]. ~и́ческий gèophýsical [-z-].

геохи́мик *м.* gèochémist [-'ke-].

геохими́ческий gèochémical [-'ke-].

геохи́мия *ж.* gèochémistry [-'ke-].

геоцентри́зм *м.* gèocéntricism. ~и́ческий gèocéntric.

гепáрд *м. зоол.* chéetah [-tə].

герáльд||ика *ж.* héraldry. ~и́ческий hèráldic [-'ræ-].

герáнь *ж.* geránium.

герб *м.* arms *pl.*, coat of arms; àrmórial béarings [...'bɛə-] *pl.*; госудáрственный ~ State Émblem, Nátional Émblem ['næ-...]; State Seal.

гербаризи́ровать hérborize.

гербáрий *м.* hèrbárium.

гербици́ды *мн.* (*ед.* гербици́д *м.*) *хим.* hérbicìdes.

гéрбов||ый hèráldic [-'ræ-]; (*с гербом*) béaring *a* coat of arms ['bɛə-...]; ~ая печáть official stamp / seal; ~ сбор stámp-dùty; ~ая бумáга officially stamped páper; ~ая мáрка dúty stamp.

гериатри́я *ж.* gèriátrics [dʒe-].

геркулéс I *м.* (*сильный человек*) Hérculès [-i:z].

геркулéс II *м. тк. ед.* (*крупа*) rolled oats *pl.*, pórridge oats *pl.*

геркулéсовский Hèrcúlean [-i:ən].

гермáнец *м.* 1. *ист.* Téuton; 2. *разг.* (*немец*) Gérman.

германиз||áция *ж.* Gèrmanizátion [-naɪ-]. ~и́ровать *несов. и сов.* (*вн.*) Gérmanize (*d.*).

германи́зм *м. лингв.* Gérmanism.

гермáний *м. хим.* germánium.

германи́ст *м.* Gérmanist, spécialist in Gèrmánic philólogy ['spe-...], Gèrmánic philólogist. ~ика *ж.* Gèrmánic philólogy.

гермáно||фи́л *м. уст.* Gèrmánophil(e). ~фóб *м. уст.* Gèrmánophòbe.

гермáнск||ий 1. *ист., этн., лингв.* Gèrmánic; ~ие языки́ Gèrmánic / Teutónic lánguages; 2. (*немецкий*) Gérman.

гермафроди́т *м.* hèrmáphrodìte. ~и́зм *м.* hèrmáphroditism [-daɪ-].

гермети́ческ||и *нареч.* hèrmétically; ~ закры́тый hèrmétically sealed. ~ий hèrmétic; ~ая каби́на *ав.* préssurized / sealed cábin.

гермоперчáтки *мн.* (*ед.* гермоперчáтка *ж.*) préssurized gloves [...glʌvz].

гермошлéм *м.* préssurized hélmet, *или* héad-sèt [...'hed-].

герои́зм *м.* héro:ism ['he-]; трудовóй ~ lábour héro:ism.

герóика *ж.* hèró:ic emótions *pl.*, hèró:ic spírit; (*стиль*) hèró:ic style; ~ коммунисти́ческого строи́тельства hèró:ic spírit of Cómmunist constrúction.

герóíн *м.* héro:in ['herouɪn].

герои́||ня *ж.* hèro:ine ['he-]. ~ческий hèró:ic; ~ческая эпо́ха hèró:ic age.

герóй *м. (в разн. знач.)* hèró; ◊ Герóй Совéтского Сою́за Hèro of the Sóviet Únion; Герóй Социалисти́ческого Трудá Hèro of Sócialist Lábour. ~ский héro:ic; ~ский пóдвиг héro:ic éxploit. ~ство *с.* 1. héro:ism ['he-]; проявля́ть ~ство displáy héro:ism; 2. (*геройский поступок*) act of héro:ism.

герóльд *м. ист.* hérald ['he-].

геронтóлог *м.* gèrontólogist.

геронтолóгия *ж.* gèrontólogy.

герунди́в *м. грам.* gerúndive.

герýндий *м. грам.* gérund ['dʒe-].

герц *м. эл.* hertz, cycle per sécond [...'se-].

гéрцог *м.* duke. ~иня *ж.* dúchess. ~ский dúcal. ~ство *с.* dúke:dom; (*о государстве тж.*) dúchy.

гестáпо *с. нескл.* Gèstápò [-'tɑ:-].

гетéра [-тэ-] *ж.* hètáera.

гетерогéнн||ость [-тэ-] *ж.* hèterogenéity [-'ni:-]. ~ый [-тэ-] hèterogéneous.

гетероно́м||ия [-тэ-] *ж. филос.* hèterónomy. ~ный *филос.* hèterónomous.

гéтман *м. ист.* hétman. ~ский *ист.* hétman's, of *the* hétman. ~ство *с. ист.* hétmanàte, hétmanship; в ~ство (*рд.*) dúring the hétmanship (of).

гéтры *мн.* (*ед.* гéтра *ж.*) gáiters; léggings; (*только мужские короткие*) spats.

ГЕН – ГИД Г

гéтто *с. нескл.* ghéttò.

гиаци́нт *м.* 1. (*цветок*) hýacinth; 2. (*драгоценный камень*) jácinth.

гиббóн *м. зоол.* gíbbon ['g-].

гибелли́н *м. ист.* Ghíbelline.

ги́бел||ь I *ж. тк. ед.* death [deθ]; (*уничтожение*) destrúction; (*корабля, экспедиции и т.п.*) loss; (*тк. корабля*) wreck; (*государства*) fall, dównfall; (*перен.*) rúin; э́то поведёт к егó ~и that will rúin him, that will lead to his dównfall; ~ всех надéжд the rúin of all one's hopes.

ги́бель II *ж. (рд.) разг.* (*множество*) mátes (of) *pl.*, óceans ['ouʃnz] (of) *pl.*; (*о насекомых и т.п.*) swarms *pl.*

ги́бельн||ый disástrous [-'zɑ:-], destrúctive; (*пагубный*) rúinous, pèrnícious; (*роковой*) fátal; ~ые послéдствия disástrous / rúinous resúlts [...-'zʌ-]; ~ая поли́тика rúinous / disástrous pólicy; ~ шторм destrúctive / disástrous storm.

ги́бк||ий flexible (*тж. перен.*); (*о теле*) lithe [laɪð], líssom, súpple (*тж. перен.*); (*уступчивый*) plíable, plíant, (*об уме*) vérsatile. ~ость *ж.* flèxibílity; súpple:ness; plìabílity, plíancy; vèrsatílity; (*ср.* ги́бкий); он прояви́л большу́ю ~ость в э́том дéле he displáyed great resóurce:fulness in this mátter [...greɪt -'sɔ:s-...].

ги́бл||ый *разг.:* ~ое дéло it / that is hope:less / point:less; ~ое мéсто gód-forsàken place, wrétched hole.

ги́бнуть pérish; (*о людях тж.*) lose* one's life*.

гибри́д *м.* hýbrid ['haɪ-], móngrel ['mʌ-]. ~изáция *ж.* hỳbridizátion [haɪbrɪdaɪ-]. ~ный hýbrid ['haɪ-].

гигáнт *м.* gíant; заво́д-~ gíant fáctory; совхо́з-~ gíant State farm, gíant sòvkhóz. ~омáния *ж.* gìgàntò:mánia [dʒaɪ-]. ~ский gigánt:ic; (*перен.*) titán:ic; ~скими шагáми with rápid strides; идти́ вперёд, дви́гаться ~скими шагáми progréss at a great rate [...greɪt...], make* rápid prógress, make* great strides; ◊ ~ские шаги́ *спорт.* gíant stride *sg.*

гигиéн||а *ж.* hýgiene ['haɪdʒi:n]; ~ трудá occupátional hýgiene. ~и́ст *м.* hýgienist [haɪ'dʒi:n-]. ~и́ческий, ~и́чный hỳgiénic [haɪ'dʒi:-]; (*о мерах и т.п.*) sánitary.

гигрó||граф *м. метеор.* hýgro:gràph. ~метр *м. метеор.* hỳgrómeter [haɪ-].

гигроскóп *м. физ.* hýgro:scòpe. ~и́ческий, ~и́чный hỳgro:scópic; ~и́ческая вáта hỳgro:scópic / absórbent cóttonwool [...-wul].

гид *м.* guide.

гидáльго *м. нескл.* hidálgo.

ги́дра *ж. зоол., миф.* hýdra.

гидрáвл||ика *ж.* hỳdráulics. ~и́ческий hỳdráulic; ~и́ческий пресс hỳdráulic press; ~и́ческий дви́гатель hỳdráulic éngine [...'endʒ-].

гидрáт *м. хим.* hýdràte ['haɪ-].

ги́дро- (*в сложн.*) hỳdro-.

гидроавиáция *ж.* hỳdro-àviátion.

гидроакýст||ика *ж.* hỳdro:acóustics [-'ku:s-]. ~и́ческий hỳdro:acóustic [-'ku:s-].

ГИД – ГЛА

гидроаэродро́м м. sea áerodròme [...'ɛərə-], séadròme; (для гидросамолётов) séapláne státion.
гидробио́лог м. hýdro:biólogist.
гидробиоло́гия ж. hýdro:biólogy.
гидробио́ника ж. hýdro:biónics.
гидро́граф I м. (специалист) hýdrógrapher [haɪ-].
гидро́граф II м. (прибор) hýdrò:gràph.
гидрографи́ческий hýdro:gráphic(al).
гидрогра́фия ж. hýdrógraphy [haɪ-].
гидродина́мика ж. физ. hýdro:dynámics [-daɪ-].
гидрокостю́м м. protéctive wáterproof suit [...'wɔː- sjuːt], rúbber suit.
гидро́лиз м. хим. hýdrólysis [haɪ-] (pl. -sès [-siːz]); ~ный hýdro:lýtic.
гидро́||лог м. hýdrólogist [haɪ-]. ~логи́ческий hýdro:lógic(al). ~ло́гия ж. hýdrólogy [haɪ-].
гидрометеороло́гия ж. hýdro:mèteoróology [-tjə-].
гидрометеослу́жба ж. hýdro:mèteorológical sérvice [-tjə-...].
гидро́||метр м. hýdrómeter [haɪ-]. ~метри́ческий hýdrò:métric. ~ме́трия ж. hýdrómetry [haɪ-].
гидромеха́ника ж. hýdro:mechánics [-'kæ-].
гидропа́т м. hýdrópathist [haɪ-]. ~и́ческий hýdro:páthic(al). ~ия ж. hýdrópathy [haɪ-].
гидропо́ника ж. с.-х. hýdro:pónics.
гидропу́льт м. с.-х. stírrup-pùmp.
гидросамолёт м. hýdro:áeropláne [-'ɛərə-], séapláne; ◊ ло́дочный ~ flýing boat; поплавко́вый ~ flóatpláne.
гидроста́нция ж. hýdro:eléctric pówer státion, hýdro:pówer plant [...-ɑː-].
гидроста́||тика ж. физ. hýdro:státics. ~ти́ческий физ. hýdro:státic.
гидросульфи́т м. хим. hýdro:súlphite.
гидросфе́ра ж. hýdro:sphère.
гидротерапи́я ж. мед. hýdrópathy [haɪ-].
гидроте́хн||ик м. hýdráulic enginéer [...endʒ-]. ~ика ж. hýdráulic enginéering [...endʒ-]. ~и́ческий hýdrò:téchnical.
гидротра́нспорт м. тех. hýdráulic convéying / trànspòrtátion.
гидротурби́на ж. hýdrò-túrbine, wáter-túrbine ['wɔː-], hýdráulic túrbine.
гидроу́зел м. hýdro:eléctric (géneràting) státion / scheme, wáter-èngineéring sýstem / scheme ['wɔː- -endʒ-...].
гидроустано́вка ж. hýdro:eléctric pówer plant [...-ɑːnt].
гидрофо́н м. мор. hýdro:phòne.
гидроцентра́ль ж. hýdro:eléctric plant [...-ɑːnt].
гидроэлектри́ческ||ий hýdro:eléctric; ~ая ста́нция hýdro:eléctric pówer státion.
гие́на ж. зоол. hýena.
ги́канье с. whóoping ['huːp-].
ги́к||ать, ги́кнуть разг. whoop [huːp]. ~нуть сов. см. ги́кать.
гиль ж. уст. разг. rot, nónsense.
ги́льд||ия ж. ист. guild [gɪ-]; купе́ц пе́рвой ~ии mérchant belónging to the top guild.

ги́льза ж. 1. (патронная) cártridge--càse [-s]; 2. (папиросная) cigarétte-pàper; 3. (в пиротехнике) tube, case]-s]; 4. тех. búshing ['bu-], bush sleeve [buʃ...].
гильоти́н||а ж. guillotíne [-iːn]. ~и́ровать несов. и сов. (вн.) guillotíne [-iːn] (d.).
гимн м. hymn; госуда́рственный ~ nátional ánthem ['næ-...].
гимнази́||ст м., ~стка ж. gymnásia púpil [-'nɑːz-...]. ~ческий прил. к гимна́зия.
гимна́зия ж. gymnásia [-'nɑːz-] (pl. -as) (secondary school of highest grade preparing for universities in pre-revolutionary Russia).
гимна́ст м. gýmnàst.
гимнастёрка ж. sóldier's blouse ['souldʒəz...].
гимна́ст||ика ж. тк. ед. phýsical tráining / éxercises [-zɪ-]; gymnástics pl.; худо́жественная ~ callisthénics pl., free stánding éxercises pl.; eurhýthmics pl. ~и́ческий gymnástic; ~и́ческий зал gymnásium [-z-] (pl. -siums, -sia); gym разг.; ~и́ческие упражне́ния gymnástics, gymnástic éxercises; (гл. обр. групповые) drill sg. ~ка ж. gýmnàst.
гинеко́||лог м. gynaecólogist [-nɪ-]. ~логи́ческий gỳnaecológical [-nɪ-]; ~логи́ческие заболева́ния gỳnaecológical / fémàle disórders [...'fiː-...]. ~ло́гия ж. gỳnaecólogy [-nɪ-].
гине́я ж. (монета) guínea ['gɪnɪ].
гипе́рбола I ж. мат. hýper:bola.
гипе́рбола II ж. лит. hýper:bòle [-lɪ].
гиперболи́ческий I мат. hýper:bólic.
гиперболи́ческий II лит. hýper:bólical.
гиперболи́чный hýper:bólical, exággeràted [-ædʒə-].
гиперболо́ид м. мат. hýpér:boloid.
гипереми́я ж. мед. hỳper:áemia.
гиперзву́к м. физ. hỳper:sóund.
гипертони́ческий hýper:ténsive.
гипертони́я ж. мед. hỳper:ténsion, high blood préssure [...blʌd...].
гипертрофи́рованный мед., биол. hỳpér:trophied.
гипертрофи́я ж. мед., биол. hỳpér:trophy.
гипно́з м. (состояние) hypnósis [-'nou-], mésmerism ['mezm-]; (сила внушения) hýpnotism, mésmerism; быть под ~ом be in a hypnótic sleep, или trance, be mésmerìzed [...-zm-]; быть под ~ом кого́-л. be mésmerìzed / fáscinàted by smb.; лечи́ть ~ом (вн.) treat by hýpnotism / mésmerism (d.).
гипнотизёр м. hýpnotist, mésmerist [-zm-].
гипнот||изи́ровать, загипнотизи́ровать (вн.) hýpnotìze (d.), mésmerìze [-zm-] (d.). ~и́зм м. hýpnotism, mésmerism ['mezm-]. ~и́ческий hypnótic, mèsmèric [-z'm-]; ~и́ческий сеа́нс séssion of hýpnotism / mésmerism [...'mezm-]; (у врача) hypnótic tréatment.
гипосульфи́т м. хим. hỳpo:súlphite.
гипоте́з||а ж. hypóthesis [haɪ-] (pl. -sès [-iːz]); стро́ить ~ы frame / form hypótheses; hypóthesìze [haɪ-]; рабо́чая ~ wórking hypóthesis.
гипотену́за ж. мат. hypótenùse [haɪ-].
гипотерми́я ж. мед. hỳpo:thérmia.

гипотети́ческий, ~ный hỳpo:thétic(al).
гипотони́я ж. мед. hỳpo:tónia, low blood préssure [lou blʌd...].
гиппопота́м м. зоол. hìppopótamus (pl. -uses, -mì).
гипс м. 1. тк. ед. мин. gýps(um); (употр. в скульптуре, хирургии) pláster (of Páris); 2. (скульптура) pláster cast; 3. мед. (повязка) pláster (cast); наложи́ть ~ на ру́ку put* the arm in pláster, или in a pláster cast; в ~е in a pláster (cast).
гипсова́ть, загипсова́ть (вн.; в разн. знач.) pláster (d.); (о почве тж.) gýpsum (d.).
ги́псов||ый 1. мин. gýpseous; 2. (из гипса) pláster (attr.); ~ сле́пок pláster-càst; ~ая повя́зка = гипс 3.
ги́псо||метр м. геод. hypsómeter. ~метри́ческий геод. hỳpsométric. ~ме́трия ж. hypsómetry.
гипю́р м. guipúre, lace.
гиреви́к м. спорт. wéight-lìfter.
гирля́нда ж. gárland; украша́ть ~ми (вн.) deck / décoràte with gárlands (d.), gárland (d.).
гироко́мпас м. gýro:còmpass [-kʌ-].
гироско́п м. тех. gýro:scòpe. ~и́ческий gỳro:scópic.
ги́ря ж. (для весов, часов) weight; (для гимнастики) dúmb-bèll; часы́ с ~ми clock worked by weights sg.
гисто́||лог м. histólogist. ~логи́ческий hìstológical. ~ло́гия ж. histólogy.
гита́р||а ж. guitár. ~и́ст м. guitárist.
ги́тлеров||ец м., ~ский Hítlerite, Názi ['nɑːtsɪ].
ги́тов м. мор. brail; брать на ~ы (вн.) brail (d.).
ги́чка ж. мор., спорт. gig [g-].
глав||á I 1. м. и ж. (руководитель) head [hed]; chief [tʃiːf] (гл. обр. разг.); ~ прави́тельства head of the Góvernment [...'gʌ-]; ~ семьи́ head of the fámily; 2. ж. поэт. = голова́ 1; 3. ж. (купол) cúpola; ◊ быть, стоя́ть во ~е́ (рд.) be at the head (of), head (d.); во ~е́ с кем-л. héaded / led by smb. ['hed-...]; ста́вить во ~у́ угла́ (вн.) ≅ regárd as of páramount impórtance (d.), assign prímary impórtance [ə'saɪn 'praɪ-...] (to).
глава́ II ж. (раздел) chápter.
глава́рь м. léader; (зачинщик) ríng:léader.
главе́нство с. suprémacy, dòminátion. ~вать (в пр., над тв.) predóminàte (óver), dóminàte (d.), dòminéer (d.), hold* sway (óver).
главк м. (главное управление) céntral admínistrative board, Chief Diréctorate [tʃiːf...].
гла́вное 1. см. гла́вный; 2. как вводн. сл. разг. chíefly ['tʃiː-]; (прежде всего) abóve all; the chief / main thing is [...tʃiːf...] (в начале предложения).
главнокома́ндование с.: Верхо́вное ~ Géneral Héadquàrters [...'hed-] pl., High Commánd [...-ɑːnd].
главнокома́ндующий м. Commánder-in-Chief [-ɑːn- -'tʃiːf]; Верхо́вный ~ Supréme Commánder-in-Chief.
гла́вн||ый 1. прил. main, chief [tʃiːf]; (основной) príncipal; (старший) head [hed] (attr.); ~ го́род (области и т. п.)

chief town; (*столица*) cápital; ~ая у́лица main street; (*в небольшом го́роде*) high street; ~ое управле́ние céntral admínistrative board, Chief Diréctorate; ~ врач head physícian [...-'zɪ-]; *воен.* chief médical ófficer; chief ármy dóctor; ~ инжене́р chief enginéer [...endʒ-], enginéer-in-chief [endʒ- -'tʃiːf]; ~ бухга́лтер accóuntant géneral, chief accóuntant; ~ кни́га *бух.* ledger; ~ая кварти́ра *воен.* géneral héadquárters [...'hed-] *pl.*; ~ уда́р *воен.* main blow / attáck / thrust [...-ou...]; ~ые си́лы *воен.* main bódy [...'bɒ-] *sg.*, main fórces; ~ое усло́вие key condítion [ki:-...]; **2.** *с. как сущ.* the chief / main thing; и са́мое ~ое and above all; ◊ ~ым о́бразом chíefly ['tʃiː-], máinly, príncipally.

-гла́вый (*в сложн. словах, не приведённых особо*) -héaded [-'hed-]; *напр.* трёхгла́вый three-héaded.

глаго́л *м.* **1.** *грам.* verb; **2.** *уст.*, *поэт.* word.

глаго́л||**ать** *уст.* discóurse [-'kɔːs]; ◊ уста́ми младе́нцев ~ет и́стина ...out of the mouths of babes and súcklings.

глаго́л||**ица** *ж. тк. ед. лингв.* Glagolitic álphabet. ~**и́ческий** *лингв.* Glagolític.

глаго́льный *грам.* vérbal.

гладиа́тор *м. ист.* gládiàtor ['glæ-].

гла́диль||**ный** íroning ['aɪən-]; ~ая доска́ íroning-board ['aɪən-].

гладио́лус *м.* gládiólus [glædi-] (*pl.* -li).

гла́дить I, вы́гладить (*вн.*) (*бельё*) íron ['aɪən] (*d.*), press (*d.*).

гла́дить II, погла́дить (*вн.*) (*ласкать*) stroke (*d.*); ◊ ~ кого́-л. но ше́рсти flátter smb., grátify smb.; ~ кого́-л. про́тив ше́рсти stroke smb. the wrong way, rub smb. up the wrong way; ~ по голо́вке *разг.* ≃ pat on the back.

гла́дк||**ий 1.** smooth [-ð]; (*о волоса́х, ко́же тж.*) sleek; *разг.* (*холёный, сы́тый*) sleek, wéll-nóurished [-'nʌг-]; ~ая доро́га éven road; **2.** (*о тка́ни без узо́ра*) plain, únfigured, únprínted; **3.** (*о ре́чи, сти́ле и т.п.*) fácile, flúent.

гла́дко I *прил. кратк. см.* гла́дкий.

гла́дко II *нареч.* (*в разн. знач.*) smóothly [-ð-]; ~ вы́бритый cléan-sháven [-ð-]; он ~ пи́шет he writes smóothly; идти́ ~ procéed / run* smóothly; не всё шло ~ it was not all plain sáiling; всё прошло́ ~ éverything went off swímmingly, или like clóckwórk.

гладкоство́льный (*об ору́жии*) smóoth-bóre [-ð-] (*attr.*).

гла́дкость *ж.* (*в разн. знач.*) smóothness [-ð-]; (*воло́с, ко́жи тж.*) sléekness; ~ стиля́ flúency of style.

гладь I *ж.* (*пове́рхность воды́*) smooth / glássy / mírror-like súrface [-ð-]; ◊ тишь да ~ *разг.* peace and quíet.

гладь II *ж.* (*вы́шивка*) sátin-stitch; вышива́ть ~ю embróider in sátin-stitch.

гла́женье *с.* íroning ['aɪən-].

глаз *м.* eye [aɪ]; ◊ плохи́е ~а́ weak eyes; weak sight *sg.*; по́ртить себе́ ~а́ spoil* one's eyes, rúin one's éye|sight [...'aɪ-]; о́стрый ~ keen / sharp eye; ве́рный ~ good / true eye; в ~а́ (*сказа́ть и т.п.*) to *one's* face; броса́ться в ~а́ be stríking, strike* *one's* eye, arrést *one's* atténtion; (*дт.*; *быть очеви́дным*) be évident (to); смея́ться кому́-л. в ~а́ laugh in smb.'s face [lɑːf...]; смотре́ть в ~а́ кому́-л. look smb. in the face; смотре́ть опа́сности, сме́рти в ~а́ look dánger, death straight in the eye [...'deɪn- deθ...]; смотре́ть во все ~а́ *разг.* be all eyes; у него́ ~а́ на лоб ле́зут his eyes are stárting / pópping out of his head [...hed]; в ~а́х кого́-л. in smb.'s eyes, in smb.'s opínion; для отво́да глаз *разг.* as a blind; за ~а́ *разг.* в отсу́тствие кого́-л.) behind *smb's* back; (*с избы́тком*) more than enóugh [...'ɪnʌf]; in plénty; за ~а́ хва́тит there is more than enóugh; закрыва́ть ~а́ на что-л. connive at smth., óver|loók smth.; shut* one's eyes to smth.; идти́ куда́ ~а́ гляди́т fóllow one's nose; я ~а́м свои́м не ве́рю I can't believe my eyes [...kɑːnt -iːv...]; на ~ by eye; (*на чей-л. взгляд*) in smb.'s eyes, in smb.'s estimátion; определи́ть что-л. на ~ méasure smth. by eye ['meʒə...]; на ~а́х (у) кого́-л., на чьих-л. ~а́х before smb.'s (very) eyes (*тж. перен.*); он вы́рос у неё на ~а́х she watched him grow up [...grou...]; he shot up before her very eyes идиом.; не в бровь, а (*пря́мо*) в ~ *погов.* ≃ the cap fits!; попада́ть не в бровь, а в ~ hit* the (right) nail on the head [...hed], hit* the mark, strike* home; не спуска́ть глаз с кого́-л. (*любова́ться*) not take* one's eyes off smb., keep* one's eyes glued on smb.; (*не выпуска́ть из ви́ду*) not let* smb. out of one's sight; тут ну́жен ~ да ~ one must keep a constant eye on sóme|thing, sóme|body; не смыкая глаз without closing one's eyes, without getting a wink of sleep; открыва́ть кому́-л. ~а́ на что-л. ópen smb.'s eyes to smth.; ра́ди прекра́сных глаз *разг.* ≃ for nothing, for free; с глаз доло́й — из се́рдца вон *погов.* out of sight, out of mind; с глаз мои́х доло́й! *разг.* get out of my sight!; с ~у на глаз tête-à-tête (*фр.*) ['teɪtɑ'teɪt], confidéntially; (*темно́*) хоть ~ вы́коли *разг.* it is pítch-dárk; у стра́ха ~а́ вели́ки *погов.* ≃ fear hath a húndred eyes; fear takes mólehills for móuntains.

глаза́стый *разг.* **1.** big-éyed [-'aɪd]; (*с глаза́ми навы́кате*) góggle-éyed [-'aɪd]; póp-eyed [-'aɪd]; **2.** (*зо́ркий*) shárp-eyed [-'aɪd], quick-síghted.

глазе́т *м.* (*silk*) brocáde.

глазе́ть, погла́зеть (*на вн.*) *разг.* stare (at), gape (at).

глазиро́ванн||**ый** glazed; glacé (*фр.*) [glɑː'seɪ]; cándied; iced; (*о бума́ге тж.*) glóssy; ~ые фру́кты cándied / glacé fruit [...fruːt] *sg.*; (*ср.* глазирова́ть).

глазирова́ть *несов. и сов.* (*вн.*; *о бума́ге*) glaze (*d.*); (*о фру́ктах*) cándy (*d.*); (*о то́рте и т.п.*) ice (*d.*).

глазиро́вка *ж.* glázing; cándying; ícing; (*ср.* глазирова́ть).

гла́зки *мн. уменьш.-ласк. от* глаза́ *см.* глаз; аню́тины ~ pánsy [-zɪ] *sg.*; де́лать кому́-л. make* eyes at smb. [...aɪz...], cast* / make* sheep's eyes at smb.

глазки́ *мн. см.* глазо́к II.

глазн||**и́к** *м. разг.* (*врач*) éye-dòctor ['aɪ-]. ~**и́ца** *ж. анат.* éye-sòcket ['aɪ-]. ~**о́й** *прил.* к глаз; ~ все нерв óptic nerve; ~ой врач óculist, éye-spècialist ['aɪspe-]; ~ая боле́знь eye diséase [aɪ -'ziːz]; ~о́е я́блоко *анат.* éye|ball ['aɪ-]; ~ая впа́дина éye-sòcket ['aɪ-]; ~ая лече́бница éye-hòspital ['aɪ-]; ~ая ва́нночка éye-bàth* ['aɪ-], éye-cùp ['aɪ-].

глаз||**о́к I** *м.* (*мн.* гла́зки) *уменьш. от* глаз; ◊ одни́м ~ком *разг.* with half an eye [...hɑːf-aɪ]; на ~ *разг.* by eye.

глазо́к II *м.* (*мн.* глазки́) **1.** *бот.*, *арх.*, *тех.* eye [aɪ]; **2.** *разг.* (*небольшо́е отве́рстие в чём-л. для наблюде́ния*) péep-hòle, spý-hòle.

глазоме́р *м.*: хоро́ший ~ good / fáultless eye [...aɪ]; у него́ плохо́й ~ he does not have a good eye. ~**ный**: ~ная съёмка *геод.* vísual méasure|ment ['vɪʒmeʒ-], méasure|ment by eye [...aɪ].

глазу́нья *ж.* (*яи́чница*) fried eggs *pl.*

глазурова́ть *несов. и сов.* (*вн.*; *о посу́де, кера́мике*) glaze (*d.*).

глазуро́вка *ж.* glaze.

глазу́рь *ж.* **1.** (*для фру́ктов*) sýrup ['sɪ-]; (*для то́рта и т.п.*) ícing; торт с ~ю iced cake; **2.** (*на посу́де*) glaze.

-гла́зый (*в сложн. словах, не приведённых особо*) -eyed [-aɪd]; *напр.* быстрогла́зый shárp-éyed, quíck-éyed.

гла́нды *мн.* (*ед.* гла́нда *ж.*) *анат.* tónsils.

глас *м. поэт.* voice; ◊ ~ вопию́щего в пусты́не voice (crýing) in the wílderness.

глас||**и́ть** (*вн. и без доп.*; *говори́ть*) say* (*d.*); (*о докуме́нте и т.п.*) run*; (*о зако́не и т.п.*) read*; письмо́ ~и́т (*сле́дующее*) the létter runs as fóllows; посло́вица ~и́т the próverb says / goes, *или* has it [...'prɒ- sez...].

гла́сно I *прил. кратк. см.* гла́сный II.

гла́сно II *нареч.* públicly ['pʌ-], ópenly. ~**ость** *ж.* públicity [pʌ-]; предава́ть ~ости (*вн.*) give* públicity (to), make* públic / known [...'pʌ- noun] (*d.*), públish ['pʌ-] (*d.*).

гла́сный I *лингв.* **1.** *прил.* vówel (*attr.*); ~ звук vówel sound, vówel; **2.** *м. как сущ.* vówel.

гла́сный II (*откры́тый, публи́чный*) públic ['pʌ-], ópen; ~ суд públic / ópen tríal.

гла́сный III *м. скл. как прил. ист.* mémber of the city dúma [...'sɪ- 'duː-], tówn-councillor.

гла́уберов: ~а соль *тк. ед.* Glaúber's salts ['gloubəz...] *pl.*; *хим.* sódium súlphate.

глауко́ма *ж. мед.* glaucóma.

глаша́тай *м. ист.* town / públic críer [...'pʌ-...], hérald ['he-]; (*перен.*) hérald, méssenger [-ndʒə].

гле́тчер *м.* glácier ['glæsɪə].

гли́н||**а** *ж.* clay; бе́лая ~, фарфо́ровая ~ káolin, chína / pórcelain clay [...-sl-...]; кирпи́чная ~ brick earth

ГЛИ – ГЛУ

[...ə:θ]; огнеупорная ~ fire-clay. ~**истый** cláy:ey; àrgilláceous [-ʃəs] *научн.*; ~истая почва (жирная) clay soil; ~истый сланец shale.

глинобитный wattle and daub (*attr.*); pisé-wàlled (*фр.*) ['pi:zeɪ-]; ~ дом wattle and daub house* [...-s].

глинозём *м. хим.* alúmina [ə'lju:-].

глинтвейн *м.* mulled wine.

глинян||**ый** clay (*attr.*), éarthen ['ə:θ-]; ~ая посуда éarthenwàre cróckery, ~ые изделия póttery *sg.*, éarthenwàre *sg.*, ~ая трубка clay pipe.

глипт||**ика** *ж. тк. ед. иск.* glýptics *pl.* ~**отека** *ж. иск.* glyptothéca.

глиссáндо *с. нескл. муз.* glissándò [-ɑ:n-].

глиссер *м.* (*судно*) spéed-boat.

глист *м.* (intéstinal) worm; hélminth *научн.*; ленточный ~ tápe-wòrm; круглый ~ róund-wòrm, àscárid (*pl.* -dès [-di:z]).

глистогонн||**ый** vérmifùge (*attr.*); ~ое средство vérmifùge.

глицерин *м.* glýcerìne [-i:n]. ~**овый** *прил. к* глицерин.

глициния *ж. бот.* wistária.

глобáльн||**ый** glóbal; ~ая ракета glóbal míssile.

глобус *м.* globe; ~ земного шара terréstrial globe; ~ небесной сферы celéstial globe.

глодáть (*вн., прям. и перен.*) gnaw (*d.*).

глосс||**а** *ж. лингв., юр.* gloss. ~**áрий** *м. лингв., юр.* glóssary.

глотá||**ние** *с.* swállowing, dè:glùtítion *научн.*; ~**тельный** swállowing; ~тельное движение swállowing móve:ment [...'mu:v-], gulp.

глотáть (*вн.*) swállow (*d.*); (*быстро*) bolt (*d.*); (*жадно, торопясь*) gulp down (*d.*); (*жадно и шумно*) gobble (*d.*); (*перен., читать много и без разбору*) *разг.* devóur (*d.*); (*поглощать*) swállow up (*d.*); ◇ ~ слёзы gulp back / down, *или* choke back, one's tears / sobs; ~ словá mumble.

глот||**ка** *ж.* 1. *анат.* gúllet; 2. *разг.* (*горло*) throat; ◇ во всю ~ку at the top of one's voice; заткнуть ~ку кому-л. shut* smb. up, stop smb.'s mouth; заткни ~ку! shut up!; shut your mouth!; hold your tongue [...tʌŋ]!, драть ~ку (*орáть*) yell, bawl.

глотнýть *сов.* (*вн., рд.*) take* a sip (of).

глот||**óк** *м.* drink, móuthful; (*маленький*) sip; (*большой*) gulp; он попросил ~ воды [...'wɔ:-]; он выпил только один ~ he ónly had one sip; пить медленными ~ками sip slówly [...-ou-]; одним ~ком at a draught [...drɑ:ft], at one gulp; сделать ~ take* a sip / móuthful.

глóхнуть I, оглóхнуть become* / go* deaf [...def].

глóхнуть II, заглóхнуть 1. (*о звуке*) die a:wáy, abáte, fade out, subsíde; 2. (*о саде*) grow* wild [-ou...], turn into a wilderness, run* / go* to seed (*перен.; приходить в запустение*) decáy.

grow* lífe:less; 3. (*о моторе*) fail, cut* out

глýбже *сравн. ст. прил. см.* глубóкий и *нареч. см.* глубокó II.

глубин||**а** *ж.* 1. depth; (*перен., чувства, переживания тж.*) inténsity; (*мысли, ума и т.п. тж.*) profúndity; на ~é десяти метров at a depth of ten metres; пять метров в ~ý five metres deep; измерять ~ý (*рд.*) sound (*d.*), sound the depth (of), plumb (*d.*); fáthom [-ð-] (*d.*) (*тж. перен.*); 2. (*леса, страны и т.п.*) heart [hɑ:t]; (*зала и т.п.*) intérior, ◇ в ~é веков in áncient days / times [...'eɪnʃ-...], in remóte áges; в ~é души at heart, in one's heart of hearts, до ~ы души to the ínner:mòst of one's heart; из ~ы души from one's heart, from the bóttom of one's soul [...soul]; от ~ы души with all one's heart, with one's whole heart [...houl...].

глубинка *ж. разг.* remóte / óut-of--the-wáy place.

глубинн||**ый** 1. deep; (*на глубине реки, озера и т.п.*) déep-wáter ['wɔ:-] (*attr.*); (*на глубине моря*) déep-sea (*attr.*); ~ лов рыбы déep-sea físhing; ~ая бомба *мор.* depth-chàrge; 2. *геол.* abýssal, hýpo:gene; 3. (*отдалённый от центра или дорог*) remóte, óut-of-the--wáy.

глубиномер *м.* depth-gauge [-geɪdʒ].

глубок||**ий** (*в разн. знач.*) deep; (*перен. тж.*) profóund; ~ая тарелка sóup--plàte ['su:p-]; ~ая рана deep wound [...wu:-]; ~ая печаль *полигр.* intáglio [-'tɑ:-]; ~ая печáль deep sórrow; ~ сон deep sleep; ~ая тишинá profóund pérfect sílence [...'saɪ-]; ~ое знание (*рд.*) thórough knówledge ['θлгə 'nɔ-] (of); ~ое невежество abýsmal crass ígnorance [ə'bɪz-...]; иметь ~ие корни be déeply róoted (in); ~ая оборóна defénce in depth; в ~ом тылý deep in the rear, far behind the lines; ~ая разведка lóng-rànge recónnaissance [-reɪ-...nɪs-] (*fr.*); ~ой óсенью in the late áutumn; былá ~ая зимá it was mid-winter, it was the depth of winter; занимáться до ~ой ночи work late / far into the night, burn* the midnight oil *идиом.*; ~ ночью in the dead of night [...ded...], in the small hours [...auəz]; ~ стáрик an áged man*, a very old man*; ~ая стáрость extréme old age; прожить до ~ой стáрости live to a great / vénerable age [lɪv...greɪt...], live to be very old; live to a ripe old age; ~ая древность great / extréme àntiquity

глубокó I 1. *прил. кратк. см.* глубóкий; 2. *предик. безл.* it is deep; здесь ~ it is deep here.

глубокó II *нареч.* deep; (*перен.*) déeply, profóundly; ~ вкоренившийся déep--róoted, invéterate; ~ сидéть в воде (*о судне*) be deep in the wáter [...'wɔ:-], draw* much wáter.

глубоководный déep-wáter [-'wɔ:-] (*attr.*); (*о живущих в море*) déep-sea (*attr.*).

глубокомысл||**енно** *нареч.* thóughtfully, with a thóughtful air; *ирон.* with a wise air, lóoking (very) wise. ~**енный** profóund, thóughtful; (*серьёзный*) sérious, grave; *ирон.* wise. ~**ие** *с.* pro-

fúndity, ínsìght, (*значительность мыслей*) depth of thought.

глубокоуважáемый (*как обращение*) ≅ dear.

глубь *ж. тк. ед. см.* глубинá; морскáя ~ *поэт.* the deep(s); в ~ лесóв into the depths / heart of the fórest [...hɑ:t... 'fɔ-]; в ~ страны ín:land.

глум||**иться**, поглумиться (*над*) mock (*d.*, at), jeer (at), scoff (at), gibe· (at). ~**ление** *с.* (*над*) móckery (of), jéering (at), scóffing (at), gíbing (at). ~**ливый** mócking, jéering, scóffing, gíbing; ~ливый человек mócker, scóffer

глупéть, поглупéть grow* stúpid fóolish [grou...].

глупéц *м.* fool, blóckhead [-hed], dolt.

глупить, сглупить *разг.* make* a fool of òne:sélf, be fóolish / sílly; do a fóolish thing; не глупи! don't be fóolish! sílly¹; don't be an ídiot!

глýпо I 1. *прил. кратк. см.* глýпый; 2. *предик. безл.* it is fóolish, it is stúpid, it is sílly; как это ~ ! how stúpid!

глýпо II *нареч.* fóolishly, stúpidly

глуповáтый dull, not very bright; ~ вид sílly / ináne look; он гуповáт he is ráther stúpid sílly [...'rɑ:-...].

глýпост||**ь** *ж.* 1. fóolishness, fólly, stúpidity; 2. (*глупый поступок*) fóolish stúpid áction / thing; fólly; (*глупое поведение*) fóolishness, nónsense, fólly; вы сделали большýю ~ you have done a very fóolish thing; бросьте эти ~и! stop this nónsense fóolishness!; 3. (*бессмыслица*) nónsense, rúbbish; он таких ~ей не читáет he never reads such rúbbish, болтáть ~и talk nónsense; ~и! nónsense!, stuff and nónsense!, rúbbish!

глýп||**ый** fóolish, stúpid, sílly; (*о выражении лица, об улыбке*) ináne; ребёнок ещё глуп the child* is young and sílly still [...jʌŋ...]; он глуп как пробка *разг.* ≅ he is a blóckhead dolt númskúll, *или* an ass [...-hed...]; he's as daft as a brush.

глупыш I *м. разг.* sílly (féllow); (*в обращении к ребёнку*) little sílly, sílly little thing, sílly-bílly

глупыш II *м.* (*птица*) fúlmar ['ful-].

глупышка *ж. разг.* little sílly, sílly little thing.

глухáрь *м.* 1. (*птица*) càpercáillie [-'keɪlji], wóod-grouse ['wud- -s]; 2. *разг. шутл.* (*о человеке*) deaf pérson [def...].

глуховáтый (*о человеке*) sóme:what deaf [...def], hard of héaring; 2. (*о голосе*) (ráther) múffled ['rʌ-...].

глух||**óй** *прил.* 1. (*прям. и перен.*) deaf [def]; совсем ~ stóne-déaf [-'def]; он совершенно глух he is stóne-déaf; он глух к его просьбам he is deaf to his entréaties, he turns a deaf ear to his entréaties; ~ ночью in the dead of night [...ded...]; 2. (*о голосе, звуке*) múffled, flat, tóne:less, dull, indistínct; ~ гул hóllow rumble; 3. *лингв.* únvoiced, vóice:less, surd, breathed [breθt]; ~ согласный vóice:less cónsonant; 4. (*отдалённый*) óut-of-the-wáy, remóte; (*заброшенный*) gód-forsáken; (*безлюдный*) lónely, sólitary; в ~ провинции in the remótest depths of the próvinces. in an óut-of-the-wáy córner of the próvinces; in the báckwoods [...-wudz]; ~ переу́лок dark álley; 5. (заросший) óver:grówn [-oun], wild; ~ лес dense fórest [...'fɔ-]. 6. (о сезоне и т.п.) dead [ded]; 7. (сплошной, без отверстий) blind; ~áя стена́ blind wall; 8. (смутный) suppréssed, obscúre, ~áя молва́ vague rúmours [veɪɡ...] pl.; ~óe недово́льство smóuldering díscontént ['smou-...], an úndercùrrent of díssatisfáction. 9. как сущ. м. deaf man*; (о мальчике) deaf boy; ж. deaf wóman* [...'wu-]; (о девочке) deaf girl [...g-]; мн. собир. the deaf.

глухома́нь ж. разг. wílderness, gód-forsáken place; báckwoods [-wudz] pl.

глухонем||о́й 1. прил. déaf-and-dúmb ['defən-]; 2. м. как сущ. deaf mute [def...]; а́збука ~ых déaf-and-dúmb álphabet.

глухота́ ж. déafness ['def-].

глуши́тель м. тех. sílencer ['saɪ-], múffler; (радиопередач) jámmer; (рд.; перен.) suppréssor (of).

глуши́ть, оглуши́ть (вн.) 1. stun (d.); ~ ры́бу stun fish (by means of explósives); 2. тк. несов. (не давать расти) choke (d.); (перен.: подавлять) stifle (d.), suppréss (d.); 3. тк. несов.: ~ мотор stop the éngine [...'endʒ-]; ~ радиопереда́чи jam rádio bróadcasts [...'brɔːd-]; ◊ ~ во́дку разг. guzzle / swill vódka.

глушь ж. тк. ед. 1. (о лесе) báckwoods [-wudz] pl.; 2. (об отдалённом месте) óut-of-the-wáy place; the back of beyónd идиом.

глы́ба ж. block; ~ земли́ clod; ~ льда block of ice; ка́менная ~ bóulder ['bou-]; ~ угля́ lump of coal.

глюко́за ж. биохим. glúcòse [-s], déxtròse [-s], grápe-sùgar [-ʃu-].

гляд||е́ть, погляде́ть 1. (на вн.) look (at); (пристально) peer (at), fásten one's eyes / gaze ['fɑːs'n... aɪz...] (upón); широко́ раскры́тыми глаза́ми stare with wíde-òpen eyes (at), stare wíde-éyed [...-'aɪd] (at); 2. тк. несов. (из-за, из-под; виднеться) show* [ʃou] (from behínd, from únder); 3. тк. несов. (на вн.; быть обращённым в какую-л. сторону) face (d.), look out (on); (об окнах) give* (ón:to); (об орудиях и т.п.) point (at); 4. тк. несов. (тв.; иметь вид) look (d.), look like (d.); 5. (за тв.) разг. (присматривать) look (áfter), see* (to); ~ за ребёнком look áfter a child*; ~ за чем-л. see* to smth., atténd to smth.; ◊ не́чего на него́ ~ разг. don't take any nótice of him [...'nou-...], there's no need to take any nótice of him; ни на что́ не гля́дя únmínd:ful of ány:thing, héedless of évery:thing; ~ в оба be on the qui vive [...kiː'viːv]; be alért, be on one's guard; keep* one's eyes ópen / peeled разг.; ~ сквозь па́льцы (на вн.) ≅ close one's eyes (to), wink (at), blink (at), turn a blind eye (to); того́ (и) ~й разг. (должно быть) it looks as if; того́ и ~й пойдёт дождь it looks as if it is gó:ing to rain any móment.

гляде́ться, погляде́ться (в вн.) look (at òne:sélf) (in); ~ в зе́ркало look at òne:sélf in the mírror.

глядь частица разг. lo and behóld!, hey préstò!

гля́нец м. тк. ед. (на дереве, коже) pólish; (на бумаге, металле, материи) gloss, lústre, shine.

гля́нуть сов. (на вн.) glance (at), throw* a glance / look [θrou...] (at).

глянцева́ть, наглянцева́ть (вн.) gloss (d.), pólish (d.).

глянцеви́т||ый glóssy, lústrous; ~ая бума́га glóssy páper.

гля́нцевый glóssy.

гляцио||ло́г м. glàciólogist [gleɪ-]. ~логи́ческий glàciológical [gleɪ-]. ~ло́гия ж. glàciólogy [gleɪ-].

гм межд. h'm, ahém [m'mm, ə'hem].

гнать I (вн.) 1. drive* (d.); (прогонять) turn out (d.); ~ ста́до drive* a herd; ~ из дому turn out of the house* [...-s] (d.); ~ на у́лицу drive* / turn out of doors [...dɔːz] (d.); гони́те его́! turn him out!, kick him out!; 2. разг. (торопить) urge (d.), urge on (d.), drive* on (d.); ~ ло́шадь ride* a horse hard; ~ маши́ну drive* hard, flog the éngine [...'endʒ-]; 3. (преследовать зверя) pursúe [-s] (d.), chase [-s] (d.), hunt (d.); (перен.) pérsecùte (d.).

гнать II (вн.; добывать посредством перегонки) distíl (d.).

гна́ться I 1. (за тв.) pursúe (d.); (перен.) seek* (d.), seek* (áfter), strive* (for, áfter); ~ за неприя́телем pursúe the énemy; ~ по пята́м pursúe clóse:ly [...-s] (d.), be at / upón the heels (of); ~ за сла́вой seek* fame, be in pursúit of fame [...pə'sjuːt...]; 2. страд. к гнать I.

гна́ться II страд. к гнать II.

гнев м. ánger; ire, wrath [rɔːθ] поэт.; в припа́дке ~а in a fit of ánger; in a témper; не по́мнить себя́ в ~е be besíde òne:sélf with rage.

гне́ваться, разгне́ваться (на вн.) уст. be ángry (with).

гневи́ть, прогневи́ть (вн.) уст. provóke smb.'s wrath [...rɔːθ].

гне́вно I нареч. кратк. см. гне́вный. гне́вн||о II нареч. ángrily; wráthfully ['rɔːθ-] поэт. ~ый ángry, iráte [aɪ-]; wráthful ['rɔːθ-] поэт.

гнедо́й 1. прил. bay; 2. м. как сущ. (гнедая лошадь) bay (horse).

гнезди́ться nest; (о птице тж.) build* its nest [bɪld...]; (о хищной птице тж.) build* its éyrie [...'ɛərɪ]; (перен.: находиться) have its seat; (ютиться) nestle.

гнездо́ с. 1. (в разн. знач.) nest; (хищных птиц тж.) éyrie ['ɛərɪ]; (насекомых, очаг инфекции) nídus (pl. -di, -duses); clúster; 2. тех. sócket, hóusing; 3. лингв. fámily of words.

гнездов||а́ние с. зоол. nésting, nìdificátion; пора́ ~а́ния nésting séason [...-z'n]. ~а́ться nest, build* its nest [bɪld...]. ~о́й: ~о́й посе́в с.-х. clúster sówing [...'sou-].

гнездо́вье с. nésting-plàce.

гнёздышко с. уменьш. от гнездо́ 1; тёплое, ую́тное ~ (перен.) snug / cósy home [...-zɪ...].

гнейс м. геол. gneiss [naɪs].

гне||сти́ (вн.) oppréss (d.); его́ ~тёт тоска́ he is sick at heart [...hɑːt], he feels depréssed, he is héavy-héarted [...'hevɪ'hɑːt-]; его́ ~тут тяжёлые мы́сли sombre thoughts oppréss, или weigh upón, him ['sɔmbə...]; его́ ~тёт предчу́вствие a féeling of àpprehénsion opprésses him.

гнёт м. тк. ед. 1. (пресс) press; (перен.) weight; 2. (угнетение) oppréssion; (иго) yoke.

гнету́щ||ий oppréssive; ~ая тоска́ ánguish.

гни́да ж. nit.

гни||е́ние с. rótting; (гл. обр. омертвелого вещества) dècomposítion [-'zɪ-], pùtrefáction; (перен.) decáy, corrúption. ~ло́й 1. rótten; (гл. обр. об омертвелом веществе) pútrid, dè:compósed; (о воде) foul; (о зубах) decáyed; cárious научн.; (перен.) rótten, corrúpt; 2. (о погоде) damp, múggy.

гнилокро́вие с. уст. sèpticáemia.

гни́лостн||ость ж. pùtréscence; pùtrídity; (ср. гнилостный). ~ый (вызывающий гниение) pùtrefáctive, pùtrefácient; (производимый гниением) pútrid.

гни́л||ость ж. 1. pùtrídity, róttenness (тж. перен.); 2. (о погоде) dámpness, mùgginess. ~у́шка ж. piece of rótten wood [piːs... wud]; rótten stump (тж. о зубе).

гниль ж. тк. ед. 1. собир. rótten stuff, rot; 2. (плесень) mould [mould]; в по́гребе завела́сь ~ the céllar has become móuldy [...'mou-].

гнильё с. собир. см. гниль 1.

гнильц||а́ ж. разг.: с ~о́й slíght:ly rótten.

гнить, сгнить (прям. и перен.) rot; (гл. обр. об омертвелом веществе) pútrefỳ, dè:compóse; (о зубах) decáy; becóme* cárious научн.; (о воде) stágnàte; ~ на корню́ rot on the stalk.

гное||е́ние с., ~тече́ние с. мед. sùppurátion.

гнои́ть, сгнои́ть (вн.; прям. и перен.) rot (d.), let* rot (d.); ~ наво́з ferment manúre; ~ в тюрьме́ leáve* to rot in gaol [...dʒeɪl] (d.). ~ся 1. sùppurate; (о ране) féster; (сочиться гноем) dis:chárge pus; dis:chárge mátter; 2. страд. к гнои́ть.

гной м. тк. ед. pus; mátter. ~ни́к м. (язва) úlcer; (нарыв) ábscess; (перен.) hót-bèd. ~ный púrulent; ~ная ра́на féstering wound [...wuːnd]; ~ное воспале́ние sùppurátive inflammátion.

гном м. миф. gnome (dwarf).

гно́м||а ж. лит. gnome (áphorism). ~и́ческий лит. gnómic ['nou-].

гно́мон м. gnómon.

гносеол||оги́ческий филос. gnòsiológical, èpistèmológical. ~о́гия ж. филос. gnòsiólogy, èpistèmólogy, théory of knówledge ['θɪə-... 'nɔ-].

гно́ст||ик м. gnóstic. ~ици́зм м. филос. gnósticism.

гну м. нескл. зоол. gnu.

гнус м. собир. mosquítòes, midges, hórse:flies and óther blóodsùcking ínsects [-'kiː-... 'blʌd-...] pl.

гнуса́вить speak* through one's nose, speak* / talk with a twang / snúffle [...twæn...].

гнуса́во I прил. кратк. см. гнуса́вый.

ГНУ – ГОД

гнус||а́во II *нареч.* nàsal:ly [-z-], with a násal twang [...-z'l twæn], through the nose. **~а́вость** *ж.* nàsálity [neɪ'z-], násal intonátion [-z-...]; twang [twæn]. **~а́вый**, **~ли́вый** násal [-z-], snúffling; **~а́вый** го́лос násal voice / twang [...twæn].

гнусн||ость *ж.* 1. ínfamy, ví:leness, fóulness; 2. (*о поступке*) ínfamous / foul / vile áction; act of ínfamy; сде́лать ~ do an ínfamous / foul / vile thing. **~ый** ínfamous, foul, vile; (*о человеке*) víllainous [-lə-], scóundrelly; **~ая** клевета́ malícious / wícked cálumny; scúrrilous líbel.

гнусь *ж. разг.* foul / dírty work.

гну́т||ый bent; **~ая** ме́бель béntwood fúrniture [-wud...].

гнуть, согну́ть 1. (*вн.*) bend* (*d.*); (*наклонять*) bow (*d.*); 2. *тк. несов.* (*к чему-л. или без доп.*) *разг.* клони́ть drive* (at), aim (at); я ви́жу, куда́ он гнёт I see what he is dríving at; I see what he is áfter; ◇ **~** свою́ ли́нию have it one's own way [...oun...]; keep* at (it); keep* retúrning to smth.; **~** спи́ну, ше́ю перед кем-л. cringe befóre smb., kówtow to smb.

гнутьё *с.* (*проволоки*) bénding; (*дуги и т.п.*) fórming.

гну́т||ься, согну́ться 1. bend*; (*о человеке тж.*) stoop; дере́вья ~ся от ве́тра trees bend únder the wind [...wɪnd], trees are bowed down by the wind; 2. *тк. несов.* bend*, be fléxible; 3. *страд.* к гнуть.

гнуша́ться, погнуша́ться 1. (*рд.*; *чужда́ться*) shun (*d.*); (*тв.*; *пренебрегать*) disdáin (*d.*); 2. (+ *инф.*; *брезгать*) have an avérsion / repúgnance (to), loathe (*d.*).

гобеле́н *м.* (Góbelin) tápestry ['goub'lɪn...].

гобои́ст *м.* óboe pláyer, óboist.

гобо́й *м.* óboe.

гова́рив||ать: он, они́ *и т.д.* **~али** ча́сто he, they, *etc.*, óften used to say [...'ɔ:f(t)n ju:st...].

гове́нье *с. рел.* fásting.

гове́ть *рел.* fast and atténd divíne sérvice befóre conféssion and Commúnion; (*перен.*) *разг.* (*воздерживаться от пищи*) fast.

го́вор *м.* 1. *тк. ед.* sound of tálking, sound of vóices; ти́хий ~ low múrmur (of vóices) [lou...]; ~ волн *поэт.* múrmur of the waves; 2. *тк. ед.* (*произношение*) pronùnciátion, áccent; 3. *лингв.* díalèct; patois (*фр.*) ['pætwɑ:].

говори́льня *ж. ирон.* tálking-shòp.

говор||и́ть, сказа́ть, поговори́ть 1. *пр. сов.* сказа́ть (*вн. дт.*) say* (*d.* to); (*сообщать*) tell* (abóut *d.*); он **~и́т**, что he says that [...sez...]; он **~и́т**, что заболе́л he says (that) he is ill; он сказа́л: „Я бо́лен" he said: "I am ill" [...sed...]; **~** пра́вду tell* / speak* the truth [...-u:θ]; **~** непра́вду tell* a lie; tell* lies; **~ят** тебе́! do you hear?; **~ю** тебе́ ру́сским языко́м I'm télling you in plain Rússian [...'rʌʃən], I'm télling you in plain words; сказа́ть своё мне́ние (о *пр.*) give* one's opínion (of), expréss one's opínion (abóut); ничего́ не сказа́ть (на *вн.*) make* no commént (on); be sílent (on); нам **~я́т** we are told; 2. *при сов.* поговори́ть (*с тв. о пр.*) speak* (with, to—abóut, of); talk (to, with—abóut, of); **~** о дела́х *разг.* discúss búsiness mátters [...'bɪzn-...], talk búsiness mátters óver; talk búsiness / shop; 3. *тк. несов.* (*без доп.*) speak*, talk; (*о пр.*; *перен.*) índicate (*d.*), point (to); (*свидетельствовать*) be évidence (of), betóken (*d.*); (*кому-л.*) mean* (to smb.); ребёнок ещё не **~и́т** the child* can't speak yet [...kɑ:nt...]; **~** по-англи́йски speak* Énglish [...'ɪŋg-]; (*разгова́ривать*) talk Énglish; **~** пе́ред аудито́рией speak* to an áudience; они́ не **~я́т** друг с дру́гом с про́шлого го́да they have not been on spéaking terms since last year; **~и́т** Москва́ рад. this is Rádio Móscow; **~** (не) в по́льзу (*рд.*) (not) speak* well (for), (not) do smb. crédit, (not) be to smb.'s crédit; **~** об обра́тном belíe, give* the lie (to); э́тот посту́пок **~и́т** о его́ отва́ре that act démonstràtes his cóurage [...'kʌ-]; всё **~и́т** о том, что évery:thing índicàtes that, évery:thing points to the fact that; ◇ **~ят** (*ходят слухи*) it is said, they say; **~ят**, что он уе́хал he is said to be a:wáy, или to have left; мне **~и́ли**, что I have been told that; **~** де́ло *разг.* talk sense, talk sérious:ly; вообще́ **~я** (*в общем*) génerally spéaking; (*собственно говоря*) as a mátter of fact; ина́че **~я** in óther words; не **~я** ни сло́ва without (sáying) a word; не **~я** худо́го сло́ва to put it míld:ly; не **~я** уже́ о to say nóthing of, not to méntion; открове́нно **~я** fránkly spéaking, to be cándid; по пра́вде **~я** to tell the truth; со́бственно **~я** strictly / próperly spéaking; as a mátter of fact; хорошо́, ду́рно **~** о ком-л. speak* well, ill / bád:ly of smb.; не́чего и **~** it goes without sáying, néedless to say; что и **~** *разг.* there is no dényíng, it cánnot be deníed; что ни **~и́!** say what you like; э́то **~и́т** само́ за себя́ it tells its own tale [...oun...], it speaks for it:sélf. **~и́ться:** как **~и́тся** as the sáying is / goes.

говорли́в||ость *ж.* tálkative:ness, gàrrúlity, loquácity. **~ый** tálkative, gárrulous, loquácious; (*перен.*; *о волне и т.п.*) múrmuring.

говоро́к *м.* 1. (*звуки голосов, речи*) hum of cònversátion; 2. (*особенности произношения*) áccent.

говор||у́н *м.*, **~у́нья** *ж. разг.* tálker; (*о ребёнке, женщине тж.*) chátterbòx.

говя́||дина *ж.* beef; **~жий** *прил.* к говя́дина; **~жье** са́ло beef fat; (*почечное*) beef súet [...'sju:t].

го́гол||ь *м.* (*птица*) gólden-èye [-aɪ]; ◇ ходи́ть **~ем** *разг.* strut (abóut).

го́голь-мо́голь *м. тк. ед.* gógol-mógol (béaten-ùp egg and súgar).

го́гот *м. тк. ед.* 1. (*крик гусей*) cáckle; honk; 2. *разг.* (*громкий смех*) loud láughter [...'lɑ:f-]; roars of láughter *pl.*, gùffáw.

гогота́ть 1. (*о гусях*) cáckle; 2. *разг.* (*громко смеяться*) roar with láughter [...'lɑ:f-].

год *м.* year; ему́ пошёл деся́тый ~ he is in his tenth year; ему́ 32 ~a he is thírty-twò (years old); ребёнку ~ the child* is one (year old); он зараба́тывает 2 000 рубле́й в ~ he earns two thóusand roubles a year, или per ánnum [...ə:nz... -zənd ru:-...]; в бу́дущем **~у́** next year; в про́шлом **~у́** last year; три **~а** тому́ наза́д three years agó; че́рез три **~а** in three years, in three years' time; (*спустя три года*) three years láter; (*с сегодняшнего дня*) three years hence; де́тские **~ы** child:hood [-hud] *sg.*, the days of one's child:hood; в ста́рые **~ы** in (the) ólden days, in days gone by [...gɔn...]; они́ не ви́делись **~ы** they have not seen each óther for years, it is years since they last met; шестидеся́тые, восьмидеся́тые *и т.п.* **~ы** the síxties, the éighties, *etc.*; лю́ди шестидеся́тых **~о́в** the péople of the síxties [...pi:-...]; пятидеся́тые **~ы** про́шлого ве́ка the 1850s, the éightéen fífties; 1917 ~ ní:ne:téen séventéen; астрономи́ческий ~ àstronómic year; гражда́нский ~ légal / cívil year; со́лнечный ~ *астр.* sólar year; теку́щий ~ cúrrent year; уче́бный ~ acadèmic year; (*в школе*) school year; бюдже́тный ~ búdget year; отчётный ~ fináncial / fiscal year [faɪ-...]; хозя́йственный ~ ecònomic year [i:k-...]; урожа́йный ~ good* year for the crops, prodúctive year, búmper crop year; неурожа́йный ~ year of bad* hárvest, year of dearth [...də:θ]; lean year (*тж. перен.*); ◇ кру́глый ~ the whole year round [...h-...], all the year round; Но́вый ~ New Year; (*день*) Néw-Year's Day; встреча́ть Но́вый ~ see* the New Year in, célebràte New Year's Eve; встре́ча Но́вого **~а** New Year's Eve párty; с Но́вым **~ом!** (a) háppy New Year!; из **~а в** ~ year in, year out; ~ за **~ом** year áfter year; в мой **~ы** at my age; в **~а́х** míddle-àged, advánced in years; не по **~а́м** (*о развитии и т.п.*) be:yónd one's years; быть у́мным не по **~а́м** be wise be:yónd one's years; have an old head on young shóulders [...hed... jʌŋ 'ʃou-] *идиом.*; без **~у** неде́ля *разг.* ≅ just récent:ly, the óther day.

года́ми *нареч.* for years, for years on end.

го́ден *предик. см.* го́дный.

годи́на *ж.* 1. time; ~ бе́дствий disàstrous time [-'zɑ:-...]; тяжёлая ~ hard times *pl.*; 2. *поэт. уст.* year.

год||и́ться (*на вн.*) be fit (for), serve (*d.*), do (for); (*о человеке тж.*) be fítted / súited [...'sju:-] (for); (*кому-л.*; *быть полезным*) be of use [...ju:s] (to); (*быть впору*) fit (*d.*); он не **~и́тся** в учителя́ he is not cut out to be a téacher, he is not súited to béing a téacher; он не **~и́тся** для э́той рабо́ты he is not the man* for this job; э́та бума́га ему́ **~и́тся** this páper will serve him, или will do for him; э́та бума́га **~и́тся** то́лько на обёртку this páper is ónly fit for a wrápper, или will ónly do for a wrápper; э́та бума́га (никуда́) не **~и́тся** this páper will not do (at all), this páper is no good (for ány:thing); э́ти боти́нки ему́ (не) **~я́тся** these boots (do not) fit him; ◇ не **~и́тся** (+ *инф.*) it does not do (+ to *inf.*), one should not (+ *inf.*); так поступа́ть не ~и́тся one can't do that [...ka:nt...], you mustn't behave like that; э́то никуда́ не ~и́тся! that won't do at all! [...wount...], that's no good at all!

годи́чн||ый 1. (*длящийся в течение года*) a year's, twelve months' [...mʌ-]; of a year; (*рассчитанный на год*) for a year; ~ срок a year, a twelve-month [...-mʌ-]; 2. (*бывающий раз в году*) ánnual, yéarly; ~ое собра́ние ánnual cónference / méeting; ~ые ко́льца *бот.* ánnual rings (of a tree).

го́дн||ость *ж.* fítness, suitabílity [sju:t-]; (*билета и т.п.*) validity; ~ый (к, для) fit (for), fit (+ to *inf.*); (*о билете, документе и т.п.*) válid (for); ~ый к вое́нной слу́жбе fit for mílitary sérvice; ~ый для питья́ drínkable, fit to drink; ~ый для еды́ édible; ~ый биле́т го́ден на два дня the tícket is válid / good for two days; ~ый на всё fit for ány:thing, good for évery:thing; (*о челове́ке*) áble to do évery:thing; ни к чему́ не ~ый good for nóthing; ни к чему́ не ~ый челове́к a good-for-nóthing, a né'er-do-wéll [...'nɛədu:wel]; су́дно, ~ое к пла́ванию séawòrthy ship [-ð...].

годова́лый óne-year-òld; ~ ребёнок a yéar-òld báby / child*; ~ жеребёнок, телёнок *и т.п.* yéarling.

годово́й ánnual, yéarly; ~ отчёт ánnual repórt; ~ дохо́д ánnual ín:come; (*госуда́рственный*) ánnual révenue.

годовщи́на *ж.* ànnivérsary.

гозна́к *м.* (*Госуда́рственное управле́ние по вы́пуску де́нежных зна́ков*) Góznak (State Administrátion for the Íssue of Bánknòtes).

гол *м. спорт.* goal; заби́ть ~ score a goal.

гола́вль *м. зоол.* chub.

голго́фа *ж. библ.* Cálvary.

голена́стые *мн. скл. как прил. зоол.* wáders.

голена́стый *разг.* lóng-lègged.

голени́ще *с.* top (of a boot).

голеносто́пный: ~ суста́в ankle.

го́лень *ж.* shin, shank.

голе́ц *м.* (*рыба из семейства карпо́вых*) loach.

го́лик *м. разг.* (*веник*) bésom [-z-].

голки́пер *м.* = врата́рь.

голла́ндец *м.* Dútch:man*; *мн. собир.* the Dutch.

голла́ндка I *ж.* Dútch:wòman* [-wu-].

голла́ндка II *ж. разг.* 1. = голла́ндская печь *см.* голла́ндский; 2. (*порода коров, кур*) cow, hen, *etc.*, of Dutch breed.

голла́ндск||ий Dutch; ~ое иску́сство Dutch art; ◇ ~ая печь Dutch óven [...'ʌ-]; ~ое полотно́ Hólland (*linen*); ~ сыр Dutch cheese; ~ая черепи́ца pántile.

голов||а́ I *ж.* 1. (*в разн. знач.*) head [hed] (*в знач. единицы счёта скота pl.* head); (*перен.: ум*) mind; (*мозг*) brains *pl.*; у меня́ э́того да́же и в ~é не́ было it had not éven éntered my head, it was not éven in my mind, it néver crossed my mind; мне пришла́ в го́лову мысль a thought has occúrred to me, *или* has struck me, *или* has come into my mind, *или* has crossed my mind; с непокры́той ~ой báre-héaded [-'hed-]; сто голо́в скота́ a húndred head of cattle; 2.: ~ са́хару súgar-loaf ['ʃu-]; ~ сы́ру a cheese; ◇ челове́к с ~ой a man* with brains, a man* of sense; он па́рень с ~ой he is a bright lad; вот э́то ~! he has a (great) brain [...-eɪt...]; име́ть свою́ го́лову на плеча́х be áble to think for òne:sélf; на све́жую го́лову with a fresh head; тупа́я ~ dull / slow brain [...slou...]; dull / slow wits *pl.*; пуста́я ~ émpty pate; сме́лая ~ bold spírit; горя́чая ~ hóthead [-hed]; у́мная ~ clever brain ['kle-...], wise head; све́тлая ~ lúcid mind, bright íntellèct, bright spírit; го́лову дава́ть на отсече́ние *разг.* stake one's head / life; wáger / lay* one's life; го́лову пове́сить hang* one's head, become* / be dejécted / despóndent; ~ой руча́ться за кого́-л. vouch for smb. as for òne:sélf ['ɑ:nsə...], ánswer for smb. with one's life; быть ~ой вы́ше кого́-л. be far supérior to smb., be head and shóulders abóve smb. [...ʃou-...]; вали́ть с больно́й ~ы́ на здоро́вую lay* the blame on smb. else; lay* one's own fault at smb. élse's door [...oun...dɔ:]; (*де́йствовать*) че́рез чью-л. го́лову (act) óver smb.'s head; вбить в го́лову кому́-л. (*вн.*) *разг.* knock / hámmer into smb.'s head (*d.*); вбить себе́ в го́лову (*вн.*) get* / take* into one's head (*d.*); в ~а́х at the head of the bed; с ~ы́ до ног from head to foot [...fut], from top to toe; в пе́рвую го́лову in the first place, first and fóre:mòst; вы́дать ~ой кого́-л. betráy smb.; вы́дать себя́ с ~ой give* òne:sélf a:wáy; вы́кинуть из ~ы́ (*вн.*) *разг.* put* out of one's head (*d.*), dismíss, get* rid (of); забра́ть себе́ в го́лову (*вн.*) take* into one's head (*d.*); лома́ть себе́ го́лову (над) púzzle (óver), rack one's brains (óver); намы́лить кому́-л. го́лову *разг.* give* smb. a good scólding, *или* dréssing-down; haul smb. óver the coals *идиом.*; на своё го́лову bring* smth. up:ón òne:sélf; очертя́ го́лову héadlòng ['hed-], ráshly; подня́ть го́лову hold* up one's head; поплати́ться ~ой pay* for smth. with one's life*; потеря́ть го́лову lose* one's head / wits [lu:z...]; не теря́ть ~ы́ keep* one's head; ударя́ть в го́лову rush to the head; (*о вине и т.п.*) go* to one's head; окуну́ться, уйти́ с ~ой во что-л. plunge into smth., get* up to one's neck in smth.; у меня́ ~ идёт кру́гом *разг.* my head is in a whirl; у него́ кру́жится ~ he feels gíddy [...'gɪ-]; (*от; перен.*) he is dízzy (with); у него́ э́то из ~ы́ вон *разг.* he clean forgót it, it quite escáped him; он схвати́лся за го́лову he clútched at his head.

голова́ II *м.* (*руководитель*) chief [tʃi:f]; máster; городско́й ~ *ист.* máyor [mɛə]; ◇ сам себе́ ~ one's own máster [...oun...].

голова́стик *м. зоол.* tádpòle.

голове́шка *ж.* fíre-brànd; smóuldering piece of wood ['smou- pi:s... wud].

голови́зна *ж. тк. ед.* jowl (of stúrgeon).

голов||ка *ж.* 1. уменьш. от голова́ I; 2. *разг.* (*группа вожако́в, глава́рей*) léadership; heads [hedz] *pl.*, big shots *pl. разг.*; 3. (*винта́, гвоздя́, була́вки*) head [hed]; була́вочная ~ pínhead [-hed]; 4. *мн.* (*пере́дняя часть сапо́г*) vamp *sg.*; ◇ ~ лу́ка an ónion [...'ʌ-]; ~ сы́ра a cheese; ~ чеснока́ a head of gárlic. **~но́й** 1. head [hed] (*attr.*); (*относящийся к головно́му мо́згу*) encephálic, cérebral; ~но́й мозг brain; ~но́й го́лос *муз.* héad-voice ['hed-]; ~на́я боль héadàche ['hedeɪk]; ~но́й убо́р héad-dress, hat; 2. (*пере́дний*) léading; ~но́й батальо́н léading battálion [...'tæ-]; ~но́й отря́д ván;guard; ~но́й дозо́р advánce (guard) patról [...-oul]; 3. (*веду́щий, гла́вный*) léading; ~но́й институ́т léading reséarch ínstitùte [...'sə:tʃ...]; ~но́е (*гидротехни́ческое*) сооруже́ние héadwòrk ['hed-].

головня́ I *ж.* (*обгоре́лое бревно́, поле́но*) charred log.

головня́ II *ж. тк. ед. с.-х.* (*боле́знь хле́бных зла́ков*) smut (*plant disease*); (*на пшени́це тж.*) brand.

головокруже́ние *с.* gíddiness ['gɪ-], dízziness; vértigò *научн.*; чу́вствовать ~ feel* gíddy [...'gɪ-]; он чу́вствует ~ he feels gíddy, his head is swímming [...hed...]; ◇ от успе́хов háving one's head turned with succéss.

головокружи́тельн||ый gíddy ['gɪ-], dízzy; ~ая высота́ gíddy / dízzy height [...haɪt]; ~ая быстрота́ terrífic speed; ~ успе́х dízzy / gíddy succéss.

головоло́м||ка *ж. разг.* púzzle, conúndrum. **~ный** púzzling; ~ная зада́ча póser, héadàche ['hedeɪk].

головомо́йк||а *ж. разг.* dréssing down, wígging; зада́ть кому́-л. ~у give* smb. a dréssing down, *или* a wígging.

головоно́гие *мн. скл. как прил. зоол.* Cèphalópoda.

головоре́з *м. разг.* 1. (*разбо́йник*) cút-throat, bándit, thug; 2. (*озо́рник*) scápe:gràce.

головоття́||п *м. разг.* búngler, múddler. **~ство** *с. разг.* búngling.

голо́вушка *ж.* 1. ласк. от голова́ I; 2. *разг.* (*о челове́ке*): бу́йная ~ mádcàp; удала́я ~ bold spírit; ◇ пропа́ла моя́ ~ I'm lost, I'm done for, it's all up with me now; бе́дная моя́ ~ poor me.

-головый = -главый.

голограмма *ж.* hólogràm.

голографи́ческий hológraphic.

голография *ж.* hológraphy.

го́лод *м.* 1. húnger; (*дли́тельный*) starvátion; чу́вствовать ~ feel* / be húngry; утоли́ть ~ sátisfy / appéase one's húnger; умира́ть с ~у die of starvátion, starve to death [...deθ]; мори́ть ~ом (*вн.*) starve (*d.*), starve to death (*d.*); 2. (*наро́дное бе́дствие*) fámine; 3. (*недоста́ток*) dearth [də:θ], fámine; кни́жный ~ dearth of books; де́нежный ~ móney fámine ['mʌ-...]. **~а́ние** *с.* starvátion; (*воздержа́ние от пи́щи*) fást(ing).

голод||а́ть 1. go* húngry; (*воздерживаться от пи́щи*) fast, go* without food; 2. (*объявля́ть голодо́вку*) go* on húnger-strike; **~а́ющий** 1. *прич. см.* голода́ть; 2. *прил.* stárving, húngry, fámished; 3. *как сущ. м.* stárving man*;

ГОЛ – ГОН

(*объявивший голодовку*) húnger-strìker; *мн.* stárving péople [...pi:-]; (*о населении*) stárving pòpulátion *sg.*, fámine-strìcken pòpulátion *sg.*

голодн‖ый *прил.* 1. húngry; быть ~ым be húngry; ~ как собака *разг.* ≅ húngry as a húnter; 2. (*вызванный голодом*) fámine (*attr.*); ~ бунт revólt of the húngry, stárve:lings' revólt; ~ тиф týphus ['taɪ-]; fámine féver; ~ая смерть stàrvátion; умерéть ~ой смéртью stárve to death [...deθ], die of stàrvátion; 3. (*скудный хлебом и т.п.*) fámine (*attr.*), stàrvátion (*attr.*); ~ край bárren région; ~ год lean year, year of fámine / scárcity [...'skeə-]; ~ обéд poor / scánty dínner; ~ паёк stàrvátion rátions [...'ræ-] *pl.*; 4. *м. как сущ.* húngry man*.

голодовк‖а *ж.* húnger, stàrvátion; (*в тюрьме*) húnger-strìke; объявлять ~у go* on húnger-strìke; объявивший ~у húnger-strìker.

голодрáнец *м. разг.* rágamùffin.

голодýха *ж. разг.* lack of food, stàrvátion.

гололёд *м.* = гололéдица.

гололéдица *ж. тк. ед.* íce-còvered ground [-kʌ-...]; на улице, тротуáре ~ the streets, páve:ments are cóvered / slíppery with ice [...kʌ-...]; на дорóгах ~ icy condítion of roads.

гологóгие *мн. скл. как прил. зоол.* Núdipèda.

гологóгий *разг.* báre-légged.

гóлос *м.* 1. voice (*тж. перен.*); во весь ~ at the top of one's voice; надорвáть ~ strain one's voice; поднять ~ raise one's voice; раздаются ~á в защúту (*рд.*) vóices are heard in defénce [...hə:d...] (of); у негó большóй ~ (*о певце*) he has a strong voice; 2. *муз.* part; пéсня для двух ~ов twó-pàrt song, 3. *полит.* vote; прáво ~ súffrage, the vote; решáющий ~ decíding vote, cásting vote; большинствóм ~ов by a majórity of votes; подáть, отдáть ~ (за *вн.*) vote (for), give* one's vote (to, for); собрáть стóлько-то ~ов colléct / poll so many votes; ~á за и прóтив the ayes and the noes [...aɪz...]; победúть числóм ~ов (*вн.*) outvóte (*d.*); ~á разделúлись пóровну the votes were équally divíded; ◇ быть в ~е be in good voice; в одúн ~ with one voice, ùnánimous:ly, with one accórd; поднять ~ в защúту чегó-л. raise one's voice in defénce of smth.; поднять ~ протéста make* / raise a prótèst; говорúть, петь в ~ чужóму ~у repéat slávishly [...'sleɪ-]. **~истый** lóud-vóiced; (*горластый*) vocíferous; **~истый** соловéй fúll--thróated / rich-vóiced níghtingàle.

голосúть *разг.* 1. (*громко плáкать*) wail; ~ по кóм-л. wail óver smb., lamént smb.; ~ по покóйнику keen a dead pérson [...ded...]; 2. *разг.* (*громко петь, кричáть*) sing* loudly, cry.

голослóвно I *прил. крáтк. см.* голослóвный.

голослóвн‖о II *нареч.* without addúcing any proof, on one's bare word.

~ость *ж.* próoflessness; ùnsubstántiàted náture [...'neɪ]. **~ый** ùnsubstántiàted, ùnfóunded; быть ~ым make* ùnsubstántiàted státe:ments, sound próof:less.

голосовáни‖е *с.* vóting; (*во время выборов*) poll; открытое ~ vóting by show of hands [...ʃou...]; тáйное ~ sécret bállot; постáвить на ~ (*вн.*) put* to the vote (*d.*); провести ~ take* a vote, результáты ~я resúlts of the vóting [-'zʌ-...], vote; (*в англ. парламенте*) divísion fígures; кабúна для ~я pólling--booth [-ð].

голосовáть I 1. (за *вн.*) vote (for); ~ поднятием рукú vote by show of hands [...ʃou...]; ~ вставáнием vote by rísing to one's feet; 2. (*вн.*) put* to the vote (*d.*), vote on (*d.*).

голосовáть II *разг.* (*останáвливать машúну*) (try to) hitch a lift.

голосов‖óй vócal; ~áя щель *анат.* glóttis; ~ые связки *анат.* vócal chords [...k-].

голубеводство *с.* pígeon-brèeding ['pɪdʒɪn-].

голубé‖ть 1. (*казáться голубым*) show* blue [ʃou...]; вдалú ~ли гóры the móuntains showed blue in the dístance, blue móuntains loomed in the dístance; 2. (*становиться голубым*) turn blue.

голубéц *м. кул.* gouloubéts [golu:'bets] (*stuffed cabbage-roll*).

голубизнá *ж.* blue, blúe:ness.

голубúка *ж.* 1. *собир.* great bílberries [greɪt...] *pl.*, bog whórtle:bèrries *pl.*; 2. (*об отдельной ягоде и растении*) great bílberry, bog whórtle:bèrry.

голубúн‖ый 1. *прил. к* гóлубь; ~ая пóчта, ~ая связь *уст.* pígeon-pòst ['prɪdʒɪnpoust]; 2. (*крóткий*) dóve-like ['dʌv]; dove [dʌv] (*attr.*).

голубúть (*вн.*) *поэт.* take* ténder care (of); (*ласкать*) fondle (*d.*), caréss (*d.*).

голýбк‖а *ж.* 1. (*féмàle*) pígeon ['fi:-'pɪdʒɪn]; dove [dʌv] *поэт.*; 2. *ласк.* (*my*) dear, (*my*) dárling. ~и *мн.* túrtle-dòves [-dʌvz].

голубо‖вáтый blúish. **~глáзый** blúe--èyed [-aɪd].

голуб‖óй 1. blue, pale blue, ský-blúe; (*о небе, тж. поэт.*) ázure ['æʒə]; 2. *ирон.* (*идеализированный*) ideálized [aɪ'diə-]; ◇ ~ песéц blue fox; ~ое тóпливо gas; ~ экрáн télevìsion.

голубóк I *м. уменьш. от* гóлубь.

голубóк II *м. бот.* cólumbìne.

голýб‖ушка *ж. разг.* my dear. **~чик** *м. разг.* my dear féllow, my friend [...frend]; (*ирон. обращение к молодому человеку*) my lad.

голýб‖ь *м.* pígeon ['pɪdʒɪn]; dove [dʌv] *поэт.*; почтóвый ~ hóming pígeon, cárrier-pígeon [-'pɪdʒɪn]; ~ связи *воен.* cárrier-pígeon, méssenger-pígeon [-ndʒə-'pɪdʒɪn]; ◇ ~ мира the dove of peace. **~ятник** *м.* 1. (*любитель голубей*) pígeon-fáncier ['pɪdʒɪn-]; 2. *зоол.* pígeon-hawk ['pɪdʒɪn-]. **~ятня** *ж.* dóve-còt(e) ['dʌv-], pígeon-lòft ['pɪdʒɪn-].

гóл‖ый 1. (*обнажённый*) náked; (*ничем не покрытый*) bare; (*лишённый растительности*) bald; ~ое тéло náked bódy [...'bɔ-]; на ~ое тéло next to the skin; ~ые дерéвья bare / náked trees; ~ая головá (*лысая*) bald head [...hed]; (*непокрытая*) bare head; ~ые нóги bare legs; (*ступни*) bare feet; с ~ыми ногáми báre:fóoted [-'fut-]; спать на ~ом полý sleep* on the bare floor [...flɔ:], sleep* on the bare boards; 2. *разг.* (*без примеси*) bare, únmíxed, sheer; (*о спиртных напитках*) neat, pure; ◇ ~ые фáкты bare / náked facts; ~ая истина the náked truth [...-u:θ]; ~ыми рукáми with one's bare hands.

голытьбá *ж. тк. ед. собир. уст.* (*беднотá*) the poor *pl.*; (*оборванцы*) the rágged *pl.*

голыш *м.* 1. *разг.* (*о ребёнке*) náked child*, náked boy; (*о кукле*) náked báby doll; 2. (*камень*) round flat stone. **~óм** *нареч. разг.* stark náked.

голь *ж. тк. ед. собир.* (*беднотá*) the poor *pl.*; (*нищие*) béggars *pl.*; ~ перекáтная the dówn-and-òuts *pl.*, the útterly déstitùte; ~ на выдумки хитрá *посл.* ≅ necéssity is the móther of invéntion [...'mʌ-].

гольé *с.* 1. *кул.* tripe; 2. (*шкура*) raw hide.

гольф *м. спорт.* golf; игрáть в ~ play golf, golf.

гóльфы *мн.* 1. (*брюки*) plús-fours [-fɔ:z]; 2. (*ед.* гольф *м.*) (*чулкú*) knée--lèngth socks.

гомеопáт *м.* hòmoeópathist [houmɪɔ'-]. **~ический** hòmoeopáthic [houmɪo-]. **~ия** *ж.* hòmoeópathy [houmɪɔ'-].

гомерúческий Homéric; ~ смех Homéric láughter [...'la:f-].

гомéровский Homéric.

гоминдáн *м. ист.* Kúomintáng ['ku:ou-]. **~овец** *м.* mémber of the Kúomintáng [...'ku:ou-].

гомогéнный *биол.* hòmogéneous.

гóмон *м. тк. ед.* húbbùb.

гомонúть *разг.* vocíferàte, shout.

гомосексу‖алúзм *м.* hòmò:sexuálity. **~алúст** *м.* hòmò:séxual. **~áльный** hòmò:séxual.

гонг *м.* gong; удáрить в ~ strike* a gong.

гондóла *ж.* 1. (*лодка*) góndola; 2. (*аэростáта*) (ballóon-)càr, (ballóon-)bàsket; (*дирижáбля*) góndola, car, nacélle [na:'sel].

гондольéр *м.* gòndolíer [-'lɪə].

гонéни‖е *с.* pèrsecútion; подвергáться ~ю be pèrsecùted; be víctimized.

гонéц *м. уст.* (*курьер*) méssenger [-ndʒə]; (*перен.: вестник*) hérald ['he-].

гонúмый 1. *прич. см.* гнать I; 2. *прил.* pèrsecùted.

гониóметр *м. физ.* gòniómeter [gou-].

гонúтель *м.* pèrsecùtor, oppréssor.

гóнк‖а *ж.* 1. *тк. ед. разг.* dáshing, rúshing; 2. *тк. ед. разг.* (*спешка*) haste [heɪst], húrry; (*беспорядочная*) húrry--scúrry; 3. *тк. ед.* (*сплав по реке*) ráfting; 4. *мн. спорт.* race *sg.*; автомобильные, велосипéдные ~и mótor, cycle race; гребные ~и boat race; парусные ~и regátta *sg.*; ◇ ~ воружéний arms / ármaments race / drive; задáть ~у комý-л. *разг.* give* smb. a good tálking-tò.

гонокóкк *м. бакт.* gònocóccus (*pl.* gònocócci).

гонор м. разг. conceit [-'si:t]; он с большим ~ом he has a swelled head [...hed].

гонорар м. fee; honorárium (pl. -riums, -ria); áвторский ~ áuthor's emóluments pl.; (с тиража) róyalties pl.

гонорея ж. мед. gonorrhóea [-'ri:ə].

гоночн|ый rácing; ~ автомобиль rácing car, rácer; ~ая яхта rácing yacht [...jɔt], rácer.

гонт м. тк. ед. собир. стр. shingles pl. (for roofing); крытый ~ом shíngle-roofed. **~овый** прил. к гонт.

гончар м. pótter. **~ный** pótter's; ~ное производство póttery; ~ное искусство cerámics; ~ный круг pótter's wheel; ~ные изделия póttery sg., éarthenware ['ə:θ-] sg.

гончая ж. скл. как прил. hound; (на лисицу) fóxhound; (на зайца) beagle.

гонщик м. 1. (спортсмен) rácer; автомобилист-~ rácing driver; 2. (сплавщик) ráfter.

гоньба ж. разг. 1. (быстрая езда) dash, rush; 2. (преследование зверя на охоте) hunt, chase [-s], pursúit [-'sju:t].

гонять (вн.) 1. drive* (d.); (прогонять) drive* away (d.); ~ с места на место drive* from one place to another, или from place to place; drive* from píllar to post [...pou-] идиом.; ~ лошадь на корде lunge a horse, 2. разг. (посылать кого-л.) make* (d.) run érrands, send* on érrands (d.); ~ кого-л. за чем-л. make* smb. run for smth.; ◊ ~ лодыря разг. idle, kick one's heels. ~ся (за тв.; преследовать) chase [-s] (d.), pursúe (d.); (на охоте) hunt (d.); (перен.) разг. pursúe (d.), hunt / seek* (áfter); ~ся за почестями seek* áfter hónours [...'ɔnəz.].

гоп межд. hop!, jump!

гопак м. hopák (Ukrainian folk dance).

гопкомпания ж. разг. réckless / frée-and-éasy cómpany [...'i:zı 'kʌm-].

гор|á ж. 1. móuntain; (невысокая) hill; (для катания на санках) tobóggan-shoot, tobóggan-slide; американские горы (аттракцион) swítchback sg.; кататься с ~ы tobóggan; идти в гору go* úphill; (перен.) climb the ládder [klaɪm...]; go* up in the world; do well; идти под ~у go* dównhill; 2. разг. (куча) pile; heap (тж. множество); ◊ надеяться на кого-л. как на каменную гору ≃ have / put* implícit faith in smb., have / place implícit cónfidence in smb.; trust smb. implícitly; не за ~áми not far off; пир ~ой разг. súmptuous feast; стоять ~ой (за вн.) defénd with might and main (d.), stand* through thick and thin (by); be sólidly behind smb.; сулить золотые горы (дт.) ≃ prómise wónders [-s ˈwʌn-] (i.), prómise the moon (i.); ~ с плеч (свалилась) a load has been táken off one's mind.

горазд предик. (на вн.) разг. cléver ['kle-] (at), good (at); кто во что ~ each in his own way [...oun...]; он на всё ~ he can do ány:thing; he's a Jack of all trades идиом.

гораздо нареч. much, far; by far. ~ лучше much / far bétter, bétter by far.

горб м. hump; ◊ своим ~ом разг. ≃ by dint of one's own hard toil [...oun...], by the sweat of one's brow [...swet...]; на своём ~у испытать (вн.) разг. learn* by bítter expérience [lə:n...] (d.). **~áтый** húmpbàcked, húnchbàcked; (сильно сгорбленный) bent; ~атый нос áquiline / hooked nose; ~атый мост húmpbàck bridge; ◊ ~áтого могила исправит посл. ≃ can the léopard change his spots? [...'lepəd tʃeɪ-...]. **~инка** ж.: нос с ~инкой áquiline nose, Róman nose.

горбить, сгорбить (вн.) arch (d.), hunch (d.); ~ спину arch one's back. **~ся, сгорбиться** stoop; сов. тж. become* bent.

горбоносый hóok-nósed.

горб|ун м., **~унья** ж. húmpbàck, húnchbàck.

горбуша ж. (рыба) húnchbàck sálmon [...'sæmən].

горбушка ж. crust (end of loaf), heel.

горбыль м. тех. slab.

горделиво I прил. кратк. см. горделивый.

горделив|о II нареч. háughtily, próudly. **~ость** ж. háughtiness, pride; (величавость) májesty. **~ый** háughty, proud; (величавый) majéstic.

гордец м. árrogant man*.

гордиев: ~ узел Górdian knot.

гордиться 1. (тв.) be proud (of), take* pride (in); (кичиться) pride onesélf (upón); законно ~ чем-л. take* a legítimate pride (in); 2. (без доп.; держать себя горделиво) put* on háughty airs, look háughty; get* on one's high horse идиом.

гордо I прил. кратк. см. гордый.

горд|о II нареч. próudly. **~ость** ж. pride. **~ый** 1. proud; 2. (величавый) majéstic. **~ыня** ж. pride, árrogance. **~ячка** ж. разг. árrogant wóman* [...'wu-].

гор|е с. grief [gri:f], woe, sórrow; (несчастье) misfórtune [-tʃən] (беда) distréss; обезуметь от ~я be distráught with grief; к моему ~ю, на моё ~ unfórtunate:ly for me [-tʃnɪ-...], to my sórrow; сделать что-л. на своё ~ do smth. to one's misfórtune, do smth. unfórtunate:ly / ún:lúckily for one; причинять кому-л. ~ grieve smb. [-i:v...]; ◊ ~ в том, что the trouble is that [...trʌ-...]; ему и ~ мало nothing tóuches [...'tʌ-...], he doesn't give a damn; с ~я of grief, with grief; он с ~я запил he is drówning his sórrows; убитый ~ем bróken-héarted [-'hɑ:t-...]; ~ мне! woe is me!; ~ мне с тобой! разг. ≃ what a próblem you are! [...'prɔ-...]; слезами ~ю не поможешь посл. ≃ it's no use crýing óver spilt milk [...ju:s...].

горе- (в сложн. словах) apólogy for; ~-поэт apólogy for a póet; ~-руководитель apólogy for a diréctor.

горевать (о пр.) grieve [gri:v] (for); (оплакивать) mourn [mɔ:n] (óver, for).

горелка ж. búrner; (у газовой плиты) gás-stóve búrner.

горелки мн. (игра) ráce-and-catch sg.; играть в ~ play ráce-and-catch sg.

горел|ый 1. прил. burnt, scorched; 2.

м. как сущ.: пахнет ~ым there is a smell of búrning.

горельеф м. иск. high relíef [...-'li:f], álto-relíevo [ˈæltoʊrɪˈliːvoʊ].

горемы|ка м. и ж. разг. poor / unfórtunate créature [...-tʃnɪt...], poor dévil. **~чный** разг. hápless, ill-stárred; down on one's luck.

горение с. búrning; (сгорание) combústion [-stʃən]; (перен.) enthúsiàsm [-zı-]; ~ дуги эл. árc:ing.

горенка ж. уменьш. от горница.

горестно I прил. кратк. см. горестный.

горестн|о II нареч. sórrowfully, sád:ly. **~ый** sórrowful, sad; (достойный жалости) pítiful; (выражающий скорбь) móurnful ['mɔ:-].

горест|ь ж. 1. sórrow, grief [gri:f]; 2. мн. misfórtunes [-tʃənz], afflíctions, tríals and tribulátions; пережить много ~ей have / know* much sórrow (in one's life) [...nou...].

гор|еть 1. burn*; дом ~ит the house* is on fire [...-s...]; 2. (блестеть) shine*; (о глазах) spárkle; ◊ работа ~ит в его руках the work melts in his hands; дело ~ит things are góing swímmingly; things are góing without a hitch; ~ в жару be féverish; ~ желанием (+ инф.) burn* with the desíre [...-'zaɪə] (+ to inf.), burn* (+ to inf.), be éager [...'i:gə] (+ to inf.); земля ~ит у него под ногами the place is getting too hot for him; не ~и́т! разг. no húrry!; гори всё огнём! разг. I don't care if éverything goes to rúin!

горец м. móuntain-dwéller; mountainéer; (шотландский) Híghlander.

горечь ж. (горький вкус) bítter taste [...teɪ-]; (что-л. горькое) bítter stuff; (перен.) bítterness.

горжа ж. воен., тех. gorge.

горжетка ж. разг. bóa ['bouə], thróat-wrap.

горизонт м. 1. horízon (тж. перен.); ský:line; истинный ~ астр. true / celéstial / rátional horízon [...ræ-...]; видимый ~ appárent / sénsible / vísible horízon [ə'ræ-... 'vɪz-...]; 2. (уровень) lével ['le-]; ~ воды wáter-lèvel ['wɔ:tələ-].

горизонталь ж. horizóntal, horizóntal line; (на карте) cóntour line [-tuə...]; по горизонтали (в кроссворде) acróss. **~ность** ж. horizontálity. **~ный** horizóntal; ~ная линия horizóntal (line).

горилла ж. зоол. gorílla.

горисполком м. (исполнительный комитет городского Совета народных депутатов) Exécutive (Commíttee) of the City / Town Sóviét (of Péople's Députies) [...-tı... 'si-... pi:-...]; City / Town Exécutive.

гористый móuntain:ous; (холмистый) hílly.

горихвостка ж. зоол. rédstàrt.

горицвет м. бот. lýchnis.

горка I ж. 1. hill; (холмик) híllock; 2. ав. steep climb [...klaɪm].

горка II ж. (шкафчик) cábinet.

горкнуть, прогоркнуть turn / become* bítter; (о жирах) turn / become* ráncid.

ГОР – ГОР

горком м. (городской комитет) city / town committee ['sɪ-... -tɪ].

горла́||**н** м. разг. báwler. ~**нить** разг. bawl, yell. ~**стый** разг. nóisy [-zɪ], vocíferous, lóud-mouthed.

го́рли||**нка** ж., ~**ца** ж. зоол. túrtle-dòve [-dʌv].

го́рл||**о** с. 1. throat; дыхательное ~ анат. windpipe ['wɪ-]; болезни ~а diséases of the throat [-'zi:-...]; в ~е пересохло one's throat is dry / parched; 2. (кувшина и т.п.) neck (of a vessel); 3. геогр. nárrow éntrance to a gulf, bay; ◇ схватить за ~ (вн.) catch* / take* by the throat (d.); кричать во всё ~ разг. shout / yell at the top of one's voice; по ~ up to the neck; разг. (много) more than enóugh [...ɪ'nʌf], enóugh and to spare; быть сытым по ~ be full up; (перен.) be fed up; есть в три ~а разг. be a glútton, eat* glúttonous|ly / rávenous|ly; пристать с ножом к кому-л. с ножом к ~у разг. péster / impórtune smb.; worry the life out of smb. ['wʌ-...]; стать кому-л. поперёк ~а разг. stick* in one's craw; слова застряли у него в ~е the words stuck in his throat; промочить ~ разг. wet one's whistle.

горлов||**и́к** м. разг. (врач) throat spécialist [...'spe-]. ~**и́на** ж. mouth, órifice; ~**и́на вулкана** cráter; ~**о́й** прил. к горло; ~**о́й го́лос** gúttural voice; ~**а́я чахо́тка** tubèrculósis of the throat; làryngéal phthísis [-n'dʒi:əl 'θaɪ-] научн.

горлодёр м. разг. 1. báwler; 2.: табак-~ rough shag [rʌʃ...].

го́рлышк||**о** с. 1. уменьш. от горло; 2. (бутылки) neck; (сосуда) mouth*; пить из ~а drink* straight from the bottle.

гормо́н м. физиол. hórmone.

гормона́льный физиол. hórmone (attr.), hórmone-contàining.

горн I м. тех. fúrnace, hearth [hɑ:θ]; кузнечный ~ forge, fórging fúrnace; кри́чный ~ refínery fire [-'faɪ-...], blóomery.

горн II м. муз. bugle.

го́рний поэт., уст. celéstial, èmpýrean [-paɪ'rɪən]; (возвышенный) lófty, élevàted.

горни́ло с. поэт. hearth [hɑ:θ]; (перен.) crúcible.

горни́ст м. búgler.

го́рница ж. уст. room, chámber ['tʃeɪ-].

горничная ж. скл. как прил. hóuse-maid [-s-]; (камеристка) lády's maid; (в гостинице и т.п.) chámbermaid ['tʃeɪ-].

горново́й 1. прил. к горн I; 2. м. как сущ. fúrnace-worker, fúrnace|man*.

горнозаво́д||**ский** mining and mètallúrgical; ~**ские райо́ны** mining and mètallúrgical áreas [...'ɛərɪəz]. ~**чик** м. ówner of mines and mètallúrgical works ['ounə...].

горнолы́жн||**ик** м., ~**ица** ж. móuntain-skíer [-ski:ə, -ʃɪə]. ~**ый**: ~**ый спорт** móuntain-skíing [-'ski:-, -ʃi:-].

го́рно-металлурги́ческий mining and smélting.

го́рно-обогати́тельный: ~ комбинат ore mining and pròcess|ing énterprise.

горнопромы́шленный mining (attr.).

горнопрохо́дческ||**ий**: ~**ие работы** shaft-sinking and túnnelling; ~ **комбайн** túnnelling machine [...-'ʃi:n].

горнорабо́чий м. míner, míne|wòrker.

горнору́дный mining.

горноспаса́тель м. (mine-)réscuer. ~**ный** mine-réscue (attr.).

горноста́евый прил. к горностай; ~ **мех** érmine.

горноста́й м. 1. (в зимней шкурке) érmine; (в летней) stoat; 2. (мех) érmine.

го́рн||**ый** 1. прил. к гора 1; ~**ая цепь** móuntain chain, chain / range of móuntains [...reɪ-...]; ~**ая боле́знь** móuntain síckness; ~ **прохо́д** móuntain-pàss; ~**ое уще́лье** móuntain gorge, défile ['di:-]; 2. (гористый) móuntain|ous; ~**ая страна́** móuntain|ous cóuntry [...'kʌ-]; (местность) highlands pl.; 3. (относящийся к разработке недр) míning; ~**ая промы́шленность** míning índustry; ~ **институ́т** Institute / Cóllege of Mines; ~**ое де́ло** míning; ~ **инжене́р** míning engineér [...endʒ-]; 4. (минеральный) rock (attr.); ~ **хруста́ль** rock crýstal; ~**ая поро́да** rock; ~ **лён** мин. àsbéstos [æz-]; ◇ ~**ое со́лнце** àrtifícial sún|light.

~**я́к** м. (рабочий) míner; (горный инженер) míning engineér [...endʒ-]; (студент) míning stúdent. ~**я́цкий** míning, míners'.

го́род м. 1. town; city ['sɪ-] (англ. тк. об очень крупном городе; амер. о всяком городе); столи́чный ~ cápital (city); провинциа́льный ~ províncial town; гла́вный ~ chief town [tʃi:f...]; ~ **и дере́вня** town and cóuntry [...'kʌ-]; вы́ехать за ~ go* out of town, go* into the cóuntry; жить за ~ом live out of town [lɪv...]; пойти в ~ go* to town; 2. (в спортивных играх) home; ◇ зелёный ~ gárden súbùrb.

го́род-геро́й м. héro-town, héro-city [-sɪ-].

городи́ть (вн.) 1. en|clóse (d.), fence (d.); 2. разг.: ~ **вздор** ≈ talk nónsense; **огоро́д** ~ ≈ make* a fuss; не́чего бы́ло огоро́д ~ there was no need to make all that fuss.

городи́шко с. small town.

городи́ще I с. (большой город) (very) large city [-sɪ-].

городи́ще II с. археол. site of áncient séttle|ment [...'eɪnʃnt...].

городки́ мн. спорт. gòrodkí [-kɪ] (kind of skittles).

городничий м. скл. как прил. ист. góvernor (of a town) ['gʌ-...].

городово́й м. скл. как прил. ист. políce|man* [-'li:s-].

городо́к м. 1. уменьш. от город 1; 2.: вое́нный ~ cantónment [-'tu:n-], military camp / station; университе́тский ~ cámpus; студе́нческий ~ stúdents' hóstels pl.

городо́шн||**ик** м. gòrodkí pláyer [-kɪ...]. ~**ый** прил. к городки.

го́род-са́д м. gárden-city [-sɪ-].

городск||**о́й** прил. к город 1; тж. úrban; (муниципальный) mùnicipal; ~ **жи́тель** town-dwéller, city-dwéller ['sɪ-]; **towns**:**man*** (pl. собир. tównspèople [-zpɪ:-], tównsfolk [-z-]); ~**ое населе́ние** úrban pòpulátion; ~ **Сове́т наро́дных депута́тов** City / Town Sóviét of People's Députies ['sɪ-... pi:-...]; ~ **голова́** ист. mayor [mɛə]; ~**ая ду́ма** ист. mùnicipal dúma [...'du:-], town cóuncil; (о здании) town hall; ~**ое управле́ние** mùnicipálity, town cóuncil, úrban cóuncil.

горожа́н||**е** мн. собир. tównspèople [-zpɪ:pl], tównsfolk [-z-]. ~**ин** м. towns:man*, town-dwéller, city-dwéller ['sɪ-]. ~**ка** ж. town-dwéller, city-dwéller ['sɪ-]; tówns|wòman* [-wu-].

горообразова́ние с. геол. òrogénesis.

гороско́п м. hóroscòpe; соста́вить ~ cast* a hóroscòpe.

горо́х м. 1. тк. ед. (растение) pea; стручо́к ~а pea pod; 2. тк. ед. собир. peas pl.; лу́щёный ~ split peas; кру́пный ~ márrowfàt peas; 3. мн. (рисунок на ткани) spots; ◇ как об стену ~ разг. ≈ like béing up agáinst a brick wall; при царе́ Горо́хе ≈ in days of yore. ~**овый** прил. к горох; ~**овый цвет** péa-green, gráy-green; ~**овый кисе́ль** pea jélly; ~**овый суп** péa-sóup [-'su:p]; ~**овое пюре́** péase-púdding [-'pu-]; ◇ чу́чело ~**овое** scáre|crow [-ou]; шут ~**овый** ≈ clown, buffóon, láughing-stòck ['lɑ:f-].

горо́||**шек** м. 1. уменьш. от горох; 2. бот.: души́стый ~ sweet pea(s) (pl.); 3. тк. ед. (крапинки) spots pl.; в ~ (о ткани) spótted; ◇ зелёный ~ green peas pl. ~**шина** ж., ~**шинка** ж. pea.

горсове́т м. (городской Совет народных депутатов) City / Town Sóviét (of Peoples Députies) [-sɪ-... pi:-...].

горсточка ж. (small) hándful.

горсть ж. 1. (руки) hóllow of the hand; cupped hand; держать ру́ку ~ю cup one's hand; 2. (количество) hándful (тж. перен.).

горта́нный 1. анат. làryngéal [-n'dʒi:-əl]; 2. лингв. gúttural.

горта́н||**ь** ж. анат. lárynx; ◇ у него язы́к прили́п к ~**и** he was struck dumb, he was tóngue-tíed [...'tʌŋ-].

горте́нзия ж. бот. hydrángea [haɪ-'dreɪndʒə].

горчи́ть taste bítter [teɪst...], have a bítter taste; (о жирах) have a ráncid taste.

горчи́ца ж. mústard.

горчи́чн||**ик** [-шн-] м. mústard pláster; ста́вить ~ (на вн.) apply a mústard pláster (to). ~**ица** [-шн-] ж. mústard-pòt. ~**ый** [-шн-] mústard (attr.); ~**ое зерно́** mústard seed; ~**ый газ** mústard gas; ~**ое ма́сло** mústard-òil; ~**ый цвет** mústard cólour [...'kʌ-].

горшеч||**ник** м. pótter. ~**ный** póttery (attr.); ~**ный про́мысел** póttery; ~**ный това́р** póttery, éarthenwàre [-'ə:θ-]; ~**ная гли́на** pótter's clay.

горшо́к м. (earthenware) pot ['ə:θ-...]; цвето́чный ~ flówer-pòt; ночно́й ~ (chámber-)pòt ['tʃeɪ-].

го́рьк||**ая** ж. скл. как прил. тк. ед.: англи́йская ~ Énglish bítters ['ɪŋ-...] pl.; ру́сская ~ Rússian bítters [-ʃən...] pl.; ◇ пить ~**ую** drink* hard.

го́рьк||**ий** (*прям. и перен.*) bítter; (*об участи и т.п.*) míserable [-z-]; ~ как полы́нь bítter as wórmwood [...-wud]; ~ая до́ля hard / bítter lot; ~ая и́стина bítter / unpálatable truth [...-u:θ]; ~ие слёзы bítter tears; ◇ ~ пья́ница confírmed drúnkard, sot.

го́рько I 1. *прил. кратк. см.* го́рький; 2. *предик. безл.*: ~ во рту a bítter / bad taste in one's mouth* [...te1-...]; мне ~ слы́шать таки́е слова́ it pains / distrésses me to hear such words, I am sórry / grieved to hear such words [...gri:vd...]; ему́ ста́ло о́чень ~ he was sick at heart [...ha:t]; he felt very bítter.

го́рько II *нареч.* bítterly; ~ пла́кать cry bítterly, shed* bítter tears.

горькова́тый bítterish, ráther bítter ['ra:-...].

го́рько-солёный of the taste of séa-water [...teɪst... -'wɔ:-], bráckish.

горю́ч||**ее** *с. скл. как прил. тех.* fuel [fju-]. ~**есть** *ж.* combustibílity; (*воспламеня́емость*) inflammabílity.

горю́ч||**ий** I combústible; (*воспламеня́ющийся*) inflámmable; *материа́л* combústibles *pl.*; (*то́пливо*) fuel [fju-]; ~**ая смесь** *тех.* gas míxture.

горю́ч||**ий** II: ~**ие слёзы** *разг.* scálding / bítter tears.

горя́чее *с. скл. как прил. разг.* first course [...kɔ:s].

горя́чечн||**ый**: ~ бред delírium; ~**ая** руба́шка stráit-jàcket.

горя́ч||**ий** 1. hot; (*перен.*) árdent, férvent, férvid; (*пы́лкий*) pássionate, fíery; (*о приёме, встрече и т.п.*) warm, héarty ['ha:tɪ]; córdial; ~ исто́чник hot springs *pl.*; ~**ая** обрабо́тка (*мета́лла*) heat tréatment; о́чень ~ píping hot; ~**ее** жела́ние árdent / férvent wish; ~**ая** любо́вь árdent / pássionate love [...lʌv]; ~**ое** сочу́вствие warm / héartfelt sýmpathy [...'ha:t-...]; ~ о́тклик warm / córdial / héarty respónse; 2. (*вспыльчивый; страстный*) hót-témpered; (*о лошади*) fíery, méttle;some; ~ спор héated árgument, héated / hot discússion; ~**ая** голова́ hót-head [-hed]; ~**ие** ре́чи fíery / impássioned / árdent spéeches; 3. (*о времени*) búsy ['bɪzɪ]; ◇ под ~**ую** ру́ку in the heat of the móment; ~ след hot scent, fresh track; по ~**им** следа́м hot on the heels (of), close in the tracks [-s...] (of); (*перен.: не теря́я времени*) fórth;with, withóut deláy.

горячи́тельн||**ый** *уст.*: ~**ые** напи́тки strong drinks.

горячи́ть, разгорячи́ть (*вн.*) excíte (*d.*). ~**ся**, разгорячи́ться get* excíted; (*раздража́ться*) get* ángry, fly* into a pássion.

горя́ч||**ка** *ж.* 1. *уст.* féver; бе́лая ~ delírium trémens (*сокр. D.T.*(*s*)); роди́льная ~ púerperal féver; 2. *разг.* (*аза́рт*) rush; биржева́я ~ rush on the stóck-màrket; 3. *разг.* (*спе́шка*) féver;ish haste [...heɪst]; ◇ поро́ть ~**ку** dash abóut in a flúrry. ~**ность** *ж.* 1. (*увлечение*) árdour, férvour; zeal; (*возбуждённость*) warmth; impúlsive;ness; 2. (*вспы́льчивость*) hástiness ['heɪ-], hót-héaded náture [-'hed- -'neɪ-].

горячо́ I 1. *прил. кратк. см.* горя́чий; 2. *предик. безл.*: мне, ему́ и т. д.

~ it is too hot for me, him, *etc*.

горячо́ II *нареч.* hót;ly, with heat; wármly, with warmth; ~ люби́ть (*вн.*) love déarly [lʌv...] (*d.*); ~ люби́мый belóved [-'lʌvd] (*дт.*) сочу́вствовать sýmpathize déeply (with); ~ спо́рить árgue hót;ly / héatedly; ~ поздравля́ть (*вн.*) con;grátulàte héartily [...'ha:t-] (*d.*); ~ говори́ть speak* with warmth / férvour; ~ взя́ться за что-л. set* to work on smth. with a will, *или* with árdour / zeal; set* abóut doing smth. with a will, *или* with árdour / zeal / spírit.

гос- (*в сложн.*) State.

госаппара́т *м.* (*госуда́рственный аппара́т*) State machínery [...-'ʃi:-], machínery of State.

Госба́нк *м.* (*Госуда́рственный банк*) the State Bank.

госбезопа́сност||**ь** *ж.* State secúrity; о́рганы ~**и** State secúrity órgans.

госбюдже́т *м.* (*госуда́рственный бюдже́т*) the State Búdget.

госпитализ||**а́ция** *ж.* hòspitalizátion [-laɪ]. ~**и́ровать** *несов. и сов.* (*вн.*) hóspitalize (*d.*).

го́спит||**аль** *м.* (*military*) hóspital; полево́й ~ field hóspital [fi:ld...]; ámbulance / móbile hóspital ['mou-...]. ~**а́льный** *прил. к* го́спиталь.

Госпла́н *м.* (*Госуда́рственный плано́вый комите́т*) Gòsplán (State Plánning Committee of the USSR [...-tɪ...]).

господа́ *мн.* 1. géntle;men; (*мужчины и женщины*) ládies and géntle;men; 2. (*при фамилии*) Messrs ['mesəz]; 3. (*хозя́ева*) the másters.

го́споди *межд. разг.* good héavens! [...he-], good grácious!, góodness! ['gud-]; не дай ~! God forbíd!

господи́н *м.* 1. géntle;man*; (*в обраще́нии*) sir!; 2. (*при фамилии*) Mr. ['mɪstə]; (*в официа́льной речи — о ру́сских, францу́зах и др.*) Monsieur [mə'sjə:] (*сокр.* M.); (*об италья́нцах*) Signòr ['si:njɔ:]; (*о не́мцах*) Herr [heə]; ~ президе́нт Mr. Président [...-zɪ-...]; 3. (*хозя́ин*) one's own máster [...oun...]; ◇ ~ положе́ния máster of the situation; ~ своего́ сло́ва man* of one's word.

госпо́дский 1. *прил. к* господи́н 3 *и* господа́ 3; 2. (*поме́щичий*) manórial; ~ дом mánor-house* ['mæ- -s].

госпо́дство *с.* 1. suprémacy; (*полити́ческое тж.*) rule, sway; ~ (*над*) dòminátion / domínion (óver); мирово́е ~ world suprémacy; ~ в во́здухе suprémacy in the air; 2. (*преоблада́ние*) prévalence, predóminance.

госпо́дств||**овать** 1. (*над*) rule (*d.*, óver), have / éxercise domínion (óver); hold* sway (óver); 2. (*без доп.*: *преоблада́ть*) preváil, predóminate; 3. (*над*; *возвыша́ться*) commánd [-a:nd] (*d.*), dóminàte (*d.*), rise* (abóve), tówer (abóve). ~**ующий** 1. *прич. см.* госпо́дствовать; 2. *прил.* (*вла́ствующий*) rúling; ~**ующий** класс rúling class; 3. *прил.* (*преоблада́ющий*) preváiling, prédomínant.

госпо́дь *м. тк. ед.* God, the Lord; ◇ ~ его́ зна́ет! who knows! [...nouz...], góodness knows! ['gud-...]; ~ с тобо́й! God bless you!; (*в восклица́ниях удивле́ния, негодова́ния*) bless you, no!; bless your heart, no! [...ha:t...], nothing of the sort!; ~ с ним let's forgét him [...-'get...].

госпожа́ *ж.* 1. lády; 2. (*при фами́лии*) Mrs. ['mɪsɪz]; (*о незаму́жней же́нщине*) Miss; (*в официа́льной ре́чи и ча́сто в разгово́ре — о ру́сских, францу́женках и др.*) Mádame (*сокр.* Mme.), Màdemoisélle [mædəm'zel] (*сокр.* Mlle.); (*об италья́нках*) Signóra, Signorína [-njo'ri:-]; (*о не́мках*) Frau [-au], Fräulein [-oɪlaɪn]; 3. (*хозя́йка*) místress.

госстра́х *м.* (*госуда́рственное страхова́ние*) State / Nátional Insúrance [...'næ-'ʃuə-].

ГОСТ *м.* (*госуда́рственный общесою́зный станда́рт*) GOST (State All-Únion stándard; USSR State stándard spècificátion).

гостево́й guest (*attr.*); ~ биле́т guest / cóurtesy ticket [...'kə:tsɪ-...].

гостеприи́м||**ный** hóspitable. ~**ство** *с.* hòspitálity.

гости́ная *ж. скл. как прил.* 1. dráwing-room; (*более скро́мная*) sítting-room; (*пара́дная*) recéption-room; 2. (*в гости́ницах, дома́х о́тдыха и т.п.*) lounge; 3. (*компле́кт ме́бели*) dráwing-room suite [...swi:t].

гости́нец *м. разг.* 1. présent [-ez-]; 2. *мн.* (*сла́сти*) sweets.

гости́ниц||**а** *ж.* hòtél; (*небольша́я*) inn; останови́ться в ~**е** put* up at a hòtél, stay / stop at a hòtél.

гости́ничный *прил. к* гости́ница.

гости́ный: ~ двор *ист.* Gostíny Dvor; ≅ árcade(s) (*pl.*), row(s) of shops [rou(z)...] (*pl.*).

гости́ть (у) stay (with), be on a vísit [...-z-] (to).

гост||**ь** *м.,* ~**ья** *ж.* vísitor [-z-], guest; почётный ~ guest of hónour [...'ɔnə]; принима́ть ~**ей** recéive vísitors / guests [-'si:v-...]; ◇ идти́ в ~**и** (к) vísit [-z-] (*d.*), pay* a vísit (*i.*), go* on a vísit (to); быть в ~**я́х** (у) be a guest (at, of), be vísiting [...-z-] (*d.*); в ~**я́х** хорошо́, а до́ма лу́чше *посл.* ≅ there's no place like home; East or West, home is best.

госуда́рственно-монополисти́ческий stàte-monópoly; ~ капитали́зм stàte-monópoly cápitalism.

госуда́рственн||**ость** *ж.* State sýstem, State òrganizátion [...-naɪ-], státe;hood [-hud]; социалисти́ческая ~ sócialist státe;hood. ~**ый** *прил. к* госуда́рство; ~**ый** строй règíme [reɪ'ʒi:m], polítical sýstem; ~**ая** власть State pówer, State authórity; ~**ое** пра́во públic law [...'rʌ-...]; ~**ое** устро́йство State òrganizátion [...-naɪ-], pólity; ~**ая** грани́ца fróntier ['frʌ-]; ~**ый** долг nátional debt ['næ- -det]; ~**ый** язы́к official lánguage; ~**ый** переворо́т coup d'état (*фр.*) ['ku:deɪ'ta:]; ~**ый** челове́к, де́ятель státes;man*; ~**ый** ум státes;manship, státe;craft; ~**ая** та́йна State sécret; ~**ое** учрежде́ние State institútion; ~**ая** слу́жба State / públic sérvice; (*в Англии*) Cívil Sérvice; ~**ый** слу́жащий State emplòyée; (*в Англии*) cívil sérvant; ~**ая** казна́

Tréasury ['tre-]; ~ая измéна high tréason [...-z'n]; ~ой вáжности of nátional impórtance; ~ый флаг State / nátional flag; ~ые экзáмены final / State examinátions.

государств||**о** *с.* State; Совéтское ~ the Sóviet State; ~a-учáстники (*организации, конференции и т.п.*) Mémber States, Mémbers; общенарóдное социалистическое ~ Sócialist State of the whole péople [...houl pi:-].

госудáрыня *ж. ист.* Your Májesty, Mádam (*в обращении*) Your Májesty, Mádam ['mæ-]; ◊ мúлостивая ~ (*в обращении*) mádam; (*в письме*) Mádam; (*менее официально*) Dear Mádam.

госудáрь *м. ист.* sóvereign [-rɪn] (*в обращении*) Your Májesty; Sire *уст.*; ◊ мúлостивый ~ (*в обращении*) sir; (*в письме*) Sir; (*менее официально*) Dear Sir.

гот *м. ист.* Goth.

гóт||**ика** *ж. ист.* Góthic. **~úческий** Góthic; ~úческий стиль Góthic style; ~úческий шрифт Góthic (type), bláck-létter; ~úческая архитектýра Góthic, Góthic árchitècture [...-kɪ-].

готовáльня *ж.* case of dráwing ínstruments [-s...].

готóвить, приготóвить 1. (*вн.*) prepáre (*d.*), make* réady [...'redɪ] (*d.*); (*вн. к дт.*) prepáre (*d.* for); (*обучать тж.*) train (*d.* for); ~ урóк do one's hóme:wòrk; ~ книгу к печáти prepáre *a* book, *или* make* *a* book réady, for the press; ~ когó-л. к экзáмену coach smb. for *an* examinátion; ~ к трудý train for work (*d.*); ~ в лётчики train (*d.*) to be an áir:man*; 2. (*вн. или без доп.*) стряпáть (*вн. или без доп.*) cook (*d.*); (*вн. или без доп.*) make* (*d.*); 3. (*вн.*; *припасать*) lay* in (*d.*), provide òne:sélf (with); 4. (*что-л. кому-л.*; *замышлять*) have in store (smth. for smb.), prepáre (smth. for smb.); ~ комý-л. сюрпрúз have a surprise in store for smb. **~ся**, приготóвиться 1. (к; + *инф.*) prepáre (for; + to *inf.*), get* / make* réady [...'re-] (for; + to *inf.*); ~ся к зачёту по геогрáфии read* up on one's geógraphy; 2. *тк. несов.* (*без доп.*) надвигáться be ahéad [...ð'hed], be abóut to take place; (*об опасности и т.п.*) be ímminent, be thréatening [...'θre-]; 3. *страд. к* готóвить.

готóвка *ж. разг.* cóoking.

готóвност||**ь** *ж.* 1. réadiness ['redɪ-]; (*подготовленность*) prepáred:ness; в боевóй ~и in fíghting trim / órder, réady for áction ['re-...]; (*о корабле*) cleared for áction; в пóлной ~и pérfectly réady; провéрить ~ чегó-л. к чемý-л. àscertáin how far smth. is réady for smth.; 2. (*желание сделать что-л.*) willingness; изъявить пóлную ~ сдéлать что-л. expréss one's pérfect willingness, *или* expréss one's compléte réadiness, to do smth.

готóв||**ый** 1. (к) réady ['redɪ] (for); (*подготовленный*) prepáred (for); 2. (на *вн.*; + *инф.*; *согласный*) willing (+ to *inf.*), réady (for; + to *inf.*), prepáred (for; + to *inf.*); ~ на всякие жéртвы, на всякий риск réady / prepáred to make any sácrifice, to take any risk; он готóв на всё he is willing / réady / prepáred to do ánything; 3. (+ *инф.*; *в состоянии что-л. сделать*) on the point (of *ger.*); он готóв был удáрить егó he was on the point of hítting him; 4. (*сделанный, законченный*) fínished; (*о платье*) réady-máde ['re-]; ~ые изделия fínished árticles; обéд готóв dínner is réady; ◊ ~ к услугам *уст.* (*заключительная формула письма*) ≅ yours fáithfully; всегдá готóв! (*девиз пионеров*) éver réady!; (*жить*) на всём ~ом (be províded) with board and lódging, board and lódging found, all found.

гóтский *ист.* Góthic; ~ язык Góthic, the Góthic lánguage.

готтентóт *м.* Hóttentòt.

гофрирóванн||**ый** *прич. и прил.* crimped; (*гл. обр. об отделке платья*) góffered ['gou-]; ~ воротник góffered cóllar; ~ая юбка pléated skirt; ~ое желéзо córrugàted iron [...'aɪən].

гофрировáть *несов. и сов.* (*вн.*) 1. crimp (*d.*); (*о ткани*) góffer ['gou-] (*d.*); (*о железе*) córrugàte (*d.*); 2. *текст.* (*наносить рельефный рисунок*) embóss (*d.*).

гофрирóвка *ж. тк. ед.* (*ткани*) góffering ['gou-]; (*железа*) corrugátion.

граб *м. бот.* hórnbeam.

грабёж *м.* róbbery; (*мародёрство*) píllage, plúnder(ing); занимáться грабежóм rob, plúnder.

грабитель *м.* róbber; (*взломщик*) búrglar. **~ский** *прил.* к грабитель; *тж.* prédatory; (*о ценах*) extórtionate, exórbitant; ~ские войны prédatory wars. **~ство** *с.* = грабёж.

грáбить, огрáбить 1. (*вн.*) rob (*d.*); (*о завоёванном городе*) sack (*d.*); 2. *тк. несов.* (*без доп.*) занимáться грабежóм, мародёрствовать píllage, plúnder, loot.

грáбли *мн.* rake *sg.*; кóнные ~ hórse-ràke *sg.*

грабштихель *м. тех.* en:gráving tool, gráver.

гравёр *м.* en:gráver; (*офортист*) étcher; ~ по дéреву wóodcutter ['wud-], wóod-en:gràver ['wud-]; ~ по стáли stéel-cùtter. **~ный** en:gráver's, en:gráving.

грáв||**ий** *м.* grável ['græ-]; посыпáть ~ием (*вн.*) grável (*d.*).

гравировáльн||**ый** en:gráver's; ~ инструмéнт búrin, gráver; ~ая доска (*стальная*) steel plate; (*медная*) cópper plate; ~ая иглá (*для офорта*) étching néedle.

гравир||**овáть**, выгравировать (*вн.*) en:gráve (*d.*); (*вытравлять*) etch (*d.*); ~ по дéреву, на мéди cut* / en:gráve on / in / up:ón wood, cópper [...wud...]. **~óвка** *ж.* en:gráving. **~óвщик** *м. разг.* = гравёр.

гравитáция *ж. физ.* gravitátion.

гравюра *ж.* en:gráving, print; (*офорт*) étching; цветнáя ~ cólour:ed print ['kʌ-...]; ~ на дéреве wóodcùt ['wud-]; ~ на линолеуме líno:cùt; ~ на мéди cópper-pláte en:gráving; ~ на стáли stéel-en:gráving.

град I *м.* hail; (*перен. тж.*) tórrent, shówer; (*поток вопросов, насмешек и т.п. тж.*) vólley; ~ идёт it is háiling, it hails; ~ пуль hail of búllets [...'bu-]; засыпáть ~ом вопрóсов (*вн.*) délùge / óver:whélm with quéstions [...-stʃ-] (*d.*).

град II *м. поэт., уст.* = гóрод 1.

градáция *ж.* gradátion.

градиéнт *м. физ.* grádient.

грáдина *ж. разг.* háilstòne.

гради́рня *ж. тех.* wáter-cóoling tówer ['wɔ:-...].

градобитие *с.* dámage done by hail.

градов||**óй** hail (*attr.*); ~áя тýча háil-cloud.

грáдом *нареч.* thick and fast; сыпáться ~ rain down; удáры сыпáлись ~ blows fell thick and fast [blouz...]; с негó пот кáтится ~ *разг.* the sweat / pèrspirátion is póuring off him [...swet... 'pɔ:-...], he is swéating at évery pore [...'swe-...]; слёзы (кáтятся) ~ tears are rólling down one's cheeks.

градонáчаль||**ник** *м. ист.* góvernor of *a* town ['gʌ-...]. **~ство** *с. ист.* town, bórough ['bʌrə].

градостроéние *с.* = градостроительство.

градостроитель *м.* tówn-plànner. **~ный** tówn-plànning (*attr.*).

градостроительство *с.* tówn-plànning.

градуировать *несов. и сов.* (*вн.*) gráduàte (*d.*).

грáдус *м.* degrée; ýгол в 60 ~ов angle of síxty degrées, *или* of 60°; сегóдня 5, 10 и *т.п.* ~ов теплá, морóза it is five, ten, *etc.*, degrées above, belów zéro to:dáy [...-'lou...]; сегóдня 20, 30 и *т.п.* ~ов в тени it is twénty, thírty, *etc.*, degrées in the shade to:dáy; скóлько ~ов сегóдня? what is the témperature to:dáy?; подняться, упáсть на стóлько-то ~ов rise*, fall* so many degrées; ◊ под ~ом *разг.* one óver the eight. **~ник** *м. разг.* thermómeter.

грáдусн||**ый**: ~ая сéтка *геогр.* grid.

гражд||**анин** *м.*, **~áнка** *ж.* cítizen; ~ Совéтского Сoюза Sóviet cítizen; cítizen of the Sóviet Únion.

граждáнск||**ий** cívil; (*подобающий гражданину*) cívic; (*штатский*) civílian; ~ долг cívic dúty; ~ое прáво cívil law; ~ кóдекс cívil code; ~ие правá cívil / cívic rights; ~ое мýжество cívic cóurage [...'kʌ-], cívic vírtue; ~ брак cívil márriage [...-rɪdʒ], cómmon-law márriage; ~ая панихида cívil fúneral rites *pl.*; ~ иск *юр.* cívil suit [...sjuːt]; предъявить ~ иск (к) bring* *a* suit, *или an* áction (agáinst); ~ое плáтье civílian clothes [...klou-] *pl.*, múfti; cívvies *pl. разг.*; ◊ ~ая войнá cívil war.

граждáнств||**о** *с.* cítizenship; правá ~а cívic rights; получить правá ~а be gránted cívic rights [...-a:n...], be admitted to the cítizenship; (*перен.*) be génerally / universally accépted, recéive géneral / universal rècognítion [-'si:v...]; принять совéтское ~ becóme* a Sóviet cítizen, be náturalized as a Sóviet cítizen; be gránted Sóviet cítizenship; приобретéние ~a acquíring cítizenship; потéря ~a fórfeiting cítizenship [-fɪt-...]; выбирáть ~ choose* cítizenship.

грамзáпис||**ь** *ж.* grámophòne recórding; в ~и recórded.

грамм *м.* gramme [græm], gram.

грамма́тика ж. grammar.

граммати́ческ||ий grammátical; ~ строй языка́ grammátical strúcture of *a* lánguage; ~ая оши́бка grammátical mistáke / érror; он де́лает мно́го ~их оши́бок his grámmar is bad; he makes plénty of, *или* mány, grammátical mistákes / érrors; ~ие пра́вила grammátical rules, де́лать ~ разбо́р (*рд., по чле́нам предложе́ния*) análýse (*d.*); (*по частя́м ре́чи*) parse [pɑːz] (*d.*).

грамм||-а́том м. физ., хим. gramme átom [græm 'æ-]. ~-моле́кула ж. физ., хим. gramme mólecùle [græm...].

-гра́ммовый (в сложн. словах, не приведённых особо) of... grammes [...græmz]; -gramme [-græm] (attr.); напр. двухграммо́вый of two grammes; twó-gràmme [-græm] (attr.).

граммофо́н м. grámophòne (with loud-speaker horn); ~ный grámophòne (attr.); ~ная пласти́нка grámophòne rècòrd [...'re-].

гра́мот||а ж. 1. тк. ед. réading and wríting; учи́ться ~е learn* to read and write [ləːn...]; учи́ться ~е и счёту learn* réading, wríting and aríthmetic, learn* the three R's; не знать ~ы be únȧble to read and write; полити́ческая ~ rúdiments of polítical knówledge [...'nɔ-] pl.; 2. (официа́льный докуме́нт) deed; ратификацио́нная ~ дип. ínstrument of ràtificátion; охра́нная ~ chárter of immúnity; жа́лованная ~ létters pátent; почётная ~ diplóma; похва́льная ~ (school) certíficate of good work and cónduct; ◊ фи́лькина ~ разг. ≃ úseless scrap of páper [-s-...]. ~**ей** м. уст., шутл. (грамотный человек) man* who can read and write.

гра́мотно I прил. кратк. см. гра́мотный.

гра́мотно II нареч. corréctly, (граммати́чески пра́вильно) grammátically; (уме́ло) cómpetently.

гра́мот||ность ж. (уме́ние чита́ть и писа́ть) líteracy; (о напи́санном) grammátical corréctness; (уме́лость) cómpetence; (рабо́ты) skílfulness. ~**ный** líterate; (напи́санный без оши́бок) grammátical; (уме́лый) cómpetent; (о рабо́те и т. п.) shówing sufficient erúdition [ʃuː-...]; полити́чески ~ный politically líterate; politically aȧ́ware; э́то вполне́ ~ная рабо́та this work, páper, *etc*., shows / mánifèsts sufficient erúdition; рису́нок ~ен the dráwing is cómpetent, *или* not únskilful.

грампласти́нка ж. grámophòne rècòrd / disc [...'re-...].

гран м. grain (unit of weight).

грана́т I м. (де́рево и плод) póme̊gràn**a**te [-'pɔmg-].

грана́т II м. мин. gárnet.

грана́та ж. воен. high-explósive shell; (ручна́я, ружей́ная) grenáde; противота́нковая ~ ánti-tànk bomb.

грана́тник м. бот. póme̊gràn**a**te tree ['pɔmg-], póme̊gràn**a**te.

грана́тов||ый I бот. póme̊gràn**a**te ['pɔmg-] (attr.); ~ое де́рево póme̊gràn**a**te.

грана́товый II мин. gárnet (attr.); (о цвете тж.) rich red; ~ брасле́т gárnet bráce̊let.

гранатомёт м. воен. grenáde cup dis̊chárger. ~**чик** м. grenáde-thrower [-θrouə], grenádier.

гранд м. (испа́нский дворяни́н) grándee.

грандио́з||ность ж. míghtiness, grandiósity, grándeur [-dʒə]; (огро́мность) imménsity, vástness. ~**ый** míghty, grandiòse [-s], grand, (огро́мный) imménse, vast; ~ые пла́ны grándiòse plans.

гране́ние с. cútting; ~ алма́зов díamond cútting.

гранён||ый cut, (о драгоце́нном ка́мне) fáceted; ~ое стекло́ cut glass; ~ графи́н cút-glàss decánter; ~ая рю́мка cút-glàss wine-glàss; ~ стака́н thick glass túmbler.

грани́ль||ный lápidary; ~ная фа́брика lápidary works. ~**щик** м. lápidary; (алмазов) díamond-cútter.

грани́т м. gránite. ~**ный** (сде́ланный из гранита) gránite (attr.); gránitic научн.

грани́ть (вн.) cut* (d.); (драгоценный камень тж.) fácet ['fæ-] (d.).

грани́||ца ж. 1. bóundary, bórder, (госуда́рственная) fróntier ['frʌ-]; (кра́йние пункты) bounds pl., cónfines pl., ~ ве́чного сне́га геогр. snów-line ['snou-]; 2. (преде́л) límit; перейти́ все ~цы óverstèp the límits, excéed all bounds; э́то перехо́дит все ~цы that is too much; it's the límit разг., не знать грани́ц know* no bounds [nou-...]; не ви́дно грани́ц (дт.) there seems to be no límit (to); ◊ за ~цей, за ~цу abroad [-ɔːd]; из-за ~цы from abroad.

грани́ч||ить (с тв.) bórder (upón), be contíguous (with); (перен.) bórder (on, upón), verge (on); э́то ~ит с сумасше́ствием it bórders vérges on insánity.

гра́нка ж. полигр. 1. (корректу́ра) proof, gálley-proof, slip; 2. (набо́р) gálley.

грану́ла ж. мед., тех. gránule.

гранули́ровать несов. и сов. (вн.) тех. gránulàte (d.). ~**ся** несов. и сов. тех., мед. gránulàte.

грануляцио́нный тех. granulátion (attr.).

грануля́ция ж. тех., мед., астр. granulátion.

гран||ь ж. 1. (граница) bórder, verge, brink; быть на ~и безу́мия be on the verge of insánity; провести́ ~ (ме́жду) draw* a distínction (betwéen); на ~и войны́ on the brink of war; поли́тика на ~и войны́ brínkmanship; 2. (пло́скость) side; (драгоценного камня) fácet ['fæ-]; 3. (лине́йки, наре́за в ору́жии и т. п.) edge.

грасси́ровать pronóunce one's "r's" in the French mánner.

грат м. тех. burr.

граф м. count; (в А́нглии) earl [əːl].

графа́ ж. cólumn ['kɔ-].

гра́фик I м. (чертёж) graph, díagràm; 2. (план рабо́т) schédule ['ʃe-]; то́чно по ~у accórding to schédule.

гра́фик II м. (худо́жник) gráphic ártist.

гра́фик||а ж. 1. иск. dráwing; вы́ставка ~и exhibítion of dráwings [eksɪ-...]; 2. (начерта́ние букв) script.

графи́н м. (для воды́) wáter-bòttle ['wɔː-], caráfe [-ɑːf]; (для вина́ и т. п.) decánter. ~**чик** м. small decánter; (для у́ксуса и т. п.) crúet [-ʊɪt].

графи́ня ж. cóuntess.

графи́т м. 1. мин. gráphite, plùmbágò, black lead [...led]; 2. (в карандаше́) lead. ~**овый** gráphite (attr.); (содержа́щий графи́т) graphític.

графи́ть (вн.) rule (d.) (make lines).

графи́ческий gráphic.

графлёный ruled.

графоло́гия ж. gráphólogy.

графома́н м. мед. gráphomániàc. ~**ия** ж. мед. gráphománia.

гра́ф||ский прил. к граф. ~**ство** с. 1. (ти́тул) éarldom ['əːl-]; 2. (администрати́вно-территориа́льная едини́ца в А́нглии, США и др. стра́нах) cóunty, shire; центра́льные ~ства the Mídlands [...'mɪ-].

грацио́зно I прил. кратк. см. грацио́зный.

грацио́зн||о II нареч. gráce̊fully. ~**ость** ж. gráce̊fulness. ~**ый** gráce̊ful.

гра́ция ж. 1. grace; 2. миф. Grace. 3. (вид корсе́та) córset.

грач м. rook. ~**иный** прил. к грач. ~**о́нок** м. young rook [jʌn...].

гребён||ка ж. 1. comb [koum]; 2. тех. (зубчатая ре́йка) rack; ◊ стричь под ~ку crop close [...-s]; стричь всех под одну́ ~ку treat all alíke, redúce all to the same lével [...'le-].

гребе́нчатый бот., зоол. péctinàte, cómb-shàped ['koum-].

гре́бень м. 1. comb [koum]; (ча́стый) tóoth-còmb [-koum]; 2. (у пти́цы) comb, crest; петуши́ный ~ cock's comb; 3. (волны́, горы́) crest; 4. тех. comb; текст. card; (для льна, пе́ньки и т. п.) háckle, hátchel.

гребе́ц м. rówer ['rouə], óarsman*; хоро́ший и т.п. ~ good*, etc., oar, он хоро́ший ~ he pulls a good oar [...puː-...].

гребешо́к м. 1. = гребёнка 1, гре́бень 1, 2. (у пти́цы) = гре́бень 2.

гребля́ ж. rówing ['rou-]; академи́ческая ~ спорт. bóat-ràcing.

гребн||о́й rówing ['rou-] (attr.); ~ спорт rówing; ~а́я шлю́пка rów(ing)-boat ['rou-]; ~ винт screw propéller, propéller screw; ~ вал propéller shaft; ~о́е колесо́ páddle-wheel.

гребо́к м. stroke (of an oar).

грёза ж. dream, dáydrèam, réverie, (виде́ние) vísion; мир грёз dréamlànd, the realm of fáncy [...re-...].

грёзи||ть (о пр. и без доп.) dream* (of); ~ наяву́ dáydrèam*, be lost in réverie. ~**ться**, пригрези́ться: ему́, ей и т. д. (при)гре́зилось, что he, she, etc., dreamt that [...dre-...]; ему́, ей и т. д. ~тся, что he, she, etc., dreams that.

гре́йдер [-дэ-] м. 1. (маши́на) gráder, 2. разг. (доро́га) earth road [əːθ...]. ~**ный** gráder (attr.); ~ная доро́га earth road [əːθ...].

гре́йпфрут м. (де́рево и плод) gráp̊e̊frùit [-fruːt].

гре́йфер м. тех. grab.

ГРЕ – ГРО

грек *м.* Greek.

гре́лка *ж.* hòt-wáter bottle [-'wɔ:-...].

грем||е́ть thúnder; (*о колоколах*) peal; (*посудой*) clátter; (*о чём-л. металлическом*) clank, jingle; (*перен.*) resóund [-'zau-], ring* out; гром ~и́т it thúnders, it is thúndering; пу́шки ~я́т *the* guns thúnder / roar; вы́стрелы ~я́т shots ring out; ~ чем-л. make* a noise / din with smth.; ~ цепя́ми clank one's chains; ~ ключа́ми jingle one's keys [...ki:z].

грему́ч||ий thúndering, róaring; ~ газ *хим.* fíre-dàmp, détonàting gas ['di-...]; ~ая змея́ *зоол.* ráttle:snàke; ~ая ртуть *хим.* fúlminàte of mércury; ~ сту́день *хим.* blásting-gèlatíne [-'ti:n] nítrò:gèlatíne [-'ti:n].

гре́на *ж. собир. зоол.* graine; sílkwòrm eggs *pl.*

гренаде́р *м.* grènadíer [-'dɪə]. ~ский *прил. к* гренадёр; ~ский полк Grènadíer régiment; Grènadíers *pl.*

гренки́ *мн.* (*ед.* грено́к *м.*) *кул.* toast *sg.*, síppet *sg.*

грести́ I (*веслом*) row [rou]; pull [pul] (*с обстоятельственными словами*); (*короткими вёслами*) scull; (*гребком*) páddle.

грести́ II (*вн.*; *граблями*) rake (*d.*).

греть 1. (*без доп.*; *излучать тепло*) give* out warmth; пе́чка пло́хо гре́ет the stove gives out very little warmth; — в ма́рте со́лнце уже́ гре́ет in March the sun's rays are àlready warm [...ɔ:l'reɪ-...], it is àlready warm in the sun in March; **2.** (*вн.*) warm (*d.*), heat (*d.*); (*подогревать, согревать*) warm up (*d.*), heat up (*d.*); (*о тёплой одежде, обуви*) keep* warm (*d.*); ~ ру́ки warm *one's* hands; ~ суп warm up the soup [...su:p]; его́ шу́ба хорошо́ гре́ет his fur coat keeps him warm; ◇ ~ ру́ки на чём-л. *разг. неодобр.* ≅ line one's póckets (*by dishonest or illegal means*). ~ся **1.** warm òne:sélf; ~ся на со́лнце bask in the sun, sun òne:sélf; **2.** *страд. к* греть 2.

грех *м.* **1.** sin; соверши́ть ~ (пе́ред) sin (against); **2.** *предик. разг.*: ~ тра́тить сто́лько бума́ги it is a sin to waste all that páper [...weɪ-...]; не ~ и отдохну́ть there is no harm / sin in táking a rest; ◇ ~ сказа́ть it would be únjúst to say; есть тако́й ~ I own it [...oun...]; мой ~ it is my fault; с ~о́м попола́м: он э́то сде́лал с ~о́м попола́м he just mánaged to do it; он с ~о́м попола́м сдал экза́мены he just mánaged to pass the exàminátions; приня́ть на себя́ ~ take* the blame up:ón òne:sélf; не́чего ~á таи́ть it must be owned / conféssed; ≅ we may as well conféss; как на ~ as bad luck would have it; от ~á (пода́льше) get* out of harm's way; стра́шен как сме́ртный ~ ùgly as sin ['ʌ-...].

грехово́дн||ик *м.*, ~ица *ж. уст. разг.* sinner; (*шалун*) young sínner [jʌn...].

грехопаде́ние *с. миф.* the Fall; (*перен.*) fall.

греци́зм *м. лингв.* Grǽcism, Grécism ['gri:-].

гре́цкий: ~ оре́х wálnut.

гре́ча *ж.* **1.** = гречи́ха; **2.** (*крупа*) búckwheat.

греча́нка *ж.* Greek wóman* [...'wu-].

гре́ческий Greek; (*об архитектуре, причёске*) Grécian; ~ язы́к Greek, the Greek lánguage.

гречи́ха *ж.* búckwheat.

гречи́шный *прил. к* гречи́ха.

гре́чка *ж. разг.* = гре́ча.

гре́чнев||ый búckwheat (*attr.*); ~ая ка́ша boiled búckwheat; ~ая крупа́ búckwheat.

греши́ть, согреши́ть sin; ~ про́тив чего́-л. sin against smth., trànsgréss / violàte the laws of smth.; ~ про́тив и́стины sin against the truth [...-u:θ], violàte the truth; (*о высказывании, формулировке и т.п.*) be a violátion of the truth.

гре́шн||ик *м.*, ~ица *ж.* sínner.

гре́шно 1. *прил. кратк. см.* гре́шный; **2.** *предик. безл.* (+ *инф.*) it is a sin (+ to *inf.*).

гре́ш||ный sínful; (*о мыслях и т.п.*) cúlpable; быть ~ным в чём-л. be guilty of smth.; ~ челове́к *вводн. сл. разг.* sínner that I am; ~ным де́лом *вводн. сл. разг.* I am sórry to say; much as I regrét it. ~о́к *м. разг.* fault, pèccadíllò; за ним во́дится э́тот ~о́к that is his besétting sin.

гриб *м.* fúngus (*pl.* fúngi, ~es); (*съедобный*) múshroom, édible fúngus; (*несъедобный*) tóadstool; ходи́ть в лес по ~ы́ go* múshrooming in the woods [...wu-...]; ◇ расти́ как ~ы́ múshroom (out, up); расту́т как ~ы́ (they are) spríng:ing up all óver.

грибко́вый fúngoid, fúngous.

грибни́к *м.* múshroomer, habítual gáther:er of múshrooms.

грибни́ца I *ж. бот.* mycélium [maɪ-], (múshroom) spawn.

гриб||ни́ца II *ж. к* грибни́к. ~но́й *прил. к* гриб; ~но́й суп, пиро́г múshroom soup, pie [...su:p...]; ◇ ~но́й дождь rain dúring súnshìne.

грибова́р *м.* wórker en:gáged in presérving édible fúngi [...-'zə:v...]. ~ня *ж.* cánnery for presérving édible fúngi [...-'zə:v...].

грибови́дн||ый múshroom (*attr.*); ~ое о́блако múshroom cloud.

гриб||о́к *м.* **1.** *уменьш. от* гриб; **2.** *бакт.* fúngus (*pl.* fúngi, ~es); кефи́рные ~ки́ kéfir-grains; **3.** (*для штопки чуло́к*) múshroom; **4.** (*лёгкое сооружение для укрытия от дождя и т.п.*) wóoden úmbrélla ['wud-...].

гри́ва *ж.* mane.

грива́стый *разг.* with a long mane, lóng-máned.

гри́венник *м. разг.* tén-cópeck coin / piece [...pi:s].

гри́вна *ж.* **1.** *ист.* grívna (*unit of currency in medieval Russia*); **2.** *уст.* tén-cópeck coin.

григориа́нский Grègórian; ~ календа́рь Grègórian cálendar.

грилья́ж *м.* cándied róasted nuts / álmonds [...'ɑ:məndz].

грим *м.* máke-úp; (*краски*) gréase-pàint [-s-].

грима́с||а *ж.* grimáce; де́лать ~ы make* / pull fáces [...pul...]; сде́лать ~у grimáce, make* a grimáce, pull a wry face. ~ник *м.*, ~ница *ж. разг.* grimácier, grimácer.

грима́сничать make* / pull fáces [...pul...]; grimáce.

гримёр *м.* máker-úp; *театр. тж.* máke-ùp man*. ~ша *ж.* máker-úp.

гримир||ова́ть, загримирова́ть, нагримирова́ть **1.** *при сов.* нагримирова́ть (*вн.*) make* up (*d.*); **2.** *при сов.* загримирова́ть (*вн. тв.*) make* up (*d.* as *d.*); загримирова́ть молодо́го актёра старико́м make* a young áctor up as an old man* [...jʌŋ...]. ~ова́ться, загримирова́ться, нагримирова́ться **1.** *при сов.* нагримирова́ться make* òne:sélf up; **2.** *при сов.* загримирова́ться (кем-л., под кого́-л.) make* òne:sélf up (as smb.); (*перен. тж.*) seek* to appéar (*d.*); **3.** *страд. к* гримирова́ть. ~о́вка *ж.* máke-ùp.

Гри́нвич *м.*: 15 ч. 30 м. по ~у three thirty (3.30) p. m. Gréenwich mean time [...'grɪnɪdʒ...].

грипп *м.* ìnfluénza, grippe; 'flu *разг.*; он бо́лен ~ом he has ìnfluénza, he has the 'flu. ~ова́ть *несов. и сов. разг.* have ìnfluénza, *или* the 'flu. ~о́зный ìnfluénzal; ~о́зное воспале́ние лёгких ìnfluénzal pneumónia [...nju:-]; ~о́зное заболева́ние case of ìnfluénza [-s...].

гриф I *м. миф.* gríffin, grýphon ['graɪ-].

гриф II *м. зоол.* gríffon(-vùlture).

гриф III *м. муз.* fínger-board, neck.

гриф IV *м.* (*штемпель с изображением подписи*) sígnature stamp.

гри́фель *м.* sláte-péncil. ~ный slate (*attr.*); ~ная доска́ slate.

грифо́н *м. арх., миф.* gríffin, grýphon ['graɪ-].

гроб *м.* cóffin; *поэт.* (*могила*) grave; идти́ за ~ом кого́-л. fóllow smb.'s cóffin; atténd smb.'s fúneral; ◇ вогна́ть кого́-л. в ~ *разг.* drive* smb. to the grave, be the death of smb. [...deθ...]; до ~ (*помнить, быть верным и т.п.*) ≅ as long as one shall live [...lɪv], till death; стоя́ть одно́й ного́й в ~у́ have one foot in the grave [...fut...]. ~ни́ца *ж.* tomb [tu:m]; sépulchre [-p'lkə]. ~ово́й: ~ово́й го́лос sepúlchral voice [-kr'l...]; ~ово́е молча́ние, ~ова́я тишина́ déathly sílence / hush ['deθ-'saɪ-...]; до ~ово́й доски́ till death [...deθ], till one's dýing day. ~о́вщик *м.* cóffin-máker, úndertáker.

гробокопа́тель *м. ирон.* ≅ dry:as:dùst àcadémic, *etc.*

грог *м. тк. ед.* grog.

гроза́ *ж.* **1.** (thúnder)stòrm; **2.** (*о существе или предмете*) térror.

гроздь *ж.* clúster; ~ виногра́да bunch of grapes; расти́ ~я́ми clúster.

гроз||и́ть (*дт. тв.*; + *инф.*) thréaten ['θre-] (*d.* with; + to *inf.*): он ~и́л ему́ револьве́ром he thréatened him with *a* revólver; он ~и́т уби́ть его́ he thréatens to kill him; ~ему́ — *и т.п.* ~и́т опа́сность dánger thréatens him ['deɪndʒə...], he is in dánger; дом ~и́т паде́нием the house* looks as if it is gó:ing to collápse, *или* thréatens to collápse [...haus...]; ◇ ~ па́льцем (*дт.*) shake* one's finger (at), wag one's finger [wæg] (at); ~ кулако́м (дт.) shake* one's fist (at). ~и́ться (+ инф.) разг. threaten ['θre-] (+ to inf.): он ~и́тся уйти́ he threatens to leave.

гро́зно I прил. кратк. см. гро́зный.

гро́зно II нареч. threatening:ly ['θre-], menacing:ly; (сурово) sternly. ~ый (внушающий ужас, страх) terrible, formidable, redoubtable [-'daut-]; (угрожающий) menacing, threatening ['θre-]; (суровый) stern; (свирепый) ferocious; ~ый взгляд menacing look; ~ый враг formidable enemy; ~ая опасность terrible danger [...'deɪndʒə]; ◇ Ива́н Гро́зный Ivan the Terrible [-a:n...].

грозов||о́й прил. к гроза 1; ~а́я ту́ча storm-cloud, thundercloud.

гром м. (прям. и перен.) thunder; ~ греми́т it thunders, it is thundering; ~ аплодисме́нтов thunder of applause; ◇ его́ уби́ло ~ом разг. he has been struck by lightning; ~ом поражённый thunderstruck; (как) ~ среди́ я́сного не́ба (like) a bolt from the blue; мета́ть ~ы и мо́лнии ≅ rage, storm, thunder, fulminate.

грома́д||а ж. mass, bulk; ~ горы́, зда́ния the great / enormous bulk of a mountain, a building [...greɪt... 'bɪl-]. ~ина ж. разг. huge thing, enormous thing, vast object.

грома́дн||ый huge, enormous, immense; (грандиозный) colossal; (обширный) vast; ~ая зада́ча colossal task; ~ое удово́льствие immense / extreme pleasure [...'ple-]; ~ая ра́зница huge difference.

громи́ла м. разг. 1. (вор) burglar; 2. (погромщик) thug, ruffian.

громи́ть, разгроми́ть (вн.) 1. raid (d.), sack (d.); (о магазинах и т. п.) loot (d.); (разрушать) smash up (d.); сов. тж. defeat (d.), destroy (d.); (перен.) inveigh (against), fulminate (against); 2. разбива́ть врага́ rout (d.), smash (d.); (с воздуха тж.) pound (d.).

гро́мк||ий 1. loud; (перен.: известный) famous, celebrated; ~им го́лосом in a loud voice; ~ое и́мя big name [greɪt...]; ~ая сла́ва great fame [greɪt...]; ~ое де́ло celebrated case [...-s]; 2. (напыщенный) bombastic, high-flown [-oun]; ~ие слова́ big words; high-flown talk sg.; без их слов without a fuss; ~ие ре́чи resounding speeches [-'z-]; ~ое и́м назва́нием under the high-sounding title.

гро́мко I прил. кратк. см. гро́мкий.

гро́мко II нареч. loud(ly); (вслух) aloud; ~ смея́ться laugh loudly [la:f...], roar with laughter [...'la:ftə]; ~ пла́кать cry / weep* noisily [...-zɪ-].

громкоговори́тель м. рад. loud-speaker.

громкоголо́сый loud-voiced.

громове́ржец м. миф., поэт. the Thunderer.

громов||о́й thunder (attr.); (перен.) thunderous; (сокрушительный) crushing; ~ы́е раска́ты peals of thunder; rumbling of thunder sg.; ~ го́лос thunderous / stentorian voice.

громогла́сно I прил. кратк. см. громогла́сный.

громогла́сн||о II нареч. (громко) loud(ly); in a loud voice; (открыто) open:ly, publicly ['pʌ-]. ~ый (громкий) loud; (о человеке) loud-voiced; (открытый; о замечании и т. п.) open, public ['pʌ-].

громозди́ть (вн.; прям. и перен.) pile up (d.), heap up (d.); ~ одну́ вещь на другу́ю pile one thing on another. ~ся 1. tower; 2. (на вн.) разг. (влезать) get* up (on).

громо́здкий bulky, cumber:some, cumbrous, unwieldy [-'wi:l-].

громоотво́д м. lightning-conductor, lightning-rod.

громоподо́бный thunderous, thundering.

гро́мче сравн. ст. прил. см. гро́мкий и нареч. см. гро́мко II.

громыха́ние с. rumble, rumbling.

громыха́||ть, прогромыха́ть rumble; (о телеге и т. п.) lumber; теле́га, ~я, прое́хала ми́мо до́ма, по у́лице the cart rumbled / lumbered past the house*, down the street [...haus...].

гросс м. торг. gross [-ous].

гроссбу́х м. бух. ledger.

гроссме́йстер м. 1. ист. Grand Master; 2. шахм. grand (chess-)master.

грот I м. (пещера) grotto.

грот II м. мор. mainsail.

гроте́ск м. grotesque; стиль ~ grotesque style. ~ный grotesque.

грот-ма́чта ж. мор. mainmast.

гро́хнуть сов. (вн.) разг. (уронить) drop with a crash / bang (d.); (бросить) bang down (d.). ~ся сов. разг. fall* down with a crash, crash down; ~ся с ле́стницы fall* downstairs; (с шумом) crash downstairs.

гро́хот I м. тк. ед. crash, din; (пушек и т. п.) thunder, roar; (грома) rumble; (барабана) roll; (мелких падающих предметов, напр., кусков угля) rattle.

гро́хот II м. тех., с.-х. riddle, screen, sifter.

грохота́нье с. crash(ing); (грома тж.) rolling; (отдалённое) rumble, rumbling.

грохота́ть, прогрохота́ть 1. crash; (о громе тж.) roll, peal; (об отдалённом громе) rumble; (о машинах, пушках) roar; (о пушках тж.) thunder; 2. разг. (громко смеяться) roar.

грохоти́ть, прогрохоти́ть (вн.) тех. riddle (d.), sift (d.), screen (d.).

грош м. 1. half copeck coin [ha:f...]; (перен.) penny, farthing [-ð-] 2. (польская мелкая разменная монета) grosz [-ʃ]; ◇ быть без ~а́ be penniless, be without a penny, not have a penny to one's name; не име́ть ни на ~ чего́-л. разг. not have a grain / spark of smth.; э́тому ~ цена́, э́то ~а́ ме́дного, ло́маного не сто́ит разг. it is not worth a brass farthing, или twopence [...'tʌpəns]; ни в ~ не ста́вить (вн.) разг. not care / give* a pin / damn for, not give* a brass farthing (for), not think* much (of); купи́ть что-л. за ~и́ buy* smth. for a song, или for next to nothing, или dirt-cheap [bɑɪ...]. ~о́вый разг. 1. not worth a farthing [...-ð-]. 2. (мелочный) paltry, petty.

грубе́ть, огрубе́ть coarsen, grow* coarse / rude [-ou...].

груби́ть, нагруби́ть (дт.) be rude (to), insult (d.).

ГРО—ГРУ

грубия́н м. разг. rude fellow; churl, boor. ~ить, нагрубия́нить (дт.) разг. be rude (to); без доп. behave boorishly. ~ка ж. разг. rude woman* [...'wu-]; (о девочке, девушке) rude girl [...-g-].

гру́бо I прил. кратк. см. гру́бый.

гру́бо II нареч. 1. roughly ['rʌf-], coarse:ly; (невежливо) rude:ly; 2. (неискусно) crude:ly; ◇ ~ говоря́ roughly speaking.

грубова́тый rather / some:what rough, или coarse, или rude ['rʌ-... rʌf...]; (ср. грубый).

гру́бост||ь ж. 1. roughness ['rʌf-], coarse:ness; (неискусность) crudity, crude:ness; 2. (невежливость) rude:ness; наговори́ть кому́-л. ~ей be rude to smb.; кака́я ~! how rude!

грубошёрстный (о сукне и т. п.) coarse; (о костюме и т. п.) of coarse cloth.

гру́б||ый 1. (в разн. знач.) rough [rʌf], coarse; (невежливый) rude; (вульгарный) gross [-ous]; ~ вкус coarse taste [...-teɪ-]; ~ го́лос harsh / rough / gruff voice; ~ая ко́жа coarse / rough skin; ~ая ткань coarse fabric; ~ая оши́бка gross error, blunder; ~ая пи́ща coarse / rude fare; ~ые ру́ки horny / hardened hands; ~ое сло́во rude word; (неприличное) coarse word; ~ая лесть gross / fulsome flattery [...'ful-...]; ~ое замеча́ние coarse / rude remark; ~ое наруше́ние прав, зако́на и т. п. gross / flagrant violation of rights, the law, etc.; ~ое вмеша́тельство gross interference [...-'fɪə-]; ~ая си́ла brute force; ~ые черты́ лица́ rugged features; (отталкивающие) coarse features; э́то о́чень ~о с ва́шей стороны́ it is very rude of you; 2. (неискусный) crude; ~ая рабо́та crude workmanship; 3. (приблизительный) rough; ~ подсчёт rough estimate; в ~ых черта́х in broad outline [...brɔ:d...].

гру́да ж. heap, pile; ~ разва́лин heap of ruins; лежа́ть ~ми be heaped / piled up.

груда́стый разг. big-bosomed [-'buz-], broad-chested.

груд||и́на ж. анат. breast-bone ['bre-]; sternum (pl. -na) научн. ~и́нка ж. brisket; breast [brest]; копчёная ~и́нка bacon.

грудни́к м. разг. baby, infant; babe in arms.

грудни́ца ж. мед. mastitis.

грудн||о́й прил. к грудь 1; pectoral научн.; ~ го́лос chest voice; ~а́я кле́тка анат. thorax; ~а́я кость = груди́на; ~а́я жа́ба мед. angina pectoris [æn'dʒ-...]; ~ы́е мы́шцы pectoral muscles [...mʌslz]; ~ ребёнок baby, infant; babe in arms.

грудобрю́шн||ый анат.: ~ая прегра́да diaphragm [-æm].

груд||ь ж. 1. breast [bre-]; (грудная клетка) chest; (бюст) bosom ['buz-], bust; слаба́я ~ weak chest; широ́кая ~ broad chest [brɔ:d...]; боль в ~и́ pain in the chest; прижа́ть кого́-л. к свое́й ~и́ clasp smb. to one's breast; пла́кать на ~и́ у кого́-л. weep* on smb.'s breast; таить что-л. в ~й keep* smth. secret; дать ~ ребёнку give* a baby the breast, suckle a child*; кормить ~ью (вн.) nurse (d.); отнять от ~й (вн.) wean (d.); 2. тк. ед. разг. (у рубашки) front [frʌ-], shirt-front [-frʌ-]; рубашка с крахмальной ~ью shirt with starched front; boiled shirt амер.; ◊ стоять ~ью (за вн.) stand up staunchly (for), defend / champion with might and main (d.).

гружёный loaded; laden (гл. обр. мор.).

груз м. 1. (кладь) load; (железнодорожный) goods [gudz] pl.; (морской) freight, cargo, lading; скоропортящийся ~ perishables pl.; движение ~ов goods traffic, freight traffic; 2. тк. ед. (тяжесть) weight; (ноша) burden; (перен.: бремя) burden, weight.

груздь м. milk mushroom.

грузило с. рыб. plummet, sinker.

грузин м., ~ка ж. Georgian ['dʒɔ:-]. ~ский Georgian ['dʒɔ:-]; ~ский язык Georgian, the Georgian language.

грузить, погрузить (вн. на, в вн.) load (d. on); (людей — на судно) embark (d.); (в поезд) entrain (d.); (на самолёт) emplane (d.); ~ товар на судно ship, load / put* cargo on board ship, или a:board; ~ товар в вагоны load goods on trucks [...gudz...]. ~ся, погрузиться 1. (о войсках и т. п. — на судно) embark; (в вагоны) entrain; (на грузовики) embus; entruck амер.; (на самолёт) emplane. 2. (о судне) take* a cargo; ~ся углём coal; 3. страд. к грузить.

грузнеть, погрузнеть разг. grow* heavy / corpulent [grou 'hevɪ...], put* on weight.

грузный I прил. кратк. см. грузный.

грузно II нареч. heavily ['he-]. ~ость ж. heaviness ['he-]; unwieldiness [-'wi:l-]; corpulence; (ср. грузный). ~ый (тяжёлый) heavy ['he-]; (большой) massive; (громоздкий) bulky, cumbersome, unwieldy [-'wi:-]; (толстый) stout, corpulent; ~ая фигура stout / corpulent figure.

грузовик м. (motor) lorry; truck.

грузовладелец м. owner of goods / freight ['ou-... gudz...].

грузовой cargo (attr.); freight (attr.); ~ое судно cargo boat, freighter; ~ое движение goods traffic [gudz...]; мор. shipping.

грузооборот м. goods / freight turnover [gudz...]; ~ речного, морского транспорта river-borne, sea-borne freight turnover; ~ железнодорожного транспорта rail freight turnover.

грузоотправитель м. consignor [-'saɪnə], shipper.

грузоподъёмность ж. (вагона и т. п.) vehicle capacity ['vi:kl...], carrying capacity; (судна) freight-carrying capacity, cargo capacity; (подъёмного механизма) hoisting capacity. ~ый: ~ый кран (loading) crane.

грузополучатель м. consignee [-'saɪni:].

грузопоток м. goods traffic [gudz...]; мощность ~ов на разных торговых путях the volume /. amount of goods traffic on the various trade routes [...ru:ts].

грузчик м. loader; (портовый) stevedore ['sti:vɪdɔ:], docker; longshoreman* амер.

грум м. groom.

грунт м. 1. (почва) soil; (твёрдое дно) ground, bottom; высаживать в ~ (вн.) bed / plant out [...-a:nt...] (d.); высадка в ~ bedding-out; 2. жив. ground, priming.

грунтовать, загрунтовать (вн.) жив. ground (d.), prime (d.). ~овка ж. жив. priming, prime coating. ~овой: ~овые воды subsoil waters [...'wɔ:-]; ~овая дорога unmetalled road; earth road [ə:θ...]; dirt road амер.

групорг м. group-organizer ['gru:p-].

группа ж. (в разн. знач.) group [gru:p]; (о людях или предметах, находящихся рядом тж.) cluster; (о деревьях, кустах тж.) clump; ~ островов, зрителей cluster of islands, of spectators [...aɪl-...]; ~ крови биол. blood group [-ʌd-].

группировать, сгруппировать (вн.) group [gru:p] (d.); (классифицировать) classify (d.). ~оваться, сгруппироваться 1. group [gru:p], form groups [...gru:ps]; 2. страд. к группировать. ~овка ж. (действие) grouping ['gru:-]; (классификация) classification; 2. (группа; тж. воен.) group [gru:p], alignment [ə'laɪn-]; (тк. воен.) force; grouping амер.; ~ замкнутая военная ~овка restricted / closed military alignment.

групповой group [gru:p] (attr.); ~ая фотография group photograph; ~ые занятия group study [...'stʌ-] sg., group lessons; ~ космический полёт group space flight; ~ые интересы interests of a narrow group / set, cliquish interests ['kli:k-...]. ~щина ж. clannishness, clique-formation ['kli:k-], cliquishness ['kli:k-].

грустить be sad, be melancholy [...-k-]; (о пр.) long (for), yearn [jə:n] (for); pine (for); (о прошедшем) mourn [mɔ:n] (d., for), lament (d.).

грустно I 1. прил. кратк. см. грустный; 2. предик. безл. it is sad; ему ~ he feels sad, he is sad; ему ~, что he is sorry that; ему ~ (+ инф.) it makes him sad (+ to inf.), it grieves him [...-i:vz...] (+ to inf.); ему ~ слышать he is sorry, или it grieves him, to hear it.

грустно II нареч. sadly, sorrowfully. ~ый melancholy [-k-], sad, sorrowful; у него ~ое настроение he is in a melancholy mood, he is in low spirits [...lou-...].

грусть ж. melancholy [-k-], sadness.

груша ж. 1. (плод) pear [pɛə]; 2. (дерево) pear-tree ['pɛə-]; 3. (изделие, напоминающее форму этого плода) pear-shaped object ['pɛə-...]. ~евидный pear-shaped ['pɛə-]; pyriform научн. ~евый прил. к груша, ~евый сад pear orchard [pɛə-...], ~евое дерево pear-tree ['pɛə-]; ~евый компот stewed pears [pɛə-] pl. ~овка ж. тк. ед. 1. (наливка) pear liqueur [pɛə -'kjuə]; 2. (сорт яблок) grushovka apples pl. (kind of apples).

грыжа ж. мед. rupture; hernia научн.; быть больным ~ей be ruptured, have a hernia. ~евый hernial; ~евый бандаж truss.

грызня ж. тк. ед. (о собаках и т. п.) fight; (перен.: ссора) squabble, bickering; затеять ~ю start a fight; start a squabble, start bickering.

грызть (вн.) gnaw (d.); (маленькими кусочками) nibble (d.); (перен.: изводить) nag (d., at); (терзать) keep* gnawing (d.); ~ орехи crack nuts; ~ семечки eat* / nibble sunflower seeds; ~ сухари eat* / nibble rusks; ~ кость (о животном) gnaw a bone; (о человеке) pick a bone; ~ ногти bite* one's nails. ~ся (о собаках) fight*; (перен.: ссориться) wrangle, squabble, bicker.

грызун м. зоол. rodent.

гряда ж. 1. (садовая) bed (in garden); 2. (гор) ridge (range); 3. (облаков) bank (of cloud).

грядёт 3 л. ед. наст. вр. уст. is coming, is approaching, is drawing near.

грядиль м. с.-х. plough-beam.

грядка ж. уменьш. от гряда 1; копать ~и dig* vegetable patches. ~овый прил. к грядка; ~овая культура cultivation / growing in beds ['grou-...].

грядущее с. скл. как прил. тк. ед. the future. ~ий approaching, coming; ~ие дни the days to come; ~ие поколения succeeding generations, generations to come; ◊ на сон ~ий разг. for / as a night cap; at bedtime; он рассказывал им сказки на сон ~ий he used to tell them fairy tales at bedtime [...ju:st...].

грязеводолечение с. mud-and-water cure [-wɔ:-...].

грязевой mud (attr.); ~ая ванна mud-bath*; ~ вулкан mud volcano.

грязелечебница ж. therapeutic mud-baths [...-ba:ðz] pl., institution for mud cures. ~чебный прил. к грязелечение. ~чение с. mud cure.

грязеочиститель м. тех. mud-scraper.

грязи мн. мед. mud sg.; (грязевые ванны) therapeutic mud-baths [-ba:ðz]; принимать ~, лечиться ~ями take* / undergo* a mud cure.

грязнеть get* covered with mud [...'klʌv-...], become* dirty.

грязнить, загрязнить (вн.) soil (d.), make* dirty (d.); besmirch (d.); (перен.) sully (d.), tarnish (d.). ~ся, загрязниться become* dirty / soiled.

грязно I 1. прил. кратк. см. грязный; 2. предик. безл. it is dirty; на улице ~ it is muddy outside, the streets are muddy.

грязно II нареч. dirtily; (неопрятно) untidily [-'taɪ-]; он ~ пишет (об ученике) his writing, или written work, is slovenly [...'slʌ-].

грязноватый rather dirty ['ra:-...]; (об улице) rather muddy; ~ цвет лица dingy complexion.

грязнуля м. и ж., ~ха м. и ж. разг. dirty creature; (о мужчине тж.) dirty fellow; (о женщине тж.) slut.

грязный (в разн. знач.) dirty; (об улице, дороге и т. п.) muddy, miry; (отвратительный) filthy, sordid; ~ое лицо, ~ые руки dirty / grimy face, hands; ~ая работа dirty work; (перен.) slovenly / untidy work ['slʌ-...]; ~ое бельё dírty línen [...'lɪ-]; (для стирки) wáshing; ~ое де́ло únsavoury / dirty búsiness [-'seɪ-... 'bɪzn-...]; ~ая война́ dírty war; ~ое ведро́ slóp-pail; réfuse-pail [-s-]; gárbage pail амер.

грязь ж. тк. ед. 1. dirt; filth (тж. перен.); (моральное разложение) corrúption; въе́вшаяся ~ grime; 2. (слякоть) mud; жи́дкая ~ slush; бры́зги гря́зи spláshes of mud; непрола́зная ~ impássable / thick mud / mire; забры́згать ~ю (вн.) splash with mud (d.), bespátter (d.); ◊ меси́ть ~ разг. wade through mud, walk in the mud; втопта́ть в ~ (вн.), смеша́ть с ~ю (вн.) deféme (d.), vilify (d.); лицо́м в ~ не уда́рить разг. make* a créditable shówing [...'ʃou-], put* up a good show [...ʃou].

гря́ну||ть сов. 1. burst* out, burst* forth; (перен.: разразиться) break* out [breɪk...], burst* out, burst* forth; гром ~л there was a clap / crash / peal of thúnder; ~л вы́стрел a shot rang out; 2. (о песне, оркестре) strike* up.

грясти́ уст. come* forth.

гуа́но с. нескл. с.-х. guáno ['gwɑ:-].

гуа́шь ж. тк. ед. жив. gouáche [gu'ɑ:ʃ].

губа́ I ж. lip; ве́рхняя ~ úpper lip; ни́жняя ~ lówer lip ['louə...]; зая́чья ~ мед. háre-lip; гу́бы ба́нтиком a mouth like a Cúpid's bow [...bou]; сложи́ть гу́бы ба́нтиком purse (up) one's lips affectedly; наду́ть гу́бы pout (one's lips); куса́ть гу́бы bite* one's lips; ◊ по ~м пома́зать кому́-л. разг. raise false hopes in smb. [...fɔ:ls...]; у него́ губа́ не дура́ погов. ≅ he knows what's good for him [...nouz...], he knows on which side his bread is búttered [...bred...].

губа́ II ж. геогр. ínlet, bay, firth.

губа́ III ж. (грибок на стволах дере́вьев) tree-fúngus (pl. -gi).

губ||а́ IV ж. разг. = гауптва́хта; посади́ть на ~у́ (вн.) put* in the guárd-house* [...-s] (d.).

губа́стый разг. thick-lípped.

губерна́тор м. góvernor ['gʌ-]. ~ский góvernor's ['gʌ-], of a góvernor [...'gʌ-]; ◊ положе́ние ху́же ~ского ≅ (it is) a sórry plight. ~ство с. góvernorship ['gʌ-].

губе́рн||ия ж. ист. próvince; ◊ и пошла́ писа́ть ~ уст. разг. and they all stárted doing smth. about it; and we were agáin head óver heels in it [...hed...]. ~ский прил. к губе́рния; ~ский го́род príncipal town of a próvince.

губи́тель м., ~ница ж. undóer ['du:ə]; rúiner, destróyer. ~ность ж. báneful-ness, pernícious-ness. ~ный báneful, pernícious, rúinous, disástrous [-'zɑ:-]; (разрушительный) destrúctive; ~ный ого́нь воен. wíther-ing fire; кли́мат оказа́лся для него́ ~ным the climate proved fátal to him [...'klaɪ- pru:vd...].

губи́ть, погуби́ть (вн.) rúin (d.); (о челове́ке тж.) be the ún:dó:ing (of); (разруша́ть) destróy (d.); (портить) spoil* (d.).

гу́бк||а I ж. (для мытья) sponge [-ʌ-]; мыть ~ой (вн.) sponge (d.).

гу́бка II ж. уменьш. от губа́ I.

губко́м м. (губернский комитет) ист. províncial commíttee [...-tɪ].

губн||о́й 1. анат., лингв. lábial; ~ согла́сный lábial; 2. (предназначенный для губ) lip (attr.); ~а́я пома́да lipstick.

губоцве́тные мн. скл. как прил. бот. Labiátae.

губошлёп м. разг. múmbler; (растяпа) lout.

гу́бчат||ый spóngy [-ʌndʒɪ]; ~ая пла́тина тех. spóngy plátinum.

гуверн||а́нтка ж. góverness ['gʌ-]. ~ёр м. tútor.

гугено́т м. ист. Húguenòt.

гугу́: ни ~ разг. (молчи!) mum's the word!, don't let it go any fúrther! [...-ðə], keep it únder your hat!; он сиде́л и ни ~ he sat mum.

гуд м. разг. = гуде́ние.

гуде́ние с. búzz(ing); (звуки тж.) drone; (о гудке) hóoting; (об автомобильном гудке) honk; ~ мото́ра drone of the éngine [...'endʒ-].

гуд||е́ть 1. buzz; (о более низком звуке) drone; (о гудке) hoot; (об автомобильном гудке) honk; фабричные гудки́ ~я́т the (fáctory) whistles are hóoting / shríeking [...'ʃri:-], the fáctory sírens are góing; 2. безл.: у него́ в уша́х ~и́т there is a búzzing in his ears. ~о́к м. 1. (свисток) hóoter; (фабри́чный) fáctory whistle / hóoter / síren; (автомобильный) (mótor-càr) horn; 2. (звук) hóoting; (более слабый) toot; (автомобиля) honk; трево́жный ~о́к alárm whistle; по ~ку́ at the sound of the whistle, when the whistle blows [...blouz].

гудро́н м. тех. tar. ~и́ровать несов. и сов. (вн.) тех. tar (d.).

гуж м. tug; взя́вшись за ~, не говори́, что не дюж посл. ≅ you can't back out once you've begún [...kɑ:nt ...wʌns...]; in for a pénny in for a pound. ~ево́й ánimal-drawn; ~ево́й тра́нспорт cártage, cárting. ~о́м нареч. by cártage, by cart tránspòrt; возить ~о́м cart.

гул м. rumble, boom, rúmbling; (голосо́в) hum, buzz; (машин) din; (ве́тра) róaring.

гу́лкий 1. (с сильным резонансом) hóllow, résonant ['rez-]; 2. (громкий) resóunding [-'zau-]; ~ звук bóoming (sound).

гульба́ ж. разг. ídling; révelry, díssipated life.

гу́льден [-дэн] м. 1. (денежная единица Нидерландов) guilder; 2. (монета) gúlden ['gu:-].

гу́лькин: с ~ нос разг. less than nothing.

гуля́ка м. и ж. разг. réveller; flâneur (фр.) [flɑ:'nə:], playboy; (безде́льник) idler.

гуля́нка ж. разг. óuting, párty.

гуля́нье с. 1. walk, stroll; 2. (пра́зднество) óutdoor fête [-də feɪt]; наро́дное ~ féstive gáther-ing in the streets or squares on públic hólidays [...'pʌ-dɪz].

гуля́||ть 1. (совершать прогулку) go* for a walk, take* a walk / stroll; (проводить время на воздухе) be out of doors [...dɔ:z], be in the fresh air; он ~ет в па́рке he is táking / háving a walk in the park; 2. разг. (быть свободным от работы) have time off, или free time; 3. разг. (веселиться) make* mérry, enjóy òne:sélf, have a good time; (кутить) caróuse, have, или be on, the spree; 4. (с тв.) разг. (быть в близких, любовных отношениях) go* (with).

гуля́ш м. кул. góulàsh ['gu:-].

гуля́щий разг. 1. прил. idle; 2. ж. как сущ. (проститутка) stréet-wàlker.

гума́н||изм м. húmanism. ~и́ст м. humanitárian.

гуманита́рий м. húmanist.

гуманита́рн||ый pertáining to the humánities; ~ые нау́ки the humánities; (в англ. университетах тж.) the Arts.

гума́нно I прил. кратк. см. гума́нный.

гума́нн||о II нареч. humáne:ly, with humánity. ~ость ж. humánity, humáne:ness. ~ый humáne.

гуммиара́бик м. gum arábic.

гумно́ с. с.-х. 1. (ток) thréshing-floor [-flɔ:]; 2. (амбар) barn.

гу́мус м. с.-х. húmus.

гундо́сый разг. = гнуса́вый.

гунн м. ист. (тж. перен.) Hun.

гу́рия ж. миф. hóuri ['huə-].

гурма́н м. épicùre, góurmet ['guəmeɪ]. ~ство с. gourmandise [guəmən'di:z], cònnoisséurship [kɔnɪ'sə-] (of food and drink).

гурт м. drove, herd; (овец) flock. ~о́вщик м. hérds:man*; (погонщик) dróver.

гурто́м нареч. 1. whóle:sàle ['h-]; 2. разг. (всей компанией) in a bódy [...'bɔ-]; en masse (фр.) [ɑ:ŋ'mæs].

гурьб||а́ ж. тк. ед. crowd, throng; ~ дете́й bévy of children ['be-...]. ~о́й нареч. in a crowd; войти́ ~о́й come* tróoping in.

гуса́к м. gánder.

гуса́р м. воен. hussár [hu'zɑ:]. ~ский прил. к гуса́р.

гу́сем нареч. = гусько́м.

гу́сени||ца ж. 1. зоол. cáterpillar; 2. тех. (cáterpillar) track. ~чный 1. прил. к гу́сенице 1; 2. тех. cáterpillar (attr.); ~чный тра́ктор cáterpillar tráctor; ~чная ле́нта cáterpillar track; ~чный ход cáterpillar drive.

гус||ёнок м. gósling [-z-]. ~и́ный goose [-s] (attr.); ~и́ная трава́ бот. góose-gràss [-s-]; ~и́ное перо́ góose-quill [-s-]; ◊ ~и́ная ко́жа разг. góose-flèsh [-s-], góose-skin [-s-]; ~и́ные ла́пки (морщинки у глаз) разг. crow's feet [-ouz-].

гуси́т м. ист. Hússite.

гу́сл||и мн. муз. psáltery ['sɔ:l-] sg., gúsli sg. ~я́р м. pláyer on the psáltery [...'sɔ:l-], psáltery pláyer.

густе́||ть thícken, get* / becóme* thick; тума́н ~ет the fog is thíckening, the fog is getting dénser.

гу́сто I прил. кратк. см. густо́й.

гу́сто II нареч. thíckly, dénse:ly; ~ замеси́ть (вн.) work into a stiff mixture (d.); ~ замеси́ть те́сто make* a stiff dough [...dou]; ◊ у меня́ де́нег не ~ I'm a bit hard up, I'm a bit pushed for móney [...pu-...'mʌ-].

густоволо́сый thick-háired, búshy ['bu-]; (косматый) shággy.

ГУС – ДАВ

густ||о́й 1. thick; (*плотный*) dense; ~ лес dense / thick forest [...'fɔ-]; ~а́я толпа́ dense crowd; ~а́я трава́ thick grass; ~ые бро́ви thick / bushy eyebrows [...'bu-'aɪ-]; ~ые во́лосы thick hair *sg.*; ~о́е населе́ние dense population; ~ые облака́ dense / heavy / thick clouds [...'he-...]; ~ дым dense smoke; ~ые сли́вки thick cream *sg.*; 2. (*о голосе, цвете*) rich, deep.

густонаселённый densely populated, populous.

густопсо́вый *охот.* of a breed of borzoi (dog); (*перен.*) *презр.* out-and-out.

густота́ *ж.* 1. thickness, density; 2. (*голоса, цвета*) richness, deepness.

гусы́ня *ж.* goose* [-s].

гус||ь *м.* goose* [-s]; ◇ как с ~я вода́ *погов.* ≅ like water off a duck's back [...'wɔ:-...]; хоро́ш ~! a fine fellow indeed!

гусько́м *нареч.* in single / Indian file.

гуся́тина *ж.* goose(-flesh) [-s-].

гуся́тник I *м.* (*помещение для гусей*) goosery, goose-pen [-s-].

гуся́тник II *м.* (*работник*) man* who tends geese, *или* who is in charge of geese.

гуся́тница I *ж.* (*работница*) poultry-woman* in charge of geese [...-wu-...].

гуся́тница II *ж.* (*посуда*) stewing-dish; stew *разг.*

гутали́н *м.* shoe polish [ʃu:...].

гуттапе́рч||а *ж.* gutta-percha. ~евый *прил.* к гуттаперча.

гуцу́л *м.*, ~ка *ж.* Guzúl [gu:ˈzu:l].

гуцу́льский Guzúl [gu:ˈzu:l] (*attr.*).

гу́щ||а *ж. тк. ед.* 1. (*осадок*) sediment, (*кофейная*) grounds *pl.*, (*пивная*) lees *pl.*; (*в супе*) the body [...'bɔ-]; 2. (*густая заросль*) thicket; (*перен.*) thick; в ~е ле́са in the thick / depths / heart of the forest [...hɑː...ˈfɔ-]; в са́мую ~у масс in the very midst of the masses; в са́мой ~е собы́тий in the thick of things.

гу́ще *сравн. ст. прил. см.* густо́й *и нареч. см.* густо́ II.

гущина́ *ж. разг.* 1. (*густота*) thickness; 2. (*гуща*) thicket.

гюйс *м. мор.* jack.

гяу́р *м.* giaour [ˈdʒauə].

Д

да I 1. *утверждение* (*в ответе*) yes (*как подтверждение отрицания*) no (= *нет*); бы́ли ли вы там? — Да. Were you there? — Yes (, I was); сего́дня воскресе́нье? — Да. Is it Sunday today? [...-dɪ...] — Yes; ведь вы не́ были там? — Да, не́ был (= нет, не́ был) You were not there? — No, I was not; 2. (*вопросительно, как выражение удивления*) is that so?, really? [ˈrɪə-], indeed?, fancy (that); вы зна́ете, он жени́лся? — Да? А я и не знал. You know he has got married? — Has he?, *или* Really / Indeed?, I didn't know [...nou].

да II *частица* (*усилительная*) but, oh but [ou...]: да ты гото́в? oh, but you are ready, aren't you? [...ˈre-...]; да не мо́жет быть!, да ну? you don't say so!; is that so?; fancy (that)!; да ну его́! oh, bother him!; э́то что́-нибудь да зна́чит that means / signifies something; (*это неспроста*) there is something behind that; что́-нибудь да оста́лось же now, something must surely have been left [...ˈʃuə-...], surely something was left.

да III *частица* (*модальная: пусть*) передаётся через сослагательное наклонение *или* let + *inf.*, may + *inf.*; да здра́вствует..! long live..! [...ˈlɪv]; да здра́вствует Сове́тский Сою́з! long live the Soviet Union!; да живёт он мно́гие го́ды! long may he live!

да IV *союз* 1. (*соединительный*) and; (*присоединительный*) and (besides): он да я не и; — да ещё and what is more, шёл он оди́н, да ещё в темноте́ he was walking alone and, what is more, in the dark, *или* and in the dark too, *или* and, moreover, in the dark; 2. (*противительный*) but: он охо́тно сде́лал бы э́то, да у него́ нет вре́мени he would gladly do it, but he hasn't the time.

да́бы *союз уст.* in order (+ *inf.*), in order that (+ *личн. формы глагола* may): преуспе́ть in order to succeed, in order that he, *etc.*, may succeed.

дава́й, дава́йте *частица* (*модальная*; + *инф.*) let us (let's *разг.*) (+ *inf.*): ~ чита́ть, писа́ть и т. п. let us read, write, *etc.*; — дава́й, я тебе́ помогу́ come (on), I'll help you.

дава́ть, дать 1. (*вн. дт.*) give* (*d.* to, *d. i.*); ~ лека́рство (*дт.*) give* / administer a medicine (*i.*); ~ взаймы́ (*вн.*) lend* (*i.*); ~ бал give* a ball; ~ обе́д, у́жин give* a dinner, a supper; ~ конце́рт give* a concert; ~ уро́к give* a lesson; ~ телегра́мму (*дт.*) send* a telegram (to); send* a wire (to) *разг.*, wire (*d.*) *разг.*; (*по кабелю*) send* a cable (to), cable (*d.*), 2. (*дт.* + *инф., позволять*) let* (*d.* + *inf.*), allow (*d.* + to *inf.*); ему́ не да́ли говори́ть they did not (didn't *разг.*) let him speak, ~ поня́ть (*вн.*) to understand; да́йте мне поду́мать let me think, ~ укрепи́ться (*дт.*) allow (*d.*) to gain a firm hold, ◇ ~ подзаты́льник, в у́хо кому́-л. box smb.'s ears, give* smb. a box on the ear(s); ~ кому́-л. сло́во (*на собрании*) give* smb. the floor [...flɔː]; ~ сло́во (*обещать*) give* pledge one's word, ~ кля́тву make* / take* / swear* an oath* [...swεə...]; ~ обе́т чего́-л. vow smth., ~ своё согла́сие (на *вн.*) give* one's consent (to); ~ показа́ния testify, depose; (*дт.*) give* evidence (to); ~ доро́гу (*дт.*) make* way (for); ~ ме́сто (*дт.*) make* room (for); ~ пра́во (*дт.*) give* the right (*i.*); *офиц.* grant / accord the right [graːnt...] (*i.*); кто дал вам пра́во (+ *инф.*)? who gave you the right (+ to *inf.*)?; ~ возмо́жность (*дт.*) enable (*d.*), let* (*d.*); ~ амни́стию grant an amnesty; ~ звоно́к ring* (the bell); ~ залп fire a volley; ~ сраже́ние (*дт.*) give* battle (*i.*); (*перен. тж.*) measure swords [ˈmeʒə sɔː-] (with); ~ отпо́р (*дт.*) repulse (*d.*), rebuff (*d.*); (*в споре*) reject the views [...vjuːz]; не ~ поко́я (*дт.*) give* no rest (*i.*), never leave* in peace (*d.*); ~ оса́док leave* a sediment; ~ течь spring* a leak; ~ тре́щину crack, split* [...]; ~ урожа́й yield a harvest [jiːld...]; ~ припло́д breed*; ~ большо́й припло́д be prolific; ~ нача́ло чему́-л. give* rise to smth., ~ во́лю чему́-л. give* vent to smth., ~ во́лю воображе́нию give* free rein to one's imagination; не ~ во́ли чему́-л. repress smth., control smth. [-oul...]; ~ ход кому́-л. *разг.* help smb. on; give* smb. a leg-up; ~ ход де́лу set* *an* affair going; (*судебному*) prosecute; не ~ хо́да де́лу shelve *an* affair; ему́ не даю́т хо́да they won't give him a chance [...wount...]; ~ основа́ние (*дт.* + *инф.*) give* ground (*i.* + to *inf.*); ~ по́вод (*дт.* + *инф.*) give* occasion (*i.* + for *ger.*); give* cause (for + to *inf.*); ~ ключ к чему́-л. furnish the clue to smth., ~ си́лы (*дт.*) give* strength (*i.*, to), invigorate (*d.*); ~ переве́с (*дт.*) give* the preponderance (to), turn the balance in favour (of); ~ себе́ труд (+ *инф.*) take* the trouble [...trʌ-] (of *ger.*, + to *inf.*); не ~ в оби́ду (*вн.*) stand* up (for); не ~ себя́ в оби́ду be able to stand / stick up for oneself; дать себя́ успоко́ить allow oneself to be placated; ему́ нельзя́ дать бо́льше 10 лет he does not look more than ten years old; ни дать ни взять exactly, neither more nor less [ˈnaɪ-...], ~ся, да́ться 1.: ~ся в ру́ки кому́-л. yield to smb. [jiːld...], let* oneself be caught by smb., не ~ся кому́-л. (*увёртываться*) evade smb., dodge smb., 2. (*легко усваивать*) come* easily [...ˈiːzɪ-]; англи́йский язы́к даётся ему́ легко́ English comes easily to him [ˈɪŋ-...]; 3. *страд.* к дава́ть.

да́веча *нареч. разг.* lately, recently.

да́вешний *разг.* recent, late; ~ слу́чай what happened shortly before; ~ гость the guest who was there a short while ago.

дави́||ло *с.* weight (*contrivance*), press. ~льный: ~льный пресс winepress. ~льня *ж.* winepress. ~льщик *м.* presser, treader [-edə].

дави́ть 1. (на *вн.*) weigh (upon), lie heavy [...ˈhe-] (on); снег да́вит на кры́шу the snow weighs, *или* lies heavy, on the roof [...snou...]; 2. (*вн., раздавливать*) crush (*d.*); 3. (*вн., мять, выжимать*) press (*d.*), squeeze (*d.*); ~ я́годы press the juice out of berries [...dʒuːs...]; ~ лимо́н squeeze a lemon [...ˈle-]. ~ся, подави́ться 1. (*тв.*) choke (with); 2. *тк. несов.* (*тв., глотать с трудом*) choke down (*d.*); 3.: ~ся от ка́шля choke / suffocate with coughing [...ˈkɔf-]; он да́вится от ка́шля his cough is choking / suffocating him [...kɔf...], he is choked by his cough; ~ся от сме́ха choke with laughter [...ˈlɑːf-]; 4. *страд.* к дави́ть 2, 3.

да́вка *ж. тк. ед.* crush, jam.

давле́ние *с.* (*в разн. знач.*) pressure; высо́кое, ни́зкое ~ high, low pressure [...lou...]; ~ в одну́ атмосфе́ру a pressure of one atmosphere; кровяно́е ~

мед. blood préssure [blʌd...]; под ~м чего-л. únder préssure of smth.; под ~м обстоятельств through force of círcumstances; оказывать ~ (на *вн.*) put* préssure (up:ón), bring* préssure to bear [...bɛə]; exért préssure (on); полити́ческое ~ polítical préssure.

да́влен||ый *разг.* crushed, spoiled by inadvértent préssing; ~ые помидо́ры squashed tomátòes [...-'mɑː-].

давне́нько *нареч. разг.* for quite a (long) while.

да́вн||ий old, áncient ['еɪ-]; (*уже не существующий*) bý:gòne [-gɔn]; (*существующий издавна*) lóng-stànding, of long stánding; ~ие собы́тия áncient [-'еɪ-], bý:gòne evénts; ~ друг an old friend [...fre-]; ~яя дру́жба a lóng-stànding, или an old, friendship [...'fre-], a friendship of long stánding; с ~их пор of old, for a long time; он живёт здесь с ~их пор he has been líving here for a long time [...'liv-...]; he has been líving here for áges *разг.* ~и́йший *разг.* = да́вний.

давно́ *нареч.* 1. (*много времени тому назад*) long agó; 2. (*в течение долгого времени*) for a long time; я ~ его́ не ви́дел I have:n't seen him for a long time; ~ пора́ (+ *инф.*) it's high time (+ to *inf.*); ◊ ~ бы так and high time it is.

давнопроше́дш||ий remóte; ~ие времена́ remóte times; ~ее (*вре́мя*) *грам.* past pérfect (tense); plúpérfect (tense).

да́вност||ь *ж.* 1. (*отдалённость*) remóte:ness; (*древность*) antíquity: ~ собы́тий remóte:ness of evénts; ~ э́того обы́чая the antíquity of this cústom; ~ э́то де́ло име́ет большу́ю ~ this is a mátter of long stánding; 2. *юр.* prescríption; десятиле́тняя ~ ten years' prescríption; пра́во ~и prescríptive right.

давны́м-давно́ *нареч.* very long agó; long long agó; áges (and áges) agó *разг.*

дагеста́н||ец *м.*, ~ка *ж.*, ~ский Dàg(h)están [dɑːɡeˈstɑːn].

да́же *частица* éven; он ~ предста́вить себе́ не мог, что э́то так he could:n't éven imágine that it was so; пришли́ все, ~ де́ти évery:òne came, éven the children; éсли ~ éven if; он ~ смути́лся he áctually looked confúsed.

дактили́ческий *лит.* dáctylic; ~ разме́р dáctylic metre.

дактилоскопи́ческий dàctyloscópic; ~ о́ттиск dàctyloscópic print; fínger-print.

дактилоскопи́я *ж.* dàctylóscopy; idèntificátion by means of fínger-prints [aɪ-...].

да́ктиль *м. лит.* dáctyl.

дала́й-ла́ма *м.* Dálai-Láma [-lɑɪ-'lɑː-].

да́лее *нареч.* 1. fúrther [-ðə]; не ~ как, не ~ чем no fúrther / fárther than [...'fɑːðə...]; (*о времени*) no láter than; 2. (*затем*) fúrther, then; ◊ и так ~ and so on, and so forth, etc. [ɪt'setrə].

далёк||ий 1. (*находящийся на большом расстоянии*; *тж. о времени*) dístant, remóte; *реже* far*, fár-a:wáy; ~е стра́ны dístant lands; ~ое бу́дущее, про́шлое remóte / dístant fúture, past; не в о́чень ~ом бу́дущем in the not too dístant fúture; 2. (*о путешествии*) long, dístant; ~ путь (*окольный*) a long way round, a róundabout way; 3. (*чуждый*) dissímilar; with líttle in cómmon (*после сущ.*); они́ ~ие друг дру́гу лю́ди they have líttle in cómmon; далёк от чего́-л., как не́бо от земли́ as different as chalk from cheese; так далеки́ друг от дру́га, как не́бо от земли́ worlds apárt; like chalk and cheese; 4. (*от рд.*; *не думающий чего-л.*) by no means in:clíned (to); он далёк от подозре́ний he is far from suspécting ány:thing; ~ от и́стины, це́ли *и т.п.* wide of the truth, mark, etc. [...-iːθ...]; ◊ он не о́чень ~ челове́к he is not very cléver / bright [...'kleɪ-...].

далеко́ I 1. *прил. кратк. см.* далёкий; 2. *предик. безл.* it is far; it is a long way; туда́ ~ (идти́) it is a long way (to go) there, it is far a:wáy; до э́того ещё ~ it is still a long way off; ему́, им *и т.д.* ~ до соверше́нства he is, they are, *etc.*, far from bé:ing pérfect; ему́ ~ до неё he is not a patch on her.

далеко́ II *нареч.* far* off; a long way off; (от) far* (from); a great dístance a:wáy [...greɪt...] (from); ~ позади́ far* behínd; ◊ ~ за (*много больше чем*) far more than; ~ за по́лночь far* / deep into the night, long áfter mídnight; ему́ ~ за со́рок he is well óver fórty; (*слишком*) ~ заходи́ть go* too far; ~ не *разг.* far from bé:ing, a long way from; он ~ не дура́к he is far from bé:ing a fool; he is ánything but a fool; ~ ещё не изжи́т still far from bé:ing elíminated; он ~ пойдёт he will go far; ~ иду́щие це́ли fár-réaching aims.

даль *ж.* 1. *тк. ед. разг.:* э́то така́я ~ it is such a long way off, или other end of the earth [...ə:θ]; от до́ма до ста́нции така́я ~! it is such a dístance, или a long way, from our house* to the státion [...haus...]; 2. *поэт.* (*видимое вдалеке пространство*) dístance.

дальневосто́чный Fár-Éastern.

дальне́йш||ий fúrther [-ðə]; (*последующий*) súbsequent; ~ее разви́тие súbsequent devélopment; в свое́й ~ей рабо́те in one's súbsequent work; ◊ в ~ем láter on; (*впоследствии*) súbsequently; (*в будущем*) in fúture, hénce:fórth, hénce:fórward; (*ниже в тексте*) belów [-ou].

да́льн||ий 1. (*далёкий*, *отдалённый*) dístant, remóte; (*о пути и т.п.*) long; ~ райо́н remóte district; ~ путь long / dístant jóurney [...'dʒə:-]; ~ее пла́вание long vóyage; ~ее расстоя́ние long / great dístance [...greɪt...]; ~ее де́йствия lóng-ránge [-'reɪndʒ-]; авиа́ция ~его де́йствия lóng-hául áircraft; по́езд ~его сле́дования lóng-dístance train; ~яя (телефо́нная) связь lóng-dístance sérvice; 2. (*о родстве*) ро́дственник dístant rélative; ◊ Да́льний Восто́к the Far East; без ~их слов without more / fúrther adó [...-ðə(r) əˈduː]; (*немедленно*) without deláy.

дальнобо́йн||ость *ж.* range [reɪ-]. ~ый lóng-ránge [-ˈreɪ-] (*attr.*), of long range [...reɪ-...]; ~ое ору́дие lóng-ránge gun [-reɪ-...].

дальнови́дн||ость *ж.* fóre:sight, préscience. ~ый fár-sighted, fár-sée:ing, préscient.

дальнозо́рк||ий lóng-síghted, fár-síghted. ~ость *ж.* long sight; ста́рческая ~ость *мед.* prèsbyópia [-z-].

дальноме́р *м.* range-fìnder ['reɪ-]. ~щик *м.* ránge-fìnder óperàtor ['reɪ-...].

да́льность *ж.* dístance; (*действия*, *стрельбы*) range [reɪ-]; ~ расстоя́ния (long) dístance; значи́тельная ~ расстоя́ния considerable dístance; за ~ю расстоя́ния ówing to, или on accóunt of, the dístance ['ouɪŋ...]; ~ полёта снаря́да range of a míssile.

дальтони́зм *м. мед.* cólour-blíndness ['kʌ-]; dàltónism.

дальто́ник *м.* cólour-blínd pérson ['kʌ-...]; dàltónian; он ~ he is cólour-blínd.

да́льше I *сравн. ст. прил. см.* далёкий.

да́льше II *нареч.* 1. (*сравн. ст. от* далеко́) fárther [-ðə]; смотре́ть (*прям. и перен.*) look fárther ahéad [...'hed]; 2. (*затем*) fúrther [-ðə], then; что же ~? what next?; а ~ что бы́ло? what háppened next / then?; что бу́дет ~? what is góing to háppen?; что де́лать ~? what is to be done next?; 3. (*продолжая начатое*) fúrther; пиши́те, чита́йте *и т.п.* ~ go on wríting, réading, *etc.*; расска́зывайте ~ go on with your stóry / accóunt; ~! (*продолжайте!*) go on!; 4. (*далее*) any lónger; ◊ ~ — бо́льше from bad to worse, it gets worse and worse as it goes on; ~ не́куда *разг.* that's the límit, или the last straw; ти́ше е́дешь — ~ бу́дешь *посл.* ≃ more haste, less speed [...heɪst...]; make* haste slówly [...'slou-].

да́ма *ж.* 1. lády; ~ се́рдца *шутл.* lády-lòve [-lʌv]; 2. (*в танцах*) pártner; 3. *карт.* queen; ~ черве́й, ~ пик *и т.п.* the queen of hearts, spades, *etc.* [...hɑːts...].

дама́сск||ий Dámask ['dæ-]; ~ая сталь *ист.* Dámask / Dámascène steel.

да́мба *ж.* (*водохранилища*) dam; (*предохранение от затопления*) dike, dyke.

да́мк||а *ж.* (*в шашках*) king; проводи́ть в ~и (*вн.*) crown (*d.*); проходи́ть в ~и be crowned.

дамо́клов: ~ меч sword of Dámoclès [sɔːsk... -kliːz].

да́мск||ий *прил. к* да́ма 1; ~ портно́й ládies' táilor [-ə]; ~ парикма́хер háirdrèsser; ~ая ко́мната ládies' room.

да́нник *м. ист.* tríbùtary.

да́нн||ые *мн. скл. как прил.* 1. (*сведения*) dáta, facts; informátion *sg.*; цифровы́е ~ fígures; полу́ченные ~ fíndings; приводи́ть ~ cite dáta; для э́того есть все ~ we have all the dáta to go on; по всем ~ым accórding to all aváilable dáta / informátion; по ~ым отчёта accórding to the dáta presénted in the repórt [...-'ze-...], accórding to the facts of the repórt; по бо́лее по́лным ~ым accórding to fúller informátion [...'fuːlə...]; 2. (*свойства*, *способности*) quálities; mákings; potèntiálities; у него́ есть все ~ стать хоро́шим писа́телем he has all the mákings of a good wríter; 3. (*основания*) grounds; нет никаки́х ~ых предполага́ть there are no grounds to suppóse.

ДАН – ДВЕ

да́нн‖**ый 1.** *прич. см.* дава́ть 1, 2. *прил.* given; (*этот, настоящий*) présent [-ez-]; в ~ моме́нт at the given / présent móment, at the présent móment, в ~ом слу́чае in the présent case [...-s], in the case in quéstion [...-stʃ-]; ~ая величина́ *мат.* given válue / quántity

да́нсинг *м.* dance hall.

данти́ст *м.,* ~**ка** *ж.* déntist.

дань *ж. ист.* tríbute (*тж. перен.*), contribútion; облага́ть ~ю (*вн.*) lay* únder tríbute / contribútion (*d.*); (*отдавать*) ~ уваже́ния кому́-л. pay* / do hómage to smb., pay* tríbute to smb., отда́ть ~ вре́мени appréciate the time age, take* cógnizance of the time age.

дар *м.* **1.** (*подарок*) gift [g-], (*пожертвование и т.п.*) donátion [dou-], *юр.* grant [-a:nt]; принести́ что-л. в ~ make* a gift of smth., présent smth. [-'ze-...]; **2.** *тк. ед.* (*рд.; способность*) gift (of); ~ сло́ва gift of éloquence; gift of the gab *разг.*; ~ ре́чи gift of speech; ◊ ~ы дана́йцев Greek gift *sg.*

дарви́н‖**и́зм** *м.* Dárwinism. ~**и́ст** *м.* Dárwinian, Dárwinist.

даре́н‖**ый** *разг.* recéived as a gift présent [-'si:vd...gɪft -ez-]; ~ая вещь gift, présent; ◊ ~ому коню́ в зу́бы не смо́трят *посл.* one shouldn't look a gift horse in the mouth.

дари́тель *м.,* ~**ница** *ж.* dónor, grántor [-a:n-].

дари́ть, подари́ть **1.** (*вн. дт.*) give* (*d. i.*); make* a présent [...-ez-] (of *i.*), (*жаловать*) grant [-a:nt] (*d.* to); (*преподносить*) présent [-'z-] (with *d.*); ~ что-л. на па́мять give* smth. as a kéepsake; **2.** (*вн. тв.; удостаивать*) fávour (*d.* with), bestów [-ou] (*d.* upón); ~ кого́-л. улы́бкой fávour smb. with a smile, bestów a smile upón smb.

дармое́д *м.,* ~**ка** *ж. разг.* párasite, spónger ['sрʌn-], drone. ~**ничать** *разг.* lead* the life of a spónger drone [., 'sрʌl-..], spónging ['spʌn-].

дарова́ние *с.* gift [g-], tálent ['tæ-].

дарова́ть *несов. и сов.* (*вн. дт.*) grant [-a:nt] (*d.* to), ~ проще́ние кому́-л. grant smb. one's párdon, ~ сво́бо́ду, жизнь grant smb. *his* liberty, life.

дарови́т‖**ость** *ж.* giftedness ['gɪ-]. ~**ый** gifted ['gɪ-], tálented ['tæ-].

дарово́й *разг.* free (of charge), gratúitous.

дарово́щин‖**к**‖**а:** на ~у *разг.* for nothing.

да́ром *нареч. разг.* **1.** (*бесплатно*) for nothing, grátis, free (of charge), рабо́тать ~ work for nothing, *или* without remunerátion, **2.** (*очень дёшево*) for next to nothing, for a trifle, for a song, **3.** (*бесполезно*) in vain, to no púrpose [...-s], э́то не прошло́ ~ it was not in vain, it had its éffect; ~ тра́тить что-л. waste smth. [weɪ-...]; весь день ~ пропа́л (у меня́, у него́) the whole day has been wásted [...houl...], I have, he has wásted *a* day, его́ усилия не пропа́ли ~ his éfforts were not in vain, *или* were not wásted; ◊ ~ что though [ðou], althóugh [ɔ:l'ðou]; э́то ему́ ~ не пройдёт he will not get awáy with it; this will not go únpunished; э́то так ~ не пройдёт the mátter will not rest there; э́тот уро́к не прошёл для них ~ the lésson was not lost on them; э́то ему́ не ~ доста́лось he did not get it without some trouble [...trʌ-], it cost him dear; он э́того и ~ не возьмёт he would not have it as a gift [...-g-]; ~ хлеб есть ≅ not be worth one's salt.

да́рственн‖**ый:** ~ая за́пись *юр.* séttlement, deed.

да́т‖**а** *ж.* date, поста́вить ~у (на *пр.*) date (*d.*).

да́тельный: ~ паде́ж *грам.* dátive (case) [...-s].

дати́ров‖**анный** *прич. и прил.* dáted, béaring a date ['bɛə-...], ~ 10 декабря́ dáted the tenth of Decémber ~**ать** *несов. и сов.* (*вн.*) date (*d.*).

да́тский Dánish ['deɪ-], ~ язы́к Dánish, the Dánish lánguage.

датча́н‖**ин** *м.,* ~**ка** *ж.* Dane.

да́тчик *м. физ.* prímary / sénsing élement ['praɪ-...], dáta únit, píck-ùp.

дать(ся) *сов. см.* дава́ть(ся).

да́‖**ча I** *ж.* **1.** (*действие*) giving; ~ взаймы́ lénding; ~ показа́ний giving évidence, téstifying, depósition [-'zɪ-]; **2.** (*порция*) pórtion, allówance.

да́ч‖**а II** *ж.* (*загородный дом*) cóttage (in the cóuntry) [...'kʌ-], cóuntry-cóttage ['kʌ-]; (*летняя тж.*) súmmer cóttage; снима́ть ~у rent a súmmer cóttage, жить на ~e live in the cóuntry [lɪv ..], éxать на ~y go* to the cóuntry

да́ча III *ж* (*тж* лесна́я ~) piece of wóodland [pi:s-, 'wud-], wood plot [wud-], wood lot *амер.*

дачевладе́л‖**ец** *м.,* ~**ица** *ж.* ówner of a cóuntry-cóttage ['ou-... 'kʌ-], ówner of a súmmer cóttage; (*ср.* да́ча II).

да́чни‖**к** *м.,* ~**ца** *ж.* súmmer résident (in the cóuntry) [. -z-.. 'kʌ-].

да́чный *прил. к* да́ча II, ~ по́езд subúrban lócal train, ~ сезо́н súmmer séason [...-z-].

да́ние *с. уст.* donátion [dou-].

два *числит.* two, в ~ ра́за бо́льше (*с сущ. в ед ч.*) twice as much, (*с сущ. во мн. ч.*) twice as many, double the amóunt númber [dʌ-...], в ~ ра́за ме́ньше (*с сущ. в ед ч.*) half as much [haf...], (*с сущ во мн. ч.*) half as many, half the amóunt númber, ка́ждые ~ дня évery óther day, ~-три дня a couple of days [...kʌ-], two or three days, ◊ в двух слова́х bríefly [-ɪ:f-]; in a word, в двух шага́х a few steps awáy, néarby, в ~ счёта *разг.* in no time, in two tícks, in a jíffy, ни ~ ни полтора́ *разг.* ≅ néither fish, nor fowl ['naɪ- ..], néither one thing, nor another.

двадцати- (*в сложн. словах, не приведённых особо*) of twenty, *или* twenty- соотв. тому́, как даётся перевод второй части слова́; *напр.* двадцатидне́вный of twenty days, twenty-day (*attr.*) (*ср.* -дне́вный: of ... day, -day *attr.*); двадцатиме́стный with berths, seats for 20, (*о самолёте и т.п.*) twenty-séater (*attr*) (*ср.* -ме́стный).

двадцатигра́нник *м.* icosahédron ['aɪ-'he-].

двадцатиле́т‖**ие** *с.* **1.** (*годовщина*) twéntieth ànnivérsary; (*день рождения*) twéntieth birthday; **2.** (*срок в 20 лет*) twenty years *pl.* ~**ний 1.** (*о сроке*) of twenty years; twenty-year (*attr.*); vicénnial *научн.*; ~ний юбиле́й twéntieth ànnivérsary; **2.** (*о возрасте*) of twenty; twenty-year-óld; ~ний ю́ноша a young man* of twenty [...jʌŋ...].

двадцатипятиле́тие *с.* **1.** (*годовщина*) twenty-fifth ànnivérsary; (*день рождения*) twenty-fifth birthday; **2.** (*срок в 25 лет*) twenty five years *pl.*

двадца́т‖**ый** twéntieth, ~oe ма́я, ию́ня *и т.п.* the twéntieth of May, June, etc., May, June, etc., the twéntieth, страни́ца, глава́ ~ая page, chápter twenty, ~ но́мер númber twenty, ему́ (пошёл) ~ год he is in his twéntieth year, ~ые го́ды (*столетия*) the twenties, в нача́ле ~ых годо́в in the éarly twenties [...'ə:l...], в конце́ ~ых годо́в in the late twenties; одна́ ~ая óne-twéntieth.

два́дцат‖**ь** *числит.* twenty, ~ оди́н *и т.д.* twenty-òne, *etc.*, ~ пе́рвый *и т.д.* twenty-first, *etc.*; лет ~ (*о времени*) abóut twenty years; (*о возрасте*) abóut twenty; лет ~ тому́ назад abóut twenty years agó; ему́ лет ~ he is / looks abóut twenty; ему́ о́коло ~и he is abóut twenty; челове́к лет ~и a man* of / abóut twenty; в ~и киломе́трах (от) twenty kílometres (from).

два́жды *нареч.* twice, ~ два—четы́ре twice two ıs four [...fɔ:], ~ Геро́й Сове́тского Сою́за twice Héro of the Sóviet Únion, ◊ ~ я́сно как ~ два четы́ре ≅ as plain as a píkestàff.

две *ж. к* два.

двенадцати- (*в сложн. словах, не приведённых особо*) of twelve, *или* twelve- соотв. тому́, как даётся перевод второй части слова́; *напр.* двенадцатидне́вный of twelve days, twelve-day (*attr*) (*ср.* -дне́вный of days, -day *attr*), двенадцатиме́стный with berths, seats for 12, (*о самолёте, автомашине и т.п.*) twelve-séater (*attr*) (*ср.* -ме́стный).

двенадцатиле́тний 1. (*о сроке*) of twelve years, twelve-year (*attr*), duodecénnial *научн.*, **2.** (*о возрасте*) of twelve, twelve-year-óld, ~ ма́льчик a boy of twelve, a twelve-year-óld boy

двенадцатипе́рстн‖**ый:** ~ая кишка́ *анат.* duodénum, я́зва ~ой кишки́ duodénal úlcer

двенадцатисло́жный dódecasyllábɪc [dou-], ~ стих *лит* dódecasýllable [dou-].

двенадцатичасово́й 1. (*о продолжительности*) of twelve hours [...auəz], twélve-hour [-auə] (*attr*), **2.:** ~ по́езд the twelve o'clóck train, the twelve o'clóck *разг*

двена́дцат‖**ый** twelfth, ~oe ма́я, ию́ня *и т.п.* the twelfth of May, June, *etc*, May, June, *etc.*, the twelfth, страни́ца, глава́ ~ая page, chápter twelve; ~ но́мер númber twelve; ему́ (пошёл) ~ год he is in his twelfth year; уже́ ~ час it is past eléven [...'le-]; в ~ом часу́ after eléven; полови́на ~ого half past eléven [ha:f...]; три че́тверти ~ого a quárter to twelve; одна́ ~ая óne-twelfth.

двена́дцать *числит.* twelve; ~ раз ~ twelve times twelve; twelve twelves.

дверн‖**о́й** *прил.* к дверь; ~ замо́к dóor-lòck ['dɔ:-], ~ ключ (door) key [dɔ: ki:]; ~ая ра́ма dóor-càse ['dɔ:keɪs], dóor-fràme ['dɔ:-]; ~ проём dóorway ['dɔ:-]; ~ая ру́чка dóor-hàndle ['dɔ:-]; (кру́глая) dóor-knòb ['dɔ:-].

две́рца *ж.* door [dɔ:]; ~ экипа́жа, ваго́на cárriage door [-rɪdʒ-].

двер‖**ь** *ж.* door [dɔ:]; входна́я ~ éntrance; (с улицы) front door [-ʌnt...]; в ~я́х (в проходе) in the dóorway [...'dɔ:-]; ◊ поли́тика откры́тых ~е́й ópen-door pólicy [-dɔ:...]; при закры́тых ~я́х behind closed doors [...dɔ:z]; in private [...'praɪ-]; де́ло слу́шалось при закры́тых ~я́х the case was heard / tried behind closed doors [...-s...hə:d...], the case was heard / tried in cámera.

две́сти *числит.* two húndred.

дви́гатель *м.* mótor, éngine ['endʒ-]; (перен.) móver ['mu:və], mótive pówer / force; ~ вну́треннего сгора́ния intérnal-combústion éngine [-stʃ-...]; раке́тный ~ rócket éngine. **~ный** impéllent, mótive; ~ный нерв *анат.* mótor (nerve).

дви́гать, дви́нуть (вн.) move [mu:v] (d.); (приводить в движение) set* in mótion (d.), set* gó:ing (d.), (вперёд) advance (d.), fúrther [-ðə] (d.), promóte (d.); ~ руко́й, ного́й move one's hand, leg; ~ нау́ку advánce / fúrther science; ~ де́ло вперёд push things on [puʃ...], press on, *или* advánce, an affáir. **~ся**, дви́нуться 1. move [mu:v]; (вперёд) advánce; ~ся толпо́й flock, move in a crowd; не ~ся not budge; он не дви́нулся с ме́ста he did not budge; ~ся в путь set* out; 2. *страд.* к дви́гать.

движе́ни‖**е** *с.* 1. mótion, móve:ment ['mu:-]; вперёд fórward móve:ment / propúlsion; пла́вное ~ smooth mótion [-ð...]; поры́вистые ~я jérky móve:ments; возвра́тно-поступа́тельное ~ álternate / recíprocal mótion; непреры́вное ~ contínuous móve:ment; ~ по кру́гу móve:ment in a circle; приводи́ть в ~ (вн.) set* / put* in mótion (d.), set* gó:ing (d.); приходи́ть в ~ begin* to move [...mu:v]; (о механизме) come* into operátion / play; (перен.: активизироваться) be stírring to áction; бы́стрым ~ем руки́ with a swift gésture; он ве́чно в ~и he is álways on the move [...'ɔ:lwəz- mu:v]; вам ну́жно побо́льше ~я you ought to take more éxercise; без ~я (неподви́жный) mótion:less; 2. (обще́ственное) móve:ment; профессиона́льное ~ tràde-únion móve:ment; рабо́чее ~ wórking-clàss móve:ment; револю́цио́нное ~ rèvolútionary móve:ment; ~ за мир, в защи́ту ми́ра Peace móve:ment; наро́дно-освободи́тельное ~ nátional liberátion móve:ment ['næ-...]; 3. (езда, ходьба в разных направлениях) tráffic; железнодоро́жное ~ ráilway tráffic, train sérvice; пасса́жирское ~ pássenger sérvice / tráffic [-ndʒə-...]; у́личное ~ street tráffic; односторо́ннее у́личное ~ óne-way tráffic; трамва́йное ~ tram sérvice; ~ приостано́влено the tráffic has been held up; подде́рживать регуля́рное ~ (ме́жду) maintáin régular sérvice (betwéen).

дви́жимость *ж. тк. ед. юр.* mόvables ['mu:-] *pl.*, pérsonal próperty, móvable próperty ['mu:-...].

движи́м‖**ый** 1. *прич.:* ~ чу́вством сострада́ния *и т.п.* prómpted / áctuàted / impélled by a féeling of compássion, *etc.*; 2. *прил.* móvable ['mu:-]; ~ое иму́щество móvable / pérsonal próperty.

дви́житель *м. тех.* propélling / propúlsive ágent.

движо́к *м.* 1. *тех.* slide, rúnner; 2. (небольшо́й дви́гатель) small éngine [...'endʒ-]; 2. (широкая лопата) wóoden shóvel ['wu- ʃʌ-].

дви́жущи‖**й** 1. *прич. см.* дви́гать; 2. *прил.:* ~е си́лы mótive pówer *sg.*, mótive fórces.

дви́нуть *сов.* 1. *см.* дви́гать; 2. (вн.) *разг.* (уда́рить) hit* (d.), cosh (d.). ~**ся** *сов. см.* дви́гаться.

дво‖**е́** *числит.* two; их ~ there are two of them; по ~ two by two; ◊ на свои́х (на) ~и́х *разг. шутл.* (пешком) on Shanks's mare / póny.

двоебо́рец *м.* (в лыжном спорте) bíathlonist.

двоебо́рье *с.* (в тяжёлой атлетике) snatch, clean and jerk còmbinátion; (лыжное) Nórdic / Winter còmbinátion; Alpìne còmbinátion; bíathlon; double events [dʌ-...] *pl. амер.*

двое‖**бра́чие** *с.* bígamy. ~**вла́стие** *с.* díarchy [-kɪ], dúal pówer. ~**ду́шие** *с.* dùplícity, dóuble-déaling ['dʌ-]. ~**ду́шный** twò-fáced. ~**же́нец** *м.* bígamist. ~**же́нство** *с.* bígamy.

двоето́чие *с. грам.* cólon.

двое́чн‖**ик** *м.,* ~**ица** *ж. разг.* púpil with only the lówest mark "two" in his récord [...'lou-... 're-].

двои́ть, вздво́ить (вн.) 1. *тк. несов.* double [dʌ-] (d.), divíde in two (d.); 2. *с.-х.* plough a sécond time [...'se-...] (d.).

двои́ться *безл.:* у него́, у них *и т. д.* двои́тся в глаза́х he sees, they see, *etc.*, double [...dʌ-].

дво́йк‖**а** *ж.* 1. *разг.* (цифра) two; 2. (отме́тка) "poor", two; он получи́л ~у по исто́рии he got a "poor" for history, he got two for history; 3. *карт.* two, deuce; ~ черве́й, пик *и т.п.* the two of hearts, spades, *etc.* [...hɑ:ts...]; 4. (лодка) páir-òar boat, pair; double sculls [dʌ-...].

двойни́к *м.* (кого́-л.) (smb.'s) double [...dʌ-].

двойн‖**о́й** double [dʌ-]; twó:fòld; ~ое значе́ние double méaning; ткань ~ ширины́ double-width cloth / fábric ['dʌ-...]; ~ подборо́док double chin; ~ые ра́мы double window-fràme *sg.*, storm windows; ~ая бухгалте́рия *фин.* double-éntry bóok-keeping ['dʌ-...]; (перен.) dóuble-déaling ['dʌ-]; вести́ ~у́ю игру́ play a double game.

дво́йня *ж.* twins *pl.*

двойня́шки *мн. разг.* twins.

дво́йственн‖**ость** *ж.* 1. dùálity; 2. (двули́чность) dùplícity. ~**ый** 1. dúal; ~ое число́ *грам.* dúal númber; 2. (двули́чный) twò-fáced; ~ая поли́тика twò-fáced pólicy; 3. (касающийся двух) bì:pártite; ~ое соглаше́ние bì:pártite agréement.

двойча́тка *ж.* twin kérnel, phílippine [-i:n].

двор I *м.* 1. court [kɔ:t], yard, cóurt:yard ['kɔ:t-]; кры́тый ~ cóvered court / cóurt:yàrd ['kʌv-...]; проходно́й ~ commúnicàting court / cóurt:yàrd; (крестья́нское хозя́йство) (péasant) hóme stead ['pez- -sted], fármstead [-sted]; ◊ на ~е́ (вне дома) out of doors [...dɔ:z], óutside; на ~е́ моро́з it is fréezing óutside; весна́, зима́ *и т.п.* на ~е́ spring, winter, *etc.*, has come; ни кола́ ни ~а́ *погов.* ≃ néither house* nor home ['naɪðə haus...]; быть не ко ~у́ not to be wánted; моне́тный ~ mint (place); постоя́лый ~ inn; пти́чий ~ póultry-yàrd ['pou-...]; ско́тный ~ fárm-yàrd; скотоприго́нный ~ stóck:yàrd.

двор II *м.* (царский) court [kɔ:t]; при ~е́ at court.

дворе́ц *м.* pálace; Дворе́ц труда́ Pálace of Lábour; Дворе́ц Съе́здов Pálace of Cóngrèsses; Дворе́ц пионе́ров Young Pionéer Pálace [jʌn...]; Дворе́ц культу́ры Pálace of Cúlture; Дворе́ц бракосочета́ний Wédding Pálace.

дворе́цкий *м. скл. как прил.* bútler ['bʌ-].

дво́рник I *м.* dvórnik (man who takes care of the yard and the pavement in front of a house).

дво́рник II *м. разг.* (на ветровом стекле автомашины) windscreen wíper ['wɪ-...].

дво́рницкая *ж. скл. как прил.* dvórnik's lodge.

дво́рничиха *ж. разг.* (жена дворника) wife* of dvórnik; (же́нщина-дво́рник) wóman*-dvòrnik ['wu-...].

дво́рня *ж. тк. ед. собир. ист.* sérvants *pl.*, ménials *pl.*

дворня́‖**га** *ж.,* ~**жка** *ж. разг.* móngrel ['mʌ-].

дворо́в‖**ый** 1. *прил.* к двор I; ~ая соба́ка watch-dòg; ~ые постро́йки óut:buildings [-bɪ-], óut:houses; 2. *прил. ист.:* ~ые лю́ди hóuse-sèrfs [-s-]; 3. *м. как сущ. ист.* ménial; hóuse-sèrf [-s-].

дворцо́вый *прил.* к дворе́ц; ◊ ~ переворо́т pálace rèvolútion; coup d'état (*фр.*) ['ku:deɪˈtɑ:].

дворяни́н *м.* nóble, nóble:man*; (принадлежа́щий к сре́днему, ме́лкому дворя́нству) one belónging to the géntry, mémber of the géntry: он ~ he is a nóble; (о принадлежащем к среднему, мелкому дворянству) he belóngs to the géntry.

дворя́н‖**ка** *ж.* nóble:wòman* [-wu-]. ~**ский** *прил.* к дворя́нство; *тж.* of noble fámily, of the nobílity; ~ско-поме́щичий of the lánded nobílity; ~ские поме́стья mànórial estátes; ~ское зва́ние noble rank. ~**ство** *с.* 1. (сословие) nobílity; возводи́ть в ~ство (вн.) ennóble (d.); 2. *собир.* (высшее) nobílity; nobles *pl.*; (среднее и мелкое) géntry.

двою́родн‖**ый:** ~ брат, ~ая сестра́ (first) cóusin [...'kʌz°n]; ~ дя́дя, ~ая тётка (first) cóusin once remóved [...-'mu:vd].

ДВО – ДЕ

двоя́кий double [dʌ-]; ~ого ро́да of two kinds.

двоя́ко *нареч.* in two ways.

двоя́ко||вогнутый *физ.* còn:cávo-còn:-cáve. ~**вы́пуклый** *физ.* cònvéxo-cónvèx.

двоякоды́шащие *мн. скл. как прил. зоол.* dipnóans [-'nouənz], lúng-fìshes.

дву- (*в сложн. словах*) = двух-.

двубо́ртный dóuble-bréasted ['dʌbl-'bre-]; ~ пиджа́к dóuble-bréasted jácket.

двувале́нтный *хим.* bí:válent, dí:válent.

двугла́вый twó-héaded [-'hed-]; ~ орёл *ист.* dóuble-héaded eagle ['dʌbl'hed-...].

двугла́сный *м. скл. как прил. лингв.* díphthòng.

двуго́рбый twó-húmped; ~ верблю́д Báctrian cámel [...'kæ-].

двугра́нный dihédral [daɪ'he-]; twó-síded [-].

двугри́венный *м. скл. как прил. разг.* twénty-cópèck coin.

двудо́льный *бот.* dicòtylédonous [daɪkɒtɪ'liː-].

двудо́мн||ый *бот.* díclinous, dìoecious [daɪ'iː-]; ~ое расте́ние dìoecious plant [...-ɑːnt].

двуеди́ный one in two, consisting of two indissólubly ùnited parts.

двужи́льный 1. *разг.* strong; hárdy, tough [tʌf]; 2. *тех.* twin-còre; ~ ка́бель twin-còre cable; ◊ я не ~ *разг.* I'm not a cárt-hòrse.

двузна́чн||ый twó-dígit, ~ое число́ twó-dígit number.

двуко́лка *ж.* twó-whéeled cart.

двуко́нный twó-hórse (*attr.*); for a pair of hórses; ~ плуг twó-hórse plough.

двукопы́тный *зоол.* clóven-fóoted [-'futɪd], clóven-hóoved.

двукра́т||ный twó:fóld, double [dʌ-]; (*повторный*) rè:íteràted; в ~ом разме́ре double; ~ чемпио́н twice chámpion.

двукры́лые *мн. скл. как прил. зоол.* dípterans, Díptera.

двукры́лый *зоол., бот.* dípterous.

двули́кий twó-fáced, bì:fácial; (*перен.*) dóuble-fáced ['dʌ-]; ◊ ~ Я́нус twó-fáced Jánus.

двули́ч||ие *с.* dóuble-fáced:ness ['dʌ-], dùplicity. ~**ный** dóuble-fáced ['dʌ-]; twó-fáced; hýpocrítical.

двуно́г||ий twó-légged; bíped, bíped:al *научн.*; ~ое живо́тное bíped.

двуо́кись *ж. хим.* dióxide.

двупо́лый bí:séxual.

двупо́лье *с. с.-х.* twó-field ròtátion of crops [-fiː-rou-...].

двуро́гий twó-hórned.

двуру́ч||ый twó-hándled; ~ая пила́ twó-hándled saw.

двуру́ш||ник *м.* dóuble-déaler ['dʌ-]. ~**ичать** be a dóuble-déaler [...'dʌ-], play double game [...dʌ-...]. ~**ический** dóuble-déaling ['dʌ-]. ~**ичество** *с.* dóuble-déaling ['dʌ-].

двусве́тный with two tiers of wíndows [...tɪəz...].

двуска́т||ый with two slóping súrfaces; ~ая кры́ша gable roof, span roof.

двусло́жный *лингв.* dìsýllabic; ~ое сло́во dìsýllabic word, disýllable; ~ая стопа́ (*в стихосложении*) disýllable.

двусме́нн||ый twó-shìft (*attr.*); ~ая рабо́та twó-shift work.

двусмы́сленн||ость *ж.* 1. àmbigúity [-'gju-]; 2. (*двусмысленное выражение*) àmbíguous expréssion; (*скабрёзность*) double entèndre (*фр.*) [duːbl ɑːŋ'tɑːndr]. ~**ый** 1. àmbíguous, equívocal; ~ый отвéт àmbíguous rèply; 2. (*скабрёзный*) indécent, suggéstive [sə'dʒe-]; risqué (*фр.*) [rɪsˈkeɪ].

двусмы́слица *ж. разг.* àmbigúity, double méaning [dʌ-...].

двуспа́льн||ый: ~ая крова́ть double bed [dʌ-...]; ~ое одея́ло dóuble(-bèd) blánket / quilt.

двуство́лка *ж. разг.* dóuble-bárrel ['dʌ-], dóuble-bárrelled gun ['dʌ-...].

двуство́льный dóuble-bárrelled ['dʌ-].

двуство́рчатый 1. (*о двери*) fólding; 2. *зоол.* bí:válve.

двусти́шие *с. лит.* dístich [-k], cóuplet ['kʌ-].

двусто́пный *лит.* of two feet; ~ ямб iámbic dímetre.

двусторо́нн||ий 1. dóuble-síded ['dʌ-]; ~яя ткань dóuble-síded cloth / fábric; ~ее воспале́ние лёгких double pneumónia [dʌ- nju:-]; 2. (*обоюдный*) bì:láteral, twó-wáy; ~ее соглаше́ние bì:láteral agréement; ~ие конта́кты bì:láteral cóntacts; ~ контро́ль bì:láteral contról [...-oul]; ~ обме́н twó-wáy exchánge [...-'tʃeɪ-]; 3.: ~яя радиосвя́зь twó-wáy rádio commùnicátion.

двутавро́в||ый: ~ая ба́лка I-beam ['aɪ-].

двуугле́кислый *хим.* bì:cárbonate.

двуутро́бка *ж. зоол.* màrsúpial.

двух- (*в сложн. словах, не приведённых особо*) of two, *или* twó- — соотв. тому, как даётся перевод второй части слова; *напр.* двухдне́вный of two days, twó-day (*attr.*) (*ср.* -дне́вный: of... days, -day *attr.*); двухме́стный with berths, seats for 2; (*о самолёте, автомашине и т.п.*) twó-séater (*attr.*) (*ср.* -ме́стный).

двуха́ктный twó-àct (*attr.*).

двуха́томный *хим.* diatómic.

двухвёрстка *ж. разг* (*карта*) map on scale of two versts to the inch.

двухвесе́льный páir-oar; ~ая ло́дка páir-oar boat.

двухвинтово́й twin-screw (*attr.*).

двухгоди́чный of two years; twó-year (*attr.*); bì:énnial *научн.*; ~ курс twó-year course [...kɔːs].

двухгодова́лый twó-year (*attr.*); twó-year-óld.

двухдне́вный twó-day (*attr.*).

двухкварти́рный: ~ дом twó-flàt house* [...-s].

двухколе́йн||ый *ж.-д.* dóuble-tràck ['dʌ-] (*attr.*); ~ая желе́зная доро́га dóuble-tràck ráilway.

двухколёсный twó-whéeled.

двухко́мнатн||ый twó-room (*attr.*); ~ая кварти́ра twó-room flat.

двухлеме́шный: ~ плуг twó-shàre plough.

двухле́т||ие *с.* 1. (*годовщина*) sécond ànnivérsary ['se-...]; (*день рождения*) sécond bírthday; 2. (*срок в 2 года*) (period of) two years; bì:énnial períod *научн.* ~**ний** 1. (*о сроке*) of two years; twó-year (*attr.*); bì:énnial *научн.*; 2. (*о* возрасте) of two; twó-year-óld; ~ний ребёнок a child* of two; twó-year-óld child*; 3. *бот.* bì:énnial.

двухма́чтов||ый twó-màsted; ~ое су́дно twó-màster.

двухме́стн||ый twó-séater (*attr.*); ~ автомоби́ль, самолёт и *т.п.* twó-séater; ~ая каю́та twó-bèrth / dóuble-bèrth cábin [...'dʌ-...], cábin for two; ~ое купе́ double (sléeping) compártment [dʌ-...].

двухме́сячный 1. (*о сроке*) twó-mònth [-mʌ-] (*attr.*); of two months [...mʌ-]; ~ о́тпуск a twó-mònth, *или* twó-mònths', hóliday [...-dɪ]; 2. (*о возрасте*) twó-mònth-óld [-mʌ-]; ~ ребёнок twó-mònth-óld báby, baby of two months.

двухмото́рный twin-éngined [-ndʒ-], twó-éngined [-ndʒ-].

двухнеде́льн||ый 1. (*о сроке*) of two weeks; twó-wéek (*attr.*); (*каждые две недели*) fórtnightly; ~ о́тпуск a fórtnight's hóliday [...-dɪ]; two weeks' leave; ~ журна́л fórtnightly (màgazíne / jóurnal / períodical) [...-'ziːn dʒəː-...]; 2. (*о возрасте*) twó-weeks-óld.

двухо́сный bì:áxial.

двухпала́тн||ый *полит.* twó-chàmber [-tʃeɪ-] (*attr.*), bì:cámeral; ~ая систе́ма twó-chàmber sýstem; ~ парла́мент párliament of two hóuses / chámbers [-ləm-...'tʃeɪm-].

двухпа́лубный *мор.* having two decks, twó-décked.

двухпарти́йный twó-pàrty (*attr.*).

двухсотле́т||ие *с.* 1. (*годовщина*) twó-húndredth ànnivérsary [-'tiː-]; пра́здновать ~ чего-л. célebràte the bì:cènténary of smth., 2. (*срок в 200 лет*) two húndred years *pl.*, two cénturies *pl.* ~**ний** 1. (*о сроке*) of two húndred years; 2. (*о годовщине*) bì:cènténnial [-njəl], bì:cènténary [-'tiː-].

двухсо́т||ый twó-húndredth; страни́ца ~ая page two húndred; ~ но́мер númber two húndred; ~ая годовщи́на twó-húndredth ànnivérsary; ~ год the year two húndred.

двухта́ктный 1. *муз.* in double méasure [...dʌ- 'me-], 2. *тех.* twó-stròke (*attr*).

двухто́мник *м. разг* twó-vòlume edítion.

двухты́сячный 1. the two thóusandth [...-z-]; 2. (*ценою в 2000 рублей*) two thóusand roubles worth [...-z- ruː-...], cósting 2000 roubles; 3. (*состоящий из* 2000) 2000 strong; ~ отря́д a párty detáchment 2000 strong.

двухфа́зный *эл.* twó-phàse (*attr.*).

двухцве́тный twó-cólour:ed [-'kʌ-], of two cólours [...'kʌ-]; twó-cólour [-'kʌ-] (*attr.*); dì:chròmátic [-ou-] *научн.*

двухчасово́й 1. (*о продолжи́тельности*) of two hours [...auəz]; twó-hour [-auə] (*attr.*); 2. (*назначенный на два часа*) two o'clóck (*attr.*); ~ по́езд the two o'clóck train; the two o'clóck *разг.*

двухэта́жный twó-stóreyed [-rɪd]; ~ авто́бус dóuble-dècker ['dʌ-].

двучле́н *м.*, ~**ный** *мат.* bì:nómial.

двуязы́ч||ие *с. лингв.* bì:língualism. ~**ный** *лингв.* bì:língual; ~ный слова́рь bì:língual díctionary.

-де *частица разг.*: они́-де не мо́гут прийти́ (they say) they can't come.

дебаркадер [дэб- -дэ́р] *м.* 1. (*пристань*) landing-stàge; 2. *уст.* (*ж.-д. платформа*) plátfòrm (*on railway station*).

дебатировать (*вн., о пр.*) debáte (*d.*), discúss (*d.*).

дебаты *мн.* debáte *sg.*

дебёлый *разг.* plump; (*тк. о женщине*) búxom.

дебет *м. бух.* débit. ~**ова́ть** *несов. и сов.* (*вн.*) *бух.* débit (*d.*).

дебит *м.* (*воды, газа и т.п.*) óutpùt [-put], yield [ji:ld].

дебитор *м. бух.* débtor [′detə].

деблокировать [дэ-] *несов. и сов.* (*вн.*) raise the blòckáde (of); relíeve [-′li:v] (*d.*).

дебош *м. разг.* úp:roar, row; пья́ный ~ drúnken brawl. ~**и́р** *м. разг.* rówdy, bráwler. ~**и́рить** *разг.* kick up a row, crèate a shíndy, make* an úp:roar, make* a víolent úp:roar.

дебр||**и** *мн.* 1. thíckets; dense fórest [...′fɔ-] *sg.*; (*перен.*) maze *sg.*, lábyrinth *sg.*; непроходи́мые ~ impénetrable thíckets; jungle *sg.*; запу́таться в ~ях чего́-л. be lost in the lábyrinth of smth.; get* bogged down in smth.; 2. *разг.* (*глухое место*) the wilds; gód-forsàken hole *sg.*

дебют *м.* 1. début (*фр.*) [′deɪbu:]; 2. *шахм.* (*chess*) ópen:ing. ~**а́нт** *м.* débutant (*фр.*) [deɪbju:′tɑ:ŋ]. ~**а́нтка** *ж.* débutante (*фр.*) [deɪbju:′tɑ:nt].

дебютировать *несов. и сов.* make* one's début (*фр.*) [...′deɪbu:].

Дева *астр.* Vírgo.

дева *ж. поэт.* vírgin, máiden; ◇ ста́рая ~ old maid, spínster.

девальвация [дэ-] *ж. эк.* devàluátion, depreciátion.

дева́||**ть**, деть (*вн.*) put* (*d.*), do (with); куда́ он ~л мою́ кни́гу? where did he put my book?; what has he done with my book?; он не зна́ет, куда́ ~ свои́ де́ньги, вре́мя, эне́ргию he does:n't know what to do with his móney, time, énergy [...nou... ′mʌnɪ...]; ~ не́куда (*рд.*) *разг.* there is a plénty (of).

дева́||**ться**, де́ться get* to; (*исчезать*) disappéar; куда́ ~лся мой каранда́ш? where has my péncil got to?; where has my péncil disappéared / vánished?; куда́ он де́лся? (*что с ним сталось*) what has become of him?; он не зна́ет, куда́ ~ от комаро́в he does:n't know how to escápe from the mosquítòes [...nou...-′ki:-]; ей не́куда ~ she has nó:where to go; куда́ он тепе́рь де́нется? where is he to go now?; он не знал, куда́ ~ от ску́ки he didn't know what to do with him:sélf for bóre:dom / ennúi [...ɑ:′nwi:].

де́верь *м.* bróther-in-law [-ʌð-] (*pl.* bróthers-) (*husband's brother*).

девиация [дэ-] *ж.* dèviátion [di:-].

девиз *м.* mótto.

девица *ж. поэт.* dámsel [-z-].

девица *ж.* (*девушка*) girl [-g-]; (*незамужняя женщина*) únmárried wóman* [...′wu...]; (*старая дева*) old maid, spínster.

девиче||**ский** = деви́чий. ~**ство** *с.* gírlhood [′gə:lhud].

девичий gírlish [′g-]; máidenly *поэт.*, *шутл.*; деви́чий стыд máidenly módesty; деви́чья фами́лия máiden name; ◇ па́-

мять деви́чья *разг., шутл.* short mémory, mémory like a sieve [...si:v].

девичник *м.* párty for girls given by a bride on the eve of her wédding [...g-...]; (*перен.*) párty for girls ónly.

девичья *ж. скл. как прил. уст.* máid-sèrvants' room.

девка *ж. груб.* 1. girl [g-]; 2. (*проститутка*) tart, strúmpet.

девон [дэ-] *м. геол.* Dèvónian. ~**ский** [дэ-] *геол.* Dèvónian.

девочка *ж.* girl [g-]; (*маленькая*) líttle girl; gírlie [′g-].

девственн||**ик** *м.*, ~**ица** *ж.* vírgin. ~**ость** *ж.* vírgínity. ~**ый** (*прям. и перен.*) vírgin; ~ая по́чва vírgin soil; ~ лес vírgin fórest [...′fɔ-]; ~ая плева́ *анат.* hýmen.

девушка *ж.* 1. girl [g-]; lass *поэт.* (*ср.* деви́ца); 2. *разг.* (*как обращение*) miss.

девча́||**та** *мн. собир. разг.* girls [g-]. ~**чий** *разг.* gírlish [′gə-]; ~чья мане́ра gírlish behá́viour.

девчо́н||**ка** *ж. разг.* girl [g-]; *пренебр. тж.* young thing [jʌŋ...], kid, slip of a girl. ~**очий:** ~очьи игры gírlish games [′gə-:-...].

девяно́ст||**о** *числит.* níne:ty; ~ оди́н *и т.д.* níne:ty-òne, *etc.*; ~ пе́рвый *и т.д.* níne:ty-first, *etc.*; лет ~ (*о времени*) about níne:ty years; (*о возрасте*) abóut níne:ty; лет ~ тому́ наза́д abóut níne:ty years agó; ему́ лет ~ he is / looks abóut níne:ty; ему́ о́коло ~ he is abóut níne:ty; ему́ под ~ he is néarly níne:ty; ему́ (перевали́ло) за ~ he is óver níne:ty, he is in his níne:ties; челове́к лет ~ a man* of / abóut níne:ty; в ~а киломе́трах (от) níne:ty kílomètres (from).

девяносто- (*в сложн. словах, не приведённых особо*) of níne:ty, *или* níne:ty- — *соотв. тому, как даётся перевод второй части слова*; *напр.* девяностодне́вный of níne:ty days, níne:ty-day (*attr.*) (*ср.* -дне́вный of ... days, -day *attr.*); девяностоме́стный with berths, seats for 90; (*об автобусе и т.п.*) níne:ty-séater (*attr.*) (*ср.* -ме́стный).

девяностолет||**ие** *с.* 1. (*годовщина*) níne:tieth ànníversary; (*день рождения*) níne:tieth bírthday; 2. (*срок в 90 лет*) níne:ty years *pl.* ~**ний** 1. (*о сроке*) of níne:ty years; níne:ty-year (*attr.*); 2. (*о возрасте*) of níne:ty-year-óld; ~ний стари́к níne:ty-year-óld man*

девяност||**ый** níne:tieth; страни́ца ~ая page níne:ty; ~ но́мер númber níne:ty; ему́ (пошёл) ~ год he is in his níne:tieth year; ~ые го́ды *pl.* ~ые го́ды *pl.* ~ые го́ды *pl.* ~ые столе́тия the níne:ties; в нача́ле ~ых годо́в in the éarly níne:ties [...′ə:l...]; в конце́ ~ых годо́в in the late níne:ties.

девятер||**о** *числит.* nine; для всех ~ых for all nine; их ~ there are nine of them.

девяти- (*в сложн. словах, не приведённых особо*) of nine, *или* nine- — *соотв. тому, как даётся перевод второй части слова*; *напр.* девятидне́вный of nine days, nine-day (*attr.*) (*ср.* -дне́вный: of ... days, -day *attr.*); девятиме́стный with berths, seats for 9; (*о самолёте, автомашине и т.п.*) nine-séater (*attr.*) (*ср.* -ме́стный).

ДЕБ — ДЕВ   **Д**

девятиклассн||**ик** *м.* ninth-fòrm boy [′naɪ-...]; ninth-fórmer [′naɪ-] *разг.* ~**ица** *ж.* ninth-fòrm girl [′naɪ- g-].

девятикратный níne:fòld; nónù:ple.

девятилет||**ие** *с.* 1. (*годовщина*) ninth ànníversary [naɪ-...]; (*день рождения*) ninth bírthday; 2. (*срок в 9 лет*) nine years *pl.* ~**ний** 1. (*о сроке*) of nine years; nine-year (*attr.*); 2. (*о возрасте*) of nine; níne-year-óld; ~ний ребёнок a child* of nine; níne-year-óld child*.

девятисотлет||**ие** *с.* 1. (*годовщина*) níne-húndredth ànníversary; 2. (*срок в 900 лет*) nine húndred years *pl.*, nine cénturies *pl.* ~**ний** 1. (*о сроке*) of nine húndred years; 2. (*о годовщине*) níne-húndredth.

девятисо́т||**ый** níne-húndredth; страни́ца ~ая page nine húndred; ~ но́мер númber nine húndred; ~ая годовщи́на níne-húndredth ànníversary; ~ год the year nine húndred.

девятиты́сячный 1. the nine thóusandth [...-zə-]; 2. (*ценою в 9000 рублей*) nine thóusand roubles worth [...-zə- ru:-...], cósting 9000 roubles; 3. (*состоящий из 9000*) 9000 strong.

девятичасовой 1. (*о продолжительности*) of nine hours [...auəz]; níne-hour [-auə] (*attr.*); 2. (*назначенный на девять часов*) nine o'clóck (*attr.*); ~ по́езд the nine o'clóck train; ~ час nine o'clóck *разг.*

девятка *ж.* 1. *разг.* (*цифра*) nine; 2. *карт.* nine; ~ черве́й, пик *и т.п.* the nine of hearts, spades, *etc.* [...hɑ:ts...].

девятнадцати- (*в сложн. словах, не приведённых особо*) of nineteen, *или* nine:téen- — *соотв. тому, как даётся перевод второй части слова*; *напр.* девятнадцатидне́вный of nine:téen days, nine:téen-day (*attr.*) (*ср.* -дне́вный: of... days, -day *attr.*); девятнадцатиме́стный with berths, seats for 19; (*о самолёте, автомашине и т.п.*) nine:téen-séater (*attr.*) (*ср.* -ме́стный).

девятнадцатилетний 1. (*о сроке*) of nine:téen years; nine:téen-year (*attr.*); 2. (*о возрасте*) of nine:téen, nine:téen-year-óld; ~ ю́ноша a boy / lad / youth of nine:téen [...ju:θ...]; nine:téen-year-óld boy.

девятна́дцат||**ый** nine:téenth; ~ое ма́я, ию́ня *и т.п.* the nine:téenth of May, June, *etc.*; May, June, *etc.*, the nine:téenth; страни́ца, глава́ ~ая page, chápter nine:téen; ~ но́мер númber nine:téen; ему́ (пошёл) ~ год he is in his nine:téenth year; одна́ ~ая one nine:téenth.

девятна́дцать *числит.* nine:téen; ~ раз ~ nine:téen times nine:téen; ~ nine:téen nine:téens.

девя́т||**ый** ninth [naɪ-]; ~ое ма́я, ию́ня *и т.п.* the ninth of May, June, *etc.*; May, June, *etc.*, the ninth; страни́ца, глава́ ~ая page, chápter nine; ~ но́мер númber nine; ему́ (пошёл) ~ год he is in his ninth year; ему́ ~ деся́ток пошёл he is past éighty; уже́ ~ час it is past eight; в ~ом часу́ past / áfter eight; полови́на ~ого half past eight

143

ДЕВ—ДЕК

[hɑːf...]; три че́тверти ~ого a quárter to nine; одна́ ~ая one ninth; ◇ ~ вал the tenth wave, highest wave.

де́вять *числит.* nine. **~со́т** *числит.* nine húndred.

де́вятью *нареч.* nine times; ~ де́вять nine times nine nine nines.

дегаза́тор [дэ-] *м.* déːcontàminàtor.

дегазацио́нный [дэ-] déːcontàmination (*attr.*); ~ пункт *воен.* déːcontàmination centre / státion.

дегаз‖**а́ция** [дэ-] *ж.* dèːgássing, déːcontàmination. **~и́ровать** [дэ-] *несов. и сов.* (*вн.*) dèːgás (*d.*), déːcontàminàte (*d.*).

дегенер‖**а́т** *м.* móròn. **~ати́вность** *ж.* béːing a móròn. **~ати́вный** mòrónic. **~а́ция** *ж.* degenerátion. **~и́ровать** *несов. и сов.* (*вн.*) degéneràte.

дёг‖**оть** *м.* tar; ма́зать ~тем (*вн.*) tar (*d.*); древе́сный ~ wóod-tàr [ˈwud-]; каменноу́гольный ~ cóal-tàr; ◇ ло́жка ~тя́ в бо́чке мёда ≅ a fly in the óintment.

деград‖**а́ция** [дэ-] *ж.* dègradátion. **~и́ровать** [дэ-] *несов. и сов.* degráde, becóme* degráded.

дегтя́рн‖**ый** *прил. к* дёготь; ~ое мы́ло cóal-tàr soap.

дегуста́‖**тор** [дэ-] *м.* táster [ˈteɪ-]. **~ция** [дэ-] *ж.* tásting [ˈteɪ-]; ~ция вин wíne-tàsting [-teɪ-].

дегусти́ровать [дэ-] *несов. и сов.* (*вн.*) taste [teɪst] (*d.*), cárry out a tásting [...ˈteɪ-] (of).

дед *м.* 1. grándfàther [-fɑː-]; (*старик*) old man*; 2. *мн.* (*предки*) fóreːfàthers [-fɑː-]; ◇ дед-моро́з Grándfàther Frost; (*рождественский*) Sánta Claus [...-z], Fáther Christmas [...-sm-]. **~ов** *прил. к* дед 1. **~овский** 1. *прил. к* дед; в ~овские времена́ in the days of our grándfàthers [...-fɑː-]; 2. (*старомодный*) ántiquàted; óld-wòrld (*attr.*).

дедукти́вный dedúctive.

деду́кция *ж.* dedúction.

де́душка *м. разг.* = дед 1; *тж.* grándàd, gránd-dàd; grándpa(pà) [-ɑː].

дееприча́ст‖**ие** *с. грам.* àdvérbial párticiple. **~ный** àdvérbial párticiple (*attr.*).

дееспосо́бн‖**ость** *ж.* 1. énergy, àctívity; 2. *юр.* càpabílity [keɪ-]. **~ый** 1. cápable of fúnctioning, able to fúnction; 2. *юр.* cápable.

дежа́ *ж.* vat.

дежу́рить *несов.* 1. (*быть дежурным*) be on dúty; 2. (*неотлучно находиться*) watch; ~ у посте́ли больно́го watch by *the* pátient's bédsìde, be in cónstant atténdance at *the* pátient's bédsìde.

дежу́рн‖**ый** 1. *прил.* on dúty; ~ врач dóctor on dúty; 2. *как сущ.* man* on dúty; (*офицер*) órderly ófficer; ófficer of the day; (*школьник*) púpil on dúty; ~ по ста́нции assístant státion-màster; он сего́дня ~ по ку́хне *и т. п.* he is on dúty in the kítchen, *etc.*, toːdáy; ◇ ~ое блю́до plat du jour (*фр.*) [plaˈdjuːˈʒuə]; ~ магази́н shop with exténded búsiness hours [...ˈbɪzn- auəz...]; ~ая апте́ка chémist's shop ópen áfter nórmal clósing hours *or* on hólidays [ˈkeː-... auəz... -dɪz].

дежу́рств‖**о** *с.* 1. dúty; сего́дня его́ ~ he is on dúty toːdáy; э́то случи́лось в его́ ~ this háppened while he was on dúty; расписа́ние дежу́рств róta; *воен.* róster [ˈrou-]; смени́ться с ~а come* off dúty, be relíeved [...-ˈliːvd]; 2. (*у больного*) watch(ing); ночно́е ~ níght-wàtch, níght-dùty; ночно́е, дневно́е ~ (*медицинской сестры*) night, day núrsing.

дезавуи́ровать [дэ-] *несов. и сов.* (*вн.*) dìsavów (*d.*), repúdiàte (*d.*).

дезактива́ция *ж.* déːcontàmination.

дезерти́р *м.* desérter [-ˈzəː-].

дезерти́р‖**овать** *несов. и сов.* desért [-ˈzəːt]. **~ство** *с.* desértion [-ˈzəː-].

дезинсе́кция *ж.* fùmigátion.

дезинфекцио́нн‖**ый** *прил. к* дезинфе́кция; ~ая ка́мера dìsinféction chámber [...ˈtʃeɪ-].

дезинфе́кция *ж.* dìsinféction.

дезинфици́р‖**овать** *несов. и сов.* (*сов. тж.* продезинфици́ровать) (*вн.*) dìsinféct (*d.*). **~ующий** 1. *прич. см.* дезинфици́ровать; 2. *прил.* dìsinféctant; ~ующее сре́дство dìsinféctant.

дезинформа́ция [дэзы-] *ж.* mísinformátion.

дезинформи́ровать [дэзы-] *несов. и сов.* (*вн.*) mísinfòrm (*d.*).

дезоксирибонуклеи́нов‖**ый**: ~ая кислота́ (*сокр.* ДНК) dèːòxyribonucléic ácid [-rɪ-...].

дезорганиза́‖**тор** *м.* disórganìzer. **~торский** disórganìzing. **~ция** *ж.* disòrganizátion [-naɪ-].

дезорганизо́в‖**анный** *прич. и прил.* disórganìzed. **~а́ть** *несов. и сов.* (*вн.*) disórganìze (*d.*).

дезориент‖**а́ция** [дэ-] *ж.* 1. (*действие*) disòrièntátion; 2. (*состояние*) bewílderment, confúsion. **~и́ровать** [дэ-] *несов. и сов.* (*вн.*) disóriènt (*d.*), confúse (*d.*); (*перен. тж.*) make* one lose, *или* cause *one* to lose, one's béarings [...luːz... ˈbɛə-]. **~и́роваться** [дэ-] *несов. и сов.* 1. lose* one's béarings [luːz... ˈbɛə-]; 2. *страд. к* дезориенти́ровать.

деи́зм [дэ-] *м. филос.* déːism.

деисти́ческий [дэ-] *филос.* dèístic.

де́йственн‖**ость** *ж.* effécti̇veness; (*о лекарстве и т. п.*) éfficacy; (*активность*) áctivity; (*о мероприятии и т. п.*) effectuálness. **~ый** efféctive; (*о лекарстве и т. п.*) èfficácious; (*активный*) áctive; (*о мероприятии и т. п.*) efféctive, efféctual.

де́йстви‖**е** *с.* 1. áction, òperátion; (*влияние*) effect; приводи́ть в ~ (*вн.*) put* in áction (*d.*); set* góːing (*d.*); вводи́ть в ~ но́вый заво́д put* a new plant into òperátion [...-ɑːnt...]; вводи́ть зако́н в ~ ímplement *a* law, put* *a* law in force, cárry *a* law into effect; под ~ем (*чего-л.*) under the ínfluence (of smth.); не подверга́ться ~ю кисло́т *и т. п.* remáin únːaffécted by ácids, *etc.*; вое́нные ~я mílitary òperátions; hòstílities; наси́льственные ~я víolent acts; ока́зывать ~ (на *вн.*) have an effect (on, upːón); (*без доп.*) take* effect; ме́сто ~я scene of áction; ~ происхо́дит в Москве́ *и т. п.* the scene is set in Móscow, *etc.*, the áction takes place in Móscow, *etc.*; 2. *мн.* (*деятельность*) àctivity *sg.*, àctivities; (*поведение*) cónduct *sg.*; созна́тельные ~я cónscious àctivity [-nʃəs...]; 3. (*часть драматического произведения*) act; пье́са в трёх ~ях play in three acts; 4. *мат.* òperátion; четы́ре ~я арифме́тики the four rules of arithmétic [...fɔː...].

действи́тельн‖**о** 1. *нареч.* réally [ˈrɪə-]; как бу́дто он мо́жет ~ что́-то сде́лать as if he could réally do sómeːthing; 2. *как вводн. сл.* indéed, réally; ~ э́то оши́бка indéed, *или* to tell the truth, it is a mistáke [...truːθ...]. **~ость** *ж.* 1. reálity [rɪˈæ-]; совреме́нная ~ость presént-dày reálity / life [ˈprez-...]; преврати́ть возмо́жность в ~ость turn pòssibílity into reálity; стать ~остью be translated into life [...-ɑːns-...], becóme* a reálity; 2. (*сила действия*) valídity; ~ость докуме́нта valídity of *a* dócument; 3. в ~ости in reálity, in fact. **~ый** 1. áctual, real [rɪəl], true; ~ая причи́на the real cause; 2. (*дающий результат*) efféctive; (*о мероприятии*) efféctual; (*о лекарстве и т. п.*) èfficácious; 3. (*имеющий силу*) válid; биле́т действи́телен на тро́е су́ток the ticket is válid for three days; аре́ндный догово́р действи́телен на два го́да the lease runs for two years [...liːs...]; призна́ть ~ым *юр.* declare válid; 4.: ~ый зало́г *грам.* áctive voice; ◇ ~ый член Акаде́мии нау́к (Full) Mémber of the Acádemy of Scíences; ~ая слу́жба *воен.* áctive sérvice.

де́йств‖**овать, поде́йствовать** 1. *тк. несов.* act; óperàte (*тж. воен.*); (*о механизме*) fúnction; (*работать*) work; (*о машине*) run*; как ~ да́льше? what is to be done next?; они́ ~овали не дру́жно their áction was not còːórdinàted, they did not act / work in cóncert; телефо́н не ~yет the télephone is out of órder, *или* is not wórking; у него́ не ~yет пра́вая рука́ he has lost the use of his right arm [...juːs...]; желу́док не ~yет no bówel mótion; ~ не спеша́ take* one's time; 2. (на *вн.*) (*давать результат, влиять*) have an effect (upːón), act (on); ~ на не́рвы кому́-л. get* on smb.'s nerves; ~ успокои́тельно have a sóothing effect; лека́рство уже́ ~yет the medicine is táking effect; лека́рство хорошо́ ~yет the medicine is very èfficácious.

де́йствующ‖**ий** 1. *прич. см.* де́йствовать; 2. *прил.*: ~ зако́н law cúrrently in force; ~ая моде́ль (*машины и т. п.*) wórking módel [...ˈmɔ-]; ~ее лицо́ *театр., лит.* cháracter [ˈk-]; ~ие ли́ца *театр.* drámatis pèrsónae [...pəːˈsouniː], cháracters in the play; ◇ ~ая а́рмия Army in the Field [...fiː-]; Field Fórces *pl. амер.*

дейте́рий *м. хим.* deutérium.

де́ка [дэ-] *ж. муз.* sóunding board.

декабри́ст *м. ист.* Decémbrist.

декабр‖**ь** *м.* Decémber; в ~е́ э́того го́да in Decémber; в ~е́ про́шлого го́да last Decémber; в ~е́ бу́дущего го́да next Decémber.

дека́брьский *прил. к* дека́брь; ~ день a Decémber day, a day in Decémber.

дека́да *ж.* (10 *дней*) tén-day périod; ~ узбе́кской, таджи́кской *и т. п.* литерату́ры и иску́сства Uzbék, Tàjík, *etc.*,

Ten-day Festival of Literature and Arts [u:z- tɑ:-...].

декаде́нт *м.*, **~ка** *ж.*, **~ский** décadent. **~ство** *с.* décadence.

кака́дный *прил.* к декада.

декали́тр [дэ-] *м.* décalitre [-li:-].

декалькома́ния [дэ-] *ж.* 1. tránsfer (*of design*); tránsfer-màking; 2. (*рисунок*) tránsfer.

декаме́тр [дэ-] *м.* décamètre.

дека́н *м.* dean (*président of a faculty*). **~а́т** *м.* dean's óffice.

декатирова́ть *несов. и сов.* (*вн.*) *текст.* sponge [spʌ-] (*d.*) (*woollen cloth with steam*).

дека́эдр [дэ-] *м. мат.* dècahédron [-ed-].

декваликфика́ция [дэ-] *ж.* disquàlifica̋tion.

декваликфици́роваться [дэ-] *несов. и сов.* be disquálified.

де́кель *м. полигр.* týmpan.

декламā́||тор *м.* recíter. **~торский** recíter's, of recíting; **declámatory** (*об. ирон.*); **~торское иску́сство** the recíter's art, the art of recíting. **~цио́нный** of recíting, declámatory (*об. ирон.*); **~цио́нное иску́сство** the art of recíting. **~ция** *ж.* recitátion; dèclamátion (*об. ирон.*).

декламú́ровать, проклами́ровать (*вн.*) recíte (*d.*); decláim (*d.*) (*об. ирон.*).

декларати́вн||ость *ж.* téndency to make pronóuncements for effect. **~ый** 1. declárative, declárative; **~ое заявле́ние** declárative annóuncement / pronóuncement; **заяви́ть в ~ой фо́рме** annóunce / procláim in declárative form; 2. (*чисто словесный, внешний*) made for effect, preténtious.

деклара́ция *ж.* dèclarátion.

деклари́ровать *несов. и сов.* (*вн.*) procláim (*d.*), decláre (*d.*), lay* down (*d.*).

декласси́рова||нный déclassé (*фр.*) [deɪklæˈseɪ]; **~ элеме́нт** déclassé eleménte. **~ться** *несов. и сов.* become* déclassé (*фр.*) [deɪklæˈseɪ].

декоди́рован||ие *с.* dè:códing. **~ный** dè:códed.

декольте́ [дэ- -тэ] *с. нескл.* (*тж. в знач. неизм. прил.*) décolleté (*фр.*) [deɪˈkɔlteɪ]; **пла́тье ~** lów-nécked ['lou-...], décolleté dress.

декольти́рованный [дэ-] lów-nécked ['lou-]; décolleté (*фр.*) [deɪˈkɔlteɪ].

декомпре́ссия *ж.* dè:comprèssion.

деко́мпрессор *м.* dè:comprèssor.

декорати́вно-прикладн||о́й: **~о́е иску́сство** arts and crafts *pl*.

декорати́вн||ый décorative, òrnaméntal; **~ое иску́сство** décorative art; **~ое расте́ние** òrnaméntal plant [...-ɑːnt].

декорā́||тор *м.* décoràtor, scéne-páinter. **~ция** *ж.* scénery ['si:-] (*in theatre*).

декори́ровать *несов. и сов.* (*вн.*) décoràte (*d.*), òrnamènt (*d.*).

деко́рум *м.* decórum.

декре́т *м.* decrée, édict ['i:-]; **~ о ми́ре** *ист.* the Decrée on Peace; **~ о земле́** *ист.* the Decrée on Land. **~и́ровать** *несов. и сов.* (*вн.*) decrée (*d.*). **~ный** *прил.* к декре́т; ◇ **~ный о́тпуск** matérnity leave.

де́ланн||ость *ж.* àrtificiálity, àffectátion. **~ый** 1. *прич. см.* де́лать; 2. *прил.* (*искусственный*) àrtificial; (*притворный*)

simulàted, feigned [feɪnd]; afféected; **~ая улы́бка** forced / strained smile.

де́лать, сде́лать (*вн.*) 1. (*изготовлять, производить, совершать*) make* (*d.*); (*выполнять, поступать*) do (*d.*): **~ шля́пы, бума́гу** make* hats, páper; **~ докла́д, сообще́ние** make* a repórt; **~ кого́-л. секретарём** make* smb. sécretary; **~ кого́-л. счастли́вым** make* smb. háppy; **~ уси́лие** make* an éffort; **~ попы́тку** make* an attémpt; attémpt; **~ оши́бку** make* a mistáke; **~ свою́ рабо́ту** do one's work; **~ у́треннюю гимна́стику** do one's mórning éxercises; **~ кому́-л. одолже́ние** do smb. a fávour, *или* a good turn; **ничего́ не ~** do nothing; **знать, что ~** know* what to do [nou...]; **он хорошо́ сде́лал (что)** he did well (+ to *inf.*); **~ кинокарти́ну** make* / prodúce a film; **~ визи́т** (*дт.*) pay* a vísit / call [...-z-...] (*i.*, to); **~ предложе́ние** (*дт.*) make* an óffer (*i.*, to); (*о браке*) propóse (*marriage*) (*i.*, to); **~ комплиме́нт** (*дт.*) pay* a cómpliment (*i.*, to); **~ вы́говор** (*дт.*) rebúke (*d.*), réprimànd [-mɑː-] (*d.*); **~ вы́вод** draw* a conclúsion; **~ объявле́ние** annóunce; (*о продаже товара*) put* up an advertisement [...-s-]; **~ сто́йку на охо́т** set*; **~ запро́с** (*в парла́менте и т.п.*) intérpellàte (*i.*, to). 2. (*проходить и т.п. определённое расстояние*) do; (*о судне*) make*; **по́езд де́лает 70 км в час** the train does 70 *km* an hour [...auə]; ◇ **~ не́чего, что ~** *вводн. сл.* it can't be helped [...kɑːnt...]; (*при прош. вр.*) it coúldn't be helped; **что мне ~?** what am I to do?; **от не́чего ~** to while awáy the time; **для ви́д** (+ to *inf.*), afféct (+ to *inf.*), make* a show [...ʃou] (of); feign [feɪn] (that); **э́то де́лает ему́ честь** that does him crédit; **~ по-сво́ему** get* one's own way [...oun...], do as one pléases / chóoses / feels.

де́латься, сде́латься 1. (*становиться*) become*, get*, grow* [-ou]; **де́лается хо́лодно** it is getting cold; **де́лается темно́** it is getting / grówing dark; **ему́ от э́того не де́лается ху́же** he is none the worse for it [...nʌn...]; 2. (*происходить, совершаться*) háppen; **там де́лаются стра́нные ве́щи** strange things háppen there [-eɪ-...]; **что с ним сде́лалось?** what has háppened to him?, what is the mátter with him?; **что там де́лается?** what is góing on there?; 3. *страд. к* де́лать.

делега́т *м.*, **~ка** *ж.* délegate.

делега́тск||ий *прил.* к делега́т; **~ биле́т** délegate's card; **~ое собра́ние** délegates' méeting, méeting of délegates.

делега́ция *ж.* dèlegátion.

делеги́ров||ание *с.* dèlegátion. **~ать** *несов. и сов.* (*вн.*) délegàte (*d.*).

делёж *м.* sháring, division; (*недвижимости*) pártition; (*распределение*) distribútion; **~ иму́щества ме́жду совладе́льцами** pártition of próperty between joint ówners [...'ou-]. **~ка** *ж. разг.* sháring, sháring out.

деле́н||ие *с.* 1. (*в разн. знач.*) division; **~ кле́ток** *биол.* cell fission, cell division; **знак ~ия** *мат.* division sign [...saɪn];

2. (*на шкале*) point; **термо́метр подня́лся на 6 ~ий** the thermómeter went up six points.

деле́ц *м.* búsiness man* ['bɪzn-...]; óperàtor *разг. неодобр.*

деликате́с *м.* délicacy; dáinty; *мн.* délicacies; dèlicatéssen *амер.*

деликáтничать (*с тв.*) *разг.* be óvernìce (to); treat ùnnecessarily sóftly (*d.*), be too soft (with).

деликáт||ность *ж.* délicacy, tact. **~ный** (*в разн. знач.*) délicate; (*тактичный тж.*) considerate, táctful; *разг.* (*затрудни́тельный тж.*) tícklish.

дели́м||ое *с. скл. как прил. мат.* dívidend. **~ость** *ж.* dìvisibílity [-z-]. **~ый** divísible [-z-].

дели́тель *м. мат.* divísor [-z-]; **о́бщий наибо́льший ~** the gréatest cómmon divísor / fáctor [...'greɪ-...].

дели́ть I, раздели́ть (*вн.*) divíde (*d.*); **ме́жду** *тв.* amóng; **ме́жду двумя́** betwéen; **~ на ча́сти, гру́ппы** *и т.п.* divíde into parts, groups, *etc.* [...gruː-]; **~ на число́** divíde by *a* númber; **раздели́ть два́дцать на пять** divíde twénty by five; **~ попола́м** [hɑːv] (*d.*); (*без доп.*) take* half each [...hɑːf...]; go* halves *разг.*; (*тк. в денежных делах*) go* fifty-fifty *разг.*; **~ с кем-л.** share with smb. (*d.*); **он дели́л с ним, ни́ми** *и т.д.* **го́ре и ра́дость** he shared his, their, *etc.*, sórrows and joy; **~ по́ровну** (*вн.*) divíde into équal parts (*d.*); (*с кем-л.*) divíde, *или* share out, équally (*d.*); share and share alíke (*d.*); **~ шку́ру неуби́того медве́дя** *погов.* (you mustn't) sell the skin befóre you have shot the bear [...bɛə]; ≃ don't count your chickens before they're hatched.

дели́ть II, поделить (*вн.* ме́жду *тв.*) divíde (*d.* amóng; ме́жду двумя́ between).

дели́ться I, раздели́ться 1. (*на вн.*; *в разн. знач.*) divíde (into; *о числах тж.* by); **река́ де́лится на два рукава́** the ríver forks / bránches [...'rɪ-...'brɑː-]; **пять не де́лится на три** five will not divíde by three; **шесть де́лится на два** six is divísible by two [...-'vɪz-...]; 2. *страд. к* дели́ть I.

дели́ться II, поделиться 1. (*чем-л. с кем-л.*) share (smth. with smb.); (*сообщать*) tell* (smb. smth.), commúnicàte (smth. to smb.), impárt (smth. to smb.); (*о секрете, переживании и т.п.*) confíde (smth. to smb.); **~ куско́м хле́ба с кем-л.** share a crust of bread with smb. [...bred...]; **~ впечатле́ниями** (*с тв.*) share (one's) impréssions (with); compáre notes (with) *идиом.*; **ему́ не с кем подели́ться** he has no one to confíde in; **~ о́пытом** (*с тв.*) share one's expériences (with); 2. *страд. к* дели́ть II.

дели́шки *мн. разг.* affáirs, déalings; **тёмные ~** shády déalings; ◇ **как ~?** how goes it?

де́л||о *с.* 1. affáir, búsiness ['bɪzn-]; (*занятие*) pursúit [-'sjuːt]; ли́чное, ча́стное ~ *private* affáir ['praɪ-...]; **э́то моё, его́** *и т.д.* **~** that is my, his, *etc.*, búsiness / affáir; **э́то не моё, его́** *и т.д.*

ДЕЛ – ДЕМ

~ that is no búsiness / concérn of mine, his, *etc.*; that is none of my, his, *etc.*, búsiness [...nʌn...]; не его́ ~ (+ *инф.*) he has no búsiness (+ to *inf.*), it is not, *или* none of, his búsiness (+ to *inf.*); э́то на́ше вну́треннее ~ it's our own doméstic concérn [...oun...]; вме́шиваться не в своё ~ interfére in other people's affáirs [...piː-...]; не вме́шивайтесь не в своё ~ mind your own búsiness; приводи́ть свои́ ~á в поря́док put* one's affáirs in órder; говори́ть по ~у speak* on búsiness; без ~а не входи́ть no admíssion excépt on búsiness; приходи́ть по ~у come* on búsiness; у меня́ к нему́ ~ I have some búsiness with him; он за́нят ~ом he is búsy [...'bɪzɪ]; обще́ственные ~á públic affáirs ['pʌ-...]; у него́ мно́го дел he has many things to do; доводи́ть ~ (до) take* / bring* mátters (to); бра́ться сра́зу за де́сять дел táckle a dózen jobs at once [...'dʌz-wʌns]; have many írons in the fire [...'aɪənz...] *идиом.*; знать своё ~ know* one's job [nou-]; **2.** *тк. ед.* (*цель, интересы и т.п.*) cause; о́бщее ~ cómmon cause; пра́вое ~ just cause; благоро́дное ~ good / noble cause; вели́кое ~ great cause [greɪt...], feat; ~ ми́ра the cause of peace; для ~а револю́ции for the cause of the révolútion; **3.** (*деяние*) deed, act; (*создание*) work; до́брое ~ good deed; здоро́вье — вели́кое ~ health is a great thing [he-...]; вы сде́лали большо́е ~ you have achíeved a great feat [...-iːvd...]; э́то — его́ жи́зни it is his life-wòrk; **4.** (*событие, происшествие*) affáir, búsiness; э́то — давно́ забы́то this affáir has been forgótten long agó; зага́дочное ~ strange búsiness [-eɪ-...]; ~ бы́ло в 1960 г. it háppened in 1960; **5.** *об. мн.* (*положение, обстоятельства*) things; ~á поправля́ются things are impróving [...-ruːv-], things are on the mend; попра́вить свои́ ~á impróve the state of one's affáirs [-ruːv-...]; как его́ ~á? how is he gétting on?; how are things gó:ing with him?; ~ поверну́лось таки́м о́бразом mátters took such a turn; положе́ние дел state of affáirs; как обстои́т ~ с э́тим? what abóut this búsiness?; ~ обстои́т так the situátion is this; **6.** (*вопрос, предмет чего-л.*) mátter; ~ привы́чки, вку́са mátter of hábit, taste [...teɪ-]; совсе́м друго́е ~ quite anóther mátter; that's a horse of a dífferent cólour [...'kʌ-]; в чём ~? what is the mátter?; ~ не в э́том that's not the point; ~ ниско́лько не меня́ется от того́, что the situátion is in no way áltered by the fact that; е́сли бы ~ обстоя́ло ина́че if things were dífferent; **7.** *об. тк. ед.* (*специальность*): го́рное ~ *и т.п. см. под соотв. прилагательными*; **8.** *уст.* (*предприятие*) búsiness: э́то дохо́дное ~ this búsiness pays well; **9.** *юр.* (*судебное*) case [-s]; вести́ ~ plead *a* case; возбуди́ть ~ про́тив кого́-л. bring* an áction against smb., take* / ínstitute procéedings against smb.; изложи́ть своё ~ state one's case; по

~у Ивано́ва in connéction with the prosecútion of Iványov [...-vaː-]; **10.** *канц.* file, dóssier ['dɒsɪeɪ]; ли́чное ~ pérsonal récord(s) [...'re-] (*pl.*), pérsonal file; подши́ть, приложи́ть к ~у (*вн.*) file (*d.*); **11.** *уст.* (*сражение*) báttle, fíghting; ◊ на са́мом ~е as a mátter of fact, in fact, áctually, in reálity [...ɪ'æ-]; на са́мом же ~е... but the fact is...; в са́мом ~е *как вводн. сл.* réally ['rɪə-], indéed; now that one comes to think of it; то ли ~ *разг.* (*гораздо лучше*) how much bétter; what a dífference; то и ~ (*часто*) évery now and then; (*беспрестанно*) contínually, incéssantly; time and agáin; *часто переводится глаг.* keep* on (+ *ger.*): то и ~ раздаю́тся звонки́ the bell keeps on ríng:ing; пе́рвым ~ом first of all; ме́жду ~ом at odd móments, betwéen times; ~ за (*тв.*) the mátter depénds (on); ~ в том, что the fact / point is that; в то́м-то и ~, что the whole point is that [...houl...]; ~ вот в чём the point is this; ~ не (в) it is not a mátter (of); како́е ~ (*дт.*)?, что за ~ (*дт.*)? what is it (to)?, what does it mátter (to)?; како́е ему́ ~ (до)! what does he care (for, abóut)!; ему́ *и т. д.* нет ~а до э́того he, *etc.*, does not care; испыта́ть на ~е (*вн.*) test in práctice (*d.*); употреби́ть в ~ (*вн.*) make* use [...juːs] (of); име́ть ~ (с *тв.*) have to do (with), deal* (with), have déalings (with); говори́ть ~ talk sense, talk sénsibly; таки́е-то ~á! *разг.* so that's how things are!; that is the way it is!; ~ в шля́пе *разг.* it's in the bag, it's a sure thing [...ʃuə-...]; вот э́то ~! (*правильно*) good!, now you're tálking sense!; за чем ~ ста́ло? what's hólding mátters / things up?; what's the hitch? *разг.*; не в э́том ~! that is not the quéstion / point [...-stʃ-...]; сде́лать своё ~ have done one's part; э́то его́ рук ~ this is his hándiwòrk; когда́ ~ дойдёт до меня́, тебя́ *и т. д.* when it is my, your, *etc.*, turn; и на слова́х и на ~е in word and deed; на слова́х..., на ~е же... in words..., but áctually...; osténsibly..., but in reálity...; у него́ *и т. д.* (есть) ~ к вам he, *etc.*, has to speak to you; ему́ попа́ло за ~ he desérved what he got [...-'zɜːvd...].

делови́т||**ость** *ж.* búsiness-like cháracter ['bɪzn- 'kæ-], efficiency; он отлича́ется ~остью he is very efficient, he is very búsiness-like; ~**ый** efficient, búsiness-like ['bɪzn-].

делов||**о́й 1.** búsiness ['bɪzn-] (*attr.*); ~ челове́к búsiness man*; ~ые круги́ búsiness círcles; ~ое сотру́дничество búsiness-like còòperátion ['bɪzn-...]; ~а́я пое́здка búsiness trip; ~а́я бума́га offícial páper; ~ разгово́р talk on búsiness mátters; **2.** (*энергичный*) búsiness-like; (*дельный*) práctical; ~ подхо́д búsiness-like / wórkmanlike appróach.

делопроиз||**води́тель** *м.* clerk [-ɑːk]. ~**во́дство** *с.* óffice / clérical work, récord-keeping ['re-]; (*переписка*) búsiness còrrespóndence ['bɪzn-...].

де́льн||**о** *нареч.* **1.** efficiently, in búsiness-like fáshion [...'bɪzn-...]; **2.** *разг.* (*умно, со смыслом*) sénsibly; говори́ть ~ talk sense, talk sénsibly; (*ср.* де́льный).

~**ый 1.** (*способный к серьёзной работе*) efficient, búsiness-like ['bɪzn-]; ~ый челове́к áble pérson; **2.** (*серьёзный*) sénsible; ~ый разгово́р sérious talk / cònversátion; ~ый сове́т práctical advíce; ~ое предложе́ние sénsible suggéstion [...-'dʒestʃən].

де́льта I [дэ́-] *ж. геогр.* délta; ~ Во́лги the délta of the Vólga.

де́льта II [дэ́-] *ж.* (*греческая буква*) délta; ~-лучи́ *физ.* délta rays.

дельфи́н *м. зоол.* dólphin.

де́льце *с. уменьш. от* де́ло 1.

деля́га *ж. разг. неодобр.* a nárrow-mínded and sélf-ínterested one.

деля́нка *ж.* allótment; plot (of land); piece of wóodland [piːs... 'wud-].

деля́че||**ский**: ~ подхо́д, ~ское отноше́ние nárrow-mínded áttitude, ùtilitárian áttitude. ~**ство** *с.* = деля́ческий подхо́д, деля́ческое отноше́ние *см.* деля́ческий.

демаго́г *м.* démagògue [-ɒg]. ~**и́ческий**, ~**и́чный** dèmagógic [-gɪk]. ~**ия** *ж.* démagògy [-gɒgɪ].

демаркацио́нн||**ый**: ~ая ли́ния line of dèmàrcátion [...diː-].

демарка́ция *ж.* dèmàrcátion [diː-].

демарш [дэ-] *м. дип.* démarche (*фр.*) ['deɪmɑːʃ].

демаски́ровать [дэ-] *несов. и сов.* (*вн.*) *воен.* decámoufláge [-muflɑːʒ] (*d.*).

демилитариз||**а́ция** [дэ-] *ж.* dé:mìlitarizátion [-raɪ-]. ~**ова́ть** [дэ-] *несов. и сов.* (*вн.*) dé:mílitarize (*d.*).

демисезо́нн||**ый**: ~ое пальто́ light óver:coat (*for spring and áutumn wear*).

демиу́рг [дэ-] *м.* démiùrge ['diː-].

демобилизацио́нный *прил. к* демобилиза́ция.

демобилиз||**а́ция** *ж.* dé:mòbilizátion [-moubɪlaɪ-], reléase [-s]; о́бщая ~ géneral reléase. ~**о́ванный 1.** *прич. см.* демобилизова́ть; **2.** *м. как сущ.* éx-sérvice:man*; dè:mobée *разг.* ~**ова́ть** *несов. и сов.* (*вн.*) dè:móbilize [-'mou-] (*d.*); dèmób (*d.*) *разг.* ~**ова́ться** *несов. и сов.* get* / be dè:móbilized [...-'mou-].

демо́граф [дэ-] *м.* dèmógrapher [diː-].

демографи́ческий [дэ-] *прил. к* демогра́фия; ~ взрыв pòpulátion explósion.

демогра́фия [дэ-] *ж.* dèmógraphy [diː-].

демокра́т *м.* démocràt. ~**иза́ция** *ж.* dèmòcratizátion [-taɪ-]. ~**изи́ровать** *несов. и сов.* (*вн.*) démocratize (*d.*). ~**и́зм** *м.* démocratism, démocracy. ~**и́ческий** dèmocrátic; ~и́ческий централи́зм dèmocrátic céntralism; ~и́ческие свобо́ды dèmocrátic líberties; ~и́ческие завоева́ния dèmocrátic achíeve:ments [...-iːv-]; ~и́ческая респу́блика dèmocrátic repúblic [...-'pʌ-]. ~**и́чный** dèmocrátic. ~**ия** *ж.* dèmócracy; социалисти́ческая ~ия Sócialist dèmócracy.

де́мон *м.* démon. ~**и́ческий** dèmónic [di:-], dèmóniacal [di:-].

демонстра́нт *м.*, ~**ка** *ж.* dèmonstrátor, márcher.

демонстрати́вный dèmonstrátive, as a déliberate prótèst; ~ ухо́д wálk-out in prótèst.

демонстра́тор *м.* démonstrátor.

демонстрацио́нный: ~ зал shów-room ['ʃou-].

демонстр||**а́ция** *ж.* **1.** (*в разн. знач.*)

dèmonstrátion; первомайская ~ Máy-Day dèmonstrátion; **2.** (*показ чего-л.*) shów(ing) ['ʃou-]; displáy; ~ фильма film-show [-ʃou], shówing of *a* film [ʃou-...]. ~и́ровать *несов. и сов.* (*вн.*) **1.** (*в разн. знач.*) dèmonstráte (*d.*); (*участвовать в демонстрации тж.*) take* part in a dèmonstrátion (*d.*); (*о фильме*) show* [ʃou] (*d.*), give* a dèmonstrátion (of); ~ировать новый кинофильм show* a new film.

демонта́ж [дэ-] *м. тех.* dismántling.
демонти́ровать [дэ-] (*вн.*) *тех.* dismántle (*d.*).
деморализа́ция [дэ-] *ж.* dèmoralizátion [-laɪ-].
деморализова́ть [дэ-] *несов. и сов.* (*вн.*) dèmoralize (*d.*).
де́мпинг [дэ-] *м. эк.* dúmping.
де́мпингов‖ый [дэ-] *эк.* dúmping (*attr.*); ~ые це́ны dúmping príces.
денатура́т *м.* méthylated spírit(s) (*pl.*). ~и́ровать *несов. и сов.* (*вн.*) *хим.* dènáture [diːˈneɪ-] (*d.*).
денационализ‖а́ция [дэ-] *ж.* dènàtionalizátion [ˈdiːnæʃnəlaɪ-]. ~и́ровать [дэ-] *несов. и сов.* (*вн.*) dènátionalìze [diːˈnæʃ-] (*d.*).
денацифика́ция [дэ-] *ж. полит.* dè-nàzificátion [-nɑːz-].
дендра́рий [дэ-] *м.* àrborétum.
дендри́т [дэ-] *м. анат., мин.* déndrite.
дендроло́гия [дэ-] *ж. бот.* dèndrólogy.
де́нежка I *ж. ист.* hálf-cópèck coin [ˈhɑːf-...].
де́нежк‖а II *ж. разг.* a bit of móney [...ˈmʌ-]; ◇ ~и счёт лю́бят ≅ take* care of the pence; пла́кали мои́ ~и you can kiss your móney good-býe; you can whístle for your móney.
де́нежно-вещев‖о́й: ~а́я лотере́я cash and prize lóttery.
де́нежн‖ый móney [ˈmʌnɪ] (*attr.*), mónetary [ˈmʌ-], pecúniary: ~ое обраще́ние móney circulátion; ~ перево́д móney órder; ~ая едини́ца mónetary únit; ~ая по́мощь pecúniary aid; ~ые затрудне́ния pecúniary embárrassment *sg.*; — ~ ры́нок móney-màrket [ˈmʌnɪ-]; в ~ом выраже́нии in terms of móney; ~ая рефо́рма cúrrency refórm; ~ ящик stróng-bòx; ~ штраф fine; ~ые сре́дства finánсial / móney resóurces [faɪ...ˈsɔːs-]; ◇ ~ челове́к *разг.* man* of means.
денёк *м. уменьш. от* день.
денни́к *м. с.-х.* stall.
денни́ца *ж. поэт.* **1.** (*заря*) dawn, dáybreak [-eɪk]; **2.** (*звезда*) mórning-stàr.
де́нно *нареч.*: ~ и но́щно *разг.* day and night.
денно́й *уст.* = дневно́й.
деномина́ция *ж. эк.* denòminátion.
деноса́ция [дэ-] *ж. дип., юр.* denóunce‖ment.
деносси́ровать [дэ-] *несов. и сов.* (*вн.*) *дип.* denóunce (*d.*).
денти́н [дэ-] *м. анат.* déntine [-iːn].
де́нщик *м.* bátman*; stríker *амер.*
день *м.* (*в разн. знач.*) day; (*после полудня*) áfternoon; в 2 часа́ дня at 2 o'clock in the áfternoon; at 2 p. m.; рабо́чий ~ wórking day; восьмичасово́й и *т.п.* рабо́чий ~ éight-hour, *etc.*, (wórking) day [-auə]; сократи́ть рабо́чий ~ shórten wórking hours [...auəz]; ~ о́тдыха, выходно́й ~ rést-day, day of rest; ~ off; ~ рожде́ния bírthday; ~ Сове́тской А́рмии и Вое́нно-морско́го фло́та ànniversary of the Sóviet Ármy and Návy; ~ Пари́жской Комму́ны ànniversary of the Páris Commúne; Междунаро́дный же́нский ~ Internátional Wóman's Day [-ˈnæ-ˈwu-...]; ~ Побе́ды Víctory day; це́лый ~ the whole day [...h-...], all the day; на сле́дующий, друго́й ~ next day; на друго́й ~ по́сле the day áfter / fóllowing; ~ в ~ to the day; изо дня́ в ~ day by day, day áfter day, from day to day, évery day; на днях *разг.* in the course of the day [...kɔːs...]; ото дня́ from day to day, with évery (pássing) day; ~ и ночь the clock round, round the clock; средь бе́ла дня in broad dáylight [...brɔːd...]; на днях (*о прошлом*) the óther day, a day or two agó; (*о будущем*) one of these days, in a day or two; до́брый ~! (*утром*) good mórning!; (*после полудня*) good àfternóon!; тре́тьего дня the day befòre yésterday [...-dɪ]; в оди́н прекра́сный ~ one fine day; в былы́е дни in days of old; in fórmer / býgòne / ólden days [...-gɔn...]; со дня на́ ~ from day to day, dáily, évery day; (*в ближайшее время*) any day; его́ дни сочтены́ his days are númbered; в поря́дке дня on the agénda; его́ днём с огнём не найдёшь he is nó:where to be seen / found, there's not a trace of him ány:where; ~ откры́тых двере́й (*в учебном заведении*) ópen day.

де́ньг‖и *мн.* móney [ˈmʌnɪ] *sg.*; funds; бума́жные ~ páper-mòney [-mʌ-] *sg.*; нали́чные ~ ready móney [ˈre-...] *sg.*; cash *sg.*; ме́лкие ~ (small) change [...tʃeɪ-] *sg.*; э́то сто́ит больши́х де́нег it costs much, *или* a lot of, móney; коли́чество де́нег в обраще́нии amóunt of cúrrency in circulátion; коли́чество де́нег у населе́ния amóunt of cúrrency in the hands of the pòpulátion; ◇ ни за каки́е ~ not for ány:thing; при ~а́х in cash; не при ~а́х hard up, out of cash.

день-деньско́й the lìve:lòng day [...ˈlɪv-...]; all day long.

деньжа́та *мн. разг.* móney [ˈmʌ-] *sg.*, cash *sg.*

деньжо́нки *мн. разг.* móney [ˈmʌ-] *sg.*, cash *sg.*; у него́ завели́сь ~ ≅ he's got móney to spend.

департа́мент *м.* depártment.
депе́ша *ж.* **1.** *дип.* dispátch; **2.** *уст.* télegràm.
депо́ *с. нескл.* **1.** *ж.-д.* dépòt [ˈdepou], shed; **2.** (*пожарное*) fire státion.
депози́т *м. фин.* depósit [-z-]; вноси́ть в ~ = депони́ровать.
депозита́рий *м. эк.* depósitary [-z-].
депози́тор *м. фин.* depósitor [-z-].
деполяриза́ция [дэ-] *ж. физ.* dè:pòlarizátion [-poulərаɪ-].

депоне́нт *м. фин.* depósitor [-z-].
депони́ровать *несов. и сов.* (*вн. в вн.*) *фин., юр.* depósit [-z-] (*d.* with).
депорта́ция *ж.* dè:pòrtátion [diː-].
депресси́вн‖ый [дэ-] depréssed, depréssing; ~ое состоя́ние depréssion; ~ пери́од *эк.* périod of depréssion.
депре́сс‖ия [дэ-] *ж.* (*в разн. знач.*) depréssion; (*экономи́ческая тж.*) slump, decline; dównturn; находи́ться в состоя́нии ~ии (*о промышленности*) slump; (*о человеке*) be in low spírits [...lou...], be out of spírits, be depréssed.
депута́т *м.* députy; ~ Верхо́вного Сове́та députy of the Sùpréme Sóviet; пала́та ~ов Chámber of Députies [ˈtʃeɪ-...]. ~ский *прил. к* депута́т.
депута́ция *ж.* dèputátion.
дёр *м.*: зада́ть, дать ~у *разг.* take* to one's heels.
де́рби [дэ-] *с. нескл. спорт.* Dérby [ˈdɑː-].
де́рвиш [дэ-] *м.* dérvish.
дёрга‖ть, дёрнуть **1.** (*вн. за вн.*) pull [pul] (*d.* by), tug (*d.* by); ~ кого́-л. за рука́в pull smb.'s sleeve; tug at smb.'s sleeve; **2.** *тк. несов.* (*вн.*) *разг.* pull out (*d.*); ~ зуб (*у врача*) have *a* tooth* (pulled) out; **3.** *тк. несов. безл. разг.*: его́ всего́ ~ет he is twítching all óver; у меня́ ~ет па́лец my fínger throbs; I have twinges / shóoting-pains in my fínger; **4.** (*тв., резко двигать какой-л. частью тела*) move shárply [muːv...] (*d.*); jerk (*d.*); **5.** *тк. несов.* (*вн.*) *разг.* (*беспокоить*) wórry [ˈwʌ-] (*d.*), pull about (*d.*), pèster (*d.*); ~ подчинённых hárass one's subórdinates [ˈhæ-...]; ◇ ло́шади дёрнули the hórses gave a jerk; и дёрнуло меня́ пойти́ туда́! *разг.* what (on earth) posséssed me to, *или* made me, go there! [...ɔːθ-ˈzе-...]. ~ться **1.** twitch; **2.** *страд. к* дёргать 1, 2.
дерга́ч *м.* (*птица*) crake, córn-cràke, lándrail.
дёргающ‖ий 1. *прич. см.* дёргать 1, 2, 5; **2.** *прил.*: ~ая боль shóoting / thróbbing pain; láncinàting pain [ˈlɑː-...] *мед.*
деревене́ть, одеревене́ть *разг.* becóme* / grow* stiff / numb [...-ou...]; stíffen.
дереве́н‖ский rúral; víllage (*attr.*), cóuntry [ˈkʌ-] (*attr.*); ~ пролетариа́т rúral pròletáriat [...prou-]; ~ская беднота́ the víllage poor; ~ жи́тель cóuntry:man* [ˈkʌ-], víllager; ~щина *м. и ж. разг.* búmpkin [ˈkʌ-...].
дере́вн‖я *ж.* **1.** (*селение*) víllage; (*в противоположность городу*) cóuntry [ˈkʌ-], cóuntryside [ˈkʌ-]; жить в ~е live in the cóuntry [lɪv...]; е́хать в ~ю go* to the cóuntry; го́род и ~ town and cóuntry; **2.** (*сельское население*) cóuntry péople [...piː-], rúral pòpulátion.
де́рево *с.* **1.** (*растение*) tree; хво́йное ~ cónifer [ˈkou-]; ли́ственное ~ decíduous / bróad-lèaved tree [...-ɔːd-...]; **2.** *тк. ед.* (*материал*) wood [wud]; кра́сно ~ mahógany; чёрное ~ ébony; ◇ за дере́вьями ле́са не ви́деть not to see the wood for the trees.

ДЕР – ДЕС

деревообде́лочн∥ик м. wóodwòrker ['wud-]. ~ый wóodwòrking ['wud-].

деревообраба́тывающ∥ий wóodwòrking ['wud-]; ~ая промы́шленность wóodwòrking industry.

дереву́шка ж. разг. hámlet ['hæ-], small víllage.

де́ревце с., **деревцо́** с. sápling ['sæ-].

деревяни́стый 1. бот. lígneous; wóody ['wu-]; 2. разг. (о фруктах и т.п.) hard.

деревя́нн∥ый wóoden ['wu-] (тж. перен.); lígneous научн.; ◇ ~ое ма́сло lámp-oil, lów-gràde ólive oil ['lou- 'ɔl-...].

деревя́шка ж. 1. piece of wood [pi:s-wud]; 2. разг. (деревя́нная нога́) stump, wóoden leg ['wud'n...].

держа́в∥а ж. 1. state (об. State); (мн. или с прил.) pówer; мирова́я ~ world pówer; вели́кие держа́вы the Great Pówers [...-eit...]; 2. ист. (эмблема монархии) orb. ~ный 1. hólding sùpreme pówer; sóvereign ['sɔvrɪn]; 2. (могущественный) majéstic.

держа́тель I м. hólder; ~ це́нных бума́г hólder of secúrities; (акционер) sháre:hòlder.

держа́тель II м. 1. (для бумаг и т.п.) hólder; 2. тех. clamp, clutch.

держа́ть (вн.; в разн. знач.) hold* (d.); (содержать, хранить) keep* (d.); ~ кого́-л. за́ руку hold* smb. by the hand; ~ в руке́ hold* in one's hand (d.); ~ в гото́вности hold* in réadiness [...'re-] (d.); ~ в та́йне keep* a sécret (d.); ~ де́ньги в сберега́тельной ка́ссе keep* one's móney in the sávings bank [...'mʌ-...]; ~ ла́вку, пчёл, дома́шнюю пти́цу и т.п. keep* a shop, bees, póultry, etc. [...'pou-]; держи́те во́ра! ≃ stop thief! [...θi:f]; ◇ ~ кого́-л. в рука́х hold* / have smb. (well) in hand, have smb. únder one's thumb; ~ в подчине́нии hold* in subjéction / submíssion (d.); keep* down (d.) разг.; ~ пари́ bet; have / make* a bet; ~ речь speak* (d.); make* a speech; ~ сове́т (с тв.) take* cóunsel (with); ~ себя́ behàve; ~ своё сло́во keep* one's word; be as good as one's word идиом.; ~ чью́-л. сто́рону side with smb., take* smb.'s side; ~ экза́мен go* in for an exàminátion, take* an exàmination; ~ путь (к; на, в вн.) head [hed] (for), make* (for); ~ курс (на вн.) head (for); (перен. тж.) work towards; так ~! мор. stéady! ['ste-]; ~ язы́к за зуба́ми hold* one's tongue [...tʌŋ]; ~ напра́во, нале́во keep* to the right, to the left; ~ корректу́ру read* the proofs; ~ в па́мяти have / keep* in one's mémory (d.); ~ банк be bánker, keep* the bank.

держа́ться 1. (за вн.) hold* on (to); ~ рука́ми за кого́-л., что-л. hold* smb., smth., hold* on to smb. smth.; 2. (рд.; придерживаться, примыкать) adhére (to), hold* (by, to); stick* (to) разг.; ~ того́ взгля́да, что hold* that, be of the opínion that; ~ пре́жнего мне́ния adhére / hold* / stick* to one's fórmer opínion; ~ како́го-л. пра́вила make* it one's rule; ~ те́мы keep* to the súbject; stick* to the súbject разг.; 3. (без доп.; вести́ себя́, compórt one:sélf; 4. (на пр.) be held up (by), be suppórted (by); пу́говица де́ржится на ни́точке the bútton is háng:ing by a thread [...-ed]; 5. (без доп.; не сдаваться) hold* out, stand* firm; (о лю́дях тж.) hold* one's ground; держи́сь! (не сдавайся) stéady! ['ste-], stand firm!; (цепляйся крепко) hold tight!; 6. разг. (крепиться) restráin one:sélf, bear* up [bɛə...]; 7. (без доп.) (сохраняться) last: тако́е положе́ние не мо́жет до́лго ~ this state of affáirs cánnòt last long; ◇ ~ бе́рега keep* close to the shore [...klous...]; мор. hug the shore; ~ середи́ны доро́ги keep* to the míddle of the road; ~ вме́сте keep* / cling* / cling together [...-'ge-]; ~ в стороне́ stand* aside / off; (перен.) keep* / hold* / stand* alóof; ~ на нога́х keep* on one's legs; éле ~ на нога́х be on one's last legs; (он) едва́ де́ржится на нога́х (he) can hárdly stand, (he) can stand on his feet; ~ пря́мо hold* one:sélf erèct / úp:ríght; ~ зуба́ми за что-л. разг. hold* on to smth. like grim death, или with all one's strength [...deθ...].

дерза́ние с. dáring.

дерза́ть, дерзну́ть dare*.

дерзи́ть, надерзи́ть (дт.) разг. be ímpudent / impértinent / ínsolent (to); (об. о детях, подростках) cheek (d.), sauce (d.).

де́рзк∥ий 1. ímpudent, impértinent, ínsolent; (об. о детях, подростках) chéeky, sáucy разг.; ~ая девчо́нка minx, hússy; 2. (смелый) dáring, bold, audácious.

дерзнове́н∥ие с. dáring. ~ный dáring, audácious.

дерзну́ть сов. см. дерза́ть.

де́рзост∥ь ж. 1. ímpudence, impértinence, ínsolence; cheek, sauce разг.; (грубость) rúde:ness; говори́ть ~и be ímpudent / impértinent / ínsolent; (грубить) be rude; он име́л ~ (+ инф.) he had the ímpudence / cheek (+ to inf.); 2. (смелость) dáring, bóldness, audácity.

дерива́т [дэ-] м. derívative.

дерива́ция [дэ-] ж. 1. воен. drift; 2. лингв. dèrivátion; 3. тех. cànalizátion [-laɪ-].

дермати́н м. leatherétte [leð-].

дермато́∥лог [дэ-] м. dèrmatólogist. ~логи́ческий [дэ-] dèrmatológical. ~ло́гия [дэ-] ж. dèrmatólogy.

дёрн м. тк. ед. turf; (вы́резанный пласт) sod; обкла́дывать клу́мбу ~ом edge a flówer-bèd with turf, make* a turf édging round a flówer-bèd.

дерни́на ж. turf, sod; piece of cut turf [pi:s-...].

дерно́вый прил. к дёрн.

дёрнуть сов. см. дёргать 1, 4. ~ся сов. см. дёргаться.

деру́га ж. sáckclòth, sácking.

деса́нт м. 1. (высадка войск) lánding; поса́дочный ~ áirbòrne lánding; 2. (войска́) lánding párty / force; troops lánded pl.; та́нковый ~ tánk-bòrne ínfantry. ~ник м. páratrooper; man* of áirbòrne troops. ~ный lánding (attr.); ~ная ба́ржа lánding barge; ~ный тра́нспорт lánding ship; ~ные суда́ lánding craft sg.; ~ная опера́ция lánding operátion.

десегрега́ция ж. dè:sègregátion.

десенный анат. gíngival [-n'dʒ-].

десе́рт м. dessért [-'zə:t]. ~ный dessért [-'zə:t] (attr.); ~ная ло́жка dessért-spoon [-'zə:t-]; ~ное вино́ sweet wine.

деска́ть вводн. сл. разг. переводится личн. формами глагола say: он, ~, не знал he says he didn't know [...sez... nou]; ты, ~, сам винова́т they say it's your own fault [...oun...].

десна́ ж. gum (in mouth).

десни́ца ж. поэт. right hand.

де́спот м. déspòt. ~и́зм м. déspotism. ~и́ческий, ~и́чный dèspótic. ~и́я ж. déspotism.

десть ж. quire (of paper).

де́сятеро числит. ten; для всех десятеры́х for all ten; их ~ there are ten of them.

десяти- (в сложн. словах, не приведённых особо) of ten, или tèn-— соотв. тому, как даётся перевод второй части слова; напр. десятидне́вный of ten days, tén-day (attr.) (ср. -дневный: of... days, -day attr.); десятиме́стный with berths, seats for 10; (о самолёте, автомашине и т.п.) tén-seater (attr.) (ср. -ме́стный).

десятибо́рец м. decáthlòn cómpetitor.

десятибо́рье с. спорт. decáthlòn.

десятигра́нн∥ик м. геом. dècahédron [-ed-]. ~ый геом. dècahédral [-ed-].

десятидне́вка ж. ten days pl.; périod of ten days.

десятикла́сс∥ик м. ténth-fòrm boy; ténth-fòrmer разг. ~ица ж. ténth-fòrm girl [...gəːl].

десятикра́тный ténfòld.

десятиле́т∥ие с. 1. (годовщина) tenth ànnivérsary; (день рождения) tenth bírthday; 2. (срок в 10 лет) décade; ten years pl. ~ка ж. (школа) (tèn-year) sécondary school. ~ний 1. (о сроке) of ten years; tèn-year (attr.); tèn-yearly научн.; ~няя да́вность ten years' prescríption; 2. (о возрасте) of ten; tèn-year-òld; ~ний ма́льчик a boy of ten; a tén-year-òld boy.

десяти́на I ж. уст. dèssiatína [-'ti:-] (measure of land = 2.7 acres).

десяти́на II ж. тк. ед. ист. (налог) tithe [taɪð].

десятирублёвка ж. разг. tén-rouble note [-ru:-...].

десятисло́жный dècasyllábic; ~ стих лит. décasýllable.

десятиты́сячный 1. the ten thóusandth [...-zə-]; 2. (ценою в 10 000 рублей) ten thóusand roubles worth [...-zə- ru:-...], cósting 10 000 roubles; 3. (состоящий из 10 000) 10 000 strong.

десятиуго́льн∥ик м. геом. décagon. ~ый геом. dècágonal.

десятичасово́й 1. (о продолжительности) of ten hours [...auəz]; tén-hour [-auə] (attr.); 2. (назначенный на десять часов) ten o'clóck (attr.); ~ по́езд the ten o'clock train; the ten o'clock разг.

десяти́чн∥ый décimal; ~ая дробь décimal (fráction); ~ая систе́ма счисле́ния décimal nùmerátion; ~ая систе́ма мер и весо́в décimal sýstem (of méasures and weights) [...'me-...].

десятка ж. 1. разг. (цифра) ten; 2. карт. ten; ~ червей, пик и т.п. the ten of hearts, spades, etc. [...hɑːts...]; 3. разг. (десятирублёвка) ten-rouble note [-ruː-]; 4. (лодка) ten-oared boat.

десятник м. foreman*, charge-hand.

десят||ок м. ten; мн. (множество тж.) dozens ['dʌ-], scores; ~ки тысяч рублей, лет tens of thousands of roubles, years [...-z-... ruː-...]; ~ки листовок, писем dozens of leaflets, letters; ~ки читателей, рабочих scores of readers, workers; ◊ ему пошёл четвёртый, пятый и т.д. ~ he is past thirty, forty, etc.; он неробкого ~ка he is one who does not scare easily, или is not easily frightened [...'iz-...]. **~ый** tenth; ~ое мая, июня и т.п. the tenth of May, June, etc.; May, June, etc., the tenth; страница, глава ~ая page, chapter ten; ~ый номер number ten; ему (пошёл) ~ый год he is in his tenth year; уже ~ый час it is past nine; в ~ом часу past / after nine; половина ~ого half past nine [hɑːf...]; три четверти ~ого a quarter to ten; одна ~ая one tenth; ◊ рассказывать из пятого в ~ое tell* a story in snatches; ≅ jump from one thing to another; это дело ~ое разг. that's the last thing to worry about, или in importance [...'vʌ-...].

десят||ь числит. ten; лет ~ (о времени) about ten years; (о возрасте) about ten; лет ~ тому назад about ten years ago; ему лет ~ he is / looks about ten; ему около ~и he is about ten; мальчик лет ~и a boy of / about ten; в ~и километрах (от) ten kilometres (from).

десятью нареч. ten times; ~ десять ten times ten; ten tens.

детализац||ия ж. working out in detail [...'diː-]; detailed elaboration; проект нуждается в ~ии the project has to be worked out in detail.

детализировать несов. и сов. (вн.) work out in detail [...'diː-] (d.).

детал||ь ж. (в разн. знач.) detail ['diː-]; ~и машин machine parts [-'ʃiːn...]; ◊ вдаваться в ~и go* into detail(s).

детально I прил. кратк. см. детальный.

детальн||о II нареч. in detail [...'diː-], minutely [maɪ-]. **~ый** detailed ['diː-], minute [maɪ-].

детвора ж. собир. разг. kiddies pl.

детдом м. (детский дом) children's home.

детектив [дэтэ-] м. 1. (сыщик) detective; 2. (книга) detective story / novel [...'nɔ-]; whodunit [-'dʌ-] идиом. разг.

детективный [дэтэ-] detective; ~ роман detective story / novel [...'nɔ-]; whodunit [-'dʌ-] идиом. разг.

детектор [дэтэ-] м. рад. detector, spark indicator; ◊ ~ лжи lie-detector. **~ный** [дэтэ-] прил. к детектор; ~ный приёмник crystal receiver [...-'siː-].

детёныш м. animal's young [...jʌŋ]; мн. собир. the young; ~ медведя, волка, тигра bear-cub ['beə-], wolf-cub ['wulf-], tiger-cub [-gə-]; ~ кита, слона, тюленя whale-calf* [-ɑː-], elephant-calf* [-ɑː-], baby elephant, seal-calf* [-ɑː-].

детерминизм [дэтэ-] м. филос. determinism. **~ист** [дэтэ-] м. детерминист.

дети мн. (ед. дитя с.) children; kids разг.; (младенцы) babies.

детина м. разг. husky / hefty / stalwart lad / chap, big fellow.

детишки мн. разг. kiddies, little ones.

детище с. child* (тж. перен.); offspring; (перен.) work, creation.

детка ж. (в обращении) my own darling! [...oun...], my little one!

детонатор м. тех., хим. detonator.

детонация ж. тех., хим. detonation [-tou-].

детонировать I тех., хим. detonate.

детонировать II муз. be out of tune.

деторо́дн||ый уст. genital; ~ые органы genitals.

деторождение с. child-bearing [-beə-], procreation [prou-].

детоубий||ство с. infanticide. **~ца** м. и ж. infanticide.

детрит м. мед. detritus.

детсад м. (детский сад) kindergarten ['kɪ-], nursery school. **~овский** разг. kindergarten ['kɪ-] attr.

детская ж. скл. как прил. nursery.

детск||ий child's, children's; (свойственный ребёнку) childish; (свойственный грудному ребёнку) infantile, (перен.: о взрослом) childish, puerile, (невинный) childlike; ~ труд child labour; ~ие учреждения child welfare institutions; ~ дом children's home; ~ сад kindergarten ['kɪ-], nursery school; ~ая площадка children's playground; ~ая вагон children's carriage [...-rɪdʒ]; ~ая комната (на вокзалах и т.п.) mother-and-child room; (в милиции) juvenile delinquents' room; ~ие песенки nursery rhymes; ~ фильм children's film; ~ие игры children's games; ~ие годы childhood [-hud] sg.; ~ая болезнь children's disease [...-'zi-]; ~ая смертность infantile mortality; ~ая игра (перен.: пустяковое дело) child's play; ~ое место анат. placenta, afterbirth.

детств||о с. childhood [-hud]; с ~а from childhood; друг ~а a friend from childhood [fre-]; ◊ впадать в ~ enter one's second childhood [...'se-...], be in one's dotage [...'dou-], become* senile [...'siː-].

деть сов. см. девать.

деться сов. см. деваться.

де-факто [дэ-] нареч. de facto.

дефе́кт м. defect, blemish. **~ивный** defective, handicapped; ~ивный ребёнок (mentally) defective or (physically) handicapped child* [...'fiz-...]. **~ный** imperfect, faulty.

дефектоскоп м. defectoscope, flaw detector. **~ия** ж. defectoscopy, flaw detection.

дефиле [дэ-] с. нескл. воен. defile.

дефилировать, продефилировать [дэ-] (de)file.

дефиниция [дэ-] ж. definition.

дефис м. hyphen ['haɪ-].

дефицит м. 1. эк. deficit; 2. (нехватка) deficiency, shortage. **~ный** 1. (убыточный) showing a loss ['ʃou-...]; 2. (не имеющийся в достаточном количестве) scarce [skɛəs]; in short supply; critical амер.; ~ые товары commodities in short supply; scarce goods [...gudz]; critical commodities амер.

дефляция [дэ-] ж. эк. deflation.

дефолиант м. defoliant.

дефолиация ж. defoliation [-fou-].

деформ||ация [дэ-] ж. deformation. **~ировать** [дэ-] несов. и сов. (вн.) deform (d.). **~ироваться** [дэ-] несов. и сов. 1. change one's form / shape [tʃeɪ-...]; become* deformed; 2. страд. к деформировать.

децентрализ||ация [дэ-] ж. decentralization [-laɪ-]. **~овать** [дэ-] несов. и сов. (вн.) decentralize (d.).

децибел м. физ. decibel.

деци||грамм [дэ-] м. decigram(me). **~литр** [дэ-] м. decilitre [-liː-]. **~метр** [дэ-] м. decimetre.

дешеветь, подешеветь fall* in price, become* cheaper.

дешевизна ж. (рд.) cheapness (of); low prices [lou-] (for) pl.

дешёв||ка ж. разг. 1. (низкая цена) low price [lou-]; купить по ~ке (вн.) buy* cheap [baɪ-] (d.), buy* at give-away prices (d.); 2. уст. (дешёвая распродажа) sale at reduced prices; 3. пренебр. (о чём-л. безвкусном, лишённом ценности) cheap stuff, worthless object.

дешевле I сравн. ст. прил. см. дешёвый; ◊ ~ пареной репы разг. ≅ dirt-cheap.

дешевле II сравн. ст. нареч. см. дёшево.

дёшево I прил. кратк. см. дешёвый.

дёшево II нареч. (прям. и перен.) cheap, cheaply; ~ отделаться get* off lightly; ~ острить make* cheap jokes; это ~ стоит it does not cost much; ◊ ~ и сердито cheap but good, a good bargain.

дешёв||ый (прям. и перен.) cheap; inexpensive; (о ценах) low [lou]; ~ая рабочая сила cheap labour power; ~ успех cheap success; по ~ой цене at a low price, at low prices, cheap.

дешифр||овать несов. и сов. (вн.) decipher [-'saɪ-] (d.), decode (d.). **~овка** ж. deciphering [-'saɪ-]; decipherment [-'saɪ-], decoding.

де-юре [дэюрэ] нареч. de jure [...-rɪ].

деяние с. deed, act.

деятел||ь м.: государственный ~ statesman*; общественный ~ public figure ['pʌ-...]; политический ~ political figure; революционный ~ revolutionary; ~ науки scientist, man* of science; ~ и культуры cultural workers; заслуженный ~ honoured worker ['ɔn-...]; заслуженный ~ науки Honoured Scientist; заслуженный ~ искусств Honoured Art Worker.

деятельн||ость ж. 1. activities pl., activity, work; революционная ~ revolutionary activities; практическая ~ practical activities; сознательная ~ людей the conscious activity of men [...-ʃəs]; общественная ~ public / social work ['pʌ-...]; 2. (занятие) occupation; писательская ~ the profession / vocation of a writer, work / occupation as a

ДЖА – ДИЛ

wríter; áuthorship; врачéбная ~ the proféssion of a physícian [...-'zɪ-]; **3.** òperátion; ~ сéрдца fúnctioning of the heart [...hɑːt]. ~**ый** áctive, ènergétic; принимáть ~ое учáстие (*в пр.*) take* an áctive part (in).

джаз *м.* **1.** (*музыка*) jazz; **2.** (*оркестр*) jazz band. ~**овый** jazz.

джем *м.* jam.

джéмпер *м.* júmper; (*мужской тж.*) púll-òver ['pul-].

джентльмéн *м.* géntle⁞man*. ~**ский** géntle⁞manly; ◇ ~**ское соглашéние** *дип.* géntle⁞man's agréement.

джéрси *с. нескл. и неизм. прил.* jérsey [-zɪ].

джигúт *м.* Dzhigít [-'gɪt] (*skilful horseman*). ~**óвка** *ж.* fáncy / trick ríding.

джин *м.* gin.

джинсóв‖ый jean (*attr.*); ~**ая ткань** jean cloth, blue dénim.

джúнсы *мн.* jeans *pl.*

джип *м.* jeep.

джúу-джúтсу *с. нескл. спорт.* jù-jítsù.

джóнка *ж.* junk (*Chinese sailing vessel*).

дзюдó *с. нескл.* júdò.

дзюдоúст *м.* júdò⁞ist.

диабáз *м. геол.* diabàse [-s].

диабéт *м. мед.* diabétès [-iːz]. ~**ик** *м.* diabétic [-'biː-]. ~**úческий** *мед.* diabétic.

диáгноз *м.* diagnósis (*pl.* -ósès [-iːz]); стáвить ~ (*дт.*) diágnòse (*d.*).

диагнóст *м.* diagnostícian. ~**ика** *ж. мед.* diagnóstics. ~**úческий** *мед.* diagnóstic.

диагонáл‖ь *ж.* **1.** (*линия*) diágonal; расположúть по ~**и** (*вн.*) place diágonally (*d.*); **2.** *текст.* diágonal.

диагонáльный diágonal.

диагрáмма *ж.* graph, díagràm.

диадéма [-дэ-] *ж.* díadèm.

диакритúческий: ~ **знак** *лингв.* dìacrítical mark / sign [...saɪn], dìacrític.

диалéкт *м. лингв.* díalèct; говорящий на ~**е** díalèct spéaker. ~**áльный** *лингв.* díalèct (*attr.*), dìaléctal. ~**úзм** *м. лингв.* díalècticism.

диалéктик *м.* dìalectícian.

диалéктика *ж.* dìaléctics; ~ развúтия dìaléctics of devélopment; ~ прирóды dìaléctics of náture [...'neɪ-].

диалектúческий I *филос.* dìaléctical; ~ **материалúзм** dìaléctical matérialism; ~ **мéтод** dìaléctical méthod.

диалектúческий II *лингв.* = диалектáльный.

диалéктный *лингв.* díalèct (*attr.*), dìaléctal.

диалектóлог *м.* dìalectólogist.

диалектолóгия *ж. лингв.* dìalectólogy.

диалóг *м.* díalògue [-lɔg]; вестú ~ cárry on a díalògue. ~**úческий** dìalògic.

диамáт *м. разг.* (*об учебном курсе*) dìaléctical matérialism.

диáметр *м. мат.* diámeter; ~ **в светý** (*внутренний диаметр*) bore. ~**áльно** *нареч.* dìamétrically, ~**áльно противополóжный** dìamétrically ópposite [...-z-]. ~**áльный 1.** *мат.* díametral; **2.** (*о противоположностях*) dìamétrical.

диапазóн *м. муз.* range [reɪ-]; dìapáson *научн.*; (*перен.*) cómpass ['kʌl-];

scope; гóлос большóго ~ a voice of great range / cómpass [...greɪt...].

диапозитúв *м. фот.* (lántern-)slide. ~**ный** slide (*attr.*).

диапроéктор *м.* slide projéctor.

диатéз [-тэз] *м. мед.* díathesis.

диатермúя [-тэр-] *ж. мед.* dìathèrmy.

диатонúческ‖ий *муз.* diatónic; ~**ая гáмма** diatónic scale.

диафúльм *м.* (diapósitive) film strip(s) [-z-].

диафрáгма *ж.* **1.** *анат.* díaphràgm [-æm]; **2.** *опт.* stop; *фот.* áperture.

дивáн I *м.* (*мебель*) diván, sófa; (*тк. для сидения*) settée.

дивáн II *м.* (*государственный совет в султанской Турции*) diván.

дивáн-кровáть *м.* fólding diván.

дивергéнция *ж.* divérgence [daɪ-].

диверсáнт *м.* sàbotéur [-'təː], wrécker. ~**ский** *прил. к* диверсáнт.

диверсиóнный *прил. к* дивéрсия; ~ **акт** act of sábotàge [...-tɑːʒ].

дивéрсия *ж.* **1.** *воен.* divérsion [daɪ-]; **2.** (*вредительский акт*) sábotàge [-tɑːʒ], sùbvérsive àctivity.

дивертисмéнт *м.* varíety show [...ʃou], músic-hàll èntertáinment [-zɪk-...]; (*с балетом*) divertíssement [diːvertiː'smɑːn].

дивидéнд *м. эк.* dívidènd.

дивизиóн *м.* **1.** *воен.:* артиллерúйский ~ báttery; артúллери battálion [...-'tæljən] *амер.*; **2.** *мор.* (*соединение кораблей*) flotílla; squádron *амер.*; (*часть команды*) divísion. ~**ный** divísional.

дивúзия *ж. воен.* divísion.

дивúть (*вн.*) *разг.* surpríse (*d.*).

дивúться (*дт.*) *разг.* márvel (at).

дúвно I *прил. кратк. см.* дúвный.

дúвн‖о II *нареч.* márvellous⁞ly, wónderfully ['wʌ-]; мы ~ **провелú врéмя** we had a márvellous time. ~**ый** márvellous, wónderful ['wʌ-], glórious; *разг.* (*о вкусе, запахе и т.п.*) delícious; ~**ый гóлос** márvellous voice; ~**ая мелóдия** lóve⁞ly tune ['lʌ-...].

дúв‖о 1. *с. тк. ед. разг.* wónder ['wʌ-], márvel; **2.** *предик.* it is amázing; ~, **что он остáлся жив** it is amázing that he should have remáined alíve; ◇ **что за** ~! (*странно*) (how) extraórdinary! [ɪksˈtrɔːdnrɪ]; (*нет ничего удивительного*) there's nothing surprísing about that; **не** ~ no wónder; **это не** ~ it is no wónder, it is not surprísing; ~**у давáться** be amázed / filled with wónder; **на** ~ márvellous⁞ly, spléndidly.

дигитáлис *м. бот., фарм.* digitális.

дидáкт‖ика *ж.* didáctics. ~**úческий** didáctic.

диéз [-иэ-] *м. муз.* sharp; **до** ~, **ре** ~ **и т.д. C** sharp, D sharp, *etc.* [siː... diː...].

диéт‖а [-иэ-] *ж.* díet; **держáть на** ~**е** (*вн.*) díet (*d.*); **посадúть на** ~**у** (*вн.*) *разг.* prescríbe a díet (for); **посадúть на стрóгую** ~**у** (*вн.*) put* on a rígorous díet (*d.*); **соблюдáть** (**стрóгую**) ~**у** keep* to a (rígorous) díet. ~**éтика** [-этэ-] *ж.* dietétics. ~**етúческий** [-иэтэ-] díetétic. ~**úческий** [-эт-] díetary; ~**úческий стол** ínvalid / díetary cóokery [-iːd...].

диетóлог [-иэ-] *м.* dietítian.

дизáйн *м.* design [-'zaɪn].

дизáйнер *м.* (*специалист по промышленной эстетике*) (art) desígner [-'zaɪnə].

дúзель *м. тех.* díesel èngine ['diːzendʒ-]. ~**ный** díesel ['diːz-]; ~**ный трáктор** díesel tráctor.

дúзель-электрúческий díesel-eléctric ['diːz-].

дúзель-электровóз *м.* díesel-eléctric lócomòtive ['diːz-'loukə-].

дúзель-электрохóд *м.* díesel-eléctric ship ['diːz-...].

дизентерúйный *мед.* dysentéric.

дизентерúя *ж. мед.* dýsentery.

дикáрка *ж.* sávage; (*перен.*) shy wóman* [...'wu-]; shy girl [...-gː-].

дикáрь *м.* **1.** sávage; (*перен.*) shy / ùnsóciable pérson; **2.** *разг., шутл.* (*тот, кто едет отдыхать без путёвки*) nón-offícial hóliday-màker [...-dɪ-] (*at the seaside, etc.*).

дúк‖ий 1. *прил.* wild; (*нецивилизованный, варварский*) bárbarous; (*застенчивый*) shy; (*необщительный*) ùnsóciable; (*странный*) strange [-eɪndʒ], queer; (*крайне нелепый*) prepósterous, outrágeous; ~**ая мéстность** wílderness; ~ **виногрáд** wild grapes *pl.*; ~**ая слúва** *и т.п.* wild plum, *etc.*; ~**ая яблоня** cráb(-tree); ~**ое яблоко** cráb(-àpple); ~**ая ýтка** wild duck; (*гл. обр. о селезне*) mállard; ~ **произвóл** sávage déspotism; **какúе** ~**ие взгляды!** what fantástic / outrágeous idéas! [...aɪ'dɪəz]; **2.** *м. как сущ.* = дикáрь 1; ◇ ~**ое мясо** proud flesh.

дикобрáз *м. зоол.* pórcupine.

дикóвин‖(к)а *ж. разг.* wónder ['wʌ-]; ◇ **это емý, ей** *и т.д.* **не в** ~**(к)у** he, she, *etc.*, finds nothing wónderful / remárkable / ùn⁞úsual abóut that [...'wʌ-...-'juːʒ-...]. ~**ный** *разг.* strange [-eɪndʒ], wónderful ['wʌ-], remárkable, ùn⁞úsual [-'juːʒ-], out of the way.

дикорастýщий (grówing) wild ['grou-...].

дúкость *ж.* **1.** wíld⁞ness, sávagery; shýness, ùnsóciable⁞ness; (*ср.* дúкий); **2.** *разг.* (*вздор*) absúrdity; **это совершéнная** ~ it is símply prepósterous, it is quite absúrd.

диктáнт *м.* dictátion.

диктáт *м.* díctàtes *pl.*; **полúтика** ~**а** a pólicy of dictátion.

диктáтор *м.* dictátor. ~**ский** dictatórial. ~**ство** *с.* dictátor⁞ship.

диктатýра *ж.* dictátor⁞ship; ◇ ~ **пролетариáта** dictátor⁞ship of the pròletáriat [...-proul-].

диктовáть, продиктовáть (*вн. дт.; в разн. знач.*) dictáte (*d.* to, *d. i.*); ~ **свою вóлю** dictáte one's will.

диктóвк‖а *ж.* dictátion; **писáть под чью-л.** ~**у** take* down from smb.'s dictátion; **под** ~**у когó-л.** (*перен.*) at smb.'s bídding, by smb.'s órder.

дúктор *м.* announcer.

диктофóн *м.* díctaphòne. ~**ный** *прил.* к диктофóн.

дúкция *ж.* àrticulátion, enùnciátion; (*в пении*) díction; **хорóшая** ~ clear / good* àrticulátion; **плохáя** ~ poor / bad* àrticulátion.

дилéмма *ж.* dilémma; **вот в чём** ~ *разг.* that is the quéstion / dilémma [...-stʃən...]; **перед ним стоúт** ~ he is confrónted / faced with *the* dilémma [...-'frʌ-...].

дилета́нт *м.* ámateur [-tə-], dilettánte [-tɪ] (*pl.* -tì [-ti:]); dábbler *разг.*; ~ в му́зыке ámateur musician [...-'zɪ-]; músical dilettánte [-z-...]. ~**и́зм** *с.* = дилета́нтство. ~**ка** *ж.* к дилета́нт. ~**ский** ámateurish [-'teə-]. ~**ство** *с.* ámateurishness [-'teə-], dilettántism.

дилижа́нс *м.* (stáge-)coach; почто́вый ~ máil-coach.

дилювиа́льный *геол.* dilúvial [daɪ-]; ~ пери́од dilúvial époch / périod [...-k...].

дилю́вий *м. геол.* dilúvium [daɪ-].

ди́на *ж. физ.* dyne.

динами́зм *м.* dýnamism ['daɪ-].

дина́мик *м. рад.* loud spéaker.

дина́мик‖**а** *ж.* 1. (*наука*) dynámics [daɪ-] *sg.*; 2. (*ход развития чего-л.*) the dynámics *pl.*; ~ обще́ственного разви́тия the móving fórces and trends of sócial devélopment [...'mu:v-...]; 3. (*движение, действие*) móvement ['mu:v-], áction; в пье́се ма́ло ~и there is little áction in the play.

динами́т *м.* dýnamite ['daɪ-]. ~**ный** *прил.* к динами́т. ~**чик** *м.* dýnamiter ['daɪ-].

динами́ч‖**еский**, ~**ный** dynámic(al) [daɪ-].

дина́мо *с. нескл. тех.* dýnamò ['daɪ-]. ~**-маши́на** *ж.* dýnamò ['daɪ-].

дина́р *м.* (*денежная единица в Югославии, Ираке, Тунисе и др. странах*) dínar ['di:nɑ:].

династи́ческий dynástic.

дина́стия *ж.* house* [-s]; dýnasty (*тж. перен.*).

ди́нго *м. и ж. нескл. зоол.* díngò.

диноза́вр *м.* dínosaur ['daɪ-].

дио́д *м. рад.* díode (tube).

дио́птр *м.* díoptrical sight. ~**ика** *ж.* dióptrics.

диоптри́я *ж. опт.* dióptre.

диора́ма *ж.* dioráma [-'rɑ:-].

дипко́рпус *м.* = дипломати́ческий ко́рпус *см.* дипломати́ческий.

дипкурье́р *м.* = дипломати́ческий курье́р *см.* дипломати́ческий.

диплоко́кк *м. биол.* diplocóccus (*pl.* -cóci).

дипло́м *м.* 1. diplóma; certíficate of degrée; 2. (*награда*) award, prize; 3. *разг.* (*дипломная работа*) degrée work / reséarch / thésis [...-'sə:tʃ-...].

диплома́т *м.* díplomàt; díplomatist [-lou-] (*тж. перен.*). ~**и́ческий** diplomátic; ~и́ческие отноше́ния diplomátic relátions; ~и́ческий ко́рпус diplomátic corps [...kɔ:]; ~и́ческая по́чта diplomátic mail; ~и́ческий курье́р diplomátic cóurier / méssenger [...'ku- -ndʒə]; (*в Англии*) Queen's méssenger. ~**и́чный** diplomátic, táctful. ~**ия** *ж.* díplomacy [-lou-].

дипломи́рованный gráduate (*attr.*); proféssionally quálified, certíficated.

дипло́мн‖**ик** *м.*, ~**ица** *ж.* stúdent wórking on graduátion thésis, *или* engáged on degrée thésis.

дипло́мн‖**ый** *прил.* к дипло́м; ~ая рабо́та degrée work / reséarch / thésis [...-'sə:tʃ-...]; ~ прое́кт graduátion thésis / work.

дипло́т *м. мор.* deep sea lead [...led].

директи́в‖**а** *ж.* instrúctions *pl.*, diréctives *pl.*, diréctions *pl.*; *воен.* instrúction. ~**ный** diréctive, diréctory; ~ные указа́ния instrúctions, diréctives, diréctions.

дире́ктор *м.* diréctor, mánager; (*школы*) head [hed], príncipal; (*о мужчине тж.*) head máster; (*о женщине тж.*) head místress. ~**а́т** *м.* diréctorate, board of diréctors.

директо́рия *ж. ист.* Diréctory.

дире́кторский *прил. к* дире́ктор; *тж.* manágerial.

директри́са I *ж. уст.* (*начальница женского учебного заведения*) héadmistress ['hed-].

директри́са II *ж. геом.* diréctrix (*pl.* directrices [-si:z]).

дире́кция *ж.* board (of diréctors), mánagement.

дирижабле строе́ние *с.* áirship-búilding [-bɪl-].

дирижа́бль *м.* dírigible (ballóon), áirship.

дирижёр *м.* condúctor; (*духового оркестра*) bánd-màster. ~**ский**: ~ская па́лочка (condúctor's) báton [...'bæ-].

дирижи́ровать (*тв.*) condúct (*d.*).

дисгармони́ровать (с *тв.*) clash (with), jar (with), be out of tune / kéeping (with).

дисгармони́чный dis harmónious.

дисгармо́ния *ж.* dis hármony, díscord (*тж. перен.*).

диск *м.* 1. disk, disc; ~ номеронабира́теля (*телефона*) díal; ~ луны́ the moon's disk; 2. *спорт.* díscus (*pl.* -cì); мета́ние ~а díscus-thrówing [-ou-]; 3. (*пулемёта*) (cártridge-)drùm.

ди́скант *м.* déscant, tréble [-e-]. ~**о́вый** tréble [-e-]; ~о́вый го́лос tréble voice.

дисквалифика́ция *ж.* disqualificátion.

дисквалифици́ровать *несов. и сов.* (*вн.*) disquálify (*d.*). ~**ся** *несов. и сов.* lose* one's proféssional qualificátion / skill [lu:z...].

дискобо́л *м.* díscus-thrower [-θrouə].

дискомфо́рт *м.* discómfort [-'kʌm-].

диско́нт *м. фин.* díscount.

дисконти́ровать *несов. и сов.* (*вн.*) *фин.* díscount (*d.*).

дискоте́ка *ж.* discothéque [-tek], díscò.

дискредита́ция *ж.* discrédit.

дискредити́ровать *несов. и сов.* (*вн.*) discrédit (*d.*).

дискримина́ция *ж.* discriminátion.

дискримини́ровать *несов. и сов.* (*вн.*) discrímináte (*d.*).

дискурси́вный *филос.* discúrsive.

дискуссио́нн‖**ый** 1. *прил. к* диску́ссия; в ~ом поря́дке as a básis for discússion; 2. (*сомнительный, спорный*) debátable; ópen to quéstion [...-stʃ-]; controvérsial; ~ вопро́с debátable quéstion / próblem [...'prɔ-]; статья́ печа́тается в ~ом поря́дке the árticle is ópen to discússion.

дискусси́ровать *несов. и сов.* = дискути́ровать.

диску́сси‖**я** *ж.* discússion, debáte; вопро́с ста́вится в поря́дке ~и the quéstion is ópen to discússion [...-stʃ-...].

дискути́ровать *несов. и сов.* (*вн., о пр.*) discúss (*d.*), debáte (*d.*).

дислока́ция *ж.* 1. *воен.* státion ing, distribútion (of troops); 2. *геол.* displáce ment (of stráta), dislocátion; 3. *мед.* dislocátion.

дислоци́ровать *несов. и сов.* (*вн.*) *воен.* státion (*d.*). ~**ся** *несов. и сов. воен.* be státioned.

диспансе́р [-сэ́р] *м.* clínic, health centre [he-...] (*for the prevention and treatment of disease*). ~**иза́ция** [-сэр-] *ж.* clínical examinátion (*for the prevention and treatment of disease*).

диспепси́я *ж. мед.* dyspépsia.

диспе́рсия *ж. физ.* dispérsion.

диспе́тчер *м.* dispátcher, contróller [-oul-] (*of movement of transport, etc.*); *ав.* air tráffic contról ófficer [...-oul...].

диспетчериза́ция *ж.* prógress sýstem; dispátching *амер.*; *ж.-д.* céntralized tráffic contról [...-oul-].

диспе́тчерск‖**ая** *ж. скл. как прил.* contróller's óffice [-oul-...]; dispátching óffice *амер.*; *ав.* contról tówer [-oul-...]. ~**ий** dispátcher's, dispátching; contról [-oul] (*attr.*); ~ий пункт contról point.

диспле́й *м. элк.* displáy.

диспози́ция *ж. воен.* dispositíon [-'zɪ-].

диспропо́рция *ж.* dispropórtion, lack of bálance (betwéen).

дисп́ут *м.* públic debáte ['pʌ-...]; вести́ ~.

диссерта́нт *м.* cándidate for a degrée.

диссерта́ци‖**я** *ж.* thésis (*pl.* théses [-si:z]), dissertátion; защища́ть ~ю defénd *a* thésis.

диссиде́нт *м.* 1. *рел.* non conformist; 2. (*инакомыслящий человек, не согласный с господствующей идеологией*) díssident.

диссимиля́ция *ж.* dissimilátion.

диссона́нс *м. муз.* díssonance, díscord (*тж. перен.*); внести́ ~ в их рабо́ту bring* díscord into their work.

диссони́ровать *муз.* díscord, strike* a díscordant note, be discórdant.

диссоциа́ция *ж.* dissociátion.

диссоции́ровать *несов. и сов.* (*вн.*) dissóciàte (*d.*).

дистанцио́нн‖**ый** *прил. к* диста́нция; ~ взрыва́тель *воен.* time-fùse; ~ое управле́ние remóte contról [...-oul].

диста́нци‖**я** *ж.* 1. dístance; на большо́й, ма́лой ~ии at a great, short dístance [...greɪt...]; 2. *воен.* range [reɪ-]; 3. *ж.-д.* ráilway divísion; ◊ сойти́ с ~ии with draw*, scratch.

дистилли́рованн‖**ый** *прич. и прил.* distílled; ~ая вода́ distílled wáter [...'wɔ:-].

дистилли́ровать *несов. и сов.* (*вн.*) distíl (*d.*).

дистилля́ция *ж.* distillátion.

дистрофи́я *ж. мед.* dýstrophy.

дисциплин‖**а́** I *ж. тк. ед.* (*установленный порядок*) díscipline; парти́йная ~ párty díscipline; трудова́я ~ lábour díscipline; prodúction díscipline; шко́льная ~ school díscipline; твёрдая ~ strict / firm díscipline; устана́вливать ~у estáblish díscipline; ~ огня́ *воен.* fire díscipline.

дисципли́на II *ж.* (*отрасль науки*) branch of science [-ɑ:nts...], díscipline.

дисциплина́рн‖**ый** disciplinary; ~ое взыска́ние disciplinary púnishment [...-'pʌ-].

ДИС – ДО

дисциплини́рованн||ость *ж.* díscipline. **~ый** *прич. и прил.* disciplined.

дисциплини́ровать *несов. и сов.* (*вн.*) díscipline (*d.*).

дитя́ *с.* child*; (*о младенце*) báby; ◇ ~ приро́ды child* of náture [...'neɪ-].

дифира́мб *м.* díthyràmb; (*перен.*) díthyràmbs *pl.*, éulogy, laudátion; ◇ петь ~ы (*дт.*) sing* the práises (of), laud (*d.*), extól (to the skies) (*d.*), éulogize (*d.*).

дифосге́н *м.* diphósgene [daɪ-].

дифра́кция *ж. физ.* diffráction; ~ све́та diffráction of light.

дифтери́йный = дифтери́тный.

дифтери́т *м.* diphthéria. **~ный** diphthéria (*attr.*); diphtherític.

дифтери́я *ж.* = дифтери́т.

дифто́нг *м. лингв.* díphthòng.

диффама́ция *ж.* líbel, dèfamátion.

дифференциа́л *м.* **1.** *мат.* differéntial; **2.** *тех.* differéntial gear [...gɪə]. **~ьный** differéntial; **~а́льное исчисле́ние** *мат.* differéntial cálculus; **~а́льный тари́ф** differéntial dúties *pl.*; **~а́льная ре́нта** *эк.* differéntial rent.

дифференциа́ция *ж.* differèntiátion.

дифференци́рование *с. мат.* differèntiátion.

дифференци́ровать *несов. и сов.* (*вн.*) differéntiàte (*d.*). **~ся** *несов. и сов.* differéntiàte.

диффу́зия *ж. физ.* diffúsion.

дича́ть, одича́ть (*о растениях*) run* wild; (*о животных*) become* / grow* wild [...grou...]; (*перен.: о людях*) become* / grow* únsóciable, (begín* to) shun society.

дичи́на *ж. разг.* = дичь 1.

дичи́ться *разг.* **1.** (*быть робким*) be shy; **2.** (*рд.*) избега́ть о́бщества, посторо́нних) shun (*d.*).

дичо́к *м. бот.* wílding; (*перен.: о ребёнке, подростке*) shy boy, girl [...g-].

дичь *ж. тк. ед.* **1.** *собир.* (*животные и птицы*) (*тк. о птицах*) gáme: bird, wíld: fowl; пушно́й зверь и ~ fur and féather [...'fe-]; **2.** (*мясо дичи, употребляемое в пищу*) game; **3.** *разг.* (*глушь*) wílderness; **4.** *разг.* (*вздор*) nónsense, rúbbish, rot; ◇ поро́ть ~ talk nónsense / rúbbish; talk through one's hat *идиом*.

диэле́ктрик *м. физ.* dielèctric, nòn-condúctor.

диэлектри́ческий dielèctric.

длин||а́ *ж. тк. ед.* length; в ~у́ léngthwise, lóng:wise; во всю ~у́ at full length; (*рд.*) the full length (of); all alóng (*smth.*); растяну́ться во всю ~у́ stretch out full length; ~о́й в 2, 3, 4 и *т. д.* ме́тра, (*тк. о людях*), 2, 3, 4 и *т. д.* ме́тра, фу́та и *т. п.* в ~у́ two, three, four, *etc.*, metres, feet, *etc.*, long [...fɔ:...]; ме́ры ~ы́ méasures of length, línear méasures; наибо́льшая ~а́ óver:àll length; ~ во́лны *рад.* wàve-lèngth.

длинно||во́лновый lòng-wàve (*attr.*). **~волокни́стый** *с.-х.* lòng-stáple (*attr.*). **~воло́сый** lòng-hàired. **~но́гий** lòng-lègged. **~но́сый** lòng-nòsed. **~ру́кий** with long arms, lòng-àrmed.

длинно́т||ы *мн.* prolíxities, tédious pássages; longueurs (*фр.*) [lɔŋ'gəːz]; рома́н с ~ами nóvel with tédious pássages ['nɔ...]; lòng-winded / prólix nóvel [-wɪn-'prou-...].

длинноше́рст(н)ый lòng-hàired.

дли́нн||ый long; (*о докладе и т. п.*) léngthy; ◇ у него́ ~ язы́к he has a long tongue [...tʌŋ]; погна́лся за ~ым рублём took on a job for the sake of quick and éasy móney [...'iːzɪ 'mʌ-].

дли́тельн||ость *ж.* durátion; **~ый** long, protrácted, prolónged; (*о болезни и т. п.*) língering; в тече́ние ~ого вре́мени, ~ое вре́мя óver a long périod of time; ~ое хране́ние (*овощей и т. п.*) lòng-tèrm presérvátion [...-zəː-]; ~ые ста́чки protrácted strikes; ~ое тюре́мное заключе́ние long term of imprísonment [...-ɪz-].

дли́ться last.

для *предл.* (*рд.*) **1.** (*в разн. знач.*) for: инструме́нт ~ ре́зки ínstrument for cútting; он э́то сде́лает ~ неё he will do it for her; э́та кни́га необходи́ма ~ его́ рабо́ты this book is esséntial for his work; ~ него́ необы́чно приходи́ть так по́здно it is únúsual for him to come so late [...-'juːʒ-...]; о́чень жа́рко ~ Москвы́ it is very hot for Móscow; — ~ него́ характе́рно it is cháracterístic of him [...k-...]; типи́чно ~ них it is týpical of them; **2.** (*по отношению к*) to: э́то бы́ло жесто́ким уда́ром ~ него́ it was a cruel blow to him [...kruəl blou...]; э́то ничто́ ~ него́ it is nóthing to him; непроница́емый ~ воды́ impérvious to wáter [...'wɔː-]; wáterproof ['wɔː-]; **3.** (*перед существит., обозначающими де́йствие: с це́лью*) *об.* передаётся через to + *inf.*, заменя́ющий соотв. существи́тельное: он прие́хал сюда́ ~ изуче́ния языка́ he came here to stúdy the lánguage [...'stʌdɪ...]; **4.** *разг., уст.* (*по случаю*) on the occásion of, for: ~ 1-го Ма́я on the occásion of Máy-Day, for Máy-Day; ◇ ~ того́, что́бы см. не́ чтобы 2; *тж. и др.* осо́бые слу́чаи см. под те́ми слова́ми, с кото́рыми *предл.* для образу́ет те́сные сочета́ния.

дне I *пр. см.* день.

дне II *пр. см.* дно.

днева́||лить *воен. разг.* be on dúty. **~льный** *м. скл. как прил. воен.* man* on dúty, órderly.

днева́ть: он там днюет и ночует *разг.* he spends all his time there, he is álways there [...'ɔːlwəz...], he stays there day and night.

дневка *ж.* day's rest.

дневни́к *м.* **1.** (*в разн. знач.*) díary; (*для записей ежедневных собы́тий*) journal ['dʒəː-]; вести́ ~ keep* a díary; **2.** (*ученический*) púpil's mark book.

дневн||о́й day (*attr.*); dáily; ~ за́работок dáily éarnings [...'əː-] *pl.*; day's pay; ~а́я сме́на day shift; ~ свет dáylight; (*искусственный тж.*) fluoréscent líghting; в ~о́е вре́мя during dáy-light hours [...auəz]; ~ спекта́кль matinée (*фр.*) ['mætɪneɪ].

-дне́вный (*в сложн. словах, не приведённых особо*) of... days, -day (*attr.*); *напр.* двадцатидне́вный of twenty days; twénty-day (*attr.*).

дней *рд. мн. см.* день.

днём I *нареч.* in the dáy-time, by day; (*после полудня*) in the afternóon; сего́дня ~ this afternóon; за́втра ~ to:mórrow afternóon; вчера́ ~ yésterday afternóon [-dɪ...].

днём II *тв. см.* день.

дни *мн. см.* день.

дни́ще *с.* bóttom (of ship, bárrel); (*судна тж.*) bilge.

дн||о *с.* bóttom; (*моря тж.*) ground; на ~е at the bóttom; доста́ть до ~а touch bóttom [tʌtʃ...]; идти́ ко ~у go* to the bóttom, sink*; пуска́ть на ~ (*вн.*) send* to the bóttom (*d.*), sink* (*d.*); ◇ пить до ~а drain; drink* to the dregs; пей до ~a! bóttoms up!; вверх ~ом úpside-dówn, tópsytúrvy; опроки́нуть вверх ~ом (*вн.*) upsét* (*d.*); золото́е ~ *разг.* góld-mìne; чтоб тебе́ ни ~а ни покры́шки *разг.* bad luck to you!, may you have bad fórtune! [...-tʃən].

дноочисти́тельный: речно́й ~ снаря́д rìver-drédger ['rɪ-].

дноуглуби́тельный drédging; ~ снаря́д *тех.* drédger.

дню *дт. см.* день.

дня *рд. см.* день.

до I *с. нескл. муз.* C [siː]; do; до дие́з C sharp.

до II *предл.* (*рд.*) **1.** (*при обозначе́нии достига́емого преде́ла, сте́пени, расстоя́ния, промежу́тка во вре́мени, како́го-л. ря́да*) to (*тж.* down to, up to; *ср.* вплоть); (*при обозначе́нии коне́чного пункта движе́ния*) as far as; (*кра́йнего преде́ла во времени*) till; until (*об. в начале предложения*): до конца́ to the end; до после́дней ка́пли to the last drop; до кра́йности to excéss; до изве́стной сте́пени to a cértain extént degrée; до ста́нции далеко́ it is far, *или* a long way, to the státion; от го́рода до ста́нции from the town to the státion; от трёх (часо́в) до пяти́ from three to five (o'clóck); чи́сла от одного́ до десяти́ númbers (from) one to ten; от пяти́ до десяти́ дней, ме́тров, книг from five to ten days, métres, books; е́хать до Москвы́ go* as far as Móscow; добежа́ть до ста́нции run* as far as, *или* to, the státion; ждать до ве́чера, до десяти́ (часо́в) wait till the évening, till ten (o'clóck) [...-ːvn-...]; — до на́ших дней to our time, to this day; **2.** (*меньше*) únder; (*не бо́льше: о возрасте, величи́не и т. п.*) up to, not óver, not... óver; (*о коли́честве, сумме тж.*) no more than, not... more than: де́ти до шести́ лет chíldren únder six (years); ве́сом до трёх килогра́ммов (*включительно*) wéighing up to, *или* not óver, three kílogràm(me)s; тра́тить до десяти́ рубле́й spend* up to, *или* not óver, *или* no more than, ten roubles [...ruː-]; он мо́жет тра́тить до десяти́ рубле́й he can spend up to ten roubles, he cánnot spend óver, *или* more than, ten roubles; родители, имеющие до пяти человек детей parents having up to, *или* no more than, five children; **3.** (*приблизительно*) abóut; some *pron.*: у него до тысячи книг he has abóut a thóusand books [...-z-...]; нас было до 60 человек we were some sixty in all; **4.** (*раньше*) befóre: до войны befóre the war; ◇ до свидания! good-býe!; до сих пор (*о месте*) up to here, up to this point; (*о времени*) up to now, till now, híthertó; до сих пор (ещё, всё ещё, *при наст. вр.*) still: он до сих пор (ещё, всё ещё) пишет he is still writing; до тех пор till then; до тех пор, пока *см.* пока II 2; до тех пор, как, *или* до того, как (*обо всём данном времени*) till, until (*ср. выше* 1); (*о каком-л. моменте раньше чем*) befóre: жди до тех пор, пока он не придёт wait till he comes; они будут готовы до того, как он придёт they will be réady befóre he comes [...'re-...]; — до того, что (*так долго, что*) till; (*до такой степени, что*) so... that: он кричал до того, что охрип he shóuted till he grew hoarse; он кричал до того, что охрип he shóuted hímsélf hoarse; он был до того слаб, что не мог двигаться he was so weak that he could not move [...mu:v]; — до чего *разг.* (*как*) how; (*какой*) what: до чего жарко! how hot it is!; до чего это интересная книга! what an ínteresting book this is!; — до чего жаль! it's such a píty! [...'pɪ-]; ему и т. д. нет дела до этого *см.* дело; ему и т. д. до, что до *см.* что I; *тж.* и др. особые случаи, не приведённые здесь, *см. под теми словами, с которыми предл.* до *образует тесные сочетания*.

до- *глагольная приставка*; *если обозначает доведение действия до конца, то об. передаётся через формы глагола* finish (+ *ger.*): дочитать книгу finish réading *the* book; *если подчёркивает доведение действия до предела, обозначенного существит. с предл.* до, *то об. не переводится:* дочитать до середины read* to the míddle; добежать до станции run* to, *или* as far as, the státion; (*ср.* до II 1).

добáвить *сов. см.* добавлять.

добáв‖**ка** *ж. разг.* addítion; (*довесок*) máke͡weight. ~**ление** *с.* addítion; (*к сочинению*) appéndix (*pl.* -icès [-ɪsɪ:z]), addéndum (*pl.* -da); (*к документу*) ríder; в ~**ление** (**к**) in addítion (to).

добавля́ть, добавить (*вн.* к) add (*d.* to).

добáвочн‖**ый** addítional, sùppleméntary, éxtra; (*второстепенный*) àccéssory; ~**ое время** *спорт.* éxtra time.

добег‖**áть**, добежать *so far* [...'sou-]; (*до*) run* (to; as far as; *ср.* до II 1); (*достигать*) reach (*d.*); мигом ~ý I'll get there in no time; он не смог добежать he could not run that far.

добегáться *сов.* (*до*) run* (till one is); run* ònesélf (to the point of); ~ до устáлости run* until one is tíred; tire ònesélf out rúnning; ◇ (вот) добегался! now you have, he has, *etc.*, done it!

добежáть *сов. см.* добегать.

добелá *нареч.* **1.**: раскалённый ~ (*о металле*) whíte-hót; **2.** (*до белизны, чисто*) till *smth.* is white, till *smth.* is spótlessly clean.

добермáн(-пи́нчер) *м.* (*порода собак*) Dóbermànn pínscher [...'pɪnʃə].

добивáть, добить (*вн.*) finish (off) (*d.*), kill (*d.*); deal* the final blow [...blou] (*i.*).

добивáться I *страд.* к добивáть.

добивáться II, добиться **1.** (*рд.*) obtáin (*d.*); (*достигать*) achíeve [-i:v] (*d.*); (*обеспечивать*) secúre (*d.*); *несов. тж.* try to get / obtáin / achíeve / secúre (*d.*), strive* (for, + *inf.*); seek* áfter (*d.*); make* éfforts to attáin (*d.*); настойчиво ~ (*рд.*) press (for); добиться мира achíeve / secúre peace; добиться решительной победы achíeve a decísive víctory; ~ соглашения (*с тв.*) seek* agréement (with); добиться поддержки, своих прав win* the suppórt, one's rights; многого можно добиться a great deal can be gained [...greit...]; добиться успеха achíeve (a) succéss; ~ более высокой производительности труда strive* for hígher pròdúctivity; добиться высокой производительности труда succéed in incréasing the prodúctivity [...-sɪŋ...]; achíeve hígher prodúctivity; ~ невозможного strive* for the impóssible; try to squáre the círcle *идиом.*; ~ того, чтобы стать... strive* to becóme...; добиться своего gain one's end / óbject; get* one's way; **2.** (*кого-л.*) *разг.* (*стараться увидеть*) try to see (smb.), try to get at (smb.); ◇ не добиться толку от кого-л. be únáble to get any sense out of smb.

добирáть, добрать (*вн., рд.*) gáther addítionally (*d.*).

добирáться I *страд.* к добирáть.

добирáться II, добрáться get* *to the place*, reach *the place*; (до) get* (to), reach (*d.*); ~ до дому get* / reach home; он не добрался до города he didn't get as far as the town, he didn't reach the town; ◇ добраться до истины find* / sift out the truth [...tru:θ]; он доберётся до тебя! he'll show you what's what! [...ʃou...]; he'll give you whát-fór!

добить *сов. см.* добивáть.

добиться *сов. см.* добивáться.

доблестн‖**ый** válorous, váliant ['vælj ənt], heróic; ~**ые войска** váliant troops; ~ **труд** distínguished lábour.

доблесть *ж.* válour ['væ-], prówess; дело ~**и** mátter of válour; трудовая ~ lábour héroism [...'he-], devóted work.

добрáсывать, добросить (*вн.*) throw* so far [-ou-...] (*d.*); (до, вн. до) throw* (*d.* as far as); throw* (*d.* to); он не смог добросить мяч he could not throw the ball that far.

добрáть *сов. см.* добирáть.

добрáться *сов. см.* добирáться II.

добрести́ *сов.* reach *the place* (*slowly or with difficulty*); limp *to the place*; (до) get* (to), reach (*slowly or with difficulty*) (*d.*); еле добрёл до дому he could hardly plod, *или* limp, home.

добре́ть I, подобреть becóme* kínder.

добежáть *сов. см.* добегáть.

добрéть II, раздобреть *разг.* becóme* córpulent, put* on weight.

добривáть, добрить (*вн.*) finish sháving (*d.*).

добри́ть *сов. см.* добривáть. ~**ся** *сов.* finish sháving (ònesélf).

добр‖**ó** I *с. тк. ед.* **1.** (*что-л. хорошее, полезное*) good; он желáет вам ~á he wíshes you well; делать ~ комý-л. be good to smb.; он сделал ей много ~á he was véry good to her; из этого ~á не выйдет no good will come of it; **2.** (*имущество*) próperty; **3.** *ирон.* (*что-л. негодное*) junk; такого ~á мне и дáром не нужно I wóuldn't take such junk as a gift [...g-]; ◇ это не к ~ý *разг.* it is a bad ómen, it bodes ill; от ~á ~á не и́щут *посл.* ≃ let well alóne; нет худа без ~á *посл.* ≃ évery cloud has a sílver líning; поминáть кого-л. ~**ом** *разг.* (*вспоминать*) remémber / think* kíndly of smb.; (*отзываться*) speak* well of smb.; дать (получить) ~ *разг.* give* (get*) OK [...'ou'kei].

добрó II: ~ пожáловать! wélcome!

добрó III *союз*: ~ бы it would be a dífferent mátter if...; there would be some excúse for [...-s...].

добрó IV *частица разг.* good; all right, OK ['ou'kei].

доброволец *м.* vòluntéer; пойти добровольцем vòluntéer.

добровольно I *прил. кратк. см.* добровольный.

добровóльн‖**о** II *нареч.* vóluntarily, of one's own accórd [...oun...], of one's own free will. ~**ость** *ж.* vóluntariness. ~**ый** vóluntary, frée-will; ~**ое общество** vóluntary society; на ~**ых началах** on vóluntary lines, on a vóluntary básis [...'bei-].

добровольческий vóluntary; vòluntéer (*attr.*).

добродетель *ж.* vírtue. ~**ный** vírtuous.

добродуш‖**ие** *с.* good náture [...'nei-]. ~**ный** góod-nátured [-'nei-].

доброжелáтель *м.*, ~**ница** *ж.* wéll-wísher. ~**ный** benévolent; (*о человеке тж.*) wéll-wíshing.

доброжелáтельство *с.* benévolence, kíndness, góodwill ['gud-].

доброкáчественн‖**ость** *ж.* high quálity. ~**ый** **1.** of high / good* quálity; **2.** *мед.* benígn [-ain], nòn-malígnant.

добрóм *нареч. разг.* of one's own free will [...oun...]; ~ **тебя прошу** ≃ I appéal to your bétter féelings.

добронрáвный *уст.* wéll-beháved, órderly.

добропоря́дочный *уст.* respéctable, hónest ['ɔ-].

добросердéч‖**ие** *с.*, ~**ность** *ж.* kínd-héartedness [-'ha:t-]. ~**ный** kínd-héarted [-'ha:t-].

добросо́вестн‖**ость** *ж.* hónesty ['ɔ-], cònsciéntiousness [kɔnʃɪ-]. ~**ый** hónest ['ɔ-], cònsciéntious [kɔnʃɪ-]; ~**ый работник** hónest wórker.

добросо́седск‖**ий** góod-néighbourly; ~**ие отношения** néighbourly relátions;

ДОБ – ДОВ

good-neighbour:liness sg., good-neighbour relations.

доброт‖**а** ж. kind:ness, good:ness; по ~é out of kind:ness.

добро́т‖**ность** ж. good quality; ~ сукна́ good quality, или durability, of the cloth. ~**ый** of good* quality; durable; ~ые тка́ни good* / sturdy fabrics.

добр‖**ый** (в разн. знач.) kind, good*; он был так добр, что... he was so kind as to...; ~ ма́лый good* guy [...gaɪ]; ~ые лю́ди nice / kind people [...pi:-]; ◇ ~ день! (утром) good morning!; (после полудня) good afternoon!; всего́ ~ого good-bye!; в ~ час! good luck!; по ~ой во́ле voluntarily, willing:ly, of one's own accord [...oun...], of one's own free will; лю́ди ~ой во́ли people of good will; проявить ~ую во́лю show* one's good will [ʃou...]; от ~ого и́мени good name; ~ая полови́на fully / quite half [ˈfulˌhɑ:f], a good half; оста́лось (нам е́хать) ~ых де́сять киломе́тров we have still a good ten kilometres to go; ~ые пожела́ния good wishes; быть в ~ом здра́вии be in good health [...he-], be quite well; ~ое ста́рое вре́мя the good old days pl.; в ~ое ста́рое вре́мя in the good old days; бу́дьте ~ы (+ пов.) please (+ imper.); (+ инф.) would you be so kind (+ as to inf.); чего́ ~ого разг. may... for all I know [...nou]: он чего́ ~ого опозда́ет he may be late for all I know.

добря́к м. разг. good soul [...soul], good-natured person [-'neɪ-...].

добуди́ться сов. (рд.) разг. succeed in waking up, или rousing (d.), manage to wake up, или rouse (d.).

добыва́ние с. 1. getting, procuring; ~ средств к жи́зни getting / earning / procuring one's living / live:lihood [...'ə:n-...ˈliv- -hud]; 2. (извлечение из недр земли) extraction; горн. mining.

добыва́‖**ть**, **добы́ть** (вн.) 1. manage to get (d.), obtain (d.), procure (d.); ~ сре́дства к существова́нию get* / earn a living / live:lihood [...ə:n...ˈliv- -hud]; 2. (извлекать из недр земли) extract (d.); (о минералах, угле) mine (d.). ~**ющий** 1. прич. см. добыва́ть; 2. прил.: ~ющая промы́шленность extractive industry, mining industry.

добы́тчик м. разг. bread-winner [-ed-].

добы́ть сов. см. добыва́ть.

добы́ч‖**а** ж. 1. (извлечение полезных ископаемых из недр земли) extraction; (минералов, угля) mining; 2. (добытое из недр земли) output [-put]; ~ у́гля, руды́ coal, ore output; 3. (захваченное) booty, loot; (захваченное грабежом тж.) plunder; (на войне) spoils pl., loot; (хищника; тж. перен.) prey; (охотника) bag; (рыболова) catch; 4. (жертва чего-л.): стать ~ей (рд.) fall* a prey (to).

дова́ривать, **довари́ть** (вн.) cook (a little) longer (d.); (до готовности) do to a turn (d.); (кончать варить) finish cooking (d.); мя́со на́до довари́ть the meat must be cooked a little longer, the meat must go on cooking. ~**ся**, **довари́ться** 1. be done to a turn, be well done; мя́со ещё не довари́лось the meat is not ready yet [...'redɪ...]; 2. страд. к дова́ривать.

довари́ть(ся) сов. см. дова́ривать(ся).

довезти́ сов. см. довози́ть I.

дове́ренн‖**ость** ж. warrant; power of attorney [...əˈtə:nɪ] юр.; по ~ости (получать, действовать и т. д.) by warrant, by power of attorney; вы́дать кому́-л. ~ give* power of attorney to smb. ~**ый** 1. прич. см. доверя́ть 1; 2. прил.: ~ое лицо́ person empowered to act for smb.; 3. м. как сущ. proxy, agent.

дове́ри‖**е** с. trust, faith, confidence; пита́ть ~ (к) have faith / confidence (in); по́льзоваться чьим-л. ~ем enjoy smb.'s confidence; заслу́живающий ~я trustworthy [-ðɪ]; злоупотребля́ть чьим-л. ~ем abuse smb.'s confidence; злоупотребле́ние ~ем breach of trust / confidence; не заслу́живать ~я deserve no credit [-ˈzə:v...]; он не заслу́живает ~я he is not to be trusted; втере́ться в чьё-л. ~ worm one:self into smb.'s confidence; поста́вить вопро́с о ~и call for a vote of confidence; вы́разить ~ прави́тельству give* the government a vote of confidence [...ˈgʌ-...].

довери́тель м., ~**ница** ж. principal (in relation to agent, etc.). ~**ный** 1. прил. к дове́ренность и дове́рие; 2. уст. (секретный) confidential.

дове́рить сов. см. доверя́ть 1. ~**ся** сов. см. доверя́ться.

до́верху нареч. up to the top; (о сосуде) to the brim; по́лный ~ full to the brim, brim-full.

дове́рчив‖**ость** ж. trustfulness; (легковерность) credulity. ~**ый** trustful, trusting, unsuspecting; (легковерный) credulous.

доверша́ть, **доверши́ть** (вн.) complete (d.), crown (d.).

доверше́ние с. completion; в ~ побе́ды to complete the victory; ◇ в ~ всего́ to crown / cap it all, on top of it all.

доверши́ть сов. см. доверша́ть.

доверя́ть, **дове́рить** 1. (вн. дт.) entrust (d. to); (поручать) commit (d. to); ~ свои́ та́йны кому́-л. take* smb. into one's confidence; 2. тк. несов. (кому́-л.) trust, confide (in smb.); (чему́-л.) give* credence (to smth.); не ~ кому́-л. distrust smb.; не ~ чему́-л. give* no credence to smth. ~**ся**, **дове́риться** 1. (дт.) trust (in), confide (in); 2. страд. к доверя́ть.

дове́сить сов. см. дове́шивать.

дове́сок м. make:weight.

довести́ сов. см. доводи́ть.

довести́сь сов. см. доводи́ться I.

дове́шивать, **дове́сить** (вн.) make* up the weight (of).

довинти́ть сов. см. дови́нчивать.

дови́нчивать, **довинти́ть** (вн.) screw up (d.).

довле́ть уст. suffice; ~ себе́ be self-sufficient.

до́вод м. reason [-z'n], argument; ~ы за и про́тив the pros and cons; приводи́ть ~ы в по́льзу, про́тив чего-л. advance / adduce / give* reasons / arguments for, against smth.; неопровержи́мый ~ irrefutable argument; разу́мный ~ sensible argument.

доводи́ть, **довести́** (вн.) 1. lead* there (d.); (вн. до) lead* (d. as far as, d. to); (провожать) accompany [əˈkʌ-] (d.); (перен.: до какого-л. состояния) reduce (d. to), drive* (d. into или без предлога); ~ кого́-л. до изнеможе́ния tire smb. out; ~ что-л. до конца́ carry smth. through; (завершать) complete smth., put* a finish to smth.; ~ до отча́яния drive* to despair (d.); ~ до соверше́нства bring* to perfection (d.); ~ кого́-л. до слёз reduce / drive* smb. to tears; ~ кого́-л. до беды́ lead* smb. to trouble [...ˈtrʌbl]; ~ кого́-л. до сумасше́ствия drive* smb. mad; ~ до абсу́рда carry to an absurdity (d.); ~ что-л. до све́дения кого́-л. bring* smth. to smb.'s notice [...'nou-], inform smb. of smth.; довожу́ до ва́шего све́дения I have to, или I must, inform you; I beg to inform (you); ~ что-л. до чьего́-л. созна́ния bring* smth. home to smb.

доводи́ться I, **довести́сь** безл. (+ инф.) разг. have occasion (+ to inf.); chance (+ to inf.), happen (+ to inf.); ему́, им и т. д. довело́сь там быть he, they, etc., had occasion to be there.

доводи́ться II (кому́-л. кем-л.) be: он мне дово́дится дя́дей, бра́том и т. п. he is my uncle, brother, etc. [...ˈbrʌ-].

доводи́ться III страд. к доводи́ть.

дово́дка ж. тех. (fine) finishing, polishing; (руды) final concentration.

довое́нный pre-war; ~ у́ровень pre-war level [...ˈle-].

довози́ть I, **довезти́** (вн.; доставлять) take* there (d.); (вн. до) take* (d. to); carry (d. as far as, d. to); bring* (d. to, d. as far as); ~ сюда́ bring* here (d.).

довози́ть II сов. (вн.) разг. (окончить возку чего-л.) finish carrying / conveying / carting (d.); на́до ~ се́но we have to carry the rest of the hay.

дово́льно I предик. безл. it is enough [...ɪˈnʌf]; (как восклицание) enough!; ~ stop it!, that's enough!, that will do!; с него́ э́того ~ he has had enough of it; ~ шали́ть! stop be:ing naughty!, stop your naughtiness!; ~ спо́рить! stop, или leave off, arguing!; that's enough arguing!; ~ занима́ться! leave off working!; ~ валя́ть дурака́! stop playing the fool!

дово́льно II нареч. 1. (достаточно) enough [ɪˈnʌf]; он ~ натерпе́лся от неё he has stood enough of her [...stud...]; 2. (с прил. и нареч.) quite, rather [ˈrɑ:-], fairly; pretty [ˈprɪ-] разг.; enough (после прил. или нареч.); э́то ~ хорошо́ it is rather / pretty good; ~ бы́стро fairly rapidly; ~ хо́лодно it's pretty cold.

дово́льн‖**о** III нареч. (с удовлетворе́нием, удовольствием) contentedly. ~**ый** 1. (тв.) (испытывающий удовлетворе́ние) satisfied (with), content (with); (испытывающий удовольствие) pleased (with); ~ый собо́й self-satisfied, pleased with one:self; smug разг.; 2.: ~ое лицо́ pleased face; ~ый вид, ~ое выражение (лица) sátisfied / conténted look / air /expréssion.

довóльстви||е с. тк. ед. воен. allówance(s) (pl.); вещевóе ~ clóthing [-ouð-]; дéнежное ~ móney allówance(s) ['mʌ-...]; зачислять когó-л. на ~ put* smb. down for allówances; снимáть когó-л. с ~я deprive smb. of his allówances.

довóльств||о с. 1. conténtment, sàtisfáction; contént; 2. (зажиточность) ease, prospérity; жить в ~е live a cómfortable life [lɪv ...ˈkʌm-...], be / live in clóver.

довóльствовать (вн.) воен. supplý (d.).

довóльствоваться, удовóльствоваться 1. (тв.) be contént / sátisfied (with), contént onesélf (with); 2. тк. несов. воен. (получать довольствие) draw* allówances / supplíes.

довыбирáть, довы́брать (вн.) eléct sùppleméntarily (d.).

довы́боры мн. bý-eléction sg.

довы́брать сов. см. довыбирáть.

дог м. mástiff; дáтский ~ Great Dane [-eɪt...].

догадáться сов. см. догáдываться.

догáдк||а ж. 1. conjécture, súrmise, guéss-wòrk; 2. разг. (сообразительность) ability to understánd quíckly; ему не хватáет ~и he is not quick on the úptàke; ◇ терять́ся в ~ах be lost in conjéctures; be at a loss.

догадлив||ость ж. quick / keen wits pl., quíckness of àppreheńsion; (проницательность) shréwdness, pènetrátion, acúmen. ~ый quick-wítted, kéen-wítted, quick of àppreheńsion, или on the úptàke; (проницательный) shrewd, pénetràting; ~ый ребёнок bright child*.

догáдываться, догадáться (о пр.) guess (d.); несов. тж. (предполагать) suspéct (d.), sùrmíse (d.), conjécture (d.).

догладить сов. см. догла́живать.

догла́||живать, догладить (вн.) 1. íron ['aɪən] (d.); ей остáлось догладить две рубáшки she has two more shirts to iron; 2. (кончать гладить) fínish íroning [...'aɪən-] (d.).

догляде́ть сов. (вн. до) разг. watch / see* (d. to); ~ до концá watch / see* to the end (d.), see* through (d.).

до́гма ж. dógma (pl. -ta), ténet.

до́гмат м. dóctrine, dógma (pl. -ta).

догматизм м. dógmatism.

догматик м. dògmátic pérson; неодобр. dógmatist.

догматический dògmátic.

догнáть сов. см. догонять.

догнивáть, догни́ть rot.

догни́ть сов. см. догнивáть.

договáрив||ать, договори́ть (вн.; о речи, фразе и т.п.) fínish (d.); (без доп.) fínish spéaking / sáying / télling; ◇ он чего́-то не ~ает he keeps smth. back; ~áй! (будь откровенным) speak out!, out with it! ~аться, договори́ться 1. (до): договори́ться до абсу́рда, до неле́пости come* to, или reach, the point of úttering an absúrdity; договори́ться до хрипоты́ talk onesélf hoarse; 2. (о пр.) arránge mátters [-eɪndʒ...] (about), make* arránge·ments [...-eɪndʒ-] (about, for), arránge (about, for); сов. тж. come* to an agréement / ùnderstánding (about); договори́лись? разг. agréed?, can we consider it arránged? [...-'sɪ-...], 3. тк. несов. (о пр.; вести переговоры) negótiàte (about), treat (for); ◇ Высо́кие Договáривающиеся Сто́роны the High Contrácting Párties.

догово́р м. agréement, cóntract; полит. тж. tréaty, pact; ми́рный ~ peace tréaty; ~ о нападе́нии nón-aggréssion pact; ~ о взаи́мной по́мощи mútual assístance pact; ~ о нераспростране́нии я́дерного ору́жия nón-prolif·erátion tréaty; ~ о соцсоревновáнии sócialist èmulátion agréement; коллекти́вный ~ colléctive agréement; аре́ндный ~ lease [-s]; торго́вый ~ trade / commércial agréement; заключáть, подпи́сывать ~ (с тв.) concjúde, sign a tréaty [...saɪn...] (with); по ~у únder the tréaty.

договорённость ж. agréement, ùnderstánding, arránge·ment [-eɪndʒ-].

договори́ть сов. см. догова́ривать.

договори́ться сов. см. догова́риваться 1, 2.

договорник м. разг. wórker únder cóntract for a particular job; cóntract wórker.

договорн||ый contráctual; agréed; полит. tréaty (attr.), of a pact; (обусловленный договором) stípulàted, agréed by cóntract; на ~ых началах on a contráctual básis, based on a cóntract [-st...]; ~ое обязáтельство cóntract.

догола́ нареч. (stark) nákеd; раздевáть ~ (вн.) strip nákеd (d.); раздевáться ~ strip to the skin.

догоня́лки мн. разг. (детская игра) "he".

догоня́ть, догнáть (вн.) catch* up (with); òvertáke* (d.) (тж. перен.); (об уходящем) come* up (with); (убегающего) run* down (d.); (на море) òverhául (d.); несов. тж. be / run áfter (d.); догнáть свой полк join one's régiment; ◇ догнáть и перегнáть òvertáke* and sùrpáss (d.).

догор||áть, догоре́ть burn* down / out; несов. тж. burn* low [...lou]; свечá ~éла the candle has burnt down.

догоре́ть сов. см. догорáть.

догребáть I, догрести́ (вёслами) row there [rou...]; (гребко́м) páddle there; (сюдá) row here; (гребко́м) páddle here, páddle (as far as); ~ до бе́рега row / páddle ashóre; ~ до су́дна row / páddle to a ship.

догребáть II, догрести́ (вн.; грáблями) fínish ráking (d.).

догрести́ I, II сов. см. догребáть I, II.

догружáть, догрузи́ть (вн.) fínish lóading (d.); (полностью) load full (d.); (дополнительно) load addítionally (d.), add to the load (d.).

догрузи́ть сов. см. догружáть.

додавáть, додáть (вн.) give*, или make* up, the rest (of); зáвтра он додáст остально́е he will give you, или let you have, the rest / remáinder tomórrow; он додáст вам де́сять рубле́й he will give you, или pay up, the remáining ten roubles [...ru:-].

додáть сов. см. додавáть.

ДОВ — ДОЖ   Д

додека́эдр [-дэ-] м. геом. dódecahédron ['dou- -'he-].

доде́лать сов. см. доде́лывать.

доде́лывать, доде́лать (вн.) fínish (d.), compléte (d.).

доду́маться сов. см. доду́мываться.

доду́мываться, доду́маться (до) hit* (upón); доду́маться до мы́сли hit* upón an idéa [...aɪ'dɪə].

доедáть, дое́сть (вн.) eat* (d.); finish éating (d.), eat* up (d.).

доезж||áть, дое́хать 1. reach a place, arrive at a place; (до) reach (d.), arrive (at); он не дое́хал до го́рода he did not get as far as the town, he did not reach the town; он не дое́хал до го́рода двух киломе́тров he was within two kílomètres of the town; киломе́тра два не ~áя до го́рода at about two kílomètres' distance from the town; ~ до мéста назначéния reach, или arríve at, one's dèstinátion; arríve; дое́хали наконéц! we, etc., have arrived at last!; он дое́дет туда́ за полчасá he'll get there in half an hour [...hɑːf ...auə]; как вы дое́хали? did you have a good jóurney? [...'dʒə:-]; 2. (вн.) разг. (доводить до угнетённого состояния) péster (d.), wórry to death ['wʌ-...deθ] (d.).

дое́ние с. mílking.

дое́сть сов. см. доедáть.

дое́хать сов. см. доезжáть.

дож м. ист. doge.

дожáривать, дожáрить (вн.) fry / roast (a little lónger) (d.); (до готовности) fry / roast to a turn (d.); (кончать жарить) finish frýing / róasting (d.); (ср. жáрить). ~ся, дожáриться 1. fry / roast to a turn, be well done; (ср. жáриться); 2. страд. к дожáривать.

дожáрить(ся) сов. см. дожáривать(ся).

дожáть I сов. см. дожимáть.

дожáть II сов. см. дожинáть.

дожд||áться сов. 1. (рд.) wait till (d.); он ~áлся, наконéц, письмá he recéived a létter at last [...-'sɪ:-...]; наконéц мы ~áлись его́ прихо́да at last he came; ~ покá... wait till...; ~ концá спектáкля wait until the end of the show [...ʃou] 2. разг. (дойти до того́, что) end (by ger.); он ~áлся того́, что его́ уво́лили he has énded by béing sacked; ты у меня́ ~ёшься! just you wait!; ◇ ждём не ~ёмся разг. we are wáiting impátiently; we are on ténterhooks идиом.; мы ждём не ~ёмся вáшего приéзда we are lónging for you to come / arrive, или for your arríval.

дождевáльн||ый: ~ая устанóвка с.-х. wáter-sprinkler ['wɔː-].

дождевáние с. с.-х. óverhead ìrrigátion [-hed...].

дождеви́к I м. (гриб) púff-ball.

дождеви́к II м. разг. (плащ) ráincoat.

дождев||о́й прил. к дождь; plúvial научн.; ~áя водá ráin-wàter [-wɔː-]; ~ зóнт(ик) úmbrélla; ~áя кáпля ráindrop; ~ о́блако ráincloud, nímbus (pl. -bi, -buses); ~ червь éarthwòrm ['əːθ-]; ~ óе плáтье мор. óilskins pl.

дождемéр м. ráin-gauge [-geɪdʒ].

ДОЖ – ДОК

до́ждик *м. уменьш. от* дождь.
дожди́нка *ж. разг.* ráindròp.
дожди́ть *безл. разг.* rain, be ráining.
дождли́вый ráiny, wet.
дожд‖**ь** *м.* rain; ~ идёт it is ráining, it rains; проливно́й ~ dównpour [-рɔ:], póuring / dríving / pélting rain ['рɔ:-...]; грозовы́е ~и thúnderstòrms; ме́лкий ~, моросящий ~ drízzling rain, drizzle; времена́ми ~ (*в сводке погоды*) occásional shówers; идёт проливно́й ~ it is póuring, it pours [...рɔ:z]; идёт ме́лкий ~ it is drízzling, it drizzles; на ~é, под ~ём in the rain; на ~ into the rain; ~ искр, конфетти *и т. п.* càscáde of sparks, confétti, *etc.*; сы́пался ~ём rain down, càscáde; ◇ ~ льёт как из ведра́ it is póuring (with rain), it is póuring in búcketfuls, the rain is coming down in tórrents / sheets; it is ráining cats and dogs *идиом. разг.*
дожив‖**а́ть**, дожи́ть 1. (*оставаться в живых*) live so long [lɪv...]; (*до*) live (till); éсли я ~ý if I live that long; он не ~ёт he won't live that long [...wount...]; он не ~ёт до весны́ he won't live till spring; he won't see the spring; дожи́ть до глубо́кой ста́рости reach a great age [...greɪt...]; дожи́ть до седы́х воло́с grow* old and grey [-ou...]; 2. *тк. несов.*: ~ свой век be living the rest of one's days ['lɪv-...]; live out one's days; 3. (*до*; *пребывать*) stay (till); дожи́ть где-л. до о́сени, декабря́ *и т. п.* stay sóme:whère till the áutumn, Decémber, *etc.*; 4. (*вн.*) *разг.* stay / spend* (the rest of): ~ ле́то, год *и т. п.* где-л. stay / spend* the rest of the súmmer, year, *etc.*, sóme:whère; ◇ до чего́ он до́жил! what has he come to!
дожида́ться (*рд.*) *разг.* wait (for), a:wáit (*d.*).
дожима́ть, дожа́ть (*вн.*) fínish squéezing, *или* préssing out (*d.*); ~ сок из лимо́на fínish squéezing a lémon [...le-].
дожина́ть, дожа́ть (*вн.*) fínish réaping (*d.*).
дожи́ть *сов. см.* дожива́ть 1, 3, 4.
до́з‖**а** *ж.* dose [-s]; (*о жидком лекарстве тж.*) draught [drɑ:ft]; сли́шком больша́я ~ óver:dòse [-s]; сли́шком ма́лая ~ únderdòse [-s]; дава́ть сли́шком большу́ю, ма́лую ~ (*дт.*) óver:dòse [-s] (*d.*), give* an óver:dòse (*i.*), únderdòse [-s] (*d.*); смерте́льная ~ fátal dose; ~ облуче́ния ràdiátion dose [reɪ-...].
доза́рив‖**ание** *с. с.-х.* àfterripen:ing, àrtificial rípen:ing. **~ать** (*вн.*) *с.-х.* submít to áfterripen:ing (*d.*).
доза́тор *м.* 1. *тех.* métering device / hópper / féeder; 2. *горн.* méasuring pócket ['meɜ-...].
дозва́ться *сов.* (*вн.*) call until one gets an ánswer [...'ɑ:nsə] (from); я не мог никого́ ~ I could:n't get an ánswer, I called and called but got no ánswer; его́ не дозовёшься he never comes when he is called.
дозволе́ние *с. уст.* permíssion.

дозво́ленный 1. *прич. см.* дозволя́ть; 2. *прил.* permítted; (*законом*) légal.
дозво́лить *сов. см.* дозволя́ть.
дозволя́ть, дозво́лить (*вн. дт.*) *уст.* permít (*d.* to); (*дт. + инф.*) allow (*d.* + to *inf.*), give* leave (*i.* + to *inf.*); áuthorize (*d.* + to *inf.*).
дозвони́ться *сов. разг.* ring* till one gets an ánswer [...'ɑ:nsə]; ~ до кого́-л., к кому́-л. по телефо́ну get* smb. on the (téle)phòne; он не мог к вам ~ (*у двери*) nó:bòdy ánswered the door when he rang [...dɔ:...]; (*по телефону*) he rang you up but there was no ánswer; не уйду́, пока́ не дозвоню́сь I shan't go till the bell is ánswered [...ʃɑ:nt...].
дозвуково́й súbsonic.
дози́ровать *несов. и сов.* (*вн.*) méasure out in dóses ['meɜə... -s-] (*d.*).
дозиро́вка *ж.* dósage.
дознава́ться, дозна́ться (*о пр.*) find* out (*d.*); (*удостоверяться*) àscertáin (*d.*); *несов. тж.* (*стараться узнать*) in:quíre (about).
дозна́ние *с. юр.* in:quíry; (*в случае внезапной смерти*) ín:quèst; производи́ть ~ ínstitute / prósecùte an in:quíry; hold* an ín:quèst.
дозна́ться *сов. см.* дознава́ться.
дозо́р *м.* patról [-oul]; round; в ~e on patról; головно́й ~ *воен.* advánced point; ночно́й ~ night watch. **~ный** 1. *прил.* к дозо́р; ~ное су́дно patról véssel [-oul...]; 2. *м. как сущ.* scout.
дозрева́ние *с.* rípen:ing.
дозрева́ть, дозре́ть rípen; *сов. тж.* be ripe.
дозре́лый fúlly ripe / rípen:ed ['fu-...].
дозре́ть *сов. см.* дозрева́ть.
доигра́ть *сов. см.* дои́грывать. **~ся** *сов.* (*до*) *разг.* play (until); (*перен.*) finish bád:ly, come* to grief [...-i:f]; вот и доигра́лся! ≅ now he's, *или* you've, done it!, he's, *или* you've, caught it at last!
дои́грывать, доигра́ть (*вн.*) fínish (*d.*); (*без доп.*) fínish pláying.
дои́льн‖**ый** mílking (*attr.*); ~ая устано́вка mílking machine [...-ʃi:n], mílker.
доимпериалисти́ческий prè:impérialist.
дои́скиваться, доиска́ться (*рд.*) find* out (*d.*), discóver [-'kʌ-] (*d.*); *несов. тж.* seek* (*d.*), in:quíre (into), try to find out (*d.*).
доистори́ческий prè:históric.
дои́ть, подои́ть (*вн.*) milk (*d.*). **~ся** 1. (*давать молоко*) give* milk; коро́ва хорошо́ до́ится the cow gives plénty of milk, the cow is a good* mílker; 2. *страд.* к дои́ть.
до́йка *ж.* mílking.
до́йный milch; ~ коро́ва mílker; milch cow (*тж. перен.*).
дойти́ *сов. см.* доходи́ть.
док *м.* dock; ста́вить су́дно в ~ dock a ship; стоя́ть в ~е (*о судне*) lie* up.
до́ка *м. разг.* éxpèrt, authórity.
доказа́тельный demónstrative, conclúsive.
доказа́тельств‖**о** *с.* 1. proof, évidence; (*довод*) árgument; в ~ (*рд.*) in wítness (of); ещё одно́ я́ркое ~ (*рд.*) anóther

stríking dèmonstrátion (of); anóther éloquent téstimony (to); приводи́ть ~а addúce / fúrnish évidence, give* / show* proofs [...ʃou...]; 2. *мат.* proof.
доказа́ть *сов. см.* дока́зывать.
доказу́емый démonstrable.
дока́з‖**ывать**, доказа́ть (*вн.*) prove [pru:v] (*d.*); (*наглядно*) dèmónstrate (*d.*); conténd (that), show* [ʃou] (*d.*); *несов. тж.* árgue (*d.*); научно ~ prove scientífically (*d.*); они́ ~ывали, что they árgued that; э́то ~ывает его́ вину́ this proves his fault; счита́ть ~анным (*вн.*) take* for gránted [...'grɑ:-] (*d.*); что и тре́бовалось доказа́ть which was to be proved; *в математике употр. сокр. лат. выражение* Q.E.D.
дока́лывать, доколо́ть (*вн.*; *о дровах и т. п.*) 1. fínish chópping (*d.*); 2. (*дополнительно*) chop (some) more (*d.*).
дока́нчивать, доко́нчить (*вн.*) fínish (*d.*), end (*d.*).
докапиталисти́ческий prè-cápitalist.
дока́пывать, докопа́ть (*вн.*) fínish dígging (*d.*). **~ся**, докопа́ться 1. (*до*) dig* down (to); (*перен.*) *разг.* find* out (*d.*), discóver [-'kʌ-] (*d.*), hunt out (*d.*); *тж.* arríve (at); get* to the bóttom (of); *несов. тж.* try to find out, *или* discóver (*d.*); докопа́ться до су́ти де́ла get* at the heart of the mátter [...hɑ:t...], get* at the roots of things; 2. *страд.* к дока́пывать.
дока́рмливать, докорми́ть (*вн.*) fínish féeding (*d.*).
докати́(ся) *сов. см.* дока́тывать(ся).
дока́тывать, докати́ть (*вн.*) roll (*d.* to). **~ся**, докати́ться 1. (*до*) roll (to), go* rólling (to); 2. *разг.* (*о звуках*) roll, thúnder, boom; 3. *разг.* (*доходить до какого-л. плохого состояния*) come* (to), sink* (into); докати́ться до преступле́ния sink* into crime; вот до чего́ он докати́лся! that's what he has come to!; 4. *страд.* к дока́тывать.
дока́шивать, докоси́ть (*вн.*) fínish mówing [...'mou-] (*d.*).
до́кер *м.* dócker.
доки́дывать, доки́нуть (*вн.*) throw* so far [-ou...] (*d.*); (*до*) throw* (*d.* to, *d.* as far as); он не смог доки́нуть мяч he was ún:able to throw the ball that far.
доки́нуть *сов. см.* доки́дывать.
докла́д *м.* 1. lécture; отчётный ~ repórt; нау́чный ~ (*о пр.*) addréss (on), lécture (on); (*письменный*) páper (on); состо́ится ~ a lécture, *или* an addréss, will be delívered, a páper will be read [...red]; ~ на съе́зде addréss to the Cóngress; пре́ния по ~у discússion on *the* repórt; он сде́лает ~ (*о пр.*) he will give a talk (on), he will addréss the meeting (on); 2. (*сообщение руководителю*) repórt; ◇ без ~а не входи́ть no admíttance without prévious annóunce:ment. **~но́й**: ~а́я запи́ска mèmorándum (*pl.* -da), repórt. **~чик** *м.*, **~чица** *ж.* spéaker; (*лектор*) lécturer.
докла́дывать I, доложи́ть 1. (*вн., о пр.*; *делать отчётный доклад*) repórt (on), give* a repórt (on); 2. (*о пр.*; *о посетителе*) annóunce (*d.*).
докла́дывать II, доложи́ть (*вн., рд. к*; *добавлять*) add (*d.* to).

доклассов||ый pré-cláss; ~ое первобытное общество pré-cláss primitive society.

доклеивать, доклеить (вн.) finish glúe:ing (d.); (мучным клеем) finish pásting [...'peɪ-] (d.).

доклеить сов. см. доклеивать.

доковылять сов. разг. (туда, сюда и т. п.) limp (there, here, etc.); (до) limp (to, as far as).

доколе нареч. уст. 1. (до каких пор) how long?; 2. (до тех пор пока) until, as long as.

доколоть сов. см. докалывать.

докон||ать сов. (вн.) разг. be the end (of); finish of (d.); (прикончить) deal* the final blow [...blou] (to); (погубить) rúin (d.), destróy (d.); это его ~ало that (just) finished him.

докончить сов. см. доканчивать.

докопать(ся) сов. см. докапывать(ся).

докормить сов. см. докармливать.

докосить сов. см. докашивать.

докрасить сов. см. докрашивать.

докрасна нареч. 1. (до красноты) until smth. is red; растереть спину ~ rub smb.'s back until it is red; 2. (до красного каления): раскалить ~ (вн.) bring* to red heat (d.); раскалённый ~ réd-hót.

докрашивать, докрасить (вн.) paint (d.); (без доп.) finish páinting, dýe:ing и т. д. (см. красить I).

докрич||аться сов. разг. 1. shout till one is heard [...həːd]; он еле ~ался их he thought they would never hear his shóuting; наконец я ~ался at last he heard my shouts / shóuting [...həːd...]; 2. (до чего-л.): ~ до хрипоты shout till one grows hoarse [...grouz...], shout òne:self hoarse.

доктор м. 1. (степень) dóctor of Philósophy (сокр. Ph. D.); 2. (врач) dóctor, physícian [-'zɪ-].

докторальный didáctic; ~ тон didáctic tone, tone of a méntor.

докторант м. pérson wórking for dóctor's, или Ph. D., degrée.

доктор||ский прил. к доктор; ~ская диссертация thésis for a Dóctor's degrée, или the degrée of Ph. D.; ~ская степень Ph. D. degrée, dóctorate. ~ша ж. разг. 1. dóctor's wife*; 2. (женщина-врач) wóman-dóctor ['wu-].

доктрина ж. dóctrine, téaching, ténèt.

доктринёр м. dòctrináire. ~ский прил. к доктринёр. ~ство с. dòctrináirism, dòctrináire áttitude.

докуда нареч. разг. how far.

докука ж. уст. 1. smth. bóring and tíre:some; 2. (просьбы) repéated and tíre:some requèsts.

документ м. dócument; (на передачу чего-л.) deed, юр. ínstrument; предъявлять ~ы prodúce / show* one's pápers / dòcuments [...ʃou...]; оправдательный ~ vóucher. **~альный** dòcuméntary; ~альный фильм dòcuméntary (film). **~ация** ж. dòcumentátion; техническая ~ация téchnical dòcuments pl., téchnical dòcumentátion.

документировать несов. и сов. (вн.) dócument (d.).

докупать I, **докупить** (вн. к) buy in addítion [baɪ...] (d. to); докупить метр ткани buy* another metre of cloth; докупить два метра buy* two more metres, buy* two metres in addítion.

докупать II сов. (вн.) finish báthing [...'beɪ-] (d.); (вн. до) разг. bathe [beɪð] (d. till one + личная форма); ~ до простуды bathe till one cátches cold. **~ся** сов. 1. (кончить купаться) fínish báthing [...'beɪ-]; 2. (до чего-л.) разг. bathe [beɪð] (till one + личный оборот); ~ся до простуды bathe till one cátches cold.

докупить сов. см. докупать I.

докуривать, докурить (вн.; о папиросе, сигаре и т. п.) fínish (d.); (без доп.) fínish smóking.

докурить сов. см. докуривать.

докучать (дт. тв.) уст. bóther (d. with), péster (d. with), plague [pleɪg] (d. with); (просьбами тж.) impórtune (d. with).

докучливость ж. уст. tíre:some:ness; (назойливость) impòrtúnity.

докуч||ливый уст., **~ный** уст. tíresome, annóying; (назойливый) impòrtúnate.

дол м. поэт. dale, vale; за горами, за ~ами far and wide, far a:wáy; по горам, по ~ам up hill and down dale.

долбёжка ж. разг. 1. (повторение) repéating óver and óver again; 2. (зубрёжка) swótting, léarning by heart / rote ['lɔːn-...hɑːt...].

долбёжный: ~ станок тех. mórtising machine [-sɪŋ -'ʃiːn].

долбить I (вн.) hóllow (d.); (долотом) gouge (d.), chísel [-ɪz-] (d.); (клювом) peck (d.).

долбить II (вн.) разг. 1. (повторять) repéat óver and óver agáin (d.); 2. (зубрить) learn* by heart / rote [lɔːn...hɑːt...] (d.); ~ урок(и) swot up one's hóme:wòrk школ.

долг м. 1. (взятое взаймы, одолженное) debt [det]; платить ~ (дт.) pay* a debt (i.); в ~ on crédit / trust; брать в ~ (вн.) bórrow (d.); давать в ~ (вн.) lend* (d.); делать ~и contráct / incúr debts; не делать ~ов pay* one's way; влезать в ~и get* / run* into debt; прощать ~ remít a debt; (кому-л.) acquít smb. of a debt; 2. тк. ед. (обязанность) dúty; воинский ~ sóldier's dúty ['souldʒəʳ...]; по ~у службы in the perfórmance of one's offícial dúty; ◊ ~ чéсти debt of hónour [...'ɔnə]; быть в ~у (у рд.) owe [ou] (i.), be indébted [...'detɪd] (to); он у него в ~у he is in his debt, he is únder an obligátion to him, he is behólden to him; быть в большом ~у перед кем-л. stand* héavily in smb.'s debt [...'hev-...]; owe véry much to smb.; остаться в ~у перед кем-л. be indébted to smb.; не остаться в ~у not leave smth. ún:ánswered [...-'ɑːnsəd]; в ~у как в шелку ≅ óver head and ears in debt [...hed...], up to the eyes in debt [...aɪz...]; по уши в ~ах up to one's neck in debt; отдáть ~ прирóде pay* the debt of náture [...'neɪ-]; отдáть последний ~ (дт.) pay* the last hónours, или one's last respécts [...'ɔnəz...] (to); первым ~ом the first

thing to do; ~ платежóм красен посл. ≅ one good turn desérves another [...-'zəː-...].

долг||ий long; (длительный) of long durátion; ~ путь long way; ~ое время спустя long áfter; на ~ие годы, века for years, céntures to come; после ~их лет áfter long years; ~ое изгнáние long périod of éxile; ~ глáсный лингв. long vówel; ◊ откладывать в ~ ящик (вн.) shelve (d.), put* off (d.); procrástinàte (d.); это ~ая песня ≅ that's a long stóry.

долго нареч. (for) a long time; ◊ ~ ли до беды áccidents éasily háppen [...'iːz-...].

долговечн||ость ж. lòngévity [-n'dʒ-]; (прочность) dùrabílity. **~ый** lóng-líved [-'lɪ-]; (прочный) lásting, dúrable.

долгов||ой прил. к долг 1; ~ое обязательство prómissory note.

долговремен||ый 1. lóng-térm; of long durátion, lásting; товáры ~ого пóльзования árticles of long dùrátion, árticles of pérmanent use [...juːs]; 2. воен. pérmanent; ~ые оборонительные сооружения pérmanent defénsive works.

долговязый разг. léggy, lánky.

долгожданный lóng-a:wáited, lóng-expécted.

долгожитель м., **~ница** ж. lòng-líver [-'lɪ-], pérson remárkable for lòngévity [...-n'dʒ-].

долгоиграющ||ий: ~ая пластинка lóng-pláying récord [...'re-].

долголет||ие с. lòngévity [-n'dʒ-]. **~ний** of many years, of many years' stánding; ~няя дружба friendship of many years' stánding ['frend-...].

долгоносик м. зоол. wéevil.

долгополый lóng-skírted.

долгосрочн||ый lóng-térm (attr.); (о векселе) lóng-dáted; ~ кредит lóng-térm crédit; ~ отпуск leave of long durátion; ~ая программа сотрудничества lóng-térm prógram of cò-òperátion.

долгота ж. 1. тк. ед. (продолжительность; тж. лингв.) length; 2. геогр. lòngitúde [-ndʒ-].

долготерпение с. lòng-súffering.

долгунец м. с.-х. lóng-stálked flax.

долевой I (продольный) léngthwise, lòngitúdinal [-ndʒ-].

долев||ой II (распределяемый по долям) by / in shares; ~ое учáстие share hólding.

долее нареч. lónger.

долезáть, долéзть climb so far [klaɪm...]; (до) climb (to, as far as); он не смог долéзть he could not climb that far; (вверх) he could not climb that high.

долéзть сов. см. долезáть.

долетáть, долетéть fly* so far; (до) fly* (to, as far as); (до; о брошенном предмете, снаряде и т. п.; тж. перен.) reach (d.); не долетéть (до цели) fall* short (of); до нас долетéли крики the sound of shóuting reached us, или our ears; птица не смоглá долетéть the bird could not fly that far.

долетéть сов. см. долетáть.

ДОЛ—ДОМ

долéчивать, долечи́ть (*вн.*) compléte / finish the cure (of); (*о ране и т. п.*) heal (*d.*). ~ся, долечи́ться compléte one's cure.

долечи́ть(ся) *сов. см.* долéчивать(ся).

должа́ть, задолжáть 1. (*у*) bórrow (from); 2. (*без доп.*) be in debt [...det]; run* into debt; (*кому-л. что-л.*) owe [ou] (*smb. smth.*).

до́лжен *предик.* 1. (*вн. дт.*) owe [ou] (*d.* to, *d. i.*): он ~ емý де́сять рубле́й he owes him ten roubles [...ru:-]; 2. (*+ инф.*; обя́зан) must (*+ inf.*); have (*+ to inf.*): он ~ написа́ть емý he must write to him, he has to write to him; 3. (*предназна́чен*) be (*в личн. фо́рмах*) (*+ to inf.*): э́тот парк ~ был быть украше́нием го́рода this park was to have been an órnament to the town; 4. *с.* (*+ инф.*) be bound (*в личн. фо́рмах*) (*+ to inf.*): э́то и должно́ бы́ло случи́ться this was bound to háppen; 5. (*+ инф.*) ought (*+ to inf.*), should (*+ inf.*): он ~ быть здесь в 2 часá he should be here at two o'clóck, he is due here at two o'clóck; он ~ быть ей благода́рен he ought to be gráteful to her, he owes her grátitùde; э́то должно́ быть сде́лано осторо́жно it needs to be done with care; it must / should be done with care; ◊ должно́ быть (*вероя́тно*) próbably; (*о проше́дш. де́йствии тж.*) must (*+ перфе́ктн. инф. соотв. глаго́ла*): он, должно́ быть, там he is próbably there; вы, должно́ быть, знáете you próbably know [...nou]; он, должно́ быть, уéхал he must have gone [...gɔn]; вы, должно́ быть, слы́шали об э́том you must have heard of it [...hɜːd...]; должно́ быть, он не придёт he is próbably not cóming, I suppóse he isn't cóming.

должни́к *м.* débtor ['detə]; несостоя́тельный ~ insólvent.

до́лжно *предик. уст.* one should, one ought (+ to *inf.*); так не ~ поступáть this is not próper behávіоur [...'prɔ-...], this is not the way to beháve.

должности|́ой official; ~о́е лицо́ оfficial, fúnctionary; ~о́е преступле́ние málféasance [-z-].

до́лжност|ь *ж.* post [poust]; appóintment; position [-'zi-]; job *разг.*; занимáть ~ hold* / fill a post, fill a position; исполня́ть ~ (*рд.*) act / work (as); освобождáть кого́-л. от ~и relieve smb. of his post [-'liːv...], dismíss smb.

до́лжн|ый 1. *прил.* due, próper [-ɔ-]; слу́шать с ~ым внимáнием listen with due atténtion ['lis'n...]; на ~ой высотé up to the mark; ~ым о́бразом próperly; заня́ть ~ое ме́сто take* one's / a próper place; 2. *с. как сущ.* due; воздавáть ~ое (*дт.*) do jústice (*i.*).

долива́ть, доли́ть 1. (*рд., вн.; о жи́дкости*) add (*d.*), pour some more, *или* in addítion [pɔ-...] (*d.*); доли́ть воды́ в молоко́ add wáter to the milk [...'wɔ:-...]; доли́ть ещё воды́ add some more wáter; 2. (*вн.; допо́лна*) fill (*d.*); (*до полови́ны*) fill half full [...ha:f...] (*d.*).

доли́на *ж.* válley; vale, dale *поэт.*

доли́ть *сов. см.* долива́ть.

до́ллар *м.* dóllar. ~овый dóllar (*attr.*).

доложи́ть I, II *сов. см.* докла́дывать I, II.

доложи́ться *сов. разг.* annóunce one's arríval.

доло́й *нареч. разг.* down with; a:wáy with; уйди́ с глаз ~! out of my sight!; ~ фаши́зм! down with fáscism! [...-ʃɪzm]; ◊ шáпки ~! hats off!

доломи́т *м. геол.* dólomìte.

долото́ *с.* chísel [-ız-]; (*полукру́глое*) gouge; ~ бу́ра bit.

до́лька *ж. разг.* lóbùle; (*чеснока́*) clove; апельси́нная ~ órange ségment.

дольме́н *м. археол.* dólmèn.

-до́льный (*в сложн. слова́х, не приведённых особо*) of...lobes, -lòbe (*attr.*); *напр.* двадцатидо́льный of twénty lobes, twénty-lòbe (*attr.*).

до́льше *сравн. ст. прил. см.* до́лгий *и нареч. см.* до́лго.

до́л|я I *ж.* 1. (*часть*) part, pórtion; (*при дележе́*) share; (*коли́чество*) quóta; приходи́ться на ~ю fall* to the share; 2. *анат., бот.* lobe; ◊ в э́том есть ~ и́стины there is sómething, *или* some truth, in it [...truː:θ...]; в э́том нет и ~и́стины there is not a grain of truth in it; войти́ в ~ю с кем-л. go* shares with smb.; кни́га в четвёртую, восьму́ю ~ю листá quárto, octávo, в каку́ю-то ~ю секу́нды in a fráction of a sécond [...'se-].

до́л|я II *ж. тк. ед.* (*судьба́*) fate, lot; вы́пасть кому́-л. на ~ю fall* to smb.'s lot.

дом *м.* 1. (*зда́ние*) house* [-s]; жило́й ~ dwélling-house* [-s]; многокварти́рный ~ block of flats; 2. (*дома́шний оча́г*) home; вы́гнать из ~у turn out of house and home; 3. (*семья́*) house*, home, 4. (*хозя́йство*) house*, hóusehòld [-s-]; она́ ведёт весь ~ she runs the house; она́ хлопо́чет по ~у she is búsying hèr:sélf with hóusework [...'bɪzɪ-...]; she is búsying hèr:sélf with doméstic chores *разг.*; 5. (*учрежде́ние*): ~ о́тдыха hóliday / rest home [-dɪ...]; де́тский ~ children's home; торго́вый ~ fírm; ~ моде́лей fáshion house*; ~ культу́ры páláce of cúlture; recreátion centre; ~ учи́теля téacher's club; исправи́тельный ~ refórmatory; сумасше́дший ~ mádhouse* [-s]; ~ для престаре́лых old péople's home [...piː-...]; 6. (*род, дина́стия*): ~ Рома́новых, Тюдо́ров the House of Rómanòvs, Túdors; ◊ вне ~а out of doors [...dɔːz]; на ~у́ at home; давáть уро́ки на ~у́ give* priváte léssons [...'praɪ-...]; be a priváte téacher; рабо́та на ~у́ work to be done at home, óutside work; к ~у ~ hóme(:wards) [-dz]; жить свои́м ~ом keep* one's own hóusehòld [...-oun -s-]; тоскова́ть по ~у be hómesick.

до́ма *нареч.* at home; его́ нет ~ he is not at home, he is out; он ~ he is at home, he is in; ◊ быть как ~ feel* at home; бу́дьте как ~ make yourself at home; у него́ не все ~ *разг.* he is off his rócker, he is not all there.

дома́лывать, домоло́ть (*вн.*) finish grínding (*d.*).

домарксистский pré-Márxist.

дома́шн|ий 1. (*в разн. знач.*) house [-s] (*attr.*), home (*attr.*), doméstic; ~ее хозя́йство hóusekèeping [-s-]; ~яя хозя́йка hóusewìfe* [-s-]; ~яя рабо́тница (*доме́стик*) sérvant; help; ~яя пти́ца *собир.* póultry ['pou-]; ~ее живо́тное doméstic ánimal; ~ обе́д home dínner; ~ие расхо́ды hóusehòld expénses [-s-...]; ~ее плáтье house dress; 2. (*саморде́льный*) hóme-máde; (*домотка́ный*) hómespùn; 3. *мн. как сущ.* my, your, *etc.* péople [...piː-]; все (мои́) ~ие all my péople, éverybody at home *sg.*, the whole fámily [...houl...] *sg.*; ◊ под ~им аре́стом únder house arrést, únder domìcíliary arrést; по ~им обстоя́тельствам for doméstic réasons [...-z-].

до́менн|ый *прил. к* до́мна; ~ая печь blást-fúrnace.

до́менщик *м.* blást-fùrnace óperàtor.

домеси́ть *сов. см.* доме́шивать II.

домести́ *сов. см.* домета́ть.

домета́ть, домести́ (*вн.*) finish swéeping (*d.*).

домеша́ть *сов. см.* доме́шивать I.

доме́шивать I, домеша́ть (*вн.*) finish míxing (*d.*).

доме́шивать II, домеси́ть (*вн.*) finish knéading (*d.*); (*о гли́не*) finish púddling (*d.*).

до́мик *м. уменьш. от* дом; ◊ ка́рточный ~ (*прям. и перен.*) house* of cards [-s-...].

домина́нта *ж.* 1. *муз.* dóminant; 2. (*домини́рующая иде́я*) dóminant / dómináting idéa [...-aɪ'dɪə].

доминио́н *м.* domínion.

домини́ровать 1. (*преоблада́ть*) preváil, predóminàte; 2. (*над; возвыша́ться*) commánd [-ɑːnd] (*d.*), dómináte (*d.*).

домини́рующий *прич. и прил.* domináting.

домино́ I *с. нескл.* (*игра́*) dóminoes *pl.*

домино́ II *с. нескл.* (*костю́м*) dóminò.

домино́шник *м. разг.* dóminoes-plàyer.

домко́м *м.* (*домо́вый комите́т*) cóuncil of ténants [...'te-].

домкрáт *м. тех.* jack.

до́мна *ж. тех.* blást-fúrnace.

домови́т|ый thrífty; (*о же́нщине*) hóusewifely [-s-]; ~ая хозя́йка good* / thrífty hóusewìfe* [...-s-].

домовладе́|ец *м.* propríetor of a house* [...-s]; hóuse:òwner ['hausou-]; (*по отноше́нию к квартиронанимáтелю*) lándlòrd. ~ица *ж.* hóuse:òwner ['hausou-]; (*по отноше́нию к квартиронанимáтелю*) lándlàdy.

домовладе́ние *с.* house* and grounds [-s-...].

домовни́чать *разг.* keep* house (instéad of sómebody) [...-s -ted-...].

домово́дство *с.* (*art of*) hóusekèeping [...-s-]; hóusehòld mánagement [-s-...].

домово́й *м. скл. как прил. фольк.* brównie, hóuse-spìrit [-s-].

домо́в|ый *прил. к* дом 1; ~ая контóра hóuse-mánager's óffice [-s-...]; ~ая кни́га hóuse-règister [-s-], régister of ténants [...'te-].

домогá|тельство *с.* solicitátion, impórtúnity. ~ться (*рд.*) solícit (*d.*); ~ться чье́й-л. любви́ woo smb.

домоде́льный *разг.* hóme-máde.

домо́й *нареч.* home; ему́ пора́ ~ it's time for him to go home; он уже́ пришёл ~ he has come home.

домола́чивать, домолоти́ть (*вн.*) finish threshing (*d.*).

домолоти́ть *сов. см.* домола́чивать.

домоло́ть *сов. см.* дома́лывать.

домонополисти́ческий prè-monopolístic; ~ капитали́зм prè-monòpolístic cápitalism.

доморо́щенный hóme-brèd; (*перен.*) crude, prímitive.

домосе́д *м.*, **~ка** *ж.* stáy-at-hòme.

домостро||е́ние *с.*, **~и́тельный** hóuse-búilding ['haus'bɪl-]. **~и́тельный** hóuse-búilding ['haus'bɪl-] (*attr.*); ~и́тельный комбина́т hóuse-búilding plant [...-a:nt].

домостро́й *м.* rígidly pàtriárchal and stríngently ruled fámily life [...-kəl...].

домотка́ный hóme-spùn.

домоуправле́ние *с.* house mánage:ment [-s-...]; (*контора*) house-mánager's óffice [-s-...].

домохоз||я́ин *м.* hóuse:owner ['hausou-], hóuse:hòlder [-s-]. **~я́йка** *ж.* 1. (*домовладелица*) hóuse:owner ['hausou-], hóuse:hòlder [-s-]; 2. (*ведущая хозяйство*) hóuse:wife* [-s-].

домоча́дцы *мн. уст.* hóuse:hòld [-s-] *sg.*

до́мра *ж. муз.* dómra (*Russian stringed folk instrument*).

домрабо́тница *ж.* (doméstic) sérvant; help.

домри́ст *м.* dómra-player.

домча́ть *сов.* 1. (*вн.*) bring* quickly, *или* in no time (*d.*); 2. *разг.* = домча́ться. **~ся** *сов.* reach *a place* (quickly / spéedily); (*на лошадях*) reach *a place* at a gállop; (*до*) reach quickly / spéedily (*d.*); (*на лошадях*) reach at a gállop (*d.*).

домыва́ть, домы́ть (*вн.*) finish wáshing (*d.*).

до́мысел *м.* conjécture; (*выдумка*) fántasy.

домы́ть *сов. см.* домыва́ть.

донага́ *нареч.* = догола́.

дона́шивать, доноси́ть (*вн.*) 1. wear* out [wɛə...] (*d.*); *несов. тж.* wear* (*d.*); 2.: доноси́ть ребёнка (*о беременной*) bear* at full term [bɛə...]. **~ся, доноси́ться** 1. get* / be worn out [...wɔ:n...] (*d.*); 2. *страд. к* дона́шивать.

Донба́сс *м.* (Доне́цкий у́гольный бассе́йн) Dònbás, Dónèts Básin [-ts 'beɪ-], Dónèts cóal-fìeld(s) [...-fi:-] (*pl.*).

доне́льзя *нареч. разг.* (*с прил.*) to the út:mòst, in the extréme; as... as can be; он уста́л, го́лоден ~ he is as tíred, húngry as can be; он ~ упря́м he is óbstinate in the extréme.

донесе́ние *с.* repórt, méssage; *воен. об.* dispátch.

донести́ I *сов.* 1. (*вн. до*) cárry (*d. to, d. as far as*), bring* (*d. to*); 2. (*вн.; быть в силах нести*) be able to cárry as far as *the place* (*d.*).

донести́ II *сов. см.* доноси́ть II.

донести́сь *сов. см.* доноси́ться II.

доне́цк||ий Dónèts [-ts] (*attr.*); ~ие шахтёры Dónèts-Básin coal míners [-ts-'beɪ-...].

донжуа́н *м.* Don Júan, philánderer. **~ство** *с.* philándering.

до́низу *нареч.* to the bóttom; све́рху ~ from top to bóttom.

донима́ть, доня́ть (*вн.*) *разг.* péster (*d.*), harass ['hæ-] (*d.*); (*просьбами и т. п.*) wéary to death [...deθ] (*d.*), wéary out of all pátience (*d.*), exásperate (*d.*).

донкихо́т *м.* Quíxote. **~ский** quixótic. **~ство** *с.* quíxotism, quíxotry.

до́нник *м. бот.* mélilot, sweet clóver.

до́нн||ый ground (*attr.*); ~ лёд ground ice; ~ая ми́на *мор.* ground mine; ~ взрыва́тель *воен.* base fuse [-s...].

до́нор *м.* dónor; (*сдающий кровь*) blóod-dònor ['blʌd-]. **~ский** *прил.* к до́нор.

доно́с *м.* (*на вн.*) denùnciátion (of); informátion (agàinst).

доноси́тельство *с. неодобр.* snéaking, ácting as infórmer.

доноси́ть I *сов. см.* дона́шивать.

доноси́ть II, **донести́** 1. (*дт. о пр.; делать донесение*) repórt (to on, to *d.*), infórm (*d.* of); 2. (*на вн. дт.; делать донос*) infórm (on / agàinst *d.*), denóunce (*d.* to).

доноси́ться I *сов. см.* дона́шиваться.

доноси́ться II, **донести́сь** reach *one's* ears, be heard [...hə:d]; (*ветром и т. п.*) waft; зву́ки доноси́лись из сосе́дней ко́мнаты sounds were heard from the next room; (*до нас*) доноси́лся за́пах цвето́в the scent of the flówers was wáfted to us; до нас донёсся слух a rúmour had alréady reached us [...-'redɪ...].

доноси́ть III *страд. к* доноси́ть II.

доно́счи||к *м.*, **~ца** *ж.* infórmer; sneak *школ.*

донско́й Don (*attr.*); ~ каза́к Don Cóssack.

доны́не *нареч. уст.* híther:tó.

доня́ть *сов. см.* донима́ть.

дооктя́брьский prè-Óctóber.

допа́ивать I, **допои́ть** (*вн.*) finish wátering [...'wɔ:-] (*d.*); на́до допои́ть лошаде́й we have to finish wátering the hórses.

допа́ивать II, **допая́ть** finish sóldering.

допая́ть *сов. см.* допа́ивать II.

допека́ть, допе́чь (*вн.*) 1. (*о хлебе и т. п.*) bake until done (*d.*), bake to a turn (*d.*); bake just right (*d.*) *разг.*; (*кончать печь*) finish báking (*d.*); 2. *разг.* (*донимать*) wear* out [wɛə...] (*d.*), wéary to death [...deθ] (*d.*); (*приставать*) impórtune (*d.*), plague [pleɪg] (*d.*), péster (*d.*), wórry ['wʌ-] (*d.*). **~ся**, допе́чься be baked through, be baked to a turn, be well baked; be baked just right *разг.*

допетро́вский before Péter I, prè-Pétrine [-'pi:-]; ~ пери́од périod before Péter I, prè-Pétrine périod.

допе́ть *сов.* (*вн.*) finish sínging (*d.*).

допеча́тать *сов. см.* допеча́тывать.

допеча́тывать, допеча́тать (*вн.*) 1. (*кончать печатание*) finish prínting (*d.*); ~ кни́гу finish prínting a book; 2. (*печатать дополнительно*) print in addítion (*d.*); допеча́тать ты́сячу экземпля́ров print an éxtra thóusand cópies [...-z-'kɔ-].

допе́чь(ся) *сов. см.* допека́ть(ся).

допива́ть, допи́ть (*вн.*) drink* (up) (*d.*); (*о стакане, чашке и т. п.*) finish (*d.*). **~ся**, допи́ться (*до*) *разг.*: допи́ть-

ся до положе́ния риз drink* òne:sélf únder the table; допи́ться до чёртиков drink* till all is blue.

до́пинг *м.* dope.

дописа́ть *сов. см.* допи́сывать.

допи́сывать, дописа́ть (*вн.*; *о письме, статье и т. п.*) finish (*d.*); (*вн. до*) write* (*d.* to); (*без доп.*) finish wríting; (*см. тж.* писа́ть).

допи́ть(ся) *сов. см.* допива́ть(ся).

допла́т||а *ж.* addítional páyment; *ж.-д.* excéss fare; письмо́ с ~ой únder-stámped létter.

доплати́ть *сов. см.* допла́чивать.

допла́чивать, доплати́ть (*вн.*) pay* the remáinder / rest (of); (*вносить дополнительную плату*) pay* in addítion, *или* in excéss (*d.*); доплати́ть де́сять рубле́й pay* the remáining ten roubles [...ru:-].

доплести́сь *сов. см.* доплета́ться.

доплета́ться, доплести́сь (*до*) *разг.* drag òne:sélf (to).

доплыва́ть, доплы́ть (*вплавь*) swim* so far; (*на корабле и т. п.*) sail so far; (*о предметах*) float so far; (*до*) swim* (to, *или* as far as); (*на корабле и т. п.*) sail (to, as far as); (*о предметах*) float (to, as far as); он не смог доплы́ть he could not swim that far.

доплы́ть *сов. см.* доплыва́ть.

допо́длинн||о *нареч.* for cértain, for / to a cértainty. **~ый** authéntic.

допоздна́ *нареч. разг.* till mídnight.

допои́ть *сов. см.* допа́ивать I.

доползти́, допо́лзть crawl / creep* so far; (*до*) crawl / creep* (to, as far as).

допо́лзть *сов. см.* доползти́.

дополна́ *нареч. разг.* brímful.

дополне́ние I *с.* addítion; (*приложение*) addéndum (*pl.* addénda), súpplement; ◇ в ~ in addítion.

дополне́ние II *с. грам.* óbject; прямо́е ~ diréct óbject; ко́свенное ~ indiréct óbject.

дополни́тельно *нареч.* in addítion.

дополни́тельн||ый I súpplementary; (*добавочный*) addítional, éxtra; (*вспомогательный*) súbsidiary; (*дополняющий*) còmpleméntary; ~ая подпи́ска sùppleméntary subscríption; ~ые цвета́ *физ.* còmpleméntary cólours [...'kʌl-]; ~ у́гол *геом.* (*до* 90°) cómplement; (*до* 180°) súpplement.

дополни́тельн||ый II *грам.*: ~ое прида́точное предложе́ние óbject clause.

дополни́ть *сов. см.* дополня́ть.

дополня́ть, допо́лнить (*вн. тв.*) súpplement (*d.* with); (*о рассказе и т. п. тж.*) ámplify (*d.* with); он допо́лнил свой расска́з но́выми подро́бностями he súpplemented his story with new détails [...'di:-]; he ádded new détails to his stóry; ◇ друг дру́га súpplement each óther, be mútually còmpleméntary.

дополуч||а́ть, дополучи́ть (*вн.*) recéive in addítion [-'siːv...] (*d.*); (*оставшуюся часть*) recéive the remáinder; он ~и́л 20 рубле́й he recéived 20 roubles in addítion [...ru:-...], he recéived another 20 roubles; he recéived the remáining 20 roubles.

ДОП–ДОС

дополучи́ть *сов. см.* дополуча́ть.
допото́пный ántedilúvian.
допра́шивать, допроси́ть (*вн.*) ínterrogàte (*d.*), quéstion [-stʃ-] (*d.*), exámine (*d.*).
допризы́вн‖**ик** *м.* youth ùndergóːing prè-conscríption mílitary tráining [juːθ...]. ~**ый** prè-conscríption (*attr.*); ~**ая подгото́вка** prè-conscríption tráining.
допро́с *м.* ìnterrogátion; èxaminátion, quéstioning [-stʃ-]; perekrëstnyĭ ~ cróss-èxaminátion; подверга́ть ~у (*вн.*) ínterrogàte (*d.*), exámine (*d.*), quéstion [-stʃ-] (*d.*); подверга́ть перекрёстному ~у (*вн.*) subject to cróss-èxaminátion (*d.*), cróss-exámine (*d.*).
допроси́ть *сов. см.* допра́шивать.
допроси́ться *сов.* (*рд.* у) get* (*d.* from); (*рд.* + *инф.*) make* (*d.* + *inf.*); у него́ ничего́ не допро́сишься you / one can't get ányːthing out of him [...kɑːnt...]; его́ не допро́сишься закры́ть дверь you can't get him to shut the door [...dɔː], you can't make him shut the door.
допры́гаться *сов. разг.* get oneːsélf into a mess.
допры́гивать, допры́гнуть jump so far; (до) jump (to, as far as); он не смо́жет допры́гнуть he cánnot jump that far; (вверх) he cánnot jump that high.
допры́гнуть *сов. см.* допры́гивать.
до́пуск *м.* 1. (*право вхо́да, до́ступа*) right of éntry, admíttance; 2. *тех.* tólerance.
допуска́‖**ть**, допусти́ть 1. (кого́-л. до, к) admit (smb. to); его́ не допусти́ли к экза́менам he was not allówed to take *the* èxaminátions; 2. (*вн.; позволя́ть*) permít (*d.*), allów (*d.*); (*терпе́ть*) tólerate (*d.*); не ~ bar (from); э́того нельзя́ ~ it cánnot be allówed / tólerated; 2. (*вн.; счита́ть возмо́жным*) assúme (*d.*); он не ~ет э́той мы́сли he regárds it as inːconcéivable / ùnthínkable [...-ˈsiːv-...], he thinks it impóssible; допу́стим let us assúme; ◊ допусти́ть оши́бку commít an érror; здесь допу́щена оши́бка a mistáke has crept in here.
допусти́м‖**ый** 1. permíssible, admíssible; 2. (*возмо́жный*) póssible; ~**ая нагру́зка** *тех.* permíssible load.
допусти́ть *сов. см.* допуска́ть.
допуще́ние *с.* assúmption.
допыта́ться *сов. см.* допы́тываться.
допы́тыва‖**ться**, допыта́ться (*рд.*) *разг.* find* out (*d.*), elícit (*d.*); *несов. тж.* try to find out (*d.*), try to elícit (*d.*); ~ пра́вды elícit the truth [...-uːθ]; он ~ется, где вы он he tries to find out where you are, he tries to elícit your whéreːabouts.
допьяна́ *нареч. разг.*: напи́ться ~ get* dead drunk [...ded...]; напои́ть ~ (*вн.*) make* dead drunk (*d.*).
дораба́тывать, дорабо́тать (*вн.*) fínish off (*d.*), compléte (*d.*); (*разраба́тывать дета́льно*) elábòrate (*d.*). ~**ся**, дорабо́таться 1. (до) *разг.* work (till one *is*): дораба́тываться до изнеможе́ния work till one is útterly exháusted, work till one breaks down [...breɪks...]; 2. *страд. к* дораба́тывать.
дорабо́тать(ся) *сов. см.* дораба́тывать (-ся).
дорабо́тка *ж.* revísion.
дораста́ть, дорасти́ 1. grow* [-ou]; 2. (*до, что́бы* + *инф.*) *разг.* (*о во́зрасте*) be old enóugh [...-ʌf] (for, + to *inf.*); он не до́рос не́ был до́ста́точно стар, что́бы young [...jʌŋ]; он ещё не доро́с, что́бы ходи́ть в кино́ ве́чером he is too young to go to the cinema in the évening [...ˈiːv-].
дорасти́ *сов. см.* дораста́ть.
дорва́ться *сов.* (*до*) *разг.* fall* gréedily (upón); seize [siːz] (upón).
дореволюцио́нный prè-rèvolútionary.
доре́зать *сов.* (*вн.*) 1. finish cútting (*d.*); 2. (*дополни́тельно*) cut* some more (*d.*); 3. (*до конца́*) cut* up (*d.*); (*уби́ть*) kill (*d.*), finish (off) (*d.*).
дорефо́рменный prè-refórm (*attr.*).
дорисова́ть *сов. см.* дорисо́вывать.
дорисо́вывать, дорисова́ть (*вн.*) draw* (*d.*), fínish (*d.*), compléte (*d.*); (*без доп.*) finish dráwing; дорисо́вывать карти́ну (*перен.*) complete the picture, fill in the détails [...ˈdiː-].
дори́ческий *ист.* Dórian, Dóric.
доро́г‖**а** *ж.* 1. road; (*путь сле́дования*) way; больша́я ~ highway, main road; шоссе́йная ~ main road; просёлочная ~ country road [ˈkʌ-...], country-tràck [ˈkʌ-]; сверну́ть с ~и leave* the road; не сто́йте на ~е get out of the way; показа́ть кому́-л. ~у (*куда́-л.*) show* smb. the way [ʃou...] (*to a place*); по ~е (в *вн.*, на *вн.*) on the way (to); по ~е домо́й on the way home; дава́ть, уступа́ть кому́-л. ~у let* smb. pass; (*перен.*) make* way for smb.; 2. (*путеше́ствие*) jóurney [ˈdʒəː-]; да́льняя ~ long jóurney; отправля́ться в ~у set* out, start on one's jóurney; на ~у (*перед отправле́нием*) before the jóurney; в ~у, на ~у for the jóurney; с ~и áfter the jóurney; он пробы́л в ~е три дня the jóurney took him three days; ◊ желе́зная ~ ráilway; ráilroad *амер.*; желе́зная ~ ме́стного значе́ния lócal line; е́хать по желе́зной ~е go* by rail / train; мне с ва́ми по ~е we go the same way; I am góːing your way; мне с ва́ми не по ~е we go in different diréctions; (*перен.*) our paths divérge [...daɪ-], we part cómpany [...ˈkʌ-], our ways part; пробива́ть себе́ ~у force one's way through; (*перен.*) make* one's way in life; проложи́ть ~у (*дт.*) clear the way (for); прегради́ть ~у (*дт.*) bar the way (to); вы́биться на ~у get* on well, succéed; make* / find* one's way; перебежа́ть кому́-л. ~у steal* a march on smb.; snatch *smth.* from únder smb.'s nose; стать кому́-л. поперёк ~и bar smb.'s road; be in smb.'s way; вы́вести кого́-л. на широ́кую ~у set* smb. on his feet; (*рд.*) help smb. on to the high road (of); пойти́ прямо́й ~ой take* the high road, be on the híghway; пойти́ по но́вой ~е advance alóng the new road; он стои́т на хоро́шей ~е his future is assúred / secúred [...-əˈʃʊəd...]; идти́ свое́й ~ой go* one's own way [...oun...]; одна́ ~ остаётся мне, ему́ *и т. д.* there is ónly one way (out) for me, him, *etc.*; there is ónly one thing I, he, *etc.*, can do; туда́ ему́ и ~! *разг.* it serves him right!; ска́тертью ~ (a) good ríddance; то́рная ~ the béaten track.
до́рого I *прил. кратк. см.* дорого́й.
до́рого II *нареч.* dear; (*перен.*) déarly; э́то ~ сто́ит it costs dear, it's expénsive; ~ заплати́ть (за *вн.*) (*перен.*) pay* déarly (for); ~ обойти́сь кому́-л. cost* smb. dear; ◊ ~ бы я дал, что́бы... I would give ányːthing to...
дороговизна́ *ж.* high cost of líving [...ˈlɪv-]; high príces *pl.*
доро́гой *нареч.* on the way.
дорого́й 1. *прил.* (*в разн. знач.*) dear; (*дорогосто́ящий*) expénsive; (*це́нный*) *тж. перен.* cóstːly; по ~ цене́ at a high price; э́то ему́ до́рого it is dear to him; она́ ему́ дорога́ she is dear to him; ваш сове́т ему́ до́рог he válues / appréciàtes your advice (híghly); ~ друг! (my) dear friend! [...fre-]; то, что им доро́же всего́ what they hold déarest of all; 2. *м. как сущ.* dárling, dear, déarest.
дорогосто́ящий expénsive.
доро́д‖**ность** *ж.* pórtliness, búrliness. ~**ный** pórtly, búrly. ~**ство** *с.* = доро́дность.
дорожа́ть, вздорожа́ть rise* in price, go* up; жизнь ~ет the cost of líving is rísing [...ˈlɪv-...].
доро́же *сравн. ст. см. прил.* дорого́й *и нареч.* до́рого II.
дорожи́ть (*тв.*) 1. (*цени́ть*) válue (*d.*); prize (*d.*); 2. (*бере́чь*) take* care (of).
дорожи́ться *разг.* ask too high a price, óverːchàrge.
доро́жка *ж.* 1. (*тропи́нка*) path*, walk; 2. (*ко́врик*) strip of cárpet; (*на ле́стнице*) stair-cárpet; (*на стол*) rúnner; 3. *спорт.* track, lane; 4. (*в магнитофо́нной ле́нте*) track, band.
доро́жник *м.* róad-bùilder [-bɪl-], róad-wòrker.
доро́жно-строи́тельный róad-bùilding [-bɪl-] (*attr.*).
доро́жн‖**ый** 1. *прил. к* доро́га 1; ~ знак road sign; ~ое строи́тельство róad-bùilding [-bɪl-]; 2. (*служа́щий для путеше́ствия*) trávelling; ~ костю́м trávelling clothes [-ouðz]; ~ые расхо́ды trávelling expénses.
дортуа́р *м. уст.* dórmitory.
доруба́ть, доруби́ть (*вн.*) 1. (*о дере́вьях, ле́се*) fínish cútting (*d.*); (*о мя́се и т. п.*) fínish chópping (*d.*); 2. (*дополни́тельно*) chop / cut* some more (*d.*).
доруби́ть *сов. см.* доруба́ть.
дорыва́ть, доры́ть (*вн.*) fínish dígging (*d.*).
доры́ть *сов. см.* дорыва́ть.
дос *м.* (*долговре́менное оборони́тельное сооруже́ние*) *воен.* pill-bòx.
ДОСААФ *м.* (*Доброво́льное о́бщество соде́йствия а́рмии, авиа́ции и фло́ту*) Vóluntary Society for Assísting Army, Air Force and Návy.
доса́д‖**а** *ж.* vèxátion, annóyance; (*разочарова́ние*) disappóintment; кака́я ~! how véxing / annóying / provóking!,

what a núisance! [...'nju:s-]; (как жаль) what a píty! [...'pɪ-]; с ~ы in one's vèxátion / annóyance; with vèxátion (*в конце предложения*).

досади́ть *сов. см.* досажда́ть.

доса́дливый expréssing annóyance / vèxátion; ~ жест gésture of annóyance / vèxátion.

доса́дно 1. *прил. кратк. см.* доса́дный; **2.** *предик. безл.* it is véxing / annóying; it is a núisance [...'nju:s-] *разг.*; (*жалко*) it is a píty [...'pɪ-]; ему́ ~ he is vexed / annóyed.

доса́дн||ый annóying, vèxátious; (*вызывающий разочарование*) disappóinting ◊ ~ая опеча́тка an ùnfórtunate mísprint [...-tʃən-...].

доса́довать (на кого-л.) be vexed / annóyed (with smb.); (на что-л.) bemóan (smth.), bewáil (smth.).

досажда́ть, досади́ть (*дт.*) vex (*d.*), annóy (*d.*).

досе́ле *нареч. уст.* híther:tó, up to now.

досиде́ть *сов. см.* доси́живать.

доси́живать, досиде́ть (до) stay (till); (*не ложиться спать*) sit* up (till); ~ до конца́ чего́-л. sit* out smth.

до́синя *нареч.* until blue; until lívid; накупа́лся ~ bathed until he was blue with cold [beɪʊð-...].

доск||а́ *ж.* **1.** board; (*более то́лстая*) plank; кла́ссная ~ bláckboard; гри́фельная ~ slate; ша́хматная ~ chéss-board; ~ для объявле́ний nótice board ['nou-...]; **2.** (*пластинка, плита*) slab; ме́дная ~ brass plate; мра́морная ~ márble plaque [...plɑ:k] ◊ ~ почёта board of hónour [...'ɔnə]; выве́шивать на до́ску почёта (*вн.*) put* up on the board of hónour (*d.*); чёрная ~ the list of shírkers; до гробово́й ~и till death [...deθ], to one's dýing day; от ~и до ~и from cóver to cóver [...kʌ-...]; ста́вить на одну́ до́ску (*вн. с тв.*) put* on the same lével / plane [...'le-...]; (*он*) свой в ~у *разг.* he is one of us through and through.

досказа́ть *сов. см.* доска́зывать.

доска́зывать, досказа́ть (*вн.*; *о рассказе, сказке и т. п.*) fínish (*d.*); (*вн.* до) tell* (*d.* to); вы чего́-то не досказа́ли мне you have not told me all, you have kept sóme:thing back.

доскака́ть *сов.* hop so far, reach hópping; (до) hop (to, as far as); (*верхом*) gállop (to, as far as); reach at a gállop (*d.*); он не смог ~ he could not hop that far; он доска́чет туда́ в 10 мину́т he can gállop there in ten mínutes [...-nɪts], it will take him ten mínutes to gállop there, ten mínutes' gállop will take him there.

доскона́льн||о *нареч.* thóroughly ['θʌrəlɪ]. ~ый thórough ['θʌrə].

досла́ть *сов. см.* досыла́ть.

доследов||ание *с. юр.* sùppleméntary exàminátion, fúrther in:quíry [-'ðə...], напра́вить де́ло на ~ remít a case for fúrther exàminátion / in:quíry [...keɪs...]. ~ать *несов. и сов.* (*вн.*) *юр.* submít to sùppleméntary exàminátion, *или* fúrther in:quíry [...-ðə...] (*d.*).

досло́вн||о *нареч.* word for word, líterally, verbátim [-'beɪ-]. ~ый word for word, líteral: ~ый перево́д word for word, *или* líteral, trànslátion [...-ɑ:n-].

дослу́живать, дослужи́ть (до) work (to, till); serve (until); ему́ оста́лось дослужи́ть пять лет (до пе́нсии) he has to work another five years (before he gets his pénsion). ~ся, дослужи́ться (до *рд.*) obtáin (*d.*) as a resúlt of sérvice [...-'zʌ-...]; *воен.* rise* (to *the rank of*); дослужи́ться до пе́нсии quálify for a pénsion.

дослужи́ть(ся) *сов. см.* дослу́живать(ся).

дослу́шать *сов. см.* дослу́шивать.

дослу́шивать, дослу́шать (*вн.*) lísten to the end ['lɪsn...] (to); дослу́шать что-л. до полови́ны lísten to the first half of smth.[...hɑ:f...]; дослу́шать что-л. до конца́ lísten to smth. to the end, hear* out smth., sit* out smth.

досма́тривать, досмотре́ть **1.** (*вн.* до; *о книге, журнале и т. п.*) look through (*d.* to, till); (*о пьесе, фильме и т. п.*) watch (*d.* as far as); ~ до конца́ (*о книге, журнале и т. п.*) look right through (*d.*); (*о пьесе, фильме и т. п.*) watch / see* to the end (*d.*), sit* out (*d.*); **2.** (*вн.*; *производить досмотр*) exámine (*d.*).

досмо́тр *м.* exàminátion; тамо́женный ~ cústoms exàminátion.

досмотре́ть *сов. см.* досма́тривать.

досмо́трщик *м.* inspéctor, exáminer; (*на таможне*) cústoms official.

досо́хнуть *сов. см.* досыха́ть.

досоциалисти́ческ||ий pré-sócialist; ~ие форма́ции pré-sócialist fòrmátions.

доспа́ть *сов. см.* досыпа́ть II.

доспева́ть, доспе́ть *разг.* rípen; *сов. тж.* be rípe.

доспе́ть *сов. см.* доспева́ть.

доспе́хи *мн.* (*ед.* доспе́х *м.*) *ист.* ármour *sg.*

досро́чн||о *нареч.* befóre the appóinted time; (*о выполнении плана и т.п.*) ahéad of time [ə'hed... ʃe-]. ~ый ahéad of schédùle [ə'hed... ʃe-], pré-térm; ~ый вы́пуск проду́кции óutpùt of prodúction ahéad of time / schédùle [-put...]; ~ое выполне́ние fulfilment ahéad of time / schédùle [ful-...].

достава́ть, доста́ть **1.** (*до*) reach (*d.*); (*касаться*) touch [tʌtʃ] (*d.*); ~ до чего́-л. руко́й touch smth. (with one's hand); **2.** (*вн.*; *брать*) take* (*d.*), get* (*d.*); ~ кни́гу с по́лки, из шка́фа take* / get* the book from the shelf*, out of the bóokcàse [...-s]; **3.** (*вн.*; *добывать*) get* (*d.*); (*получать*) obtáin (*d.*); **4.** (*рд.*) *безл.* suffíce (*d.*); ему́ доста́нет сил his strength will suffíce him, he will have suffícient strength. ~ся, доста́ться (*дт.*) **1.** (*выпадать на долю*) fall* to one's lot; э́то доста́лось ему́ it fell to his lot; ему́, им *и т. д.* доста́лось (*при выигрыше*) he, they, *etc.*, won [...wʌn] (*при разделе и т.п.*) he, they, *etc.*, recéived (*по наследству*) he, they, *etc.*, inhérited; **2.** *безл. разг.* (*о наказании*): ему́, им *и т. д.* доста́лось he, they, *etc.*, caught / got it; ему́, им *и т. д.* доста́нется he'll, they'll, *etc.*, catch / get it; (*о неприятностях, испытаниях*) he, they, *etc.*, will have sóme:thing, *или* a lot, to bear / endúre [...bɛə...].

доста́в||ить *сов. см.* доставля́ть. ~ка *ж.* delívery; ~ка на́ дом delívery to *the* client's / cústomer's addréss; с ~кой на́ дом home delívery.

доставля́||ть, доста́вить **1.** (*вн. дт.*) supplý (with *d.*), fúrnish (with *d.*); (*о письмах, газетах и т. п.*) delíver [-'lɪ-] (*d.* to, *d. i.*); моло́чная ежедне́вно ~ет мне литр молока́ the dáiry supplíes me with a litre of milk every day [...'li:-...], the dáiry sends me up a litre of milk dáily, *или* every day; **2.** (*вн.*; *препровождать*) convéy (*d.*); ~ кого́-л. домо́й get* / take* / convéy smb. home; **3.** (*вн. дт.*; *причинять*) cause (*d. i.*), give* (*d. i.*); ~ мно́го хлопо́т give* a lot of trouble [...trʌ-] (*i.*); **4.** (*вн. дт.*; *предоставлять*) give* (*d. i.*); ~ слу́чай убеди́ться afford an òppoRTúnity to make sure [...ʃuə]; ~ удово́льствие give* / afford pléasure [...'ple-] (*i.*).

доста́вщик *м.* delívery-man*, róunds:man*.

доста́т||ок *м.* **1.** *тк. ед.* sufficiency, prospérity; жить в ~ке be in éasy circumstances [...'i:zɪ...], be well* / cómfortably off [...'kʌm-...], be wéll-to-dó; иметь сре́дний ~ be fairly well off; **2.** *мн.* (*имущество, доходы*) íncome *sg.* ◊ у нас всего́ в ~ке we have got plénty of évery:thing.

доста́точно I 1. *прил. кратк. см.* доста́точный 1; **2.** *предик. безл.* it is enóugh [...'ɪ'nʌf]; ~ бы́ло им поссо́риться, чтобы a quárrel sufficed, *или* was enóugh / sufficient, to; вполне́ ~ quite enóugh; бо́лее чем ~ more than enóugh; э́то ~ that will do; ~ сказа́ть suffíce it to say; у него́, у них *и т. д.* ~ сил, средств he has, they have, *etc.*, enóugh / sufficient strength, means; ~! (that's) enóugh!

доста́точно II *нареч.* (*перед прил. и после гл.*) sufficiently; (*после прил. и гл.*) enóugh [ɪ'nʌf]; ~ горя́чий suffíciently hot, hot enóugh; он рабо́тал ~ he worked enóugh / sufficiently. ~ость *ж.* **1.** sufficiency; **2.** *уст.* éasy círcumstances [...'i:zɪ...] *pl.* ~ый **1.** sufficient; (*после сущ. и перед сущ. во мн. ч.*) enóugh [ɪ'nʌf]; ~ые основа́ния, сре́дства sufficient grounds, means; ~ое доказа́тельство sufficient proof, proof enóugh; **2.** *разг.* (*живущий в достатке*) wéll-to-dó, prósperous.

доста́ть(ся) *сов. см.* достава́ть(ся).

достига́ть, дости́чь, дости́гнуть (*рд.*) **1.** reach (*d.*); у́тром он дости́г верши́ны (горы) he reached the súmmit in the mórning; ~ бе́рега reach land; проду́кция дости́гла наивы́сшего у́ровня óutput reached its peak [-put...]; **2.** (*добиваться*) attáin (*d.*), achíeve [-i:v] (*d.*); ~ свое́й це́ли achíeve / gain / attáin one's óbject / end, secúre one's óbject; ~ успе́ха achíeve / attáin succéss; успока́иваться на дости́гнутом rest on one's láurels [...'lɔ-]; **3.** ((*увеличиваться до какого-л. предела*) mount (to).

дости́гнуть *сов. см.* достига́ть.

достиже́ни||е *с.* achíeve:ment [-i:v-], attáinment; (*улучшение*) prógrèss; *мн.* (*дос-*

ДОС—ДОХ

тигнутые успехи) successes achieved [...-i:vd]; ~я науки и техники achievements of science and engineering [...endʒ-]; высшее ~ acme [-ɪ]; high-water mark [-'wɔ:-...] *идиом.*; ◇ по ~и on reaching; ~ высшей точки culmination; *переводится также формой на -ing от соответствующих глаголов — см.* достигать.

достижимый reachable, accessible; (*перен.*) achievable [-i:v-], attainable; (*ср.* достигать.)

достичь *сов. см.* достигать.

достоверн‖**о** *нареч.* for certain, for sure [...ʃuə]; ~ знать что-л. know* smth. for certain / sure [nou...], know* smth. positively [...-zɪ-], know* smth. beyond all doubt [...daut]. ~ость *ж.* trustworthiness [-ðɪ-]; (*истинность*) truth [-u:θ]; (*о документе, рукописи и т. п.*) authenticity. ~ый reliable, trustworthy [-ðɪ-]; (*о документе, рукописи и т. п.*) authentic; из ~ых источников from reliable sources [...'sɔ:s-].

достоинств‖**о** *с.* 1. *тк. ед.* dignity; это ниже его ~а it is beneath his dignity; с ~ом with dignity; чувство собственного ~а self-respect; proper pride ['prɔ-...]; 2. (*хорошее качество*) quality, merit, virtue; ~а и недостатки merits and demerits; 3. (*стоимость, ценность денежного знака*) value; монета 10-рублёвого ~а, монета ~ом в 10 рублей coin of the value of 10 roubles [...ru:-]; монета малого ~а coin of small denomination; ◇ оценить по ~у (*вн.*) estimate at one's true worth (*d.*); (*о человеке тж.*) size up (*d.*) *разг.*

достойно I *прил. кратк. см.* достойный 1, 2.

достойно II *нареч.* 1. suitably ['sju:-], fittingly, in an appropriate / adequate / proper manner [...'prɔ-...]; 2. *уст.* with dignity.

достойн‖**ый** 1. (*рд.*) deserving [-'zə:-] (*d.*), worthy [-ðɪ] (of), worth (*d.*); ~ внимания deserving attention / consideration, worthy of note, worth notice [...'nou-]; ~ похвалы praiseworthy [-ðɪ]; быть ~ым (*рд.*) deserve [-'zə:v] (*d.*), merit (*d.*); be worthy (of); ~ лучшего применения worthy of a better cause; 2. (*справедливый*) merited, deserved [-'zə:-]; (*соответствующий*) fitting, adequate; (*о наказании тж.*) condign [-'daɪn]; ~ая награда deserved reward; 3. (*почтенный*) worthy; ~ человек worthy man*.

достопамятный memorable.

достопочтённый *уст.* venerable.

достопримечатель‖**ность** *ж.* something worth seeing; sights *pl.*; осматривать ~ости (*рд.*) see* the sights (of); go* sightseeing; do the sights *разг.*; (*города*) do the town *разг.*; знакомить кого-л. с ~остями города *и т. п.* show* smb. the sights of the town, *etc.* [ʃou...], show* smb. around the town, *etc.* ~ый notable, remarkable.

достояние *с. тк. ед.* (*прям. и перен.*) possessions [-'ze-] *pl.*, property; народ-

ное ~ national property ['næ-...]; ~ масс the property of the masses.

достраивать, **достроить** (*вн.*) finish building [...'bɪ-] (*d.*), complete (*d.*).

достроить *сов. см.* достраивать.

достройка *ж.* completion.

достукаться *сов. разг.* get* what one had been asking for, get* the punishment one deserves [...'rʌ-... -'zə:vz].

доступ *м.* access; admittance, admission; право свободного ~а free access; иметь ~ (к) have access (to).

доступн‖**ость** *ж.* 1. accessibility; (*для пользования, посещения*) availability; (*для понимания*) simplicity; 2. (*о человеке*) approachability, affability, accessibility; 3. (*о ценах*) moderateness. ~ый 1. accessible, easy of access ['i:zɪ...]; (*для пользования, посещения*) available; open, within the reach; (*для понимания*) simple, easily understood ['iz-'stud], popular; сделать ~ым (*вн. дт.*) make* accessible (*d.* to), throw* open [-ou-] (*d.* to); эта книга доступна даже для неподготовленного читателя this book is intelligible even to the non-specialist [...-'spe-]; 2. (*о человеке*) approachable, affable, accessible; 3. (*умеренный*) moderate; ~ые цены reasonable / moderate prices [-z-...]; по ~ой цене at a reasonable price.

достучаться *сов. разг.* (*до кого-л., к кому-л.*) knock until one is heard [...hə:d]; ~ у двери knock at the door until it is opened [...do:...]; он не мог ~ he kept knocking but nobody answered [...'a:nsəd].

досуг *м.* leisure ['le-], leisure-time ['le-], spare time; часы ~а leisure hours [...auəz]; свой ~ он посвящает чтению he spends all his spare time reading; на ~е at leisure, in one's spare time.

досуж‖**ий** *разг.* 1. (*свободный от дела*) leisure ['le-] (*attr.*); ~ее время leisure-time ['le-], spare time; 2. (*появляющийся от безделья*) idle; ~ие толки gossip *sg.*, idle talk *sg.*

досуха *нареч.* dry; вытирать ~ (*вн.*) wipe / rub dry (*d.*).

досчитать *сов. см.* досчитывать.

досчитывать, **досчитать** 1. (*вн.*) finish counting (*d.*); 2. (*до чего-л.*) count up (to).

досылать, **дослать** (*вн.*) 1. (*остальное*) send* the remainder; (*посылать дополнительно*) send* on (*d.*); send* in addition (*d.*); он дослал 20 рублей he sent on (another) twenty roubles [...ru:-]; 2. (*о патроне и т. п.*) seat (*d.*), chamber ['tʃeɪ-] (*d.*).

досыпать *сов. см.* досыпать I.

досыпать I, **досыпать** 1. (*рд., вн.; дополнительно*) add / pour some more [...rɔ:...] (*d.*); 2. (*вн.; дополна*) fill (*d.*).

досыпать II, **доспать** get* some more sleep.

досыта *нареч. разг.* to one's heart's content [...hɑ:-...], to satiety; наесться ~ be satisfied, eat* one's fill.

досыхать, **досохнуть** dry up.

досье *с. нескл.* dossier ['dɔsɪeɪ], file.

досюда *нареч. разг.* up to here, as far as this.

досяга́ем‖**ость** *ж.* reach, attainability; *воен.* range [reɪ-]; в пределах ~ости within reach; вне пределов ~ости out of reach. ~ый accessible, approachable.

дот *м.* = дос.

дотация *ж.* grant [-ɑ:-], (State) subsidy.

дотащить *сов.* (*вн.*) (*доволочить*) drag (*d.*); (*донести*) carry (*d.*); (*вн. до*) drag (*d.* to, *d.* as far as), carry (*d.* to, *d.* as far as). ~ся *сов.* (*до*) *разг.* drag oneself (to); ~ся до дому drag oneself home.

дотемна *нареч.* until it gets dark.

дотла *нареч.* utterly, completely; сгорать ~ burn* to the ground; сжечь ~ (*вн.*) reduce to ashes (*d.*).

дотоле *нареч. уст.* until then, hitherto.

дотошн‖**ый** *разг.* hair-splitting; meticulous; быть ~ым delve into every detail [...'di:-]; он ~ человек he delves into every detail.

дотрагиваться, **дотронуться** (*до*) touch [tʌtʃ] (*d.*).

дотронуться *сов. см.* дотрагиваться.

дотуда *нареч. разг.* up to there, up to that place.

дотягивать, **дотянуть** 1. (*вн.*) draw* so far (*d.*); (*с усилием*) drag so far (*d.*); (*вверх*) haul up so far (*d.*); (*вн. до*) draw* (*d.* up to, *d.* as far as); (*с усилием*) drag (*d.* to, *d.* as far as); (*вверх*) haul (*d.* up to, *d.* as far as); 2. (*до*) *разг.* (*доживать*) live [lɪv] (till); он не дотянет до утра he won't last the night [...wount...], he won't last till morning [...mʌ-]; 3. (*до*) *разг.* (*выдерживать*) hold* out (till); он дотянет до конца месяца he will be able to hold out till the end of the month [...mʌ-]; ◇ дотянуть что-л. до того, что keep* putting smth. off till. ~ся, дотянуться (до) 1. reach (*d.*), touch [tʌtʃ] (*d.*); 2. (*о времени*) drag by (until).

дотянуть(ся) *сов. см.* дотягивать(ся).

доучивать, **доучить** 1. (*что-л.*) finish learning [...'lə:n-] (smth.); (*до*) learn* (up to, as far as); 2. (*кого-л.*) finish teaching (smb.); (*до*) teach* (up to). ~ся, доучиться 1. (*до*) study ['stʌ-] (up to, till); он доучился до 10 класса he left school after the ninth form [...naɪ-...], он доучился до четвёртого курса he left the university / institute after his third year; 2. (*совершенствовать знания*) perfect one's knowledge [...'nɔ-]; (*завершать образование*) complete one's study, finish one's education.

доучить(ся) *сов. см.* доучивать(ся).

доха *ж.* fur-coat (with fur on both sides) [...bouθ...].

дохлый 1. (*о животном*) dead [ded]; 2. *разг.* (*хилый — о человеке*) sickly, puny, weakly.

дохлятина 1. *ж. тк. ед. разг.* carrion; 2. *м. и ж. презр.* (*о человеке*) feeble, sickly person.

дохнуть (*о животных*) die, fall*.

дохну́ть *сов.* breathe; ◇ не сметь ~ *разг.* be afraid to breathe; ~ некогда *разг.* (so busy that) one has no time to breathe [...'bɪzɪ...].

доход *м.* income; (*прибыль*) profit, return; receipts [-'si:ts] *pl.*; чистый ~ net profit; приносить, давать ~ be profitable, bring* in an in:come; годовой ~ ánnual ín:come; (государственный) ánnual révenue; национа́льный ~ nátional ín:come ['næ-...]; валово́й ~ gross prófit / recéipts [grous...]; нетрудово́й ~ ún:earned ín:come [-'ɔ:nd...].

доходи́ть, дойти́ 1. (до) reach (on foot) [...fut] (d.); не доходя́ (до) (just) before one comes (to), before one réaches (d.); письмо́ до него́ не дошло́ the létter did not reach him; ~ до кого́-л. (станови́ться изве́стным) reach smb.'s ears; 2. (до) разг. (производи́ть впечатле́ние) touch [tʌtʃ] (d.), move [mu:v] (d.); игра́ не дохо́дит до зри́теля the ácting does not touch / move the áudience; 3. (без доп.) разг. (дова́риваться, допека́ться) be done; (дозрева́ть) rípen; 4. (до; достига́ть како́го-л. преде́ла) reach (d.), amóunt (to); ~ до колосса́льных разме́ров reach colóssal diménsions; расхо́ды дохо́дят до 5 000 рубле́й the expénses amóunt to, или tótal, five thóusand roubles [...-z- ru:-]; ~ до неле́пости fall* / run* into absúrdity; ~ до бе́шенства fly* into a rage; ~ до слёз, дра́ки end in tears, in a fight; ◊ ~ свои́м умо́м think* out for òne:sélf; ру́ки до э́того не дохо́дят I have, he has, etc., no time for it, или to do it; де́ло дошло́ (до) it came (to).

дохо́дн||ость ж. prófitable:ness, remúnerative:ness [-'mju:-]; (количество дохо́дов) ín:come. ~ый prófitable, páying, lúcrative, remúnerative [-'mju:-]; ~ые статьи́ révenues.

дохо́дчив||ость ж. clárity. ~ый intélligible, éasy to únderstánd ['i:zɪ...].

доцвести́ сов. см. доцвета́ть.

доцвета́ть, доцвести́ cease flówering [-s...]; (увяда́ть) fade, wither.

доце́нт м. sénior lécturer, (ùnivérsity) réader; assístant proféssor амер.

доцентура ж. 1. post of sénior lécturer [poust...], úniversity réadership; assístant proféssorship амер.; 2. собир. (доце́нты) sénior lécturers.

дочерна́ нареч. till smth. is (pitch-)-bláck.

доче́рн||ий 1. dáughter (attr.); (подоба́ющий до́чери) fílial; 2.: ~ее предприя́тие эк. branch estáblishment [brɑ:-...]; 3.: ~яя кле́тка биол. dáughter cell.

дочерти́ть сов. см. доче́рчивать.

доче́рчивать, дочерти́ть (вн.; о ка́рте, чертеже́ и т.п.) fínish (d.), compléte (d.); (без доп.) fínish dráwing.

дочи́ста нареч. (до полной чистоты́) till smth. is spót:less, till smth. is spót:lessly / pérfectly clean; (перен.) compléte:ly; обокра́сть ~ (вн.) clean out (d.); съесть всё ~ eat* up éverything, scrape one's plate.

дочи́стить сов. (вн.) 1. fínish cléaning (d.) и т. д. (см. чи́стить); 2. (до чего́-л.) clean (d.) и т. д. (см. чи́стить); ~ до бле́ска pólish / búrnish till smth. glítters.

дочита́ть(ся) сов. см. дочи́тывать(ся).

дочи́тывать, дочита́ть 1. (вн. до) read* (d. to, d. as far as); дочита́ть до середи́ны read* half the book [...hɑ:f...]; read* to the middle (d.); дочита́ть до конца́ read* to the end (d.), fínish (d.); 2. (без доп.; конча́ть чита́ть) fínish réading. ~ся, дочита́ться 1. (до чего́-л.): ~ся до головно́й бо́ли read* till one's head begins to ache [...hed...eɪk]; ~ся до хрипоты́ read* till one grows hoarse [...grouz...], read* òne:sélf hoarse; 2. страд. к дочи́тывать.

до́чка ж. разг. = дочь.

дочу́рка ж. разг. little dáughter / girl [-gə:l]; (в обраще́нии тж.) gírlie ['gə:lɪ].

дочь ж. dáughter.

дошива́ть, доши́ть (вн.; о пла́тье и т.п.) fínish (d.); (без доп.; конча́ть шить) fínish (séwing) ['sou-].

доши́ть сов. см. дошива́ть.

дошко́льн||ик м. 1. child* únder school age; он ~ he is únder school age; 2. разг. (о педаго́ге) núrsery school téacher. ~ица ж. girl únder school age [-g-...]; она́ ~ица she is únder school age. ~ый pré-school; ~ое воспита́ние pré-school educátion; ~ые учрежде́ния pré-school intitútions.

дошлый разг. cúnning, shrewd.

доща́тый (made) of planks / boards.

доще́чка ж. (деревя́нная) small plank / board; (металли́ческая) plate; (на две́ри) dóor-plate ['dɔ:-], náme-plate.

доя́рка ж. dáirymaid; зна́тная ~ dáirymaid who has been hónoured for her work [...'ɔnəd...].

дра́га ж. тех. drag; мор. séago:ing dredge.

драги́ровать несов. и сов. (вн.) тех. dredge (d.), drag (d.).

драгома́н м. drágoman (pl. -mans, -men).

драгоце́нн||ость ж. 1. jéwel; (о драгоце́нном ка́мне тж.) gem; précious stone ['pre-...]; (сокро́вище) tréasure ['tre-]; э́то ~ this is a tréasure, this is príce:less; 2. мн. jéwelry sg.; фальши́вые ~ости false / paste jéwelry [fɔ:ls peɪ-...]. ~ый précious ['pre-] (тж. перен.); ~ый ка́мень gem; précious stone, jéwel; (резно́й) intáglio [-ɑ:l-].

драгу́н м. ист. dragóon. ~ский ист. dragóon (attr.); ~ский полк dragóon régiment.

драже́ с. нескл. dragée (фр.) [drɑ:'ʒeɪ]; шокола́дное ~ chócolate drop.

дразни́ть (вн.) 1. tease (d.); 2. (об аппети́те, обоня́нии) excite (d.).

дра́ить, надра́ить (вн.) мор. scrub (d.), swab (d.).

дра́к||а ж. fight; (о́бщая) scúffle; доходи́ть до ~и come* to blows [...-ouz-].

драко́н м. drágon [-æ-].

драко́новск||ий: ~ие зако́ны harsh / Dracónian laws.

дра́ма ж. dráma ['drɑ:-].

драматиз||а́ция ж. dràmatizátion [-taɪ-]. ~и́ровать несов. и сов. (вн.) dràmatíze (d.).

драма||ти́зм м. театр. dramátic efféct; dramátic quálities pl.; (перен.) dramátic náture [...'neɪ-], ténsity; пье́са, обстано́вка полна́ ~ти́зма the play, the situátion is highly dramátic; ~ положе́ния the ténse:ness of the situátion. ~ти́ческий dramátic; (о го́лосе) strong; ~ти́ческий кружо́к theátrical círcle [θɪ'æ-...]. ~ти́чный dramátic.

ДОХ–ДРА   Д

драмату́рг м. pláywright, drámatist.

драматурги́я ж. 1. (тео́рия) dramátic compositíon / théory [...-'zɪ- 'θɪə-]; 2. собир. лит. the dráma [...'drɑ:-]; plays pl.; гре́ческая ~ the Greek dráma; ~ Шекспи́ра Shàke:spéarian dráma; 3. (драмати́ческое иску́сство) dramátic art.

драмкружо́к м. (драмати́ческий кружо́к) theátrical círcle [θɪ'æ-...].

драндуле́т м. разг. шутл. old / dilápidàted convéyance.

дра́нка ж. (штукату́рная) lath*; (кро́вельная) shíngle.

дра́ный разг. torn; (обо́дранный) rágged [-ɡɪd].

дрань ж. = дра́нка.

драп I м. thick wóollen cloth [...'wul-...].

драп II м. разг.: они́ да́ли ~у they showed a clean pair of heels [...ʃoud...].

драпану́ть сов. см. дра́пать.

дра́пать, драпану́ть разг. clear out, scárper.

драпирова́ть (вн.) drape (d.). ~ся 1. drape òne:sélf; (перен.) make* a paráde (of); 2. страд. к драпирова́ть.

драпиро́в||ка ж. drápery ['dreɪ-]; hángings pl.; ~щик м. úphòlsterer [-'hou-].

драпо́в||ый прил. к драп I; ~ое пальто́ (thick) wóollen cloth óver:coat [...'wul-...].

драпри́ с. нескл. drápery ['dreɪ-]; cúrtains pl., hángings pl.

дра́тва ж. тк. ед. wáxed thread ['wæ- θred].

драть I разг. 1. (вн.; рвать) tear* [teə] (d.); tear* up (d.), tear* to pieces [...-'pi:s-] (d.); 2. (вн.; отрыва́ть) strip off (d.); tear* off (d.); ~ лы́ко bark líme-trees; ~ шку́ру с овцы́ flay a sheep*; 3. (с рд.; назнача́ть высо́кие це́ны) fleece (d.); 4. (вызыва́ть боль) írritàte; у меня́ дерёт го́рло I have a sore throat; ◊ ~ шку́ру с кого́-л. разг. skin smb. alíve; ~ с живо́го и мёртвого fleece únmércifully (d.); ~ го́рло bawl; shout, sing* one's head off [...hed...]; ~ нос разг. turn up one's nose; чёрт его́ дери́! damn him!

драть II, вы́драть (вн.; нака́зывать) flog (d.), thrash (d.); сов. тж. give* a flógging (i.); ~ кого́-л. за́ уши, за́ волосы pull smb.'s ears, hair [pul...].

дра́ться I, подра́ться 1. (с тв.) fight* (d., with); на у́лице деру́тся there is a fight / scúffle in the street; ~ на кула́чках box, spar; он всегда́ дерётся he is álways béating sóme:body up [...'ɔ:lwəz...], he is álways knócking sóme:body abóut; ~ на дуэ́ли fight* a dúel, dúel; ~ с кем-л. на дуэ́ли fight* a dúel with smb.; 2. тк. несов. (за вн.; боро́ться за что́-л.) fight* (for), strúggle (for).

дра́ться II, разодра́ться разг. (рва́ться) tear* [teə].

дра́хма ж. 1. (гре́ческая моне́та) dráchm(a) (pl. -mas, -mae); 2. (едини́ца апте́карского ве́са) drachm [-æm], dram.

драчли́в||ость ж. разг. pùgnácity. ~ый разг. pùgnácious.

ДРА – ДРУ

драчу́н *м. разг.* pùgnácious féllow / boy; он ~ he is given to fighting, he likes fíghting; он большо́й ~ he is álways réady to fíght [...'ɔːlwəz 're-...], he is álways réady for a fight; э́то тако́й ~! he is álways spóiling for a fight.

драчу́нья *ж.* pùgnácious girl [...-g-]; (*ср.* драчу́н).

дребеде́нь *ж. разг.* trash, rúbbish; сплошна́я ~ ábsolùte trash.

дре́безг *м.* 1.: с ~ом *разг.* with a tínkling sound; 2.: разби́ться в ме́лкие ~и *разг.* be smashed to smitheréens [...-ð-].

дребезжа́ние *с.* tínkling; (*звяканье*) jíngling.

дребезжа́ть tínkle; (*звякать*) jíngle.

древеси́на *ж. тк. ед.* 1. wood [wud]; 2. *собир.* (*лесоматериалы*) tímber.

древе́сница *ж.* (*лягушка*) tree-fròg.

древе́сн||ый *прил. к* де́рево; *тж.* árbóreal [-rɪəl], àrbóreous *научн.*; ~ у́голь chárcoal; ~ спирт wood álcohòl [wud...]; ~ая ма́сса wóod-pùlp ['wud-]; ~ые насажде́ния plàntátions of trees; ~ пито́мник núrsery fórest [...'fɔ-]; àrborétum (*pl.* -ta) *научн.*; ~ая лягу́шка tree-fròg.

дре́вко *с.* pole, staff; (*копья и т. п.*) shaft; ~ зна́мени, фла́га flágstàff; ~ пи́ки píke;stàff.

древнеангли́йский Old Énglish [...'ɪŋg-]; ~ язы́к the Old Énglish lánguage.

древнегре́ческий áncient Greek ['eɪ-...]; ~ язы́к Greek, the Greek lánguage.

древнееврейский Hébrew, Hèbrá;ic [hiː-]; ~ язы́к Hébrew.

древнеру́сский Old Rússian [...-ʃən]; ~ язы́к the Old Rússian lánguage.

дре́вн||ие *мн. скл. как прил.* the áncients [...'eɪ-]. ~ий 1. áncient ['eɪ-]; (*античный*) àntíque [-'tiːk]; ~яя исто́рия áncient history; ~ие языки́ clàssical lánguages. 2. *разг.* (*очень старый*) very old, áged; ~ий стари́к a very old man*.

дре́вност||ь *ж.* 1. àntíquity; в ~и in áncient times [...'eɪn-...]; 2. *мн. археол.* àntíquities.

дре́во *с. поэт.* tree; ~ позна́ния добра́ и зла the tree of knówledge of good and évil [...'nɔ-...'iː-].

древови́дный tréelike; àrboréscent *научн.*; ~ па́поротник tree-fèrn.

древонасажде́ние *с.* plánting of trees [-ɑːn-...]; пра́здник ~я Árbour Day.

древото́чец *м. зоол.* (wóod-)bòrer ['wud-], wóod-frètter ['wud-]; (*корабельный*) tèrédo.

дредно́ут *м. мор.* dréadnought [-ed-].

дрези́на *ж. ж.-д.* trólley; hand car; séction car *амер.*

дрейф *м. мор.* drift; (*снос ветром*) léeway; ◇ ложи́ться в ~ heave* to; лежа́ть в ~е lie* to.

дре́йфить, сдре́йфить *разг.* show* the white féather [ʃou... 'fe-]; не дре́йфь! be a man!

дрейф||ова́ть *мор.* drift. ~у́ющий *прич.* (*тж. как прил.*) *см.* дрейфова́ть; ~у́ющий лёд drift-ice; нау́чная ~у́ющая ста́нция drift-ìce reséarch únit [...-'səː-tʃ...].

дреко́лье *с. собир. разг.* staves *pl.* (*as weapon*).

дрель *ж.* drill.

дрема́ *ж.*, **дрёма** *ж. поэт. уст.* = дремо́та.

дрема́||ть 1. doze; slúmber (*чаще поэт.; тж. перен.*); (*клевать носом*) nod; 2. *разг.* (*медлить*) dáwdle, dálly; ◇ враг не ~л the énemy was not asléep.

дремо́т||а *ж.* drówsiness [-zɪ-], sómnolence. ~ный drówsy [-zɪ-], sómnolent; ~ное состоя́ние drówsiness [-zɪ-], sómnolence.

дрему́чий dense; thick (*тж. перен.*).

дрена́ж *м. тех., мед.* dráinage. ~ный *прил. к* дрена́ж; ~ная труба́ dráin (-pìpe).

дрени́ровать *несов. и сов.* (*вн.*) *тех., мед.* drain (*d.*).

дресва́ *ж. геол.* rótten stone, gruss.

дресси́рованный 1. *прич. см.* дрессирова́ть; 2. *прил.* (*о животных*) trained; (*для цирка*) perfórming.

дрессирова́ть, вы́дрессировать (*вн.*) train (*d.*); (*перен.*) school (*d.*).

дрессиро́в||ка *ж.* tráining. ~щик *м.*, ~щица *ж.* tráiner; ~щик соба́к и т. п. dog, etc., tráiner.

дриа́да *ж. миф.* drýad.

дроби́лка *ж. тех.* crúsher.

дроби́льн||ый *тех.* crúshing; ~ая устано́вка crúsher.

дроби́нка *ж.* péllet, (grain of) small shot.

дроби́ть, раздроби́ть (*вн.*) break* up [-eɪk...] (*d.*); crush (*d.*); (*на осколки*) splínter (*d.*); (*перен.*) sùbdivíde (*d.*), split* up (*d.*); (*на вн.*) divíde / split* up (into); ему́ раздроби́ло ру́ку his arm was crushed. ~ся, раздроби́ться 1. break* in [breɪk...], crúmble (into); (*о волнах*) break* (agáinst); (*перен.*) divíde (into), split* (into); 2. страд. к дроби́ть.

дробле́ние *с.* 1. bréaking up ['breɪk-...], crúshing; (*перен.*) sùbdivísion, splítting up; 2. биол. céll-division.

дроблёный crushed, splíntered.

дро́бн||ый I *мат.* fráctional; ~ое число́ fráctional númber.

дро́бн||ый II 1. (*разделённый, расчленённый*) séparate, sùbdivíded, split up; 2. (*частый и мелкий*) abrúpt, staccàtò [-'kɑː-]; ~ стук staccàtò knócking; ~ дождь fine rain; ~ шаг rhýthmic step [-ð-...].

дробови́к *м.* fówling-piece [-piːs].

дробь I *ж. мат.* fráction; десяти́чная ~ décimal (fráction); пра́вильная, непра́вильная ~ próper, impróper fráction ['prɔ- -'prɔ-...]; непреры́вная ~ contínued fráction; проста́я ~ vúlgar fráction.

дробь II *ж. собир.* (*охотничья*) (small) shot.

дробь III *ж.:* бараба́нная ~ roll of a drum; drúmming; выбива́ть ~ (*на барабане*) beat* a tattóo; (*каблуками*) táp-dànce.

дрова́ *мн.* fire;wood [-wud] *sg.*

дро́вни *мн.* wóod-slèdge ['wud-].

дровозагото́вка *ж.* fire;wood-cútting [-wud-].

дровоко́л *м.* wóodchòpper ['wud-].

дровосе́к *м.* wóod-cùtter ['wud-].

дровяни́||к *м.* 1. *разг.* wóodshèd ['wud-]; 2. *уст.* (*торговец дровами*) fíre;wood mérchant [-wud...].

дровяно́й *прил. к* дрова́; ~ склад wóod-stòre ['wud-]; ~ сара́й wóodshèd ['wud-].

дро́ги *мн.* (*похоронные*) hearse [həːs] *sg.*; (*крестьянские*) (dray) cart.

дро́гнуть I, продро́гнуть (*зябнуть*) shíver ['ʃɪ-]; *сов. тж.* be chilled; он продро́г до мо́зга косте́й he is chilled to the márrow / bone.

дро́гну||ть II *сов.* 1. shake*; (*о голосе, звуке тж.*) quáver; (*о мускуле*) move [muːv]; 2. (*прийти в смятение*) wáver, fálter, flinch; войска́ ~ли the troops wávered; ◇ его́ рука́ не ~ла his hand did not fálter; у него́ рука́ не дро́гнет сде́лать э́то he will not hésitàte / scrúple to do it [...-zɪ-...].

дрожа́ние *с.* vìbrátion [vaɪ-], trémbling.

дрожа́тельный trémulous, shívery; ~ парали́ч *мед.* sháking pálsy [...'rɔːlzɪ-]; Párkinson's disèase [...-'ziːz].

дрожа́||ть 1. shíver ['ʃɪ-], trémble, (*мелкой дрожью*; *тж. о губах*) quíver [-ɪ-]; (*трястись*) shake*; (*о голосе, звуке*) quáver, trémble, shake*; ~ от хо́лода trémble / shíver with cold; ~ от ра́дости (*о голосе*) trémble with joy; ~ от стра́ха trémble / shake* with fear; ~ всем те́лом trémble / shake* all óver; он дрожи́т при одно́й мы́сли об э́том he shúdders at the mere thought of it; 2. (*за вн.; заботиться*) take* excéssive care (of), fuss óver (*d.*); 3. (*над; беречь что-л. из скупости*) trémble (óver), grudge (*d.*); он дрожи́т над ка́ждой копе́йкой he grúdges every cópeck he spends, he counts every pénny. ~щий 1. *прич. см.* дрожа́ть; 2. *прил.* (*от*) trémbling (with); (*от холода тж.*) shívering ['ʃɪ-] (with); 3. *прил.* (*о звуке*) trémulous.

дрожжево́й [-жже-] *прил. к* дро́жжи.

дро́жж||и [-жжи] *мн. уст.* yeast *sg.*; ста́вить на ~áх (*вн.*) make* with yeast (*d.*); те́сто на ~áх yeast dough [...dou], báker's dough; пивны́е ~ bréwer's yeast.

дро́жки *мн.* dróshky *sg.*

дрожь *ж.* trémble, shíver ['ʃɪ-]; (*мелкая*) quíver [-ɪ-]; (*в голосе*) trémor ['tre-]; quáver; не́рвная ~ nérvous trémor; лихора́дочная ~ chill, shíver; его́ броса́ет в ~ при (одно́й) мы́сли об э́том he shúdders at the (mere) thought of it; (*ср.* дрожа́ть).

дрозд *м.* thrush; пе́вчий ~ sóng-thrùsh; чёрный ~ bláckbird; ◇ дать, зада́ть ~á кому́-л. *разг.* give* smb. a scólding, или a dréssing down.

дрок *м. бот.* genísta.

дромаде́р [-дэр] *м. зоол.* drómedary ['drʌ-].

дро́ссель *м. тех.* thróttle.

дро́тик *м. ист.* dart, jávelin.

дрофа́ *ж.*, **дрохва́** *ж. зоол.* bústard.

дрочёна *ж. кул.* bátter.

друг I *м.* friend [fre-]; бли́зкий ~ íntimate / close friend [...-ous...]; закады́чный ~ bósom-frìend ['buzəmfre-]; chum *разг.*, pal *разг.*; э́то его́ закады́чный ~ this is his bósom-frìend; he is hand-in-glove with him [...-'glʌv...] *идиом.*; ~ детства childhood friend [-hud...], playfellow; ~ дома friend of the family; старинный ~ very old friend.

друг II: ~ a each other, one another; ~ против ~ a, ~ на ~ a against each other; обособленные ~ от ~ a separate; ~ за ~ ом one after another; (*гуськом*) in single / Indian file; ~ против ~ a (*напротив*) face to face; vis-à-vis (*фр.*) ['viːzaːviː]; opposite each other [-zɪt...]; ~ с ~ ом with each other.

друг||ой 1. other; (*ещё один*) another; (*не такой, иной*) different; дайте ~ карандаш (*второй из двух*) give me the other pencil; (*какой-нибудь иной*) give me another pencil; и тот и ~ both [bouθ]; ни тот ни ~ neither ['naɪ-]; никто ~ nobody else; none else / other [nʌn...]; кто-л. ~ somebody else; лучше, чем кто-л. ~ better than anybody else; один за ~ им one after another; на ~ день the next day; в ~ день, в ~ ое время (приходить, поговорить и т. п.) (come*, discuss something, etc.) another day, another time; в ~ раз another time; в ~ их отношениях (*с др. точки зрения*) in other respects; ~ ими словами in other words; с ~ стороны on the other hand; в ~ ом месте else|where, some|where else; это ~ ое дело that is another matter, that is quite different; он мне казался ~ им he looked different to me; свободен от всех ~ их занятий, кроме free from all occupation except; 2. *с. как сущ.* another thing, something else; 3. *мн. как сущ.* others; (*остальные*) the rest; он никогда не заботится о ~ их he never thinks of others, *или* of other people [...piː-].

друж||ба *ж.* friendship ['fre-]; amity; быть в ~ бе с кем-л. be friends with smb. [...fre-...]; тесная ~ close / intimate friendship [-s...]; ~ народов friendship of peoples [...piː-]; ◊ не в службу, а в ~ бу *погов.* ≅ out of friendship, as a favour; ~ ~ бой, а служба службой ≅ don't let friendship interfere with work / business [...'bɪz-].

дружелюб||ие *с.* friendliness ['fre-], amicability. **~ный** friendly ['fre-], amicable.

дружеск||ий friendly ['fre-]; ~ ая услуга friendly service; ~ визит good|will visit [...-z-]; быть на ~ ой ноге (*с тв.*) be on friendly terms (with).

дружественн||ый friendly ['fre-], amicable; ~ ая держава friendly power; ~ ые нации friendly nations; в ~ ой обстановке in a friendly atmosphere.

дружин||а *ж.* 1. *ист.* (prince's) armed force; 2.: боевая рабочая ~ armed workers detachment; 3. (*группа, отряд, созданные с какой-л. целью*) squad, group [-uːp]; пожарная ~ voluntary fire-brigade; боевые ~ы fighting squads; народная ~ (*по охране общественного порядка*) (voluntary) people's (militia) patrol [...piː-...-oul], public order squad [...'rʌl-...].

дружинник *м.* 1. (*член боевой дружины*) combatant; 2. *ист.* body-guard ['bɔ-]; (*воин*) man*-at-arms; 3. member of (voluntary) people's (militia) patrol [...piː-...-oul], member of a public order squad [...'rʌl-...].

дружить (*с тв.*) be friends [...fre-] (with), be on friendly terms [...'fre-...] (with).

дружище *с. разг.* old chap, old fellow.

дружка I *м. уст.* best man* (at wedding).

дружка II: друг дружку *разг.* = друг друга *см.* друг II.

дружн||о *нареч.* 1. in a friendly manner [...'fre-...], in friendly fashion, amicably; жить ~ live in peace and friendship [lɪv... 'fre-], live in harmony, live in concord; get* on well *разг.*; hit* it off *идиом. разг.*; ~ беседовать have a friendly talk / conversation, talk / converse amicably, *или* in a friendly fashion; 2. (*одновременно*) simultaneous|ly; (*вместе*) together [-'ge-]; (*быстро*) rapidly, speedily; они все ~ взялись за дело they all set to work together; раз, два, ~ one, two, three!; all together!; *мор.* yo-heave-ho! yoho!, heave ho!; они действовали ~ their action was con|certed. **~ый** 1. friendly ['fre-], amicable; быть ~ ым (*с тв.*) be friends [...fre-] (with), be on friendly terms (with); ~ ая семья united family; 2. (*единодушный*) unanimous, harmonious; ~ ый смех burst of laughter [...'laːf-]; ~ ые аплодисменты burst of applause *sg.*; раздался ~ ый смех there was a burst of laughter, they all burst out laughing [...'laːf-]; раздались ~ ые аплодисменты there was a burst of applause; ~ ыми усилиями by concerted efforts; (*обоюдными*) by mutual efforts; ◊ ~ ая весна spring with rapid, uninterrupted thawing of snow [...-ou].

дружок *м. разг.* pal; (*как обращение*) my dear.

друид *м. ист.* Druid.

дрыгать (*тв.*) *разг.* jerk (*d.*).

дрызг||ать, надрызгать (*тв.*) *разг.* spatter (with), splash (*d.*). **~аться** *разг.* be splashing and spattering around; с чем он там ~ается? what is the messy job he is trying to do? **~отня** *ж. разг.* mess, something mushy.

дрыхнуть *разг. неодобр.* sleep* sluggishly and immoderate|ly.

дрябл||ость *ж.* flabbiness. **~ый** flabby, flaccid.

дрябнуть *разг.* become* flabby.

дрязги *мн. разг.* squabbles; (*неприятности*) petty troubles [...trʌ-], petty unpleasantnesses [...-'plez-].

дрянн||ой *разг.* wretched, rotten; (*никуда не годный*) good-for-nothing, worthless; ~ ая погода rotten / beast|ly weather [...'we-]; ~ человек rotter, a bad lot, a good-for-nothing.

дрянь *ж. разг.* rubbish, trash; (*о человеке*) rotter; (*мерзкая женщина*) scoundrelly / black|guardly woman* / creature [...'wu-...]; ◊ дело ~ it is rotten, things are rotten.

дряхлеть, одряхлеть grow* decrepit [-ou-...].

дряхл||ость *ж.* decrepitude; (*старческая*) senile infirmity ['siːnaɪl...]. **~ый** decrepit.

дуали||зм *м. филос.* dualism. **~ст** *м.* dualist. **~стический** *филос.* dualistic.

дуб *м.* 1. (*дерево и материал*) oak; пробковый ~ cork-oak; 2. *разг.* (*о человеке*) blockhead [-hed], numskull; ◊ ~ а дать *разг.* kick the bucket.

дубасить, отдубасить *разг.* 1. (*вн.*) belabour (*d.*); (*палкой*) cudgel (*d.*); 2. *тк. несов.* (*по дт., в вн.*) bang (on); ~ в дверь hammer at the door [...dɔː].

дубиль||ный: ~ ная кора tan; ~ ная кислота tannic acid; ~ ное вещество tanning agent, tannin. **~ня** *ж.* tannery. **~щик** *м.* tanner.

дубин||а 1. *ж.* cudgel; (*с тяжёлым концом*) bludgeon; (*с утолщённым концом*) club; 2. *м. и ж. разг.* (*о человеке*) blockhead [-hed], dunder|head [-hed].

дубинка *ж.* bludgeon, cudgel; (*полицейская*) truncheon, club, baton ['bæ-].

дубитель *м.* tanning agent, tannin.

дубить, выдубить (*вн.*) tan (*d.*).

дубление *с.* tanning, tannage.

дублёнка *ж. разг.* sheepskin coat.

дублён||ый tanned; ~ ые кожи tanned leathers [...'leð-].

дублёр *м.* 1. *театр.* understudy [-ʌ-]; (*в кинофильме*) dubbing actor, actor dubbing a part; 2. (*о космонавте*) back-up man* / pilot.

дублет *м.* 1. duplicate; 2. *охот.* (*двойной выстрел*) doublet ['dʌb-].

дубликат *м.* duplicate.

дублированный *прич. и прил.* dubbed; ~ фильм dubbed film.

дублиров||ать (*вн.*) 1. (*в разн. знач.*) duplicate (*d.*); ~ роль *театр.* understudy a part [-ʌdɪ...]; 2. *кин.* dub (*d.*): фильм ~ ан на русский язык the film is dubbed in Russian [...ʃən].

дубль *м.* 1. *кин.* take; 2. *спорт.* double (victory) ['dʌ-...]; 3. *спорт. разг.* (*второй состав команды*) reserves [-'zəː-] *pl.*

дубляж *м.* dubbing-in.

дубняк *м.* oak-wood [-wud], oak-forest [-fɔ-].

дубоватый *разг.* (*грубоватый*) coarse; (*глуповатый*) stupid, wooden-headed ['wud'nhed-].

дубов||ый 1. oak (*attr.*); ~ лист oak-leaf*; ~ ая роща oak-grove; ~ стол oak table; 2. *разг.* (*грубый, тупой*) coarse, thick; 3. (*жёсткий, несъедобный*) hard; ◊ ~ ая голова blockhead [-hed], numskull.

дубок *м.* oaklet, oakling.

дубрава *ж.* 1. (*дубовая роща*) oak-grove; 2. *поэт.* leafy forest / grove [...fɔ-...].

дубьё *с. собир.* cudgels *pl.*; (*перен.; о бестолковых людях*) fools *pl.*, blockheads [-hedz] *pl.*

дуг||а *ж.* 1. (*часть окружности*) arc; arch; брови ~ ой arched eyebrows [...'aɪ-]; электрическая ~ electric arc; 2. (*в упряжи*) shaft-bow [-ou]; ◊ согнуть кого-л. в ~ у, в три ~ и bring* smb. under, compel smb. to submit; Курская ~ the Kursk Bulge.

дугов||ой *прил. к* дуга; ~ ая лампа arc lamp; ~ ая сварка *тех.* arc welding.

дугообразный arched, bow-shaped ['bou-].

ДУД—ДУХ

дуд‖**а́** *ж. разг.* pipe, fife; ◇ и швец, и жнец, и в ~у́ игре́ц *погов.* ≅ jack of all trades.

дуде́ть *разг.* play the pipe / fife.

ду́дк‖**а** *ж.* pipe; fife (*особ. воен.*); ◇ пляса́ть под чью-л. ~у dance to smb.'s tune / piping.

ду́дки *межд. разг.* not if I know it! [...nou...], not on your life!

ду́жка *ж.* 1. *уменьш. от* дуга́; 2. (*в крокете*) hoop; 3. (*у сосуда*) handle.

дука́т *м. ист.* dúcat.

ду́ло *с.* muzzle; под ~м револьве́ра at gun point.

ду́льный *прил. к* ду́ло.

ду́льце *с.* 1. *уменьш. от* ду́ло; 2. (*отверстие духового инструмента*) móuthpiece [-pi:s].

ду́м‖**а** I *ж.* 1. thought; ~у ду́мать brood, méditàte; 2. *лит.* bállad.

ду́ма II *ж. ист.* dúma [ˈduː-], cóuncil, rèpreséntative assémbly [-ˈzen-...]; госуда́рственная ~ State Dúma; городска́я ~ munícipal cóuncil, town cóuncil; боя́рская ~ Bóyars' Cóuncil.

ду́ма‖**ть**, поду́мать 1. (*о пр.*) think* (of, about); (над; *размышлять*) consíder [-ˈsɪ-] (*d.*), turn óver in one's mind (*d.*), reflèct (upːón), think* (óver), pónder (óver); он никогда́ не ~ет о други́х he néver considers, *или* thinks of, óther péople [...piː-], he néver takes óther péople into considerátion; 2. *тк. несов.* (*без доп.; полагать*) think*, believe [-ˈliːv]; они́ всё ещё ~ли, что они́ still believed that; 3. (+ *инф.; намереваться*) think* (of *ger.*); (*более определённо*) inténd (+ *to inf.*); (*в отрицат. предл. об.*) have the inténtion (of *ger.*); (*надеяться*) hope (+ *to inf.*); plan (+ *to inf.*); он ~ет уезжа́ть he thinks of góːing aːwáy, he inténds to go aːwáy; они́ не ~ли о прекраще́нии заня́тий they had no inténtion / thought of términàting their stúdies [...ˈstɑ-], it néver éntered their minds to términàte their stúdies; они́ ~ли воспо́льзоваться (*тв.*) they inténded / hoped to take advántage, *или* to aváil thèmːsélves [...-ˈvɑːn-...] (of); 4. (*о пр.; проявля́ть забо́ту о ком-л., чём-л.*) be concérned (abóut); ◇ не до́лго ~я withóut a móment's thought; мно́го о себе́ ~ be concéited [...-ˈsiːt-]; think* véry well, *или* híghly, *или* too much, of òneːsélf, have a high opínion of òneːsélf; think* no small beer of òneːsélf *идиом. разг.*; не ~ю (*едва ли*) I scárceːly / hárdly think so [...-ɛəs-...]; I doubt it [...daut...]; я ~ю! (*конечно*) I should think so!; of course! [...kɔːs]; и не ~ю (+ *инф.*) I would not dream (of *ger.*), it hasːn't (éven) éntered my head [...hed] (+ *to inf.*); и ~ не смей (+ *инф.*) don't dare (+ *to inf.*); (*без доп.*) don't you dare!; кто бы мог поду́мать I would néver have thought it.

ду́маться *безл.*: ду́мается, что one should think, it appéars that; ему́, им *и т. д.* ду́мается he thinks, they think, *etc.*; it seems to him, them, *etc.*

ду́мка I *ж. уменьш. от* ду́ма I.

ду́мка II *ж.* Ukráinian fólksòng [juː-...].

ду́мка III *ж. разг.* (*подушка*) small píllow.

ду́мный *ист.* of the Bóyars' Cóuncil; ~ дьяк clerk in the Bóyars' Cóuncil [-ɑːk...].

ду́мск‖**ий** *прил. к* ду́ма II; ~ое заседа́ние a sítting of the Dúma.

дунове́ние *с.* whiff, puff; (*ветра*) breath [breθ].

ду́нуть *сов.* blow* [blou].

ду́пель *м. зоол.* great snipe [-eɪt...] (*в собир. знач. употр. sg.*).

дупле́т *м.* an "in-òff" (*at billiards*).

дупли́стый hóllow.

дупло́ *с.* 1. (*пустота в стволе*) hóllow; ~ де́рева hóllow of *a* trée-trunk; 2. (*отверстие в зубе*) cávity; ~ в зу́бе cávity in *a* tooth*.

ду́ра *ж. к* дура́к.

дура́к *м.* 1. fool; *бран. тж.* ídiot; 2. (*о отриц.*): он ~ пое́сть he is a héarty éater [...ˈhɑː-...], he is a good trénchermanː*; ◇ наби́тый ~, ~ ~о́м *разг.* pérfect / útter / compléte fool; оставля́ть в ~а́х кого́-л. make* a fool of smb., dupe smb.; остава́ться в ~а́х be made a fool of, be duped; на ~а́ зако́н не пи́сан *погов.* ≅ fools rush in where ángels fear to tread [...ein-...tred]; без ~о́в and no nónsense; нашёл ~а́! not likeːly!, no fear! ~ова́тый *разг.* sílly, dóltish.

дура́лей *м. разг.* bóoby, níncompòop [-n-], nítwit.

дура́цк‖**ий** *разг.* stúpid, idiótic; ~ колпа́к dúnce's cap; ~ое положе́ние idiótic situátion.

дура́чество *с. разг.* tòmfóolery, fólly, fóolish trick.

дура́ч‖**ить**, одура́чить (*вн.*) *разг.* fool (*d.*), dupe (*d.*), make* a fool (of). ~иться *разг.* fool (about), play the fool. ~о́к *м. разг.* 1. *уменьш. от* дура́к; *тж.* little fool / goose* [...-s]; 2. (*умственно отсталый*) ídiot, ímbecìle.

дурачье́ *с. собир. разг.* fools.

дура́шливый *разг.* fóolish; (*шаловли́вый*) pláyful, frólicːsome.

ду́рень *м. разг.* símpleton, nóodle.

дуре́ть, одуре́ть *разг.* 1. become* stúpid; 2. (*быть в состоянии одури*) be in a state of stúpor.

дури́ть *разг.* 1. (*баловаться*) frólic; be náughty (*of children*); (*делать нелепости*) make* a fool of òneːsélf; 2. (*упря́миться—о лошади*) be óbstinate; ◇ ~ го́лову кому́-л. confúse smb., mix smb. up.

дурма́н *м.* 1. *бот.* stramónium, thórnàpple; 2. *разг.* nàrcótic, drug; как в ~е like a man* in a trance.

дурма́нить, одурма́нить (*вн.*) stúpefy (*d.*); (*опьянять*) intóxicàte (*d.*).

дурне́ть, подурне́ть lose* one's good looks [luːz...], grow* pláiner [grou...].

ду́рно I 1. *прил. кратк. см.* дурно́й; 2. *предик. безл.*: мне, ему́ *и т. д.* ~ I feel, he feels, *etc.*, bad*; (*в полуобморочном состоянии*) I feel, he feels, *etc.*, faint / queer.

ду́рно II *нареч.* bádːly*, bad*, ill*; ~ обраща́ться (с *тв.*) treat bádːly* (*d.*), ill-tréat (*d.*); ill-úse (*d.*); ~ говори́ть (о *пр.*) speak* ill (of); ~ воспи́танный ill-bréd; ~ вести́ себя́ behàve bádːly*, misbeháve, not beháve próperly; ~ па́хнуть smell* bad*; чу́вствовать себя́ ~ feel* bad* / faint / queer.

дурн‖**о́й** 1. bad*; ~а́я пого́да bad* wéather [...ˈwe-]; ~ вкус násty taste [...teɪ-]; ~ за́пах bad* smell; ~ые ве́сти bad* news [...-z] *sg.*; ~ при́знак bad* sign [...saɪn]; ~ое предзнаменова́ние évil ómèn [ˈiː-...]; 2. (*безнравственный, предосудительный*) bad*, évil; ~ое поведе́ние bad* behàviour, misbeháviour; ~ челове́к wícked man*; ~ посту́пок évil deed; ~ые мы́сли évil thoughts; ~ая сла́ва ill fame, dìsrepúte; 3. (*некрасивый*) úgly [ˈʌ-]; ◇ ~ глаз the évil eye [...aɪ]; ~ приме́р зарази́телен a bad exámple is cátching / inféctious [...-ˈzɑːm-...].

дурнот‖**а́** *ж.* (*обморочное состояние*) fáintness; (*тошнота*) náusea [-sɪə]; чу́вствовать ~у́ feel* faint; (*о тошноте*) feel* sick.

дурну́шка *ж. разг.* plain girl / wóman* [...-gəl ˈwu-], plain Jane; (*о девочке*) plain little thing.

ду́рость *ж. разг.* fólly, stùpídity.

ду́рочка *ж. разг.* 1. *уменьш. от* ду́ра; *тж.* little fool / goose* [...-s]; 2. (*умственно отсталая*) ídiot, ímbecìle.

дуршла́г *м.* cólander [ˈkʌ-].

дурь *ж. разг.* fóolishness, nónsense, fólly; вы́кинь ~ из головы́ put that nónsense out of your head [...hed]; вы́бить ~ из головы́ knock the nónsense out of one's head; на него́ ~ нашла́ he has gone crázy [...gɔn...]; he has gone off his head.

дуст *м.* insécticìde pówder.

ду́т‖**ый** 1. *прич. см.* дуть; 2. *прил.* (*полый*) hóllow; 3. *прил.* (*преувеличенный*) exággeràted; ~ые це́ны inflàted príces; fáncy príces *разг.*

дуть, поду́ть 1. (*в разн. знач.*) blow* [blou]; ве́тер ду́ет the wind blows [...wɪ-...]; здесь ду́ет there is a draught, *или* it is dráfty, here [...drɑːft...]; 2. *разг.* (*пить*) swill (*d.*), souse (*d.*); 3. *разг.* (*быстро делать*) go* at it, rush it; так и ду́ет на балала́йке (he) bangs aːwáy at his balalа́yka.

дутьё *с. тех.* blówing [-ou-].

ду́ться, наду́ться *разг.* 1. sulk, be súlky, be in the sulks; (на *вн.*) pout (at), be súlky (with), be in the sulks (with); она́ ду́ется на него́ she is súlky with him; she is in a huff with him *идиом.*; 2. *тк. несов.* (*играть с азартом*) play with abándon; ~ в ка́рты play cards with abándon.

дуумвира́т *м. ист.* dùúmvirate.

дух *м.* 1. *филос.* spírit; 2. (*моральное состояние*) spírit, cóurage [ˈkʌ-], heart [hɑːt]; па́дать ~ом lose* cóurage [luːz...], lose* heart, becòme* despóndent; упа́док ~а low spírits [lou...] *pl.*; despóndency; упа́вший ~ом dispírited, despóndent; собра́ться с ~ом take* heart, pluck up one's cóurage / heart / spírit; pluck up one's spírits; поднима́ть ~ (*рд.*) stíffen the spírit (of), infúse cóurage (ìnto); прису́тствие ~а présence of mind [-z-...]; у него́ ~у не хвата́ет (+ *инф.*) he hasːn't the heart / cóurage (+ *to inf.*); 3. (*отличительные особенности, характер*) spírit; в ~е маркси́зма-ленини́зма in the spirit of Márxism-Léninism; продолжáйте в том же ~е continue in the same spirit, continue on the same lines; ~ закóна spírit of the law; ~ врéмени the spírit of the age / times; **4.** (*дыхание*) breath [breθ]; переводи́ть ~ take* breath; одни́м ~ом at one go, at a stretch; in one breath; у негó ~ захвати́ло it takes his breath a:wáy; **5.** (*призрак*) spectre, ghost [gou-], spírit; злой ~ évil spírit ['iːvl...]; ◊ во весь ~, что есть ~y at full speed, impétuous:ly; быть в ~е be in good / high spírits; быть не в ~е be out of spírits, be in low spírits [...lou...], be out of húmour; расположéние ~a mood, húmour, témper; о нём ни слýху ни ~y nothing is heard of him [...həːd...]; чтобы ~y твоегó здесь нé было! *разг.* never set foot here any more! [...fut...]; чтó-то в этом ~e sóme:thing of the sort; sóme:thing like it; не в моём ~е ≅ it is not my cup of tea *идиом.*

духáн *м.* dukhán (*Caucasian tavern*).

духи́ *мн.* pérfume *sg.*, scent *sg.*

духобóр *м.* dukhobór (*member of religious sect*).

дýхов: ~ день *церк.* Whit Mónday [...'mʌndɪ].

духовéнство *с. тк. ед. собир.* clérgy, príesthood ['priːsthud]; бéлое, чёрное ~ the sécular, régular clérgy.

духови́тый *разг.* frágrant.

духóвка *ж.* óven ['ʌvn].

духóвная *ж. скл. как прил. уст.* = духóвное завещáние см. духóвный.

духовни́к *м. церк.* conféssor.

духóвн||ый **1.** spíritual; ~ая жизнь spíritual life; ~ мир ínner world; ~ые цéнности cúltural wealth [...we-] *sg.*; ~ые запрóсы spíritual demánds [...-aːn-]; ~ óблик spíritual máke-úp; **2.** (*церковный*) ecclesiástical [-iːz-]; ~ая мýзыка sácred músic [...-z-]; ~ое лицó ecclesiástic [-iːz-]; ~ сан hóly órders *pl.*; ◊ ~ое завещáние *уст.* (last) will, téstament; ~ое óко (the) mind's eye [...ˈnei...], innáte:ly.

духов||óй I: ~ инструмéнт wind-ínstrument ['wi-]; ~ оркéстр brass band; ~óe ружьё áir-gùn.

духов||óй II: ~áя печь óven ['ʌvn].

духотá *ж.* clóse:ness [-s-], stúffiness, stúffy heat; (*жара*) oppréssive heat.

душ *м.* shówer(-bàth*); *мед.* douche [duːʃ]; принимáть ~ take* / have a shówer(-bàth*).

душ||á *ж.* **1.** soul [soul]; **2.** (*человек*): по пять рублéй с ~и́ five roubles per head [...ruː- ...hed]; на дýшу (населéния) per head, per cápita; ни живóй ~и́, ни ~и́ not a (líving) soul [...'liv-...]; в семьé пять душ there are five in the fámily; дóбрая ~ good soul; ~ моя́! my dear!; ~ в дýшу at one, in hármony / cóncòrd; у негó ~ не лежи́т (к) he has a distáste [...-tei-] (for); у негó ~ не на мéсте he is un:éasy / ánxious [...'iːzɪ...]; не чáять (в *пр.*) wórship (*d.*), dote (up:ón); быть ~óй (*рд.*) be the (life and) soul (of); ~ óбщества the life and soul of the párty; в глубинé ~и́ at heart [...haːt], in one's heart of hearts; в ~é (*про себя*) at heart, in one's heart (of hearts); (*по природе*) by náture [...'nei-], innáte:ly; вкла́дывать дýшу (в *вн.*) put* one's heart and soul (into); всей ~óй with all one's heart and soul; до глубины́ ~и́ to the inner:mòst of one's heart; зале́зть в дýшу комý-л. *разг.* ≅ worm òne:sélf into smb.'s cónfidence; игрáть, говори́ть с ~óй play, speak* with féeling; рабóтать с ~óй put* one's heart into one's work; криви́ть ~óй act agáinst one's cónscience [...-ʃəns]; не имéть грошá за ~óй ≅ not have a pénny to one's name; ни ~óй ни тéлом in no respéct, in no wise, nó:wise; от (всей) ~и́ with all one's heart, whóle-héartedly ['houl'haːt-]; всéми си́лами ~и́ with évery fibre of one's béːing, with all one's heart; с дорогóй ~óй *разг.* willing:ly, glád:ly; отвести́ дýшу únbúrden one's heart, pour out one's heart [pɔː...]; емý, им *и т. д.* это по ~е (*нравится*) he likes, they like, *etc.*, it; it's to his (theirs, *etc.*) líking; по ~áм (*искренно*) cándidly; говори́ть по ~áм с кем-л. have a héart-to-héart talk with smb. [...'haːt-...]; скóлько ~é угóдно to one's heart's cóntènt; есть, пить скóлько ~é угóдно eat*, drink* one's fill; стоя́ть над ~óй у когó-л. péster / hárass / plague smb. [...'hæ- pleig...], wórry the life out of smb. ['wʌ...]; у негó ~ в пятки ушлá ≅ his heart sank into his boots; he has his heart in his mouth; в чём тóлько ~ дéржится ≅ he looks as if he were abóut to give up the ghost [...goust].

душевá||я *ж. скл. как прил.* shówer-bàths [-ðz] *pl.*, shówers *pl.*

душевнобольн||óй **1.** *прил.* insáne; súffering from méntal illness; **2.** *м. как сущ.* insáne pérson; (*о пациенте*) méntal pátient; больни́ца для ~ых méntal hóspital.

душéвн||ый **1.** *прил.* к душá 1; ~ое состоя́ние emótional state; ~ое спокóйствие peace of mind; ~ые рáны spíritual wounds [...wuː-]; **2.** (*сердечный, искренний*) sincére, héartfèlt ['haːt-], córdial; ~ человéк úndersta̒nding pérson; **3.** (*психический*) méntal, psýchical ['saɪk-]; ~ая болéзнь méntal diséase / illness [...-'ziːz...]; ~ое расстрóйство méntal derángeːment [...-'reɪndʒ-].

душевóй I *прил.* к душ.

душев||óй II *уст.* per head [...hed] (*после сущ.*): ~óе потреблéние consúmption per head.

душегрéйка *ж. уст.* (wóman's) sléeːveless jácket ['wu-...] (*usually wadded or fur-lined*).

душегýб *м. разг.* múrderer.

душегýбка *ж.* **1.** (*лодка*) canóe [-'nuː]; **2.** (*фашистский автомобиль для умерщвления людей газом*) móbile gás-chàmber ['mou-...tʃeɪ-], múrder-bùs.

душегýбство *с. разг.* múrder, évil deed ['iːvl...].

дýшенька *ж. разг.* my dear, swéet:heart [-haːt], dárling.

душеприкáзчик *м. юр. уст.* exécutor (of smb.'s will).

душераздирáющий héart-rénding ['haːt-], hárrowing.

душеспаси́тельный *уст., ирон.* sálutary, édify:ing; ~ разговóр an édify:ing cònversátion.

дýшечка *ж.* = дýшенька.

ДУХ — ДЫМ

душещипáтельный *разг. ирон.* sóulful ['soul-], one that goes straight to the soul [...soul].

души́стый frágrant, swéet-scénted; ◊ ~ горóшек swéet-pea.

души́тель *м.* oppréssor; ~ просвещéния obscurántist.

души́ть I, задуши́ть (*вн.*) **1.** (*убивать*) smóther [-ʌ-] (*d.*), stifle (*d.*); (*за горло тж.*) strangle (*d.*), throttle (*d.*); **2.** (*угнетать*) oppréss (*d.*); (*подавлять*) stifle (*d.*), représs (*d.*), suppréss (*d.*); **3.** *тк. несов.* (*о кашле и т. п.; тж. перен.*) choke (*d.*), súffocàte (*d.*); егó дýшит кáшель his cough is chóking / súffocàting him [...kɔf...], he is choked by his cough, he has a chóking cough; злóба и т. п. дýшит когó-л. he is chóking with ánger, *etc.*; **4.** *тк. несов. безл.*: егó дýшит he cánnòt breathe; ◊ ~ когó-л. в объя́тиях press / clutch smb. to one's bósom [...'buz-]; embráce smb. wármly.

души́ть II, надуши́ть (*вн.*; *духами*) dab scent (on); (*обильно*) spray (on), splash (on).

души́ться I *страд.* к души́ть I.

души́ться II, надуши́ться (*духами*) put* scent on òne:sélf; (*постоянно*) use scent.

дýшка *м. и ж. разг.* (*приятный человек*) dear, love [lʌv]; (*о мужчине тж.*) nice féllow; (*о женщине тж.*) nice wóman* / girl [...'wu- g-]; он такóй ~ he is such a dear / dárling; онá такáя ~ she is such a dear / dárling.

дýшн||о **1.** *прил. кратк. см.* дýшный; **2.** *предик. безл.*: в кóмнате ~ it is stífling / stúffy in the room; в кóмнатах ~ it is stífling índoors [...-dɔːz]; емý ~ he is súffocàting. ~ый close [-s], stúffy; ~ый день súltry day, swélteringːly hot day.

душ||óк *м. тк. ед. разг.* músty smell; (*перен.*) sávour, smack, tinge; с ~кóм slíghtly táinted; (*перен.*) físhy; мя́со, рыба с ~кóм slíghtly táinted meat, fish; это мя́со, эта рыба с ~кóм the meat, the fish has gone off, *или* is a bit off [...gɔn...]; дичь с ~кóм high game.

душóнка *ж. разг. пренебр.*: дрянная, гáдкая ~ mean soul [...soul], base créature [-s-...].

дуэ́л||ь *ж.* dúel; вызывáть на ~ (*вн.*) chállenge to a dúel (*d.*), call out (*d.*); дрáться на ~и fight* a dúel, dúel; уби́ть когó-л. на ~и kill smb. in a dúel.

дуэля́нт *м.* dúellist.

дуэ́т *м.* dúet.

дыба́ *ж. ист.* rack.

дыби́ться **1.** (*о лошади*) prance, rear; **2.** (*топорщиться*) stand* on end.

дыбом *нареч.*: у негó вóлосы встáли ~ his hair stood on end [...stud...].

дыбы́: станови́ться на ~ rear, prance; (*перен.*) kick, bristle up.

дылда *м. и ж. разг.* great húlking / lánky féllow, girl [greit... gəː-l].

дым *м.* smoke; пускáть ~ puff smoke; ◊ нет ~a без огня́ *посл.* there's no smoke without fire.

дымн||а ж. разг.: пьян в ~у blind drunk; разругаться в ~у quarrel till the sparks fly.

дымить, надымить smoke, emit smoke, fill with smoke. ~ся smoke; (выделять испарения, туман) steam.

дымк||а ж. haze; подёрнутый ~ой házy, místy; ~ тумана haze.

дымный smóky.

дымов||ой прил. к дым; ~ая завеса smóke-screen; ~ая труба chímney; (пароходная, паровозная) fúnnel, smóke-stàck; ~ снаряд smoke shell.

дымогарн||ый: ~ая труба тех. flue (pipe), fire-tùbe.

дымок м. puff of smoke.

дымообразование с. smoke gèneràtion.

дымоход м. flue.

дымчатый smóke-còlour;ed [-kʌ-], smóky.

дыня ж. mélon ['me-], músk-mélon [-'me-].

дыр||а́ ж. **1.** hole; заткнуть ~у (прям. и перен.) stop a gap / hole; **2.** разг. (глухое место) óut-of-the-wáy / gód-forsàken hole.

дырка ж. = дыра́ 1.

дырокол м. púncher.

дырявить (вн.) разг. make* holes, или a hole (in).

дырявый worn through [wɔːn...].

дыхало с. зоол. spíracle.

дыхание с. bréathing, rèspirátion; breath [breθ] (тж. перен.); затруднённое ~ héavy bréathing ['he-...]; ~ весны the breath of spring; ◊ второе ~ sécond wind ['se- wɪ-]; затаив ~ with báted breath.

дыхательн||ый respíratory; ~ое горло анат. wíndpipe ['wɪ-].

дышать (тв.) breathe (d.), respíre (d.); тяжело ~ pant; (запыхаться) puff, blow* [-ou], puff and blow*; (задыхаться) gasp; ~ с присвистом wheeze; ◊ ~ местью breathe véngeance [...-ndʒəns]; ~ на ладан, éле ~ be at death's door [...deθs dɔː], have one foot in the grave [...fuːt...]. ~ся безл.: здесь легче дышится the átmosphère is more con;génial here.

дышло с. pole, beam; (паровозное) connécting rod.

дьявол м. dévil; (как выражение досады и т. п.) damn!, confóund it!; ◊ какого ~а?, на кой ~? разг. why the dévil?, why the hell?

дьяволёнок м. разг. imp.

дьявольск||и нареч. разг. dévilishly; (очень тж.) áwfully, féarfully, confóundedly; он ~ устал he is déad-béat [...'ded-]. ~ий dévilish; разг. dámnable; (страшный, трудный тж.) áwful, féarful; ~ая работа áwful work; ~ая погода béast;ly / dréadful / shócking wéather [...'dre-... 'we-].

дьявольщина ж. разг.: что за ~! what the hell's gó;ing on?, what a féarful mess!

дьяк м. ист. góvernment offícial ['gʌ-...], clerk [-ɑːk](in Russia in XIV-XVII centuries).

дьякон м. церк. déacon.

дьяконица ж. разг. déacon's wife*.

дьячиха ж. разг. séxton's wife*.

дьячок м. séxton.

дюбель м. тех. dówel, pin, key [kiː].

дюжий разг. stálwart, héfty; ~ детина héfty féllow.

дюжин||а ж. dózen ['dʌ-]; ◊ чёртова ~ báker's dózen.

дюжинный cómmon, órdinary.

дюйм м. inch.

дюймов||ый one inch (attr.); (в дюйм толщиной) one inch thick; (длиной) one inch long; (шириной) one inch broad / wide [... -ɔːd...].

-дюймовый (в сложн. словах, не приведённых особо) of... ínches; -inch (attr.); напр. двадцатидюймовый of twénty ínches; twénty-inch (attr.).

дюна ж. dune.

дюраль м. = дюралюминий.

дюралюминий м. dùralumínium; dùralumin амер.

дюшес м. dùchésse pear [djuːˈʃes pɛə].

дягиль м. бот. angélica.

дяденька м. разг. uncle.

дядька м. **1.** пренебр. шутл. uncle; **2.** ист. (слуга, приставленный к мальчику) únder-tútor (and atténdant); (в учебном заведении) úsher.

дядюшка м. uncle; ◊ американский ~ rich uncle in América.

дяд||я м. **1.** uncle; **2.** разг. (как обращение) Míster; **3.** (в детской речи) man*, féllow; ◊ на ~ю надеяться indúlge vain èxpectátions; добрый ~ ирон. lávish / kind at other péople's expénse.

дятел м. wóodpècker ['wud-].

Е

евангелие с. the Góspel.

евангел||ист м. **1.** evángelist [-ndʒ-]; **2.** (член общины) (an) èvangélic(al) [iːvænˈdʒ-]. ~и́ческий èvangélical [iːvænˈdʒ-].

евангельский èvangélic(al) [iːvænˈdʒ-]; góspel (attr.).

евгеника ж. eugénics pl.

евнух м. éunuch [-k].

еврей м. Jew; древн. ист. Hébrew. ~ка ж. Jéwish wóman* [...'wu-], Jéwess; древн. ист. Hébrew wóman*. ~ский Jéwish; (древнееврейский) Hébrew, Hèbráїc [hiː-]. ~ство с. собир. the Jews pl., Jéwry.

европеец м. Európè;an.

европеизация ж. Európè;anizátion [-piːənaɪ-].

европеизировать несов. и сов. (вн.) Európè;anìze (d.). ~ся несов. и сов. be Európè;anized.

европейск||ий Európè;an; ~ие народы Európè;an nátions; ~ая цивилизация Wéstern civilizátion [...-laɪ-].

евстахиев: ~а труба анат. Eustáchian tube [-eɪk-...].

егерский прил. к егерь; ~ полк (régiment of) chàsséurs [...ˈʃæˈsəːz].

егерь м. **1.** húnts;man*; **2.** воен. chàsséur [ʃæˈsəː].

египетск||ий Egýptian; ◊ ~ труд разг. hard work, tough job [tʌf...]; тьма ~ая уст. óuter dárkness; pítch-dárkness.

египтол||ог м. Ègyptólogist [iː-]. ~о́гия ж. Ègyptólogy [iː-].

египтян||ин м, ~ка ж. Egýptian.

его I рд. и вн. см. он, оно́ I.

его II мест. притяж. his; its, of it; (ср. он, оно́ I).

егоза м. и ж. разг. fídget.

егозить разг. **1.** fuss abóut; **2.** (перед) make* up (to), fawn (up;ón).

егозливый разг. fídgety.

ед||а ж. тк. ед. **1.** (пища) food; **2.** (трапеза) meal; во время ~ы́ while éating, dúring a meal; перед ~ой before éating, before a meal; после ~ы́ áfter éating, áfter a meal; за ~ой dúring a meal.

едва нареч. **1.** (с трудом) hárdly, ónly just: он ~ поднял это he could hárdly lift it; — он ~ спасся he had a nárrow escápe; (от чего-л.) he ónly just escáped (d., + ger.); он ~ удержался от слёз he could scárcely hold back his tears [...-ɛəs-...]; **2.** (чуть) hárdly, scárcely: он ~ взглянул на неё, улыбнулся ей he hárdly / scárcely gave her a look, a smile; **3.** (лишь только) just, báre;ly: он тогда ~ начинал говорить по-английски he was just beginning to speak English [...'ɪŋg-], he had báre;ly begún to speak English; — ~, как scárcely;... when, no sóoner... than; ~ он уехал, как he had scárcely gone a;wáy when [...gɔn...], no sóoner had he gone a;wáy than; ◊ ~ -~ hárdly: он ~ -~ двигался he hárdly moved [...muː-]; he could hárdly move; — ~ не néarly: он ~ не упал he néarly fell; — ~ ли hárdly, scárcely: ~ ли он здесь he can hárdly be here; — ~ ли не álmòst [ˈɔːlmoust]: он считается ~ ли не лучшим артистом he is considered álmòst the best áctor.

едим 1 л. мн. наст. вр. см. есть I.

едине́н||ие с. únity; в тесном ~ии (с тв.) in close únity [...-s...] (with).

единиц||а ж. **1.** (в разн. знач.) únit: денежная ~ mónetary únit ['mʌ-...]; ~ измерения únit (of méasure) [...'meʒə]; **2.** (цифра) one; мат. únity; **3.** (отметка) "one" (lowest mark in Russian school and university marking system); он получил ~ по истории he got a "one" for hístory; **4.** (отдельное лицо) indivídual; мн. (немногие) few pérsons / péople [...piː-]; (только) ~ы ónly a few, ónly a hándful; только ~ы думают так ónly a few péople think so, few péople think so.

единичн||ость ж. síngle;ness of occúrrence. ~ый **1.**(единственный, один) síngle: ~ый случай, факт síngle ínstance, fact; **2.** (отдельный) sólitary, ísolàted ['aɪs-]; ~ые случаи, факты ísolàted ínstances, facts; ~ые случаи заболевания ísolàted cáses of disèase [...ˈkeɪs-...-ˈziːz]; **3.** (индивидуальный) indivídual.

единобожие с. mónothè;ism.

единоборство с. síngle cómbat.

единобрач||ие с. monógamy. ~ный monógamous.

единовер||ец м. **1.** (лицо одной веры с кем-л.) cò;relígionist; **2.** (член секты) mémber of Edinovérie (см. единоверие 2). ~ие с. **1.** commúnity of relígion;

2. (*секта*) Edinovérie (*an Old Believer sect which reached an organizational compromise with the official Orthodox church*). ~ческий *прил.* к единоверец 2.

единовла́ст‖**ие** *с.* autocracy, ábsolute rule. ~ный [-сн-] autocrátic; ~ный правитель ábsolute rúler.

единовре́менн‖**о** *нареч.* 1. (*один раз*) once ónly [wʌns...], on one occásion ónly; (*сразу*) in a lump; уплати́ть что-л. ~ pay* smth. in a lump sum; 2. = одновре́менно. ~ый 1. (*производимый один раз*) gránted / given / paid on one occásion ónly, *или* ónly once [-ɑːnt-... wʌns]; 2. = одновре́менное lump sum allówance; 2. = одновре́менный.

единогла́с‖**ие** *с.* unanímity. ~но *нареч.* unánimous‖ly; при́нято ~но adópted / cárried unánimous‖ly. ~ный unánimous.

единоду́ш‖**ие** *с.* unanímity. ~но *нареч.* unánimous‖ly; with one voice / accórd / consént, by cómmon consént, as one man. ~ный unánimous.

еди́ножды *нареч. уст.* once ónly [wʌns...], on one occásion ónly; ~ в жи́зни ónly / just once in smb.'s life.

единокро́вн‖**ый** cònsanguíneous; ~ брат hálf-bróther ['hɑːfbrʌ-]; ~ая сестра́ hálf-sister ['hɑːf-].

единоли́чн‖**ик** *м.* indivídual péasant [...'pez-] (*not a member of a collective farm*). ~ый 1. indivídual péasant [...'pez-] (*attr.*); ~ое (*крестья́нское*) хозя́йство indivídual péasant hólding; 2. (*личный*) pérsonal; ~ое реше́ние indivídual decísion.

единомы́слие *с.* idéntity / hármony / confórmity of idéas / opínions [aɪ-...aɪ-'dɪəz...], like-míndedness.

единомы́шленник *м.* 1. líke-mínded pérson, pérson of like mind, pérson hólding the same views [...vjuːz]; pérson having idéntical idéas / opínions [...-aɪ-aɪ'dɪəz...]; kíndred spírit *разг.*; он наш ~ he holds the same views as us, *или* as we do; he is at one with us, he shares our idéas / opínions; 2. (*сообщник*) confédérate, accómplice.

единонача́лие *с.* óne-mán mánage‖ment, úndivided authórity.

единообра́з‖**ие** *с.* unifórmity. ~ный úniform.

единопле́менник *м.* (*принадлежащий к тому же племени*) féllow tríbes‖man*; (*принадлежащий к той же народности*) féllow-cóuntry‖man* [-kʌ-].

единоро́г *м.* 1. *миф.* únicòrn; 2. *зоол.* únicòrn-fish, nárwhal.

единоро́дный *уст.* ónly-begótten; ~ сын ónly son [...sʌn].

единоутро́бн‖**ый** úterine; ~ брат hálf-bróther ['hɑːfbrʌ-]; ~ая сестра́ hálf-sister ['hɑːf-].

еди́нственн‖**о** *нареч.* ónly; (*исключительно*) sóle‖ly; ~ возмо́жный спо́соб the ónly póssible way; ~ о чём говоря́т the ónly thing people are tálking about [...piː-...]; ~, что он не лю́бит the ónly thing (that) he dislikes. ~ый (*в разн. знач.*) ónly, sole; ~ый ребёнок, сын *и т. п.* ónly child, son, *etc.* [...sʌn]; ~ая причи́на sole réason [...-zn]; оди́н ~ый ónly one; ~ый спо́соб сде́лать э́то the ónly way to do this; с ~ой це́лью with the sole púrpose / aim [...-s...];

~ая его́ наде́жда his one and ónly hope; ~ый в своём ро́де uníque [-iːk]; the ónly one of its kind; ~ое число́ *грам.* síngular (númber).

еди́нство *с.* (*в разн. знач.*) únity; ~ тео́рии и пра́ктики únity of théory and práctice [...'θɪə-...]; ~ противополо́жностей únity of ópposites [...-zɪ-]; ~ па́ртии únity of the párty; мора́льно-полити́ческое ~ сове́тского наро́да móral and polítical únity of the Sóviet people ['mɔ-...piː-]; социа́льно-полити́ческое и иде́йное ~ сове́тского о́бщества sòcio-polítical and ideológical únity of Sóviet socíety; ~ взгля́дов únity of opínion; unanímity / únity of views [...vjuːz]; ~ интере́сов commúnity of ínterests; ~ це́ли idéntity / únity of púrpose [aɪ-... -s]; ~ де́йствий únity of áction, united áction; подорва́ть ~ (*рд.*) disrupt the únity (of); ~ вре́мени и. де́йствия (*в классической трагедии*) the únities of place, time and áction *pl.*, the dramátic únities *pl.*

еди́н‖**ый** 1. (*один*) united; (*общий*) cómmon; (*неделимый*) indivísible [-ɪz-]; ~ое це́лое a síngle whole [...houl], an éntity; ~ и недели́мый one and indivísible; ~ национа́льный язы́к síngle nátional lánguage [...'næ-...]; ~ наро́днохозя́йственный ко́мплекс íntegral èconómic cómplèx [...iːk-...]; ~ фронт united front [...-ʌ-]; ~ план cómmon plan; ~ая во́ля a síngle / cómmon will; ~ мирово́й ры́нок síngle world márket; 2. = еди́нственный; там не́ было ни ~ой души́ not a soul was there [...soul...], ♢ все до ~ого (*человека*) to a man; every síngle one; всё ~о *разг.* it is all one.

еди́те 2 *л. мн. наст. вр. см.* есть I.

е́дк‖**ий** (*в разн. знач.*) cáustic; (*о дыме, парах, запахе*) púngent [-ndʒ-], ácrid; ~ое вещество́ cáustic; ~ натр *хим.* cáustic sóda; ~ое ка́ли *хим.* cáustic potásh [...'pɔ-]; ~ая иро́ния bíting írony [...'aɪə-...]; ~ая усме́шка sneer; ~ое замеча́ние cáustic / cútting remárk. ~ость *ж.* causticity; púngency [-ndʒ-]; (*перен.: едкое замечание*) sárcasm; cáustic / cútting remárk; говори́ть ~ости make* cútting remárks.

едо́к *м.* 1. (*лицо, член семьи*) mouth*, mouth* to feed, head [hed]; у него́ в семье́ пять ~о́в he has five mouths to feed; на ~а́ per head; 2. *разг.*: хоро́ший ~ big éater; плохо́й ~ poor éater.

еду́н *м. разг. шутл.*: на меня́ сего́дня ~ напа́л (I) could eat a horse to‖day.

едя́т 3 *л. мн. наст. вр. см.* есть I.

её I *род. и вин. см.* она́.

её II *мест. притяж.* (*при сущ.*) her; (*без сущ.*) hers; its; of it (*ср.* она́.

ёж I *м.* (*животное*) hédge‖hòg; ♢ морско́й ёж séa-ùrchin, echínus [ek-] (*pl.* -ni) *научн.*

ёж II *м.* (*оборонительное заграждение*) "hédge‖hòg" (*anti-tank device of barbed wire entangled with stakes or iron bars*).

ежеви́ка *ж. тк. ед.* 1. *собир.* bláckberries *pl.*; 2. (*об отдельной ягоде*) bláckberry; 3. (*кустарник*) bramble, bláckberry bush [...buʃ].

ЕДИ – ЕЗД   E

ежего́дник *м.* ánnual, yéar-book.

ежего́дн‖**о** *нареч.* yéarly, every year, ánnually. ~ый yéarly, ánnual.

ежедне́вн‖**о** *нареч.* dáily, every day. ~ый 1. dáily; ~ая газе́та dáily (páper); 2. (*повседневный*) every‖day; ~ые забо́ты dáily / every‖day cares.

е́жели *уст. разг.* = е́сли.

ежеме́сячник *м.* mónthly (mágazine) ['mʌ- -ziːn].

ежеме́сячн‖**о** *нареч.* mónthly ['mʌ-], every month [...mʌ-]. ~ый mónthly ['mʌ-].

ежемину́тн‖**о** *нареч.* (at) every mínute [...-nɪt], (at) every ínstant; (*непрерывно*) contínually, incéssantly. ~ый occúrring every mínute [...-nɪt], at íntervals of a mínute; (*непрерывный*) contínual, incéssant.

еженеде́льник *м.* wéekly, wéekly màgazíne, néwspàper [...-'ziːn...].

еженеде́льн‖**о** *нареч.* wéekly, every week. ~ый wéekly; ~ый журна́л wéekly, wéekly mágazine [...-'ziːn].

ежено́щно *нареч.* níghtly.

ежесеку́ндный occúrring every sécond [...'sek-]; (*непрерывный*) incéssant, contínual.

ежесу́точн‖**о** *нареч.* every day. ~ый dáily, every‖day.

ежеча́сн‖**о** *нареч.* hóurly ['auə-], every hour [...auə]. ~ый hóurly ['auə-].

ёжик I *м. уменьш. от* ёж I.

ёжик II *м.* (*стрижка*) créw-cùt; en brosse (*фр.*) [ɑː'brɔs].

ёжиться (*от холода*) shíver with cold ['ʃɪ-...]; (*перен.: стесняться, быть в нерешительности*) hésitàte [-z-], hum and haw.

ежи́ха *ж.* fémale hédge‖hòg ['fiː-...].

ежо́в‖**ый** *прил.* к ёж I; ♢ держа́ть кого́-л. в ~ых рукави́цах ≅ rule smb. with a rod of íron [...'aɪən].

езд‖**а́** *ж.* ride, ríding; (*в экипаже, автомобиле*) drive, dríving; в трёх часа́х ~ы́ three hours' jóurney [...auəz 'dʒəː-] (from); ~ в по́езде train trável [...'træ-]; во вре́мя ~ы́ on the way; до́лгая ~ утоми́тельна long jóurneys are tíring.

е́здить, *опред.* е́хать, *сов.* пое́хать go*, ride*; (*в экипаже, автомобиле тж.*) drive*; (*путешествовать*) trável ['træ-]; (*об. по суше*) jóurney ['dʒəː-]; (*морем тж.*) go* by sea, sail; ~ верхо́м ride*; ~ на ло́шади ride*; ~ на велосипе́де cycle; ~ на по́езде, по́ездом go* / trável by train; ~ на трамва́е, авто́бусе go* by tram, bus; ~ на такси́ go* by, *или* in a, táxi; вы е́здите верхо́м, на велосипе́де? can you ride a horse, a bícycle? ['baɪ-...]; ~ в командиро́вку make* a búsiness trip [...'bɪzn-...]; ~ в го́сти (к) vísit (habítually) (*д.*); ~ за грани́цу go* abróad [...-ɔːd]; ♢ ~ верхо́м на ком-л. exploit smb., be cárried on smb.'s back.

е́здка *ж. разг.* trip, run.

ездов‖**о́й** 1. *прил. к* езда́; ~а́я соба́ка dráught-dòg [-ɑːft-], sledge-dòg; 2. *м. как сущ. воен.* dríver.

ездо́к *м.* ríder; (*всадник тж.*) hórse‖man*; (*на велосипеде*) cýclist ['saɪ-]; хо-

ЕЗЖ — ЕСТ

ро́ший ~ good* rider; плохо́й ~ poor rider; ◊ он туда́ бо́льше не ~ he is not go⁝ing there agáin; он сюда́ бо́льше не ~ he is not cóming here agáin.

е́жен||ый [ёжье-]: ~ая доро́га béaten track.

ей *дт. см.* она́.

ей-бо́гу *межд. разг.* réally! ['гɪə-], réally and trúly!, hónest to God! ['ɔn-...]; ~, не зна́ю I don't know, hónest⁝ly [...nou 'ɔn-]; I swear I don't know [...swɛə...].

ей-е́й, ей-же-е́й *межд. разг.* = ей-бо́гу.

е́кать, е́кнуть *разг.* miss a beat; go* pít-a-pát; у меня́, у него́ *и т. д.* се́рдце е́кнуло my, his, *etc.*, heart missed a beat [...hɑ:t...].

е́кнуть *сов. см.* е́кать.

ел *3 л. ед. м. прош. вр. см.* есть I.

е́ле *нареч.* 1. *(с трудо́м)* hárdly; ónly just; он ~ дви́гался he could hárdly move [...mu:v]; он ~ по́днял э́то he could hárdly lift it; он ~ спа́сся he had a nárrow escápe; *(от чего-л.)* он ~ но́ги унёс it was a close shave [...-s...]; he had a nárrow / háirbreadth escápe [...-bre-...]. 2. *(лишь то́лько)* hárdly, scárce⁝ly [-ɛəs-], báre⁝ly; он ~ успе́л ко́нчить, сказа́ть *и т. п.*, как hárdly / scárce⁝ly had he fínished, fínished spéaking, *etc.*, when; he had hárdly / scárce⁝ly / báre⁝ly fínished, fínished spéaking, *etc.*, when; no sóoner had he fínished, spóken, *etc.*, than; он ~ успе́л потуши́ть пла́мя he only just had time to put out the fire; ◊ ~ живо́й more dead than alíve [...ded...].

е́лев||ый 1. *прил.* fir *(attr.)*, spruce *(attr.)*; 2. *м. как сущ.*: семе́йство ~ых pícea ['pɪsɪ:ə].

е́ле-е́ле *нареч.* hárdly, báre⁝ly; он плёлся ~ he plódded alóng at a snail's pace; ◊ ~ душа́ в те́ле abóut to fall apárt.

еле́й *м. церк.* anóinting oil; *(перен.)* únction, balm [bɑ:m]. ~ность *ж.* únction. ~ный 1. *прил.* к еле́й; 2. *(уми́льный)* únctuous; ~ный го́лос únctuous / óily voice; ~ные слова́ únctuous / óily words.

ели́ко ~ возмо́жно *уст., шутл.* as far as póssible.

ёлк||а *ж.* 1. fir(-tree); 2.: нового́дняя ~ New-Year tree; рожде́ственская ~ Christmas-tree [-sm-]; 3. *(пра́зднество)* (children's) New-Year párty; быть на ~е be at *a* New-Year *or* Christmas párty [...-sm-...].

ело́в||ый fir *(attr.)*; ~ая ши́шка fir--cóne; ~ лес fir-wood [-wud]; ~ые дрова́ fir-lògs.

ело́зить *разг.* go* cráwling abóut.

ёлоч||ка *ж.* 1. уменьш. от ёлка; 2. *(узор)* hérring-bòne (páttern). ~ный *прил.* к ёлка; ~ные украше́ния New-Year tree decorátions; Christmas-tree decorátions [-sm-...]; *(ср.* ёлка).

ель *ж.* fir(-tree), spruce; *(древеси́на)* white spruce; *(для изготовле́ния досо́к)* deal; *(торго́вое назва́ние)* white⁝wood [-wud].

е́льник *м.* 1. *(по́росль)* fir-gróve, 2. *(ве́тки)* fir bránches / twigs [...'brɑ:-...] *pl.*

ем 1 *л. ед. наст. вр. см.* есть I.

ёмк||ий capácious. ~ость *ж.* capácity; *(вы́раженная в како́й-л. едини́це)* cúbic capácity; ~ости ме́ры cúbic méasures of capácity ['mɛʒ-...]; cúbic méasures; ~ость ры́нка *эк.* márket capácity.

ему́ *дт. см.* он, оно́ I.

ендова́ *ж. ист.* flágon ['flæ-]; ме́дная ~ cópper flágon.

ено́т *м.* 1. *(живо́тное)* rac(c)óon; coon *амер.*; 2. *(мех)* rac(c)óon (fur). ~овый *прил.* к ено́т; ~овая шу́ба rac(c)óon coat, cóonskin coat.

епанча́ *ж. ист.* long mántle.

епархиа́льный *церк.* díocesan [-sʼn]; epárchial.

епа́рхия *ж. церк.* díocese [-sɪs]; *(в восто́чной це́ркви)* epárchy [-kɪ].

епи́скоп *м. церк.* bíshop. ~а́льный *церк.* episcopálian. ~ский *церк.* epíscopal. ~ство *с. церк.* 1. *собир.* epíscopacy; 2. *(сан)* bíshopric, epíscopate.

епитимья́ *ж. церк.* pénance.

ерала́ш *м.* 1. *разг.* múddle, mess; júmble; у него́ ~ в голове́ his head is in a múddle [...hed...]; 2. *(игра́)* yeraláh [-'lɑ:ʃ] *(card game)*.

ерепе́ниться *разг.* brístle up; kick, get* on one's hind legs.

е́ресь *ж.* 1. *церк.* héresy *(тж. перен.)*; впасть в ~ fall* ínto héresy; 2. *разг. (вздор)* nónsense, rot; что за ~! what nónsense!

ерети́||к *м.* héretic. ~ческий herétical.

ёрзать *разг.* fídget; move rést⁝lessly [mu:v...].

ермо́лка *ж.* skúll-càp.

еро́шить *(вн.) разг.* rúmple *(d.)*, tóusle [-z-] *(d.)*, dishével [-ʃe-] *(d.)*; rúffle *(d.)*. ~ся *разг.* brístle, stick* up.

ерунд||а́ *ж. тк. ед. разг.* 1. nónsense, rot, rúbbish; э́то ~! that's nónsense!; ~! stuff and nónsense!, fíddle⁝sticks!; говори́ть ~у́ talk nónsense; 2. *(пустя́к)* trífle, small / trífling mátter, nóthing; научи́ться пла́вать — су́щая ~ léarning to swim is child's play ['lɜ:-...].

ерунди́ть *разг. (де́лать глу́пости)* play the fool; *(болта́ть вздор)* talk nónsense / rot, drível ['drɪ-]; брось ~! stop tálking rot!

ерундо́вский = ерундо́вый.

ерундо́вый *разг.* 1. *(глу́пый)* fóolish, nonsénsical; 2. *(пустяко́вый)* trífling.

ёрш I *м.* 1. *(ры́ба)* ruff; 2. *(щётка)* lámp-chìmney brush; *(проволочный)* wire brush.

ёрш II *м. разг.* míxture of vódka and beer.

ерши́стый *разг.* 1. *(о волоса́х)* brístling, stícking up; 2. *(неусту́пчивый)* óbstinate, ùn⁝yíelding [-'ji:-].

ерши́ться *разг.* flare up, get* ínto a témper, fly* ínto a rage.

есау́л *м. ист.* esaúl, Cóssack cáptain.

е́сли *союз* if: ~ он бу́дет свобо́ден, он сде́лает э́то if he is free he will do it; ~ уче́сть, что if one takes ínto accóunt that; ~ бы он знал, он не пошёл бы if he had knówn, he would not have gone [...noun...gɔn]; — ~ бы не if it were not for; were it not for: ~ бы не она́, он никогда́ э́того не сде́лал бы if it were not for her, или were it not for her, he would néver have done it; ~ бы не дождь, он пошёл бы гуля́ть if it were not for the rain he would go for a walk; — ~ то́лько províded; ~ то́лько он придёт províded he comes; — ~ не⁝less: ~ не хо́чешь, не ходи́ don't go un⁝less you want to; if you don't want to go, you néedn't; — о, ~ *(с сослагат. накл. в самост. предл.)* (oh) if ónly [ou...]: о, ~ бы он пришёл! (oh) if ónly he would come!; — ~ (+ *инф.*) if *(с ли́чными фо́рмами глаго́ла)*: ~ пойти́ туда́, то if I, you, *etc.*, go there then; — в слу́чае, ~ in case [...-s]: в слу́чае, ~ она́ не придёт in case she dóes⁝n't come; — ~ и éven if: ~ он и был там, я его́ не ви́дел éven if he was there I did not see him; — что ~? what if?, suppóse: что, ~ он узна́ет об э́том? what if he finds out abóut it?, suppóse he should learn abóut it [...lɜ:n...]; — (а) что, ~ *(с сослагат. накл.)* what abóut (+ *ger.*), how abóut (+ *ger.*): (а) что, ~ бы вы зашли́ к нему́? what / how abóut your gó⁝ing to see him?, what if you went to see him?; ◊ ~ бы да кабы́ *разг.* ≅ if ifs and ans were pots and pans.

ессентуки́ *мн.* Èssentukí [-tu'kɪ] *(kind of mineral water)*.

ест *3 л. ед. наст. вр. см.* есть I.

есте́ственн||ик *м.*, ~ица *ж. уст.* nátural scíentist; *(преподава́тель)* scíence téacher; *(студе́нт)* scíence stúdent.

есте́ственно I 1. *прил. кратк. см.* есте́ственный; 2. *предик. безл.* it is nátural.

есте́ственно II 1. *нареч.* náturally; 2. *как вводн. сл.* náturally, of course [...kɔ:s]; соверше́нно ~ náturally enóugh [...ɪ'nʌf].

есте́ственн||ый *(в разн. знач.)* nátural; ~ ход веще́й nátural course of things [...kɔ:s...]; ~ые бога́тства страны́ the cóuntry's nátural resóurces [...'kʌ-...-'sɔ:-]; ~ отбо́р *биол.* nátural seléction; ◊ ~ым о́бразом náturally; ~ая исто́рия *(естествозна́ние)* nátural hístory; ~ые нау́ки nátural scíences.

естество́ *с.* 1. náture ['neɪ-], éssence; ~ вопро́са the náture of the quéstion [...-stʃən]; 2. *уст. (приро́да)* Náture.

естество||ве́д *м.* scíentist; *(натурали́ст)* náturalist. ~ве́дение *с.* scíence; *(изуче́ние явле́ний приро́ды)* nátural hístory. ~зна́ние *с.* 1. *(есте́ственные нау́ки)* (nátural) scíence; *(есте́ственная исто́рия)* nátural hístory; 2. *(предме́т преподава́ния)* scíence; *(изуче́ние явле́ний приро́ды)* nátural hístory. ~испыта́тель *м.* náturalist.

есть I, **съесть** *(вн.)* 1. eat* *(d.)*; 2. *тк. несов. (о ды́ме и т. п.)* cause to smart *(d.)*; дым ест глаза́ smoke cáuses one's eyes to smart [...aɪz...]; 3. *тк. несов. (разруша́ть хими́чески)* eat* a⁝wáy *(d.)*, corróde *(d.)*; 4. *разг. (попрека́ть, брани́ть)* tormént *(d.)*, nag *(d.)*; ◊ ~ кого́-л. глаза́ми stare at smb., fix one's eyes up⁝ón smb., devóur smb. with one's eyes.

есть II *наст. вр. см.* быть.

есть III *межд.* all right; O.K. ['ou'keɪ]; *мор.* áy(e)-áy(e) ['aɪ-]; *воен.* yes, sir!;

~, товарищ генерал! yes, или very good, comrade General!

ефрейтор м. воен. córporal.

ехать см. ездить; ◊ тише едешь — дальше будешь посл. ≅ more haste less speed [...heist...]; make* haste slówly [...'slou-]; дальше ~ некуда! разг. this is the límit!, that's the end!; that's the last straw!

ехидна ж. зоол. echídna [e'kı-] (pl. -nae [-niː]); (перен.) víper, snake, vénomous créature.

ехидничать, съехидничать разг. speak* malícious:ly, make* malícious / spíte:ful / vénomous remárks, be malícious / spíte:ful.

ехидный malícious, spíte:ful; (о замечании и т.п.) vénomous; (коварный) insídious.

ехидство с. málice, spite; (коварство) insídious:ness.

ехидствовать = ехидничать.

ешь 2 л. ед. наст. вр. см. есть I.

ещё нареч. 1. (по-прежнему, до сих пор) still; (при отрицании) yet: листья ~ зелёные the leaves are still green; он ~ не устал he is not tired yet; ты прочёл эту книгу? — Нет ~ have you read this book? — Not yet [...red...]; он ~ успеет на поезд he still has time to catch the train; — всё ~ still: всё ~ идёт дождь it is still ráining; — пока ~ for the présent [...-ez-], for the time béːing; so far: он пока ~ останется здесь he'll stay here for the présent; 2. (так давно, как) as far back as, as long agó as; (только; так недавно, как) only; ~ в 1920 году as far back, или as long ago, as 1920; as éarly as 1920 [...'ɔː-...]; ~ (только) вчера ónly yésterday [...-dɪ]; 3. (дополнительно, больше) some more; (при сравн. ст.) still; дай мне ~ денег give me some more móney [...mʌ-]; она стала ~ красивее she has become éven more béautiful [...'bjuːt-]; ~ раз once agáin [wʌns...], once more; ~ больше still more; ~ и ~ again and agáin; more and more (перед сущ.); ~ столько же (с сущ. в ед. ч.) as much agáin; (с сущ. во мн. ч.) as many agáin; ~ один anóther, one more (перед сущ.); (местоим. тж.) another one; ~ два, три и т.д. two, three, etc., more; another two, three, etc.; это ~ ничего! that's nothing!; да ~ разг. in addítion, as well; он неспосóбен, да ~ ленив he is stúpid and lázy too, he is stúpid and lázy into the bárgain; что ~? what else?; what now?; ◊ ~ бы! I should think so!, yes, ráther! [...'ɑː-], and how!, I'll say!; вот ~! what next!; indéed!; well, I like that!; чего хныʼчешь? а ~ большой мальчик! what are you whíning for? — a big boy like you!

ею тв. см. она.

Ж

ж см. же I, II.

жаба I ж. зоол. toad.

жаба II ж. мед. уст. quínsy [-zɪ]; ◊ грудная ~ angína péctoris [æn'dʒ-...].

жаберный bránchiate [-k-].

жабо с. нескл. jábòt ['ʒæbou], ruff.

жабры мн. (ед. жабра ж.) gills [g-]; bránchia(e) [-k-] научн.; ◊ взять кого-л. за ~ разг. put* the screws on smb.

жавель м. líquid bleach.

жаворонок м. skýːlàrk; лесной ~ wood lark [wud...]; хохлатый ~ crésted lark.

жадина м. и ж. разг. презр. gréedy-guts.

жадничать разг. be gréedy / mean.

жадно нареч. gréedily, ávidly; ~ есть (вн.) eat* gréedily (d.), góbble (d.); gúzzle (d.) груб.; ~ глотать, пить (вн.) gulp (d.); ~ слушать be all ears. ~ость ж. gréed(iness), avídity; (алчность) cóvetousːness ['kʌ-]; (скупость, корыстолюбие) ávarice; (перен.) éagerness ['iːg-].

жадный 1. gréedy, ávid; cóvetous ['kʌ-]; (перен.) éager ['iːgə]; ~ к деньгам gréedy of gain, или for móney [...'mʌ-]; ~ до еды gréedy; 2. (выражающий жадность): ~ взор éager / ávid eyes [...aɪz]; 3. (скупой) mean, stíngy.

жадюга м. и ж. = жадина.

жажда ж. (прям. и перен.) thirst; (непреодолимое стремление) cráving; томиться ~ой be gásping for a drink, be parched with thirst; возбуждать ~у (у) make* thírsty (d.); утолять ~у slake / quench one's thirst; ~ знаний thirst for knówledge [...'nɔ-]; ~ приключений thirst for advénture; ~ крови blood lust [blʌd...].

жаждать (рд.; прям. и перен.) thirst, áfter); (испытывать непреодолимое стремление) crave (for), húnger (for); ~ мира long / yearn for peace [...jəːn...].

жаждущий 1. прич. см. жаждать; 2. прил. (рд.) thírsty (for).

жакет м., ~ка ж. jácket.

жалейка ж. муз. zhaléyka (kind of wind ínstrument).

жалеть, пожалеть 1. (вн.) feel* sórry (for); (чувствовать сострадание тж.) píty ['pɪ-] (d.); 2. (о пр., что, печалиться) be sórry (for, that); (раскаиваться) regrét (that): он пожалел, что она не пришла he was sórry (that) she did not come; он жалел, что не сказал ей об этом he was sórry, или he regrétted, (that) he had not méntioned it to her; — вы пожалеете об этом you will be sórry for it; 3. (вн.; беречь, щадить) spare (d.); (скупиться) grudge (d.); не ~ сил not spare oneːsélf; не пожалеет сил и средств spare néither strength nor resóurces [...'naɪ-...-'sɔːs-].

жалить, ужалить (вн.) sting* (d.); (о змее) bite* (d.).

жалкий 1. (возбуждающий сострадание) pítiful, pítiable; ~ая улыбка pítiful smile; ~ое зрелище pítiful / sórry sight; представлять собой ~ое зрелище presént a sórry spéctacle [-'zent...]; иметь ~ вид be a sórry sight; cut* a poor fígure; ~ие слова pathétic / héart-rènding words [...'hɑː-...]; 2. (ничтожный) poor, wrétched; ~ая одежда wrétched / shábby clothes [...-ouðz] pl.; ~ая лачуга wrétched hóvel [...'hɔ-]; ~ие гроши trífling sum sg.; (о вознаграждении и т.п.) píttance sg.; 3. (презренный)

ЕФР – ЖАЛ

míserable [-z-]; ~ трус míserable / ábject cóward; ~ая роль poor / wrétched part.

жалко I 1. прил. кратк. см. жалкий; **2.** предик. безл. = жаль.

жалко II нареч. pítifully; ~ улыбнуться smile pítifully; ~ выглядеть cut* a poor fígure, be a sórry sight.

жало с. (прям. и перен.) sting; ~ пчелы sting of a bee; ~ змей fórked tongue of a snake [...tʌŋ...]; ~ клеветы sting of a cálumny.

жалоба ж. compláint; подавать ~у (дт. на вн.) make* a compláint (to abóut), lodge a compláint (with abóut); ◊ бюро жалоб compláints óffice. ~ный sórrowful, móurnful ['mɔː-]; (о песне) pláintive, dólorous, dóleːful; ~ный голос sad / pláintive voice; ◊ ~ная книга compláints book. ~щик м., ~щица ж. юр. pérson lódging compláint, pláintiff.

жалованный прич. см. жаловать 1; ◊ ~ая грамота létters pátent, chárter.

жалованье с. sálary.

жаловать, пожаловать 1. (кого-л. чем-л., что-л. кому-л.) уст. grant [-ɑːnt] (smb. smth., smth. to smb.), bestów [-ou] (smth. on smb.), confér a title (on smb.); **2.** тк. несов. (вн.) разг. (оказывать внимание, уважать) fávour (d.), regárd with fávour (d.); просим нас любить да ~ we beg you to be kind and grácious to us; его не очень-то ~ют he is not very pópular there; **3.** (к) уст. (посещать) vísit [-z-] (d.); пожаловать в гости (к) come* to see (d.); vísit (d.); добро пожаловать! wélcome!

жаловаться, пожаловаться (дт. на вн.) compláin (to of, abóut), make* compláints (to agáinst); ~ на головную боль compláin of a héadache [...'hedeɪk]; на что вы жалуетесь? what's your compláint?, what are you compláining abóut?; ~ в суд go* to law.

жалоносный зоол. stíngːing, posséssing a sting [-'zeː-...].

жалостливый разг. pítiful, compássionate. ~ный разг. = жалобный.

жалость ж. píty ['pɪ-]; из ~и (к) out of píty (for); какая ~! what a píty!

жаль предик. безл. 1. (кого-л.) переводится личн. формами píty ['pɪ-] (smb.), be / feel* sórry (for smb.): ему ~ его he píties him, he is / feels sórry for him; — ему до слёз ~ её the sight of her brings the tears to his eyes [...aɪz]; 2. (+ инф.): мне ~ смотреть на него it grieves me to look at him [...-iːvz...]; 3. (чего-л.) переводится глаголом grudge (smth.): ему ~ куска хлеба he grúdges a bit of bread [...bred]; мне ~ тратить время I grudge spénding all that time; — для вас ему ничего не ~ there is nothing he would not part with to please you; 4. (что, если; прискорбно) it is a píty (that, if); ему ~, что он is sórry that; как ~! what a píty!; очень ~ it's a great píty [...greɪt...].

жалюзи с. нескл. Venétian blind, jálousie ['ʒæluːziː].

ЖАН – ЖЕЛ

жанда́рм *м.* gèndàrme [ˈʒɑː-]. **~е́рия** *ж. собир.* gèndármery [ʒɑ:-]. **~ский** *прил.* к жанда́рм.

жанр *м.* 1. genre (*фр.*) [ˈʒɑːŋr]; 2. *жив.* génre-páinting [ˈʒɑːŋr-]; 3. *разг.* (*манера, стиль*) style, mánner. **~и́ст** *м. жив.* génre-páinter [ˈʒɑːŋr-]. **~овый** *прил.* к жанр; ~овая жи́вопись génre-páinting [ˈʒɑːŋr-].

жар *м.* 1. (*прям. и перен.*) heat; (*перен. тж.*) árdour; говори́ть с ~ом speak* with árdour / ànimátion, talk héatedly; с ~ом приня́ться за что-л. set* about smth. with árdour, *или* with a will; 2. (*лихора́дка*) féver; у него́ ~ *разг.* he has a (high) témperature; 3. (*горячие угли*) émbers *pl.*; выгреба́ть ~ из пе́чи take* the émbers out of *the* stove; ◇ как ~ горе́ть glitter / gleam like gold; его́ бро́сило в ~ he went hot and cold all óver; чужи́ми рука́ми ~ загреба́ть ≅ make* a cát's-paw out of smb.; get* smb. else to do your dirty work; зада́ть кому́-л. ~y give* it hot to smb.

жара́ *ж.* heat.

жарго́н *м.* járgon, slang; (*определённой социальной группы*) cant; говори́ть на ~е talk slang; усло́вный ~ pátter; воро́вской ~ thieves' cant / Látin [θiːvz...]. **~и́зм** *м.* slang word, *или* expréssion. **~ный** slángy [-ŋɪ].

жардинье́рка *ж.* flower-stand, jardinière (*фр.*) [ʒɑːdɪˈnjɛə].

жа́реное *с.* = жарко́е.

жа́реный (*на сковороде*) fried; (*на рашпере*) grilled; (*на огне, в духовке*) róast(-ed); (*на огне тж.*) broiled.

жа́ренье *с.* frýing, grílling *и т. д.* (*см.* жа́рить).

жа́рить 1. (*вн.; на сковороде*) fry (*d.*); (*на огне, в духовке*) roast (*d.*); broil (*d.*); (*на рашпере*) grill (*d.*); ~ ко́фе roast cóffee [...-fɪ]; 2. *безл.* (*о солнце*) burn*, scorch; 3. *разг.*: ~ на гармо́шке bash out a tune on the accórdion; жарь во всю́! run as fast as you can! **~ся** 1. fry, roast, broil *и т. д.* (*см.* жа́рить); 2.: ~ся на со́лнце *разг.* bask in the sun; roast óne;sélf; 3. *страд.* к жа́рить.

жа́рк||ий (*в разн. знач.*) hot; (*перен. тж.*) árdent; ~ кли́мат hot / tórrid climate [...ˈklaɪ-]; ~ по́лдень mídday sun; ~ по́яс *геогр.* tórrid zone; ~ие стра́ны trópical cóuntries [...ˈkʌ-]; ~ бой hot / hard fight; ~ спор héated / hot discússion.

жа́рко I 1. *прил. кратк. см.* жа́ркий; 2. *предик. безл.* it is hot; мне, тебе́ *и т. д.* ~ I am, you are, *etc.*, hot.

жа́рко II *нареч.* hot;ly.

жарко́е *с. скл. как прил.* roast (meat); на ~ сего́дня дичь there is game for dínner to;dáy.

жаро́вня *ж.* brázier.

жарово́й *прил.* к жар; ~ уда́р *уст.* = теплово́й уда́р. тепловой.

жаро́к *м. разг.*: у него́ небольшо́й ~ he has a slight témperature.

жаропонижа́ющ||ий fébrifùgal, ánti-féver; ~ее сре́дство fébrifùge, médicine to redúce féver.

жаропро́чный *тех.* héat-proof, héat-resístant [-ˈzɪ-].

жароупо́рный héat-resístant [-ˈzɪ-], refráctory.

жар-пти́ца *ж. фольк.* the Fíre-bird.

жары́нь *ж. разг.* inténse heat (of átmosphère); very hot wéather [...ˈweðə].

жасми́н *м.* jásmin(e), jéssamin(e). **~ный**, **~овый** *прил.* к жасми́н.

жа́тв||а *ж.* (*прям. и перен.*) réaping; (*хлеб, урожай*) hárvest; вре́мя ~ы hárvest(-time); ~ созре́ла the hárvest is ripe. **~енный** réaping; ~енная маши́на hárvester, réaping / hárvesting machíne [...-ˈʃiːn].

жа́тка *ж.* hárvester, réaping / hárvesting machíne [...-ˈʃiːn].

жать I 1. (*вн.; давить*) press (*d.*), squeeze (*d.*); ~ ру́ку press smb.'s hand, shake* smb. by the hand; 2. (*об обуви*) pinch, hurt*; (*об одежде*) be (too) tight; 3. (*вн.; выдавливать, выжимать*) press out (*d.*); squeeze out (*d.*); ~ сок из лимо́на press juice out of a lémon [...dʒuːs...ˈle-]; 4. *разг.* (*поджимать*) draw* near; сроки жмут we are réaching the déadline [...ˈded-].

жать II, сжать (*вн.; о ржи и т. п.*) reap (*d.*); (*серпом*) cut* (*d.*), crop (*d.*).

жа́ться 1. (*к*) press close [...-s] (to), draw* clóser [...-sə] (to); ~ друг к дру́гу stand*, sit* close to one another; ~ в у́гол skulk in a córner; ~ в нереши́тельности hésitàte [-z-]; ~ от хо́лода huddle up with cold; 2. *разг.* (*скупиться*) stint, be stíngy.

жа́хнуть *сов.* (*вн.*) *разг.* strike* héavily (*d.*), give* a sharp blow [...-ou] (to).

жбан *м.* can; jug.

жва́чк||а *ж.* 1. (*действие*) chéwing, rùminátion; 2. (*пережёвываемая пища*) cud; жева́ть ~y chew the cud; rúminàte; (*перен.*) repéat with tíre;some monótony; 3. *разг.* (*жевательная резинка*) chéwing-gum.

жва́чн||ые *мн. скл. как прил. зоол.* rúminants. **~ый** *зоол.* rúminant; ~ое живо́тное rúminant (ánimal).

жгут *м.* 1. (tight) plait [...plæt]; 2. *мед.* tóurniquèt [ˈtuənɪkeɪ].

жгу́тик I *м. уменьш. от* жгут.

жгу́тик II *м. зоол.* flagéllum (*pl.* -la).

жгу́ч||ий búrning; (*о боли и т. п.*) smárting; ~ие слёзы scálding tears; ~ее со́лнце báking sun; ◇ ~ взгляд fierce / búrning look [fɪəs...]; ~ие вопро́сы búrning quéstions [...-stʃ-], quéstions of vítal impórtance; она́ ~ая брюне́тка she has jét-black hair (and ~ eyes) [...aɪz].

ждать (*рд., вн.*) wait (for); (*ожидать*) expéct (*d.*), a;wáit (*d.*); сиде́ть и ~ sit* and wait; cool one's heels *идиом. разг.*; вре́мя не ждёт time présses, there's no time to be lost; он заста́вил её ~ he made her wait, he has kept her wáiting; не заставля́йте его́ ~ don't keep him wáiting; он ждёт от них по́мощи, подде́ржки he looks to them for help, suppórt; ◇ он ждёт не дождётся (*рд.*) *разг.* he can't wait [...kɑːnt...] (+ *inf.*, for); he is on ténterhooks *идиом.*; кто зна́ет, что его́ ждёт впереди́ who knows what the fúture may hold in store for him [...nouz...].

же I, ж *союз* 1. (*при противоположении*) and; as for; (*в смысле «но»*) but: он остаётся, она́ же уезжа́ет he will stay here and she will go; he will stay here, as for her, she will go; е́сли же вы не хоти́те but if you'd ráther not [...ˈrɑː-...]; — и́ли же or else; 2. (*в смысле «ведь»*): почему́ вы ему́ не ве́рите? Он же до́ктор. Why don't you trust him? After all, he's a dóctor.

же II, ж *усилительная частица*: когда́ же вы бу́дете гото́вы? whènˈéver will you be réady? [...ˈre-]; пойдём же! come alóng!; говори́те же! areˈn't you góˈing to speak?; мы поéдем сего́дня же we start to;dáy without fail; что же мне де́лать? what on earth shall I do? [...ˈə:θ...].

же III *частица* (*означает тождество*): тот же, тако́й же the same; так же in the same way; тогда́ же at the same time; там же in the same place; (*в примечании, сноске*) ibíd.

жева́ние *с.* màsticátion; (*о жвачных*) rùminátion.

жёваный *разг.* chewed up; (*перен.; измятый*) crumpled.

жева́тельн||ый 1. másticàtory [-keɪ-]; mánducàtory [-keɪ-] *анат.*; 2.: ~ таба́к chéwing-tobácco; ~ая рези́нка chéwing-gum.

жева́ть (*вн.*) chew (*d.*), másticàte (*d.*); (*о жвачных тж.*) rúminàte (*d.*); ~ жва́чку chew the cud, rúminàte; (*перен.*) repéat with tíre;some monótony; ~ таба́к chew (a quid of) tobácco.

жезл *м.* rod; (*маршальский*) báton [ˈbæ-]; (*епископский*) crózier [-ʒə]; (*железнодорожный*) staff; (*палка регулиро́вщика*) milítia;man's báton (for tráffic contról) [...-oul]; *уст.* (*эмблема власти*) wárder.

жезлов||о́й: ~а́я систе́ма движе́ния ж.-д. staff sýstem, (rail) tóken sýstem.

жела́ни||е *с.* (*рд.*) 1. wish (for), desíre [-ˈz-] (for); (*сильное*) lónging (for), húnger (for); (*нетерпеливое*) itch (for); по ва́шему ~ю as you wish, in accórdance with your desíre; по моему́ со́бственному ~ю of my own accórd [...oun...]; горе́ть ~ем (+ *инф.*) burn* with the desíre (+ *inf.*), burn* (+ *to inf.*), be éager [...ˈiːgə] (+ *to inf.*); возыме́ть ~ concéive a wish [-ˈsiːv...]; про́тив ~я agáinst one's will; удовлетворя́ть ~я кого́-л. meet* smb.'s wíshes; при всём ~и with the best will in the world; он бу́дет счита́ться с ва́шими ~ями he will consúlt your wíshes; они́ вы́разили ~ рабо́тать там they voluntéered, *или* exprèssed a wish, to work there; 2. (*вожделение*) lust (for).

жела́нный desíred [-ˈz-], lónged-fòr; ~ гость wélcome vísitor [...-zɪ-]; 2. *уст.* (*милый, любимый*) belóved [-ˈlʌ-].

жела́тельн||о 1. *прил. кратк. см.* жела́тельный; 2. *предик. безл.* it is desirable / advísable [...-ˈz- -z-]; ~ бы́ло бы пойти́ it might be as well to go. **~ый** desírable [-ˈz-]; ~ое наклоне́ние *грам.* óptative (mood).

желати́н *м.* gèlatín(e) [-iːn]. **~овый** gelátinous.

жела́||ть, пожела́ть 1. (*вн., рд., + инф.*) wish (*d.*, + *to inf.*), desíre [-ˈz-] (*d.,*

+ to *inf.*); (*чужого*) cóvet ['kʌ-] (*d.*); ~, чтóбы он, онá и *т. д.* пришёл, пришлá *и т.п.* wish him, her, *etc.*, to come, *etc.*; сильно ~ чегó-л. long / crave for smth.; я ничегó так не ~ю, как I'd like nothing bétter than; он не óчень ~ет этого he is not very keen on it; **2.** (*комý-л. чегó-л.*) wish (smb. smth.); ~ добрá комý-л. wish smb. well; он ~ет вам счáстья he wishes you joy; ~ю вам успéха! I wish you every success!; good luck! *разг.*; ~ю вам всяких благ *разг.* I wish you every háppiness; онá никомý не ~ет зла she wishes nó:body ill; ◊ это оставля́ет ~ лýчшего it leaves much to be desired; ~ невозмóжного desire the impóssible; cry for the moon *идиом.*

желáющ||ий 1. *прич. см.* желáть; **2.** *м. как сущ.* one who wishes; *мн.* pérsons ínterested; those who so desíre [...-'zaɪə]; для всех ~х for all cómers [...'kʌ-]; мнóго ~х увидеть эту пьéсу a great númber of people wishing to see this play [greɪt...pi:-...].

желвáк *м.* túmour.

желé *с. нескл.* jélly.

железá *ж. анат.* gland; поджелýдочная ~ páncreas [-rɪəs]; миндалевидные жéлезы tónsils; жéлезы внýтренней секрéции éndocrine glánds.

желéзистый I *анат.* glándular, glándulous.

желéзистый II *хим.* férriferous; *геол.* ferrúginous; (*о воде*) chalýbeate [kə'lɪ-bɪt]; ~ препарáт íron prepárátion ['aɪən...].

желéзка I *ж. разг.* piece of íron [pi:s ...'aɪən].

желéзка II *ж. разг.* (*азáртная кáрточная игрá*) chemin-de-fer (*фр.*) [ʃə'mændə'feə].

желéзк||а III *ж.:* на всю ~у *разг.* to the full, like hell; жми на всю ~у! go hell for léather! [...'le-].

желéзка *ж. анат.* glándule.

желéзно *нареч. и частица разг.* without fail; no nónsense!

железнодорóжн||ик *м.* ráilway:man*, ráilroad:man*, ráilroader *амер.* ~ый ráilway (*attr.*); ráilroad (*attr.*) *амер.*; ~ый путь (ráilway) track / line; ~ая вéтка branch line [-ɑ:-...]; ~ая сеть ráilway sýstem; ~ое движéние ráilway tráffic, train sérvice; ~ое полотнó pérmanent way; ~ый ýзел (ráilway) júnction; ~ый подвижнóй состáв (ráilway) rólling-stòck; ~ое строительство ráilway constrúction.

желéзн||ый *прил. к* желéзо; *хим.* férreous, férrous; ~ая рудá íron-òre ['aɪən-]; ~ блеск *мин.* háematite ['he-]; ~ купорóс cópperas, green vítriol; ~ товáр íronmòngery ['aɪənmʌŋg-], hárdware; ~ лом scráp-iron [-aɪən]; ◊ ~ая дорóга ráilway; ráilroad *амер.*; сеть ~ых дорóг nétwork of ráilway lines; по ~ой дорóге by rail / train; ~ век the Íron Age [...'aɪən...]; ~ая вóля íron will; ~ая дисциплина íron discipline; ~ зáнавес the Íron Cúrtain.

железняк *м. мин.* íron-stòne ['aɪən-]; бýрый ~ bog íron-òre [...'aɪən...]; brown háematite [...'he-]; крáсный ~ háematite.

железó *с. тк. ед.* (*металл, тж. лекáрство*) íron ['aɪən]; *собир.* (*изделия*) íronmòngery ['aɪənmʌŋg-], hárdware; ◊ куй ~, покá горячó *посл.* strike while the íron is hot.

железобетóн *м.* rè:infórced cóncrète [...-nk-], férro-cóncrète [-nk-]. ~ный *прил. к* железобетóн; ~ные сооружéния rè:infórced cóncrète construction [...-nk-...] *sg.*; ~ные изделия férro-cóncrète ítems [-nk-...]; сбóрные ~ные констрýкции, детáли *и т.п.* pré-fábricàted férro-cóncrète strúctures, parts, *etc.*; завóд ~ных констрýкций férro-cóncrète strúctures and parts prodúction plant [...-ɑ:nt].

железопрокáтный: ~ стан rólling mill.

железя́ка *ж. разг.* piece of íronmòngery [pi:s...'aɪənmʌŋg-].

жёлоб *м.* gútter, trough [trɔf]; *тех.* chute [ʃu:t].

желобóк *м.* groove, flute, ríffle.

желóбчатый chánnelled, flúted.

желóнка *ж. тех.* slúdge-pùmp, sánd-pùmp, slúdger.

желтéть, пожелтéть 1. (*становиться жёлтым*) turn yéllow; **2.** *тк. несов.* (*виднéться*) show* yéllow [ʃou...]. ~ся = желтéть 2.

желтизнá *ж.* yéllowness.

желти́ть, вы́желтить, зажелти́ть (*вн.*) **1.** *при сов.* вы́желтить paint yéllow (*d.*); **2.** *при сов.* зажелти́ть cóver, spot, *etc.*, with yéllow paint ['kʌ-...] (*d.*); **3.** *при сов.* зажелти́ть stain (únadvértently) with yéllow (*d.*).

желтовáтый yéllowish, yéllowy; (*о цвете лица*) sállow.

желтóк *м.* yolk (of egg).

желтокóжий with a yéllow skin.

желтоли́цый with a yéllow face.

желторóтый (*о птенце*) yéllow-beaked; (*перен.*) inexpérienced, green; ~ юнéц gréenhorn.

желтофиóль *ж. бот.* wállflower.

желтоцвéт *м. бот.* gólden rod.

желтý||ха *ж. мед.* jáundice, ícterus. ~шный ictéric.

жёлт||ый yéllow; (*в геральдике*) or; ◊ ~ая водá (*болéзнь глаз*) glaucóma; ~ая лихорáдка yéllow féver; ~ая прéсса yéllow press; ~ дом *уст.* mád:house* [-s].

желть *ж.* yéllow paint.

желудёвый: ~ кóфе ácòrn cóffee [...-fi].

желýд||ок *м.* stómach [-ʌmək]; на голóдный ~ on an émpty stómach / bélly. ~очек *м. анат.* véntricle. ~очный gástric, stomáchic [-k-]; ~очное заболевáние gástric diséase [...-zi:z]; ~очный сок *физиол.* gástric juice [...dʒu:s].

желýдь *м.* ácòrn.

желчн||ость *ж.* jáundice, ácrimony, bílious:ness. ~ый (*прям. и перен.*) (átra)bílious; ~ый кáмень *мед.* gáll-stòne; ~ый пузы́рь *анат.* gáll-bládder; ~ый человéк acrimónious man*; ~ый темперáмент írritable náture [...'neɪ-].

жёлч||ь *ж.* bile (*тж. перен.*); gall; разли́тие ~и *мед.* jáundice; изливáть ~ *разг.* give* vent to one's bile.

жемá||ниться *разг.* mince, beháve with false módesty [...fɔ:ls...]. ~ница *ж. разг.* affécted créature. ~ничать *разг.* behave afféctedly. ~нный míncing, fínical, fín-icking, affécted. ~нство *с.* míncing mánners *pl.*, finicálity; (*манéрность*) airs and gráces *pl.*

жéмчуг *м. собир.* pearl(s) [pə:l(z)] (*pl.*); мéлкий ~ séed-pearls [-pə:lz] *pl.*; искáтель ~а péarl-diver ['pə:l-]; ловéц ~а péarl-fisher ['pə:l-]; ловля ~а péarl-fishery ['pə:l-].

жемчýжина *ж.* pearl [pə:l] (*тж. перен.*).

жемчýжница I *ж. зоол.* péarl-oyster ['pə:l-].

жемчýжница II *ж. вет.* pearl diséase [pə:l -'zi:z].

жемчýжн||ый pearl [pə:l] (*attr.*); ~ое ожерéлье pearl nécklace; ~ая рáковина péarl-shèll ['pə:l-]; (*живáя*) péarl-oyster ['pə:l-]; ~ые белила (*космети́ческое срéдство*) pearl white *sg.*

женá *ж.* **1.** wife*; **2.** *поэт. уст.* (*жéнщина*) wóman* ['wu-].

женáтик *м. разг.* young húsband [jʌn -z-].

женáтый márried.

жéнин *one's* wife's.

жен||и́ть *несов. и сов.* (*вн.*) márry off (*d.*); (*вн. на пр.*) márry (*d. to*); wed (*d. to*) *поэт.*; ◊ без меня́ меня́ ~и́ли *посл.* ≃ I was roped in without béing consúlted. ~и́тьба *ж.* márriage [-rɪdʒ]. ~и́ться *несов. и сов.* márry; (*на ком-л.*) márry (smb.), get* márried (to smb.); удáчно ~и́ться make* a good* match.

жени́х *м.* **1.** fiancé (*фр.*) [fi:'ɑ:ŋseɪ]; (*во врéмя свáдьбы*) brídè:groom; **2.** (*неженáтый мужчи́на, юноша*) éligible báchelor; (*поклóнник*) súitor ['sju:tə].

жениха́ться *разг.* be en:gáged; be cóurting [...'kɔ:t-].

женихóвский *разг. прил. к* жени́х.

женолюб *м.* ládies' man*.

женолюби́вый: он ~ человéк he is a ládies' man*.

женолюбие *с.* wéakness for the fair sex.

женоненави́стни||к [-сн-] *м.* wóman-hàter ['wu-], misógynist [maɪ-]. ~чество [-сн-] misógyny [maɪ-].

женоподóбный efféminate.

женоуби́й||ство *с.* múrder of one's own wife [...oun...]. ~ца *м.* múrderer of his own wife [...oun...].

жéнск||ий wóman's ['wu-], fémàle ['fi:-]; (*свóйственный жéнщине*) wómanlike ['wu-], wómanly ['wu-], féminine; ~ труд fémàle lábour; ~ая шкóла girls' school [g-...]; ~ род *грам.* féminine génder; ~ая рифма *лит.* double / fémàle / féminine rhyme [dʌbl...]; ◊ ~ое цáрство pétticoat góvernment / rule [...'gʌ-...]; ~ие болéзни wómen's diséases ['wɪm-zi:z]; по-~и in a féminine way; онá рассуждáет чи́сто по-~и she réasons in a púre:ly féminine way, *или* like a wóman [...'ri:z-...'wu-].

жéнственн||ость *ж.* femininity, wómanhood ['wu- -hud]. ~ый féminine, wóman:like ['wu-], wómanly ['wu-].

жéнушка *ж. уменьш. от* женá.

жéнщина *ж.* **1.** wóman* ['wu-]; ýмная ~ clever wóman* ['kle-...]; замуж-

ЖЕН – ЖИВ

няя ~ márried wóman*; молодáя ~ young wóman* [jʌŋ...]; сварлúвая ~ shrew; ~-врач lády dóctor; 2. *мн. собир.* wómen ['wɪ-]; (*в семье*) wómanfòlk ['wu-] *sg.*, wómankìnd ['wu-] *sg.*

женьшéнь *м. бот.* gínsèng.

жёрдочка *ж.* 1. *уменьш. от* жердь; 2. (*насест в птичьей клетке*) perch.

жердь *ж.* pole; худóй как ~ as thin as a rake.

жерёбая in foal; ~ кобы́ла mare in foal.

жереб‖**ёнок** *м.* foal. ~**éц** *м.* stállion; (*до 4-х лет*) colt. ~**úться**, ожеребúться foal.

жеребóк *м.* (*мех*) colt's fur.

жерéбчик *м.* colt.

жеребьёвка *ж.* dráwing / cásting lots.

жеребя́чий *прил. к* жеребёнок; ~ вóзраст téenage.

жéрех *м.* (*рыба*) chub.

жерлúца *ж.* kind of físhing táckle.

жерлó *с.* 1. (*пушки*) múzzle; 2. (*вулкана*) cráter; 3. *тех.* órifice.

жёрнов *м.* míllstòne; вéрхний ~ úpper míllstòne; нúжний ~ néther míllstòne.

жéртв‖**а** *ж.* 1. (*в разн. знач.*) sácrifice; (*о приношении*) óffering; приносúть в ~у (*вн.*) sácrifice (*d.*); приносúть ~у (*дт.*) make* a sácrifice (to); большúе ~ы great sácrifices [greɪt...]; ценóй большúх жертв at the cost of héavy sácrifice [...'hevɪ...]; 2. (*о пострадавшем*) víctim; стать ~ой (*рд.*) fall* a prey (to); пасть ~ой (*рд.*) fall* a víctim (to).

жéртвенн‖**ик** *м.* áltar. ~**ый** sàcrifícial.

жéртвователь *м. уст.* dónor.

жéртвовать, пожéртвовать 1. (*дт. вн.; даровать*) endów (*d.* with), make* a donátion (to of); 2. (*тв. для*; *подвергать опасности ради кого-л., чего-л.*) give* (up) (*d.* to, *d. i.*), sácrifice (*d.* to), óffer (*d.* to), óffer up (*d.* to); ~ собóй sácrifice òne:sélf; ~ жúзнью lay* down one's lífe*.

жертвоприношéние *с.* óffering, sácrifice.

жест *м.* gésture; красúвый ~ (*перен.*) beau geste (*фр.*) [boʊ'ʒest].

жестикул‖**úровать** gestículàte; ~ saw* the air *идиом. разг.* ~**я́ция** *ж.* gèsticulátion.

жёстк‖**ий** (*в разн. знач.*) hard; tough [tʌf]; (*негнущийся*) rígid, stiff; (*перен.*; *о условиях и т. п.*) rígid, strict; ~ая водá hard wáter [...'wɔː-]; ~ое мя́со tough meat; ~ие вóлосы coarse / wíry hair *sg.*; ~ вагóн hárd-séated / "hard" cárriage [...-rɪdʒ]; ~ие черты́ лицá harsh féatures [...'meʒ-]; ~ие мéры strict / strong méasures [...'meʒ-]; ~ курс, ~ая полúтика tough pólicy.

жёстко I 1. *прил. кратк. см.* жёсткий; 2. *предик. безл.* it is hard; ◊ мя́гко стéлет, да ~ спать *погов.* ≅ hóney is sweet, but the bee stings ['hʌ-...]; ≅ hóney tongue, heart of gall [...tʌŋ hɑːt...].

жёстко II *нареч.* hard.

жесткокры́л‖**ые** *мн. скл. как прил. зоол.* Coleóptera. ~**ый** *зоол.* coleópterous.

жестóк‖**ий** cruel [kruəl]; (*грубый*) brútal; (*перен.*; *о морозе и т. п.*) sevére; (*о преследовании, сопротивлении*) sávage; ~ие нрáвы sávage cústoms; ~ие страдáния cruel súffering *sg.*; ~ая боль sevére pain; ~ие бои fierce fíghting [fɪəs...] *sg.*; ~ая эксплуатáция brútal èxploitátion; ◊ ~ая необходúмость cruel necéssity.

жестокосéрд‖**ие** *с.* hàrd-héartedness [-'hɑː-], crúelty ['kruə-]. ~**ный**, ~**ый** hárd-héarted [-'hɑː-], cruel [kruəl].

жестóкость *ж.* crúelty ['kruə-]; (*грубая*) brutálity, sevérity; sávage:ness; (*ср.* жестóкий); имéть ~ сказáть be cruel enóugh to say [...kruəl ɪ'nʌf...].

жесть *ж.* tin(-plàte).

жестя́ник *м.* tín:man*, tínsmìth, whíte:smìth.

жестя́нка *ж.* 1. (*коробка*) tin, can; 2. *разг.* (*кусочек жести*) piece of tin [piːs...].

жестян‖**óй** *прил. к* жесть; ~**ая** посýда tínwàre.

жестя́нщик *м.* = жестя́ник.

жетóн *м.* 1. cóunter; 2. (*брелок*) médal ['me-].

жечь, сжечь 1. (*вн.*) burn* (down, up) (*d.*); (*об огне тж.*) consúme (*d.*); он сжёг бумáгу he burnt (up) *the* páper; огóнь сжёг бумáгу the fire consúmed *the* páper; 2. *тк. несов.* burn* (*d.*); (*о крапиве и т. п.*) sting* (*d.*). ~**ся** burn*, burn* òne:sélf; (*о крапиве*) sting*.

жжéние [жьжé-] *с.* 1. búrning; 2. (*боль*) búrning pain.

жжёнка [жьжё-] *ж.* hot punch.

жжёный [жьжё-] burnt; ~ кóфе róasted cóffee [...-fɪ].

жив‖**áть** *многокр. от* жить; я там ~ál I used to live there [...juːst...lɪv...].

живéц *м.* live bait, sprat.

живúнка *ж. разг.* zest, gústo.

живúтельн‖**ый** lìfe-gíving, vívifying; (*о воздухе*) crisp, brácing; (*возбуждающий*) ánimàting; ~**ая** сúла lìfe-gíving force.

живúть (*вн.*) *поэт.* give* life (to); ánimàte (*d.*), brace (*d.*).

живúца *ж.* soft résin [...-z-].

жúвность *ж. собир. разг.* lìving créatures ['lɪv-...], life; (*домашняя птица, мелкий скот*) póultry ['pou-], líve:stòck, small game, fry, *etc.*

жúво I *прил. кратк. см.* живóй.

жúв‖**о** II *нареч.* 1. vívidly; (*разительно*) strúck:ing:ly; (*остро*) kéenly; ощущáть что-л. sense / percéive / feel* smth. kéenly [...-'siːv...]; 2. (*оживлённо*) with ànimátion; 3. *разг.* (*быстро*) quick (-ly), prómptly; ~!, ~ éй! make haste! [...heɪ-]; be quick!

живоглóт *м. разг. презр.* one who "swállows péople alíve" [...piː-...], a rúthless sélf-sèeker [...'ruːθ-...].

живодёр *м. разг.* knácker, fláyer; (*перен. тж.*) fléecer, fláy-flìnt. ~**ня** *ж. разг.* knácker's yard. ~**ство** *с. разг.* fláying; (*перен.*) fléecing.

жив‖**óй** 1. (*в разн. знач.*) lìving ['lɪv-], live (*attr.*), alíve (*predic.*): покá жив бýду as long as I live [...lɪv]; вéчно ~ éver-lìving [-'lɪv-]; всё ~ое évery lìving thing, all flesh, man and beast; жив и здорóв safe and sound; как ~ to the life, true to life; ~ язы́к lìving lánguage; ~ые цветы́ nátural flówers; ~**ая** úзгородь hédge:row [-rou], quícksèt / green hedge; ~**ая** прирóда ánimate náture [...'neɪ-]; 2. (*подвижный*) líve:ly; ~ ребёнок líve:ly child*; ~ ум wit / mind; ~**ое** воображéние vívid imàginátion; 3. (*активный, деятельный*) líve:ly, ánimàted; brisk; wìde-a:wáke; (*оживлённый*) vivácious; проявля́ть ~ интерéс к чему́-л. take* / show* / betráy a keen / líve:ly ínterest in smth. [...ʃou...]; с ~ым интерéсом with a keen / líve:ly ínterest; принимáть ~ое учáстие в чём-либо take* an áctive part in smth.; ~ óтклик réady respónse ['redɪ...]; ~ое дéло stímulàting work; 4. (*выразительный* — *о стиле, языке и т. п.*) líve:ly; ~ое изображéние líve:ly descríption; ~ие крáски vívid / lìfe-lìke cólours [...'kʌ-]; ~ие глазá bright / spárkling eyes [...aɪz]; ◊ остáться в ~ых survíve, escápe with one's life, be among the lìving; come* through *разг.*; ни жив ни мёртв *разг.* (*от страха и т. п.*) páralysed / pétrified with fear; ни (однóй) ~ ой душú not a lìving soul [...soul]; задевáть, забирáть, затрáгивать когó-л. за ~ое cut* / sting* smb. to the quick, touch smb. on the raw [tʌtʃ...]; touch a sore spot; на ~ую нúтку *разг.* hástily ['heɪ-], ányhow; сшить на ~ую нúтку (*вн.*) tack (*d.*), baste [beɪst] (*d.*); ~ инвентáрь líve:stòck; ~ уголóк (*в школе и т. п.*) náture córner ['neɪ-...]; ~**ая** водá (*в сказках*) wáter of life ['wɔː-...]; не остáвить ~ого мéста (на ком-л.) beat* smb. to pulp.

живописáть *несов. и сов.* (*вн.*) descríbe vívidly (*d.*), paint a vívid pícture (of).

живопúсец *м.* páinter; ~ вы́весок sìgn-páinter ['saɪn-].

живопúсн‖**ость** *ж.* pícturésque:ness. ~**ый** 1. (*относящийся к живописи*) pictórial; 2. (*красивый*) picturésque, scénic ['siː-]; 3. (*яркий, образный*) vívid.

жúвопись *ж.* 1. páinting; ~ мáсляными крáсками páinting in oil; акварéльная ~ páinting in wáter-còlours [...'wɔː təkʌ-]; фрéсковая ~ fréscò; батáльная ~ báttle-pàinting; 2. *собир.* (*картины*) píctures *pl.*, páintings *pl.*

живородя́щ‖**ие** *мн. скл. как прил. зоол.* Vivipáridae. ~**ий** *зоол.* vivíparous.

жúвость *ж.* líve:liness, vivácity, ànimátion; (*оживлённость тж.*) spríghtliness; (*изображения*) verve [vɛəv]; ~ умá quíck-wìttedness.

живóт I *м.* (*часть тела*) stómach [-ʌmək], bélly; àbdómen *анат.*; у негó болúт ~ he has a stómach-àche [...'stʌməkeɪk]; у негó ~ подтянýло he has had to tíghten his belt.

живóт II *м. уст.* (*жизнь*) life; ◊ не на ~, а на смерть ≅ to the death [...deθ].

живóт III *м. об. мн. уст.* (*домашний скот*) (doméstic) ánimals.

животворúть, оживотворúть (*вн.*) *уст.* revíve (*d.*), ìnvígorate (*d.*).

животвóрный lìfe-gíving, vívifying, resúscitàting.

живóтик *м. разг.* paunch; (*детское*) túmmy; ◊ ~и надорвáть (сó смеху) ≅ split* one's sides with láughter [...'lɑːf-...].

животúна *ж. разг.* doméstic ánimal; бесслóвесная ~ dumb ánimal / beast.

животновóд м. cáttle-bréeder. **~ство** с. (líve:)stòck-ráising, líve:stòck fárming; cáttle-brèeding, cáttle-rèaring; ánimal húsbandry [... z]; продýкты ~ства áнимal prodúce sg. **~ческий** cáttle-brèeding (attr.), stòck-ráising (attr.); ~ческий совхóз cáttle-brèeding sovkhóz, cáttle-brèeding State farm; ~ческие фéрмы líve:stock farms.

живóтн||ое с. скл. как прил. ánimal; (перен.) beast, brute; вьючное ~ pack ánimal, beast of búrden; хищное ~ beast of prey, prédator; всеядное ~ òmnívorous ánimal, òmnivòre (pl. -ra); плотоядное ~ cárnivòre (pl. -ra); травоядное ~ hèrbívorous ánimal, hèrbivòre (pl. -ra); двуногое ~ bípèd; четвероногое ~ fóur-lègged ánimal ['fɔ:-...]; quádrupèd науч.; копытное ~ hoofed / úngulàte ánimal, úngulàte; млекопитáющее ~ mámmal; позвоночное ~ vértebrate; беспозвоночное ~ invértebrate; сýмчатое ~ mársúpial. **~ый 1.** прил. к животное; ~ое цáрство the ánimal kíng:dom; ~ый органи́зм ánimal órganism; ~ый эпос лит. béstiary; **2.** (органический) òrgánic; **3.** (грубый, ни́зменный) béstial, brútal, brute; ~ая я́рость béstial / brútal rage / fúry; ~ый страх ánimal / blind / bódily fear.

животрепéщущ||ий búrning, of vítal impórtance; (злободневный) áctual, tópical; ~ая нóвость thrilling / stírring / excíting news [...-z]; ~ вопрóс quéstion of vítal impórtance [-stʃ-...].

живýч||есть ж. vitálity [vaɪ-], tenácity (of life). **~ий** of great vitálity [...-eɪt vaɪ-], tenácious (of life); (перен.) firm, stable; ~ий обычай a firm cústom; ◊ живýч как кóшка погов. he has nine lives like a cat.

живýщ||ий 1. прич. см. жить; **2.** с. как сущ.: всё ~ее every líving thing [...'lɪv-...], all flesh, man and beast.

жи́вчик м. **1.** разг. (о подви́жном челове́ке) líve:ly pérson; **2.** биол. spèrmatozóòn (pl. -zóa); **3.** разг. (заметное сильное биение артерии на виске) percéptible púlsing of ártery on temple.

живьём нареч. разг. alíve.

жи́дк||ий 1. líquid; (теку́чий) flúid; (водяни́стый) wátery [wɔ:-]; (о ка́ше, сли́вках и т. п.) thin; ~ое молокó wátery milk; ~ вóздух физ. líquid air; ~ое мы́ло líquid soap; ~ое тóпливо líquid fuel [-fjʊəl], fuel oil; **2.** (ре́дкий) thin, scánty; ~ие вóлосы thin / sparse hair sg.; ~ая борода́ sparse beard; **3.** (сла́бый — о чае и т. п.) weak.

жидковáтый thínnish, wátery ['wɔ:-]; weak.

жи́дкост||ь ж. líquid; flúid; мéры ~ей líquid méasures [...'meʒ-].

жи́ж||а ж. **1.** разг. líquid part of soup, etc. [...su:p]; **2.** (вязкая, густая жи́дкость) slush; под дождём снег преврати́лся в гря́зную ~у when rain came the snow turned into slush [...snou...]; навозная ~ líquid manúre.

жи́жица ж. уменьш. от жи́жа.

жизнедея́тельн||ость ж. **1.** биол. vítal fúnctions pl.; **2.** (энерги́чность) vítal àctivity. **~ый 1.** биол. cápable of life, víable; áctive; **2.** (энерги́чный, де́ятельный) líve:ly, ènergétic.

жи́зненн||ость ж. vitálity [vaɪ-], vítal pówer. **~ый** vítal; ~ый вопрóс vítal quéstion [...-stʃ-...]; a quéstion of vítal impórtance; ~ые интерéсы fùndaméntal / vítal ínterests; ~ый ýровень stándard of líving [...'lɪv-]; ~ые цéнтры страны́ vítal céntres of the cóuntry [...'kʌ-]; ~ые си́лы vitálity [vaɪ-] sg.; ~ый путь course of Life* [kɔ:s...]; ~ый óпыт life expérience.

жизнеобеспéчен||ие с. life-suppórt, life sústenance; систéма ~ия life-suppórt sýstem; комплéкт средств ~ия космонáвта ástronaut's survíval kit.

жизнеописáние с. biógraphy.

жизнеощущéние с. sense of bé:ing alíve.

жизнепонимáние с. world view [...vju:].

жизнерáдости||ость ж. chéerfulness; joie de vivre (фр.) [zhwɑ:də'vi:vr], buóyancy ['bɔɪ-]; ánimal spírits pl. разг. **~ый** chéerful, jóyous, buóyant ['bɔɪ-]; búbbling with life; full of joie de vivre (фр.) [...zhwɑ:də'vi:vr].

жизнеспосóбн||ость ж. viabílity; vítal capácity, vitálity [vaɪ-]. **~ый** víable, posséssing vítal capácity [-'ze-...], of great vitálity [...-eɪt vaɪ-].

жизнеутверждáющ||ий life-assérting, vítal, òptimístic; ~ая си́ла life-assérting / vítal force.

жизнь|| ж. (в разн. знач.) life*; exístence; óбраз ~и way / mode of life / líving [...'lɪv-]; умéренный óбраз ~и plain líving; вступáть в ~ start out in life; зажи́точная ~ pròspérity; борьба́ за ~ strúggle for life; лиши́ть себя́ ~и take* one's own life [...oun...], commít súicide; на всю ~ for life; никогдá в ~и never in one's life, never in one's born days; проводи́ть в ~ (вн.) put* into práctice (d.); (о реформах, преобразованиях и т. п.) cárry out (d.); зарабáтывать на ~ earn / make* one's líving [ə:n...]; срéдства к ~и means of subsístence, líve:lihood [-hud]; при ~и during / in one's life-time; ◊ бьёт ключóм life is in full swing; в нём ~ бьёт ключóм he is brímming óver with life; би́ться не на ~, а на смерть fight* to the death [...deθ], fight* to the fínish; вопрóс ~и и смéрти a mátter of life and death; брать всё от ~и enjóy life to the full; ни в ~ разг. never, not for ány:thing; как ~? how are things?; он ~и не рад he wishes he were dead [...ded]; вот я им дам ~и! разг. they'll get cráckíng!; я ему́ устрóю весёлую ~! I'll cook his goose for him [...gu:s...].

жиклёр м. тех. (cárburèttor) jet.

жи́л||а I ж. **1.** (сухожи́лие) téndon, sínew ['sɪ-]; **2.** (кровенóсный сосу́д) vein; **3.** горн. vein, lode; **4.** тех. strand; ◊ тяну́ть ~ы из когó-л. tòrmént smb., rack smb.

жи́ла II м. и ж. разг. (о челове́ке) skínflint.

жилéт м., **~ка** ж. wáistcoat; vest амер.; плáкать в ~ку разг. ≅ cry on smb.'s shóulder [...'ʃəʊl-]. **~ный** прил. к жилéту; ~ный кармáн wáistcoat pócket.

жилéц м. ténant ['te-]; lódger; ◊ он не ~ на бéлом свéте разг. he is not long for this world, he has not long to live [...lɪv].

ЖИВ — ЖИР

жи́лист||ый sínewy, stríngy [-ŋɪ]; (перен.: выносливый) wíry; ~ые рýки sínewy / gnarled hands.

жи́литься I разг. heave, strain.

жи́литься II разг. (скупи́ться) stint, be míserly.

жили́||ца ж., **~чка** ж. (fémàle) ténant ['fi:- 'te-]; (fémàle) lódger.

жили́ще с. dwélling; (líving) quárters ['lɪ-...] pl., abóde, hàbitátion.

жили́щно-бытов||óй: ~ы́е услóвия líving conditions ['lɪ-...].

жили́щно-коммунáльн||ый: ~ое хозя́йство hóusing and commúnal sérvices pl.

жили́щно-строи́тельный: ~ кооператив hóusing construction cò-óperative.

жили́щн||ый hóusing; ~ое строи́тельство hóuse-building [-sbɪl-]; hóusing constrúction, hóusing; ~ые услóвия hóusing / líving cónditions [...'lɪv-...]; ~ фонд aváilable hóusing; hóusing resóurces [...-'sɔː-] pl.; ~ отдéл hóusing depártment.

жи́л||ка ж. (в разн. знач.) vein; бот. fibre, nerve, rib; с ~ками (о листе) nérvàte; среди́нная ~ (листа) (mid)rib; расположéние ~ок (в листе) nèrvátion; ◊ юмористи́ческая ~ húmourous vein.

жилковáние с. бот. nèrvátion, vènátion [vi:-].

жил||óй dwélling (attr.); inhábited; rèsidéntial [-zɪ-]; (го́дный для жилья́) hábitable; ~ дом dwélling house* [...-s]; apártment house*; block of flats; (в котором можно жить) hábitable house*; ~ая кóмната (обита́емая) inhábited room; (в которой можно жить) hábitable room; ~ая плóщадь dwélling space; flóor-space ['flɔː-]; ~óе помещéние place fit to live in [...lɪv...], (in)hábitable prémises [...-s-]; ~ые квартáлы rèsidéntial dístricts / área [...'ɛərɪə]; (в противополо́жность фабри́чным) rèsidéntial séction sg.; ~ масси́в hóusing estáte.

жилплóщадь ж. = жилáя плóщадь см. жилóй.

жиль||ё с. dwélling; hàbitátion; (местожи́тельство) dómicile; (в чужом до́ме) lódging; в пóисках ~я́ in search of lódging [...sə:tʃ...]; неприго́дный для ~я́ únfit for húman hàbitátion.

жим м. спорт. the press.

жи́молость ж. бот. hóney:súckle ['hʌ-].

жир м. fat; (топлёное сало) grease [-s]; живóтный ~ ánimal fat; говя́жий, бара́ний пóчечный ~ súet ['sjuɪt]; расти́тельный ~ végetable oil; кито́вый ~ blúbber, sperm oil; ры́бий ~ cód-líver oil [-lɪ-...].

жирáф м. зоол. giráffe [-ɑːf].

жирéть, разжирéть grow* fat / plump [-ou...]; (о скоте́) fátten.

жи́рно I прил. кратк. см. жи́рный.

жи́рн||о II нареч. fátly, gréasily [-zɪ-]; ~ намáзать чем-л. spread* smth. thick [-ed...]; ~ есть eat* rich food; ~ (не сли́шком ли) ~ бýдет! разг. that would be too good (for)! **~ый 1.** fat; (о пти́це) plump; (о ку́шанье) rich; **2.** (сáльный) gréasy [-zɪ]; ~ое пятнó grease spot [-s...]; **3.** (насыщенный поле́зными вещества́ми) rich; ~ая земля́ rich

ЖИР—ЖУЧ

soil; ~ый у́голь rich coal; **4.**: ~ый шрифт *полигр.* héavy / bold type [ˈhevɪ...]; bóldfàce *амер.*; ~ый о́ттиск *полигр.* rich ímprint; ~ые кисло́ты *хим.* fátty ácids.

жиро́ *с. нескл. фин.* endórseːment.

жирова́ть I (*вн.*) *тех.* (*насыщать жиром*) grease (*d.*), oil (*d.*), lúbricàte (*d.*).

жир||ова́ть II (*о недомашних животных*) fátten; кабаны́ ~у́ют в боло́тах wild boars are fáttening in the márshes.

жирови́к *м.* **1.** *мед.* fátty túmour, lipóma; **2.** *мин.* stéatite [ˈstɪə-], sóapstòne.

жиро́вка *ж.* rent bill.

жиров||о́й fátty; ~а́я ткань *мед.* ádipòse tíssue [-s...]; ~ые вещества́ ádipòse mátter *sg.*; ~о́е перерожде́ние *мед.* fátty / làrdáceous degenerátion [...-fəs...]; ~о́е яйцо́ *зоол.* wind-ègg [ˈwɪnd-]; ~а́я промы́шленность fát-pròducts índustry [-prɔ-...].

жиронди́ст *м. ист.* Giróndist.

жиропо́т *м.* suint [swɪnt], yolk.

жиоприка́з *м. фин.* endórseːment, (bánking) órder.

жироско́п *м.* = гироско́п.

жирото́пный réndering (*of fats*); ~ котёл réndering tank.

жите́йск||ий éveryːdáy, wórldly; ~ая му́дрость wórldly wísdom [...ˈwɪz-]; ◊ де́ло ~ое *разг.* ≃ there is nothing out of the órdinary in it; (that's) nothing unúsual [...-ˈjuːʒ-], (that's) an éveryːdáy occúrrence.

жи́тель *м.*, ~**ница** *ж.* inhábitant, résident [-z-], dwéller; городско́й ~ tównsːman*; *мн. собир.* tównsfòlk [-z-], tównspèople [-zpiː-]; се́льский ~ cóuntryːman* [ˈkʌ-], víllager; *мн. собир.* cóuntryfòlk [ˈkʌ-], cóuntrypèople [ˈkʌ-piː-]; коренно́й ~ Москвы́ Móscow born and bred; ~ Восто́ка inhábitant of the East; Òriéntal; ~ Кра́йнего Се́вера inhábitant of the far North, hỳperbòréan [haɪ-ˈriːən]. ~**ство** *с.* résidence [-zɪ-]; (*временное*) stay, sójourn [-dʒəːn]; ме́сто ~ства place of résidence; domícile; (*адрес*) áddress; перемени́ть ~ство change one's áddress [tʃeɪ-]; име́ть постоя́нное ~ство где́-л. be dómiciled in; ◊ вид на ~ство résidéntial / résidence pérmit [-z- -z-]; (*удостоверение личности*) idéntity card [aɪ-...].

жи́тельствовать *уст.* reside [-ˈzaɪd], dwell*.

жит||иé *с.* **1.** *уст.* life, exístence; **2.**: ~ия́ святы́х hàgiógraphy. ~**и́йный**: ~ийная литерату́ра hàgiógraphy, hàgiólogy.

жи́тница *ж.* (*прям. и перен.*) gránary.

жи́тный *прил. к* жи́то.

жи́то *с.* corn (*not ground*); (*пшеница*) spring-wheat; (*рожь*) spring-rỳe; (*ячмень*) spring-bárley.

житу́ха *ж. разг.* líving in clóver [ˈlɪv-...], high líving.

жить (*в разн. знач.*) live [lɪv]; ~ на свои́ сре́дства suppórt òneːsélf; ~ на сре́дства кого́-л. live on smb.; ~ скро́мно live módestly [...ˈmɔ-], ~ зажи́точно live in éasy círcumstances [...ˈiːzɪ...], be well off; ~ в нищете́ live in pénury; just keep* bódy and soul togéther [...ˈbɔ-...soul -ˈge-] *идиом.*; ему́ не́чем ~ he has nothing to live on; ~ одино́ко live a sólitary life; он живёт свое́й рабо́той he lives for his work; ~ иллю́зиями live in a fool's páradise [...-s], dream* one's life* aːwáy; ~ по́лной жи́знью live a full life*; ~ счастли́вой жи́знью live a háppy life*; ~ в дво́рниках у кого́-л. *уст.* work as a dvórnik / yárdːman* for smb.; ~ в гуверна́нтках у кого́-л. *уст.* be a góverness at smb.'s [...ˈɡʌ-...]; ◊ ~ в века́х remáin for éver; (за) здоро́во живёшь *разг.* (*ни за что*) for nothing; (*без всякой причины*) without rhyme or réason [...-zn]; жил-был (once upón a time) there was / lived.

жить||ё *с. разг.* life; (*существование*) exístence; ◊ ~я́ нет *разг.* life is impóssible; ~я́ мне нет от него́ I get no peace with him aróund.

житьё-бытьё *с. разг.* life, exístence; the way *one* lives [...lɪvz].

жи́ться *безл.*: ему́ живётся непло́хо he is quite well off; как вам живётся? how's life?, how is life tréating you?; как вам там жило́сь? how did you get on there?; ему́ не живётся на одно́м ме́сте he is never contént to stay in one place.

жмём, жмёт(е), жмёшь *наст. вр. см.* жать I.

жмот *м. разг.* skínflint, míser.

жму́рить, зажму́рить: ~ глаза́ = жму́риться, зажму́риться screw up one's eyes [...aɪz].

жму́рки *мн.* (*игра*) blind-man's-búff *sg.*

жму(т) *наст. вр. см.* жать I.

жмыхи́ *мн.* (*ед.* жмых *м.*) *с.-х.* óilcàke *sg.*; (*хлопкового семени*) cótton-càke *sg.*

жне́йка *ж. с.-х.* réaper, hárvester, réaping machíne [...-ˈʃiːn].

жнём, жнёт(е) *наст. вр. см.* жать II.

жнец *м.* réaper.

жнёшь *наст. вр. см.* жать II.

жнея́ *ж. уст.* = жни́ца.

жни́во *с.* = жнивьё.

жнивьё *с.* stúbble, stúbble-field [-fiːld].

жни́ца *ж.* réaper.

жну(т) *наст. вр. см.* жать II.

жоке́й *м.* jóckey.

жом *м.* **1.** *тех.* press; **2.** *собир.* (*выжимки*) marc.

жонглёр *м.* júggler. ~**ство** *с.* sléight-of-hànd [slaɪt-], júggling (*тж. перен.*).

жонгли́ровать (*прям. и перен.*) júggle.

жох *м. разг.* ráscally skínflint.

жратва́ *ж. груб.* grub.

жрать, сожра́ть (*вн.*) *груб.* gorge (*d.*), guzzle (*d.*), góbble (*d.*).

жре́бий *м.* lot; (*перен. тж.*) fate, déstiny; броса́ть ~ throw* / cast* lots [-ou...]; тяну́ть ~ draw* lots; ~ пал на него́ the lot fell to him; ◊ ~ бро́шен the die is cast.

жрец *м. ист.* priest [-iːst]; ◊ ~ нау́ки a high priest of science.

жре́ческий príestly [-iːst-].

жри́ца *ж. ист.* príestess [-iːst-].

жу́желица *ж. зоол.* ground beetle, cárabus.

жужжа́ние *с.* [-жьжя-] hum (*тж. о прялке*); buzz, drone.

жужжа́ть [-жьжя-] hum; buzz, drone; (*ср.* жужжа́ние).

жуи́р *м. уст.* pláyboy. ~**овать** *уст.* lead* a life of ídleːness and ease.

жук *м.* **1.** béetle; наво́зный ~ dúng-beetle; ма́йский ~ Máy-bùg, cóckchàfer; ~-носоро́г únicòrn beetle; **2.** *разг.* (*ловкий человек, плут*) rogue [roug].

жу́лик *м.* pílferer, fílcher, swíndler; (*в игре*) cheat; (*в карт. игре*) cárdsháp(er). ~**ова́тый** *разг.* róguish [ˈrou-].

жу́лить, сжу́лить *разг.* = жу́льничать.

жульё *с. собир. разг.* pack of swíndlers.

жу́льничать, сжу́льничать swíndle; (*в игре*) cheat.

жу́льниче||ский fráudulent. ~**ство** úndèrhànd / disːhónest áction [...dɪsˈɔ-...]; sharp práctice; (*в игре*) chéating.

жупа́н *м. ист.* zhupán [ʒuˈpɑːn] (*kind of jerkin*).

жу́пел *м.* búgaboo, búgbear [-bɛə].

журавлёнок *м.* young crane [ʃʌn...].

журави́н||ый *прил. к* жура́вль 1; ◊ ~ые но́ги spíndle shanks, spíndle legs.

жура́вл||ь *м.* **1.** (*птица*) crane; **2.** (*у колодца*) sweep, shàdóof [fæ-]; ◊ не сули́ ~я́ в не́бе, а дай сини́цу в ру́ки *посл.* ≃ a bird in the hand is worth two in the bush [...buʃ].

жури́ть (*вн.*) *разг.* repróve [-uːv] (*d.*), rebúke (*d.*), take* to task (*d.*).

журна́л *м.* **1.** (*периодическое издание*) pèriódical, màgazíne [-ˈziːn], jóurnal [ˈdʒəː-]; ежеме́сячный ~ mónthly (màgazíne) [ˈmʌ-...]; двухнеде́льный ~ fórtnightly, еженеде́льный ~ wéekly, wéekly màgazíne [-ˈziːn]; но́мер ~а íssue of a màgazíne, númber; ~ мод fáshion-màgazíne [-ˈziːn]; **2.** (*книга для записи*) jóurnal, díary, régister; кла́ссный ~ class régister; заноси́ть в ~ (*вн.*) régister (*d.*); ~ боевы́х де́йствий *воен.* war díary; ~ заседа́ний mínutes [-nɪts] *pl.*, mínute-book [-nɪt]; ва́хтенный ~ *мор.* lóg(-book).

журнали́ст *м.* jóurnalist [ˈdʒəː-], préssːman*. ~**и́ка** *ж.* **1.** jóurnalism [ˈdʒəː-]; **2.** *собир.* (*периодические издания*) periódical press; pèriódicals *pl.* ~**ский** jóurnalístic [dʒəː-].

журна́льный màgazíne [-ˈziːn] (*attr.*), jóurnal [ˈdʒəː-] (*attr.*).

журча́ние *с.* purl, bábble, múrmur.

журча́ть (*о воде*) purl, bábble; (*перен.*) múrmur.

жу́ткий térrible; térrifyːing; áwe-inspìring; (*таинственный*) unːcánny; weird [wɪəd], éerie; (*зловещий*) sínister; ◊ ~ на́сморк áwful cold (*in the head*) [...hed]; ~ хо́лод béastːly cold.

жу́тко I 1. *прил. кратк. см.* жу́ткий; **2.** *предик. безл.*: ему́ ~ he is áwe-strùck, he is térrified, he has the creeps, it gives him the creeps.

жу́тко II *нареч. разг.*: ~ мно́го наро́ду an áwful lot of people [...piː-].

жуть *ж.* hórror; его́ ~ берёт *разг.* he is áwe-strùck, he is térrified.

жу́хнуть, зажу́хнуть, пожу́хнуть dry up, shrível [ˈʃrɪ-], becóme* hard.

жу́чить (*вн.*) *разг.* nag (at).

жу́чка *ж.* house-dòg [-s-].

жучо́к *м.* **1.** *уменьш. от* жук; древе́сный ~ wóod-engràver [ˈwud-] (*insect*);

2. *разг.* (*самодельная электрическая пробка*) home-máde eléctrical fuse.

ЖЭК (*жилищно-эксплуатационная контора*) hóusing (máintenance) óffice.

жюри́ *с. нескл. собир.* júdges *pl.*; adjúdicators [ə'dʒu:-] *pl.*; ~ по отбо́ру карти́н для вы́ставки hánging committee [...-ti]; член ~ judge, mémber of the board of adjúdicators; быть в соста́ве ~ be one of the júdges.

З

за I *предл.* **1.** (*тв. — где?, вн. — куда?; позади*) behínd; (*через*) óver; (*по ту сто́рону, да́льше; тж. перен.*) be:yónd, the other side of; (*за пределами, вне*) outsíde; be:yónd the bounds; за шкафо́м, за шкаф behínd the wárdrobe; за реко́й, за́ реку óver the ríver [...'rɪ-], be:yónd the ríver; за воро́тами, за воро́та be:yónd, *или* the other side of, the gate; outsíde the gate; за преде́лами, за преде́лы (*рд.*) be:yónd the bounds (of); — за бо́ртом, за́ борт óver:board; за угло́м, за́ угол round the córner; завёртывать за́ угол turn *a* córner; **2.** (*тв. — где?, вн. — куда?; около, у*) at: си́дя за пи́сьменным столо́м sítting at *the* wríting-tàble; садя́сь за пи́сьменный стол sítting down at *the* wríting-tàble; (*ср. стол*); **3.** (*тв.; во время, занимаясь данным предметом*) at; (*в процессе: при существительных, обозначающих действие*) in *или не переводится*, *причём существит. передаётся через pres. part.*: за уро́ком at *the* lésson; за обе́дом at dínner; за ша́хматами at chess; проводи́ть ве́чер за чте́нием, за игро́й spend* *the* évening in réading, in play [...'i:vn-...], spend* the évening réading, pláying; застава́ть кого́-л. за чте́нием find* smb. réading. **4.** (*тв.; вслед, следуя, преследуя*) áfter; день за днём day áfter day; бежа́ть, гна́ться за кем-л. run* áfter smb.; — сле́довать за кем-л., за чем-л. fóllow smb., smth.; охо́титься за волка́ми, за за́йцами *и т. п.* hunt wolves, hares, *etc.* [...wu-...]; охо́титься за кем-л., за чем-л. (*перен.*) hunt for / áfter smb., for / áfter smth.; дверь затвори́лась за ним the door closed on / behínd him [...dɔː...]; **5.** (*тв.; чтобы достать, принести и т. п.*) for *или инфинитив соотв. глагола* (get*, fetch, buy* [baɪ] *и т.п.*) *без предл.*: посыла́ть за врачо́м send* for *the* dóctor; е́здить за биле́тами go* to get tíckets; — сходи́ть, съе́здить за кем-л., за чем-л. (go* and) fetch / bring* smb., smth.; **6.** (*тв.; по причине*) becáuse of [-'kɔz...]; за недоста́тком (*рд.*), за неиме́нием (*рд.*) for want (of); за отсу́тствием (*рд.*) in the ábsence (of); за мо́лодостью лет becáuse of *one's* youth [...ju:θ]; за ста́ростью лет becáuse of one's age; **7.** (*вн.; ради, в пользу*) for: боро́ться за свобо́ду fight* for fréedom; голосова́ть за кого́-л. vote for smb.; быть за что-л. be for smth.; за мир, за демокра́тию, за социали́зм! for peace, for demócracy, for sócialism!; **8.** (*вн.; при выражении радостной эмоции*) for (smb.'s sake); (*при выражении страха, опасения*) for: ра́доваться за кого́-л. be glad for smb.'s sake; он счастли́в за неё he is háppy for her (sake); беспоко́иться за кого́-л. be ánxious for smb.; **9.** (*вн.; при выражении возмездия, награды, компенсации, платы, цены*) for: нака́занный за что-л. púnished for smth. ['pʌ-...]; награждённый за что-л. rewárded for smth. (*ср.* награжда́ть); благодари́ть кого́-л. за что-л. thank smb. for smth.; получа́ть что-л. за что-л. recéive / get* smth. for smth. [-'siːv...]; пла́та за что-л. pay for smth.; де́сять рубле́й for ten roubles [...ru:-]; **10.** (*вн.; вместо*) for; (*столько же как*) enóugh for [ɪ'nʌf...]; (*в качестве*) as: распи́сываться за кого́-л. sign for smb. [saɪn...]; рабо́тать за трои́х work hard enóugh for three, do the work of three; рабо́тать за гла́вного инжене́ра work as chief éngineer [...tʃi:f endʒ-]; — за N... (*подпись*) N per procuratiónem... [...-ʃi'oun-] (*об. сокр.* per pro., p.p.): за дире́ктора А. Ивано́в Diréctor p. p. A. Ivánóv [...-va:-]; **11.** (*вн.; при обозначении истекшего времени*) for; (*в течение*) dúring; (*в, в преде́лах*) in, within: за после́дние де́сять лет for the last ten years; за пять дней, кото́рые он провёл там during the five days he spent there; э́то мо́жно сде́лать за час it can be done in an hour, *или* within an hour [...auə...]; **12.** (*вн.; ра́ньше на*) не переводится: за неде́лю до пра́здников a week befóre the hólidays [...-dɪz]; за ме́сяц до э́того a month befóre [...mʌ-...]; **13.** (*вн.; на расстоянии*) at a dístance of *или не переводится*: за два́дцать киломе́тров от Москвы́ at a dístance of twénty kilomètres from Móscow; **14.** (*вн.; при обозначении части предмета, через которую он подверга́ется действию*) by: брать, вести́ кого́-л. за́ руку take*, lead* smb. by the hand; — дёргать, тяну́ть кого́-л. за́ волосы pull smb.'s hair [pul...]; ◊ за го́родом, за́ город out of town; за рубежо́м (*за границей*) abroad [-ɔːd]; быть (за́мужем) за кем-л. *разг.* be márried to smb.; за ним *и т. д.* (долг кому́-л.) he, *etc.*, owes (smb.) [...ouz...]; за ним де́сять рубле́й he owes *smb.* ten roubles; — за ним *и т. д.* о́чередь (+ *инф.*) *см.* о́чередь; — за и про́тив for and agáinst, pro and con; *как сущ. мн.* pros and cons [-ouz...]: есть мно́го за и про́тив there are many pros and cons; — ему́, им *и т. д.* за со́рок, за пятьдеся́т *и т. д.* (лет) he is, they are, *etc.*, óver fórty, fífty, *etc.*; за́ полночь past mídnight; отвеча́ть, руча́ться за кого́-л., за что-л., бра́ться, принима́ться за что-л., хвата́ться, держа́ться за кого́-л., за что-л. *см. соотв. глаголы; тж. и др. особые случаи, не приведённые здесь, см. под теми словами, с которыми предл.* за *образует тесные сочетания*.

за II *частица*: что за *см.* что I 6.

за- I *глагольная приставка, употребляется в разн. знач.; в знач. начала действия обычно переводится формами глагола* begín* (+ to *inf.*): они́ заспо́рили (*начали спорить*) they begán to árgue, но часто за- *выражает только сов. вид и тогда обычно не переводится*: он закрича́л (*крикнул*) he shóuted, *или* gave a shout *и т. д.*; *в таком случае* закрича́ть = крича́ть shout *и т. д.*

за- II *приставка в географич. названиях* Trans- [-z- *перед гласн. или звонк. согласн.*]: закаспи́йский Tránscáspian; забайка́льский Tránsbaikál [-zbaɪ'kɑːl].

заакти́ровать *сов.* (*вн.*) cértify présence (ábsence) [...'prez-...] (of).

заале́ть *сов.* **1.** (*о лице, щеках*) flush crímson [...-z-]; (*о небе*) begín* to rédden; **2.** *как сов. к* але́ть.

зааплоди́ровать *сов.* start clápping, burst* into appláuse.

зааре́ндовать *сов. см.* заарендо́вывать.

заарендо́вывать, заарендова́ть (*вн.*) rent (*d.*), lease [-s] (*d.*).

заарка́нить *сов. см.* арка́нить.

заарта́читься *сов. см.* арта́читься.

заасфальти́ровать *сов.* (*вн.*) ásphàlt [-fælt] (*d.*); lay* with ásphàlt (*d.*).

заатланти́ческий tránsatlántic [-z-].

заба́ва *ж.* **1.** (*развлечение*) amúse:ment; (*потеха*) fun; **2.** *разг.* (*несерьёзное занятие*) pástime; де́тская ~ chíldish óccupation.

забавля́ть (*вн.*) amúse (*d.*). ~ся amúse òne:sélf; (*веселиться*) make* òne:sélf mérry.

заба́вни∥к *м. разг.* amúsing chap, èntertáining féllow; húmorist. ~ца *ж. разг.* amúsing / jólly girl [-g-].

заба́вно I **1.** *прил. кратк. см.* заба́вный; **2.** *предик. безл.* it is fun; ~! how fúnny!; what fun!; ему́ ~ he finds it fúnny / amúsing, he likes it.

заба́вно II *нареч.* amúsing:ly, in an amúsing way.

заба́вный amúsing; (*смешной*) fúnny; ~ слу́чай fúnny íncident; он ужа́сно ~! *разг.* he is áwfully fúnny!, he is ábsolùte:ly príce:less!

забаллоти́ровать *сов.* (*вн.*) bláckbàll (*d.*); fail to eléct (*d.*), rejéct (*d.*).

забальзами́ровать *сов. см.* бальзами́ровать.

забараба́ни∥ть *сов.* (*начать бить в барабан*) begín* to drum; (*перен.*) begín* to pátter; дождь ~л по стеклу́, по кры́ше the rain begán to pátter on the window-pàne, on the roof.

забаррикади́ровать(ся) *сов. см.* баррикади́ровать(ся).

забастова́ть *сов.* go* on strike; come* out *идиом. разг.*; (*ср. тж.* бастова́ть).

забасто́в∥ка *ж.* strike; полити́ческая ~ political strike; экономи́ческая ~ económic strike [iː-...]; италья́нская ~ sit-down strike; сидя́чая ~ sit-in; всео́бщая ~ géneral strike; кратковре́менная ~ short-térm / líghtning strike; о́бщая ~ соли́да́рности sympathétic strike; объяви́ть ~ку = забастова́ть; подави́ть ~ку suppréss *the* strike. ~очный *прил.* к забасто́вка; ~очный комите́т strike committee [...-ti]; ~очный пике́т (strike) píckets *pl.*; ~очная борьба́, ~очное движе́ние strike móve:ment [...'muː-]. ~щик *м.*, ~щица *ж.* stríker.

забве́ни‖**е** с. 1. (*утрата памяти о чём-л.*) oblívion; преда́ть ~ю (*вн.*) consign to oblívion [-'saɪn...] (*d.*); иска́ть ~я seek* oblívion; быть пре́данным ~ю fall* / sink* into oblívion; 2. (*пренебрежение чем-л.*) disregárd, contémpt; ~ прили́чий contémpt for the convéntions; 3. *уст.* (*забытьё*) uncónscious:ness [-nʃəs-].

забе́г м. *спорт.* heat, round.

забега́ловка ж. *разг.* snáck-bàr.

забега́ть *сов.* begin* to bustle; (*о глаза́х, взгля́де*) flicker úneasily [...-'iːzɪ-], assúme a shifty expréssion.

забега́ть, **забежа́ть** 1. (*бегом входить*) run*; 2. (*к кому-л.*) *разг.* (*заходить*) call (on smb.), drop in (at smb.'s *place*); (*ср. тж.* загля́дывать 2 *и* заходи́ть I); 3. (*убегать далеко*) run* (*far a:way*); reach (*a place*) by rúnning; run* to; ◇ ~ вперёд run* a few steps fórward, run* ahéad [...ə'hed]; (*преждевременно делать что-л.*) ánticipàte; put* the cart befóre the horse *идиом.*; ~ вперёд в расска́зе get* ahéad of one's stóry.

забега́ться *сов. разг.* be run off one's feet.

забежа́ть *сов. см.* забега́ть.

забеле́ть *сов.* show* / gleam white [ʃou...]. ~ся *сов.* = забеле́ть.

забели́ть *сов.* (*вн.*) *разг.* 1. (*покрыть белой краской*) whíten (*d.*), paint white (*d.*); 2.: ~ суп молоко́м *или* смета́ной put* milk *or* sour cream into one's soup [...suːp], add milk *or* sour cream to *the* soup.

забере́менеть *сов.* 1. become* prégnant; concéive [-'siːv]; 2. *как сов. к* бере́менеть.

забеспоко́иться *сов.* 1. (*начать беспокоиться*) begin* to wórry [...'wʌ-], begin* to feel ánxious / únèasy [...-zɪ]; 2. *как сов. к* беспоко́иться.

забетони́ровать *сов. см.* бетони́ровать.

забива́ть, **заби́ть** 1. (*вн.*) drive* in (*d.*); (*молотком*) hámmer in (*d.*); (*о сваях и т. п.*) ram in (*d.*); 2. (*вн. тв.*) *заполнять, засорять*) choke up (*d.* with), fill chóck-fúll (*d.* with); block up (*d.* with); (*закрывать проход и т. п.*) obstrúct (*d.* with), jam (*d.* with); 3. (*вн. тв.*) *заделывать*) stop up (*d.* with); — о́кна доска́ми board up the wíndows; 4. (*вн.*) *разг.* (*превосходить*) outdó (*d.*), surpáss (*d.*); 5. (*вн.*) *спорт.* drive* in (*d.*); score (*d.*); ~ мяч в воро́та kick the ball into the goal; ~ гол score a goal; 6. (*вн.*) *разг.* (*мучить побоями*) beat* up (*d.*), knock abóut (*d.*); 7. (*вн.*; *о скоте*) sláughter (*d.*); ◇ ~ го́лову кому́-л. put* wrong / fóolish idéas into smb.'s head [...aɪ'dɪəz ...hed]; забива́ть го́лову кому́-л. *тж.* fill smb.'s head with smth.; ~ себе́ в го́лову что-л. *разг.* get* it firmly fixed in one's head, get* a fixed nótion / idéa, that.

забива́ться, **заби́ться** 1. hide*; ~ в у́гол hide* in a córner; 2. (*чем-л.*) *засоряться*) become* obstrúcted / clúttered (with smth.); 3. *страд. к* забива́ть.

забинтова́ть *сов. см.* забинто́вывать *и* бинтова́ть.

забинто́вывать, **забинтова́ть** (*вн.*) bándage (*d.*).

забира́ть I, **забра́ть** (*вн.*) 1. (*брать*) take* a:wáy (*d.*); seize [siːz] (*d.*); colléct (*d.*); (*овладевать*) cápture (*d.*); take* posséssion [...-'zе-] (of); (*арестовывать*) arrést (*d.*); 2. *разг.* (*о чувствах и т. п.*) come* óver (*d.*); ~ его́ забрало́ за живо́е he was touched to the quick [...tʌ-...]; ~ себе́ в го́лову (*вн.*) take* into one's head [...hed] (*d.*); get* smth. fixed in one's head; ~ в ру́ки take* in hand (*d.*); ~ в свои́ ру́ки take* into one's own hands [...oun...] (*d.*), take* óver (*d.*).

забира́ть II, **забра́ть** (*вн.*; *ушивать, убавлять*) take* in (*d.*); ~ в шов take* in a seam.

забира́ться I, **забра́ться** 1. (*на вн.*; *залезать куда-л.*) perch (on, up:ón), climb [klaɪm] (*d.*, on), get* (on, up:ón); (*достигать*) reach (*d.*); 2. (*в вн.*; *проникать*) pénetràte (into), get* (into); 3. *страд. к* забира́ть I.

забира́ться II *страд. к* забира́ть II.

заби́тый 1. *прич. см.* забива́ть; 2. *прил.* oppréssed, dówntròdden.

заби́ть I *сов. см.* забива́ть.

заби́ть II *сов.* (*начать бить*) begin* to beat; (*о фонтанах в парках и т. п.*) begin* to play; заби́л фонта́н не́фти oil was struck; нефть заби́ла из сква́жины oil gushed from *the* well.

заби́ться I *сов. см.* забива́ться.

заби́ться II *сов.* (*начать биться*) begin* to beat; у него́ заби́лось се́рдце his heart begán to beat / thump / thud / pound [...hɑːt...].

забия́ка м. и ж. *разг.* squábbler; búlly ['bu-].

заблаговре́менн‖**о** *нареч.* in advánce, éarly ['əː-], in good time; ahéad of time [ə'hed...] *амер.* ~ый done in good time, done éarly [...'əː-].

заблагорассу́ди‖**ться** *сов. безл. переводится личными формами от* like, consíder it nécessary [-'sɪ-...], think* fit; он де́лает, что ему́ ~тся he does what he likes / chóoses; ему́ не ~лось ей отве́тить he did not consíder it nécessary to ánswer her [...'ɑːnsə...]; он придёт, когда́ ему́ ~тся he will come when he thinks fit, *или* when he feels so dispósed.

заблесте́‖**ть** *сов.* 1. (*стать блестящим*) begin* to shine / glítter / glow [...glou]; 2. *как сов. к* блесте́ть; её глаза́ ~ли her eyes shone / spárkled [...aɪz ʃɒn...].

забле́ять *сов.* (*начать блеять*) begin* to bleat; 2. *как сов. к* бле́ять.

заблиста́ть *сов.* = заблесте́ть.

заблуди́ться *сов.* lose* one's way [luːz...], get* lost; ◇ ~ в трёх со́снах *разг.* lose* one's way in broad dáylight [...brɔːd...].

заблу́дш‖**ий** stray, lost; ◇ ~ая овца́ lost sheep*.

заблужд‖**а́ться** err, be mistáken. ~е́ние *с.* érror, delúsion; быть в ~е́нии be únder a delúsion, be in érror; впасть в ~е́ние be decéived; вводи́ть в ~е́ние (*вн.*) lead* astráy (*d.*), delúde (*d.*); misléad* (*d.*); вы́вести из ~е́ния (*вн.*) undecéive [-'siːv] (*d.*).

забода́ть *сов.* (*вн.*) gore (*d.*).

забо́й I м. (*скота на бойне*) sláughter (*of cattle*).

забо́й II м. *горн.* face; (*угольный*) cóal-fàce. ~щик м. (cóal-)miner, fáce-wòrker.

забола́чивание *с.* swámping, flóoding ['flʌd-], túrning into marsh.

забола́чивать, **заболо́тить** (*вн.*) swamp (*d.*). ~ся, **заболо́титься** turn into swamp.

заболева́‖**емость** ж. morbídity; (*относительное количество заболеваний*) síckness rate; (*распространённость болезни*) prévalence (*of disease*); ~ скарлати́ной уме́ньшилась the númber of scárlet féver cáses, *или* of cáses of scárlet féver, has dècréased [...-sɪːz... -st]. ~ние *с.* 1. (*болезнь*) diséase [-'ziːz], íllness; 2. (*возникновение болезни*) fálling ill, contrácting a diséase.

заболева́ть, **заболе́ть** (*тв.*) 1. fall* ill (with), be táken ill (with); 2. *разг.* (*увлекаться чем-л.*) be addícted (to); заболе́ть са́дом become* a keen gárdener; заболе́ть футбо́лом become* a fóotball fan.

заболе́ть I *сов. см.* заболева́ть.

заболе́‖**ть** II *сов.* (*начать болеть*; *о каком-л. органе*) begin* to ache [...eɪk], ache; у него́ ~ло... he has... ache; у него́ ~ла голова́ he has a héadache [...'hedeɪk]; у него́ ~ло го́рло he has a sore throat.

забо́лонь ж. álbúrnum, sáp-wood [-wud].

заболо́тить(ся) *сов. см.* забола́чивать(ся).

заболо́ченный swamped.

заболта́‖**ть** I *сов.* (*вн., тв.*; *начать болтать*) begin* to swing / dangle (*d.*); он сел на стул и ~л нога́ми he sat on a chair and begán to swing his feet.

заболта́ть II *сов.* (*вн.*) *разг.* (*примешать, разбалтывая*) mix in (*d.*).

заболта́ть III *сов. разг.* (*начать говорить*) begin* to chátter, start cháttering.

заболта́ться I *сов.* (*с тв.*) *разг.* (*увлечься болтовнёй*) become* absórbed in cònversátion (with); ~ до утра́ talk all night long.

заболта́ться II *сов. разг.* (*начать болтаться*) begin* to swing.

забо́р *м.* fence.

забо́ристый *разг.* strong (*of liquor, tobacco, etc.*); (*перен.*) risqué (*фр.*) ['rɪskeɪ], rácy.

забо́рный 1. *прил. к* забо́р; 2. (*неприличный, грубый*) indécent, coarse.

заборони́ть *сов.* (*вн.*) *с.-х.* hárrow (*d.*).

забо́ртный *мор.* óutboard.

забо́т‖**а** ж. (*о пр.*) 1. (*беспокойство*) ànxíety [æŋ'z-] (for); 2. (*хлопоты*) trouble [trʌ-] (abóut); (*попечение*) care (of, for); ~ о челове́ке cáring for péople [...piː-]; concérn for péople's / públic wélfàre [...'pʌ-...]; ~ о бла́ге ка́ждого concérn for the good of each; ~ы о бу́дущем concérn for the fúture; ~ о де́тях care / concérn for children; быть окружённым ~ой be gíven évery suppórt / encóurage:ment [...-'kʌ-]; э́то явля́ется на́шей гла́вной ~ой it is our partícular concérn; ◇ без забо́т cárefree; ему́ ~ы ма́ло *разг.* what does he care?; не́ было ~ы! ≅ as if we didn't have

178

enough to worry about [...ˈnʌf...ˈwʌ-...]; не моя (твоя, его и т.д.) ~ (that's) none of my (your, his, etc.) affair [...nʌn...]; it's no skin off my (your, his, etc.) nose.

забо́т||ить (кого́-л.) cause anxiety [...æŋˈz-] (to smb.), worry [ˈwʌ-] (smb.); э́то его́ о́чень ~ит he is very much worried about it; э́то его́ ма́ло ~ит he hardly cares. **~иться**, позабо́титься (о пр.) 1. (окружа́ть забо́той) look after (d.), take* care (of); 2. (беспоко́иться) trouble [trʌ-] (about); ~иться о своём здоро́вье take* care of one's health [...he-]; они́ должны́ позабо́титься о том, что́бы they must see to it that; он ни о чём не ~ится he does not care about anything.

забо́тлив||ость ж. thoughtfulness, care, solicitude. **~ый** careful, thoughtful, considerate, solicitous.

забракова́ть сов. см. бракова́ть.

забра́ло с. ист. visor [-zə]; ◇ с откры́тым ~м openly, frankly.

забрани́ть (вн.) разг. scold (d.), tell* off (d.).

забра́сывать I, заброса́ть (вн. тв.) 1. (броса́ть мно́го, со всех сторо́н) bespatter (d. with), pelt (d. with); (перен.) shower (up;on d.); артисто́в заброса́ли цвета́ми the actors were showered with flowers; заброса́ть пода́рками (вн.) shower with presents [...-ez-] (d.); забро́сать кого́-л. камня́ми (прям. и перен.) throw* / hurl / fling* stones at smb. [θrou...], stone smb.; ~ кого́-л. гря́зью (прям. и перен.) throw* mud at smb.; drag smb. through the dirt; заброса́ть кого́-л. вопро́сами bombard smb. with questions [...-stʃ-], fire questions at smb.; 2. (заполня́ть) fill (d. with), fill up (d. with); (све́рху) cover [ˈkʌ-] (d. with); (ср. тж. закидывать I).

забра́сывать II, забро́сить (вн.) 1. (броса́ть далеко́) throw* / hurl far away [θrou...] (d.); ~ мяч throw* a ball; судьба́ забро́сила его́ на се́вер fate has taken him to the north; 2. (теря́ть) mislay* (d.); 3. (оставля́ть без внима́ния) neglect (d.), abandon (d.); перестава́ть занима́ться чем-л.) give* up (d.); он забро́сил свои́ заня́тия he has given up his studies [...ˈstʌ-]; 4. (дт. вн.) разг. supply (d. with); 5. (вн.; завози́ть куда́-л.) take* / bring* (to a place) (d.).

забра́ть I, II сов. см. забира́ть I, II.
забра́ться сов. см. забира́ться I.
забре́дить сов. become* delirious.
забре́зжи||ть [-ёжжи-] сов. 1. begin* to dawn, begin* to appear, begin* to gleam; ~л огонёк a light began to gleam; чуть ~л свет... at the first gleam of daylight...; 2. безл.: ~ло it is just beginning to get light.

забрести́ сов. разг. 1. (сбившись с пути́) stray, wander; 2. (зайти́ мимохо́дом) drop in.

забри́ть сов. уст.: ~ кого́-л., ~ лоб кому́-л. recruit smb. [-u:t...].
заброди́ть сов. begin* to ferment.
заброни́ровать сов. см. брони́ровать.
забро́с м.: быть в ~е разг. be neglected, be in a state of neglect.
заброса́ть сов. см. забра́сывать I.

забро́сить сов. см. забра́сывать II.
забро́шенн||ость ж. abandonment, desertion [-ˈzə:-]. **~ый** 1. прич. см. забра́сывать II; 2. прил. derelict, neglected; (необита́емый) deserted [-ˈzə:-]; ~ый сад neglected / weed-grown / overgrown garden [...-ˈgroun...]; ~ый дом deserted house* [...-s]; ~ый ребёнок neglected child*; ~ое ме́сто desolate spot.

забры́згать I сов. см. забры́згивать.
забры́згать II сов. разг. (нача́ть бры́згать; о фонта́не) begin* to play.
забры́згивать, забры́згать (вн. тв.) splash (d. with), bespatter (d. with); забры́згать гря́зью splash / bespatter with mud (d.).

забубённ||ый разг.: ~ая голо́вушка unruly / dissolute fellow.
забулды́га м. разг. debauchée, profligate.
забути́ть сов. см. бути́ть.
забуха́ть, забу́хнуть swell* out; ра́мы забу́хли и не открыва́ются the swollen-out window-frames are stuck [...-oul-...].
забу́хнуть сов. см. забуха́ть.
забушева́ть сов. 1. (нача́ть бушева́ть) begin* to rage; 2. как сов. к бушева́ть.
забуя́нить сов. 1. (нача́ть буя́нить) become* unruly / riotous, get* out of hand; 2. как сов. к буя́нить.

забыва́ть, забы́ть (вн.) 1. forget* [-ˈg-] (d.); (пренебрега́ть) neglect (d.); он соверше́нно забы́л (об э́том) he forgot all about it, it went clean out of his mind; и ду́мать забу́дь! разг. put / get it out of your head! [...hed]; ~ оби́ду forgive* an injury [-ˈgɪv...]; forgive* and forget*; 2. (оставля́ть) leave* behind (d.); ◇ себя́ не ~ take* care of oneself, look after one's own interest(s) [...oun...]; look out for oneself; что он там забы́л? разг. what business has he there? [...ˈbɪzn-...]. **~ся**, забы́ться 1. (засыпа́ть) doze, drop off; (теря́ть созна́ние) lose* consciousness [lu:z -nʃəs-], become* unconscious [...-nʃəs]; 2. (впада́ть в заду́мчивость) be lost in reverie; 3. (переходи́ть грани́цы дозво́ленного) forget* oneself [-ˈg-...]; 4.: он не хо́чет забы́ться he seeks oblivion; он де́лает э́то, что́бы забы́ться he does it to forget his troubles [...trʌ-], he seeks oblivion; 5. страд. к забыва́ть; э́то не ско́ро забу́дется this won't be easily forgotten [...wount... ˈi:z-...].

забы́вчив||ость ж. forgetfulness [-ˈg-], obliviousness; (рассе́янность) absent-mindedness. **~ый** forgetful [-ˈg-]; (рассе́янный) absent-minded.
забы́т||ый 1. прич. см. забыва́ть; 2. прил. lost; (забро́шенный) forgotten; ~ые ве́щи lost property sg., lost things.
забы́ть сов. см. забыва́ть.
забытьё с. (непо́лная поте́ря созна́ния) unconsciousness [-nʃəs-], half-conscious state [ˈhɑːf- -nʃəs...]; (дремо́та) drowsiness [-z-]; впасть в ~ (потеря́ть созна́ние) lose* consciousness [lu:z -nʃəs-]; (задрема́ть) fall* into a doze.
забы́ться сов. см. забыва́ться.
зава́жничать сов. разг. put* on airs.
зава́л м. obstruction, block.
зава́л||ивать, завали́ть 1. (вн. тв.) heap up (d. with); (заполня́ть) fill up (d. with); (загроможда́ть) block up (d.

with); (перен.: переполня́ть) разг. fill cram-full (d. with); 2. (вн.; засыпа́ть) bury [ˈbe-] (d.); 3. (вн. тв.; переобременя́ть) overload (d. with); ~ зака́зами overload with orders; ~ен рабо́той he is up to the eyes in work [...aɪz...]; 4. (вн.) разг. (опроки́дывать) tumble (d.). **~иваться**, завали́ться 1. (па́дать) fall*; (затеря́ться) be mislaid; кни́га ~ила́сь за дива́н the book has fallen / slipped behind the sofa; 2. разг. (укла́дываться) lie* down; ~иваться спать fall* / tumble into bed; 3. (опроки́дываться) tumble down; 4. (тв.) разг. (име́ть в избы́тке) be packed (with), be full (of); в магази́не фру́ктов — хоть завали́сь the store is packed with fruit [...-u:t]; 5. страд. к зава́ливать.

зава́линка ж. zavalinka (*small mound of earth along the outer walls of a peasant's house*).
завали́ть(ся) сов. см. зава́ливать(ся).
зава́лка ж. тех. (до́менной пе́чи) charging (of a furnace).
зава́л||ь ж. тк. ед. разг. old rubbish; (о това́ре) shop-soiled goods [...gudz] pl.; defective stock идиом.
завалю́шка ж. разг. tumble-down old house* [...-s].
завал||я́ться сов. разг. 1. (о докуме́нте и т.п.) not be duly attended to, be shelved, be overlooked; 2. (оста́ться непро́данным) be still unsold; find* no market. **~я́щий** разг. worthless.

зава́ривать I, завари́ть (вн.) 1. (о ча́е, ко́фе) make* (d.), brew (d.); 2. (обдава́ть кипятко́м) pour boiling water [pɔː...ˈwɔː-] (over); scald (d.); 3. тех. weld up (d.), close (up) (d.).
зава́р||ивать II, завари́ть (вн.) разг. (начина́ть) start (d.); ◇ ~и́ть ка́шу см. ка́ша.
зава́р||иваться I, завари́ться 1.: чай ~и́лся tea is ready [-ˈre-]; 2. страд. к зава́ривать I.
зава́р||иваться II, завари́ться 1. (начина́ться): неприя́тное де́ло ~и́лось there is trouble brewing [...trʌbl...]; 2. страд. к зава́ривать II.
завари́ть I, II сов. см. зава́ривать I, II. **~ся I, II** сов. см. зава́риваться I, II.
зава́рк||а ж. 1. (де́йствие) brewing (of tea, etc.); тех. welding; 2. разг. (коли́чество ча́я) enough tea for one brew [ɪˈnʌf...]; ча́ю оста́лось на одну́ ~у there is just enough tea left for one brew.
заварно́й: ~ крем scalded cream.
зава́руха ж. разг. turmoil, commotion, stir.
заведе́ние с. 1. institution, establishment; уче́бное ~ educational institution; пра́чечное ~ уст. laundry; пите́йное ~ уст. public house* [ˈpʌ- -s]; 2. уст. разг. (обы́чай) custom, habit; здесь тако́е ~ it is the custom here.
заве́дование с. management, superintendence.
заве́довать (тв.) manage (d.), be (at) the head [...hed] (of), head (d.).
заве́домо нареч. wittingly, deliberately; сде́лать что-л. ~ зна́я, что do smth. knowing full well that [...ˈnou-...];

ЗАВ – ЗАВ

дава́ть ~ ло́жные показа́ния pérjure òne︰sélf; wíttingly / delíberately give* false évidence [...fɔ:ls...]. ~**ый** notórious; ~**ая** ложь flágrant lie.

заве́дующий *м. скл. как прил.* mánager; (*нача́льник*) chief [-i:f], head [hed]; ~ отде́лом снабже́ния supplies mánager, mánager of supplies; ~ канцеля́рией héad-clèrk ['hedklɑ:k]; exécutive *амер.*; ~ магази́ном shop mánager; ~ уче́бной ча́стью head of stúdies [...'stʌ-]; ~ шко́лой *уст.* school héad-màster ['hed-]; príncipal *амер.*; ~ хозя́йством assistant mánager (in charge of the prémises, *etc.*) [...-sɪz].

заве́дывание *с. уст.* = заве́дование.
заве́дывать *уст.* = заве́довать.
завезти́ *сов. см.* завози́ть I.
завербова́ть(ся) *сов. см.* вербова́ть(ся).
заве́ре́ние *с.* pósitive státe︰ment [-z-...], assértion; (*заявле́ние*) pròtestátion [prou-].
завери́тель *м.*, ~**ница** *ж.* wítness (to a sígnature, etc.).
заве́рить *сов. см.* заверя́ть.
заве́рка *ж.* cèrtificátion (of a sígnature, etc.).
заверну́ть I *сов. см.* завёртывать I.
заверну́ть II *сов.* 1. *см.* завёртывать II; 2. *разг.* (*нача́ться, наступи́ть*) come* on / down; заверну́ли моро́зы frosts came on.
заверну́ться I, II *сов. см.* завёртываться I, II.
заверте́ть I *сов.* 1. (*вн.*; *нача́ть верте́ть*) begin* to twirl / whirl (*d.*); 2. *как сов. к* верте́ть.
заверте́ть II *сов.*: ~ кого́-л. (*перен.*) *разг.* turn smb.'s head [...hed].
заверте́ться I *сов.* 1. (*нача́ть верте́ться*) begin* to turn, begin* to spin round; 2. *как сов. к* верте́ться.
заверте́ться II *сов. разг.* (*захлопота́ться*) become* flústered; lose* one's head [lu:z... hed].
завёртывать I, заверну́ть (*вн. в вн.*; *в бума́гу, одея́ло и т.п.*) wrap up (*d.* in).
завёртывать II, заверну́ть 1. (*без доп.*; *свора́чивать в сто́рону*) turn; заверну́ть за́ угол turn the córner; 2. (*без доп.*) *разг.* (*заходи́ть, заезжа́ть куда́-л.*) drop in (at a place), call (at a place); 3. (*вн.*; *о винте́, га́йке и т.п.*) screw tight (*d.*), tighten (*d.*); ~ кран turn off *the* tap; 4. (*вн.*; *загиба́ть, приподнима́ть: о подо́ле, о рукава́х*) tuck up (*d.*); (*о рукава́х тж.*) roll up (*d.*).
завёртываться I, заверну́ться 1. (*заку́тываться*) cóver / wrap / múffle òneself up ['kʌ-...]; 2. *страд. к* завёртывать I.
завёртываться II, заверну́ться 1. (*загиба́ться*) turn up, fold up; 2. *страд. к* завёртывать II 3, 4.
заверша́ть, заверши́ть (*вн.*) compléte (*d.*); (*вн. тв.*) con︰clúde (*d.* with), crown (*d.* with); не был ~ён was not complétéd. ~**а́ться**, заверши́ться be complétéd / con︰clúded, come* to an end; *тк. несов.* (*подходи́ть к концу́*) near complétion. ~**а́ющий** 1. *прич. см.* заверша́ть; 2. *прил.* con︰clúding, final, clósing.

~**е́ние** *с.* complétion; (*коне́ц*) end; ◊ в ~е́ние (всего́) in con︰clúsion.
заверши́ть(ся) *сов. см.* заверша́ть(ся).
заверя́ть, заве́рить (*вн.*) 1. (*уверя́ть*) assúre [ə'ʃuə] (*d.*); 2. (*удостоверя́ть по́дпись и т.п.*) wítness (*d.*), cértify (*d.*); ~ ко́пию attést *a* cópy [...'kɔ-].
заве́с||**а** *ж.* cúrtain; veil, screen (*тж. перен.*); ◊ дымова́я ~ smóke-screen; приподня́ть ~у lift the veil.
заве́сить *сов. см.* заве́шивать I.
завести́ I, II, III *сов. см.* заводи́ть I, II, III.
завести́сь I, II *сов. см.* заводи́ться I, II.
заве́т *м.* précept; behést; ~ы Ле́нина Lénin's précepts; по ~ам Ле́нина in accórdance with Lénin's précepts. ~**ный** 1. (*о жела́нии, мечте́*) chérished; (*о разгово́ре*) íntimate; 2. (*скрыва́емый, изве́стный немно́гим*) hídden. 3. *уст.* (*заве́щанный*) sácred.
заве́тренн||**ый** I *мор.*: ~ая сторона́ léeward.
заве́тренн||**ый** II (*подсо́хший на во́здухе*) dried up; ~ая колбаса́ dried up slíces of sáusage [...'sɔ-].
заве́шать *сов. см.* заве́шивать II.
заве́шивать I, заве́сить (*вн.*; *закрыва́ть занаве́ской*) cúrtain off (*d.*); ~ о́кна cúrtain the windows; ~ портре́т cóver / veil *a* pórtrait ['kʌ-... -rɪt].
заве́шивать II, заве́шать (*вн. тв.*; *ве́шать повсю́ду*) hang* (*d.* all óver); заве́шать всю ко́мнату карти́нами hang* píctures all round the room.
завеща́ни||**е** *с.* (last) will; téstament; сде́лать ~ make* one's will; умере́ть без ~я die intéstate.
завеща́тель *м.* tèstátor. ~**ница** *ж.* tèstátrix. ~**ный** testaméntary; ~ное распоряже́ние, усло́вие condítion of *a* will.
завеща́ть *несов. и сов.* (*вн. дт.*) bequéath [-ð] (*d.* to); leave* by will / téstament (*d.* to); (*о недви́жимом иму́ществе*) devíse (*d.* to).
завзя́тый *разг.* invéterate; confírmed; ~ охо́тник invéterate húnter; ~ игро́к, кури́льщик invéterate / confírmed gámbler, smóker.
завива́ть, зави́ть (*вн.*; *волна́ми*) wave (*d.*); (*локо́нами*) curl (*d.*); (*ме́лко*) frizzle (*d.*); ◊ зави́ть го́ре верёвочкой *разг.* ≃ stop gríeving [...'gri:v-]; snap out of it.
завива́ться I, зави́ться (*де́лать зави́вку*) wave / curl one's hair (*ср.* завива́ть); (*у парикма́хера*) have a háir-dò, have one's hair done / set.
завива́ться II, зави́ться (*ви́ться*) curl, wave.
зави́вк||**а** *ж.* 1. (*де́йствие*; *волна́ми*) wáving; (*кудря́ми*) cúrling; 2. (*причёска*) (háir-)wàve, háir-dò; де́лать ~у (*волна́ми*) have one's hair waved (*кудря́ми*) have one's hair curled; ◊ шестиме́сячная ~ pérmanent wave; perm *разг.*; горя́чая ~ Márcèl wave; де́лать холо́дную ~у set* one's hair.
зави́деть *сов.* (*вн.*) *разг.* catch* sight (of).
зави́дки *разг.*: меня́ ~ беру́т I am green with énvy.
зави́дно 1. *прил. кратк. см.* зави́дный; 2. *предик. безл. перево́дится ли́чными фо́рмами от* feel* énvious, énvy:

ему́ ~ he feels énvious, he énvies; ему́ ~ смотре́ть на неё he feels énvious when he looks at her.
зави́дный énviable.
зави́довать, позави́довать (*дт.*) énvy (*d.*); ◊ не зави́дую ему́, ей *и т.д.* ≃ I would︰n't be in his, her, *etc.*, place.
завиду́щ||**ий** *разг.*: глаза́ ~ие cóvetous eyes ['kʌ- aɪz].
завизжа́ть [-ижжя́-] *сов.* 1. (*нача́ть визжа́ть*) begin* to squeal, set* up a howl; 2. *как сов. к* визжа́ть.
завизи́ровать *сов.* (*вн.*) visé (*фр.*) ['vi:zeɪ] (*d.*), vísa ['vi:zə] (*d.*).
завиля́ть *сов.* 1. (*нача́ть виля́ть*) begin* to wag [...wæg] (*перен.*) *разг.* begin* to dodge / prevári︰càte; 2. *как сов. к* виля́ть.
завинти́ть(ся) *сов. см.* зави́нчивать(ся).
зави́нчивать, завинти́ть (*вн.*) screw up (*d.*). ~**ся**, завинти́ться 1. screw up; 2. *страд. к* зави́нчивать.
завира́льный *разг.* absúrd, fóolish.
завира́ться, завра́ться *разг.* become* entángled in lies; talk at rándom.
зави́сеть (*от*) depénd (on); э́то бу́дет ~ от обстоя́тельств it will depénd (on the círcumstances); наско́лько (э́то) от меня́ ~ит insò︰far as it depénds on me; мы сде́лали всё, что от нас ~ело we did all that lay in our pówer; э́то ~ит от него́ it lies with him.
зави́сим||**ость** *ж.* depéndence; вассáльная ~ *ист.* vássalage; крепостна́я ~ *ист.* sérfdom, bóndage; быть в ~ости от кого́-л. depénd on smb.; ◊ в ~ости (от) depénding (on), súbject (to); (*согла́сно*) accórding (to). ~**ый** (*от*) depéndent (on); ~ое положе́ние (state of) depéndence.
зави́стливо I *прил. кратк. см.* зави́стливый.
зави́стливо II *нареч.* with énvy, énvious︰ly; смотре́ть на что-л. ~ look énvious︰ly at smth., eye smth. énvious︰ly [aɪ...].
зави́ст||**ливый** énvious. ~**ник** *м.*, ~**ница** *ж.* énvious pérson.
за́вист||**ь** *ж.* énvy; возбужда́ть ~ в ком-л. excíte / rouse énvy in smb.; ◊ ло́паться от ~и *разг.* be búrsting with énvy.
завито́й (*волна́ми*) waved; (*локо́нами*) curled; (*ме́лко*) frizzled, crimped.
завит||**о́к** *м.* 1. (*локо́н*) lock, curl; 2. (*по́черка*) flóurish ['flʌ-]; 3. (*у расте́ний*) téndril; 4. *арх.* volúte, scroll. ~**у́шка** *ж. разг.* = завито́к 1, 2.
зави́ть *сов. см.* завива́ть.
зави́ться I, II *сов. см.* завива́ться I, II.
завихре́ние *с.* 1. *тех.* túrbulence; 2. *разг.* (*стра́нность*): ~ мозго́в múddled brains.
завихри́ться *сов.* begin* to whirl abóut; сухи́е ли́стья ~лись от ве́тра the wind whirled the dead leaves abóut [...wɪ-...ded...].
завко́м *м.* (*заводско́й комите́т профсою́зной организа́ции*) fáctory trade únion commíttee [...-tɪ].
завладева́ть, завладе́ть (*тв.*) take* posséssion [...-'ze-] (of); (*захва́тывать*) seize [si:z] (*d.*), cápture (*d.*) (*тж. перен.*); ~ ума́ми rule the minds; ~ внима́нием grip the atténtion.

завладе́ть *сов. см.* завладева́ть.
завлека́тельный *разг.* enticing, allúring.
завлека́ть, завле́чь (*вн.*) entíce (*d.*), lure a·wáy (*d.*); (*соблазнять*) sedúce (*d.*).
завле́чь *сов. см.* завлека́ть.
заво́д I *м.* **1.** works; fáctory, mill; plant [-ɑː-]; фа́брики и ~ы mills and fáctories, fáctories and plants; автомоби́льный ~ mótor-càr works, áutomobìle fáctory [-biːl...]; виноку́ренный ~ distíllery; вое́нный ~ munítion fáctory; га́зовый ~ gás-wòrks; кирпи́чный ~ brick-field [-fiː-]; коже́венный ~ tánnery; лесопи́льный ~ sáw-mill; машинострои́тельный ~ èngineering works / fáctory [endʒ-...]; металлурги́ческий ~ mètallúrgical plant / works; мылова́ренный ~ sóap-fàctory; нефтеперего́нный ~ oil refínery [...-ˈfai-]; пивова́ренный ~ bréwery; порохово́й ~ gúnpowder fáctory; самолётострои́тельный ~ áircràft works; са́харный ~ súgar refínery [ˈʃu-...]; стекля́нный ~ gláss-wòrks, gláss-fàctory; фарфо́ровый ~ pórcelain / cerámic works [-slin...]; чугуноплави́льный ~ íron-fòundry [ˈaiən-], íronwòrks [ˈaiən-]; лите́йный ~ fóundry; хими́ческий ~ chémical plant [ˈke-...]; **2.** (*предприятие для разведения животных*): ко́нный ~ stúd-(fàrm); ры́бный ~ fish-breeding farm, fish-fàrm.
заво́д II *м. тк. ед.* **1.** (*у часов и т.п.*) wínding méchanism [...-kə-]; игру́шка с ~ом clóckwòrk toy; **2.** (*действие*) wínding up.
заво́д III *м.*: у нас э́того и в ~е нет *разг.* we have néver had it here; it has néver been the cústom here.
заводи́ла *м. и ж. разг.* ríng·lèader, ínstigàtor, live wire.
заводи́ть I, завести́ (*кого-л. куда-л.; приводить*) bring* / lead* (*smb. to a place*) (and leave* there); (*уводить далеко*) take* / lead* (*smb. to a place*); ~ кого́-л. в тупи́к (*перен.*) lead* smb. up a blind álley.
заводи́ть II, завести́ (*вн.*) **1.** (*приобретать*) acquíre (*d.*); (*покупать*) buy* [bai] (*d.*); ~ привы́чку (+ *инф.*) acquíre a hábit (of *ger.*), fall* / get* into the hábit (of *ger.*); **2.** (*вводить, устанавливать*) estáblish (*d.*), introdúce (*d.*); ~ поря́док introdúce / estáblish / órder a rule; **3.**: ~ семью́, хозя́йство acquíre a home and fámily; séttle down (in life); ~ де́ло *разг.* (*коммерческое*) start a búsiness [...ˈbizn-...], set* up in búsiness; **4.** (*начинать*) start (*d.*); ~ разгово́р start a convèrsátion; ~ ссо́ру start / raise a quárrel; ◊ ~ знако́мство (с *тв.*) strike* up an acquáintance (with).
заводи́ть III, завести́ (*вн.*) **1.** (*приводить в движение, пускать в ход*) wind* up (*d.*); ~ патефо́н put* on the pórtable grámophòne; ~ буди́льник set* the alárm clock; ~ мото́р start (up) an éngine [...ˈendʒ-]; (*ручкой*) crank an éngine; **2.** *разг.* (*будоражить*) get* smb. worked up.
заводи́ться I, завести́сь 1.: у него́ завели́сь де́ньги he has got móney (to spend) [...ˈmʌ-...]; у меня́ завели́сь но́вые друзья́ I acquíred new friends [...-fre-...]; **2.** (*устанавливаться*) be estáblished, be set up; завели́сь но́вые поря́дки new rules have been estáblished / introdúced.
заводи́ться II, завести́сь 1. (*о механизме; о часах*) be wound up; be set; (*о моторе*) be stárted (up); **2.** *разг.* (*приходить в возбуждённое состояние*) get* worked up.
заво́дка *ж. разг.* wínding up; (*о моторе*) stárting.
заводн||о́й 1. (*приводимый в действие заводом*) clóckwòrk (*attr.*); mechánical [-ˈkæ-]; wínd-ùp (*attr.*); ~а́я игру́шка clóckwòrk toy; **2.**: ~а́я рукоя́тка *авт.* stárting crank, stárting-hándle; **3.** *разг.* (*о человеке*) líve·ly, quíck-mòving [-muːv-], áctive.
заводоуправле́ние *с.* fáctory / works mánage·ment.
заводс||ко́й, ~ко́й 1. *прил. к* заво́д I 1; ~ки́е корпуса́ fáctory buíldings [...ˈbil-...]; ~ско́й комите́т профсою́зной организа́ции fáctory (trade únion) commíttee [...-ti]; **2.**: ~ска́я ло́шадь stúd-hòrse. ~чик *м.* fáctory-òwner [-ou-], mill-òwner [-ou-].
за́водь *ж.* creek, báck-wàter [-wɔː-]; ти́хая (*перен.*) péace·ful báck-wàter.
завоева́||ние *с.* **1.** (*действие*) cónquest; (*любви, преданности*) wínning; ~ полити́ческой вла́сти attáinment of polítical pówer; **2.** *об. мн.* (*достижения*) achíeve·ments [-iːv-], gains; вели́кие ~ния социали́зма the great achíeve·ments / gains of Sócialism [...greit...]. ~тель *м.* cónqueror [-kərə]. ~тельный aggréssive.
завоева́ть *сов. см.* завоёвывать.
завоёвыва||ть, завоева́ть (*вн.*) cónquer [-kə] (*d.*); (*перен.*: *добиваться*) win* (*d.*); (*заслуживать*) earn [əːn] (*d.*); *несов. тж.* try to get; завоева́ть пе́рвое ме́сто (в *пр.*) *спорт.* win* first place (in); завоева́ть чье-л. дове́рие win* smb.'s cónfidence; завоева́ть положе́ние win* one's way; завоева́ть свобо́ду win* / gain one's fréedom; завоёванный с больши́м трудо́м hárd-wòn [-wʌn]; завоёванный дорого́й цено́й won at high price [wʌn...].
заво́з *м.* delívery.
завози́ть I, завезти́ (*вн. к кому-л., вн. куда-л.*) leave* (*d.* with smb., *d.* at a place); drop off (*smb.* on the way); (*о товарах: привозить, доставлять*) supplý (with *d.*); delíver [-ˈli-] (*d.* to).
завози́ть II *сов.* (*вн.*) *разг.* (*испачкать*) soil (*d.*), dírty (*d.*).
завози́ться I *сов.* **1.** (*начать возиться*) begin* to romp abóut; **2.** *как сов. к* вози́ться.
завози́ться II *страд. к* завози́ть I.
заволо́кивать, заволо́чь (*вн.*) cloud (*d.*); не́бо заволокло́ ту́чами, ту́чи заволокли́ не́бо the sky is clóuded. ~ся, заволо́чься be / become* clóuded, cloud óver; ~ся слеза́ми be clóuded with tears.
заво́лжский sítuated *or* líving on the left bank of the Vólga [...ˈlɪv-...]; ~ жи́тель inhábitant of the left bank of the Vólga.
заволнова́ться *сов.* becóme* ágitàted, get* roused, begín* to fret.
заволо́ч(ся) *сов. см.* заволо́кивать(-ся).
завопи́ть *сов. разг.* **1.** (*начать вопить*) begín* to yell; **2.** *как сов. к* вопи́ть.

завора́живать, заворожи́ть (*вн.*) cast* a spell (óver); (*перен.*) charm (*d.*), bewítch (*d.*).
завора́чивать I = завёртывать I.
завора́чивать II = завёртывать II.
завора́чивать III, завороти́ть *разг.* **1.** turn; **2.** (*вн.*; *загибать*) turn up (*d.*); (*о подоле, рукавах*) tuck up (*d.*); (*о рукавах тж.*) roll up (*d.*).
завора́чивать IV (*тв.*) *разг.* (*руководить, управлять*) run* (*d.*), mánage (*d.*); ~ больши́ми дела́ми run* a big búsiness [...ˈbɪzn-], be a mánager on a large scale.
завора́чиваться, заворотиться *разг.* **1.** turn up; **2.** *страд. к* завора́чивать III 2.
заворкова́ть *сов.* **1.** (*начать воркова́ть*) begín* to coo; **2.** *как сов. к* воркова́ть.
заворожи́ть *сов. см.* завора́живать.
заворо́т *м. мед.*: ~ кишо́к vólvulus; twísted bówels *pl. разг.*
завороти́ть *сов. см.* завора́чивать III. ~ся *сов. см.* завора́чиваться.
заворо́чаться *сов.* (begín* to) turn; (*в постели*) (begin* to) toss (in bed).
заворча́ть *сов.* **1.** (*начать ворчать*) begin* to grúmble; **2.** *как сов. к* ворча́ть.
завра́ться *сов.* **1.** *см.* завира́ться; **2.** (*стать вруном*) becóme* an invéterate líar.
завсегда́тай *м. разг.* habitué (*фр.*) [həˈbɪtjueɪ]; háunter; он там ~ he's álways háng·ing aróund there [...ˈɔːlwəz...]; he is a part of the fúrniture *идиом.*
за́втра 1. *нареч.* to·mórrow; ~ днём to·mórrow àfternóon; ~ ве́чером to·mórrow évening / night [...ˈiːvn-...]; ~ у́тром to·mórrow mórning; **2.** *с. как сущ. нескл.* to·mórrow; до ~ till to·mórrow; (*при расставании*) see you to·mórrow; на ~ for to·mórrow; ◊ не ны́нче — ~ *разг.* any day now.
за́втрак I *м.* (*натощак*) bréakfast [ˈbrek-]; (*среди дня*) lunch; (*официальный*) lúncheon; на ~ for bréakfast; for lunch.
за́втрак II *м.*: корми́ть кого́-л. ~ами *разг.* ≅ raise smb.'s hopes undúly.
за́втракать, поза́втракать (*натощак*) (have) bréakfast [...ˈbrek-]; (*среди дня*) (have) lunch.
за́втрашн||ий to·mórrow's; ~ день to·mórrow; (*перен.: будущее*) the fúture; с ~его дня from to·mórrow, stárting from to·mórrow; забо́титься о ~ем дне take* thought for the mórrow.
завуали́ровать *сов. см.* вуали́ровать.
за́вуч *м. разг.* = заве́дующий уче́бной ча́стью *см.* заве́дующий.
завхо́з *м.* = заве́дующий хозя́йством *см.* заве́дующий.
завши́веть *сов.* becóme* líce-ridden.
завыва́ние *с.* hówling. ~ть howl.
завы́сить *сов. см.* завыша́ть.
завы́ть 1. *сов.* (*начать выть*) begín* to howl, raise a howl; **2.** *как сов. к* выть.
завыш||а́ть, завы́сить (*вн.*) set* too high (*d.*), raise too high (*d.*); ~ расхо́ды

ЗАВ – ЗАГ

(*в сметe и т.п.*) óver̦éstimàte expénditure; ~ отмéтку (на экзáмене) give* too high a mark (in an exàminátion). ~éние *с.* óver̦státing; ~éние задáний sétting (the) work quóta too high; ~éние норм sétting (the) norms / quótas too high.

завы́шенн‖**ый** *прич. и прил.* set* too high; *тк. прил.* too high; ~ые нóрмы excéssive quótas / rates.

завязáть I *сов. см.* **завя́зывать**.

завя́знуть II, завя́знуть (в *пр.*) stick* (in), sink* (in); (*перен.*) get* stuck (in); завя́знуть в грязи́ stick* in the mud; завя́знуть в долгáх be up to one's neck in debt [...det].

завязáться *сов. см.* **завя́зываться**.

завязи́ть *сов.* (*вн.*) *разг.* get* stuck (in); ~ нóгу в гли́не have one's foot stuck in (the) clay [...fuːt...].

завя́зка *ж.* 1. (*то, чем завя́зывают*) string, lace; 2. (*о пьесе, ромáне*) plot; 3. (*начáло*) start, óutsèt; ~ бóя prelíminary òperátion.

завя́знуть *сов. см.* **завя́зать II**.

завя́зывать, завязáть (*вн.*) 1. tie up (*d.*); (*узлóм*) knot (*d.*); ~ у́зел tie / make* a knot, in a búndle (*d.*); ~ пакéт tie up *a* párcel; ~ глазá комý-л. blínd̦fòld smb.; ~ гóлову платкóм tie *a* kérchief round one's head [...hed]; ~ шнурки́ боти́нок tie up one's shoes [...ʃuːz]; ~ гáлстук tie one's (néck-) tie; 2. (*начинáть*) start (*d.*); strike* up (*d.*); завязáть разгово́р start a cònversátion; ~ знакóмство strike* up an acquáintance; ~ отношéния énter into relátions. ~ся, завязáться 1. be / get* tied up, be / get* tied into a knot; 2. (*начинáться*) set* in, begin*, start; завязáлся разгово́р a cònversátion begán; завязáлась оживлённая перепи́ска (мéжду) a lívely còrrespóndence sprang up (betwéen); 3. (*о плодé*) set*; 4. *страд.* к завя́зывать.

зáвязь *ж. бот.* óvary ['ouv-].

завя́лить *сов.* (*вн.*) dry (*d.*), drý-cùre (*d.*).

завя́нуть *сов. см.* **вя́нуть**.

загадáть *сов. см.* **загáдывать**.

загáдить *сов. см.* **загáживать**.

загáдка *ж.* riddle; énigma; (*тáйна*) mýstery; говори́ть ~ми speak* in riddles.

загáдочн‖**ость** *ж.* mystérioușness. ~ый mystérious; ènigmátic; ~ое явлéние ún̦expláined phenómenon; mystérious háppening / thing; ~ое исчезновéние mystérious disappéarance; ~ая карти́нка puzzle pícture.

загáд‖**ывать**, загадáть 1. (*вн.*) set* (*d.*), óffer (*d.*); ~ загáдки ask riddles; 2. (*вн.; задýмывать*) think* (of); ~áйте число́ think of a númber; 3. *разг.* (*замышля́ть что-л. сдéлать*) make* plans; plan ahéad [...əˈhed]; ~ вперёд try to predíct evénts, guess at the fúture.

загáживать, загáдить (*вн.*) *разг.* dirty (*d.*); (*о помещéнии*) make* a pígsty (of); (*о рекé и т.п.*) pollúte (*d.*).

загазóванный gassed; ~ вóздух gás--pollúted air.

загалдéть *сов. разг.* 1. (*начáть галдéть*) begin* to make a ráckat / din; 2. *как сов. к* **галдéть**.

загáр *м.* súnbùrn, (sún-)tàn.

загаси́ть *сов.* (*вн.*) *разг.* put* out (*d.*).

загати́ть *сов. см.* **гати́ть**.

загвóздка *ж. разг.* dífficulty, impédiment; так вот в чём ~! ≅ so there's the snag!; so that's the dífficulty / trouble!, [...trʌbl]; but here's the catch / snag!; so that's where the catch is!

загерметизи́ровать *сов.* (*вн.*) seal hèrmétically (*d.*).

загиб *м.* 1. bend; 2. *разг.* (*отклонéние*) dèviátion; (*крáйность*) exàggerátion [-ædʒə-].

загибáть, загну́ть (*вн.*) 1. (*вверх*) turn up (*d.*); (*вниз*) turn down (*d.*); (*сгибáть*) bend* (*d.*); ~ пáлец bend* / crook a fínger; ~ страни́цу turn down, *или* dóg-ear, *a* page; 2. *разг.* (*преувели́чивать*) exággerate [-dʒ-] (*d.*). ◇ загну́ть крéпкое словцо́ *разг.* use strong lánguage; загну́ть цéну ask / charge an exórbitant price; ну и вопро́с он загну́л! *разг.* now, what a quéstion! [...stʃən]. ~ся, загну́ться 1. (*вверх*) turn up (*вниз*) turn down; 2. *разг.* (*умирáть*) kick the búcket; 3. *страд.* к **загибáть**.

загипнотизи́ровать *сов. см.* **гипнотизи́ровать**.

загипсовáть *сов. см.* **гипсовáть**.

заглáв‖**ие** *с.* title, héading ['hed-]; под ~ием héaded ['hed-], entítled, únder the title / héading. ~**ный** *прил. к* **заглáвие**; ~ный лист title-leaf, title-pàge; ◇ ~ная бу́ква cápital létter; ~ная роль title-ròle.

заглáдить *сов. см.* **заглáживать**.

заглáживать, заглáдить (*вн.*) smooth óver / down [-ð...] (*d.*); (*утюго́м*) íron down / out ['aɪən...] (*d.*); (*о склáдках*) press (*d.*); (*перен.*) make* améndds (for), make* up (for); (*искупáть*) éxpiàte (*d.*); ~ вину́ redréss *a* wrong.

заглáзн‖**о** *нареч. разг.* in smb.'s ábsence; behind smb.'s back; (*не ви́дя*) without sée̦ing. ~ый *разг.* (done, said) in smb.'s ábsence, *или* behind smb.'s back [...sed...]; ~ое решéние *юр.* júdg̦ment by defáult.

заглáтывать, заглотáть (*вн.*) swállow (*d.*).

заглотáть *сов. см.* **заглáтывать**.

заглóхнуть *сов. см.* **глóхнуть II**.

заглóхший *прич. и прил.* negléсted, óver̦grówn ['-ˈgroun]; ~ сад óver̦grówn / negléсted gárden.

заглушáть, заглуши́ть (*вн.*) 1. (*о звуке*) muffle (*d.*), déaden ['de-] (*d.*); (*бóлее грóмкими звукáми*) drown (*d.*); (*радиопередáчи*) jam (*d.*); 2. (*смягчáть*; *о бóли и т.п.*) allèviáte (*d.*), soothe (*d.*); dull (*d.*); 3. (*о растéниях*) choke (up) (*d.*); сорняки́ заглуши́ли огоро́д the kitchen-gàrden is choked up with weeds; 4. (*подавля́ть*) suppréss (*d.*), stifle (*d.*), smóther ['smʌ-] (*d.*).

заглуши́ть *сов.* 1. *см.* **заглушáть**; 2. *как сов. к* **глуши́ть** 2, 3.

заглу́шка *ж. тех.* choke, plug, stópper.

заглядé‖**нье** *с. разг.* lóve̦ly sight ['lʌv-...], feast for the eyes [...aɪz] *идиом.*; э́то просто ~! ișn't this lóve̦ly? ~ться *сов. см.* **заглядываться**.

загля́дыв‖**ать**, загляну́ть 1. peep in; (*бросáть взгляд*) glance; look in; ~ комý-л. в лицо́, в глазá peer / peep / look into smb.'s face, eyes [...aɪz]; ~ в словáрь consúlt *a* díctionary; он не ~ал в кни́гу he hașn't ópen̦ed *a* book; 2. *разг.* (*заходи́ть к комý-л.*) drop in (at smb.'s place); call (on smb.); look in (on smb.); ◇ ~ вперёд ànticipàte. ~**ться**, загляде́ться (на *вн.*) stare (at), be lost in còntemplátion (of); (*любовáться*) admíre (*d.*), be lost in àdmirátion (for), stare in wónderment [...'wʌ-] (at).

загляну́ть *сов. см.* **загля́дывать**.

загнáиваться, загнои́ться féster.

зáгнанный 1. *прич. см.* **загоня́ть I**; 2. *прил.* (*обесси́ленный*) tired out, complétely exháusted; (*о лóшади*) winded ['wɪn-], dríven too hard ['drɪ-...], ridden too hard; (*перен.*; *заби́тый, запу́ганный*) màltréated, dówntròdden, cowed; ◇ как ~ зверь at the end of one's téther.

загнáть I, II *сов. см.* **загоня́ть I, II**.

загнивáние *с.* rótting, pùtréscence; *мед.* sùppurátion; (*перен.*) decáy.

загнивáть, загни́ть (*прям. и перен.*) rot, decáy.

загни́ть *сов. см.* **загнивáть**.

загнои́ться *сов. см.* **загнáиваться**.

загну́ть(ся) *сов. см.* **загибáть(ся)**.

загов‎áривать I (с кем-л.) speak* (to smb.), addréss (smb.), accóst (smb.).

загов‎áривать II, заговори́ть (кого-л.) *разг.* (*утомля́ть разгово́ром*) talk (smb.'s) head off [...hed...]; tire (smb.) out with much talk.

загов‎áривать III, заговори́ть (*вн.*) *разг.* (*заколдóвывать*) cast* a spell (óver); (*о зубно́й бóли*) put* on a spell (agáinst); ◇ ~ зу́бы (комý-л.) ≅ get* round smb., distráct smb. púrpose̦ly by tálking [...-s-...].

загов‎áрив‖**аться**, заговори́ться *разг.* 1. be cárried a̦wáy by a cònversátion; 2. (*завирáться*) talk nónsense, rámble in speech; 3. *тк. несов.* (*путаться в рéчи*) wánder; ◇ говори́, да не ~áйся! mind what you say! (*см. тж.* **заговори́ться** 2).

зáговор I *м.* (*тáйное соглашéние*) plot, conspíracy; вступи́ть в ~ join in a conspíracy; устрáивать ~, быть в ~е conspíre, plot; hatch *a* plot *идиом.*; раскрывáть ~ discóver a plot [-ˈkʌ-...]; унвéйл *a* conspíracy; ◇ ~ молчáния conspíracy of sílence [...ˈsaɪ-].

зáговор II *м.* (*заклинáние*) charm, éxòrcism.

заговори́ть I *сов. см.* **заговáривать II**.

заговори́ть II *сов. см.* **заговáривать II**.

заговор‖**и́ть III** *сов.* 1. (*начáть говори́ть*) begín* to speak*; 2. *как сов. к* **говори́ть**; ◇ пу́шки ~и́ли the guns ópened up; вы ~и́ли бы друго́е! trust you to take a dífferent line!; он с вáми ещё не так ~и́т you'll get the sharp edge of his tongue [...tʌŋ].

заговори́ться *сов.* 1. *см.* **заговáриваться** 1, 2; 2. (с *тв.*) have a long talk (with); (*увлечься разгово́ром*) get* cárried a̦wáy by a cònversátion (with); forgét* the time in cònversátion (with).

заговорщи||**к** *м.,* ~**ца** *ж.* conspirator, plótter. ~**цкий** mystérious, conspiratórial.

заготáть *сов.* 1. (*начать гоготать; о гусях*) begin* to gaggle / cackle; *разг.* (*о людях — громко смеяться*) begin* to laugh up:róarious:ly / lóudly [...la:f...], begin* to guffáw; 2. *как сов. к* гоготáть.

загогýлина *ж. разг.* flóurish ['flʌ-].

зáгодя *нареч. разг.* in good time.

заголи́ть *сов. см.* заголя́ть.

заголóвок *м.* 1. = заглáвие; 2. (*газетный*) héadline ['hed-].

заголоси́ть *сов. разг.* 1. (*начать голосить*) begin* to wail; 2. *как сов. к* голоси́ть.

заголя́ть, **заголи́ть** (*вн.*) *разг.* bare (*d.*).

загóн I *м.* 1. (*для крупного скота*) enclósure [-'klou-]; (*небольшой*) pen; (*для овец*) shéep-pèn, shéep-fòld; 2. (*действие*) dríving in, drive, róunding-úp, fórcing (into, únder); ◊ быть в ~е be kept down, be kept únder.

загóн II *м. разг.* = задéл.

загóнщик *м. охот.* béater.

загоня́ть I, **загнáть** (*вн.*) 1. drive* in (*d.*); (*в, под вн.*) drive* (*d.* into, únder); ~ скот в загóн pen cáttle; ~ мяч в ворóта *спорт.* score a goal; 2. *охот.* bring* to bay (*d.*); 3. *разг.* (*вбивать*) drive* home / in (*d.*); 4. *разг.* (*продавать*) flog (*d.*); он загнáл своё пальтó he flogged his coat.

загоня́ть II, **загнáть** (*утомлять*) tire out (*d.*); exháust (*d.*); (*о лошади*) drive* too hard (*d.*); (*о верховой лошади*) ride* too hard (*d.*); *сов. тж.* ride* to death [...deθ] (*d.*).

загорáживать, **загороди́ть** (*вн.*) 1. (*обносить оградой*) enclóse (*d.*); shut* in (*d.*); fence in (*d.*); 2. (*преграждать*) bar (*d.*), block up (*d.*), obstrúct (*d.*); (*умышленно*) bàrricáde (*d.*); ~ комý-л. дорóгу stand* in smb.'s way, block smb.'s way; ~ комý-л. свет stand* in smb.'s light. ~**ся**, **загороди́ться** 1. fence / bar òne:sélf in; ~ся ши́рмой screen òne:sélf off; ~ся рукóй от сóлнца shade òne:sélf from the sun with one's hand; 2. *страд. к* загорáживать.

загорáть, **загорéть** becóme* tanned / súnbùrnt / brown; acquíre a tan; *несов. тж.* bake in the sun, tan.

загорáться, **загорéться** 1. (*начинать гореть*) catch* fire; (*тв.; перен.; желанием и т.п.*) burn* (with); лес ~éлся the fórest is on fire [...'fɔr-...], егó глазá ~éлись his eyes lit up, *или* blazed [...aɪz...]; 2. (*начинаться*) break* out [breɪk-...]; ~éлся спор an árgument broke out; 3. *безл.* (*дт.*) *разг.*: емý ~éлось сдéлать это he was all for doing it there and then, he was búrning to do it; ей ~éлось поéхать в Москвý she had a búrning desíre to go to Móscow [...-'zaɪə...].

загóрбок *м.разг.* úpper part of the back (*between shoulder-blades*).

загорди́ться *сов. разг.* becóme* stuck up, grow* proud [...grou...]; be sníffy.

загорéлый súnburnt, tanned; (*сильно*) brown, bronzed.

загорéть(**ся**) *сов. см.* загорáть(ся).

загороди́ть(**ся**) *сов. см.* загорáживать(ся).

загорóдка *ж.* fence, enclósure [-'klou-].

зáгородн||**ый** óut-of-tówn (*attr.*), cóuntry ['kʌ-] (*attr.*); ~ дом cóuntry-hóuse* ['kʌ- -s]; ~**ая** прогýлка (*пешком*) cóuntry walk; (*экскурсия*) trip to the cóuntry, cóuntry excúrsion.

загости́ться *сов.* (*у кого-л.*) *разг.* stay too long (at smb.'s *place*), protráct a vísit [...-ɪz-] (to smb.'s *place*); (*пробыть в гостях дольше, чем приятно хозяевам*) outstáy one's wélcome.

заготáвливать, **заготóвить** (*вн.*) 1. (*о хлебе, лесе и т.п.*) lay* in (*d.*), store up (*d.*); stock (*d.*); 2. (*приготовлять заранее*) prepáre (*d.*).

заготови́тель *м.* góvernment pùrvéyor ['gʌ-...], offícial in charge of (State) prócure:ments. ~**ный** *прил. к* заготóвка I; ~**ный** пункт pùrvéying céntre, prócure:ment státion; ~**ная** организáция offícial bódy in charge of (State) púrchases / prócure:ments [...'bɔ-...-sɪz...]; ~**ная** ценá *эк.* State púrchase price [...-s...], prócure:ment price.

заготóвить *сов. см.* заготáвливать.

заготóвка I *ж.* 1. State púrchases [...-sɪz] *pl.*, pùrvéyance, prócure:ment; ~ хлéба State grain púrchase; 2. (*запасание*) láying-in; ~ кормóв láying-in of fódder.

заготóвка II *ж.* 1. (*для обуви*) úpper; 2. *тех.* hálf-fínished próduct ['ha:f-'prɔ-].

заготовля́ть = заготáвливать.

заготóвочный *прил. к* заготóвка II.

заготóвщ||**ик** *м.* 1. = заготови́тель; 2. (*мастер, делающий заготовки*) wórker máking hálf-fínished goods / próducts [...'ha:f- gudz 'prɔ-]. ~**ица** *ж. к* заготóвщик 2.

заграбáстать *сов.* (*вн.*) *разг.* grab (*d.*), snatch (*d.*).

загради́тель *м. воен. мор.* míne:láyer.

загради́тельный bàrràge [-ɑ:ʒ] (*attr.*); *мор.* míne-láying; ~ огóнь *воен.* defénsive fire; ~ отря́д *ист.* ánti-pròfitéer detáchment.

загради́ть *сов. см.* заграждáть.

заграждáть, **загради́ть** (*вн.*) block (*d.*), bar (*d.*), obstrúct (*d.*); (*забором*) fence in (*d.*), enclóse (*d.*). ~**éние** *с.* bárrier, obstrúction; инженéрное ~**éние** *воен.* àrtifícial óbstacle; прóволочное ~**éние** bárbed-wire entángle:ment; ми́нное ~**éние** míne-field [-fi:-]; аэростáт ~**éния** bàrràge ballóon [-ɑ:ʒ...].

заграни́ца *ж. разг.* fóreign cóuntries ['fɔrɪn 'kʌ-] *pl.*, abróad [-ɔ:d].

заграни́чн||**ый** fóreign ['fɔrɪn]; ~ фильм fóreign film; ~ пáспорт pássport for trávelling abróad [...-ɔ:d].

загрáнка *ж. разг.* fóreign trável ['fɔrɪn 'træ-], trável abróad [...-ɔ:d].

загребáть I, **загрести́** (*вн.*) rake up (*d.*); (*перен.*) gáther in (*d.*), accumuláte (*d.*); ~ жар (*в топках*) bank up the fire; ~ бары́ши accumuláte prófits; ◊ ~ дéньги лопáтой *разг.* rake in the shékels, coin it.

загребáть II (*без доп.*) *разг.* (*грести вёслами*) row [rou].

загребн||**óй** 1. *прил.*: ~**óе** веслó stroke (oar); 2. *м. как сущ.* (*гребец*) stroke (óars:man*).

загремéть *сов.* 1. (*начать греметь*) begin* to thúnder; 2. *как сов. к* гре-мéть; 3. *разг.* (*шумно упасть*) crash down, come* cráshing down.

загрести́ I *сов. см.* загребáть I.

загрести́ II *сов.* (*начать грести*) begin* to páddle / row [...rou].

загри́вок *м.* 1. (*у лошади*) wíthers *pl.*; 2. *разг.* (*затылок у человека*) nape, back of the neck.

загримировáть *сов. см.* гримировáть 2. ~**ся** *сов. см.* гримировáться 2.

загриппповáть *сов. разг.* get* / catch* the flu.

загрóбн||**ый** 1. *рел.* beyónd the grave; ~**ая** жизнь, ~ мир the fúture life, the next world, the life hereáfter; 2. (*глухой и низкий*) sepúlchral, funéreal [-'nɪər-ɪəl], glóomy; ~ гóлос sepúlchral voice.

загромождáть, **загромозди́ть** (*вн.*) encúmber (*d.*), block up (*d.*), jam (*d.*); (*перен.: перегружать подробностями и т.п.*) óver:lóad (*d.*), pack (*d.*), cram (*d.*); ~ расскáз подрóбностями load a stóry with détails [...'di:-]. ~**éние** *с.* blócking up; (*перен.*) óver:lóading.

загромозди́ть *сов. см.* загромождáть.

загрохотáть *сов.* 1. (*начать грохотать*) begin* to roar / rúmble; (*о громе*) begin* to thúnder; 2. *как сов. к* грохотáть.

загрубé||**лый** cóarsened, cállous; ~**лые** рýки cálloused / róughened / hórny hands [...'ɡlʌf-...]. ~**нне** *с.* cóarsening; *мед.* cállósity.

загрубéть *сов.* cóarsen, becóme* cóarsened / cállous.

загру||**жáть**, **загрузи́ть** (*вн.*) 1. load (*d.*); 2. *тех.* feed* (*d.*); 3.: ~ когó-л. (*работой*) give* smb. a fúll-time job, keep* smb. fúlly óccupied [...'fu-...]; он óчень ~**жён** (*работой*) he is up to his neck in work, he is óver:lóaded with work; загрузи́ть на пóлную мóщность (*вн.*) keep* rúnning at full capácity (*d.*).

загрýженность *ж.*, **загрýжённость** *ж.* 1. (*транспорта и т.п.*) fúnctioning / utílized capácity (*of transport services, etc.*); 2. (*наличие большого количества работы*) prógramme (of work) ['prou-...], commítment.

загрузи́ть *сов. см.* загружáть.

загрýзка *ж.* 1. (*действие*) lóading; 2. *тех.* (*о машине*) emplóyment of machíne [...-'ʃi:n]; (*о доменной печи*) chárging; (*рабочего места*) work commítment; 3. (*загруженность*) wórk-load.

загрунтовáть *сов. см.* загрунтóвывать *и* грунтовáть.

загрунтóвывать, **загрунтовáть** (*вн.*) ground (*d.*); *жив.* prime (*d.*).

загрусти́ть *сов.* becóme* / grow* sad [...grou...].

загрызáть, **загры́зть** (*вн.*) bite* to death [...deθ] (*d.*); (*перен.*) *разг.* wórry to death ['wʌ-...] (*d.*), wórry the life out (of); тоскá егó загры́зла he is consúmed with mélancholy / mísery [...-nk- -z-], he is mèlanchólic [...-n'kɔ-], he is sick at heart [...hɑ:t]; сóвесть егó загры́зла ≅ he is consúmed by remórse, he is cónscience-strícken [...-ʃəns-].

загры́зть *сов. см.* загрызáть.

ЗАГ – ЗАД

загрязн‖**е́ние** *с.* (*о помещении и т.п.*) sóiling, dírtying; (*о воде и т.п.*) pollútion; *хим.* contàminátion; ~ во́здуха air pollútion; ~ окружа́ющей среды́ pollútion of the enviro̲n:ment. **~и́ть** *сов. см.* загрязня́ть *и* грязни́ть. **~и́ться** *сов. см.* загрязня́ться *и* грязни́ться.

загрязня́ть, загрязни́ть (*вн.*) (*прям. и перен.*) soil (*d.*), dírty (*d.*); (*о воде и т.п.*) pollúte (*d.*); ~ во́здух, атмосфе́ру pollúte the air, the átmosphère. **~ся**, загрязни́ться 1. make* òne:sélf dírty, becòme* dírty; 2. *страд. к* загрязня́ть.

загс *м.* (отде́л за́писи а́ктов гражда́нского состоя́ния) régistry óffice.

загуби́ть *сов.* (*вн.*) 1. rúin (*d.*); ~ чью́-л. жизнь rúin smb.'s life, make* smb.'s life a mísery [...-z-]; 2. *разг.* (*потратить напрасно*) waste [wei-] (*d.*).

загуде́ть *сов.* 1. (*начать гудеть*) begin* to drone / buzz / hum; 2. *как сов. к* гуде́ть.

загуля́ть *сов. разг.* go* on a spree; (*запить*) start drínking, take* to drink.

загуля́ться *сов. разг.* stay out wálking, stay out late.

загусти́ть *сов.* thícken.

загусти́ть *сов.* (*вн.*) thícken (*d.*), make* too thick (*d.*).

зад *м.* 1. (*задняя часть чего-л.*) back part, back; 2. (*седалище*) seat, bóttom; (*у животных*) hind quárters *pl.*; (*у лошади*) crup [-u:p]; бить ~ом (*о лошади*) kick; ◇ поверну́ться к кому́-л. ~ом *разг.* turn one's back on smb., cóld-shóulder smb. [-'ʃoul-...].

задабривать, задо́брить (*вн.*) cajóle (*d.*); (*уговаривать*) coax (*d.*); placáte (*d.*); *сов. тж.* gain smb.'s fávour.

задава́ть, зада́ть (*вн. дт.*) give* (*d.* to, *d. i.*), set* (*d.* to, *d. i*); ~ уро́к кому́-л. set* smb. a lésson / (hóme:)wòrk; что тебе́ за́дано на за́втра? what are your jobs for to:mórrow?, what have you got to do to:mórrow?; ~ зада́чу, рабо́ту кому́-л. give* smb. work to do, set* smb. *a* task; ~ зага́дку кому́-л. set* smb. a ríddle; ~ кому́-л. вопро́с ask smb. a quéstion [...-stʃən], put* a quéstion to smb.; ~ корм, овёс (*дт.*) give* fódder, oats (to); ◇ зада́ть стра́ху (*дт.*) frighten (*d.*); strike* térror (into); ~ тон *муз.* set* the pitch; (*перен.*) set* the fáshion; зада́ть тя́гу take* to one's heels; я тебе́ зада́м! *разг.* I'll give you what for!, I'll teach you a lésson!

задава́ться I, зада́ться 1.: ~ мы́слью, це́лью (+ *инф.*) make* up one's mind (+ to *inf.*); он зада́лся це́лью вы́учить англи́йский язы́к he has made up his mind to learn Énglish [...lə:n 'ɪŋ-]; 2. *разг.* (*случаться*): ну и денёк сего́дня зада́лся! ≅ we have not had a day like this for a long time!; пое́здка не зада́лась the trip was not a succéss; 3. *страд. к* задава́ть.

задава́ться II *разг.* (*важничать*) give* òne:sélf airs, put* on airs.

задави́ть *сов.* (*вн.*) crush (*d.*); (*об экипа́же*) run* óver (*d.*), knock down (*d.*).

зада́ни‖**е** *с.* (*в разн. знач.*) task, job; пла́новое произво́дственное ~ work quóta; пла́новое ~ (*по промышленности и т.п.*) tárget [-ɡɪt], plan; вы́полнить ~ fulfíl a task [ful-...]; вы́полнить произво́дственное ~ fulfíl one's work quóta; дать ~ set* *a* task; по ~ю кого́-л. on the instrúctions of smb.

зада́ривать, задари́ть (*вн.*) load / shówer with présents / gifts [...'prez-ɡ-] (*d.*).

задари́ть *сов. см.* зада́ривать.

зада́ром *разг.* = да́ром.

зада́тки *мн.* (*склонности*) in:clinátions; dispositíon [-'zɪ-] *sg.*; дурны́е ~ bad* ínstincts / in:clinátions; хоро́шие ~ good* ínstincts / in:clinátions.

зада́ток *м.* advánce, depósit [-z-]; éarnest (móney) ['ə:- 'mʌ-].

зада́ть *сов. см.* задава́ть. **~ся** *сов. см.* задава́ться I.

зада́ч‖**а** *ж.* 1. próblem ['prɒ-]; (*арифметическая*) sum; реши́ть ~у solve a próblem; (*арифметическую*) do a sum; ~ на сложе́ние, вычита́ние, деле́ние, умноже́ние addítion, subtráction, divísion, mùltiplicátion sum; такти́ческая ~ (*уче́бная*) táctical scheme; 2. (*цель*) task, óbject, aim; *воен.* task, míssion; основна́я, гла́вная ~ the main, chief task [...tʃi:f...]; очередна́я ~ immédiate task; поста́вить ~у пе́ред кем-л. set* smb. a task; (по)ста́вить пе́ред собо́й, себе́ ~ (+ *инф.*) set* òne:sélf the task (of *ger.*); ùndertáke* (+ to *inf.*); ùndertáke* the task (of *ger.*); take* it up:ón òne:sélf (+ to *inf.*); це́ли и ~и aims and púrposes [...-siz]. **~ник** *м.* (*арифмети́ческий*) book of (màthemátical) próblems.

задви́гать *сов.* (*вн., тв.*) begin* to move / shift [...mu:v...] (*d.*).

задвига́ть, задви́нуть 1. (*вн. в вн.*) push [puʃ] (*d.* into); (*вн. под вн.*) push (*d.* únder); (*вн. за вн.*) push (*d.* behínd); 2. (*вн.; закрывать*) shut* (*d.*); (*засовом и т.п.*) bolt (*d.*), bar (*d.*); ~ я́щик push a dráwer shut [puʃ... drɔ:...], close a dráwer back.

задви́гаться *сов.* begin* to move [...mu:v].

задвига́ться, задви́нуться 1. shut*, close, slide; 2. *тк. несов.* (*быть подвижным*) be slídable, be móvable [...'mu:v-]; 3. *страд. к* задвига́ть.

задви́ж‖**ка** *ж.* bolt; (*дверная*) dóor-bòlt ['dɔ:-]; (*оконная*) wíndow-càtch; (*печная*) dámper; *тех.* slíde-vàlve. **~но́й** slíding.

задви́нуть *сов. см.* задвига́ть. **~ся** *сов. см.* задвига́ться 1.

задво́рк‖**и** *мн.* báck:yàrd *sg.*; (*перен.*) back of be:yónd *sg.*; ◇ быть на ~ах *разг.* ≅ take* a back seat.

задева́ть I, заде́ть (*вн.*) touch [tʌtʃ] (*d.*); (*касаться поверхности*) brush (agáinst); (*зацепляться*) be caught (in); (*ударяться*) hit* (agáinst), strike* (agáinst); (*перен.*) *разг.* (*волновать*) affect (*d.*); (*обижать*) offénd (*d.*), hurt* (*d.*); прое́хать *и т.п.* не задéв clear (*d.*); ~ чьё-л. самолю́бие offénd / wound smb.'s pride [...wu:nd...]; ◇ ~ кого́-л. за живо́е cut* / sting* smb. to the quick, touch smb. on the raw; touch a sore spot.

задева́ть II *сов.* (*вн.*) *разг.* (*затеря́ть*) misláy*.

задева́ться I *страд. к* задева́ть I.

задева́‖**ться** II *сов. разг.* (*затеряться*) get* to, disappéar; vánish; кни́га куда́-то ~лась the book disappéared sóme:whère; куда́ ты ~лся? where did you get to?

заде́л *м.* work àlready done [...ɔ:l're-...].

заде́лать *сов. см.* заде́лывать.

заде́латься I, II *сов. см.* заде́лываться I, II.

заде́лка *ж.* dóing up; clósing up, stópping up; (*ср.* заде́лывать).

заде́лывать, заде́лать (*вн.*) do up (*d.*); (*закрывать*) close up (*d.*); ~ дверь wall in *a* door [...'dɔ:]; ~ течь *мор.* stop a leak.

заде́лываться I, заде́латься be / becòme* closed up; (*ср.* заде́лывать).

заде́лываться II, заде́латься (*тв.*) *разг.* (*стать, сделаться*) make* òne:sélf (into), turn (*d.*); он заде́лался врачо́м he made hìmsélf into a dóctor.

задёргать I *сов.* (*вн.; начать дёргать*) begin* to pull [...pul] (*d.*).

задёргать II *сов.* (*вн.*) *разг.* (*заму́чить*) wear* out [weə...] (*d.*), push abóut [puʃ...]; break* the spírit (of) (by nágging, *etc.*) [breɪk-].

задёрг‖**аться** *сов.* begin* to twitch; у неё ~ались гу́бы her lips twítched.

задёргивать, задёрнуть (*вн.*; *о занавеске и т.п.*) draw* (*d.*), pull [pul] (*d.*), shut* (*d.*). **~ся**, задёрнуться 1. be drawn, be pulled [...pu-], be shut; занаве́ска задёрнулась the cúrtain was drawn / closed; 2. *страд. к* задёргивать.

задеревене́л‖**ый** *разг.* númbed, hárdened, stiff; ~ая рука́ stiff / numb hand.

задеревене́‖**ть** *сов. разг.* becòme* numb / hard / stiff; у меня́ ру́ки ~ли от хо́лода my hands are númbed with cold.

задержа́ние *с.* 1. deténtion; (*арест*) arrést; 2.: ~ мо́чи *мед.* reténtion of úrine.

задержа́ть(ся) *сов. см.* заде́рживать(ся).

заде́рж‖**ивать**, задержа́ть (*вн.*) 1. (*не пускать*) detáin (*d.*), deláy (*d.*), keep* (off) (*d.*); его́ ~а́ли he was deláyed; ~а́ть проти́вника fight* a deláying áction; ~ наступле́ние stem the advánce; 2. (*арестовывать*) arrést (*d.*); 3. (*приостанавливать, оттягивать*) deláy (*d.*); (*запаздывать*) be behínd:hànd (with); 4. (*замедлять*) retárd (*d.*), deláy (*d.*); (*мешать*) hámper (*d.*); ~ упла́ту hold* back the páyment, with:hóld* páyment; ~ дыха́ние hold* one's breath [...-eθ]; ~ разви́тие hámper the devélopment. **~иваться**, задержа́ться 1. (*где-л.*) stay too long; (*на пр.*) línger (on, óver); 2. *страд. к* заде́рживать. **~ка** *ж.* deláy, hóld-up; без (изли́шней) ~ки withóut (úndue) deláy.

задёрнуть(ся) *сов. см.* задёргивать(ся).

заде́тый *прич. см.* задева́ть I; *мед.* afféct|ed; у него́ заде́ты лёгкие his lungs are afféct|ed.

заде́ть *сов. см.* задева́ть I.

задёшево *нареч. разг.* véry chéaply; купи́ть ~ buy* for a song.

задира́ *м. и ж. разг.* tease; búlly ['bu-].

задира́ть I, задра́ть (вн.) разг. 1. lift up (d.); (о платье и т.п.) pull up [pul...] (d.); ~ го́лову throw* back one's head [-ou... hed]; crane one's neck; 2. (ноготь и т.п.) break* [-eɪk] (d.), split* (d.); ~ нос разг. turn up one's nose; put* on airs.

задира́ть II (кого́-л.; дразни́ть) pick (on), bu̇lly ['bu-] (d.); зачем ~ ма́ленького? why should you pick on the little one?

задира́ться I, задра́ться 1. разг. (о платье и т.п.) ride* up (of clothing); 2. (о ногте) break* [-eɪk], split*; 3. страд. к задира́ть I.

задира́ться II разг. (затева́ть ссо́ру, дра́ку) try to pick a quarrel.

задиѓристый разг. co̟cky, pert.

задне||нёбный лингв. ve̟lar. ~язы́чный лингв. ve̟lar, back.

за́дн||ий back; rear*; (о конечностях) hind; ~ее крыльцо́ back porch / entrance; ~ие но́ги hind legs; ~ее колесо́ rear wheel; ~ план background; на ~ем пла́не in the background; отодви́нуть на ~ план (вн.) push into the background [puʃ...] (d.); ~ ход тех. backward move̟ment [...'muːv-], reverse; дать ~ ход go* into reverse; back (a car); ~яя часть back part, rear* part; ~ прохо́д анат. a̟nus; ◇ ~яя мысль secret thought; ~ умо́м кре́пок разг. slow on the uptake [slou...]; wise after the event; быть без ~их ног разг. be all in, be dead on one's feet [...ded...]; поме́тить ~им число́м (вн.) a̟ntedate (d.); ходи́ть на ~их ла́пках перед кем-л. разг. ≃ dance attendance up̟on smb.

за́дник м. 1. (о́буви) back, counter; 2. театр. ba̟ckcloth, ba̟ckdrop.

задо́брить сов. см. зада́бривать.

задо́к м. (экипа́жа) back.

задо́лго нареч. long before; (заранее) well in advance.

задолжа́ть сов. см. должа́ть.

задолжа́ться сов. разг. run* into debt [...det].

задо́лженность ж. debts [dets] pl.; (обязательства) liabilities pl.; (по налогам, взносам и т.п.) arrears pl.; погаша́ть ~ pay* off one's debts, clear one's liabilities.

задолжн||и́к м., ~и́ца ж. разг. debtor ['detə].

за́дом нареч. (к) with one's back (to); (о движении) backward(s) [-dz]; идти́ ~ back, move / go* backwards [muːv...]; ~ наперёд back to front [...frʌnt].

задо́р м. (пыл) fe̟rvour, a̟rdour; ю́ношеский ~ youthful a̟rdour ['juːθ-...].

задо́ринк||а ж.: ни сучка́ ни ~ы, без сучка́ без ~и ≃ without a hitch.

задо́рный fe̟rvent, a̟rdent; (задиристый) provo̟cative; (бойкий) pe̟rky, full of life, a̟nimated.

задохну́ться сов. см. задыха́ться.

задразни́ть сов. (вн.) разг. tease unme̟rcifully (d.).

задра́ивать, задра́ить (вн.) мор. ba̟tten down (d.).

задра́ить сов. см. задра́ивать.

задрапирова́ть(ся) сов. см. задрапиро́вывать(ся).

задрапиро́вывать, задрапирова́ть (вн. тв.) drape (d. with); (занаве́шивать)

curtain off (d. with); hide* behind draperies / ha̟ngings [...'dreɪ-...] (d.). ~ся, задрапирова́ться 1. (чем-л., во что-л.) drape one̟self (with smth.); wrap one̟self up (in smth.); 2. страд. к задрапиро́вывать.

задра́ть I сов. (вн.) kill (d.); волк задра́л овцу́ the wolf* killed a sheep* [...wulf...].

задра́ть II сов. см. задира́ть I. ~ся сов. см. задира́ться I.

задребезжа́ть [-ежьжа-] сов. 1. (начать дребезжать) begin* to rattle, begin* to jingle, begin* to chink; 2. как сов. к дребезжа́ть.

задрема́ть сов. doze off, get* drowsy [...-zɪ], fall* into a light sleep.

задри́панный разг. bedra̟ggled.

задрожа́ть сов. 1. (начать дрожать) begin* to tremble; (от холода) begin* to shi̟ver [...'ʃɪ-]; 2. как сов. к дрожа́ть.

задры́гать сов. 1. разг. (начать дрыгать) begin* to jerk, begin* to twitch; 2. как сов. к дрыгать.

задубе́ть сов. разг. stiffen, become* stiff; плащ ~е́л (my) mac is stiff as a board; у меня ру́ки ~е́ли my hands have stiffened up.

задува́ть I, заду́ть (вн.; гасить) blow* out [-ou...] (d.).

задува́ть II (куда́-л.; о ве́тре) blow* in(to) [-ou...].

задува́ть III, заду́ть тех.: заду́ть до́мну blow* in a blast-furnace [-ou...].

заду́вка ж.: ~ до́менной пе́чи blowing-in of a blast-furnace [-ou-...].

заду́манный прич. см. заду́мывать; хорошо́ ~ well-planned; well-conceived [-'siː-]; well thought-out; широко́ ~ conceived / planned on a large / big scale [-'siː-...]; давно ~ long-planned.

заду́мать(ся) сов. см. заду́мывать(-ся).

заду́мка ж. разг. cherished dream / desire [...-'zaɪə].

заду́мчив||ость ж. reverie, pe̟nsive̟ness. ~ый thoughtful, pensive; (склонный к мечтательности) given to reflection; (грустный) despondent.

заду́м||ывать, заду́мать 1. (вн.) plan (d.); conce̟ive [-'siːv] (d.); (+ инф.; иметь намерение сделать) intend (+ to inf.); have the intention (of ger.); 2.: заду́мать како́е-л. число́ разг. think* of a number. ~ываться, заду́маться fall* to thinking, be / become* thoughtful; (впада́ть в заду́мчивость) be / become* lost in thought / reverie; (размышлять над чем-л.) meditate (on, up̟on smth.); pon̟der (over smth.); глубоко́ ~аться be plunged deep in thought; ◇ не ~ываясь without a moment's hesitation / thought [...-zɪ-...]; тут поневоле ~аешься ≃ you can't just go ahead and do it [...kɑːnt... -'hed...]; о чём ~ался? what are you thinking of?; a penny for your thoughts идиом.

задур||и́ть сов. разг. lose* one's reason [luːz... -zʼn]; become* unreasonable [...-zʼn-]; ◇ ~ кому-л. го́лову confu̟se smb.; он совсе́м ~и́л мне го́лову he nearly drove me crazy.

задурма́нивать, задурма́нить (вн.) blunt (d.), dull (d.).

задурма́нить сов. см. задурма́нивать.

заду́ть I, II сов. см. задува́ть I, III.

заду́ть III сов. (начать дуть) begin* to blow [...blou].

задуше́вн||ость ж. since̟rity. ~ый co̟rdial, intimate, since̟re; ~ый друг close / bosom friend [-s 'buz- fre-]; ~ый го́лос gentle voice; ~ый разгово́р, ~ая бесе́да heart-to-heart talk ['hɑːt-...].

задуши́ть сов. см. души́ть I 1, 2.

за́ды I мн. см. зад.

за́ды II мн. = задво́рки.

за́ды III мн.: повторя́ть ~ разг. repeat what one had learned before [...lə:nd...]; (о том, что всем известно) pass on stale news.

задыми́ть I сов. 1. (начать дымить) begin* to (emit) smoke; 2. как сов. к дыми́ть.

задыми́ть II сов. (вн.) разг. (прокоптить) smoke (d.), fill with smoke (d.), blacken (with smoke) (d.).

задыми́ть III сов. см. задымля́ть.

задыми́ться I сов. 1. (начать дымиться) begin* to smoke; 2. как сов. к дыми́ться.

задыми́ться II сов. (покрыться копотью) be blackened with smoke, be covered with soot [...'kʌ-...].

задымле́ние с. воен. cover of smoke ['kʌ-...]; smoke-screen.

задымля́ть, задыми́ть (вн.) воен. screen with smoke (d.), lay* a smoke-screen (on).

задыха́ться, задохну́ться (прям. и перен.) choke, suffocate; (от; тяжело дышать) pant (with); (перен.) be strangled (by); (без доп.) gasp (for breath) [...-eθ]; ~ от жары́ stifle / suffocate with the heat; ~ от гне́ва choke with anger; задыха́ясь breathlessly [-eθ-].

задыша́ть сов. (начать дышать) begin* to breathe.

заеда́ние с. тех. jamming.

заеда́ть I, зае́сть 1. (вн.; загрызать) bite* to death [...deθ] (d.); (кого́-л. перен.) oppress (smb.), worry ['wʌ-] (smb.), wear* out [wɛə...] (smb.); волк зае́л овцу́ a wolf* has bitten the sheep* to death [...wulf...]; его́ тоска́ зае́ла he is eating his heart out [...hɑːt...], he feels sick at heart; его́ среда́ зае́ла he is a prey to his surroundings, he is a victim of circumstances; 2. (чем-л. что-л.; заку́сывать) eat* / take* (smth. after smth.); ~ лека́рство са́харом take* su̟gar after the medicine [...'ʃu-...].

заеда́ть II, зае́сть тех. jam; мор. foul; трос зае́ло the cable has fouled.

зае́зд м. 1.: с ~ом куда́-л. calling at, stopping at; 2. спорт. lap, round, heat; 3. (приезд в определённый срок группы отдыхающих в санаторий и т.п.) arrival (on fixed days).

зае́здить сов. (вн.) разг. (изнурить) wear* out [wɛə...] (d.), exhaust by overwork (d.); turn into a drudge (d.); ~ ло́шадь override*, или wear* out, a horse.

зае́здом нареч. разг. (while) passing through, in transit.

заезжа́ть [-ежьжя-], зае́хать 1. (к кому́-л., куда́-л.) call in on the way (on

ЗАЕ – ЗАИ

smb., at *a place*); **2.** (*в вн.; попадать*) get* (in, into); (*достигать*) reach (*d.*); заéхать слишком далекó go* too far; **3.** (*за кем-л., за чем-л.*) fetch (smb., smth.), collect (smb., smth.); **4.** (*в вн.*) *разг.* (*ударить кого-л.*) strike* (*d.*); я заéхал ему в физиономию I gave him a bunch of fives.

заéзженный [-éжье-] *разг.* **1.** (*замученный*) worn out [wɔ:n...], hárd-préssed; **2.** (*банальный*) háckneyed [-nɪd]; (*о цитате и т.п.*) trite.

заéзж∥**ий** [-éжьжий] *разг.* ∼ая трýппа tóuring cómpany [ˈtuə- ˈkʌ-]; ∼ человéк stránger [-eɪn-], pásser-through; ◇ ∼ двор *уст.* wáyside inn.

заём *м.* loan; госудáрственный ∼ State loan; госудáрственный ∼ развития нарóдного хозяйства State Ecónomic Devélopment Loan [...ik-...]; выигрышный ∼ prémium bonds (íssue); беспроцéнтный ∼ ínterest-free loan; беспроигрышный ∼ secúred / retúrnable loan; внéшний ∼ fóreign loan [ˈfɔrɪn...]; внýтренний ∼ intérnal loan; сдéлать ∼ raise a loan; выпускáть ∼ íssue *a* loan; размещáть ∼ float *a* loan. ∼**ный**: ∼ное письмó *юр.* acknówledgement of debt [-ˈnɔ-...det]. ∼**щик** *м.*, ∼**щица** *ж. юр.* bórrower, débtor [ˈdetə].

заёрзать *сов. разг.* (*начать ёрзать*) begin* to fídget.

заéсть I, II *сов. см.* заедáть I, II.

заéсться *сов. разг.* be spoiled (with good food); becóme* fastídious about food.

заéхать *сов. см.* заезжáть.

зажáривать, зажáрить (*вн.*); *на сковороде* fry (*d.*); (*на огне или в духовке*) roast (*d.*), broil (*d.*); (*на рашпере*) grill (*d.*). ∼**ся**, зажáриться **1.** be réady fríed / grilled *и т.д.* [...ˈreɪ-...] (*см.* зажáривать); **2.** *страд. к* зажáривать.

зажáть *сов. см.* зажимáть.

заждáться *сов.* (*рд.*) *разг.* be tíred of wáiting (for), be worn out with wáiting [...wɔ:n...] (for).

зажелтéть *сов.* **1.** turn yéllow; **2.** (*выделяться*) begín* to appéar / show yéllow [...ʃou...].

зажелти́ть *сов. см.* желти́ть 2, 3.

зажéчь(ся) *сов. см.* зажигáть(ся).

заживáть, зажи́ть heal; (*о ране тж.*) close up; (*затягиваться кожей*) skin óver.

заживáться, зажи́ться *разг.* **1.** (*где-л.*) óver∣stáy *one's* wélcome, exténd *one's* stay (*at a place*); **2.** (*жить долго*) live to a great age [lɪv... greɪt...]; excéed *one's* állotted span.

зажив∥**и́ть** *сов. см.* заживля́ть. ∼**éние** *с.* héaling.

заживля́ть, заживи́ть (*вн.*) heal (*d.*). ∼**ся** **1.** heal; (*затягиваться кожей*) skin óver; **2.** *страд. к* заживля́ть.

зáживо *нареч.* alíve; ∼ погребённый búried alíve [ˈbe-...].

зажигáлка *ж.* **1.** cigarétte líghter; **2.** *разг.* (*зажигательная бомба*) incéndiary (bomb).

зажигáние *с.* **1.** (*действие*) líghting; **2.** *тех.* ignítion; включи́ть ∼ switch on the ignítion.

зажигáтель∥**ный** used for kíndling, used for sétting fire; *воен.* (*о бомбе, пуле, снаряде*) incéndiary; (*перен.*) inflámmatory; ∼ая речь inflámmatory speech.

зажигáть, зажéчь (*вн.*) set* fire (to), set* on fire (*d.*); (*о свете*) light* (*d.*); (*разжигать*) kíndle (*d.*) (*тж. перен.*); ∼ спи́чку strike* a match; ∼ электри́чество put* / turn / switch the light on; зажéчь страсть kíndle pássion; зажéчь когó-л. энтузиазмом stir smb.'s enthúsiasm [...-zɪ-]. ∼**ся**, зажéчься **1.** light* up; catch* fire; (*перен.*) flare up; **2.** *страд. к* зажигáть.

зажи́ливать, зажи́лить (*что-л.*) *разг.* fail to retúrn (smth. bórrowed).

зажи́лить *сов. см.* зажи́ливать.

зажи́м *м.* **1.** *тех.* clamp, clutch; clip; *эл.* términal; **2.** (*стеснение, подавление*) clámpdown, suppréssion; ∼ кри́тики suppréssion of críticism.

зажимáть, зажáть (*вн.*; *затыкать*) stop up (*d.*); (*стискивать*) clutch (*d.*), squeeze (*d.*), press (*d.*); (*перен.*) keep* down (*d.*), suppréss (*d.*); ∼ в рукé grip (*d.*), close one's hand (óver); ∼ нос hold* one's nose; ∼ инициати́ву keep* down *the* inítiative; ∼ кри́тику suppréss críticism; ◇ ∼ рот комý-л. *разг.* stop smb.'s mouth.

зажи́мный *тех.* clamp (*attr.*); clámping (*attr.*); ∼ винт clámping screw.

зажи́мщик *м. разг.* suppréssor.

зажи́точн∥**ость** *ж.* prospérity; éasy / cómfortable círcumstances [ˈiːzɪ kʌm-...] *pl.* ∼**ый** wéll-to-dó, prósperous.

зажи́ть I *сов. см.* заживáть.

зажи́ть II *сов.* (*начать жить*) begín* to live [...lɪv]; ∼ по-нóвому, ∼ нóвой жи́знью begín* a new life; turn óver a new leaf *идиом.*; ∼ трудовóй жи́знью begín* to earn one's (own) líving [...əːn... ˈlɪ-]; ∼ семéйной жи́знью séttle down (to fámily life).

зажи́ться *сов. см.* заживáться.

зажму́ривать, зажму́рить; ∼ глазá = зажму́риваться. ∼**ся**, зажму́риться screw up one's eyes [...aɪz], close one's eyes tight; (*на мгновение*) blink.

зажму́рить(ся) *сов. см.* зажму́ривать (-ся) *и* жму́рить(ся).

зажóр *м.* **1.** (*затор льда*) ice jam; **2.** (*вода под снегом*) wátercourse únder snow (*when thaw sets in*) [ˈwɔːtəkɔːs... snou].

зажужжáть [-ужьжя-] *сов.* **1.** (*начать жужжать*) begín* to hum / buzz / drone; **2.** *как сов. к* жужжáть.

зажурчá∥**ть** *сов.* **1.** (*начать журчать*) begín* to bábble / múrmur; ∼ли ручьи́ small streams begán to bábble; **2.** *как сов. к* журчáть.

зажýхнуть *сов. см.* жýхнуть.

зазвáть *сов. см.* зазывáть.

зазвенéть *сов.* **1.** (*начать звенеть*) begín* to ring / jíngle; (*о звонке*) ring* out; **2.** *как сов. к* звенéть.

зазвони́ть *сов.* **1.** (*начать звонить*) begín* to ring; **2.** *как сов. к* звони́ть.

зазвучá∥**ть** *сов.* **1.** (*начать звучать*) begín* to sound, begín* to resóund [...-ˈz-]; **2.** *как сов. к* звучáть.

заздрáвный: ∼ тост toast to *smb.*'s health [...he-]; ∼ кýбок (tóast-)cùp.

зазевáться *сов.* (*на вн.*) *разг.* gape (at), stand* gáping (at).

зазеленé∥**ть** *сов.* **1.** (*начать зеленеть*) turn green; дерéвья ∼ли *the* trees broke into young leaf [...jʌŋ...]; **2.** (*выделяться*) show* green [ʃou...].

зазелен∥**и́ть** *сов.* (*вн.*) stain green (*d.*); онá ∼и́ла плáтье her dress got stained with green (*while sitting on the grass, etc.*).

заземл∥**éние** *с. тех.* **1.** (*действие*) éarth(ing) [ˈəː-θ-], ground; **2.** (*приспособление*) earth / ground connéction [əːθ...]; earth. ∼**и́ть** *сов. см.* заземля́ть.

заземля́ть, заземли́ть (*вн.*) *тех.* earth [əːθ] (*d.*), ground (*d.*).

зазимовáть *сов.* wínter; pass the wínter, remáin / stay for the wínter.

зазнавáться, зазнáться *разг.* have a fair opínion of onesélf, give* onesélf airs; think* no small beer of onesélf *идиом.*

зазнáйка *м. и ж. разг.* one who thinks the world of onesélf.

зазнáйство *с. разг.* concéit [-ˈsiːt].

зазнáться *сов. см.* зазнавáться.

зазнóба *ж. разг.* swéet∣heart [-hɑːt].

зазóр I *м. уст. разг.* (*стыд, позор*) shame, disgráce.

зазóр II *м.* (*скважина*) gap; *тех.* cléarance; допусти́мый ∼ állowance, permíssible cléarance.

зазóрн∥**ый** *разг.* dis∣hónour∣able [-ˈsɔnə-], sháme∣ful; disgráce∣ful; в этом нет ничегó ∼ого there is nothing to be ashámed of in that.

зазрéн∥**ие** *с.*: без ∼ия сóвести without a twinge of cónscience [...-ʃəns], remórse∣lessly.

зáзр∥**ить**: егó сóвесть ∼ит he cánnot do it without remórse; егó сóвесть ∼и́ла he had scrúples.

зазýбренный I **1.** *прич. см.* зазýбривать I; **2.** *прил.* notched, jágged; *зоол., бот.* sérrate, sérrated.

зазýбренный II *прич. см.* зазýбривать II.

зазýбривать I, **зазубри́ть** (*вн.*; *делать зазубрины*) sérrate (*d.*), notch (*d.*).

зазýбривать II, **зазубри́ть** (*вн.*; *заучивать зубрёжкой*) learn* by rote [ləːn...] (*d.*), learn* by heart [...hɑːt] (*d.*).

зазýбриваться I, **зазубри́ться** be / becóme* jágged / notched.

зазýбриваться II *страд. к* зазýбривать II.

зазýбрина *ж.* notch, jag.

зазубри́ть I *сов. см.* зазýбривать I.

зазубри́ть II *сов. см.* зазýбривать II.

зазубри́ться I *сов. см.* зазýбриваться I.

зазубри́ться II *сов. разг.* cram too hard.

зазы́в *м. разг.* préssing invitátion.

зазывáть, зазвáть (*вн.*) *разг.* press (to come) (*d.*); (*настойчиво*) be préssing (with an invitátion).

заи́гранный **1.** *прич. см.* заи́грывать II; **2.** *прил.* worn out (by pláying) [wɔːn...], outwórn [-ˈwɔː-], dáted; **3.** *прил.* (*избитый*) háckneyed [-nɪd], trite.

заигрá∥**ть** *сов.* **1.** (*начать играть*) begín* to play (*on a musical instrument*); (*внезапно, шумно*) strike* up a tune; мýзыка ∼ла músic was heard [-zɪk...

hə:d]; 2. (*заискриться, засверкать*) begin* to sparkle.

заигра́ть II *сов. см.* заи́грывать II.

заигра́ться *сов. см.* заи́грываться II.

заи́грывание *с. разг.* 1. flirting, flirtátion; 2. (*заискивание*) pláying to the gállery.

заи́грывать I (*с тв.*) *разг.* 1. (*флиртовать*) flirt (with); 2. (*заискивать*) make* advánces (to).

заи́грывать II, **заигра́ть** (*вн.*) 1. (*приводить в негодность*) spoil*, *или* wear* out, by pláying [...wɛə...] (*d.*); 2. (*опошлять, делать избитым*) vúlgarize (*d.*), debáse [-s] (*d.*); run* down (*d.*); заигра́ть пье́су do a play to death (by stáging it often) [...deθ...'ɔ:f(t)'n].

заи́грываться I *страд. к* заи́грывать II.

заи́грываться II, **заигра́ться** play too long; (*увлекаться игрой*) forgét* òne:self, *или* the time, in pláying [-'get...], get* lost in (a game); заигра́ться до утра́ spend* the night pláying; заигра́ться до полу́ночи play till midnight.

заи́к||**а** *м. и ж.* stámmerer, stútterer. ~**áние** *с.* stámmer(ing), stútter(ing).

заика́ться, заикну́ться 1. *об. тк. несов.* stámmer, stútter; 2. *разг.* (*нерешительно говорить*) hésitate in spéaking [-zɪ-...]; 3. (*о пр.*) *разг.* (*упоминать*) hint (at); (*just*) méntion (*d.*), touch [tʌtʃ] (up:on); он об э́том и не ~ну́лся he néver gave a hint of it, he didn't éven breathe a word of it. ~**ну́ться** *сов. см.* заика́ться 2, 3.

займка́ *ж.* 1. *ист.* squátting (on land); 2. (*посёлок*) small séttle:ment (*in Siberia*).

заимода́вец *м.* créditor, lénder.

заимообра́зн||**о** *нареч.* on crédit, as a / on loan; брать ~ (*вн.*) bórrow (*d.*). ~**ый** bórrowed, táken on crédit; lent, loaned.

заи́мствован||**ие** *с.* 1. (*действие*) adóption, bórrowing; 2. *лингв.* adóption; lóan-wòrd. ~**ный**: ~ное сло́во *лингв.* lóan-wòrd.

заи́мствовать *несов. и сов.* (*сов. тж.* **позаи́мствовать**) (*вн.*) adópt (*d.*), bórrow (*d.*).

заи́ндеве||**лый** cóvered with hóar-fròst [...'kʌ-...]. ~**ть** *сов. см.* индеве́ть.

заинтересо́ванн||**ость** *ж.* (*в пр.*) (pérsonal / vésted) ínterest (in); материа́льная ~ matérial incéntive. ~**ый** 1. *прич. см.* заинтересова́ть; 2. *прил.* (*в пр.*) interested (in); concérned (with); ~**ая** сторона́ interested párty; ~**ое** лицо́ pérson concérned.

заинтересова́ть *сов.* (*вн. тв.*) ínterest (*d.* in), a:wáke* / aróuse (sóme:one's) ínterest (in). ~**ся** *сов.* 1. (*тв.*) becóme* / grow* ínterested [...grou...] (in); take* an ínterest (in); 2. *как сов. к* интересова́ться.

заинтригова́ть *сов. см.* интригова́ть II.

заи́скивание *с.* in:grátiátion [-ʃɪ'eɪ-...], sýcophancy; (*лесть*) fláttery.

заи́скива||**ть** (*пе́ред*) fawn (up:on), make* up (to), cúrry fávour (with), try to in:grátiate òne:self [...'ʃɪeɪt...] (with). ~**ющий** 1. *прич. см.* заи́скивать; 2. *прил.* (*о тоне, взгляде*) in:grátiàting [-ʃɪeɪ-].

заи́скриться *сов.* 1. (*начать искриться*) begin* to sparkle, begin* to scíntillàte; 2. *как сов. к* и́скриться.

за́ймище *с.* wáter-meadow ['wɔ:təme-].

займодержа́тель *м.* lóan-hòlder.

зайти́ *сов. см.* заходи́ть II.

зайти́сь *сов. см.* заходи́ться II.

зайч||**и́к** *м.* 1. *уменьш. от* за́яц 1; 2. *разг.* (*световой*) refléction of a súnbeam (pláying on *the* wall, *etc.*); пуска́ть ~ико́в catch* súnbeams *in a* mírror. ~**и́ха** *ж.* dóe-hàre. ~**о́нок** *м.* young hare [jʌŋ...], léveret.

закабал||**е́ние** *с.* ensláve:ment. ~**и́ть(ся)** *сов. см.* закабаля́ть(ся).

закабаля́ть, закабали́ть (*вн.*) ensláve (*d.*). ~**ся, закабали́ться** 1. tie òne:self down; 2. *страд. к* закабаля́ть.

закавка́зский Tránscaucásian [-nz- -zɪ-].

закавы́ка *ж.*, **закавы́чка** *ж. разг.* 1. snag, óbstacle, hitch; в э́том-то вся ~ that's the snag; 2. (*хитрость, лукавый намёк*) innuèndo; говори́ть без закавы́к speak* ópen:ly.

закады́чный *разг.*: ~ друг bósom-friend ['buzəmfre-].

зака́з I *м.* órder; на ~ to órder; (*о платье, обуви*) (made) to méasure [...'me-]; стол ~ов órder depártment (of a store, *etc.*).

зака́з II *м. уст.* (*запрещение*) pròhibítion [prou-], ínterdict.

заказа́ть I, II *сов. см.* зака́зывать I, II.

зака́зник *м.* (game) resérve [...-'zə:v].

заказн||**о́й** I (*сделанный на заказ*) made to órder; (*о платье, обуви*) made to méasure [...'meʒə].

заказн||**о́й** II (*о почтовых отправлениях*) régistered; ~**ое** письмо́ régistered létter; посыла́ть письмо́ ~**ым** régister a létter.

заказно́й III: ~ лес fórest resérve ['fɔ-...-'zə:v], protécted wóodland [...'wud-].

зака́з||**чик** *м.*, ~**чица** *ж.* cústomer, client.

зака́зывать I, **заказа́ть** (*вн.*; *делать заказ*) órder (*d.*); (*о билете и т.п.*) book (*d.*); ~ кни́гу órder a book.

зака́зывать II, **заказа́ть** (*дт. вн.*, *дт. + инф.*) *уст.* (*запрещать*) prohíbit (*i. d., i. + to inf.*), forbíd* (*i. d., i. + to inf.*).

зака́л *м. тех.* témper; (*перен.*) cast, stamp; дава́ть ~ (*дт.*) hárden (*d.*); хлеб с ~ом hárd-bàked bread [...bred]; ◊ челове́к ста́рого ~а one / man* of the old school; лю́ди одного́ ~а péople of the same type [piːpl...]. ~**ённый** *прич. и прил.* (*прям. и перен.*) hárdened; (*о стали тж.*) témpered; ~**ённый** в боя́х báttle-hárdened. ~**ивание** *с.* hárdening (òne:self), tóughening up ['tʌf-...]. ~**ивать(ся)** = закаля́ть(ся).

зака́лка(**ся**) *сов. см.* закаля́ть(ся).

зака́лк||**а** *ж.* témpering, hárdening; (*физическая*) tráining; (*выносливость*) acquíred tóughness [...'tʌf-]; иде́йная ~ ideológical tráining [aɪdɪə-...].

закал||**я́ть, закали́ть** (*вн.*) 1. (*пронзать оружием*) stab (to death) [...deθ]; ~ свинью́ sláughter a pig; 2. (*скреплять*) pin (up) (*d.*); fásten with a pin [-sn]; ~ га́лстук fásten on one's tie-pin. ~**ся, заколо́ться** 1. stab òne:self to death [...deθ]; 2. *страд. к* закалывать.

закаля́ть, закали́ть (*вн.*; *прям. и перен.*) témper (*d.*), hárden (*d.*); ~ во́лю strengthen one's will, stíffen one's rèsolútion [...-z-]. ~**ся, закали́ться** 1. be témpered; 2. *страд. к* закаля́ть.

закамуфли́ровать *сов. см.* камуфли́ровать.

зака́нчивать, зако́нчить (*вн.*) fínish (*d.*), end (*d.*); (*об учёбе, работе и т.п.*) compléte (*d.*); ~ речь *и т.п.* (*чем-л.*) con:clúde a speech, *etc.* (with smth.); зако́нчить диску́ссию (*чем-л.*) con:clúde, *или* wind up, *a* discussion (with). ~**ся, зако́нчиться** 1. (*без доп.*; *кончаться*) come* to an end; close; 2. *тк. несов.* (*чем-л.*) end (in / with smth.); 3. *страд. к* зака́нчивать.

зака́п||**ать** I *сов.* (*начать капать*) begin* to drip; дождь ~ал drops / spots of rain begán to fall.

зака́п||**ать** II *сов.* (*вн.*) 1. spot (*d.*), smudge (*d.*); она́ ~ала себе́ пла́тье she has smudged her dress; 2. (*о лекарстве*) put* drops (in).

закапри́зничать *сов.* 1. (*начать капризничать*) become* / get* caprícious; (*о детях*) get* náughty; 2. *как сов. к* капри́зничать.

зака́пчивать, закопти́ть (*вн.*) 1. (*покрывать копотью*) blácken with smoke (*d.*), make* sóoty (*d.*); 2. (*приготавливать копчением*) smoke (*d.*); закопти́ть о́корок smoke *a* ham. ~**ся** 1. (*почернеть*) be / become* cóvered with soot [...'kʌ-...]; (*почернеть*) be bláckened with smoke.

зака́пывать, закопа́ть (*вн.*) 1. (*прятать в земле*) búry ['be-] (*d.*); 2. (*заполнять землёй*) fill up (*d.*); ~ я́му fill up / in *a* hole. ~**ся, закопа́ться** 1. búry òne:self ['be-...]; 2. *воен.* entrénch òne:self, dig* òne:self in; 3. *страд. к* зака́пывать.

зака́ркать *сов.* 1. (*начать каркать*) begin* to caw; 2. *как сов. к* ка́ркать.

зака́рмливать, закорми́ть (*вн.*) óver:fèed* (*d.*), feed* too much (*d.*).

закаспи́йский Tránscáspian [-nz-].

зака́т *м.* (*о небесных светилах*) sétting; (*о солнце*) súnsèt; (*перен.*) decline; на ~е жи́зни in the twílight of one's life [...'twaɪ-...], in one's declíning years.

закати́ть *сов. см.* зака́тывать I.

закати́ться *сов. см.* зака́тываться II.

зака́тывать I, **закати́ть** (*вн. в вн.*) roll up (*d.* in); ~ рукава́ roll up one's sleeves.

зака́т||**ывать** II, **закати́ть** (*вн. под вн.*) roll (*d.* únder); (*вн. за вн.*) roll (*d.* behínd); ◊ ~ глаза́ roll one's eyes [...aɪz]; ~ сце́ну make* a scene; ~ исте́рику go* off into hystérics; throw* a fit of hystérics [θrou...]; ~**и́ть** кому́-л. пощёчину give* smb. a slap in the face.

зака́тываться I *страд. к* зака́тывать I.

зака́тываться II, **закати́ться** 1. (*о небесных светилах*) set*; (*перен.*) wane; decline; его́ сла́ва закати́лась his fame has waned; 2. (*под вн.*; *о мяче и т.п.*)

roll (únder); (за вн.) roll (behínd); 3. разг. (отправляться куда-л.) go* off (to), head [hed] (for); закáтимся зá город! let's head for the cóuntry! [...'kʌ-]; ◇ ~ смéхом go* (off) into fits of láughter [...'lɑːf-]; ~ плáчем (о ребёнке) go* into a fit of wéeping.

закачáть I сов. 1. (вн.; начать качать) begin* to swing / rock / sway (d.); 2. как сов. к качáть.

закачá∥ть II сов. 1. (вн.; убаюкать) rock to sleep (d.); 2. безл.: его ~ло he feels (séa)sick.

закачáться сов. 1. (начать качаться) begin* to swing / rock / sway; 2. как сов. к качáться; ◇ ~ешься! terrífic!, great! [-eɪt].

закáшивать, закосúть (вн.) mow [mou] (d.), scythe [saɪð] (d.).

закáшлять сов. (начать кашлять) begin* to cough [...kɔf]. ~ся сов. have a fit of cóughing [...'kɔf-].

закаяться сов. разг. swear* off [sweə...], swear* to give up.

заквáкать сов. 1. (начать квакать) begin* to croak; 2. как сов. к квáкать.

заквáс∥ить сов. см. закáшивать. ~ка ж. férment; (для теста) léaven ['le-]; (перен.) разг. méttle; в нём видна хорóшая ~ка you can see he is a man of méttle, или is made of good stuff.

заквáшивать, заквáсить (вн.) férment (d.); (о тесте) léaven ['le-] (d.).

закивáть сов. (начать кивать) begin* to nod (one's head) [...hed]; 2. как сов. к кивáть.

закидáть сов. см. закúдывать I.

закúдывать I, закидáть (вн. тв.) 1. (бросать много, со всех сторон) strew* / bespátter (d. with); (перен.) shówer (d. with); ~ вопрóсами bombárd with quéstions [...-stʃənz] (d.); 2. (заполнять) fill (d. with), fill up (d. with); (сверху) cóver ['kʌ-] (d. with); ~ яму пескóм fill (up), или cóver, a hole with sand; (ср. тж. забрáсывать I).

закúдывать II, закúнуть (вн.) 1. (кидать далеко) = забрáсывать II 1; 2.: ~ назáд гóлову toss / throw* / tilt back one's head [...θrou...hed]; ~ нóгу нá ногу cross one's legs; ◇ úдочку put* out a féeler; закúнуть словéчко за когó-л. put* in a word for smb.; ~ словéчко о чём-л. throw* out a hint abóut smth. [-ou...], suggést smth. [-'dʒest...]. ~ся, закúнуться 1. (назад) fall* back; 2. (о лошади) jib, shy; 3. страд. к закúдывать II.

закúнуть сов. см. закúдывать II. ~ся сов. см. закúдываться.

закип∥áть, закипéть begin* to boil, be on the boil; símmer; (пузырьками) búbble; (перен.) be in full swing; рабóта ~éла the work was in full swing.

закипéть сов. см. закипáть.

закисáть, закúснуть sour, turn sour; (перен.) разг. grow* rústy / pássive / indífferent [-ou...], végetàte.

закúснуть сов. см. закисáть.

зáкись ж. хим. protóxide [prou-]; ~ желéза férrous óxide; ~ азóта nítrous óxide.

заклáд м. 1. (действие) páwning; (о недвижимости) mórtgaging ['mɔːg-]; 2. (пребывание в залоге): егó вéщи в ~е his things are in pawn; 3. (предмет) pledge; 4. уст. (пари) stake, wáger, bet; ◇ бúться об ~ bet, wáger.

заклáдка I ж. (о фундаменте и т.п.) láying; ~ здáния и т.п. (церемония) láying of the foundátion-stòne; ~ сáда máking of a gárden.

заклáдка II ж. (в книге) bóokmàrk.

закладнáя ж. скл. как прил. юр. mórtgage ['mɔːg-].

закладчи∥к м., ~ца ж. юр. mòrtgagór [mɔːgə'dʒɔː], páwner.

заклáдывание I с. putting, láying.

заклáдывание II с. (отдача в залог) páwning; (о недвижимости) mórtgaging ['mɔːg-].

заклáдывать I, заложúть (вн.) 1. (класть, засовывать) put* (d.), lay* (d.); заложúть рýки в кармáны put* one's hands in one's póckets; ~ рýки зá спину put* one's hands behind one's back; 2. (о фундаменте и т.п.) lay* (d.); (о парниках и т.п.) install (d.); был заложéн пéрвый дом the foundátions of the first house* were laid [...-s...]; 3. (терять) misláy* (d.); 4. разг. (загромождать) pile up (d.), heap (d.); ~ стол кнúгами pile the table with books; 5. безл.: мне, емý и т.д. заложúло ýши, нос разг. my, his, etc., ears are, nose is blocked, или stuffed up; мне заложúло грудь my chest feels stuffed up; 6.: ~ странúцу mark a page; ◇ заложúть за гáлстук разг. put* awáy a lot of booze.

заклáдывать II, заложúть (вн.; отдавать в залог) pawn (d.); (о недвижимости) mórtgage ['mɔːg-] (d.), hypóthecàte [haɪ-] (d.).

заклáдывать III, заложúть (лошадей) hárness hórses; заложúть карéту, экипáж hárness (hórses to) a cárriage [...-rɪdʒ].

заклáние c. sácrifice, immolátion; ◇ идтú как áгнец на ~ go* like a lamb to the sláughter.

заклевáть I сов. см. заклёвывать.

заклевáть II сов. (начать клевать; о птице) begin* to peck; (о рыбе) begin* to bite.

заклёвывать, заклевáть (вн.; о птицах) peck (d.); (перен.) разг. hénpèck (d.), hound (d.); заклевáть нáсмерть nag to death [...deθ] (d.).

заклé∥ивать, заклéить (вн.) glue up (d.), stick* up (d.); ~ окнó seal up a window; ~ щéли fill / stop up the chinks / cracks; ~ конвéрт seal (up) an énvelòpe. ~иваться, заклéиться 1. stick*; конвéрт не ~ивается the énvelòpe won't stay stuck [wou-...]; 2. страд. к заклéивать.

заклéит(ся) сов. см. заклéивать(ся).

заклеймённый прич. и прил. (прям. и перен.) bránded; (перен. тж.) stígmatìzed.

заклеймúть сов. см. клеймúть.

заклéпать сов. см. заклёпывать.

заклёп∥ка ж. 1. (действие) ríveting, clámping; 2. (металлический стержень) rívet ['rɪ-]. ~ник м., ~очник м. тех. ríveting hámmer.

заклёпывать, заклепáть (вн.) rívet ['rɪ-] (d.), clamp (d.).

заклинá∥ние c. invocátion; éxorcism (by incàntátion); (слова) spell. ~тель м. éxorcist; ~тель змей snáke-chàrmer.

заклинáть (вн.) 1. (умолять) adjúre [ə'dʒuə] (d.), conjúre (d.), entréat (d.); 2. (вызывать) cónjure ['kʌndʒə] (d.), invóke (d.); (заколдовывать) charm (d.).

заклúнивать, заклинúть (вн.) wedge (d.), fix with a wedge (d.). ~ся, заклúниться 1. jam, be / become* wedged; 2. страд. к заклúнивать.

заклинúть(ся) сов. см. заклúнивать(-ся).

заклокотáть сов. 1. (начать клокотать) begin* to bubble, begin* to boil; 2. как сов. к клокотáть.

заклуб∥úть сов. (вн.) blow* up [blou...] (d.), puff up (d.); вéтер ~úл пыль по дорóге the wind raised clouds of dust on the road [...wɪ-...].

заключ∥áть I, заключúть 1. (без доп.; делать вывод) con:clúde, infer; из вáших слов я ~áю from what you say I con:clúde, или I gáther; из чегó вы ~áете? how do you know? [...nou], what makes you think so?; 2. (вн.; заканчивать, завершать) close (d. тв.) wind* up (d. with); ~ речь con:clúde a speech; ~ речь призывом wind* up one's speech with an appéal; 3. (вн.; вступать в соглашение) con:clúde (d.), contráct (d.), make* (d.); ~ договóр (с тв.) con:clúde a tréaty (with); ~ сою́з (с тв.) énter into, или contráct, an alliance (with); ~ заём contráct a loan; ~ сдéлку strike* a bárgain; ~ мир make* peace; ~ брак énter into, или contráct, a márriage [...-rɪdʒ]; ~ парú bet*, make* a bet; wáger; 4. тк. несов. (вн.): ~ в себé contáin (d.); ◇ ~ в объя́тия (вн.) hug (d.); enfóld in one's arms (d.); embráce (d.); ~ в скóбки (вн.) brácket (d.), put* in bráckets (d.).

заключáть II, заключúть (вн.; лишать свободы) lock up (d.); ~ когó-л. в тюрьмý imprison smb. [-ɪz-...]; put* smb. in príson [...-ɪz-]; ~ когó-л. под стрáжу take* smb. into cústody.

заключ∥áться I 1. (в пр.; состоять в чём-л.) consíst (of, in); вáша задáча ~áется в слéдующем your task consists of the following; дéло ~áется в том, что the éssence of the mátter is that; трýдность ~áется в том, что the difficulty lies in the fact that; 2. (в пр.; находиться) be (in); be contáined (in); 3. (тв.; заканчиваться) end (in), con:clúde (with, in); 4. страд. к заключáть I.

заключáться II страд. к заключáть II.

заключéни∥е I с. 1. (вывод) con:clúsion, ínference; (суда и т.п.) fíndings pl.; ~ комúссии resolútion of the committee [-zə-...-tɪ]; передáть на ~ юр. submit for júdgement, или a decísion, submít to àrbitrátion; вы́вести ~ inférr; дать ~ con:clúde, decíde; прийтú к ~ю come* to the con:clúsion; 2. (договора и т.п.) con:clúsion; ~ мúра con:clúding of peace; 3. (последняя часть чего-л.) con:clúsion, end; ◇ в ~ in con:clúsion.

заключéни∥е II с. (лишение свободы) confínement, deténtion; (тюремное) imprísonment [-ɪz-]; ~ под стрáжу close confínement [-s...]; одинóчное ~ sólitary confine:ment; предварительное ~ detention / imprisonment pending trial; находиться в предварительном ~и be in detention / prison a:waiting / pending trial [...-ɪz-...]; пожизненное ~ life imprisonment; приговорить к трём годам ~я (вн.) sentence to three years' imprisonment (d.).

заключённый I прич. см. заключать I.
заключённый II 1. прич. см. заключать II; ~ пожизненно person under life sentence; lifer разг.; **2.** м. как сущ. prisoner [-ɪz-], convict; политический ~ political prisoner.

заключительн||ый final, closing, con:clusive; ~ое слово con:cluding remarks pl.; ~ое заседание final sitting; ~ аккорд finale [-'nɑ:lɪ]; ~ая сцена театр. final / closing scene; (перен.) curtain scene.

заключить I, II сов. см. заключать I 1, 2, 3 и II.

заклят||ие с. уст. **1.** = заклинание; **2.** (клятва, зарок) oath*, pledge. **~ый**: ~ый враг sworn enemy [swɔ:n...].

закованный прич. см. заковывать I; ~ в броню armoured; ~ в латы mailed.

заковать I, II сов. см. заковывать I, II.

заковывать I, заковать (вн.) chain (d.), put* into chains (d.), fetter (d.); (перен.) bind*, hold* down (d.); ~ в кандалы shackle (d.), put* into irons [...'aɪənz] (d.); мороз заковал землю the land was in the grip of frost.

заковывать II, заковать (вн.; о лошади) injure in shoe:ing [...'ʃu:-] (d.).

заковылять сов. **1.** (начать ковылять) begin* to hobble; **2.** как сов. к ковылять.

заковырист||ый разг. puzzling; fishy; ~ая задача puzzler, teaser.

закодированный прич. и прил. coded, en:coded.

закодировать сов. (вн.) en:code (d.).

заколачивать, заколотить (вн.) разг. **1.** (досками) board up (d.); (гвоздями) nail (d.), fasten with nails [-s:n...] (d.); **2.** (вбивать) drive* in (d.); ~ гвоздь drive* in a nail.

заколдованный 1. прич. см. заколдовывать; **2.** прил. bewitched, enchanted [-ɑ:nt-], spell-bound; ◊ ~ круг vicious circle.

заколдовать сов. см. заколдовывать.

заколдовывать, заколдовать (вн.) enchant [-ɑ:nt] (d.), bewitch (d.); (зачаровывать) charm (d.), cast* a spell (on).

заколебаться сов. **1.** (начать колебаться) begin* to hesitate [...-zɪ-], become* unsteady [...-tedɪ], begin* to waver; (ср. колебаться); **2.** как сов. к колебаться.

заколка ж. разг. (для волос) hair-pin; (большая) hair-slide.

заколоситься сов. come* into ear.

заколотить I сов. см. заколачивать.

заколоти||ть II сов. разг. (начать колотить) begin* to beat, strike и т.д. (см. колотить); в дверь ~ли there was a sharp banging / knocking at the door [...dɔ:].

заколоти||ться сов. разг. (начать колотиться) begin* to beat, strike и т.д. (см. колотиться); у него сердце ~лось his heart began to thump / pound [...hɑ:t...].

заколоть I сов. см. закалывать.

заколо||ть II сов. безл.: у него ~ло в боку he has a stitch in his side.

заколоться сов. см. закалываться.

заколых||аться сов. **1.** (начать колыхаться) begin* to wave / flutter; **2.** как сов. к колыхаться; в воздухе ~ались знамёна banners waved / fluttered in the air.

закольцевать сов. см. кольцевать.

закомпостировать сов. см. компостировать.

закон м. law; юр. act, statute; избирательный ~ electoral law; по ~у according to the law; объявить вне ~а (вн.) outlaw (d.), proscribe (d.); вопреки ~у against, или in spite of, the law; un:lawfully; именем ~а in the name of the law; статья ~а article of law; свод ~ов legal code; statute book; ~ природы law of nature [...'neɪ-]; ~ы общественного развития the laws of social development; издать, обнародовать ~ make* / promulgate / issue a law; ~ о защите мира Peace Defence Law; ~ы об охоте hunting / game laws; нарушить ~ break* the law [breɪk...]; соблюдать ~ы observe the law [-'zɜ:v...], keep* within the law; её слово, желание, мнение для него ~ to him her word, wish, opinion is law. **~ник** м. разг. **1.** (юрист) lawyer; **2.** (строго соблюдающий законы) one who keeps to the letter of the law.

законно I прил. кратк. см. законный; **2.** предик. безл. it is right, it is legal / lawful, it is in accordance with the law.

законно II нареч. lawfully, legal:ly.

законн||ость ж. lawfulness, legality; революционная ~ revolutionary law; соблюдать социалистическую ~ observe Socialist law [-'zɜ:v...]. **~ый** legal; lawful; (перен.: справедливый) valid, legitimate; ~ая сила validity; имеющий ~ую силу valid; на ~ом основании on legal grounds; ~ый владелец rightful owner / possessor [...'ou- -'ze-]; ~ые притязания well-founded claims; ~ое желание legitimate desire [...-'zaɪə]; ◊ ~ый брак lawful matrimony.

законовед м. lawyer, jurist. **~ение** с. jurisprudence.

законодатель м., **~ница** ж. legislator, law-giver [-gɪ-]; law-maker; (перен.) arbiter. **~ный** legislative; ~ная власть legislative power, legislature [-leɪ-]. **~ство** с. юр. legislation; ~ство о труде labour laws pl.

закономерно I 1. прил. кратк. см. закономерный; **2.** предик. безл. it is in order, it is as it should be.

закономерн||о II нареч. naturally, appropriate:ly [ə'prou-]; as the natural result [...-'zʌ-]. **~ость** ж. conformity to natural laws; appropriate:ness [ə'prou-]. **~ый** conforming to the laws of nature [...'neɪ-], appropriate [ə'prou-], naturally determined; ~ое явление natural phenomenon (pl. -ena); ~ое развитие natural development.

законопатить сов. см. законопачивать.

законопачивать, законопатить (вн.) caulk up (d.).

законоположение с. юр. statute.

законопроект м. bill; law in draft; обсудить ~ debate a bill; отклонить ~ reject / defeat a bill; принять ~ approve / pass a bill [-ru:v...].

законоучитель м. уст. religious teacher.

законсервировать сов. (вн.) **1.** preserve [-'zɜ:v] (d.); tin (d.); can (d.); bottle (d.); pot (d.); **2.** (о предприятии и т.п.) lay* up (d.); (ср. консервировать).

законспектировать сов. (вн.) make* an abstract / synopsis (of).

законспирировать сов. (вн.) hush up (d.); keep* dark (d.) разг.

законтрактова(ся) сов. см. законтрактовывать(ся).

законтрактовывать, законтрактовать (вн.) contract (to, for); enter into a contract (for), make* a contract (for). **~ся**, законтрактоваться **1.** contract to work (for); hire one:self out (to); **2.** страд. к законтрактовывать.

законченн||ость ж. (отделка) finish; (полнота) complete:ness. **~ый 1.** прич. см. заканчивать; **2.** прил. finished; polished; complete; ~ый негодяй complete scoundrel / rogue [...roug].

закончить сов. см. заканчивать. **~ся** сов. см. заканчиваться 1, 3.

закопать(ся) сов. см. закапывать(-ся).

закопёрщик м. разг. ring:leader.

закопошиться сов. **1.** (начать копошиться) begin* to swarm, stir и т.д. (см. копошиться); **2.** как сов. к копошиться.

закоптелый разг. smoky, sooty; (грязный) smutty, grimy.

закоптеть сов. разг. get* / be / become* covered with / in soot [...'kʌ-...].

закоптить I сов. (начать коптить) begin* to smoke.

закоптить II сов. см. закапчивать и коптить 1, 2. **~ся** сов. см. закапчиваться.

закопчённый 1. прич. см. закапчивать; **2.** прил. = закоптелый.

закоренелый inveterate; (о привычке) in:grained; deep-rooted; ~ преступник inveterate law-breaker [...-eɪkə], hardened criminal.

закоренеть сов. (в пр.) take* root (in), become* steeped (in); он закоренел в предрассудках he has become rooted / steeped in prejudice.

закорк||и разг.: на ~, на ~ах on one's back / shoulders [...'ʃou-], piggy-back; он нёс её на ~ах he gave her a piggyback ride.

закормить сов. см. закармливать.

закорючка ж. разг. (завитушка) flourish ['flʌ-]; (перен.: затруднение) hitch, snag.

закосить сов. см. закашивать.

закоснел||ость ж. stubbornness, impenitence. **~ый** stubborn, impenitent; (в пр.) sunk (in), buried ['be-] (in); ~ое невежество rank ignorance; ~ый злодей hardened wrong:doer [...-'du:ə].

закоснеть сов. см. коснеть.

ЗАК – ЗАК

закостене́лый numbed, stiff.
закостене́ть *сов.* 1. óssify; grow* stiff [-ou...]; 2. (*от ужаса, страха и т.п.*) be / become* numb (with).
закоу́л‖**ок** *м.* 1. back street, (dark) álley; 2. (*уголок*) secluded córner; nook; обыска́ть все углы́ и ~ки search in every nook and cránny [sɔ:tʃ...]; ◊ знать все ~ки know* all the ins and outs [nou...].
закочене́лый numb / stiff with cold.
закочене́‖**ть** *сов.* 1. grow* / become* numb / stiff with cold [-ou...]; у него́ ~ли ру́ки his hands are numb with cold; 2. *как сов. к* коченеть.
закра́‖**дываться**, закра́сться steal* in, creep* in; ~лось сомнение, подозрение doubts, a suspícion crept in [dauts...].
закра́ина *ж.* 1. (*край*) edge; 2. *тех.* flange.
закра́сить *сов. см.* закра́шивать.
закрасне́ть *сов.* = закрасне́ться 1. ~**ся** *сов.* 1. show* red [ʃou...]; 2. (*смутиться*) blush, flush (red).
закра́сться *сов. см.* закра́дываться.
закра́шивать, закра́сить (*вн.*) paint óver / out (*d.*), paint (*d.*), cóver with paint ['kʌ-...] (*d.*).
закрепи́тель *м. фот.* fíxing ágent, fíxer.
закрепи́тельный *прил. к* закрепле́ние 1, 2.
закрепи́ть(ся) *сов. см.* закрепля́ть(ся).
закре́пка *ж.* clip, fástener [-sᵊnə].
закрепле́ние *с.* 1. (*прикрепление*) fástening [-sᵊn-], attáching; 2. (*обеспечение*) appóinting; secúring; 3. *мед.* stópping of diarrhóea [...-'rɪə]; 4. *фот.* fíxing; 5. *воен.* (*тж. перен.; об успехе*) consolidátion.
закреп‖**ля́ть**, закрепи́ть 1. (*вн.*) fásten [-sᵊn] (*d.*), secúre (*d.*); *мор.* ánchor ['æŋkə] (*d.*); make* fast (*d.*), reeve (*d.*); (*перен.*) consólidàte (*d.*); ~ верёвку fásten a string; ~ гвоздём fásten with a nail (*d.*); ~ успе́х(и) consólidàte succéss / achíeve:ment(s) [...-i:v-]; ~и́ть завоева́ния револю́ции consólidàte the gains of revolútion; ~ пози́ции consólidàte the positions [...-'zɪ-]; э́тот догово́р ~и́л дру́жбу ме́жду на́шими стра́нами this tréaty has sealed the friéndship betwéen our cóuntries [...'fre-...'kʌ-]; 2. (*вн. за тв.; предназначать*) allót (*d.* to), appóint (*d.* to); ~ дом за учрежде́нием assígn / allót prémises to *an* institútion [...ə'saɪn-...-sɪz...]; ~ за собо́й ме́сто secúre a place; 3. (*вн.*) *фот.* fix (*d.*); 4. *безл. мед.*: его́ ~и́ло he has constipátion. ~**ля́ться**, закрепи́ться 1. (*на пр.*) consólidàte one's grip (on); ~ля́ться на пози́циях *воен.* consólidàte *a* position [...-'zɪ-]; 2. *страд. к* закрепля́ть. ~**ля́ющий** 1. *прич. см.* закрепля́ть; 2. *прил.*: ~ля́ющее сре́дство ópiate.
закрепости́ть(ся) *сов. см.* закрепоща́ть(ся).
закрепощ‖**а́ть**, закрепости́ть (*вн.*) enslàve (*d.*), make* a serf (of). ~**а́ться**, закрепости́ться be / become* enslàved. ~**е́ние** *с.* 1. (*действие*) enslàving, túrning into a serf; 2. (*состояние*) sérfdom.

закрича́ть *сов.* 1. (*начать кричать*) begin* to cry, cry out, give* a shout, shout *и т.д.* (*см.* крича́ть); ~ на кого́-л. (begin* to) shout at smb.; 2. *как сов. к* крича́ть.
закро́й‖**ный** for cútting clothes, *etc.* [...-ouðz]. ~**щик** *м.*, ~**щица** *ж.* táilor's cútter.
за́кром *м. с.-х.* córn-bìn; ◊ мно́го хле́ба в ~а́х the gránaries are full / well-stócked.
закругл‖**е́ние** *с.* 1. (*действие*) róunding, cúrving; 2. (*линия*) curve; cúrvature. ~**ённый** *прич. и прил.* róunded; ◊ ~ённая фра́за well-róunded, *или* well-túrned, phrase. ~**и́ть(ся)** *сов. см.* закругля́ть(ся).
закругля́ть, закругли́ть (*вн.*) round (off) (*d.*), make* round (*d.*); ◊ ~ фра́зу round off *a* séntence. ~**ся**, закругли́ться 1. curve, be róunded / curved; 2. *страд. к* закругля́ть.
закружи́ть I *сов.* 1. (*вн.*; *начать кружить*) begin* to turn / whirl (*d.*); (*стремительно*) send* whirling (*d.*); 2. *как сов. к* кружи́ть.
закружи́ть II *сов.* (*вн.*) *разг.* (*кружа, довести до изнеможения*) make* dízzy (*d.*), sweep* off one's feet (*d.*); ~ кого́-л. в та́нце make* smb.'s head turn with dáncing [...hed...].
закруж‖**и́ться** I *сов.* 1. (*начать кружиться*) begin* to whirl / spin; begin* to go round; у меня́ ~и́лась голова́ my head begán to swim [...hed...]; 2. *как сов. к* кружи́ться.
закружи́ться II *сов. разг.* (*устать от хлопот и т.п.*) be run off one's feet, be in a whirl; ~ с хозя́йством be run off one's feet with (the) hóuse:wòrk, *или* with doméstic chores [...'haus-...].
закрути́ть I *сов. см.* закру́чивать.
закрути́ть II *сов.* (*начать крутить*) begin* to turn *и т.д.* (*см.* крути́ть).
закрути́ться I *сов. см.* закру́чиваться.
закрути́ться II *сов.* 1. (*начать крути́ться*) begin* to turn *и т.д.* (*см.* крути́ться); 2. *как сов. к* крути́ться.
закру́‖**чивать**, закрути́ть (*вн.*) 1. twirl (*d.*), twist (*d.*); (*вокруг*) wind* round (*d.*); ~ кому́-л. ру́ки за́ спину twist smb.'s arms behínd *his* back; ~ во́жжи на ру́ки wind* the reins round one's hands; ~ усы́ turn up the ends of one's moustáche [...məs'ta:ʃ], twirl / twíddle / twist one's moustáche; ве́тер ~ти́л пыль the wind is stírring up the dust [...wɪ-...]; 2. (*завёртывать: о кране и т.п.*) turn right off (*d.*), (*о гайке и т.п.*) turn tight (*d.*), tíghten (up) (*d.*). ~**чиваться**, закрути́ться 1. twist, become* twísted; 2. *страд. к* закру́чивать.
закручи́ниться *сов.* 1. grow* sad / míserable [-ou...-z-]; 2. *как сов. к* кручи́ниться.
закрыва́ть, закры́ть (*вн.*) 1. shut* (*d.*), close (*d.*); (*о воде, газе и т.п.*) shut* off (*d.*), turn off (*d.*); (*перен.: заканчивать, прекращать*) close (*d.*); ~ трубу́ close (up) the chímney; ~ на ключ lock (*d.*); ~ собра́ние close, *или* break* up, the méeting [...breɪk...]; ~ грани́цу close the fróntier [...'frʌ-]; ~ пре́ния close, *или* break* off, the debáte; 2. (*на-

крыва́ть*) cóver (up) ['kʌ-...] (*d.*); ~ лицо́ рука́ми cóver one's face with one's hands, búry one's face in one's hands ['be-...]; ~ кры́шкой put* the lid on; ту́чи закры́ли не́бо rain-clouds cóvered the sky; 3. (*ликвидировать, запрещать*) shut* down (*d.*); (*о газете, журнале*) suppréss (*d.*), close down (*d.*); ~ предприя́тия, уче́бные заведе́ния *и т.п.* shut* / close down *the* énterprises, schools, *etc.*; ◊ ~ глаза́ на что-л. conníve at smth., òverlóok smth.; shut* one's eyes to smth. [...aɪz...]; закры́ть глаза́ (*умереть*) pass awáy, breathe one's last; (*умершему*) atténd smb. on his déath-bèd [...'deθ-]; ~ рот кому́-л. stop smb.'s mouth, shut* smb. up, sílence smb. ['saɪ-...]; ~ две́ри до́ма для кого́-л. shut* one's door agáinst smb. [...dɔ:...], make* smb. únwelcome; ~ ско́бки close the bráckets; ~ счёт close *the* account. ~**ся**, закры́ться 1. close, shut*, be closed, be shut; дверь закры́лась the door (was) shut [...dɔ:...]; его́ глаза́ закры́лись his eyes (were) closed [...aɪz...]; ~ся в ко́мнате lock òne:sélf up; за́навес закры́лся the cúrtain was closed, the cúrtain dropped / fell; кры́шка закры́лась the lid fell off, *или* down; 2. (*накрываться*) cóver òne:sélf up ['kʌ-...]; 3. (*переставать действовать, существовать и т.п.*) be closed (down), be óver; вы́ставка закры́лась the éxhibition (was) closed [...eksɪ-...]; сезо́н закры́лся the séason was óver [...-zᵊn...]; закры́лось мно́го предприя́тий (фа́брик *и т.п.*) many énterprises (fáctories, *etc.*) were closed / shut down; 4. *страд. к* закрыва́ть.
закры́т‖**ие** *с.* 1. clósing, shútting; (*окончание*) close [-s]; ~ сезо́на end close / finish of the séason [...-zᵊn]; ~ вы́ставки clósing of *an* éxhibition [...eksɪ-]; вре́мя ~ия (*магазинов и т.п.*) clósing-time; 2. *воен.* (*укрытие*) cóver ['kʌ-...]. ~**ый** 1. *прич. см.* закрыва́ть; 2. *прил.* (*недоступный для посторонних*) closed; ~ое заседа́ние closed méeting (*for members only*); prívate séssion ['praɪ-...]; *юр.* méeting in cámera; провести́ ~ое заседа́ние meet* in closed / prívate séssion; ~ое парти́йное собра́ние closed párty méeting; ~ый спекта́кль closed / prívate perfórmance; ◊ ~ое уче́бное заведе́ние bóarding-school; при ~ых дверя́х behínd closed doors [...dɔ:z]; in prívate; ~ое мо́ре ín:land sea; ~ое письмо́ létter (*as opposed to a póstcard*); ~ое голосова́ние vóting by sécret bállot / pólling; ~ое пла́тье high-nécked dress; в ~ом помеще́нии índoors [-ɔ:z]; ~ый стадио́н índoor, *или* wínter, stádium [-dɔ:...]; с ~ыми глаза́ми ≃ blínd:ly.
закры́ть(ся) *сов. см.* закрыва́ть(ся).
закряхте́ть *сов.* 1. (*начать кряхтеть*) begin* to groan; 2. *как сов. к* кряхте́ть.
закуда́хтать *сов.* 1. (*начать кудахтать*) begin* to cluck; 2. *как сов. к* куда́хтать.
закули́сн‖**ый** báckstàge (*attr.*); behínd the scenes (*после сущ.*) (*тж. перен.*); ~**ые** перегово́ры sécret negòtiátions, negòtiátions behínd the scenes; ~**ая** сде́л-

ка sécret deal; ~ая сторона́ hídden círcumstances pl., hídden áspect of a quéstion [...-stʃ-].

закупа́ть I, закупи́ть 1. (вн.) (скупа́ть) buy* in [baɪ...] (d.), buy* up (whóle:sàle) [...'houl-] (d.); 2. (вн., рд.; запаса́ть) lay* in a stock (of).

закупа́ть II сов. (вн.) разг. (причини́ть вред купа́нием) bathe till / until... [beɪð...] (d.); ~а́ли ребёнка до просту́ды (they) gave the child* a cold by báthing it too long [...beɪð-...].

купи́ть сов. см. закупа́ть I.

заку́пк||а ж. púrchase [-s]; де́лать ~и lay* in supplíes; опто́вые ~и whóle:sàle púrchases ['houl-...].

закупо́р||ивать, закупо́рить (вн.) stop up (d.); (про́бкой) cork up (d.); (перен.) shut* up (d.). ~ить сов. см. закупо́ривать. ~ка ж. 1. córking; 2. мед. émbolism, thrombósis. ~ка вен vénous thrombósis.

заку́почн||ый прил. к заку́пка; ~ая цена́ эк. púrchase price [-s...].

заку́пш||ик м., ~ица ж. púrchaser [-sə], (whóle:sàle) búyer ['houl- 'baɪə].

заку́ривать, закури́ть (вн.) light* (up) a cigarétte, pipe, etc.; light* up (d.) идиом. разг. ~ся, закури́ться (о папиро́се и т.п.) be lit.

закури́ть I сов. см. заку́ривать.

закури́ть II сов. 1. (нача́ть кури́ть) begin* to smoke; 2. как сов. к кури́ть 1, 2.

закури́ться I сов. см. заку́риваться.

закури́ться II сов. 1. (нача́ть кури́ться) begin* to (emít) smoke; 2. как сов. к кури́ться.

заку́р||ка ж. разг. enóugh tobácco to roll one cigarétte [ɪ'nʌf...], a screw of tobácco; дал табаку́, махо́рки на одну́ ~ку (he) gave me just enóugh tobácco, makhórka to roll one cigarétte.

закуса́ть сов. (вн.) разг. bite* / sting* all óver (d.).

закуси́ть I, II сов. см. заку́сывать I, II.

заку́ск||а ж. áppetizer; hors d'oeuvre (фр.) [ɔːˈdəːvr], snack; холо́дная ~ cold collátion; лёгкая ~ light snack; ◊ на ~y as a títbit, for a taste [...teɪst].

заку́сочная ж. скл. как прил. snáck-bàr.

заку́сывать I, закуси́ть (прикусывать): ~ гу́бы разг. bite* one's lip; закуси́ть язы́к (перен.) keep* one's mouth shut, hold* one's tongue [...tʌŋ]; ~ удила́ (о ло́шади; тж. перен.) get* / take* the bit between one's teeth; (тк. перен.) run* rámpant.

заку́сывать II, закуси́ть 1. (без доп.) have a snack, get* a bite; eat*; ~ на́скоро snatch a quick bite; 2. (вн. тв.) take* (d. with); ~ ры́бой have a bit of fish; ~ во́дку и т.п. ры́бой, колбасо́й и т.п. drink* vódka with fish, sáusage etc. [...'sɔs-...] (as hors-d'oeuvre).

заку́т м., заку́та ж. 1. (píg-)stỳ, shed; 2. (кладова́я) stóre-room.

заку́тать(ся) сов. см. заку́тывать(ся).

закути́ть сов. 1. (нача́ть кути́ть) begin* to lead a díssipated life; begin* to drink, hit* the bottle; go* drínking; 2. как сов. к кути́ть.

заку́тывать, заку́тать (вн.) muffle (d.), wrap up (d.); (одея́лом) tuck up (in bed) (d.). ~ся, заку́таться 1. muffle / wrap onesélf up; 2. страд. к заку́тывать.

зал м., за́ла ж. hall; (во дворце́) áudience chámber [...'tʃeɪ-]; (в ча́стном до́ме) recéption-room; ~ ожида́ния wáiting-room; ~ заседа́ний суда́ cóurtroom ['kɔːt-]; гимнасти́ческий ~ gym, gymnásium [-z-] (pl. -sia); танцева́льный ~ dánce-hàll; báll-room; зри́тельный ~ hall, auditórium; чита́льный ~ réading-room; по́лный ~ (в теа́тре и т.п.) packed áudience, full house [...-s].

зала́д||ить сов. разг. (+ инф.) take* (to ger.); он ~ил ходи́ть в кино́ he has táken to góing to the móvies [...'muː-]; ◊ ~ одно́ и то же keep* hárping on the same thing. ~иться сов. см. зала́живаться.

зала́живаться, зала́диться разг. get* góing, be a succéss; рабо́та не зала́дилась the work didn't get góing, или was not a succéss, или didn't go well.

зала́мывать, заломи́ть (вн.) 1. break* off [-eɪk...] (d.); ~ ве́тку break* off a branch [...brɑː]; 2. разг.: ~ це́ну ask too high a price, try to rip off; ~ ша́пку cock one's hat / cap; ~ ру́ки (в го́ре и т.п.) wring* one's hands.

заласка́ть сов. (вн.) разг. smóther in carésses ['smʌ-...] (d.).

залата́ть сов. см. лата́ть.

зала́ять сов. 1. (нача́ть ла́ять) begin* to bark; give* tongue [...tʌŋ] идиом.; 2. как сов. к ла́ять.

залега́ние с. геол. bédding, bed.

залега́ть геол. lie*; bed; be depósited [...-z-], be bédded.

заледене́л||ый cóvered with ice ['kʌ-...], iced óver. ~ть сов. freeze*.

залежа́вшийся, залежа́лый stale; ~ това́р old stock.

залежа́ться сов. см. залёживаться.

залёживаться, залежа́ться 1. lie* (idle) a long time; lie* too long; 2. (о това́ре) find* no márket; 3. (по́ртиться) become* stale.

за́лежн||ый: ~ые зе́мли fállow land sg.

за́лежь ж. 1. геол. depósit [-z-], bed; ~ у́гля cóal-bèd, cóal-field [-fiːld]; ~ то́рфа péat-bèd; 2. тк. ед. собир. разг. (о това́рах) únsaleable stock; 3. с.-х. (о земле́) fállow land.

залеза́ть, зале́зть 1. (на вн.; взбира́ться) climb (up) [klaɪm...] (on, d.); ~ на де́рево climb a tree; 2. (в вн.; прока́дываться) steal* (into); (проника́ть) get* (into), pénetràte (into); ~ в ко́мнату creep* / steal* into a room; ◊ ~ кому́-л. в карма́н pick smb.'s pócket; зале́зть в долги́ get* / run* into debt [...det].

зале́зть сов. см. залеза́ть.

залени́ться сов. разг. grow* lázy [-ou...].

залепета́ть сов. 1. (нача́ть лепета́ть) begin* to babble / prattle; 2. как сов. к лепета́ть.

залепи́ть сов. см. залепля́ть.

залепл||я́ть, залепи́ть (вн. тв.) 1. close up (d. with), stick* up (d. with); 2. (закле́ивать) glue up (d. with), paste up / óver [peɪ-...] (d. with); ◊ ~и́ть кому́-л. пощёчину груб. slap smb. round the chops.

залет||а́ть I, залете́ть 1. (в вн.) fly* (in, into); му́ха ~е́ла в ко́мнату a fly flew into the room; 2. ав. (поднима́ться очень высоко́ или улета́ть далеко́) fly* high; (за вн.) fly* (behínd, beyónd); самолёт ~е́л за се́верный поля́рный круг the áirplàne crossed the Árctic circle; 3. ав. (куда́-л.) land (sómewhere) on the way, stop (sómewhere) on the way; они́ ~е́ли в Москву́ за горю́чим on their way they lánded / stopped in Móscow to refúel [...-'fjuː-].

залета́ть II сов. (нача́ть лета́ть) begin* to fly.

залете́ть сов. см. залета́ть I.

залётн||ый stray; fléeting, cásual ['kæʒ-]; ~ая пти́ца bird of pássage.

зале́чивать, залечи́ть (вн.) heal (d.), cure (d.); ~ ра́ны (прям. и перен.) heal the wounds [...wuːndz]; залечи́ть ра́ны, нанесённые войно́й heal the scars of war, repáir the rávages of war. ~ся, залечи́ться 1. (о ра́не) heal; 2. страд. к зале́чивать.

залечи́ть сов. 1. см. зале́чивать; 2. (кого́-л.) разг. make* smb. worse (by únskilful tréatment); ~ кого́-л. до́ сме́рти dóctor smb. to death [...deθ], kill smb. by too much dóctoring. ~ся сов. 1. см. зале́чиваться; 2. разг. dóctor onesélf to death [...deθ].

зале́чь сов. 1. (лечь надо́лго) lie* (down); ~ спать go* off to bed; ~ в берло́гу take* to its lair / den; 2. (притаи́ться) lie* in híding, или in wait; 3. воен. drop flat.

зали́в м. bay; (с у́зким вхо́дом) gulf; (небольшо́й) cove; (ме́лкий) creek.

залива́ть, зали́ть 1. (вн.; затопля́ть, заполня́ть) flood [flʌd] (d.) (тж. перен.); inúndàte (d.), sáturate (d.); быть за́литым (тв.) run* (with); ~ све́том flood with light (d.); за́литый со́лнцем súnlit, bathed in súnshine [beɪðd...]; 2. (вн. тв.; облива́ть) pour [pɔː] (óver d.), spill (on d.); зали́ть ска́терть, стол черни́лами, вино́м spill ink, wine on the táble:clòth, table; 3. (вн.; туши́ть) put* out (d.), quench (d.), extínguish (with wáter) [...'wɔ-]; ~ пожа́р put* out a fire; 4. (вн. тв.; покрыва́ть чем-л. жи́дким) coat (d. with); cóver ['kʌ-] (d. with); ~ асфа́льтом lay* / spread* ásphàlt [...spred -ælt] (óver); 5. (вн.; наполня́ть) fill up (d.); ~ горю́чее в бак fill up (a tank) with pétrol [...'pe-]; 6. тк. несов., разг. (обма́нывать) lie, tell* lies; ◊ ~ гало́ши mend galóshes; ~ го́ре вино́м drown one's sórrows in wine.

залива́ться I, зали́ться 1. (в вн.; о воде́ и т.п.) pour [pɔː] (into); 2.: ~ кра́ской стыда́ blush / go* crímson with shame [...-mzn...]; 3. страд. к залива́ть.

залива́ться II, зали́ться (тв.): ~ сме́хом roar with láughter [...'lɑːf-]; ~ пе́сней sing* exúberantly / róusing:ly; ~ слеза́ми break* into tears [-eɪk...], be drowned in tears, dissólve in tears [-'z-...]; ~ ла́ем bark fúrious:ly.

зали́вка ж.: ~ гало́ш ménding of galóshes; ~ асфа́льтом (рд.) láying / spréading ásphàlt [...-ed- -ælt] (óver); ~ ту́шью ínking in; ~ кра́ской giving a wash of paint.

ЗАЛ—ЗАМ

заливно́е *с. скл. как прил.* áspic, fish or meat in áspic.

заливно́й I flood [flʌd] (*attr*.), flóoded with spring wáters ['flʌ-...'wɔː-]; ~ луг wáter-meadow ['wɔːtəme-], flood plain.

заливн||о́й II *кул.* jéllied; in áspic; ~áя осетри́на jéllied stúrgeon.

заливн||о́й III (*о звуках*) sonórous; ~ы́е голоса́ sonórous vóices.

зали́занный sleek.

зализа́ть *сов. см.* зали́зывать.

зали́зывать, зализа́ть (*вн.*) lick (clean) (*d.*); (*перен.; о волосах*) sleek (down) (*d.*); ~ ра́ны lick *the* wounds [...wuː-].

зали́ть *сов. см.* залива́ть 1, 2, 3, 4, 5.

зали́ться I, II *сов. см.* залива́ться I, II.

залихва́тск||ий *разг.* dévil-may-cáre; ~ая пе́сня róllicking song.

зало́г I *м.* 1. (*действие*) = закла́д 1; 2. (*предмет*) guárantee, depósit [-z-]; pledge (*тж. перен.*); (*денежный*) secúrity; в ~ (*чего-л.*) as secúrity (for); отдава́ть в ~ (*вн.*) pawn (*d.*); (*о недвижимости*) mórtgage ['mɔːg-] (*d.*); оставля́ть в ~ (*вн.*) leave* as a depósit (*d.*); под ~ (*рд.*) on the secúrity (of); выкупа́ть из ~а (*о недвижимости*) pay* off a mórtgage (*d.; о предмете*) redéem (*d.*); ◇ в ~ успе́ха pledge of succéss; ~ дру́жбы tóken of friendship [...'fren-].

зало́г II *м. грам.* voice; действи́тельный ~ áctive voice; страда́тельный ~ pássive (voice); сре́дний ~ middle (voice).

зало́гов||ый I *прил.* к зало́г I; ~ое свиде́тельство mórtgage-deed ['mɔːg-]; ~ая квита́нция páwn-ticket.

зало́говый II *прил.* к зало́г II.

залогода́тель *м.* depósitor [-zɪ-].

залогодержа́тель *м.* hólder in pawn; (*на недвижимость*) mòrtgágee [mɔːg-].

заложе́н||ие *с. горн., стр.* locátion; ша́хта глубо́кого ~ия shaft sunk to a great depth [...greɪt...]; deep shaft.

заложи́ть I, II, III *сов. см.* закла́дывать I, II, III.

зало́жни||к *м.,* ~ца *ж.* hóstage.

зало́м I *м.* hérring (*from the Caspian Sea*).

зало́м II *м. тех.* break [-eɪk], frácture.

заломи́ть *сов. см.* зала́мывать.

залосни́ться *сов.* becóme* shíny (with nap worn off) [...wɔːn...].

залп *м.* vólley; *мор.* sálvò; пу́шечный ~ gun sálvò; *мор.* gun sálvò; дать ~ fire a vólley; *мор.* fire a sálvò; стреля́ть ~ами fire (in) vólleys; *мор.* fire (in) sálvòes.

за́лпом *нареч.* 1. in a vólley; вы́стрелить ~ fire a vólley; 2. *разг.* (*без переды́шки*): выпива́ть ~ (*вн.*) drink* at a, *или* one, gulp (*d.*); drain in one gulp (*d.*); произноси́ть ~ (*вн.*) rattle off (*d.*).

залубене́ть *сов. см.* лубене́ть.

залупи́||ться *сов. разг.* peel off, flake off; кра́ска ~лась the paint has flaked off.

залуча́ть, залучи́ть (*вн.*) *разг.* entíce (*d.*), lure (*d.*); (*обманом*) decóy (*d.*); ~ кого́-л. к себе́ (в го́сти) get* smb. to come to one's place.

залучи́ть *сов. см.* залуча́ть.

залы́сина *ж.* high temple.

залюбова́ться *сов.* (*тв.*) admíre (*d.*), be lost in àdmirátion (for); regárd with àdmirátion (*d.*).

заля́пать *сов. см.* заля́пывать.

заля́пывать, заля́пать (*вн.*) *разг.* blot (*d.*), splash (*d.*), smudge (*d.*); ~ гря́зью, черни́лами smudge with dirt, ink (*d.*).

зама́за(ся) *сов. см.* зама́зывать(ся).

зама́зка *ж.* 1. (*вещество*) pútty; 2. (*действие*) filling up with pútty.

зама́зывать, зама́зать (*вн.*) 1. (*покрывать краской*) paint óver (*d.*); (*зачёркивать*) efface (*d.*); (*перен.*) slur óver (*d.*); ~ недоста́тки рабо́ты slur óver the defécts of the work; 2. (*заплять*) stick* with pútty (*d.*); ~ о́кна на зи́му seal (up), *или* stop up with pútty, the windows for the winter; 3. *разг.* (*пачкать*) daub óver (*d.*), make* díry (*d.*), stain (*d.*). ~ся, зама́заться 1. *разг.* (*пачкаться*) smear ònesélf; get* dírty / múcky; 2. *страд. к* зама́зывать.

зама́ливать, замоли́ть (*вн.*) *уст.* pray for forgíveness [...-'gɪ-]; ~ грехи́ pray for forgíveness of one's sins.

зама́лчивание *с.* ignóring, húshing up.

зама́лчивать, замолча́ть (*вн.*) suppréss (*d.*), hush up (*d.*), keep* sílent (abóut).

зама́нивать, замани́ть (*вн.*) entíce (*d.*), lure (*d.*); (*привлекать*) attráct (*d.*); (*обманом*) decóy (*d.*); замани́ть в заса́ду decóy into an ámbush (*d.*); замани́ть в западню́, в лову́шку, в се́ти (*вн.*) (en)tráp (*d.*), (en)snáre (*d.*).

замани́ть *сов. см.* зама́нивать.

зама́нчив||ость *ж.* allúre. ~ый témpting, allúring.

замар||а́ть *сов.* 1. *см.* мара́ть 1; 2. (*вн.; зачеркну́ть*) blot out (*d.*), efface (*d.*). ~а́ться *сов. см.* мара́ться. ~а́шка *м. и ж. разг.* slob.

замаринова́ть *сов.* (*вн.*) pickle (*d.*).

замаскиро́ванный 1. *прич. см.* замаскиро́вывать; 2. *прил.* dis:guísed.

замаскирова́ть(ся) *сов. см.* замаскиро́вывать(ся) *и* маскирова́ть(ся).

замаскиро́вывать, замаскирова́ть (*вн.*) 1. mask (*d.*), dis:guíse (*d.*); (*о чу́вствах тж.*) concéal (*d.*), hide* (*d.*); 2. *воен.* cámouflàge [-ufla:ʒ] (*d.*). ~ся, замаскирова́ться 1. (*тв.*) dis:guíse ònesélf (as); 2. (*без доп.*) *воен.* cámouflàge [-ufla:ʒ].

зама́сливать, зама́слить (*вн.*) make* óily (*d.*), make* gréasy [...-zɪ] (*d.*), oil (*d.*), grease (*d.*); (*перен.*) bútter up (*d.*). ~ся, зама́слиться 1. (*об одежде и т. п.*) becóme* gréasy / óily [...-zɪ...]; 2.: его́ глаза́ зама́слились his eyes glístened [...aɪz...]; 3. *страд. к* зама́сливать.

зама́слить(ся) *сов. см.* зама́сливать (-ся).

заматере́лый *уст.* hárdened, invéterate; ~ престу́пник hárdened críminal.

зама́тывать, замота́ть 1. (*вн.; свёртывать*) roll up (*d.*), fold up (*d.*); 2. (*вн. тв.; обма́тывать*) twist (round *d.*), wind* (round *d.*); 3. (*вн.*) *разг.* (*утомля́ть*) wear* out [weə...] (*d.*), tire out (*d.*). ~ся, замота́ться 1. (*обма́тываться*) wind* round; 2. *разг.* (*утомляться*) be all in, be exháusted.

замаха́ть *сов.* begín* to wave, flap и т. д. (*см.* маха́ть).

зама́х||иваться, замахну́ться 1. (на кого́-л. чем-л.) thréaten ['θre-] (smb. with smth.), raise (thréatening:ly) [...'θre-] (smth. at smb.); ~ну́ться на кого́-л. (*прям. и перен.*) raise one's hand agáinst smb.; ~ну́ться па́лкой на кого́-л. wave / flóurish a stick at smb. ['flʌ-...], brándish a stick at smb.; 2. (на *вн.*; на большо́е тру́дное де́ло) have big ideás [...aɪ'dɪəz] (abóut).

замахну́ться *сов. см.* зама́хиваться.

зама́чивать, замочи́ть (*вн.*) 1. (*слегка́*) wet (*d.*); замочи́ть но́ги wet one's feet, get* one's feet wet; 2. (*погружа́ть в во́ду*) soak (*d.*); ~ бельё soak the wáshing; ~ лён, коноплю́ ret flax, hemp; ~ со́лод liquor mat.

зама́шки *мн. разг.* way *sg.*, ways; mánners; style *sg.*

зама́щивать, замости́ть (*вн.*) pave (*d.*).

зама́яться *сов. разг.* be exháusted, be tired out.

замая́ч||ить *сов.* loom, come* into view [...vjuː]; вдали́ ~или огни́ lights gleamed, или becáme vísible, in the dístance [...'vɪz-...].

замедле́ни||е *с.* 1. (*хода*) slówing down [-ou-...], dèceleration [diː-]; *муз.* ritardándo, retárding; 2. (*задержка*) deláy; без ~я withóut deláy, immédiate:ly, at once [...wʌns]; right a:wáy *разг.*

заме́дленн||ый 1. *прич. см.* замедля́ть; 2. *прил.* slow [-ou-], deláyed; бо́мба ~ого де́йствия deláyed-áction bomb, tíme-bòmb; ~ая съёмка slów-mótion shot [-ou-...].

замедли́тель *м. тех.* deláy méchanism [...-k-].

заме́длить(ся) *сов. см.* замедля́ть(ся).

замедля́ть, заме́длить (*вн.*) slow down [slou...]; (*задерживать*) hold* back (*d.*), deláy (*d.*); *тех.* dèceleràte [diː-] (*d.*); ~ те́мпы sláken the pace; заме́длить ход slow down; redúce speed; заме́длить шаги́ slow down the pace; walk slówer; он не заме́длил яви́ться he was not long in cóming; они́ не заме́длили воспо́льзоваться э́тим they have not been slow to take advántage of it [...-'vɑː-...]; прошу́ не заме́длить с отве́том please ánswer by retúrn post, *или* immédiate:ly, *или* withóut deláy [...'ɑːnsə...]. ~ся, заме́длиться 1. slow down [slou...], becóme* slówer [...'slouə]; его́ речь заме́длилась his words came slówer; движе́ние колеса́ заме́длилось the wheel turned, *или* begán to turn, more slówly [...'slou-]; 2. *страд. к* замедля́ть.

замели́ть *сов.* (*вн.*) *разг.* chalk óver (*d.*).

замелька́ть *сов.* flash, gleam, appéar.

заме́н||а *ж.* 1. (*действие*) sùbstitútion, repláce:ment; ~ поте́рянной кни́ги но́вой the repláce:ment of *a* lost book by *a* new one; sùbstitútion of *a* new book for *a* lost one; ~ сме́ртной ка́зни пожи́зненным заключе́нием còmmutátion / commúting of death séntence to life imprísonment [...deθ...-'prɪzˈn-]; 2. (*то, что заменяет*) súbstitute; (*что-л. равноценное*) equívalent; служи́ть ~ой (*рд., дт.*) be a súbstitute (for), take* the place (of). ~и́мый repláce:able.

замени́тель *м.* súbstitute.

замени́ть *сов. см.* заменя́ть.

замен‖**я́ть**, замени́ть 1. (*вн. тв.*) súbstitute (for *d.*), repláce (*d.* by); ~и́ть мета́лл пластма́ссой súbstitute plástics for métal [...'me-], use plástics instéad of métal [...'sted...]; ниче́м нельзя́ замени́ть (*вн.*) there is no súbstitute (for); 2. (*вн.*; *занима́ть ме́сто, приходи́ть на сме́ну*) take* the place (of); она́ ~и́ла ребёнку мать she was (like) a móther to the child* [...тл-...]; не́кому его́ ~и́ть there is no one to take his place, *или* to repláce him.

замере́ть *сов. см.* замира́ть.

замерза́н‖**ие** *с.* fréezing; то́чка ~ия fréezing-point; на то́чке ~ия at fréezing-point; (*перен.*) at a stándstill.

замерза́ть, замёрзнуть freeze*; be frózen; (*умира́ть от моро́за*) freeze* to death [...deθ], be killed by frost; цветы́ замёрзли the flówers are frósted óver, *или* nipped by the frost; река́ замёрзла the ríver is / has frózen (up) [...'гɪ-...].

замёрзнуть *сов. см.* замерза́ть.

заме́ривать = замеря́ть.

заме́рить *сов. см.* заменя́ть.

за́мертво *нареч.* in a dead faint [...ded...]; она́ упа́ла ~ she fell as though dead, *или* in a dead faint.

заменя́ть, заме́рить (*вн.*) méasure ['meʒə] (*d.*), gauge [geɪdʒ] (*d.*); ~ давле́ние га́за méasure the gás-pressure.

замеси́ть *сов. см.* заме́шивать II.

замести́ *сов. см.* замета́ть I.

замести́тел‖**ь** *м.* députy; ~ дире́ктора (*до́лжность*) députy / assístant diréctor; (*исполня́ющий обя́занности дире́ктора*) ácting diréctor; ~ нача́льника députy / assístant chief [...tʃiːf]; ~ мини́стра députy mínister; ~ председа́теля vice-président [-ezɪ-], vice-cháirman*; быть ~ем (*рд.*) be the députy (of); stand* in (for).

замести́тельство *с.* position of députy [-'zɪ-...]; ácting capácity.

замести́ть *сов. см.* замеща́ть 2.

замётано *частица разг.* agréed!, O. K.! [ou'keɪ], right you are!

замета́ть I, замести́ (*вн.*) 1. (*подмета́ть*) sweep* (up) (*d.*); 2. (*покрыва́ть сне́гом, песко́м*) cóver ['kʌ-] (*d.*); доро́гу замело́ сне́гом the road is cóvered / blocked with snow [...snou], ◇ ~ следы́ cóver one's tracks.

замета́ть II *сов. см.* замётывать.

замета́ться *сов.* begin* to rush about; (*в посте́ли*) begin* to toss.

замет‖**ка** *ж.* 1. (*в печа́ти*) páragraph; review [-'vjuː]; 2. (*за́пись*) note; путевы́е ~ки trável notes / sketches ['træ-...]; ~ки на поля́х márginal notes; де́лать ~ки (*запи́сывать*) take* / make* notes; 3. (*на чём-л.*) mark; ◇ брать на ~ку (*вн.*) *разг.* note (*d.*), make* a note (of).

заме́тно I 1. *прил. кратк. см.* заме́тный; 2. *предик. безл.* it is nótice:able [...'nou-], one can see.

заме́тн‖**о** II *нареч.* nóticeably ['nou-]; (*ощути́мо*) appréciably; он ~ постаре́л he looks much ólder (than he did), he has aged appréciably. ~**ый** 1. (*ви́димый*) nótice:able ['nou-]; vísible [-z-], évident; (*ощути́мый*) appréciable; ~ая ра́зница marked dífference; ~ое улучше́ние marked impróve:ment [...-ruːv-]; 2. (*выдаю́щийся*) outstánding.

замётывать, замета́ть (*вн.*) baste [beɪst] (*d.*); tack (*d.*); sew* up [sou...] (*d.*).

замеча́н‖**ие** *с.* 1. remárk, òbservátion [-z-]; 2. (*вы́говор*) réprimànd [-maːnd]; tálking-tò, télling-óff *разг.*; крити́ческое ~ críticism; сде́лать ~ (*дт.*) rebúke (*d.*), repróve [-uːv] (*d.*); ◇ быть на ~ии у кого́-л. *уст.* be in smb.'s bad books.

замеча́тельно I 1. *прил. кратк. см.* замеча́тельный; 2. *предик. безл.* it is remárkable; (*удиви́тельно*) it is wónderful [...'wʌ-].

замеча́тельн‖**о** II *нареч.* remárkably; (*удиви́тельно*) wónderfully ['wʌ-]; (*необыкнове́нно*) out of the órdinary. ~**ый** remárkable; (*прекра́сный*) spléndid; (*удиви́тельный*) wónderful ['wʌ-]; (*выдаю́щийся*) outstánding.

замеча́ть, заме́тить 1. (*вн.*) nótice ['nou-] (*d.*), obsérve [-'zə:v] (*d.*); *сов. тж.* sight (*d.*), catch* sight (of); 2. (*вн.*; *брать на заме́тку*) note (*d.*); 3. (*вн.*; *обраща́ть внима́ние*) take* nótice (of), pay heed (to); не ~ pay* no heed (to). take* no nótice (of), be oblívious (of); 4. (*без доп.*; *вставля́ть в разгово́р замеча́ние*) obsérve, remárk.

замеча́ться becòme* appárent [...ə'pæ-]; ~ются при́знаки утомле́ния signs of exháustion are becóming appárent [saɪnz... -stʃən...].

замечта́ться *сов.* indúlge òne:sélf in dáy-dreaming, lose* òne:sélf in a dream [luːz...], be dáy-dreaming, fall* into a réverie.

замеша́тельство *с.* confúsion, embárrassment; вноси́ть ~ в ряды́ проти́вника cause confúsion / disórder in the ranks of the énemy, throw* (the ranks of) the énemy into confúsion / disárray [-ou...]; привести́ в ~ (*вн.*) put* out of cóuntenance (*d.*); throw* into confúsion (*d.*); прийти́ в ~ be embárrassed / confúsed.

замеша́ть *сов. см.* заме́шивать I. ~**ся** *сов. см.* заме́шиваться I.

заме́ш‖**ивать** I, замеша́ть (кого́-л. во что́-л.; вовлека́ть в какое́-л. де́ло) invólve (smb. in smth.), get* (smb.) mixed up (in smth.); (*запу́тывать*) entángle (smb. in smth.); быть ~анным (*в преступле́нии и т. п.*) be ímplicàted (in).

заме́шивать II, замеси́ть (*вн.*) mix (*d.*); ~ те́сто knead dough [...dou].

заме́шиваться I, замеша́ться (в вн.) 1. (*быть прича́стным к чему́-л.*) get* invólved (with), get* tángled up (with), get* / becòme* mixed up, *или* entángled (in); 2. (*в толпу́ и т.п.*) mix (with); mingle (in, with); 3. *страд. к* заме́шивать I.

заме́шиваться II *страд. к* заме́шивать II.

заме́шка‖**ться** *сов. разг.* tárry, lóiter, línger; (*опозда́ть*) be late; он ~лся у свои́х прия́телей he has been deláyed at his friends' [...frendz].

замещ‖**а́ть**, замести́ть 1. *тк. несов.* (кого́-л.; заменя́ть) act (for smb.); députize (for smb.); repláce (*d.*); 2. (*вн. тв.*) súbstitute (for *d.*). ~**е́ние** *с.* (*заме́на; тж. хим.*) substitútion; для ~е́ния до́лжности to fill the óffice / position [...-'zɪ-].

замига́ть *сов.* (*нача́ть мига́ть*) begìn* to blink; (*мерца́ть*) begìn* to twinkle.

замини́ровать *сов.* (*вн.*) *воен.*, *мор.* mine (*d.*).

зами́нк‖**а** *ж.* hitch; без ~и without a hitch; есть кака́я-то ~ there is some próblem [...'prɔ-]; говори́ть с ~ой speak* hésitantly [...-zɪ-], stútter, stámmer.

замира́ние *с.* dýing down / out; ~ се́рдца a sínking heart [...haːt]; с ~м се́рдца with a sínking heart.

замира́ть, замере́ть stand* (stòck-)still; (*о се́рдце*) sink*; stop béating; (*о зву́ке*) die a:wáy, die down; он за́мер от у́жаса he stood rígid / páralysed with térror [...stud...]; у него́ се́рдце за́мерло his heart sank [...haːt...]; жизнь в го́роде замерла́ life in the city came to a stándstill [...'sɪtɪ...].

замири́ть(ся) *сов. см.* замиря́ть(ся).

замиря́ть, замири́ть (*вн.*) *уст. разг.* pácifỳ (*d.*), réconcile (*d.*). ~**ся**, замири́ться (с тв.) *уст. разг.* make* peace (with), make* it up (with).

за́мкнут‖**о** *нареч.*: жить ~ lead* an ísolàted / unsóciable life [...'aɪ-...]; держа́ться ~ be resérved [...-'zə:vd]; keep* òne:sélf to òne:sélf. ~**ость** *ж.* (*неразгово́рчивость*) réticence; (*скры́тность*) resérve [-'zə:v]. ~**ый** 1. *прич. см.* замыка́ть 1; 2. *прил.* resérved [-'zə:vd]; búttoned up *разг.*; ~ый хара́ктер resérved disposítion [...-'zɪ-]; ~ый круг exclúsive circle; вести́ ~ый о́браз жи́зни lead* a seclúded life; ~ая крива́я *мат.* closed curve.

замкну́ть *сов. см.* замыка́ть 1, 2. ~**ся** *сов. см.* замыка́ться.

замко́вый *прил. к* замо́к 2, 3.

замоги́льный (*о го́лосе*) sepúlchral, hóllow.

за́м‖**ок** *м.* castle; ◇ возду́шные ~ки castles in the air, castles in Spain.

зам‖**о́к** *м.* 1. lock; (*ожере́лья*) clasp; (*серёжек*) clip; вися́чий ~ pádlòck; под ~о́м, на ~ке́ únder lock and key [...kiː]; запере́ть на ~ (*вн.*) lock (up) [...-]; 2. (*огнестре́льного ору́дия*) bolt; 3. *арх.* (*о сво́де*) kéy-stòne ['kiː-]; ◇ за семью́ ~ка́ми ≅ únder séven seals [...'seː-...]; well and trúly secúre, *или* locked up.

замока́ть, замо́кнуть becòme* drénched / sóaked.

замо́кнуть *сов. см.* замока́ть.

замо́лвить *сов.*: ~ слове́чко за кого́-л. *разг.* put* in a word for smb., put* in, *или* say*, a good / kind word for smb.

замоли́ть *сов. см.* зама́ливать.

замолка́ть, замо́лкнуть, замолча́ть stop tálking, become* / fall* sílent, lapse into sílence [...'saɪ-]; stop spéaking, síng:ing, *etc.*; разгово́р замо́лк the cònversátion lapsed / stopped; его́ го́лос замо́лк he fell sílent [...-'saɪ-]; неприя́тельская батаре́я замолча́ла the énemy báttery was sílenced, *или* stopped fíring [...'saɪ-...].

замо́лкнуть *сов. см.* замолка́ть.

ЗАМ – ЗАМ **3**

ЗАМ – ЗАН

замолча́ть I *сов. см.* замолка́ть.
замолча́ть II *сов. см.* зама́лчивать.
замора́живание *с.* fréezing; congéalment; congelátion; ◊ ~ зарабо́тной пла́ты wáge-freeze.
замора́живать, заморо́зить (*вн.*) 1. freeze* (*d.*) (*тж. перен.*); заморо́зить шампа́нское put* the champágne on ice [...ʃæm'peɪn...]; ~ зарабо́тную пла́ту freeze* wáges; 2. *разг.* (*анестези́ровать*) anǽsthetize (*d.*).
заморга́ть *сов.* 1. (*начать моргать*) begin* to blink; 2. *как сов. к* морга́ть.
замордова́ть *сов. см.* мордова́ть.
заморённ‖ый *прич. и прил. разг.* emáciàted; ~ вид emáciàted appéarance; ~ая ло́шадь exháusted horse.
замори́ть *сов.* (*вн.*) 1. (*работой*) óver:work (*d.*); (*не кормить досыта*) únderféed* (*d.*), give* short rátions [...'ræ-] (to); ~ го́лодом starve (*d.*); ~ ло́шадь exháust a horse, ride* / drive* a horse too hard; ◊ ~ червячка́ *разг.* have a snack / a bite, take* the edge off one's húnger.
заморо́‖женный *прич. и прил.* frózen; ~женное мя́со refrígerated / frózen meat; ~женные фру́кты chilled / quick-frózen fruit [...fruːt] *sg.* ~зить *сов. см.* замора́живать.
за́морозки *мн.* light frosts; осе́нние ~ the first áutumn frosts; весе́нние ~ late frosts; ночны́е ~ night frosts; ~ на по́чве ground frost.
заморо́сить *сов.* 1. (*начать моросить*) begin* to drizzle; 2. *как сов. к* моро́сить.
замо́рск‖ий 1. *уст.* óver:seas; 2. *разг.* (*внешний*) outlándish, fóreign ['fɔrɪn]; ~ая торго́вля óver:seas trade.
замо́рыш *м.* stárve:ling; púny créature, wéakling.
замости́ть *сов. см.* зама́щивать.
замота́ть I *сов. см.* зама́тывать.
замота́ть II *сов.* (*тв.*; *начать мотать*) shake* (*d.*), begin* to shake (*d.*); ~ голово́й (begin* to) shake one's head [...hed]; ~ хвосто́м (begin* to) wag its tail [...wæg...].
замота́ться *сов. см.* зама́тываться.
замочи́ть *сов. см.* зама́чивать.
замо́чн‖ый *прил. к* замо́к 1; ~ая сква́жина kéyhole ['kiː-].
за́муж *нареч.*: вы́йти ~ за кого́-л. márry smb.; вы́дать кого́-л. ~ márry smb. off; вы́дать кого́-л. ~ за кого́-л. márry smb. to smb., give* smb. a:wáy in márriage to smb. [...-rɪdʒ...]. ~ем *нареч.*: быть ~ем за кем-л. be márried to smb.
заму́жество *с.* 1. (*пребывание женщины в браке*) márried life; 2. (*выход замуж*) márriage [-rɪdʒ].
заму́жняя márried; ~ же́нщина márried wóman* [...'wu-].
заму́рзанн‖ый *разг.* slóvenly ['slʌ-]; име́ть ~ вид look úntidy / scrúffy; ~ое пла́тье scrúffy dress.
замурлы́кать *сов.* 1. (*начать мурлыкать*) begin* to purr; (*напевать*) begin* to hum (sóftly) to òne:sélf; 2. *как сов. к* мурлы́кать.
замурова́ть *сов. см.* замуро́вывать.

замуро́вывать, замурова́ть (*вн.*) brick up (*d.*); (*перен.*) hide* (*d.*); ~ це́нности в стене́ concéal váluables in a wall.
замусо́ленный 1. *прич. см.* замусо́ливать; 2. *прил.* (*затасканный*) soiled; (*о книге*) wéll-thúmbed, wéll-úsed.
замусо́ли‖вать, замусо́лить (*вн.*) *разг.* (*о книге, скатерти*) thumb (*d.*); (*затаскивать*) bedrággle (*d.*). ~ть *сов. см.* замусо́ливать.
замусо́рить *сов.* (*вн.*) litter (*d.*), leave* litter (about). ~ся be cóvered with litter [...'kʌ-...].
замути́ть *сов. см.* мути́ть 1. ~ся *сов. см.* мути́ться 1.
замухры́шка *м. и ж. разг.* pathétic / féeble spécimen.
заму́чить *сов.* (*вн.*) tórture (*d.*), tormént (*d.*); (*утомить*) fag (*d.*), tire out (*d.*), wear* out [weə...] (*d.*); (*разговорами и т.п.*) bore (*d.*), wéary (*d.*); ~ до́ сме́рти tórture to death [...deθ] (*d.*). ~ся *сов.* be exháusted, be worn out [...wɔːn...].
за́мш‖а *ж.* suède (*фр.*) [sweɪd], chámois(-léather) ['ʃæmɪ ('leðə)], shámmy. ~евый *прил. к* за́мша; ~евые перча́тки suède gloves (*фр.*) [sweɪd glʌvz].
замше́лый móssy, móss-còvered [-kʌ-], óver:grown with moss [-'groun...].
замше́ть *сов.* be óver:grown with moss [...-'groun...].
замыва́ть, замы́ть (*вн.*) wash off a:wáy (*d.*).
замы́зганный 1. *прич. см.* замы́згивать; 2. *прил. разг.* filthy, dírty.
замы́згать(ся) *сов. см.* замы́згивать(-ся).
замы́згивать, замы́згать (*вн.*) *разг.* wear* out and make* dírty [weə...] (*d.*). ~ся, замы́згаться be filthy.
замыка́ние *с. эл.* shórting, fault; коро́ткое ~ short círcuit [...-kɪt]; ~ на зе́млю ground / earth fault [...ɜːθ...].
замыка́ть, замкну́ть (*вн.*) 1. *разг.* lock (*d.*); 2. (*соединять концы чего-л.*) close (*d.*); ~ цепь *эл.* close the círcuit [...-kɪt]; 3. *тк. несов.*: ~ ше́ствие, коло́нну bring* up the rear. ~ся, замкну́ться 1. lock, be locked; 2. (*соединяться концами*) be closed; 3. (*о человеке*) becóme* / be resérved [...-'zɜːvd], becóme* / be súllen with:dráwn; ~ся в себе́, ~ся в свою́ скорлупу́ with:dráw* into òne:sélf, retréat into òne:sélf; go* into one's shell *идиом.*
за́мысел *м.* 1. (*намерение*) próject ['prɔ-], plan, inténtion; престу́пный ~ críminal plan; 2. (*художественного произведения*) scheme, concéption; а́вторский ~ ártist's inténtion.
замы́слить *сов. см.* замышля́ть.
замыслова́т‖ость *ж.* íntricacy. ~ый íntricate, cómplicated, cómplex.
замы́ть *сов. см.* замыва́ть.
замыча́ть *сов.* 1. (*начать мычать*) begin* to low / moo [...lou...]; 2. *как сов. к* мыча́ть.
замышл‖я́ть, замы́слить (*вн.*, + *инф.*) plan (*d.*, + *inf.*); scheme (*d.*, + *inf.*); concéive [-'siːv] (*d.*); (*намереваться*) inténd (*d.*, + *to inf.*), contémplate (*d.*, + *to inf.*); что вы ~я́ете? what are you up to?, what are you plánning?; what's your game? *разг.*

замя́ть *сов.* (*вн.*) *разг.* hush up (*d.*); ~ сканда́л hush up a scándal; ~ де́ло hush up a búsiness [...'bɪz...]; ~ разгово́р change the súbject (of the cònversátion) [tʃeɪ-...].
замя́ться *сов. разг.* fálter; becóme* confúsed, stop short (in confúsion).
замя́укать *сов.* 1. (*начать мяукать*) begin* to miáow / mew [...miː'au...]; 2. *как сов. к* мя́укать.
за́навес *м.* theátr. (*опускающийся тж.*) dróp-cùrtain; подня́ть ~ raise the cúrtain; ring* up the cúrtain *идиом.*; опусти́ть ~ drop the cúrtain; ring* down the cúrtain *идиом.*; ~ па́дает the cúrtain drops / falls; ~ раздви́нулся the cúrtain was ópened, the cúrtain párted; под ~ *театр. разг.* as the cúrtain fell (*тж. перен.*).
занаве́с‖ить *сов. см.* занаве́шивать. ~ка *ж.* cúrtain; задёрнуть ~ку close / pull the cúrtain [...pul...].
занаве́шивать, занаве́сить (*вн.*) cúrtain (*d.*); ~ окно́ cúrtain the window; pull / draw* the cúrtains [pul...].
зана́шивать, заноси́ть (*вн.*; *об одежде*) wear* too long [weə...] (*d.*), wear* without chánging [...-eɪndʒ-].
занемо́чь *сов.* fall* ill, be táken ill.
занесе́ние *с.* (*в протокол, список*) recórding, éntering.
занести́ *сов. см.* заноси́ть I.
занести́сь I *сов. см.* заноси́ться I.
занес‖ти́сь II *сов.* (*начать нестись*) begin* to lay eggs; ку́ры в э́том году́ ра́но ~ли́сь the hens begán to lay éarly this year [...'ɜːlɪ...].
заниж‖а́ть, зани́зить (*вн.*) únder:státe (*d.*), únder:éstimàte (*d.*), put* too low [...lou] (*d.*). ~е́ние *с.* únder:státing; ~е́ние норм únder:státing of (the) quótas / rates.
зани́женн‖ый *прич. и прил.* únder:státed; ~ые но́рмы únder:státed quótas / rates.
зани́зить *сов. см.* занижа́ть.
занима́тельный èntertáining, divérting, amúsing.
занима́ть I, **заня́ть** (*вн.*; *брать взаймы*) bórrow (*d.*).
заним‖а́ть II, **заня́ть** (*вн.*) 1. (*в разн. знач.*) óccupy (*d.*), take* up (*d.*); ~ мно́го ме́ста óccupy, *или* take* (up), a lot of room; ~ кварти́ру óccupy a flat, *или* an apártment; ~ до́лжность take* up, *или* fill, a post [...pou-], hold* a post; ~ города́ óccupy / cápture towns; 2. (*закреплять за собой места и т.п.*) keep* (*d.*), secúre (*d.*); 3. (*интересовать*) ínterest (*d.*); (*развлекать*) èntertáin (*d.*), amúse (*d.*); его́ ~а́ет вопро́с he is concérned with the quéstion [...-stʃ-]; he wónders whéther [...'wʌ-...]. ~а́ть *разг.* ◊ ~ положе́ние óccupy a post, fill a post; ~ пе́рвое ме́сто take* / win* first place; ~ чье-л. ме́сто take* smb.'s place, sùpersède smb.
занима́ться I, **заня́ться** 1. (*тв.*) be óccupied (with), be en:gáged (in); en:gáge (in); (*с увлечением*) indúlge (in); (*посвящать себя*) devóte òne:sélf (to); (*интересоваться*) concérn òne:sélf (with); ~ поли́тикой be invólved in, *или* go* in for, pólitics; ~ хозя́йством be óccupied with one's doméstic affáirs,

или hóuse⁚wòrk [...-s-]; ~ туалéтом perfórm one's tóilet; онá мнóго занимáется свои́м туалéтом she spends a lot of time at / óver her tóilet; ~ спóртом go* in for sport(s); play sport(s); заня́ться чтéнием búsy one⁚sélf with réading [′bɪzɪ...]; ~ вопрóсом exámine, или take* up, *a* quéstion [...-stʃ-]; ~ медици́ной stúdy médicine [′stʌ-...]; ~ с покупáтелем atténd to *a* cústomer; **2.** *тк. несов. (без доп.) уст. разг.* (*учи́ться*) stúdy; ~ собóю be pre⁚óccupied with òne⁚sélf, be self-obséssed.

заним‖**áться** II, заня́ться (*загорáться*) be set on fire, be on fire; сосéдний дом занялся́ the house* next door is on fire [...haus...dɔ...]; ~áется заря́ day is bréaking [...′breɪk-]; ◇ у меня́ дух, дыхáние ~áется it takes my breath a⁚wáy [...breθ...].

зáново *нареч.* (*вновь*) (all) over agáin, from the start; стрóить всё ~ build* up évery⁚thing (all) óver agáin [bɪld...]; ré⁚búild* from bóttom up [-′bɪld...] (*d.*) *идиом. разг.*

занóз‖**а 1.** *ж.* splínter; **2.** *м. и ж. разг.* (*о человéке*) thorn in one's side; nag. ~истый *разг.* méddle⁚some, quárrel⁚some.

заноз‖**и́ть** *сов.* (*вн.*) get* a splínter (in): он ~и́л себé рýку, нóгу he has got a splínter in his hand, foot* [...fut].

занóс I *м.* (*о колёсах*) skídding.

занóс II *м.* (*снéжный*) snów-drift [′snou-].

заноси́ть I, занести́ **1.** (*вн.*) drop in (on one's way) (*d.*); (*приноси́ть*) bring* (*d.*); занести́ кни́гу прия́телю léave* a book at a friend's house [...fre-s]; ~ зарáзу cárry / bring* the inféction; **2.** (*вн.*; *запи́сывать*) put* down (*d.*), note down (*d.*); (*в спи́сок, протокóл*) énter (in); **3.** *безл.*: всю дорóгу занеслó снéгом the road is snów-bound [...′snou-]; **4.** (*поднимáть*): ~ нóгу, рýку raise / lift one's foot*, hand [...fut...]; **5.** *безл.*: маши́ну занóсит the car is skídding / swérving; ◇ каки́м вéтром вас сюдá занеслó? where did you blow in from? [...blou...].

заноси́ть II *сов. см.* занáшивать.

заноси́ться I, занести́сь *разг.* **1.** (*горди́ться*) fáncy òne⁚sélf; put* on airs; **2.** (*замечтáвшись, увлекáться*) be / get* cárried a⁚wáy, или too far.

заноси́ться II *страд. к* заноси́ть I.

занóсный fóreign [′fɔrɪn], álien.

занóсчив‖**ость** *ж.* árrogance, ínsolence, presúmption [-′zʌ-]. ~ый árrogant, ínsolent, presúmptuous [-′zʌ-]; (*высокомéрный*) óver⁚bèaring [-′bɛə-], háughty.

заночевáть *сов.* stay the night, spend* the night, stay óver⁚night.

занóшенный *прич. и прил.* worn [wɔːn]; *прил. тж.* dírty.

занýд‖**а** *м. и ж. разг.* bore, pain in the neck. ~ливый, ~ный *разг.* bóring, dréary; какóй же он ~ливый! what a bore / drag he is!

занумеровáть *сов. см.* занумерóвывать.

занумерóвывать, занумеровáть (*вн.*) númber (*d.*).

заня́т‖**ие** *с.* **1.** òccupátion, pursúit [-′sjuːt]; (*труд, рабóта*) emplóyment, work, búsiness [′bɪz-]; род ~ий line of búsiness, kind of work; **2.** (*захвáт*) séizure [′siːʒə]; **3.** *об. мн.* (*учéбные*) stúdies [′stʌ-], léssons; часы́ ~ий (*в шкóле*) school hours [...auəz]; **4.** *тк. ед. разг.* (*времяпрепровождéние*) pástime [′pɑː-].

заня́тный *разг.* amúsing, èntertáining.

занятóй búsy [′bɪzɪ].

заня́тость *ж.* **1.** bé⁚ing búsy [...′bɪzɪ]; **2.** *эк.* emplóyment; пóлная ~ full emplóyment.

заня́тый I *прич. см.* занимáть I.

заня́т‖**ый** II *прич.* (*тж. как прил.*) *см.* занимáть II; я óчень за́нят I am very búsy [...′bɪzɪ]; мéсто ~о the place is táken / en⁚gáged / óccupied; ~о! (*отвéт телефóнной стáнции*) the line is búsy / en⁚gáged; на завóде ~á ты́сяча рабóчих a thóusand wórkers work, или are emplóyed, at this fáctory [...′θauz-...]; ~о в сéльском хозя́йстве, в промы́шленности en⁚gáged in àgricùlture, in índustry.

заня́ть I, II *сов. см.* занимáть I, II.

заня́ться I *сов.* **1.** (*тв.*; *начáть занимáться*) set* (to), búsy òne⁚sélf [′bɪzɪ...] (with); **2.** *см.* занимáться I **1**.

заня́ться II *сов. см.* занимáться II.

заóблачный *поэт.* be⁚yónd the clouds; (*перен.*) trànscèndéntal.

заоднó *нареч.* **1.** in cóncert, at one; дéйствовать ~ (*с тв.*) act in cóncert (with), act togéther [...-′ge-] (with); play the same game (as) *идиом. разг.*; быть ~ с кем-л. be at one with smb.; **2.** (*одноврéменно, попýтно*) at the same time; сдéлать что-л. ~ do smth. at the same time, do smth. while one is about it.

заозёрный óver acróss / be⁚yónd, *или* on the other side of, the lake(s).

заокеáнский trànsòceánic [-nzouʃɪ-]; (*америкáнский*) trànsatlántic [-z-].

заорáть *сов. разг.* **1.** (*начáть орáть*) begín* to bawl / yell; béllow (out); **2.** *как сов. к* орáть; ~ на когó-л. bawl / shout at smb.

заостр‖**ённость** *ж.* shárpness; (*перен.*) acúte⁚ness; полити́ческая ~ polítical acúmen / acúte⁚ness. ~ый **1.** *прич. см.* заостри́ть; **2.** *прил.* póinted, sharp.

заостри́ть(ся) *сов. см.* заостря́ть(ся).

заостр‖**я́ть**, заостри́ть (*вн.*) shárpen (*d.*); (*перен.*) stress (*d.*), émphasize (*d.*); ~и́ть карандáш shárpen *a* péncil; ~ противорéчия stress the còntradíctions; ~и́ть вопрóс defíne *a* quéstion more cléarly [...-stʃ-...]; pínpoint a quéstion, *или* an íssue; ~и́ть внимáние (на *пр.*) còncèntrate / fócus one's atténtion (on); stímulàte an ínterest (in); ~и́ть óбраз (*литер. произведéния и т.п.*) fócus a cháracter [...′kæ-. ~**я́ться,** заостри́ться **1.** becóme* póinted, becóme* sharp; (*перен.*) becóme* sharp / gláring, be àccéntuàted; **2.** *страд. к* заостря́ть.

заóхать *сов.* **1.** (*начáть óхать*) begín* to groan; **2.** *как сов. к* óхать.

заóчни‖**к** *м.* extérnal stúdent, stúdent táking còrrespóndence course [...kɔːs]. ~**о** *нареч.* **1.** without séeing; **2.** *юр.* by defáult; приговори́ть когó-л. ~o séntence smb. in *his* ábsence; **3.** (*об обучéнии*) by còrrespóndence. ~**ый 1.** *юр.*: ~ый приговóр júdge⁚ment by defáult, *или* in abséntiò; **2.**: ~ое обучéние tuítion by còrrespóndence; póstal tuítion [′pou...]; ~ые кýрсы èxtra-múral cóurses [...′kɔːs-]; (*по пóчте*) còrrespóndence cóurses, póstal cóurses.

запáвший *прич. и прил.* súnken.

запáд *м.* **1.** west; на ~, к ~у (*от*) to the west (of), wèst(wards) [-dz] (*of*); *мор. тж.* to wéstward (*of*); ~ в нас in the west; идти́, éхать на ~ go* / trável wést(ward) [...′træ-...]; **2.** (*З.*) the West; the Óccident (*гл. обр. поэт.*).

запáдать *сов.* begín* to fall.

запад‖**áть**, запáсть fall* back / behínd, sink* down, (*перен.: запечатлевáться*) sink* déeply; клáвиша ~áет the key is stuck [...kɪ:...], the key won't come up [...wount...]; словá егó запáли мне в дýшу his words impríuted thèm⁚sélves in my mind, *или* on my soul [...soul].

запáд‖**ник** *м. ист.* wésternizer, wésternist. ~**ничество** *с. ист.* wésternism.

западногермáнский West Gérman.

западноевропéйский West Européan [...-′pɪən].

зáпадн‖**ый** west, wéstern*; (*о направлéнии, вéтре*) west, wésterly; (*о культýре и т.п.*) wéstern, òccidéntal; ~ая грани́ца wéstern frontíer [...′frʌn-]; в ~ом направлéнии wéstwards [-dz]; Зáпадная Еврóпа Wéstern Éurope; ~ые держáвы the Wéstern Pówers; ◇ ~ая цéрковь Róman Cátholic Church.

западн‖**я́** *ж.* (*прям. и перен.*) trap, snare, pítfàll; постáвить комý-л. ~ю́ set* smb. a trap; попáсть в ~ю́ fall* into *a* trap; замани́ть в ~ю́ (*вн.*) (en)snáre (*d.*).

запáздыв‖**ание** *с.* **1.** deláy, procràstinátion; **2.** *тех.* lágging. ~**ать**, запоздáть **1.** be late; (*о строи́тельстве и т.п.*) be behínd schédule [...′ʃe-]; ~ать с уплáтой delay páyment, be late in páying; сли́шком запоздáвший long óver⁚due; **2.** *тк. несов. тех.* lag.

запáивать, запáять (*вн.*) sólder [-ɔl-] (*d.*).

запáйка *ж.* sóldering [-ɔl-].

запакóвать *сов. см.* запакóвывать.

запакóвывать, запаковáть (*вн.*) pack (up) (*d.*), wrap up (*d.*), do up (*d.*).

запакóстить *сов.* (*вн.*) *разг.* make* foul / filthy (*d.*).

запáл I *м.* (*у живóтных*) bróken wind [...wɪ-]; лóшадь с ~ом *a* bróken-winded horse [...-′wɪ-...].

запáл II *м. тех.* fuse; prímer; (*перен.*) *разг.*: под ~, покá ~ не прошёл in the heat of the móment.

запалённый *прич. и прил.* (*о лóшади*) bróken-winded [-′wɪ-].

запали́ть I *сов.* (*вн.*) *разг.* (*зажéчь*) set* on fire (*d.*), set* fire (to), set* alight (*d.*).

запали́ть II *сов.*: ~ лóшадь *разг.* (*опои́ть*) wáter a horse when óver⁚héated [′wɔː-...]; (*загнáть*) ride* a horse too hard.

запáльник *м. тех.* ígniter.

запáльн‖**ый** *прил. к* запáл II; ~ая свечá spárking-plùg.

запáльчив‖**о** *нареч.* pássionate⁚ly, héated⁚ly. ~**ость** *ж.* quick témper, véhemence ['viː-]. ~ый quick-témpered, véhement ['viː-].

запáмятова‖ть сов. (вн.) уст. forget* [-'g-] (d.); он совсéм ~л э́то it has gone clean out of his head / mind [...gɔn... hed...].

запанибрáта нареч. разг.: быть ~ с кем-л. be háil-fèllow-wéll-mét with smb.

зáпань ж. (при сплаве леса) boom (on lógging ríver) [...-ɪ-].

запáривать, запáрить (вн.) steam (d.), stew (d.). ~ся, запáриться 1. разг. be in a stew, be off one's feet; 2. страд. к запáривать.

запáрить(ся) сов. см. запáривать(ся).
запáрка ж. разг. (в работе и т.п.) rush.

запаршивéть сов. разг. become* mángy [...'meɪndʒɪ].

запáрывать I, запорóть (вн.; сечь розгами до смерти) flog / beat* to death [...deθ] (d.).

запáрывать II, запорóть (вн.) разг. (портить) spoil* (d.), bungle (d.); запорóть дéло bungle a job, make* a mess of a job.

запáс м. 1. stock, supplý; (резерв) resérve [-'zɜː v]; ~ товáров stock of goods [...gudz]; stóck-in-tráde; богáтые ~ы у́гля rich resérves of coal; ~ знáний stock / fund of knówledge [...'nɔ-], erudítion; ~ слов stock / fund of words, vocábulary; ~ боеприпáсов stock / resérves of ámmunítion; ~ прóчности тех. sáfety márgin; неприкоснове́нный ~ emérgency supplý; (индивидуальный — о продовольствии) emérgency / resérve rátion [...'ræ-]; оставля́ть больш́ой ~ leave* ample resérves; истощи́ть ~ (рд.) exháust / drain the supplý (of); у негó истощи́лся, вы́шел ~ (рд.) he ran out (of); 2. разг. (в шве одежды) double seams [dʌ-...], spare cloth; вы́пустить ~ let* out: (на подоле и т.п.) let* out the hem; 3. воен. (личного состава) resérve; быть в ~е be in the resérve; вы́йти в ~ be, или have been, trànsférred to the resérve; ◇ в ~е in store; про ~ as a resérve; отложи́ть про ~ (вн.) lay* asíde (d.), lay* in store (d.).

запасáть, запасти́ (вн.) stock (d.), store (d.), lay* in a stock (of). ~ся, запасти́сь 1. (тв.) províde òne:self (with); stock up (d.), lay* in a supplý (of); ~ся дровáми lay* in (fíre)wood for the winter [...-wud...]; 2. страд. к запасáть; ◇ ~ся терпéнием be pátient, have pátience; arm òne:self with pátience.

запасли́в‖ость ж. thríftiness. ~ый thrifty; (предусмотрительный) próvident.

запáсник I м. воен. разг. resérvist [-'zɜː-].

запáсник II м. (хранилище в музее и т.п.) stóre-room (of a muséum, etc.).

запасн‖óй 1. прил. spare; (резервный) resérve [-'zɜː v] (attr.); ~ы́е чáсти spare parts, spares; ~ игрóк resérve; ~ батальóн resérve battálion [...-'tæljən]; ~ я́корь мор. shéet-ànchor [...-æŋkə]; 2. м. как сущ. воен. resérvist [-'zɜː-].

запáсный = запаснóй 1; ~ вы́ход emérgency èxit; ~ путь ж.-д. síding, síde-tràck.

запасти́(сь) сов. см. запасáть(ся).
запáсть сов. см. западáть.
запатентовáть сов. см. патентовáть.

зáпах м. smell; ódour; (приятный) scent; слы́шать, чу́вствовать, чу́ять ~ (рд.) catch*, pick up the smell (of), smell* (d.).

запáх м. wrap óver.
запахáть сов. см. запáхивать I.

запáхивать I, запахáть (вн.) 1. (вспахивать) plough (d.); 2. (заваливать землёй при вспашке) plough in (d.).

запáхивать II, запахнýть (вн.) wrap / draw* tíghter / clóser [...-sə] (d.); close (d.).

запáхиваться, запахнýться (в вн.) wrap onesélf tíghter (in, into).

запáх‖нуть сов. (начать пахнуть) begin* to smell; (издавать запах) emít a smell; чéм-то ~ло there was a smell of smth., smth. smelled.

запахну́ть сов. см. запáхивать II.
запахну́ться сов. см. запáхиваться.
запáчкать сов. см. пáчкать 1. ~ся сов. см. пáчкаться.

запáшка ж. с.-х. 1. (действие) plóughing; 2. (количество запаханной земли) plóughland, árable land.

запая́ть сов. см. запáивать.

запéв м. sólò (part); introdúction (to a song).

запевáла м. и ж. léader (of a choir) [...kwaɪə], dirécting / first síng:er; (перен.) móving spírit ['muː v-...]; léading light.

запевáть (быть запевалой) set* / give* the tune, lead* the síng:ing / choir [...kwaɪə].

запекáнка ж. 1. (кушанье) baked púdding [...'pu-]; картóфельная ~ (с мясом) shépherd's pie [-pədz...]; 2. (наливка) spíced brándy.

запекáть, запéчь (вн. в вн.) bake (d. in). ~ся, запéчься 1. bake; 2. (о крови) clot, còágulàte; 3. (о губах) become* parched / cracked; 4. страд. к запекáть.

запёкш‖ийся: ~иеся гу́бы parched lips, ~аяся кровь còagulàted blood [...ʌd], gore.

запеленáть сов. (вн.) swaddle (d.).
запéнить сов. (вн.) разг. froth up (d.).

запéниться сов. begin* to foam, begin* to froth up; (в результате брожения или кипения) mantle; винó запéнилось в бокáле the wine foamed in the glass.

запере́ть сов. см. запирáть.
запере́ться I, II сов. см. запирáться I, II.

запéрш‖ить сов. безл.: у негó ~ло в гóрле he has a tickle in his throat.

запéть сов. 1. (начать петь) begin* to sing; ~ пéсню break* into a song [-eɪk...]; 2. как сов. к петь; ◇ ~ другóе sing* another song; (перен.) change one's tune [tʃuː-...].

запечáтать сов. см. запечáтывать.
запечатлевáть, запечатлéть (вн.) imprínt (d.), impréss (d.), en:gráve (d.); (воплощать) give* a mémorable descríption (of). ~ся, запечатлéться (в пр.)

imprínt / stamp / impréss it:sélf (up:ón); ~ся у когó-л. в пáмяти be stamped / en:gráved on smb.'s mémory; э́то запечатлéлось в егó пáмяти it is imprínted in, или stamped on, his mémory.

запечатлéть(ся) сов. см. запечатлевáть(ся).

запечáтывать, запечáтать (вн.) seal up (d.).

запéчь(ся) сов. см. запекáть(ся).

запивáть I, запи́ть (вн. тв.) wash down (d. with); take* (some wáter, etc.) [...'wɔː-] (áfter); ~ лекáрство молокóм take* milk with one's médicine.

запивáть II, запи́ть (без доп.; пить запоем) take* to drink; indúlge in a drínking bout.

запинáться, запнýться 1. stumble, halt; ~ о кáмень stumble on / agáinst a stone; запнýться о порóг trip / stumble òver the thréshòld; 2. (прерывать речь) hésitàte [-z-], stámmer, fálter; сов. тж. stop short; он запнýлся на пéрвом же слóве he didn't get be:yónd the first word.

запи́нк‖а ж.: без ~и smóothly [-ð-]; (бегло) flúently.

запирáтельство с. deniál, disavówal.

запирáть, запере́ть (вн.) 1. lock (d.); ~ на засóв bolt / bar (d.); ~ на крючóк hook (d.); 2. (когó-л.) lock in (d.); (лишив выхода) lock up (d.), close up (d.); 3. (преграждать доступ) bar (d.), block up (d.).

запирáться I, запере́ться 1. lock onesélf up; 2. страд. к запирáть.

запирáться II, запере́ться (в пр.) не сознавáться) dený (d.), refúse to admít (d.); keep* one's mouth shut.

записáть(ся) сов. см. запи́сывать(ся).

запи́с‖ка ж. note; деловáя ~ mèmorándum (pl. -da); доклáдная ~ repórt; любóвная ~ billet-doux (фр.) ['bɪleɪ'duː]; lóve-lètter ['lʌv-]; послáть ~ку send* a note. ~ки мн. 1. notes, mémoirs ['memwɑː z]; путевы́е ~ки itínerary sg.; trável wrítings ['træ-...]; 2. (название научных журналов) trànsáctions [-z-].

записн‖óй I: ~áя кни́жка nóte:book.

записнóй II разг. (рьяный) régular; invéterate; (первоклассный) first-ráte; ~ игрóк invéterate pláyer; (азартный) gámbler.

запи́сывать, записáть (вн.) write* down (d.), put* down (d.), take* down (d.), note (d.); (поспешно) jot down (d.); (в протокол. и т.п.) récord (d.); (в бухг. книгу и т.п.) énter (d.); ~ лéкцию make* / take* notes at a lécture; ~ на чей-л. счёт put* down to smb.'s accóunt (d.); запиши́те э́то за мной charge it to me; ~ в расхóд, прихóд énter as expénditure, in:come (d.); в протокóл énter, или put* down, или récord, in the mínutes [...-nɪts] (d.); ~ на плёнку, пласти́нку récord (d.). ~ся, записáться 1. régister / énter one's name; ~ся в кружóк join a circle; ~ся к врачý make* an appóintment with the dóctor; ~ся в библиотéку join a library [...'laɪ-], subscríbe to a library; 2. страд. к запи́сывать.

зáпись ж. 1. (действие) wríting down; (на билеты и т.п.) bóoking; ~ на приём мáking a list of appóintments; ~ на плёнку tápe-recórding; 2. (заметки) récòrd ['re-]; éntry (тж. бух.); сделать ~ в книге отзывов write* / énter the vísitors' book [...-z-...].

запи́ть I, II сов. см. запива́ть I, II.
запи́хать сов. см. запи́хивать.
запи́хивать, запиха́ть, запихну́ть (вн. в вн.) разг. push [puʃ] (d. in, into), cram (d. in, into), stuff (d. into).
запихну́ть сов. см. запи́хивать.
запища́ть сов. 1. (начать пищать) begin* to squeak; 2. как сов. к пища́ть.
запла́канн||ый téar-stained; in tears; ~ые глаза́ téarful eyes [...aiz].
запла́кать сов. 1. (начать плакать) begin* to cry; 2. как сов. к пла́кать.
заплани́ровать сов. (вн.) plan (d.).
запла́т||а ж. patch; наложи́ть ~y (на вн.) patch (d.); весь в ~ax patched all óver, cóvered in pátches ['кл-...].
заплати́ть сов. (вн.) pay* (d.); (чем-л. за что-л., перен.) pay* (smth. for smth.), give* (smth. for smth.); (кому-л. чем-л.; отплатить) rèːpáy* (smb. with smth.); ~ по счёту settle an account; ~ дорогой ценой (за вн.) pay* a héavy / stiff price [...'hevɪ] (for).
запла́тка ж. = запла́та.
заплёванный 1. прич. см. заплёвывать; 2. прил. smeared, slímy; cóvered with spíttle ['кл-...]; (перен.) foul, dírty.
заплева́ть сов. см. заплёвывать.
заплёвывать, заплева́ть (вн.) spit* (at); (перен.) rain / heap cúrses (on).
заплеска́ть сов. см. заплёскивать II.
заплёскив||ать I, заплесну́ть (вн.) разг. splash (into), swamp (d.); во́лны ~ают ло́дку waves are swámping the boat.
заплёскивать II, заплеска́ть (вн.) разг. splash (d.), spill on (to).
заплёсневелый móuldy ['mou-], míldewed.
заплесневе́ть сов. см. пле́сневеть.
заплесну́ть сов. см. заплёскивать I.
заплести́ сов. см. заплета́ть.
заплет||а́ть, заплести́ (вн.) braid (d.), plait [plæt] (d.); ~ ко́су plait / braid one's hair, do up one's hair in a plait. ~áться 1.: у него́ язы́к ~а́ется he speaks in a thick voice, he is tóngue-tíed [...'tʌŋ-]; у него́ но́ги ~а́ются he stúmbles at évery step; 2. страд. к заплета́ть.
запле́чн||ый: ~ мешо́к rúcksack ['ruk-]; ◇ ~ ма́стер, ~ых дел ма́стер ист. éxecutioner.
запломбирова́ть сов. см. запломби́ровывать и пломбирова́ть.
запломби́ров||ывать, запломбирова́ть (вн.) 1. (о зубе) stop (d.), fill (d.); 2. (запечатывать) seal (d.); (ср. тж. пломбирова́ть).
заплута́ться сов. разг. lose* one's way [luːz...].
заплы́в м. спорт. race; heat.
заплыва́ть I, заплы́ть (куда-л.; о пловце) swim* in; (о судне) sail in; (о пароходе) steam / come* in; (о вещи) float in; ~ далеко́ swim* far out.
заплы||ва́ть II, заплы́ть (жиром; о человеке) grow* / becóme* very fat [grou...]; (об отёках и т.п.) get* swóllen [...-oul-]; у него́ ~ли глаза́ his éyeːlids are swóllen [...'aɪ-...].
заплы́ть I, II сов. см. заплыва́ть I, II.

запляса́ть сов. begín* to dance.
запну́ться сов. см. запина́ться.
запове́дн||ик м. presérve [-'zəːv]; (náture) resérve ['nei- -'zəːv]; лесно́й ~ fórest resérve ['fɔ-...], nátional park ['næ-...], protécted wóodland [...'wud-]. ~ый 1. (неприкосновенный) protécted; ~ый лес fórest resérve ['fɔ- -'zəːv]; 2. (заветный) sécret.
за́поведь ж. 1. рел. commándment [-aːn-]; 2. (наставление) précept.
заподли́цо нареч. тех. flush (with).
заподо́зр||ить сов. 1. (вн. в пр.) suspéct (d. of); его́ ~или во лжи he was suspécted of lýing; 2. (вн.; предположить) be suspícious (of).
запое́м нареч.: пить ~ drink* one's fill, be a héavy drínker [...'he-...]; рабо́тать ~ work hard, be addícted to work; чита́ть ~ read* ávidly.
запозда́||лый разг. beláted, deláyed, tárdy; (о развитии) báckward, retárded; ~ платёж deláyed páyment; ~ое разви́тие báckwardness. ~ние с. разг. láteːness, únpùnctuálity.
запозда́ть сов. см. запа́здывать 1.
запо́||й м. hard drínking; bóoze-ùp; страда́ть ~ем have fits of hard drínking.
запо́йн||ый: ~ое пья́нство dìpsománia; ~ пья́ница dìpsomániac.
заполáскивать, заполосну́ть (вн.) разг. rinse out (d.).
заползти́ сов. (начать ползать) begin* to crawl.
заполз||а́ть, заползти́ crawl, creep*; (в вн.) creep* (into); (под вн.) creep* (únder).
заползти́ сов. см. заполза́ть.
заполни́тель м. стр., тех. fíller, ággregate.
запо́лнить(ся) сов. см. заполня́ть(ся).
заполн||я́ть, запо́лнить (вн.) fill (d.); (о помещениях, улицах) pack (d.); ~ анке́ту fill in a form / quèstionnáire [...keɪ-]; ~ вре́мя óccupy the time; ~ недоста́ток (рд.) make* up for the lack (of); ~ пробе́л fill a gap. ~ся, запо́лниться 1. fill up, be filled up; 2. страд. к заполня́ть.
заполони́ть I, II сов. см. заполоня́ть I, II.
заполоня́ть I, заполони́ть (вн.; завладевать) cáptivàte (d.), take* cáptive (d.), enthráll (d.).
заполоня́ть II, заполони́ть (вн.) разг. (заполнять) congést (d.).
заполосну́ть сов. см. заполáскивать.
заполучи́ть сов. (вн.) разг. get* hold (of), pick up (d.); get* òneːsélf (d.).
заполя́рный pólar; tràns-pólar [-nz-].
запомина́ть, запо́мнить (вн.) mémorize (d.); (помнить) remémber (d.), keep* in mind (d.); ◇ никто́ не запомнит тако́й жары́ в мáе no one can remémber such heat in May. ~ся, запо́мниться 1. be retáined in smb.'s mémory; stick* in smb.'s mémory разг.; ему́ запо́мнилось это стихотворе́ние he still remémbers that verse; that verse has stuck in his mind / mémory разг.; 2. страд. к запомина́ть.
запомина́ющ||ий: ~ее устро́йство mémory bank.
запо́мнить(ся) сов. см. запомина́ть(ся).

за́понка ж. (для манжеты) cúff-link; (для воротника) stud, cóllar-stùd.
за́понь ж. = за́пань.
запо́р I м. bolt; (замок) lock; на ~е únder lock and key [...kiː]; дверь на ~е the door is locked / bólted [...dɔː...].
запо́р II м. мед. cònstipátion; страда́ть ~ом súffer from cònstipátion.
запоро́жец м. ист. Zaporózhian Cóssack.
запоро́ть I, II сов. см. запа́рывать I, II.
запороши́ть сов. (вн. тв.) pówder (d. with), dust (d. with); ~ сне́гом pówder with snow [...snou] (d.).
запотева́ть, запоте́ть becóme* / get* / grow* místed (óver) [...grou...].
запоте́лый (о стекле) místed óver.
запоте́ть сов. см. запотева́ть и поте́ть II.
започива́ть сов. уст. retíre (for the night).
запра́вила м. разг. boss.
запра́в||ить сов. см. заправля́ть I. ~иться сов. см. заправля́ться. ~ка ж. 1. кул. séasoning [-z-]; 2.: ~ка горю́чим тех. refúelling [-'fjuə-].
заправля́ть I, запра́вить (вн.) 1. (о кушанье) flávour (by ádding), enrich (d.), séason [-z-] (d.); ~ муко́й mix flour (into); thícken with flour (d.); ~ щи смета́ной enrich cábbage soup with sour cream [...suːp...]; 2. (о лампе и т.п.) trim (d.), (о машине) refúel [-'fjuəl], fill up (d.); put* in gas áмер. 3. (засовывать) tuck in (d.); ~ брю́ки в сапоги́ tuck one's tróusers, или tróuser-bóttoms, into one's boots.
заправля́ть II (тв.) разг. (верховодить) boss (d.); ~ всем, ~ дела́ми run* the show [...ʃou], rule the roost.
заправля́ться, запра́виться 1.: ~ горю́чим refúel [-'fjuəl]; 2. разг. (есть досыта) have a good feed; eat* one's fill; 3. страд. к заправля́ть I.
запра́вочн||ый: ~ая ста́нция sérvice / fílling státion.
запра́вский разг. true, real [rɪəl], régular.
запра́вщик м. refúeller [-'fjuələ]; самолёт-~ air refúeller.
запра́шивать, запроси́ть 1. (о пр.) inquíre (about, áfter); (кого-л.) inquíre (of smb.); ~ в пи́сьменной фо́рме write* for informátion; 2. (вн.; о цене) òverchárge (d.); запроси́ть сли́шком высо́кую це́ну ask an excéssive price.
запрева́ть begin* to rot; соло́ма ~áет the straw has begún to rot.
запре́т м. prohibítion [proui-], ban; наложи́ть ~ (на вн.) put* ~ impóse a ban (on); put* a véto (upón), véto (d.); под ~ом prohíbited, forbídden, únder a ban. ~и́тельный prohíbitive; ~и́тельный зако́н prohíbitory law; ~и́тельный тари́ф эк. prohíbitive tax. ~и́ть сов. см. запреща́ть. ~ный forbídden; ~ная зо́на restrícted área [...'ɛərɪə]; ◇ ~ный плод forbídden fruit [...fruːt].
запреща́||ть, запрети́ть (вн.) forbíd* (d.), офиц. prohíbit (d.); (налагать запрещение на что-л.) ban (d.); ~ газе́ту

ЗАП – ЗАР

suppréss *a* páper; им ~ён въезд (в *вн.*) they are barred from éntry (into); вход ~ён no éntry. ~áться be prohíbited; not be allówed; курить ~áется no smóking. ~éние *с.* prohibítion [prou-]; (*на имущество*) distráint; (*на торговлю*) embárgo; судéбное ~éние injúnction; наложить ~éние на имущество *юр.* put* a distráint on *the* próperty, seize / distráin *a* próperty [si:z...]; снять ~éние remóve, *или* lift, *a* ban [-'mu:v...]; *юр.* lift / withdráw* *the* arrést; ~éние áтомного оружия prohibítion of atómic wéapons [...'we-], ban on atómic wéapons.

запрещённ||ый 1. *прич. см.* запрещáть; 2. *прил. спорт.* foul; ~ удáр foul blow [...-ou].

запримéтить *сов.* (*вн.*) *разг.* spot (*d.*), nótice ['nou-] (*d.*), percéive [-'si:v] (*d.*).

заприхóдовать *сов.* (*вн.*) *бух.* énter (*d.*); crédit one's account (with).

запрограмми́ровать *сов. сл.:* программи́ровать.

запродавáть, запродáть (*вн.*) agrée to sell (*d.*); sell* on párt-páyment (*d.*); (*заключать предварительное условие о продаже*) conclúde a prelíminary bárgain (on), conclúde a fórward cóntract (on).

запродáж||а *ж.* (*ещё не готового продукта*) fórward cóntract, condítional / provísional sale. ~ный: ~ная зáпись dócument concérning sale.

запродáть *сов. см.* запродавáть.

запроекти́ровать *сов. см.* проекти́ровать I 1.

запроки́дывать, запроки́нуть (*вн.*) throw* back [θrou...] (*d.*); ~ гóлову throw* back one's head [...hed]. ~ся, запроки́нуться 1. fall* back; 2. *страд. к* запроки́дывать.

запроки́нуть(ся) *сов. см.* запроки́дывать(ся).

запропасти́||ться *сов. разг.* get* lost; кудá ~лась моя́ кни́га? where has my book got to?; кудá ты ~лся? where on earth have you been? [...ə:θ...].

запропáсть *сов. разг.* get* lost, disappéar.

запрóс *м.* 1. (*вопрос*) ínquiry; сдéлать ~ make* an ínquiry, inquíre; 2. *тк. ед.* (*о цене*) óvercharging; цéны без ~а fixed príces. ~и́ть *сов. см.* запрáшивать.

зáпросто *нареч. разг.* uncèremóniously, without céremony.

запрóсы I *мн.* needs, requíre:ments; духóвные ~ spíritual needs / requírements.

запрóсы II *мн. см.* запрóс 1.

запротестовáть *сов.* (прóтив) protést (agáinst), make* a prótest (agáinst).

запротоколи́ровать *сов.* (*вн.*) énter in the mínutes [...'mɪnɪts] (*d.*); ~ прéния mínute the procéedings ['mɪnɪt...].

запру́д||а *ж.* 1. (*плотина*) dam; (*об. у мельницы*) weir [wɪə]; 2. (*запруженный водоём*) míll-pònd. ~и́ть *сов. см.* запру́живать.

запру́живать, запруди́ть (*вн.*) dam (*d.*), dike (*d.*); (*перен.*) block up (*d.*); fill to óverflówing [...-'flou-] (*d.*).

запры́гать *сов.* 1. (*начать прыгать*) begín* to jump; *разг.* (*о сердце*) begín* to thump; 2. *как сов. к* прыгáть.

запрягáть, запря́чь (*вн. в вн.; прям. и перен.*) hárness (*d.*), put* (*d.* into), set* (*d.* in); ~ волóв yoke óxen. ~ся, запря́чься 1. *разг.* (*в работу и т.п.*) get* down (to), búckle (to); 2. *страд. к* запрягáть.

запря́жка *ж.* 1. (*действие*) hárnessing; 2. (*лошади*) team; 3. (*упряжь*) hárness.

запря́тать(ся) *сов. см.* запря́тывать(-ся).

запря́тывать, запря́тать (*вн.*) hide* (*d.*), concéal (*d.*). ~ся, запря́таться 1. hide* onesélf; 2. *страд. к* запря́тывать.

запря́чь(ся) *сов. см.* запрягáть(ся).

запу́ганный *прич. и прил.* (*тв.*) intímidated (by), cowed (by).

запугáть *сов. см.* запу́гивать.

запу́г||ивать, запугáть (*вн.*) intímidate (*d.*), cow (*d.*); нас не ~áешь we won't be búllied [...wount... 'bu-].

запу́дривать, запу́дрить (*вн.*) cóver with pówder ['kʌ-...] (*d.*), pówder óver (*d.*).

запу́дрить *сов. см.* запу́дривать.

зáпуск *м.* láunching; ~ косми́ческих кораблéй láunching of spáceships; ~ в кóсмос space shot.

запускáть I, запусти́ть 1. (*тв. в вн.; сильно бросать*) fling* (*d.* at), shy (*d.* at); ~ кáмнем в окнó fling* / throw* / shy a stone at a wíndow(-pàne) [-ou...]; 2. (*вн.; о воздушных шарах, ракетах и т.п.*) launch (*d.*); ~ на орби́ту (*вн.*) launch into órbit (*d.*); запусти́ть иску́сственный спу́тник Землú launch an àrtifícial Earth sátellite [...ə:θ...]; 3. (*приводить в действие*) start up (*d.*); запусти́ть мотóр start up an éngine [...'endʒ-]; 4. (*вн.*) *разг.* (*засовывать, вонзать*) thrust* (*d.*); ~ ру́ку в чей-л. кармáн dip one's hand into smb.'s pócket.

запускáть II, запусти́ть (*вн.; переставáть заботиться*) negléct (*d.*); allów to detériorate (*d.*); let* slide (*d.*) *разг.*; ~ хозя́йство neglect one's hóusehòld dúties [...'haus-...].

запустé||лый désolate; (*запущенный*) neglécted. ~ние *с.* dèsolátion.

запустéть *сов.* becóme* désolate, fall* into neglect.

запусти́ть I, II *сов. см.* запускáть I, II.

запу́танн||ость *ж.* confúsion. ~ый 1. *прич. см.* запу́тывать; 2. *прил.* (en)tángled; (*перен. тж.*) íntricate, invólved; ~ый вопрóс knótty / íntricate quéstion [...-stʃ-]; ~ый расскáз cómplicàted stóry; ~ая ситуáция dífficult sìtuátion / position [...-'zɪ-], ímbroglio [ɪm'brouljou].

запу́тать(ся) *сов. см.* запу́тывать(ся).

запу́т||ывать, запу́тать (*вн.*) (en)tángle (*d.*); (*перен.*) múddle up (*d.*), confúse (*d.*); ~ать дéло cómplicàte mátters, múddle a búsiness [...'bɪzn-], make* a mess of *a* búsiness, get* things into a múddle. ~ываться, запу́таться 1. becóme* / get* entángled; (*в вн.*) becóme* enméshed in; бечёвка ~алась the string has got tángled; ~аться в долгáх becóme* invólved in, *или* weighed down with, debts [...dets], be up to one's neck in debt [...det]; 2. *страд. к* запу́тывать.

запухáть, запу́хнуть *разг.* be swóllen [...-ou-] (óver); у негó глазá запу́хли his eyes are swóllen [...aɪz...], his eyes are puffed up.

запу́хнуть *сов. см.* запухáть.

запуши́ть *сов.* (*вн.*) cóver líghtly ['kʌ-...] (*d.*) (*especially of snow or hoar-frost*).

запу́щенн||ость *ж.* neglect, dèsolátion. ~ый *прич. и прил.* neglected; ~ый сад neglected / wéed-gròwn / óvergròwn gárden [...-'groun...]; ~ая болéзнь neglected íllness; в ~ом состоя́нии in a neglected / désolate condítion / state.

запчáсти *мн.* (запасны́е чáсти) *тех.* spare parts, spares.

запылáть *сов.* blaze up, flare up, burst* into flame; вся дерéвня ~ла the whole víllage was in flames [...houl...].

запыли́ть I *сов.* (*вн.*) cóver with dust ['kʌ-...] (*d.*), make* dústy (*d.*).

запыли́ть II *сов.* 1. (*начать пылить*) (begín*) to raise dust; 2. *как сов. к* пыли́ть.

запыли́ться *сов.* become* dústy, be cóvered with dust [...'kʌ-...].

запыхáться *сов. разг.* be out of breath [...breθ]; puff and pant *разг.*; запыхáвшись breathlessly ['breθ-], out of breath.

запыхтéть *сов.* 1. (begín*) to puff; pant; 2. *как сов. к* пыхтéть.

запья́нствовать *сов.* have a bout of hard drínking (*ср. тж.* запивáть II и загуля́ть).

запя́стье *с.* 1. *анат.* cárpus (*мн.* -pí), wrist; 2. *уст.* (*украшение*) brácelet; (*без замочка*) bángle.

запятáя *ж. скл. как прил.* cómma; (*перен.*) *разг.* dífficulty, snag.

запя́тки *мн. уст.* fóotboard ['fut-] (*at back of cárriage*).

запятнáть *сов.* (*вн.*) spot (*d.*), stain (*d.*); (*перен.*) cast* aspérsions (on), soil (*d.*), súlly (*d.*), taint (*d.*); ~ своё имя súlly one's name, stain one's good name.

зарабáтывать, зарабóтать (*вн.*) earn [ə:n] (*d.*); ~ срéдства к существовáнию make* / earn one's líving / lívelihood [...'lɪv- 'laɪvlɪhud]; ~ мнóго дéнег make* a lot of móney [...'mʌ-]. ~ся, зарабóтаться 1. becóme* immérsed / absórbed in one's work, work too long / late; зарабóтаться до нóчи go* on wórking till nightfáll; burn* the mídnight oil *идиом.*; 2. (*переутомля́ться*) óverwòrk onesélf; 3. *страд. к* зарабáтывать.

зарабóтать I *сов. см.* зарабáтывать.

зарабóтать II *сов.* 1. (*начать рабóтать*) begín* to work, start wórking; (*о машине*) start; 2. *как сов. к* рабóтать.

зарабóтаться *сов. см.* зарабáтываться.

зáрабóтн||ый: ~ая плáта (*рабочих*) wáges *pl.*; (*служащих*) pay, sálary; повышéние ~ой плáты wage íncrease [...-s], pay rise; реáльная ~ая плáта real wáges [rɪəl...]; номинáльная ~ая плáта nóminal wáges.

зáработ||ок *м.* éarnings ['ə:-] *pl.*; лёгкий ~ éasy móney ['i:zɪ 'mʌ-]; уходи́ть на ~ки *уст.* go* off in search of a líving [...sə:tʃ... 'lɪ-].

зарáвнивать, заровня́ть (*вн.*) lével ['le-] (*d.*), éven up (*d.*); ~ я́му fill up *a* hole.

зараж||а́ть, зарази́ть (вн.) inféct (d.); (отравляющими веществами) contáminàte (d.); ~ во́ду póison / pollúte wáter [-z'n... 'wɔ:-]. **~а́ться**, зарази́ться 1. (тв.) catch* (d.); be infécted (with; тж. перен.); ~а́ться от кого́-л. get* the inféction from smb.; зарази́ться гри́ппом catch* the 'flu / grippe; зарази́ться всео́бщей ра́достью be infécted by, или caught up in, the géneral rejóicing (aróund one); 2. страд. к заража́ть. **~е́ние** с. inféction; ~е́ние кро́ви blóod-póisoning ['blʌd -z-]; toxáemia научн.; ~е́ние ме́стности воен. contàminátion of the ground / térrain.

заражённ||ость ж. inféction, contàminátion; радиоакти́вная ~ rádiò:́áctive contàminátion. **~ый** infécted, contáminàted; ~ый во́здух pollúted air; ~ый уча́сток ме́стности contàminàted área [...'ɛərɪə].

зара́з нареч. разг. at once [...wʌns]; (за один присест) at a sítting; (одним ударом) at one fell swoop; at one blow [...blou].

зара́за ж. inféction, contágion.

зарази́тель||ность ж. inféctiousness. **~ый** inféctious; contágious; cátching разг.; ~ый смех inféctious / contágious láughter [...'lɑ:f-].

зарази́ть(ся) сов. см. заража́ть(ся).

зара́зн||ый inféctious, contágious; ~ые боле́зни inféctious / contágious / transmíttable deséases [...-nz- -'zi:z-]; ~ бара́к inféctious diséases ward, isolátion ward [aɪ-...]; ~ больно́й pátient súffering from inféctious diséase, inféctious case [...-s].

зара́нее нареч. beforehand; (своевременно) in good time; ~ обду́манный preméditàted; заплати́ть ~ pay* in advánce; ра́доваться ~ (чему-л.) look fórward (to smth.); позабо́титься о чём-либо ~ consíder smth., или think* of smth., beforehand [-'sɪ-...].

запортова́ться сов. разг. let* one's tongue run a:wáy with one [...tʌn...]; (говорить глупости) talk nónsense / rúbbish / gíbberish [...'gɪ-].

зараста́ть, зарасти́ 1. (тв.; травой и т.п.) be óvergrown [...-oun] (with); 2. (о ране) heal; (затягиваться кожей) skin óver.

зарасти́ сов. см. зараста́ть.

зарва́вшийся 1. прич. см. зарва́ться II; 2. прил. presúmptuous [-'zʌ-], hígh-hánded.

зарва́ться сов. см. зарыва́ться II.

зарде́ться сов. rédden; (от смущения) blush.

зареве́ть сов. 1. (начать реветь) begin* to roar / béllow [...-lou]; 2. (начать громко плакать) begin* to howl; 3. как сов. к реве́ть.

за́рево с. glow [-ou]; ~ пожа́ра glow of a fire.

зарегистри́ровать сов. (вн.) régister (d.). **~ся** сов. 1. (отметиться в каком-л. списке) régister òne:sélf; 2. (оформить брак) régister one's márriage [...-rɪdʒ].

заре́з м. разг.: э́то ~ для меня́ ≃ it will be the end of me; до ~у э́то до ~у he is bád:ly, или ́urgently, in need of it; ему́ ну́жно э́то до ~у he is in désperate, или ́urgent, need of it; ему́ нужны́ де́ньги до ~у he bád:ly needs móney [...'mʌ-].

заре́зать сов. см. ре́зать 4.

заре́заться сов. разг. cut* one's throat.

зарека́ться, заре́чься (от) разг. renóunce (d.); (+ инф.) prómise to give up [-s...] (+ ger.); make* a vow not (+ to inf.); не зарека́йся don't make prómises you can't keep [...-sɪz ...kɑ:nt...].

зарекомендова́ть сов.: ~ себя́ с хоро́шей стороны́ show* òne:sélf to advántage [ʃou...-'vɑ:n-]; ~ себя́ хоро́шим рабо́тником prove òne:sélf to be a good* wórker [pru:v...].

заре́чный sítuated on the other bank of the river [...'rɪ-], óver the river.

заре́чье с. part of town, etc., on the other side of the river [...'rɪ-].

заре́чься сов. см. зарека́ться.

заржа́в||еть сов. см. ржа́веть. **~ленный** rústy.

заржа́ть сов. 1. (начать ржать) begin* to neigh; 2. как сов. к ржать.

зарис||о́вать сов. см. зарисо́вывать. **~ова́ться** сов. разг. become* absórbed, или lose* track of (the) time, in dráwing [...lu:z...]. **~о́вка** ж. 1. (действие) sketching; 2. (рисунок) sketch.

зарисо́вывать, зарисова́ть (вн.) sketch (d.).

за́риться, поза́риться (на вн.) разг. cóvet ['kʌ-] (d.), have one's eye [...aɪ] (on), hánker (áfter).

зарни́ца ж. súmmer lightning.

заровня́ть сов. см. зара́внивать.

зароди́ть(ся) сов. см. зарожда́ть(ся).

заро́дыш м. émbryò, germ (тж. перен.); зоол. fóetus ['fi:-]; в ~е in émbryò; in (its) first stáges; подави́ть в ~е (вн.) nip in the bud (d.); уви́деть что-л. в ~е percéive smth. in its first stáges [-'si:v...].

заро́дышев||ый èmbryónic; ~ое состоя́ние èmbryónic / rùdiméntary stage / state / condítion.

зарожд||а́ть, зароди́ть (вн.) en:génder (d.), rouse (d.); зароди́ть наде́жду в ком-л. aróuse hope in smb., give* smb. hope, raise smb.'s hopes. **~а́ться**, зароди́ться be concéived [...-'si:vd]; (перен.) arise*, be born; у него́ зароди́лось сомне́ние a doubt aróse in his mind [...daut...], he begán to feel dóubtful [...'daut-]. **~е́ние** с. órigin, concéption (тж. перен.).

зарок м. vow, pledge, sólemn prómise [...-s]; он дал ~ не пить he has táken the pledge, или he has sólemn:ly sworn, not to drink [...swɔ:n...]; взять ~ с кого́-л. make* smb. vow, или give a sólemn prómise.

зарокота́ть сов. 1. (начать рокотать) begin* to rumble, resóund [...'zaund]; 2. как сов. к рокота́ть.

зарони́ть сов. (вн.) drop (d.); (перен.) excíte (d.); ~ и́скру drop a spark; ~ сомне́ние give* rise to, или excite, doubts [...dauts], aróuse a doubt.

за́росль ж. brúshwood [-wud], thícket.

зарпла́та ж. = за́работная пла́та см. за́работный.

заруб||а́ть I, заруби́ть (вн.) 1. (делать зарубку) notch (d.), make* an incísion (on); 2. горн. hew (d.), make* a cut (in); ◇ ~и́ э́то себе́ на носу́ ≃ mark my words, put that in your pipe and smoke it, don't you forgét it [...-'get...].

заруба́ть II, заруби́ть (вн.; убивать) kill with a sabre, axe, etc. (d.).

зарубе́жн||ый fóreign ['fɔrɪn], (from) abróad [...-ɔ:d]; ~ые учёные fóreign scholars [...'skɔ-]; ~ая печа́ть fóreign press.

заруби́ть I, II сов. см. заруба́ть I, II.

зару́бка ж. notch; (надрез) incísion.

зарубцева́ться сов. см. зарубцо́вываться.

зарубцо́вываться, зарубцева́ться cícatrize.

заруга́ть сов. разг. (вн.) scold (d.); abúse (d.), tell* off (d.).

заруму́ниваться, заруму́ниться 1. blush, crímson [-z'n]; 2. (поджа́риваться) brown; turn brown.

заруму́ниться сов. см. заруму́ниваться.

зару́ч||аться, заручи́ться (тв.) secúre (d.); ~ подде́ржкой enlíst the suppórt; ~и́ться чьим-л. согла́сием obtáin / secúre smb.'s consént. **~и́ться** сов. см. заруча́ться.

зару́чка ж. разг. pull [pul], protéction.

зарыва́ть, зары́ть (вн.) búry ['be-] (d.); ◇ ~ тала́нт в зе́млю búry one's tálent [...'tæ-]; ≃ hide* one's light únder a búshel [...'bu-] идиом.

зарыва́ться I, зары́ться búry òne:sélf ['be-...]; воен. dig* in.

зарыва́ться II, зарва́ться разг. go* too far, go* to extrémes, òver:dó things.

зарыда́ть сов. 1. (начать рыдать) begin* to sob; burst* out sóbbing; 2. как сов. к рыда́ть.

зары́ть сов. см. зарыва́ть. **~ся** сов. см. зарыва́ться I.

зарыча́ть сов. 1. (начать рычать) begin* to roar / growl; 2. как сов. к рыча́ть.

зар||я́ ж. 1. (утренняя) dáybreak [-eɪk], dawn; (вечерняя) áfterglow [-glou], évening glow ['i:vnɪŋ glou]; súnsèt; на ~е́ at dáybreak, at dawn; ~ занима́ется day is bréaking [...'breɪ-]; встать с ~ёй rise* at crack of dawn; 2. воен. revéille [rɪ'vælɪ], retréat; бить, игра́ть зо́рю sound the revéille; 3. (начало, зарождение) óutsèt, start; на ~е́ жи́зни, цивилиза́ции at the dawn of life, civilizátion [...-laɪ-]; ◇ от ~и́ до ~и́ (всю ночь) all night long; (с утренней до вечерней) from dawn till dark, from dawn to dusk; from súnrise to súnsèt; что ты встал ни свет, ни ~? what made you get up at this únearthly hour? [...-'ɜ:auə].

заряби́ть сов. см. ряби́ть 2.

заря́д м. charge; (перен.) fund, supply; электри́ческий ~ eléctric charge; ~ эне́ргии supplý of énergy.

заряди́ть I сов. см. заряжа́ть.

заряд||и́ть II сов. разг. persíst in doing smth.; с утра́ ~и́л дождь it has kept on ráining since the mórning; ◇ ну,

ЗАР – ЗАС

~и́л! well, at it agáin!; here we go agáin!

заряди́ться I, II *сов. см.* заряжа́ться I, II.

заря́дка I *ж.* 1. (*оружия*) chárging, lóading; 2. (*электрической батареи*) chárging.

заря́д||**ка** II *ж. спорт.* dáily mórning phýsical éxercises [...-zɪ-...] *pl.*; sétting-úp éxercises *pl.*; (*коллективная*) drill; де́лать ~ку dо óne's mórning éxercises ◊ он получи́л ~ку на це́лый день he felt set up for the rest of the day.

заря́дный: ~ я́щик ammunítion-wágon [-'wæ-]; cáisson *амер.*

заряжа́ние *с.* lóading.

заряжа́ть, **заряди́ть** (*вн.*) 1. (*об оружии*) load (*d.*), charge (*d.*); 2. (*об аккумуляторе, электрической батарее*) charge (*d.*).

заряжа́ться I, **заряди́ться** 1. (*об оружии*) be lóaded; 2. *эл.* be charged.

заряжа́ться II, **заряди́ться** (*приобретать некоторый запас энергии*) revíve, becóme* revíved.

заряжа́ющий 1. *прич. см.* заряжа́ть; 2. *м. как сущ. воен.* lóader.

заса́д||**а** *ж.* ámbush [-uʃ]; быть, сиде́ть в ~е lie* in ámbush; lie* in wait; устро́ить ~у make* / lay* an ámbush.

засади́ть I, II *сов. см.* заса́живать I, II.

заса́живать I, **засади́ть** (*вн. тв.*; *растениями и т.п.*) plant [-ɑːnt] (*d.* with).

заса́живать II, **засади́ть** *разг.* 1. (*вн. в вн.*; *всаживать*) drive* (*d.* into); 2. (*вн. в вн.*; *заключать*) shut* (*d.* in); засади́ть в тюрьму́ put* in príson [...-ɪz-] (*d.*), lock up (*d.*); 3. (*вн. за вн.*; *заставлять делать что-л.*) set* (*d.* to); ~ за рабо́ту set* to work (*d.*).

заса́ленный 1. *прич. см.* заса́ливать I; 2. *прил.* gréasy [-zɪ], soiled.

заса́ливать I, **заса́лить** (*вн.*) stain with grease [...-s] (*d.*), make* gréasy [...-zɪ] (*d.*).

заса́ливать II, **засоли́ть** (*вн.*) salt (*d.*), pickle (*d.*); (*о мясе*) presérve by sálting [-'zɔː-...] (*d.*).

заса́ливаться I, **заса́литься** 1. becóme* gréasy, *или* stained with grease [...-zɪ...-s]; 2. *страд. к* заса́ливать I.

заса́ливаться II, **засоли́ться** 1. becóme* sálted; 2. *страд. к* заса́ливать II.

заса́лить *сов. см.* заса́ливать I. ~ся *сов. см.* заса́ливаться I.

заса́сывать, **засоса́ть** (*вн.*; *поглощать*) suck in (*d.*), en:gúlf (*d.*); (*перен.*) swállow up (*d.*); боло́то засоса́ло лошаде́й the hórses were sucked into the bog; его́ засоса́ла меща́нская среда́ he has been drágged down by his philístine envíron:ment.

заса́хар||**енный** *прич. и прил.* cándied; ~енные фру́кты crýstallized / cándied fruit [...fruːt]. ~**ивать**, **заса́харить** (*вн.*) cándy (*d.*); ~ивать фру́кты cándy / crýstallize fruit [...fruːt]. ~**иваться**, заса́хариться becóme* súgared [...'ʃu-]; варе́нье ~илось the jam has crýstallized.

заса́харить(ся) *сов. см.* заса́харивать(-ся).

засверка́ть *сов.* 1. (*начать сверкать*) begín* to spárkle; 2. *как сов. к* сверка́ть.

засвети́ть I *сов.* (*вн.*) 1. (*зажечь*) light* (*d.*); 2. *разг.* (*ударить*) strike* (*d.*), hit* (*d.*).

засвети́ть II *сов.* (*вн.*): ~ плёнку *фот.* spoil* a film (by inadvértent expósure) [...-'pəʊʒə].

засвет||**и́ть** III *сов. разг.* (*начать светить*) begín* to shine; по́сле дождя́ ~и́ло со́лнце the rain stopped and the sun begán to shine.

засвет||**и́ться** I *сов.* light* up; в до́ме ~и́лось око́шко a light appéared in a window of the house [...-s]; её глаза́ ~и́лись ра́достью her eyes lit up with joy [...aɪz...].

засвети́ться II *сов. фот.* (*о плёнке*) be rúined / spoiled by light.

за́светло *нареч. разг.* befóre níghtfall, befóre dark.

засвиде́тельствовать *сов.* (*вн.*) witness (*d.*), téstify (*d.*); ~ факт cértify a fact; ◊ ~ почте́ние presént one's respécts [-'z-...].

засвиста́ть, **засвисте́ть** *сов.* 1. (*начать свистеть*) begín* to whistle; 2. *как сов. к* свисте́ть.

засе́в *м. с.-х.* 1. (*действие*) sówing ['səʊ-]; 2. (*то, что посеяно*) seed, séed-corn; 3. (*засеянная площадь*) sown área [səʊn 'ɛərɪə].

засева́ть, **засе́ять** (*вн. тв.*) sow* [səʊ] (*d.* with).

заседа́ние *с.* sítting; (*собрание*) méeting; (*совещание*) cónference; (*суда*) séssion; откры́ть ~ ópen the méeting; закры́ть ~ close, *или* break* up, the méeting [...breɪk...]; собра́ться на специа́льное ~ meet* in spécial séssion [...'spe-...].

заседа́тель *м.* asséssor; ◊ наро́дный ~ Péople's asséssor [piː-...].

заседа́тельск||**ий**: ~ая суетня́ spéechifying.

заседа́ть sit*; take* part in a cónference *и т.д.* (*см.* заседа́ние).

засе́ивать = засева́ть.

засе́ка *ж.* ábatis ['æbətɪs] (*pl.* -tis [-tiːz]).

засека́ть I, **засе́чь** (*вн.*) (*до смерти*) flog / whip to death [...deθ] (*d.*).

засека́ть II, **засе́чь** (*вн.*) 1. (*делать засечку*) notch (*d.*); 2. (*определять засечками*) detérmine by interséction (*d.*); 3. (*точку и т.п. на местности*) locáte (*d.*); ◊ ~ вре́мя note down the time.

засека́ться I, **засе́чься** (*о лошади*) òver:réach, cut*, hitch.

засека́ться II *страд. к* засека́ть I.

засека́ться III *страд. к* засека́ть II.

засекре́||**тить** *сов. см.* засекре́чивать.

~**ченный** 1. *прич. см.* засекре́чивать; 2. *прил.* sécret, secúrity-guárded, restrícted; hush-hush *разг.*

засекре́чивать, **засекре́тить** (*вн.*) 1. clássify as sécret (*d.*), place on sécret list (*d.*); restríct (*d.*); hush up (*d.*) *разг.*; 2. *разг.* (*о человеке*) admit to sécret work (*d.*), give* (*d.*) áccess to sécret dócuments.

засел||**е́ние** *с.* séttling. ~**ённый** *прич. см.* заселя́ть; гу́сто, ре́дко ~ённый dénsely, spársely pópuláted.

засели́ть *сов. см.* заселя́ть.

засел||**я́ть**, **засели́ть** (*вн.*) pópuláte (*d.*), séttle (*d.*); óccupy (*d.*); ~ены́ со́тни но́вых кварти́р húndreds of new flats have been óccupied.

засемени́ть *сов.* 1. (*начать семенить*) begín* to mince; 2. *как сов. к* семени́ть.

засеребри́ться *сов.* 1. (*начать серебриться*) begín* to look sílvery, begín* to glísten / glítter / spárkle like sílver; 2. *как сов. к* серебри́ться.

засе́сть *сов.* 1. (*за вн.*) sit* down (to), set* (to); ~ за рабо́ту sit* down to work, set* to work (*d.*); 2. (*в пр.*; *застрять*) stick* (in), stick* fast (in); пу́ля засе́ла у него́ в боку́ a búllet had lodged in his side [...'bu-...]; у меня́ засе́ла в голове́ мысль (*перен.*) an idéa stuck in my head [...aɪ'dɪə...hed]; 3. (*где-л.*) sit* firm, séttle; *воен.* estáblish òne:sélf (firmly), consólidàte (a posítion) [...-'zɪ-]; ~ до́ма *разг.* stay in, not leave* one's house [...-s]; ~ в заса́де lie* in ámbush [...-buʃ].

засе́чка I *ж.* 1. notch, cut, mark; 2. (*действие*) interséction; ~ направле́ния gétting a fix; ~ вре́мени tíming; звукова́я ~ range of sound [reɪn-...].

засе́чка II *ж.* (*рана на ноге лошади*) (sélf-inflícted) wound on a hórse's leg [...wuːnd...], cánker.

засе́чь I, II *сов. см.* засека́ть I, II.

засе́чься *сов. см.* засека́ться I.

засе́ять *сов. см.* засева́ть.

засиде́ть *сов. см.* заси́живать.

засиде́ться *сов. см.* заси́живаться.

заси́женный: ~ му́хами flý-blown [-bləʊn].

заси́живать, **засиде́ть** (*вн.*; *о мухах*) spot / speck with flies (*d.*).

заси́живаться, **засиде́ться** sit* / stay too long; ~ до по́здней но́чи (*не ложиться спать*) sit* up véry late; (*не уходить*) stay véry late.

заси́лье *с.* dóminant ínfluence, prepónderance; ~ монопо́лий (pre)dóminance of monópolies.

заси́м *нареч. уст. ирон.* hère:áfter, áfter this.

засине́ть(ся) *сов.* show* blue [ʃuː], appéar blue (in the dístance).

заси́нивать, **засини́ть** (*вн.*) 1. óverblúe (*d.*); ~ бельё òver:blúe línen [...'lɪ-]; 2. (*покрывать синей краской*) cóver with blue paint ['klʌ-...] (*d.*).

засини́ть *сов. см.* заси́нивать.

засия́ть *сов.* 1. (*начать сиять*) begín* to shine; 2. *как сов. к* сия́ть.

заскака́ть *сов.* 1. (*начать скакать*) begín* to jump, leap, *etc.*; (*о лошади*) break* into a gállop [-eɪk...]; 2. *как сов. к* скака́ть.

заска́кивать, **заскочи́ть** 1. (*за вн.*) jump (behínd), spring* (behínd); (*на вн.*) jump (on), spring* (on); 2. *разг.* (*заходить на минутку*) drop in (at a place).

заскирдо́ванн||**ый** *прич. см.* скирдова́ть; ~ое се́но stacked hay, hay in ricks / stacks.

заскирдова́ть *сов. см.* скирдова́ть.

заско́к *м. разг.* (*странность в поведении, мыслях*) kink; eccéntricity, crázy idéa [...aɪ'dɪə].

заскоруз‖**лый 1.** hárdened; ~лые рýки wórk-hàrdened / hórny hands; **2.** (*огрубелый, чёрствый*) cállous, únfeeling; **3.** (*отсталый*) báckward. ~**нуть** *сов.* **1.** become* cállous; cóarsen, hárden; **2.** (*закоснеть*) stágnate; fall* behìnd.

заскочи́ть *сов. см.* заска́кивать.

заскрежета́ть *сов.* **1.** (*начать скрежетать*) begin* to gnash / grind one's teeth; **2.** *как сов. к* скрежета́ть.

заскрести́ *сов.* **1.** (*начать скрести*) begin* to scratch; **2.** *как сов. к* скрести́. ~**сь** *сов. разг.* **1.** (*начать скрестись*) begin* to scratch; мышь заскреблась a mouse* begán to scratch [...-s...]; **2.** *как сов. к* скрести́сь.

заскрипе́ть *сов.* **1.** (*начать скрипеть*) begin* to creak; **2.** *как сов. к* скрипе́ть.

заскули́ть *сов. разг.* **1.** (*начать скулить*) begin* to whine / whimper; **2.** *как сов. к* скули́ть.

заскуча́ть *сов.* feel* míserable [...-z-], have a fit of the blues, be blue.

засла́ть *сов. см.* засыла́ть.

заследи́ть *сов.* (*вн.*) *разг.* leave* dírty fóotmarks [...'fut-] (on); dírty (with one's feet) (*d.*).

заслези́ться *сов.* **1.** (*начать слезиться*) begin* to wáter [...'wɔː-]; **2.** *как сов. к* слези́ться.

заслон *м. воен.* cóvering force [ˈkʌ-...].

заслони́(ся) *сов. см.* заслоня́ть(ся).

засло́нка *ж.* **1.** óven-door [ˈʌvndɔ-]; **2.** (*регулятор тяги*) dámper.

заслон‖**я́ть, заслони́ть** (*вн.*) cóver [ˈkʌ-] (*d.*), hide* (*d.*); (*защищать*) screen (*d.*), shield [ʃiː-] (*d.*); (*перен.*) òvershádow [-ˈʃæ-] (*d.*); take* the place (of), push ìnto the báckground [puʃ...] (*d.*); ~**и́ть** свет кому́-л. stand* in smb.'s light. ~**я́ться, заслони́ться 1.** (*тв. от рд.*) shield ònesélf [ʃiː-...] (with agáinst), screen ònesélf (with from); **2.** *страд. к* заслоня́ть.

заслу́г‖**а** *ж.* mérit, desért [-ˈzəːt]; sérvices *pl.*; име́ть больши́е ~и пе́ред страно́й have réndered great sérvices to one's cóuntry [...greıt...ˈkʌ-...]; вели́кий их ~и пе́ред ро́диной they have perfórmed great sérvices for their hóme:lànd; за выдаю́щиеся ~и for outstánding (públic) sérvice [...ˈʌ-...]; ста́вить кому́-л. в (*вн.*) give* smb. the crédit (for); ста́вить себе́ что́-л. в ~у think* híghly of one's own áctions [...oun...]; ◇ кому́-л. по ~ам accórding to smb.'s desérts; он получи́л по ~ам he got his desérts, *или* what he desérved [...-ˈzəːvd].

заслу́женн‖**о** *нареч.* desérvedly [-ˈzə-]; он ~ получи́л награ́ду he was rewárded accórding to his desérts [...-ˈzəː-]. ~**ый 1.** *прич. см.* заслу́живать; **2.** *прил.* desérved [-ˈzəːvd], well-éarned [-ˈəːnd]; ~ая награ́да well-desérved reward [-ˈzəːvd]; ~ое порица́ние well-desérved rebúff; ~ый упрёк desérved repróach; **3.** *прил.* (*имеющий заслуги*) célebràted, distínguished; ~ челове́к distínguished pérson; **4.** *прил.* (*в составе звания*) Hónoured [ˈɔnəd]; ~ый арти́ст респу́блики Hónoured Ártist of the Repúblic [...-ˈpʌ-]; ~ый де́ятель нау́ки Hónoured Science Wórker; ~ый де́ятель иску́сств Hónoured Art Wórker; ~ый ма́стер спо́рта Hónoured Máster of Sports.

заслу́ж‖**ивать, заслужи́ть 1.** (*вн.*) desérve [-ˈzəːv] (*d.*); come* in (for) *разг.*; ~**и́ть** чьё-л. дове́рие earn / win* smb.'s cónfidence [əːn...]; **2.** *тк. несов.* (*рд.*; *быть достойным*) mérit (*d.*), be wórthy [...-ði] (of); ~ дове́рия be trústworthy / relíable [...-ði...]; как вы того́ ~ива́ете accórding to your mérits. ~**и́ть** *сов. см.* заслу́живать 1.

заслу́шать(ся) *сов. см.* заслу́шивать(-ся).

заслу́шивать, заслу́шать (*вн.*) hear* (*d.*); ~ отчёт hear* the accóunt. ~**ся, заслу́шаться** (*рд.*) **1.** lísten with delight [-sn...] (to), lísten spéllbound (to); **2.** *страд. к* заслу́шивать.

заслы́шать *сов.* (*вн.*) hear* (*d.*), catch* (*d.*); (*уловить обонянием*) smell* (*d.*); ~ за́пах detéct a smell.

засма́тривать (в *вн.*) *разг.* look (into), peep (into).

засма́триваться, засмотре́ться (на *вн.*) be lost in còntemplátion (of), be cárried awày (by the sight of).

засмея́ть *сов.* (*вн.*) *разг.* rídicule (*d.*), laugh to scorn [lɑː-] (*d.*).

засмея́ться *сов.* **1.** (*начать смеяться*) begin* to laugh [lɑːf]; **2.** *как сов. к* смея́ться.

засмоли́ть *сов.* (*вн.*) tar (*d.*); caulk (*d.*).

засмотре́ться *сов. см.* засма́триваться.

заснежённ‖**ый, засне́женный** snów-còvered [-oukʌv-]; snów-bound [-ou-]; snowed up [-oud...], cóvered with deep snow [ˈkʌ-... -ou]; ~**ая** степь snów-còvered steppe [ˈsnoukʌ- step].

засну́ть *сов. см.* засыпа́ть II.

засня́ть *сов.* (*вн.*) *разг.* phóto:gràph (*d.*), snap (*d.*); ~ фильм prodúce a film; shoot* a film *разг.*

засо́в *м.* bolt, bar; задви́нуть дверь ~ом, *на* ~ bolt / bar a door [...dɔː].

засо́веститься *сов. разг.* feel* ashámed.

засо́вывать, засу́нуть (*вн.*) push in [puʃ...], shove in [ʃʌv...], thrust* in (*d.*); засу́нув ру́ки в карма́ны with one's hands in one's póckets.

засо́л *м.* sálting, píckling; све́жего ~а fréshly sálted / píckled.

засоле́ние *с.:* ~ по́чвы sàlinizátion (of soil).

засолённ‖**ый:** ~ые по́чвы sáline soils [ˈseı-...].

засоли́ть *сов. см.* заса́ливать II. ~**ся** *сов. см.* заса́ливаться II.

засопе́ть *сов. разг.* **1.** (*начать сопеть*) begin* to sniff / snúffle; (*во сне*) breathe héavily [...ˈhe-]; **2.** *как сов. к* сопе́ть.

засоре́ние *с.* obstrúction, chóking up; clógging up; ~ рек и водоёмов chóking up of rívers and reservoirs [...ˈrı-... -vwɑːz]; ~ желу́дка *мед.* cònstipátion.

засори́ть(ся) *сов. см.* засоря́ть(ся).

засоря́ть, засори́ть (*вн.*) **1.** litter (*d.*); **2.** (*забивать, закупоривать*) clog (*d.*); obstrúct / stop (the pássage in a chánnel, tube, *etc.*); **3.:** ~ желу́док block up the bówels; have cònstipátion; (*о пище*) give* cause cònstipátion; ~ речь, язы́к (*тв.*) clútter up speech, lánguage (with). ~**ся, засори́ться 1.** be líttered up; **2.** (*забиваться, закупориваться*) be / becòme* obstrúcted, *или* blocked up, *или* clogged; **3.:** у меня́, у него́ *и т. д.*

ЗАС — ЗАС **З**

засори́лся желу́док I have, he has, *etc.*, cònstipátion; **4.** *страд. к* засоря́ть.

засоса́ть *сов.* **1.** *см.* заса́сывать; **2.** (*начать сосать*) begin* to suck.

засо́х‖**нуть** *сов. см.* засыха́ть. ~**ший** dry; dried (up); (*о листьях тж.*) dead [ded], wítheredˈ.

засочи́ться *сов.* begin* to ooze.

за́спанный 1. *прич. см.* засыпа́ть I; **2.** *прил.* sléepy; у него́ ~ вид he looks sléepy.

заспа́ть *сов. см.* засыпа́ть I.

заспа́ться *сов. разг.* óver:sléep.

заспеши́ть *сов.* (begin* to) bustle.

заспиртова́ть *сов. см.* заспиртóвывать.

заспирто́вывать, заспиртова́ть (*вн.*) presérve in álcohòl [ˈ-zə:v...] (*d.*).

заспо́рить *сов.* (о *пр.*) begin* to árgue (abóut).

заспо́риться *сов. разг.* go* well, be a succéss.

засрами́ть *сов.* (*вн.*) *разг.* put* to shame (*d.*).

заста́ва *ж.* **1.** *ист.* gate; gates *pl.*; **2.** *воен.* pícket; óutpòst [-poust]; пограни́чная ~ fróntier post [ˈfrʌ- poust].

застава́ть, заста́ть (*вн.*) find* (*d.*); заста́ть до́ма find* in (*d.*), find* at home (*d.*); не заста́ть до́ма find* out (*d.*); заста́ть кого́-л. на ме́сте преступле́ния catch* smb. at the scene of the crime; catch* smb. réd-hánded, catch* smb. in the act.

заста́вить I, II *сов. см.* заставля́ть I, II.

заста́вка *ж.* (*в книге, рукописи*) illùminátion.

заставля́ть I, заста́вить (*вн.* + *инф.*; *принуждать*) force (*d.* + to *inf.*), compél (*d.* + to *inf.*); make* (*d.* + *inf.*); заста́вить замолча́ть insist on sílence [...ˈsaı-]; sílence (*d.*); заста́вить заду́маться set* thínking (*d.*); заста́вить уйти́, уе́хать force out (*d.*); ничто́ не заста́вит его́ сде́лать э́то nothing will indúce, *или* compél, him to do it; он заста́вил нас ждать he kept us wáiting; он заста́вил нас ждать два часа́ he has kept us wáiting for two hours [...auəz]; ~ себя́ сде́лать bring* òne:sélf, *или* force òne:sélf, to do; он не заставля́л проси́ть себя́ ≅ he was wílling, *или* was réady, enóugh [...ˈre- ıˈnʌf].

заставля́ть II, заста́вить (*вн.*) **1.** (*загромождать*) cram (*d.*), fill (*d.*); **2.** (*загораживать*) block up (*d.*), obstrúct (*d.*).

заста́иваться, застоя́ться 1. stand* too long; конь застоя́лся the horse has becòme réstive; **2.** (*портиться*) be / becòme* stale; вода́ застоя́лась the wáter is no lónger fresh [...ˈwɔː-...].

застаре́лый invéterate; (*о болезни*) chrónic.

заста́ть *сов. см.* застава́ть.

застёгивать, застегну́ть (*вн.*) fásten [-sn] (*d.*), do up (*d.*); (*пуговицу*) bútton up (*d.*); (*крючками*) hook up (*d.*); (*пряжкой*) clasp (*d.*), buckle (*d.*). ~**ся, застегну́ться 1.** bútton òne:sélf up; застегну́ться на одну́, две *и т. д.* пу́говицы fásten, *или* bútton up, one, two, *etc.*,

201

ЗАС—ЗАС

búttons ['fɑːsⁿn...]; 2. *страд.* к застёгивать.

застегну́ть(ся) *сов. см.* застёгивать (-ся).

застёжка *ж.* fástenːing [-sⁿn-]; (*пряжка*) clasp, buckle, hasp.

застекли́ть *сов. см.* застекля́ть.

застекля́ть, застекли́ть (*вн.*) glaze (*d.*).

застёнок *м.* tórture-chàmber [-tʃeɪ-].

застéнчив‖ость *ж.* shýness; báshfulness, díffidence. **~ый** shy; báshful, díffident.

заст‖ига́ть, засти́гнуть, засти́чь (*вн.*) catch* (*d.*); òverːtáke* (*d.*); ~и́гнуть врасплóх surprise (*d.*), take* by surprise (*d.*), take* únːaːwáres (*d.*); нас ~и́гла гроза́ we were òverːtáken / caught by a storm.

засти́гнуть *сов. см.* застига́ть.

застила́ть, застла́ть (*вн.*) 1. (*покрывать*) cóver ['kʌl-] (*d.*); ~ ковро́м lay* a cárpet (óver), cárpet (*d.*); 2. (*затума́нивать*) cloud (*d.*), screen (*d.*), hide* from view [...vjuː] (*d.*); ~ облака́ми òverːclóud (*d.*). ~ся, застла́ться (*тума́ном*) be / become* místy / fóggy; (*слеза́ми*) become* dim, dim.

засти́рать *сов. см.* засти́рывать.

засти́рывать, застира́ть (*вн.*) 1. wash off (*d.*); 2. (*портить плохой стиркой*) rúin by wáshing (*d.*).

засти́ть: ~ кому́-л. свет *разг.* stand* in smb.'s light.

засти́чь *сов. см.* застига́ть.

застла́ть(ся) *сов. см.* застила́ть(ся).

застогова́ть *сов.* (*вн.*) *с.-х.* put* in stacks / ricks (*d.*), stack (*d.*).

засто́‖й *м.* stàgnátion; (*упа́док*) depréssion; ~ промы́шленности indústrial stàgnátion; в торгóвле ~ trade is slack; there is a drop in trade; ~ крóви *мед.* haemostásia.

засто́йный stágnant.

застолби́ть *сов.* (*вн.*) set* / drive* stakes; stake out (*d.*) (*тж. перен.*); ~ уча́сток (земли́) stake out a claim.

засто́лье *с.* feast; táking part in a féstive meal.

засто́льн‖ый: ~ая бесéда táble-tàlk; ~ая пéсня drínking-sòng.

застона́ть *сов.* 1. (*нача́ть стона́ть*) begin* to moan / groan; 2. *как сов. к* стона́ть.

застопо́ривать, застопо́рить (*вн.*) stop (*d.*), bring* to a stándstill (*d.*) (*тж. перен.*). ~ся, застопóриться 1. (*о машине и т.п.*) jam; stop, come* to a stándstill, be at a stándstill (*тж. перен.*); 2. *страд. к* застопо́ривать.

застопо́рить(ся) *сов. см.* застопо́ривать(ся).

застоя́ться *сов. см.* заста́иваться.

застра́ивать, застро́ить (*вн.*): *об уча́стке и т.п.*) build* [bɪld] (on), erést búildings (on a site, etc.) [...'bɪl-...]. ~ся, застро́иться 1. (*об уча́стке*) be built on [...bɪlt...], be built óver; (*об улице*) be lined with búildings [...'bɪl-]; 2. *страд. к* застра́ивать.

застрахо́ванный *прич. и прил.* insúred [-'ʃʊəd]; (*от*) insúred (agáinst); (*тк. прил.; перен.*) immúne (from, to, agáinst).

застрахова́ть(ся) *сов. см.* застрахо́вывать(ся).

застрахо́вывать, застрахова́ть (*вн. от*) insúre [-'ʃʊə] (*d.* agáinst). ~ся, застрахова́ться 1. insúre òneːsélf [-'ʃʊə-...]; 2. *страд. к* застрахо́вывать.

застра́чивать, застрочи́ть (*вн.*) stitch (*d.*); застрочи́ть шов stitch a seam with a séwing-machìne [...'soʊ- -'ʃiːn].

застраща́ть *сов. см.* застра́щивать.

застра́щива‖ние *с. разг.* intimidátion. **~ть, застраща́ть** (*вн.*) intímidàte (*d.*), fríghten (*d.*).

застрева́ть, застря́ть 1. stick*; колесо́ застря́ло в грязи́ the wheel has got, *или* is, stuck in the mud; 2. *разг.* (*задерживаться*) be held up; ◇ слова́ застря́ли у него́ в го́рле *разг.* the words stuck in his throat.

застрели́ть *сов.* (*вн.*) shoot* (down) (*d.*). ~ся *сов.* shoot* oneːsélf.

застре́льщик *м.* 1. pionéer, inítiàtor, páce-sètter; ~и социалисти́ческого соревнова́ния pionéers of sócialist èmulátion; 2. *воен. ист.* skírmisher.

застре́ха *ж. разг.* eaves *pl.*

застрога́ть *сов.* (*вн.*) plane down (*d.*); ~ па́лку plane down a stick.

застро́енный búilt-úp ['bɪlt-].

застро́ить(ся) *сов. см.* застра́ивать(-ся).

застро́‖йка *ж.* búilding ['bɪl-]; пра́во ~ки búilding permíssion. **~щик** *м.* pérson (*or* estáblishment, institútion) búilding, *или* having built, his (its) own house* [...'bɪl-... oun -s].

застрочи́ть I *сов.* 1. (*нача́ть писа́ть*) begin* to scríbble; 2. (*о пулемёте*) rattle; start fíring, ópen up; 3. *как сов. к* строчи́ть.

застрочи́ть II *сов.* 1. *см.* застра́чивать; 2. (*нача́ть строчи́ть*) begin* to stitch.

заструга́ть *сов.* = застрога́ть.

застря́ть *сов. см.* застрева́ть.

застуди́ть(ся) *сов. см.* засту́живать (-ся).

засту́живать, застуди́ть (*вн.*) *разг.* chill (*d.*), make* cold (*d.*); застуди́ть лёгкие catch* / get* a chill on one's chest. ~ся, застуди́ться *разг.* 1. catch* cold; 2. *страд. к* засту́живать.

засту́кать I *сов.* (*вн.*) *разг.* (*пойма́ть*) catch* (*d.*), get* (*d.*).

засту́кать II *сов. разг.* (*нача́ть сту́кать*) begin* to clátter; begin* to knock.

за́ступ *м.* spade.

заступа́ть, заступи́ть *разг.* 1. (*вн.*) take* the place (of); step in (for); 2. (*без доп.*): ~ на ва́хту take* óver the watch, go* on watch.

заступа́ться, заступи́ться (*за вн.*) intercéde (for); (*проси́ть*) plead (for); (*принима́ть чью-л. сто́рону*) take* the part (of), stand* up (for); stick* up (for) *разг.*

заступи́ть *сов. см.* заступа́ть.

заступи́ться *сов. см.* заступа́ться.

засту́пн‖ик *м.* defénder, intercéssor, médiàtor; (*покрови́тель*) pátron. **~ица** *ж.* pátronːess. **~ичество** *с.* intercéssion, mèdiátion.

застуча́ть *сов.* 1. (*нача́ть стуча́ть*) begin* to knock, rap, *etc.*; 2. *как сов. к* стуча́ть.

застыва́ть, засты́нуть, засты́ть 1. (*сгуща́ться от охлажде́ния*) thícken, set*; conːgéal; (*затверде́вать*) hárden; желé засты́ло the jélly has set; ла́ва застыла the láva has hárdened [...'lɑː-...]; 2. *разг.* (*зя́бнуть*) be / get* stiff with cold; ◇ засты́ть от удивле́ния stíffen in / with astónishment; у него́ кровь засты́ла от у́жаса his blood ran cold [...blʌd...], he froze in térror.

застыди́ть *сов.* (*вн.*) *разг.* shame (*d.*), make* ashámed (*d.*). **~ся** *сов. разг.* become* confúsed; (*покрасне́ть от стыда́*) blush with shame.

засты́нуть *сов. см.* застыва́ть.

засты́ть *сов. см.* застыва́ть.

засуди́ть *сов.* (*вн.*) *разг.* condémn (*d.*), write* off (*d.*).

засуети́ться *сов.* 1. (*нача́ть суети́ться*) begin* to bustle (abóut), start fússing; 2. *как сов. к* суети́ться.

засу́нуть *сов. см.* засо́вывать.

за́суха *ж.* drought [draʊt].

засухоусто́йчивый dróught-resísting ['draʊtɪz-].

засу́чивать, засучи́ть (*вн.*) roll up (*d.*), tuck up (*d.*); приня́ться за де́ло, засучи́в рукава́ roll up one's sleeves and set* to work.

засучи́ть I *сов. см.* засу́чивать.

засучи́ть II *сов.* (*нача́ть сучи́ть*) begin* to twist / spin.

засу́шивать, засуши́ть (*вн.*) dry up (*d.*).

засуши́ть *сов. см.* засу́шивать.

засушли́в‖ый árid, dróught-afflícted ['draʊt-]; ~ая зóна árid / dróughty zone [...'draʊtɪ...]; ~ое лéто dry súmmer.

засчита́ть *сов. см.* засчи́тывать.

засчи́тывать, засчита́ть (*вн.*) inːclúde (*d.*), take* into consideràtion (*d.*); ~ 50 рублéй в упла́ту до́лга réckon fifty roubles towards páyment of a debt [...ruː-...det].

засыла́ть, засла́ть (*вн.*) send* (*d.*); (*не по тому́ а́дресу*) dispátch / send* to the wrong address; ~ шпио́нов send* out spies, smuggle in spies, ínfiltràte spies.

засы́лка *ж.* sénding, dispátching, dispátch.

засы́пать *сов. см.* засыпа́ть III.

засыпа́ть I, **заспа́ть** (*вн.*): заспа́ть младе́нца smóther a báby in one's sleep ['smʌ-...].

засыпа́ть II, **засну́ть** fall asléep; go* to sleep; drop off to sleep *разг.*

засыпа́ть III, **засы́пать** 1. (*вн. тв.; о я́ме и т.п.*) fill up (*d.* with); 2. (*вн. тв.; покрыва́ть*) cóver ['kʌl-] (*d.* with), búry ['be-] (*d.* únder); (*разбра́сывать по пове́рхности*) strew* (on *d.*); scátter (*d.* with); доро́жка засы́пана ли́стьями the path* is cóvered / strewn with dead leaves [...ded...]; 3. (*вн. тв.; направля́ть что-л. в изоби́лии*) bòmbárd (*d.* with); ~ кого́-л. вопро́сами bòmbárd / shówer smb. with quéstions [...-stʃ-], heap quéstions upːón smb.; ~ кого́-л. пода́рками load smb. with présents [...-ez-]; 4. (*вн., рд.; насыпа́ть куда́-л.*) put* into (*d.*); ~ овса́, муки́ и т.п. (*запаса́ться*) lay* in a store of oats, flour, etc.; ~ овса́ ло́шади pour some oats into the mánger [pɔː... 'meɪndʒə].

засы́паться I, II *сов. см.* засыпа́ться I, II.

засыпа́ться I, засы́паться 1. (в *вн.*) get* (into); песо́к засы́пался ему́ в башмаки́ sand got into his shoes [...ʃuːz], there is sand in his shoes; 2. (*тв.*) get* cóvered / filled [...′кл-...] (with); get* búried [...′be-] (únder); 3. *страд.* к засыпа́ть III.

засыпа́ться II, засы́паться *разг.* 1. (*попада́ться*) be caught réd-hánded; be nabbed; (*попада́ть в беду́*) get* into a scrape, *или* a mess; come* to grief [...-iːf]; 2. (*на экза́мене*) fail; plough *sl.*

засы́пка *ж.* 1. (*я́мы*) filling up; 2. (*зерна́*) láying in (a supplý).

засыха́ть, засо́хнуть dry up; (*увяда́ть*) wither.

затаённ∥ый 1. *прич. см.* зата́ивать; 2. *прил.* sécret; (*приглушённый*) suppréssed, représsed; с ~ым дыха́нием with báted breath [...breθ]; ~ гнев représsed ánger.

зата́ивать, затаи́ть (*вн.*) hárbour (*d.*); затаи́ть дыха́ние hold* one's breath [...breθ]; затаи́ть оби́ду на кого́-л. bear* smb. a grudge [brə...]; nurse a grievance agáinst smb. [...′griːv-...]. ~ся, затаи́ться *разг.* hide*; ◇ затаи́ться в себе́ becóme* resérved [...-′zəːvd], withdráw* into onesélf.

затаи́ть(ся) *сов. см.* зата́ивать(ся).

зата́лкивать, затолкну́ть (*вн.*) *разг.* push [puʃ] (*d.*), shove [ʃʌv] (*d.*).

затанцева́ть *сов.* (*нача́ть танцева́ть*) begin* to dance.

зата́пливать, затопи́ть (*вн.*; *о пе́чи*) light* the stove, light* / kindle the fire (in a stove).

зата́птывать, затопта́ть (*вн.*) trample down (*d.*), trample únder foot [...fut] (*d.*); ◇ затопта́ть в грязь кого́-л. drag smb. through the mud.

затарато́рить *сов. разг.* 1. (*нача́ть тарато́рить*) begin* to jábber; 2. *как сов.* к тарато́рить.

зата́сканн∥ый *разг.* 1. *прич. см.* зата́скивать I; 2. *прил.* worn [wɔːn]; (*изно́шенный*) thréadbàre [′θred-]; (*перен.*) háckneyed [-nɪd]; wórn-óut [′wɔːn-]; (*бана́льный*) trite; ~ое выраже́ние trite expréssion.

затаска́ть *сов. см.* зата́скивать I.

зата́скивать I, затаска́ть (*вн.*) *разг.* wear* out [weə...] (*d.*), make* dírty (with wear) [...weə] (*d.*); (*перен.*) make* cómmon / trite / háckneyed [...-nɪd] (*d.*).

зата́скивать II, затащи́ть *разг.* 1. (*что-л. куда́-л.*) cárry / drag (awáy) (smth. sómewhère); leave* smth. in the wrong place; 2. (*кого́-л. куда́-л.*) drag (smb. sómewhère); зата́скивать кого́-л. к себе́ insíst on smb. cóming to smb. to come to one's place.

зата́чивать, заточи́ть (*вн.*) shárpen (*d.*).

затащи́ть *сов. см.* зата́скивать II.

затвердева́ть, затверде́ть hárden, becóme* hard / hárdened, be hárdened.

затверде́∥лость *ж.* = затверде́ние. ~лый hárdened. ~ние *с. мед.* indurátion, cállosity.

затверде́ть *сов. см.* затвердева́ть.

затверди́ть *сов.* (*вн.*) *разг.* 1. (*вы́учить*) learn* by rote, *или* by heart

[ləːn... hɑːt] (*d.*); 2.: ~ одно́ и то́ же harp on smth.

затво́р *м.* 1. (*ружья́*) lock; (*винто́вки*) bolt; (*ору́дия*) bréech-blòck; (*пулемёта*) bolt, bréech-blòck; (*у плоти́ны*) wáter-gàte [′wɔː-], flóod-gàte [′flʌd-]; (*фотоаппара́та*) shútter; 2. *разг.* (*у двере́й*) bolt, bar; 3. *церк.* seclúsion; он жил в ~е he lived in retréat / seclúsion [...lɪ-...]. ~и́ть(ся) *сов. см.* затворя́ть(ся).

затво́рни∥к *м.*, ~ца *ж.* hérmit, ánchoríte [′æŋk-], reclúse [-s]; жить ~ком live the life of a reclúse [lɪv...]. ~ческий solitary, seclúded; ~ческий о́браз жи́зни seclúded life, solitary way of life, life of a reclúse [...-s]. ~чество *с.* seclúsion; (*перен.*) solitary / isolated life [...′aɪ-...].

затворя́ть, затвори́ть (*вн.*) close (*d.*), shut* (*d.*). ~ся, затвори́ться 1. (*о двери́ и т.п.*) close, shut*; 2. (*о челове́ке*) lock / shut* / close onesélf in; *церк.* be* in retréat, go* into retréat, withdráw* into seclúsion / solitúde; 3. *страд.* к затворя́ть.

затева́ть, зате́ять (*вн.*) *разг.* vénture (*d.*), undertáke* (*d.*); зате́ять и́гры órganìze games; зате́ять дра́ку start a fight, pick a quárrel; зате́ять спор start an árgument. ~ся, зате́яться *разг.* 1. be stárted; зате́ялось де́ло a búsiness, *или* an affáir, was stárted [...′bɪzn-...]; 2. *страд.* к затева́ть.

зате́й∥ливый 1. (*замыслова́тый*) íntricate; 2. (*занима́тельный*) ingénious, fánciful. ~ник *м.*, ~ница *ж.* 1. (*массо́вик*) órganìzer of entertáinments, entertáiner; 2. *разг.* (*шутни́к*) jóker.

затек∥а́ть, зате́чь 1. (в *вн.*) flow [flou] (in), pour [pɔː] (into), leak (into); (*за вн.*) pour (behind), leak (behind); 2. (*без доп.*) (*неме́ть*) becóme* numb; у него́ ~ли́ но́ги, ру́ки his legs, arms have gone / becóme numb [...gɔn...]; 3. (*без доп.*) *разг.* (*опуха́ть*) swell*.

зате́м *нареч.* 1. (*по́сле*) then, áfter that, thereupón, upón which; súbsequently; 2. (*для э́того*) for that (very) réason [...-z-]; ◇ ~ что *уст.* becáuse [-′kɔz], since, as; ~, что́бы (in órder) to; она́ прие́хала ~, что́бы поговори́ть she has come (in órder) to speak to you.

затемне́ние *с.* 1. dárkening; *воен.* bláck-out; (*перен.*; *о значе́нии*, *смы́сле*) obscúring; 2. *мед.* dark patch.

затемни́ть *сов. см.* затемня́ть.

за́темно *нареч. разг.* 1. (*до рассве́та*) befóre dawn, befóre dáybreak [...-breɪk]; 2. (*когда́ стемне́ет*) áfter dark.

затемня́ть, затемни́ть (*вн.*) dárken (*d.*); *воен.* black out (*d.*); (*перен.*) obscúre (*d.*).

затени́ть *сов. см.* затеня́ть.

затеня́ть, затени́ть (*вн.*) shade (*d.*).

зате́плить *сов.* (*вн.*) *уст.* light* (*d.*). ~ся *сов. уст.* begin* to glow [...glou].

затере́ть *сов. см.* затира́ть.

зате́рянный 1. *прич. см.* затеря́ть; 2. *прил.* (*забы́тый*) forgótten, forsáken.

затеря́ть *сов.* (*вн.*) *разг.* misláy* (*d.*), lose* [luːz] (*d.*). ~ся *сов. разг.* be misláid, be lost; (*перен.*) be / becóme* lost / forgótten.

затеса́ть *сов. см.* затёсывать.

затеса́ться *сов.* (в, на *вн.*) *разг.* worm one's way (into), intrúde (on).

затёсывать, затеса́ть (*вн.*) róugh-héw [′rʌf-] (*d.*).

зате́чь *сов. см.* затека́ть.

зате́∥я *ж.* undertáking, énterprise, vénture; (*заба́вная*) piece of fun [piːs...], fáncy; (*рассказа́ть*) попро́сту, без ~й (tell*) símply, without much adó.

зате́ять(ся) *сов. см.* затева́ть(ся).

затира́ть, затере́ть (*вн.*) 1. (*зама́зывать*) rub clean / out (*d.*); 2. (*сда́вливать*) jam (*d.*); (*перен.*) give* one no chance; су́дно затёрло льда́ми the ship got stuck fast in the ice, *или* becáme íce-bound; 3. *разг.* (*па́чкать*, *зана́шивать*) soil (*d.*), make* dírty (*d.*).

затиска́ть *сов.* (*вн.*) *разг.* smóther with caré́sses [′smʌ-...] (*d.*).

зати́скивать, зати́снуть (*вн.*; *запи́хивать*) squeeze in (*d.*). ~ся, зати́снуться 1. squeeze onesélf in(to); 2. *страд.* к зати́скивать.

зати́снуть(ся) *сов. см.* зати́скивать(ся).

затих∥а́ть, зати́хнуть abáte, calm down [kɑːm...], lull; (*перестава́ть слы́шаться*) die awáy / down, (*ослабева́ть*) fade (awáy); но́чью го́род ~ the town becáme quíet at night; ребёнок ~ the child* stopped crýing, *или* quíetened down.

зати́хнуть *сов. см.* затиха́ть.

зати́шье *с.* calm [kɑːm]; (*вре́менное*) lull; (*в дела́х*) sláckening; ~ пе́ред грозо́й the calm / lull befóre the storm.

затка́ть *сов.* (*вн. тв.*) weave* (into *d.*); interwéave* (*d.* with); ~ ска́терть зо́лотом, серебро́м weave* gold, silver into *the* cloth; за́тканный зо́лотом, серебро́м wóven with gold, silver; góld-brocáded, silver-brocáded.

заткну́ть(ся) *сов. см.* затыка́ть(ся).

затле́ться *сов.* begin* to glow [...-ou].

затмева́ть, затми́ть (*вн.*) 1. (*закрыва́ть*) cóver [′кл-] (*d.*), dárken (*d.*); òvershádow [-′ʃæ-] (*d.*); ту́чи затми́ли не́бо stórm-clouds have cóvered the sky, the sky is óvercàst; 2. (*превосходи́ть кого́-л.*) eclípse (*d.*), outshíne* (*d.*); затми́ть чью-л. сла́ву eclípse smb.'s fame.

затм∥е́ние *с. астр.* eclípse; ~ Со́лнца sólar eclípse; лу́нное ~ lúnar eclípse; по́лное ~ tótal eclípse; кольцеобра́зное ~ ánnular eclípse; части́чное ~ pártial eclípse; ◇ на него́ нашло́ his mind went blank, he did not know what he was dóing, sáying, *etc.* [...nou...]. ~и́ть *сов. см.* затмева́ть.

зато́ *союз* but, but then, but on the óther hand; (*to make up*) for it, in retúrn; ~ ме́ньше уста́нете you will make up for it by béing less tíred; ~ полу́чите хоро́шую вещь you'll get sómething réally good in retúrn [...′rɪə-...].

затова́ривание *с. торг.* óverstòcking; ~ ры́нка glut in the márket, glútted márket.

затова́ривать, затова́рить (*вн.*) *торг.* óverstòck with goods [...gudz] (*d.*). ~ся, затова́риться 1. be óverstòcked; have

ЗАТ–ЗАТ

a súrplus of goods in stock [...gudz...]; 2. *страд.* к затоваривать.

затоварить(ся) *сов. см.* затоваривать(-ся).

затолкать *сов.* (*вн.*) 1. jostle (*d.*); 2. (*куда-л.*) jostle in (*d.*), shove [ʃʌv] (*d.*), push into [puʃ...] (*d.*).

затолкнуть *сов. см.* заталкивать.

затон *м.* 1. báck-wàter [-wɔː-]; 2. (*место стоянки и ремонта судов*) bóat-yàrd.

затонуть *сов.* sink*, be sùbmérged.

затопать *сов.* 1. (*начать топать*) begin* to stamp one's feet; 2. *как сов.* к топать.

затопить I *сов. см.* затапливать.

затопить II *сов. см.* затоплять.

затоплён||ие *с.* flood [flʌd]; район ~ия sùbmérged / flóoded área [...ˈflʌd-ˈɛərɪə].

затоплять, затопить (*вн.*) 1. flood [flʌd] (*d.*), inùndàte (*d.*); (*покрывать водой*) submérge (*d.*); шахты были затоплены the shafts were flóoded; 2.: ~ корабль sink* / scuttle *a* ship.

затоптать *сов. см.* затаптывать.

затоптаться *сов.*: ~ на месте (begin* to) jib.

затор I *м.* obstrúction, jam; ~ уличного движения tráffic-jàm, tráffic conːgéstion [...-stʃ-]; ледяной ~ ice blóckage.

затор II *м.* (*в пивоварении и винокурении*) mash.

затормозить *сов.* (*вн.*) brake (*d.*); (*без доп.*) put* on, *или* apply, the brakes; (*перен.*; *задерживать, замедлять*) slow down [slou...]; put* the brakes on.

затормозиться *сов.* slow down [-ou...].

затормошить *сов.* (*вн.*) 1. (*начать тормошить*) start bóther:ing (*d.*); 2. (*утомить*) bóther to death [...deθ] (*d.*).

заторопиться *сов.* (begin* to) bustle.

затосковать *сов.* 1. (*начать тосковать*) begin* to lánguish; 2. *как сов.* к тосковать.

заточ||ать, заточить (*вн.*) *уст.* inːcárceràte (*d.*); ~ить в монастырь immúre (*d.*), shut* up in *a* mónastery (*d.*); ~ить в тюрьму imprison [-izˈn] (*d.*), put* in prison [...-izˈn] (*d.*); ~ение *с.* inːcàrcerátion; (*в монастыре*) seclúsion; (*в тюрьме*) imprisonment [-izˈn-]; он живёт как в ~ении he leads the life of a reclúse / hérmit [...-ˈkluːs...].

заточить I *сов. см.* затачивать.

заточить II *сов. см.* заточать.

заточка *ж. тех.* shárpening, grindːing.

заточный: ~ станок tool grínder, tool shárpener.

затошнить *сов. безл.*: его затошнило he felt sick.

затравить *сов.* (*вн.*) hunt down (*d.*), bring* to bay (*d.*); (*перен.*) bádger (*d.*), wórry the life out [ˈwʌ-...] (of).

затравка *ж.* príming.

затрагивать, затронуть (*вн.*; *в разн. знач.*) afféct (*d.*); у неё затронуты лёгкие her lungs are afféctеd; ~ вопрос broach / open *a* súbject, touch upːón a súbject / quéstion [tʌtʃ...-stʃ-]; ~ чьё-л. самолюбие wound smb.'s sélf-estéem [...wuːnd...]; ~ больное место touch smb. on the raw, touch a sore spot; ~ чьи-л. интересы infringe on, *или* dámage, smb.'s interests; (*ср.* задевать I).

затрапезный *разг.* (*о платье*) éveryːdày, worn on wéek-days / wórk-days [wɔːn...]; ◊ иметь ~ вид look shábby.

затрат||а *ж.* expénditure; не щадить затрат spare no expénse; ~ труда work ínput [...-put]; expenditure of lábour; напрасная ~ waste [weɪst], wásted expénse [ˈweɪ-...]. **~ить** *сов. см.* затрачивать.

затрачивать, затратить (*вн.*) spend* (*d.*), expénd (*d.*).

затребовать *сов.* (*вн.*) requést (*d.*), require (*d.*); ask (for); (*в письменном виде тж.*) send* an órder (for), write* (for).

затрепать *сов.* (*вн.*) *разг.* make* dirty (*d.*), wear* out [wɛə...] (*d.*).

затрепетать *сов.* 1. (*начать трепетать*) begin* to pálpitàte; 2. *как сов.* к трепетать.

затрещать *сов.* 1. (*начать трещать*) begin* to crack, crackle; 2. *как сов.* к трещать.

затрещин||а *ж. разг.* box on the ear; thump / clout on the head [...hed]; дать кому-л. ~у box smb.'s ears.

затронуть *сов. см.* затрагивать.

затрубить *сов.* 1. (*начать трубить*) begin* to trúmpet, sound a trúmpet; 2. *как сов.* к трубить.

затруднён||ие *с.* difficulty; (*препятствие*) impédiment; (*смущение*) embárrassment; быть в ~ии be in difficulties; be in a fix *разг.*; выйти из ~ия òverːcóme* *a* difficulty; вывести кого-л. из ~ия help smb. out of *a* difficulty; денежные ~ия finàncial difficulties [faɪ-...], finàncial embárrassment; создавать ~ия make* difficulties.

затруднён||ный 1. *прич. см.* затруднять; 2. *прил.* lábourːed; hámpered; (*содержащий трудности*) difficult, àwkward; ~ое дыхание lábourːed bréathing.

затруднительн||ость *ж.* difficulty; straits *pl.* ~ый difficult, embárrassing; ~ое положение difficulties *pl.*, àwkward / difficult sìtuàtion; quándary; попасть в ~ое положение, оказаться в ~ом положении get* into difficulties; find* òneːsélf in a tight córner *идиом. разг.*; быть, находиться в ~ом положении be in sevére difficulties; be in a quándary; be in trouble [...trʌ-]; be in a fix, be in a spot; выйти из ~ого положения get* out of *a* difficult sìtuàtion.

затруднить(ся) *сов. см.* затруднять(-ся).

затрудн||ять, затруднить 1. (*что-л.*) hámper (smth.), impéde (smth.); ~ить доступ к чему-л. make* áccess to smth. difficult; 2. (*кого-л.*) give* / cause smb. trouble [...trʌbl], make* difficulties (for); (*вопросом и т. п.*) embárrass (smb.); это вас не ~ит? would you mind doing it? **~яться**, затрудниться 1. (*тв.*, + *инф.*) have / find* difficulty (in + *ger.*); ~яться ответом find* difficulty in replýing; 2. *страд.* к затруднять.

затрясти *сов.* 1. (*начать трясти*) begin* to shake; 2. *как сов.* к трясти. **~сь** *сов.* 1. (*начать трястись*) begin* to shake / tremble; 2. *как сов.* к трястись.

затуман||ивать, затуманить 1. (*вн.*) cloud (*d.*), dim (*d.*); fog (*d.*), befóg (*d.*); (*перен.*) obscúre (*d.*), hide* (*d.*). **~иваться**, затуманиться grow* clóudy / fóggy [-ou-...]; (*перен.*) grow* dim / sad; её глаза ~ились слезами her eyes dimmed, *или* grew dim, with tears [...aɪz...]; 2. *страд.* к затуманивать.

затуманить(ся) *сов. см.* затуманивать(ся).

затупить(ся) *сов. см.* затуплять(ся).

затупл||ять, затупить (*вн.*) blunt (*d.*), dull (*d.*). **~ся**, затупиться 1. get* / become* blúnt(ed); 2. *страд.* к затуплять.

затухание *с. тех.* attenuàtion; dámping, fáding.

затухать, затухнуть go* out slówly [...ˈslou-], be extínguished; (*о звуке*) die down (*тж. перен.*); *тех.* damp, fade.

затухнуть *сов. см.* затухать.

затушевать *сов. см.* затушёвывать.

затушёвывать, затушевать (*вн.*) shade (*d.*); (*перен.*) hide* (*d.*), concéal (*d.*).

затушить *сов.* (*вн.*) put* out (*d.*), extínguish (*d.*); (*перен.*) suppréss (*d.*).

затхл||ость *ж.* místiness; ~ый músty, móuldy [ˈmou-]; (*о воздухе*) stúffy, close [-s]; (*перен.*) stágnant; пахнуть ~ым have a músty / fústy smell.

затыкать, заткнуть 1. (*вн. тв.*; *об отверстии*) stop up (*d.* with); plug (*d.* with); заткнуть бутылку пробкой cork (up) a bottle; заткнуть рот кому-л. silence smb. [ˈsaɪ-...]; stop smb.'s mouth; (*перен. тж.*) stop smb. blábbing; shut* smb. up *разг.*; заткнуть уши close, *или* stop up, one's ears; 2. (*вн.*; *засовывать*) stick* (*d.*), thrust* (*d.*); ◊ заткнуть за пояс кого-л. *разг.* ≅ be one too many for smb.; go* one bétter than smb. **~ся**, заткнуться 1. be stopped up, be corked; 2. *разг.* (*замолкать*) shut* up; скажи ему, чтобы заткнулся! tell him to shut up!; 3. *страд.* к затыкать.

затыл||ок *м.* 1. back of the head [...hed]; *анат.* óccipùt; почесать в ~ке scratch one's head; 2. (*часть мясной туши*) neck; ◊ становиться в ~ form up in file; *воен.* cóver [ˈkʌ-]. **~очный** *анат.* cérvical, óccipital.

затыльник *м.* (*пулемёта*) back plate.

затычка *ж. разг.* plug, spígot [ˈspɪ-]; (*перен.*) stóp-gàp.

затюка||ть *сов.* (*вн.*) *разг.* intímidàte (*d.*), cow (*d.*); совсем ~ли парнишку they complèteːly cowed the poor lad.

затя||гивать I, затянуть (*вн.*) 1. (*завязывать, туго стянув концы*) tíghten (*d.*); 2. (*покрывать*) cóver [ˈkʌ-] (*d.*), close (*d.*); рану ~нуло the wound is beginning to heal [...wuːnd...], the wound has skinned óver, *или* has closed; 3. (*задерживать*) delay (*d.*), drag out (*d.*); ~ дело drag out a búsiness [...ˈbɪzn-]; 4. (*засасывать*) drag in (*d.*), suck in (*d.*); (*перен.*) *разг.* invéigle [-ˈviːgl] (*d.*); его ~нуло в болото he was sucked into the swamp / bog.

затя́гивать II, затяну́ть: ~ пе́сню strike* up *a* song.

затя́гиваться, затяну́ться 1. (*туго завязываться*) be tightened, jam; ~ в корсе́т lace òne:sélf up; 2. (*покрываться*) cóver [´kʌ-]; (*о небе*) grow* óver:cást [grou...]; (*тучами тж.*) be cóvered with clouds [...´kʌ-...]; 3. (*о ране*) skin óver; 4. (*задерживаться*) be deláyed, be drágged out; drag on, be drawn out; собра́ние ~ну́лось до 12 часо́в the méeting dragged on till twelve o´clóck; 5. (*при курении*) inhále (*tobacco-smoke*); 6. *страд. к* затя́гивать I.

затя́ж‖**ка** *ж.* 1. (*при курении*) inháling, draw; 2. *разг.* (*во времени*) drágging out. ~но́й slow [-ou]; protrácted; ~на́я боле́знь língering íllness; ~но́й прыжо́к frée-fàll jump; ~но́й вы́стрел deláyed shot; ~но́й дождь incéssant rain; ~ны́е бои́ protrácted fíghting *sg.*

затяну́вшийся *прич. и прил.* prolónged, protrácted.

затяну́ть I, II *сов. см.* затя́гивать I, II.

затяну́ться *сов. см.* затя́гиваться.

зау́мный unintélligible, nònsénsical.

за́умь *ж.* nónsense.

зауны́вный móurnful [´mɔ:-], dísmal [-z-]; (*о песне тж.*) pláintive.

заупоко́йн‖**ый** *церк.* for the repóse of smb.´s soul [...soul]; (*перен.*) móurnful [´mɔ:-], dóle:ful; ~ая слу́жба fúneral sérvice, réquièm.

заупря́миться *сов.* 1. begin* to óbstinate; 2. *как сов. к* упря́миться.

заура́льский Tràns-Úral [-z-].

заура́дный cómmonplàce, órdinary, médiòcre; ~ челове́к a mèdiócrity.

заусе́н‖**ец** *м.*, ~**ица** *ж.* 1. (*на пальцах*) ágnail, háng;nail; 2. (*на метале*) wíre-èdge, burr.

зау́треня *ж. церк.* mátins *pl.*

заутю́живать, заутю́жить (*вн.*) press (*d.*), íron (out) [´aɪən...] (*d.*).

заутю́жить *сов. см.* заутю́живать.

зау́ченный 1. *прич. см.* зау́чивать; 2. *прил.* (*заранее приготовленный, искусственный*) prepáred, stúdied [´stʌ-]; ~ жест stúdied gésture.

зау́чивать, зауч́ить (*вн.*) 1. learn* by heart [lə:n... hɑ:t] (*d.*); 2. *разг.* (*причинять вред учёбой*) harm by excéssive cóaching (*d.*). ~**ся**, зауч́иться 1. *разг.* swot too hard; 2. *страд. к* зау́чивать.

зауч́ить(ся) *сов. см.* зау́чивать(ся).

зауша́тель‖**ский**: ~ская кри́тика malévolent críticism. ~**ство** *с.* malévolent críticism.

зауш́ница *ж. мед.* mumps, pàrotítis.

зау́шн‖**ый** behínd the ears; *мед.* parót;id; ~ая о́пухоль pàrotítis.

зафарширова́ть *сов. см.* фарширова́ть.

зафикси́ровать *сов. см.* фикси́ровать.

зафонтани́ровать *сов.* 1. (*начать фонтанировать*) begin* to gush / spout; 2. *как сов. к* фонтани́ровать.

зафрахтова́ть *сов. см.* зафрахто́вывать.

зафрахто́вывать, зафрахтова́ть (*вн.*) *мор.* freight (*d.*), chárter (*d.*).

заха́живать (к) *разг.* look in (at), drop in (at).

захандри́ть *сов. см.* хандри́ть.

захва́ливать, захвали́ть (*вн.*) *разг.* flát;ter únːdúly (*d.*), praise to the skies (*d.*).

захвали́ть *сов. см.* захва́ливать.

захва́статься I *сов. разг.* (*завраться, хвастаясь*) boast immóderate:ly.

захва́статься II *сов. разг.* (*начать хвастаться*) begin* to brag / boast.

захва́т *м.* 1. séizure [´si:ʒə], cápture; ùsurpátion [-z-]; ~ вла́сти séizure of pówer; 2. *тех.* claw.

захва́танный *прич. и прил.* soiled by hándling; thumbed.

захвата́ть *сов. см.* захва́тывать I.

захвати́ть *сов. см.* захва́тывать II.

захва́тническ‖**ий** aggréssive, prédatory; ~ая война́ war of aggréssion; ~ая поли́тика ànnèxátionist / expánsionist pólicy.

захва́тчи‖**к** *м.*, ~**ца** *ж.* aggréssor; inváder; ùsurper [ju:´zə:-].

захва́тывать I, захвата́ть (*вн.*) *разг.* soil (with one´s fíngers) (*d.*), thumb (*d.*).

захва́т‖**ывать** II, захвати́ть (*вн.*) 1. (*брать с собой*) take* (*d.*) with; он ~и́л с собо́й де́ньги he took *the* money with him [...´mʌ-...]; 2. (*завладевать*) seize [si:z] (*d.*), cápture (*d.*); grab (*d.*) *разг.*; (*окружать*) round up (*d.*), ~и́ть власть seize pówer; ~и́ть в плен cápture (*d.*), take* prísoner [...-ɪz-] (*d.*); 3. (*застигать*) catch* (*d.*): по доро́ге его́ ~и́л дождь on the way he was caught in the rain; 4. (*увлекать*) thrill (*d.*), cárry a:wáy (*d.*), hold* smb.´s atténtion, fáscinàte (*d.*), cáptivàte (*d.*); му́зыка его́ ~и́ла he was charmed by the músic [...-zɪk]; ◊ во́время ~и́ть боле́знь stop *a* diséase in time [...-´ziːz...]; от э́того у него́ дух ~и́ло it took his breath a:wáy [...breθ...]; ~ враспло́х (*вн.*) surpríse (*d.*); take* únːaːwáres (*d.*), take* by surpríse (*d.*).

захва́тывающий keen; (*о книге и т. п.*) grípping, excíting, thrílling.

захвора́ть *сов. разг.* be táken ill, fall* ill.

захире́ть *сов. см.* хире́ть.

захихи́кать *сов. разг.* 1. (*начать хихикать*) start gíggling [...´gɪ-]; 2. *как сов. к* хихи́кать.

захла́мить *сов. см.* захламля́ть.

захламлё́нный *прич. и прил. разг.* clúttered up.

захламля́ть, захла́мить (*вн.*) *разг.* clútter up (*d.*).

захлебну́ть *сов. см.* захлёбывать.

захлебну́ться *сов. см.* захлёбываться.

захлёбывать, захлебну́ть (*рд.*) *разг.* swállow (*d.*), take* a móuthful (of).

захлёбыв‖**аться**, захлебну́ться (*тв.*) choke (with), swállow the wrong way (*d.*); ◊ говори́ть ~а́ясь speak* bréath;lessly [...breθ-]; ~ от сча́стья be delírious with joy; наступле́ние врага́ захлебну́лось the énemy´s attáck got bogged down.

захлеста́ть I *сов. см.* захлёстывать II.

захлеста́ть II *сов.* (*начать хлестать*; *о дожде*) begin* to lash down.

захлестну́ть *сов. см.* захлёстывать I.

захлёстывать I, захлестну́ть (*вн.*) 1. (*о волнах*) flow óver [-ou...] (*d.*), òver:flów [-ou] (*d.*); (*перен.*) sweep* óver (*d.*); òver:whélm (*d.*); 2. (*о петле, верёвке*) lash / throw* round [...-ou...] (*d.*), fásten [´fɑːsn] (*d.*), secúre (*d.*); захлестну́ть кого́-л. пе́тлей catch* smb. in a noose [...-s], lásso smb.

захлёстывать II, захлеста́ть (*вн.*) *разг.* (*бить, сечь кнутом и т. п.*) lash mércilessly (*d.*); захлеста́ть кого́-л. кнуто́м на́смерть flog smb. (to death) with a whip [...deθ...].

захло́пать *сов.* 1. (*начать хлопать*) begin* to clap, start clápping; ~ в ладо́ши begin* to clap one´s hands; 2. *как сов. к* хло́пать.

захло́пнуть(ся) *сов. см.* захло́пывать(-ся).

захлопота́ться *сов. разг.* be run off one´s feet (with bústling abóut).

захло́пывать, захло́пнуть (*вн.*) (*о двери, крышке*) slam (*d.*); (*запирать*) shut* in (*d.*). ~**ся**, захло́пнуться 1. slam to, be slammed, close with a bang; дверь захло́пнулась за ни́ми the door slammed behínd them [...dʒ:...]; 2. *страд. к* захло́пывать.

захмеле́ть *сов. разг.* become* típsy, get* tight.

захны́кать *сов. разг.* 1. (*начать хныкать*) begin* to whímper; 2. *как сов. к* хны́кать.

захо́д *м.* 1.: ~ со́лнца súnsèt; 2. (*куда-л.*) stópping (*at a place*); (*о судне*) cálling (at), pútting in (at); без ~а without stópping (*at a place*); без ~а в га́вань without pútting in, *или* cálling, at *a* port; 3. *ав.* (*тж.*) ~ на цель run (óver the tárget) [...-gɪt]; 4. *разг.* (*попытка*) attémpt.

заходи́ть I, зайти́ 1. (*к*) call (on), drop in (at); ~ в порт (*о судне*) call at *the* port; зайти́ к нему́ call on him; зайти́ за ним call for him; зайти́ в институ́т call at the ínstitute; зайти́ мимохо́дом drop in on the way, *или* while pássing; он до́лжен зайти́ в магази́н he must look in at the shop; он зайдёт сего́дня he will call to:dáy; он зайдёт за тобо́й he will fetch / colléct you, he will call for you; он зайдёт за кни́гами, за веща́ми *и т. п.* he will colléct the books, his things, *etc.*; 2. (*попасть куда-л.*) get* (*to a place*), come* (*to a place*); find* òneːsélf (*in a place*); куда́ мы зашли́? where have we got to?; он зашёл в незнако́мую часть го́рода he found himːsélf in a strange part of the cíty [...strei-...´sɪ-]; 3. (*за вн.*) go* (behínd), turn (*d.*); ~ за́ угол turn *a* córner; 4. (*без доп.*; *о солнце*) set*; 5. (*дт.*) *воен.* (*флангом, плечом*) wheel (round) (*d.*); ~ с фла́нга outflánk (*d.*); ~ в тыл take* in the rear; 6. *ав.*: ~ на цель make* one´s run óver the tárget [...-gɪt]; ◊ ~ сли́шком далеко́ go* too far; разгово́р зашёл о пого́де the cònversátion turned to the wéather [...´we-].

заходи́ть II *сов.* (*начать ходить*) begin* to walk; ~ взад и вперёд по ко́мнате pace the room.

заходи́ться I *сов. разг.* (*устать от ходьбы*) walk òneːsélf off one´s feet.

ЗАХ–ЗАШ

заходи́ться II, зайти́сь *разг.* (*неметь, затекать*) become* / grow* numb [...-ou...]; (*перен.*) sink*; мои́ ру́ки зашли́сь от хо́лода my hands are numb with cold; у него́ се́рдце зашло́сь от стра́ха his heart álmòst stopped béating, или jumped, from fear / térror [...ha:t ´ɔ:lmoust...].

заходя́щ∥**ий** 1.: ~ее со́лнце the sétting sun; 2. *воен.*: ~ фланг márching flank.

захо́жий *разг.*: ~ челове́к pásser-bỳ (*who calls at a house on his way*).

захолу́стный [-сн-] remóte; óut-of-the-wáy (*attr.*).

захолу́стье *с.* back of beyónd, remóte place.

захороне́ние *с.* 1. (*действие*) búrial [´be-]; 2. (*место*) búrial place.

захорони́ть *сов.* (*вн.*) búry [´be-] (*d.*).

захоте́ть(ся) *сов. см.* хоте́ть(ся).

захохота́ть *сов.* 1. (*начать хохотать*) burst* out láughing [...´lɑ:f-]; (*give* a*) gùffáw; 2. *как сов.* к хохота́ть.

захрапе́ть *сов.* 1. (*начать храпеть*) begin* to snore; 2. *как сов.* к храпе́ть.

захребе́тник *м. уст.* párasite.

захрипе́ть *сов.* begin* to wheeze, begin* to speak hóarsely (*ср.* хрипе́ть).

захрома́ть *сов.* 1. begin* to limp; 2. *как сов.* к хрома́ть.

захрусте́ть *сов.* begin* to crunch.

захуда́лый decáyed, shábby; ~ городо́к a shábby / rún-down little town.

заца́пать *сов.* (*вн.*) *разг.* grab (*d.*), lay* hold (of).

зацвести́ *сов. см.* зацвета́ть.

зацвета́ть, **зацвести́** (begin* to) blóssom, break* into bloom [breik...]; be in bloom / blóssom.

зацелова́ть *сов.* (*вн.*) *разг.* cóver with kísses [´kʌ-...] (*d.*), smóther with kísses [-ʌ-...] (*d.*), shówer kísses (on).

зацементи́ровать *сов.* (*вн.*) cemént (*d.*), get* ceménted (*d.*).

зацепи́ть(ся) *сов. см.* зацепля́ть(ся).

заце́пка *ж. разг.* 1. catch, peg, hook; 2. (*предлог, повод*) prétèxt; 3. (*помеха*) hitch, catch, snag; 4. (*протекция*) = зару́чка.

зацепле́ние *с. тех.* géaring [´gɪə-].

зацепля́ть, **зацепи́ть** 1. (*вн.*) get* hold (of), hook (*d.*); *тех.* en:gáge (*d.*), gear [gɪə] (*d.*); 2. (*за вн.*) *задевать*) catch* (on); (*вн.*; *перен.*) *разг.* sting* (*d.*). ~ся, зацепи́ться (*за вн.*) 1. catch* (on); 2. *разг.* (*хвататься*) catch* hold (of); 3. *страд.* к зацепля́ть.

зача́л∥**ивать**, **зача́лить** (*вн.*) *мор.* moor (*d.*). ~**ить** *сов. см.* зача́ливать.

зачаро́в∥**анный** 1. *прич. см.* зачаро́вывать; 2. *прил.* spéllbound; он стоя́л как ~ he stood spéllbound [...stud...]. ~**áть** *сов. см.* зачаро́вывать.

зачаро́вывать, **зачарова́ть** (*вн.*) bewítch (*d.*), cáptivàte (*d.*), enchánt [-ɑ:nt] (*d.*).

зача́ст∥**и́ть** *сов. разг.* (+ *инф.*) take* to (+ *ger.*); (*без доп.*) (*ходить куда-л.*) become* a cónstant / régular vísitor (*at a place*) [...-zɪ-]; он к нам ~и́л he has táken to vísiting us [...-zɪ-...], he is a cónstant / régular vísitor at our house* [...-s]; ◇ дождь ~и́л it begán to rain hárder, the rain begán to pelt down.

зачасту́ю *нареч. разг.* óften [´ɔ:f(t)ˇn], fréquently.

зача́тие *с.* concéption.

зача́т∥**ок** *м. биол.* rúdiment, émbryò; (*росток*) sprout; *чаще мн.* (*перен.*) émbryò, source [sɔ:s]; (*ср. тж.* заро́дыш). ~**очный** rudiméntary; в ~очном состоя́нии in émbryò; ~очные о́рганы rudiméntary órgans.

зача́ть *сов.* (*вн.*) *уст.* concéive [-i:v] (*d.*); (*без доп.*) become* prégnant.

заха́хнуть *сов. см.* ча́хнуть.

зачём *нареч.* what for; (*почему*) why.

зачём-то *нареч.* for some púrpose / réason or other [...-pəs -zˇn...].

заче́ркивать, **зачеркну́ть** (*вн.*) cross out (*d.*), strike* out (*d.*).

зачеркну́ть *сов. см.* заче́ркивать.

зачерне́ть(ся) *сов.* show* / look black [ʃou...], appéar black.

зачерпну́ть *сов. см.* заче́рпывать.

заче́рпывать, **зачерпну́ть** (*вн.*) draw* (*d.*); scoop (*d.*); (*ложкой*) spoon up / out (*d.*), ládle out (*d.*).

зачерстве́л∥**ость** *ж.* stáleness; (*перен.*) hárdness, crústiness. ~**ый** stale; (*перен.*) hárdened, ùnféeling, hárd-héarted [-´hɑ:t-].

зачерстве́ть *сов. см.* черстве́ть I.

зачерти́ть *сов.* (*вн.*) shade (*d.*), hatch (*d.*).

зачёс *м.* hair combed / brushed báckward [...koumd...]; у него́ ~ы на виска́х his hair is brushed back óver his temples.

зачеса́ть *сов. см.* зачёсывать.

зачеса́∥**ться** *сов.* 1. begin* to scratch òne:sélf; 2. (*о части тела*) begin* to itch; у него́ ~лся нос his nose begán to itch, his nose ítches.

заче́сть *сов. см.* зачи́тывать II.

заче́сться *сов. см.* зачи́тываться II.

зачёсывать, **зачеса́ть** (*вн.*) comb back [koum...] (*d.*), smooth by cómbing [-ð...] (*d.*).

зачёт *м.* 1. test; получи́ть ~, сдать ~ pass a test (in); поста́вить кому́-л. ~ (*по дт.*) pass smb. (in); мне поста́вили ~ по фи́зике they have passed me in phýsics [...-zɪ-]; 2.: в ~ пла́ты in páyment; ◇ э́то не в ~ it does not count; (*о проступке и т. п.*) it can be òver:lóoked. ~**ка** *ж. разг.* (stúdent's) récòrd-book [...´re-]. ~**ный** *прил.* к зачёт 1; ~ная кни́жка (stúdent's) récòrd-book [´re-], mark book; ~ная се́ссия test períod; ~ная стрельба́ *воен.* test fíring.

зачехли́ть *сов. см.* зачехля́ть и чехли́ть.

зачехля́ть, **зачехли́ть** (*вн.*) cóver [´kʌ-] (*d.*), put* on slíp-còvers [...-kʌ-].

зачи́н *м.* 1. *разг.* begínning; 2. *лит.* introdúction.

зачина́тель *м.* inítiàtor, piòneer; fóunder; tráil-blázer *разг.*

зачини́ть I *сов.* (*вн.*) mend (*d.*); (*сделать заплаты*) patch (*d.*).

зачини́ть II *сов.* (*вн.*; *о карандаше и т. п.*) shárpen (*d.*).

зачи́нщик *м.* ínstigàtor, ríng:leader.

зачисле́ние *с.*: ~ в штат táking / pútting on the staff, in:clúding in the staff; ~ в а́рмию enrólment [-´roul-], enlísting.

зачи́слить(ся) *сов. см.* зачисля́ть(ся).

зачисля́ть, **зачи́слить** (*вн.*) 1. in:clúde (*d.*); зачи́слить в счёт énter in an accóunt; 2. (*вносить в список*) énter (*d.*), list (*d.*); put* on the list (*d.*); (*в армию и т. п.*) enlíst (*d.*), enról [-oul] (*d.*); ~ в штат take* on the staff (*d.*); ~ кого́-л. на до́лжность секретаря́ take* smb. on as sécretary. ~**ся**, зачи́слиться 1. (*в вн.*) join (*d.*); énter (*d.*); 2. *страд.* к зачисля́ть.

зачи́стить *сов. см.* зачища́ть.

зачита́ть *сов. см.* зачи́тывать I. ~**ся** *сов. см.* зачи́тываться I.

зачи́тывать I, **зачита́ть** (*вн.*) 1. (*оглашать*) read* out (*d.*); 2. *разг.* (*не возвращать книгу*) bórrow (a book) and fail to retúrn to its ówner [...´ounə]; take* and keep (a book).

зачи́тывать II, **заче́сть** (*вн.*) 1. (*учитывать*) réckon (*d.*); заче́сть 5 рубле́й в упла́ту до́лга crédit 5 roubles towards páyment of a debt [...ru:-...det], redúce a debt by 5 roubles paid; 2. (*ставить зачёт*) (*d.*); (*принимать зачёт*) pass in (*d.*); преподава́тель зачёл мою́ рабо́ту the teacher has passed my work.

зачи́тываться I, **зачита́ться** 1. (*тв.*) become* en:gróssed (in réading) [...-´groust...], be absórbed in a book; 2. *страд.* к зачи́тывать I.

зачи́тываться II, **заче́сться** 1. be táken into accóunt; 2. *страд.* к зачи́тывать II.

зачища́ть, **зачи́стить** (*вн.*) *тех.* clean out (*d.*), smooth out [-ð...] (*d.*).

зачумлённый inféсted with plague [...pleig].

зачу́ять *сов.* (*вн.*) *разг.* scent (*d.*), smell (*d.*).

зашага́ть *сов.* 1. begin* to walk *и т. д.* (*см.* шага́ть); 2. *как сов.* к шага́ть.

зашарка́ть I *сов. см.* заша́ркивать.

заша́рк∥**ать** II *сов. разг.* begin* to shúffle; стари́к ~ал туфля́ми к двери́ the old man* shúffled in his slíppers to the door [...dɔ:].

заша́ркивать, **заша́ркать** (*вн.*) *разг.* leave* dírty fóotmàrks [...´fut-] (on); ~ пол leave* dírty fóotmàrks on the floor [...flɔ:].

зашата́ться *сов.* reel, stágger.

зашвартова́ть *сов.* (*вн.*) *мор.* moor (*d.*), tie up (*d.*). ~**ся** *сов. мор.* moor (up).

зашвы́ривать I, **зашвырну́ть** (*вн.*) throw* [θrou] (*d.*), fling* a:wáy (*d.*).

зашвы́ривать II, **зашвыря́ть** (*вн.*) shówer (with); зашвыря́ть кого́-л. камня́ми stone smb., throw* stones at smb. [θrou...].

зашвырну́ть *сов. см.* зашвы́ривать I.

зашвыря́ть *сов. см.* зашвы́ривать II.

зашевели́ть *сов.* 1. (*начать шевелить*) begin* to stir / move [...mu:v]; 2. *как сов.* к шевели́ть. ~**ся** *сов.* 1. (*начать шевелиться*) begin* to stir / budge; 2. *как сов.* к шевели́ться.

зашее́к *м.*, **заше́ина** *ж. разг.* = загри́вок.

зашелесте́ть *сов.* 1. (*начать шелесте́ть*) begin* to rústle; 2. *как сов.* к шелесте́ть.

зашепта́ть *сов.* 1. (*начать шептать*) begin* to whísper; 2. *как сов.* к шепта́ть. ~ся *сов.* **1.** *(нача́ть шепта́ться)* begin* to talk in whispers; **2.** *как сов. к* шепта́ться.

заши́б||а́ть, зашиби́ть *разг.* **1.** *(вн.; уда́рять)* hurt* *(d.)*, bruise [-u:z] *(d.)*; knock *(d.)*; **2.** *тк. несов. (без доп.; выпива́ть)* drink* hard; ◇ ~ де́ньгу́ make* (a lot of) móney [...'mʌ-], coin móney. ~а́ться, зашиби́ться **1.** *разг.* bruise òneself [-u:z...], knock òneself; **2.** *страд. к* зашиба́ть **1.** ~и́ть *сов. см.* зашиба́ть **1.** ~и́ться *сов. см.* зашиба́ться.

зашива́ть, заши́ть *(вн.)* sew* up [sou...] *(d.)*; *(чини́ть)* mend *(d.)*.

зашива́ться, заши́ться *(с тв.) разг.* be ùnáble to cope (with); be ùnáble to mánage *(d.)*; ~ с рабо́той be up to one's eyes in work [...aɪz...], be swamped / òverwhélmed with work.

заши́кать *сов. разг.* **1.** *(нача́ть ши́кать)* begin* to say hush / 'sh; **2.** *как сов. к* ши́кать.

зашипе́ть *сов.* **1.** *(нача́ть шипе́ть)* begin* to hiss; **2.** *как сов. к* шипе́ть.

заши́ть *сов. см.* зашива́ть.

заши́ться *сов. см.* зашива́ться.

зашифрова́ть *сов. см.* зашифро́вывать.

зашифро́вывать, зашифрова́ть *(вн.)* cípher ['saɪfə] *(d.)*, códify *(d.)*, (en:)códe *(d.)*, put* into code *(d.)*.

зашнурова́ть *сов. см.* зашнуро́вывать.

зашнуро́вывать, зашнурова́ть *(вн.)* lace up *(d.)*.

зашпаклева́ть *сов. см.* зашпаклёвывать.

зашпаклёвывать, зашпаклева́ть *(вн.)* pútty *(d.) (woodwork, etc., before painting)*.

зашпи́ливать, зашпи́лить *(вн.)* pin up *(d.)*, fásten with a pin [-s'n...] *(d.)*.

зашпи́лить *сов. см.* зашпи́ливать.

зашта́тный: ~ го́род *уст.* próvincial town that has lost its státus as an admínistrative cèntre; ≃ dówngràded town.

заштемпелева́ть *сов. см.* штемпелева́ть.

зашто́панный *прич. и прил.* darned.

зашто́пать *сов. см.* што́пать.

зашто́р||ивать, зашто́рить *(вн.)* cúrtain off *(d.)*. ~ить *сов. см.* зашто́ривать.

заштрихова́ть *сов. см.* штрихова́ть.

заштукату́рить *(вн.)* pláster (up) *(d.)*, coat with pláster *(d.)*.

заштукова́ть *сов. (вн.)* mend pérfectly / invísibly [...-zə-] *(d.)*.

зашуме́ть *сов.* **1.** *(нача́ть шуме́ть)* begin* to make a noise; **2.** *как сов. к* шуме́ть.

зашурша́ть *сов.* **1.** *(нача́ть шурша́ть)* begin* to rustle; **2.** *как сов. к* шурша́ть.

защебета́ть *сов.* **1.** *(нача́ть щебета́ть)* begin* to twitter / chirp; **2.** *как сов. к* щебета́ть.

защекота́ть *сов. разг.* **1.** *(вн.; изму́чить щеко́ткой)* tórture by tíckling *(d.)*; **2.** *(нача́ть щекота́ть)* begin* to tíckle; **3.** *как сов. к* щекота́ть.

защёлка *ж. разг. (в две́ри)* catch, latch; *(в механи́зме)* catch, pawl, latch.

защёлкать *сов.* **1.** *(о соловье́)* begin* to warble / sing; **2.** *(па́льцами, языко́м)* begin* to click.

защёлкивать, защёлкнуть *(вн.)* close with a snap *(d.)*, snap to *(d.)*. ~ся, защёлкнуться close with a snap, snap to.

защёлкнуть(ся) *сов. см.* защёлкивать(-ся).

защеми́ть I *сов. см.* защемля́ть.

защеми́||ть II *сов. безл.:* у него́ ~ло се́рдце *разг.* he felt a pang, his heart aches [...hɑːt eɪks].

защемля́ть, защеми́ть *(вн.)* jam *(d.)*; pinch *(d.)*, nip *(d.)*.

защипну́ть *сов. см.* защи́пывать.

защи́пывать, защипну́ть *(вн.)* take* *(d.)*, nip *(d.)*, tweak *(d.)*.

защи́т||а *ж.* defénce *(тж. юр. и спорт.)*, protéction; *(предохране́ние)* sáfegùard; *(прикры́тие)* cóver ['klʌ-]; ~ ми́ра и безопа́сности наро́дов the defénce of peace and sáfety of peoples [...piː-]; свиде́тели ~ы *юр.* wítnesses for the defénce; в ~у *(рд.)* in defénce (of); под ~ой *(рд.)* únder the protéction (of); ◇ ~ диссерта́ции defénce of *a* thésis *(pl. -*sès *[-siːz])*; ~ дипло́много прое́кта defénce of *a* diplóma próject.

защити́тельн||ый: ~ая речь speech in defénce of smb., speech for the defénce.

защити́ть *сов. см.* защища́ть **1, 2.** ~ся *сов. см.* защища́ться.

защи́тн||ик *м.* **1.** defénder, protéctor; **2.** *юр.* cóunsel for the defénce; колле́гия ~иков the Bar; **3.** *(в футбо́ле)* fúll-bàck ['ful-]. ~ица *ж. к* защи́тник **1.** ~ый protéctive; ~ый цвет kháki ['kɑːkɪ]; ~ая окра́ска *зоол.* protéctive còlourátion [...klʌ-].

защища́ть, защити́ть *(вн.)* **1.** defénd *(d.)*; *(огражда́ть)* protéct *(d.)*; ~ честь *(рд.; своей страны́, шко́лы и т.п.)* defénd / ùphóld* the hónour [...'ɔnə] (of); **2.** *(слове́сно)* speak* in support (of); stand* up (for); **3.** *тк. несов. юр.* defénd *(d.)*, plead for *(d.)*; ◇ ~ диссерта́цию defénd *a* thésis. ~ся, защити́ться **1.** *(оборона́ться)* defénd òneself; *(огражда́ть себя́)* protéct òneself; **2.** *разг. (публи́чно защища́ть диссерта́цию и т.п.)* defénd one's thésis; **3.** *страд. к* защища́ть.

заяви́тель *м.*, ~ница *ж.* declárant.

заяви́ться *сов. см.* заявля́ться.

зая́в||ка *ж. (на вн.)* claim (for), demánd [-ɑːnd] (for); сде́лать ~ку кому́-л. place an órder with smb., make* àpplicátion to smb.; програ́мма по ~кам радиослу́шателей requést prógram(me) [...'prou-], prógram(me) of requésts. ~ле́ние *с.* státement, dèclarátion; *(пи́сьменная про́сьба)* àpplicátion, wrìtten requést; сде́лать ~ле́ние make* a státement; пода́ть ~ле́ние put* in an àpplicátion.

заявля́ть, заяви́ть *(вн., о)* declare *(d.)*; *(объявля́ть)* annóunce *(d.)*; ~ пате́нт *(на вн.)* pátent *(d.)*; ~ права́ *(на вн.)* claim one's rights (to); ~ о жела́нии annóunce *a* desíre [...-'z-]; ~ проте́ст énter / récord / file a prótest.

заявля́ться, заяви́ться *разг.* appéar, turn up; он заяви́лся к нам по́здно ве́чером he turned up late at night.

зая́длый *разг.* invéterate.

за́я||ц *м.* **1.** hare; *(мех)* hare fur; **2.** *разг. (безбиле́тный пассажи́р) (особ.* на парохо́де*)* stówawày; *(зри́тель без биле́та)* gàte-cràsher; е́хать за́йцем trável without páying for a tícket ['træ-...]; take* a free ride; *(на парохо́де)* stow awày; ◇ одни́м уда́ром уби́ть двух за́йцев *погов.* ≃ kill two birds with one stone; за двумя́ за́йцами пого́нишься — ни одного́ не пойма́ешь *посл.* ≃ a bird in the hand is worth two in the bush [...buʃ]. ~чий *прил. к* за́яц **1**; ~чья ла́пка *(растение)* hare's foot* [...fut]; ~чья губа́ *мед.* hárelìp.

зва́ние *с.* rank; *(ти́тул)* title, státus; во́инское ~ mílitary rank; учёное ~ àcadémic státus; почётное ~ hónorary title ['ɔ-...]; ~ Геро́я Социалисти́ческого Труда́ title of a Hèro of Sócialist Lábour; ~ заслу́женного арти́ста title of Hónoured Ártist [...'ɔnəd...]; ~ чемпио́на ми́ра *(по дт.)* world title (in); получи́ть ~ инжене́ра, те́хника *и т.п.* acquíre the rank of èngineer, tèchnícian, *etc.* [endʒ-...].

зва́н||ый: ~ обе́д fórmal dínner-pàrty; bánquet; ~ые го́сти invíted guests; ~ ве́чер évening-pàrty ['iːv-], guést-night.

зва́тельный: ~ паде́ж *грам.* vócative case [...-s].

звать I, позва́ть *(вн.)* **1.** call *(d.)*; *(призва́ть к)* call upón *(d. to)*; ~ на по́мощь call for help *(d.)*; **2.** *(приглаша́ть)* ask *(d.)*, invíte *(d.)*.

звать II *(называ́ть)*: как вас, его́ *и т.д.* зову́т? what is your, his, *etc.*, name?; его́ зову́т Петро́м his name is Pyotr; ◇ помина́й как зва́ли *погов.* ≃ and that was the last that was éver seen *(of him, them, etc.)*.

зва́ться be called.

звезд||а́ *ж. (в разн. знач.)* star *(тж. об арти́сте, арти́стке и т.п.)*; па́дающие звёзды *астр.* shóoting / fálling stars; неподви́жная ~ *астр.* fixed star; ~ пе́рвой величины́ star of the first / híghest mágnitùde; пятиконе́чная ~ fíve-pòinted star; о́рденская ~ star *(decoration)*; о́рден Кра́сной Звезды́ Òrder of the Red Star; ~ экра́на film-stàr; морска́я ~ *зоол.* stárfish; ◇ ве́рить в свою́ ~у́ believe in one's lúcky star [-'liːv...]; он звёзд с не́ба не хвата́ет *разг.* ≃ he's no génius, he won't set the Thames on fire [...wount...].

звёздн||ый **1.** star *(attr.)*; sidéreal [saɪ'dɪərɪəl] *научн.*; ~ая ка́рта celéstial map; ~ год *астр.* sidéreal year; **2.** *(покры́тый звёздами)* stárry, stárlit; ~ое не́бо stárry sky; the night sky; ~ая ночь stárry / stárlit night; **3.** *спорт.* convérging; ~ пробе́г convérging race; ◇ ~ час hour of tríumph [auə...]; ~ая боле́знь *шутл.* star féver; bíg-hèadedness [-'hed-].

звездолёт *м.* spáceshìp, spáce:cràft.

звездолётчик *м.* spáceman*, àstronaut.

звездообра́зный stár-shàped.

звездопла́ватель *м.* = звездолётчик.

звездочёт *м. уст.* astróloger.

звёздочка *ж.* **1.** *уменьш. от* звезда́; **2.** *полигр.* ásterisk.

звен||е́ть **1.** ring*; стру́ны ~я́т the strings are twánging; це́пи ~я́т the

ЗВЕ – ЗДО

звено́ *с.* 1. (*в разн. знач.*) link; (*группа, бригада тж.*) team, group [-u:p]; (*об организации, аппарате*) séction; основно́е ~ main link; пионе́рское ~ group / únit of Young Pionéers [...jʌn...]; зве́нья обще́ственного произво́дства élements of sócial prodúction; 2. *воен. ав.* flight (of three planes); 3. *тех.*: ~ гу́сеницы (*трактора, танка*) link in cáterpillar track.

звеньево́й 1. *прил.* к звено́ 1, 2; 2. *м. как сущ.* (*колхоза*) field-team léader [ˈfiːld-...]; 3. *м. как сущ.*: ~ пионе́рского отря́да Young Pionéer group léader [jʌn... gruːp...].

звеня́щий *прич. и прил.* ríng:ing.

зверёнок *м.* = зверёныш.

зверёныш *м.* young of wild ánimal [jʌn...].

звере́ть, озвере́ть become* brútalized.

звери́||нец *м. уст.* menágerie [-dʒə-rɪ]. **~ый** *прил. к* зверь; *тж.* féral *научн.*; (*перен.*) brútish, sávage; **~ая** шку́ра skin of *a* beast; **~ые** следы́ tracks / fóotprints of *a* beast [...ˈfut-...]; **~ые** инсти́нкты sávage ínstincts.

зверобо́й I *м. бот.* St. John's wort [sntˈdʒɔnz-...].

зверобо́й II *м.* (*охотник*) húnter. **~ный**: **~ный** про́мысел trápping, húnting; **~ная** шху́на trápping schóoner.

зверово́д *м.* fúr-fármer. **~ство** *с.* bréeding of ánimals for furs. **~ческий** fúr-breeding.

зверо́лов *м.* trápper. **~ный**: **~ный** про́мысел húnting, trápping. **~ство** *с.* trápping.

звероподо́бный béast-like; béstial.

зверофе́рма *ж.* fur farm.

звер||ски *нареч.* 1. brútally, béstially; 2. *разг.* (*очень сильно*) áwfully, térribly; он ~ го́лоден he is rávenous; он ~ уста́л *разг.* he is térribly tired, he is dead beat [...ded...]. **~ский** 1. brútal, béstial; (*ужасающий*) atrócious, sávage; 2. *разг.* (*очень сильный*) terrífic, treméndous; у него́ **~ский** аппети́т he has a treméndous / rávenous áppetite. **~ство** *с.* 1. brutálity; 2. обыкн. мн. (*крайне жестокие поступки*) atrócities.

зве́рствовать beháve brútally / béstially; (*совершать зверства*) commít atrócities.

звер||ь *м.* wild ánimal, (wild) beast; (*перен.*) brute, beast; пушно́й ~ fúrry ánimal; *собир.* fúr-bearing ánimals [-beə-...] *pl.*; хи́щный ~ beast of prey; ◇ смотре́ть **~ем** ≅ look very fierce, look dággers, give* black looks.

зверьё *с. тк. ед. собир. разг.* wild beasts *pl.*, wild life; (*перен.*) beasts *pl.*, brutes *pl.*

зверю́га *м. и ж. разг.* = зверь.

звон *м.* peal, ríng:ing, cláng:ing; (*церковный*) chime; похоро́нный ~ (fúneral) knell; ~ шпор clank of spurs; коло́кольчиков tínkling of bells; ~ посу́ды clátter of cróckery; ◇ ~ в уша́х ríng:ing in *the* ears; слы́шал ~, да не зна́ет, где он погов. ≅ he does not know what he is tálking about [...nou...]. **~арь** *м.* béll-ríng:er; (*перен.*) *разг.* scándal-mònger [-mʌ-]; góssip.

звон||и́ть, позвони́ть ring*; (*о трамвае*) clang; ~ в ко́локол *и т.п.* ring* the bell, etc.; **~я́т** the bell's rínging, sómebody's ríng:ing (the dóorbèll) [...ˈdɔː-]; ~ кому́-л. по телефо́ну téléphòne / phone smb., ring* smb. up; он ~и́л об э́том *разг.* he phoned about it; вы не туда́ **~и́те** (*по телефону*) you've got the wrong númber; ◇ ~ во все колокола́ ≅ spread* the news far and wide [spred...-z...]. **~и́ться**, позвони́ться *разг.* ring* (a dóorbèll) [...ˈdɔː-].

звон||кий 1. ríng:ing, clear; résonant [ˈrez-]; ~ го́лос clear / ríng:ing voice; ~ смех ríng:ing / resóunding láughter [...-ˈzaun- ...ˈlɑːf-]; ~ поцелу́й smack, loud kiss; 2. *фон.* voiced; **~ие** согла́сные voiced cónsonants; ◇ **~ая** моне́та hard cash, coin.

звонко́вый *прил. к* звоно́к.

звонкоголо́сый with a resóunding / résonant voice [...-ˈzau- ˈrez-...].

звонни́ца *ж.* bélfry.

звоно́к *м.* (*в разн. знач.*) bell; электри́ческий ~ eléctric bell; дверно́й ~ dóorbèll [ˈdɔː-]; дать ~ ring*; разда́лся ~ a bell rang, a bell was heard [...həːd]; ~ по телефо́ну télephòne call.

звук *м.* sound; гла́сный ~ vówel; согла́сный ~ cónsonant; чи́стый ~, clear sound; ~ вы́стрела repórt (of *a* shot); ◇ ни **~а** not a sound; не издава́ть ни **~а** never útter a sound; пусто́й ~ émpty phrase; mere / émpty words *pl.* **~ово́й** *прил. к* звук; **~ова́я** волна́ *физ.* sound wave; **~ово́й** барье́р sound bárrier; **~ово́й** сигна́л sound sígnal; **~ово́й** фильм film with sóund-tràck; **~ово́е** кино́ tálking píctures *pl.*; **~ово́й** ме́тод (*обучения чтению*) phonétic méthod.

звукозапи́сывающ||ий sóund-recórding; ~ аппара́т recórding machine [...-ˈʃiːn], sound recórder; **~ая** аппарату́ра sound recórding equipment.

звукоза́пись *ж.* sound recórding; аппара́т для **~и** recórding machíne [...-ˈʃiːn], sound recórder; сту́дия **~и** recórding stúdio.

звуко||изоляцио́нный sóund-proof. **~изоля́ция** *ж.* sóund-proofing, sóund-insulátion.

звукомаскиро́вка *ж.* sound cámouflàge [...muflɑːʒ].

звукоме́трия *ж. воен.* sound ránging [...ˈreɪndʒ-].

звуконепроница́емый sóund-proof.

звукоопера́тор *м.* sound technícian.

звукоподража́||ние *с.* ònomatopóeia [-ˈpiːə]. **~тельный** ònomatopóeic [-ˈpiː-ɪk]; **~тельное** сло́во ònomatopóeic word.

звукопрово́д||ность *ж. физ.* sound condúctivity. **~ный, ~я́щий** sóund-condúcting.

звукопроница́емый sóund-transmítting [...-nz-]; sóund-transmíssion [-nz-] (*attr.*).

звукорежиссёр *м.* sound prodúcer.

звукоря́д *м. муз.* scale.

звукоснима́тель *м. рад.* sound recéiver [...-ˈsiːvə], píck-ùp.

звукосочета́ние *с.* sound cómbination.

звукоула́влива||ние *с. воен.* sígnal-sénsoring, sóund-ránging [-reɪndʒ-]. **~тель** *м. воен., ав.* sound-lòcátor [-lou-], sóund-ránger [-reɪndʒə].

звуч||а́ние *с.* sóund(ing), phònátion [fou-]. **~а́ть**, прозвуча́ть sound; ring*; (*отдаваться*) resóund [-ˈz-]; (*слышаться*) be heard [...həːd]; в его́ уша́х ещё **~а́ли**... his ears were still ríng:ing with...; его́ слова́ **~а́т** и́скренно his words ring true. **~а́щий** *прич. и прил.* sóunding, vibráting [vaɪ-].

зву́чн||о *нареч.* lóudly, sonórous:ly. **~ость** *ж.* sonórous:ness, sonórity. **~ый** sonórous; **~ый** го́лос resóunding / sonórous / rich voice [-ˈzaun-...].

звя́к||анье *с.* tínkling, jíngling. **~ать**, звя́кнуть *разг.* tinkle.

звя́кнуть *сов.* 1. *см.* звя́кать; 2. *разг.* (*позвонить по телефону*) ring* up.

зги: ни зги не ви́дно *разг.* it is pitch-dárk.

зда́ние *с.* búilding [ˈbɪ-], édifice.

здесь *нареч.* 1. (*в этом месте*) here; (*у нас*) here, with us; (*о стране и т.п.*) in this cóuntry [...ˈkʌ-]; ~ на́до доба́вить it should be added at this point; ~ и там here and there; кто ~? who is there?; 2. *разг.* (*в этом случае*) about it, in it; at this point; ~ нет ничего́ предосуди́тельного there is nothing rèprehénsible in / about it; ~ нет ничего́ смешно́го there is nothing fúnny about it; ~ на́до доба́вить it should be added at this point...

зде́шний of this place, lócal; here (*после сущ.*); ~ жи́тель a résident of this place [...ˈrez-...], one who lives in these parts [...lɪvz...]; ~ наро́д the péople here [...piː-]; the lócal péople; он не ~ he is a stránger here [...-eɪndʒə...].

здоро́ваться, поздоро́ваться (*с тв.*) say* how do you do (to); greet (*d.*), hail (*d.*); ~ за́ руку shake* hands (with).

здорове́нный *разг.* 1. (*о человеке*) véry strong, big, robúst, múscular; ~ па́рень a robúst / stúrdy / strápping féllow; 2. (*о предметах*) huge, enórmous.

здорове́ть, поздорове́ть *разг.* become* strong / stróng:er.

здорови́ла *м. и ж. разг.* héfty type.

здо́рово I *нареч. разг.* (*восклицание*) well done!, spléndid!, great! [-eɪt].

здо́рово II *нареч. разг.* (*хорошо*) màgníficently, spléndidly, supérbly; мы ~ порабо́тали we have done góod* work.

здоро́во I *межд. разг.* (*здравствуй*) hulló!, hi!

здоро́во II *нареч.* héalthily [ˈhe-], sóundly, whóle:somely [ˈh-], fine; ◇ (за) ~ живёшь *разг.* (*ни за что*) for nothing; (*без всякой причины*) without rhyme or réason [...-zˈn].

здоро́в||ый I 1. héalthy [ˈhe-]; (*сильный, крепкий*) strong, robúst, sound (*тж. перен.*); ~ румя́нец héalthy cólour [...ˈkʌ-]; име́ть ~ вид look strong / héalthy; 2. (*полезный*) whóle:some [ˈh-], héalthy; **~ая** пи́ща whóle:some food; ~ во́здух héalthy / clean air [ˈhel-...]; ~ кли́мат héalthy clímate [...ˈklaɪ-...];

208

◇ бу́дьте ~ы! (при прощании) good-býe!; (при чихании) bless you!; ~ая атмосфе́ра con:génial átmosphère; в ~ом те́ле ~ дух a sound mind in a sound bódy [...'bɔ-]; здоро́в как бык ≅ as strong as a horse.

здоро́в‖ый II разг. (большой) strong, sound, huge; ~ па́рень lústy / stúrdy féllow; ~ моро́з hard / sharp frost; зада́ть ~ую трёпку (дт.) give* a sound scólding / thráshing (i.).

здоро́вь‖е с. health [he-]; по состоя́нию ~я for reasons of health [...-z'n...]; как ва́ше ~? how are you?; ◇ пить за чьё-л. ~ drink* smb.'s health; на ~ as you please; (восклицание) you're wélcome!; за ва́ше ~! cheers!, your health!

здоровя́к м. разг. héalthy / stúrdy féllow ['helθɪ...], pérson in good condítion / shape.

здра́ви‖е с. уст. health [helθ]; нача́ть за ~, а ко́нчить за упоко́й start on a mérry note, but finish on a sad one; start smth. well and end bád:ly; ~я жела́ю! good mórning, áfternóon, évening, sir! [...'i:v-...].

здра́ви‖ца ж. toast; провозглаша́ть ~цу (кому́-л.) propóse a toast to smb.

здра́вница ж. health resórt [he- -'z-]; héalth-céntre ['he-]; sànatórium (pl. -ria [-rɪə]).

здра́во нареч. réasonably [-z-], sóundly, sénsibly; ~ рассужда́ть réason sóundly / sénsibly [-z'n...].

здравомы́сл‖ие с. good sense, judí:ciousness. ~ящий clear thínking, sénsible, judícious; ~ящий челове́к sénsible pérson, man* of good sense.

здравоохране́ни‖е с. health protéction [helθ...], (care of) públic health [...'ρʌ-...]; о́рганы ~я (públic) health sérvices.

здра́вст‖вовать [-áст-] be well; (процветать) prósper, thrive*; ◇ да ~вует! long live! [...liv]; ~ву́й(те) [-áст-] (как приветствие) how do you do!, helló!; (утром тж.) good mórning!; (днём тж.) good áfternoon!; (вечером тж.) good évening! [...'i:v-...]; поэт. hail!

здра́в‖ый 1. sénsible; ~ смысл cómmon sense; 2. (здоровый): здрав и невреди́м safe and sound; быть в ~ом уме́ be in one's right mind, be of sound mind.

зе́бра ж. зоол. zébra.

зе́бу м. нескл. зоол. zébù [-bu:].

зев м. анат. phárynx; воспале́ние ~а phàryngítis [-n'dʒaɪ-].

зев‖а́ка м. и ж. разг. ídler, gáper. ~а́ть, зевну́ть, прозева́ть 1. при сов. зевну́ть уаwn; 2. тк. несов. разг. (глазеть) gape; 3. при сов. прозева́ть разг. (пропускать) miss, let* slip; не ~áй!; keep your eyes ópen! [...aɪz...]; look sharp / alíve!; прозева́ть удо́бный слу́чай miss an opportúnity.

зевну́ть сов. см. зева́ть 1.

зев‖о́к м. уаwn; подави́ть ~ stifle a уawn. ~о́та ж. (fit of) yáwning.

зелене́ть, позелене́ть 1. (становиться зелёным) becóme* green; ~ от за́висти, ре́вности turn ~ be green with énvy, jéalousy [...'dʒe-]; 2. тк. несов. (покрыва́ться траво́й, листво́й) grow* / turn green [grou-]; 3. тк. несов. (виднеть-

ся) show* green [ʃou...]. ~ся = зелене́ть 3.

зелени́ть, позелени́ть (вн.) paint green (d.).

зеленн‖о́й: ~ая ла́вка gréengròcery [-grou-], gréengròcer's (shop) [-grou-...].

зелено́ватый gréenish.

зеленогла́зый gréen-éyed [-aɪd].

зеленщи́к м. gréengròcer.

зелён‖ый (в разн. знач.) green; ~ые насажде́ния (plàntations of) trees and shrubs; ~ горо́шек green peas pl.; ~ые корма́ green fórage sg.; ~ виногра́д! the grapes are sour!; ~ юне́ц разг. green young man* [...jʌŋ...], gréenhòrn; ◇ ~ая у́лица green, "go" (of traffic signals); дать ~ую у́лицу give* ópen pássage, give* the gó-ahéad [...-ə'hed].

зе́лень ж. тк. ед. 1. gréenery, vérdure [-dʒə]; 2. собир. (овощи) greens pl.; vegetables pl.; 3. (зелёная краска) green (cólour) [...'kʌ-]; (в геральдике) vert.

зелен‖я́ мн. разг. shoots of winter crops.

зело́ нареч. уст. véry, exceedingly.

зе́ль‖е с. уст. разг. 1. pótion; (яд) póison [-z'n]; приворо́тное ~ фольк. philtre, lóve-pòtion ['lʌv-]; 2. (о человеке) snake in the grass, pain, pest.

земе́льн‖ый прил. к земля́ 3; ~ уча́сток plot of land; ~ наде́л allótment; ~ая со́бственность (próperty in) land; ~ая ре́нта gróund-rent; ~ отде́л land depártment; ~ая рефо́рма land refórm.

землеве́дение с. phýsical geógraphy [-zɪ-...].

землевладе́‖лец м. lándowner [-ou-]; ме́лкие ~льцы smáll:hólders. ~льческий прил. к землевладе́лец. ~ние с. lándownership [-ou-]; госуда́рственное ~ние State ównership of land [...'ou-...]; обши́нное ~ние commúnal ównership of land.

земледе́л‖ец м. fármer. ~ие с. ágricùlture, fárming.

земледе́льческ‖ий àgricúltural; ~ие ору́дия àgricúltural ímplements; ~ произво́дственный кооперати́в àgricúltural (prodúction) cò-óperative.

землеко́п м. návvy.

землеме́р м. land sùrvéyor. ~ный gèodétic; ~ный шест Jácob's staff.

землепа́ш‖ество с. уст. tíllage, húsbandry [-z-]. ~ец м. уст. plóugh:man*, tíller.

землепо́льзование с. land ténure.

землепрохо́дец м. уст. discóverer of híther:tó ún:knówn lands [-'kʌ-... -'noun...], explórer.

землеро́б м. уст. fármer, plóugh:man*.

землеро́йка ж. зоол. shrew.

землеро́йн‖ый: ~ая маши́на éarth-móving machíne ['ə:θ'mu:v- ...-'ʃi:n], earth móver [ə:θ'mu:və].

землесо́с м. тех. hydrául:ic / súction dredge / drédger.

землетрясе́н‖ие с. éarthquàke ['ə:θ-]; оча́г ~ия séism:ic / éarthquàke centre.

землеустро́йство с. эк. òrganizátion of the use of land [-nai-...ju:s...].

землечерпа́лка ж. тех. drédger, dígger.

земли́ст‖ый éarthy ['ə:-]; ~ цвет лица́ sállow compléxion.

земл‖я́ ж. 1. (в разн. знач.) earth [ə:θ]; засыпа́ть ~ёй (вн.) cóver (up,

ЗДО – ЗЕР 3

óver) with earth ['kʌ-...] (d.), búry ['be-] (d.); сравня́ть с ~ёй (вн.) raze to the ground (d.); ме́жду не́бом и ~ёй (перен.) разг. betwéen héaven and earth [...'he-...]; упа́сть на зе́млю fall* to the ground; 2. (3.) (планета) the Earth; 3. (владения, территория; тж. суша) land; (перен.) soil; поме́щичьи ~ собир. (lándowners') estátes [-ou-...] pl.; переде́л ~ rè:distribútion of land; на ру́сской ~е́ on Rússian soil [...-ʃən...]; 4. (почва) soil; ◇ ~ гори́т у него́ под нога́ми the ground is slípping from únder his feet.

земля́к м. (féllow-)cóuntry:man* [-'kʌ-]; (по городу) féllow-tówns:man* [-nz-]; (по деревне) féllow-víllager; он мой ~ we come from the same parts.

земля́не мн. inhábitants of the Earth [...-ə:θ], dwéllers on the plánet Earth.

земляни́‖ка ж. тк. ед. 1. собир. (wild) stráwberries pl.; садо́вая ~ gárden stráwberries; 2. (об отдельной ягоде) (wild) stráwberry; 3. (куст) (wild) stráwberry. ~чный stráwberry (attr.); ~чное варе́нье stráwberry jam.

земля́нка ж. dúg-out, éarth-house* ['ə:θ- -s].

земляно́‖й éarthen ['ə:-]; ~ые рабо́ты éarth-móving work ['ə:θ'mu:v-...] sg.; ~ оре́х gróund-nùt, péanùt; ~я́ гру́ша Jerúsalem àrtichòke; ~ червь éarth-wòrm ['ə:θ-].

земля́чество с. fríendly assòciátion (of péople from the same área) ['fren-... pi:... 'eərɪə].

земля́чка ж. cóuntry-wòman* ['kʌ- wu-] (ср. земля́к).

зе́мно нареч.: ~ кла́няться уст. bow to the ground.

земново́дн‖ые мн. скл. как прил. зоол. Àmphíbia. ~ый зоол. àmphíbious.

земн‖о́й éarthly ['ə:-]; terréstrial научн.; ~ шар the (terréstrial) globe; ~а́я ось áxis of the equátor [...ɪ'kweɪ-]; ~а́я кора́ the earth's crust [...-ə:θs...]; ◇ ~ покло́н уст. bow to the ground.

зе́мский прил. к зе́мство.

земсна́ря́д м. тех. hydrául:ic / súction dredge / drédger.

зе́мство с. ист. Zémstvo (eléctive dístrict cóuncil in pre-revolútionary Rússia).

зе́мщина ж. ист. 1. civílian pòpulátion; 2. zémshchina (bóyar domáins, as ópposed to opríchnina, únder tsar Ivan the Térrible).

зени́т м. астр. zénith; ◇ в ~е сла́вы at the height of one's fame [...haɪt...].

зени́тка ж. воен. разг. áck-áck gun.

зени́т‖ный 1. астр. zénithal; 2. воен. ánti-áircràft (attr.); ~ное ору́дие ánti-áircràft gun; ~ная артилле́рия ánti-áircràft artíllery. ~чик м. ánti-áircràft gúnner.

зени́ц‖а ж. уст., поэт. púpil (of the eye) [...aɪ]; ◇ бере́чь как ~у о́ка (вн.) chérish as the ápple of one's eye (d.).

зе́ркало с. lóoking-glàss, glass; mírror (тж. перен.); мед. spéculum (pl. -la [-lə]); ручно́е ~ hand mírror; гла́дкий

ЗЕР – ЗЛО

как ~ smooth as a mirror [-ð...], únrúffled; ◇ кривое ~ distorting mirror.

зерка́льность ж. smooth / shiny súrface [-ð...].

зерка́льн||ый прил. к зе́ркало; (перен.) smooth [-ð], ~ заво́д mirror fáctory; ~ое стекло́ pláte-glàss; ~ое окно́ pláte-glàss window; ~ шкаф wárdrobe / cúpboard with a mirror [...'kʌbəd...]; ~ое изображе́ние mirror image, refléction (in mirror); ~ая пове́рхность smooth / únrúffled súrface; ~ая гладь о́зера the smooth / únrúffled súrface of the lake; ~ый карп mirror carp.

зе́ркальце с. уменьш. от зе́ркало.

зерни́ст||ый gráiny; gránular; ◇ ~ая икра́ únpréssed cáviar(e) [...'kævɪɑː].

зерно́ с. 1. grain; (семя) seed; (перен.) core, kérnel; ко́фе в зёрнах cóffee-beans [-fɪ-] pl.; разу́мное, основно́е ~ kérnel / core of (good) sense; 2. собир. grain, corn; (зерновые культу́ры) céreals [-rɪəlz] pl.; grain crop sg.; ◇ жемчу́жное ~ pearl [pɜːl]; ~ и́стины grain of truth [...truːθ].

зернобобо́в||ый: ~ые культу́ры legúminous plants [...plɑː-].

зернови́дный gránular.

зернов||о́й 1. прил. к зерно́ 2; ~ые зла́ки, ~ые культу́ры céreals [-rɪəlz], grain-crops; ~ое хозя́йство grain fárming; ~ комба́йн cómbìne hárvester; 2. мн. как сущ. grain-crops.

зернодроби́лка ж. с.-х. córn-crùsher.

зерноочисти́тельн||ый: ~ая маши́на с.-х. winnower, winnowing machine [...'ʃiːn].

зернопогру́зчик м. с.-х. mechánical grain lóader [-'kæ-...].

зернопоста́вки мн. grain supplies / delíveries.

зерносовхо́з м. State grain farm.

зерносуши́лка ж. grain drýer.

зерноубо́рочный: ~ комба́йн cómbine hárvester.

зернофура́ж м. céreal / grain fódder [-rɪəl...], fórage ['fɒr-].

зернохрани́лище с. gránary.

зернойдный зоол. granívorous.

зёрнышко с. уменьш. от зерно́ 1.

зефи́р м. 1. Zéphyr; 2. (ткань) zéphyr; 3. (конфеты) ≅ márshmàllow.

зигза́г м. zigzàg.

зигзагообра́зный zigzàg.

зи́ждиться (на пр.) be based / founded [...-st...] (on).

зима́ ж. winter; снежная ~ snówy winter [-oʊ...]; суро́вая ~ sevére winter; ~ наступа́ет winter is coming; ◇ ско́лько лет, ско́лько зим! разг. ≅ how long it's been!, it's áges since we (last) met!

зи́мн||ий прил. к зима́; тж. wintry; ~яя спя́чка (животных) hibernátion [haɪ-]; ~ие расте́ния winter plants [...-ɑːnts]; ~ие кварти́ры воен. winter quárters; ~ спорт winter sports pl.; ~ее солнцестоя́ние winter sólstice; ~яя пого́да wintry wéather [...'we-]; ~ий день wintry day; ~ее со́лнце wintry sun; ◇ ~ сад winter gárden, consérvatory.

зим||ова́ть, прозимова́ть winter, pass / spend* the winter; (о животных, птицах и т.п.) hibérnate ['haɪ-]; ◇ он узна́ет, где ра́ки ~у́ют ≅ he will get it in the neck. **~о́вка** ж. 1. wintering, winter stay; (животных) hibernátion [haɪ-]; оста́ться на ~о́вку stay for the winter; winter (at a place); 2. (жилье) winter-càmp; (станция) pólar station. **~о́вщик** м. winterer. **~о́вье** с. 1. winter hut / cabin; 2. (животных) winter quárters.

зимо́й нареч. in winter.

зимородок м. зоол. hálcyon, kíngfisher.

зимосто́йк||ий winter-proof; winter (attr.); that keeps well in winter (после сущ.); ~ие культу́ры winter plants [...-ɑː-]. **~ость** ж. hárdiness, resístance to cold [-'zɪs-...].

зимо́ю = зимо́й.

зипу́н м. hómespùn coat.

зия́ние I с. gáping, yáwning; ~ бе́здны the gáping of a chasm [...k-].

зия́ние II с. лингв. híatus.

зия́||ть gape, yawn. **~ющий** прич. и прил. gáping, yáwning; ~ющая ра́на gáping wound [...wuːnd]; ~ющая бе́здна yáwning abýss, gáping / yáwning chasm [...k-].

зла́к||и мн. (ед. злак м.) céreals [-rɪəlz]; хле́бные ~ céreals. **~овый**: ~овые расте́ния céreals [-rɪəlz].

зла́то с. поэт. уст. gold.

злато||ве́рхий фольк., поэт. with roof(s) of gold (после сущ.). **~гла́вый** поэт. góld-dòmed; with gold cúpolas.

злат||о́й поэт. уст. gólden; сули́ть ~ые го́ры кому́-л. ≅ prómise smb. the moon [-s...].

злато||кры́лый поэт. góld(en)-pínioned. **~ку́дрый** поэт. gólden-haired. **~тка́ный** поэт. góld-brocàded.

златоу́ст м. уст., ирон. sílver-tóngued órator [-'tʌŋd-...].

златоцве́т м. бот. ásphodèl, óx-eye [-aɪ].

зла́чн||ый: ~ое ме́сто уст., разг. den of iníquity.

зле́йший: ~ враг worst / bítterest énemy.

злеть разг. become* ángry / annóyed.

злить (вн.) ánger (d.), vex (d.); (дразнить) tease (d.); (раздражать) írritàte (d.). **~ся** be írritàted, be in a bad témper; (на вн.; серди́ться) be ángry (with).

зло I с. évil ['iː-]; (вред) harm; его́ ~ берёт he feels annóyed, he is out of témper; со зла from málice, out of spite; жела́ть кому́-л. зла bear* smb. ill will, или málice [bɛə...]; причиня́ть кому́-л. ~ hurt / harm / injure smb.; отплати́ть ~м за добро́ repáy* good with évil; ◇ ко́рень зла root of all évil; из двух зол выбира́ть ме́ньшее choose* the lésser of two évils.

зло II нареч. malíciously; ~ подшути́ть над кем-л. play a spíteful trick on smb.

злоб||а́ ж. spite; (гнев) ánger; по ~е out of málice / spite; пита́ть ~у про́тив кого́-л. hárbour a grudge, или nurse a grievance, against smb. [...'griːv-...]; ◇ ~ дня the tópic of the day; the látest news [...-z]; на ~у дня concerning the látest news.

зло́биться (на вн.) разг. feel* bítter (towards), be in a bad témper (with).

зло́бный spíteful, malícious.

злободне́вн||ость ж. tópical interest / cháracter [...'kæ-]. **~ый** on íssues of the day (после сущ.); tópical; (жгу́чий) búrning; ~ый вопро́с tópical quéstion [...-stʃ-]; ~ые вопро́сы the búrning íssues of the day.

злоб́ствовать (на вн.) bear* málice [bɛə...] (towards), have it in (for).

злове́щ||ий óminous, sínister; (предвеща́ющий несча́стье) óminous, bóding ill; ~ вид évil / sínister look ['iː-...]; ~ая тишина́ óminous sílence [...'saɪ-]; ~ го́лос óminous voice.

злово́н||ие с. stink, stench. **~ный** fétid, stínking.

зловре́дный hármful, nóxious; pernícious.

злоде́й м., **~ка** ж. villain, miscreant [-rɪənt], maléfàctor. **~ский** villáinous. **~ство** с. villáiny; (злодейский посту́пок) villáinous act, évil deed ['iː-...].

злоде́йствовать act villáinously.

злодея́ние с. (héinous) crime, évil deed ['iː-...].

зложела́тельный уст. malévolent, malignant, spíteful.

злой wicked, malícious; vícious; быть злым на кого́-л. be ángry with smb.; со злым умыслом with évil / malicious intént [...'iː-...]; юр. of málice afórethought [...'ɔː-...]; ◇ ~ язы́к wicked / spíteful tongue [...tʌŋ]; зла́я во́ля évil intént; ~-презло́й ≅ (as) ángry as hell.

злока́чественн||ый мед. malignant; ~ая о́пухоль malignant túmour.

злоключе́ние с. mishàp, misadvénture.

злоко́зненный уст. insídious, cráfty, wily.

злонаме́ренный ill-inténtioned.

злонра́в||ие с. уст. bad cháracter [...'kæ-], deprávity. **~ный** уст. of bad cháracter [...'kæ-], depráved.

злопа́мят||ность ж. = злопа́мятство. **~ный** ráncorous; full of ráncour (после сущ.). **~ство** с. ráncour, únforgívingness.

злополу́чный ill-stárred, ill-fáted.

злопыха́тель м. malignant pérson, spíteful crític. **~ский** malévolent. **~ство** с. malévolence; ránting.

злопыха́ть be malévolent; rant.

злора́д||ный gloating, malíciously delighting in anóther's misfórtune [...-fɔːtʃ-]. **~ство** с. malicious joy, gloating delight.

злора́дствовать gloat óver, или rejoice at, the misfórtunes of others [...-tʃənz...].

злоречи́вый уст. spéaking with málice.

злоре́чие с. уст. malícious talk / words.

злосло́вие с. malignant góssip, scándal, báckbiting.

злосло́вить talk scándal, say* spíteful things.

зло́стн||ый 1. malícious; ~ая клевета́ malicious slánder [...'slɑː-]; 2.: ~ое банкро́тство fráudulent bánkruptcy [...-rəpsɪ]; ~ неплате́льщик persistent nón-páyer / deváulter.

зло́сть ж. málice; spite; ill-náturedness [-'neɪ-]; (я́рость) fúry; его́ ~ берёт (на *вн.*) *разг.* it makes him wild / furious (with).

злосча́стный *уст.* ill-starred, ill-fated.

зло́тый *м. скл. как прил.* (*денежная единица в По́льше*) zlóty.

злоу́мышленн|ик *м. уст.* malefàctor, deliberate críminal. **~ый** *уст.* ill-inténtioned, with críminal inténtment.

злоупотреби́ть *сов.* см. злоупотребля́ть.

злоупотребле́ние *с.* abúse [-s], mísuse [-s]; ~ дове́рием breach of trust / cónfidence; ~ вла́стью the abúse of pówer.

злоупотребля́ть, злоупотреби́ть (*тв.*) abúse (*d.*); ~ чьим-л. дове́рием betráy smb.'s cónfidence; ~ вла́стью abúse one's pówer; ~ свои́м положе́нием abúse one's posítion [...-'zɪ-]; ~ гостеприи́мством tréspass on, *или* abúse, smb.'s hòspitálity.

злоязы́ч|ие *с.* slánder [-ɑ:-], báckbìting. **~ный** slánderous [-ɑ:-].

злы́день *м. разг.* wícked créature.

злю́||ка, ~чка *м. и ж. разг.* malícious créature. **~щий** *разг.* fúrious, very ángry, enráged, séething with ánger.

змееви́дный sérpentine; sínuous, wríthing ['raɪ-].

змееви́к *м.* 1. *тех.* coil (pipe); 2. *мин.* sérpentine, óphite.

змеёныш *м.* young snake [jʌn...]; (*перен.*) víper; tréacherous / wícked créature ['tre-...].

змеи́н|ый *прил.* к змея́; **~ое жа́ло** bite of a snake, snake bite.

змеи́ться (*извива́ться*) wind*, coil; meánder; (*скользи́ть*) glide by; (*по дт.; об улы́бке*) touch lightly [tʌtʃ...] (*d.*), appéar.

змей *м.* 1. *миф.* sérpent, drágon [-æ-]; 2. (*бума́жный*) kite; **запуска́ть змея́** fly* *a* kite.

змейка *ж. уменьш. от* змея́.

зме́йковый: ~ аэроста́т kite ballóon.

змея́ *ж.* (*прям. и перен.*) snake; (*о бо́лее кру́пных зме́ях*) sérpent; **грему́чая ~** ráttle:snake; **очко́вая ~** cóbra; ◇ ~ подколо́дная *разг.* snake in the grass, víper; **пригре́ть змею́ на груди́** keep* / chérish a snake in one's bósom [...'buzəm].

знава́||ть: ~л, ~ла и т.д. used to know [juː...nou]: **она́ ~ла его́ ребёнком** she used to know him as a child*.

знак *м.* 1. sign [saɪn]; (*си́мвол*) tóken, sýmbol; (*след*) mark; ~ ра́венства *мат.* sign of equálity; **восклица́тельный ~** *грам.* exclamátion mark; **вопроси́тельный ~** *грам.* quéstion-màrk [-stʃ-]; ~ **препина́ния** *грам.* pùnctuátion mark; ~и препина́ния *грам.* stops, pùnctuátion marks; 2. (*предзнаменова́ние*) ómen; 3. (*сигна́л*) signal; **дать ~** signal, give* *the* signal; ◇ **де́нежный ~** bánknòte; **фабри́чный ~** trade-màrk; **госуда́рственный «Знак ка́чества»** State "Quálity Sýmbol"; **доро́жные ~и** *мн.* traffic signs; ~ **отли́чия** dècorátion, médal ['me-]; ~ **разли́чия** (*зва́ния*) badge of rank; (*до́лжности и т.п.*) distínguishing badge; **под ~ом** (*рд.*) únder the badge (of); **в ~ дру́жбы** as a tóken of friendship [...'fre-].

знако́мец *м. уст. разг.* acquáintance; pal; **ста́рый ~** an old pal.

знако́мить, познако́мить (*вн.* с *тв.*) acquáint (*d.* with); (*представля́ть кого́-л. кому́-л.*) introdúce (*d.* to); ~ **кого́-л. с го́родом** show* smb. round *the* town. ~**ся**, познако́миться 1. (с *кем-л.*) meet* (smb.), make* the acquáintance (of smb.), make* smb.'s acquáintance; *сов. тж.* get* to know [...nou] (smb.); 2. (с *тж.*: *посеща́ть*) vísit [-z-] (*d.*); (*осма́тривать*) see* (*d.*): ~**ся с музе́ями го́рода** see* the muséums of a cíty [...-'zɪ-... 'sɪ-].

знако́мств||о *с.* (*в ра́зн. знач.*) acquáintance; (*круг знако́мых тж.*) circle of friends [...fre-]; acquáintances *pl.*; (с *тв.*) familiárity (with); **ша́почное ~** nódding acquáintance; **заводи́ть ~ с ке́м-л.** become* acquáinted with smb.; **подде́рживать ~ с ке́м-л.** maintáin friendly relátions with smb. [...'fre-...], keep* up with smb.; **по ме́ре ~а с ни́ми, она́...** as she came to know them better, she... [...nou...]; **по ~у** by exploiting, *или* using, one's (pérsonal) connéctions, by púlling strings [...'pu-...].

знако́м|ый I *прил.* famíliar; (с *тв.*) acquáinted (with); **его́ лицо́ мне ~о** his face is famíliar (to me), I know his face [...nou...].

знако́мый II *м. скл. как прил.* acquáintance; (*хоро́ший, бли́зкий*) friend [frend].

знамена́тел|ь *м. мат.* denóminàtor; **о́бщий ~** cómmon denóminàtor; **привести́ к одному́ ~ю** redúce to a cómmon denóminàtor.

знамена́тельн|ый 1. signíficant, pòrténtous, moméntous; ~**ое собы́тие** impórtant / moméntous evént; 2. *лингв.* càtegoremátic, of full méaning; ~**ые слова́** càtegoremátic words.

зна́мение *с. уст.* sign [saɪn] ◇ ~ **вре́мени** sign of the times.

знамени́т|ость *ж.* celébrity; **стать ~остью** become* fámous, become* a celébrity. ~**ый** fámous, célebràted, illústrious.

знамено́вать (*вн.*) expréss (*d.*), signifý (*d.*), mark (*d.*).

знамено́сец *м.* stándard-bearer [-bɛə-] (*тж. перен.*).

знамёнщик *м.* cárrier of the cólours [...'kʌ-]; stándard-bearer [-bɛə-].

зна́м|я *с.* bánner; (*полково́е; в пехо́те*) cólours ['kʌ-] *pl.*; cólor ['kʌ-] *амер.*; (*в кавале́рии*) stándard; **подня́ть ~** raise the bánner; (*перен.*) raise the stándard / bánner; **под ~енем** únder the bánner; **с развева́ющимися ~ёнами** with bánners flýing; **высоко́ держа́ть ~** (*рд.*) hold* high the bánner (of).

зна́ни||е *с.* knówledge ['nɔ-]; *мн. тж.* èrudítion *sg.*, accómplishments; **поверхностное ~** súper:ficial knówledge, smáttering of knówledge; **со ~ем де́ла** with cómpetence, cómpetently; **приобрести́ ~я** acquíre knówledge.

зна́тность *ж. уст.* exálted státion.

зна́тн|ый 1. (*о выдаю́щихся лю́дях в СССР*) nótable, distínguished; 2. *уст.* (*принадлежа́щий к зна́ти*) nóble; 3. *разг.* (*отли́чный*) whácking ['wæ-]; ~**ая су́мма** a whácking sum (*of money*); ~**ые бли́нчики** delícious páncàkes.

знато́к *м.* (*рд.*) éxpert (on), cònnoisséur [kɔnɪ'sə:] (of); ~ **вое́нного де́ла** mílitary éxpert; ~ **поэ́зии** cònnoisséur / judge of póetry; ~ **иску́сства** art cònnoisséur; **быть ~о́м своего́ де́ла** know* one's trade / búsiness [nou...'bɪz-]; **с ви́дом ~а́** with a knówledge:able air [...'nɔ-...].

знать I *гл.* (*вн., о пр.*) know* [nou] (*d.*); be a:wáre (of); be acquáinted (with), have a knówledge [...'nɔ-] (of); ~ **в лицо́** know* by sight (*d.*); ~ **понасльшке** know* by héarsay (*d.*); ~ **своё де́ло** know* one's job; **не ~** (*рд.*) be ígnorant (of), be ún:a:wáre (of); **не зна́ющий** (*рд.*) ígnorant (of); ◇ **дать ~ кому́-л.** let* smb. know; **дать кому́-л. ~ о себе́** let* smb. hear from one; **дава́ть себя́ ~** make* it:sélf felt; **он ~ не хо́чет** he doesn't want to know, he won't hear of it [...wount...]; **кто зна́ет? good:**ness knows; **зна́ете ли вы** (*вводн. сл.*) you know; **как ~, почём ~** *разг.* who knows [...nouz]; ~ **толк в чём-л.** be a good judge of smth., be an éxpert in smth.; **не ~ поко́я** know* no peace; ~ **ме́ру** know* when to stop; ~ **себе́ це́ну** know* one's own worth / válue [...oun...]; **наско́лько я зна́ю** as far as I know; **не ~, что де́лать** not know what to do, be at a loss; **быть при́лично знать** be at a loose end [...-s...] *идиом.*; **так знай же!** let me tell you then!; **живи́, поступа́й и т.п. как зна́ешь** get on as best you can; ~, **что к чему́** know* the how and why of things.

знать II *ж. собир. ист.* arístocracy, nobílity; the élite (*фр.*) [...eɪ'li:t].

знать III *вводн. сл. разг.* évidently, it seems.

зна́ться (с *тв.*) *разг.* assóciate (with); **он с тобо́й и ~ не хо́чет** he will have nothing to do with you.

зна́ха||рка *ж.* sórceress, wise wóman* [...'wu-]; (*лека́рка*) quack [-æk-]. ~**рство** *с.* sórcery, quáckery [-æk-]. ~**рь** *м.* sórcerer, wise man*; (*ле́карь*) quáck(-dòctor) [-æk-], wítch-dòctor.

зна́чащ||ий 1. *прич. см.* зна́чить; 2. *прил.* signíficant; méaning:ful; **ма́ло ~ of little** signíficance; **ничего́ не ~ méaning:less**; (*не име́ющий значе́ния*) unimpórtant; **ничего́ не ~ие фра́зы** méaning:less phráses; **ничего́ не ~ее собы́тие** unimpórtant / insignificant evént.

значе́ни||е *с.* 1. (*смысл*) signíficance, méaning, sense; **буква́льное ~** líteral méaning / sense; **прямо́е ~** diréct sense / méaning; **перено́сное ~** fígurative sense / méaning; 2. (*ва́жность*) impórtance; **междунаро́дное ~** internátional signíficance [-'næ-...]; **всеми́рное ~** world signíficance; **реша́ющее ~** decísive impórtance; **име́ть большо́е, ма́лое, осо́бенно ва́жное ~** be of great, little, particular impórtance [...greɪt...]; **ме́стного ~я** of lócal impórtance; **придава́ть ~ чему́-л.** attách impórtance to smth.; **э́тим не исче́рпывается ~ да́нного слу́чая** that is not the whole signíficance of this evént [...houl...]; **э́то име́ло исключи́тельно ва́жное ~** it was of the

ЗНА – ЗРИ

útmost impórtance; не придавáть ~я чемý-л. attách no impórtance to smth.; **3.** *мат.* válue.

знáчим‖ость *ж.* **1.** *лингв.* méaningfulness; **2.** (*важность*) significance, impórtance. **~ый 1.** *лингв.* méaningful; **2.** (*важный*) significant, impórtant.

знáчит *вводн. сл. разг.* so, then, well then.

значи́тельн‖о *нареч.* **1.** considerably; **2.** (*выразительно*) significantly. **~ость** *ж.* impórtance, significance. **~ый 1.** (*о мере, степени, количестве и т. п.*) considerable; sizeable; substántial; в ~ой мéре, стéпени to a considerable extént; to a marked degrée; **2.** (*выразительный*) significant, méaningful; **~ый** взгляд significant glance; **3.** (*важный*) impórtant.

знáч‖ить 1. mean*, signify; что э́то ~ит? what does it mean?; ~ли э́то, что? does it mean that?; э́то чтó-нибудь да ~ит there is smth. behind that; э́то ничегó не ~ит it is of no impórtance; **2.** (*иметь вес, значение*) mean*.

знáчиться be, be méntioned, appéar; ~ в спи́ске be / appéar / figure on the list.

значóк *м.* **1.** mark; **2.** (*для ношения на одежде*) badge.

знáющий 1. *прич. см.* знать I; **2.** *прил.* léarned ['lə:nɪd]; schólarly, érudite; (*умелый*) skílful, cómpetent, able.

знобѝ‖ть *безл.*: егó ~ит he feels féverish / chílly, he is shívering [...'ʃɪ-].

знóй *м.* inténse heat, súltriness. **~ный** hot, búrning, súltry.

зоб *м.* **1.** (*у птицы*) crop, craw; **2.** *мед.* goitre, wen. **~áстый** *разг.* **1.** (*о птице*) with a large crop / craw; **2.** (*о человеке*) góitrous.

зов *м.* call, súmmons; прийти́ по пéрвому ~у come* at the first súmmons; откли́кнуться на ~ respónd to the call / súmmons, ánswer a súmmons ['ɑ:nsə...].

зодиáк *м. астр.* zódiac; знáки ~а signs of the zódiac [saɪnz...]. **~áльный** *астр.* zódiac (*attr.*), zodíacal.

зóдч‖еский *прил. к* зóдчество; *тж.* àrchitéctonic [ɑ:k-], àrchitéctural [ɑ:k-]; **~еское** иску́сство árchitecture ['ɑ:k-]. **~ество** *с.* árchitecture ['ɑ:k-].

зóдчий *м. скл. как прил.* árchitect ['ɑ:k-].

золá *ж. тк. ед.* áshes *pl.*

зол‖éние *с.* líming. **~и́ть** (*вн.*) lime (*d.*).

золóвка *ж.* síster-in-law (*pl.* sísters-) (*husband's sister*).

золоти́стый góldish.

золоти́ть, позолоти́ть (*вн.*) gild [g-] (*d.*); ◇ позолоти́ть пилю́лю ≃ swéeten, súgar the pill [...'ʃu-...]. **~ся** becóme* gólden; shine* gólden.

золотни́к I *м. уст.* zolotník (*about 4.26 gr.*); ◇ мал ~, да дóрог *погов.* ≃ líttle bódies may have great souls [...'bɒ-... greɪt soulz]; good things come in small páckages.

золотни́к II *м. тех.* valve, slide, D-válve ['diː-]; цилиндри́ческий ~ píston valve.

зóлот‖о *с.* **1.** gold (*тж. перен.*); (*в геральдике*) or; червóнное ~ pure gold; тóнкое листовóе ~ gold leaf; листовóе ~ béaten gold; добы́ча ~а góld-mining; сусáльное ~ tínsel, gold leaf; накладнóе ~ gold plate; плати́ть ~ом, в ~е pay* in gold; онá настоя́щее ~ she is pure gold, *или* a tréasure [...'treʒə]; **2.** *разг.* (*медаль за первое место в спортивных соревнованиях*) gold; ◇ на вес ~a worth *its* weight in gold; не всё то ~, что блести́т *посл.* all that glítters is not gold.

золотоволóсый gólden-haired.

золотодобы́тчик *м.* góld-miner.

золотоискáтель *м.* góld-prospéctor; (*старатель*) góld-digger.

золот‖óй I *прил.* **1.** (*в разн. знач.*) gold; gólden (*перен. или поэт.*); (*в геральдике*) or (*attr.*); **~ые** при́иски góld-field(s) [-fiː-], góld-mine(s) [-n-]; запáс ~ gold resérves [...-'zəːvz] *pl.*; **~áя** валю́та gold cúrrency; ~ рубль gold rouble [...ruː-]; **~ы́х** дел мáстер *уст.* góld-smith; ~ песóк gold dust; **~óе** рунó *миф.* the gólden fleece; мой ~! my tréasure / dárling / précious! [...'treʒ-... 'preʃ-]; **2.** (*являющийся обладателем медали за первое место в спортивных соревнованиях*) призёр gold médallist; ◇ ~ век the Gólden Age; **~áя** молодёжь gílded youth ['gɪ- juːθ]; jeunesse dorée (*фр.*) [ʒəː'nes dɔ'reɪ]; **~ые** рýки skílful / cléver fíngers [...'klе-...], mágical hands; у негó **~ые** рýки he is a hándy man*; **~áя** середи́на the gólden mean; the háppy médium; **~óе** дно *разг.* góld-mine; **~ые** словá gólden words; ≅ the very truth itsélf [...tru:θ...]; **~áя** свáдьба gólden wédding.

золотóй II *м. скл. как прил.* (*монета*) gold coin; (*в Англии*) *уст.* sóvereign [-rɪn].

золотоносн‖ый góld-bearing [-bɛə-]; auríferous *научн.*; ~ая жи́ла vein of gold, gold vein; ~ райóн góld-field [-fiːld].

золотопромы́шленн‖ик *м.* **1.** (*работник*) góld-miner; **2.** (*владелец золотых приисков*) ówner of góld-mines ['ou-...]. **~ость** *ж.* góld-mining (índustry). **~ый** *прил. к* золотопромы́шленности.

золототы́сячник *м. бот.* céntaury.

золотошвéйн‖ый góld-embróidery (*attr.*); ~ая мастерскáя góld-embróidery shop.

золотýх‖а *ж.* (*болезнь*) scrófula. **~шный** scrófulous.

золочéние *с.* gílding ['gɪ-]. **~ёный** gílded ['gɪ-], gilt [g-].

зóлушка *ж. фольк.* Cinderélla.

зóльник *м. тех.* áshpit.

зóн‖а *ж.* zone; ~ воéнных дéйствий zone of mílitary operátions. **~áльный** zone (*attr.*).

зонд *м.* probe.

зонди́ровать (*вн.*; *прям. и перен.*) sound (*d.*); *мед.* probe (*d.*); ◇ ~ пóчву explóre the ground; take* / make* sóundings, put* out féelers.

зонт, зóнт‖ик *м.* umbrélla; (*от солнца*) súnshade, parasól; (*большой — на пляже*) beach umbrélla; (*навес*) áwning. **~ичный** *бот.* úmbellate, umbellíferous.

зоогеогрáфия *ж.* zòogeógraphy [zouə-].

зоó‖лог *м.* zoólogist [zou'ɔl-]. **~логи́ческий** zoológical [zouə'lɔ-]; (*перен.; о нравах и т. п.*) brútish, béstial; ◇ ~логи́ческий сад zoológical gárdens *pl.*, zoo. **~лóгия** *ж.* zoólogy [zou'ɔl-].

зоомагази́н *м.* pét-shòp.

зооморфи́зм *м.* zòomórphism [zou'ɔm-].

зоопáрк *м.* zoológical gárdens [zouə'lɔ-...] *pl.*, zoo.

зоопланктóн *м.* ánimal plánkton.

зоопсихолóгия *ж.* ánimal psychólogy [...saɪ'k-].

зоосáд *м.* zoológical gárdens [zouə'lɔ-...] *pl.*, zoo.

зоотéхни‖к *м.* ánimal technícian, lívestòck éxpert / spécialist [...'spe-]. **~ка** *ж.* zòotéchnics [zouə'tek-].

зоофи́ты *мн. зоол.* zóophỳtes ['zouə-].

зоо‖хими́ческий zòochémical [zouə'ke-]. **~хи́мия** *ж.* zòochémistry [zouə'ke-].

зóркий 1. shárp-sighted; ~ глаз an alért eye [...aɪ]; **2.** (*бдительный*) vígilant.

зóрко *нареч.* vígilantly, with a vígilant eye [...aɪ]; ~ следи́ть за чем-л. be on the alért for smth. **~сть** *ж.* vígilance.

зóрьк‖а *ж. уменьш. от* заря́ 1; на ~е at dawn, at first light.

зрáзы *мн. кул.* zrázy (*meat pies stuffed with rice, buckwheat, mashed potatoes, etc.*).

зрачóк *м.* pùpil (of the eye) [...aɪ].

зрéлищ‖е *с.* sight, spéctacle; show [ʃou] *разг.*; (*представление*) perfórmance; (*уличное театрализованное*) págeant ['pædʒənt]; street théatre [...'θɪə-]; представля́ть собóй жáлкое ~ presént / look a sórry spéctacle [-'z-...], be a sórry sight. **~ный** *прил. к* зрéлище; **~ные** предприя́тия plàces of èntertáinment.

зрéл‖ость *ж.* (*прям. и перен.*) rípeness, matúrity; cóming of age; половáя ~ púberty; ◇ аттестáт ~ости schóol-leaving certíficate. **~ый** (*прям. и перен.*) ripe, matúre; в ~ом вóзрасте at a matúre age; по ~ом размышлéнии on (matúre) refléction; on sécond thoughts [...'se-...]; ~ое социалисти́ческое общéство matúre sócialist society.

зрéни‖е *с.* sight, éyesight ['aɪ-]; *мед.* vísion; óрган ~я órgan of sight; слáбое ~ weak (éye)sight; имéть хорóшее ~ have good* eyes / éyesight [...aɪz...]; ◇ пóле ~я field of vísion [fiːld...]; в пóле ~я withín éyesight [...'aɪ-], in sight; вне пóля ~я out of sight, out of one's field of vísion; обмáн ~я óptical illúsion; под углóм ~я from the stándpoint, from the point of view [...vjuː]; тóчка ~я point of view, stándpoint.

зреть I, созрéть rípen; grow* ripe [grou...]; (*перен.*) matúre; я́блоки зрéют apples are rípening; зрéют плáны plans are matúring.

зреть II, узрéть *уст.* **1.** (*вн.*; *видеть*) behóld* (*d.*); **2.** (*на вн.*; *смотреть*) gaze (upón).

зри́мый 1. *прич. см.* зреть II; **2.** *прил.* vísible [-z-].

зри́тель *м.*, **~ница** *ж.* spectátor, ónlooker; *мн. собир. тж.* áudience *sg.*; (*в театре тж.*) house [-s] *sg.*; быть зри́телем look on. **~ный 1.** vísual ['vɪz-], óptic; ~ный нерв *анат.*

óptic nerve; ~ная память vísual mémory; 2.: ~ный зал hall, auditórium; 3.: ~ная труба télescope.

зря *нареч. разг.* to no púrpose [...-s], for nothing; он болтáет ~ he is cháttering ídly; ~ трудиться, ~ старáться ≅ it's no use trýing [...-s...]; он ~ пришёл сюдá he has come here for nothing, *или* on a fool's érrand.

зрячий *м. скл. как прил.*: он ~ he can see.

зря́шн||ый *разг.* 1. to no púrpose [-s], wásted ['weɪ-]; ~ая рабóта úse:less / wásted work; 2. (*о человеке*) góod-for-nóthing, wástrel ['weɪ-].

зуáв *м.* zouáve [zu:'ɑ:v].

зуб *м.* tooth*; молóчный ~ mílk-tooth*; глазнóй ~ (*клык*) éye-tooth* ['aɪ-], cánine tooth*; кореннóй ~ mólar; ~ мýдрости wísdom tooth* ['wɪz-...]; шатáющийся ~ loose tooth* [-s...]; вставны́е ~ы false teeth [...fɔ:ls...]; (*челюсти*) déntures; скрежетáть ~áми gnash one's teeth; ◇ вооружённый до ~óв ármed to the teeth; держáть язы́к за ~áми hold* one's tongue [...tʌŋ-]; имéть ~ прóтив когó-л., точи́ть ~ы на когó-л. *разг.* ≅ have a grudge agáinst smb.; класть ~ы на пóлку *разг. см.* класть I; он ни в ~ толкнýть *разг.* ≅ he has:n't a clue; сквозь ~ы through clenched teeth; у негó ~ нá зуб не попадáет his teeth are cháttering; хоть ви́дит óко, да ~ неймёт *посл.* ≅ there's many a slip ('twixt cup and lip); это навя́зло у всех в ~áх éverybody has had enóugh of it [...ɪ'nʌf...], éverybody is sick and tired of it. ~áстый *разг.* lárge-tóothed [-θt], with large teeth; (*перен.*) shárp-tòngued [-tʌŋd], bíting, sarcástic.

зубáтка *ж.* (*рыба*) láncet fish.

зубéц *м.* 1. tooth*; (*мúll-*)còg; ~ вúлки prong; 2. *обыкн. мн.* (*крепостнóй стены*) mérlon; (*горы*) jag; 3. (*радара*) blip.

зуби́ло *с. тех.* póint-tool, chísel ['tʃɪz'l].

зубн||óй 1. déntal; tooth (*attr.*); ~áя боль tóoth-àche [-eɪk]; ~ врач déntist; ~ тéхник déntal technícian; ~ протéз dénture; (*отдельного зуба*) false tooth* [fɔ:ls...]; ~ая щётка tóoth-brùsh [...ʌ-]; ~ порошóк tóoth-pòwder; ~áя пáста tóoth-pàste [-peɪst]; 2. *лингв.* déntal; ~ соглáсный déntal cónsonant.

зубóвн||ый: скрéжет ~ gnáshing of teeth; со скрéжетом ~ым *уст. разг.* with the út:most relúctance.

зубоврачéбный: ~ кабинéт déntal súrgery.

зубоврачевáние *с.* déntistry.

зубóк *м.* уменьш. от зуб; ◇ подари́ть на ~ bring* a présent / gift for a néw-bòrn báby [...-ez- g-]; попáсть на ~ комý-л. be torn to píeces by smb. [...'pi:s-...]; 2. *тех.* bit.

зуболечéбн||ица *ж.* déntal súrgery. ~ый = зубоврачéбный.

зуборéзный: ~ станóк géar-cùtting / serráting machíne ['gɪə-... -ʃi:n].

зубоскáл *м. разг.* mócker, scóffer. ~ить *разг.* mock, scoff; (*над*) scoff (at). ~ьство *с. разг.* móckery, scóffing.

зуботы́чина *ж. разг.* sock on the jaw.

зубочи́стка *ж.* tóothpìck.

зубр *м.* 1. *зоол.* áurochs; 2. *разг.* (*консервативный человек*) díe-hàrd.

зубр||ёжка *ж. разг.* crámming. ~и́л(к)а *м. и ж. разг.* crámmer.

зубри́ть I (*вн.*) *разг.* learn* by rote [lə:n...] (*d.*), cram (*d.*); ~ урóки grind* a:wáy at one's léssons.

зубри́ть II (*вн.*) serráte (*d.*), notch (*d.*) (*ср. тж.* зазýбривать I).

зубрóвка *ж.* 1. *бот.* swéet-gràss; 2. (*настойка*) zubróvka (*sweet-grass vodka*).

зубчáт||ка *ж. тех.* ráck-wheel. ~ый toothed [-θt], cogged; (*зазубренный*) nótched, indénted; ~ая передáча *тех.* tooth géar(ing) [...'gɪə-]; ~ая рéйка rack; ~ая желéзная дорóга ráck-railway; ~ое колесó cóg-wheel; géar-wheel ['gɪə-...]; (*малое*) pínion.

зуд *м.* (*прям. и перен.*) itch.

зудá *м. и ж. разг.* bore.

зуд||éть I itch; ◇ рýки у меня́ ~я́т (+ *инф.*) my hands itch (+ to *inf.*), I am ítching (+ to *inf.*).

зудéть II (*издавать звенящий звук*) zoom; (*перен.; надоедать*) nag.

зуди́ть *разг.* 1. = зудéть II; 2. (*когó-л.*) nag (at smb.); 3. (*вн.*) = зубри́ть I.

зуёк *м. зоол.* plóver [-ʌvə].

зулýс *м.,* ~ский Zúlú ['zu:lu:].

зýммер *м. тех.* búzzer.

зумпф *м. горн.* sump, díbhole.

зурнá *ж.* zúrna ['zu:-] (*Oriental wind instrument*).

зы́биться surge, be rúffled, toss.

зы́бка *ж. разг.* cradle.

зы́бк||ий únstéady [-'ste-]; (*о мнениях и т.п.*) vácillàting; ~ая лóдка sháky (small) boat; ~ая повéрхность óзера rippled súrface of a lake; ~ое болóто quáking bog; ~ое положéние (*перен.*) trícky situátion.

зыбýн *м.* márshy ground; bog.

зы́буч||ий únstáble; ~ий únstéady [-'stedɪ]; ~ие пески quícksánds.

зыбь *ж.* swell, surge; rípple; лёгкая ~ rípple(s) (*pl.*); мёртвая ~ *мор.* swell; подёрнуться ~ю rípple.

зы́кать, зы́кнуть (на *вн.*) *разг.* cut* short (*d.*); speak* brúsque:ly / cúrtly (to), bark (at).

зы́кнуть *сов. см.* зы́кать.

зы́чный loud, stentórian; ~ гóлос stentórian voice.

зюйд *м. мор.* 1. (*направление*) south; 2. (*ветер*) sóutherly wind [...wɪ-].

зюйд-вéст *м. мор.* 1. (*направление*) sóuth-wést; 2. (*ветер*) sóuthwéster ['sau'we-]. ~ка *ж.* sóu'wèster ['sau'we-].

зюйдовый *прил. к* зюйд; ~ вéтер sóutherly wind [...wɪ-].

зюйд-óст *м. мор.* 1. (*направление*) sóuth-éast; 2. (*ветер*) sóutheáster.

зя́бкий sénsitive to cold, chílly.

зя́блев||ый: ~ая вспáшка *с.-х.* áutumn plóughing.

зя́блик *м. зоол.* cháffinch.

зя́бнуть súffer from cold; shíver ['ʃɪ-], freeze*.

зябь *ж. тк. ед. с.-х.* land plóughed in áutumn for spring sówing.

зять *м.* (*муж дочери*) són-in-law ['sʌn-] (*pl.* sóns-); (*муж сестры*) bróther-in-law ['brʌ-] (*pl.* bróthers-).

ЗРЯ – ИГЛ И

И

и *союз* 1. (*соединение*) and; (*последовательность*) and then; (*соответствие ожидавшемуся*) and so (+ *подлежащее + вспомогат. глагол*): стол и стул *a* table and *a* chair; они́ стоя́ли и ждáли they stood and wáited [...stud...]; ...и он уéхал ...and then he left; он собирáлся уéхать и уéхал he thought he would leave and so he did; 2. (*именно*) that is what, where, who; здесь он и жил it was here that he lived [...lɪvd]; вот об э́том-то он и дýмает that is what he is thínking of; сюдá он приходи́л this is where he used to come to [...ju:st...]; э́того человéка они́ и ждáли that is the man* they have been wáiting for; 3. (*с сослагательным наклонением*) не переводится: он и пошёл бы, да не мóжет he would like to go but he cánnot; 4. (*также*) too; (*при отрицании*) éither ['aɪ-]: и в э́том слýчае in this case too [...keɪs...]; и не там нет их éither; и он не сдéлал э́того he did not do it éither; э́то и для негó нелегкó it is not éasy for him éither [...'i:zɪ...]; 5. (*при перечислении*) and: и мужчи́ны, и жéнщины, и дéти men, wómen and children [...wɪm-...]; — и... и... both... and... [bouθ...]: и áрмия и флот both the ármy and the návy; 6. (*даже*) éven: он и спаси́бо не сказáл he did not éven say thank you; ◇ и так дáлее, и прóчее etcétera [ɪt'setrə], and so forth, and so on; и вот и now; и други́е and óthers.

ибери́йский Ibérian [aɪ-].

и́бис *м. зоол.* íbis ['aɪ-].

и́бо *союз* for.

и́ва *ж.* wíllow; плакýчая ~ wéeping wíllow; корзи́ночная ~ ósier ['ouʒə].

ивáн-да-мáрья *ж. тк. ед.* ców-wheat.

ивáновск||ий: во всю ~ую *разг.* with all one's might; кричáть во всю ~ую shout at the top of one's voice.

ивáн-чáй *м. тк. ед.* wíllow-hèrb, fíre:weed.

ивня́к *м. тк. ед.* 1. (*ивовая заросль*) wíllow-bèd; ósier-bèd ['ouʒə-]; зарóсший ~ом grown / óver:grown with ósier [groun.../ouʒə]; 2. *собир.* (*ивовые прýтья*) wíllow-bránches [-ɑ:-] *pl.*; ósier(s) ['ouʒə(z)] (*pl.*).

и́вовый *прил. к* и́ва.

и́волга *ж.* óriole.

иври́т *м. нескл.* Ivrít (*Modern Hebrew*).

игл||á *ж.* 1. néedle; (*у животных*) quill, spine; (*у растений*) thorn, príckle; (*хвоя*) néedle; вязáльная ~ knítting-needle; хирурги́ческая ~ súture néedle; 2. (*острый шпиль здания*) spire, stéeple. ~и́стый príckly; cóvered with néedles ['kʌ-...]; ~и́стый скат *зоол.* thórn-bàck.

игловидный néedle-shàped.

иглодержáтель *м.* néedle:hólder.

иглокóжие *мн. скл. как прил. зоол.* echínodérmata [e'kaɪ-].

иглообрáзный néedle-shàped.

ИГЛ—ИДТ

игло́‖**терапи́я** *ж.*, **~ука́лывание** *с. мед.* ácupùncture.

игнори́ровать *несов. и сов.* (*вн.*) ignóre (*d.*); (*пренебрегать*) disregárd (*d.*).

и́го *с. тк. ед.* yoke; освобожда́ть от и́га (*вн.*) ún͡yóke (*d.*).

иго́л‖**ка** *ж.* needle; ◇ сиде́ть как на ~ках *разг.* be on pins and needles, be on thorns, be on ténterhooks. **~очка** *ж. уменьш. от* игла́ и иго́лка; оде́тый с ~очки spick and span, костю́м, пла́тье *и т. п.* с ~очки bránd-néw suit, dress, *etc.* [...sju:t...].

иго́льн‖**ик** *м.* néedle-càse [-s]. **~ый** *прил. к* игла́; ~ое ушко́ eye of a needle [aɪ...].

иго́льчатый néedle-shàped.

иго́рный gámbling, gáming; ~ дом gámbling-hoùse* [-s]; ~ прито́н *разг.* gámbling-dèn; ~ стол gámbling-tàble, gáming-tàble, pláy-tàble.

игр‖**а́** *ж.* (*в разн. знач.*) play; (*актёра тж.*) ácting, perfórmance; (*на муз. инструменте*) pláying; (*род игры*) game; аза́ртная ~ game of chance / házard [...'hæ-]; gámbling game *разг.*; за ~о́й at play; ко́мнатные и́гры (*детские*) índoor games [-dɔː...]; (*для взрослых*) society games; подвижны́е и́гры óutdoor games [-dɔː...]; Олимпи́йские и́гры Olýmpic games; Всеми́рные студе́нческие и́гры World stúdents' games; ◇ не сто́ит свеч the game is not worth the candle; риско́ванная ~ rísky gamble; ~ приро́ды freak / sport of náture [...'neɪ-]; ~ слов play (up͡)ón words, pun; ~ воображе́ния freak of the imaginátion; ~ слу́чая freak of chance; биржева́я ~ на би́рже stockjóbbing; вести́ кру́пную ~у play for high stakes. **~а́льный** pláying; ~а́льные ка́рты pláying-càrds; ~а́льные ко́сти dice.

и́граный (alréady) used [ɔː¹ɾe-...]; sécond-hánd ['sek-].

игра́‖**ть**, сыгра́ть 1. (*в разн. знач.*) play; (*об актёре тж.*) act, perfórm; ~ во что-л. play at smth.; ~ роль play *a* part; ~ Га́млета, Тартю́фа play / act Hámlet, Tàrtúffe [...'hæ-...]; ~ на роя́ле, скри́пке *и т. п.* play the piáno, the violín, *etc.* [...'pjæ-...]; ~ в четы́ре руки́ play a dúet on the piáno; ~ в ша́хматы, в ка́рты, в те́ннис *и т. п.* play chess, cards, ténnis, *etc.*; ~ без де́нег play without stakes; play for love [...lʌv] *идиом. разг.*; ~ на де́ньги play for móney [...'mʌ-]; ~ по большо́й play for high stakes, play high; ~ че́стно, нече́стно play fair, foul; 2. *тк. несов.* (*переливаться*) sparkle; (*о румянце*) play; 3. *тк. несов.* (*тв., с тв.; относиться несерьёзно*) toy (with), trifle (with); ◇ ~ кому́-л. в ру́ку *или* на́ руку play into smb.'s hands, act in smb.'s fávour; ~ с огнём play with fire; ~ слова́ми play (up͡)ón words; ~ пе́рвую, втору́ю скри́пку (*прям. и перен.*) play first, sécond fiddle [...'sek-...]; э́то не ~ет ро́ли it is of no impórtance, it does not mátter at all; ~ на би́рже spéculàte

on the Stock Exchánge [...-'tʃeɪ-]. **~ючи** *нареч. разг.* óff-hánd. **~ющий** 1. *прич. см.* игра́ть; 2. *м. как сущ.* pláyer.

игре́невый (*о масти лошади*) líver-chéstnut ['lɪ- -sn-].

игри́вый pláyful; (*кокетливый — о женщине*) skíttish; (*легкомысленный*) light, wánton.

игри́ст‖**ый**: ~ое вино́ spárkling wine.

и́грище *с. уст.* públic mérrymàking ['pʌ-...], féstive gáther͡ing of young péople [...jʌn piː-].

игрови́к *м.* = зате́йник.

игров‖**о́й** 1. (*предназначенный для игр*) pláying; ~а́я площа́дка pláying ground; 2. (*связанный с игрой актёров*): ~ фильм fíction film / pícture.

игро́к *м.* pláyer; (*в азартные игры*) gámbler.

игроте́ка *ж.* colléction of chíldren's games; games store.

игру́‖**н** *м.*, **~нья** *ж. разг.* pláyful child*; котёнок-~ pláyful kítten.

игру́ш‖**ечный** *прил. к* игру́шка; ~ магази́н tóyshòp; ~ечное ружьё tóy-rìfle, ~ка *ж.* toy; (*перен.*) pláything; ◇ э́то не ~ки this is not to be trifled with.

игу́мен *м.* Fáther-Sùpérior (of a mónastery) ['fɑː-...-trɪ].

игу́менья *ж.* Móther-Sùpérior (of a núnnery) ['mʌ-...].

ида́льго *м.* = гида́льго.

идеа́л *м.* idéal [aɪ'dɪəl]; ~ы коммуни́зма idéals of cómmunism. **~иза́ция** *ж.*, **~изи́рование** *с.* idealizátion [aɪdɪə-laɪ-]. **~изи́ровать** *несов. и сов.* (*вн.*) idéalize [aɪ'dɪə-] (*d.*).

идеал‖**и́зм** *м.* idéalism [aɪ'dɪə-]. **~и́ст** *м.*, **~и́стка** *ж.* idéalist [aɪ'dɪə-]. **~исти́ческий**, **~исти́чный** idéalìst [aɪ'dɪə-] (*attr.*).

идеа́льн‖**ость** *ж.* ideálity [aɪdɪ'æ-]. **~ый** idéal [aɪ'dɪəl]; (*превосходный тж.*) pérfect; ~ый газ *физ.* idéal gas.

иде́йно-полити́ческий ideológical and polítical.

иде́йн‖**ость** *ж.* móral súbstance / fibre ['mɔ-...]; (*о литературе, искусстве и т. п.*) móral intélligence; (*о литературном произведении*) ideológical / idéa cóntent [aɪ- aɪ'dɪə-...]. **~ый** ideológical [aɪ-]; comitted to philosóphical prínciples; (*возвышенный*) élevàted, lófty; ~ое руково́дство ideológical léadership; высо́кий ~ый у́ровень high / supérior ideológical lével [...'le-]; ~ый челове́к man* with firm ideológical prínciples; ~ое содержа́ние idéa cóntent [aɪ'dɪə-...], móral súbstance / fibre ['mɔ-...]; ~ое ору́жие ideológical wéapon [...'wep-].

идентифи‖**ка́ция** (-дэ-) *ж.* identificátion [aɪ-]. **~ци́ровать** (-дэ-) *несов. и сов.* (*вн.*) idéntify [aɪ-] (*d.*).

иденти́чн‖**ость** (-дэ-) *ж.* idéntity [aɪ-]. **~ый** [-дэ-] idéntical [aɪ-].

идеогра́мма *ж. лингв.* ídeogràm ['aɪ-], ídeogràph ['aɪ-]. **~фи́ческий** *лингв.* ìdeográphic(al) [aɪ-]. **~фия** *ж. лингв.* ìdeógraphy.

идео́лог *м.* ideólogist [aɪ-]. **~и́ческий** ìdeológical [aɪ-]; ~и́ческий фронт ideológical front [...frʌ-].

идеоло́гия *ж.* ìdeólogy [aɪ-].

иде́‖**я** *ж.* idéa [aɪ'dɪə]; (*понятие*) nótion, cóncèpt; обще́ственные ~и só-cial idéas; госпо́дствующие ~и preváiling idéas; боро́ться за ~ю fight* for *an* idéa; ~ рома́на *the* idéa, *или* the theme, of *a* nóvel [...'nɔ-]; гениа́льная ~ brílliant idéa; пода́ть ~ю suggést *an* idéa [-'dʒest...]; он пе́рвый по́дал э́ту ~ю he was the first to suggést the idéa; счастли́вая ~ lúcky / háppy thought; ~ навя́зчивая ~ fixed idéa, obséssion; idée fixe (*фр.*) [iːdeɪ'fiːks].

идилли́ческий, **~ный** idýll͡ic.

иди́ллия *ж.* ídyll.

идио́ма *ж.*, **~ти́зм** *м. лингв.* ídiom, ìdiomátic expréssion.

идиома́тика *ж. лингв.* 1. stúdy of ídioms ['ɪdɪ-...]; 2. *собир.* idiomátic expréssions *pl.*, ídioms *pl.*

идиомати́ческий *лингв.* ìdiomátic.

идиосинкр‖**ази́я** *ж. мед.* idiosýncrasy. **~ати́ческий** *мед.* ìdiosyncrátic.

идио́т *м.* ídiot, ímbecìle; *разг.* dolt, dunce. **~и́зм** *м.* ídiocy, ìmbecílity. **~и́ческий**, **~ский** idiótic, ímbecìle. **~ство** *с. разг.* ídiocy.

и́диш *м. нескл.* Yíddish, the Yíddish lánguage.

и́дол *м.* ídol; *бран.* cállous / obtúse pérson; ◇ стоя́ть, сиде́ть ~ом stand*, sit* like a stone ímage.

идолопокло́н‖**ник** *м.* ídolater [aɪ-]. **~нический** ìdolátrous [aɪ-]. **~ничество** *с.*, **~ство** *с.* ìdolatry [aɪ-].

идти́, пойти́ 1. *см.* ходи́ть; 2. (*отправляться*) start, leave*; по́езд идёт в пять the train leaves at five; 3. *тк. несов.* (*приближаться*) come*: вот он идёт he comes; по́езд идёт the train is coming; 4. (*о дыме, паре, воде и т. п.*) come* out: дым идёт из трубы́ smoke is coming out of / from *the* chímney; — кровь идёт из ра́ны blood is coming from the wound [blʌd...wuːnd]; the wound is bléeding; 5. *тк. несов.* (*пролегать*) go*; (*простираться*) stretch: доро́га идёт ле́сом the road goes through the fórest [...'fɔ-]; да́лее иду́т го́ры fárther on there stretches / extends a móuntain-ridge [-ðə...]; лес идёт до реки́ the fórest goes / stretches as far as the river [...'rɪ-]; 6. (*об осадках*) fall*; переводится тж. cоотве́тствующим глаголом: снег идёт it is snówing [...'snou-]; it snows [...snouz]; дождь идёт it is ráining, it rains; град идёт it is háiling, it hails; 7. *тк. несов.* (*происходить*) procéed, go* on: иду́т перегово́ры negòtiátions are procéeding, *или* go͡ing on; — иду́т заня́тия clásses are bé͡ing held, clásses are in prógress, *или* gó͡ing on; идёт бой a battle is bé͡ing fought; идёт подгото́вка к се́ву preparátions for sówing are in prógress [...'sou-...]; 8. (*поступать куда-л.*) énter, becóme*; ~ в лётчики becóme* an áirman*; ~ на вое́нную слу́жбу en͡gáge for mílitary sérvice; 9. (*находить сбыт*) sell*: това́р хорошо́ идёт these goods sell well [...gudz...]; — ~ в прода́жу go*, *или* be up, for sale; 10. (*на вн.; требоваться*) be required (for); (*употребляться*) be used (in), go* (into, for); на пла́тье идёт 5 ме́тров тка́ни 5 metres of cloth go to make *a* dress, you need 5 metres for *a* dress; тряпьё идёт на изготовле́ние бума́ги rags are used in páper-màking; **11.** (*дт.*; *быть к лицу*) suit [sju:t] (*d.*), become* (*d.*); **12.** (*о спектакле*) be on: эта о́пера идёт ка́ждый ве́чер this ópera is on every night; сего́дня идёт Га́млет Hámlet is on to:night ['hæ-...], they are giving Hámlet to:night;—пье́са идёт в исполне́нии лу́чших арти́стов the best áctors are táking part in the perfórmance; **13.** (*о времени*) go* by, pass: шли го́ды years went by;—идёт втора́я неде́ля как it is more than a week since; ему́ идёт двадца́тый год he is in his twéntieth year, he is rísing twénty, he is gó:ing / gétting on for twénty; ◇ ~ ко дну go* to the bóttom, sink*; ~ к це́ли go* towards one's aim; ~ вперёд advánce; ~ вперёд к коммуни́зму move fórward to Cómmunism [mu:v...]; ~ в сравне́ние (с *тв.*) be cómparable (with); не ~ в сравне́ние (с *тв.*) not to be compáred (with); ~ в счёт be táken into accóunt; ~ за кем-л. fóllow smb.; ~ вразбро́д strággle; ~ по чьим-л. стопа́м fóllow in smb.'s fóotsteps [...'fut-...]; ~ (за́муж) за кого́-л. márry smb.; ~ как по ма́слу go* swímming:ly; ~ навстре́чу (*дт.*) go* / come* to meet (*d.*); (*перен.*) meet* hálf-wáy [...'ha:f-] (*d.*); ~ навстре́чу пожела́ниям (*рд.*) meet*, *или* compl̀ỳ with, the wíshes (of); ~ на при́быль (*о воде*) rise*; ~ на у́быль begín* to declíne; be on the wane *идиом.*; (*о воде*) fall*, recéde, subsíde; go* down; ~ на поса́дку *ав.* come* in to land; ~ на прима́нку bite*, rise* to the bait; ~ на риск run* risks, take* chánces; (*чего́-л.*) run* the risk (of *ger.*); ~ на усту́пки cómpromìse; make* concéssions; ~ на всё be réady to do ány:thing [...'redɪ...], go* to all lengths; ~ о́щупью feel* / grope one's way*; ~ в бой go* / march into báttle; ~ про́тив кого́-л. oppóse smb.; ~ про́тив свое́й со́вести act agáinst one's cónscience [...'fəns]; ~ свои́м поря́дком, чередо́м take* its nórmal course [...kɔ:s]; ~ с черве́й *карт.* play hearts [...hɑ:ts], lead* a heart; речь, вопро́с идёт (о *пр.*) it is a quéstion, mátter [...stf-...] (of); речь идёт о его́ жи́зни *или* сме́рти it is a mátter of life and death for him [...deθ...]; о чём идёт речь? what is the quéstion?; дела́ иду́т хорошо́, пло́хо affáirs are in a good*, sad state; things are gó:ing well, bádly; де́ло не пошло́ да́льше the mátter did not get any fárther [...-ðə]; зарпла́та идёт ему́ с 1 февраля́ his wáges run from Feb. 1st; куда́ ни шло́! come what may!; идёт!, О.К.! ['oukeɪ]; пойдём заку́сим! —Идёт! let's go and have a bite! —O.K.! (*ср. тж.* пойти́).

и́ды *мн. ист.* Ides [aɪdz].

иезуи́т *м.* Jésuit [-z-]. ~**ский** *прил.* к иезуи́т; (*перен.*) Jèsuítical [-z-]. ~**ство** *с.* Jésuitism [-z-], Jésuitry [-z-].

иена (е́на) *ж.* (*японская денежная единица*) yen (*pl.* yen).

иерархи́ческ‖**ий** hieràrchical [-kɪkl̩]; ~**ая ле́стница** the scale of ranks.

иера́рхия *ж.* híerarchy [-kɪ].

иере́й *м.* priest [pri:st].

иерихо́нск‖**ий**: ~**ая труба́** *разг.* (*об очень громком голосе*) stentórian voice.

иеро́глиф *м.* híeroglyph. ~**и́ческий** hìeroglýphic.

иеромона́х *м.* célibate priest [...pri:st].

иждиве́н‖**ец** *м.* depéndant. ~**ие** *с.* máintenance; быть на ~ии у кого́-л. be smb.'s depéndant; быть на своём ~ии keep* / maintain òne:sélf; быть на ~ии роди́телей live on one's párents [lɪv...]. ~**ка** *ж.* depéndant. ~**ство** *с. офиц.* depéndence.

иждиве́н‖**ческий** *прил.* к иждиве́нец; (*перен.*) parasítical. ~**чество** *с.* parasític áttitùde, parasític smúgness.

и́же: и ~ с ним, с ни́ми *неодобр.* of his, their ilk; хулига́нствующие молодчики́ и ~ с ни́ми those thugs and óthers of that ilk.

и́жиц‖**а** *ж.* "v" (*last letter of Church Slavonic and pre-revolutionary Russian alphabet*); ◇ прописа́ть ~у кому́-л. give* a lésson to smb., whip smb.

из, **и́зо** *предл.* (*рд.*) **1.** (*откуда?* — *в разн. знач.*) from; (*изнутри*) out of: приезжа́ть из Москвы́ come* from Móscow; пить из стака́на drink* from *a* glass; узнава́ть из газе́т learn* from the pápers [ləʊn...]; вынима́ть из карма́на take* out of one's pócket; — вы́йти и́з дому go* out, leave* the house [...-s]; из достове́рных исто́чников from relíable sóurces [...'sɔ:s-], on good authórity; **2.** (*при обознач. части от целого*) of; (*при числительном тж.*) out of; (*при отрицании*) in: оди́н из его́ това́рищей one of his friends [...-fre-]; лу́чший из всех the best of all; оди́н из 100 one (out of) a húndred; ни оди́н из 100 not one in a húndred; **3.** (*о материале*) of; (*при указании конкретного куска, объёма и т. п.*) out of: из чего́ он э́то сде́лал? what did he make it of?; (*сде́ланный*) из ста́ли (made) of steel; из э́того куска́ де́рева out of this piece of wood [...pi:s...wud]; ◇ из стра́ха for, *или* out of, fear; из не́нависти through hátred; из благода́рности in grátitùde; выходи́ть из себя́ lose* one's témper [lu:z...], fly into a rage; be besíde òne:sélf; изо всех сил with all one's might; *другие особые случаи, не приведённые здесь, см. под теми словами, с которыми предл. из образует тесные сочетания*.

из-, **изо-**, **ис-** глаго́льная приста́вка; часто обозначает израсходование орудия или объекта в процессе действия, напр. исписа́ть (*о карандаше, бумаге и т. п.*) use up (by / in wríting); изрисова́ть (*о карандаше, бумаге и т. п.*) use up (by / in dráwing).

изба́ *ж.* izbá, péasant's log hut ['pez-...].

изба́витель *м.*, ~**ница** *ж.* delíverer, redéemer.

изба́в‖**ить**(**ся**) *сов. см.* избавля́ть(ся). ~**ле́ние** *с.* (от) delíverance (from); *переводится также формой на* -ing *от соответствующих глаголов; см.* избавля́ть(ся).

избавля́ть, **изба́вить** (*вн. от*) save (*d.* from); (*освобождать*) delíver [-'lɪ-] (*d.* from); ~ от сме́рти save from death [...deθ] (*d.*); изба́вьте меня́ от ва́ших замеча́ний spare me your remárks; вы его́ изба́вили от хлопо́т you have saved him tróuble [...trʌ-]; ◇ изба́ви бог! God forbíd! ~**ся**, изба́виться (от) get* rid (of); rid* òne:sélf (of); изба́виться от привы́чки get* rid of a hábit, get* out of *a* hábit.

избало́в‖**анный** *прич. и прил.* spoilt; ~ **ребёнок** a spoilt child*. ~**а́ть**(**ся**) *сов. см.* избало́вывать(ся).

избало́вывать, избалова́ть (*вн.*) spoil (*d.*). ~**ся**, избалова́ться **1.** become* / get* spoilt; **2.** *страд.* к избало́вывать.

изба́ч *м.* izbách, víllage librárian [...laɪ-].

изба́-чита́льня *ж.* víllage líbrary and réading-room [...'laɪ-...].

избега́ть *сов.* (*вн.*) *разг.* run* abóut (*d.*), run* all óver (*d.*); ~ весь го́род run* all óver the town.

избега́ть, избежа́ть, избе́гнуть (*рд.*) avoíd (*d.*,+ *ger.*), eváde (*d.*), elúde (*d.*); keep* off (*d.*); steer clear (of) *разг.*; *несов. тж.* shun (*d.*); (*спасаться*) escápe (*d.*); ~ встре́чи с кем-л. avoíd méeting smb.; избежа́ть наказа́ния, штра́фа *и т. п.* escápe / eváde pénalty, *etc.*; ~ повторе́ния refráin from rèpetítion; ~ кра́йностей avoíd extrémes; steer a míddle course [...kɔ:s] *идиом.*

избе́гаться *сов. разг.* (*утомиться*) exháust òne:sélf by rúnning (abóut).

избе́гнуть *сов. см.* избега́ть.

избеж‖**а́ние** *с.*: во ~ чего́-л. (in órder) to avoíd smth. ~**а́ть** *сов. см.* избега́ть.

изби‖**ва́ть**, изби́ть (*вн.*) beat* ùnmércifully (*d.*); ~**е́ние** *с.* **1.** béating, mássacre; ~**е́ние младе́нцев** *шутл.* sláughter of the Ínnocents; **2.** *юр.* assáult and báttery; привле́чь к суду́ за ~**е́ние** prósecute for assáult and báttery.

избира́тель *м.* eléctor, vóter; *мн. собир.* the eléctorate *sg.*; (*одного округа*) constítuency *sg.* ~**ница** *ж.* (wóman*) vóter ['wu-...]. ~**ный** eléctoral; eléction (*attr.*); ~**ная систе́ма** eléctoral sýstem; ~**ная кампа́ния** eléction campáign [...-'peɪn]; èlectioneéring; ~**ный ценз** vóting qualificátion; ~**ный о́круг** eléctoral / eléction dístrict, constítuency; ~**ный уча́сток** pólling district; (*помещение*) pólling státion, eléction céntre; ~**ный бюллете́нь** vóting páper; ~**ное пра́во** súffrage.

избира́ть, избра́ть (*вн. тв.*) choose* (*d.* as, *d.* for); (*о выборном лице*) elect (*d. d.*).

изби́т‖**ый 1.** *прич. см.* избива́ть; **2.** *прил.* (*проторённый*) well-tródden; **3.** *прил.* (*общеизвестный*) háckneyed [-nid], trite; ~**ое выраже́ние** trite expréssion; ~**ая фра́за** cliché (*фр.*) ['kli:ʃeɪ]; ~**ая и́стина** trúism.

изби́ть *сов. см.* избива́ть.

изболе́‖**ться** *сов. разг.* be in tórment; у неё се́рдце ~**лось** she is torménted with súffering.

избороди́ть *сов. см.* борозди́ть.

избра́н‖**ие** *с.* eléction. ~**ник** *м.*, ~**ница** *ж.* the chósen one [...-z-...]; eléct; **наро́дный** ~**ник** eléct ed rèpresèntative

избра́нн‖**ый** 1. *прич. см.* избира́ть; 2. *прил.* (*отобранный, лучший*) sélect(ed); ~ые произведе́ния selécted works; ~ые произведе́ния Пу́шкина a seléction of / from the works of Púshkin [...'pu-]; 3. *мн. как сущ.* the élite (*фр.*) [e'liːt].

избра́ть *сов. см.* избира́ть.

избу́шка *ж. уменьш. от* изба́.

избы́т‖**ок** *м.* súrplus, redúndancy; (*изобилие*) abúndance, plénty; в ~ке in plénty; име́ть с ~ком have enóugh and to spare [...'ɪnʌf...]; от ~ка чувств out of the fúll:ness of the heart [...hɑːt]; *переводится тж. фразами*: I, he, *etc.*, was so óver:cóme with / by emótion that; mý, his, *etc.*, féelings were too strong for me, him, *etc.* (+ *to inf.*); от ~ка чувств он не мог говори́ть his féelings were too strong for him to speak. ~**очный** súrplus (*attr.*), redúndant.

избы́ть *сов.* (*вн.*) *уст.* rid* one:sélf (of); ~ го́ре grieve no more [-iːv...].

извалять *сов.* (*вн.*) *разг.* make* dírty (by drágging in mud) (*d.*), bedrággle (*d.*). ~**ся** *сов. разг.* get* dírty.

изва́я‖**ние** *с.* scúlpture, státue. ~**ть** *сов. см.* вая́ть.

изве́дать *сов. см.* изве́дывать.

изве́дывать, изве́дать (*вн.*) expérience (*d.*), come* to know [...nou] (*d.*); изве́дать сча́стье taste háppiness [teɪst...].

и́зверг *м.* mónster (of crúelty) [...'kruə-], crúel pérson [kruəl...]; ~ ро́да челове́ческого ≅ scum of the earth [...əːθ].

изверга́ть, изве́ргнуть (*вн.*) throw* out [θrou...] (*d.*); disgórge (*d.*); (*о вулкане*) erúpt (*d.*); (*перен.*) ejéct (*d.*), expél (*d.*). ~**ся**, изве́ргнуться 1. (*о вулкане*) erúpt, be in erúption; 2. *страд. к* изверга́ть.

изве́ргнуть(**ся**) *сов. см.* изверга́ть(ся).

изверже́ние *с.* erúption.

изве́рженн‖**ый** 1. *прич. см.* изверга́ть; 2. *прил. геол.* ígneous, erúptive; ~ая поро́да ígneous rock.

изве́риться *сов.* (в *пр.*, в *вн.*) lose* cónfidence / faith [luːz...] (in); ~ в свои́х си́лах lose* cónfidence in óne:sélf, *или* in one's pówers.

извеpну́ться *сов. см.* извора́чиваться.

изве́ртываться = извора́чиваться.

извести́ *сов. см.* изводи́ть.

изве́сти‖**е** *с.* 1. news [-z]; tídings *pl.*; (*исторические сведения*) informátion; после́дние ~я the (látest) news *sg.*; (*в газете*) stop-press *sg.*; неожи́данное ~ únéxpected (piece of) news [...piːs...]; 2. *мн.* (*периодическое издание*) procéedings, transáctions [-'z-].

извести́сь *сов. см.* изводи́ться.

извести́ть *сов. см.* извеща́ть.

изве́стка *ж. разг.* (slaked) lime.

известко́в‖**ание** *с. с.-х.* líming of soils. ~**ать** *несов. и сов.* (*вн.*) *с.-х.* lime (*d.*).

известко́в‖**ый** *прил. к* и́звесть; ~ая вода́ lime wáter [...'wɔː-].

изве́ст‖**но** 1. *прил. кратк. см.* изве́стный; 2. *предик. безл.* it is known [...noun]; ста́ло ~ it became known; ему́ ~, что he knows that [...nouz...]; he is a:wáre that; как ~ as is génerally known; наско́лько мне ~ as far as I know [...nou], to the best of my knówledge [...'nɔ-]; наско́лько мне ~ нет not that I know of; хорошо́ ~, что it is well known that; всем ~, что it is cómmon knówledge that. ~**ность** *ж.* 1. reputátion, fame, repúte; доста́вить ~ность кому́-л. bring* fame to smb.; по́льзоваться ~ностью be fár-fámed; по́льзующийся мирово́й ~ностью world-fámed; 2.: поста́вить кого́-л. в ~ность о чём-л. infórm smb. of smth.; 3. *разг.* (*о человеке*) celébrity, próminent fígure. ~**ный** 1. wéll-known [-'noun]; (*кому́-л. как*) known [noun] (to smb. as); ~ное положе́ние the wéll-known thésis; ~ный худо́жник wéll-known páinter; ~ный учёный nóted scíentist; ей он ~ен she knows him [...nouz...]; он ~ен под и́менем (*рд.*) he goes by / únder the name (of); ~ный чем-л. nóted for smth.; он ~ен свое́й че́стностью he is known for his hónesty [...'ɔ-]; he has a name for hónesty; никому́ не ~ный known to nó:body; obscúre; 2. (*неодобрит. о человеке*) notórious: ~ный лгун notórious líar; 3. (*некоторый*) cértain; ~ным о́бразом in a cértain way; в ~ных слу́чаях in cértain cáses [...-sɪz]; до ~ного пери́ода up to a cértain périod; до ~ной сте́пени, в ~ной ме́ре to a cértain extént / degrée.

известня́к *м.* líme:stone.

и́звест‖**ь** *ж.* lime; гашёная ~ slaked / slack lime; негашёная ~ quícklime, burnt lime; хло́рная ~ chlóride of lime, bléaching pówder; раство́р ~и мо́ртар, grout; (*для побелки*) white:wàsh; превраща́ть в ~ (*вн.*) cálcify (*d.*).

изветша́лый *уст.* dilápidated.

изветша́ть *сов. уст.* becóme* compléte:ly dilápidated.

изве́чный since éarliest times [...'əːl-...].

извеща́ть, извести́ть (*вн.*) infórm (*d.*), nótify ['nou-] (*d.*). ~ **éние** *с.* notificátion [nou-], nótice ['nou-]; (*повестка*) súmmons.

изви́в *м.* wínding, bend, twist.

извива́ть, изви́ть (*вн.*) coil (*d.*), twist (*d.*), wind* (*d.*). ~**ся**, изви́ться 1. (*о змее, канате и т. п.*) coil; (*о черве*) wríggle; 2. *тк. несов.* (*о дороге, реке и т. п.*) twist, wind*, meánder; (*перен.*: *пресмыкаться*) cringe; ~ от бо́ли writhe with pain [raɪð...].

изви́ли‖**на** *ж.* bend, crook; ~ны мо́зга *анат.* cònvolútions (of the brain). ~**стый** sínuous, tórtuous; (*о дороге, реке и т. п.*) twísting, wínding, meándering.

извин‖**е́ние** *с.* párdon, apólogy, excúse [-s]; проси́ть ~е́ния у кого́-л. beg smb.'s párdon, apólogize to smb.; приноси́ть ~е́ния presént one's apólogies [-'ze-...]; прошу́ ~е́ния excúse me, I beg your párdon, I apólogize; (I am) sórry *разг.* ~**и́тельный** 1. (*заслуживающий извинения*) párdonable; excúsable [-z-]; 2. (*просящий извинения*) apológetic.

извини́(**ся**) *сов. см.* извиня́ть(ся).

извин‖**я́ть**, извини́ть (*вн.*) excúse (*d.*), párdon (*d.*); э́то мо́жно ~и́ть one can excúse that; ~и́те! excúse me!; (I am) sórry *разг.*; ~и́те, что я сде́лал так excúse my háving done so; forgíve me for dóing that [-'gɪv...]; ◇ ~и́те за выраже́ние *разг.* if you will excúse the expréssion; ну, уж ~и́те! Oh no, that won't do! [ou...wount...], excúse me, but you are wrong. ~**я́ться**, извини́ться make* excúses; (пе́ред) apólogize (to); ~и́тесь за меня́ presént my apólogies [-'ze-...] (to). ~**я́ющийся** 1. *прич. см.* извиня́ться; 2. *прил.* apológetic; он говори́л ~я́ющимся то́ном he was apológetic.

изви́ть *сов. см.* извива́ть. ~**ся** *сов. см.* извива́ться 1.

извлека́ть, извле́чь (*вн.* из) extráct (*d.* from); (*перен.*) elícit (*d.* from); evóke (*d.* from); ~ ко́рень *мат.* extráct the root; ◇ ~ уро́к (из) learn* a lésson [ləːn...] (from); ~ по́льзу *и т. п.* (из) deríve bénefit, *etc.* (from); ~ огро́мные при́были (из) deríve / make* huge prófits (from); ~ удово́льствие (из) deríve pléasure [...'pleʒə] (from).

извлече́ние *с.* (из) 1. extráction (from); ~ ко́рня *мат.* extráction of the root, èvolútion [iː-]; 2. (*выдержка*) éxtract (from).

извле́чь *сов. см.* извлека́ть.

извне́ *нареч.* from withóut.

изво́д I *м. разг.* 1. (*трата*) waste [weɪst]; 2. (*мучение*) vexátion.

изво́д II *м. лингв.* recénsion.

изводи́ть, извести́ (*вн.*) 1. *разг.* (*расходовать*) use up (*d.*); (*о деньгах*) spend* (*d.*); 2. (*уничтожать, губить*) extérminàte (*d.*); 3. *разг.* (*лишать сил*) exháust (*d.*); (*мучить*) tormént (*d.*); (*выводить из себя*) vex (*d.*), exásperàte (*d.*); ~ себя́ рабо́той óver:wórk one:sélf; ~ насме́шками (*вн.*) bait (*d.*). ~**ся**, извести́сь (от) 1. *разг.* (*терзаться*) eat* one's heart out [...hɑːt...] (with); consúme one:sélf (with); (*хиреть*) exháust one:sélf (with); 2. *страд. к* изводи́ть.

изво́з *м.* cárrier's trade; занима́ться ~ом be a cárrier (by trade).

извози́ть *сов.* (*вн.*) *разг.* (в грязи́) make* wet and dírty (by drágging or tráiling in mud). ~**ся** *сов. разг.* be wet, dírty and frayed; ≅ be bedrággled.

изво́зный *прил. к* изво́з; ~ про́мысел = изво́з.

изво́зчик *м.* 1. cárrier; (*легковой*) cáb:man*; cábby *разг.*; (*ломовой*) dráy:man*, cárter, wággoner ['wæ-]; 2. (*экипаж с кучером*) cab; е́хать на ~е go* in a cab, take* a cab.

изво́л‖**ить** 1. (*пов. накл.*) if you please; (*возьмите*) here you are; вы затеря́ли ключ, тепе́рь изво́льте его́ найти́ you have lost the key: now be good enóugh to find it [...kiː...'ɪnʌf...]; изво́льте вы́йти! leave the room, if you please!; 2. (*пов. накл.*) *разг.* (*хорошо, согласен*) if you wish, all right; изво́ль, я оста́нусь all right, I will stay; 3. *офиц. уст.* (*в обращении к высокопоставленному лицу*) deign [deɪn], be pleased; как вы ~ите пожива́ть? pray, how are you?

извора́чиваться, изверну́ться (*прям. и перен.*) shift, dodge.

изворо́тлив‖**ость** *ж.* resóurce:fulness [-'sɔːs-]. ~**ый** dódgy, resóurce:ful [-'sɔːs-], wíly; never at a loss; ~ый человéк dódger, shífty féllow.

изврати́ть *сов. см.* извраща́ть.

извра||ща́ть, изврати́ть (*вн.*) pervért (*d.*); (*ло́жно истолкова́ть*) misintérpret (*d.*); (*о тексте тж.*) misconstrúe (*d.*); ~ и́стину pervért the truth [...tru:θ]; ~ чьи-л. слова́ pervért / distórt smb.'s words. ~**щéние** *с.* pervérsion; (*искажéние*) distórtion, misintèrpretátion. ~**щённость** *ж.* ùnnátural tastes / inclinátions [...teɪ-...] *pl.* ~**щённый** *прич. и прил.* pervérted; *тк. прил.* (*противоестéственный*) ùnnátural.

изга́дить(ся) *сов. см.* изга́живать(ся).

изга́||живать, изга́дить (*вн.*) befóul (*d.*); (*по́ртить*) spoil* útterly (*d.*). ~**ся**, изга́диться *разг.* go* to the bad, go* to pot.

изгаля́ться (над) *разг.* mock (at), scoff (at).

изги́б *м.* bend, curve; (*извив*) wínding.

изгиба́ть, изогну́ть (*вн.*) bend* (*d.*), curve (*d.*). ~**ся**, изогну́ться bend*, curve.

изгла́дить(ся) *сов. см.* изгла́живать(-ся).

изгла́живать, изгла́дить (*вн.*) efface (*d.*); ~ из па́мяти blot out of, *или* eráse from, one's mémory (*d.*). ~**ся**, изгла́диться becóme* effáced; ~ся из па́мяти be blótted out of, *или* erásed from, one's mémory.

изгна́н||ие *с.* 1. bánishment; (*из общества*) expúlsion; (*из страны*) proscríption; (*из отéчества*) èxpatriátion; 2. (*ссылка*) éxile; жить в ~ии live in éxile [lɪv...]. ~**ник** *м.*, ~**ница** *ж.* éxile.

изгна́ть *сов. см.* изгоня́ть.

изго́й *м.* sócial óutcàst.

изголо́вье *с.* head of the bed [hed...]; служи́ть ~м serve as a píllow.

изголода́ться *сов.* be fámished, starve (*по дт.*; *перен.*) thirst (for), yearn [jə:n] (for), crave (for).

изгоня́ть, изгна́ть (*вн.*) 1. bánish (*d.*); oust (*d.*), (*из общества*) expél (*d.*); (*выгоня́ть*) drive* out / away (*d.*); (*ссыла́ть*) éxile (*d.*); (*из отéчества*) èxpatriáte (*d.*); 2. (*искореня́ть, упраздня́ть*) ban (*d.*).

и́згородь *ж.* fence; жива́я ~ hédge:row [-rou]; quíckset hedge.

изгота́вливать, изгото́вить (*вн.*) make* (*d.*), mànufácture (*d.*).

изгото́вить *сов. см.* изгота́вливать.

изгото́виться *сов.* get* réady [...'redɪ], place ònesélf in réadiness [...'redɪ-].

изгото́вк||а *ж.*: взять ружьё на ~у hold* one's gun at the réady [...'redɪ].

изготовлéние *с.* máking, mànufácture.

изготовля́ть = изгота́вливать.

изгрыза́ть, изгры́зть (*вн.*) níbble (to crumbs) (*d.*); gnaw (to shreds) (*d.*).

изгры́зть *сов. см.* изгрыза́ть.

издава́ть I, изда́ть (*вн.*) 1. (*выпуска́ть в свет*) públish ['pʌ-] (*d.*), print (*d.*); 2. (*о законе и т. п.*) prómulgàte (*d.*); ~ прика́з, ука́з íssue an órder, an édict [...'i:-].

издава́ть II, изда́ть (*вн.*) (*о звуке*) útter (*d.*); (*о запахе*) prodúce (*d.*), emít (*d.*).

издава́ться 1. (*выходи́ть в свет*) be públished / prínted [...'pʌ-...]; 2. *страд.* к издава́ть I.

и́здавна *нареч.* long since; since ólden times *поэт.*

издалека́, издалёка *нареч.* from far awáy, from afár; ◊ начáть ~ (*говори́ть о чём-л.*) work up to sómething, speak* in a róundabout way.

и́здали *нареч.* from a dístance.

изда́ние *с.* 1. pùblicátion [pʌ-]; (*о законе и т. п.*) pròmulgátion; 2. (*книга, журнал и т. п.*) édition; дешёвое ~ cheap édition; роско́шное ~ édition de luxe (*фр.*) [edɪ'sɪɔŋ də lu:ks]; испра́вленное ~ revísed édition.

изда́тель *м.*, ~**ница** *ж.* públisher ['pʌ-]. ~**ский** *прил.* к изда́тель и изда́тельство; ~ская фи́рма públishing firm ['pʌ-...]; ~ское дéло públishing. ~**ство** *с.* públishing house* ['pʌ- -s]; Госуда́рственное ~ство State Públishing House*.

изда́ть I, II *сов. см.* издава́ть I, II.

издева́тель||ский scóffing, mócking; (*оскорби́тельный*) hùmíliàting. ~**ство** *с.* móckery; (*оскорблéние*) hùmiliátion.

издева́ться (над) jeer (at), scoff (at), mock (at); (*му́чить*) taunt (*d.*).

издёвк||а *ж. разг.* sneer, taunt, jeer; с ~ой with a jeer.

издéли||е *с.* 1. *тк. ед.* (*изготовлéние*) make; 2. (*предмéт*) (mànufáctured) árticle; куста́рные ~я hándicràfts, hánd-made goods [...gudz]; фабри́чные ~я fáctory-máde goods; гли́няные ~я éarthenwàre ['ə:θ-] *sg.*; скобяны́е ~я íron-mòngery ['aɪənmʌŋg-] *sg.*, íronware ['aɪən-] *sg.*; жестяны́е ~я tínware *sg.*; бу́лочные ~я ≅ rolls and buns.

издёрганн||ый 1. *прич. см.* издёргивать; 2. *прил.* run down; hárried, wórried ['wʌ-], hárassed; ~ые нéрвы óverstrained / sháttered nerves.

издёргать(ся) *сов. см.* издёргивать(ся).

издёргивать, издёргать (*вн.*) *разг.* pull to pieces [pul...'pi:-] (*d.*); (*перен.*) wórry ['wʌ-], hárass ['hæ-] (*d.*), óverstráin (*d.*). ~**ся**, издёргаться *разг.* 1. become* óverwróught, óverstráin one's nerves; 2. *страд.* к издёргивать.

издержа́ть(ся) *сов. см.* издéрживать(ся).

издéрживать, издержа́ть (*вн.*) expénd (*d.*), spend* (*d.*). ~**ся**, издержа́ться *разг.* run* out of móney [...'mʌ-], spend*-all; он совсéм издержа́лся he spent all he had, he spent his last pénny.

издéржки *мн.* expénses; судéбные ~ costs; ~ произво́дства cost of prodúction *sg.*, prodúction costs; ~ обраще́ния distribútion costs, tráding costs.

издо́льщи||к *м.* métayer (*фр.*) ['meteɪeɪ]; sháre-cròpper. ~**на** *ж. ист.* métayage (*фр.*) ['meteɪɑ:ʒ], the métayage sýstem; sháre-cròp sýstem.

издо́хнуть *сов. см.* издыха́ть.

издрéвле *нареч. уст.* of yore, from of old, since ólden days; (*ср. тж.* и́здавна).

издыха́ни||е *с.*: до послéднего ~я to one's last breath [...breθ]; при послéднем ~и at one's last gasp.

издыха́ть, издо́хнуть die (*of animals*) *груб.* (*о человéке*) peg out, croak.

изжа́рить(ся) *сов. см.* жа́рить(ся).

изжёванный 1. *прич. см.* изжева́ть; 2. *прил. разг.* (*измя́тый*) crúmpled; 3. *прил. разг.* (*надоéвший*) háckneyed [-nɪd]; (*ср. тж.* изби́тый 3).

изжева́ть *сов.* (*вн.*) chew to píeces [...'pi:sɪz] (*d.*), chew all óver (*d.*); chew up (*d.*).

и́зжелта- (*в сложн.*) with a yéllow(-ish) tint, tinged with yéllow: ~-кра́сный red with a yéllowish tint, red tinged with yéllow, yéllowy-réd.

изжива́ть, изжи́ть (*вн.*) get* rid (of), òvercóme* (grádually) (*d.*); ещё не изжи́тый still persísting; persístent; изжи́ть имéющиеся недоста́тки get* rid of exísting shórtcòmings; ◊ изжи́ть себя́ be outdáted; becóme* ób solète.

изжи́ть *сов. см.* изжива́ть.

изжо́га *ж.* héartbùrn ['hɑ:t-].

из-за *предл.* (*рд.*) 1. (*отку́да?*) from behínd: из-за до́ма from behind the house* [...-s]; — из-за грани́цы from abróad [...-ɔ:d]; встать из-за стола́ get* up, *или* rise*, from the table; 2. (*по причи́не*) becáuse of [-'kɔz...], ówing to ['ou-...], on accóunt of; óver; (*при обозначéнии ка́чества, дéйствия тж.*) through; из-за негó becáuse of him; из-за бу́ри becáuse of the storm; из-за лéни through láziness [...'leɪ-]; из-за неосторо́жности through cárelessness.

и́ззелена- (*в сложн.*) with a gréenish tint, tinged with green.

иззя́б||нуть *сов. разг.* feel* frózen / chilled to the bone / márrow. ~**ший** frózen / chilled to the bone / márrow.

излага́ть, изложи́ть (*вн.*) set* forth (*d.*), state (*d.*); (*сообщáть*) give* an account (of); (*подро́бно*) expóund (*d.*); ~ на бума́ге state on páper (*d.*), set* out in wríting (*d.*).

изла́зить *сов.* (*вн.*) *разг.*: ~ все углы́ search every nook and cránny.

излени́ться *сов. разг.* grow* (ìn)córrigibly lázy [grou...], becóme* a lázy-bònes.

излёт *м.*: пу́ля на ~е spent búllet [...'bu-].

излéчéни||е *с.* 1. (*выздоровлéние*) recóvery [-'kʌ-]; 2. (*лечéние*) cure, médical tréatment; на ~и úndertréatment, ùndergóing médical tréatment; находи́ться на ~и в больни́це be gíven hóspital tréatment.

излéч||ивать, излечи́ть (*вн.*) cure (*d.*). ~**ивáться**, излечи́ться 1. (*от*) make* a compléte recóvery [...-'kʌ-] (from); (*перен.*) rid ònesélf (of); 2. *страд.* к излéчивать. ~**и́мый** cúrable. ~**и́ть(ся)** *сов. см.* излéчивать(ся).

излива́ть, изли́ть (*вн.*) *уст.* pour out [pɔ:...] (*d.*); (*перен. тж.*) give* vent (to); ~ ду́шу ùnbúrden one's heart [...hɑ:t], ùnbósom ònesélf [-'buzəm...]. ~**ся**, изли́ться 1. *уст.* stream; (*в пр.; перен.*) find* expréssion (in); 2. (*выражáть чу́вства*) give* vent to one's féelings.

изли́ть(ся) *сов. см.* излива́ть(ся).

изли́ш||ек *м.* 1. (*избы́ток*) súrplus; 2. (*ли́шнее*) excéss; ~ вéса óverwèight; ◊ э́того хва́тит с ~ком that'll be enóugh and to spare [...'nʌf...].

ИЗВ — ИЗЛ   И

ИЗЛ – ИЗН

изли́шеств‖**о** *с. чаще мн.* óver-indúlgence, excéss; архитекту́рные ~а àrchitéctural extrávagances [ɑ:kɪ-...]. ~ **овать** be intémperate; go* to excéss.

изли́шне I 1. *прил. кратк. см.* изли́шний; 2. *предик. безл.* it is ùnnécessary.

изли́шн‖**е** II *нареч.* (*чересчур*) excéssive:ly, supérfluous:ly, ùnnécessarily. ~**ий** 1. (*лишний*) supérfluous, excéssive; 2. (*ненужный*) néedless, ùnnécessary; (*необоснованный*) ùnwárranted; ~яя дове́рчивость ùnwárranted trústfulness.

излия́ние *с.* (*прям. и перен.*) effúsion, óutpouring [-pɔ:-].

излови́ть *сов.* (*вн.*) *разг.* catch* (*d.*).

излови́ться, излови́ться *разг.* contríve / mánage sóme:how.

излови́ться *сов. см.* излови́ться.

изложе́‖**ние** *с.* áccount; (*сообщение*) státe:ment; (*школьное*) èxposítion [-'zɪ-]; кра́ткое ~ súmmary. ~**и́ть** *сов. см.* излага́ть.

изло́жница *ж. тех.* mould [mou-].

изло́м *м.* frácture, break [breɪk].

изло́м‖**анный** 1. *прич. см.* излома́ть; 2. *прил.* bróken; (*перен.*) ùnbálanced, ùnhínged. ~**а́ть** *сов.* (*вн.*) break* [breɪk] (*d.*). ~**а́ться** *сов.* 1. break* [breɪk]; 2. *разг.* (*быть ломакой*) have hígh:ly afféc:ted mánners.

излуча́ть, излучи́ть (*вн.*) rádiàte (*d.*). ~**ся**, излучи́ться (из) émanàte (from).

излуче́ние *с.* ràdiátion; èmanátion; ионизи́рующее ~ íonizing ràdiátion; радиоакти́вное ~ ràdiò:áctive èmanátion; жёсткое ~ hard ràdiátion.

излу́чина *ж.* bend, curve, wínding.

излучи́ть(ся) *сов. см.* излуча́ть(ся).

излю́бленн‖**ый** fávour:ite, pet; ~ое кре́сло fávour:ite ármcháir; ~ая те́ма pet súbject.

изма́з‖**ать** *сов.* (*вн.*) *разг.* 1. smear (*d.*); (*испачкать*) dírty (*d.*); 2. (*употребить*) use up (*d.*): ~ всю мазь use up all the óintment. ~**аться** *сов.* get* dírty; он ~ался в кра́ске he has got paint all óver hìm:sélf.

измара́ть *сов.* (*вн.*) *разг.* soil (*d.*). ~**ся** *сов. разг.* soil òne:sélf.

изма́тывать, измота́ть (*вн.*) exháust (*d.*); fag (out) (*d.*) *разг.*; *воен. тж.* wear* / down [wɛə...] (*d.*); ~ не́рвы (óver)stráin one's nerves. ~**ся**, измота́ться be exháusted / fágged, *или* worn out [...wɔ:n...].

измая́‖**ться** *сов. разг.* be exháusted; он совсе́м ~лся he is quite exháusted; he feels done for *разг.*

измельча́ние *с.* gró:wing / becóming shállow ['grou-...]; (*перен.*) lów:ering of móral stándards ['lou-... 'mɔ-...].

измельча́ть I, измельчи́ть (*вн.*) redúce to frágments (*d.*), crúmble up (*d.*); (*нарезать*) cut* very small (*d.*); (*толочь*) pound (*d.*).

измельча́ть II *сов. см.* мельча́ть.

измельчи́ть *сов. см.* измельча́ть I.

измен‖**а́** *ж.* tréason [-'zn]; (*вероломство*) tréachery ['tre-]; (*неверность*) fáithlessness; (*предательство*) betráyal; ~ рабо́чему кла́ссу betráyal of the wórking class; госуда́рственная ~, ~ Ро́дине high tréason; супру́жеская ~ ùnfáithfulness, (cónjugal) infidélity.

измене́ни‖**е** *с.* change [tʃeɪ-]; (*частичное*) àlterátion; коли́чественные и ка́чественные ~я quántitative and quálitative chánges; ~ и разви́тие change and devélopment; вноси́ть ~я make* àlterátions / chánges.

измени́ть I, II *сов. см.* изменя́ть I, II.

измени́ться *сов. см.* изменя́ться.

изме́нни‖**к** *м.* tráitor; betráyer; ~ револю́ции, па́ртии tráitor to the rèvolútion, to the párty. ~**ца** *ж.* tráitress. ~**ческий** tréacherous ['tretʃ-], tráitorous.

изме́нчив‖**ость** *ж.* 1. chánge:able:ness ['tʃeɪ-], mùtabílity; (*неустойчивость*) ùnstéadiness [-'sted-]; (*непостоянство*) fíck:le:ness; 2. *биол.* vàriabílity. ~**ый** chánge:able ['tʃeɪ-]; (*неустойчивый*) ùnstéady [-'stedɪ]; (*непостоянный*) fíckle; ~ая пого́да chánge:able wéather [...'weðə].

изменя́ем‖**ый** váriable, mútable; ~ые величи́ны *мат.* váriables.

изменя́ть I, измени́ть (*вн.*) change [tʃeɪ-] (*d.*); (*частично*) álter (*d.*); ~ ход собы́тий change the course of evénts [...kɔ:s...]; ~ к лу́чшему change for the bétter (*d.*); ~ законопрое́кт aménd a bill.

измен‖**я́ть** II, измени́ть (*дт.*; *предавать*; *тж. перен.*) betráy (*d.*); (*быть неверным*) be false [...fɔ:ls] (to); (*в супружестве*) be ùnfáithful (to); ~ Ро́дине betráy one's cóuntry [...'kʌ-]; ~ прися́ге break* one's oath [-eɪk...]; па́мять ему́ ~я́ет his mémory fails him; си́лы ему́ ~я́ют his strength is gíving out; сча́стье ему́ ~и́ло his luck / fórtune has let him down [...-tʃən...], his luck is out.

измен‖**я́ться**, измени́ться 1. change [tʃeɪ-]; ~ к лу́чшему, к ху́дшему change for the bétter, for the worse; ~и́ться в лице́ change cóuntenance; ве́чно ~я́ющийся ùndergó:ing cónstant change; 2. *страд. к* изменя́ть I.

измер‖**е́ние** *с.* 1. méasuring ['meʒ-], méasurement ['meʒ-]; (*землемерное*) súrvey; (*глубины моря и т. п.*) sóunding, fáthoming [-ð-]; (*температуры*) tá:king; ~ угло́в angle méasure:ment; 2. *мат.* diménsion. ~**и́мый** méasurable ['meʒ-]. ~**и́тель** *м.* 1. méasuring ínstrument ['meʒ-...], gauge [geɪdʒ]; 2. *эк.* índex (*pl.* -xes, indicès [-ɪsi:z]). ~**и́тельный** méasuring ['meʒ-]; ~и́тельный прибо́р méasuring ínstrument.

изме́рить *сов. см.* измеря́ть.

измер‖**я́ть**, изме́рить (*вн.*) méasure ['meʒə] (*d.*); ~ глубину́ (*рд.*) *мор.* sound (*d.*), fáthom [-ð-] (*d.*), plumb (*d.*); ~ кому́-л. температу́ру take* smb.'s témperature. ~**я́ться** be méasured [...'meʒəd], be èváluàted; запа́сы у́гля ~я́ются миллио́нами тонн резе́рвы у́гля are èstimàted in míllions of tons [-'zə:-...tʌnz].

измождённие *с.* èmaciátion.

измождённый èmáciàted.

измока́ть, измо́кнуть *разг.* get* wet / drenched / sóaked.

измо́кнуть *сов. см.* измока́ть.

измо́р *м.*: взять кого́-л. ~ом take* smb. by stàrvátion, starve smb. out; (*перен.: заставить что-л. сделать*) wórry smb. into *dóing smth.* ['wʌrɪ...].

измори́ть *сов.* (*вн.*) *разг.* wear* out [wɛə...] (*d.*), exháust (*d.*).

и́зморозь *ж. тк. ед.* (*иней*) hóar-frost; rime *поэт.*

и́зморось *ж. тк. ед.* (*мелкий дождь*) drízzle, drízzling rain; (*мелкий дождь со снегом*) sleet.

измо́танный *прич. и прил.* fagged (out); done up *разг.*

измота́ть(ся) *сов. см.* изма́тывать(ся).

измоча́ливать, измоча́лить (*вн.*) *разг.* redúce to shreds (*d.*); (*перен.*) wórry to death ['wʌrɪ...deθ] (*d.*). ~**ся**, измоча́литься *разг.* becóme* frayed, be all in shreds; (*перен.*) be all in; be played out, go* to píeces [...'pi:sɪz].

измоча́лить(ся) *сов. см.* измоча́ливать(ся).

изму́ченный 1. *прич. см.* изму́чить; 2. *прил.* exháusted, worn out [wɔ:n...]; у него́ ~ вид he looks run down, *или* worn out.

изму́чить *сов.* (*вн.*) tórture (*d.*); wéary (*d.*); (*утомлять*) tire out (*d.*), exháust (*d.*); изму́ченный боле́знью worn out, *или* racked, by disèase [wɔ:n...-'zi:z]. ~**ся** *сов.* be tired out, be exháusted; (*морально*) be wórried to death [...'wʌ-...deθ].

измыва́тельство *с. разг.* = издева́тельство.

измыва́ться *разг.* = издева́ться.

измы́згать(ся) *сов. см.* измы́згивать(-ся).

измы́згивать, измы́згать (*вн.*) *разг.* soil all óver (*d.*). ~**ся**, измы́згаться *разг.* 1. get* dírty all óver; 2. *страд. к* измы́згивать.

измы́ливать, измы́лить (*вн.*) *разг.* use up (*d.*) (*of soap*). ~**ся**, измы́литься *разг.* be used up (*of soap*).

измы́лить(ся) *сов. см.* измы́ливать(ся).

измы́‖**слить** *сов. см.* измышля́ть. ~**шле́ние** *с.* fàbricátion, con:cóction; (*вымысел*) fígment.

измышля́ть, измы́слить (*вн.*) contríve (*d.*); (*о лжи, клевете*) fábricàte (*d.*).

измя́тый *прич. и прил.* crúmpled.

измя́ть *сов.* (*вн.*) (*о платье и т. п.*) rúmple (*d.*); (*о бумаге*) crúmple (*d.*). ~**ся** *сов.* get* / becóme* rúmpled / crúmpled (*ср.* измя́ть).

изна́нк‖**а** *ж.* the wrong side; с ~и on the ínner side; ◇ ~ жи́зни the séamy side of life.

изнаси́лова‖**ние** *с.* rape, viòlátion. ~**ть** *сов. см.* наси́ловать 2.

изнача́льн‖**ый** primórdial; ~ая связь *филос.* prímary bond ['praɪ-...].

изна́шиваемость *ж.* àmòrtizátion.

изна́шивание *с.* wear [wɛə]; ~ обору́дования wear and tear of equípment [...teə...].

изна́шивать, износи́ть (*вн.*) wear* out [wɛə...] (*d.*). ~**ся**, износи́ться 1. wear* out [wɛə...]; (*перен.*) be used up; be played out *разг.*; 2. *страд. к* изна́шивать.

изне́женн‖**ость** *ж.* délicacy; (*о мужчине*) effémi:nacy; (*чувствительность*) susceptibílity. ~**ый** 1. *прич. см.* изне́живать; 2. *прил.* délicate; (*о мужчине*) effém:inate; (*избалованный*) códdled; ~ый ребёнок códdled / pámpered child*.

изнеж||ивать, изнежить (*вн.*) rénder délicate (*d.*); (*о мужчине тж.*) rénder efféminate (*d.*); (*баловать*) códdle (*d.*), pámper (*d.*). **~иваться**, изнежиться becóme* délicate; get* soft *разг.*; (*о мужчине тж.*) becóme* efféminate. **~ить(ся)** *сов. см.* изнеживать(ся).

изнемога||ть, изнемочь (от) be exháusted (with); *сов. тж.* break* down [-eɪk...] (with); grow* faint [-ou...] (from); он ~ет от жары he is exháusted with the heat; он ~ет от усталости he is dead tired [...ded...]; he is dead beat *разг.*; ~ под тяжестью be fáinting únder a weight.

изнеможе́ни||е *с.* exháustion [-stʃən], bréak-down [-eɪk-]; быть в ~и be útterly exháusted; be all in *разг.*; работать до ~я work to the point of exháustion, work till one breaks down [...-eɪks...].

изнеможённый *прич. и прил.* exháusted.

изнемочь *сов. см.* изнемогать.

изнервнича||ться *сов. разг.* be óverstrúng; get* into a state of nerves; он совсем ~лся his nerves have gone to pieces [...gɔn...].

изничтожать, изничтожить (*вн.*) *разг.* destróy (*d.*), wipe out (*d.*).

изничтожить *сов. см.* изничтожать.

изно́с *м. разг.* wear [wɛə]; *тех.* wear and tear [...teə]; этому пальто нет ~у this coat will néver wear out, there is no wéaring this coat out [...'wɛə-...]. **~ить(ся)** *сов. см.* изнашивать(ся).

изношенный 1. *прич. см.* изнашивать; 2. *прил.* wórn-óut [ˈwɔːn-]; (*потёртый*) thréadbàre [ˈθred-], shábby; (*об оборудовании*) deprécìated; ~ организм worn, *или* prématurely áged órganism [wɔːn...].

изнур||е́ние *с.*, **~ённость** *ж.* (phýsical) exháustion [-zɪ-stʃən]; (*от голода*) inanítion; дойти до ~е́ния be útterly phýsically exháusted [...-zɪ-...]. **~ённый** *прич. и прил.* phýsically exháusted [-zɪ-...]; jáded, wórn-óut [ˈwɔːn-] *разг.*; (*жарой*) swéltered, ~ённый голодом, холодом *и т.п.* faint with húnger, cold, *etc.*; ~ённый лихорадкой wásted with féver [ˈweɪ-...]. **~и́тельный** exháusting; ~и́тельная лихорадка wásting féver [ˈweɪ-...]; стоит ~и́тельная жара the heat is trýing / swéltering. **~и́ть(ся)** *сов. см.* изнурять(ся).

изнуря́ть, изнурить (*вн.*) wear* out [wɛə...] (*d.*), exháust (*d.*); (*о лихорадке*) waste [weɪst] (*d.*); (*работой*) óverwórk (*d.*); óverdrìve* (*d.*). **~ся**, изнуриться 1. exháust onesélf; 2. *страд. к* изнурять.

изнутри́ *нареч.* from within, on the ínside; дверь заперта ~ the door is locked on the ínside [...dɔː...].

изныва́ть, изныть (от) pine (aˈwáy) (with); ~ от тоски́ по дому pine for one's home; ~ от жары́ be lánguid with the heat; ~ от жажды burn* with, *или* be torménted by, thirst.

изны́ть *сов. см.* изнывать.

изо *см.* из; *изо дня в день* day by day, day áfter day, from day to day.

изо- *см.* из-.

изоба́ра *ж. метеор.* ísobar [ˈaɪ-].

изоби́ли||е *с.* abúndance, plénty; profúsion; ~ сырья́ abúndance of raw matérials; годы ~я years of plénty; создать ~ продуктов питания provide / create an abúndance of fóodstuffs; в ~и in abúndance; ◇ рог ~я horn of plénty, cornucópia.

изоби́л||овать (*тв.*) abóund (in); be rich (in); (*кишеть*) teem (with); север ~ует лесами the North abóunds in fórests [...ˈfɔ-]; река ~ует рыбой the river teems with fish [...rɪ-...].

изоби́льный abúndant, pléntíful, cópious.

изоблич||ать, изобличить 1. (*вн.*) expóse (*d.*); (*вн. в пр.*; *в преступлении и т.п. тж.*) prove guilty [pruːv...] (*d.* of); ~ кого-л. во лжи expóse smb. as a líar, catch* smb. out in a lie; ~и́ть врага́ únmask / expóse the énemy; 2. *тк. несов.* (*в ком-л. кого-л.*) show* (smb.) to be [ʃou...] (smb.); point to (smb.'s) béing (smb.); betráy (smb. in smb.): всё ~а́ло в нём охотника éverything showed him to be a húnter; éverything betráyed the húnter in him, éverything pointed to his béing a húnter; его́ бесшу́мная похо́дка ~а́ла в нём охо́тника his nóise:less tread betráyed the húnter in him, *или* betráyed him as a húnter [...tred...]. **~е́ние** *с.* expósure [-ˈpou-]. **~и́тель** *м.* accúser. **~и́тельный** accúsing, dámning. **~и́ть** *сов. см.* изобличать 1.

изобража||ть, изобразить (*вн.*) depíct (*d.*), pícture (*d.*), pòrtráy (*d.*); (*представлять*) represént [-ˈzent] (*d.*), paint (*d.*); (*выражать*) express (*d.*); (*подражать*) ímitate (*d.*); ◇ ~ из себя (*вн.*) pose (as), make* onesélf out to be (*d.*); он не так глуп, как его́ ~ют he is not the fool they make him out (to be). **~а́ться**, изобразиться 1. show* [ʃou], appéar; 2. *страд. к* изображать. **~е́ние** *с.* 1. (*действие*) represèntátion [-ze-]; 2. (*образ*) pòrtráyal, pícture, ímage; (*отпечаток*) ímprint; ~е́ние в зеркале refléction.

изобрази́тельн||ый gráphic, fígurative; ◇ ~ые искусства fine arts.

изобрази́ть(ся) *сов. см.* изображать(-ся).

изобрести́ *сов. см.* изобретать.

изобрета́тель *м.* invéntor. **~ница** *ж.* invéntress. **~ность** *ж.* invéntive:ness; ingenúity; (*находчивость*) resóurce:fulness [-ˈsɔːs-]. **~ный** invéntive; ingénious; (*находчивый*) resóurce:ful [-ˈsɔːs-]. **~ский** *прил. к* изобретатель; *тж.* invéntive. **~ство** *с.* invéntion.

изобрета́ть, изобрести́ (*вн.*) invént (*d.*); (*придумывать*) devíse (*d.*), contríve (*d.*). **~е́ние** *с.* invéntion.

извова́ться *сов. разг.* = изолгаться.

изогло́сса *ж. лингв.* ìsoglóttic line [ˈaɪsou-...].

изо́гнутый *прич. и прил.* bent, curved.

изогну́ть(ся) *сов. см.* изгибать(ся).

изого́на *ж. геогр.* isogónic line [aɪ-...].

изо́дранный *прич. и прил. разг.* torn to shreds / ríbbons.

изодра́ть *сов.* (*вн.*) *разг.* rend* (*d.*), tear* (*in séveral places, to píeces*) [teə...] (*d.*). **~ся** *сов. разг.* be all torn, be in shreds.

изойти́ *сов. см.* исходить III.

изокли́на *ж. геогр.* ísoclinal line [aɪ-...].

изолга́ться *сов.* becóme* an invéterate / hópe:less líar; он ~а́лся до такой сте́пени, что he has wrapped himsélf in lies till.

изоли́рованн||ый 1. *прич. см.* изоли́ровать; 2. *прил.* ísolated [ˈaɪ-]; *тех. тж.* ínsulated; (*отдельный*) séparate; (*единичный*) sólitary; ~ая комната séparate room; ~ случай, факт ísolated / sólitary évent, case [...-s].

изоли́р||овать *несов. и сов.* (*вн.*) ísolate [ˈaɪ-] (*d.*); *тех. тж.* ínsulate (*d.*); *мед. тж.* quárantine [-tiːn] (*d.*). **~оваться** *несов. и сов.* 1. ísolate onesélf [ˈaɪ-...]; 2. *страд. к* изоли́ровать. **~о́вочный**, **~ующий** *тех.* ínsulating.

изоля́тор *м.* 1. *тех.* ínsulator; 2. (*в больнице и т. п.*) isolátion ward [aɪ-...].

изоляцион||и́зм *м.* isolátionism [aɪsə-]. **~и́ст** *м.* isolátionist [aɪsə-]. **~и́стский** isolátionist [aɪsə-] (*attr.*).

изоляцио́нн||ый *прил. к* изоляция; ~ая ле́нта *тех.* ínsulating tape.

изоля́ция *ж.* isolátion [aɪ-]; *тех. тж.* insulátion; *мед. тж.* quárantine [-tiːn].

изоме́р *м. хим.* ísomer [ˈaɪ-]. **~ный** *хим.* isoméric [aɪ-].

изометри́ческий isométric(al) [aɪ-].

изомо́рфный *мин.* isómorphous [aɪ-].

изо́рванный 1. *прич. см.* изорвать; 2. *прил.* táttered, torn; (*в лохмотьях*) rágged.

изорва́ть *сов.* (*вн.*) tear* (to píeces) [teə...ˈpiːsɪz] (*d.*). **~ся** *сов.* be in táttеrs, be torn to tátters.

изоте́ра [-тэ-] *ж. метеор.* isothère [aɪz-].

изоте́рм||а [-тэ-] *ж. метеор., физ.* ísotherm [ˈaɪ-]. **~и́ческий** [-тэ-] 1. *физ.* isothérmal [aɪ-]; 2.: ~и́ческий вагон refrígerator car.

изото́п *м.* ísotope [ˈaɪ-]; радиоактивные ~ы ràdioáctive ísotopes.

изохро́нный isóchronous [aɪ-].

изощре́ние *с.* refíne:ment; ~ вкуса éxquisite refíne:ment of taste [-zɪt...teɪst].

изощрённ||ость *ж.* refíne:ment. **~ый** 1. *прич. см.* изощрять; 2. *прил.* highly sénsitive; (*утончённый*) refíned, keen.

изощри́ть *сов. см.* изощрять. **~ся** *сов. см.* изощряться 1.

изощря́ть, изощрить (*вн.*) cúltivate (*d.*), refíne (*d.*); (*делать совершенным*) make* pérfect (*d.*); ~ ум, па́мять shárpen / cúltivate the mind, the mémory. **~ся**, изощри́ться 1. (*в пр.*) (*изощрять способности*) excél (in); 2. *тк. несов.* (*пускать в ход всё своё мастерство*) try very hard, *или* do one's best, to achieve smth. [...-iːv...]; lean* óver báckwards to achieve smth. [...-dz...]; ~ся в остроумии éxercise one's wits.

из-под *предл.* (*рд.*) 1. (*откуда?*) from únder: из-под стола from únder the table; 2. (*при определении вместилища*) обычно не переводится, причём определяющее существительное употребляется как 1-я часть сложного слова: бутылка из-под вина wíne-bottle; ◇ из-под па́лки *разг.* ≅ únder the lash; únder préssure.

изра́з||ец *м.* tile. **~цо́вый** *прил.* к изразе́ц.

изра́ильский Isráeli [ɪzˈreɪlɪ].

израильтя́н||ин *м.*, **~ка** *ж.* Isráeli [ɪzˈreɪlɪ].

изра́ненный *прич. и прил.* cóvered with wounds [ˈkʌ-...wuː-].

изра́нить *сов.* (*вн.*) cóver with wounds [ˈkʌ-...wuː-] (*d.*).

израсхо́довать(ся) *сов. см.* расхо́довать(ся).

и́зредка *нареч.* (every) now and then; (*время от времени*) from time to time, occásionally.

изре́занный 1. *прич. см.* изре́зывать; (*тв.*) bróken (by); 2. *прил.* (*о береге*) indénted.

изре́зать *сов. см.* изре́зывать.

изре́зывать, изре́зать (*вн.*) 1. cut* up (*d.*), cut* to píeces [...ˈpiːsɪz] (*d.*); 2. *геогр.* indént (*d.*).

изрека́ть, изре́чь (*вн.*) útter (*d.*), speak* sólemnly / pómpous:ly (*d.*); *разг.* mouth [-ð] (*d.*).

изрече́ние *с.* ápophthegm [ˈæpəθ-], áphorism, díctum (*pl.* dícta), sáying.

изре́чь *сов. см.* изрека́ть.

изрешети́ть(ся) *сов. см.* изреше́чивать (-ся).

изреше́чивать, изрешети́ть (*вн.*) pierce with holes [pɪəs...] (*d.*); (*пулями, дробью*) riddle (*d.*). **~ся,** изрешети́ться be all holes; be / become* riddled.

изрисова́ть *сов. см.* изрисо́вывать.

изрисо́вывать, изрисова́ть (*вн.*) 1. (*покрывать рисунками*) cóver with dráwings [ˈkʌ-...] (*d.*); 2. *разг.* (*использовать карандаш, бумагу и т. п.*) use up (*d.*).

изруби́ть *сов.* (*вн.*) 1. chop (*d.*), chop up (*d.*); (*топором тж.*) hack to píeces [...ˈpiːsɪz] (*d.*); (*о мясе*) mince (*d.*); 2. (*убить*) kill (*d.*) (*by using side-arms*).

изруга́ть *сов.* (*вн.*) *разг.* revíle (*d.*). (*ср.* руга́ть).

изрыва́ть, изры́ть (*вн.*) dig* up (*d.*).

изрыг||а́ть, изрыгну́ть (*вн.*) vómit (*d.*), spew (*d.*); (*перен.*) belch (*d.*); пу́шки **~**а́ли ого́нь и дым the cánnons bélched fire and smoke; **~** руга́тельства let* forth a stream of oaths. **~ну́ть** *сов. см.* изрыга́ть.

изры́тый *прич. см.* изрыва́ть; ◇ **~** о́спой póck-màrked, pítted with smáll-pòx scars.

изры́ть *сов. см.* изрыва́ть.

изря́дн||о *нареч. разг.* fáirly, prétty well [ˈprɪ-...]; **~** вы́пить have had a fair amóunt to drink. **~ый** *разг.* fáirly good, not so bad; (*о цене, состоянии тж.*) hándsome [-ns-]; **~**ое коли́чество a fair amóunt; **~**ая су́мма a prétty pénny / sum [...ˈprɪ-...], quite a sum; **~**ый дура́к a jólly fool; **~**ое расстоя́ние a fair dístance.

изуве́р *м.* mónster of crúelty [...ˈkruəl-]; fanátic. **~ский** (sávage:ly) cruel [...kruəl]. **~ство** *с.* wild fanáticism; (*жестокость*) bárbárity; fanátical crúelty [...ˈkruəl-]. **~ствовать** beháve like a mónster, или mónsters, of crúelty [...ˈkruəl-].

изуве́ч||ивать, изуве́чить (*вн.*) mútiláte (*d.*), maim (*d.*). **~ить** *сов. см.* изуве́чивать.

изукра́сить *сов. см.* изукра́шивать.

изукра́шивать, изукра́сить (*вн.*) 1. adórn (lávishly) (*d.*), décoràte (*d.*); 2. *разг. ирон.* (*уродовать*) "adórn" (*d.*); изукра́сить синяка́ми "adórn" with brúises [...ˈbruːz-] (*d.*).

изуми́тельно I *прил. кратк. см.* изуми́тельный.

изуми́тельн||о II *нареч.* amázing:ly, wónderfully [ˈwʌ-]. **~ый** amázing, astóunding, wónderful [ˈwʌ-].

изум||и́ть(ся) *сов. см.* изумля́ть(ся). **~ле́ние** *с.* amáze:ment, wónder [ˈwʌ-]; (*неприятное*) consternátion. **~лённый** *прич. и прил.* amázed, surprísed; *тк. прил.* (*поражённый*) wónder-strùck [ˈwʌ-], dùmb:fóunded.

изумля́ть, изуми́ть (*вн.*) amáze (*d.*); (*поражать*) strike* dumb (*d.*). **~ся,** изуми́ться be amázed; (*поражаться*) be wónder-strùck [...ˈwʌ-]; be dùmb:fóunded.

изумру́д *м.* émerald. **~ный** *прил.* к изумру́д.

изуро́дованный *прич. и прил.* disfigured; (*о человеке тж.*) mútilàted, maimed.

изуро́довать(ся) *сов. см.* уро́довать (-ся).

изу́стный óral, trànsmítted órally [-nz-...].

изуч||а́ть, изучи́ть (*вн.*) 1. stúdy [ˈstʌ-] (*d.*); (*овладевать*) máster (*d.*); тща́тельно изучи́ть что́-л. make* a cáre:ful / close stúdy of smth. [...klous...]; изучи́ть возмо́жности explóre the pòssibílities; 2. (*выучивать*) learn* [ləːn] (*d.*); (*узнавать*) come* to know (very well) [...nou...] (*d.*); он **~**и́л его́, её и т. д. he has come to know him, her, *etc.*, ínside out, he can read him, her, *etc.*, like a book. **~е́ние** *с.* stúdy [ˈstʌ-]. **~и́ть** *сов. см.* изуча́ть.

изъеда́ть, изъе́сть (*вн.*) eat* a:wáy (*d.*); (*о кислоте, ржавчине*) corróde (*d.*); **~** мо́лью móth-eaten; **~** мыша́ми móuse-eaten [-s-].

изъе́з||дить *сов.* (*вн.*) 1. *разг.* trável all óver [ˈtræ-...] (*d.*); **~** весь свет trável all óver the world, trável the whole world óver [...houl...]; 2. (*повредить ездой*) wear* out [weə...]. **~женный** rútted; **~**женная доро́га béaten track.

изъе́сть *сов. см.* изъеда́ть.

изъяви́тельн||ый: **~**ое наклоне́ние *грам.* indicative mood.

изъяв||и́ть *сов. см.* изъявля́ть. **~ле́ние** *с.* expréssion; **~**ле́ние согла́сия expréssion of assént / appróval [...əˈpruː-]. **~ля́ть, изъяви́ть** (*вн.*) expréss (*d.*); **~**ля́ть согла́сие give* one's consént.

изъязви́ть *сов. см.* изъязвля́ть.

изъязв||ле́ние *с. мед.* ùlcerátion. **~лённый** 1. *прич. см.* изъязвля́ть; 2. *прил. мед.* úlcered. **~ля́ть, изъязви́ть** (*вн.*) *мед.* úlceràte (*d.*).

изъя́н *м.* 1. flaw, deféct; с **~**ом flawed, deféctive; 2. *уст.* (*ущерб*) dámage, loss.

изъясни́ться *сов. см.* изъясня́ться.

изъясня́ться, изъясни́ться expréss one:sélf.

изъя́ти||е *с.* 1. with:dráwal; (*удаление*) remóval [-ˈmuː-]; (*монеты из обращения*) immobilizátion (of cúrrency) [-moʊbɪlaɪ-...]; 2. (*исключение*) excéption; все без **~**я all without excéption; в **~** из пра́вил as an excéption to the rule.

изъя́ть *сов. см.* изыма́ть.

изым||а́ть, изъя́ть (*вн.*) with:dráw* (*d.*); (*удалять*) remóve [-ˈmuːv] (*d.*); (*монету из обращения*) immóbilize [-ˈmou-] (*d.*); **~** из употребле́ния with:dráw* from use [...juːs] (*d.*); **~** из обраще́ния with:dráw* from circulátion (*d.*), immóbilize (*d.*); **~** в по́льзу госуда́рства cónfiscàte (*d.*).

изы́ск *м.* pretentious nóvelties *pl.*

изыска́ние *с.* 1. finding, procúring; 2. чаще мн. invèstigátion, resèarch [-ˈsəːtʃ]; (*геологическое*) prospécting; **~** тра́ссы ж.-д. súrvey.

изы́сканн||ость *ж.* refíne:ment. **~ый** refíned; recherché (*фр.*) [rəˈʃɛəʃeɪ]; **~**ые мане́ры cóurtly / refíned mánners [ˈkɔː-...]; **~**ое блю́до dáinty / délicate dish, délicacy.

изыска́тель *м.* prospéctor. **~ский** prospécting.

изыска́ть *сов. см.* изы́скивать 1.

изы́скивать, изыска́ть (*вн.*) 1. find* (*d.*), search out [səːtʃ...] (*d.*); procúre (*d.*); *несов. тж.* try to find (*d.*); 2. *тк. несов.* invéstigàte (*d.*); *геол.* prospéct (for).

изю́бр *м. зоол.* Mànchúrian deer*.

изю́м *м. тк. ед.* ráisins [-z-] *pl.*; (*без косточек*) sultána (-ˈtɑː-]. **~ина** *ж.* ráisin [-z-]. **~инка** *ж. уменьш. от* изю́мина; (*перен.*) pep, go, spírit; ◇ с **~**инкой spírited; в ней нет **~**инки she has:n't got much kick; she has no go in her.

изя́щ||ество *с.* refíne:ment, élegance, grace. **~ный** refíned, élegant, gráce:ful; ◇ **~**ные иску́сства fine arts; **~**ная литерату́ра fíction; bélles-léttres (*фр.*) [bel'letr].

ика́ть, икну́ть híccùp, híccough [-kʌp].

ика́ться *безл. разг.:* ему́, наве́рное, сейча́с ика́ется ≅ his ears are búrning.

икну́ть *сов. см.* ика́ть.

ико́на *ж.* ícon.

иконобо́р||ец *м. ист.* íconoclàst [aɪ-]. **~чество** *с. ист.* íconoclàsm [aɪ-].

иконогра́фия *ж.* icònógraphy [aɪ-].

иконопи́сец *м.* ícon-painter.

и́конопись *ж.* ícon-painting.

иконоста́с *м.* iconóstasis [aɪk-].

икота́ *ж. тк. ед.* híccùp, híccough [-kʌp].

икр||а́ I *ж. тк. ед.* 1. (*в рыбе*) (hárd-) ròe; (*после метания*) spawn; (*продукт питания*) cáviàr(e) [-ɑː]; мета́ть **~**у́ spawn; зерни́стая **~** soft cáviàr(e); па́юсная **~** pressed cáviàr(e); 2. (*грибная, баклажанная и т. п.*) paste [peɪst].

икра́ II *ж. см.* и́кры.

икри́||н(к)а *ж.* grain of roe. **~стый** (*содержащий много икры*) roed, contáining much roe. **~ться** spawn.

икрометáни||е *с.* spáwning; пери́од **~**я spáwning time.

и́кры *мн.* (*ед.* икра́ *ж.*) (*ног*) calves [kɑːvz] (*of the legs*).

икряно́й 1. (*о рыбе*) hárd-róed; **2.** (*приготовленный из икры*) made from roe.

икс-лучи́ *мн. физ. уст.* X-rays ['eks-].

ил *м. тк. ед.* silt.

и́ли *союз* or; и́ли... и́ли éither... or ['aɪ-...]; и́ли же or else.

и́листый silt-cóvered ['kʌ-]; sílty, óozy; (*содержащий ил*) contáining silt.

иллюзиони́ст *м.* illúsionist, cónjurer ['kʌn-].

иллю́зи||я *ж.* illúsion; стро́ить, создава́ть ~ии créate illúsions; прекра́сная ~ lóvely phántom ['lʌ-...], béautiful dream ['bju:t-...].

иллюзо́рный illúsive, illúsory.

иллюмина́тор *м. мор.* pórthole, sídelight; *ав.* window.

иллюмина||цио́нный *прил.* к иллюмина́ция. ~**ция** *ж.* illuminátion. ~**ирова́ть** *несов. и сов.* = иллюминова́ть.

иллюминова́ть *несов. и сов.* (*вн.*) illúminate (*d.*).

иллюстр||ати́вный illustrátive; ~ материа́л illustrátion(s) (*pl.*) ~**а́тор** *м.* illustrátor. ~**а́ция** *ж.* (*в разн. знач.*) illustrátion. ~**и́рованный** *прич. и прил.* illústrated; ~**и́рованный** журна́л pictórial, illústrated mágazine [...-'zi:n].

иллюстри́ровать *несов. и сов.* (*сов. тж.* проиллюстри́ровать) (*вн.; в разн. знач.*) illústrate (*d.*).

илова́тый óozy, sílty.

ило́т *м. ист.* hélot ['he-].

и́лька *ж. зоол.* (North Américan) mink.

ильм *м. бот.* elm.

им I *тв. см.* он.

им II *дт. см.* они́.

имажи́н||изм *м. лит.* imagism. ~**и́ст** *м. лит.* imagist.

има́м *м.* imám [-ɑ:m], imáum [-ɑm].

имби́рный *прил.* к имби́рь.

имби́рь *м.* ginger [-ndʒə].

име́ние *с.* 1. estáte, cóuntry próperty ['kʌ-...]; mánor ['mæ-]. 2. *уст.* (*имущество*) próperty; posséssions [-'ze-] *pl.*

имени́нн||ик *м.,* ~**ица** *ж.* one whose náme-day it is; сего́дня он ~ it is his náme-day todáy; ◊ вы́глядеть ~**иком** ≅ look chéery, look bright and háppy. ~**ый** *прил.* к имени́ны.

имени́ны *мн.* náme-day *sg.*

имени́тельный: ~ паде́ж *грам.* nóminative case [...-s].

имени́тый *уст.* distínguished, éminent.

и́менно *частица* 1. námely; (*перед перечислением*) to wit; vidélicet [vɪ'di:lɪset] (*сокр.* viz.); (*то есть*) that is; **2.** (*как раз*) just, exáctly; ~ э́тот слу́чай just that very case [...-s]; ~ потому́ just becáuse [...-'kɔz]; вот э́то он и говори́л именно what he was sáying; кто ~? who exáctly?; ско́лько ~? how much exáctly?; ~ э́тим объясня́ется... it is precísely this fact that explains... [...-'saɪs-...]; ◊ вот ~! exáctly!, that's it!

именн||о́й (*в разн. знач.*) nóminal; ~ чек cheque (páyable to pérson named); ~**ые** а́кции inscríbed stock *sg.*; ~ экземпля́р áutographed cópy [...-'kɔ-]; ~**о́е** кольцо́, ~**ые** часы́ ring, watch engráved with the ówner's name ['ou-...]; ◊ ~ спи́сок nóminal roll.

имено́ванн||ый: ~**ое** число́ *мат.* cóncrete númber.

именова́ть, наименова́ть (*вн.*) name (*d.*); ~**ся** (*тв.*) be named (*d.*), be térmed / called (*d.*).

имену́емый 1. *прич. см.* именова́ть; **2.** *прил.* called; by name (*после сущ.*).

име́ть (*вн.; в разн. знач.*) have (*d.*); ◊ ~ в виду́ (*подразумевать*) mean* (*d.*); (*не забывать*) bear* / have in mind [bɛə...] (*d.*); (+ *инф.*; *иметь намерение*) inténd (*d.*), mean* (+ *to inf.*); име́йте в виду́, что mind, и́ли don't forgét, that [...-'g-...]; ~ де́ло с кем-л. have to do with smb., deal* with smb.; have déalings with smb.; ~ ме́сто take* place; ~ возмо́жность (+ *инф.*) be in a posítion [...-'zɪ-] (+ to *inf.*), have a chance (of *ger.*) ~ значе́ние mátter; ~ большо́е значе́ние mátter very much, be of great impórtance [...greɪt...]; ~ значе́ние (для) be impórtant (to); ~ суще́ственное значе́ние (для) be esséntial / fundaméntal (to); не ~ значе́ния be of no impórtance; ~ бу́дущее, бу́дущность have a future (before one); ~ вкус (*о пище и т. п.*) have a taste [...teɪst]; (*о человеке*) have taste; ~ за́пах smell*; ~ притяза́ния (на *вн.*) have claim(s) (on); ~ успе́х be a success. ~**ся** *перево́дится действит. фо́рмами гл.* have *или* оборо́тами there is, there are; у них име́ются но́вые кни́ги they have new books; в э́той библиоте́ке име́ются но́вые кни́ги there are new books in this library [...'laɪ-]; ~**ся** налицо́ be aváilable; be on hand; е́сли таковы́е име́ются if such / any are aváilable; if such are to be found; if any.

име́ющийся aváilable.

и́ми *тв. см.* они́.

имита́тор *м.* mímic. ~**а́ция** *ж.* mímicking; (*подделка подо что-л.*) imitátion. ~**и́ровать** (*вн.*) mímic (*d.*); (*подделывать*) ímitate (*d.*); ~**и́ровать** голоса́ живо́тных mímic the vóices of ánimals.

иммане́нтный *филос.* ímmanent; inhérent.

иммигр||а́нт *м.,* ~**а́нтка** *ж.* ímmigrant. ~**а́нтский** *прил.* к иммигра́нт. ~**ацио́нный** *прил.* к иммигра́ция; ~**ацио́нные** зако́ны immigrátion laws. ~**а́ция** *ж. тк. ед.* 1. (*действие*) immigrátion; 2. *собир.* (*иммигранты*) ímmigrants *pl.* ~**и́ровать** *несов. и сов.* ímmigrate.

иммобилизова́ть *сов.* (*вн.*) *мед.* immóbilize [-'mou-] (*d.*).

иммортéль [-тэ-] *ж. бот.* immortélle [-'tel].

иммуниз||а́ция *ж. мед.* immunizátion [-naɪ-]. ~**и́ровать** *несов. и сов.* (*вн.*) *мед., юр.* ímmunize (*d.*).

иммуните́т *м. мед., юр.* immúnity.

иммуно́лог *м.* immunólogist.

иммунологи́ческий immunológical.

иммуноло́гия *ж.* immunólogy.

императи́в *м.* ímperative; категори́ческий ~ *филос.* categórical imperative. ~**ный** ímpérative.

импера́т||ор *м.* émperor. ~**орский** *прил.* к импера́тор; *тж.* impérial. ~**рица** *ж.* émpress.

империа́л I *м. уст.* (*монета*) impérial.

империа́л II *м. уст.* (*места наверху́ омнибуса, конки и т. п.*) top, óutside, impérial.

империал||и́зм *м.* impérialism. ~**и́ст** *м.* impérialist. ~**исти́ческий, и́стский** impérialist (*attr.*); ~**исти́ческая** война́ impérialist war; ~**исти́ческий** ла́герь the impérialist camp.

импе́р||ия *ж.* émpire. ~**ский** impérial.

импоза́нтный impósing, impréssive, stríking.

импони́ров||ать (кому-л.) impréss (smb.), make* an impréssion (on smb.); ей ~**ала** его́ хра́брость his cóurage impréssed her [...kʌ-...].

и́мпорт *м.* ímport. ~**ёр** *м.* impórter.

импорти́ровать *несов. и сов.* (*вн.*) impórt (*d.*).

и́мпортн||ый impórted; ímport (*attr.*); ~**ые** по́шлины ímport dúties.

импоте́н||т *м.* ímpotent man*. ~**ция** *ж.* ímpotence.

импреса́рио *м. нескл.* imprèsàrio [-'sɑ:-].

импрессион||и́зм *м. иск.* impréssionism. ~**и́ст** *м. иск.* impréssionist. ~**исти́ческий, и́стский** *иск.* impressionístic.

импровиза́тор *м.* impróvisàtor [-z-]; (*женщина*) improv(v)isàtrice [-vi:zɑ:'tri:tʃə]. ~**ский** imprόvisatory [-zə-].

импровиза́ция *ж.* improvisátion [-aɪz-].

импровизи́рованн||ый 1. *прич. см.* импровизи́ровать; **2.** *прил.* ímprovised, imprómptù; extémpore [-rɪ]; ~**ая** речь an ímprovised speech.

импровизи́ровать *несов. и сов.* (*сов. тж.* сымпровизи́ровать) (*вн.*) ímprovise (*d.*), extémporize (*d.*).

и́мпульс *м.* 1. ímpulse, ímpetus; urge; ~ к тво́рчеству créative urge; 2. *рад.* pulse. ~**и́вный** impúlsive.

иму́щественн||ый *прил.* к иму́щество; ~ ценз próperty qualificátion; ~**ые** отноше́ния próperty relátions; ~**ое** положе́ние próperty státus.

иму́ществ||о *с.* próperty; belóngings *pl.*; (*о товаре*) stock; *воен.* stores *pl.*, equipment; движимое ~ móvable próperty [...'mu:v-...]; *юр.* cháttels *pl.*; недви́жимое ~ real próperty / estáte [rɪəl...], realty ['rɪəl-]; госуда́рственное ~ State próperty; колхо́зное ~ kòlkhóz próperty; ли́чное ~ pérsonal próperty; о́пись ~**а** (*за долги*) distráint; (*инвента́рная* о́пись) inventory.

иму́щ||ий própertied; (*состоятельный*) well off, wéalthy ['wel-]; ~**ие** кла́ссы the própertied classes; ◊ власть ~**ие** the powers that be.

и́м||я *с.* 1. name (*тж. репутация, известность*); дать ~ (*дт.*) name (*d.*); по ~**ени** by name; по ~**ени** Пётр Pyotr by name; он изве́стен под ~**енем** Ивано́ва he goes únder / by the name of Ivanóv [...-ɑ:-]. 2. *грам.* noun; ~ существи́тельное noun, substántive; ~ прилага́тельное ádjective; ~ числи́тельное númeral; ◊ запятна́ть своё ~ stain one's good name; челове́к с ~**енем** wéll-knówn man* [-'noun-]; ~**ени**: заво́д ~**ени** Ки́рова the Kírov works; — во ~ (*рд.*) in the name (of): во ~ ми́ра во всём ми́ре in the

ИМЯ – ИНК

name of world peace; — на ~ (*рд.*): письмо́ *и т. п.* на ~ a létter, *etc.*, addréssed (to); купи́ть что́-л. на ~ кого́-л. buy* smth. on behálf of smb. [baɪ...-ˈhɑːf...]; — от ~ени (*рд.*) on behálf (of); for: от моего́, твоего́ *и т. д.* ~ени on my, your, *etc.*, behálf; расска́з ведётся от ~ени the stóry is told by; выступа́ть от ~ени speak* for; — называ́ть ве́щи свои́ми ~ена́ми call things by their right / próper names [...ˈprɔ-...]; call a spade a spade *идиом. разг.*

имяре́к *м.* só-and-sò [-ənsou].

инакомы́слящий dífferently minded, of a dífferent trend of thought, héterodòx.

ина́че 1. *нареч.* dífferently, óther:wise; **2.** *союз* or (else); спеши́те, ~ вы опозда́ете húrry up, or (else) you will be late; ◇ так и́ли ~ in any case [...-s], in any evént; one way or anóther; (*в том и в другом случае*) in éither evént [...ˈaɪ-...]; не ~ как он э́то сказа́л he was the one who said it [...sed...]; не ~ как он э́то сде́лал he must have done it, he was the man* who did it.

инвали́д *м.* ínvalid [-liːd]; dísàbled pérson; ~ войны́ dìsàbled sóldier [...ˈsouldʒə], wár-dìsàbled pérson; ~ труда́ indústrial ínvalid. ~**ность** *ж.* dísable:ment; disabílity; посо́бие по ~ности disabílity pénsion; перейти́ на ~ность be régistered as a dísàbled pérson; уво́литься (из а́рмии) по ~ности be ìnvalíded out [...ˈliː-...]. ~**ный** *прил. к* инвали́д [...-liːdʒ]; ~**ный дом** home for ínvalìds.

инвариа́нтн‖**ость** *ж. мат.* inváriance. ~**ый** *мат.* invári ant.

инвентариз‖**а́ция** *ж.* ínventory máking, stóck-tàking; провести́ ~а́цию make* an ínventory. ~**и́ровать**, ~**ова́ть** *несов. и сов.* (*вн.*) ínventory (*d.*), take* stock (of).

инвента́рн‖**ый** *прил. к* инвента́рь; ~ спи́сок, ~**ая о́пись** ínventory; ~ но́мер ínventory númber.

инвента́рь *м.* **1.** (*оборудование*) stock; торго́вый ~ stóck-in-tràde; сельскохозя́йственный ~ àgricúltural ímplements *pl.*; **2.** (*список*) ínventory; соста́вить ~ make* an ínventory; занести́ в ~ (*вн.*) put* down on the ínventory (*d.*); ◇ живо́й ~ líve:stòck; мёртвый ~ èquípment.

инве́рсия *ж. лингв., лит.* invérsion.

инверти́ровать *несов. и сов.* (*вн.*) *тех.* invért (*d.*).

инвести́ровать *несов. и сов.* (*вн.*) *эк.* invést (*d.*).

инвестицио́нный invéstment (*attr.*); ~ банк invéstment bank.

ингаля́‖**тор** *м. мед.* inháler. ~**цио́нный** *прил. к* ингаля́ция; ~**ция** *ж. мед.* inhalátion.

ингредие́нт *м.* inˈgrédient.

ингу́ш *м.* Íngush [-uːʃ]. ~**ка** *ж.* Íngush wóman* [-uːʃˈwu-]. ~**ский** Íngùsh [-uːʃ].

и́ндеветь, заи́ндеветь becóme* cóvered with hóar-fròst [...ˈkʌ-...]; becóme* hóary / white with frost.

инде́ец *м.* (Américan) Índian.

инде́йка *ж.* túrkey(-hèn).

инде́йский (Américan) Índian; ◇ ~ пету́х túrkey-còck.

и́ндекс *м.* índex (*pl.* -xes; -dicès [-dɪsiːz]); ~ цен price índex; ~ промы́шленного произво́дства índex of indústrial prodúction.

индетермин‖**и́зм** [-дэтэр-] *м. филос.* indetérminism. ~**и́ст** [-дэтэр-] *м.* indetérminist.

индиа́нка *ж.* **1.** (*ж. к* инде́ец) Índian (wóman*) [...ˈwu-]; **2.** (*ж. к* инде́ец) (Américan) Índian (wóman*).

индиви́д *м.* ìndivíd ual.

индивидуализ‖**а́ция** *ж.* ìndividualizátion [-laɪ-]. ~**и́ровать** *несов. и сов.* (*вн.*) indivídualize (*d.*).

индивидуал‖**и́зм** *м.* indivídualism. ~**и́ст** *м.* indivídualist. ~**исти́ческий** indivìdualístic.

индивидуа́льн‖**ость** *ж.* (*в разн. знач.*) indivìduálity. ~**ый** (*в разн. знач.*) indivídual; ~**ые осо́бенности** indivídual peculiárities; ~**ое хозя́йство** indivídual farm / hólding; в ~**ом поря́дке** indivídually; ~**ый слу́чай** indivídual case [...-s].

индиви́дуум *м.* indivídual.

инди́го *с. нескл.* **1.** (*краска*) índigò; **2.** *бот.* índigò plant [...-ɑːnt].

инди́ец *м.* Índian.

и́ндий *м. хим.* índium.

инди́йский Índian.

индика́тор *м. тех., хим.* índicàtor. ~**ный** *прил. к* индика́тор; *тж.* índicàted; ~**ная мо́щность** índicàted hórse-power (*сокр.* I.H.P., i.h.p.); ~**ная диагра́мма** índicàtor díagràm.

индика́ция *ж. тех.* indicátion.

инди́кт *м. ист.* indíction.

индифферент‖**и́зм** *м.* indífferentism.

индиффере́нтн‖**ость** *ж.* indífference. ~**ый** indífferent.

индо‖**герма́нский** Índò-Gèrmánic. ~**европе́йский** Índò-Europé:an; ~**европе́йские языки́** *лингв.* Índò-Europé:an lánguages.

индо́лог *м.* spécialist in Índian cúlture [ˈspe-.].

индоло́гия *ж.* ìndólogy.

индонез‖**и́ец** *м.,* ~**и́йка** *ж.,* ~**и́йский** Ìndonésian [-ˈniːʃən]; ~**и́йский язы́к** Ìndonésian, the Ìndonésian lánguage.

индосс‖**аме́нт** *м. фин.* endórse:ment, indòrsátion. ~**а́нт** *м. фин.* endórser. ~**а́т** *м. фин.* endòrsée. ~**и́ровать** (*вн.*) *фин.* endórse (*d.*).

индуи́зм *м.* Híndùism.

индукти́вн‖**ость** *ж. физ., филос.* indúctance. ~**ый** *физ., филос.* indúctive.

инду́к‖**тор** *м. физ., филос.* indúctor; *эл.* field mágnet [fiːld...]. ~**торный** *прил. к* инду́ктор; ~**торный вы́зов** *тех.* indúction call. ~**цио́нный** *прил. к* инду́кция; ~**цио́нная кату́шка** indúction coil. ~**ция** *ж. физ., филос.* indúction.

индульге́нция *ж. ист.* indúlgence.

инду́с *м.,* ~**ка** *ж.,* ~**ский** Híndú [-ˈduː], Híndóo.

индустриализ‖**а́ция** *ж.* indùstrializátion [-laɪ-]. ~**и́ровать** *несов. и сов.* (*вн.*) indústrialize (*d.*).

индустриа́льный indústrial; ~ райо́н indústrial área [...ˈɛərɪə].

инду́стрия *ж. тк. ед.* índustry; лёгкая ~ light índustry; тяжёлая ~ héavy índustry [ˈhevɪ-.]; ~ развлече́ний show búsiness [ʃou ˈbɪzn-].

индю́‖**к** *м.* túrkey(-còck). ~**шка** *ж.* túrkey(-hèn). ~**шо́нок** *м.* túrkey-poult [-pou-].

и́ней *м. тк. ед.* hóar-fròst; rime *поэт.*

ине́рт‖**ность** *ж.* inértness; slúggishness; pássivity. ~**ый** inért; (*бездеятельный тж.*) slúggish, ináctive; ~**ые га́зы** *хим.* inért gáses.

ине́рц‖**ия** *ж. физ.* inértia (*тж. перен.*); moméntum; по ~**ии** únder one's own moméntum [...oun...]; from force of inértia; (*перен.*) mechánically [-ˈkæ-.].

инже́ктор *м. тех., мед.* injéctor.

инжене́р *м.* èngine'er [endʒ-]; ~ путе́й сообще́ния ráilway / ráilroad èngine'er; ~**-кораблестрои́тель** nával árchitèct [...ˈɑːk-]; ~**-меха́ник** mechánical èngine'er [-ˈkæ-...]; ~**-эле́ктрик** eléctrical èngine'er; ~**-строи́тель** cívil èngine'er; ~**-металлу́рг** mètallúrgical èngine'er.

инжене́рно-техни́ческ‖**ий**: ~**ие рабо́тники** èngine'ers and óther téchnical wórkers [endʒ-...]; èngine'ering staff [endʒ-...] *sg.*

инжене́рн‖**ый** èngine'ering [endʒ-] (*attr.*); ~**ые войска́** the Èngine'ers [...endʒ-]; èngine'er troops / corps [...kɔː] *амер.*; sáppers *разг.*; ~**ое де́ло** èngine'ering.

инжи́р *м.* **1.** (*плод*) fig; **2.** (*дерево*) fig(-tree). ~**ный** fig (*attr.*).

и́нистый rímy, cóvered with hóar-fròst [ˈkʌv-...].

инициа́лы *мн.* inítials.

инициати́в‖**а** *ж.* inítiative; тво́рческая ~ масс the créative inítiative of the másses; по ~**е** кого́-л. on smb.'s inítiative; по со́бственной ~**е** on one's own inítiative [...oun...]; взять ~**у** в свои́ ру́ки take* the inítiative; take* the lead; подхвати́ть ~**у** take* up, *или* seize, the inítiative [...siːz...]; облада́ть ~**ой** be full of inítiative. ~**ный** inítiative, háving / táking the inítiative; full of inítiative.

инициа́тор *м.* inítiàtor; (*плана, организации и т. п.*) spónsor; выступить ~**ом** (в *пр.*) take* the lead (in).

инкасс‖**а́тор** *м.* colléctor. ~**а́ция** *ж. фин.* colléction, enˈcáshment. ~**и́ровать** *несов. и сов.* (*вн.*) *фин.* colléct (*d.*), enˈcásh (*d.*).

инка́ссо *с. нескл. фин.* enˈcáshment.

инквизи́‖**тор** *м.* inˈquisítor [-z-]. ~**торский** inˈquisitórial [-z-]. ~**цио́нный** *прил. к* инквизи́ция. ~**ция** *ж.* **1.** *ист.* the Inˈquisítion [-ˈzɪ-]; **2.** (*мучение, пытка*) inˈquisítion.

инко́гнито *с. нескл. и нареч.* inˈcógnitò.

инкорпор‖**а́ция** *ж.* inˈcòrporátion. ~**и́ровать** *несов. и сов.* (*вн.*) inˈcórporàte (*d.*).

инкримини́ровать *несов. и сов.* (*вн. дт.*) inˈcríminàte (*d.* to), charge (with *d.*).

инкруст‖**а́ция** *ж.* ínˈlàid work, ínˈlay, inˈcrùstátion. ~**и́ровать** *несов. и сов.* (*вн.*) ínˈláy* (*d.*), enˈcrúst (*d.*).

инкуба́тор *м.* ínˈcubàtor. ~**ный** ínˈcubàtor (*attr.*).

инкубацио́нный *прил.* к инкуба́ция; *тж.* in:cubative. ~ пери́од in:cubátion.
инкуба́ция *ж.* in:cubátion.
инкуна́булы *мн.* in:cunábula.
иннерва́ция *ж. анат.* innervátion.
инове́р||ец *м. уст.* adhérent of a dífferent faith / creed. ~ческий *уст.* héterodòx.
иногда́ *нареч.* sóme:times, at times.
иногоро́дн||ий of another town; (*о корреспонденции*) for / from other towns; ~ее письмо́ létter for, *или* from, another town.
иноземь||ец *м.*, ~ка *ж. уст.* fóreigner ['fɔrɪnə], stránger ['streɪ-]. ~ный *уст.* fóreign ['fɔrɪn]. ~ные поработи́тели fóreign oppréssors.
ин||о́й 1. (*не такой*) dífferent; (*не этот*) óther; ~ы́ми слова́ми in other words; не кто ~, как, не кто ~, как none other than [nʌn...]; э́то ~о́е де́ло this / that is another affáir / mátter; **2.** (*тж. как сущ.*; *некоторый*) some; ~ые здесь, ~ые там some here, some there; ◇ ~ раз sóme:times; тот и́ли ~ one or another.
и́нок *м. уст.* monk [mʌŋk]. ~и́ня *ж. уст.* nun.
инокул||и́ровать *несов. и сов.* (*вн.*) *мед.*, *бот.* inóculàte (*d.*). ~я́ция *ж. мед.*, *бот.* inòculátion.
инонациона́льный of another, *или* belónging to a different, nátion.
инопланéтный álien ['eɪ-], from another plánet [...'plæ-].
инопланетя́нин *м.* álien ['eɪ-], a béing from another plánet [...'plæ-].
иноплеме́нн||ик *м.*, ~ица *ж. уст.* mémber of a different tribe. ~ый *уст.* of another tribe, fóreign ['fɔrɪn].
иноро́дец *м. ист.* nón-Rússian [-ʃən] (*member of national minority in tsarist Russia*).
иноро́дн||ый álien; hèterogéneous; ◇ ~ое те́ло fóreign bódy ['fɔrɪn 'bɔ-].
иноска́за||ние *с.* állegory. ~тельный àllegórical.
иностра́н||ец *м.*, ~ка *ж.* fóreigner ['fɔrɪnə]. ~ный fóreign ['fɔrɪn].
иноходе́ц *м.* ámbler.
и́ноходь *ж. тк. ед.* amble; идти́, бежа́ть ~ю amble.
и́ночество *с. уст.* monásticism, monástic life.
иноязы́чн||ый 1. (*о населении и т. п.*) spéaking another lánguage; **2.** (*о выражении, обороте*) fóreign ['fɔrɪn], álien; ~ое сло́во lóan-wòrd; ~ое заи́мствование fóreign bórrowing.
инсектици́ды *мн.* (*ед.* инсектици́д *м.*) inséctìcides.
инсину||а́ция *ж.* insinuátion. ~и́ровать *несов. и сов.* insínuàte (*d.*).
инсоля́ция *ж. физ.*, *мед.* insolátion.
инспекти́ровать (*вн.*) inspéct (*d.*).
инспе́ктор *м.* inspéctor. ~ский *прил.* к инспе́ктор.
инспекцио́нн||ый *прил.* к инспе́кция; ~ая пое́здка inspéction tour [...tuə], tour of inspéction.
инспе́кция *ж.* inspéction; возду́шная ~ áerial inspéction ['ɛə-...]; ~ труда́ lábour inspéction.
инспир||а́тор *м.* incíter. ~а́ция *ж.* inspirátion, incitátion [-saɪ-].

инспири́ровани||ый *прич. и прил.* incíted, inspíred; ~ая статья́ inspíred árticle.
инспири́ровать *несов. и сов.* (*вн.*) incíte (*d.*), inspíre (*d.*).
инста́нц||ия *ж.* ínstance; суд пе́рвой ~ии court of first ínstance [kɔːt...]; после́дняя, вы́сшая ~ the híghest ínstance; по ~иям fóllowing the corréct, próper procédure [...'prə- -'siːdʒə], from ínstance to ínstance.
инсти́нкт *м.* ínstinct; ~ самосохране́ния ínstinct of sélf-presèrvátion [...-zə-]. по-~у instínctive:ly. ~и́вный instínctive; ~и́вное движе́ние instínctive móve:ment [...'muːv-].
институ́т *м.* **1.** (*учебное или научное заведение*) ínstitute; **2.** (*общественное установление*) institútion; **3.**: ~ благоро́дных деви́ц *уст.* "Ínstitute for Nóble Máidens" (*privileged boarding-school for daughters of the aristocracy*).
институ́тка *ж.* **1.** *уст.* bóarding-school girl [...-gː]; **2.** *разг.* (*о наивно-восторженной девушке*) ínnocent / ùnsophísticated girl.
инструкт||а́ж *м.* = инструкти́рование. ~и́вный instrúctional. ~и́рование *с.* instrúcting; *воен.*, *ав.* bríefing ['briːf-]. ~и́ровать *несов. и сов.* (*сов. тж.* проинструкти́ровать) instrúct (*d.*), give* instrúctions (to).
инстру́ктор *м.* instrúctor. ~ский *прил.* к инстру́ктор.
инстру́кция *ж.* diréctions *pl.*, instrúctions *pl.*; по ~и in accórdance with instrúctions.
инструме́нт *м.* (*в разн. знач.*) ínstrument; (*гл. обр. о рабочем инструменте*) tool; *собир.* tools *pl.*; (*сельскохозяйственный*) ímplement; хирурги́ческие ~ы súrgical ínstruments; то́чные ~ы precísion ínstruments; ◇ музыка́льный ~ músical ínstrument [-zɪ-...].
инструментали́ст *м.*, ~ка *ж.* instruméntalist.
инструмента́л||ьный 1. *муз.* instruméntal; **2.** *тех.* tóol-màking; used for máking tools; ~ьное произво́дство tool prodúction; ~ьная сталь tool steel. ~ьщик *м.* tóolmàker.
инструмента́рий *м.* set of ínstruments / tools.
инструме́нт||и́ровать, ~ова́ть *несов. и сов.* (*вн.*) *муз.* instrumènt (*d.*), arránge for ínstruments [ə'reɪ-...] (*d.*). ~о́вка *ж. муз.* instrumentátion.
инсули́н *м.* ínsulin.
инсу́льт *м. мед.* cérebral thrombósis, (àpopléctic) stroke.
инсурге́нт *м. уст.* insúrgent.
инсцени́р||овать *несов. и сов.* (*вн.*) drámatize (*d.*), adápt for stage (*d.*); (*перен.*: *симулировать*) feign [feɪn] (*d.*); (*о судебном процессе и т. п.*) fake (*d.*). ~о́вка *ж.* **1.** dràmatizátion [-taɪ-]; (*постановка*) àdaptátion for stage *or* screen; (*перен.*: *симуляция*) preténce, feint; (*судебного процесса и т. п.*) rígging (a tríal), fráme-ùp; **2.** (*произведение*) stage *or* screen vérsion.
интегр||а́л *м. мат.* íntegral. ~а́льный *мат.* íntegral; ~а́льное исчисле́ние íntegral cálculus [...-ke-]. ~а́тор *м.* íntegràtor. ~а́ция *ж.*, ~и́рование *с.* integrátion.

ИНК – ИНТ И

~и́ровать *несов. и сов.* (*вн.*) *мат.* íntegràte (*d.*).
интелле́кт *м.* íntelléct.
интеллектуа́л *м. разг.* intelléctual.
интеллектуа́л||ьность *ж.* intèllectuálity. ~ьный intelléctual.
интеллиге́нт *м.*, ~ка *ж.* intelléctual. ~ность *ж.* refíne:ment. ~ный cúltured, éducàted, intelléctual. ~ский *прил.* к интеллиге́нт.
интеллиге́нция *ж.* intèlligéntsia; *собир. тж.* the intelléctuals *pl.*; трудова́я ~ wórking intèlligéntsia.
интенда́нт *м.* quártermàster. ~ский quártermàster's; sérvice corps [...kɔː] (*attr.*). ~ство *с.* quártermàster sérvice, intendánce.
интенси́в||ность [-тэ-] *ж.* inténsity. ~ый [-тэ-] inténsive; ~ый труд inténsive work, high speed work; ~ое сéльское хозя́йство inténsive àgriculture.
интенсифи||ка́ция [-тэ-] *ж.* intènsificátion. ~ци́ровать [-тэ-] *несов. и сов.* (*вн.*) inténsify (*d.*).
интерва́л *м.* (*в разн. знач.*) space; íntervàl (*тж. муз.*); с ~ами at íntervàls.
интерве́н||т [-тэ-] *м.* intervéntionist. ~ция [-тэ-] *ж.* intervéntion.
интервиде́ние [-тэ-] *с.* intervísion.
интервью́ [-тэ-] *с. нескл.* ínterview [-vjuː]; дать кому́-л. ~ give* smb. an ínterview. ~е́р [-тэ-] *м.* ínterviewer [-vjuːə]. ~и́ровать [-тэ-] *несов. и сов.* (*сов. тж.* проинтервью́и́ровать) (*вн.*) ínterview [-vjuː] (*d.*).
интере́с *м.* (*в разн. знач.*) ínterest; духо́вные ~ы spíritual ínterests; узкопракти́ческие ~ы strictly práctical ínterests; представля́ть ~ы (*рд.*) rèpresént the ínterests [-'ze-...] (of); защища́ть ~ы (*рд.*) defénd the ínterests (of); де́ло представля́ет ~ the case is of ínterest [...keɪs...]; возбужда́ть ~ (к) (a)róuse ínterest (for); проявля́ть ~ (к) show* ínterest [ʃou...] (in, for); не проявля́ть ~а (к) refúse to be ínterested (in); э́то в ва́ших ~ах it is to / in your ínterest; it is to your bénefit; како́й ему́ ~? what does he gain by it?; с захва́тывающим ~ом ≅ with bréathless, *или* the kéenest, ínterest [...'breθ-...]; в госуда́рственных ~ах in the ínterests of the State.
интере́сничать *разг.* show* off [ʃou...].
интере́сно I 1. *прил. кратк. см.* интере́сный; **2.** *предик. безл.* it is ínteresting; ~ знать, что it would be ínteresting to know what [...nou...], I wónder what [...'wʌ-...]; е́сли вам ~ знать if it is of any ínterest to you.
интере́сн||о II *нареч.* ínteresting:ly. ~ый **1.** ínteresting; **2.** (*красивый*) prè:posséssing [-'zes-], attráctive; ~ая вне́шность prè:posséssing appéarance; ~ая же́нщина attráctive wóman* [...'wu-]; ◇ в ~ом положе́нии *разг.* in the fámily way.
интересова́ть (*вн.*) ínterest (*d.*). ~ся (*тв.*) be ínterested (in), take* an ínterest (in); care (for).
интерлю́дия [-тэ-] *ж. муз.* ínterlùde.

ИНТ—ИСК

интерме́дия [-тэ-] *ж. театр.* ínterlùde.

интерме́ццо [-тэ-] *с. нескл.* intermézzò [-'metsou].

интерна́т [-тэ-] *м.* 1. (*школа*) bóarding school; 2. (*общежитие при школе*) school bóarding house* [...-s].

Интернациона́л [-тэ-] I *м.* Internátional [-'næ-].

Интернациона́л [-тэ-] II *м.* (*гимн*) the Internàtionále [...-næsə'na:l].

интернационализа́ция [-тэ-] *ж.* ìnternàtionalizátion [-laɪ-]. **~и́ровать** [-тэ-] *несов. и сов.* (*вн.*) ìnternátionalize (*d.*).

интернационали́зм [-тэ-] *м.* ìnternátionalism [-'næ-]; пролета́рский ~ pròletárian ìnternátionalism [prou-...] **~и́ст** [-тэ-] *м.* ìnternátionalist [-'næ-]. **~исти́ческий** [-тэ-] ìnternátionalist [-'næ-]. (*attr.*).

интернациона́льный [-тэ-] ìnternátional [-'næ-].

интерни́рован||ие [-тэ-] *с.* intérnment. **~ный** [-тэ-] 1. *прич. см.* интерни́ровать; 2. *м. как сущ.* ìnternée; ла́герь для ~ных intérnment camp.

интерни́ровать [-тэ-] *несов. и сов.* (*вн.*) intérn (*d.*).

интерпелл||и́ровать [-тэ-] *несов. и сов.* intèrpéllàte. **~я́ция** [-тэ-] *ж.* intèrpellátion.

интерпол||и́ровать [-тэ-] *несов. и сов.* (*вн.*) intérpolàte (*d.*), intércalàte (*d.*). **~я́ция** [-тэ-] *ж.* intèrpolátion, intèrcalátion.

интерпрет||а́тор [-тэ-] *м.* intérpreter. **~а́ция** [-тэ-] *ж.* intèrpretátion. **~и́ровать** [-тэ-] *несов. и сов.* (*вн.*) intérpret (*d.*).

интерфере́нция [-тэ-] *ж. физ.* intèrférence [-'fɪə-].

интерье́р [-тэ-] *м. иск.* intérior; intérieur (*фр.*) [a:ŋteɪ'rjə:].

инти́мничать (с *тв.*) *разг.* be too cònfidéntial (with).

инти́мн||ость *ж.* íntimacy. **~ый** íntimate.

интоксика́ция *ж. мед.* intòxicátion.

интон||а́ция *ж.* intonátion. **~и́ровать** módulàte, intóne.

интри́г||а *ж.* 1. intrigue [-'tri:g]; вести́ ~у intrigue, cárry on an intrigue; 2. *лит.* plot; 3. *уст.* (*любовная связь*) love affáir [lʌv...]. **~а́н** *м.* íntrigànt [-gænt], intríguer [-'tri:gə], plótter. **~а́нка** *ж.* intrigánte [-gɑ:nt], plótter. **~а́нство** *с.* intríguing [-'tri:gɪŋ].

интригова́ть I (*против*; *вести интри́гу*) intrigue [-'tri:g] (against), scheme (against), cárry on an intrigue (against).

интригова́ть II, заинтригова́ть (*вн.*; *возбуждать любопытство*) intrigue [-'tri:g] (*d.*), rouse the ínterest / cùriósity (of).

интроду́кция *ж. муз.* introdúction.

интроспе́кция *ж.* intròspéction.

интуитиви́зм *м. филос.* intuítionalism, intuítionism.

интуити́вно I *прил. кратк. см.* интуити́вный.

интуити́вн||о II *нареч.* intúitive:ly, by intuítion. **~ый** intúitive.

интуи́ц||ия *ж.* intuítion; ínstinct; по ~ии by intuítion, intúitive:ly.

интури́ст *м.* (*иностра́нный тури́ст*) intóurist [-'tuə-], fóreign tóurist ['fɔrɪn 'tuə-].

инфантили́зм *м.*, **инфанти́льность** *ж.* infántilism.

инфанти́льный infántile.

инфа́ркт *м. мед.* infárction.

инфекцио́нн||ый *мед.* inféctious, contágious; zymótic [zaɪ-] *научн.*; ~ое заболева́ние inféctious diséase [...-'zi:z].

инфе́кция *ж.* inféction, contágion.

инфильтра́||т *м. биол., мед.* infíltràte. **~ция** *ж. биол., мед.* ìnfiltrátion.

инфинити́в *м. грам.* infinitive.

инфля́ция *ж. эк.* inflátion.

информ||а́нт *м.* infórmant. **~а́тика** *ж.* ìnformátion science.

информ||а́тор *м.* infórmant. **~ацио́нный** *прил. к* информа́ция; ~ацио́нное бюро́ ìnformátion búreau [...-'rou]; ~ацио́нные маши́ны ìnformátion machínes [...-'ʃi:nz]. **~а́ция** *ж.* ìnformátion; тео́рия ~а́ции ìnformátion theory [...'θɪə-].

информбюро́ *с. нескл.* (*информацио́нное бюро́*) ìnformátion búreau [...-'rou].

информи́рованн||ость *ж.* béɪng in the know [...nou], béɪng kept infórmed. **~ый** (wéll-)infórmed; ~ые круги́ wéll-infórmed circles.

информи́ровать *несов. и сов.* (*сов. тж.* проинформи́ровать) (*вн.*) infórm (*d.*). **~ся** *несов. и сов.* (*сов. тж.* проинформи́роваться) 1. obtáin ìnformátion; 2. *страд. к* информи́ровать.

инфразвуково́й infrasónic [-'zou-].

инфракра́сн||ый *физ.* ínfra-réd; ~ые лучи́ ínfra-réd rays.

инфузо́рия *ж. зоол.* infusórian (*pl.* -ria).

инциде́нт *м.* íncident.

инъе́кц||ия *ж.* injéction; сде́лать ~ию (*рд.*) make* an injéction (of), ínject (*d.*).

ио́н *м. физ.* íon. **~иза́ция** *ж. физ., мед.* ìonizátion [-naɪ-]; ~иза́ция атмосфе́ры ìonizátion of the átmosphere. **~изи́ровать** *несов. и сов.* (*вн.*) *физ., хим.* íonize (*d.*).

ион||и́йский, ~и́ческий Iónic, Iónian.

ио́нн||ый *физ.* iónic; ~ая тео́рия iónic theory [...'θɪə-].

ионосфе́р||а *ж. рад.* ìonosphère. **~ный** ìonosphéric.

иорда́н||ец *м.*, **~ка** *ж.*, **~ский** Jòrdánian.

ипоста́с||ь: в ~и кого́-л. *шутл.* pósing as smb., in the rôle of smb.

ипоте́||ка *ж. эк.* mórtgage ['mɔ:g-]. **~чный** *эк.* hỳpóthecary [haɪ-].

ипохо́ндр||ик *м.* hỳpochóndriàc [haɪpə'k-]. **~ия** *ж.* hỳpochóndria [haɪpə'k-], mórbid depréssion.

ипподро́м *м.* híppodròme, ráce:course [-kɔ:s].

ипри́т *м. хим.* mústard gas, ýperìte ['i:pəraɪt].

ира́к||ец *м.*, **~ский** Iráqui [ɪ'rɑ:kɪ].

ира́н||ец *м.*, **~ка** *ж.*, **~ский** Iránian.

ири́дий *м. хим.* irídium [aɪ-].

и́рис *м. бот.* íris ['aɪə-]; (*фиоле́товый*) flag.

ири́с *м. тк. ед.* (*конфеты*) tóffee [-fɪ]. **~ка** *ж. разг.* a tóffee [...-fɪ].

ирла́нд||ец *м.* Írishman* ['aɪə-]. **~ка** *ж.* Írish:wòman* ['aɪərɪʃwu-]. **~ский** Írish ['aɪə-].

и́род *м. разг.* týrant.

ирон||изи́ровать (над) speak* irónically [...aɪə-] (of). **~и́ческий** irónical [aɪə-].

иро́ния *ж.* írony ['aɪərə-]; зла́я ~ bíting írony; ◊ ~ судьбы́ írony of fate, twist of fate.

иррадиа́ция *ж. физ.* ìrradiátion.

иррациона́льн||ый irrátional; ~ое число́ *мат.* irrátional (númber), surd (númber); ~ое уравне́ние *мат.* irrátional equátion.

ирреа́льный ùn:réal [-'rɪəl].

иррегуля́рный irrégular.

иррига́тор *м.* írrigàtor, irrigátion éxpèrt.

ирригацио́нн||ый irrigátion(al); ~ая систе́ма irrigátion sýstem.

иррига́ция *ж.* ìrrigátion.

ис- *см.* из-.

иск *м.* áction, suit [sju:t]; гражда́нский ~ cívil áction; иму́щественный ~ real áction [rɪəl...]; предъяви́ть ~ кому́-л. sue / prósecùte smb.; bring* in an áction against smb.; встре́чный ~ cóunter-claim; ~ за клевету́ líbel áction; ~ за оскорбле́ние де́йствием áction for assáult and báttery.

искаж||а́ть, искази́ть (*вн.*) 1. distórt (*d.*), twist (*d.*); страх искази́л его́ лицо́ his face was distórted with fear; 2. (*неправильно передавать*) mìsreprésent [-'zent] (*d.*), distórt (*d.*), pervért (*d.*); (*о музыкальном, литературном произведении*) bútcher ['bu-] (*d.*) *разг.*; ~ чьи-л. слова́ distórt / mìsreprésent smb.'s words; ~ фа́кты pervért / mìsreprésent the facts; ~ и́стину distórt the truth [...-u:θ]. **~а́ться, искази́ться** 1. (*о лице*) get* / be distórted; 2. *страд. к* искажа́ть. **~е́ние** *с.* distórtion, pervérsion; (*о фактах*) mìsreprèsentátion [-ze-]. **~ённый** *прич. и прил.* distórted, pervérted; (*о фактах*) mìsreprésented [-'ze-]; ~ённое лицо́ distórted face; лицо́, ~ённое бо́лью face twisted with pain; ~ённая карти́на чего́-л. distórted pícture of smth.

искази́ть(ся) *сов. см.* искажа́ть(ся).

искале́ченный *прич. и прил.* crippled, mútilàted, maimed.

искале́чить(ся) *сов. см.* кале́чить(ся).

иска́лывать, исколо́ть (*вн.*) (*була́вкой и т. п.*) prick all óver (*d.*); (*кинжа́лом и т. п.*) stab through and through (*d.*).

иска́ние *с.* (*рд.*) 1. séarch(ing) ['sə:tʃ-] (for); quest (of) *поэт.*; 2. *мн.* (*поиски но́вых путе́й*) strívings (for); séeking and stríving (for) *sg.*

иска́пать *сов. см.* иска́пывать II.

иска́пывать I, ископа́ть (*вн.*) dig* up (*d.*).

иска́пывать II, иска́пать (*вн.*) *разг.* cóver (all óver) with drops ['kʌ-...] (of).

иска́тел||ь *м.*, **~ница** *ж.* séeker; ~ же́мчуга péarl-díver ['pə:l-]; ~ приключе́ний advénturer; ~ница приключе́ний advénturess.

иска́ть 1. (*вн.*) look (for); search [sə:tʃ] (áfter, for); seek* (áfter) *поэт.*; ~ дом, кварти́ру look for, *или* be in search of, a house*, an apártment

[...haus...]; **2.** (*рд.*; *стараться получить*) seek* (*d.*, for), try to find (*d.*); ~ ме́ста seek* (for) a situátion; look for a job *разг.*; ~ по́мощи seek* help; ~ сове́та seek* advíce; ~ слу́чая look for the chance (to), seek* for an opportúnity; ~ спасе́ния (от) seek* salvátion (from); **3.** (*с рд.*) *юр.* claim (dámages, lósses, *etc.*) (from); ◇ ~ глаза́ми кого́-л. try to catch sight of smb.

исклева́ть *сов.* (*вн.*) **1.** (*израни́ть уда́рами клю́ва*) wound (all óver) by pécking [wu:nd...] (at); **2.** (*съесть без оста́тка*) peck up (*d.*).

исключ‖**а́ть, исключи́ть** (*вн.*) exclúde (*d.*), excépt (*d.*); rule out (*d.*) *разг.*; (*устраня́ть*) elíminàte (*d.*); (*из уче́бного заведе́ния и т. п.*) expél (*d.*); (*из спи́ска и т. п.*) strike* off (*d.*); ~ зара́нее preclúde (*d.*); возмо́жность тако́го слу́чая ~ена́ a thing like that could not háppen, there is no pòssibílity of that háppening. ~**а́ться 1.**: э́то ~а́ется this is out of the quéstion [...-stʃ-]; **2.** *страд.* к исключа́ть. ~**а́я 1.** *дееприч. см.* исключа́ть; **2.** *в знач. предл.* (*рд.*) excépting (*d.*); with the excéption (of); bárring (*d.*); ~а́я слу́чаи, когда́ excépt when; не ~а́я without / not excépting. ~**éние** *с.* **1.** exclúsion; (*из уче́бного заведе́ния и т. п.*) expúlsion; *мат.* eliminátion; **2.** (*отклоне́ние от нормы*) excéption; ~éние из пра́вил an excéption to the rule; в ви́де ~éния as an excéption, by way of excéption; без ~éния without excéption; мéтодом ~éния by prócess of eliminátion; ◇ за ~éнием (*рд.*) with the excéption (of).

исключи́тельн‖**о** *нареч.* **1.** (*крайне, осо́бенно*) excéptionally; **2.** (*лишь, то́лько*) exclúsive;ly, sóle;ly. ~**ость** *ж.* exclúsive;ness; ра́совая ~ость race discriminátion. ~**ый** (*в разн. знач.*) excéptional: ~ый слу́чай excéptional case [...-s]; де́ло ~ой ва́жности a mátter of excéptional impórtance; карти́на ~ой красоты́ a pícture of excéptional béauty [...'bju:-]; ~ый зако́н excéptional law; — ~ое пра́во sole right, exclúsive right.

исключи́ть *сов. см.* исключа́ть.

исковерканн‖**ый 1.** *прич. см.* коверкать; **2.** *прил.* distórted, corrúpted; ~ое сло́во corrúpted word.

исковеркать *сов. см.* коверкать.

исков‖**о́й** *прил.* к иск; ~о́е заявле́ние *юр.* state;ment of claim.

исколеси́ть *сов.* (*вн.*) *разг.* trável all óver ['træ-...] (*d.*).

исколоти́ть *сов.* (*вн.*) *разг.* beat* black and blue (*d.*); ~ кого́-л. до полусме́рти beat* smb. within an inch of his life.

исколо́ть *сов. см.* иска́лывать.

искомкать *сов.* (*вн.*) *разг.* crúmple (*d.*).

иско́м‖**ое** *с. скл. как прил. мат.* únknown quántity [-'nоun...]. ~**ый** sought for.

искони́ *нареч.* from time immemórial.

иско́нный primórdial [praɪ-]; áge-óld; ~ обита́тель indígenous inhábitant.

ископа́ем‖**ое** *с. скл. как прил.* **1.** (*прям. и перен.*) fóssil; **2.** *мн. горн.*: поле́зные ~ые mínerals. ~**ый** fóssilized; ~ая ры́ба fóssil fish; ~ый челове́к fóssil man*.

ископа́ть *сов. см.* иска́пывать I.

искорёженный *прич. и прил. разг.* bent, warped.

искорёжить *сов. разг.* bend*, warp.

искорен‖**éние** *с.* eradicátion. ~**и́ть(ся)** *сов. см.* искореня́ть(ся).

искорен‖**я́ть, искорени́ть** (*вн.*) erádicàte (*d.*); ~и́ть зло, недоста́тки erádicàte évils, shórt;còmings [...'i:v...]. ~**я́ться, искорени́ться 1.** become* erádicàted; **2.** *страд.* к искореня́ть.

и́скоса *нареч.* askánce; aslánt [-ɑ:nt]; посмотре́ть на кого́-л. ~ look askánce at smb.; взгляд ~ síde;lòng / slánting glance / look [...'slɑ:-...].

и́скр‖**а** *ж.* (*в разн. знач.*) spark; после́дняя ~ жи́зни the last spark of life; ~ наде́жды glímmer of hope; промелькну́ть как ~ flash by; ◇ из ~ы возгори́тся пла́мя the spark will kíndle a flame; у него́ ~ы из глаз посы́пались he saw stars.

искре́ние *с.* spárking.

и́скренн‖**е = и́скренно; ~ий** sincére; (*открове́нный*) frank, cándid; с ~ими наме́рениями in good faith; ~яя благода́рность héartfèlt grátitùde ['hɑ:t-...]. ~**о** *нареч.* sincére;ly; (*открове́нно*) fránkly, cándidly; ~о пре́данный вам (*в пи́сьмах*) yours trúly, sincére;ly yours; (*бо́лее официа́льно*) yours fáithfully. ~**ость** *ж.* sincérity, cándour; со всей ~остью in all sincérity, in good faith.

искрив‖**и́ть(ся)** *сов. см.* искривля́ть (-ся). ~**éние** *с.* bend, crook; (*перен.*) distórtion; ~éние позвоно́чника cúrvature of the spine.

искрив‖**ля́ть, искриви́ть** (*вн.*) bend* (*d.*), crook (*d.*); (*перен.*) distórt (*d.*). ~**ля́ться, искриви́ться 1.**: его́, её и т. д. лицо́ ~и́лось he, she, *etc.*, made a wry face; его́ гу́бы ~и́лись his lips twísted, his lips twitched; **2.** *страд.* к искривля́ть.

и́скристый spárkling.

искри́ть *эл.* spark.

и́скри́ться spárkle, scíntillàte.

искровени́ть *сов. см.* искровеня́ть.

искровеня́ть, искровени́ть (*вн.*) *разг.* wound so as to draw blood [wu:-... blʌd]; (*па́чкать кро́вью*) stain with blood.

и́скров‖**ец** *м. ист.* Ískra;ist (*suppórter of the "Iskra"*).

искрово́й spark (*attr.*); ~ промежу́ток *эл.* spárk-gàp; ~ разря́дник *рад.* spark dis;chárger.

искрогаси́тель *м. тех.* spárk-extínguisher, spárk-prevénter.

искромётный spárkling, fláshing; ~ взгляд fláshing look.

искромса́ть *сов. см.* кромса́ть.

искро‖**удержа́тель** *м.*, ~**улови́тель** *м. тех.* spárk-arréster, spárk-cátcher.

искроши́ть *сов.* (*вн.*) crúmble (*d.*); break* / smash to smitheréens [breɪk...-ðə-] (*d.*); (*перен.*) *разг.* cut* to píeces [...'pi:s-] (*d.*). ~**ся** crúmble.

искупа́ть I, **искупи́ть** (*вн.*) **1.** èxpiàte (*d.*), atóne (for); **2.** (*возмеща́ть*) cómpensàte (for), make* up (for).

искупа́ть II *сов.* (*вн.*) *разг.* bath (*d.*), give* a bath (*i*).

искупа́ться I *страд.* к искупа́ть I.

искупа́ться II *сов. разг.* take* a bath.

искуп‖**и́тельный** èxpiàtory [-eɪt-]; redémptive; ~и́тельная же́ртва péace-òffering; *рел.* sín-òffering. ~**и́ть** *сов. см.* искупа́ть I. ~**ле́ние** *с.* èxpiátion, atóne;ment, redémption.

иску́с *м.* trial, test; (*мона́шеский*) novítiate, probátion; он прошёл тяжёлый ~ he passed through a térrible órdeal.

искуса́ть *сов.* (*вн.*) bite* (bád;ly, *или* all óver) (*d.*); (*о насеко́мых*) sting* (bád;ly, *или* all óver) (*d.*).

искуси́тель *м.* témpter ['temtə]. ~**ница** *ж.* témptress ['temt-].

искуси́ть *см. см.* искуша́ть.

искуси́ться *сов.* (в *пр.*) *уст.* become* éxpert (at), become* a past máster (in, of).

иску́сник *м. разг.* past máster, éxpert.

иску́сн‖**о** *нареч.* skílfully. ~**ый** skílful, cléver ['kle-]; ~ый стрело́к márks;man*; ~ый врач skílful súrgeon; ~ая рабо́та a cléver piece of work [...pi:s...].

иску́сственно I *прил. кратк. см.* иску́сственный.

иску́сственн‖**о** II *нареч.* àrtifícially. ~**ость** *ж.* àrtifìciálity. ~**ый 1.** àrtifícial; mán-máde; ~ый шёлк àrtifícial silk, ráyon; ~ое ороше́ние àrtifícial irrigátion; ~ое пита́ние àrtifícial féeding / àlimèntátion; (*младе́нца*) bóttle-féeding; ~ые цветы́ àrtifícial flówers; ~ые зу́бы false teeth [fɔ:ls...]; ~ые спу́тники Земли́ àrtifícial Earth sátellites [...-ə:θ...]; ~ый каучу́к synthétic rúbber; ~ый бриллиа́нт imitátion / paste díamond [...peɪst...]; **2.** (*де́ланный, неи́скренний*) àrtifícial, afféected; ~ая улы́бка àrtifícial / féigned smile [...feɪnd...].

иску́сств‖**о** *с.* **1.** art; произведе́ние ~а a work of art; занима́ться ~ом stúdy art ['stʌ-...]; **2.** (*уме́ние, мастерство́*) skill, profíciency, cráftsmanship; с больши́м ~ом very skílfully; вое́нное ~ art of war; операти́вное ~ *воен.* art of strátegy; càmpaign táctics [-'peɪn...]; ~ управле́ния art of góvernment [...'gʌ-...]; ◇ из любви́ к ~у ≅ for the fun / love of it [...lʌv...]; по всем пра́вилам ~а accórding to the rules of the craft; in cráftsman's fáshion, scientífically.

иску́сство‖**ве́д** *м.* art crític. ~**ве́дение** *с.* stúdy of art ['stʌ-...]; art críticism. ~**ве́дный** *прил.* к искусствове́дение. ~**ве́дческий факульте́т** fáculty of fine art.

искуш‖**а́ть, искуси́ть** (*вн.*) tempt [temt] (*d.*); (*соблазня́ть*) sedúce (*d.*); ~ судьбу́ tempt fate [tem't-]; (*собла́зн*) sedúction; вводи́ть в ~éние (*вн.*) lead* into tèmptátion (*d.*); (*соблазня́ть*) sedúce (*d.*); поддава́ться ~éнию, впада́ть в ~éние be témpted [...'temtɪd]; yield to tèmptátion [ji:ld...]. ~**ённый** *прич. и прил.* expérienced; ~ённый о́пытом schooled by expérience; ~ённый в поли́тике well versed in pólitics.

исла́м *м.* Islám ['ɪz-].

исла́нд‖**ец** *м.*, ~**ка** *ж.* Íce;lander. ~**ский** Íceland (*attr.*), Icelándic; ~ский язы́к Icelándic, the Icelándic lánguage;

ИСК – ИСЛ И

15. Русско-англ. словарь

225

ИСП – ИСП

~ский мох Íce:land líchen / moss [...'laɪk-...].
испа́костить *сов. см.* па́костить II.
испа́нец *м.* Spániard ['spænjəd].
испа́нка I *ж.* Spániard ['spænjəd], Spánish wóman* [...'wu-].
испа́нка II *ж.* (*болезнь*) Spánish 'flu.
испа́нский Spánish; ~ язы́к Spánish, the Spánish lánguage.
испаре́ние *с.* 1. èvaporátion; (*выделение*) èxhalátion; 2. *мн.* fumes; (*вредные пары*) miásma [-z-].
испа́рина *ж.* pèrspirátion.
испар‖**и́тель** *м. тех.* èvapórator, váporìzer ['veɪ-]. ~**и́ть(ся)** *сов. см.* испаря́ть(ся).
испаря́ть, испари́ть (*вн.*) èvapórate (*d.*); (*выделять*) èxhále (*d.*). ~**ся**, испари́ться 1. èvapórate, èxhále; turn into a vápour, váporìze ['veɪ-]; 2. *разг.* (*исчезать*) disappéar, vánish into thin 'air; 3. *страд. к* испаря́ть.
испа́чкать *сов. см.* па́чкать 1. ~**ся** *сов. см.* па́чкаться.
испепели́ть *сов. см.* испепеля́ть.
испепеля́ть, испепели́ть (*вн.*) incínerate (*d.*), redúce to áshes (*d.*).
испестри́ть *сов. см.* испестря́ть.
испестря́ть, испестри́ть (*вн.*) spéckle (*d.*), spot (*d.*); (*расцвечивать*) make* váriegàted / mùltìcólour:ed [...-rɪ- -'kʌl-] (*d.*).
испечённый *прич. см.* печь II 1; ◇ вновь ~ *разг.* néw-flèdged.
испе́чь *сов. см.* печь II 1. ~**ся** *сов. см.* пе́чься I 1.
испещри́ть *сов. см.* испещря́ть.
испещря́ть, испещри́ть (*вн. тв.*) spéckle (*d.* with), móttle (*d.* with), spot (*d.* with), dot (*d.* with); испещри́ть сте́ну на́дписями cóver a wall with inscríptions ['kʌl-...].
исписа́ть(ся) *сов. см.* испи́сывать(ся).
испи́сывать, исписа́ть (*вн.*) 1. (*использовать карандаш, бумагу и т. п.*) use up (*d.*); 2. (*заполнять, покрывать*) cóver with wríting ['kʌl-...] (*d.*). ~**ся**, исписа́ться 1. (*о карандаше*) be used up by wríting; 2. *разг.* (*о писателе*) write* òne:sélf out, exháust one's inspirátion; 3. *страд. к* испи́сывать.
испито́й *разг.* emáciàted, hággard, hóllow-chèeked.
испи́ть *сов.* 1. (*рд.*) *разг.* (*отпить*) have a drink (of); 2. (*вн.*) *уст.* (*выпить до конца*) drain (*d.*); ~ го́рькую ча́шу страда́ний drain the cup of woe; drain to the dregs the cup of bítterness.
испове́да́льня *ж. церк.* conféssional.
испове́д‖**ание** *с.* creed, conféssion (of faith). ~**ать** *несов. и сов. уст.* = испове́довать I. ~**аться** *сов. уст.* = испове́доваться I. ~**ник** *м.* 1. (*священник*) conféssor; 2. (*кающийся*) pénitent.
испове́довать I *несов. и сов.* (*вн.*) conféss (*d.*); hear* conféssion (of); (*перен.*: *расспрашивать*) draw* out (*d.*).
испове́довать II (*вн.*; *веру*) profèss (*d.*).
испове́доваться I *несов. и сов.* conféss (one's sins); (*перен.*: *рассказывать, признаваться*) conféss, ùnbósom òne:sélf [-'buzəm...].

испове́доваться II *страд. к* испове́довать II.
и́споведь *ж.* conféssion.
и́сподво́ль *нареч. разг.* líttle by líttle, (in) léisure:ly (fáshion) [...'leʒ-...]; grádually, by degrées.
исподло́бья *нареч.*: смотре́ть ~ (на *вн.*) ≅ lour (at), glówer (at); look from únder the brows (*distrustfully / sullenly*) (at); взгляд ~ súllen look.
исподни́зу *нареч. разг.* from ùndernéath.
испо́днее *с. скл. как прил. разг.* únderwear [-wɛə], úndergàrment.
испо́дний *разг.* únder.
исподти́шка *нареч. разг.* stéalthily ['stel-], in an ùnderhánd way, on the quíet / sly; смея́ться ~ laugh in one's sleeve [lɑːf...].
испоко́н *нареч.*: ~ веко́в, ~ ве́ку from time ìmmemórial, since the begínning of time.
испо́лин *м.* gíant. ~**ский** gigántic [dʒaɪ-].
исполко́м *м.* (исполни́тельный комите́т) exécutive committee [...-tɪ].
исполне́н‖**ие** *с.* 1. (*о желании, приказании и т. п.*) fulfílment [ful-]; (*о работе, приказе и т. п.*) èxecútion; (*о долге, обязанностях*) dis:chárge; прове́рка ~ия (*работы, данного распоряжения и т. п.*) vèrificátion / contról of èxecútion (of work, of given órders, etc.) [...-'troul...]; приступи́ть к ~ию свои́х обя́занностей énter up:ón one's dúties; верну́ться к ~ию свои́х обя́занностей retúrn to one's dúties; при ~ии свои́х обя́занностей when / while on dúty; 2. (*о пьесе*) perfórmance; (*о музыкальном произведении тж.*) réndering, rendítion; в ~ии кого́-л. *муз., театр.* perfórmed / played by smb.; (*о певце тж.*) sung by smb.; ◇ приводи́ть в ~ (*вн.*) cárry out (*d.*), éxecùte (*d.*), implemènt (*d.*), cárry into efféct (*d.*); приводи́ть пригово́р в ~ éxecùte, *или* cárry out, *a* séntence; во ~ (*рд.*) *офиц.* to éxecùte (*d.*).
испо́лненный I *прич. см.* исполня́ть I.
испо́лненный II *прил.* (*рд.*) full (of); взгляд, ~ печа́ли look full of grief [...griːf].
исполни́м‖**ый** féasible [-z-]; ва́ше жела́ние вполне́ ~о your wish can be éasily gránted [...'iːzɪ- 'grɑː-].
исполни́тель *м.*, ~**ница** *ж.* 1. exécutor; 2. (*артист и т.п.*) perfórmer; исполни́тели, соста́в исполни́телей (*данного спектакля*) cast *sg.*; ◇ суде́бный ~ báiliff; ófficer of the law.
исполни́тельн‖**ый** 1. exécutive; ~ комите́т exécutive committee [...-tɪ]; ~**ая** власть exécutive pówer; ~**ые** о́рганы exécutive órgans; 2. (*старательный*) indústrious, páinstàking [-nz-], cáre:ful; thórough ['θʌrə]; efficient; ◇ лист writ / act of èxecútion, court órder [kɔːt...].
исполни́тельск‖**ий** *прил. к* исполни́тель 2; ~ое мастерство́ mástery; másterly perfórmance / èxecútion.
испо́лнить I, II *сов. см.* исполня́ть I, II.
испо́лниться I, II *сов. см.* исполня́ться I, II.
исполн‖**я́ть** I, испо́лнить (*вн.*) 1. (*выполнять*) cárry out (*d.*), fulfíl [ful-] (*d.*),

èxecùte (*d.*); ~ прика́з cárry out, *или* fulfíl / éxecùte, an órder, *или* a commánd [...-ɑːnd]; ~ обя́занности (*рд.*) act (as), fulfíl the dúties (of); ~ жела́ние grant / fulfíl *a* wish [-ɑːnt...]; ~ рабо́ту do the work; ~ обеща́ние keep* one's prómise / word [...-s...], be as good as one's word; ~ про́сьбу complý with *a* requést; ~ свой долг do one's dúty; 2. (*об артисте, певце и т. п.*) perfórm (*d.*); ~ роль (*рд.*) act (*d.*), play the role (of), play the part (of); ~ та́нец éxecùte / perfórm a dance.
исполня́ть II, испо́лнить (*вн. тв. рд.*) *уст.* (*наполнять*) suffúse (with), fill (with).
исполня́ться I, испо́лниться 1. (*осуществляться*) be fulfílled [...-ful-]; моё жела́ние испо́лнилось my wish has been fulfílled; 2. *безл.* (*о годах*): ему́ испо́лнилось 20 лет he is twénty years of age, he was twénty last bírthday; за́втра ему́ испо́лнится 20 лет he will be twénty to:mórrow; испо́лнилось два го́да с тех пор, как он уе́хал two years have passed, *или* have gone by, since he left [...gɔn...], it is two years since he left; 3. *страд. к* исполня́ть I.
исполня́ться II, испо́лниться (*рд., тв.*) *уст.* (*наполняться*) fill (with), be suffúsed (with); моё се́рдце испо́лнилось жа́лостью my heart (was) filled with píty [...hɑːt...'pɪ-].
исполня́ющий *прич. см.* исполня́ть I; ~ обя́занности (*сокр.* и. о.) députy (*attr.*), ácting; ~ обя́занности мини́стра députy mínister; ~ обя́занности заве́дующего ácting mánager.
исполосова́ть *сов. см.* полосова́ть II.
и́сполу *нареч.* half and half [hɑːf...]; аре́нда ~ métayage (*фр.*) ['meteɪɑːʒ]; обраба́тывать зе́млю ~ farm land on métayage sýstem, pay* half of the próduce (as rent) to the ówner [...'ounə].
испо́льзование *с.* ùtilizátion [-laɪ-], use [juːs]; *переводится тж. формой на* -ing *соответствующих глаголов* — *см.* испо́льзовать; ~ а́томной эне́ргии в ми́рных це́лях péace:ful use of atómic énergy; àpplicátion of atómic énergy for péace:ful púrposes [...-s-].
испо́льзовать *несов. и сов.* (*вн.*) use (*d.*), ùtilíze (*d.*), make* (good) use [...juːs] (of), make* the most (of); (*воспользоваться*) take* advántage [...-'vɑːn-] (of); turn to accóunt (*d.*); (*в своих интересах*) explóit (*d.*); ~ все сре́дства use évery póssible means; ~ специали́стов emplóy, *или* make* use of, spécialists [...'spe-]; максима́льно ~ (*машину и т. п.*) get* the most / best out of (a machine, etc.) [...-'fiːn]; ~ чей-л. дру́жбу on, *или* make* use of, smb.'s expérience; ~ скры́тые резе́рвы bring* into use hídden resérves [...-'zəːvz]; ~ приро́дные бога́тства use náture wealth [...'neɪ- welθ]; ~ а́томную эне́ргию в ми́рных це́лях make* péace:ful use of atómic énergy, hárness atómic pówer to péace:ful úses; ~ положе́ние explóit the situátion. ~**ся** *несов. и сов.* be used.
испо́льн‖**ый** *ист.*: ~**ая** систе́ма труда́ métayage (*фр.*) ['meteɪɑːʒ].

испо́ль||щик м. ист. sháre-cròpper; métayer (фр.) ['meteɪeɪ]. **~щина** ж. ист. métayage (фр.) ['meteɪɑːʒ].
испо́ртить(ся) сов. см. по́ртить(ся).
испо́рченность ж. deprávity, pervérsity.
испо́рченн||ый 1. прич. см. по́ртить; 2. прил. spoiled, spoilt; (о продуктах) gone bad [gɔn...]; (о мясе) táinted; (о воздухе) bad*; (безнравственный) depráved, corrúpted; ~ ребёнок spoiled child*; ~ хара́ктер pervérse disposítion [...-'zɪ-]; ~ вкус pervérted taste [...teɪ-]; ~ые зу́бы rótten / decáyed teeth.
испо́шлить сов. (вн.) разг. degráde (d.).
исправи́м||ый remédiable, réctifiable; (о человеке) córrigible; э́то ~о that can be set right.
исправи́тельно-трудов||о́й: ~а́я коло́ния reformatory (school).
исправи́тельный corréctional, corréctive; ~ дом reformatory.
испра́в||ить сов. см. исправля́ть 1. **~иться** сов. см. исправля́ться. **~ле́ние** с. 1. (действие) corréction, corrécting; (починка) repáiring; ~ле́ние те́кста améndíng (of) the text; 2. (сделанное) corréction; (в тексте тж.) améndment, eménd, emèndátion [iː-]; внести́ ~ле́ния в текст aménd the text.
исправля́ть, испра́вить (вн.) 1. corréct (d.); (чинить) repáir (d.), mend (d.); (в моральном отношении) refórm (d.); (искупать) redréss (d.), atóne (for), make* aménds (for); ~ оши́бку réctify / corréct a mistáke; set* / put* right a mistáke; испра́вить положе́ние rémedy / impróve the situátion [...-uːv...]; испра́вленное изда́ние revísed edítion; 2. тк. несов. уст.: ~ до́лжность, обя́занности кого́-л. act as smb., fulfil the dúties of smb. [ful-...]. **~ся, испра́виться** 1. impróve [-uːv], (мора́льно) refórm (d.); (начинать новую жизнь) turn óver a new leaf; 2. страд. к исправля́ть.
испра́вник м. ист. dístrict políce ófficer [...pə'liːs...].
испра́вн||ость ж. 1. (хорошее состояние) good condítion; в (по́лной) ~ости in (good) repáir, in good wórking órder; 2. (исполнительность) assidúity, exáctness, pùnctílious:ness. **~ый** 1. (в хорошем состоянии) in good repáir; 2. (исполнительный) cáreful, indústrious, pùnctílious, metículous.
испражн||е́ние с. 1. defecátion; 2. мн. fǽces ['fiːsiːz]; éxcrement sg. **~и́ться** сов. см. испражня́ться. **~я́ться, испражни́ться** ся deféсate.
испра́шивать, испроси́ть офиц. 1. (вн.; получать по просьбе) obtáin (by solíciting) (d.); 2. тк. несов. (вн.) у solícit (for), beg (for) (d.); ~ что-л. у кого́-л. solícit smb. for smth.
испро́бовать сов. (вн.) разг. 1. test (d.), put* to the test (d.); make* tríal (of), try out (d.); 2. (изведать, испытать) expérience (d.).
испроси́ть сов. см. испра́шивать 1.
испу́г м. fright, fear; в ~е in fright; он сде́лал э́то в ~е, с ~у he ácted out of fright. **~анный** прич. и прил. fríghtened, scared, stártled. **~а́ть(ся)** сов. см. пуга́ть(ся).
испуска́ть, испусти́ть (вн.) emít (d.); (о запахе) let* out (d.), exhále (d.); (о

кри́ке, вздохе) útter (d.); ◊ испусти́ть после́дний вздох, испусти́ть дух breathe one's last.
испусти́ть сов. см. испуска́ть.
испыта́н||ие с. 1. test, tríal; (перен. тж.) órdeal; быть на ~ии be on tríal; (о человеке) be on probátion; производи́ть ~ (рд.) condúct a tríal / test (of), try (d.), test (d.); пери́од ~ия (машины и т. п.) tésting time; ~ я́дерного ору́жия núclear wéapon test [...'wep-...]; подве́ргнуть ~ию (вн.) put* on tríal (d.), put* to the test (d.); вы́держать ~ stand* the test, pass múster; э́то бу́дет серьёзным ~ием (для) it will be a sevére test (for); пройти́ тя́жкие ~ия undergó* many sevére trials, undergó* a térrible órdeal; тяжёлые ~ия вое́нных лет the órdeals of the war years; 2. (экзамен) examinátion; вступи́тельные ~ия éntrance examinátions.
испы́танн||ый 1. прич. см. испы́тывать; ~ в боя́х tried and tésted in báttle; 2. прил. (wéll-)tried; ~ друг tried friend [...fre-]; ~ое сре́дство tésted expédient; (о лекарстве) tried rémedy / médicine.
испыта́тель м. téster.
испыта́тельн||ый test (attr.), tríal (attr.); ~ая ста́нция expèriméntal státion; ~ стаж, срок term, períod of probátion; ~ срок (машины и т. п.) tríal períod; ~ полёт ав. tést-flight; ~ пробе́г (автомобиля) tríal run.
испыт||а́ть сов. см. испы́тывать. **~у́емый** 1. прил.: ~у́емый материа́л matérial únder test; 2. м. как сущ. examínee.
испыту́ющ||е нареч.: ~ смотре́ть (на вн.) scan (d.); look séarching:ly [...'səːtʃ-] (at); give* a séarching look [...'səːtʃ-...] (i.). **~ий** séarching ['səːtʃ-]; ~ий взгляд séarching / péering look.
испы́тывать, испыта́ть (вн.) 1. (проверять) try (d.), test (d.); put* to the test (d.); ~ де́йствие мото́ра test an éngine, test a mótor [...'endʒ-...]; ~ свои́ си́лы try one's strength; ~ чьё-л. терпе́ние try smb.'s pátience; 2. (ощущать) expérience (d.), feel* (d.); ~ удово́льствие expérience / feel* pléasure [...'pleʒə].
иссека́ть, иссе́чь (вн.) 1. cut* all óver (d.); slash to píeces [...'piːs-] (d.); ~ кнуто́м lash (d.), cóver with láshes ['klʌ-...] (d.); 2. уст. (из мрамора) carve (d.), chísel ['tʃɪzl] (d.).
иссе́ра- (в сложн.) gréyish, with a gréyish tint, tinged with grey; ~-голубо́й gréy-blúe.
иссече́ние с. cárving.
иссе́чь сов. см. иссека́ть.
иссиня- (в сложн.) blúish, with a blúish tint, tinged with blue; ~-чёрный black with a blúish tint, black tinged with blue; ~-чёрные во́лосы ráven-black hair sg.
иссле́дование с. 1. investigátion, reséarch [-'səːtʃ]; (анализ) análysis (pl. -sès [-siːz]); (страны и т. п.) explorátion; ~ больно́го examinátion of a pátient; ~ кро́ви blood análysis / test [blʌd...]; нау́чное ~ scientífic reséarch; investigátion; ~ А́рктики explorátion of the Árctic Région; ~ косми́ческого

простра́нства èxplorátion of (óuter) space; 2. (работа, сочинение) páper, éssay.
иссле́дователь м. invéstigàtor; (страны) explórer. **~ский** reséarch [-'səːtʃ] (attr.); ~ская рабо́та reséarch work; ~ский институ́т scientífic reséarch ínstitute.
иссле́довать несов. и сов. (вн.) invéstigàte (d.); (о стране и т. п.) explóre (d.); (о больном) exámine (d.); ~ кровь análys:e / test the blood [...blʌd]; ~ вопро́с invéstigàte a quéstion [...-stʃ-], inquíre into a quéstion.
иссо́х||нуть сов. см. иссыха́ть. **~ший** shrívelled, wíther:ed.
и́сстари нареч. from ólden times; ~ ведётся it is an old cústom.
исстрада́ться сов. wear* òne:sélf out with súffering [weə...].
исстреля́ть сов. (вн.) разг. 1. (израсходовать стрельбой) use up, или expénd, (by shóoting) (d.); 2. (изрешетить пу́лями) ríddle (with búllets) (d.).
исступ||ле́ние с. frénzy; прийти́ в ~ becóme* frénzied, be in a frénzy; довести́ до ~ле́ния (вн.) drive* to a frénzy (d.). **~лённость** ж. state of frénzy. **~лённый** frénzied; ~лённый восто́рг ècstátic rápture.
иссуша́ть, иссуши́ть (вн.) dry up (d.), wíther (d.); (перен.) consúme (d.), waste [weɪst] (d.).
иссуши́ть сов. см. иссуша́ть.
иссыха́ть, иссо́хнуть dry up; (о растениях) wíther; (перен.) shrível (up) [-ɪ-...].
иссяка́ть, исся́кнуть run* low / short [...lou...]; (о влаге, жидкости) run* dry, dry up.
исся́кнуть сов. см. иссяка́ть.
иста́пливать I, истопи́ть (вн.; о печи) heat (d.).
иста́пливать II, истопи́ть (вн.; превраща́ть в жидкое состояние) melt (d.).
иста́птывать, истопта́ть (вн.) 1. (мять) trample (d.); 2. разг. (об обуви) wear* out [weə...] (d.).
иста́ск||анный разг. 1. прич. см. иста́скивать; 2. прил.= изно́шенный 2; (перен.) díssipàted. **~а́ть(ся)** сов. см. иста́скивать(ся).
иста́скивать, истаска́ть (вн.) разг. wear* out [weə...] (d.). **~ся, истаска́ться** be worn out [...wɔːn...]; (перен.) be used up, be pláyed out.
иста́ять сов.: ~ от тоски́ pine, lánguish.
истек||а́ть, исте́чь elápse, expíre; вре́мя ~а́ет time is rúnning out; вре́мя ~ло́ time is up; срок ве́кселя истёк the draft is due; ◊ исте́чь кро́вью bleed* to death [...deθ].
исте́кш||ий 1. прич. см. истека́ть; 2. прил. past, last; в ~ем году́ dúring the past year; 10-го числа́ ~его ме́сяца on the 10th últ(imò).
истере́ть сов. см. истира́ть.
истерзанный прич. и прил. disfígured; (перен.) worn out [wɔːn...], tórmented.
истерза́ть сов. (вн.) wórry to death ['wʌ-...deθ] (d.), tormént (d.). **~ся** сов. be wórried to death [...'wʌ-...deθ].

ИСТ – ИСХ

истер||ика *ж.* hystérics. **~и́ческий** hystérical. **~и́чка** *ж.* hystérical wóman [...'wu-]. **~и́чный** hystérical. **~и́я** *ж. мед.* hystéria.

истёртый 1. *прич. см.* истира́ть; 2. *прил.* worn [wɔ:n], old; (*ср. тж.* изно́шенный).

исте́ц *м.* pláintiff; (*в бракоразводном процессе*) petítioner.

истече́н||ие *с.* 1. óutflow [-ou-]; ~ кро́ви *мед.* háemorrhage ['hem-]; 2. (*о сроке*) expirátion [-paɪə-], expíry; по ~ии (*рд.*) áfter / on the expíry (of).

исте́чь *сов. см.* истека́ть.

и́стин||а *ж.* (*в разн. знач.*) truth [-u:θ]; объекти́вная ~ objéctive truth; абсолю́тная ~ ábsolute truth; относи́тельная ~ rélative truth; доби́ться ~ы, обнару́жить ~у arrive at the truth; в э́том есть до́ля ~ы there is a grain of truth in that; э́то ста́рая ~ it is an old truth; соотве́тствовать ~е be in accórdance with the truth; изби́тая ~ trúism; го́лая ~ náked truth; ◊ свята́я ~ God's truth, góspel truth.

и́стинно I *прил. кратк. см.* и́стинный. **и́стинн||о** II 1. *нареч.* trúly; 2. *как вводн. сл.* réally ['rɪə-]. **~ость** *ж.* truth [-u:θ]. **~ый** véritable, true; ~ый смысл true sense; ~ая пра́вда véritable / sólemn truth [...-u:θ]; ~ый друг true friend [...frend]; ~ое происше́ствие true stóry; ~ое со́лнечное вре́мя *астр.* appárent sólar time; ~ый горизо́нт *геогр.* true / rátional / celéstial horízon [...'ræ-...].

истира́ть, истере́ть (*вн.*) 1. (*растирать до конца*) grate (*d.*); 2. (*использовать*) use up (by rúbbing) (*d.*); ◊ истере́ть в порошо́к redúce to pówder (*d.*).

истл||ева́ть, истле́ть 1. (*гнить*) rot, decáy, be redúced to dust; 2. (*сгорать*) smóulder to áshes [-ou-...]; у́гли в костре́ ~е́ли the embers of the fire have died a:wáy.

истле́ть *сов. см.* истлева́ть.

истма́т *м. разг.* (*об учебном курсе*) histórical matérialism.

и́стовый *уст.* éarnest ['ə:n-], assíduous, férvent, zéalous ['zel-].

исто́к *м.* ríver-head ['rɪvəhed]; (*перен.*) source [sɔ:s].

истолкова́||ние *с.* 1. (*действие*) ìnterpretátion; cónstruing; (*переводится тж. формой на -ing от соотв. глаголов — см.* истолко́вывать); 2. (*объяснение*) ìnterpretátion, cómmentary. **~тель** *м.* ìntérpreter, cómmèntator, expóunder. **~ть** *сов. см.* истолко́вывать.

истолко́вывать, истолкова́ть (*вн.*) ìntérpret (*d.*), construe (*d.*); (*комментировать*) cómmènt (*d.*); неве́рно истолкова́ть mìsintérpret (*d.*).

истоло́чь *сов.* (*вн.*) crush (*d.*); (*в ступке*) pound (*d.*).

исто́м||а *ж.* lássitude; (*приятная*) lánguor [-gə]. **~и́ть** *сов.* (*вн.*) exháust (*d.*), wéary (*d.*). **~и́ться** *сов.* (*от*) be exháusted (with), be wéary (of); ~и́ться в ожида́нии be wéary of wáiting; ~и́ться от жа́жды be faint with thirst. **~лён-**

ный *прич. и прил.* exháusted, worn out [wɔ:n...]; *тк. прил.* wéary.

истончи́ть *сов.* (*вн.*) *разг.* make* véry thin (*d.*).

истопи́ть I, II *сов. см.* иста́пливать I, II.

исто́пник *м.* stóker, bóiler-man*.

истопта́ть *сов. см.* иста́птывать.

исторга́ть, исто́ргнуть (*вн.*) 1. (*выбрасывать*) throw* out [θrou...] (*d.*); (*перен.*) expél (*d.*); ~ кого́-л. из свое́й среды́ make* smb. a sócial óutcast, óstracize smb.; 2. (*вырывать*) extórt (*d.*), force (*d.*); ~ обеща́ние (у) extórt / force / wrest a prómise [...-s] (from).

исто́ргнуть *сов. см.* исторга́ть.

истори́зм *м.* histórical méthod.

исто́рийка *ж. разг.* prétty stóry ['prɪ-...], ánecdòte.

исто́рик *м.* histórian.

историко||-литерату́рный histórical and líterary, of hístory and líterature. **~-революцио́нный** històrico-rèvolútionary. **~-филологи́ческий** històrico-philológical, histórical and philológical. **~-филосо́фский** històrico-philosóphical, histórical and philosóphical.

историо́||граф *м.* hìstoriógrapher. **~гра́фия** *ж.* hìstoriógraphy.

истори́ческ||ий 1. histórical; ~ материали́зм histórical matérialism; ~ая нау́ка histórical scíence; ~ пери́од, ~ая эпо́ха histórical périod, époch [...-k]; ~ рома́н histórical nóvel [...'nɔ-]; 2. (*исторически важный, знаменательный*) histótic, époch-màking [-k-]; ~ая речь histótic speech; ~ая да́та histótic day / date; игра́ть ~ую роль play a histótic part; зада́ча ~ой ва́жности a hístory-màking task; ~ие завоева́ния histótic gains / attáinments; ~ая побе́да époch-màking víctory.

истори́чн||ость *ж.* hìstorícity, histótic cháracter [...'kæ-]. **~ый** histórical.

исто́ри||я *ж.* 1. hístory; ~ обще́ственного разви́тия hístory of sócial devélopment; собы́тие э́то войдёт в ~ю the evént will go down in hístory; ~ боле́зни *мед.* case hístory [-s...]; 2. (*повествование*) stóry; 3. *разг.* (*происшествие*) evént; с ним случи́лась заба́вная ~ a fúnny thing háppened to him; ◊ вот так ~! that's a nice búsiness / mess / thing![...'bɪz-...]; there's, *или* here's, a prétty kettle of fish! [...'prɪ-...] *идиом.*; ~ ума́лчивает (о *пр.*) nóthing is known [...noun] (abóut), there is no méntion (of); ве́чная ~! *разг.* there we go agáin!, the same old stóry!

истоскова́ться *сов.* (по *дт.*) miss bád-ly (*d.*); be sick (for); yearn [jə:n] (for); ~ по ро́дине pine a:wáy with nòstálgia / hóme-sickness; (*ср.* тоскова́ть).

источа́ть (*вн.*) shed* (*d.*); (*об аромате и т.п.*) exhále (*d.*).

источи́ть *сов.* (*вн.*) 1. redúce by grínding (*d.*), grind* up (*d.*); 2. (*известь*) pérforàte (*d.*), pierce [pɪəs] (*d.*), cóver with holes ['kʌl-...] (*d.*), make* holes all óver (*d.*).

исто́чник *м.* spring (*nátural fóuntain*); (*перен.*) source [sɔ:s]; минера́льный ~ míneral spring; ~ и сырья́ sóurces of raw matérials; ~ то́ка *эл.* cúrrent source; рабо́та напи́сана по ~ам the work has been compíled from original sóurces.

источникове́дение *с.* source stúdy [sɔ:s 'stʌ-].

исто́шный *разг.* héart-rènding ['hɑ:t-].

истощ||а́ть, истощи́ть (*вн.*) exháust (*d.*); wear* out [wɛə...] (*d.*), drain (*d.*); (*ср. тж.* изнуря́ть); ~и́ть запа́сы exháust / drain the supplíes; ~и́ть ресу́рсы depléte the resóurces [...-'sɔ:s-]; ~ по́чву exháust / emáciàte / impóverish the soil; ~и́ть запа́сы месторожде́ния exháust, *или* work out, the depósits [...-z-]; ~ чьё-л. терпе́ние exháust, *или* wear* out, smb.'s pátience. **~а́ться**, истощи́ться 1. (*ослабевать*) becóme* weak; (*худеть*) becóme* emáciàted / thin; (*делаться неплодородным*) becóme* impóverished; по́чва ~а́ется при непра́вильном севооборо́те the soil is impóverished if the crops are not rótated próperly [...-rou-...]; 2. (*о запасе*) run* low [...lou], run* out; у него́ истощи́лся запа́с (*рд.*) he ran out (of); 3. *страд. к* истощáть. **~е́ние** *с.* exháustion [-stʃən]; (*о здоровье*) emàciátion [-sɪ-]; ~е́ние средств exháustion of resóurces [...-'sɔ:s-]; ~е́ние по́чвы exháustion of the soil; война́ на ~е́ние war of attrítion. **~ённый** 1. *прич. см.* истощáть; 2. *прил.* (*ослабевший*) wásted ['weɪ-], exháusted, emáciàted; (*слабый*) weak; (*от голода*) fámished. **~и́ть(ся)** *сов. см.* истощáть(ся).

истра́тить(ся) *сов. см.* тра́тить(ся).

истреби́тель *м.* 1. destróyer; 2. (*самолёт*) fighter; pursúit plane [-'sju:t...] *амер.* **~ный** 1. destrúctive; 2. *ав.* fighter (*attr.*); pursúit [-'sju:t] (*attr.*) *амер.*; ~ная авиа́ция fighters *pl.*; pursúit àviátion *амер.*

истреб||и́ть *сов. см.* истребля́ть. **~ле́ние** *с.* destrúction; (*искоренение*) èxtermínation.

истребля́ть, истреби́ть (*вн.*) destróy (*d.*); (*искоренять*) extérminàte (*d.*), éxtirpàte (*d.*).

истре́бовать *сов.* (*вн.*) obtáin on demánd [...-a:nd] (*d.*).

истрёпанный *прич. и прил.* torn, frayed, worn [wɔ:n].

истрепа́ть (*вн.*) *разг.* (*об одежде*) wear* to rags [wɛə...] (*d.*); (*о книге и т.п.*) fray (*d.*), tear* [tɛə] (*d.*); ◊ истрепа́ть не́рвы кому́-л. wear* out, *или* fray, smb.'s nerves. **~ся** *сов. разг.* be frayed / torn, be worn out [...wɔ:n...].

истре́скаться *сов. разг.* crack (all óver), becóme* cracked (all óver).

истука́н *м.* ídol, státue; ◊ стоя́ть как ~ stand* there like a stuffed dúmmy.

и́стый true; ~ охо́тник true húnter.

исты́кать *сов.* (*вн. тв.*) *разг.* stud (*d.* with); pierce all óver [pɪəs...] (*d.*); ~ гвоздя́ми *и т. п.* stud with nails, etc. (*d.*).

истяза́||ние *с.* tórture. **~тель** *м.* tórturer.

истяза́ть (*вн.*) tórture (*d.*).

исхлеста́ть *сов.* (*вн.*) *разг.* 1. (*избить*) lash / flog sevérely (*d.*); 2. (*испортить хлестанием*) rúin by láshing (*d.*).

исхлопота́ть *сов.* (*вн.*) *разг.* obtáin by dint of àpplicátion in the right quárters (*d.*), go* through the whole búsiness of gétting [...houl 'bɪzn-...] (*d.*); wangle [wæ-] (*d.*).

228

исход *м.* óut:còme, resúlt [-'zʌlt]; (*конец, завершение*) end; ~ дéла the óut:còme of the affáir; ◇ быть на ~е be coming to an end, be néaring the end; на ~е дня towards évening [...'i:v-]; день на ~е the day is dráwing to its close [...-s].

исхода́тайствовать *сов.* (*вн.*) obtáin by petítion / solíciting (*d.*), apply for and obtáin (*d.*).

исходи́ть I *сов.* (*вн.*) *разг.* go* / walk / stroll all óver (*d.*); ~ всё по́ле walk all óver the field [...fi:ld].

исходи́ть II 1. (от, из) íssue (from), come* (from); (*происходить*) oríginate (from); (*из основываться*) procéed (from); ~ из предположе́ния procéed from the assúmption; ~ из тре́бований procéed from require:ments; исходя́ из э́того hence.

исходи́ть III, изойти́: ~ кро́вью becóme* weak through loss of blood [...blʌd]; ~ слеза́ми melt into, *или* dissólve in, tear [...dɪ'zɔlv...], cry one's heart out [...ha:t...].

исхо́дн||ый inítial; ~ое положе́ние point of depárture; ~ рубе́ж stárting line, stárting-point (*тж. перен.*); ~ая пози́ция *воен.* inítial position [...-'zɪ-], fórming-úp place.

исходя́щ||ий *прич. см.* исходи́ть II; 2. *прил.* óutgò:ing; ~ий но́мер réference númber.

исхудá||лый emáciàted, wásted ['weɪ-]. ~ние *с.* emàciátion. ~ть *сов.* becóme* emáciàted / thin / wásted [...'weɪ-].

исцара́пать *сов.* scratch bád:ly (*d.*), cóver with scrátches ['kʌ-...] (*d.*). ~ся *сов.* scratch òne:sélf; get* scrátched all óver.

исцеле́||ние *с.* héaling, cure, recóvery [-'kʌ-]. ~и́тель *м.* héaler. ~и́ть(ся) *сов. см.* исцеля́ть(ся).

исцеля́ть, исцели́ть (*вн.*) heal (*d.*), cure (*d.*). ~ся, исцели́ться 1. heal, be héaled, recóver [-'kʌ-]; 2. *страд. к* исцеля́ть.

исча́дие *с.*: ~ а́да fiend [fi:nd], dévil in:cárnate.

исча́хнуть *сов.* be worn to a shádow [...wɔ:n...'ʃæ-]; waste a:wáy [weɪst...].

исчезá||ть, исчéзнуть disappéar, vánish; (*проходить*) wear* off [weə...]; ~ из по́ля зре́ния vánish from sight; э́тот обы́чай ~ет the cústom is vánishing; его́ застéнчивость постепéнно ~а́ла he was grádually getting the bétter of his shý:ness; стенá ~ет под ма́ссой зе́лени the wall is disappéaring, *или* becóming hídden, únder the vérdure [...-dʒə]; исчéзнуть с лица́ земли́ disappéar / vánish from the face of the earth [...ə:θ]. ~нове́ние *с.* disappéarance.

исчéзнувший (*более не существу́ющий*) extínct.

исчéзнуть *сов. см.* исчезá́ть.

исчéрка||ть, исчéркать (*вн.*) **1.** (*о написанном*) cóver with cróssings out ['kʌ-...] (*d.*); **2.** (*о бумаге*) scríbble all óver (*d.*).

и́счернá- (*в сложн.*) bláckish, with a bláckish tint, tínged with black.

исчéрпать *сов. см.* исчéрпывать.

исчéрп||ывать, исчéрпать (*вн.*) exháust (*d.*); вопро́с ~ан the quéstion is séttled [...-stʃ-...]; исчéрпать все до́воды exháust all the árguments; вре́мя ~ано time is up. ~ываться (*тв.*) be confíned / redúced (to).

исчéрпывающ||ий exháustive, comprehénsive; ~ее объясне́ние exháustive explanátion.

исчерти́ть *сов. см.* исче́рчивать.

исче́рчивать, исчерти́ть (*вн.*) **1.** (*о бумаге и т.п.*) cóver with lines / dráwings ['kʌ-...] (*d.*); **2.** (*о карандаше и т. п.*) use up (*d.*).

исчи́ркать *сов.* (*вн.*) *разг.* use up (*d.*); ~ коробо́к спи́чек use up a box of mátches.

исчисле́ние *с.* càlculátion; *мат.* cálculus.

исчи́сл||ить *сов. см.* исчисля́ть. ~я́ть, исчи́слить (*вн.*) cálculàte (*d.*); (*оценивать*) éstimàte (*d.*); ~я́ть расхо́ды в су́мме éstimàte expénditure at. ~я́ться **1.** (*в пр.*) amóunt (to), come* (to); сто́имость ~я́ется в 1000 рубле́й the cost amóunts to 1000 roubles [...ru:blz]; убы́тки ~я́ются в су́мме 500 рубле́й the lósses are éstimàted at 500 roubles; **2.** *страд. к* исчисля́ть.

ита́к *союз* thus [ðʌs], so; ~, вопро́с решён so the quéstion is séttled [...-stʃ-...].

италья́н||ец *м.*, ~ка *ж.*, ~ский Itálian [ɪ'tæ-...]; ~ский язы́к Itálian, the Itálian lánguage; ◇ ~ская забасто́вка stáy-in strike, sít-down strike.

и т. д. (= и так да́лее) and so on, and so forth; etc. (= et cétera).

итерати́вн||ый [-тэ-] *лингв.* íterative; ~ые глаго́лы íterative verbs.

ито́г *м.* sum, tótal; (*результат*) resúlt [-'zʌlt]; о́бщий ~ grand tótal, sum tótal; ча́стный ~ sùbtótal; в ~е обнару́жена оши́бка a mistáke has been discóvered in the tótal [...-'kʌ-...]; подводи́ть ~ (*дт.*) sum up (*d.*); (*перен.*) revíew [-'vju:] (*d.*); ◇ в ~е as a resúlt; в коне́чном ~е in the long run, in the final análysis.

итого́ [-ово́] *нареч.* in all, àltogéther [ɔ:ltə'ge-]; (*в таблицах*) tótal.

итого́в||ый 1. tótal; ~ая сýмма the sum tótal; **2.** (*заключающий*) concl̀úding; ~ое заня́тие concl̀úding séssion.

и т. п. (= и тому́ подо́бное) and the like; etc. (= et cétera).

и́ттрий *м. хим.* ýttrium.

Иу́да *м.* Júdas.

иудаи́зм *м.* Júda:ism.

иуде́й *м.* Ísraelite ['ɪzrɪə-]. ~ский Júda:ic.

иуде́йство *с.* = иудаи́зм.

их I *рд., вн. см.* они́.

их II *мест. притяж.* (*при сущ.*) their; (*без сущ.*) theirs; их кни́ги their books; на́ша ко́мната ме́ньше, чем их our room is smaller than theirs.

и́хний *разг.* = их II.

ихтиоза́вр *м. палеонт.* ichthyosáurus.

ихтио́л *м.* íchthyòl.

ихтио́||лог *м.* ichthyólogist. ~логи́ческий ichthyólogical.

ихтиоло́гия *ж.* ichthyólogy.

иша́к *м.* ass, dónkey.

иша́чить *разг.* work like a mule.

и́шиас *м. мед.* sciática.

ишь *межд. разг.* see!; ~ ты! ≅ how d'you like that!

ище́йка 1. *ж.* blóodhound ['blʌd-], políce dog [-'li:s...]; **2.** *м. разг.* (*о сыщике*) sleuth.

и́щущий *прич. см.* иска́ть; ◇ ~ взгляд wístful / séarching look [...'sə:tʃ-...].

ию́ль *м.* Jùly; в ~е э́того го́да in Jùly; в ~е про́шлого го́да last Jùly; в ~е бу́дущего го́да next Jùly.

ию́льск||ий *прил. к* ию́ль; ~ день a Jùly day, a day in Jùly; ◇ ~ая мона́рхия the Jùly Mónarchy [...-kɪ].

ию́нь *м.* June; в ~е э́того го́да in June; в ~е про́шлого го́да last June; в ~е бу́дущего го́да next June.

ию́ньский *прил. к* ию́нь; ~ день a June day, a day in June.

Й

йог *м.* yógi ['jougɪ].

йо́гурт *м.* yóghurt ['jougə:t].

йод *м. хим.* iodìne [-di:n]; о́кись ~а iodìne óxide. ~истый *хим.* iódic; ~истый ка́лий potássium iódide; ~истый на́трий sódium iódide. ~ный *прил.* к йод; ~ный раство́р iodìne solútion [-di:n...]; ~ная насто́йка tíncture of iodìne.

йодофо́рм *м. фарм.* ìodofòrm.

йот *м. лингв.* létter J.

йо́т||а ió̀ta; ни на ~у *разг.* not a jot, not a whit; де́ло ни на ~у не сдви́нулось things have:n't búdged (an inch); положе́ние ни на ~у не измени́лось the situátion hás:n't chánged a bit [...tʃeɪ-...]; он ни на ~у не уступит he will not yield one ió̀ta [...ji:ld...].

К

к, ко *предл.* (*дт.*) **1.** (*в разн. знач.*) to; (*при подчёркивании направления тж.*) towards; идти́ к до́му go* to the house* [...-s], go* towards the house*; письмо́ к его́ дру́гу a létter to his friend [...frend]; приба́вить три к пяти́ add three to five; как три отно́сится к пяти́ as three is to five; он добр к ней he is kind to her; он нашёл, к свое́й ра́дости, что he found to his joy that; к о́бщему удивле́нию to éverybody's surpríse;— приближа́ться к кому́-л., к чему́-л. appróach smb., smth.; заходи́ть к кому́-л. call on smb.; обраща́ться к кому́-л. addréss smb.; любо́вь к де́тям love of children [lʌv...]; любо́вь к ро́дине love for one's country [...'kʌ-...]; дове́рие к кому́-л. cónfidence / trust in smb.; **2.** (*при указании назначения*) for; к чему́ он э́то сказа́л? what did he say that for?; к чему́ э́то? what is that for?; к за́втраку, к обе́ду *и т.п.* for lunch, for dínner, etc.; **3.** (*при обозначении предельного срока*) by: он ко́нчит к пяти́ (часа́м) he will have fínished by five (o'clóck); к пе́рвому января́ by the first of Jánuuary; — он придёт к трём (часа́м) he will come about three (o'clóck), he will be there by three (o'clóck); **4.** (*для указа́ния свя́зи с каки́м-л. собы́тием*): к 25-ле́тию со дня (*рд.*) commémorating the 25th ànnivérsary (of), in commèmorátion of the 25th ànnivérsary (of); ◊ к тому́ же mòre:óver, besídes, in addítion; э́то ни к чему́ it is of no use [...juːs], it is no good; к лу́чшему for the bétter; лицо́м к лицу́ face to face; к ва́шим услу́гам at your sérvice; к сло́ву (сказа́ть) by the way; *други́е осо́бые слу́чаи, не приведённые здесь, см. под те́ми слова́ми, с кото́рыми предл. к образу́ет те́сные сочета́ния*.

-ка *части́ца* **1.** (*при повели́т. накл.*) just: да́йте-ка мне посмотре́ть just let me see; **2.** (*при бу́дущем вре́мени*) what if: куплю́-ка я э́ту кни́гу what if I buy this book [...baɪ...].

каба́к *м. уст.* távern ['tæ-]; low bar [lou...]; (*перен.*) pígsty.

каба́л‖**а́** *ж.* **1.** *ист.* kabalá (*agréement exácting obligátion of lábour for créditor in case of non-páyment of debt*); **2.** (*по́лная зави́симость*) sérvitude, bóndage; быть в ~е́ у кого́-л. be in bóndage to smb.; пойти́ в ~у́ к кому́-л. sell* onе:sélf into bóndage to smb.

кабали́ст‖**ика** *ж.* cáb(b)alism. ~**и́ческий** càb(b)alístic.

каба́льн‖**ый** *прил.* к кабала́; ~ догово́р óne-sided agréement, féttering / shákling agréement; ~ая зави́симость bóndage; ~ые усло́вия crúshing / ensláving terms.

каба́н I *м.* **1.** wild boar; са́мка ~а́ wild sow; **2.** (*саме́ц дома́шней свиньи́*) hog, boar.

каба́н II *м. тех.* block.

каба́ний *прил.* к каба́н I.

кабарг‖**а́** *ж. зоол.* músk-deer. ~**о́вый** *прил.* к кабарга́.

кабарди́н‖**ец** *м.*, ~**ка** *ж.* Kabárdian, Kàbardínian [kɑːbɑːˈdiː-]. ~**ский** Kabárdian, Kàbardínian [kɑːbɑːˈdiː-]; ~ский язы́к Kabárdian, the Kabárdian lánguage.

кабаре́ [-рэ́] *с. нескл.* cábaret ['kæbəreɪ].

кабарж‖**и́ный**, ~**о́жий** = кабарго́вый.

каба́‖**тчик** *м. уст.* públican ['pʌl-], távernkeeper ['tæ-]. ~**цкий** *прил.* к каба́к; (*перен.: непристо́йный, гру́бый*) indécent, coarse; ◊ голь ~цкая távern riff-ràff ['tæ-...].

кабачо́к I *м.* **1.** *уменьш. от* каба́к; **2.** *разг.* (*рестора́нчик*) small réstaurant [...-təroːŋ].

кабачо́к II *м.* (*о́вощ*) végetable márrow.

ка́бель *м.* cable; подво́дный ~ submérged cable; телефо́нный, телегра́фный ~ téleрhòne, télegràph cable; возду́шный ~ òver:héad cable [-'hed...]; подзе́мный ~ úndergròund cable. ~**ный** *прил.* к ка́бель.

ка́бельтов *м. мор.* **1.** cable; **2.** (*ме́ра*) cable('s) length (= 185,2 *м*).

кабеста́н *м. тех.* cápstan.

каби́на *ж.* booth [-ð]; (*душева́я*) shówer (room); (*грузовика́*) cab; (*ли́фта*) lift car; ~ для голосова́ния pólling-booth [-ð]; ~ пило́та cóckpit, cábin.

кабине́т *м.* **1.** (*для заня́тий, рабо́ты*) stúdy ['stʌ-]; **2.** (*специа́льный*) room; ~ врача́ dóctor's consúlting room, súrgery; хирурги́ческий ~ súrgery; зубоврачéбный ~ déntal súrgery; ~ для масса́жа mássage room [-ɑːʒ...]; **3.** (*компле́кт ме́бели*) (óffice, stúdy) suite [...swiːt]; **4.** *собир. полит.* cábinet. ~**ный** *прил.* к кабине́т 1; (*перен.*) ábstràct, theorétical; ~ный учёный ármchair scíentist; ~ная нау́ка bóok-learning [-ləː-]; ~ный страте́г ármchair strátegist; ◊ ~ный портре́т cábinet phóto:graph.

каби́нка *ж. уменьш. от* каби́на; *тж.* cab *разг.*; ~ на пля́же chánging-hùt ['tʃeɪ-].

каблогра́мм‖**а** *ж.* cáble:gràm; посыла́ть ~у cable.

каблу́к *м.* heel; на высо́ком ~е́ high-héeled; на ни́зком ~е́ lów-heeled ['lou-]; ◊ быть у кого́-л. под ~о́м *разг.* be únder smb.'s thumb.

ка́болка *ж. мор.* rópe-yàrn, cáble-yàrn.

кабота́ж *м. мор.* cábotage, cóasting(-tràde). ~**ник** *м.* (*су́дно*) cóaster, cóasting véssel. ~**ничать** *мор.* coast, ply the coast. ~**ный** *прил.* к кабота́ж; *тж.* cóastwise; cóastal; ~ное пла́вание cóastwise nàvigátion, cóasting trade; ~ное су́дно = кабота́жник; ~ная торго́вля cóasting trade.

кабриоле́т *м.* càbriolét [kæbrɪoˈleɪ].

кабы́ *разг.* = éсли бы *см.* éсли; ◊ éсли бы да ~ *разг.* ≅ if ifs and ans were pots and pans.

кавале́р I *м.* **1.** càvalier; (*в та́нцах*) pártner; **2.** *разг.* (*покло́нник*) admírer; bóy-friend [-frend].

кавале́р II *м.* (*награждённый о́рденом*): ~ о́рдена hólder of an órder; ~ не́скольких ордено́в hólder of séveral dècorátions; ~ Золото́й Звезды́ hólder of the Gold Star.

кавалерга́рд *м. ист.* hórse-guàrds:man*.

кавалери́йск‖**ий 1.** *прил.* к кавале́рия; ~ие ча́сти cávalry únits; ~ полк cávalry régiment; ~ая ло́шадь tróop-hòrse, tróoper; **2.** *разг.* (*сво́йственный кавалери́сту*) próper to a cávalry:man* ['prɔ-...]; ~ая похо́дка the gait of a cávalry:man*, a cávalry:man's walk.

кавалери́ст *м.* cávalry:man*; (*рядово́й тж.*) tróoper.

кавале́рия *ж.* cávalry, the Horse; móunted troops *pl.*; лёгкая ~ light horse.

кавалька́да *ж.* càvalcáde.

кавардáк *м. разг.* mess, múddle; устро́ить ~ make* a mess.

кавати́на *ж. муз.* càvatína [-'tiː-].

ка́верз‖**а** *ж. разг.* **1.** chicánery [ʃɪˈkeɪ-]; **2.** (*зла́я ша́лость*) mean trick. ~**ник** *м. разг.* one who plays, *или* enjoys pláying, mean / dírty tricks. ~**ный** *разг.* **1.** trícky, tícklish; ~ный вопро́с trícky quéstion [...-stʃən], póser; (*о челове́ке*) given to pláying mean / dírty tricks, schéming.

каве́рна *ж. мед.* cávity (in lungs).

кавка́з‖**ец** *м.*, ~**ский** Caucásian [-ˈkeɪzɪən].

кавы́чк‖**и** *мн.* (*ед.* кавы́чка *ж.*) invérted cómmas; (*при цита́те*) quotátion marks; откры́ть ~ quote; закры́ть ~ ún:quóte; в ~ах in invérted cómmas; (*перен.*) só-called; (*тк. о челове́ке*) wóuld-bè, sélf-stýled.

кагóр *м.* (*вино́*) Càhórs wine [kɑːˈhɔː...].

када́нс *м.* cádence ['keɪ-].

када́стр *м.* cadástre.

каде́нция [-дэ́-] *ж. муз., лит.* cádence ['keɪ-].

каде́т I *м. ист.* (*воспи́танник сре́днего вое́нно-уче́бного заведе́ния*) cadét.

каде́т II *м. ист.* (*член конституцио́нно-демократи́ческой па́ртии*) Cònstitútional Démocràt.

каде́тский I *прил.* к каде́т I; ~ кóрпус *ист.* mílitary school.

каде́тск‖**ий II** *прил.* к каде́т II; ~ая па́ртия *ист.* Cònstitútional Démocràts *pl.*

кади́‖**ло** *с. церк.* cénser, thúrible. ~**ть** *церк.* burn* íncense; (*дт.; перен.*) *разг.* flátter (*d*).

ка́дка *ж.* tub, vat.

ка́дмий *м. хим.* cádmium.

кадр *м. кин.* séquence ['siː-]; (*отде́льная фотогра́фия*) still, shot; за ~ом off screen.

кадри́ль *ж.* (*та́нец*) quadrílle.

кадрови́к *м. разг.* **1.** (*ка́дровый рабо́тник*) one of the key pèrsonnél [...kiː...]; **2.** (*рабо́тник отде́ла ка́дров*) clerk of pèrsonnél depártment [klɑːk...]; **3.** *воен.* régular ófficer.

ка́дровый 1.: ~ рабо́чий expérienced wórker; régular wórker; **2.** *воен.* régular; ~ офицéр régular ófficer.

ка́др‖**ы** *мн.* pèrsonnél *sg.*; (*вое́нные, парти́йные тж.*) cadre ['kɑːdə] *sg.*; квалифици́рованные ~ skilled pèrsonnél; нау́чные ~ scientífic pèrsonnél; подбо́р ~ов seléction of pèrsonnél; подгото́вка ~ов tráining (of) spécialists [...'spe-]; tráining (of) skilled wórkers; в ~ах *воен.* on the pérmanent (péace-tìme) estáblishment; отде́л ~ов pèrsonnél depártment.

каду́шка *ж. разг.* tub, vat.

кады́к *м.* Ádam's ápple ['æd-...].

каём‖**ка** *ж.*, ~**очка** *ж. уменьш. от* кайма́.

каёмчатый with a bórder.

каждодне́вный dáily, évery:dáy; diúrnal.

ка́жд‖**ый 1.** *прил.* each, évery; ~ день évery day; ~ые два дня évery two days, évery óther day; на ~ом шагу́ at évery step; **2.** *м. как сущ.* éveryo̱ne; ~ до́лжен знать э́то éveryóne ought to know that [...nou...]; от ~ого — по (егó) спосо́бностям, ~ому — по (его́) труду́ from each accórding to his ability, to each accórding to his work.

ка́жется *см.* каза́ться 2, 3.

ка́жущийся 1. *прич. см.* каза́ться 1; **2.** *прил.* séeming; (*ви́димый*) appárent.

каза́к *м.* Cóssack.

казаки́н *м.* kazakín (*man's knee-length coat with pleats at the back*).

каза́лось *ед. прош. вр. см.* каза́ться.

каза́н *м.* cáuldron. ~**óк** *м. уменьш. от* каза́н.

каза́рм||а ж. чаще мн. bárracks pl.; (перен.) barn. **~енный** bárrack (attr.), bárrack-like.

каза́ть разг.: не ~ глаз avóid, not to show* up [...ʃou...], not to show* one's face sómewhere.

каза́ться, показа́ться **1.** (дт.) seem (to), appéar (to); strike* as (i.) разг.; (тв.; выглядеть) seem (to be + прил. или прич.), look (d.); он ка́жется у́мным he seems to be cléver [...'kle-], he seems cléver; он ка́жется ребёнком he looks a child*; вам э́то мо́жет показа́ться стра́нным it may seem strange to you [...streɪ-...], it may strike you as strange; **2.** безл.: ка́жется, что it seems that; ему́ ка́жется, что it seems to him that; **3.** ка́жется, каза́лось как вводн. сл.: ка́жется, я не опозда́л I believe I am in time [...'liːv...]; он, ка́жется, дово́лен he seems to be pleased / sátisfied, it seems he is pleased / sátisfied; всё, каза́лось, шло хорошо́ all seemed to be góing well; ка́жется, бу́дет дождь it seems that it will rain, it looks like rain; каза́лось бы one would think.

каза́х м., **~ский** Kazákh [kɑː-]; **~ский** язы́к Kazákh, the Kazákh lánguage.

каза́||цкий прил. к каза́к; **~цкое** седло́ Cóssack saddle. **~чество** с. тк. ед. собир. the Cóssacks pl. **~чий** прил. к каза́к. **~чка** ж. Cóssack wóman* [...'wu-].

казачо́к I м. (танец) kasatchók (a lively folk dance).

казачо́к II м. уст. (слуга) bóy-sèrvant.

каза́шка ж. Kazákh wóman* [kɑː-'wu-].

казеи́н м. хим. cásein [-sɪɪn].

казема́т м. cásemàte [-s-].

казён||ный 1. fiscal; на ~ счёт at públic expénse [...'pʌ-...], at públic cost; **2.** (бюрократический) bùreaucrátic [-ro-]; ~ подхо́д fórmal / bùreaucrátic appróach; **3.** (банальный) trite, banál [-ɑːl]; **4.** воен.: ~ная часть the breech. **~щина** ж. тк. ед. разг. (рутина) conventiónalism; (бюрократизм) red tape, bùreaucracy ['rɔ-].

казино́ с. нескл. casíno [-'siː-]; gámbling-house* [-s-].

казна́ ж. тк. ед. **1.** уст. exchéquer, tréasury ['tre-]; (перен.) públic cóffers / purse ['pʌ-...]; госуда́рственная ~ state tréasury. **2.** уст. (государство как юридическое лицо) the State; **3.** уст., поэт. (деньги) móney ['mʌ-]. **~че́й** м. **1.** tréasurer ['tre-]; **2.** воен. páymàster; púrser мор. **~че́йский** прил. к казначе́й; **2.** прил. к казначе́йство. **~че́йство** с. Tréasury ['tre-], Exchéquer.

казни́ть (вн.) **1.** несов. и сов. éxecùte (d.), put* to death [...deθ] (d.); ~ на электри́ческом сту́ле eléctrocùte (d.); **2.** тк. несов. (подвергать нравственным страданиям) púnish ['pʌ-] (d.), cástigàte (d.). **~ся** разг. blame onesélf, tormént onesélf (with remórse).

казнокра́д м. embézzler of state / públic próperty, públic funds [...'pʌ-...]. **~ство** с. embézzlement of state / públic próperty / funds [...'pʌ-...].

казн||ь ж. éxecution, cápital púnishment [...'pʌ-]; (перен.) tórture; сме́ртная ~ cápital púnishment, death pénalty [deθ...]; ~ на электри́ческом сту́ле eléctrocútion; приговори́ть к сме́ртной ~и (вн.) séntence to death (d.).

казуи́ст м. cásuist ['kæz-, 'kæʒ-]. **~ика** ж. cásuistry ['kæz-, 'kæʒ-]. **~и́ческий** cásuistic(al) [kæz-, kæʒ-].

ка́зус м. **1.** разг. (происшествие) íncident; extraórdinary occúrrence [ɪks-'trɔːdnrɪ...]; **2.** юр. (особенный случай) spécial case ['spe- -s-]. **~ный** invólved.

Ка́ин м. Cain.

ка́ин||ов: ~ова печа́ть the mark of Cain.

кайла́ ж., **кайло́** с. (míner's) hack.

кайма́ ж. bórder.

кайма́н м. зоол. cáyman.

кайнозо́йский геол. cainozóic [kaɪ-], c(a)enozóic [siː-].

как I нареч. **1.** (каким образом, в какой степени и т.п.) how: ~ он э́то сде́лал? how did he do it?; ~ вам нра́вится? how do you like it?; ~ же так? how is that?; ~ до́лго? how long?; я не зна́ю, ~ он э́то сде́лал I don't know how he did it [...nou...]; вы не зна́ете, ~ он уста́л you don't know how tired he is; ~ он уста́л! how tired he is!; ~ жа́рко! how hot it is!; — ~ (ва́ши) дела́? how are you getting on?; how are things? разг.; пожива́ете? how are you?; ~ пройти́ (на, в, к)? can you tell me the way (to)?; ~ вы отно́ситесь (к)? what do you think (of)?; вот ~ э́то на́до де́лать that is the way to do it; ~ вам не сты́дно! you ought to be ashámed (of yoursélf)!, for shame!; **2.** (при вопросе о названии, содержании и т.п.) what: ~ ва́ше и́мя?, ~ вас зову́т? what is your name?; ~ называ́ется э́та кни́га? what is the title of that book?; — ~ вы ду́маете? what do you think?; ~ вы сказа́ли? what do you say?; **3.** (при выражении возмущения, удивления) what: ~, он ушёл? what, he has alréady gone? [...ɔːˈredɪ gɔn]; **4.**: ~ ни, ~... ни howéver; (с глаголом) howéver hard / much; (при кратк. прил.) as (с инверсией): ~ по́здно howéver late it is; no mátter how late it is; ~ ни тру́дно howéver difficult it is; ~ ни стара́йтесь howéver hard you may try; ~ он ни умён cléver as he is ['kle-...]; ~ э́то ни жесто́ко cruel as it is [kruəl...]; — ~ он ни стара́лся try as he would, howéver hard he tried; **5.** (с будущим соверш. при выражении внезапности) súddenly, all of a súdden: ~ он вско́чит! súddenly, all of a súdden, he jumped up; **6.** (в относит. предложениях) = как II 1; ◇ ~ бы не так! not líkely!; nóthing of the kind!; ~ бы то ни́ было howéver that may be, be that as it may; ~ знать разг. who knows [...nouz...]; ~ сказа́ть how shall I put it, how shall I say; ~ когда́ it depénds; и ~ ещё! and how!

как II союз **1.** (при сравнении; в качестве) as; (подобно) like: он поступи́л, ~ вы сказа́ли he did as you told him; широ́кий ~ мо́ре (as) wide as the sea; Толсто́й ~ писа́тель Tolstóy as a writer; он говори́т по-англи́йски ~ англича́нин he speaks English like an Énglishman* [...'ɪŋ-...'ɪŋ-]; — бу́дьте ~ до́ма make yoursélf at home; ~ наро́чно as (ill) luck would have it; ~ ви́дно appárently; **2.** разг. (когда) when; (с тех пор как) since; ~ пойдёшь, зайди́ за мной call in for me when you go; прошло́ два го́да, ~ мы познако́мились it's two years since we first met; **3.** : по́сле того́ ~ since; в то вре́мя, ~ while; до того́ ~ till, until; тогда́ ~, ме́жду тем ~, в то вре́мя ~ (при противопоставлении) whereás; while: прошло́ два го́да по́сле того́, или с тех пор, ~ он уе́хал it's two years since he left; он вошёл в то вре́мя, ~ они́ чита́ли he came in while they were réading; он уе́хал, тогда́ ~, или ме́жду тем ~, или в то вре́мя ~, она́ оста́лась he went awáy whereás / while: прошло́ два го́да по́сле того́, или переводится; придаточное предложение передаётся оборотом с inf.: он ви́дел, ~ она́ ушла́ he saw her go; **5.** (с сослагат. накл.): ~ бы он не опозда́л! I hope he is not late!; бою́сь, ~ бы он не опозда́л I am afráid (that) he may be late; ◇ ~..., так и both... and [bouθ...]: ~ а́рмия, так и флот both the ármy and the návy; the ármy as well as the návy; — ~ наприме́р as for ínstance; ~ раз just, exáctly; ~ раз то, что мне ну́жно just what I want, the very thing I want; э́ти ту́фли мне ~ раз these shoes are just right [...fuːz...]; ~ бу́дто, ~ бы, ~ е́сли, ~ бы, ~ бы, ~ бу́дто as if, as though [...ðou...]; ~ бы в шу́тку as if in jest; э́то бы́ло ~ бы отве́том (дт.) it was, as it were, a replý (to), it was a kind of replý (to); — ~ таково́й as such; ~ то́лько as soon as; the moment...; ~ вдруг when all at once [...wʌns]; ~ попа́ло (небрежно) ányhow; any old way; (в беспорядке, панике) hélter-skélter.

какаду́ м. нескл. зоол. còckatóo.

кака́о с. нескл. **1.** cócoa; **2.** (бобы) cacáo; **3.** (дерево) cacáo(-tree). **~вый** прил. к кака́о; ~вое ма́сло cócoa bútter; ~вые бобы́ cacáo seeds, cócoa beans.

ка́к-либо нареч. sómehow.

ка́к-нибу́дь нареч. **1.** (тем или иным способом) sómehow; **2.** разг. (небрежно) ányhow; **3.** разг. (когда-нибудь в будущем) some time; зайди́те ко мне ~ drop / look in and see me some time.

ка́к-ника́к нареч. after all.

како́в мест. тк. им. what: ~ результа́т? what is the result? [...'zʌ-]; ~ он собо́й? what does he look like?, what's he like to look at?; тру́дно сказа́ть, ~ы́ бу́дут после́дствия it is difficult to say what the cónsequences will be; ◇ ~ ~! how do you like him!; вот он ~! разг. what a chap / féllow!

какова́ мест. ж. см. како́в.

каково́ I мест. с. см. како́в.

каково́ II нареч. how; ◇ ~! how do you like it!; ~ мне э́то слы́шать, ви́деть! I am extrémely sorry to hear, see it!

каково́й *мест. уст.* which: ~ до́лжен быть возвращён which must be returned.

как||о́й *мест.* 1. (*что за*) what; (*при предикативном прилагат.*) how; ~у́ю кни́гу вы чита́ете? what book are you reading?; ~ цвет вы лю́бите? what colour do you like? [...'kʌl-...]; не зна́ю, ~у́ю кни́гу вам дать I do not know what book I can / could give you [...nou...], I don't know what book to give you; ~а́я пого́да! what weather (it is)! [...'we-...]; ~а́я хоро́шенькая де́вушка! what a good-looking girl! [...gə:l]; ~а́я э́та де́вушка хоро́шенькая how pretty this girl is [...'prɪ-...]; ~ он у́мный! how clever he is [...'kle-...]; 2. (*который*): (тако́й...) ~ such... as; (тако́й) страх, ~ого́ он никогда́ не испы́тывал such fear as he had never felt; (таки́х) книг, ~и́е вам нужны́, у него́ нет he has no such books as you require, he has not got the (kind of) books you require; 3.: ~... ни whatever; ~у́ю кни́гу он ни возьмёт, ~у́ю бы книгу он ни взял whatever book he takes; ~у́ю кни́гу он ни брал whatever book he took; — за ~ое де́ло он ни возьмётся whatever he undertakes to do; 4.: ни... ~ого́ no... (whatever); он не мог найти́ э́то ни в како́й кни́ге he could not find it in any book (whatever); 5. (*выражение отрицания при риторическом вопросе*): ~ он знато́к? what kind of expert is that?, how can you call him an expert?; ~ое там! nothing of the kind!, quite the contrary!; ни в ~у́ю not for anything, in no circumstances.

како́й-либо *мест.* = како́й-нибудь.

как||о́й-нибудь *мест.* 1. some, some kind of; (*в отриц. и условн. обор.*) any; да́йте мне ~у́ю-нибудь кни́гу give me some book or other, give me any book; 2. (*перед числительными с мн. ч.*) about, some; ~и́е-нибудь 20 рубле́й some twenty roubles [...ru:-...].

как||о́й-то *мест.* 1. (*неизвестно какой*) some, a; вас спра́шивает ~ челове́к someone is asking for you; there is a man* asking for you; 2. (*похожий на*) a kind of; something like; э́то ~а́я-то ма́ния it is a kind of (a) mania, it is something like a mania.

какофони́ческий cacophonous.

какофо́ния *ж.* cacophony.

ка́к-то *нареч.* 1. (*каким-то образом*) somehow; он ~ ухитри́лся сде́лать э́то he managed to do it somehow; в э́той ко́мнате ~ темно́ it is dark in this room somehow; 2. (*однажды*) one day; ~ раз once [wʌns]; 3. (*а именно*) that is; 4. (*неопред. предположение*) how; посмотрю́, ~ он вы́йдет из положе́ния how will he get out of it, I wonder? [...'wʌ-...]; I wonder how he will get out of it (*без вопрос. знака*).

ка́ктус *м. бот.* cactus. **~овые** *мн. скл. как прил. бот.* cactaceae [-'teɪsiː].

кал *м. тк. ед.* faeces ['fiːsiːz] *pl.*, excrement.

каламбу́р *м.* pun. **~и́ст** *м.* punster. **~ить** pun. **~ный** punning.

кала́ндр *м. тех.* calender.

каланча́ *ж.* watch-tower; (*перен.*) *разг.* bean-pole; пожа́рная ~ fire-observation tower [-zə-...].

кала́ч *м.* kalatch (*kind of fancy loaf*); ◊ тёртый ~ *разг.* old stager / hand, slick customer; ~о́м его́ сюда́ не зама́нишь *разг.* ≅ you can't get him here for love or money [...kɑːnt... lʌv...'mʌnɪ]; доста́нется ему́ на ~ he will get a good ticking off, *или* dressing down. **~ико́м** *нареч.*: сверну́ться ~ико́м curl up.

калейдоско́п *м.* kaleidoscope [-'laɪ-]. **~и́ческий** kaleidoscopic(al) [-laɪ-].

кале́ка *м. и ж.* cripple.

календа́рный 1. *прил. к* календа́рь; 2. (*устанавливаемый по календарю*) calendar; ~ план calendar plan; ~ ме́сяц calendar month [...mʌnθ].

календа́рь *м.* calendar.

кале́нды *мн. ист.* calends ['kæ-].

кале́ни||е *с. тех.* incandescence; бе́лое ~ white heat; кра́сное ~ red heat; ◊ довести́ кого́-л. до бе́лого ~я make* smb. hopping mad.

калён||ый 1. red-hot; ~ое желе́зо red-hot iron [...'aɪən]; 2. (*поджаренный*) roasted; ~ые оре́хи roasted nuts; ◊ ~ым желе́зом вы́жечь (*вн.*) extirpate (*d.*), destroy utterly (*d.*).

кале́чить, искале́чить (*вн.*) mutilate (*d.*); cripple (*d.*), maim (*d.*) (*тж. перен.*). **~ся**, искале́читься 1. become* a cripple; 2. *страд. к* кале́чить.

кали́бр *м.* 1. *тех.* gauge [geɪdʒ]; 2. (*оружия*) calibre. **~ова́ть** (*вн.*) *тех.* calibrate (*d.*).

ка́лиевый *хим.* potassium [-sjəm] (*attr.*), potassic.

ка́лий *м. хим.* potassium [-sjəm]; хлори́стый ~ potassium chloride [...'klɔː-].

кали́йн||ый *хим.* potassium [-sjəm] (*attr.*); ~ое удобре́ние potash fertilizer ['pɔ-...].

кали́к||а *м. уст.*: ~и перехо́жие wandering (usually blind) minstrels [...'juːʒ-...].

кали́льн||ый *тех.* glowing ['glou-], incandescent; ~ая печь heating / calcining furnace, calciner; ~ая се́тка (incandescent) mantle.

кали́на *ж. бот.* guelder rose, snowball-tree ['snou-].

кали́тка *ж.* wicket(-gate).

кали́ть (*вн.*) 1. *тех.* incandesce (*d.*), heat (*d.*); докрасна́ make* red-hot (*d.*); добела́ make* white-hot (*d.*); 2. (*поджаривать*) roast (*d.*).

кали́ф *м.* caliph ['keɪ-]; ◊ ~ на час *ирон.* ≅ king for a day.

каллиграфи́ческий calligraphic; ~ по́черк copy-book hand ['kɔ-...].

каллиграфи́я *ж.* calligraphy.

калмы́к *м.* Kalmyk.

калмы́цкий Kalmyk; ~ язы́к Kalmyk, the Kalmyk language.

калмы́чка *ж.* Kalmyk (woman*) [...'wu-...].

калори́йн||ость *ж.* calorie content. **~ый** high-calorie (*attr.*); ~ое то́пливо high-calorie fuel [...'fjuː-]; ~ая пи́ща food rich in calories.

калори́||метр *м. физ.* calorimeter. **~ме́трия** *ж. физ.* calorimetry.

калори́фер *м. тех.* heater, radiator.

кало́рия *ж. физ.* calorie; больша́я ~ large calorie, kilogram-calorie; ма́лая ~ small calorie, gram-calorie.

кало́ша *ж.* = гало́ша. ◊ ста́рая ~ *шутл.* old boot.

калы́м *м. тк. ед.* 1. *уст.* bride-money [-mʌ-]; 2. *разг. неодобр.* extra money made on the side [...'mʌ-...].

калы́мить *разг. неодобр.* make* extra money on the side [...'mʌ-...].

кальвин||и́зм *м. рел.* Calvinism. **~и́ст** *м. рел.* Calvinist. **~и́стский** *рел.* Calvinistic(al).

ка́лька *ж.* 1. (*бумажная*) tracing-paper; (*полотняная*) tracing-cloth; 2. (*копия чертежа и т. п.*) (tracing-paper) copy [...'kɔ-]; 3. *лингв.* loan-translation [-trɑː-...], calque [kælk].

кальки́ровать, скальки́ровать (*вн.*) 1. trace (*d.*); 2. *лингв.* model words and constructions after foreign patterns ['mɔ-...'fɔrɪn...].

калькул||и́ровать, скалькули́ровать (*вн.*) calculate (*d.*). **~я́тор** *м.* calculator. **~яцио́нный** *прил. к* калькуля́ция.

калькуля́ция *ж.* calculation.

кальма́р *м. зоол.* squid.

кальсо́ны *мн.* drawers; pants *разг.*

ка́льциевый *хим.* calcic.

ка́льци||й *м. хим.* calcium. **~на́ция** *ж. хим.* calcination. **~и́т** *м. мин.* calcite.

калья́н *м.* hookah.

каля́кать *разг.* chat, chatter.

камари́лья *ж.* camarilla, clique [-iːk].

ка́маринская *ж. скл. как прил.* the Kamarinskaya (*a lively Russian folk song and dance*).

ка́мбала *ж.* flat-fish; plaice, flounder.

ка́мбий *м. бот.* cambium.

ка́мбуз *м. мор.* galley, caboose [-s].

камво́льный *текст.* worsted ['wus-].

каме́дь *ж.* gum.

каме||лёк *м.* fire-place; у ~лька́ by the fireside.

каме́лия *ж. бот.* camellia [-'miː-].

камен||е́ть, окамене́ть turn to stone; petrify *научн.*; (*перен.*) harden; *сов. тж.* stand* stock-still. **~и́стый** stony, rocky.

каменноу́гольн||ый coal (*attr.*); ~ая промы́шленность coal-mining industry; ~ая ша́хта coal-mine, coal-pit; colliery; ~ пласт coal-bed, coal-seam; ~ дёготь coal-tar; ~ бассе́йн coal-basin [-beɪsn], coal-field [-fiː-].

камен||н||ый 1. *прил. к* ка́мень; ~ые ору́дия stone implements / tools; 2. (*безжизненный*) lifeless; 3. (*бесчувственный*) hard, immovable [-'muː-], stony; ~ое се́рдце stony heart [...hɑːt], heart of stone; ◊ ~ у́голь coal; ~ая соль rock-salt; ~ век the Stone Age; ~ мешо́к (*тюрьма*) prison cell [-ɪzn-...].

каменобо́ец *м.* stone-crusher.

каменоло́мн||ый: ~ые рабо́ты stone quarrying.

каменоло́мня *ж.* stone quarry.

каменотёс *м.* stonemason.

ка́менщик *м.* mason, bricklayer.

ка́м||ень *м.* stone; rock *амер.*; драгоце́нный ~ precious stone ['pre-...], gem, jewel; (*резной*) intaglio [-ɑː-]; могильный ~ grave:stòne, tómbstòne ['tu:m-]; подводный ~ reef, rock; тёсаный ~ áshlar; бросить в кого-л. ~ (*прям. и перен.*) cast* stones at smb.; ◇ у него ~ лежит на сердце a weight sits héavy on his heart [...'he-...hɑːt]; сердце как ~ heart of stone / flint; ~ с души моей свалился a load has been táken off my mind; ~ преткновения stúmbling-blòck; пробный ~ touchstòne ['tʌtʃ-]; падать ~ нем drop like a stone; ~ня на ~не не оставить (от) raze to the ground (*d.*); держать ~ за пазухой (на, против *рд.*) hárbour a grudge (against), bear* smb. a grudge [bɛə...].

кáмера *ж.* 1. cell, chámber ['tʃeɪ-]; ~ хранения (багажа) clóak-ròom, chéck-ròom; автоматическая ~ хранения (багажа) bággage-lòcker; дезинфекционная ~ disinféction chámber; тюремная ~ príson cell [-ɪzn-]; ward; одиночная ~ sólitary (confíne:ment) cell; óne-màn cell; 2. (*мяча*) bládder; (*шины*) ínner tube; 3. *тех.* chámber; 4. *разг.* (*аппарат*) cámera; телевизионная ~ TV cámera; фотографическая ~ cámera.

камерáльн|ый: ~ые работы work cárried out in labóratory, óffice, etc. (*as opposed to field work*).

камергéр *м.* chámberlain ['tʃeɪ-].
камердинер *м.* válet ['væ-].
камеристка *ж.* lády's maid.
кáмерн|ый *муз.* chámber ['tʃeɪ-] (*attr.*); ~ая музыка chámber músic [...-zɪk]; ~ концерт chámber cóncert.
камертóн *м. муз.* túning fork.
кáмер-ю́нкер *м.* géntle:man* of the mónarch's béd-chàmber [...'mɒnəks-tʃeɪ-].
кáмешек *м. уменьш. от* камень; *тж.* pebble; ◇ бросáть ~ в чей-л. огород *разг.* ≃ make* snide remárks abóut smb., make* digs at smb.
камéя *ж.* cámeo ['kæ-].
камзóл *м. ист.* man's sléeve:less jácket.
камилáвка *ж. церк.* kàmeláukion [kɑːməˈlaʊkjɒn].
камин *м.* fire-plàce; место у ~a fíre:sìde, chímney-còrner; ◇ электрический ~ eléctric fire. **~ный** *прил. к* камин; ~ная решётка fénder, fíre-guàrd; ~ная полочка mántel:shèlf*, chímney-piece [-piːs].
камнедробилка *ж.* stóne-brèaker [-breɪ-], stóne-crùsher.
камнелóмка *ж. бот.* sáxifrage.
камнерéз *м.* (*резчик по камню*) stóne-cùtter.
камнесечéние *с. мед.* lithótomy.
кáмора *ж.* (*орудия*) (pówder-)chàmber [-tʃeɪ-].
камóрка *ж.* clóset ['klɒz-], bóx-ròom.
кампáни|я *ж.* campáign [-'peɪn]; (*общественная тж.*) drive; посевная ~ sówing campáign ['soʊ-...]; уборочная ~ hárvesting campáign; избирательная ~ eléction campáign; начáть ~ю start / ópen a campáign, launch a drive; *воен. тж.* take* the field [...fiːld]; проводить ~ю condúct, *или* cárry on, a campáign / drive; 2. *мор.* cruise [-uːz].
кампéшев|ый: ~ое дéрево *бот.* lógwood [-wʊd], Càmpéachy wood [...wʊd].
кампуч|ец *м.*, ~ийка *ж.*, ~ийский Kampúchean [-uː-].

камуфлéт *м. воен.* càmoufléт [kɑːmuːˈfle]; (*перен.*) *разг.* an únpleasant surpríse, *или* turn of evénts [...-'pleʒ-...].
камуфлировать, закамуфлировать (*вн.*) *воен.* càmouflàge [-muːflɑːʒ] (*d.*).
камуфляж *м. воен.* càmouflàge [-muːflɑːʒ].
камфарá *ж. фарм.* cámphor.
камфáрн|ый cámphor (*attr.*), càmphóric; ~ое дéрево cámphor tree; ~ое мáсло cámphor-oil.
кáмфора *ж.* = камфарá.
кáмфорный = камфáрный.
камчад|áл *м.*, ~áлка *ж.*, ~áльский Kámchadàl ['kɑːmtʃəˈdɑːl], Kámchadàle ['kɑːmtʃəˈdeɪl].
камыш *м.* cane, rush, reed; заросший ~óм rúshy. **~óвый** *прил. к* камыш; ~óвое крéсло cane chair.
канáва *ж.* ditch, trench; сточная ~ gútter.
канавокопáтель *м.* dítcher, trench dígger / éxcavàtor.
канáд|ец *м.*, ~ка *ж.*, ~ский Canádian.
канáл *м.* 1. (*искусственный*) canál; (*морской*) chánnel; (*перен.: путь, средство*) chánnel; оросительный ~ irrigátion canál; ~ы обращéния *фин.* chánnels of circulátion; 2. *анат.* duct, canál; мочеиспускательный ~ uréthra [-'riː-]; 3. (*ствола оружия*) bore (*of the barrel*).
канализациóнн|ый *прил. к* канализáция; ~ая трубá séwer(-pipe).
канализáц|ия *ж.* séwerage; (*о всей сети*) séwer(age) sýstem. **~и́ровать** *несов. и сов.* (*вн.*) províde with séwerage sýstem (*d.*), séwer (*d.*).
канáльский *уст. разг.* ráscally ['rɑː-], knávish ['neɪ-].
канáль|я *м. и ж. уст. разг.* ráscal ['rɑː-], scóundrel.
канарéечн|ый canáry: ~ое сéмя canáry-seed; ~ого цвéта canáry-cólour:ed ['kʌləd-], canáry-yéllow.
канарéйка *ж.* canáry (bird).
канáт *м.* rope, cable; стальной ~ stéel-ròpe; якорный ~ ánchor cable ['æŋkə-...]; ходить по ~y walk the tíghtròpe. **~ный** *прил. к* канáт; ~ный завóд róре-yàrd; ~ная передáча róре-drive; ~ная дорóга rópe-wày; cáble:wày; подвесная ~ная дорóга áerial rópe:wày ['ɛə-...]; ~ная желéзная дорóга funícular ráilway; ~ный плясун rópe-dàncer.
канатохóдец *м.* ròpe-wálker.
канв|á *ж. тк. ед.* cánvas; (*перен.*) gróundwòrk, óutline; вышивáть по ~é embróider on cánvas; ~ ромáна óutline / desígn of a nóvel [...-'zaɪn... 'nɒ-].
кандалы́ *мн.* shackles, fétters, írons ['aɪənz]; ручны́е ~ hándcuffs, mánacles; закóвáть в ~ (*вн.*) put* into írons (*d.*), mánacle (*d.*). **~альный** *прил. к* кандалы́.
канделя́бр *м.* càndelábrum [-'lɑː-] (*pl.* -ra), girándole.
кандидáт *м.* 1. cándidate; (*претендент на должность и т.п.*) áppli-cant; ~ в члены КПСС cándidate-mémber of the Cómmunist Párty of

the Sóviet Únion; ~ в члены ЦК àlternate mémber of the Céntral Committee [...-tɪ]; ~ в депутаты cándidate, nòminée; ~ы блока коммунистов и беспартийных cándidates of the cómmunist and nón-Párty bloc; выступáть ~ом (от) stand* (for); выдвигáть ~a put* fórward a cándidate, propóse a cándidate; 2. (*учёная степень*) Cándidate (*first higher degree in the USSR*); ~ наук Cándidate of science. **~ка** *ж. к* кандидáт 1. **~ский** *прил. к* кандидáт; ~ский стаж term of probátion (*for Cómmunist Párty mémbership*); ~ский минимум qualifying exàminátions for the Cándidate degrée; ~ская диссертáция Cándidate dissertátion.

кандидатýр|а *ж.* cándidature; cándidacy, nòminátion *амер.*; выставлять чью-л. ~y nóminàte smb. for eléction; снять свою ~y withdráw* one's cándidature.

каникул|ы *мн.* hólidays [-dɪz]; (*школьные, студенческие*) vacátion *sg.* **~ярный** *прил. к* каникулы.
канистра *ж.* jérrycàn.
канителить, проканителить (*вн.*) *разг.* drag out (*d.*). **~ся**, проканителиться *разг.* dáwdle, waste one's time [weɪ-...], mess abóut.
канитéль *ж.* (*для вышивания; золотая*) gold thread [...θred]; (*серебряная*) sílver thread; (*перен.*) *разг.* lóng-dràwn-óut procéedings *pl.*; тянуть, разводить ~ spin* / drag out procéedings. **~ный** *разг.* lóng-dràwn-óut. **~щик** *м.*, ~щица *ж. разг.* tíme-wàster [-weɪ-].
канифо|лить, наканифóлить (*вн.*) rósin [-z-] (*d.*). **~ль** *ж.* cólophony, rósin [-z-].
канкáн *м.* cancan (*фр.*) [kɑːŋˈkɑːŋ].
каннелю́ра *ж. арх.* flute.
каннибáл *м.* cánnibal. **~изм** *м.* cánnibalism.
канóн *м.* (*в разн. знач.*) cánon ['kæ-].
канонáда *ж.* cànnonáde.
канонéр|ка *ж. мор.* gúnboat. **~ский**: ~ская лóдка *мор.* gúnboat.
канониз|áция *ж.* cànonizátion [-naɪ-]. **~и́ровать** *несов. и сов.* (*вн.*) cánonize (*d.*).
канóник *м.* cánon ['kæ-].
канонир *м. ист.* gúnner.
каноническ|ий canónical; ~ое прáво cánon law ['kæ-...].
канóэ *с.* canóe [kəˈnuː]; Canádian.
кант *м.* édging; (*оторочка*) píping; отделывать ~ом (*вн.*) edge (*d.*), pipe (*d.*).
канталýпа *ж. бот.* cántaloup(e) [-luːp].
кантáта *ж. муз.* cantáta [-'tɑː-].
кантиáн|ец *м.*, ~ский *филос.* Kántian. **~ство** *с. филос.* Kántianism.
кантилéна *ж. муз.* cantiléna.
кантовáть I (*вн.; окаймлять кантом*) edge (*d.*); (*о картине*) mount (*d.*).
кантовáть II (*вн.; переворачивать*) turn óver (*d.*); не ~! hándle with care!
кáнтовский *филос.* Kántian.
кантóн *м.* cántòn. **~áльный** cántonal.
канýн *м.* eve; ~ Нóвого гóда Néw-Year's Eve.

233

ка́нуть *сов.:* ~ в ве́чность fall* / sink* into oblivion; как в во́ду *разг.* ≅ disappear / vanish without a trace, vanish into thin air.

канцеляри́ст *м.* clerk [-ɑ:k]; *(перен.)* réd-tápist [-'teɪ-], búreaucràt [-ro-].

канцеля́р∥ия *ж.* óffice. ~**ский 1.** *прил. к* канцеля́рия; ~ский стол óffice desk; ~ский по́черк clérkly hándwriting [-ɑ:kl...], round hand; ~ские принадле́жности státionery *sg.*; writing matérials; **2.** *(казённый)* fórmal, dry, búreaucrátic [-ro-]; ◊ ~ская кры́са *разг.* ≅ óffice drudge, pén-pùsher [-pu-]. ~**щина** *ж. презр.* red tape.

канцероге́нный càrcinogénic.

ка́нцлер *м.* cháncellor; федера́льный ~ Féderal Cháncellor.

канцо́на *ж. муз., лит.* cànzóne ['tsouni].

каньо́н *м. геогр.* cányon.

каню́чить *разг.* péster with requèsts, или one's grievances [...'gri:v-].

каоли́н *м. мин.* káolin, chína clay.

ка́п∥ать I drip, dríbble, drop; *(падать каплями тж.)* fall* (in drops); *(лить по капле тж.)* pour out drop by drop [pɔ:...]; *(проливать)* spill* (in drops); ◊ над на́ми не ~лет *разг.* ≅ we are not in a húrry, we can take our time.

ка́пать II, **нака́пать** (на *вн.*) *разг.* *(доносить, клеветать)* slánder [-ɑ:-] *(d.)*, malígn [-'laɪn] *(d.)*, run* down *(d.)*.

капе́лла *ж.* **1.** *(хор)* choir ['kwaɪə]; **2.** *(часовня)* chápel ['tʃæ-].

капелла́н *м.* cháplain ['tʃæp-].

капе́ль *ж.* ≅ drípping snow [...snou], thaw; *(падение капель)* drip of tháwing snow; drípping.

капельди́нер *м. театр.* bóx-keeper, úsher.

ка́пельк∥а *ж.* **1.** small drop, dróplet; ~ росы́ dèw-drop; **2.** *тк. ед.* *(чуть-чуть)* a bit, a grain, a little; ни ~и not the least little bit; ни ~и и́стины not a grain of truth [...-u:θ]; име́йте ~у терпе́ния have a little pátience, have a wee bit of pátience.

ка́пельку *нареч. разг.* a little; подожди́ ~ just a móment.

капельме́йстер *м.* bándmàster, condúctor. ~**ский** *прил. к* капельме́йстер; ~ская па́лочка báton ['bæ-], condúctor's wand.

ка́пельница *ж.* (médicine) drópper.

ка́пельный *разг.* *(очень маленький)* tíny, wee.

ка́пер *м. мор.* privatéer [praɪ-].

ка́персы *мн. кул.* cápers.

капилля́р *м. физ., анат.* capíllary. ~**ность** *ж. физ., анат.* capíllarity. ~**ный** *физ., анат.* capíllary; ~ный ана́лиз capíllary análysis; ~ный сосу́д capíllary véssel.

капита́л *м.* cápital; промы́шленный ~ indústrial cápital; торго́вый cápital; фина́нсовый ~ finàncial cápital [faɪ-...]; оборо́тный ~ círculàting cápital, wórking cápital; това́рный ~ commódity cápital; основно́й ~ fixed cápital; постоя́нный ~ cónstant cápital; переме́нный ~ váriable cápital; мёртвый ~ dead stock [ded...]; ún:emplóyed cápital; ~ и проце́нты, ~ с проце́нтами príncipal and ínterest; стра́ны ~а cápitalist cóuntries [...'kʌ-]. ~**иза́ция** *ж. эк.* capitalizátion [-laɪ-], ~**изи́ровать** *несов. и сов.* *(вн.)* *эк.* cápitalize *(d.)*.

капитал∥и́зм *м.* cápitalism; промы́шленный ~ indústrial cápitalism; монополисти́ческий ~ monópolístic cápitalism. ~**и́ст** *м.* cápitalist.

капиталисти́ческ∥ий cápitalist *(attr.)*, càpitalístic; ~ строй cápitalist sýstem; ~ие стра́ны cápitalist cóuntries [...'kʌ-]; ~ое о́бщество cápitalist society; ~ая систе́ма хозя́йства the cápitalist ecónomic sýstem [...i:k-...].

капитало∥вложе́ние *с.* (cápital) invèstment. ~**держа́тель** *м.* fúnd-hòlder.

капита́льн∥ый cápital; ~ые вложе́ния (cápital) invéstments; ~ труд fundaméntal work; ~ ремо́нт thórough / májor repáirs ['θʌlgə...] *pl.*, ré:condítioning; ~ое строи́тельство májor constrúction work; ~ая стена́ main wall.

капита́н *м.* *(в разн. знач.)* cáptain; *(в торговом флоте)* máster. ~**ский** *прил. к* капита́н; ~ский мо́стик cáptain's bridge.

капите́ль *ж.* **1.** *арх.* cápital, cap; **2.** *полигр.* small cápitals *pl.*

капитул∥и́ровать *несов. и сов.* capítulàte; *(перен.)* give* in. ~**я́нт** *м.* capítulàtor; trúckler *разг.* ~**я́нтский** capítulatory. ~**я́ция** *ж.* capitulátion; *(сдача города, крепости)* surrénder; безогово́рочная ~я́ция úncondítional surrénder.

ка́пище *с.* héathen temple [-ð-...].

капка́н *м.* *(прям. и перен.)* trap.

каплу́н *м.* cápon.

ка́пл∥я *ж.* **1.** drop; по ~е drop by drop; **2.** *мн. фарм.* drops; **3.** *тк. ед.* *(рд.; самое малое количество)* a bit (of), a grain (of), a little (of); ни ~и not a bit, not one ióta; ◊ *(похожи)* как две ~и воды́ ≅ as like as two peas in a pod; ~и в рот не брать néver touch a drop [...tʌtʃ...]; после́дняя ~ ≅ the last straw; до ~и to the last drop; би́ться до после́дней ~и кро́ви ≅ fight* to the last; ~ в мо́ре a drop in the ócean, или in the búcket [...'ouʃn...].

ка́пнуть *сов.* drop, let* fall a drop.

капони́р *м. воен.* càpon(n)íer.

ка́пор *м.* hood [hud]; bónnet.

капо́т I *м. уст.* *(одежда)* hóuse-coat [-s-].

капо́т II *м. тех., ав.* cówl(ing); *(автомашины)* bónnet.

капоти́рование *с. ав.* nóse-óver, nósing óver.

капра́л *м. воен.* córporal.

капри́з *м.* whim; caprice [-i:s]. ~**ник** *м. разг.* caprícious child*, pérson. ~**ница** *ж. разг.* caprícious girl [...gə:l]. ~**ничать** be caprícious; *(о ребёнке тж.)* play up; *(о неодушевлённых предметах)* *разг.* give* trouble [...trʌ-]. ~**ный** caprícious, fickle, frétful; *(перен.: неустойчивый)* uncértain. ~**уля** *м. и ж. разг.* caprícious / sélf-willed child*.

каприфо́лий *м. бот.* hóney-sùckle ['hʌ-], wóodbine ['wud-].

капро́н *м.* kápron *(kind of nylon)* ~**овый** kápron; ~овые чулки́ kápron stóckings; ~овое волокно́ kápron / synthétic fibre.

ка́псула *ж.* *(в разн. знач.)* cápsule.

ка́псюль *м. воен.* cap, percússion cap, fúlminàte cap; prímer (cap) *амер.*; ~-детона́тор détonàting cap ['di:-...]. ~**ный** *прил. к* ка́псюль.

ка́псюля *ж.* = ка́псула.

капта́ж *м.* píping, pútting into pipes.

каптена́рмус *м. воен. уст.* quárter-màster-sérgeant [-'sɑ:-].

капте́рка *ж. разг.* dépot of a mílitary únit ['depou...].

капу́ст∥а *ж.* cábbage; ки́слая ~ sáuerkraut ['sauəkraut]; цветна́я ~ cáuliflower ['kɔ-]; брюссе́льская ~ Brússels sprouts [-lz...] *pl.*; коча́нная ~ heads of cábbage [hedʒ...] *pl.*; ◊ морска́я ~ lamináría. ~**ник** *м.* **1.** *разг.* *(огород)* cábbage-field [-fi:ld]; **2.** *зоол.* cábbage-wòrm; **3.** *(вечеринка)* skit *(performed, read, etc. at informal students' or actors' party)*. ~**ница** *ж. зоол.* cábbage white bútterflỳ. ~**ный** *прил. к* капу́ста.

капу́т *разг.* **1.** *м. нескл.* end, destrúction; **2.** *предик.* all up; тут ему́ и ~ it is all up with him, he's done for.

капуци́н *м.* Cápuchin.

капюшо́н *м.* hood [hud], cowl.

ка́ра *ж.* pénalty; púnishment ['pʌ-], rètribútion.

караби́н *м.* cár(a)bine. ~**ер** *м. воен.* càr(a)binéer.

кара́бкаться *разг.* clámber.

карава́й *м.* round loaf*.

карава́н *м.* *(вьючных животных)* càraván; *(судов)* cónvoy; *(перен.: вереница)* string. ~**ный** *прил. к* карава́н.

карава́н-сара́й *м.* càravánserai.

карага́ч *м. бот.* elm.

кара́емый 1. *прич. см.* кара́ть; **2.** *прил. юр.* púnishable ['pʌ-].

кара́им *м.*, ~**ка** *ж.*, ~**ский** Káraite.

каракалпа́к *м.*, ~**ский** Kàrakàlpák [kɑ:rɑ:kɑ:l'pɑ:k]; ~ский язы́к Kàrakàlpák lánguage.

каракалпа́чка *ж.* Kàrakàlpák wóman* [kɑ:rɑ:kɑ:l'pɑ:k 'wu-].

карака́тица *ж. зоол.* cúttle(:fish); *(перен.)* *разг.* shórt-légged clúmsy pérson [...zɪ-].

кара́ковый dark bay.

каракулево́д *м.* bréeder of àstrakhán sheep. ~**ство** *с. с.-х.* àstrakhán sheep bréeding. ~**ческий** *прил. к* каракулево́дство.

кара́кулевый àstrakhán *(attr.)*.

кара́кул∥и *мн. (ед.* кара́куля *ж.)* scrawl *sg.*; писа́ть ~ями scrawl, scribble.

кара́куль *м.* àstrakhán fur.

каракульск∥ий: ~ая овца́ àstrakhán sheep.

каракульча́ *ж.* càràcultchá [kɑ:rɑ:kul'tʃɑ:] *(kind of astrakhan fur)*.

карамбо́ль *м. спорт.* cánnon; сде́лать ~ cánnon, make* a cánnon.

караме́ль *ж. собир.* cáramel. ~**ка** *ж.* cáramèl, súgarplùm ['ʃu-].

каранда́ш *м.* (lead) péncil [led...]; цветно́й ~ cólour:ed péncil ['kʌ-...]; *(без деревянной оправы)* cráyon; хими́ческий ~ indélible / ink péncil; рисова́ть ~о́м draw* with a péncil; нарисо́ванный ~о́м drawn in péncil, péncilled.

~ный *прил.* к каранда́ш; **~ный рису́нок** péncil dráwing.

каранти́н *м.* quárantine [-ti:n]; **вы́держивать ~** be in quárantine, подве́ргнуть **~у** (*вн.*) quárantine (*d.*), put* / place in quárantine (*d.*); **сня́тие ~а** *мор.* prátique [-ti:k]. **~ный** *прил.* к каранти́н; **~ное свиде́тельство** *мор.* bill of health [...helθ].

карапу́з *м. разг.* tot, líttle féllow, chúbby lad.

кара́сь *м.* crúcian (carp).

кара́т *м.* cárat ['kæ-].

кара́тель *м.* chástiser; (*из соста́ва кара́тельной экспеди́ции*) head *or* mémber of a púnitive expedítion [hed...]. **~ный** púnitive: **~ная экспеди́ция** púnitive expedítion; **~ные ме́ры** púnitive méasures [...'meʒ-].

кара́ть, покара́ть (*вн.*) púnish ['pʌ-] (*d.*), chástise (*d.*), inflíct pénalty (on).

карате́ *с. нескл. спорт.* karáte [-'rɑ:tɪ].

карау́л *м.* 1. guard, watch; **почётный ~** guard of hónour [...'ɔnə]; **заступа́ть в ~** mount guard; **стоя́ть в ~е, нести́ ~** keep* guard, be on guard; **стоя́ть в почётном ~е** stand* guard in hónour of; **сменя́ть ~** relíeve / change *the* guard [-'li:v tʃeɪ-]; **на ~!** *воен.* présent arms! [-'zent...]; 2. *как межд.* (*на по́мощь!*) help!; ◊ **крича́ть ~** shout / call for help, scream / shout blue múrder. **~ить** (*вн.*) 1. (*охраня́ть*) guard (*d.*), keep* watch (óver); 2. *разг.* (*подстерега́ть*) watch (for), lie* in wait (for). **~ка** *ж. разг.* guárd-room, guárd-house* [-s].

карау́ль||ный 1. *прил.* к карау́л 1; **~ная слу́жба** guard dúty; **~ная бу́дка** séntry-box; 2. *м. как сущ.* (*часово́й*) séntry; séntinel *поэт.* **~ня** *ж. уст. разг.* = карау́лка.

карау́льщик *м. разг.* wátch:man*.

карача́ев||ец *м.* Kárachái [-'tʃaɪ]. **~ка** *ж.* Kárachái wóman* [-'tʃaɪ 'wu-]. **~ский** Kárachái [-'tʃaɪ].

кара́чк||и *мн. разг.*: **на ~, на ~ах** on all fours [...fɔ:z]; **стать на ~** get* on all fours; **по́лзать на ~ах** crawl on all fours.

ка́рбас *м. мор.* kárbass.

карби́д *м. хим.* cárbide. **~ный** *прил.* к карби́д; **~ная ла́мпа** cárbide lamp.

карбо́л||ка *ж. тк. ед. разг.* cárbolic ácid. **~овый** cárbólic; **~овая кислота́** cárbólic ácid.

карбона́рий *м. ист.* Cárbonári [-'nɑ:-].

карбона́т *м. хим.* cárbonate.

карбонизи́ровать *несов. и сов.* (*вн.*) *тех.* cárbonize (*d.*).

карбору́нд *м.* cárborúndum.

карбу́нкул *м. мин., мед.* cárbúncle.

карбюра́||тор *м. тех.* cárburéttor. **~ция** *ж.* cárburátion, cárburizátion [-raɪ-]. **~и́ровать** *несов. и сов.* (*вн.*) cárburét (*d.*), cárburáte (*d.*), cárburize (*d.*).

карга́ *ж. разг.* hag, hárridan, crone.

ка́рда *ж. тех.* card.

кардамо́н *м.* cárdamom.

кардина́л *м.* cárdinal.

кардина́льный cárdinal; **~ вопро́с** cárdinal quéstion [...-stʃən].

кардина́льский cárdinal's.

кардиогра́мма *ж.* cárdiográm.

кардио́граф *м.* cárdiográph.

кардио́лог *м.* cárdiólogist.

кардиоло́гия *ж.* cárdiólogy.

кардиохирурги́я *ж.* heart / cárdiac súrgery [hɑ:t...].

ка́рдн||ый *прил.* к ка́рда; **~ая маши́на** cárding machíne [...-'ʃi:n].

каре́ [-рэ-] *с. нескл.* square.

каре́глазый brówn-eyed [-aɪd].

каре́л *м.,* **~ка** *ж.* Karélian.

каре́льск||ий Karélian; ◊ **~ая берёза** Karélian birch.

каре́та *ж.* cárriage [-rɪdʒ], coach; ◊ **~ ско́рой по́мощи** ámbulance (car).

каре́тка *ж.* 1. *уменьш.* от каре́та; 2. *тех.* cárriage [-rɪdʒ], frame.

каре́тник I *м. уст.* (*ма́стер*) cóachmaker.

каре́тник II *м. уст.* = каре́тный сара́й *см.* каре́тный.

каре́тный *прил.* к каре́та; **~ сара́й** cóach-house* [-s].

кариати́да *ж. арх.* cárýatid.

ка́риес *м. мед.* cáríes [-rii:s].

ка́рий (*о цве́те глаз*) brown, dárk-brown; (*о ма́сти ло́шади*) chéstnut [-sn-], dárk-chéstnut [-sn-].

карикату́р||а *ж.* cáricatúre; (*полити́ческая*) cartóon; (*перен.*) párody. **~и́ст** *м.* cáricatúrist; cartóonist. **~ный** 1. *прил.* к карикату́ра; 2. (*смешно́й*) grotésque; **представля́ть в ~ном ви́де** (*вн.*) cáricatúre (*d.*), lampóon (*d.*); **~ная фигу́ра** lúdicrous fígure.

карио́зный *мед.* cárious.

ка́рканье *с.* cróak(ing).

карка́с *м.* fráme:wòrk. **~ный: ~ный дом** fráme:wòrk house.

ка́рк||ать, ка́ркнуть croak, caw; (*перен.*) *разг.* croak, próphesỳ ill. **~нуть** *сов. см.* ка́ркать.

ка́рлик *м.* dwarf, pýgmy. **~овый** dwárfish, diminútive, pygméan [-'mi:ən]; (*о расте́ниях*) dwarf; **~овая берёза** dwarf (Árctic) birch.

ка́рлица *ж.* dwarf, pýgmy.

карма́н *м.* pócket; **боково́й ~** síde-pócket; **~ для часо́в** fob, wátch-pócket; **за́дний ~** (*в брю́ках*) híp-pócket; ◊ **э́то ему́ не по ~у** *разг.* it is more than he can affórd; he cánnòt affórd it; **бить кого́-л. по ~у** hit* smb. in his pócket, hit* where it hurts; **наби́ть себе́ ~** *разг.* fill one's pockets; **держи́ ~ ши́ре!** *разг.* ≅ nóthing dóing!; no hope!; **не лезть за сло́вом в ~** *разг.* ≅ have a réady tongue [...'re- tʌŋ], not be at a loss for a word, have a way with words. **~ник** *м. разг.* (*вор*) píckpòcket. **~ный** *прил.* к карма́н; **~ный слова́рь** pócket díctionary; **~ные часы́** pócket watch *sg.*; **~ные де́ньги** pócket móney [...'mʌ-] *sg.*; **~ные расхо́ды** mínor expénses; ◊ **~ный вор** píckpòcket; **~ная кра́жа** píckpòcketing.

карманьо́ла [-нье-] *ж.* Cármagnóle [-mæ'nʒoul].

карми́н *м.* cármine. **~ный** cármine.

карна́вал *м.* cárnival. **~ьный** cárnival (*attr.*); **~ьное ше́ствие** cárnival procéssion.

карни́з *м. арх.* córnice; (*окна́*) ledge; (*ни́жний край кры́ши*) eaves *pl.*

кароте́ль *ж. бот.* cárrot (*variety having short roots*).

кароти́н *м.* cárotène, cárotin.

КАР—КАР

К

карп *м.* carp.

карст *м. геол.* karst.

ка́рт||а *ж.* 1. *геогр.* map; **морска́я ~** (sea) chart; **~ полуша́рий** map of the world, map of the hémispheres; **авиацио́нная ~** áviation chart; 2. (*игра́льная*) (pláying-)càrd; **коло́да карт** pack of cards; **игра́ть в ~ы** play cards; **име́ть хоро́шие ~ы** have a good hand; **сдава́ть ~ы** deal* (round) *the* cards; **тасова́ть ~ы** shúffle the cards; **ему́ везёт в ~ы** he is lúcky at cards; ◊ **раскры́ть свои́ ~ы** show* one's cards / hand [ʃou...], lay* one's cards on the táble; **ста́вить на ~у** (*вн*) *разг.* stake (*d.*); **поста́вить всё на ~у** stake one's all; **его́ ~ би́та** his game is up; **ему́ и ~ы в ру́ки** it's up to him, he knows the ropes [...nouz...], he's a dab hand; **смеша́ть, спу́тать чьи-л. ~ы** spoil* / rúin smb.'s game; úpsèt* smb.'s plans, *или* ápple:càrt.

карта́в||ить burr. **~ость** *ж.* burr. **~ый** 1. (*о зву́ке*) pronóunced gútturally; 2. (*о челове́ке*) háving a burr.

карт-бланш *м.* carte blanche (*фр.*) ['kɑ:t'blɑ:nʃ].

картёжн||ик *м.* cárd-player, gámbler. **~ый** gámbling; **~ая игра́** cárd-playing, gámbling.

картезиа́н||ец *м.,* **~ский** *филос.* Cartésian [-zɪən].

карте́ль [-тэ-] *м. эк.* cártèl.

карте́чный *прил.* к карте́чь.

карте́чь *ж.* 1. *воен.* cáse-shòt ['keɪs-], grápe-shòt; 2. (*кру́пная дробь*) búck-shòt.

карти́н||а *ж.* 1. (*в ра́зн. знач.*) pícture; (*о жи́вописи тж.*) páinting, cánvas; **~ ма́сляными кра́сками** óil-painting; **такова́ ~** (*рд.*) such is the pícture (of); **нарисова́ть ~у чего́-л.** (*перен.*) paint a pícture of smth.; 2. *теа́тр.* scene; ◊ **живы́е ~ы** tábleaux (vívants) (*фр.*) [tɑ:'blou vi:'vɑ:ŋ]. **~ка** *ж.* pícture; **кни́га с ~ками** pícture-book; **лубо́чные ~ки** cheap pópular prints; crude cólour:ed wóodcuts [...'kʌləd 'wud-]; **перево́дные ~ки** tránsfers; ◊ **мо́дная ~ка** fáshion-pláte. **~ный** 1. *прил.* к карти́на 1; *тж.* pictórial; **~ная галере́я** pícture-gàllery; 2. (*живопи́сный*) picturésque.

ка́ртинг *м. спорт.* cárting.

картогра́мма *ж.* cártogràm.

карто́граф *м.* cartógrapher. **~и́ровать** (*вн.*) draw* a map (of). **~и́ческий** cárto:gráphic(al).

картогра́фия *ж.* cartógraphy.

картон *м.* páste:board [-eɪ-], cárdboard.

картона́ж||и *мн.* (*ед.* картона́ж *м.*) cárdboard árticles. **~ный** *прил.* к картона́жи; **~ная фа́брика** fáctory prodúcing cárdboard árticles; **~ные изде́лия** cárdboard árticles.

карто́н||ка *ж.* páste:board-bòx ['peɪ-]; (*для шляп*) hát-bòx, bánd-bòx. **~ный** *прил.* к карто́н.

картоте́ка *ж.* card índex.

картоте́чный cárd-índex (*attr.*).

картофелекопа́||лка *ж.,* **~тель** *м. с.-х.* potáto-dìgger.

картофелеса́дочн||ый: ~ая маши́на = картофелеса́жалка.

картофелесажа́лка *ж. с.-х.* potáto-plànter [-a:n-], potáto-plánting machíne [-a:n- -'ʃi:n]; ~ для квадра́тно-гнездово́й поса́дки potáto-plànter for squáre-clùster plánting [...-a:n-].

картофелеубо́рочный: ~ комба́йн potáto-hárvester.

карто́фелина *ж. разг.* potáto.

карто́фель *м. тк. ед.* 1. potátoes *pl.*; жа́реный ~ fried potátoes; chips *pl.*; ~ в мунди́ре *разг.* (*варёный*) potátoes boiled in their jáckets; (*печёный*) potátoes baked in their jáckets; 2. (*растение*) potáto plant [...-a:nt]; ~ная мука́ potáto flour; potáto starch; ~ное пюре́ mashed potátoes *pl.*, potáto mash; ~ная шелуха́ potáto peelings *pl.*

ка́рточ‖ка *ж.* (*в разн. знач.*) card; (*фотографическая*) phóto;gràph; катало́жная ~ índex card; slip *разг.*; ~ вин wine-list; ~ ку́шаний bill of fare, ménù; продово́льственная ~ food / rátion card [...'ræ-...]; ~ный 1. *прил.* card (*attr.*); ~ный стол cárd-tàble; ~ный долг gámbling-dèbt [-det]; 2. *прил. к* ка́рточка; ~ный катало́г card índex, card cátalogue; ~ная систе́ма rátion;ing sýstem ['ræ-...]; ◇ ~ный до́мик house* of cards [haus...].

карто́шина *ж. разг.* = карто́фелина.

карто́шк‖а *ж. разг.* = карто́фель и карто́фелина; сажа́ть, копа́ть ~у plant, dig* potátoes [-a:nt...]; ◇ нос ~ой *разг.* búlbous nose.

карту́з I *м.* (*головной убор*) peaked cap.

карту́з II *м. воен.* (*зарядный*) pówder bag.

карту́шка *ж.* (*компаса*) cómpass card ['kʌ-...].

карусе́ль *ж.* róundabout, mérry-go-round, whírligig [-gɪg].

ка́рцер *м.* lóck-ùp; (*в тюрьме*) (púnishment) cell ['pʌ-...].

карье́р I *м.* (*аллюр*) full gállop; ◇ с ме́ста в ~ *разг.* straight a;wáy; right off the bat *амер.*

карье́р II *м. горн.* (*угольный*, *рудный*) ópen-càst mine, ópen pit; (*каменоломня*) quárry; (*песчаный*) sánd-pit.

карье́р‖а *ж.* caréer; нача́ть ~y begin* one's caréer; (с)де́лать ~y make* one's caréer; make* one's way up *разг.*; бы́стро (с)де́лать ~y obtáin quick promótion; make* good, get* on *разг.* ~и́зм *м.* careerism, sélf-seeking. ~и́ст *м.*, ~и́стка *ж.* caréerist, óffice-seeker; pláce-hùnter, clímber ['klaɪ-] *разг.*; gó-gètter [-'ge-] *амер.*

каса́ни‖е *с.* cóntact; то́чка ~я *мат.* point of cóntact.

каса́тельная *ж. скл. как прил. мат.* tángent [-ndʒ-].

каса́тель‖но *предл.* (*рд.*) concérning (*d.*). ~ство *с.* (*к*) connéction (with); ány;thing to do (with); к э́тому он не име́ет никако́го ~ства he has no connéction with it, he has nóthing to do with it.

каса́тик *м. ласк.* dárling.

каса́тка I *ж. к* каса́тик.

каса́тка II *ж.* (*ласточка*) swallow.

каса́‖ться, косну́ться 1. (*рд. тв.*; *дотрагиваться*) touch [tʌtʃ] (*d. with*); 2. (*рд.*; *упоминать*) touch (up;ón); 3. (*рд.*; *иметь отношение*) concérn (*d.*), apply (to); э́то его́ не ~ется it is not his búsiness [...'bɪznɪs], it is no concérn of his; те, кого́ э́то ~ется those who are concérned (in); ◇ что ~ется as to, as regárds; что ~ется его́ as to him, for his part, as far as he is concérned; что ~ется второ́го вопро́са as regárds the sécond quéstion [...'se- -stʃən]. ~ющийся *прич. и прил.* (*рд.*) concérning (*d.*); *прил. тж.* pértinent (to).

ка́ска *ж.* hélmet.

каска́д *м.* cáscade; ◇ ~ красноре́чия flood of éloquence [flʌd...]. ~ный 1. *прил. к* каска́д; 2. variety (show) [...ʃou] (*attr.*), músic-hàll [-zɪk-] (*attr.*).

каспи́ец *м.* sáilor of the Cáspian Fleet.

ка́сс‖а *ж.* 1. (*в магазине*) cásh-dèsk; till; (*билетная*) bóoking-òffice; tícket-òffice; театра́льная ~ bóx-òffice; несгора́емая ~ safe, stróng-bòx; ~ в тра́нспорте без конду́ктора cóin-bòx; 2. (*денежная наличность*) cash; 3. (*учреждение*) сберега́тельная ~ sávings-bànk; ~ взаимопо́мощи mútual aid fund; 4. *полигр.* case [-s].

ка́сса-автома́т *ж.* slót-machine [...ʃi:n].

кассацио́нн‖ый *прил. к* касса́ция; ~ суд Court of Appéal / Càssátion [kɔ:t...]; ~ая жа́лоба appéal.

кассаци‖я *ж. юр.* càssátion; пода́ть ~ю refér to the Court of Càssátion [...kɔ:t...].

кассе́та *ж. фот.* (*для плёнки*) càsétte [ka-:]; (*для пластинок*) pláte-hòlder; (*для киноленты*) fílm-hòlder; (*магнитофонная*) (tape) reel.

касси́р *м.* cáshier.

касси́ровать *несов. и сов.* (*вн.*) *юр.* annúl (*d.*), quash (*d.*).

касси́рша *ж. разг.* càshier.

ка́ссов‖ый *прил. к* ка́сса; ~ая кни́га cásh-book; ~ счёт cásh-accòunt.

ка́ста *ж.* caste [ka:st].

кастаньёты *мн.* (*ед.* кастанье́та *ж.*) càstanéts.

кастеля́нша *ж.* mátron, línen-keeper ['lɪ-...].

кастéт *м.* knúckle-dùster; bráss-knúckles *pl. амер.*

ка́стовость *ж.* sègregátion.

ка́стовый *прил. к* ка́ста.

касто́р *м. текст.* cástor.

касто́рка *ж. тк. ед. разг.* cástor oil.

касто́ров‖ый I: ~ое ма́сло cástor oil.

касто́ров‖ый II 1. *прил. к* касто́р; 2. *уст.* (*из бобрового меха*) béaver (*attr.*); ~ая шля́па béaver (hat).

кастр‖а́т *м.* éunuch [-ək]. ~а́ция *ж.* càstrátion. ~и́ровать *несов. и сов.* (*вн.*) càstráte (*d.*); (*животное*) geld* [ge-] (*d.*).

кастрю́ля *ж.* pan, stéw-pàn, sáuce;pàn, pot.

кат *м. мор.* cat; ~-ба́лка cát;head [-hed].

катава́сия *ж. разг.* confúsion, row, múddle.

катакли́зм *м.* cátaclysm.

катако́мбы *мн.* (*ед.* катако́мба *ж.*) cátacòmbs [-koumz].

катала́жка *ж. уст. разг.* jug, lóck-ùp.

катале́ктика *ж. лит.* càtaléxis, càtaléctic verse.

катале́п‖сия *ж. мед.* cátalèpsy. ~тик *м.* càtaléptic. ~ти́ческий *мед.* càtaléptic.

ката́лиз *м. хим.* catálysis. ~а́тор *м. хим.* cátalyst.

катало́г *м.* cátalogue; предме́тный ~ súbject cátalogue. ~иза́тор *м.* càtalòguer. ~изи́ровать *несов. и сов.* (*вн.*) cátalogue (*d.*).

катало́жн‖ая *ж. скл. как прил.* cátalogue room. ~ый *прил. к* катало́г.

катамара́н *м. мор.* càtamarán.

ката́ние I *с.* (*прогулка*) drive; ~ в экипа́же dríving; ~ верхо́м ríding; ~ на конька́х skáting; фигу́рное ~ (на конька́х) fígure skáting; одино́чное ~ (на конька́х) ládies or men's síngles; па́рное ~ (на конька́х) pair skáting; ~ с гор tobógganing; ~ на ло́дке bóating; (*под парусами*) sáiling.

ката́ние II *с.* rólling (*ср.* ката́ть II); ~ в коля́сочке whéeling.

ка́танье *с.:* не мытьём, так ~м ≃ by hook or by crook.

катапу́льта *ж. воен. ист.*, *ав.* cátapùlt.

катапульти́‖рование *с.* báiling out; ejéction. ~ать *несов. и сов.* (*вн.*) *ав.* cátapùlt (*d.*), bale out (*d.*), ejéct (*d.*). ~аться *несов. и сов.* cátapùlt, bale out; лётчик ~ался the pílot báled out.

ката́р *м.* catárrh; ~ желу́дка gástric catárrh.

катара́кта *ж. мед.* cátaràct.

катара́льный catárrhal.

катастро́ф‖а *ж.* catástrophe [-fɪ]; железнодоро́жная ~ rail disáster [...-'za:-], train crash; экономи́ческая ~ ecónomic disáster [i:k-...]. ~и́ческий càtastróphic(al), disástrous [-'za:-]; ~и́ческие после́дствия disástrous effécts. ~и́чный = катастрофи́ческий.

ката́ть I (*вн.*; *в экипаже и т. п.*) drive* (*d.*), take* for a drive (*d.*).

ката́ть II, *опред.* кати́ть, *сов.* покати́ть (*вн.*) 1. roll (*d.*); (*на колёсах*) wheel (*d.*), trúndle (*d.*); (*ср.* кати́ть); 2. *тк. неопред.:* ~ бельё mángle the wáshing.

ката́‖ться I (*на машине*, *в экипаже и т. п.*) go* for a drive; ~ на ло́дке boat, go* bóating; (*под парусами*) go* sáiling; ~ на конька́х skate, go* skáting; ~ с гор tobóggan; ~ на велосипе́де cycle, go* for a cycle ride; ~ верхо́м ride*, go* hórse-riding.

ката́‖ться II, *опред.* кати́ться, *сов.* покати́ться roll; (*ср.* кати́ться); ◇ ~ со́ сме́ху *разг.* split* one's sides with láughter [...'la:f-]; ~ от бо́ли writhe in pain [raɪð...]; как сыр в ма́сле ~ *разг.* ≃ live in clóver [lɪv...].

катафа́лк *м.* cátafàlque; (*похоронные дроги*) hearse [hə:s], bier.

категори́‖чески *нареч.* càtegórically; (*отказываться*, *отрицать и т. п.*) flát;ly; ~ возража́ть stróng;ly object. ~еский càtegórical; (*об отказе*, *отрицании и т. п.*) flat; ~еский отка́з flat refúsal [...-z'l]; ~еское приказа́ние explícit órder. ~ный = категори́ческий.

катего́рия *ж.* 1. cátegory; 2. *спорт.* class.

ка́тер *м. мор.* cútter, launch; сторожево́й ~ patról boat [-oul...]; торпе́дный ~ mótor tòrpédò-boat.

кате́т *м. мат.* cúthctus.

кате́тер [-тэ́тэр] *м. мед.* cátheter.

катехи́зис *м. рел.* cátechism [-k-].

кати́ть, покати́ть 1. (*вн.*) *см.* ката́ть II 1; 2. (*без доп.; ехать*) drive*; (*об экипаже и т. п.*) bowl alóng [boul...]. ~ся, покати́ться roll; ~ся с горы́ slide* dównhill; ~ся под гору go* dównhill; ◊ кати́сь отсю́да! *бран.* get out!, clear off!, beat it!

като́д *м. физ.* cáthòde. ~ный *физ.* cathódic.

като́к I *м.* (*на льду*) skáting-rink.

като́к II *м.* 1.: доро́жный ~ róad-ròller; 2. (*для белья*) mangle, rólling-prèss.

като́лик *м.* (Róman) Cátholic.

католико́с *м.* Cathólicos.

катол||ици́зм *м.* (Róman) cathólicism. ~и́ческий (Róman) cátholic. ~и́чество *с.* = католици́зм.

като́р||га *ж.* pénal sérvitùde, hard lábour; (*перен. тж.*) drúdgery; отправля́ть на ~гу (*вн.*) condémn to pénal sérvitùde (*d.*). ~жа́нин *м.*, ~жа́нка *ж.* State cónvict; полити́ческий ~жа́нин fòrmer political cónvict.

като́ржн||ик *м.* cónvict. ~ый *прил. к* ка́торга; (*перен.*) very hard, báck-breaking [-breɪk-], ùnbéarable [-'bɛə-]; ~ые рабо́ты pénal sérvitùde *sg.*; hard lábour *sg.*; ~ая тюрьма́ cónvict príson [...'prɪz-]; ~ый труд drúdgery.

кату́ш||ечный *прил. к* кату́шка. ~ка *ж.* 1. reel, bóbbin; *текст.* spool; 2. *эл.* coil, bóbbin; (*для провода*) reel; индукцио́нная ~ка indúction coil.

ка́тышек *м. разг.* péllet.

катю́ша *ж. воен. разг.* Katyúsha (*lorry-mounted multiple rocket launcher*).

кауза́льный *филос.* cáusal [-z-].

кау́рый light chéstnut [...-sn-].

ка́устик *м. хим.* cáustic sóda.

каусти́ческ||ий *хим.* cáustic; ~ая со́да cáustic sóda.

каучу́к *м.* (Índia) rúbber, cáoutchouc ['kautʃuk]; синтети́ческий ~ synthétic rúbber. ~овый *прил. к* каучу́к.

каучуко||но́сный *прил.*: ~ные расте́ния rúbber-bearing plants [-bɛə- plɑː-]. ~но́сы = каучуконо́сные расте́ния *см.* каучуконо́сный.

кафе́ [-фэ́] *с. нескл.* café (*фр.*) ['kæfeɪ]; cóffee-house* [-fɪhaus]; ~ с самообслу́живанием sèlf-sérvice càfetéria; ~-конди́терская téa-room.

ка́федр||а *ж.* 1. chair; (*для оратора*) ròstrum (*pl.* -ra); (*в церкви*) púlpit ['pul-]; 2. (*научная отрасль как предмет преподавания в вузе*) chair; получи́ть ~у get* a chair; ~ органи́ческой хи́мии chair of òrgánic chémistry [...'ke-]; 3. (*научное объединение преподавателей и учёных одной или нескольких специальностей*) depártment, sùb-fáculty; заве́довать ~ой head the depártment / sùb-fáculty [hed...].

кафедра́льный cathédral; ~ собо́р cathédral.

ка́фель *м.* glazed / Dutch tile, dalle, stone tile. ~ный *прил. к* ка́фель; *тж.* tiled.

кафете́рий [-тэ́-] *м.* càfetéria.

кафешанта́н [-фэ-] *м.* cafè chantant (*фр.*) ['kæfeɪ'ʃɑːntɑːŋ]. ~ный *прил. к* кафешанта́н.

кафта́н *м.* cáftan (*man's long outer garment*).

кахети́н||ец *м.* Cahétian. ~ка *ж.* Cahétian wóman* [...'wu-]. ~ский Cahétian.

кахети́нское *с. скл. как прил.* (*вино*) Cahétian wine.

кацаве́йка *ж.* katsavéyka (*short fur-trimmed jacket*).

кача́лка *ж.* (*кресло*) rócking-chair; конь-~ rócking-horse.

кача́ние I *с.* rócking, swíng;ing; (*колебание*) òscillátion, swáying; (*маятника и т.п.*) swing.

кача́ние II *с.* (*насосом*) púmping.

кача́||ть I, качну́ть 1. (*вн.*) rock (*d.*), shake* (*d.*), swing* (*d.*); (*ребёнка на руках*) dandle (*d.*); ~ть колыбе́ль rock the cradle; ве́тер ~ет дере́вья the wind shakes the trees [...wɪ-...]; 2. *безл.*: ло́дку ~ет the boat is rólling and pítching; его́ ~ло из стороны́ в сто́рону he was réeling from side to side; 3. *тк. несов.* (*вн.*) *разг.* (*подбрасывать на руках*) lift up (*d.*), chair (*d.*) (*as mark of esteem or congratulation*); ◊ ~ головой shake* one's head [...hed].

кача́ть II (*вн.; насосом*) pump (*d.*).

кача́ться, качну́ться 1. rock, swing*; 2. (*пошатываться*) reel, stágger.

каче́ли *мн.* swing *sg.*

ка́чественн||ый (*в разн. знач.*) quálitative; ~ скачо́к *филос.* quálitative leap; ~ое измене́ние quálitative change [...tʃeɪndʒ]; ~ ана́лиз *хим.* quálitative análysis (*pl.* -sès [-siːz]); 2. (*высокого качества*) of high quálity.

ка́честв||о *с.* 1. (*в разн. знач.*) quálity; высо́кого, ни́зкого ~а of high, poor quálity; брига́да отли́чного ~а fìrst-clàss / fìrst-ráte brigáde / team, crack brigáde / team; проду́кция отли́чного ~а tóp-quàlity goods [...gudz] *pl.*; перехо́д коли́чества в ~ *филос.* trànsition from quántity to quálity [-ʒən...]; коли́чество перехо́дит в ~ quántity is trànsfórmed into quálity; 2. *шахм.* exchánge [-'tʃeɪ-]; вы́играть ~ win* the exchánge; ◊ в ~е (*рд.*) in the capácity (of); as.

ка́чк||а *ж.* rócking, tóssing; килева́я ~ *мор.* pítching; бокова́я ~ *мор.* rólling; не переноси́ть ~и be a bad sáilor.

качну́ть *сов. см.* кача́ть I 1, 2.

качну́ться *сов. см.* кача́ться.

ка́ш||а *ж.* kásha (*dish of cooked grain or groats*); (*перен.*) *разг.* jumble, mess; ма́нная ~ cooked sèmolína [...-'liː-]; гре́чневая ~ boiled búckwheat; ри́совая ~ boiled rice; ~ с ма́слом pórridge; жи́дкая ~ gruel [-uəl]; ◊ у него́ в голове́ he is a múddle;head [...-hed]; завари́ть ~у *разг.* ≅ stir up trouble [...trʌbl]; make* a mess; ну, и завари́л ~у! hás;n't he made a mess of it?, he has made a fine mess of it!; расхлёбывать ~у *разг.* put* things right; сам завари́л ~у, сам и расхлёбывай ≅ you've made your bed, now you can lie on it; у него́ ~ во рту *разг.* he mumbles; с ним ~и не сва́ришь *разг.* you won't get àny;whère with

him [...wount...]; берёзовая ~ *разг.* the birch, a flógging; его́ сапоги́ ~ и про́сят *разг.* ≅ his boots are agápe.

кашало́т *м. зоол.* cáchalòt [-ʃ-], spérm-whàle.

кашева́р *м.* cook (in military únit or team of wórkers). ~ить *разг.* work as cook (in military únit or team of wórkers).

ка́шель *м.* cough [kɒf].

кашеми́р *м. текст.* càshmére. ~овый *прил. к* кашеми́р.

каши́ца *ж.* thin gruel [...-uəl]; бума́жная ~ páper pulp.

ка́шка I *ж. уменьш. от* ка́ша; (*для ребёнка*) pap.

ка́шка II *ж. разг.* (*клевер*) clóver.

кашляну́ть *сов.* give* a cough [...kɒf].

ка́шлять 1. cough [kɒf]; 2. (*страдать кашлем*) have a cough.

кашне́ [-нэ́] *с. нескл.* múffler, scarf*; (*тёплое тж.*) cómforter ['kʌm-].

кашпо́ *с. нескл.* òrnaméntal flówerpòt.

кашта́н *м.* 1. chéstnut [-sn-]; 2. (*дерево*) chéstnut, chéstnut-tree [-sn-]; ко́нский ~ hórse-chestnut [-sn-]; ◊ таска́ть ~ы из огня́ для кого́-л. pull chéstnuts out of the fire for smb. [pul...]; be smb.'s cát's-paw. ~овый chéstnut [-sn-]; ~овая ро́ща chéstnut grove; 2. (*о цвете*) chéstnut(-còlour;ed) [-sn- -kʌləd]; ~овые во́лосы chéstnut-còlour;ed hair *sg.*

каю́к *м.*: ~ пришёл кому́-л. *разг.* it's the end of smb.; тут ему́ ~ пришёл that's the end of him, he's done for.

каю́р *м.* (*погонщик собак*) dógteam driver; (*погонщик оленей*) réindeer-team driver.

каю́та *ж.* room, cábin; (*пассажирская тж.*) státe-room.

каю́т-компа́ния *ж. мор.* (*офицерская на военном корабле*) wárd-room; (*на пассажирском судне*) pássengers' lounge.

ка́яться, пока́яться, раска́яться 1. *при сов.* раска́яться (*в пр.*) repént (of); он сам тепе́рь ка́ется he is sórry for it him;sélf now; (*ср.* раска́иваться); 2. *при сов.* пока́яться (*дт., перед тв. в пр.*) confess (to; *d.*); 3. *как вводн. сл.*: я, ка́юсь, ма́ло об э́том ду́мал I confess, or I am sórry to say, I scárce;ly gave it a thought [...-ɛəs-...].

квадра́нт *м.* 1. *мат.* quádrant ['kwɔ-]; 2. (*артиллерийский*) gúnner's clinómeter / quádrant [...klaɪ-...].

квадра́т *м.* (*в разн. знач.*) square; возводи́ть в ~ (*вн.*) *мат.* square (*d.*), raise to the sécond pówer [...'se-...] (*d.*); в ~е *мат.* squared; (*перен.*) *разг.* dóubly ['dʌb-].

квадра́тно-гнездово́й squáre-clùster (*attr.*); ~ ме́тод поса́дки squáre-clùster plánting [...-ɑːnt-].

квадра́т||ный (*в разн. знач.*) square; ~ ко́рень *мат.* square root; ~ные ме́ры square méasures [-meʒ-]; ~ метр square mètre; ~ное уравне́ние *мат.* quadrátic equátion. ~у́ра *ж.* quádrature; ◊ ~у́ра круга squáring the circle.

квадрильо́н *м. мат.* quádrillion.

квазар *м. астр.* quásàr ['kweɪzɑː].

квази- (*в сложн.*) quási- ['kwɑːzɪ-].

КВА – КИЛ

квак||**анье** *с.* cróaking. ~**ать** croak. ~**нуть** *сов.* croak, give* a croak; гро́мко ~нуть give* a loud croak.

ква́кер *м.* Quáker.

ква́кша *ж.* trée-fròg.

квалификацио́нн||**ый** *прил. к* квалифика́ция; ~**ая** коми́ссия board of éxperts.

квалифика́ц||**ия** *ж.* quàlificátion; lével of profíciency ['le-...], proféssional skill; произво́дственная ~ proféssional skill; рабо́чие разли́чной ~ии wórkers with dífferent lévels of skill; повыше́ние ~ии ráising the lével of *one's* skill; повыша́ть ~ию raise the lével of *one's* (proféssional) skill.

квалифици́рованн||**ый** 1. *прич. см.* квалифици́ровать; 2. *прил.* skilled, trained, quálified; ~ рабо́чий skilled / trained wórker; ~ труд skilled lábour; ~**ая** рабо́чая си́ла skilled mán-power.

квалифици́ровать *несов. и сов.* (*вн.*) 1. check (*d.*), test (*d.*); 2. (*оценивать*) quálify (*d.*).

квант *м. физ.* quántum (*pl.* -ta).

ква́нтов||**ый** *прил. к* квант; ~**ая** тео́рия *физ.* quántum théory [...'θɪə-]; ~**ая** меха́ника quántum mechánics [...-'kæ-].

ква́рта *ж.* 1. quart; 2. *муз.* fourth [fɔ:θ]; 3. (*в фехтова́нии*) quart [kɑ:t], carte.

кварта́л *м.* 1. (*четверть года*) quárter; 2. (*часть города*) block; но́вые жилы́е ~ы new hóusing estátes, new blocks of búildings.

кварта́льный 1. *прил. к* кварта́л 1; *тж.* quárterly; ~ отчёт quárterly accóunt; 2. *прил. к* кварта́л 2; 3. *м. как сущ. ист.* nòn-commíssioned políce ófficer [...'li:s...].

кварте́т *м. муз.* quàrtét(te). ~**ный** *прил. к* кварте́т.

кварти́р||**а** *ж.* 1. flat; apártment; (*однокомнатная*) óne-ròom flat; béd-sitter *разг.*; сдаётся ~ flat / apártment to let; ~ и стол board and lódging; 2. *мн. воен.* bíllets, quárters; зи́мние ~ы winter quárters; ◊ гла́вная ~ *воен. уст.* Géneral Héadquárters [...'hed-] *pl.* ~**а́нт** *м.*, ~**а́нтка** *ж.* lódger; (*снимающий целую квартиру*) ténant ['te-].

квартирме́йстер *м. воен. уст.* quártermàster.

кварти́рн||**ый** 1. *прил. к* кварти́ра 1; ~**ая** пла́та rent; ~ хозя́ин, ~**ая** хозя́йка квартирохозя́ин, квартирохозя́йка; 2. *воен.* billeting.

квартирова́ть 1. *разг.* lodge; 2. *воен.* be billeted.

квартиро||**наима́тель** *м.*, ~**съёмщик** *м.* ténant ['te-]. ~**хозя́ин** *м.* lándlòrd. ~**хозя́йка** *ж.* lándlàdy.

квартирье́р *м. воен.* billeting ófficer; ~**ы**, кома́нда ~**ов** billeting párty.

квартпла́та *ж. разг.* = квартирная плата *см.* кварти́рный 1.

кварц *м. мин.* quartz [-ts]. ~**евый** *прил. к* кварц; ~**евая** ла́мпа quartz lamp [-ts...].

кварци́т *м. мин.* quártzite [-ts-].

квас *м.* kvass [-ɑ:s]; хле́бный ~ bread kvass [bred...].

ква́сить (*вн.*) make* sour (*d.*).

квасно́й *прил. к* квас; ◊ ~ патриоти́зм jíngoìsm.

квасцо́вый *хим.* alúminous.

квасцы́ *мн. хим.* álum ['æ-] *sg.*

ква́шен||**ый** ferménted, sour; ~**ая** капу́ста sáuerkraut ['sauəkraut].

квашня́ *ж.* knéading trough [...trɒf], dóugh-trough ['doutrɒf].

квёлый *разг.* wéakly, póorly.

кверху́ *нареч.* up, úpwards [-dz].

кверши́аг *м. горн.* cróss-cùt.

квиети́зм *м.* quíetism.

квинт||**а** *ж. муз.* fifth; ◊ пове́сить нос на ~у *разг.* ≅ look dejécted, be crèstfáll;en.

квинте́т *м. муз.* quintét(te).

квинтэссе́нция *ж.* quintéssence.

квитанцио́нн||**ый** *прил. к* квита́нция; ~**ая** кни́жка recéipt-book [-'si:t-].

квита́нция *ж.* recéipt [-'si:t]; бага́жная ~ lúggage / bággage ticket.

квито́к *м. разг.* ticket, check.

кви́ты *разг.*: мы с ва́ми ~ we are quits.

кво́рум *м.* quórum; нет ~а there is no quórum; обеспе́чить ~ secúre a quórum.

кво́та *ж. эк.* quóta.

квохта́ть = клохта́ть.

ке́гель *м.* = кегль.

кегельба́н *м. спорт.* skíttle-àlley, bówling-àlley ['bou-].

ке́гли *мн.* (*ед.* ке́гля *ж.*) skittles; игра́ть в ~ play skittles.

кегль *м. полигр.* point, size of type; ~ 8 eight póinttype.

кедр *м. бот.* cédar; сиби́рский ~ Sibérian (stone) pine [saɪ-...]; гимала́йский ~ déodàr ['dɪ-]; лива́нский ~ cédar of Lébanon; европе́йский ~ cémbra pine. ~**о́вник** *м.* 1. (*дерево*) dwárf-pine [...'fɔ-]. 2. (*кедровый лес*) cédar fórest. ~**о́вый** cédar; ~**о́вый** оре́х cédar nut.

ке́ды *мн. спорт.* gým-shòes [-ʃu:z], tráiners.

кейфова́ть reláx, enjóy a rest.

кекс *м.* frúit-càke ['fru:t-].

келе́йн||**о** *нареч.* prívate;ly ['praɪ-], in cámera. ~**ый** sécret, prívate ['praɪ-].

ке́льнер *м.* wáiter.

кельт *м.* Celt, Kelt; шотла́ндский ~ Gael [geɪl]. ~**ский** Céltic, Kéltic; ~**ский** язы́к Céltic.

ке́лья *ж.* cell.

кем *тв. см.* кто; не́ ... кем *см.* не 2; ни... кем *см.* ни II 2.

ке́мпинг *м.* cámping-site.

кена́ф *м. бот.* kenáf.

кенгуру́ *м. нескл. зоол.* kàngaróo.

кенды́рь *м. бот.* kéndyr.

кен||**и́ец** *м.*, ~**и́йка** *ж.*, ~**и́йский** Kényan [-ɪən].

кенотро́н *м. рад.* réctifier tube.

кента́вр *м. миф.* céntaur.

ке́п||**и** *с. нескл.* képi. ~**ка** *ж. разг.* clóth-càp.

кера́м||**ика** *ж.* cerámics. ~**и́ческий** cerámic.

кёрлинг *м. спорт.* cúrling.

кероѓа́з *м.* kérogàs (*kind of primus-stove*).

кероси́н *м.* kérosène. ~**ка** *ж.* óil-stòve. ~**овый** kérosène (*attr.*); ~**овая** ла́мпа kérosène / oil lamp.

ке́сарев: ~**о** сече́ние *мед.* Caesárean séction / òperátion [-'zɛə-...].

ке́сарь *м. уст.* Cáesar [-zə].

кессо́н *м. тех.* cáisson; cóffer-dàm. ~**ный** *прил. к* кессо́н; ◊ ~**ная** боле́знь aèroémbolism ['ɛərə'em-], cáisson disèase [...-'zi:z]; the bends *разг.*

кета́ *ж.* Sibérian sálmon [saɪ- 'sæmən].

кетгу́т *м.* cátgut.

кето́в||**ый** *прил. к* кета́; ~**ая** икра́ red cáviare [...-ɑ:].

кето́н *м. хим.* kétone ['ki:-].

кефа́ль *ж.* grey múllet.

кефи́р *м.* kefir.

киберне́тик *м.* cỳbernéticist [saɪ-], cỳbernetícian [saɪ-].

киберне́т||**ика** *ж.* cỳbernétics [saɪ-]. ~**и́ческий** cỳbernétic [saɪ-].

киби́тка *ж.* 1. kibítka (*hooded cart or sledge*); 2. (*жилище кочевников*) nómad tent ['nɔ-...].

кива́ть, кивну́ть 1. (*головой*) nod (one's head) [...hed]; (*в знак согласия*) nod assént; ~ одобри́тельно nod one's appróval [...ə'pru:-]; 2. (*на вн.*) ука́зывать ки́вком) mótion (to); (*перен.*) allúde (to); *тк. несов. разг.* (*сваливать вину*) put* the blame (on).

ки́вер *м. воен. ист.* shákò ['ʃæ-].

кив||**ну́ть** *сов. см.* кива́ть. ~**о́к** *м.* nod.

кид||**а́ть, ки́нуть** (*вн.*) 1. throw* [θrou] (*d.*), cast* (*d.*), fling* (*d.*); ~ камня́ми (*в вн.*) shy / fling / throw* stones (at); (*ср. тж.* броса́ть); ◊ ки́нуть кому́-л. упрёк hurl reproaches at smb.; ~ жре́бий throw* / cast* lots; его́ ~а́ет в жар и хо́лод he feels hot and cold all óver.

кида́ться, ки́нуться 1. throw* / fling* òne;sélf [θrou-...]; ~ кому́-л. на ше́ю throw* oneself on smb.'s neck; throw* one's arms round smb.'s neck; ~ кому́-л. в объя́тия throw* òne;sélf into smb.'s arms; ~ из стороны́ в сто́рону rush from side to side; соба́ка кида́ется на прохо́жих the dog attácks pássers-bý; 2. *тк. несов.* (*тв.*; *бросать*) throw* (*d.*), fling* (*d.*), shy (*d.*); ~ камня́ми throw* stones; 3. *страд. к* кида́ть; (*ср. тж.* броса́ться); ◊ ~ со всех ног rush (as fast as one can); ки́нуться бежа́ть rush / dash awáy, take* to one's heels.

кизи́л *м.*, **кизи́ль** *м. тк. ед.* 1. *собир.* córnel; Cornélian chérries *pl.*; 2. (*об отдельной ягоде*) Cornélian chérry; 3. (*дерево*) córnel(-tree), Cornélian-chérry-tree.

кизя́к *м.* kizyák (*pressed dung used as fuel*).

кий *м.* (bílliard) cue.

кики́мора *ж. фольк.* kikimora (*hobgoblin in female form*); (*перен.*) *разг.* fright.

килев||**а́ние** *с. мор.* caréening, caréenage. ~**а́ть** *мор.* caréen. ~**о́й** *прил. к* киль 1; ~**а́я** ка́чка pítching.

кило́ *с. нескл. разг.* = килогра́мм.

килова́тт *м. эл.* kílowàtt [-wɔt]. ~**-ча́с** *м. эл.* kílowàtt-hour [-auə].

килогра́мм *м.* kílogràmme [-græm], kílogràm.

килогра́мм-кало́рия *ж.* kìlòcàlorie ['kɪ-], large cálorie.

килограммоме́тр *м. физ.* kílogràmmètre.

килокало́рия *ж.* = килогра́мм-кало́рия.
килоли́тр *м.* kílolìtre [-li:-].
киломе́тр *м.* kílomètre. **~а́ж** *м.* númber of kílomètres, míleage ['maɪlɪdʒ].
киль *м.* 1. *мор.* keel; 2. *ав.* fin.
кильва́тер [-тэ-] *м. мор.* wake; строй ~ a line ahéad [...ə'hed]; cólumn *амер.*; идти́ в ~ (*dm.*) fóllow / sail in the wake (of). **~ный** [-тэ-] *прил. к* кильва́тер.
ки́лька *ж.* 1. sprat; 2. *мн.* (*консервы*) spiced sprats.
кимберли́т *м. мин.* kímberlite. **~овый:** ~овая тру́бка kímberlíte pipe.
кимва́л *м. ист. муз.* cýmbal.
кимо́граф *м.* kýmo:gràph.
кимоно́ *с. нескл.* kimónò.
кингсто́н *м. мор.* Kíngston (valve) [-ŋst-...].
кинема́тика *ж. физ.* kinemátics [kaɪ-].
кинемато́||граф *м.* cínema, cinemátogràph. **~графи́ческий** cinemàtográphic; **~графи́ческий проекцио́нный аппара́т** cinemátogràph projéctor, film projéctor. **~графи́я** *ж.* cinematógraphy.
кинеско́п *м. тлв.* télevision tube.
кине́т||ика *ж. физ.* kinétics [kaɪ-]. **~и́ческий** *физ.* kinétic [kaɪ-]; **~и́ческая эне́ргия** kinétic énergy.
кинжа́л *м.* dágger, póniard [-njəd]; заколо́ть ~ом (*вн.*) stab with a dágger / póniard (*d.*).
кинжа́льный 1. *прил. к* кинжа́л; 2. *воен., спорт.* clóse-ránge [-s'reɪ-] (*attr.*), hánd-to-hánd (*attr.*).
кино́ *с. нескл.* 1. = кинематогра́фия; 2. *разг.* (*фильм*) cínema; píctures *pl.*; móvies ['mu:-] *pl. амер.*; звуково́е ~ tálking pictures *pl.*, sóund-film / tálkies *pl. разг.*; 3. *разг.* (*кинотеатр*) cínema.
кино- (*в сложн.*) cíne-; film (*attr.*).
кино́||актёр *м.* film áctor. **~актри́са** *ж.* film áctress. **~аппара́т** *м.* (*съёмочный*) cíne-càmera. **~аппарату́ра** *ж.* cinèmàtográphic équipment. **~арти́ст** *м.* = киноактёр. **~арти́стка** *ж.* = киноактри́са. **~ателье́** *с. нескл.* film stúdiò. **~боеви́к** *м.* film hit, smásh-hit.
ки́новарь *ж.* cínnabàr, vermílion [-ljən].
кинове́д||ение *с.* cinemátólogy (*the science of cinematography*). **~ческий** *прил. к* киноведе́ние.
кино́||журна́л *м.* néws-reel [-z-]. **~звезда́** *ж.* film star. **~зри́тель** *м.* fílmgòer. **~иску́сство** *с.* cinemàtográphic art. **~ка́мера** *ж.* mótion-pìcture cámera. **~карти́на** *ж.* film, phóto:play. **~коме́дия** *ж.* cómedy film. **~кри́тик** *м.* film crític. **~кри́тика** *ж.* film críticism. **~ле́нта** *ж.* fílm-strìp, tape, reel (of film). **~люби́тель** *м.* amáteur film máker. **~меха́ник** *м.* cínema óperàtor. **~обслу́живание** *с.* cínema facílities *pl.*, cínemà entertáinment. **~опера́тор** *м.* cámera-màn*. **~панора́ма** *ж.*: кругова́я ~панора́ма cinceráma ['ra:-]. **~передви́жка** *ж.* pórtable film projéctor. **~плёнка** *ж.* film. **~промы́шленность** *ж.* cinemàtográphic / film índustry. **~рабо́тник** *м.* cínema wórker. **~режиссёр** *м.* film diréctor. **~рекла́ма** *ж.* cínema advértise:ment [...-s-]. **~сеа́нс** *м.* cínema show [...ʃou]. **~сту́дия** *ж.* film stúdiò. **~сцена́рий** *м.* scenário [sɪ'na:-

rɪou], film script. **~съёмка** *ж.* fílming, shóoting. **~теа́тр** *м.* cínema; móvie-house* ['mu:-s] *амер.* **~устано́вка** *ж.* film projéctor, cínema únit; передвижна́я ~устано́вка pórtable film projéctor. **~фа́брика** *ж.* film stúdiòs. **~фестива́ль** *м.* film féstival.
кинофика́ция *ж.* spréading of the cínema ['spred-...]; in:clúsion in cínema círcuit [...-kɪt]; (*приспособление помещения для киносеансов*) adáptàtion for the cínema.
кино́||фильм *м.* film; móvie ['mu:vɪ] *амер.* **~фици́ровать** *несов. и сов.* (*вн.*) in:clúde in cínema círcuit [...-kɪt]; (*приспосабливать для киносеансов*) adápt for the cínema (*d.*). **~хро́ника** *ж.* néws-reel [-z-], tópical film.
кино́шник *м. разг.* 1. (*работник кино*) cínema-man*; 2. (*любитель ходить в кино*) cínema fan.
кино́||экра́н *м.* (cínema) screen. **~эпопе́я** *ж.* film épic.
ки́нуть *сов. см.* кида́ть. **~ся** *сов. см.* кида́ться.
кио́ск *м.* kíosk, booth [-ð]; газе́тный ~ néws-stàll ['nju:z-], néws-stand ['nju:z-]; кни́жный ~ bóokstàll. **~ёр** *м.* stáll-keeper.
кио́т *м. церк.* ícon-càse [-s].
ки́па *ж.* 1. pile, stack; 2. (*крупная упаковочная мера товара*) bale, pack; ~ хло́пка bale of cótton.
кипари́с *м. бот.* cýpress. **~ный, ~овый** *прил. к* кипари́с; **~овая ро́ща** cýpress grove.
кипе́||ние *с.* bóiling; то́чка ~ния bóiling-point.
ки́пенный white as foam.
ки́пень *м.* white foam.
кип||е́ть (*в разн. знач., тж. перен.*) boil, seethe; ~ зло́бой boil / seethe with ánger; де́ло, рабо́та ~и́т work is in full swing; ◊ как в котле́ ~ be hard pressed / dríven [...'drɪ-].
кипре́й *м. бот.* wíllow-hèrb.
киприо́т *м.* Cýpriot ['sɪ-]. **~ка** *ж.* Cýpriòte ['sɪ-]. **~ский** Cýprian ['sɪ-].
кипу́ч||есть *ж.* ebúllience. **~ий** bóiling, séething; (*перен. тж.*) ebúllient; **~ий пото́к** ráging tórrent; **~ий хара́ктер** ebúllient / exúberant disposítion [...-'zɪ-]; **~ая де́ятельность** tíre:less àctivity; **~ая жизнь** séething life.
кипяти́льн||ик *м.* immérsion héater. **~ый** bóiling; **~ый бак** bóiler, bóiling-tànk, cópper.
кипяти́ть, вскипяти́ть (*вн.*) boil (*d.*). **~ся, вскипяти́ться** 1. boil; (*перен.*) *разг.* get* excíted; 2. *страд. к* кипяти́ть.
кипято́к *м.* bóiling wáter [...'wɔ:-]; (*перен.: о вспыльчивом человеке*) tésty / írritable pérson.
кипяч||е́ние *с.* bóiling. **~ёный** bóiled; **~ёная вода́** bóiled wáter [...'wɔ:-].
кира́са *ж. ист.* cuiráss [kwɪ-].
кираси́р *м. воен. уст.* cuirássier [kwɪræ'sɪə].
кирги́з *м.*, **~ка** *ж.* Kirghíz [kɪr'gi:z]. **~ский** Kirghíz [kɪr'gi:z]; **~ский язы́к** Kirghíz, the Kirghíz lánguage.
кирзо́в||ый: ~ые сапоги́ tàrpáulin boots.
кири́ллица *ж. лингв.* Cyríllic álphabet.

КИЛ – КИС

ки́рка *ж.* Prótestant church.
кирка́ *ж.* pick.
киркомоты́га *ж.* píckàxe; píck-màttock *амер.*
кирпи́ч *м.* 1. brick; обожжённый ~ baked brick; необожжённый, сама́нный ~ adóbe [-bɪ]; облицо́вочный ~ front brick [frʌnt...]; класть ~и́ lay* bricks; 2. *разг.* (*дорожный знак*) "No Éntry" sign [...saɪn].
кирпи́чн||ый *прил. к* кирпи́ч; **~ заво́д** bríckwòrks, brick-yàrd; **~ого цве́та** brick-rèd; ◊ **чай** bríck-tea, tile tea.
ки́са *ж. разг.* pússy ['pu-], puss [pus].
кисе́йн||ый *прил. к* кисе́я; ◊ **~ая ба́рышня** prim young lády [...jʌn...].
кисе́л||ь *м.* kissél (*kind of starchy jelly*); моло́чный ~ milk kissél; овся́ный ~ óatmeal kissél; ◊ он мне деся́тая, *или* седьма́я, вода́ на ~е́ *разг.* ≃ we are reláted ónly through Ádam [...'æd-]; за семь вёрст ~я́ хлеба́ть *погов.* ≃ go* on a wíld-goose chase [...-s], go* on a fool's érrand, go* a long way for nóthing.
кисе́льн||ый: моло́чные ре́ки, ~ые берега́ ≃ land flówing with milk and hóney [...'flʌu-...'hʌ-], Cockáigne [-'keɪn].
кисе́т *м.* tobácco-pouch.
кисея́ *ж.* múslin [-z-].
ки́ска *ж.* pússy ['pu-].
кисли́нк||а *ж.*: с ~ой *разг.* slíghtly sour, sóurish.
ки́сло I *прил. кратк. см.* ки́слый.
ки́сло II *нареч.* sóurly, ácidly; ~ улыба́ться *разг.* smile sóurly. **~ва́тый** sóurish; *хим.* acídulous.
кислоро́д *м.* óxygen.
кислоро́дно-ацетиле́новый óxy-acétylène, óxy-gàs.
кислоро́дн||ый *прил. к* кислоро́д; **~ая поду́шка** óxygen bag (*in medical aid*); **~ое голода́ние** *мед.* óxygen starvátion.
ки́сло-сла́дкий sóur-swèet.
кислота́ *ж.* 1. sóurness; acídity; 2. *хим.* ácid.
кисло́тн||ость *ж.* acídity. **~ый** ácid.
кислотоупо́рный *тех.* ácid-proof, ácid-resístant.
ки́сл||ый 1. (*прям. и перен.*) sour; **~ая капу́ста** sáuerkràut ['sauəkraut]; **~ые щи** sáuerkràut soup [...su:p]; **~ое молоко́** sour milk; **~ вид** sour look; **~ое лицо́** pull / make* a wry face [pul...]; 2. *хим.* ácid. **~я́тина** *ж. разг.* sóur(-tàsting) stuff [-teɪ-...]; (*перен.: о человеке*) sour puss [...pus], mísery [-z-].
ки́снуть 1. turn sour; 2. *разг.* (*быть вялым, унылым*) mope, look sour.
киста́ *ж. мед.* cyst.
кистеви́дный clústering, clústery; rácemòse [-s] *научн.*
кисте́нь *м.* blúdgeon, flail.
ки́сточка *ж.* 1. brush; ~ для бритья́ sháving-brùsh; 2. (*у мебели и т.п.*) tássel.
кисть I *ж.* 1. (*для кра́ски, клея и т.п.; тж. перен.*) brush; маля́рная ~ brush, páint-brùsh; владе́ть ~ю ply the brush; 2. (*украшение*) tássel;

КИС – КЛЕ

3. *бот.* clúster, bunch; ~ виногра́да bunch of grapes.

кисть II *ж.* (*часть руки́*) hand.

кит *м.* whale.

китаеве́д *м.* sínològue, sinólogist.

кита́ец *м.* Chinése ['tʃaɪ-]; *мн. собир.* the Chinése.

китаи́ст *м.* = китаеве́д.

китаи́стика *ж.* sinólogy.

кита́йск‖**ий** Chinése ['tʃaɪ-]; ~ язы́к Chinése, the Chinése lánguage; ◇ ~ая гра́мота double Dutch [dʌ-...]; э́то для него́ ~ая гра́мота ≅ it is Greek to him; ~ая стена́ the Great Wall of China [...greɪt...].

китая́нка *ж.* Chinése wóman* ['tʃaɪ-'wu-].

ки́тель *м.* síngle-bréasted mílitary *or* nával jácket with high cóllar [-'bres-...].

китобо́ец *м.* whàler, whàling ship.

китобо́й *м.* 1. (*работающий на китобо́йном про́мысле*) whàler; whàle-man*; 2. (*су́дно*) = китобо́ец.

китобо́йн‖**ый**: ~ про́мысел whàling; ~ое су́дно whàling ship, whàler; ~ая флоти́лия whàling flotílla.

кито́вый *прил.* к кит; ~ ус whàle-bòne, baleen; ~ жир blúbber, sperm oil.

китоло́в *м.* = китобо́й.

китоло́вный = китобо́йный.

китообра́зный *зоол.* cetácean [-ʃɪən].

кичи́ться (*тв.*) plume òne·self (on), boast (of).

кичли́в‖**ость** *ж.* concéit [-'siːt], árrogance. ~ый concéited [-'siːt-], árrogant.

кише́ть (*тв.*) swarm (with), teem (with).

кише́чник *м. анат.* bówels *pl.*, intéstine (*об. pl.*).

кишечнополостны́е *мн. скл. как прил. зоол.* Coelèntera̍ta [siː-].

кише́чн‖**ый** *прил.* к кише́чник и к кишка́ 1; ~ые заболева́ния intéstinal diséases [...-'ziːzɪz], diséases of the bówels.

киш‖**ка́** *ж.* 1. *анат.* gut, intéstine; слепа́я ~ blind gut; caecum *научн.*; то́нкие ~ки́ small intéstines; то́лстая ~ large intéstine; пряма́я ~ réctum; двенадцатипе́рстная ~ dùodénum; воспале́ние ~о́к entérìtis; 2. *разг.* (*рука́в для пода́чи воды́*) hose; полива́ть ~ко́й wáter with a hose ['wɔː-...]; ◇ у него́, у неё и *т.д.* ~ тонка́! *разг.* ≅ he, she, *etc.*, is·n't up to it!

кишла́‖**к** *м.* kishlák (*village in Central Asia*). ~чный *прил.* к кишла́к; ~чный Сове́т kishlák Sóviet.

кишми́ш *м.* ráisins [-z-] *pl.*

кишмя́ *нареч.*: ~ кише́ть (*тв.*) *разг.* swarm (with).

клавеси́н *м.* clávecin, hárpsichòrd [-k-].

клавиату́ра *ж.* kéyboard ['kiː-].

клавико́рды *мн. муз.* clávichòrd [-kɔːd] *sg.*

кла́виша *ж.* key [kiː].

кла́вишн‖**ый** *прил.* к кла́виша; ~ые инструме́нты kéyboard ínstruments ['kiː-...].

клад *м.* búried / hídden tréasure ['be-...'treʒə], hoard; (*перен.*) tréasure.

кла́дб‖**ище** *с.* cémetery, búrial-ground ['be-], gráve·yàrd; (*при це́ркви*) chúrchyàrd. ~и́щенский *прил.* к кла́дбище ~и́щенский сто́рож séxton.

кла́дезь *м. поэт.* well, fount; ~ прему́дрости, му́дрости, учёности *шутл.* fount of wísdom, léarning [...-ɜː-], mine of informátion.

кла́дка *ж.* láying; ка́менная ~ másonry ['meɪ-]; кирпи́чная ~ bríckwork; бу́товая ~ rough wálling [rʌf...]; ◇ яи́ц egg láying.

кладова́я *ж. скл. как прил.* (*для прови́зии*) lárder, pántry; (*для това́ров*) stóre·room.

кладо́в‖**ка** *ж. разг.* = кладова́я. ~щи́к *м.* stóre·keeper, stóre·man*.

кладь *ж. тк. ед.* load; ручна́я ~ hand lúggage.

кла́к‖**а** *ж. собир.* claque. ~ёр *м.* cláquer, cla̍pper.

кла́ксон *м. тех.* kláxon.

клан *м. ист.* clan.

кла́ня‖**ться**, поклони́ться 1. (*дт.*, *пе́ред*); (*приве́тствовать*) greet (*d.*); ~ в по́яс bow from the waist; ни́зко ~ bow low [...lou]; не ~ с кем-л. be not on spéaking terms with smb.; 2. (*дт. от кого́-л.*; *передава́ть приве́т*) give* smb.'s (best) regárds (*i.*): ~йтесь ему́ от меня́ give him my (best) regárds; 3. (*дт.*) *разг.* (*проси́ть уни́женно*) cringe (befòre), humíliàte òne·self (befòre), húmbly beg (*d.*).

кла́пан *м.* 1. valve; подвесно́й ~ óver·hèad valve [-'hed-]; возду́шный ~ áir-va̍lve; ~ затопле́ния *мор.* flood valve [flʌd...]; 2. *муз.* vent; 3. *анат.*: митра́льный ~ mítral valve ['mɪ-...]; 4. (*на оде́жде, упря́жи и т.п.*) flap.

кларне́т *м. муз.* clárinèt. ~и́ст *м.* clàrinéttist.

класс I *м.* (*социа́льная гру́ппа*) class; рабо́чий ~ the wórking class; госпо́дствующий, пра́вящий ~ rúling class; антагонисти́ческие ~ы antàgonístic / oppósing clásses; борьба́ ~ов class strúggle.

класс II *м.* 1. (*гру́ппа, разря́д и т.п.*) class; 2. *биол.* class; ◇ показа́ть ~ рабо́ты *разг.* do some first-ràte work.

класс III *м.* 1. (*в шко́ле*) class, form; 2. (*ко́мната*) cláss-room.

кла́ссик *м.* (*в разн. знач.*) clássic; ~и маркси́зма-ленини́зма the clássics of Márxism-Léninism.

кла́ссика *ж. собир.* the clássics *pl.*; (*о литерату́ре тж.*) clássical líterature; (*о му́зыке тж.*) clássical músic [...-zɪk]; ру́сская о́перная ~ Rússian clássical о́peras [-ʃən...] *pl.*

кла́ссики *мн. разг.* = кла́ссы.

классифика́тор *м.* clássifier. ~ка́ция *ж.* clàssificátion; ~ка́ция расте́ний clàssificátion of plants [...-ɑːnts]; ~ка́ция нау́к clàssificátion of sciences. ~ци́ровать *несов. и сов.* (*вн.*) clássify (*d.*).

классици́зм *м.* clássicism.

класси́ческ‖**ий** (*в разн. знач.*) clássic(al); ~ая му́зыка clássical músic [...-zɪk]; ~ое образова́ние clássical èducátion; ~ образе́ц a clássical exámple; (*шеде́вр*) másterpiece [-piːs]; ◇ ~ая гимна́зия clássical èducátion gymnásia [...-'nɑːz-] (*secondary school of highest grade preparing for universities in pre--revolutionary Russia*).

кла́сс‖**ный** 1. *прил.* к класс III; ~ая ко́мната cláss-room, schóolroom; ~ая доска́ bláckboard; ~ая рабо́та class work; ~ руководи́тель class téacher, form máster; ~ журна́л class régister; 2. *спорт.* first-class; 3. *разг.* (*первокла́ссный*) tóp-class; ◇ ~ваго́н (ráilway) cárriage [...-rɪdʒ], coach; pássenger coach [-ndʒ-...]; ~ая да́ма *уст.* class / form místress.

кла́ссов‖**ость** *ж.* class nátury / cháracter [...'neɪ-'kæ-]. ~ый *прил.* к класс I; ~ое созна́ние cláss-cónscious·ness [-nʃəs-]; ~ая борьба́ class strúggle; ~ые противоре́чия class còntradíctions; ~ый враг class énemy; ~ые разли́чия class distínctions; ~ый соста́в class compósition [...-'zɪʃn]; ~ая дифференциа́ция class differèntiátion.

кла́ссы *мн.* (*де́тская игра́*) hópscòtch *sg.*

класть I, положи́ть (*вн.*) 1. lay* (down) (*d.*), put* (down) (*d.*); (*помеща́ть*) place (*d.*); ~ на ме́сто put* back (*d.*), put* in its place (*d.*), replàce (*d.*); ~ не на ме́сто misláy* (*d.*); ~ са́хар в чай put* súgar in *one's* tea [...'ʃu-...]; положи́ть себе́ на таре́лку (*рд.*; *за столо́м*) help òne·sélf (to); положи́ть кому́-л. на таре́лку (*рд.*) help smb. (to); ~ но́гу на́ ногу cross one's legs; 2. *разг.* (*счита́ть*) assign [ə'saɪn] (*d.*); ~ сто́лько-то вре́мени, де́нег на что-л. set* aside so much time, móney for smth. [...'mʌnɪ...]; ◇ ~ что-л. в осно́ву base òne·self on smth. [beɪs...]; assúme smth. as a básis [...-'beɪ-], take* smth. as a prínciple; положи́ть на му́зыку set* to músic [...-zɪk] (*d.*); ~ положи́ть нача́ло чему́-л. start smth., begín* smth., commènce smth., inítiàte smth.; положи́ть коне́ц чему́-л. put* an end to smth.; положи́ть жизнь за что-л. give* (up) one's life for smth.; как бог на́ душу поло́жит ány·how / hìggledy-pìggledy; at rándom; ~ зу́бы на по́лку *разг.* ≅ tíghten one's belt; ~ под сукно́ shelve (*d.*), pígeon-hòle [-dʒɪn-] (*d.*); ~ я́йца (*о пти́це*) lay* eggs; ~ на о́бе лопа́тки throw* [-ou] (*d.*), deféat (*d.*); ~ в лу́зу, ~ шара́ (*в билья́рде*) pócket a ball; ~ руля́ *мор.* put* the wheel óver; ~ ору́жие *уст.* lay* down arms.

класть II, наложи́ть (*вн.*) apply (*d.*); ~ кра́ски apply paint; ~ отпеча́ток leave* an ímprint.

класть III, сложи́ть (*стро́ить*) build* [bɪ-] (*d.*); ~ пе́чку build* a stove.

кла́узула *ж. юр.* clause, stipulátion, condítion, provísò [-zou].

кла́ц‖**ать** *разг.* chátter; он ~ает зуба́ми от хо́лода, стра́ха his teeth are cháttering with cold, fear.

клёв *м.* bíting, bite; вчера́ был хоро́ший ~ the fish were bíting well yésterday [...-dɪ].

клева́ть, клю́нуть 1. (*вн.*; *о пти́це*) peck (*d.*); 2. (*о ры́бе*) bite*; ◇ ~ но́сом *разг.* nod, be drówsy [...-zɪ]; у него́ де́нег ку́ры не клюю́т *разг.* ≅ he is rólling in móney [...'mʌ-]. ~ся *разг.* (*о пти́цах*) peck.

кле́вер *м. бот.* clóver.

клевет||á ж. slánder ['slɑ:-], cálumny, aspérsion; (в печати) líbel; возводи́ть на кого́-л. ~у́ talk slánderous:ly abóut smb. [...-ɑ:n-...].

клевет||а́ть, наклевета́ть (на вн.) calúmniate (d.), slánder ['slɑ:-] (d.); (в печати) líbel (d.). ~ни́к м., ~ни́ца ж. slánderer ['slɑ:-], calúmniator. ~ни́ческий slánderous ['slɑ:-], calúmnious, defámatory; líbellous; ~ни́ческие обвине́ния slánderous accusátions [...-'zeɪ-].

клево́к м. peck.

клевре́т м. уст. mínion, mýrmidon, créature.

клеваре́ние с. glúe-boiling.

клеев||о́й прил. к клей; ~а́я кра́ска size / glue paint.

клеён||ка ж. (ткань) óil-cloth; (тонкая для компресса и т. п.) óilskin. ~чатый óil-cloth (attr.); (о более тонкой ткани) óilskin (attr.); ~чатый костю́м óilskins pl.

клеёный gummed, glued.

кле́||ить (вн.) glue (d.), gum (d.); (мучным клеем) paste [peɪ-] (d.); (растительным клеем) gum (d.). ~ся 1. (становиться липким) be / becóme* stícky; 2. (об. с отрицанием) разг. get* on; рабо́та не кле́ится the work is not gétting on at all; разгово́р не кле́ился the conversátion was dífficult, the conversátion was strained; 3. страд. к кле́ить.

клей м. тк. ед. glue; мучной ~ paste [peɪ-]; рыбий ~ ísinglass ['aɪzɪŋg-], físh-glue; птичий ~ bírd-lime; расти́тельный ~ gum.

кле́йк||ий stícky; ~ая бума́га (для мух) stícky páper, flý-pàper. ~ови́на ж. glúten. ~ость ж. stíckiness.

клейм||е́ние с. stámping, bránding. ~ёный brànded. ~и́ть, заклейми́ть (вн.) stamp (d.), brand (d.); (перен. тж.) stígmatize (d.); ~и́ть позо́ром hold* up to shame (d.).

клеймо́ с. stamp, brand; фабри́чное ~ tráde-màrk, про́бирное ~ háll-màrk, mark of assáy; ◊ ~ позо́ра the brand of shame, stígma.

кле́йстер м. paste [peɪst].

клёкот м. scream.

клекота́ть scream.

кле́мма ж. тех. términal.

клён м. maple.

кле́новый прил. к клён.

клепа́ль||ный ríveting; ~ молото́к ríveting hámmer / gun; ~ная маши́на ríveter, ríveting machíne [...-'ʃi:n]. ~щик м. ríveter.

клепа́ть I (вн.) тех. rívet ['rɪ-] (d.).

клепа́ть II, наклепа́ть (на вн.) разг. (клеветать) malígn [-'laɪn] (d.), slánder [-ɑ:n] (d.); cast* aspérsions (on).

клёпк||а ж. 1. тех. (действие) ríveting. 2. (бочарная) stave, lag; ◊ у него́ како́го-то ~и не хвата́ет разг. ≃ he has got a screw loose [...lu:s].

клептома́н м. klèpto:mániac. ~ия ж. мед. klèpto:mánia.

клерика́л м. clérical. ~и́зм м. cléricalism.

клерика́льный clérical.

клерк м. clerk [klɑ:k].

клерова́ть (вн.) тех. refíne (d.), purge (d.); (о масле) clárify (d.).

клёст м. (птица) cróssbill.

16. Русско-англ. словарь

клéтк||а I ж. 1. (для зверей и птиц) cage; (для домашней птицы) coop; (для кроликов) (rábbit-)hùtch; (для сокола) mew; сажа́ть в ~у (вн.) cage (d.); 2. (на ткани) check, chéckwòrk; (на бумаге) square; в ~у checked; ◊ грудна́я ~ thórax.

кле́тка II ж. биол. cell.

клéточ||ка I ж. уменьш. от клетка I; в ~ку = в клетку см. клетка I 2.

клéточ||ка II ж. биол. céllule. ~ный биол. céllular.

кле́тушка ж. разг. clóset ['klɔz-], tíny room.

клетча́тка ж. 1. бот., тех. céllulòse [-lous]; 2. анат. céllular tíssue.

клетча́т||ый I (в клетку) checked; ~ое пальто́ checked coat.

клетча́тый II биол. céllular.

клеть ж. 1. уст. clóset ['klɔz-], stóre-room; 2. горн. cage.

клёш м., прил. неизм.: брюки ~ béll-bòttomed tróusers; юбка ~ flared skirt.

клешня́ ж. claw, nípper.

клещ м. зоол. tick.

клещеви́на ж. бот. pálma chrísti ['pɑ:- -tɪ], pálmcrist ['pɑ:m-] (cástor-oíl plant).

клещ||и́ мн. тех. píncers, níppers, tongs; ◊ из него́ слова́ ~а́ми не вы́тянешь ≃ wild hórses would:n't drag it from him.

кли́вер м. мор. jib.

клие́нт м., ~ка ж. client; (покупатель тж.) cústomer. ~у́ра ж. тк. ед. собир. clientèle (фр.) [kli:ɑ:n'teɪl]; cústomers pl.

клизм||а ж. énema, clýster; ста́вить ~у (дт.) give* an énema (i.).

клик м. поэт. cry, call; ра́достные ~и cries of joy.

кли́ка ж. презр. clique [kli:k], fáction, cabál; ~ реакционе́ров clique of reáctionaries.

кли́к||ать, кли́кнуть (вн.) разг. call (d.); hail (d.); ~нуть клич íssue a call; call. ~нуть сов. см. клика́ть.

клику́ш||а ж. hystérical wóman* [...'wu-]. ~ество с. hystérics.

клику́шествовать vitúperàte lóudly and dèmagógically, talk quérulous:ly.

кли́макс м. = климакте́рий.

климакте́р||ий м. мед. climàctéric [klaɪ-]. ~и́ческий мед. climàctéric [klaɪ-].

кли́мат м. climate ['klaɪ-] (тж. перен.); жа́ркий ~ hot / tórrid climate; междунаро́дный ~ internátional climate [-'næ-...]. ~и́ческий climátic [klaɪ-]; ~и́ческие усло́вия climátic condítions.

клин м. 1. wedge; вбива́ть ~ force / drive* a wedge; боро́дка ~ом wédge-shàped / póinted beard; 2. с.-х. field [fi:-]; посевно́й ~ sown / sówing área [soun 'sou- 'ɛərɪə]; 3. (кусок ткани) gore, gússet; 4. арх. quoin [kɔɪn]; ◊ ~ ~ом вышиба́ть fight* fire with fire; ≃ like cures like; свет не ~ом сошёлся ≃ the world is large enóugh [...'nʌf]; (есть ещё выбор) there are óther fish in the sea.

клин||ика ж. clínic. ~ици́ст м. clínical physícian / súrgeon [...-'zɪ-...]. ~и́ческий clínical.

КЛЕ – КЛУ

кли́нкер м. тех. clínker.

клинови́дный wédge-shàped.

клино́к м. blade.

клинообра́зн||ый wédge-shàped; ~ые пи́сьмена́ cúneifòrm cháracters [-nɪɪ-'kæ-].

кли́нопись ж. cúneifòrm [-nɪɪ-].

кли́пер м. мор. clípper.

кли́псы мн. (ед. клипс м.) clips.

клир м. церк. the clérgy (of a church).

кли́ренс м. тех. cléarance.

кли́ринг м. фин. cléaring.

кли́рос м. церк. choir ['kwaɪə] (part of church).

клисти́р м. уст. énema, clýster. ~ный прил. к клистир; ~ная тру́бка clýster pipe.

клич м. call; боево́й ~ wár-crỳ; призы́вный ~ call; кли́кнуть ~ íssue a call; call.

кли́чка ж. 1. (животного) name; 2. (человека) álias; nickname; (конспиративная) conspiratórial name.

клише́ с. нескл. полигр. cliché (фр.) ['kli:ʃeɪ].

клиши́ровать несов. и сов. (вн.) полигр. cliché (фр.) ['kli:ʃeɪ] (d.).

клоа́ка ж. césspool, sink; (перен. тж.) foul place.

клобу́к м. церк. klobúk (héadgear of Órthodox monk).

клозе́т м. уст. wáter-clòset ['wɔ:təklɔz-]; tóilet; W. C. ['dʌblju:'si:], loo разг.

кло́||к м. 1. (волос) tuft; (шерсти) flock; ~ се́на wisp of hay; 2. (лоскут) rag, shred; (бумаги тж.) piece [pi:s]; разорва́ть в ~чья tear* to shreds / tátters [tɛə...].

клокот||а́ть bubble; (перен. тж.) boil; у него́ ~а́ло в го́рле there was a gúrgle in his throat; в нём клоко́чет гнев he is séething with rage.

клони́ть (вн.) 1. inclíne (d.); (гнуть) bend* (d.); (к; перен.) drive* (at); get* (at); куда́ ты кло́нишь? what are you dríving / gétting at?; ло́дку клони́т на бок the boat is héeling / lísting; 2. безл.: его́ кло́нит ко сну he is sléepy. ~ся 1. bow, bend*; (к; перен.) tend (to), be aimed (at); 2. (к; приближаться): де́ло кло́нится к развя́зке mátters are móving towárds a solútion; со́лнце клони́лось к зака́ту the sun was sétting, день кло́нится к ве́черу the day is declíning / wáning, évening is appróaching ['i:vn-...].

клоп м. 1. bug, béd-bùg; chinch амер.; лесно́й ~ fórest-bùg ['fɔ-]; 2. разг. (малыш) ≃ kíddy.

клопомо́р м. ínsecticìde, bug kíller.

кло́ун м. clown. ~а́да ж. clównery. ~ский прил. к клоун; ~ский колпа́к fool's cap.

клохта́ть cluck, cáckle.

клочкова́тый túfted, shággy; (перен.; о стиле, речи) pátchy, scráppy.

клочо́к м. scrap; ~ бума́ги scrap of páper; ~ се́на wisp of hay; ~ земли́ plot of land.

клуб I м. (общественная организация) club; (помещение) clúb-hòuse* [-s].

241

клуб II *м.* (*шарообразная летучая дымчатая масса*) puff; ~ дыма puff of smoke; ~ы пыли clouds of dust; ~ы тумана wreaths of mist.

клубень *м. бот.* tuber.

клуб‖**и́ть**: ветер ~и́т пыль по доро́ге the wind ráises clouds of dust on the road [...wɪ-...]. ~**и́ться** curl, wreathe; (*бурлить*) swirl; дым ~и́лся из трубы́ the chímney was bélching out smoke; пыль ~и́тся the dust is swirling.

клубнево́й *бот.* túberous, túberifòrm, tuberíferous.

клубнепло́д *м. бот.* túber crop.

клубни́ка *ж. тк. ед.* 1. *собир.* stráwberries *pl.*; 2. (*об отдельной ягоде*) stráwberry; 3. (*куст*) stráwberry (plant) [...-ɑ:nt].

клубни́чн‖**ый** stráwberry (*attr.*); ~ое варе́нье stráwberry jam / presérve [...-'zə:v].

клу́бный *прил. к* клуб I.

клуб‖**о́к** *м.* 1. ball; (*ниток*) clew; (*перен.*) tangle; сверну́ться ~ко́м roll / curl (onesélf) up into a ball; ~ интри́г web of intrígue [...-i:g]; ~ противоре́чий mass of còntradíctions; 2. (*спазм*) lump in the throat. ~**о́чек** *м. уменьш. от* клубо́к.

клу́мба *ж.* (flówer-)bèd.

клу́ша *ж.* bróody hen.

клык *м.* 1. (*у человека*) cánine (tooth*); 2. (*у животного*) fang.

клюв *м.* beak; bill.

клюка́ *ж.* crutch.

клю́кв‖**а** *ж. тк. ед.* 1. *собир.* cránberries *pl.*; 2. (*об отдельной ягоде*) cránberry; 3. (*куст*) cránberry (shrub); ◇ разве́систая ~ myth, fable; вот так ~! that's just great! [...greɪt], that's all we néeded! ~**енный** cránberry (*attr.*); ~енный кисе́ль cránberry kissél [...'wɔ:-]; ~енный морс cránberry wáter [...'wɔ:-].

клю́кнуть *сов. разг.* take* a drop.

клю́нуть *сов. см.* клева́ть.

ключ I *м.* (*прям. и перен.*) key [ki:]; (*перен. тж.*) clue; францу́зский ~ mónkey-wrènch ['mʌ-]; га́ечный ~ spánner, wrench; ~ к америка́нскому замку́ látch-key [-ki:]; запере́ть на ~ (*вн.*) lock (*d.*).

ключ II *м. муз.* key [ki:], clef; басо́вый ~ bass clef [beɪs...], F clef ['ef...]; скрипи́чный ~ treble clef, G clef [dʒi:...].

ключ III *м.* (*источник*) source [sɔ:s]; spring (*fountain*); ◇ кипе́ть ~о́м boil / búbble óver; бить ~о́м well out, spout; (*перен.*) be in full swing; жизнь бьёт ~о́м life is in full swing.

ключев‖**о́й** I: ~ы́е пози́ции *воен.* key position(s) [ki: -'zɪ-]; ~ы́е о́трасли промы́шленности key índustries; ~ ка́мень kéystòne ['ki:-].

ключево́й II *прил. к* ключ II; ~ знак *муз.* clef.

ключев‖**о́й** III *прил. к* ключ III; ~а́я вода́ spring wáter [...'wɔ:-].

ключи́ца *ж. анат.* cóllar-bòne, clávicle. ~**чный** *анат.* clavícular.

ключни́к *м. уст.* stéward. ~**ица** *ж. уст.* hóuse-keeper [-s-].

клю́шка *ж. спорт.* (golf) club; (*для хоккея тж.*) (hóckey) stick.

кля́кс‖**а** *ж. blot*; посади́ть ~у (*на вн.*) blot (*d.*).

кля́нчить (*вн. у*) *разг.* beg (*d. of*).

кляп *м.* gag; засу́нуть ~ в рот (*дт.*) gag (*d.*).

кля́ссер [-сэр] *м.* (*для марок*) stamp álbum.

клясть (*вн.*) curse (*d.*); (*ср. тж.* проклина́ть).

кля́сться, покля́сться swear* [sweə], vow; ~ в ве́рности vow fidélity; ~ че́стью swear* on one's hónour [...'ɔnə]; он кля́лся в свое́й невино́вности he swore he was ínnocent; ~ отомсти́ть vow véngeance [...'vendʒəns]; я гото́в покля́сться I am prepáred to swear; я могу́ покля́сться I can swear.

кля́тв‖**а** *ж.* vow, oath; дать ~у take* an oath*; swear* [sweə]; дать торже́ственную ~у swear* sólemnly; взять с кого́-л. ~у make* smb. swear; нару́шить ~у break* one's oath* [breɪk...]; *юр.* commít pérjury. ~**енный** on oath; дать ~енное обеща́ние vow, prómise on oath [-mɪs...], take* the oath*.

клятвопреступл‖**е́ние** *с.* pérjury. ~**ступник** *м.* pérjurer.

кля́уз‖**а** *ж.* 1. *разг.* cávil, slánder ['slɑ:-]; 2. *юр. уст.* bárratry; затева́ть ~у cávil. ~**ник** *м.*, ~**ница** *ж. разг.* intríguer [-i:gə], cáviller, pétti̇̀fògger. ~**ничать**, наклеветать *разг.* cávil, spread* slánder [-ed 'slɑ:-]. ~**ничество** *с. разг.* cávilling, pétti̇̀fògging. ~**ный** *разг.* cáptious, pétti̇̀fògging; ~ное де́ло a násty búsiness [...'bɪzn-].

кля́ча *ж. разг.* jade.

кнехт *м. мор.* bitts *pl.*, bóllard.

кни́г‖**а** *ж.* 1. book; перели́стывать ~у turn the pages of *a* book; вы́пустить в свет ~у públish *a* book ['pʌ-...]; спра́вочная ~ réference book; телефо́нная ~ télephòne diréctory; 2. (*для записей*) book; гла́вная ~ *бух.* lédger; ка́ссовая ~ cásh-book; ~ за́писей а́ктов гражда́нского состоя́ния régister; домо́вая ~ hóuse-règister [-s-]; жа́лобная ~ complaints book; ~ посети́телей vísitors' book ['vɪz-...]; 3. (*подразделение литературного произведения*) vólume; ◇ вам и ~и в ру́ки *разг.* ≅ you know best [...nou...].

книгове́дение *с.* bibliólogy.

книгое́д *м.* bóokworm.

книгоизда́тель *м.* (book) públisher [...'pʌ-]. ~**ский** públishing ['pʌ-] (*attr.*); ~ское де́ло book-públishing [-pʌ-]. ~**ство** *с.* públishing-house ['pʌ- -s].

книголю́б *м.* bíbliophile, book lóver [...'lʌ-].

книгоно́ша *м. и ж.* 1. (*продавец*) bóok-pèdlar [-pe-]; 2. (*библиотекарь*) móbile líbrary assístant ['mou- 'laɪ-...].

книгообме́н *м.* bóok-exchànge [-tʃeɪ-] (*between libraries, institutions, etc.*).

книгопеча́т‖**ание** *с.* (book-)prínting. ~**ный** prínting; ~ный стано́к prínting-prèss.

книгопрода́вец *м.* = книготорго́вец.

книготорго́в‖**ец** *м.* bóoksèller. ~**ля** *ж.* book-tráde. ~**ый**: ~ая организа́ция book-sélling òrganizátion [...-naɪ-].

книгохрани́лище *с.* 1. book depósitory [...-z-]; 2. (*библиотека*) líbrary ['laɪ-].

книгочей *м.* bóokworm (*of a person*).

кни́жк‖**а** I *ж.* 1. *уменьш. от* кни́га; записна́я ~ nóte-book, pócket-book; 2. (*документ*) book; сберега́тельная ~ sávings-bànk book; положи́ть де́ньги на ~ку depósit móney at a sávings-bànk [-zɪt 'mʌ-...]; расчётная ~ páy-book; чековая ~ chéque-book; пенсио́нная ~ pénsion book.

кни́жка II *ж. анат.* third stómach [...'stʌmək], omásum, psàltérium [-sɔ:l-].

кни́ж‖**ник** *м.* 1. *уст.* scribe; 2. (*люби́тель книг*) bíbliophile, lóver of books ['lʌ-...]. ~**ный** 1. *прил. к* кни́га; ~ный переплёт bínding, (book-)còver [-kʌ-]; ~ный шкаф bóokcàse [-s]; ~ная по́лка bóokshèlf*; ~ный магази́н bóokshòp; bóokstòre *амер.*; ~ный знак bóok-plàte; 2. (*отвлечённый, далёкий от жизни*) bóokish, ábstràct; ~ный челове́к bóokish man*; ~ная учёность bóok-knowledge [-nɔ-], book-léarning ['-lə:n-]; ~ный стиль pedántic style; ~ный оборо́т ре́чи bóokish expréssion; ◇ ~ный червь bóokworm; Всесою́зная Кни́жная пала́та All-Únion Book Chámber [...'tʃeɪ-].

кни́зу *нареч.* dównwards [-dz].

кни́ксен [-сэн] *м.* cúrts(e)y.

кни́ца *ж. мор.* knee, gússet.

кно́пк‖**а** *ж.* 1. (*канцелярская*) dráwing-pin; прикрепи́ть ~ой (*вн.*) pin (*d.*), fix with a dráwing-pin (*d.*); 2. (*застёжка*) préss-bùtton; 3. *эл.* bútton; вызывна́я ~ call bútton; ◇ нажа́ть все ~и *разг.* pull out all the stops [pul...], do éverỵthing póssible.

кно́почн‖**ый** *прил. к* кно́пка; ~ое управле́ние *эл.* púsh-button contròl ['puʃ- -oul].

кнут *м.* whip, knout; (*перен.*) the lash; бить, погоня́ть ~о́м (*вн.*) lash (*d.*), whip (*d.*), knout (*d.*); щёлкать ~о́м crack a whip; поли́тика ~а́ и пря́ника pólicy of threats and bríbery [...θrets... 'braɪ-]. ~**овище** *с.* whíp-hàndle.

княги́ня *ж.* príncess (*wife of prince*); вели́кая ~ *ист.* grand dúchess.

кня́ж‖**еский** prínce:ly; ~еская дружи́на *ист.* prínce's armed force. ~**ество** *с.* principálity, prínce:dom. ~**ить** *ист.* reign [reɪn]. ~**на́** *ж.* príncess (*prince's unmarried daughter*).

князё**к** *м. разг.* prínce:ling.

князь *м.* prince; вели́кий ~ *ист.* grand duke.

ко *см.* к.

коагуля́ция *ж. хим.* còagulátion.

коалицио́нн‖**ый** *прил. к* коали́ция; ~ое прави́тельство còalítion góvernment [kouə- 'gʌ-], còalítion-cábinet [kouə-].

коали́ция *ж.* còalítion [kouə-]; прави́тельственная ~ góvernment còalítion ['gʌ-].

ко́бальт *м. хим.* cobált. ~**овый** со-bàltic, cobáltous; ~овая кра́ска cobált; ~овое стекло́ smalt.

кобе́л‖**ь** *м.* (male) dog; ◇ чёрного ~я́ не отмо́ешь добела́ *посл.* ≅ the léopard cánnòt change its spots ['lep-tʃeɪ-...].

кобе́ниться *разг.* be óbstinate.

кобза ж. kóbza (*old Ukrainian musical instrument, resembling guitar*).

кобзарь м. kóbza-player.

кобра ж. *зоол.* cóbra.

кобура ж. hólster ['hou-].

кобчик м. *зоол.* réd-footed fálcon ['-'fɔː-].

кобыл||**а** ж. mare. ~**ий** *прил.* к кобыла; ~**ье** молоко máre's milk. ~**ица** ж. = кобыла.

кобылка I ж. young mare [jʌŋ...], filly.

кобылка II ж. (*у струнного инструмента*) bridge.

кобылка III ж. *зоол.* lócust.

кованый 1. forged; (*о железе тж.*) hámmered; 2. (*обитый железом*) cóated with íron [...'aɪən]; 3. (*о лошади*) shod, shoed [ʃuːd]; 4. (*чёткий*) terse.

ковар||**ный** insídious, pérfidious, cráfty. ~**ство** с. insídiousness, pérfidy.

ковать (*вн.*) 1. (*прям. и перен.*) forge (*d.*); (*о металле*) hámmer (*d.*); ~ победу forge víctory; 2. (*подковывать*) shoe [ʃuː] (*d.*); ◇ куй железо, пока горячо *посл.* strike while the íron is hot [...'aɪən...].

ковбой м. cówboy.

ковбойка ж. (*клетчатая рубашка*) cówboy shirt; man's checked shirt.

ковёр м. cárpet; (*небольшой*) rug; покрывать ~ами (*вн.*) cárpet (*d.*); без ~а úncárpeted; ~-самолёт *фольк.* the mágic cárpet.

коверкать, исковеркать (*вн.*) 1. rúin (*d.*), spoil (*d.*); 2. (*искажать*) distórt (*d.*), mangle (*d.*); ~ чужую мысль distórt smb.'s idéa [aɪ'dɪə]; ~ слова mangle words; он коверкает русский язык he múrders the Rússian lánguage [...-ʃən...].

коверкот м. cóvert ['kʌ-].

ковёрный м. *скл. как прил.* "cárpet clown" (*jester in circus who appears while the carpet is removed or laid out*).

ковк||**а** ж. 1. (*ручная*) smíthery; (*механическим молотом, прессом*) fórging; 2. (*лошадей*) shóeing ['ʃuː-]. ~**ий** málleable, dúctile. ~**ость** ж. málleabílity, dúctility.

коврига ж. loaf*.

коврижк||**а** ж. hóney-cake ['hʌ-]; gíngerbread [-ndʒəbred]; ◇ ни за какие ~и *разг.* ≅ not for the world, not for all the tea in Chína.

коврик м. rug.

коврОв||**щик** м., ~**щица** ж. cárpet-maker. ~**ый** *прил.* к ковёр.

ковчег м. 1. *библ.* ark; Ноев ~ Nóah's Ark; 2. *церк.* (*ящик*) shrine.

ковш м. scoop, dípper, ladle; (*землечерпалки, экскаватора*) búcket; литейный ~ cásting ladle.

ковыль м. féather-grass ['fe-].

ковыля||**ть** *разг.* hobble; (*о ребёнке*) toddle; (*на протезе*) stump; уйти ~я hobble off / awáy.

ковырять (*вн.*) *разг.* 1. peck (at), pick (*d.*, at); (*ср. тж.* копать); ~ в носу́ pick one's nose; ~ в зубах pick one's teeth; 2. (*неумело делать*) tínker (up) (*d.*). ~**ся** *разг.* = копаться.

когда I *нареч.* 1. (*в разн. знач.*) when: ~ он придёт? when will he come?; он не знает, ~ это было he doesn't know when it was [...nou...]; в тот день, ~ on the day when; 2. (*иногда*): ~..., ~... *разг.* sómetimes..., sómetimes...: он работает ~ утром, ~ вечером sómetimes he works in the mórning, sómetimes in the évening [...'iːv-]; 3.: ~ бы(ы) if; ~... ни, ~ whenéver: ~ бы вы ни пришли, ~ (вы) ни придёте whenéver you come; *разг.* ! no time for it!: есть ~ нам заниматься этим! we have no time for it!; — ~ как it depends.

когда II *союз* when; (*между тем, как тж.*) while; (*с прош. временем тж.*) as: ~ он уедет, ~ кончит работу he will leave when he has finished his work; ~ он читал, он заснул while he was réading he fell asléep; он её встретил, ~ шёл домой he met her as he was góing home; ~ так, я согласен if that is the case, I agrée [...keɪs...].

когда-либо, **когда-нибудь** *нареч.* (*в будущем*) some time, some day; (*в вопрос. и условн. предл.*) ever; видели вы его ~? have you ever seen him?

когда-то *нареч.* 1. (*в прошлом*) once (upón a time) [wʌns...], fórmerly; 2. (*в будущем*) we shall have a long time befóre..., it will be a long time befóre...

кого *рд., вн. см.* кто, не ~ *см.* не 2; ни ~ *см.* ни II 2.

когорта ж. (*прям. и перен.*) cóhort.

когот||**ь** м. claw; (*хищной птицы тж.*) tálon ['tæ-]; ◇ показать свои ~и show* one's claws [ʃoʊ...]; ≅ show* one's teeth; попасть в ~и к кого-л. fall* into the clútches of smb.

когтистый sharp-cláwed.

код м. code; телеграфный ~ cable code.

кодак м. *фот.* kódak.

кодеин м. *фарм.* códeine [-diːn].

кодекс [-дэ-] м. 1. code; ~ законов о труде lábour code; 2.: моральный ~ móral code ['mɔ-...]; 3. (*старинная рукопись в переплёте*) códex.

коди́ровать *несов. и сов.* (*сов. тж.* закодировать) (*вн.*) encóde (*d.*).

кодифи||**кационный** *юр.* còdificátion (*attr.*). ~**кация** ж. *юр.* còdificátion. ~**цировать** *несов. и сов.* (*вн.*) *юр.* códify (*d.*).

кое-где *нареч.* here and there.

кое-как *нареч.* 1. (*небрежно*) ányhow, háphazardly [-'hæ-]; (*не разбираясь*) péll-méll; 2. (*с трудом*) with dífficulty.

кое-как||**ой** *мест.* some; ~ие one or two, a couple of [...kʌ-...].

кое-когда *нареч.* now and then.

кое-кто *мест.* sómebody; some people [...piː-] *pl.*

кое-куда *нареч.* sómewhere.

коечный: ~ больной ìn-pátient.

кое-что *мест.* sómething; (*немного*) a little; он ~ сделал he has done a bit, *или* a little.

кож||**а** ж. 1. (*у человека и животных*) skin; (*у крупных животных*) hide; cútis *анат.*; (*сброшенная змеиная*) slough [slʌf]; 2. (*материал*) léather ['le-]; 3. (*у фруктов*) peel, rind; ◇ лезть из ~и вон *разг.* ≅ go* all out; bend* óver báckwards [...-dz] *идиом.*; гусиная ~ *разг.* góose-flèsh ['guːs-], góose-pimples ['guːs-] *pl.*; да ~ да кости *разг.* ≅ bag of bones, skin and bone.

КОБ—КОЗ

кожанка ж. *разг.* léather coat / jácket ['le-...].

кожаный léather(n) ['le-].

кожев||**енный** léather-dréssing ['le-], tánning; ~ завод tánnery; ~енная промышленность tánning industry. ~**ник** м. (*мастер*) cúrrier, tánner, léather-dresser ['le-].

кожимит м. imitátion léather [...'le-], leatherétte [leðə'ret].

кожи||**ца** ж. 1. péllicle, film, thin skin; ~ колбасы́ sáusage skin ['sɔs-...]; 2. (*плода*) peel.

кожн||**ик** м. *разг.* (*врач*) dèrmatólogist. ~**ый** skin (*attr.*); cutáneous *научн.*; ~ые болезни skin diséases [...'ziː-].

кожсырьё с. raw léather [...'leðə].

кожура́ ж. *тк. ед.* rind, peel, skin.

кожух м. 1. *разг.* (*тулуп*) shéepskin (coat); 2. *тех.* cásing [-s-], hóusing; (*орудия, пулемёта*) jácket; (*гребного колеса*) (páddle-)bòx.

коза ж. goat, shé-goat, nánny-goat.

козёл м. hé-goat, bílly-goat; ◇ ~ отпущения *разг.* scápe:goat; от него как от ~ла́ молока́ *разг.* ≅ like getting blood from a stone [...-ʌd...]; пустить ~ла в огород ≅ set* a wolf* to keep the sheep [...wulf...].

Козерог м. *астр.* Cápricòrn; тропик ~а trópic of Cápricòrn.

козерог м. wild móuntain goat, íbex.

коз||**ий** *прил.* к коза; ~ье молоко goat's milk; ~ья ножка *мед.* mólar fórceps. ~**лёнок** м. kid. ~**линый** *прил.* к козёл; ~линый голос réedy voice; ~линая бородка góatee.

козлище с.: отделить овец от козлищ séparate the sheep from the goats.

козловый góatskin (*attr.*).

козлы *мн.* 1. (*в экипаже*) cóach-bòx *sg.*, box *sg.*, díckey *sg.*; (*подставка*) trestle *sg.*; (*для пилки*) sáw-hòrse *sg.*; sáw-bùck *sg. амер.*; ◇ составлять винтовки в ~ stack / pile arms.

козлята *мн. см.* козлёнок.

козлятина ж. goat's flesh / meat.

козни *мн.* (*ед.* кознь ж.) íntrigues [-iːgz], màchinátions [-k-]; cráfty desígns [...-'zainz]; строить ~ кому-л. *или* против кого-л. scheme / plot agaínst smb.; ~ врагов the cráfty desígns of the énemy.

козовод м. góat-breeder. ~**ство** с. góat-breeding.

козодой м. (*птица*) góatsucker, níght-jàr.

козочка ж. *уменьш. от* коза.

козуля ж. *зоол.* roe; (*самец*) róe-bùck.

козырёк м. (*cap*) peak; сделать, взять под ~ salúte (*d.*).

козырн||**ой** *прил.* к козырь; ~ая карта trúmp-càrd; ~ туз ace of trumps.

козырнуть I, II *сов. см.* козырять I, II.

козыр||**ь** м. (*прям. и перен.*) trump; (*перен. тж.*) trump card; ходить с ~я lead* trumps, play trumps; покрыть ~ем (*вн.*) trump (*d.*); объявить ~и call trumps; открыть свои ~и (*перен.*) lay* one's cards on the table; главный (*перен.*) (one's) trump card; пустить в ход свой

КОЗ–КОЛ

последний ~ (*перен.*) play one's last trump card; ◇ ходи́ть ~ем *разг.* swágger, strut.

козыря́ть I, козырну́ть *карт.* lead* trumps, play a trump; (*тв.*; *перен.*) *разг.* show* off [ʃou...].

козыря́ть II, козырну́ть (*дт.*; *отдава́ть честь*) *разг.* salúte (*d.*).

козя́вка *ж. разг.* small ínsect; (*перен.*) small fry.

кой (*употреби́тельны лишь отде́льные фо́рмы в определённых выраже́ниях*): ни в ко́ем слу́чае *см.* слу́чай; до ко́их пор? how long?; из ко́их (*о предме́тах*) of which; (*о лю́дях*) of whom; на кой! *разг.* (*заче́м, к чему́*) what the hell for?

кой-где́ *разг.* = ко́е-где́.

ко́йка *ж.* 1. cot; (*на корабле́*) bunk, berth; подвесна́я ~ hámmock; 2. (*в больни́це*) bed.

кой||-ка́к, ~-како́й, ~-когда́, ~-кто́, ~-куда́, ~-что́ *разг.* = ко́е-ка́к, ко́е-како́й, ко́е-когда́, ко́е-кто́, ко́е-куда́, ко́е-что́.

кок I *м. мор.* (ship's) cook.

кок II *м.* (*вихо́р*) quiff.

ко́ка *ж. бот.* cóca.

кокаи́н *м.* cocáine. ~и́зм *м.* cocáinism. ~и́ст *м.* cocáine áddict.

ко́ка-ко́ла *ж.* (*напи́ток*) cóca-cóla.

кока́рда *ж.* cockáde.

ко́кать, ко́кнуть (*вн.*) *разг.* 1. break* [-eɪk] (*d.*); crack (*d.*); 2. (*убива́ть*) bump off (*d.*).

коке́тка I *ж.* (*же́нщина*) còquétte [kou'ket].

коке́тка II *ж.* (*у пла́тья и т.п.*) yoke.

коке́т||ливый 1. còquét(tish) [kou'ket-], arch; ~ливая де́вушка flírtátious / còquéttish girl [...g-]; ~ливая улы́бка wínsome smile; 2. (*име́ющий наря́дный вид*) attráctive, smart; ~ наря́д fétching gét-úp / attíre; ~ничать 1. (*с тв.*) flirt (with), còquét(te) [kou'ket] (with); 2. (*рисова́ться*) pose, show* off [ʃou...]; (*тв.*) flaunt (*d.*). ~ство *с.* cóquetry ['koukɪt-].

ко́кки *мн.* (*ед.* кокк *м.*) *мед.* cócci.

коклю́ш *м. мед.* (w)hóoping-cough ['hu:pɪŋkɔf].

коклю́шка *ж.* bóbbin.

ко́кнуть *сов. см.* ко́кать.

ко́кон *м.* cocóon.

коко́с *м.* 1. cóco; 2. (*плод*) cóco:nùt. ~овый *прил.* к коко́с; ~овый оре́х cóco:nùt; ~овое молоко́ cóco:nùt milk; ~овое волокно́ coir ['kɔɪə]; ◇ ~овая па́льма cóco:nùt palm [...pɑ:m].

коко́тка *ж.* courtesán [kɔ:tɪ'zæn], cocótte.

коко́шник *м.* kokóshnik (*woman's headdress in old Russia*).

кокс *м.* coke; вы́жиг ~а *тех.* coke fíring.

кок-сагы́з *м. бот.* kòk-sagýz, Rússian dándelion [-ʃən...].

коксова́||льный *тех.* cóking; ~льная печь coke óven [...ʌv-]. ~ние *с. тех.* cóking, càrbonizátion [-naɪ-].

коксова́ть (*вн.*) *тех.* coke (*d.*). ~ся *тех.* 1. coke; 2. *страд. к* коксова́ть.

ко́ксовый *прил. к* кокс.

коксу́ющийся: ~ у́голь cóking coal.

кокте́йль [-тэ-] *м.* cócktail.

кол I *м.* (*мн.* ко́лья, *ркп.*) stake, pícket; а́нкерный ~ *тех.* ánchoring pícket ['æŋk-...]; ◇ сажа́ть на́ ~ (*вн.*) impále (*d.*); ему́ хоть ~ на голове́ теши́ *разг.* ≃ he is so píg-héaded [...-'hed-], he's as stúbborn as a mule; ~о́м в го́рле стои́т (it) sticks in one's throat; ни ~а́ ни двора́ ≃ néither house nor home ['naɪ- ... haus...]; вбить оси́новый ~ drive* in the stake.

кол II *м.* (*мн.* колы́) *разг.* (*ни́зшая шко́льная отме́тка*) one.

ко́лба *ж. хим.* retórt.

колбаса́ *ж.* sáusage ['sɔ-]; варёная ~ boiled sáusage; кровяна́я ~ blóod-pùdding ['blʌdpu-], black púdding [...'pu-].

колба́сн||ик *м.* sáusage-màker ['sɔ-]; (*торго́вец колба́сами*) sáusage déaler ['sɔ-...]. ~ый *прил. к* колбаса́; ~ый заво́д sáusage fáctory ['sɔ-...]; ~ые изде́лия cooked meats; sáusages ['sɔ-].

колго́тки *мн.* tights; pánty-hòse *sg.*

колдоби́на *ж.* rut, pót-hòle.

колдов||а́ть cónjure ['kʌn-], práctise witchcráft / sórcery [-tɪs-...]; (*перен.*) con:sóct. ~ско́й *прил. к* колдовство́; (*перен.*) bewítching, mágical. ~ство́ *с.* witchcráft, sórcery; (*перен.: очарова́ние*) glámour ['glæ-], mágic.

колду́н *м.* sórcerer, magícian, wízard ['wɪ-].

колду́нья *ж.* witch, sórceress.

колеба́||ние *с.* 1. *физ.* òscillátion, vibrátion [vaɪ-]; ~ ма́ятника swing of the péndulum; 2. (*измене́ние*) flùctuátion, vàriátion; ~ температу́ры flùctuátion in témperature; ~ния ку́рса (*на би́рже*) stock exchánge flùctuátions [...-'tʃeɪ-...], (*иностра́нной валю́ты*) flùctuátions in the rate(s) of exchánge; ~ цен príce-wàve. 3. (*нереши́тельность*) hèsitátion [-zɪ-], wáver:ing, vàcillátion; без ~ний ùnhésitàtingly [-zɪ-], stráight-a:wáy. ~тельный *прил. к* колеба́ние; *тж.* òscillàting, óscillatory [-leɪ-...]; ~тельные движе́ния óscillatory móve:ments [...-'mu:-]; ~тельный ко́нтур *рад.* óscillatory circuit [...-kɪt], óscillatory cóntour [...-tuə].

колеба́ть, поколеба́ть (*вн.*; *прям. и перен.*) shake* (*d.*): его́ авторите́т был поколе́блен his authórity was sháken. ~ся, поколеба́ться 1. òscillàte, vàcillàte, wave to and fro; вода́ колеба́лась the wáter was rippling / ùndulàting [...'wɔ:-...]; 2. (*изменя́ться*) flúctuàte, váry; це́ны коле́блются príces are flúctuàting; его́ авторите́т коле́блется he is lósing his grip [...'lu:z-...]; 3. *тк. несов.* (*не реша́ться*) hésitàte [-zɪ-], wáver; он колеба́лся в вы́боре he hésitàted in his choice; 4. *страд. к* колеба́ть.

коле́блющийся *прич. и прил.* vàcillàting.

коле́нка *ж. разг.* knee.

коленко́р *м.* cálicò; ◇ э́то совсе́м друго́й ~ *разг.* ≃ that's quite anóther mátter. ~овый *прил. к* коленко́р.

коле́н||ный *прил. к* коле́но; ~ суста́в *анат.* knée-joint; ~ная ча́шка *анат.* knée:càp, knée-pàn; patélla, scútum *научн.*

коле́н||о *с.* 1. (*мн.* ~и) knee; стать на ~и (*пе́ред*) kneel* (to); стоя́ть на ~ях kneel*; (*пе́ред*) kneel* (before); упа́сть на ~и fall* to one's knees; 2. *тк. мн.*: мать с ребёнком на ~ях móther with a child* in her lap [mʌ-...]; 3. (*мн.* коле́нья) *тех.* élbow; 4. (*мн.* коле́нья) *бот.* joint, node; 5. (*мн.* ~а) (*изги́б*) bend; 6. (*мн.* ~а) (*в родосло́вной*) gènerátion; *библ.* tribe; ро́дственники до пя́того ~а cóusins five times remóved ['kʌz-...-'mu:-]; 7. (*мн.* ~а) *разг.* (*в та́нце и т.п.*) fígure; (*часть музыка́льного произведе́ния, пе́сни*) part of a piece of músic or a song [...pi:s-zɪk...]; ◇ по ~, по ~и up to one's knees, knée-déep; мо́ре по ~ dévil-may-cáre áttitude; ему́ мо́ре по ~ he does:n't give a damn; поста́вить кого́-л. на ~и bring* / force smb. to his knees.

коленопреклон||е́ние *с. уст.* gènufléction, gènufléxion. ~ённый *уст.* on bénded knees, páying gènufléctory obéisance.

коле́нце *с.*: вы́кинуть ~ *разг.* play a trick.

коле́нчат||ый *тех.* élbow (*attr.*), cranked; ~ вал cránkshàft; ~ рыча́г tóggle léver, bell crank; ~ая труба́ knee pipe.

ко́лер I *м. жив.* cólour ['kʌlə].

ко́лер II *м. вет.* stággers *pl.*

колеси́ко *с. уменьш. от* колесо́; (*у ме́бели*) cástor, cáster.

колеси́ть *разг.* 1. (*е́хать не прями́ком*) go* in a róundabout way; 2. (*разъезжа́ть*) go* / trável abóut [...'træ-...]; ~ по всему́ све́ту trável the world.

коле́сник *м.* (*ма́стер*) whéel-wright.

колесни́ца *ж.* cháriot ['tʃæ-]; погреба́льная ~ hearse [hə:s]; триумфа́льная ~ tríumphal car.

колёсн||ый 1. *прил. к* колесо́; ~ ма́стер = коле́сник; ~ая мазь whéel-grease [-s]; 2. (*на колёсах*) wheeled.

колес||о́ *с.* wheel; запасно́е ~ spare wheel; махово́е ~ fly-whéel; цепно́е ~ spróckèt; веду́щее ~ *тех.* driving-whéel; (*гу́сеницы*) driving spróckèt; переда́точное ~ transmíssion wheel [-nz-...]; храпово́е ~ rátchet-wheel; рулево́е ~ stéering wheel; гидравли́ческое ~ hydráulic wheel [haɪ-...]; гребно́е ~ páddle-wheel; ◇ ~ фо́рту́ны Fórtune's wheel, wheel of fórtune; вставля́ть кому́-л. па́лки в колёса *разг.* put* a spoke in smb.'s wheel; кружи́ться, как бе́лка в ~е́ ≃ run* round like a squírrel in a cage; ходи́ть ~о́м turn sómersaults [...'sʌ-]; грудь ~о́м with chest well out, bárrel-chèsted.

колесова́ние *с. ист.* bréaking on the wheel ['breɪk-...].

колесова́ть *несов. и сов.* (*вн.*) *ист.* break* on the wheel [breɪk-...] (*d.*).

коле́чко *с.* ríng:let.

коле||я́ *ж.* 1. rut; 2. *ж.-д.* track; gauge [geɪ-]; широ́кая, у́зкая ~ broad, nárrow gauge [brɔ:d...]; ◇ войти́ в ~ю́ settle down, return to nórmal, get* back into a routíne [...ru:'ti:n]; вы́бить кого́-л. из ~и́ ùnséttle smb.; upsét* smb.'s routíne; вы́битый из ~и́ ùnséttled.

ко́ли *союз* if; ~ на то пошло́ if you put it like that; if it comes to that; (*ср.* е́сли.)

коли́бри *м. и ж. нескл. зоол.* húmming-bird.

ко́лики *мн.* (*ед.* ко́лика *ж.*) *мед.* cólic *sg.*; ◊ смея́ться до ко́лик laugh òneself sílly [lɑːf...].

колир||ова́ть (*вн.*) *с.-х.* graft (*d.*). **~о́вка** *ж. с.-х.* gráfting.

коли́т *м. мед.* colítis.

коли́чественн||ый quántitative; numérical; **~ое** измене́ние quántitative change [...tʃeɪndʒ]; перехо́д от ~ых измене́ний к ка́чественным измене́ниям trànsition from quántitative chánges to quálitative chánges [-ʒən...]; **~ые** числи́тельные *грам.* cárdinal númbers; ~ ана́лиз *хим.* quántitative análysis (*pl.* -sès [-siːz]); ~ рост numérical growth [...grouθ].

коли́честв||о *с.* quántity, amóunt, númber; перехо́д **~а** в ка́чество *филос.* trànsition from quántity to quálity [-ʒən...]; ~ перехо́дит в ка́чество quántity is transfórmed into quálity; увели́чилось ~ (*рд.*) there was an íncrease in the number [...-s...] (of), the number (of) ... íncreased [...-st]; в **~е** 150 челове́к one húndred and fífty strong, 150 in númber; доста́точное ~ това́ров sufficient súpply of commódities.

ко́лка *ж.* chópping; ~ дров chópping of wood [...wud].

ко́лкий I (*легко колющийся*) cléavable, éasily split / bróken [ˈiːzɪ-...].

ко́лк||ий II (*колючий*) príckly; (*перен.*) cáustic, bíting, stíngːing; **~ое** замеча́ние bíting / cáustic remárk. **~ость** *ж.* stíngːing remárk; говори́ть ~ости make* bíting / cáustic stíngːing remárks.

коллаборациони́ст *м.* colláborator. **~ский:** ~ская поли́тика collàborátion pólicy.

колле́га *м. и ж.* cólleague [-liːg].

коллегиа́льː||но *нареч.* collectiveːly, jóintly. **~ность** *ж.* colléctive náture [...ˈneɪ-]; (*руководства*) colléctive / joint léadership. **~ный** colléctive, joint.

колле́гия *ж.* board; ~ Министе́рства Mínistry Board; ~ адвока́тов the Bar.

колле́дж *м.* cóllege.

колле́жский *ист.* collégiate [-ˈliːdʒɪɪt]; ~ сове́тник collégiate cóuncillor.

коллекти́в *м.* colléctive (bódy) [...ˈbɔ-]; group [gruːp]; студе́нческий ~ stúdent bódy.

коллективиза́ция *ж.* collèctivizátion [-vaɪ-]; ~ се́льского хозя́йства collèctivizátion of ágriculture.

коллективизи́ровать *несов. и сов.* (*вн.*) colléctivize (*d.*).

коллективи́зм *м.* colléctivism.

коллективи́ст *м.* colléctivist. **~ский** colléctivist.

коллекти́вно *нареч.* colléctiveːly.

коллекти́вːность *ж.* collectívity. **~ый** colléctive; joint; **~ый** догово́р colléctive agréement; **~ое** хозя́йство colléctive farm; kolkhóz [...ˈou-]; **~ое** владе́ние joint ównership [...ˈou-]; **~ая** со́бственность на сре́дства произво́дства colléctive ównership of the means of prodúction; **~ый** труд colléctive lábour.

колле́ктор *м.* 1. *эл.* cómmutàtor, colléctor; 2. (*библиотечный*) distríbuting centre for líbraries [...ˈlaɪ-]; 3. (*канал для отвода жидкостей и газов*) mánifold. **~ный** *прил.* к колле́ктор; ороси́тельная **~ная** систе́ма wáter colléctor nétwork [ˈwɔː-...].

коллекцион||е́р *м.* colléctor. **~и́ровать** (*вн.*) colléct (*d.*).

коллекцио́нный colléction (*attr.*).

колле́кция *ж.* colléction.

колли́зия *ж.* collísion, clash, cónflict.

колло́дий *м. хим.* collódion.

колло́ид *м. хим.* cólloid. **~а́льный, ~ный** *хим.* collóidal; cólloid (*attr.*); **~ный** раство́р collóidal solútion [...ˈluː-]; **~ная** хи́мия collóidal chémistry [...ˈke-].

колло́квиум *м.* 1. collóquium [-ˈlou-], acadèmic cónference; 2. (*со студентами*) óral examinátion.

колобо́к *м.* kolobók (*round loaf*).

колобро́дить *разг.* 1. (*слоняться*) gad abóut; roam, wánder; 2. (*возиться*) romp.

коловоро́т *м. тех.* brace.

коловраще́ние *с. уст.* recúrrence, recúrrent séries [...-riːz].

коло́д||а I *ж.* 1. (*бревно*) block, log; 2. (*для водопоя*) trough [trɔf]; ◊ вали́ть че́рез пень ~у *разг.* ≃ do ányːhow, do in a slipshòd mánner.

коло́да II *ж. карт.* pack.

коло́дезн||ый *прил.* к коло́дец; **~ая** вода́ wéll-wàter [-ˈwɔː-].

коло́дец *м.* well; (*с ведром на верёвке*) dráw-wèll; бурово́й ~ bóre-wèll; ша́хтный ~ míneːshàft.

коло́дк||а *ж.* 1. (*сапожная*) bóot-tree, last; поста́вить о́бувь на **~у** put* shoes on the last [...ʃuːz...], have shoes stretched; 2. *тех.* shoe; ◊ о́рденская ~ médal ríbbon [ˈme...].

коло́дки *мн. ист.* (*для преступников*) stocks; наби́ть ~ на́ ноги (*дт.*) put* in the stocks (*d.*).

коло́дник *м. ист.* cónvict in the stocks.

колок *м. муз.* pin.

ко́локол *м.* bell; уда́рить в ~ strike* the bell.

колоко́льːный *прил.* к ко́локол; ~ звон peal, chime. **~ня** *ж.* bélfry, bell tówer; ◊ смотре́ть на что-л. со свое́й ~ни ≃ take* a óne-síded / nárrow / paróchial view of smth. [...ˈrouk- vjuː...]. **~чик** *м.* 1. hándbell, bell; 2. *бот.* blúeːbèll, campánula.

коломби́на *ж. театр.* Colúmbine.

колониали́зм *м.* colónialism.

колониа́льːный colónial; **~ые** владе́ния colónial posséssions [...pəˈze-]; ~ гнёт colónial oppréssion; **~ая** поли́тика colónial pólicy, pólicy in the cólonies; **~ые** това́ры *уст.* colónial goods [...gudz].

колониз||а́тор *м.* cólonizer, colónialist. **~а́торский** *прил.* к колониза́тор. **~а́ция** *ж.* cólonizátion [-naɪ-]. **~и́ровать, ~ова́ть** *несов. и сов.* (*вн.*) cólonize (*d.*).

колони́ст *м.*, **~ка** *ж.* cólonist, séttler.

коло́ния *ж.* 1. (*в разн. знач.*) cólony; 2. (*поселение*) séttleːment.

коло́нка *ж.* 1. (*в разн. знач.*) cólumn; 2. (*в ванной*) géyser [ˈɡiːzə]; (*на улице*) (street) wáter fóuntain [ˈfɑʊn-...]; 3. (*бензиновая*) pétrol pump [ˈpe-...].

коло́нн||а *ж.* (*в разн. знач.*) cólumn; *арх. тж.* píllar; кори́нфская ~ *арх.* píllar of the Corínthian órder, Corínthian cólumn; иони́ческая ~ *арх.* píllar of the Iónic órder [...aɪ-...], Iónic cólumn; ~ демонстра́нтов cólumn of dèmonstràtors; со́мкнутая ~ *воен.* close cólumn [-s...]; похо́дная ~ cólumn of march; ~ по два́ cólumn of files; ~ по три и *т.п.* cólumn of threes, *etc.* **~а́да** *ж.* còlonnáde. **~ый** *прил.* к коло́нна; *тж.* cólumnar, cólumned; **~ый** зал hall of cólumns, píllared hall; **~ый** путь *воен.* cróss-cóuntry track [-кл-...].

колоно́к *м.* 1. (*животное*) Sibérian wéasel [saɪ- -z-]; 2. (*мех*) kolínsky.

колонти́тул *м. полигр.* rúnning títle; cátchwòrd.

колора́дский: ~ жук Còlorádò béetle [-ˈrɑː-...].

колорату́р||а *ж. муз.* còloratúra. **~ный:** **~ное** сопра́но còloratúra sopráno [...-rɑː-...].

колори́метр *м.* colórimeter [kʌ-].

колори́ст *м. жив.* cólourːist [ˈkʌl-].

колори́т *м.* cólourːing [ˈkʌl-], cólour [ˈkʌl-]; ме́стный ~ lócal cólour; национа́льный ~ nátional cólour [ˈnæ-...]. **~ный** picturésque, vívid.

ко́лос *м.* ear; ржано́й ~ ear of rye; пшени́чный ~ ear of wheat; ~ тимофе́евки spike of tímothy-grass. **~и́стый** éared, full of ears. **~и́ться**, вы́колоси́ться to be in the ear, form ears.

колосни́к *м.* 1. *тех.* fíre-bàr, fúrnace-bàr, gráte-bàr; 2. *мн. театр.* gríd-ìron [-aɪən] *sg.* **~о́вый:** **~о́вая** решётка *тех.* fíre-gràte.

колосов||ы́е культу́ры *с.-х.* céreals [-rɪəlz], grain / céreal crops [...rɪəl...]. **~ые** *мн. скл. как прил. с.-х.* céreals [-rɪəlz].

колосс *м.* colóssus (*pl.* -sì). **~а́льːный** colóssal; (*огромный*) huge, treméndous; enórmous; **~а́льная** су́мма a colóssal sum; **~а́льные** вложе́ния colóssal / huge invéstments; до **~а́льных** разме́ров to an enórmous extént.

колоти́ть 1. (*по дт.*; *ударять, стучать*) strike* (on); beat* (at); ~ в дверь bang on the door [...dɔː]; 2. (*вн.*) *разг.* (*бить*) beat* (*d.*); thrash (*d.*), drub (*d.*); 3.: ~ лён scutch flax; 4. (*вн.*) *разг.* (*разбивать*) break* [-eɪk] (*d.*); (*ср.* бить); ◊ его́ колоти́т лихора́дка he is sháking with féver; **~ся** *разг.* 1. (*об вн.*) beat* (agáinst), strike* (agáinst); (*ср. тж.* би́ться); **~ся** голово́й обо что-л. hit* / strike* one's head agáinst smth. [...hed...]; 2. (*без доп.*) beat*; се́рдце коло́тится the heart beats / thumps [...hɑːt...]; 3. *страд. к* колоти́ть 3, 4.

колоту́шка *ж.* 1. (*деревянный молоток*) béetle; 2. (*ночного сторожа*) ráttle, cláppěr; 3. *разг.* (*удар*) slap.

ко́лотый I: ~ са́хар chipped súgar [...ʃu-].

ко́лот||ый II: **~ая** ра́на stab(-wound) [-wuː-].

коло́ть I (*вн.*) break* [-eɪk] (*d.*); (*рубить*) chop (*d.*), split* (*d.*); ~ са́хар break* súgar [...ʃu-]; ~ оре́хи crack nuts; ~ дрова́ chop / split* wood [...wud]; ~ лучи́ну chop wood into splínters, splínter fíreːwood [...-wud].

КОЛ – КОМ

коло́ть II, кольну́ть 1. (вн.) stab (d.); ~ кого́-л. штыко́м и т.п. thrust* one's báyonet, etc., into smb.; 2. (вн.; иго́лкой и т.п.) prick (d.); 3. безл.: у него́, у них и т.д. ко́лет в боку́ he has, they have, etc., a stitch in his, their, etc., side; 4. тк. несов. (вн.; убива́ть скот) sláughter (d.); (о свинье́) kill (d.); ◊ ~ глаза́ кому́-л. ≅ throw* smth., или cast* a thing, in smb.'s teeth [θrou...]; пра́вда глаза́ ко́лет посл. ≅ home truths are hard to swállow [...tru:θs...], the truth hurts.

коло́тье с., **колотьё** с. тк. ед. разг. (в боку́, в груди́) stitch; cólic pains pl., gripes pl.

коло́ться I 1. chip, be apt to break at édges [...-eɪk...]; 2. страд. к коло́ть I.

коло́ться II 1. (быть ко́лким) prick, sting*; 2. страд. к коло́ть II 1, 4.

колошма́тить, отколошма́тить (вн.) разг. beat* (d.), thrash (d.).

колошни́к м. тех. blást-fùrnace top, fúrnace throat. ~**о́вый** тех.: ~о́вый газ blást-fùrnace gas.

колпа́‖**к** м. 1. (головно́й убо́р) cap; ночно́й ~ nightcàp; дура́цкий ~ fool's cap; 2. (наве́с, покры́шка; для ла́мпы) lámpshàde; стекля́нный ~ béll--glàss; бето́нный, бронево́й ~ cón-crète, ármour(:ed) hood [-nk-... hud]; ◊ держа́ть под стекля́нным ~ко́м (вн.) разг. wrap in cótton wool [...wul] или mólly-còddle (d.); жить под стекля́нным ~ко́м live in the públic gaze / view [lɪv...'pʌ-...vju:], have no prívacy [...'praɪ-...]; ста́рый ~ old dúffer. ~**чо́к** м. 1. уменьш. от колпа́к; 2. (газокали́льный) gas mantle.

колту́н м. мед. plíca (polónica).

колумба́рий м. còlumbárium (pl. -ia)

колу́н м. (wood-)chòpper ['wud-].

колупа́ть, колупну́ть (вн.) разг. pick (d.), scratch (d.).

колупну́ть сов. см. колупа́ть.

колхо́з м. kòlkhóz, colléctive farm; ~**-миллионе́р** míllionàire colléctive farm [-'nɛə...].

колхо́зн‖**ик** м. colléctive fármer, kòl-khóznik. ~**ица** ж. colléctive fármer, kòlkhóznitsa.

колхо́зно-коопера́тивн‖**ый**: ~**ая со́б-ственность** colléctive fàrm-and-cò-óperative próperty.

колхо́зн‖**ый** прил. к колхо́з; ~**ое строи́тельство** òrganizátion of kòl-khózes, или colléctive farms [-naɪ-...]; ~**ая со́бственность** kòlkhóz / colléctive-fàrm próperty; ~ **строй** kòlkhóz / colléc-tive-fàrm sýstem; ~**ое движе́ние** kòlkhóz / colléctive-fàrm móve-ment [...'mu:v-]; ~ **путь разви́тия се́льского хозя́йства** the devélopment of ágricùl-ture alóng the path of colléctive fárming; ~**ое крестья́нство** colléctive-fàrm péas-antry [...'pez-]; ~**ые поля́** kòlkhóz / colléctive-fàrm fields [...fi:l-].

колча́н м. ист. quíver ['kwɪ-] (case for hólding árrows).

колчеда́н м. мин.: желе́зный или се́рный ~ pyrítès [paɪ'raɪti:z].

колчено́гий разг. lame, hóbbling; (перен.; о ме́бели) ríckety, wóbbly.

колыбе́л‖**ь** ж. cradle (тж. перен.); ◊ с ~**и** from the cradle.

колыбе́льн‖**ый** прил. к колыбе́ль; ~**ая** (пе́сня) lúllaby.

колыма́га ж. héavy and únwieldy cárriage ['he-... -'wi:l- -rɪdʒ].

колых‖**а́ние** с. héaving, wáving; swíng:-ing. ~**а́ть**, колыхну́ть (вн.) sway (d.), rock (gently) (d.), ~**а́ться**, колыхну́ться héave*, sway; (о знамёнах, флага́х) wave, flútter; пла́мя колы́шется the flame is flíckering.

колыхну́ть(ся) сов. см. колыха́ть(ся).

ко́лышек м. peg; (для пала́тки) tént-pèg.

коль = коли; ~ ско́ро (как то́лько) as soon as; (так как) as.

кольдкре́м м. cold cream.

колье́ с. нескл. nécklace.

кольну́ть сов. см. коло́ть II 1, 2, 3.

кольра́би ж. нескл. бот. kóhlrábi ['koul'ra:-].

кольт м. Colt; (о револьве́ре тж.) Colt revólver; (о пулемёте тж.) Colt automátic machine gun [...-'ʃi:n-...]; (о пистоле́те тж.) Colt automátic pístol.

кольцев‖**а́ние** с. 1. (дере́вьев) gírdling, ring-bàrking; 2. (птиц) ríng:ing. ~**а́ть**, закольцева́ть, окольцева́ть (вн.) 1. (о де́реве) girdle (d.), ríng-bàrk (d.); 2. (о пти́цах и ры́бах) ring (d.).

кольцев‖**о́й** ánnular; (кругово́й) círcu-lar; ~**о́е движе́ние** círcular mótion; ~**а́я доро́га** ring road; ~ **маршру́т** (авто́буса, трамва́я и т.п.) círcular trip / route [...ru:t] (of bus, tram, etc.). ~**о-бра́зный** ríng-shaped; ~**обра́зное затме́-ние** ánnular eclipse.

кольц‖**о́** с. (в разн. знач.) ring; тех. тж. hoop; сверну́ться ~**о́м** coil up; обруча́льное ~ wédding-ring; ~ **для ключе́й** kéy-ring ['ki:-]; гимнасти́ческие ко́льца the rings; ~ **ды́ма** wreath* / ring of smoke; (от сигаре́ты) smóke--ring; годи́чное ~ бот. ring (of a tree); ~ окруже́ния encírcle:ment.

ко́льч‖**атый** ánnulàte(d); ~**ые че́рви** зоол. Annélida.

кольчу́га ж. ист. chain mail, chain ármour, háubèrk.

колю́ч‖**ий** prickly; (име́ющий шипы́) thórny, spíny; (перен.) bíting; (ср. ко́л-кий); ~**ая про́волока** barbed wire; ~**ая и́згородь** thórny hedge. ~**ка** ж. 1. prick-le, spike; (шип) thorn; 2. разг. (расте́-ние) bur(r).

колю́шка ж. зоол. stíckle:bàck, títtle:-bàt.

колю́щий I прич. см. коло́ть I.

колю́щ‖**ий** II 1. прич. см. коло́ть II; 2. прил.: ~**ая боль** shóoting-pain; ~**ее ору́жие** thrust wéapon [...'we-].

коляда́ ж., **коля́дка** ж. Christmas cárol [-sm- 'kæ-].

коля́ска ж. 1. cárriage [-rɪdʒ]; (четырёхме́стная) baróuche [-u:ʃ]; 2. (де́тская) perámbulàtor ['præm-], pram; 3. (у мотоци́кла) síde-càr.

ком I м. lump; (сне́жный) ball; (земли́, гли́ны) clod; ◊ пе́рвый блин ~**ом** погов. ≅ you must spoil befóre you spin, práctice makes pérfect.

ком II пр. см. кто; не... ком см. не 2; ни... ком см. ни II 2.

ко́ма ж. мед. cóma.

кома́нд‖**а** ж. 1. (word of) commánd [...-a:nd]; (прика́з) órder; по ~**е** (рд.) at the commánd (of); по чьей-л. ~**е** at smb.'s (word of) commánd; пода́ть ~**у** воен. give* a commánd; 2. (нача́ль-ствование) commánd; приня́ть ~**у** над полко́м take* commánd of the régiment; 3. воен. (отря́д) párty, detáchment, crew; уче́бная ~ уст. tráining detáchment; 4. (корабля́) (ship's) crew, ship's cóm-pany [...'kʌm-]; 5. спорт. team; (в гре́б-ле) crew; футбо́льная ~ fóotball team; ◊ как по ~**е** ≅ all togéther, или as one man [...-'ge-...]; пожа́рная ~ fíre--brigàde.

команда́рм м. = кома́ндующий а́р-мией см. кома́ндующий 2.

команди́р м. commánder [-a:n-], com-mánding ófficer [-a:n-...]; (корабля́) cáp-tain; ~ **взво́да** platóon léader / commánd-er; ~ **отделе́ния** séction léader; squad léader амер.; ~ **ро́ты** cómpany com-mánder ['kʌm-...]; ~ **батальо́на** bat-tálion commánder [-'tæljən-...]; ~ **полка́** régiment / regiméntal commánder; ~ **брига́ды** brigáde commánder; ~ **диви́-зии** divísion(al) commánder; ~ **ко́рпуса** corps commánder [kɔ:...]; ~ **ча́сти** com-mánding ófficer; ◊ ~**ы произво́дства** léaders of índustry.

командиро́ванный 1. прич. см. коман-дирова́ть; 2. прил. on búsiness [...'bɪzn-...].

командирова́ть несов. и сов. (вн.) send* on an offícial jóurney / trip [...'dʒə:-...] (d.).

командиро́в‖**ка** ж. offícial jóurney [...'dʒə:-], búsiness trip ['bɪzn-...]; нау́чная ~ proféssional búsiness trip; е́хать в ~**ку** go* on an offícial jóurney, make* a búsiness trip; go* awáy on búsiness; быть в ~**ке** be awáy on búsiness. ~**очный** 1. прил. к командиро́вка; ~**оч-ное удостовере́ние** authórity, wárrant (for trávelling on offícial búsiness); ~**оч-ные де́ньги** trável allówance ['træ-...] sg.; 2. мн. как сущ. разг. trável al-lówance sg.

команди́рский ófficer's, commánder's [-a:-].

кома́ндн‖**ый**: ~ **пункт** commánd post [-a:nd poust]; ~ **соста́в** the ófficers; ~**ые высо́ты** commánding heights [-a:nd-haɪts]; key posítions / points [ki: -'zɪ-...]; ~**ое пе́рвенство** спорт. team chámpion-ship.

кома́ндование с. 1. (де́йствие) com-mánd [-a:nd]; под ~**м** (рд.) únder the commánd (of), commánded [-a:nd-] (by); únder; приня́ть ~ (над) take* commánd (of, óver); 2. собир. commánd; héad-quárters ['hed-] pl.; верхо́вное ~ high commánd; гла́вное ~ Géneral Héadquár-ters.

кома́ндовать 1. (без доп.) give* órders; воен. commánd [-a:nd]; 2. (тв.; быть команди́ром) be in commánd (of); ~ пол-ко́м commánd a régiment; 3. (тв. или над) разг. (прика́зывать, распоряжа́ть-ся) órder abóut (d.); он лю́бит ~ he likes to órder péople abóut [...pi:-...].

командо́р м. 1. ист. knight commánd-er [...-a:n-]; 2. (я́хт-клу́ба) cómmodòre.

кома́ндующий 1. прич. см. кома́ндо-вать; 2. м. как сущ. commánder [-a:n-]; ~ **а́рмией** Ármy commánder;

~ войска́ми о́круга Commánder-in-Chief [-ɑ:n- -'tʃi:f]; ~ войска́ми фро́нта ármy group commánder [...-u:p...]; ~ фло́том Commánder-in-Chief of the Fleet.

кома́р м. gnat, mosquíto [-'ki:-]; маляри́йный — malária mosquíto; ◊ ~ но́са не подто́чит éverything's just pérfect, it leaves nothing to be desired [...-'zaɪ-]. ~и́ный прил. к кома́р.

комато́зн||ый мед. cómatòse [-s]; ~ое состоя́ние state of cóma.

комба́йн м. cómbine; го́рный ~ míning cómbine; зерново́й ~ grain hárvester cómbine. ~ер м., ~ерка ж. cómbine operàtor. ~овый прил. к комба́йн; ~овая убо́рка с.-х. cómbine hárvesting.

комба́т м. 1. (команди́р батальо́на) battálion commánder [-'tæljən -ɑ:n-]; 2. (команди́р батаре́и) báttery commánder.

комбе́д м. (комите́т бедноты́) ист. committee of poor péasants [-tɪ... 'pez-].

комбико́рм м. (комбини́рованный корм) с.-х. mixed fódder.

комбина́т м. 1. (произво́дственное объедине́ние) group of énterprises [gru:p...]; у́гольный ~ group of cóal--mines; 2. (уче́бный) tráining centre; ◊ ~ бытово́го обслу́живания consúmer sérvice estáblishment.

комбина́тор м. разг. schémer. комбина́торный мат. cómbinative, còmbinatórial.

комбинацио́нный прил. к комбина́ция 1; тж. cómbinative.

комбина́ция ж. 1. (сочета́ние, соедине́ние) còmbinátion; 2. (бельё) slip; còmbinátions pl.; 3. (бе́лье) mérger; 4. полит., спорт. manóeuvre [-'nu:və]; 5. (план, за́мысел) scheme, sýstem; ло́вкая ~ cráfty trick.

комбинезо́н м. óveralls pl.; (лётчика) flýing suit [...sju:t].

комбини́ровать, скомбини́ровать 1. (вн.) combíne (d.), arránge [ə'reɪ-] (d.); 2. (без доп.) разг. (стро́ить комбина́ции) scheme, contríve.

комбри́г м. = команди́р брига́ды см. команди́р.

комди́в м. = команди́р диви́зии см. команди́р.

комедиа́нт м. 1. уст. comédian, áctor; (шут) móuntebànk; 2. (притво́рщик) pláy-àctor, hýpocrìte, dissémbler. ~ский прил. к комедиа́нт. ~ство с. hýpocrisy, pláying a part.

комеди́йный cómic; cómedy (attr.); ~ актёр comédian, cómedy áctor.

коме́ди||я ж. cómedy; (перен.) farce; ◊ разы́грывать ~ю put* on an act, enáct a farce.

коменда́нт м. 1. (кре́пости, го́рода) còmmandánt; 2. (зда́ния) sùperinténdent in charge of a búilding [...'bɪl-]; ~ общежи́тия wárden of a hóstel. ~ский прил. к коменда́нт; ◊ ~ский час cúrfew; ввести́ ~ский час impóse a cúrfew; отмени́ть ~ский час lift the cúrfew.

комендату́ра ж. còmmandánt's óffice. комендо́р м. мор. séaman gúnner. коме́та ж. астр. cómet ['kɔ-].

ко́ми м. и ж. нескл. Kómi ['kou-]; язы́к ~ Kómi, the Kómi lánguage.

коми́зм м. the cómic élement; ~ положе́ния the fúnny side (of the situátion).

ко́мик м. (об актёре) cómic áctor; (перен.) разг. fúnny / cómical féllow, cómic.

ко́микс м. cómic book.
коми́нгс м. мор. cóaming.
Коминте́рн м. (Коммунисти́ческий Интернациона́л) ист. Cómintèrn.

комисса́р м. 1. còmmissár; 2. (за грани́цей — полице́йский чино́вник) commíssioner. ~иа́т м. còmmissáriat.

комиссионе́р м. ágent, bróker, fáctor. комиссио́нный 1. commíssion (attr.); ~ магази́н commíssion shop (shop where second-hand goods are sold on commíssion); 2. мн. как сущ. brókerage ['brou-] sg., commíssion sg.

коми́сс||ия ж. 1. (в ра́зн. знач.) commíssion, committee [-tɪ]; избира́тельная ~ eléction committee; конфли́ктная ~ cónflict committee; сле́дственная ~ committee of investigátion; ~ по разоруже́нию disármament commíssion; 2.: брать на ~ию (вн.) take* on commíssion (d.).

комиссова́ть несов. и сов. (вн.) разг. give* fítness test for mílitary sérvice (d.); (для перевода на пенсию) tránsfer to the resérve [...-'zə:v]. ~ся pass the fítness test (for mílitary sérvice); (для перевода на пенсию) pass tests for retírement.

комите́нт м. торг. committent.

комите́т м. committee [-tɪ]; исполни́тельный ~ exécutive committee; Центра́льный Комите́т Céntral Committee; парти́йный ~ Párty Committee; исполни́тельный ~ Сове́та наро́дных депута́тов The Exécutive Committee of the Sóviet of Péople's Députies [...pi:-...]; ~ соде́йствия board of assístance, assístance committee; Комите́т парти́йно-госуда́рственного контро́ля the Párty and State Contról Committee [...-oul...].

коми́ческий 1. cómic; ~ая о́пера cómic ópera; ~ актёр comédian, cómic áctor; ~ая актри́са comédian, cómic áctress; 2. (смешно́й) cómical, fúnny.

коми́чный cómical, fúnny.

ко́мкать, ско́мкать (вн.) crúmple (d.); (перен.) разг. dash off (d.), race through (d.).

коммент||а́рий м. обыкн. мн. cómmentary; ~а́рии изли́шни cómment is supérfluous. ~а́тор м. cómmentàtor. ~а́торский прил. к коммента́тор. ~и́ровать несов. и сов. (сов. тж. прокомменти́ровать) (вн.) cómment (upón).

коммерса́нт м. mérchant, búsiness man* ['bɪzn-...].

комме́р||ция ж. cómmerce, trade. ~ческий commércial; ~ческая корреспонде́нция commércial còrrespóndence; ~ческий креди́т эк. commércial crédit; ◊ ~ческий дире́ктор commércial mánager.

коммивояжёр м. commércial tráveller, trávelling sálesman*.

комму́на ж. commúne; Пари́жская Комму́на ист. the Páris Commúne; сельскохозя́йственная ~ àgricúltural commúne.

коммуна́льн||ый munícipal; cómmunal; ~ые услу́ги públic utilities ['jʊ-...]; munícipal sérvice sg.; ~ое хозя́йство munícipal ecónomy [...i:-]; ~ые предприя́тия munícipal sérvices; ~ая со́бственность commúnal / munícipal próperty; ~ая кварти́ра commúnal flat (in which kitchen and toilet facilities are shared by a number of tenants); многонаселённая ~ая кварти́ра cramped munícipal flat.

коммуна́р м. ист. Cómmunàrd.

коммуни́зм м. Cómmunism; идеа́лы ~a idéals of Cómmunism [aɪ'dɪəlz...]; строи́тельство ~a búilding of Cómmunism ['bɪl-...]; строи́тели ~a búilders of Cómmunism ['bɪl-...]; торжество́ ~a tríumph of Cómmunism.

коммуника́бельный sóciable, ópen.

коммуникати́вный лингв. commúnicative.

коммуникацио́нн||ый commùnicátion (attr.); ~ая ли́ния line of commùnicátion.

коммуника́ция ж. commùnicátion; воен. line of commùnicátion.

коммуни́ст м. cómmunist.

коммунисти́ческ||ий cómmunist; ~ая па́ртия Cómmunist Párty; Коммунисти́ческая па́ртия Сове́тского Сою́за The Cómmunist Párty of the Sóviet Únion; Коммунисти́ческий сою́з молодёжи The Young Cómmunist League [...jʌŋ...li:g]; ~ое о́бщество cómmunist society; ~ая убеждённость cómmunist convíction; ~ое отноше́ние к труду́ the cómmunist áttitùde to work; ~ое строи́тельство cómmunist constrúction.

коммут||а́тор м. эл. cómmutàtor; телефо́нный ~ télephòne switchboard. ~а́ция ж. эл. còmmutátion.

коммюнике́ с. нескл. communiqué (фр.) [kə'mju:nɪkeɪ].

ко́мнат||а ж. 1. room; ва́нная ~ báth-room; убра́ть ~у я́ do / tídy a room; 2. (специа́льное помеще́ние): ~ ма́тери и ребёнка room for móthers with chíldren [...'mʌ-...] (on railway stations, etc.). ~ка ж. уменьш. от ко́мната. ~ный 1. прил. к ко́мната; ~ная температу́ра room témperature; 2. (живу́щий, происходя́щий и т.п. в ко́мнатах) índoor [-dɔ:]; ~ные расте́ния índoor plants [...-ɑ:n-], house plants [-s...]; ~ные и́гры (де́тские) índoor games; (для взро́слых) párlour games; ~ная соба́чка láp-dòg. ~ушка ж. разг. póky little room.

комо́д м. chest of drawers [...drɔ:z]; ló́cker; (высо́кий тж.) táll-boy.

комо́к м. lump, clot; сверну́ться в ~ roll oneself into a ball, roll up; ◊ ~ не́рвов bundle of nerves; ~ в го́рле a lump in the throat.

комо́лый hórnless.

компа́ктн||ость ж. compáctness. ~ый compáct, sólid.

компане́йский разг. sóciable, compánionable.

компа́н||ия ж. (в ра́зн. знач.) cómpany ['kʌm-]; води́ть ~ию с кем-л. разг. go* aróund with smb.; пойти́ це́лой ~ией go* in a group / band [...gru:p...]; весёлая ~ разг. jólly crowd; э́то всё одна́ ~ they are all of the same set; соста́вить кому́-л. ~ию keep* smb. cómpany; расстро́ить, нару́шить ~ию spoil*, или break* up, a párty [...breɪk...]; за ~ию с кем-л. to keep smb. cómpany.

КОМ – КОН

компаньо́н м. 1. (*товарищ, спутник*) compánion [-'pæ-]; 2. (*в торговом и т.п. предприятии*) pártner.

компаньо́нка ж. 1. см. компаньо́н; 2. *уст.* (lády's) compánion [...-'pæ-].

компа́ртия ж. (*коммунистическая партия*) Cómmunist Párty.

ко́мпас м. cómpass ['kʌm-]; гла́вный ~ stándard cómpass; морско́й ~ máriner's cómpass. **~ный** *прил.* к ко́мпас.

компатрио́т м. *уст.* compátriot [-'pæ-].

компа́унд м., **~-маши́на** ж. *тех.* cómpound.

компе́ндиум м. compéndium, dígest.

компенс‖**ацио́нный** cómpensàting, cómpensatory. **~а́ция** ж. 1. còmpensátion; 2. (*возмещение*) indémnity. **~и́ровать** *несов. и сов.* (*вн.*) 1. cómpensàte (*d.*), make* up (for); 2. (*возмещать*) indémnify (for); 3. *тех.* cómpensàte (*d.*), èquilíbràte [i:kwɪ'laɪ-] (*d.*).

компете́нтн‖**ость** ж. cómpetence. **~ый** cómpetent.

компете́нц‖**ия** ж. cómpetence; это не в мое́й ~ии it is óutside my cómpetence, I am not the cómpetent authórity; в ~ию коми́ссии вхо́дит (*вн.*) the commíssion's terms of réference cóver (*d.*), или províde (for) (*d.*) [...'kʌ-...].

компил‖**и́ровать**, скомпили́ровать (*вн.*) compíle (*d.*); quilt (*d.*) *разг.* **~я́тивный** *прил.* к компиля́ция; **~я́тивный** труд còmpilátion. **~я́тор** м. compíler.

компиля́ция ж. còmpilátion.

ко́мплекс м. (*в разн. знач.*) cómplèx; ~ неполноце́нности inferíority cómplèx; гидротехни́ческий ~ hydráulic cómplèx [haɪ-...]. **~ный** cómplèx; compósite [-z-], combíned; ~ные чи́сла *мат.* cómplèx númbers; ~ная механиза́ция се́льского хозя́йства cómplèx / àll-róund mèchanizátion of ágricùlture [...-kænaɪ-...]; ~ная автоматиза́ция произво́дственных проце́ссов àll-róund automátion of prodúction; ~ный обе́д set meal.

компле́кт м. 1. (*набор предметов*) compléte set; ~ журна́лов за 1980 г. the compléte set of màgazines for 1980 [...-'zi:-...]; ~ инструме́нтов set / kit of tools; 2. (*норма*) cómplement, spécified number; сверх ~а abóve the spécified number. **~ный** compléte. **~ова́ние** с. 1. (*о библиотеке и т.п.*) àcquisítion [-'zɪ-]; 2. (*штатов и т.п.*) stáffing; *воен.* recrúitment [-'kru:t-], recrúiting [-'kru:t-]; **~ова́ние а́рмии** recrúitment for the ármy.

комплектова́ть, укомплектова́ть (*вн.*) 1. compléte (*d.*), repléhish (*d.*); 2. (*о штатах*) staff (*d.*); *воен.* (rè-)man (*d.*), bring* up to strength (*d.*).

компле́кция ж. build [bɪld], (bódily) constitútion.

комплиме́нт м. cómpliment; сде́лать ~ (*дт.*) pay* a cómpliment (*i.*, to).

компло́т м. *уст.* plot, conspíracy.

компози́тор м. compóser. **~ский** *прил.* к компози́тор; **~ский** тала́нт a compóser's gift [...-g-]; **~ский** та́лант tálent of a compóser ['tæ-...].

композицио́нный *прил.* к компози́ция.

компози́ция ж. (*в разн. знач.*) còmposítion [-'zɪ-].

компоне́нт м. compónent.

компон‖**ова́ть**, скомпонова́ть (*вн.*) arránge [-eɪ-] (*d.*), arránge the parts (of), put* togéther [...-'ge-] (*d.*), group [-u:p] (*d.*). **~о́вка** ж. arránging [-eɪndʒ-], pútting togéther [...-'ge-] (*d.*), gróuping [-u:p-] (*d.*).

компо́ст м. *с.-х.* cómpòst.

компо́стер м. *ж.-д.* punch.

компости́ровать, закомпости́ровать, прокомпости́ровать (*вн.*) *ж.-д.* punch (*d.*).

компо́стн‖**ый** *прил.* к компо́ст; **~ая** я́ма cómpòst pit.

компо́т м. stewed fruit [...fru:t], cómpòte.

компре́сс м. *мед.* cómprèss; согрева́ющий ~ cómprèss; поста́вить ~ apply a cómprèss.

компре́ссор м. *тех.* compréssor. **~ный** *прил.* к компре́ссор.

компромети́ровать, скомпромети́ровать (*вн.*) compromíse (*d.*).

компроми́сс м. cómpromìse; идти́ на ~ cómpromìse, make* a cómpromìse, meet* hálf-wáy [...'hɑ:f-]. **~ный** cómpromìse (*attr.*), in the náture of a cómpromìse [...'neɪ-...]; settled / achíeved by mútual concéssion [...-i:vd-...]; **~ное** реше́ние cómpromìse séttle‖ment, séttle‖ment by cómpromìse.

компью́тер м. compúter.

комсомо́л м. (Коммунисти́ческий Сою́з Молодёжи) Kómsomòl, Young Cómmunist League [jʌŋ... li:g]; Ле́нинский ~ — передово́й отря́д молоды́х строи́телей коммуни́зма the Lénin Kómsomòl is the vánguàrd of young búilders of Cómmunism [...'bɪl-...].

комсомо́л‖**ец** м. **~ка** ж. mémber of the Kómsomòl, mémber of the Young Cómmunist League [...jʌŋ... li:g], Young Cómmunist Léaguer [...'li:gə].

комсомо́льск‖**ий** *прил.* к комсомо́л и комсомо́лец; ~ биле́т Kómsomòl mémbership card; ~ая организа́ция Kómsomòl òrganizátion [...-naɪ-]; ~ое собра́ние Kómsomòl méeting; по ~ой путёвке on a Kómsomòl assígnment [...ə'saɪn-].

комсомо́льско-молодёжный Kómsomòl-and-yóuth [-ju:θ] (*attr.*).

комсо́рг м. (комсомо́льский организа́тор) Kómsomòl órganizer.

комсоста́в м. (кома́ндный соста́в) the ófficers.

кому́ *дт. см.* кто; не́... кому́ см. не 2; ни́... кому́ см. ни II 2.

комфо́рт м. cómfort ['kʌm-]. **~а́бельный** cómfortable ['kʌm-].

кон м. 1. kitty; (ста́вить) де́ньги на́ ~ place one's bet, put* one's móney in (the kitty) [...'mʌ-...]; 2. (*партия в играх*) game, round.

конве́йер м. *тех.* convéyor, prodúction line; сбо́рочный ~ assémbly belt / line; рабо́та идёт по ~y work is procéeding on the convéyor (sýstem). **~ный** *прил.* к конве́йер; **~ная** систе́ма convéyor sýstem.

конве́кция ж. *физ.* convéction.

конве́нт м. *ист.* Convéntion.

конвенциона́льный convéntional.

конвенцио́нный *прил.* к конве́нция.

конве́нция ж. convéntion.

конверге́нция ж. convérgence.

конверсио́нный convérsion (*attr.*).

конве́рсия ж. *эк.* convérsion.

конве́рт м. 1. énvelòpe, cóver ['kʌ-]; 2. (*одеяло для грудных детей*) sléeping bag.

конве́ртер м. *тех.* convérter.

конверти́‖**ровать** *несов. и сов.* (*вн.*) *эк.* convért (*d.*); ~ заём convért a loan.

конвои́р м. éscort. **~овать** (*вн.*) escórt (*d.*); cónvoy (*d.*).

конво́‖**й** м. éscort; *мор.* cónvoy; под ~ем únder éscort.

конво́йный 1. *прил.* к конво́й; 2. *м. как сущ.* éscort.

конвульси́вный *мед.* convúlsive.

конву́льсия ж. *мед.* convúlsion.

конгениа́льн‖**ость** ж. còn‖geniálity. **~ый** còn‖génial.

конгломера́т м. còn‖glòmerátion; *геол.* còn‖glómerate.

конголе́з‖**ец** м., **~ка** ж., **~ский** Còngolése.

конгре́сс м. 1. cóngrèss; Всеми́рный ~ сторо́нников ми́ра, Всеми́рный ~ миролюби́вых сил World Peace Cóngrèss; 2. (*законодательный орган в США и в некоторых других странах*) Cóngrèss.

конгрессме́н м. Cóngrèss-man*.

кондачо́к м.: с ~ка́ *разг.* ≅ óffhánd; (сказа́ть) off the top of one's head [...hed].

конденса́т [-дэ-] м. condénsàte; (*водяного пара*) steam condénsàte.

конденс‖**а́тор** [-дэ-] м. *эл., рад.* condénser, capácitor. **~ацио́нный** [-дэ-] condènsátion (*attr.*). **~а́ция** [-дэ-] ж. còndènsátion; **~а́ция** па́ра còndènsátion of steam. **~и́ровать** [-дэ-] *несов. и сов.* (*вн.*) condénse (*d.*).

конде́нсор м. (*в оптике*) condénser.

конди́тер м. conféctioner, pástry-cook ['peɪ-]. **~ская** ж. *скл. как прил.* swéet-shop, conféctioner's (shop), pástry-cook's ['peɪ-]. **~ский**: **~ский магази́н** = конди́терская; ~ские това́ры, ~ские изде́лия conféctionery *sg*.

кондиционе́р м. áir-condìtioner.

кондицион‖**и́рование** с. condìtioning; ~ во́здуха áir-condìtioning. **~ать** *несов. и сов.* (*вн.*) condítion (*d.*).

конди́ци‖**я** ж. stándard; доводи́ть до ~и (*прям. и перен.*) bring* up to the mark.

кондо́вый 1. (*о деревьях*) sólid, clóse-gráined [-s-]; 2. (*старинный, прочный*) of the good óld-fáshioned sort.

ко́ндор м. *зоол.* cóndòr.

кондотье́р м. *ист.* còndottière [-tɪ'eərɪ], sóldier of fórtune ['souldʒə...-tʃən].

кондра́‖**тий**, **~шка**: его́ ~ хвати́л *разг.* he had a stroke.

конду́ит м. *уст.* cónduct-book.

конду́ктор м. condúctor; *ж.-д.* guard.

конду́кторский *прил.* к конду́ктор.

конду́кторша ж. *разг.* condúctress.

конево́д м. hórse-breeder. **~ство** с. hórse-breeding. **~ческий** *прил.* к конево́дство; **~ческая** фе́рма stúd-fàrm.

конезаво́д м. stúd(-fàrm).

конёк I м. 1. *уменьш. от* конь 1; 2. *тк. ед. разг.* (*что-л. излюбленное кем-л.*) hóbby, fad; э́то его́ ~ it is his hóbby; сесть на своего́ конька́ pursúe one's fávorite súbject, get* on one's hóbby-hòrse; ◇ морско́й ~ hìppò-cámpus (*pl.* -pi), séa-hòrse.

конёк II *м. см.* коньки́.

конёк III *м.* (*кры́ши*) fínial.

конесовхо́з *м.* (*конево́дческий совхо́з*) State stúd-fàrm.

кон||е́ц *м.* 1. (*в ра́зн. знач.*) end; (*оконча́ние тж.*) énding; приходи́ть к ~цу́ come* to an end; подходи́ть, приближа́ться к ~цу́ draw* to a close [...-s], be appròaching complétion; к ~цу́ пери́ода towards the end of the périod; к ~цу́ 1918 г. by / towards the end of 1918; к ~цу́ ноября́ by / towards the end of November; доводи́ть что-л. до ~ца́ cárry smth. through; cárry smth. to its conclúsion; (*заверша́ть*) compléte smth., put* a fínish to smth.; в ~це́ ве́ка at the close of the céntury; в ~це́ дня at the end of the day; до ~ца́ сезо́на for the rest of the séason [...-z°n]; то́нкий ~ tip; о́стрый ~ point; то́лстый ~ butt (end); 2. *разг.* (*расстоя́ние, путь*) distance / way from one place to another; в оди́н ~ one way; в о́ба ~ца́ there and back; both ways [bouθ...]; 3. *мор.* (*кана́т, верёвка*) rope's end; незакреплённый ~, свобо́дный ~ tag, loose end [-s...]; спаса́тельный ~ life-line; ◇ в ~це́ ~цо́в in the end, áfter all; últimàtely; под ~ towards the end; положи́ть ~ чему́-л. put* an end to smth.; пришёл ~ (*дт.*) it was the end (of) it was cúrtains (for) *идио́м.*; и де́ло с ~цо́м *разг.* and there is an end to it; и ~цы́ в во́ду *разг.* and no one will be any the wíser; хорони́ть ~цы́ *разг.* remòve / cóver the tráces [-'mu:v kл-...]; своди́ть ~цы́ с ~ца́ми *разг.* make* both ends meet; со всех ~цо́в све́та from every córner of the world; из ~ца́ в ~ from end to end; ~ца́ не ви́дно *разг.* from end in sight; ~ца́-кра́ю э́тому нет *разг.* there is no end to it; на худо́й ~ *разг.* if the worst comes to the worst; at worst; ~ — де́лу вене́ц *посл.* ≃ all's well that ends well.

коне́чно *ввод. сл.* cértainly, to be sure [...ʃuə], súre|ly [ʃuə-], of course [...kɔ:s]; sure *амер. разг.*; ~ да! ráther! ['rɑ:-]; you bet! *разг.*; ~ нет! cértainly not!; no fear! *разг.*

коне́чность I *ж. филос.* fínite|ness ['faɪ-].

коне́чн||ость II *ж. анат.* extrémity; ве́рхние ~ости úpper extrémities; ни́жние ~ости lówer extrémities ['lɔuə...].

коне́чн||ый 1. (*находя́щийся на конце́*) final, last; ~ая ста́нция términal; términus (*pl.* -ni); 2. (*после́дний, преде́льный*) últimate, evéntual; ~ая цель últimate aim; ~ая величина́ *мат.* fínite quántity ['faɪ-...]; ◇ в ~ом ито́ге, счёте in the end, fínal|ly, in the long run, in the fínal análysis.

кони́на *ж.* hórse-flèsh.

кони́ческ||ий cónic; ~ое сече́ние cónic séction.

ко́нка *ж. разг.* horse trámway; (*ваго́н*) hórse-drawn tram; hórse-càr *амер.*

конкла́в *м.* cónclàve.

конкорда́т *м.* cóncòrdàt.

конкретиз||а́ция *ж.* cón|crète defínition. ~и́ровать *несов. и сов.* (*вн.*) cón|crèt|ize [-rɪ-] (*d.*), rénder cón|crète (*d.*), give*

cón|crète expréssion (to); defíne cón|crète|ly (*d.*).

конкре́тно *нареч.* specifically.

конкре́тн||ый cón|crète, specífic; ~ые усло́вия cón|crète condítions; ~ая цель specífic aim; ~ое предложе́ние cón|crète propósal [...-z-].

конкуре́нт *м.*, ~ка *ж.* compétitor; (*сопе́рник*) rival. ~ный: ~ная борьба́ compétition.

конкурентоспосо́бн||ость *ж. эк.* com|pétitive|ness. ~ый *эк.* compétitive.

конкур||е́нция *ж.* competítion; свобо́дная ~ free compétition; ◇ вне ~е́нции be|yónd compárison; hors concours (*фр.*) [hɔ:'kɔŋkuːə]. ~и́ровать (*с тв. в пр.*) compéte (with smb. in smth.), ríval (*d.*).

ко́нкурс *м.* cóntest, competítion; объяви́ть ~ (*на замеще́ние до́лжности*) annóunce / ádvertise vácancy [...'veɪ-]; (*на лу́чшую пье́су и т.п.*) annóunce a competítion; ◇ вне ~а hors concours (*фр.*) [hɔ:'kɔŋkuːə]; (*перен. тж.*) in a class by itsélf. ~ный compétitive; ~ный экза́мен compétitive examinátion.

ко́нник *м.* hórseman*, cávalryman*.

ко́нница *ж.* (horse) cávalry.

коннозаво́д||ский hórse-breeding (*attr.*). ~ство *с.* 1. *тк. ед.* hórse-breeding; 2. (*ко́нный заво́д*) stúd(-fàrm). ~чик *м. уст.* ówner of a stúd(-fàrm) ['əunə...].

ко́нн||ый 1. *прил. к* конь 1; ~ двор stables *pl.*; (*изво́зчичий*) mews; ~ заво́д stúd(-fàrm); ~ая ста́туя equéstrian státue; ~ спорт equéstrian sport; 2. *прил. к* ко́нница, *тж.* móunted; ~ая а́рмия Cávalry; 3. (*приводи́мый в движе́ние лошадьми́*) hórse-drawn; ~ при́вод hórse-drive; с ~ым приводом hórse-driven [-drɪ-]; ~ая тя́га horse tráction; на ~ой тя́ге horse-dràwn.

конова́л *м.* 1. *разг.* horse dóctor, fárrier; 2. *пренебр.* (*плохо́й врач*) quack (dóctor).

конво́д I *м. воен.* hórse-hòlder.

конво́д II *м. разг.* (*вожа́к*) ríng|leader.

конво́дить I serve as hórse-hòlder (*in the cávalry, etc.*).

конво́дить II *разг.* (*быть зачи́нщиком, вожако́м*) be the ríng|leader.

ко́новязь *ж.* 1. téther|ing post / rail [...poust...]; 2. (*верёвка для спу́тывания ног ло́шади*) hóbble.

конокра́д *м.* hórse-thìef [-θiːf]; (horse) rústler *амер.* ~ство *с.* hórse-stealing; (horse) rústling *амер.*

конопа́||тить, проконопа́тить (*вн.*) caulk (*d.*). ~ка *ж.* 1. (*инструме́нт*) cáulking íron [...'aɪən]; 2. (*результа́т конопа́чения*) cáulking. ~чик *м.* cáulker.

конопа́тый *разг.* fréckled; (*рябо́й*) póck-màrked.

конопа́чение *с.* cáulking.

коноплево́дство *с.* hémp-growing [-ou-].

конопл||я́ *ж. бот.* hemp. ~я́ник *м. с.-х.* hémp-field [-fiːld], hémp-clòse [-s]. ~я́нка *ж. зоол.* línnet. ~я́ный *прил. к* конопля́; ~я́ное се́мя hémpseed; ~я́ное ма́сло hémpseed oil.

коносаме́нт *м. торг.* bill of láding.

консерват||и́вность *ж.* consérvatism. ~и́вный consérvative. ~и́зм *м.* consérvatism.

консерва́тор *м.* (*в ра́зн. знач.*) consérvative; (*член консервати́вной па́ртии в А́нглии тж.*) Tóry.

консервато́рия *ж.* consérvatory; consérvatoire [-twɑː].

консерва́ция *ж.* (*предприя́тия*) témporary clósing-down.

консерви́рование *с.* presérving [-'zəːv-] (*of fruit, végetables, meat, etc.*).

консерви́рованн||ый 1. *прич. см.* консерви́ровать; 2. *прил.*: ~ое мя́со tinned / pótted / cànned meat; ~ые фру́кты (*в стекле́*) bóttled fruit [...fruːt] *sg.*; (*в же́сти*) tinned / cànned fruit *sg.*

консерви́ровать *несов. и сов.* (*сов. тж.* законсерви́ровать) (*вн.*) 1. presérve [-'zəːv-] (*d.*); (*в жестя́нках*) tin (*d.*); can (*d.*); (*в стекле́*) bóttle (*d.*); (*в фарфо́ре, фая́нсе и т.п.*) pot (*d.*); 2. (*о строи́тельстве и т.п.*) lay* up (*d.*); ~ предприя́тие close down an énterprise témporarily.

консе́рвн||ый *прил. к* консе́рвы 1; ~ая фа́брика cánnery; ~ая промы́шленность cánning índustry; ~ая фа́брика, ~ заво́д tinned food fáctory; ~ая ба́нка tin, can; ~ нож tín-ópen|er; can ópen|er *амер.*

консе́рвы *мн.* 1. tinned / pótted / cànned food *sg.*; мясны́е ~ tinned / cànned meat *sg.*; ры́бные ~ cànned fish *sg.*; фрукто́вые ~ tinned / cànned fruit [...fruːt] *sg.*; 2. (*очки́*) góggles.

консигна́ция *ж. торг.* consígnment [-'saɪn-].

конси́лиум *м. мед.* cónference of spécialist dóctors [...'spe-...].

консисте́нция *ж. физ., мед.* consístence.

консисто́р||ский *церк.* consistórial. ~ия *ж. церк.* consístory.

ко́нск||ий *прил. к* конь 1; ~ во́лос hórse-hair; ~ое мя́со hórse-flèsh; ~ая амуни́ция, ~ое снаряже́ние hárness; ~ое поголо́вье númber of hórses, horse populátion; ~ая щётка hórse|brùsh.

консолид||а́ция *ж.* consòlidátion. ~и́ровать *несов. и сов.* (*вн.*) consólidàte (*d.*).

консо́ль *ж.* 1. *арх.* cónsole, córbel; 2. *стр., тех.* cántilèver. ~ный cántilèver (*attr.*).

консоме́ *с. нескл. кул.* consommé (*фр.*) [kɔːŋsɔ'meɪ].

консона́нс *м. муз.* cónsonance.

консонанти́зм *м. лингв.* cónsonantism.

консо́рциум *м. эк.* consórtium.

конспе́кт *м.* súmmary, synópsis (*pl.* -sès [-siːz]), ábstràct. ~и́вный concíse [-s], súmmary.

конспекти́ровать, проконспекти́ровать (*вн.*) make* a súmmary / an ábstràct (of).

конспир||ати́вный sécret; ~ати́вная кварти́ра sécret addréss. ~а́тор *м.* conspírer, conspírator. ~а́ция *ж.* obsérvation of the rules of secúrity [-zəː-...] (*in an illégal organizàtion*). ~и́ровать (*вн.*) make* sécret / clàndéstine (*d.*); keep* dark (*d.*) *разг.*

конста́нт||а *ж. мат., физ.* cónstant. ~ный cónstant.

КОН—КОН

констат∥а́ция *ж.* ascertáining, verificátion, estáblishment. **~и́ровать** *несов. и сов.* (*вн.*) estáblish (*d.*), ascertáin (*d.*); **~и́ровать смерть** cértify death [...deθ]; **~и́ровать факт** estáblish a fact.

констелля́ция [-тэ-] *ж. астр.* (*тж. перен.*) cònstellátion.

конституи́ровать *несов. и сов.* (*вн.*) cónstitùte (*d.*).

конституционали́зм *м.* cònstitútionalism.

конституциона́льный *мед., физиол.* cònstitútional.

конституцио́нн∥ый cònstitútional; **~ая мона́рхия** cònstitútional mónarchy [...-kɪ].

конститу́ция I *ж.* (*основной закон*) cònstitútion; **Конституция СССР** Cònstitútion of the USSR.

конститу́ция II *ж.* (*строение, структу́ра*) cònstitútion.

констру́ировать *несов. и сов.* (*сов. тж.* **сконструи́ровать**) (*вн.*) 1. constrúct (*d.*); (*проектировать*) design [-ˈzaɪn] (*d.*); 2. (*организовывать, учреждать*) form (*d.*), órganize (*d.*).

конструктив∥и́зм *м.* constrúctivism. **~и́ст** *м.* constrúctivist, adhérent of constrúctivism.

конструкти́вн∥ый 1. *прил. к* **констру́кция**; *тж.* constrúctive; **~ за́мысел** constrúctive design [...-ˈzaɪn]; 2. (*плодотво́рный, положи́тельный*) constrúctive; **~ план** constrúctive plan; **~ое предложе́ние** constrúctive propósal [...-zˈl]; **~ое сотру́дничество** constrúctive cò-operátion; **~ диало́г** constrúctive díalògue [...-lɔg].

констру́ктор *м.* 1. desígner [-ˈzaɪnə], constrúctor; 2. (*детская игра́*) meccáno [-ˈkɑː-]. **~ский** *прил. к* **констру́ктор** 1; **~ское бюро́** design óffice [-ˈzaɪn...].

констру́кция *ж.* (*в разн. знач.*) constrúction; (*структура*) design [-ˈzaɪn], strúcture.

ко́нсул *м.* cónsul; **генера́льный ~** cónsul géneral.

ко́нсул∥ьский cónsular. **~ство** *с.* cónsulate; **генера́льное ~ство** cónsulate géneral.

консульт∥а́нт *м.* consúltant; (*в вузе*) tútor; *мед. тж.* consúlting physícian [...-ˈzɪ-]. **~ати́вный** consúltative, advísory [-ˈvaɪz-].

консультацио́нн∥ый *прил. к* **консульта́ция**; **~ое бюро́** advíce búreau [...-ˈrou].

консульта́ция *ж.* 1. (*совет специали́ста*) cònsultátion; (*в вузе*) tutórial; **враче́бная ~** médical advíce / cònsultátion, dóctor's cònsultátion; 2. (*учрежде́ние*) consúlting room; advíce búreau [...-ˈrou]; **юриди́ческая ~** légal advíce óffice; **де́тская ~** chíldren's clínic; **же́нская ~** ántenátal clínic; matérnity wélfàre centre / clínic.

консульти́ровать, проконсульти́ровать 1. (*вн. и без доп.*) (*давать консультацию*) advíse (*d.* on, abóut); 2. *тк. несов.* (с *тв.*; *советоваться*) consúlt (*d.*). **~ся, проконсульти́роваться** (с *тв.*) consúlt (*d.*, with); **~ся по ра́зным вопро́сам** consúlt togéther on várious quéstions [...-ˈge-... -stʃənz].

конта́кт *м.* (*в разн. знач.*) cóntact; **установи́ть ~ с кем-л.** get* into cóntact, *или* in touch, with smb. [...tʌtʃ...]; **быть в ~е с кем-л.** be / keep* in touch with smb.; **подде́рживать те́сный ~** (с *тв.*) maintáin close cóntact [...-s...] (with); **плохо́й ~** *эл.* fáulty cóntact. **~ный** *прил. к* **конта́кт**.

контамина́ция *ж. лингв.* còntaminátion.

конте́йнер [-тэ-] *м.* contáiner. **~ный** [-тэ-] contáiner (*attr.*). **~ные перево́зки** contáiner tráffic.

конте́кст *м.* cóntext; **вы́рвать из ~а** (*вн.*) take* out of cóntext (*d.*).

континге́нт *м.* contíngent; *эк. тж.* quóta.

контине́нт *м.* cóntinent, máinland. **~а́льный** còntinéntal; **~а́льный кли́мат** còntinéntal clímate [...ˈklaɪ-].

контокорре́нт *м. бух.* accóunt cúrrent (*сокр.* a/c).

конто́ра *ж.* óffice, búreau [bjuəˈrou]; **почто́вая ~** póst-òffice [ˈpoust-].

конто́рка *ж.* desk, wríting-dèsk, búreau [bjuəˈrou].

конто́р∥ский *прил. к* **конто́ра**; **~ская кни́га** *бух.* (accóunt-)book, lédger. **~щик** *м.*, **~щица** *ж.* clerk [klɑːk].

ко́нтра I *ж. см.* **ко́нтры**.

ко́нтра II *м. и ж. разг. презр.* (*контрреволюционе́р*) cóunter-rèvolútionary.

ко́нтра III: **про и ~** pro and cón(tra).

контраба́нд∥а *ж.* cóntrabànd, smúggling; **занима́ться ~ой** smúggle, be a smúggler. **~и́ст** *м.*, **~и́стка** *ж.* smúggler, cóntrabàndist. **~и́стский** *прил. к* **контрабанди́ст**; **~и́стский това́р** cóntrabànd, cóntrabànd / smúggled goods [...gudz] *pl.* **~ой** *нареч.* on the sly.

контраба́с *м. муз.* dóuble-báss [ˈdʌblˈbeɪs], cóntrabáss [-ˈbeɪs].

контраге́нт *м.* contráctor.

контр-адмира́л *м.* reár-ádmiral.

контр-адмира́льский *прил. к* **контр-адмира́л**.

контра́кт *м.* cóntract; (*соглаше́ние*) agréement; **заключа́ть ~** make* a cóntract. **~а́ция** *ж.* contrácting. **~ова́ть** (*вн.*) contráct (for). **~ова́ться 1.** contráct; 2. *страд. к* **контрактова́ть**.

контра́льто 1. *с. нескл. муз.* (*голос*) contráltò; 2. *ж. нескл.* (*певи́ца*) contráltò-síng:er. **~вый** *прил. к* **контра́льто**; **~вая па́ртия** contráltò part.

контрама́рка *ж. театр.* free pass.

контрапу́нкт *м. муз.* cóunterpoint. **~и́ческий** *прил. муз.* cóntrapúntal.

контрассигн∥а́ция *ж. офиц.* cóuntersign [-saɪn]. **~и́ровать** *несов. и сов.* (*вн.*) *офиц.* cóuntersign [-saɪn] (*d.*). **~о́вка** *ж.* = **контрассигна́ция**.

контра́ст *м.* cóntrast; **по ~у с чем-л.** by cóntrast with smth. **~и́ровать** (с *тв.*) contrást (with). **~ный** contrásting.

контрата́к∥а *ж. воен.* cóunter-attáck. **~ова́ть** *несов. и сов.* (*вн.*) *воен.* cóunter-attáck (*d.*).

контрафа́кция *ж. юр.* infrínge;ment; (*подделка*) cóunterfeit [-fɪt].

контрга́йка *ж. тех.* lóck-nùt, chéck-nùt.

контрибу́ци∥я *ж.* còntribútion, (war) indémnity; **наложи́ть ~ю** (на *вн.*) lay* únder còntribútion (*d.*), impóse an indémnity (on).

контрмане́вр *м. воен.* cóunter-mòve;ment [-muːv], cóunter-manœuvre [...-ˈnuːvə].

контрма́рш *м. воен.* cóuntermàrch.

контрми́на *ж. воен.* cóuntermìne.

контрнаступле́ние *с. воен.* cóunter-offénsive; **перейти́ в ~** launch a cóunter-offénsive.

контрол∥ёр *м.* inspéctor; (*железнодоро́жный, театра́льный и т. п.*) tícket-colléctor. **~и́ровать, проконтроли́ровать** (*вн.*) contról [-oul] (*d.*), check (*d.*).

контро́ллер *м. эл.* contróller.

контро́л∥ь *м.* contról [-oul]; **~ масс** contról by the másses; **под ~ем** (*рд.*) únder the contról (of); **взять под свой ~** (*вн.*) take* contról (of), take* únder one's contról (*d.*); **~ рублём** finàncial contról [faɪ-...]; **э́то не поддаётся ~ю** it is impóssible to vérify this; **не поддаю́щийся ~ю** únverifìable, that cánnot be checked; **~ над вооруже́нием** contról of ármaments, arms contról; **отде́л техни́ческого ~я** (*на заво́де и т. п.*) chécking / examining depártment; **парти́йно-госуда́рственный ~** Párty and State Contról.

контро́льно-измери́тельн∥ый: **~ые прибо́ры**, **~ая аппарату́ра** chécking / contrólling and méasuring apparátus [...-ˈtroul-... ˈmeʒər-...] *sg.*

контро́льн∥ый *прил. к* **контро́ль**; **~ая коми́ссия** contról committee [-oul -tɪ]; **шко́льная ~ая рабо́та** test; **~ые ци́фры** planned / schéduled fígures [...ˈʃe-...].

контрпа́р *м. тех.* cóunter-steam, báck-steam.

контрпредложе́ние *с.* cóunter-óffer, cóunter-propósition [-zɪ-].

контрпрете́нзия *ж.* cóunter-claim.

контрприка́з *м.* counterménd [-ɑːnd].

контрразве́д∥ка *ж.* cóunter-èspionáge [-ˈnɑːʒ], cóunter-intélligence; secúrity sérvice. **~чик** *м.* cóunter-intélligence ágent.

контрреволюционе́р *м.* cóunter-rèvolútionary.

контрреволюцио́нный cóunter-rèvolútionary.

контрреволю́ция *ж.* cóunter-rèvolútion.

контруда́р *м.* 1. cóunterblow [-ou]; 2. *воен.* cóunter-stròke.

контрфо́рс *м. арх.* búttress, abútment, cóunterfort.

ко́нтр∥ы *мн.* (*ед.* **ко́нтра** *ж.*) *разг.* díssent *sg.*, disagréement *sg.*; **быть в ~ах с кем-л.** be at odds with smb., fall* out with smb.

конту́женный *прич. и прил.* contúsed; (*при разрыве снаря́да*) shéll-shòcked.

конту́з∥ить (*вн.*) contúse (*d.*); (*при разрыве снаря́да*) shéll-shòck (*d.*). **~ия** *ж.* contúsion; (*при разрыве снаря́да*) shéll-shòck; (*сотрясе́ние*) con;cússion.

ко́нтур *м.* 1. cóntour [-tuə], óutline; **начерти́ть, наброса́ть ~** (*рд.*) óutline (*d.*); 2. *эл.* círcuit [-kɪt]. **~ный** cóntour [-tuə] (*attr.*), óutline (*attr.*); ◊ **~ная ка́рта** skéleton / óutline map.

конура́ *ж.* kénnel; (*перен.*) *разг.* hóvel [ˈhɔ-].

ко́нус *м.* cone; **~ разлёта** *воен.* cone of dispérsion.

конусообра́зный cóne-shàped, cónoid ['kou-], cónical

конфедер||ати́вный confèderative. **~а́ция** ж. confèderátion, confèderacy.

конфекцио́н м. réady-máde clothes shop ['re- -ouðz...].

конфера́нс м. compèring (фр.) ['kɔmpɛərɪŋ]; вести́ ~ compère (фр.) ['kɔmpɛə].

конферансье́ м. нескл. compère (фр.) ['kɔmpɛə]; máster of cèremonies.

конфере́нц-за́л м. cónference hall.

конфере́нция ж. cónference.

конфе́т||а ж., **~ка** ж. sweet, bón-bòn; swéetmeats pl.; cándy амер. **~ный** прил. к конфе́та; **~ная бума́жка** sweet wrápper.

конфетти́ с. нескл. confétti.

конфигура́ция ж. configurátion, cònformátion; ~ ме́стности воен. configurátion of the ground.

конфиденциа́льно I прил. кратк. см. конфиденциа́льный.

конфиденциа́льн||о II нареч. in cónfidence, cònfidéntially. **~ый** cònfidéntial, prívate ['praɪ-].

конфирм||а́ция ж. 1. церк. cònfirmátion; 2. офиц. уст. rátificátion. **~ова́ть** несов. и сов. (вн.) 1. церк. confírm (d.); 2. офиц. уст. rátify (d.).

конфиска́ция ж. cònfiscátion; séizure ['siːʒə]; ~ поме́щичьей земли́ cònfiscátion of lándlòrds' estátes.

конфискова́ть несов. и сов. (вн.) cónfiscàte (d.); seize [siːz] (d.).

конфли́кт м. cónflict; dispúte. **~ный** прил. к конфли́кт; **~ное де́ло** dispúted mátter / case [...-s]; **~ная коми́ссия** àrbitrátion tribúnal [...traɪ-], grievance commíttee ['griːv- -tɪ].

конфликтова́ть (с тв.) разг. clash (with), come* up (agáinst).

конфо́рка ж. 1. (на плите) ring, búrner; 2. (на самоваре) crown, top ring.

конформи́зм м. confórmism.

конфронта́ция ж. cònfrontátion [-frʌn-].

конфу́з м. разг. discómfiture [-'kʌm-]; (неловкое положение) embárrassing posítion [...-'zɪ-]; како́й ~ получи́лся it is réally very áwkward [...'rɪə-].

конфу́з||ить, сконфу́зить (вн.) discóncèrt (d.), embárrass (d.), put* out (d.). **~иться**, сконфу́зиться be discóncèrted, be embárrassed, be put out. **~ливый** báshful, shy. **~ный** разг. áwkward, embárrassing.

конфуциа́нство с. Confúcianism.

конце́в||ой прил. к коне́ц; **~а́я строка́** énd-line; **~ о́й стих** énd-rhyme.

концентра́т м. 1. cóncèntràted próduct [...-əd-]; пищевы́е ~ы food cóncèntràtes; 2. с.-х., горн. cóncèntràte.

концентрацио́нный: ~ ла́герь còncèntrátion camp.

концентр||а́ция ж. (в разн. знач.) còncèntrátion; ~ промы́шленности còncèntrátion of índustry; ~ произво́дства còncèntrátion of prodúction; ~ капита́ла còncèntrátion of cápital; ~ раство́ра хим. còncèntrátion of a solútion. **~и́рованный** прич. и прил. (в разн. знач.) cóncèntràted. **~и́ровать**, сконцентри́ровать (вн.; в разн. знач.) cóncèntràte (d.); воен. mass (d.); ~ внима́ние (на пр.) attráct atténtion (to). **~и́роваться**, сконцентри́роваться 1. (собираться в одном месте — о людях) mass, colléct; 2. (на пр.; сосредоточиваться) cóncèntràte (on); 3. страд. к концентри́ровать.

концентри́ческ||ий còncéntric; **~ие круги́** мат. còncéntric circles.

концентри́чность ж. còncèntrícity.

конце́пт м. филос. cóncèpt. **~уали́зм** м. филос. concéptualism.

конце́пция ж. concéption, idéa [aɪ'dɪə].

конце́рн м. эк. concérn.

конце́рт м. 1. cóncert; (одного артиста или из произведений одного композитора тж.) recítal; дать ~ give* a cóncert; 2. (муз. произведение) concértò [-'tʃɛrtou]. **~а́нт** м., **~а́нтка** ж. perfórmer (in a cóncert). **~и́ровать** give* cóncerts.

концертме́йстер м. 1. léader (of an órchestra) [...'ɔːk-]; 2. (аккомпаниатор) accómpanist [ə'kʌ-].

конце́рт||ный прил. к конце́рт; ~ зал cóncert hall; ~ роя́ль cóncert grand (piáno) [...'pjæ-]; **~ое отделе́ние** cóncert (part).

концесси||оне́р м. concèssionáire [-seʃə-'nɛə]. **~о́нный** прил. к конце́ссия; тж. concéssive; **~о́нный догово́р** concéssive agréement.

конце́сс||ия ж. concéssion; **поли́тика ~ий** the pólicy of gránting concéssions [...-ɑːnt-...].

концла́герь м. (концентрацио́нный ла́герь) cóncèntrátion camp.

концо́вка ж. 1. полигр. táil-piece [-piːs]; cul-de-lampe (фр.) [kuːldəˈlãːp] (pl. culs-de-lampe); (в старинных книгах) cólophòn; 2. (романа и т.п.) énding (of a nóvel, etc.) [...'nɔ-...].

конч||а́ть, ко́нчить 1. (вн.) end (d.), finish (d.); (о высшем учебном заведении тж.) gráduàte (from); ко́нчить шко́лу leave* school; ко́нчить чем-л. end / finish with smth.; на э́том он ко́нчил here he stopped; ко́нчить рабо́ту be through with, или finish, one's work; 2. (+ инф.; переставать) stop (+ ger.), finish (+ ger.); ◇ пло́хо ко́нчить come* to a bad end; с ним всё ко́нчено it is all óver with him; ко́нчить самоуби́йством commít suícide. **~а́ться, ко́нчиться** 1. end, finish, come* to an end; términàte; (о сроке) expíre; несов. тж. be dráwing to a close [...-s]; ко́нчиться чем-л. end in smth.; на э́том всё и ко́нчилось and that was the end of it; э́тим де́ло не ко́нчилось that was not all, that was not the end of the affáir; ко́нчиться ниче́м come* to nóthing; 2. (умирать) expíre, die; 3. страд. к конча́ть. **~а́я** предл. (включи́тельно) incĺuding.

ко́нчено предик. безл.: ~ ! (довольно) enóugh [-ʌf]; всё ~ ! it is all óver!; this is the end!

ко́нчен||ый ~ое э́то де́ло this affáir is séttled; ~ челове́к разг. góner ['gɔ-], dead duck [ded...].

ко́нчик м. tip.

кончи́на ж. decéase [-s], demíse; безвре́менная ~ úntímely death / decéase [...deθ...].

КОН — КОП K

ко́нчить(ся) сов. см. конча́ть(ся).

конъюнктиви́т м. мед. cònjùnctivítis.

конъюнкту́р||а ж. cónjùncture, júncture, state of affáirs; эк. state of the márket; полити́ческая ~ polítical situátion. **~ный** прил. к конъюнкту́ра. **~щик** м. разг. time-sèrver.

кон||ь м. 1. horse; steed поэт.; боево́й ~ wár-hòrse, chárger; по коня́м! (команда) mount!; 2. шахм. knight; 3. спорт. váulting horse; ~ в длину́ long horse; ~ в ширину́ pómmelled horse ['pʌ-...], side horse; ◇ не в ~я́ корм разг. ≅ it is cáviàr(e) to the géneral [...-ɑː:...]; дарёному ~ю́ в зу́бы не смо́трят посл. one shouldːn't look a gift horse in the mouth [...gɪ-...].

конь||ки́ мн. (ед. конёк м.) skates; ~ на ро́ликах róller skates; ката́ться на ~а́х skate, go* skáting.

конькобе́ж||ец м. skáter. **~ный** skáting (attr.); **~ный спорт** skáting; **~ые состяза́ния** skáting contèst sg.

конья́||к м. cógnac ['kounjæk], (French) brándy. **~чный** прил. к коньяк.

ко́нюх м. groom, stáble:man*.

коню́шенный прил. к коню́шня.

ко́нюший м. скл. как прил. ист. équerry.

коню́ш||ня ж. stable; ◇ А́вгиевы ~ни Augéːan stables.

коня́га м. и ж. разг. dráy-hòrse, dráughthòrse [-ɑːft-].

кооперати́в м. 1. (организация) cò-óperative society; жили́щный ~ hóusing cò-óperative; 2. разг. (магазин) cò-óperative store.

кооперати́вн||ый cò-óperative; **~ое това́рищество** cò-óperative society; **~ая торго́вля** cò-óperative trade; **~ое земледе́льческое хозя́йство** cò-óperative fárming.

коопер||а́тор м. cò-óperàtor. **~а́ция** ж. 1. (сотрудничество) cò-òperátion; 2. (коллективное объединение) cò-óperative societies pl.; cò-óperative sýstem; произво́дственная ~а́ция prodúcing cò-óperative sýstem; потреби́тельская ~а́ция consúmers' cò-óperative societies pl.; сельскохозя́йственная ~а́ция àgricúltural cò-óperative societies pl. **~и́рование** с. cò-òperátion; ма́ссовое ~и́рование крестья́нства mass cò-òperátion of the péasantry [...'pez-].

коопери́ровать несов. и сов. (вн.) órganize in a cò-óperative (d.). **~ся** несов. и сов. 1. cò-óperàte; 2. страд. к коопери́ровать.

коопт||а́ция ж. cò-òptátion; ~ чле́нов cò-òptátion of mémbers. **~и́ровать** несов. и сов. cò-ópt (d.).

координ||а́та ж. 1. мат., геогр. cò-órdinate; 2. мн. разг. (адрес, местожительство) whéreːabouts. **~а́тный** cò-órdinate. **~а́тор** м. cò-órdinàtor. **~а́ция** ж. cò-òrdinátion. **~и́ровать** несов. и сов. (вн.; с тв.) cò-órdinàte (d. with).

копа́л м. (смола) cópal.

копа́ние с. digging.

копа́ть (вн.) 1. dig* (d.); 2. (выка́пывать) dig* out (d.); ~ карто́фель

КОП–КОР

dig* potátòes, lift potátòes. ~ся 1. dig*; 2. (в пр.; рыться) rúmmage (in), delve (into); 3. разг. (медлить) dáwdle; 4. страд. к копа́ть; ◇ ~ся в свое́й душе́ be given to sóul-searching [...'soul-sə:tʃ-], go* in for sélf-análysis.

копе́еч‖ка ж. уменьш. от копе́йка; ◇ это ста́нет ему́ в ~ку разг. it will cost him a prétty pénny [...'prɪtɪ...]. ~ный 1. worth one cópèck; 2. (дешёвый) cheap; 3. разг. (мелочный) pétty, twópenny-hálfpenny ['tʌpnɪ'heɪpnɪ].

копе́й‖ка ж. cópèck; до после́дней ~ки to the last fárthing [...-ðɪŋ]; ◇ ~ в ~ку exáctly; сколоти́ть ~ку разг. get* a little bit behínd one; без ~ки pénniless; не име́ть ни ~ки be pénniless; ~ рубль бережёт посл. ≅ take care of the pence and the pounds will take care of them sélves.

копёр м. 1. тех. píle-drìver; 2. горн. héadfràme ['hed-].

ко́пи мн. (ед. копь ж.) уст. mines.

копи́ст м. 1. (тот, кто снимает копии) cópyist ['kɔ-]; 2. (подражатель) ímitàtor, cópy-càt ['kɔ-].

копи́лка ж. móney-bòx ['mʌ-].

копи́рк‖а ж. разг. cárbon-pàper, cópying pàper ['kɔ-...]; писа́ть под ~у use cárbon-pàper, make* a cárbon cópy [...'kɔ-].

копирова́льн‖ый cópying ['kɔ-]; ~ая бума́га cárbon-pàper, cópying pàper; ~ые черни́ла cópying ink sg.

копи́рование с. 1. cópying ['kɔ-]; 2. (подражание) ímitátion, ímitàting.

копи́ровать, скопи́ровать (вн.) 1. cópy ['kɔ-] (d.); 2. (подражать) ímitàte (d.), mímic (d.), cópy (d.).

копиро́в‖ка ж. разг. = копи́рование 1. ~очный = копирова́льный. ~щик м., ~щица ж. cópyist ['kɔ-].

копи́ть (вн.) accúmulàte (d.); (откладывать) lay* up (d.), store up (d.); (о деньгах) put* by (d.), save up (d.); ~ си́лы save one's strength; ◇ ~ зло́бу chérish íll-wìll. ~ся 1. accúmulàte; 2. страд. к копи́ть.

ко́пи‖я ж. cópy ['kɔ-]; (второй экземпляр) dúplicate; (о картине) réplica; то́чная ~ exáct cópy, réplica; снима́ть ~ю с чего́-л. make* a cópy of smth., cópy smth.; снима́ть заве́ренную ~ю с чего́-л. юр. make* an attésted cópy of smth., exémplifý smth.; заверя́ть ~ю attést a cópy. 2. (о ком-л., похо́жем на кого́-л.) ímage; она́ то́чная ~ ма́тери she is the very ímage of her móther [...'mʌ-].

ко́пка ж. с.-х. (картофеля) dígging; (корнеплодов) lífting; ~ свёклы beet lífting.

копна́ ж. shock, stook; ~ се́на (háy)còck; ◇ ~ воло́с разг. shock (of hair), mop of hair.

копн‖е́ние с. с.-х. stóoking, shócking; ~ соло́мы, се́на stóoking / shócking of straw, hay. ~и́тель м. с.-х. shócker, stóoking machíne [...-'ʃi:n], stóoker. ~и́ть (вн.) с.-х. stook (d.), shock (d.) (сено) cock (d.).

копну́ть сов. (вн.) dig* (d.) (тж. перен.).

копотли́вый разг. 1. (о человеке) slow [-ou], slúggish; 2. (о деле и т.п.) slow, labórious.

ко́поть ж. soot [sut]; (от лампы тж.) lámp-blàck.

копош‖и́ться 1. (о насекомых) crawl abóut; 2. разг. (о человеке) pótter (abóut); 3. разг. (о чувствах, мыслях) stir, creep in; у меня́ в душе́ ~и́тся сомне́ние I am begínning to have my doubts [...dauts].

копра́ ж. cópra ['kɔ-].

копро́вый прил. к копёр.

копте́ть (над) разг. plug awáy (at), work hard (at).

копти́лка ж. разг. óil-làmp (of prímitive design).

копти́льный for smóking.

копти́льня ж. smóking shed.

копти́ть, закопти́ть 1. (вн.) smoke (d.), cure by smóking (d.); 2. (вн.) (покрывать копотью) blácken (d.); 3. тк. несов. (без доп.; о лампе, свече и т.п.) smoke; ◇ ~ не́бо разг. ≅ waste one's life [weɪ-...], idle one's life awáy.

копу́н м., копу́нья ж. разг. dáwdler.

копу́ша м. и ж. = копу́н, копу́нья.

копче́ние с. smóking, cúring by smóking.

копчёности мн. (ед. копчёность ж.) smoked foods.

копчён‖ый smoked, smóke-drìed; ~ая колбаса́ smoked sáusage [...'sɔ-]; ~ая ры́ба smoked / cured fish; ~ая сельдь smoked hérring, blóater.

копче́нье с. собир. (копчёные проду́кты) smoked foods pl.

ко́пчик м. анат. со́ссух. ~овый прил. к ко́пчик.

копчу́шка ж. разг. smoked / cured sprat.

копы́тные мн. скл. как прил. зоол. hoofed / úngulàte ánimals.

копы́тный hoof (attr.), hoofed, úngulàte.

копы́то с. hoof; бить ~м hoof.

копь ж. см. ко́пи.

копь‖ё I с. spear, lance; мета́ние ~я́ jávelin thrówing [...-ou-]; би́ться на ко́пьях ист. tilt, joust; ◇ лома́ть ко́пья (из-за) break* a lance [breɪk...] (over).

копь‖ё II с.: ни ~я́ разг. not a pénny; де́нег нет ни ~я́ I háven't a pénny.

копьеви́дный бот. spéar-shàped, láncet-shàped, lánceolate.

копьено́сец м. ист. lánce-bèarer [-bɛə-], spéar man*.

кора́ ж. 1. crust; земна́я ~ геол. the earth's crust [ə:θ...]; 2. бот. córtex; (деревьев) rind, bark; 3. анат. córtex; ~ головно́го мо́зга cérebral córtex.

корабе́л м. разг. shíp wright, shíp bùilder [-bɪl-].

корабе́льн‖ый прил. к кора́бль 1; ~ инжене́р nával árchitèct [...-kɪ-]; ~ ма́стер shíp wright; ~ая авиа́ция shípbòrne áircràft; ~ лес ship tímber.

корабе́льщик м. 1. уст. séa-cáptain; 2. разг. = корабе́л.

корабле‖вожде́ние с. nàvigátion. ~круше́ние с. shíp wreck; потерпе́ть ~круше́ние be shíp wrècked. ~строе́ние с. shípbùilding [-bɪl-]. ~строи́тель м. shíp wright, shípbùilder [...-kɪ-]. ~строи́тельный прил. к кораблестрое́ние.

кора́блик м. 1. уменьш. от кора́бль 1; 2. (игрушка) tóy-shìp; 3. (моллюск) náutilus (pl. -ses, -lì), árgonaut.

кора́бл‖ь м. 1. ship, véssel; (совершающий регулярные рейсы) líner; торго́вый ~ mérchant ship / véssel; вое́нный ~ wárship, mán*-of-wár; лине́йный ~ báttle ship; флагма́нский ~ flágship; ~ на подво́дных кры́льях hýdrofoil; сади́ться на ~ go* on board (ship), embárk; на ~е́ on board (ship), abóard (ship); 2. (летательный аппарат) ship, véhicle ['vi:ɪ-]; косми́ческий ~ spáce cràft, spáceship; 3. арх. nave; ◇ сжечь свой ~и́ burn* one's boats; ≅ burn* one's bridges behind one; большо́му ~ю большо́е (и) пла́вание ≅ a great ship needs deep wáters [greɪt...'wɔ:-].

кора́бль-спу́тник м. órbital spáce cràft.

кора́лл м. córal ['kɔ-]. ~овый прил. к кора́лл; тж. córalline; ~овый риф córal reef ['kɔ-...]; ~овые бу́сы córal beads; ~овый о́стров córal-ísland [-aɪl-], átoll [-ɔl]; ◇ ~овые уста́ córal lips.

кора́н м. рел. the Kòrán [-ɑ:n].

корве́т м. мор. corvétte [-'vet].

корд м. cord.

ко́рд м. lunge; гоня́ть ло́шадь на ~е lunge a horse.

кордебале́т [-дэ-] м. театр. corps de ballet (фр.) [kɔːrdəbaː'le].

ко́рд‖ный, ~овый cord (attr.).

кордо́н м. córdon.

корево́й прил. к корь.

коре́ец м. Koréan [-'rɪən].

корёж‖ить разг. 1. (гнуть, кривить) bend*, warp: фане́ру ~ит от сы́рости plý wood warps with damp, или when kept in a damp place [-wud...]; 2. безл. (о судорогах и т.п.) writhe (raɪð) (with); его́ ~ит от бо́ли he is wríthing with pain [...'raɪð-...]. ~иться разг. 1. bend*, warp; 2. (от боли и т.п.) writhe [raɪð]; (ср. коро́биться и ко́рчиться 1).

коре́йка ж. brísket (of pork or veal).

коре́йский Koréan [-'rɪən]; ~ язы́к Koréan, the Koréan lánguage.

корена́стый 1. (о человеке) thíck sèt, stúmpy, stócky; 2. (о дереве) with strong roots.

корени́ться (в пр.) root (in); be fóunded (on).

коренн‖и́к м. (лошадь) whéel-hòrse, sháft-hòrse, whéeler; (перен.) разг. máinstay.

коренн‖о́й 1. (исконный) nátive; ~ жи́тель nátive, índigène; ~о́е населе́ние the indígenous / abor íginal pòpulátion; 2. (основной) rádical, básic ['beɪ-], fùndaméntal; ~о́е преобразова́ние rádical / fùndaméntal change [...tʃeɪ-]; ~ перело́м rádical turn; ~ым о́бразом rádically; ~ые интере́сы vítal ínterests; ◇ ~ зуб mólar; ~ая ло́шадь = коренни́к; ~ подши́пник main béaring [...'bɛə-].

ко́р‖ень м. 1. (в разн. знач.) root; вырыва́ть с ~нем (вн.) tear* up by the roots [tɛə...] (d.), ùpróot (d.); (перен. тж.) éradicàte (d.), éxtirpàte (d.), root out (d.); пусти́ть ~ни (прям. и перен.) take* root; име́ть глубо́кие ~ни be déeply róoted; 2. мат. root;

rádical; квадра́тный ~ square root; куби́ческий ~ cube root; показа́тель ~ня root índex; знак ~ня rádical sign [...sain]; ◇ кла́ссовые ~ие roots; ~e rádically, básically ['bei-], compléte:ly; пресе́чь что-л. в ~не nip smth. in the bud; измени́ть в ~не (вн.) change rádically. [tʃeɪ-...] (d.); change root and branch [...-a:ntʃ] (of) идиом. э́то в ~не непра́вильно it is an útter fállacy, that is total:ly in:corréct; красне́ть до ~ней воло́с blush to the roots of one's hair; лес на ~ню stánding tímber; хлеб на ~ню stánding crops pl.; смотре́ть в ~ чего́-л. get* at the root of smth.; ~ зла the root of all évil [...'i:v-].

коре́нья мн. кул. roots (of vegetables, herbs, etc., used for culinary purposes).

ко́реш м. разг. mate, pal; búddy амер.

корешо́к м. 1. rootlet; 2. (переплёта) back; 3. (квитанционной книжки) cóunterfoil.

коре́янка ж. Koréan (wóman*) [-'rɪən'wu-].

ко́ржик м. flat dry shórtbread / shórtcake [...-bred...].

корзи́н‖а, ~ка ж. básket; рабо́чая ~ка wórk-basket; ~ка для бума́ги wáste-paper básket [...-...]; бельева́я ~ clóthes-basket ['klouðz-]; ~щик м., ~щица ж. básket-maker.

кориа́ндр м. бот. córiander.

коридо́р м. córridor, pássage. ~ный 1. прил. к коридо́р; ~ная систе́ма córridor sýstem; 2. м. как сущ. flóor-atténdant ['flɔː-].

кори́нка ж. тк. ед. cúrrant(s) (pl.).

кори́нфский Corínthian.

кори́ть разг. 1. (вн. за вн.; порица́ть) repróach (d. with), upbráid (d. with, for); 2. (вн. тв.; попрека́ть) cast* in smb.'s teeth (d.).

корифе́й м. corypháeus, léading fígure / light.

кори́ца ж. cínnamon.

коричнева́тый brównish.

кори́чневый brown.

кори́чный прил. к кори́ца.

ко́рк‖а ж. 1. crust; (на ра́не тж.) scab; ~ хле́ба crust of bread; покрыва́ться ~ой crust, get* crústed óver; 2. (кожура́) rind, peel; апельси́нная ~ órange peel; ◇ руга́ть, брани́ть кого́-л. на все ~и разг. ≃ tear* smb. off a strip [teə...]; от и до ~и from cóver to cóver [...'kʌ-...]; ~овый 1. прил. к ко́рка; 2. анат. córtical; ~овые це́нтры córtical céntres.

корм м. fórage, feed, próvender; (сухо́й) fódder; гру́бые ~á coarse fódder / fórage sg., roúghage ['rʌf-] sg.; со́чный ~ rich fódder; задава́ть ~ (дт.) give* fódder (to); на подно́жном ~ý grázing, at grass; запасти́сь ~ом lay* in a supply of fódder.

корм‖а́ I ж. (у су́дна) stern, poop; за ~о́й astérn; на ~é, на ~ý aft; ~о́й вперёд stern first.

корма́ II мн. см. корм.

кормёжка ж. разг. féeding.

корми́л‖ец м. (в семье́) bréad-winner ['bred-]. ~ица ж. 1. wét-nurse; 2. (в семье́) bréad-winner ['bred-].

корми́л‖о с. (прям. и перен.) helm; стоя́ть у ~а правле́ния be at the helm (of State).

корм‖и́ть, накорми́ть, покорми́ть (вн.) 1. (пита́ть) feed* (d.); ~ больно́го feed* an ínvalid [...-lɪd]; здесь ко́рмят хорошо́ the food is good* here; ~ ло́шадь (в доро́ге) уст. bait a horse; 2. (гру́дью) súckle (d.), nurse (d.); bréast-feed* ['brest-] (d.); 3. тк. несов. (содержа́ть) keep* (d.); feed* (d.); ◇ ~ обеща́ниями feed* with prómises [...-sɪz] (d.); соловья́ ба́снями не ко́рмят посл. ≃ fine words bútter no pársnips. ~и́ться 1. feed*, eat*; 2. (чем-л.) live [lɪv] (on); ~и́ться уро́ками make* a líving by gíving léssons [...'lɪv-...]; 3. страд. к корми́ть. ~ле́ние с. 1. féeding; 2. (гру́дью) breast-féeding ['brest-], núrsing.

кормов‖о́й I (относя́щийся к корме́) stern (attr.), áfter; ~ флаг énsign [-saɪn]; ~ óе весло́ scull; ~áя часть (су́дна) áfter-body [-bɔ-], áfter-part, stérn-part.

кормов‖о́й II (относя́щийся к ко́рму) fódder (attr.), fórage (attr.); ~ы́е расте́ния, ~ы́е культу́ры fódder crops; ~áя трава́ fódder grass; ~áя свёкла mángel(-wúrzel); ~ севооборо́т fórage crópròtàtion [...-rou-]; ~áя ба́за fórage resérve [...-'zəːv]; есте́ственные ~ые уго́дья nátural méadowlànds [...'me-].

кормоку́хня ж. с.-х. féed-preparátion house* [...-s], feed kítchen.

корму́шка ж. (коры́то) (féeding-)trough [-trɔf]; (для сухо́го ко́рма) (féeding-)ràck, mánger ['mein-]; (перен.: исто́чник нажи́вы) разг. sinecure ['sai-].

ко́рмчий м. скл. как прил. hélms:man*; pílot поэт.

корм‖я́щий 1. прич. см. корми́ть; 2. прил.: ~ая мать núrsing móther [...'mʌ-].

корне‖ви́дный бот. róotlike. ~ви́ще с. бот. rhízòme ['raɪ-]. ~во́й прил. к ко́рень; ~ва́я часть сло́ва root of a word; ~вы́е слова́ prímary / root words ['prai-...]; ~вы́е языки́ ísolàting lánguages ['ai-...].

корнено́жка ж. зоол. rhízopòd ['raɪ-].

корнепло́д м. бот., с.-х. 1. root; 2. мн. róot-cròps; кормовы́е ~ы fódder róot-cròps.

корнере́зка ж. с.-х. róot-cùtting machíne [...-'ʃiːn].

корне́т I м. воен. уст. córnet.

корне́т II м. муз. córnet.

корне́т-а-писто́н м. муз. córnet-à-píston(s) [-ə'pɪ-], cornópean [-pɪən].

корнети́ст м. córnet-player, córnetist.

корнишо́н м. ghérkin.

корноу́хий crop-eared.

коро́б м. 1. box / básket of bast; 2. тех. box, chest; 3. (пулемёта) bódy ['bɔ-]; recéiver [-'siː-] амер.; ◇ наговори́ть с три ~а разг. ≃ talk nínetéen to the dózen [...'dʌ-]; це́лый ~ новосте́й разг. bags / heaps of news [...-z] pl., a lot of news. ~е́йник м. pédlar ['pe-].

короб‖и́ть, покоро́бить безл. 1. warp; 2.: меня́ ~ит от его́ слов his words jar on me. ~иться, покоро́биться warp.

короб‖ка ж. 1. box; ~ спи́чек box of mátches; спи́чечная ~ mátch--box; жестяна́я ~ can, tin; 2. (о́стов зда́ния) frame; 3.: дверна́я ~ dóor-fràme ['dɔː-]; ~ переда́ч, ~ скоросте́й тех. géar-box ['gɪə-]; ~ магази́нная (винто́вки) magazíne [-'ziːn]; ~ ство́льная (в ору́жии) bódy ['bɔ-]; recéiver [-'siː-] амер.; ◇ черепна́я ~ cránium (pl. -nia). ~óк м. small box; ~óк спи́чек box of mátches.

коро́бочка I ж. уменьш. от коро́бка 1.
коро́бочка II ж. бот. boll.
коро́бчатый bóx-shàped, bóx-like.

коро́в‖а ж. cow; до́йная ~ mílker; milch cow (тж. перен.); недо́йная ~ dry cow; бодли́вая ~ cow gíven to bútting; дои́ть ~у milk a cow; ◇ морска́я ~ séa-còw, mánatee.

коро́вий прил. к коро́ва; коро́вье ма́сло bútter.

коро́вка ж. уменьш. от коро́ва; ◇ бо́жья ~ lády-bird; (перен.) meek pérson.

коро́вник I м. (рабо́тник) dáiry man*, ców-man*.

коро́вник II м. (хлев) ców-shèd.

коро́вница ж. dáiry maid.

короéд м. зоол. bark béetle.

короле́в‖а ж. (в разн. знач.) queen. ~ич м. king's son [...sʌn]. ~на ж. king's daughter. ~ский 1. king's, róyal, régal, (относя́щийся к короле́ве тж.) queen's; (ца́рственный тж.) kíng:ly; ~ский ти́тул régal title; 2. шахм. king's; ~ский слон king's bishop. ~ство с. kíng:dom, realm [relm].

королёк I м. (пти́ца) góldcrest, kíng:let.

королёк II м. (сорт апельси́на) blood órange [blʌd...], réd-pùlp Málta órange.

королёк III м. (сли́ток мета́лла) régulus.

коро́ль м. (в разн. знач.) king.

коромы́сло с. 1. (для вёдер) yoke; 2. (у весо́в) beam; 3. тех. róck(ing) arm; rócker, (wórking-)beam; ◇ дым ~м ≃ all hell is let loose [...luːs].

коро́н‖а ж. 1. (прям. и перен.) crown; дворя́нская ~ córonet; лиша́ть ~ы (вн.) únthróne (d.); 2. астр. coróna. ~ацио́нный прил. к корона́ция. ~а́ция ж. coronátion, crówning.

коро́нк‖а ж. (зу́ба) crown; золота́я ~ gold crown; ста́вить ~у на зуб crown a tooth*.

коро́нн‖ый прил. к коро́на 1; ◇ ~ая роль теа́тр. best part.

корон‖ова́ние с. = корона́ция. ~óванный прич. и прил. crowned. ~ова́ть несов. и сов. (вн.) crown (d.). ~ова́ться несов. и сов. be crowned.

коро́ста ж. scab.

коросте́ль м. зоол. lándrail, córn-cràke.

корота́ть, скорота́ть (вн.) разг. while a:wáy (d.), pass (d.); ~ вре́мя разг. while a:wáy the time.

коро́тк‖ий (в разн. знач.) short; ~ая волна́ рад. short wave; ~ое замыка́ние эл. short circuit [...-kɪt]; ~ путь short cut; ~ое дыха́ние short wind [...wɪnd]; в ~ срок shórtly, in a short space of time; убра́ть урожа́й в ~ие сро́ки do the hárvesting in good time; ◇ быть на

~ой ноге́ с кем-л. *разг.* be on close / íntimate terms with smb. [...-s...]; ~ое знако́мство terms of íntimacy *pl.*; ~ая па́мять *разг.* short mémory; ~ая распра́ва short shrift; ру́ки коро́тки! ≅ you could;n't get it if you tried!; у него́ ум коро́ток для того́, что́бы *разг.* he has not got the brains to; с ва́ми разгово́р ~ we are not gó:ing to énter into a discússion with you!

ко́ротко I *прил. кратк. см.* коро́ткий.

ко́ротко II *нареч.* 1. (*вкра́тце*) bríefly [-i:f-], in brief [...-i:f]; ~ говоря́ in short; the long and the short of it is that; ~ и я́сно brief and to the point; изложи́ть ~ state bríefly; 2. (*инти́мно*) íntimate:ly.

коротковолнови́к *м.* shórt-wàve enthúsiàst [-zɪ-].

коротково́лновый *рад.* shórt-wàve (*attr.*); ~ переда́тчик shórt-wàve trànsmítter [...-nz-]; ~ приёмник shórt-wàve recéiver [...-'si:-].

короткволо́сый shórt-háired, with short / bóbbed hair.

короткометра́жка *ж. разг.* = короткометра́жный фильм *см.* короткометра́жный.

короткометра́жный: ~ фильм short film; a short *разг.*

короткноно́гий shórt-légged.

короткохво́стый shórt-táiled.

короткошёрст(н)ый shórt-háired, with short hair.

коротышн *м.*, ~ка *ж. разг.* squab; dúmpy / túbby pérson.

коро́че *сравн. ст. прил. см.* коро́ткий и *нареч. см.* ко́ротко II; ◊ ~ говоря́ in short, to cut a long stóry short.

ко́рочка *ж. уменьш. от* ко́рка; хле́бная ~ crust of bread [...bred]; ~ льда thin íce-crùst.

корпе́ть (над, за *тв.*) *разг.* sweat [swet] (óver), work hard (at); ~ над кни́гами ≅ pore óver books.

ко́рпи||я *ж.* lint; щипа́ть ~ю prepáre lint.

корпора́тивный córporàtive. ~а́ция *ж.* còrporátion; член ~а́ции mémber of a còrporátion.

корпуле́нтный córpulent.

ко́рпус *м.* 1. (*ту́ловище*) bódy ['bɔ-]; trunk, tórsò; податься всем ~ом вперёд lean* fórward; ло́шадь опереди́ла други́х на два ~а the horse won by two lengths [...wʌn...]; 2. (*корабля, танка*) hull; 3. (*зда́ние*) búilding ['bɪl-]; 4. *воен.* corps* [kɔ:]; арме́йский ~, стрелко́вый ~ ármy corps*; та́нковый ~ ármour:ed corps*; 5. (*снаря́да, ги́льзы*) bódy, case [-s]; 6. *тех.* frame; case, bódy; ~ карма́нных часо́в wátch-càse [-s]; 7. *полигр.* long prímer; 8. *ист.*: каде́тский ~ mílitary school; морско́й ~ nával cóllege; ◊ дипломати́ческий ~ díplomátic corps*.

корпуску́л||а *ж. физ.* córpuscle [-pʌsl]. ~я́рный *физ.* còrpúscular.

ко́рпусн||ой *прил. к* ко́рпус 4, 8; ~ команди́р corps commánder [kɔ:-'mɑ:n-]; ~ая артилле́рия corps artíllery.

ко́рпусный *прил. к* ко́рпус.

корректи́в *м.* corréction, améndment; внести́ (в *вн.*) aménd (*d.*).

корректи́рование *с.* adjústment [ə'dʒʌ-], corréction; ~ огня́, стрельбы́ adjústment / corréction of fire.

корректи́ровать, прокорректи́ровать (*вн.*) 1. corréct (*d.*); ~ ого́нь, стрельбу́ *воен.* adjúst the fire [ə'dʒʌst...], do spótting for the guns; 2. (*исправля́ть оши́бки в корректу́ре*) próof-read* (*d.*).

корректиро́вка *ж.* = корректи́рование.

корректиро́вщик *м. воен.* 1. (*о челове́ке*) spótter; 2. (*о самолёте*) spótting--áircràft, spótting-plàne, spótter.

корре́ктный corréct, próper ['prɔ-].

корре́ктор *м.* próof-reader. ~ская *ж. скл. как прил.* próof-reader's room. ~ский *прил. к* корре́ктор.

корректу́р||а *ж.* 1. (*де́йствие*) próof-reading; 2. (*о́ттиск*) proof, próof-sheet; держа́ть ~у próof-read*; пра́вить ~у corréct the proofs. ~ный *прил. к* корректу́ра; ~ный о́ттиск proof, próof-sheet; ~ные знаки proof sýmbols.

коррел||я́т *м. филос.* córrelàte. ~яти́вность *ж.* còrrelatívity. ~яти́вный còrrélative. ~я́ция *ж.* còrrelátion.

корреспонде́нт *м.* còrrespóndent; ре-по́ртер; со́бственный ~ (*газе́ты*) (néwspàper's) own còrrespóndent [...oun...]; ◊ член-~ còrrespónding mémber. ~ский *прил. к* корреспонде́нт; ~ское удостовере́ние press card.

корреспонде́нци||я *ж.* 1. mail, còrrespóndence; заказна́я ~ régistered mail; проста́я ~ nón-régistered mail; комме́рческая ~ búsiness còrrespóndence ['bɪzn-...]; 2. (*сообще́ние в печа́ти*) repórt; néwspaper contribútion from a corréspondent; сего́дня в газе́те о́чень интере́сная ~ из Нью-Йо́рка there is a very ínteresting repórt from New York in the páper to:day.

корри́да *ж.* còrrída [kou'ri:də].

корро́зия *ж. хим.* corrósion.

корру́пция *ж.* corrúption.

корса́ж *м.* 1. còrsàge [-'sɑ:ʒ], bódice; 2. (*жёсткий по́яс ю́бки*) péter:sham.

корса́р *м. ист.* córsair.

корсе́т *м.* stays *pl.*, córset; в ~е córseted; ортопеди́ческий ~ òrthop(á)edic córset [-'pi:-...]. ~ница *ж.* corsetière (*фр.*) [kɔ:sɪ'tjeɪ]. ~ный *прил. к* корсе́т.

корсика́н||ец *м.*, ~ка *ж.*, ~ский Córsican.

корт *м. спорт.* (ténnis-)court [-kɔ:t].

корте́ж [-тэ-] *м.* procéssion; cortège (*фр.*) [kɔ:'teɪʒ]; (*автомоби́лей*) mótor:càde.

корте́сы [-тэ-] *мн. полит.* Córtes [-ɪz].

ко́ртик *м.* dirk.

ко́рточк||и *мн.*: сиде́ть на ~ах, опусти́ться на ~ squat.

кору́нд *м. мин.* corúndum, díamond spar.

корча́га *ж.* large éarthenwàre pot [...'ɑ:θ-...].

корчева́ние *с.* róoting out, stúbbing. ~а́тель *м. с.-х.* stúbbing machìne [...-'ʃi:n]. ~а́ть (*вн.*) stub (*d.*), root out (*d.*), grub up / out (*d.*).

корчёвка *ж.* = корчева́ние.

ко́рчи *мн.* (*ед.* ко́рча *ж.*) *разг.* writhing ['raɪð-] *sg.*, convúlsions.

ко́рч||ить, ско́рчить 1. *безл.*: его́ ~ит от бо́ли he is writhing with pain [...'raɪð-...]; 2. (*вн.*): ~ ро́жи, грима́сы *разг.* pull / make* fáces [pul...]; 3. *тк. несов.* (*вн.*) *разг.*: ~ из себя́ pose (as); ~ дурака́ play the fool.

ко́рчиться, ско́рчиться writhe [raɪð], squirm.

корчма́ *ж. уст.* inn, pót-house* [-s], távern ['tæ-].

корчма́рь *м. уст.* ínnkeeper.

ко́ршун *м.* (black) kite; ◊ налете́ть ~ом (на *вн.*) ≅ pounce (on), swoop (ón;to).

коры́стн||ый mércenary; ~ые це́ли sélfish ends; с ~ой це́лью for mércenary ends.

корыстолю́бец *м.* prófit-seeker, mércenary-mìnded pérson.

корысто||**люби́вый** sélf-ínterested, mércenary-mìnded. ~лю́бие *с.* sélf-ínterest, mércenariness.

коры́сть *ж. тк. ед.* 1. = корыстолю́бие; 2. (*вы́года*) prófit.

коры́т||о *с.* wásh-tùb; (*как корму́шка*) trough [trɔf]; ◊ оста́ться у разби́того ~а ≅ be no bétter off than befóre, be back where one stárted, be back to square one.

корь *ж.* measles [-zlz] *pl.*

корьё *с. собир.* bark stripped from trees.

корю́шка *ж.* (*ры́ба*) smelt (*fish*).

коря́в||ый *разг.* 1. (*неро́вный, шерохова́тый*) rough [rʌf], ún:éven; 2. (*изры́тый о́спой*) póck-mrked; 3. (*искривлённый*) cróoked; 4. (*некраси́вый, неуме́лый*) clúmsy [-zɪ]; ~ стиль clúmsy style.

коря́га *ж.* snag.

коря́к *м.* Koryák [-'ɑ:k]. ~ский Koryák [-'ɑ:k].

коря́чка *ж.* Koryák wóman* [-ɑ:k'wu-].

коса́ I *ж.* (*во́лос*) plait [plæt], tress, braid; фальши́вая ~ switch; заплета́ть ко́су plait / braid one's hair.

коса́ II *ж.* (*с.-х. ору́дие*) scythe [saɪð]; точи́ть, отбива́ть косу́ whet a scythe; ◊ нашла́ ~ на ка́мень *погов.* ≅ it's a case of díamond cut díamond [...-s...]; he's met his match this time.

коса́ III *ж. геогр.* spit (*small point of land running into sea*).

коса́рь I *м.* (*косе́ц*) mówer ['mouə], háy-màker.

коса́рь II *м.* (*нож*) chópper.

ко́свенн||ый (*в разн. знач.*) ìndiréct; ~ое дополне́ние *грам.* indiréct óbject; ~ паде́ж *грам.* oblíque case [-i:k -s]; ~ая речь *грам.* ìndiréct / repórted speech; ~ вопро́с *грам.* ìndiréct quéstion [...-stʃ-]; ~ые нало́ги *фин.* indiréct táxes; ~ые ули́ки *юр.* circumstántial / ìndiréct évidence *sg.*; ~ым путём ìndiréctly, in an ìndiréct way.

косе́канс [-сэ-] *м. мат.* cósecant ['kou-].

косе́ц *м.* = коса́рь I.

коси́лка *ж. с.-х.* mówing-machìne ['mou- -ʃi:n], mówer ['mouə].

ко́синус *м. мат.* cósine ['kou-].

коси́ть I, скоси́ть (*вн.*; *прям. и перен.*) mow* (down) [mou...] (*d.*); cut* (*d.*);

◇ коси́ коса́ пока́ роса́ ≃ make hay while the sun shines.

коси́ть II, скоси́ть 1. (вн.) twist (d.), slant [-ɑː] (d.); 2. (быть косогла́зым) squint, look asquínt; ~ на о́ба гла́за have a squint in both eyes [...bouθ aɪz].

коси́ться, покоси́ться 1. (погля́дывать и́скоса) look sideːways; 2. тк. несов. (на вн.; смотреть недружелю́бно) look with an únfavourːable eye [...-aɪ] (at); (подозри́тельно) look askánce (at).

коси́ца ж. разг. 1. (прядь воло́с) lock of hair; 2. (жи́дкая коса́) pígtail.

коси́чка ж. уменьш. от коса́ I.

космá́тить, раскосма́тить (вн.) разг. tousle [-z-] (d.).

космáтый shággy.

космéтика ж. 1. (мероприя́тия) béauty tréatment [ˈbjuː-...]; 2. собир. (сре́дства) cosmétics [-z-] pl.

косметúческ||ий còsmétic [-z-]; ~ое сре́дство còsmétic (prèparátion); ~ каби́нет béauty salón / párlour [ˈbjuːˈsælːŋ...]; ~ ремо́нт rèːdècorátion.

косметúч||ка ж. разг. beautícian [bjuː-]. ~óлог м. còsmetícian [-z-] (expert in the preparation of cosmetics); còsmetólogist [-z-], éxpèrt beautícian [...bjuː-]. ~оло́гия ж. còsmetólogy [-z-].

космúческ||ий cósmic [-z-]; space (attr.); ~ое простра́нство (óuter) space; ~ кора́бль spáceːship, spáceːcráft; ~ полёт space flight; ~ие лучи́ cósmic rays; ~ая пыль cósmic dust; ~ая радиа́ция cósmic ràdiátion; ~ая биоло́гия cósmic bíology; ~ая те́хника space tèchnólogy, spáce-sỳstem èngineéring [...endʒ-].

космовúдение с. space télevision.

космо||гонúческий còsmogónical [-z-]. ~го́ния ж. còsmógony [-z-].

космогрáфия ж. уст. còsmógraphy [-z-].

космодрóм м. spáce-vèhicle láunching site [-viːkl...].

космо||логúческий còsmológical [-z-]. ~ло́гия ж. còsmólogy [-z-].

космонáвт м. cósmonaut [-z-], ástronaut, spáceːman*; же́нщина-~ wóman* ástronaut [ˈwu-...]; пе́рвая в ми́ре же́нщина-~ the first wóman* ástronaut in the world.

космонáвтика ж. còsmonáutics [-z-], àstronáutics; science of space trável [...ˈtræ-].

космоплáв||ание с. space flight. ~áтель м. spáceːman*.

космополúт м. còsmopólitan [kɔz-], còsmópolìte [kɔz-]. ~и́зм м. còsmopólit(an)ism [kɔz-]. ~и́ческий còsmopólitan [kɔz-].

кóсмос м. (óuter) space, cósmòs [-z-]; покоре́ние ~ space èxplorátion.

космоцéнтр м. space reséarch and èxplorátion centre [...ˈsəːtʃ...].

кóсмы мн. разг. mane sg., dishévelled locks; mátted hair sg.

коснéть, закоснéть 1. (в пр.) stágnate (in); ~ в неве́жестве wállow in ignorance; 2. (теря́ть ги́бкость) stíffen.

кóсность ж. stàgnátion, inértness, slúggishness.

кóсный inért, slúggish, stágnant, bígoted.

коснýться сов. см. каса́ться.

кóсный inért, slúggish, stágnant, bígoted.

кóсо нареч. slántwise [-ɑːn-], oblíqueːly [-liːk-], aslánt [-ɑːnt], askéw, asquínt; смотре́ть ~ look sideːways / askánce; (хмуриться) scowl.

кособóкий разг. cróoked, lópsided.

кособóчиться, скособóчиться разг. be lópsided.

косовúца ж. 1. (косьба́) mówing [ˈmou-]; 2. (время́ косьбы́) mówing séason / time [...-z-...].

косоворóтка ж. Rússian shirt (with cóllar fástening at side) [-ʃən... -sˀn-...].

косоглáз||ие с. squint, cast in the eye [...-aɪ]; strabísmus [-ɪz-] научн. ~ый 1. прил. squínt-eyed [-aɪd], cróss-eyed [-aɪd]; 2. м. как сущ. cróss-eyed / squínt-eyed pérson; squínt-eye [-aɪ] разг.

косогóр м. slope, hill-síde.

косó||й 1. slánting [-ɑːn-], skew, oblíque [-liːk]; ~ у́гол мат. oblíque angle; ~ луч slánting beam of light; ~ па́рус fóre-and-áft sail; ~а́я черта́ oblíque stroke; ~ по́черк slóping hándwriting; 2. (о глаза́х) squint, squínting; (о челове́ке) squínt-eyed [-aɪd]; 3.: ~ взгляд (недружелю́бный) scowl, sideːlòng glance; ~ во́рот sideːfàstening [-sˀn-]; ~а́я са́жень в плеча́х разг. ≃ broad shóulders [brɔːd ˈʃou-] pl.; broad as an ox.

косолáпый pígeon-tòed; (перен.: неуклю́жий) clúmsy [-zɪ].

косоуго́льный мат. oblíque-ángled [-liːk-].

костёл м. Pólish Róman-Cátholic church.

костенéть, окостенéть óssify; (перен.) stíffen, grow* numb [-ou...].

костёр м. bónfire; бива́чный ~ cámpːfire; разложи́ть ~ make* / build* a fire [...bɪld...]; ◇ пионе́рский ~ Young Pionéers' rálly [dʒʌn...] (usually round a bonfire).

костúстый bóny.

костúть (вн.) разг. réprimànd ángrily [-ɑːnd...] (d.), give* smb. a rócket.

костля́вый bóny, gaunt.

кóстный прил. к кость 1; тж. ósseous; ~ мозг márrow; ~ туберкулёз bone / ósseous tubèrculósis.

костоéда ж. тк. ед. мед. cáries [-riːz].

костоправ м. уст. bóne-sètter.

косторéз м. (резчи́к по ко́сти) cárver in bone, bone cárver.

кóсточк||а ж. 1. уменьш. от кость; 2. (плода́) stone; 3. (из китового уса́) (whàle-)bòne; 4. (на счёта́х) bead of an ábacus; ◇ перемыва́ть ~и (дт.) разг. ≃ pick to pieces [...ˈpiː-] (d.). ~овый 1. ~овые плоды́ stóne-frùits [-fruːts] drupes.

кострá ж. тк. ед. с.-х. boon.

кострéц м. (часть ту́ши) leg of beef.

кострúка ж. см. костра́.

костыл||ь м. 1. crutch; мн. pair of crútches sg.; ходи́ть на ~я́х walk on crútches; 2. (большо́й гвоздь) spike, drive; 3. ав.: хвостово́й ~ táil-skid.

кост||ь ж. 1. анат. bone; перело́м ~и frácture; лучева́я ~ rádius (pl. -dii); локтева́я ~ fúnny-bòne; úlna (pl. -nae) научн.; бéдренная ~ thígh-bòne, fémur; рыбья ~ físhbone; 2. (игра́льная) die (pl. dice); игра́ть в ~и play dice; игро́к в ~и dícer; ◇ слоно́вая ~ ívory [ˈaɪv-]; (кра́ска) ívory black; лечь костьми́ ≃ fall* in the field of battle [...fiːld...]; ля́гу костьми́, но сде́лаю э́то I'll do it éven if it kills me; пересчита́ть кому́-л. ~и разг. give* smb. a sound thráshing, или a drúbbing; промо́кнуть до ~е́й get* soaked to the skin; язы́к без ~е́й loose tongue [-s tʌŋ].

костю́м м. cóstume, dress; (мужско́й тж.) suit [sjuːt]; ◇ в ~е Ада́ма, Éвы be in one's birthday suit.

костюмéр м. театр. còstúmier. ~ная ж. скл. как прил. театр. wárdròbe. ~ша ж. см. костюме́р.

костюмирóванный 1. прич. см. костюмирова́ть; 2. прил. in cóstume, in fáncy-drèss; ~ ве́чер, бал fáncy-drèss párty, ball.

костюмировáть несов. и сов. (вн.) dress (d.); dress up (for a masquerade, etc.) (d.).

костю́мн||ый прил. к костю́м; ~ая пье́са театр. périod play / piece [...piːs].

костя́к м. skéleton; bones pl.; (перен.) báckbòne; ~ коллекти́ва the báckbòne of the collective.

костянúка ж. stone bérry, stone brámble.

костянó́й прил. к кость 1; ~а́я мука́ bóne-meál; ~ но́жик ívory páper-knife* [ˈaɪv-...].

костя́шка ж. разг. 1. уменьш. от кость; 2. (на счёта́х) bead of an ábacus.

косу́ля ж. зоол. roe (deer).

косы́нка ж. (triángular) héadːscàrf* [...ˈhed-].

косьбá ж. mówing [ˈmou-].

кося́к I м. (дверно́й, око́нный) jamb, cant, cheek; (dóor-)pòst [ˈdɔːpoust]; прислони́ться к ~ý lean* against the dóorːpòst.

кося́к II м. 1. (ры́бы) shoal, school; (птиц) flock; 2. (лошаде́й) herd.

кот м. tóm-cát; ◇ ~ в сапога́х (в сказке) Puss in Boots [pus...]; ~ наплáкал разг. ≃ nothing to speak of, next to nothing; не всё ~у ма́сленица, придёт и вели́кий пост посл. ≃ all good things must come to an end; you have to take the rough with the smooth [...rʌf...-ð]; купи́ть ~á в мешке́ ≃ buy* a pig in a poke [baɪ...].

котáнгенс м. мат. cótàngent [ˈkouˈtændʒ-].

котёл м. 1. cópper, cá(u)ldron; о́бщий ~ (перен.) cómmon stock; 2. тех. bóiler; парово́й ~ stéam-boiler; áтомный ~ átomic pile, núclear reáctor; 3. воен. (окружение) pócket.

котелóк I м. (посу́да) pot; kettle; воен. méss-tin.

котелóк II м. (головно́й убо́р) bówler (hat) [ˈbou-...]; dérby (hat) [ˈdɑː-...] амер.

котéль||ная ж. скл. как прил. bóiler-ròom, bóiler-hóuse* [-s]. ~ный bóiler (attr.); ~ное железо bóiler plate; ~ный цех bóiler shop. ~щик м. 1. bóiler-màker; 2. (специалист по паровым котлам) stéam-bóiler óperàtor / èngineér [...endʒ-].

котёнок м. kítten.

котик I м. уменьш. от кот.

котик II м. 1. зоол. fúr-seal; 2. (мех) séalskin, seal.

котиковый прил. к котик II; ~ прóмысел séaling, séalskin trade.

котильон м. cotíllion.

котировать несов. и сов. (вн.) фин. quote (d.). ~ся фин. 1. (оцениваться) be quóted; be ráted; (перен.) be regárded; высоко ~ся (перен.) разг. be highly thought of; 2. (иметь хождение) be in demánd [...-ɑ:nd].

котировка ж. фин. quotátion.

котировочный прил. к котировка.

котиться, окотиться kítten, have kíttens.

котлет||а ж. cútlet [ˈkʌ-]; отбивная ~ chop; рубленая ~ ríssole [ˈrɪ:-]; мясные ~ы meat ríssoles; рыбные ~ы fish cakes; картофельные ~ы potáto cakes. ~ный прил. к котлета; ~ое мясо mince, mínced meat.

котлован м. foundátion pit.

котловина ж. hóllow.

котлообразный cá(u)ldron-shàped.

котомка ж. уст. wállet, knápsàck.

котор||ый мест. 1. (вопрос.) which: ~ из них? which of them?; ~ую книгу вы возьмёте? which book will you take?; — ~ час? what is the time?; в ~ом часу? (at) what time?; when?; ~ раз? how many times?; ~ раз я тебе это говорю? how many times have I told you!; ~ тебе год? how old are you?; 2. (относит.; о неодушевл. предм.) which; (о людях) who; (в знач. "тот, который" тж.) that; тж. не переводится, если не является подлежащим: книга, ~ую он купил the book (which / that) he bought; Москва, ~ая является столицей СССР... Móscow, which is the cápital of the USSR...; человек, ~ вчера приходил the man* who / that came yésterday [...-dɪ]; его мать, ~ая живёт в Ленинграде his móther who lives in Léningràd [...ˈmʌ-...lɪvz...]; человек, ~о-го он видел the man* (whom / that) he saw; книга, ~ая лежит на столе the book lýing on the table; — ~ ни = какой ни см. какой 3; ~-нибудь = какой-нибудь 1.

коттедж [-тэ-] м. cóttage.

котурны мн. (ед. котурн м.) ист. búskins; ◇ становиться на ~ assúme a trágic tone.

котята мн. см. котёнок.

кофе м. нескл. cóffee [-fɪ]; ~ с молоком white cóffee, cóffee with milk; чёрный ~ black cóffee; ~ в зёрнах cóffee-beans pl.; жареный ~ róasted cóffee; молотый ~ ground cóffee.

кофеварка ж. percolátor, cóffee-machìne [-fi:n].

кофеин м. фарм. cáffeine [-fii:n].

кофейн||ик м. cóffee-pòt [-fɪ-]. ~ица ж. 1. (мельница) cóffee-mill [-fɪ-]; 2. (коробка) cóffee jar / tin. ~ый 1. прил. к кофе; ~ое дерево cóffee tree [-fɪ-]; ~ая гуща cóffee-grounds [-fɪ-] pl.; 2. (о цвете) dark brown; cóffee-cólour:ed [-fɪ-].

кофейня ж. уст. cóffee-house* [ˈkɔfɪhaus]; café (фр.) [ˈkæfeɪ].

кофемолка ж. (eléctric) cóffee-grínder [...-fɪ-].

кофт||а ж. wóman's jácket [ˈwu-...]; ночная ~ bed jácket. ~очка ж. blouse.

коча́н м.: ~ капусты cábbage-head [-hed], head of cábbage [hed...]. ~ный: ~ная капуста heads of cábbage [hedz...] pl.

коч||евать roam from place to place (for pasture, etc.); be a nómad [...ˈnɔ-], lead* a nómad's life; (о животных) migráte [maɪ-]; (перен.) wánder. ~ёвка ж. 1. = кочевье 1; 2. (действие) róaming from place to place (for pasture, etc.).

кочевн||ик м., ~ица ж. nómad [ˈnɔ-].

кочевой nómad [ˈnɔ-], nomádic; (о животных) mígratory [ˈmaɪ-]; ~ народ nomádic people [...pi:-]; ~ образ жизни nomádic life.

кочевряжиться разг. 1. (упрямиться) be óbstinate; 2. (кривляться, важничая) pose, put* on airs.

кочевье с. 1. (лагерь) nómads' camp [ˈnɔ-...]; 2. (местность) térritory where nómads roam; 3. = кочёвка 2.

кочегар м. stóker, fíre:man*. ~ка ж. тех. stóke-hòle, stóke:hòld.

коченеть, окоченеть become* numb (with cold).

кочерга ж. póker.

кочерыжка ж. cábbage-stùmp.

коч||ка ж. húmmock, tússock. ~оватый abóunding in, или cóvered with, mounds [...ˈkʌ-...], tússocky.

кош м. ист. camp (of Zaporozhian Cossacks).

кошара ж. = овчарня.

кошач||ий прил. к кошка I; тж. cát:like; féline [ˈfiː-] научн.; ~ глаз мин. cat's eye [...aɪ]; ◇ ~ концерт cáterwaul(ing); (перен.) hóoting.

кошачьи мн. скл. как прил. зоол. Félidae [ˈfi:-], the cat fámily.

кошевой ист.: ~ атаман átaman, commánder of Cóssack camp [-ɑ:n-...].

кош||елёк м. (прям. и перен.) purse; тугой ~ búlging, или tíght-filled, purse. ~ёлка ж. разг. bag. ~ель м. 1. уст. = кошелёк; 2. разг. (сумка) bag.

кошенилевый прил. к кошениль.

кошениль ж. cóchineal.

кошк||а I ж. cat; ◇ жить как ~ с собакой разг. ≃ lead* a cát-and-dóg life; играть в ~и-мышки play cát-and-móuse [...-s] (тж. перен.); ночью все ~и серы посл. ≃ when the cándles are out all cats are grey; у него ~и скребут на сердце разг. he is sick at heart [...hɑ:t], he is very upsèt.

кошка II ж. тех. 1. grápnel, drag; 2. (для лазания на столбы) clímbing-irons [ˈklaɪmɪŋaɪənz] pl.

кошки мн. ист. (плеть) cát-o'-níne-tails sg.

кошма́ ж. large felt mat (used for lying upon or as a curtain, etc.).

кошма́р м. níghtmàre. ~ный níghtmàrish [-meə-]; (перен. тж.) hórrible, áwful.

кошт м. уст.: на казённом ~е at Góvernment expénse [...ˈgʌv-...].

кощей м. 1. Koschéi (the déathless) [...ˈdeθ-] (in Russian folklore a bony, emáciated old man, rich and wícked, who knows the secret of etérnal life); 2. разг. (тощий старик) tall, emáciated old man*; 3. разг. (скряга) míser.

кощунс||твенный blásphemous. ~во с. blásphemy. ~твовать blasphéme.

коэффициент м. còefficient, fáctor; ~ полезного действия тех. efficiency; ~ потерь эл. loss fáctor; ~ безопасности sáfety fáctor; ~ мощности pówer fáctor.

КПСС (Коммунистическая партия Советского Союза) C.P.S.U. (Cómmunist Párty of the Sóviet Únion).

краб м. crab.

краболов м. 1. (промысловое судно) cráb-fìshing boat, crábber; 2. (человек) cráb-fisher, crábber.

кравчий м. ист. róyal cárver (in Muscovite Russia).

краги мн. 1. léggings; 2. (у перчаток) cuffs.

краден||ое с. скл. как прил. собир. stólen goods [...gudz] pl. ~ый stólen.

крадучись нареч. stéalthily [ˈste-]; идти ~ slink*.

крае||вед м. stúdent of lócal lore. ~ведение с. stúdy of lócal lore [ˈstʌ-...]. ~ведческий прил. к краеведение; ~ведческий музей Muséum of lócal lore, history and èconomy [-ˈzɪəm... i:-], Muséum of Région:al Stúdies [...ˈstʌ-].

краевой région:al.

краеугольный básic [ˈbeɪ-]; ◇ ~ камень córner-stòne, foundátion-stòne.

краешек м. edge.

краж||а ж. theft; юр. lárceny [-snɪ]; ~ со взломом búrglary; мелкая ~ pílferage, pétty lárceny; квалифицированная ~ юр. àggravàted theft; совершить ~у commit a theft / lárceny; уличить кого-л. в ~е convíct smb. of stéaling.

край I м. 1. bórder, edge; (сосуда) brim; (пропасти и т. п., тж. перен.) brink; на самом ~ю on the very brink; по ~ям alóng the edges; полный до ~ёв full to the brim, brím-full; литься через ~ óver:flów [-ou]; brim óver; ~ раны lip of a wound [...wu:-]; тротуара curb; передний ~ (обороны) воен. first line; fórward posítions [...ˈzɪ-] pl.; 2. (часть туши) side; толстый ~ ríb-steak [steɪk]; тонкий ~ chine (of beef), úpper cut; ◇ моя хата с ~ю (, ничего не знаю) погов. ≃ that is nothing to do with me, it is no búsiness / concérn of mine [...ˈbɪzn-...]; на ~ю света at the back of be:yónd; на ~ю гибели on the verge / brink of rúin.

край II м. 1. (страна, местность) land; cóuntry [ˈkʌ-]; родной ~ nátive land; 2. (административно-территориальная единица) krai, térritory; ◇ в наших ~ях in our part of the world; из ~я в ~ from end to end.

крайисполком м. (краевой исполнительный комитет) Krai / Térritory Exécutive Commíttee [...-tɪ], Exécutive Commíttee of a Krai / Térritory.

крайком м. (краевой комитет) Krai / Térritory Commíttee [...-tɪ]; ~ партии

Krai / Territory Party Committee, Party Committee of a Krai / Territory.

крайне *нареч.* extréme:ly; я ~ сожалею I am extrémely sórry; ~ нуждаться в чём-л. be bád:ly in need of smth., need smth. bád:ly; ~ необходимый ábsolúte:ly esséntial; я ~ удивлён I am útterly amázed.

крайн||ий (*в разн. знач.*) extréme; (*последний*) the last; ~яя ложа справа the last box on the right; ~яя необходимость ábsolúte necéssity; ~яя нищета ábject póverty; ~ее изумлéние útter surprise; ~ срок déadline ['ded-], the last / látest date; ~яя лéвая *полит.* the extréme left; ~ие члéны пропорции *мат.* extrémes; ~яя плоть *анат.* fóre:skin, prépúce ['pri:-]; ◇ в ~ем случае as a last resórt [...-'zɔ:t]; at a pinch *разг.*; на ~ случай if the worst comes to the worst; по ~ей мéре at least; ~яя цена the lówest price [...lou-...]; ~ие мéры extréme méasures [...'meʒ-]. ~ость *ж.* 1. extréme; впадать в ~ость run* to extrémes; переходить из одной ~ости в другую go* from one extréme to another; ~ости сходятся extrémes meet; 2. *тк. ед.* (*тяжёлое положение*) extrémity; быть в ~ости be in dire straits; ◇ до ~ости to excéss.

краковяк *м.* Cracóviénne [krəkouvi'en].

крамола *ж. уст.* sedítion.

крамольн||ик *м. уст.* sedítionary. ~ый *уст.* sedítious.

кран I *м.* (*водопроводный*) tap, stóp:cóck; fáucet *амер.*; пожарный ~ fíre:cóck; водоразборный ~ hýdrant.

кран II *м. тех.* crane; плавучий ~ flóating crane; подъёмный ~ lífting / hóisting crane.

кранец *м. мор.* fénder.

краниология *ж.* cráníólogy.

крановщ||ик *м.*, ~ица *ж.* cráne-óperàtor.

крап *м. тк. ед.* 1. (*мелкие пятна*) specks *pl.*; 2. (*на игральных картах*) páttern.

крап||ать: дождь ~ет it is spítting (with rain).

крапив||а *ж. тк. ед.* (stíng:ing-)-néttle; глухая ~ déad-nettle ['ded-]. ~ница *ж.* 1. *зоол.* small tórtoise-shèll; 2. *мед.* néttle-ràsh. ~ный *прил. к* крапива; ~ная лихорадка *уст.* = крапивница 2; ~ное сéмя *уст.* péttifògger(s) (*pl.*), tribe of quíll-drivers.

крапин||а *ж.*, ~ка *ж.* speck; spéckle; spot; с чёрными ~ками with black spots.

краплёный (*о картах*) marked.

крапчатый spéckled.

крас||а *ж.* 1. *поэт. уст.* béauty ['bju:-]; *мн.* (*прелести*) charms; 2. (*украшение*): для ~ы *разг.* ≅ as an órnament; ◇ во всей своéй ~é in all one's béauty; *ирон.* in all one's glóry.

красав||ец *м.* hándsome man* [-ns-...], Adónis [-ou-]. ~ица *ж.* béauty ['bju:-], béautiful wóman* ['bju:- 'wu-]. ~чик *м. разг.* 1. = красавец; 2. *ирон.* (*франт*) dándy.

красиво I *прил. кратк. см.* красивый.

красиво II *нареч.* béautifully ['bju:-].

красивость *ж.* cándy-box béauty [...'bju:-].

красив||ый béautiful ['bju:-], hándsome [-ns-]; это очень ~о this is very béautiful; ◇ ~ые слова fine words; ~ жест nice / fine gésture; beau geste (*фр.*) [bou'ʒest].

красиль||ня *ж.* dýe-house* [-s], dýe:wòrks. ~щик *м.*, ~щица *ж.* dýer.

краситель *м. хим.* dýe(-stùff).

красить I, покрасить (*вн.*) cólour ['kʌl-] (*d.*); (*о поверхности*) paint (*d.*); (*о ткани, пряже и т.п.*) dye (*d.*); (*о дереве, стекле*) stain (*d.*); (*о губах, щеках*) make* up (*d.*), paint (*d.*); ~ себе волосы dye one's hair; ~ себе ресницы máscára one's éye-làshes [...'ɑɪ-], put* máscára on.

красить II (*вн.; украшать*) adórn (*d.*).

краситься I 1. *разг.* make* up; 2. (*пачкать*) stain; 3. *страд. к* красить I.

краситься II *страд. к* красить II.

крас||ка *ж.* 1. (*вещество*) paint; (*для тканей и т.п.*) dye; акварéльная ~ wáter-còlour ['wɔ:təkl-]; типографская ~ prínter's ink; масляная ~ óil-paint; *мн.* óil-còlours [-kʌl-]; писать ~ками paint; 2. *мн.* (*цвет, тон; тж. перен.*) cólour ['kʌl-] *sg.*; осéнние ~ки áutumn tints; опи́сывать я́ркими ~ками paint in bright cólours; не жалéть ~ок spare no cólour; spare no words; сгущать ~ки (*перен.*) exággeràte [-ædʒə-]; lay* it on thick *идиом. разг.*; 3. (*румянец*) blush, flush; ~ бросилась ей в лицо the cólour rushed to her cheeks.

краснéть, покраснéть 1. (*становиться красным*) rédden, become* red; (*от волнения, возмущения*) flush; turn red in the face; (*от смущения и т.п.*) blush; от стыда blush with shame; покраснéть до корнéй волос flush to the roots of one's hair; 2. *тк. несов.* (*за вн.*) стыдиться) blush (for); 3. *тк. несов.* (*виднéться*) show* red [ʃou...]. ~ся = краснéть 3.

красно *нареч. разг.*: ~ говорить speak* éloquently, embéllish one's óratory with flówers of rhétoric.

красноарме́||ец *м. ист.* Red Army man*. ~йский *прил. к* красноармеец и Красная Армия.

краснобай *м.* phráse-mònger [-mʌ-], rhetorícian. ~ство *с.* gab.

красно-бурый réddish-brown.

красноватый réddish.

красногвард||éец *м. ист.* Red Guard. ~éйский *ист.* Red Guard (*attr.*).

краснодерев||ец *м.*, ~щик *м.* cábinet-màker.

краснозвёздный hàving the Red Star (*emblem of the Soviet Union or the Soviet Army*).

краснознамённый hólding the Order of the Red Bánner.

краснокожий *м. скл. как прил.* (*индеец*) rédskin.

краснолесье *с.* pine fórest [...fɔ-].

краснолицый réd-fáced, rúddy-fáced.

краснопёрый (*о птице*) réd-feathered [-feð-]; (*о рыбе*) réd-finned.

красноречив||ость *ж.* éloquence. ~ый éloquent; (*выразительный*) expréssive; (*изобличающий*) télltàle; ~ый жест expréssive gésture; ~ое молчание éloquent

силence [...'sɑɪ-]; ~ый факт signíficant fact.

красноречие *с.* éloquence, óratory.

краснота *ж.* rédness, red spot.

краснотал *м. бот.* pússy willow ['pu-...], sílver willow.

краснофлот||ец *м.* Red Návy man*. ~ский Red Návy (*attr.*).

краснощёкий réd-chéeked.

краснуха *ж. мед.* Gérman méasles [...-zlz] *pl.*

красн||ый 1. *прил.* (*в разн. знач.*) red; Красная Армия *ист.* Red Army; Красная гвардия *ист.* Red Guard; ~ое знамя Red Bánner; 2. *м. как сущ.* (*революционер*) Red; *мн.* the Reds; ◇ ~ая доска board of hónour [...'ɔnə]; Красный Крест Red Cross; ~ уголóк "Red Córner" (*room in factories, etc., providing recreational and educational facilities*); ~ая строка indénted line; céntred line; писать с ~ой строки start a new páragràph; ~ое дéрево mahógany; ~ зверь váluable game ánimals (*bear, etc.*) [...beə]; ~ая рыба cartiláginous fish; Красная книга The Red Book; ~ое вино red wine; ~ая цена *разг.* óutside price, máximum price; top dóllar *амер.*; ~ое словцо *разг.* wíttícism; Красная Шапочка (*в сказке*) Little Red Ríding Hood [...hud]; проходить ~ой нитью stand* out; (*через*) run* all (through); долг платежóм красен *посл.* ≅ one good turn desérves another [...-'zɜ:-...]; ~ое солнышко górgeous súnshine; лéто ~ое (glórious) súmmer; ~ые дни fine days; ~ая дéвица fair máiden; bónny lass.

красоваться 1. (*без доп.*) stand* in béauty / spléndour [...'bju:-...]; 2. (*без доп.*) *разг.* (*находиться на видном месте*) appéar; 3. (*тв.*) *разг.* show* off [ʃou...] (*d.*).

красота *ж.* 1. *тк. ед.* béauty ['bju:-]; 2. *мн.* béauty *sg.*; красоты природы the charms / béauty of náture [...'neɪ-].

красотка *ж. разг.* good-looking girl [...g-].

красочн||ый 1. *прил. к* краска 1; ~ая промышленность dye índustry; 2. (*яркий*) cólour:ful ['kʌl-], (*highly*) cólour:ed [...'kʌl-].

красть, украсть (*вн.*) steal* (*d.*); (*о мелких кражах*) pílfer (*d.*).

красться steal*, slink*, sneak.

крася́щ||ий 1. *прич. см.* красить I; 2. *прил.*: ~ие веществá dýe-stùffs.

крат: во сто ~ a húndred times, húndredfòld.

кратер *м.* cráter.

кратк||ий (*в разн. знач.*) short; (*сжатый тж.*) brief [-i:f]; (*сокращённый тж.*) concíse [-s]; ~ обзор brief súrvey; в ~их словáх bríefly [-i:f-], in short; in a nútshèll *идиом. разг.*; в ~их чертáх in brief óutline; ~ глáсный *лингв.* short (vówel); ~ое прилагáтельное *грам.* the short form of the ádjective; ~ курс химии short / concíse course in chémistry [...kɔs...ke-]; ◇ «и» ~ое short Rússian "i" [...-ʃən...] (*written* й).

кратко *нареч.* bríefly ['bri:-].

17. Русско-англ. словарь 257

кратковре́менн∥ый mómentary ['mou-], tránsitory, of short durátion, shórt-tèrm; ~ая забасто́вка shórt-tèrm strike.

краткосро́чн∥ый shórt-tèrm; ~ая ссу́да shórt-tèrm loan; ~ые ку́рсы shórt(-tèrm) cóurses [...'kɔː-].

кра́ткост∥ь ж. (тж. лингв.) brévity; (сжатость) concíse:ness [-'saɪs-]; для ~и for short.

кра́тн∥ое с. скл. как прил. мат. múltiple; о́бщее наиме́ньшее ~ the least cómmon múltiple (сокр. LCM). ~ый мат. divísible [-'vɪz-]; число́, ~ое 3, 5 и т.д. a númber divísible by 3, 5, etc.

кратча́йший превосх. ст. см. кра́ткий; ~ путь the shórtest route [...ruːt]; short cut идиом. разг.; в ~ срок at the éarliest póssible date [...'ɜː-...].

крах м. crash, bánkruptcy [-rəpsɪ], fáilure; (о строе, системе) bréak-úp ['breɪk-]; потерпе́ть ~ fail, be a fáilure; по́лный фина́нсовый ~ compléte finàncial collápse [...faɪ-...].

крахма́л м. starch. ~истый contáining starch. ~ить, накрахма́лить (вн.) starch (d.).

крахма́льн∥ый 1. прил. к крахма́л; 2. (накрахмаленный) starched; ~ воротничо́к stiff cóllar; ~ая соро́чка, руба́шка starched shirt.

кра́ше more béautiful [...'bjuː-], fíner; (лучше) bétter; ◇ ~ в гроб кладу́т погов. ≃ like death warmed up [...deθ...].

кра́шен∥ие с. dýe:ing. ~ый páinted, cóloured ['kʌl-]; (о тканях, волосах) dyed; ~ая блонди́нка peróxide blonde.

краю́∥ха ж., ~шка ж. разг. hunk of bread [...bred].

креату́ра ж. créature; protégé (фр.) ['prouteʒeɪ].

креве́тка ж. зоол. shrimp.

креди́т м. бух. crédit.

креди́т м. crédit; в ~ on crédit; открыва́ть ~, предоставля́ть ~ give* crédit; ópen an accóunt; краткосро́чный ~ shórt-tèrm crédit; долгосро́чный ~ lóng-tèrm crédit; ~ на льго́тных усло́виях crédit on fávour:able condítions.

креди́тка ж. разг. = креди́тный биле́т см. креди́тный.

креди́тно-де́нежн∥ый: ~ая систе́ма crédit and mónetary sýstem [...'mʌ-...].

креди́тный crédit (attr.); ~ биле́т bánknòte.

кредитов∥а́ние с. créditing. ~а́ть несов. и сов. (вн.) crédit (d.), finánce [faɪ-] (d.), give* crédit (i.); ~а́ть строи́тельство finánce búilding [...'bɪl-].

кредито́р м. créditor; (по закладной) mórtgagee [mɔːg-]. ~ский прил. к кредито́р.

кредитоспосо́бн∥ость ж. sólvency. ~ый sólvent.

кре́до [рэ́-] с. нескл. crédo.

крез м. Crœsus ['kriː-].

кре́йсер м. crúiser ['kruː-]; лёгкий ~ light crúiser; лине́йный ~ báttle crúiser; тяжёлый ~ héavy crúiser ['hevɪ...].

крейси́ров∥ание с. crúising ['kruː-]. ~ать cruise [kruːz].

кре́кер м. crácker.

кре́кинг м. тех. crácking.

крем м. (в разн. знач.) cream; ~ для бритья́ sháving-cream; ~ для лица́ fáce-cream; ~ для о́буви shóe-pòlish ['ʃuː-].

кремато́рий м. crèmatórium (pl. -riums, -ria).

кремацио́нн∥ый прил. к крема́ция; ~ая печь incinerátor.

крема́ция ж. cremátion.

креме́∥нь м. мин. flint; (перен.) heart of stone / flint [hɑːt...], hárd-héarted pérson [-'hɑːt-...]. ~шо́к м. piece of flint [piːs...].

креми́ровать несов. и сов. (вн.) cremáte (d.).

кремлёвский прил. к кремль.

кремль м. cítadel; (в Москве) the Krémlin.

кремнёв∥ый made of flint; ~ое ружьё flint-lòck, fíre:lòck.

кремнезём м. мин., хим. sílica.

кремнеки́слый хим. silícic; ~ на́трий sódium sílicate.

кре́мн∥иевый хим. silícic, silíceous. ~ий м. хим. sílicon.

кремни́стый I мин. silíceous; ~ сла́нец siliceous schist [...ʃɪst].

кремни́стый II уст. (каменистый) stóny, rócky; ~ путь stóny path* / way.

кре́мовый I cream (attr.).

кре́мовый II (о цвете) cream(-còlour:ed) [-kʌl-].

крен м. мор., ав. list, heel, caréen; (перен.) turn, téndency; change of diréction [tʃeɪ-...]; дать ~ take* a list, list, heel (óver); име́ть ~ have a list.

кре́ндел∥ь м. knót-shàped bíscuit [...-kɪt]; (подсоленный) prétzel; ◇ сверну́ться ~ем разг. curl up; выпи́сывать ~я stágger, weave* alóng.

крени́ть, накрени́ть (вн.) мор. heel (óver) (d.). ~ся, накрени́ться мор., ав. heel, list, caréen.

креозо́т м. хим. créosòte ['krɪə-].

крео́л м., ~ка ж. Créole.

креп м. текст. crêpe (фр.) [kreɪp]; (траурный) crape.

крепдеши́н [-дэ-] м. crêpe de Chine (фр.) [kreɪpdə'ʃiːn]. ~овый [-дэ-] прил. к крепдеши́н.

крепёжный: ~ лес tímber; (pít-)pròps pl.

крепи́льщик м. tímberer, tímber:man*.

крепи́тельный мед. astríngent [-ndʒ-].

крепи́ть (вн.) 1. горн. tímber (d.), suppórt (d.); prop (d.); (перен.) stréngth:en (d.); ~ оборо́ну страны́ stréngth:en the defénce of the cóuntry [...'kʌn-...]; 2. мор. hitch (d.), lash (d.); make* fast (d.); ~ паруса́ furl sails; 3. мед. cónstipàte (d.); rénder cóstive (d.). ~ся 1. (воздерживаться) restráin onesélf; take* a hold of onesélf; (не сдаваться) stand* firm; 2. страд. к крепи́ть.

кре́пк∥ий (в разн. знач.) strong; firm; ~ органи́зм vígorous / stúrdy / strong cònstitútion; ~ое здоро́вье sound / robúst health [...helθ]; ~ого сложе́ния of a fine cònstitútion, of strong / square / stúrdy build [...bɪld]; stúrdily-bùilt [-'bɪlt]; ~ стари́к hale old man*; ~ па́рень bráwny féllow, stúrdy chap; ~ая ткань tough / strong cloth [tʌf...]; ~ моро́з hard frost; ~ чай strong tea; ~ое вино́ héady / strong wine ['he-...]; ~ие напи́тки spírits; ~ сон sound sleep; ~ое словцо́ разг. strong lánguage; кре́пок на́ ухо hard of héaring.

кре́пко I прил. кратк. см. кре́пкий.

кре́пко II нареч. fast, strong; ~ заду́маться think* hard, fall* into deep thought; ~ стоя́ть за что-л. stand* firm on smth.; ~ целова́ть (вн.) kiss wármly (d.); ~ обнима́ть embráce héartily [...'hɑː-]; ~ спать sleep* sóundly, be fast asléep; ~ вы́ругать (вн.) hurl abúse [...-s] (at), swear* ángrily [sweə-] (at); держи́тесь ~ hold fast / tight.

крепкоголо́вый разг. ирон. píg-héaded [-hed-].

крепколо́бый м. скл. как прил. разг. ирон. blóckhead [-hed], nít-wit.

кре́пко-на́крепко нареч. very tíghtly, very fírmly; dóubly tight ['dʌblɪ...].

крепле́ние с. 1. fástening ['fɑːsn-], stréngth:ening; 2. горн. tímbering; 3. мор. láshing; (парусов) fúrling; 4. (у лыж) skí-bìnding ['skiː-, 'ʃiː-].

кре́пнуть, окре́пнуть get* stróng:er; (перен. тж.) get* fírmly estáblished.

кре́пов∥ый made of crape, crêpe (фр.) [kreɪp] (attr.); ~ая повя́зка cráp-bànd.

крепостни́∥к м. ист. lándlòrd ádvocàting sérfdom / sérf-ównership [...-oun-]. ~чество с. ист. sérfdom, sérfage, sérf-ównership [...-oun-].

крепостн∥о́й I ист. 1. прил. serf (attr.); ~о́е пра́во sérfdom, sérfage; ~а́я зави́симость sérfdom, bóndage; ~ труд serf lábour; ~о́е хозя́йство èconomy based on sérfdom [iː- beɪst...]; 2. м. как сущ. serf.

крепостн∥о́й II прил. к кре́пость I; ~ вал rámpàrt; ~ы́е укрепле́ния fòrtificátions.

кре́пост∥ь I ж. (укреплённое место) 1. stróng;hòld; 2. воен. fórtress; оса́да ~и siege of a fórtress [siːdʒ...].

кре́пость II ж. (в разн. знач.) strength; (прочность тж.) solídity; ~ раство́ра strength; cònsentrátion of solútion; ~ ду́ха fórtitude; strength of spírit.

кре́пость III ж.: ку́пчая ~ ист. deed of púrchase [...-s].

крепч∥а́ть разг. grow* stróng:er [-ou-...]; (о ветре) get* up; моро́з ~а́ет the frost is getting hárder.

кре́пче сравн. ст. прил. см. кре́пкий и нареч. см. кре́пко II.

крепы́ш м. разг. robúst / bráwny féllow; (о ребёнке) stúrdy child*.

крепь ж. = крепле́ние 2.

кре́сло с. árm-chàir, éasy chair ['iːzɪ...]; (в театре) stall; плетёное ~ wícker chair; складно́е ~ fólding chair.

кре́сло-крова́ть с. béd-chàir.

кресс-сала́т м. wátercrèss ['wɔː-], (gárden-)crèss.

крест м. (в разн. знач.) cross; напе́рсный ~ церк. péctoral cross; ◇ поста́вить ~ (на пр.) разг. ≃ give* up as a bad job (d.); give* up for lost (d.); нести́ свой ~ bear* one's cross [beə-...].

крестец м. анат. sácrum (pl. -ums, -ra).

крести́льный рел. báptismal [-'tɪz-].

крести́ны мн. рел. chrístening [-s⁰n-] sg.; (празднование) chrístening párty sg.

крести́ть I, окрести́ть (*вн.*) **1.** *рел.* bàptize (*d.*), christen [-sⁿn] (*d.*); **2.** *тк. несов.* (быть крёстным, крёстной у кого-л.) be gódfàther, gódmòther to smb.'s child* [...fa:- -mʌ-...].

крести́ть II, перекрести́ть (*вн.*; *делать знак креста*) make* the sign of the cross [...saɪn...] (òver), cross (*d.*).

крести́ться I, окрести́ться *рел.* be bàptized / chrístened [-sⁿn-].

крести́ться II, перекрести́ться cross òne:sélf.

крест-на́крест *нареч.* críss-cross, cróss-wise; сложи́ть ру́ки ~ fold one's arms.

крёстная *ж. скл. как прил.* gódmòther [-mʌ-].

крести́‖**к** *м.* gód-child*, gódsòn [-sʌn]. ~**ца** *ж.* gód-child*, gód-daughter.

кре́стн‖**ый** *прил.* к крест; ~ое знаме́ние *рел.* sign of the cross [saɪn...]; ◇ ~ ход religious procèssion (with cross and banners).

крёстный *м. скл. как прил.* gódfàther [-fa:-].

крестови́к *м.* (*паук*) gárden-spìder.

кресто́вина *ж.* **1.** cróss-pìece [-pi:s]; **2.** *ж.-д.* (*стрелки*) frog.

кресто́‖**вый**: ~ похо́д *ист.* (*тж. перен.*) crusáde; ~ свод *арх.* cróss-vàulting, gròined vault. ~**носец** *м. ист.* crusáder.

крестообра́зный crúcifòrm.

крестоцве́тные *мн. скл. как прил. бот.* Crúciferae, crúcifers.

крестцо́в‖**ый** *анат.*: ~ая кость sácral bone.

крестья́н‖**ин** *м.* péasant [ˈpez-]; безземе́льный ~ lándless péasant. ~**ка** *ж.* péasant wóman* [ˈpez- ˈwu-]. ~**ский** *прил.* к крестья́нин; ~ские ма́ссы péasant másses [ˈpez-...]; ~ское хозя́йство, ~ский двор péasant hóuse:hòld [...-s-]; ме́лкое ~ское хозя́йство small fárm; ~ское восста́ние *ист.* péasant revòlt / úp:rìsing. ~**ство** *с. тк. ед. собир.* péasantry [ˈpez-]; the péasants [...ˈpez-] *pl.*; сре́днее ~ство middle péasants [...] the middle péasants *pl.*; колхо́зное ~ство collèctive-fárm péasantry; трудово́е ~ство wòrking péasantry.

крестья́нствовать be en:gáged in fárm-làbour:ing.

кресче́ндо = креще́ндо.

крети́н *м.* crétin; (*перен.*) *разг.* ídiot. ~**и́зм** *м. мед.* crétinism; (*перен.*) *разг.* ídiocy.

крето́н *м. текст.* cretónne [-ˈtɔn].

кре́чет *м. зоол.* gýrfàlcon [-fɔ:l-].

креще́ндо *нареч. муз.* crescéndo [kriˈʃ-].

креще́‖**ние** *с. церк.* **1.** báptism; (*обряд тж.*) chrístening [-sⁿn-]; **2.** (*праздник*) Epíphany; ◇ боево́е ~ báptism of fire. ~**ёный** **1.** *прил. церк.* chrístened [-sⁿnd]; **2.** *м. как сущ. уст. разг.* Christian.

крив‖**а́я** *ж. скл. как прил.* curve; ~ температу́ры témperature curve; ◇ ~ вы́везет ≃ sóme:thing may turn up; его́ на ~о́й не объе́дешь you won't catch him nápping [...wount...].

кри́вда *ж. фольк.* fálsehòod [ˈfɔ:lshud].

кривизна́ *ж.* cúrvature; cróokedness.

криви́ть, покриви́ть, скриви́ть (*вн.*) bend* (*d.*); distórt (*d.*); ~ каблуки́ twist the heels (of one's shoes) [...ʃu:z]; ◇ ~ рот, гу́бы twist one's mouth, make* a wry face, curl one's lip; ~ душо́й act against one's cónscience [...-nʃəns]. ~**ся**, покри́виться, скриви́ться **1.** (*становиться кривым*) become* cróoked / bent / lóp-sìded; **2.** *при сов.* скриви́ться *разг.* (*делать гримасу*) pull a face [pul...].

кривля́‖**ка** *м. и ж. разг.* pòséur [pouˈzə:], afféctèd pérson; all airs and gráces *идиом.* ~**нье** *с. разг.* àffectátion; pútting on airs; grimácing.

кривля́ться *разг.* wriggle; (*гримасничать*) grimáce, make* fáces; (*вести себя жеманно*) give* òne:self airs, be afféctèd.

кри́во *нареч.* cróokedly; a:wrý.

кривобо́кий lóp-sìded.

криводу́ш‖**ие** *с. уст.* dùplícity, cróokedness. ~**ный** *уст.* insincére, dìs:hónest [dɪsˈɔ-], cróoked.

крив‖**о́й** I **1.** cróoked; curved; wry; ~а́я ли́ния curve, curved line; **2.** *уст.* (*неправильный*) wrong; false [fɔ:ls]; únfair; ~ы́е пути́ cróoked paths / ways; únfair means; ◇ ~а́я улы́бка, усме́шка cróoked / wry smile; ~о́е зе́ркало distórting mírror.

криво́й II *разг.* (*одноглазый*) blind in one eye [...aɪ], óne-éyed [-ˈaɪd].

криволине́йный cùrvilínear.

криво‖**но́гий** bów-lègged [ˈbou-], bándy-lègged. ~**но́сый** with a cróoked nose. ~**ро́тый** with a cróoked / twísted mouth.

кривото́лки *мн.* false rúmours [fɔ:ls...]; idle talk *sg.*

кривоши́п *м. тех.* crank, cránkshàft.

кри́зис *м.* (*в разн. знач.*) crísis (*pl.* -sès [-si:z]); экономи́ческий ~ èconómic crísis [i:-...]; deprèssion; slump *разг.*; агра́рный ~ agrárian crísis; ~ сбы́та sales crísis; о́бщий ~ капитали́зма the géneral crísis of cápitalism; прави́тельственный ~ Cábinet / Góvernment crísis [...ˈgʌ-...]; полити́ческий ~ polítical crísis. ~**ный** crísis (*attr.*); ~ное положе́ние crísis.

крик *м.* cry; shout; (*громкий, пронзительный тж.*) yell, scream; ~ и shouts *sg.*, shóuting *sg.*; clámour [-æ-] *sg.*; ◇ после́дний ~ мо́ды ≅ the last word in fáshion, the látest thing in fáshion; ~ души́ a cry from the heart [...hɑ:t]; cri de coeur (*фр.*) [kri:dəˈkə:].

кри́кет *м. спорт.* críckèt.

крикли́в‖**ый** (*прям. и перен.*) loud; (*перен. тж.*) gárish [ˈgɛə-], fláshy; (*вздорный*) clámorous; ~ая рекла́ма loud públicity [...-lɪ-].

кри́кнуть *сов. см.* крича́ть.

крику́н *м.*, **крику́нья** *ж. разг.* **1.** shóuter, báwler; (*о ребёнке*) squáller; **2.** (*тот, кто много и попусту говорит*) bábbler.

кримина́л *м. разг.* críminal case [...-s], crime.

кримин‖**али́ст** *м.* críminalist. ~**али́стика** *ж.* crìminalístics. ~**а́льный** príl. críminal. ~**оло́гия** *ж.* crìminólogy.

кри́нка *ж.* = кры́нка.

криноли́н *м.* crínoline [-li:n], hóop-skìrt.

крипто‖**гра́мма** *ж.* crýptogrèm. ~**гра́фия** *ж.* cryptógraphy.

криста́лл *м.* crýstal; прозра́чный как ~ crýstal-clear. ~**иза́ция** *ж.* crỳstallizátion [-laɪ-]. ~**изова́ть(ся)** *несов. и сов.* = кристаллизова́ть(ся). ~**изова́ть** *несов. и сов.* (*вн.*) crýstallize (*d.*). ~**изова́ться** *несов. и сов.* crýstallize. ~**и́ческий** crýstalline.

криста́лло‖**графи́ческий** crỳstallográphic. ~**гра́фия** *ж.* crỳstallógraphy.

кристалло́ид *м.* crýstalloid.

криста́льн‖**ый** *прил.* к криста́лл; (*перен.*: *чистый*) crýstal-clear; ~ая чистота́ púrity; ~ая душа́ pure soul [...soul].

крите́ри‖**й** *м.* critérion [kraɪ-] (*pl.* -ia); ве́рный ~ true critérion; служи́ть ~ем (*рд.*) serve as a critérion (for).

кри́тик *м.* crític; литерату́рный ~ líterary crític.

кри́тик‖**а** *ж.* **1.** críticism; ~ и самокри́тика críticism and sèlf-críticism; ~ те́кста téxtual críticism; о́страя ~ sharp / télling críticism; ~ сни́зу críticism from belów [...-ˈlou]; подверга́ть ~е (*вн.*) subject to críticism (*d.*); подве́ргнуться ~е be subjècted to críticism; come* in for críticism; напра́вить ~у про́тив lével críticism at / against [ˈle-...]; ни́же вся́кой ~и benéath all críticism; не выде́рживать ~и be benéath críticism, be no good at all; **2.** (*литературный жанр*) critíque [-ˈti:k].

критика́н *м.*, ~**ка**, ~**ша** *ж. разг.* fáultfìnder, cáptious pérson, cárper. ~**ство** *с. разг.* cáptious:ness, nít-pìcking. ~**ствовать** *разг.* carp; be a fáultfìnder / nít-pìcker.

критикова́ть (*вн.*) críticize (*d.*); (*мелочно*) carp (at), find* fault (with).

критици́зм *м.* **1.** crítical áttitùde; **2.** *филос.* críticism.

крити́ческ‖**ий** I (*в разн. знач.*) crítical; ~ая статья́ crítical éssay; critíque [-ˈti:k]; ~ ум crítical mind.

крити́ческ‖**ий** II (*переломный*) crítical; ~ая температу́ра *физ.* crítical témperature; ~ая то́чка *физ.* crítical point; ~ моме́нт crítical / crúcial móment; ~ое положе́ние crítical sìtuátion; ~ во́зраст crítical age.

кри́ца *ж. тех.* bloom, loop.

крич‖**а́ть**, кри́кнуть **1.** (*без доп.*) cry, shout, *сов. тж.* give* a cry; (*пронзительно*) scream, yell; (*очень громко*) bawl, vocíferàte, clámour [-æ-]; **2.** (*на вн.*; *бранить*) shout (at); **3.** (*вн., дт.*; *звать*) call (*d.*), cry (to); **4.** (*о пр.*; *много говорить, писать*) shout (abóut). ~**а́щий** **1.** *прич. см.* крича́ть; **2.** *прил.* (*бросающийся в глаза*) loud, fláshy; blátant; ~а́щий наря́д loud / fláshy clothes [...klouðz] *pl.*

кри́чн‖**ый** *тех. уст.*: ~ проце́сс fínery prócess [ˈfaɪ-...]; ~ горн fínery, blóomery.

кров *м. тк. ед.* roof; shélter; лишённый ~а hóme:less; оста́ться без ~а be left without a roof óver one's head [...hed], be hóme:less; make* / leave* hóme:less (*d.*); лиша́ть ~а и хле́ба (*вн.*) leave* hóme:less and stárving (*d.*); под ~ом (*рд.*) únder the shélter (of).

крова́в‖**ый** **1.** blóody [-ʌdɪ]; ~ поно́с *мед.* blóody flux; ~ая рво́та *мед.* blood vómiting [blʌd-]; **2.** (*кровопролитный*) blóody, sánguinary; múrderous; ~ая би́тва blóody battle; ~ые злодея́ния múrderous deeds / acts; **3.** (*окровавленный*) blóod-stained [ˈblʌd-]; **4.** (*о цвете*) blóod-réd [ˈblʌd-]; ◊ ~ бифштéкс únderdóne (béef)stéak [...-eɪk].

кровáтка *ж. уменьш. от* кровáть.

кровáть *ж.* bédstead [-sted]; (*с постелью*) bed; детская ~ cot, crib; похóдная ~ cámp-béd; склáдная ~ fólding bed; двуспáльная ~ double bed [dʌbl...].

крóвельн‖ый róofing (*attr.*); ~ое желéзо róofing íron [...ˈaɪən].

крóвельщик *м.* róofer.

кровенóсн‖ый: ~ая систéма círculatory sýstem; ~ые сосýды blóod-vèssels [ˈblʌd-].

кровúнк‖а *ж.*: ни ~и в лицé déathly pale [ˈdeθ-...].

крóвл‖я *ж.* roof, róofing; шúферная ~ slate róofing; черепúчная ~ tíling, tiled roof; жить под однóй ~ей с кем-л. live únder one, *или* the same, roof with smb. [lɪv...], share a house with smb. [...-s...].

крóвн‖ый 1. blood [blʌd] (*attr.*); ~ое родствó blood relátionship; cònsanguínity; **2.** (*о животных*) thórough-brèd [ˈθʌrə-], blood (*attr.*), pédigree (*attr.*); ~ая лóшадь blóod-hòrse [ˈblʌd-], thórough-brèd horse; ~ рысáк thórough-brèd tróttter; **3.** (*насущный*) vítal; ~ интерéс vítal interest / concérn; ~ые интерéсы нарóда the vital ínterests of the people [...piːpl]; **4.** (*тягчайший, жестокий*) déadly [ˈded-], gríevous [ˈgriː-]; ~ая обúда déadly ínsult; mórtal offénce; ◊ ~ая месть blood feud, vendétta; ~ враг déadly énemy; ~ые деньги móney éarned by the sweat of one's brow [mʌ- əː-... swet...] *sg*.

кровожáдн‖ость *ж.* blóod-thìrstiness [ˈblʌd-]. **~ый** blóod-thirsty [ˈblʌd-].

кровоизлияние *с. мед.* háemorrhage [ˈhemərɪdʒ]; ~ в мозг háemorrhage of the brain.

кровообращéние *с.* circulátion of the blood [...blʌd].

кровоостанáвливающ‖ий *мед.* stýptic; ~ее срéдство stýptic mátter, haemostátic [-mou-].

кровопúйца *м. и ж.* blóod-sùcker [ˈblʌd-], párasite, extórtioner.

кровоподтёк *м.* bruise [-uːz].

кровопролúт‖ие *с.* blóodshèd [ˈblʌd-]. **~ный** blóody [ˈblʌ-]; sánguinary; ~ное сражéние blóody báttle.

кровопускáние *с. мед.* blóod-létting [ˈblʌd-], phlebótomy.

кровосмешéние *с.* íncest.

кровотечéние *с. мед.* bléeding, háemorrhage [ˈhemərɪdʒ]; ~ из нóсу bléeding at the nose, a nóse-blèed.

кровоточúвый bléeding.

кровоточúть bleed*.

кровохáрканье *с.* blóod-spìtting [ˈblʌd-]; haemóptysis *научн*.

кров‖ь *ж.* blood [blʌd]; прилúв ~и rush of blood; останови́ть ~ (*из раны*) stop *a* wound [...wuː-]; истекáть ~ью bleed* profúse‖ly [...-s-]; переливáть ~ *мед.* transfúse blood; в ~и cóvered with blood [ˈkʌ-...]; ◊ глазá, налúтые ~ью blóodshòt eyes [...aɪz]; в ~, дó ~и till it bleeds; егó избúли в ~ he was béaten till he bled; пускáть ~ (*дт.*) bleed* (*d.*); *мед.* phlebótomìze (*d.*); это у негó в ~и it runs in his blood; пóртить себé ~ *разг.* ≃ wórry (onesélf) néedlessly [ˈwʌ-...]; войтú в плоть и ~ become* íngràined; у негó ~ кипúт he is séething, his blood boils; проливáть (свою) ~ (*за вн.*) shed* one's blood (for); ~ с молокóм *разг.* ≃ blóoming with health [...helθ], the very pícture of health; у негó ~ стынет от этого it makes his blood run cold; до послéдней кáпли ~и to the last drop of blood. **~янúстый** with blood [...blʌd], contáining some blood. **~янóй** *прил. к* кровь; ~ые шáрики blood córpùscles [blʌd -pʌslz]; ~янóе давлéние blood préssure; ~янáя колбасá blóod-pùdding [ˈblʌdpu-], black púdding [...ˈpu-].

кройть, скройть (*вн.*) cut* (*d.*), cut* out (*d.*).

крóйк‖а *ж.* cútting-out; кýрсы ~и и шитья́ dréss-màking cóurses [...ˈkɔː-].

крокéт *м.* cróquet [-keɪ]. **~ный** *прил. к* крокéт; ~ный шар cróquet ball [-keɪ...]; ~ная площáдка cróquet lawn.

крокú *с. нескл.* sketch(-màp); rough sketch [rʌf...].

крокировáть *несов. и сов.* (*вн.*) *спорт.* róquet [ˈroukɪ] (*d.*), cróquet [-keɪ] (*d.*).

крокодúл *м.* crócodile. **~ов**: ~овы слёзы *ирон.* crócodile tears. **~овый** *прил. к* крокодúл; *тж.* crocódilian; ~овая кóжа crócodile léather [...ˈle-].

крóкус *м. бот.* crócus.

крóлик *м.* rábbit.

кроликовóд *м.* rábbit-breeder. **~ство** *с.* rábbit-breeding.

крóликовый rábbit (*attr.*).

крóлич‖ий *прил. к* крóлик; ~ мех rábbit-skin; ~ья норá rábbit-hòle, rábbit-bùrrow.

кроль *м. спорт.* crawl (stroke); плáвать ~ем swim* the crawl.

крольчáтник *м.* rábbit-hùtch.

крольчúха *ж.* dóe-ràbbit.

крóме *предл.* (*рд.*) **1.** (*исключая*) excépt; **2.** (*помимо, сверх*) besídes; ~ тогó besídes (that), in addítion, fúrthermóre [-ðə-]; ◊ ~ шýток jóking apárt.

кромéшн‖ый: ад ~, тьма ~ая *разг.* ≃ pitch dárkness.

крóмка *ж.* edge; (*ткани*) list, sélvage; ~ льда the edge of the ice.

крóмлех *м. археол.* crómlech [-k].

кромсáть, искромсáть (*вн.*) *разг.* shred* (*d.*), hack up (*d.*).

крóна I *ж.* (*верхняя часть дерева*) top / crown (of *a* tree).

крóна II *ж.* (*монета*) crown.

кронглáс *м. тех.* crówn-glàss.

кронцúркуль *м.* cállipers *pl.*

крóншнеп *м. зоол.* cúrlew.

кронштéйн *м. тех.* bráckеt; *стр.* córbel.

кропáть (*вн.*) *разг.* **1.** (*делать мéдленно, неумело*) botch (*d.*), bungle (*d.*); **2.** (*плохо писáть*) scríbble (*d.*); ~ стишкú *презр.* write* dóggerel, scríbble.

кропúло *с. церк.* áspergill, àspergíllum (*pl.* -ms, -la).

кропúть (*вн. тв.*) sprínkle (*d.* with); aspérse (*d.* with).

кропотлúв‖ый 1. (*о человеке*) páinstàking and slow [-nz-... slou]; **2.** (*о труде*) labórious; minúte [maɪ-]; ~ая рабóта labórious task.

кросс *м. спорт.* cróss-cóuntry race [-ˈkʌn-...].

кроссвóрд *м.* cróssword, cróssword púzzle.

крот *м.* **1.** (*животное*) mole; **2.** (*мех*) móle-skìn.

крóткий géntle, meek, mild.

кротóв‖ый 1. *прил. к* крот; ~ая норá móle's búrrow; **2.** (*из меха кротá*) móle-skìn (*attr.*).

крóтость *ж.* géntle-nèss, méekness, míld-nèss.

крóха *м. и ж. разг.* (*маленький ребёнок*) little one.

крохá *ж.* **1.** *уст.* crumb; **2.** *мн.* (*остатки*) léavings; (*перен.*) frágments.

крохобóр *м.* háirsplitter; nárrow pédant [...ˈpe-]. **~ство** *с.* háirsplitting; nárrow pédantry; занимáться ~ством split* hairs. **~ствовать** split* hairs; behàve pedántically. **~ческий** pétty.

крóхотный *разг.* tíny, wee, diminútive.

крóшево *с. разг.* hash; médley [ˈme-].

крóшеч‖ка *ж. разг. уменьш. от* крóшка. **~ный** = крóхотный.

крошúть (*вн.*) **1.** crúmble (*d.*), crumb (*d.*); **2.** (*рубúть*) chop (*d.*). **~ся** crúmble.

крóшк‖а *ж.* **1.** crumb; **2.** *ласк.* (*о ребёнке*) little one; ◊ ни ~и *разг.* not a bit, not a scrap.

круг *м.* **1.** (*в разн. знач.*) circle; плóщадь ~а *мат.* área of *a* circle [ˈεərɪə...]; беговóй ~ rácecòurse [-kɔːs]; движéние по ~у móve-mènt in a circle [ˈmuːv-...]; спасáтельный ~ life-buoy [-bɔɪ]; ~ сы́ра a cheese; поворóтный ~ *ж.-д.* túrn-tàble; ~й на водé rípples in the wáter [...ˈwɔː-]; **2.** (*сфера, область*) sphere, range [reɪ-]; scope, reach; это не вхóдит в ~ моúх обязанностей this does not lie within the range of my dúties; широ́кий ~ вопрóсов wide range of quéstions / próblems [...-stʃ- ˈprɔ-]; **3.** (*группа людей*) circle; прави́тельственные ~и Gòvernméntal circles [gʌ-...], official circles; официáльные ~и official quárters; прáвящие ~и the rúling circles; монополистúческие ~и the monopolist circles; сáмые разлúчные ~и общества the most divérse séctions of socíety [...daɪ-...]; широ́кие обществéнные ~и broad séctions of the públic [brɔːd... ˈpʌ-...], the géneral públic *sg.*, the públic at large *sg.*; ~ знакóмых circle of acquáintance; в семéйном ~ý (with)in the fámily circle; **4.** *спорт.* (*этап в состязáнии*) lap; ◊ на ~ *разг.* on the áverage.

крýгленьк‖ий 1. *уменьш. от* крýглый 1; **2.** (*толстенький*) rotúnd, chúbby, sleek; ◊ ~ая сýмма *разг.* a round sum.

круглéть, покруглéть *разг.* grow* / becóme* round [grou...].

круговáтый róundish.

круглогóдичный = круглогодовóй.

круглогодовóй áll-the-year-róund (*attr.*).

круглоголóвый róund-héaded [-hed-].

круглогу́бцы *мн. тех.* round pliers.
круглоли́цый round-fáced, chúbby.
круглоро́тые *мн. скл. как прил. зоол.* Cyclóstomata [-'stou-].
круглосу́точный twenty-four-hóur [-fɔːrˈauə] (*attr.*); róund-the-clóck (*attr.*) *разг.*
кру́гл||ый 1. round; **2.** *разг.* (*полный, совершенный*) pérfect; ~ дура́к pérfect / útter fool; ~ неве́жда ignorámus; ~ое неве́жество crass ígnorance; он ~ сирота́ he has néither fáther nor móther [...'naɪ-ˈfɑː-...mʌ-]; **3.** (*весь — о времени*) whole [h-]; ~ год the whole year round, all the year round; ~ые су́тки day and night; он проспа́л ~ые су́тки he slept the clock round; ◊ ~ по́черк round hand; в ~ых ци́фрах, ~ым счётом in round númbers; совеща́ние за ~ым столо́м róund-táble discússion.
круговёрть *ж. разг.* = круговоро́т.
кругов||о́й círcular; ~о́е движе́ние círcular mótion; ~а́я оборо́на *воен.* áll-róund defénce; ◊ ~а́я пору́ка mútual guarántee / responsibílity; ~а́я ча́ша lóving-cup ['lʌv-].
круговоро́т *м.* rotátion; ~ собы́тий the contínuous round of evénts.
кругозо́р *м.* horízon, méntal óutlook; полити́ческий ~ political views [...vjuːz] *pl.*; челове́к с широ́ким, у́зким ~ом bróad-mínded, nárrow-mínded pérson ['brɔːd-...].
круго́м *нареч.*: у меня́ голова́ идёт ~ *разг.* my head is góing round [...hed...]; my thoughts are in a whirl, my head is spínning.
круго́м I *нареч.* **1.** round; поверну́ться ~ turn round; *воен.* turn abóut; ~! *воен.* abóut turn!; abóut face! *амер.*; **2.** (*вокруг*) aróund, all round; ~ мно́го лесо́в there are many fórests aróund, или all round [...'fɔ-...]; **3.** *разг.* (*полностью*) entíre:ly; вы ~ винова́ты you are entíre:ly to blame; он ~ до́лжен he owes móney all round [...ouz ˈmʌ-...]; he is up to his ears in debt [...det].
круго́м II *предл.* (*рд.*) round, aróund.
кругооборо́т *м.* circulátion.
кругообра́зный círcular.
кругосве́тн||ый róund-the-wórld (*attr.*); ~ое путеше́ствие world tour [...tuə]; ~ое пла́вание vóyage round the world, world cruise [...kruːz]; соверша́ть ~ое путеше́ствие go* round the world, make* a world tour; соверша́ть ~ое пла́вание circumnávigate the globe / world, sail round the world.
кружа́ло *с. стр.* curve piece [...piːs].
кружевн||и́ца *ж.* láce-máker. ~ о́й *прил.* к кру́жево; (*перен.*) ла́су.
кру́жев||о *с.* lace; póint-láce; венециа́нское ~ Venétian lace; плетёное ~ bóne-lace; ручно́е ~ hánd-máde lace; отде́лывать ~а́ми trim with lace; как ~ láce-like, lácy.
круже́ние *с.* góing round, whírling, spínning (round).
кружи́ть 1. (*вн.*) turn (*d.*), whirl (*d.*), spin* (*d.*), wheel round (*d.*); **2.** (*без доп.; описывать круги*) circle, go* round; **3.** (*без доп.*) *плутать* wánder; **4.** (*без доп.*): мете́ль кружит the snówstorm is whírling [...'snou-...]; ◊ ~ кому́-л.

го́лову turn smb.'s head [...hed]. ~ся whirl, spin*; go* round; ◊ у него́ кру́жится голова́ he is / feels gíddy [...ɡɪ-]; (от; *перен.*) he is dízzy (with).
кру́жка *ж.* **1.** mug; (*большая оловя́нная или серебряная*) tánkard; ~ пи́ва glass of beer; небольша́я ~ nóggin; **2.** (*для сбора денег*) póor-box, chárity-box.
кружко́в||о́й *прил. к* кружо́к 2; ~ые заня́тия clásses.
кружковщи́на *ж. неодобр.* clánnishness.
кру́жн||ый: ~ путь róundabout way; ~ым путём in a róundabout way.
круж||о́к *м.* **1.** *уменьш. от* круг 1; **2.** (*группа людей, тж. для совместных занятий*) circle; stúdy group [ˈstʌ- ɡruːp]; (*в школе и т.п.*) hóbby group; ~ по изуче́нию исто́рии hístory circle, hístory stúdy group; литерату́рные ~ки́ líterary socíeties.
круи́з *м.* cruise [kruːz].
круп I *м. мед.* croup [-uːp]; ло́жный ~ false croup [fɔːls...].
круп II *м.* (*лошади*) croup [-uːp], crúpper.
крупа́ *ж. тк. ед.* **1.** *собир.* céreals [-rɪəlz] *pl.*; ма́нная ~ semolína [-'liː-]; перло́вая ~ péarl-bárley ['pɜːl-]; гре́чневая ~ búckwheat; я́чневая ~ fíne-ground bárley; овся́ная ~ óatmeal; **2.** (*о снеге*) sleet.
крупени́к *м. кул.* búckwheat púdding with curds [...ˈpu-...].
круп||и́нка *ж.* (*прям. и перен.*) grain; ни ~и́нки пра́вды *разг.* not a grain of truth [...θ]; ~и́ца *ж.* grain, a little.
крупи́тчат||ый: ~ая мука́ fine wheat flour, fíne-ground flour; ~ мёд gránular hóney [...ˈhʌ-].
крупне́ть, покрупне́ть grow* lárger / bígger [-ou...].
кру́пно I *прил. кратк. см.* кру́пный.
кру́пно II *нареч.*: ~ наре́зать cut* into large píeces [...piː-]; ~ писа́ть write* large; ~ поговори́ть с кем-л. have words with smb.
крупнобло́чн||ый: ~ое строи́тельство lárge-blóck constrúction.
крупнозерни́стый cóarse-gráined.
крупнокали́берный lárge-cálibre (*attr.*).
крупномасшта́бн||ый lárge-scále; ~ая модерниза́ция и реконстру́кция lárge-scále modernizátion and reconstrúction [...-naɪ-...].
крупнопане́льн||ый: ~ое строи́тельство (pré-cást) lárge-pánel constrúction [...-'pæ-...]; fráme-and-pánel constrúction [-ˈpæ-...].
крупнотонна́жн||ый: ~ое су́дно lárge-capácity véssel.
кру́пн||ый 1. (*большой*) large; big; (*большого масштаба*) lárge-scale; ~ая промы́шленность lárge-scale índustry; ~ое се́льское хозя́йство lárge-scale agricúlture; ~ые си́лы *воен.* large fórces; ~ые совхо́зы large State farms; ~ые ба́нки big banks; ~ промы́шленный капита́л big indústrial cápital; ~ые поме́щики big lánd-ówners [...-oun-]; ~ по́черк bold hand; ~ рога́тый скот (horned) cáttle; ~ые черты́ лица́ mássive féatures; ~ песо́к coarse sand; ~ым ша́гом at a rápid / round pace; **2.** (*важный, серьёзный*) great

КРУ — КРУ
К

[-eɪt], impórtant; **3.** (*значительный*) próminent, outstánding, májor; ~ые собы́тия impórtant evénts; ~ая неприя́тность sérious mis:háp / tróuble [...trʌ-]; ~ учёный, писа́тель próminent / outstánding scíentist, wríter; ~ успе́х outstánding succéss; **4.** (*рослый*) big, tall, wéll-grown [-oun]; ◊ ~ разгово́р ángry exchánge [...-ˈtʃeɪ-]; harsh words *pl.*; ~ план (*в кино*) clóse-úp [-s-]; засня́ть кого́-л. ~ым пла́ном take* a clóse-úp of smb.
крупо́зн||ый *мед.* cróupous [ˈkruː-]; ~ое воспале́ние лёгких lóbar pneumónia [...njuː-].
крупору́шка *ж. с.-х.* péeling / húlling mill.
крупча́тка *ж.* fine wheat flour.
крупча́тый gránular.
крупье́ *м. нескл.* cróupier [-uː-].
крупяно́й *прил. к* крупа́ 1.
крути́зна́ *ж.* stéepness.
крути́льн||ый tórsion (*attr.*); ~ая маши́на *текст.* twíner.
крути́ть 1. (*вн.; скручивать*) twist (*d.*), twirl (*d.*), (*свёртывать*) roll up (*d.*); ~ шёлк twist / throw* silk [...θrou...]; ~ папиро́су roll a cigarétte [...-ˈret]; ~ усы́ twirl one's moustáche [...-mə'staːʃ]; **2.** (*вн.; вращать*) turn (*d.*); **3.** (*вн.; о ветре, буре*) whirl (*d.*); **4.** (*тв.*) *разг.* (*распоряжаться*) have on a string (*d.*); она́ кру́тит им, как хо́чет she twists him round her little finger; **5.** (*с тв.*) *разг.* (*находиться в любовных отношениях*) go* out (with), have an affáir (with). ~ся **1.** turn, spin*, gýrate [dʒaɪə-]; **2.** (*вращаться*) whirl; (*перен.*) *разг.* be in a whirl; **3.** *страд.* к крути́ть 1, 2, 3.
кру́то I *нареч.* **1.** (*обрывисто*) stéeply; **2.** *внезапно* súddenly; (*резко*) abrúptly; ~ поверну́ть turn round shárply; **3.** *разг.* (*сурово*) stérnly; ~ распра́виться с кем-л. give* smb. short shrift.
кру́то II *нареч.* thóroughly [ˈθʌrə-]; ~ замеси́ть те́сто make* a stiff dough [...dou]; ~ отжа́ть squeeze dry; ~ посоли́ть salt héavily [...ˈhe-].
крут||о́й I 1. (*о спуске, подъёме*) steep; ~ бе́рег steep bank; ~ вира́ж *ав.* steep turn; **2.** (*внезапный*) súdden, (*резкий*) abrúpt; сде́лать ~ поворо́т turn súddenly, spin* round; (*на колёсах*) wheel round; ~а́я переме́на súdden change [...tʃeɪ-]; ~ перело́м drástic change; ~ (*промышленности, экономики*) подъём sharp rise, súdden úpswing; ~ поворо́т к лу́чшему a súdden turn for the bétter; **3.** (*строгий*) stern; у него́ ~ нрав he is a law únto him:sélf; ~ые ме́ры drástic méasures [...'meʒ-].
крут||о́й II: ~о́е яйцо́ hárd-bóiled egg; ~о́е те́сто stiff dough [...dou].
круто́й III bóiling hot; ~ кипято́к ≃ bóiling wáter [...'wɔː-]; wáter on the boil.
кру́тость *ж.* **1.** (*рва, траншеи*) slope; **2.** (*характера*) stérnness.
крутя́щий: ~ моме́нт *мех.* torque.
кру́ча *ж.* steep slope; steep *поэт.*
круче́ние *с.* **1.** *текст.* twísting, spínning; **2.** *мех.* tórsion.
круч||ёный twísted; ~ые ни́тки lisle thread [laɪl θred] *sg.*

261

кручи́н‖**а** *ж. поэт.* sórrow, grief [-iːf], ánguish. **~иться** *поэт.* grieve [-iːv], sórrow.

круше́ние *с.* wreck, rúin; *(перен. тж.)* dównfall; ~ по́езда train crash; ~ су́дна shípwrèck; потерпе́ть ~ be wrecked; ~ наде́жд rúin of one's hopes.

круши́на *ж. бот.* búckthòrn.

круши́ть *(вн.; прям. и перен.; разрушать)* destróy *(d.)*, shátter *(d.)*.

крыжо́вник *м. тк. ед.* 1. *собир.* góose:-berries ['guz-] *pl.*; 2. *(об отдельной ягоде)* góose:berry; 3. *(куст)* góoseberry bush [...buʃ].

крыла́тка *ж.* man's loose cloak with cape [...-s...].

крыла́т‖**ый** *(прям. и перен.)* wing:ed; ◊ ~ая раке́та cruise míssile [kruːz...]; ~ые слова́ pópular expréssions; píthy sáying(s) [-θɪ...]; cátch-wòrds, wíng:ed words.

крыле́чко *с. уменьш. от* крыльцо́.

крыло́ *с.* 1. *(в разн. знач.)* wing; *(у птицы тж.)* pínion *поэт.*; маха́ть кры́льями flap its wings; 2. *(ветряной мельницы)* arm, sáil-àrm, sail; 3. *(над колесом экипажа)* splásh-board, wing; ◊ подре́зать кры́лья кому́-л. clip smb.'s wings; распра́вить кры́лья spread* one's wings [-ed...].

крылоно́гие *мн. скл. как прил. зоол.* Pterópoda [tɪ-].

крыл́ышк‖**о** *с. уменьш. от* крыло́ 1; ◊ взять кого́-л. под своё ~ take* smb. únder one's wing; под ~ом ма́тери únder one's móther's wing [...'mʌ-...].

крыльцо́ *с.* porch; за́днее ~ back porch / éntrance.

кры́м‖**ский** Crímean [-'mɪən]. ~**ча́к** *м.* inhábitant of the Crímea [...-'mɪə].

кры́нка *ж.* éarthenwàre pot ['əːθ-...].

кры́са *ж.* rat; водяна́я ~ wáter-rat ['wɔː-], wáter-vòle ['wɔː-]; ◊ канцеля́рская ~ *разг.* ≃ óffice drudge, pén-pùsher [-pu-].

кры́син‖**ый** *прил. к* кры́са; ~ая нора́ rat's hole; ~ хвост rat's tail; ◊ ~ хво́стик *(косичка)* pígtail.

крысоло́в *м.* rát-càtcher. ~**ка** *ж.* 1. *(капкан)* rát-tràp; 2. *(собака)* rát-càtcher, rátter.

кры́тый 1. *прич. см.* крыть; 2. *прил.* with a roof, with an áwning; shéltered; ~ ры́нок cóvered márket ['kʌ-...].

крыть, покры́ть *(вн.)* 1. cóver ['kʌ-] *(d.)*; *(крышей)* roof *(d.)*; *(соломой)* thatch *(d.)*; *(черепицей)* tile *(d.)*; 2. *(краской)* coat *(d.)*; 3. *(карту)* cóver *(d.)*; *(козырем)* trump *(d.)*; 4. *разг. (бранить, критиковать)* scold *(d.)*, rail (at); ◊ ему́ не́чем *разг.* ≃ he has:n't a leg to stand on, there's nothing he can say to that. ~**ся** 1. lie*; be; *(таиться)* be concéaled; в его́ слова́х кро́ется угро́за there is a hídden threat in his words [...θret...]; здесь что́-то кро́ется there is sóme:thing behínd that; 2. *страд. к* крыть.

кры́ш‖**а** *ж.* roof; hóuse-tòp [-s-]; манса́рдная ~ mánsard roof; желе́зная ~ íron roof ['aɪən...]; соло́менная, тростнико́вая ~ thatch; черепи́чная ~ tíling, tiled roof; шатро́вая ~ híp-roof; насти-ла́ть ~у roof; ◊ жить под одно́й ~ей с кем-л. live únder one, *или* the same, roof with smb. [lɪv...]; share a house with smb. [...-s...].

кры́шка *ж.* lid; cóver ['kʌ-]; ◊ тут ему́ и ~! *разг.* that's put the lid on him!, he's done for!, he's fínished!

крюк *м.* 1. hook; 2. *разг. (окольный путь)* détour *(фр.)* ['deɪtuə]; сде́лать большо́й ~ make* a big détour, go* a long way round.

крю́чи‖**ть**, скрю́чить *безл. (вн.) разг.*: его́ ~т (от бо́ли) *разг.* he is wríthing (with pain) [...'raɪð-...]; *(ср.* ко́рчить *и* коре́жить*)*. ~**ться**, скрю́читься *разг.* be doubled up [...dʌ-...]; он весь скрю́чился от бо́ли he is all doubled up with pain.

крючкова́тый *разг.* hooked.

крючкотво́р *м. разг.* péttifògger. ~**ство** *с. разг.* péttifògging, péttyfòggery, chicánery [ʃɪ'keɪ-].

крю́чник *м.* cárrier, stévedòre ['stiːvɪdɔː] *(docker who uses a hook in unloading ships)*.

крючо́к *м.* 1. *(в разн. знач.)* hook; *(удочки)* físh-hook; спусково́й *(в оружии)* trígger; застегну́ть на ~ *(вн.)* hook *(d.)*; 2. *уст. разг.* = крючкотво́р.

крюшо́н *м.* cup; *(из белого вина)* hóck-cùp; *(из шампанского)* champágne-cùp [ʃæm'peɪn-].

кря́ду *нареч. разг.* = подря́д II.

кряж *м.* 1. *(горный)* móuntain-ridge; 2. *(обрубок бревна)* block. ~**истый** thíckset.

кря́канье *с.* quácking ['kwæ-].

кря́кать, кря́кнуть 1. *(об утке)* quack [kwæk]; 2. *разг. (о человеке)* grunt; hem.

кря́ква *ж. зоол.* wild duck, mállard.

кря́кнуть *сов. см.* кря́кать.

кряхте́нье *с. разг.* gróaning.

кряхте́ть *разг.* groan.

ксёндз *м. церк.* Róman-Càtholic priest (in Póland) [...priː-...].

ксено́н *м. хим.* xénòn ['ze-].

ксе́рокс *м.* Xéròx. ~**ный** *прил. к* ксе́рокс; ~ная ко́пия Xéròx cópy [...'kɔ-].

ксерофо́рм *м. фарм.* xéroːfòrm.

ксилогра́фия *ж.* 1. *(процесс)* xylógraphy [zaɪ-]; 2. *(гравюра)* xýlogràph ['zaɪ-].

ксилофо́н *м. муз.* xýlophòne [zaɪ-].

кста́ти *нареч.* 1. *(уместно)* to the point; ápropòs [-ou-]; *(своевременно)* opportúne:ly; замеча́ние бы́ло сде́лано ~ the remárk was to the point; де́ньги пришли́сь ~ the móney came very opportúne:ly [...'mʌ-...]; о́чень ~ most wélcome; ~ и некста́ти in séason and out of séason [...'siːz-...]; 2. *(заодно)* at the same time; incidéntally; 3. *как вводн. сл.* by the way, by the by; ~, как его́ здоро́вье? how is he, by the way?

кто *рд., вн. кого́, дт. кому́, тв. кем, пр. ком, мест.* 1. *(вопрос.)* who, *obj.* whom; ~ э́то *(такой, такая)*? who is that?; ~ из вас? which (one) of you?; 2. *(относит.)* who, *obj.* whom; that; тот, ~ he, *или* the man*, who; та, ~ she, *или* the wóman*, who [...'wu-...]; те, ~ they, *или* people, *или* those, who [...piː-...]; не́ было никого́, ~ бы ему́ помо́г, сказа́л *и т.п.* there was no one to help, to tell, *etc.*, him; ~ не рабо́тает, тот не ест he who does not work, shall not eat; 3. *(неопр.)* some; ~ ждал пи́сем, ~ газе́т some wáited for létters, some for néwspapers; ~ что лю́бит, кому́ что нра́вится tastes díffer [teɪ-...]; кому́ пироги́ и пы́шки, кому́ синяки́ и ши́шки *погов.* some get the buns and pies and some the bumps and black eyes [...aɪz...]; 4.: ~ ни, ~ бы ни whoːéver, *obj.* whomːsoːéver, whoːéver *разг.*; ~ ни придёт whoːéver comes; кого́ бы он ни спроси́л whomːsoːéver *(или* whomːéver*)* he asked; ~ бы то ни́ был whoːéver it may be; ányːòne at all; ◊ ~ в лес, ~ по дрова́ *погов.* ≃ all at síxes and sévens [...'sev-]; ~ кого́? who will win?; кому́-кому́, а им должно́ быть изве́стно they should know, if ánybody does [...nou...].

~-ли́бо, ~-нибу́дь *мест.* sóme:body, sóme:òne; *(в вопросе)* ánybody, ány:òne. ~-**то** *мест.* sóme:body, sóme:òne; ~-**то друго́й** sóme:body else.

куб I *м.* 1. *мат.* cube; возводи́ть в ~ *(вн.)* cube *(d.)*; raise to the third pówer *(d.)*; 2. *(мера объёма)* cube.

куб II *м. (котёл)* bóiler; перего́нный ~ still.

куба́нка I *ж. (сорт пшеницы)* kind of wheat *(originally grown along the Kuban river)*.

куба́нка II *ж. (шапка)* kubánka [kuˈbaː-] *(low astrakhan cap)*.

ку́барем *нареч. разг.*: кати́ться ~ roll head óver heels [...hed...]; скати́ться ~ fall* head óver heels.

кубату́ра *ж. тк. ед.* cúbic capácity / cóntent.

куби́зм *м. иск.* cúbism.

ку́бик I *м.* 1. *уменьш. от* куб I 2; 2. block, brick; игра́ть в ~и *(о детях)* play with bricks.

ку́бик II *м. разг. (кубический сантиметр)* cúbic céntimètre.

куби́н‖**ец** *м.*, ~**ка** *ж.* Cúban. ~**ский** Cúban.

куби́ческ‖**ий** cúbic; ~**ие ме́ры** cúbic méasures [...'meʒ-]; ~ **ко́рень** *мат.* cúbic / cube root.

ку́бковый cup *(attr.)*.

кубова́я *ж. скл. как прил.* bóiler-ròom.

кубови́дный cúbifòrm.

ку́бовый: ~ **цвет** índigò (blue).

ку́бок *м.* 1. góblet ['gɔ-]; bowl [boul]; бе́акер; по́лный ~ brímmer; 2. *(приз)* cup; ráce-cùp; ~ Сове́тского Сою́за *спорт.* All-Union Cup; встре́ча на ~ cúp-tie.

кубоме́тр *м.* cúbic métre.

ку́брик *м. мор.* crew('s) space / quárters, órlòp(-dèck).

куб‖**ы́шка** *ж.* 1. *(копилка)* móney-bòx ['mʌ-]; класть де́ньги в ~ку salt móney awáy [...'mʌ-...]; 2. *разг. (толстушка)* dúmpy wóman* / girl [...'wu-g-], dúmpling.

кува́лда *ж. тех.* slédge-hàmmer.

кувши́н *м.* jug; *(большой)* pítcher; ~ для молока́ mílk-jùg.

кувши́нка *ж. бот.* wáter-lily ['wɔː-tə-li-].

кувырк‖**а́нье** *с.* sómersaults ['sʌ-] *pl.* ~**а́ться** sómersault ['sʌ-]. ~**ну́ться** *сов.* turn a sómersault [...'sʌ-]. ~**о́м** *нареч.*

разг. tópsy̆tùrvy; полететь ~ом go* / fall* head óver héels [...hed...]; всё пошло ~óм évery:thing went tópsy̆tùrvy, *или* háywire.

кугуа́р *м. зоол.* cóugar ['ku:-], púma.

куда́ *нареч.* **1.** (*вопрос. и относит.*) where; which way; whither *поэт.*; ~ он идёт? where is he góing?; го́род, ~ он уе́хал the town where he has gone [...gɔn]; the town he has gone to; **2.**: ~ ни, ~ бы ни whèr:éver: ~ он ни пойдёт whèr:éver he goes; ~ бы он ни пошёл whèr:éver he may go;— ~ бы то ни́ было, ~ уго́дно ány:whère; **3.** *разг.* (*зачем, на что*) what for: ~ вам сто́лько де́нег? what do you want all that móney for? [...mʌ-...]; **4.** *разг.* (*гораздо*) much, far; ~ лу́чше much / far bétter; ◇ хоть ~! couldn't be bétter!; good all round!; ~ как хорошо́! nothing to boast of!; ~ там! not líke:ly!, there was no quéstion of that! [...stʃən...]; ~ тебе́! ≃ you'll never (be able to) do it!; what's the point in your trýing?; ~ ни шло! come what may! ~-либо, ~-нибу́дь, ~-то *нареч.* sóme:whère; (*в вопросе*) ány:whère.

куда́хт||анье *с.* cackle, cluck. ~ать cackle, cluck.

куде́ль *ж. текст.* tow [tou].

куде́сник *м. поэт.* magician, sórcerer.

кудла́тый *разг.* shággy.

ку́дри *мн.* curls.

кудря́||виться *разг.* curl. ~ый cúrly; (*мелкими кудряшками*) frízzy; (*о человеке*) cúrly-headed [-hed-]; (*о дереве*) léafy, búshy ['bu-]; (*перен.: манерный— о слоге*) òrnáte, flówery, full of flóurishes [...'flʌ-...].

кудря́шки *мн.* ríng:lets (of hair).

Кузба́сс *м.* (Кузнецкий угольный бассейн) the Kuzbás [...kuz-] (Kuznétsk cóal-field(s) [kuz- -fi:-] (*pl.*), the Kuznétsk Básin [...'beɪ-]).

кузе́н [-зэ́н] *м.*, ~и́на *ж.* cóusin ['kʌz-].

кузне́ц *м.* (bláck)smith; (*ковочный*) fárrier.

кузне́чик *м.* gráss:hòpper.

кузне́ч||ный *прил.* bláck:smith's; ~ое де́ло bláck:smith's work; ~ мех béllows *pl.*; ~ мо́лот slédge-hámmer; ~ цех forge shop.

ку́зница *ж.* smíthy [-ðɪ], forge; fárriery.

ку́зов *м.* **1.** (*корзинка*) básket; **2.** (*у экипажа, автомобиля*) bódy ['bɔ-].

назва́лся груздём, полеза́й в ~ *посл.* ≃ you should have thought of befóre (you joined the force).

ку́зька *м.* (*жук*) grain béetle.

ку́зькин: показа́ть кому́-л. ~у мать *разг.* give* smb. his gruel [...-uəl] (*a threat*).

кукаре́кать crow* [-ou].

кукареку́ cóck-a-doodle-dóo.

ку́киш *м. разг.:* показа́ть ~ (*дт.*) ≃ cock a snook (at); получи́ть ~ с ма́слом get* nothing for one's pains, come* a:wáy émpty-hánded.

ку́к||ла *ж.* (*прям. и перен.*) doll [dɔl]; теа́тр ~ол púppet-show [-ʃou].

кукло́вод *м. театр.* púppeteer.

ку-клукс-кла́н *м.* Kú-Klúx-Klán.

кукова́ть (cry) cúckoo ['ku:-].

ку́колка I *ж.* dólly.

ку́колка II *ж. зоол.* chrýsalis (*pl.* -ices, -idès [-i:z]), púpa (*pl.* -ae).

ку́коль *м. бот.* cockle.

ку́кольник *м.* **1.** (*артист*) púppeteer; **2.** (*мастер, делающий кукол*) púppet-máker.

ку́кольн||ый *прил.* к ку́кла; ~ое лицо́ doll's face [dɔ-...]; ~ теа́тр púppet-show [-ʃou]; ◇ ~ая коме́дия farce, pláy-àcting; (*притворство*) preténce, máke-believe [-i:v].

ку́кситься *разг.* sulk; be down in the mouth.

кукуру́з||а *ж.* maize, Índian corn; corn *амер.* ~ный *прил.* к кукуру́за; ~ная мука́ corn meal.

куку́шка *ж.* **1.** cúckoo ['ku-]; **2.** *разг.* (*маленький паровоз*) small steam lócomòtive [...'louka-].

куку́шкин: ~ лён *бот.* polýtrichum cómmon [-kəm...]; ~ы слёзки *бот.* lýchnis.

кула́к I *м.* **1.** fist; сжима́ть ~ clench one's fist; **2.** *воен.* cóncentràted force; **3.** *тех.* cam; ◇ брониро́ванный ~ the máiled fist; держа́ть в ~е́ (*вн.*) hold* in one's fist (*d.*); *воен.* keep* cóncentràted (*d.*); сме́яться в ~ laugh up one's sleeve [lɑ:f...].

кула́к II *м.* (*богатый крестьянин, эксплуатирующий чужой труд*) kulák.

кула́||цкий *прил.* к кула́к II; ~цкие элеме́нты kulák élements. ~чество *с. собир.* the kuláks *pl.*

кула́ч||ки: би́ться на ~ки, на ~ках *разг.* en:gáge in fístcuffs.

кулачко́вый *тех.:* ~ вал cámshàft.

кула́чн||ый *прил.* к кула́к I 1, 3; ~ бой fístcuffs *pl.*; ◇ ~ое пра́во físt-law, prínciple of "might makes right".

кулачо́к I, II *м. уменьш. от* кула́к I 1, 3, II.

кулебя́ка *ж. кул.* kulebyáka [ku-] (*pie with meat, fish or cabbage filling*).

кулёк *м.* páper bag; ◇ из кулька́ в рого́жку *погов.* ≃ a change for the worse [...tʃeɪ-...].

ку́ли *м. нескл.* cóolie.

кули́к *м. зоол.* sándpiper; лесно́й ~ wóodcòck ['wud-].

кулина́р *м.* cúlinary / cóokery éxpèrt; cook. ~ия *ж.* cóokery. ~ный cúlinary; ~ное иску́сство (art of) cóokery.

кули́са *ж. тех.* link.

кули́с||ы *мн. театр.* wings, síde-scènes, slips, couli̇́sses [ku:'li:z]; за ~ами (*прям. и перен.*) behind the scenes.

кули́ч *м.* Éaster cake.

кули́чк||и: у чёрта на ~ах *разг.* at the world's end, at the back of be:yónd; к чёрту на ~ *разг.* to the other side / end of the world.

куло́н I *м. физ.* cóulomb ['ku:-].

куло́н II *м.* (*украшение*) péndent.

кулуа́||рный *прил.* к кулуа́ры. ~ры *мн.* lóbby *sg.*; разгово́ры в ~рах lóbby ínterviews [...-vju:z].

куль *м.* sack, mát-bàg.

кульмина||цио́нный *прил.* к кульмина́ция; ~ пункт cùlmináti̇́on (point). ~́ция *ж.* cùlmináti̇́on. ~́и́ровать *несов. и сов.* cúlminàte.

культ *м.* cult, wórship; служи́тель ~а mínister of relígion; ~ ли́чности cult of pèrsonálity.

КУГ—КУМ   K

культ- *в сложн.* культу́рный cúltural.

культив||а́тор *м. с.-х.* cúltivàtor. ~а́ция *ж. с.-х.* tréatment of the ground with a cúltivàtor. ~и́рование *с.* (*прям. и перен.*) cùltivátion.

культиви́ровать (*вн.*; *прям. и перен.*) cúltivàte (*d.*).

культкоми́ссия *ж.* commission for cúltural and èducátional work.

культма́ссов||ый: ~ая рабо́та cúltural work amóng the másses.

культпохо́д *м.* cúltural óuting (*visit by group to muséum, théatre, etc.*).

культрабо́т||а *ж.* cúltural and èducátion work. ~ник *м.* pérson in charge of cúltural and èducátional àctivities (*in an òrganizátion or estáblishment*).

культтова́ры *мн.* rècreátional goods [...gudz].

культу́р||а *ж.* **1.** (*в разн. знач.*) cúlture; ~, национа́льная по фо́рме и социалисти́ческая по содержа́нию cúlture nátional in form and sócialist in cóntent [...næ-...]; челове́к высо́кой ~ы highly cúltured man*; ~ произво́дства indústrial / prodúction efficiency; **2.** *с.-х.:* техни́ческие ~ы indústrial crops; зерновы́е ~ы céreals [-rɪəlz]; кормовы́е ~ы fórage crops; ◇ физи́ческая ~ phýsical tráining [-zɪ-...].

культур||и́зм *м.* bódy-bùilding ['bɔ--bɪl-]. ~и́ст *м.* bódy-bùilder ['bɔ- -bɪl-].

культу́рно *нареч.* in a cívilized mánner. ~-бытово́й: ~-бытово́е обслу́живание (provision of) cúltural and wélfare facilities ['rʌ-...]; ~-бытовы́е учрежде́ния públic àmenities ['rʌ-...]. ~-воспита́тельный: ~-воспита́тельная рабо́та cúltural and èducátional work. ~-просвети́тельный cúltural and èducátional; ~-просвети́тельные учрежде́ния cúltural and èducátional institútions.

культу́рность *ж.* cúlture, lével of cúlture ['le-...].

культу́рно-техни́ческий cúltural and proféssional; ~ у́ровень cúltural and proféssional stándards *pl.*

культу́рн||ый 1. (*относящийся к культуре*) cúltural; ~ у́ровень lével of cúlture ['le-...]; ~ центр cúltural céntre; ~ рост cúltural advánce; ~ые навыки cívilized hábits; улучша́ть материа́льное положе́ние и ~ у́ровень raise the stándard of wélfare and cúlture; ~ая револю́ция cúltural rèvolution; **2.** (*находящийся на высоком уровне культуры*) cúltured, cúltivàted; (*образованный*) éducàted; ~ челове́к a cúltured pérson, a man* of cúlture; **3.** *с.-х.* cúltured, cúltivàted; ~ые расте́ния cúltivàted plants [...-ɑ:nts]; ~ые поро́ды cúltivàted spécies / varieties [...-ʃi:z...].

культя́ *ж.* stump (*of amputated arm or leg*).

культя́пка *ж. разг.* = культя́.

кум *м.* Gódfather of one's child* [-fɑ:-...]; father of one's Gódchild*; ◇ ~ королю́ ≃ háppy-gò-lúcky.

кума́ *ж.* Gódmother of one's child* [-mʌ-]; mother of one's Gódchild*.

куманёк *м. уменьш. от* кум.

263

кума́ч *м.* red cálicò.
кума́ч||овый *прил.* к кума́ч.
куме́кать *разг.* know* the ropes [nou...].
куми́р *м.* (*прям. и перен.*) ídol.
кумовство́ *с.* relátionship of Gódpàrent to párent *or* of Gódpàrents; (*перен.*) fávouritism ['feɪvər-], népotism.
кумуляти́вн||ый cúmulative; ~ заря́д *воен.* hóllow charge; снаря́д ~ого де́йствия *воен.* hóllow-chàrge prójectile / shell.
ку́мушка *ж.* 1. *уменьш. от* кума́; 2. *разг.* (*сплетница*) góssip, scándal-mònger [-mʌ-].
кумы́с *м.* kóumiss ['ku:-] (*fermented mare's milk*).
кумысо||лече́бница *ж.* kóumiss-cùre institútion ['ku:-...]. ~ **лече́бный:** ~ лече́бное заведе́ние kóumiss-resórt ['ku:mɪsrɪ'zɔ:t], kóumiss-cùre institútion ['ku:-...]. ~ **лече́ние** *с.* kóumiss tréatment cure ['ku:-...].
куна́к *м.* friend [frend] (*among the mountaineers of the Caucasus*).
кунжу́т *м. бот.* sésame [-mɪ]. ~ **ный** *прил.* к кунжу́т; ~ ное ма́сло sésame oil [-mɪ...].
куни́ца *ж.* (*животное и мех*) márten.
кунстка́мера *ж. ист.* cábinet of curiósities.
купа́льник *м. разг.* swímsùit [-sju:t].
купа́ль||ный báthing ['beɪð-]; ~ костю́м swimming cóstùme, báthing-sùit ['beɪð-sju:t]; ~ ная простыня́ bath tówel. ~ **ня** *ж.* báthing hut ['beɪð-]. ~ **щик** *м.*, ~ **щица** *ж.* báther ['beɪðə].
купа́ние *с.* báthing ['beɪð-].
купа́ть, вы́купать (*вн.*) bath (*d.*), bathe [beɪð] (*d.*); (*в ванне*) bath (*d.*), give* a bath (*i.*). ~ **ся**, вы́купаться bathe [beɪð]; (*в ванне*) take* a bath.
купе́ [-пэ́] *с. нескл.* compártment (*of railway-carriage*).
купе́йный = купи́рованный.
купе́ль *ж. церк.* font.
купе́||ц *м.* mérchant. ~ **ческий** *прил.* к купе́ц; ~ ческое сосло́вие the mérchants *pl.* ~ **чество** *с.* 1. (*сословие*) mérchant class; 2. *собир.* (*купцы*) the mérchants *pl.*
купидо́н *м. миф., поэт.* Cúpid.
купи́рованный: ~ ваго́н (ráilway)-cárriage with compártments [-rɪdʒ...], compártment cárriage [...-rɪdʒ].
купи́ть *сов. см.* покупа́ть I.
купле́т *м.* (*строфа*) verse, cóuplet ['kʌ-]; 2. *мн.* (*сатирические песенки*) tópical / satírical songs. ~ **и́ст** *м.* sínger of tópical / satírical songs.
ку́пля *ж.* púrchase [-s], búying ['baɪ-]; ~ и прода́жа búying and sélling; ~ -прода́жа búying and sélling, cóntract of sale.
ку́пол *м. арх.* cúpola, dome (*тж. перен.*); (*цирка*) big top; ~ парашю́та cánopy; ~ не́ба the vault of héaven [...'he-].
куполообра́зный dóme:like, cúpola-shàped, dóme-shàped.
купо́н *м.* (*в разн. знач.*) cóupon ['ku:-].

купоро́с *м. хим.* vítriol. ~ **ить** (*вн.*) treat with vítriol solútion (*d.*) (*a ceiling, etc.*). ~ **ный** *прил.* к купоро́с; ~ ное ма́сло oil of vítriol.
ку́пчая *ж. скл. как прил.* (*тж.* ~ кре́пость) *уст.* deed of púrchase [...-s].
ку́пчик *м. уменьш. от* купе́ц.
купчи́ха *ж.* 1. mérchant wóman* [...'wu-]; 2. (*жена купца*) mérchant's wife*.
купю́ра I *ж.* (*сокращение, изъятие*) cut.
купю́ра II *ж. фин.* note, bond; заём вы́пущен ~ ми в 5 и 25 рубле́й the loan is íssued in 5-rouble and 25-rouble bonds [...-ru:...].
кур: попа́сть как ~ во́ щи *разг.* land in the soup [...su:p], get* into a mess.
курага́ *ж. собир.* dried ápricòts [...'eɪ-] *pl.*
кура́ж *м. уст.* bóldness, spírit; вы́пить для ~ á súmmon up Dutch cóurage [...'kʌ-]; быть в ~ é be lit up.
кура́житься *разг.* swágger ['swæ-]; throw* one's weight aróund [θrou...] идио́м.; (над) búlly ['bu-] (*d.*).
кура́нты *мн.* chíming clock *sg.*, chimes.
кура́тор *м.* curátor.
курбе́т *м. спорт.* cùrvét.
курга́н *м.* bárrow, búrial mound ['be-...]; túmulus (*pl.* -li).
кургу́зый *разг.* 1. (*с обрубленным хвостом*) dóck-tailed; 2. (*об одежде*) too tight and short.
курд *м.*, ~ **ский** *прил.*, ~ **ский язы́к** Kúrdish, the Kúrdish lánguage.
курдю́||к *м.* fát(ty) tail (*of certain breeds of sheep*). ~ **чный** *прил.* к курдю́к; ~ чное са́ло fat of sheep's tail; ~ чная овца́ fát-tailed / fát-rùmped sheep*.
курдя́нка *ж.* Kúrdish wóman* [...'wu-].
ку́рево *с. тк. ед. разг.* sóme:thing to smoke, báccy [-kɪ].
куре́ние *с.* 1. smóking; 2. (*благовоние*) íncense.
куренно́й *прил.* к куре́нь 1.
куре́нь *м.* 1. *ист.* kurén (*unit of Zaporozhian Cossack troop*); 2. (*дом*) house* [-s], hut.
курза́л *м.* kúrsaal ['kuəza:l].
кури́лка I *ж. разг.* (*помещение для курения*) smóking-room.
кури́лка II *м.:* жив ~ ! *разг.* ≃ there's life in the old dog yet!; (he's) still alíve and kícking!
кури́льница *ж. уст.* cénser, íncense-bùrner.
кури́льня *ж.:* ~ о́пиума ópium den.
кури́льщ||ик *м.*, ~ **ица** *ж.* smóker.
кури́н||ые *мн. скл. как прил. зоол.* Gallináceae [-siː-]. ~ **ый** *прил.* к ку́рица; ~ ое яйцо́ hen's egg; ~ ый бульо́н chícken-bròth; ~ ая лапша́ chícken-bròth with noodles, chícken noodle soup [...su:p]; ◇ ~ ая слепота́ (*болезнь*) níght-blìnd:ness, nyctalópia; (*название цветка*) búttercùp; ~ ая грудь pígeon-breast [-dʒɪnbrest].
кури́тельн||ый smóking (*attr.*); ~ ая ко́мната smóking-room; ~ ый таба́к tobácco; ~ ая тру́бка (tobácco-)pipe; ~ ая бума́га cigarétte páper [-'ret...].

кури́ть I 1. (*вн.*) smoke (*d.*); ~ таба́к, о́пиум smoke tobácco, ópium; мно́го ~ be a héavy smóker [...'he-...]; про́сьба не ~ ! (*объявление*) no smóking, please!; 2. (*тв.*) burn* (*d.*); ~ ла́даном (burn*) íncense.
кури́ть II (*вн.; добывать что-л. перегонкой*) distíl (*d.*).
кури́ться I 1. (*дыми́ться*) smoke; 2. (*о папиросе, сигаре и т.п.*) burn*, light*; папиро́са не ку́рится the cigaréttè won't burn [...wount...]; 3. (*о тумане, дыме*) appéar, rise*, aríse*; 4. *страд.* к кури́ть I 1.
кури́ться II *страд.* к кури́ть II.
ку́рица *ж.* (*мн.* ку́ры) hen; *кул.* chícken; ◇ мо́края ~ *разг.* mílksòp; ку́рам на́ смех *разг.* ≃ enóugh to make a cat laugh [ɪ'nʌf... lɑ:f]; у него́ де́нег ку́ры не клюю́т *разг.* ≃ he is rólling in móney [...'mʌ-].
ку́рия *ж.* cúria.
курлы́кать call (*of cranes*).
курн||о́й: ~ ая изба́ house* / hut héated by a chímney:less stove [-s...].
курно́сый 1. (*о человеке*) snúb-nòsed; 2.: ~ нос túrned-ùp nose.
курово́дство *с.* póultry-breeding ['pou-].
куро́к *м.* cock; cócking piece [...pi:s]; взводи́ть ~ raise the cock, cock the gun; спусти́ть ~ pull the trígger [pul...].
куроле́сить *разг.* play pranks / tricks.
куропа́тка *ж.* (*серая*) pártridge; (*белая*) willow grouse [...-s]; (*тундряная*) ptármigan ['tɑː-].
куро́рт *м.* health resórt [helθ -'zɔ:t]; (*с минеральными водами*) spa [spɑː]. ~ **ник** *м. разг.* héalth-resórt vísitor ['helθrɪ'zɔ:t -z-]; hóliday-màker [-dɪ-]. ~ **ный** *прил.* к куро́рт; ~ ное лече́ние spa tréatment / cure [spɑː...]; ~ ная коми́ссия héalth-resórt commíttee ['helθrɪ'zɔ:t -tɪ].
куртоло́гия *ж.* balneólogy.
курослеп *м. бот.* búttercùp.
курс *м.* 1. (*в разн. знач.*) course [kɔːs]; (*перен. тж.*) pólicy; ~ лече́ния course of (médical) tréatment; кра́ткий ~ short course; по́лный ~ compléte course; слу́шать ~ take* a course; чита́ть ~ give* a course; уче́бный ~ course of stúdies [...'stʌ-]; око́нчить ~ в университе́те gráduàte from ùnivérsity; студе́нт пе́рвого, второ́го *и т.д.* ~ a first-year, sécond-year, *etc.*, stúdent [...'se-...]; он студе́нт пе́рвого, второ́го *и т.д.* ~ a he is a stúdent in his first, sécond, *etc.*, year [...'se-...]; он на тре́тьем ~ е he is in his third year; перейти́ на четвёртый ~ énter the fourth year [...fɔːθ...]; взять ~ (на *вн.*) head [hed] (for); держа́ть ~ (на *вн.*) head (for); (*перен.*) pursúe a course (of), work towards (*d.*); держа́ть ~ на юг head for the south; кора́бль де́ржит ~ пря́мо на юг the ship is héading / stánding due south [...'hed-...]; ложи́ться на ~ set* course; меня́ть ~ change one's course [tʃeɪndʒ...]; боево́й ~ bàttle course; 2. (*валюты, ценных бумаг*) rate of exchánge; повыше́ние ~ a рубля́ (the) ín:crease in the exchánge-value of the rouble [...-iːs- -'tʃeɪ-... ru:-]; перево́д ~ a рубля́ на золоту́ю осно́ву the putting of the rouble

КУМ—КУР

on a gold base [...-s]; ◇ быть в ~е дела be well informed / posted about smth. [...'pou-...]; be in the know [...nou] *разг.*; держать кого-л. в ~е keep* smb. informed / posted.

курсант *м.* stúdent.

курсив *м. полигр.* itálics *pl.*, itálic type. **~ный** *полигр.* itálic; ~ный шрифт itálic type; itálics *pl.* **~ом** *нареч.* in itálics.

курсировать (*между*; *по маршруту*) run* (betwéen), ply (betwéen).

курсистка *ж. уст.* girl-stúdent ['gə:l-].

курсовка *ж.* vóucher for tréatment and meals at a sànatórium (*without lodging*).

курсовой *прил.* к курс.

курсы *мн.* (instrúction) cóurses [...'kɔ:-]; ~ иностранных языков cóurses in fóreign lánguages [...'fɔrɪn...]; ~ по повышению квалификации tráde-impróvement cóurses [-'pru:v-...]; advánced tráining cóurses; ~ усовершенствования refrésher cóurses; ~ по подготовке в вуз cóllege / ínstitute prepáratory cóurses.

куртаж *м. уст.* bróker:age.

куртизанка *ж. уст.* courtesán [kɔ:tɪ'zæn].

куртина *ж. уст.* 1. *воен.* cúrtain; 2. (*цветник*) pàrtérre [-'tɛə], flówer-bèd.

курт|ка *ж.* jácket. **~очка** *ж. уменьш.* от куртка.

курфюрст *м. ист.* Eléctor.

курчавиться curl.

курчавый 1. (*о волосах*) cúrly; 2. (*о человеке*) cúrly-haired, cúrly-headed [-hed-].

куры I *мн. см.* курица.

куры II: строить ~ (*дт.*) *разг.* flirt (with), pay* court [...kɔ:t] (to).

курьёз *м.* cúrious / amúsing íncident; для ~а for fun. **~ный** (*любопытный*) cúrious; (*забавный*) fúnny.

курьер *м.* méssenger [-ndʒə], cóurier ['ku-]; (*специальный*) expréss; дипломатический ~ diplomátic cóurier / méssenger. **~ский** *прил.* к курьер; ◇ ~ский поезд expréss (train); на ~ских *разг.* post-háste ['poust'heɪst]; in a rush, at full speed.

курят|ина *ж. разг.* chícken(-meat), fowl. **~ник** *м.* hén-coop, hén-house* [-s].

куря́щ|ий I 1. *прич. см.* курить I 1; 2. *м. как сущ.* smóker; вагон для ~их smóking-càrriage [-rɪdʒ]; smóker *разг.*; он ~ he smokes, he's a smóker.

курящий II *прич. см.* курить II.

кусать (*вн.*) bite* (*d.*); (*о насекомых, крапиве тж.*) sting* (*d.*); (*откусывать*) bite* off (*d.*); (*маленькими кусочками*) nibble (*d.*); ◇ ~ ногти bite* one's nails. **~ся** 1. bite*; be gíven to bíting; 2. (*кусать друг друга*) bite* one anóther.

кусачки *мн. тех.* cútting plíers, níppers; (*для проволоки*) wire-cùtter *sg.*

кусковой lump (*attr.*); ~ сахар lump súgar [...'ʃu-].

кус|ок *м.* piece [pi:s]; (*часть чего-л.*) piece, bit; (*о сахаре*) lump; (*о мыле*) cake; (*о хлебе*) slice; разбить на ~ки break* to píeces [breɪk...]; ◇ лакомый ~ títbit, a tásty mórsel [...'teɪ-...]; ~ в горло не идёт the food sticks in one's throat; зарабатывать на ~ хлеба *разг.* earn one's líving, *или* one's dáily bread [ə:n... 'lɪv-... bred].

кусочек *м. уменьш.* от кусок.

куст I *м.* bush [buʃ], shrub; ◇ спрятаться в ~ы ≅ show* the white féather [ʃou... 'fe-].

куст II *м. эк.* (*объединение*) group [-u:p].

кустарник *м. собир.* búshes ['bu-] *pl.*; shrubs *pl.*; (*насаждение*) shrúbbery. **~овый** ~ овое растение shrub.

кустарнич|ать be a hándicràfts:man*; work at a hándicràft; (*перен.*) use prímitive méthods. **~ество** *с.* 1. (*кустарный промысел*) hándicràft; 2. (*работа, ведущаяся примитивно*) prímitive / àmatéurish work [...'tə:rɪʃ].

кустарн|ый 1.: ~ые изделия hándicràft wares, hóme-máde goods [...gudz]; ~ая промышленность doméstic / cóttage índustry; ~ промысел doméstic / cóttage craft / índustry; 2. (*примитивный*) prímitive, àmatéurish [-'tə:rɪʃ]; ~ые приёмы, методы работы prímitive méthods of work; rúle-of-thùmb méthods.

кустарщина *ж. разг.* = кустарничество 2.

кустарь *м.* hándicràfts:man*; ~-одиночка hándicràfts:man* wórking by himsélf.

кустик *м. уменьш.* от куст I.

кусти|стый búshy ['bu-]. **~ться** clúster.

кустование *с. эк.* ìnterconnéction, ìnterconnécting.

кутать (*вн. тв., вн. в вн.*) múffle up (*d.* in), wrap up (*d.* in). **~ся** (*в вн.*) múffle / wrap one:sélf up (in).

кутёж *м.* drínking-bout, binge, caróuse; ночной ~ night-rèvel [-re-]; устроить ~ go* on the spree / binge, have a drínking-bout.

кутерьма *ж. разг.* commótion, disórder, bustle.

кут|ила *м. разг.* dèbauchée, fast líver [...'lɪ-]. **~ить** be on the spree; caróuse; (*веселиться*) make* mérry. **~нуть** *сов.* go* on the spree, *или* on the booze.

кутузка *ж. разг.* lock-ùp, quod.

кутья *ж.* boiled rice with ráisins and hóney [...-z-...'hʌ-] (*eaten at funeral repast*).

кухарка *ж.* cook.

кухлянка *ж.* úpper gárment made of deer skin (*as worn in the extreme North*).

кухмистерская *ж. скл. как прил. уст.* éating-house* [-s], cóok-shòp.

кухня *ж.* 1. kítchen; (*отдельная постройка*) cóok-house* [-s]; (*на судне*) gálley; 2. (*подбор кушаний*) cóoking, cuisine [kwɪ'zi:n]; 3. (*интриги*) màchinátions [-k-] *pl.*

кухонн|ый *прил.* к кухня 1; ~ая плита kítchen-rànge [-reɪ-]; (*газовая*) gás-stòve; ~ шкаф kítchen cábinet, drésser; ~ нож kítchen-knife*; cárving--knife*; ◇ ~ая латынь *разг.* low / vúlgar Látin [lou...].

куц|ый 1. (*бесхвостый*) dóck-tailed, táilless; 2. (*короткий — об одежде*) short; (*перен.: ограниченный, урезанный*) scánty, cùrtáiled.

куч|а *ж.* 1. heap, pile; муравьиная ~ ánt-hill; навозная ~ dúng:hill; 2. (*рд.*) *разг.* (*множество*) heaps (of) *pl.*; a lot (of); ~ новостей heaps of news [...-z]; ◇ валить всё в одну ~у *разг.* lump évery:thing togéther [...-'ge-], make* a múddle of things.

кучев|ой: ~ые облака cúmulì; cúmulus cloud *sg.*

кучер *м.* cóach:man*, dríver. **~ской** *прил.* к кучер.

кучка *ж.* 1. *уменьш.* от куча 1; 2. (*небольшая группа*) small group [...gru:p]; ~ людей small group of péople [...pi:-]; собираться ~ми gáther in small groups.

кучн|ость *ж. воен.* (*попаданий*) close gróuping (of shots) [-s 'gru:p-...]. **~ый**: ~ая стрельба clósely gróuped fire [-s-gru:p-...].

куш *м. разг.* large sum; сорвать ~ snatch a large sum.

кушак *м.* sash, gírdle [gə:-].

куша|нье *с.* (*пища*) food; (*блюдо*) dish. **~ть** (*вн.*) have (*d.*), take* (*d.*); кушайте, пожалуйста, пирог please, have some pie; пожалуйте ~ть, ~ть подано dínner, súpper, *etc.*, is served.

кушетка *ж.* couch.

кущение *с.* búshing out ['buʃ-...].

кхмер *м.*, **~ка** *ж.*, **~ский** Khmer [kmɛə].

кш, кыш *межд.* shoo!

кювет *м.* 1. ditch (*at the side of road*); 2. *воен.* cùnétte [-'net], cùvétte [-'vet].

кюветка *ж. фот.* cùvétte [-'vet], bath.

кюре [-рэ] *м. нескл.* curé (*фр.*) [kju:'reɪ].

Л

лабаз *м. уст.* córn-chàndler's shop [-tʃɑ:-...], flour / meal shop. **~ник** *м. уст.* córn-chàndler [-tʃɑ:-], córn-déaler, grain mérchant, flóur-dealer.

лабиализ||ация *ж. лингв.* làbializátion [-laɪ-]. **~ованный** *лингв.* làbializátion [-laɪ-] (*attr.*). **~овать** *несов. и сов.* (*вн.*) *лингв.* làbialize (*d.*).

лабиальный *лингв.* lábial; ~ звук lábial sound.

лабильн|ый lábile ['leɪ-], ùnstáble; ~ое состояние lábile state, lability.

лабиодентальный *лингв.* làbio:déntal; ~ звук làbio:déntal sound.

лабиринт *м.* (*в разн. знач.*) lábyrinth, maze.

лаборант *м.*, **~ка** *ж.* labóratory assístant.

лаборатор|ия *ж.* labóratory. **~ный** labóratory (*attr.*), labòratórial; ~ный метод labóratory méthod.

лабрадор *м. мин.* làbradórite.

лав|а I *ж.* láva ['lɑ:-]; (*застывшая тж.*) clínker; (*перен.*) flood [-ʌd], ávalanche [-ɑ:nʃ]; поток ~ы láva-stream ['lɑ:-], láva-flow ['lɑ:- -ou].

лава II *ж. горн.* lóng:wàll face.

лава III *ж.* (*казачья атака*) (Cóssack) cávalry charge.

лаванда *ж. бот.* lávender.

ЛАВ — ЛАМ

лави́на *ж.* ávalànche [-ɑ:nʃ] (*тж. перен.*); snów-slìp [-ou-].

лави́рование *с. мор.* tácking; (*перен.*) avóiding, fínding a wáy round; ~ с попу́тным ве́тром tácking to léeward.

лави́ровать *мор.* tack; (*перен. тж.*) manóeuvre [-'nu:və]; ~ про́тив ве́тра beat* agáinst the wind [...wɪ-].

ла́вка I *ж.* (*скаме́йка*) bench.

ла́вка II *ж.* (*магази́н*) shop; store *амер.*

ла́вочка I *ж. уменьш. от* ла́вка I.

ла́вочк‖**а II** *ж. уменьш. от* ла́вка II; (*перен.*) *разг.* clíque [-i:k]; gang; э́то одна́ ~ it's all one gang; ◇ на́до закры́ть э́ту ~у a stop must be put to this búsiness [...'bɪzn-], this can't (be allówed to) go on [...kɑ:nt...].

ла́вочн‖**ик** *м.*, ~**ица** *ж.* shóp-kèeper. ~**ый** *прил. к* ла́вка II.

лавр *м.* láurel ['lɔ-]; (*де́рево тж.*) báy(-tree); ◇ пожина́ть ~ы reap / win* láurels; почи́ть на ~ах rest on one's láurels; увенчанный ~ами wréathed / crówned with láurels.

ла́вра *ж. церк.* lávra ['lɑ:-] (*mónastery of the híghest rank*).

лаврови́ш‖**невый** *прил. к* лаврови́шня; ~**невые ка́пли** láurel wáter ['lɔ-'wɔ:-]. ~**ня** *ж. бот.* chérry-láurel ['lɔ-].

ла́вровые *мн. скл. как прил. бот.* Lauráceae.

ла́вро́вый *прил. к* лавр; ла́вровая ро́ща láurel grove ['lɔ-...]; лавро́вый лист bay leaf*, *pl.*, ла́вровый вено́к láurels *pl.*, láurel wreath*.

лавса́н *м.* lavsán [-ɑ:n].

лаг *м. мор.* 1. log; 2. (*борт*) bróadside [-ɔ:d-]; стать ~ом (к) turn bróadside on (to).

ла́гер‖**ный** *прил. к* ла́герь; ~ **сбор** ánnual camp; ~**ая жизнь** camp life; *разг.* cámping-òut.

ла́гер‖**ь** *м.* (*прям. и перен.*) camp; стоя́ть, располага́ться ~ем camp, be encámped; снима́ть ~ break* up, *или* strike*, camp [-eɪk...], strike* the tents; жить в ~**ях** camp out; пионе́рский ~ Young Pionéer camp [jʌn...]; спорти́вный ~ sports centre; ~ военнопле́нных prísoner-of-wàr camp ['prɪz-...].

лагли́нь *м. мор.* lóg-line.

лагу́на *ж.* lagóon.

лад *м.* 1. *разг.* (*согла́сие, мир*) hármony cóncòrd; жить в ~у́ (с *тв.*) live in hármony [lɪv...] (with), get* on (with); быть не в ~а́х (с *тв.*) be at váriance (with), be at odds (with); 2. (*спо́соб, мане́ра*) way, mánner; на ра́зные ~ы in dífferent ways; на но́вый ~ in a new way; на ста́рый ~ in the old mánner; на свой ~ (in) one's own way [...oun...], áfter one's own fáshion; 3. *чаще мн. муз.* stop, fret; ◇ петь в ~ sing* in tune; петь не в ~ sing* out of tune; запе́ть на друго́й ~ sing* anóther tune; де́ло идёт на ~ *разг.* things are góing bétter, things are táking a turn for the bétter; things are begínning to tick; де́ло не идёт на ~ *разг.* things won't get góing [...wount...]; things are not góing well; things are not móv-

ing [...'mu:v]; we're not máking any prógress; настро́иться на друго́й ~ play anóther tune.

ла́да *м. и ж. фольк.* belóved [-'lʌvd].

ла́дан *м.* íncense, fránkincènse; ~ дыша́ть на ~ be at déath's door [...deθs dɔ:], have one foot in the grave [...fut...].

ла́данка *ж.* ámulet.

ла́д‖**ить I** (с *тв.*) *разг.* get* on (with), agrée (with), be on good terms (with); они́ не ~**ят** they don't get on; they are at odds *идиом.*

ла́д‖**ить II** *разг.* 1. (*вн.*; *приводи́ть в гото́вность*) prepáre (*d.*), make* réady [...'redɪ] (*d.*); 2. (*вн.*; *о музыка́льном инструме́нте*) tune (*d.*); 3. (+ *инф.*; *намерева́ться*) inténd (+ to *inf.*); ~**ил в го́род е́хать** (I) inténded to go to town; 4. (*вн.*; *насто́йчиво повторя́ть*): ~ одно́ и то же harp on the same string.

ла́д‖**иться** *разг. чаще с отриц.* go* on well; де́ло не ~**ится** things won't get góing [...wount...], things are not móving [...'mu:v-].

ла́дно *нареч. разг.* 1. (*ми́рно*) in hármony / cóncòrd; 2. (*уда́чно, успе́шно*) well, all right; 3. *в знач. утвердит. части́цы* (*хорошо́, согла́сен*) véry well!, all right!, agréed!; okáy ['ou'keɪ], O.K. ['ou'keɪ] *амер.*

ла́дный *разг.* (*стро́йный, хоро́шего сложе́ния*) wéll-knìt, wéll-fórmed.

ладо́нь *ж.* palm [pɑ:m]; ~**ю вверх** palm up; ◇ быть (ви́дным) как на ~ и be pláinly / cléarly vísible [...-z-], be in full view [...vju:]; be spread befóre the eyes [...spred... aɪz].

ладо́ши *мн. уменьш. от* ладо́нь; бить, хло́пать в ~ clap one's hands.

ла́душки *мн.* pát-a-càke.

лады́жка *ж.* = лоды́жка.

ладья́ I *ж. поэт.* (*ло́дка*) boat.

ладья́ II *ж. шахм.* rook, castle.

лаз *м.* mánhole, trápdòor [-'dɔ:].

ла́занье *с.*: ~ по дере́вьям trée-climbing [-klaɪm-]; ~ по кана́ту rópe-climbing [-klaɪm-].

лазаре́т *м.* infírmary; sick quárters *pl.*; (*корабе́льный*) síck-bày.

ла́зать = ла́зить.

лазе́йк‖**а** *ж.* hole, (*перен.*) lóop-hòle; **оста́вить себе́** ~**у** leave* onesélf a lóop-hòle.

ла́зер [-зэр] *м. физ.* láser. ~**ный** [-зэр-] *физ.* láser (*attr.*); ~**ный луч** láser beam.

ла́зить, *опред.* лезть, *сов.* поле́зть 1. (*на вн.*; *взбира́ться*) climb [klaɪm] (*d.*), clámber (on); (*на сте́ну, обры́в*) scale (*d.*); (*по кана́ту, по шесту́*) swarm up (*d.*); 2. (*в вн.*; *влеза́ть*) get* (into); ~ **в окно́** climb / get* in through the window; 3. *тк. опред. и сов. см.* лезть.

лазо́ревый *поэт.* = лазу́рный.

лазури́т *м. мин.* lázurite, lápis lázuli.

лазу́рный ázure ['æʒə], ský-blúe.

лазу́рь *ж.* 1. ázure ['æʒə], ský-blúe; 2. (*кра́ска*): берли́нская ~ Bèrlín / Prússian blue [...'prʌʃn...].

лазу́тчик *м.* scout, spy.

лай *м.* bárk(ing).

ла́йка I *ж.* (*соба́ка*) húsky, Éskimò dog.

ла́йка II *ж.* (*ко́жа*) kíd(-skin).

ла́йков‖**ый** *прил. к* ла́йка II; ~**ые перча́тки** kíd-glòves [-л-].

ла́йнер *м.* líner; (*самолёт*) air líner.

лак *м.* várnish, lácquer [-kə]; ~ для ногте́й nail pólish; япо́нский ~ black jápan; покрыва́ть ~ом (*вн.*) várnish (*d.*), lácquer (*d.*); (*япо́нским*) japán (*d.*).

лака́ть (*вн.*) lap (*d.*) (*milk, etc.*).

лаке́й *м.* fóotman* ['fut-], mán-sèrvant; (*перен.*) láckey, flúnkey. ~**ский** *прил. к* лаке́й; (*перен.*) sérvile. ~**ство** *с. презр.* servílity, crínging [-ndʒ-], dáncing atténdance. ~**ствовать** (*пе́ред* *презр.* dance atténdance (on); ków-tów (to).

лакиро́ванн‖**ый** 1. *прич. см.* лакирова́ть; 2. *прил.*: ~**ая ко́жа** pátent léather [...'le-]; ~**ые ту́фли** pátent-léather shoes [-'le- ʃu:z].

лакирова́ть (*вн.*) várnish (*d.*), lácquer [-kə] (*d.*); (*япо́нским ла́ком*) japán (*d.*).

лакиро́в‖**ка** *ж.* 1. (*де́йствие*) várnishing, lácquering [-kə-]; (*япо́нским ла́ком*) japánning; 2. (*слой ла́ка*) várnish; ◇ ~ действи́тельности *неодобр.* glóssing óver the truth (*to concéal ùnpléasant féatures*) [...tru:θ...-'plez-...]. ~**щик** *м.* várnisher.

ла́кмус *м. хим.* lítmus. ~**овый** *прил. к* ла́кмус; ~**овая бума́га** lítmus-pàper.

ла́ков‖**ый** 1. *прил. к* лак; 2. (*покры́тый ла́ком*) várnished, lácquered [-kəd]; (*твёрдым япо́нским ла́ком*) japánned; ◇ ~**ое де́рево** várnish-tree.

ла́ком‖**иться**, **пола́комиться** (*тв.*) regále onesélf (with, on). ~**ка** *м. и ж. разг.* góurmand ['guə-]; быть ~**кой** be a góurmand; have a sweet tooth *идиом.* *разг.* ~**ство** *с.* dáinties *pl.*, délicacies *pl.* ~**ый** 1. (*вку́сный*) dáinty; ~**ое блю́до** dáinty dish; 2. (*до* *рд.*, *на* *вн.*) *разг.* (*па́дкий на что-л.*) fond (of); ◇ ~**ый кусо́к** títbìt, a tásty mórsel [...'teɪ-...].

лакони́‖**зм** *м.* lacónicism. ~**ческий** lacónic, shórt-spóken. ~**чность** *ж.* = лакони́зм. ~**чный** = лакони́ческий.

лакрима́тор *м. хим.* láchrymàtor, téar-gas.

лакри́‖**ца** *ж. бот.* líquorice [-kə-], swéet-ròot. ~**чный** *прил. к* лакри́ца; ~**чный ко́рень** = лакри́ца.

лакта́ция *ж. физиол.* lactátion.

лакто́за *ж. хим.* lactóse [-s], milk súgar [...ʃu-].

лакто́метр *м.* lactómeter.

лаку́на *ж. анат., лингв.* lacúna.

ла́ма I *ж. зоол.* (l)láma ['lɑ:-].

ла́ма II *м.* (*будди́йский мона́х*) láma ['lɑ:-].

лама‖**и́зм** *м.* lámaism ['lɑ:mə-]. ~**и́ст** *м.* lámaist ['lɑ:mə-].

ламбреке́н *м.* lámbrequin [-bəkɪn].

ла́мпа *ж.* lamp; *рад.* valve; tube *амер.*; кероси́новая ~ kérosène / oil lamp; ~ нака́ливания incándescent lamp; детекто́рная ~ *рад.* áudion; ~ в 60, 100 свече́й lamp of 60, 100 cándle-power / candles; рудни́чная ~ Dávy-làmp; ~ дневно́го све́та fluoréscent lamp.

лампа́д‖(**к**)**а** *ж. церк.* ícon-làmp. ~**ный** *прил. к* лампа́д(к)а; ~**ное ма́сло** lámp-òil.

лампа́с *м.* stripe (*on side of úniform tróusers*).

лампио́н *м.* lámpion.

266

ла́мпов‖**ый 1.** *прил. к* ла́мпа; ~ое стекло́ lámp-glàss, lámp-chìmney; **2.** *тех.*: ~ усили́тель valve, *или* vácuum tube, ámplifier; ~ выпрями́тель tube réctifier [...-'si:-]; ~ приёмник valve / tube recéiver [...-nz-]; ~ переда́тчик valve / tube trànsmítter [...-nz-].

ла́мпоч‖**ка** *ж.* **1.** *уменьш. от* ла́мпа; **2.** (электри́ческая) eléctric light bulb; ◊ ему́ э́то до ~ки *разг.* he does:n't care a damn, he could:n't care less.

лангу́ст *м.*, **~а** *ж. зоол.* spíny lóbster.

ландо́ *с. нескл.* lándau.

ландскне́хт *м. ист.* lándsknècht ['lɑ:nts-]; mércenary.

ландта́г *м.* lánd-tàg ['lɑ:nttɑ:h].

ландша́фт *м.* **1.** (пейзаж) lándscàpe, scénery ['si:-]; **2.** геогр. lándscàpe.

ла́ндыш *м.* líly of the válley ['lɪ-...].

лани́та *ж. уст.* cheek.

ланоли́н *м. фарм.* lánolin(e) [-li:n].

ланце́т *м.* láncet; вскрыва́ть ~ом (вн.) lance (d.). **~ный 1.** láncet (attr.); ~ный футля́р láncet sheath*; **2.** *бот.* lánceolàte; ~ный лист spéar-shàped leaf*.

ланцетови́дный *бот.* lánceolàte.

лань *ж. зоол.* **1.** (порода оленей) fállow-deer*; **2.** (самка оленя) doe.

лао́с‖**ец** *м.*, **~ский** Láotian ['laʊʃɪən].

ла́п‖**а** *ж.* **1.** paw (тж. перен.); (лисицы, зайца тж.) pad; **2.** *тех.* claw; dóve:tail ['dʌv-]; ~ я́коря ánchor fluke / palm ['ænkə... pɑ:m]; **3.** (ветвь хвойного дерева) bough; ◊ попа́сть в ~ы к кому́-л. *разг.* fall* into smb.'s clútches; в ~ах у кого́-л. *разг.* in smb.'s clútches.

лапида́рный lápidary; ~ стиль lápidary style.

ла́пка *ж. уменьш. от* ла́па **1**; ◊ ходи́ть, стоя́ть на за́дних ~х пе́ред кем-л. *разг.* ≃ dance atténdance on smb.

лапла́нд‖**ец** *м.*, **~ка** *ж.* Lapp, Láplànder. **~ский** Láppish, Lappónian.

ла́пник *м. разг.* fir-twigs *pl.*

ла́п‖**оть** *м.* bast sándal, bast shoe [...ʃu:]; ходи́ть в ~тя́х wear* bast sándals [weə...].

ла́почка *ж.* **1.** *уменьш. от* ла́па **1**; **2.** *разг.* (о симпатичной девушке, женщине — об. в обращении) lássie.

лапта́ *ж.* **1.** (игра) laptá [-'tɑ:] (a ball game); **2.** (палка) bat.

ла́пушка *ж.* = ла́почка **2**.

ла́пчатый wéb-fóoted [-fu-]; pálmate, pálmàted (тж. *бот.*); ◊ гусь ~ *разг.* cúnning féllow, sly one.

лапша́ *ж.* **1.** noodles *pl.*; **2.** (суп) noodle soup [...su:p].

лапше́вник *м.* noodle púdding [...'pu-].

ларёк *м.* stall.

ларе́ц *м. уст.* cásket; small chest / cóffer.

ларинги́т *м. мед.* làryngítis [-n'dʒ-].

ларинго́лог *м.* throat spécialist [...'spe-].

ларинголо́гия *ж. мед.* làryngólogy.

ларингоско́п *м.* laryngoscòpe. **~ия** *ж.* làryngóscopy.

ларингото́мия *ж.* làryngótomy.

ла́рчик *м. уст.* cásket; small chest / cóffer; ◊ а ~ про́сто открыва́лся ≃ the solútion / èxplanátion was quite simple.

ла́ры *мн.* (*ед.* лар *м.*) *миф.* lárès [-i:z]; ~ и пена́ты (*домашний очаг*) Lárès and Penátès [...-i:z].

ларь *м.* (*ящик*) chest, cóffer; (*хлебный*) bin.

ла́ска I *ж.* **1.** caréss, endéarment; **2.** *тк. ед. разг.* (*доброе обращение*) kínd:ness.

ла́ска II *ж. зоол.* wéasel [-zl].

ласка́тельн‖**ый**: ~ое имя́ pet name; *грам.* term of endéarment; ~ые су́ффиксы *грам.* hỳpocorístic / endéarment súffixes.

ласка́ть (*вн.*) caréss (*d.*), fondle (*d.*), pet (*d.*); (*перен.*) caréss (*d.*); ~ себя́ наде́ждой flátter òne:sélf with hope. ~ся (к) caréss (*d.*), fondle (*d.*); (*о собаке*) fawn (up:ón).

ла́сков‖**ость** *ж.* afféctionate:ness, ténderness, swéetness. ~ый afféctionate, ténder, sweet; (*перен.*; *о ветре*, *солнце и т. п.*) caréssing; ~ый ребёнок afféctionate child*; ~ый взгляд ténder look; ~ые слова́ endéaring words.

лассо́ *с. нескл.* lássò.

ласт *м.* flípper.

ла́стик I *м. текст.* lásting; на ~е lásting lined.

ла́стик II *м. разг.* (*резинка для стирания*) índia-rúbber, eráser.

ла́ститься *разг.* = ласка́ться.

ластови́ца *ж.* gússet (*in the underpart of sleeve*).

ластоно́гие *мн. скл. как прил. зоол.* Pínnipèdia.

ла́сточк‖**а** *ж.* swállow; городска́я ~ (hóuse-)mártin [-s-]; берегова́я ~ sánd-mártin; морска́я ~ tern; ◊ одна́ ~ ещё не де́лает весны́ *посл.* one swállow does not make a súmmer; пе́рвая ~ ≅ the first signs [...saɪnz] *pl.*; прыжо́к в во́ду ~ой swállow-dìve.

ла́сты *мн. спорт.* flíppers, fins.

лата́ть, залата́ть (*вн.*) *разг.* patch up (*d.*).

латви́йский Látvian.

лате́нтн‖**ый** [-тэ-] látent; ~ая теплота́ *физ.* látent heat.

латин‖**иза́ция** *ж.* Làtinizátion [-naɪ-]. **~изи́ровать** *несов. и сов.* (*вн.*) Látinìze (*d.*). **~и́зм** *м.* Látinism, Látin constrúction (*borrowed by another language*), Látin lóanword. **~и́ст** *м.* Látin schólar [...'skɒ-].

лати́ница *ж. лингв.* Róman álphabet.

латиноамерика́нск‖**ий** Látin-Américan; ~ие стра́ны Látin-Américan cóuntries [...'kʌ-], cóuntries of Látin América.

лати́нский Látin; ~ алфави́т Róman álphabet; ~ язы́к Látin; ~ шрифт *полигр.* Róman cháracters [...'kæ-] *pl.*, Róman type.

латифунди́ст *м.* large lánd-òwner [-ounə].

латифу́ндия *ж. ист., эк.* làtifúndium (*pl.* -ia).

ла́тка *ж. разг.* patch.

ла́тник *м. ист.* ármour-clàd wárrior.

ла́тн‖**ый** *прил. к* ла́ты; ~ые доспе́хи ármour *sg.*, suit of ármour [sju:...] *sg.*

лату́к *м. бот.* léttuce [-tɪs].

лату́нн‖**ый** brass; ~ая про́волока brass wire.

лату́нь *ж.* brass.

ЛАМ — ЛЕВ **Л**

ла́ты *мн. ист.* ármour *sg.*, cuiráss [kwɪ-] *sg.*

латы́нь *ж. разг.* Látin; ◊ вульга́рная ~ vúlgar Látin.

латы́ш *м.*, **~ка** *ж.* Lett. **~ский** Léttish; ~ский язы́к Léttish, the Léttish lánguage.

лауреа́т *м.* láureate [-rɪɪt]; príze:wìnner; ~ Ле́нинской пре́мии Lénin prize winner.

лафа́ *предик. безл.* (*дт.*) *разг.*: ему́, им и т. д. ~ he is, they are, *etc.*, in luck / clóver.

лафе́т *м. воен.* gún-càrriage [-rɪdʒ]; ~ с раздвижны́ми стани́нами split-trail cárriage [...-rɪdʒ], **~ный** *прил. к* лафе́т.

ла́цкан *м.* lapél.

лачу́га *ж.* hóvel [-hɒ-], hut, shánty, shack.

лачу́жка *ж. уменьш. от* лачу́га.

ла́ять bark; (*о гончих*) bay; ◊ ~ на луну́ bay the moon. **~ся** *груб.* = брани́ться.

лга́нье *с. разг.* lýing.

лгать, солга́ть, налга́ть **1.** *при сов.* солга́ть (*без доп.*) lie, tell* lies; ~ кому́-л. в глаза́ lie to smb.'s face; **2.** *при сов.* налга́ть (на *вн.*; *клеветать*) slánder [-ɑ:n-] (*d.*).

лгун *м.* líar. **~и́шка** *м. разг.* fíbber.

лгу́нья *ж. к* лгун.

лебеда́ *ж.* góose-fòot ['gu:sfʊt].

лебедёнок *м.* cýgnet.

лебеди́н‖**ый** *прил. к* ле́бедь; ◊ ~ая ше́я swán-nèck; ~ая по́ступь gráce:ful gait; ~ая пе́сня swán-sòng.

лебёдка I *ж.* (*самка лебедя*) fémale swan [fi:-...], pén(-swàn).

лебёдка II *ж. тех.* winch, hoist.

ле́бедь *м.* swan; (*самец*) cob, cób-swàn; (*молодой*) cýgnet.

лебези́ть (*пе́ред*) *разг.* fawn (up:ón), cringe (to, before).

лебя́жий *прил. к* ле́бедь; ~ пух swáns-dòwn [-z-].

лев I *м.* **1.** líon; **2.** *астр.* Léo; ◊ морско́й ~ séa-líon; муравьи́ный ~ ánt-lìon.

лев II *м.* (*мн.* ле́вы) (*денежная единица Болгарии*) lew, lev.

лева́к *м. разг. неодобр.* man* (illícitly) wórking on the side.

лева́цк‖**ий** *полит.* léftist (attr.); últra-lèft; ~ заги́б léftist dèviátion; ~ая демаго́гия léftist démagogy.

лева́чество I *с. полит. презр.* léftism.

лева́чество II *с. разг. неодобр.* (illícit) work on the side.

лева́чить *разг. неодобр.* make* móney on the side [...'mʌ...].

леве́ть, полеве́ть *полит.* shift to the Left (*become more radical*).

левиафа́н *м.* levíathan.

левизна́ *ж. полит.* léftism; рабо́та Ле́нина «Де́тская боле́знь „левизны́" в коммуни́зме» Lénin's work "Léft-wing Cómmunism, an Ínfantile Disórder".

левко́й *м.* gíllyflower, stock.

левобере́жный sítuated on the left bank (*of a river*) [...'rɪ-]; léft-bànk (*attr.*).

левосторо́нний léft-sìde (*attr.*).

левофланго́вый léft-flànk (attr.), léft-wing (attr.).

левша́ м. и ж. léft-hánder, léft-hánded pérson.

ле́в||ый I left; léft-hànd (attr.); мор. port (attr.); ~ая сторона́ left side, léft-hànd side; (ткани) the wrong side; (лошади, экипажа) near side; ~ борт (корабля) port side; ~о руля́! мор. port the helm!; left rúdder! амер.; ~о на борт! мор. hard apórt!; ◇ встать с ~ой ноги́ разг. get* out of bed on the wrong side.

ле́в||ый II полит. 1. left; léft-wing (attr.); ~ое крыло́ left wing; ~ укло́н left dèviátion; 2. м. как сущ. léft-wing;er, léftist; мн. собир. the left.

лега́в||ый 1. прил.: ~ая соба́ка gún-dòg; 2. м. как сущ. разг. (сыщик, доносчик) police spy [-'li:s-], infórmer.

легализ||а́ция ж. lègalizátion [li:gəlai-]. ~ова́ть несов. и сов. (вн.) légalize ['li:-] (d.). ~ова́ться несов. и сов. becóme* légal / légalized [...'li:-].

лега́льн||ость ж. legálity. ~ый légal; ~ый маркси́зм ист. légal Márxism.

лега́т м. ист., церк. légate.

леге́нда I ж. légend ['le-].

леге́нда II ж. (пояснительный текст при карте, плане и т. п.) légend ['le-] (key to a map or chart).

легенда́рный légendary; ~ геро́й légendary héro.

легио́н м. (в разн. знач.) légion; ◇ о́рден почётного ~а Légion of Hónour [...'ɔnə]; и́мя им — ~ their name is Légion.

легионе́р м. légionary.

леги́рованн||ый: ~ая сталь allóy(ed) steel.

легислату́ра ж. юр. term of óffice.

легитими́ст м. ист. legítimist.

лёгк||ий [-хк-] 1. (на вес) light; 2. (нетрудный) éasy ['i:zɪ]; ~ая рабо́та éasy / light / simple work; ~ слог éasy / fácile / simple style; 3. (незначительный, слабый) light, slight; ~ое наказа́ние light pénalty; ~ая просту́да slight cold; ~ слу́чай (заболева́ния) mild case [...-s]; ◇ ~ сон light sleep; ~ая атле́тика track and field àthlétics [...fi:ld...] pl.; ~ая артилле́рия light àrtíllery; ~ое чте́ние разг. light réading; ~ое вино́ light wine; ~ие нра́вы lax mórals [...'mɔ-]; ~ хара́ктер éasy / sweet témper; у него́ ~ хара́ктер he is éasy to get on with; с ~им се́рдцем with a light heart [...hɑ:t]; у него́ ~ая рука́ разг. he brings luck; с ва́шей ~ой руки́ разг. fóllowing your exámple [...-ɑ:m-]; лёгок на поми́не! talk of the dévil (and he is sure to appéar! [...ʃuə-]; вы легки́ на поми́не we were just spéaking abóut you; же́нщина ~ого поведе́ния wóman* of éasy vírtue ['wu-...].

легко́ [-хк-] I 1. прил. кратк. см. лёгкий; 2. предик. безл. it is éasy [...'i:zɪ]; не ~ сде́лать э́то it is not an éasy task / job; ◇ ~ сказа́ть! разг. it's éasy to say, éasier said than done ['i:z- sed...].

легко́ [-хк-] II нареч. éasily [-z-], lightly, slightly; (ср. лёгкий); э́то ему́ ~ даётся it comes éasy to him [...-zɪ...]; ~ косну́ться (рд.) touch lightly [tʌtʃ...] (d.); ~ ступа́ть tread* lightly [tred...]; он сде́лал э́то сравни́тельно ~ he did it with compárative ease.

легкоатле́т [-хк-] м. (track and field) áthlète [...fi:ld...].

легкоатлети́ческий [-хк-] (track and field) áthlète [...fi:ld...] (attr.).

легко||ве́рие [-хк-] с. credúlity, gùllibílity. **~ве́рный** [-хк-] crédulous, gúllible.

легкове́с [-хк-] м. спорт. light-weight. **~ный** [-хк-] light; light-weight (attr.); (перен., о доводе) slight, sùperfícial.

легково́й [-хк-]: ~ автомоби́ль (mótor) car; áutomobile [-i:l] амер.; ~ изво́зчик (экипаж) cab; (кучер) cáb;man*; cábby разг.

легковоспламеня́ющийся [-хк-] highly ínflámmable, deflágrable.

лёгк||ое [-хк-] с. скл. как прил. 1. анат. lung; воспале́ние одного́ ~ого, обо́их ~их single, double pneumónia [...dʌ- nju:-]; 2. тк. ед. (как пища) lights pl.

легкокры́лый [-хк-] light-wìng;ed.

легкомы́сленно [-хк-] I прил. кратк. см. легкомы́сленный.

легкомы́сленн||о [-хк-] II нареч. lightly, thóughtlessly, flíppantly. **~ость** [-хк-] ж. = легкомы́слие. **~ый** [-хк-] light, light-mínded, frívolous, light-héaded [-'hed-], thóughtless, flíppant; ~ый челове́к light-héaded / thóughtless man*, frívolous pérson; ~ый посту́пок thóughtless / cáre;less áction; ~ый сове́т thóughtless advíce; ~ый вид flíppant air.

легкомы́слие [-хк-] с. lightness, light-mínded;ness, thóughtlessness, flíppancy, lévity.

легкопла́вкий [-хк-] тех. fúsible [-z-].

лёгкость [-хк-] ж. lightness; éasiness ['i:z-]; (ср. лёгкий); ◇ ~ в мы́слях thóughtlessness.

лего́нько нареч. разг. 1. (чуть заметно) slightly; 2. (осторожно) gently.

лёгочный púlmonary; ~ больно́й lung pátient.

легча́ть [-хч-], полегча́ть разг. 1. (о морозе и т. п.) léssen, abáte; 2. безл. (об улучшении самочувствия) get* bétter; feel* bétter.

ле́гче [-хче-] I сравн. ст. прил. см. лёгкий; 2. предик. безл. it is éasier [...'i:z-]; ◇ час от часу не ~ разг. ≅ from bad to worse, things just get worse and worse; one thing on top of another; ему́ от э́того не ~ he is none the bétter for it [...nʌn...]; that's no help; ~ сказа́ть, чем сде́лать éasier said than done [...sed...].

ле́гче [-хче-] II сравн. ст. нареч. см. легко́ II; ~ на поворо́тах! разг. mind what you say!, watch your step!

лёд м. ice; дрейфу́ющий ~ drift-ìce; па́ковый ~ páck-ìce; сплошно́й ~ íce-field [-fi:-], sólid ice; затёртый льда́ми iced up, íce-bound; ве́чные льды́ etérnal ice sg.; ~ идёт ice is drífting; река́ свобо́дна ото льда the ríver is ópen [...'rɪ-...]; ста́вить на ~ (вн.; о кушанье) put* on ice (d.); ◇ ~ разби́т the ice is bróken.

леда́щий разг. púny, féeble.

ледене́ть 1. (превращаться в лёд) freeze*, con;géal; 2. (замерзать, коченеть) becóme* numb with cold; ◇ кровь ледене́ет (от у́жаса) the blood runs cold [...blʌd...], it makes one's blood cúrdle.

ледене́ц м. frúit-drop ['fru:t-], súgar cándy ['ʃu-...]; lóllipòp разг.; (круглый) súgarplùm ['ʃu-].

леденистый frózen, ícy.

леден||и́ть (вн.) freeze* (d.); (перен.) chill (d.); у́жас ~и́л его́ се́рдце térror froze his heart [...hɑ:t]. **~я́щий** 1. прич. см. леденить; 2. прил. chílling, ícy; его́ охвати́л ~я́щий у́жас he was hórror-stricken, hórror chilled him to the bone.

ледери́н м. léatherette ['leð-].

ле́ди ж. нескл. lády.

ле́дник м. (здание) íce-house* [-haus]; íce-bòx.

ледни́к м. геол. glácier ['glæsjə]. **~о́вый** glácial; ~о́вый пери́од геол. glácial époch / périod [...-ɔk...], íce-àge.

ледо́в||ый ice (attr.); ~ая обстано́вка ice condítions pl.; ~ая разве́дка ice patról [...-oul]; ~ые пла́вания Árctic vóyages; ◇ Ледо́вое побо́ище Báttle on the Ice.

ледоко́л м. íce-breaker [-breɪ-], íce-bòat.

ледоко́льный íce-breaker [-breɪ-] (attr.); ~ флот íce-breaker fleet.

ледоре́з м. 1. (лёгкий ледокол) íce-cùtter; 2. (трёхгранный бык моста) stárling.

ледору́б м. спорт. íce-àxe.

ледоста́в м. fréezing-óver (of rivers, etc.).

ледохо́д м. drífting / flóating of ice.

ледышка ж. разг. piece of ice [pi:s...].

ледян||о́й (прям. и перен.) ícy; glácial; (перен.) íce-cold, chílling; ~а́я сосу́лька ícicle ['aɪ-]; ~а́я гора́ (для катания) íce-slòpe; (айсберг) íce-bèrg; ~ ве́тер ícy / fréezing wind [...wɪ-]; ~о́е молча́ние ícy / frígid sílence [...'saɪ-]; ~ым то́ном ícily ['aɪ-], in an ícy tone; ~о́е по́ле спорт. íce-rìnk.

лежа́к м. déck-chair.

лежа́л||ый stale, old; ~ хлеб stale / old / músty bread [...-ed]; ~ая мука́ rótting flour.

лежа́нка ж. stóve-bènch.

леж||а́ть 1. lie*; (о больном тж.) keep* one's bed; (о вещах тж.) be; он ~и́т в посте́ли he lies in bed; до́ктор веле́л ему́ ~ the dóctor told him to stay in bed; кни́га ~и́т в портфе́ле, на столе́ the book is in the bag, on the table; ~ больны́м be ill in bed, be laid up; ~ в лихора́дке be confíned to bed with féver, be laid up with féver; ~ с воспале́нием лёгких be down with pneumónia [...nju:-]; ~ в больни́це be in hóspital; ~ в дре́йфе мор. lie* to; во́лосы ~а́т гла́дко the hair is combed smooth [...kou- -ð]; 2. (быть расположенным) lie*, be sítuated; го́род ~и́т на берегу́ мо́ря the town lies / is on the coast; 3.: э́то ~и́т на его́ обя́занности it is his dúty; э́то ~и́т на его́ отве́тственности he is respónsible for it; it is in;cúmbent on him;

◇ ~ в осно́ве ùnderlíe*; ~ на боку́, на печи́ *разг.* idle, idle a꞉wáy one's time; ~ под сукно́м be shelved (*owing to bureaucratic methods*); у него́ душа́ не ~и́т (к) he has a dístaste [...-'teɪ-] (for), he has an avérsion (to, from, for); э́то ~и́т у меня́ на со́вести it lies héavy on my cónscience [...he-...-ʃəns].

лежа́||ться *безл.*: ему́, ей *и т. д.* не и́тся, не ~а́лось he, she, *etc.*, does, did not feel like having a líe-down.

лежа́ч||ий lýing, recúmbent; ~ больно́й béd-pàtient; ~ее положе́ние reclíning position [...-ˈzɪ-]; ◇ под ~ ка́мень вода́ не течёт *посл.* ≅ no pains, no gains; ~его́ не бьют *посл.* ≅ never hit a man when he is down.

ле́жбище *с.* 1. bréeding-ground (*of certain aquatic mámmals*); ~ тюле́ней séal-rookery; 2. *охот.* bed.

лежебо́ка *м. и ж. разг.* líe-abèd, lázy-bònes.

лёжень *м. тех.* lédger, sléeper, sill, foundátion beam.

лёжк||а *ж.*: лежа́ть в ~у *разг.* (*о больно́м*) be flat on one's back.

лежмя́ *нареч. разг.*: ~ лежа́ть be lýing down without stírring; lie* hélpless.

ле́звие *с.* blade.

лезги́н *м.* Lézghin.

лезги́нка I *ж.* Lézghin wóman*, girl [...ˈwu- g-].

лезги́нка II *ж.* (*танец*) lèzghínka.

лезги́нский Lézghin.

лезть, поле́зть 1. *см.* ла́зить; (*в вн.*) влеза́ть) get* (into); ~ в во́ду get* into the wáter [...ˈwɔ:-]; **2.** (к) *разг.* (*надоеда́ть*) thrust* òneˈsélf (up꞉òn); **3.** (*о волоса́х*) come* out, fall* out; **4.** (*быть впо́ру*) fit; сапоги́ ему́ не ле́зут he can't get the boots on [...kɑːnt...]; **5.** (*в вн.*: *в шкаф, я́щик и т. п.*) get* (into); ◇ ~ из ко́жи вон *разг.* ≅ go* all out; bend* óver báckwards [...-dz]; ~ на́ сте́ну *разг.* ≅ be besíde one's self; go* into a frénzy; не ~ за сло́вом в карма́н *разг.* ≅ have a réady tongue [...ˈredɪ tʌŋ], not be at a loss for a word, have a way with words; ~ не в своё де́ло poke one's nose into other péople's affáirs [...piː-...], pry; кому́-л. в ду́шу *разг.* worm oneˈsélf into smb.'s cónfidence; ~ на глаза́ (*дт.*) hang* round (*d.*), make* a núisance of òneˈsélf [...ˈnjuːs-...] (to); ~ в дра́ку be spóiling for a fight; хоть в пе́тлю ~ *разг.* ≅ I am, he is, *etc.*, at my, his, *etc.*, wit's end.

лей *м.* (*де́нежная едини́ца Румы́нии*) léu [ˈleu].

лейб-гва́рдия *ж. воен. ист.* Life Guards *pl.*

лейб-ме́дик *м. ист.* physícian-in-órdinary [-ˈzɪ-].

лейбори́ст *м. полит.* Lábourite. ~**ский** *полит.* Lábour (*attr.*); ~ская па́ртия the Lábour Párty; ~ское прави́тельство Lábour góvernment [...ˈgʌ-].

ле́йденск||ий: ~ая ба́нка *физ.* Léyden jar.

ле́йка I *ж.* 1. (*для поли́вки*) wáter-ing-càn [ˈwɔ:-], wátering-pòt [ˈwɔ:-]; 2. *мор.* báiler.

ле́йка II *ж.* (*фотоаппара́т*) Léica (cámera).

лейкеми́я *ж. мед.* leukáemia.

лейко́з *м. мед.* leucósis.

лейко́ма *ж. мед.* leucóma.

лейкоци́ты *мн.* (*ед.* лейкоци́т *м.*) *физиол.* léucocỳtes.

лейтена́нт *м.* lieuténant [lefˈte-; ləˈte- *мор.*; luːˈte- *амер.*]; мла́дший ~ júnior lieuténant; (*в англи́йской а́рмии*) sécond lieuténant [ˈse-...]; ста́рший ~ sénior lieuténant; (*в англи́йской а́рмии*) first lieuténant.

лейтмоти́в *м. муз.* léit-mòtif [ˈlaɪt-moutiːf]; (*перен.*) búrden, ténor [ˈte-] (*the leading idea*).

лека́ло *с.* 1. *тех.* mould [mou-]; témplate, gauge [geɪdʒ]; 2. (*для черче́ния*) curve.

лека́льщик *м.* gáuger [ˈgeɪdʒə].

лека́рственн||ый médicinal; (*о расте́ниях тж.*) officinal; ~ые тра́вы herbs.

лека́рство *с.* médicine; drug; ~ от, про́тив ка́шля cough médicine [kɔf...]; прописа́ть ~ prescríbe a médicine; принима́ть ~ take* (one's) médicine; пригото́влять ~ make* up a prescríption; ~ поде́йствовало the médicine has táken efféct, *или* worked.

ле́карь *м. уст.* dóctor.

ле́ксика *ж. лингв.* vocábulary.

лексико́||граф *м.* lèxicógrapher. ~**графи́ческий** lèxicográphical. ~**гра́фия** *ж.* lèxicógraphy.

лексико́||лог *м.* lèxicólogist. ~**логи́ческий** lèxicológical. ~**ло́гия** *ж.* lèxicólogy.

лексико́н *м.* 1. *уст.* (*слова́рь*) léxicon, díctionary; 2. (*запа́с слов*) vocábulary.

лекси́ческий léxical.

ле́кт||ор *м.* lécturer, réader. ~**о́рий** *м.* 1. (*учрежде́ние*) centre órganizing públic léctures [...ˈɔː-...]; 2. (*помеще́ние*) lécture-hàll. ~**орский** *прил. к* ле́ктор. ~**у́ра** *ж.* lécturership.

лекцио́нный *прил. к* ле́кция; ~ ме́тод преподава́ния téaching méthod based on léctures.

ле́кци||я *ж.* (о, по) lécture (on, about); посеща́ть ~и attend léctures; чита́ть ~ю lécture, give* / delíver a lécture [...ˈlɪ-...]; (*перен.: наставля́ть*) *разг.* give* / read* a lécture; чита́ть ~и léc-ture, delíver léctures.

леле́ять (*вн.*) chérish (*d.*), fóster (*d.*); ~ мечту́ chérish a hope.

ле́мех *м. с.-х.* plóughshàre.

ле́мма *ж. мат.* lémma.

ле́мминг *м. зоол.* lémming.

лему́р *м. зоол.* lémur.

лен *м. ист.* fief [fiːf]; fee; отдава́ть в ~ (*вн.*) give* in fee (*d.*).

лён *м. бот.* flax; ди́кий ~ tóadflàx; ~-долгуне́ц lóng-fíbred flax; во́лосы как ~ fláxen hair; го́рный ~ *мин.* àsbéstos [æz-].

лени́в||ец *м.* 1. = ленти́й; 2. *зоол.* sloth [-ouθ]; 3. *тех.* (*направля́ющее колесо́ гу́сеницы*) ídler, ídling spróck-et. ~**ый** lázy; ◇ ~ые щи soup of fresh cábbage [suːp...].

ленингра́д||ец *м.*, ~**ка** *ж.* inhábitant of Léningràd. ~**ский** Léningràd (*attr.*).

ле́нинец *м.* Léninist.

ленниниа́на *ж.* Lénin stúdies (in líterature and the arts).

лениниз́м *м.* Léninism.

ле́нинский 1. Lénin (*attr.*); ле́нинские дни Lénin days; 2. (*со́зданный Ле́ниным*) Lénin's; Ле́нинский комсомо́л Lénin Kómsomòl; по ле́нинскому пути́ alóng the path blazed by Lénin; 3. (*соотве́тствующий при́нципам лениниз́ма*) Léninist; ле́нинские но́рмы парти́йной жи́зни the Léninist stándards / norms of Párty life.

лени́ться be lazy, idle.

ле́нн||ик *м. ист.* vással. ~**ый** *ист.* féudal; ~**ая** зави́симость féudal depéndence.

ле́ность *ж.* láziness [ˈleɪ-], ídle꞉ness; sloth [-ou-].

ле́нский: ~ расстре́л *ист.* the Léna shóoting [...ˈliːnə...].

ле́нт||а *ж.* 1. ríbbon (*тж. знак отли́чия*); (*для воло́с тж.*) fillet; (*на шля́пе*) (hát)bànd; ви́ться ~ой (*о реке́ и т. п.*) wind* its way; ríbbon; 2. *тех.* tape, band; изоляцио́нная ~ ínsulàting tape; телегра́фная ~ (télegràph) tape; гу́сеничная ~ cáterpillar track; патро́нная ~ cártridge belt; 3. (*кинофи́льм*) (reel of) film.

ле́нточка *ж. уменьш. от* ле́нта 1.

ле́нточ||ный *прил. к* ле́нта 1; ~ глист tápe-wòrm; ~ая пила́ bánd-sàw; ~ конве́йер belt convéyer; ~ то́рмоз band brake.

ленти́й *м.*, ~**ка** *ж.* lázy pérson, ídler, lóafer; lázy-bònes *разг.* ~**ничать** *разг.* be lázy / idle; idle one's time a꞉wáy, loaf.

ленц||а́ *ж.*: он с ~о́й *разг.* he is in꞉clíned to be lázy.

ленчи́к *м.* (*седла́*) sáddle-tree.

лень *ж.* 1. láziness [ˈleɪ-], ídle꞉ness; (*вя́лость*) indólence; ~ на него́ напа́ла he is in a lázy mood; преодолева́ть ~ óver꞉cóme* one's láziness; 2. *предик. безл. разг.* (*не хо́чется*): на́до бы пойти́, да ~ I ought to go there, but I can't be bóther꞉ed [...kɑːnt...]; ему́ с ме́ста сдви́нуться he is too lázy to move [...muːv]; ◇ ~ — мать всех поро́ков *погов.* ídleness is the root of all évil [...iː-]; ~ всё, кому́-л. ánỳ꞉one who will take the tróuble [...trʌ-].

леопа́рд *м. зоол.* léopard [ˈlep-]; (*са́мка*) shé-léopard [-ˈlep-], léopardess [ˈlep-].

лепестко́вый *бот.* pétalous, pétalled.

лепесто́к *м.* pétal [ˈpe-]; ~ ро́зы róse-pètal [-pe-], róse-leaf*.

ле́пет *м.* (*прям. и перен.*) bábble; де́тский ~ báby-tàlk, chíldish prattle; ~ волн *поэт.* the múrmur of waves. ~**а́ние** *с.* bábbling. ~**а́ть** 1. (*вн.*) bábble (*d.*); 2. (*без доп.*) prattle.

лепёш||ка *ж.* 1. (*из те́ста*) flat cake; cóokie; 2. (*лека́рственная*) táblet [ˈtæ-], lózenge; мя́тная ~ mínt-lòzenge; ◇ разби́ться, расши́бться в ~ку *разг.* lay* òne꞉sélf out.

лепи́ть, вы́лепить, слепи́ть 1. *при сов.* вы́лепить (*вн.*) módel [ˈmɔ-] (*d.*), scúlpture (*d.*); fáshion (*d.*), shape (*d.*) (*тж. перен.*); scúlp (*d.*) *разг.*; **2.** *при сов.* слепи́ть (*вн.*; *о гнёздах, со́тах*) build* [bɪld] (*d.*), make* (*d.*). ~**ся** (к) cling* (to).

ЛЕП — ЛЕТ

лепка ж. módelling. ~**ной** módelled, móulded ['mou-]; ~**ное украшение** stúcco móulding [...'mou-].

лепрозорий м. hóspital for lépers [...'le-].

лепта ж. mite; **вносить свою** ~**у** do* one's bit; (в вн.) make* one's contribútion (to).

лес м. 1. wood(s) [wu-] (pl.); (большой, тж. перен.) fórest ['fɔ-]; **хвойный** ~ cóniferous fórest / wood [kou-]; **лиственный** ~ decíduous fórest / wood; **смешанный** ~ mixed fórest / wood; ~ **штыков** fórest of báyonets; 2. тк. ед. (материал) tímber; lúmber амер.; ~ **на корню** stánding tímber; ~ **в плотах** tímber float; ◊ **как в** ~**у** разг. ≃ all at sea; ~ **рубят — щепки летят** посл. ≃ you cánnot make an ómelet(te) without bréaking eggs [...'ɔmlɪt...'breɪ-...]; **кто в** ~, **кто по дрова** погов. ≃ all at síxes and sévens [...'se-].

леса ж. = леса́ III.

леса́ I мн. см. лес 1.

леса́ II мн. (строительные) scáffold (-ing) sg.; fálsework ['fɔːls-] sg.; **здания были ещё в** ~**х** the búildings were still in scáffolding [...'bɪ-...].

леса́ III ж. рыб. fishing-line.

лесенка ж. уменьш. от лестница; тж. short flight of stairs; (приставная) short ládder.

лесистый wóoded ['wu-], wóody ['wu-]; ~**ая местность** wóodland(s) ['wu-] (pl.), fórest land ['fɔ-...], wóoded cóuntry [...'kʌ-].

леска ж. разг. = леса́ III.

лесни́к м. fórest-guard ['fɔ-], fórester. ~**чество** с. fórestry. ~**чий** м. скл. как прил. fórestry ófficer, fórest wárden ['fɔ-...].

лесной прил. к лес; ~**ое хозяйство** fórestry; ~**ые насаждения** affórestation sg.; **полезащитные** ~**ые полосы** fórest shélter-belts ['fɔ-...]; ~ **заповедник** fórest resérve [...'zɜːv]; ~ **питомник** núrsery fórest; arborétum (pl. -ta) научн.; ~**ые материалы** tímber амер.; ~**ые богатства** tímber resóurces [...'sɔː-]; ~**ая промышленность** tímber índustry, wood índustry [wud...]; ~ **пейзаж** wóodland scénery ['wu- -siː-]; ~**ая школа** cóuntry bóarding school ['kʌ-...] (for children with affected health); ~ **институт** school of fórestry, fórestry ínstitute.

лесовод м. fórestry spécialist [...'spe-], fórester; silvículturist научн. ~**ство** с. fórestry; silvículture научн.

лесоводческий fórestry (attr.); ~**ческая бригада** fórestry brigáde / team.

лесовоз м. (автомобиль) tímber lórry; (судно) tímber ship.

лесозавод м. tímber mill.

лесозаготовительный: ~**ые предприятия** tímber énterprises.

лесозаготов||**ки** мн. (ед. **лесозаготовка** ж.) State tímber púrchasing [...-tʃəs-]; (строит. материала) tímber cútting / félling sg.; (дров) lógging sg.; **участки** ~**ок** tímber-félling sites.

лесозащитный fórest-protéction ['fɔ-] (attr.); ~**ые полосы** fórest shélter-belts ['fɔ-...]; ~**ая станция** fórest-protéction státion.

лесок м. small wood [...wud], grove.

лесоматериал м. tímber; lúmber амер.

лесомелиор||**ативный** fórest amelioration ['fɔ-...] (attr.). ~**ация** ж. fórest ameliorátion ['fɔ-...].

лесонасаждение с. afforestátion, fórest-plantátion ['fɔ- -plɑː-]; **защитные** ~**ия** protéctive afforestátion sg.

лесообрабатывающий: ~**ая промышленность** tímber índustry.

лесопарк м. fórest-park ['fɔ-]. ~**овый** fórest-park ['fɔ-] (attr.).

лесо||**пилка** ж. sáwmill. ~**пильный** sáwing; saw (attr.); ~**пильный завод** sáwmill; ~**пильная рама** saw / log frame. ~**пильня** ж. = лесопилка.

лесопитомник м. núrsery fórest [...'fɔ-]; arborétum (pl. -ta) научн.

лесоповал м. trée-felling.

лесополоса́ ж. wóodland belt ['wud-...], fórest belt ['fɔ-...]; **защитная** ~ fórest shélter-belt.

лесоса́дки мн. fórest-plantátions ['fɔ- -plɑː-]; **полезащитные** ~ field-protécting fórest-plantátions ['fiː-...].

лесопосадочн||**ый** fórest-plánting ['fɔ- -plɑː-]; ~**ая машина** fórest-plánting machíne [...-'ʃiːn]; ~ **материал** sáplings pl.

лесопромышленн||**ик** м. tímber-mérchant. ~**ость** ж. tímber índustry. ~**ый** прил. к лесопромышленность.

лесоразработки мн. (ед. **лесоразработка** ж.) lógging área [...'ɛərɪə] sg.

лесоруб м. wóod-cutter ['wud-], lógger.

лесосе́ка ж. (wóod-)cútting área ['wud- -'ɛərɪə].

лесосплав м. tímber-ráfting.

лесостепной прил. к лесостепь; ~ **район** fórest-stéppe région ['fɔ- -step...].

лесостепь ж. геогр. fórest-stéppe ['fɔ- -step].

лесосушилка ж. tímber-drýing plant [...-ɑːnt], tímber-drýer.

лесота́ска ж. тех. log convéyer.

лесотундр||**а** ж. геогр. fórest-túndra ['fɔrɪst'tu-]. ~**овый** fórest-túndra ['fɔrɪst'tuː-] (attr.).

лесоэкспорт м. tímber-éxport.

леспромхоз м. (State) tímber índustry énterprise.

лёсс м. геол. loess [lɜːs], löss [lɜːs].

лестниц||**а** ж. stairs pl.; stáircase [-s]; (приставная) ládder; **марш** ~**ы** flight of stairs; **верёвочная** ~ rópe-ladder; **складная** ~ steps pl., stép-ladder; **пожарная** ~ fire-escápe; **парадная** ~ front stáircase [frʌnt...]; **чёрная** ~ báckstairs pl.; **подниматься по** ~**е** go* úpstairs; **спускаться по** ~**е** go* / come* dównstairs; ~ **иерархическая** ~ the scale of rank.

лестничн||**ый** прил. к лестница; ~**ая клетка** stáircase [-s], well.

лестн||**ый** 1. (похвальный) fláttering, complímentary; 2. (льстящий самолюбию) fláttered; **ему было** ~**о** he felt fláttered.

лесть ж. fláttery, cajólery [-ou-]; **низкая** ~ base fláttery [-s...], adulátion; **тонкая** ~ subtle fláttery [sʌtl...].

лесхоз м. (лесное хозяйство) fórestry.

лёт м.: **на лету́** in the air; (о птице) on the wing; (перен.; наскоро, мимоходом) húrriedly, in pássing; **хватать на лету́** разг. be very quick to grasp, be very quick in / on the úptake.

Лет||**а** ж. миф. Léthe ['liːθiː]; ◊ **кануть в** ~**у** sink* into oblívion.

лета 1. мн. (возраст) years; age sg.; **сколько ему лет?** how old is he?; **ему 10 лет** he is ten (years old); **ему больше, меньше 50-ти лет** he is óver, únder fifty; **средних лет** míddle-aged; **они одних лет** they are of the same age; **с детских лет** from chíldhood [...-hud]; **в** ~**х** élderly, gétting on (in years); **на старости лет** in one's old age; 2. (как мн. к год) years; **прошло много, несколько лет** many, séveral years have passed / elápsed.

летальный мед. léthal ['liːθəl]; ~ **исход** léthal óutcome.

летарг||**ический** мед. lethárgic; ~ **сон** cóma. ~**ия** ж. мед. léthargy.

летательн||**ый** flýing; ~ **аппарат** áircraft; ~ **аппарат легче воздуха** líghter-than-air craft; ~ **аппарат тяжелее воздуха** héavier-than-air craft ['he-...]; ~**ая перепонка** зоол. wing mémbrane.

лет||**а́ть**, опред. **лететь**, сов. **полететь** fly*; (о бабочке) flútter; ◊ **лететь стрелой** fly* / go* like an árrow from the bow [...bou]; **лететь на всех парах** run* at full / top speed, tear* / rush alóng [tɛə...]. ~**а́ющий** прич. см. летать; ~**а́ющая лягушка** зоол. flýing frog; rhacóphorus научн.; ~**а́ющая крепость** ав. flýing fórtress.

лете́ть см. летать.

лётка ж. тех. notch.

летний прил. к лето; (напоминающий лето) súmmery, súmmer-like; ~ **отдых** súmmer hóliday [...-dɪ].

-летний в сложн. словах, не приведённых особо) of... years, -year (attr.); напр. **двадцатилетний** of twénty years, twénty-year (attr.).

летник м. бот. ánnual.

лётн||**ый** flýing; ~**ая погода** flýing wéather [...'we-]; ~ **состав** ав. air crew; flight pèrsonnél амер.; ~**ое дело** flýing, aeronáutics [ɛərə-].

лето с. súmmer; ◊ **бабье** ~ ≃ Índian súmmer (súmmery days in early autumn); **сколько лет, сколько зим!** разг. ≃ it's áges since we last met!, we háven't met for áges!

леток м. (в улье) bée-entrance.

летом нареч. in súmmer.

летопи́с||**ец** м. chrónicler, ánnalist. ~**ный** ánnalistic.

летопись ж. chrónicle; ánnals pl.

летосчисление с. sýstem of chronólogy, chronólogy, éra.

летун м. разг. flíer, flýer; (перен.) ≃ bird of pássage.

лету́честь ж. хим. volatílity.

летуч||**ий** 1. flýing; ~**ая мышь** bat; ~**ая рыба** зоол. flýing fish; 2. хим. vólatile; ◊ ~ **листок** = летучка II 1; ~ **митинг** = летучка II 2; ~ **ревматизм** shífting rhéumatism.

летучка I ж. бот. páppus.

летучка II ж. разг. 1. (печатный листок) léaflet; 2. (собрание) short méeting; bríefing ['briːf-]; 3.: **ремонтная** ~ emérgency repáirs team; **хирургическая** ~ móbile súrgical únit.

лётчик м. flier, flýer, pílot; морско́й ~ nával pílot.

лётч||и́спыта́тель м. tést-pílot. **~-истреби́тель** м. fíghter pílot; pursúit pílot [-'sju:t..]; амер. **~-космона́вт** м. space pílot. **~-наблюда́тель** м. obsérver [-'zə:-].

лётчица ж. wóman-pilot ['wu-].

леча́щий: ~ врач dóctor in charge of the case [...-s].

лече́б||ница ж. clínic. **~ый** 1. (врачебный) médical; 2. (целебный) medícinal; ~ая физкульту́ра theràpéutic phýsical tráining [...-z-...]; physiótherapy éxercises [-zɪ-...].

лече́н||ие с. (médical) tréatment, cure; амбулато́рное ~ óut-pàtient tréatment; проде́лать курс ~ия undergó* a course of (médical) tréatment [...kɔ:s...]; отпра́виться на ~ go* awáy for tréatment.

лечи́ть (вн.) treat (médically) (d.); ~ кого́-л. от како́й-л. боле́зни treat smb. for an íllness; он ле́чит моего́ сы́на he is tréating my son [...sʌn]. **~ся** 1. undergó* a cure; ле́читься от чего́-л. recéive tréatment for smth. [-'si:v...]; ~ся грязя́ми take* / undergó* a mud cure; 2. страд. к лечи́ть.

лечь сов. см. ложи́ться.

леш||ий м. скл. как прил. фольк. wóod-gòblin ['wud-]; ◇ иди́ ты к ~ему! разг. бран. go to hell!; како́го ~его? разг. бран. what / why the dévil / hell?

лещ м. bream (fréshwater fish).

лещи́на ж. бот. házel.

ле́я ж. = лей.

лже- (в сложн.) pséudò-, false [fɔ:ls]; mock-.

лжедемокра́тия ж. pséudò-demócracy.

лженау́||ка ж. pséudò-science. **~чный** pséudò-scientífic.

лжеприся́га ж. юр. pérjury.

лжесвиде́тель м., **~ница** ж. false wítness [fɔ:ls...], pérjurer. **~ство** с. юр. false évidence [...fɔ:ls...], pérjury.

лжесвиде́тельствовать юр. give* false évidence [...fɔ:ls...], pérjure onesélf.

лжесоциалисти́ческий pséudò-sócialist.

лжетео́рия ж. false théory [fɔ:ls'θɪə-], héresy.

лжеуче́ние с. false dóctrine [fɔ:ls...], héresy.

лжец м. líar.

лжи́в||ость ж. fálsity ['fɔ:l-], mendácity. **~ый** lýing, mendácious; (обманчивый) false [fɔ:ls], decéitful [-'si:t-].

ли I, **ль** союз whéther, if: он не по́мнит, ви́дел ли он его́ he dóesn't remémber whéther he has seen him; посмотри́, там ли де́ти go and see if the chíldren are there; — ли... ли whéther... or; был ли он, нет был ли whéther he was or not; сего́дня ли, за́втра ли whéther to-dáy or to-mórrow.

ли II, **ль** частица не переводится: возмо́жно ли? is it póssible?; зна́ет ли он э́то? does he know this? [...nou...].

лиа́на ж. бот. liána [lɪ'ɑ:nə].

либера́л м. líberal. **~и́зм** м. 1. líberalism; 2. (излишняя терпимость, снисходительность) tólerance; гнило́й ~и́зм decáyed / rótten líberalism.

либера́льн||ичать разг. play the líberal. **~ость** ж. líberal views [...vju:z] pl. **~ый** líberal; **~ая буржуази́я** líberal bourgeoisíe [...buəʒwɑ:'zi:].

ли́бо союз or ~..., ~ (éither)... or [ˈaɪ-...]; ~ оди́н, ~ друго́й (éither) one or the óther.

-либо частица см. где́-либо, како́й-либо, кто́-либо и т. п.

либретти́ст м. librétist.

либре́тто с. нескл. librétto (pl. librétti).

лива́н||ец м., **~ка** ж., **~ский** Lebanése.

ли́вень м. héavy shówer ['he-...], dównpour [-pɔ:], clóud-burst.

ли́вер I м. тех. síphon ['saɪ-].

ли́вер II м. кул. pluck, líver ['lɪ-]. **~ный** прил. к ли́вер II; **~ная колбаса́** líver sáusage ['lɪvə'sɔ:-].

ливмя́ нареч. разг.: дождь ~ льёт it is póuring [...'pɔ:-], it is ráining in tórrents.

ливре́йный 1. прил. к ливре́я; 2. (одетый в ливрею) líveried; **~ лаке́й** líveried sérvant.

ливре́я ж. lívery.

ли́га ж. league [li:g]; **Ли́га На́ций** ист. the League of Nátions.

лигату́ра ж. 1. хим. allóy; 2. лингв., мед. lígature.

лигни́н м. биохим. lígnin(e).

лигни́т м. геол. lígnite.

ли́дер м. 1. léader; 2. мор. flotílla léader, destróyer léader. **~ство** с. 1. léadership; 2. спорт. the lead.

лиди́ровать спорт. be in the lead.

лиза́ть, **лизну́ть** (вн.) lick (d.); ◇ ~ пя́тки кому́-л. разг. ≅ lick smb.'s boots. **~ся** разг. spoon.

ли́зис м. мед. lýsis.

лизну́ть сов. см. лиза́ть.

лизобло́д м. разг. líck-spíttle.

лизо́л м. хим. lýsol.

лик I м. 1. уст., поэт. face; (на иконе) ímage; 2.: ~ луны́ face of the moon.

лик II м.: причи́слить к ~у святы́х (вн.) церк. cánonize (d.).

ликбе́з м. (ликвида́ция безгра́мотности) ист. campáign for abólishing illíteracy [-'peɪn...].

ликвида́тор м. полит. liquidátor; quítter разг. **~ство** с. полит. liquidátionism.

ликвида́||цио́нный прил. к ликвида́ция. **~ция** ж. liquidátion; (отмена) abolítion; (постепенная) eliminátion; eliminàting; (долгов) séttlement (of debts) [...dets].

ликвиди́ровать несов. и сов. (вн.) líquidàte (d.); abólish (d.); do awáy (with); (постепенно) elíminàte (d.); (выправлять о недостатках) make* good (d.); ~ ба́зы на чужи́х террито́риях dismántle báses on / in fóreign territóries [...-s-...'fɔrɪn...]. **~ся** несов. и сов. 1. wind* up (one's actívities); 2. страд. к ликвиди́ровать.

ликви́дн||ый фин. réady ['re-]; **~ые сре́дства** líquid ássets.

ликёр м. liquéur [-'kjuə]. **~ный** прил. к ликёр.

ликова́||ние с. rejóicing, exultátion, tríumph. **~ть** rejóice, tríumph, exúlt.

ликопо́дий м. 1. бот. lycopódium [laɪ-]; 2. фарм. lycopódium pówder.

ЛЕТ — ЛИН
Л

ли́ктор м. ист. líctor.

лику́ющий 1. прич. см. ликова́ть; 2. прил. exúltant, tríumphant.

лиле́йные мн. скл. как прил. бот. liliáceae [-sii].

лиле́йный 1. поэт. líly-white ['lɪ-]; 2. бот. liliáceous [-ʃəs].

лилипу́т м. lillipútian.

ли́лия ж. líly ['lɪ-]; водяна́я ~ wáter-lily ['wɔ:təlɪ-].

лилова́тый lílac-tinged.

лилове́ть 1. (становиться лиловым) turn lílac / víolet; 2. (виднеться) show* lílac / víolet [ʃou...].

лило́вый lílac, víolet.

лима́н м. éstuary, firth; (озеро) cóastal salt lake. **~ный** прил. к лима́н; **~ные зе́мли** éstuary área [...'ɛərɪə] sg.; **~ное ороше́ние** éstuary irrigátion.

лимб м. тех. limb.

лими́т м. límit. **~и́ровать** несов. и сов. (вн.) límit (d.).

лимо́н м. (дерево и плод) lémon ['le-]; ◇ вы́жатый ~ ≅ (he is) fágged out.

лимона́д м. lèmonáde; lémon squash ['le-...].

лимоннокислый хим. cítric-àcid (attr.).

лимо́нн||ый прил. к лимо́н; **~ое де́рево** lémon tree ['le-...]; **~ая кислота́** хим. cítric ácid.

лимузи́н м. (автомобиль) límousine [-mu:zi:n].

ли́мфа ж. физиол. lymph.

лимфати́ческ||ий физиол. lymphátic; **~ие сосу́ды** lymphátic véssels; **~ие же́лезы** lymphátic glands.

лимфоци́т м. физиол. lýmphocyte.

лингви́ст м. línguist. **~ика** ж. linguístics. **~и́ческий** linguístic.

лине́йк||а I ж. 1. (линия, черта) line; но́тные **~и** муз. staves; тетра́дь в **~у** lined nótebook; 2. (для черчения) rúler; логарифми́ческая ~ slíde-rule; 3. полигр. rule; набо́рная ~ sétting-rule; 4. (строй) line; 5. (сбор): пионе́рская ~ Young Pionéer paráde [jʌŋ...].

лине́йка II ж. уст. (экипаж) brake, break [-eɪk], large wàgonétte [...wæ-].

лине́йн||ый 1. мат. línear; line (attr.); **~ые ме́ры** línear méasures [...'meʒ-]; 2.: **~ кора́бль** báttle-ship.

линёк м. мор. rópe's end; colt.

ли́нза ж. lens [-z].

ли́ни||я ж. (в разн. знач.) line; пряма́я ~ straight / right line; крива́я ~ curve; перпендикуля́рная ~ pèrpendícular (line); паралле́льная ~ párallèl (line); снегова́я ~ snów-line [-ou-]; бокова́я ~ (о родстве) collátéral line, branch [-ɑ:ntʃ]; возду́шная ~ áir-line; железнодоро́жная ~ ráilway line; трамва́йная ~ trám-line; ~ прице́ливания line of aim; line of sight амер.; проводи́ть **~ю** draw* a line; (перен.) прово́дить **~ю** cárry out a pólicy; вести́, гнуть свою́ **~ю** fóllow / go* one's own way [...oun...]; ◇ пойти́ по **~и** (рд.) take* the course [...kɔ:s] (of); идти́ по **~и** наиме́ньшего сопротивле́ния take* / fóllow the line of least resístance [...-'zɪ-]; ~ поведе́ния line of cónduct, pólicy.

271

ЛИН — ЛИХ

линко́р *м.* (лине́йный кора́бль) báttle:ship.

лино́ванн||ый *прич. и прил.* lined, ruled; ~ая тетра́дь lined / ruled cópy-book [...'kɔ-].

линова́ть, налинова́ть (*вн.*) rule (*d.*), line (*d.*).

лино́леум *м.* linóleum.

линоти́п *м. полигр.* líno:type. ~**ный** *прил.* к линоти́п.

Линч *м.*: суд ~а, зако́н ~а Lynch law.

линчев||а́ние *с.* lynch law, lýnching. ~**а́ть** *несов. и сов.* (*вн.*) lynch (*d.*).

линь I *м.* (*рыба*) tench [-ʃ].

линь II *м. мор.* line.

ли́нька *ж.* (*животных*) shédding of hair; moult [mou-]; (*птиц*) moult, shédding / cásting of féathers [...'fe-].

лин||ю́чий prob. not fast. ~**я́лый** (*о ткани*) fáded, discóloured [-'kʌ-].

линя́ть, полиня́ть 1. (*о ткани*) fade, lose* cólour [lu:z 'kʌ-]; (*в воде*) run*; 2. (*о животных*) shed* hair, cast* the coat; (*о птицах*) moult [mou-], shed* / cast* féathers [...'fe-]; (*о змее*) slough [slʌf].

ли́па I *ж.* (*дерево*) lime(-tree), línden.

ли́па II *ж. разг.* (*подделка*) fake; fórgery; э́тот докуме́нт про́сто ~ this páper is a fake.

ли́п||ка *ж. уменьш. от* ли́па I; ◇ ободра́ть, облупи́ть кого́-л. как ~у *разг.* fleece smb., rob smb. blind.

ли́п||кий stícky; ~ пла́стырь stícking pláster, adhésive pláster. ~**нуть** (к) (*прям. и перен.*) stick* (to), cling* (to).

липня́к *м.* lime-gróve.

ли́повый I *прил.* к ли́па I; ~ чай lime-flower tea; ~ мёд white hóney [...'hʌ-]; ~ цвет líme-blóssom.

ли́повый II *разг.* (*поддельный*) sham, faked; forged.

липу́ч||ий *разг.* stícky. ~**ка** *ж. разг.* flý-pàper; (*полоска липкой бумаги*) stícker.

Ли́ра *ж.* (*созвездие*) the Lýra.

ли́ра I *ж.* (*музыкальный инструмент*) lyre.

ли́ра II *ж.* (*денежная единица Италии и Турции*) líra ['lɪə-] (*pl.* lire ['lɪərɪ]).

лири́зм *м.* lýricism.

ли́р||ик *м.* lýric póet. ~**ика** *ж.* 1. lýric póetry; (*перен.*) lýricism; 2. (*совокупность произведений*) lyrics *pl.*

ли́рико-драмати́ческий lýrico-dramátic.

ли́рико-эпи́ческий = ли́ро-эпи́ческий.

лири́ческ||ий 1. (*относящийся к лирике*) lýric; ~ое стихотворе́ние lyric; 2. (*о настроении и т. п.*) lýrical; ◇ ~ое отступле́ние lýrical digréssion [...daɪ-]; ~ беспоря́док *разг.* poétic disórder.

лири́чн||ость *ж.* lýricism. ~**ый** = лири́ческий 2.

ли́ро||ви́дный lýrate ['laɪə-], lýrifòrm ['laɪə-]. ~**подо́бный** lýre-shàped.

лирохво́ст *м. зоол.* lýre-bìrd.

ли́ро-эпи́ческий lýrico-épic.

лис *м. уст.* dóg-fòx.

лис||а́ *ж.* 1. (*животное*) fox; 2. (*мех*) fox (fur); 3. *разг.* (*о человеке*) fóxy féllow; ◇ ~ой прики́дываться *разг.* fawn, tóady; Лиса́ Патрике́евна *фольк.* Réynard ['re-].

ли́сель *м. мор.* stúdding-sail ['stʌnsḷ], stúnsail ['stʌnsḷ].

лисёнок *м.* fox-cùb.

ли́сий *прил. к* лиса́; (*напоминающий лису*) fóxy; ~ мех fox fur; ~ хвост (fox-)brùsh; ~ след fox tracks *pl.*

лиси́ца *ж.* fox; (*самка*) víxen.

лиси́чка I *ж. уменьш. от* лиси́ца.

лиси́чка II *ж.* (*гриб*) chànterélle [-'rel].

лист I *м.* (*мн.* ~ья) leaf*; (*злака*) blade; ◇ дрожа́ть как оси́новый ~ tremble / shake* like an áspen leaf.

лист II *м.* (*мн.* ~ы́) 1. (*бумаги и т. п.*) leaf*, sheet; в ~ in fólio; корректу́ра в ~áx sheet-proofs *pl.*; 2. (*документ*): опро́сный ~ quèstionnáire [kestɪə'nɛə]; (*для показаний*) interrógatory; похва́льный ~ *уст.* certíficate of prógress and good cónduct (at school); исполни́тельный ~ writ / act of èxecútion; рецеи́вing órder [-i:v-...]; подписно́й ~ subscríption list; 3. (*металла*) sheet, plate; ~ обши́вки skin plate; 4.: игра́ть с ~á *муз.* play at sight; sight-read*; ◇ áвторский ~ 40000 typográphical únits [...taɪ-...] (*standard amount by which author's fee is calculated*).

листа́ж *м. полигр.* númber of sheets.

листа́ть (*вн.*) *разг.* turn óver the páges (of), leaf óver / through (*d.*).

листва́ *ж. тк. ед. собир.* leaves *pl.*, fóliage; léafage *поэт.*

ли́ственница *ж.* larch.

ли́ственн||ый decíduous; ~ое де́рево léaf-bearing tree [-bɛər-...]; ~ лес decíduous fórest / wood [...'fɔ- wud].

ли́стик I *м. уменьш. от* лист I.

ли́стик II *м. уменьш. от* лист II 1.

листо́вка *ж.* léaflet.

листово́й I *прил. к* лист I; ~ таба́к leaf tobácco.

листов||о́й II: ~ое желе́зо sheet íron [...'aɪən]; ~ мета́лл sheet métal [...'me-]; ~áя рессо́ра leaf / láminàted spring.

листое́д *м.* léaf-cùtting béetle.

листо́к I *м. уменьш. от* лист I.

листо́к II *м. уменьш. от* лист II 1; 2. (*бланк*) form; 3. *уст.* (*газета*) léaflet; ◇ ~ нетрудоспосо́бности médical certíficate of únfitness for work, síck-lìst.

листопа́д *м.* áutumn fall of the leaves, áutumn léaf-fàll.

лита́врщик *м.* kéttle:drùmmer.

лита́вры *мн.* (*ед.* лита́вра *ж.*) *муз.* kéttle:drùm *sg.*

лите́й||ная *ж. скл. как прил.* fóundry, smélting-house* [-s]. ~**ный** fóunding, cásting; ~ный цех fóundry. ~**щик** *м.* fóundry wórker.

ли́тер *м.* trável wárrant ['træ-...].

ли́тера *ж.* 1. *уст.* (*буква*) létter; 2. *полигр.* type.

литера́тор *м.* líterary man*, man* of létters. ~**ский** *прил. к* литера́тор.

литерату́ра *ж.* líterature.

литерату́рн||ый líterary; ~ язы́к líterary lánguage; ~ое выраже́ние líterary expréssion; ~ые круги́ líterary círcles; ~ое насле́дие líterary héritage.

литературове́д *м.* spécialist in stúdy of líterature ['spe-...'stʌ-...]; líterary crític. ~**ение** *с.* stúdy of líterature ['stʌ-...], líterary críticism. ~**ческий** *прил. к* литературове́дение.

литерату́рщина *ж. разг.* stríving áfter líterary effect; sèlf-cónscious wríting [-nʃəs...].

ли́терный I *прил. к* ли́тер.

ли́терный II (*имеющий особое назначение*) marked with a létter.

ли́тий *м. хим.* líthium.

лито́в||ец *м.*, ~**ка** *ж.*, ~**ский** Lithuánian; ~ский язы́к Lithuánian, the Lithuánian lánguage.

лито́граф *м.* lithógrapher. ~**и́рование** *с.* lithógraphy.

литографи́ровать *несов. и сов.* (*вн.*) líthogràph (*d.*).

литогра́ф||ия *ж.* 1. (*оттиск*) líthogràph; 2. (*искусство*) lithógraphy. ~**ский** lithográphic; ~ский ка́мень lithográphic stone; ~ская печа́ть líthogràph; ~ские черни́ла lithográphic ink *sg.*

лит||о́й cast; ~áя сталь cast steel, íngot steel.

литора́льный *геогр.* líttoral.

литосфе́ра *ж. геол.* líthosphère.

литр *м.* lítre ['li:tə]. ~**а́ж** *м.* capácity in lítres [...'li:təz]. ~**о́вый** lítre ['li:tə] (*attr.*); ~о́вая буты́лка lítre bóttle, bóttle of one lítre capácity.

литурги́я *ж. церк.* líturgy, mass.

лить I 1. (*вн.*) pour [pɔ:] (*d.*); 2. (*без доп.*; *течь*) run*; дождь льёт как из ведра́ ≃ it is póuring (with rain) [...'pɔ:r-...], the rain is cóming down in tórrents / búckets; it is ráining cats and dogs *идиом. разг.*; пот льёт с него́ гра́дом he is póuring with sweat [...swet]; ◇ ~ слёзы shed* tears; ~ во́ду на чью-л. ме́льницу *погов.* ≃ play into smb.'s hands.

лить II (*вн.*) *тех.* cast* (*d.*), mould [mou-] (*d.*), found (*d.*).

литьё *с. тк. ед. тех.* 1. (*действие*) cásting, móulding ['mou-], fóunding; 2. *собир.* (*литые изделия*) casts *pl.*, cástings *pl.*, móuldings *pl.*

ли́ться I 1. flow [flou] (*тж. перен.*); stream, pour [pɔ:]; 2. *страд. к* лить I, 1.

ли́ться II *страд. к* лить II.

лиф *м.* bódice.

лифт *м.* lift; élevàtor *амер.* ~**ёр** *м.*, ~**ёрша** *ж.* lift / élevàtor óperator.

ли́фчик *м.* brassière (*фр.*) [bræ'sjɛə] bra [-a:] *разг.*

лиха́ч *м.* 1. *уст.* dríver of smart cab; 2. (*удалец*) dáre-dèvil; ~-води́тель róad-hòg. ~**ество** *с.* 1. dáre-dèvil stuff; 2. (*о шофёре, водителе транспорта*) réckless dríving.

лихв||а́ *ж. тк. ед.*: отплати́ть с ~ой repáy* with ínterest; э́то компенси́руется с ~ой (*тв.*) it is more than cómpènsàted (by).

ли́х||о I *с. тк. ед.* (*зло*) evil ['i:-]; ◇ не помина́й(те) меня́ ~ом remémber me kíndly, think* kíndly of me; не буди́ ~а пока́ ~ спит don't tróuble trouble (un)til tróuble tróubles you [...trʌbl...]; узна́ть, почём фунт ~а fall* on hard times.

ли́хо II *нареч.* dáshing:ly; ◇ ~ заломи́ть ша́пку cock one's hat.

лиходе́й *м. уст.* évil-dòer ['i:-].

лихоим||ец *м. уст.* (*ростовщик*) úsurer ['ju:3-]; (*вымогатель*) extórtioner. **~ство** *с. уст.* extórtion.

лих||о́й I (*злой*) évil ['i:-], hard; ◊ **~а́я годи́на** hard times *pl*.; **~а́ беда́ нача́ло** *разг.* ≅ the first step is the hárdest.

лихо́й II *разг.* (*хра́брый*) váliant ['væljənt], intrépid; (*удало́й*) dáshing; **~ нае́здник** dáshing hórse:man*.

лихора́д||ить *безл.*: его́ **~ит** he is in a féver, he is féver:ish.

лихора́д||ка *ж.* (*прям. и перен.*) féver; **жёлтая ~** yéllow féver; **перемежа́ющаяся ~** intermíttent (féver), remíttent (féver); **трёхдне́вная ~** tértian águe; **тропи́ческая ~** trópical / júngle féver; **при́ступ ~и** águe-fit; ◊ **крапи́вная ~** *уст.* néttle-rash; **сенна́я ~** hay féver; **золота́я ~** góld-rush.

лихора́дочн||ость *ж.* féver:ishness. **~ый** féver:ish (*тж. перен.*); fébrile ['fi:-]; **~ое состоя́ние** féver:ishness; **~ая дрожь** chill, shíver ['ʃı-]; **~ый пульс** féver:ish pulse; **~ая де́ятельность** féver:ish activity; **~ая поспе́шность** frántic haste [...heist].

ли́хость *ж. разг.* brávery [-eı-].

ли́хтер *м. мор.* lighter.

лицева́ть (*вн.*, *об оде́жде*) turn (*d.*).

лицев||о́й 1. *анат.* fácial; **2.** (*нару́жный, ве́рхний*): **~а́я сторона́** (*зда́ния*) façáde [-'sa:d], front [-ʌnt]; (*тка́ни*) right side; (*моне́ты, меда́ли*) óbverse; **3.**: **~ счёт** *бух.* pérsonal account.

лицеде́й *м. уст.* áctor; (*перен.*) hýpocrite, dissémbler. **~ство** *с. уст.* ácting, theátrical perfórmance; (*перен.*) hypócrisy, dessémbling.

лицезре́ть (*вн.*) cóntempláte (*d.*), behóld* with one's own eyes [...oun aız] (*d.*).

лицеи́ст *м.* púpil of a Lýceum [...laı'sıəm].

лице́й *м.* Lýceum [laı'sıəm]; (*во Фра́нции*) lycée (*фр.*) [li:'seı]; **~ский** *прил. к* **лице́й**; **~ские стихи́ Пу́шкина** póetry written by Púshkin in his Lýceum days ['pu-... laı'sıəm...].

лицеме́р *м.* hýpocrite, dissémbler. **~ие** *с.* hypócrisy, dissimulátion.

лицеме́р||ить play the hýpocrite, dissémble. **~ный** hypócritical; **~ный челове́к** hýpocrite; **~ная улы́бка** hypocrítical smile.

лице́нзия *ж. эк.* lícence ['laı-].

лицеприя́т||ие *с. уст.* partiálity; **без ~ия** without partiality; impártially. **~ный** *уст.* pártial, based on partiality. **~ствовать** *уст.* be pártial, show* bías [ʃou...].

лиц||о́ I *с.* **1.** face; **черты́ ~а́** féatures; **2.** (*лицева́я сторона́*) the right side; **3.** (*челове́к, тж. в офиц. языке́*) pérson; **де́йствующее ~** *театр., лит.* pérsonage, cháracter ['k-]; **де́йствующие ли́ца** (*в пье́се*) cháracters in the play, drámatis personæ [...pə:'souni:]; **ча́стное ~** prívate pérson ['praı-]; **должностно́е ~** offícial, fúnctionary; **юриди́ческое ~** jurídical pérson; **в ~é кого́-л.** in smb.; (*об отде́льном челове́ке тж.*) in the pérson of smb.; **в ва́шем ~é мы приве́тствуем** in your pérson we greet; **в его́ ~é мы име́ем в нём**, *или* in his pérson, we have ◊ **измени́ться в ~é** change expréssion / cólour [tʃeındʒ...'kʌl-]; э́то ему́ к **~у́** it / this suits / becómes him [...sju:ts...]; **э́то нам не к ~у́** this does not becóme us; **знать в ~** (*вн.*) know* by sight [nou...] (*d.*); **сказа́ть в ~ кому́-л.** say* right to smb.'s face; **на нём ~а́ нет** he looks áwful; **исче́знуть с ~а́ земли́** disappéar from the face of the earth [...ə:θ]; **пе́ред ~о́м** (*рд.*) in the face (of); **~о́м к ~у́** face to face; **смотре́ть в ~** (*дт.*; *об опа́сности и т. п.*) face (*d.*), look in the face (*d.*); confrónt [-ʌnt] (*d.*); **смотре́ть пра́вде в ~** face the truth [...u:θ]; **на ~é напи́сано** you can read in smb.'s face / cóuntenance; **~о́м в грязь не уда́рить** *разг.* make* a créditable shówing [...ʃou-], put* up a good show [...ʃou]; **от ~а́ кого́-л.** on behálf of smb. [...-'ha:f...]; **в smb.'s name; пока́зывать това́р ~о́м** *разг.* ≅ show* smth. to good efféct, *или* to (full) advántage [ʃou...-'va:n-]; **показа́ть своё (настоя́щее) ~** show* one's real worth [...ʌ:θ]; **показа́ть свои́ и́стинные цвета́**; **на одно́ ~** *разг.* (*похо́жие*) as like as two peas; **невзира́я на ли́ца** without respéct of pérsons.

лицо́ II *с. грам.* pérson.

лицо́вка *ж.* (*оде́жды*) túrning (*of clothing*).

ли́чико *с. уменьш. от* **лицо́ I, 1**.

личи́н||а I *ж.* mask, guise; **сорва́ть ~у с кого́-л.** únmask smb., tear* the mask off smb. [teə...]; **под ~ой** (*рд.*) únder (the) cóver [...'kʌ-] (of), in líke:ness (of).

личи́на II *ж.* (*металли́ческая пласти́на*) scútcheon, kéy-plate ['ki:-].

личи́н||ка I *ж. зоол.* lárva (*pl.* -vae), grub; (*мясно́й и сы́рной мух*) mággot.

личи́нка II *ж. воен.* bolt head [...hed]; (*в автома́те*) elevátor.

личи́ночный lárval.

ли́чно *нареч.* pérsonally; **он ~ прису́тствовал** he was présent in pérson [...ez-...].

личн||о́й 1. face (*attr.*); **~о́е полоте́нце** (face) tówel; **2.** *анат.* fácial.

ли́чн||ость *ж.* **1.** (*индивидуа́льность*) persónality; **неприкоснове́нность ~ости** pérsonal immúnity; **свобо́да ~ости** pérsonal fréedom; **2.** (*челове́к*) pérson; **удостоверя́ть ~ кого́-л.** idéntify smb. [aı-...]; **prove smb.'s idéntity** [pru:v...aı-...]; ◊ **переходи́ть на ~ости** becóme* pérsonal. **~ый** (*в ра́зн. знач.*) pérsonal; (*ча́стный*) prívate ['praı-]; **~ая со́бственность** pérsonal próperty; **~ая жизнь** prívate life*; **~ая охра́на** bódyguard ['bɔ-]; **~ый секрета́рь** prívate sécretary; **по ~ому де́лу** on prívate búsiness [...'bız-n-]; **~ое местоиме́ние** *грам.* pérsonal pró:noun; **~ый соста́в** pérsonnel, staff.

лиша́й *м.* **1.** *бот.* líchen ['laıken]; **2.** *мед.* hérpes [-pi:z]; **стригу́щий ~** ríng-worm; **опоя́сывающий ~** shíngles *pl*.

лиша́йник *м.* = **лиша́й 1**.

лиша́ть, лиши́ть (*вн. рд.*) depríve (*d.*) of; (*незако́нно*) rob (*d.* of); (*отнима́ть*) beréave* (*d.* of); **~ кого́-л. прав** depríve smb. of rights; **~ гражда́нских, избира́тельных прав** depríve of cívil rights (*d.*); disfránchise [-'zes] (*d.*); **~ со́бственности** dispossése [-'zes] (*d.*); **~ кого́-л. насле́дства** disinhérit smb.; **~ во́инских зва́ний** redúce to the ranks (*d.*); **~ кого́-л. сло́ва** (*на собра́нии и т. п.*) deny smb. the right to speak; **~ манда́та чле́на парла́мента, делега́цию и т. п.** únseat a mémber of the párliament, a delegátion, etc. [...-ləm-...]; **~ свобо́ды** imprison [-ız-] (*d.*), put* into príson [...-ız-] (*d.*); **~ себя́ жи́зни** take* one's life, commít súicide; **он лишён чу́вства ме́ры** he lacks a sense of propórtion; **~ кро́ва** make* hóme:less (*d.*); évict (*d.*); **~ себя́ удово́льствия** depríve òne:sélf, *или* do òne:sélf out, of a pléasure [...'pleʒə]. **~ся, лиши́ться 1.** (*рд.*) lose* [lu:z] (*d.*); fórfeit [-fit] (*d.*), be depríved (of); **~ся зре́ния** lose* one's sight; **~ся чувств** faint (a:wáy); swoon *поэт.*; **лиши́ться ре́чи** be depríved of speech; **2.** *страд. к* **лиша́ть**.

лиш||ек *м.*: **с ~ком** odd; **два́дцать лет с ~ком** twenty odd years.

лише́н||ие *с.* **1.** (*де́йствие*) deprivátion; **~ гражда́нских, избира́тельных прав** disfránchise:ment; deprivátion of cívil rights; **~ свобо́ды** imprisonment [-ız-]; **2.** *мн.* (*недоста́тки, нужда́*) privátion [praı-] *sg.*, hárdship *sg.*; **терпе́ть ~ия** súffer privátions / hárdship; have a hard / rough time (of it) [...rʌf...] *разг.*

лиш||ённый 1. *прич. см.* **лиша́ть**; **2.** *прил.* (*рд.*) (de)vóid (of); lácking (in); **э́ти слова́ ~ены́ смы́сла** these words are (de)vóid of sense; **замеча́ние не ~ено́ остроу́мия** is a ráther witty remárk [...'ra-:...]; **~ воображе́ния** únimaginative; **не ~ основа́ния** not without foundátion; **~ён основа́ния** devóid of foundátion, báse:less [-s-], gróundless.

лиши́ть(ся) *сов. см.* **лиша́ть(ся)**.

ли́шн||ий 1. supérfluous; (*нену́жный*) únnecessary; **он здесь ~** he is not wánted here; **he is one too many here** *разг.*; **he is the odd man out идио́м.**; **~ раз** once agáin [wʌns...]; **2.** (*запасно́й*) spare; **нет ли у вас ~его каранда́ша?** have you an éxtra péncil?; **3.** *с. как сущ.*: **он наговори́л мно́го ~его** he said, *или* gave a:wáy, too much [...sed...]; ◊ **с ~им** *разг.* more than: **три киломе́тра с ~им** more than three kílomètres, three kílomètres and a bit; **не ли́шне** not out of place.

лишь I *нареч.* (*то́лько*) ónly; **~ бы** if ónly.

лишь II *союз* (*как то́лько*) as soon as; ◊ **~ то́лько** as soon as.

лоб *м.* fórehead ['fɔrid]; brow *поэт.*; **широ́кий, откры́тый ~** large, ópen fóre:head; **пока́тый ~** recéding fórehead; ◊ **на лбу напи́сано** *разг.* writ large on one's face; **будь он семи́ пя́дей во лбу** ≅ be he a Sólomon; **что в ~, что по́ лбу** *погов.* it is all one, it all comes to the same thing; **пусти́ть себе́ пу́лю в ~** blow* out one's brains [blou...]; put* a búllet through one's head [...'bu-...hed]; **хму́рить ~** frown; knit* one's brows.

лоба́стый *разг.* with a large fórehead [...'fɔrid].

лобза́ние *с. уст.* kíss(ing).

ЛОБ — ЛОМ

лобза́ть (вн.) уст. kiss (d.). ~ся уст. kiss.

ло́бзик м. тех. frétsaw.

лобко́в‖**ый** анат.: ~ая кость púbis.

ло́б‖**ный** анат. fróntal ['frʌ-]; ~ная кость fróntal / corónal bone; ~ная па́зуха fróntal sínus; ◊ ~ное ме́сто ист. place of èxecútion. ~ово́й frónt́al ['frʌ-]; ~ова́я ата́ка воен. frónt́al attáck.

лобгре́йка ж. с.-х. réaper, hárvester.

лобо́к м. анат. púbis.

лоботря́с м. разг. ídler, lázy-bònes, lóafer, gòod-for-nòthing, láy:abòut. ~ничать разг. idle, loaf.

лобыза́ть(ся) уст. = лобза́ть(ся).

лов м. 1. = ло́вля; 2. = уло́в.

ловела́с м. разг. wómanizer ['wu-], lády-killer. ~ничать разг. dangle / run áfter.

лов‖**е́ц** м. 1. (рыболов) físhеr; 2. уст. (охотник) húnter; ◊ на ~ца́ и зверь бежи́т посл. ≃ the ball comes to the pláyer.

лови́ть, пойма́ть (вн.; прям. и перен.) catch* (d.); (по радио, прожектором) pick up (d.); ~ ры́бу fish; ~ (ры́бу) сетя́ми net; ~ птиц fowl; ~ в западню́ (en)tráp (d.), (en)snáre (d.); ~ ка́ждое сло́во devóur évery word; они́ ло́вят ка́ждое его́ сло́во they hang on his lips; ~ чей-л. взгляд try to catch smb.'s eye [...aɪ]; ~ удо́бный слу́чай, моме́нт seize an òpportúnity [si:z...]; ◊ в му́тной воде́ ры́бу ~ погов. fish in tróubled wáters [...trʌ- 'wɔ:-]; ~ себя́ на чём-либо catch* óne:sélf at smth.; ~ кого́-либо на сло́ве разг. take* smb. at his word.

ловка́ч м. разг. dódger. ~ество с. разг. dódginess. ~ка ж. разг. dódger.

ло́вк‖**ий** 1. (искусный) adróit, déxterous, deft; ~ ход, ~ шаг cléver move ['kle- mu:v]; 2. (изворотливый) cráfty, cúnning; never at a loss (predic.); ~ плут smart féllow; 3. разг. (удобный) cómfortable. ~ость ж. 1. adróitness, dèxtérity, déftness; 2. (изворотливость) dódginess; ~ость рук разг. sleight of hand [slaɪt...].

ло́вля ж. тк. ед. cátching, húnting; ~ силка́ми snáring; ~ за́падней trápping; ры́бная ~ físhing, físhery; ~ птиц bírd-càtching, fówling.

лову́шк‖**а** ж. snare, trap; пойма́ть в ~у (вн.) (en)snáre (d.), (en)tráp (d.); попа́сть в ~у be (en)trápped.

ло́вч‖**ий** I м. скл. как прил. ист. húnts:man*, máster of hounds.

ло́вч‖**ий** II охот. 1. (приученный к ловле) húnting; ~ие пти́цы húnting birds; 2. (служащий ловушкой) sérving as snare / trap; ~ ров trap.

ловчи́ть, словчи́ть разг. dodge.

лог м. ravíne ['vi:n].

логари́фм м. мат. lógarithm; табли́ца ~ов tables of lógarithms pl. ~и́ровать несов. и сов. (вн.) мат. find* the lógarithm (of). ~и́ческий мат. lògaríthmic; ~и́ческая лине́йка slíde-rùle.

ло́гик‖**а** ж. lógic; наруше́ние ~и párálogism.

логи́ческий lógical; ~ вы́вод lógical dedúction; ~ая после́довательность lógical órder.

логи́чн‖**ость** ж. lògicálity. ~ый lógical.

ло́говище с., **ло́гово** с. (прям. и перен.) lair, den; ло́гово врага́ den of the énemy.

логогри́ф м. lógogriph.

логопе́д м. speech thérapist.

логопе́дия ж. lògopáedics, speech thérapy.

ло́джия ж. архит. lóggia [-dʒə].

ло́дк‖**а** ж. boat; двухвёсельная ~ páir-oar; четырёхвёсельная ~ fóur-oar ['fɔ:-]; мото́рная ~ mótor boat; подво́дная ~ submaríne [-ri:n]; спаса́тельная ~ lífe-boat; го́ночная ~ gig; ката́ться на ~е boat, go* bóating.

ло́доч‖**ка** ж. 1. уменьш. от ло́дка; 2. мн. (туфли) pumps. ~ник м. bóat:man*; (перевозчик) férry:man*. ~ный прил. к ло́дка; ~ный спорт bóating; ~ная ста́нция bóating station; bóat- -house* [-s].

лоды́жка ж. анат. ánkle(-bòne).

лоды́рничать разг. idle, loaf.

лоды́р‖**ь** м. разг. slácker, ídler, lóafer; ◊ гоня́ть ~я разг. idle, kick one's heels.

ло́жа I ж. 1. театр. box; 2. уст. (масонская) lodge.

ло́жа II ж. (ружейная) gun / rifle stock.

ложби́на ж. nárrow gúlly.

ло́же с. 1. уст. couch, bed; бра́чное ~ núptial bed, bríde-bèd; 2. (русло реки) bed, chánnel; ◊ Прокру́стово ~ Procrústean bed [-tɪən...], the bed of Procrústes.

ло́жечка I ж. уменьш. от ло́жка.

ло́жечк‖**а** II: под ~ой in the pit of the stómach [...'stʌmək].

ло́жечник м. 1. (мастер) maker of wóoden spoons [...'wu-...]; 2. (тот, кто играет на ло́жках) pláyer on (wóoden) spoons.

ложи́ться, лечь 1. lie* (down); ~ спать, ~ в посте́ль go* to bed; turn in разг.; не ~ спать sit* up; ~ в больни́цу go* to hóspital; 2. (на вн.; о снеге и т.п.) fall* (on), cóver ['kʌ-] (d.); ◊ лечь в осно́ву (рд.) ùnderlíe* (d.); на него́ ложи́тся обя́занность (+ инф.) it is his dúty (+ to inf.), it is in:cúmbent up:ón him (+ to inf.); ~ в дрейф heave* to.

ло́жк‖**а** ж. spoon; ~ чего́-л. spóonful of smth.; ◊ ~ дёгтя в бо́чке мёда ≃ a fly in the óintment; че́рез час по ча́йной ~е погов. ≃ in dríblets [...'drɪ-], few and far betwéen, in mínute dóses [...maɪ- -sɪz].

ложнокласс‖**ици́зм** м. лит. pséudò- -clássicism. ~и́ческий лит. pséudò-clássical.

ло́жн‖**ость** ж. fálsity ['fɔ:l-]. ~ый (в разн. знач.) false [fɔ:ls]; (о сооружении) dúmmy; ~ая трево́га false alárm; ~ые обвине́ния false / faked chárges / àccusátions [...-'zeɪ-]; ~ое положе́ние а́вкward / àmbíguous posítion / situátion [...-gju-...-'zɪ-]; ~ое самолю́бие false pride; ~ый стыд false shame; ~ый шаг false step; быть на ~ом пути́ be on the wrong track, или off the track; ~ая ата́ка sham attáck; ~ый око́п dúmmy trench.

ложь ж. lie, fálse:hood ['fɔ:lshud]; на́глая ~ outrágeous lie; неви́нная ~ fib; ◊ ~ во спасе́ние, свята́я ~ white lie.

лоза́ ж. rod; withe [wɪθ]; (виногра́дная) vine.

лозня́к м. тк. ед. wíllow bush [...buʃ].

ло́зунг м. slógan, cátchword, wátchword; вы́двинуть, провозгласи́ть ~ advánce a slógan; ~ борьбы́ за мир peace slógan.

локализ‖**а́ция** ж. lòcalizátion [louka- laɪ-]. ~и́ровать(ся) несов. и сов. = локализова́ть(ся).

локализова́ть несов. и сов. (вн.) lócalize ['lou-]. ~ся несов. и сов. becóme* lócalized [...'lou-].

лока́льный lócal.

лока́тор м. locátor, rádar set.

лока́ут м. lóck-òut. ~и́ровать несов. и сов. (вн.) lock out (d.).

лока́ция ж. locátion, locáting, fínding.

локомоби́ль м. тех. tráction éngine [...'endʒ-], lòcomóbile [louka'mou-].

локомоти́в м. lócomòtive ['louka-]; éngine ['endʒ-] амер.

ло́кон м. lock, curl, ríng:let.

локотни́к м. = подлоко́тник.

ло́к‖**оть** м. 1. élbow; с про́дранными ~тя́ми out at élbows; рабо́тать ~тя́ми разг. élbow; 2. ист. (мера длины) cúbit, ell; ◊ бли́зок ~, да не уку́сишь посл. ≃ so near and yet so far; чу́вство ~тя sense / féeling of féllowship, féeling of mútual help.

локтев‖**о́й**: ~а́я кость анат. úlna (pl. -nae).

лом I м. (инструмент) crow [-ou], crówbàr [-ou-].

лом II м. тк. ед. собир. (лома́ные предме́ты) scrap; waste [weɪst]; frágments pl.; желе́зный ~ scráp-iron [-aɪən].

лома́ка м. и ж. разг. póser, afféсted pérson; (о женщине тж.) afféсted míncing / símpering girl, wóman* [...g- 'wu-].

ло́ман‖**ый** bróken; ~ая ли́ния мат. bróken line; ~ язы́к bróken lánguage; ◊ гроша́ ~ого не сто́ит ≃ it is not worth a brass fárthing, или twópence [...-ðɪŋ 'tʌpəns].

лома́нье с. àffectátion; míncing, símpering.

лома́ть, слома́ть (вн.) 1. break* [breɪk] (d.); (о ноге, руке и т.п. тж.) frácture (d.); 2. тк. несов. (добывать камень) quárry (d.); ◊ ~ себе́ го́лову (над) púzzle (óver), rack one's brains (óver); ~ ру́ки wring* one's hands; ~ устаре́вшие представле́ния break* down òutdáted concéptions.

лома́ться I, слома́ться 1. break* [breɪk]; 2. тк. несов. (о голосе) crack, break*; 3. страд. к лома́ть.

лома́ться II разг. 1. (кривля́ться) pose, mince; put* on airs; be extréme:ly afféсted; 2. (не сразу уступа́ть) make difficulties.

ломба́рд м. páwnshòp; hóck-shòp амер. ~ный прил. к ломба́рд; ~ная квита́нция páwnshòp recéipt [...-'si:t], pawn tícket.

ло́мберный: ~ стол cárd-tàble.

ломи́ть *разг.* 1. (*вн.*) break* [-eɪk] (*д.*); 2. (*лезть напролом*) charge fórward, break* through; 3. *безл.*: у него́ ло́мит ко́сти his bones ache [...eɪk]. **~ся** 1. break* [-eɪk]; (*от чего-л.*) burst* (with smth.); по́лки ло́мятся от книг ≅ the shelves are crammed with books; 2. *разг.* (*стреми́ться прони́кнуть*) force one's way; ◊ ~ся в откры́тую дверь force an ópen door [...dɔː].

ло́мк||а *ж.* 1. bréaking ['breɪ-]; 2. *об. мн. горн. уст.* quárrying. **~ий** frágile, brittle.

ломови́к *м. разг.* = ломово́й 2.

ломов||о́й 1. *прил.* dray (attr.); ~ изво́зчик dráy:man*, cárter; ~а́я ло́шадь cárt-hòrse, dráy-hòrse; (*перен.*) wórk-hòrse; 2. *м. как сущ.* dráy:man*, cárter.

ломо́та *ж. тк. ед.* rheumátic pain / ache [...eɪk].

ломо́ть *м.* hunk, chunk; round (of bread) [...bred]; ◊ отре́занный ~ ≅ sélf-suppòrting pérson.

ло́мтик *м.* slice; ре́зать ~ами (*вн.*) slice (*d.*).

лонжеро́н *м. ав.* lóngeron [-ndʒ-], (wing) spar.

ло́н||о *с. тк. ед. уст.* bósom ['buz-], lap; ◊ на ~е приро́ды close to náture [...'neɪ-]; in the ópen air.

ло́парь *м. мор.* fall.

лопа́рь *м. уст.* Lapp, L'áplànder.

лопастн||о́й 1. *прил. к* ло́пасть; ~ое колесо́ páddle-wheel; 2. *бот.* lacíniàte.

ло́пасть *ж.* (*весла́, винта́*) blade (*винта́ тж.*) fan, vane; (*гребно́го колеса́*) (wheel-)pàddle; ~ о́си áxle-tree.

лопа́т||а *ж.* spade; (*совко́вая*) shóvel ['ʃʌ-].

лопа́тка I *ж.* shóvel ['ʃʌ-]; (*штукату́ра, садо́вника*) trówel; (*турби́ны*) blade.

лопа́тк||а II *ж.* 1. *анат.* shóulder-blàde ['ʃou-]; класть на о́бе ~и (*вн.*) throw* (in wréstling) [-ou...] (*d.*); pin down (in bóxing) ~ (*перен.*) throw* [-ou] (*d.*), deféat (*d.*); 2. (*часть ту́ши*) shóulder ['ʃou-]; ◊ бежа́ть во все ~и *разг.* run* as fast as one's legs can cárry one.

лопа́ть, сло́пать (*вн.*) *груб.* eat* up (*d.*), góbble (up) (*d.*).

ло́паться, ло́пнуть 1. break* [-eɪk], burst*; (*дать тре́щину*) split*; 2. *разг.* (*терпе́ть крах*) go* bánkrupt; 3. *разг.* (*истоща́ться, исчеза́ть*) be exháusted; терпе́ние ло́пнуло one's pátience has run out; ◊ чуть не ло́пнуть от сме́ха split* / burst* one's sides with láughter [...'lɑːf...]; ло́пнуть как мы́льный пузы́рь burst* like a sóap-bùbble.

ло́пнуть *сов. см.* ло́паться.

лопота́ть *разг.* mútter, múmble.

лопоу́хий *разг.* lóp-eared.

лопу́х *м.* 1. *бот.* búrdòck; 2. *разг.* (*о глу́пом челове́ке*) símpleton.

лорд *м.* lord; пала́та ~ов House of Lords [-s...].

лорд-ка́нцлер *м.* Lord Cháncellor.

лорд-мэ́р *м.* Lord Mayor [...mɛə].

лорне́т *м.* lòrgnétte [lɔː'njet].

лорни́ровать *несов. и сов.* (*вн.*) *уст.* look through one's lòrgnétte [...'njet] (at); quiz (*d.*) *разг.*

лосёвый made of élk-skìn.

лоси́на *ж.* 1. élk-skin, chámois léather ['ʃæmwɑː'le-]; 2. *мн. воен. ист.* búckskins, búckskin bréeches [...'brɪ-]; 3. (*мясо*) elk's flesh.

лоси́ный *прил. к* лось.

лоси́ха *ж.* élk-cow.

лоск *м.* lustre; gloss (*тж. перен.*); ◊ в ~ *разг.* entíre:ly, compléte:ly.

ло́скут *м. собир.* rags *pl.*, píeces ['piːs-] *pl.*

лоску́т *м.* rag, shred, scrap. **~ный** scráppy; ~ное одея́ло pátch-wòrk quilt.

лосни́ться be glóssy, shine*.

лососёвый sálmon ['sæmən] (attr.).

лососи́на *ж.* (*мясо лосо́ся*) sálmon (flesh) ['sæmən...].

ло́сось *м.* sálmon ['sæmən].

лось *м.* elk.

лосьо́н *м.* lótion.

лот I *м.* 1. *мор.* lead [led], sóunding-lead [-led]; plúmmet, plumb; броса́ть ~ cast* the lead; механи́ческий ~ sóunding machíne [...-'ʃiːn].

лот II *м. уст.* (*мера ве́са*) half an ounce (1/2 oz) [hɑːf...].

лотере́йный *прил. к* лотере́я; ~ биле́т lóttery tícket.

лотере́||я *ж.* lóttery, raffle; разы́грывать в ~ю (*вн.*) ráffle (*d.*); уча́ствовать в ~е ráffle; take* part in, *или* go* in for, a ráffle.

ло́тлинь *м. мор.* léadline ['led-].

лото́ *с. нескл.* lótto.

лото́к *м.* 1. tray; (*разно́счика*) háwker's tray; 2. (*жёлоб*) chute [ʃuːt], shoot; (*вдоль тротуа́ра*) gútter; ме́льничный ~ mill-ràce.

ло́тос *м. бот.* lótus.

лото́чн||ик [-шн-] *м.*, **~ица** [-шн-] *ж.* háwker.

лото́шник *м. разг.* lótto pláyer, bíngo pláyer.

лоха́нка *ж.* 1. (wásh-)tùb; 2.: по́чечная ~ *анат.* pélvis (of the kídney).

лоха́нь *ж.* (wásh-)tùb.

лохма́||тить (*вн.*) *разг.* tousle [-z-] (*d.*). **~титься** *разг.* get* / becóme* tousled, *или* dishévelled [...-z-...]. **~тый** 1. (*о волоса́х, ше́рсти и т. п.*) shággy; 2. (*о челове́ке*) shággy-haired, dishévelled; tousled [-z-].

лохмо́тья *мн.* rags; в ~х in rags; rágged.

ло́ция *ж. мор.* sáiling diréctions *pl.*

ло́цман *м. мор.* pílot. **~ский** *прил. к* ло́цман.

лошади́н||ый *прил. к* ло́шадь; *тж.* équine; ~ая си́ла *физ.* hórse-pòwer (*сокр.* HP, h.p.); ◊ ~ое лицо́ équine face; ~ая до́за *разг.* huge dose [...-s], óver:dòse [-s].

лоша́д||ка *ж.* 1. *уменьш. от* ло́шадь; 2. (*игру́шка*) gée-gee; (*на па́лке*) hóbby-hòrse; (*кача́лка*) rócking-hòrse; игра́ть в ~ки play at hórses; ◊ тёмная ~ dark horse.

лоша́дник *м. разг.* hórse-lòver [-lʌ-].

ло́шадь *ж.* horse; пристяжна́я ~ óutrùnner (a horse); закла́дывать ~ hárness a horse; сади́ться на ~ mount a horse; ходи́ть за ~ю groom a horse.

лоша́к *м.* hínny.

лощён||ый pólished; (*перен. тж.*) glóssy; ~ая пря́жа glazed yarn.

ЛОМ — ЛУК Л

лощи́льн||ый *тех.*: ~ пресс rólling press; ~ая маши́на rólling machíne [...-'ʃiːn].

лощи́на *ж.* hóllow, depréssion; лесна́я ~ glen, dell.

лощи́ть, налощи́ть (*вн.*) *тех.* pólish (*d.*), gloss (*d.*), glaze (*d.*).

лоя́льн||ость *ж.* lóyalty. **~ый** lóyal.

луб *м.* (lime) bast.

лубене́ть, залубене́ть stíffen, hárden.

лубко́вый *прил. к* лубо́к II 1.

лубо́к I *м. мед.* splint; накла́дывать ~ (на *вн.*) splint (*d.*).

лубо́||к II *м.* 1. (*ли́повая доска́*) bast; 2. (*лубо́чная карти́нка*) cheap pópular print. **~чный**: ~чная карти́нка = лубо́к II 2.

лубя́н||о́й *прил. к* луб; ~ые культу́ры *с.-х.* fibre crops.

луг *м.* méadow ['me-]; заливно́й ~ wáter-mèadow ['wɔːtə'me-], flood plain [flʌd...].

лугови́на *ж. разг.* small méadow [...'me-].

лугов||о́дство *с.* méadow cultivátion ['me-...], grass fárming. **~о́й** *прил. к* луг; ~ы́е уго́дья méadow lands ['me-...].

луди́льщик *м.* tínsmith, tín:man*.

луди́ть, вы́лудить, полуди́ть (*вн.*) *тех.* tin (*d.*).

лу́ж||а *ж.* puddle, pool; ◊ сесть в ~у *разг.* get* into a mess / fix, slip up.

лужа́йка *ж.* lawn, gráss-plòt.

луже́ние *с.* tínning.

лужён||ый tinned; ◊ у него́ ~ желу́док *разг.* ≅ he has a cást-iron digéstion [...-aɪən -stʃn]; ~ая гло́тка *разг.* throat of cast iron [...'aɪən].

лу́жица *ж. уменьш. от* лу́жа.

лужо́к *м. уменьш. от* луг.

лу́з||а *ж.* (bílliard-)pòcket [-ljəd-]; загоня́ть шар в ~у *спорт.* pócket a ball.

лузга́ *ж. собир.* husks *pl.*

лу́згать *разг.*: ~ се́мечки níbble súnflower seeds.

лук I *м. тк. ед.* (*расте́ние*) ónion ['ʌ-]; ~-поре́й leek; зелёный ~ spring ónions *pl.*

лук II *м.* (*ору́жие*) bow [bou]; натяну́ть ~ bend* / draw* a bow.

лука́ *ж.* 1. (*седла́*) pómmel ['pʌ-]; за́дняя ~ rear arch, пере́дняя ~ front arch [frʌ-...]; 2. (*реки́, доро́ги*) bend.

лука́вец *м. разг.* cráfty / sly pérson; slý:boots.

лука́винка *ж. разг.* pláyful sly'ness, árchness.

лука́в||ить be cúnning. **~ость** *ж.*, **~ство** *с.* slý'ness, árchness. **~ый** 1. *прил.* sly, arch; (*хи́трый*) cúnning; 2. *прил.* (*задо́рный*) pláyful; 3. *м. как сущ. разг.* the Évil One [...'iː-...].

луко́в||ица *ж.* 1. (*голо́вка лу́ка*) an ónion [...'ʌ-]; 2. *бот., анат.* bulb. **~ичный** *прил. к* лу́ковица 2; ~ичные расте́ния búlbous plants [...-ɑːnts]. **~ый** *прил. к* лук I.

лукомо́рье *с. поэт. уст.* curved séashòre.

луко́шко *с. разг.* bást-bàsket.

ЛУН — ЛЮБ

лун||а́ *ж.* moon; по́лная ~ full moon; фа́зы ~ы́ phases of the moon; полёт на Луну́ flight to the Moon.

лунати́зм *м.* sléep-wàlking; sòmnámbulism *научн.*

луна́т||ик *м.* sléep-wàlker; sòmnámbulist *научн.* ~и́ческий *мед.* sòmnàmbulístic, nòctámbulant.

лу́нка *ж.* 1. hole; 2. *анат.* álveolus (*pl.* -li).

лу́нник *м.* lúnik, Moon rócket.

лу́нн||ый *прил. к* луна́; *астр.* lúnar; ~ая ночь móonlit night; ~ое затме́ние lúnar eclípse; ~ свет móonlight; ~ая пыль lúnar dust; dust from the Moon; ~ ка́мень *мин.* móonstòne.

лунохо́д *м.* Lùnokhód, Moon reséarch véhicle [...-'sə:tʃ 'vi:ɪkl], Móon-bùggy.

лунь *м. зоол.* hén-hàrrier; (*самка*) ríng-tail; ◇ седо́й, бе́лый как ~ ≃ white-haired, white as snow [...-ou-].

лу́па *ж.* mágnifier, mágnifying glass.

лупи́ть I, облупи́ть (*вн.*; *о шелухе́*) peel (*d.*); (*о коре́*) bark (*d.*).

лупи́ть II, отлупи́ть (*вн.*) *разг.* thrash (*d.*), flog (*d.*).

лупи́ть III, слупи́ть (с кого́-л.) *разг.* fleece smb., make* smb. pay through the nose.

лупи́ться, облупи́ться *разг.* 1. (*шелуши́ться*) scale, peel off; (*обсыпа́ться*) come* off; 2. *страд. к* лупи́ть I.

лупогла́зый *разг.* góggle-eyed [-aɪd], póp-eyed [-aɪd].

лупцева́ть, отлупцева́ть (*вн.*) *разг.* beat* (*d.*), flog (*d.*).

луч *м.* ray, beam; испуска́ть ~и́ rádiàte; ◇ ~ наде́жды ray / flash / gleam of hope. ~ево́й 1. *прил. к* луч; 2. (*расходя́щийся радиусами*) rádial; ~ева́я кость *анат.* rádius (*pl.* -dii); ◇ ~ева́я боле́знь ràdiátion sickness / diséase [...-'zi:z].

лучеза́рный *поэт.* rádiant, èffúlgent.

лучеиспуска́ние *с. физ.* ràdiátion.

лучепреломле́ние *с. физ.* refráction.

лучи́н||а *ж.* 1. splinter, chip; щепа́ть ~у chop (up) sticks; 2. *уст.* torch (*for lighting peasant hut*).

лучи́ст||ый 1. rádiant; ~ая эне́ргия rádiant énergy; 2. (*расходя́щийся луча́ми*) rádial.

лучи́ться (*свети́ться*; *о глаза́х*) shine* brightly, be rádiant.

лучко́в||ый: ~ая пила́ *тех.* sash / bow saw [...bou...].

лу́чник *м.* árcher.

лу́чше I 1. (*сравн. ст. от прил.* хоро́ший) bétter; ~ всех best of all; 2. *предик. безл.* it is bétter; ~ остава́ться здесь it is bétter to stay here; ~ всего́ it is best; больно́му сего́дня ~ the pátient is bétter to:dáy; ему́ ~ уйти́, оста́ться *и т. п.* it will / would be bétter for him to go a:wáy, stay, *etc.*; (*как предупрежде́ние*) he had bétter go a:wáy, stay, *etc.*; ◇ тем ~ so much the bétter, all the bétter; ~ не спра́шивай (об э́том) bétter not ask, don't ask.

лу́чше II (*сравн. ст. от нареч.* хорошо́) bétter; ◇ ~ сказа́ть *как вводн.*

сл. or ráther [...'rɑ:-]; как мо́жно ~ to the best of one's abílities / pówers.

лу́чш||ий 1. (*сравн. и превосх. ст. от прил.* хоро́ший) bétter; best; в ~ем слу́чае at best; ~ из ~их the very best; 2. *с. как сущ.* the best, the bétter; к ~ему for the bétter; за неиме́нием ~его for want of smth. bétter; всего́ ~его! all the very best!, góod-býe!

лущёный hulled.

лущи́льник *м. с.-х.* stubble plough.

лущи́ть (*вн.*) 1. crack (*d.*); (*о кукуру́зе*) husk (*d.*); (*о горо́хе и т. п.*) hull (*d.*), pod (*d.*), shell (*d.*); 2. *с.-х.* (*о стерне́*) remóve the stubble [-'mu:v...].

лы́ж||и *мн.* 1. (*ед.* лы́жа *ж.*) skis [ski:z, ʃi:z]; ходи́ть на ~ах ski; 2. *разг.* (*вид спорта*) skíing ['ski:-, 'ʃi:-]; ◇ во́дные ~ wáter skis [wɔ:-, ʃi:-]; навостри́ть ~ *разг.* take* to one's heels / legs. ~ник *м.*, ~ница *ж.* skíer ['ski:ə, 'ʃi:ə]. ~ный ski [ski:, ʃi:] (*attr.*); ~ный спорт skíing ['ski:-, 'ʃi:-]; ~ая ба́за ski pavílion, ski depót [...'depou].

лы́жня́ *ж.* skí-tràck ['ski:-, 'ʃi:-].

лы́ко *с.* bast, bass; драть ~ bark lime-trees; ◇ не вся́кое ~ в стро́ку *погов.* ≃ one must make allówances; ста́вить вся́кое ~ в стро́ку wink at nothing, let* nothing pass; он лы́ка не вя́жет he is too drunk to make sense; он не ~м шит *погов.* he is no fool, he was not born yésterday.

лысе́ть, облысе́ть grow* bald [-ou-...].

лы́с||ина *ж.* 1. bald spot / patch; 2. (*на лбу животного*) star. ~ый bald, bàld-héaded [-'hed-].

лы́чки *мн.* bádges of rank (*on shoulder-straps of noncommissioned officers*).

ль I, II *см.* ли I, II.

льв||ёнок *м.* lion's whelp, líon cub. ~и́ный *прил. к* лев I; ~и́ный зев, ~и́ная пасть *бот.* snápdragon [-dræ-]; ◇ ~и́ная до́ля the líon's share. ~и́ца *ж.* líoness.

льв́ята *мн. см.* львёнок.

льго́т||а *ж.* prívilege, advántage [-'vɑ:-]. ~ный *прил. к* льго́та; ~ный биле́т prívilege / free tícket; ~ные по́шлины preferéntial dúties; на ~ных усло́виях on favour:able / preferéntial terms; ~ной цене́ at a cut / redúced price.

льди́н||а *ж.* block of ice, íce-flòe; дрейфу́ющая ~ drífting íce-flòe. ~ка *ж.* piece of ice [pi:s...].

льди́стый ícy, ìce-cóvered [-'kʌ-].

льды *мн. см.* лёд.

льново́д *м.* flax cúltivàtor. ~ство *с.* flax cultivátion / gròwing [...'grou-]. ~ческий *прил. к* льново́д, льново́дство.

льноволокно́ *с.* flax fibre.

льнокомба́йн *м.* fláx-hàrvesting cómbine.

льнообраба́тывающ||ий: ~ая промы́шленность fláx-mànufácturing índustry; ~ие маши́ны fláx-pròcessing machínery [...-'ʃi:-] *sg*.

льнопряде́ние *с.* flax spinning.

льнопряди́л||ьный fláx-spinning (*attr.*); ~ная промы́шленность fláx-spinning índustry; ~ная фа́брика fláx-mìll. ~ня *ж.* fláx-mìll.

льносея́лка *ж. с.-х.* fláx-sowing machíne [-sou- -'ʃi:n].

льнотереби́лка *ж. с.-х.* flax púller [...'pu-].

льнотрепа́лка *ж. с.-х.* scútcher, scútching-sword [-sɔ:d].

льноубо́рочн||ый: ~ая маши́на flax púller [...'pu-].

льнуть, прильну́ть (к) 1. cling* (to), stick* (to); 2. *тк. несов. разг.* (*испы́тывать влече́ние*) cling* (to); have a wéakness (for); 3. *тк. несов. разг.* (*заи́скивать*) make* up (to), try to get in (with).

льня́н||о́й flax (*attr.*); (*о тка́ни*) línen ['lɪ-]; ~о́го цве́та (*о волоса́х*) fláxen; ~а́я промы́шленность línen índustry; ~о́е ма́сло línseed-òil; ~о́е се́мя línseed, fláx-seed.

льсте́||ец *м.* fláttеrer, ádulàtor. ~и́вый fláttering; (*о челове́ке*) smòoth-tóngued ['smu:ðtʌŋd], smòoth-spóken [-ð-].

льсти́ть, польсти́ть 1. (*дт.*) flátter (*d.*), ádulàte (*d.*); 2. (*дт.*; *быть прия́тным*) please (*d.*): 3. *тк. несов.*: ~ себя́ наде́ждой flátter òneself with hope. ~ся, польсти́ться (на вн., уст. тв.) be tempted [...-mt-] (with).

люб *предик. разг.*: он мне ~ he is dear to me.

любвеоби́льный lóving ['lʌ-], full of love [...lʌv].

любе́зничать (с тв.) *разг.* pay* cómpliments (to), pay* court [...kɔ:t] (to).

любе́зн||ость *ж.* 1. (*свойство*) cóurtesy ['kə:t-]; 2. (*комплиме́нт*) cómpliment; говори́ть кому́-л. ~ости pay* cómpliments to smb.; 3. (*одолже́ние*) kíndness; сде́лать ~ do a fávour. ~ый 1. *прил.* ámiable; (*ве́жливый*) políte; (*обяза́тельный*) obliging; 2. *м. как сущ. уст.* (*в обращении*) my man* / ~ый; ◇ бу́дьте ~ы (+ *пов.*) please (+ *imper.*); (+ *инф.*) would you be so kind (as + to *inf.*); ~ый чита́тель dear / gentle réader.

люби́м||ец *м.*, ~ица *ж.* pet, fávour:ite; mínion. ~чик *м. разг.* pet, fávour:ite. ~ый 1. *прич. см.* люби́ть 1, 2; 2. *прил.* dear, loved [lʌvd], belóved [-'lʌvd], déarly-belóved [-'lʌvd]; (*предпочита́емый*) fávour:ite; 3. *м. как сущ.* dárling.

люби́тель *м.* 1. ámateur [-tə:], dilettánte [dɪlɪ'tæntɪ]; 2. (*рд.*) lóver ['lʌ-] (of); ~ приро́ды nature-lóver ['neɪ- -lʌ-]; он большо́й ~ цвето́в he is very fond of flówers; ~ соба́к dóg-fàncier; ~ роз róse-fàncier; ~ски *нареч.* in an amatéurish mánner / way [...-'tə:-...]. ~ский 1. ámateur [-tə:] (*attr.*); ~ский спекта́кль ámateur perfórmance; 2. (*для знатоков*) choice. ~ство *с.* àmatéurishness [-'tə:-].

люби́ть (*вн.*) 1. love [lʌv] (*d.*); ~ ро́дину love one's cóuntry [...'kʌ-]; его́ здесь о́чень лю́бят he is wéll-liked here; 2. (*чу́вствовать скло́нность*) like (*d.*); be fond (of); (*с прида́т. предлож.: нра́виться*) like; он лю́бит, когда́ она́ поёт he likes her to sing; он лю́бит, когда́ идёт снег he likes snówy wéather [...'snou- 'we-]; 3. (*нужда́ться, тре́бовать и т. п.*) need (*d.*), require (*d.*); thrive* (in, etc. — *по смы́слу*): карто́фель лю́бит песча́ный грунт potátoes require, *или* thrive*, in sándy ground; — не ~ (*не выноси́ть*) not agrée (with); ма́сло не лю́бит теплá bútter does not go well with heat; ◊ лю́бишь ката́ться, люби́ и са́ночки вози́ть *посл.* ≃ áfter the feast comes the réckoning.

лю́бо *предик.* it is pléasant [...'plez-]; ~ смотре́ть (на *вн.*) it is a pléasure to look [...'pleʒə...] (at); ~-до́рого *разг.* it is a real pléasure [...rɪəl...]; не ~ не слу́шай don't lísten, if you don't like it.

любова́ться, полюбова́ться (*тв.*, на *вн.*) admíre (*d.*), feast one's eyes [...aɪz] (upón); ~ приро́дой admíre the scénery [...'si:-]; ~ на себя́, ~ собо́й admíre onesélf; полюбу́йтесь на себя́! look at yoursélf!; полюбу́йся, полюбу́йтесь на него́! just look at him!

любо́вн||**ик** *м.* 1. lóver ['lʌ-]; 2. *театр.*: пе́рвый ~ jeune premier (*фр.*) [ʒə:nprə'mjeɪ]. ~**ица** *ж.* místress.

любо́вн||**ый** love [lʌv] (*attr.*), ámorous; (*любящий*) lóving ['lʌ-]; ~ая исто́рия lóve-affair ['lʌv-], románce; ~ое письмо́ lóve-létter ['lʌv-]; ~ взгляд lóving glance; (*влюблённый*) ámorous glance; ~ая ли́рика *лит.* love lýrics [lʌv...] *pl.*; у него́ ~ое отноше́ние к де́лу he is full of enthúsiasm for his work [...-zɪ-...].

люб||**о́вь** *ж.* (*в разн. знач.*) love [lʌv]; брак по ~ви́ lóve-match ['lʌv-]; жени́ться по ~ви́ márry for love; без взаи́мности únreqúited love; э́то его́ пре́жняя ~ she is an old flame of his; де́лать что-л. с ~о́вью do smth. with lóving care [...'lʌv-...]; ~ к ро́дине love for one's (nátive / mother) country [...'mʌ-'kʌ-]; ~ к бли́жнему love for one's néighbour; ~ к де́тям love of children; матери́нская ~ matérnal love; из ~ви́ (к) for the love (of), for the sake (of).

любозна́тельн||**ость** *ж.* inquísitiveness [-zɪ-], intelléctual curiósity. ~**ый** inquísitive [-zɪ-], cúrious; быть ~ым have an inquíring mind / nature [...'neɪ-], be of inquísitive bent.

люб||**о́й** 1. *прил.* any; (*каждый*) évery; в ~о́е вре́мя, в ~ час дня и но́чи at any time, at any hour of the day or night [...aʊə...]; ~ цено́й at any price; 2. *м. как сущ.* ányone; (*из двоих*) éither ['aɪ-].

любопы́тн||**о** 1. *прил. кратк. см.* любопы́тный 1; 2. *предик. безл.* it is ínteresting. ~**ый** 1. *прил.* (*в разн. знач.*) cúrious; 2. *м. как сущ.* cúrious pérson.

любопы́тство *с.* curiósity; удовлетвори́ть чьё-л. ~ sátisfy smb.'s curiósity; пра́здное, пусто́е ~ idle curiósity.

любопы́тствовать, полюбопы́тствовать be cúrious.

лю́бящий 1. *прич. см.* люби́ть; 2. *прил.* lóving ['lʌv-], affectionate; ~ Вас (*в конце письма*) yours affectionately.

лю́гер *м. мор.* lúgger.

люд *м. тк. ед. собир. разг.* péople [pi:-] *pl.*, folk *pl.*; рабо́чий ~ wórking-péople [-pi:-] *pl.*; ме́лкий городско́й ~ the pétty tównsfolk [...-nz-] *pl.*

лю́д||**и** *мн.* 1. péople [pi:-]; 2. *уст.* (*прислуга*) sérvants; 3. *воен.* men; ◊ ~ до́брой во́ли péople of good will; вы́йти в ~ make* one's way (in life); get* on in the world; вы́вести кого́-л. в ~ set* smb. up (in the world).

лю́дн||**ый** 1. (*густо населённый*) pópulous, dénsely / thíckly pópulated; 2. (*об улице и т. п.*) crówded, búsy ['bɪzɪ]; 3. (*многолюдный*): ~ое собра́ние crówded méeting / gáthering.

людое́д *м.* cánnibal, mán-eater; (*в сказках*) ogre. ~**ство** *с.* cánnibalism, ànthropóphagy.

лю́дская *ж. скл. как прил. уст.* sérvants' room / hall.

людск||**о́й** 1. *прил. к* лю́ди 1; *тж.* húman; ~ род húman race, húmankind; ~и́е стра́сти húman pássions; ~и́е пересу́ды the talk of the town *sg.*; 2. *прил. к* лю́ди 2; 3.: ~ соста́в *воен.* pèrsonnél; efféctives *pl.*

люизи́т *м. хим.* léwisite.

люк *м.* 1. *мор.* hátchway, hatch; маши́нный ~ éngine-room hatch ['endʒ-...]; 2. *театр.* trap; светово́й ~ ský-light.

люкс I *м.* (*единица измерения освещённости*) lux.

люкс II *м.* de luxe [də'luks], A 1 ['eɪ'wʌn], first class.

лю́лька I *ж.* 1. (*колыбель*) crádle; 2. *воен.* (*часть лафета*) gún-cradle.

лю́лька II *ж.* (*трубка для курения*) pipe.

люмба́го *с. нескл. мед.* lùmbágò.

люмина́л *м. фарм.* lúminal.

люминесце́нтн||**ый** *физ.* lùminéscent; ~ые ла́мпы fluoréscent lighting *sg.*

люминесце́нция *ж. физ.* lùminéscence.

лю́мпен-пролетариа́т *м.* lúmpen-prolètáriat ['lu:mpənprəʊ-].

люпи́н *м. бот.* lúpin(e).

лю́стра *ж.* chandelíer [ʃændɪ'lɪə].

люстри́н *м. текст.* lústrine, lúte:string. ~**овый** lústrine (*attr.*); ~овый пиджа́к lústrine coat.

лютера́н||**ин** *м.*, ~**ка** *ж.*, ~**ский** *рел.* Lútheran. ~**ство** *с. рел.* Lútheranism.

лю́тик *м. бот.* búttercùp, yéllow-cùp. ~**овые** *мн. скл. как прил. бот.* Ranúnculaceae.

лю́тня *ж. муз.* lute.

лютова́ть *разг.* 1. be feròcious / crúel [...krʊəl], 2. (*о морозе*) be sevére / sharp.

лю́т||**ость** *ж.* fiérceness, ferócity. ~**ый** fierce, feròcious; (*о человеке тж.*) crúel [krʊəl]; ~ый враг mórtal énemy; ~ый моро́з sevére / sharp frost.

люфа́ *ж. бот.* lóofàh.

люфт *м. тех.* cléarance.

люце́рна *ж. бот.* lùcérne, àlfálfa.

люэ́с *м.* = сифилис.

ля *с. нескл. муз.* A [eɪ]; la [lɑ:].

ляга́вый = лега́вый.

ляга́ть, лягну́ть (*вн.*) kick (*d.*). ~**ся** kick.

лягну́ть *сов. см.* ляга́ть.

лягуша́тник *м. разг.* (*бассейн для обучения плаванию маленьких детей*) children's swímming pool.

лягуша́чий, чаще **лягу́шечий** *прил. к* лягу́шка; лягу́шечья икра́ fróg-spawn.

лягу́шка *ж.* frog.

лягушо́нок *м.* young frog [jʌŋ...].

ля́жка *ж.* thigh, haunch.

лязг *м. тк. ед.* clank, clang; (*зубов*) clack.

ля́зг||**ать**, ля́згнуть (*тв.*) clank (*d.*), clang (*d.*); он ~ает зуба́ми his teeth are cháttering. ~**нуть** *сов. см.* ля́згать.

ЛЮБ — МАГ

ля́мк||**а** *ж.* strap; тяну́ть ~ами (*вн.*), тяну́ть на ~ах (*вн.*) tow [tou] (*d.*), take* / have in tow (*d.*); ◊ тяну́ть ~у *разг.* drudge, toil.

ля́пать, наля́пать (*вн.*) *разг.* (*делать кое-как*) botch (*d.*), bungle (*d.*); make* any old how.

ля́пис *м.* lúnar cáustic, sílver nítrate [...'naɪ-...].

ля́пис-лазу́рь *ж. мин.* lápis lázuli.

ля́пнуть *сов.* (*вн.*) *разг.* (*сболтнуть*) blurt out (*d.*).

ля́псус *м.* blúnder; (*обмолвка*) slip (of the tongue) [...tʌŋ].

лярд *м.* lard.

ля́сы *мн.*: точи́ть ~ *разг.* chátter, talk ídly, wag one's tongue [wæg...tʌŋ].

M

мавзоле́й *м.* mausoléum [-'li:əm].

мавр *м.*, ~**ита́нка** *ж.* Moor; ◊ ~ сде́лал своё де́ло, ~ мо́жет уйти́ the Moor has done his dúty, let him go. ~**ита́нский** Móorish; (*о стиле в архитектуре*) morésque.

маг *м.* 1. *ист.* (*жрец*) Mágian; 2. (*волшебник*) magícian, wízard ['wɪ-]; ◊ ~ и волше́бник *шутл.* a wónder of efficiency [...'wʌ-...].

магази́н *м.* 1. shop; store *амер.*; универса́льный ~ depártment store; бакале́йный ~ grócery ['groʊ-]; гастрономи́ческий ~ grócery and provísion shop; делика́тессен *амер.*; ~ гото́вого пла́тья réady-máde clothes shop ['redɪklou-...]; писчебума́жный ~ státioner's (shop); парфюме́рный ~ perfúmer's (shop); ~ москате́льных това́ров chándlery ['tʃɑ:-]; ювели́рный ~ jéweller's (shop); часово́й ~ wátchmàker's (shop); ~ самообслу́живания sélf-sérvice store / shop; 2. *тех.* màgazíne [-'zi:n]; ди́сковый ~ cártridge drum. ~**ный** *прил.* к магази́н; ~ная винто́вка *воен.* màgazíne rifle [-'zi:n...]; ~ная коро́бка *воен.* màgazíne.

магара́джа *м.* Màharája(h) [-'rɑ:-].

магары́ч *м. разг.* celebrátion (on máking a good bárgain); распи́ть ~ wet the bárgain; с вас ~! you owe us a drink! [...oʊ...].

маги́стерский *прил. к* маги́стр.

маги́стр *м.* hólder of a máster's degrée; ~ иску́сств Máster of Arts (*сокр.* M.A.).

магистра́ль *ж.* 1. main; га́зовая ~ gas main; водопрово́дная ~ wáter-main ['wɔ:-]; 2. (*дорога*) híghway, àrtérial road; железнодоро́жная ~ main line. ~**ный** main, àrtérial; ~ный ка́бель main cable; ~ная ли́ния main line.

магистра́т *м.* city / town cóuncil ['sɪ-...]. ~**у́ра** *ж. тк. ед. собир.* the mágistrates *pl.*

маги́ческ||**ий** mágic; (*волшебный*) mágical; ~ое заклина́ние mágic spell; де́йствие оказа́лось ~им the effect was mágical; ◊ ~ круг vícious circle.

МАГ—МАЛ

ма́гия *ж.* mágic; чёрная ~ black art / mágic; бе́лая ~ white mágic.

ма́гма *ж. геол.* mágma. **~ти́ческий** *геол.* magmátic.

магна́т *м.* mágnàte; báron ['bæ-] *амер.*

магнези́т *м. мин.* mágnesite.

магне́зия *ж. хим.* magnésia [-i:ʃə].

магнет‖**изёр** *м. уст.* mésmerist ['mez-]. **~изи́ровать** (*вн.*) *уст.* mésmerize ['mez-] (*d.*).

магнети́зм *м.* 1. mágnetism; земно́й ~ terréstrial mágnetism; 2. (*отдел физики*) màgnétics.

магнети́т *м. мин.* mágnetite.

магнети́ческий màgnétic.

магне́то *с. нескл. тех.* màgnétò; пусково́е ~ *авт.* bóoster / stárting màgnétò.

магнетро́н *м. рад.* mágnetròn.

ма́гн‖**иевый** *прил. к* ма́гний. **~ий** *м. хим.* màgnésium [-zɪəm].

магни́т *м.* mágnet; есте́ственный ~ nátural mágnet; постоя́нный ~ pérmanent mágnet. **~ный** màgnétic; **~ный** железня́к *мин.* màgnétic íron ore [...'aɪən...], lóadstòne, lódestòne; **~ное** притяже́ние *физ.* màgnétic attráction; **~ное** по́ле *физ.* màgnétic field [...fi:ld]; **~ная** стре́лка màgnétic needle; **~ная** анома́лия màgnétic ánomaly.

магнито́метр *м. эл.* màgnetómeter.

магнитофо́н *м.* tápe-recòrder. **~ный** tápe-recòrder (*attr.*); **~ная** ле́нта recórding tape; **~ная** за́пись tape.

магнитоэлектри́ческий eléctro-màgnétic.

магно́лиевые *мн. скл. как прил. бот.* màgnòliáceae [-sii:].

магно́лия *ж. бот.* màgnólia.

магомета́н‖**ин** *м.,* **~ка** *ж.,* **~ский** Mohámmedan, Muhámmadan. **~ство** *с.* Mohámmedanism, Muhámmadanism.

мада́м *ж. нескл.* 1. mádam ['mæ-]; 2. *уст.* (*гувернантка*) góverness ['gʌ-].

мадаполáм *м. текст.* màdapóllam. **~овый** màdapóllam (*attr.*).

мадемуазéль [-дмуазé-] *ж.* 1. mádemoiselle (*фр.*) [mædəm'zel]; 2. = мада́м 2.

маде́ра [-дэ́-] *ж.* (*вино*) Madéira [-'dɪərə].

мадо́нна *ж.* madónna.

мадрига́л *м. лит.* mádrigal.

мадья́р *м.,* **~ка** *ж.,* **~ский** Mágyàr ['mæjɑ:]; **~ский** язы́к Mágyàr, the Mágyàr lánguage.

маёвка *ж.* mayóvka (*pre-revolution illegal May-Day meeting*).

мажо́р *м.* 1. *муз.* májor key [...ki:]; га́мма соль ~ scale of G májor [...dʒɪ-], G májor scale; 2. *разг.* (*весёлое настроение*) cheerful mood; быть в ~е be in high spírits.

мажордо́м *м.* májor:dòmò.

мажо́рный 1. *муз.* májor; 2. *разг.* (*весёлый*) buóyant ['bɔɪ-]; cheerful.

маз *м.* (*в биллиардной игре*) mace.

ма́зан‖**ка** *ж.* cóttage of daub and wattle. **~ый** *разг.* (*грязный*) soiled, dírty, stáined.

ма́зать 1. (*вн.*; *покрывать чем-л. жидким, смазывать*) oil (*d.*), grease (*d.*), lúbricàte (*d.*); 2. (*вн. тв.; намазывать*) smear (*d.* with); spread* [spred] (on *d.*); ~ ма́слом spread* bútter (on); bútter (*d.*); 3. (*вн.; пачкать*) soil (*d.*); stain (*d.*); 4. (*без доп.*) *разг.* (*плохо рисовать*) daub; 5. (*без доп.*) *разг.* (*не попадать*) miss the mark, fumble. **~ся** 1. (*пачкаться*) soil òneːsélf; 2. *разг.* (*красить лицо*) make* up; 3. *страд. к* ма́зать 1, 2, 3.

ма́зер *м. физ.* máser.

мази́ла *м. и ж. разг.* 1. = мази́лка II; 2.: он ~ he álways fumbles [...'ɔːlwəz...].

мази́лка I *ж.* (*малярная кисть*) páint-brùsh.

мази́лка II *м. и ж. ирон.* (*плохой художник*) dáuber, dáubster.

маз‖**нýть** *сов.* (*вн.*) brush (*d.*), touch lightly [tʌtʃ...] (*d.*), dab (*d.*). **~ня́** *ж. разг.* daub, inàrtístic páinting.

мазо́к *м.* 1. *жив.* dab, stroke of the páint-brùsh, touch [tʌtʃ]; 2. *мед.* smear (for microscópic exàminátion) [...maɪ-...].

мазу́рик *м. разг.* rogue [roug], swíndler.

мазу́рка *ж.* mazúrka.

мазу́т *м.* mazut [-uːt], black oil. **~ный** *прил. к* мазу́т; **~ные** масла́ héavy oils ['hevɪ...].

маз‖**ь** *ж.* óintment; (*жидкая*) líniment; колёсная ~ wheel-grease [-s]; сапо́жная ~ bláking, shóe-pòlish ['ʃuː-]; ◇ де́ло на ~и́ *разг.* things are off to a good start, things are well únder way.

майс *м. бот.* maize, Índian corn; corn *амер.* **~овый** *прил. к* майс; **~овая** ка́ша hóminy, polénta.

май *м.* May; в ма́е э́того го́да in May; в ма́е про́шлого го́да last May; в ма́е бу́дущего го́да next May; Пе́рвое ма́я May Day, First of May.

майда́н *м.* márket, márket place.

ма́йка *ж.* T-shirt, spórts-jèrsey [-zɪ]; vest; úndershirt *амер.*

ма́йна *межд.* heave ho!

майо́лик‖**а** *ж.* majólica [-'jɔ-]. **~овый** *прил. к* майо́лика.

майоне́з [-нэ́з] *м. кул.* mayonnáise.

майо́р *м.* május.

майора́т *м. юр.* 1. *тк. ед.* (*система*) right of primogéniture [...praɪ-]; 2. (*имение*) entáiled estáte. **~ный** *прил. к* майора́т.

майо́рский *прил. к* майо́р.

ма́йский 1. *прил. к* май; ~ день a May day, a day in May; 2. (*первомайский*) Máy-Day (*attr.*); ◇ ~ жук Máy-bùg, cóckchàfer.

мак *м.* 1. (*цветок*) póppy; 2. *тк. ед. собир.* (*семена*) póppy-seed.

макада́м *м.* macádam [-æd-].

мака́ка *ж.* macáque [mə'kɑːk].

мака́о *с. нескл.* (*попугай*) macáw.

макарон‖**и́зм** *м. лит.* màcarónism [-'rou-]. **~и́ческий**: **~и́ческий** стиль màcarónic style [-'rou-...].

макаро́нник *м. кул.* baked màcaróni púdding [...-ouni 'pu-]. **~ый** *прил. к* макаро́ны; **~ые** изде́лия màcaróni foods [-ouni...].

макаро́ны *мн.* màcaróni [-ouni] *sg.*

мака́ть (*вн. в вн.*) dip (*d.* in, into).

македо́н‖**ец** *м.,* **~ка** *ж.,* **~ский** Màcedónian.

маке́т *м.* 1. módel ['mɔ-]; móck-ùp *разг.*; 2. *воен.* dúmmy; ~ та́нка dúmmy tank; 3. *театр.* scale módel. **~ный** *прил. к* маке́т.

макиавелли́‖**зм** *м.* Màchiavéllism [-k-]. **~сти́ческий** Màchiavéllian [-k-].

макинто́ш *м.* máckintòsh.

макла́‖**к** *м. уст. презр.* bróker, jóbber, míddleːman*. **~чество** *с. уст. презр.* jóbbing; sécond-hánd déaling ['se-...].

ма́клер *м.* bróker. **~ский** *прил. к* ма́клер. **~ство** *с.* bróking, brókerage ['brou-].

ма́ков: зарде́ться как ~ цвет *разг.* ≃ blush like a rose, blush póppy-rèd.

ма́ковка *ж.* 1. (*плод мака*) póppy-head [-hed]; 2. *разг.* (*купол*) cúpola; top, súmmit; 3. *разг.* (*головы*) crown.

ма́ков‖**ые** *мн. скл. как прил. бот.* papáverous plants [-'peɪ- plɑː-], Papàveráceae [-peɪvə'reɪsiː]. **~ый** papáverous [-'peɪ-], papàveráceous [-peɪ-]; **~ое** ма́сло póppy-(séed)-oil.

макре́ль *ж.* (*рыба*) máckerel [-kr-].

макроко́см *м.* mácrocòsm.

макроми́р *м.* mácrocòsm.

макроскопи́ческий màcroscópic.

макси́м *м. разг.* Máxim (machine-gùn) [...-'fiːn-]).

ма́ксима *ж.* máxim.

максимал‖**и́зм** *м.* máximalism. **~и́ст** *м.,* **~и́стка** *ж.* máximalist.

максима́льно I *прил. кратк. см.* максима́льный.

максима́льн‖**о** II *нареч.* at most; as much as póssible. **~ый** máximum (*attr.*); highest póssible; **~ый** термо́метр *физ.* máximum thermómeter.

ма́ксимум 1. *м.* máximum (*pl.* -ma); úpper límit; получи́ть ~ (*от*) get* the most (out of); 2. *как нареч.* at most; ~ в де́сять лет in ten years at most.

макулату́р‖**а** *ж. тк. ед.* 1. *полигр.* máckle(-pàper), spoilt sheet; 2. (*о литературном произведении*) líterature fit for pulp. **~ный** *прил. к* макулату́ра.

маку́шк‖**а** *ж.* 1. (*дерева*) top, súmmit; 2. (*головы*) crown; ша́пка на ~е with one's hat on the back of one's head [...hed]; ◇ у него́, у неё *и т. д.* у́шки на ~е *разг.* he, she, *etc.*, is all ears; he, she, *etc.*, is on his, her, *etc.*, guard, *или* on the qui-vive [...kiː'viːv].

мал *предик.* (*дт.*) too little (for), too small (for): э́ти боти́нки мне ~ы́ these shoes are too small for me [...ʃuːz...].

мала́га *ж.* (*вино*) Málaga.

малагас‖**éц** *м.,* **~и́йка** *ж.,* **~и́йский** Màlagásy [-æsɪ].

мала‖**éц** *м.,* **~йка** *ж.,* **~йский** Maláy, Maláyan; **~йский** язы́к Maláy, the Maláyan lánguage.

малаха́й *м.* malakhái (*fur cap with large éar-flaps*).

малахи́т *м. мин.* málachite [-k-]. **~овый** *прил. к* малахи́т.

малева́ть, намалева́ть (*вн.*) 1. *разг.* paint (*d.*); 2. *пренебр.* (*плохо рисовать*) daub (*d.*); ◇ не так стра́шен чёрт, как его́ малю́ют *посл.* the dévil is not so térrible as he is páinted; (*не так плох*) the dévil is not so black as he is páinted.

малейш∥ий (*превосх. ст. от прил.* ма́лый 1) the least, the slightest; не име́ю ни ~его поня́тия I have not the slightest / faintest / remotest idea / notion [...aɪˈdɪə...]; не име́ю ни ~его жела́ния де́лать э́то I have not the least wish, *или* slightest desire, to do it [...-ˈzaɪə...], I do not feel like doing it at all.

малёк *м. зоол.* fry, young fish [jʌŋ...].

ма́леньк∥ий 1. *прил.* small, little*; (*миниатюрный*) diminutive; 2. *прил.* (*незначительный*) slight; 3. *прил.* (*малолетний*) young [jʌŋ]; 4. *м. как сущ.* the baby, the child*; ◇ игра́ть по ~ой play for small stakes; ~ие лю́ди humble folk, common run of people [...piː-] *sg.*; моё де́ло ~ое ≅ it is no concern of mine, it is none of my business [...nʌn... ˈbɪzn-].

мале́нько *нареч. разг.* a little, a bit.

ма́лец *м. разг.* lad, stripling.

мал∥и́ец *м.*, ~и́йка *ж.*, ~и́йский Malian [ˈmɑːlɪən].

мали́н∥а *ж. тк. ед.* 1. *собир.* raspberries [-zb-] *pl.*; 2. (*об отдельной ягоде*) raspberry [-zb-]; 3. (*куст*) raspberry-cane; ◇ не жизнь, а ~ ≅ we are in clover. ~ник *м. тк. ед.* raspberry-canes [-zb-] *pl.* ~ный *прил. к* мали́на.

мали́новка I *ж.* (*птица*) robin, (robin) redbreast [...-brest].

мали́новка II *ж. разг.* (*наливка*) raspberry brandy [-zb-...].

мали́нов∥ый I 1. raspberry [-zb-] (*attr.*); ~ое варе́нье raspberry jam [-zb-...]; 2. (*о цвете*) crimson [-zn].

мали́новый II: ~ звон mellow chime.

ма́лица *ж.* deerskin overcoat.

ма́лка *ж. тех.* bevel [ˈbe-].

мало́ I 1. *прил. кратк. см.* ма́лый I; 2. *предик. безл.*: э́того ~ this is not enough [...ˈnʌf].

ма́ло II 1. *неопред. числит.* (*с сущ. в ед. ч.*) little; (*с сущ. во мн. ч.*) few; (*недостаточно*) not enough [...ˈnʌf]; ~ са́хару not enough sugar [...ˈʃu-]; ~ книг few books; ~ наро́ду few people [...piː-]; 2. *нареч.* little*; мы ~ его́ ви́дим we see little* of him; ◇ ~ того́ moreover; ~ того́, ~ того́, что...; ~ ли что! *разг.* what of it!; ~ ли что быва́ет anything may / might / could happen; ~ ли где я мог его́ встре́тить I could have met him anywhere.

мало́ *с. см.* ма́лое.

мало- (*в сложн.*) передаётся разными приставками или словосочетаниями *с* of little, scarcely [-ɛəs-], rather small [ˈrɑː-...] *и т. п.*

малоавторите́тный insufficiently authoritative.

малоазиа́тский Asia Minor [ˈeɪʃə...] (*attr.*), of Asia Minor.

малоблагоприя́тный scarcely favourable / conducive [-ɛəs-...].

малова́жный unimportant; of little importance; of small import.

малова́т *прил. кратк. разг.* a little too small, not the right size; undersized; он ~ ро́стом he is undersized.

малова́то *нареч. разг.* not quite enough [...ˈnʌf], barely sufficient.

малове́р *м.* one of little faith. ~ие *с.* lack of faith. ~ный lacking faith.

маловеро́ятный hardly probable, not likely, unlikely.

мало∥во́дный with little water [...ˈwɔː-], dry; arid; (*о реке, озере и т. п.*) shallow. ~во́дье *с.* lack / shortage of water [...ˈwɔː-]; (*о реке, озере и т. п.*) shallowness, low water-level [lou ˈwɔːtəle-].

маловрази́тельный not clear; (*неубедительный*) unconvincing.

малоопределённый not remunerative, not profitable, of small profit.

малогабари́тн∥ый small; ~ая ме́бель compact furniture; ~ая маши́на small car; самохо́дная ~ая электроста́нция small self-propelled electric power unit.

малоговоря́щий not expressive; ~ факт a fact that explains little.

малогра́мотн∥ость *ж.* 1. semi-literacy; 2. (*отсутствие достаточных знаний*) crudity, ignorance. ~ый 1. semi-literate, half-educated [ˈhɑːf-]; 2. (*выполненный без достаточного знания, умения*) crude, raw, unskilled.

малодарови́тый of meagre gifts talents [...gɪ- ˈtæ-], poorly endowed.

малоде́йственный ineffective.

малодействи́тельный = малоде́йственный.

малодоказа́тельный not very convincing.

малодостове́рный not well-founded, unlikely.

малодосту́пн∥ый difficult of access; not readily available [...ˈred-...]; ~ая кни́га, статья́ *и т. п.* difficult book, article, *etc.*

малодохо́дный bringing little profit, not very profitable, not very remunerative.

малоду́шествовать, смалоду́шествовать show* lack of spirit [ʃou...], lose* heart [luːz hɑːt].

малоду́ш∥ие *с.* faint-heartedness [-ˈhɑːt-], cowardice. ~ничать, смалоду́шничать *разг.* = малоду́шествовать. ~ный cowardly, faint-hearted [-ˈhɑːt-], craven, poor-spirited; ~ный челове́к coward, cowardly man*, faint-hearted / chicken-hearted fellow [...ˈhɑːt-...].

малоезженый [-ежье-] 1. (*о лошади*) little ridden; (*о коляске*) little used; 2. (*о дороге*) not well-trodden.

малоезжий [-ежьжи-] unfrequented; off the beaten track, neglected.

малозаме́тный 1. barely visible / noticeable [...ˈvɪz- ˈnou-]; 2. (*обыденный*) hardly out of the ordinary; undistinguished.

малозаселённый = малонаселённый.

малоземе́л∥ье *с.* shortage of (arable) land. ~ный having insufficient (arable) land.

малознако́мый unfamiliar, little known [...noun].

малозна́ч∥ащий, ~и́тельный of little significance, unimportant.

малоизве́стный [-сн-] little known [...noun], not popular.

малоизу́ченный insufficiently known / explored [...noun...].

малоиму́щий poor, indigent, needy.

малоинтере́сный of little interest.

малоиссле́дованный scantily explored.

малокали́берный small-calibre (*attr.*); (*о ружье*) small-bore (*attr.*).

малокалори́йный low in calories [lou...]; low-calorie [ˈlou-] (*attr.*).

малокро́в∥ие *с.* anaemia. ~ный anaemic.

малокульту́рный lacking culture.

малоле́сье *с.* scarcity of forests [-ɛəs-... ˈfɔ-].

малоле́тка *м. и ж. разг.* young child* [jʌŋ...].

малоле́т∥ний 1. *прил.* very young [...jʌŋ]; of tender age; (*несовершеннолетний*) under age; juvenile, minor [ˈmaɪ-]; престу́пник juvenile delinquent; 2. *м. как сущ.* (*о ребёнке*) infant; (*о подростке*) juvenile. ~ок *м. разг.* = малоле́тка. ~ство *с.* infancy; (*несовершеннолетие*) nonage [ˈnou-], minority [maɪ-].

малолитра́жка *ж. разг.* = малолитра́жный автомоби́ль *см.* малолитра́жный.

малолитра́жный with small (cylinder) capacity; ~ автомоби́ль car with small (cylinder) capacity, mini-car.

малолю́д∥ность *ж.* scarcity of people [ˈskɛə-...piː-]; (*о собрании и т. п.*) poor attendance. ~ый not crowded, unfrequented; (*малонаселённый*) thinly populated.

малолю́дство *с.* = малолю́дность.

малолю́дье *с.* scarcity of people [ˈskɛə-...piː-].

мало-ма́льски *нареч. разг.* in the slightest degree, to the slightest extent.

малома́льский *разг.* least, slightest.

маломе́рный of small size.

малометра́жный small, not roomy / spacious.

маломо́щн∥ый lacking power; ~ дви́гатель low-powered engine / motor [ˈlou- ˈendʒ-...]; ~ое предприя́тие small concern / business [...ˈbɪzn-]; ~ое крестья́нское хозя́йство small peasant's holding [...ˈpez-...].

малонадёжн∥ый not very reliable; ~ая пого́да broken / unsettled weather [...ˈwe-].

малонаселённый sparsely thinly populated.

малообеспе́ченный not sufficiently provided for; of moderate / scanty means.

малообла́чн∥ый: ~ая пого́да fair with some cloud.

малообосно́ванный not well grounded, ill-founded.

малообразо́ванный of little education.

малообщи́тельный uncommunicative, unsociable.

малоо́пытный inexperienced, of little experience.

малоосво́енный little-developed; ~ райо́н little-developed / underdeveloped area [...ˈɛərɪə].

малооснова́тельный 1. (*о доводе, мнении и т. п.*) not well founded, ill-founded; 2. *разг.* (*о человеке*) not reliable.

малопита́тельный not very nutritious, of low nutritional value [...lou...].

МАЛ—МАН

малоплодо́вый *с.-х.* béaring little fruit ['bɛə-...fru:t].

малоплодоро́дн||**ый** poor, scánty; ~ая по́чва poor soil.

малоподви́жный not móbile [...'mou-]; ~ о́браз жи́зни sédentary life.

малоподгото́вленн||**ый**: ~ая аудито́рия áudience with little / ínsufficient prelíminary tráining.

ма́ло-пома́лу *нареч.* little by little, bit by bit; (*постепенно*) grádually, by slow degrées [...slou...].

малопомести́тельный not capácious, not róomy.

малопоня́тливый not very quick / bright, slow in the úptake [slou...].

малопоня́тный hard to únderstánd; obscúre.

малоприбы́льный of little prófit, bringing little prófit.

малоприго́дный of little use [...ju:s].

малоприменя́мый hárdly / séldom ápplicable.

малопродукти́вный únderprodúctive, not efficient, not frúitful [...'fru:t-]; *с.-х.* lów-yield ['louji:ld] (*attr.*).

малопроизводи́тельный = малопродукти́вный.

малоразвито́й, малора́звитый 1. únderdevéloped; 2. (*о человеке*) hálf-éducàted.

малоразгово́рчивый réticent, tácitùrn.

малораспространённый not in cúrrent use [...ju:s].

малоренга́бельный not sufficiently remúnerative / prófitable.

малоречи́вый quíet, réticent.

малоро́слый úndersized, stúnted.

малосведу́щий of little knówledge [...'nɔ-], ill-infórmed.

малосеме́йный having a small fámily.

малоси́льный 1. weak; féeble; 2. *тех.* lów-pówered ['lou-].

малосодержа́тельный insípid, émpty.

малосо́льн||**ый** slíghtly sálted, fréshly-sálted; ~ые огурцы́ fréshly-sálted cúcumbers.

малосостоя́тельный 1. (*небогатый*) not wéll-off, not prósperous; 2. (*неубедительный*) incon̑clúsive, únconvíncing.

малоспосо́бный of indífferent abílities.

малосто́йкий *хим.* not stáble.

ма́лост||**ь** *разг.* 1. *ж.* trifle; из-за вся́кой ~и for évery trifle; са́мая ~ оста́лась there is just a little left; 2. *как нареч.* sóme:what, a bit.

малосуще́ственный not substántial, únimpórtant.

малотира́жный of small / límited circulátion.

малотре́бовательный not strict, not exácting.

малоубеди́тельный not con̑clúsive, únconvíncing, not persuásive [...-'swei-].

малоудо́йный giving little milk.

малоупотреби́тельный rare (*predic.*); rárely / séldom used (*predic.*); not much in use [...ju:s] (*predic.*); little-úsed.

малоурожа́йн||**ый** lów-yield ['louji:ld] (*attr.*); ~ые сорта́ the less fértile kinds.

малоуспе́шный únsuccéssful.

малоутеши́тельный not very cómforting [...'kʌm-].

малоце́нный of little válue, not váluable.

малочи́слен||**ость** *ж.* small númber. ~ый small in númbers; scánty.

малочувстви́тельный not sénsitive, of little sensitívity.

малоэффекти́вный inefféctive.

ма́л||**ый** I 1. *прил.* small; ~ ро́стом short, of small státure, belów middle height [-'lou...]; зна́ния его́ сли́шком ~ы his knówledge is ínsufficient / scánty [...'ɪn-...]; ~ые фо́рмы *театр.* variety èntertáinments; теа́тр ~ых форм variety show [...ʃou], váudeville ['voudəvɪl]; ~ая ско́рость *ж.-д.* low speed [lou...]; ~ ход *мор.* slow speed [slou...]; 2. *с. как сущ.* the little; са́мое ~ое the least; дово́льствоваться ~ым be thánkful for small mércies, be gráte;ful for small fávours; ◇ без ~а, без ~ого álmòst ['ɔ:lmoust], all but; сейча́с без ~ого пять часо́в it is nearly five now; мал золотни́к, да до́рог *погов.* ≅ little bódies may have great souls [...'bɔ-...greɪt soulz]; мал ~а ме́ньше one smaller than the other; от ~а до велика young and old [jʌŋ...]; с ~ых лет from child́hood [...-hud]; Ма́лый теа́тр the Mály Théatre [...'θɪətə].

ма́л||**ый** II *м. скл. как прил. разг.* féllow, boy, lad; guy [gaɪ] *амер.*; сла́вный ~ nice féllow / chap.

малы́ш *м.* 1. small child*, yóungster ['jʌŋ-]; kíddy, little one *разг.*; 2. *разг.* (*о взрослом*) little man*.

малышня́ *ж. собир. разг.* kids, little ones.

ма́льва *ж. бот.* mállow.

мальва́зия *ж.* (*вино*) málmsey ['mɑ:mzɪ].

ма́львовые *мн. скл. как прил. бот.* Malvàceae [-sii:].

мальто́за *ж. хим.* máltose [-s].

мальтузиа́н||**ский** Màlthúsian [-z-]. ~ство *с.* Màlthúsianism ['-zɪ-].

ма́льчик *м.* 1. boy; lad; 2. *уст.* (*ученик в торговом предприятии*) appréntice; ◇ ~ с па́льчик hóp-o'-my-thùmb [-mɪ-]; Tom Thumb.

мальчико́вый (*об обуви, одежде*) for boys. ~и́ческий bóyish; púerìle; ~и́ческие посту́пки bóyish behàviour *sg.* ~и́шество *с.* bóyishness.

мальчи́шечий *разг.* = мальчи́шеский.

мальч||**и́шка** *м. разг.* úrchin, boy; у́личный ~ street árab [...'æ-], gúttersnipe, múd;làrk; вести́ себя́ как ~ beháve like a child. ~и́шник *м.* stág-pàrty.

мальч||**о́нка** *м.*, ~о́нок *м.*, ~уга́н *м. разг. ласк.* little boy, láddie.

малю́сенький *разг.* tíny, wee.

малю́тка *м. и ж.* báby; (*как обращение*) my little one.

маля́вка *ж.* 1. = малёк; 2. *разг.* (*о ребёнке*) little one; (*о взрослом*) shórty.

маля́р *м.* (*hóuse-*)páinter [-s-]; (*оклейщик обоями*) páper-hàn̑ger.

маля́р||**ийный** *мед.* malárial; ~ кома́р malárial mosquíto [...-'ki:-]. ~и́к *м. разг.* pérson súffering from malária. ~и́я *ж. мед.* malária.

маля́рн||**ый** *прил. к* маля́р; ~ое де́ло páinting.

ма́ма *ж. разг.* (*мать*) múmmy; mum *сокр.*

мама́ев: ~о побо́ище brawl; útter confúsion.

мамалы́га *ж. тк. ед.* hóminy, polénta.

мама́ша *ж. разг.* móther ['mʌ-].

мамелю́к *м. ист.* Mámelùke [-lju:k].

ма́меньк||**а** *ж. уст. разг.* = ма́ма. ~ин *прил. уст.* móther's ['mʌ-]; ~ин сыно́к *разг.* móther's dárling; mámma's boy ['mɑ:-] *амер.*; ~ина до́чка *разг.* mámma's girl [...-g-].

ма́мин *прил. разг.* móther's ['mʌ-].

ма́мка *ж.* 1. *разг.* móther ['mʌ-]; 2. *уст.* (*кормилица*) (wét-)núrse.

мамлю́к *м.* = мамелю́к.

мамо́н *м.*, ~а *ж.* Mámmon.

ма́монт *м.* mámmoth. ~овый *прил. к* ма́монт; ◇ ~овое де́рево Wéllingtónia.

ма́мочка *ж. ласк.* múmmy.

мана́тки *мн. разг.* posséssions [-'zeʃ-], goods and cháttels [gudz...], bits and píeces [...'pi:s-].

манга́л *м.* brázier [-zjə] (*used in the South and South-East of the USSR*).

мангани́т *м. мин.* mánganite.

ма́нго *с. нескл.* (*дерево и плод*) mángo. ~вый *прил. к* ма́нго.

ма́нгров||**ый**: ~ые боло́та mángrove swamps.

мангу́ста *ж. зоол.* mòngóose [mʌn-'gu:s].

мандари́н I *м. ист.* (*китайский чиновник*) mándarin.

мандари́н II *м.* 1. (*плод*) tángerine [-ndʒə'ri:n], mándarin, màndaríne [-i:n]; 2. (*дерево*) tángerine-tree [-ndʒə'ri:n-]. ~ный, ~овый *прил. к* мандари́н II.

манда́т *м.* mándàte; (*тк. о документе*) wárrant. ~ный 1. mándàte (*attr.*); wárrant (*attr.*); ~ная коми́ссия Mándàte Commíssion, Credéntials Commíttee [...-tɪ]; 2. (*владеющий мандатом*) mándatory.

мандибу́лы *мн. зоол.* mándibles.

мандоли́н||**а** *ж. муз.* mándolin, màndolíne [-'li:n]. ~и́ст *м.* mándolin-player, màndolíne-player [-'li:n-].

мандраго́ра *ж. бот.* màndrágora.

мандри́л *м. зоол.* mándrill, babóon.

манёвр *м.* (*прям. и перен.*) manóeuvre [-'nu:və]; уда́чный (*такти́ческий*) ~ a cléver stroke (of táctics) [...'kle-...]; э́то был то́лько ~ it was ónly a trick / strátagem.

маневренн||**ость** *ж.* manòeuvrabílity [-nu:v-]. ~ый 1. manóeuvre [-'nu:və] (*attr.*), manóeuvring [-'nu:v-]; ~ая война́ war of móve;ment [...'mu:v-], móbile wárfàre ['mou-...]; 2. (*подвижный*) manóeuvrable [-'nu:-]; ~ый самолёт manóeuvrable áircràft; 3. *ж.-д.* shúnting.

маневри́ровать 1. (*прям. и перен.*) manóeuvre [-'nu:və]; make* èvolútions [...i:v-]; 2. *ж.-д.* shunt.

маневро́вый *ж.-д.* shúnting; ~ парово́з shúnting èngine [...'endʒ-].

манёвры *мн.* 1. *воен.* manóeuvres [-'nu:-]; 2. *ж.-д.* shúnting *sg.*

мане́ж *м.* 1. ríding-school; manège (*фр.*) [mæ'neɪʒ]; (*крытый*) ríding-house* [-s], ríding-hàll; 2. (*в цирке*) aréna; 3. (*для детей*) pláy-pèn.

манёжить (вн.) разг. try the pátience (of), keep* in suspénse (d.).

манёжный прил. к манёж.

манекéн м. mánnequin [-kɪn]; (портного) táilor's dúmmy; (художника) módel ['mɔ-]; lay figure (тж. перен.). ~**щик** м., ~**щица** ж. módel ['mɔ-].

манéр м. разг. mánner; на ~ (рд.) in the mánner (of); на францýзский ~ in the French mánner; таки́м ~ом in this manner.

манéр‖**а** ж. (в разн. знач.) mánner; (стиль) style; ~ вести́ себя́ way of beháving; ~ держáть себя́ cárriage [-rɪdʒ], béaring ['bɛə-]; у негó хорóшие ~ы he has good* mánners; у негó плохи́е ~ы he has no mánners; ~ исполнéния style of performance.

манéрка ж. воен. уст. mess tin.

манéрн‖**ичать** разг. beháve afféctedly, símper, be affécted. ~**ость** ж. affectátion; preciósity [preɪ-]; ~**ый** affécted, preténtious; (о стиле) précious ['preɪ-].

манжéт‖**а** ж., ~**ка** ж. cuff.

маниакáльный мед. maníacal.

маникю́р м. mánicure. ~**ный** mánicure (attr.). ~**ша** ж. mánicurist.

мани́ловщина ж. неодобр. Manilovism (smug complacency, inactivity, futile day-dreaming; from Manilov, a character in Gogol's "Dead Souls").

манипул‖**и́ровать** (тв.) manípulàte (d.). ~**я́тор** м. manípulàtor. ~**я́ция** ж. manipulátion.

мани́ть, помани́ть (вн.) 1. (звать) béckon (d.); (рукой) wave (to); 2. тк. несов. (привлекать) attráct (d.); (соблазнять) lure (d.), entíce (d.), allúre (d.).

манифéст м. mànifèstò; Манифéст Коммунисти́ческой пáртии the Cómmunist Mànifèstò.

манифестáнт м., ~**ка** ж. démonstràtor.

манифест‖**áция** ж. mass dèmonstrátion. ~**и́ровать** несов. и сов. démonstràte.

мани́шка ж. (false) shírtfront [fɔːls-frʌ-]; dícky разг.

мáния ж. mánia; ~ вели́чия mègalománia; ~ преслéдования pèrsecútion mánia / cómplex.

манки́ровать несов. и сов. 1. (без доп.; отсýтствовать) be ábsent; 2. (тв.; пренебрегáть) negléct (d.); ~ свои́ми обязанностями negléct / shirk one's dúties.

мáнн‖**а** ж. mánna; ◇ ждать как ~ы небéсной (рд.) thirst (for), awáit with impátience (d.); питáться ~ой небéсной be hálf-stárved [...'hɑːf-].

мáнн‖**ый**: ~**ая** крупá sèmolína [-ˈliː-].

мановéни‖**е** с. уст. beck, nod; ~**ем** руки́ with a wave of one's hand; ◇ как по ~**ю** волшéбной пáлочки, волшéбного жезлá as if by magic.

манóк м. охот. húnter's whistle.

манóметр м. физ. préssure-gauge [-geɪdʒ], manómeter. ~**и́ческий** физ. mànométric.

мансáрда ж. áttic, gárret.

мáнси м. и ж. нескл., прил. неизм. Mánsi ['mɑː-].

мáнс‖**и́ец** м., ~**и́йка** ж., ~**и́йский** Mánsi ['mɑː-].

манти́лья ж. mantílla.

мáнтия ж. 1. cloak, mantle; robe; судéйская ~ júdge's gown; 2. геол. mantle.

мантó с. нескл. ópera-cloak; mantle, (lády's) coat.

манускри́пт м. mánuscript.

мануфактýр‖**а** ж. 1. ист. эк. mànufáctory; 2. уст. (текстильная фáбрика) téxtile mill; 3. тк. ед. (ткáни) téxtiles pl., drápery ['dreɪ-]; dress matérials pl. ~**ный** прил. к мануфактýра; ~**ное** произвóдство ист. эк. mànufáctory; ~**ный** товáр drápery ['dreɪ-]; ~**ный** магази́н dráper's; dry goods (store) [...gudz...] амер.

маньчжýр м., ~**ка** ж., ~**ский** Mànchúrian.

маньяк м. máníac.

маня́щий 1. прич. см. мани́ть; 2. прил. allúring.

марабý м. нескл. зоол. márabou [-buː].

марáзм м. мед. marásmus [-zm-]; (перен.) decáy; стáрческий ~ seníity, dótage ['dou-].

маракóвать (в пр.) разг. have some nótion (abóut), be not complétely at sea (with); have some idéa [...aɪˈdɪə] (of).

марáл м. зоол. máral ['meɪ-]; Sibérian stag [saɪ-...].

марáнь‖**е** с. разг. 1. sóiling; 2. пренебр. (плохая картина) daub; (неряшливое письмо́) scribble.

мараски́н м. (ликёр) màraschíno [-ˈkiː-].

марáть, замарáть, намарáть (вн.) 1. при сов. замарáть разг. soil (d.), stain (d.), dirty (d.); (сажей) smut (d.); (перен.) súlly (d.), stain (d.), tárnish (d.), blémish (d.); замарáть репутáцию súlly one's reputátion; 2. при сов. намарáть (плохо рисовать) daub (d.); (плохо писáть) scribble (d.); ◇ ~ руки́ (о вн.) soil one's hands (with); ~ бумáгу waste páper [weɪ-...]. ~**ся**, замарáться 1. разг. soil onesélf; сов. тж. get* onesélf dirty; 2. страд. к марáть 1; ◇ не стóит ~ся (из-за) no use sóiling one's hands ...juːs...] (for).

марафóнский: ~ бег спорт. Márathon race.

марáшка ж. полигр. turn.

мáрганец м. хим. mànganése; хлóристый ~ mánganous chlóride [...'klɔː-].

мáрганцев‖**ый** хим. mànganése; ~**ая** рудá mànganése ore.

марганцóвист‖**ый** хим. mánganous; соль ~**ой** кислоты́ mánganate.

марганцóвка ж. разг. mànganése crýstals, mànganése solútion.

марганцовоки́слый: ~ кáлий potássium permánganate.

марганцóвый: ~ раствóр solútion of mànganése.

маргари́н м. màrgarine [mɑːdʒə'riːn]. ~**овый** прил. к маргари́н.

маргари́тка ж. бот. dáisy [-zɪ].

маргинáлии мн. (ед. маргинáлия ж.) màrginália, márginal notes.

мáрево с. 1. míràge [-ɑːʒ]; 2. (дымка, туман) (heat) haze.

марéмма ж. геогр. marémma.

марéна ж. бот. mádder.

марéнго прил. неизм. gréyish black.

марéновый прил. к марéна.

МАН — МАР   M

мáри м. и ж. нескл. Mári ['mɑːrɪ].

мáр‖**и́ец** м., ~**и́йка** ж., ~**и́йский** Mári ['mɑːrɪ]; ~**и́йский** язы́к Mári, the Mári lánguage.

мари́на ж. жив. séa-scàpe, séa-pìece [-piːs], marine [-iːn].

маринáд м. 1. тк. ед. (соус) marináde; 2. обыкн. мн. (маринóванный продукт) marináde sg.; (об овощах тж.) pickles.

марини́ст м. жив. páinter of séa-scàpes.

маринóвание с. pickling.

маринóванный прич. и прил. marináted, pickled.

маринóвать (вн.) 1. márinàte (d.), pickle (d.); 2. разг. (задéрживать, откладывать) deláy (d.), shelve (d.), put* off (d.); (заставлять ждать) keep* wáiting (d.).

марионéт‖**ка** ж. màrionétte; púppet (тж. перен.); теáтр ~**ок** púppet-show [-fou]. ~**очный**: ~**очное** прави́тельство púppet góvernment [...'gʌ-].

марихуáна ж. màrijuána [mɑːrɪˈhwɑːnə]; pot, grass разг.

мáрк‖**а** I ж. 1. stamp; (почтóвая) (póstage-)stàmp ['pou-]; 2. (клеймó) mark, sign [saɪn], brand; фабри́чная ~-màrk; ~ ой (рд.) béaring the tráde-màrk ['bɛə-...] (of); 3. (сорт, качество) grade, sort; (перен.) brand; нóвая ~ (машины и т. п.) new módel [...'mɔ-]; вы́сшая ~ best brand; вы́сшей ~ и tóp-quàlity (attr.), of the highest grade; ◇ держáть ~у maintáin one's reputátion; под ~ой (рд.) únder cóver [...'kʌ-] (of).

мáрка II ж. 1. (денежная единица) mark; 2. (фи́шка) cóunter.

мáрка III ж. ист. mark.

маркгрáф м. ист. márgràve.

маркёр м. márker; (при игре на бильярде тж.) (billiard-)màrker, bílliard-scòrer.

марки́з м. márquis, márquess.

марки́за I ж. (англи́йская) márchioness [-ʃənɪs]; (францýзская) màrquíse [-ˈkiːz].

марки́за II ж. (навес у окнá) sún-blind.

маркизéт м. текст. voile [vwɑːl], màrquisétte [-ˈzet]. ~**овый** прил. к маркизéт.

мáркий éasily sóiled ['iːz-...].

маркировáть несов. и сов. (вн.) mark (d.).

маркирóв‖**ка** ж. márking. ~**щик** м. márker.

маркитáнт м., ~**ка** ж. ист. sútler ['sʌ-]; cantéen-keeper; лáвка ~**а** cantéen.

маркси́зм м. Márxism; творческий ~ creátive Márxism.

маркси́зм-ленини́зм м. Márxism-Léninism.

маркси́ст м., ~**ка** ж. ~**ский** Márxist.

маркси́стско-ленинск‖**ий** Márxist-Léninist; Márx-Lénin (attr.); ~**ая** теóрия Márxist-Léninist théory [...'θɪə-].

маркшéйдер [-дэр] м. горн. míne-survéyor. ~**ский** прил. к маркшéйдер.

МАР—МАС

ма́рлевый *прил.* к ма́рля; ~ бинт gauze bándage.

ма́рля *ж. тк. ед.* gauze, chéese-cloth.

мармела́д *м.* fruit jélly [fru:t...] (*sweets*). ~**ный** *прил.* к мармела́д.

мармори́ровать *несов. и сов.* (*вн.*) *тех.* marble (*d.*).

мародёр *м.* maráuder, píllager, lóoter. ~**ство** *с.* maráuding, pillage, lóoting. ~**ствовать** maráud, píllage, loot.

мароке́н *м. текст.* márocain.

марокка́н‖**ец** *м.*, ~**ка** *ж.*, ~**ский** Moróccan.

ма́рочн‖**ый** *прил.* к ма́рка I; ◇ ~ые ви́на fine wines.

Марс *м. астр., миф.* Mars [-z].

марс *м. мор.* top.

марсала́ *ж.* (*вино*) Màrsála [-'sɑ:-].

ма́рсель *м. мор.* tópsail ['tɔpsˀl].

марселье́за *ж.* Màrseilláise [-sə-].

марсиа́нин *м.* Mártian.

март *м.* March; в ~е э́того го́да in March; в ~ про́шлого го́да last March; в ~е бу́дущего го́да next March.

марте́н [-тэ́н] *м. тех.* ópen-héarth fúrnace [-'hɑ:θ...].

марте́новск‖**ий** [-тэ́-] *тех.* Mártin (*attr.*); ~ проце́сс Mártin prócess; ~ая печь ópen-héarth fúrnace [-'hɑ:θ...]; ~ая сталь ópen-héarth steel, Mártin steel.

мартироло́г *м. церк.* (*тж. перен.*) màrtyrólogy.

ма́ртовский *прил.* к март; ~ день a March day, a day in March.

марты́шк‖**а** *ж.* mármosèt [-z-]; (*перен.*) *разг.* mónkey ['mʌ-]. ~**ин** *прил.* к марты́шка; ◇ ~ин труд ≅ cárrying coals to Néwcàstle.

марципа́н *м.* márchpàne, màrzipán.

марш I *м.* (*в разн. знач.*) march; проходи́ть торже́ственным ~ем march past.

марш II *м.* (*лестницы*) flight of stairs.

марш III — ~! (*военная команда*) fórward!; ша́гом ~! quick march!; ~ отсю́да! *разг.* off you go!

ма́ршал *м.* márshal; Ма́ршал Сове́тского Сою́за Márshal of the Sóviet Únion.

ма́ршальский *прил.* к ма́ршал; ~ жезл Márshal's báton [...'bæ-].

ма́ршев‖**ый** *прил.* к марш I; ~ые ча́сти *воен.* drafts, draft rèinfórcements.

марширо́в‖**а́ть** march. ~**о́вка** *ж.* márching (drill).

маршру́т *м.* route [ru:t], ítinerary [aɪ-]. ~**ный** *прил.* к маршру́т; ~ный по́езд *ж.-д.* through goods train [...gudz...]; ~ный авто́бус express bus; ~ное такси́ mínibùs, fixed-route táxi [-ru:t...].

ма́ск‖**а** *ж.* (*в разн. знач.*) mask; (*с лица умершего тж.*) déathmàsk ['deθ-]; ◇ сбро́сить ~у throw* off, *или* discárd, the mask / disguíse [θrou...]; сорва́ть ~у с кого́-л. tear* the mask off smb. [tɛə...], únmàsk smb., show* smb. for what he is [ʃou...]; наде́ть, носи́ть ~у put* on, wear* a mask [wɛə...]; (*перен.*) mask one's true féelings.

маскара́д *м.* màsqueráde, fáncy(-dréss) ball. ~**ный** *прил.* к маскара́д; ~ный костю́м fáncy dress.

маскирова́ть, замаскирова́ть (*вн.*) 1. mask (*d.*), disguíse (*d.*); 2. *воен.* cámouflàge [-mufla:ʒ] (*d.*). ~**ся**, замаскирова́ться 1. (*прям. и перен.*) put* on a mask; 2. *воен.* cámouflàge [-mufla:ʒ]; 3. *страд.* к маскирова́ть.

маскиро́вка *ж.* 1. (*действие*) másking, disguíse, disguíse onesèlf; 2. *воен.* cámouflàge [-mufla:ʒ].

маскиро́вочн‖**ый** *прил.* к маскиро́вка 2; ~ые сре́дства cámouflàge stores [-mufla:ʒ...]; ~ хала́т cámouflàge cloak.

ма́сленая *ж. скл. как прил. разг.* = ма́сленица.

ма́слен‖**ица** *ж.* Shróvetìde, Páncàke week (*week before Lent, seven weeks before Easter*); ◇ не житьё, а ~ *разг.* ≅ a bed of róses; не всё коту́ ~, придёт и вели́кий пост *посл.* ≅ good things don't last for ever, after dinner comes the réckoning. ~**ичный** *прил.* к ма́сленица.

ма́слёнка *ж.* 1. bútterdìsh; 2. *тех.* lúbricàtor, óiler, óil-càn.

маслёнок *м.* (*гриб*) Bolétus lúteus *научн.*

ма́сленый búttered, oiled; óily; (*перен.*) únctuous, sénsuous.

масли́на *ж.* 1. (*плод*) ólive ['ɔ-]; 2. (*дерево*) ólive-tree ['ɔ-].

ма́слить (*вн.*) *разг.* (*коровьим маслом*) bútter (*d.*); (*растительным маслом*) oil (*d.*); (*смазывать*) grease (*d.*). ~**ся** 1. leave* gréasy marks [:...-zɪ...]; 2. *разг.* (*о лице, глазах*) shine*; glísten; 3. *страд.* к ма́слить.

масли́чн‖**ые** *мн. скл. как прил. бот.* Òleáceae [-sii:], óil-bèaring plants [-bɛə-ɑ:n-]. ~**ый**: ~ые культу́ры óil-bèaring / óil-yìelding crops [-bɛə- -jiːl-...].

масли́чн‖**ый** ólive ['ɔ-]; ◇ ~ая ветвь ólive-brànch [-ɑ:ntʃ].

ма́сл‖**о** *с.* 1. (*животное*) bútter; (*растительное, минеральное*) oil; ро́зовое ~ áttar of róses; 2. *тк. ед. жив.* oil; писа́ть ~ом paint in oils; 3. *тк. ед. жив.* (*картина*) oil páinting; ◇ подли́ть ~а в ого́нь pour oil on the flames [pɔ:...], add fúel to the fire [...'fju:-...]; всё идёт как по ~у *разг.* ≅ things are góing swímmingly.

масло‖**бо́йка** *ж.* (*для животного масла*) churn; (*для растительного масла*) óil-prèss. ~**бо́йный**: ~бо́йный заво́д créamery; (*вырабатывающий растительное масло*) óil-mill. ~**бо́йня** *ж.* óil-mill.

маслоде́л *м.* bútter mànufácturer. ~**ие** *с.* bútter industry, bútter mànufácturing; (*о растительном масле*) oil mànufácturing.

маслозаво́д *м.* créamery, bútter-dàiry; (*растительного масла*) óil-mill.

масло‖**отдели́тель** *м. тех.* oil séparàtor. ~**провод** *м. тех.* oil pípe-lìne. ~**сбо́рник** *м. тех.* óil-pàn. ~**улови́тель** *м. тех.* oil cátcher, oil colléctor.

ма́сляная *ж. скл. как прил. разг.* = ма́сленица.

масляни́**ст**‖**ость** *ж.* óiliness. ~**ый** óily; (*похожий на коровье масло*) búttery.

ма́сляница *ж.* = ма́сленица.

ма́слян‖**ый** *прил.* к ма́сло; *тж.* óily; búttery; ~ая кислота́ *хим.* bùtýric ácid; ~ое пятно́ oil / grease stain [...-s...]; ~ая кра́ска óil-páint; ~ые кра́ски óil-còlours [-kʌ-]; писа́ть ~ыми кра́сками paint in oils.

масо́н *м.* fréemáson, máson. ~**ский** masónic; ~ская ло́жа fréemáson's lodge, masónic lodge. ~**ство** *с.* fréemàsonry [-meɪ-].

ма́сс‖**а** *ж.* 1. (*в разн. знач.*) mass; молекуля́рная ~ *физ.* molécular mass; основна́я ~ (*рд.*) the bulk (of); основна́я ~ населе́ния the great mass, *или* the bulk, of the pòpulátion [...greɪt...]; 2. (*тестообразное вещество*) paste [peɪst]; древе́сная ~ wóod-pùlp ['wud-]; 3. (*множество*) mass, a large amóunt / quántity, a lot, lots (of); ~ дел a lot of work; ◇ в ~е in bulk; (*в целом*) in the mass; on the whole [...houl].

масса́ж *м.* mássàge [-sɑ:ʒ]. ~**и́ст** *м.* màsséur [-'sə:]. ~**и́стка** *ж.* màsséuse [-'sə:z].

масси́в *м.* 1. massíf, móuntain-màss; 2.: лесно́й ~ fórest tract ['fɔ-...]; огро́мные земе́льные ~ы huge tracts of land; жило́й ~ hóusing únit / área / estáte [...'ɛərɪə...].

масси́вный mássive.

масси́рованный *прич. и прил. воен.*: ~ ого́нь massed fire; ~ уда́р cóncèntrated blow [...blou...]; ~ налёт авиа́ции massed áir-raid.

масси́ровать I *несов. и сов.* (*вн.*; *делать массаж*) mássàge [-sɑ:ʒ] (*d.*), rub (*d.*).

масси́ровать II *несов. и сов.* (*вн.*) *воен.* (*сосредоточивать*) mass (*d.*), cóncèntràte (*d.*).

массови́к *м. разг.* órganizer of pópular cúltural and rècreátional àctívities.

массо́вка *ж. разг.* 1. (*революционная сходка*) mass méeting; 2. (*экскурсия*) excúrsion; 3. (*в театре, кино*) crowd scene.

ма́ссовость *ж.* mass cháracter [...'kæ-].

ма́ссов‖**ый** (*в разн. знач.*) mass (*attr.*); (*общедоступный*) pópular; ~ая организа́ция mass òrganizátion [...-naɪ-], ~ые сре́дства информа́ции mass média; ~ое произво́дство mass prodúction; пусти́ть в ~ое произво́дство (*вн.*) put* into mass prodúction (*d.*); ~ые изда́ния mass pùblicátions [...-pʌ-]; ~ая литерату́ра pópular líterature; ~ые та́нцы round / fígure dánces; в ~ом масшта́бе on a mass scale; това́ры ~ого потребле́ния consúmer goods [...gudz].

ма́сс‖**ы** (*народ*) the másses; широ́кие ~ трудя́щихся the vast / broad másses of wórking péople [...brɔ:d...pi:-]; среди́ широ́ких наро́дных масс among the people at large.

маста́к *м. разг.* past máster, éxpèrt.

ма́стер *м.* 1. (*цеха и т. п.*) fóreman*; 2. *уст.* (*ремесленник*) máster; оруже́йный ~ gúnsmith, ármour‖er; золоты́х дел ~ góldsmith; колёсный ~ whéel-wright; 3. (*знаток*) éxpèrt; быть ~ом своего́ де́ла know* one's trade [nou...], be an éxpèrt at one's job / trade; он ~ (на вн.) he is a good hand (at), he is an éxpèrt (at), he is a past máster (in, of); он ~ ката́ться на конька́х he is an éxpèrt skáter,

282

или at skáting; он ~ писа́ть стихи́ he is a good hand at vérse-màking, he is a good hand at wríting / máking vérses; ~á культу́ры másters of cúlture; ~á высо́кого урожа́я másters of abúndant hárvests, prodúcers of big hárvests; ◇ ~ спо́рта máster of sport(s); ~ на все ру́ки Jack of all trades; он ~ на все ру́ки he can turn his hand to ány͉thing; he is a Jack of all trades *идиом*.; ~ дéло а бои́тся *погов*. ≅ he works best who knows his trade; work goes with a swing únder the máster's hand.

масте́рить, смастери́ть (*вн*.) *разг*. make* (*d*.), contríve (*d*.).

мастери́ца *ж*. 1. (*шляпница*) mílliner; (*швея*) séamstress. ['sem-]; 2. (*знаток своего дела*) a good hand (at).

мастерово́й *м. скл. как прил. уст*. fáctory-hand, ártisan [-'zæn], wórk͉man*.

мастеро́к *м. стр*. trówel.

мастерск͉а́я *ж. скл. как прил*. 1. wórkshòp; (*художника*) stúdiò; 2. (*на заводе*) shop.

мастер͉ски́ *нареч*. skílfully; in (a) másterly fáshion. ~ско́й másterly. ~ство́ *с*. 1. (*ремесло*) hándicràft, trade; 2. (*умение*) skill, cráftsmanship, wórkmanship, mástery; непревзойдённое ~ство́ únsurpássed skill / cráftsmanship.

масти́к͉а *ж*. 1. mástic, résin [-z-], gum; (*замазка*) pútty, lute; 2. (*для натирания полов*) flóor-pòlish ['flɔ:-]. ~овый: ~овое де́рево mástic (tree).

масти́стый (*о лошади*) of good cólour [...'kʌl-].

масти́т *м. мед*. màstítis.

масти́тый vénerable; ~ учёный élderly and éminent schólar [...'skɔ-].

мастодо́нт *м*. mástodon.

мастурба́ция *ж. мед*. màsturbátion.

маст͉ь *ж*. 1. (*о животных*) cólour (*of an animal's coat*) ['kʌl-...]; 2. *карт*. suit [sju:t]; ходи́ть в ~ fóllow suit; ка́рты одно́й ~и cards of one suit; (*у игрока*) flush; ◇ всех ~éй of every stripe / cólour.

масшта́б *м*. scale; увели́чивать ~ (*рд*.) scale up (*d*.); уменьша́ть ~ (*рд*.) scale down (*d*.); своди́ть к определённому ~у (*вн*.) scale (*d*.); в мирово́м ~е on a world scale; учёный мирово́го ~а -world-fàmous scíentist; scíentist of wórld-wide renówn / fame; в ма́леньком ~е on a small scale; in a small way *разг*.; в ме́ньшем ~е on a smáller / redúced scale; в большо́м ~е on a large scale.

масшта́бность *ж*. (large) scale, range [reindʒ]; diménsions *pl*.

мат I *м. шахм*. chéckmàte, mate; объяви́ть ~ (*дт*.) mate (*d*.).

мат II *м. тк. ед*. (*матовость*) mat; навести́ ~ (*на вн*.) róughen ['rʌf-] (*d*.), mat(t) (*d*.); (*о стекле*) frost (*d*.).

мат III *м*. (*половик*) flóor-màt ['flɔ:-]; (*у двери*) (dóor-)màt ['dɔ:-].

мат IV *м*.: крича́ть благим ~ом *разг*. shout at the top of one's voice.

мат V *м. разг*. (*неприличная брань*) foul / obscéne lánguage.

матадо́р *м*. mátadòr.

матема́т͉ик *м*. màthematícian. ~ика *ж*. màthemátics; вы́сшая ~ика hígher màthemátics. ~и́ческий màthemátical; ~и́ческий факульте́т the fáculty of màthemátics.

матереуби́й͉ство *с*., ~ца *м. и ж*. mátricíde ['meɪ-].

материа́л [-рья́л] *м*. 1. (*прям. и перен*.) matérial; stuff; строи́тельные ~ы búilding matérials ['bɪl-...]; лесно́й ~ tímber; кро́вельный ~ róofing; э́то хоро́ший ~ для кинокарти́ны that would be good* matérial / stuff for a film; ~ы обвини́тельного а́кта matérials of indíctment [...-'daɪt-]; 2. (*ткань*) fábric.

материализа́ция *ж*. màterializátion [-laɪ-].

материали́зм *м. филос*. matérialism; истори́ческий ~ histórical matérialism; диалекти́ческий ~ dialéctical matérialism; филосо́фский ~ philosóphical matérialism.

материализова́ть *несов. и сов*. (*вн*.) matérialize (*d*.). ~ся *несов. и сов*. 1. matérialize; 2. *страд. к* материализова́ть.

материали́ст *м*. matérialist. ~и́ческий matérialist. ~ский *прил. к* материали́ст.

материа́льность *ж*. màteriálity; ~ ми́ра the màteriálity of the world.

материа́льно-техни́ческ͉ий: ~ая ба́за коммуни́зма the matérial and téchnical básis of communism.

материа́льн͉ый [-рья́-] (*в разн. знач*.) matérial; (*денежный, имущественный тж*.) pecúniary; ~ мир matérial world, world of mátter; ~ые це́нности matérial válues; ~ое положе́ние económic condítions [i:k-...] *pl*.; ~ая по́мощь pecúniary aid; ~ые затрудне́ния finàncial dífficulties [faɪ-...], stráitened círcumstances; ~ая заинтересо́ванность matérial incéntive(s *pl*.); ~ое поощре́ние matérial stìmulátion; ~ая обеспе́ченность matérial secúrity; ~ая отве́тственность finàncial respònsibílity; ◇ ~ая часть matériel (*фр*.) [mətɪə-rɪ'el], equípment.

матери́к *м*. 1. máinland, cóntinent; 2. (*подпочва*) súbsoil. ~о́вый *прил. к* матери́к.

мате́рин *прил. разг*. one's móther's [...'mʌ-].

мате́рин͉ский matérnal; (*о чувствах, отношениях*) móther͉ly ['mʌ-]; дя́дя с ~ской стороны́ matérnal uncle; ~ская любо́вь móther͉ly love [...lʌv]; ~ская поро́да *геол*. mátrix ['meɪ-]. ~ство *с*. matérnity, mótherhood ['mʌðəhud]; охра́на ~ства matérnity protéction.

мате́рия I *ж. тк. ед*. 1. *филос*. mátter, súbstance; 2. *мед*. mátter, pus; ◇ ску́чная ~ tédious súbject.

мате́рия II *ж*. (*ткань*) matérial, cloth, fábric, stuff; ~ на костю́м súiting ['sju:t-]; ~ на брю́ки tróuser͉ing; ~ на руба́шки shírting; ~ на полоте́нца tówelling.

ма́терный *прил. к* мат V.

матеро́й *разг*. big, strong, grówn-úp ['groun-]; ~ волк adúlt / fúll-grówn wolf* [...'ful'groun wulf*]; old wolf*.

мате́рчатый *разг*. made of cloth / stuff, *или* of téxtile fábric.

матёрый hárdened, invéterate; ~ реакционе́р invéterate reàctionary; ~ враг hárdened / invéterate énemy.

матема́тикс. ~и́ческий màthemátical; ~и́ческий факульте́т the fáculty of màthemátics.

МАС—МАХ   **M**

ма́тица *ж. стр*. tíe-beam, joist.

ма́тка *ж*. 1. *анат*. úterus; womb [wu:m]; 2. (*самка*) fémàle ['fi:-]; (*у лошадей, коров и т. п*.) dam; (*у пчёл*) queen; племенна́я ~ bróodmàre; 3. *мор*. ténder.

ма́тов͉ый mat; (*тусклый*) dull, lústre͉less; ~ая пове́рхность dead súrface [ded...]; ~ое зо́лото dead gold; ~ое стекло́ frósted glass; ~ая ко́жа mat skin.

ма́точн͉ый 1. *прил. к* ма́тка 1, 2; *анат. тж*. úterine; 2. *мин*.: ~ раство́р móther wáters ['mʌ- 'wɔ:-] *pl*.; ~ая поро́да mátrix ['meɪ-].

матра́с *м*. máttress; пружи́нный ~ spríng-màttress; соло́менный ~ straw máttress, paillásse [pæl'jæs]. ~ный *прил. к* матра́с.

матра́ц *м*. = матра́с.

матрёшка *ж. разг*. matréshka (*wooden doll in peasant dress with successively smaller ones fitted into it*).

матриарх͉а́льный màtriárchal [-kəl]. ~а́т *м*. mátriarchy ['meɪtrɪɑ:kɪ].

матримониа́льный *уст*. màtrimónial.

ма́триц͉а *ж*. 1. *полигр*. mátrix ['meɪ-]; 2. *тех*. die, mould ['mou-]. ~и́рование *с. полигр*. mátrix-màking ['meɪ-]. ~и́ровать *несов. и сов*. (*вн*.) *полигр*. make* mátrix(-moulds) [...'meɪtrɪksmouldz] (of).

матро́на *ж*. mátron.

матро́с *м*. séa͉man*, sáilor.

матро́ска I *ж*. (*матросская блуза*) sáilor's jácket.

матро́ска II *ж. разг*. (*жена матроса*) sáilor's wife*.

матро́сск͉ий *прил. к* матро́с; ~ая ку́ртка séa͉man's / sáilor's jácket.

ма́тушк͉а *ж. уст*. móther ['mʌ-]; ◇ ~ и мой!, ~ и све́ты! good grácious!

матч *м. спорт*. match; ~ на пе́рвенство ми́ра (*по дт*.) match for the world title (in), wórld-title match (in); отве́тный ~ retúrn match.

мат͉ь *ж*. móther ['mʌ-]; ~-героиня Móther-Hèrò͉ine ['mʌðə'he-]; ~-одино́чка únmárried móther.

мать-и-ма́чеха *ж. бот*. cóltsfoot [-fut], fóalfoot [-fut].

ма́узер [-зэр] *м*. Máuser.

ма́фия *ж*. máfia ['mɑ:fɪə].

мафуса́илов: ~ век, ~ы лета́, го́ды жить *шутл*. reach the age of Methúselah [...-zə-].

мах *м. разг*.: одни́м ~ом at one stroke; дать ~у let* *the* chance slip; make* a blúnder; с ~у ráshly, óff-hánd.

маха́льный *м. скл. как прил*. sígnaller, sígnal-man*.

маха́ну́ть *сов. разг*. = махну́ть 2, 3.

махара́джа *м*. = магара́джа.

маха́ть, махну́ть 1. (*тв*., *рукой, платком и т. п*.) wave (*d*.); (*хвостом*) wag [wæg] (*d*.); (*крыльями*) flap (*d*.); 2. (*дт*.) wave (one's hand) (to); ◇ махну́ть руко́й (на *вн*.) *разг*. give* up as lost / hópe͉less (*d*.), give* up as a bad job (*d*.); wave goodbýe (to).

махи́зм *м. филос*. Máchism [-k-].

махи́на *ж. разг*. búlky and cúmber͉some thing / óbject.

МАХ — МЕД

махина́ция *ж.* màchinátion [-k-], intrígue [-i:g].

махи́ст *м.* Máchist [-k-].

махну́ть *сов.* 1. *см.* маха́ть; 2. *разг.* (*броситься, прыгнуть*) rush, leap*; ~ че́рез забо́р leap* óver a fence; 3. *разг.* (*отправиться куда-л.*) go* off; 4. (*вн.*) *разг.* (*поменять*) swap (*d.*).

махну́ться *сов. разг.* (*поменяться*) swap; дава́й, махнёмся часа́ми let's swap wátches.

махов||и́к *м. тех.* flý-wheel; (*управления*) hándwheel. **~о́й** 1. *тех.*: ~о́е колесо́ = махови́к; 2. *зоол.*: ~ы́е пе́рья wíng-feathers [-fe-], wíng-quills.

махо́рка *ж.* makhórka (*inferior kind of tobacco*).

махра́ *ж. разг.* = махо́рка.

махро́в||ый 1. *бот.* double [dʌbl]; ~ая ро́за dóuble rose; 2. *разг.* (*отъявленный*) dóuble-dýed [ˈdʌbl-]; ~ негодя́й dóuble-dýed ráscal; ~ реакционе́р dóuble-dýed rèáctionary; 3. *текст.* térry; ~ое полоте́нце térry tówel.

махры́ *мн. разг.* frayed ˌedges (*of garment*).

маца́ *ж.* mátzòth [ˈmɑːtsouθ].

мацер||а́ция *ж. тех.* màcerátion. **~и́ровать** *несов. и сов.* (*вн.*) *тех.* máceràte (*d.*).

ма́чеха *ж.* stépmòther [-ʌ-].

ма́чт||а *ж.* mast; *эл., рад.* mast, tówer; фальши́вая ~ (*временная*) júry-mast. **~овый** *прил.* к ма́чта; ~овый лес mast tímber; ~овое де́рево spar.

-ма́чтовый (*в сложн. словах, не приведённых особо*) -màsted; *напр.* трёхма́чтовый thrée-màsted.

машбюро́ *с. нескл.* (*машинописное бюро́*) týping pool.

маши́н||а *ж.* 1. machíne [-ˈʃiːn]; (*двигатель*) éngine [ˈendʒ-]; (*перен.*) méchanism [-k-]; парова́я ~ stéam-èngine [-endʒ-]; пожа́рная ~ fíre-èngine[-endʒ-]; пряди́льная ~ spínning frame; 2. *мн. собир.* machínery [-ˈʃiː-] *sg.*; 3. *разг.* (*автомобиль*) car, lórry; éхать на ~е motor, drive*; ◇ госуда́рственная ~ machínery of State; вое́нная ~ éngine of war, war machíne(ry).

машина́льно I *прил. кратк. см.* маши́на́льный.

машина́льн||о II *нареч.* mechánically [-ˈk-]; (*рассеянно*) ábsent-mínded:ly. **~ый** mechánical [ˈk-]; (*рассеянно*) ábsent-mínded; ~ый отве́т automátic respónse.

машиниз||а́ция *ж.* mèchanizátion [-kænaɪ-]. **~и́рованный** 1. *прич. см.* машинизи́ровать; 2. *прил.* províded with machínes [...-ˈʃiːnz]. **~и́ровать** *несов. и сов.* (*вн.*) méchanìze (*d.*).

машини́ст *м.* machínist [-ˈʃiː-], ènginéer [endʒ-]; dríver, óperàtor; *ж.-д.* éngine-driver [ˈendʒ-], locomòtive-dríver [ˈloukə-]; ènginéer *амер.*

машини́стка *ж.* (*girl-*)týpist [ˈgəːltaɪ-].

маши́нка *ж.* 1. (*пишущая*) týpe:writer; 2. (*швейная*) séwing-machine [ˈsou-ʃiːn]; 3. (*для стрижки*) clípper(s) (*pl.*).

маши́нно-тра́кторн||ый: ~ая ста́нция machíne and tráctor station [-ˈʃiːn-].

маши́нн||ый *прил. к* маши́на; ~ая обрабо́тка machíning [-ˈʃiː-]; сде́ланный ~ым спо́собом machíne-máde [-ˈʃiːn-]; кру́пное ~ое произво́дство lárge-scàle machíne prodúction [...-ˈʃiː...]; ~ое отделе́ние éngine-room [ˈendʒ-]; ~ые ча́сти machínery / éngine parts [-ˈʃiː- -ndʒ-...]; ~ое ма́сло machíne oil, éngine oil.

машинове́дение *с.* èngineering science [endʒ-...], theorétical èngineering.

машинопи́сн||ый *прил.* týpe:written; ~ое бюро́ týping óffice / pool.

машинопись *ж.* 1. (*действие*) týpe:writing; 2. (*текст*) týpe:script.

машиностро||е́ние *с.* mechánical ènginéering [-ˈkæ- endʒ-...]; machíne-búilding [-ˈʃiːnˈbɪl-], machínery constrúction [-ˈʃiː-...]; èngineering índustry; тяжёлое ~ héavy èngineering índustry [ˈhevi...]; заво́д тяжёлого ~е́ния héavy èngineering works. **~и́тель** *м.* machíne búilder [-ˈʃiːnˈbɪl-], indústrial ènginéer [endʒ-]. **~и́тельный** machíne-búilding [-ˈʃiːnˈbɪl-]; ~и́тельный заво́д machíne-búilding plant[...-ɑːnt]; èngineering works [endʒ-...].

машиносчётн||ый: ~ая ста́нция compúter centre (with punched card equipment); dáta processing centre.

маэ́стро *м. нескл.* máster; maéstrò [mɑːˈe-].

мая́к *м.* light:house* [-s], béacon (*тж. перен.*); (*перен.*) léading light; плаву́чий ~ líghtship, líght-vèssel.

ма́ятник *м.* péndùlum.

ма́яться *разг.* 1. toil; 2. (*томиться, мучиться*) súffer, lánguish.

мая́чить *разг.* loom, appéar indístinctly.

мгл||а́ *ж.* haze; *поэт.* shádows [ˈʃæ-] *pl.* **~и́стый** házy.

мгнове́н||ие *с.* ínstant, móment; ◇ в ~ о́ка, в одно́ ~ *разг.* in the twinkling of an eye [...aɪ], in a flash; в то же ~ immédiate:ly. **~но** *нареч.* instantly, in a trice, in a móment. **~ный** instantáneous, mómentary [ˈmou-].

ме: ни бе ни ме not a thing.

ме́бел||ь *ж. тк. ед. собир.* fúrniture; без ~и únfurnished; сдаётся кварти́ра без ~и únfurnished flat to let; для ~и *шутл.* just for dècorátion.

ме́бель||ный *прил. к* ме́бель. **~щик** *м.* fúrniture-máker; uphólsterer [-ˈhou-].

меблиро́в||анный *прич. и прил.* fúrnished; ◇ ~анные ко́мнаты fúrnished apártments; róoming-house* [-s] *sg. амер.* **~а́ть** *несов. и сов.* (*вн.*) fúrnish (*d.*). **~ка** *ж. тк. ед.* 1. (*действие*) fúrnishing; 2. *собир.* (*мебель*) fúrniture.

мегато́нна *ж.* mégatòn(ne) [-tʌn].

мегафо́н *м.* mégaphòne.

меге́ра *ж. разг.* shrew, térmagant, scold.

мего́м *м. эл.* mégòhm [-oum].

мегре́л *м.* = мингре́л.

мёд *м.* 1. hóney [ˈhʌ-]; сла́дкий как ~ hóney-sweet [ˈhʌ-]; 2. (*напиток*) mead; ◇ ва́шими бы уста́ми да ~ пить *погов.* ≃ it is too good to be true; if only you were right!; не ~ no pícnic, no joke; э́то не ~ that was no hóney.

медали́ст *м.*, **~ка** *ж.* médallist, médal winner [ˈme-...].

меда́л||ь *ж.* médal [ˈme-]; ~ «За трудову́ю до́блесть» Médal for Lábour Válour [...ˈvæ-]; ~ «За трудово́е отли́чие» Médal for Distinction in Lábour; ◇ оборо́тная сторона́ ~и the óther side, *или* revérse, of the coin.

медальо́н *м.* medállion, lócket.

медве́диха *ж. разг.* = медве́дица.

медве́дица *ж.* shé-bear [-bɛə]; ◇ Больша́я Медве́дица the Great Bear [...greit bɛə], Úrsa Májor, Chárles's Wain, the Wain, the Dípper; Ма́лая Медве́дица the Líttle / Lésser Bear, Úrsa Mínor.

медве́д||ь *м.* bear [bɛə]; ◇ смотре́ть, гляде́ть ~ем look / be súrly; ему́ ~ на́ ухо наступи́л ≃ he has no ear for músic [...-zɪk].

медвежа́т||а *мн. см.* медвежо́нок. **~ина** *ж.* bear's flesh [bɛə...].

медвежа́тник I *м.* 1. (*вожак*) béar-leader [ˈbɛə-]; 2. (*охотник*) béar-húnter [ˈbɛə-].

медвежа́тник II *м.* (*помещение*) béar-gárden [ˈbɛə-], béar-pit [ˈbɛə-].

медве́||жий *прил. к* медве́дь; *тж.* úrsine *научн.*; ~жья охо́та béar-baiting [ˈbɛə-]; ~жья шку́ра béar-skin [ˈbɛə-]; ◇ ~ у́гол ≃ gód-forsaken place; ~жья услу́га clúmsy assistance [-zɪ...]; оказа́ть кому́-л. ~жью услу́гу bestów a dóubtful bénefit up:ón smb. [-ˈstou... ˈdaut-...]; ~жья боле́знь *шутл.* ≃ diarrhóea indúced by fear [-ˈrɪə-].

~жо́нок *м.* béar-cùb [ˈbɛə-].

медвя́н||ый smélling of hóney [...ˈhʌ-]; ~ая роса́ hóney-dew [ˈhʌ-].

медеплави́льный *тех.* cópper(-smèlting); ~ заво́д cópper(-smèlting) works.

медж(и)ли́с *м.* Májlis.

медиа́на *ж. мат.* médian.

ме́дик *м.* 1. *уст.* (*врач*) médical man*, dóctor, physician [-ˈzɪ-]; 2. (*студент*) médical stúdent.

медикамент||о́зн||ый *прил. к* медикаме́нты; ~ое отравле́ние medícinal póisoning [...-zn-].

медикаме́нты *мн.* (*ед.* медикаме́нт *м.*) médicines, médical supplíes, medícaments.

ме́диум *м.* médium.

медице́йск||ий Mèdicéan [-ˈsiːən]; Вене́ра ~ая Vénus de' Médici [...-dɪtʃɪ].

медици́н||а *ж.* médicine; до́ктор ~ы dóctor of médicine (*сокр.* M.D.). **~ский** médical; ~ские сре́дства médicines, médical supplíes; ~ское свиде́тельство médical certíficate, certíficate of health [...helθ]; ~ский осмо́тр médical examinátion; ~ский факульте́т médical fáculty / depártment; ~ская по́мощь médical aid / sérvice; ~ское обслу́живание (*населения*) médical care; ◇ ~ская сестра́ (*hospital*) nurse.

меди́чка *ж. разг.* wóman* médical stúdent [ˈwu-...].

ме́дленно I *прил. кратк. см.* ме́дленный.

ме́дленн||о II *нареч.* slówly [ˈslou-]. **~ость** *ж.* slówness [ˈslou-]. **~ый** slow [slou].

медли́тельно I *прил. кратк. см.* медли́тельный.

медли́тельн||о II *нареч.* slúggishly. **~ость** *ж.* slúggishness. **~ый** slúggish, slow [slou]; ~ый челове́к slówcoach [ˈslou-], lággard; ~ый ум slúggish brain;

~ые движения léisure:ly móve:ments ['leʒ- 'muːv-].

мéдлить línger; (с тв.) be slow [...slou] (in ger.); deláy (d.); он ~ит с прихóдом he is slow in coming; не ~я ни минýты without losing a móment [...'luːz-...]; at once [...wʌns].

мéдник м. brázier, cópper-smith.

мéдно-крáсный cópper-cólour:ed [-кл-].

меднолитéйный тех. cópper-founding.

меднорýдный cópper-òre (attr.); ~ая промы́шленность cópper-ore míning and pròcess:ing índustry.

мéдный 1. cópper (attr.); ~ая рудá cópper ore; ~ые дéньги cópper móney [...'mʌ-] sg.; cópper sg.; 2. хим. cúpric, cúpreous; ~ купорóс blue vítriol; ~ колчедáн chàlcopýrite [kælkɔ-'paɪ-], cópper pyrítes [...paɪ'raɪtiːz]; ◊ ~ век the Brázen Age; ~ лоб разг. blóckhead [-hed]; он учи́лся на ~ые дéньги разг. his párents scrimped and scraped to éducàte him.

медóвый прил. к мёд; тж. hóneyed ['hʌnɪd]; ~ прянник hóney-càke ['hʌ-]; ◊ ~ые рéчи hóneyed words; ~ мéсяц hóney:moon ['hʌ-].

медóк I м. уменьш. от мёд.

медóк II м. (вино) Médòc ['mé-].

медонóс м. бот. mèllíferous herb.

медонóсный mèllíferous, nèctaríferous; ~ые трáвы mèllíferous herbs.

медосмóтр м. (медици́нский осмóтр) médical exàmination; médical разг.; пройти́ ~ have a médical.

медоточи́вый mèllífluent, mèllífluous; hóneyed ['hʌnɪd].

медпóмощь ж. (медици́нская пóмощь) médical aid / sérvice.

медпýнкт м. (медици́нский пункт) first-aid post [...poust]; súrgery; воен. aid post; aid stàtion амер.

медсанбáт м. (медико-санитáрный батальóн) médical and sánitary battálion [...-'tæ-].

медсестрá ж. (медици́нская сестрá) (hóspital) nurse.

медýза ж. 1. зоол. medúsa [-zə]; jéllyfish разг.; 2. миф. Medúsa.

медуни́ца ж. бот. lúng:wòrt.

медь ж. 1. cópper; жёлтая ~ brass; yéllow cópper; крáсная ~ cúprite; red cópper; листовáя ~ cópper sheets pl.; 2. собир. разг. (мéдные дéньги) cópper coins pl. ~як м. разг. cópper coin, cópper.

медяни́ца ж. зоол. blínd-wòrm, slów-wòrm ['slou-].

медя́нка ж. 1. зоол. gráss-snàke; 2. хим. vérdigris.

медя́шка ж. разг. bráss(wòrk).

меж = **мéжду**.

межá ж. bóundary path*.

межбиблиотéчный inter-líbrary [-'laɪ-] (attr.); ~ абонемéнт inter-líbrary loan sýstem.

межвидовой биол. interspecífic; ~áя борьбá interspecífic strúggle.

межгалакти́ческий intergaláctic.

межгосудáрственный intergòvernméntal [-gʌ-].

междомéтие с. грам. interjéction.

междоусóбие с., ~ица ж. ист. cívil / intéstine / internécine dissénsion / war [...-'niːs-...]. ~**ный** ист. intéstine, internécine [-'niːs-]; ~ная войнá intéstine / internécine war.

мéжду предл. (тв., иногдá рд.) 1. betwéen: ~ двéрью и окнóм betwéen the door and the window [...dɔː...]; ~ óкнами betwéen the wíndows; ~ двумя́ и тремя́ (часáми) betwéen two and three (o'clóck); войнá ~ племенáми intertríbal war, war betwéen tribes; 2. (среди́) amóng, amóngst; ◊ ~ нáми (говоря́) just betwéen our:sélves; betwéen you and me; ~ тем meán:while; ~ тем как wheré:ás, while; (тогдá как) wheré:ás; ~ тем это так nèverthe:léss it is so; ~ прóчим by the way, incidéntally; ~ дéлом at odd móments, betwéen times.

междуведóмственный ìnterdèpàrtméntal; ~ая коми́ссия joint commíttee / commíssion [...-tɪ...].

междугорóдный intertówn, ìnter-cíty [-'sɪ-], ìnterúrban; ~ телефóн trúnk-líne; ~ая автóбусная ли́ния ìnterúrban bus sérvice; ~ые перевóзки ìnterúrban tránspòrt.

междунарóдник м. spécialist in international law or affàirs ['spe-...-'næ-...].

междунарóдный international [-'næ-]; Междунарóдный жéнский день International Wóman's Day [...'wu...]; Международная Лéнинская прéмия «За укреплéние ми́ра между нарóдами» Lénin International Peace Prize; ~ое прáво international law; ~ые свя́зи, отношéния international relátions; ~ая обстанóвка international sìtuátion; ~ая напряжённость international ténsion; ~ое сотрýдничество international cò:òperátion.

междуплеменнóй ист. intertríbal.

междурéчье с. геогр. cóuntry betwéen two rívers ['kʌ-... 'rɪ-].

междуря́дный с.-х. ìnter-rów [-'rou], betwéen rows [...rouz]; ~ая обрабóтка ìnter-rów cùltivátion; ~ая культýра row crop [rou...].

междуря́дье с. с.-х. space betwéen rows [...rouz].

междуцáрствие с. ист. ìnterrégnum.

межевáние с. lánd-sùrvéying. ~**áть** (вн.) súrvéy (d.), set* / fix bóundaries (to). ~**и́к** м. lànd-sùrvéyor, lànd-sùrvéying èngineer [...endʒ-]. ~**óй**: ~óй знак lánd-màrk, bóundary-màrk; ~áя цепь méasuring-chain ['meʒ-].

межеýмок м. разг. pérson of límited intélligence, a mèdiócrity. ~**очный**: ~очное решéние ill-defíned decísion.

межзвёздный: ~ое прострáнство ìnterstéllar space.

межзонáльный interzónal; ~ турни́р шахм. ìnterzónal tóurnament [...'tuən-].

межзýбный лингв. ìnterdéntal.

межклéточный биол. ìntercéllular.

межколхóзный ìnterkòlkhóz; sérving séveral colléctive farms; ~ая электростáнция stàtion províding séveral colléctive farms with eléctrical pówer; ìnterkòlkhóz pówer stàtion.

межконтинентáльный ìntercòntinéntal; ~ая баллисти́ческая ракéта ìntercòntinéntal ballístic míssile.

межобластнóй ìnter-règional; ~áя автóбусная ли́ния ìnter-règional bus sérvice.

межотраслевóй: ~áя коòперáция предприя́тий cò-òperátion of different brànches of índustry [...'bra:-...].

межпарлáментский ìnter-Pàrliaméntary [-lə-]; ~ сою́з ìnter-Pàrliaméntary únion.

межпланéтный interplánetary; ~ое прострáнство interplánetary space; ~ое сообщéние space trável [...'træ-], interplánetary commùnicátion; ~ая автомати́ческая стáнция interplánetary automàtic stàtion [-'plæ-...].

межпорóдный: ~ое скрéщивание биол. cross-breeding, cróssing.

межправи́тельственный intergòvernméntal [-gʌv-]; ~ые соглашéния agréements betwéen góvernments [...'gʌ-], interstáte agréements.

межрайóнный inter-dístrict (attr.); ~ гидроýзел ìnter-dístrict hýdro:téchnical constrúctions pl.

межрéберный анат. intercóstal.

межреспубликáнский inter-repúblican [-'pʌ-]; ~ие хозя́йственные óрганы ìnter-repúblican ècon(ó)mic órgans [...iːk-...]; ~ая колхóзная гидроэлектростáнция ìnter-repúblican kòlkhóz hýdro-eléctric stàtion, hýdro-eléctric stàtion supplýing pówer to the colléctive farms of séveral repúblics [...-'pʌ-].

межсессиóнный ìnter-séssion (attr.), ínterim.

межсовхóзный sérving séveral State farms.

мезалья́нс м. mésalliance (фр.) [me-'zælɪəns].

мездрá ж. тк. ед. ínner side of hide.

мезозóйский геол. mèsozó:ic; ~ая éра mèsozó:ic éra / périod.

мезолити́ческий археол. mèsolíthic.

мезони́н м. áttic stórey, mézzanine (floor) [-niːn flɔː].

мексикáнец м., ~ка ж., ~ский Méxican.

мел м. chalk; (для побéлки) whíting, whíte:wàsh; писáть ~ом chalk.

меланéзиец м., ~и́йка ж., ~и́йский Mèlanésian [-z-].

меланжевый текст.: ~ комбинáт melánge, или blénded yarn fábric, fáctory [meɪ'lɑːnʒ...].

меланхóлик м. mèlanchólic pérson [-'kɔ-...]. ~**и́ческий**, ~**и́чный** mélancholy [-k-], mèlanchólic [-'kɔ-]. ~**ия** ж. mélancholy [-k-], spleen; мед. mèlanchólia [-'kou-]; в ~ии in a state of mélancholy / deprèssion; in the dumps, in the blues разг.

мелéть, обмелéть grow* / becòme* shállow [grou...].

мелиорати́вный с.-х. lánd-rèclamátion (attr.), lánd-impróve:ment [-'pruːv-] (attr.); ~ые мероприя́тия lánd-rèclamátion méasures [...'meʒ-].

мелиорáтор м. spécialist in lánd-rèclamátion / mèliorátion ['spe-...].

мелиорациóнный = **мелиорати́вный**.

мелиорáция ж. с.-х. mèliorátion, lánd-rèclamátion, lánd-impróve:ment [-'pruːv-].

мели́ть, намели́ть chalk (d.), pólish with whíting (d.).

МЕД—МЕЛ **M**

МЕЛ — МЕН

ме́лк||ий 1. (*некрупный*) small; ~ие де́ньги (small) change [...tʃeɪ-] *sg.*, small coin *sg.*; ~ие расхо́ды pétty expénses; éveryday expénses; ~ песо́к fine sand; ~ дождь drízzling rain, drízzle; ~ рога́тый скот sheep and goats *pl.*; ~ая кра́жа pétty lárceny [...-snɪ], pílferage; ~ой ры́сью at a gentle / éasy trot [...ˈiːzɪ...]; at a dóg-tròt *разг.*; 2. (*небольшой, незначительный*) small; ~ое хозя́йство small / pétty fárming; ~ое произво́дство small / smáll-scàle prodúction; ~ со́бственник small ówner [...ˈou-]; ~ая буржуази́я pétty bourgeoisie [...buəʒwɑːˈziː]; ~ чино́вник mínor offícial; 3. (*неглубокий*) shállow; ~ руче́й shállow stream; ~ая таре́лка dínner plate; 4. (*ничтожный*) pétty; (*о человеке тж.*) smáll-mìnded; ~ая душо́нка pétty créature.

мелко́ I *прил. кратк. см.* ме́лкий.

ме́лко II *нареч.* 1. (*некрупно*) fine; ~ моло́ть grind* fínely; ~ писа́ть write* small; write* a fine / small / mínute hand [...maɪ-...]; 2. (*неглубоко*) not deep; ◇ ~ пла́вать ≅ belóng to the small fry.

мелкобуржуа́зный pétty-bóurgeois [-ˈbuəʒwɑː].

мелко||во́дный shállow. **~во́дье** *с.* shoal; shállow wáter [...ˈwɔː-].

мелкозерни́стый fine-gráined, smáll-gráined.

мелкокали́берный smáll-bòre (*attr.*), smáll-càlibre (*attr.*).

мелкокрестья́нск||ий smáll-péasant [-ˈpez-] (*attr.*); ~ое хозя́йство smáll-péasant farm, smállhòlding.

мелколе́сье *с.* low fórest [lou ˈfɔ-].

мелкопоме́стн||ый *ист.* ówning a small estáte [ˈou-...]; ~ое дворя́нство small géntry.

мелкосидя́щий (*о судах*) shállow-dràught [-drɑːft].

мелкосо́бственническ||ий of pétty / small ówners [...ˈou-]; ~ая психоло́гия smáll-propríetor mentálity / psychólogy [...saɪˈkɔ-].

мелкота́ *ж.* 1. smáll:ness; (*перен.*) péttiness, méanness; 2. *собир. разг.* small fry.

мелкоте́мье *с.* concèntrátion on nárrow súbjects; nárrow specializátion [...speʃəlaɪ-]; prévalence of híghly-spècialized reséarch [...-ˈspe- -ˈsəːtʃ].

мелкотова́рн||ый *эк.*: ~ое произво́дство smáll-scàle commódity prodúction; ~ое (крестья́нское) хозя́йство pétty goods (péasant) èconomy [...gudz ˈpezɪ-].

мелкотра́вчатый *разг.* pétty, púny.

мелов||о́й 1. chálky; 2. *геол.* cretáceous [-ʃəs]; ◇ ~а́я бума́га art páper.

мелодеклама́||тор *м.* recíter of póetry to músical accómpaniment [...-zɪk- əˈkʌ-]. **~ция** *ж.* recitátion of póetry to músical accómpaniment [...-zɪk- əˈkʌ-].

мело́д||ика *ж.* melódics. **~и́ческий** 1. *прил. к* мело́дия; 2. = мелоди́чный. **~и́чность** *ж.* mélody, melódious:ness, túne:fulness. **~и́чный** melódious, túne:ful. **~ия** *ж.* mélody, tune.

мелодра́ма *ж.* mélodràma [-ɑːmə]. **~ти́ческий, ~ти́чный** melodramátic.

мело́к *м.* (piece of) chalk [piːs...]; игра́ть на ~ *карт. разг.* play on crédit.

мелома́н *м.* músic lóver [-zɪk ˈlʌ-].

мелочи́ться *разг.* frítter awáy one's énergy; waste time on trífles [weɪ-...]; níggle; не мелочи́сь! don't níggle!

мело́чн||ой 1. small; ~ торго́вец chándler [ˈtʃɑː-], grócer; ~ая торго́вля chándlery [ˈtʃɑː-], grócer's shop; 2. = мело́чный.

мело́чн||ость *ж.* méanness, péttiness, triviálity. **~ый** smáll-mínded, pétty, méan-spírited.

ме́лоч||ь *ж.* 1. *тк. ед. собир.* (*мелкие вещи*) small things / árticles *pl.*; (*о мелкой рыбе*) small fry; 2. *тк. ед. собир.* (*о деньгах*) (small) change [...tʃeɪ-]; 3. (*пустяк*) trífle; small point, (trívial) détails [...ˈdiː-] *pl.*; ~ и в жи́зни the líttle nóthings of life, the trífles of life; the pétty détails of life; ◇ разме́ниваться на ~и, по ~а́м squánder one's gifts / tálents on trífles [...gɪ- ˈtæ-...]; frítter awáy one's énergy.

мел||ь *ж.* shoal; подво́дная ~ bank; песча́ная ~ sándbànk; сесть на ~ run* agróund; снять су́дно с ~и set* a ship afloat; посади́ть на ~ (*вн.*) ground (*d.*); на ~и́ agróund; (*перен.*) *разг.* in low wáter [...lou ˈwɔː-]; на ~и́ (*перен.*) on the rocks; сиде́ть как рак на ~и́ ≅ be on the rocks, be stránded.

мельк||а́ние *с.* fláshing; glímpses *pl.*, gleams *pl.* **~а́ть, мелькну́ть** flash, gleam, appéar for a móment; у него́ ~ну́ла мысль an idéa flashed acróss his mind [...aɪˈdɪə...]. **~ну́ть** *сов. см.* мелька́ть.

ме́льком *нареч. разг.* in pássing, cúrsorily; взгляну́ть ~ (на *вн.*) cast* a cúrsory glance (at), steal* a glance (at); ви́деть ~ (*вн.*) catch* a glimpse (of); слы́шать ~ (*вн.*) hear* with half an ear [...hɑːf...] (*d.*); óver:héar* by chance (*d.*).

мелькомбина́т *м.* mílling / grínding plant [...-ɑːnt].

ме́льни||к *м.* míller. **~ца** *ж.* mill; ручна́я ~ца hánd-mìll, quern; ветряна́я ~ца wíndmìll [ˈwɪ-]; водяна́я ~ца wáter-mìll [ˈwɔː-]; парова́я ~ца stéam-mìll; кофе́йная ~ца cóffee-mìll [-fi-]; ◇ лить во́ду на чью-л. ~цу *погов.* ≅ play into smb.'s hands; воева́ть с ветряны́ми ~цами fight* wíndmìlls, tilt at wíndmìlls. **~чиха** *ж. разг.* míller's wife*. **~чный** *прил. к* ме́льница.

мельтеши́ть *разг.* flícker.

мельхио́р *м.* cúpro:níckel, Gérman sílver. **~овый** Gérman sílver (*attr.*).

мельча́йш||ий (*превосх. ст. от прил.* ме́лкий) the smállest; the fínest; ~ие подро́бности the smállest détails [...ˈdiː-]; до ~их подро́бностей in mínute détail [...maɪ-...].

мельча́ть, измельча́ть 1. becóme* / grow* small smáller [...grou...]; (*перен.*) becóme* pétty; 2. (*вырождаться*) degénerate; 3. (*становиться неглубоким*) becóme* / grow* shállow.

ме́льче *сравн. ст. прил. см.* ме́лкий и *нареч. см.* ме́лко II.

мельчи́ть (*вн.*) *разг.* make* small / fine (*d.*); (*размалывать*) crush (*d.*), grind* (*d.*); (*перен.*) redúce the signíficance (of), lówer the dígnity [ˈlouə-...] (of).

мелюзга́ *ж. тк. ед. собир. разг.* small fry.

мембра́на *ж. физ.* mémbràne; *тех.* díaphràgm [-fræm].

мемора́ндум *м.* mèmorándum (*pl.* -da).

мемориа́л *м.* 1. (*спортивное соревнование*) sports còmpetítion (*in hónour of a remárkable spórtsman*); 2. (*архитектурный ансамбль*) memórial; ~ в честь жертв войны́ war memórial.

мемориа́льн||ый memórial; ~ая доска́ memórial plaque [...plɑːk].

мему||ари́ст *м.* áuthor of mémoirs [...ˈmemwɑːz], memórialist. **~а́рный** *прил. к* мемуа́ры. **~а́ры** *мн. лит.* mémoirs [ˈmemwɑːz].

ме́на *ж.* exchánge [-ˈtʃeɪ-], bárter.

ме́нее (*сравн. ст. от нареч.* ма́ло II 2) less; ~ чем в два дня in less than two days; ~ всего́ least of all; ему́ ~ 40 лет he is únder fórty, he is not yet fórty; he is on the right / súnny side of fórty *идиом.*; ~ пяти́ фу́нтов belów / únder five pounds [-ˈlou...]; ◇ тем не ~ néver:théːless, none the less [nʌn...]; бо́лее и́ли ~ more or less; не бо́лее и не ~, как ни́ more nor less than [ˈnaɪ-...], no less than; не бо́лее не ~, как сам... no less a pérson than... himsélf.

менестре́ль *м. ист.* mínstrel.

ме́нзула *ж. геод.* pláne-tàble.

мензу́рка *ж.* méasuring-glàss [ˈmeʒ-], gráduate.

менинги́т *м. мед.* mèningítis [-nˈdʒaɪ-].

мени́ск *м. физ.* mèníscus (*pl.* -ci).

менов||о́й exchánge [-ˈtʃeɪ-] (*attr.*); ~а́я торго́вля bárter; ~а́я сто́имость *эк.* exchánge válue.

менструа́||льный *физиол.* ménstrual. **~ция** *ж. физиол.* périod; ménses *pl.*; mènstruátion *научн.* **~и́ровать** *физиол.* ménstruàte.

ме́нтик *м. уст.* hussár's pelísse [huˈzaːz -ˈliːs].

менто́л *м. хим.* ménthòl. **~овый** *прил. к* менто́л.

ме́нтор *м. уст.* méntòr. **~ский** *прил. к* ме́нтор; ~ским то́ном didáctically.

менуэ́т *м.* minuét.

ме́ньше 1. (*сравн. ст. от прил.* ма́лый I, ма́ленький) smáller; 2. (*сравн. ст. от нареч.* ма́ло II 2) less; ~ всего́ least of all; как мо́жно ~ as líttle as póssible; ни бо́льше ни ~ как néither more nor less than [ˈnaɪ-...].

меньшев||и́зм *м. полит.* Ménshevism. **~и́к** *м. полит.* Ménshevik. **~и́стский** *полит.* Ménshevist.

ме́ньш||ий 1. (*сравн. ст. от прил.* ма́лый I, ма́ленький) lésser; ~ая часть the lésser part; 2. *разг.* (*младший*) yóunger [ˈjʌŋə]; ~ сын yóunger son [...sʌn]; ◇ по ~ей ме́ре at least; са́мое ~ее no less than, at the least; (*о количестве, размере*) not únder; из двух зол выбира́ть ~ее choose* the léss(er) of two évils [...ˈiːvˡlz].

меньшинств||о́ *с.* minórity [maɪ-]; ничто́жное ~ insígnificant minórity; ~ голосо́в minórity (of votes); оказа́-

ся в ~é be outnúmbered; (*при голосовании*) be outvóted; ◇ национáльное ~ nátional minórity ['næ-...].

меньшóй *разг.* younger ['jʌ-].

менюˊ *с. нескл.* mènù; (*листок*) bill of fare.

меняˊ *рд., вн. см.* я.

меняˊла *м.* móney-chànger ['mʌntʃeɪ-]; (*на востоке*) shroff. ~льный móney-chànging ['mʌnɪtʃeɪŋ-].

меняˊть, поменяˊть (*вн.*) **1.** *тк. несов.* (*в разн. знач.*) change [tʃeɪ-] (*d.*); ~ своё мнéние change one's opínion; ~ направлéние change diréction; ~ положéние shift posítion [...-'zɪ-]; ~ полиˊтику change course / pólicy [...kɔːs-]; ~ плáтье change (one's clothes) [...klouˊ-]; ~ дéньги change one's móney [...'mʌ-]. **2.** (*вн. на вн.*; *обменивать*) exchánge [-'tʃeɪ-] (*d.* for). ~ся, поменяˊться **1.** *тк. несов.* (*изменяться*) change [tʃeɪ-]; **2.** (*тв.*; *обмениваться*) exchánge (*d.*); ~ся роляˊми switch the rôles [...roulz-]; **3.** *страд. к* меняˊть; ◇ ~ся в лицéе change cóuntenance.

мéр||а I *ж.* (*единица измерения*) méasure ['meʒə]; ~ы длиныˊ línear méasures; ~ы плóщади, квадрáтные ~ы square méasures; ~ы жиˊдкостей líquid méasures; ~ы сыпуˊчих тел dry méasures.

мéр||а II *ж.* **1.** (*мероприятие*) méasure; step; решиˊтельные ~ы drástic méasures; ~ы взыскáния disciplinary méasures; приняˊть ~ы take* méasures; make* arránge:ments [...-eɪ-]; приняˊть срóчные ~ы take* prompt áction; приняˊть все ~ы take* every méasure; врéменная ~ témporary méasure; stópgàp méasure *разг.*; ~ы предосторóжности precáutions, precáutionary méasures; разуˊмные ~ы wise méasures. **2.** (*предел*): вы́сшая ~ наказáния cápital púnishment; соблюдáть ~y keep* within límits; не знать ~ы be immóderate, cárry things too far, go* too far, not know* where to stop [...nouˊ-]; ◇ в ~у (*рд.*) to the extént (of); в ~у (*столько, сколько нужно*) fáirly; по ~е тогó, как as; по ~е возмóжности as far as póssible, within the límits of the póssible; по ~е сил as far as one can; в значиˊтельной ~е lárgely; to a considerable extént; в пóлной ~е in full méasure; в извéстной ~е to a cértain extént / degréee; сверх ~ы, не в ~у, чéрез ~у beyónd, *или* out of, méasure, excéssively, immóderately; по крáйней ~е at least.

мéргель *м. геол.* marl.

мерéжка *ж.* drawn-work, drawn-thréad work [-'θred...], ópen-wòrk.

мерéть *разг.* **1.** die, pérish (*in large numbers*); мрут как мýхи ≃ they die like flies; **2.** (*замирать*): сéрдце мрёт my heart stops béating [...haːt-].

мерéщиться, померéщиться (*дт.*) *разг.* seem (to), appéar (to); емý ~ся he is dréaming; емý ~ся, что it seems to him that; емý померéщилось he fáncied he saw.

мерзáвец *м. бран.* víllain [-lən], scóundrel. ~ка *ж. бран.* mean wóman* [...'wu-].

мéрзк||ий 1. vile; (*вызывающий омерзение*) lóath:some; ~ие словá vile words; он стал ей мéрзок he becáme lóath:some to her; **2.** *разг.* (*неприятный*) násty; какáя ~ая погóда! what vile / atrócious / násty wéather! [...'we-].

мерзлотá *ж. тк. ед.* frózen condítion of ground; вéчная ~ pérmafròst.

мёрзлый frózen; (*замороженный*) congéaled.

мерзля́||к *м.*, ~чка *ж. разг.* pérson very sénsitive to cold.

мёрзнуть freeze*; (*чувствовать холод*) feel* cold.

мéрз||остный = мéрзкий. ~ость *ж.* **1.** abòminátion; (*мерзкая вещь и т. п.*) lóath:some / násty thing; ◇ ~ость запустéния abòminátion of dèsolátion.

меридиáн *м.* merídian.

меридионáльный merídional.

мериˊло *с.* stándard, critérion [kraɪ-] (*pl.* -ia).

мéрин *м.* gélding ['ge-]; ◇ он врёт как сиˊвый ~ *разг.* ≃ he lies through his teeth / throat; he is an óut-and-óut liar.

мериносˊ *м.* **1.** (*овца*) merínò (sheep*) [-'riː-...]; **2.** (*шерсть*) merínò (wool) [...wul]. ~овый *прил. к* мериносˊ.

мéрить I, смéрить (*вн.*) méasure ['meʒə] (*d.*); ◇ другиˊх, всех, всё ~ на свой аршиˊн *разг.* ≃ méasure / judge others, éverything by one's own stándard; méasure others' corn by one's own búshel [...oun 'bu-]; ~ глазáми, взглядом size up (*d.*), eye from head to foot* [aɪ... hed... fut] (*d.*).

мéрить II, помéрить (*вн.*; *примерять*) try on (*d.*).

мéриться I, померéться 1. (*тв. с тв.*) méasure ['meʒə] (*d.* with); ~ сиˊлами с кем-л. (*перен.*) méasure swords with smb. [...sɔːdz...]; **2.** *страд. к* мéрить I.

мéриться II *страд. к* мéрить II.

мéрк||а *ж.* **1.** méasure ['meʒə]; снять ~y с когó-л. také* smb.'s méasure:ments; по ~е to méasure; **2.** (*предмет, служащий для измерения*) méasuring rod ['meʒ-...]; yárdstick (*тж. перен.*); подходиˊть ко всем с однóй ~ой (*перен.*) apply the same stándard to all alíke.

меркантилиˊзм *м. эк.* mércantilism; (*перен.*) mércenary spírit.

меркантиˊльный mércantile; ~ дух mércenary spírit.

мéркнуть, помéркнуть grow* dark / dim [grou...]; (*перен.*) fade, wane; егó слáва помéркла his fame dwíndled.

Меркуˊрий *м. миф., астр.* Mércury.

мерлýшк||а *ж.* lámb:skin. ~овый *прил. к* мерлýшка.

мéрн||ость *ж.* règulárity, rhythm. ~ый **1.** méasured ['meʒ-], slow and régular [slouˊ...]; ~ые шагиˊ méasured steps; **2.** *тех.* méasuring ['meʒ-]; ~ая лéнта méasuring tape.

мероприяˊтие *с.* méasure ['meʒə], arránge:ment [ə'reɪ-]; (*законодательное*) lègislàtive enáctment.

мерсериз||áция *ж. тех.* mèrcerizátion [-raɪ-]. ~овáть *несов. и сов.* (*вн.*) *тех.* mércerize (*d.*).

мёртв *прил. кратк. см.* мёртвый.

мéртвенно-блéдный déathly pale ['deθ-...].

мéртвенн||ый déathly ['deθ-], ghástly; ~ цвет лицá déathly pale face; ~ая блéдность déadly páleness ['ded-...], déathly pállor.

мертвéть grow* numb [grou...]; ~ от уˊжаса grow* stiff / cold with fright; ~ от гóря grow* numb / cold with grief [...griːf].

мертвéц *м.* corpse, dead man* [ded...]. ~кая *ж. скл. как прил.* mórtuary, morgue [mɔːg]. ~ки *нареч.*: ~ки пьян *разг.* dead drunk [ded...].

мертвечиˊна *ж. собир.* cárrion, dead flesh [ded...]; (*перен.*) *разг.* spíritual stàgnátion.

мертворождённый stíllborn; (*перен.*; *о проекте и т. п.*) abórtive.

мёртв||ый dead [ded], (*безжизненный*) lífe:less; ~ая тóчка *тех.* dead point / centre; (*перен.*) stándstill; на ~ой тóчке at a stándstill; ~ капитáл *эк.* dead stock; únemplóyed cápital; ~ язы́к лингв. dead lánguage; ~ая пéтля *ав.* loop; ~ая зыбь *мор.* swell; ~ые глазá (*невыразительные*) life:less eyes [...aɪz]; ◇ ~ая хвáтка death grip [deθ-...]; ~ая тишинá dead sílence [...'saɪ-], déathly hush ['deθ-...]; спать ~ым сном *разг.* be dead to the world; пить ~ую *разг.* drink* hard; ~ час quíet time (*in sanatorium, etc.*).

мерцáние *с.* **1.** twínkling, shímmering, glímmer, flícker; **2.** *астр.* scìntillátion.

мерцáть twínkle, shímmer, glímmer, flícker.

мéсиво *с.* (*корм для скота*) mash; (*перен.*: *мешанина*) médley ['me-]; júmble.

месиˊлка *ж.* míxer.

месиˊть, смесиˊть (*вн.*) knead (*d.*); (*о глине*) púddle (*d.*); ◇ ~ грязь *разг.* wade through mud, walk in the mud.

месмериˊзм *м.* mésmerism ['mez-].

мéсса *ж. церк., муз.* mass.

мессиˊя *м. уст.* Messíah [mɪ'saɪə].

местáми *нареч.* here and there.

местéчко I *с. уменьш. от* мéсто ◇ тёплое ~ *разг.* ≃ snug / cúshy job [...'kuʃɪ...].

местéчко II *с.* (*посёлок*) bórough ['bʌrə], small town.

местиˊ 1. (*вн.*) sweep* (*d.*); **2.** *безл.*: метёт (*о метели*) there is a snów-stòrm [...'snou-].

месткóм *м.* (*местный комитет профсоюзной организации*) lócal trade únion commíttee [...-tɪ]. ~овский *прил. к* местком.

мéстничество *с.* **1.** *ист.* órder of precédence / sèniórity [...-'siːd-...]; **2.** (*соблюдение узкоместных интересов*) lòcalístic téndencies *pl.*

мéстн||ость *ж.* **1.** cóuntry ['kʌ-]; живопиˊсная ~ picturésque surróundings *pl.*; **2.** (*район, округа*) locálity, dístrict; дáчная ~ cóuntry place, dácha área ['dɑːtʃə 'ɛərɪə]. ~ый (*в разн. знач.*): ~ый жиˊтель inhábitant; ~ый урожéнец nátive; ~ый гóвор lócal díalect; ~ое врéмя lócal time; ~ый бюджéт lócal búdget; ~ое самоуправлéние municípal góvernment [...'gʌ-]; ~ые óрганы влáсти lócal authórities; ~ый комитéт проф-

МЕС—МЕТ

союзной организа́ции lócal trade únion committee [...-tɪ]; ~ая промы́шленность lócal índustry; ~ые строи́тельные материа́лы lócally procúrable búilding matérials [...ʹbɪld-...]; ~ый нарко́з мед. lócal ànaesthésia [...-zɪə]; ~ый паде́ж грам. lócative (case) [..keɪs].

-ме́стный (в сложн. словах, не приведённых особо) with berths, seats for...; (о самолёте, автомашине и т. п.) -séater (attr.); напр. десятиме́стный with berths, seats for 10; (о самолёте, автомашине и т. п.) tén-séater.

ме́ст|о с. 1. (в разн. знач.) place; (чем-л. выделяемое) spot; (для постройки, сада и т. п.) site; (местность) locálity; уступа́ть ~ кому́-л. give* up one's place to smb.; то са́мое ~ that particular spot; то са́мое, где the precíse spot where [...-ʹsaɪs...]; хоро́шее ~ для до́ма a good* site for a house* [...-s]; здоро́вое ~ héalthy locálity [ʹhel-...]; в э́тих ~а́х, в на́ших ~а́х in these parts; по ~а́м! to your pláces!; воен. stand to!; ~ де́йствия scene of áction; рабо́чее ~ wórking place; переходи́ть с ~а на ~ roam; move from place to place [mu:v]; занима́ть пе́рвое ~ (во время состяза́ния) be in the lead; заня́ть пе́рвое ~ (вы́играть состяза́ние) gain first place; раздели́ть пе́рвое ~ (во время состяза́ния) share the lead; (о результа́те состяза́ния) share first place; ~ стоя́нки (автомоби́лей) párking place; párking lot амер.; (такси́) táxi-ránk; (изво́зчиков) cábstand; ~ заключе́ния place of confíne:ment; пусто́е ~ blank (space); (перен.; о человеке) a nónentity, a nó:body; де́тское ~ анат. áfterbírth, placénta, 2. (в театре и т. п.) seat; (спальное — на пароходе, железной дороге) berth; ве́рхнее, ни́жнее ~ úpper, lówer berth [...ʹlouə...]; 3. тк. ед. (свободное простра́нство) space; room (тж. перен.); нет ~а there is no room; здесь дово́льно ~а there is plénty of room here; не оставля́ть ~а (для) (перен.) leave* no room (for), make* no allówance (for); 4. (до́лжность) post [poust], óffice; (дома́шней рабо́тницы и т. п.) situátion; быть без ~а be out of work, be ún:emplóyed; иска́ть ~ seek* a situátion; look for a job разг.; дохо́дное ~ lúcrative appóintment, wéll-páid job; 5. (часть те́кста) pássage; 6. (о багаже́) piece of lúggage [piːs...]; 7. мн. (перифери́йные организа́ции в противополо́жность це́нтру) províncial òrganizátions [...-naɪ-] the próvinces; ◇ на ва́шем ~e in your place; if I were you; if I were in your shoes [...ʃu:z] идиом. разг.; сла́бое ~ weak spot / point / place; находи́ть сла́бое ~ find* a weak spot / point / place; ≅ find* the joint in the ármour идиом.; не находи́ть себе́ ~а fret; знать своё ~ know* one's place [nou...]; занима́ть ви́дное ~ (среди́) rank high (among); поста́вить кого́-л. на ~ put* smb. in his place; име́ть ~ take* place; о́бщее

~ cómmonplace; (бана́льность) plátitùde; не к ~у out of place; на ~e on the spot; уби́ть на ~e kill on the spot; стоя́ть на ~e stand* still; ни с ~а stóck-still; он ни с ~а he stood stóck-still [...stud...], he didn't budge; заста́ть на ~e преступле́ния catch* in the act; catch* réd-hánded; (го́лос) с ~а (voice) from the floor/ áudience [...flɔː...].

местожи́тельство с. тк. ед. (place of) résidence [-zɪ-].

местоиме́н|ие с. грам. pró:noun. ~ный грам. pronóminal.

местонахожде́ние с. locátion, the whére:abouts.

местоположе́ние с. posítion [-ʹzɪ-], locátion, situátion, site.

местопребыва́ние с. тк. ед. abóde, résidence [-zɪ-]; ~ прави́тельства seat of góvernment [...ʹgʌv-], (place) where the góvernment has its seat.

месторожде́ние с. геол. depósit [-z-]; ~ не́фти óil-field [-fiːld]; ру́дное ~ ore depósit; у́гольное ~ cóal-field [-fiːld].

месть ж. véngeance [ʹvendʒəns]; revénge; кро́вная ~ blood feud [blʌd...], vendétta.

ме́сяц I м. (календа́рный) month [mʌ-]; теку́щий ~ the cúrrent month (сокр. inst. — в офиц. перепи́ске); про́шлый ~ last month (сокр. ult. — в офиц. перепи́ске); бу́дущий ~ next month (сокр. prox. — в офиц. перепи́ске); янва́рь, февра́ль и т. д. ~ the month of Jánuary, Fébruary, etc.; ◇ медо́вый ~ hóney:moon [ʹhʌ-].

ме́сяц II м. (луна́) moon; ◇ молодо́й ~ new moon.

ме́сячн|ик м. (рд.) month [mʌnθ] (of), a month's cámpaign [...-ʹpeɪn] (for); ~ дру́жбы fríendship month [ʹfrend-...]; ~ безопа́сности движе́ния róad-sáfe:ty month. ~ый mónthly [ʹmʌ-].

метабио́з м. биол. mètabiósis.

метагене́з м. биол. mètagénesis.

мета́лл м. métal [ʹme-]; ~ в го́лосе (перен.) metállic voice. ~иза́ция ж. тех. mètallizátion [-laɪ-]. ~изи́ровать несов. и сов. (вн.) тех. métallize (d.). ~и́ст м. métal-wòrker [ʹme-]. ~и́ческий metállic; métal [ʹme-] (attr.); ~и́ческие изде́лия métal goods [...gudz]; hárdware sg.; ~и́ческий звук metállic sound.

металло|веде́ние с. phýsical mètállurgy [-zɪ-...]. ~гра́фия ж. mètallógraphy.

металлоёмкий métal consúming [ʹme-...].

металло́ид м. уст. métalloid, nón-mètal [-me-].

металлоло́м м. scrap métal [...ʹme-].

металлоно́сный mètallíferous.

металлообраба́тывающ|ий métal-wòrking [ʹme-] (attr.); ~ая промы́шленность métal-wòrking índustry; ~ ста́нок métal-wòrking machine-tool [...-ʹʃiːn-].

металлоплави́льн|ый: ~ая печь smélting fúrnace; ~ заво́д smélting works, sméltery.

металлопрока́тный métal-rólling [ʹme-] (attr.); ~ цех rólling depártment / shop.

металлопромы́шленн|ость ж. métal índustry [ʹme-...]. ~ый прил. к металлопромы́шленность.

металлоре́жущий: ~ стано́к métal-cùtting lathe [ʹme- leɪð].

металлу́рг м. mètállurgist. ~и́ческий mètallúrgical; ~и́ческий заво́д mètallúrgical works. ~ия ж. mètállurgy; чёрная ~ия férrous mètállurgy; цветна́я ~ия nón-férrous mètállurgy.

метаморфи́зм м. геол. mètamórphism.

метаморфо́з м. биол. mètamórphosis (pl. -sès [-iːz]).

метаморфо́за ж. mètamórphosis (pl. -sès [-iːz]).

мета́н м. хим. méthane, márshgàs.

мета́ние с. 1. thrówing [ʹθrou-]; cásting; ~ жре́бия cásting lots; ~ копья́ jáve:lin thrówing [ʹdʒæ-...]; ~ ди́ска díscus thrówing; 2.: ~ икры́ spáwning.

метапла́зма ж. биол. mètaplásm.

метаста́|з м. мед. mètástasis (pl. -sès [-siːz]). ~ти́ческий мед. mètastátic(al).

метате́за [-тэ-] ж. лингв. mètáthesis (pl. -sès [-siːz]).

мета́тель м., ~ница ж. thrówer [ʹθrouə]; ~ ди́ска спорт. díscus thrówer.

мета́тельн|ый míssile; ~ое ору́жие míssile wéapon [...ʹwep-]; ~ снаря́д prójectile.

мета́ть I, метну́ть (вн.) 1. (броса́ть) throw* [θrou] (d.); cast* (d.), fling* (d.); ~ диск throw* the díscus; ~ копьё throw* the jáve:lin [...ʹdʒæ-...]; ~ жре́бий cast* lots; 2. тк. несов.: ~ икру́ spawn; ◇ ~ банк карт. keep* the bank; ~ гро́мы и мо́лнии разг. ≅ rage, storm, thúnder, fúlminàte; рвать и ~ разг. ≅ be in a rage; rant and reave; ~ би́сер перед сви́ньями cast* pearls befóre swine [...pəːlz...].

мета́ть II, смета́ть (вн.; шить) baste [beɪst] (d.).

мета́ть III: ~ пе́тли make* / work búttonholes.

мета́ться I rush abóut; (в постели) toss; ~ по ко́мнате dash aróund the room.

мета́ться II страд. к мета́ть I.

мета́ться III страд. к мета́ть II.

метафи́з|ик м. mètaphysícian [-ʹzɪ-]. ~ика ж. mètaphýsics [-zɪ-]. ~и́ческий mètaphýsical [-zɪ-].

мета́фор|а ж. лит. métaphor. ~и́ческий лит. mètaphórical, fígurative. ~и́чный лит. mètaphórical.

метаце́нтр м. физ. métacèntre. ~и́ческий физ. mètacéntric; ~и́ческая высота́ mètacéntric height [...haɪt].

метаязы́к м. métalànguage [ʹme-].

мете́лица ж. = мете́ль.

мете́лка ж. 1. whisk; 2. бот. pánicle.

мете́лочный прил. к мете́лка 1.

мете́ль ж. snówstòrm [ʹsnou-].

мете́льный I прил. к мете́ль.

мете́льный II прил. к метла́.

мете́льчатый бот. pánicled, panículate.

мете́ль|щик м., ~щица ж. swéeper.

метемпсихо́з [-тэ-] м. mètèmpsychósis [-ʹk-].

метео́р м. méteor. ~и́т м. méteorìte. ~и́ческий mèteóric.

метеоро́лог м. mèteorólogist. ~и́ческий mèteorológical; ~и́ческая ста́нция mèteorológical státion.

метеороло́гия ж. mèteorólogy.

метео‖**сво́дка** *ж.* (метеорологи́ческая сво́дка) wéather-repórt ['weðə-]. ~ **слу́жба** *ж.* (метеорологи́ческая слу́жба) mèteorológical sérvice. ~ **спу́тник** *м.* (метеорологи́ческий спу́тник) wéather sátellite ['we-...].

метиза́ция *ж. биол.* cróss-breeding.

мети́зы *мн.* (металли́ческие изде́лия) hárdwàre *sg.*

мети́л *м. хим.* méthyl ['miːθaɪl].

метиле́н *м. хим.* méthylène. ~**овый** *прил.* к метиле́н; ~**овая синь** méthylène blue.

мети́ловый *прил.* к мети́л; ~ **спирт** wóod-spirit ['wud-].

мети́с *м. биол.* móngrel ['mʌ-], hálf-breed ['hɑːf-]; (*тк. о человеке*) métis. ~**а́ция** *ж.* = метиза́ция.

ме́тить I (*вн.*; *ставить знак, метку*) mark (*d.*); ~ **бельё** mark línen [...'li-].

ме́тить II 1. (в *вн.*; *целить*) aim (at); 2. (в *вн.*, на *вн.*; *намекать*) mean* (*d.*); 3. (в *вн.*; *стремиться*) aspíre (to *a position, etc.*).

ме́титься I = ме́тить II 1; ~ **в цель** aim.

ме́титься II *страд.* к ме́тить I.

ме́тка *ж.* 1. (*действие*) márking; 2. (*знак*) mark, sign [saɪn].

метк‖**ий** (*о пуле, ударе и т. п.*) wéll-áimed; (*о стрельбе*) áccurate; (*перен.*) neat, apt; ~ **стрело́к** good* shot, márksman*; ~**ое попада́ние** true hit; ~ **глаз** keen eye [...aɪ]; ~**ое замеча́ние** neat/póinted / apt remárk; ~**ое выраже́ние** apt expréssion. ~**о** *нареч.* néatly, to the point. ~**ость** *ж.*; (*о стрельбе*) áccuracy; (*о стрелке*) márksmanship; (*перен.*) néatness; ~**ость гла́за** kéenness of vísion.

метла́ *ж.* broom; bésom [-z-]; ◊ **но́вая ~ чи́сто метёт** *посл.* a new broom sweeps clean.

метну́ть *сов. см.* мета́ть I 1.

ме́тод *м.* méthod; **диалекти́ческий ~** dialéctical méthod; **аналити́ческий ~** ànalýtical méthod; ~**ы рабо́ты** méthods of work; ~**ы хозя́йствования и управле́ния** méthods of mánagement and administrátion.

мето́да *ж. уст.* méthod.

мето́дика *ж.* méthod(s) (*pl.*); ~ **преподава́ния иностра́нных языко́в** méthods of lánguage téaching, méthods of téaching lánguages.

методи́ст *м.* mèthodólogist, spécialist in téaching méthods ['spe-...].

методи́ч‖**еский** 1. (*последовательный*) sỳstemátic(al), methódic(al); 2. *прил.* к мето́дика. ~**ность** *ж.* methódicalness. ~**ный** órderly, methódical.

методо‖**логи́ческий** mèthodológical. ~**ло́гия** *ж.* mèthodólogy.

мето‖**ними́ческий** *лит.* mètonýmical. ~**ни́мия** *ж. лит.* mètonymy.

метр I *м.* 1. (*единица длины*) mètre; **квадра́тный ~** square mètre; **куби́ческий ~** cúbic mètre; 2. (*линейка*) mètre méasure / rúler [...'meːzə-...]; **складно́й ~** fólding rule.

метр II *м. лит.* mètre; **ямби́ческий ~** iámbic mètre.

метр III [мэ-] *м. уст.* (*наставник*) máster.

метра́ж *м.* 1. métric área [...ˈeərɪə]; 2. (*кино*) fóotage ['fut-].

метранпа́ж *м. полигр.* máker-úp, clícker.

метрдоте́ль [-эль] *м.* head wáiter [hed...].

ме́трика I *ж. лит.* métrics.

ме́трика II *ж.* (*документ*) bírth-certíficate.

метри́ческ‖**ий** I métric; ~**ая систе́ма мер** métric sýstem of méasures [...ˈmeʒ-].

метри́ческ‖**ий** II *лит.* métrical; ~**ое стихосложе́ние** métrical vèrsificátion; ~**ое ударе́ние** íctus, métrical stress.

метри́ческ‖**ий** III: ~**ая кни́га** *уст.* règister of births; ~**ое свиде́тельство** bírth-certíficate.

метро́ *с. нескл.* métro ['me-].

метро́вый *прил.* к метр I.

метрол‖**оги́ческий** mètrológical. ~**о́гия** *ж.* mètrólogy.

метроно́м *м. физ., муз.* métronòme.

метрополите́н [-тэн] *м.* the únderground; súbway *амер.*; (*в СССР тж.*) métro ['me-]; (*в Ло́ндоне тж.*) tube.

метропо́лия *ж.* móther cóuntry ['mʌˌkʌ-], centre of émpire.

Метрострой *м.* Metrostrói (*the organization concerned with the building of underground railways*).

ме́тчик I *м. тех.* (*инструмент*) tap.

ме́тчик II *м.* (*человек*) márker.

мех I *м.* (*мн.* ~а́) 1. fur; **на ~у́, подби́тый ~ом** fúr-lined; 2. *мн.* furs; ◊ **на ры́бьем ~у́** ≅ flímsy [-zɪ] (*of clothes*).

мех II *м.* (*мн.* ~и́) 1. (*кузне́чный и т. п.*) béllows *pl.*; 2. (*для вина*) wíne-skin; (*для воды*) wáter-skin ['wɔː-].

механиза́тор *м.* 1. (*специалист по механизации*) mèchanizátion éxpert [-kə-naɪ-...]; 2. (*специалист по обслуживанию с.-х. машин*) machíne-óperator [-ˈʃiːn-]; ~**ский**: ~**ские ка́дры в се́льском хозя́йстве** machíne-óperators in ágricùlture [-ˈʃiːn-...].

механиза́ция *ж.* mèchanizátion [-kə-naɪ-].

механизи́рованн‖**ый** *прич. и прил.* méchanized [-k-]; ~**ое се́льское хозя́йство** méchanized ágricùlture.

механизи́ровать *несов. и сов.* (*вн.*) méchanize [-k-] (*d.*).

механи́зм *м.* méchanism [-k-] (*тж. перен.*); géar(ing) ['gɪə-]; *мн. собир.* machínery [-ˈʃiːn-] *sg.*; **часово́й ~** clóckwork; **подъёмный ~** hóisting / lífting gear; *воен.* élevàting gear; **переда́точный ~** transmíssion gear; **госуда́рственный ~** machínery of State.

меха́ни‖**к** *м.* mechánical ènginéer [-ˈkæ-endʒ-], mèchanícian [-k-]; (*наблюдающий за машинами*) mechánic [-ˈkæ-], óperator; ~**ка** *ж.* 1. mechánics [-ˈkæ-]; **теорети́ческая ~ка** theorétical mechánics; **прикладна́я ~ка** applíed mechánics; 2. *разг.* (*подоплёка чего-л.*): **хи́трая ~ка** skúl(l)dúggery; ◊ **небе́сная ~ка** celéstial mechánics.

механи́ст *м. филос.* méchanist [-k-]. ~**и́ческий** *филос.* mèchanístic [-k-].

механици́зм *м. филос.* méchanism [-k-].

механи́ческ‖**ий** 1. mechánical [-ˈkæ-]; **power-driven** [-drɪ-]; ~**ое обору́дование** machínery [-ˈʃiː-]; ~**ая обрабо́тка** machíning [-ˈʃiː-]; 2. (*машинальный*) mechánical, automátic; ~**ие движе́ния** mechánical móvements [...ˈmuːv-].

механи́чный = механи́ческий 2.

мехов‖**о́й** *прил.* к мех I; ~**о́е пальто́** fúr-coat; ~ **воротни́к** fúr-còllar. ~**щи́к** *м.*, ~**щи́ца** *ж.* fúrrier.

мецена́т *м.* pátron of art, of líterature; Maecénas [mɪˈsiː-]. ~**ство** *с.* pátronage of art, of líterature.

ме́ццо-сопра́но 1. *с. нескл. муз.* (*голос*) mézzò-sopránò [-dzousəˈprɑː-]; 2. *ж.* (*певица*) mézzò-sopránò.

ме́ццо-ти́нто *с. нескл. полигр.* mézzò-tínto [-dz-], mézzòtint [-dz-].

меч *м.* sword [sɔːd]; ◊ **подня́ть ~** (*начать войну*) únshéathe one's sword; **вложи́ть в но́жны** (*кончить войну*) sheathe the sword; **да́моклов ~** sword of Dámoclès [...-kliːz]; ~ **правосу́дия** the sword of jústice; **скрести́ть ~и́** cross / méasure swords [...ˈmeʒə-...].

меченосец *м. ист.* swórd-bearer ['sɔːd-bɛə-].

ме́чен‖**ый** marked; ◊ ~**ые а́томы** lábelled tagged átoms [...ˈæ-].

мече́ть *ж.* mosque.

меч-ры́ба *ж. зоол.* swórd-fish ['sɔːd-].

мечта́ *ж.* dream; dáy-dream, wáking dream. ~**ние** *с.* 1. = мечта́; 2. (*действие*) dréaming.

мечта́тель *м.*, ~**ница** *ж.* dréamer, dáy-dreamer, vísionary. ~**ность** *ж.* dréaminess, réverie. ~**ный** dréamy; (*задумчивый*) pénsive; ~**ный вид** fáraway look, air of réverie.

мечта́ть (о *пр.*) dream* (of).

меша́лка *ж. разг.* míxer, stírring rod.

меша́нина *ж. тк. ед. разг.* médley ['me-], júmble, míshmàsh.

меш‖**а́ть** I, помеша́ть (*дт.*, *дт.* + *инф.*) (*препятствовать*) prevént (*d.*, *d.* from *ger.*); (*стеснять*) hínder ['hɪ-] (*d.*), hámper (*d.*), impéde (*d.*); (*вмешиваться*) interfére (with); (*беспокоить*) distúrb (*d.*); **если ничто́ не помеша́ет** if nothing interféres; **э́то помеша́ет ему́ прийти́** this will prevént him from cóming; ~ **движе́нию вперёд** impéde prógress; **помеша́ть успе́ху** (*рд.*) préjudice the succéss (of); ◊ **не ~а́ло бы, не ~а́ет** *разг.* it would be advísable [...-z-], it would do no harm, it wouldn't be a bad thing.

меша́ть II 1. (*вн.*; *размешивать*) stir (*d.*), ágitàte (*d.*); 2. (*вн. с тв.*; *смешивать*) mix (*d.* with), blend (*d.* with); 3. (*вн. с тв.*) *разг.* (*принимать одно за другое*) confóund (*d.* with), take* (*d.* for).

меша́ться I (в *вн.*; *вмешиваться*) méddle (with), interfére (with, in).

меша́‖**ться** II 1. *страд.* к меша́ть II; 2. (*путаться*) becóme* confúsed; **мы́сли ~ются** my thoughts are confúsed.

ме́шка‖**ть** *разг.* (*задерживаться*) lóiter, línger; (*медлить*) deláy, dálly; **он ~л с отъе́здом** he deláyed his depárture.

мешкова́тый *разг.* 1. (*о человеке*) áwkward, clúmsy [-zɪ]; 2. (*об одежде*) bággy.

мешкови́на *ж.* sácking, héssian.

МЕШ — МИЛ

ме́шкотный *разг.* 1. (*о человеке*) slúggish, slow [-ou]; 2. (*о деле, работе*) long.
меш‖**о́к** *м.* 1. bag; (*большой*) sack; вещево́й ~ kít-bàg; (*маленький*) knápsàck; ~ с песко́м sándbàg; 2. (*род.; содержимое*) sack (of); ~ карто́шки sack of potátòes; 3. *воен.* (*окружение*) pócket; попа́сть в ~ get* caught in a pócket; огнево́й ~ fire pócket; 4. *разг.* (*о человеке*) clúmsy féllow [-zı...]; ◇ золото́й ~, де́нежный ~ móney-bàg [′mʌl-]; ~ки́ под глаза́ми bags únder one's eyes [...aız]; костю́м сиди́т на нём ~ко́м his suit hangs on him like a sack [...sju:t..], his clothes are bággy [...klou-...]; кот в ~ке́ ≃ pig in a poke.
мещ‖**ани́н** *м.,* ~**а́нка** *ж.* 1. *ист.* pétty bóurgeois [...′buəʒwɑ:]; 2. (*обыватель*) Phílistine. ~**а́нский** *прил.* к мещани́н; (*перен.*) nárrow-mínded, vúlgar. ~**а́нство** *с.* 1. *собир. ист.* (*сословие*) lówer middle clásses [′louə...′zi:]; 2. (*обывательщина*) Phílistinism, nárrow-mínded;ness.
мзда *ж. тк. ед. уст., шутл.* récompènse; (*взятка*) bribe.
мздоим‖**ец** *м. уст.* bríbe-tàker. ~**ство** *с. уст.* bríbery [′braı-].
ми *с. нескл. муз.* Е [i:]; mi [mi:].
миа́змы *мн.* (*ед.* миа́зма *ж.*) miásma [-z-] *sg.* (*pl.* -ata).
миг *м.* móment, ínstant; в оди́н ~ in a flash / twínkling, in a móment; ни на ~ not for a móment; в тот же ~ at the very same time.
мига́ние *с.* wínking, blínking, twínkling (*тж. о звёздах*).
мига́тельн‖**ый**: ~**ая перепо́нка** *анат.* níct(it)àting mémbràne.
миг‖**а́ть, мигну́ть** 1. blink; ~**ну́ть кому́-л.** wink at smb., blink an eye at smb. [...aı...]; 2. (*мерцать*) twinkle.
мигну́ть *сов. см.* мига́ть; не успе́ть (*глазом*) ~ befòre one could say "knife", *или* "Jack Róbinson"; in a jíffy; сто́ит то́лько ~ just say the word...; the slíghtest hint will suffíce.
ми́гом *нареч. разг.* in a flash, in a jíffy.
миграцио́нн‖**ый** mígratory [′maı-]; ~**ая тео́рия** law of migrátion [...maı-]; ~**ое движе́ние** mígratory móve;ment [...′mu:-].
мигра́ция *ж.* migrátion [maı-].
мигре́нь *ж.* mígraine [′mi:-], mégrim [′mi:-], sevére héadàche [...′hedeık-].
мигри́ровать migráte [maı-].
ми́дель *м. мор.* mídship séction.
миел‖**и́н** *м. анат.* myélin(e). ~**и́т** *м. мед.* myèlítis.
мизансце́на *ж. театр.* mise en scène (*фр.*) [′mi:zɑ:ŋ′seın].
мизантро́п *м.* mísanthròpe [-z-]. ~**и́ческий** mìsanthrópic [-z-]. ~**ия** *ж.* mísánthropy [-′zæ-].
мизе́р‖**ный** *ж.* scántiness. ~**ый** scánty, meagre, wrétched; ~**ый за́работок** scánty éarnings [...′ə:n-] *pl.*
мизи́н‖**ец** *м.* (*на руке*) the little fínger; (*на ноге*) the little toe; ◇ не сто́ить чьего́-л. ~**ца** not fit to hold a candle to smb.

мика́до *м. нескл.* mikádò [-ɑ:d-].
микани́т *м. эл.* mícanite.
миколо́гия *ж.* mycólogy [maı-].
микроавто́бус *м.* mínibùs.
микроампе́р *м. эл.* mícroampère (*фр.*) [′maıkrou′æmpɛə].
микро́б *м.* mícròbe [′maı-].
микробио́лог *м.* mícrò;biólogist.
микробиоло́гия *ж.* mícrò;biólogy.
микрово́льт *м. эл.* mícro;vòlt.
микрогра́фия *ж.* micrógraphy [maı-].
микроиссле́дование *с. физ. тех.* mícrò-exàminátion.
микрокалькуля́тор *м.* micro;cálculàtor.
микрокли́мат *м.* mícrò;clìmate [-klaı-].
микроко́кк *м. бакт.* mícro;cóccus.
микроко́см *м.* mícrocòsm [′maı-].
микролитра́ж‖**ка** *ж. разг.* mínicàr. ~**ный**: ~**ный автомоби́ль** mínicàr.
микроме́тр *м. физ., тех.* micrómeter [maı-], mícròmeter gauge [...geıdʒ]. ~**и́ческий** *физ., тех.* mìcrométrical [maı-].
микроме́трия *м. физ.* micrómetry [maı-].
микроми́р *м.* mícro;còsm.
микро́н *м. физ.* micrón.
микрооргани́зм *м. биол.* mícrò;órganism.
микропо́рист‖**ый** mícro;céllular; micro;pórous; ~**ая подо́шва** micro;céllular sole; о́бувь на ~**ой подо́шве** fóot-wear with micro;céllular soles [′futwɛə...].
микрорайо́н *м.* mícrò;raión, mícrò-district.
микроско́п *м.* mícroscòpe [′maı-]. ~**и́ческий** mìcroscópic [maı-]. ~**и́чный** mìcroscópical [maı-]. ~**ия** *ж.* micróscopy [maı-]. ~**ный** *прил.* к микроско́п.
микроспо́ра *ж. бот.* mícro;spòre.
микрострукту́ра *ж.* micro;strúcture.
микрото́м *м.* mícro;tòme.
микрофара́да *ж. эл.* mícrò;fàràd [-′fæ-].
микрофи́льм *м.* mícrò;film.
микрофо́н *м.* mícro;phòne; mike *разг.*; у́гольный ~ *рад.* cárbon mícro;phòne; ле́нточный ~ *рад.* ríbbon mícro;phòne; ◇ у ~**а...** we presént... [...-′zent]. ~**ный** mìcrophónic.
микрофотогра́фия *ж.* mìcro;photógraphy.
микро‖**хими́ческий** mìcro;chémical [-′ke-]. ~**хи́мия** *ж.* mìcro;chémistry [-′ke-].
микроцефа́л *м.* mícro;cèphal. ~**ия** *ж.* mìcro;céphaly.
ми́ксер *м.* míxer.
миксту́ра *ж.* (líquid) médicine, míxture.
мила́шка *ж. разг.* prétty / nice girl, wóman* [′prı-...gə:l ′wu-].
ми́лая *ж. скл. как прил.* swéet;heart [-hɑ:t], dárling.
миле́ди *ж. нескл.* milády.
ма́леньк‖**ий** *разг.* 1. (*хорошенький*) prétty [′prı-], nice, sweet; 2. (*родной, любимый*) dárling; ◇ ~**ое де́ло!** *разг.* a prétty stóry!; that's a fine kettle of fish!
милитар‖**иза́ция** *ж.* mìlitarizátion [-rıı-]. ~**изи́ровать** *несов. и сов.* (*вн.*) mílitarize (*d.*). ~**и́зм** *м.* mílitarism. ~**изова́ть** *несов. и сов.* = милитаризи́ровать. ~**и́ст** *м.* mílitarist. ~**исти́ческий** mìlitarístic. ~**и́стский** mílitarist (*attr.*).

милице́йский *прил.* к мили́ция и милиционе́р.
милиционе́р *м.* milítia;man*.
мили́ция *ж.* milítia.
миллиампе́р *м. эл.* mìlliampère (*фр.*) [′mılı′æmpɛə].
миллиа́рд *м.* mílliàrd; bíllion *амер.* ~**е́р** [-дэ-] *м.,* ~**е́рша** [-дэ-] *ж.* múltimillionáire [-′nɛə]. ~**ный** 1. *порядковое числит.* mílliàrdth; bíllionth *амер.*; 2. *прил.* (*оцениваемый в миллиарды*) worth a mílliàrd; worth a bíllion *амер.*; ~**ные вложе́ния** invéstments of mílliàrds of (*roubles, etc.*); 3. *прил.* (*исчисляемый миллиардами*) rúnning into mílliàrds / bíllions.
миллиба́р *м. метеор.* millibàr.
милливо́льт *м. эл.* míllivòlt.
миллигра́мм *м.* mílligràmme [-græm].
миллиме́тр *м.* míllimètre.
миллиметро́вка *ж. разг.* = миллиметро́вая бума́га см. миллиметро́вый.
миллиметро́в‖**ый**: ~**ая бума́га** square(d) pàper.
миллимикро́н *м.* míllimicròn.
миллио́н *м.* míllion.
миллионе́р *м.,* ~**ша** *ж.* mìllionáire [-′nɛə]; (*перен.*) one who has accómplished smth. which can be éstimàted in míllions of únits; лётчик-~ pìlot who has flown óver a míllion kilòmètres [...floun...].
миллио́н‖**ный** 1. *порядковое числит.* míllionth; 2. *прил.* (*оцениваемый в миллионы*) worth míllions; 3. *прил.* (*исчисляемый миллионами*) míllion strong; ~**ные ма́ссы рабо́чего кла́сса** wórking--clàss míllions.
ми́ло I *прил. кратк. см.* ми́лый I.
ми́ло II *нареч.* nice, níce;ly; (*красиво*) prétty [′prı-], préttily [′prı-].
ми́ловать (*вн.*) *уст.* show* mércy [ʃou...] (*to*), párdon (*d.*), grant párdon [-ɑ:nt...] (*to*).
милова́ть (*вн.*) *поэт.* caréss (*d.*), fóndle (*d.*). ~**ся** *поэт.* exchánge carésses [-′tʃeı-...].
милови́дн‖**ость** *ж.* préttiness [′prı-]. ~**ый** prétty [′prı-].
мило́рд *м.* mílord.
милосе́рд‖**ие** *с.* mércy, chárity; (*мягкость, снисходительность*) clémency; ◇ сестра́ ~**ия** *уст.* (*medical*) nurse. ~**ный** mérciful, chàritable.
ми́лостив‖**ый** *уст.* mérciful; grácious, kind; ◇ ~ **госуда́рь** (*в обращении*) sir; (*в письме*) Sir; (*менее официально*) Dear Sir; ~**ая госуда́рыня** (*в обращении*) mádam [′mæ-]; (*в письме*) Mádam; (*менее официально*) Dear Mádam.
ми́лостын‖**я** *ж. тк. ед.* alms [ɑ:mz], chárity; проси́ть ~**ю** beg, go* bégging; пода́ть ~**ю** (*дт.*) give* alms (*i.*).
ми́лост‖**ь** *ж.* 1. *тк. ед.* (*милосердие*) mércy, chárity; сда́ться на ~ победи́теля surrénder at discrétion [...-′kre-]; отда́ться на ~ кого́-л. throw* òne;self up;ón smb.'s mércy [θrou...]; из ~**и** out of chárity; смени́ть гнев на ~ témper jústice with mércy; 2. (*одолжение*) fávour; сде́лать кому́-л. ~ do smb. a fávour; 3. *разг.* (*расположение*) fávour; grace; сниска́ть чью-л. ~ in;grátiàte òne;self with smb., get* into fávour with smb.; быть в ~**и**

у кого́-л. be in smb.'s good gráces; **4.** (*дар, благодея́ние*) fávour, good deed; не ждать ~ей от приро́ды not wait for bóunties / fávours from náture [...ˈneɪ-]; **5.** *уст.* (*в обращении*) ва́ша ~! your Worship!; ◇ ~и про́сим! *разг.* wélcome!; you are álways wélcome [...ˈɔːlwəz...]; скажи́те на ~! *разг.* you don't say so!; по чьей-л. ~и (*благодаря́ кому́-л.*) owing / thanks to smb. [ˈou-...]; (*по вине́ кого́-л.*) it's all smb.'s fault, becáuse of smb. [-ˈkɔz...]; сде́лайте ~ please, be so kind.

ми́лочка *ж.* (*в обращении*) dear, dárling.

ми́лый I *прил.* **1.** nice, sweet; **2.** (*дорого́й, тж. как обращение*) dárling, dear; ◇ э́то о́чень ми́ло с ва́шей стороны́ that is very kind / nice of you; вот (э́то) ми́ло! a prétty stóry, indéed! [...ˈpriː-...].

ми́лый II *м. скл. как прил.* swéetheart [-hɑːt], dárling.

ми́ля *ж.* mile; англи́йская ~ státute mile, British mile; морска́я ~ geográphical / náutical / sea mile.

мим *м. театр.* mime.

мимети́зм *м. биол.* mímesis [maɪ-], mímicry.

ми́мика *ж.* mímicry; ~ лица́ fácial expréssion.

мимикри́я *ж. биол.* mímicry.

мими́‖**ст** *м.* mime. ~**ческий** mímic.

ми́мо *нареч. и предл.* (*рд.*) past; by: пройти́, прое́хать ~ go* past, pass by; — попада́ть, бить ~ miss; ~! miss (-ed)!; ~ це́ли beside the mark, wide of the mark.

мимое́здом *нареч. разг.* in pássing (by).

мимо́з‖**а** *ж. бот.* mimósa [-zə]. ~**овые** *мн. скл. прил. бот.* mimosáceae [-ˈseɪsɪiː]. ~**овый** *прил. к* мимо́за.

мимолётн‖**ость** *ж.* fléetingness, tránsiency [-z-]. ~**ый** fléeting, tránsient [-z-]; ~ый взгляд (pássing) glance; ~ая встре́ча fléeting encóunter; ~ое сча́стье tránsient háppiness.

мимохо́дом *нареч.* **1.** in pássing (by); **2.** *разг.* (*между прочим*) by the way.

ми́н‖**а I** *ж.* **1.** (*для установки в земле, воде*) mine; ~ загражде́ния bárrage mine [-rɑːʒ-]; закла́дывать ~y (под *вн.*) mine (*d.*); взрыва́ть ~y spring* / fire *a* mine; ста́вить ~ы lay* / plant mines [...-ɑːnt...]; **2.** (*для стрельбы*) mórtar shell / bomb.

ми́н‖**а II** *ж.* (*выражение лица*) cóuntenance, expréssion, mien [miːn]; де́лать ~y look; де́лать весёлую, удивлённую ~y look gay, surprísed; сде́лать ки́слую ~y *разг.* pull / make* a wry face [pul...]; ◇ де́лать хоро́шую, весёлую ~y при плохо́й игре́ put* a brave face on a sórry búsiness [...ˈbɪz-].

минаре́т *м.* mináret.

мингре́л *м.*, ~**ка** *ж.* Mingrélian.

мингре́льский Mingrélian; ~ язы́к Mingrélian, the Mingrélian lánguage.

миндалеви́дн‖**ый** almond-shaped [ˈɑːmənd-]; ~**ая железа́** *анат.* tónsil.

минда́лина *ж.* **1.** álmond [ˈɑːmənd]; **2.** *анат.* tónsil.

минда́ль *м. тк. ед.* **1.** *собир.* (*плод*) álmonds [ˈɑːməndz] *pl.*; **2.** (*дерево*) álmond-tree [ˈɑːmənd-].

минда́льничать (с *тв.*) *разг.* sèntiméntalize (with); be excéssive:ly soft (towards).

минда́льн‖**ый** *прил. к* минда́ль; ~**ое** ма́сло álmond-oil [ˈɑːmənd-]; ~**ое** молоко́ milk of álmonds [...ˈɑːməndz]; ~**ое** пече́нье màcaróon.

минёр *м. воен.* mine-layer; *мор.* tòrpédo-man*.

минера́л *м.* míneral.

минерало́г *м.* mineralógist, spécialist in minerálogy [ˈspe-...].

минералоги́ческий mìneralógical.

минерало́гия *ж.* mìneralógy.

минера́льн‖**ый** míneral; ~**ое** ма́сло míneral oil; ~**ые** удобре́ния míneral fértilizers; ~**ые** во́ды míneral wáters [...ˈwɔː-].

ми́ни *прил. неизм.* míni; ю́бка ~ míniskirt.

миниатю́р‖**а** *ж.* míniature [-njə-]; ◇ в ~е in míniature; сде́лать в ~е моде́ль заво́да make* a míniature módel of *a* plant [...ˈmɔ-...ɑːnt]. ~**ист** *м.*, ~**истка** *ж.* míniature-painter [-njə-], míniaturist [-njə-]. ~**ность** *ж.* díminutiveness. ~**ный 1.** *прил. к* миниатю́ра; **2.** (*очень маленький*) tíny, díminutive.

минима́льный mínimum (*attr.*); ~**ое** коли́чество mínimum quántity.

ми́нимум *м.* mínimum; ~ за́работной пла́ты mínimum wage; прожи́точный ~ líving wage [ˈlɪv-...]; техни́ческий ~ esséntial téchnical quàlifications *pl.*; доводи́ть до ~а (*вн.*) mínimize (*d.*); как ~ at the mínimum, at the least.

мини́ровать *несов. и сов.* (*сов. тж.* замини́ровать; *вн.*) *воен., мор.* mine (*d.*).

министе́рский mìnistérial.

министе́рство *с.* mínistry; board, óffice; depártment *амер.*; Министе́рство торго́вли Mínistry of Trade; Depártment of Trade (*в Англии и США*); Министе́рство вне́шней торго́вли Mínistry of Fóreign Trade [...ˈfɔrɪn...]; Министе́рство вну́тренних дел Mínistry of Intérnal Affáirs; Home Óffice (*в Англии*); Depártment of the Intérior (*в США*); Министе́рство иностра́нных дел Mínistry of Fóreign Affáirs; Fóreign Óffice (*в Англии*); State Depártment (*в США*); Министе́рство оборо́ны Mínistry of Defénce; Министе́рство здравоохране́ния Mínistry of Públic Health [...ˈpʌblɪk helθ]; Depártment of Health (*в Англии и США*); Министе́рство морско́го фло́та Mínistry of the Mérchant Maríne [...-iːn]; морско́е ~ the Ádmiralty (*в Англии*); Návy Depártment (*в США*); Министе́рство просвеще́ния Mínistry of Educátion (*тж. в Англии*); Depártment of Educátion (*в США*); Министе́рство путе́й сообще́ния Mínistry of Ráilways; Министе́рство свя́зи Mínistry of Commùnicátions; Министе́рство се́льского хозя́йства Mínistry of Agriculture; Министе́рство социа́льного обеспе́чения Mínistry of Sócial Wélfare; Министе́рство фина́нсов Mínistry of Fínance [...faɪ-]; Exchéquer, Tréasury [ˈtreʒ-] (*в Англии и в США*); Министе́рство юсти́ции Mínistry of Jústice.

мини́стр *м.* Mínister; Sécretary; Sécretary of State (*в Англии*); това́рищ ~a députy mínister; Únder Sécretary (*в Англии*); полномо́чный ~ Mínister Plènipoténtiary; ~ иностра́нных дел Mínister for Fóreign Affáirs [...ˈfɔrɪn...]; Fóreign Sécretary (*в Англии*); Sécretary of State (*в США*); ~ вну́тренних дел Mínister for Intérnal Affáirs; Home Sécretary (*в Англии*); Sécretary of the Intérior (*в США*); ~ фина́нсов Mínister for Fínance [...faɪ-]; Cháncellor of the Exchéquer (*в Англии*); ~ оборо́ны Defénce Mínister; Sécretary of State for Defénce (*в Англии*); Sécretary of Defénce (*в США*); ~ без портфе́ля Mínister without pòrtfólio.

ми́ни-ю́бка *ж.* míniskirt.

миннези́нгер [-нэ-] *м. ист. лит.* mínnesìngːer.

ми́нн‖**ый** *воен.* mine (*attr.*); ~**ая** ата́ка mine attáck; ~**ая** война́ mine wárfàre; ~**ое** загражде́ние, ~**ое** по́ле *воен.* mine:field [-fiːld]; ~ загради́тель *мор.* mine-layer.

минова́‖**ть** *несов. и сов.* **1.** (*вн., проехать, пройти мимо*) pass (*d.*); **2.** (*рд., избежать*) escápe (*d.*); ему́ э́того не ~ he cánnot escápe it; **3.** (*без доп., окончиться*) be óver, be past; зима́ ~ла (the) winter is óver; бу́ря ~ла the storm has blown óver [...bloun...]; опа́сность ~ла the dánger is past [...ˈdeɪn-...]; ◇ чему́ быть, того́ не посл. what will be will be; мину́я подро́бности omítting détails [...diː-].

мино́га *ж. зоол.* lámprey.

миноиска́тель *м. воен.* mine-detéctor.

миномёт *м. воен.* mórtar, trench mórtar; гварде́йский ~ róсket bárrage wéapon [...-rɑːʒ ˈwep-], múlti-rail róсket láuncher, róсket-truck. ~**ный** *прил. к* миномёт. ~**чик** *м.* mórtar man*.

миноно́сец *м. мор.* tòrpédo-boat; эска́дренный ~ destróyer.

мино́р *м.* **1.** *муз.* mínor key [...kiː]; га́мма соль ~ scale of G mínor [...ˈdʒiː...], G mínor scale; **2.** *разг.* (*грустное настроение*) brown stúdy [...ˈstʌ-]; в ~е not one's úsual bright self [...ˈjuːʒ-...].

мино́р‖**ный 1.** *муз.* mínor; **2.** *разг.* (*грустный*) sad, mèlanchólic [-ˈkɔ-]; быть в ~ном настрое́нии be not one's úsual bright self [...ˈjuːʒ-...].

миносбра́сыватель *м.* mine-reléase slip / méchanism [-ˈliːs...-kə-].

мину́вш‖**ее** *с. скл. как прил.* the past. ~**ий** past; (*прошлый, последний*) last; ~ее вре́мя past time; ~ие дни days gone by [...gɔn...]; by:gòne times / days [-gɔn...]; ~им ле́том last súmmer.

ми́нус *м.* **1.** *мат.* mínus; **2.** *разг.* (*недостаток*) defect, dráwbàck. ~**ов**‖**ый**: ~**ая** температу́ра témperature belów zéro [...ˈlou...].

мину́т‖**а** *ж.* (*в разн. знач.*) mínute [-nɪt]; (*мгновение*) móment; без 20 мину́т четы́ре twénty mínutes to four [...fɔː]; 10 мину́т пя́того ten mínutes past four; подожди́те ~y wait a mínute; сию́ ~y (*только что*) this very mínute

МИН — МИФ

(*сейчас же*) instantly; at once [...wʌns]; (*подождите!*) just a moment; в данную ~y for the moment, at the present moment [...-ez-...]; в одну ~y in no time; in an instant; с ~ы на ~y any minute; ~ в ~y (*очень точно*) to a minute; под влиянием ~ы on the spur of the moment; он не спал ни ~ы he has not slept a wink; в первую ~y at the outset; ~y внимания! attention, please! ~ка *ж. уменьш. от* минута; подождите ~ку! wait a minute / moment! [...ˈmɪnɪt...]. ~ный 1. *прил. к* минута; ~ная стрелка minute-hand [-nɪt-]; 2. (*мгновенный*) momentary [ˈmou-]; (*недолговечный*) short-lived [-ˈlɪ-]; (*преходящий*) transient [-z-]; ephemeral; ~ный промежуток one minute interval [...-nɪt...]; ~ное дело *разг.* it's a moment's work; ~ный успех transient success; ~ная встреча brief encounter [-iːf...].

мину‖ть *сов.* 1. (*пройти*) pass; десять лет ~ло с тех пор ten years have passed since then; 2. (*дт.; исполниться — о возрасте*): ему минуло тридцать лет he has turned thirty; ему скоро минет двадцать лет he will soon be twenty.

миока́рд *м. анат.* myocardium; инфа́ркт ~а *мед.* myocardial infarction.

миокарди́т *м. мед.* myocarditis.

мио́лог *м.* myologist.

миоло́гия *ж.* myology.

мио́ма *ж. мед.* myoma.

миопи́я *ж. мед.* myopia, short-sightedness.

миоце́н *м. геол.* Miocene.

мир I *м.* 1. (*в разн. знач.*) world; universe; происхождение ~a origin of the universe; со всего ~a from every corner of the globe; во всём ~e all over the world, the world over, in the whole world [...houl...]; в ~e нет такой силы there is no such power on earth [...əːθ]; ~ животных animal world; ~ растений vegetable kingdom; литературный ~ literary world; world of letters; окружающий ~ the world around; the surroundings *pl.*; третий ~ *полит.* the third world; 2. *уст.* (*светская жизнь в противопоставлении монастырской*) the world; 3. *ист.* (*сельская община*) village community; ◊ не от ~a сего *разг.* other-worldly, not of this world; ходить по ~y *разг.* beg, be a beggar; live by begging [lɪv...]; пустить по ~y (*вн.*) beggar (*d.*), ruin utterly (*d.*); на ~у и смерть красна *посл.* ≅ company in distress makes trouble less [ˈkʌ-...trʌbl...]; с ~y по нитке — голому рубашка *посл.* ≅ many a little makes a mickle, every little helps; лучший из ~ов the best of all possible worlds.

мир II *м. тк. ед.* (*отсутствие вражды, войны*) peace; в ~e at peace; ~ во всём ~e peace throughout the world; угроза делу ~a a threat / menace to peace [...θret...]; защита ~a defence of peace; защита ~a — дело всех народов the defence of peace is the common cause of all the peoples [...piː-]; движение сторонников ~a a movement of defenders of peace [ˈmuːv-...]; борьба за ~ the fight for peace; оплот ~a a stronghold of peace; ~ победит войну peace will triumph over war; peace will vanquish war; заключить ~ make* peace; почётный ~ peace with honour [...ˈɔnə]; ◊ отпустить кого-л. с ~ом let* smb. go in peace.

мирабе́ль *ж. тк. ед.* 1. *собир.* (*плод*) mirabelle plum [-ˈbel...]; 2. (*дерево*) mirabelle-plum tree [-ˈbel-].

мира́ж *м.* (*прям. и перен.*) mirage [-rɑːʒ], optical illusion.

мира́кль *м. ист. театр.* miracle (-play).

мириа́ды *мн.* myriad [ˈmɪ-] *sg.*

мири́ть, помири́ть, примири́ть (*вн. с тв.*) 1. *при сов.* помири́ть reconcile (*d.* with, to); 2. *при сов.* примири́ть reconcile (*d.* with). ~ся, помири́ться, примири́ться 1. *при сов.* помири́ться (с кем-л.) be reconciled (with smb.), make* it up (with smb.); 2. *при сов.* примири́ться (с чем-л.; *терпимо относиться*) reconcile oneself (to smth.), resign oneself [-ˈzaɪn...] (to smth.); ~ся со своим положением reconcile oneself to one's situation, accept the situation; ~ся с лишениями put* up with hardships; rough it [rʌf...] *разг.*; ~ся с недостатками condone shortcomings; нельзя ~ся с этим that cannot be tolerated, that is too much; нельзя ~ся с таким положением we cannot put up with such a situation.

ми́рно *нареч.* 1. peacefully; 2. (*в согласии*) in harmony; жить ~ (с тв.) live in harmony [lɪv...] (with).

ми́рн‖ый 1. *прил. к* мир II; ~ договор peace treaty, treaty of peace; ~ая конференция conference of peace, peace conference; ~ые переговоры peace negotiations; ~ое урегулирование peaceful settlement; ~ая политика peace policy; в ~ых условиях in time of peace; ~ое время peace-time; ~ труд peaceful labour; ~ое строительство peaceful construction; ~ое развитие peaceful development; ~ое сосуществование peaceful coexistence; 2. (*спокойный*) peaceful; peaceable; ~ая беседа peaceful conversation; ~ пейзаж peaceable landscape.

ми́ро *с. тк. ед. церк.* chrism; ◊ одним ~м мазаны ≅ tarred with the same brush.

миров‖а́я *ж. тк. ед. скл. как прил. разг.* peaceful settlement, amicable arrangement [...əˈreɪ-]; пойти на ~ую come* to an agreement.

мировоззре́ние *с.* world outlook; (*идеология*) ideology [aɪ-], attitude; *филос.* Weltanschauung [ˈvelt'ɑːnʃauuŋ]; марксистско-ленинское ~ the Marxist-Leninist outlook.

миров‖о́й I 1. *прил. к* мир I 1; ~ое пространство outer space; ~а́я война World War; ~ое хозяйство world economy [...iː-]; ~ рынок world market; ~а́я система социализма the world system of socialism; ~ое сообщество world community; в ~ом масштабе on a world scale; событие ~о́го значения event of world import / importance; ~а́я скорбь *ист. лит.* Weltschmerz [ˈveltʃmerts]; 2. *разг.* (*очень хороший*) first-rate, first-class; он парень ~ he is a first-class pal.

миров‖о́й II (*примирительный*): ~ посредник *ист.* conciliator, arbitrator; ~ судья *ист.* Justice of the Peace (*сокр.* J.P.).

мирое́д *м. уст. презр.* extortioner, blood-sucker [ˈblʌd-] (*of rich peasants in pre-revolutionary Russia*).

мирозда́ние *с.* (*вселенная*) the universe.

миролюби́‖вость *ж.* peaceable disposition [...-ˈzɪ-]. ~вый peaceable, peace-loving [-lʌv-]; ~вая страна peace-loving country [ˈkʌ-]; ~вая внешняя политика Советского Союза the peaceful foreign policy of the Soviet Union [...ˈfɔrɪn...].

миролю́бие *с.* peaceableness, peaceful disposition [...-ˈzɪ-].

миропома́зание *с. тк. ед. церк.* anointing, unction.

миро‖понима́ние *с.*, ~созерца́ние *с.* = мировоззрение.

миротво́р‖ец *м.* peacemaker. ~ческий peacemaking (*attr.*).

ми́рра *ж.* myrrh [məː].

мирск‖о́й 1. mundane; ~а́я молва́, что морская волна *посл.* ≅ rumour is a bubble that soon bursts; 2. *уст.* (*светский*) secular, lay, temporal; 3. *уст.* (*относящийся к сельской общине*) village-community (*attr.*).

мирт *м. бот.* myrtle. ~овый *прил. к* мирт.

миря́нин *м. уст.* layman*.

ми́ска *ж.* bowl [boul]; (*большая*) basin [ˈbeɪsn]; (*суповая*) tureen.

мисс *ж. нескл.* Miss.

миссионе́р *м.* missionary. ~ский *прил. к* миссионер. ~ство *с. тк. ед.* missions *pl.*; missionary work.

ми́ссис *ж. нескл.* missis, missus, Mrs. [ˈmɪsɪz].

ми́ссия *ж.* (*в разн. знач.*) mission; (*дипломатическое представительство тж.*) legation.

ми́стер *м.* mister, Mr. [ˈmɪstə].

мисте́рия *ж.* 1. (*таинство*) mystery; 2. (*драма*) mystery-play, miracle(-play).

ми́стик *м.* mystic. ~a *ж.* mysticism.

мистифи‖ка́тор *м.* mystifier, hoaxer *разг.* ~ка́ция *ж.* mystification; practical joke, hoax; leg-pull [-pul] *разг.* ~ци́ровать *несов. и сов.* (*вн.*) mystify (*d.*); hoax (*d.*), pull smb.'s leg [pul...] *разг.*

мист‖ици́зм *м.* mysticism. ~и́ческий mystic(al).

мистра́ль *м. геогр.* mistral.

ми́тинг *м.* meeting; (political) mass-meeting; rally *амер.*

митингова́ть *разг.* hold* meetings; (*перен.*) hold* endless discussions.

ми́тинговый *прил. к* митинг.

миткалёвый *прил. к* митка́ль.

митка́ль *м. текст.* calico.

ми́тра *ж. церк.* mitre.

митрополи́т *м. церк.* metropolitan.

миф *м.* (*прям. и перен.*) myth. ~и́ческий (*прям. и перен.*) mythic(al); ~и́ческая личность mythical personage.

МОЛ — МОН

молоде́цк∥ий vàliant ['væ-], méttle;-some; ýдаль ~ая vàlour ['væ-].
молоде́чество с. displáy of cóurage [...'kʌ-]; bóldness.
молоди́ть (вн.) разг. make* (d.) look yóunger [...'jʌŋ-]. **-ся** разг. try to look yóunger than one's age [...'jʌŋ-...].
моло́дка ж. 1. (о же́нщине) young márried wóman* [jʌŋ...'wu-]; 2. (о ку́рице) púllet ['pu-].
молодня́к м. тк. ед. 1. (по́росль моло́дого ле́са) young growth [jʌŋ -ouθ]; sáplings ['sæ-] pl.; 2. собир. (о скоте́) young ánimals pl.; (о зверя́х в зоопа́рке) cubs pl.; 3. собир. разг. (молодёжь) the yóunger generátion [...'jʌŋ-...], the youth [...ju:θ].
молодожёны мн. the néwly-màrried couple [...kʌpl] sg., néwly-wéds.
молод∥о́й 1. прил. yóuthful ['ju:θ-]; (о неодушевлённых предме́тах) new; ~о́е поколе́ние the yóung(er) generátion [...'jʌŋ-...]; ~ы́е избира́тели the young eléctors; ~ задо́р yóuthful hót-héadedness [-'hed-]; ~ ме́сяц new moon; ~ карто́фель new potátoes pl.; ~о́е вино́ new wine; мо́лодо вы́глядеть (для свои́х лет) look young for one's age; мо́лод года́ми young in years; **2.** м. как сущ. bríde;gròom; ◇ мо́лодо-зе́лено he, she, etc., has a lot to learn! [...lə:n]; he, she, etc., is still wet behínd the ears идио́м. разг.
мо́лодост∥ь ж. youth [ju:θ]; ◇ втора́я ~ sécond youth / spring ['se-...]; не пе́рвой ~и разг. not in one's first youth; по ~и лет: он по ~и лет не понима́ет э́того he is much too young to únderstand it [...jʌŋ...].
молоду́ха ж. разг. young márried (péasant) wóman* [jʌŋ...'pez- 'wu-].
молодцева́т∥ость ж. dáshing appéarance, spríghtliness, swágger ['swæ-]. **~ый** dáshing, spríghtly.
молодча́га м. и ж. тк. ед. разг. fine féllow; (о же́нщине тж.) fine girl [...g-].
моло́дчик м. разг. **1.** swell; **2.** об. мн. cút-throats; фаши́стские ~и fáscist thugs.
молодчи́на м. и ж. тк. ед. разг. fine féllow, brick; ~! good lad!, well done!, that's my boy!, that's my girl! [...g-].
молоды́е мн. скл. как прил. the néwly-márried couple [...jʌŋ kʌ-] sg., néwly-wéds.
мо́лодь ж. собир. (о ры́бе) fry.
моложа́в∥о нареч. — вы́глядеть look yóuthful [...'ju:θ-], have yóuthful looks. **~ость** ж. yóuthful looks ['ju:θ-] pl. **~ый** yóung-lóoking ['jʌŋ-], young for his age [jʌŋ...]; име́ть ~ый вид look young for one's age.
моло́зиво с. тк. ед. colóstrum; (молоко́ новоте́льной коро́вы) béestings pl.
моло́ки мн. анат. soft roe sg., milt sg.
молок∥о́ с. milk; ◇ у него́ ~ на губа́х не обсо́хло ≅ he is still green; he is wet behínd the ears; впита́ть с ~о́м ма́тери imbíbe, или take* in,

with one's móther's milk [...'mʌ-]; обжёгшись на ~е́, бу́дешь дуть и на́ воду посл. ≅ the burnt child dreads the fire [...dredz...]; once bítten, twice shy [wʌns...].
молокосо́с м. разг. gréenhòrn; raw youth [...ju:θ]; súcker амер.
мо́лот м. hámmer; серп и ~ hámmer and sickle; кузне́чный ~ slédge-hàmmer; ◇ ме́жду ~ом и накова́льней between the hámmer and the ánvil; between the dévil and the deep (blue) sea.
молоти́∥лка ж. с.-х. thréshing-machine [-ʃi:n], thrésher. **~льщик** м. thrésher.
молоти́ть, смолоти́ть (вн.) thresh (d.), thrash (d.).
молотобо́ец м. hámmerer, hámmer;-man*; blácksmith's striker.
молот∥о́к м. hámmer; деревя́нный ~ ма́ллет; ◇ продава́ть с ~ка́ (вн.) sell* by áuction (d.); пойти́ с ~ка́ come* únder the hámmer, be áuctioned off. **~о́чек** м. **1.** уменьш. от молото́к; **2.** анат. málleus.
мо́лот-ры́ба ж. hámmer-fish, hámmer-head shark [-hed...].
моло́ть, смоло́ть (вн.) grind* (d.), mill (d.); ◇ ~ вздор разг. talk nónsense / rot.
молотьба́ ж. **1.** (де́йствие) thréshing; **2.** (вре́мя) hárvest (season).
молоча́∥й, **~ник** м. тк. ед. бот. spurge; euphórbia.
моло́чная ж. скл. как прил. dáiry, créamery.
моло́чник I м. (посу́да) milk-jùg; mílk-càn.
моло́чник II м. (продаве́ц молока́) mílk;màn*, mílk-sèller.
моло́чница I ж. (продавщи́ца молока́) mílk;wòman* [-wu-], mílk-sèller; dáiry-màid.
моло́чница II ж. (боле́знь) thrush.
моло́чно-воскова́∥й: ~ая спе́лость (о кукуру́зе) mílk-wàx stage of rípe;ness [-wæ-...].
моло́чн∥ый 1. прил. к молоко́; тж. mílky; ~ режи́м, ~ая дие́та milk díet; ~ое хозя́йство dáiry-fàrm; dáiry-fàrm-ing; ~ые проду́кты dáiry próduce sg.; ~ая ка́ша milk pórridge; ~ая торго́вля créamery; **2.** хим. láctic; ~ая кислота́ láctic ácid; ~ са́хар mílk-sùgar [-ʃu-]; láctòse [-s]; ◇ ~ое стекло́ fróst-ed glass; ~ая коро́ва mílking / milch cow, mílker; ~ые зу́бы mílk-teeth, báby-teeth; ~ брат fóster-bròther [-brʌ-]; ~ая сестра́ fóster-sister; ~ые ре́ки в кисе́льных берега́х land of milk and hóney [...'hʌ-].
мо́лча нареч. sílent;ly, tácitly, without a word.
молчали́в∥ость ж. tacitúrnity, réticence. **~ый 1.** (неразгово́рчивый) tacitúrn, sílent; **2.** (понима́емый без слов) tácit, únspóken; ~ое согла́сие tácit conséent; àcquiéscence.
молча́льн∥ик м., **~ица** ж. **1.** церк. one who has táken a vow of sílence [...'saɪ-]; **2.** разг. (молчали́вый челове́к) tacitúrn / ùn;commúnicative pérson.
молча́ние с. sílence ['saɪ-]; храни́ть ~ keep* sílence; нару́шить ~ break* the sílence [breɪk...]; обойти́ что-л. ~м

pass smth. by / óver in sílence; ~ — знак согла́сия посл. ≅ silence gives conséent.
молча́нк∥а ж.: игра́ть в ~y разг. keep* one's mouth shut, refúse to commít òne;sélf by expréssing an opínion; fail to keep up sócial chít-chàt.
молча́ть 1. keep* sílence [...'saɪ-], keep* / be sílent; упо́рно ~ refúse to útter a word; refúse to ópen one's mouth; ~! sílence!, be sílent!; shut up! разг.; **2.** (сноси́ть что-л. безропо́тно) make* no compláint; **3.** (о пр.; соблюда́ть в та́йне) keep* sécret (d.); keep* it dark.
молчко́м нареч. разг. = мо́лча.
молчо́к преди́к. разг.: об э́том ~! not a word of / abóut this!
молчу́∥н м., **~нья** ж. разг. tacitúrn / sílent pérson.
моль I ж. (clóthes-)mòth ['kloʊ-]; изъе́денный ~ю móth-eaten.
моль II ж. (сплавно́й лес) stréam-driven tímber [-ɪv-...].
мольба́ ж. entréaty, supplicátion.
мольбе́рт м. éasel [-zˑl].
моме́нт м. **1.** móment, ínstant; в э́тот са́мый ~ at that very ínstant; в любо́й ~ at any móment; в оди́н ~ in a móment; в тот ~, когда́ at a móment, when; до изве́стного ~а up to a cértain móment; удо́бный ~ òpportúnity; **2.** (черта́, осо́бенность) féature; э́то интере́сный ~ that is an ínteresting áspect / side of the mátter; **3.** физ. móment; ~ си́лы force móment; ~ ине́рции inértia móment; ◇ теку́щий, настоя́щий ~ the présent situátion [...'prez-...].
момента́льн∥о нареч. ínstantly, in a móment. **~ый** ìnstantáneous, ínstant; ~ сни́мок snápshòt.
моме́нтами нареч. now and then.
мона́да ж. филос. mónad ['mɔ-].
мона́рх м. mónarch ['mɔnək]; sóvereign [-vrɪn]. **~и́зм** м. mónarchism [-k-]. **~и́ст** м. mónarchist [-k-]. **~и́ческий** [-k-] (attr.), mònárchic(al) [-kɪk-], mònárchal [-k-]; ~и́ческая па́ртия mónarchist párty. **~ия** ж. mónarchy [-kɪ]; абсолю́тная ~ия àbsolúte mónarchy; конституцио́нная ~ия cònstitútional mónarchy.
мона́рший прил. к мона́рх; тж. mònárchic(al) [-kɪ-], mònárchal [-k-].
монасты́рский прил. к монасты́рь; тж. monástic, clóistral.
монасты́рь м. clóister; (католи́ческий) ábbey; (мужско́й) mónastery [-trɪ], fríary; (же́нский) núnnery, cónvent; заключи́ть в ~ (вн.) clóister (d.); ◇ в чужо́й ~ со свои́м уста́вом не хо́дят посл. ≅ when in Rome do as the Rómans do.
мона́∥х м. monk [mʌ-]; постри́чься в ~хи take* the monástic vows; жить ~хом (перен.) have a mónkish exístence [...'mʌ-...]. **~хиня** ж. nun; постри́чься в ~хини take* the veil. **~шенка** ж. **1.** разг. = мона́хиня; **2.** зоол. (práy-ing) mántis (pl. mántes). **~шеский** монáстic; ~шеский óрден monástic órder; ~шеское одея́ние monástic clothes [...kloʊ-] pl. **~шество** с. **1.** mónkhood ['mʌŋkhud]; monásticism; **2.** собир. régular / black clérgy; monks [mʌ-] pl.

2. (*изготовленный по последним образцам моды*) fáshionable. ~щик [-дэ-] *м.* módeller, páttern-màker.

модéрн [-дэ-] *м.* módernist style ['mɔ-].

модерниз‖áция [-дэ-] *ж.* mòdernizátion [-naɪ-]. ~и́ровать [-дэ-] *несов. и сов.* (*вн.*) módernize (*d.*).

модéрн‖изм [-дэ-] *м. иск.* módernism. ~и́ст *м. иск.* módernist. ~и́стский *иск.* módernist.

модéрновый [-дэ-], **модéрный** [-дэ-] *разг.* módern ['mɔ-].

моди́стка *ж. уст.* mílliner, modíste [-'diːst].

модифи‖кáция *ж.* mòdificátion. ~ци́ровать *несов. и сов.* (*вн.*) módify (*d.*).

мóдн‖ик *м. разг.* dándy, man* of fáshion. ~ица *ж.* [...ˈwu-], wóman* of fáshion. ~ичать *разг.* (*следовать моде*) fóllow the fáshion, dress in the látest fáshion. ~ый 1. (*по моде*) fáshionable, stýlish ['staɪ-]; всегдá ~о éver pópular; 2. *прил.* к мóда. ~ый журнáл fáshion jóurnal / màgazine [...ˈdʒə- -ˈziːn]; ~ая карти́нка fáshion-plàte.

модули́ровать 1. (*без доп.*) *муз.* módulàte; **2.** (*вн.*) *физ.* módulàte (*d.*), contról [-oul].

мóдуль *м.* módulus (*pl.* -luses, -li); módule.

модуля́ция *ж. муз., тех.* mòdulátion; сéточная ~ *рад.* grid mòdulátion; частóтная ~ *рад.* fréquency mòdulátion ['friː-...].

мóдус *м.* módus (*pl.* módì ['mou-]); ◊ ~ виве́нди módus vivéndi.

моё *с. см.* мой 1.

мóжет 3 *л. ед. см.* мочь I.

можжевéлов‖ый júniper (*attr.*); ~ая настóйка genéva, gin, Hóllands.

можжевéльник *м. бот.* júniper.

мóжно *предик. безл.* (+ *инф.*; *возможно*) one can (+ *inf.*); (*позволительно*) one may (+ *inf.*): э́то ~ прочéсть one can read it; здесь ~ кури́ть one may smoke here; — э́то ~ сде́лать it can be done; one can do it; ~ добáвить it may be ádded; е́сли ~ if (it is) póssible; е́сли ~ так вы́разиться if one may put it that way; как ~ бо́льше as much as póssible; как ~ скорéе as soon as póssible; как ~ лу́чше as well as póssible; как ~ ра́ньше as éarly as póssible [...ˈəːl...]; ~ мне войти́? may I come in?; ~ откры́ть окно́? may I ópen the wíndow?; ◊ как ~! *разг.* how can this be?, is it póssible?

моза́‖ика *ж.* mosáic [-ˈz-], ínlày. ~ичный tésselláted, mosáic [-ˈz-], ínlàid; ~ичная рабóта ínlàid work; ~ичная карти́на mosáic; ínlàid pícture.

мозг *м.* **1.** brain; головнóй ~ brain; cérebrum *научн.*; спиннóй ~ spínal cord; **2.** (*костный*) márrow; **3.** *мн.* (*кушанье*) (dish of) brains; теля́чьи ~и́ calves' brains [kɑː-...]; ◊ до ~а костéй to the core, to the márrow of one's bones; продро́гнуть до ~а костéй be chilled to the bone / márrow; шевели́ть ~а́ми *разг.* use one's brains, put* on one's thínking-càp.

мóзглый *разг.* = промóзглый.

мозгови́тый *разг.* bráiny.

мозгов‖óй *анат.* cérebral; (*перен.*) brain (*attr.*); ~áя оболóчка cérebral mémbràne; ~óе заболевáние cérebral diséase [...ˈziːz]; diséase of the brain; ~áя рабóта brain work.

мозжечóк [можьже-] *м. анат.* cèrebéllum.

мозоли́н *м.* córn-cùre.

мозóлист‖ый *прил.* cállous, hórny; tóil-hárdened; ~ые ру́ки hórny hands; (*трудовые*) tóil-hárdened hands.

мозóл‖ить, намозóлить (*вн.*) *разг.* make* cállous (*d.*); ~ ру́ки make* one's hands cállous (*d.*); ◊ ~ комý-л. глазá be an éye;sòre to smb. [...ˈaɪ-...], plague smb. with one's présence [pleɪg...-z-]; он ~ит мне глазá I can't stand the sight of him [...kɑːnt...].

мозóль *ж.* corn, càllósity; ◊ наступи́ть комý-л. на люби́мую ~ *разг.* tread* on smb.'s pet corn [tred...]; touch smb. on a sore place [tʌtʃ...]. ~ный: ~ный пла́стырь córn-plàster; ~ный оперáтор córncùtter, chirópodist [k-].

мой *мест.* **1.** (*при сущ.*) my; (*без сущ.*) mine: э́то ~ карандáш this is my péncil; э́тот карандáш ~ this péncil is mine; ваш карандáш здесь, а ~ там your péncil is here and mine is there; по моему́ мне́нию in my opínion; **2.** *мн.* (*в знач. сущ.*) my péople [...piː-]; ◊ э́то моё де́ло that's my own búsiness [...oun ˈbɪzn-]; он рабóтает бо́льше моего́ he works more than I do.

мóйка *ж.* **1.** (*действие*) wáshing; **2.** (*раковина для мытья посуды*) sink.

мóйщ‖ик *м.* wásher;man*. ~ица *ж.* wásher;wòman* [-wu-].

мокаси́ны *мн.* (*ед.* мокаси́н *м.*) móccasins.

мóкко *м. нескл.* Mócha [ˈmoukə].

мóкнуть get* wet; (*быть погружённым в жидкость*) soak; ~ под дождём be out in the rain.

мокри́ца *ж. зоол.* wóod-louse* [ˈwud- -laus].

мóкро 1. *прил. кратк. см.* мóкрый; **2.** *предик. безл.* it is wet; на у́лице ~ it is wet out of doors [...dɔːz]; it's wet óutside.

мокровáтый moist, wéttish.

мокрóт‖а *ж.* phlegm [-em]; отхáркивать ~у clear the phlegm from one's throat, cough up phlegm [kɔf...].

мокрот́а *ж. разг.* humídity.

мóкр‖ый wet, moist; (*пропитанный влагой*) sóggy; ~ до ни́тки wet to the skin; ~, хоть вы́жми wríng;ing wet; ◊ ~ая ку́рица *разг.* mílksòp; у неё глазá на ~ом ме́сте *разг.* she is éasily moved to tears [...ˈiːz- muːvd...]; ~ое ме́сто от тебя́ останется!, ~ого ме́ста от тебя́ не останется! ≅ I'll make short shrift of you!; ~ое де́ло *разг.* múrder, assàssinátion.

мóкрядь *ж. разг.* humídity, móistness.

мол I *м.* pier [pɪə], bréakwàter [ˈbreɪkwɔː-], jétty.

мол II *вводн. сл. разг.* he says, they say, *etc.* [...sez...]: он, ~, э́того не знал he says he did not know it [...nou...].

молвá *ж. тк. ед.* **1.** rúmour; cómmon talk; идёт ~, что it is rúmour;ed that; **2.** (*репутация*) fame.

мóлвить *сов.* (*вн.*) *уст., поэт.* say* (*d.*).

молдавá‖нин *м.*, ~ка *ж.*, ~ский Mòldávian.

молдáвский Mòldávian; ~ язы́к Mòldávian, the Mòldávian lánguage.

молéб‖ен *м.*, ~ствие *с. церк.* públic prayer [ˈprʌ- prɛə]; church sérvice; отслужи́ть благодáрственный ~ hold* a thanks;gíving sérvice.

молéкул‖а *ж.* mólecùle. ~я́рный molécular; ~я́рный вес molécular weight.

молéль‖ня *ж.* méeting-house* [-s], chápel [ˈtʃæ-]. ~ние *с.* **1.** *рел.* práying; **2.** *поэт.* (*мольба*) sùpplicátion.

молески́н *м. текст.* móle;skin. ~овый *прил.* к молески́н.

молибдéн [-дэн] *м. хим.* mòlybdénum. ~овый [-дэ-] *прил.* к молибдéн.

моли́т‖ва *ж.* prayer [prɛə]. ~венник *м.* práyer-book [ˈprɛə-].

моли́ть (*вн. о пр.*) pray (*d.* for), entréat (*d.* for), súpplicàte (*d.* for), implóre (*d.* for); ~ о пощáде ask for quárter, cry quárter, cry for mércy.

моли́ться, помоли́ться **1.** (*дт.*) pray (to), óffer prayers [...prɛəz] (to); **2.** *тк. несов.* (на вн.; *боготворить*) adóre (*d.*), ídolize [ˈaɪ-] (*d.*).

моллю́ск *м. зоол.* móllusc; (*в раковине*) shéllfish. ~овый *прил.* к моллю́ск.

моллюскообрáзный *зоол.* mòlláscous.

молниенóсно I *прил. кратк. см.* молниенóсный.

молниенóсн‖о II *нареч.* with líghtning speed. ~ый (quick as) líghtning; с ~ой быстротóй with líghtning speed; ~ый удáр líghtning stroke; ~ая войнá Blítzkrieg [ˈblɪtskriːg].

молниеотвóд *м.* líghtning-condùctor, líghtning-ròd.

мóлн‖ия *ж.* **1.** líghtning; шаровáя ~ glóbe-líghtning, fíre-bàll; зигзагообрáзная ~ forked líghtning; с быстротóй ~ии with líghtning speed; **2.** (*застёжка*) zípper, zíp-fàstener [-s*n-]; (*срочная телеграмма*) èxpréss-tèlegràm; **4.** (*стенная газета*) néws-flàsh.

молодáя *ж. скл. как прил.* bride.

молодёжн‖ый youth [juːθ] (*attr.*), young péople's [jʌŋ piː-]; ~ая бригáда youth brigáde, youth team.

молодёжь *ж. тк. ед. собир.* youth [juːθ]; young péople [jʌŋ piː-] *pl.*; учáщаяся ~ stúdents *pl.*

молодéнький *разг.* (very) young [...jʌŋ].

молодéть, помолодéть look yóunger [...ˈjʌŋ-]; (*чувствовать себя молодым*) grow* young agáin [grou jʌŋ...].

молодéц *м. поэт.* brave.

молодéц *м.* fine féllow; (*о женщине*) fine girl [...g-]; brick *разг.*; вести́ себя́ ~цóм put* up a good show [...ʃou]; be up to the mark *разг.*; ~! *разг.* well done!; that's a boy!; ~ к ~у́ stúrdy / strong to a man; ◊ ~ про́тив ове́ц, а про́тив ~цá — сам овцá *погов.* brave befóre a lamb, but a lamb befóre the brave.

МОД—МОЛ **М**

мона́шка *ж. разг.* = мона́хиня.
монго́л *м.*, **~ка** *ж.* Móngòl, Mòngólian.
монго́льский Mòngólian; ~ язы́к Mòngólian, the Mòngólian lánguage.
моне́т||а *ж.* coin; зво́нкая ~ spécie [-ʃiː]; hard cash; ходя́чая ~ cúrrency, cúrrent coin; разме́нная ~ change [tʃeɪ-]; ◊ отплати́ть кому́-л. той же ~ой *разг.* pay* smb. (back) in his own coin [...oun...]; приня́ть что-л. за чи́стую ~у *разг.* take* smth. at its face válue, take* smth. in all good faith. **~ный** mónetary [ˈmʌ-]; ~ный двор mint (place); ~ная систе́ма mónetary sýstem. **~чик** *м.* cóiner.
мон||и́зм *м. филос.* mónism. **~исти́ческий** *филос.* monístic.
мони́сто *с.* nécklace.
монито́р *м. мор.* mónitor.
монога́мия *ж.* mónogamy.
моногени́зм *м. биол.* mónogenism.
моногра́мма *ж.* mónogràm, cípher [ˈsaɪ-].
моно||графи́ческий mònográphic. **~гра́фия** *ж.* mónogràph.
моно́кль *м.* (single) éye-glàss [...ˈaɪ-], mónocle.
моноко́к *м. ав.* mònocóque [-ˈkɔːk].
монокульту́ра *ж. с.-х.* óne-cròp / single-cròp sýstem, mónocùlture.
моноли́т *м.* mónolith. **~ность** *ж.* [...ˈkæ-], solídity, fírmness. **~ный** mònolíthic [...ˈkæ-]. (*перен.*) sólid, mássive.
моноло́г *м.* mónologue [-lɔg], solíloquy; произноси́ть ~ solíloquize. **~и́ческий:** ~и́ческая речь mónologue [-lɔg].
моно́м *м. мат.* mónomial.
мономáн *м. мед.* mónomàniàc. **~ия** *ж. мед.* mónománia.
монометалл||и́зм *м. эк.* mònomètallism. **~и́ческий** *эк.* mònomètállic.
монопла́н *м. ав.* mónoplàne.
монополиз||а́ция *ж.* monopolizátion [-laɪ-]. **~и́ровать** *несов. и сов.* (*вн.*) monópolize (*d.*).
монополи́ст *м.* monópolist. **~и́ческий** monópolístic; ~и́ческий капита́л monópolístic cápital.
монопо́лия *ж.* monópoly; ~ вне́шней торго́вли monópoly of fóreign trade [...ˈfɔrɪn...]; ~ хле́бной торго́вли grain monópoly.
монопо́льн||ый monópolístic, exclúsive; ~ая цена́ monópolístic / exclúsive price; ~ая ре́нта exclúsive rent; ~ое пра́во monópoly; exclúsive rights *pl.*
монорéльс *м. ж.-д., тех.* mónorail. **~овый:** ~овая доро́га mónorail.
моноте||и́зм [-тэ-] *м. филос.* mónothèìsm. **~исти́ческий** [-тэ-] *филос.* mònothèístic.
моноти́п *м. полигр.* mónotỳpe. **~и́ст** *м.* mónotỳpe óperàtor. **~ный** *прил. к* моноти́п.
моното́нн||ость *ж.* monótony. **~ый** monótonous.
монофто́нг *м. лингв.* mónophthòng.
моноха́рд *м. муз.* mónochòrd [-k-].
монохромати́ческий *опт.* mònochromátic [-noukrou-].
монпансье́ *с. нескл.* fruit drops [fruːt...] *pl.*

монстр *м.* mónster.
монта́ж *м.* 1. (*сборка и установка машин*) assémbling, móunting, eréction, instálling; 2. *иск.* móunting; (*в кино*) montáge [-ˈtɑːʒ]; ~ о́перы по ра́дио arránge:ment of *an* ópera for rádio [-em-...]. **~ник** *м.* fítter, rígger, eréctor. **~ный** assémbly (*attr.*).
монтанья́р *м. ист.* montagnard (*фр.*) [mɔːŋtɑːˈnjɑːr].
монтёр *м.* 1. fítter; 2. (*электромонтёр*) electrícian.
монти́ровать, смонти́ровать (*вн.*) 1. assémble (*d.*), fit (*d.*), mount (*d.*); 2. *иск., кин., лит.* arránge [-eɪndʒ] (*d.*), mount (*d.*).
монтиро́вщик *м.* 1. (*монтажник*) rígger, fítter; 2. (*кино*) film éditor.
монуме́нт *м.* mónument. **~а́льный** mònuméntal.
мопе́д *м.* móped; mótorized bícycle [ˈmou-ˈbaɪ-]; mótor bike *разг.*
мопс *м.* pug(-dòg).
мор *м. разг.* péstilence, whóle:sale deaths [...deθs] *pl.*
морал||изи́ровать móralize. **~и́ст** *м.* móralist.
моралитé [-тэ-] *с. нескл. ист. театр.* morálity play.
мора́ль *ж.* móral [ˈmɔ-]; (*учение*) móral philósophy, éthics; (*нравственность*) mórals *pl.*; коммунисти́ческая ~ cómmunist morálity / éthics; ◊ чита́ть ~ móralize; прописна́я ~ cópy-book morálity / máxims [ˈkɔ-...].
мора́льно-полити́ческ||ий móral and polítical [ˈmɔ-...]; ~ое еди́нство сове́тского наро́да móral and polítical únity of the Sóviet people [...piː-].
мора́льн||ый móral [ˈmɔ-], éthical; (*противоп. физический*) spíritual, méntal; ~ое состоя́ние mòrále [-ɑːl]; ◊ ~ износ, ~ое изна́шивание маши́н obsoléscence of machínes [...-ˈfiːnz] .
морато́ри||й *м.*, ~ум *м. фин.* mòratórium; объяви́ть ~ decrée a mòratórium.
морг *м.* morgue [mɔːg], mórtuary.
морганати́ческий mòrganátic.
морг||а́ть, моргну́ть 1. blink; 2. (*дт.*) wink (at); ◊ гла́зом не ~ну́в *разг.* without bátting an éye:lid [...-aɪ-]; не успе́ть гла́зом моргну́ть befóre one could say «knife». **~ну́ть** *сов. см.* морга́ть.
мо́рд||а *ж.* 1. muzzle; snout; 2. *груб.* (*о лице*) (úgly) face [ˈʌg-...]; mug.
морда́стый *разг.* 1. with a large muzzle; 2. (*о человеке*) with a big, fat face.
мордви́н *м.*, **~ка** *ж.* Mòrdóvian.
мордобо́й *м. разг.* fight, scúffle.
мордова́ть, замордова́ть (*вн.*) *разг.* 1. (*избивать*) beat* up (*d.*); 2. (*зло преследовать*) pérsecute (*d.*), víctimize (*d.*).
мордо́в||ка *ж.* = мордви́нка. **~ский** Mòrdvínian; ~ский язы́к Mòrdvínian, the Mòrdvínian lánguage.
мо́р||е *с.* sea; (*перен.; большое количество*) ócean [ˈouʃ°n]; откры́тое ~ the ópen sea; the high seas *pl.*; вы́йти в ~ put* to sea; éхать ~ем go* by sea; в откры́том, на откры́том мо́ре, on the high seas; на́ ~ at sea; у ~я by the sea; (*на берегу моря — отдыха́ть и т. п.*) at the séaside;

за ~ем, за ~ óver:séa(s), óver / beyónd the sea; из-за ~я from óver:séas; ◊ ему́ ~ по коле́но he does'nt give a damn; ждать у ~я пого́ды ≅ wait in vain for smth.
море́н||а *ж. геол.* moráine. **~ный** *геол.* moráinal, moráinic; ~ный ландша́фт moráine lándscape.
морёный (*о дереве*) stained; ~ дуб fumed oak.
морепла́ва||ние *с.* nàvigátion, séafàring. **~тель** *м.* nàvigàtor, séafàrer. **~тельный** náutical.
морехо́д *м. уст.* = морепла́ватель. **~ность** *ж. мор.* séa:wòrthiness [-ðɪ-]. **~ный** náutical, séafàring. **~ство** *с.* nàvigátion.
морж *м.* 1. *зоол.* wálrus [ˈwɔː-]; 2. *разг.* (*любитель зимнего купания в реке и т. п.*) wínter-swímmer (*in open air pools*). **~и́ха** *ж.* 1. *зоол.* fémale wálrus [ˈfiː-ˈwɔː-]; 2. *ж. к* морж 2. **~о́вый** *прил. к* морж 1.
Мо́рзе: а́збука ~ Morse álphabet / code; аппара́т ~ Morse appáratus.
морзя́нка *ж. разг.* Morse code.
мори́лка I *ж. разг.* (*жидкость для уничтожения насекомых*) insécticide.
мори́лка II *ж.* (*едкая жидкость для пропитывания поверхности дерева*) mórdant.
мори́ть I (*вн.*) 1. (*уничтожать*) extérminàte (*d.*); 2. (*мучить*) exháust (*d.*); wear* out [wɛə...] (*d.*); ~ го́лодом starve (*d.*).
мори́ть II (*вн.*; *о дереве*) stain (*d.*); ~ дуб fume oak.
морко́вный *прил. к* морко́вь.
морко́вь *ж. тк. ед.* cárrot; *собир.* cárrots *pl.*
моров||о́й *уст.* péstilent; ~а́я я́зва péstilence.
моро́жен||ица *ж.* fréezer, íce-crèam mould [...mould]. **~ое** *с. скл. как прил.* íce-crèam; ~ое с ва́флями íce-crèam wáfer; по́рция ~ого a pórtion of íce-crèam. **~щик** *м.* íce-crèam véndor; íce-crèam man*. **~щица** *ж.* íce-crèam véndor; íce-crèam wóman* [...ˈwu-]. **~ый** frózen, chilled; ~ое мя́со chilled / frózen meat.
моро́з *м.* frost; (*морозная погода*) fréezing wéather [...ˈweðə]; 10 гра́дусов ~a 10 degrées of frost; си́льный ~ hard / sharp / bítter frost; сего́дня си́льный ~ it is fréezing hard to:dáy; треску́чий ~ ríng:ing frost; ◊ ~ по ко́же подира́ет *разг.* ≅ it makes one's flesh creep, it makes one shíver [ˈʃɪ-].
моро́зи́льн||ик *м.* deep freeze, déep-fréezer. **~ый:** ~ый тра́улер refrígeràtor tráwler.
моро́з||ить 1. (*вн.*) freeze* (*d.*), con:géal (*d.*); 2. *безл.* — ~ит it freezes, it is fréezing. **~но** *предик. безл.* it freezes. **~ный** frósty; ~ный день frósty day.
морозосто́йк||ий fróst-hàrdy, fróst-resístant [-ˈzɪ-]. **~ость** *ж.* fróst-resístance [-ˈzɪ-]; ~ость расте́ний the resístance of plants to frost [...-ˈzɪ-...-ɑːnts...].
морозоусто́йчив||ость *ж.* = морозосто́йкость. **~ый** = морозосто́йкий.

МОР — МОЦ

моро́ка ж. разг. no end of trouble [...trʌ-].

моро́с||ить drizzle; ~и́т безл.: дождь ~и́т it drizzles, it is drízzling.

моро́чить, обморо́чить (кого́-л.) разг. fool (smb.); pull the wool óver the eyes [pul...wul...aɪz] (of); ◇ ~ го́лову кому́-л. take* smb. in; take* smb. for a ride.

моро́шка ж. тк. ед. 1. собир. clóudbèrries pl.; 2. (об отде́льной я́годе; тж. о растéнии) clóudbèrry.

морс м. fruit drink / wáter [fruːt...'wɔː-]; клю́квенный ~ cránberry wáter.

морск||о́й sea (attr.); (свя́занный с мореплáванием тж.) marine [-iːn], náutical; (примо́рский) máritime; ~ бéрег séashòre; ~áя водá séa-wáter [-'wɔː-]; ~о́е дно bóttom of the sea, séa-bóttom; ~о́е путеше́ствие vóyage; ~ флот marine; (воéнный) návy; ~ офицéр nával ófficer; ~áя войнá nával wárfàre, sea war; ~áя бáза nával base [...-s]; ~ бой séa-fight, nával en:gáge:ment; ~о́е учи́лище náutical school; ~áя кáрта (sea) chart; ~áя артиллéрия nával órdnance; ~áя держáва nával pówer; ~о́е могу́щество sea pówer; ~áя пехо́та marines pl.; ~áя торго́вля séa-trade, séa-bòrne trade, máritime cómmerce; ~áя болéзнь séasickness; ~ разбо́йник pírate ['paɪə-], séa-ròbber; ~áя иглá зоол. néedle-fish, pípe-fish; ~áя сви́нка guínea-pig ['gɪnɪ-]; ~áя собáка зоол. séa-dòg, dóg-fish; ~ лев зоол. séa líon; ~ ёж зоол. séa-úrchin, échinus [ek-] (pl. -nì) науч.; ~áя звездá зоол. stárfish; ~ конёк зоол. hìppo:cámpus (pl. -pì), séa-hòrse; ~ кот зоол. séa bear [...beə]; ~áя капу́ста бот. séa-kále; ~áя травá бот. séa-gràss, gráss-wràck; ◇ ~ волк old salt, séa-dòg; на дне ~о́м найти́ что́-л., со дна ~о́го достáть что́-л. spare no éffort to find smth., try évery means to find smth., leave* no stone untúrned to find smth.

морти́ра ж. воен. (artíllery) mórtar.

морфéма ж. лингв. mórphème.

мо́рфи||й м. mórphia; mórphìne [-iːn]; впры́снуть ~ (дт.) injéct mórphìne (to). ~ни́зм м. мед. addíction to mórphìne [...-iːn]. ~ни́ст м., ~ни́стка ж. мед. mórphìne áddict [...-iːn].

морфо||логи́ческий (в разн. знач.) mòrphológical. ~ло́гия ж. (в разн. знач.) mòrphólogy.

морфоноло́гия ж. лингв. mòrphonólogy.

морщи́н||а ж. wrinkle; (на ткáни и т. п.) crease [-s]; лицо́, покры́тое ~áми wrinkled face. ~истый wrinkled, púckered. ~ить (вн.) разг. wrinkle (d.). ~ка ж. уменьш. от морщи́на; ~ки у глаз crow's-feet ['krouz-].

мо́рщить, намо́рщить, смо́рщить (вн.) 1. при сов. намо́рщить: ~ лоб knit* one's brow; 2. при сов. смо́рщить: ~ гу́бы púcker / purse one's lips; ~ нос wrinkle one's nose.

морщи́ть разг. crease [-s], púcker.

мо́рщиться, намо́рщиться, смо́рщиться 1. при сов. намо́рщиться knit* one's brow; 2. при сов. смо́рщиться screw up one's face; make* a wry face; wince; 3. при сов. смо́рщиться (об одéжде) cockle, wrinkle up.

морщи́ться разг. = морщи́ть.

моря́к м. séaman*, sáilor.

москатéль||ный: ~ая торго́вля drý-sàltery; ~ товáр chándlery [-aːn-].

москви́ч м., ~ка ж. Múscovìte, inhábitant of Móscow; он был ~о́м he was Móscow born.

моски́т м. mosquíto ['kiː-].

моско́вск||ий (of) Móscow; Моско́вская о́бласть Móscow Région.

Моссовéт м. (Моско́вский Совéт наро́дных депутáтов) Móscow Sóviet (of Péople's Députies) [...piː-...].

мост м. (в разн. знач.) bridge; железнодоро́жный ~ ráilway bridge; подъёмный ~ dráwbridge; lift-bridge; плаву́чий ~ flóating bridge; разводно́й ~ ópen:ing bridge; возду́шный ~ ав. air bridge; развести́ ~ ópen a dráwbridge; навести́ ~ build* / make* / throw* a bridge [bɪld...θrou...]; перебро́сить ~ чéрез рéку span a ríver with a bridge [...'gɪ-...].

мо́стик I м. 1. уменьш. от мост; 2. (для пешехо́дов) fóot-brìdge ['fut-].

мо́стик II м. (на су́дне) bridge.

мости́ть (вн.) pave (d.); (булы́жником) cobble (d.).

мосткú мн. planked fóotway [...'fut] sg., gáng:way plank sg.

мостовáя ж. скл. как прил. ròadway, cárriage-way [-rɪdʒ-]; торцо́вая ~ wóod-pàved ròadway ['wud-...]; wóod-blòck road ['wud-...]; асфáльтовая ~ ásphàlt road; булы́жная ~ cóbble-stòne road, cóbbled ròadway.

мосто́в||ой прил. к мост; ~ая фéрма тех. brídge-gìrder [-gə-]; ~ые весы́ wéighbridge sg.

мо́ська ж. разг. `pug(-dòg).

мот м. разг. pródigal, spéndthrìft, squánderer, wástrel ['weɪ-].

мотáльн||ый тех. wínding; ~ая маши́на wínding-machine [-ʃiːn].

мотáть I (вн.; намáтывать) wind* (d.), reel (d.); ~ что́-л. себé на ус разг. take* good note of smth.

мотáть II (тв.) разг. (качáть, махáть) shake* (d.).

мотáть III (вн.) разг. (расточáть) squánder (d.), waste [weɪ-] (d.).

мотáться I разг. 1. (качáться) dangle; 2. страд. к мотáть I.

мотáться II разг. (проводи́ть врéмя в утоми́тельных хлопотáх и т. п.) fuss / rush abóut.

мотáться III страд. к мотáть III.

мотéль [-тэ-] м. motél.

моти́в I м. 1. муз. tune; 2. (тéма, сюжéт произведéния иску́сства) motíf [mouˈtiːf].

моти́в II м. 1. (причи́на, основáние) mótive, cause; 2. (до́вод) réason [-zn]; привести́ ~ы (рд.) mótivàte ['mou-] (d.).

мотиви́ровать несов. и сов. (вн.) give* réasons [...-zn] (for), jústify (d.); mótivàte ['mou-] (d.).

мотивиро́вка ж. mòtivátion [mou-], réason [-zn], jùstificátion.

мотну́ть сов. (тв.) shake* (d.).

мотобо́л м. спорт. mótor-cỳcle fóotbàll.

мотобо́т м. mótor boat.

мотови́ло с. тех. reel.

мото́в||ка ж. разг. extrávagant wómam* [...-wu-]. ~ско́й разг. wáste:ful ['weɪ-], extrávagant. ~ство́ с. pródigálity, extrávagance.

мотого́н||ки мн. mótor-cỳcle ráces. ~щик м. rácing mótor-cỳclist.

мотодро́м м. móto:dròme, mótor-cỳcle rácing track.

мото́к м. skein, hank; cut.

мотолопáта ж. mótor shóvel [...ʃʌ-]; gásoline shóvel [-liːn...] амер.

мотомеханизи́рованный méchanìzed [-k-].

мотопéд м. = мопéд.

мотопехо́та ж. mótorìzed ínfantry ['mou-...].

мотопилá ж. mótor-saw.

мотопробéг м. cróss-cóuntry mótor-cỳcle race [-'kʌ-...].

мото́р м. mótor; éngine ['endʒ-]; авиацио́нный ~ áircraft éngine; пусти́ть в ход ~ start a mótor.

моторáлли с. нескл. mótor-cỳcle rálly.

мотор||изáция ж. mòtorizátion [moutəraɪ-]. ~изо́ванный прич. и прил. mótorìzed ['mou-]; ~изо́ванные войскá mótorìzed force sg. ~и́ст м. mótor-mechánic [-'kæ-].

мото́рка ж. разг. mótor boat.

мото́рн||ый I прил. к мото́р; ~ вагóн dríving car; ~ая ло́дка mótor boat.

мото́рный II физиол. (двигáтельный) mótive; mótor (attr.).

моторо́ллер м. (mótor) scóoter.

моторостроéние с. mótor-búilding [-bɪld-].

моторострои́тельный mótor-búilding [-bɪld-]; mótor (attr.); ~ завóд mótor works.

мотосáни мн. mótor:slèdge sg.

мотоци́кл м., ~éт м. mótor cycle; mótor bike разг.; ~ с коля́ской mótor cycle with síde-càr attáched; còmbinátion. ~и́ст м. mótor-cỳclist [-'saɪ-].

мотошлéм м. crásh-hèlmet.

моты́||га ж. с.-х. hoe, máttock. ~жить (вн.) hoe (d.).

мотылёк м. bútterfly, moth.

мотыль I м. тех. crank.

мотыль II м. (личи́нка комарá) mosquíto grub [-'kiː-...].

мотылько́вые мн. скл. как прил. бот. papilionáceous plants [-'neɪʃəs -aːnts], papilionáceae [-siː].

мох м. moss; зарасти́ мхом be óver:grówn with moss [...-'groun...], móss-gròwn [...-groun].

мохéр м. móhair ['mou-]. ~овый móhair ['mou-] (attr.); ~овый шарф móhair scarf*.

мохнáт||ый 1. háiry, shággy; 2.: ~ое полотéнце Túrkish tówel.

мохноно́гий with shággy legs.

мохови́к м. (гриб) mossiness múshroom.

мохообрáзный móssy.

моцио́н м. éxercise, cònstitútional; дéлать ~ take* éxercise; для ~а for éxercise; гуля́ть для ~а take* one's cònstitútional.

моч||а́ ж. úrine, wáter ['wɔː-]; ана́лиз ~и́ urinóscopy.

моча́лить (вн.) тех. strip into fibres (d.).

моча́лка ж. wisp of bast.

моча́ло с. bast.

мочеви́на ж. хим. úrea [-rɪə].

мочев||о́й урínary; ~ пузы́рь анат. (úrinary) bládder; ~ы́е ка́мни мед. stone (in the bládder) sg.; ~ песо́к мед. grável [-æ-]; ~а́я кислота́ хим. úric ácid.

мочего́нн||ый мед. diurétic; ~ое сре́дство diurétic.

мочеиспуска́||ние с. urinátion. ~тельный: ~тельный кана́л анат. uréthra [-ˈriː-].

мочеки́сл||ый: ~ая соль хим. úrate.

мочёный soaked.

мочеотделе́ние с. физиол. urinátion.

мочеполов||о́й анат. úrino-génital, gènito-úrinary; ~ы́е боле́зни мед. gènito-úrinary diséases [...-ˈziː-].

мочето́чник м. анат. uréter.

мочи́ть (вн.) 1. wet (d.); 2. (вымачивать) soak (d.); (о льне) ret (d.). ~ся, помочи́ться 1. (испускать мочу) úrinate; wáter ['wɔː-] разг.; 2. страд. к мочить.

мо́чка I ж. sóaking, màceràting; (о льне) rétting.

мо́чка II ж. 1. анат. lobe of the ear; 2. бот. fíbril ['faɪ-].

мочь I, смочь (быть в состоянии) be able; он сде́лает всё, что мо́жет he will do all he can; он не смог прийти́ вчера́ he could not come yésterday [...-dɪ]; мо́жет ли он пойти́ туда́? (возможно ли это?) can he go there?; (позволено ли это?) may he go there?; вы мо́жете подожда́ть? can you wait?; могу́ ли я попроси́ть вас? may I ask you?; я, он и т. д. не могу́, не мо́жет и т. д. не (+ инф.) I, he, etc. can't help [...kɑːnt...] (+ger.); ◇ мо́жет быть как вводн. сл. máybe, perháps; мо́жет быть, он уе́хал máybè / perháps he has left; he may have left; мо́жет быть (предик.) it is póssible; (э́того) не мо́жет быть it is impóssible, it can't be.

мо́чь II ж. разг. (сила) pówer, might; изо все́й ~и, что есть ~и for all one is worth; with all one's might; with might and main идиом.; ◇ ~и нет one can't stand / take it (any lónger) [...kɑːnt...].

моше́нн||ик м. swíndler. ~ичать, смошенничать swíndle. ~ический knávish ['neɪv-], róguish ['rouɡɪʃ]. ~ичество с. swíndle, fraud; (в игре) chéating.

мо́шка ж. midge.

мошка́ ж. тк. ед. собир. = мошкара́.

мошкара́ ж. тк. ед. собир. swarm of mídges.

мошн||а́ ж. тк. ед. разг. pouch, purse; наби́ть ~у́ fill one's purse; ◇ тряхну́ть ~о́й разг. ópen one's purse; туга́я, то́лстая, больша́я ~ wéll-lined pócket.

мошо́н||ка ж. анат. scrótum (pl. -ta, -tums). ~очный анат. scrótal; ~очная гры́жа scrótocèle ['skrou-].

моще́ние с. páving. ~ённый páved; (булы́жником) cóbbled.

мо́щи мн. рел. rélic (of a saint's bódy) [...'bɔ-] sg.; ◇ живы́е ~ разг. wálking skéleton sg.

мо́щн||ость ж. 1. pówer; 2.: ~ у́гольного пласта́ thíckness of a coal seam; 3. тех. capácity; (о машине тж.) hórse-power; (производительность) óutpùt [-put]; номина́льная ~ rátéd pówer / capácity; поле́зная ~ úseful pówer [-s-...]; факти́ческая ~ áctual (hórse-)power; 4. мн.: произво́дственные ~ости indústrial / prodúction capácities; вводи́ть в де́йствие но́вые энергети́ческие ~ости exploit fresh pówer capácities. ~ый 1. pówerful; (о физической силе тж.) strong, vígorous; (о машинах и т. п.) hígh-capàcity (attr.), hígh-pòwered; ~ый подъём pówerful úpsùrge; 2. (о жиле, пласте и т. п.) thick, mássive.

мощь ж. тк. ед. pówer, might; экономи́ческая и полити́ческая ~ страны́ the ecónomic and polítical pówer of the cóuntry [...ɪk-...ˈkʌ-]; вое́нная ~ mílitary might.

мо́ющ||ий detérgent; ~ие сре́дства detérgents.

моя́ ж. см. мой 1.

мразь ж. тк. ед. об. собир. разг. (о людях) scum; dregs pl.

мрак м. gloom, dárkness (тж. перен.); во ~е но́чи únder cóver of night [...'kʌ-...]; ◇ э́то покры́то ~ом неизве́стности it is shróuded in mýstery.

мракобе́с м. obscúràntist. ~ие с. obscuràntism.

мра́мор м. márble. ~ный 1. прил. к мра́мор; 2. (подобный мрамору) màrmóreal [-rɪəl].

мрачне́ть, помрачне́ть grow* glóomy [grou...], dárken.

мра́чн||ость ж. gloom, glóominess, sómbre:ness, dárkness. ~ый glóomy, sombre, dark; (угрюмый) dísmal [-z-], dréary ['drɪə-]; ~ое настрое́ние dísmal mood.

мсти́тель м., ~ница ж. avénger [-ndʒə]. ~ность ж. vindíctive:ness, revénge:fulness. ~ный vindíctive, revénge:ful.

мстить, отомсти́ть (дт. за вн.) revénge onesélf (upón for); take* véngeance [...-ndʒəns] (on for); avénge (d.); ~ врагу́ take* véngeance on one's énemy.

муа́р м. текст. moire [mwɑː], moiré (фр.) ['mwɑːreɪ], wátered silk ['wɔː-...]. ~овый moiré (фр.) ['mwɑːreɪ], wátered ['wɔː-].

мудрено́ I 1. прил. кратк. см. мудрёный; 2. предик. безл. it is dífficult / hard; ~ поня́ть его́ he is a púzzle to únderstand, he is an énigma; ◇ не ~, что no wónder that [...'wʌ-...]; ~ ли... no wónder...

мудрено́ II нареч. in:génious:ly, súbtly ['sʌt-].

мудрён||ость ж. разг. in:genúity. ~ый 1. (странный) odd, queer, strange [streɪ-], trícky; 2. (трудный) dífficult, abstrúse [-s-]; (сложный) cómplicàted; ◇ о́го ничего́ ~ого, что ~ого, ~ого нет no wónder [...'wʌ-], it is no wónder that; what's so strange abóut that?; у́тро ве́чера мудрене́е посл. ≃ take cóunsel with your píllow; sleep on it!

мудре́ц м. sage; wise man*, man* of wísdom [...-z-]; ◇ на вся́кого ~а́ дово́льно простоты́ посл. ≃ éven a wise man stúmbles, Hómer sómetimes nods.

мудри́ть, намудри́ть разг. philósophize; (вдаваться в тонкости) súbtilize ['sʌtɪ-], split* hairs; (излишне осложня́ть) cómplicàte mátters ún:necessárily.

му́др||ость ж. wísdom [-z-]; наро́дная ~ pópular wísdom; ◇ в э́том нет никако́й ~ости разг. it is quite símple, a child could do it; зуб ~ости wísdom tooth*.

му́дрствование с. разг. philósophizing; бессодержа́тельное ~ émpty philósophizing.

му́др||ствовать раз. philósophize; ◇ не ~ствуя лука́во without fúrther adó [...-ðə əˈduː].

му́др||ый wise, sage; ~ вождь wise léader; ~ ста́рец sage old man*; ~ое реше́ние wise decísion.

муж м. 1. (мн. ~ья́; супру́г) húsband [-z-]; 2. (мн. ~и́) уст., поэт. (мужчина в зрелом возрасте) man*; госуда́рственный ~ státes:man*; ~и́ нау́ки schólars ['skɔ-].

мужа́ть reach mánhood [...-hud].

мужа́ться take* heart / cóurage [...hɑːt ˈkʌ-].

муженёк м. разг. húbby.

мужеподо́бный mánlìke, mánnish, másculine ['mæ-].

му́жеский уст.: ~ род грам. másculine (génder) ['mɑː-...].

му́жественн||о нареч. with fórtitude. ~ость ж. mánliness, mánhood [-hud]. ~ый cóurageous, mán:ly, stéadfast ['sted-].

му́жество с. cóurage ['kʌ-], fórtitude; прояви́ть ~ show* / displáy cóurage [ʃou...].

мужеубий||ство с. maríticide [-ˈrɪtɪ-]; killing one's húsband [...-z-]. ~ца ж. húsband killer [-z-...].

мужи́||к м. 1. уст. (крестьянин) mùzhík [muːˈʒ-]; 2. разг. (мужчина) man*, féllow; 3. разг. (муж) man*, húsband [-z-]; 4. уст. (о невоспитанном человеке) lout, búmpkin. ~кова́тый разг. lóutish, bóorish. ~цкий прил. к мужи́к 1.

му́жн||ий, ~ин разг. húsband's [-z-]; ~яя жена́ márried wóman* [...'wu-].

мужск||о́й прил. к мужчи́на; тж. másculine ['mɑː-]; (мужского пола) male; (предназначенный для мужчин) men's; ~о́е пла́тье men's clothes [...klouðz] pl.; ~ портно́й (géntle:men's) táilor; ~а́я шко́ла boys' school; ~ пол male sex; ~а́я ри́фма лит. síngle / male / másculine rhyme; ~ род грам. másculine (génder).

мужчи́на м. man*, male.

му́за ж. muse.

музе́||вед м. spécialist in mùséum mánage:ment ['spe-...-ˈzɪəm...]. ~ве́дение с. mùséum mánage:ment stúdies [-ˈzɪəm...stʌ-] pl.

музе́й м. mùséum [-ˈzɪəm]. ~-кварти́ра ж. memórial flat.

МУЗ—МУЧ

музе́йн||ый *прил.* к музе́й; ~ая ре́дкость rárity [ˈrɛə-]; (*перен.*) *разг.* mùséum-piece [-ˈzɪəmpiːs].

музе́й-уса́дьба *ж.* cóuntry-hóuse mùséum [ˈkʌ- -s -ˈzɪəm], memórial estáte.

музици́ровать *уст.* play / make* músic [...-zɪk].

му́зык||а *ж.* músic [-zɪk]; положи́ть на ~у (*вн.*) set* to músic (*d.*); занима́ться ~ой práctise músic [-tɪs...]; танцева́ть под ~у dance to the músic; ◇ надое́ла мне вся э́та ~ *разг.* ≃ I've had more than enóugh of this nónsense [...ˈnʌf...].

музыка́ль||ость *ж.* mùsicálity [-zɪ-]; melódiousness; (*человека*) músical tálent [-zɪ- ˈtæ-]. ~ый (*в разн. знач.*) músical [-zɪ-]; ~ое сопровожде́ние accómpaniment [əˈkʌm-]; ~ая шко́ла músic-school [-zɪk-]; ~ое у́хо, ~ый слух an ear for músic [...-zɪk]; ~ая коме́дия *театр.* músical cómedy.

музыка́нт *м.*, ~ша *ж.* musícian [-ˈzɪ-].

музыкове́д *м.* músic(al) éxpert [-zɪ-...], mùsicólogist [-zɪ-]. ~ение *с.* mùsicólogy [-zɪ-], músical science [-zɪ-...].

му́к||а *ж.* tórment, tórture; pangs *pl.*; ~и ре́вности pangs / tórments of jéalousy [...ˈdʒel-]; ~и тво́рчества throes of creátion; ◇ ~и Танта́ла, танта́ловы ~и the tórments of Tántalus; ~ мне с тобо́й! *разг.* the trouble you give me! [...trʌbl...], you are the bane of my life!; ~ му́ченская мне с ва́ми *разг.* you give me no end of trouble; одна́ ~ с э́тим *разг.* it gives nothing but trouble, nothing comes of it, but trouble.

мука́ *ж.* flour; (*грубого помола*) meal; карто́фельная ~ potáto flour, potáto-stàrch; ◇ переме́лется — ~ бу́дет *посл.* ≃ things will come right (in the end), all this trouble will pass awáy [...trʌ-...].

мукомо́л *м.* míller.

мукомо́льный flóur-grìnding (*attr.*); ~ заво́д flóur-mìll.

мул *м.* mule.

мула́т *м.*, ~ка *ж.* mùlátto.

мулла́ *м.* múllah, móollah.

му́льда *ж.* *тех.* mould [mould].

мультимиллионе́р *м.* mùltimìlliónàire [-ˈnɛə].

мультипла́н *м.* *ав.* múltiplàne.

мультиплика́||тор *м.* **1.** ánimàted cártoon ártist; **2.** *фот.* múltiplying cámera. ~цио́нный *прил.* к мультиплика́ция; ~цио́нный фильм (ánimàted) cártoon film. ~ция *ж.* **1.** máking of ánimàted cártoon; **2.** (*фильм*) ánimàted cártoon.

мультфи́льм *м.* = мультипликацио́нный фильм *см.* мультипликацио́нный.

муля́ж *м.* *иск.* pláster cast.

мумифи||ка́ция *ж.* mùmmificátion. ~ци́роваться *несов. и сов.* be / become* múmmified.

му́ми||я I *ж.* múmmy; превраща́ть в ~ю (*вн.*) múmmify (*d.*).

му́мия II *ж.* (*краска*) múmmy.

мунди́р *м.* fúll-dréss úniform; честь ~а the hónour of the régiment [...ˈɔnə...]; ◇ карто́фель в ~е *разг.* (*варёный*) potátoes boiled in their jáckets / skins *pl.*; (*печёный*) potátoes baked in their jáckets / skins *pl.*, jácket potátoes *pl.*

мундшту́к *м.* **1.** móuthpìece [-piːs]; (*для сигарет*) cigarétte-hòlder; (*для сига́р*) cigár-hòlder; **2.** (*для лошаде́й*) curb, cúrb-bìt; **3.** (*духового инструме́нта*) móuthpiece.

муниципали||за́ция *ж.* mùnicipalizátion [-laɪ-]. ~зи́ровать *несов. и сов.* (*вн.*) mùnicipalize (*d.*). ~те́т *м.* mùnicipálity.

муниципа́льный mùnícipal.

мура́ *ж.* *разг.* mess, nónsense.

мурава́ I *ж.* *тк. ед. поэт.* (*трава*) grass, sward.

мурава́ II *ж.* *тк. ед. тех.* glaze.

мураве́й *м.* ant. ~ник *м.* ánt-hìll.

мура́вленый *тех.* glazed.

муравье́д *м.* *зоол.* ánt-èater, ánt-bèar [-ˈbɛə].

муравьи́н||ый *прил.* к мураве́й; ~ая ку́ча ánt-hìll; ~ая кислота́ *хим.* fórmic ácid.

мура́ш *м.*, **мура́шка** *ж.* *разг.* small ant, small ínsect.

мура́шк||и *мн.*: ~ по спине́, по те́лу бе́гают it makes *one* feel créepy all óver; it gives *one* the shívers / creeps; покры́ться ~ами have góose-flèsh / góose-skìn [...ˈguːs-...].

мурлы́ка||нье *с.* purr. ~ть **1.** purr; **2.** *разг.* (*напевать*) hum.

муска́т *м.* **1.** (*орех*) nútmèg; **2.** (*виноград*) múscadine; múscat; **3.** (*вино*) múscat, mùscatél, mùscadél. ~ный *прил.* к муска́т; ~ный оре́х nútmèg; ◇ ~ный цвет mace (*dried outer covering of nutmeg*).

му́скул *м.* muscle [mʌsl]. ~ату́ра *ж.* *тк. ед.* múscular sýstem. ~истый bráwny, múscular.

му́скульный múscular.

му́скус *м.* musk. ~ный *прил.* к му́скус.

мусли́н *м.* *текст.* múslin [ˈmʌz-], mousseline [muːsˈliːn]. ~овый *прил.* к мусли́н.

му́слить (*вн.*) *разг.* soil (*d.*), besláver [-ˈslæ-] (*d.*), beslóbber (*d.*); (*книгу*) dóg-èar (*d.*), thumb (*d.*).

мусо́лить *разг.* **1.** = му́слить; **2.** (*вн.; долго возиться с чем-л.*) procrástinàte (*d.*).

му́сор *м.* *тк. ед.* **1.** (*строительный*) débris [ˈdebriː], (*плáster*) rúbbish; **2.** (*сор*) swéepings *pl.*, dust; (*хлам*) rúbbish, réfuse [-s].

му́сор||ить, наму́сорить (в *пр.*) *разг.* litter (*d.*). ~ный *прил.* к му́сор; ~ный я́щик dústbìn; ~ная ку́ча dúst-hèap; rúbbish heap; ~ная я́ма dúst-hòle; ~ное ведро́ réfuse bin [-s...].

мусоропрово́д *м.* réfuse / rúbbish chute [-s...ʃuːt].

мусоросжига́тельн||ый: ~ая печь incínerator.

мусо́рщик *м.* dústman*, réfuse colléctor [-s...].

мусс *м.* *кул.* mousse [muːs].

мусси́ровать (*вн.*) exággerate [-ædʒə-] (*d.*); ~ слу́хи exággerate / spread* rúmours [...spred...].

муссо́н *м.* *геогр.* mònsóon.

муста́нг *м.* *зоол.* mústàng.

мусульма́||нин *м.* Mússulmán, Móslèm [ˈmɔz-]. ~ка *ж.* Móslem-wòman* [ˈmɔz- -wu-]. ~ский Mohámmedan, Móslèm [ˈmɔz-]. ~ство *с.* Mohámmedanism, Ìslám [ˈɪzlɑːm].

мута́ция *ж.* mutátion.

мут||и́ть, замути́ть, помути́ть **1.** *при сов.* замути́ть (*вн.; о жидкости*) stir up (*d.*); **2.** *при сов.* помути́ть (*вн.; делать смутным*) stir up (*d.*), make* dull (*d.*); **3.** *тк. несов. безл.* (*тошнить*): его́ ~и́т he feels sick; ◇ во́ду стир up trouble [...trʌbl]; он воды́ не замути́т ≃ he looks as if bútter would not melt in his mouth. ~и́ться, замути́ться, помути́ться **1.** *при сов.* замути́ться (*о жидкости*) become* / grow* túrbid [...grou-...]; **2.** *при сов.* помути́ться (*тускнеть*) grow* dull / dim; ◇ у него́ мути́тся (свет) в глаза́х, мути́тся в голове́ he feels giddy [...ˈgɪ-].

мутн||е́ть, помутне́ть grow* túrbid [grou-...], dim. ~ова́тый not quite clear, múddy, dimmed.

му́тн||ость *ж.* **1.** turbídity; **2.** (*тусклость*) dúllness. ~ый **1.** túrbid; **2.** (*тусклый*) dull, lácklùstre; clóudy, múddy; ~ые глаза́ lácklùstre eyes [...aɪz]; **3.** (*помрачённый*): ~ая голова́ dulled cónsciousness [...nʃəs-]; ◇ в ~ой воде́ ры́бу лови́ть *погов.* fish in troubled wáters [...trʌ- ˈwɔː-].

муто́вка *ж.* chúrn-stàff.

му́тор||но *нареч. разг.*: у него́ бы́ло ~ на душе́ he was depréssed; he was down in the dumps. ~ый *разг.* dréary [ˈdrɪə-], sombre.

муть *ж.* *тк. ед.* less [-z] *pl.*, dregs *pl.*; (*перен.*) dárkness.

муфло́н *м.* *зоол.* móufflòn [ˈmuː-].

му́фта *ж.* **1.** muff; **2.** *тех.* cóupling [ˈkʌ-], clutch, muff; sleeve; ~ ка́беля cable box.

му́фтий *м.* *рел.* múfti.

му́х||а *ж.* fly; ◇ он и ~и не оби́дит he would not hurt a fly; де́лать из ~и слона́ ≃ make* a mountain out of a móle͟hìll; кака́я ~ его́ укуси́ла? what's got into him?, what's bitten him?; до бе́лых мух till snów-fàll [...ˈsnou-]; счита́ть мух gape; они́ мрут как ~и they are dying like flies; быть под ~ой *разг.* be three sheets in the wind, be típsy.

мухлева́ть, смухлева́ть *разг.* cheat, swíndle.

мухоло́вка *ж.* **1.** (*приспособление*) flý-tràp; **2.** *бот.* Vénus's flý-tràp, súndew; **3.** *зоол.* flý-càtcher.

мухомо́р *м.* flý-àgaric; déath-càp [ˈdeθ-] *разг.*

мухо́ртый (*о масти лошади*) bay with yéllowish márkings.

муче́ние *с.* tórture, tórment.

му́чени||к *м.*, ~ца *ж.* mártyr. ~ческий *прил.* к му́ченик; подверга́ть ~ческой сме́рти (*вн.*) mártyr (*d.*), mártyrize (*d.*); му́ка ~ческая *разг.* excrúciàting tórmènt. ~чество *с.* mártyrdom.

мучи́тель *м.*, ~ница *ж.* tórmèntor, tórturer.

мучи́тель||ный póignant, ágonizing; ~ная головна́я боль splitting / rácking héadàche [...'hedeɪk]; ~ные сомнéния ágonizing doubts [...daʊts].

мýч||**ить** (вн.) tormént (d.); (беспокóить) hárass ['hæ-] (d.), wórry ['wʌ-] (d.); (надоедáть) tease (d.); егó ~ит подáгра he is a mártyr to gout; это ~ит мою сóвесть it lies héavy, или it weighs, on my cónscience [...'hevɪ... -ʃəns]. ~**иться 1.** súffer; ~иться от бóли be reacked with pain; **2.** (тв., из-за рд.) wórry ['wʌ-] (about), feel* únháppy (about); вам нé из-за чего ~иться you have nothing to wórry about; **3.** (над) tormént òneself (óver); take* pains / trouble [...trʌbl] (óver).

мучн||**и́стый** méaly, flóury, fàrináceous [-ʃəs]. ~**óе** с. скл. как прил. собир. fàrináceous foods [-ʃəs...] pl. ~**óй** прил. к мукá.

мушнóй прил. к мýха.

мýшк||**а I** ж. **1.** уменьш. от мýха; **2.** (на лицé) béauty-spot ['bjuː-], patch; **3.** мед. (шпáнская) Spánish fly, blister-flỳ; càntháridès [-diːz] pl.

мýшк||**а II** ж. (на огнестрéльном орýжии) fóresight; front sight [frʌnt...] амер.; брать, взять на ~у когó-л. take* aim at smb., have smb. in one's sights (тж. перен.).

мушкéт м. ист. músket. ~**ёр** м. ист. mùsketéer.

мушмулá ж. тк. ед. (растéние и плод) médlar ['me-].

муштáбель м. жив. máulstick.

муштрá ж. тк. ед. drill.

муштр||**овáть**, вы́муштровать (вн.) drill (d.). ~**óвка** ж. drill.

муэдзи́н м. muézzin [muːˈezɪn].

мча||**ть 1.** (вн.) rush (d.), whirl alóng (d.); пóезд ~л нас на юг the train rushed us to the South; **2.** разг. = мчáться; лóшади ~ли под гору (во весь опóр) the hórses were téaring dówn-hill (at a mad pace) [...'tɛə-...]. ~**ться** rush / speed / tear* alóng [...tɛə...], go* / tear* rush, или whirl awáy, at full speed; врéмя мчи́тся time flies.

мши́стый móssy, móss-grown [-oʊn].

мщéние с. véngeance [-dʒəns], revénge.

мы, рд., вн., пр. нас, дт. нам, тв. нáми, мест. we (косв. пад. us) у нас есть we have; он сказáл нам he told us; нам это извéстно we are awáre of it; для нас for us; это нас не касáется it is no búsiness of ours [...'bɪzn-...], it is none of our búsiness [...'nʌn...]; он говори́т о нас he speaks abóut us; мы с сестрóй my síster and I; мы с вáми you and I.

мы́за ж. grange [greɪndʒ]; cóuntry-hóuse* ['kʌntrɪ'haʊs]; fármstead [-sted].

мы́кать: ~ век, ~ жизнь разг. live in mísery [liv...-z-]; гóре ~ разг. lead* a wrétched, или dog's, life. ~**ся** разг. wánder, knock abóut; rámble; ~ся по свéту knock about the world.

мы́л||**ить**, намы́лить (вн.) soap (d.); (сбивáть мы́ло в пéну) láther ['lɑː-] (d.); ◇ намы́лить гóлову, хóлку, шéю комý-л. ≅ give* smb. a dréssing down. ~**иться**, намы́литься **1.** (о человéке) soap oneself; **2.** тк. несов. (о мы́ле) láther ['lɑː-]; form a láther **3.** страд.

к мы́лить. ~**кий** éasy-láthering ['iːzɪ-'lɑː-]; sóapy.

мы́ло с. **1.** soap; туалéтное ~ tóilet soap; хозя́йственное ~ láundry soap; **2.** тк. ед. (пéна на лóшади) foam, láther ['lɑː-].

мыловáр м. sóap-bòiler. ~**éние** с. sóap-bòiling. ~**енный**: ~енный завóд sóap-wòrks, soap fáctory.

мы́льн||**ица** ж. sóap-bòx; sóap-hòlder, sóap-dìsh, sóap-trày. ~**ый 1.** прил. к мы́ло; тж. sóapy; ~ая пéна láther ['lɑː-]; sóap-sùds pl.; ~ый кóрень sóap-stòne, stéatite ['stɪə-]; ~ый пузы́рь sóap-bùbble; (перен.) bubble; пускáть ~ые пузыри́ blow* bubbles [blow...]; **2.** тех. sàponáceous [-ʃəs].

мыльня́нка ж. бот. sóap-wòrt, sóap-root.

мыс м. cape, prómontory.

мы́сленн||**о** нареч. méntally. ~**ый** méntal.

мысли́м||**ый** concéivable [-'siːv-]; thinkable; ~ое ли это дéло?, мы́слимо ли это? разг. is it póssible?, is it concéivable?

мысли́тель м. thínker. ~**ный**: ~ные спосóбности understánding sg.; pówer of àpprehénsion, или of ábstràct thought sg.

мы́слить 1. think*; **2.** (вн.; представля́ть себé) concéive [-'siːv] (d.).

мы́сл||**ь** ж. thought; (размышлéние) refléction; (представлéние) concéption, idéa [aɪ'dɪə]; блестя́щая ~ brílliant idéa; bráin-wàve идиом. разг.; внезáпная ~ súdden thought; основнáя ~ произведéния fundaméntal / básic idéa of a work [...'beɪsɪk...]; óбраз ~ей way of thinking; views [vjuːz] pl.; зáдняя ~ ultérior mótive; àrrière-pensée (фр.) ['ærɪɛə'rɑːŋseɪ]; предвзя́тая ~ préconcéived idéa [-'siːvd...], préconcéption; у негó мелькнýла ~ an idéa flashed across his mind; емý пришлá в гóлову ~ a thought occúrred to him, или struck him; подáть комý-л. ~ suggést an idéa to smb. [-'dʒest...]; это навелó егó на ~ this made him think; собирáться с ~ями colléct one's thoughts; держáться той мы́сли, что keep* to the idéa that, abíde* by the thought / nótion that; не допускáть ~и о чём-л. not admit éven the thought of smth., refúse éven to think abóut smth.; прийти́ к ~и arríve at the nótion; по ~и áвтора accórding to the áuthor; у негó этого и в ~ях нé было, у негó этого и в ~ях не имéл it néver éven crossed his mind.

мы́слящий 1. прич. см. мы́слить; **2.** прил. thínking, intelléctual.

мы́т||**арить** (вн.) разг. hárass ['hæ-] (d.), tormént (d.), try (d.). ~**ся** be hárassed, súffer afflíctions.

мытáрств||**о** с. trýing expérience; afflíction, órdeal; пройти́ чéрез все ~а ≅ go* through mány tríals; go* through páinful expériences; undergó* trýing expériences.

мыть, вы́мыть, помы́ть (вн.) wash (d.); ~ посýду wash up; ~ щёткой (вн.) scrub (d.); ~ гýбкой (вн.) sponge [spʌ-] (d.); ◇ рукá рýку мóет погов.

≅ you roll my log and I'll roll yours; it's a mátter of gíve-and-táke.

мытьё с. wáshing, wash; ◇ не ~м, так кáтаньем погов. ≅ by hook or by crook.

мы́ться, вы́мыться, помы́ться **1.** wash, wash oneself; ~ в вáнне have* a bath; **2.** страд. к мыть.

мычáние с. lów(ing) ['loʊ-]; (о корóве тж.) moo; (о быкé тж.) béllow(-ing); (перен.) разг. múmbling.

мычáть low [loʊ], moo, béllow; (ср. мычáние); (перен.) разг. be inartículate, múmble.

мыша́стый (о мáсти лошадéй) móuse-cólour:ed [-'skʌ-], móusy [-s-].

мышелóвка ж. móuse-tràp [-s-].

мы́шечный múscular.

мыши́н||**ый** прил. к мышь; ◇ ~ая возня́ lot of fuss abóut nothing.

мы́шк||**а I** ж. уменьш. от мышь.

мы́шк||**а II** ж. ármpit; под ~ой únder (one's) arm; нести́ под ~ой (вн.) cárry únder one's arm (d.); взять под ~у, под ~и lift by the ármpits (d.).

мышлéни||**е** с. thínking, thought; отношéние ~я к бытию́ the relátion of thínking to béing.

мышóнок м. young mouse* [jʌŋ -s], little mouse*.

мы́шца ж. muscle [mʌsl].

мышь ж. mouse* [-s]; полевáя ~ field-mouse* ['fiːldmaʊs]; ◇ летýчая ~ bat; надýться, как ~ на крупý go* into a huff [...hʌf].

мышья́к м. ársenic.

мышьякóв||**истый** àrsénious. ~**ый** àrsénic(al).

мэр м. mayor [mɛə].

мю́зикл м. músical [-zɪ-].

мя́гк||**ий** [-хк-] soft; (перен.) mild, gentle; ~ хлеб fresh bread [...bred]; ~ вагóн sóft-séated / úphólstered cárriage [...-rɪdʒ-], sléeping car; ~ая мéбель úphólstered fúrniture; ~ое крéсло éasy chair [-zɪ...]; ~ая постéль soft bed; ~ое нéбо анат. soft pálate; ~ харáктер mild / gentle disposítion [...-'zɪ-]; ~ое сéрдце soft heart [...hɑːt]; ~ клíмат mild clímate [...'klaɪ-]; ~ая зимá mild / soft wínter; ~ая погóда soft / ópen / mild / méllow wéather [...'weðə]; ~ свет soft / sháded light; ~ое движéние gentle / smooth móve:ment [...smuːð 'muː-]; ~ звук méllow / soft sound; ~ая водá soft wáter [...'wɔː-]; ~ая посáдка (о космическом корабле) soft lánding; ◇ ~ знак Rússian létter «ь» [-ʃən...].

мя́гко [-хк-] I прил. крáткая см. мя́гкий.

мя́гко [-хк-] II нареч. sóftly; (перен.) míld:ly, gently; ◇ ~ выражáясь to put it míld:ly, to say the least of it; ~ стéлет, да жёстко спать погов. ≅ hóney is sweet, but the bee stings ['hʌ-...]; hóney tongue, heart of gall [...tʌŋ hɑːt].

мягкосердéчие [-хк-] с. kínd:ness, sóft-héartedness [-'hɑːt-], soft heart [...hɑːt].

мягкосердéчный [-хк-] sóft-héarted [-'hɑːt-].

МЯГ — НА

мя́гкость [-хк-] *ж.* sóftness; (*перен.*) míldness, géntleness.

мягкоте́л‖**ость** [-хк-] *ж.* flábbiness; (*перен.*) féebleness, spínelessness. **~ый** [-хк-] flábby; (*перен.*) feeble, spíneless.

мягкошёрстный [-хк-] sóft-haired.

мягчи́тельн‖**ый** [-хч-] *мед.* emóllient. **~ое сре́дство** emóllient.

мягчи́ть [-хч-] (*вн.*) sóften ['sɔfn] (*d.*).

мяки́н‖**а** *ж. с.-х.* chaff; ◊ **ста́рого воробья́ на ~е не проведёшь** *посл.* an old bird is not caught with chaff.

мя́киш *м. тк. ед.* crumb (*soft part of loaf*).

мя́кнуть *разг.* sóften ['sɔfn], grow* púlpy [grou...]; (*перен.*) grow* flábby, become* soft.

мя́коть *ж.* 1. (*плода*) pulp; 2. (*мяса*) flesh.

мя́лка *ж. тех.* brake (*for flax and hemp*).

мя‖**млить, промя́млить** *разг.* 1. múmble, hum and haw, drawl; 2. *тк. несов.* (*тянуть*) procrástinate. **~ля** *м. и ж. разг.* irrésolùte pérson [-zəl-...], múmbler.

мяси́стый 1. (*толстый*) fléshy, méaty; 2. (*о плодах*) púlpy.

мясна́я *ж. скл. как прил.* bútcher's (shop) ['bu-...].

мясни́к *м.* bútcher ['bu-].

мясн‖**о́е** *с. скл. как прил.* (*блюдо*) meat. **~о́й** *прил. к* мя́со; **~а́я пи́ща** meat próducts [...'prɔ-] *pl.*; **~ы́е консе́рвы** tinned meat; canned meat *амер.*; **~о́й бульо́н** béef-tea, broth.

мя́со *с.* flesh; (*как еда*) meat; **бе́лое, кра́сное ~** white, red meat; **ру́бленое ~** minced meat; **варёное, жа́реное ~** boiled, roast meat; **тушёное ~** stew; **пиро́г с ~м** méat-pie; ◊ **ди́кое ~** proud flesh; **пу́шечное ~** cánnon-fòdder; **вы́рвать пу́говицу с ~м** rip out a bútton with a bit of cloth; **ни ры́ба ни ~** *погов.* néither fish, nor fowl ['nai-...]; néither fish, flesh, nor good red hérring *идиом.*

мясое́д *м. церк.* time from Christmas to Shróvetìde [...-sm-...] (*when it is allowed to eat meat*).

мясокомбина́т *м.* meat prócessing and pácking fáctory.

мясоконсе́рвн‖**ый** [-зэ:v-], méat-pàcking; **~ая промы́шленность** méat-preserving índustry; **~ комбина́т** méat-preserving / méat-pàcking fáctory.

мя́со-моло́чный meat and milk (*attr.*).

мясопу́ст *м. церк.* Shróvetìde (*week before Lent when Orthodox Christians go without animal food*).

мясору́бка *ж.* méat-chòpper, míncing-machine [-ʃi:n]; méat-grinder *амер.*; (*перен.*) sláughter-house* [-s].

мя́та *ж. бот.* mint.

мяте́ж *м.* mútiny, revólt; **подня́ть ~** raise a revólt / mútiny. **~ник** *м.*, **~ница** *ж.* rébel ['re-], insúrgent, mùtinéer. **~ный** 1. rebéllious, insúrgent, mútinous; 2. (*бурный, неспокойный*) réstless, pássionate; **~ная душа́** réstless soul [...soul].

мяте́ль *ж. уст.* = мете́ль.

мя́тн‖**ый** *прил. к* мя́та; **~ые леденцы́** péppermints, péppermint lózenges; **~ые пря́ники** péppermint cakes.

мяту́щ‖**ийся**: **~аяся душа́** réstless soul [...soul].

мя́тый *прич. и прил.* crushed, crúmpled; ◊ **~ пар** waste / dead / exháust steam [wei- ded...].

мять, помя́ть (*вн.*) 1. rúmple (*d.*); (*комкать*) crúmple (*d.*); (*приводить в беспорядок*) túmble (*d.*); **~ тра́ву** trámple grass; 2. (*месить*) work up (*d.*), knead (*d.*); 3. (*о льне, конопле и т. п.*) brake (*d.*); dress (*d.*).

мя́ться I, **помя́ться** 1. be crúmpled (éasily) [...'i:zɪ-]; rúmple éasily; 2. *страд. к* мять.

мя́ться II *разг.* (*колебаться*) hésitàte [-zɪ-], hum and haw.

мяу́канье *с.* méw(ing), miáow [mi:-'au].

мяу́кать mew, miául [-'au].

мяч *м.*, **~ик** *м.* ball; **футбо́льный ~** fóotball ['fut-]; **те́ннисный ~** ténnis-bàll; **игра́ть в ~** play ball.

Н

на I *предл.* 1. (*пр., вн.; сверху, на поверхности; имея основанием, поддержкой; тж. перен.*; *о*; up:ón (*реже; об. без удар.*: [əpən]); (*вн.; в тех же случаях тж.*) on to (*редко: если необходимо подчеркнуть направление*): **на столе́, на стол** on the table; **на стене́, на сте́ну** on the wall; **на бума́ге** (*тж. перен.*) on páper; **на трёх страни́цах** on three páges; **с кольцо́м на па́льце** with a ring on one's finger; **надева́ть кольцо́** (*себе́*) **на па́лец** put* the ring on one's finger; **опира́ться на па́лку** lean* (up:)ón a stick; **висе́ть на крюке́** hang* on a hook; **на таки́х усло́виях** on such terms; **име́ть что-л. на** (*свое́й*) **со́вести** have smth. on one's cónscience [...-ʃəns]; **полага́ться на кого́-л., на что-л.** relý (up:)ón smb., (up:)ón smth.; **ступи́ть на платфо́рму** step ón:to, или on to, the plátfòrm; **висе́ть на потолке́** hang* from the céiling [...'si:-]; 2. (*пр. — где?*; *при обозначении стран, местностей, улиц*) in; (*пр.; при обозначении предприятий, учреждений, занятий и т. п.*) at; (*пр.; около, у*) on; (*вн. — куда?*; *в тех же случаях*) to; (*вн.; в направлении*) towards: **на Кавка́зе** in the Cáucasus; **на Се́вере** in the North; **на у́лице** in the street; **на заво́де** at the fáctory; **на конце́рте** at a cóncert; **на уро́ке** at a lésson; **го́род на Во́лге** a town on the Vólga; **дом стои́т на доро́ге** the house* is on the road [...haus...]; **на Кавка́з** to the Cáucasus; **на Се́вер** to the North; **на заво́д** to the fáctory; **на конце́рт** to a cóncert; **на уро́к** to a lésson; **вы́йти на Во́лгу** come* to the Vólga; **дви́гаться на ого́нь** make* towards the fire; **на по́люсе** at the pole; **на се́вере, на ю́ге** и *т. п.* (*с северной, с южной и т. п. стороны*) in the north, in the south, *etc.*; **на се́вер, на юг** и *т. п.* (*к северу, к югу и т. п.*) nórthwards [-dz], sóuthwards [-dz], *etc.*; (to the) north, (to the) south, *etc.*; **на се́вер** и *т. п.* **от** (to the) north, *etc.*, of; **доро́га на Москву́, на Кали́нин** и *т. п.* the road to Móscow, to Kalínin, *etc.*; **по́езд на Москву́, на Кали́нин** и *т. п.* the train to / for Móscow, to / for Kalínin, *etc.*; 3. (*пр.; при обозначении средства передвижения*) by: **е́хать на по́езде, на парохо́де** go* by train, by stéamer; **— е́хать на маши́не** (*автомобиле*) go* by car, drive* in a car; **е́хать на изво́зчике** go* in a cab; **ката́ться на ло́дке** go* bóating; boat; **на вёслах** únder oars; 4. (*пр.; с включением в состав*) with; (*с применением в качестве топлива*) on: **варе́нье** (*сва́ренное*) **на са́харе** jam made with súgar [...'ʃu-]; **заво́д рабо́тает на не́фти** the fáctory works on oil; **— кра́ска, тёртая на ма́сле** paint ground in oil; (*приготовленный*) **на дрожжа́х** léavened with yeast ['je-...]; 5. (*пр.; во время, в течение*) dúring; (*пр.; тж. вн.; при обозначении года*) in; (*вн.; при обозначении дня*) on: **на пра́здниках** dúring the hólidays [...-dɪz]; **на кани́кулах** dúring the vacátion; **на деся́том году́** (*своей жизни*) in one's tenth year; **на тре́тий день** on the third day; **на Но́вый год** (*в день Нового года*) on New Year's day; **— на э́той неде́ле** this week; **на той, на про́шлой неде́ле** last week; **на бу́дущей неде́ле** next week; **на друго́й, на сле́дующий день** the next day; **на рождество́** at Christmas [...-sm-]; **на па́сху** at Easter; 6. (*вн.; для*; *при обозначении срока; при предварительном определении времени*) for: **на что э́то ему́ ну́жно?** what does he want it for?; **ко́мната на двои́х** a room for two; **по кни́ге на ка́ждого уча́щегося** a book for each stúdent; **уро́к на за́втра** the lésson for to:mórrow; **на́ зиму** for (the) winter; **на два дня** for two days; **план на э́тот год** the plan for this year; **собра́ние назна́чено на четве́рг, на пя́тое января́** the méeting is fixed for Thúrsday, for the fifth of Jánuary [...'θə:zdɪ...]; 7. (*вн.; при обозначении средств к существованию*) on: **жить на** (*свой*) **за́работок** live on one's éarnings [lɪv... 'ə:n-]; 8. (*вн.; при определении количества* чего-л. *денежной суммой*) *poss.* worth (of smth.): **на рубль ма́рок** a rouble's worth of stamps [...ru:-...]; 9. (*вн.; при обозначении средства или единицы измерения*) by: **продава́ть на вес, на ме́тры, на метр** sell* by weight, by metres, by the metre; 10. (*вн.; при обозначении количественного различия*) by, *но если данное существит. предшествует определяемому слову, об. не переводится*: **населе́ние увели́чилось на миллио́н** the populátion has in:créased by a míllion [...-st...]; **ко́роток на дюйм** short by an inch, an inch short; **коро́че на дюйм** shórter by an inch, an inch shórter; **на шаг да́льше** a step fúrther [...-ðə]; **на метр вверх** a metre úp(wards) [...-dz]; 11. (*вн.; при обозначении множителя или делителя*) by; (*при словах, обозначающих результат деления, дробления*) in, into, to: **помно́жить**

пять на три múltiply five by three; пять мéтров (в длину́) на три (в ширину́) five metres (long) by three (broad) [...ɔ:d]; разделить пятнáдцать на три divide fifteen by three; делить на (две, три и т. д.) чáсти divide into (two, three, etc.) parts; рéзать на куски́ cut* in(to) pieces [...'pi:-]; рвать на чáсти, на куски́ tear* to pieces [tɛə...]; ◊ на мéсте (на надлежáщем мéсте) in place; класть на мéсто replace, put* in its place; на сóлнце (под егó лучáми) in the sun; выставля́ть на сóлнце expose to the sun; на (чи́стом, вóльном) вóздухе in the open air; на у́лице (вне дóма) out of doors [...dɔ:z]; outsíde; на ногáх on one's feet; на его́ глазáх (при нём) before his eyes [...aiz]; на его́ пáмяти within his recolléction; не на словáх, а на дéле in deed and not in name; на э́том, на иностра́нном, на грéческом и т. п. языке́ in this lánguage, in a fóreign lánguage [...'fɔrɪn...], in Greek, etc.; написáть что-л. на э́том языке́, на грéческом языке́ write* smth. in this lánguage, in Greek; говори́ть и писáть на какóм-л., на грéческом и т. п. языке́ speak* and write* a lánguage, Greek, etc.; ру́копись на грéческом и т. п. языке́ a Greek, etc., mánuscript; переводи́ть на другóй язы́к, на францу́зский и т. п. translate into another lánguage, into French, etc.; положи́ть на му́зыку set* to músic [...-z-]; сесть на пóезд, на автóбус и т. п. take* the train, the bus, etc., board the train, the bus, etc.; сесть на корáбль, на парохóд go* on board; оши́бка на оши́бке blúnder upón blúnder; (как на беду́) unfórtunately [-tʃən-]; на страх врагáм to the dread of one's énemies [...dred...]; на э́тот раз for (this) once [...wʌns], this time; на случай см. случай; на вся́кий случай см. вся́кий; гля́деть на кого́-л., на что-л. см. гляде́ть; тж. и другие особые случаи, не приведённые здесь, см. под теми словами, с которыми предл. на образует тесные сочетания.

на II межд. повелительное разг. (вот) here; here you are; (возьми́ это) here, take it; ◊ вот тебé и на! разг. well!; well, réally! [...'ɪə-]; well, I néver!, well, how do you like that?

на III: какóй ни на есть no mátter what.

на- глагóльная пристáвка 1. (в разн. знач.) глагóлы с этой пристáвкой; 2. (вдóволь, до пóлного удовлетворéния: в глагóлах с окóнч. -ся, об. в сов. виде, éсли э́ти глагóлы в словаре́ не даны́) to one's heart's cóntent [...hɑ:-...]; (при отри́ц. тж.) enóugh [-ʌf]; (перен. ирон.: сли́шком мнóго) too much (при глаг. в perf.) или передаётся через фóрмы глаг. have + enóugh (of ger.), чéрез фóрмы глаг. be + tíred / sick (of ger.); но при нали́чии слов, обознача́ющих стéпень, предéл, не передаётся осóбо: наговори́ться talk to one's heart's cóntent; они́ ещё не наговори́лись they have not yet talked enóugh, they have not yet said all they have to say [...sed...]; он

набéгался (сли́шком) he has run abóut too much, he has had enóugh (of) rúnning abóut; (ему́ надоело бéгать) he is tired / sick of rúnning abóut; набéгаться до изнеможéния run* about till one is exháusted; 3. (определённое количество в глагóлах с доп., éсли такие глагóлы в словаре́ не даны́) a quántity (of); но при нали́чии слов, обознача́ющих коли́чество, не передаётся осóбо: накупи́ть книг buy* a quántity of books [ba...]; накупи́ть мнóго книг buy* a lot of books.

набáв|**ить** сов. см. набавля́ть. **~ка** ж. addítion, íncrease [-s]; (повышéние) raise; (о цене́) éxtra charge. **~ля́ть**, набáвить (вн. на вн.) add (d. to); (увели́чивать) incréase [-s] (d.); **~ля́ть** цéну raise the price; **~ля́ть** пла́ту за помещéние raise the rent; **~ить** пять рублéй на что-л. raise the price of smth. by five roubles [...ru:-].

набáвочный разг. éxtra, addítional.

набаламу́тить сов. (без доп.) разг. make* tróuble [...trʌ-]; (вн.) upsét* (d.).

набалда́шник м. knob.

набалóв|**ать** сов. разг. 1. (вн.; избалова́ть) spoil* (d.); 2. (без доп.; нашали́ть) get* up to míschief. **~ся** сов. разг. be náughty, play up.

набальзами́ровать сов. см. бальзами́ровать.

набáт м. тк. ед. alárm, alárm bell, tócsin; бить в **~** sound the alárm, sound / ring* the tócsin; (перен.) raise the alárm. **~ный** прил. к набáт; **~ный** кóлокол alárm bell.

набéг м. raid, ínroad; (граби́тельский) fóray; произвести́ **~** (на вн.) raid (d.); произвести́ граби́тельский **~** (на вн.) fóray (d.), make* a plúndering raid (on).

набéгать сов. (вн.) разг.: **~** себé болéзнь сéрдца cause onesélf heart trouble by rúnning [...hɑ:t trʌ-...].

набегáть I, набежáть (на вн.; натáлкиваться) run* / dash (agáinst); (покрывáть) run* óver (d.), cóver ['kʌ-] (d.).

набегáть II, набежáть безл. (мори́щить) come* rúnning (togéther) [...-'ge-]; (скопля́ться) accúmulate; набежáло мнóго нарóду péople came rúnning up [pi:-...]; срáзу набежáло пóлное ведрó воды́ the pail was at once brímful of wáter [...wʌns ...'wɔ:-].

набегáть III безл. (мори́щить) ruckup.

набéгаться сов. разг. be tired out with rúnning abóut, have had one's fill of rúnning.

набедокýрить сов. см. бедокýрить.

набéдренн|**ый**: **~ая** повя́зка lóin-clòth.

набежáть I, II сов. см. набегáть I, II.

набезобрáзничать сов. разг. do a lot of disgráceful things, beháve disgrácefully.

набекрéнь нареч. разг. aslánt [-ɑ:nt], tílted; с шáпкой **~** with one's hat cocked; носи́ть шáпку **~** wear* one's hat on one side [weə...].

набели́ть сов. см. бели́ть III.

набели́ться сов. см. бели́ться.

набéло нареч. clean, fair; переписáть **~** (вн.) make* a fair cópy [...'kɔ-] (of); перепи́санное **~** fair / clean cópy.

НА — НАБ Н

нáбережная ж. скл. как прил. embánkment, quay [ki:]; (морская тж.) séa-frònt [-frʌnt].

набивáть, наби́ть 1. (вн. тв.) stuff (d. with), pack (d. with), fill (d. with); **~** тру́бку fill one's pipe; **~** пóгреб снéгом pack a céllar with snow [...-ou]; 2. (вн.) текст. print (d.); 3. (вн. на вн.): **~** óбручи на бóчку bind* a cask with hoops; ◊ наби́ть ру́ку на чём-л. become* a skilled hand at smth.; **~** цéну bid* up; raise* the price; наби́ть себé цéну enhánce one's reputátion; make* onesélf sought áfter. **~ся**, наби́ться 1. (куда́-л.) crowd (into a place); (наполня́ть чем-л.) become* crówded (with smth.); наби́ться битко́м (куда́-л.) разг. jam (a place), crowd (into a place); 2. разг. (навя́зываться): **~ся** на знакóмство force onesélf into a person's acquáintance; **~ся** в друзья́ комý-л. impóse one's friendship on smb. [...'frend-...]; 3. страд. к набивáть.

наби́в|**ка** ж. 1. (дéйствие) stúffing, fílling; **~** чу́чел táxidermy; 2. (то, чем наби́то) pádding, pácking; 3. текст. printing. **~нóй** текст. prínted, fást-printed; **~нóй** си́тец prínted cótton.

набирáть I, набрáть 1. (рд., вн.) gáther (d.), colléct (d.); 2. (вн.; производи́ть набóр) take* (d.); (о рабо́чих и т. п. тж.) recrúit [-ru:t] (d.); ◊ **~** нóмер (ди́ском) dial; **~** высоту́ gain height [...hait], climb [klaim]; **~** скóрость gáther, или pick up, speed; набра́ть воды́ в рот keep* mum, remáin sílent.

набирáть II, набрáть (вн.) полигр. set* up, compóse (d.).

набирáться, набрáться 1. (накопля́ться) accúmulate; (до како́го-л. коли́чества) come* up (to); 2. (рд.) разг. (находить в себé) colléct (d.); **~** хрáбрости pluck up, или screw up, one's cóurage [...'kʌ-]; **~** ду́ху take* heart [...hɑ:t]; **~** нóвых сил súmmon up fresh énergy; 3. (рд.) разг. (заи́мствовать, усва́ивать) learn [lə:n] (d.), acquire (d.); набра́ться умá learn* sense, grow* wise [grou...].

наби́тый 1. прич. см. набивáть; 2. прил. (напо́лненный) well pácked; stuffed; (наро́дом) crówded, congésted; зал был наби́т the hall was crówded / congésted; ◊ **~** дурáк разг. compléte / pérfect / útter fool.

наби́ть I сов. см. набивáть.

наби́ть II сов. (рд.; вн.) 1.: **~** гвоздéй в стéну drive* (a number of) nails into a wall; 2.: **~** ди́чи kill (a quantity) of game.

наби́ться сов. см. набивáться.

наблюдáтел|**ь** м. obsérver [-'zə:-]; полити́ческие **~и** political obsérvers.

наблюдáтельн|**ость** ж. observátion [-zə-]; pówer / kéenness of observátion. **~ый** 1. (о челове́ке) obsérvant [-'zə:-]; 2. (служащий для наблюдéния) observátion [-zə-] (attr.), observátional [-zə-]; **~ый** пункт observátion post [...poust].

наблюд|**áть** 1. (вн.) obsérve [-'zə:v] (d.); **~** как кто-л. дéлает что-л. obsérve / watch smb. do smth.; 2. (за тв.;

303

НАБ — НАВ

следи́ть) take* care (of), look (áfter); keep* one's eye [...aɪ] (on) *разг*.; **3.** (*за тв.; надзира́ть*) watch (*d.*); súpervise (*d.*), contról [-oul] (*d.*); ~ за поря́дком be respónsible for kéeping órder; ~ за выполне́нием чего́-л. see* to smth.; (*до оконча́ния де́ла*) see* smth. through. **~а́ться 1.** be obsérved [...-'zəː-]; ~а́ется ре́зкое колеба́ние температу́ры there are súdden chánges in témperature [...'tʃeɪ-...], súdden chánges in témperature are to be obsérved; **2.** *страд*. *к* наблюда́ть. **~е́ние** *с*. **1.** òbservátion [-zə-]; **2.** (*надзор*) sùperinténdence, supervísion, contról [-oul]; быть под ~ем (*рд*.) be únder òbservátion (by); взять под ~ е (*вн*.) put* únder òbservátion (*d.*).

набо́б *м*. nábòb.

набо́жн‖**ость** *ж*. devótion, píety. **~ый** devóut, píous.

набо́й‖**ка** *ж*. **1.** *текст*. prínted cloth; **2.** (*на каблуке́*) heel. **~щик** *м.*, **~щица** *ж. текст*. (clóth-)prínter.

на́бок *нареч*. on one side, a̱wrý, sìde̱wáys.

наболе́вш‖**ий 1.** *прич. см.* наболе́ть; **2.** *прил*. sore, páinful; ~ее ме́сто sore spot; ◊ ~ вопро́с sore point / súbject.

наболе́‖**ть** *сов*. be páinful, ache [eɪk]; у него́ ~ло на се́рдце his heart burns (within him) [...hɑːt...]; his heart grieves [...griː-].

наболта́‖**ть I** *сов. разг*. **1.** (*вн., рд., наговори́ть*) talk (a lot of) nónsense; **2.** (*на вн.; наклевета́ть*) góssip (abóut); (*дт*.) bear* tales [bɛə...] (to); на него́ ~ли there has been a lot of góssip abóut him; (*оклевета́ли*) he was slándered [...'slɑː-].

наболта́ть II *сов.* (*вн., рд.*) *разг.* (*наме́шать*) mix in (a quantity of).

наболта́ться *сов. разг.* (*наговори́ться*) have a long chat, have a good nátter.

набо́р I *м*. **1.** (*приём*) admíssion; (*новобра́нцев*) lévy ['le-], recrúitment [-'kruːt-], conscríption; (*рабо́чих*) engáging, recrúiting, táking on; (*соста́ва уча́щихся*) íntake (of stúdents); **3.** (*компле́кт*) set, colléction; ~ инструме́нтов tool kit; **4.** *тк. ед.* (*украше́ние на упря́жи, на по́ясе и т. п.*) décorative plate; ◊ ~ слов mere vérbiage; ~ корабля́ fráming, fráme̱wòrk.

набо́р II *м. полигр*. **1.** (*де́йствие*) còmposítion [-'zɪ-], týpe-sètting; сдать ру́копись в ~ send* the mánuscript to the prínter's; **2.** (*на́бранный текст*) compósed type. **~ная** *ж. скл. как прил. полигр. уст.* týpe-sètting óffice. **~ный** *полигр*. týpe-sètting (attr.); ~ная лине́йка sétting-rùle; ~ная рабо́та còmposítion [-'zɪ-]; ~ная ка́сса (type) case [...-s]; ~ная маши́на compósing-machíne [-ʃiːn], týpe-sètting machíne [...-'ʃiːn]; ~ный цех compósing room. **~щик** *м.*, **~щица** *ж*. compósitor [-zɪ-], týpe-sètter.

набра́сывать I, наброса́ть (*вн*.) **1.** (*составля́ть в о́бщих черта́х*) sketch (*d.*), óutline (*d.*), draft (*d.*); ~ план óutline a plan; **2.** (*наско́ро запи́сывать*) jot down (*d.*).

набра́сывать II, набро́сить (*вн. на вн*.) throw* [-ou] (*d.* on, óver); ◊ ~ тень cast* aspérsions (on).

набра́сываться I, набро́ситься **1.** (*на вн*.) fall* upón, on); pounce (on); (*напада́ть*) attáck (*d.*), assáult (*d.*); go* for (*d.*); соба́ка набро́силась на меня́ the dog went for me; набро́ситься на кни́гу pounce on a book, snatch at a book; набро́ситься на еду́ fall* upón one's food; **2.** *страд. к* набра́сывать II.

набра́сываться II *страд. к* набра́сывать I.

набра́ть I, II *сов. см.* набира́ть I, II.

набра́ться *сов. см.* набира́ться.

набрести́ *сов*. (*на вн*.; *прям. и перен*.) come* across (*d.*), háppen upón (*d.*); (*перен. тж.*) hit* on (*d.*); он набрёл на интере́сную мысль he has hit on an ínteresting idéa [...aɪ'dɪə].

наброса́ть *сов. см.* набра́сывать I.

набро́сить *сов. см.* набра́сывать II.

наброса́ть II *сов.* (*рд., вн.; наки́дать*) throw* abóut [-ou-] (*d.*); (*где́-л.; нас́орить*) lítter a place (with); ~ бума́ги на пол lítter the floor with páper [...flɔː...]; ~ся *сов. см.* набра́сываться I.

набро́ситься *сов. см.* набра́сываться I.

набро́сок *м*. draft, óutline; (*рису́нок*) sketch.

набры́згать *сов.* (*вн., рд., тв.*) spill* (*d.*), splash (*d.*, on, óver).

набрю́шник *м*. àbdóminal band.

набрю́шный *анат*. àbdóminal; ~ жирово́й слой láyer of àbdóminal fat.

набря́к‖**нуть** *сов*. swell*. **~ший** *прич. и прил*.: ру́ки с ~шими ве́нами hands with swóllen veins [...-ou-...].

набуха́ние *с*. swélling.

набуха́ть, набу́хнуть swell*.

набу́хнуть *сов. см.* набуха́ть.

набуя́нить *сов. см.* буя́нить.

нава́га *ж.* (*ры́ба*) navága [-'vɑː-].

наважде́‖**ние** *с*. delúsion; évil suggéstion ['iːv- -'dʒest∫-]; obséssion.

нава́ксить *сов. см.* ва́ксить.

нава́ливать I, навали́ть (*вн., рд. на вн*.) put* (*d.* on); (*в ку́чу, беспоря́дочно*) heap up (*d.* on), pile (*d.* on); (*перен.: обременя́ть*) load (with *d.*); óverload (with *d.*); све́рху навали́ли тяжёлый ка́мень they put a héavy stone on top [...'he-...]; на стол навали́ли ку́чу книг they heaped up, *или* piled, a lot of books on the table.

нава́ливать II, навали́ть *безл*.: мно́го сне́гу навали́ло there are great snów-drifts, *или* piles of snow [...greɪt 'snou-...snou]; сне́гу навали́ло по коле́но the snow had piled up knée-deep; наро́ду навали́ло the place was óvercrówded.

нава́ливаться, навали́ться (на *вн.*). **1.** *разг.* (*набра́сываться*) attáck (*d.*), fall* (on); навали́ться на еду́ eat* gréedily; **2.** (*опира́ться, прислоня́ться*) lean* (on, upón); (*налега́ть всей тя́жестью*) lean* all one's weight (upón); bring* all one's weight to bear [...beə] (on); ~ на вёсла pull hard [pul...]; навали́сь! pull a̱wáy!; **3.** *страд. к* нава́ливать I.

навали́ть I, II *сов. см.* нава́ливать I, II.

навали́ться *сов. см.* нава́ливаться.

нава́лка *ж*. lóading, héaping.

нава́лом *нареч*. **1.** (*без упако́вки*) in bulk: грузи́ть ~ load in bulk; **2.** *разг*. (*очень мно́го*) a lot of.

навалоотбо́йщик *м*. cútter and shóveller [...'∫ʌv-].

нава́лочн‖**ый**: ~ая маши́на mechánical lóader [-'kæ-...].

навали́‖**ть I** *сов.* (*рд., вн.; како́е-л. коли́чество*): ~ во́йлока, ва́ленок make* (a quántity of) felt, félt-boots; **2.** (*без доп.*) *разг.* (*сде́лать ко́е-ка́к*) botch, búngle.

нава́р *м*. fat (on súrface of soup, etc.).

нава́ривать, навари́ть (*вн*.) *тех*. weld on (*d.*).

нава́ристый *разг*. rich; ~ суп rich soup [...suːp].

навари́ть I *сов. см.* нава́ривать.

навари́ть II *сов.* (*рд., вн.*) cook (a quántity of); (*отвари́ть*) boil (a quántity of).

нава́р‖**ка** *ж. тех*. wélding (on). **~но́й** *тех*. wélded (on).

навева́ть, наве́ять (*вн*.) blow* [-ou] (*d.*); (*вн. на вн.; перен.*) cast* (*d.* óver); ве́тер навева́ет прохла́ду the wind blows refréshingly [...wɪnd...]; ~ тоску́ на кого́-л. cast* a gloom óver smb.; plunge smb. into gloom; ~ сны call up dreams, evóke dreams.

наве́даться *сов. см.* наве́дываться.

наведе́ние *с*. **1.** *филос. уст.* indúction; **2.** (*покры́тие*): ~ ло́ска, гля́нца várnishing, pólishing; **3.** *воен*. láying, póinting (a gun); ◊ ~ спра́вок (о *пр.*) máking inquíries (abóut); ~ поря́дка gétting things put in órder.

наве́дываться, наве́даться (к) *разг*. vísit [-z-] (*d.*), call (on).

навезти́ I *сов.* (*вн. на вн.*) *разг.* drive* (*d.* on, agáinst).

навезти́ II *сов.* (*рд., вн.; како́е-л. коли́чество*) bring* in (a quántity of); ско́лько дров вы ~ли! what a lot of wood you have brought! [...wud...].

наве́к, наве́ки *нареч*. for éver, for good, for éver and éver.

навербова́ть *сов.* (*рд., вн.*) enróll (a númber of), recrúit (a númber of) [-uːt...].

наве́рно 1. *вводн. сл.* (*по всей вероя́тности*) próbably, most líke̱ly; **2.** *нареч*. (*несомне́нно*) for sure [...∫uə], cértaiṉly, for a cértaiṉty.

наве́рное = наве́рно 1.

наверну́ть *сов. см.* навёртывать I. ~ся *сов. см.* навёртываться.

наверняка́ *нареч. разг.* for sure [...∫uə]; он де́йствует то́лько ~ he acts ónly when he is sure (of succéss), he acts ónly on a dead cértainty [...ded...]; он ~ придёт it's dead cértain he will come.

наверста́ть *сов. см.* навёрстывать.

навёрстывать, наверста́ть (*вн*.) make* up (for); наверста́ть поте́рянное вре́мя make* up for lost time.

навертёть I *сов. см.* навёртывать II.

навертёть II *сов.* (*рд., вн.; отве́рстий и т. п.*) drill (a quántity of).

навёртывать I, наверну́ть (*вн. на вн*.) **1.** (*враща́я, надева́ть на что́-л.*) screw (*d.* on); **2.** (*нама́тывать вокру́г чего́-л.*) wind* (*d.* round).

навёртывать II, наверте́ть (*вн. на вн.*) wind* (*d.* round), twist (*d.* round).

304

навёртываться, навернуться 1. (на *вн.*) get* / become* screwed (on); 2. (*вн.*; *наматываться*) wind* (round); 3. (*без доп.*) *разг.* turn up; 4. *страд. к* навёртывать I; ◇ навернулись слёзы tears welled up.

наверх *нареч.* up, upward; (*по лестнице*) upstairs; (*чего-л.*) to the top; все ~! *мор.* all hands on deck!

наверху *нареч.* above; (*в верхнем этаже*) upstairs.

навес *м.* shed; lean-to; (*из парусины*) awning.

навеселе *нареч. разг.* one over the eight; он был ~ he had one over the eight.

навес|**ить** *сов. см.* навешивать I. ~**ка** *ж.* (*дверная*) hinge-plate. ~**ной**: ~ая петля hinge. ~**ный** *воен.*: ~ая стрельба, ~ный огонь plunging fire, curved fire.

навести I *сов. см.* наводить.

навести II *сов.* (*вн.*) bring* in (*a quantity of*).

навестить *сов. см.* навещать.

навет *м. уст.* slander [-ɑ:n-], calumny.

наветренн||ый windward ['wɪ-], exposed to the wind [...wɪnd]; *мор.* weather ['we-] (*attr.*); ~ая сторона windward (side).

навечно *нареч.* for ever, for good; in perpetuity; передать ~ (*о земле и т. п.*) transfer to full ownership [...'oʊnə-].

навешать I *сов. см.* навешивать II.

навешать II *сов.* (*рд., вн.*; *повесить*) hang* up (*a number of*), suspend (*a quantity of*).

навешивать I, навесить (*вн.*; *прикреплять*) hang* up (*d.*), suspend (*d.*); навесить дверь hang* a door [...dɔ:]; навесить замок fix a padlock; (*замкнуть*) fasten a padlock [-s'n...].

навешивать II, навешать (*вн., рд.*; *взвешивать*) weigh out (*a quantity of*).

навещать, навестить (*вн.*) visit [-z-] (*d.*), call on (*d.*), come* to see (*d.*).

навеять I *сов. см.* навевать.

навеять II *сов.* (*рд., вн.*) с.-х. (*какое-л. количество*) winnow (*a quantity of*).

навзничь *нареч.* on one's back; упасть ~ fall* flat on one's back; лежать ~ lie* flat on one's back; lie* supine.

навзрыд *нареч.*: плакать ~ sob violently.

навиг|**атор** *м.* navigator. ~**ационный** *прил. к* навигация. ~**ация** *ж.* navigation; (*отрасль кораблевождения тж.*) pilotage proper [...'prɒ-].

навидаться *сов.* (*рд.*): ~ видов *разг.* have seen a thing or two; ~ всякого *разг.* have had all kinds of experiences, have seen it all.

навинтить(**ся**) *сов. см.* навинчивать(ся).

навинчивать, навинтить (*вн. на вн.*) screw (*d.* on). ~**ся**, навинтиться get* / be screwed on.

нависать, нависнуть (на *вн.*, над *вн.*) hang* (over); (*о скалах*) overhang* (*d.*), beetle (over); (над; *перен.*: *угрожать*) impend (over), threaten ['θre-] (*d.*); над ним нависла опасность, he is threatened with danger [-deɪn-], he is in imminent danger.

нависнуть *сов. см.* нависать.

навис|**ший** *прич. см.* нависать; 2. *прил.*: ~ие брови beetling brows; ~ие скалы overhanging / beetling rocks.

навлекать, навлечь (*вн. на вн.*) bring* (*d.* on), draw* (*d.* on); ~ на себя подозрение draw* suspicion upon oneself, arouse suspicion.

навлечь *сов. см.* навлекать.

наводить, навести (*вн. на вн.*) 1. (*направлять*) direct (*d.* at), bring* (*d.* on); (*нацеливать*) aim (*d.* at); ~ орудие lay* / point a gun; ~ на след (*вн.*; *прям. и перен.*) put* on the track / trail (*d.*); ~ кого-л. на мысль suggest an idea to smb. [-'dʒest ... aɪ'dɪə ...]; 2. (*покрывать*) cover ['kʌ-] (with *d.*), coat (with *d.*); лоск, глянец (на *вн.*; *прям. и перен.*) polish (*d.*), gloss (*d.*), glaze (*d.*); (*перен. тж.*) veneer (*d.*); ~ мост build* / make* a bridge [bɪd...]; ◇ (на себя) красоту *разг.* beautify oneself ['bjuː-...]; ~ порядок где-л. put* a place in order; ~ скуку bore (*d.*); ~ страх inspire fear; ~ критику *разг.* criticize (*d.*); ~ справки (о *пр.*) inquire (about), make* inquiries (about); ~ тень на что-л. complicate / confuse matters / things.

наводк||**а** *ж.* 1. foil; 2. (*орудия*) laying, training; прямая ~ direct laying; прямой ~ой over open sights, point-blank; 3.: ~ моста bridging operation.

наводн|**ение** *с.* flood [-ʌd], inundation. ~**ить**(**ся**) *сов. см.* наводнять(ся).

наводной: ~ мост floating bridge.

наводнять, наводнить (*вн. тв.*; *прям. и перен.*) flood [-ʌd] (*d.* with); (*перен. тж.*) inundate (*d.* with); ~ рынок flood the market (with). ~**ся**, наводниться 1. (*прям. и перен.*) overflow [-ou-], be flooded [...-ʌd-]; 2. *страд. к* наводнять.

наводчик *м.* 1. *воен.* gunlayer; 2. (*воровской шайки*) tipper-off.

наводящий *прич.* (*тж. как прил.*) *см.* наводить; ◇ ~ вопрос leading question [...-stʃən].

навоеваться *сов. разг.* have had enough of fighting [...'ɪnʌf...].

навоз *м. тк. ед.* manure, dung; muck (*тж. перен.*). ~**ить** (*вн.*) с.-х. manure (*d.*), dung (*d.*).

навозить *сов.* (*рд., вн.*) *разг.* bring* in (*a quantity of*).

навозник *м.* (*жук*) dung-beetle.

навозн|**ый** *прил. к* навоз; ~ая куча dunghill; ~ жук dung-beetle; ~ червь muckworm.

навозоразбрасыватель *м.* с-х. manure spreader [...-edə].

навой *м. текст.* beam; weaver's beam; холостой ~ empty beam.

наволо||**ка** *ж.*, ~**чка** *ж.* pillow-case [-s], pillow-slip.

навонять *сов. разг.* make* / spread* a stench [...-ed...].

наворачивать, наворотить (*вн., рд.*) *разг.* (*прям. и перен.*) heap (*d.*), pile up (*d.*).

наворовать *сов.* (*рд., вн.*) *разг.* steal* (*a quantity of*).

наворож||**ить** *сов.* (*вн., рд.*) *разг.* foretell* (*d.*), prophesy (*d.*).

наворотить *сов. см.* наворачивать.

наворчать *сов.* (на *вн.*) *разг.* grumble (at). ~**ся** *сов. разг.* have had enough of grumbling [...'ɪnʌf...].

навострить *сов.* (*вн.*) *разг.*: ~ уши prick up one's ears; ~ лыжи take* to one's heels. ~**ся** *сов.* (в *пр.*,+ *инф.*) *разг.* get* skilled (at); become* a dab (hand) (at, at *ger.*).

навощить *сов. см.* вощить.

наврать I *сов. разг.* 1. (*солгать*) lie; tell* a story; (*кому-л.*) lie (to smb.), tell* lies (to smb.); 2. (в *пр.*; *допустить ошибку*) make* mistakes (in); ~ в вычислениях go* wrong in one's calculations, miscalculate; 3. (на *вн.*; *наклеветать*) slander [-ɑ:n-] (*d.*).

наврать II *сов.* (*рд., вн.*) *разг.* tell* a pack, *или* a lot, of lies.

навредить *сов.* (*дт. тв.*) *разг.* do much, *или* a lot of, harm (to by); harm (*d.* by).

навряд (ли) *нареч. разг.* scarcely likely, hardly; ~ ли я сегодня успею кончить I shall hardly have time to finish today.

навсегда *нареч.* for ever; for good *разг.* (*ср.* навечно, навеки); ◇ раз ~ once and for all [wʌns...].

навстречу *нареч.* to meet; идти ~ кому-л. go* to meet smb.; (*перен.*) meet* smb. half-way [...'hɑːf-]; ~ ехала машина a car was coming (in the opposite direction) [...-zɪt...]; а ~ ему волк and suddenly he met, *или* ran into, a wolf* [...wulf*]; идти ~ пожеланиям (*рд.*) meet* the wishes (of).

навыворот *нареч. разг.* 1. (*наизнанку*) inside out, wrong side out; 2. (*наоборот*) the wrong way round.

навык *м.* acquired habit, practice; (*умение*) skill; трудовые ~и habits of work; практические ~и practical skills; приобрести ~ acquire a habit.

навыкат(е) *нареч.* bulging; глаза ~ protruding / bulging eyes [...aɪz].

навылет *нареч.* (right) through; ранен ~ shot through; пуля прошла ~ the bullet went right through [...'bu-...].

навынос *нареч. уст.* for consumption off the premises [...-sɪz].

навыпуск *нареч.*: брюки ~ trousers worn over high boots [...wɔːn...]; рубаха ~ shirt worn outside trousers.

навырез *нареч.*: покупать (арбуз) ~ have (a water-melon) cut open before buying it [...'wɔːtəmel-... 'baɪ-...].

навытяжку *нареч.*: стоять ~ stand* at attention.

навьючивать, навьючить (*вн. тв.*) load (*d.* with). ~**ся**, навьючиться 1. (*тв.*) *разг.* load oneself up (with); 2. *страд. к* навьючивать.

навьючить *сов.* 1. *см.* навьючивать; 2. *как сов. к* выочить. ~**ся** *сов. см.* навьючиваться.

навязать I, навязнуть stick*; глина навязла на колёсах the wheels are stuck with clay; ◇ это навязло у всех в зубах everybody has had enough of it [...'ɪnʌf...].

НАВ – НАГ

навяза́ть II *сов.* (*рд., вн.*) (*о снопах, узлах и т. п.*) bind* / tie (*a quantity of*).

навяза́ть III *сов.* (*рд., вн.*; *о кружеве, чулках и т. п.*) knit* (*a quantity of*); (*ср.* вяза́ть).

навяза́ть IV *сов. см.* навя́зывать.

навяза́ться *сов. см.* навя́зываться.

навя́знуть *сов. см.* навя́знуть I.

навя́зчив||ость *ж.* obtrúsive:ness, impòrtúnity. ~ый obtrúsive; impórtunate (*тж. о человеке*); ~ая иде́я fixed idéa [...'aɪdɪə], obséssion; idée fixe (*фр.*) [i:deɪ 'fi:ks].

навя́зывать, навяза́ть 1. (*вн. на вн.*; *прикрепля́ть*) tie (*d.* on), fásten [-s'n] (*d.* to); 2. (*дт. вн.*; *заставля́ть приня́ть*) press (on *d.*), thrust* (on *d.*); ~ свою́ во́лю impóse / díctate one's will (on); ~ кому́-л. своё мне́ние thrust* one's opínion on smb.; ~ кому́-л. свой вку́сы foist one's (own) tastes on smb. [...oun teɪ-...]. ~ся, навяза́ться 1. (*дт.*) impóse (onè:sélf) (on); (*обременя́ть*) be a búrden (to); 2. *страд. к* навя́зывать.

нагада́ть *сов.* (*вн., рд.*) fòre:téll* (*d.*), próphesy (*d.*).

нага́дить *сов. см.* га́дить.

нага́йка *ж.* whip.

нага́н *м.* revólver.

нага́р *м.* snuff, cándle-snùff; (*на металле*) scale; снять ~ со свечи́ snuff a candle.

на́гель *м. тех.* pin, peg, dówel.

нагиба́ть, нагну́ть (*вн.*) bend* (*d.*). ~ся, нагну́ться 1. stoop, bend* down, bow; 2. *страд. к* нагиба́ть.

наги́шом *нареч. разг.* stark náked.

нагла́дить *сов.* 1. *см.* нагла́живать; 2. (*вн., рд.*; *наготовить глаженьем*) íron ['aɪən] (*a quantity of*). ~ся *сов. см.* нагла́живаться.

нагла́живать, нагла́дить (*вн.*) smooth out [-ð-...] (*d.*). ~ся, нагла́диться 1. *разг.* press one's clothes with care [...-ouð-...]; 2. *страд. к* нагла́живать.

нагла́зник *м.* 1. (*шора*)· blínker, éye-flàp ['aɪ-]; 2. (*у оптического прибора*) eye shade [aɪ...].

нагл||е́ть, обнагле́ть become* ímpudent / ínsolent. ~е́ц *м.* ínsolent féllow.

наглец||а́ *ж.*: с ~о́й *разг.* ímpudently, ínsolently.

на́глост||ь *ж.* ímpudence, ínsolence, èffróntery [-ʌn-]; cheek *разг.*; верх ~и báre:fàced ímpudence; э́то верх ~и! it is the height of ímpudence! [...haɪt...]; име́ть ~ сказа́ть, сде́лать have the cheek / ínsolence to say, to do; у них хвата́ет ~и (+ *инф.*) they are ímpudent enóugh [...'nʌf] (+ to *inf.*).

наглота́ться *сов.* (*рд.*) *разг.* swállow (*a quantity of*); ~ пы́ли have / get* one's mouth full of dust.

на́глухо *нареч.* tight(ly); hèrmétically; ~ заде́лать дверь wall up a door [...dɔ:]; ~застегну́ться ~ do up all one's búttons.

на́гл||ый ímpudent, impértinent, ínsolent, báre:fàced; ~ая ложь báre:fàced / blátant lie; ~ое вмеша́тельство impértinent ìnterférence [...-'fɪə-].

нагляде́ться *сов.* (*на вн.*) see* enóugh [...ɪ'nʌf] (of); (*гляде́ть*) не ~ на кого́-л. be never tired of lóoking at smb.

нагля́дно I *прил. кратк. см.* нагля́дный.

нагля́дн||о II *нареч.* by vísual dèmonstrátion [...-'vɪz-...], vísually ['vɪz-...]; (*графически*) gráphically; (*ясно*) cléarly. ~ость *ж.* 1. (*ясность*) cléarness, óbvious:ness; 2. (*в обучении*) use of vísual méthods [ju:s... 'vɪz-...]; (*применение наглядных пособий*) use of visual aids. ~ый 1. gráphic, óbvious; ~ый приме́р óbvious case [...-s], gráphic exámple [...-ɑ:m-]; ~ое доказа́тельство vísual proof / évidence ['vɪz-...]; 2. (*в обучении*) vísual / gráphic dèmonstrátion; ~ый уро́к óbject-lèsson; ~ое обуче́ние vísual téaching méthods *pl.*; ~ые посо́бия vísual aids.

нагля́нцевать *сов. см.* глянцева́ть.

нагна́ть I, II *сов. см.* нагоня́ть I, II.

нагна́ть III *сов.* (*рд., вн.*) *разг.* (*какое-л. количество*) drive* togéther (*a quantity of*) [...-'ge-...].

нагнести́ *сов. см.* нагнета́ть.

нагнета́тель *м. тех.* súperchàrger. ~ный: ~ный насо́с *тех.* fórce-pùmp.

нагнета́ть, нагнести́ (*вн.*) force (*d.*); *тех.* sùpercharge (*d.*).

нагное́||ние *с.* féstering, sùppurátion; вы́звать ~ (*рд.*) féster (*d.*). ~ться *сов.* féster, súppuràte.

нагну́ть(ся) *сов. см.* нагиба́ть(ся).

нагова́ривать I, наговори́ть (на *вн.*) *разг.* (*клеветать*) slánder [-ɑ:n-] (*d.*), calúmniàte (*d.*).

нагова́ривать II, наговори́ть recórd (*d.*); ~ пласти́нку make* a recórding (of one's voice).

наговóр *м.* 1. (*клевета*) slánder [-ɑ:n-], cálumny; 2. (*заклинание*) ìn:càntátion.

наговори́ть I, II *сов. см.* нагова́ривать I, II.

наговори́ть III *сов.* (*рд., вн.*) *разг.*: ~ мно́го say* a lot of things; ~ кому́-л. мно́го неприя́тного tell* smb. a lot of ùnpléasant things [...-'plez...]; ~ кому́-л. с три ко́роба *разг.* talk a lot of hot air.

наговори́ться *сов.* have a good long talk; они́ не мо́гут ~ they can never talk enóugh [...ɪ'nʌf].

наго́й náked, nude, bare.

на́голо *нареч.* bare; стричь ~ cut* (*hair*) close to the skin [...-s...], crop close; ~ остри́женный clóse:ly cropped [-s-...].

наголо́ *нареч.*: ша́шки ~ drawn / náked swords [...sɔ:dz].

на́голову *нареч.*: разби́ть ~ (*вн.*) rout (*d.*); deféat útterly (*d.*); shátter (*d.*).

наголода́ться *сов. разг.* be (half) starved [...hɑ:f...].

наго́льный: ~ тулу́п ùn:cóvered sheep-skin coat [-'kʌv-...].

нагоня́й *м. разг.* télling-off, ráting, scólding; дать ~ (*дт.*) give* a télling-off / ráting / scólding (*i.*); rate (*d.*); получи́ть ~ get* a scólding; get* into hot wáter [...'wɔ:-], get* it in the neck *идиом.*

нагоня́ть I, нагна́ть (*вн.*) 1. (*догоня́ть*) òver:táke* (*d.*), catch* up (with); 2. (*наверстывать*) make* up (for).

нагоня́ть II, нагна́ть (*вызывать, причинять*): ~ тоску́ на кого́-л. bore smb.; ~ сон на кого́-л. make* smb. sléepy; ~ страх на кого́-л. ≅ put* the fear of God into smb., scare smb. stiff.

на-горá *нареч. горн.* to the súrface, to the top; выдава́ть у́голь ~ hoist / wind* coal (to the súrface).

нагор||е́ть, нагоре́ть 1. (*давать нагар*) form into a snuff; need snúffing; 2. *безл.* (*рд.*; *о топливе, электричестве и т. п.*) be consúmed; ~е́ло га́за на рубль a róuble worth of gas has been consúmed [...ru:-...]; 3. *безл. разг.*: мне за э́то ~е́ло I got a scólding / télling-óff for it.

нагоре́ть *сов. см.* нагора́ть.

наго́рный úp:land, híghland, móuntainous; ~ бе́рег реки́ high ríver bank [...'rɪ-...].

нагороди́ть *сов.* (*рд., вн.*) 1. (*настро́ить — заборов и т. п.*) put* up (*d.*), eréct (*d.*); 2. *разг.* (*нагромозди́ть*) pile (*d.*), heap up (*d.*); ◊ ~ вздо́ра talk a lot of rúbbish.

наго́рье *с.* táble-lànd, pláteau [-tou]; úp:land région.

нагот||á *ж.* núdity, náked:ness; ◊ во всей (свое́й) ~é náked and ùn:adórned.

нагото́ве *нареч.* at call, in réadiness [...'re-]; быть ~ be at call, be in réadiness, be réady [...'re-]; (*быть насторо́же*) be on the lóok-óut; держа́ть ~ (*вн.*) keep* in réadiness (*d.*).

нагото́вить *сов.* (*рд., вн.*) 1. (*запасти́*) lay* in (a súpply of); 2. (*настря́пать*) cook (*a quantity of*). ~ся *сов.*: не ~ (*рд.*) never get* / have enóugh [...ɪ'nʌf] (of).

награ́бить *сов.* (*рд., вн.*) amáss by róbbery (*d.*); ~ де́нег steal* a lot of móney [...'mʌ-].

награ́д||а *ж.* rewárd; récompènse; (*знак отли́чия*) dècorátion; (*в шко́ле*) prize; де́нежная ~ gratúity; mòney a:wárd ['mʌ-...], právitel'stvennaya ~ gòvernment a:wárd ['gʌ-...]; досто́йная ~ wórthy tríbute [-ðɪ...]. ~и́ть *сов. см.* награжда́ть. ~но́й 1. *прил. к* награ́да; 2. *мн. как сущ. уст.* (*де́ньги*) bónus *sg.*, gratúity *sg.*

награжд||а́ть, награди́ть (*вн. тв.*) rewárd (*d.* with); (*орденом, медалью и т. п.*) décorate (*d.* with); a:wárd (to *d.*); confér a dècorátion (up:ón); (*перен.*; *способностями и т. п.*) endów (*d.* with). ~е́ние *с.* rewárding; (*орденом*) décoràting. ~ённый 1. *прич. см.* награжда́ть; 2. *м. как сущ.* recípient (of *an* a:wárd).

награфи́ть *сов.* (*вн., рд.*) rule (*a quantity of*).

нагреба́ть, нагрести́ (*вн., рд.*) heap up (*d.*); нагрести́ сто копён се́на heap up a húndred háy-còcks.

нагре́в *м. тех.* heat, héating; пове́рхность ~а héating súrface.

нагрева́||ние *с.* (*рд.*) héating (*d.*). ~тель *м. тех.* héater. ~тельный héating; ~тельные прибо́ры héating appliances.

нагрева́ть, нагре́ть (*вн.*) 1. warm (*d.*), heat (*d.*); 2. *разг.* (*одура́чивать*) swíndle

306

(*d.*); он нагре́л его́ на сто рубле́й he swindled him out of a hundred roubles [...ru:-]; ◊ ~ нагре́ть ру́ки ≅ line one's pocket, feather one's nest [′feðə...]. ~ся, нагре́ться 1. get* warm; 2. *страд. к* нагрева́ть.

нагреме́ть *сов.* make* noise; (*перен.*) make* a sensation; фильм ~е́л the film was a sensation.

нагрести́ *сов. см.* нагреба́ть.

нагре́ть(ся) *сов. см.* нагрева́ть(ся).

нагреши́ть *сов. разг.* sin a lot, be a sinner.

нагримирова́ть *сов. см.* гримирова́ть 1. ~ся *сов. см.* гримирова́ться 1.

нагроможд∥**а́ть**, **нагроможди́ть** (*вн., рд.*) pile / heap up (*d.*). ~е́ние *с.* 1. (*действие*) piling up; 2. (*груда*) conglomeration.

нагроможди́ть *сов. см.* нагроможда́ть.

нагруби́ть *сов. см.* груби́ть.

нагрубия́нить *сов. см.* грубия́нить.

нагру́дник *м.* 1. (*детский*) bib; 2. (*в латах*) breastplate ['brest-]; 3. (*в упряжи*) breast-collar ['brest-].

нагру́дный breast [-est] (*attr.*); знак breastplate ['brest-]; ~ телефо́н *воен.* breast (tele)phone.

нагружа́ть, **нагрузи́ть** (*вн. тв.*) 1. load (*d.* with); (*о морском грузе*) lade* (*d.*), freight (*d.*); 2. (*обременять*) burden (*d.* with). ~ся, нагрузи́ться (*тв.*) load oneself up (with); 2. *страд. к* нагружа́ть.

нагрузи́ть(ся) *сов. см.* нагружа́ть(ся).

нагру́зк∥**а** *ж.* 1. (*действие*) loading; 2. (*то, чем нагружено*; *тж. тех.*) load, поле́зная ~ pay load; рабо́чая ~ working load; ~ на ось axle load; ◊ преподава́тельская ~ teaching load; непо́лная (*непо́лный рабо́чий день*) part-time; он рабо́тает с по́лной (непо́лной) ~ой he has got a full-time (part-time) job.

нагрязни́ть *сов. разг.* (*намусорить*) litter.

нагря́ну∥**ть** *сов. разг.* come* unexpectedly; turn up out of the blue; ~ли го́сти guests arrived unexpectedly.

нагу́л *м.* (*у скота*) fattening, putting on flesh; сре́дний су́точный ~ скота́ average daily rate of fattening.

нагу́ливать, **нагуля́ть** 1. (*о скоте*) fatten, put* on weight; 2.: нагуля́ть румя́нец *разг.* put* some colour in one's cheeks (by exercise) [...′kʌ-...]; ~ аппети́т work up an appetite (by walking).

нагуля́ть *сов. см.* нагу́ливать. ~ся *сов.* have had a long walk; ~ся до уста́ли make* oneself tired with walking.

над, **на́до** *предл.* (*тв.*) (*поверх, тж. перен.*) over; (*выше*) above; (*при обозначении предмета труда*) на: ве́шать, висе́ть ~ столо́м hang* over *the* table; пролета́ть ~ го́родом fly* over *the* town; засыпа́ть ~ кни́гой fall* asleep over a book; име́ть власть ~ кем-л. have power over smb.; поднима́ться ~ кры́шами rise* above the roofs; ~ у́ровнем мо́ря above sea-level [...′le-]; рабо́тать ~ те́мой work at a subject; ◊ головой (*наверху*) overhead [-′hed]; лома́ть себе́ го́лову ~

чем-л. *см.* лома́ть; смея́ться ~ кем-л., ~ чем-л. *см.* смея́ться; *тж. и други́е осо́бые случаи, не приведённые здесь, см. под те́ми слова́ми, с кото́рыми предл.* над *образу́ет те́сные сочета́ния.*

надава́ть *сов.* (*дт. рд., вн.*) give* (*i. a quantity* of); ~ кому́-л. поруче́ний load smb. with commissions; ~ обеща́ний promise all kinds of things [-s...]; ~ кому́-л. шлепко́в *разг.* give* smb. a spanking.

надави́ть I *сов. см.* нада́вливать.

надави́ть II *сов.* (*рд., вн.*; *выдавить, раздавить какое-л. количество*) press / squeeze (*a quantity* of).

нада́вливать, **надави́ть** (*вн., на вн.*) press (*d.*).

нада́ивать, **надои́ть**: ~ по́лное ведро́ milk a pailful.

надари́ть *сов.* (*вн., рд. дт.*) present (*d.* to), give* a lot of presents [...-ez-] (*i.*).

надба́вить *сов. см.* надбавля́ть.

надба́в∥**ка** *ж.* = наба́вка; ~ за вы́слугу лет long-service increment / bonus. ~ля́ть, надба́вить = набавля́ть, набавля́ть, наба́вить.

надбро́вный *анат.* superciliary.

надбро́вье *с.* frontal bone ['frʌ-...].

надвига́ть, **надви́нуть** (*вн. на вн.*) move / push / pull [mu:v puʃ pul] (*d.* up to); ~ шля́пу pull one's hat over one's eyes [...aɪz]. ~ся, надви́нуться 1. (*приближаться*) approach, draw* near; (*об опасности и т. п.*) impend, be imminent; 2. *страд. к* надвига́ть.

надви́нуть(ся) *сов. см.* надвига́ть(ся).

надво́дн∥**ый** above-water [-′wɔ:-]; ~ая часть су́дна part of hull above water [...′wɔ:-]; upper works; ~ борт freeboard.

на́двое *нареч.* 1. (*пополам*) in two; 2. *разг.* (*двусмысленно*) ambiguously; ◊ ба́бушка ~ сказа́ла *погов.* ≅ we shall see what we shall see.

надво́рный: ~ые постро́йки outbuildings [-bɪ-], outhouses; ~ сове́тник *ист.* court counsellor [kɔ:t...] (*rank in civil service in tsarist Russia*).

надвяза́ть *сов. см.* надвя́зывать.

надвя́зывать, **надвяза́ть** (*вн.*) 1. (*о чулка́х, носка́х*) add by knitting (to); 2. (*о верёвке*) add a length / piece [...pi:s] (*of string, etc.*) (to).

надгро́б∥**ие** *с. уст.* 1. gravestone; 2. (*надпись*) epitaph. ~ный: ~ная речь graveside oration; ~ный па́мятник monument; ~ная на́дпись = надгро́бие 2; ~ный ка́мень, ~ная плита́ tombstone ['tu:m-], gravestone.

надгрыза́ть, **надгры́зть** (*вн.*) nibble (at).

надгры́зть *сов. см.* надгрыза́ть.

надда́ть *сов.* надда́ть (*рд., вн.*) *разг.* add (*d.*), increase [-s] (*d.*), enhance (*d.*); надда́ть жа́ру increase the heat.

надда́ть *сов. см.* наддава́ть.

наддув *м. ав.* supercharge.

надева́ние *с.* putting on.

наде́ванный *разг.* 1. *прич. см.* надева́ть; 2. *прил.* not new, worn [wɔ:n], used.

надева́ть, **наде́ть** (*вн.*) put* on (*d.*); get* on (*d.*); что бы́ло на нём наде́то? what (clothes) did he wear? [...klou-...

НАГ–НАД Н

wɛə], what (clothes) did he have on?; ~ очки́ put* on one's spectacles; ~ сбру́ю на ло́шадь harness *a* horse; ~ узду́ на ло́шадь bridle *a* horse; ~ нару́чники (*дт.*) handcuff (*d.*), manacle (*d.*). ~ся, наде́ться 1.: у него́ сапо́г *и т. п.* не надева́ется he cannot get his boot, sock, *etc.*, on; 2. *страд. к* надева́ть.

наде́жд∥**а** *ж.* hope; пита́ть ~ы (на *вн.*) cherish hopes (for), have hopes (of); подава́ть ~у кому́-л. give* hope to smb.; подава́ть ~ы promise (well) [-s...], bode well; в ~е (на *вн.*) in the hope (of); опра́вдать ~ы justify hopes; ни мале́йшей ~ы not the faintest slightest hope; not a glimmer of hope; распрости́ться со все́ми ~ами say* good-bye to all hopes.

надёжн∥**ость** *ж.* 1. reliability; 2. (*верность*) trustworthiness [-ðɪ-]. ~ый 1. reliable; dependable; 2. (*верный*) reliable, trustworthy [-ðɪ], trusty.

наде́л *м. ист.* plot of arable land, allotment.

наде́л∥**ать** *сов.* (*рд., вн.*) 1. make* / get* ready (a certain amount of) [...′re-...]; 2. *разг.* (*доставить, причинить*) give* (*d.*), cause (*d.*); ~ кому́-л. хлопо́т give* smb. (a lot of) trouble [...trʌbl]; ~ оши́бок make* a lot of mistakes; (*грубых*) commit a lot of blunders; ~ глу́постей commit follies; ~ беды́ make* a mess of things; ~ мно́го шу́ма make* a racket, kick up a row; (*перен.*) cause a sensation / stir; что ты ~ал! what have you done?

наделе́ние *с.* allotment.

надели́ть *сов. см.* наделя́ть.

наде́льн∥**ый**: ~ая земля́ *ист.* allotment.

надел∥**я́ть**, **надели́ть** (*кого́-л. чем-л.*) allot / give* (smb. with smth.); (*снабжать*) provide (smb. with smth.); (*перен.: одарять*) endow (smb. with smth.); ~ пода́рками dispense gifts [...-g-] (to smb.); приро́да ще́дро ~и́ла его́ nature has not been sparing with her gifts to him [′neɪ-...].

надёргать *сов.* (*рд., вн.*) pull / pluck out (*a quantity* of) [pul...]; ◊ ~ цита́т *разг.* grub up a lot of quotations.

надерзи́ть *сов. см.* дерзи́ть.

наде́ть(ся) *сов. см.* надева́ть(ся).

наде́яться 1. (на *вн.*; + *инф.*) hope (for; + to *inf.*); ~ на что-л. hope for smth.; я наде́юсь уви́деть вас сего́дня I hope to see you to-day; 2. (на *вн.*, *полагаться*) rely (on); на кого́-л. rely on smb.; trust smb.; не ~ на кого́-л. have no confidence in smb.

надзвёздный *поэт.* above (*после сущ.*); ~ мир the world above.

надзе́мн∥**ый** overground; (*над поверхностью земли́*) overhead [-hed]; ~ая желе́зная доро́га (*на эстака́де*) elevated railway; elevated railroad *амер.*

надзира́тель *м.*, ~ница *ж.* overseer, supervisor [-zə]; кла́ссный ~ *уст.* formmaster; тюре́мный ~ chief warder [tʃi:f...]; тюре́мная ~ница prison matron [-ɪz′n...]; полице́йский ~ *ист.* police inspector [-′li:s...].

НАД—НАД

надзира́ть (за тв.) óver︰sée* (d.), súpervise (d.).

надзо́р м. 1. sùpervísion; (за подозреваемым) быть под ~ом be únder sùrvéillance; установи́ть ~ за кем-л. put* / keep* smb. únder sùrvéillance / sùpervísion. 2.: санита́рный ~ sánitary inspéctors pl.; прокуро́рский ~ Diréctorate of Públic Prósecutions [...´ʌ-...].

надива́ться сов. разг.: не могу́ ~ (на вн.) I never cease to márvel [...siːs...] (at); (налюбоваться) I cánnot admíre sufficiently (d.).

нади́р м. астр. nádir [´neɪ-].

надка́лывать I, надколо́ть (вн.; наносить лёгкие уколы) prick / pierce slightly [...pɪəs...] (d.).

надка́лывать II, надколо́ть (вн.; топором) split* slightly (d.).

надкла́ссовый trànscénding cláss-distínctions.

надко́жица ж. бот. cúticle.

надколе́нн∥**ый** анат.: ~ая ча́шка knée-càp, knée-pàn; patélla научн.

надколо́ть I, II сов. см. надка́лывать I, II.

надко́стниц∥**а** ж. анат. pèriósteum; воспале́ние ~ы pèrióstítis.

надкры́лья мн. зоол. élytra, wìng-càses [-s-].

надкуси́ть сов. см. надку́сывать.

надку́сывать, надкуси́ть (вн.) take* a bite (of).

надла́мывать, надломи́ть (вн.) break* pártly [-eɪk...] (d.), frácture (d.); (делать трещину) físsure (d.), crack (d.); (перен.) óver︰táx (d.); надломи́ть свои́ си́лы óver︰táx one's strength; надломи́ть своё здоро́вье break* down (in health) [...helθ...]. ~**ся**, надломи́ться 1. be fráctured, crack [...´breɪk-]; (перен.) have* a bréak-down [...´breɪk-]; его́ си́лы надломи́лись his strength gave way, he has had a bréak-down; 2. страд. к надла́мывать.

надлеж∥**а́ть** безл. (дт.+инф.): ему́ ~и́т it is in︰cúmbent on him (+ to inf.); it is for him (+ to inf.); э́то ~и́т сде́лать this / it is to be done; this / it must be done; э́то ~а́ло бы сде́лать this ought to be done. ~**а́щий** fitting, próper [´prɔ-]; apprópriate; в ~а́щий срок in due time; в ~а́щем поря́дке in a próper mánner / órder; ~а́щим о́бразом in the próper way; próperly, thóroughly [´θʌrə-], dúly, súitably [´sjuː-]; за ~а́щими по́дписями dúly / próperly signed [...saɪ-]; ~**а́щие** ме́ры appróriate méasures [...´me-].

надло́м м. frácture, break [-eɪk]; (перен.) wrétchedness.

надломи́ть(**ся**) сов. см. надла́мывать(-ся).

надме́нн∥**ость** ж. háughtiness, árrogance. ~**ый** háughty, árrogant.

на́до I предик. безл. = ну́жно 2, 3; ему́ ~ бы туда́ пойти́ he ought to go there; ◇ так ему́ и т. д. ~! разг. (it) serve(s) him, etc., right!; о́чень ему́, ей и т. д. ~! разг. a (fat) lot he, she, etc., cares!; о́чень ему́ ~ приходи́ть!; catch him coming here!; не ~! don't!; ~ быть вводн. сл. разг. próbably; ~ же!, ведь ~ же! you don't say so!; ~ ду́мать, ~ полага́ть как вводн. сл. suppóse so, one would think so, very líke︰ly; что ~ разг. the best there is; па́рень что ~ one of the best, a great bloke [...-eɪt...].

на́до II предл. см. над.

на́добн∥**о** уст. = ну́жно 2, 3. ~**ость** ж. necéssity, need; в слу́чае ~ости in case of need [...-s...]; име́ть ~ость в чём-л. require smth.; по ме́ре ~ости as required; нет никако́й ~ости there is no need whàt︰so︰éver; вам нет ~ости you need not. ~**ый** уст. nécessary, réquisite [-zɪt], néedful.

надоеда́ть, надое́сть 1. (дт. тв.) pèster (d. with), bóther (d. with), bore (d. with); (докучать) wórry [´wʌ-] (d. with), plague [pleɪg] (d. with); он, она́ и т. д. мне до́ смерти надое́л(а) I am bored to death with him, her, etc. [...deθ...]; 2. безл.: ей, ему́ и т. д. надое́ло (+ инф.) she, he, etc., is tired (of ger.); she, he, etc., is sick (of ger.) разг.

надое́дливый bóring, írk︰some, bóther︰some, bóther︰ing, tíre︰some; pésky разг.; ~ челове́к bore, núisance [´njuː-s-].

надое́сть сов. см. надоеда́ть.

надо́й м. с.-х.: ~ молока́ milk yield [...jiː-].

на́долб∥**а** ж. stake; противота́нковые ~ы ánti-tánk óbstacles.

надо́лго нареч. for a long time.

надо́мн∥**ик** м., ~**ица** ж. one who works at home, hóme-wòrker.

надорва́ть(**ся**) сов. см. надрыва́ть(ся).

надоу́мить сов. (вн.) разг. suggést (an idéa) [-´dʒest...aɪ´dɪə] (to), advíse (d.); она́ ~ила его́ пойти́ туда́ сего́дня she suggésted he should go there to︰dáy.

надпа́лубн∥**ый** sùperstrúcture (attr.); ~ые постро́йки sùperstrúcture sg.

надпа́рывать, надпоро́ть (вн.) únpíck / únstítch (a few stitches); (об упаковке) rip pártly ópen (d.). ~**ся**, надпоро́ться 1. rip / come* únstítched; 2. страд. к надпа́рывать.

надпи́ливать, надпили́ть (вн.) make* an incísion (by sáwing) (in).

надпили́ть сов. см. надпи́ливать.

надписа́ть сов. см. надпи́сывать.

надпи́сывать, надписа́ть (вн.) sùperscríbe (d.), inscríbe (d.); ~ конве́рт addréss an énvelòpe; ~ кни́гу áutogràph a book.

на́дпись ж. 1. inscríption; (на конверте) addréss; (на монете, медали, карте и т.п.) légend [´le-]; 2. архе́ол. inscríption; ~ на ка́мне inscríption on a stone.

надпо́ро́ть(**ся**) сов. см. надпа́рывать (-ся).

надпо́чечн∥**ик** м. анат. àdrénal (gland). ~**ый**: ~ая железа́ àdrénal gland.

надра́ить сов. см. дра́ить.

надра́ть сов. (рд., вн.) tear* / strip (a quantity of) [tɛə...]; ◇ ~ у́ши кому́-л. разг. tweak (víolently) smb.'s ears.

надре́з м. cut, incísion; (зарубка) notch; ~ пило́й sáw-nòtch, sáw-cùt.

надре́зать сов. см. надре́зывать.

надреза́ть = надре́зывать.

надре́зывать, надреза́ть (вн.) make* an incísion (in); cut* slightly (d.).

надруба́ть, надруби́ть (вн.) chip (d.), notch (d.).

надруби́ть сов. см. надруба́ть.

надруга́∥**тельство** с. (над) óutràge (up︰ón); (насилие) vìolátion (of). ~**ться** сов. (над) óutràge (d.), treat outrá︰geously (d.).

надры́в м. 1. slight tear [...tɛə], rent; 2. (о душевном состоянии) ánguish; он говори́л с ~ом he spoke as if his heart was bréaking [...hɑːt... -eɪk-].

надрыва́ть, надорва́ть (вн.) tear* slightly [tɛə...] (d.); (перен.) óver︰stráin (d.), óver︰táx (d.); ~ свои́ си́лы óver︰táx one's strength; knock óne︰sélf up идиом. разг.; ~ себе́ го́лос óver︰stráin one's voice; ◇ ~ ду́шу кому́-л. разг. rend* smb.'s heart [...hɑːt], hárrow smb.'s soul [...soul]; ~ живо́тики (со́ смеху) разг. ≃ split* one's sides with láughter [...´lɑːftə]. ~**ся**, надорва́ться 1. разг. tear* slightly [tɛə...]; 2. (переутомляться) óver︰stráin òne︰sélf; несов. тж. exért òne︰sélf to the út︰mòst; 3. страд. к надрыва́ть; ◇ ~ пла́кать ~ ~ cry one's eyes, или heart, out [...aɪz ...hɑːt...].

надры́вный 1. hystérical; ~ смех hystérical láughter [...´lɑːf-]; 2. (душераздирающий) héart-rènding [´hɑːt-].

надрыза́гть сов. см. дры́згать.

надры́згаться сов. разг. be soused.

надса́да ж. разг. strain, éffort.

надсади́ть(**ся**) сов. см. надса́живать (-ся).

надса́дный báck-breaking [-breɪk-]; ~ ка́шель hácking cough [...kɔf].

надса́живать, надсади́ть разг.: ~ го́лос óver︰stráin one's voice. ~**ся**, надсади́ться разг. = надрыва́ться 2.

надсека́ть, надсе́чь (вн.) make* cuts / incísions (in), incíse slightly (d.).

надсе́чь сов. см. надсека́ть.

надсма́тривать (над, за тв.) óver︰sée* (d.), sùpervìse (d.); (проверять) inspéct (d.).

надсмо́тр м. sùpervísion. ~**щик** м. óver︰seer; (в тюрьме) jáiler; (над рабами) sláve-driver.

надста́в∥**ить** сов. см. надставля́ть. ~**ка** ж. 1. (действие) léngthening, exténsion; 2. (то, что надставлено) ádded piece [...piːs], a piece put on. ~**ля́ть**, надста́вить (вн.) léngthen (d.). ~**но́й** put on, patched on.

надстра́ивать, надстро́ить (вн.) build* on [bɪld...] (d.), raise (d.); ~ эта́ж build* (on) an addítional stórey, add a stórey to a house* [...-s].

надстро́ечный прил. к надстро́йка II.

надстро́ить сов. см. надстра́ивать.

надстро́йка I ж. 1. (действие) ráising; búilding on [´bɪl-...]; 2. (надстроенная часть) sùperstrúcture, addítional stórey.

надстро́йка II ж. филос. sùperstrúcture; ба́зис и ~ básis and sùperstrúcture [´beɪs-...].

надстро́чн∥**ый** sùperlínear; ~ые зна́ки diacrítical marks.

надтре́снутый (*прям. и перен.*) cracked; ~ го́лос cracked voice.

надтре́снуть *сов.* crack.

надува́∥ла *м. и ж. разг.* swindler, cheat, trickster. ~**тельский** *разг.* swindling, underhand. ~**тельство** *с. разг.* swindle, cheating, trickery.

надува́ть I, наду́ть (*вн.*) (*наполнять воздухом*) inflate (*d.*), puff out (*d.*); blow* up [blou...] (*d.*); ве́тер надул паруса́ the sails filled out; ◇ наду́ть гу́бы *разг.* pout (one's lips).

надува́ть II, наду́ть (*вн.*) *разг.* (*обманывать*) dupe (*d.*), swindle (*d.*).

надува́ться, наду́ться 1. distend; (*о парусах*) fill out, belly (out), swell* out; 2. *разг.* (*принимать важный вид*) be puffed up; 3. *страд. к* надува́ть 1.

надувн∥о́й inflatable. ~**ая ло́дка** inflatable rubber dinghy; ~**ая поду́шка** air-cushion [-ku-].

надуло́ *м. воен.* muzzle attachment; (*пламегаситель*) flash-hider.

наду́манн∥ость *ж.* far-fetchedness, artificiality. ~**ый** *прич. и прил.* far-fetched; forced.

наду́мать *сов. разг.* 1. (+ *инф.*) make* up one's mind (+ to *inf.*), decide (+ to *inf.*); 2. (*вн.*; *вообразить*) devise (*d.*), invent (*d.*).

надури́ть *сов. разг.* do foolish things.

наду́∥тый 1. *прич. см.* надува́ть I; 2. *прил. разг.* (*надменный*) haughty, puffed up; 3. *прил. разг.* (*угрюмый*) sulky; 4. *прил.* (*напыщенный — о слоге и т. п.*) inflated; ◇ ~**тые гу́бы** pouting lips.

наду́ть I, II *сов. см.* надува́ть I, II.

наду́∥ть III *сов. безл.*: ему́ ~**ло в у́хо** the draught has given him an earache [...dra:ft... -eɪk].

наду́ться *сов.* 1. *см.* ду́ться 1; 2. *см.* надува́ться.

наду́шен∥ный *прич. и прил.* scented, perfumed; она́ не была́ ~**а** she was wearing no scent [...'wɛə-...].

надуши́ть *сов. см.* души́ть II. ~**ся** *сов. см.* души́ться II.

надчерепн∥о́й: ~**а́я оболо́чка** *анат.* pericranium.

надшива́ть, надши́ть (*вн.*) (*удлинять*) lengthen (*d.*).

надши́ть *сов. см.* надшива́ть.

надыми́ть *сов. см.* дыми́ть.

надыша́ть *сов.* (*где-л.*) make* the air (*in a room, etc.*) warm with breathing. ~**ся** (*тв.*) inhale (*d.*), breathe in (*d.*); ◇ не ~**ся на кого́-л.** *разг.* ≅ dote (up:)on smb.

наеда́ть, нае́сть *разг.* 1. (*вн., рд.*) eat* so much (of); ~ **на три рубля́** eat* 3 roubles worth of food [...ru:-...]; 2. (*вн.; приобретать*) develop by (over:)eating [-'ve-...] (*d.*); нае́сть брюшко́ develop a paunch.

наеда́ться, нае́сться eat* one's fill; (*тв.*) eat* plenty (of); ~ **до́сыта, до отва́ла** *разг.* be full (up).

наедине́ *нареч.* in private [...'praɪ-], privately [...'praɪ-], tête-à-tête ['teɪt-a:'teɪt], à deux (*фр.*) [a:'də:].

нае́зд *м.* 1. (*посещение*) flying visit [...-zɪt]; 2. (*набег*) inroad, raid, incursion. ~**ить** *сов. см.* нае́зживать. ~**иться** *сов. разг.* have had a good ride.

нае́здни∥к [-зн-] *м.* 1. horseman*, rider; (*по профессии*) jockey; цирково́й ~ circus rider; equestrian; 2. *зоол.* ichneumon-fly [ɪk'nju:-]. ~**ца** *ж.* horsewoman* [-wu-]; (*в цирке*) circus rider. ~**чество** *с.* horsemanship.

нае́здом *нареч.*: быва́ть где-л. ~ make* / pay* flying visits to a place [...'vɪz-...].

наезжа́ть [-ежьжя-] I, нае́хать 1. (*на вн.*) run* (into, over); (*сталкиваться*) collide (with); (*на неподвижный предмет*) drive* (into), ride* (into); на них нае́хал автомоби́ль they have been knocked down by a car; a car ran into them; 2. *тк. несов.* (*посещать время от времени*) come* now and then.

наезжа́ть [-ежьжя-] II, нае́хать (*без доп.*; *приезжать в большом количестве*) come* / arrive (*in large numbers*); нае́хало мно́го госте́й a crowd of visitors / guests arrived [...'vɪz-...].

нае́зживать [-ежьжя-] III = нае́зживать.

нае́зженный [-ежьже-] *прич. и прил.* (*о дороге*) well-worn [-'wɔ:n], well-trodden, beaten.

нае́зживать [-ежьжи-], нае́здить (*вн.*) 1. cover (*driving or riding*) ['kʌ-] (*d.*); мы нае́здили ты́сячу киломе́тров we have covered a thousand kilometres (during our journey) [...-z-... 'dʒə-]; 2. (*о дороге и т. п.*) use (a road, *etc.*) frequently; 3. (*о лошади, выезжать*) break* in [breɪk...] (*d.*).

наём *м.* 1. (*о рабочих*) hire; рабо́тать по на́йму work for a wage; ~ **рабо́чей си́лы** hiring of manpower; 2. (*о квартире, доме*) hire, renting; пла́та за ~ rent; в ~ *см.* внаём.

наёмник *м.* 1. hireling; 2. *ист.* (*солдат*) mercenary; free lance.

наёмн∥ый hired; (*перен.*: *продажный*) mercenary; ~ **труд** wage labour, hired labour; ~ **рабо́чий** wage worker, hired worker; (*в сельском хозяйстве*) hired labourer; ~ **уби́йца** *амер.* hired assassin; ~ **лжец, клеветни́к** paid liar; ~ **писа́ка** *разг.* penny-a-liner.

нае́сть(ся) *сов. см.* наеда́ть(ся).

нае́хать I *сов. см.* наезжа́ть I 1.

нае́хать II *сов. см.* наезжа́ть II.

нажа́ловаться *сов.* (*на вн.*) *разг.* complain (of).

нажа́ривать, нажа́рить (*вн.*) *разг.* (*печку и т. п.*) overheat (*d.*). ~**ся**, нажа́риться *разг.* (*на солнце*) bask, *или* warm oneself, in the sun (for a long time).

нажа́рить I *сов. см.* нажа́ривать.

нажа́рить II *сов.* (*вн., рд.*; *какое-л. количество*) roast / fry (*a quantity* of).

нажа́риться *сов. см.* нажа́риваться.

нажа́тие *с.* pressure.

нажа́ть I *сов. см.* нажима́ть.

нажа́ть II *сов.* (*вн., рд.*; *какое-л. количество*) reap / harvest (*a quantity* of).

нажа́ть III *сов.* (*вн., рд.*; *выжать в каком-л. количестве*) make* / produce by pressing (*a quantity* of).

нажда́∥к *м.* emery. ~**чный** *прил. к* наждак; ~**чная бума́га** emery paper; ~**чный порошо́к** emery powder.

наже́чь *сов. см.* нажига́ть.

нажи́ва I *ж.* (*лёгкий доход*) gain, profit; лёгкая ~ easy money ['i:zɪ 'mʌ-].

нажи́ва II *ж.* = нажи́вка.

нажива́ть, нажи́ть (*вн.*) acquire (*d.*), make* (*d.*), gain (*d.*); ~ **состоя́ние** make* a fortune [...-tʃən]; нажи́ть боле́знь contract an illness; нажи́ть (a lot of) врагов make* (a lot of) enemies. ~**ся**, нажи́ться 1. make* a fortune [...-tʃən], become* rich; ~**ся на чужо́м труде́** make* a profit out of somebody else's work; 2. *страд. к* нажива́ть.

наж∥иви́ть *сов. см.* наживля́ть. ~**и́вка** *ж.* *охот., рыб.* bait, ledger-bait; (*искусственная*) fly.

наживля́ть, наживи́ть (*вн.*) *охот., рыб.* bait (*d.*).

наживн∥о́й I: это де́ло ~**о́е** *разг.* that'll come (with time).

наживно́й II *охот., рыб.* usable as a bait ['ju:z-...].

нажига́ть, наже́чь (*вн., рд.*) 1. (*готовить пережиганием*): наже́чь древе́сного у́гля make* / burn* a quantity of charcoal; 2. (*сжигать*) burn* (*a quantity* of); 3. (*о солнце*) burn* (*d.*).

нажи́м *м.* (*прям. и перен.*) pressure.

нажима́ть, нажа́ть 1. (*вн.*, на *вн.*) press (*d.*); ~ (на) кно́пку push / press *the* button [puʃ...]; 2. (*на вн. и без доп.*) *разг.* (*оказывать воздействие*) put* pressure (on); 3. *разг.* (*энергично приниматься за что-л.*) press on, press ahead [...ə'hed]; нажмём и вы́полним рабо́ту к сро́ку! let's press on and finish the job on time!

нажи́н *м. с.-х.* quantity of reaped crop.

нажира́ться, нажра́ться (*тв., рд.*) *груб.* gorge oneself (with).

нажи́ть(ся) *сов. см.* нажива́ть(ся).

нажра́ться *сов. см.* нажира́ться.

наза́втра *нареч. разг.* the next day.

наза́д *нареч.* back, backwards [-dz]; сде́лать шаг ~ take* a step back / backwards, step back / backwards; отда́ть ~ (*вн.*) return (*d.*), give* back (*d.*); взять ~ (*вн.*) take* back (*d.*); взять свои́ слова́ ~ retract, *или* take* back, one's words; eat* one's words *разг.*; смотре́ть ~ (*прям. и перен.*) look back; ◇ тому́ ~ ago: два го́да тому́ ~ two years ago; — перевести́ часы́ ~ put* a watch / clock back; ~! back!, get back!

наза́ди *нареч. разг.* behind.

назализа́ция *ж. лингв.* nasalization [neɪzəlaɪ-].

назализова́ть *несов. и сов.* (*вн.*) *лингв.* nasalize ['neɪz-] (*d.*).

наза́льный *лингв.* nasal [-z-]; ~ **звук** nasal sound.

назва́нивать *разг.* keep* ringing (on *telephone*).

назва́ни∥е *с.* name, appellation; (*книги*) title; географи́ческие ~**я** geographical names, place-names.

на́званый *уст.* sworn [-ɔ:n], adopted; ~ **брат** my sworn brother [...'brʌ-].

назва́ть I *сов. см.* называ́ть.

назва́ть II *сов.* (*вн., рд.*; *пригласить*) invite (*a number of, many*).

назва́ться I *сов. см.* называ́ться I 1.

НАД – НАЗ   **Н**

НАЗ–НАК

назва́ться II *сов. см.* называ́ться II.
наздра́вств‖**оваться**: на вся́кое чиха́нье не ~уешься *посл.* one cánnòt please évery:òne.
назе́мн‖**ый** ground (*attr.*) (*тж. воен.*); súrface (*attr.*); ~ые войска́ ground troops; ~ая желе́зная доро́га óver:lànd ráilway; ~ я́дерный взрыв súrface núclear explósion.
на́земь *нареч. разг.* to the ground, down.
назида́‖**ние** *с.* èdificátion, èxhortátion; в ~ кому́-л. for smb.'s èdificátion. ~**тельно** *нареч.* didáctically. ~**тельный** édifỳing; didáctic; ~**тельный приме́р** an óbject-lèsson; ~**тельный тон** a didáctic tone (of voice).
на́зло́ *нареч.* (кому́-л.) to spite (smb.); де́лать что-л. ~ кому́-л. do smth. to spite smb.; ◊ как ~ *разг.* as ill luck would have it.
назнач‖**а́ть**, назна́чить (*вн.*) **1.** (*устана́вливать, определя́ть*) fix (*d.*), set* (*d.*); ~ день fix the day; назна́чить срок (для) set* a term (to), set* a déadline [...'ded-] (for); ~ пе́нсию, посо́бие (*дт.*) grant / fix a pénsion, an allówance [grɑːnt...] (to); ~ опла́ту fix the rate of pay; ~ це́ну fix / set* the price; назна́ченный на 10-е, на два часа́ *и т. п.* (о встре́че, совеща́нии и т. п.) schéduled for the tenth, two o'clóck, etc. ['ʃe-...]; **2.** (*на рабо́ту*) appóint (*d.*), nóminàte (*d.*); (*предпи́сывать*) prescríbe (*d.*). ~**е́ние** *с.* **1.** (*установле́ние*) fíxing, sétting. **2.** (*на рабо́ту*) appóintment, assígnment [əˈsain-]; получи́ть но́вое ~е́ние be given a new assígnment. **3.** (*лече́бное*) prescríption; **4.** (*целесоо́бразное примене́ние*) púrpose [-s]; отвеча́ть своему́ ~е́нию ánswer the púrpose ['ɑːnsə...]; ◊ ме́сто ~е́ния dèstinátion.
назна́чить *сов. см.* назнача́ть.
назо́йлив‖**ость** *ж.* impòrtúnity. ~**ый** impórtunate; persístent; (*причиня́ющий беспоко́йство*) tróublesome ['trʌ-]; ~**ый челове́к** impórtunate pérson; ~**ая мысль** intrúsive / intrúsive thought.
назрева́ть, назре́ть rípen, become* ripe, matúre; (*о наръве*) come* to a head [...hed] (*тж. перен.*); (*о собы́тиях и т. п.*) be abóut to háppen; вопро́с назре́л the quéstion is ripe [...-stʃən...]; the quéstion cánnòt be put off *разг.*; кри́зис назре́л things have reached crísis point.
назре́ть *сов. см.* назрева́ть.
назубо́к *нареч. разг.*: знать ~ (*вн.*) know* by heart / rote [nou... hɑːt...] (*d.*).
называ́емый *прич.* (*тж. как прил.*) *см.* называ́ть; ◊ так ~ (the) só-called.
называ́ть, назва́ть (*вн.*) **1.** call (*d.*); (*дава́ть и́мя*) name (*d.*); ребёнка назва́ли Ива́ном the child was named Iván [...-ɑːn]; де́вочку нельзя́ назва́ть краса́вицей the girl cánnòt be called a béauty [...gəː]...'bjuː-]; **2.** (*произноси́ть назва́ние*) name (*d.*); учени́к назва́л гла́вные города́ СССР the púpil named the chief towns of the USSR [...tʃiːf...]; он назва́л себя́ he gave his name; ◊ ~ ве́щи свои́ми имена́ми call things by their right / próper names [...'prɔpə...]; call a spade a spade *идиом. разг.*
назыв‖**а́ться** I, назва́ться **1.** call onesélf; assúme the name; **2.** *тк. несов.* be called / named; кни́га ~а́ется «Война́ и мир» the book is called "War and Peace"; ◊ что называ́ется as they say.
называ́ться II, назва́ться *разг.* (*напра́шиваться*) invite onesélf.
наибо́лее *нареч.* most: ~ удо́бный the most convénient.
наибо́льший (*превосх. ст. от* большо́й) the gréatest [...'greit-]; the lárgest; о́бщий ~ дели́тель *мат.* the gréatest cómmon divísor / fáctor [...-z-...].
наивн‖**и́чать** afféct naïvety [...naɪˈiːvtɪ]. ~**ость** *ж.* naïveté (*фр.*) [naɪˈiːvteɪ], naïvety [naɪˈiːvtɪ]. ~**ый** naïve [naɪˈiːv], naïve [neɪv].
наивы́сш‖**ий** (*превосх. ст. от* высо́кий) the híghest, the út:mòst; ~ие достиже́ния the híghest achíevements [...-'tʃiːv-]; в ~ей сте́пени to the út:most (extént).
наи́гранн‖**ый 1.** *прич. см.* наи́грывать; **2.** *прил.* (*неи́скренний, иску́сственный*) afféctèd, put on; (*напускно́й*) assúmed; (*притво́рный*) símulàted, feigned [feind].
наигра́ть *сов. см.* наи́грывать. ~**ся** *сов. разг.* play for a long time; ~ся до уста́ли be tired with pláying.
наи́грывать, наигра́ть (*вн.*) **1.** strum (*d.*), thumb (*d.*), play sóftly / skétchily (*d.*); **2.**: ~ пласти́нку make* a recórding; **3.** (*о музыка́льном инструме́нте*) méllow (*d.*).
на́игрыш *м.* **1.** fólk-tùne; **2.** *театр. разг.* àrtificiálity.
наизна́нку *нареч.* ínside out, on the wrong side; выворо́чивать ~ (*вн.*) turn ínside out (*d.*); наде́ть что-л. ~ put* smth. on ínside out.
наизу́сть *нареч.* by heart [...hɑːt], by rote; знать ~ (*вн.*) know* by heart / rote [nou...] (*d.*), know* from mémory (*d.*); чита́ть ~ (*вн.*) recíte (*d.*).
наилу́чш‖**ий** (*превосх. ст. от* хоро́ший) the best; ~ спо́соб the best way; ~**им о́бразом** in the best way.
наиме́нее *нареч.* (the) least; ~ интере́сный the least ínteresting.
наименова́‖**ние** *с.* name, àppèllátion, denominátion, dèsignátion [-z-]; (*кни́ги*) title. ~**ть** *сов. см.* именова́ть.
наиме́ньш‖**ий** (*превосх. ст. от* ма́лый I, ма́ленький) the least; о́бщее ~ее кра́тное *мат.* the least / lówest cómmon múltiple [...'lou-...] (*сокр.* L.C.M.).
наипа́че *нареч. уст.* still more, in particular.
наискосо́к, на́искось *нареч.* oblíque:ly [-liːk-], slántwise [-ɑːnt-].
на́йти́‖**е** *с. уст.* inspirátion; по ~ю *разг.* instínctive:ly, by intuítion.
наиху́дший (*превосх. ст. от* плохо́й) the worst.
найдёныш *м. уст.* fóundling.
найми́т *м. презр.* híre:ling.
найти́ I, II *сов. см.* находи́ть I, II.
найти́сь *сов. см.* находи́ться I, II.
найто́в *м. мор.* láshing, séizing ['siː-]. ~**ить** (*вн.*) *мор.* lash (*d.*).
нака́з *м.* **1.** (*прика́з*) órder; (*указа́ния*) instrúctions *pl.*; **2.**: ~ избира́телей депута́ту eléctors' mándàte to députy; переда́ть ~ pass on the mándàte.
наказа́ние *с.* púnishment ['pʌ-]; (*взыска́ние*) pénalty; ~ в ви́де штра́фа a púnishment; теле́сное ~ córporal púnishment; ◊ что за ~! *разг.* what a núisance! [...'njuːs-], what a pain in the neck!
наказа́ть I, II *сов. см.* нака́зывать I, II.
наказу́ем‖**ость** *ж. юр.* pùnishability [pʌ-]. ~**ый** *юр.* púnishable ['pʌ-].
нака́зывать I, наказа́ть (*вн.*) púnish ['pʌ-] (*d.*); он сам себя́ наказа́л ≅ he púnished himsélf; he has made a rod for his own back [...oun...] *идиом.*
нака́зывать II, наказа́ть (*дт.*) *уст.* (*прика́зывать*) bid* (*d.*), órder (*d.*).
нака́л *м. тк. ед.* in:candéscence; (*перен.*) ténsion; бе́лый ~ white heat; кра́сный ~ red heat. ~**ённый 1.** *прич. см.* нака́ливать; **2.** *прил.* in:candéscent; (*нагре́тый*) héated; (*перен.*) strained, tense; ~**ённый докрасна́**, **добела́** réd-hòt, whíte-hòt; ~**ённая атмосфе́ра** tense átmosphere.
нака́ливани‖**е** *с.* in:candéscence; ла́мпа ~я fílament lamp.
нака́ливать, накали́ть (*вн.*; *прям. и перен.*) in:candésce (*d.*); ~ докрасна́ make* réd-hòt (*d.*); ~ добела́ make* whíte-hòt (*d.*). ~**ся**, накали́ться **1.** (*прям. и перен.*) become* héated, become* hot; **2.** *страд. к* нака́ливать.
накали́ть(ся) *сов. см.* нака́ливать(ся).
нака́лывать, наколо́ть **1.** (*вн.*; *повре́ждать*) prick (*d.*); **2.** (*вн. на вн.*; *прикрепля́ть*) pin (down) (*d.* on); ~ ба́бочку на була́вку pin a bútterflỳ, stick* a pin through a bútterflỳ; наколо́ть значо́к (на *вн.*) pin / fásten a badge [...-sˑn] (on). ~**ся**, наколо́ться **1.** prick onesélf; **2.** *страд. к* нака́лывать.
накаля́ть(ся) = нака́ливать(ся).
наканифо́лить *сов. см.* канифо́лить.
накану́не 1. *нареч.* the day befóre; ~ ве́чером óver:night; **2.** *как предл.* (*рд.*) on the eve (of).
нака́пать I *сов.* (*вн., рд.*) drop (*d.*), pour out (by drops) [pɔː...] (*d.*); ~ лека́рства méasure out the médicine in drops ['meʒə...].
нака́пать II *сов.* (*тв. на вн.*) spot (with *d.*), spill (*d.* on).
нака́пать III *сов. см.* ка́пать II.
нака́пливать(ся) = накопля́ть(ся).
нака́ркать *сов. разг.* (*напроро́чить беду́*) evóke évil by máking évil próphecies [...ˈiːvˑl...].
нака́т I *м. стр.* **1.** dead floor [ded flɔː], cóunter floor; **2.** (*ряд брёвен*) láyer.
нака́т II *м. воен.* recùperátion, rúnning-out; counterrecóil *амер.*
наката́ть I *сов. см.* нака́тывать I.
наката́ть II *сов.* **1.** (*рд., вн.*; *нагото́вить ка́тая*) roll (a quantity of); **2.** (*вн.*) *разг.* (*бы́стро написа́ть*) write* húrriedly (*d.*); ~ письмо́ dash off a létter.
ната́ться *сов.* drive* (for a long time), have had enóugh (of dríving) [...ˈɪnʌf...]; ~ всласть have had as long a drive as one liked.
накати́ть *сов. см.* нака́тывать II.
нака́тывать I, наката́ть (*вн.*) (*о доро́ге*) roll (*d.*), make* smooth [...-ð] (*d.*).

нака́тывать II, накати́ть (вн. на вн.) roll (d. on); move (by rólling) [mu:v...] (d. on); ◇ на него́ накати́ло разг. he is not hìm:sèlf, he has táken leave of his sénses.

накача́ть I сов. см. нака́чивать.

накача́ть II сов. (рд., вн.; какое-л. количество) pump (a quantity of).

накача́ться I сов. см. нака́чиваться.

накача́ться II сов. swing* (for a long time), have had enóugh (of swínging) [...'nʌf...].

нака́чивать, накача́ть (вн.) 1. pump full (d.), fill by púmping (d.); ~ ши́ну infláte, или pump up, a tyre; 2. разг. (руга́ть) tick off (d.).

нака́чиваться, накача́ться 1. разг. (напиваться) get* sozzled; 2. страд. к нака́чивать.

нака́чка ж. разг. dréssing-down, ráting.

накида́ть = наброса́ть II.

наки́дка ж. 1. (одежда) cloak; cape; (женская короткая) típpet, mántlet; 2. (на подушку) lace píllow-còver [...-кл...]; 3. разг. (прибавка) íncrease [-s]; (на цену) extra charge.

наки́дывать, наки́нуть 1. (вн.) throw* on / over [θrou...] (d.); ~ на себя́ slip on (d.); 2. (на вн.) разг. (набавлять цену) raise the price (of).

наки́дываться, наки́нуться (на вн.) 1. fall* (on, up:òn) (нападать; тж. перен.) attack (d.); ~ на еду́ attack the food; 2. страд. к наки́дывать.

наки́нуть(ся) сов. см. наки́дывать(ся).

накип|а́ть, накипе́ть form a scum; form a scale; (перен.) swell*, boil; в нём ~е́ла зло́ба he is séething with reséntment [...-'ze...].

накипе́ть сов. см. накипа́ть.

на́кипь ж. 1. (пена) scum; снять ~ (с рд.) scum (d.); 2. (осадок) scale, fur; очища́ть ~ (в котле) scale (a boiler).

накла́д м.: быть в ~е разг. be down, come* off the lóser [...'lu:zə].

накла́дка ж. 1. (планка для висячего замка) cóver plate / strap / piece ['kʌ- ...pi:s]; 2. (из чужих волос и т. п.) háir-piece [-pi:s]; false hair [fɔ:ls...]; 3. разг. (ошибка, промах) slip, blúnder.

накладна́я ж. скл. как прил. ínvoice, wáy-bill.

накла́дно нареч. разг.: это бу́дет ему́ о́чень ~ he will have to pay a prétty pénny for it [...'pri-...], that will set him back a bit; э́то ему́ не бу́дет ~ he will be no worse off for it.

накладн|о́й 1. laid on, súper:impósed; ~о́е серебро́ pláted sílver, eléctroplàte; 2. (искусственный) false [fɔ:ls]; ~ы́е во́лосы false hair sg.; ◇ ~ы́е расхо́ды óver:head expénses [-hed...], óver:heads [-hedz].

накла́дывать, наложи́ть (вн.; в разн. знач.) put* in / on / óver (d.), lay* in / on / óver (d.); (поверх чего-л.) súperim-póse (d.); наложи́ть повя́зку на ра́ну bándage a wound [...wu:nd]; dress a wound; ~ швы мед. put* in (the) stítches; ~ себе́ на таре́лку (рд.) help òne:sélf (to); ~ печа́ть put* a seal on; ~ отпеча́ток (на пр.) leave* tráces (on); leave* one's stamp (on); ◇ нало-жи́ть на себя́ ру́ки уст. lay* hands on òne:sèlf, take* one's own life* [...oun...].

наклева́ть сов. см. клева́ть.

наклёвыв|аться, наклю́нуться 1. (о птенце) peck its way out of the shell; 2. разг. (появляться) turn up; ничего́ не ~ается there's nóthing dóing.

накле́ивать, накле́ить (вн.) stick* (d.), paste on [peɪ...] (d.); ~ ма́рку stick* a stamp on.

накле́ить I сов. см. накле́ивать.

накле́ить II сов. (рд., вн.; какое-л. количество) paste / glue (a quantity of) [peɪ-...].

накле́йка ж. 1. (действие) pásting / glúeing on ['peɪ-...]; 2. (наклеенное) patch; (ярлык) lábel.

наклепа́ть I сов. см. наклёпывать.

наклепа́ть II сов. см. клепа́ть II.

наклёпка ж. тех. 1. (действие) ríveting ['rɪ-]; 2. (наклёпанная часть чего-л.) rívet ['rɪ-].

наклёпывать, наклепа́ть (вн.) тех. rívet ['rɪ-] (d.), clench (d.).

наклика́ть сов. см. наклика́ть.

наклика́ть, накли́кать (вн.) уст.: накли́кать беду́ (на вн.) bring* disáster [...-'zɑ:-] (up:ón); ~ на себя́ bring* up:ón òne:sélf (d.).

накло́н м. 1. (действие) inclinátion; 2. (наклонное положение) slope, inclíne; (угол падения) íncidence; тех. pitch.

наклоне́ние I с. inclinátion.

наклоне́ние II с. грам. mood.

наклони́ть(ся) сов. см. наклоня́ть(ся).

накло́нн|ость ж. inclinátion; (склонность) léaning, propénsity; име́ть ~ к чему́-л. have an inclinátion for smth. ~ый inclíned, slóping; slánting [-ɑ:n-]; ~ая пло́скость inclíned plane; ◇ кати́ться по ~ой пло́скости go* dównhill (mórally).

наклоня́ть, наклони́ть (вн.) inclíne (d.), tilt (d.); (нагибать) bend* (d.), bow (d.); ~ся, наклони́ться 1. (нагиба́ться) stoop; bend*; ~ся к кому́-л., к чему́-л. bend* fórward to smb., to smth.; ~ся над кем-л., над чем-л. bend* óver smb., óver smth.; 2. страд. к наклоня́ть.

наклю́каться сов. разг. get* sozzled, have had a drop too much.

наклю́нуться сов. см. наклёвываться.

наклю́зничать сов. см. кля́узничать.

накова́льня ж. ánvil.

нако́жн|ый мед. cutáneous; ~ая боле́знь skin diséase [...-'zi:z]; врач по ~ым боле́зням dèrmatólogist.

накола́чивать, наколоти́ть (вн.) knock on (d.); ~ о́бручи на бо́чку bind* a cask with hoops, hoop a cask.

наколе́нник м. 1. knée-guàrd; 2. тех. knée-piece [-pi:s].

нако́лка ж. héad-drèss ['hed-].

наколоти́ть I сов. см. накола́чивать.

наколоти́ть II сов. (рд., вн.; гвозде́й и т. п.) drive* in (a quantity of).

наколо́ть I сов. см. нака́лывать.

наколо́ть II сов. (рд., вн.) break* (a quantity of) [breɪk...]; (о дровах) chop (a quantity of); ~ са́хару break* (a quantity of) súgar [...'ʃu-], break* some súgar.

наколо́ться сов. см. нака́лываться.

НАК–НАК   Н

комари́ник м. mosquíto net [-'ki:-...].

наконе́ц 1. нареч. at last; 2. нареч. (в заключение) fínally; in the end; 3. как вводн. сл. in conclúsion; ◇ ~-то! at (long) last!; ~-то ты пришёл! here you are at last!

наконе́чник м. tip; point; ~ стрелы́ árrow-head [-hed]; ка́бельный ~ cable términal; ~ для карандаша́ póint-protéctor.

накопа́ть сов. (рд., вн.) dig* out (a quantity of).

накопи́тель I м. hóarder.

накопи́тель II м. тех. stórage device / élement; store; пруды́-~и cátching básins [...'beɪs-].

накопи́тельство с. hóarding.

накоп|и́ть(ся) сов. см. накопля́ть(ся). ~ле́ние с. 1. (действие) accumulátion; píling; ~ле́ние капита́ла accumulátion of cápital; 2. мн. accumulátion sg.

накопля́ть, накопи́ть (вн., рд.) accumuláte (d.); (о деньгах) save up (d.), amáss (d.); (о запасах тж.) pile up (d.), hoard (d.), build* up [bɪld...] (d.); ~ зна́ния store knówledge [...'nɔ-]. ~ся, накопи́ться 1. accumuláte; у меня́ накопи́лось мно́го рабо́ты I have a great deal of work to do [...-eɪt...], my hands are full; 2. страд. к накопля́ть.

накопти́ть сов. (рд., вн.; приготовить посредством копчения) smoke (a quantity of).

накорми́ть сов. см. корми́ть 1, 2.

накоси́ть сов. (рд., вн.) mow* (down) (a quantity of) [mou...].

нако́стн|ый (situated) on the bone; ~ая о́пухоль bone túmour.

накра́пыва|ть: ~ет дождь it is drízzling; it is spítting with rain разг.

накра́сить(ся) сов. см. накра́шивать (-ся).

накра́сть сов. (рд., вн.) steal* (a quantity of).

накрахма́ленный прич. и прил. starched; прил. тж. stiff.

накрахма́лить I сов. см. крахма́лить.

накрахма́лить II сов. (рд., вн.; какое-л. количество) starch (a quantity of).

накра́шивать, накра́сить (вн.) paint (d.); (о лице, бровях тж.) make* up (d.); (о губах тж.) put* lípstick (on). ~ся, накра́ситься make* up one's face.

накрени́ть(ся) сов. 1. см. накреня́ть (-ся); 2. см. крени́ть(ся).

накреня́ть, накрени́ть (вн.) tilt (d.), tilt to one side (d.). ~ся, накрени́ться 1. lean*; (о корабле) list, tilt, lie* óver; 2. страд. к накреня́ть.

накре́пко нареч. 1. fast, fírmly; 2. разг. (категорически, решительно) stríctly.

на́крест нареч. crósswise.

накрича́ть сов. 1. (вн., рд., без доп.) разг. shout; 2. (на вн.) rate (d.); shout (at). ~ся сов. разг. have shóuted for a long time.

накро́ить сов. (рд., вн.) cut* out (a quantity of).

накромса́ть сов. (рд., вн.) разг. cut* / shred* (a quantity of).

311

НАК – НАЛ

накроши́ть *сов.* **1.** (*рд., вн.*) crumble (*a quantity* of); **2.** (*без доп.; насорить крошками*) spill* crumbs.

накрути́ть I *сов. см.* накру́чивать.

накрути́ть II *сов.* (*рд., вн.; какое-л. количество*) twist (*a quantity* of).

накру́чивать, накрути́ть (*вн.*) wind* (*d.*), turn (*d.*).

накрыва́ть, накры́ть **1.** (*вн. тв.*) cóver ['kʌ-] (*d.* with); ~ стол ска́тертью cóver *a* table with *a* cloth; spread* *the* cloth on the table [-ed...]; ~ за́лпом *мор.* straddle (*d.*); **2.** (*вн.*) *разг.* (*захватывать врасплох*) catch* in the act (*d.*); накры́ть на ме́сте преступле́ния catch* réd-hánded (*d.*); ◊ ~ (на) стол lay* / set* the table; ~ к обе́ду, у́жину *и т. п.* set* the table for dínner, súpper, *etc.* ~ся, накры́ться **1.** (*тв.*) cóver onesélf ['kʌ-...] (with); **2.** *страд. к* накрыва́ть.

накры́ть(ся) *сов. см.* накрыва́ть(ся).

накто́уз *м. мор.* bínnacle.

накуп∥а́ть I, накупи́ть (*рд., вн.; какое-л. количество*) buy* (*a quantity* of) [baɪ...]; он ~и́л книг he bought a lot of books.

накупа́ть II *сов.* (*вн.*) *разг.* (*вдоволь покупать*) give* a good bathe [...beɪð] (to).

накупи́ть *сов. см.* накупа́ть I.

накури́ть I *сов.* (*где-л., тв.; без доп.; наполнить дымом*) fill *a place* with smoke or fumes; как здесь наку́рено! how smóky it is here! *разг.*

накури́ть II *сов.* (*рд., вн.; какое-л. количество смолы и т. п.*) distíl (*a quantity* of).

накури́ться *сов. разг.* smoke to one's heart's cóntent [...hɑːts...].

накус∥а́ть *сов.* (*вн.*) sting* all óver (*d.*); комары́ ~а́ли мне ру́ки my hands are cóvered with mosquíto bites [...'kʌ-...'kiː-...].

наку́тать *сов.* (*что-л., чего́-л. на кого́-л.*) muffle smb. up in smth.

налага́ть, наложи́ть (*вн. на вн.*) **1.** lay* (*d.* on, up:ón); в це́пи ра́бства ensláve (*d.*); **2.** (*о взыскании, обязательстве*) impóse (*d.* on, up:ón), inflíct (*d.* on, up:ón); (*о наказании*) inflíct (*d.* on, up:ón); наложи́ть штраф, пе́ню impóse a fine (up:ón), fine (*d.*); ~ контрибу́цию (на *вн.*) lay* únder cóntribútion (*d.*), impóse an indémnity (on), require an indémnity (from); ~ запреще́ние (на *вн.*) prohíbit (*d.*); *юр.* put* an arrést (on); наложи́ть аре́ст на иму́щество *юр.* seize *the* próperty [siːz...]; ◊ наложи́ть резолю́цию (на заявле́ние) endórse an àpplicátion.

нала́дить(ся) *сов. см.* нала́живать(ся).

нала́дчик *м.* adjúster [ə'dʒʌ-].

нала́живать, нала́дить (*вн.*) put* right (*d.*); adjúst [ə'dʒʌst] (*d.*); (*исправлять*) régulàte (*d.*); repáir (*d.*); ~ дела́ set* things góing. ~ся, нала́диться **1.** get* right; всё нала́дится things will sort thèmsélves out; жизнь здесь снова нала́живается life here is beginning to return to nórmal; **2.** *страд. к* нала́живать.

налака́ться *сов.* **1.** (*о животных*) lap one's fill (*of milk, etc.*); **2.** *разг. неодобр.* = нализа́ться 2.

налакирова́ть *сов.* (*вн.*) várnish (*d.*).

налако́миться *сов. разг.* have one's fill (of dáinties).

налга́ть I *сов.* (*без доп.; наговорить лжи*) lie, tell* lies; (*кому́-л.*) lie (to smb.), tell* lies (to smb.).

налга́ть II *сов. см.* лгать 2.

нале́во *нареч.* **1.** (*от*) to the left (of); ~ от меня́ to my left, on my left (hand); ~! (*команда*) left turn!; **2.** *разг. неодобр.* (*незаконно используя служебные возможности*) on the side.

налега́ть, нале́чь (на *вн.*) **1.** òverlíe* (*d.*); (*прислоняться*) lean* (on, against); **2.** *разг.* (*направлять усилия*) apply ònesélf (to), work with a will (on); ◊ ~ на вёсла ply *one's* oars.

налегке́ *нареч.* **1.** (*без багажа*) without lúggage; путеше́ствовать ~ trável light ['træ-...]; **2.** (*в лёгком костю́ме*) lightly clad.

на́ледь *ж.* wáter above ice ['wɔː-...]; (*корка льда*) ice crust.

належа́ть (*вн.*) *разг.*: ~ про́лежни devélop béd-sòres [-'veː-...].

належа́ться *сов. разг.* have been lýing down, have been on one's back.

налез∥а́ть, нале́зть *разг.* (*об обуви и одежде*) fit; боти́нок не ~а́ет мне на́ ногу the shoe will not go on my foot [...ʃuː:... fʊt], the shoe is too small for me; пальто́ не ~а́ет на меня́ the coat is too small for me.

нале́зть I *сов. см.* налеза́ть.

нале́зть II *сов.* (*в каком-л. количестве; о муравья́х и т. п.*) get* in / on, accúmulàte (*in quantities, in large numbers*).

налепи́ть I *сов. см.* налепля́ть.

налепи́ть II *сов.* (*рд., вн.; какое-л. количество*) stick* (*a quantity* of); (*из глины и т. п.*) módel (*a quantity* of) ['mɔ-...].

налепля́ть, налепи́ть (*вн.*; *прикреплять лепкой*) stick* on (*d.*).

налёт I *м.* **1.** raid; возду́шный ~ air raid; **2.** (*грабёж*) róbbery; ◊ с ~а with a swoop; (*без подготовки*) óff-hand.

налёт II *м.* (*слой*) thin cóating; film; (*на плодах*) bloom; (*на вине*) béeswing ['biːz-]; (*перен.*) touch [tʌtʃ]; ~ пы́ли thin cóating of dust; ~ на языке́ fur on the tongue [...tʌŋ]; с не́которым ~ом сентимента́льности with a touch of sèntimèntálity.

налета́ть I, налете́ть (на *вн.*) **1.** fly* (up:ón, against); come* flýing (to); **2.** *разг.* (*набрасываться*) fall* (up:ón), swoop down (up:ón); rush (at, up:ón); **3.** *разг.* (*наталкиваться*) bump (into); collíde (with); **4.** (*без доп.*; *о ветре*) get* up.

налета́ть II *сов.* (*вн.*; *столько-то часов*) have flown (so many hours) [...floʊn...auəz]; (*столько-то километров*) have cóvered (so many kílomètres) [...'kʌ-...].

налете́ть I *сов. см.* налета́ть I.

налет∥е́ть II *сов.* (*набраться в каком-л. количестве*) fly* in, drift in (*in quantities, in large numbers*): ~е́ло мно́го мотылько́в a lot of moths have flown in [...floʊn...]; в окно́ ~е́ло мно́го пы́ли a lot of dust drifted in through the window.

налётчик *м.* róbber, one of a smásh-and-gráb gang, ráider.

нале́чь *сов. см.* налега́ть.

нали́в *м.* **1.** póuring in ['pɔː-...]; **2.** (*созревание*) rípen:ing.

налива́ть, нали́ть (*вн., рд.*) pour out [pɔː...] (*d.*); (*вн., тв.; наполнять*) fill (*d.* with); нали́ть ча́шку ча́ю pour (out) a cup of tea; нали́ть кому́-л. вина́, ча́ю *и т. п.* pour smb. some wine, some tea, *etc.* ~ся, нали́ться **1.** (*тв.*; *наполняться*) fill (with); **2.** (*созревать*) rípen, become* júicy [...'dʒuː-]; **3.** *страд. к* налива́ть; ◊ ~ся кро́вью (*о глазах*) become* blóodshòt [...'blʌd-].

нали́вка *ж.* nalívka (*a kind of fruit liqueur*); вишнёвая ~ chérry liqueur / brándy [...liˈkjʊə...].

наливн∥о́й 1. : ~о́е су́дно tánker; ~ док wet dock; **2.** : ~о́е я́блоко rípe / júicy apple [...'dʒuː-...].

нализа́ться *сов. разг.* **1.** (*рд.*) lick (*a quantity* of); **2.** *неодобр.* (*напиться спиртного*) be drunk.

нали́м *м.* (*рыба*) búrbot, éel-pot. ~ий *прил. к* нали́м.

налинова́ть *сов. см.* линова́ть.

налипа́ть, налипну́ть (на *вн.*) stick* (to), adhére (to).

налипну́ть *сов. см.* налипа́ть.

налито́й: ~ кро́вью (*о глазах*) blóodshòt ['blʌd-]; как свинцо́м ~ léaden ['le-]; как ~ (*о теле*) fléshy.

нали́ть(ся) *сов. см.* налива́ть(ся).

налицо́ *нареч.*: быть ~ (*присутствовать*) be présent [...-ez-]; (*иметься*) be aváilable, be on hand; все свиде́тели ~ all of the witnesses are présent; преступле́ние ~ there is diréct évidence of crime.

нали́чи∥е *с.* présence [-ez-]; availabílity; быть, оказа́ться в ~и be aváilable; при ~и (*рд.*) in the présence (of); при ~и кво́рума if there is a quórum; при ~и де́нег if móney is aváilable [...'mʌ-...].

нали́чник *м. стр.* **1.** cásing, jambs and líntel of a door or window; **2.** (*для ключа на двери, ящике*) lóck-plàte.

нали́чн∥ость *ж.* **1.** amóunt on hand; (*о деньгах*) cash in hand; золота́я ~ (*золотой запас*) gold resérve(s) [...-'zəː:v(z)] *pl.*; ~ това́ров в магази́не stóck-in-tráde; **2.** = нали́чие. ~ый I *прил.* on hand; ~ые де́ньги cash *sg.*, réady móney ['re- 'mʌ-] *sg.*; ~ый расчёт páyment in cash; за ~ый расчёт for cash down; **2.** *прил.* aváilable; ~ый соста́в aváilable pèrsonnél / staff; *воен.* effectives *pl.*; **3.** *мн. как сущ.* cash *sg.*; réady móney *sg.*; плати́ть ~ыми pay* in cash, pay* in réady móney.

нало́бный worn on the fórehead [wɔːn... 'fɔrid].

налови́ть *сов.* (*рд., вн.*) catch* (*a quantity* of).

наловчи́∥ться *сов.* (+ *инф.*) *разг.* become* proficient (in ger.), become* good (at ger.); get* the hang (of ger.); он бы́стро ~лся э́то де́лать he quickly got the hang of doing it.

312

нало́г *м.* tax; подохо́дный ~ íncome tax; ~ с оборо́та túrnover tax; ~ на безде́тность small-fámily tax; ~ на сверхпри́быль súpertàx; excéss prófits tax; взыска́ние ~ов tax colléction; обложе́ние ~ом tàxátion; облага́ть ~ами (*вн.*) tax (*d.*), impóse / lévy táxes [...'le-...] (up:ón); сниже́ние ~а redúction in tax; освобождённый от ~а táx-free. ~овый tax (*attr.*), tàxátion (*attr.*); ~овая поли́тика tàxátion / físcal pólicy.

налогообложе́н||ие *с.* tàxátion; подлежа́щий ~ию táxable.

налогоплате́льщик *м.* táx-payer.

наложе́ние *с.* 1: ~ штра́фа imposítion of a fine [-'zɪ-...]; ~ аре́ста séizure ['si:ʒə]; ~ печа́ти attáching / applýing a seal; ~ швов *мед.* súture, stítching (of a wound) [...wu:-]; 2. *мат.* (*одной фигу́ры на другу́ю*) sùperposítion [-'zɪ-].

наложенн||ый *прич.* (*тж. как прил.*) см. накла́дывать ◇ ~м платежо́м cash on delívery (*сокр.* C.O.D.); отпра́вить груз ~м платежо́м send* a consígnment cash on delívery [...-'saɪn-...].

наложи́ть I *сов. см.* накла́дывать *и* налага́ть.

наложи́ть II *сов.* (*рд., вн.*) put*, lay* (*a quantity of*); ~ по́лный воз load a cártful (of).

наложи́ть III *сов. см.* класть II.

нало́жница *ж. уст.* cóncubine.

нало́й *м. уст. разг.* = анало́й.

налома́ть *сов.* (*рд., вн.; какое-л. количество*) break* (*a quantity of*) [breɪk...]; ◇ ~ бока́ кому́-л. *разг.* give* smb. a lícking, beat* / knock the hell out of smb.; ~ дров *разг.* be a compléte blúnderer; have done sóme:thing véry stúpid.

налощи́ть *сов. см.* лощи́ть.

налущи́ть *сов.* (*рд., вн.*) shell / husk (*a quantity of*).

налюбова́ться (*тв.*; на *вн.*) admíre (sufficiently) (*d.*); он не мо́жет ~ этим he can't admíre this enóugh [...kɑːnt ...ɪ'nʌf], he is lost in àdmirátion of it.

наля́пать *сов. см.* ля́пать.

нам *дт. см.* мы.

намагни́||тить *сов. см.* намагни́чивать. ~чивать, намагни́тить (*вн.*) mágnetize (*d.*).

нама́з *м. рел.* (Mohámmedan) prayer [...prɛə].

нама́зать *сов.* 1. *см.* нама́зывать; 2. *как сов.* к ма́зать 1, 2, 3, 4. ~ся *сов.* 1. *см.* нама́зываться; 2. (*без доп.; накра́ситься*) make* up.

нама́зывать, нама́зать (*вн. тв.*; *вн.* на *вн.*) spread* [spred] (on *d.*), smear (*d.* with); (*па́чкать*) daub (*d.* with); нама́зать хлеб ма́слом, нама́зать ма́сло на хлеб spread* bread with bútter [...bred...], bútter bread; нама́зать ма́зью apply* an óintment (to); нама́зать гу́бы put* lípstick on. ~ся, нама́заться 1. (*тв.*) rub ònesélf (with); 2. *страд.* к нама́зывать.

намалева́ть *сов. см.* малева́ть.

намара́ть *сов. см.* мара́ть.

намаринова́ть *сов.* (*рд., вн.*) píckle (*a quantity of*).

нама́сл||ивать, нама́слить (*вн.*) *разг.* oil (*d.*); add oil / bútter (to). ~ить *сов. см.* нама́сливать.

нама́тывание *с.* wínding, réeling.

нама́тывать, намота́ть (*вн.* на *вн.*) wind* (*d.* round); reel (*d.* on); *эл.* coil (*d.* round); ◇ намота́й э́то себе́ на ус ≅ make a note of it, don't you forgét it [...-'get...]; put that in your pipe and smoke it *идиом.* ~ся, намота́ться 1. twist, wind* up; 2. *страд.* к нама́тывать.

нама́чивать, намочи́ть 1. (*вн.; снару́жи*) wet (*d.*), móisten [-s°n] (*d.*); (*погружа́ть в жи́дкость*) soak (*d.*); 2. (*без доп.; налива́ть на пол и т.п.*) spill* (*some líquid*) on the floor, *etc.* [...flɔː].

намая́ться *сов. разг.* have had a lot of tróuble / pains [...trʌbl...]; (*уста́ть*) be tíred out.

наме́дни *нареч. разг.* the óther day, láte:ly.

намёк *м.* hint, allúsion; то́нкий ~ géntle hint; ни ~а (на *вн.*) not a hint (of); сде́лать ~ drop a hint; поня́ть ~ take* the hint.

намек||а́ть, намекну́ть (на *вн.*) hint (at), drop / make* hints (abóut); (*подразумева́ть*) ímply (*d.*); на что вы ~а́ете? what are you dríving / gétting / hínting at? ~ну́ть *сов. см.* намека́ть.

намели́ть *сов. см.* мели́ть.

наменя́ть *сов.* (*рд., вн.*) 1. (*о ме́лких деньга́х*) get* (*a quantity of*) change [...tʃeɪndʒ]; 2. (*приобрести́ путём обме́на*) acquíre (*a quantity of*) by exchánge [...-'tʃeɪ-].

намерева́ться (+ *инф.*) inténd (+ to *inf.*), be abóut (+ to *inf.*), mean* (+ to *inf.*).

наме́рен *предик.:* он ~ (+ *инф.*) he inténds (+ to *inf.*); что вы ~ы де́лать? what are you góing to do?, what do you inténd to do?

наме́рен||ие *с.* inténtion; púrpose [-s]; твёрдое ~ firm rèsolútion / inténtion [...-zə-...]; до́брые ~ия good inténtions; возыме́ть ~ form the inténtion; он уе́хал с ~ем бо́льше не возвраща́ться he left with the firm resólve néver to retúrn [...-'zɔlv-...]; он прие́хал с твёрдым ~ем уви́деть вас he came with the púrpose / inténtion of séeing you; с зара́нее обду́манным ~ем deliberately; *юр.* of málice prepénse. ~ный inténtional, delíberate; prèméditàted.

намерз||а́ть, намёрзнуть (на *пр.*) freeze* (on); лёд намёрз на о́кнах the wíndows are cóvered with ice, *или* frózen óver [...'kʌ-...].

намёрзнуть *сов. см.* намерза́ть. ~ся *сов. разг.* get* frózen.

на́мертво *нареч. разг.* tíght:ly, fast.

намеси́ть *сов.* (*рд., вн.; какое-л. количество*) knead (*a quantity of*).

намести́ *сов. см.* намета́ть III.

наме́стни||к *м. ист.* députy; góvernor-géneral ['gʌv-...]. ~чество *с. ист.* région ruled by góvernor-géneral ['gʌv-...].

намёт I *м.* (*рыболо́вная снасть*) cásting-nèt.

намёт II *м.* (*бег ло́шади гало́пом*) gállop.

намётанный: ~ глаз práctised eye [-tɪst aɪ].

намета́ть I *сов. см.* намётывать.

намета́ть II *сов.* (*вн.*): ~ ру́ку (на *пр.*) acquíre skill (in), becóme* profícient (in); ~ глаз (на *пр.*) acquíre a good eye [...aɪ] (for).

намета́ть III, намести́ (*рд., вн.*) 1. sweep* togéther (*a quantity of*) [...-'ge-...]; 2. (*наноси́ть ве́тром*) cause to drift (*a quantity of*); ве́тер намёл мно́го сне́га the wind has blown the snow into great drift [...wɪ-...-oun-...ou-...eɪt...]; намело́ мно́го сне́га big snów-drifts have formed [...'snou-...].

наме́тить I, II *сов. см.* намеча́ть I, II.

наме́тить III *сов.* (в, на *вн.*) aim (at); ~ ружьё на цель aim a gun at a tàrget.

наме́титься *сов. см.* намеча́ться I.

намётка I *ж.* 1. (*смётывание*) básting ['beɪ-], tácking; 2. (*ни́тки*) básting / tácking thread [...θred].

намётка II *ж.* (*предвари́тельный план*) rough draft [rʌf...], prelíminary óutline.

намётывать, намета́ть (*вн.; шить*) baste [beɪst] (*d.*).

намеча́||ть, наме́тить (*вн.*) 1. (*о пла́не, ли́нии поведе́ния и т.п.*) plan (*d.*), próject (*d.*); cóntemplate (*d.*); (*в о́бщих черта́х*) óutline (*d.*); наме́тить конкре́тные мероприя́тия map out cón:crete méasures [...'meʒ-...]; наме́тить курс chart / trace a course [...kɔːs]; наме́тить програ́мму lay* down a prógramme [...-'prou-]; 2. (*о кандида́те*) nóminàte (*d.*); (*выбира́ть*) seléct (*d.*).

намеча́ть II, наме́тить (*вн.; ста́вить ме́тку*) mark (*d.*), make* a mark (on).

намеча́||ться I, наме́титься 1. (*вырисо́вываться*) be óutlined, take* shape; begín* to show [...ʃou]; 2. *страд.* к намеча́ть I.

намеча́ться II *страд.* к намеча́ть II.

намеша́ть *сов. см.* наме́шивать.

наме́шивать, намеша́ть (*вн., рд.* в *вн.*) add (*d.* to), mix in (*d.* to).

на́ми *тв. см.* мы.

намно́го *нареч.* much, by far, far and a:wáy; э́то ~ интере́снее it is much more ínteresting, it is more ínteresting by far.

намозо́лить *сов. см.* мозо́лить.

намок||а́ть, намо́кнуть becóme* / get* wet.

намо́кнуть *сов. см.* намока́ть.

намоло́т *м.:* ~ зерна́ óutpùt of grain [-put...], grain óutpùt.

намолоти́ть *сов.* (*рд., вн.*) thresh (*a quantity of*).

намоло́ть *сов.* (*рд., вн.*) grind*, mill (*a quantity of*); ~ вздо́ру, чепухи́ *разг.* talk a lot of nónsense.

намо́рдник *м.* múzzle; наде́ть ~ (на *вн.*) múzzle (*d.*).

намо́рщить *сов. см.* мо́рщить 1. ~ся *сов. см.* мо́рщиться 1.

намота́ть I *сов. см.* нама́тывать.

намота́ть II *сов.* (*рд., вн.; какое-л. количество*) wind* (*a quantity of*).

намота́ться II *сов. разг.* (*уста́ть*) be tíred out (by a lot of rúnning, *etc.*).

намо́тка *ж.* = нама́тывание.

намочи́ть I *сов. см.* нама́чивать.

НАМ — НАП

намочи́ть II *сов.* (*вн., рд.*) preserve (in brine, *etc.*) [-'zɜːv...] (*a quantity* of).

намудри́ть *сов. см.* мудри́ть.

наму́сорить *сов. см.* му́сорить.

намути́ть *сов.* stir up mud, make* muddy; (*перен.*) *разг.* make* a mess, create chaos [...'keɪ-].

наму́читься *сов. разг.* be worn out [...wɔːn...], have had a hard time; (*о будущем*) have an awful lot to bear [...bɛə].

намы́в *м. геол.* alluvium, alluvion; inwash; ~ плоти́ны silting of an earth dam [...ɜːθ...]. ~ **ной** *геол.* alluvial; inwash (*attr.*); ~ **ные** отложе́ния silt *sg.*

намы́каться *сов. разг.* be tired out, have had one's share of trouble / woe [...trʌ-...].

намы́ливать, **намы́лить** (*вн.*) rub / cover with soap [...'kʌ-...] (*d.*), soap (*d.*); ◇ намы́лить го́лову, хо́лку, ше́ю кому́-л. give* smb. a dressing-down; haul smb. over the coals *идиом.* ~ **ся**, намы́литься soap oneself.

намы́лить *сов. см.* намы́ливать и мы́лить. ~ **ся** *сов. см.* намы́ливаться и мы́литься 1.

намы́ть *сов.* (*рд., вн.*) 1. wash (*a quantity* of); 2. (*добыть*) pan out (*d.*); ~ золото́го песку́ pan out some gold-dust; 3. (*нанести течением*) deposit [-z-] (*d.*).

намы́ться *сов. разг.* have a good wash.

намя́ть *сов.* (*вн., рд.*) mash (*a quantity* of); ◇ ~ кому́-л. бока́ *разг.* give* smb. a licking, *или* a sound thrashing; thrash smb. soundly.

нан||**а́ец** *м.*, ~ **а́йка** *ж.*, ~ **а́йский** Nanaian; ~ а́йский язы́к Nanaian, the Nanaian language.

нанесе́ние *с.* 1. (*на карту, план и т. п.*) drawing, plotting, marking; ~ кра́сок на полотно́ putting colour / paint on canvas [...'kʌlə...]; 2.: ~ оскорбле́ния insult; (*тяжёлого, грубого*) outrage; ~ уда́ров assault and battery; ~ уве́чья disabling; ~ уще́рба damaging.

нанести́ I *сов. см.* наноси́ть I.

нанести́ II *сов.* (*рд., вн.; принести какое-л. количество*) bring* (*a quantity* of).

нанести́ III *сов.* (*рд., вн.; снести какое-л. количество яиц — о птице*) lay* (*a quantity* of).

наниза́ть *сов. см.* нани́зывать.

нани́зывать, **наниза́ть** (*вн.*) string* (*d.*), thread [-ed] (*d.*).

нанима́тель *м.* 1. (*квартиры и т. п.*) tenant ['te-]; 2. *уст.* (*рабочей силы*) employer.

нанима́ть, наня́ть (*вн.*) hire (*d.*); (*о помещении тж.*) rent (*d.*); ~ на рабо́ту engage (*d.*). ~ **ся**, наня́ться 1. *разг.* (*на работу*) apply for work, take* a job; *сов. тж.* become* employed; 2. *страд.* к нанима́ть.

на́нк||**а** *ж. текст.* nankeen. ~ **овый** *прил.* к на́нка.

на́ново *нареч. разг.* anew.

нано́с *м.* alluvium (*pl.* -ums, -ia), alluvion; (*песка, снега*) drift.

наноси́ть I, нанести́ 1. (*рд.* на *вн.; о снеге, песке*) drift (*d.* on); 2. (*вн.* на *вн.*; *наталкивать*) dash (*d.* against); ло́дку нанесло́ на ка́мень the boat dashed against a rock; су́дно нанесло́ на мель the ship ran aground; 3. (*вн.* на *вн.*; *обозначать*) mark (*d.* on); (*на карту, диаграмму тж.*) plot (*d.* on), draw* (*d.* on); 4. (*вн. дт.*; *причинять*) inflict (*d.* on), cause (*d.* to); ~ ра́ну inflict a wound [...wuːnd] (on); ~ уда́р strike* / deal* / deliver a blow [...-'lɪ-...bloʊ] (*i.*); ~ уще́рб cause / do damage (to), damage (*d.*); ~ оскорбле́ние insult (*d.*); (*тяжёлое, грубое*) outrage (*d.*); ~ пораже́ние defeat (*d.*), inflict a defeat (on); ◇ нанести́ визи́т make* / pay* a visit [...-zɪt] (*i.*).

наноси́ть II *сов.* (*рд., вн.*; *какое-л. количество*) bring* (*a quantity* of); ~ бо́чку воды́ bring* enough water to fill a cask [...'nʌf 'wɔː-...].

нано́сный (*о почве, песке и т. п.*) alluvial; (*перен.*) *случайно появившийся*) alien, borrowed; (*поверхностный*) superficial.

на́нсук *м. текст.* nainsook.

наню́хаться *сов.* (*рд.*) *разг.* 1. smell* to one's heart's content [...hɑːts...] (*d.*); ~ табаку́ take* snuff (to one's heart's content) (*i.*); 2. (*отравиться*) be intoxicated (with).

наня́ть(**ся**) *сов. см.* нанима́ть(ся).

наобеща́ть *сов.* (*рд., вн.*) *разг.* promise (much) [-s-...] (*d.*); ~ чего́ уго́дно promise all kinds of things; ◇ ~ с три ко́роба promise more than one can, *или* means to, do; promise the earth [...ɜːθ] *идиом.*

наоборо́т *нареч.* 1. (*противоположной стороной*) inside out; (*задом наперёд*) back to front [...frʌnt]; 2. (*иначе, не так*) the wrong way (round); он всё де́лает ~ he does everything the wrong way round; 3. *как вводн. сл.* on the contrary; как раз ~ quite the contrary; и ~ and vice versa [...'vaɪsɪ'vɜːsə].

наобу́м *нареч.* at random; сказа́ть что-л. ~ make* a random guess.

наодеколо́нить(**ся**) *сов. см.* одеколо́нить(ся).

наора́ть(**ся**) *разг.* = накрича́ть(ся).

на́отмашь *нареч.*: уда́рить кого́-л. ~ strike* smb. a swinging blow [...-oʊ], swipe smb.

наотре́з *нареч.* flatly, point-blank; отказа́ть(ся) ~ refuse point-blank.

напа́дать *сов.* fall*.

напада́ть, напа́сть (на *вн.*) 1. attack (*d.*), assault (*d.*); ~ враспло́х come* (up:on), surprise (*d.*), make* a surprise attack (on); 2. (*случайно встречать*) come* (up:on, across); 3. (*о чувстве, состоянии*) come* (over); на меня́ напа́ла тоска́ I am feeling depressed.

напада́ющий *м. скл. как прил. спорт.* forward.

нападе́ни||**е** *с.* 1. attack, assault; (*агрессия*) aggression; вооружённое ~ armed attack; внеза́пное ~ surprise attack; да́льнее огнево́е ~ *воен.* long-range shooting [-eɪ-...]; отрази́ть ~ repulse an attack; 2. (*в футболе и т. п.*) forwards [-dz] *pl.*, the forward line; центр ~ я centre forward.

напа́дки *мн.* attacks; зло́бные ~ malicious attacks.

напа́ивать I, **напои́ть** (*вн.*) 1. give* (*i.*) to drink; (*о животных*) water ['wɔː-] (*d.*); (*перен.*) suffuse (*d.*); напои́ть кого́-л. ча́ем, молоко́м и т. п. give* smb. some tea, milk, *etc.*; во́здух напоён арома́том the air is suffused with fragrance [...'freɪg-]; 2. (*допьяна*) make* drunk (*d.*).

напа́ивать II, **напая́ть** (*вн.* на *вн.*) solder ['sɔ-] (*d.* on:to).

напа́йка *ж. тех.* 1. (*действие*) soldering on ['sɔ-...]; 2. (*то, что напаяно*) soldered-on surface ['sɔ-...].

напа́костить *сов. см.* па́костить I.

напа́лм *м.* napalm [-pɑːm], jellied petrol [...'pe-]. ~ **овый** *прил.* к напа́лм; ~ овая бо́мба napalm bomb [-pɑːm...].

напа́рить *сов.* (*вн., рд.*) steam (*a quantity* of).

напа́рн||**ик** *м.*, ~ **ица** *ж. разг.* fellow worker, workmate.

напаса́ть, напасти́ (*вн., рд.*) *разг.* lay* in (*a stock* of), save up (*d.*), store (*d.*).

напаса́ться, напасти́сь *разг.*: на вас не напасёшься (*рд.*) we shall never have enough for you [...'nʌf...]; на вас не напасёшься еды́ ≅ you will eat us out of house and home [...haus...].

напасти́ *сов. см.* напаса́ть.

напасти́сь *сов. см.* напаса́ться.

напа́сть I *сов. см.* напада́ть.

напа́сть II *ж. разг.* misfortune [-tʃən], disaster [-'zɑː-]; что за ~! this is really too bad! [...'rɪə-...].

напаха́ть *сов.* (*вн., рд.*) plough (*a quantity* of).

напа́чкать *сов.* (на *пр.*) *разг.* soil (*d.*).

напая́ть *сов. см.* напа́ивать II.

напе́в *м.* tune, melody.

напева́ть, напе́ть 1. (*вн., рд.*) 1. *тк. несов.* (*петь вполголоса*) hum (*d.*); 2. (*мелодию*) sing* (*d.*); 3.: напе́ть пласти́нку make* a recording of one's voice.

напе́вн||**ость** *ж.* melodiousness. ~ **ый** melodious.

напек||**а́ть**, напе́чь 1. (*вн., рд.*) bake (*a quantity* of); она́ ~ла́ таре́лку бли́нчиков she made a plateful of pancakes; 2. *безл. разг.*: со́лнце ~ло́ мне го́лову my head aches from over:exposure to the sun [...hed eɪks...-'roʊʒə...].

наперебо́й *нареч.* in eager rivalry [...'iːgə 'raɪ-]; vying with each other; они́ расска́зывали ~ they vied with each other in telling.

наперевес *нареч.* tilted forwards [...-dz]; с ружьями ~ with arms at the ready [...'re-].

наперего́нки *нареч.* competing in speed, racing (with) one another; бе́гать ~ race (with) one another.

наперёд *нареч. разг.* in advance; ◇ за́дом ~ back to front [...frʌnt].

напереко́р 1. *нареч.* in defiance of; 2. *предл.* (*дт.*) counter (to); идти́ ~ кому́-л. disregard smb., run* counter to smb.; ~ стихи́ям flying in the face of nature [...'neɪ-].

наперекося́к *нареч. разг.* aslant [-ɑːnt], askew; его́ жизнь пошла́ ~ everything in his life has gone wrong [...gɔn...].

наперере́з *нареч.* (*дт.*) so as to cross the line along which smb., smth. moves [...muːvz]; бежа́ть кому́-л. ~ run* to intercept smb.

наперерыв *нареч. разг.* = наперебой.

наперéть *сов. см.* напирáть 1.
наперехвáт *нареч. разг.* = наперéз.
наперечёт *нареч. разг.* 1. all without exception; он знал всех ~ he knew every single one of them; 2. (*в функции сказуемого*) there are few, there are not many; такие люди, как он, ~ there are not many like him.
напéрсн||ик *м. уст.* cònfidánt. **~ица** *ж. уст.* cònfidánte.
напёрсток *м.* thimble.
наперстя́нка *ж. бот.* fóxglove [-glʌv].
напéть *сов. см.* напевáть 2, 3.
напéться *сов. разг.* have sung a lot, have had one's fill of sínging.
напечáтать *сов. см.* печáтать.
напéчь *сов. см.* напекáть.
напивáться, напи́ться 1. have smth. (to drink); (*утолять жажду*) quench slake one's thirst; после обéда он напился чáю he had some tea after dínner; перед шкóлой дéти напились молокá the children had some milk before they went to school; 2. (*становиться пьяным*) get* drunk; get* tight *разг.*
напили́ть *сов.* (*рд., вн.*) saw* (*a quantity of*).
напи́лок *м.*, **напи́льник** *м. тех.* file.
напирáть, наперéть (на *вн.*) *разг.* 1. press (*d.*); 2. *тк. несов.* (*теснить*) press (*d.*); 3. *тк. несов.* (*подчёркивать*) émphasize (*d.*), stress (*d.*).
написáние *с.* 1. (*форма буквы в письме*) way of writing (a letter of the álphabet); 2. (*правописание слова*) spélling.
написáть *сов. см.* писáть 1, 3.
напитáть *сов.* 1. (*вн.; накормить*) sate (*d.*), sátiate (*d.*); 2. *см.* напи́тывать. **~ся** *сов.* 1. *разг.* (*наесться*) eat* one's fill; 2. *см.* напи́тываться.
напи́т||ок *м.* drink, béverage; спиртны́е ~ки àlcohólic drinks, spírits; крéпкие ~ки strong drinks; прохлади́тельные ~ки soft drinks.
напи́тывать, напитáть (*вн. тв.*) ímprègnàte (*d.* with). **~ся**, напитáться (*тв.*) be(cóme*) ímprègnàted (with).
напи́ться *сов. см.* напивáться.
напихáть *сов. см.* напи́хивать.
напи́хивать, напихáть (*вн., рд. в вн.*) *разг.* cram (*d.* in, into, down); (*вн. тв.*) stuff (*d.* with), pack full (*d.* with).
напи́чкать *сов. см.* пи́чкать.
наплáвать *сов.* (*вн.*) *мор.* sail (*d.*); ~ ты́сячу киломéтров have sailed one thóusand kílomètres [...-z-...].
наплáваться *сов.* have a good swim.
наплавнóй *сов.*: ~ мост pontóon bridge.
наплáка||ть *сов.*: ~ себé глазá have red / swóllen eyes from crýing [...-oua1z...]; ◇ кот ~л *разг.* ≅ nothing to speak of, next to nothing. **~ться** *сов.* 1. have a good cry; 2. *разг.* (*получить неприятности из-за кого-л., чего-л.*) get* plenty of trouble [...trʌbl]; он ещё наплáчется there is trouble in store for him yet.
напластовáние *с. геол.* bédding, stràtificátion.
наплевáтельск||ий dévil-may-cáre, cóuldǹt-cáre-léss; ~ое отношéние (к) *разг.* dévil-may-cáre, *или* cóuldǹt-cáre-léss, áttitùde (towards).
наплевáть *сов.* spit*; (на *вн.*; *перен.*) *разг.* spit* (upón); not care a damn,

или two hoots (abóut); емý ~ на это he doesǹt care / give a damn abóut that; емý на всё ~ he doesǹt care / give a damn abóut ánything.
наплескáть *сов.* (*рд.*) spill* (*d.*).
наплести́ *сов.* 1. (*рд., вн.; кружев и т. п.*) make* by weaving (*a quantity of*); 2. (*без доп.*) *разг.* (*насочинять, наврать*) talk a lot of nónsense; 3. (*на кого-л.*) *разг.* (*наклéтничать*) slánder ['sla:-] (smb.).
наплéчн||ик *м.* shóulder-stràp [ʃou-]. **~ый** worn on the shóulder(s) [wɔ:n...ʃou-].
наплоди́ть (*вн.*) *разг.* bring* forth (*d.*), prodúce (*d.*) (in great númbers). **~ся** *сов. разг.* múltiply.
наплы́в *м.* 1. *тк. ед.* (*о публике и т. п.*) flow [-ou], ínflùx, ínǵrùsh; ~ тури́стов an ínflux / ínrush of tóurists [...'tuə-]; 2. (*на дереве*) excréscence; 3. *кин.* fáde-in.
наплывáть, наплы́ть 1. (на *вн.*) dash (against), run* (against) (*when swimming or boating*); 2. (*о накипи в котлах и т. п.*) form.
наплы́ть *сов. см.* наплывáть.
наповáл *нареч.* outright, on the spot; уби́ть ~ (*вн.*) kill on the spot, *или* outríght (*d.*).
наподдавáть, наподдáть (*вн.*) *разг.* hit* (*d.*), give* a punch (to).
наподдáть *сов. см.* наподдавáть.
наподóбие *предл.* (*рд.*) like, not únlìke.
напои́ть *сов.* 1. *см.* пои́ть; 2. *см.* напаивáть.
напокáз *нареч.* for show [...ʃou]; выставлять ~ (*вн.*) put* up for show (*d.*); (*перен.*) show* off (*d.*); flaunt (*d.*); paráde (*d.*); выставлять ~ свои знáния и *т. п.* paráde one's knówledge, etc. [...'nɔ-], make* a show of one's knówledge, etc.
наползáть, наползти́ (на *вн.*) crawl (against, óver), come* cráwling (acróss).
наползти́ I *сов. см.* наползáть.
наползти́ II *сов.* (*в каком-л. количестве*) crawl in (*in large quántities*).
наполнéни||е *с.* filling; (*аэростата*) inflátion; ◇ пульс хорóшего ~я nórmal pulse.
напóлнить(ся) *сов. см.* наполня́ть(ся).
наполня́ть, напóлнить (*вн.*) fill (*d.*); ~ гáзом *ав.* fill with gas (*d.*), infláte (*d.*). **~ся**, напóлниться 1. fill; ~ся слезáми fill, *или* be suffúsed, with tears; 2. *страд. см.* наполня́ть.
наполови́ну *нареч.* half [ha:f]; рабóта ~ сдéлана the work is half done; дéлать дéло ~ do things by halves [...ha:-].
напóльн||ый floor [flɔ:] (*attr.*); ~ая лáмпа stándard lamp.
напомáдить *сов. см.* помáдить.
напомáженный *прич. и прил.* pomáded.
напоминáние *с.* 1. (*действие*) méntion; 2. (*что-л. напоминающее*) remínder.
напомина́||ть, напóмнить 1. (*вн. дт.; о пр. дт.*) remínd (of *d.*); напóмним, что we would remínd you that; it will be recálled that; это ~ет о it is remíniscent of; 2. (*казаться похожим*) resémble [-'ze-] (*d.*); си́льно ~ bear* a strong resémblance [beə...'ze-] (to); он ~ет свою мать he resémbles his móther [...'mʌ-]. **~ющий** 1. *прич. см.*

НАП – НАП   **Н**

напоминáть; 2. *прил.* (*вн.*) rèminíscent (of).
напóмнить *сов. см.* напоминáть.
напóр *м.* 1. (*прям. и перен.*) préssure; force; (*воды, пара тж.*) head [hed]; ~ вéтра the force of the wind [...wi-]; скоростнóй ~ *ав.* préssure head; 2. *разг.* = напóристость; дéйствовать с ~ом push things [puʃ...].
напóрист||ость *ж. разг.* énergy, push [puʃ], go. **~ый** *разг.* ènergétic, púshing ['pu-], fórceful.
напóрный: ~ бак *тех.* préssure tank.
напорóть I *сов.* (*вн.*) *разг.* (*повредить*) tear* [teə] (*d.*), cut* (*d.*); ~ рýку на гвоздь cut* one's hand on a nail.
напорóть II *сов.* (*вн., рд.; распороть какое-л. количество*) rip (*d.*), únstìtch / úndò (*a quantity of*).
напорóть III *сов.* (*вн.*) *разг.* (*испортить*) búngle (*d.*), botch up (*d.*).
напорóться *сов.* (на *вн.*) *разг.* run* (upón, agáinst); (*перен.*) run* (ínto), run* up (agáinst).
напортáчить *сов. см.* портáчить.
напóртить *сов. разг.* 1. (*вн., рд.*) spoil* (*a quantity* of); 2. (*кому-л.; причинить ущерб*) wreck / rúin smb.'s plans / ùndertákings.
напослéдок *нареч.* in the end, in conclúsion; (*в конце концов*) áfter all.
напрáвить(ся) *сов. см.* направля́ть(ся).
направлéни||е *с.* 1. (*в разн. знач.*) diréction; по всем ~ям in all diréctions; по ~ю к towards; in the diréction of; по ~ю к дóму hómewards [-dz]; ~ полёта course [kɔ:s]; ~ наступлéния *воен.* line of advánce; 2. (*тенденция, течение*) trend; téndency; ténor ['te-]; ~ умá turn of mind; ~ поли́тики òrientátion of pólicy; печáть всех ~й newspàpers of all cólours [...'kʌ-] *pl.*, newspàpers of all polítical shades *pl.*; литератýрное ~ líterary school; 3. (*документ*) órder, wárrant; diréctive; дать ~ на рабóту (*дт.*) assígn to a job [ə'sain...] (*d.*).
напрáвленность *ж.* diréction; òrientátion; (*тенденция*) trend; идéйная ~ ромáна ideológical òrientátion of *the* nóvel [aı-...'nɔ-].
направля́ть, напрáвить 1. (*вн. на вн.; прям. и перен.*) diréct (*d.* at, to), turn (*d.* to); (*оружие*) aim (*d.* at), lével ['le-] (*d.* at); ~ свои стопы́ (к) diréct / bend* / turn one's steps (towards); ~ струю́ воды́ play / turn a jet of wáter [...'wɔ:-] (on); ~ внимáние diréct atténtion (at, to); ~ си́лы diréct one's énergies (at, to); всё напрáвлено на éverything is aimed at; 2. (*вн.; посылать*) send* (*d.*); (*за справкой, информацией*) refér (*d.*); ~ когó-л. на рабóту assígn smb. to work, *или* to a post [ə'sain...-pou-] (at, in); меня напрáвили к вам I have been sent to you; 3. (*вн.; адресовать*) send* (*d.*); ~ заявлéние send* in an àpplicátion; 4. (*вн.; оттачивать лезвие*) shárpen (*d.*). направить бри́тву shárpen / set* a rázor. **~ся**, напрáвиться 1. (к; в *вн.*) make* (for), make* one's way (to, towards, into), diréct one's steps

НАП – НАР

направля́ть; (to, towards, into); pick one's way (towards); wend one's way (to) *поэт.*; пароход направля́ется в Го́рький the steamer is bound for Gorky; **2.** *страд. к* направля́ть.

направля́ющ||ий 1. *прич. см.* направля́ть; **2.** *прил.* guíding, léading; *воен.* diréсting; ~ая си́ла guíding / diréсting force; ~ ро́лик *тех.* guide róller; **3.** *ж. как сущ. тех.* guide.

напра́во *нареч.* (от) to the right (of); ~ от меня́ to my right, on my right hand; ~! (*команда*) right turn!; ◇ ~ и нале́во right and left.

напрактикова́ться *сов.* (*в пр.*) *разг.* acquíre skill (in).

напра́слин||а *ж. тк. ед. разг.* wróngful àccusátion [...-'zeɪ-]; возводи́ть на кого-л. ~у make* a wrógful àccusátion against smb.

напра́сно I 1. *прил. кратк. см.* напра́сный; **2.** *предик. безл.* it is úseless [...'juːs-]; ~ ждать чего-л. от него́ it is no use expécting him to do ánything [...juːs...];

напра́сн||о II *нареч.* **1.** (*тщетно*) in vain, for nothing, váinly, to no púrpose [...-s]; он ~ е́здил туда́ he went there for nothing; **2.** (*несправедливо*) wróngfully, únjústly; его́ ~ обвини́ли he was wróngfully accúsed; **3.**: вы ~ так ду́маете you shouldn't think that, you are wrong to think that (way). **~ый 1.** (*тщетный*) vain; ~ая наде́жда vain hope; ~ое уси́лие vain / úseless éffort [...juːs-...]; **2.** (*несправедливый*) wróngful, únjúst; ~ое обвине́ние wróngful àccusátion [...-zeɪ-]; **3.** (*неосновательный*) únfóunded.

напра́шив||аться, напроси́ться **1.** thrust* òneself upón / on; ~ на обе́д invíte òneself to dínner; ~ кому́-л. в друзья́ force one's fríendship upón smb. [...'frend-...]; ~ идти́ вме́сте force one's cómpany upón / on smb. [...kʌm-...]; ~ на неприя́тности ask for trouble [...trʌbl]; ~ на комплиме́нты fish for cómpliments; **2.** *тк. несов.* (*о мысли, выводе и т. п.*) suggést itsélf [sə'dʒe-]; ~ается сравне́ние one automátically makes a compárison, a compárison inévitably comes to mind.

например *вводн. сл.* for exámple [...-ɑːm-] (*сокр.* e. g.), for ínstance.

напрока́з||ить, **~ничать** *сов. см.* прока́зить, прока́зничать.

напрока́т *нареч.* for / on hire; взять ~ (*вн.*) hire (*d.*); дать ~ (*вн.*) hire out (*d.*), let* (*d.*).

напролёт *нареч.*: весь день ~ all day long; всю ночь ~ all night long; я не спал всю ночь ~ I have not had a wink of sleep all night.

напроло́м *нареч. разг.*: идти́, де́йствовать ~ stop at nothing, push one's way through [puʃ...], go* right through, break* through [breɪk-...].

напропалу́ю *нареч. разг.* récklessly, désperately; весели́ться ~ have one's fling; go* the whole hog [...houl...] *идиом.*

напроро́чить *сов. см.* проро́чить.

напроси́ться *сов. см.* напра́шиваться 1.

напро́тив I *нареч.* **1.** ópposite [-zɪt]; (*на противоположной стороне улицы и т. п.*) acróss the street / road / way; **2.** (*наоборот*) on the cóntrary; как раз ~ just / quite the revérse, quite the cóntrary.

напро́тив II *предл.* (*рд.*) ópposite [-zɪt]; ~ на́шего до́ма ópposite our house* [...-s].

на́прочно *нареч. разг.* fírmly, sólidly.

на́прочь *нареч. разг.* without a trace.

напру́ж||ивать, напру́жить (*вн.*) *разг.* strain (*d.*), tense (*d.*), táuten (*d.*); ~ му́скулы strain one's muscles [...mʌslz]. **~иваться**, напру́житься *разг.* strain ònesélf. **~ить(ся)** *сов. см.* напру́живать(ся).

напряга́ть, напря́чь (*вн.*) *прям. и перен.* strain (*d.*); ~ все си́лы strain every nerve; напря́чь до преде́ла strain to the limit / bréaking-point [...'breɪ-]; ~ зре́ние, слух strain one's eyes, ears [...aɪz...]. **~ся**, напря́чься **1.** strain ònesélf, exért òneself; **2.** *страд. к* напряга́ть.

напряже́ни||е *с.* **1.** (*усилие*) éffort; слу́шать с ~ем lísten intéṅtly ['lɪsn...]; без особо́го ~я without particular éffort / strain; **2.** *физ.* (*в электротехнике*) ténsion; vóltage; (*в механике*) strain, stress; высо́кое ~ эл. high ténsion / vóltage; ток высо́кого ~я high ténsion cúrrent.

напряжённ||ость *ж.* ténsity, ténseness; ténsion; осла́бить междунаро́дную ~ ease / léssen / redúce intèrnátional ténsion [...-'næ-...]. **~ый** *прич. и прил.* strained; *прил. тж.* tense; (*о работе*) inténse, inténsive; ~ое внима́ние strained atténtion; ~ая борьба́ tense struggle.

напрями́к *нареч. разг.* straight; (*перен.*) póint-blánk.

напря́чь(ся) *сов. см.* напряга́ть(ся).

напу́г||анный *прич. и прил.* fríghtened, scared; ~ вид scared expréssion / look. **~а́ть** *сов.* (*вн.*) fríghten (*d.*), scare (*d.*). **~а́ться** *сов.* be / become* fríghtened / scared.

напу́дрить(ся) *сов. см.* пу́дрить(ся).

напу́льсник *м.* wríatlet.

на́пуск *м.* **1.**: с ~ом bloused; пла́тье с ~ом спе́реди, сза́ди dress bloused in front, at the back [...frʌnt...]; **2.** *тех.* lap.

напуска́ть, напусти́ть **1.** (*рд. в вн.*; *наполнять*) fill (with *d.*): напусти́ть ды́ма в ко́мнату fill the room with smoke;— напусти́ть воды́ в ва́нну fill *a* bath; **2.** (*вн. на вн.*; *собак*) let* loose [...luːs] (*d.* upón); (*перен.*: *направлять*) set* (*d.* upón); **3.**: ~ на себя́ (*вн.*) affect (*d.*), put* on (*d.*); ~ на себя́ равноду́шие affect indífference; ~ на себя́ ва́жность assúme an air of impórtance; put* on airs *идиом.*; ~ стра́ху на кого́-л. *разг.* strike* fear into smb., fill smb. with térror. **~ся**, напусти́ться **1.** (*на вн.*) *разг.* fall* (on), fly* (at), go* (for); **2.** *страд. к* напуска́ть.

напускно́й afféсted, assúmed, feigned [feɪnd]; ~а́я весёлость afféсted gáiety.

напусти́ть(ся) *сов. см.* напуска́ть(ся).

напу́т||ать *сов.* (*в чём-л.*) *разг.* get* smth. all wrong; make* a mess / hash (of smth.); он всё ~ал he has got it all wrong; he has made a mess / hash of it *разг.*

напу́тств||енный párting; fárewéll (*attr.*); ~енное сло́во párting words *pl.* **~ие** *с.* párting words *pl.*; fárewéll speech; párting wishes *pl.*

напу́тствовать *несов. и сов.* (*кого́-л.*) addréss (smb.) (at párting); ~ до́брыми пожела́ниями bid* fárewéll, wish bon voyage (*фр.*) [...bɔːŋ vɑːˈjɑː3].

напу́х||ание *с.* swélling. **~а́ть**, напу́хнуть swell*.

напу́хнуть *сов. см.* напуха́ть.

напы́житься *сов. см.* пы́житься.

напыли́ть *сов. см.* пыли́ть.

напы́щенн||ость *ж.* pòmpósity, bómbast. **~ый** pómpous; (*о стиле и т. п.*) bombástic, hígh-flown [-oun].

напя́л||ивать, напя́лить (*вн. на вн.*) **1.** (*натягивать на пяльцы*) stretch (*d.* on); **2.** *разг.* (*с трудом надевать*) pull [pul] (*d.* on), get* on (*d.*); стара́ться ~ить на себя́ что-л. сли́шком те́сное squeeze / struggle into smth. that is too small for one. **~ить** *сов. см.* напя́ливать.

нарабо́тать *сов.* (*рд., вн.*) *разг.* **1.** (*изготовить*) turn out (*d.*); **2.** (*заработать*) earn [əːn] (*d.*); make* (*d.*). **~ся** *сов. разг.* have worked enóugh [...ɪ'nʌf], have done a lot of work; (*устать от работы*) have tired òneself out wórking.

наравне́ *нареч.* (*с тв.*) **1.** (*на одной линии*) on a lével [...'le-] (with); **2.** (*на равных началах*) équally (with).

нара́доваться *сов.*: не ~ на кого́-л. dote (upón) smb.

нараспа́шку *нареч. разг.* únbúttoned; пальто́ ~ únbúttoned coat; он но́сит шу́бу ~ he wears his coat ópen / únbúttoned [...weəz...]; ◇ у него́ душа́ ~ ≃ he wears his heart (upón) his sleeve [...hɑːt...], he is ópen-héarted [...-'hɑːt-].

нараспе́в *нареч.* in a sínging voice, in a síng-sòng (voice).

нараста́ние *с.* growth [-ouθ], íncrease [-s], accùmulátion; intènsificátion; *переводится также формой на* -ing *от соответствующих глаголов* — *см.* нараста́ть; ~ недово́льства growth of reséntment [...-'ze-], móunting reséntment.

нараста́||ть, нарасти́ **1.** (*на пр.*) grow* [-ou] (on), be formed (on), be building up [...'bɪld-...] (on); **2.** (*усиливаться*) incréase [-s]; (*о звуке*) swell*; **3.** (*накопляться*) accùmuláte. **~ющий** *прич. и прил.* grówing ['grou-], íncreasing [-s-], móunting.

нарасти́ *сов. см.* нараста́ть.

нарасти́ть *сов. см.* нара́щивать.

нарасхва́т *нареч. разг.*: раскупа́ться ~ sell* like hot cakes; э́та кни́га раскупа́ется ~ this book is selling like hot cakes, there is a run on this book.

нараще́ние *с.* **1.** augmèntátion; **2.** *грам.* áugment.

нара́щивание *с. мед.* gráfting; *тех.* joint; *переводится также формой на* -ing *от соответствующих глаголов* — *см.* нара́щивать; ~ сил *воен.* accùmulátion, *или* búilding up, of strength / fórces [...'bɪl-...]; ~ вооруже́ний ármaments búild-ùp ['bɪl-...]; ~ те́мпов произво́дства grádual / stéady ráising of the rate of prodúction [...-edɪ...].

нара́щивать, нарасти́ть (*вн.*) **1.** grow* [grou] (*d.*), devélop [-'ve-] (*d.*); ~ му́ску-

лы devélop múscles [...mʌslz]; **2.** (*удлинять*) léngthen (*d.*), augmént (*d.*); **3.** (*увеличивать*) inténsify (*d.*); incréase [-s] (*d.*); build* up [bɪld...] (*d.*).

нарва́л *м. зоол.* nárwhal.

нарва́ть I *сов. см.* нарыва́ть.

нарва́ть II *сов.* (*рд., вн.*) **1.** (*цветов, плодов и т. п.*) pick (*a quantity of*); **2.** (*разорвать на куски*) tear* (*a quantity of*) [tɛə...].

нарва́ться *сов. см.* нарыва́ться.

нард *м.* (*растение и ароматическое вещество*) (spíke)nárd.

наре́з *м.* (*винта*) thread [-ed]; (*в оружии*) groove (*in rifling*); **2.** *ист.* (*участок земли*) lot, plot.

нареза́ть I, II *сов. см.* нареза́ть I, II.

нареза́ть III *сов.* (*вн., рд.*; *какое-л. количество*) cut*, slice (*a quantity of*).

нареза́ть I, **наре́зать** (*вн.*) **1.** cut* (into) píeces) [...'piː-] (*d.*); (*ломтями*) slice (*d.*); (*мясо за столом*) carve (*d.*); **2.** *ист.* (*о земле*) allót (*d.*), párcel out (*d.*).

нареза́ть II, **наре́зать** (*вн.*) *тех.* (*о резьбе*) thread [θred] (*d.*); (*канал ствола*) rifle (*d.*).

наре́з‖**ка I** *ж.* (*действие*) cútting (into píeces) [...'piː-].

наре́зка II *ж.* (*винтовая*) thread [θred]; (*в канале ствола*) rífling.

нарезно́й thréaded ['θre-]; (*об оружии*) rífled; ~ **ствол** rifled bárrel.

нарека́ни‖**е** *с.* cénsure; вы́звать ~я rouse cénsure, give* rise to únfavóurable críticism.

нарек‖**а́ть, наре́чь** (*вн. тв.*) *уст.* name (*d. d.*); ма́льчика ~ли́ Петро́м the boy was named Pyotr. ~**а́ться, наре́чься** *уст.* be named / called, be given the name (of).

наречённ‖**ый** *уст.* **1.** *прич. см.* нарека́ть; **2.** *прил.* betróthed [-'trou-]; **3.** *м. как сущ.* one's betróthed.

наре́чие I *с. лингв.* (*диалект*) díalèct.

наре́ч‖**ие II** *с. грам.* ádvèrb. ~**ный** *грам.* advérbial.

наре́чь(ся) *сов. см.* нарека́ть(ся).

нарза́н *м.* Nàrzán (*kind of mineral water*).

нарисова́ть *сов. см.* рисова́ть.

нарица́тельн‖**ый**: ~**ая сто́имость** *эк.* nóminal cost; **и́мя** ~**ое** *грам.* cómmon noun.

нарко́з *м.* **1.** narcósis, ànaesthésia [-zɪə]; ме́стный ~ lócal ànaesthétic; о́бщий ~ géneral ànaesthétic; под ~ом únder ànaesthétic; **2.** *разг.* (*средство*) ànaesthétic, drug.

нарко́лог *м.* éxpert in nàrcólogy.

наркологи́ческий nàrcológical.

наркология *ж.* nàrcólogy, the science of nàrcótics.

наркома́н *м. мед.* drug áddict. ~**ия** *ж. мед.* drug addíction.

наркотиз‖**а́ция** *ж. мед.* nàrcotizátion [-tai-]. ~**и́ровать** *несов. и сов.* (*вн.*) *мед.* nárcotize, ànaesthetize (*d.*).

наркот‖**ик** *м.* nàrcótic, drug; dope *разг.* ~**и́ческий** nàrcótic; drug (*attr.*); употребля́ть ~**и́ческие сре́дства** use drugs; dope *разг.*; (*быть наркоманом*) be a drug áddict.

наро́д *м.* **1.** péople [piː-], nátion; ~**ы СССР** the péoples of the USSR; **2.** *тк. ед. разг.* (*люди*) péople; мно́го ~у many people, a large númber, или plénty, of people; пло́щадь полна́ ~у the square is full of people.

народ‖**и́ть** *сов.* (*рд., вн.*) *разг.* give* birth (to a númber of chíldren), bring* into the world (a númber of chíldren). ~**ся** *сов. см.* нарожда́ться.

наро́дни‖**к** *м. ист.* naródnik, Rússian pópulist [-ʃən...]. ~**ческий** *прил. к* наро́дник и наро́дничество. ~**чество** *с. ист.* naródnik móve;ment [...'muː-v-], pópulism.

наро́дно-демократи́ческий péople's dèmocrátic [piː-...]; ~ **строй** péople's dèmocrátic sýstem.

наро́дность *ж.* **1.** (*народ*) nàtionálity [næʃə-...]; péople [piː-]; **2.** *тк. ед.* (*национальный характер*) nàtional cháracter ['næ- 'kæ-]; *мн.* folk cháracter; ~ **поэ́зии Пу́шкина** the nátional cháracter of Púshkin's póetry [...'pu-...].

народнохозя́йственный pertáining to nátional ècónomy [...'næ- iː-], nátional ècónomic [...iː-]; ~ **план** plan of nátional ècónomy.

наро́дн‖**ый** péople's [piː-]; (*о собрании и т. п.*) pópular; (*о песне, поэзии, обычае и т. п.*) pópular; folk (*attr.*); (*национальный*) nátional ['næ-]; ~ **арти́ст СССР** People's ártist of the USSR; ~ **поэ́т** nátional póet; ~ **трибу́н** péople's tríbune; ~**ая пе́сня** folk / pópular song; ~ **обы́чай** folk-cústom; ~ **комисса́р** *ист.* péople's còmmissár; ~ **комиссариа́т** *ист.* péople's còmmissáriat; ~**ое хозя́йство** nátional ècónomy [...iː-]; ~**ое достоя́ние** nátional próperty; ~ **суд** Péople's Court [...kɔːt]; ~ **судья́** Júdge in Péople's Court; ~ **заседа́тель** asséssor (*in Péople's Court*); ~**ая демокра́тия** péople's démocracy; ~ **фронт** Pópular Front [...frʌnt]; ◊ «**Наро́дная Во́ля**» *ист.* "Naródnaya Vólya" ("Péople's Fréedom").

народове́дение *с.* èthnólogy.

народовла́стие *с.* demócracy, sóvereignty of the péople ['sɒvrɪn-... piː-].

народово́лец *м. ист.* mémber of the "Naródnaya Vólya" ("Péople's Fréedom").

народово́льческий *прил. к* народово́лец.

народонаселе́ние *с.* pòpulátion.

нарожа́ть *сов.* = народи́ть.

нарожд‖**а́ться, народи́ться** come* into béing, aríse*. ~**е́ние** *с.* birth; spríng;ing up.

наро́ст *м.* **1.** óutgrowth [-grouθ], excréscence; **2.** (*то, что наросло*) incrustátion.

наро́чит‖**о** *нареч.* déliberately, inténtionally, expréssly. ~**ый** déliberate, inténtional.

наро́чно [-шн-] *нареч.* **1.** púrpose;ly [-s-], on púrpose [...-s-]; **2.** (*в шутку*) for fun; ◊ **как** ~ as ill luck would have it; **в э́тот день, как** ~ on that day of all days.

наро́чн‖**ый** *м. скл. как прил.* spécial / expréss méssenger ['spe-... -ndʒə]; cóurier ['ku-]; **с** ~**ым** by spécial delívery.

нарсу́д *м.* (*наро́дный суд*) Péople's Court [...kɔːt].

на́рт‖**а** *ж.,* ~**ы** *мн.* sledge (drawn by réindeer or dogs), dóg-sledge.

наруби́ть *сов.* (*вн., рд.*; *какое-л. количество*) chop (*a quantity of*).

нару́жно *нареч.* óutwardly; ~ **он споко́ен** he is óutwardly calm [...kɑːm].

нару́жное *с. скл. как прил.* (*о лекарстве*) médicine for extérnal use ónly [...juːs...]; (*надпись*) "not to be táken".

нару́жн‖**ость** *ж.* **1.** appéarance; look(s) (*pl.*); ~ **обма́нчива** appéarances are decéptive; **2.** (*внешний вид чего-л.*) extérior. ~**ый 1.** extérnal, óutward; **2.** (*показной*) òsténsible, afféсted; ~**ое споко́йствие** appárent / óutward calm [ə'pæ-...kɑːm], afféсted calm.

нару́жу *нареч.* óutside; **вы́йти** ~ come* out; (*перен.*) come* to light, be revéaled; **де́ло вы́шло** ~ the affáir has come to light; **вы́вести что-л.** ~ bring* smth. to light.

нарука́вник *м.* óver;sleeve, ármlet.

нарука́вный worn on the sleeve [wɔːn...]; ~**ая повя́зка** árm-bànd.

наруми́нить(ся) *сов. см.* румя́нить(ся).

нару́чники *мн.* (*ед.* нару́чник *м.*) hándcùffs, mánacles.

нару́чн‖**ый** wrist (*attr.*); ~**ые часы́** wrist watch *sg.*

наруш‖**а́ть, нару́шить** (*вн.*) **1.** (*о поря́дке, тишине́ и т. п.*) break* [breik] (*d.*), distúrb (*d.*); **нару́шить равнове́сие сил** upsét* the bálance of pówer; **2.** (*о зако́не, пра́виле и т. п.*) break* (*d.*), infrínge (upón), trànsgréss (*d.*), víolàte (*d.*); ~ **сло́во** break* one's word, fail to keep one's word; go* back on one's word; ~ **кля́тву, прися́гу** break* one's oath*. ~**ся, нару́шиться** **1.** be / get* bróken; **2.** *страд. к* наруша́ть.

наруш́ение *с.* breach; (*закона*) viólàtion, infrínge;ment; прямо́е ~ (*устава и т. п.*) diréct violátion; ~ **поко́я** distúrbance; ~ **обеща́ния** fáilure to keep one's prómise [...-s-]; ~ **обяза́тельства** breach of obligátion / tréaty; ~ **до́лга** breach of dúty; ~ **обще́ственного поря́дка** breach of the peace; ~ **пра́вил у́личного движе́ния** infrínge;ment of tráffic règulátions; ~ **грани́цы** illégal cróssing of the fróntier [...'frʌ-...].

наруши́тель *м.,* ~**ница** *ж.* (*порядка*) one who commíts a breach of the peace; (*закона*) infrínger [-ndʒə], trànsgréssor; (*границы*) tréspasser; ~ **ми́ра** ággressor, distúrber of the peace.

нару́шить(ся) *сов. см.* наруша́ть(ся).

нарци́сс *м.* narcíssus (*pl.* -ssi); (*жёлтый*) dáffodil.

на́ры *мн.* plank bed *sg.*

нары́в *м.* ábscess, boil.

нарыв‖**а́ть, нарва́ть** (*о нарыве*) gáther, come* to a head [...hed]; **у меня́ рука́** ~**ет** I have a boil, или an ábscess, on my hand.

нарыв‖**а́ться, нарва́ться** (*на вн.*) *разг.* run* (into), run* up (on, against); ◊ **нарва́ться на неприя́тность** run* into tróuble [...trʌbl].

нарывно́й vésicatory [-eit-]; ~ **пла́стырь** dráwing / blístering pláster.

нары́ть *сов.* (*рд., вн.*) dig* (*a quantity of*).

наря́д I *м.* (*одежда*) cóstùme; *поэт.* attíre, appárel [ə'pæ-]; *мн.* fínery ['faɪ-] *sg.*, smart clothes [...ouðz].

наря́д II *м.* 1. (*поручение*) órder; 2. (*документ*) wárrant; 3. *воен.* (*группа солдат*) detáil ['di:-], dúty detáil; 4. *воен.* (*задание*) dúty; расписа́ние ~ов róster ['rou-].

наряди́ть I, II *сов. см.* наряжа́ть I, II.

наряди́ться *сов. см.* наряжа́ться I и ряди́ться II 1.

наря́ди‖**ость** *ж.* smártness. ~**ый** smart; (*о людях тж.*) well-dréssed.

наряду́: ~ с side by side with; (*наравне*) équal:ly with, on a lével with [...'le-...]; ~ с э́тим side by side with this; (*одновременно*) at the same time.

наряжа́ть I, наряди́ть 1. (*вн.*) dress up (*d.*), dress out (*d.*); 2. (*вн. в вн.*; *вн. тв.*) arráy (*d.* in).

наряжа́ть II, наряди́ть (*вн.*; *назначать*) appóint (*d.*), detáil ['di:-] (*d.*).

наряжа́ться I, наряди́ться 1. dress up, smárten (òne:sélf) up; 2. (*тв.*; *в вн.*) arráy òne:sélf (as); 3. *страд.* к наряжа́ть I.

наряжа́ться II *страд.* к наряжа́ть II.

нас *рд., вн. см.* мы.

насади́ть I *сов. см.* наса́живать и насажда́ть.

насади́ть II *сов.* (*рд., вн.*; *какое-л. количество*) plant (*a quantity* of) [-ɑ:nt...].

наса́дка *ж.* 1. *тех.* nózzle, móuthpiece [-pi:s]; 2. *рыб.* bait.

насажа́ть I *сов.* (*рд., вн.*) (*о растениях*) plant (*a quantity* of) [-ɑ:nt...].

насажа́ть II *сов.* (*рд., вн.*) *разг.* (*о людях*) seat / place (*a número* of); ~ по́лный авто́бус, по́лную маши́ну людей, детей seat a whole búsload, cárload of people, children [...houl... pi:-...].

насажд‖**а́ть**, насади́ть (*вн.*) spread* [-ed] (*d.*); (*об идеях тж.*) implánt [-ɑ:nt] (*d.*), in:gráft (*d.*); ~ нау́ки spread* / cúltivate sciences; ~ культу́ру própagàte / spread* cúlture; ~ мо́ду bring* in a fáshion. ~**е́ние** *с.* 1. plantátion; зелёные ~**е́ния** green plantátions; 2. (*действие*) plánting (*перен.*) propagátion, spréading ['spre-]; ~**е́ние** культу́ры the spréading of cúlture.

наса́живать, насади́ть (*вн.*; *на ру́чку, дре́вко и т.п.*) haft (*d.*); (*на остриё*) stick* (*d.*), pin (*d.*); (*на вертел*) spit* (*d.*).

наса́живаться, насе́сть *разг.* sit* down (*in large numbers*).

наса́ливать, насоли́ть (*вн.*) salt (*d.*), put* a lot of salt (in); (*дт.*; *перен.*) *разг.* spite (*d.*), do a bad turn (to).

наса́харивать, наса́харить (*вн.*) súgar ['ʃu-] (*d.*), put* a lot of súgar (in, into).

наса́ривать *сов. см.* наса́ривать.

насви́стывать (*вн.*) *разг.* whistle (*d.*).

наседа́ть I, насе́сть (на *вн.*) (*теснить*) press (*d.*); press hard (*d.*) (*тж. перен.*).

наседа́ть II, насе́сть (на *вн.*; *о пыли и т.п.*) settle (on), cóver ['kʌ-] (*d.*).

насе́дка *ж.* bróody / sítting hen.

насека́ть, насе́чь (*вн.*) 1. (*делать насечки*) make* incísions (on), notch (*d.*), dent (*d.*); 2. (*об орнаменте на стали, клинке*) dámascène (*d.*).

насеко́м‖**ое** *с. скл. как прил.* ínsect; сре́дство от ~**ых** insécticide.

насекомоя́дный *зоол., бот.* insectívorous.

населе́ние *с.* 1. populátion; (*жители*) inhábitants *pl.*; городско́е ~ tównspeople [-nzpi:-], úrban populátion; се́льское ~ rúral populátion; 2. (*действие*) péopling [pi:-], séttling.

населё́нн‖**ость** *ж.* populátion; (*плотность населения*) dénsity of populátion. ~**ый** *прич. и прил.* pópulàted; ◊ ~**ый** пункт séttle:ment, pópulàted área [...'ɛəriə], inhábited locálity / área.

насели́ть *сов. см.* населя́ть 1.

населя́ть, насели́ть (*вн.*) 1. (*заселять*) péople [pi:-] (*d.*), pópulàte (*d.*), settle (*d.*); 2. *тк. несов.* (*составлять население какого-л. места*) inhábit (*d.*).

насе́ст *м.* roost, perch; сади́ться на ~, сиде́ть на ~**е** roost, perch.

насе́сть I, II *сов. см.* наседа́ть I, II.

насе́сть III *сов. см.* наса́живаться.

насе́чка *ж.* 1. (*действие*) máking incísions / nótches, nótching, dénting, cútting; 2. (*бороздка*) cut, incísion, (*зарубка*) notch, dent; 3. (*на клинке*) ín:láy, ín:láid páttern.

насе́ять *сов.* (*рд., вн.*) sow* (*a quantity* of) [sou...].

насиде́ть *сов. см.* наси́живать.

насиде́ться *сов.* sit* for a long time; ~ до́ма spend* a long time indóors [...'dɔ:z].

наси́женн‖**ый** *прич. см.* наси́живать; ◊ ~**ое** ме́сто *разг.* famíliar spot, old haunt; one's home for many years; сня́ться с ~**ого** ме́ста leave* a lóng-óccupied place.

наси́живать, насиде́ть (*вн.*) 1. (*о птице* — *высиживать*) hatch (*d.*); 2. *разг.* (*согревать долгим сидением*) warm (*d.*).

наси́ли‖**е** *с.* víolence; (*принуждение*) coércion, constráint; акт ~**я** act of víolence; примени́ть ~ use víolence; use brute force; произвести́ (*над*) use víolence (agáinst), do víolence (to).

наси́ловать, изнаси́ловать (*вн.*) 1. *тк. несов.* (*принуждать*) force (*d.*), coérce (*d.*), constráin (*d.*); 2. (*женщину*) rape (*d.*), víolàte (*d.*).

наси́лу *нареч. разг.* with dífficulty; (*едва*) hardly; мы ~ его́ отыска́ли we had a job finding him.

наси́ль‖**ник** *м.* víolàtor; (*угнетатель*) týrant, oppréssor. ~**ничать** *разг.* commit acts of víolence, víolàte (*d.*); (*об изнасиловании*) rape. ~**нический** fórcible, víolent. ~**но** *нареч.* by force; (*по принуждению*) únder compúlsion; ◊ ~**но** мил не бу́дешь *погов.* ≃ love can néither be bought nor sold [lʌv... 'nɑɪ-...]; love cánnòt be compélled.

наси́льственн‖**ый** fórcible; (*принудительный*) forced (*d.*); ~ переворо́т fórcible úp:héaval; ~**ая** смерть víolent death [...deθ].

наказа́ть *сов.* (*вн., рд.*) *разг.* tell* / say* a lot (of); ~ небыли́ц ≃ tell* a long cóck-and-búll stóry [...-bul...], spin* a yarn.

наска́кивать, наскочи́ть (на *вн.*) collíde (with), run* (into); (*перен.*; *придираться*) *разг.* fly* (at); наскочи́ть на ми́ну strike* a mine.

наска́льн‖**ый**: ~**ые** рису́нки, на́дписи rock páintings, dráwings; rock cárvings; pétroglyphs.

наскандали́ть *сов. см.* скандали́ть.

наскво́зь *нареч.* 1. through (and through); промо́кнуть ~ get* wet through; 2. *разг.* (*совершенно*) through;óut; ~ прогни́вший rótten through;óut, rótten to the core; ◊ ви́деть кого́-л. ~ *разг.* see* through smb., know* smb. ínside out [nou...].

наскобли́ть *сов.* (*рд., вн.*) *разг.* scrape (*a quantity* of).

наско́к *м.* swoop, típ-and-rún attáck; súdden attáck (*тж. перен.*); де́йствовать с ~**а** act without gíving it a sécond thought [...'se- θɔ:t], act on ímpulse.

наско́лько *нареч.* 1. (*восклицат.*) how much; ~ здесь лу́чше! how much bétter it is here!; 2. (*относит.*) as far as, so far as; ~ мне изве́стно as far as I know [...nou]; to the best of my knówledge [...'nɔ-].

на́скоро *нареч.* hástily ['heɪ-], húrriedly; slápdàsh *разг.*; де́лать что-л. ~ do things hástily / cárelessly, или in a slápdàsh way / mánner.

наскочи́ть *сов. см.* наска́кивать.

наскрести́ *сов.* (*вн., рд.* или *без доп.*; *прям. и перен.*) scrape up / togéther [...-'ge-] (*d.*), scratch up / togéther (*d.*).

наскуч‖**ить** *сов.* (*дт.*) bore (*d.*), annóy (*d.*); мне ~**ило** э́то I am bored with this, I am sick of it.

наслади́ть(ся) *сов. см.* наслажда́ть(ся).

наслажд‖**а́ть**, наслади́ть (*вн.*) delíght (*d.*), please (*d.*). ~**а́ться**, наслади́ться (*тв.*) take* pléasure / delíght [...'ple-...] (in), revél ['re-] (in), enjóy (*d.*). ~**е́ние** *с.* delíght, enjóyment.

насла́ивать, наслои́ть (*вн.*) make* arránge in láyers [...ə'reɪ-...] (*d.*), láminàte (*d.*). ~**ся**, наслои́ться (на *вн.*) accúmulàte (on); form stráta / láyers (on).

насласти́ть *сов. см.* насла́щивать.

насла́ть II *сов. см.* насыла́ть.

насла́ть II *сов.* (*рд., вн.*; *какое-л. количество*) send* (*a quantity* of).

насла́щивать, насласти́ть (*вн.*) *разг.* swéeten too much (*d.*).

насле́дие *с.* légacy, héritage; отцо́вское ~ pátrimony; ~ про́шлого the héritage of the past.

насле́дить *сов. см.* следи́ть II.

насле́д‖**ник** *м.* heir [ɛə], légatée; (*преемник*) succéssor; зако́нный ~ heir-at-law ['ɛə-], heir appárent [...ə'pæ-]. ~**ница** *ж.* héiress ['ɛə-]. ~**ный**: ~**ный** принц Crown prince.

насле́дован‖**ие** *с.* inhéritance; пра́во ~**ия** succéssion.

насле́д‖**овать** *несов. и сов.* 1. (*сов. тж.* унасле́довать) (*вн.*; *получать в наследство*) inhérit (*d.*); 2. (*дт.*) succéed (to). ~**ственность** *ж.* herédity. ~**ственный** heréditary, inhérited. ~**ство** *с.* inhéritance, légacy; по ~**ству** by right of succéssion; получи́ть по ~**ству** (*вн.*) inhérit (*d.*); лиша́ть ~**ства** (*вн.*) disinhérit (*d.*); ◊ культу́рное ~**ство** cúltural héritage. ~**уемость** *ж. биол.* heréditability.

наслое́ние *с.* 1. *геол.* stratificátion; deposítion [-'zɪ-]; (*слой*) láyer; strátum (*pl.* -ta); 2. (*особенность, черта в культуре и т.п. более позднего происхож-*

дения) láter devélopment, èxtráneous féature.

наслои́ть(ся) сов. см. **наслаивать(ся)**.

наслужи́ться сов. разг. have served for long enóugh [...ɪˈnʌf].

наслу́шаться сов. (рд.) have heard plénty, или a lot [...hɔːd...] (of); ~ му́зыки have heard plénty, или a lot, of músic [...-z-]; ~ новосте́й have heard plénty of news [...-z].

наслы́шан предик. (о пр.) разг. famíliar by héarsay (with); мы о вас мно́го ~ы we have heard a lot abóut you [...hɔːd...].

наслы́шаться сов. (о пр.) have heard a lot [...hɔːd...] (abóut).

насма́рку нареч.: всё пошло́ ~ разг. évery;thing went to pot, или came to nóthing.

на́смерть нареч. to death [...deθ]; стоя́ть ~ fight* to the bítter end; die in the last ditch идиом. разг.; испуга́ть ~ fríghten to death.

насме∥**ха́ться** (над) mock (at), jeer (at), gibe (at), deríde (d.). ~**ши́ть** сов. (кого́-л.) make* smb. laugh [...lɑːf], set* smb. láughing [...ˈlɑːf-].

насме́ш∥**ка** ж. móckery; (насмешли́вое замеча́ние) sneer, gibe; беззло́бная ~ bánter, ráillery. ~**ливый 1.** mócking, derísive; ~ливый тон derísive tone; **2.** (лю́бящий насмеха́ться) gíven to mócking. ~**ник** м., ~**ница** ж. разг. scóffer, mócker. ~**ничать** разг. scoff, sneer, mock.

насмея́ться сов. **1.** (над) laugh [lɑːf] (at), make* a láughing-stóck [...ˈlɑːf-] (of), deríde (d.); (оскорби́ть) insúlt (d.); **2.** (без доп.; вдо́воль) have had a good laugh.

на́сморк м. cold (in the head) [...hed]; catárrh, corýza научн.; схвати́ть ~ catch* a cold (in the head).

насмотре́ться сов. **1.** (рд.) see* a lot (of); **2.** (на вн.) see* as much as one wánted (of); see* enóugh [...ɪˈnʌf] (of), have a good look (at).

насоба́читься сов. (+ инф.) разг. becóme* a good hand (at ger.), becóme* ádept [...ˈæ-] (at ger.).

насова́ть (вн., рд.) разг. shove in (a quántity of) [ʃʌv...], stuff in (a quántity of).

насовсе́м нареч. разг. for keeps.

насоли́ть I сов. см. **насаливать**.

насоли́ть II сов. (рд., вн.); загото́вить соле́нием в како́м-л. коли́честве) salt / pickle (a quántity of); (о мя́се тж.) corn (a quántity of).

насори́ть сов. см. **сори́ть**.

насо́с I м. pump; возду́шный ~ áir-pùmp; вса́сывающий ~ súction-pùmp; шестерёнчатый ~ gear pump [gɪə...]; поршнево́й ~ recíprocàting pump, píston-pùmp; то́пливный ~ fúel pump [ˈfjuː-...].

насо́с II м. (о́пухоль на нёбе ло́шади) lámpas [-z].

насоса́ться сов. (рд.) have sucked / imbíbed enóugh, или one's fill [...ɪˈnʌf...].

насо́сн∥**ый** púmping; ~**ая ста́нция** púmping státion.

насочин∥**и́ть**, ~**я́ть** сов. (вн., рд.) разг.: ~ чепухи́ tell* a lot of tall stóries, talk a lot of nónsense.

на́спех нареч. in a húrry; (небре́жно) cáre;lessly, in a slápdàsh mánner; э́то сде́лано ~ it's a slápdàsh job.

наспиртова́ться сов. be ímprègnàted with álcohòl.

насплётничать сов. см. **сплётничать**.

наст м. thin crust of ice óver snow [...snou].

настава́ть, **наста́ть** come* (начина́ться) begín*; наста́ла ночь night came / fell; вре́мя ещё не наста́ло the time has not come yet, the time is not yet ripe.

настави́тельный instrúctive; (поучи́тельный) édifying, didáctic; ~ тон didáctic tone.

наста́вить I сов. см. **наставля́ть I**.

наста́вить II сов. см. **наставля́ть II**.

наста́вить III сов. (рд., вн.; како́е-л. коли́чество) set* up, или place (a quántity of).

наста́вка ж. piece put on [piːs...].

наставле́ние с. **1.** (руково́дство, инстру́кция) diréctions pl., instrúctions pl.; **2.** (поуче́ние) àdmoní̀tion, précept, èxhortátion; де́лать ~ (дт.) exhórt (d.), admónish (d.); give* a tálking-tò (i.) разг.; **3.** воен. mánual.

наставля́ть I, **наста́вить 1.** (вн.; надставля́ть) add a piece [...piːs] (on), put* on (d.); (вн. тв.; удлиня́ть) léngthen (d. by); **2.** (вн. на вн.; наце́ливать) aim (d. at), point (d. at); ◊ наставля́ть рога́ кому́-л. разг. cúckold smb.; ~ нос кому́-л. разг. trick / fool smb.

наставля́ть II, **наста́вить** (вн.; поуча́ть) admónish (d.), édify (d.), exhórt (d.); ◊ ~ кого́-л. на путь и́стинный set* smb. on the right path*, put* smb. wise.

наста́вни∥**к** м. instrúctor, tútor-guide уст. tútor, méntor, precéptor. ~**ца** ж. уст. tútoress, precéptress. ~**ческий** прил. к **наста́вник**. ~**чество** с. tútorship; уст. precéptorship.

наставно́й exténded, léngthened (by ádding a piece).

наста́ивать I, **настоя́ть** (на пр.) insíst (on, upón ger.); (упо́рствовать) persíst (in ger.); (добива́ться) press (for); ~ на своём have one's own way [...oun...], stand* one's ground.

наста́ивать II, **настоя́ть** (вн.; де́лать насто́йку) draw* (d.), infúse (d.); ~ чай let* tea draw / brew; ~ во́дку на ви́шне prepáre a liqueúr from chérries [...-ˈkjuə...].

наста́ива∥**ться**, **настоя́ться draw*;** чай ~ется the tea is dráwing / bréwing; **2.** страд. к **наста́ивать II**.

наста́ть сов. см. **настава́ть**.

настега́ть I сов. (вн., рд.; како́е-л. коли́чество) quilt (a quántity of).

настега́ть II, **III** сов. см. **настёгивать I**, **II**.

настёгивать I, **настега́ть** (вн. на вн.; пришива́ть стежка́ми) stitch (d. on), baste [beɪst] (d. on).

настёгивать II, **настега́ть** (вн.) разг. (си́льно бить) lash (d.), give* a láshing (to).

на́стежь нареч. wide (ópen); о́кна бы́ли ~ the wíndows were wide ópen; он откры́л дверь ~ he ópen;ed the door wide [...dɔː...].

насте́нный wall (attr.).

настига́ть, **насти́гнуть**, **насти́чь** (вн.) óver;tàke* (d.).

насти́гнуть сов. см. **настига́ть**.

насти́л м. flóoring [ˈflɔːr-], plánking, deck; ~ мо́ста décking, bridge floor [...flɔː].

настила́ть, **настла́ть** (вн.) lay* (d.), spread* [-ed] (d.); (доска́ми) plank (d.); ~ пол lay* a floor [...flɔː].

насти́лка ж. (де́йствие) láying, décking; ~ па́лубы мор. deck plánking; ~ по́ла flóoring [ˈflɔːr-].

насти́льн∥**ый** воен. grázing; ~ ого́нь grázing fire; ~**ая траекто́рия полёта пуль** grázing trájectory of a búllet [...ˈbul-].

настира́ть (вн., рд.) разг. (выстира́ть в како́м-л. коли́честве) wash (a quántity of); ~ белья́ do a lot of wáshing.

насти́чь сов. см. **настига́ть**.

настла́ть сов. см. **настила́ть**.

насто́й м. infúsion; ~ из трав hérbal pótion. ~**ка** ж. **1.** nastóyka (a kind of liqueúr); **2.** = насто́й.

насто́йчив∥**ость** ж. persístence; insístence; **2.** (о челове́ке) persístent; **2.** (о про́сьбе, то́не — настоя́тельный) úrgent, préssing.

насто́лько нареч. so, thus much [ðʌs...]; ~ (же)... наско́лько as much as; ~..., что... so... that.

насто́льн∥**ый 1.** (предназна́ченный для стола́) table (attr.); desk (attr.); ~**ая ла́мпа** táble-làmp, désk-làmp; ~**ые и́гры** table games; ~ **те́ннис** table tennis, píng-pòng; **2.** (постоя́нно необходи́мый): ~**ая кни́га**, ~**ое руково́дство** hándbook, mánual; (спра́вочник) réference book.

настора́живать, **насторожи́ть** (кого́-л.) put* (smb.) on his, her guard; ◊ насторожи́ть у́ши = настора́живаться. ~**ся**, **насторожи́ться** prick up one's ears.

насторо́же нареч.: быть ~ be on the alért, be on the lóok-óut, или on one's guard.

насторо́женный, **насторожённый** wátchful; ~ взгляд gúarded look.

насторожи́ть(ся) сов. см. **настора́живать(ся)**.

настоя́ни∥**е** с. insístence; по его́ ~ю at his úrgent requést.

настоя́тель м. (монастыря́) ábbot, príor; (собо́ра) dean. ~**ница** ж. (монастыря́) ábbess, príoress.

настоя́тельн∥**ость** ж. **1.** (насто́йчивость) insístency; **2.** (неотло́жность) úrgency. ~**ый 1.** (насто́йчивый) insístent; (упо́рный) persístent; ~**ая про́сьба** úrgent requést; **2.** (неотло́жный) úrgent, préssing; ~**ая необходи́мость** úrgent / préssing need / necéssity.

настоя́ть I, **II** сов. см. **наста́ивать I**, **II**.

настоя́ться I сов. см. **наста́иваться**.

настоя́ться II сов. разг. (до́лго стоя́ть) stand*, или be on one's feet, for a long time.

настоя́щее с. скл. как прил. the présent [...ˈprez-].

настоя́щ∥**ий 1.** (тепе́решний) présent [ˈprez-]; в ~**ее вре́мя** at présent, todáy, now; ~**ее вре́мя** грам. the présent tense; **2.** (и́стинный, по́длинный, действи́тельный) real [rɪəl], génuine, true; ré-

НАС—НАТ

gular *разг.*; ~ геро́й real héro; ~ друг true friend [...fre-]; ~ ко́фе real cóffee [...-fi]; 3. *разг.* (*совершенный*) compléte, útter; он ~ дура́к he is an ábsolùte fool; ◇ ~ мужчи́на *разг.* hé-màn*.

настрада́ться *сов.* súffer much, go* through a lot.

настра́ива||**ть** I, настро́ить (*вн.*) *муз., ак.* tune (*d.*); (*об оркестре*) tune up (*d.*); (*радио тж.*) tune in (*d.*); оркéстр ~ет свои́ инструме́нты the órchestra is túning up [...'ɔːk-...].

настра́ивать II, настро́ить 1. (*вн. на вн.*; *приводить в какое-л. настроение*) make* (*d.* + *adj.*), dispóse (*d.* to); ~ кого́-л. на гру́стный лад make* smb. feel depréssed; 2. (*вн.*; *внушать*) incíte (*d.*), inclíne (*d.*); ~ кого́-л. про́тив put* smb. against, set* smb. against; ~ кого́-л. в чью-л. по́льзу inclíne smb. in smb.'s fávour; ~ про́тив себя́ antágonize (*d.*).

настра́иваться I, настро́иться 1. *муз., рад.* be tuned; 2. *страд. к* настра́ивать I.

настра́иваться II, настро́иться 1. (*на вн.*, + *инф.*) be in the mood (for, + to *inf.*); (*намереваться*) make* up one's mind (+ to *inf.*); 2. *страд. к* настра́ивать II.

настреля́ть *сов.* (*рд., вн.*) shoot* (*a quantity* of).

на́стриг *м.*: ~ ше́рсти wool clípping [wul...], shéep-shearing.

настри́чь *сов.* (*рд., вн.*) 1. (*овечьей шерсти и т. п.*) shear*, clip (*a quantity* of); 2. (*мелко нарезать*) cut* into small bits (*a quantity* of).

настрога́ть *сов.* (*вн., рд.*; *какое-л. количество*) plane (*a quantity* of).

на́строго *нареч. разг.* strictly.

настрое́ни||**е** *с.* mood, húmour, frame / áttitude of mind; (*отношение, мнение*) séntiments *pl.*; о́бщее ~ géneral féeling; ~ обще́ственности públic mood ['pʌl-...]; вре́дные ~я a hármful áttitude of mind *sg.*; быть в (хоро́шем) ~и be in a good* / chéerful mood, be chéerful, be in (good*) spírits; привести́ кого́-л. в хоро́шее ~ put* smb. in good spírits, *или* in a good mood; быть в дурно́м ~и be out of húmour, be in low spírits [...lou...]; be out of sorts *разг.*; у меня́ нет для э́того ~я I am not in a mood for it; ◇ ~ ду́ха mood, húmour; ~ умо́в state of públic opínion.

настро́енность *ж.* mood, húmour.

настро́ить I, II *сов. см.* настра́ивать I, II.

настро́ить III *сов.* (*рд., вн.*; *какое-л. количество*) build* (*a quantity* of) [bɪ-...].

настро́иться I, II *сов. см.* настра́иваться I, II.

настро́й *м. разг.* mood, húmour.

настро́й||**ка** *ж. муз., рад.* túning. ~щик *м.* túner.

настропали́ть(ся) *сов. см.* настропаля́ть(ся).

настропаля́ть, настропали́ть (*вн.*) *разг.* incíte (*d.*), urge on (*d.*), egg on (*d.*). ~ся, настропали́ться be incíted, *или* urged on.

настрочи́ть *сов. см.* строчи́ть 1, 2.

наструга́ть = настрога́ть.

настря́пать *сов.* (*рд., вн.*) *разг.* cook (*a quantity* of); (*перен.*) búngle (*d.*).

настуди́ть *сов.* (*вн.*) *разг.* chill (*d.*).

наступа́тельн||**ый** offénsive; вести́ ~ую войну́ wage an offénsive war.

наступа́ть I, наступи́ть (на *вн.*; ного́й) tread* [tred] (up:ón); наступи́ть кому́-л. на́ ногу tread* / step on smb.'s foot* [...fut]; (*перен.*) tread* on smb.'s toes / corns.

наступ||**а́ть** II, наступи́ть (*наставать*) come*; (*следовать*) ensúe; (*о чём-л. длительном тж.*) set* in; ~и́ло у́тро mórning came; ~и́ла ночь night fell; ~и́ла весна́ spring came; ~и́ла поля́рная ночь the pólar night has set in; ~а́л Но́вый год the New Year was cóming in; ~и́ло коро́ткое молча́ние a brief sílence ensúed [...-iːf 'saɪ-...]; ~и́ла по́лная тишина́ sílence fell.

наступа́ть III *воен.* advánce, be on the offénsive; ~ на кого́-л. attáck smb., be on the offénsive agáinst smb.

наступа́ющий I *прич. см.* наступа́ть I.

наступа́ющий II *прич. и прил.* (*о времени, о событии*) cóming; ~ день the cóming day; (*начинающийся*) the appróaching day, the day which is bréaking / dáwning [...'breɪ-...].

наступа́ющий III *воен.* 1. *прич. см.* наступа́ть III; 2. *м. как сущ.* attácker.

наступи́ть I, II *сов. см.* наступа́ть I, II.

наступле́ние I *с.* cóming, appróach; с ~м но́чи at níghtfall; с ~м дня at dáybreak [...-eɪk].

наступле́ние II *с. воен.* (*оперативное*) offénsive; (*тактическое*) attáck: ~ широ́ким фро́нтом offénsive / attáck on a wide front [...frʌnt]; артиллери́йское ~ artíllery attáck; перейти́ в ~ pass to, *или* assúme, the offénsive; повести́ ~ (на *вн.*) wage an attáck (on).

настурция *ж.* nastúrtium, Índian cress.

настыва́ть, насты́нуть, насты́ть *разг.* becóme* cold.

насты́нуть *сов. см.* настыва́ть.

насты́ть *сов. см.* настыва́ть.

насули́ть *сов.* (*вн., рд.*) *разг.* prómise (much) [-s...] (*d.*).

насу́пить *сов.*: ~ бро́ви knit* one's brows, frown, scowl. ~ся *сов.* frown, scowl.

насурьми́ть *сов. см.* сурьми́ть.

на́сухо *нареч.* dry; вы́тереть ~ (*вн.*) wipe dry (*d.*).

насуши́ть *сов.* (*рд., вн.*; *какое-л. количество*) dry (*a quantity* of).

насу́щн||**ый** vítal, úrgent; ~ая необходи́мость the bárest necéssity; ◇ хлеб ~ dáily bread [...bred].

насчёт *предл.* (*рд.*) as regárds, concérning; abóut, of; ~ э́того on that score, so far as that is concérned.

насчита́ть *сов. см.* насчи́тывать 1.

насчи́тыва||**ть**, насчита́ть (*вн.*) 1. count (*d.*); 2. *тк. несов.* (*содержать*) númber (*d.*); э́тот го́род ~ет о́коло двух миллио́нов жи́телей this town númbers néarly two míllion inhábitants. ~ться *безл.*: ~ется; в э́том го́роде ~ется миллио́н жи́телей the pópulation of this town númbers, *или* runs to, one míllion.

насыла́ть, насла́ть (*вн., рд.*; *о бе́дствиях и т. п.*) send* (*d.*), inflíct (*d.*).

насы́пать I *сов. см.* насыпа́ть.

насы́пать II *сов.* (*рд., вн.*; *какое-л. количество*) pour in (*a quantity* of) [pɔː...].

насыпа́ть, насы́пать 1. (*вн. в вн.*) pour [pɔː] (*d.* in, into); 2. (*вн. на вн.*; *набросать на поверхность*) sprinkle / scátter (*d.* on, óver); 3. (*вн.*; *наполнять*) fill (*d.*).

насы́паться *сов. см.* насыпа́ться.

насыпа́ться, насы́паться be spilled / sprinkled / scáttered (*in a quantity*).

насы́пка *ж. разг.* pútting (into), filling; ~ плоти́ны building of an earth dam ['bɪl-... əːθ-...].

насыпно́й poured [pɔːd]; piled up; ~ холм artifícial mound.

на́сыпь *ж.* embánkment.

насы́тить(ся) *сов. см.* насыща́ть(ся).

насыщ||**а́ть**, насы́тить (*вн. тв.*) 1. (*прям. и перен.*) sátiate (*d.* with), sate (*d.* with); 2. *хим.* sáturate (*d.* with). ~а́ться, насы́титься 1. (*наедаться*) be full, be sáted; 2. *хим.* becóme* sáturated. ~е́ние *с.* 1. satiátion, satíety; до ~е́ния to satíety; 2. *хим.* saturátion.

насы́щенн||**ость** *ж.* saturátion; (*перен.*) richness. ~ый *прич. и прил.* sáturàted (*тж. перен.*).

ната́ива||**ть**, ната́ять melt (*a quantity* of snow or ice).

ната́лкивать, натолкну́ть (*вн. на вн.*) push [puʃ] (*d.* agáinst); (*перен.*) dirèct (*d.* in:tó); натолкну́ть кого́-л. на мысль suggést an idéa to smb. [-'dɪə... aɪ'dɪə...]. ~ся, натолкну́ться (на *вн.*) dash / run* (agáinst); (*перен.*) run* acróss (*d.*).

ната́птывать, натопта́ть (на *пр.*) leave* dirty fóotmàrks [...'fut-] (on); натопта́ть на полу́ make* the floor dírty / filthy [...flɔː...].

натаска́ть I *сов. см.* ната́скивать.

натаска́ть II *сов.* (*рд., вн.*; *какое-л. количество*) bring*, *или* lay* in (*a quantity* of), bring* by pórtions (*d.*).

ната́скивать, натаска́ть (*вн.*; *собаку*) train (for húnting) (*d.*); (*перен.*) *разг.* (*человека*) coach (*d.*), cram (*d.*); ~ к экза́мену coach for an examinátion (*d.*).

натащи́ть *сов.* (*рд., вн.*; *какое-л. количество*) bring* (*a quantity* of).

ната́ять *сов. см.* ната́ивать.

натвори́||**ть** *сов.*: что ты ~л! what have you done?, what a mess you have made!

на́те *частица разг.* here you are!, there!, take it!

натёк *м. геол.* sínter.

натека́ть, нате́чь accúmulàte.

нате́льн||**ый** worn next to the skin [wɔːn...]; ~ое бельё únderwear [-weə].

натере́ть I *сов. см.* натира́ть.

натере́ть II *сов.* (*рд., вн.*; *какое-л. количество*) grate (*a quantity* of).

натере́ться *сов. см.* натира́ться.

натерпе́ться (*рд.*) *разг.* have endúred a great deal [...-eɪt...] (of), have gone through a lot [...gɒn...] (of); ~ стра́ху have had a fright.

нате́чь *сов. см.* натека́ть.

нате́шиться *сов. разг.* enjóy onesélf a lot, have lots of fun.

натира́ть, натере́ть 1. (*вн. тв.*; *намазывать*) rub (*d.* with), rub (on, in *d.*); 2. (*вн.*; *повреждать*) rub sore (*d.*); сапо́г натёр мне но́гу my boot has been

320

rúbbing, my boot has made a sore place on my foot* [...fut]; натерéть себé мозóль get* a corn; 3. (вн.; *начищать*) rub (*d.*), pólish (*d.*); ~ пол pólish the floor [...flɔː]. **~ся**, натерéться 1. (*тв.*) rub òne:sélf (with); 2. *страд. к* натирáть.

натúрка *ж. разг.*: ~ полóв floor pólishing [flɔː...].

нáтиск *м.* ónslaught, charge, ónsèt; ímpàct.

натúскать *сов.* (*рд., вн.*; *какое-л. количество*) 1. *разг.* (*напихать*) cram in (*a quantity of*), stuff in (*a quantity of*); 2. *полигр.* ímpréss (*a quantity of*).

наткáть *сов.* (*рд., вн.*) weave* (*a quantity of*).

наткнýться *сов. см.* натыкáться.

НАТО (Североатлантúческий союз) NATO (North Atlántic Tréaty Òrganizátion [...-naɪ-]).

натолкнýть(ся) *сов. см.* натáлкивать(-ся).

натолóчь *сов.* (*рд., вн.*) pound / crush (*a quantity of*).

натопúть I *сов.* (*вн.*; *о печи*) heat (well, thóroughly) [...ˈθʌ-] (*d.*).

натопúть II *сов.* (*рд., вн.*; *о сале и т.п.*) melt (*a quantity of*).

натоптáть *сов. см.* натáптывать.

наторговáть *сов.* (*рд., вн.*) 1. gain by sélling (*d.*); 2. sell* for a cértain amóunt of móney [...ˈmʌ-] (*d.*).

наторéлый *разг.* skilled, éxpèrt.

наторéть *сов.* (*в пр.*) *разг.* becóme* skilled (at, in), becóme* éxpert (at, in).

наточúть *сов. см.* точúть I 1; натóченный как брúтва ground to a knife edge.

натощáк *нареч.* on an émpty stómach [...ˈstʌmək]; принимáть лекáрство ~ take* médicine on an émpty stómach.

натр *м. хим.* nátron; éдкий ~ cáustic sóda.

натравúть I *сов. см.* натрáвливать.

натравúть II *сов.* (*вн., рд.*; *уничтожить отравой в каком-л. количестве*) extérminàte (*a quantity of*).

натрáвливать, натравúть (*вн. на вн.*) set* (a dog) (on); (*перен.*) stir up (*d.* agáinst), set* (*d.* agáinst).

натренировáть(ся) *сов. см.* тренировáть(ся).

натрещáть *сов. разг.* (*наболтать*) chátter a lot.

нáтр||иевый *прил. к* нáтрий. **~ий** *м. хим.* sódium.

нáтрое *нареч.* in three.

натрубúть *сов.*: ~ в úши комý-л. *разг.* drone on at smb.

натрудúть *сов.* (*вн.*) *разг.* tire out (*d.*). **~ся** *сов. разг.* 1. (*утомиться от работы*) becóme* tired out; 2. (*вдоволь потрудиться*) have worked long enóugh [...ˈnʌf].

натружéнный, натружённый *прич. и прил.* óver:wórked; *прил. тж.* wórk-weary.

натрястú *сов.* (*вн.*) scátter (*a quantity of*), let* fall (*a quantity of*). **~сь** *сов. разг.* 1. (*испытать длительную тряску*) be sháken a lot, shake* / quake a lot; 2. (*насыпаться куда-л.*) be scáttered / spilled.

натýга *ж.* éffort, strain.

натýго *нареч.* tíghtly.

натýж||иться *сов. разг.* make* an éffort; strain. **~ный** *разг.* strained, forced.

натýр||а *ж.* 1. (*в разн. знач.*) náture [ˈneɪ-]; он по ~е óчень дóбрый человéк he is a kind man* by náture; это стáло у негó второй ~ой it becáme sécond náture to him [...ˈse-...]; 2. *иск.* módel [ˈmɔ-]; sítter; онá служúла ~ой для этой стáтуи she sat for the státue; ◇ писáть, рисовáть с ~ы draw*, paint from life; платúть ~ой pay* in kind.

натурализáция *ж.* nàturalizátion [-laɪ-].

натуралúзм *м.* náturalism.

натурализовáть *несов. и сов.* (*вн.*) náturalize (*d.*). **~ся** *несов. и сов.* náturalize.

натуралúст *м.* náturalist. **~úческий** nàturalístic, náturalist.

натурáльно *вводн. сл. уст.* náturally, of course [...kɔːs].

натурáльн||ый (*в разн. знач.*) nátural; в ~ую величинý life-size (*attr.*); ~ шёлк real silk [rɪəl...]; ~ая повúнность dúty paid in kind; ~ая оплáта páyment in kind; ~ое хозяйство *эк.* nátural èconomy [...iː-].

натýрн||ый *иск.* on locátion; ~ая съёмка *кин.* shóoting on locátion; ~ класс *жив.* life class.

натуроплáта *ж.* = натурáльная оплáта *см.* натурáльный.

натурфилосóф||ия *ж.* nátural philósophy. **~ский** of nátural philósophy; nátural philósophy (*attr.*).

натýрщи||к *м.*, **~ца** *ж.* (*ártist's*) módel [...ˈmɔ-], sítter.

натыкáть *сов.* (*рд., вн.*) *разг.* stick* in (*a quantity of*).

натыкáться, наткнýться (*на вн.*) run* (agáinst), stúmble (on); (*перен.*) come* (acróss, up:ón), stúmble (acróss, up:ón); ~ на препятствие meet* (with) an óbstacle; ~ на неприятеля come* up:ón the énemy, stúmble on the énemy.

натюрмóрт *м. иск.* still life.

натя́гивать, натянýть (*вн.*) 1. stretch (*d.*), draw* (*d.*), ~ лук draw* the bow [...bou]; ~ вóжжи pull on, *или* draw*, the reins [pul...]; 2. *разг.* (*на себя*) pull on (*d.*); ~ чулкú pull on one's stóckings; ~ шáпку нá уши pull one's cap óver one's ears; с трудóм натя́гивать на себя́ что-л. strúggle into smth. **~ся**, натянýться 1. stretch; 2. *страд. к* натя́гивать.

натяжéние *с.* pull [pul], ténsion; повéрхностное ~ *физ.* súrface ténsion.

натя́жк||а *ж.* stretch, strained intèrpretátion; с ~ой at a stretch.

натя́нут||ость *ж.* ténsion, tensity; (*перен.*) stíffness. **~ый** tight; (*перен.*) stiff, strained; ~ые отношéния strained relátions; ~ая улыбка forced / strained smile.

натянýть(ся) *сов. см.* натя́гивать(ся).

наугáд *нареч.* at rándom, by guéss-wòrk; идтú ~ go* at rándom; сдéлать что-л. ~ do smth. by guéss-wòrk.

наугóльник *м. тех.* (trý-)square; (*складной, малка*) bével square [ˈbe-...].

наудалýю *нареч. разг.* récklessly.

наудачý *нареч.* on the óff-chance.

наудúть *сов.* (*рд., вн.*) hook (*a quantity of*).

НАТ — НАУ   Н

наýк||а *ж.* science, stúdy [ˈstʌ-], knówledge [ˈnɔ-]; гуманитáрные ~и the humánities; (*в англ. университетах тж.*) the Arts; тóчные ~и exáct sciences; занимáться ~ой ≅ be a scíentist, be a schólar [...ˈskɔ-]; отдáться ~е give* òne:sélf up, *или* devóte òne:sélf, whólly to science, *или* to schólarship [...ˈhou-...]; лю́ди ~и men of science; schólars; ◇ это тебé ~ let this be a lésson, *или* an óbject-lèsson, to you.

наукообрáзный psèudo-scientífic.

наýськать *сов. см.* наýськивать.

наýськивать, наýськать *разг.* = натрáвливать.

наутёк *нареч. разг.*: пустúться ~ take* to one's heels, show* a clean pair of heels [ʃou...].

наýтро *нареч.* the next mórning; on the mórrow *поэт.*

научúть *сов.* (*кого-л. чему-л. или + инф.*) teach* (smb. smth. *или* + to inf.); ~ когó-л. англúйскому языкý teach* smb. Énglish [ˈɪŋ-]; ~ когó-л. говорúть по-англúйски teach* smb. to speak Énglish; жизнь научúла егó этому life has taught him that (much), he has learned that by expérience [...ləː-...]. **~ся** *сов.* (*чему-л. или + инф.*) learn* [ləːn] (smth., + to inf.); ~ся терпéнию learn* to be pátient, school òne:sélf to pátience.

наýчно I *прил. кратк. см.* наýчный. **наýчно** II *нареч.* scientífically.

наýчно-исслéдовательск||ий (scientífic-)reséarch [-ˈsəːtʃ]; ~ институ́т (scientífic-)reséarch ínstitùte; ~ая рабóта reséarch work [-ˈsəːtʃ...].

наýчно-популя́рн||ый: ~ая литератýра pópular scientífic líterature; ~ фильм pópular science film.

наýчность *ж.* scientífic cháracter [...ˈkæ-].

наýчно-технúческ||ий scientífic and téchnical; ~ прогрéсс scientífic and téchnical prógrèss; ~ая револю́ция scientífic and tèchnológical rèvolútion; ~ое сотрýдничество scientífic and téchnical cò-operátion.

наýчно-фантастúческий science-fíction (*attr.*); ~ ромáн science-fíction nóvel [...ˈnɔ-].

наýчн||ый scientífic; ~ социалúзм scientífic sócialism; ~ рабóтник reséarcher [-ˈsəː-], scíentist; (*гуманитарных наук*) schólar [ˈskɔ-]; ~ сотрýдник институ́та mémber of staff of a reséarch ínstitùte [...-ˈsəːtʃ...]; ~ая рабóта scientífic / reséarch work; ~ая организáция трудá scientífic òrganizátion of work [...-naɪ-...]; ~ мéтод scientífic méthod; ~ые учреждéния scientífic institútions; ~ая фантáстика science fíction.

наýшник *м. разг. презр.* (*доносчик*) télltàle, infórmer.

наýшники *мн.* (*ед.* наýшник *м.*) 1. (*на шапке*) éar-flàps, éar-làps; 2. (*телефона, радио*) héad-phònes [ˈhed-], éar-phònes.

наýшнич||ать (*кому-л. на вн.*) *разг. презр.* tell* tales (to smb. abóut), infórm (smb. abóut); peach (to smb. agáinst,

НАУ—НАЧ

up:ón). ~ество с. разг. презр. informing; peaching.

науш||а́ть (вн.) уст. ínstigàte (d.), incite (d.), egg on (d.). ~éние c. уст. instigátion, incitátion; де́йствовать по чьему́--либо ~éнию be incited to áction by smb.; act at smb.'s instigátion.

нафа́брить сов. см. фа́брить.

нафтали́н м. náphthalène, náphthalìne [-li:n], flake cámphor; (в шариках) cámphor balls pl., móth-balls pl.

нафто́л м. хим. náphthòl.

наха́л м. ímpudent / ínsolent féllow. ~ка ж. ímpudent wóman* [...'wu-].

наха́ль||ничать разг. be ímpudent / ínsolent. ~ный ímpudent, ínsolent, impértinent; (дерзкий) sáucy, chéeky разг. ~ство с. ímpudence, ínsolence, impértinence, èffróntery [-ʌn-]; (дерзость) sauce, cheek разг.; име́ть ~ство (+ инф.) have the ímpudence / cheek (+ to inf.), have the face (+ to inf.).

нахами́ть сов. см. хами́ть.

наха́пать сов. (вн., рд.) разг. презр. grab (a quántity of).

наха́ркать сов. разг. spit*, expéctorate.

нахва́ливать, нахвали́ть (вн.) extól (d.), praise híghly (d.).

нахвали́ть сов. см. нахва́ливать. ~ся сов. 1. (нахвастаться) boast; 2.: не могу́ ~ся кем-л., чем-л. I cánnot praise / admíre smb., smth. sufficiently.

нахва́статься сов. разг. brag; boast.

нахвата́ть сов. (рд.) разг. get* hold (of), pick up (d.), grab (d.). ~ся сов.: ~ся зна́ний разг. get*, или pick up, a smáttering of knówledge [...'nɔ-].

нахи́мов||ец м. Nakhímovets (pupil of a Nakhimov Naval School). ~ский: ~ское учи́лище Nakhímov Nával School.

нахле́бни||к м., ~ца ж. 1. уст. bóarder; 2. (приживальщик) hánger-ón, spónger [-ʌndʒə].

нахлеста́ть сов. см. нахлёстывать.

нахлёстка ж. тех. lap, òver:lápping.

нахлёстывать, нахлеста́ть (вн.) whip (d.).

нахлобу́ч||ивать, нахлобу́чить (вн.) pull down óver one's eyes [pul... aɪz] (d.). ~ить сов. см. нахлобу́чивать. ~ка ж. разг. = нагоня́й.

нахлы́ну||ть сов. (на вн.; прям. и перен.) rush (into); (о чувстве тж.) sweep* (óver); ~ли слёзы tears rushed / wélled into one's eyes [...aɪz]; на меня́ ~ли воспомина́ния mémories rushed into my mind, mémories came flóoding back (to me) [...'flʌd-...].

нахму́ренн||ый frówning; with a frown; ~ые бро́ви frown sg.

нахму́рить(ся) сов. см. хму́рить(ся).

находи́ть I, найти́ (вн.) 1. (в разн. знач.) find* (d.); (открывать) discóver [-'kʌ-] (d.); ~ себя́ find* onesélf, или one's cálling; ~ удово́льствие в чём-л. find* / take* pléasure in smth. [...'ple-...]; ~ утеше́ние find* cómfort [...'kʌm-]; ~ подде́ржку find* suppórt; (себе́) выраже́ние find* expréssion; найти́ в себе́ доста́точно сил be able to múster sufficient strength; ничего́ не найти́ find* nothing; draw* a blank идиом. разг.;

он никак не мог найти причину этого he never mánaged to discóver the cause of it; найти́ нефть, ру́дную жи́лу strike* oil, an ore vein; и там он нашёл свою́ смерть and there he met his death [...deθ]; 2. (полагать, считать) consíder [-'sɪ-] (d.), find* (d.); до́ктор нахо́дит его́ положе́ние безнадёжным the dóctor considers his case hópe:less [...keɪs...]; его́ нахо́дят у́мным he is consídered (to be) cléver [...'kle-]; ~ вино́вным find* guílty (d.).

находи́ть II, найти́ (на вн.) 1. come* (óver, up:ón); come* (acróss); (о туче, облаке и т.п. тж.) cóver ['kʌ-] (d.); 2. (овладевать): на него́ нашла́ тоска́ he has a fit of depréssion; что э́то на тебя́ нашло́? what has come óver you?, what is the mátter with you?; 3. безл.: нашло́ мно́го наро́ду there is a crowd, или a large gáther:ing, of people [...pi:-]; ◇ нашла́ коса́ на ка́мень погов. ≃ it's a case of díamond cut díamond [...-s...]; he's met his match this time.

находи́ть III сов. разг. 1. (рд., без доп.) cóver a dístance by wálking ['kʌ-...]; 2. (вн.; причинить хождением): ~ мозо́ли на нога́х get* corns from wálking.

находи́ться I, найти́сь 1. be found, turn up; поте́рянная кни́га нашла́сь the lost book is, или has been, found; рабо́та для всех найдётся there will be work for éverybody, we will find work for éverybody; не нашло́сь охо́тников е́хать так далеко́ no one vòluntéered, или was ánxious, to go that far; не найдётся ли у вас? do you háppen to have?; can you spare?; 2. (не теряться, сообража́ть) find* the right word to say, find* the right thing to do; он всегда́ найдётся he is néver at a loss; он нашёлся, что отве́тить he was quick to ánswer [...'ɑ:nsə].

находи́ться II (пребывать) be: где нахо́дится спра́вочное бюро́? where is the in:quíry óffice?; ~ под судо́м be on tríal; ~ под сле́дствием be únder judícial examinátion; ~ под подозре́нием be únder suspícion.

находи́ться III сов. (много ходить) walk for a long time; (устать) tire òne:sélf by wálking.

нахо́д||ка ж. find; (удачная) gódsènd, windfàll ['wɪnd-]; (перен.) boon; тако́й рабо́тник — ~ a wórker like that is a gódsènd. ~чивость ж. resóurce [-'sɔ:s], resóurce:fulness [-'sɔ:s-], quick wit. ~чивый resóurce:ful [-'sɔ:s-], réady ['re-], quick; ~чивый отве́т rèpartée, retórt, réady ánswer [...'ɑ:-]; быть ~чивым have a réady wit, be sharp-wítted, be réady-wítted [...'redɪ-].

нахожде́ни||е с. bé:ing (at, in a place); ме́сто ~я the whére:abouts; перево́дится также фо́рмой на -ing от соотве́тствующих глаго́лов — см. находи́ть I 1.

нахо́женн||ый разг.: ~ые доро́ги wéll--tròdden paths.

нахо́хли||ться сов. ruffle up; (перен.) look súllen / súlky / morósе [...-s], sulk; ку́рица ~лась the hen has rúffled up her féathers [...'fe-].

нахохота́ться сов. have laughed much [...lɑ:ft...], have had a good laugh [...lɑ:f].

нахра́пист||ость ж. разг. cheek, ímpudence. ~ый разг. chéeky, ímpudent.

нахра́пом нареч. разг. all of a rush; high-hándedly; with èffróntery / ímpudence [...-ʌn-...].

нацара́пать сов. (вн. на пр.) scratch (d. on); (вн.; перен.: написать) scríbble (d.), scrawl (d.).

нацеди́ть сов. (рд., вн.) decánt, или strain off (a quántity of). ~ся сов. be strained off; нацеди́лось то́лько полстака́на ónly half a glass could be strained off [...hɑ:f...].

наце́ливать, наце́лить (вн. на вн.) aim (d. at); наце́ленный про́тив dirécted agáinst, aimed at; (о ракетах) tárgeted [-g-] (at). ~ся, наце́литься 1. (на вн.) take* aim (at), lével ['le-] (at); 2. страд. к наце́ливать.

наце́лить(ся) сов. см. наце́ливать(ся).

на́цело нареч. разг. entíre:ly, without a remáinder, with nóthing left óver.

нацен||ивать, нацени́ть (вн. на вн.) торг. add (d.) to the price (of), put* up, или in:créase, the price [...-s...] (by of). ~и́ть сов. см. наце́нивать. ~ка ж. торг. éxtra charge.

нацепи́ть сов. см. нацепля́ть.

нацепля́ть, нацепи́ть (вн. на вн.) fásten [-sᵊn] (d. to), hook on (d. to); (прикреплять булавкой) pin (d. to); 2. (вн.) разг. (надевать украшения и т.п.) fásten on [-sᵊn...] (d.), pin on (d.).

наци́зм м. názism ['nɑ:tsɪzm].

национализа́ция ж. nàtionalizátion ['næʃnəlaɪ-].

национализи́ровать несов. и сов. (вн.) nátionalize ['næ-] (d.).

национали́зм м. nátionalism ['næ-].

национализова́ть = национализи́ровать.

национали́ст м. nátionalist ['næ-]. ~и́ческий nàtionalístic [næ-]. ~ка ж. к национали́ст.

национа́льно-освободи́тельн||ый nátional liberátion ['næ-...]; ~ое движе́ние nátional liberátion móve:ment [...'mu:v-].

национа́льн||ость ж. nàtionálity [næ-]; како́й он ~ости? what natiónality is he?, what is his nàtionálity?; Сове́т Национа́льностей Sóviet of Nàtionálities. ~ый (в разн. знач.) nátional ['næ-]; (государственный тж.) State (attr.); ~ое меньшинство́ nátional minórity [...-maɪ-]; ~ая поли́тика nátional pólicy; ~ый вопро́с nátional próblem [...'prɔ-], próblem of nàtionálities [...næ-]; ~ая незави́симость nátional indepéndence; ~ый флаг nátional flag.

наци́ст м., ~ский Názi ['nɑ:tsɪ].

на́ци||я ж. nátion, people [pi:-]; ◇ Объединённые На́ции the Uníted Nátions.

начади́ть сов. см. чади́ть.

нача́л||о с. 1. beginning, commence:ment; с са́мого ~а from the (véry) òutsèt, from the first, right from the start; с ~а своего́ существова́ния from the véry first days of its exístence, since it came into exístence; с ~а до конца́ from (the) beginning to (the) end; from start to fínish разг.; в ~е ма́я at the beginning of May, éarly in May ['ə:lɪ...]; в ~е го́да at the beginning of the year; до ~а зимы́ before winter

322

comes, *или* sets in; в ~е третьего soon after two; для ~a to begin with; **2.** *мн.* (*принцип, основа*) príncipled; básis ['beɪ-] (*pl.* báses [-iːz]) *sg.*; ~ а физики the élements of phýsics [...-zɪ-]; на социалистических ~ах on sócialist príncipled, on a sócial básis; на доброво́льных ~ах on a vóluntary básis, vóluntarily; на но́вых ~ах on a new básis; организу́ющее ~ órganizing príncipled; **3.** (*источник*) órigin, source [sɔːs]; брать ~ (в *пр.*) originate (in), spring* (from); ◊ положи́ть ~ чему́-л. start smth., begin* smth., comménce smth., initiate smth.; mark the beginning of smth.; положи́ть хоро́шее ~ make* a good start; положи́ть ~ но́вой э́ре mark the dawn of a new éra; быть под ~ом у кого́-л. be únder smb.'s command / supervision [...-ɑːnd...], be subórdinate to smb.; лиха́ беда́ ~ *разг.* ≅ the first step is the hárdest; до́брое ~ полде́ла отка́чало *погов.* ≅ a good beginning makes a good énding, a good beginning is half the battle [...hɑːf...].

нача́льн|ик *м.*, **~ица** *ж.* head [hed], chief [tʃiːf]; superior; непосре́дственный ~ imméediate supérior; ~ отде́ла head of a depártment; ~ ста́нции státion-màster; ~ строи́тельства constrúction chief; ~ по́рта hárbour-màster; ~ це́ха shop fóreːman*, shop mánager; помо́щник ~а це́ха assistant shop fóreːman*; ~ шта́ба chief of staff; ~ свя́зи *воен.* chief signal officer; ~ артилле́рии commánder of àrtillery [-'mɑː-...]; chief of àrtillery *амер.*; ~ карау́ла commánder of the guard.

нача́льнический òverːbéaring [-'beə-], impérious.

нача́льн|ый 1. èleméntary; ~ая шко́ла prímary school ['praɪ-...]; ~ое образова́ние prímary éducation; **2.** (*находя́щийся в нача́ле*) initial; first; ~ые гла́вы рома́на the ópeːing chápters of *the* nóvel [...'nɔ-].

нача́льс|твенный òverːbéaring [-'beə-], dominéering. ◆ **~во** *с. тк. ед.* **1.** commánd [-ɑːnd]; рабо́тать под ~вом кого́-либо be únder smb.'s commánd; **2.** *собир.* authorities *pl.*; the heads [...hedz] *pl.*; **3.** *разг.* (*нача́льник*) the chief [...tʃiːf]. **~вование** *с. уст.* commánd [-ɑːnd]. **~вовать** (над) *уст.* commánd [-ɑːnd] (*d.*), be in commánd (of).

нача́льствующий commánding [-'mɑːnd-]; head [hed] (*attr.*), chief [tʃiːf] (*attr.*); ~ соста́в а́рмии the officers (of an ármy).

нача́тки *мн.* rúdiments, élements.

нача́ть(ся) *сов. см.* **начина́ть(ся)**.

начека́нить *сов.* (*рд., вн.*) coin (*a quantity* of).

начеку́ *нареч.* on the alért, on the lóok-óut, on one's guard; быть ~ be on the alért, be on *one's* guard.

начерни́ть *сов. см.* **черни́ть I**.

на́черно *нареч.* róughly [rʌf-]; сде́лать, написа́ть ~ (*вн.*) make* a rough cópy / draft [...rʌf'kɔ-...] (of), write* out in rough (*d.*).

начерпа́ть *сов.* (*рд., вн.*) scoop up (*a quantity* of).

начерта́ние *с.* trácing, inscríption; óutline.

начерта́тельн|ый: ~ая геоме́трия descríptive geómetry.

начерта́ть *сов.* (*вн.*) trace (*d.*); (*написа́ть*) inscríbe (*d.*).

начерти́ть *сов.* **1.** *см.* **черти́ть; 2.** (*вн., рд.*; *како́е-л. коли́чество*) draw* (*a quantity* of).

начёс *м.* **1.** (*причёска*) báckcòmbing [-koum-]; **2.** *текст.* nap.

начеса́ть *сов. см.* **начёсывать**.

начёсный *текст.* napped.

наче́сть *сов. см.* **начи́тывать**.

начёсывать, начеса́ть 1. (*вн., рд.*) comb [koum], card (*a quantity* of); **2.** (*вн.*; *волосы для причёски*) báckcòmb [-koum] (*d.*); **3.** (*вн.*) *разг.* (*повреждать чесанием*) injure by scrátching (*d.*).

начёт *м.* бухг. únauthorized expénditure (to be recóvered) [...-'kʌ-].

начётистый *разг.* disàdvàntágeous [-vɑː-], ùnprófitable.

начётниче|ский dògmátic. **~ство** *с.* dógmatism.

начётчик *м. ист.* pérson wéll-read in the Scriptures [...-'red...]; (*перен.*) dógmatist (*person basing opinions uncritically on wide but mechanical reading*).

начина́|ние *с.* úndertáking. ~**тель** *м.* originator, initiator. ~**тельный** *грам.* inchoàtive ['ɪŋk-], incéptive; ~тельный глаго́л inchoàtive / incéptive verb.

начина́|ть, нача́ть (*вн.*, *+ инф.*; *в разн. знач.*) begin* (*d., + ger. или + to inf.*), start (*d., + ger.*); comménce (*d., + ger.*); он на́чал э́ту рабо́ту he begán this work; он на́чал рабо́тать he begán / stárted wórking; ~ с нача́ла begin* at / from the beginning; ~ разгово́р begin* / start a cònversátion; ~ всё снача́ла begin* / start all óver agáin; start afrésh / anéw; ~ с чего́-л. begin* with smth.; ~ день прогу́лкой begin* the day with a walk; ~ кампа́нию start / launch a càmpáign [...-'peɪn]; *воен. тж.* take* the field [...fiːld]; ◊ нача́ть с того́, что он... to begin* with, he...; нача́ть пить take* to drink, take* to the bottle; ~ся, нача́ться begin*, start; set* in; кампа́ния начала́сь the càmpáign has begún [...-'peɪn...]. ~**ющий 1.** *прич. см.* **начина́ть; 2.** *м. как сущ.* beginner [-'gɪ-].

начина́я в знач. предл.: ~ с (*рд.*) stárting (with); ~ с сего́дняшнего дня from toːdáy.

начини́ть I *сов. см.* **начина́ть**.

начини́ть II *сов.* (*рд., вн.*) mend (*a quantity* of); ~ мно́го белья́ mend a lot of línen [...'lɪ-].

начини́ть III *сов.* (*рд., вн.*) shárpen (*a quantity* of), point (*a quantity* of); ~ мно́го карандаше́й shárpen many péncils.

начи́нк|а *ж.* filling, stúffing; пиро́г с ~ой из грибо́в múshroom pie.

начиня́ть, начини́ть (*вн. тв.*) stuff (*d.* with), fill (*d.* with).

начи́ркать *сов.* (*вн., рд.*) *разг.* strike* (*a quantity* of); ~ мно́го спи́чек strike* a lot of mátches.

начисле́ние *с.* éxtra charge; перево́дится та́кже фо́рмой на -ing *от соотве́тствующих глаго́лов* — *см.* **начи́слять**.

начи́слить *сов. см.* **начисля́ть**.

начисля́ть, начи́слить (*вн.*) add (on); *бух.* charge éxtra (*d.*).

начи́стить I *сов. см.* **начища́ть**.

начи́стить II *сов.* (*рд., вн.*; *о картофеле, яблоках и т.п.*) peel (*a quantity* of); (*об орехах и т.п.*) shell (*a quantity* of).

начи́ститься *сов. см.* **начища́ться**.

начи́сто *нареч.* **1.** clean, fair; переписа́ть ~ (*вн.*) make* a clean / fair cópy [...'kɔ-] (of); **2.** *разг.* (*оконча́тельно*) decídedːly; complèteːly; ~ отказа́ться refúse flátːly; **3.** *разг.* (*открове́нно, прямо*) ópenːly.

начистоту́ *нареч. разг.* ópenːly, fránkly, without equivocátion; вы́ложить всё ~ make* a clean breast of it [...brest...].

начита́нн|ость *ж.* èrudítion, wide réading. **~ый** wéll-read [-'red].

начита́ть *сов.* (*вн., рд.*) *разг.* read* (*a number* of).

начита́ться *сов.* **1.** have read a lot [...red...]; (*устать читать*) be tíred of réading; **2.** (*рд.*; *прочита́ть в како́м-л. коли́честве*) have read (*a quantity* of).

начи́тывать, наче́сть (*вн.*) *бух.* charge éxtra (*d.*).

начиха́ть *сов.* (*на вн.*) *разг.* **1.** sneeze (at); **2.**: ~ мне на э́то! I don't give a damn for that!

начища́ть, начи́стить (*вн.*; *до блеска*) pólish (*d.*); shine* (*d.*) *разг.* ~**ся**, начи́ститься *разг.* brush / pólish, *etc.*, one's clothes, shoes, *etc.*, with care [...klouʃuːz...].

начуди́ть *сов. разг.* do strange things [...-eɪndʒ...]; beháve in an odd way.

наш 1. *мест.* (*при сущ.*) our; (*без сущ.*) ours; э́то ~а кни́га it is our book; э́та кни́га ~a this book is ours; э́то оди́н из ~их друзе́й this is a friend of ours [...frend...]; **2.** *мн.* (*в знач. сущ.*) our (own) people / folk [...oun piː-...]; our lot *разг.*; ◊ ~а взяла́! *разг.* we've won! [...wʌn], we've done it!; по ~ему мне́нию in our opínion, to our mind, to our way of thinking; служи́ть и ~им и ва́шим ≅ run* with the hare and hunt with the hounds; знай ~их! *разг.* we are the gréatest! [...'greɪ-], now you see what we're made of!

нашали́ть *сов. разг.* be náughty.

наша́ривать, наша́рить (*вн.*) *разг.* grope (for).

наша́рить *сов. см.* **наша́ривать**.

наша́ркать *сов. разг.* leave* dirty marks by shúffling one's shoes, *etc.* [...ʃuːz].

нашарма́, нашарма́чка́ *нареч. разг.* without páying.

нашат|ы́рный: ~ спирт *хим.* liquid ammónia. **~ы́рь** *м.* sal ammóniàc, ammónium chlóride.

нашвыря́ть *сов.* (*вн., рд.*) *разг.* throw* / fling* abóut [θrou...] (*a lot* of).

нашепта́ть *сов. см.* **нашёптывать**.

нашёптывать, нашепта́ть 1. (*вн., рд.*; *прям. и перен.*) whisper (*d.*); (*кому́-л.*) whisper in smb.'s ear (*d.*); **2.** (*на вн.*; *произноси́ть за́говор*) cast* a spell (óver), put* a spell (on).

наше́ствие *с.* invásion, ínːroad.

НАШ — НЕБ

нашива́ть, **наши́ть** (вн.) sew* on [sou...] (d.).

наши́‖**ка** ж. (на рукаве) stripe; (на воротнике) tab. ~**но́й** sewn on [soun...].

нашинкова́ть сов. (вн., рд.; какое-л. количество) shred (a quantity of), chop (a quantity of); ~ капу́сты chop a quantity of cabbage.

наши́ть I сов. см. нашива́ть.

наши́ть II сов. (рд., вн.; большое количество) sew* (a quantity of) [sou...]; ~ себе́ мно́го пла́тьев make* oneself a lot of dresses.

нашлёпать сов. (вн.) разг. slap (d.); spank (d.), give* a spanking (i.).

нашпиго́вать сов. см. шпигова́ть.

нашпи́ливать, **нашпи́лить** (вн. на вн.) разг. pin (d. on, to).

нашпи́лить сов. см. нашпи́ливать.

нашуме́вший 1. прич. см. нашуме́ть; 2. прил. sensátional, múch-tálked-of.

нашуме́ть сов. make* a lot of noise; (перен.) cause a sensátion.

нащёлкать сов. 1. (вн., рд.; орехов и т.п.) crack (some nuts, etc.); 2. (вн.) разг. (дать щелчков) fíllip (d.).

нащепа́ть сов. (вн., рд.) разг. chip (a quantity of).

нащипа́ть сов. (рд., вн.) pluck (a quantity of), pick (a quantity of).

нащу́пать сов. (вн.; прям. и перен.) find* by féeling / gróping (d.); (перен. тж.) find* (d.), discóver [-'kʌ-] (d.); ~ по́чву feel* one's way, see* how the land lies; ~ пра́вильный путь find* / discóver the right way.

нащу́пывать (вн.; прям. и перен.) grope (for, áfter), feel* abóut (for).

наэлектризова́ть сов. (вн.) eléctrify (d.).

наябедничать сов. см. я́бедничать.

наяву́ нареч. in one's wáking hours [...auəz], when one is awáke; сон ~ wáking dream, dáy-dream; грезить ~ dáy-dream*, be lost in réverie.

на́яда ж. миф. náiad ['naɪ-].

ная́ривать сов. разг. bash out (a tune, etc.); ~ на гармо́шке bash / bang / thump out a tune on an accórdion.

не частица 1. (в разн. случаях) not (с pres. недостаточного глаг. can пи́шется сли́тно: cánnot); -n't разг. (слитно с недостат. глаг., с личными формами глаг. be или тж. в сочетании с личн. формами глаг. do, см. ниже; shall + -n't = shan't [ʃɑ:nt]; will + -n't = won't [wount]; can + -n't = can't [kɑ:nt]; am + -n't = ain't); передаётся через личн. формы глаг. do + not, do + -n't (+ inf.); при отсутствии в сказуемом недостат. глаг. или личной формы глаг. be или глаг. have; то же и в случае употребления глаг. have и глаг. do как основных; кроме того в imperat. глаг. be); (+ деепр.: при обозначении сопутствующего обстоятельства) withóut (+ ger.); (при именном сказуемом — с оттенком обобщения или особой полноты отрицания: совсем не и т.п.) no; (при сравнительной степени, при глаг. с доп. — с тем же оттенком) no или передаётся через

отрицание при глаг. + any; none [nʌn] (см. фразеоло́гию); (при другом отрицании) не передаётся, если другое отрицание переводится отрицательным словом (ср. никто́, ничто́, никогда́, ни и т.п.): э́то его́ кни́га, а не её it is his book and not hers; не тру́дный, но и не совсе́м просто́й not difficult, but not áltogéther símple [...ɔ:ltəˈge-...]; не без его́ по́мощи not without his help / assístance; не зна́я, что сказа́ть not knówing what to say [...'nouɪŋ...]; что́бы не опозда́ть (so as, in órder) not to be late; лу́чше не упомина́ть об э́том (you'd) bétter not méntion it; предпочёл бы не ходи́ть туда́ would ráther not go there [...'rɑ:-...]; не то́лько not ónly; не сто́лько (не в тако́й сте́пени) not so much; он не был там, его́ там не́ было he was not, или wasn't, there; он не бу́дет чита́ть he will not, или won't, read; он не мо́жет говори́ть he cánnot, или can't, speak; он не по́мнит э́того he does not, или doesn't, remémber that; (ра́зве) он не знал э́того? did he not, или didn't he, know that? [...nou...]; не серди́тесь! don't be ángry!; ушёл, не прости́вшись went without sáying good-býe; э́то не шу́тка (ни в какой мере) it is no joke; он не дура́к he is no fool; ему́ сего́дня не лу́чше he is no bétter, или isn't any bétter, todáy; не ме́нее ва́жный вопро́с no less impórtant a quéstion [...-stʃən]; он не писа́л пи́сем (никаки́х) he wrote no létters, he didn't write any létters; он не име́ет вре́мени he has no time; никто́ не знал его́ nóbody knew him; он никого́ не знал там he knew nóbody there; он никогда́ там не́ был he has néver been there; — не́ было (ср. нет II 1) there was no (+ sg. subject), there were no (+ pl. subject): там не́ было моста́ there was no bridge there; в ко́мнате не́ было сту́льев there were no chairs in the room; — не бу́дет (рд.; ср. нет II 1) there will be no (+ subject): тогда́ не бу́дет сомне́ния there will be no doubt then [...daut...]; — у него́, у них и т.д. не́ было, не бу́дет (рд.; ср. нет II 1) he, they, etc., had no, will have no (d.); у неё не́ было сестёр she had no sisters; у вас не бу́дет вре́мени you will have no time; (ср. тж. нет II 2); — не... и (ни... ни) néither... nor ['naɪ-...]; э́то не зо́лото и не серебро́ it is néither gold nor sílver; — он не мог не сказа́ть, не улыбну́ться и т.п. he could not help sáying, smíling, etc.; совсе́м не спал в ту ночь didn't sleep a wink that night; иска́ть и не находи́ть поко́я и т.п. seek* rest, etc., and find* none; ему́ от э́того не ле́гче he is none the bétter for it; не... никако́го, никако́й, никаки́х no... whatéver или передаётся через отрицание при глаго́ле + any... whatéver: не́ было никако́й наде́жды there was no hope whatéver; он не чита́ет никаки́х книг he reads no, или doesn't read any, books whatéver; — совсе́м не об. передаётся через соотв. отрицание + at all: ему́ э́то совсе́м не нра́вится he doesn't like it at all; у него́ совсе́м не́ было честолю́бия he had no

ámbition at all (см. тж. совсе́м); — совсе́м не тако́й (как) quite different (from); ни оди́н... не и т.п. см. ни II; е́сли не см. е́сли; что́бы не см. что́бы; 2.: не́... кого́, кому́ и т.д. (+ инф.) there is nóbody (+ to inf.); не́... чего́, чему́ и т.д. (+ инф.) there is nothing (+ to inf.): не́ на кого́ положи́ться there is nóbody to relý on; не́ на что смотре́ть there is nothing to look at; — ему́, им и т.д. не́ на кого положи́ться, не́ с кем игра́ть, не́ на что жить и т.п. he has, they have, etc., nóbody to relý on, nóbody to play with, nothing to live on [...liv...]; — ему́ не́ на что купи́ть he has nothing to buy it with [...baɪ...], he has no móney to buy it [...'mʌ-...]; ему́ не́ на что это обменя́ть there is nothing he can exchánge it for [...eɪnd3...]; (ср. не́кого и не́чего 1); 3. (+ инф. в значении «нельзя́»): им не уйти́ they shall not escápe; им э́того не сде́лать they could not do it; его́ не узна́ть one would not know him; ◊ не раз more than once [...wʌns], time and agáin; не по себе́ (нело́вко, неспоко́йно) ill at ease: ему́ бы́ло не по себе́ he was ill at ease; — э́то и т.п. не по нём и т.д. that's, etc., no good to him, etc., или agáinst the grain; не кто ино́й как none other than; тем не ме́нее nèverthelèss; не́ за что! (в ответ на благода́рность) don't méntion it!, that's all right!, not at all!; не́ к чему́ there is no need: не́ к чему́ спра́шивать there is no need to ask.

не- приставка см. слова с э́той приста́вкой; (во многих прилагательных, тж. в прилагательных из причастий) un-, ùn-: неинтере́сный úninterèsting; неже́нственный unwómanly [-'wu-].

неаккура́тн‖**ость** ж. 1. (неточность) inéxactness, unpúnctuálity; 2. (небре́жность) cárelessness; 3. (неопрятность) untídiness [-'taɪ-]. ~**ый** 1. (неточный) inéxact, unpúnctual; 2. (небре́жный) cáreless; 3. (неопря́тный) untídy.

неандерта́‖**лец** м. антроп. the Neánderthal man* [...nɪˈændətɑ:l...]. ~**льский** антроп. Neánderthal [nɪˈændətɑ:l].

неантагонисти́ческ‖**ий**: ~ие противоре́чия филос. nón-àntagónistic contradíctions.

неаполита́н‖**ец** м., ~**ка** ж., ~**ский** Neápolitan [nɪə-].

неаппети́тный únáppetizing.

небезопа́сный únsáfe, insecúre; ráther dángerous ['rɑ:- 'deɪn-].

небезоснова́тельный not únfóunded.

небезразли́чный not indífferent.

небезрезульта́тный not entírely frúitless [...'fru:t-], not without resúlt [...-'zʌ-].

небезупре́чный not irrepróachable.

небезуспе́шный not únsuccéssful.

небезызве́стн‖**о** [-сн-] 1. прил. кратк. см. небезызве́стный; 2. предик. безл.: ~, что it is no sécret, that; it is not únknown, that [...-'noun...]; нам э́то ~ we are not únawáre of it. ~**ый** [-сн-] not únknówn [...-'noun].

небезынтере́сный not without ínterest.

небелён‖**ый** únbléached; текст. brown; ~ое полотно́ brown Hólland.

небережли́в‖**ость** ж. impróvidence, thríftlessness. ~**ый** impróvident, thríftless.

небеса́ *мн. см.* **не́бо.**
небескоры́стный [-сн-] not without a (sélfish) mótive, not disínterested.
небе́сно-голубо́й ský-blúe, ázure ['æʒə].
небе́сн||ый celéstial, héavenly ['he-]; (*божественный*) divíne; ~ свод fírmament, the vault of héaven [...'he-]; ~е свети́ла héavenly bódies [...'bɔ-]; ~ цвет ský-blúe cólour [...'kʌ-].
небесполе́зный of some use [...-s].
небесполе́зный impróper [-'prɔ-], únséemly.
неблагода́рн||ость *ж.* in:grátitude. ~ый ùn:gráte:ful; (*перен.*) thánkless; э́то ~ая зада́ча it is a thánkless task.
неблагожела́тельн||ость *ж.* malévolence. ~ый malévolent, ìll-dispósed.
неблагозву́ч||ие *с.* dís:hármony, díssonance. ~ный dís:hàrmónious, ìnhàrmónious, discórdant.
неблагонадёжный 1. ún:relíable; **2.** *ист.* (*политически*) súspèct (*predic.*).
неблагополу́чие *с.* trouble [trʌbl].
неблагополу́чно I 1. *прил. кратк. см.* **неблагополу́чный; 2.** *предик. безл.:* у них ~ things are not gó:ing well for them, they've got próblems [...'prɔ-].
неблагополу́чн||ый II *нареч.* not háppily, not fávour:ably; ~ый ùnháppy, ùnfávour:able; bad*; опера́ция име́ла ~ый исхо́д the òperátion was únsuccéssful, *или* énded fátal:ly; ~ый уча́сток deféctive séction.
неблагопристо́йн||ость *ж.* òbscénity [-'si:-], ìndécency ['di:-], ìmpropríety. ~ый òbscéne, ìndécent, ìmpróper [-'prɔ-].
неблагоприя́тный únfávour:able; (*не предвещающий хорошего*) ìnauspícious; де́ло при́няло ~ оборо́т the affáir took a bad* turn; ~ бала́нс *эк.* ùnfávour:able bálance.
неблагоразу́м||ие *с.* ìmprúdence. ~ный ìmprúdent, ìll-advísed, ùnwíse.
неблагоро́д||ный ignóble, base [-s]; ~ посту́пок dís:hónour:able / ignóble deed [dɪs'ɔ-...]; ◇ ~ мета́лл base métal [...'me-]. ~ство *с.* méanness.
неблагоскло́нн||ость *ж.* ùnfávour:able áttitude. ~ый ùnfávour:able; (к; *нерасположенный*) ìll-dispósed (towards).
неблагоустро́енный bád:ly órganized; (*о квартире и т. п.*) ìll-equípped, ùn:cómfortable [-'kʌm-].
неблестя́щий not brílliant.
нёбн||ый 1. *анат.* pálatine, of the pálate; ~ая занаве́ска úvula; **2.** *лингв.* pálatal; ~ые согла́сные pálatal cónsonants.
не́б||о *с.* sky; (*небеса*) héaven ['he-]; ◇ под откры́тым ~ом in the ópen (air), únder the ópen sky; быть на седьмо́м ~е *разг.* be in the séventh héaven [...'se-...]; ме́жду ~ом и землёй *разг.* betwéen héaven and earth [...ə:θ], in an ùncértain sìtuátion; превозноси́ть до ~ес (*вн.*) praise / extól to the skies (*d.*); лávish praise on (*d.*); с ~а свали́ться *разг.* appéar / come* out of the blue; как ~ от земли́ (*о противополо́жностях*) worlds apárt.
нёбо *с.* hard pálate; твёрдое ~ hard pálate; мя́гкое ~ soft pálate.
небога́т||о *нареч.* in a small way. ~ый of módest means [...'mɔ-...]; (*ограниченный*) scánty; ~ый запа́с зна́ний

límited knówledge [...'nɔ-]; ~ый вы́бор poor choice.
небоеспосо́бный únfit for áction, dìs:ábled; ìn:capácitated / únfit for áctive sérvice.
небольш||о́й small, not great [...-eɪt]; (*о расстоянии, сроке*) short; ~а́я высота́ low áltitùde [lou 'æl-]; ◇ с ~и́м odd; a little óver: со́рок с ~и́м fórty odd; кило́ с ~и́м a little óver one kílogràmme [...-græm]; ты́сячу рубле́й с ~и́м a thóusand odd roubles [...-z-...ru:-]; a little óver a thóusand roubles.
небосво́д *м. тк. ед.* fírmament, the vault of héaven [...'he-], dome of the sky.
небоскло́н *м. тк. ед.* sky (ìmmédiate:ly óver horizon).
небоскрёб *м.* ský-scràper.
небо́сь *вводн. сл. разг.* **1.** (*вероятно*) most líke:ly (that), one must be...; он, ~, уста́л he must be tired; они́, ~, не посме́ют they are not líke:ly to dare; **2.** (*выражает уверенность*) no fear!; ~, не замёрзнешь don't worry, you won't get fróstbite / fróstbìtten [...'wʌ-...wount...]; you néedn't be afráid of gétting fróstbite / fróstbìtten.
небреже́ние *с. уст.* néglèct.
небре́жничать *разг.* be cáre:less.
небре́жн||ость *ж.* cáre:lessness, négligence. ~ый cáre:less, négligent, slípshòd; (*о тоне, манере*) cásual ['kæʒ-]; ~ый стиль loose / slípshòd style [-s...]; ~ая рабо́та slóppy / slípshòd work.
небри́тый únsháven; ~ подборо́док an únsháven chin.
неброни́рованный *воен.* ùn:ármour:ed.
небуля́р||ный: ~ая гипо́теза nébular hypóthesis [...haɪ-].
небыва́лый 1. (*не случавшийся пре́жде*) ùnprécedented; **2.** (*вымышленный*) fàntástic, imáginary.
небыли́ц||а *ж.* cóck-and-bùll story [-bul-...]; расска́зывать ~ы tell* tall stóries.
небытие́ *с.* nòn-existence.
небью́щ||ийся únbréakable [-'breɪ-]; ~аяся посу́да únbréakable cróckery; ~ееся стекло́ sáfe:ty glass, ùn:bréakable glass.
неважне́цкий *разг.* indífferent, só-sò.
нева́жн||ый 1. *прил. кратк. см.* **нева́жный; 2.** *предик. безл.* (*несущественно*) it is ùn:ímportant; (*ничего́, не беспо́ко́йтесь*) néver mind.
нева́жн||о II *нареч.* (*довольно плохо*) not véry well, póorly, ìndífferently; он себя́ ~ чу́вствует he dóesn't feel véry well; рабо́та сде́лана ~ the work is póorly, *или* véry ìndífferently, done. ~ый **1.** (*несущественный*) ùn:ímportant; **2.** *предик. безл.* (*довольно плохо*) poor, ìndífferent, not much of a; он ~ый актёр he is an ìndífferent áctor, he is not much of an áctor.
нева́ля́шка *ж. разг.* = **ва́нька-вста́нь-ка.**
невдалеке́ *нареч.* not far off.
невдомёк *предик. безл.* (*дт.*) *разг.:* ему́ ~ it néver occúrred to him, he néver thought of it.
неве́д||ение *с.* ígnorance; находи́ться в ~ении (о *пр.*) be ígnorant (of), be in ígnorance (of), be ùn:awáre (of); по ~ению through ígnorance; пребыва́ть в

блаже́нном ~ении *ирон.* be in a state of blíssful ígnorance. ~омо *нареч.:* ~ омо что héaven / God knows what ['he-...nouz...]; ~омо отку́да from God knows where, from nó:where. ~омый ùn:knówn [-'noun]; ùnfamíliar; (*таинственный*) mystérious.
неве́жа *м. и ж.* boor, churl.
неве́жда *м. и ж.* ìgnorámus.
неве́жественн||ость *ж.* ígnorance. ~ый ígnorant.
неве́жеств||о *с.* ígnorance; гру́бое ~ rank / crass ígnorance; по (своему́) ~у through (one's) ígnorance.
неве́жлив||ость *ж.* impolíte:ness, ìncivílity; bad mánners *pl.*; (*грубость*) rúde:ness. ~ый impolíte, rude.
невезе́ние *с. тк. ед. разг.* bad luck.
невезу́чий *разг.* lúckless.
невели́к *предик.:* он ~ ро́стом he is shórtish; ◇ ~á беда́ *разг.* no harm done.
невели́чка *м. и ж.:* ро́стом ~ shorty.
неве́рие *с.* dìsbelíef [-'li:f], lack of faith.
неве́рно I 1. *прил. кратк. см.* **неве́рный; 2.** *предик. безл.* it is not true.
неве́рн||о II *нареч.* in:corréctly. ~ость *ж.* **1.** (*неправильность*) ìn:corréctness; **2.** (*измена*) ìnfidélity, ùnfáithfulness; супру́жеская ~ость adúltery. ~ый **1.** (*ошибочный, ложный*) in:corréct; **2.** (*вероломный*) ùnfáithful, fáithless, dísloyal; (*лживый*) false [fɔːls]; **3.** (*нетвёрдый*): ~ая похо́дка ùnstéady / fáltering gait [-'stedi...]; ~ая рука́ ùnstéady hand; ◇ Фома́ ~ый *разг.* dóubting Thómas ['daut-...].
невероя́тно I 1. *прил. кратк. см.* **невероя́тный; 2.** *предик. безл.* it is in:crédible [...-'si:-], it is ìn:concéivable [...-'si:-], it is be:yónd belíef [...-'li:f].
невероя́тн||о II *нареч.* in:crédibly, ìn:concéivably [-'si:-]. ~ость *ж.* in:credìbility; ◇ до ~ости to an ùnbelíevable extént [...-'li:-...], in:crédibly. ~ый in:crédible, ùnbelíevable [-'li:-], ìn:concéivable [-'si:-]; (*баснословный*) fábulous; ~ое предположе́ние a wild assúmption, an ùn:líke:ly cónjecture.
неве́рующий 1. *прил.* únbelíeving [-'li:-]; **2.** *м. как сущ.* átheist ['eɪθɪɪst], nón-belíever [-'li:və].
неве́сёл||ый jóyless, mírthless; ~ое заня́тие deprèssing job; ~ые мы́сли sad thoughts; ~ смех mírthless láughter [...'lɑːftə].
невесо́м||ость *ж. физ.* ìmpònderabílity; wéightlessness (*тж. перен.*); состоя́ние ~ости state of wéightlessness. ~ый *физ.* ìmpónderable, wéightless (*тж. перен.*).
невест||а *ж.* bride; fíancée (*фр.*) [fi'ɑːnseɪ]. ~ка *ж.* (*жена сына*) dáughter-in-law (*pl.* dáughters-); (*жена брата*) síster-in-law (*pl.* sísters-).
неве́сть *нареч. разг.* (*употр. с относит. местоим. и наречиями*): ~ что, ~ чего́ góod:ness / héaven knows what [...'hev°n nouz...]; ~ ско́лько God / héaven knows how many / much.
невеще́ственн||ость *ж.* ìmmàteriálity. ~ый ìmmatérial.

НЕВ – НЕВ

невзви́д||еть *сов.*: он све́та ~ел *разг.* he had a nasty turn, he was given a nasty turn.

невзго́да *ж.* adversity.

невзира́я: ~ на in spite of, regardless of; ~ ни на что́ in spite of everything; ~ на ли́ца without respect of persons.

невзлюби́ть *сов.* (*вн.*) take* a dislike (to); ~ кого́-л. с пе́рвого взгля́да take* an instant dislike to smb.

невznача́й *нареч. разг.* by chance; quite unexpectedly; они́ встре́тились там ~ they met there by chance, they chanced to meet there.

невзно́с *м.* non-payment.

невзра́чн||о *нареч.*: вы́глядеть ~ look unattractive / uncomely / plain [...-ˈkʌm-...]. ~ость *ж.* uncomeliness [-ˈkʌm-], plainness. ~ый unprepossessing [-priːpəˈzes-], uncomely [-ˈkʌm-], plain.

невзыска́тельный undemanding [-ˈmaːn-], not particular.

не́видаль *ж. тк. ед. разг.*: что за ~!, вот ~!, э́ка ~! so, what else is new?; it's no big deal!

неви́данн||ый unprecedented; unwitnessed, unknown [-ˈnoun], without a parallel; (*таинственный*) queer, mysterious; ~ое му́жество unexampled valour [-aːm- ˈvæ-].

невиди́м||ка 1. *м. и ж.* invisible being [-zə-...]; челове́к-~ *the* invisible man*; сде́латься ~кою become* invisible; ~кою (*в знач. нареч.*) invisible [-zə-]; **2.** *ж.* (*шпилька*) invisible hairpin. **~ость** *ж.* invisibility [-zə-]. **~ый** invisible [-zə-].

неви́дный 1. (*недоступный зрению*) invisible [-zə-]; **2.** *разг.* (*незначительный, неважный*) insignificant; **3.** *разг.* (*некрасивый*) plain.

неви́дящ||ий unseeing; смотре́ть ~м взо́ром look absently / vacantly.

неви́нн||ость *ж.* **1.** (*невиновность*) innocence, guiltlessness; **2.** (*безвредность*) harmlessness; **3.** (*простодушие*) ingenuousness [ɪnˈdʒe-]; (*наивность*) naïvety [nɑːˈiːvtɪ], naïveté [фр.] [nɑːiːvˈteɪ]; **4.** (*девственность*) virginity. **~ый 1.** (*невиновный*) innocent, guiltless; **2.** (*безвредный*) harmless; ~ая шу́тка harmless joke; ~ая ложь white lie; **3.** (*простодушный*) ingenuous [ɪnˈdʒe-]; (*наивный*) naïve [nɑːˈiːv]; **4.** (*девственный*) virgin.

невино́вен *прил. кратк. уст. см.* невино́вный.

невино́вн||ость *ж.* innocence, guiltlessness. **~ый** (в *пр.*) innocent (of); *юр.* not guilty (of); призна́ть ~ым bring* in a verdict of not guilty.

невключе́ние *с.* non-inclusion, failure to include.

невку́сный tasteless [ˈteɪ-], unpalatable.

невменя́ем||ость *ж. юр.* diminished responsibility; быть в состоя́нии ~ости not be answerable for one's actions [...ˈɑːnsə-]. **~ый 1.** *юр.* of diminished responsibility; **2.** *разг.* (*вне себя от гнева и т.п.*) beside oneself, crazy.

невмеша́тельств||о *с.* non-intervention,

non-interference [-ˈfɪə-]; поли́тика ~а policy of non-interference, hands-off policy.

невмогот||у́ *предик.* (*дт.*) *разг.* unbearable [-ˈbɛə-] (to, for), intolerable (to, for); э́то ~ it is unbearable, it is intolerable; ему́ ~ it is more than he can bear / stand [...bɛə...]; ему́ ста́ло ~ he could not stand it any longer.

невмо́чь = невмоготу́.

невнима́ние *с.* **1.** lack of attention, inattention; **2.** (*равнодушие, пренебрежение*) lack of consideration.

невнима́тельн||ость *ж.* inattention; (*небрежность*) carelessness, thoughtlessness; оши́бка по ~ости careless mistake. **~ый 1.** inattentive; (*небрежный*) careless, thoughtless; **2.** (*невежливый, нелюбезный*) inattentive, unobliging, inconsiderate.

невня́тн||ость *ж.* indistinctness, inarticulateness. **~ый** indistinct, inarticulate.

не́вод *м.* seine [seɪn], sweep-net.

невозбра́нно *уст.* unrestricted, free; ~ до́ступ free admission.

невозврати́м||ый irrevocable; ~ая утра́та irretrievable loss [-iːv-...].

невозвра́тн||ость *ж.* irrevocability. **~ый** irrevocable, irretrievable [-iːv-].

невозвраще́ни||е *с.* failure to return; ва́ше ~ обеспоко́ило его́ he was worried by your not returning, *или* by your not having come back [...wʌl-...]; в слу́чае ~я де́нег в срок if the money is not returned / paid back on time, *или* within the stated time [...ˈtʌl-...].

невозде́ланный untilled, uncultivated; (*заброшенный*) waste [weɪ-].

невоздержа́ние *с.* intemperance.

невозде́ржанн||ость *ж. разг.* = невозде́ржность. **~ый** *разг.* = невозде́ржный.

невозде́ржн||ость *ж.* lack of self-restraint, intemperance. **~ый** intemperate, incontinent; (*несдержанный*) unrestrained; ~ый на язы́к given to unrestrained talking, having an uncontrollable tongue [-ˈtrʌl-tʌŋ].

невозмо́жно I 1. *прил. кратк. см.* невозмо́жный; **2.** *предик. безл.* it is impossible; ~ узна́ть э́то it is impossible to find it out; ~ сде́лать э́то it cannot be done.

невозмо́жн||о II *нареч.* impossibly. **~ость** *ж.* impossibility; в слу́чае ~ости if it is found to be impossible; ◊ до ~ости *разг.* to the last degree; за ~остью (*рд.*) owing to the impossibility [ˈou-...] (of). **~ый 1.** *прил.* impossible; **2.** *прил. разг.* (*нестерпимый*) insufferable; **3.** *с. как сущ.* the impossible, *an* impossible thing.

невозмути́м||ость *ж.* imperturbability, coolness. **~ый** imperturbable, cool, unruffled, calm [kɑːm].

невознагради́м||ость *ж.* irreparability. **~ый 1.** (*непоправимый*) irreparable, irretrievable [-ˈtriː-]; ~ая утра́та irretrievable loss; **2.** (*не могущий быть вознаграждённым*) unrecompensable, that can never be repaid; он оказа́л мне ~ую услу́гу he did me a service that I can never repay, *или* that can never be repaid.

нево́лей *нареч. уст.* against one's will, forcibly, by force.

нево́лить (*вн.*) force (*d.*), constrain (*d.*); (*заставлять*) compel (*d.*).

нево́льни||к *м.*, **~ца** *ж. уст.* slave. **~ческий** *прил.* к невольничество. **~чество** *с. уст.* slavery [ˈsleɪ-]. **~чий** *прил.* к невольник; ~чье су́дно *ист.* slaver, slave ship.

нево́льн||о *нареч.* involuntarily; automatically; (*не намеренно*) unintentionally, unwittingly; ~ вздохну́ть heave* an involuntary sigh. **~ый 1.** (*вынужденный*) forced; **2.** (*непроизвольный*) involuntary, unintentional; ~ая улы́бка involuntary smile.

нево́л||я *ж.* **1.** (*рабство*) slavery [ˈsleɪ-], bondage; (*плен*) captivity; содержа́ться в ~е be shut up, be held in captivity; **2.** *разг.* (*вынужденность*) necessity.

невообрази́мый inconceivable [-ˈsiːv-], unimaginable.

невооружённ||ый unarmed; ◊ ~ым гла́зом with the naked eye [...aɪ].

невоспи́танн||ость *ж.* ill breeding; bad manners *pl.* **~ый** ill-bred, bad-mannered, ill-mannered.

невоспламеня́ем||ость *ж.* non-inflammability. **~ый** non-inflammable.

невосполни́мый irreplaceable.

невоспри́имчив||ость *ж.* **1.** lack of receptivity, unreceptiveness; **2.** (*к болезням*) immunity (to). **~ый 1.** unreceptive; **2.** (*к болезням*) immune (to).

невостре́бованный not called for, unclaimed.

невпопа́д *нареч. разг.* not to the point, out of place, inopportunely; отвеча́ть ~ make* an irrelevant reply, give* an irrelevant answer [...ˈɑːnsə].

невпроворо́т *нареч. разг.* a lot, a great deal [...greɪt...]; дел ~ we are up to the ears in work.

невразуми́тельн||ость *ж.* unintelligibility. **~ый** unintelligible, incomprehensible; (*неясный*) obscure.

невралг||и́ческий *мед.* neuralgic. **~и́я** *ж. мед.* neuralgia [-dʒə]; ~и́я лица́ neuralgia of the face; face-ache [-eɪk] *разг.*; межрёберная ~и́я intercostal neuralgia; ~и́я седа́лищного не́рва sciatica.

неврасте́н||ик *м.* neurasthenic. **~и́ческий, ~и́чный** neurasthenic. **~и́я** *ж.* neurasthenia.

невреди́мый unharmed, safe; цел и ~м safe and sound.

неври́т *м. мед.* neuritis.

невро́з *м. мед.* neurosis (*pl.* neuroses [-iːz]).

невро||логи́ческий neurologic. **~ло́гия** *ж.* neurology.

невро́ма *ж. мед.* neuroma (*pl.* -ta).

невро||пати́ческий *мед.* neuropathic. **~па́тия** *ж. мед.* neuropathy. **~па́толог** *м.* neuropathologist. **~патологи́ческий** neuropathological. **~патоло́гия** *ж.* neuropathology.

невроти́ческий *мед.* neurotic.

невруче́ние *с.* non-delivery, failure to deliver [...-ˈlɪ-]; *юр.* failure to serve.

невсхо́жесть *ж. с.-х.* non-emergency.

невтерпёж *предик. безл. разг.*: ему́, им *и т.д.* ста́ло ~ he, they, *etc.*, cannot stand / bear it any longer [...bɛə...], he, they, *etc.*, are fed up with it.

невы́годно I 1. *прил. кратк. см.* невы́годный; **2.** *предик. безл.* it is not

àdvantágeous; (в денежном отношении) it is not lúcrative / remúnerative; it does not pay разг.

невы́годн||о II нареч. dìsàdvàntágeously [-vɑː-]; not to one's advantage [...-ˈvɑː-]; at a loss. **~ость** ж. dìsàdvàntágeousness [-vɑː-]; ùnprófitableness; (неблагоприятность) únfávourableness. **~ый** dìsàdvàntágeous [-vɑː-]; (в денежном отношении) ùnprófitable, nón-lúcrative, únremúnerative; not páying разг.; (неблагоприятный) únfávourable; показа́ть себя́ с ~ой стороны́ show* òneself to disadvántage [ʃou... -ˈvɑː-], place òneself in an ùnfávourable light; ста́вить в ~ое положе́ние (вн.) place at a disadvántage (d.), hándicàp (d.); быть, оказа́ться в ~ом положе́нии be at a dìsadvántage.

невы́деланн||ый úndrèssed; **~ая ко́жа** úndrèssed / raw hide.

невы́держанн||ость ж. 1. (о человеке) lack of sélf-contról [...-oul]; 2. (о стиле) únèvenness. **~ый** 1. (о человеке) lácking sélf-contról [...-oul], unrestráined; 2. (о стиле) únèven; 3. (о вине, сыре и т. п.) new, ùnmatúred.

невы́езд м.: **дать подпи́ску о ~е** give* a wrítten ùndertáking not to leave a place.

невыла́зн||ый разг.: **~ая грязь** a véritable quágmire.

невыноси́мо I 1. прил. кратк. см. невыноси́мый; 2. предик. безл. it is ùnbéarable / insúfferable [...-ˈbɛə-...].

невыноси́м||о II нареч. ùnbéarably [-ˈbɛə-], insúfferably; **э́то ~ ску́чно** it is insúfferably dull. **~ый** intólerable, ùnbéarable [-ˈbɛə-], insúfferable; **~ая боль** excrúciàting pain.

невы́плаканн||ый: **~ые слёзы** únshèd tears.

невыполн||е́ние c. nón-fulfílment [-ful-]; fáilure to éxecùte, или to cárry out, или to comply with; **~ пра́вил, тре́бований** и т. п. nón-compliance with the règulátions, require:ments, etc.; **~ пла́на** nón-fulfílment of the plan; shórtfàlls pl.; **~ обяза́тельства** юр. nón-féasance [-ˈfiːz-]. **~и́мость** ж. imprácticability. **~и́мый** imprácticable; **~и́мое жела́ние** únrèalìzable wish / desíre [-ˈzaɪə]-...].

невырази́мый inexprèssible, beyónd expréssion.

невырази́тельн||ость ж. inexprèssiveness. **~ый** inexprèssive, tóneless, expréssionless.

невы́сказанный únexprèssed, únvóiced, únsáid [-ˈsed]; (тайный) hídden, sécret.

невысо́к||ий (в разн. знач.) not high, low [lou]; (о росте тж.) short, shórtish, not tall; **~ого ка́чества** of poor quálity; **~ое мне́ние** fáirly low opínion, not a high / fávourable opínion; **~ая цена́** móderate price.

невы́спавшийся sléepy.

невысыха́ющ||ий nón-drying, néver drying; **~ие черни́ла** nón-drying ink sg.; ink which will not dry sg.

невы́ход м.: **~ на рабо́ту** ábsence (from work); (прогул) trúancy.

невы́ясненн||ость ж. obscúrity, úncértainty. **~ый** obscúre, not clear, not cleared up, úncértain.

невя́зка ж. discrépancy.

не́га ж. 1. contèntment, bliss; 2. (довольство) cómfort [ˈkʌ-]; prospérity.

негармони́чн||ость ж. inharmóniousness. **~ый** inharmónious.

негати́в м. фот. négative.

негати́вн||ый I фот. négative; **~ое изображе́ние** négative ímprint.

негати́вн||ый II (отрицательный) négative; **результа́т эксперимéнта оказа́лся ~ым** the expériments pròved négative [...pruːvd...].

негашён||ый: ~ая и́звесть quícklime.

не́где нареч. (+ инф.) there is nówhere (+ to inf.); **~ есть** there is no place (+ to inf.); **~ сесть** there is nówhere to sit, there is nothing to sit on; **мне, ему́** и т. д. **~ взять э́то** there is nówhere I, he, etc., could get it from; **мне, ему́** и т. д. **~ положи́ть э́то** I have, he has, etc., nówhere to put it; there is no room, или there is nówhere, for me, him, etc., to put it.

неги́бкий inflèxible, stiff, rígid.

негиени́ч||еский, ~ный ùnhygíenic [-haɪˈdʒiː-].

негла́дкий 1. únèven, rough [rʌf]; 2. (о речи) not flúent, jérky.

негла́дко I прил. кратк. см. негла́дкий.

негла́дко II нареч. 1. únèvenly, not smóothly [...-ð-]; **де́ло идёт ~** things are not góing smóothly; 2. (о речи) not flúently; **~ чита́ть** not read* flúently; **~ писа́ть** write* bádly, have a clúmsy style [...-zɪ...].

негла́сн||ый sécret; prívate [ˈpraɪ-]; **~ надзо́р** sécret surveíllance; **~ым о́бразом** prívately [ˈpraɪ-].

неглиже́ с. нескл. nègligé (фр.) [neglɪˈʒeɪ], úndréss.

неглижи́ровать (тв.) уст. negléct (d.), disregárd (d.).

неглубо́кий ráther shállow [ˈrɑː-...]; (поверхностный) sùperfícial, skìn-deep.

неглу́пый sénsible, hàving cómmon sense; **~ челове́к** no fool.

него́ род., вн. см. он, оно́ I.

него́дн||ик м., **~ица** ж. разг. míschievous pérson, rogue [roug]; (о ребёнке) náughty child*. **~ость** ж. 1. únfìtness; 2. (плохое состояние) wórthlessness; **прийти́ в ~ость** become* wórthless; (изнашиваться) wear* out [wɛə-...]; (о зданиях и т. п.) fall* into disrepáir; **привести́ в ~ость** (вн.) put* out of commíssion (d.), make* úseless / wórthless [...ˈjuːs-...], (об одежде) wear* out (d.). **~ый** 1. únfìt; **~ый к употребле́нию** únfìt for use [...ˈjuːs]; **вода́, ~ая для питья́** úndrínkable wàter [...ˈwɔː-], wàter not fit to drink; **~ый к вое́нной слу́жбе** inéligible / únfìt for (mílitary) sérvice; 2. (плохой) wórthless, góod-for-nòthing разг.

негодова́ни||е c. ìndignátion; **взрыв ~я** burst of ìndignátion; **прийти́ в ~** becòme* ìndígnant; **привести́ в ~** (вн.) ánger (d.); **make* ìndìgnant** (d.); **с ~ем** ìndígnantly.

негод||ова́ть (на что-л., против чего-л.) be indìgnant (at), rail (at); (на, против кого́-л.) be indìgnant (with). **~у́ющий** indìgnant.

негодя́й м., **~ка** ж. scoúndrel, víl-lain; **отъя́вленный ~** invèterate rogue [...roug].

негостеприи́мн||ость ж. ìnhòspitálity. **~ый** ìnhòspitable.

негото́вый únrèady [-ˈre-], not réady [...ˈre-].

негоциа́нт м. mérchant.

негр м. Négrò.

негра́мотн||ость ж. 1. illíteracy; **ликвида́ция ~ости** wíping out of illíteracy; 2. (неосведомлённость) ígnorance. **~ый** 1. illíterate; 2. (неграмотно написанный) illíterate, ùngrammátical; 3. (в пр.; неосведомлённый) ígnorant (of), not versed (in), únversed (in); 4. (о работе, рисунке и т. п.) crude, inèxpért.

неграцио́зный úngráceful.

негрит||ёнок м. Négrò child*, líttle Négrò; píckaninny разг. **~ос** м. Negríto [-ˈgriː-]. **~я́нка** ж. Négrò wóman* [...ˈwu-]; (молодая) Négrò girl [...g-]. **~я́нский** Négrò (attr.).

негрои́дн||ый Négroid, Negróidal [niː-]; **~ая ра́са** Negróid race.

негро́мк||ий low [lou]; **~им го́лосом** in a low voice.

не́гус м. Négus.

негу́сто предик. разг.: **с э́тим у нас ~** we're a bit low on this [...lou...], we're a bit short of this.

негусто́й (в разн. знач.) thin; (водянистый) wátery [ˈwɔː-].

неда́вн||ий rècent; **до ~его вре́мени** till rècently; **с ~его вре́мени, с ~их пор** of late.

неда́вно нареч. not long agó, rècently; làtely; **~ прибы́вший** newly arríved; (как сущ.) néwcomer [-kʌ-]; **~ вы́пущенный из шко́лы** fresh from school.

недалёк||ий 1. near, not far off; (короткий) short; **~ое путеше́ствие** short jóurney [...ˈdʒɜː-]; **~ путь** short way; **на ~ом расстоя́нии** at a short dìstance; 2. (близкий по времени) near; **в ~ом про́шлом** not long agó, in rècent times, in the rècent past; **в ~ом бу́дущем** in the near, или not dìstant, future; 3. (глуповатый) none too cléver [nʌn... ˈkle-], dúll-wìtted, not bright; ◇ **он недалёк от и́стины** he is very near the truth [...-uːθ], he is not far off the mark.

недалеко́ I, **недалёко** 1. прил. кратк. см. недалёкий; **~ то вре́мя, когда́** the time is not far off when; 2. предик. безл. it is not far; **им ~ идти́** they have ónly a short way to go; ◇ **за приме́ром ~ ходи́ть** ≅ one does not have to look / search far for an exámple [...sə:tʃ... -ɑːm-].

недалеко́ II, **недалёко** нареч. not far.

недалёкость ж. nárrow-míndedness; (глупость) stupídity.

неда́льн||ий 1. = недалёкий; 2. (близкий по родству) close [-s].

недальнови́дн||ость ж. lack of fóresight, shórt-síghtedness. **~ый** shórt-síghted, without fóresight.

недарови́т||ость ж. lack of tálent [...ˈtæ-]; (посредственность) mèdiócrity. **~ый: ~ый челове́к** not a gífted pérson [...ˈgɪ-...], not a man* of tálent [...ˈtæ-].

НЕД – НЕД

недáром *нареч.* 1. (*не без основания*) not for nothing, not without réason [...-z°n]; ~ он опасáлся этого he had good réason to fear it, it was not without réason that he was afráid of it; ~ говорят not without réason is it said [...sed]; 2. (*не без цели*) not without púrpose [...-s]; он заходи́л к нам ~ he had a réason for cálling; он ~ совершил такое большое путешествие he did not trável all that way in vain [...'træ-...], it was not in vain that he made such a long jóurney [...'dʒɜː-].

недви́жим||ость *ж.* (immóvable) próperty [-'muː-...]; real estáte [rɪəl...], réalty ['rɪə-]. ~ый immóvable [-'muː-]; ~ое имýщество = недвижимость.

недвусмы́сленн||ый únequívocal, únambíguous (*ясный*) plain; сáмым ~ым óбразом in the most únambíguous mánner.

недееспосóб||ность *ж.* incapácity. ~ый 1. *юр.* incápable; 2. (*неспособный действовать*) únáble to fúnction.

недействи́тельн||ость *ж.* 1. inefficácity; *юр.* inválidity, núllity; 2. (*недейственность*) inefficiency, inefféctiveness. ~ый 1. inefficácious; *юр.* inválid, void, null; дéлать ~ым (*вн.*) inválidate (*d.*), núllify (*d.*); 2. (*не действующий*) inefféctive, inefféctual; (*о лекарстве, средстве*) inefficácious.

недели́катн||ость *ж.* indélicacy. ~ый indélicate, indiscréet.

недели́м||ость *ж.* indivisibílity [-zɪ-]. ~ый (*в разн. знач.*) indivísible [-zɪ-]; ~ые числа prime númbers [...]; ~ые фонды (*колхоза*) indivísible funds.

неделовóй únbúsinesslike [-'bɪzn-].

недéльный wéekly, of a week's durátion; ~ срок a week, the space of a week.

недéл||я *ж.* week; чéрез ~ю in a week; ровно чéрез ~ю in exáctly a week's time; a week to·dáy; каждую ~ю évery week; на прошлой ~е last week; на этой ~е this week; на той ~е *разг.* (*на следующей*) next week; в срéду на следующей ~е on Wédnesday week [...'wenzdɪ-], a week (on) Wédnesday; две ~и fortníght; чéрез две ~и a fortníght to·dáy, this day fórtnight, in a fórtnight.

недержáние *с.* incóntinence; ~ мочи́ *мед.* enurésis, incóntinence.

недёшево *нареч.* at a consíderable price; (*перен.*) by spénding much time, énergy, *etc.*; это емý ~ достáлось he has had to spend a lot of time, énergy, *etc.*, to get it; he has not got it without spénding a lot of time, énergy, *etc.*

недисциплини́рованн||ость *ж.* lack of díscipline, indíscipline. ~ый úndisciplined.

недифференци́рованный úndifferéntiated.

недобирáть, недобрáть (*рд.*) not get the full amóunt (of).

недобóр *м.* shórtage; (*денежный*) arréars *pl.*; ~ налóгов arréars of táxes *pl.*

недобрáть *сов. см.* недобирáть.

недоброжелáтель *м.*, ~ница *ж.* malévolent / spíteful pérson, évil-wísher ['iːv-], íll-wísher. ~но *нареч.* with íll-will; ~но относи́ться (к) show* íll-will [ʃou...] (towards). ~ность *ж.* malévolence, ill-will; úndertone of hostílity. ~ный malévolent, spíteful, íll-dispósed. ~ство *с.* = недоброжелáтельность; относи́ться с ~ством (к) show* íll-will [ʃou...] (towards).

недоброкáчественн||ость *ж.* poor / bad* quálity. ~ый of poor quálity, bad*; ~ые товáры inférior goods [...gudz].

недобросóвестн||ость *ж.* lack of consciéntiousness [-nʃɪ-]; ~ выполнéния работ cáreless work. ~ый lácking in consciéntiousness [-nʃɪ-]; ~ая работа cáreless work; ~ая конкурéнция *юр.* únfáir competítion.

недóбр||ый 1. *прил.* únkínd; ~ое чýвство hóstile / ill féeling; питáть ~ые чýвства (к) bear* ill-will [bɛə...] (to); 2. *прил.* (*плохой, неприятный*) bad*; ~ая весть bad* news [...-z]; 3. *с. как сущ.*: замышлять ~ое have évil inténtions [...'iːv-...]; почýять ~ое have a fóreboding.

недовáривать, недовари́ть (*вн.*) úndercóok (*d.*), not cook próperly / sufficiently (*d.*). ~ся, недовари́ться not cook próperly.

недовари́ть(ся) *сов. см.* недовáривать (-ся).

недовéр||ие *с.* distrúst; питáть ~ к комý-л. mistrúst / distrúst smb.; относи́ться с ~ием к комý-л. treat smb. with distrúst, distrúst smb. ~чиво *нареч.* with distrúst, distrústfully, mistrústfully. ~чивость *ж.* distrústfulness. ~чивый distrústful, mistrústful.

недовéс *м.* short weight. ~ить *сов. см.* недовéшивать.

недовéшивать, недовéсить (*рд.*) give* short weight (of); недовéсить 100 грáммов weigh 100 grams less; недовéсить сáхару give* short weight of súgar [...ʃu-].

недовóльно *нареч.* with displéasure [...'ple-].

недовóль||ный 1. *прил.* díssátisfied, discontént, displéased; 2. *м. как сущ.* málcontent. ~ство *с.* díssatisfáction, discontént, displéasure [-'ple-]; (*кем-л. тж.*) reséntment [-'ze-]; вызывáть чьё-л. ~ство displéase smb.

недовыполнéние *с.* únderfulfílment [-ful-].

недовы́полн||ить *сов. см.* недовыполнять. ~ять, недовы́полнить (*вн.*) únderfulfíl [-ful-] (*d.*).

недовы́работка *ж.* únderprodúction.

недовы́ручка *ж.* deficiency in recéipts [...-'siːts].

недогáдлив||ость *ж.* slów-wíttedness ['slou-]. ~ый slow(-wítted) ['slou-]; какóй ты ~ый! how slow you are! [...slou...], you're a bit slow!

недогляде́ть *сов. разг.* 1. (*рд.*; *пропустить*) over·lóok (*d.*), miss (*d.*); 2. (*за тв.*; *не проявить достаточного внимания*) not take* súfficient care (of); ~ з а кем-л., чем-л. not keep* próper watch óver smb., smth. [...'prɔ-...], not keep* a próper eye on smb., smth. [...aɪ...].

недогова́ривать (*рд.*) keep* back (*d.*), not expréss / say* évery·thing.

недоговорённость *ж.* 1. (*замалчивание*) réticence; 2. (*несогласованность*) lack of únderstánding / agréement.

недогружáть, недогрузи́ть (*вн.*) únderlóad (*d.*) (*тж. перен.*); not give* full load (*i.*), fail to load in full (*d.*).

недогрузи́ть *сов. см.* недогружáть.

недогрýзка *ж.* únderlóading.

недодавáть, недодáть (*рд.*, *вн.*). give* short (*d.*); (*о продукции*) delíver short [-'lɪ-...] (*d.*); недодáть пять рублей give* five roubles short [...ruː-...].

недодáть *сов. см.* недодавáть.

недодáча *ж.* deficiency in páyment; (*недовыпуск*) deficiency in supplý.

недодéл||анный *прич. и прил.* únfínished. ~ать *сов.* (*вн.*, *рд.*) leave* únfínished (*d.*). ~ка *ж.* imperféction, incompléteness.

недо||держáть (*вн.*) *фот.* únderexpóse (*d.*). ~дéржка *ж.* *фот.* únderexpósure [-'pou-].

недоед||áние *с.* malnutrítion, úndernóurishment [-'nʌ-]. ~áть, недоéсть 1. *тк. несов.* (*не иметь достаточного питания*) be úndernóurished [...'nʌ-], be únderfed; not get enóugh to eat [...ɪ'nʌf...]; 2. (*есть не досыта*) not eat enóugh.

недоéсть *сов. см.* недоедáть 2.

недозвóленный únláwful, illícit.

недозрéлый únrípe, green; (*перен. тж.*) immatúre.

недои́м||ка *ж.* arréars *pl.*; взы́скивать ~ки colléct arréars. ~щик *м.* deféulter, one in arréars in páyment.

недоиспóльзование *с.* únderexploitátion.

недокáз||анность *ж.* fáilure to prove [...pruːv]; ~ обвинéния fáilure to prove a charge. ~анный not proved [...pruː-], not évident. ~áтельный not sérving as proof; fáiling to prove [...pruːv]. ~уемый which cánnot be proved [...pruː-], indémonstrable.

недокóнченн||ость *ж.* únfínished state. ~ый únfínished.

недолгá: (вот) и вся ~ *разг.* and that is all there is to it.

недóлгий brief [briːf], short.

недóлго *нареч.* not long; он жил ~ he did not live long [...lɪv...]; ~ дýмая without thínking twice, without gíving it a sécond thought [...'se-...], without hesitátion [...-zɪ-].

недóлго II *предик. разг.*: ~ и one can éasily [...'iːz-]; ~ и простуди́ться one can éasily catch cold; тут и потонýть ~ one can éasily drown here.

недолговéчн||ость *ж.* short life; (*непродолжительность*) short durátion. ~ый shórt-líved [-'lɪ-]; быть ~ым be shórt-líved.

недолёт *м. воен.* fálling short, short fall.

недолю́бливать (*вн.*, *рд.*) *разг.* have no spécial líking / sýmpathy [...'spe-...] (for), not be óver·fónd (of), not be óver·kéen (on); они́ друг друга ~али there was no love lost between them [...lʌv...].

недомéр *м.* short méasure [...'me-]. ~ивать, недомéрить (*вн.*, *рд.*) give* short méasure [...'me-] (of). ~ить *сов. см.* недомеривать.

недомерок *м.* úndersízed óbject.

недомогание *с.* indisposítion [-'zɪ-]; (*вялость, апатия*) léthargy; чу́вствовать ~ be indispósed, not feel* quite well.

недомогать *разг.* be únwéll / indispósed, not feel* very well, be únder the wéather [...'we-].

недомо́лвка *ж.* reservátion [-zə-], innuéndo.

недомы́слие *с.* inability to think things out, thóughtlessness.

недоноси́тельство *с. юр.*: ~ о преступлении misprísion of félony.

недоно́||сок *м.* prèmatú:rely born child*. ~шенный (*о ребёнке*) prèmatú:rely born, prèmatúre.

недооцен||ивать, недооцени́ть (*вн.*) underéstimate (*d.*), underráte (*d.*), undervalue (*d.*). ~и́ть *сов. см.* недооце́нивать. ~ка *ж.* underéstimate, underèstimátion.

недопечённый *прич. и прил.* únderbáked.

недоплати́ть *сов. см.* недопла́чивать.

недопла́чивать, недоплати́ть (за *вн.*) pay* less than required (for), únderpáy* (for); ~ за что-л. not pay* the full price of smth., not pay* enóugh for smth.

недополуч||а́ть, недополучи́ть (*вн., рд.*) recéive less (than one's due) [-'si:v...]; недополучи́ть пять рубле́й recéive five roubles less [...ru:-...]. ~и́ть *сов. см.* недополуча́ть.

недопотребле́ние *с.* únder-consúmption.

недопроизво́дство *с.* únderprodúction.

недопусти́м||ость *ж.* inadmìssibility. ~ый inadmíssible, intólerable; э́то ~о it is inadmíssible / intólerable; it cánnot be tólerated.

недопуще́ние *с.* nón-admíssion; (*запреще́ние, исключе́ние*) bánning, bárring.

недорабо́тать *сов.* (*рд.*) not do the full amóunt of work; (*недовы́полнить*) únderfulfíl one's task [-ful-...], fall* short of one's target [...-g-].

недорабо́тка *ж.* 1. = недоделка; 2. *разг.* (*упущение в работе*) defect.

недоразви́т||ость *ж.* únderdevélopment. ~ый únderdevéloped.

недоразуме́ние *с.* misùnderstánding.

недо́рого *нареч.* at a low / móderate price [...lou-...].

недорого́й inexpénsive.

недоро́д *м.* poor hárvest, crop fáilure.

не́доросль *м.* 1. *ист.* mínor; 2. (*недоучка*) young ignorámus [jʌŋ...], young oaf, young lout.

недосе́в *м. с.-х.* insufficient sówing [...sou-...-'sou-]; únderfulfílment of sówing-plán [-ful-...-'sou-].

недослы́шать *сов.* 1. (*вн., рд.*) fail to catch / hear (*d.*), fail to hear to the end (*d.*); 2. (*быть глуховатым*) be hard of héaring.

недосмо́тр *м.* óver:sight; по ~y by an óver:sight.

недосмотре́ть *сов.* 1. (*рд.; пропустить*) óverlóok (*d.*), miss (*d.*); 2. (за *тв.; не прояви́ть доста́точного внима́ния*) not take* sufficient care (of).

недосо́л *м.* insufficient sálting.

недоспа́ть *сов. см.* недосыпа́ть I.

недоспе́лый green, únrípe.

недоста||ва́ть, недоста́ть *безл.* 1. (*рд.*; не хвата́ть) be míssing (*d.*), be lácking (*d.*); be wánting (*d.*); чего вам ~ёт? what are you short of?, what are you lácking?; ему́ ~ёт де́нег he is short of móney [...'mʌ-], he has not got enóugh móney [...'nʌf...]; нам ~ёт рабо́тников we lack wórkers, we are short of wórkers; ему́ ~ёт слов, что́бы вы́разить he cánnot find words to expréss; ему́ недоста́нет сил his strength will not suffíce him, he will not have sufficient strength; в кни́ге ~ёт не́скольких страни́ц a few pages of this book are míssing; 2. *тк. несов.* (*рд. дт.; вызывать чу́вство тоски́*) miss (*d.*); нам о́чень ~ва́ло вас we missed you very much, we missed you bád:ly; ◊ э́того ещё ~ва́ло! that's all we néeded!

недоста́вленный undelívered.

недоста́т||ок *м.* 1. *тк. ед.* (*рд.*, в *пр.*; нехва́тка) lack (of), shórtage (of), deficiency (in); ~ рабо́чей си́лы shórtage of mánpower; за ~ком чего-л. for want of smth.; испы́тывать ~ (в *пр.*) be short (of), be in want (of); 2. (*несоверше́нство*) shórt:cóming; (*дефект*) defect, dráwbáck; име́ть серье́зные ~ки súffer from grave shórt:comings; вскрыва́ть ~ки reveal shórt:comings; физи́ческий ~ defórmity; physical defect [-zɪ-...]; ~ зре́ния defective éye:sight [...-'aɪ-].

недоста́точно I 1. *прил. кратк. см.* недоста́точный; 2. *предик. безл.* it is insufficient, it is not enóugh [...ɪ'nʌf].

недоста́точно II *нареч.* insufficiently. ~ость *ж.* insufficiency, inadequacy; корона́рная ~ость *мед.* coronary deficiency. ~ый insufficient, inadequate; (*скудный*) scánty; ~ый глаго́л *грам.* defective verb.

недоста||ть *сов. см.* недостава́ть I. ~ча *ж. разг.* lack, shórtage, déficit.

недостаю́щий *прич. и прил.* missing, fáiling.

недостижи́м||ость *ж.* ùn:attainability. ~ый ùn:attáinable, ùn:achievable [-'tʃi:v-].

недостове́рн||ость *ж.* ùn:authènticity. ~ый not authéntic, ùn:authéntic; (*сомнительный*) dóubtful ['daut-].

недосто́йно I 1. *прил. кратк. см.* недосто́йный; 2. *предик. безл.* (*рд.*) it is unwórthy [-ðɪ] (of).

недосто́йно II *нареч.* unwórthily [-ðɪ-]; méanly.

недосто́йный 1. (*рд.*) unwórthy [-ðɪ] (of); 2. (*не заслуживающий уважения*) wórthless, unwórthy, mean; ~ посту́пок mean áction.

недостро́енный unfinished.

недосту́пн||ость *ж.* inaccèssibility. ~ый 1. inaccéssible; 2. (*для понимания*) dífficult; э́та кни́га ~а де́тям this book is too dífficult for children; э́то ~о мне it is be:yond, или it pásses, my comprehénsion.

недосу́г *разг.* 1. *м.*: за ~ом for lack of time; 2. *предик.* (+ *инф.*): ему ~ (+ *инф.*) he is too búsy [...'bɪzɪ] (+ *inf.*); he has no time (+ *to inf.*), for ger.).

недосчита́ться *сов. см.* недосчи́тываться.

недосчи́тываться, недосчита́ться (*рд.*) miss (*d.*); be out / short in one's accóunts; они́ недосчита́лись трои́х they missed three, three were found míssing; он недосчита́лся трёх рубле́й he found he was three roubles short [...ru:blz...].

недосыпа́ние *с.* not getting enóugh sleep [...ɪ'nʌf...].

недосы́пать *сов. см.* недосыпа́ть II.

недосыпа́ть I, недоспа́ть not have / get* enóugh sleep [...ɪ'nʌf...].

недосыпа́ть II, недосы́пать (*вн., рд.*; муки́, са́хару и *т.п.*) not pour / put* enóugh [...рɔ: ...ɪ'nʌf] (of).

недосяга́ем||ость *ж.* inaccèssibility. ~ый inaccéssible, ùnattáinable.

недотёпа *м. и ж. разг.* blúnderer, clúmsy oaf [-zɪ...].

недотро́га 1. *м. и ж. разг.* tóuchy / thin-skínned pérson ['tʌ-...]; он тако́й ~ he is so tóuchy; 2. *ж. бот.* tóuch-me-nòt.

недоу́здок *м.* hálter; наде́ть ~ (на *вн.*) hálter (*d.*).

недоумева́ть be puzzled, be perpléxed, be at a loss. ~ающий puzzled.

недоуме́н||ие *с.* bewílderment, perpléxity; с ~ием puzzled, bewíldered; в ~ии in perpléxity; он посмотре́л на неё с ~ием he gave her a puzzled look. ~ный púzzling; (*выражающий недоумение*) puzzled; ~ный вопро́с púzzling quéstion [...-stʃən]; ~ный взгляд puzzled look.

недоу́чка *м. и ж. разг.* a hálf-éducàted pérson [...'hɑ:f-...].

недохва́тка *ж. разг.* shórtage.

недохо́дный unprófitable, not páying.

недочёт *м.* 1. (*недоста́ча*) shórtage, déficit; 2. (*недостаток*) defect, shórt:coming.

не́дра *мн.* (*прям. и перен.*): ~ земли́ entrails / bówels of the earth [...ə:θ]; бога́тства недр mineral wealth [...welθ] *sg.*; разве́дка недр prospécting for mineral resóurces [...-'sɔ:s-], mineral prospécting; в ~х наро́да in the midst / depths of the people [...pi:-].

недрема́нн||ый *уст., ирон.* unwínking, únslúmbering; ~ое о́ко (*перен.*) the únwinking eye [...aɪ], a wátchful eye.

недре́млющий vígilant, wátchful, únwinking.

не́друг *м.* énemy, foe.

недружелю́б||ие *с.* únfriendliness [-'fre-]. ~ный únfriendly [-'fre-].

недру́жный disúnited, dis:jóinted.

неду́г *м.* áilment, íllness.

недурно́ I 1. *прил. кратк. см.* недурно́й; 2. *предик. безл.* it's not bad; ~! not bad!

недурн||о́ II *нареч.* ráther well ['rɑ:-...]. ~о́й 1. not bad*; 2. (*о нару́жности*) not bád-looking; он недурён собо́й he is ráther hándsome [...'rɑ:- -ns-].

недю́жинн||ость *ж. переводится прил.*: ~ его́ тала́нта his remárkable tálent [...'tæ-]. ~ый outstánding, remárkable, excéptional; ~ый ум remárkable intélligence; ~ый тала́нт outstánding / remárkable tálent [...'tæ-]; он челове́к ~ый he is one in a míllion.

НЕЁ – НЕИ

неё *вн., рд. см.* **она́**.

неесте́ственный 1. ùn:nátural; **2.** (*деланный*) afféсted.

нежда́нно I *прил. кратк. см.* **нежда́нный**.

нежда́нн‖**о II** *нареч.* ún:expéctedly; ~-негада́нно agáinst all expèctátions, quite ún:expéctedly. ~ый ún:expécted.

нежела́ние *с.* unwílling:ness, relúctance, disìn:clinátion.

нежела́тельн‖**ость** *ж.* undesìrabílity [-zaɪə-]. ~ый **1.** (*дт.*) undésirable [-'zaɪə-] (to). **2.** (*неприятный*) objéctionable.

не́жели *союз уст.* than.

нежена́тый únmárried, single.

не́женка *м. и ж. разг.* mílksòp, drip.

неже́нственный unwómanly [-'wu-].

неж‖**о́й 1.** life:less; **2.** (*неорганический*) inánimate, inòrgánic; ~ая приро́да inánimate / inòrgánic náture [...-'peɪ-]; (*натюрморт*) still-life; **3.** (*вя́лый*) dull, life:less.

нежи́зненн‖**ый 1.** imprácticable; ~ое предложе́ние imprácticable suggéstion [...-'dʒestʃən]; **2.** (*о человеке*) únpráctical.

нежизнеспосо́бн‖**ость** *ж.* lack of vítal capácity, lack of vitálity [...vaɪ-]; (*хрупкость*) fráilty; (*беспомощность*) hélpless-ness. ~ый lácking vítal capácity, lácking vitálity [...vaɪ-]; (*хрупкий*) frail; (*беспомощный*) hélpless.

нежило́й 1. (*необитаемый*) ún:inhábited; ко́мната име́ет ~ вид the room has an ún:lived-in look [...-'lɪvd-...]; **2.** (*негодный для жилья*) ún:inhábitable; ùnténantable.

нежи́рно *предик. разг.* ≅ nothing to write home abóut.

не́жить (*вн.*) indúlge (*d.*), pámper (*d.*), coddle (*d.*). ~ся luxúriàte; ~ся на со́лнце bask in the sun.

не́жн‖**ичать** *разг.* cuddle, bill and coo; canóodle; (*перен.*) be óver-indúlgent. ~ости *мн.* **1.** kind words, endéarments; (*ухаживания*) cómpliments; fláttery *sg.*; **2.** *разг.* (*церемонии*) céremony *sg.*, códdling *sg.* ~ость *ж.* ténderness, délicacy. ~ый **1.** ténder; (*о вкусе, цвете и т. п.*) délicate; **2.** (*ласковый, любящий*) lóving [ˈlʌ-], afféctionate, fond; ~ый сын lóving son [...sʌn]; **3.** (*хрупкий, невыносливый*) délicate; ~ое сложе́ние délicate constitútion; ~ое здоро́вье délicate health [...helθ]; ◇ ~ый во́зраст ténder age; ~ый пол the fair sex.

незабве́нный únforgéttable [-'ge-].

незабу́дка *ж.* forgét-me-nòt [-'ge-].

незабыва́емый únforgéttable [-'ge-].

незаве́ренный úncértified.

незави́дный ún:énviable; (*плохой*) poor.

незави́симо I *прил. кратк. см.* **незави́симый**.

незави́сим‖**о II** *нареч.* ìndepéndently; держа́ть себя́ ~ assúme an indepéndent air; ◇ ~ от чего́-л. irrespéctive of smth., ìndepéndently of smth. ~ость *ж.* ìndepéndence; (*государства тж.*) sóvereignty ['sɔvrənti]. ~ый **1.** ìndepéndent; быть ~ым (от) be indepéndent (of); ~ая переме́нная *мат.* indepéndent váriable; ~ое госуда́рство indepéndency; sóvereign state [-rɪn...]; ~ое разви́тие ìndepéndent devélopment.

незави́сящ‖**ий:** по ~им обстоя́тельствам ówing / due to cìrcumstances beyónd our, *etc.*, contról ['ou-... -oul].

незада́ч‖**а** *ж. разг.* ill luck; ему́, им *и т. д.* ~ he is, they are, *etc.*, having bad luck. ~ливый *разг.* lúck:less; (*о человеке тж.*) ill-stárred.

незадо́лго *нареч.* (перед, до) shórtly (befóre), not long (befóre): ~ пе́ред его́ прие́здом shórtly befóre his arrival; ~ до его́ отъе́зда not long befóre he left.

незаква́шенный ún:léavened [-'le-].

незакле́енный (*о конверте*) únséaled.

незаконнорождённ‖**ость** *ж. уст.* ìllegítimacy. ~ый *уст.* illegítimate; ~ый ребёнок illegítimate child*.

незако́нн‖**ость** *ж.* illegálity; ún:láwfulness. ~ый illégal, illícit; (*о ребёнке*) illegítimate.

незакономе́рн‖**ость** *ж.* irregulárity. ~ый irrégular.

незако́нченн‖**ость** *ж.* ìn:complete:ness, únfinished state. ~ый in:compléte, únfinished.

незамедли́тельн‖**о** *нареч.* without deláy. ~ый immédiate.

незамени́м‖**ый 1.** ìrrepláce:able; **2.** (*очень нужный*) ìndispénsable.

незаме́тно I 1. *прил. кратк. см.* **незаме́тный**; **2.** *предик. безл.* it does not show [...ʃou], it does not look as if / ~, что он уста́л, бо́лен *и т. д.* he does not look tired, ill, *etc.*

незаме́тн‖**о II** *нареч.* ìmpercéptibly; ~ для себя́ unwítting:ly. ~ый **1.** ìmpercéptible; **2.** (*незначительный*) ìnsigníficant, in:conspícuous.

незаме́ченный ún:nóticed [-'nou-].

незаму́жняя únmárried.

незамыслова́тый *разг.* simple, ún:cómplicated, ún:preténtious; straightfórward.

неза́нятый ún:óccupied; disén:gáged.

незапа́мятн‖**ый** ìmmemórial; с ~ых времён from time ìmmemórial, time out of mind.

неза́пертый not locked.

незапеча́танный (*о письме*) únséaled.

незаплани́рованный únplánned.

незапя́тнанный stáinless, únsúllied, únblémished.

незарабо́танный ùn:éarned [-'ə:-].

незара́зный nòn-contágious.

незаслу́женн‖**о** *нареч.* úndesérvedly [-'zə:-]; (*несправедливо*) wróng:ly. ~ый úndesérved [-'zə:-], únmérited; ~ый упрёк úndesérved repróach; ~ое оскорбле́ние gratúitous insúlt.

незастрахо́ванный ún:insúred [-'ʃuəd], not insúred [...-'ʃuəd].

незастро́енный vácant, not built up / óver [...bɪlt...]; ~ уча́сток vácant site / lot.

незата́сканный *разг.* original, fresh, not trite.

незате́йлив‖**ость** *ж. разг.* simplícity, únpreténtious:ness. ~ый *разг.* simple, únpreténtious.

незатуха́ющий *физ.* úndámped.

незауря́дн‖**ый** outstánding; out of the cómmon; ~ая ли́чность outstánding pérsonálity.

не́зачем *нареч. разг.* (there is) no need; (*бесполезно*) it is úse:less [...'ju:s-]; ~ э́то де́лать there is no point in doing this, it is úse:less to do it.

незашифро́ванный not in cípher [...'saɪ-]; en clair (*фр.*) [ɑːŋˈkleə].

незащищённый (от) únprotécted (from), expósed (to).

незва́ный únbídden, ún:invíted; ~ гость ún:invíted guest.

незде́шний 1. *разг.* not of these parts, stránger ['streɪ-]; **2.** *уст.* (*неземной*) ùn:éarthly [-'ə:-], sùpernátural, mystérious.

нездоро́в‖**иться** *безл.* (*дт.*) *переводится личными формами* feel* únwéll; ему́ ~ится he feels únwéll, he does not feel well. ~ый (*в разн. знач.*) únhéalthy [-'he-]; (*болезненный тж.*) sickly; (*вредный тж.*) únwhóle:some [-'houl-]; (*о настроениях и т. п. тж.*) mórbid; быть ~ым be únwéll; ~ые лёгкие deféctive / únsóund lungs; ~ая атмосфе́ра ùnhéalthy átmosphère.

нездоро́вье *с.* (*хроническое*) ill health [...he-]; (*недомогание*) ìndisposítion [-'zɪ-].

незе́мн‖**ой** *уст.* ùn:éarthly [-'ə:-], sùpernátural; (*небесный*) héavenly ['he-], celéstial.

незлоби́в‖**ость** *ж. уст.* géntle:ness, míld:ness. ~ый *уст.* gentle, mild, forgíving [-'gɪ-].

незло́бие *с. уст.* = **незлобивость**.

незло́й not ùn:kínd:ly.

незлопа́мятный forgíving [-'gɪ-], plácable.

незна́йка *м. и ж. разг.* knów-nòthing ['nou-], ìgnorámus.

незнако́м‖**ец** *м.,* ~ка *ж.* stránger ['streɪ-]. ~ство *с.* (с *тв.*) ùnfamiliárity (to), nòn-acquáintance (with); (*незнание чего-л.*) ígnorance (of). ~ый *прил.* **1.** (*дт.*) ún:knówn [-'noun] (to), ùnfamíliar (to); **2.** (с *тв.; незнающий*) ùn:cónversant (with); быть ~ым с ке́м-л. not know smb. [...nou...], not be acquáinted with smb.; **3.** *м. как сущ.* = **незнакомец**.

незна́ни‖**е** *с.* ígnorance, lack of knówledge [...'nɔ-]; по ~ю through ígnorance.

незна́чащий ìnsignificant, of no impórtance / signíficance.

незначи́тельн‖**ость** *ж.* ìnsignífìcance, ún:impórtance, nègligibílity. ~ый **1.** (*маловажный*) ìnsigníficant, ún:impórtant, négligible; **2.** (*маленький*) small, slight; ~ое большинство́ nárrow / small majórity.

незре́л‖**ость** *ж.* ún:rípe:ness; (*о мысли, произведении и т. п.*) ìmmatúrity. ~ый (*прям. и перен.*) ún:rípe; (*перен. тж.*) ìmmatúre; (*о плодах и т. п. тж.*) green.

незри́мый invísible [-z-].

незы́блем‖**ость** *ж.* fírmness, stabílity. ~ый firm, stable, ùnsháke:able.

неизбе́жно I 1. *прил. кратк. см.* **неизбе́жный**; **2.** *предик. безл.* it is inévitable.

неизбе́жн‖**о II** *нареч.* inévitably, of necéssity. ~ость *ж.* ìnèvitabílity; ~ость кра́ха, паде́ния the inévitable dównfall. ~ый inévitable, ùn:avóidable, ìnescápable.

неизбы́вн‖**ость** *ж.* ìn:escapabílity [-keɪ-]. ~ый ìn:escápable, pérmanent.

неизве́данн‖**ый** ún:knówn [-'noun], nóvel ['nɔ-], ún:explóred; ~ые стра́ны

ún:explóred / **ún**:knówn lands; ~ое чу́вство **ún**:knówn féeling.

неизве́стно [-сн-] 1. *прил. кратк. см.* неизве́стный 1; 2. *предик. безл.* it is not known [...nou], ему́ ~ he does not know [...nou], he is not a:wáre of; ~ где no one knows where.

неизве́сти||**ость** [-сн-] *ж.* 1. (*отсу́тствие све́дений*) úncértainty; находи́ться в ~ости (о *пр.*) be úncértain (abóut); он был в ~ости о происше́дшем he was ún:a:wáre of the evént; 2. (*отсу́тствие изве́стности*) obscúrity; он жил в ~ости he lived in obscúrity [...lı-...].
~**ый** [-сн-] 1. *прил.* (*в разн. знач.*) **ún**:knówn [-'noun]; ~ый кому́-л. **ún**:knówn to smb.; ~ый худо́жник **ún**:knówn / obscúre páinter; ~ый о́стров **ún**:knówn ísland [...'aı-]; ~ого происхожде́ния órigin **ún**:knówn, of **ún**:knówn órigin; 2. *м. как сущ.* **ún**:knówn pérson, stránger [-eın-]; 3. *с. как сущ. мат.* **ún**:knówn quántity; уравне́ние с двумя́ ~ыми equátion with two **ún**:knówn quántities.

неизвини́тельный inexcúsable [-zə-], únpárdonable.

неизглади́м||**ый** indélible, ínfface:able; ~ое впечатле́ние indélible / lásting impréssion.

неи́зданный únpúblished [-'рʌ-].

неизлечи́м||**ость** *ж.* in:cúrability. ~**ый** in:cúrable; not to be cured (*predic.*); ~ый больно́й in:cúrable (pátient); ~ая боле́знь in:cúrable diséase [...-'zi:z].

неизме́нно I *прил. кратк. см.* неизме́нный.

неизме́нн||**о** II *нареч.* inváriably. ~**ость** *ж.* invariability; immútability. ~**ый** 1. invariable; immútable; 2. (*пре́данный*) únfáiling, devóted, true; 3. (*всегда́шний*) cústomary.

неизменя́ем||**ость** *ж.* immùtability, invariability; ùn:álterability. ~**ый** invariable; ùn:álterable.

неизмери́м||**о** *нареч.* ímmèasurably [-'me-]; на́ша жизнь ста́ла ~ лу́чше пре́жней our life at presént is ímmèasurably háppier than befóre [...'prez-...]. ~**ость** *ж.* ímmèasurability [-me-]; (*огро́мность*) imménsity. ~**ый** ímmèasurable [-'me-]; (*огро́мный*) imménse; (*о глубине́*) únfáthomable [-ðə-], fáthomless [-ðə-]; ~ое простра́нство ímmèasurable space; ~ое мно́жество cóuntless númbers *pl.*

неизрасхо́дованный únspént, ún:expénded.

неизу́ченный únstúdied [-'stʌ-]; (*неизве́стный*) obscúre, **ún**:knówn [-'noun]; (*неиссле́дованный*) **ún**:explóred.

неизъясни́м||**ый** inéxplicable; (*непереда́ваемый*) inéffable; ~ое блаже́нство inéffable / indescríbable bliss.

неиме́ние *с.* ábsence, lack, want; за ~м (*рд.*) for ábsence / lack / want (of); за ~м лу́чшего for want of sómething bétter.

неимове́рный in:crédible.

неиму́щий 1. *прил.* índigent, poor; 2. *мн. как сущ.* the poor; the háve-nòts *разг.*

неинтере́сный ún:ínteresting.

неискорени́мый inéradicable.

неискре́нн||**ий** insincére. ~**ость** *ж.* insincérity.

неиску́с||**ность** *ж.* lack of skill. ~**ый** únskílful, inéxpert.

неискушённ||**ость** *ж.* inexpérience, ínnocence. ~**ый** inexpérienced, ínnocent; únsophísticated; ~ый в поли́тике not versed in pólitics.

неисповеди́мый *уст.* inscrútable.

неисполне́ние *с.* nòn-èxecútion; nòn-perfórmance; (*правил и т. п.*) nòn-obsérvance [-'zə-].

неисполни́м||**ость** *ж.* impràcticability. ~**ый** impràcticable, únféasible [-z-], not féasible [...-z-]; ~ое жела́ние ún:réalizable wish / desíre [-'rıə-... -'zaız].

неисполни́тельный cáre:less.

неиспо́льзованн||**ый** **ún**:úsed; ~ые мо́щности idle capácities; ~ые резе́рвы úntápped resérves / pòssibílities [...-'zə:vz...].

неиспо́рченн||**ость** *ж.* ínnocence, púrity. ~**ый** únspóilt; (*све́жий*) fresh; (*го́дный для еды́*) fit to eat; (*неви́нный, чи́стый*) ínnocent, pure; ~ый ребёнок ínnocent child*.

неисправи́м||**ость** *ж.* incòrrigibílity. ~**ый** 1. in:córrigible; 2. (*невосстанови́мый*) irrémediable, irréparable.

неиспра́вн||**ость** *ж.* 1. (*о маши́не, аппарату́ре и т. п.*) disrepáir, fáultiness; 2. (*неисполни́тельность*) cáre:lessness. ~**ый** 1. deféctive, fáulty, out of órder, in disrepáir; э́то ~ая маши́на this machíne is fáulty [...-'fı:n...], this machíne is out of órder; 2. (*неаккура́тный*) cáre:less.

неиспы́танный 1. (*непрове́ренный*) úntríed, únpróved [-'pru:-], úntésted; 2. (*непережи́тый*) nóvel.

неиссле́дованный ún:explóred.

неиссяка́емый (*прям. и перен.*) inexháustible; ~ исто́чник (*рд.*) inexháustible source [...so:s] (of).

неи́стово I *прил. кратк. см.* неи́стовый.

неи́стов||**о** II *нареч.* fúrious:ly, víolently. ~**ость** *ж.* víolence, ún:restráinedness. ~**ство** *с.* 1. *тк. ед.* fúry, frénzy, rage; прийти́ в ~ство fly* into a rage, rave; 2. (*жесто́кость*) víolence; *об. мн.* (*зве́рства*) atrócities.

неи́стов||**ствовать** rage, rave, storm. ~**ый** fúrious, víolent; (*вне себя́*) frántic; ~ый гнев víolent / tówering rage; ~ые аплодисме́нты thúndering / rápturous appláuse *sg.*

неистощи́мый inexháustible; ~ запа́с inexháustible supplý.

неистреби́мый inéradicable.

неисцели́м||**ость** *ж. уст.* in:cúrability. ~**ый** *уст.* in:cúrable.

неисчерпа́ем||**ость** *ж.* inexhaustibílity. ~**ый** inexháustible.

неисчисли́м||**ый** in:cálculable; (*огро́мный*) innúmerable.

ней *дт., тв., пр. см.* она́.

нейзи́льбер *м. тех.* Gérman sílver.

нейло́н *м.* nýlon. ~**овый** nýlon (*attr.*).

неймёт *безл. разг.:* хоть ви́дит о́ко, да зуб ~ *посл.* ≃ there's many a slip ('twixt cup and lip).

неймётся *безл.* (*дт.*) *разг.:* ему́ ~ he is itching to do it, he is set on it, there is no hólding him; (*о беспоко́йном поведе́нии*) he's all of a fidget.

нейро́н *м. анат.* néuron.

нейрохиру́рг *м.* néurò-súrgeon.

нейрохирурги́ческий néurò-súrgical. ~**ия** *ж.* néurò-súrgery.

нейтрализа́ция *ж.* (*в разн. знач.*) neutralizátion [-laı-].

нейтрали́зм *м.* néutralism.

нейтрализова́ть *несов. и сов.* (*вн.; в разн. знач.*) néutralize (*d.*).

нейтралите́т *м.* neutrálity; вооружённый ~ armed neutrálity.

нейтра́льн||**ость** *ж.* neutrálity. ~**ый** (*в разн. знач.*) néutral; ~ая зо́на néutral zone; ~ая страна́ néutral cóuntry [...'kʌ-].

нейтри́нный *физ.* neutríno [-'tri:-] (*attr.*).

нейтри́но *с. нескл. физ.* neutríno [-'tri:-].

нейтро́н *м. физ.* néutron. ~**ный** *физ.* néutron (*attr.*); ~ная бо́мба néutron bomb; ~ное ору́жие néutron wéapons [...'wep-] *pl.*

неказ́истый *разг.* plain; hóme:ly *амер.*; not much to look at.

некапиталисти́ческий nòn-cápitalist; ~ путь разви́тия nòn-cápitalist devélopment.

неквалифици́рованный únskílled, únquálified; ~ рабо́чий únskílled wórker; ~ труд únskílled lábour.

не́кем и не́... кем *тв. см.* не́кого *и* не 2.

не́кий *мест.* some; a cértain (*pl.* cértain); ~ Ивано́в a cértain Ivanóv; (*ср. тж.* како́й-то, не́который *1*).

некле́точн||**ый** *биол.* nòn-céllular; ~ые фо́рмы живо́го вещества́ nòn-céllular forms of líving mátter [...'lıv-...].

неко́вкий *тех.* únmálleable [-lıə-].

не́когда I *нареч.* (*нет вре́мени*) there is no time; ему́ ~ he has no time.

не́когда II *нареч.* (*когда́-то*) once [wʌns], in fórmer times, in the old days.

не́кого *рд.* (*дт.* не́кому, *тв.* не́кем; *при предло́гах отрица́ние отделя́ется:* не́ у кого *и т. п., см.* не 2) *мест.* (+ *инф.*) there is nó:body one can (+ *inf.*): ~ посла́ть there is nó:body one can send; — ~ вини́ть, порица́ть nó:body is to blame; ему́, им *и т. д.* ~ посла́ть, ждать, спроси́ть *и т. п.* he has, they have, *etc.*, nó:body to send, to wait for, to ask, *etc.*; не́кому игра́ть с ни́ми, позабо́титься о нём *и т. п.* there is nó:body to play with them, to take care of him, *etc.*; не́кому взя́ться за э́то there is no one to undertáke it.

неколеби́мый *поэт.* = непоколеби́мый.

не... **ком** *пр. см.* не́кого *и* не 2.

некоммуника́бельн||**ость** *ж.* ún:commúnicative:ness. ~**ый** ún:commúnicative.

некомпете́нтн||**ость** *ж.* in:cómpetence. ~**ый** in:cómpetent.

некомпле́ктный in:complète, not belónging to a complète set; odd.

не́кому и не́... кому *дт. см.* не́кого *и* не 2.

неконституцио́нный ún:cònstitútional.

некороно́ванный ún:crówned.

НЕК – НЕЛ

некорре́ктн||ость ж. (*бестактность*) táctlessness [-'kə:t-]. **~ый** (*бестактный*) táctless; (*невежливый*) discóurteous [-'kə:tjəs].

не́котор||ый 1. *мест.* some: **~ое вре́мя** some time; **с ~ых пор** for some time; **до ~ой сте́пени** to some extént, to a cértain extént / degrée; **~ым о́бразом** sómehow, in some way; as it were; **2.** *мн. как сущ.* (*о людях*) some, some people [...pi:-]; **~ые из них** some of them.

неко́шеный únmówn [-oun].

некраси́вый 1. plain, not béautiful [...'bju:t-], not góod-lóoking; **2.** *разг.* (*о поступке, поведении*) úgly ['ʌ-], not nice.

некредитоспосо́бн||ость ж. insólvency. **~ый** insólvent.

некре́пкий ráther weak ['rɑ:-...], not strong.

некрити́ческий úncrítical.

некробио́з м. *биол.* necrobíosis.

некро́з м. *мед.* necrósis.

некроло́г м. obítuary (nótice) [...'nou-].

некро́поль м. *ист.* necrópolis.

некру́пный médium-sízed, not large.

некры́тый (*крышей*) róofless.

некста́ти *нареч.* **1.** (*не вовремя*) inópportunely, málapropòs [-pou]; **прийти́ ~** be únwélcome; **2.** (*неуместно*) irrélevantly, out of place, inéptly; **сказа́ть что-л. ~** say* smth. out of place, или not to the point; **кста́ти и ~** in séason and out of séason [...-z'n...].

некта́р м. néctar.

не́кто *мест. тк. им.* sómeone; **~ Ивано́в** a cértain Ivanóv, one Ivanóv.

не́куда *нареч.* (+ *инф.*) nówhere (+ to *inf.*); **ему́ ~ положи́ть свои́ ве́щи** he has nówhere to put his things; **ему́ ~ пойти́** he has nówhere to go; ◊ **да́льше е́хать ~!** *разг.* this is the límit!, that's the end!; that's the last straw!

некульту́рн||о *нареч.*: **вести́ себя́ ~** show* bad mánners [ʃou...]. **~ость** ж. **1.** lack of cúlture, philístinism; **2.** (*о поведении*) bad form; bad mánners *pl.* **~ый 1.** únéducated, without báckground, úncívilized; philístine; **э́то ~о** this shows lack of cúlture [...ʃouz...]; **2.** (*о поведении*) róugh(-mánnered) ['rʌf-]; **3.** *бот.* úncúltivàted.

некуря́щ||ий 1. *прил.* nón-smóking; **2.** *м. как сущ.* nón-smóker; **ваго́н для ~их** nón-smóking cárriage [...-rɪdʒ].

нела́дн||ый *разг.* wrong, bad*; ◊ **здесь что́-то ~о** smth. is wrong here; **будь он нела́ден!** blast him!

нела́ды *мн. разг.* díscòrd *sg.*, váriance *sg.*; disagréement *sg.*; **у них ~** they have fállen out, they don't get on.

нела́сковый cold; (*сдержанный*) resérved [-'zə:vd].

нелега́льно I *прил. кратк. см.* нелега́льный.

нелега́льн||о II *нареч.* illégally. **~ость** ж. illegálity. **~ый** illégal; **организа́ция перешла́ на ~ое положе́ние** the òrganizátion went únderground [...-naɪ-...].

нелеги́рованн||ый *тех.* únálloyed, plain; **~ая сталь** plain cárbon steel.

нелёгкая ж. *скл. как прил. разг.*: **~ его́ сюда́ несёт!** what the dévil brings him here?; **куда́ его́ ~ несёт?** where does he think he's góing?; **кака́я ~ тебя́ сюда́ принесла́?** why the dévil have you come here?, what ill wind has brought you here? [...wind...].

нелёгк||ий 1. (*трудный*) dífficult, not éasy [...'i:zɪ], hard; **2.** (*тяжёлый*) not light, héavy ['he-]; **э́то ~ая но́ша** it is a héavy búrden.

неле́пица ж. *разг.* = неле́пость.

неле́по I 1. *прил. кратк. см.* неле́пый; **2.** *предик. безл.* it is absúrd.

неле́п||о II *нареч.* absúrdly. **~ость** ж. absúrdity; nónsense; **кака́я ~ость!** how ridículous! **~ый** absúrd, odd; (*смешной*) ridículous; (*бессмысленный*) nònsénsical; (*неуместный, несообразный*) incóngruous.

неле́стный úncòmpliméntary, únfláttering.

нелётн||ый: **~ая пого́да** nón-flýing wéather [...'we-].

нелету́чий *тех.* nón-vólatile.

неликви́дный *эк.* nón-líquid.

нелицеме́рный únhypocrítical, sincére, frank.

нелицеприя́тный *уст.* impártial, ùnpréjudiced.

нели́шне 1. *прил. кратк. см.* нели́шний; **2.** *предик. безл.* (+ *инф.*) it is not out of place (+ to *inf.*); **~ отме́тить, что** it is worth nóting that.

нели́шн||ий *разг.* not supérfluous; (*полезный*) úseful ['ju:s-]; (*о высказывании и т.п.*) rélevant; **быть ~им** be úseful.

нело́вк||ий (*прям. и перен.*) áwkward; (*неуклюжий*) clúmsy [-zɪ]; (*неудобный*) úncómfortable [-'kʌ-]; (*неуместный*) incónvénient; (*неумелый*) blúndering; **~ое молча́ние** áwkward sílence [...'saɪ-]; **~ое движе́ние** áwkward móvement [...'mu:-]; **оказа́ться в ~ом положе́нии** be, или find* onesélf, in an áwkward situátion.

нело́вк||о I 1. *прил. кратк. см.* нело́вкий; **2.** *предик. безл.*: **ему́ ~ сиде́ть на э́том сту́ле** he is úncómfortable on this chair [...-'kʌ-...]; **~ об э́том спра́шивать** it is áwkward / incónvénient to ask about it; **ему́ ~ встреча́ться с ней** he feels áwkward about méeting her.

нело́вк||о II *нареч.* úncómfortably [-'kʌ-], áwkwardly; **чу́вствовать себя́ ~** feel* / be ill at ease; **о́ба почу́вствовали себя́ ~** they both felt úncómfortable [...bouθ... -'kʌ-]. **~ость** ж. (*прям. и перен.*) áwkwardness; clúmsiness [-zɪ]; (*неуклюжесть*) (*неловкий поступок*) blúnder, gaffe [gæf]; **чу́вствовать ~ость** feel* áwkward / shy / úncómfortable / embárrassed [...-'kʌ-...].

нелоги́чн||ость ж. illògicálity, lack of lógic. **~ый** illógical.

нелоя́льный dislóyal.

нелужёный úntínned.

нельзя́ *предик. безл.* **1.** (+ *инф.*; *невозможно*) it is impóssible (+ to *inf.*); (*о человеке тж.*) one cánnòt, или can't [...kɑ:nt] (+ *inf.*); you can't (+ *inf.*) *разг.*; **there is no** (+ *ger.*); there is no way (+ *ger.*); (*с доп. при инф. тж.*) cánnòt, can't (+ *subject* + *pass. inf.*): **там ~ дыша́ть** it is impóssible to breathe there; **one / you can't breathe there**; **их ~ останови́ть** it is impóssible to stop them; there is no stópping them; they cánnòt be stopped; — **ему́ и т. д. ~** (+ *инф.*) it is impóssible for him, *etc.* (+ to *inf.*); he, *etc.*, cánnòt (+ *inf.*); **~ сказа́ть, что** it cánnòt be said [...sed], one cánnòt say; **~ не** (+ *инф.*) one cánnòt help (+ *ger.*); **ему́ и т. д. ~ не** (+ *инф.*), **бы́ло не** (+ *инф.*) he, *etc.*, cánnòt but (+ *inf.*), could not but (+ *inf.*); **~ не согласи́ться с ва́ми** (*не могу́ не согласи́ться*) I cánnòt but agrée with you; **~ не призна́ть** one cánnòt but admít; **~ не восхища́ться** one cánnòt help admíring; **~ ли сде́лать э́то, помо́чь ему́ и т. п.?** is it póssible to do that, to help him, *etc.*?; **ра́зве ~ сде́лать э́то и т. п.?** is it impóssible to do that, *etc.*?; **никогда́ ~ знать, где он мо́жет быть, где его́ найдёшь** *разг.* you néver know where to find him [...nou...]; **2.** (*не допускается, воспреща́ется*) (+ *инф.*) it is not allówed, it is prohíbited; (+ *ger.* как *subject*), is prohíbited (+ *ger.* как *subject*); (*то же — как обращение ко 2-му лицу*) you may not (+ *inf.*) (+ *инф.*; как тре́бование на да́нный слу́чай) you must not (+ *inf.*); (+ *инф.*; *не следует, нехорошо́*) one should not (+ *inf.*), one ought not (+ to *inf.*); (*то же — как обращение ко 2-му лицу*) you should not (+ *inf.*), you ought not (+ to *inf.*); (*с доп. при инф.*; *с тем же оттенком тж.*) should not (+ *subject* + *pass. inf.*), ought not (+ *subject* + to *pass inf.*): **прекрати́те куре́ние, здесь ~!** stop smóking, it is not allówed, или is prohíbited, here!; **здесь кури́ть ~** smóking is not allówed, или is prohíbited, here; you may not smoke here; (*не кури́те здесь сейча́с*) you must not smoke here; **~ ложи́ться (спать) так по́здно** one / you should not go, или ought not to go, to bed so late; — **таки́е ве́щи ~ де́лать** (*о поведении*) one / you mustn't do that sort of thing / (*входи́ть*)! don't come in!; **~ теря́ть ни мину́ты** there is not a mínute to lose [...'mɪnɪt... lu:z]; **он челове́к, кото́рому ~ доверя́ть, на кото́рого ~ положи́ться и т. п.** he is not a man* to be trústed, to be relíed upón / on, *etc.*; **его́, их и т. д. ~ порица́ть** (*за вн.*), **укоря́ть** (*в пр.*) he is, they are, *etc.*, not to blame (for); **никогда́ ~** (+ *инф.*; *соотв. указанным выше оттенкам значения*) you may néver (+ *inf.*); one / you should néver (+ *inf.*), или ought néver (+ to *inf.*); **ему́ и т. д. ~** (+ *инф.*; *соотв. указанным выше оттенкам значения*) he, *etc.*, may / must not (+ *inf.*); he, *etc.*, should not (+ *inf.*), или ought not (+ to *inf.*); **никому́ ~** (+ *инф.*) nóbody may / must (+ *inf.*) *и т. д.* (*ср. выше*); **ему́, им и т. д. ~ пла́вать, бе́гать и т. п.** (*запрещено́, так как вредно*) he is, they are, *etc.*, forbídden swímming, rúnning, *etc.*; swímming, rúnning, *etc.*, is forbídden him, them, *etc.*; **ему́ и т. д. ~ кури́ть** (*ср. выше*) he is forbídden tobácco; **ему́, им и т. д. ~ вина́, мя́са и т. п.** *разг.* he is, they are, *etc.*, forbídden wine, meat, *etc.*; wine, meat, *etc.*, is forbídden him, them, *etc.*; ничего́ ~ *разг.* nothing is allówed; éverything is prohíbited / forbídden; ◊ как ~ лу́чше in the best way póssible, spléndidly.

не́льма *ж.* (*рыба*) white sálmon [...'sæmən].

нелюбе́з||ность *ж.* (*отсутствие любезности*) úngráciousness, cóldness; (*невежливость*) discóurtesy [-'kə:-]. **~ый** úngrácious, cold; (*непредупредителный*) únoblíging; (*невежливый*) discóurteous [-'kə:-], disoblíging; ~ый отве́т, приём úngrácious ánswer, recéption [...'a:nsə...].

нелюб||и́мый únlóved [-'lʌ-]. **~ о́вь** *ж.* (к) dislíke (for).

нелюбопы́тный 1. incúrious; **2.** (*неинтересный*) úninteresting.

не́люди *мн. разг.* ≅ mónsters; что ж они́, ~ ра́зве? are they inhúman mónsters?

нелюди́м *м.*, **~ка** *ж.* únsóciable pérson. **~ый 1.** únsóciable; **2.** (*безлюдный, пустынный*) désolate, lónely.

немагни́тный nón-màgnétic.

нема́ло *нареч.* **1.** (*с сущ. в ед. ч.*) quite a lot, much; (*с сущ. во мн. ч.*) quite a few, many, quite a númber of, a good many; они́ положи́ли ~ труда́ на организа́цию (*рд.*) they put more than a little éffort into the òrganization [...-nai-] (of); он перечита́л ~ книг he has read many, *или* quite a few, books [...red...]; исто́рия наро́дов зна́ет ~ револю́ций in the hístory of péoples many rèvolútions have táken place [...pi-...]; **2.** (*с гл.*) a great deal [...-eit...]; он ~ чита́л he has read a great deal.

немалова́жный of no small impórtance / accóunt; ~ фа́ктор not the least of the fáctors.

немалочи́сленный ráther númerous ['ra:-...].

нема́л||ый sízable, consíderable; ~ые де́ньги a consíderable amóunt of móney [...'mʌ-...] *sg.*

нема́ркий not éasily soiled [...'i:z-...]; not shówing the dirt [...'ʃou-...].

немаркси́стский nón-márxist, únmárxist.

нематериа́льный nón-matérial.

неме́дленно I *прил. кратк. см.* неме́дленный.

неме́дленн||о II *нареч.* ímmédiately, at once [...wʌns]. **~ый** immédiate.

неме́для *нареч.* = неме́дленно II.

неме́ркнущий únfáding.

немета́лл *м. хим.* nón-métal [-'me-].

немета́лли́ческий nón-métal [-'me-], nón-metállic.

неме́ть, онеме́ть 1. become* dumb; (*перен.*) grow* dumb [-ou-...]; он онеме́л по́сле конту́зии he becáme dumb from shéll-shòck; онеме́ть от удивле́ния be dùmbfóunded, be struck dumb with astónishment, be spéechless with surpríse; **2.** (*цепенеть, коченеть*) grow* numb; его́ ру́ки онеме́ли от хо́лода his hands grew numb with cold.

не́м||ец *м.*, **~е́цкий** Gérman; ~е́цкий язы́к Gérman, the Gérman lánguage.

немига́ющий únwínking.

немилосе́рдно I *прил. кратк. см.* немилосе́рдный.

немилосе́рдн||о II *нареч.* únmércifully. **~ый** mérciless, únmérciful.

неми́лостиво I *прил. кратк. см.* неми́лостивый.

неми́лостив||о II *нареч.* úngráciously; (*сурово*) sevérely. **~ый** úngrácious; (*суровый*) sevére.

неми́лост||ь *ж.* disgráce; впасть в ~ fall* into disgráce; get* in smb.'s bad books *разг.*; быть в ~ be in disgráce.

неми́лый *фольк.* únlóved [-'lʌ-]; háted.

немину́емо I *прил. кратк. см.* немину́емый.

немину́ем||о II *нареч.* inévitably, únavóidably. **~ый** inévitable, únavóidable.

не́мка *ж.* Gérman (wóman*) [...'wu-].

немно́гие *мн. скл. как прил.* not many, few.

немно́г||ий: ~ им бо́льше (*о размере*) a little lárger, not much lárger; (*о количестве*) a little more; в ~ их слова́х in a few words; за ~ ими исключе́ниями with few excéptions.

немно́го *нареч.* **1.** a little, some; ~ вре́мени little time; пройдёт ~ вре́мени, и... before very long...; ~ воды́ a little wáter [...'wɔ:-]; ~ люде́й a few péople [-'pi:-]; **2.** *разг.* (*слегка, не сильно*) sómewhat, slightly; у него́ ~ боли́т голова́ his head aches slightly [...hed eiks...], he has a slight héadache [...'hedeik].

немно́гое *с. скл. как прил.* few things *pl.*, little.

немногосло́вный lacónic, terse; ~ челове́к a man* of few words.

немногочи́сленный not númerous.

немно́жечко *нареч. разг.* a wee bit.

немно́жко *нареч. разг.* a little; a trifle; (just) a bit *разг.*

немо́жется *безл.* (*дт.*) *разг.*: ему́ ~ he does not feel well, he feels bad; he is out of sorts, he is únder the wéather [...'we-].

нем||о́й 1. *прил.* dumb; (*перен.*: *тихий, безмолвный*) déathly-still ['deθli-]; ~а́я ночь déathly-still night; **2.** *прил.* (*о чувстве и т.п.*) mute; ~ призы́в mute appéal; ~ое обожа́ние mute adorátion; **3.** *как сущ. м.* dumb man*; mute; (*о мальчике*) dumb boy; *ж.* dumb wóman* [...'wu-...]; (*о девочке*) dumb girl [...g-]; *мн. собир.* the dumb; ◊ ~а́я ка́рта óutline / skéleton map; ~а́я а́збука déaf-and-dúmb álphabet ['defən-...]; ~а́я бу́ква mute létter; ~ фильм sílent film; нем как ры́ба ≅ tíght-lípped; clammed up like an óyster, not sáying a word.

немолодо́й élderly.

немо́лчный *поэт.* incéssant, ùncéasing [-s-], céaseless [-s-].

немота́ *ж.* dúmbness; múteness.

не́мочь *ж. разг.* sickness, illness; бле́дная ~ *мед.* chlorósis, gréensickness.

немощёный únpáved.

не́мо||щный infírm, sick; (*слабый*) féeble, síckly. **~щь** *ж.* infírmity; (*слабость*) féebleness, síckness.

нему́ *дт. см.* он, оно́ I.

немудрено́ 1. *прил. кратк. см.* нему́дрёный; **2.** *предик. безл.* (*неудивительно*) no wónder [...'wʌ-], small wónder; ~, что он э́того не нашёл no wónder (that) he could not find it.

нему́дрёный *разг.* símple, éasy ['i:zɪ], únpreténtious.

нему́дрый = нему́дрёный.

немузыка́льный únmúsical [-z-]; (*не имеющий слуха*) tóne-deaf [-def].

немы́слим||ый *разг.* únthínkable, inconcéivable [-'si:-]; (*невозможный*) impóssible; э́то ~ о it is inconcéivable, it is impóssible.

ненаблюда́тельный únobsérvant [-zə:-].

ненави́деть (*вн.*) hate (*d.*); (*питать отвращение*) detést (*d.*), abhór (*d.*), éxecràte (*d.*).

ненави́стн||ик [-сн-] *м.*, **~ица** [-сн-] *ж.* háter; (*злейший враг*) bítter énemy. **~ичество** [-сн-] *с.* hóstile áttitude. **~ый** [-сн-] háted, háteful.

не́нависть *ж.* hátred; (*отвращение*) dètestátion [di-], abhórrence.

ненагля́дный *разг.* dárling, belóved [-'lʌ-].

ненадёванный *разг.* new, not yet worn [...wɔ:n].

ненадёжн||ость *ж.* **1.** únreliability; insecúrity; **2.** (*о человеке*) úntrústworthiness [-ði-], únreliability. **~ый 1.** únreliable; insecúre; **2.** (*о человеке*) úntrústworthy [-ði], únreliable.

ненадлежа́щий not right, impróper [-'prɔ-]; ~им о́бразом not in the right / próper way [...'prɔ-...], impróperly.

ненадо́бн||о *предик. безл.* not wánted, únwánted, not nécessary, únnécessary. **~ость** *ж.* вы́бросить за ~остью rejéct as supérfluous, throw* out as béing of no use [θrou...-s], discárd.

ненадо́лго *нареч.* for a short while, not for long; он уезжа́ет ~ he is léaving for a short while.

ненаказу́ем||ость *ж. юр.* nón-pùnishability [-pʌ-]. **~ый** *юр.* nón-púnishable [-pʌ-].

ненаме́ренн||о *нареч.* únintèntionally, únwíttingly. **~ый** únintèntional.

ненападе́ни||е *с.* nón-aggréssion; пакт о ~ и nón-aggréssion pact.

ненаро́ком *нареч. разг.* inadvértently, by áccident.

ненаруши́мый inviólable, sácred.

нена́стн||ый ráiny, bad*, foul, inclément [-'kle-]; ~ день ráiny day; ~ая пого́да bad* / foul wéather [...'we-].

ненастро́енный úntúned.

нена́стье *с. тк. ед.* bad / ráiny / foul / inclément wéather [...-'kle- 'we-].

ненасы́тн||ость *ж.* (*прям. и перен.*) insatiability; (*перен. тж.*) greed. **~ый** (*прям. и перен.*) insátiable; (*перен. тж.*) gréedy, grásping.

ненасы́щенный únsáturated; ~ раство́р únsáturated solútion.

ненатура́льн||ость *ж.* àffectátion. **~ый** afféctated, not nátural.

ненау́чн||ый únscientífic; ~ая постано́вка вопро́са an únscientífic way of pútting the quéstion [...-stʃ-].

ненахо́дчивый únresóurceful [-'sɔ:s-], shíftless.

не́нец *м.*, **~кий** Nénets ['ne-]; ~кий язы́к Nénets, the Nénets lánguage.

не́нка *ж.* Nénets wóman* ['ne- 'wu-].

НЕН – НЕО

ненорма́льн||ость ж. 1. àbnòrmálity, irrègulárity; 2. разг. (психическая) insánity; 3. (недочёт) defect. ~ый 1. àbnórmal; 2. разг. (психически расстроенный) not in his right mind.

нену́жн||о прил. кратк. см. ненужный. ~ый ùnnécessary, néedless; (бесполезный) úse:less ['ju:s-].

необде́ланный разг. úntrimmed, únfinished; (о драгоценных камнях) únmóunted.

необду́манно I прил. кратк. см. необдуманный.

необду́манн||о II нареч. ráshly. ~ость ж. ráshness. ~ый rash, thóughtless, hásty ['heɪ-]; ~ый шаг hásty / ìll-considered step.

необеспе́ченн||ость ж. 1. precárious:ness; néediness; 2. (тв.) lack (of). ~ый 1. ùnprovíded for, precárious; néedy; without means; 2. (тв.) not provìded (with).

необита́емый ùn:inhábited; ~ о́стров désert ísland [-z- 'aɪl-].

необлага́емый not táxable, úntáxed.

необозри́м||ость ж. bóundlessness, imménsity, vástness. ~ый bóundless, imménse, vast.

необороня́емый úndefénded.

необосно́ванн||ость ж. gróundlessness, báse:lessness [-s-]. ~ый gróundless, báse:less [-s-], únfóunded, ún:gróunded; ~ая критика ùnfóunded / ún:gróunded críticism.

необрабо́танн||ость ж. 1. (о земле) úntilled state; 2. (о материале) raw state, crude state. ~ый 1. (о земле) ùn:cúltivàted, úntilled; 2. (о материале) únwróught, raw, crude; 3. (о литературном произведении) únpólished, in:cóndite.

необразо́ванн||ость ж. lack of èducátion. ~ый ún:éducàted.

необрати́м||ость ж. ìrrèversibílity. ~ый ìrréversible.

необремени́тельный not dífficult; (легко выполнимый) éasily done ['i:z-...].

необстоя́тельный sùperfícial.

необстре́ливаем||ый воен. únshélled; ~ое пространство dead ground [ded...].

необстре́лянн||ый: ~ые войска́ raw troops.

необу́зданн||ость ж. lack of restráint; ùn:gòvernabílity [-gʌ-], ùn:contròllabílity [-troul-], béing ùnrestráined. ~ый ùnbrídled, ùn:góvernable [-gʌ-], ùn:contróllable [-troul-], ùnrestráined.

необусло́вленный únstípulàted.

необу́т||ый without shoes [...ʃu:z], shóe:less ['ʃu:-].

необу́ченный úntráined.

необходи́м||о 1. прил. кратк. см. необходимый 1; 2. предик. безл. (+ инф.) it is nécessary (+ to inf.); ~ ко́нчить рабо́ту в срок the work must be fínished on time, it is nécessary to fínish the work on time. ~ость ж. necéssity, need; нет никако́й ~ости there is no necéssity at all, или what:so:éver, или what:so:éver; в слу́чае ~ости in case of need [...keɪs...]; в слу́чае кра́йней ~ости in case of emérgency; по ~ости nécessarily, perfòrce. ~ый 1. прил. nécessary; indispénsable; дать ~ые све́дения give* the nécessary infòrmátion; ему́ ~ы де́ньги he must have, или he needs, móney [...mʌ-]; 2. с. как сущ.: всё ~ое éverything requíred / nécessary.

необходи́тельн||ость ж. únsòciabílity, ùnsócia:bleness. ~ый ùnsóciable, ùn:ámiable.

необщи́тельн||ость ж. únsòciabílity. ~ый ùnsóciable; быть ~ым keep* òne:sélf to òne:sélf; be a bad míxer идиом.

необъе́зженн||ый [-ёжже-]: ~ая ло́шадь únbróken horse.

необъекти́вн||ый bías(s)ed; ~ая оце́нка bías(s)ed júdge:ment / asséssment.

необъясни́м||ость ж. ìnèxplicabílity. ~ый inéxplicable, ùn:accóuntable.

необъя́тн||ость ж. imménsity, bóundlessness. ~ый imménse, ùnbóunded.

необыкнове́нно I прил. кратк. см. необыкновенный.

необыкнове́нн||о II нареч. ùn:úsually [-'ju:ʒ-], ùn:cómmonly. ~ость ж. sìngulárity; ùn:úsualness [-'ju:ʒ-] разг. ~ый ùn:úsual [-'ju:ʒ-], ùn:cómmon; (из ряда вон выходящий) extraórdinary [ɪks-'trɔ:dnrɪ]; в э́том нет ничего́ ~ого there is nothing out of the órdinary in it.

необыча́йный extraórdinary [ɪks-'trɔ:dnrɪ], excéptional.

необы́чн||ость ж. sìngulárity; ùn:cómmonness; ~ э́того выраже́ния the sìngulárity / rárity of this expréssion. ~ый ùn:úsual [-'ju:ʒ-], ùn:cómmon; в ~ый час, в ~ое вре́мя at an ùn:úsual hour / time [...auə...].

необяза́тельный 1. not obligatory; (факультативный) óptional, fácultàtive; 2. (о человеке) ùnoblíging, ùn:relíable.

неоге́новый геол. Néogène, Néocène.

неогля́дный bóundless, vast.

неограни́ченн||ый ùn:límited, ùn:restrícted, ùnbóunded, límitless; (о власти) ábsolùte; ~ая мона́рхия àbsolùte mónarchy [...-kɪ]; ~ые полномо́чия plénary / ùn:límited pówers; име́ть ~ые возмо́жности have límitless pòssibílities.

неоде́тый ùndréssed.

неодина́ковый ún:équal.

неодно́кра́тн||о нареч. repéatedly, time and agáin; more than once [...wʌns]. ~ый repéated, rè:íterated.

неодноро́дн||ость ж. hètergenéity [-'ni:ɪ-], hètergénous:ness. ~ый héterogéneous, not uníform; (несходный, непохожий) díssimilar; ~ая среда́ физ. ìnhòmogéneous médium [-hou-...].

неодобре́ние с. dìsàpprobátion, dìsappróval [-'pru:-].

неодобри́тельный dìsappróving [-'pru:-], dìsapprobatory [-'prou-]; (осуждающий) déprecative.

неодоли́м||о нареч. invíncibly. ~ый ìrresístible [-'zɪ-], invíncible, ìnsúperable.

неодушевлённый inánimate; ~ предме́т inánimate óbject.

неожи́данно I прил. кратк. см. неожиданный.

неожи́данн||о II нареч. ùn:expéctedly; (внезапно) súddenly. ~ость ж. ùn:expéctedness; surprise; (внезапность) súddenness; э́то бы́ло большо́й ~остью it was a great surpríse [...greɪt...]. ~ый ùn:expécted; (внезапный) súdden; ~ый уда́р surpríse attáck / blow [...-ou]; ~ые результа́ты ùn:expécted resúlts [...-'zʌ-].

неозо́йский геол. nèozòìc.

неокантиа́нство с. nèo-Kántianism.

неокапитали́зм м. nèo-cápitalism.

неокладно́й уст.: ~ сбор ùn:asséssed tax.

неоклассици́зм м. nèo:clássicism.

неоколониал||и́зм м. nèo-colónialism. ~и́стский nèo-colónialist.

неоконча́тельный ìn:con:clúsive, not fínal.

неоко́нченный únfínished.

неоли́т м. археол. late Stone Age.

неолити́ческий археол. nèo:líthic; late Stone Age (attr.).

неологи́зм м. лингв. nèólogism.

нео́н м. хим. nèón.

неонаци||и́зм м. nèo:názism. ~и́ст м. nèo:názi [-'nɑːtsɪ]. ~и́стский nèo:názi [-'nɑːtsɪ].

нео́нов||ый прил. к неон; ~ая ла́мпа nèón light.

неопали́мый уст. that cánnòt be scorched / singed.

неопа́сный not dángerous [...-eɪn-].

неопера́бельный ìnóperable.

неоперивший||ся (прям. и перен.) únflédged; cállow; ~ птене́ц únflédged bird / chick.

неопису́емый ìndescríbable; (невыразимый) ùnspéakable.

неопла́||тный ìrredéemable, that cánnòt be rè:páid; (о должнике) ìnsólvent; ~ долг a debt one is ùn:áble to rè:páy [...det...], a debt (of grátitùde) too great to be rè:páid [...greɪt...]; я у вас в ~тном долгу́ I am etérnally indébted to you [...-'det-...]. ~ченный únpáid, not paid.

неопо́знанный ùn:idéntified [-aɪ'de-].

неопоро́ченный bláme:less, ùnstáined.

неопра́вданный ùn:jústified; (недопустимый) ùnwárranted, ùn:wárrantable.

неопределённ||ость ж. 1. (неясность) vágue:ness ['veɪg-]; 2. (неопределённое положение) ùncértainty. ~ый 1. indétermináte, not fixed, indéfinite; ~ый член грам. indéfinite árticle; ~ая фо́рма глаго́ла грам. infínitive; ~ое уравне́ние мат. indétermináte equátion; ~ого ви́да nóndescript, of nóndescript áspect; 2. (неточный, неясный) vague [veɪg], ùncértain.

неопредели́мый indétermínable, ìndefínable.

неопровержи́м||ость ж. ìrrèfutabílity. ~ый ìrréfutable; (бесспорный) ùn:ánswerable [-'ɑːnsər-], ùndeníable, ìndispútable, ìn:contéstable; ~ые да́нные in:contròvértible évidence sg.

неопроки́дывающийся мор. nón-càpsìzable.

неопря́тн||ость ж. slóvenliness ['slʌ-], ùntídiness [-'taɪ-]. ~ый slóvenly ['slʌ-], ùntídy, slóppy.

неопубликованный ùnpúblished [-'pʌ-].

нео́пытн||ость ж. inexpérience, lack of expérience. ~ый inexpérienced, ùnprácti:sed [-st].

неорганизо́ванн||о нареч. 1. without òrganizátion / órder [...-naɪ-...]; 2. (индивидуально) indivíduálly, each for him:sélf; not órganized. ~ость ж. lack of òrganizátion [...-naɪ-]. ~ый únːórganized, disórganized.

неоргани́ческ||ий inórganic; ~ая хи́мия inorgánic chémistry [...'ke-]; ~ мир the inorgánic world.

неореали́зм м. nèoːréalism [-'rɪə-].
неороманти́зм м. nèo-románticism.
неосведомлённ||ость ж. lack of informátion. ~ый únːinfórmed, ill-infórmed; (о пр.) únːaːwáre (of).
неосе́длый nomádic.
неосла́бн||о нареч. ùnːremíttingːly, assíduousːly; ~ следи́ть watch ùnːremíttingːly. ~ый ùnːremítting, assíduous, únːabáted; ~ое внима́ние ùnːremítting atténtion.
неосмотри́тельн||ость ж. ráshness, thóughtlessness; (неблагоразумие) imprúdence. ~ый rash, thóughtless; (неблагоразумный) indiscréet, imprúdent.
неоснова́тельн||ость ж. 1. gróundlessness; 2. разг. (несерьёзность) sùperficiálity. ~ый 1. gróundless, únfóunded, lácking foundátion; 2. разг. (несерьёзный, поверхностный) sùperficial.
неоспори́м||ость ж. inːcontestabílity, indìsputabílity, irrèfutabílity; (ср. неоспори́мый). ~ый (о факте) ùnːquéstionable [-stʃən-], inːcóntestable; (о доводе) irréfutable, indispútable.
неосторо́жн||ость ж. cáreːlessness; (неблагоразумие) imprúdence. ~ый cáreːless; (неблагоразумный) imprúdent, incáutious, únwáry.
неосуществи́м||ость ж. imprācticabílity, ùnfeasibílity [-zɪ-]. ~ый imprácticable, únːréalizable [-'rɪə-], únféasible [-zɪ-].
неосяза́ем||ость ж. impàlpabílity, intàngibílity [-ndʒ-]. ~ый (прям. и перен.) impálpable, intángible [-ndʒ-].
неотврати́м||ость ж. inèvitabílity. ~ый inévitable.
неотвя́зн||ый 1. разг. (назойливый) impórtunate, nágging; 2. (о мысли, воспоминании) cónstant, háunting. ~чивый разг. = неотвя́зный 1.
неотдели́м||ость ж. insèparabílity. ~ый insèparable.
неотёсанный rough [rʌf], únpólished; (перен.) разг. (о человеке) ùnːcóuth [-'kuːθ].
неотзы́вчивый únsỳmpathétic, únːrespónsive.
нео́ткуда нареч. from nóːwhere; ему́ ~ получи́ть э́то there is nóːwhere he could get it from.
неотло́жка ж. разг. ámbulance (sérvice).
неотло́жн||ость ж. úrgency. ~ый préssing, úrgent; ~ое де́ло úrgent mátter / búsiness [...'bɪzn-]; ~ая по́мощь first aid.
неотлу́чн||о нареч. contínually, cónstantly, pérmanently. ~ый ever présent [...-zn-].
неотрази́м||ость ж. irrèsistibílity [-zɪ-]. ~ый 1. irrèsístible [-'zɪ-]; (о доводах и т.п.) irréfutable, inːcòntrovértible; 2. (обаятельный, захватывающий) irrèsístible, fáscinàting; ~ое впечатле́ние profóund impréssion.
неотсту́пн||ость ж. persístence, impórtunity. ~ый persístent, impórtunate, reléntless; ~ое пресле́дование reléntless pursúit [...-'sjuːt].
неотчётлив||ость ж. vágueːness ['veɪɡ-],

indístinctness. ~ый vague [veɪɡ], indístinct.
неотчужда́ем||ость ж. юр. inàlienabílity. ~ый юр. inálienable.
неотъе́млем||ый inálienable, imprescríptible; ~ая часть íntegral part; part and párcel идиом.; ~ое пра́во inálienable right.
неофаши́||зм м. nèo-fáscism. ~ст м. nèo-fáscist. ~стский nèo-fáscist.
неофи́т м. néophyte.
неофициа́льн||ый ùnːofficial, infórmal; off the récord [...'re-]; ~ая встре́ча (министров и т.п.) infórmal méeting.
неохо́т||а 1. ж. relúctance; он пошёл с ~ой he went with relúctance; 2. предик. безл. разг.: ему́, ей и т.д. ~ идти́ he, she, etc., doesːn't feel like góːing, he, she, etc., is not keen to go. ~но нареч. únwillingːly, with relúctance, relúctantly.
неоцени́м||ость ж. príceːlessness. ~ый invàluable, inèstimable; príceːless; ~ый вклад inèstimable contribútion; оказа́ть ~ую услу́гу rénder an invàluable sérvice.
неощути́тельный impercéptible, insénsible.
непа́рнокопы́тные мн. скл. как прил. зоол. perìssodáctyls, óddːtòed úngulàtes.
непа́рный únpaired, ódd.
непарти́йный 1. nón-Párty; ~ большеви́к nón-Párty Bólshevik (a Bolshevik in spirit); 2. (несовместимый со званием члена КПСС) ùnbefítting a mémber of the Cómmunist Párty of the Sóviet Únion; ~ посту́пок an act ùnbefítting a mémber of the Cómmunist Párty of the Sóviet Únion.
непереводи́мый ùntrànslátable.
непередава́емый inèxpréssible, inéffable.
непереxо́дный: ~ глаго́л грам. intránsitive verb.
неперспекти́вный ùnprómising [-s-]; lácking in próspects.
непеча́тный únprintable.
непи́саный únwrítten; ~ зако́н únwrítten law.
непита́тельный innùtrítious.
непла́вкий тех. infúsible [-z-].
неплатёж м. nón-páyment.
неплатёжеспосо́бн||ость ж. юр. insólvency. ~ый юр. insólvent.
неплате́льщ||ик м., ~ица ж. deláulter; pérson in arréars with páyment; зло́стный ~ inːcórrigible deláulter.
неплодоро́дн||ость ж. bárrenness, inːfertility, sterility. ~ый bárren, stérile, inːfértile.
неплодотво́рн||ость ж. únproductívity. ~ый únproductive; ~ая рабо́та únproductive work.
непло́тно I прил. кратк. см. непло́тный.
непло́тн||о II нареч. not clóseːly [...-slɪ], not tíghtly; дверь ~ закрыва́ется the door does not close próperly / fast [...ɑː...]. ~ый not compáct, thin; ~ая завеса thin veil.
непло́хо I прил. кратк. см. неплохо́й.
непло́х||о II нареч. not bad*, ráther well ['rɑː-...], quite good. ~о́й not bad*, quite good; ~а́я мысль not a bad idéa [...aɪ'dɪə].

НЕО–НЕП

непобеди́м||ость ж. invincibílity. ~ый invíncible, ùnːcónquerable [-kər-].
непова́дно предик. разг.: чтобы ~ бы́ло кому́-л. (+ инф.) to keep smb. from (+ ger.) smth. again, to teach smb. not to try smth. again, so it doesːn't become a hábit with smb., so smb. doesːn't do it again.
повинный innocent.
неповинове́ние с. (неподчинение) inːsubordinátion; (непослушание) disobédience.
неповоро́тлив||ость ж. (неловкость) áwkwardness, clúmsiness [-zɪ-]; (медлительность) slúggishness, slówness ['slou-]. ~ый (неловкий) áwkward, clúmsy [-zɪ]; (медлительный) slow [slou], slúggish.
неповтори́мый ùníque [juːˈniːk]; ~ по свое́й красоте́ inímitable in its béauty [...'bjuː-], of inímitable / ùníque béauty.
непого́да ж. тк. ед. foul / bad wéather [...'we-].
непогреши́м||ость ж. infàllibílity; (безупречность) impéccability. ~ый infállible; (безупречный) impéccable.
неподалёку нареч. (от) not far awáy (from).
непода́тлив||ость ж. tenácity, inflèxibílity; (о человеке) stúbbornness. ~ый tenácious, inflèxible, ùnːyíelding [-ˈjiːl-]; (о человеке) stúbborn, ùnmánageːable, hárd-móuthed.
неподатно́й ист. exémpt / free from càpitátion.
неподве́домственный (дт.) not súbject to the authórity (of); outside / beːyónd the jùrisdíction (of).
неподви́жно I прил. кратк. см. неподви́жный.
неподви́жн||о II нареч. mótionːless(ly); (накрепко) fast; стоя́ть ~ stand* mótionːless. ~ость ж. immobílity. ~ый immóvable [-ˈmuː-], mótionːless, still; fixed, státionːary; (перен.: медлительный) slow [slou]; ~ый взгляд fixed stare / look; ~ая звезда́ fixed star; ~ый во́здух still air.
неподде́льн||ость ж. génuineːness, authènticity; (перен.: искренность) sincérity. ~ый génuine, real [rɪəl]; (подлинный) authéntic; (перен.: искренний) sincére, ùnféigned [-ˈfeɪnd].
неподку́пн||ость ж. inːcorrùptibílity, íntegrity. ~ый inːcorrúptible.
неподоба́юще нареч. in an ùnséemly mánner; impróperly. ~ий ùnséemly, impróper [-ˈprɒ-]; ~им о́бразом impróperly, ùnbecómingly.
неподража́ем||ость ж. inímitableːness; ~ игры́ э́того арти́ста the inímitable pláying of this áctor. ~ый inímitable.
неподсу́дный (дт.) not únder the jùrisdíction (of); outside the jùrisdíction / cómpetence (of).
неподходя́щий ùnsúitable [-ˈsjuː-]; (некстати) inapprópriate.
неподчине́ние с. inːsubordinátion; ~ суде́бному постановле́нию contémpt of court [...kɔːt].
непозволи́тельн||ость ж. impermissibílity; inàdmissibílity. ~ый impermíssible; inàdmíssible.

НЕП – НЕП

непознава́емый *филос.* in:cógnizable, ún:knówable [-'nou-]; be:yónd the grasp of the mind.

непоко́йный *разг.* troubled [trʌ-], rést:less, distúrbed.

непоколеби́м‖**ость** *ж.* firmness, stéadfastness ['sted-]. ~ый firm, stéadfast ['sted-], únsháke:able, únflágging, únflínching; остава́ться ~ым remáin / stand* firm; ~ый боре́ц за мир staunch fighter for peace; ~ое убежде́ние únsháke:able convíction.

непокорённый únsubdúed.

непоко́рн‖**ость** *ж.* recálcitrance, rebéllious:ness; *(неподчинение)* ìnsubòrdinátion; *(своенравность)* ùn:rúliness. ~ый refráctory, recálcitrant, rebéllious; *(своенравный)* ùn:rúly.

непокры́т‖**ый** ùn:cóvered [-'kʌ-]; с ~ой голово́й báre-héaded [-'hed-].

непола́дки *мн. (ед.* непола́дка *ж.) разг.* 1. *(в работе и т.п.)* deféc:s; fault *sg.*; 2. *(нелады, ссоры)* disagrée:ment *sg.*

неполнопра́вный *юр.* not posséssing full rights [...-'zes-...].

неполнота́ *ж.* in:cómpleteness, ìmperféction.

неполноце́нн‖**ость** *ж.* ìnferióri:y; ко́мплекс ~ости ìnferiórity cómplex. ~ый deféctive, ìnférior.

непо́лн‖**ый** in:cómplete; *(несовершенный, недостаточный)* ìmperféct; not full *(predic.)*; ~ успе́х not a compléte succéss; ~ые зна́ния ìmperféct knówledge [...'nɔ-] *sg.*; ~ метр short metre; ~ вес short weight; ~ая ме́ра short méasure [...'me-]; ~ рабо́чий день not fúll-time, not a full wórking day; short hours [...auəz] *pl.*; ~ая рабо́чая неде́ля short week; по ~ым да́нным accórding to prelíminary dáta / ìnformátion; ~ая сре́дняя шко́ла in:cómplete sécondary school.

непоме́рно I *прил. кратк. см.* непоме́рный.

непоме́рн‖**о II** *нареч.* excéssive:ly. ~ость *ж.* exórbitance, excéssive:ness; ~ость его́ тре́бований his exórbitant demánds [...-'mɑ:-] *pl.* ~ый exórbitant, excéssive.

непонима́ние *с.* ìn:còmprehénsion; lack of ùnderstánding; *(неправильное понимание)* mìsunderstánding; взаи́мное ~ fáilure to únderstánd one anóther.

непоня́тлив‖**ость** *ж.* slówness ['slou-], dúllness. ~ый slów-witted ['slou-], dull.

непоня́тно I 1. *прил. кратк. см.* непоня́тный; 2. *предик. безл.* it is ìn:còmprehénsible, it is impóssible to ùnderstánd; ~, что он хо́чет сказа́ть it is impóssible to ùnderstánd what he means; мне ~, как, что I don't see how, what.

непоня́т‖**но II** *нареч.* ìncòmprehénsibly. ~ость *ж.* ìn:còmprehénsibility. ~ый ìncòmprehénsible, ùnintélligible; *(туманный)* obscúre.

непоня́тый mìsunderstóod [-'stud], not próperly understóod [...-'stud].

непопада́ние *с. воен.* miss, míssing the tárget [...-gɪt].

непоправи́м‖**ость** *ж.* írreparable:ness. ~ый irréparable, irremédiable, ìrre-

triévable [-'tri:-]; ~ый шаг ìrretríevable step; э́то ~ая оши́бка it is a fátal mistáke.

непопуля́рный ùnpópular.

непоро́чн‖**ость** *ж.* chástity, ìmmáculacy, púrity. ~ый chaste [tʃeɪ-], ìmmáculate, pure.

непортя́щийся nòn-périshable.

непоря́док *м.* disórder.

непоря́дочн‖**ость** *ж.* dìs:hónour:ableness [dɪsˈɔ-]. ~ый dìs:hónourable [dɪsˈɔ-]; ~ое поведе́ние dìs:hónourable cónduct.

непосвящённый ìn:ítiated.

непосе́д‖**а** *м. и ж. разг.* fídget. ~ливость *ж.* rést:lessness. ~ливый rést:less, fídgety.

непосеще́ние *с.* nón-atténdance; ~ ле́кций nón-atténdance at léctures.

непоси́льный be:yónd one's strength; ~ труд báck-breaking / excéssive toil [-breɪk-...].

непосле́довательн‖**ость** *ж.* ìn:consístency, ìn:cónsequence; *(ср.* непосле́довательный*)* ~ый *(о человеке)* ìn:consístent; *(о поступке)* ìn:cónsequent.

непослу́ш‖**ание** *с.* dìsobédience. ~ный dìsobédient, refráctory; *(о ребёнке)* náughty; *(перен.)* ùn:rúly; ~ные во́лосы ùn:rúly / flý:a:way hair *sg.*

непосре́дственн‖**ость** *ж.* spòntanéity [-'ni:-], ìn:génuous:ness, fránkness. ~ый 1. ìmmédiate, diréct, first-hánd; 2. *(естественный)* spòntáneous; ìn:génuous.

непостижи́м‖**ость** *ж.* ìn:còmprehènsibílity, ìnscrùtability. ~ый ìn:còmprehénsible, ìnscrútable, ìn:concéivable [-'si:v-], ùnfáthomable [-ðəm-]; ◊ уму́ ~о *разг.* it pásses all ùnderstánding, it's ìn:concéivable.

непостоя́нный *(о человеке)* ìn:cónstant; fíckle; *(о погоде и т.п.)* chánge:able ['tʃeɪ-]; ~ое ме́сто (в Сове́те Безопа́сности) nón-pérmanent seat (on the Secúrity Cóuncil). ~ство *с.* ìn:cónstancy.

непоти́зм *м. уст.* népotism.

непотре́бн‖**ый** *уст.* obscéne, indécent. ~ство *с. уст.* obscénity [-'si:-]; indécent cónduct.

непохо́ж‖**ий** ùn:líke; быть ~им на кого́-л. be ùn:líke smb.; bear* no resémblance to smb. [beə...-'ze-...]; ~е, что́бы... it is not líke:ly that...

непоча́тый *разг.* entíre, ùnbróken, not begún; ◊ ~ край (*рд.*) wealth [we-] (of), lot (of); a whole host [...houl houst] (of); ~ край рабо́ты a lot of work, no end of work.

непочт‖**е́ние** *с.* dísrespéct. ~и́тельно *нареч.* dìsrespéctfully. ~и́тельность *ж.* dísrespéct. ~и́тельный dìsrespéctful.

непра́вд‖**а** *ж.* ùntrúth [-u-θ], fálse:hood ['fɔ:lshud], lie; э́то ~ it is not true; говори́ть ~у tell* a lie, tell* lies; ◊ все́ми пра́вдами и ~ами by fair means or foul; ≃ by hook or by crook.

неправдоподо́б‖**ие** *с.* ùn:líke:lihood [-hud], ùn:líkeliness, ìmpròbability. ~ный ìmpróbable, ùn:líke:ly, ùnféasible [-zɪ-].

непра́ведный *уст.* iníquitous, ùnjúst, ùn:ríghteous.

непра́вильно I *прил. кратк. см.* непра́вильный.

непра́вильн‖**о II** *нареч.* wróng(:)ly; ìrrégularly; *(ошибочно)* in:corréctly; erróneous:ly; *(в сочетании с некоторыми*

глаго́лами) mìs-; ~ ìnformíровать *(вн. о пр.)* mìsinfórm *(d.* of); ~ ìстолкова́ть *(вн.)* mìsintérpret *(d.)*; ~ поня́ть *(вн.)* mìsunderstánd* *(d.)*; mistáke* *(d.)*; ~ предста́вить *(вн.)* mìsrèprésent [-'ze-] *(d.)*; ~ суди́ть *(о пр.)* mìsjúdge *(d.)*; ~ цити́ровать *(вн.)* mìsquóte *(d.)*; ~ произноси́ть *(вн.)* mìspronóunce *(d.)*. ~ость *ж.* ìrregulárity; *(ошибочность)* ìn:corréctness. ~ый irrégular; anómalous; *(ошибочный)* erróneous, wrong, ìn:corréct; ~ые черты́ лица́ ìrrégular féatures; ~ая то́чка зре́ния an erróneous point of view [...vju:]; ~ая дробь *мат.* impróper fráction [-'præ-...]; ~ый глаго́л *грам.* ìrrégular verb.

неправоме́рн‖**ость** *ж.* illegálity, ìllegítimacy. ~ый illégal, ìllegítimate.

неправомо́чн‖**ость** *ж. юр.* ìn:cómpetence. ~ый *юр.* in:cómpetent; without authórity.

неправоспосо́бн‖**ость** *ж. юр.* dìsability, dìs:qualificátion; ìn:capácity. ~ый *юр.* dìsábled, dìsquálified.

непрот‖**а́** *ж.* 1. *(несправедливость)* injústice; 2. *(заблуждение)* wrong:ness; созна́ться в свое́й ~е́ admít to bé:ing in the wrong.

непра́в‖**ый** 1. *(несправедливый)* ùnjúst; ~ суд ùnfáir tríal; 2. *(заблуждающийся)* (in the) wrong; быть ~ым be (in the) wrong.

непракти́чн‖**ость** *ж.* ùnpràcticálity. ~ый ùnpráctical.

непревзойдённый ùnsurpássed, péerless; sécond to none ['se-... nʌn] *(predic.)*; mátchless; ~ое мастерство́ cónsummate mástery.

непредвзя́тый ùnpréjudiced, ùnbías(s)ed.

непреви́денный ùnfòre:séen; по ~ым обстоя́тельствам through ùnfòre:séen círcumstances.

непреднаме́ренный ùnpremédităted.

непредубеждённый ùnpréjudiced, ùnbías(s)ed.

непредуми́шленн‖**ый** ùnpremédităted; ~ое уби́йство *юр.* mánslaughter.

непредусмо́тренный ùnfòre:séen; ùnprovíded for.

непредусмотри́тельн‖**ость** *ж.* impróvidence. ~ый impróvident.

непрекло́нн‖**ость** *ж.* ìnflèxibíity; ìnèxorability. ~ый ìnfléxible; ùnbénding; *(к про́сьбам и т.п.)* ádamant, ìnéxorable; ~ая во́ля ìnfléxible wíll-power; will of íron [...ʼaɪən]; ~ая во́ля к ми́ру ùnswérving desíre for peace [...-ʼz-...]; остава́ться ~ым remáin ádamant.

непрекраща́ющийся céase:less [-s-], ùncéasing [-sɪŋ], incéssant.

непрело́жн‖**ость** *ж.* 1. ìmmùtability, ìrrèvocability, ùn:álterability; 2. *(неоспоримость)* ìndispùtability. ~ый 1. ìmmútable, ùn:álterable; 2. *(неоспоримый)* ìndispútable; ~ая и́стина ìndispútable truth [...-u:θ], ábsolute truth.

непреме́нн‖**о** *нареч.* without fail, cértainly; он к вам ~ зайдёт he will call on you without fail; he will cértainly, или he is sure to, call on you [...ʃuə...]; он ~ опозда́ет he is sure / bound to be late. ~ый ìndispénsable; ~ое усло́вие ìndispénsable condítion, (condítion) sine qua non [...ʼsaɪnɪkweɪ-

'nɔn]; ◇ ~ый секрета́рь permanent secretary.

непреобори́мый insúperable; (*о чувстве и т.п.*) irresístible [-'zɪ-].

непреодоли́м||**ость** *ж.* insúperability, insùrmountability; (*о чувстве и т.п.*) irresìstibílity [-zɪ-]. ~ый insúperable, insùrmóuntable; (*о чувстве и т.п.*) irresístible [-'zɪ-], ùn¦cónquerable [-kər-]; ~ое жела́ние òver¦whélming desíre [...-'zaɪə]; ~ая си́ла *юр.* force majeúre [...mɑː'ʒəː]; ~ое препя́тствие insùrmóuntable / insúperable óbstacle / dífficulty; ~ая прегра́да на пути́ (*род.*) insùrmóuntable bárrier in the path (of); ~ое сопротивле́ние ùn¦cónquerable resístance [...-'zɪ-].

непререка́емый ùn¦quéstionable [-stʃən-], indispútable; ~ авторите́т indispútable / in¦contéstable authórity; ~ тон perémptory tone.

непреры́вно I *прил. кратк. см.* непреры́вный.

непреры́вн||**о II** *нареч.* ùn¦interrúpted-ly, contínuous¦ly; ~ шли дожди́ the rain never let up. ~ость *ж.* continúity; ~ость трудово́го ста́жа contínuity of sérvice (at one's place of work). ~ый contínuous, ùn¦interrúpted, persístent; ~ый шум persístent noise; ~ая дробь *мат.* contínued fráction; ~ый стаж an ùnbróken récord (of sérvice).

непреста́нн||**о** incéssantly; ~ дви́гаться вперёд go* incéssantly fórward; make* contínuous prógress; ~ труди́ться на бла́го Ро́дины toil incéssantly for the wélfare of the Móther¦land [...'mʌ-]. ~ый ùncéasing [-sɪŋ], incéssant.

неприве́тлив||**ость** *ж.* ùnfriendliness [-'fre-]. ~ый ùnfriendly [-'fre-], ùn¦grácious; (*перен.*) cheerless, dréary; ~ый ландша́фт chéerless lándscape.

непривлека́тельный ùn¦attráctive, ùn¦invíting; (*о наружности тж.*) ùnprepossessing [-zes-].

непривы́||**кший** (*к, + инф.*) ùn¦accústomed (to, + to *inf.*). ~чка *ж.* want of hábit; ~чка к чему́-л. not béing used to smth. [...juːst...]; ~чки для want of hábit; с ~чки э́то каза́лось тру́дным it seemed dífficult becáuse we, you, *etc.*, were not used to it [...-'kɔz...]. ~чный 1. (*непривыкший*) ùn¦used [-'juːst-], ùn¦accústomed; 2. (*необычный*) ùn¦úsual [-'juːʒ-].

неприглядный *разг.* ùn¦attráctive, ùn¦síghtly, ùn¦gáinly; (*жалкий*) míserable [-z-].

непригодн||**ость** *ж.* ùnfítness, úse¦lessness ['juːs-]; (*для военной службы тж.*) inèligibílity. ~ый ùnfít, úse¦less ['juːs-], ùnsérvice¦able; (*для военной службы тж.*) inéligible.

неприе́млем||**ость** *ж.* ùn¦acceptabílity; (*недопустимость*) inàdmissibílity. ~ый ùn¦accéptable; (*недопустимый*) inàdmíssible.

непризна́ние *с.* nón-rècognítion.

непри́знанный ùn¦acknówledged [-'nɔ-], ùn¦récognized.

неприка́янный *разг.* rést¦less; что ты хо́дишь как ~ ? can't you find a place / perch? [kɑːnt...], why are you wándering about like a lost soul? [...soul].

неприкоснове́нн||**ость** *ж.* inviolabílity;

~ ли́чности pérsonal immúnity; ~ жили́ща inviolabílity / sánctity of the home; депута́тская ~ the inviolabílity of a députy; дипломати́ческая ~ diplomátic immúnity. ~ый 1. inviolable; 2. (*не подлежащий расходованию*): ~ый запа́с resérve(d) funds [-'zəː-...] *pl.*; *воен.* emérgency / íron rátion [...aɪən 'ræ-].

неприкра́шенн||**ый** ùnvárnished, plain; ~ая и́стина plain / ùnvárnished truth [...-uːθ]; в ~ом ви́де ≅ as it is, plain.

неприкры́т||**ый** ùndis¦guísed; báre¦faced *разг.*; ~ая агре́ссия náked aggréssion.

неприли́чие *с.* indécency [-'diː-], imprópriety; ùnséemliness. ~но *нареч.* indécent¦ly; ~но вести́ себя́ beháve impróperly [...-'prɔ-]. ~ный indécent, imprópper [-'prɔ-], ùnbecóming [-'kʌ-], indécorous, ùnséemly; како́е ~ное поведе́ние! what disgráce¦ful / shócking behaviour!

непримене́ние *с.* nón-úsage [-z-], nón-¦úse [-'juːs]; ~ си́лы nón-úse of víolence.

непримени́мый ìnápplicable.

непримéтный impercéptible, indiscérnible; (*перен.*) ùn¦rémarkable, ùn¦obtrúsive.

непримири́м||**ость** *ж.* irrèconcilabílity [-saɪlə-]; implàcabílity. ~ый 1. irréconcilable, ùn¦appéasable [-z-], implácable; ~ая борьба́ ùn¦cómpromising strúggle, war to the knife; вести́ ~ую борьбу́ (про́тив) wage a reléntless strúggle (agáinst); 2. (*несовместимый*) in¦compátible, irréconcilable; ~ые противоре́чия irréconcilable còntradíctions.

непринуждённо I *прил. кратк. см.* непринуждённый.

непринуждённ||**о II** *нареч.* without embárrassment; ùn¦constráinedly; чу́вствовать себя́ ~ be / feel* at ease; вести́ себя́ ~ feel* at ease, be ùn¦constráined. ~ость *ж.* ease. ~ый nátural; free and éasy [...'iːzɪ] *разг.*; ~ая по́за éasy / nátural áttitude.

неприя́тие *с.* (*отказ*) nón-accéptance, rejéction; (*мер и т.п.*) fáilure to take / undertáke; за ~м надлежа́щих мер for fáilure to take the nécessary méasures [...'me-].

неприсоедине́ние *с.* nón-alígnment [-ə'laɪn-].

неприсоедини́вш||**ийся**: ~иеся госуда́рства nón-aligned states [-ə'laɪnd...].

неприспосо́бленн||**ость** *ж.* ùnpràcticálity, màladjústment. ~ый ùnpráctical, ùnadápted, màladjústed.

непристо́йн||**ость** *ж.* obscénity [-'siː-]; (*поведения*) indécency [-'diː-], ríbaldry, báwdy, bówdiness. ~ый obscéne; (*о поведении*) indécent; ~ые выраже́ния ùnséemly expréssions; ríbaldry *sg.*

непристу́пн||**ость** *ж.* 1. inàccessibílity; (*о крепости и т.п.*) impregnabílity; 2. (*надменность*) háughtiness, hauteúr [ou'təː]. ~ый 1. inàccéssible; ùn¦appróachable; (*о крепости*) imprégnable, ùn¦assáilable; (*о скалах и т.п.*) forbídding; 2. (*надменный*) ùn¦appróachable, háughty.

непрису́тственный *уст.*: ~ день públic hóliday ['pʌ- -dɪ].

непритво́рный ùnféigned [-'feɪnd], ùnassúmed.

НЕП – НЕП **Н**

непритяза́тельный módest ['mɔ-], ùnpreténtious.

неприхотли́в||**ость** *ж.* ùnpreténtiousness; plain tastes [...teɪ-] *pl.*; (*скромность*) módesty. ~ый 1. (*о человеке*) ùnpreténtious, módest ['mɔ-]; 2. (*незатейливый*) símple; (*о пище*) frúgal; ~ый рису́нок símple páttern.

неприча́стн||**ость** *ж.* (к) nón-pàrticipátion (in), béing not ímplicated (in), béing not prívy (to). ~ый (к) not ímplicated (in), hávig nóthing to do (with); *юр.* not prívy (to); быть ~ым к де́лу not be prívy to *a* cause.

неприя́зненн||**ость** *ж.* hòstílity, dislike. ~ый hóstile, inímical, ùnfriendly [-'fre-].

неприя́знь *ж.* hòstílity, énmity.

неприя́тел||**ь** *м.* 1. *тк. ед. воен.* the énemy; 2. *уст. разг.* (*человек, враждебно настроенный к кому-л.*) énemy. ~ьский hóstile; énemy (*attr.*); ~ьские войска́ énemy troops.

неприя́тно I 1. *прил. кратк. см.* неприя́тный; 2. *предик. безл.* it is (very) ùnpléasant [...-'plez-].

неприя́тн||**о II** *нареч.* ùnpléasantly [-'plez-]. ~ость *ж.* 1. (*огорчение*) tróuble [trʌbl], núisance ['njuːs-], annóyance; 2. (*свойство чего-л.*) ùnpléasantness [-'plez-]. ~ый ùnpléasant [-'plez-], disagréeable [-'grɪə-]; (*вызывающий раздражение*) annóying; objéctionable, obnóxious.

непробива́емый impénetrable; imprégnable (*тж. перен.*); ~ое споко́йствие ùnpertúrbable calm [...kɑːm], ùn¦rúffled compósure [...-'pou-].

непробу́дн||**ый**: ~ сон deep sleep; (*перен.: смерть*) the etérnal sleep; спать ~ым сном be fast asléep; (*перен.*) sleep* one's last sleep; ~ое пья́нство drúnken stúpor.

непроводни́к *м. физ.* nón-condúctor, dièléctric.

непрогля́дн||**ый** pitch-dárk, impénetrable; ~ая ночь pitch-dárk night; ~ мрак impénetrable dárkness; ~ тума́н impénetrable fog.

непродолжи́тельн||**ость** *ж.* short durátion. ~ый of short durátion; в ~ом вре́мени in a short time, shórtly.

непродукти́вн||**ость** *ж.* ùnprodúctiveness. ~ый ùnprodúctive (*тж. лингв.*).

непроду́манный ìnsufficiently considered [-'sɪ-], ùn¦réasoned [-z-].

непроезжий [-'ежж-] impássable.

непрозра́чн||**ость** *ж.* opácity. ~ый opáque.

непроизводи́тельн||**ость** *ж.* ùnprodúctiveness. ~ый ùnprodúctive, wáste¦ful ['weɪ-]; ~ый труд nònprodúctive lábour; ~ая затра́та сил waste of strength; ~ые расхо́ды ùnprodúctive expénditure(s).

непроизво́льн||**ость** *ж.* involúntariness. ~ый involúntary; ~ое движе́ние invóluntary móve¦ment [...'muː-], réflex.

непрола́зн||**ый** *разг.* impássable; ~ая грязь impássable / thick mud.

непролета́рский nón-prolètárian [-prou-].

НЕП – НЕР

непромокáемый wáterproof [ˈwɔː-]; ~ плащ máckintòsh, wáterproof (coat), ráincoat.

непроницáем||ость ж. impènetrabílity; (для жидкостей и газов тж.) impèrmeabílity [-mɪə-]. **~ый** impénetrable [-mɪə-]; impérvious; (для жидкостей и газов тж.) impérmeable [-mɪə-]; ~ый для звýка sóundproof; ~ый для воды́ wáterproof [ˈwɔː-], wátertight [ˈwɔː-]; ◊ ~ая тьма pítch-dárkness; ~ая тáйна deep sécret.

непропорционáльн||ость ж. dispropórtion. **~ый** dispropórtionate.

непросвещённый ùn:enlíghtened, ùn:éducated.

непросéянн||ый ùnsífted, ùnbólted; хлеб из ~ой муки́ whóle:meal bread [ˈhoulbred].

непрости́тельно I 1. прил. кратк. см. непрости́тельный; 2. предик. безл. it is ùnforgívable [...-ˈɡɪv-], it is ìnexcúsable [...-zəbl].

непрости́тельн||о II нареч. ùnpárdonably; он ~ медли́телен he is ùnpárdonably slow [...-slou]. **~ый** ùnpárdonable, ùnforgívable [-ˈɡɪ-], ìnexcúsable [-zəbl]; ~ая халáтность ùnforgívable / ìnexcúsable negléct.

непротивлéнец м. ádvocate of prínciple of nòn-resístance to évil [ˈæ-... -ˈzɪ-... ˈiːvl].

непротивлéние с. nòn-resístance [-ˈzɪ-]; ~ злу nòn-resístance to évil [...ˈiːvl]. **непротивлéнство** = непротивлéние.

непроторённ||ый ùnbéaten; ~ая доро́жка ùnbéaten track.

непрофессионáл м. ámateur.

непроходи́м||ость ж. ìmpàssabílity. **~ый** 1. ìmpássable; ~ый лес ìmpénetrable fórest [...ˈfɔ-]; ~ый вброд ùnfórdable; ~ая грязь ìmpássable / thick mud; 2. разг. (совершенный) útter, rank; ~ый дурáк pérfect / útter fool; ~ое невéжество rank ígnorance.

непрóчн||ость ж. lack of strength / solídity; (хрупкость) fragílity. **~ый** not strong / sólid / dúrable; (хрупкий) frágile; (о постройке) flímsy; (ненадёжный) precárious, ìnsecúre; ùnstáble; ~ый мир frágile peace; ~ое положéние precárious sìtuátion; ~ая постройка flímsily-constrúcted búilding [-zɪ- ˈbɪl-]; jérry--bùilt house* [-bɪlt -s].

непрóшеный ùnbídden, ùn:ásked, ùnìnvíted; ~ гость ùnìnvíted guest.

непрям||óй 1. ìndiréct; ~áя ли́ния cróoked line; ~óe делéние биол. mìtósis, kàryokinésis [ˈkærɪə-]; 2. (неискренний) hỳpocrítical.

непутёвый разг. gòod-for-nòthing; ~ человéк bad lot, gòod-for-nòthing, néer-dò-wèll [ˈneədu:wel].

непутём нареч. разг. bádly; дéлать всё ~ make* a mess of évery:thing.

непью́щий 1. прил. àbstémious (in relation to alcoholic drinks), nòn-drínking; 2. м. как сущ. abstáiner.

нерабoтоспосóбный disábled; ùn:áble to work.

нерабóч||ий nòn-wórking; ~ день òff-day, free day; ~ая обстанóвка not the right átmosphère for work.

нерáвенство с. inequálity; социáльное ~ sócial inequálity.

неравнó частица разг. (а вдруг) переводится выражением suppóse, или what if, I should, you should, etc. (+ inf.): ~ ты заболéешь suppóse you should fall ill.

неравноду́шн||ый (к) not índifferent (to); быть ~ым к комý-л. разг. be attrácted to / by smb.

неравномéрн||ость ж. ùn:évenness, ìrrègulárity. **~ый** ùn:éven, ìrrégular; ~ое развитие ùn:éven devélopment.

неравнопрáв||ие с. inequálity of rights, sócial inequálity / dispárity. **~ный** ùn:équal in rights; not enjóying équal rights; ~ный догово́р in:équitable tréaty.

неравностороний мат. scàlène [ˈskeɪ-], ùn:èquilátéral.

нерáвн||ый ùn:équal; ~ые си́лы ùn:équal fórces; ~ брак mèsalliance [meˈzælɪəns]; ~ые шáнсы long odds.

нерад||éние с. négligence, remíssness, cáre:lessness. **~и́вость** ж. = нерадéние. **~и́вый** négligent, remíss, cáre:less.

неразбери́ха ж. разг. confúsion, múddle.

неразбóрчив||ость ж. 1. (почерка) ìllègibílity; 2. (в еде) lack of fàstídiousness; 3. неодобр. (в средствах) ùnscrúpulous:ness. **~ый** 1. (о почерке) ìllégible, ùndecípherable [-ˈsaɪ-]; 2. (в еде) not fínicky / fússy; 3. неодобр. (в средствах) ùnscrúpulous.

неразвитóй ùndevéloped; (умственно) (ìntelléctually) báckward, (méntally) retárded.

нерáзвитость ж. lack of devélopment; (умственная) (ìntelléctual) báckwardness, (méntal) retàrdátion.

неразгáданный ùn:guéssed, ùnsólved; (о тайне и т. п.) ùndiscóvered [-ˈkʌ-], ùn:resólved [-ˈzɔ-].

неразговóрчив||ость ж. tàcitúrnity, réticence. **~ый** not tálkative, tácitùrn, réticent; он ~ый человéк he is a man* of few words.

неразделимый, неразделный ìndivísible [-z-], ìnséparable; неразделное имýщество юр. cómmon estáte.

неразличимый indiscérnible, indistínguishable.

неразложимый ìrresólvable [-ˈzɔ-], ìndè:compósable [-zəbl]; ~ое цéлое лингв. ìndissóluble únit.

неразлýчники мн. зоол. lóve-bìrds [ˈlʌv-].

неразлýчный ìnséparable.

неразмéнный (о деньгах) ùnchánge:able [-ˈtʃeɪndʒ-], whole [houl].

неразрешённный 1. (нерешённый) ùnsólved; ~ённые вопрóсы ùnsólved / ùnséttled próblems / quéstions / íssues [-ˈzɔlvd... ˈprɔ- -stʃ-...]; 2. (запрещённый) banned, prohíbited, forbídden. **~и́мый** ìnsóluble; ùnsólvable; (о загадке тж.) solútion-proof.

неразрушимый ìndestrúctible.

неразры́вн||о нареч.: ~ свя́зано (с тв.) ìnséparably linked (with); part and párcel (of) идиом. **~ость** ж. ìndissòlubílity. **~ый** ìndissóluble; ~ая связь теóрии и прáктики ìndissóluble connéction of théory and práctice [...ˈθɪə-...].

неразу́м||ие с. fóolishness, fólly. **~ность** ж. ùn:réasonableness [-z-]. **~ный** ùn:réasonable [-z-], ùnwíse, fóolish.

нераскáянный уст. ìmpénitent, ùn:repéntant.

нерасположéние с. (к) dislíke (for); (несклонность) dìsìn:clinátion (for, to).

нерасполóженный (к) ìll-dispósed (towards), ùnwílling (+ to inf.), dìsìn:clíned (+ to inf.).

нераспоряди́тельн||ость ж. inabílity to órganìze, lack of admìnistrative abílities. **~ый** ùn:áble to órganìze, lácking admìnistrative abílities; ~ый человéк bad* órganizer.

нераспространéние с. nòn-pròliferátion [-prou-]; ~ я́дерного орýжия nòn--pròliferátion of núclear wéapons [...ˈwep-].

нерассуди́тельн||ость ж. lack of cómmon sense; ùn:réasonableness [-z-]; want of sense. **~ый** ùn:réasonable [-z-]; ùn:áble to réason [...-z-], lácking cómmon sense.

нераствори́м||ость ж. ìnsòlubílity. **~ый** ìnsóluble.

нерасторжи́м||ый ìndissóluble, ìnséverable; ~ые ýзы ìndissóluble ties.

нерастoрóпный slúggish, slow [-ou]; ~ человéк slów-coach [-ou-].

нерасчётлив||ость ж. 1. extrávagance, wáste:fulness [ˈweɪ-]; 2. (непредусмотрительность) ìmprovídence, lack of fóre:sìght. **~ый** [-aɕ-] 1. extrávagant, wáste:ful [ˈweɪ-]; 2. (непредусмотрительный) ìmprovídent.

нерационáльный ìrrátional [-æʃ-], not rátional [...-æʃ-], ùnpráctical.

нерв м. nerve; двигательный ~ mótor nerve; тройни́чный ~ trì:fácial nerve; воспалéние ~ов neurítis; иметь больные ~ы have a nérvous disórder, súffer from a nérvous diséase / complaint [...-ˈziːz...]; ◊ действовать комý-л. на ~ы get* on smb.'s nerves; желéзные ~ы ìron nerves [ˈaɪən], nerves of steel; мотáть, трепáть комý-л. ~ы tòrmént smb., fray smb.'s nerves.

нервáция ж. бот., зоол. nervátion.

нерв||и́ровать (кого-л.) make* smb. nérvous, get* on smb.'s nerves. **~и́ческий** уст. nérvous.

нéрвничать be nérvous, feel* nérvous.

нервнобольнóй м. скл. как прил. neurótic, pérson súffering from nérvous disórder; (пациент) nérvous pátient.

нéрвн||ость ж. nérvous:ness. **~ый** (в разн. знач.) nérvous; néural научн.; ~ая систéма the nérvous sýstem; ~ый ýзел nérve-knòt; gánglion научн.; ~ый центр nérve-cèntre; высшая ~ая дéятельность hígher nérvous àctívity; ~ый припáдок fit / attáck of nerves; ~ое заболевáние nérvous diséase [...-ˈziːz]; ~ая дрожь thrill, nérvous trémor [...ˈtre-].

нервóз||ность ж. nérvous:ness; irritabílity. **~ый** nérvous, híghly strung, (раздражительный) írritable.

нервотрёпка ж. разг. the jítters.

нервю́ра ж. ав. rib; ~ крылá wing rib.

нереáльн||ость ж. ùn:reálity [-rɪˈæ-]. **~ый** ùn:réal [-ˈrɪəl].

нерегуля́рн||ость ж. ìrrègulárity. **~ый** ìrrégular.

нере́дкий not infréquent; (*обычный*) órdinary.

нере́дко I *прил. кратк. см.* нере́дкий.

нере́дко II *нареч.* not infréquently, quite óften [...'ɔ:f(t)ᵊn].

нерента́бельный *эк.* únprófitable, únremúnerative.

не́рест *м. биол.* spáwning.

нерести́||лище *с.* spáwning-ground. **~и́ться** spawn.

нерешённ||ый únséttled, úndecíded; **~ые** вопро́сы únséttled / óutstánding quéstions [...-stʃ-].

нереши́||мость *ж.* = нереши́тельность. **~тельность** *ж.* indecísion; быть в **~тельности** hésitàte [-zɪ-], be úndecíded. **~тельный** irrésolùte [-z-], indecísive, hésitant [-zɪ-]; **~тельный** тон hésitàting tone [-zɪ-...].

нержаве́ющ||ий nón-rústing, nón-corrósive; rúst-proof; corrósion-resístant [-ˈzɪ-]; **~ая** сталь stáinless steel.

неритми́чн||ость *ж.* únéven:ness; **~** в рабо́те únéven:ness of work. **~ый** únéven, spasmódic [-z-].

неробки́й not tímid, brave; ◊ он **~**ого деся́тка he is one who does not scare éasily, *или* is not éasily frightened [...ˈiːz-...].

неровн||ость *ж.* 1. únéven:ness; (*шероховатость*) róughness [ˈrʌf-]; **~ости** ме́стности róughness / rúggedness of the cóuntry [...ˈkʌ-] *sg.*; únéven:ness of the ground; 2. (*неравномерность*) únéquálity [-iː-]; **~ый** 1. únéven; (*шероховатый*) rough [rʌf]; **~ый** по́черк únéven hánd(writing); **~ая** ме́стность rough / rúgged cóuntry [...ˈkʌ-]; 2. (*неравномерный*) únéqual; irrégular; **~ый** пульс irrégular pulse; **~ый** темп únéven beat / rhythm [...-ðm]; ходи́ть **~ым** ша́гом walk with a jérky stride.

неровня́ *м. и ж. тк. ед.*: он ей **~** *разг.* he is not her équal; he's not a patch on her *разг.*

не́рпа *ж. зоол.* seal.

неру́дн||ый nòn-metállic, nòn-metállíferous; **~ые** ископа́емые nòn-metállic mínerals.

нерукотво́рный *поэт.* not made by húman hand, not of húman máking.

неруши́м||ый invíolable, indissóluble; **~** сою́з únbréakable únion [-ˈbreɪk-...]; **~ые** свя́зи indestrúctible ties; **~ая** дру́жба наро́дов СССР invíolable fríendship of the péoples of the USSR [...ˈfren-... piː-...].

неря́||ха *м. и ж. разг.* slóven [ˈslʌ-]; (*о женщине тж.*) sláttern, slut. **~шество** *с.* = неря́шливость. **~шливость** *ж.* untídiness [-ˈtaɪ-]; slóvenliness [ˈslʌ-]. **~шливый** 1. (*небрежный*) négligent; (*о работе*) cáreless, slípshòd; 2. (*неопрятный*) slóvenly [ˈslʌ-]; (*об одежде*) untídy.

нёс *ед. ч. прош. вр. см.* нести́ I.

несамостоя́тельн||ость *ж.* 1. lack of initiative; (*материальная зависимость*) depéndence; 2. (*неоригинальность*) lack of originálity. **~ый** 1. lácking in initiative, cháracterless [ˈkæ-]; (*материально зависимый*) not sélf-supporting, depéndent; 2. (*неоригинальный*) únoriginal, imitative.

несамохо́дный nòn-sélf-propélled.

несбаланси́рованный únbálanced.

несбы́точн||ый únréalizable [-ˈrɪə-]; **~ые** мечты́ pípe-dreams; castles in the air.

несваре́ние *с.*: **~** желу́дка *мед.* indigéstion [-stʃən].

несве́дущий (в *пр.*) ígnorant (of), únconvérsant (with).

несве́ж||ий not fresh (*predic.*); (*испорченный*) stale, táinted; **~ие** проду́кты stale fóodstùffs.

несвоевре́менн||ость *ж.* inópportùneness, únséasonable:ness [-zⁿ-]; (*запозда́лость*) tárdiness. **~ый** inópportùne, íll-timed; out of séason [...-zⁿ], únséasonable [-zⁿ-]; (*запозда́лый*) tárdy.

несвойственн||ый (*дт., для*) únúsual [-ˈjuːʒ-] (to, for); с **~ым** оживле́нием with únúsual / únchàracteristic animátion [...-kæ-...]; э́то ему́ **~о** it is not like him.

несвя́зно I *прил. кратк. см.* несвя́зный.

несвя́зн||о II *нареч.* incóherent:ly; говори́ть **~** be incóherent. **~ость** *ж.* incóherence [-ˈhɪə-]. **~ый** incóherent.

несгиба́емость *ж.* inflexibility; **~** во́ли the inflexible will. **~** (*прям. и перен.*) únbénding, inflexible.

несгово́рчив||ость *ж.* intráctability. **~ый** intráctable, not éasy to mánage [...ˈɪzɪ...].

несгора́емый fire-proof, incombústible; **~** шкаф safe.

несде́ржанн||ость *ж.* lack of restráint. **~ый** 1. (*об обещании и т.п.*) únfulfilled [-ful-]; **~ое** сло́во bróken prómise [...-s-]; 2. (*о характере*) víolent, únrestráined; lácking sélf-contról [...-oul]; impétuous.

несдобро́вать *сов. разг.*: ему́ **~** he is in for it.

несе́ние *с.*: **~** обя́занностей perfórmance of dúties.

несерьёзн||ость *ж.* 1. lack of sérious:ness; (*необоснованность*) únfóundedness; (*легкомыслие*) líghtness, frivólity; 2. (*незначительность*) únimpórtance. **~ый** 1. not sérious; (*необоснованный*) únfóunded; (*легкомысленный*) light, frívolous; 2. (*незначительный*) únimpórtant, insignificant.

несессе́р [нэсэсэ́р] *м.* tóilet-bàg; spónge-bàg [ˈspʌ-].

несжима́емый incompréssible.

несимметри́чный àsymmétric(al).

несказа́нн||о *нареч.* únspéakably, inéffably. **~ый** únspéakable, inéffable.

нескла́д||ица *ж. разг.* nónsense. **~но** *нареч.* clúmsily [-z-], áwkwardly. **~ный** 1. (*о речи и т.п.*) incóherent; not fluent; 2. (*неизящный, мешковатый*) úngáinly, áwkward, clúmsy [-zɪ].

несклоня́емость *ж. грам.* indeclínability [-klaɪ-]. **~ый** *грам.* indeclínable.

не́скольк||о I *числит.* séveral, some (*немногие*) a few; **~** челове́к séveral péople [...-piː-]; **~** раз séveral times; в **~их** слова́х in a few words.

не́сколько II *нареч.* (*в некоторой степени*) sómewhàt, slíghtly; ráther [ˈrɑː-], in a way; он был **~** удивлён he was slíghtly / sómewhàt / ráther surprísed.

несконча́емый intérminable, néver-énding, néver-céasing [-sɪŋ].

нескро́мн||ость *ж.* 1. immódesty, lack of módesty; 2. (*неделикатность*) indélicacy, indiscrétion [-ˈkre-]. **~ый** 1. immódest [-ˈmɔ-], not módest [...ˈmɔ-]; 2. (*неделикатный*) indélicate, indiscréet; 3. (*лишённый стыдливости*) impudent.

нескрыва́емый úncóncealed, úndisgúised.

несла́, несло́ *ед. ч. прош. вр. см.* нести́ I.

несло́жн||ость *ж.* simplicity. **~ый** simple; not complicated.

неслы́ханн||ый únhéard of [-ˈhəːd-...], únprécedented; **~ое** преступле́ние únhéard of, *или* únprécedented, crime.

неслы́шн||ый ináudible; **~ыми** шага́ми with sílent steps, stépping sílent:ly.

несме́лый tímid.

несменя́ем||ость *ж. юр.* irremòvability [-muː-]. **~ый** irremóvable [-ˈmuː-].

несме́тн||ый innúmerable, cóuntless, númberless, incálculable; **~ые** бога́тства cóuntless ríches, incálculable / úntóld wealth [...we-] *sg.*

несмина́емый úncréasable [-s-].

несмолка́емый céase:less [-s-], únceásing [-sɪŋ], néver-céasing [-sɪŋ], néver-abáting.

несмотря́: **~** на in spite of, despíte, nòt:with:stánding; **~** на э́то in spite of this; **~** ни на что in spite of éverything, despíte éverything; **~** на всё for all that.

несмыва́емый indélible, inéffáce:able; **~** позо́р etérnal disgráce, indélible shame.

несмышлён||ый *разг.* slów-witted [ˈslou-]. **~ыш** *м. разг.* silly little chap.

несно́сный únbéarable [-ˈbɛə-], intólerable [-ˈtɔ-]; **~** челове́к intólerable / insúppórtable pérson.

несоблюде́ние *с.* nòn-obsérvance [-ˈzəːv-]; inobsérvance [-ˈzəːv-].

несовершенноле́т||ие *с.* minórity [maɪ-]. **~ний** 1. *прил.* únder age; 2. *м. как сущ.* mínor.

несоверше́нный I impérfect, incompléte.

несоверше́нный II *грам.* imperféctive; **~** вид imperféctive áspect.

несоверше́нство *с.* imperféction.

несовмести́м||ость *ж.* incompátibility; психологи́ческая **~** psychológical incompátibility [saɪk-...]; **~** тка́ней *мед.* incompátibility of tíssues. **~ый** incompátible.

несовпаде́ние *с.* lack of coincidence / convérgence; failure to coincide / convérge.

несогла́сен *прил. кратк. см.* несогла́сный.

несогла́с||ие *с.* 1. *тк. ед.* difference of opinion, disagreement, dissent; (*расхождение между двумя версиями, вариантами и т. п.*) discrépancy; 2. (*разлад*) váriance, discord; 3. *тк. ед.* (*отказ*) refúsal [-z-], nòn-agreement. **~ный** 1. (с *тв.*) disséntìng (with), not agréeing (to, with), discórdant (with); он **~** с э́тим he does not agrée with it; he disagrées with it; я **~**ен I disagrée; он **~**ен с ва́ми he dóesn't agrée with you; 2. (*о звуках*) discórdant; **~ое** пе́ние discórdant sínging; 3. (с *тв.*

НЕС – НЕС

не соответствующий in:consistent (with), in:compatible (with); 4. (на вн., + инф.): он ~ен на это he doesn't agree to this; he can't consent to it [...ka:nt...]; он ~ен пойти he doesn't agree to go. ~ование с. грам. nón-agréement.

несогласованн||ость ж. lack of agréement, nón-co-òrdinátion, ún:confórmity. ~ый ún:co-òrdinàted, lácking co-òrdinátion; (с тв.) not concérted (with), not in agréement (with).

несозвучный (дт.) díssonant (to), out of tune (with); in:cónsonant (with, to); ~ эпóхе óut-of-dáte, out of kéeping with the age, anàchronístic.

несознательн||ость ж. irrespònsibílity, thóughtlessness; (политическая отсталость) lack of cláss-cónsciousness [...-'kɔnʃəs-]. ~ый irrespónsible, thóughtless; (политически отсталый) lácking cláss-cónsciousness [-'kɔnʃəs-]; ún:cónscious of sócial òbligátions [-'kɔnʃəs-...].

несоизмерим||ость ж. in:commènsurabílity. ~ый in:comménsurable, in:comménsurate.

несократимый мат. irredúcible.

несокруши́м||ый indestrúctible; (непобедимый) invíncible, ùn:cónquerable [-kər-]; ~ая воля íron will ['aɪən...].

несолида́рн||о нареч.: действовать ~ act disjóintedly, или not in únion, или without co-òrdinátion. ~ый disjóinted, not in únion.

несо́лоно: уйти ~ хлеба́вши разг. шутл. ≅ get* nothing for one's pains, go* a:wáy émpty-hánded; be decéived in one's expectátions [...-'siːvd...].

несомне́нн||о вводн. сл. ùndóubtedly [-'daut-], dóubtless ['daut-], beyond all quéstion [...-stʃən], without quéstion. ~ость ж. cértainty; (очевидность) óbviousness. ~ый indúbitable, ùn:quéstionable [-stʃən-]; (очевидный) óbvious; mánifest.

несообразительн||ость ж. slówness [-ou-], slów-wíttedness [-ou-]. ~ый slów (-witted) [-ou-].

несообра́зн||ость ж. 1. in:còngrúity, in:compàtibílity [-tə-]; 2. (глупость) absúrdity. ~ый 1. (с тв.) in:cóngruous (with), in:compátible (with); 2. (глупый) fóolish, absúrd.

несоотве́тств||енный (дт.) not còrrespónding (with), in:cóngruous (with). ~ие с. discrépancy, dispárity, lack of correspóndence; ~ие хара́ктеров in:compàtibílity of témperaments [-tə-...].

несоразме́рн||ость ж. dispropórtion. ~ый dispropórtionate.

несортово́й of low quálity [...lou...]; lów-grade ['lou-] (attr.).

несостоя́тельн||ость ж. 1. insólvency, fáilure; объявить ~ости declare bánkruptcy; 2. (материальная необеспеченность) módest means ['mɔ-...] pl.; 3. (необоснованность) únfoundedness, gróundlessness; (неудовлетвори́тельность) flímsiness [-zɪ-], únsóundness. ~ый 1. insólvent, bánkrupt; ~ый должни́к insólvent; 2. (материально необеспеченный) not wéalthy [...'wel-], of módest means [...'mɔ-...]; 3. (необоснованный) únfóunded, gróundless; (неудовлетвори́тельный) flímsy [-zɪ], únsóund; (о точке зрения и т. п.) únténable.

неспе́лый ún:rípe; (зелёный) green.

неспе́шный ùnhúrried, slow [slou], léisurely ['leʒə-].

неспо||дру́чн||о предик. (дт.) уст. разг.: мне ~ it is in:convénient for me. ~ый разг. in:convénient.

неспоко́йный rést:less; (о состоянии духа) un:éasy [-zɪ].

неспосо́бен прил. кратк. см. неспосо́бный.

неспосо́бн||ость ж. lack of ability; in:ability, in:càpability [-keɪ-]. ~ый (к дт., на вн.) in:cápable (of); únfit (for); (к уче́нию) dull, slow [slou]; он неспособен на такую ни́зость he is in:cápable of such báse:ness / méanness [...'beɪs-...].

несправедли́в||ость ж. injústice, únfáirness. ~ый únjúst, únfáir; быть ~ым к кому́-л. do smb. an injústice.

непроста́ нареч. разг. not without púrpose [...-s]; (со скрытой целью) with some hídden desígn [...-'zaɪn]; э́то ~ there is sóme:thing behínd that; there is more in it than meets the eye [...aɪ] идиом.

несрабо́танность ж. lack of téamwòrk / co-òperátion.

несравне́нно I прил. кратк. см. несравне́нный.

несравне́нн||о II нареч. 1. (о́чень хорошо́) in:cómparably, mátchlessly, péerlessly; 2. (перед сравн. ст. — гора́здо) far, by far; ~ лу́чше far bétter. ~ый pérfect, in:cómparable, mátchless, únmátched, péerless.

несравни́м||ость ж. in:cómparable:ness, péerlessness. ~ый 1. in:cómparable; (очень хороший) únmátched; 2. (непохожий) not cómparable.

нестаби́льн||ость ж. instability; экономическая ~ instability of económics [...iːk-]. ~ый únstable.

нестанда́ртный nòn-stándard; nòn-týpical амер.

нестерпи́мый ùnbéarable [-'bɛə-], insúfferable, ùn:endúrable, intólerable.

нести́ I, понести́ 1. (вн.; перемещать на себе́, с собой) см. носи́ть 1; 2. (вн.; терпеть) bear* [bɛə] (d.); ~ убы́тки in:cúr lósses; ~ наказа́ние pay the pénalty, be púnished [...'pʌ-]; ~ отве́тственность cárry the respònsibílity; ~ потери воен. súffer / sustáin / in:cúr lósses / cásualties [...-zjuə-, -ʒuə-]; понести́ большие потери sustáin héavy lósses [...'hevɪ...]; понести́ пораже́ние súffer a deféat, be deféated; 3. тк. несов. (вн.; поддерживать) cárry (d.), bear* (d.); эти коло́нны несу́т а́рку these píllars cárry / bear an arch; 4. тк. несов. (вн.; выполня́ть) perfórm (d.): ~ обя́занности perfórm the dúties; — ~ дежу́рство be on dúty; ~ карау́л stand* guard, be on guard / dúty; ~ тяжёлую слу́жбу have a hard job to do; 5. тк. несов. (вн.; причинять; ср. приноси́ть) bring* (d.), cárry (d.): ~ смерть bring* death [...deθ]; 6. безл. (тв.) разг.: ~ от окна́, от две́ри и т. п. несёт (хо́лодом) there is a (cold) draught from the window, from the door, etc. [...drɑːft dɔː]; от него́, от них и т. д. несёт табако́м, во́дкой и т. п. he reeks, they reek, etc., of tobácco, of vódka, etc.; ◇ ~ вздор разг. talk nónsense; его́ несёт (о расстройстве желудка) разг. he has diarrhóea [...-'rɪə]; ло́шадь понесла́ (без доп.) the horse bólted; куда́ его́ несёт, понесло́? см. носи́ть.

нести́ II, снести́ (вн.; о кладке яиц птицами) lay* (d.); курица снесла́ яйцо́ the hen has laid an egg.

нести́сь I, понести́сь см. носи́ться I 1.

нести́сь II, снести́сь (класть яйца — о птицах) lay* eggs; эта курица хорошо́ несётся this hen is a good* láyer.

несто́йк||ий хим. únstable, nòn-persístent; ~ие духи́ weak pérfume sg.; ~ое ОВ воен. nòn-persístent gas.

несто́ящий разг. of little, или of no, válue; wórthless; ~ челове́к góod-for-nóthing, né'er-dò-wéll ['nɛəduːwel].

нестрое́вик м. воен. nòn-cómbatant.

нестроево́й I (о лесе) únfit for building púrposes [...'bɪ- -s].

нестроев||о́й II воен. 1. прил. nòn-cómbatant; ~а́я слу́жба nòn-cómbatant sérvice; 2. м. как сущ. nòn-cómbatant.

нестро́йно I прил. кратк. см. нестро́йный.

нестро́йн||о II нареч. díssonantly, discórdantly; ~ петь sing* discórdantly, sing* out of tune. ~ый 1. díssonant, discórdant; (о пении тж.) out of tune; 2. (дезорганизо́ванный) disórderly; ~ые ряды́ disórderly ranks.

несть уст. there is not; ~ числа́ there is no counting, there is any númber of; (it's, they are) innúmerable; ~ конца́ there is no end to it.

несудохо́дный ùnnávigable.

несура́зица ж. = несура́зность 2.

несура́зн||ость ж. разг. 1. (нескладность) áwkwardness, clúmsiness [-zɪ-]; (бестолковость) fóolishness, sénse:lessness; 2. (нелепость) nónsense, absúrdity. ~ый разг. 1. (неловкий) áwkward, clúmsy [-zɪ]; 2. (нелепый) sénse:less, absúrd.

несусве́тн||ый разг. extréme, útter; ~ая чепуха́ sheer / útter nónsense.

несу́шка ж. с.-х. láying hen, láyer, hen in lay.

несуще́ственн||ый in:esséntial, ìmmatérial; э́то ~о that is ìmmatérial, it does not mátter.

несуществу́ющий nòn-exístent.

несхо́д||ный 1. (непохо́жий) ún:líke, díssimilar, dispárate; 2. разг. (о цене́) ùn:réasonable [-z-]. ~ство с. dissimilárity, dispárate:ness.

несчастли́в||ец м., ~ица ж. an ùn:lúcky / lúckless pérson; poor wretch, poor soul [...soul], poor dévil. ~ый ùnfórtunate ['fɔːtʃ-], ill-fáted, ill-stárred, lúckless; ~ый день ùn:lúcky day.

несча́стный 1. прил. (в разн. знач.) ùnháppy, ùnfórtunate [-'fɔːtʃ-], míserable [-z-], ùn:lúcky; ~ слу́чай áccident; 2. м. как сущ. ùnfórtunate wretch.

несча́ст||ье с. misfórtune [-'fɔːtʃ-]; (несчастный случай) áccident; ◇ к ~ю ùnfórtunate:ly [-'fɔːtʃ-].

несчётный innúmerable, cóuntless.

несъедо́бный 1. (невкусный) ún:éatable; ~ обе́д ún:éatable dínner; 2. (непригодный для еды) inédible; ~ гриб inédible mushroom, toadstool.

нет I *отрицание* 1. (*при ответе*) no; *как опровержение отрицательного предположения передаётся через* yes: он был там? — ~ (не был) was he there? — No (he wasn't); ~ (не видел) did you see him? — No (I didn't); он там не был? — ~, был he wasn't there? — Yes, he was; 2. (*в начале реплики — с оттенком возражения, удивления*) but: ~, вы его не знаете! but you don't know him! [...nou...]; ~, почему вы так думаете? but why do you think so?; 3. (= не + *данное сказуемое — при том же подлежащем*) not; (*в безл. предложении после союза* или *тж.*) no; (*при другом подлежащем*) передаётся через сокращённое сказуемое + not; *или* -n't *разг.* (*ср.* не 1): будет он там или ~? will he be there or not?; совсем ~, вовсе ~ not at all, not in the least; ещё ~, ~ ещё not yet; почему ~? why not?; приятно или ~, но это так like it or not / no, it is so; они могут это сделать, а он ~ they can do it, but he cannot [...ka:nt]; он видел их, а она ~ he saw them, but she did not, *или* didn't; она была права, а он ~ she was right, but he was not, *или* wasn't; ◇ ~-~ да *разг.* (*изредка*) from time to time; every so often [...'ɔ:f(ə)n]; once in a while [wʌns...]; он ~-~ да и напишет письмо he does write a letter once in a while; сводить на ~ (*вн.*) bring* to nought (*d.*), reduce to nothing (*d.*), reduce to zero (*d.*); сводиться на ~ come* to nought / nothing.

нет II (нéту *разг.*; *безл. отриц. наст. время от* быть; *рд.*) 1. (*не имеется вообще*) there is no (+ *sg. subject*), there are no (+ *pl. subject*): там ~ моста there is no bridge there; ~ сомнения there is no doubt [...daut]; здесь ~ книг there are no books here; ~ изменений there are no chánges [...-eɪndʒ-]; там никого ~ there is nóbody there; здесь ничего ~ there is nothing here; — ~ ничего удивительного (в том), что (is) no wónder that [...'wʌ-...]; у него́, у них и т. д. ~ he has, they have, *etc.*, no: у неё ~ времени she has no time; у нас ~ таких книг we have no such books, we have no books of that kind; 2. (*об определённых лицах или предметах*) is not (+ *sg. subject*), are not (+ *pl. subject*); *соответственно* isn't, aren't *разг.*: его ~ дома he is not at home; he is out; его книги здесь ~ his book is not here; (этих) книг ~ на полке the books are not on the shelf*; у него́, у них и т. д. этой книги he has not, they have not, *etc.*, got this book; ◇ его, их и т. д. больше ~ (умер, умерли) he is, they are, *etc.*, no more; ~ как ~ still no trace, still no news [...-z]; на ~ и суда ~ *погов.* ≅ you can't do the impossible [...ka:nt...]; what cánnot be cured must be endúred *идиом.*; (*ср. тж.* нет I).

нетактичн||**ость** *ж.* táctlessness. ~**ый** táctless.

нетвёрдо I *прил. кратк. см.* нетвёрдый.

нетвёрд||**о** II *нареч.* not firmly, not for cértain; знать ~ (*вн.*) have a sháky knówledge [...'nɔ-] (of), be weak (in); ~ стоять на ногах stágger, be únstéady on one's feet [...-'steɪ-...]; он ~ уверен he is not quite sure [...ʃuə]. ~**ость** *ж.* únstéadiness [-'steɪ-], lack of firmness. ~**ый** únstéady [-'steɪ-], sháky; ~**ая походка** stággering gait; ~**ый почерк** sháky hand(writing); ~**ая почва** únstáble ground; он нетвёрд в математике he is weak in mathemátics.

нетерпёж *м. разг. шутл.* impátience.

нетерпеливо I *прил. кратк. см.* нетерпеливый.

нетерпелив||**о** II *нареч.* impátiently. ~**ость** *ж.* impátience.

нетерпеливый impátient.

нетерпени||**е** *с.* impátience; в ~и, с ~ем impátiently, with impátience; ожидáть с ~ем (*рд.*) wait impátiently (for); (*о чём-л. приятном*) look fórward (to), wait éagerly [...'i:gə-] (for).

нетерпим||**ость** *ж.* intólerance. ~**ый** 1. (*о человеке*) intólerant; 2. (*о поступке*) intólerable.

нет||**и**: быть в ~ях *уст., шутл.* be missing, be nówhere to be found.

нетленный impérishable, úndecáyed.

нетоварищеск||**ий** únfriendly [-'fre-], úncómradely, distant; ~**ое отношение** únfriendly tréatment / áttitude.

нетопырь *м. зоол.* bat, nóctule.

неторопли́в||**ый** léisurely ['leʒ-], únhúrried, déliberate; (*медлительный*) slow [-ou]; ~**ые движения** únhúrried móvements [...'mu:-].

неточн||**ость** *ж.* ináccuracy, inexáctitude. ~**ый** ináccurate, inexáct; ~**ое выражение** inexáct / loose expréssion [...lu:s...].

нетребовательн||**ость** *ж.* símple tastes [...teɪ-] *pl.* ~**ый** not exácting; úndemánding [-'ma:n-]; (*скромный*) unpreténtious, módest ['mɔ-].

нетрёзв||**ый** not sóber, drunk; в ~**ом** виде in a drúnken state, in a state of intoxicátion.

нетронут||**ый** úntóuched [-'tʌ-]; (*перен.*) fresh, únsúllied, vírginal; ~**ая почва** vírgin soil.

нетрудовой: ~ доход únéarned íncome [-'ə:nd...].

нетрудоспособн||**ость** *ж.* dísáblement, inválídity, incapácity for work; пóлная ~ compléte disáblement; частичная ~ pártial disáblement; врéменная ~ témporary disáblement. ~**ый** disábled, inválid [-i:d].

не́тто (нэ-) *неизм. прил. торг.* net; ~ **вес** net weight.

нéту *разг. см.* нет II.

неубедительный úncónvincing, únpersuásive [-'sweɪ-].

неубранн||**ый** 1. úntídy; ~**ая комната** úntídy room; 2. (*об урожае*) únhárvested; ~ **хлеб** únréaped corn.

неуважение *с.* dísrespéct, lack of respéct.

неуважительно I *прил. кратк. см.* неуважительный.

неуважительн||**о** II *нареч.* dísrespéctfully; ~ относиться к кому-л. treat smb. with disrespéct. ~**ость** *ж.* 1. (*о причине и т.п.*) inádequacy; 2. = неуважéние. ~**ый** 1. (*о причине*) inádequate;

НЕТ — НЕУ   **Н**

not good / válid; 2. *уст.* (*непочтительный*) dísrespéctful.

неуверенн||**ость** *ж.* úncertainty; ~ в себе lack of sélf-cónfidence, díffidence. ~**ый** 1. úncértain; ~**ый в себе** lácking in sélf-cónfidence, díffident; ~**ый в своих силах** not sure of one's strength [...ʃuə...]; 2. (*нерешительный*) hésitating [-zɪ-], vácillating.

неувяда||**емый, ~ющий** únfáding, éverlásting; ~**емая сла́ва** éverlásting glóry.

неувязка *ж. разг.* discrépancy, lack of cò-órdinátion.

неугас||**áемый, ~имый** (*прям. и перен.*) inextínguishable; (*перен. тж.*) únquénchable; ~**имое желание** únquénchable desíre [...-'zaɪə].

неугодный disagréeable [-'grɪə-], objéctionable.

неугомонный *разг.* (*неспокойный*) réstless; (*неутомимый*) indefátigable, áctive; ~ **ребёнок** fídgety child*.

неудач||**а** *ж.* fáilure [-'fɔ:tʃ-]; (*неожиданный отказ*) rebúff, revérse; потерпéть ~**у** fail, miscárry; flop *разг.*; потерпéть серьёзную ~**у** súffer a májor sét-báck; вот ~! how únlúcky! ~**ливый** únlúcky. ~**ник** *м.*, ~**ница** *ж.* únlúcky pérson, a fáilure. ~**ный** únsuccéssful; poor; (*несчастливый*) únfórtunate [-tʃən-]; (*о дóводе, объяснении*) lame; (*неподходящий*) únháppy; ~**ный фотоснимок** poor phótograph; ~**ная попытка** feeble attémpt.

неудержимый irrepréssible; ~ **смех** irrepréssible láughter [...'la:f-].

неудóбн||**о** I 1. *прил. кратк. см.* неудóбный; 2. *предик. безл.* (*плохо*) it is incónvénient; 3. *предик. безл.* (*совéстно*): мне, прáво, ~ вас беспокóить I do hate to bóther you.

неудóбн||**о** II *нареч.* úncómfortably [-'kʌ-]. ~**ый** 1. úncómfortable [-'kʌ-]; (*нескладный*) áwkward; 2. (*неумéстный, неподходящий*) incónvénient; ~**ое положéние** áwkward posítion [...-'zɪ-].

неудóбо||**варимый** indigéstible (*перен.*) *ирон.* obscúre, invólved. ~**понятный** únintélligible, abstrúse [-s]. ~**произносимый** 1. únprónounceable; 2. *шутл.* (*неприличный*) únrepéatable, not in políte use [...ju:s]. ~**читáемый** únréadable, dífficult to read.

неудóбство *с.* incónvénience, discómfort [-'kʌ-]; чýвствовать ~ feel* úncómfortable / únéasy [...-zɪ-].

неудовлетворéние *с.* nón-complíance; ~ чьей-л. прóсьбы, ходáтайства fáilure / refúsal to grant smb.'s requést, petítion [...-'zɪ-...-a:nt...]; ~ желáния fáilure to sátisfy one's desíre [...-'zaɪə], fáilure to complý with smb.'s wíshes; ~ иска *юр.* rejéction (of áction).

неудовлетворённ||**ость** *ж.* díssátisfáction, díscontént; чýвство ~ости féeling of díssátisfáction; ~ собóй béing díssátisfied with onesélf. ~**ый** díssátisfied, díscontented.

неудовлетворительно I *прил. кратк. см.* неудовлетворительный.

неудовлетворительн||**о** II 1. *нареч.* únsátisfáctorily; 2. *как сущ. с. нескл.*

341

НЕУ – НЕФ

(*отметка*) únsàtisfáctory. ~ость *ж.* inádequacy, ìnsufficiency. ~ый ùnsàtisfáctory; (*об объяснении и т. п.*) ìnádequate.
неудово́льствие *с.* displéasure [-'ple-].
неуёмный (*о темпераменте, энергии*) indefátigable, ìrrepréssible; (*о боли и т. п.*) ìncéssant.
неуже́ли *нареч.* réally? ['rɪə-], is it póssible?; ~ э́то пра́вда? can it réally be true?; ~! indéed!
неужи́вчив||**ость** *ж.* quárrelsome dispositìon [...-'zɪ-], ùnàccómmodàting náture [...'neɪ-]; ùnsòciabílity. ~ый ùnsóciable, ùnàccómmodàting, quárrelsome.
неу́жто *нареч. разг.* = неуже́ли.
неузнава́ем||**ость** *ж.* ùnrècognizabílity [-naɪ-]; до ~ости beyónd rècognítion; измени́ть до ~ости (*вн.*) change out of all rècognítion [tʃeɪndʒ...] (*d.*), tránsfórm beyónd rècognítion (*d.*). ~ый ùnrécognìzable.
неукло́нн||**ый** stéadfast ['ste-], ùnflínching; (*непрерывный*) stéady ['ste-]; к ~ому исполне́нию to be strictly cárried out; ~ая поли́тика ùndéviàting / ùnswérving pólicy; ~ое повыше́ние жи́зненного у́ровня stéady rise in the stándard of líving [...'lɪv-]; ~ое движе́ние вперёд contínued prógress; ~ая реши́мость fíxed / rígid detèrminátion.
неуклю́ж||**есть** *ж.* clúmsiness [-zɪ-], áwkwardness. ~ий clúmsy [-zɪ], lúmbering, áwkward.
неукосни́тельный strict, rígorous.
неукреплённый *воен.* ùnfórtified.
неукроти́мый indómitable.
неукрощённый ùntámed.
неулови́м||**ость** *ж.* 1. elúsiveness; 2. (*неощутимость*) ìmperceptibílity, súbtlety [sʌtl-]. ~ый 1. elúsive, dífficult to catch; он неулови́м *разг.* he is not to be caught; 2. (*еле заметный*) ìmpercéptible, súbtle [sʌtl]; ~ый звук ìmpercéptible sound; ~ая ра́зница súbtle / indéfinable dífference.
неуме́йка *м. и ж.* (*в детской речи*) clúmsy boy, girl [-zɪ...-g-].
неуме́||**лость** *ж.* want of skill, ùnskílfulness, clúmsiness [-z-]. ~лый clúmsy [-zɪ]; (*о человеке тж.*) ùnskílful. ~ние *с.* inabílity, lack of skill; ~ние рабо́тать inabílity to work; из-за ~ния for want of skill.
неуме́ренн||**ость** *ж.* ímmòderátion, lack of mòderátion; (*в еде и т. п.*) intémperance. ~ый 1. (*чрезмерный*) ìmmóderate, excéssive; ~ое употребле́ние (*рд.*) excéssive use [...-s] (of); 2. (*о человеке*) intémperate, ìmmóderate, gíven to excéss.
неуме́стн||**ость** *ж.* irrélevance. ~ый mìspláced, irrélevant, inapprópriate, out of place; ~ое замеча́ние ùntímely remárk; здесь э́то ~о it is out of place here.
неумёха *м. и ж. разг.* clúmsy pérson [-zɪ...].
неу́мный foolish, sílly.
неумоли́мый ìnéxorable; ìmplácable; ~ ход исто́рии the ìnéxorable course of hístory [...kɔːs...].
неумолка́емый ìncéssant, ùncéasing [-sɪŋ].
неумо́лчный *поэт.* = неумолка́емый.
неумы́тый ùnwáshed.
неумы́шленн||**ость** *ж. юр.* ìnadvértency. ~ый ùnprèméditàted [-riː-], ìnadvértent, ùnìnténtional; ~ое уби́йство *юр.* mánslaughter.
неупла́т||**а** *ж.* nón-páyment; в слу́чае ~ы in case of nón-páyment [...-s...].
неупотреби́тельный not in use [...-s] (*predic.*); not cúrrent, ùncómmon, ùnúsual [-'juː-].
неуправля́емый out of contról [...-oul]; ùncontróllable [-oul-], ùncontrólled [-ould].
неуравнове́шенн||**ость** *ж.* ùnbálanced state / cháracter [...'kæ-]. ~ый ùnbálanced.
неурегули́рованный outstánding, not séttled.
неурожа́й *м.* bad hárvest, fáilure of crops, crop fáilure, poor crop. ~ный of bad hárvest; ~ный год year of bad hárvest, lean year; year of dearth [...dəːθ] *идиом.*
неуро́чн||**ый** inòppórtune, ùnséasonable [-zn-]; в ~ое вре́мя (*неудобное*) at an inòppórtune time; (*не тогда, когда следует*) ùntímely.
неуря́дица *ж. разг.* 1. confúsion, disórder; mess *разг.*; 2. обыкн. мн. (*недружелюбные взаимоотношения*) squábbling *sg.*
неуси́дчив||**ость** *ж.* réstlessness; (*отсутствие прилежания*) lack of pèrsevérance [...-'vɪə-]. ~ый réstless; (*недостаточно прилежный*) not pèrsevéring [...-'vɪə-].
неуслу́жливый disobliging.
неусоверше́нствованный ùnimpróved [-'pruː-], not impróved [...-'pruː-].
неуспева́||**емость** *ж.* poor prógress, lágging behínd. ~ющий weak, poor; (*отстающий*) lágging behínd; ~ющий студе́нт slow / weak stúdent [slou...], stúdent not máking sàtisfáctory prógress.
неуспе́||**х** *м.* fáilure, lack of succéss, sét-back. ~шный ùnsuccéssful.
неуста́нный tíreless, ìndefátigable, ùnwéarying.
неустано́вленный ùnstáted, ùnestáblished; (*не назначенный*) not fíxed.
неусто́йка *ж. юр.* fórfeit [-fɪt].
неусто́йчив||**ость** *ж.* ìnstabílity, ùnstéadiness [-'ste-]. ~ый 1. ùnstáble, ùnstéady [-'ste-]; (*колеблющийся*) flúctuàting, chángeable ['tʃeɪ-]; ~ая пого́да chángeable wéather [...'we-]; 2. *физ., хим.* lábile ['leɪ-]; ~ое равнове́сие lábile / ùnstáble èquilíbrium.
неустрани́мый ùnremóvable [-'muː-]; ùnavóidable.
неустраши́м||**ость** *ж.* féarlessness, ìntrepídity. ~ый ùndáunted, féarless, intrépid.
неустро́енн||**ость** *ж.* disórder, ùnséttled state. ~ый ùnséttled, not put in órder, bádly órganized.
неустро́йство *с.* disórder.
неусту́пчив||**ость** *ж.* óbstinacy, nón-complíance. ~ый óbstinate, ùncómpromising, ùnyíelding [-'jiːld-].
неусы́пный ìndefátigable, ùnremítting, vígilant; ~ надзо́р vígilant survéillance.
неутеши́тельный not cómforting [...'kʌ-]; ùncònsóling; (*неблагоприятный*) ùnfávourable, inàuspícious.
неуте́шный dìscónsolate, ìncónsolable; désolate; ~ое го́ре ìncónsolable grief [...-iːf].
неутоли́мый ùnquénchable, ùnáppeasable [-z-]; ~ая жа́жда ùnquénchable thirst; ~ го́лод ùnáppeasable húnger; ~ая жа́жда зна́ний ùnáppeasable / ìnsátiable desíre for knówledge [...-'zaɪə...'nɔ-].
неутоми́||**мость** *ж.* ìndefàtigabílity. ~ый tíreless, ìndefátigable.
неу́ч *м. разг. пренебр.* ignorámus.
неуча́сти||**е** *с.* àbsténtion; поли́тика ~я в блока́х the pólicy of nón-alígnment [...-ə'laɪn-].
неучти́в||**ость** *ж.* discóurtesy [-'kəːt-], impolíteness, ìncivílity. ~ый discóurteous [-'kəːt-], impolíte, ùncívil.
неую́тн||**ость** *ж.* lack of cómfort [...'kʌ-]. ~ый cómfortless ['kʌ-], not cósy [...-zɪ], bleak; chéerless.
неуязви́м||**ость** *ж.* invùlnerabílity. ~ый invúlnerable.
неф *м. арх.* nave.
нефри́т I *м. мед.* nèphrítis.
нефри́т II *м. мин.* nèphríte, jade.
нефро́лог *м.* nèphrólogist, spécialist in nèphrólogy ['spe-...].
нефрологи́ческий nèphrológical.
нефроло́гия *ж.* nèphrólogy.
нефтеаппарату́ра *ж.* óil-prodúction machínery [...-ʃiːn-].
нефтега́зо||**вый** oil and gas (*attr.*); ~вая промы́шленность oil and gas índustry. ~но́сный *см.* ~но́сный райо́н oil and gas área [...'ɛərɪə].
нефтедобыва́ющ||**ий** óil-extrácting; ~ая промы́шленность oil índustry, óil-extrácting índustry, pétroleum índustry.
нефтедобы́ча *ж.* oil prodúction, oil extráction.
нефтеналивн||**о́й**: ~о́е су́дно óil-tànker.
нефтено́сн||**ость** *ж.* oil cóntent. ~ый óil-bearing [-bɛə-], pètrolíferous; ~ый райо́н óilfield [-fiːld]; ~ые поро́ды óil-bearing rocks [-bɛə-...].
нефтеочи́стка *ж.* oil refíning.
нефтеперего́нный: ~ заво́д oil refínery [...-'faɪ-].
нефтеперераба́тывающ||**ий** óil-prócessing, óil-refíning; ~ая промы́шленность óil-refíning / óil-prócessing índustry.
нефте||**прово́д** *м.* (óil-)pípe-line. ~проду́кт *м.* oil próduct. ~про́мысел *м.* óilfield [-fiːld].
нефтепромы́шленн||**ость** *ж.* oil índustry. ~ый óil-índustry (*attr.*).
нефтехими́ческий pètròchémical [pe-'ke-].
нефтехи́мия *ж.* pètròchémistry [pe-'ke-].
нефтехрани́лище *с.* oil stórage tank, oil réservoir [...'rezəvwɑː].
нефт||**ь** *ж.* oil, pétroleum, míneral oil; ~-сыре́ц crude oil. ~яник *м.* oil índustry wórker.
нефтян||**о́й** oil (*attr.*); ~а́я вы́шка óil-rig; ~а́я сква́жина óil-wèll; ~о́е месторожде́ние óilfield [-fiː-]; ~ дви́гатель oil éngine [...'endʒ-]; ~ фонта́н óil-

-gùsher; ~ая промы́шленность oil índustry; ~ое пятно́ (на воде́) oil slick.

нехва́тка ж. разг. shórtage; ~ горю́чего fúel shórtage ['fju-...].

нехи́трый 1. (о челове́ке) simple, ártless, guíle⦂less; **2.** разг. (несло́жный) simple, ún⦂complicated.

неходово́й únmárketable; not in demánd [...-a:nd].

нехо́женый разг. úntródden.

нехоро́ший bad*.

нехорошо́ I 1. прил. кратк. см. нехоро́ший; **2.** предик. безл. it is bad, it is wrong; ~ так поступа́ть it is wrong to act like this; как ~! what a shame!

нехорошо́ II нареч. bád⦂ly*; чу́вствовать себя́ ~ feel* unwéll.

не́хотя нареч. **1.** unwillingly, relúctantly; де́лать что-л. ~ do smth. hálf-héartedly [...'ha:f'ha:t-]; **2.** (неча́янно) inadvértently.

нецелесообра́зно I прил. кратк. см. нецелесообра́зный.

нецелесообра́зн⦀**о II** нареч. to no púrpose [...-s], inexpédient⦂ly. ~ый inexpédient, únsúitable [-'sju:t-]; póintless; ~ая тра́та waste [weɪ-].

нецензу́рн⦀**ый** ún⦂quótable; únprintable; ~ое сло́во obscéne word.

неча́янн⦀**о** нареч. by áccident, àccidéntally, inadvértently. **~ость** ж. únexpèctedness; по ~ости разг. accidéntally, inadvértently. **~ый 1.** (неожи́данный) únexpécted; ~ая встре́ча únexpécted en⦂cóunter; **2.** (случа́йный) inténtion⦂al, áccidental; ~ый вы́стрел rándom / áccidental shot.

не́чего [-во] **1.** рд. (дт. не́чему, тв. не́чем; при предло́гах отрица́ние отделя́ется: не́ из чего и т. п., см. не 2) мест. (+ инф.) there is nothing (+ to inf.): там ~ чита́ть there is nothing to read there; не́чем писа́ть there is nothing to write with; тут не́чему удивля́ться there is nothing to be surprised at;— не́чему ра́доваться there is no réason to rejóice [...-zˊn...], there is nothing to be háppy abóut; ему́, им и т. д. ~ де́лать, чита́ть, не́чем писа́ть и т. п. he has, they have, etc., nothing to do, to read, nothing to write with, etc.; ему́, им и т. д. бо́льше ~ сказа́ть, доба́вить и т. п. he has, they have, etc., no more to say, to add, etc.; **2.** предик. безл. (+ инф.; бесполе́зно) it's no use [...-s], it's no good (+ ger.); (нет на́добности) there is no need (+ to inf.): ~ разгова́ривать it's no use, или no good, tálking; ~ спеши́ть there is no need to húrry;— ему́ и т. д. ~ (+ инф.) he, etc., need not (+ inf.): ей ~ беспоко́иться об э́том she need not be ánxious abóut it; — ~ и говори́ть, что it goes without sáying that; (об э́том) и ду́мать ~ it is out of the quéstion [...-stʃ-], there can be no quéstion of that; ◇ ~ де́лать! there is nothing to be done!; it can't be helped! [...kɑ:nt...]; (при прош. вр.) there was nothing to be done!, it couldn't be helped; ~ сказа́ть! indéed!; well, I never (did)!; не́чем похва́статься there's nothing to be proud of; it's nothing to boast about; от ~ де́лать while

a⦂wáy the time, for want of ány⦂thing bétter to do.

нечелове́ческ⦀**ий 1.** supèrhúman; ~ие уси́лия supèrhúman éfforts; **2.** (несво́йственный челове́ку) inhúman.

не́чем тв. и не́... чем тв. и пр. см. не́чего и не 2.

не́чему и не́... чему дт. см. не́чего и не 2.

нечернозёмный nón-bláck earth [...-ə:θ] (attr.), nón-chérnozèm.

Нечернозёмье с. Nón-Bláck Earth Zone [...ə:θ...], Nón-Chérnozèm Zone.

нечёсаный dishévelled, ún⦂kémpt.

нечести́вый уст. ímpious, profáne.

нече́стн⦀**ость** [-сн-] ж. dis⦂hónesty [dɪsˊɔ-]. **~ый** [-сн-] dis⦂hónest [dɪsˊɔ-].

не́чет м. разг. odd númber; чёт и ~ odd and éven.

нечётк⦀**ий** (о рабо́те и т. п.) cáre⦂less, slípshòd; (о по́черке, шри́фте) illégible, dífficult; ~ое произноше́ние indístinct / slípshòd / deféctive pronunciátion. **~ость** ж. **1.** (о рабо́те и т. п.) cáre⦂lessness; **2.** (о по́черке, печа́ти) illegibílity.

нечётный odd.

нечистокро́вный of mixed blood [...-ʌd].

нечистопло́тн⦀**ость** ж. untídiness [-ˊtaɪ-], slóvenliness ['slʌ-]; (перен.) un⦂scrúpulous⦂ness. **~ый** dírty, untídy; (перен.) unscrúpulous.

нечистота́ ж. тк. ед. dírtiness.

нечисто́ты мн. séwage sg.

нечи́ст⦀**ый 1.** un⦂cléan, dírty; **2.** (с при́месью чего́-л.) impúre, adúlterated; **3.** (нече́стный) dis⦂hónour⦂able [dɪsˊɔ-]; ~ое де́ло shády / suspícious affáir; ~ая со́весть guílty cónscience [...-nʃəns]; он на́ руку нечи́ст разг. he is a pílferer, he is dis⦂hónest [...dɪsˊɔ-]; he is líght-fíngered; **4.** (не совсе́м пра́вильный) cáre⦂less; ~ая рабо́та cáre⦂less / bad* work; ~ое произноше́ние defective pronùnciátion; **5.** м. как сущ. фольк. dév⦂il; ◇ ~ая си́ла фольк. évil spírit ['iː-...], the évil one; де́ло ~о there is foul play here, there's dirty work afóot.

не́чисть ж. собир. фольк. évil spírits ['iː-...], pl.; (перен.; о лю́дях) презр. ríff-ràff, scum, vérmin.

нечленоразде́льный inártículate.

не́что мест. тк. им. и вн. sóme⦂thing.

нечувстви́тельный 1. (к; прям. и перен.) insénsitive (to); **2.** (незаме́тный, постепе́нный) insénsible.

нечу́ткий in⦂consíderate, blunt.

нешиpóкий ráther nárrow ['ra:-...].

нешоссиро́ванный únmétalled.

нешта́тный supernúmerary, not on the régular staff.

нешу́точн⦀**ый** разг. sérious, grave; де́ло ~ое it is no joke, it is no láughing mátter [...ˊlɑ:f-...], that is no trífling mátter.

неща́дн⦀**о** нареч. mércilessly. **~ый** mérciless.

неэконо́мный ún⦂èconómical [-iːk-].

неэти́чн⦀**ый** únéthical; ~ посту́пок únéthical act; ~ое поведе́ние impróper cónduct [-ˊprɔ-...].

неэффекти́вный ún⦂efféctive.

нея́вк⦀**а** ж. fáilure to appéar, или to repórt; ~ в суд юр. defáult; (зло́стная) contumacy; ~ на рабо́ту ábsence from

work; за ~ой ówing to nón-appéarance [ˊou-...].

неядерн⦀**ый** nón-núclear; ~ое госуда́рство a nón-núclear pówer.

неядови́т⦀**ый 1.** nón-póisonous [-z-]; **2.** хим. nón-tóxic.

нея́ркий (прям. и перен.) pale; (смягчённый) soft, sóftened [-fˊn-], subdúed.

нея́сн⦀**ость** ж. vágue⦂ness. **~ый** vague; смысл ре́чи был нея́сен the point of the talk was un⦂cléar.

нея́сыть ж. зоол. táwny owl.

ни I союз; ни ... ни néither ... nor ['naɪ-, ˊniː-...]; отрица́ние не при э́том не перево́дится: ни он, ни она́ не бу́дет там néither he nor she will be there; они́ не ви́дели ни его́, ни её they saw néither him nor her; ни за ни про́тив néither for nor agáinst; — ни тот ни друго́й néither (the one nor the other); ни та ни друга́я сторона́ (+ не) néither side; он не нашёл, не ви́дел и т. п. ни того́ ни друго́го he found, saw, etc., néither; he did not find, did not see, etc., éither [...ˊaɪ-, ˊiː-]; ◇ ни то ни сё néither one thing nor the other; (так себе́) só-sò; ни ры́ба ни мя́со néither fish nor fowl; э́то ни к селу́ ни к го́роду ≅ that is néither here nor there; ни с того́ ни с сего́ all of a súdden; for no réason at all [...-zˊn...]; without rhyme or réason идиом. разг.; ни за что ни про что (без основа́ния) for no réason at all; (ср. тж. ни II).

ни II части́ца **1.** (перед сущ. в ед. числе́, перед сло́вом оди́н или еди́ный) not a; отрица́ние не при э́том не перево́дится: не упа́ло ни (одно́й, еди́ной) ка́пли not a (single) drop fell; ни ша́гу да́льше! not a step fúrther! [...-ð]; ни души́ на у́лице not a soul in the street [...soul...]; — ни ра́зу не ви́дел его́ néver saw him; ни сло́ва бо́льше! not another word!; ни оди́н из них (+ не) none of them [nʌn...]; ни оди́н из ста, из ты́сячи (+ не) not one in a húndred, in a thóusand [...-z-]; ни оди́н, ни одна́, ни одно́... не (да́же оди́н и т. д. ... не) not a; (никако́й и т. д. ... не) no: ни оди́н челове́к не шевельну́лся not a soul, или single pérson, stirred; ни оди́н челове́к не мо́жет сде́лать э́то nó⦂body can do that;— не... ни одного́, ни одно́й и т. д. передаётся че́рез отрица́ние при глаго́ле (см. не 1) + a single: не мог найти́ ни одного́ приме́ра could not find a single ínstance; не пропусти́л ни одно́й ле́кции did not miss a single lécture; **2.** (перед предл. с ко́свен. пад. от како́й, кто, что) не no (...whát⦂éver; или передаётся че́рез отрица́ние при глаго́ле (см. не 1) + any (...whát⦂éver; ср. никако́й): ни в како́й кни́ге он не мог найти́ э́того he could find that in no book, he could not find that in any book (whatever); не приво́дится ни в како́й друго́й кни́ге is given in no other book; не зави́сит ни от каки́х обстоя́тельств does not depend on any

НИВ—НИК

circumstances (whatéver); — ни... кого, ни... кому *и т.д.* nе nóbody; *или передаётся через отрицание при глаголе* + anybody (*ср.* никто́): он ни с кем не сове́товался he consúlted nóbody, he did not consúlt anybody; он ни на кого́ не полага́ется he relíes on nóbody, he does not relý on anybody; — ни у кого́ нет, не́ было (*рд.*) nóbody has, had (*d.*); ни у кого́ из них нет (*рд.*) none of them has (*d.*); ни... чего́, ни... чему́ *и т.д.* ne nothing; *или передаётся через отрицание при глаголе* + ány: thing (*ср.* ничто́): ни в чём не сомнева́лся dóubted nóthing ['daut-...], did not doubt ány: thing [...daut...]; всё э́то ни к чему́ (*напра́сно*) it is all to no good; э́то ни к чему́ не привело́ (*бы́ло безрезульта́тно*) it led to nothing; ни на что не годи́тся is good for nothing; он э́то ни на что не променя́ет he will not exchánge it for ány: thing [...eɪndʒ...]; — ни за что (*да́ром, напра́сно*) for nothing; (*ни в ко́ем слу́чае*) never: он получи́л э́то ни за что he got it for nothing; он ни за что не догада́ется he will never guess; — ни с чем (*ничего́ не име́я*) with nothing, without ány: thing; ни на чём не осно́ванный gróundless. **3.**: как ни, како́й ни, что ни, куда́ ни, где ни *и т.п. см. под соотв. наре́чиями и местоиме́ниями*; ◊ ни в како́м, *или* ни в ко́ем, слу́чае *не*) on no accóunt; by no means; ни за каки́е де́ньги! not for ány: thing!; ни за что на све́те! not for the world!; ни за что на све́те не стал бы де́лать э́того nobody would not do it for the world; ни гу-гу́! *разг.* (*молча́ть*) not a word!; mum's the word!; don't let it go any fárther! [...-ðə]; keep it dark!; он ни гу-гу́ (*промолча́л*) he never said a word [...sed...]; he kept mum *разг.*; (*ср. тж.* ни I).

ни́ва *ж.* córnfield [-iːld]; (*перен.*) field [fiːld].

нивели́р *м. геод.* lével ['le-]. **~ова́ть** *несов. и сов.* (*вн.; прям. и перен.*) lével ['le-] (*d.*). **~ова́ться** *несов. и сов.* smooth (óver) [-ð...]. **~о́вка** *ж.* lévelling. **~о́вщик** *м.* léveller.

нигде́ *нареч.* nówhere; *~ не нигде́, или передаётся через отрицание при глаголе (ср. не 1)* + ány: where: он *~ не мог найти́* их he could find them nówhere, he could not find them ány: where; — его́, их *и т.д.* ~ нет he is, they are, *etc.*, nówhere to be found; его́ никто́ не мог ~ найти́ nóbody, *или* no one, could find him ány: where; их нельзя́ найти́ ~ кро́ме э́того ме́ста, *или* кро́ме как в э́том ме́сте *разг.* they can be found nówhere, *или* cánnot be found ány: where, but in this place.

нигили́зм *м.* níhilism ['naɪ-]. **~и́ст** *м.* níhilist ['naɪ-]. **~исти́ческий** nihilístic [naɪ-].

нигрози́н *м. хим.* nígrosin(e).

нидерла́ндец *м.*, **~ка** *ж.* Nétherlander, cítizen of the Nétherlands. **~ский** Nétherlands (*attr.*); **~ский** язы́к Dutch, the Dutch lánguage.

нижа́йший *превосх. ст. см.* ни́зкий 1.
ни́же I *сравн. ст. прил. см.* ни́зкий 1; ~ ро́стом shórter; (*ср. тж.* ни́же II 2).
ни́же II 1. *сравн. ст. нареч. см.* ни́зко II; **2.** *нареч.* lówer ['louə]; (*да́лее, по́зже — в тексте*) belów [-'lou]; этажо́м ~ one stórey lówer; спуска́ться ~ descénd, come* down*; (*ре́зко сни́зиться*) drop down; смотри́ ~ see belów; **3.** *как предл.* (*рд.*) belów: ~ нуля́ belów zéro; ~ сре́днего belów the áverage; ~ го́рода, о́строва *и т.п.* (*по тече́нию реки́*) belów *the* town, *the* island, *etc.* [...'aɪl-]; ◊ ~ чьего́-л. досто́инства benéath smb.'s dígnity; ~ вся́кой кри́тики benéath críticism.

нижеизло́женный set forth belów [...-'lou]. **~озна́ченный** méntioned belów [...-'lou], undermentioned. **~подпи́са́вшийся** *м. скл. как прил.* the undersígned [...-'saɪ-]; я, *~* подписа́вшийся... I, the undersígned... **~поимено́ванный** named belów [...-'lou]. **~приведённый** státed / méntioned belów [...-'lou]. **~сле́дующий** fóllowing. **~стоя́щий** subórdinate. **~упомя́нутый** méntioned belów [...-'lou], undermentioned.

ни́жний (*в разн. знач.*) lówer* ['louə]; ~ эта́ж ground floor [...flɔː]; ~ее бельё únderclothes [-klouðz] *pl.*, únderwear [-wɛə]; ~ее тече́ние реки́ lówer réaches of the river [...'rɪ-]; Ни́жняя Во́лга the Lówer Vólga; ~яя пала́та Lówer Chámber / House [...tʃeɪ-]; (*в А́нглии*) House of Cómmons.

низ *м.* bóttom (part).

низа́ть (*вн.*) string* (*d.*), thread [-ed] (*d.*); ~ же́мчуг string* / thread pearls [...pəː-].

низведе́ние *с.* brínging down.

низверга́ть, **низве́ргнуть** (*вн.*) precípitate (*d.*); (*перен.*) óverthrów* [-'θrou] (*d.*), subvért (*d.*). **~ся**, низве́ргнуться **1.** dash / rush / crash down; **2.** *страд. к* низверга́ть.

низве́ргнуть(ся) *сов. см.* низверга́ть (-ся).

низверже́ние *с.* (*прям. и перен.*) óverthrow [-ou], subvérsion; ~ самодержа́вия óverthrow of autócracy.

низвести́ *сов. см.* низводи́ть.

низводи́ть, **низвести́** (*вн.*) bring* down (*d.*); (*до ро́ли, положе́ния и т.п.*) redúce (*d.* to).

низи́на *ж.* low place [lou...], deprèssion. **~ный**: ~ые зе́мли lów-lying lands.

ни́зкий **1.** (*в разн. знач.*) low [lou]; ~ого ро́ста short; úndersized; ~ го́лос deep voice; ~ое ка́чество poor quálity; **2.** (*по́длый*) base [-s], mean, low; ~ посту́пок shábby act.

ни́зко I *прил. кратк. см.* ни́зкий.
ни́зко II *нареч.* **1.** low [lou]; ~ поклони́ться bow low; баро́метр ~ the baro´meter is low; **2.** (*по́дло*) básely [-s-], méanly, despícably.

низколо́бый with a low fórehead [...lou 'fɔrɪd].

низкопокло́нник *м. презр.* gróveller, tóady. **~ничать** *презр.* ków-tów; (*пе́ред*) cringe (to), fawn (upón), grovel ['grɔ-] (befóre, to). **~ство** *с. презр.* servílity, crínging, obséquiousness [-'siː-].

низкопро́бный báse-àlloy [-s-] (*attr.*), lów-stàndard ['lou-] (*attr.*); (*перен.*) base [-s]. **~ро́слый** lów-gràde ['lou-] (*attr.*); (*of*) poor quálity, (of) inférior quálity.

низлага́ть, **низложи́ть** (*вн.*) depóse (*d.*), dethróne (*d.*).

низложе́ние *с.* depósition [-'z-], dethrónement. **~и́ть** *сов. см.* низлага́ть.

ни́зменность *ж.* **1.** *геогр.* lówland ['lou-], depréssion; **2.** *тк. ед.* (*по́длость*) báseness [-s-], méanness. **~ый 1.** *геогр.* lów-lying ['lou-]; **2.** (*по́длый*) low [lou], mean, base [-s], vile; ~ое побужде́ние vile mótive; ~ый инсти́нкт brute / brútish ínstinct.

низово́й **1.** lówer ['louə]; (*относя́щийся к ни́жнему тече́нию реки́*) from / on the lówer réaches; sítuated dównstream; **2.** (*перифери́йный*) lócal; ~а́я организа́ция lócal / básic òrganizátion [...'beɪ- -naɪ-]; ~ рабо́тник wórker in básic òrganizátion, lócal wórker; ~áя печа́ть lócal press.

низо́вье *с.* the lówer réaches (of a ríver) [...'louə...'riː-] *pl.*; ~я Во́лги the Lówer Vólga *sg.*

низойти́ *сов. см.* нисходи́ть.

низо́к *м. разг.* lówer / bóttom part ['louə...].

ни́зом *нареч.* alóng the bóttom; е́хать ~ take* the lówer road [...'louə...].

ни́зость *ж.* báseness [-s-], méanness; э́то ~ it is mean / despícable.

низри́нуть *сов.* (*вн.*) precípitate (*d.*), throw* down [θrou...] (*d.*). **~ся** *сов.* dash / rush down.

ни́зший **1.** (*бо́лее ни́зкий*) lówer ['louə]; **2.** (*са́мый ни́зкий*) the lówest [...'lou-]; (*о со́рте, ка́честве тж.*) inférior; ~ее образова́ние prímary / èleméntary èducátion ['praɪ-...]; ~ая то́чка the lówest point.

низы́ *мн.* **1.** (*в кла́ссовом о́бществе — эксплуати́руемые кла́ссы*) lówer stráta (of) ['lou-...]; ~ населе́ния lówer classes; **2.** *муз.* (*ни́жние но́ты*) the bass notes [...beɪs...].

ника́к I *нареч.*: ~ не (*никаки́м спо́собом не*) in no way, nówise; *или передаётся через отрицание при глаголе (см.* не 1) + in any way; (*ниско́лько не*) by no means; он ~ не мог откры́ть я́щик he could not open the box, try as he might; he could not for the life of him open the box *идиом.*; ~ не могу́ вспо́мнить I can't for the life of me remémber [...kɑːnt...]; ~ нельзя́ it is quite impóssible.

ника́к II *вводн. сл. разг.* (*ка́жется*) it appéars, it seems: он, ~, совсéм здоро́в he is quite well, it appéars / seems; ~, он уже́ пришёл! it appéars that he has álready arrived! [...ɔːl'reː-...]; he is here álready, it seems!

никако́й (*при предло́гах отрица́ние отделя́ется*: ни от како́го *и т.п. см.* ни II 2) *мест.* no (...whatéver); (*без существи́тельного*) none (whatéver) [nʌn...]; *отрица́ние не в обо́их слу́чаях не переводи́тся*: ~ие препя́тствия не могли́ останови́ть его́ no óbstacles (whatéver) could stop him; ~ их возраже́ний! no objéctions (whatéver)!; ~ из них не хоро́ш none of them is good*; есть ли како́е-нибудь сомне́ние? — Ни-

какóго! is there any doubt [...daut]?— None (whatéver)!;— не ~ óго, ~ óй, ~ их и т. д. no... whatéver (без существит.— none whatéver; ср. выше); или передаётся через отрицание при глаголе (см. не 1) + any... whatéver: он не имéл, или у негó нé было, ~ их возражéний he had no, или had not any, objéctions whatéver;— не имéть ~óго прáва have (ábsolutely) no right, не имéть ~óго представлéния, понятия (о пр.) have no idéa [...aɪ'dɪə] (of); нет ~óго и т. д. there is no sg., there are no pl., ... whatéver; нет ~óго сомнéния there is no doubt whatéver; нет ~их слéдов there are no tráces whatéver;— никтó не посылáл ~их дéнег, не покупáл ~их книг и т. п. nóbody sent any móney [...'mʌ-], bought any books, etc.; ~ разг. (вовсе не) not... at all: он ~ не дóктор he is not a dóctor at all; ◇ ~им óбразом (не) by no means (ср. никáк I); и ~их! and that's all there is to it!, and that's that!
никéл‖евый прил. к никель; ~ блеск мин. níckel glance; ~евая сталь níckel-steel; в ~евой оболóчке níckel-càsed [-st].— ировáние с. níckel(l)ing, níckel-plàting.— ирóванный прич. и прил. níckel-plàted. ~ировáть несов. и сов. (вн.) plate with níckel (d.), níckel (d.). ~ирóвка ж. 1. (действие) níckel-plàting; 2. (слой никеля) cóating of níckel.
никéль м. níckel.
никéм тв. см. никтó.
никнуть, понúкнуть droop.
никогдá нареч. never; при отрицат. подлежáщем передаётся через отрицание не в обоих случаях не переводится: он ~ нé был там he has never been there; он ~ не видел ничегó подóбного he has never seen ánything like it; лýчше пóздно, чем ~ bétter late than never; никтó ~ нé был там nóbody has ever been there;— почти ~ (+ не) hárdly ever; ◇ в жизни (+ не) (в отношении прошедшего) never in one's life, never in one's born days; (в отношении будущего) never as long as one lives [...lɪvz].
никогó рд., вн. см. никтó.
никóй мест. ~им óбразом (не) by no means (ср. никáк I).
никомý дт. см. никтó.
никотин м. nícotine [-'ti:n]. ~овый прил. к никотин.
никотóрый мест. разг. not one; ~ из них мне не понрáвился I didn't like any of them.
никтó, рд., вн. никогó, дт. никомý, тв. никéм, пр. ни о ком (при предлогах отрицание отделяется: ни от когó и т. п. см. ни II 2), мест. nóbody; no one (об. с оттенком большей конкретности); отрицание не при этом не переводится: ~ не узнáет nóbody will know [...nou]; там никогó нé было there was nóbody there; ~ егó не видел nóbody, или no one, saw him; никогó не было дóма (из живущих там) no one was at home; ~ никогó, никéм не тж. передаётся через отрицание при глаголе (см. не 1) + ánybody или ányone: он никогó не видел там крóме неё he saw nóbody, или did not see anybody, there but her; он никомý не говорил he has told nóbody; he has not told anybody / ányone;— здесь, там и т. п. никогó нет there is nóbody, here there is not ánybody, here, there, etc.; ~ никогдá не был, не видел и т. п. nóbody has ever been, seen, etc.; ~ из них и т. п. (+ не) none of them, etc. [nʌn...]; ~ другóй nóbody else; none else / other; ◇ ~ на свéте (+ не) no one on earth [...ɜ:θ].
никудá нареч. nówhere; ~ не nówhere; или передаётся через отрицание при глаголе (ср. не 1) + ánywhere: эта дорóга ~ не ведёт this road leads nówhere, или does not lead ánywhere;— никтó ~ не пойдёт nóbody, или no one, will go ánywhere; он никогдá ~ не поéдет he will never go ánywhere; он не поéдет ~ крóме этого мéста, или крóме как в это мéсто разг. he will go nówhere, или will not go ánywhere, but to that place; ◇ это ~ не гóдится! that won't do at all! [...wou-...], that's no good at all!; ~ не гóдный very bad, wórthless; (непригодный) úseless [-s-]; góod-for-nòthing; ~ не гóдный человéк úseless indivídual. ~шный разг. = никудá не гóдный см. никудá.
никчёмный разг. úseless [-s-], góod-for-nòthing; ~ человéк úseless indivídual, góod-for-nòthing.
нимáло нареч. not in the least, not at all; я ~ не сержýсь I am not ángry at all.
нимб м. nímbus (pl. -bì, -buses); hálò ['heɪ-].
нимфа ж. миф. nymph.
нимфалиды мн. зоол. Nymphalídae [-'lɪ-].
нимфомáния ж. мед. nymphománia.
ниóбий м. хим. nióbium.
ниоткýда нареч. from nówhere; ~ не from nówhere; или передаётся через отрицание при глаголе (ср. не 1) + from ánywhere: он ~ не мог видеть этого he could see it from nówhere, he could not see it from ánywhere; — ~ не слéдует, что it in no way fóllows that.
нипочём 1. нареч. разг. (ни за что) never, not for the world; 2. предик. (дт.): емý всё ~ he does not care a straw; это емý ~ (легкó) it is child's play to him; емý, им и т. д. безл. (+ инф.) he thinks, they think, etc., nothing (of ger.): емý ~ солгáть he thinks nothing of lýing; 3. нареч. (очень дёшево) dirt-cheap; продáть ~ sell* for a song.
ниппель м. тех. nipple.
нирвáна ж. nirvána [nɪə'vɑ:-].
ниско́лько 1. нареч. (ни в какой степени) not at all, not in the least; ~ не not at all, not in the least; тж. передаётся через отрицание при глаголе (ср. не 1) + at all; (при сравнит. степени) no; (то же и от) none [nʌn] (the... for); в обоих этих случаях тж. передаётся через отрицание при глаголе + any: это ~ не трýдно it is not at all, или not in the least, dífficult; it is not dífficult at all; емý сегóдня ~ не лýчше he is no, или is not any, bétter todáy; емý от этого ~ не лýчше, не лéгче he is none the, или is not any, bétter for it;— это ~ не помоглó емý it did not help him in the least; ~ не отличáться (от) not differ in the least (from); никтó ~ не подозревáл егó nóbody suspécted him at all; он ~ не обиделся he was not a bit, или in the least, offénded; 2. как мест. разг. (никакое количество) none at all; или передаётся через отрицание при глаголе (ср. не 1) + any; (при существит. в рд. пад. и другом отрицании) no... at all, причём другое отрицание не переводится; или вмéсте с другим отрицанием передаётся через отрицание при глаголе + any... at all: скóлько бумáги он купил? — ~ how much páper has he bought? — None at all; у них мнóго дéнег, а у негó ~ they have a lot of móney and he has none, или hasn't any, at all [...'mʌnɪ...]; у негó нé было ~ врéмени he had no, или hadn't any, time at all; — скóлько это стóило емý? — ~ how much did it cost him? — It cost him nothing.
ниспадáть поэт. fall*, drop.
ниспослáть сов. см. ниспосылáть.
ниспосылáть, ниспослáть (вн.) уст. grant [-ɑ:nt] (d.).
ниспровергáть, ниспровéргнуть (вн.) subvért (d.), óverthrów* [-ou] (d.).
ниспровéрг‖нуть сов. см. ниспровергáть. ~éние с. óverthrów [-ou], subvérsion.
нисходить, низойти поэт. descénd.
нисходящ‖ий прич. и прил. descénding; по ~ей линии in a descénding line, in the line of descent; в ~ем порядке in descénding órder.
ните‖видный, ~обрáзный thréad-like ['θred-]; filifórm научн.; ~ пульс мед. thréady pulse ['θre-...].
нитк‖а ж. 1. thread [θred]; вдевáть ~у в иголку thread a needle; 2. (чего-л.) string; ~ жéмчуга string of pearls [...pɜ:-]; ◇ на живýю ~у разг. hástily ['heɪ-], ányhow; róughly ['rʌf-]; сшить на живýю ~у (вн.) tack (d.), baste [beɪst] (d.); промóкнуть до ~и разг. be wet through, be soaked to the skin; обобрáть когó-л. до ~и разг. strip smb. of éverything, fleece smb.; шито бéлыми ~ами tránspárent [-'pɛə-], óbvious.
ниточ‖ка ж. уменьш. от нитка; ◇ ходить по ~ке разг. toe the line; do as one is told; по ~ке разобрáть (вн.) ánalyse minútely [...maɪ-] (d.), subject to minúte scrútiny [...maɪ-...] (d.). ~ный прил. к нитка; ~ное производство spínning.
нитрáт м. хим. nítrate ['naɪ-].
нитрúров‖ание с. хим. nítriding ['naɪ-]. ~ать несов. и сов. (вн.) хим. nítride ['naɪ-] (d.).
нитрит м. хим. nítrite ['naɪ-].
нитрификáция ж. хим. nitrificátion [naɪ-].

НИТ – НОВ

нитрифици́ровать(ся) *хим., бот.* nítrifý ['naɪ-].

нитробензо́л *м. хим.* nítro:benzène.

нитрова́ние *с. хим.* nitrátion [naɪ-].

нитро‖глицери́н *м. хим.* nítro:glycerìne [-'riːn]. **~ипри́т** *м. воен. хим.* nítrogen mústard (gas) ['naɪ-...]. **~клетча́тка** *ж. хим.* nítro:céllulòse [-s]. **~соедине́ние** *с. хим.* nítro-cómpound.

нитча́тка *ж.* 1. (*водоросль*) confèrva, filaméntous álga [...-gə]; 2. (*червь*) háir-like nèmatòde.

ни́тчатый 1. *бот.* confèrvoid; 2. *биол.* filaméntous.

нить *ж.* 1. (*в разн. знач.*) thread [θred]; путево́дная ~ clue; ~ расска́за thread of a stóry; 2. *бот.* эл. fílament; ~ нака́ла *эл.* glów-làmp fílament ['glou-...]; *рад.* héated / hot fílament; 3. *хир.* súture; ◊ проходи́ть кра́сной ~ю stand* out; (*через*) run* all (through); э́та мысль прохо́дит кра́сной ~ю че́рез всю кни́гу this idéa / thread runs all through the book [...-'dɪə...]; Ариа́днина ~ Ariádne's clew / clue.

ни́тяный cótton (*attr.*).

ниц *нареч.:* пасть ~ *уст.* pròstráte òne:sélf; kiss the ground *идиом*.

ничего́ [-во́] I *рд. см.* ничто́.

ничего́ [-во́] II *нареч. разг.* 1. (*тж.* ~ себе́) (*неплохо, сносно*) not (too) bád:ly, pássably, só-sò; 2. *как предик. прил. неизм.* not (too) bad; па́рень он ~ he is not a bad chap; 3. *предик.* (*несущественно*) it does:n't mátter, never mind; all right.

ничегонеде́лание [-во-] *с. разг.* ídleness.

ничего́шеньки [-во́-] *нареч. разг.* nóthing at all, not a thing.

ниче́й *мест.* nó:body's, no one's (*ср.* никто́); ничья́ земля́ no man's land.

ниче́йн‖ый 1. *спорт. разг.* drawn; игра́ ко́нчилась ~ым результа́том the game ènded in a draw; 2. *разг.* (*никому́ не принадлежа́щий*) no man's.

ниче́м *тв.,* **ничему́** *дт. см.* ничто́.

ничко́м *нареч.* pròne; лежа́ть ~ lie* prone, lie* face dównwards [...-z]; лежа́щий ~ prone.

ничто́, *рд.* ничего́, *дт.* ничему́, *тв.* ниче́м, *пр.* ни о чём (*при предлогах*) *отрицание отделяется:* ни на что *и т. п. см.* ни I 2), *мест.* 1. nothing; *отрицание не при этом не переводится:* ~ не могло́ помо́чь nothing could (have) help(ed); э́то ~ в сравне́нии с тем it is nothing compáred with that, *или* nothing to that [...]; ~ ничего́, ниче́м *и тж.* передаётся через отрица́ние при глаголе (*см.* не 1) + ány:thing: он ничего́ не ви́дел там he saw nothing, *или* did not see ány:thing, there; э́то ничём не ко́нчилось it came to nothing; он ниче́м не отлича́ется (от) he differs in no way (from); там ничего́ нет there is nothing, *или* is not ány:thing, there; у него́, у них *и т. д.* ничего́ нет he has, they have, *etc.*, nothing; he has:n't, they have:n't, *etc.*, got ány:thing *разг.*; никто́ ничего́ не знал, не нашёл *и т. п.* nóbody knew, found, *etc.*, ány:thing; э́то ему́ ~, ничего́ it is nóthing to him; ему́, им *и т. д.* ничего́ не сто́ит (+ *инф.*) he thinks, they think, *etc.*, nothing (of *ger.*); ничего́ осо́бенного nothing spécial [...'spe-]; в нём ничего́ осо́бенного нет there is nothing spécial about him; ничего́ не сто́ящий wórthless; э́то ничего́ не зна́чит it does not mean ány:thing, it means nothing; it does not make sense; (э́то) ничего́!, (э́то) ничего́ не зна́чит! *разг.* (*неважно*) it does not, *или* it does:n't, mátter!; ничего́! *разг.* it's nothing!; it's all right!; (*в ответ на извинение*) that's all right!, no harm done!; 2. *как сущ. с. нескл.* (*ничтожество, нуль*) nought; ◊ ничего́ подо́бного! *разг.* nothing of the kind!; ни во что не ста́вить set* at nought.

ничто́‖жество *с.* 1. smáll:ness, péttiness; 2. (*о челове́ке*) nònentity, a nó:body; *презр.* wórhless / páltry indivídual. **~ость** *ж.* 1. *тк. ед.* insigníficance; 2. = ничто́жество 2. **~ый** (*очень ма́ленький*) trífling (*незначи́тельный*) insigníficant; contémptible; (*о челове́ке тж.*) wórthless, páltry.

ничу́ть *нареч. разг.* = ниско́лько 1; *тж.* not a bit; *отрицание не при этом не переводится:* сего́дня ~ не хо́лодно it is not a bit cold to:dáy; ◊ ~ не быва́ло not at all.

ничья́ *ж.* 1. *см.* ниче́й; 2. *скл. как прил. спорт.* draw; drawn game.

ни́ша *ж.* niche; recéss; *арх.* bay.

нища́ть, обнища́ть grow* poor [-ou...], be redúced to pénury; become* a béggar.

ни́щая *ж. скл. как прил.* béggar-wòman* [-wu-].

ни́щен‖ка *ж. разг.* béggar-wòman* [-wu-]. **~ский** béggarly; (*перен.*) míserable [-z-]. **~ство** *с.* 1. bégging; 2. (*крайняя бедность*) pénury; béggary. **~ствовать** 1. (*собирать подаяние*) beg, go* bégging; 2. (*жить в нищете*) lead* a béggarly life, be déstitùte.

нищета́ *ж.* 1. mísery [-z-]; dèstitútion; póverty (*тж. перен.*); кра́йняя ~ àbject póverty; 2. *собир.* béggars *pl.*

ни́щий I *м. скл. как прил.* béggar, méndicant, páuper.

ни́щ‖ий II *прил.* béggarly, déstitùte, índigent; (*о стране и т. п.*) póverty-rìdden, póverty-stricken; ◊ ~ ду́хом poor in spírit; ~ая бра́тия *уст.* the poor.

но I 1. *союз* but; (*в гла́вном предложе́нии после уступи́тельного прида́точного с* хотя́, как ни *и т. п.*) *не переводится:* они́ бы́ли там, но он их не ви́дел they were there, but he did not see them; они́ приду́т, но то́лько, е́сли он придёт they will come, but ónly if he does; э́то возмо́жно, но едва́ ли вероя́тно it is póssible, but hárdly próbable; не то́лько там, но и (та́кже) и здесь not ónly there, but àlsò here; не то́лько ви́дел их, но да́же говори́л с ни́ми not ónly saw them, but éven spoke to them; хотя́ бы́ло (и) темно́, или как ни темно́ бы́ло, но он всё-таки нашёл доро́гу домо́й (àl)though it was dark, *или* dark as it was, he found his way home [(ɔː)'ðou...]; 2. *как сущ. с. нескл.* but; тут есть одно́ «но» there is just one snag (to it); без вся́ких «но»!, никаки́х «но»! *разг.* no "buts" about it!; ма́ленькое «но» slight objéction.

но II *межд.* 1. (*понукание лошадей*) gèe-úp!; 2.: но-но́! (*выражает предостережение, угрозу*) come!, come!

нова́тор *м.* ínnovàtor; ~ы произво́дства índustrial ínnovàtors; ~ы се́льского хозя́йства ínnovàtors in àgrículture. **~ский** ínnovàtory [-veɪ-]. **~ство** *с.* ínnovàting, ìnnovátion.

нове́йший (*превосх. ст. от прил.* но́вый) néwest; (*последний*) látest; módern ['mɔ-], úp-to-dáte.

нове́лла *ж.* 1. short stóry; 2. *юр.* nóvel ['nɔ-].

новелли́ст *м.* shórt-stòry wríter.

но́венький 1. *прил.* bránd-néw; 2. *м. как сущ.* (*о шко́льнике*) = новичо́к 2.

новизна́ *ж.* nóvelty, néwness.

новина́ *ж.* 1. *с.-х.* vírgin soil; 2. (*хлеб но́вого урожа́я*) fréshly-reaped corn; 3. *текст.* piece of únbleached línen [piːs...'lɪ-].

нови́нка *ж.* nóvelty.

новичо́к *м.* 1. (*в пр.; в како́м-л. де́ле*) begínner [-'gɪ-] (at); nóvice (at), týrò (at); 2. (*о шко́льнике*) new boy; (*о шко́льнице*) new girl [...-g-].

новобра́нец *м.* recrúit [-uːt].

новобра́чн‖ая *ж. скл. как прил.* bride. **~ые** *мн. скл. как прил.* the néwly-weds. **~ый** *м. скл. как прил.* brídegroom.

нововведе́ние *с.* ìnnovátion.

нового́дн‖ий New Year's; ~ пода́рок New Year's gift [...g-]; ~яя ёлка New Year's tree; (*о вечере*) New Year's párty; ~ие поздравле́ния New Year's wíshes; ~ бал New Year's dance.

новогре́ческий: ~ язы́к módern Greek ['mɔ-...].

новоиспечённый *разг.* néwly-máde, néwly-flédged.

новокаи́н *м. фарм.* nòvocáine [-'keɪn].

новокаи́нов‖ый: ~ая блока́да *мед.* nòvocáine block [-'keɪn...].

новолу́ние *с.* new moon.

новомо́дный in the látest fáshion, úp-to-dáte; néw-fángled; tréndy *разг.*

новонаселённый néwly séttled.

новообразова́ние *с.* 1. new formátion; 2. *мед.* néoplasm, new growth [...-ouθ]; 3. *лингв.* neólogism.

новообращённый 1. *прил.* néwly-convérted; 2. *м. как сущ.* néophyte [-ou-], próselyte; cónvert.

новоприбы́вший 1. *прил.* néwly-arrived; 2. *м. как сущ.* néw-còmer [-kʌ-].

новорождё́нн‖ый 1. *прил.* néw-bòrn; 2. *м. как сущ.* (*ребёнок*) néw-bòrn child*; 3. *м. как сущ.* (*праздну́ющий день рождения*) one célebràting his, her birthday; поздра́вить ~ого wish many háppy retúrns (of a bírthday).

новосёл *м.* 1. new séttler; 2. (*в доме*) new ténant [...'te-].

новосе́лье *с.* 1. (*новое жили́ще*) new home; 2. (*празднование*) hóuse-wàrming [-s-]; справля́ть ~ ≃ give* a hóuse-wàrming párty; пойти́ к кому́-л. на ~ ≃ go* to smb.'s hóuse-wàrming párty.

новостро́йк‖**а** *ж.* 1. (*строительство*) eréction of new búildings, plants, *etc.* [...'bɪl- plɑ:-]; гла́вные ~и (*пятилетки*) májor constrúction prójects; 2. (*новое здание и т. п.*) néwly erécted búilding; шко́ла-~ néwly-bùilt school [-bɪlt...].

но́вост‖**ь** *ж.* 1. (*известие*) news [-z]; tídings *pl.*; 2. (*новинка*) nóvelty; ◇ э́то что ещё за ~и!, вот ещё ~и! *разг.* helló, what have we got here?, this is a túrn-ùp for the book(s)!; э́то не ~ that is nothing new.

новоте́льный *с.-х.* néwly-cálved [-'kɑ:vd].

новоя́вленный *ирон.* néwly / just brought to light; látter-day (*attr.*).

но́вшество *с.* innovátion, nóvelty.

но́в‖**ый** new; (*необычный*) nóvel ['nɔ-]; (*современный*) módern ['mɔ-]; (*недавний, последний*) fresh; ~ социа́льный строй new sócial órder; э́то де́ло для него́ ~oe it is a new job for him; вводи́ть ~ые слова́ nèologize, introdúce new words; ~ но́мер журна́ла new / fresh íssue / númber of a màgazíne [...-i:n]; ~ая мо́да new fáshion; он ~ челове́к в э́том де́ле he is a new hand at it; ~ые языки́ módern lánguages; ~ая исто́рия módern history; ~ая экономи́ческая поли́тика (нэп) *ист.* New Económic Pólicy [...i:-...]; Но́вый год New Year; (*день*) New Year's Day; Но́вый свет the New World; Но́вый заве́т the New Téstament; что ~ого? what is the news? [...-z], what's new?

новь *ж. с.-х.* vírgin soil.

ног‖**а́** *ж.* (*ступня́*) foot* [fut]; (*до ступни*) leg; положи́ть но́гу на́ ногу cross one's legs; сбить кого́-л. с ног knock smb. down; knock smb. off *his* feet; наступи́ть кому́-л. на́ ~у tread* / step on smb.'s foot* [tred...]; (*перен.*) tread* on smb.'s corns / toes; ◇ деревя́нная ~ wóoden leg ['wu-...], stump, peg leg; идти́ в но́гу (*с тв.*; *прям. и перен.*) keep* step / pace (with); (*перен. тж.*) keep* abréast [...ə'brest] (with); идти́ в но́гу с жи́знью, с ве́ком keep* up / abréast with the times; идти́ не в но́гу get* out of step; со всех ног *разг.* as fast as one can, as fast as one's legs will cárry one; протяну́ть но́ги *разг.* turn up one's toes; быть без ног (*от усталости*) *разг.* be déad-bèat [...'ded-]; подня́ть всех на́ ~и raise a géneral alárm; поста́вить кого́-л. на́ ~и *set* smb. on *his* feet; (*перен. тж.*) give* smb. a start in life; стать на́ ~и (*перен.*) becóme* indepéndent; стоя́ть на свои́х ~а́х (*перен.*) be able to stand on one's own feet [...oun...]; с головы́ до ног from head to foot [...hed...]; from top to toe; вверх ~а́ми head óver heels [hed...]; быть на коро́ткой ~е́ с кем-л. *разг.* be on close / íntimate terms with smb. [...-s...]; стоя́ть одно́й ~о́й в моги́ле have one foot in the grave; ни ~о́й (*куда́-л. или к кому́-л.*) never cross the thréshòld (of smb.'s place); not set foot (sóme:whère); где никогда́ не ступа́ла ~ челове́ка where man has never set foot; встать с ле́вой ~и́ *разг.* get* out of bed on the wrong side; е́ле волочи́ть но́ги *разг.* be hárdly able to drag one's legs

alóng; не чу́вствовать под собо́й ног (*от радости*) *разг.* be besíde one:self with joy, be wálking on air; к ~е́! *воен.* órder arms!

ноготки́ I *мн.* см. ногото́к.

ноготки́ II *мн. бот.* márigòld *sg.*

ногото́к *м. уменьш. от* но́готь; ◇ мужичо́к с ~ ≅ Tom Thumb.

но́готь *м.* nail; (*на руке тж.*) fínger-nail; (*большого пальца*) thúmb-nail; (*на ноге*) tóe-nail; вро́сший ~ ín:growing tóe-nail [-grou-...]; щётка для ногте́й náil-brùsh.

ногтое́да *ж. мед.* whítlow ['wɪt-].

нож *м.* (*столовый*) knife*; táble-knife*; (*перочинный*) pén:knife*; (*складной*) clásp-knife*; разрезно́й ~ (*для бумаги*) páper-knife*; ку́хонный ~ kítchen knife*; (*для мяса*) cárving knife*; ◇ мне э́то — о́стрый for me this is sheer hell; пристава́ть к кому́-л. с ~о́м к го́рлу *разг.* péster / impórtune smb., wórry the life out of smb. ['wʌ-...]; без ~а́ заре́зать (*вн.*) put* in a désperate situátion (*d.*), be the rúin (of), do for (*d.*); быть на ~а́х с кем-л. be at dággers drawn with smb.; ~ в спи́ну stab in the back.

ножев‖**о́й** *прил. к* нож; ~ы́е изде́лия cútlery ['kʌ-] *sg.*; ~ ма́стер cútler ['kʌ-]; ~а́я ра́на knife-wound [-wu:-].

но́жик *м.* knife*.

но́жичек *м. уменьш. от* нож.

но́жк‖**а** I *ж. уменьш. от* нога́; пры́гать на одно́й ~е hop, jump on one foot [...fut]; ◇ подста́вить ~у кому́-л. trip smb. up; ко́зья ~ *разг.* ≅ roll up.

но́жк‖**а** II *ж.* 1. (*мебели, утвари*) leg; (*рюмки*) stem. 2. *бот., зоол.* stalk; (*гриба*) stem.

но́жницы *мн.* 1. scíssors [-zəz], pair of scíssors *sg.*; (*большие*) shears; садо́вые ~ gárden shears; ~ для ре́зки про́волоки *воен.* wíre-cùtter *sg.*; 2. *эк.* discrépancy *sg.*

ножн‖**о́й** *прил. к* нога́; ~а́я ва́нна fóot-bàth* ['fut-]; ~а́я шве́йная маши́на treadle séwing-machìne [tre-'sou-ʃi:n]; ~ приво́д foot / treadle drive [fut...], pédal operátion ['pe-...]; ~ то́рмоз foot / pédal brake.

но́жны *мн.* scábbard *sg.*, sheath* *sg.*; вложи́ть в ~ (*вн.*) sheathe (*d.*); вынима́ть из ножен (*вн.*) unshéathe (*d.*).

ножо́вка *ж. тех.* háck-saw.

ноздрева́т‖**ость** *ж.* porósity [rɔ:-], spónginess [-ʌndʒ-]; ~ый сыр pórous cheese.

ноздря́ *ж.* nóstril.

нока́ут *м. спорт.* knóck-out (*сокр.* К.О.). ~**и́ровать** *несов. и сов.* (*вн.*) *спорт.* knock out (*d.*).

нокда́ун *м. спорт.* knóck-dówn.

ноктю́рн *м. муз.* nóctùrne.

нолево́й = нулево́й.

ноль *м.* 1. = нуль; 2. *спорт.* nil; они́ вы́играли со счётом три — ноль they won three nil [...wʌn...]; 3. (*при указании времени*): ~-~ exáctly; по́езд прибыва́ет в двена́дцать ~-~ the train arríves at twelve exáctly, или on the dot; ◇ а он ~ внима́ния *разг.* he does:n't care two hoots, he could:n't care less.

нома́ды *мн. уст.* nómads ['nɔ-].

НОВ — НОР

номенклату́р‖**а** *ж.* nòménclature [nou-]. ~**ный** *прил. к* номенклату́ра.

но́мер *м.* 1. númber; 2. (*обуви, одежды и т. п.*) size; ~ пря́жи count; то́нкий ~ (*пряжи*) fine count; 3. (*в гостинице*) room; 4. (*газеты и т. п.*) íssue, númber; 5. (*часть концерта и т. п.*) ítem on the prógràmme [...-ougræm], númber, turn; эстра́дный ~ músic-hàll turn [-z-...]; 6. *воен.* númber; 7. *разг.* (*шутка*) trick; вы́кинуть ~ play a trick; ◇ ~ оди́н (*наиболее важный, первостепенный*) númber one; пробле́ма ~ оди́н próblem númber one ['prɔ-...]; э́тот ~ не пройдёт *разг.* that trick won't work here [...wount...]; you can't get a:wáy with that [...ka:nt...]. ~**но́й** 1. *прил. к* но́мер; *тж.* númbered; ~**но́й знак** (*автомашины*) númber-plàte; 2. *м. как сущ.* válet ['væ-], boots (*in a hotel*). ~**о́к** *м.* tag, tálly; (*металлический тж.*) métal disc ['me-...]; (*ярлычок*) label, tícket.

номина́л *м. эк.* face válue; по ~у at face válue.

номина‖**ли́зм** *м. филос.* nóminalism. ~**и́ст** *м.* nóminalist.

номина́льн‖**о** *нареч.* nóminally. ~**ый** nóminal; *тех.* ráted; ~ая цена́ nóminal price; ~ая сто́имость face / nóminal válue; ~ая нагру́зка *тех.* ráted load; ~ая мо́щность *тех.* ráted pówer / capácity; ~ый глава́ госуда́рства títular head of State [...hed...].

номогра́мма *ж. мат.* nómogràm, nómogràph.

номогра́фия *ж. мат.* nomógraphy.

но́ниус *м. тех.* vérnier.

нонпаре́ль *ж. полигр.* nónpareil [-rel].

нора́ *ж.* búrrow, hole; (*зайца*) form.

норве́ж‖**ец** *м.*, ~**ка** *ж.*, ~**ский** Nòrwégian [-dʒən]; ~**ский язы́к** Nòrwégian, the Nòrwégian lánguage.

норд *м. мор.* 1. (*направление*) north; 2. (*ветер*) north (wind) [...wɪ-].

норд-ве́ст *м. мор.* 1. (*направление*) nórth-wést; 2. (*ветер*) nórth-wéster, nórth-wésterly (wind) [...wɪ-].

но́рдовый *прил. к* норд; ~ ве́тер north wind [...wɪ-].

норд-о́ст *м. мор.* 1. (*направление*) nórth-éast; 2. (*ветер*) nórth-éaster, nórth-éasterly (wind) [...wɪ-].

но́рия *ж. тех.* nória, búcket chain.

но́рка I *ж. уменьш. от* нора́.

но́рка II *ж.* (*животное и мех*) mink. ~**овый** *прил. к* но́рка II.

но́рм‖**а** *ж.* 1. stándard, norm; ~ поведе́ния norm of behávour; rule of cónduct; правовы́е ~ы légal règulations; ~ы междунаро́дного пра́ва stándards of internátional law [...-'næ-...]; входи́ть в ~у retúrn to nórmal; 2. (*размер чего-л.*) rate, quóta; ~ы вы́падения оса́дков rate of precipitátion; произво́дственные ~ы prodúction quótas; дневна́я ~ (*работы*) dáily work quóta; ~ вы́работки rate of óutpùt [...-put]; о́пытно-статисти́ческие ~ы expèriméntal statístical rates; пересма́тривать ста́рые ~ы revíse old norms; сверх ~ы above the planned rate of óutpùt,

347

НОР – НОТ

in excess of planned rate; по ~е according to standard; перевыполнять ~ы выработки exceed work quotas; ~ прибавочной стоимости эк. rate of surplus value; ~ прибыли эк. rate of profit; ~ довольствия воен. ration scale [ˈræ-...].

нормализация ж. normalization [-laɪ-], standardization [-daɪ-].

нормализовать несов. и сов. (вн.) normalize (d.), standardize (d.). ~ся несов. и сов. become* normal.

нормаль ж. мат. normal.

нормально I прил. кратк. см. нормальный.

нормально II нареч. normally. ~ость ж. normality; (психическая) sanity. ~ый normal; (психически здоровый) sane; ~ые условия normal conditions; ~ая температура normal temperature.

норманд||**ец** м., ~ка ж., ~ский Norman.

норманн м. ист. Northman*, Norseman*.

норматив м. norm, standard. ~ный normative.

нормирован||**ие** с. rate setting, rate fixing; (продуктов, товаров) rationing [ˈræ-]; establishment of consumption standards; техническое ~ setting / fixing of (proper) output rates [...ˈprɔ- -put...]; ~ труда work quota setting.

нормированный 1. прич. см. нормировать; 2. прил.: ~ рабочий день fixed working hours [...auəz] pl.

нормир||**овать** несов. и сов. (вн.) normalize (d.), standardize (d.); (о продуктах, товарах) ration [ˈræ-] (d.). ~овка ж. разг. = нормирование.

нормировщ||**ик** м., ~ица ж. rate-setter, rate-fixer.

норов м. 1. уст. (обычай) habit, custom; 2. разг. (тяжёлый характер) obstinacy, obduracy; с ~ом obstinate, capricious; 3. (о лошади) restiveness; лошадь с ~ом restive horse, jibber, rearer. ~истый разг. restive, jibbing; te(t)chy.

норовить (+ инф.) разг. aim (at ger.); strive* (+ to inf.).

нос м. 1. nose; у него кровь идёт из ~у his nose is bleeding; 2. (клюв птицы) beak; 3. мор. bow, head [hed], prow; ◇ показать ~ (дт.) разг. cock a snook (at); thumb one's nose (at); остаться с ~ом разг. ≅ be tricked; говорить в ~ speak* through one's nose, speak* with a twang; повесить ~ разг. ≅ be crestfallen, be discouraged [...-ˈkʌ-]; водить за ~ кого-л. разг. ≅ pull the wool over smb.'s eyes [pul... wul... aɪz], lead* smb. up the garden path; ткнуть кого-л. ~ом во что-л. разг. thrust* smth. under smb.'s nose; груб. rub / stick* smb.'s nose into smth. уткнуться ~ом во что-л. ≅ be engrossed / absorbed in smth. [...-ˈgrəust...]; lose* oneself in smth. [lu:z...]; задирать ~ разг. turn up one's nose; put* on airs; совать ~ во что-л. разг. poke / thrust* one's nose into smth., pry into smth.; совать ~ не в своё дело разг. poke / stick* one's nose into, или meddle with, other people's affairs [...pi:-...]; не видеть дальше своего ~а разг. not see* an inch before one's nose; be not able to see farther than one's nose [...-ðə...]; из-под самого ~а разг. from under one's very nose; перед ~ом, под ~ом у кого-л. разг. under smb.'s nose; на ~у разг. near, at hand; in front of one's nose [...-л-...]; just around the corner; клевать ~ом разг. nod; be drowsy [...-zɪ]; заруби это себе на ~у ≅ mark my words, ...and don't you forget it! [...-ˈget...], put that in your pipe and smoke it; бурчать себе под ~ мутter under / below one's breath [...-ˈlou... -еθ].

носа||**стый**, ~тый разг. big-nosed.

носик I м. 1. уменьш. от нос 1; 2. разг. (птичий клюв) bill.

носик II м. (у чайника и т. п.) spout.

носилки мн. 1. stretcher sg.; litter sg. амер.; (для груза) barrow sg.; 2. (паланкин) sedan(-chair) sg.

носильн||**ый**: ~ое бельё underclothes [-klouðz] pl., underwear [-wɛə].

носильщик м. porter, carrier.

носитель м. bearer [ˈbɛə-]; ~ английского языка native speaker of English [...ˈɪŋg-]; 2. мед., биол. carrier.

носить, опред. нести, сов. понести (вн.) 1. (перемещать на себе) carry (d.); (выдерживать большую тяжесть, тж. перен.) bear* [bɛə] (d.): ~ чемодан, книги, такие вещи и т. п. carry a trunk, books, such things, etc.; ~ ребёнка на руках carry a child* in one's arms; ~ такой груз carry / bear* such a load; 2. (гнать — о ветре, течении и т. п.) carry along (d.), drive* (d.); об. безл. be carried along (+ subject), be driven [...ˈdrɪ-] (+ subject): лодку понесло на скалы the boat was carried along, или was driven, towards the rocks; 3. тк. неопред. (иметь на себе: одежду, украшения и т. п.) wear* [wɛə] (d.); (иметь при себе) carry (d.); (перен.: имя, следы и т. п.) bear* (d.): ~ пальто, шляпу, сапоги, кольца, очки wear* an overcoat, a hat, boots, rings, spectacles; ~ длинные волосы wear* one's hair long; ~ деньги в кармане carry one's money in one's pocket [...ˈmʌ-...]; ~ часы, оружие carry a watch, arms; ~ следы чего-л. bear* the marks / traces of smth.; ◇ ~ на руках кого-л. тк. неопред. make* much of smb.; make* a fuss of smb., tend smb.'s every need; куда его, их и т. д. носит?, несёт? разг. where on earth is he, are they, etc., going? [...ð:θ...].

носиться I, опред. нестись, сов. понестись 1. (двигаться быстро, стремительно) rush; неопред. об. rush about; опред. (прямо, легко и быстро) scud (along); (по дт., вдоль, над; едва или почти касаясь поверхности) skim (d., along, over); (скакать) gallop; (летать) fly*; (непроизвольно двигаться по воде, по воздуху) неопред. об. float, опред. об. drift: мимо несётся поток a stream rushes past; конькобежец несётся по льду the skater skims over the ice; над озером носятся ласточки swallows skim (over) the lake; он носится по степи (на коне) he gallops over the steppe; над морем носятся стаи птиц flocks of birds fly over the sea; в воздухе носятся снежинки snow-flakes float in the air; вниз по реке несётся лёд ice floats / drifts down the river [...ˈrɪ-]; ~ нестись во весь опор ride* at full / top speed; в воздухе носятся пчёлы, шмели и т. п. (с жужжанием) bees, bumble-bees buzz through the air; носятся слухи (будто, что) it is rumoured (that); носится запах there is a smell; несётся запах, звук и т. п. (доносится) there comes a smell, a sound, etc.; 2. тк. неопред. (с тв.; придавать большое значение и т. п.) make* very / too much (of); она носится со своим сыном she fusses over her son [...sʌn]; ~ с мыслью cherish / nurse a thought, или an idea [...aɪ-ˈdɪə]; 3. страд. к носить.

носиться II (о качестве материала) wear* [wɛə]: эта ткань будет хорошо ~ this fabric / material will wear well*.

носка I ж. 1. carrying; bearing [ˈbɛə-]; (ср. носить 1); 2. (об одежде, обуви и т. п.) wearing [ˈwɛə-].

носка II ж. (яиц — о птице) laying.

ноский I разг. (об одежде, обуви и т. п.) strong, durable, hard-wearing [-wɛə-].

носк||**ий** II: ~ая курица good layer.

носов||**ой** 1. прил. к нос; ~ платок (pocket) handkerchief [...-ŋk-]; hanky разг.; 2. лингв. nasal [-z-]; ~ согласный nasal consonant; 3. мор. bow (attr.), fore (attr.); forward; ~ая часть ship's bows pl., fore-body [-bɔ-], fore part.

носоглот||**ка** ж. анат. nasopharynx [neɪz-]. ~очный анат. nasopharyngal [neɪz-].

носогрейка ж. разг. nose-warmer (short pipe).

нос||**ок** I м. (передняя часть ступни, тж. сапога, чулка) toe: на ~ках on tip-toe; танец на ~ках toe-dancing.

носок II м. (короткий чулок) sock.

нослогия ж. мед. nosology.

носорог м. зоол. rhinoceros [raɪ-]; rhino разг.

носочный прил. к носок II.

ностальг||**ический** nostalgic. ~ия ж. nostalgia.

нот||**а** I ж. муз. (тж. перен.) note; взять ~у (голосом) sing* a note; (на музыкальном инструменте) play a note.

нот||**а** II ж. дип. note; отклонить ~у reject a note.

нотариальн||**ый** notarial [nou-]; ~ая контора notary's office [ˈnou-...].

нотариус м. notary [ˈnou-].

нотаци||**я** I ж. разг. (нравоучение) lecture, reprimand [-ɑ:nd]; читать кому-либо ~ю reprimand smb., lecture smb.

нотация II ж. (система обозначений) notation [nou-].

нотификация ж. дип. notification [nou-].

нотка ж. faint note; ~ недоверия a faint note of incredulity.

нотн||**ый** прил. к ноты III; ~ое письмо notation in music [nou-... -z-];

~ая бума́га músic páper; ~ая лине́йка line.

но́ты I, II *мн. см.* но́та I, II.

но́т||**ы** III *мн.* músic [-z-] *sg.*; игра́ть по ~ам play from músic; игра́ть без нот play without músic; ◇ как по ~ам like clóckwork; without a hitch; разыгра́ть как по ~ам do smth. with the gréatest ease [...'greɪt-...], mánage béautifully [...'bju:-].

но́умен *м. филос.* nóumenon (*pl.* -ena).

ноч||**ева́ть** *несов. и сов.* pass / spend* the night; оста́ться ~ stay (for) the night. ~**ёвка** *ж. разг.* spénding / pássing the night; оста́ться на ~ёвку у кого́-л. stay the night with smb., sleep* at smb.'s place.

ночле́г *м.* 1. lódging for the night; иска́ть ~ seek* lódging (for the night), seek* shélter for the night; пла́та за ~ páyment for a night's lódging; 2. = ночёвка; останови́ться на ~ stay óver:night.

ночле́ж||**ка** *ж. разг.* = ночле́жный дом. ночле́жный. ~**ник** *м.* dósser. ~**ный**: ~ный дом dóss-house* [-s].

ночни́к *м.* níght-lamp; (*свечка*) níght-light.

ночно́е *с. скл. как прил.* níght-watch (*of horses at grass*), pásturing of hórses for the night; пое́хать в ~ take* hórses to night pásture.

ночн||**о́й** *прил.* к ночь; *тж.* nightly; ~о́е вре́мя níght-time; ~а́я сме́на night shift; ~ сто́рож níght-watch:-man*; ~ сто́лик bédside table; ~а́я руба́шка (*мужская*) níght-shirt; (*женская*) níght-gown, night-dress; ~а́я фиа́лка dame's víolet; ~ые пти́цы níght-birds; ~а́я ба́бочка moth; ~ горшо́к (chámber-)pot ['tʃeɪ-].

ноч||**ь** *ж.* night; всю ~ all night; глуха́я ~ the dead of night [...ded....]; ~ на дворе́ it is dark óutside, it is night álready [...ɔːlˈredɪ]; в ~ под (*вн.*) on the night (of); по ~а́м by night; за ~ (*в одну́ ночь*) in one night; за ~ до чего́-л. a night befóre; оста́ться на ~ stay óver:night, stay (for) the night; споко́йной ~и! good night!; ◇ поля́рная ~ the pólar night; ты́сяча и одна́ ~ The Arábian Nights; Варфоломе́евская ~ Mássacre of St. Bárthólomew; на ~ гля́дя *разг.* at this / that time of night.

но́чью *нареч.* at / by night; днём и ~ day and night.

но́ша *ж.* búrden; своя́ ~ не тя́нет *посл.* a búrden of one's own choice is not felt [...oun...].

но́шеный worn [wɔːn]; sécond-hánd ['se-].

но́щно *нареч.*: де́нно и ~ *разг.* day and night.

но́ющ||**ий** 1. *прич. см.* ныть; 2. *прил.*: ~ая боль ache [eɪk].

ноя́бр||**ь** *м.* Novémber; в ~е́ э́того го́да in Novémber, this Novémber; в ~е́ про́шлого го́да last Novémber; в ~е́ бу́дущего го́да next Novémber.

ноя́брьский *прил.* к ноя́брь; ~ день a Novémber day, a day in Novémber.

нрав *м.* dispositíon [-'zɪ-], témper; у него́ весёлый ~ he is of a chéerful dispositíon; э́то ему́ не по ~у he

does:n't like it; it goes agáinst the grain with him *идиом*.

нра́вит||**ься**, понра́виться (*дт.*) please (*d.*); ему́, ей *и т. д.* ~ся he, she, *etc.*, likes; она́ стара́ется ~ ему́ she tries to please him; ~ся ли вам э́та кни́га? do you like this book?; ему́ ~ся её лицо́ he likes her face; э́то ему́ мо́жет понра́виться he may like it; вы ему́ о́чень понра́вились he likes you very much, he is very táken with you; ему́ э́то не понра́вилось he did not like it, he dislíked it; мне он не понра́вился I dislíked him; ему́ понра́вилось ходи́ть туда́ he took a fáncy to gó:ing there; he was pleased by gó:ing there.

нравоуче́н||**ие** *с.* lécture, móral admoni̱tion ['mɔ-...]; (*в басне и т. п.*) móral; чита́ть ~ия кому́-л. lécture smb.; preach to smb.

нравоучи́тельный móralizing; ~ рома́н móral tale ['mɔ-...].

нра́вственн||**ость** *ж.* mórals ['mɔ-] *pl.*; коммунисти́ческая ~ commúnist morálity. ~**ый** móral ['mɔ-].

нра́вы *мн.* (*обычаи*) cústoms; mórals and mánners ['mɔ-...]; други́е времена́ — други́е ~ cústoms change with the times [...tʃeɪ-...], times change.

ну *межд. и частица разг.* 1. (*об. при повелит. накл. и т. п.; побуждение, предупреждение*) now, right;. (*ободрение, тж. с оттенком упрёка*) come (on); (*вопросительно: ожидание*) well: ну, начина́йте! right begin!; ну, скоре́й! húrry up now!; ну, без глу́постей! no nónsense now!; ну, ну, не не́рвничайте! come, come, come on, don't be nérvous!; ну? (*что скажете*) well?; ну, и что же да́льше? well, and what then / next?; ну, как насчёт э́того? well, what abóut it?; — ну же! now then!; ну, жи́во! now then, (be) quick!; ну, переста́ньте разгова́ривать и слу́шайте меня́! now then, stop tálking and listen to me! [...'lɪsᵊn...]; 2. (*удивление*) well; (*тж.* да ну; удивле́ние с отте́нком недово́льства *и т. п.*) what; (*нетерпение*) why; (*об.* ну и; восклица́тельно: что за, вот так) what: ну, пра́во!, ну, одна́ко же! well, to be sure! [...ʃuə]; well, réally! [...'rɪə-]; ну и ну! well, well!; ну, а как же я?! well, and what abóut me?!; (да) ну, неуже́ли?! what! Réally?, I say!; ну, коне́чно. why, of course! [...kɔːs]; ну и пого́да! what násty wéather! [...'weð-]; ну и шум! what a noise!; — ну-ну! Кто бы угада́л! well, well! Who would have thought it!; ну, не сты́дно ли ему́? and is:n't he ashámed of him:sélf?; 3. (*согласие, уступка, примирение, облегчение и т. п.; тж.* ну вот — *в повествовании*) well: ну, приходи́те, е́сли (вам) уго́дно well, come if you like; ну, мо́жет быть, вы и пра́вы well, perháps you are right; ну так что же? (*какое это имеет значение*) well, what of it?; ну, э́тому нельзя́ помо́чь well, it can't be helped [...kɑːnt...]; ну, прошло́!, ну, ко́нчилось! well, that's óver!; ну (вот), как я говори́л, он пришёл и уви́дел well, as I was sáying, he came and saw; — ну хорошо́ all right then, very well then; ну что ж, ну так

well then: ну что ж, приходи́те за́втра well then, come to:mórrow; ну так я бу́ду продолжа́ть well then, I shall contínue; 4.: ну как (+ *будущ. вр.; опасе́ние*) suppóse (+ were + to *inf.*): ну как кто́-нибудь уви́дит suppóse sómebody were to see; 5. *предик.* (+ *инф.; нача́ло де́йствия*) передаётся через ли́чные фо́рмы глаго́ла start (+ ger.): он ну крича́ть he stárted yélling; 6. (*тж.* а ну) *предик. безл.* (*вн.*) *груб.*: а ну его́! to hell with him!

нуга́ *ж.* nóugat ['nuːgɑː:].

ну́дить (*вн.*) *уст.* force (*d.*), compél (*d.*).

ну́дн||**ость** *ж.* tédium, tédious:ness. ~**ый** tédious, tíre:some, írk:some; ~ый челове́к bore; како́й он ~ый! what a bore he is!

нудь *ж. разг.* bóre:dom.

нужд||**а́** *ж.* 1. (*надо́бность*) need; испы́тывать ~у́ (в *пр.*) be in need (of); у него́ ~ в деньга́х he is in need of móney [...'mʌ-]; he does not have enóugh móney [...'nʌf...]; без ~ы́ without necéssity, néedlessly; в слу́чае ~ы́ in case of need [...-s...], if need be; нет ~ы́ no need; 2. *тк. ед.* (*бедность*) want; indigence; жить в ~е́ live in póverty [lɪv...]; be hárd-úp; ◇ ~ы́ нет! *разг.* never mind!, no mátter!

нужда́емость *ж.* (в *пр.*) needs *pl.* (in), requíre:ments *pl.* (in).

нужда́||**ться** 1. (в *пр.*) need (*d.*), want (*d.*), requíre (*d.*); (*в защи́те, по́мощи*) stand* in need (of); 2. (*находи́ться в бе́дности*) be hárd-úp. ~**ющийся** néedy, índigent.

ну́жно 1. *прил. кратк. см.* ну́жный; 2. *предик. безл.* (+ *инф.; или что́бы; необходи́мо, тре́буется*) it is nécessary (+ to *inf.*; или that ...should); (*с доп. при инф.*) *тж.* передаётся через ли́чные фо́рмы глаго́ла need (*subject* + to *pass. inf.*); (то же — с отте́нком долженствова́ния) must (*subject* + *pass. inf.*); *тж.* передаётся через ли́чные фо́рмы глаго́ла have (*subject* + to *pass. inf.*); (*тж.* — бы + *инф.; сле́дует, рекоменду́ется*) one should (+ *inf.*), one ought (+ to *inf.*); (то же — как обраще́ние ко 2-му лицу́) you should (+ *inf.*), you ought (+ to *inf.*); (*с доп. при инф. с тем же отте́нком тж.*) should (*subject* + *pass. inf.*): ~ пое́хать туда́ it is nécessary to go there; ~, что́бы кто́-л. пое́хал туда́ it is nécessary (that) smb. should go there; ~ сде́лать э́то тща́тельно it is nécessary to do it cáre:fully, it needs to be done cáre:fully; э́то ~ сде́лать it must be, или has to be, done; ~ быть осторо́жным you should be, или ought to be, cáre:ful; ~ бы́ло (бы) сесть в авто́бус (и вы не опозда́ли бы) you should have táken *a* bus (and you would not have been late); э́тому ~ (бы) уделя́ть бо́льше вре́мени one / you should give more time to it; more time should be spent on that; — ему́, им *и т. д.* ~ (+ *инф.; соотв.* ука́занным вы́ше отте́нкам значе́ния) it is nécessary for

НУЖ–О

him, for them, *etc.* (+ to *inf.*); they need, *etc.* (+ to *inf.*); he, they, *etc.*, must (+ *inf.*); he has, they have, *etc.* (+ to *inf.*); he, they, *etc.*, should (+ *inf.*), *или* ought (+ to *inf.*): ей ~ поéхать тудá it is necessary for her, *или* she needs, to go there; вам ~ поéхать в санатóрий (вы в этом нуждáетесь) you need to go to a sanatórium; (я сказáл, что) мне ~ идти́ (порá уходи́ть) (I said that) I must go [...sed...]; мне ~ бы́ло идти́ (порá уходи́ть) I had to go; вам ~ (бы) посовéтоваться с врачóм, обрати́ться к врачý you should consúlt, *или* ought to consúlt, a dóctor; — емý *и т. п.* не ~ (+ *инф.*; *можно не*) he, *etc.*, need not (+ *inf.*); (*не следует*) he, *etc.*, should not (+ *inf.*): емý не ~ приходи́ть (éсли он не хóчет) he need not come (if he does not want to); (вам) не ~ боя́ться you need not be afráid, you should not be afráid; он знáет, что (емý) не ~ серди́ться на меня́ he knows that he should not be ángry with me [...nouz...]; — вам не ~ тудá ходи́ть you mustn't go there; ~ бы́ло ви́деть, как он обрáдовался! you should have seen how glad he was!; не ~ бы́ло говори́ть емý э́то, заставля́ть меня́ ждать *и т. п.* (*с упрёком 2-му лицу*) you should not have told him that, have kept me wáiting, *etc.*; 3. *предик. безл.* (*рд., вн.*) *разг.* = нýжен, нужнá *и т. д.* (+ *им.*) *см.* нýжный; емý *и т. д.* ~ (*рд., вн.*) *разг.* = емý *и т. д.* нýжен, нужнá *и т. д.* (+ *им.*) *см.* нýжный: им ~ молокá they want some milk; емý ~ ты́сячу рублéй he needs / wants a thóusand roubles [...-zənd ru:-]; ◊ óчень (мне) ~! *ирон. разг.* just what I need! (*ср. тж.* нáдо I).

нýж||ный nécessary; *кратк.* (*потребен*) *тж.* передаётся через ли́чные фóрмы пáссива глагóла need; *кратк.* (*трéбуется, нýжно получи́ть, ви́деть*) передаётся через ли́чные фóрмы пáссива глагóла want: э́то ~ная кни́га it is a nécessary book; сон ~ен для здорóвья sleep is nécessary to health [...he-]; э́то óчень ~но that is very néсessary; that is néeded very much; всё ~ное évery:thing nécessary; всё, что ~но all that is néeded, all that is wánted; скажи́те емý, что он ~ен здесь tell him (that) he is wánted / néeded here; — э́то как раз то, что ~но! that's just the thing!; éсли *и т. п.* (э́то) ~но if, *etc.*, nécessary: их назвáния приво́дятся, éсли (э́то) ~но, где (э́то) ~но their names are given if nécessary, where nécessary; — емý, им *и т. д.* ~ *и т. п.* ~ны́ (+ *им.*; *необходи́м и т. п.*) he needs, they need, *etc.* (*d.*); (*недостаёт, трéбуется, нýжно получи́ть, ви́деть*) he wants, they want, *etc.* (*d.*): им ~нá пóмощь they need help / assistance; для э́того вам ~но дéсять рублéй you need ten roubles for it [...ru:-]; э́та кни́га бýдет ~нá ей сегóдня she will want this book to:dáy; что вам ~но? — Мне ~ен карандáш, ~но нéсколько листóв бумáги what do you want? — I want a péncil, I want a few sheets of páper; скажи́те емý, что он мне ~ен tell him (that) I want him; на э́то ~но 2 часá it will take two hours [...auəz]; — что емý ~но? (*чего добивается*) what is he áfter?

нý-ка *межд.* now!, now then!, come!
нýкать *разг.* say* "come on".
нуклéин *м. хим.* núclein [\`nju:kliin]. **~овый**: ~овые кислóты *хим.* núcleic ácids [-lıık...].
нуклóн *м. физ.* núcleon.
нулёв||ка *ж.*: под ~ку остри́чь (когó-л.) *разг.* give* smb. a (close) crop [...-s...].
нулевóй *прил. к* нуль; *мат.* zéro (*attr.*).
нул||ь *м.* nought; (*о температýре тж.*) zéro; (*цифра тж.*) cipher [\`sa1-]; (*в телéф. номере и т.п.*) o [ou]; (*перен.: о человéке*) a nó(body), a nónentity; своди́ть к ~ю (*вн.*) bring* to nought / nothing (*d.*), redúce to zéro (*d.*); своди́ться к ~ю come* to nought / nothing.
нумерáтор *м.* 1. númerátor; 2. *эл.* annúnciátor. **~áция** *ж.* 1. númerátion; 2. (*цифровóе обозначéние*) númbering.
нумеровáть, пронумеровáть (*вн.*) númber (*d.*); ~ страни́цы páginàte; númber the páges.
нумизмáт *м.* nùmism:atist. **~ика** *ж.* nùmism:átics, nùmism:atólogy. **~и́ческий** nùmism:átic.
нýнций *м.* núncio [-ʃıou].
нутáция *ж. астр.* nutátion.
нýтрия *ж.* 1. (*водянáя крыса*) cóypu [-pu:]; 2. (*мех*) nútria.
нутр||ó *с. тк. ед. разг.* ínside, intérior; ◊ э́то мне не по ~ý it is to his li:king; э́то емý не по ~ý it goes against the grain with him; it's not to his li:king; чу́вствовать что-л. всем ~óм réalize compléte:ly [\`rıə-...].
нутромéр *м. тех.* intérnal cálipers *pl.*
ны́не *нареч.* now, at présent [...-ez-]. **~шний** présent [-ez-], présent-day [-ez-] (*attr.*); ~шний день to:dáy; ~шний год this year; в ~шние временá nów:a:days.
ны́нче *нареч. разг.* 1. (*сегóдня*) to:dáy; ~ у́тром, вéчером *и т. п.* this mórning, this évening, *или* to:night, *etc.* [...\`i:v-...]; 2. (*тепéрь*) now; nów:a:days; ◊ не ~ — зáвтра *разг.* any day now.
нырнýть *сов. см.* ныря́ть.
нырóк *м. зоол.* póchard.
ныря́ло *с. тех.* plúnger [-ndʒə], plúnger píston.
ныря́ние *с.* díving, plúnging [-ndʒ-].
ныря́ть, нырнýть dive.
ны́тик *м. разг. пренебр.* whímperer, whíner, móaner.
ныть 1. (*болеть*) ache [еık]; у негó нóет рукá his arm, his hand aches; у негó нóет сéрдце he is sick at heart [...hɑ:t]; 2. *разг.* (*издавáть жáлобные звуки*) whine; 3. *разг. пренебр.* (*жáловаться*) whine, whímper; complain, moan.
нытьё *с. разг. пренебр.* whíning, whímpering, móaning.

ньюфáундленд *м.* (*собака*) Newfóundland dog.
нэп *м.* (*нóвая экономи́ческая полити́ка*) *ист.* New Económic Pólicy [...i:-...].
нэ́повский *прил. к* нэп.
нюáнс *м.* nuánce [-\`ɑ:ns], shade. **~и́ровать** *несов. и сов. муз.* shade; put* expréssion into one's pláying.
ню́ни *мн.*: ~ распусти́ть ~ *разг.* snível [\`sni-], whímper, start whíning.
ню́ня *м. и ж. разг.* snivéller, crý:baby.
нюх *м.* scent; (*перен.*) flair, scent; у негó хорóший ~ he has a good nose.
ню́х||альщик *м.*, **~альщица** *ж.*: ~ табакá snúff-tàker. **~ательный**: ~ательный табáк snuff.
ню́х||ать, понюхать (*вн.*) smell* (*d.*), smell* (at); ~ табáк take* snuff; ◊ он э́того и не ~ал! *разг.* he hadn't éven sniffed at it!
ня́нечка *ж. разг.* 1. *уменьш. от* ня́ня; 2. (*в больни́це*) (hóspital) nurse.
ня́нчить (*вн.*) nurse (*d.*). **~ся** (*с тв.*) с детьми́ (drý-)nùrse (*d.*); (*перен.*) fuss (óver).
ня́нька *ж. разг.* = ня́ня; ◊ у семи́ ня́нек дитя́ без глáзу *посл.* ≃ too many cooks spoil the broth.
ня́нюшка *ж.* nánny.
ня́ня *ж.* 1. nánny, núrse-maid, (drý-)nùrse; (*обращéние тж.*) núrsey, nánny; 2. (*в больни́це*) (hóspital) nurse.

О

о I, **об**, **обо** *предл.* (*пр.*) 1. (*относи́тельно*) of; abóut (*об. с оттéнком бóльшей обстоя́тельности*); (*при обозначéнии тéмы, в заглáвиях научных трудóв и т. п.*) on; (*при обозначéнии герóя или содержáния литератýрного произведéния и т. п.*) of: напоминáть комý-л. о чём-л. remind smb. of smth.; воспоминáние об э́том the remémbrance of it; егó мнéние о них his opínion of them; забóтиться о ком-л., о чём-л. take* care of smb., of smth.; дýмать, разгова́ривать, читáть, слы́шать о ком-л., о чём-л. think*, talk, read*, hear* of / abóut smb., of / abóut smth.; беспокóиться о чём-л. be ánxious abóut smth., wórry abóut smth. [\`wʌ-...]; кни́га о жи́вописи *a* book on páinting; лéкция о диалекти́ческом материали́зме *a* lécture on dialéctical matérialism; "О происхождéнии ви́дов" "On the Ó:rigin of Spécies" [...-ʃi:z]; балла́ды о Рóбине Гýде bállads of Róbin Hood; расскáз о приключéниях stóry of advéntures; — пóмнить, вспоминáть о ком-л., о чём-л. remémber smb., smth.; сожалéть о чём-л. regrét smth.; сожалéние о чём-л. regrét for smth.; горевáть о ком-л., о чём-л. grieve for / óver smb., for / óver smth. [griːv...]; 2. (*при обозначéнии числá однорóдных частéй*) with; *чáще переда́ется через сýффикс* -ed, *причём числи́тельное присоединя́ется посрéдством дéфиса* (-): стол о трёх нóжках *a* table with three legs, *a* thrée-légged table; ◇ па́лка о двух конца́х ≅ a twó-édged / dóuble-édged wéapon [...'dʌbl- 'wep-]; *тж. и др. особые случаи, не приведённые здесь, см. под теми словами, с которыми предл.* о I *образует тесные сочетания*.

о II, об, обо *предл.* (*вн.*; *при обозначении соприкосновения, столкновения и т. п.*) against; (*то же — в направлении сверху*) on; upón (*часто без удар.*): опира́ться о сте́ну lean* against *the* wall; уда́риться ного́й о ка́мень hit* one's foot* against *a* stone [...fut...]; опира́ться (рука́ми) о стол lean* on / upón the table; ◇ бок о́ бок side by side; идти́ рука́ о́б руку (с *тв.*) go* hand in hand (with); об э́ту по́ру by this time.

о III *межд.* oh [ou]; о, оте́ц! oh, fáther! [...'fɑ:-]; *как частица при обращении* O.

о-, об-, обо- *глагольная приставка; см. глаголы с этой приставкой.*

оа́зис *м.* óasis (*pl.* óasès [-si:z]).

об *предл. см.* о I, II.

об- *глагольная приставка* (*та же, что* о-); *см. глаголы с этой приставкой.*

о́ба *числит.* both [bouθ] (*см. тж.* обо́его); ◇ смотре́ть в ~ keep* one's eyes ópen / skinned [...aiz...], be on one's guard; обо́ими рука́ми *разг.* (*охотно*) réadily ['red-], very willing:ly, with all one's heart [...hɑ:t]; (*рья́но*) éagerly [-g-].

оба́биться *сов. разг.* 1. (*о мужчине*) become* efféminate; 2. (*о женщине*) become* slúttish; become* coarse.

обагри́ть(ся) *сов. см.* обагря́ть(ся).

обагря́ть, обагри́ть (*вн.*): ~ кро́вью stain with blood [...blʌd] (*d.*); cóver with gore ['kʌ-...] (*d.*); ~ ру́ки кро́вью, в крови́ steep one's hands in blood, have blood on one's hands. ~ся, обагри́ться be / become* stained with blood [...blʌd].

обалдева́ть, обалде́ть *разг.* go* out of one's mind, lose* one's wits [lu:z...]; (*от удивления*) be stunned / struck with surprise.

обалде́лый *разг.* dazed, stúpefìed, stunned.

обалде́ть *сов. см.* обалдева́ть.

обанкро́титься *сов.* become* bánkrupt / insólvent; go* / be / get* broke *разг.*; (*перен. тж.*) go* / be* to píeces [...'pi:s-]; collápse, be played out.

обая́ние *с.* charm, fàscinátion.

обая́тельн||ость *ж.* = обая́ние. ~ый chárming, fàscinàting.

обва́л *м.* 1. (*процесс*) fáll(ing), crúmbling; collápse; (*оседание*) cáving-in; ~ стены́ collápse of *a* wall; 2. (*обрушившиеся глыбы и т. п.*) lándslide, lándslip; сне́жный ~ snów-slip ['snou-], ávalànche [-a:nʃ] snów-slide ['snou-] *амер.*

обва́ливать, обвали́ть (*вн.*) 1. (*обрушивать*) cause to fall (*d.*), crumble (*d.*); 2. (*заваливать кругом*) heap round (*d.*).

обва́ливать II, обваля́ть (*вн. в пр.*) roll (*d. in*).

обва́ливаться I, обвали́ться 1. fall*, collápse, cave in, crumble; 2. *страд.* к обва́ливать I.

обва́ливаться II *страд. к* обва́ливать II.

обвали́ть *сов. см.* обва́ливать I. ~ся *сов. см.* обва́ливаться I.

обваля́ть *сов. см.* обва́ливать II.

обва́ривать, обвари́ть (*вн.*) 1. (*обдавать кипятком*) pour bóiling wáter [po:...'wɔ:-] (*over*) 2. (*ошпаривать*) scald (*d.*); обвари́ть себе́ ру́ку scald one's hand. ~ся, обвари́ться 1. scald òneself; 2. *страд. к* обва́ривать.

обвари́ть(ся) *сов. см.* обва́ривать(ся).

обвева́ть, обве́ять (*вн. тв.*; *обдавать струёй воздуха*) fan (*d.*).

обве́ивать, обве́ять (*вн.*) *с.-х.* winnow (*d.*).

обвенча́ть *сов.* (*вн.*) márry (*in church*) (*d.*). ~ся *сов.* get* márried (*in church*).

обвести́ *сов. см.* обводи́ть.

обверте́ть *сов. см.* обвёртывать II.

обвёртывать I, обверну́ть (*вн. тв.*) wrap up (*d. in*).

обвёртывать II, обверте́ть (*вн.*) wind* round (*d.*).

обве́с I *м. разг.* false / wrong weight [fɔ:ls...].

обве́с II *м.*: ~ мо́стика *мор.* bridge cloth.

обве́сить I, II *сов. см.* обве́шивать I, II.

обве́ситься I, II *сов. см.* обве́шиваться I, II.

обвести́ *сов. см.* обводи́ть.

обве́тренн||ый wéather-beaten ['weðə-]; (*потрескавшийся* chapped; ~ые ру́ки chapped hands.

обве́тр||ивать, обве́трить (*вн.*) expóse to the wind [...wind] (*d.*), обве́триться be / become* wéather-beaten [...'weðə-]. ~ить(ся) *сов. см.* обве́тривать(ся).

обветша́л||ость *ж.* decrépitùde, decáy. ~ый decrépit, decáyed; (*о здании тж.*) rámshàckle, dilápidàted.

обветша́ть *сов. см.* ветша́ть.

обве́шать *сов. см.* обве́шивать II. ~ся *сов. см.* обве́шиваться II.

обве́шивать I, обве́сить (*вн.*; *обма́нывать в весе*) cheat in wéighing (*d.*), give* short weight (*i.*).

обве́шивать II, обве́шать, обве́сить (*вн. тв.*) *разг.* (*навешать вокруг*) hang* round (*d.* with), cóver ['kʌ-] (*d.* with); ~ побряку́шками cóver / load with tínsel (*d.*).

обве́шиваться I, обве́ситься *разг.* (*ошибаться при взвешивании чего-л.*) weigh wrong.

обве́шиваться II, обве́шаться, обве́ситься 1. (*тв.*; *увешивать себя чем-л.*) wear* too many órnaments [wɛə...]; она́ обве́шалась побряку́шками she wears too many trínkets; 2. *страд. к* обве́шивать II.

обве́ять *сов. см.* обвева́ть *и* обве́ивать.

обвива́ть, обви́ть (*вн. тв.*) wind* (round *d.*); twine (round *d.*); entwíne (*d.* with, abóut); обви́ть ше́ю рука́ми throw* one's arms round smb.'s neck [θrou...]; ди́кий виногра́д обви́л терра́су wild vines twined round the verándah. ~ся, обви́ться 1. (*вокруг*) wind* (round); twine òneself (round); 2. *страд. к* обвива́ть.

О – ОБВ

обвине́ни||е *с.* 1. charge, àccusátion [-'zei-]; ~ в преступле́нии ìmputátion of *a* crime; incriminátion; возводи́ть на кого́-л. ~ в чём-л. accúse smb. of smth., charge smb. with smth.; возводи́ть на кого́-л. ~ в преступле́нии incríminate smb., impúte *a* crime to smb., charge smb. with *a* crime; lay* the fault at smb.'s door [...dɔ:] *идиом.*; взаи́мные ~я mútual recrìminátions; отклони́ть ~я repúdiàte *the* chárges; 2. *тк. ед. юр.* (*как сторона на суде*) the pròsecútion.

обвини́тель *м.*, ~ница *ж.* accúser; *юр.* prósecùtor; госуда́рственный ~ públic prósecùtor ['prʌ-...]; ~ный accusátory [-z-]; ~ный пригово́р vérdict of "guilty"; ~ное заключе́ние (bill of) indíctment [...'dait-]; ~ная речь speech for the pròsecútion; ~ный акт indíctment.

обвини́ть *сов. см.* обвиня́ть 1.

обвиня́емый 1. *прич. см.* обвиня́ть; 2. *м. как сущ.* the accúsed; *юр.* (*ответчик в гражданском иске*) deféndant; (*в суде*) prísoner at the bar [-iz-].

обвиня́ть, обвини́ть 1. (*вн. в пр.*) accúse (*d.* of), charge (*d.* with), blame (*d.* for); 2. *тк. несов.* (*вн.*) *юр.* prósecùte (*d.*), indíct [-'dait] (*d.*). ~ся (*в пр.*) be charged (with), be accúsed (of); *юр.* be prósecùted (for).

обвиса́ть, обви́снуть hang*, droop; sag; (*о человеческом теле*) be / grow* flábby [...grou...]; поля́ у шля́пы обви́сли the brim of the hat droops / sags; его́ щёки обви́сли his cheeks are flábby.

обви́слый *разг.* flábby, ságging.

обви́с||нуть *сов. см.* обвиса́ть. ~ший = обви́слый.

обви́ть(ся) *сов. см.* обвива́ть(ся).

обво́д *м. воен.* enclósing, surróunding; (*судна*) line.

обводи́ть, обвести́ 1. (*кого-л. вокруг*) lead* (smb. round); 2. (*вн. тв.*; *ограждать чем-л.*) encírcle (*d.* with), surróund (*d.* with); 3. (*вн.*; *о контуре*) óutline (*d.*); ~ чертёж ту́шью ink in *a* dráwing; óutline *a* sketch in ink; 4. (*вн.*; *в футболе, хоккее*) dodge (*d.*), óutpláy (*d.*); ◇ ~ глаза́ми (*вн.*) look round (*d.*); обвести́ вокру́г па́льца (*вн.*) *разг.* cheat (*d.*), dupe (*d.*), deceíve [-'si:v] (*d.*), take* in (*d.*).

обводне́ние *с.* irrigátion, supplýing with wáter [...'wɔ:-]; ~ кана́ла filling of *a* canál with wáter.

обводни́тельн||ый irrigátion (*attr.*); ~ая систе́ма irrigátion sýstem.

обводни́ть *сов. см.* обводня́ть.

обво́дный: ~ кана́л bý-pàss canál; ~ судохо́дный кана́л bý-pàss shípping canál.

обводня́ть, обводни́ть (*вн.*) supplý with wáter [...'wɔ:-] (*d.*), írrigàte (*d.*), turn the wáter (on); (*о пруде, канале*) fill up with wáter (*d.*).

обвола́кивать, обволо́чь (*вн.*) envélop [-'ve-] (*d.*), cóver ['kʌ-] (*d.*); ~ тума́ном shroud / envélop in mist (*d.*). ~ся, обволо́чься 1. (*тв.*) become* cóvered /

351

ОБВ – ОБЕ

envéloped [...'kʌ-...] (with); 2. *страд.* к обволáкивать.

обволóчь(ся) *сов. см.* обволáкивать (-ся).

обворовáть *сов. см.* обворóвывать.

обворóвывать, обворовáть (*вн.*) *разг.* rob (*d.*).

обворожи́тельность *ж.* fàscinátion, charm. ~ый fáscinàting, bewítching; ~ая улы́бка bewítching smile.

обворожи́ть *сов.* (*вн.*) fáscinàte (*d.*), bewítch (*d.*), charm (*d.*).

обвязáть I, II *сов. см.* обвя́зывать I, II.

обвязáться *сов. см.* обвя́зываться I.

обвя́зывать I, обвязáть (*вн. тв.*) tie (round *d.*); ~ верёвкой tie *a* cord / rope (round); ~ гóлову платкóм tie *a* kérchief round *one's* head [...-tʃɪf-...hed].

обвя́зывать II, обвязáть (*вн.*) (*крючкóм*) cróchet round ['krouʃeɪ...] (*d.*); (*обмётывать*) edge in cháin-stitch (*d.*); ~ платóк edge *a* hándkerchief in cháin-stitch [...-ŋkə-...].

обвя́зываться I, обвязáться 1. (*тв.*) tie round òne:sélf (*d.*); ~ верёвкой tie / bind* a rope round one's waist; 2. *страд.* к обвя́зывать I.

обвя́зываться II *страд.* к обвя́зывать II.

обглáдывать, обглодáть (*вн.*) pick (*d.*), gnaw round (*d.*); обглодáть кость pick *a* bone.

обглóданный 1. *прич. см.* обглáдывать; 2. *прил.*: ~ая кость bare / picked bone.

обглодáть *сов. см.* обглáдывать.

обглóдок *м. разг.* bare bone.

обгóн *м.* òver:táking, pássing; ~ запрещён! *авт.* no òver:táking!, no pássing!

обгоня́ть, обогнáть (*вн.*; *прям. и перен.*) outrún* (*d.*), outstríp (*d.*), outdístance (*d.*); (*оставля́ть позади́*) leave* behínd (*d.*); pass (*d.*); *авт.* òver:táke* (*d.*); ~ в полёте *ав.* outflý* (*d.*); си́льно обогнáть have a long start (óver).

обгорáть, обгорéть be scorched, be burnt on the édges.

обгорéлый 1. burnt; (*обу́гленный*) charred; 2. *разг.* (*обожжённый со́лнцем*) súnburnt.

обгорéть *сов. см.* обгорáть.

обгрызáть, обгры́зть (*вн.*) gnaw round (*d.*).

обгры́зть *сов. см.* обгрызáть.

обдавáть, обдáть 1. (*вн. тв.*, *обливáть*) pour (*d.*) (*over d.*); ~ кипяткóм pour bóiling wáter [...'wɔ:-...] (*over*); ~ гря́зью splash all óver with mud (*d.*); 2. *безл.*: егó óбдало хóлодом he felt a wave of cold; егó óбдало тёплым вóздухом he felt a cúrrent / stream of warm air; ◊ обдáть презрéнием fix with a look of scorn. ~ся, обдáться 1. pour (wáter, *etc.*) óver òne:sélf [pɔ: 'wɔ:-...]; 2. *страд.* к обдавáть.

обдáть *сов. см.* обдавáть.

обдéлать *сов. см.* обдéлывать.

обдели́ть *сов. см.* обделя́ть.

обдéлывать, обдéлать (*вн.*) 1. finish (*d.*); (*о кóже и т. п.*) dress (*d.*); 2.: ~ драгоцéнные кáмни set* précious stones [...'pre-...]; 3. *разг.* (*вы́годно устрáивать*) fix (*d.*), mánage (*d.*), arránge [-eɪndʒ] (*d.*); обдéлать дéло fix / arránge an affáir, fix smth. up; clinch a deal *амер. разг.*; ~ свои́ делишки mánage one's affáirs with prófit; ~ мáстер ~ свои́х делишек he is éxpert at táking care of númber one.

обделя́ть, обдели́ть (когó-л.) do (smb.) out of *his* share, not let* (smb.) have *his* fair share, share únfàirly (with smb.); (*перен.*) depríve (smb.).

обдёргивать, обдёрнуть (*вн.*) *разг.* (*о плáтье и т. п.*) adjúst (*d.*), pull down [pul...] (*d.*). ~ся, обдёрнуться *разг.* 1. pull one's dress into shape [pul...], adjúst one's dress; 2. *карт.* pull out, *или* prodúce, the wrong card; 3. *страд.* к обдёргивать.

обдёрнуть(ся) *сов. см.* обдёргивать (-ся).

обдирáла *м. разг.* swindler, fléecer.

обдирáние *с.* péeling; (*туши́*) skínning, fláying.

обдирáть, ободрáть (*вн.*) 1. strip (*d.*), peel (*d.*); (*о ту́ше*) skin (*d.*), flay (*d.*); (*о ту́ше тюлéня, китá тж.*) flense (*d.*); (*перен.: обирáть, вымогáть дéньги*) fleece (*d.*), rook (*d.*); ~ корý с дéрева bark a tree; 2. *разг.* (*цáрапать*) graze (*d.*); ◊ обдирáть когó-л. как ли́пку *разг.* fleece smb., rob smb. blind.

обди́рный peeled.

обдувáть I, обду́ть (*вн.*) blow* [blou] (on, round); (*сдувáя, очищáть*) blow* off (*d.*).

обдувáть II, обду́ть (*вн.*) *разг.* (*обмáнывать*) cheat (*d.*), fool (*d.*), dupe (*d.*), swindle (*d.*).

обду́манно *нареч.* déliberate:ly, áfter cáre:ful considerátion. ~анность *ж.* liberátion, deliberate:ness, cáre:ful plánning; ~анность этого проéкта the cáre:ful plánning of this project [...'prɔ-]. ~анный 1. *прич. см.* обду́мывать; 2. *прил.* déliberate, wéll-considered; хорошó ~анный план wéll-considered plan; с зарáнее ~анным намéрением delíberate:ly; with delíberate intént; *юр.* of málice prepénse. ~ать *сов. см.* обду́мывать.

обду́мывать, обду́мать (*вн.*) consider [-'sɪ-] (*d.*), think* óver (*d.*); этот вопрóс нáдо обду́мать this quéstion must be consídered [...-stʃən...]; обду́майте своё решéние consíder your decísion; емý нáдо это обду́мать he must think it óver.

обдури́ть *сов. см.* обдуря́ть.

обдуря́ть, обдури́ть (*вн.*) *разг.* cheat (*d.*).

обду́ть I, II *сов. см.* обдувáть I, II.

óбе *им., вн. ж. см.* óба.

обегáть *сов. см.* обегáть I.

обегáть I, обéгать (*вн.*) *разг.* 1. run* (all óver *a* place); 2. (*посещáть* мнóгих) call (on many péople) [...pi:-]; look in (on many péople); see* (many péople); (*всех*) call on, *или* see*, éverybody.

обегáть II, обежáть (*вн.*) 1. (*вокру́г*) run* round (*d.*); 2. (*ми́мо*) run* past (*d.*); 3. (*всех, все местá*) run* round to see (*d.*), vísit all [-z-...]; 4. *разг.* (*опережáть в бéге*) outrún* (*d.*).

обéд *м.* 1. dínner; звáный ~ dínner-pàrty; звать когó-л. к ~у ask smb. to dínner; дать, устрóить ~ в честь когó-л. give* a dínner in hónour of smb. [...'ɔnə...], èntertáin smb. to dínner; 2. (*обéденное врéмя*) dínner-time; пéред ~ом befóre dínner; (*до полу́дня*) in the mórning; пóсле ~а áfter dínner; (*пóсле полу́дня*) in the àfternóon.

обéдать, пообéдать have one's dínner, dine; ~ вне дóма dine out; остáться ~ stay to dínner.

обéденный *прил.* к обéд; ~ стол dínner-tàble; ~ое врéмя dínner-time; ~ переры́в lúnch-hour [-auə], lunch break [...breɪk].

обедне́вший *прич. и прил.* impóverished. ~лый *разг.* = обедне́вший. ~ние *с.* impóverishment; *перевóдится тж. фóрмой на -*ing *от соотвéтствующих глагóлов* — *см.* обедня́ть *и* бедне́ть. ~ть *сов. см.* бедне́ть.

обедни́ть *сов. см.* обедня́ть.

обéдня *ж. рел.* mass, líturgy; ◊ испóртить всю ~ю комý-л. *разг.* spoil* smb.'s game; throw* a spánner into the works for smb. *идиом.*

обедня́ть, обедни́ть (*вн.*) impóverish (*d.*), make* scánty (*d.*); (*перен.*; *о сти́ле и т. п.*) wáter down ['wɔ:-...] (*d.*).

обежáть *сов. см.* обегáть II.

обезбóливание *с. мед.* ànaesthetizátion [-taɪ-]; ~ рóдов relíeving the pains of child:birth [-'lɪv-...].

обезбóливать, обезбóлить (*вн.*) *мед.* ànaesthétize (*d.*). ~ющий 1. *прич. см.* обезбóливать; 2. *прил. мед.* ànaesthétic; ~ющее срéдство ànaesthétic.

обезбóлить *сов. см.* обезбóливать.

обезвóдеть *сов.* become* wáterless [...'wɔ:-...].

обезвóдить *сов. см.* обезвóживать.

обезвóживать, обезвóдить (*вн.*) depríve of wáter [...'wɔ:-] (*d.*); dè:hýdràte [-'haɪ-] (*d.*).

обезврéдить *сов. см.* обезврéживать.

обезврéживать, обезврéдить (*вн.*) rénder hármless (*d.*).

обезглáвить *сов. см.* обезглáвливать. ~ливание *с.* behéading [-'hed-], decàpitátion.

обезглáвливать, обезглáвить (*вн.*) behéad [-'hed] (*d.*), decápitàte (*d.*); (*перен.*) depríve of a head / léader [...hed...] (*d.*), destróy the bráin-cèntre (of).

обезденéжеть *сов. разг.* be / run* short of móney [...'mʌ-].

обездóленный 1. *прич. см.* обездóливать; 2. *прил.* únfortunate [-tʃən-], háp:less.

обездóливать, обездóлить (*вн.*) depríve of one's share (*d.*), treat únfàirly (*d.*), make* déstitùte (*d.*). ~ить *сов. см.* обездóливать.

обезжи́ренный *прич. и прил.* deprived of fat, skimmed; *тех.* degréased; *прил. тж.* fát:less. ~ивание *с.* degréasing.

обезжи́ривать, обезжи́рить (*вн.*) depríve of fat (*d.*), skim (*d.*), remóve fat [-'mu:v...] (from); *тех.* degréase (*d.*). ~ить *сов. см.* обезжи́ривать.

обеззарáживание *с.* dìsinféction, dècontaminátion.

352

обеззара́‖**живать**, обеззара́зить (вн.) disinféct (d.), dé:contáminate (d.). ~живающий disinféctant. ~зить сов. см. обеззара́живать.

обезземе́лен‖**ие** с. disposséssion of land [-'ze-...]. ~ный прич. и прил. disposséssed of land [-'ze-...]; прил. тж. lándless.

обезземе́ливание с. = обезземе́ление.

обезземе́л‖**ивать**, обезземе́лить (вн.) dispossess of land [-'zes...] (d.). ~ить сов. см. обезземе́ливать.

обезле́сить сов. (вн.) defórest [-'fɔ-] (d.).

обезли́ч‖**ение** с. 1. dè:personalizátion [-laɪ-], deprìving of individuálity; 2. (на производстве) eliminátion / remóval of pérsonal responsibílity [...-'mu:v...]. ~енный 1. прич. см. обезли́чивать; 2. прил. pooled. ~ивание с. = обезли́чение.

обезли́ч‖**ивать**, обезли́чить (вн.) 1. dèpérsonalize (d.), deprìve of one's individuálity (d.); 2. (на производстве) deprìve of pérsonal responsibílity (for); ~иваться, обезли́читься 1. lose* one's individuálity [lu:z...]; 2. страд. к обезли́чивать. ~ить(ся) сов. см. обезли́чивать(ся). ~ка undefined responsibílity, ábsence / oblìterátion of pérsonal responsibílity.

обезлю́девший прич. и прил. desérted [-'zə:-], depópulated.

обезлю́деть сов. become* depópulàted; (стать пустынным, заброшенным) become* desérted / désolate [...-'zɔ:t-...].

обезлю́дить сов. (вн.) depópulàte (d.).

обезобра́живание с. disfigurátion.

обезобра́‖**живать**, обезобра́зить (вн.) disfìgure (d.).

обезобра́зить сов. 1. см. обезобра́живать; 2. как сов. к безобра́зить.

обезопа́сить сов. (вн.; от) secúre (d. against). ~ся сов. (от) make* òne:sélf secúre (against).

обезору́живание с. disármament.

обезору́ж‖**ивать**, обезору́жить (вн.; прям. и перен.) disárm (d.). ~ить сов. см. обезору́живать.

обезу́мевший máddened, pánic-strìcken.

обезу́меть сов. lose* one's sénses [lu:z...], go* mad; ~ от стра́ха become* pánic-strìcken, go* mad with fear / fright.

обезья́н‖**а** ж. mónkey ['mʌŋ-]; (бесхвостая) ape. ~ий прил. к обезья́на; научн. (перен.) ápe:like. ~ник м. mónkey-house ['mʌŋ-'s]. ~ничание с. разг. áping.

обезья́нничать, собезья́нничать разг. ape.

обезьяноподо́бный ápe:like.

обели́ск м. óbelisk.

обели́ть сов. см. обеля́ть.

обеля́ть, обели́ть (вн.; оправдывать) rè:habílitàte [ri:ə-] (d.), prove the ínnocence [pru:v...] (of); white:wàsh (d.) разг.

обер- (в сложн.) 1. chief- [tʃi:f-]; 2. ирон. arch-.

оберега́ть, обере́чь (вн. от) guard (d. against), protéct (d. from). ~ся, обере́чься 1. (от) guard òne:sélf (against, from); protéct òne:sélf (from); 2. страд. к оберега́ть.

обере́чь(ся) сов. см. оберега́ть(ся).

оберну́ть(ся) сов. см. обёртывать(ся) и обора́чивать(ся).

обёртка ж. wrápper, énvelòpe; cóver ['kʌl-]; (книги) dúst-jàcket, páper-còver [-kʌl-].

оберто́н м. муз. óver:tòne.

обёрточн‖**ый** wrápping, pácking; ~ая бума́га wrápping páper.

обёртывать, оберну́ть (вн.) 1. (завёртывать) wrap up (d.); оберну́ть кни́гу put* a páper-còver on a book [...-kʌl-...]; 2. (обматывать) wind* round (d.); wrap round (d.); 3. (поворачивать; тж. перен.) turn (d.); оберну́ть лицо́ (к) turn one's face (towards); оберну́ть всё в свою́ по́льзу turn évery:thing to one's prófit; ◊ оберну́ть кого́-л. вокру́г па́льца разг. ≅ coat smb. into doing what one likes; twist smb. round one's little finger. ~ся, оберну́ться 1. turn; (перен.) turn out, take* a turn; э́то зави́сит от того́, как обернётся де́ло it depénds how things turn out; 2. (тв., в вн.) фольк. (превращаться) turn (into); 3. разг. (справляться) mánage, get* by; 4. страд. к обёртывать.

обескро́в‖**ить** сов. см. обескро́вливать. ~ленный bloodless ['blʌd-]; (перен.) pállid, anáemic; life:less. ~ливание с. dráining of blood [...blʌd]; (перен.) réndering life:less.

обескро́вливать, обескро́вить (вн.) drain of blood [...blʌd] (d.), bleed* white (d.); exsánguinàte (d.) научн.; (перен.) rénder life:less (d.).

обескура́женный прич. и прил. discóuraged [-'kʌl-].

обескура́ж‖**ивать**, обескура́жить (вн.) discóurage [-'kʌl-] (d.), dis:héarten [-'hɑ:t-] (d.), dispírit (d.). ~ить сов. см. обескура́живать.

обеспа́мятеть сов. разг. 1. (лишиться памяти) lose* one's mémory [lu:z...]; 2. (лишиться чувств) lose* cónscious:ness [...-nʃəs-], faint, become* ùn:cónscious [...-nʃəs].

обеспе́чен‖**ие** с. 1. (действие) guarantée:ing, secúring, ensúring [-'ʃuə-]; ~ ми́ра и безопа́сности sáfe:guàrding of peace and secúrity; 2. (тв.) provìsion (with), provìding (with); 3. (средства к жизни) máintenance; социа́льное ~ sócial secúrity; 4. (гарантия) guarantée; (залог) secúrity; 5. воен. secúrity; protéction; боево́е ~ secúrity. ~ность ж. 1. (тв.) provìsion (of, with); ~ность заво́да то́пливом provìsion of the fáctory with fuel [...'fju-]; 2. (материа́льная) matérial wéll-bé:ing, matérial secúrity; (зажиточность) prospérity; ~ность семьи́ the matérial wéll-bé:ing of a fámily. ~ный 1. прич. см. обеспе́чивать; 2. прил. (зажиточный) wéll-to-dó, well provìded for.

обеспе́ч‖**ивать**, обеспе́чить 1. (вн.; тв.; снабжать) provìde (d. with); ~ить потре́бность в сырье́ meet* the requìre:ments in raw matérials; 2. (вн.; гаранти́ровать) secúre (d.); ensúre [-'ʃuə-] (d.), assúre [ə'ʃuə] (d.); ~ить мир во всём ми́ре ensúre / secúre world peace; ~ить ми́рный труд (рд.) sáfe:guàrd the péace:ful lábour (of); ~ успе́х ensúre, или pave the way for, succéss; ~ить выполне́ние (рд.) ensúre the fulfilment [...ful-] (of); ~ить дальне́йший подъём се́льского хозя́йства secúre a fúrther ín:crease in ágriculture [...-ðə-s...]; 3. (вн.; материа́льно) provìde for (d.); он хорошо́ обеспе́чен he is well provìded for; 4. (вн.; огражда́ть, охраня́ть) sáfe:guàrd (d.), protéct (d.). ~иваться, обеспе́читься 1. (тв.) be provìded for (d.); 2. страд. к обеспе́чивать. ~ить(ся) сов. см. обеспе́чивать(ся).

обеспло́дить сов. (вн.) stérilize (d.), rénder bárren / stérile (d.).

обеспоко́ить сов. (вн.) pertúrb (d.), make* ánxious / ún:éasy [...-zɪ] (d.). ~ся сов. become* ánxious / ún:éasy [...-zɪ].

обесси́л‖**еть** сов. lose* one's strength [lu:z...]; (ослабеть) grow* weak [-ou...], wéaken; (совсем) collápse, break* down [breɪk...]. ~ивать, обесси́лить (вн.) wéaken (d.), enféeble (d.). ~ить сов. см. обесси́ливать.

обессла́вить сов. (вн.) deváme (d.).

обессме́ртить сов. (вн.) immórtalize (d.).

обессмы́сл‖**ивать**, обессмы́слить (вн.) make* sénse:less (d.). ~ить сов. см. обессмы́сливать.

обессу́дить сов. уст.: не обессу́дьте (обычно при угощении кого-л., предложении чего-л.) don't judge too sevére:ly; please, don't take it amìss.

обесцве́‖**тить(ся)** сов. см. обесцве́чивать(ся). ~чивание с. dè:còlo(u)rátion [-kʌl-].

обесцве́чивать, обесцве́тить (вн.) dècólo(u)rize [-'kʌl-] (d.), dècólo(u)r [-'kʌl-] (d.), fade (d.); (перен.) make* cólour:less / insípid [...'kʌl-] (d.), deprìve of cólour [...'kʌl-] (d.). ~ся, обесцве́титься (прям. и перен.) become* cólour:less [...'kʌl-].

обесце́нение с. deprèciátion [-ʃɪ'eɪ-], loss of válue; (произвольное) devaluátion.

обесце́н‖**ивать**, обесце́нить (вн.) deprèciàte [-ʃɪ-] (d.), chéapen (d.). ~иваться, обесце́ниться 1. deprèciàte [-ʃɪ-], chéapen; 2. страд. к обесце́нивать. ~ить(ся) сов. см. обесце́нивать(ся).

обесче́стить сов. см. бесче́стить.

обе́т м. vow, prómise [-s]. ~ова́нный: земля́ ~ова́нная the Prómised Land [...-st...].

обеща́ние с. prómise [-s]; дать ~ (дт.) (give*) a prómise (i.); сдержа́ть ~ keep* a prómise; вы́полнить ~ redéem a pledge / prómise; торже́ственное ~ sólemn prómise; кля́твенное ~ oath*.

обеща́‖**ть** несов. и сов. 1. (сов. тж. пообеща́ть) (вн. дт.) prómise [-s] (d. i.); 2. тк. несов. (без доп.) prómise; bid* fair (+ to inf.); день ~ет быть хоро́шим the day prómises well / fair. ~ться несов. и сов. (сов. тж. пообеща́ться) разг. prómise [-s].

обжа́лова‖**ни**е с. appéal; ~ пригово́ра юр. appéal agàinst a séntence; без пра́ва ~я юр. withóut right of appéal.

ОБЖ – ОБК

обжа́ловать *сов.* (*вн.*) make* / bear* / lodge a compláint [...bɛə...] (agáinst); *юр.* appéal (agáinst).

обжа́ривать, обжа́рить (*вн.*) fry (*d.*), fry on both sides, *или* all óver [...bouθ...] (*d.*). ~**ся**, обжа́риться 1. be fried on both sides [...bouθ...]; 2. *страд.* к обжа́ривать.

обжа́рить(ся) *сов. см.* обжа́ривать(ся).

обжа́ть I *сов. см.* обжима́ть.

обжа́ть II *сов. см.* обжина́ть.

обже́чь(ся) *сов. см.* обжига́ть(ся).

обжива́ть, обжи́ть (*вн.*) *разг.* rénder hábitable (*d.*). ~**ся**, обжи́ться make* òne:sélf at home; grow* roots [grou...]; *сов. тж.* feel* at home.

обжи́г *м. тех.* búrning; (*поливы*) glázing; (*глины*) báking; (*руды*) roast, róasting; (*кирпичей*) firing; (*извести*) búrning, cálcining.

обжига́||ть, обже́чь (*вн.*) 1. burn* (*d.*), scorch (*d.*); обже́чь себе́ па́льцы burn* one's fingers (*тж. перен.*); 2. (*о кирпичах*) fire (*d.*); (*об извести*) burn* (*d.*), cálcine (*d.*); ◊ не бо́ги горшки́ ~áют *посл.* ≃ a cat may look at a king. ~**ться**, обже́чься 1. burn* òne:sélf; (*перен.*) burn* one's fingers; 2. *страд.* к обжига́ть; ◊ обжёгшись на молоке́, бу́дешь дуть и на́ воду *посл.* ≃ the burnt child dreads the fire [...dredz...]; once bítten twice shy [wʌns...].

о́бжигов||ый: ~ая печь kiln.

обжи́м *м. тех.* (*действие*) wring:ing out.

обжима́ть, обжа́ть (*вн.*) wring* out (*d.*), press out (*d.*).

обжи́мка *ж. тех.* (*инструмент*) cap tool; (*для заклёпок*) ríveting set.

обжина́ть, обжа́ть (*вн.*) reap (the whole of).

обжира́ться, обожра́ться (*тв.*) *груб.* glut òne:sélf (with), gúzzle (*d.*); (*без доп. тж.*) óver:éat*, górmandize.

обжито́й lived-in; (*уютный*) hóme:like.

обжи́ть(ся) *сов. см.* обжива́ть(ся).

обжо́р||а *м. и ж. разг.* glútton, górmandizer. ~**ливый** *разг.* glúttonous. ~**ный**: ~ный ряд *уст.* refréshment stall (in márket). ~**ство** *с. разг.* glúttony.

обжу́л||ивать, обжу́лить (*вн.*) *разг.* cheat (*d.*), swíndle (*d.*). ~**ить** *сов. см.* обжу́ливать.

обзаведе́ние *с.* àcquisítion [-'zɪ-].

обзавести́сь *сов. см.* обзаводи́ться.

обзаводи́ться, обзавести́сь (*тв.*) *разг.* acquíre (*d.*), províde òne:sélf (with); обзавести́сь семьёй (*о мужчине*) séttle down to márried life; обзавести́сь хозя́йством start a home of one's own [...oun...], set* up house* [...haus].

обзва́нивать, обзвони́ть (*вн.*) *разг.* ring* up, *или* télephòne (évery one of them), ring* round (*d.*).

обзвони́ть *сов. см.* обзва́нивать.

обзо́р *м.* 1. súrvey; róund-ùp; ~ сего́дняшних газе́т súrvey / review of to:dáy's néwspàpers [...-'vju:...]; ~ за 1975 г. 1975 in rétrospèct; 2. (*в статье, докладе*) review; 3. *тк. ед.* (*возможность обозреть*) field of view / vísion [fi:ld...

vju:...]. ~**ный** *прил.* к обзо́р 2; ~ная ле́кция review lécture [-'vju:...].

обзыва́ть, обозва́ть (*вн. тв.*) *разг.* call (*d. d.*); он обозва́л его́ дурако́м he called him a fool.

обива́ть, оби́ть 1. (*вн. с рд.*) beat* (*d.* off); 2. (*вн.*; *о мебели и т. п.*) ùp:hólster [-'hou-] (*d.*); ~ желе́зом bind* with íron [...'aɪən] (*d.*); ◊ ~ поро́ги у кого́-л. haunt smb.'s thréshòld, péster smb.

обива́ться, оби́ться *разг.* (*о подоле и т. п.*) be worn out on edge [...wɔ:n...]; (*о штукатурке и т. п.*) break* off [breɪk...].

оби́вка *ж.* 1. (*действие*) ùp:hólstering [-'hou-]; 2. (*материал*) ùp:hólstery [-'hou-].

оби́д||а *ж.* offénce, ínjury, wrong; (*чувство*) offénce, reséntment [-'ze-]; нанести́ ~у (*дт.*) offénd (*d.*); го́рькая ~ deep mòrtificátion; затаи́ть ~у nurse a gríevance [...'gri:v-], bear* a grudge [...bɛə...]; он на меня́ в ~е he bears me a grudge; ◊ меня́ в ~у будь ска́зано *погов.* no offénce meant [...ment], without offénce; проглоти́ть ~у swállow / pócket an ínsult; не дать себя́ в ~у be able to stand / stick up for òne:sélf; кака́я ~! what a núisance! [...'nju:s-].

оби́деть(ся) *сов. см.* обижа́ть(ся).

оби́дно I 1. *прил. кратк. см.* оби́дный; 2. *предик. безл.* it is a píty [...'pɪ-]; ~, что э́то произошло́ it is a píty that it should have háppened; ~, что вы опозда́ли it is a píty you were late; мне ~ I feel hurt, it hurts / pains me; (*жаль, что так случилось*) it is disappóinting to me; мне ~ э́то слы́шать it hurts / pains me to hear it.

оби́дн||о II *нареч.* offénsive:ly. ~**ый** 1. offénsive, slíghting; ~ое замеча́ние offénsive / slíghting remárk; сказа́ть что-л. в ~ой фо́рме say* smth. in an offénsive way; 2. *разг.* (*досадный*) véxing, annóying; ~ый недосмо́тр, ~ая оши́бка stúpid óver:sight, mistáke.

оби́д||чивость *ж.* tóuchiness ['tʌ-], suscèptibílity (to offénce). ~**чивый** tóuchy ['tʌ-], suscéptible, quick to take offénce. ~**чик** *м.* offénder.

обижа́ть, оби́деть (кого́-л.) 1. offénd (smb.); hurt* / wound (smb.'s) féelings [...wu:nd...] *разг.*: они́ его́ оби́дели they have offénded him; they have hurt / wóunded his féelings; 2. *разг.* (*наносить ущерб*) harm (smb.), treat bád:ly (smb.); не оби́деть кого́-л. чем-л. not stint smb. of smth.; приро́да не оби́дела его́ тала́нтами he is endówed by náture with great tálents [...'neɪ-...greɪt 'tæ-]. ~**ся**, оби́деться take* offénce / úmbrage, be / feel* hurt; (*на вн.*) resént [-'z-] (*d.*); не обижа́йтесь don't be offénded.

оби́женный 1. *прич. см.* обижа́ть; ~ судьбо́й ill-fáted, ill-stárred; 2. *прил.* (*на вн.*) háving a grudge (agáinst); оффе́нded (with); он оби́жен на отца́ he has a grudge against his fáther [...'fɑ:-]; 3. *прил.* (*выражающий обиду*) offénded, reséntful [-'ze-], hurt; у него́ был ~ вид he looked hurt, he had an aggríev-

ed air [...-i:vd...]; he seemed offénded; ~ тон offénded tone.

оби́лие *с.* abúndance, plénty.

оби́льн||ый 1. abúndant, plentiful; (*щедрый, роскошный*) lávish; ~ урожа́й rich hárvest, héavy crop ['hevi...]; búmper crop *разг.*; ~ обе́д héarty dínner / meal ['hɑ:tɪ...]; ~ое угоще́ние lávish èntertáinment; 2. (*тв.*; *богатый чем-л.*) rich; abúndant (in).

обину́ясь: не ~ *уст.* stráightway; without a móment's hèsitátion [...-zɪ-].

обиня́к *м. разг.*: говори́ть ~а́ми beat* abóut the bush [...buʃ]; говори́ть без ~о́в speak* pláinly, speak* in plain terms, *или* without béating abóut the bush.

обира́ловка *ж. разг.* (sheer) róbbery.

обира́||ть, обобра́ть (*вн.*) *разг.* 1. pick (*d.*), gáther (*d.*); ~ я́годы pick bérries; 2. (*обкрадывать*) rob (*d.*); (*вымогать, отнимать*) fleece (*d.*).

обита́||емый inhábited. ~**лище** *с. уст.* dwélling-plàce, abóde. ~**тель** *м.*, ~**тельница** *ж.* inhábitant, résident [-zɪ-]; ~тели до́ма óccupants of the house [...-s].

обита́ть (в *пр.*) dwell* (in a place), inhábit (*d.*).

оби́тель *ж. уст.* 1. dwélling-plàce, abóde; 2. (*монастырь*) clóister.

оби́ть(ся) *сов. см.* обива́ть(ся).

обихо́д *м. тк. ед.* cústom, use [ju:s]; предме́ты дома́шнего ~а hóuse:hòld árticles / uténsils [-s-...]; árticles of doméstic utílity; повседне́вный ~ évery:day práctice; пусти́ть что-л. в ~ put* / bring* smth. into cómmon use; войти́ в ~ (*о выражении и т. п.*) becóme* cúrrent; э́то уже́ давно́ вошло́ в ~ it has álready been cúrrent for a long time [...ɔ:l're-...]; вы́йти из ~а get* out of use, be no lónger in use, fall* into dísuse [...-s]. ~**ить** *сов.* (*вн.*) *разг.* take* care (of). ~**ный** évery:day; ~ное выраже́ние collóquial / évery:day expréssion; э́ти слова́ ста́ли ~ными these words have become hóuse:hòld words [...-s-...].

обка́лывать I, обколо́ть (*вн.; ранить уколами*) prick all round (*d.*).

обка́лывать II, обколо́ть (*вн.; скалывать снаружи*) cut* a:wáy (*d.*); ~ лёд у при́стани cut* a:wáy ice round the lánding stage.

обка́лываться I *страд.* к обка́лывать I.

обка́лываться II, обколо́ться (*скалываться снаружи*) be bróken off (aróund the édges), be chipped.

обка́пать *сов. см.* обка́пывать I.

обка́пывать I, обка́пать (*вн.*) *разг.* (be)spòt (*d.*), let* drops fall (on).

обка́пывать II, обкопа́ть (что-л.) *разг.* dig* round (smth.).

обка́рмливать, обкорми́ть (*вн.*) óver:féed* (*d.*).

обката́ть *сов. см.* обка́тывать.

обка́тка *ж.* 1. (*дороги*) rólling (smooth) [...-ð]; 2. (*новой автомашины и т. п.*) rúnning in.

обка́тывать, обката́ть (*вн.*) 1. roll (*d.*); (*вн. в пр.*) roll (*d.* in); ~ в муке́ roll in flour (*d.*); 2. (*делать ровным*) roll (smooth) [...-ð]; доро́гу wear* the road smooth [wɛə...]; (*специа́льной машиной*) roll the-road smooth; 3. *тех.* run* in (*d.*).

354

обка́шивать, обкоси́ть (*вн.*) mow round [mou...] (*d.*).

обкла́дка *ж.* (*в разн. знач.*) fácing; (*дёрном*) túrfing.

обкла́дывать, обложи́ть (*вн.*) 1. put* (round); (*по краям*) edge (*d.*); (*покрывать*) cóver ['кл-] (*d.*); ~ клу́мбу дёрном edge a flówer-bèd with turf, make* a turf édging round a flówer-bèd; не́бо обложи́ло ту́чами the sky is óver:càst, the sky is cóvered with clouds; 2. *безл.* (*о языке, горле*): обложи́ло язы́к the tongue is furred [...тлŋ...]; 3. *охот.* close round (*d.*). ~ся, обложи́ться 1. (*тв.*) lay* / put* round òne:sélf (*d.*); обложи́ться горя́чими буты́лками put* hot wáter bòttles all round òne:sélf [...'wɔː-...]; обложи́ться кни́гами surróund òne:sélf with books; 2. *страд.* к обкла́дывать.

обкле́||ивать = окле́ивать. ~ить *сов.* = окле́ить *см.* окле́ивать.

обколо́ть I, II *сов. см.* обка́лывать I, II.

обколо́ться *сов. см.* обка́лываться II.

обко́м *м.* (областно́й комите́т) Óblast Commíttee [...-tɪ], Région:al Commíttee; ~ па́ртии, профсою́за *и т. п.* Óblast / Région:al Commíttee of the Párty, trade únion, *etc.*

обко́мовский *разг.* Óblast-Commíttee [-tɪ] (*attr.*), Région:al-Commíttee [-tɪ] (*attr.*)

обкопа́ть *сов. см.* обка́пывать II.

обкорми́ть *сов. см.* обка́рмливать.

обкорна́ть *сов.* (*вн.*; *прям. и перен.*) *разг.* curtáil (*d.*); lop off (*d.*).

обкоси́ть *сов. см.* обка́шивать.

обкра́дывать, обкра́сть (*вн.*) rob (*d.*).

обкромса́ть *сов.* (*вн.*) *разг.* whittle down (*d.*).

обку́р||ивать, обкури́ть (*вн.*) 1.: ~ тру́бку séason a pipe [-z:n...]; break* in a pipe [breɪk...]; 2. *разг.* (*об улье и т. п.*) smoke (*d.*); fúmigàte (*d.*); 3. *разг.* (*пропитывать дымом от курения*) envélop with (tobácco) smoke [-'ve-...] (*d.*). ~и́ть *сов. вн.* обку́ривать.

обкуса́ть *сов. см.* обку́сывать.

обку́сывать, обкуса́ть (*вн.*) bite* (round) (*d.*), nibble (*d.*, at).

обла́ва *ж.* 1. *охот.* báttue [-'tu:]; 2. (*оцепление, окружение*) róund-ùp.

облага́емый táxable.

облага́ть, обложи́ть (*вн.*) asséss (*d.*); ~ штра́фом set* / impóse a fine (up:ón), fine (*d.*); ~ нало́гом tax (*d.*), impóse tax (up:ón); ~ доба́вочным нало́гом súrtax (*d.*); ~ ме́стным нало́гом rate (*d.*). ~ся 1.: ~ся нало́гом (*подлежать обложению*) be táxable, be líable to tax; 2. *страд.* к облага́ть.

облагоде́тельствовать *сов.* (*вн.*) *уст.*, *ирон.* show* much fávour [ʃou...] (*i.*), do much good (*i.*).

облагора́живать, облагоро́дить (*вн.*) 1. ennóble (*d.*); 2. (*улучшать породу животных, качество растений и т. п.*) impróve [-ru:v] (*d.*).

облагоро́дить *сов. см.* облагора́живать.

облада́||ние *с.* posséssion [-'ze-], hólding. ~тель *м.* posséssor [-'ze-], ówner ['ou-], hólder.

облада́ть (*тв.*; *в разн. знач.*) posséss [-'zes] (*d.*); have (*d.*); be posséssed [...-'zest] (of); (*владеть тж.*) own [oun] (*d.*), hold* (*d.*); ~ пра́вом have / posséss the right; ~ хоро́шим здоро́вьем enjóy good* health [...helθ]; ~ тала́нтом have / posséss a tálent [...'tæ-]; ~ да́ром (*рд.*) have / posséss a gift [...-g-] (for).

обла́дить *сов. см.* обла́живать.

обла́живать, обла́дить (*вн.*) *разг.* arránge [-eɪndʒ] (*d.*), mánage (*d.*).

обла́зить *сов.* (*вн.*) *разг.* climb round (*d.*), climb all óver (*d.*).

обла́к||о *с.* (*прям. и перен.*) cloud; дождевы́е ~á ráin:clouds; ни́мби *научн.*; слои́стые ~á stráta ['strɑ:tə] *научн.*; пе́ристые ~á círri; círrus cloud *sg.*; кучевы́е ~á cúmuli; cúmulus cloud *sg.*; флисе́у clouds; дымово́е ~ *воен.* smoke cloud; грибови́дное ~ (*ядерного взрыва*) múshroom cloud; покрыва́ться ~а́ми be óver:càst; be cóvered with clouds [...'кл-...]; ◇ вита́ть в ~а́х be up in the clouds, go* wóolgàther:ing [...'wul-].

обла́мывать, облома́ть, обломи́ть (*вн.*) 1. break* off [breɪk...] (*d.*); 2. *при сов.* облома́ть *разг.* (*убеждать*) talk in (*d.*), cajóle (*d.*). ~ся, облома́ться, обломи́ться 1. break* off [breɪk...]; snap; 2. *страд.* к обла́мывать.

обла́пить *сов.* (*вн.*) *разг.* 1. put* one's paws round (*d.*); 2. (*обнять*) hug (*d.*).

облапо́ш||ивать, облапо́шить (*вн.*) *разг.* swíndle (*d.*). ~ить *сов. см.* облапо́шивать.

обласка́ть *сов.* (*вн.*) show* / displáy much kínd:ness / considerátion [ʃou...] (to, for).

областн||о́й *прил.* к о́бласть 1; *тж.* províncial, région:al; ~ центр óblast / région:al centre; ~ суд óblast / région:al court [...kɔ:t]; ~ отде́л наро́дного образова́ния óblast / région:al depártment of èducátion; ~óе сло́во dialect / substándard word.

о́бласт||ь *ж.* 1. óblast; próvince, región; (*перен.*) field [fi:-], sphere, próvince; ~ зна́ний field of knówledge [...'nɔ-]; в ~и вне́шней поли́тики in the sphere of fóreign pólicy [...'fɔrɪn...]; во всех ~ях жи́зни in all spheres / walks of life; 2. *анат.* tract, région.

обла́тка *ж.* wáfer; cápsule.

облача́ть, облачи́ть 1. (*вн.*) *церк.* robe (*d.*); 2. (*кого-л. во что-л.*) *разг.* get* (smb.) up (in), arráy (smb. in). ~ся, облачи́ться 1. *церк.* robe, put* on robes; 2. *разг.* arráy òne:sélf; 3. *страд.* к облача́ть.

облач||е́ние *с.* 1. (*в вн.; действие*) róbing (in), invésting (in, with); 2. *церк.* (*одежда*) véstment(s) (*pl.*); sàcerdótal robes *pl.* ~и́ть(ся) *сов. см.* облача́ть(ся).

о́блач||ко *с. уменьш. от* о́блако; *тж.* clóudlet. ~ность *ж.* *метеор.* clóudiness. ~ный clóudy.

обла́ять *сов.* (*вн.*) *разг.* (*о собаке*) bark (at); (*перен.*) fly* (at), rate (*d.*), swear* (at).

облега́||ть, обле́чь 1. (*вн.; о тучах*) cóver ['кл-] (*d.*); 2. (*о платье и т. п.*) fit tíghtly; (*вн.*) cling* (to); пла́тье пло́тно ~ет фигу́ру the dress óutlines the figure, the dress is tíght-fìtting. ~ющий tíght-fìtting, clíng:ing.

облегч||а́ть, облегчи́ть (*вн.*) 1. facilitàte (*d.*), make* éasier / éasy [...-zɪ'zɪ] (*d.*); 2. (*о труде, грузе*) líghten (*d.*); ~ вес (*рд.; о самолёте*) léssen the weight (of); облегчи́ть констру́кцию самолёта líghten the constrúction of an áircràft; 3. (*о боли*) ease (*d.*), relíeve [-'li:v] (*d.*); (*о страданиях и т. п.*) allèviate (*d.*); *юр.* (*о наказании*) mítigàte (*d.*), commùte (*d.*); ~ чью-л. у́часть ease smb.'s lot. ~а́ться, облегчи́ться 1. be relíeved [...-'li:-], find* relíef [...-'li:f]; 2. (*о труде и т. п.*) become* éasier / líghter [...-z-...]. ~е́ние *с.* facilitátion; éasing; (*помощь*) relíef [-i:f]; *юр.* (*о наказании*) commùtátion; для ~е́ния ве́са (*рд.*) to léssen the weight (of); вздохну́ть с ~е́нием breathe with relíef; heave* a sigh of relíef; почу́вствовать ~е́ние be relíeved [...-'li:-]; испы́тывать чу́вство ~е́ния feel* a sense of relíef. ~ённый 1. *прич. см.* облегча́ть; 2. *прил.* (*более лёгкий*) líght-wèight (*attr.*); 3. *прил.* (*о постройке и т. п.*) líghtly built [...bɪlt], líghtly constrúcted; 4. *прил.* (*о чувстве облегчения*) light, relíeved [-'li:-]; ~ённый вздох sigh of relíef [...-'li:f].

облегчи́ть(ся) *сов. см.* облегча́ть(ся).

обледене́||лый íce-còvered [-кл-], íce-còated. ~ние *с. ав.* ice formátion, ícing (-òver).

обледене́ть *сов.* ice óver, become* cóvered with ice [...'кл-...].

облеза́ть, обле́зть *разг.* 1. (*о мехе и т. п.*) grow* bare [-ou...]; come* out / off; 2. (*о краске и т. п.*) peel off.

обле́злый *разг.* shábby, bare.

обле́зть *сов. см.* облеза́ть.

облека́ть, обле́чь (*вн. в вн.*) clothe [-ouð] (*d.* in); (*тж. вн. тв.*) (*перен.*) invést (*d.* with), vest (*d.* with), envélop [-'ve-] (*d.* in); ~ в фо́рму чего́-л. (*вн.*) give* the shape / form of smth. (*i.*); ~ свою́ мысль в таку́ю фо́рму, что presént one's thought in such a form that [-'ze-...], shape one's thought in such a way that; обле́чь полномо́чиями invést with authóri̇ty (*d.*), invést with full pówers (*d.*); commíssion (*d.*); ~ та́йной shroud in mýstery (*d.*). ~ся, обле́чься (в *вн.*; *в платье*) clothe òne:sélf [-ouð...] (in), dress òne:sélf (in); ~ся в фо́рму чего́-л. take* the form of smth., assúme the appéarance of smth.

облени́ваться, облени́ться grow* lázy [-ou...].

облени́ться *сов. см.* облени́ваться.

облепи́ть *сов. см.* облепля́ть.

облепи́ха *ж. бот.* séa-bùckthòrn.

облеп||ля́ть, облепи́ть 1. (*вн. тв.*) stick* (round *d.*); paste all óver [peɪ-...] (*d.* with); (*покрывать*) cóver ['кл-] (*d.* with); 2. (*вн.*) *разг.* (*окружать*) cling* (to); (*о мухах и т. п.*) swarm all óver (*d.*); де́ти ~и́ли его́ the children clung to him.

обле́с||е́ние *с.* àfforestátion [-ɔ-]. ~и́ть *сов.* (*вн.*) àfforest [-ɔ-] (*d.*).

ОБЛ – ОБМ

облёт *м.* 1. *ав.* (*самолёта*) test / trial flight; 2. (*местности*) flýing aróund (*an area*).

облета́ть I, облете́ть 1. (*вн., вокру́г*) fly* (round); облете́ть вокру́г Москвы́ fly* round Móscow; 2. (*вн.; о слу́хах, изве́стиях*) spread* [spred] (all óver); 3. (*без доп.; о листьях*) fall*; (*остава́ться без листьев*) lose* / shed its leaves.

облета́ть II *сов.* (*вн.*) 1. (*побыва́ть во мно́гих места́х*) fly* (all óver); 2. (*испыта́ть в пробном полёте*) test (*d.*), tést-flỳ (*d.*).

облете́ть *сов. см.* облета́ть I.

облеч‖**е́ние** *с.* (*тв.*) invéstment (with); ~ вла́стью invéstment with pówer. ~ённый 1. *прич. и прил.* invésted; ~ённый вла́стью invésted with pówer; 2. *прил. лингв.*: ~ённое ударе́ние slurred / rísing-fálling / círcumflèx áccent.

обле́чь I *сов. см.* облега́ть.

обле́чь II *сов. см.* облека́ть.

обле́чься *сов. см.* облека́ться.

облива́ние *с.* douche [du:ʃ], shówer-bàth*; (*выжима́я гу́бку*) spónge-down ['spʌ-].

облив‖**а́ть**, обли́ть 1. (*вн. тв.*) pour [pɔ:] (óver *d.*), sluice [slu:s] (óver *d.*); (*па́чкать*) spill* (on *d.*); обли́ть холо́дной водо́й (*прям. и перен.*) throw* cold wáter [θrou...'wɔ:-] (on); обли́ть кни́гу черни́лами spill* ink on a book; 2. (*вн.; глазу́рью и т. п.*) glaze (*d.*); ◇ ~ гря́зью, помо́ями кого́-л. fling* mud at smb.; ~ презре́нием (*вн.*) *разг.* pour / heap contémpt (on). ~**а́ться**, обли́ться 1. (*де́лать облива́ние*) have a shówer-bàth*, douche òne:sélf [du:ʃ...]; sponge down [spʌ-...]; 2. (*тв.; опроки́дывать на себя́*) pour / spill* óver òne:sélf [pɔ:...] (*d.*); 3. *страд.* к облива́ть; ◇ ~ сле́зами be in a flood of tears [...flʌd...], melt into tears; се́рдце кро́вью ~а́ется *one's* heart is bléeding [...ha:t...]; ~а́ться по́том be bathed / drenched in sweat [...beɪd...swet], be steeped in pèrspirátion.

обли́вка *ж.* (*глазу́рью*) glaze, glázing.

обливн‖**о́й**: ~ые гонча́рные изде́лия glazed póttery *sg.*

облигацио́нный *прил.* к облига́ция.

облига́ция *ж.* bond; ~ госуда́рственного за́йма Státe(-loan) bond.

облиза́ть *сов. см.* обли́зывать. ~**ся** *сов. см.* обли́зываться 1, 2.

облизну́ть *сов. разг.* just miss *a* treat.

обли́зывать, облиза́ть, облизну́ть (*вн.*) lick (*d.*), lick all óver (*d.*); (*на́чисто*) lick clean (*d.*); ~ гу́бы (*прям. и перен.*) lick one's lips; па́льчики обли́жешь *разг.* ≅ you'll lick your fíngers! ~**ся**, облиза́ться 1. lick one's lips; 2. (*о живо́тных*) lick it:sélf; 3. *тк. несов. разг.* (*предвкуша́я, ожида́ть чего́-л. прия́тного*) lick one's lips in ànticipátion. 4. *страд.* к обли́зывать.

о́блик *м.* 1. look, áspect, appéarance; приня́ть ~ (*рд.*) assúme the áspèct (of); 2. (*хара́ктер, склад*) cast of mind; témper, cháracter ['kæ-]; мора́льный ~ móral máke-úp ['mɔ-...].

облиня́ть *сов. разг.* 1. (*о тка́ни*) fade, lose* cólour [lu:z...'kʌl-]; 2. (*о живо́тных*) shed* / lose* hair; (*о пти́цах*) moult; shed* féathers [...'feð].

обли́п‖**а́ть**, обли́пнуть (*тв.*) *разг.* be / becóme cóvered [...'kʌl-] (with); колёса обли́пли гря́зью the wheels are cóvered with mud.

обли́пнуть *сов. см.* облипа́ть.

облисполко́м *м.* (*областно́й исполни́тельный комите́т Сове́тов наро́дных депута́тов*) Óblast / Région:al Exécutive Commíttee of Sóvièts of Péople's Députies [...-tɪ...'pi:-...].

облиц‖**ева́ть** *сов. см.* облицо́вывать.

обли́ть(ся) *сов. см.* облива́ть(ся).

облицо́вка *ж.* revétment, fácing; (*ка́мнем тж.*) líning, cóating, in:crustátion.

облицо́вочн‖**ый** fácing; ~ кирпи́ч fácing / áshlar brick; ~ая пли́тка décorative tile.

облицо́вщик *м.* fácing wórker.

облицо́вывать, облицева́ть (*вн. тв.*) revét (*d.* with), face (*d.* with); (*ка́фелем*) tile (*d.* with); (*де́ревом*) pánel ['pæ-] (*d.* with).

облича́ть, обличи́ть (*вн.*) 1. (*порица́ть, осужда́ть*) condémn (*d.*), blame (*d.*), denóunce (*d.*); 2. (*разобла́чать*) expóse (*d.*); show* up [ʃou...] (*d.*); 3. *тк. несов.* (*обнару́живать*) revéal (*d.*), displáy (*d.*), mánifèst (*d.*).

обличе́ние *с.* (*рд.*) 1. àccusátion [-'zeɪ-] (of), denùnciátion (of); 2. (*разоблаче́ние*) expósure [-'pou-] (of).

обличи́тель *м.,* ~**ница** *ж.* expóser; (*обвини́тель*) accúser. ~**ный** reveáling; ~ная речь díatribe, tiráde [taɪ-].

обличи́ть *сов. см.* облича́ть 1, 2.

обли́чье *с.* = о́блик.

облобыза́ть *сов.* (*вн.*) *разг.* kiss (*d.*). ~**ся** *сов. разг.* kiss.

обложе́ние *с.* 1. (*о нало́гах*) tàxátion, ráting; 2. *воен. уст.* invéstment.

обло́женный 1. *прич. от* обложи́ть *см.* облага́ть *и* обкла́дывать; 2. *прил.*: ~ язы́к furred tongue [...tʌŋ].

обложи́ть I *сов. см.* облага́ть.

обложи́ть II *сов.* 1. *см.* обкла́дывать; 2. (*вн.*) *воен.* surróund (*d.*), invést (*d.*). ~**ся** *сов. см.* обкла́дываться.

обло́жк‖**а** *ж.* cóver ['kʌl-]; (*отде́льная*) fólder, dúst-wràpper, dúst-còver [-kʌl-]; (*для докуме́нтов*) case [-s]; кни́га в кра́сной ~е book with a red cóver.

обложно́й: ~ дождь *разг.* incéssant rain, stéady dównpour ['ste- -pɔ:].

облока́чиваться, облокоти́ться (на *вн.*) lean* one's élbows (on).

облокоти́ться *сов. см.* облока́чиваться.

обло́м *м. разг.* clódhòpper, búmpkin, yókel.

облом‖**а́ть(ся)** *сов. см.* обла́мывать (-ся). ~**и́ть** *сов. см.* обла́мывать 1. ~**и́ться** *сов. см.* обла́мываться.

обло́мовщина *ж.* oblómovshchina (*sluggishness, inertness, apathy, as typified by the hero of Goncharov's novel "Oblomov"*).

обло́мок *м.* 1. frágment; 2. *мн.* débris ['debri:]; (*круше́ния*) wréckage *sg.*, flótsam *sg.*

обло́мочн‖**ый** *геог.*: ~ые го́рные поро́ды fragméntal / detrítal rocks.

облупи́ть *сов. см.* облу́пливать *и* лупи́ть I. ~**ся** *сов. см.* облу́пливаться *и* лупи́ться.

облу́пливать, облупи́ть (*вн.*) peel (*d.*); (*о яйце́*) shell (*d.*). ~**ся**, облупи́ться come* off, peel, peel off, chip.

облупля́ть(ся) = облу́пливать(ся).

облуч‖**а́ть**, облучи́ть (*вн.*) irrádiàte (*d.*); ~ ква́рцем treat with últra-víolet light (*d.*). ~**е́ние** *с.* irràdiátion (*of*); ~ ква́рцем tréating with últra-víolet light; радиоакти́вное ~е́ние rádiò:áctive irràdiátion. ~**и́ть** *сов. см.* облуча́ть.

облучо́к *м.* cóach:man's seat, the box.

облы́жный *разг.* false [fɔ:ls].

облысе́ть *сов. см.* лысе́ть.

облюбова́ть *сов.* (*вн.*) choose* (*d.*), sélect (*d.*).

обма́зать(ся) *сов. см.* обма́зывать(ся).

обма́зка *ж.* 1. (*де́йствие*) plástering, cóating; 2. (*вещество́*) pláster, cóating.

обма́зывать, обма́зать (*вн. тв.*) 1. coat (*d.* with); (*зама́зкой*) pútty (*d.* with); 2. (*па́чкать*) besméar (*d.* with), soil (*d.* with). ~**ся**, обма́заться *разг.* 1. (*тв.*) besméar òne:sélf (with); 2. *страд.* к обма́зывать.

обма́кивать, обмакну́ть (*вн.* в *вн.*) dip (*d.* in).

обмакну́ть *сов. см.* обма́кивать.

обма́н *м.* 1. (*де́йствие*) decéption, tríckery, fraud; доби́ться чего́-л. ~ом gain / achíeve smth. by decéption [...-i:v...], acquíre smth. fráudulently [...-'si:v...]; 2. (*ложь*) lies *pl.*; 3. (*заблужде́ние*) delúsion, illúsion; ввести́ в ~ (*вн.*) decéive [-'si:v] (*d.*); ~ зре́ния óptical illúsion.

обма́нка *ж. мин.* blende; рогова́я ~ hórnblènde, ámphibòle; смоляна́я ~ pítchblènde.

обма́н‖**ный** fráudulent; ~ным путём fráudulently, by fraud. ~**у́ть(ся)** *сов. см.* обма́нывать(ся).

обма́нчив‖**ость** *ж.* delúsive:ness. ~**ый** decéptive, delúsive; нару́жность ~а appéarances are decéptive.

обма́нщ‖**ик** *м.,* ~**ица** *ж.* decéiver [-'si:və], cheat, fraud, tríckster; (*выдаю́щий себя́ за кого́-л. друго́го*) impóstor.

обма́нывать, обману́ть (*вн.*) decéive [-'si:v] (*d.*); cheat (*d.*); trick (*d.*); (*моше́ннически*) swíndle (*d.*); обману́ть чье-л. дове́рие betráy smb.'s trust; обману́ть чьи-л. наде́жды disappóint smb.'s hopes; let* smb. down *идиом. разг.* ~**ся**, обману́ться 1. be decéived [...-'si:vd]; обману́ться в свои́х ожида́ниях be disappóinted; ~ся в ком-л. be mistáken in smb.; 2. *страд.* к обма́нывать.

обмара́ть *сов. см.* обма́рывать.

обма́рывать, обмара́ть (*вн.*) *разг.* soil (*d.*), dirty (*d.*).

обма́тывать, обмота́ть (*вн. тв., вн. вокру́г*) wind* (round *d.*): она́ обмота́ла го́лову полоте́нцем, она́ обмота́ла полоте́нце вокру́г головы́ she wound *a* tówel round her head [...hed]. ~**ся**, обмота́ться 1. (*тв.*) wrap òne:sélf (in); ~ся ша́рфом *и т. п.* wind* a scarf, *etc.*, round one's neck; 2. *страд.* к обма́тывать.

обма́хивать, обмахну́ть 1. (*вн. тв.; о ли́це и т. п.*) fan (*d.* with); 2. (*вн.; сметать, сма́хивать*) brush a:wáy (*d.*); обмахну́ть пыль (с *рд.*) dust (*d.*). ~**ся**,

обмахну́ться (*тв.*) 1. fan òne:sélf (with); 2. *страд.* к обма́хивать.

обмахну́ть(ся) *сов. см.* обма́хивать(-ся).

обмеле́ние *с.* shállowing, shóaling.

обмеле́ть *сов. см.* меле́ть.

обме́н *м.* exchánge [-'tʃeɪ-]; (*взаимный*) interchánge [-'tʃeɪ-]; (*торговый*) bárter; ~ докуме́нтов chánging one's pápers, permíts, etc. ['tʃeɪ-...]; ~ това́рами exchánge of commódities; ~ нау́чной и техни́ческой информа́цией exchánge of scientífic and téchnical informátion; ~ мне́ниями exchánge of opínions; ~ приве́тствиями interchánge of gréetings; ~ делега́циями (ме́жду) exchánge of dèlegátions (betwéen); ~ посла́ми *дип.* exchánge of àmbássadors; ~ о́пытом exchánge of expérience; shàring knów-how [...'nou-] *разг.*; в ~ in exchánge; ~ веще́ств *биол.* metábolism.

обме́нивать, **обмени́ть**, **обменя́ть** 1. *при сов.* обменя́ть (*вн.* на *вн.*) exchánge [-'tʃeɪ-] (*d.* for); (*о товарах*) bárter (*d.* for); swap (*d.* for), swop (*d.* for) *разг.*; 2. *при сов.* обмени́ть (*случайно*) exchánge (àccidéntally) some árticle (of clóthing, *etc.*) with smb. élse [...'klou-...]; он обмени́л гало́ши he has exchánged his galóshes for smb. élse's. ~**ся**, **обмени́ться**, **обменя́ться** 1. *при сов.* обменя́ться (*тв.*) exchánge [-'tʃeɪ-] (*d.*); swap (*d.*), swop (*d.*) *разг.*; ~ся информа́цией share informátion; обменя́ться мне́ниями exchánge opínions; обменя́ться взгля́дами exchánge looks; ~ся впечатле́ниями compáre notes; ~ся замеча́ниями interchánge remárks [-'tʃeɪ-...]; ~ся посла́ми *дип.* exchánge àmbássadors; ~ся о́пытом exchánge / pool share expérience. 2. *при сов.* обмени́ться: он обмени́лся гало́шами he has táken sòmeòne's galóshes by mistáke; 3. *страд.* к обме́нивать.

обмени́ть *сов. см.* обме́нивать 2. ~**ся** *сов. см.* обме́ниваться 2.

обме́нный *прил.* к обме́н.

обменя́ть *сов. см.* обме́нивать 1. ~**ся** *сов. см.* обме́ниваться 1.

обме́р I *м.* méasure:ment ['meʒə-].

обме́р II *м. разг.* (*обман*) false méasure [fɔːls 'meʒə-].

обмере́ть *сов. см.* обмира́ть.

обмерза́ть, **обмёрзнуть** be cóvered with ice [...кл-...], be frósted óver.

обмёрзнуть *сов. см.* обмерза́ть.

обме́ривать I, **обме́рить** (*вн.*) méasure ['meʒə-] (*d.*).

обме́ривать II, **обме́рить** (*вн.*) *разг.* (*обманывать*) cheat in méasuring [...'meʒ-] (*d.*); give* short méasure [...'me-] (*i.*).

обме́риваться I *страд.* к обме́ривать I.

обме́риваться II, **обме́риться** *разг.* make* a mistáke in méasuring [...'meʒ-].

обме́р‖**ить** I, II *сов. см.* обме́ривать I, II. ~**иться** *сов. см.* обме́риваться II. ~**ять** = обме́ривать I.

обмести́ *сов. см.* обмета́ть I.

обмета́ть I, **обмести́** (*вн.*) sweep* off (*d.*); (*о пыли*) dust (*d.*).

обмета́ть II *сов. см.* обмётывать II.

обмета́ть III *сов. см.* обмётывать II.

обмётывать I, **обмета́ть** (*вн.*; *обшивать*) òver:stítch (*d.*); whíp-stitch (*d.*); òver:cást* (*d.*).

обмётывать II, **обмета́ть** *безл. разг.*: у него́ обмета́ло гу́бы his lips are cracked (with cold sores).

обмина́ть, **обмя́ть** (*вн.*) press down (*d.*); (*ногами*) trample down (*d.*). ~**ся**, **обмя́ться** 1. be pressed / trampled down; (*перен.*) settle down; 2. *страд.* к обмина́ть.

обмира́ть, **обмере́ть** *разг.* faint; ~ от стра́ха, у́жаса be struck with fear, hórror; be hórror-struck.

обмозго́вывать, **обмозгова́ть** (*вн.*) *разг.* turn óver in one's mind (*d.*), pónder (*d.*), think* óver (*d.*).

обмола́чивать, **обмолоти́ть** (*вн.*) *с.-х.* thrash (*d.*), thresh (*d.*).

обмо́лв‖**иться** *сов. разг.* 1. (*ошибиться*) make* a slip in spéaking; 2. (*сказать*) útter cásually [...-ʒ-]; (*тв.*) méntion (*d.*), let slip (*d.*); он ~ ни сло́вом о чём-л. never méntion smth.; он не ~ится об э́том ни сло́вом not a word about this mátter will pass his lips, he will never say / breathe a single word about it.

обмо́лвка *ж.* slip of the tongue [...tʌŋ].

обмоло́т *м. с.-х.* 1. (*действие*) thráshing, thréshing; 2. (*количество обмоло́ченного зерна́*) thráshing yield [...jiːld].

обмолоти́ть *сов. см.* обмола́чивать.

обмора́живать, **обморо́зить** (*вн.*): он обморо́зил себе́ ру́ки, у́ши *и т. п.* his hands, ears, *etc.*, are fróst-bitten, he has got his hands, ears, *etc.*, fróst-bitten. ~**ся**, **обморо́зиться** get* fróst-bitten.

обморо́женный fróst-bitten.

обморо́зить(ся) *сов. см.* обмора́живать(ся).

о́бморок *м.* fáinting fit, faint; swoon; sýncope [-pɪ] *мед.*; упа́сть в ~ faint (awáy), swoon; pass out *разг.*; в глубо́ком ~е in a dead faint [...ded...].

обморо́чить *сов. см.* моро́чить.

обморочн‖**ый** *прил.* к о́бморок; ~ое состоя́ние faint, state of ùn:cónscious:ness [...-nʃəs-]; sýncope [-pɪ] *мед.*

обмота́ть(ся) *сов. см.* обма́тывать(ся).

обмо́тка *ж. эл.* wínding; катушечная ~ coil wínding.

обмо́тки *мн.* (*для ног*) púttees.

обмочи́ть *сов.* (*вн.*) wet (*d.*); (*окунуя в жидкость*) dip (*d.*). ~**ся** *сов.* 1. (*тв.*) wet òne:sélf (with); 2. *разг.*: ребёнок обмочи́лся the báby is wet.

обмундирова́ние *с.* 1. (*действие*) fítting out (with úniform); 2. (*форменная оде́жда*) úniform, óutfit, kit.

обмундирова́ть *сов.* (*вн.*) fit out (*d.*). ~**ся** *сов.* fit òne:sélf out (with úniform).

обмундиро́вка *ж. разг.* = обмундирова́ние.

обмурова́ть *сов. см.* обмуро́вывать.

обмуро́вка *ж.* sétting (of a bóiler); líning (with refráctory bricks).

обмуро́вывать, **обмурова́ть** (*вн.*) set* (*d.*), line with refráctory bricks (*d.*).

обму́сливать, **обму́слить** (*вн.*) *разг.* wet (*d.*), móisten (with salíva) (*d.*); be:slóbber (*d.*).

обму́слить *сов. см.* обму́сливать.

обмусо́л‖**ивать**, **обмусо́лить** = обму́сливать. ~**ить** = обму́слить *см.* обму́сливать.

обмыва́ние *с.* báthing ['beɪ-], wáshing.

обмыва́ть, **обмы́ть** (*вн.*) wash (*d.*), bathe [beɪð] (*d.*). ~**ся**, **обмы́ться** 1. wash, bathe [beɪð]; 2. *страд.* к обмыва́ть.

обмы́лок *м. разг.* rémnant of a cake of soap.

обмы́ть(ся) *сов. см.* обмыва́ть(ся).

обмяка́ть, **обмя́кнуть** *разг.* become* soft; (*перен.*) become* flábby, go* limp.

обмя́кнуть *сов. см.* обмяка́ть.

обмя́ть(ся) *сов. см.* обмина́ть(ся).

обнагле́ть *сов. см.* нагле́ть.

обнадёживать, **обнадёжить** (*вн.*) give* hope (*i.*); rè:assúre [-ə'ʃuə] (*d.*).

обнадёжить *сов. см.* обнадёживать.

обнаж‖**а́ть**, **обнажи́ть** (*вн.*) bare (*d.*); (*открывать*; *тж. воен. о фланге и т. п.*) ùn:cóver [-'kʌl-] (*d.*), expóse (*d.*); (*о сабле и т. п.*) ùnshéathe (*d.*), draw* (*d.*); (*перен.: обнаруживать*) lay* bare (*d.*), reveál (*d.*); ◇ ~ го́лову ùn:cóver / bare one's head [...hed]. ~**а́ться**, **обнажи́ться** 1. bare / ùn:cóver òne:sélf [...-'kʌl-...]; (*раздеваться*) strip òne:sélf (náked); (*перен.: обнаруживаться*) come* to light, become* / get* reveáled; 2. *страд.* к обнажа́ть. ~**е́ние** *с.* báring, ùn:cóvering [-'kʌl-]; (*перен.*) reveáling. ~**ённый** 1. *прич. см.* обнажа́ть; 2. *прил.* (*нагой*) náked; *жив.* nude; с ~ённой головой báre-héaded [-'hed-]; ~ённая са́бля náked sabre.

обнажи́ть(ся) *сов. см.* обнажа́ть(ся).

обнаро́дование *с.* pròmulgátion, pùblicátion [рʌ-].

обнаро́довать *сов.* (*вн.*) prómulgate (*d.*), públish ['pʌ-] (*d.*), procláim (*d.*).

обнаруже́ние *с.* 1. disclósure [-'klou-], reveáling; 2. (*открытие, находка*) discóvery [-'kʌl-]; (*раскрытие*) detéction.

обнару́живать, **обнару́жить** (*вн.*) 1. (*выказывать*) displáy (*d.*); ~ свою́ ра́дость betráy one's joy; ~ тала́нт (к) show* a tálent [ʃou... tæ-] (for); 2. (*находить*) discóver [-'kʌl-] (*d.*), find* out (*d.*); (*раскрывать*) detéct (*d.*); reveál (*d.*); *воен. мор.* spot (*d.*). ~**ся**, **обнару́житься** 1. (*выясняться*) be reveáled; (*раскрываться*) come* to light; 2. (*отыскиваться, оказываться*) be discóvered [...-'kʌl-]; be found; 3. *страд.* к обнару́живать.

обнару́жить(ся) *сов. см.* обнару́живать(ся).

обнести́ I, II, III *сов. см.* обноси́ть I, II, III.

обним‖**а́ть**, **обня́ть** (*вн.*; *в разн. знач.*) embráce (*d.*); (*заключать в объятия тж.*) take* / clasp / fold in one's arms (*d.*); put* one's arms (round) *разг.*; ~ я́, обня́в за та́лию (with) one's arm round smb.'s waist; ◇ обня́ть умо́м comprehénd (*d.*). ~**а́ться**, **обня́ться** embráce, hug one anóther.

обни́м‖**ка**: в ~ку *разг.* with arms round each other in an embráce.

обнища́‖**лый** impóverished, béggarly. ~**ние** *с.* impóverishment, pàuperizátion [-raɪ-], dèstitútion.

обнища́ть *сов. см.* нища́ть.

ОБМ—ОБН **O**

357

ОБН – ОБО

обно́в||а *ж. разг.* new àcquisítion [...-'zɪ-]; (*об одежде*) new dress. **~и́ть (-ся)** *сов. см.* обновля́ть(ся).

обно́в||ка *ж.* = обно́ва. **~ле́ние** *с.* rènovátion; (*замена новым*) renéwal; **~ле́ние основно́го капита́ла** *эк.* renéwal of fíxed cápital.

обновлённый *прич. и прил.* rénovàted; (*заменённый новым*) renéwed.

обновля́ть, обнови́ть (*вн.*) 1. rénovàte (*d.*); (*заменять новым*) renéw (*d.*); (*освежать*) refrésh (*d.*); (*чинить*) repáir (*d.*); make* as good as new (*d.*); 2. *разг.* (*пользоваться впервые*) use, *или* try out, for the first time (*d.*); (*о носильных вещах*) wear* for the first time [wɛə...] (*d.*). **~ся, обнови́ться** 1. be / get* renéwed; (*оживляться*) revíve (*d.*); 2. *страд. к* обновля́ть.

обноси́ть I, **обнести́** (*вн. тв.*; *огораживать, окружать*) en:clóse (*d.* with); **~ стено́й** wall (*d.*); **~ и́згородью** fence (*d.*); **~ пери́лами** rail in / off (*d.*).

обноси́ть II, **обнести́** (*вн. тв.*; *кушаньем и т. п.*) serve round (to *d.*): их обноси́ли жарки́м the roast was served round to them.

обноси́ть III, **обнести́** (*вн. не предложить кушанья*) pass óver at table (*d.*); miss out while sérving (*d.*).

обноси́ться I *сов. разг.* be out at élbows, have worn out all one's clothes [...wɔ:n...-ouðz].

обноси́ться II *страд. к* обноси́ть I.

обно́ски *мн. разг.* càst-óff, *или* old, clothes [...-ouðz].

обню́хать *сов. см.* обню́хивать.

обню́хивать, обню́хать (*вн.*) sniff aróund (*d.*).

обня́ть(ся) *сов. см.* обнима́ть(ся).

обо *предл. см.* о I, II.

обо- *глагольная приставка* (*та же, что* о-); *см. глаголы с этой приставкой*.

обобра́ть *сов. см.* обира́ть.

обобра́ться *сов.*: **не оберёшься** *разг.* ≃ be:yónd count, innúmerable; дела́ у нас не оберёшься our hands are full, we are swamped with work.

обобщ||а́ть, обобщи́ть (*вн.*) géneralize (*d.*), súmmarize (*d.*); **~ о́пыт** géneralize expérience. **~е́ние** *с.* gèneralizátion [-laɪ-], géneral con:clúsion. **~ённый** *прич. и прил.* géneralized; *прил. тж.* ábstract.

обобществ||и́ть *сов. см.* обобществля́ть. **~ле́ние** *с.* sòcializátion [-laɪ-]; còllectivizátion [-vaɪ-]; **~ле́ние средств произво́дства** sòcializátion of the means of prodúction. **~лённый** *прич. и прил.* sócialized; colléctivized; **~лённый се́ктор се́льского хозя́йства** colléctivized séctor of ágricùlture.

обобществля́ть, обобществи́ть (*вн.*) sócialize (*d.*); colléctivize (*d.*).

обобщи́ть *сов. см.* обобща́ть.

обовши́веть *сов. см.* вши́веть.

обогати́тельн||ый *горн.* còncéntràting; **~ая фа́брика** *горн.* còncéntràting mill, óre-drèssing plant [...plɑ:nt]; (*для угля*) cóal-prèparátion plant.

обогати́ть(ся) *сов. см.* обогаща́ть(ся).

обогащ||а́ть, обогати́ть (*вн.*) 1. (*в разн. знач.*) enrích (*d.*); **обогати́ть свой о́пыт** enrích one's expérience; 2. *горн.* còncèntràte (*d.*); **~ руду́** còncèntrate / dress the ore. **~а́ться, обогати́ться** 1. enrích òne:sélf; 2. *страд. к* обогаща́ть. **~е́ние** *с.* 1. (*в разн. знач.*) enríchment; 2. *горн.* còncentrátion / dréssing; **~е́ние руды́** ore còncentrátion / dréssing; **~е́ние угля́** coal prèparátion.

обогна́ть *сов. см.* обгоня́ть.

обогну́ть *сов. см.* огиба́ть.

обоготвори́ть *сов. см.* обоготворя́ть.

обоготворя́ть, обоготвори́ть (*вн.*) idòlize (*d.*), dé:ify (*d.*).

обогре́в *м.* héating. **~а́ние** *с.* wárming, héating. **~а́тель** *м.*: **~а́тель пере́днего стекла́** (*автомобиля*) wínd-screen defróster ['wɪ-...].

обогрева́ть, обогре́ть (*вн.*) heat (*d.*), warm (*d.*). **~ся, обогре́ться** 1. warm òne:sélf; 2. *страд. к* обогрева́ть.

обогре́ть(ся) *сов. см.* обогрева́ть(ся).

обо́д *м.* rim; félloe. **~о́к** *м.* 1. *уменьш. от* о́бод; 2. (*каёмка*) thin bórder, thin rim, fíllet.

ободо́чн||ый: **~ая кишка́** *анат.* cólon (*a portion of the large intestine*).

оборва́нец *м. разг.* rágamùffin, rágged féllow.

обо́дранный 1. *прич. см.* обдира́ть; 2. *прил.* rágged; (*о человеке тж.*) in rags.

ободра́ть *сов. см.* обдира́ть.

ободре́ние *с.* en:cóurage:ment [-'kʌ-], rè:assúrance [-ʃuə-].

ободри́тельный en:cóuraging [-'kʌ-], rè:assúring [-ʃuə-].

ободри́ть(ся) *сов. см.* ободря́ть(ся).

ободря́ть, ободри́ть (*вн.*) en:cóurage ['kʌ-] (*d.*), héarten ['hɑ:t-] (*d.*), cheer up (*d.*), rè:assúre [-ʃuə] (*d.*). **~ся, ободри́ться** 1. take* heart [...hɑ:t], cheer up, héarten up ['hɑ:t-...]; 2. *страд. к* ободря́ть.

обо́его: **~ по́ла** of both séxes [...bouθ...].

обоепо́лый *биол.* bì:séxual; *бот.* monóecious [-'ni:ʃ-].

обожа́ние *с.* àdorátion.

обожа́тель *м.*, **~ница** *ж.* adórer; admírer *разг.*

обожа́ть (*вн.*) adóre (*d.*), wórship (*d.*).

обожда́ть (*вн.*) *разг.* wait (for a while); (*вн.*) wait (for).

обожеств||и́ть *сов. см.* обожествля́ть. **~ле́ние** *с.* ìdolizátion [-laɪ-], dèificátion.

обожествля́ть, обожестви́ть (*вн.*) ídolize (*d.*), dé:ify (*d.*), wórship (*d.*).

обожра́ться *сов. см.* обжира́ться.

обо́з *м.* 1. string of carts; wágon train ['wæ-...] *амер.*; (*санный*) string of slédges; 2. *воен.* (únit) tránspòrt; train *амер.*; ◇ **быть, плести́сь в ~е** bring* up the rear, be left behínd.

обоза́ть *сов. см.* обзыва́ть.

обозли́ть *сов.* (*кого-л.*) embítter (smb.), rouse the spite (of smb.). **~ся** *сов.* grow* / get* ángry [grou...].

обозна́ться, обозна́ться *разг.* (mis)táke* *smb.* for smb. else; **прости́те, я обозна́лся** I'm sórry, I (mis)tóok you for smb. else.

обозна́ться *сов. см.* обознава́ться.

обознача́ть I, **обозна́чить** (*вн.*) désignàte [-z-] (*d.*); (*помечать*) mark (*d.*); **~ бу́квами** létter (*d.*); **не обозна́ченный на ка́рте** únmápped, únplòtted; *мор.* únchárted; 2. (*делать заметным*) émphasize (*d.*), bring* out (*d.*).

обознача́ть II (*значить*) mean* (*d.*).

обознача́||ться, обозна́читься 1. show* [ʃou], appéar; 2. *страд. к* обознача́ть I. **~ение** *с.* dèsignátion [-z-]; (*знак*) sign, sýmbol; **усло́вные ~е́ния** convéntional signs.

обозна́чить *сов. см.* обознача́ть I. **~ся** *сов. см.* обознача́ться.

обо́зный 1. *прил. к* обоз; 2. *м. как сущ. воен.* tránspòrt dríver.

обозрева́тель *м.* áuthor of súrvey / revíew [...-'vju:]; cólumnist *амер.*; полити́ческий **~** political còrrespòndent.

обозрева́ть, обозре́ть (*вн.*) 1. (*осматривать*) survéy (*d.*), view [vju:] (*d.*), look round (*d.*); 2. (*в печати*) revíew [-'vju:] (*d.*).

обозре́ние *с.* 1. (*действие*) survéying, víewing ['vju:-], lóoking round; 2. (*обзор*) revíew [-'vju:], cómmentary; спорти́вное **~** sports róund-ùp; 3. (*эстрадное представление*) revúe.

обозре́ть *сов. см.* обозрева́ть.

обозри́мый vísible [-z-].

обо́||и *мн.* wàllpàper *sg.*; окле́ивать **~ями** (*вн.*) páper (*d.*).

обо́йма *ж.* 1. *воен.* (*патронная*) chárger, cártridge clip; (*перен.*) *разг.* wide range [...reɪ-]; це́лая **~ аргуме́нтов** a wide range of árguments; 2. *тех.* íron ring ['aɪən...]; **~ шарикоподши́пника** ball race.

обо́йный 1. *прил. к* обо́и; 2. (*применяемый при обивке чего-л.*) used for úp:hólstering [...-'hou-].

обойти́ I, II, III *сов. см.* обходи́ть I, II, III.

обойти́ IV *сов.* (*вн.*) *разг.* (*обмануть, перехитрить*) take* in (*d.*), get* round (*d.*).

обойти́сь I, II *сов. см.* обходи́ться I, II.

обо́йщик *м.* úp:hólsterer [-'hou-].

о́бок 1. *нареч.* close by [-s...]; near; 2.: **~ с** *предл.* (*тв.*) side by side (with).

обокра́сть *сов. см.* обкра́дывать.

оболва́нивать, оболва́нить (*вн.*) *разг.* 1. make* a fool (of); 2. (*плохо стричь*) cut* smb.'s hair too short, cut* smb.'s hair ány:how.

оболва́нить *сов. см.* оболва́нивать.

оболга́ть (*вн.*) *разг.* slánder [-ɑ:n-] (*d.*).

оболо́чка *ж.* 1. cóver ['kʌ-], jácket, énvelòpe; *тех. тж.* cásing [-s-]; (*скорлупа*) shell; **~ се́мени** *бот.* séed-coat; 2. *биол.* cápsùle; (*перен.*) (óutward) form, appéarance; 3. *анат.* mémbràne; **ра́дужная ~** (*глаза*) íris ['aɪə-]; **рогова́я ~** (*глаза*) córnea [-nɪə]; **се́тчатая ~** (*глаза*) rétina; **сли́зистая ~** múcous mémbràne.

обо́лтус *м. разг.* blóckhead [-hed], dunce, bóoby.

обольсти́тель *м. уст.*, **~ница** *ж. уст.* sedúcer. **~ный** sedúctive.

обольсти́ть(ся) *сов. см.* обольща́ть(-ся).

обольщ||а́ть, обольсти́ть (вн.) sedúce (d.), tempt (d.). **~а́ться**, обольсти́ться 1. (тв.) flátter òneself (with); (без доп.; обма́нываться) be / lábour únder a delúsion; ~а́ться наде́ждами chérish vain hopes; не ~а́йся наде́ждами don't be too hópeful; 2. страд. к обольща́ть. **~е́ние** с. 1. sedúction; 2. (обма́нчивое представле́ние) delúsion.

обомле́ть сов. разг. be stúpefied; ~ от у́жаса be stúpefied / frózen with térror.

обомше́лый móss-grown [-groun].

обомше́ть сов. become* cóvered / óvergrown with moss [...'кл- -'groun...].

обоня́||ние с. sense of smell; то́нкое ~ have a fine, или an acúte, sense of smell; have a good nose разг. **~тельный** анат. olfáctory.

обоня́ть (вн.) smell* (d.).

обора́чиваемость ж. эк. túrnover; ~ оборо́тных средств túrnover of cápital.

обора́чивать, оберну́ть, разг. обороти́ть (вн.) turn (d.); оберну́ть лицо́ (к) turn one's face (towards); ~ся, разг. оборотиться (в разн. знач.) turn (round); (о капита́ле) turn óver; бы́стро ~ся swing* round; ~ся на чей-л. го́лос turn at smb.'s voice.

обо́рванец м. rágamùffin, rágged féllow.

обо́рванный 1. прич. см. обрыва́ть I; 2. прил. rágged, torn.

оборва́ть сов. см. обрыва́ть I. **~ся** сов. см. обрыва́ться.

обо́рвыш м. разг. rágamùffin.

обо́рка ж. frill; (широ́кая) flounce.

обормо́т м. разг., бран. blóckhead [-hed].

оборо́н||а ж. тк. ед. 1. defénce; акти́вная ~ áctive / aggréssive defénce; противота́нковая ~ ánti-tánk defénce; а́нти-меха́низед defénse [-'mek-...] амер.; подви́жная ~ elástic defénce; противохими́ческая ~ gas defénce; долговре́менная ~ pérmanent defénces pl.; 2. (совоку́пность оборони́тельных средств) defénce(s pl.); крепи́ть ~у страны́ stréngthen the cóuntry's defénces [...'кл-...]; 3. (пози́ции) defénsive position [...-'zɪ-]; defénces pl.; заня́ть ~у take* up a defénsive position; держа́ть ~у hold* the line.

оборони́тель||ый defénsive; ~ые бои́ defénsive áctions; ~ая та́ктика defénsive áttitùde; ~ое сооруже́ние defénce / defénsive work; мн. тж. defénces; ~ рубе́ж defénsive belt / line; ~е пози́ции defénsive position [...-'zɪ-] sg.; ~ райо́н defénded locálity; defénse / defénsive área [...'еərɪə] амер.

оборони́ть(ся) сов. см. обороня́ть(ся).

обороноспосо́бн||ость ж. defénce(s pl.); defénce càpabílity / poténtial.

оборон||я́ть, оборони́ть (вн.) defénd (d.). **~я́ться**, оборони́ться 1. defénd òneself; 2. страд. к обороня́ть. **~я́ющийся** 1. прич. см. обороня́ться; 2. м. как сущ. defénder.

оборо́т м. 1. (враще́ние) turn, rèvolútion; вал маши́ны де́лает сто ~ов в мину́ту the shaft does a húndred rèvolútions per mínute [...'mɪnɪt]; 2. (цикл) túrnover [rou-]; капита́л

túrnover of cápital; 3. эк. cìrculátion; пуска́ть в ~ (вн.) put* into cìrculátion / òperátion (d.); 4. фин. túrnover; де́нежный ~ móney túrnover ['mʌ-...]; 5. (обра́тная сторона́) back; (листа́) the other side, the revérse; ~ на е be on the back; смотри́ на ~ P.T.O. (please turn óver), see óver; 6. (в языке́) turn (of speech); ~ ре́чи phrase; locútion; turn of speech; ◇ де́ло при́няло дурно́й ~ things have táken a turn for the worse; взять кого́-л. в ~ разг. take* smb. in hand.

оборо́тень м. фольк. wérewòlf [-wulf].

оборо́тистый = оборо́тливый.

обороти́ть(ся) сов. см. обора́чивать (-ся).

оборо́тливый разг. resóurceful [-'sɔ:s-]; shífty неодобр.

оборо́тн||ый 1. эк. cìrculàting, wórking; ~ капита́л cìrculàting cápital, wórking cápital; ~ые сре́дства cìrculàting / wórking ássets / cápital; 2.: ~ая сторона́ the revérse (side), vérso; (перен.) the séamy side; ~ая сторона́ меда́ли см. меда́ль.

обору́дование с. 1. (де́йствие) equípment, equípping; 2. (предме́ты) equípment, óutfit; маши́нное ~ machínery [-'ʃi:-].

обору́дов||ать несов. и сов. (вн.) 1. equíp (d.), fit out (d.); хорошо́ ~анный (о кварти́ре и т. п.) wéll-appóinted; 2. разг. (бы́стро и ло́вко вы́полнить, устро́ить) mánage (d.); arránge [-eɪ-] (d.).

обо́рыш м. разг. left-over, rémnant.

обоснова́ние с. 1. (де́йствие) básing [-s-]; (рд.; зако́на, положе́ния и т. п.) substàntiátion (of); 2. (до́воды) básis ['beɪs-] (pl. -ses [-si:z]), ground(s) (pl.).

обосно́ван||ность ж. valídity. **~ный** 1. прич. см. обосно́вывать; нау́чно ~ный theorétically substántiàted, scientífically gróunded; 2. прил. wéll-founded, (wéll-)gróunded; (ве́ский) válid, sound; э́то вполне́ ~но there are good réasons for it [...-z-..], it is wéll-gróunded.

обоснова́ть(ся) сов. см. обосно́вывать (-ся).

обосно́вывать, обоснова́ть (вн.) ground (d.), base [-s] (d.); (подкрепля́ть доказа́тельствами) substàntiàte (d.); give* proof (of). **~ся**, обоснова́ться 1. (в пр.) разг. (поселя́ться) séttle down (in); 2. страд. к обосно́вывать.

обосо́бить(ся) сов. см. обособля́ть (-ся).

обособле́ние с. 1. (де́йствие) sétting apárt, ísolàting ['aɪ-]; 2. (состоя́ние) isolátion [aɪ-]; 3. грам. isolátion.

обосо́бленн||о нареч. apárt, alóof; by òneself. **~ость** ж. isolátion [aɪ-]. **~ый** 1. прич. см. обособля́ть; 2. прил. sólitary, detáched; ísolàted ['aɪ-] (тж. грам.).

обособля́ть, обосо́бить (вн.) isolàte ['aɪ-] (d.) (тж. грам.). **~ся**, обосо́биться 1. stand* apárt, keep* alóof; keep* òneself to òneself; 2. страд. к обособля́ть.

обостр||е́ние с. 1. (о чу́вствах, ощуще́ниях) intènsificátion, shárpening; 2. (ухудше́ние) wórsening; ~ боле́зни exàcerbátion, acúte condítion; 3. (об отноше́ниях и т. п.) àggravátion; ~ противоре́чий intènsificátion / àggravátion of antágonisms; ~ междунаро́дного положе́ния àggravátion of the internátional situátion [...-'næ-...]. **~ённый** 1. прич. см. обостря́ть; 2. прил. (о черта́х лица́) sharp, tápering, póinted; 3. прил. (повы́шенно чувстви́тельный) of héightened sènsitívity, acúte; sharp; ~ённый слух keen ear; ~ённый интере́с keen ínterest; 4. прил. (напряжённый) strained, tense; àggravàted; ~ённые отноше́ния strained relátions. **~и́ть (-ся)** сов. см. обостря́ть(ся).

обостр||я́ть, обостри́ть (вн.) 1. intènsifỳ (d.), héighten ['haɪt-] (d.), shárpen (d.); (доводи́ть до кра́йности) bring* to a head [...hed] (d.); 2. (ухудша́ть) àggravàte (d.), exácerbàte (d.); ~ отноше́ния strain relátions. **~я́ться**, обостри́ться 1. become* sharp; 2. (станови́ться бо́лее изощрённым) become* more sénsitive; 3. (ухудша́ться) become* àggravàted / strained; положе́ние ~и́лось the situátion has become àggravàted; боле́знь ~и́лась the condítion has become acúte; 4. страд. к обостря́ть.

обо́чина ж. (доро́ги) side of the road, róadside; (тротуа́ра) curb.

обою́дно I прил. кратк. см. обою́дный.

обою́дн||о II нареч. mútually. **~ость** ж. mùtuálity. **~ый** mútual; по ~ому соглаше́нию by mútual consént.

обоюдоо́стр||ый (прям. и перен.) dóuble-èdged ['dʌbl-]; э́то ~ое ору́жие this is a dóuble-èdged wéapon [...'wep-], this wéapon cuts both ways [...bouθ...].

обраба́тываемость ж. тех. machinability [-'ʃi:-]; wórkability.

обраба́тыва||ть, обрабо́тать (вн.) 1. work* (up) (d.), treat (d.); (о материа́ле тж.) pròcess (d.); (на станке́) machíne [-'ʃi:n] (d.); 2. (возде́лывать) work (d.), cúltivàte (d.); ~ зе́млю work the land; 3. (отде́лывать) dress (d.); (полирова́ть) pólish (d.); 4. разг. (возде́йствовать) ínfluence (d.); сов. тж. persuáde [-'sw-] (d.). **~ющий** прич. см. обраба́тывать; ◇ ~ющая промы́шленность mànufácturing índustry.

обрабо́т||ать сов. см. обраба́тывать. **~ка** ж. 1. tréatment; (материа́ла тж.) pròcessing; механи́ческая ~ка machíning [-'ʃi:-], machine pròcessing [-'ʃi:n...]; спо́собы ~ки (рд.) méthods of tréatment / wórking (of); 2. (возде́лывание) wórking, cùltivátion; ~ка земли́ wórking / cùltivátion of the land.

обра́довать(ся) сов. см. ра́довать(ся).

о́браз I м. (мн. ~ы) 1. тк. ед. shape, form; (вид) appéarance; 2. (представле́ние) ímage; худо́жественный ~ ímage; по ~у своему́ и подо́бию in one's own ímage [...oun...], áfter one's líkeness; 3. (поря́док, направле́ние чего́-л.) mode, mánner; ~ де́йствий mode / line of áction, pólicy; ~ жи́зни way / mode of life; ~ мы́слей way of thínking; views [vju:z] pl.; ~ правле́ния form of góvernment [...'gʌ-]; ◇ каки́м ~ом? how?; таки́м ~ом thus, in that way;

ОБР – ОБР

никоим ~ом (не) by no means; главным ~ом mainly; chiefly [ˈtʃiːfli], principally; равным ~ом equally [ˈiː-]; обстоятельство ~а действия *грам.* adverbial modifier of manner.

образ II *м.* (*мн.* ~á) (*икона*) ícon, sácred ímage.

образ||ец *м.* 1. stándard, módel [ˈmɔ-]; páttern; прекрасный ~ (*рд.*) béautiful piece / spécimen [ˈbjuːt- piːs...] (of); по ~цу (чего-л.) áfter / on / upón a módel, *или* the páttern (of smth.); следовать одному и тому же ~цу fóllow the same páttern; по одному ~цу áfter / on the same páttern; брать за ~ (*вн.*) ímitàte (*d.*), fóllow *the* exámple [...-ɑːm-] (of), do smth. (áfter); стать ~цóм (для) become* a módel (for); он показал ~ (*рд.*) he set a brílliant exámple (of); 2. (*товарный*) sample, spécimen; (*ткани*) páttern; ◇ новейшего ~цá of the látest páttern.

образина *ж. разг. пренебр.* úgly mug [ˈʌ-...]; (*бранное слово*) scum.

образн||о *нареч.* fígurative:ly, (*наглядно*) gráphically. **~ость** *ж.* 1. figurative:ness; (*живость, яркость*) picturésque:ness. **~ый** fígurative; (*живой, яркий*) picturésque; (*изобразительный*) ímage--béaring [-ˈbɛə-]; (*наглядный*) gráphic; ~ое выражение fígure of speech; ímage--béaring expréssion; ~ое описание gráphic descríption; ~ый стиль pictórial / gráphic / fígurative style.

образование I *с.* (*действие*) fòrmátion; ~ слов word fòrmátion; ~ пáра gènerátion / prodúction of steam; ~ СССР the fòrmátion of the USSR.

образование II *с.* (*просвещение*) èducátion; начáльное ~ primary / èleméntary èducátion [ˈpraɪ-...]; срéднее ~ sécondary èducátion; высшее ~ hígher èducátion; ùnivérsity èducátion; народное ~ públic / péople's èducátion [ˈpɪ-pɪ-...]; дать (*дт.*) èducáte (*d.*); получить ~ be èducáted; техническое ~ téchnical èducátion.

образованный I *прич. см.* образовывать.

образованный II *прил.* (well-)èducàted; ~ человек èducàted pérson.

образовательный èducátional; ◇ ~ ценз èducátional quàlificátion.

образовать(ся) *сов. см.* образовывать (-ся).

образовывать, образовать (*вн.*) form (*d.*), make* (*d.*); make* up (*d.*); (*производить*) gènerate (*d.*); (*организовывать*) órganize (*d.*); образовать правительство form *a* góvernment [...ˈgʌ-]. **~ся**, образоваться 1. form, aríse, be génerated; 2. *страд. к* образовывать; ◇ всё образуется *разг.* it will all come right in the end.

образумить *сов.* (*вн.*) *разг.* bring* to réason [...-z-] (*d.*). **~ся** *сов. разг.* come* to (see) réason [...-z-].

образцово-показательный model [ˈmɔ-]; dèmonstrátion (*attr.*).

образцов||ый módel [ˈmɔ-] exémplary; ~ое хозяйство módel farm; ~ое произведение másterpiece [-piːs]; ~ порядок immáculate / pérfect órder; ~ое поведение exémplary cónduct.

образчик *м.* spécimen, sample; (*ткани*) páttern.

обрам||ить *сов. см.* обрамлять. **1.** **~ление** *с.* 1. frame, fráming; 2. (*окаймление*) sétting.

обрамлять, обрамить (*вн.*) 1. (*вставлять в раму*) set* in *a* frame (*d.*); frame (*d.*); 2. *тк. несов.* (*окаймлять*) set* off (*d.*).

обрастать, обрасти (*тв.*) 1. become* / be óver:gróun [...-oun] (with); (*покрываться*) become* / be cóvered [...ˈkʌ-] (with); обрасти грязью be cóated with mud; 2. *разг.* (*накоплять*) acquíre (*d.*), accúmulate (*d.*); обрасти жиром accúmulàte fat.

обрасти *сов. см.* обрастать.

обрат *м. с.-х.* skim milk.

обратим||ость *ж.* 1. (*о процессе*) revèrsibílity; 2. (*о валюте*) convèrtibílity. **~ый** 1. (*о процессе*) revérsible; 2. (*о валюте*) convértible.

обратить *сов. см.* обращать. **~ся** *сов. см.* обращаться 1, 2.

обратно *нареч.* 1. back; (*в обратном направлении*) báckwards [-dz]; идти, ехать ~ go* back; retúrn, retráce one's steps; туда и ~ there and back; поездка туда и ~ round trip; поездка в Ленингрáд и ~ round trip to Léningràd; trip to Léningràd and back; брать ~ (*вн.*) take* back (*d.*), retríeve [-ˈtriːv] (*d.*); 2. *разг.* (*наоборот*) convèrse:ly, ínvèrse:ly; 3.: ~ пропорционáльный ínvèrse:ly propórtional.

обрáтн||ый 1. revérse, way back [...ˈdʒɔː-], way back; ~ путь retúrn jóurney; ~ая виза retúrn vísa [...ˈviːzə]; ~ áдрес sénder's address; ~ ход revérse mótion, back stroke; в ~ом направлении the other way; в ~ую сторону in the ópposite diréction [...-z-...]; ~ смысл ópposite méaning / sense; 2. *мат.* ínvèrse; ~ое отношение ínvèrse rátio; ~ая пропорция ínvèrse propórtion; ◇ ~ билéт retúrn tícket; имéть ~ую сúлу *юр.* be rètroáctive; имéющий ~ую сúлу rètroáctive, rètro:spéctive; (*о законе тж.*) ex post fácto [...poust...].

обращ||áть, обратить (*вн.*; *в разн. знач.*) turn (*d.*); (*вн. в вн.*) turn (*d.* into); ~ взгляд (на *вн.*) turn one's eyes [...aɪz] (on, towards); ~ внимáние (на *вн.*) pay* atténtion (to); nótice [ˈnou-] (*d.*), take* nótice (of); обратить своё внимáние (на *вн.*) turn one's atténtion (to); ~ чьё-л. внимáние (на *вн.*) call / draw / diréct smb.'s atténtion (to); обратить на себя чьё-л. внимание attráct smb.'s atténtion; не ~ внимания take* no nótice, take* no heed; disregárd, ignóre; ◇ ~ когó-л. в бéгство put* smb. to flight; обратить в шутку turn into a joke (*d.*). **~áться**, обратиться 1. (*к*) appéal (to), apply (to); (*заговаривать*) addréss (*d.*); ~áться с призывом к комý-л. appéal to smb.; addréss *an* appéal to smb.; ~áться к врачý see* a dóctor; take* médical advíce; ~áться к юристу take* légal advíce; 2. (*в вн.*) (*превращаться*) turn (into); 3. *тк. несов.* (*с тв.*; *обходиться с кем-л.*) treat (*d.*); хорошо ~áться с кем-л. treat smb. kínd:ly; дурно ~áться с кем-л. treat smb. róughly / ùn:kínd:ly / bád:ly [...ˈrʌf-...]; màltréat smb., ìll-tréat smb.; 4. *тк. несов.* (*с тв.*; *пользоваться чем-л.*) handle (*d.*), use (*d.*); он не умеет ~áться с этим инструментом he does:n't know how to use this instrument [...nou...]; 5. *тк. несов.* (*без доп.*) эк. círculàte; ◇ обратиться в бéгство take* to flight, take* to one's heels; обратиться в слух be all ears.

обращéни||е *с.* 1. (к; *тж. грам.*) addréss (to); (*в письме*) form of addréss; (*призыв*) appéal (to); Обращéние Всемирного Совéта Мира World Peace Cóuncil's Appéal; 2. (*в вн.*) convérsion (to, into); ~ в вéру convérsion to faith; 3. (*с тв.*; *обхождение с кем-л.*) tréatment (*d.*); плохое ~ с кем-л. bad / ill* tréatment of smb., màltréatment of smb.; жестокое ~ с кем-л. crúelty to smb. [-uə-...], cruel tréatment of smb. [-uəl...]; 4. (*с тв.*; *пользование чем-л.*) hándling (of), use [-s] (of); неосторожное ~ cáre:lessness in hándling, cáre:less hándling; научиться ~ю learn* to use [ləːn...] (*d.*); 5. (*рд.*; *оборот*) circulátion (of); пустить в ~ (*вн.*) put* into circulátion (*d.*); изъять из ~ (*вн.*) withdráw* from circulátion (*d.*); ускорить ~ àccélerate cìrculátion; срéдства ~я эк. médium of cìrculátion; издéржки ~я distribútion costs. 6. (*манера держать себя*) mánner.

обревизовáть *сов.* (*вн.*) inspéct (*d.*).

обрéз *м.* 1. (у книги) edge; 2. (*винтовка с отпиленным концом ствола*) sáwn-òff gun / rífle; ◇ в ~ *разг.* ónly just enóugh [...ˈnʌf]; very short; у меня времени в ~ I have just enóugh time; I have no time to spare.

обрезáние *с.* cútting, páring, trímming; (*досок*) édging.

обрéзать(ся) *сов. см.* обрезáть(ся).

обрезáть, обрéзать (*вн.*) 1. cut* off (*d.*); clip (*d.*), pare (*d.*); (*деревья*) trim (*d.*), prune (*d.*); (*доски*) square (*d.*); ~ ногти pare one's finger-nails; 2. (*ранить*) cut* (*d.*); обрéзать пáлец cut* one's finger; 3. *разг.* (*резко прерывать*) snub (*d.*), cut* short (*d.*). **~ся**, обрéзаться 1. cut* òne:sélf; обрéзаться о стеклó cut* òne:sélf on a piece of glass [...piːs...]. 2. *страд. к* обрезáть.

обрéзок *м.* scrap; *мн. тж.* ends.

обрéзывать(ся) = обрезáть(ся).

обрекáть, обрéчь (*вн. на вн.*) doom (*d.* to); ~ на провáл, неудáчу doom / condémn to fáilure.

обременённый *прич. и прил.* búrdened; ~ семьёй búrdened with a (large) fámily; with a fámily on his hands.

обремен||ительный búrden:some, ónerous. **~ить** *сов. см.* обременять.

обременять, обременить (*вн.*) búrden (*d.*).

обрести *сов. см.* обретáть.

обретáть, обрести (*вн.*) find* (*d.*); обрести покой find* peace; обрести вéрных друзéй find*, *или* be blessed with, fáithful friends [...frendz].

обретáться *разг.* (*находиться*) abíde*, pass one's time.

обречéние *с.* doom.

обречённост||ь *ж.* doom; чувство ~и féeling of doom.
обречённый *прич. и прил.* doomed.
обречь *сов. см.* обрекать.
обрешетить *сов.* (*вн.*) *стр.* lath (*d.*).
обрешётка *ж. стр.* láthing.
обрисовать(ся) *сов. см.* обрисовывать (-ся).
обрисовыв||ать, обрисовать (*вн.*) óutline (*d.*), depíct (*d.*); delíneate (*d.*); платье ~ает её фигуру the dress fits close [...-s-]. ~аться, обрисоваться 1. appéar (in óutline), take* shape; 2. *страд. к* обрисовывать.
обрить *сов.* (*вн.*) shave* (*d.*); (*сбрить*) shave* off (*d.*). ~ся *сов.* shave* one's head [...hed]; have one's head shaved.
оброк *м. ист.* quít:rent; натуральный ~ métayage (*фр.*) ['meteıɑːʒ]; денежный ~ quít:rent.
обронить *сов.* (*вн.*) *разг.* drop (*d.*); (*перен.; о замечании и т. п.*) let* drop, let* fall.
оброчный *ист.*: ~ крестьянин péasant on quít:rent ['pez-...].
обруба||ть, обрубить (*вн.*) 1. chop off (*d.*); (*о ветвях*) lop off (*d.*); (*о хвосте*) dock (*d.*); 2. (*подшивать*) hem (*d.*).
обрубить *сов. см.* обрубать.
обрубок *м.* stump.
обруга́ть *сов.* (*вн.*) *разг.* call names (*d.*), curse (*d.*), scold (*d.*); swear* (at).
обрусе́||вший, ~лый Rússified.
обрусе́ть *сов.* become* Rússified.
обруч *м.* hoop; набить ~и на бочку hoop *a* cask, bind* *a* cask with hoops, hoop *a* bárrel; катать ~и trundle hoops.
обруча́льн||ый: ~ое кольцо́ wédding--ring; ~ обряд betróthal [-ouð-].
обруча́||ть, обручить (*вн.*) betróth [-ouð] (*d.*). ~ся, обручиться (с *тв.*) becóme* en:gáged (to); exchánge rings in betróthal [-'tʃeı-...-ouð-] (with).
обруче́ние *с.* betróthal [-ouð-].
обручи́ть(ся) *сов. см.* обручать(ся).
обру́шивать, обру́шить (*вн.*) bring* down (*d.*); ~ сте́ну bring* down a wall; ~ ого́нь (на *вн.*) *воен.* pláster with fire (*d.*), bring* down fire (up:ón). ~ся, обру́шиться 1. come* down; collápse; (на *вн.; перен.; о несчастьях, заботах*) befáll* (*d.*), fall* (up:ón); 2. (на *вн.;* набра́сываться) pounce (up:ón), attáck (*d.*).
обру́шить(ся) *сов. см.* обру́шивать (-ся).
обры́в I *м.* (*крутой откос*) précipice.
обры́в II *м.* (*провода и т. п.*) break [-eık], rúpture.
обрыва́||ть I, оборва́ть (*вн.*) 1. tear* off [tɛə...] (*d.*); (*о верёвке, проволоке и т. п.*) break [breık] (*d.*); (*о цветах*) pluck (*d.*); (*о плода́х*) pick (*d.*), gáther (*d.*); 2. (*прекращать*) cut* short (*d.*); (*заставлять замолчать*) snub (*d.*).
обрыва́ть II, обры́ть (*вокруг*) dig* round (*d.*).
обрыва́ться, оборва́ться 1. (*о верёвке; о голосе*) break* [breık]; 2. (*падать откуда-л.; о человеке*) lose* hold of *smth.* and fall* [luːz...]; (*о предмете*) becóme* detáched and fall*, come* a:wáy, drop off; 3. *разг.* (*прекраща́ться*) stop súddenly; come* abrúptly to an end; разгово́р оборва́лся на полусло́ве the cònversátion was súddenly brought to an end.

обры́вистый 1. (*крутой*) precípitous, abrúpt, steep; **2.** (*прерывающийся*) abrúpt.
обры́в||ок *м.* scrap; (*песни, мелодии*) snatch; *мн.* (*перен.*) scraps; ~ки разгово́ра snátches / scraps of cònversátion; ~ки мы́слей désultory thoughts. ~очный scráppy.
обры́днуть *сов. разг.* bore, repél.
обры́згать(ся) *сов. см.* обры́згивать (-ся).
обры́згивать, обры́згать (*вн. тв.*) (be-)sprínkle (*d.* with); splash (on, óver *d.*), (be)spátter (*d.* with). ~ся, обры́згаться 1. (*тв.*) besprínkle ònesélf (with); splash up:ón òne:sélf (*d.*), bespátter òne:sélf (with); 2. *страд. к* обры́згивать.
обры́скать *сов.* (*вн.*) *разг.* go* through (*d.*) in search of *smth.* [...səːtʃ...]; hunt (*d.*).
обры́ть *сов. см.* обрыва́ть II.
обрю́зглый fat and flábby, fláccid.
обрю́зг||нуть *сов.* grow* fat and flábby [grou...]. ~ший = обрю́зглый.
обря́д *м.* rite, céremony.
обряди́ть(ся) *сов. см.* обряжа́ть(ся).
обря́д||ность *ж.* (cèremónial) rites *pl.* ~ный, ~овый ritual.
обряжа́ть, обряди́ть (*вн. в вн.*) *разг. шутл.* get* up (*d.* in), trick out (*d.* in). ~ся, обряди́ться 1. (в *вн.*) get* òne:sélf up (in); 2. *страд. к* обряжа́ть.
обсади́ть *сов. см.* обса́живать.
обса́живать, обсади́ть (*вн. тв.*) plant round [-ɑːnt...] (*d.* with); у́лицы, обса́женные дере́вьями streets lined with trees, trée-lined streets.
обса́ливать, обсали́ть (*вн.*) *разг.* smear with grease / fat [...-s-...] (*d.*).
обсали́ть *сов. см.* обса́ливать.
обса́сывать, обсоса́ть (*вн.*) ≅ suck round (*d.*); *перен.* chew óver (*d.*).
обсека́ть, обсе́чь (*вн.*) 1. cut* off / round (*d.*); ~ ве́тки cut* off the brànches of a tree [...'brɑː-...]; 2. (*обтёсывать*) róugh-hew ['rʌf-] (*d.*).
обсемене́ние *с.* 1. *с.-х.* sówing ['sou-]; 2. *бот.* góing to seed, prodúcing seeds. ~и́ть(ся) *сов. см.* обсеменя́ть(ся).
обсеменя́ть, обсемени́ть (*вн.*) *с.-х.* sow* [sou] (*d.*). ~ся, обсемени́ться 1. *бот.* go* to seed; 2. *страд. к* обсеменя́ть.
обсерватория *ж.* obsérvatory [-'z-].
обсервацио́нный *прил. к* обсерва́ция.
обсерва́ция *ж.* òbservátion [-z-].
обсе́сть *сов.* (*вн.*) *разг.* sit round, encírcle sítting.
обсе́чь *сов. см.* обсека́ть.
обскака́ть *сов. см.* обска́кивать.
обска́кивать, обскака́ть (*вн.*) 1. (*обогнять*) óutgàllop (*d.*); (*перен.*) ≅ come* first; 2. (*кругом, вокруг*) gállop round (*d.*).
обскура́нт *м.* òbscúrant, òbscúrantist. ~и́зм *м.* òbscúrantism.
обсле́дование *с.* (*рд.*) inspéction (of), in:quíry (into); (*исследование*) invèstigátion (of); лечь в больни́цу на ~ go* into hóspital for a chèck-úp.
обсле́дователь *м.* inspéctor, invèstigàtor.

обсле́довать *несов. и сов.* (*вн.*) inspéct (*d.*), in:quíre (into); (*исследовать*) invèstigàte (*d.*); (*о пациенте*) examíne (*d.*).
обслу́живание *с.* sérvice; facilities *pl.*; *тех.* máintenance; бытово́е ~ cónsumer sérvice; ме́дико-санита́рное ~ health sérvice [helθ...].
обслу́жива||ть, обслужи́ть (*вн.*) 1. atténd (to), serve (*d.*); (*обеспечивать*) supplý (*d.*); (*зрелищными предприятиями, столовыми и т. п.*) cáter (for); ~ покупа́теля serve a cústomer; 2. (*работать по эксплуатации машин и т. п.*) óperate (*d.*). ~ющий 1. *прич. см.* обслу́живать; 2. *прил.:* ~ющий персона́л sérving staff / pèrsonnèl, atténding staff / pèrsonnèl; atténdants *pl.*, assístants *pl.*
обслужи́ть *сов. см.* обслу́живать.
обслюни́ть *сов.* (*вн.*) *разг.* slóbber all òver.
обслюня́вить *сов.* = обслюни́ть.
обсмотре́ть(ся) = осмотре́ть(ся).
обсоса́ть *сов. см.* обса́сывать.
обста́вить(ся) *сов. см.* обставля́ть(ся).
обставля́ть, обста́вить 1. (*вн. тв.*) surróund (*d.* with), encírcle (*d.* with); 2. (*вн.;* меблировать) fúrnish (*d.*); ~ кварти́ру fúrnish a flat / an apártment; 3. (*вн.;* организо́вывать) arránge [-eındʒ] (*d.*); 4. (*вн.*) *разг.* (*обманывать*) trick (*d.*), cheat (*d.*); 5. (*вн.*) *разг.* (*обгонять*) get* ahéad [...ə'hed] (of); 6. (*вн.*) *разг.* (*обыгрывать*) beat* (*d.*). ~ся, обста́виться 1. (*тв.*) surróund òne:sélf (with); 2. *разг.* (*обзаводиться мебелью*) fúrnish one's place; 3. *страд. к* обставля́ть.
обстано́в||ка *ж. тк. ед.* 1. (*мебель и т. п.*) fúrniture; *театр.* set; 2. (*положение; тж. воен.*) situátion; междунаро́дная ~ intèrnátional sìtuátion [-'næ-...]; боева́я ~ táctical sìtuátion; в семе́йной ~ке in doméstic surróundings; в ~ке велича́йшего подъёма amídst the gréatest enthúsiàsm [...'greı--zı-].
обстано́вочн||ый: ~ая пье́са cóstume play / piece [...piːs].
обстира́ть *сов. см.* обсти́рывать.
обсти́рывать, обстира́ть (*вн.*) *разг.* do all the wáshing (for).
обстоя́тельн||о *нареч.* thóroughly ['θʌrə-], in détail [-'diː-]. ~ый 1. (*подробный, содержательный*) détailed ['diː-], cìrcumstántial, thórough ['θʌrə]; ~ый отве́т a well-gróunded ánswer [...'ɑːnsə]; 2. *разг.* (*о человеке*) thórough, relíable.
обстоя́тельственн||ый *грам.* advérbial; ~ое прида́точное предложе́ние advérbial clause.
обстоя́тельств||о I *с.* círcumstance: смягча́ющие вину́ ~а èxténuating círcumstances; при да́нных, таки́х ~ах únder the círcumstances; — по не зави́сящим от меня́ ~ам for réasons be:yónd my contról [...-z-...-oul]; ~а измени́лись the círcumstances are áltered, the position is chánged [...-'zı-...tʃeı-]; ~а неблагоприя́тны the círcumstances are únfávour:able / ùn:propítious, the móment is not fávour:able; ни при каки́х ~ах únder no círcumstances, in no case

361

ОБС—ОБУ

[...-s]; при всех ~ах in any case; применяться к ~ам adápt onesélf to círcumstances, *или* to the situátion; по семейным ~ам due to fámily círcumstances, ówing to fámily affáirs ['ou-...]; находиться в затруднительных ~ах find* onesélf in a dífficult situátion, be in dífficulties; ◊ смотря по ~ам it depénds, depénding on círcumstances; стечение обстоятельств coíncidence, concúrrence of círcumstances; the way things came out; при таком стечении обстоятельств in such a contíngency.

обстоя́тельство II *с. грам.* ádverb; ~ времени, места, образа действия advérbial módifier of time, place, mánner.

обстоя́||ть: как ~я́т ваши дела? how are you gétting on?; всё ~и́т благополучно éverything is góing all right; all is well; дело ~и́т иначе the case is sómewhat different [...keɪs...]; вот так ~и́т дело that is the way it is; that's how mátters stand.

обстра́гивать, обстрога́ть (*вн.*) plane (*d.*); (*ножом*) whittle (*d.*).

обстра́ивать, обстро́ить (*вн.*) *разг.* build* up [bɪ-...] (*d.*). ~ся, обстро́иться *разг.* build* a house* for onesélf [bɪld...-s...]; город быстро обстро́ился it didn't take long to build the town.

обстре́л *м.* firing, fire; артиллерийский ~ bombárdment, shélling; находи́ться под ~ом be únder fire; взять под ~ (*вн.; прям. и перен.*) cóncentrate / centre fire (on); попа́сть под ~ (*прям. и перен.*) come* únder fire.

обстре́л||ивать, обстреля́ть (*вн.*) fire (at, upón), centre fire (on); (*артиллерийским огнём*) shell (*d.*); (*из пулемётов*) machíne-gùn [-'ʃi:n-] (*d.*). ~янный 1. *прич. см.* обстреливать; 2. *прил.* knowing the smell of powder ['nou-...].
~ять *сов. см.* обстреливать.

обстрога́ть *сов. см.* обстра́гивать.

обстро́ить(ся) *сов. см.* обстра́ивать(-ся).

обструкцион||и́зм *м.* obstrúctionism.
~и́ст *м.* obstrúctionist.

обструкцио́нный *прил. к* обстру́кция.

обстру́кция *ж.* obstrúction.

обстря́п||ать *разг.*: ~ать ~ де́льце fix smth.; я это де́льце в два счёта ~аю I'll pólish that off in two ticks.

обступ||а́ть, обступи́ть (*вн.*) besét* (*d.*), surróund (*d.*), crowd / clúster (round). ~и́ть *сов. см.* обступа́ть.

обсуди́ть *сов. см.* обсужда́ть.

обсужда́емый 1. *прич. см.* обсужда́ть; 2. *прил.* únder discússion; ~ вопрос quéstion / súbject únder discússion [-stʃ-...].

обсужд||а́ть, обсуди́ть (*вн.*) discúss (*d.*); talk óver (*d.*) *разг.*; обсудить положе́ние revíew the situátion [-'vju:...]; тщательно обсуди́ть вопрос, предложение give* cáreful considerátion to a próblem, propósal [...'prɔ- -z-]; thrash the mátter out *идиом. разг.*; ~ законопроект debáte a bill.

обсужде́н||ие *с.* discússion; предложи́ть на ~ (*вн.*) bring* up, *или* propóse,

for discússion (*d.*); предме́т ~ия point at íssue; (*спора*) moot point.

обсу́живать, обсу́дить (*вн.*) *разг.* discúss (*d.*), pick to pieces [...'pi:s-] (*d.*).

обсусо́ливать, обсусо́лить (*вн.*) *разг.* beslóbber (*d.*), smear (with sáliva) (*d.*).

обсусо́лить *сов. см.* обсусо́ливать.

обсу́ш||ивать, обсуши́ть (*вн.*) dry (*d.*). ~ся, обсуши́ться dry onesélf; *сов. тж.* get* dry.

обсуши́ть(ся) *сов. см.* обсу́шивать(-ся).

обсчи́тывать, обсчита́ть (*вн.*) cheat (in counting) (*d.*); обсчита́ть кого́-л. на 20 копе́ек overchárge smb. by twénty cópecks. ~ся, обсчита́ться make* a mistáke in cóunting; miscálculàte.

обсы́пать *сов. см.* обсыпа́ть.

обсыпа́ть, обсы́пать (*вн.*) strew* (*d.*), bestréw* (*d.*); ~ муко́й (*вн.*) sprinkle with flour (*d.*).

обсыпа́ться *сов. см.* обсыпа́ться.

обсыпа́ться, обсы́паться 1. = осыпа́ться; 2. *страд. к* обсыпа́ть.

обсыха́ть, обсо́хнуть dry, becóme* dry on the súrface; ◊ у него молоко на губа́х не обсо́хло ≃ he is still green; he is wet behind the ears.

обта́ивать, обта́ять melt awáy (aróund).

обтача́ть *сов. см.* обта́чивать I.

обта́чивать I, обтача́ть (*вн.*) stitch round (*d.*).

обта́чивать II, обточи́ть (*вн.*) grind* (*d.*); (*на станке́*) turn (*d.*).

обта́ять *сов. см.* обта́ивать.

обтека́ем||ость *ж.* stréamlining, extént of stréamlining. ~ый *тех.* stréamlined; (*перен.*) *разг.* smooth [-ð]; ~ая фо́рма stréamline form; придава́ть ~ую фо́рму (*дт.*) stréamline (*d.*); ~ отве́т an evásive ánswer [...'ɑ:nsə].

обтека́тель *м. ав.* fáiring.

обтека́ть, обте́чь (*вн.*) flow [-ou] (round) (*d.*); (*перен.*) bỳpáss (*d.*).

обтере́ть(ся) *сов. см.* обтира́ть(-ся).

обтеса́ть(ся) *сов. см.* обтёсывать(-ся).

обтёсывать, обтеса́ть (*вн.*) square (*d.*); rough-héw ['rʌf-] (*d.*); (*перен.; о человеке*) *разг.* teach* mánners (*i.*), lick into shape (*d.*). ~ся, обтеса́ться 1. *разг.* (*о человеке*) acquire (políte) mánners; acquíre pólish; 2. *страд. к* обтёсывать.

обте́чь *сов. см.* обтека́ть.

обтира́ние *с.* 1. (*действие*) sponge down [spʌ-...]; 2. *разг.* (*жидкость*) lótion.

обтира́||ть, обтере́ть 1. (*вн.; высу́шивать*) wipe (*d.*), wipe dry (*d.*); 2. (*вн. тв.; натира́ть*) rub (*d.* with). ~ся, обтере́ться 1. dry onesélf; 2. (*делать обтира́ние*) sponge down [spʌ-...]; 3. *разг.* (*осваиваться*) acquíre a pólish.

обти́рочный: ~ материа́л wíping / rúbbing cloth.

обточи́ть *сов. см.* обта́чивать II.

обто́чка *ж. тех.* túrning, róunding off.

обтрёпанный 1. *прич. и прил.* frayed; 2. *прил.* (*о человеке*) shábby.

обтрепа́ть *сов.* (*вн.*) fray (*d.*). ~ся *сов.* 1. becóme* frayed; fray; 2. *разг.* (*о человеке*) becóme* shábby.

обтюр||а́тор *м. тех.* óbturàtor, seal; *воен. тж.* gás-chèck. ~а́ция *ж.* òbturátion, séaling.

обтя́гивать, обтяну́ть (*вн.*) 1. (*покрыва́ть ме́бель и т. п.*) cóver ['kʌ-] (*d.*); 2. (*прилега́ть*) fit close [...-s] (to); 3. *мор.* (*о такела́же*) bowse taut [bouz...] (*d.*), bowse down (*d.*).

обтя́жк||а *ж.* 1. (*действие*) cóvering ['kʌ-]; 2. (*то, чем обтя́нуто*) cóver ['kʌ-]; 3. *ав.* skin, cóvering ['kʌ-]; ◊ в ~у close fítting [-s-...]; skín-tight; пла́тье в ~у clóse-fìtting dress [-s-...].

обтяну́ть *сов. см.* обтя́гивать.

обтя́пать *сов. см.* обтя́пывать.

обтя́пывать, обтя́пать (*вн.*) *разг.* fix (*d.*).

обува́||ть, обу́ть (кого-л.) put* on smb.'s boots / shoes for smb. [...ʃu:z...]; (*перен.*) províde with shoes, boots, *etc.* (smb.). ~ться, обу́ться 1. put* on one's boots / shoes [...ʃu:z]; 2. *страд. к* обува́ть.

обу́вка *ж. разг.* fóotwear ['futwɛə].

обувн||о́й *прил. к* о́бувь; ~ магази́н shóe-shòp [ʃu:-]; ~а́я промы́шленность boot and shoe industry [...ʃu:...].

обувщи́к *м.* boot and shoe óperative [...ʃu:...].

о́бувь *ж.* fóotwear ['futwɛə], fóot-gear ['futgɪə]; (*ботинки*) boots *pl.*, shoes [ʃu:z] *pl.*

обу́гливание *с.* càrbonizátion [-naɪ-].

обу́гливать, обу́глить (*вн.*) 1. (*обжига́ть*) char (*d.*); 2. (*превраща́ть в у́голь*) cárbonìze (*d.*). ~ся, обу́глиться be / becóme* charred, char.

обу́глить(ся) *сов. см.* обу́гливать(-ся).

обу́живать, обу́зить (*вн.*) make* too tight (*d.*).

обу́з||а *ж. тк. ед.* búrden; быть ~ой для кого́-л. be a búrden to smb.

обузда́ть *сов. см.* обузды́вать.

обузд||ы́вать, обузда́ть (*вн.*) curb (*d.*), brídle (*d.*); (*перен. тж.*) restráin (*d.*), contról [-oul] (*d.*), keep* in check (*d.*); ~а́ть свой хара́ктер, ~а́ть себя́ restráin / contról onesélf.

обу́зить *сов. см.* обу́живать.

обурева́||ть (*вн.*) ovérwhèlm (*d.*); быть ~емым страстя́ми be racked by víolent pássions; его́ ~ют сомне́ния he is a prey to doubts [...dauts].

обусла́вливать(ся) = обусло́вливать (-ся).

обусло́вить *сов. см.* обусло́вливать.

обусло́вленность *ж.* conditionálity.

обусло́вл||ивать, обусло́вить (*вн.*) 1. condítion (*d.*); stípulàte (*d.*); не ~енный догово́ром пункт a point not stípulàted by the agréement / cóntràct, a point not méntioned in the agréement / cóntràct; 2. (*быть причи́ной*) cause (*d.*), call forth (*d.*); (*способствовать*) make* for (*d.*). ~иваться (*тв.*) be condítioned (by), depénd (on).

обу́ть(ся) *сов. см.* обува́ть(ся).

о́бух *м.* 1. butt, back; 2. *мор.* éye-bòlt ['aɪ-]; ◊ его́ как ~ом по голове́ ≃ he was thúnderstrùck; плетью ~а не перешибёшь *посл.* ≃ you cánnot chop wood with a pénknife [...wud...].

обуч||а́ть, обучи́ть (кого-л. чему-л.) teach* (smb. smth.); (*практи́чески*) train (smb. in smth.). ~а́ться, обучи́ться 1.

learn* [ləːn]; 2. *страд.* к обучать. ~**ение** *с.* teaching, instruction, training; всеобщее обязательное ~ение géneral compúlsory educátion; совместное ~ co-educátion; производственное ~ение indústrial tráining.

обучи́ть(ся) *сов. см.* обучать(ся).

обу́шок *м. горн. уст.* pick.

обу́|ть *сов.* (*вн.*) *уст.* seize [siːz] (*d.*), grip (*d.*); его́ ~л страх fear had seized him, he was seized with fear.

обха́живать (*вн.*) *разг.* coax (*d.*), cajóle (*d.*), try to get round (*d.*).

обхами́ть *сов.* (*вн.*) *разг.* offend by bóorish cónduct (*d.*); be rude (to).

обхва́т *м.* the grasp / cómpass of both arms [...kʌ-...bouθ...]; (*как мера длины по окружности*) girth [gəːθ].

обхвати́ть *сов. см.* обхватывать.

обхва́тывать, **обхвати́ть** (*вн.*) embráce (*d.*), grapple (*d.*), clasp (*d.*); (*дерево и т. п.*) en:cómpass (with óutstrétched arms) [-'kʌm-....].

обхо́д I *м.* round; пойти́ в ~ go* round, make* the round; (*о враче, стороже, дежурном и т. п.*) make* / go* one's round(s).

обхо́д II *м.* 1. (*кружный путь*) róundabout way; 2. *воен.* túrning móve:ment [...'muː-].

обхо́д III *м.* (*намеренное уклонение от исполнения чего-л.*) evásion, circumvéntion; ~ зако́на evásion / circumvéntion of the law; в ~ соглаше́ния bý:passing the agréement.

обходи́тельный pléasant ['plez-], wéll-mánnered, urbáne.

обходи́ть I, **обойти́** (*вн.*) 1. (*посещать*) make* the round (of); vísit [-z-] (*d.*); (*о враче, стороже, дежурном и т. п.*) make* / go* one's round(s); inspéct (*d.*). 2. (*распространяться*) spread* (all óver) [spred...] (*d.*); нóвость обошла́ весь гóрод the news spread all over the town [...-z-].

обходи́ть II, **обойти́** (*вн.*) 1. round (*d.*), go* / walk / pass (round); обойти́ сад go* / pass round the gárden; обойти́ пруд walk round the pond; обойти́ строй почётного караула review the guard of hónour [-ˈjuː...'ɔnə]; 2. *воен.* (*фланг, с фланга*) turn (*d.*).

обходи́ть III, **обойти́** (*вн.*) 1. (*избегать*) avóid (*d.*), leave* out (*d.*); ~ молча́нием pass óver in sílence [...'sai-] (*d.*); обойти́ вопро́с avóid / bý:pass / side-stèp a quéstion [...-stʃən]; нельзя́ обойти́ э́тот вопро́с this quéstion cánnot be passed óver, *или* disregárded; ~ затрудне́ние get* round a difficulty; 2. (*о законе и т. п.*) eváde (*d.*), circumvént (*d.*).

обходи́ться I, **обойти́сь** (с кем-л.) treat (smb.); ~ с кем-л. как с ра́вным treat smb. as an équal.

обходи́ться II, **обойти́сь** 1. (*стоить*) cost* , come* to: это вам дорого обойдётся this will cost you a prétty pénny [...ˈpri-...]; во сколько это обойдётся? how much will it come to?; 2. (*тв., довольствоваться*) mánage (with), do (with), make* (with). 3. (*без*) mánage (without), do (without); обойти́сь без посторо́нней по́мощи mánage / do without any help / assistance; 4. (*с отри-*

цанием): без крика не обхо́дится shóuting seems indispénsable; без учебников не обойти́сь *one* cánnot do without téxt-books; ◇ обойдётся как-нибудь things will settle one way or another.

обходно́й: ~ лист, ~ листо́к cléarance chit, loan slip.

обхо́дн|ый 1. róundabout; ~ым путём in a róundabout way; 2. *воен.* túrning, outflánking; ~ое движе́ние túrning / outflánking móve:ment [...ˈmuː-].

обхо́дчик *м.* inspéctor; путево́й ~ trãck:man , trãckwalker.

обхожде́ние *с. разг.* mánner.

обхохота́ться *сов.* (*без доп.*) *разг.* laugh till one's sides ache [lɑːf...eik], laugh onè:sélf sick / silly, split* one's sides with láughter [...ˈlɑːf:].

обчёсться *сов. разг.*: (их) раз, два и обчёлся ≅ no more than one or two; (they) can be counted on the fingers of one hand.

обчи́стить(ся) *сов. см.* обчища́ть(ся).

обчища́ть, **обчи́стить** (*вн.*) 1. clean (*d.*); (*щёткой*) brush (*d.*); 2. *разг.* (*обкра́дывать*) rob (*d.*), clean out (*d.*). ~ся, обчи́ститься 1. clean onè:sélf; (*щёткой*) brush onè:sélf; 2. *страд. к* обчища́ть.

обша́ривать, **обша́рить** (*вн.*) rúmmage (*d.*), ránsack (*d.*), go* (through).

обша́рить *сов. см.* обша́ривать.

обша́ркать(ся) *сов. см.* обша́ркивать (-ся).

обша́ркивать, **обша́ркать** (*вн.*) *разг.* fray (*d.*), rável out [ˈræ-...] (*d.*). ~ся, обша́ркаться *разг.* 1. be frayed, be rávelled out [...'ræ-...]; 2. *страд. к* обша́ркивать.

обша́рпанный *прич. и прил.* rágged, frayed, worn out / aːwáy [wɔːn...].

обшива́ть I, **обши́ть** (*вн.*) 1. (*по краю*) edge (*d.*), bórder (*d.*); (*отделывать*) trim (*d.*); 2. (*о посылке, тюке и т. п.*) cóver up [ˈkʌ-...] (*d.*); 3. *стр.* plank (*d.*), revét (*d.*).

обши́|ва́ть II, **обши́ть** (*вн.*) *разг.* (*многих, всех*) make* clothes [...-ouðz] (for); она́ ~ает всю семью she does all the séwing for the fámily [...ˈsouiŋ...].

обши́вка *ж.* 1. édging, bórdering. 2. (*отделка*) trímming; 3. *стр.* bóarding; (*панельная*) pánelling; *тех.* shéathing; *мор.* (*деревянная*) plánking; (*стальная*) pláting; *ав.* cóvering [ˈkʌ-]; нару́жная ~ skin-pláting, ship's skin.

обши́рн|ость *ж.* exténsive:ness; (*перен.*) mágnitude. ~ый spácious; vast, exténsive (*тж. перен.*); ~ое простра́нство vast space; ~ое знако́мство very wide circle of acquáintance; ~ая литерату́ра volúminous literature; ~ые зна́ния exténsive knówledge [...'nɔ-] *sg.*

обши́тый *прич. и прил.* 1. (*отделанный*) trímmed, edged; 2. (*покрытый*) cased [-st], en:cásed [-st]; ~ ме́дью cópper-shéathed.

обши́ть I, II *сов. см.* обшива́ть I, II.

обшла́г *м.* cuff.

общ|а́ться (с *тв.*) assóciàte (with); mix (with); rub shóulders [...ˈʃou-] (with) *разг.*

общевойсково́й *воен.* cómmon to all arms.

общегородско́й city [ˈsɪ-] (*attr.*).

общегосуда́рственный nátional [ˈnæ-]; State (*attr.*); ~ фонд State fund.

общедосту́пный 1. (*в денежном отношении*) of móderate príce; 2. (*открытый для всех*) públic [ˈpʌ-], ópen to géneral use [...-s]; 3. (*понятный*) pópular.

общежите́йский évery:day, órdinary.

общежи́т|ие *с.* 1. hóstel; студе́нческое ~ stúdent hóstel, hall of résidence [...-z-]; 2. *тк. ед.* (*общественная жизнь*) socíety, commúnity; commúnal life; пра́вила социалисти́ческого ~ия stándards of sócialist cónduct.

общезаводски́й, **общезаводско́й** for the whole fáctory [...houl...]; áll-fáctory (*attr.*).

общеизве́стн|о [-сн-] 1. *прил. кратк. см.* общеизвестный; 2. *предик. безл.* it is génerally known [...noun], éveryòne knows that [...nouz...]. ~ый [-сн-] wéll-knówn [-ˈnoun]; ~ые фа́кты wéll-knówn facts, génerally known facts [...noun...].

общекома́ндный team (*attr.*), for the team as a whole [...houl].

общенаро́дн|ый nátional [ˈnæ-], públic [ˈpʌ-], cómmon to the whole péople [...houl ˈpiː-]; социалисти́ческое ~ое госуда́рство Sócialist State of the whole péople; ~ое достоя́ние the péople's próperty, próperty of the whole péople; ~ое де́ло cómmon task of / for the entíre péople.

общенациона́льный nátional [ˈnæ-].

обще́ни|е *с.* intercourse [-kɔːs]; ли́чное ~ pérsonal cóntact; с людьми́ mée:ting péople [...piː-]; язы́к как сре́дство ~я lánguage as a means of íntercourse.

общеобразова́тельн|ый of géneral educátion; ~ая шко́ла school províding géneral educátion; ~ые предме́ты géneral súbjects.

общеобяза́тельный compúlsory for all, óbligatory.

общепи́т *м.* (*общественное пита́ние*) públic cáter:ing [ˈpʌ-...].

общеполе́зный of géneral útility.

общеполити́ческий géneral polítical.

общепоня́тный pópular, cómprehénsible to all, within the grasp of all.

общепри́знанный univérsally récognìzed.

общепри́нятый génerally accépted / used / adópted; convéntional.

общераспространённый in géneral use [...-s], génerally used; (*о мнении и т. п.*) wíde:ly cúrrent.

общеросси́йский All-Rússian [-ʃən].

общесою́з|ный All-Únion (*attr.*); ~ые министе́рства All-Únion Mínistries; ~ого значе́ния of All-Únion impórtance.

обще́ственник *м.* públic man* [ˈpʌ-...] pérson áctive:ly en:gáging in públic life.

обще́ственно-полити́ческий sócial and polítical.

обще́ственность *ж. собир.* 1. the péople [...piː-], the commúnity; the públic [ˈpʌ-]; (*общественное мне́ние*) públic opínion; широ́кая ~ the géneral públic, the públic at large; нау́чная ~ the scientífic commúnity; scientífic circles *pl.*; 2. (*общественные организа*-

ОБЩ – ОБЪ

ции) cómmunal / sócial / públic òrganizátions [...-naɪ-] pl.; ~ завода fáctory òrganizátions.

общественно-экономи́ческ‖ий sócial-èconómic [-iːk-]; ~ая форма́ция sócial-èconómic fòrmátion; ~ строй sócial-èconómic strúcture.

обще́ственн‖ый 1. (в разн. знач.) públic [ˈpʌ-], sócial; ~ строй sócial sýstem; ~ые нау́ки sócial scíences; ~ая со́бственность públic próperty; ~ые фо́нды públic funds; ~ые зда́ния públic búildings [...ˈbɪl-]; ~ое бытие́ sócial exístence; ~ое созна́ние sócial cónsciousness [...-nʃəs-]; ~ая опа́сность públic dánger [...ˈdeɪn-]; ~ долг (one's) dúty to socíety, или to the commúnity; ~ые обя́занности sócial òbligátions; ~ая жизнь públic life, the life of the commúnity / socíety; принима́ть акти́вное уча́стие в ~ой жи́зни take* an áctive part in públic àctívities; ~ая де́ятельность públic àctívities pl.; ~ые организа́ции cómmunal / sócial / públic òrganizátions [...-naɪ-]; ~ обвини́тель públic prósecùtor; ~ое мне́ние públic opínion; ~ая рабо́та públic / sócial work; на ~ых нача́лах on a vóluntary básis, without remùnerátion; ~ое порица́ние públic réprimànd [...-aːnd]; ~ое пита́ние públic cáter:ing; предприя́тия ~ого пита́ния (públic) cáter:ing estáblishments; ~ое положе́ние sócial stánding, sócial státus; ~ое животново́дство sócialized / colléctive líve:stòck bréeding / fárming; ~ое поголо́вье скота́ cómmonly-òwned cáttle / líve:stòck [-ound...]; 2. разг. (лю́бящий общество) sóciable.

о́бществ‖о с. 1. (в разн. знач.) socíety; первобы́тное ~ prímitive socíety; бескла́ссовое ~ clássless socíety; коммунисти́ческое ~ cómmunist socíety; Общество Кра́сного Креста́ и Кра́сного Полуме́сяца Red Cross and Red Créscent Socíety; Общество а́нгло-сове́тской дру́жбы Great Brítain — USSR Fríendship Socíety [-eɪt... ˈfrend-...]; в ~е кого́-л. in smb.'s socíety / cómpany [...ˈkʌ-]; быва́ть в ~е go* out; fréquent socíety; 2. эк. cómpany; акционе́рное ~ jóint-stòck cómpany.

обществове́д м. téacher of sócial scíences.

обществове́д‖ение с. sócial scíence. ~ческий прил. к обществове́дение.

общетеорети́ческий géneral theorétic.

общеупотреби́тельный cúrrent; in géneral use [...-s].

общеустано́вленный génerally estáblished.

общечелове́ческий cómmon to all mànkínd.

о́бщ‖ий (в разн. знач.) géneral; (совме́стный тж.) cómmon; (взаи́мный тж.) mútual; (сумма́рный) ággregate, tótal; ~ее пра́вило géneral rule; ~ее впечатле́ние géneral impréssion; ~ее мне́ние géneral opínion; ~ее возмуще́ние géneral indignátion; ~ее согла́сие cómmon consént; ~ враг cómmon énemy; ~ее де́ло cómmon cause; э́то на́ше ~ее де́ло it is a mátter of cómmon concérn; ~ее бла́го the cómmon / públic weal [...ˈpʌ-...]; ~ее good; ~ язы́к cómmon lánguage; ~ая жила́я пло́щадь ággregate floor space [...flɔː...]; ~ результа́т (в состяза́нии и т. п.) óver:àll shówing [...ˈʃou-]; ~ знако́мый mútual acquáintance; ~ими си́лами with joint fórces; by jóining hands; ~ими уси́лиями by a joint éffort; (рд.) by the joint éffort (of); в ~их черта́х in géneral óutline; обсуди́ть в ~их черта́х discúss in broad terms [...brɔːd...]; име́ть одну́ ~ую черту́ have one trait in cómmon; у них ~ие интере́сы they have many ínterests in cómmon; ~ая су́мма sum tótal; ~ая су́мма капиталовложе́ний ággregate invéstments pl.; ~ая су́мма дохо́дов (крестья́н и т. п.) ággregate ín:come (of péasants, etc.) [...ˈpez-]; ~ая посевна́я пло́щадь tótal / óver:àll crop área [...ˈɛərɪə]; ~ наибо́льший дели́тель мат. the gréatest cómmon divísor / fáctor [...ˈgreɪ-...-z-...]; ~ее наиме́ньшее кра́тное мат. the least / lówest cómmon múltiple [...ˈlou...] (сокр. L.C.M.); к ~ему удивле́нию to évery:one's surprise; под ~им нарко́зом únder a géneral ànaesthétic; ◊ ~ее собра́ние géneral méeting; ~ее ме́сто cómmonplace; (бана́льность) plátitude; ~ие слова́ mere vérbiage; найти́ ~ язы́к come* to terms; не име́ть ничего́ ~его (с тв.; об отноше́ниях) have nothing in cómmon (with); have nothing to do (with); (о схо́дстве) bear* no resémblance to one another [bɛə...-ˈz-...]; в ~ем in géneral, all in all; on the whole [...houl]; в ~ем вы́шло о́чень глу́по all in all, it turned out very stúpidly; в ~ем я его́ рабо́той дово́лен on the whole I am sátisfied with his work; в ~ей сло́жности in sum, in all; altogéther [ɔːltəˈge-]; в ~ем и це́лом by and large, in géneral.

общи́на ж. commúnity, commúne.

общи́нн‖ый cómmunal, cómmon; ~ая земля́ cómmon (land).

общипа́ть сов. см. общи́пывать.

общи́пывать, общипа́ть (вн.) pluck (d.).

общи́тельный sóciable; ~ хара́ктер sóciable / ámiable dispositíon [...-ˈzɪ-]; ~ челове́к a good míxer.

о́бщность ж. commúnity; the cómmon cháracter [...ˈkæ-]; ~ владе́ния commúnity of goods [...gudz], commúnity of ównership [...ˈou-]; ~ интере́сов commúnity of ínterests; ~ двух форм социалисти́ческой со́бственности the cómmon cháracter of the two forms of sócialist próperty.

общо́ нареч. разг. génerally; он сли́шком ~ изложи́л свои́ взгля́ды he expóunded his views in too géneral terms [...vjuːz...].

объего́рить сов. (вн.) разг. cheat (d.), swindle (d.).

объеда́ть, объе́сть 1. (вн.) eat* (round) (d.); 2. (кого́-л.) разг. be a búrden (to smb.); eat* smb. out of house and home [...-s...] идиом. ~**ся**, объе́сться óver:èat* (one:sélf), be stuffed.

объеде́ние с. 1. (неуме́ренность в пи́ще) óver:èating; 2. разг. (о чём-л. вку́сном) smth. delícious; э́то (про́сто) ~ this is delícious.

объедине́ние с. 1. (де́йствие) ùnificátion; (учрежде́ний, организа́ций) amàlgamátion, jóining up; 2. (организа́ция, общество) únion, socíety; assòciátion; 3. воен.: операти́вное ~ stratégical fòrmátion / únit.

объединённ‖ый прич. и прил. ùníted; (об организа́циях и т. п.) amàlgamàted; Организа́ция Объединённых На́ций, ООН Ùníted Nátions Òrganizátion [...-naɪ-...], UNO; ~ое кома́ндование joint / únified commánd [...-aːnd]; ~ профсою́з amàlgamàted trade únion; Объединённый институ́т я́дерных иссле́дований Joint Ínstitùte for Núclear Reséarch [...-ˈsəːtʃ].

объедини́тельный únifỳing, úniting. ~**и́ть(ся)** сов. см. объединя́ть(ся).

объединя́ть, объедини́ть (вн.) ùníte (d.); (о террито́риях, предприя́тиях) consòlidàte (d.), amàlgamàte (d.); ~ ресу́рсы pool resóurces [...-ˈsɔːs-]; ~ уси́лия combíne éfforts. ~**ся**, объедини́ться 1. (с тв.) ùníte (with); join hands (with) разг.; 2. страд. к объединя́ть.

объе́дки мн. léavings, léftovers.

объе́зд м. 1. (де́йствие) ríding round, gó:ing round; 2. (ме́сто) détour [-tuə], círcuit [-kɪt].

объе́здить I, II сов. см. объезжа́ть I, III.

объе́здка ж. (лошаде́й) bréaking in (hórses) [ˈbreɪk-...].

объе́здчик I [-ещик] м. móunted patról [...-oul]; лесно́й ~ fórest wárden [ˈfɔ-...].

объе́здчик II [-ещик] м. (лошаде́й) bréaker [ˈbreɪ-], hórse-tràiner.

объе́зжать I [-ежжа́-], объе́здить, объе́хать (вн.) trável all óver [-æv-...] (d.); объе́хать всю страну́ trável all óver the cóuntry [...ˈkʌ-]; ~ войска́ ride* aróund the troops; inspéct the troops.

объезжа́ть II [-ежжа́-], объе́хать (вн.; вокру́г, ми́мо) go* (round); объе́хать боло́то make* a détour round the marsh [...-tuə...]; объе́хать грузови́к bý:pàss a lórry.

объезжа́ть III [-ежжа́-], объе́здить (вн.; лошаде́й) break* in [-eɪk...] (d.), train (d.).

объе́зж‖ий [-ёжжий]: ~ая доро́га détour [-tuə].

объе́кт м. 1. óbject; 2. (предприя́тие, учрежде́ние и т. п.) estáblishment, works; únit; 3. воен. òbjéctive.

объекти́в м. опт. óbject-glàss, òbjéctive, lens [-z].

объектив‖а́ция ж., ~**иза́ция** ж. филос. òbjèctificátion. ~**и́зм** м. òbjéctivism. ~**и́ровать** несов. и сов. (вн.) филос. òbjéctifỳ (d.).

объекти́вн‖ость ж. 1. филос. òbjéctive cháracter [...ˈkæ-]; 2. (непредвзя́тость) òbjèctívity. ~**ый** 1. филос. òbjéctive; ~ая действи́тельность òbjéctive reálity [...-ˈlɪ-æ-]; ~ая и́стина òbjéctive truth [...truːθ]; ~ые причи́ны, усло́вия òbjéctive réasons, condítions [...-zˈnz...]; 2. (непредвзя́тый) ùnbíassed, impártial; ~ое отноше́ние ùnbíassed áttitude; ~ая оце́нка impártial asséssment.

объéктный: ~ падéж *грам.* objéctive case [...-s].

объём *м.* vólume; (*ёмкость*) capácity; (*величина*) size; (*перен.*) extént, scope; óбщий ~ продýкции tótal vólume of óutpùt [...-put]; ~ рабóт vólume of work; ~ информáции amóunt of informátion; ~ знáний extént of knówledge [...'nɔ-]. ~**истый** *разг.* volúminous, búlky. ~**ный** by vólume; vòlumétric(al) *научн.*; ~ный вес weight by vólume; bulk / vólume weight; ~ный анáлиз *хим.* vòlumétric(al) ánalysis; ~ное кинó thrèe-diménsional cínema, 3-D cínema, stéreò cínema; ~ная пряжа *текст.* hígh-búlk yarn.

объéсть(ся) *сов. см.* объедáть(ся).

объéхать I, II *сов. см.* объезжáть I, II.

объяв‖**и́ть(ся)** *сов. см.* объявля́ть(ся). ~**лéние** *с.* 1. (*действие*) dèclarátion, annóunce:ment; ~лéние благодáрности в прикáзе públic acknówledge:ment (of smb.'s sérvices) in órders of the day [ˈrɑ-ˈnɔ-...]; ~лéние войны̀ dèclarátion of war; 2. (*извещение*) nótice ['nou-]; (*рекламное*) advértise:ment [-s-]; ad *разг.*; дава́ть, помеща́ть ~лéние в газéте put* an advértise:ment in a néwspàper; advértise in the press; повéсить ~лéние put* up, *или* post up, a nótice [...pou-...].

объявля‖**ть**, объяви́ть (*вн.*) declãre (*d.*), annóunce (*d.*); ~ войнý (*дт.*) declãre war (on); ~ осáдное положéние declãre a state of siege [...siːdʒ]; ~ благодáрность (*дт.*) thank offícially (*d.*); ~ кóнкурс annóunce a còmpetítion; ~ когó-л. вне закóна óutlaw smb. ~**ться**, объяви́ться 1. *разг.* (*появляться*) turn up, appéar; 2. *безл.*: ~ется, что it is annóunced / procláimed that; 3. *страд. к* объявля́ть.

объясн‖**éние** *с.* 1. (*в разн. знач.*) èxplanátion; дать ~ своегó поведéния say* smth. in èxplanátion of one's cónduct; найти́ ~ дáнного явлéния find* the èxplanátion of the mátter; 2. *разг.* (*разговор для выяснения отношений*) háving things out; у них произошлó ~ they had it out; ◇ ~ в любви́ dèclarátion of love [...lʌv]. ~**и́мый** èxplicable, explãinable. ~**и́тельная запи́ска** èxplanatory note. ~**и́ть** *сов. см.* объясня́ть. ~**и́ться** *сов. см.* объясня́ться 1, 3.

объясн‖**я́ть**, объясни́ть (*вн. дт.*) èxpláin (*d.* to); (*вн.*) устана́вливать причи́ну) accóunt (for); объясни́ть комý-л. задáчу expláin a próblem to smb. [...'prɔ-...]; чем вы ~я́ете то, что... how do you accóunt for (the fact that)..? ~**я́ться**, объясни́ться 1. expláin (òne:sélf); 2. *тк. несов.* (*тв.*; корени́ться в чём-л.) be expláined (by); be accóunted for (by); э́тим ~я́ется егó поведéние this accóunts for his behàviour; 3. (*с тв.*; *иметь разговор*) have a talk (with); (*выяснять недоразумение*) have it out (with); 4. *тк. несов.* (*разгова́ривать*) speak*; ~я́ться на иностра́нном языкé speak* a fóreign lánguage [...ˈfɔrɪn-...]; make* òne:sélf understóod in a fóreign lánguage [...-ˈstud-...]; ~я́ться с кем-л. зна́ками convérse with smb. by sign lánguage [...saɪn...]; 5. *страд. к* объясня́ть; ◇ ~я́ться в любви́ комý-л. make* smb. a dèclarátion of love [...lʌv].

объя́ти‖**е** *с.* embráce; arms *pl.*; бро́ситься комý-л. в ~я throw* òne:sélf, *или* fall*, into smb.'s arms [-ou...]; заключи́ть когó-л. в ~я fold smb. in one's arms, embráce smb.; ◇ с распростёртыми ~ями with ópen arms.

объя́‖**ть** (*вн.*) 1. (*охватить*) fill (*d.*), come* (óver), énvelòp [-'ve-] (*d.*); ~тый тоскóй, гру́стью filled with ánguish, mélancholy [...-k-]; ~тый пла́менем envelòped in flames; ýжас ~л егó he was seized with térror [...siːzd...], he was térror-stricken; 2. (*понять, представить*) còmpreh énd (*d.*), grasp (*d.*).

обыва́тель *м.* 1. the áverage man* / cítizen, the man* in the street; (*мещанин*) Phílistine; 2. *уст.* (*постоянный житель*) résident [-z-], inhábitant. ~**ница** *ж.* 1. Phílistine; 2. *ж. к* обыва́тель 2. ~**ский** *прил. к* обыва́тель; ~ские взгля́ды nárrow views [...vjuːz]; ~ские настроéния nárrow-minded áttitùdes / téndencies. ~**щина** *ж. презр.* Phílistinism, nárrow-míndedness.

обыгра́ть *сов. см.* обы́грывать.

обы́грывать, обыгра́ть (*вн.*) 1. beat* (*d.*); обыгра́ть когó-л. в ша́хматы beat* smb. at chess; он обыгра́л егó на пять рублéй he won five roubles from him [...wʌn... ruːblz...]; 2. *разг.* (*использовать*) use with (good) éffect (*d.*), play up (*d.*), make* (great) play [...greit...] (with); 3. (*о музыкáльном инструмéнте*) méllow (*d.*).

обы́денный órdinary, cómmonplace, éveryday.

обыдéнщина *ж. презр.* prósiness [-ouz-], cómmonness, ùnevéntfulness, cómmonplace:ness.

обыкновéн‖**ие** *с.* hábit, cústom; имéть ~ дéлать что-л. be in the hábit of dóing smth.; по ~ию as úsual [...'juː3-]; прóтив ~ия cóntrary to one's cústom; э́то прóтив егó ~ия it is ùnúsual for him [...-'juː3-...]. ~**но** *нареч.* úsually ['juː3-]; (*как пра́вило*) as a rule. ~**ный** úsual ['juː3-], órdinary; (*банáльный*) cómmonplace; ~ная истóрия cómmon tale, órdinary occúrrence; сáмый ~ный человéк an órdinary pérson; бóльше ~ного more than úsual.

óбыск *м.* search [sə:tʃ]; производи́ть, дéлать ~ (в, на *пр.*) search (*d.*).

обыска́ть *сов. см.* обы́скивать.

обыска́ться *сов.* (*рд.*) *разг.* search / look in vain [sə:tʃ...] (for).

обы́скивать, обыска́ть (*вн.*) search [sə:tʃ] (*d.*), (*о помещéнии тж.*) condúct a search (of); обыска́ть престýпника search a críminal; обыска́ть все я́щики search through all the drawers.

обы́ч‖**ай** *м.* cústom; úsage [-z-]; по ~аю accórding to cústom; э́то в ~ae (у) it is the cústom (with); э́то здесь в ~ae it is the cústom here. ~**но** *нареч.* úsually ['juː3-]; génerally, cómmonly; (*как прáвило*) as a rule. ~**ный** úsual ['juː3-], órdinary; э́то ~ное явлéние that is in the úsual run of things, that is a cómmon occúrrence, that óften háppens [...ɔːf(t)n...]; в ~ное врéмя, в ~ный

ОБЪ – ОБЯ   **O**

час at the úsual time, at the úsual hour [...auə]; ~ное прáво *юр.* cómmon law, cústomary law.

обюрокра́тить *сов.* (*вн.*) *разг.* make* bùreaucrátic [...-rou-]. ~**ся** *сов. разг.* becóme* a búreaucràt [...-rou-], becóme* bùreaucrátic [...-rou-].

обя́занн‖**ость** *ж.* dúty, respònsibílity; лежáть на чьей-л. ~ости be smb.'s dúty / respònsibílity; по ~ости in the line of dúty, as in dúty bound; счита́ть своéй ~остью consíder it one's dúty [-'sɪ-...]; исполня́ть свои́ ~ости atténd to, *или* perfórm, *или* cárry out, one's dúties; исполня́ть, нести́ чьи-л. ~ости (*по слýжбе*) act for smb.; исполня́ющий ~ости ácting; вменя́ть что-л. в ~ комý-л. make* it smb.'s dúty to do smth., impóse upón smb. the dúty of dóing smth., make* smb. respónsible for smth.; вменя́ть в ~ комý-л. (+ *инф.*) charge smb. (with *ger.*); всеóбщая вóинская ~ ùnivérsal mílitary sérvice. ~**ый** 1. (+ *инф.*) oblíged (+ to *inf.*); быть ~ым что-л. сдéлать be oblíged / bound to do smth.; вы обя́заны яви́ться сюдá в 9 ч. ýтра you must be here at 9 a. m. [...'eɪ em], it is your dúty, *или* you have, to come here at 9 a. m.; *воен.* you are to repórt here at 9 a. m.; 2. (*дт.*) indébted [-'det-] (to), oblíged (to); быть ~ым комý-л. be indébted / oblíged to smb.; чýвствовать себя́ ~ым (*дт.*) owe a debt of gráti tude [ou...] (*i.*); он вам обя́зан (*своéй*) жи́знью he owes you his life [...ouz...]; он вам óчень обя́зан he is much oblíged to you; он вам э́тим обя́зан he has you to thank for it.

обяза́тельный I 1. *прил. крáтк. см.* обяза́тельный. 2. *предик. безл.* it is óbligatory.

обяза́тельн‖**о** II *нареч.* without fail; *тж.* перевóдится чéрез be sure + to *inf.* [...ʃuə...]; он ~ придёт he will come without fail; he is sure to come. ~**ый** 1. óbligatory; compúlsory; всеóбщее ~ое обучéние ùnivérsal compúlsory èducátion; ~ый учéбный предмéт requíred course / súbject [...kɔːs...]; ~ое постановлéние compúlsory règulátion; одина́ково ~ый для всех équally bínding for all; решéния конферéнции бýдут ~ы для всех её учáстников the decísions of the cónference will be bínding upón all its pàrticipants; ~ые постáвки óbligatory delíveries; 2. *уст.* (*любéзный*) oblíging; ~ый человéк oblíging pérson.

обяза́тельственн‖**ый**: ~ое прáво *юр.* liabílity law.

обяза́тельств‖**о** *с.* 1. òbligátion, èn gáge:ment; commítment; долговóе ~ prómissory note; взаи́мные ~а (*по догово́ру и т. п.*) mútual commítments; вы́полнить ~а meet* one's en gáge:ments / commítments; cárry out one's òbligátions; брать на себя́ ~ (+ *инф.*) ùndertáke* (+ to *inf.*); (*в соцсоревновáнии*) pledge òne:sélf (+ to *inf.*); взять на себя́ ~ сдéлать что-л. pledge / commít òne:sélf to dóing smth., take* upón òne:sélf to do smth.; bind* òne:-

ОБЯ – ОГН

обяза́ть *сов. см.* обя́зывать 2, 3. **~ся** *сов. см.* обя́зываться 1.

обя́зыв‖**ать**, обяза́ть (*вн.*) **1.** *тк. несов.* bind* (*d.*); make* it in:cúmbent (up:ón); э́то меня́ ни к чему́ не ~ает this does not commít me to ány:thing; он не сказа́л ничего́, что ~ало бы его́ he gave a nón-commíttal ánswer [...'ɑ:nsə]; э́то ко мно́гому ~ает it impóses a high respònsibílity; положе́ние ~ает noblesse oblige (*фр.*) [nou'blesɔb'li:ʒ]; **2.** (*принужда́ть*) oblíge (*d.*); его́ обяза́ли яви́ться в де́сять часо́в they oblíged him to repórt at ten; **3.** (*сде́лать одолже́ние*) oblíge (*d.*); вы меня́ э́тим о́чень обя́жете you will oblíge me gréatly [...'greɪ...], you will do me a great fávour [...greɪt...]. **~ся**, обяза́ться **1.** (*брать обяза́тельство*) pledge / commít òne:sélf; **2.** *тк. несов* (*дт.*; *станови́ться обя́занным кому́-л.*) be únder an òbligátion (to); не хо́чется ни перед кем ~ся I wish to be behólden to no one; **3.** *страд. к* обя́зывать.

обя́зывающий 1. *прич. см.* обя́зывать; **2.** *прил.*: ни к чему́ не ~ nòn-committal.

ова́л *м.* óval.

ова́льный óval.

ова́ц‖**ия** *ж.* ovátion; он был встре́чен бу́рной ~ией he recéived, *или* was met with, a great ovátion [...'siːvd... greɪt...]; устро́ить кому́-л. ~ию give* smb. a stánding ovátion, stand* to clap smb.

овдове́‖**вший**, **~лый** widowed ['wɪ-].

овдове́ть *сов.* (*о же́нщине*) become* a wídow [...'wɪ-]; (*о мужчи́не*) become* a wídower.

ове‖**ва́ть**, ове́ять (*вн.*) fan (*d.*); ветеро́к ~а́л на́ши ли́ца the breeze fanned our fáces; ◊ ове́янный сла́вой cóvered with glóry ['klʌ-...].

Ове́н *м. астр.* Aries ['ɛərɪːz], the Ram.

овёс *м.* oats *pl.*

ове́ч‖**ий** *прил. к* овца́; ◊ волк в ~ьей шку́ре a wolf in sheep's clóthing [...wuː-...'klou-]. **~ка** *ж. уменьш. от* овца́; (*перен.*) hármless créature.

овеществи́ться *сов. см.* овеществля́ться.

овеществля́ться, овеществи́ться matérialize.

ове́ять *сов. см.* овева́ть.

ови́н *м. с.-х.* barn (for drýing crops befóre thréshing).

овла‖**дева́ть**, овладе́ть (*тв.*) **1.** (*захва́тывать*) cápture (*d.*), take* posséssion / hold [...-'zeː-...] (of); овладе́ть кре́постью cápture a fórtress; **2.** (*о чу́вствах и т. п.*) seize [siːz] (*d.*); им ~де́л у́жас he was seized with hórror; мной ~де́ла ра́дость I was filled with joy; **3.** (*усва́ивать*) máster (*d.*); (*нау́кой, предме́том*) become* profícient (in); ◊ ~ собо́й regáin sèlf-contról [...-oul]; pull* òne:sélf togéther [pul...-'ge-] *разг.* **~де́ние** *с.* **1.** (*захва́т*) cápture; **2.** (*усвое́ние*) mástery, mástering.

овладе́ть *сов. см.* овладева́ть.

о́вод *м.* gádflỳ.

овощево́д *м.* végetable-grower [-grouə]. **~ство** *с.* végetable-growing [-grou-]. **~ческий** végetable-growing [-grou-] (*attr.*), végetable-raising (*attr.*); ~ческая брига́да végetable-raising brigáde.

овощеперераба́тывающ‖**ий**: ~ая промы́шленность végetable presérving industry [...-'zɜːv-...].

овощесуши́льный: ~ заво́д végetable-drying fáctory.

овощехрани́лище *с.* végetable store.

о́вощ‖**и** *мн.* (*ед.* о́вощ *м.*) végetables; ◊ вся́кому ~у своё вре́мя *посл.* ≃ there is a time for évery:thing, évery:thing in good séason [...-z-]. **~но́й** végetable; ~но́й магази́н gréen:grócery (store) [-grou-...], gréen:grócer's (shop).

овра́г *м.* ravíne [-iːn], gúlly.

овра́жистый abóunding in ravínes [...-iːnz], cut with ravínes.

овси́нка *ж. разг.* a single blade or grain of an óat-plànt [...-ɑːnt].

овсю́г *м. бот.* wild oats *pl.*

овся́нка I *ж.* **1.** (*крупа́*) óatmeal; **2.** (*ка́ша*) óatmeal pórridge.

овся́нка II *ж.* (*пти́ца*) (yéllow) búnting.

овсяно́й, овся́ный *прил. к* овёс *и* овся́нка I; *тж.* oat (*attr.*); овся́ная крупа́ óatmeal; овся́ные хло́пья rolled oats.

овуля́ция *ж. биол.* òvulátion.

овца́ *ж.* sheep*, ewe; ◊ заблу́дшая ~ lost sheep*.

овцебы́к *м. зоол.* músk-òx*.

овцево́д *м.* shéep-breeder. **~ство** *с.* shéep-breeding. **~ческий** shéep(-breeding) (*attr.*); ~ческий совхо́з State shéep-fàrm; ~ческая фе́рма shéep-fàrm.

овцема́тка *ж. с.-х.* ewe.

овча́р *м.* shépherd.

овча́р‖**ка** *ж.* shéep-dòg; неме́цкая ~ Alsátian. **~ня** *ж.* shéep-fòld.

овчи́н‖**а** *ж.* shéepskin. **~ка** *ж. уменьш. от* овчи́на; ◊ ~ка вы́делки не сто́ит *погов.* ≃ the game is not worth the candle; мне не́бо с ~ку показа́лось ≃ I thought that this was the end of me, *или* that my númber was up. **~ный** *прил. к* овчи́на; ~ный тулу́п shéepskin coat.

ога́рок *м.* cándle-ènd.

огиба́ть, обогну́ть (*вн.*) round (*d.*); skirt (*d.*); (*о корабле́ и т. п.*) double [dʌ-] (*d.*).

оглавле́ние *с.* table of cóntents; cóntents *pl.*

огла́дить *сов. см.* огла́живать.

огла́живать, огла́дить (*вн.*) stroke (*d.*), pat (*d.*).

огласи́ть(ся) *сов. см.* оглаша́ть(ся).

огла́с‖**ка** *ж.* públicity [-lʌ-]; преда́ть ~ке (*вн.*) make* públic [...-'lʌ-noun] (*d.*); получи́ть ~ку be gíven públicity, becóme* knówn, be made knówn; избега́ть ~ки avóid / shun públicity.

оглаш‖**а́ть**, огласи́ть (*вн.*) **1.** procláim (*d.*); (*объявля́ть*) annóunce (*d.*); ~ резолю́цию read* out *a* rèsolútion [...-zə-]; **2.** *уст.* (*предава́ть огла́ске*) make* públic [...'lʌ-] (*d.*), divúlge [daɪ-] (*d.*); **3.** (*наполня́ть зву́ками*) full (*d.*); пе́ние птиц огласи́ло лес the song of birds filled the fórest [...'fɔ-]. **~а́ться**, огласи́ться **1.** (*тв.*) resóund [-'z-] (with); **2.** *страд. к* оглаша́ть. **~е́ние** *с.* procláiming, pùblicátion [pʌ-]; (*ср.* огласи́ть); не подлежи́т ~е́нию not to be made públic [...'pʌb-]; (*на́дпись на докуме́нте и т. п.*) cònfidéntial.

оглашённый: как ~ *разг.* like one posséssed [...-'ze-].

огло́бл‖**я** *ж.* shaft; ◊ поверну́ть ~и *разг.* ≃ turn back, retráce one's steps.

оглуш‖**а́ть**, оглуши́ть (*вн.*) *разг.* hit* víolently on the head [...hed]; crown (*d.*).

оглуши́ть *сов. см.* оглуша́ть.

оглу́хнуть *сов. см.* гло́хнуть I.

оглупи́ть *сов. см.* оглупля́ть.

оглупля́ть, оглупи́ть (*вн.*) **1.** (*де́лать глу́пым*) stúltify (*d.*); **2.** (*искажа́ть с це́лью дискредита́ции*) wílfully mìsrepresént / misínterpret [...-'zeː-...] (*d.*).

оглуш‖**а́ть**, оглуши́ть (*вн.*) **1.** déafen ['def-] (*d.*); **2.** (*уда́ром*; *тж. перен.*) stun (*d.*). **~и́тельный** déafening ['def-].

~и́ть *сов. см.* оглуша́ть *и* глуши́ть 1.

огля́д‖**еть** *сов. см.* огля́дывать. **~ся** *сов. см.* огля́дываться 2.

огля́дк‖**а** *ж. разг.* **1.** lóoking back; **2.** (*осторо́жность*) care, cáution; де́йствовать с ~ой act círcumspèctly; ◊ бежа́ть без ~и run* as fast as one can, *или* as one's legs can cárry one.

огля́дывать, огляде́ть, огляну́ть (*вн.*) examíne (*d.*), look óver (*d.*); огляде́ть кого́-л. с головы́ до ног examíne smb. from head to foot [...hed...fut]. **~ся**, огляде́ться, огляну́ться **1.** *при сов.* огляну́ться turn (back) to look at smth., glance back; **2.** *при сов.* огляде́ться look round; *сов. тж.* have a look round; ◊ не успе́л огляну́ться, как ≃ befóre he could say "knife".

огляну́ть *сов. см.* огля́дывать. **~ся** *сов. см.* огля́дываться 1.

огнёвка *ж.* (*ба́бочка*) pýralid, snout moth.

огнев‖**о́й 1.** *прил. к* ого́нь; (*перен.*) fíery; **2.** *воен.*: ~а́я заве́са cúrtain of fire, cúrtain-fire; ~а́я то́чка wéapon emplácement ['wep-...].

огнеды́шащ‖**ий** *уст.* fíre-spitting; ~ая гора́ vòlcánò.

огнемёт *м. воен.* fláme-thrower [-θrouə].

о́гненный 1. *прил. к* ого́нь; **2.** (*цве́та огня́*) fláme-cóloured ['kʌ-]; **3.** (*огнево́й*) fíery.

огнеопа́сный inflámmable.

огнепокло́нни‖**к** *м.*, ~ца *ж.* fíre-wòrshipper. **~ческий** *прил. к* огнепокло́нник. **~чество** *с.* fíre-wòrship.

огнеприпа́сы *мн. воен.* àmmunítion *sg.*

огнесто́йк‖**ий** fíre:proof, fìre-resístant [-'zɪ-]. **~ость** *ж.* fìre-resístance [...-'zɪ-].

огнестре́льн‖**ый**: ~ое ору́жие fìre-àrm(s) (*pl.*); ~ая ра́на búllet wound ['buː-wuː-].

огнетуши́тель *м.* fíre-extinguisher.

огнеупо́рн‖**ый** *тех.* fíre:proof, refráctory; ~ кирпи́ч fíre-brick; ~ая гли́на fíre-clay.

огнеупо́ры *мн. тех.* refráctory matérials, refráctories.

огни́во *с.* steel (*formerly used for stríking fire*).

ОГН—ОДЕ

огни́ще *с.* burnt out spot.
ого́ *межд.* ohó!
огова́ривать I, оговори́ть (*вн.*) 1. (*заранее устанавливать*) stípulàte (for); fix (*d.*), agrèe (to); 2. (*делать оговорку*) méntion (*d.*), spécify (*d.*); ~ что-л. где-л. méntion smth. sóme:where; áвтор оговори́л э́то в предисло́вии the áuthor has méntioned it in the préface.
огова́ривать II, оговори́ть (*вн.*) *разг.* (*наговаривать на кого-л.*) slánder [-ɑ:n-] (*d.*).
огова́риваться, оговори́ться 1. (*в речи*) make* a slip in spéaking; 2. (*делать оговорку*) make* a resérvation [...-z-]; 3. *страд. к* огова́ривать I.
огово́р *м.* slánder [-ɑ:n-].
оговори́ть I, II *сов. см.* огова́ривать I, II.
оговори́ться *сов. см.* огова́риваться.
огово́р||ка *ж.* 1. (*условие*) rèservátion [-z-], províso (*pl.* -os, -oes), stìpulátion; с ~кой with resérve / rèservátions [...-'z--z-]; без ~ок without resérve / rèservátion, unrèsérvedly; 2. (*обмолвка*) slip of the tongue [...tʌŋ].
оголе́ние *с.* dènudátion. **~ённый** 1. *прич. см.* оголя́ть; 2. *прил.* nude, náked, bare; **~ённый** про́вод *эл.* bare cónductor / wire.
оголе́ц *м. разг.* lad, young féllow [...jʌŋ...].
оголи́ть(ся) *сов. см.* оголя́ть(ся).
оголте́лый *разг.* únbrídled, frénzied, wild.
оголя́ть, оголи́ть (*вн.*) 1. bare (*d.*); (*лишать покрова*) strip (*d.*); 2. *воен.* expóse (*d.*); ~ фланг expóse the flank. **~ся**, оголи́ться 1. strip (òne:sélf); дере́вья оголи́лись the trees are bare / léafless; 2. *страд. к* оголя́ть.
огонёк *м.* (small) light; (*перен.*) zest, vim; ◇ блужда́ющий ~ will-o'-the-wisp; ígnis fátuus *научн.*; зайти́ на ~ (к) drop in (on); рабо́тать с огонько́м put* vim into one's work.
ог||о́нь *м.* 1. *тк. ед.* fire; 2. *тк. ед. воен.*: загради́тельный ~ defénsive fire; за́лповый ~ vólley fire; перекрёстный ~ cróss-fire; си́льный ~ héavy fire ['hevɪ...]; 3. (*светящаяся точка, фонарь*) light; огни́ потуше́ны the lights are out; опознава́тельные огни́ rècognítion lights *pl.*; сигна́льный ~ sígnal light; то́повые огни́ *мор.* stéaming lights; ◇ его́ глаза́ горя́т огнём his eyes are búrning [...aɪz...]; в огне́ сраже́ний, войны́ in the heat of báttle; огнём и мечо́м with fire and sword [...sɔ:d]; из огня́ да в по́лымя *погов.* ≃ out of the frýing-pàn into the fire; пройти́ ~ и во́ду и ме́дные тру́бы *погов.* go* through fire and wáter [...'wɔ:-], go* through thick and thin; ме́жду двух огне́й between two fires; ≃ betwéen the dévil and the deep blue sea; боя́ться как огня́ fear like death [...de0]; его́ днём с огнём не найдёшь he is nó:where to be seen / found, there's not a trace of him ány:where; в ~ и в во́ду пойдёт за кого́-л. would go through fire and wáter for smb.'s sake.
огора́живание *с.* en:clósure [-'klou-], en:clósing, féncing in.

огора́живать, огороди́ть (*вн.*) fence in (*d.*), en:clóse (*d.*). **~ся**, огороди́ться 1. fence òne:sélf in; 2. *страд. к* огора́живать.
огоро́д *м.* kítchen-gàrden. ◇ броса́ть ка́мешек в чей-л. ~ make* snide remárks abóut smb., make* digs at smb.
огороди́ть(ся) *сов. см.* огора́живать (-ся).
огоро́дн||ик *м.*, **~ица** *ж.* márket-gàrdener; truck fármer *амер.*
огоро́дн||ичать *разг.* go* in for márket-gárdening. **~ичество** *с.* márket-gárdening; truck fárming *амер.* **~ый** *прил.* к огоро́д; **~ые** культу́ры végetable crops.
огоро́ш||ить *сов.* (*вн.*) *разг.* take* abáck (*d.*), disconcért (*d.*); его́, их и *т. д.* э́то ~ило he was, they were, *etc.*, disconcérted, he was, they were, *etc.*, táken abáck.
огорч||а́ть, огорчи́ть (*вн.*) pain (*d.*), distréss (*d.*), grieve [gri:v] (*d.*). **~а́ться**, огорчи́ться be pained / annóyed, grieve [gri:v]; не ~а́йтесь! cheer up! **~е́ние** *с.* grief [gri:f], chàgrín [ʃæ'gri:n]; быть в ~е́нии be grieved [...gri:vd], be in distréss; причини́ть ~е́ние кому́-л. cause pain to smb. **~ённый** *прич. и прил.* pained. **~и́тельный** griévous [-i:v-], distréssing.
огорчи́ть(ся) *сов. см.* огорча́ть(ся).
огра́б||ить *сов. см.* гра́бить 1. **~ле́ние** *с.* róbbery; (*со взломом*) búrglary; (*поезда и т. п.*) hóld-ùp.
огра́да *ж.* fence.
огради́ть(ся) *сов. см.* огражда́ть(ся).
огражд||а́ть, огради́ть 1. (*вн. от*) guard (*d.* from, agáinst), protéct (*d.* agáinst); огради́ть кого́-л. от волне́ний save smb. from anxíety [...ŋ'z-]; 2. (*вн.*) *уст.* (*огораживать*) en:clóse (*d.*), fence in (*d.*). **~а́ться**, огради́ться 1. (*от*) defénd òne:sélf (agáinst), guard òne:sélf (from, agáinst); 2. *страд. к* огражда́ть. **~е́ние** *с.* bárrier.
огран||и́ть *сов.* cut* (*d.*), fácet ['fæ-] (*d.*); ~ хруста́ль fácet crýstal.
~иче́ние *с.* lìmitátion, rèstríction; ~ ско́рости speed límit; ~ стратеги́ческих наступа́тельных вооруже́ний stratégic arms lìmitátion [-'ti:-...].
огранич||енн||ость *ж.* 1. (*о средствах и т. п.*) límited nátional [...'neɪ-]; scántiness; 2. (*о человеке, интересах*) nárrow-mínded:ness. **~ый** 1. (*небольшой, незначительный*) límited, scánty; 2. (*о человеке*) nárrow(-minded), híde:bound.
огранич||ивать, ограничить (*вн. тв.*) límit (*d.* to), restríct (*d.* to); ~ себя́ во всём stint òne:sélf in évery:thing; ~ ора́тора вре́менем set* the spéaker a time-límit. **~иваться**, ограничиться (*тв.*) 1. límit òne:sélf (to); confíne òne:sélf (to); 2. (*оставаться в каких-л. пределах, рамках*) amóunt / come* to nothing more than (*d.*); 3. *страд. к* ограни́чивать. **~и́тельный** rèstríctive, límiting.
~и́ть(ся) *сов. см.* ограни́чивать(ся).
огра́н||ка *ж.* cut, cútting, fácetting. **~щик** *м.* díamond-cùtter.
огреб||а́ть, огрести́ (*вн.*) rake in (*d.*); (*перен. тж.*) amáss (*d.*); ~ опа́вшие ли́стья rake up the dead leaves [...ded...]; ~ де́ньги, огрести́ це́лый капита́л rake

O

in a lot of móney [...'mʌ-], amáss a fórtune [...-tʃən].
огрести́ *сов. см.* огреба́ть.
огре́ть *сов.* (*вн.*) *разг.* deal* fetch a blow [...-ou] (*i.*).
огре́х *м.* 1. *с.-х.* gap (*in sowing, ploughing, etc.*); 2. *разг.* (*недоделка, плохая работа*) fault, flaw, imperféction.
огро́мн||ый enórmous, huge; (*широкий*) vast; ~ое влия́ние great / enórmous ínfluence [-eɪt...]; ~ое значе́ние enórmous impórtance; ~ые возмо́жности vast pòssibílities; ~ое большинство́ large majórity.
огрубе́||лый (*в разн. знач.*) cállous, hárdened; ~лые ру́ки tòil-hárdened hands. **~ть** *сов. см.* грубе́ть.
огрыз||а́ться, огрызну́ться (на *вн.*) snarl (at); (*перен.*) *разг.* (*о человеке*) ánswer with a snarl ['ɑ:nsə...].
огрызну́ться *сов. см.* огрыза́ться.
огры́зок *м.* 1. bit, end; ~ я́блока core (of *an* apple); 2. *разг.* stump, stub; ~ карандаша́ péncil stump / stub.
огу́зок *м.* rump.
огу́лом *нареч.* *разг.* 1. in a crowd; 2. (*всё вместе*) péll-méll, in a heap; 3. *уст.* whóle:sale ['hou-].
огу́льн||о *нареч.* without grounds / proof. **~ый** gróundless, únfóunded; (*без разбора*) indiscríminate, swéeping; ~ое обвине́ние únfóunded accusátion [...-'z-].
огуре́||ц *м.* cúcumber. **~чный** *прил.* к огуре́ц; ~чная трава́ *бот.* bórage.
огу́рчик *м.* *уменьш. от* огуре́ц; ◇ вы́глядит как ~ *разг.* ≃ looks fine.
о́да *ж. лит.* ode.
ода́лживать *разг.* = одолжа́ть.
одали́ска *ж.* ódalisque ['ou-].
одар||ённость *ж.* endówments *pl.*, (nátural) gifts [...-g-] *pl.* **~ённый** gífted ['g-]; **~ённый** ребёнок gifted child*.
ода́р||ивать, одари́ть 1. (*вн.*) give* présents [...-ez-] (*i.*); ~ кого́-л. чем-л. présent smb. with smth. [...'z-...]; 2. (*вн. тв.; наделять*) endów (*d.* with); приро́да ~и́ла его́ разнообра́зными спосо́бностями nature has endówed him with a varíety of tálents ['neɪ-...'tæ-].
одари́ть *сов. см.* ода́ривать.
одаря́ть = ода́ривать.
одев||а́ть, оде́ть (*вн.*) 1. dress (*d.*), clothe [-ouð] (*d.*); 2. *разг.* (*обеспечивать одеждой*) províde / make* clothes [...klouz] (for); она́ ~а́ет всю семью́ she províde clothes for the whole fámily [...houl...]; 3. (*покрывать*) cóver ['kʌ-] (*d.*); оде́тый сне́гом snow-clád ['snou-]. **~а́ться**, оде́ться 1. dress (òne:sélf); **~а́ться во что-л.** put* smth. on, wear* smth.; 2. *тк. несов.* (*со вкусом*) dress; хорошо́ ~а́ться dress well*; 3. *страд. к* одева́ть.
оде́жа *ж. разг.* clothes [-ouðz].
оде́жда *ж.* 1. clothes [-ouðz] *pl.*; gárments *pl.*; ве́рхняя ~ óuter-clòthes [-ouðz] *pl.*; произво́дственная ~ óver:àlls *pl.*, indústrial clóthing [...-ouð-]; форме́нная ~ úniform. 2. *тех.* (*дорожное покрытие*) súrfacing, top dréssing.
оде́жк||а *ж. уменьш. от* оде́жа; ◇ по ~е протя́гивай но́жки *посл.* ≃ cut

367

ОДЕ–ОДН

one's coat according to one's cloth, live within one's means [lıv...].

оде́жн||**ый** *прил.* к одежда и одёжа; ~ шкаф wárdròbe; ~ая щётка clóthes-brùsh [-ouðz-].

одеколо́н *м.* éau-de-Cológne ['oudəkə'loun]; цвето́чный ~ flówer-scénted éau-de-Cológne. ~**и́ть**, наодеколо́нить (*вн.*) *разг.* sprinkle with éau-de-Cológne [...'oudəkə'loun] (*d.*). ~**и́ться**, наодеколо́ниться *разг.* sprinkle òne:sélf with éau-de-Cológne [...'oudəkə'loun].

одели́ть *сов. см.* оделя́ть.

оделя́ть, одели́ть (*вн. тв.*) présent [-'z-] (*d.* with); (*перен.*) endów (*d.* with).

одёр *м. разг.* (*о лошади*) old hack.

одёргивать, одёрнуть (*вн.*) 1. (*приводить в порядок платье и т. п.*) stráighten out (*d.*); pull down [pul...] (*d.*); 2. *разг.* (*призывать к порядку*) pull smb. up (sharp).

одеревене́лый numb; (*перен.*) apathétic.

одеревене́ть *сов. см.* деревене́ть.

одержа́ть *сов. см.* оде́рживать.

оде́рживать, одержа́ть (*вн.*) gain (*d.*); ~ верх над кем-л. gain the úpper hand óver smb., prevàil óver smb.; одержа́ть побе́ду gain the víctory, cárry the day; одержа́ть побе́ду (над) gain / win* a víctory (óver).

одержи́мый 1. *прил.* (*тв.*) posséssed / obséssed [-'ze-...] (by); ~ стра́хом rídden by fear; 2. *м. как сущ.* one posséssed.

одёрнуть *сов. см.* одёргивать.

оде́сную *нареч. уст.* to the right, on the right hand.

оде́тый 1. *прич. см.* одева́ть; 2. *прил.* with one's clothes on [...klouðz...]; хорошо́ ~ wéll-dréssed.

оде́ть *сов. см.* одева́ть. ~**ся** *сов. см.* одева́ться 1.

одея́ло *с.* (*шерстяное*) blánket; (*стёганое*) quilt; (*лоскутное*) pátchwòrk quilt; (*покрывало*) cóunterpàne.

одея́ние *с.* gárment, attíre, garb, dress.

оди́н *числит. и мест.* 1. (*в отличие от нескольких, многих, других и т. п.*) one *тк. sg.*; one pair (of; *при сущ. во мн. ч.*); *мн.* (*при противопоставлении одной группы другой*) some; ~ и́ли два, ~-два́ one or two; ~ из ста one in a húndred; ~ из них one of them; ~ здесь, а друго́й там one is here and the other is there; ~ (вслед) за други́м one áfter another; (*о двух*) one áfter the other; ~ биле́т one tícket; одни́ са́ни one sledge *sg.*; одни́ щипцы́, ножницы́ one pair of tongs, of scíssors [...tɔŋz...'sızəz] *sg.*; ~ пинце́т one pair of twéezers; одни́ чулки́, одна́ па́ра чуло́к one pair of stóckings; одни́ бу́квы бы́ли бо́льше, чем други́е some létters were lárger than óthers; одни́ согласи́лись с ним, а други́е нет some agréed with him and others did not; ни ~ *см.* ни II 1; — по одному́ (*отдельно*) síngly, one by one; (*в один ряд*) in síngle file; они́ приходи́ли по двое и по двое they came by ones and twos

— одно́ (*без сущ.*: обстоятельство, дело *и т. п.*) one thing; одно́ бы́ло ему́ я́сно one thing was clear to him; — ~-еди́нственный one and ónly, the ónly one; 2. (*тот же, одина́ковый*) the same: они́ живу́т в одно́м до́ме they live in the same house* [...lıv...-s]; одного́ разме́ра, во́зраста (*с тв.*) the same size, age (as); э́то одна́ компа́ния (*шайка*) it is the same gang; — ~ и тот же the same; one and the same *тк. sg.*; э́то одно́ и то же it is the same thing; ему́, для него́ э́то всё одно́ (*безразлично*) *разг.* it is all one to him; 3. (*без других*) alóne; by òneːsélf *indef.*, by mỳːsélf 1. *pers. sg.*, by hìmːsélf 3. *pers. sg. и т. д.* (*ср.* сам.; *об. с оттенком самостоятельности*); (*без помощи тж.*) all by òneːsélf *indef. и т. д.*; síngle-hánded; он был совсе́м ~ he was quite alóne, и́ли quite by hìmːsélf, he was all on his own [...oun]; он мо́жет сде́лать э́то ~ he can do it (all) by hìmːsélf, и́ли do it alóne; he can do it síngle-hánded; 4. (*только*) ónly *adv.*; (*никто другой тж.*) alóne; (*ничего кроме тж.*) nothing but: он рабо́тает с одно́й молодёжью he works with young péople ónly [...jʌŋ piː-...]; ~ он мо́жет сде́лать э́то he alóne, и́ли ónly he, can do it; там была́ одна́ вода́ there was nothing but, и́ли ónly, water there [...'wɔː-...]; он чита́ет одни́ нау́чные кни́ги he reads nothing but scientific books, и́ли ónly scientific books; в одно́м то́лько 1975 году́ in 1975 alóne; 5. (*некоторый*) *об. передаётся через неопред. артикль* a, an; *тж.* a cértain (*более подчёркнуто*): ему́ сказа́л об э́том ~ челове́к a (cértain) man* told him about it; он встре́тил одного́ своего́ прия́теля he met a friend of his [...frend...]; э́то случи́лось в одно́й дере́вне на ю́ге it háppened in a víllage in the south; — одно́ вре́мя (*когда-то*) at one time; time was when; ◇ ~ на ~ (*о разговоре*) in prívate [...'praɪ-], prívately ['praɪ-]; (*о борьбе*) face to face; все до одного́ (*челове́ка*) all to a man, every síngle one; все как ~ one and all; (*единодушно*) unánimously; в ~ го́лос with one voice, unánimously, with one accórd; в ~ миг in a twínkling, in a móment; одни́м сло́вом in a / one word; одни́м ро́счерком пера́ with a stroke of the pen; в ~ прекра́сный день one fine day; ~ раз (*однажды*) once [wʌns]; с одно́й стороны́... с друго́й стороны́ on the one hand... on the other hand; ~ в по́ле не во́ин *посл.* ≅ the voice of one man is the voice of no one; one cánnot cónquer alóne.

одина́ков||**о** *нареч.* équalːly. ~**ый** (*с тв.*) idéntical [aɪ-] (with); the same (as); они́ ~ого ро́ста they are of the same height [...haɪt]; в ~ой ме́ре in équal méasure [...'meʒə], équalːly.

одина́рный single.

одинё||**хонек**, ~**шенек** *разг.* quite alóne.

одиннадцати- (*в сложн. словах, не приведённых особо*) of eléven [...ɪ'le-], и́ли eléven- — *соотв. тому, как даётся перевод второй части слова, напр.* одиннадцатидне́вный of eléven

days, eléven-day [ɪ'le-] (*attr.*); (*ср.-дне́вный*) of ... days, -day (*attr.*); одиннадцатиме́стный with berths, seats for 11; (*о самолёте, автомашине и т. п.*) eléven-séater [ɪ'le-] (*attr.*); (*ср.* -ме́стный).

одиннадцатиле́тний 1. (*о сроке*) of eléven years [...ɪ'le-...]; eléven-year [ɪ'le-] (*attr.*); 2. (*о возрасте*) eléven-year-óld [ɪ'le-]; of eléven; ~ ма́льчик eléven-year-óld boy, boy of eléven.

одиннадцатичасово́й 1. (*о продолжи́тельности*) of eléven hours [...ɪ'le-auəz]; eléven-hour [ɪ'le- -auə] (*attr.*); 2. (*назначенный на оди́ннадцать часо́в*) eléven o'clóck (*attr.*); ~ по́езд the eléven o'clóck train.

оди́ннадцат||**ый** eléventh [ɪ'le-]; ~ое ма́я, ию́ня *и т. п.* the eléventh of May, June, *etc.*; May, June, *etc.*, the eléventh; страни́ца, глава́ ~ая page, chápter eléven [...ɪ'le-]; ~ но́мер númber eléven; ему́ пошёл ~ год he is in his eléventh year; уже́ ~ час it is past ten; в ~ом часу́ past / áfter ten; полови́на ~ого half past ten [hɑːf...]; три че́тверти ~ого a quárter to eléven; одна́ ~ая one eléventh.

оди́ннадцать *числит.* eléven [ɪ'le-].

оди́ножды *нареч.* one times; ~ пять — пять one times five is five.

одино́||**кий** 1. *прил.* sólitary, lóneːly; lone *поэт.*; 2. *прил.* (*бессемейный*) single; ~кие ма́тери single / únmárried móthers [...'mʌl-]; 3. *м. как сущ.* single man*, báchelor; ко́мната для ~кого single room. ~**ко** *нареч.* lóneːly; жить ~ко lead* a lóneːly life; чу́вствовать себя́ ~ко feel* lóneːly.

одино́честв||**о** *с.* sólitude, lóneːliness; оста́ться, оказа́ться в ~е find* òneːsélf ísolated, и́ли in ìsolátion [...'aɪs-...aɪs-].

одино́чк||**а** I *м. и ж.* lone pérson; жить ~ой live alóne [lıv...]; куста́рь-~ cráftsːman* wórking alóne at home, sèlf-emplóyed cráftsːman*; ◇ де́йствовать в ~у act alóne.

одино́чка II *ж.* 1. *разг.* (*одиночная камера*) sólitary (confíneːment) cell, óne-màn cell; 2. (*лодка*) síngle-oar.

одино́чник *м. спорт.* indivídual / sólò fígure skáter.

одино́чн||**ый** (*в разн. знач.*) óne-màn (*attr.*), single, indivídual; ~ое заключе́ние sólitary confíneːment; ~ полёт sólò flight; ~ое ката́ние на конька́х indivídual / sólò skáting; ~ ого́нь *воен.* indivídual fire; (*одиночными выстрелами*) single-round fíring.

одио́зный offénsive, ódious.

одиссе́я *ж.* Ódyssey.

одича́||**вший** 1. *прич. см.* дича́ть; 2. *прил.* wild. ~**лый** 1. = одича́вший 2; 2. (*обезумевший*) pánic-strícken. ~**ние** *с.* becóming / rúnning wild.

одича́ть *сов. см.* дича́ть.

одна́ *ж.* к оди́н.

одна́жды *нареч.* once [wʌns], one day; ~ у́тром (ве́чером, но́чью) one mórning (évening, night) [...'iːvn-...].

одна́ко (*тж.* ж, ~ же) *ввводн. сл. и союз* 1. (*всё же*) howéver *adv.*; though [ðou]; (*в конце предложения*) (*но*) but *conj.*; ~ он оши́бся he was mistáken, howéver; он был там, ~ их не видел he was there, but did not see them; 2. *как межд.* you don't say so!, not really! [...'гɪə-[.

одни *мн. см.* один.

одно *с. к* один.

одно- (*в сложн. словах*) of one, óne-; single-; mono-.

одноакт́н||ый óne-àct (*attr.*); ~ая пьеса óne-àct play.

одноатомный mònoatómic.

однобок||ий lóp-síded; (*перен.*) óne-síded; ~ое суждение óne-síded view [...vju:].

однобортный síngle-bréasted [-'bres-].

одновалентный *хим.* univalent.

одновесельный óne-oared.

одновремéнн||о *нареч.* simultáneous:ly, at the same time. ~ость *ж.* simultanéity [-'nɪə-]. ~ый simultáneous, sýnchronous.

одноглáз||ка *ж. зоол.* cýclops. ~ый óne-éyed [-'aɪd], síngle-éyed [-'aɪd]; monócular *научн.*

одногодичный óne-year (*attr.*), of one year's durátion.

одногóдки *мн.* (*ед.* одногóдок *м.*) = однолéтки.

одноголóс||ный, ~ый óne-voice (*attr.*).

одногорбый: ~ верблюд Arábian cámel [...'kæ-], drómedary ['drʌ-].

однодвóр||ец *м.*, ~ка *ж. ист.* smáll-hólder.

однодневка *ж.* 1. (*насекомое*) ephémeron; 2. *разг.* (*нечто недолговечное*) sóme:thing ephémeral; слово-~ nónce-wòrd.

однодневный óne-day (*attr.*); ~ дом óтдыха óne-day hóliday home [...dɪ-]; ~ заработок dáily wage, day's pay.

однодольный *бот.* mónocòtylédonous.

однодомный *бот.* monóecious [-'niːʃ-].

однодум *м.* man* / pérson obséssed with a single idéa [...aɪ'dɪə], mònomániac.

однозаря́дн||ый *воен.* síngle-loading; ~ое оружие síngle-loader.

однозвýчный monótonous.

однознач||н||ый I *мат.* simple; ~ое число simple númber, dígit.

однознáчн||ый II *лингв.* mònosemántic, having one, *или* a single, méaning.

одноимённый of the same name.

однокалиберный of the same cálibre.

однокашник *м. уст.* schóol-féllow; (*о студенте*) féllow-stúdent.

одноквартирный óne-flàt (*attr.*); сборный ~ дом small préfàbricàted house* [...-s].

однокласс||ник *м.*, ~ица *ж.* cláss-mate, fórm-màte.

одноклеточный *биол.* ùnicéllular; síngle-céll (*attr.*).

одноклубник *м. спорт.* féllow-mémber of club, clúb-màte.

одноковшóвый *тех.* síngle-búcket (*attr.*); ~ экскаватор síngle-búcket éxcavàtor; mechánical shóvel [-'k- -ʃʌ-].

одноколéйка *ж. разг.* síngle-tráck ráilway.

одноколéйный síngle-tráck (*attr.*).

однокóлка *ж.* gig [g-].

однокóмнатн||ый óne-room (*attr.*); ~ая квартира óne-room flat.

однокóнный óne-hòrse (*attr.*).

однокопы́тный *зоол.* sòlidúngulate, sólid-hóofed.

однокóрпусный *мор.* síngle-hùll (*attr.*).

однокрáтный single: ~ вид *грам.* mómentary áspect [*mou-*-].

однокýрсн||ик *м.*, ~ица *ж.*: он её ~, она его ~ица they are in the same year; быть ~иком с кем-л. be in the same year as smb.

однолéтки *мн.* (*ед.* однолéток *м.*) children of the same age; они ~ they are of the same age.

однолéтн||ий 1. óne-year (*attr.*); ánnual; ~ее растéние ánnual; ~ие травы ánnual grass crops.

однолю́б *м.* man* lóving ónly one wóman all his life [...'lʌv-...'wu-], óne-wòman man* [-wu-...].

одномáст||ный of one cólour [...'kʌ-]; of the same coat.

одномáчтовый síngle-màsted.

одномéстн||ый síngle-séater (*attr.*), having room for one; ~ самолёт síngle-séater áircràft / plane; ~ая каюта single cábin.

одномотóрный síngle-éngine [-'endʒ-] (*attr.*); síngle-mòtor (*attr.*) *амер.*; ~ самолёт síngle-éngined áircràft.

однообрáз||ие *с.*, ~ность *ж.* monótony. ~ный monótonous.

однопалáтн||ый *полит.* ùnicámeral; single-chámber [-'tʃeɪ-] (*attr.*); ~ая парлáментская система síngle-chámber pàrliaméntary sýstem [...-lə-...]; ~ парлáмент óne-chámber párliament [-tʃeɪ-...-ləm-].

однопáлубный óne-dècked.

однопáлый having ónly one finger.

одноплемéнный of the same tribe.

однополчáн||ин *м.* bróther-sòldier ['brʌðəsouldʒə]; (*офицер*) bróther-ófficer ['brʌ-]; мы с ним ~е we served in the same régiment; we were sóldiers togéther [...'souldʒəz -'ge-].

однополый *бот.* ùniséxual.

однополю́сный *физ.* ùnipólar.

однопýт||ный síngle-tráck (*attr.*); ~ая линия *ж.-д.* síngle-tráck ráilway.

однорáзовый nòn-pérmanent, válid for one occásion ónly; dispósable [-z-].

однорóгий óne-hórned, ùnicórnous.

однорóдн||ость *ж.* 1. hòmogenéity [-'niː-], ùnifórmity; 2. (*сходство*) similárity. ~ый 1. hòmogéneous, únifòrm; 2. (*сходный*) símilar; ◇ ~ые члены предложéния *грам.* hòmogéneous parts of the séntence.

однорýкий óne-ármed, óne-hánded.

односельчá||нин *м.* féllow-víllager, man* from the same víllage. ~ка *ж.* féllow-víllager, wóman* from the same víllage ['wu-...].

односкáтн||ый léan-tó; ~ая крыша léan-tó roof.

однослóжн||о *нареч.* mònosyllábically; отвечáть ~ ánswer in one word ['a:nsə...]. ~ость *ж.* 1. *лингв.* mònosýllabism; 2. (*краткость*) térse:ness, abrúptness. ~ый 1. *лингв.* mònosyllábic; 2. (*короткий, отрывистый*) curt, terse, abrúpt; ~ый отвéт a curt ánswer ['a:nsə].

однопспáльн||ый: ~ая кровáть single bed.

ОДН–ОДО

одностволь||ный síngle-bárrelled; ~ое ружьё síngle-bárrelled gun.

односворчат||ый 1. (*о моллюске*) únivàlve; 2.: ~ая дверь single door [...dɔː].

односторóнн||ий 1. (*прям. и перен.*) óne-síded; ùnilàteral *офиц.*; ~ отказ от договора ùnilàteral denùnciátion of a tréaty; ~ее воспитáние óne-síded èducátion; ~ ум óne-tràck mind; 2. (*идущий в одном направлении*) óne-wáy; ~яя связь *тех.* óne-wáy communicátion; ~ее движение транспорта óne-wáy tráffic.

однотип||ность *ж.* ùnifórmity. ~ый of the same type / kind; ~ый кораблю́ síster-ship.

однотóмн||ик *м.* óne-vólume edítion. ~ый óne-vólume (*attr.*).

одноýхий óne-éared.

однофáзный *эл.* síngle-phàse (*attr.*), mónophàse.

однофамил||ец *м.*, ~ица *ж.* pérson bearing the same súrname [...'bɛə-...], námesake.

одноцвéтн||ый óne-cólour [-'kʌ-] (*attr.*); (*перен.*) monótonous; ~ая ткань óne-cólour fábric, plain fábric; ~ая печáть *полигр.* mónochrome.

одноцилиндровый síngle-cýlinder (*attr.*).

одночлéн *м. мат.* monómial. ~ный *мат.* monómial.

одношёрстный of one cólour [...'kʌ-].

одноэтáжный óne-stóreyed [-rɪd], síngle-stórey.

одноязы́чный: ~ словáрь *лингв.* ùnilingual díctionary; (*толковый*) defíning díctionary.

одобр||éние *с.* appróval [-ruː-]; заслужить чью-л. ~ meet* with smb.'s appróval; выразить ~ expréss one's appróval. ~ительно *нареч.* appróving:ly [-ruː-], with appróval [...-ruː-]. ~ительно кивнýть nod appróving:ly. ~ительный appróving [-ruː-]; ~ительный отзыв favourable revíew [...-'vjuː].

одобрить *сов. см.* одобрять.

одобрять, одобрить (*вн.*) appróve [-uːv] (*d,* of); не ~ dìsappróve [-uːv] (*d.,* of); (*возражать*) dèpréciate (*d.*).

одолевáть, одолéть (*вн.*) 1. (*прям. и перен.*) óver:cóme* (*d.*); óver:pówer (*d.*); (*побеждать*) cónquer [-kə] (*d.*); одолéть врагá óver:pówer the énemy; егó одолéл сон he was óver:cóme by sléepiness; егó ~ет любопы́тство he is besét by curiósity; 2. *разг.* (*справляться с чем-л.*) cope (with), mánage (*d.*); он никáк не одолéет эту книгу he cánnot get through this book.

одолéть *сов. см.* одолевáть.

одолж||áть, одолжить 1. (*вн. дт.*) lend* (*d. i.*); 2. (*вн. тв.*) *уст.* oblíge (*d.* with). ~áться (*у рд.; дт.; быть обязанным*) be obliged (to). ~éние *с.* fávour; сдéлать ~éние (*дт.*) do a fávour (*i.*); сделайте мне ~éние do me a fávour; сделайте ~éние! (*пожалуйста!, прошу вас!*) go ahéad! [...ə'hed], please, do!; я счтý это за ~éние I shall regárd / estéem it as a fávour; I shall count it a fávour.

одолжить *сов. см.* одолжáть.

ОДО – ОЗН

одома́шнение *с.* = одома́шнивание.
одома́шнивание *с.* doméstication; ~ живо́тных doméstication of ánimals.
одома́шнивать, одома́шнить (*вн.*) doméstica̋te (*d.*), tame (*d.*). ~ся, одома́шниться 1. become* domésticated; 2. *страд.* к одома́шнивать.
одома́шнить(ся) *сов. см.* одома́шнивать(ся).
одонтоло́гия *ж.* òdontólogy.
одр *м. уст.* bed, couch; на сме́ртном ~é be on one's déath-bèd [...'deθ-].
одряхле́ние *с.* decrépitùde, flágging strength.
одряхле́ть *сов. см.* дряхле́ть.
одува́нчик *м.* dándelion.
оду́маться *сов.* 1. think* bétter of it; change one's mind (on sécond thoughts) [tʃeɪ-...'se-...]; 2. *разг. (опомниться)* collèct òne:sélf.
одура́чивать, одура́чить (*вн.*) *разг.* make* a fool (of), fool (*d.*).
одура́чить *сов. см.* одура́чивать *и* дура́чить.
одуре́||лый *разг.* dazed, dulled, besótted; у него́ ~ вид he looks dazed. ~ние *с. разг.* stùpefáction.
одуре́ть *сов. см.* дуре́ть.
одурма́нивать, одурма́нить (*вн.*) stúpefy (*d.*). ~ся, одурма́ниться be stúpefied.
одурма́нить *сов. см.* одурма́нивать *и* дурма́нить. ~ся *сов. см.* одурма́ниваться.
о́дурь *ж. разг.* stúpor, tórpor.
одуря́||ть = одурма́нивать. ~ющий: ~ющий за́пах stúpefying / héavy scent [...'hevɪ...].
одутлова́т||ость *ж.* púffiness. ~ый púffy.
одухотвор||ённость *ж.* spirituálity. ~ённый *прич. и прил.* inspíred; *тк. прил. (о лице)* spíritual. ~и́ть *сов. см.* одухотворя́ть.
одухотворя́ть, одухотвори́ть (*вн.*) 1. spíritualize (*d.*); 2. *(о природе, животных и т. п.)* attríbute soul (to) [...soul...].
одушев||и́ть(ся) *сов. см.* одушевля́ть(-ся). ~ле́ние *с.* ànimátion. ~лённый 1. *прич. и прил.* ánimàted; 2. *прил.*: ~лённый предме́т *грам.* ánimate óbject.
одушевля́ть, одушеви́ть (*вн.*) ánimàte (*d.*); *(воодушевлять)* inspíre (*d.*). ~ся, одушеви́ться 1. be / become* ánimàted; 2. *страд.* к одушевля́ть.
оды́шк||а *ж.* short breath / wind [...breθ wɪ-], bréathlessness ['breθ-]; страда́ть ~ой be shórt-winded [...-'wɪ-]; страда́ющий ~ой shórt-winded.
ожереби́ться *сов. см.* жереби́ться.
ожере́лье *с.* nécklace; жемчу́жное ~ pearl nécklace [pəːl...].
ожесточ||а́ть, ожесточи́ть (*вн.*) hárden (*d.*), embítter (*d.*). ~ а́ться, ожесточи́ться 1. become* hárdened / embíttered; 2. *страд.* к ожесточа́ть. ~е́ние *с.* 1. bítterness; 2. *(упорство)* frántic zeal; с ~е́нием with frántic zeal.
ожесточённ||ость *ж.* = ожесточе́ние. ~ый 1. *прич. см.* ожесточа́ть; 2. *прил.* bítter, embíttered, hárdened; *(отчаянный)* désperate; ~ое сопротивле́ние fierce /

víolent / désperate resístance [...-'zɪ-]; ~ый спор héated cóntrovèrsy.
ожесточи́ть(ся) *сов. см.* ожесточа́ть(-ся).
оже́чь(ся) = обже́чь(ся).
ожива́льный *арх.* ògíval.
ожива́ть, ожи́ть retúrn to life; revíve *(тж. перен.).*
ожив||и́ть(ся) *сов. см.* оживля́ть(ся). ~ле́ние *с.* 1. *(действие)* rèanimátion, revíving; *(придание бодрости, живости)* enlíven:ing, máking more líve:ly; 2. *(состояние)* ànimátion; с больши́м ~нием with great ànimátion / gústo [...-eɪt...]. ~лённо *нареч.* ánimàted:ly, with ànimátion. ~лённый ánimàted; *(шумный)* bóisterous; ~лённая бесе́да líve:ly cònversátion; вести́ ~лённую перепи́ску cárry on a líve:ly còrrespóndence; ~лённая торго́вля brisk trade; ~лённые у́лицы búsy streets ['bɪzɪ...].
ожив||ля́ть, оживи́ть (*вн.*) revíve (*d.*); *(придавать бодрость)* vívify (*d.*), ánimàte (*d.*); *(делать более ярким)* bríghten up (*d.*). ~ля́ться, оживи́ться 1. become* ánimàted; líven up; его́ лицо́ ~и́лось his face bríghtened up, или lit up; 2. *(делаться более активным)* be bucked up; торго́вля ~и́лась trade becáme more brisk; 3. *страд.* к оживля́ть.
оживотвори́ть *сов. см.* животвори́ть *и* оживотворя́ть.
оживотворя́ть, оживотвори́ть *см.* животвори́ть.
ожида́н||ие *с.* 1. wáiting; лихора́дочное ~ bréathless èxpectátion ['breθ-...]; в ~ии (*рд.*) pénding (*d.*); в ~ии его́ возвраще́ния pénding his retúrn; сверх ~ия be:yónd èxpectátion; 2. *чаще мн. (надежда на что-л.)* èxpectátion; обману́ть чьи-л. ~ия disappóint smb.
ожида́||ть (*вн., рд.*) wait (for); *(предвидеть)* expéct (*d.*); antícipàte (*d.*); он ~ет его́ уже́ час he has been wáiting for him for an hour [...auə]; что нас ~ет? what is in store for us?; я не ~л вас *(видеть)* I did not expéct (to see) you; как он и ~л just as he (had) expécted.
ожире́ние *с.* òbésity [ou'biː-]; *(какого-л. органа)* stèatósis [-ɪːə'tou-]; ~ се́рдца ádipòse heart [-s haːt].
ожире́ть *сов.* run* to fat.
ожи́ть *сов. см.* ожива́ть.
ожо́г *м.* burn. ~овый *прил.* к ожо́г.
озабо́тить(ся) *сов. см.* озабо́чивать(ся).
озабо́ченн||ость *ж.* prè:occupátion; *(беспокойство)* anxíety [-ŋ'z-]; *(забота)* concérn; глубо́кая ~ profóund concérn. ~ый prè:óccupied; *(обеспокоенный)* ánxious, wórried ['wʌ-]; у него́ был ~ый вид he looked prè:óccupied.
озабо́чивать, озабо́тить (*вн.*) wórry ['wʌ-] (*d.*), cause anxíety [...-ŋ'z-] (*i.*). ~ся, озабо́титься (*тв.*) atténd (to), see* (to).
озагла́вить *сов. см.* озагла́вливать.
озагла́вливать, озагла́вить (*вн.*) entítle (*d.*); *(главы, разделы тж.)* head [hed] (*d.*).
озада́ченн||ость *ж.* perpléxity, púzzle:ment. ~ый *прич. и прил.* perpléxed, puzzled, táken abáck.

озада́ч||ивать, озада́чить (*вн.*) puzzle (*d.*), perpléx (*d.*), take* abáck (*d.*); ~ить кого́-л. вопро́сом puzzle smb. with a quéstion [...-stʃən]. ~ить *сов. см.* озада́чивать.
озаре́ние *с.*: на него́ нашло́ ~ it súddenly dáwned up:ón him.
озари́ть(ся) *сов. см.* озаря́ть(ся).
озар||я́ть, озари́ть (*вн.*) 1. light* up (*d.*) *(тж. перен.);* illúminàte (*d.*); illúmine (*d.*), illúme (*d.*) *поэт.*; улы́бка ~и́ла его́ лицо́ a smile lit up his face; 2. *безл.*: его́, её *и т. д.* ~и́ло it dawned up:ón him, her, *etc.* ~я́ться, озари́ться 1. (*тв.*) light* up (with); 2. *страд.* к озаря́ть.
озвере́||лый brútal. ~ние *с.* brutálity; дойти́ до ~ния become* brútalized; с ~нием brútally.
озвере́ть *сов. см.* звере́ть.
озву́ч||ение *с.*, **ивание** *с.*: ~ фи́льма cínema scóring.
озву́ч||ивать, озву́чить (*вн.; о фильме*) wire / score for sound (*d.*). ~ить *сов. см.* озву́чивать.
оздорови́тельн||ый sánitary; ~ые меропри́ятия sánitary méasures [...'meʒ-].
оздоров||и́ть *сов. см.* оздоровля́ть. ~ле́ние *с.* impróving from a health point of view [-'pruːv-...helθ...vjuː].
оздоровля́ть, оздорови́ть (*вн.*) rénder (more) héalthy [...'hel-] (*d.*); bring* into a héalthy state (*d.*) *(тж. перен.); (перен.: нормализовать)* nórmalize (*d.*); ~ ме́стность impróve the sánitary condítions of a locálity [-'pruːv-...].
озелене́||ние *с.* (*рд.*) plánting of gréenery [-ɑː-...] (in), plánting of trees and gárdens (in). ~и́тель *м.* wórker en:gáged in plánting trees and gárdens [...-ɑː-...]. ~и́ть *сов. см.* озеленя́ть.
озеленя́ть, озелени́ть (*вн.*) plant trees and gárdens [-ɑːnt...] (in).
о́земь *нареч. разг.* to the ground, down; уда́риться ~ strike* the ground, fall* to the ground.
озёрный *прил.* к о́зеро; ~ край láke:lànd, láke-country [-kʌ-].
о́зеро *с.* lake; солёное ~ salt lake.
ози́м||ые *мн. скл. как прил.* wínter crops. ~ый *прил.* как культу́ра wínter crop; ~ое по́ле wínter-field [-fiːld].
о́зимь *ж.* wínter crop(s) *(pl.).*
озира́ть (*вн.*) view [vjuː] (*d.*). ~ся look back; *(вокруг)* look / gaze round; ~ся по сторона́м look aróund.
озли́ться *разг.* = обозли́ться.
озло́б||ить(ся) *сов. см.* озлобля́ть(ся). ~ле́ние *с.* bítterness, ànimósity. ~ленный *прич. и прил.* embíttered; *прил. тж.* reséntful [-'ze-].
озлобля́ть, озло́бить (*вн.*) embítter (*d.*). ~ся, озло́биться 1. become* embíttered; 2. *страд.* к озлобля́ть.
ознако́м||ить(ся) *сов. см.* ознакомля́ть(-ся). ~ле́ние *с.* acquáintance; непосре́дственное ~ле́ние с чем-л. first-hánd acquáintance with smth., first-hánd view of smth. [...vjuː...].
ознакомля́||ть, ознако́мить (*вн. с тв.*) acquáint (*d.* with). ~ся, ознако́миться (с *тв.*) acquáint / famíliarize òne:sélf (with), get* to know [...nou] (*d.*); ознако́миться с но́вой кни́гой look through a new book.

370

ознаменова́ние *с.*: в ~ чего́-л. to mark the occásion of smth., on the occásion of smth.; (*о прошлом событии тж.*) in commèmorátion of smth.

ознаменова́ть *сов.* (*вн.*) mark (*d.*); (*отпраздновать*) célebràte (*d.*). **~ся** *сов.* (*тв.*) be marked (by).

означа́‖**ть** (*вн.*) mean* (*d.*), sígnify (*d.*), stand* (for); что ~ю́т э́ти бу́квы? what do these létters stand for?

озна́ченный *канц.* the afóresàid [...-sed].

озно́б *м.* shívering, féver, chill; у него́ ~ he is shívering, he feels shívery.

озокери́т *м. мин.* ozócerite [-ouk-], ózokerit [-ou-], míneral wax [...wæ-].

озолоти́ть *сов.* (*вн.*) 1. make* gólden (*d.*); 2. *разг.* (*обогатить*) load with móney [...'mʌ-] (*d.*). **~ся** *сов.* become* gólden.

озо́н *м.* ózòne ['ou-]. **~а́тор** *м.* ózonìzer ['ou-]. **~и́рование** *с.* òzonizátion [ouzənaɪ-].

озони́ровать *несов. и сов.* (*вн.*) ózonìze ['ou-] (*d.*).

озор‖**ни́к** *м.*, **~ни́ца** *ж.* (*о ребёнке*) mís:chievous child*; bundle of mís:chief *разг.*; (*о взрослом*) mís:chievous pérson / one mís:chief-màker. **~нича́ть** (*о ребёнке*) be náughty; (*о взрослом*) play rough tricks [...rʌf...]. **~но́й** mís:chievous, náughty; име́ть ~но́й вид look náughty / mís:chievous; **~ны́е** глаза́ eyes full of mís:chief [aɪz...]. **~ство́** *с.* mís:chief, náughtiness.

озя́б‖**нуть** *сов.* be cold, be chílly; он озя́б he is cold, he is chílly; у него́ ~ли ру́ки his hands are cold / frózen.

ой *межд.* o!; oh! [ou]; ой-ой-ой! oh, dear!; ◊ ой ли? réally? ['rɪə-], is it póssible?

о́йкать *разг.* exclaím "oh, oh!" [...ou].

оказа́ни‖**е** *с.* réndering; для ~я по́мощи to rénder help / assístance; ~ пе́рвой по́мощи réndering first aid.

ока́зать(ся) *сов. см.* ока́зывать(ся).

ока́з‖**ия** *ж.* 1. òpportúnity; посла́ть с ~ией (*вн.*) take* a convénient òpportúnity of sénding (*d.*), send* by smb. (*d.*); 2. *разг.* (*неожиданное событие*) óddity, ùn:expécted háppening / turn; кака́я ~! how ùn:expécted!; что за ~? what an odd thing!

ока́зывать, оказа́ть (*вн.*) rénder (*d.*), show* [ʃou] (*d.*); ~ соде́йствие (*дт.*) rénder assístance (*i.*); он оказа́л мне соде́йствие в э́том предприя́тии he lent me his suppórt in this ùnder:táking / énterprise; ~ подде́ржку (*дт.*) lend* / rénder suppórt (*i.*); ~ по́мощь (*дт.*) give* help (*i.*), help (*d.*); ~ услу́гу (*дт.*) do / rénder a sérvice (*i.*); do a good turn (*i.*) *разг.*; ~ предпочте́ние (*дт.*) show* préference [ʃou...] (to); give* préference (*i.*); (*предпочитать*) prefér (*d.*); ~ влия́ние (на *вн.*) ínfluence (*d.*), exért ínfluence (up:ón, óver, on); ~ гостеприи́мство (*дт.*) show* hòspitálity (*i.*); ~ давле́ние (на *вн.*) exért préssure (up:ón), bring* préssure to bear (*i.*); ~ сопротивле́ние (*дт.*) show* / óffer, *или* put* up, resístance [...-'zɪ-] (*i.*); оказа́ть честь (*дт.*) do an hónour ['ɔnə] (*i.*).

ока́зываться, оказа́ться 1. (*очутиться*) find* òne:sélf; 2. (*обнаруживаться*) turn out, be found; prove (to be) [-u:v...]; оказа́лось, что it was found, *или* it turned out, that; двух экземпля́ров кни́ги не оказа́лось two cópies of the book were míssing, *или* were found to be míssing [...'kɔ-...]; трево́га оказа́лась напра́сной there proved to be no ground for alárm; он оказа́лся болтли́вым спу́тником he turned out a very tálkative féllow-tràveller; ока́зывается, что it appéars that; как оказа́лось as it (has) turned out.

окайми́ть *сов. см.* окаймля́ть.

окаймля́ть, окайми́ть (*вн. тв.*) bórder (*d.* with), edge (*d.* with), fringe (*d.* with), hem (*d.* with).

ока́лина *ж. тех.* scale, dross.

окамене́л‖**ость** *ж.* (*ископаемое*) fóssil. **~ый** pétrified, fóssilized; (*перен.*) stóny, fixed; **~ый** взгляд fixed stare.

окамене́ть *сов. см.* камене́ть.

окантова́ть *сов.* (*вн.*) mount (*d.*); ~ карти́ну, фотогра́фию mount / frame a pícture in pásse-partóut [...'pæspɑ:'tu:].

окантовка *ж.* mount.

ока́нчивать, око́нчить (*вн.*) fínish (*d.*), end (*d.*); око́нчить шко́лу leave* school; око́нчить университе́т gráduàte, *или* go* down (from ùnivérsity). **~ся, око́нчиться** 1. fínish, end; be óver; (*тв.*) end (in), términàte (in); 2. *страд.* к ока́нчивать.

о́канье *с. лингв.* reténtion of ùnstréssed "o" (*in Russian dialects*).

о́капи *зоол.* okápi [-ɑ:pɪ].

ока́пывать, окопа́ть (*вн.*) dig* round (*d.*). **~ся, окопа́ться** 1. *воен.* dig* in; entrénch (òne:sélf) (*тж. перен.*); 2. *страд.* к ока́пывать.

окари́на *ж.* (*музыкальный инструмент*) ocarína [-'riː-].

окати́ть(ся) *сов. см.* ока́чивать(ся).

ока́чивать, окати́ть (*вн.*) pour [pɔː] (óver), douse [-s] (*d.*); окати́ть кого́-л. холо́дной водо́й throw* cold wáter óver smb. [θrou...'wɔː-...]; (*перен.*) damp smb., discóurage smb. [-'kʌ-...]. **~ся**, окати́ться 1. pour óver òne:sélf [pɔː]; 2. *страд.* к ока́чивать.

ока́шивать, окоси́ть (*вн.*) mow* round [mou...] (*d.*).

окая́нный *разг.* damned, cursed.

океа́н *м.* óceàn ['ouʃ n]; ◊ возду́шный ~ the átmosphère.

океана́вт *м.* déep-sea / óceàn explórer [...'ouʃ n...].

океани́ческий òceánic [ouʃɪ'æ-]; óceàn ['ouʃ n].

океанографи́ческ‖**ий** òceanográphic [ouʃɪə-]; **~ая** экспеди́ция òceanográphic expedítion.

океаногра́фия *ж.* òceanógraphy [ouʃɪə-].

океанологи́ческий òceanológical [ouʃɪə-].

океаноло́гия *ж.* òceanólogy [ouʃɪə-].

океа́нск‖**ий** *прил.* к океа́н; *тж.* òceánic [ouʃɪ'æ-]; ~ парохо́д óceàn(-gòing) stéamer ['ouʃ n-...], (óceàn) líner ['ouʃ n...].

оки́дывать, оки́нуть: ~ взгля́дом, взо́ром (*вн.*) take* in at a glance (*d.*); glance óver (*d.*).

оки́нуть *сов. см.* оки́дывать.

о́кисел *м. хим.* óxìde.

окисл‖**е́ние** *с. хим.* òxidátion. **~и́тель** *м.* óxidant, óxidìzer. **~и́тельный** óxidìzing.

окисли́ть(ся) *сов. см.* окисля́ть(ся).

окисля́ть, окисли́ть (*вн.*) *хим.* óxidìze (*d.*). **~ся, окисли́ться** 1. *хим.* óxidìze; 2. *страд.* к окисля́ть.

о́кись *ж. хим.* óxìde; ~ желе́за férric óxìde; ~ алюми́ния alúmina, alúminium óxìde [-ljuː-...]; ~ углеро́да cárbon mòn:óxìde; ~ азо́та nítric óxìde ['naɪ-...].

окклю́зия *ж. хим.* occlúsion.

окульти́зм *м.* occúltism.

окку́льтный occúlt.

оккуп‖**а́нт** *м.* óccupìer, inváder. **~ацио́нный** *прил.* к оккупа́ция; **~ацио́нные** войска́ òccupátion troops. **~а́ция** *ж.* òccupátion.

оккупи́ровать *несов. и сов.* (*вн.*) óccupỳ (*d.*).

окла́д I *м.* 1. (*размер заработной платы*) (rate of) pay, (rate of) sálary, (rate of) wáges; 2. (*размер налога*) tax.

окла́д II *м.* (*на иконе*) sétting, frámework.

окла́дист‖**ый**: ~ая борода́ broad and thick beard [brɔːd...].

оклевета́ть *сов.* (*вн.*) slánder [-ɑːn-] (*d.*); calúmniàte (*d.*), defáme (*d.*).

окле́ивать, окле́ить (*вн. тв.*) paste óver [peɪst...] (*d.* with); glue óver (*d.* with); окле́ить ко́мнату обо́ями páper a room.

окле́ить *сов. см.* окле́ивать.

окле́йка *ж.* pásting ['peɪst-], glúe:ing; (*обоями*) páper:ing.

о́клик *м.* hail, call. **~а́ть, окли́кнуть** (*вн.*) hail (*d.*), call (to).

окли́кнуть *сов. см.* оклика́ть.

окн‖**о́** *с.* 1. window; cáse:ment-wìndow [-s-]; (*подоконник*) wìndow-sill; слухово́е ~ dórmer(-wìndow); без о́кон wìndowless; вы́бросить что-л. за, в ~ throw* smth. out of the wìndow [θrou...]; цветы́ на ~е́ flówers on the wìndow-sill; 2. (*просвет, отверстие*) gap, ópen:ing; 3. *тех.* port; ópen:ing; slot; 4. *разг.* (*в расписании занятий*) free périod, break [breɪk].

о́ко *с.* (*мн.* о́чи) *уст.*, *поэт.* eye [aɪ]; ◊ в мгнове́ние о́ка in the twínkling of an eye; ~ за́, зуб за́ зуб *посл.* an eye for an eye, and a tooth for a tooth; tit for tat *разг.*

окова́ть *сов. см.* око́вывать.

око́вка *ж.* bínding.

око́вы *мн.* fétters; (*перен. тж.*) bóndage *sg.*; сбро́сить с себя́ ~ cast* off one's chains, reléase òne:sélf [-s...].

око́вывать, окова́ть (*вн.*) bind* round with métal [...'me-...].

околачиваться *разг.* lounge about, kick one's heels.

околдова́ть *сов. см.* околдо́вывать.

околдо́вывать, околдова́ть (*вн.*) bewítch (*d.*); cast* a spell (up:ón) (*перен.*) entrance (*d.*), enchánt [-ɑːnt] (*d.*).

околева́ть, околе́ть (*о животных*) die.

околе́сиц‖**а** *ж. тк. ед. разг.* stuff and nónsense; нести́ **~у** talk nónsense, talk at rándom.

ОКО – ОКР

околе́ть *сов. см.* околева́ть.
око́лиц||**а** *ж.* **1.** (*изгородь*) village fence; (*ворота в этой изгороди*) village gate; за ~ей beyónd the víllage fence; **2.** *разг.* (*окружающая местность*) néighbour:hood [-hud].
околи́чност||**ь** *ж.* innuéndò; без ~ей *разг.* pláinly, straight; говори́ть без ~ей speak* pláinly; speak* without béating abóut the bush [...buʃ] *идиом*.
о́коло *нареч. и предл.* (*рд.*) **1.** (*рядом, возле*) by; (*вблизи*) near; (*вокруг*) aróund; abóut (*об. как предл.*): сиде́ть ~ (*кого-л., чего-л.*) sit* by (smb., smth.); ~ го́рода есть о́зеро there is a lake near the town; никого́ нет ~ there is nó:body aróund; в поля́х ~ дере́вни in the fields (a)róund / abóut the víllage [...fi:ldz...]; — где́-нибудь ~ (*этого ме́ста*) sóme:where near / abóut the place; (*где-л. здесь*) hére:about(s), sóme:where near here; **2.** *тк. предл.* (*приблизительно*) abóut: ~ трёх дней abóut three days; ~ полу́дня abóut noon; сейча́с ~ трёх (часо́в) it is abóut three (o'clóck) now; пришёл ~ трёх (часо́в) came (at) abóut three (o'clóck); ◊ (что́-нибудь) ~ того́, ~ э́того *разг.* thére:abouts; де́сять ме́тров и́ли (что́-нибудь) ~ э́того ten metres or thére:abouts.
около́д||**ок** *м.* = около́ток. ~**очный** = околото́чный.
околозе́мн||**ый** circumterréstrial; ~**ая** орби́та néar-earth órbit [-ə:θ...]; ~**ое** простра́нство near space, terréstrial space.
окололу́нный circumlúnar.
околопе́стичный *бот.* perígynous.
околопло́дник *м. бот.* pericàrp.
околосерде́чн||**ый**: ~**ая** су́мка *анат.* pericárdium.
около́ток *м. уст.* **1.** (*окрестность*) néighbour:hood [-hud]; **2.** (*район города*) ward, town district; **3.** (*полицейский участок*) políce-stàtion [-'li:s-].
околото́чный *уст.* **1.** *прил. к* около́ток 3; ~ надзира́тель = околото́чный 2; **2.** *м. как сущ.* políce-officer [-'li:s-].
околоу́шн||**ый** *анат.* parótid; ~**ая** железа́ parótid (gland).
околоцве́тник *м. бот.* periánth ['pe-].
околпа́чивать, околпа́чить (*вн.*) *разг.* fool (d.), dupe (d.).
околпа́чить *сов. см.* околпа́чивать.
о́колыш *м.* cáp-bànd.
око́льничий *м. ист.* okólnichy (*in old Russia person of one of highest ranks of boyars*).
око́льн||**ый** róundabout; ~**ая** доро́га róundabóut way; ~**ые** пути́ dévious ways / paths; ~**ым** путём in a róundabout way (*тж. перен.*).
окольцева́ть *сов. см.* кольцева́ть.
оконе́чность *ж.* extrémity.
око́нн||**ый** *прил. к* окно́; ~**ая** ра́ма window-frame, sash; ~**ое** стекло́ window-pàne.
оконфу́зить *сов.* (*вн.*) *разг.* embárrass (d.); cause (d.) to blush, confúse (d.). ~**ся** *сов. разг.* be embárrassed, cóver onè:sélf with shame ['kʌn-], make* a gaffe [...gæf].

оконча́ни||**е** *с.* **1.** (*завершение*) terminátion, fínishing; (*университета и т. п.*) gràduátion; по ~и университе́та on gràduátion; по ~и шко́лы áfter / on léaving school; **2.** (*конец*) end; **3.** *грам.* énding.
оконча́тельн||**о** *нареч.* fínally, once and for all [wʌns...]; ~**ый** fínal; defínitive; ~**ое** реше́ние final decísion; ~**ая** отде́лка fínishing, finish.
око́нчить(ся) *сов. см.* ока́нчивать(ся).
око́п *м. воен.* trench, entrénchment; рыть ~ы dig* trénches; окружа́ть ~ами (*вн.*) entrénch (*d.*), ~**а́ть(ся)** *сов. см.* ока́пывать(ся). ~**ный** trench (*attr.*).
окора́чивать, окороти́ть (*вн.*) *разг.* make* too short (*d.*), curtáil (*d.*).
око́рка *ж.* bark stripping; bárking.
окорми́ть *сов.* (*вн.*) **1.** óver:féed* (*d.*); **2.** (*отравить*) póison with bad food [-z'n...] (*d.*).
окорна́ть *сов.* (*вн.*) *разг.* dock (*d.*), crop (*d.*).
о́корок *м.* ham, gámmon.
окороти́ть *сов. см.* окора́чивать.
окосе́ть *сов. разг.* **1.** (*стать косым*) becóme* cróss-eyed [...-aɪd]; **2.** (*опьянеть*) be boozed up.
окоси́ть *сов. см.* ока́шивать.
окостенева́ть, окостене́ть 1. (*превращаться в кость*) óssify (*тж. перен.*); **2.** (*коченеть*) becóme* stiff, stíffen.
окостене́||**лый** **1.** (*превратившийся в кость*) óssified (*тж. перен.*); **2.** (*окоченевший*) numb, stiff. ~**ние** *с.* **1.** òssificátion; **2.** (*окоченение*) númb:ness, stíffness.
окостене́ть *сов. см.* окостенева́ть *и* костене́ть.
око́т *м.* **1.** (*об овцах*) lámb:ing; (*о кошках*) having kíttens; **2.** (*период; об овцах*) lámb:ing-tìme; (*о кошках*) time of having kíttens.
окоти́ться *сов. см.* коти́ться.
окочене́||**лый** stiff with cold. ~**ть** *сов. см.* коченéть.
окочу́риться *сов. разг.* croak, peg out, kick the búcket.
око́шко *с.* = окно́ 1.
окра́ина *ж.* (*города и т. п.*) óutskirts *pl.*; (*страны*) óutlying dístricts *pl.*
окра́||**ить(ся)** *сов. см.* окра́шивать (-ся). ~**ка** *ж.* **1.** (*действие*) cólour:ing ['kʌ-]; (*кистью*) páinting; (*о ткани, пряже, волосах*) dye:ing; **2.** (*цвет*) cólour:ing, colorátion [kʌ-]; (*о краске*) cólour ['kʌ-]; (*перен.*) tinge, tint; защи́тная ~**ка** *зоол.* protéctive còlorátion; стилисти́ческая ~**ка** сло́ва stylístic nuánce / cólour(:ing) of a word [staɪ- -'ɑ:ns kʌ-...].
окра́шивание *с.* = окра́ска 1.
окра́шивать, окра́сить (*вн.*) tíncture (*d.*); (*о поверхности*) paint (*d.*); (*пропитывать краской*) dye (*d.*); осторо́жно, окра́шено! wet / fresh paint! ~**ся**, **окра́ситься 1.** be cólour:ed [...'kʌ-]; turn / becóme* (a cértain cólour) [...'kʌ-]; не́бо окра́силось в ро́зовый цвет the sky turned pink, the sky was cólour:ed pink; **2.** *страд. к* окра́шивать.
окре́пнуть *сов. см.* кре́пнуть.
окре́ст *нареч. и предл.* (*рд.*) *уст.* aróund, abóut.
окрести́ть *сов.* **1.** *см.* крести́ть I 1; **2.** (*вн. тв.*) *разг.* (*дать прозвище*)

nickname (*d.*). ~**ся** *сов. см.* крести́ться I.
окре́сти||**ость** *ж.* **1.** (*местность*) énvirons *pl.*; **2.** *тк. ед.* (*окружающее пространство*) environ:ment, vicínity, néighbour:hood [-hud]. ~**ый** environ:ing, néighbour:ing.
окриве́ть *сов. разг.* go* blind in one eye [...aɪ], lose* an eye [lu:z...].
о́крик *м.* **1.** perémptory shout / cry; **2.** (*оклик*) hail, hallò.
окрова́вить *сов.* (*вн.*) stain with blood [...blʌd] (*d.*).
окрова́вленный 1. *прич. см.* окрова́вить; **2.** *прил.* blóod-stained [-ʌd-], blóody [-ʌdɪ].
окропи́ть *сов. см.* окропля́ть. ~**ля́ть**, окропи́ть (*вн.*) (be)sprínkle (*d.*).
окро́шка *ж.* okróshka (*cold kvass soup with chopped vegetables and meat*); (*перен.*) hódge-pòdge, júmble.
о́круг *м.* ókrug ['ɔ:krug]; région; (*судебный*) círcuit [-kɪt]; автоно́мный ~ autónomous área [...'ɛərɪə]; избира́тельный ~ eléctoral / eléction dístrict; вое́нный ~ mílitary district; (*в Англии*) command [-ɑ:nd].
окру́г||**а** *ж. разг.* néighbour:hood [-hud]; по всей ~**е** all through the néighbourhood.
округли́ть(ся) *сов. см.* округля́ть(ся).
окру́гл||**ость** *ж.* róundedness. ~**ый** róunded, róundish.
округл||**я́ть**, округли́ть (*вн.*; *прям. и перен.*) round off (*d.*); ~ (до) appróximate (to), expréss in round númbers (*d.*). ~**я́ться**, округли́ться **1.** becóme* róunded; у него́ глаза́ ~**и́лись** от стра́ха he was róund-eyed with fear [...-aɪd...]; у неё ~**и́лась** фигу́ра she has a wéll-róunded fígure; **2.** (*выражаться в круглых цифрах*) be expréssed in round númbers.
окруж||**а́ть**, окружи́ть **1.** *тк. несов.* (*вн.; прям. и перен.*) surróund (*d.*); пруд ~**а́ли** дере́вья trees grew all round the pond; его́ ~**а́ло** всео́бщее уваже́ние he was respécted by all aróund him; **2.** (*вн.; размещаться вокруг кого-л., чего-л.*) gáther round (*d.*); ~**и́ть** расска́зчика gáther round a stóry-tèller; **3.** (*вн. тв.; обносить, обводить чем-л.*) encírcle (*d.* with), ring in (*d.* with); ~ что-л. рвом encírcle smth. with a moat; **4.** (*вн. тв.; создавать вокруг кого-л. ту или иную обстановку*) surróund (*d.* with); ~ кого́-л. внима́нием lávish atténtions on smb.; **5.** (*вн.*) *воен.* encírcle (*d.*), round up (*d.*); ~**и́ть** и уничто́жить проти́вника encírcle and destróy the énemy; **6.** *тк. несов.* (*вн.*; *составлять чью-л. среду*): нас ~**а́ли** хоро́шие лю́ди we were in good* cómpany [...'kʌm-]; его́ ~**а́ли** ме́лкие лю́ди he was surróunded by pétty-mínded people [...'pi:-]. ~**а́ющий 1.** *прич. и прил.* surróunding; ~**а́ющая** среда́ surróundings *pl.*; экол environ:ment; **2.** *с. как сущ.* milieu (*фр.*) [mi:'ljə:]; sócial surróundings *pl.*; **3.** *мн. как сущ.* one's people *pl.*; one's assóciàtes [...-ʃ-]. ~**е́ние** *с.* **1.** encírclement; капиталисти́ческое ~**е́ние** cápitalist encírcle:ment; вы́йти из ~**е́ния** *воен.* break* out of encírcle:ment [breɪk...]; попа́сть в ~**е́ние** *воен.* be

372

surrounded / encircled; 2. (*среда*) milieu (*фр.*) [mi:'ljə:], environment; surroundings *pl*.

окруж||и́ть *сов. см.* окружа́ть 2, 3, 4, 5. ~но́й 1. *прил. к* о́круг; ~но́й комите́т па́ртии Okrug Party Committee ['ɔ:krug...-tɪ]; ~на́я избира́тельная коми́ссия district electoral committee; ~но́й суд circuit court [-kɪt kɔ:t]; 2.: ~на́я желе́зная доро́га circular railway, circle line.

окру́жн||ость *ж*. circumference; circle; име́ть в ~ости два киломе́тра be two kilometres in circumference; на пять киломе́тров в ~ости for / within a radius of five kilometres, for five kilometres round.

окрути́ть *сов. см.* окру́чивать.

окрути́ться *сов. разг.* 1. (*тв.*) wind* round oneself (*d.*); 2. (*обвенча́ться*) get* spliced.

окру́чивать, окрути́ть 1. (*тв.*) wind* round (*d.*); 2. (*кого-л.*) *уст. разг.* (*обвенча́ть*) splice (*smb.*).

окрылённый *прич. и прил.* inspired.

окрыл||я́ть(ся) *сов. см.* окрыля́ть(ся). ~я́ть, окрыли́ть (*вн.*) inspire (*d.*); lend* wings (to); ~я́ть наде́ждой inspire with hope (*d.*). ~я́ться, окрыли́ться become* / be inspired.

окры́ситься *сов.* (на *вн.*) *разг.* snap (at).

оксиди́рованный *прич. и прил.* oxidized.

оксиди́ровать *несов. и сов.* (*вн.*) oxidize (*d.*).

окта́ва *ж*. 1. *муз., лит.* octave; 2. (*ни́зкий бас*) low bass [lou beɪs].

окта́эдр *м. мат.* octahedron [-'he-].

октябрёнок *м.* oktyabryonok (*child of seven years or upward preparing for entry into Pioneers*).

октя́бр||ь *м.* October; в ~е́ э́того го́да in October; в ~е́ про́шлого го́да last October; в ~е́ бу́дущего го́да next October.

октя́брьск||ий *прил. к* октя́брь; ~ день an October day, a day in October; Вели́кая Октя́брьская социалисти́ческая револю́ция The Great October Socialist Revolution [...greɪt...]; ~ие дни the October days; ~ие торжества́ the October festivities.

оку́клива||ние *с. зоол.* pupation. ~ться, окукли́ться *зоол.* pupate.

окукли́ться *сов. см.* оку́кливаться.

окули́р||овать *несов. и сов.* (*вн.*) *бот.* inoculate (*d.*), engraft (*d.*). ~о́вка *ж. бот.* inoculation.

окули́ст *м.* oculist.

окульту́ривать, окульту́рить (*вн.*) *с.-х.* cultivate (*d.*); (*о животных*) domesticate (*d.*).

окульту́рить *сов. см.* окульту́ривать.

окуля́р *м.* eyepiece ['aɪpi:s], ocular.

окуна́ть, окуну́ть (*вн.*) dip (*d.*); plunge (*d.*). ~ся, окуну́ться 1. dip (*перен.*) plunge; become* (utterly) absorbed / engrossed [...-'grou-]; 2. *страд. к* окуна́ть.

окуну́ть(ся) *сов. см.* окуна́ть(ся).

о́кунь *м.* perch.

окупа́емость *ж.* cover of expenditure ['kʌ-...], recoupment [-'ku:p-].

окупа́ть, окупи́ть (*вн.*) compensate (*d.*), repay* (*d.*), cover ['kʌ-] (*d.*); ~ расхо́ды cover the expenses. ~ся, окупи́ться 1. be compensated, be repaid; pay* for itself, *или* its way; (*перен.*) pay*, be requited; 2. *страд. к* окупа́ть.

окупи́ть(ся) *сов. см.* окупа́ть(ся).

окургу́зить (*вн.*) *разг.* cut* too short (*d.*), dock (*d.*), curtail (*d.*).

окурива||ние *с.* fumigation; ка́мера ~ия fumigation chamber [...'tʃeɪ-]; ~ се́рой sulphuration.

оку́ривать, окури́ть (*вн.*) fumigate (*d.*); ~ се́рой sulphurate (*d.*).

окури́ть *сов. см.* оку́ривать.

оку́рок *м.* (*о папиро́се*) cigarette-end, cigarette-butt; (*о сига́ре*) cigar-butt.

оку́тать(ся) *сов. см.* оку́тывать(ся).

оку́тывать, оку́тать (*вн. тв.*) wrap (round *d.*); (*перен.*) cloak (*d.* in), shroud (*d.* in); оку́тать ше́ю шарфо́м wrap a scarf* round one's neck. ~ся, оку́таться 1. wrap oneself up; (*перен.*) be shrouded; 2. *страд. к* оку́тывать.

оку́чивание *с. с.-х.* earthing up ['ə:θ-...].

оку́чивать, оку́чить (*вн.*) *с.-х.* earth up [ə:θ...] (*d.*).

оку́ч||ить *сов. см.* оку́чивать. ~ник *м. с.-х.* hiller.

ола́дья *ж.* thick pancake; карто́фельная ~ potato pancake.

олеа́ндр *м.* oleander.

оледене́лый (*прям. и перен.*) frozen.

оледене́ть *сов.* (*засты́ть*) freeze*; (*покры́ться льдом*) be covered with ice [...'kʌ-...], ice up.

оле́йн *м. хим.* olein [-ɪɪn]. ~овый *прил. к* оле́йн.

оленево́д *м.* reindeer-breeder. ~ство *с.* reindeer-breeding (-breeding) (*attr.*); ~ческий совхо́з reindeer State farm.

оленёнок *м.* young deer* [jʌn...].

оле́н||ий *прил. к* оле́нь; ~ьи рога́ antlers; ~ мох *бот.* reindeer moss / lichen ['laɪkən]. ~ина *ж.* venison ['venzˀn].

олену́ха *ж.* female deer* ['fi:-...], doe, hind.

оле́нь *м.* deer*; (*се́верный*) reindeer*; америка́нский се́верный ~ caribou [-bu:]; благоро́дный ~ stag, red deer*; безро́гий ~ pollard.

олеогра́фия *ж.* 1. *тк. ед.* (*спо́соб*) oleography; 2. (*ко́пия*) oleograph.

о́леум *м. хим.* oleum.

оли́ва *ж.* 1. (*плод*) olive; 2. (*де́рево*) olive(-tree).

оливи́н *м. мин.* olivine [-i:n], olivin.

оли́вк||овый 1. *прил. к* оли́вка *и* оли́ва; 2. (*о цве́те*) olive-coloured [-kʌ-], olive-green; 3.: ~овое ма́сло olive oil; ~овая ветвь olive branch [...-ɑ:-].

олига́рх *м.* oligarch [-k]. ~и́ческий oligarchic(al) [-kɪ-].

олига́рхия *ж.* oligarchy [-kɪ].

олигоце́н *м. геол.* oligocene.

Оли́мп *м. миф.* Olympus (*тж. перен.*).

олимпи́||ада *ж.* 1. *ист.* olympiad; 2. (*олимпи́йские и́гры*) the Olympic Games *pl.*; Бе́лая Олимпиа́да White Olympiad; 3. (*состяза́ния, соревнова́ния*) competition; contest. ~ец *м.* 1. *миф.* Olympian; 2. *разг.* (*уча́стник Олимпи́йских игр*) Olympic competitor / athlete. ~йский Olympic; ◇ Олимпи́йские и́гры the Olympic Games, Olympics; ~йская дере́вня Olympic village; ~йское споко́йствие Olympian calm [...kɑ:m].

оли́фа *ж.* drying oil.

олицетвор||е́ние *с.* 1. personification; 2. (*воплоще́ние*) embodiment; living picture ['lɪv-...]; ~ му́жества embodiment / personification of courage [...'kʌ-], courage personified. ~ённый *прич. и прил.* personified; *прил. тж.* incarnate. ~и́ть *сов. см.* олицетворя́ть.

олицетворя́ть, олицетвори́ть (*вн.*) 1. personify (*d.*); 2. (*воплоща́ть*) embody [-'bɔ-] (*d.*).

о́лов||о *с.* tin; сплав ~а со свинцо́м pewter; ~янный *прил. к* о́лово; ~янная посу́да pewter, tinware; ~янный ка́мень *мин.* cassiterite.

о́лух *м. разг.* fool, blockhead [-hed]; ◇ ~ царя́ небе́сного a perfect fool, a dumbbell.

ольх||а́ *ж.* alder(-tree). ~о́вый *прил. к* ольха́; ~о́вая ро́ща alder grove.

ольша́ник *м.* alder thickets *pl.*

ом *м. эл.* ohm [oum].

ома́р *м.* lobster.

оме́га *ж.* Omega.

оме́ла *ж. бот.* mistletoe.

омерзе́ние *с.* loathing; внуша́ть ~ (*дт.*) inspire loathing (in); испы́тывать ~ (к) loathe (*d.*).

омерз||е́ть *сов. разг.* become* loathsome [...-ð-]; мне э́тот челове́к ~е́л I have come to loathe this man*.

омерзи́тельн||о *нареч.* sickeningly. ~ый loathsome [-ð-], sickening; revolting; како́й ~ый посту́пок! what a sickening thing to do!

омертве́л||ость *ж.* numbness; *мед.* necrosis. ~ый dead(ened) ['ded-]; numb; *мед.* necrotic.

омертве́ние *с.* = омертве́лость.

омертве́ть *сов.* grow* numb [grou...].

омертви́ть *сов.* (*вн.*) 1. deaden ['ded-] (*d.*), necrotize (*d.*); 2. *эк.* (*о капита́ле*) withdraw* from circulation (*d.*).

омёт *м.* stack of straw.

омеща́ниваться, омеща́ниться *разг.* become* a philistine, fall* a prey to philistinism.

омеща́ниться *сов. см.* омеща́ниваться.

омле́т *м.* omelette [-ml-].

омме́тр *м. эл.* ohmmeter ['oum-].

о́мнибус *м. уст.* (horse-drawn) omnibus.

омове́ние *с.* ablution (*об. pl.*); ~ рук (*обря́д*) lavabo.

омола́живать, омолоди́ть (*вн.*) 1. rejuvenate (*d.*); 2. (*вводи́ть молодёжь в соста́в чего-л.*) renew (*d.*). ~ся, омолоди́ться 1. rejuvenate; take* on a new lease of life [...-s...]; 2. *страд. к* омола́живать.

омоло||ди́ть(ся) *сов. см.* омола́живать(-ся). ~же́ние *с.* rejuvenation.

омо́ним *м. лингв.* homonym. ~и́ческий *лингв.* homonymous.

омоними́я *ж. лингв.* homonymy.

омочи́ть *сов.* (*вн.*) *уст.* wet (*d.*); moisten [-sˀn] (*d.*). ~ся *сов. уст.* become* moist / wet.

ОМР – ОПА

омрач∥а́ть, омрачи́ть (вн.) dárken (d.), cloud (d.), òver;shádow [-´ʃæ-] (d.). **~а́ться**, омрачи́ться 1. become* dárkened / clóuded; 2. *страд. к* омрача́ть. **~и́ть(ся)** *сов. см.* омрача́ть(ся).

о́муль *м.* ómùl [´ɔmuːl] (*fish of salmon family*).

о́мут *м.* 1. pool; (*перен.*) slough; толка́ть в ~ (*вн.*; *перен.*) urge on to one's destrúction (d.); 2. (*водоворот*) whírlpool; ◊ в ти́хом ~е че́рти во́дятся *посл.* ≅ still wáters run deep [...´wɔː-...].

омша́ник *м.* place for hóusing bees in winter.

омыв∥а́ть, омы́ть (вн.) 1. wash (d.); омы́тый дождём ráin-washed; 2. *тк. несов.* (*о морях*) wash (d.). **~а́ться** *геогр.* be washed; грани́цы на́шей страны́ ~а́ются моря́ми и океа́нами the fróntiers of our cóuntry are washed by seas and óceans [´frɪ...´kl-...´ouʃns].

омыле́ние *с. хим.* sapònificátion.

омы́ть *сов. см.* омыва́ть 1.

он, *рд.*, *вн.* (н)его́, *дт.* (н)ему́, *тв.* (н)им, *пр.* нём (него́ *и т. д.* — *после предл.*), *мест.* (*о существе мужского пола, тж. о человеке вообще*) he, *obj.* him; (*о животном — без учёта пола*) it; (*о высших животных тж.*) he, *obj.* him; she, *obj.* her, *f.*; (*о вещи, явлении и т. п.*) it; (*то же — при персонификации*) he, *obj.* him, *или* she, *obj.* her (*в зависимости от традиции и характера предмета и т. п.*; *ср.* она́ *в* о́но I): ма́льчик, актёр — он boy, áctor — he; челове́к — он man* — he; бык, лев (*самец*), пету́х — он bull, líon, cock — he; слон, волк, во́рон — он élephant, wolf* [wu-], ráven — it / he; ягнёнок, за́яц, гусь, попуга́й — он lamb, hare, goose* [-s], párrot — it; стол, круг, успе́х — он table, circle, success — it; гнев, страх — он ánger, fear (*при персонификации об.* Ánger, Fear) — he; мир (*покой*), рассве́т — он peace, dawn (Peace, Dawn) — it / she; ме́сяц (*луна*) — он moon — it / she; Еги́пет — он Égypt — it / she; кора́бль, парохо́д — он ship, stéamer — it, *об.* she; — е́сли там есть кто́-нибудь, скажи́те ему́, что́бы он вошёл if there is ánybody there, tell him (*or* her), *или* them *разг.*, to come in.

она́, *рд.*, *вн.* (н)её, *дт.* (н)ей, *тв.* (н)е́ю (н)ей, *пр.* ней (неё *и т. д.* — *после предл.*), *мест.* (*о существе женского пола*) she, *obj.* her; (*о животном — без учёта пола тж.*) it; (*о высших животных тж.*) he, *obj.* him, *m.*; she, *obj.* her; (*о вещи, явлении и т. п.*) it; (*то же — при персонификации*) he, *obj.* him, *или* she, *obj.* her (*в зависимости от традиции и характера предмета и т. п.*; *ср.* он *и* оно́ I): дочь, преподава́тель(ница) — она́ dáughter, téacher — she; льви́ца, ко́шка (*самка*), ку́рица — она́ líoness, cat, hen — she; лягу́шка, му́ха — она́ frog, fly — it / he; панте́ра — она́ pánther — it / he (*особь данного вида*); она́ cat — she; кни́га, ли́ния, при-

вы́чка — она́ book, line, hábit — it; любо́вь (*страсть*), смерть, война́ — она́ love [lʌv], death [deθ], war (*при персонификации об.* Love *и т. д.*) — it / he; приро́да, весна́, мо́лодость, доброта́ — она́ náture [´neɪ-], spring, youth [juːθ], kínd;ness (Náture *и т. д.*) — it / she; луна́, земля́ — она́ moon, earth [əː θ] — it / she; Норве́гия, Гре́ция — она́ Nórway, Greece — it / she; шху́на — она́ schóoner — it, *об.* she; соба́ка — она́ dog — it; he *или* she (*в зависимости от пола*).

она́гр *м. зоол.* ónager.

онан∥и́зм *м. мед.* ónanism, màsturbátion. **~и́ровать** màsturbàte. **~и́ст** *м.* màsturbátor.

онда́тра *ж.* 1. (*животное*) músk-rat, músquash; 2. (*мех*) músquash.

онеме́∥лый 1. (*немой*) dumb; 2. (*омертвелый*) numb. **~ние** *с.* 1. (*немота*) dúmb;ness; 2. (*омертвение*) númb;ness.

онеме́ть *сов. см.* неме́ть.

онеме́чи∥вать, онеме́чить (вн.) Gérmanize (d.). **~ваться**, онеме́читься 1. become* Gérmanized, turn Gérman; 2. *страд. к* онеме́чивать. **~ть(ся)** *сов. см.* онеме́чивать(ся).

онёр *м.*: со все́ми ~ами *разг.* with éver;thing it takes, with éver;thing one could want, with all the trímmings.

они́, *рд.*, *вн.* (н)их, *дт.* (н)им, *тв.* (н)и́ми, *пр.* них (них *и т. д.* — *после предл.*), *мест.* they, *obj.* them.

о́никс *м. мин.* ónyx.

онко́лог *м.* oncólogist, cáncer spécialist [...´spe-]. **~и́ческий** òncológic; cáncer (*attr.*).

онколо́гия *ж.* oncólogy.

оно́ I, *рд.*, *вн.* (н)его́, *дт.* (н)ему́, *тв.* (н)им, *пр.* нём (него́ *и т. д.* — *после предл.*), *мест.* it; (*при персонификации*) he, *obj.* him, *m.*, *или* she, *obj.* her, *f.* (*в зависимости от тради́ции и характера предмета и т. п.*; *ср.* он *и* она́): весло́, наме́рение — оно́ oar, inténtion — it; вре́мя, ле́то — оно́ time, súmmer (*при персонификации об.* Time, Súmmer) — it / he; со́лнце — оно́ sun — it / he; милосе́рдие — оно́ mércy (Mércy) — it / she; су́дно (*корабль*) — оно́ véssel, ship, boat — it, *об.* she; дитя́ — оно́ child — it; he *или* she (*в зависимости от пола*).

оно́ II *с. нескл.*: вот ~ что! (*понимаю*) oh, I see! [ou...]; ~ и ви́дно that's évident; ~, коне́чно well, of course; ~ и поня́тно it goes without sáying.

онома́стика *ж. лингв.* ònomástics.

онто∥гене́з *м.*, **~ге́ния** *ж. биол.* òntogénesis.

онто∥логи́ческий òntológical. **~ло́гия** *ж.* òntólogy.

ону́ча *ж.* onóocha (*cloth wrapped round feet in bast-shoes*).

о́ный *мест. указат. уст.* that; (*в канц. языке тж.*) the above-méntioned; ◊ во вре́мя о́но of yore; in ólden days, in days of old.

ооли́т *м. мин.* óolite [´ouə-].

ООН (Организа́ция Объединённых На́ций) UNO (Ùnited Nátions Òrganizátion) [...-naɪ-].

оо́спора *ж. биол.* óospòre [´ouə-].

опад∥а́ть, опа́сть 1. fall*, fall* off / a;wáy; 2. (*об опухоли и т. п.*) subside, go* down. **~а́ющий** *бот.* decíduous.

опа́здыва∥ть, опозда́ть be late; be óver;dúe; ~ на пять мину́т be five mínutes late [...´mɪnɪ-...]; ~ с чем-л. be late with smth.; ~ к чему́-л., на что-л. be late for smth.; опозда́ть на уро́к be late for the lésson; ~ на по́езд be late for the train; miss one's train; по́езд, самолёт *и т. п.* ~ет the train, the plane, *etc.*, is óver;dúe.

опа́ивать, опои́ть (вн.) 1. (*о лошади и т. п.*) ínjure by gíving too much to drink (i.); 2. *уст.* (*отравлять*) póison (by means of a pótion) [-z´n...] (d.).

опа́к *м.* opáque (*kind of faïence*). **~овый** *прил. к* опа́к.

опа́л *м.* ópal.

опа́л∥а *ж.* disgráce, disfávour; быть в ~е be in disgráce, be out of fávour; впасть в ~у fall* into disgráce.

опалесц∥е́нция *ж. физ.* òpaléscence. **~и́ровать** *несов. и сов. физ.* òpalésce.

опа́л∥ивать, опали́ть (вн.; *в разн. знач.*) singe (d.); опалённый со́лнцем sún-scorched. **~ся**, опали́ться 1. singe óne;sélf; 2. *страд. к* опа́ливать.

опали́ть(ся) *сов. см.* опа́ливать(ся).

опа́ловый ópal (*attr.*); (*похожий на опал*) ópal-like; (*с опаловым блеском*) ópaline [´ou-].

опалу́бить *сов.* (вн.) *стр.* case [-s-] (d.), sheathe (d.); (*о своде*) cénter (d.).

опалу́бка *ж. стр.* 1. shéathing; plánking, cásing [-s-]; (*свода*) céntering; ~ кры́ши róof-boarding; 2. (*при бетони́ровании*) fálse;wòrk.

опа́льный *ист.* disgráced, fáll;en into disgráce; out of fávour.

опа́мятоваться *уст.* = опо́мниться.

опа́ра *ж.* 1. (*тесто*) léavened dough [´lev-dou]; 2. (*закваска*) léaven [´lev-], sóurdough [-dou].

опарши́веть *сов. см.* парши́веть.

опаса́ться (*рд.*) 1. apprehénd (d.), fear (d.); 2. (*остерегаться*) be cáre;ful not (+ to inf.).

опасе́н∥ие *с.* fear; misgíving [-´gɪ-]; (*ожидание опасности*) apprehénsion; вызыва́ть ~ия excíte apprehénsion.

опа́с∥ка *ж.*: с ~ой *разг.* with cáution, cáutious;ly, apprehénsive;ly.

опа́сливый *разг.* cáutious, wáry.

опа́сно I 1. *прил. кратк. см.* опа́сный; 2. *предик. безл.* it is dángerous / périlous [´deɪndʒ-...].

опа́сн∥о II *нареч.* dángerous;ly [´deɪn-], périlous;ly. **~ость** *ж.* dánger [´deɪndʒə], péril; jéopardy [´dʒepədɪ]; быть в ~ости be in dánger; be in jéopardy (of); вне ~ости out of dánger; safe; подверга́ться ~ости чего-л. run* the dánger of smth.; подверга́ть ~ости (вн.) expóse to dánger (d.), endánger [-´deɪndʒ-] (d.), jéopardize [´dʒepə-] (d.); ~остью для жи́зни in péril of one's life; смерте́льная ~ость dánger of death [...deθ]; смотре́ть ~ости в глаза́ look dángers in the face. **~ый** dángerous [´deɪndʒ-], périlous.

опа́сть *сов. см.* опада́ть.

опаха́ло *с. уст.* large fan.

опаха́ть *сов. см.* опа́хивать I.

опа́хивать I, опаха́ть (вн.) plough round (d.); ~ о́пытный уча́сток plough round an experiméntal plot.

опа́хивать II, опахну́ть (вн.) разг. (обдавать струёй воздуха) fan (d.).

опахну́ть сов. см. опа́хивать II.

опе́к||а ж. 1. guárdianship, wárdship; tútelage; (над имуществом) trústeeship; быть под ~ой кого-л. be únder smb.'s guárdianship; учреди́ть ~у над кем-л. put* smb. in ward; 2. собир. офиц. (опекуны) guárdians pl., Board of guárdians; Междунаро́дная ~ Internátional Trústeeship [-'næ-...]; 3. (забота, попечение) care; survéillance; вы́йти из-под ~и be one's own máster [...oun...].

опека́емый 1. прил. únder wárdship; 2. м. как сущ. ward.

опека́ть (вн.) be guárdian (to), be wárden (to); have the wárdship (of); (перен.) look (áfter), protéct (d.); take* care (of).

опеку́н м. guárdian; юр. (несовершеннолетнего) tútor; (над имуществом) trustée. ~ский tútorial. ~ство с. guárdianship, tútorship. ~ша ж. guárdian, tútoress; (ср. опеку́н).

опёнок м. hóney ágaric ['hʌ-...].

о́пер||а ж. 1. ópera; 2. (театр) ópera-house* [-s]; ◊ из друго́й ~ы, не из той ~ы разг. ≃ (quite) anóther stóry, quite a dífferent, или another, mátter.

операти́вка ж. разг. bríefing ['bri:f-].

операти́вн||ость ж. drive; énergy in gétting things done. ~ый 1. efficient, áctive; ~ое руково́дство efficient and fléxible léadership; 2. мед. óperative, súrgical; ~ое вмеша́тельство súrgical intervéntion; 3. воен. stratégical; òperátion(s) (attr.), operátional; ~ая сво́дка òperátions repórt; súmmary of òperátion; ~ое иску́сство mínor strátegy, càmpáign táctics [-'peɪn...]; 4. (практически осуществляющий что-л.) operátion(s) (attr.); ~ый отде́л operátion séction.

опера́тор м. óperàtor, óperative; мед. тж. súrgeon.

операцио́нн||ая ж. скл. как прил. óperàting-room; (в клинике) théatre ['θɪətə]. ~ый прил. к опера́ция; ~ое отделе́ние (в больнице) súrgical wing; ме́тод ~ых иссле́дований тех. méthod of òperátional reséarch [...-'sə:tʃ].

опера́ци||я ж. (в разн. знач.) òperátion; подве́ргнуться ~и, перенести́ ~ю ùndergó* an òperátion, be óperàted on; сде́лать (больно́му) ~ю perfórm an òperátion (on a pátient); деса́нтная ~ lánding òperátion; фина́нсовые ~и fináncial òperátions [faɪ-...]; ба́нковые ~и bánking òperátions.

опереди́ть сов. см. опережа́ть.

опережа́||ть, опереди́ть (вн.) pass ahéad [...ə'hed] (of), outstríp (d.), take* the lead (óver); (оставлять позади) leave* behind (d.); (успевать раньше) fòreːstáll (d.). ~ние с. outstrípping; рабо́та с ~нием гра́фика work cárried out ahéad of schédule [...ə'hed...'ʃe-].

опере́ние с. 1. féathering ['feð-], plúmage; 2. ав. èmpennáge [a:ŋpe'na:ʒ]; хвостово́е ~ tail unit; èmpennáge амер.

опере́т||ка ж. = опере́тта. ~очный прил. к опере́тта.

опере́тта ж. músical cómedy [-zɪ-...], òperétta.

опере́ть(ся) сов. см. опира́ть(ся).

опери́ровать 1. несов. и сов. (вн.) мед. óperàte (on); ~ больно́го óperàte on a pátient; 2. (тв.; совершать финансовые операции) óperàte (with), do / éxecute òperátions (with); 3. (без доп.) воен. (действовать) óperàte, act; 4. (тв.; пользоваться) óperàte (with), use (d.); ~ то́чными све́дениями use exáct informátion.

опери́ться сов. см. опера́ться.

о́перн||ый ópera (attr.); òperátic; ~ теа́тр ópera-house* [-s]; ~ певе́ц, ~ая певи́ца ópera síng|er; ~ое иску́сство òperátic art.

опера́ться, опери́ться become* fúlly fledged [...'fu-...]; (перен. тж.) become* indepéndent, stand* on one's own feet / legs [...oun...].

опеча́ли(ся) сов. см. печа́лить(ся).

опеча́тать сов. см. опеча́тывать.

опеча́т||ка ж. mísprint; спи́сок ~ок erráta pl., còrrigénda pl.

опеча́тывать, опеча́тать (вн.) seal up (d.), apply the seal (to).

опива́ть, опи́ть (вн.) drink* excéssively at smb.'s expénse.

опива́ться, опи́ться drink* to excéss, drink* more than is good for one's health [...helθ]; drink* oneːsélf sick.

опи́вки мн. разг. dregs.

о́пий м. = о́пиум.

опи́ливать, опили́ть (вн.) saw* (d.); (напильником) file (d.).

опили́ть сов. см. опи́ливать.

опи́лки мн. sáwdust sg.; (металлические) fílings.

опи́ловка ж. lópping off; (напильником) fíling.

опира́ть, опере́ть (вн.) prop up (d.); (вн. на вн.) lean* (d. agáinst). ~ся, опере́ться (на вн.; прям. и перен.) lean* (agáinst, on); (перен. тж.) rest (upón); (руководствоваться) be guíded (by); ~ся на чью-л. ру́ку lean* on smb.'s arm; ~ся на инициати́ву масс be suppórted by pópular inítiative, или by the inítiative of the másses; ~ся на фа́кты base òneːsélf upón facts [-s...].

описа́ни||е с. descríption; (действий тж.) accóunt; э́то не поддаётся ~ю it is beyónd descríption, it defíes, или báffles all, descríption.

опи́санный 1. прич. см. опи́сывать; 2. прил. мат. círcumscribed; ~ у́гол círcumscribed angle.

описа́||тельный descríptive. ~тельство с. (bare) descríption. ~ть(ся) сов. см. опи́сывать(ся).

опи́ска ж. slip of the pen.

опи́с||ывать, описа́ть (вн.) 1. descríbe (d.); (образно, живо) depíct (d.), pòrtráy (d.); э́то невозмо́жно описа́ть this is beyónd descríption, it defíes, или báffles all, descríption; 2. (делать опись) ínventory (d.); 3. юр. (за долги) distráin (d.); 4. мат. (d.) círcumscribe (d.). ~ся, описа́ться 1. make* a slip (of the pen); 2. страд. к опи́сывать.

о́пись ж. 1. (действие): ~ иму́щества юр. (за долги) distráint; 2. (список) list, ínventory, schédule ['ʃe-; 'ske-амер.].

опи́ть(ся) сов. см. опива́ть(ся).

ОПА – ОПО   О

о́пиум м. ópium; кури́льщик ~а ópium-smóker.

опла́кать сов. см. опла́кивать.

опла́кивать, опла́кать (вн.) mourn [mɔːn] (d., óver), bemóan (d.), deplóre (d.).

опла́т||а ж. тк. ед. páyment, pay; (вознаграждение) remùnerátion; поде́нная ~ pay by the day; сде́льная ~ píece-wòrk páyment ['piːs-...], píece-ràte pay ['piːs-...]; ~ труда́ това́рами trúck-sỳstem. ~и́ть сов. см. опла́чивать.

опла́ченн||ый 1. прич. см. опла́чивать; 2. прил. préːpáid; с ~ым отве́том replý préːpáid; посла́ть телегра́мму с ~ым отве́том send* a télegràm with replý préːpáid.

опла́чиваемый paid; ~ о́тпуск paid hóliday [...-dɪ], hóliday with pay.

опла́чив||ать, оплати́ть (вн.) (о работе и т.п.) pay* (for); (о рабочих и т.п.) pay* (d.); (возвращать) reːpáy* (d.), retúrn (d.); ~ убы́тки pay* the dámages; ~ расхо́ды pay* / cóver expénses [...'kʌ-...]; foot the bill [fut...] разг.; ~ чек cast a check; ~ счёт settle the accóunt; ~аемый за счёт госуда́рства státe-páid; хорошо́ ~аемый well-páid.

оплева́ть сов. см. оплёвывать.

оплёвывать, оплева́ть (вн.) разг. cóver with spíttle ['kʌ-...] (d.); (перен.) spit* (upón), humíliàte (d.).

оплести́ сов. см. оплета́ть.

оплета́ть, оплести́ 1. (вн. тв.) braid (d. with); twine (d. round); 2. (вн.) разг. (обманывать) get* round (d.), cheat (d.), swíndle (d.).

оплеу́ха ж. разг. box on the ear; (перен.) slap in the face.

оплоди́ться сов. см. плеши́веть.

оплодотвор||е́ние с. fècundátion [fiː-], imprègnátion, fertìlizátion [-laɪ-]; (о почве) fertílizing [-laɪ-]; иску́сственное ~ àrtifícial insèminátion. ~и́ть(ся) сов. см. оплодотворя́ть(ся).

оплодотворя́||ть, оплодотвори́ть (вн.) fècúndàte ['fiː-] (d.); imprègnàte (d.); (о почве тж.) fértilìze (d.); (перен.) engénder créative thoughts (in). ~ся, оплодотвори́ться 1. get* / become* imprègnàted, become* fértile; 2. страд. к оплодотворя́ть.

опломбирова́ть сов. (вн.) seal (d.).

опло́т м. strónghòld, búlwark; ~ ми́ра strónghòld of peace.

оплоша́ть сов. см. плоша́ть.

опло́шность ж. inadvértence, négligence; сде́лать ~ take* a false step [...fɔː...].

опло́шный уст. erróneous, mistáken.

оплыва́ть I, оплы́ть (вн.; проплывать вокруг) swim* (round); (на лодке, корабле и т. п.) sail (round).

оплыва́ть II, оплы́ть 1. (отекать) swell* up, become* swóllen [...-ou-]; 2. (о свече) gútter.

оплы́ть I, II сов. см. оплыва́ть I, II.

оповести́ть сов. см. оповеща́ть.

оповеща́||ть, оповести́ть (вн.) nótify ['nou-] (d.), infórm (d.). ~ние с. nòtificátion [nou-].

375

ОПО – ОПР

опога́нить *сов.* (*вн.*) *разг.* befóul (*d.*), defíle (*d.*).

опо́ек *м.* (*кожа*) cálf-leather [ˈkɑːfle-], cálf-skin [ˈkɑːf-].

опозда́‖**вший 1.** *прич. см.* опа́здывать; **2.** *м. как сущ.* láte-còmer [-kʌ-]. ~**ние** *с.* béːing / cóming láte; (*задержка*) deláy; без ~ния in / on time; с ~нием на час an hour late [...auə...]; у него́ нет ни одного́ ~ния he has néver been late once [...wʌns], he has néver fáiled to come / repórt exáctly on time.

опозда́ть *сов. см.* опа́здывать.

опознава́тельный distínguishing; ~ знак idèntificátion mark [aɪ-...], lándmàrk; *мор.* béacon; *ав.* (*на крыльях самолёта*) wing márking.

опозн‖**ава́ть**, опозна́ть (*вн.*) idéntify [aɪ-] (*d.*). ~**а́ние** *с.* idèntificátion [aɪ-]. ~**а́ть** *сов. см.* опознава́ть.

опозо́рить(ся) *сов. см.* позо́рить(ся).

опо́ить *сов. см.* опа́ивать.

опо́йковый *прил. к* опо́ек.

опо́ка I *ж. тех.* móulding box / flask [ˈmou-...]; литьё в ~x flask cásting.

опо́ка II *ж. геол.* sílica clay.

опола́скивать, ополосну́ть (*вн.*) rinse (*d.*), swill (*d.*).

ополза́ть I, оползти́ (*вн.*; *вокруг*) crawl (round).

ополза́ть II, оползти́ (*оседать*) slip.

о́ползень *м.* lándslide, lándslip.

оползти́ I, II *сов. см.* оползать I, II.

опол́овинить *сов.* (*вн.*) *разг.* eat*, *или* drink*, up half [...hɑːf] (*of*).

ополосну́ть *сов. см.* опола́скивать.

ополоу́меть *сов. разг.* go* crázy, be besíde òneːsélf.

ополч‖**а́ть**, ополчи́ть (*вн. на вн.*, *про́тив*) **1.** *уст.* (*вооружать для войны*) arm (*d.*); **2.** *разг.* (*восстана́вливать против*) enlíst the suppórt of (agáinst). ~**а́ться**, ополчи́ться (на *вн.*, про́тив) take* up arms (agáinst); (*перен.*) be up in arms (agáinst). ~**е́нец** *м.* mémber of péople's vòluntéer corps [...piː-...kɔː]. ~**е́ние** *с.* home guard; наро́дное ~е́ние péople's vòluntéer corps* [piː-...kɔː]. ~**и́ть(ся)** *сов. см.* ополча́ть(ся).

опо́мниться *сов.* come* to one's sénses, collét òneːsélf; recóver / gáther one's wits [-ˈkʌ-...].

опо́р *м.*: во весь ~ at full / top speed.

опо́р‖**а** *ж.* (*прям. и перен.*) suppórt; *тех. тж.* béaring [ˈbɛə-]; (*моста*) pier [pɪə]; берегова́я ~ (*моста*) abútment; ~ ли́нии электропереда́чи pýlon; то́чка ~ы *физ.* fúlcrum (*pl.* -ra); *тех. тж.* béaring; найти́ то́чку ~ы (*перен.*) gain a fóot-hòld [...ˈfut-].

опора́жнивать, опорожни́ть (*вн.*) émpty (*d.*); (*выпивать содержимое стакана и т. п.*) drain / toss off (at a draught) [...-ɑːft] (*d.*); (*о кишечнике, мочевом пузыре*) evácuàte (*d.*). ~**ся**, опорожни́ться **1.** become* émpty; **2.** *страд. к* опора́жнивать.

опо́рки *мн.* (*ед.* опо́рок *м.*) rágged fóot-wear [...ˈfutwɛə] *sg.*; dówn-at-heel shoes [...ʃuːz].

опо́рный suppórting, béaring [ˈbɛə-]; ~ пункт *воен.* strong point.

опорожн‖**и́ть(ся)** *сов. см.* опора́жнивать(ся). ~**я́ть(ся)** = опора́жнивать(-ся).

опоро́с *м.* fárrow; за оди́н ~ at one fárrow.

опоро́ситься *сов. см.* пороси́ться.

опоро́чить *сов. см.* поро́чить.

опосре́дствованный *филос.* médiàted.

опосты́ле‖**ть** *сов.* (*дт.*) *разг.* háteːful [-ou-...] (to); всё ему́ ~ло he is sick (to death) of évery̆ːthing [...deθ...].

опохмели́ться *сов. см.* опохмеля́ться.

опохмел‖**я́ться**, опохмели́ться *разг.* take* a drink "the mórning-àfter"; take* a hair of the dog that bit you *идиом.*; он хо́чет ~и́ться he feels like táking a drop for his bad head [...hed]. ~**я́льня** *ж. уст.* bédchàmber [-tʃeɪ-].

опочи́ть *сов. уст.* **1.** (*уснуть*) go* to sleep; **2.** (*умере́ть*) pass aːwáy.

опошле́ние *с.* vùlgarizátion [-raɪ-], debáseːment [-s-].

опошле́ть *сов. см.* пошле́ть.

опо́шлить(ся) *сов. см.* опошля́ть(ся).

опошля́ть, опо́шлить (*вн.*) **1.** (*делать пошлым*) vúlgarize (*d.*), debáse [-s] (*d.*); **2.** (*делать избитым*) make* trite (*d.*), deface by óverːúse [...-ˈjuːs]. ~**ся**, опо́шлиться **1.** become* vúlgar; **2.** (*становиться избитым*) become* trite; **3.** *страд. к* опошля́ть.

опоя́сать(ся) *сов. см.* опоя́сывать(ся).

опоя́сывать, опоя́сать (*вн.*) gird* [g-] (*d.*), girdle [g-] (*d.*); (*перен.*; *окружать*) surróund (*d.*), encírcle (*d.*). ~**ся**, опоя́саться **1.** (*тв.*) gird* òneːsélf [g-...] (with); **2.** *страд. к* опоя́сывать.

оппозици‖**оне́р** *м.* mémber of the òppositíon [...-ˈzɪ-]. ~**о́нный** in òppositíon [...-ˈzɪ-]. (*после сущ.*).

оппози́ци‖**я** *ж.* òppositíon [-ˈzɪ-]; быть в ~и (*дт.*) be oppósed (to), be in òppositíon (to); парла́ментская ~ the Òppositíon.

оппон‖**е́нт** *м.* oppónent, crític; официа́льный ~ official oppónent. ~**и́ровать** (*дт.*) act as oppónent (to), oppóse (*d.*).

оппортун‖**и́зм** *м.* óppor̀tùnism. ~**и́ст** *м.* óppor̀tùnist. ~**исти́ческий**, ~**и́стский** óppor̀tùnist (*attr.*).

оправ‖**а** *ж.* sétting, móunting, cásing [-s-]; (*очков и т. п.*) rim, frame; *тех.* hólder; в ~e móunted; в золото́й ~e set in gold; (*об очках*) góld-rímmed; вста́вить в ~у (*вн.*) set* (*d.*), mount (*d.*); очки́ без ~ы rímːless glásses.

оправда́н‖**ие** *с.* **1.** jùstificátion; **2.** *юр.* acquíttal, dísːchàrge; **3.** (*извинение, объяснение*) excúse [-s-]; э́то не ~ that is no excúse; найти́ ~ find* an excúse; для тако́го посту́пка нет ~ия you cánnòt jústify such cónduct; such behávior is inexcúsable [...-zəbl].

опра́вданный *прич. и прил.* jústified.

оправда́тельный: ~ пригово́р vérdict of "not guilty"; ~ докуме́нт (cóvering) vóucher [ˈkʌ-...].

оправда́ть(ся) *сов. см.* опра́вдывать(-ся).

опра́вд‖**ывать**, оправда́ть (*вн.*) **1.** jústify (*d.*); wárrant (*d.*); ~ наде́жды jústify hopes; ~ дове́рие кого́-л. júsː tify smb.'s cónfidence / trust; ~**а́ть себя́** (*о методе и т. п.*) prove its válue [pruːv...]; (*окупиться*) pay* for itːsélf; ~**а́ть себя́ на пра́ктике** dèmonstràte its válue in práctice; ~**а́ть расхо́ды** pay* the expénses; **2.** (*о подсудимом*) acquít (*d.*), dìschárge (*d.*); **3.** (*извинять*) excúse (*d.*). ~**ываться**, оправда́ться **1.** jústify òneːsélf; ~**ываться пе́ред кем-л.** make* excúses to smb. [...-sɪz...], setː / put* òneːsélf right with smb.; ~**ываться незна́нием** *юр.* plead ígnorance; **2.** (*оказываться правильным, пригодным*) come* true; тео́рия ~а́лась the théory proved to be corréct [...ˈθɪə- pruː-...]; расхо́ды ~а́лись the expénse was worth it; э́ти расчёты не ~а́лись these càlculátions proved to be wrong; э́ти наде́жды не ~а́лись these hopes were not réalized [...ˈrɪə-].

опра́вить I, II *сов. см.* оправля́ть I, II.

опра́виться *сов. см.* оправля́ться.

опра́вка *ж. тех.* mándrel, árbor.

оправля́ть I, опра́вить (*поправлять*) set* right (*d.*); put* in órder (*d.*).

оправля́ть II, опра́вить (*вставлять в оправу*) set* (*d.*), mount (*d.*).

оправля́ться, опра́виться **1.** (*от болезни, страха и т. п.*) recóver [-kʌ-]; pick up *разг.*; **2.** (*поправлять платье и т. п.*) put* (one's dress, etc.) in órder.

опра́шивать, опроси́ть (*вн.*) ìnterrógate (*d.*); ~ **экза́мене** èxámine the wítnesses; (cross-)èxámine the wítnesses; опроси́ть всех прису́тствующих quéstion all those présent [-stʃən...ˈprez-].

определе́ние I *с.* **1.** (*формулировка*) dèterminátion; dèfinítion; **2.** *юр.* decísion.

определе́ние II *с. грам.* áttribute.

определённ‖**о** *нареч.* définiteːly; ~ знать что́-л. know* smth. définiteːly [nou...], know* smth. for cértain; я не могу́ обеща́ть ~ I cánnòt pósitiveːly prómise [...-z- -s-]. ~**ый 1.** *прич. см.* определя́ть; **2.** *прил.* (*ясный*) définite; ~**ый отве́т** définite ánswer [...ˈɑːnsə]; **3.** *прил.* (*установленный*) appóinted; в ~ое вре́мя at the appóinted time; ~**ый зарабо́ток** fixed wage; fixed éarnings [...ˈɔː-] *pl.*; **4.** *прил.* (*некоторый*) cértain; при ~ых усло́виях únder cértain condítions; **5.** *прил. разг.* (*безусловный*) ùndóubted [-ˈdaut-]; ◇ ~**ый член** *грам.* définite árticle.

определ‖**и́мый** defínable. ~**и́тель** *м. мат.* detérminant. ~**и́ть(ся)** *сов. см.* определя́ть(ся).

определ‖**я́ть**, определи́ть (*вн.*) **1.** defíne (*d.*); detérmine (*d.*); ~ **боле́знь** dìagnòse a diséase [...-ˈziːz]; ~ **расстоя́ние** на глаз judge / éstimàte the dístance; **2.** (*устанавливать*) detérmine (*d.*), fix (*d.*); ~ **ме́ру наказа́ния** fix a púnishment [...ˈpʌ-]; спрос ~**я́ет предложе́ние** demánd detérmines supplý [-ɑːnd...]; ~ **да́ту** fix the date; ~ **чью́-л. до́лю**, пай assígn / allót a share [əˈsaɪn-...]; **3.** *уст.* (*назначать, устраивать*) appóint (*d.*), put* (*d.*); ~**и́ть на слу́жбу** appóint (*d.*); ~**и́ть ма́льчика в шко́лу** put* / send* a boy to school. ~**я́ться**, определи́ться **1.** (*о характере*) be / become* formed; (*о положении*) take* shape; (*становиться ясным, определённым*) clárify itːsélf;

2. (*определять своё местонахождение*) find* one's position [...-'zɪ-]; **3.** *уст.* (*на службу*) find* a place, get* employment; **4.** *страд. к* определять.

опресне́||ние *с.*: ~ воды̀ dèsalinátion / dèsalinizátion of wáter [di:- di:- -naɪ-...'wɔː-]. ~и́тель *м. тех.* wáter-distíller ['wɔː-].

опресни́ть *сов. см.* опресня́ть.

опре́сноки *мн. церк.* únːleavened bread [-'le- bred] *sg.*

опресня́ть, опресни́ть (*вн.*): ~ во́ду dèsalináte / dèsalinize wáter [di:- di:- 'wɔː-], distil salt wáter.

опри́ч||ина *ж.* = опри́чнина. ~ник *м. ист.* opríchnik (*member of the oprichnina*).

опри́чнина *ж. ист.* oprichnina (*special administrative elite under tsar Ivan the Terrible; also territory assigned to it and the attached armed forces*).

опро́бование *с. тех.* tésting, sámpling.

опро́бовать *сов.* (*вн.*) *тех.* test (*d.*), sample (*d.*).

опроверга́ть, опрове́ргнуть (*вн.*) refúte (*d.*), dispróve [-uːv] (*d.*).

опрове́ргнуть *сов. см.* опроверга́ть.

опроверже́ние *с.* rèfutátion, dispróof, deníal; ~ заявле́ния rèfutátion of *a* státeːment.

опроки́дн||ой *тех.* dúmping; ~а́я клеть *горн.* self-dúmping cage.

опроки́дыватель *м. тех.* típper; dúmper *амер.*

опроки́дывать, опроки́нуть (*вн.*) **1.** òverːtúrn (*d.*), tópple óver (*d.*); (*перен.*; *о планах и т. п.*) frústrate (*d.*), refúte (*d.*); **2.** *воен.* òverːthrów* [-rou] (*d.*), òverːrún* (*d.*); **3.** *разг.* (*выпивать*) knock back (*d.*). ~ся, опроки́нуться **1.** òverːtúrn; tip óver; (*о судне*) cápsize; **2.** *страд. к* опроки́дывать.

опроки́дывающийся cápsizable.

опроки́нуть(ся) *сов. см.* опроки́дывать(-ся).

опроме́тчив||ость *ж.* **1.** (*необдуманность*) hástiness ['heɪ-], impúlsiveːness; **2.** (*опрометчивый поступок*) blúnder. ~ый hásty ['heɪ-], impúlsive, precípitate, rash, ill-consídered; ~ый посту́пок rash / thóughtless áction.

о́прометью *нареч.* héadlòng ['hed-]; вы́бежать из ко́мнаты rush héadlòng out of the room.

опро́с *м.* ìnterrogátion, quéstioning [-stʃən-]; ~ свиде́телей quéstioning of witnesses; всенаро́дный ~ nátional rèferéndum ['næ-...]; ~ обще́ственного мне́ния públic opínion poll ['ɒ-...]. ~и́ть *сов. см.* опра́шивать. ~ный: ~ный лист quèstionnáire [kestɪə'nɛə]; (*для показаний*) ìnterrógatory.

опроста́ть *сов.* (*вн.*) *разг.* émpty (*d.*), remóve the cóntents [-'mu:v] (*of).

опрости́ться *сов. см.* опроща́ться.

опростоволо́ситься *сов. разг.* make* a fool of òneːsélf.

опротестова́ть *сов. см.* опротесто́вывать.

опротесто́вывать, опротестова́ть (*вн.*) **1.** (*о векселе*) prótest (*d.*); **2.** *юр.* appéal (*against*); опротестова́ть реше́ние суда́ appéal agàinst the decísion of the court [...kɔːt].

опроти́в||еть *сов.* become* lóathːsome / repúlsive [...-ð-...]; ему́ э́то ~ело he is sick of it, he is fed up with it.

опроща́ться, опрости́ться *ист.* adópt the "simple life".

опры́ск||ать(ся) *сов. см.* опры́скивать(-ся). ~ иватель *м. с.-х.* spráy(er), sprínkler.

опры́скивать, опры́скать (*вн.*) (be-) sprínkle (*d.*), spray (*d.*). ~ся, опры́скаться **1.** sprínkle / spray òneːsélf; **2.** *страд. к* опры́скивать.

опря́тн||ость *ж.* néatness, tídiness ['taɪ-]. ~ый neat, tídy.

опт *м. эк.* whólesale ['hou-].

оптати́вн||ый *грам.* óptative; ~ое предложе́ние óptative séntence.

опта́ц||ия *ж. юр.* óption; пра́во ~ии right of óption.

о́птик *м.* optícian.

о́птика *ж.* **1.** (*отдел физики*) óptics; **2.** *собир.* (*приборы и т. п.*) óptical ìnstruments and devíces.

оптима́льный óptimum (*attr.*).

оптим||и́зм *м.* óptimism. ~и́ст *м.* óptimist. ~исти́ческий, ~исти́чный òptimístic, sánguine [-gwɪn].

опти́ровать *несов. и сов.* (*вн.*) *юр.* opt (for).

опти́ческий óptical; ~ обма́н óptical illúsion.

оптови́к *м.* whólesale déaler ['houl-...], whóleːsàler ['houl-].

опто́в||ый whólesale ['houl-]; ~ това́р goods sold whóleːsale [gudz...]; ~ покупа́тель whóleːsale búyer [...'baɪə]; ~ая торго́вля whóleːsale trade; ~ые це́ны whóleːsale príces.

о́птом *нареч.* whólesale ['houl-]; покупа́ть това́р ~ buy* goods whóleːsale [baɪ gudz...]; ~ и в ро́зницу whóleːsale and reːtáil.

опубликова́||ние *с.* pùblicátion [pʌ-]; (*о законе*) pròmulgátion. ~ть *сов. см.* опублико́вывать *и* публикова́ть.

опублико́вывать, опубликова́ть (*вн.*) públish ['pʌ-] (*d.*); make* públic [...'pʌ-] (*d.*); (*о законе*) prómulgàte (*d.*).

опуска́ть, опусти́ть (*вн.*) **1.** lówer ['louə] (*d.*); sink* (*d.*); (*о шторе и т. п.*) let* / draw* down (*d.*), pull down [pul...] (*d.*); ~ письмо́ post a létter [poust...], put* a létter in the píllar-bòx; опусти́ть моне́ту в автома́т drop a coin in *the* slot; ~ го́лову hang* one's head [...hed] (*тж. перен.*); ~ глаза́ drop one's eyes [...aɪz], lówer one's gaze ['louə...], look down; ~ перпендикуля́р (на *вн.*) *мат.* drop a pèrpendícular (on); **2.** (*пропускать*) omít (*d.*); **3.** (*откидывать*; *о воротнике и т. п.*) turn down (*d.*). ~ся, опусти́ться **1.** sink* (*падать*) fall*; (*сходить*) go* down; ~ся в кре́сло drop / sink* into *a* chair; ~ся на коле́ни kneel*; **2.** (*морально*) sink*, let* òneːsélf go; go* to seed *идиом.*; ◇ у него́ ру́ки опусти́лись he lost heart [...hɑːt].

· опускн||о́й móvable ['mu:-]; ~а́я дверь tráp-door [-dɔː].

опу́ст||елый desérted [-z-]; ~ дом desérted house* [...-s]. ~ь *сов. см.* пусте́ть.

опусти́вшийся **1.** *прич. см.* опуска́ться; **2.** *прил.* degráded; ~ челове́к a degráded pérson; a man* who has gone to seed [...gɒn...] *идиом.*

опусти́ть(ся) *сов. см.* опуска́ть(ся).

опустош||а́ть, опустоши́ть (*вн.*) **1.** (*разорять*) dévastàte (*d.*), rávage (*d.*), lay* waste [...-weɪ] (*d.*); **2.** *разг.* (*опорожнять*) émpty (*d.*); **3.** (*нравственно*) drain smb.'s spirit. ~е́ние *с.* dèvastátion, rúin. ~ённость *ж.* (*перен.*) spíritual bánkruptcy. ~ённый *прич. и прил.* dévastàted, wásted ['weɪ-]; *прил. тж.* (*душевно*) spíritually bánkrupt; (*нравственно*) withòut móral báckbone [...'mɔ-...]. ~и́тельный dévastàting; ~и́тельные после́дствия dévastàting áfter-effects. ~и́ть *сов. см.* опустоша́ть.

опу́тать *сов. см.* опу́тывать.

опу́тывать, опу́тать (*вн. тв.*) enmésh (*d. in*), entángle (*d. in*); (*обматывать*) wind* (round *d.*); (*перен.*) ensnáre (*d.*).

опуха́ть, опу́хнуть swell*.

опу́хлый *разг.* swóllen [-ou-].

опу́хнуть *сов. см.* опуха́ть.

о́пухоль *ж.* swélling; túmour *мед.*

опу́хший *прич. и прил.* swóllen [-ou-].

опу́ш||енный *прич. (тж. как прил.) см.* опуши́ть; ~ ме́хом fúr-trimmed, edged with fur.

опуши́ть *сов.* (*вн.*) **1.**: ~ ме́хом edge / trim with fur (*d.*); **2.**: ~ сне́гом pówder with snow [...snou] (*d.*); ~ и́неем cóver with hóar-fròst ['kʌ-...] (*d.*).

опу́шка I *ж.* (*леса*) bórder / edge of *a* fórest / wood [...'fɔ- wud].

опу́шка II *ж.* (*отделка*) trímming, édging.

опуще́ние *с.* **1.** (*пропуск*) omíssion; **2.** *мед.* prolápsus; ~ ма́тки prolápsus of the úterus.

опу́щенный **1.** *прич. см.* опуска́ть; **2.** *прил.*: как в во́ду ~ crèstfállen, dówncast.

опыле́ние *с. бот.* pòllinátion.

опы́лив||атель *м. с.-х.* ìnsécticide dust spráyer. ~ать, опыли́ть (*вн.*) *с.-х.* spray with ìnsécticide dust (*d.*).

опыли́тель *м. бот.* póllinàtor, póllinizer.

опыли́ть *сов. см.* опы́ливать *и* опыля́ть. ~ся *сов. см.* опыля́ться.

опыля́ть, опыли́ть (*вн.*) *бот.* póllinàte (*d.*). ~ся, опыли́ться **1.** *бот.* be póllinàted; **2.** *страд. к* опыля́ть.

о́пыт I *м.* **1.** (*эксперимент*) expériment, test; хими́ческий ~ chémical expériment ['ke-...]; производи́ть ~ы expériment, experiméntalize; cárry out, *или* condúct, expériments; **2.** (*попытка*) trial.

о́пыт II *м.* (*приобретённые знания*) expérience; жите́йский ~ knówledge of life ['nɒ-...]; ~ войны́ expérience of war; боево́й ~ báttle expérience; убеди́ться на ~e know* by expérience [nou...]; перенима́ть чей-л. ~ adópt smb.'s méthods; передово́й ~ progréssive méthods / ìnnovàtions *pl.*; ◇ го́рький ~ bítter expérience.

о́пытно-показа́тельный expèriméntal, úsing dèmonstrátion módels [...'mɔ-].

о́пытность *ж.* expérience; (*умение*) profíciency.

ОПЫ – ОРИ

о́пытн‖**ый** I (*экспериментальный*) experiméntal; ~ая ста́нция expériment státion; ~ая устано́вка pílot plant [...-ɑ:-].

о́пытный II (*о человеке*) expérienced.

опьяне́‖**лый** *разг.* intóxicated. ~**ние** *с.* intòxicátion.

опьянённый *прич. и прил.* intóxicated; *прил. тж.* dízzy.

опьяне́ть *сов. см.* пьяне́ть.

опьяни́ть *сов. см.* опьяня́ть *и* пьяни́ть.

опьян‖**я́ть, опьяни́ть** (*вн.*) intóxicate (*d.*); make* drunk (*d.*); (*перен.*) make* dízzy (*d.*); успе́х ~и́л его́ success turned his head [...hed]. ~**я́ющий** *прич. и прил.* intóxicating; *прил. тж.* héady [ˈhedɪ].

опя́ть *нареч.* agáin; ◊ ~ же *разг.* = опя́ть-таки.

опя́ть-таки *разг.* but agáin, besídes, and what is more.

ор *м. разг.* loud shóuting, yélling.

ора́ва *ж. разг.* crowd, horde.

ора́кул *м.* óracle.

ора́л‖**о** *с. уст.* plough; ◊ перекова́ть мечи́ на ~а beat* swords into plóughshàres [...sɔ:dz...].

орангута́нг *м.* órang-óutang [-ˈu:t-].

ора́нжевый órange.

оранжере́йн‖**ый** *прил. к* оранжере́я; ~ое расте́ние (*прям. и перен.*) hóthouse plant [-s -ɑ:nt].

оранжере́я *ж.* hót‖house* [-s], gréenhouse* [-s], cónservatory.

ора́тор *м.* órator, (públic) spéaker [ˈɔr-...].

орато́рия *ж. муз.* òratóriò.

ора́торск‖**ий** *прил. к* ора́тор; *тж.* òratórical; ~ое иску́сство óratory.

ора́торствовать *ирон.* òráte, harángue, spéechify.

ора́ть *разг.* 1. yell; bawl; ~ во всё го́рло yell / shout at the top of one's voice; 2. (*на вн.*) shout (at).

орби́т‖**а** *ж.* 1. órbit; (*перен.; сфера влияния*) sphere of ínfluence; земна́я ~ earth órbit [ə:θ...]; околоуу́нная ~ lúnar órbit; околозе́мная ~ néar-earth órbit [-ə:θ...]; вы́вести кора́бль на ~у put* / place a spáce‖ship into órbit; 2. (*глазница*) éye-sòcket [ˈaɪ-]; у него́ глаза́ вы́шли из орби́т (*от удивления и т. п.*) his eyes papped out (of their sóckets).

орбита́льн‖**ый** órbital; ~ая раке́та sátellìte rócket; ~ая косми́ческая лаборато́рия órbiting ský-lab; ~ая нау́чная ста́нция órbital scientífic base / station [...-s...].

о́рган *м.* 1. órgan; ~ы ре́чи speech órgans; ~ы пищеваре́ния digéstive órgans; 2. (*об учреждении, комиссии*) bódy [ˈbɔ-], ágency [ˈeɪ-]; ~ы вла́сти góvernment bódies [ˈgʌ-...]; законода́тельный ~ législàtive bódy; исполни́тельный ~ ágency; ме́стные ~ы lócal bódies; руководя́щие ~ы diréctìng / léading bódies, the authórities; 3. (*печатное издание*) órgan, pùblicátion [pʌ-]; ежедне́вные ~ы печа́ти the dáily órgans of the press.

орга́н *м. муз.* órgan.

организа́тор *м.* órganizer. ~**ский** *прил. к* организа́тор; ~ский тала́нт tálent for òrganizátion [ˈtæ-... -naɪ-]; ~ская де́ятельность work of òrganizátion; òrganizátional àctívities [-naɪ-...] *pl.*

организацио́нно-ма́ссов‖**ый**: ~ая рабо́та làrge-scàle òrganizátional work [...-naɪ-...].

организацио́нн‖**ый** *прил. к* организа́ция; ~ комите́т órganizing commíttee [...-tɪ]; ~ое бюро́ òrganizátion bùreau [-naɪ- -ˈrou-]; ~ пери́од òrganizátion périod; ~ые вопро́сы próblems of òrganizátion [ˈprɔ-...], òrganizátional mátters [-naɪ-...]; ~ые вы́воды práctical conclúsions.

организа́ция *ж.* (*в разн. знач.*) òrganizátion [-naɪ-]; ~ произво́дства òrganizátion of prodúction; Организа́ция Объединённых На́ций, ООН Unìted Nátions Òrganizátion, UNO; Организа́ция Варша́вского Догово́ра The Wársaw Tréaty Òrganizátion.

организм *м.* (*в разн. знач.*) órganism.

организо́ванн‖**о** *нареч.* in an órganìzed way. ~**ость** *ж.* òrganizátion [-naɪ-]; (*человека*) self-díscipline, órderliness.

~**ый** 1. *прич. см.* организова́ть; 2. *прил.* órganìzed; ~ое проведе́ние се́ва effícient òrganizátion of sówing [...-naɪ-... ˈsou-]; хорошо́ ~ый smóoth-rùnning [-ð-]; 3. *прил.* (*дисциплинированный*) órderly, díscìplined.

организова́ть *несов. и сов.* (*вн.; в разн. знач.*) órganìze (*d.*); ~ экску́рсию, конце́рт *и т. п.* arrànge *an* excúrsion, *a* cóncert, *etc.* [əˈreɪndʒ...]. ~**ся** *несов. и сов.* (*в разн. знач.*) be / become* órganìzed.

органи́ст *м.* órganist.

органи́ческ‖**ий** (*в разн. знач.*) òrgánic; ~ мир the òrgánic world; ~ое це́лое íntegral whole [...houl]; ~ая хи́мия òrgánic chémistry [...ˈke-]; ~ поро́к се́рдца òrgánic deféct of the heart [...hɑ:t]; ~ое еди́нство тео́рии и пра́ктики fùndaméntal únity between théory and práctice [...ˈθɪə-...].

органи́чный òrgánic.

орга́нный *прил. к* орга́н.

органопла́стика *ж. мед.* òrganò‖plástics.

органотерапи́я *ж.* òrganothérapy.

оргбюро́ *с. нескл.* (*организационное бюро́*) òrganizátion bùreau [-naɪ- bjuəˈrou].

оргвы́воды *мн.* = организацио́нные вы́воды *см.* организацио́нный.

о́ргия *ж.* órgy.

орграбо́та *ж.* (*организационная рабо́та*) òrganizátional work [-naɪ-...].

оргте́хника *ж.* téchnical means and equipment for accóunting, plánning and análysis of òperátions.

орда́ *ж.* horde; Золота́я О. *ист.* the Gólden Horde.

о́рден I *м.* (*знак отличия*) órder; dècorátion; ~ Ле́нина Órder of Lénin; ~ Кра́сного Зна́мени Órder of the Red Bánner; ~ Оте́чественной Войны́ Órder of the Pàtriótic War; ~ Трудово́го Кра́сного Зна́мени Órder of the Red Bánner of Lábour; ~ Кра́сной Звезды́ Órder of the Red Star; ~ «Знак Почёта» the Badge of Hónour [...ˈɔnə]; ~ Октя́брьской Револю́ции the Órder of Òctóber Règolútion; получи́ть ~ be décorated with *an* órder.

о́рден II *м.* (*организация*) órder; ~ иезуи́тов the Jésuits órder [...-z-...], Socíety of Jésus [...-z-].

о́рден III *м. арх.* órder; дори́ческий ~ Dóric órder; иони́ческий ~ Iónic órder; кори́нфский ~ Corínthian órder.

орденоно́с‖**ец** *м.* hólder of an Órder / dècorátion; заво́д-~ fáctory hólding an Órder. ~**ный** décorated with an Órder; hólding an Órder / dècorátion.

о́рденск‖**ий** I *прил. к* о́рден I; ~ая ле́нта ríbbon.

о́рденский II *прил. к* о́рден II.

о́рдер I *м.* (*документ*) wárrant, órder; *юр.* writ; ~ на кварти́ру àuthorizátion to an apártment [-raɪ-...]; ~ на аре́ст wárrant to arrést.

о́рдер II *м.* = о́рден III.

ордина́р *м. тк. ед.* nórmal lével [...ˈle-].

ордина́рец *м. воен.* órderly.

ордина́рный órdinary.

ордина́та *ж. мат.* órdinate.

ордина́тор *м.* hóuse-sùrgeon [-s-]; intérn *амер.*

ординату́ра *ж.* 1. (*должность*) appóintment as hóuse-sùrgeon, intérn; pérmanent appóintment (*of professor*); 2. (*медицинская аспирантура*) clínical stúdies [...ˈstʌ-] (*of graduates from medical schools*).

орёл *м.* eagle; го́рный ~ móuntain eagle, eagle of the heights [...haɪts]; ◊ ~ и́ли ре́шка? heads or tails? [hedz...]

орео́л *м.* hálo.

оре́х *м.* 1. (*плод*) nut; коко́совый ~ cóconùt; лесно́й ~, обыкнове́нный ~ házel-nùt; муска́тный ~ nútmèg; гре́цкий ~ walnut; 2. *тк. ед.* (*дерево*) nút-tree; (*древесина*) walnut; ◊ ему́ доста́лось на ~и *разг.* he got it in the neck; отде́лать, разде́лать кого́-л. под ~ (*выругать*) haul smb. óver the coals; разде́лать что́-л. под ~ (*сделать хорошо́*) make* a very good job of smth.

оре́ховка *ж.* (*птица*) nút-cràcker.

оре́хов‖**ый** *прил. к* оре́х; ~ое де́рево nút-tree; (*о материале*) walnut; ~ого цве́та nút-brown; ~ое моро́женое nút-flàvour‖ed íce-crèam; ~ое ма́сло nút-òil; ~ая скорлупа́ nútshèll; ~ая ме́бель walnut fúrniture.

орехотво́рка *ж. зоол.* gáll-flỳ.

оре́ш‖**ек** *м. уменьш. от* оре́х 1; ◊ черни́льный ~ óak-gàll, nút-gàll. ~**ник** *м.* 1. nút-tree; házel; 2. (*заросль*) házel-gròve.

оригина́л *м.* 1. (*подлинник*) original; 2. *разг.* (*о человеке*) an eccéntric (pérson); он большо́й ~ he is very eccéntric.

оригина́льн‖**ичать** *разг.* put* on an act; have afféctèd mánners. ~**ый** (*в разн. знач.*) original.

ориент‖**али́ст** *м.* òrièntalist. ~**а́льный** òriéntal.

ориента́ция *ж.* 1. òrientátion; потеря́ть ~ию lose* one's béarings [lu:z... ˈbɛə-]; 2. (*в пр.; умение разбираться в чём-л.*) understánding (of), grasp (of); хоро́шая ~ в вопро́сах поли́тики a firm grasp of polítical afféirs; 3. (на

ОРИ – ОСВ

вн.) diréction of atténtion (toward); ~ на мáссового читáтеля cátering for the máss-reader.

ориенти́р м. 1. (прибор) órientàtor; 2. воен. réference-point.

ориенти́ров||áние с. òrientátion, sense of diréction; спорт. òrientéering; ~ на мéстности gétting one's béarings [...'bɛə-]. ~анный cómpetent, knówledge-able ['nou-].

ориенти́ровать несов. и сов. (вн.) órient (d.), órientàte (d.), diréct (toward). ~ся несов. и сов. 1. òrientàte òneself; 2. (на вн.) be guíded (by), take* one's cue (from), páttern one's behàviour (on); ~ся на мéстности воен. find* one's béarings on the ground [...'bɛə-...].

ориентиро́вка ж. òrientátion.

ориентиро́вочн||о нареч. appróximately; as a guide; гру́бо ~ as a rough guide [...глf...]. ~ый 1. (служащий для ориентировки) réference (attr.); pósition-fìnd;ing [-'zɪ-] 2. (приблизительный) appróximate.

Орио́н м. астр. Oríon.

орке́стр м. 1. órchestra ['ɔ:k-]; (духовой) brass band; ~ ру́сских наро́дных инструме́нтов Rússian folk órchestra [-ʃən...]; 2. (помещение в театре) órchestra-pit ['ɔ:k-]. ~а́нт м., ~а́нтка ж. mémber of an órchestra [...'ɔ:k-].

оркестр||ова́ть несов. и сов. (вн.) òrchestràte ['ɔ:k-]. ~о́вка ж. òrchestrátion [ɔ:k-]. ~о́вый прил. к орке́стр; тж. òrchéstral [-'ke-].

орла́н м. зоол. sea eagle; bald eagle амер.

орл||ёнок м. éaglet. ~и́ный прил. к орёл; тж. áquiline; ~и́ный взгляд eagle eye [...aɪ]; ◇ ~и́ный нос áquiline nose. ~и́ца ж. shé-eagle, fémale eagle ['fi:-].

орля́нк||а ж. pítch-and-tóss; игра́ть в ~у play pítch-and-tóss.

орля́та мн. см. орлёнок.

орна́мент м. òrnaméntal páttern / desígn [...'zaɪn]; órnament. ~а́льный òrnaméntal. ~а́ция ж. òrnamèntátion.

орнаменти́ровать несов. и сов. (вн.) órnamènt (d.).

орнито́||лог м. òrnithólogist. ~логи́ческий òrnithológical. ~ло́гия ж. òrnithólogy.

орнито́птер [-тэр] м. ав. òrnithópter.

оробе́||лый tímid, frìghtened. ~ть сов. be / becòme* frìghtened, grow* tímid [-ou...].

орогове́||ние с. còrnification. ~ть сов. become* hórny.

орографи́ческий òrográphic(al).

орогра́фия ж. òrógraphy.

ороси́тельн||ый írrigàting; ìrrigátion (attr.); ~ая систе́ма ìrrigátion sýstem; ~ кана́л ìrrigátion canál.

ороси́ть сов. см. орошáть.

орош||а́ть несов., ороси́ть сов. (вн.) 1. (пропи́тывать влагой) sprínkle (d.); (перен.) wash (d.); ~ слезáми wash with tears (d.); 2. (создавать благоприятные по влажности условия) wáter ['wɔ:-] (d.), írrigàte (d.). ~éние с. ìrrigátion; иску́сственное ~éние àrtifìcial ìrrigátion; ◇ поля́ ~éния séwage-fàrm sg.

ортодо́кс м. órthodòx pérson, confórmist.

ортодокса́льн||ость ж. órthodòxy. ~ый órthodòx.

ортопе́д м. òrthopáedist. ~и́ческий òrthopáedic; ~и́ческая óбувь òrthopáedic fóotwear [...'futwɛə].

ортопе́дия ж. òrthopáedy.

ору́ди||е с. 1. (прям. и перен.) ínstrument, ímplement; tool; ~я произво́дства ímplements / ínstruments of prodúction; сельскохозя́йственные ~я àgricúltural ímplements; 2. воен. (артиллерийское) piece of órdnance [pi:s...], gun; ~я órdnance sg.; тяжёлое ~ héavy gun ['he-...]; полевóе ~ field-gùn ['fi:-, field-piece ['fi:ldpi:s]; самохо́дное ~ sélf-propélled gun; морскóе ~ nával gun; зени́тное ~ ànti-áircràft gun; береговóе ~ cóastal gun.

оруди́йный воен. gun (attr.); ~ огóнь gun / shell fire; ~ окóп gún-entrénchment; ~ расчёт gun crew.

ору́д||овать разг. 1. (тв.) hándle (d.); (распоряжаться) run* (d.), boss (d.); лóвко ~ топоро́м know* how to use, или hándle expértly, an axe [nou...]; он там всем ~ует he bósses the whole show [...houl ʃou]; 2. (без доп.; де́йствовать) be áctive; здесь ~овал о́пытный жу́лик an expérienced thief* has been at work here.

оруже́йник м. gúnsmith, ármour;er.

оруже́йный прил. к ору́жие; ~ завóд small arm(s) fáctory; ~ мáстер gúnsmith, ármour;er; Оруже́йная палáта (в Кремле) the Ármoury (in the Kremlin).

оружено́сец м. ист. ármour-bearer [-bɛə-]; sword-bearer ['sɔ:dbɛə-]; (перен.) hénch;man*.

ору́жи||е с. arm; wéapon ['wep-] (тж. перен.); собир. arms pl., wéapons pl.; род ~я arm of the sérvice; подня́ть ~ be up in arms; брáться за ~ take* up arms; положи́ть, сложи́ть ~ lay* down arms; холо́дное ~ cold steel; огнестрéльное ~ fire-àrm(s) (pl.); стрелкóвое ~ small arms (pl.); к ~ю! to arms!; ~ мáссового уничтожéния wéapons of mass annihilátion / destrúction / extèrminátion [...ənaɪə-...]; бить проти́вника егó же ~ем beat* / fight* the énemy with his own wéapons [...oun...].

орфографи́ческ||ий òrthográphic(al); spélling (attr.); ~ая оши́бка spélling mistáke; дéлать ~ие оши́бки, писáть с ~ими оши́бками mís-spéll*; ~ словáрь spélling díctionary.

орфогра́фия ж. òrthógraphy, spélling.

орфо||эпи́ческий òrthoépic; ~ словáрь pronóuncing díctionary. ~э́пия ж. òrthòepy; (rules) of corréct pronùnciátion.

орхиде́я [-дэя] ж. бот. órchid [-k-].

оря́сина ж. разг. rod, pole; (перен.; о человеке) tall and áwkward féllow.

оса́ ж. wasp.

оса́д||а ж. siege [si:dʒ]; снять ~у raise the siege; вы́держать ~у stand* the siege.

осади́ть I, II сов. см. осаждáть I, II.

осади́ть III сов. см. осáживать.

оса́дка ж. 1. (о почве, стене) séttling, subsídence [-'saɪ-]; 2. мор. (о судне) draught [-ɑ:ft].

оса́дки мн. (атмосфéрные) precìpitátion sg.

оса́дн||ый siege [si:dʒ] (attr.); ~ое положéние state of siege; ввести́ ~ое положéние declàre a state of siege; ~ое ору́дие siege-gùn ['si:dʒ-]; ~ая артиллéрия siege ártillery; ~ая войнá siege wárfàre.

оса́док м. sédiment, dèposítion [-'zɪ-]; (перен.) àfter-tàste [-teɪ-]; (обида) féeling of reséntment [...-'ze-].

оса́дочн||ый I хим., геол. sèdiméntary; ~ые порóды sèdiméntary rocks.

оса́дочный II метеор. precìpitátion (attr.).

осажд||а́ть I, осади́ть (вн.; подвергáть осáде) lay* siege [...si:dʒ] (to); besiege [-'si:dʒ] (d.), besét* (d.), beléaguer (d.) (тж. перен.); ~ крéпость lay* siege to a fórtress, besiege a fórtress; ~ когó-л. прóсьбами besiege / bombárd smb. with requésts; (надоедать тж.) impórtune smb.; ~ вопрóсами ply with quéstions [...-stʃ-] (d.).

осажд||а́ть II, осади́ть (вн.) хим. precípitàte (d.).

осажд||а́ться I 1. (об атмосферных осадках) fall*; 2. хим. fall* out; 3. страд. к осаждáть I.

осажд||а́ться II страд. к осаждáть I.

осажд||а́ющий 1. прич. см. осаждáть I; 2. м. как сущ. besieger [-'si:dʒə]; beléaguerer.

осаждённый прич. и прил. beléaguered.

оса́живать, осади́ть (вн.; останáвливать) check (d.); (о лошади) rein in (d.); (заставлять подáться назáд) back (d.); (перен.) разг. take* down a peg (d.).

оса́лить сов. см. сáлить 2.

оса́н||истый pórtly. ~ка ж. cárriage [-rɪdʒ], béaring ['bɛə-].

оса́нн||а ж. церк. hòsánna [hou'zæ-]; ◇ петь, восклицáть ~у комý-л. sing* smb.'s práises.

осатанéлый разг. rábid, posséssed [-'zest].

осатанéть сов. разг. grow* rábid [-ou...], be posséssed [...-'zest].

осва́ивать, освóить (вн.) máster (d.), assímilàte (d.); cope (with); ~ о́пыт assímilàte the expérience; ~ произво́дство (рд.) máster / devélop prodúction [...-'ve-...] (of); ~ цели́нные зéмли, целину́ put* the vírgin lands to the plough, bring* new tracts of vírgin soil únder cùltivátion; ~ нóвые зéмли ópen up, или devélop, new lands. ~ся, освóиться 1. (с тв.) make* òneself famíliar (with); ~ся с обстанóвкой be at home in a situátion; adápt to círcumstances; 2. (без доп.) feel* éasy / cómfortable [...'i:zɪ 'kʌm-]; 3. страд. к освáивать.

осведоми́тель м. infórmant, infórmer; тáйный ~ intélligencer. ~ный infórmative.

осведом||и́ть(ся) сов. см. осведомля́ть (-ся). ~лéние с. informátion, nòtificátion [nou-]. ~лённость ж. knówledge ['nɔ-], posséssion of informátion [-'ze-...]. ~лённый 1. прич. см. осведомля́ть; 2. прил.

ОСВ – ОСК

(в *пр.*; *знающий*) versed (in), convérsant (with), wéll-infórmed (abóut).

осведомля́ть, осве́домить (*вн. о пр.*) infórm (*d. of*). ~ся, осве́домиться (о *пр.*) 1. inquíre (abóut), want to know [...nou] (abóut); 2. *страд. к* осведомля́ть.

освеж||а́ть, освежи́ть (*вн.*) 1. (*делать свежим*) refrésh (*d.*), fréshen (up) (*d.*); гроза́ ~и́ла во́здух the ráinstòrm has fréshened the air; 2. (*восстанавливать силы*) revíve (*d.*); 3. (*возобновлять в памяти*) refrésh (*d.*), revíve (*d.*); ~и́ть свои́ зна́ния refrésh one's knówledge [...'nɔ-]; brush up *разг.*; ~и́ть в па́мяти что-л. refrésh / fréshen one's mémory abóut / of smth.; 4. (*подновлять*) touch up [tʌtʃ...] (*d.*); ~и́ть карти́ну touch up the pícture; 5. *разг.:* ~и́ть соста́в коми́ссии introdúce fresh blood into the staff of a commíssion [...blʌd...]. ~а́ться, освежи́ться 1. refrésh onesélf, fréshen (onesélf) up; 2. *страд. к* освежа́ть.

свежева́ть *сов. см.* свежева́ть.

освежи́тельн||ый refréshing; ~ые напи́тки refréshing drinks, refréshers.

освежи́ть(ся) *сов. см.* освежа́ть(ся).

освети́тель *м. театр.* pérson in charge of líghting effécts.

освети́тельн||ый líghting, illúmináting; ~ прибо́р illúminàtor, líghting applíance; ~ снаря́д star shell; ~ая бо́мба cándle bomb; ~ая раке́та *ав.* flare.

освети́ть(ся) *сов. см.* освеща́ть(ся).

освещ||а́ть, освети́ть (*вн.*) light* up (*d.*), illúmināte (*d.*), illúmine (*d.*); (*перен.: объяснять*) elúcidàte (*d.*), throw* light [-ou...] (upón); ~ённый га́зом gás:lít; ~ённый звёздами stárlit; ~ённый лу́ной móonlit; ~ённый свеча́ми cándle-lit; ~ённый со́лнцем súnlit; ~ вопро́сы deal* with quéstions [...-stʃənz], take* up quéstions. ~а́ться, освети́ться 1. light* up, bríghten; её лицо́ освети́лось улы́бкой a smile lit up her face; 2. *страд. к* освеща́ть.

освеще́ние *с.* (*действие и устройство*) light, líghting, illúmináting; (*перен.*) elùcidátion; (*истолкование*) intèrpretátion; га́зовое ~ gás-light(ing); электри́ческое ~ eléctric light(ing); кероси́новое ~ oil / páraffin light(ing); кérosène líght(ing) *амер.*; иску́сственное ~ àrtifícial líght(-ing); непра́вильное ~ вопро́са wrong tréatment of the quéstion [...-stʃən].

освещённость *ж.* (degrée of, área of) illùminátion [...'neɪʃn].

освиде́тельствов||ание *с.* exàminátion. ~ать *сов.* (*вн.*) exámine (*d.*).

освиста́ть *сов. см.* осви́стывать.

осви́стывать, освиста́ть (*вн.*) hiss off (*d.*), cátcàll (*d.*); ~ актёра hiss an áctor off the stage, cátcàll an áctor.

освободи́тель *м.* líberàtor. ~ный líberátion (*attr.*); emàncipátion (*attr.*); ~ное движе́ние líberátion / emàncipátion móvement [...'mu:-]; ~ная война́ war of líberátion; ~ная ми́ссия líberáting míssion.

освободи́ть(ся) *сов. см.* освобожда́ть(-ся).

освобожд||а́ть, освободи́ть (*вн.*) 1. free (*d.*), líberàte (*d.*); emàncipàte (*d.*); (*выпускать*) set* free (*d.*); reléase [-s] (*d.*); ~ аресто́ванного dismíss / dis:chárge a prísoner [...-iz-]; 2. (*избавлять*) free (*d.*); ~ от упла́ты долго́в reléase from debts [...dets] (*d.*); 3.: ~ кого́-л. от занима́емой до́лжности relíeve smb. of his post [-'liːv... poust]; освободи́ть кого́-л. от обя́занностей reléase smb. from his dúties / òbligátion; ~ от вое́нной слу́жбы exémpt from military sérvice; 4. (*опорожнять*) clear (*d.*), émpty (*d.*); ~ кни́жный шкаф clear a bóokcàse [...-s]; 5. (*покидать*) vácàte (*d.*); ~ помеще́ние (*выезжать*) vácàte the prémises [...-sɪz]; clear out *разг.* ~а́ться, освободи́ться 1. becóme* free; free onesélf; 2. (*от: избавляться*) free ònesélf (from); 3. (*становиться пустым*) be émpty; (*о помещении тж.*) be vácant; 4. *страд. к* освобожда́ть. ~е́ние *с.* 1. liberátion; emàncipátion; reléase [-s]; (*о заключённом*) dis:chárge; 2. (*избавление*) liberátion, delíverance; 3. (*о помещении и т. п.*) vacátion. ~ённый 1. *прич. см.* освобожда́ть; 2. *прил.:* ~ённый рабо́тник (*профсоюзной и т. п. организации*) full-time wórker / offícial (*in a trade-union òrganizátion, etc.*).

освое́н||ие *с.* mástering, cóping, àssimilátion; ~ о́пыта assímilàting expérience; ~ но́вых мéтодов произво́дства léarning to máster / appló new méthods of prodúction ['lɔ:n-...]; ~ произво́дства (*рд.*) pútting into prodúction (*d.*); промы́шленное ~ месторожде́ния devélopment to commércial lével of the prodúction capácity of a depósit [...'le-... -z-]; тра́нспортное ~ реки́ máking a ríver návigable [...'tɪ-...]; ~ цели́нных и за́лежных земе́ль devélopment of vírgin and lóng-fallow lands; ~ но́вых земе́ль ópening up, *или* devéloping, new lands; райо́ны ~ия цели́нных и за́лежных земе́ль dístricts cúltivàting vírgin and lóng-fàllow lands.

осво́ить(ся) *сов. см.* осва́ивать(ся).

освяти́ть *сов. см.* освяща́ть *и* святи́ть.

освяща́ть, освяти́ть (*вн.*) sánctify (*d.*), hállow (*d.*), cónsecràte (*d.*).

осево́й áxial.

оседа́ние *с.* 1. séttling, subsídence [-'saɪ-]; 2. (*поселение*) séttlement.

оседа́ть, осе́сть (*в разн. знач.*) settle; (*о здании тж.*) sink*, subsíde; (*о пыли, росе тж.*) accúmulàte.

оседла́ть *сов.* 1. *см.* седла́ть; 2. (*вн.*) *разг.* (*садиться верхом на что-л.*) stráddle (*d.*); (*перен.*) òverríde* (*d.*); 3.: ~ доро́гу *воен. разг.* stráddle, *или* get* astríde, a road.

осе́дл||ость *ж.* séttled (way of) life; черта́ ~ости *ист.* the Pale of Séttlement. ~ый séttled (as oppósed to nomádic).

осека́ться, осе́чься (*о ружье, револьвере и т. п.*) mísfire; (*перен.: обрывать речь*) stop short.

осёл *м.* dónkey; ass (*тж. бран.*).

осело́к *м.* 1. (*для испытания; прям. и перен.*) tóuchstòne ['tʌtʃ-]; 2. (*точильный*) whétstòne; óilstòne; (*для бритв*) hone.

осемене́ние *с. с.-х.* insèminátion; иску́сственное ~ àrtifícial insèminátion.

осемени́ть *сов. см.* осеменя́ть.

осеменя́ть, осемени́ть (*вн.*) *с.-х.* insèmináte (*d.*).

осени́ть *сов. см.* осеня́ть.

осе́нний *прил. к* о́сень; *тж.* áutumnal.

о́сень *ж.* áutumn; fall *амер.*; глубо́кая ~ late áutumn.

о́сенью *нареч.* in áutumn.

осеня́ть, осени́ть (*вн.*) 1. *поэт.*, *уст.* òver:háng* (*d.*), spread* abóve [spred...] (*d.*); spread* as a cánopy (óver); 2. (*о мысли, догадке*) dawn (upón); его́ осени́ло, его́ осени́ла мысль it dawned upón him; he had a bráin-wàve *идиом.*

осерди́ться *сов. уст.* = рассерди́ться.

осеребри́ть *сов.* (*вн.*) *поэт.* sílver óver (*d.*).

осерча́ть *сов. см.* серча́ть.

осе́сть *сов. см.* оседа́ть.

осети́н *м.*, ~ка *ж.* Óssèt(e). ~ский Òssétic; ~ский язы́к Òssétic, the Òssétic lánguage.

осётр *м.* stúrgeon.

осетри́на *ж.* (the flesh of) stúrgeon.

осе́ч||ка *ж.* mísfire; без ~ки sure fire [ʃuə...]; дать ~ку mísfire; (*перен.*) fall flat.

осе́чься *сов. см.* осека́ться.

оси́л||ить *сов.* (*вн.*) 1. (*побороть*) òver:pówer (*d.*); 2. *разг.* (*справиться с чем-л.*) mánage (*d.*); cope (with); (*овладеть, изучить*) máster (*d.*).

оси́н||а *ж.* ásp(en). ~ник *м.* áspen grove / wood [...wud]. ~овый áspen; ◇ дрожа́ть как ~овый лист trémble / shake* like an áspen leaf.

оси́н||ый wasp's; ~ое гнездо́ hórnets' nest; потрево́жить ~ое гнездо́ stir up a nest of hórnets; (*перен. тж.*) bring* a hórnets' nest abóut one's ears; ◇ ~ая та́лия wasp waist; с ~ой та́лией wásp-wáisted.

оси́плый *разг.* húsky, hoarse.

оси́п||нуть *сов. разг.* becóme* hoarse / húsky. ~ший = оси́плый.

осирот||е́вший, ~е́лый órphaned; (*перен.*) desérted [-'zə:t-], abándoned.

осироте́ть *сов.* becóme* an órphan; (*перен.*) be desérted [...-'zə:t-].

осия́нн||ый *уст.* illúmined; поля́, ~ые лу́нным све́том móonlit fields [...fi:ldz].

оска́л *м.* bared teeth *pl.*, grin.

оска́л||ивать, оска́лить: ~ зу́бы show* / bare one's teeth [ʃou...]. ~иваться, оска́литься grin; bare one's teeth. ~ить *сов. см.* оска́ливать *и* ска́лить. ~иться *сов. см.* оска́ливаться *и* ска́литься.

оскальпи́ровать *сов. см.* скальп *и* скальп.

осканда́лить *сов.* (*вн.*) *разг.* discrédit (*d.*), put* in an áwkward posítion [...-'zɪ-] (*d.*). ~ся *сов. разг.* cut* a poor figure.

оскверн||е́ние *с.* pròfanátion, defíle:ment. ~и́тель *м.*, ~и́тельница *ж.* defíler, profáner. ~и́ть *сов. см.* оскверня́ть.

оскверня́ть, оскверни́ть (*вн.*) defíle (*d.*), profáne (*d.*).

оско́лок *м.* splínter, frágment, slíver [-ɪ-]; shíver [ʃɪ-] *об. pl.*; ~ снаря́да shéll-splìnter; ~ стекла́ frágment of bróken glass.

оско́лочн||**ый** *воен.* shrápnel (*attr.*); (*поражающий осколками*) frágmèntátion (*attr.*); ~ая ра́на shrápnel wound [...wu:-]; ~ая бо́мба frágmèntátion / àntipèrsonnél bomb; ~ снаря́д frágmèntátion shell; ~ое де́йствие frágmèntátion effect.

оско́мин||**а** *ж.* dráwing / sóre:ness of the mouth*; наби́ть себе́ ~у have a dry mouth*; наби́ть у кому́-л. (*перен.*) ≅ set* smb.'s teeth on edge.

оскопи́ть *сов. см.* оскопля́ть.

оскопля́ть, оскопи́ть (*вн.*) emásculáte (*d.*).

оскорби́тель *м.*, ~**ница** *ж.* insúlter. ~**ность** *ж.* insúlting:ness, abúsive:ness. ~**ный** insúlting, abúsive; ~ный тон insúlting tone.

оскорб||**и́ть(ся)** *сов. см.* оскорбля́ть(-ся). ~**ле́ние** *с.* 1. (*действие*) insúlting; ~ле́ние де́йствием *юр.* assáult and báttery; ~ле́ние сло́вом cóntume:ly; 2. (*оскорбительное слово, оскорбительный поступок*) ínsult (*грубое*) óutràge; нанести́ ~ле́ние (*дт.*) insúlt (*d.*); (*тяжёлое, грубое*) óutràge (*d.*); переноси́ть ~ле́ния bear* ínsults [bɛə-...]. ~**лённый** *прич.* (*тж. как прил.*) *см.* оскорбля́ть; ◇ ~лённая неви́нность óutràged ínnocence.

оскорбля́ть, оскорби́ть (*вн.*) insúlt (*d.*); offénd (*d.*); (*грубо*) óutràge (*d.*). ~**ся**, оскорби́ться 1. take* offénce; feel* insúlted; 2. *страд. к* оскорбля́ть.

оскоро́миться *сов. см.* скоро́миться.

оскуд||**ева́ть**, оскуде́ть grow* scarce [-ou skɛəs]; fall* into declíne, be deplèted / impóverished. ~**е́лый** scánty, scarce [skɛəs]; deplèted. ~**е́ние** *с.* impóverishment, scárcity ['skɛəs-].

оскуде́ть *сов. см.* оскудева́ть *и* скуде́ть.

ослаб||**ева́ть**, ослабе́ть 1. (*становиться физически слабым*) wéaken, become* wéaker, become* / grow* weak [...-ou...]; 2. (*уменьшаться в степени проявления*) slácken, reláx, ease; (*о шуме, ветре*) abáte, subsíde; (*становиться менее тугим*) lóosen [-s°n], become* lóoser [...-sə]. ~**е́лый** feeble, wéakened, enfeebled.

ослабе́ть *сов. см.* ослабева́ть *и* слабе́ть.

осла́бить *сов. см.* ослабля́ть.

ослабле́ние *с.* wéakening; sláckening; (*о внимании, дисциплине*) rè:làxátion; ~ напряже́ния sláckening of ténsion; ~ междунаро́дной напряжённости rè:làxátion of intèrnátional ténsion [...-'næ-...]; détente (*фр.*) [deɪ'tɑ:nt].

ослабля́ть, осла́бить (*вн.*) 1. wéaken (*d.*); 2. (*делать менее натянутым*) lóosen [-s°n] (*d.*); (*делать менее напряжённым*) reláx (*d.*); осла́бить винт lóosen, *или* slácken off, a screw; ~ внима́ние, уси́лие, му́скулы reláx one's atténtion, éfforts, múscles [...mʌslz]; осла́бить междунаро́дную напряжённость ease / reláx / léssen / redúce intèrnátional ténsion [...-'næ-...].

осла́бнуть = ослабе́ть *см.* ослабева́ть.

осла́вить(ся) *сов. см.* ославля́ть(ся).

ославля́ть, осла́вить (*вн.*) *разг.* deféme (*d.*), decrý (*d.*); give* a bad name (*i.*); ~**ся**, осла́виться *разг.* get* a bad name, make* òneself notórious.

ослёнок *м.* foal, young of an ass [jʌŋ...].

ослеп||**и́тельный** blínding; dázzling (*тж. перен.*); ~ свет со́лнца dázzling súnlight; ~ свет юпи́теров the blínding light of Júpiter lamps; ~**и́тельная красота́** dázzling béauty [...'bju:-]. ~**и́ть** *сов. см.* ослепля́ть. ~**ле́ние** *с.* 1. (*действие*) blínding, dázzling (*ср.* ослепля́ть); 2. (*состояние*) blínd:ness; dázzled state; де́йствовать в ~ле́нии act blínd:ly. ~**лённый** *прич. и прил.* blínded, dázzled (*ср.* ослепля́ть).

ослепля́ть, ослепи́ть (*вн.*) 1. (*лишать зрения*) blind (*d.*); 2. (*сильным светом тж. перен.*) blind (*d.*), dázzle (*d.*).

осле́пнуть *сов. см.* сле́пнуть; ~ на оди́н глаз lose* the sight of one eye [lu:z... aɪ].

ослизлый slímy, múcous.

ослизнуть *сов.* become* slímy.

о́слик *м. уменьш. от* осёл.

осли́||**ный** *прил. к* осёл; ásinine *научн.*; ~ое упря́мство múlish óbstinacy.

осли́ца *ж.* she-àss.

осложн||**е́ние** *с.* còmplicátion; ~е́ние по́сле боле́зни áfter-effect of an íllness; боле́знь дала́ ~е́ния the pátient has còmplicátions áfter his íllness, the pátient is súffering from the áfter-effects of his íllness. ~**и́ть(ся)** *сов. см.* осложня́ть(ся).

осложня́ть, осложни́ть (*вн.*) còmplicáte (*d.*). ~**ся**, осложни́ться 1. become* cómplicated; боле́знь осложни́лась còmplications set in; 2. *страд. к* осложня́ть.

ослуша́ние *с.* disobédience.

ослу́шаться *сов.* (*рд.*) disobéy (*d.*).

ослу́шн||**ик** *м.*, ~**ица** *ж. уст.* disobédient pérson.

ослы́шаться *сов.* hear* amíss, mishéar*, not hear* aríght. ~**ка** *ж.* mis:héaring, mistáke of héaring.

ослята *мн. см.* ослёнок.

осма́||**ливать**, осмоли́ть (*вн.*) pitch / tar round (*d.*), do óver with pitch / tar (*d.*); *мор.* pay* (*d.*).

осма́тривать, осмотре́ть (*вн.*) exámine (*d.*), survéy (*d.*), view [vju:] (*d.*); scan (*d.*); (*о выставке и т. п.*) see* (*d.*), inspéct (*d.*); осмотре́ть больно́го exámine a pátient; ~ го́род see* the sights of, *или* look round, *the* cíty [...'sɪ-]. ~**ся**, осмотре́ться 1. look abóut; (*перен. тж.*) look round, get* one's béarings [...'bɛə-]; see* how the land lies; 2. *страд. к* осма́тривать.

осме́ивать, осмея́ть (*вн.*) rídicùle (*d.*), mock (*d.*).

осме́ть *сов. см.* смеле́ть.

осме́л||**иваться**, осме́литься dare; он не ~ится отрица́ть э́то he won't dare to dený it [...wount...]; ◇ ~юсь доложи́ть (*уст. вежливая форма обращения*) I beg to repórt. ~**иться** *сов. см.* осме́ливаться.

осмея́||**ние** *с.* derísion, móckery; подве́ргнуть ~нию (*вн.*) hold* in derísion (*d.*), make* an óbject of derísion (*d.*). ~**ть** *сов. см.* осме́ивать.

осмоли́ть *сов. см.* осма́ливать.

о́смо||**с** *м. физ.* òsmósis [ɔz-]; ósmòse ['ɔzmous]. ~**ти́ческий** *физ.* òsmótic [ɔz-].

осмо́тр *м.* exàminátion; (*технический; инспектирование*) inspéction, súrvey; ~ багажа́ exàminátion of lúggage; тамо́женный ~ cústoms exàminátion; медици́нский ~ médical exàminátion; ~ достопримеча́тельностей síghtsee:ing tour [...tuə].

осмотре́ть(ся) *сов. см.* осма́тривать(-ся).

осмотри́тельн||**ость** *ж.* círcumspéction, wáriness ['wɛə-], cáution, discrétion [-'kre-]; де́йствовать с ~остью act with círcumspéction, be círcumspèct, show* discrétion [ʃou...]. ~**ый** círcumspèct, wáry, cáutious.

осмо́трщик *м.* inspéctor.

осмысле́ние *с.* (*рд.*) trýing to únderstànd (*d.*), trýing to find the sense / púrport (of); (*понимание*) còmprehénsion (of), únderstànding (of).

осмы́сл||**енный** intélligent, sénsible; ~ отве́т intélligent / sénsible ánswer [...'ɑ:nsə]; ~ вид intélligent expréssion. ~**ивать** = осмысля́ть. ~**ить** *сов. см.* осмысля́ть.

осмысля́ть, осмы́слить (*вн.*) give* a méaning (*i.*); (*истолковывать*) ínterpret (*d.*); (*понимать*) còmprehénd (*d.*).

оснасти́ть *сов. см.* оснаща́ть.

осна́стка *ж. мор.* rigging.

оснаща́ть, оснасти́ть (*вн.*) fit out (*d.*); equíp (*d.*); (*о корабле*) rig (*d.*); ~ но́вой те́хникой supplý with módern equípment [...'mɔ-...] (*d.*). ~**е́ние** *с.* 1. rigging, fitting out; 2. (*оборудование*) equípment.

оснащённ||**ость** *ж.* béing equípped, béing provided with equípment; equípment; техни́ческая ~ промы́шленности equípment of índustry with módern machínery and appliánces [...'mɔ- -'ʃi:-...]. ~**ый** *прич. и прил.* equípped; *мор.* rigged.

осно́в||**а** *ж.* 1. base [-s]; básis ['beɪ-] (*pl.* báses [-si:z]); foundátion; на ~е чего́-л. on the básis of smth.; на ~е ра́венства on the básis of equálity [...i:-]; на справедли́вой ~е on an équitable / just básis; быть, лежа́ть в ~е чего́-л. be the básis / foundátion of smth.; положи́ть в ~у, приня́ть за ~у (*вн.*) assúme as a básis (*d.*), take* as a prínciple (*d.*); заложи́ть ~у lay* down the foundátions; 2. *мн.* prínciples, fùndaméntals; ~ы маркси́зма-ленини́зма the prínciples / foundátions of Márxism-Léninism; 3. *текст.* warp; 4. *лингв.* stem. ~**а́ние** *с.* 1. (*действие*) foundátion, fóunding; год ~а́ния year of foundátion; 2. (*фундамент*) foundátion, base [-s]; *стр. тж.* bed, bédding; (*зубца, крыла*) root; ~а́ние коло́нны *арх.* cólumn sócle; ~а́ние горы́ foot* of *a* móuntain [fut...]; разру́шить до ~а́ния (*вн.*) raze to the ground (*d.*); 3. (*причина, повод*) base, básis ['beɪ-] (*pl.* báses [-si:z]); grounds *pl.*, réason [-z°n]; на ~а́нии (*рд.*) on the grounds (of); на э́том ~а́нии on these grounds; на како́м ~а́нии? on what grounds?; на том ~а́нии, что on the ground that;

381

ОСН – ОСТ

на общих, на равных ~аниях without spécial préferences [...'spe-...]; лишенó всякого ~ания absolùte:ly ùnfóunded; не без ~ания not without réason; иметь (все) ~ания (+ инф.) have every réason (+ to inf.); have good cause (+ to inf.); у них имеются все ~ания (+ инф.) they have every réason (+ to inf.); с полным ~анием with good réason; лишённый ~ания báse:less [-s-]; нет ~аний (для) there is no réason (for + ger.); закон достáточного ~ания филос. law of sufficient réason; 4. хим. base; 5. мат. base: ~ание треугóльника base of a tríangle; ~ание логарифмов base of lógarithms.

основáтель м. fóunder. **~ница** ж. fóundress.

основáтельно I прил. кратк. см. основáтельный.

основáтельн||о II нареч. thórough:ly ['θлɡə-]. **~ый 1.** (обоснóванный) wéll-gróunded, wéll-fóunded; **~ый довод** wéll-gróunded árgument; **2.** (серьёзный) sólid, sound, thórough ['θлɡə], substántial: **~ый человéк** sólid man*; **~ое изучение** thórough stúdy [...'stл-]. **3.** (прочный) stout, sólid; **4.** разг. (изрядный) búlky.

основáть сов. см. основывать. **~ся** сов. см. основываться.

основн||óй 1. прил. fùndaméntal, básic ['beɪ-]; (главный) cárdinal, príncipal; **~ закóн** básic law; **~áя причина** príncipal cause; **~áя мáсса** (рд.) great bulk [greɪt...] (of); **~ые óтрасли промышленности** main bránches of índustry [...'brʌ-...]; **~ые виды продукции** príncipal / májor ítems of prodúction; **~áя часть расхóдов** bulk of the expénditures; **~ капитáл** эк. fixed cápital; **~ое значéние** prímary méaning ['praɪ-...]; **~áя мысль** kéynòte ['ki:-]; **~ые профéссии** esséntial trades; **~ые цвета** prímary cólours [...'kл-]; **2. с. как сущ.**: в **~óм** on the whole [...houl]; in the main, básically ['beɪs-], in géneral.

основн||ый I текст. warp (attr.); **~ые нити** warp threads [...θredz].

основн||ый II хим. base [-s] (attr.), básic ['beɪ-]; **~ые сóли** básic salts.

основополагáющ||ий básic ['beɪs-], fùndaméntal; **~ие принципы** básic príncìples.

основополóжник м. fóunder, inítiàtor.

основополóжный = основополагáющий.

основывать, основáть 1. (вн.) found (d.); **2.** (вн. на пр.; докáзывать) base [-s] (d. on); это ни на чём не основано it is únfóunded / gróundless. **~ся, основáться 1.** (поселяться) settle (down); **2.** тк. несов. (на пр.; о предположéнии и т. п.) be based [...-st] (on); be fóunded (on); **3.** страд. к основывать.

осóба ж. pérson; вáжная **~** impórtant pérsonage; pérson of high rank; big shot идиом. разг.; bígwig, big noise ирон.

осóбенн||о нареч. **1.** espécially [-'pe-]; particularly; он **~** зáнят по вечерáм he is espécially búsy in the évenings [...'bɪzɪ... 'i:v-]; **2.** (необычно) ùn:úsually [-ʒ-], more than úsual [...'ju:ʒ-]; он сегóдня **~** блéден he is ùn:úsually pale to:dáy, he is more pale than úsual to:dáy; он сегóдня вéчером **~** вéсел he is ùn:úsually gay to:níght; ◊ не **~** not very, not particularly; не **~** давнó not very long agó. **~ость** ж. peculiárity, féature; национáльная **~ость** nátional peculiárity / féature ['næ-...]; мéстная **~ость** lócal peculiárity / féature; ◊ в **~ости** espécially [-'pe-], in particular, (more) particularly. **~ый** (e)spécial [-'pe-], particular; (необычный) pecúliar; ◊ ничегó **~ого** nothing in particular, nothing out of the way; nothing much разг.; nothing to write home about идиом.

осóбинка ж.: в **~ку** in a pecúliar way.

осóбняк м. prívate résidence ['praɪ-z-]; detáched house* [...-s].

осóбняком нареч. by òne:sélf; дом стоял **~** the house* stood by it:sélf [...haus stud...]; жить **~** live by òne:sélf [lɪv...]; держáться **~** keep* alóof.

осóб||о нареч. **1.** (отдéльно) apárt; **2.** (очень) espécially [-'pe-], particularly. **~ый 1.** (отдéльный) spécial ['spe-]; в **~ом** помещéнии in a spécial room / apártment; остáться при **~ом** мнéнии resérve one's own opínion [-'zə:v... oun...]; юр. dissént; держáться **~ого** мнéния keep* to one's own opínion; **2.** (осóбенный) particular; (необычный) pecúliar: уделить **~ое** внимáние (дт.) give* particular atténtion (to); — проявить **~ый** интерéс к чему́-л. show* a spécial ínterest in smth. [ʃou...].

осóбь ж. indivídual.

осóбь: **~** статья разг. quite another mátter.

осовéлый разг. dazed, tórpid, dréamy.

осовéть сов. разг. fall* into a tórpid / dazed state.

осовремéнивать, осовремéнить (вн.) bring* up to date (d.), módernìze (d.).

осовремéнить сов. см. осовремéнивать.

осоéд м. зоол. pern, hóney-bùzzard ['hл-].

осознавáть, осознáть (вн.) réalìze ['rɪə-] (d.).

осознанный 1. прич. см. осознавáть; **2.** прил. delíberate.

осознáть сов. см. осознавáть.

осóка ж. бот. sedge, cárex ['keɪ-].

осокóрь м. бот. black póplar [...-'pɔ-].

осоловéть сов. см. соловéть.

осóт м. бот. sónchus [-ŋkəs]; pástor's léttuce [...-tɪs] разг.

óсп||а ж. smáll:pòx; привить **~у** (дт.) váccinàte (d.); ветряная **~** chícken-pòx; чёрная **~** smáll:pòx; корóвья **~** ców-pòx.

оспáривать, оспóрить (вн.) **1.** contést (d.), dispúte (d.); call in quéstion [...-stʃən]; **~ завещáние** dispúte a will; **~ чьи-л. правá** dispúte / quéstion smb.'s rights; **2.** тк. несов. (добивáться) contént (for); **~ звáние чемпиóна** conténd for the title of chámpion.

óсп||енный прил. к óспа; váriolar, vàriólic, váriolous научн.; **~енные слéды** póck-màrks. **~ина** ж. póck-hòle, póck-màrk.

оспопрививáние с. vàccinátion.

оспóрить сов. см. оспáривать 1.

осрамить(ся) сов. см. срамить(ся).

ост м. мор. **1.** (направлéние) east; **2.** (ветер) east (wind) [...wɪ-].

остa||вáться, остáться (в разн. знач.) remáin; (задéрживаться) stay; (быть остáвленным) be left; багáж остáлся на перрóне the lúggage remáined, или was left, on the plátform; идти остáлось немнóго there is ónly a little way to go; до шести **~ётся** нéсколько минут it is a few mínutes short of six [...'mɪnɪts...]; **~** три недéли в Москвé remáin / stay three weeks in Móscow; **~ на ночь** stay the night; остáться в живых survíve; come* through (alíve) разг.; ◊ **~ на второй год** (в классе) remáin in the same form a sécond year [...'sek-...]; be / get* left back амер.; побéда остáлась за нáми víctory was ours; за ним остáлось дéсять рублéй he owes ten roubles [...ouz...ru:-]; **~ в долгý** кому-л. дóлжным be in smb.'s debt [...det]; пóсле негó остáлись женá и дéти he left a wife and children; **~ в барышáх** gain; не **~ётся** ничегó другóго, как nothing remáins, или nothing else is left, but; **~ётся** только одно there is nothing for it, but; это навсегдá остáнется в моéй пáмяти it will álways remáin in my mémory [...'ɔ:lwəz...]; **~ в сиde** remáin válid; hold* good / true; (о судéбном решéнии, пригóворе) remáin in force; **~ при своём мнéнии** remáin of the same opínion, stick* to one's opínion разг.

остáвить сов. см. оставлять.

остав||лять, остáвить (вн.) **1.** leave* (d.); (покидáть тж.) abándon (d.); остáвить дверь открытой leave* the door ópen [...dɔ:...]; **~ в покóе** leave* / let* alóne (d.); **~ далекó позади** leave* far behínd (d.); **~ вопрóс открытым** leave* the quéstion ópen / únséttled [...-stʃən...]; не **~ выбора** leave* no choice; **2.** (сохранять) retáin (d.), resérve [-'zə:v] (d.), keep* (d.); **~ что-л. за собóй** resérve smth. for òne:sélf; **~ за собóй прáво** resérve the right; **~ закóн в сиде** leave* the law in force; **3.** (откáзываться) give* up (d.); **~ надéжду** give* up hope; ◊ **~ на второй год в том же клáссе** keep* in the same form (for a sécond year) [...'sek-...] (d.), not move up [...mu:v...] (d.); **~ пóсле урóков** (об ученикé) keep* in after school (d.); остáвь(те)! stop that!; не **~ мéста (для)** leave* no room (for); кáмня на кáмне не остáвить raze to the ground (d.); **~ляет желáть лýчшего** leaves much to be desired [...-'z-].

остальн||óй 1. прил. the rest of; **~óе врéмя** the rest of the time; **2. с. как сущ.** the rest; в **~óм** in other respécts; всё **~óе** évery:thing else; **3.** мн. как сущ. (о людях) the others.

останá||вливать, остановить (вн.; в разн. знач.) stop (d.), bring* to a stop (d.); (коня уздóй и т. п.) rein / pull up [...pul...] (d.); **~ кровотечéние из рáны** stop a wound [...wu:nd]; останóвить у́личное движе́ние bring* tráffic to a stándstill; ~ взгляд (на пр.) rest one's gaze (on). ~ся, останови́ться 1. stop, come* to a stop; stand* still; pause; (об экипаже, автомобиле тж.) pull up [pul...]; внеза́пно (или ре́зко) останови́ться stop short / dead [...ded]; никогда́ не ~ся на дости́гнутом never stop at what has been accomplished; 2. (в гостинице и т. п.) put* up (at), stop (at); 3. (на пр.; в речи, докладе и т. п.) dwell* (on); подро́бно останови́ться dwell* at length (on), go* into détail [...'di:-] (on); останови́ться на вопро́се dwell* on the quéstion [...-stʃən]; 4. (на пр.; остана́вливать свой выбор на) decíde in fávour (of); они́ останови́лись на са́мом молодо́м кандида́те they decíded in fávour of the yóungest ápplicant [...'jʌŋ-...]; 5. страд. к остана́вливать; ◇ ни перед чем не ~ся stop at nothing.

оста́нки мн. remáins.

останови́ть(ся) сов. см. остана́вливать(ся).

останов||ка ж. 1. (в пути́, в рабо́те) stop, halt; (задержка) stóppage; сде́лать ~ку (в проезде) stop off (at); 2. (остановочный пункт) stop, státion; коне́чная ~ términal; ~ авто́бусов bus stop / státion; ◇ ~ за кем-л., чем-л. ónly smb., smth. is wánting, ónly smth. is hólding up; ~ то́лько за разреше́нием now ónly permíssion is wánting; now all that is wánted is permíssion; ~ за ва́ми you are hólding us up.

оста́т||ок м. 1. remáinder, rest, résidue [-zɪ-]; (о ткани) rémnant; мн. remáins, léavings; léftovers; ~ пути́ the rest of the jóurney [...'dʒə:-]; ~ де́нег the rest of the móney [...'mʌ-]; ~ до́лга the remáinder of the debt [...det]; распрода́жа ~ков cléarance sale; 2. мат. remáinder; 3. хим. residuum [-'zɪ-] (pl. -dua); 4. фин. rest, bálance; ◇ ~ки сла́дки погов. ≅ the néarer the bone the swéeter the meat.

оста́точный физ., тех. residual [-'zɪ-]; ~ магнети́зм rémanent mágnetism, rémanence.

оста́ться сов. см. остава́ться.

остго́тский ист. Òstrogóthic, East Góthic.

остго́ты мн. ист. Óstrogòths.

остекленеть сов. см. стеклене́ть.

остекли́ть сов. см. остекля́ть.

остекля́ть, остекли́ть (вн.) glaze (d.).

остео́лог [-тэ-] м. òsteólogist.

остеологи́ческий [-тэ-] òsteológical.

остеоло́гия [-тэ-] ж. òsteólogy.

остеомиели́т [-тэ-] м. мед. òsteomyelítis.

остепени́ть(ся) сов. см. остепеня́ть (-ся).

остепен||я́ть, остепени́ть (вн.) make* staid (d.), sóber down (d.). ~я́ться, остепени́ться settle down, stéady down ['stedɪ...], becóme* staid / respéctable; он уже́ ~и́лся he has stéadied down [...'ste-...]; he has sown his wild oats [...soun...] идиом.

остервене́||лый frénzied. ~ние с. frénzy; прийти́ в ~ние becóme* enráged, fall* into a frénzy; рабо́тать с ~нием work like a mániac.

остервене́ть сов. см. стервене́ть.

остервени́ться сов. разг. become* enráged, be frénzied.

остере́чь, остере́чь (вн.) warn (d.). ~ся, остере́чься (рд.; опаса́ться) beware (of); (быть осторожным) be cáreful (of), be on one's guard (against); остерега́йтесь, чтобы не упа́сть mind you don't fall; остерега́йтесь воро́в! beware of píckpockets!

остере́чь(ся) сов. см. остерега́ть(ся).

ост-и́ндский East Índian.

ости́стый бот. awned, arístate, béarded.

ости́т м. мед. ostéitis.

о́стов м. 1. frame; frámework (тж. перен.); 2. анат. skéleton.

усто́йчив||ость ж. мор. stabílity. ~ый мор. stable.

остолбене́лый разг. dúmbfounded.

остолбене́ть сов. разг. be dúmbfounded.

остоло́п м. разг., бран. blóckhead [-hed].

осторо́жничать разг. be óver-cáutious.

осторо́ж||но нареч. cárefully, cáutiously; (остерегаясь) guárdedly, wárily; (аккуратно) gíngerly; ~! look out / sharp!; mind out!; (надпись на упаковке) handle with care!; ~, не ушиби́те го́лову! mind your head! [...hed]. ~ость ж. care, cáution, prúdence; обраща́ться с ~остью hándle with care; из ~ости out of prúdence. ~ый cáreful, cáutious, wáry; (предусмотрительный) prúdent; бу́дьте ~ы! be cáreful!, take care!; сли́шком ~ый óver-cáutious, too cáutious; ~ый отве́т cáutious / guárded reply.

осточерте́||ть сов. (дт.) разг.: это ему́ ~ло he is fed up with it.

остраки́зм м. óstracism; подве́ргнуть ~у (вн.) óstracize (d.).

остра́стк||а ж. разг. wárning, cáution; для ~и as a wárning.

остре́ц м. бот. sedge.

остри||га́ть, остри́чь (вн.) cut* (d.); (волосы — коротко) crop (d.); bob (d.); (коротко — сзади) shingle (d.). ~ся, остри́чься 1. cut* one's hair, have one's hair cut; 2. страд. к острига́ть.

острие́ с. 1. point, spike; 2. (ножа, шашки) edge; (перен.) point, edge; ~ кри́тики edge of the críticism; ~ сати́ры edge of the sátire.

остри́ть I (вн.; делать острым) shárpen (d.), whet (d.).

остри́ть II (говорить остроты) be wítty, make* wítticisms, crack jokes; ~ на чей-л. счёт be wítty at others' expénse, score off others.

остри́чь(ся) сов. см. острига́ть(ся) и стричь(ся).

о́стро нареч. shárp(ly); kéenly.

о́стров м. ísland ['aɪl-]; isle [aɪl] поэт.

островерхий peaked, rídge-róofed.

островитя́н||ин м., ~ка ж. íslander ['aɪl-].

остров||но́й ínsular; ísland ['aɪl-] (attr.). ~о́к м. íslet ['aɪlɪt] ◇ ~о́к безопа́сности (для пешеходов) (sáfety) ísland ['aɪl-].

остро́г м. 1. ист. stockáded town; 2. уст. (тюрьма) jail, gaol [dʒeɪl].

остро́г||а́ ж. fish-spear, harpóon; бить ~о́й (вн.) harpóon (d.).

острога́ть сов. (вн.) plane (d.), pare down / away (d.).

острогла́зый разг. sharp-éyed [-'aɪd], shárp-síghted, kéen-eyed [-aɪd].

острогу́бцы мн. тех. cútting plíers / pincers.

остро́жн||ик м., ~ица ж. уст. cónvict.

остроконе́чн||ый póinted; ~ая кры́ша gábled roof.

остроли́ст м. бот. hólly.

остроно́с||ый shárp-nòsed; póinted, táperèd; ~ мальчуга́н a shárp-nòsed little féllow; ~ые боти́нки shoes with póinted toes [ʃu:z...].

острослов м. разг. wit, wíse:crácker. ~ие с. разг. wíttiness, wítticism. ~ить разг. be wítty, crack jokes.

остро́т||а ж. (остроумное выражение) wítticism, wítty remárk; (шутка) joke; уда́чная ~ good* joke; зла́я ~ sárcasm; отпуска́ть ~ы, сы́пать ~ами make* (a lot of) wítty remárks, crack jokes, crack one joke áfter anóther.

остро́т||а́ ж. тк. ед. shárpness, acúity; (о зрении, слухе тж.) kéenness; (о положении, кризисе) acúteness; (об ощущениях, о запахе) púngency [-ndʒ-], póignancy; потеря́ть, утра́тить ~у́ lose* one's edge [lu:z...].

остроуго́льный acúte-àngled.

остроу́м||ие с. wit; блиста́ть ~ием spárkle with wit; претендова́ть на ~ set* up for a wit; неистощи́мое ~ inexháustible wit. ~ный wítty.

о́стр||ый (прям. и перен.) sharp, acúte; (о зрении, слухе и т. п. тж.) keen; ~ нож sharp knife*; ~ у́гол мат. acúte ángle; ~ая боль acúte / keen / stínging / sharp pain; ~ое воспале́ние acúte inflammátion; ~ ум wit; ~ глаз sharp / keen éye:sìght [...'aɪ-]; ~ язычо́к sharp tongue [...tʌŋ]; ~ое замеча́ние sharp / póinted remárk; ~ое словцо́ wítticism; он остёр на язы́к разг. he has a sharp tongue, he is shárp-tóngued [-'tʌŋd]; ~ ке́нный интерес (in); ~ое положе́ние crítical situátion; ~ недоста́ток чего́-л. acúte shórtage of smth.; ~ за́пах púngent smell; ~ со́ус píquant sauce [-kənt...]; ~ сыр strong cheese.

остря́к м. wit.

остуди́ть сов. см. остужа́ть и студи́ть. ~ся сов. см. студи́ться.

остужа́ть, остуди́ть (вн.) cool (d.).

оступ||а́ться stúmble; (перен.) take* a false step [...fɔ:ls...]. ~и́ться сов. см. оступа́ться.

остыва́ть, осты́ть, осты́нуть get* cold; (перен.) cool (down); интере́с к э́тому осты́л ínterest in this has cooled (down), или waned.

осты́нуть сов. см. остыва́ть.

осты́ть сов. см. остыва́ть.

ость ж. (колоса) awn, beard.

осуди́ть сов. см. осужда́ть.

осужд||а́ть, осуди́ть (вн.) 1. (порица́ть) condémn (d.), blame (d.), cénsure (d.); осуди́ть чьи-л. де́йствия denóunce /

ОСУ – ОТБ

condémn smb.'s áctions; 2. (*приговаривать*) condémn (*d.*); *юр.* convíct (*d.*). ~**éние** *с.* 1. (*порицание*) blame, cénsure; в его словах звучит ~ение his words mean cénsure; 2. (*судебное*) convíction. ~**ённый** 1. *прич.* осуждать; 2. *м. как сущ.* cónvict, convícted pérson.

осу́ну‖**ться** *сов.* get* / grow* pínched [...-ou...]; get* pínched(-looking), become* thin and hóllow-cheeked; look drawn / hággard; become* péaky *разг.*; он ~лся he has a pínched face, his cheeks are súnken.

осуш‖**а́ть**, осуши́ть (*вн.*) 1. dry (*d.*); drain (*d.*); ~ боло́то drain / recláim a marsh; ~ слёзы dry one's tears; 2. *разг.* (*выпивать содержимое чего-л.*) drain (*d.*); ~и́ть стака́н drain one's glass. ~**éние** *с.* dráinage, dráining.

осуш‖**и́тельный** dráinage (*attr.*); ~ кана́л dráinage canál. ~**и́ть** *сов. см.* осуша́ть.

осу́шка *ж.* = осуше́ние.

осуществ‖**и́мость** *ж.* practicabílity, feasibílity [-zi-]. ~**и́мый** prácticable, réalizable ['rɪə-], féasible [-z-]. ~**и́ть(ся)** *сов. см.* осуществля́ть(ся). ~**ле́ние** *с.* realizátion [rɪəlaɪ-]; accómplishment; (*о решении и т. п.*) implementátion; (*о программе и т. п.*) exécution, cárrying out.

осуществля́ть, осуществи́ть (*вн.*) cárry out (*d.*), réalize ['rɪə-] (*d.*), bring* abóut (*d.*); (*выполнять*) fulfíl [ful-] (*d.*), accómplish (*d.*), put* into práctice (*d.*); (*о решении и т. п.*) ímplement (*d.*); осуществи́ть своё пра́во éxercise one's right; ~ управле́ние éxercise contról / diréction [...-roul...]; ~ реше́ние, постановле́ние ímplement *the*, *или* give* efféct to, a decísion, decrée; ~ режи́м эконо́мии práctise ecónomy [-s i:-]. ~**ся**, осуществи́ться 1. come* true, come* to be; (*реализоваться*) be put into efféct; моё жела́ние осуществи́лось my wish has come true; успе́шно ~ся procéed succéssfully, make* succéssful héadway [...'hed-]; 2. *страд. к* осуществля́ть.

осцилло́граф *м. физ.* òscillógraph.

осцилля́тор *м. физ.* óscillàtor.

осчастли́вить *сов.* (*вн.*) make* háppy (*d.*).

осыпа́ни‖**е** *с.* fall; ~ хлебо́в fall of grain; поте́ри зерна́ от ~я lósses of grain through létting crops stand too long.

осы́пать *сов. см.* осыпа́ть.

осып‖**а́ть**, осы́пать (*вн. тв.*) strew* (*d.* with); shówer (on *d.*); (*перен.*) heap (on *d.*); ~ кого́-л. уда́рами shówer / rain blows upòn smb. [...blouz...]; ~ кого́-л. насме́шками heap rídicule on smb.; ~ кого́-л. бра́нью heap abúse on smb. [...-s...]; ~ кого́-л. упрёками hurl repróaches at smb.

осы́паться *сов. см.* осыпа́ться.

осыпа́ться, осы́паться (*о песке, земле*) crumble; (*о листьях, цветах*) fall* (off); (*о зерновых культурах*) shed* its grain.

о́сыпь *ж. геол.* scree, tálus.

ось *ж.* 1. áxis (*pl* áxes [-i:z]); магни́тная ~ màgnétic áxis; земна́я ~ áxis of the equátor, terréstrial áxis; 2. (*колеса*) axle; 3. *тех.* axle, spíndle; pin.

осьмино́г *м. зоол.* óctopus.

осьму́шка *ж. уст.* = восьму́шка.

осяза́‖**емый** tángible [-ndʒə-], pálpable. ~**ние** *с.* touch [tʌtʃ]; чу́вство ~ния sense of touch. ~**тельный** táctile, táctual; (*перен.*) sénsible, tángible [-ndʒə-], pálpable; ~ тельный о́рган táctile órgan; ~тельные результа́ты sénsible / tángible resúlts [...-'zʌl-].

осяза́ть (*вн.*) feel* (*d.*); (*перен.*) percéive [-'si:v] (*d.*), be pálpably a:wáre (of).

от, **ото** *предл.* (*рд.*) 1. (*в разн. знач.*) from; (*при обозначении удаления тж.*) a:wáy from: счита́ть от одного́ до десяти́ count from one to ten; от нача́ла до конца́ (*чего-л.*) from (the) beginning to (the) end (of smth.); от го́рода до ста́нции from the town to the státion; от двена́дцати до ча́су from twelve to one; он получи́л письмо́ от (свое́й) до́чери he received a létter from his dáughter [...rɪ'si:vd...]; они́ узна́ли э́то от него́ they learnt it from him [...lə:nt...]; страда́ть от жары́, от боле́зни súffer from the heat, from *an* íllness; засыпа́ть от уста́лости fall* asléep from wéariness; умере́ть от ра́ны die from *a* wound [...wu:nd]; защища́ть глаза́ от со́лнца, себя́ от хо́лода protéct one's eyes from the sun, oneself from the cold [...aɪz...]; возде́рживаться от голосова́ния abstáin from vóting; отлича́ться от кого́-л., от чего́-л. díffer from smb., from smth.; уходи́ть от кого́-л., от чего́-л. go* (a:wáy) from smb., from smth.; отня́ть три от десяти́ take* three (a:wáy) from ten; в десяти́ киломе́трах от го́рода ten kílomètres (a:wáy) from *the* town; далеко́ от го́рода far (a:wáy) from *the* town; име́ть дете́й от кого́-л. have chíldren by smb.; жеребёнок от... и... (*при обознач. отца и матери*) foal by... out of...; ожида́ть чего́-л. от кого́-л. expéct smth. of / from smb.; вскри́кнуть от стра́ха, от ра́дости cry out for fear, for joy; дрожа́ть от стра́ха trémble with fear; уста́ть от чего́-л., от кого́-л. be tíred of smth., of smb.; умере́ть от боле́зни, от го́лода, от я́да die of *an* íllness, of húnger, by póison [...-z°n]; отде́латься от кого́-л., от чего́-л. get* rid of smb., of smth.; защища́ть от кого́-л., от чего́-л. (*вн.*) defénd from / agáinst smb., from / agáinst smth. (*d.*); свобо́дный от долго́в free of debt [...det]; незави́симый от кого́-л., от чего́-л. indepéndent of smb., of smth.; зави́сеть от кого́-л., от чего́-л. depénd (up:)ón smb., (up:)ón smth.; от до́ма ничего́ не оста́лось nóthing remáined of the house* [...-s]; бли́зко от го́рода near the town; 2. (*при обозначении стороны*) of: на се́вер от го́рода to the north of the town; — нале́во, напра́во от меня́, от тебя́ *и т. д.* on my, on your, *etc.*, left, right; 3. (*при обозначении как принадлежности, части и т. п.*) об. передаётся через атрибути́вное присоедине́ние соотве́тствующего существи́тельного; *тж.* of; (*то же — по отношению к данному определённому предмету*) of; (*то же, если подчёркивается определённость*) from; (*при указании соответствия*) to: э́то ру́чка от чемода́на it is a trúnk-hàndle, *или* the handle of *a* trunk; ру́чка от его́ чемода́на handle of / from his trunk; пу́говица от его́ пиджака́ (*оторванная*) bútton from his coat; ключ от э́той ко́мнаты key of / from / to this room [ki:...]; — э́тот ключ не от э́того замка́ this key does not belóng to this lock; 4. (*при обозначении средства против чего-л.*) for: сре́дство, табле́тки от головно́й бо́ли héadàche rémedy ['hedeɪk...], héadàche pills; ◊ вре́мя от вре́мени from time to time; день ото дня from day to day, with évery (pássing) day; от и́мени [...-ɑ:f] (of); for; от моего́, твоего́ *и т. д.* и́мени on my, your, *etc.*, behálf; от (всей) души́, от всего́ се́рдца with all one's heart [...hɑ:t], whòle-héartedly ['houl'hɑ:t-]; быть в восто́рге от чего́-л. be delíghted at / with smth.; быть без ума́ от кого́-л., от чего́-л. *см.* ум; *тж. и др. особые случаи, не приведённые здесь, см. под теми словами, с к-рыми предл. от образует тесные сочетания*.

ота́ва *ж. с.-х.* áftermàth, áfter-gràss.

ота́пливать, отопи́ть (*вн.*) heat (*d.*). ~**ся** be héated.

ота́ра *ж.* flock (of sheep).

отба́вить *сов. см.* отбавля́ть.

отбав‖**ля́ть**, отба́вить (*вн., рд.*) take* a:wáy (*d.*), take* out a líttle (*d.*); (*отливать, отсыпать*) pour off [ро:...] (*d.*); ◊ хоть ~ля́й *разг.* ≅ more than enóugh [...-ʌf], more than one knows what to do with [...nouz...], enóugh and to spare.

отбараба́н‖**ить** *сов.* 1. fínish drúmming; 2. (*вн.*) *разг.* (*небрежно сыграть, сказать и т. п.*) ráttle off (*d.*); ма́льчик ~ил зау́ченные стихи́ the boy ráttled off a piece of póetry [...pi:s...].

отбе‖**га́ть**, отбежа́ть run* off; ~ на не́сколько шаго́в run* off a few steps; ~ в сто́рону run* asíde. ~**жа́ть** *сов. см.* отбега́ть.

отбели́вать, отбели́ть (*вн.*) bleach (*d.*).

отбели́ть *сов. см.* отбе́ливать *и* бели́ть II.

отбе́лка *ж.* bléaching.

отбива́ть, отби́ть (*вн.*) 1. (*отражать*) beat* off / back (*d.*); repúlse (*d.*), repél (*d.*); ~ ата́ку beat* off, *или* repúlse / repél, *an* attáck; — ~ мяч retúrn *a* ball; ~ уда́р párry *a* blow [...-ou]; 2. (*отнимать силой*) win* óver (*d.*); (*брать обратно*) retáke* (*d.*), recápture (*d.*); отби́ть пле́нных líberate the prísoners [...-z-]; 3. (*отламывать*) break* off [-eɪk...] (*d.*); 4. *разг.* (*о вкусе, запахе*) take* a:wáy (*d.*); remóve [-'mu:v] (*d.*); 5. (*косу*) whet (*d.*); ◊ ~ такт beat* time; ~ у кого́-л. охо́ту к чему́-л. discóurage smb. from smth. [-'kʌ-...], put* smb. out of concéit with smth. [...-'si:t...]; put* smb. off smth. *разг.*

отбива́ться I, отби́ться (от; *защищаться*) defénd onesélf (agáinst); beat* off (*d.*), repúlse (*d.*); ~ от проти́вника beat* off the énemy; они́ отбива́лись от проти́вника they were trýing to beat off, *или* repúlse, the énemy; они́ отби́лись от проти́вника they have béaten off, *или* repúlsed, the énemy.

отбива́ться II, отби́ться (*отстава́ть*) drop / fall* behind; (*от; отделя́ться*) become* séparáted (from), strággle / stray (from); отби́ться от табуна́ stray from the herd; отби́вшийся от свое́й ча́сти *воен.* strággler ◇ от рук отби́ться get* out of hand.

отбива́ться III, отби́ться (*отла́мываться*) break* off [-eɪk...], be bróken off.

отбива́ться IV *страд. к* отбива́ть.

отбивн||о́й 1. *прил.*: ~а́я котле́та chop; 2. *ж. как сущ.* cútlet [ˈkʌ-]; свина́я ~а́я pork chop.

отбира́ть, отобра́ть (*вн.*) 1. (*брать обра́тно*) take* awáy (*d.*); ~ биле́ты (*у пассажи́ров*) colléct tíckets; 2. (*производи́ть отбо́р*) choose* (*d.*), seléct (*d.*), pick out (*d.*).

отби́ть *сов. см.* отбива́ть.

отби́ться I, II, III *сов. см.* отбива́ться I, II, III.

отблагове́стить *сов. см.* благове́стить.

отблагодари́ть *сов.* (*вн.*) show* one's grátitude [ʃou...] (*i.*), show* one's appreciátion (of), retúrn / repáy* smb.'s kíndness (*i.*).

о́тблеск *м.* refléction, gleam, sheen.

отбо́||й *м.* 1. *воен.* retréat; труби́ть ~ sound off; бить ~ *воен.* sound / beat* the retréat; (*перен.*) beat* a (hásty) retréat [...ˈheɪ-...], back down; ~ возду́шной трево́ги áll-clear sígnal, the Áll-Clear; 2. (*телефо́нный*) rínging off, bréaking off connéction [ˈbreɪ-...]; дать ~ ring* off ◇ ~ю нет *разг.* there is no gétting rid of; у него́, у них *и т. п.* нет ~ю от предложе́ний he is, they are, *etc.*, flóoded with óffers [...ʌd-...].

отбо́йка *ж. горн.* bréaking [ˈbreɪk-], cútting; ~ угля́ cóal-cútting.

отбо́йный: ~ молото́к pneumátic pick; pick hámmer.

отбомби́ться *сов. разг.* have dropped one's load of bombs.

отбо́р *м.* seléction; есте́ственный ~ *биол.* nátural seléction. ~ный seléct(ed), choice, picked; ~ные семена́ selécted seeds; ~ные войска́ crack troops; ◇ ~ные выраже́ния refíned expréssions; ~ная ру́гань chóicest swéarwords [...ˈswɛə-] *pl.*, vílest abúse [...-s].

отбо́рочн||ый eliminátion (*attr.*), seléction (*attr.*); ~ая коми́ссия seléction board; ~ые соревнова́ния *спорт.* quálifying round *sg.*, knóck-out competítion *sg.*; ~ матч eliminátion game.

отбоя́р||иваться, отбоя́риться (от) *разг.* get* rid (of), escápe (*d.*); *несов. тж.* try to escápe (*d.*). ~ться *сов. см.* отбоя́риваться.

отбра́сывать, отбро́сить (*вн.*) 1. throw* off [-ou...] (*d.*), cast* awáy (*d.*); 2. *воен.* hurl back (*d.*), throw* back (*d.*), thrust* back (*d.*); 3. (*отка́зываться, отверга́ть*) give* up (*d.*), rejéct (*d.*), discárd (*d.*); отбро́сить мысль give* up an idéa [...ˈaɪdɪə]; отбро́сить сомне́ния be reassúred [...-əˈʃuəd]; отбро́сить неве́рную тео́рию rejéct an erróneous théory [...ˈθɪərɪ]; ~ предрассу́дки discárd (all) préjudices; ◇ ~ тень cast* a shádow [...ˈʃæ-].

отбреха́ться *сов. см.* отбрёхиваться.

отбрёхиваться, отбреха́ться *разг.* retórt shárply.

отбрива́ть, отбри́ть (*вн.*) *разг.* (*ре́зко обрыва́ть*) rebúff (*d.*); rebúke (*d.*); tell* off (*d.*); он так его́ отбри́л! he gave him sómething to think abóut, he gave him what for.

отбри́ть *сов. см.* отбрива́ть.

отбро́сить *сов. см.* отбра́сывать.

отбро́с||ы *мн.* (*ед.* отбро́с *м.*) gárbage *sg.*, réfuse [-s] *sg.*; óffal *sg.*; waste mátter [weɪ-...] *sg.*; ~ произво́дства waste *sg.*; ведро́ для ~ов dúst-bin; gárbage-pail *амер.*; ◇ ~ о́бщества dregs of society; scum of society *sg.*

отбрыка́ться *сов. см.* отбры́киваться.

отбры́киваться, отбрыка́ться (от) *разг.* kick off (*d.*); (*перен.*) get* off (*d.*), escápe (*d.*).

отбуксирова́ть *сов.* (*вн.*) tow off [tou...] (*d.*).

отбыва́ние *с.* (*срока наказа́ния и т. п.*) sérving.

отбыва́ть I, отбы́ть (*вн.*) serve (*d.*); ~ наказа́ние serve one's séntence; ~ срок serve time; ~ во́инскую пови́нность *уст.* serve one's time in the ármy, do one's mílitary sérvice.

отбыва́ть II, отбы́ть (из; уезжа́ть) depárt (from), leave* (*d.*); (в *вн.*) leave* (for); отбы́ть в Москву́ leave* for Móscow.

отбы́тие *с.* (*отъе́зд*) depárture.

отбы́ть I, II *сов. см.* отбыва́ть I, II.

отва́га *ж.* cóurage [ˈkʌ-], brávery [ˈbreɪ-], válour [ˈvæ-].

отва́дить *сов. см.* отва́живать.

отва́живать, отва́дить (вн. от) *разг.* (*отуча́ть*) break* (*d.*) of the hábit (of); (*от до́ма и т. п.*) scare awáy (*d.*), drive* off (*d.*).

отва́||живаться, отва́житься (на *вн.*) dare (*d.*), vénture (*d.*), have the cóurage [...ˈkʌ-] (+ to *inf.*). ~житься *сов. см.* отва́живаться. ~жный courágeous [kə-], brave, gállant.

отва́л I *м.*: нае́сться до ~а *разг.* eat* one's fill; накорми́ть кого́-л. до ~а *разг.* feed* smb. to satíety.

отва́л II *м.* 1. *с.-х.* (*у плу́га*) móuldboard [ˈmould-]; 2. *горн.* dump, slág-heap.

отва́л III *м.* (*отплы́тие*) sáiling.

отва́ливать I, отвали́ть (*вн.*) 1. pull off [pul...] (*d.*); (*о чём-л. тяжёлом*) heave* off (*d.*); 2. *разг.* (*дава́ть, расщедри́вшись*) lávish (*d.*); (*о деньга́х*) pay* out a large sum of móney [...ˈmʌ-].

отва́ливать II, отвали́ть (*без доп.*) *мор.* (*отча́ливать*) push off [puʃ...], put* off; cast* off (*d.*).

отва́ливаться, отвали́ться 1. fall* off; (*о штукату́рке и т. п.*) peel off; 2. *разг.* (*откидываться*) lean* back; 3. *страд. к* отва́ливать I.

отвали́ть I, II *сов. см.* отва́ливать I, II.

отвали́ться *сов. см.* отва́ливаться.

отва́льная *ж. скл. как прил. разг.* fáreweéll párty.

отва́р *м.* broth; (*лече́бный*) decóction; ри́совый, ячме́нный *и т. п.* ~ ríce-wàter [-wɔː-], bárley-wàter, *etc.* [-wɔː-].

отва́р||ивать, отвари́ть (*вн.*) 1. (*об овоща́х, гриба́х и т. п.*) boil (*d.*); 2. *тех.* (*отделя́ть*) únwéld (*d.*). ~и́ть *сов. см.* ~ивать. ~но́й boiled; ~на́я ры́ба boiled fish.

отве́дать *сов. см.* отве́дывать.

отве́дывать, отве́дать (*вн., рд.*) *разг.* try (*d.*), taste [teɪ-] (*d.*).

отвезти́ *сов. см.* отвози́ть.

отверга́ть, отве́ргнуть (*вн.*) rejéct (*d.*), turn down (*d.*); (*отрека́ться*) repúdiate (*d.*); (*голосова́нием*) vote down (*d.*); ~ предложе́ние rejéct an óffer; (*голосова́нием*) deféat, *или* vote down, a mótion; давно́ отве́ргнутые ме́тоды lóng-discárded méthods.

отве́ргнуть *сов. см.* отверга́ть.

отвердева́ть, отверде́ть hárden, becóme* firm.

отверде́л||ость *ж.* cállosity. ~ый hárdened, firm.

отверде́ние *с.* 1. (*де́йствие*) hárdening; 2. = отвердёлость.

отверде́ть *сов. см.* отвердева́ть.

отве́ржен||ец *м.* óutcast. ~ный 1. *прич. см.* отверга́ть; 2. *прил.* óutcast.

отверза́ть, отве́рзнуть (*вн.*) *уст., поэт.* ópen (*d.*).

отве́рзнуть *сов. см.* отверза́ть.

отверну́ть *сов. см.* отвёртывать *и* отвора́чивать II.

отверну́ться *сов. см.* отвёртываться *и* отвора́чиваться II.

отве́рстие *с.* 1. ópen:ing; áperture; órifice; (*дыра́*) hole; (*в автома́те для опуска́ния моне́ты*) slot; входно́е ínlet [ˈɪn-]; выходно́е, выпускно́е ~ óutlèt; ~ решета́, си́та mesh; 2. *анат., зоол.* forámen; заднепрохо́дное ~ *анат.* ánus.

отверте́ть *сов. см.* отвёртывать 1.

отверте́ться I *сов. см.* отвёртываться 1.

отверте́ться II *сов.* (от) *разг.* (*уклони́ться*) wriggle out (of); get* out (of); ему́ удало́сь ~ he mánaged to get off, *или* to get out of it; he mánaged to wríggle out of it.

отвёртка *ж.* scréwdriver.

отвёртывать, отверте́ть, отверну́ть (*вн.*) 1. (*отви́нчивать*) únscréw (*d.*); 2. *при сов.* отверну́ть (*отгиба́ть*) turn back (*d.*); 3. *при сов.* отверну́ть (*открыва́ть повора́чивая*) turn on (*d.*): ~ кран (водопрово́да) turn on the tap. ~ся, отверте́ться *и* 1. (*отви́нчиваться*) come* únscréwed; 2. *при сов.* отверну́ться (*отгиба́ться*) turn back; 3. *при сов.* отверну́ться (от) turn awáy (from); (*перен.: перестава́ть обща́ться*) turn awáy (from), turn one's back (on); все отверну́лись от него́ éverybody (has) turned awáy from him; 4. *страд. к* отвёртывать.

отве́с *м.* 1. *тех.* plumb, plúmb-line, plúmmet; по ~у plumb, pèrpendicularly; 2. (*склон*) vértical slope, sheer / vértical face.

отве́сить *сов. см.* отве́шивать.

ОТВ – ОТВ

отвéсн||о *нареч.* plumb; sheer. **~ый** sheer, vértical, pèrpendícular.

отвести́ *сов. см.* отводи́ть.

отвéт *м.* ánswer ['ɑːnsə], replý, respónse; остроу́мный ~ rèpartée; держа́ть ~ ánswer; призва́ть кого́-л. к ~у call smb. to accóunt, make* smb. ánswerable [...'ɑːnsə-]; bring* smb. to book *идиом.*; быть в ~е за что́-л. be ánswerable / respónsible for smth.; в ~ ánswer / replý; ~ (на *вн.*) in respónse (to), in replý (to).

отвéтв||и́ть(ся) *сов. см.* ответвля́ть (-ся). **~лéние** *с.* óff ̮shoot, branch [-ɑːntʃ]; *эл.* tap, bránching [-ɑːn-].

ответвля́ть, ответви́ть (*вн.*) branch [-ɑːntʃ] (*d.*); *эл.* tap (*d.*). **~ся,** ответви́ться branch off [-ɑːntʃ...].

отвéт||ить *сов. см.* отвеча́ть 1, 2, 3. **~ный** recíprocal, in retúrn, in ánswer [...'ɑːnsə]; **~ное письмо́** replý (létter); **~ный визи́т (дру́жбы)** retúrn vísit (of friendship) [...-z-...'frend-]; **~ное чу́вство** respónse; recíprocal féeling; **~ные ме́ры** retàliàtory méasures [-eit-'meʒ-]; **~ный матч** *спорт.* retúrn game.

отвéтственн||ость *ж.* respònsibílity; *юр. тж.* amènabílity [əmiː-]; солида́рная ~ *юр.* joint respònsibílity; взять на себя́ ~ (за *вн.*) take* upòn òneˑsélf, *или* shóulder / assúme, the respònsibílity [...'ʃou-...] (for); брать на свою́ ~ (*вн.*) do on one's own respònsibílity [...oun...] (*d.*); нести́ ~ за что́-л. bear* the respònsibílity for smth. [beə...]; снять с кого́-л. relíeve smb. of respònsibílity [-'liːv...]; снять с себя́ ~ (за *вн.*) declíne *the* respònsibílity (for); вся ~ за после́дствия лежи́т (на *пр.*) all / full respònsibílity for the cónsequences rests (with); привлека́ть к ~ости (*вн.* за *вн.*) make* (*d.*) ánswer [...'ɑːnsə] (for), make* ánswerable [...'ɑːnsə-] (*d.* for), call to accóunt (*d.* for). **~ый 1.** respónsible; **~ый реда́ктор** éditor-in-chief [-tʃiːf]; **~ый рабо́тник** exécutive, sénior offícial; **~ый секрета́рь** exécutive sécretary; счита́ть кого́-л. **~ым** за что́-л. hold* smb. respónsible for smth.; **2.** (*важный*) main; (*решающий*) crúcial; **~ая зада́ча** main / prímary task [...'prai-...]; **~ый моме́нт** crúcial point / móment.

отвéтствовать *несов. и сов. поэт., уст.* ánswer ['ɑːnsə], replý.

отвéтчи||к *м.*, **~ца** *ж.* **1.** *юр.* deféndant, respóndent; **2.** *разг.*: я за всех не ~ I can't ánswer for everybody [...kɑːnt 'ɑːnsə...].

отвеча́ть, отве́тить **1.** (на *вн.*) ánswer ['ɑːnsə] (*d.*); replý (to); (*отзываться*) respónd (to); ~ на письмо́ ánswer *a* létter; ~ на чьё-л. чу́вство retúrn smb.'s féeling; ~ за (*вместо*) кого́-л. replý for smb.; **2.** (за *вн.*; *быть ответственным*) ánswer (for), be respónsible (for); ~ за пору́ченное де́ло be respónsible for the task assígned to him [...ə'saind...]; ~ голово́й за что́-л. stake one's life on smth.; ты мне за э́то отве́тишь голово́й you will ánswer for this with your life; ~ за себя́ ánswer for òneˑsélf; **3.** (чем-л. на что-л.) retúrn

(smth. for smth.); **4.** *тк. несов.* (*дт.; соответствовать*) meet* (*d.*), ánswer (*d.*); ~ своему́ назначе́нию ánswer the púrpose [...-s]; ~ тре́бованиям meet* the requíreːments; be up to the requíreːments, be up to the mark *разг.*; ◊ ~ уро́к repéat one's lésson.

отве́шивать, отве́сить (*вн., рд.*) weigh out (*d.*); ◊ ~ покло́ны make* low bows [...lou...]; отве́сить пощёчину кому́-л. *разг.* deal* smb. a slap in the face.

отви́ливать, отвильну́ть (от) *разг.* dodge (*d.*).

отвильну́ть *сов. см.* отви́ливать.

отвинти́ть(ся) *сов. см.* отви́нчивать (-ся).

отви́нчивать, отвинти́ть (*вн.*) ùnscréw (*d.*). **~ся,** отвинти́ться **1.** ùnscréw, come* ùnscréwed; **2.** *страд. к* отви́нчивать.

отвиса́ть, отви́снуть hang* down, droop.

отвисе́ться *сов. разг.*: дать пла́тью и *т.п.* ~ hang* out a dress so as to remóve the créases [...-'muːv...-siz].

отви́с||лый lóose-hàngːing [-s-]; с **~ыми** уша́ми lóp-eared. **~нуть** *сов. см.* отвиса́ть.

отвлек||а́ть, отвле́чь (*вн.*) **1.** (*в разн. знач.*) divért (*d.*), distráct (*d.*), draw* aːwáy (*d.*); чьё-л. внима́ние от чего́-л. draw* aːwáy smb.'s atténtion from smth., distráct smb. from smth.; ~ кого́-л. от его́ мы́слей, го́ря и *т.п.* distráct smb.'s mind from *his* cares, sórrows *etc.*; **2.** *филос.* àbstráct (*d.*), ségregàte (*d.*). **~а́ться,** отвле́чься **1.** be distrácted; defléct / divért one's atténtion; (от *темы и т.п.*) dígress (from); ~а́ться в сто́рону be wándering; (от; *представлять в абстрагированном виде*) àbstráct òneˑsélf (from); **3.** *страд. к* отвлека́ть. **~а́ющий 1.** *прич. см.* отвлека́ть; **2.** *прил. мед.* cóunter-attràctːing; **~а́ющее сре́дство** cóunter-attràction.

отвлече́н||ие *с.* **1.** àbstráction; **2.** (*от чего́-л.*) distráction; для **~ия** внима́ния to distráct atténtion.

отвлечённ||ость *ж.* ábstractness. **~ый 1.** *прич. см.* отвлека́ть; **2.** *прил.* ábstract; **~ая иде́я** ábstract ídea [...ai'diə]; **~ое поня́тие** ábstract nótion; **~ое число́** *мат.* ábstract númber; **~ая величина́** ábstract quántity; **~ое и́мя существи́тельное** *грам.* ábstract noun.

отвле́чь(ся) *сов. см.* отвлека́ть(ся).

отво́д *м.* **1.** (*о кандидате и т.п.*) rejéction, objéction; *юр.* chállenge; дать ~ кому́-л. rejéct a cándidate; **2.** (*о земля́х*) allótment; **3.** *тех.* pípe-bènd; **4.** *эл.* tap, tápping, bend; **5.** *мор.* (*у мачты*) spréader [-edə]; ◊ для ~а глаз *разг.* ≅ as a blind.

отводи́ть, отвести́ (*вн.*) **1.** lead* (*d.*); take* (*d.*); (*в сторону*) take* / draw* aside (*d.*); ~ войска́ наза́д withdráw*, *или* draw* off, *the* troops; ~ во́ду (из) drain (*d.*); **2.** (*об ударе и т.п.*) párry (*d.*); ward off (*d.*) (*тж. перен.*) (*перен.*) remóve [-'muːv] (*d.*); ~ обвине́ние rejéct an àccusátion [...-'zei-]; **3.** (*о кандидате*) rejéct (*d.*); *юр.* (*о присяжных*) chállenge (*d.*); **4.** (*о земле, помещении*) allót (*d.*); (*землю под определённую с.-х. культу-*

ру) set* asíde (*d.*); ◊ ~ роль assígn *a* part [ə'sain...]; ~ ду́шу ùnbúrden one's heart [...haːt], pour out one's heart [pɔː...]; отвести́ глаза́ look asíde; он не мог глаз отвести́ he couldːn't take his eyes off [...aiz...]; отвести́ глаза́ кому́-л. *разг.* distráct / divért smb.'s atténtion, take* smb. in.

отводн||о́й: ~ кана́л dèrivátion canál; **~а́я кана́ва** drain.

отво́док *м. бот.* láyer.

отвоева́ть I *сов. см.* отвоёвывать.

отвоев||а́ть II *сов.* **1.** (*провоевать какое-л. время*) fight*: они́ три го́да **~а́ли** they have been fighting for three years; **2.** (*кончить воевать*) finish the war, finish fighting. **~а́ться** *сов. разг.* finish the war.

отвоёвывать, отвоева́ть (*вн. у*) win* (*d.* from), win* óver (*d.* from), win* back (*d.* from). **~ся** *страд. к* отвоёвывать.

отвози́ть, отвезти́ (*вн.*) take* aːwáy (*d.*); drive* (*d.*); ~ куда́-л. take* / drive* to (a place) (*d.*); ~ к кому́-л. take* to smb.; ~ обра́тно drive* / take* back (*d.*); отвезти́ на ста́нцию drive* / take* to the státion (*d.*).

отвора́чивать I, отвороти́ть (*вн.*) *разг.* turn aːwáy (*d.*), remóve [-'muːv] (*d.*); отвороти́ть ка́мень turn aːwáy, *или* remóve, *a* stone.

отвора́чивать II, отверну́ть (*вн.*) **1.** turn aside (*d.*); отверну́ть лицо́ avért one's face; **2.** (*открывать*) turn on (*d.*); отверну́ть кран turn on *a* tap; **3.** (*отвинчивать*) turn off (*d.*), ùnscréw (*d.*); (*слегка*) lóosen [-sˑn] (*d.*).

отвора́чиваться I, отвороти́ться **1.** turn aːwáy / asíde; **2.** *страд. к* отвора́чивать II.

отвора́чиваться II, отверну́ться **1.** turn aside; avért one's face, eyes [...aiz]; (от кого́-л.; *перен.*) break* (with smb.), turn aːwáy (from smb.); turn one's back (on / upòn smb.); **2.** *страд. к* отвора́чивать II.

отвори́ть(ся) *сов. см.* отворя́ть(ся).

отворо́т *м.* lapél, flap; revérs [rɪ'vɪə] (*сапога*) collar.

отвороти́ть(ся) *сов. см.* отвора́чивать (-ся) I.

отворя́ть, отвори́ть (*вн.*) ópen (*d.*). **~ся,** отвори́ться **1.** ópen; **2.** *страд. к* отворя́ть.

отврати́тельн||о *нареч.* disgústingːly, abóminably; ~ себя́ чу́вствовать feel* rótten. **~ый** disgústing, detéstable, abóminable; (*отталкивающий*) repúlsive, lóathsome [-ð-]; **~ый за́пах** foul / repúlsive smell; **~ая пого́да** abóminable / foul wéather [...'we-].

отврати́ть *сов. см.* отвраща́ть.

отвра́тный *разг.* = отврати́тельный.

отвраща́ть, отврати́ть (*вн.*) avért (*d.*).

отвраще́ние *с.* avérsion, repúgnance, disgúst; lóathing; внуша́ть ~ (*дт.*) disgúst (*d.*); fill with disgúst / lóathing (*d.*); пита́ть ~ (к) have an avérsion (for), loathe (*d.*), be repélled (by).

отвык||а́ть, отвы́кнуть (от + *инф.*) **1.** (*отучаться*) get* out of the hábit (of), break* òneˑsélf of the hábit [breik...] (of); *несов. тж.* try to break òneˑsélf of the hábit (of *ger.*); **2.** (*становиться далёким, чужим*) become* estránged [...-eɪndʒd] (from); отвы́кнуть от до́ма become* a stránger in one's own house* [...-eɪn-...oun -s].

отвы́кнуть *сов. см.* отвыка́ть.

отвяза́ть(ся) *сов. см.* отвя́зывать(ся).

отвя́зывать, отвяза́ть (*вн.*) úntie (*d.*), únfásten [-ɑːsˀn] (*d.*), únbínd* (*d.*); (*животных тж.*) úntéther (*d.*); *мор.* únbénd* (*d.*). ~ся, отвяза́ться **1.** come* úntíed, get* loose [...-s]; **2.** (*от*) *разг.* (*оставлять в покое*) leave* alóne (*d.*), leave* in peace (*d.*), stop nágging (*d.*); отвяжи́сь от меня́! leave me alóne! **3.** (*от*) *разг.* (*отделываться*) get* rid (of); **4.** *страд. к* отвя́зывать.

отгада́ть *сов. см.* отга́дывать.

отга́д||ка *ж.* ánswer to a riddle [ˈɑːnsə...]. ~чик *м.*, ~чица *ж.* guésser, divíner.

отга́дывать, отгада́ть (*вн.*) guess (*d.*).

отгиба́ть, отогну́ть (*вн.*; *расправлять*) stráighten out (*d.*), únbénd* (*d.*); (*отворачивать*; *о рукаве и т. п.*) turn back (*d.*). ~ся, отогну́ться **1.** turn back; **2.** *страд. к* отгиба́ть.

отглаго́льн||ый *грам.* vérbal; ~ое существи́тельное vérbal noun.

отгла́дить(ся) *сов. см.* отгла́живать(-ся).

отгла́живать, отгла́дить (*вн.*) íron (out) [ˈaɪən...] (*d.*), press thóroughly [...ˈθʌrə-] (*d.*). ~ся, отгла́диться **1.** come* out smooth [...-ð]; **2.** *страд. к* отгла́дить.

отла́тывать, отлотну́ть (*вн.*, *рд.*) *разг.* take* a gulp / móuthful (of).

отлотну́ть *сов. см.* отла́тывать.

отгнива́ть, отгни́ть rot off.

отгни́ть *сов. см.* отгнива́ть.

отгова́ривать, отговори́ть (кого́-л. от) dissuáde [-ˈsweɪd] (smb. from *ger.*); put* smb. off (+ *ger.*), talk (smb. out of *ger.*) *разг.* ~ся, отговори́ться excúse òneːsélf; ~ся чем-л. plead* smth.; отговори́ться боле́знью plead* ill health [...helθ].

отговори́ть(ся) *сов. см.* отгова́ривать(-ся).

отгово́р||ка *ж.* excúse [-s]; (*предлог*) prétéxt; без ~ок! no excúses!; отде́лываться ~ками try to get out of doing smth. with lame excúses.

отгово́ры *мн. разг.* dissuásion [-ˈsweɪ-] *sg.*

отголо́сок *м.* (*прям. и перен.*) écho [ˈekou].

отго́н I *м. хим.* **1.** = отго́нка; **2.** (*продукт отгонки*) distillátion próducts *pl.*

отго́н II *м.* **1.** dríving aːwáy / off; **2.** (*пребывание на пастбищах — о скоте*) pásturing.

отго́нка *ж. хим.* distillátion.

отго́нн||ый: ~ые па́стбища distant pástures.

отгоня́ть I, отогна́ть (*вн.*) drive* off (*d.*); (*не пускать*) keep* off (*d.*); (*перен.*) fight* back (*d.*), suppréss (*d.*).

отгоня́ть II, отогна́ть (*вн.*) *хим.* distíll off (*d.*).

отгора́живать, отгороди́ть (*вн.*) fence off (*d.*); (*перегородкой*) pàrtition off (*d.*); (*ширмой*) screen off (*d.*). ~ся, отгороди́ться **1.** fence òneːsélf off; (*перен.*:

обособля́ться) shut* òneːsélf off; cut* òneːsélf off; **2.** *страд. к* отгора́живать.

отгора́ть, отгоре́ть burn* down / out; be* extínguished.

отгоре́ть *сов. см.* отгора́ть.

отгороди́ть(ся) *сов. см.* отгора́живать(-ся).

отгости́ть *сов.* (у) *разг.* have been a guest (of); have stayed (with).

отграни́ч||ивать, отграни́чить (*вн.*) dèːlímit (*d.*). ~ить *сов. см.* отграни́чивать.

отгреба́ть I, отгрести́ (*вн.*; *граблями*) rake aːwáy / off (*d.*).

отгреба́ть II, отгрести́ (*без доп.*; *гребя вёслами, отплыть*) row off / aːwáy [rou...].

отгреме́ть *сов.* die down; (*умолкнуть*) become* sílent.

отгрести́ I, II *сов. см.* отгреба́ть I, II.

отгро́х||ать *сов. разг.* **1.**: пу́шки ~али the din / thúnder of cánnons is óver; **2.** (*построить, организовать и т. п.*): ~ особня́к erect a màgníficent résidence [...-zɪ-]; ~ сва́дьбу célebrate a súmptuous wédding.

отгру||жа́ть, отгрузи́ть (*вн.*) dispátch (*d.*); (*водным транспортом*) ship (*d.*). ~зи́ть *сов. см.* отгружа́ть.

отгру́зка *ж.* dispátch.

отгрыза́ть, отгры́зть (*вн.*) bite* off (*d.*), gnaw off (*d.*).

отгры́зть *сов. см.* отгрыза́ть.

отгу́л *м. разг.* compénsatory leave / hóliday [...-dɪ].

отгу́л||ивать, отгуля́ть *разг.* **1.** (*вн.*) have spent (*d.*), have fínished (*d.*); он отгуля́л свой о́тпуск his hóliday / leave is óver [...-dɪ...]; **2.** (*в счёт сверхуро́чной рабо́ты*) take* compénsatory leave, *или* a compénsatory hóliday; отгуля́ть два дня have two days off.

отгуля́ть *сов. см.* отгу́ливать.

отдава́ть I, отда́ть 1. (*вн.*; *возвраща́ть*) retúrn (*d.*), give* back (*d.*); отда́ть долг pay* a debt [...det] (*d.*). **2.** (*вн.*; *уступа́ть*) give* (*d.*), give* up (*d.*). **3.** (*вн.*; *посвяща́ть, же́ртвовать*) give* up (*d.*); ~ свою́ жизнь devóte one's life*; отда́ть жизнь за Ро́дину give* one's life for one's mótherland [...ˈmʌðə-]. **4.** (*вн. за вн.*) *разг.* (*продава́ть*) let* (*d.*) go (for); **5.** *мор.*: ~ я́корь drop / cast* the ánchor [...ˈæŋkə], let* go the ánchor; **6.** (*без доп.*; *об огнестре́льном ору́жии*) kick; ◇ ~ честь (*дт.*) *воен.* salúte (*d.*); ~ после́дний долг (*дт.*) *воен.* pay* the last hónours, *или* one's last respécts [...ˈɔnəz...] (to); ~ до́лжное кому́-л. rénder smb. his due; do jústice to smb.; ~ под суд (*вн.*) take* to court [...kɔːt] (*d.*), put* on, *или* bring* to, tríal (*d.*); ~ под стра́жу (*вн.*) give* into cústody (*d.*); ~ в шко́лу (*вн.*) send* to school (*d.*); ~ прика́з (*дт.*) issue an órder (to); give* órders (to); ~ за́муж (*вн.* за *вн.*) give* in márriage [...-rɪdʒ] (*d.* to); ~ себе́ отчёт (в *пр.*) be aːwáre (of, that, how); réalize [ˈrɪə-] (*d.*, that); не ~ себе́ отчёта (в *пр.*) fail to réalize (*d.*, that).

отдава́ть II (*тв.*; *иметь привкус, запах чего-л.*) smack (of), sávour (of)

have a slight flávour (of); (*перен. тж.*) cárry a suggéstion [...-ˈdʒestʃən] (of); суп отдаёт чесноко́м the soup smacks / sávours of gárlic [...suːp...]; э́то отдаёт старино́й there is a suggéstion of ólden times about it.

отдава́ться, отда́ться 1. (*дт.*) give* òneːsélf up (to); по́лностью ~ (*дт.*; *счастью и т. п.*) surrénder òneːsélf whólly [...ˈhouli] (to); **2.** (*раздава́ться*) resóund [-ˈz-]; revérberàte; (*в уша́х*) ring* **3.** *страд. к* отдава́ть I.

отдави́ть *сов.* (*вн.*) crush (*d.*); ~ кому́-л. но́гу *разг.* tread* on smb.'s foot [tred... fut].

отдале́н||ие *с.* **1.** remóval [-ˈmuː-]; (*перен.*) estrángeːment [-eɪndʒ-]; **2.** (*расстоя́ние*) dístance; в ~ии in the dístance; в ~ии от чего́-л. remóved from smth. [-ˈmuː-...]; держа́ть в ~ии (*вн.*) keep* at a dístance (*d.*).

отдалённ||ость *ж.* (*в разн. знач.*) remóteːness; dístance. ~ый **1.** *прич. см.* отдаля́ть; **2.** *прил.* remóte; dístant; ~ый райо́н remóte district; ~ые уча́стки dístant / remóte plots; ~ое схо́дство remóte líkeːness; ~ые пре́дки remóte áncestors.

отдали́ть(ся) *сов. см.* отдаля́ть(ся).

отдаля́ть, отдали́ть 1. (*вн.*; *от*) hold* aːwáy (*d.* from), remóve [-ˈmuːv] (*d.* from); **2.** (*вн.*; *отсро́чивать*) pòstpóne [pou-] (*d.*), put* off (*d.*); **3.** (*вн.*; *вызывать отчужде́ние*) estránge [-reɪndʒ] (*d.*), áliènàte (*d.*); ~ся, отдали́ться **1.** (*от*) keep* aːwáy (from); (*перен.*) shun (*d.*); ~ся от те́мы stray from the súbject; **2.** *страд. к* отдаля́ть.

отда́ние *с.*: ~ че́сти *воен.* salúting.

отда́р||ивать, отдари́ть (*вн.*) *разг.* send* gifts in retúrn [...gɪ-...] (to). ~и́ть *сов. см.* отда́ривать.

отда́ть *сов. см.* отдава́ть I. ~ся *сов. см.* отдава́ться.

отда́ч||а *ж.* **1.** retúrn; **2.** *воен.* recóil; kick *разг.*; **3.** *тех.* efficiency, óutpùt [-put]; **4.** *мор.*: ~ я́коря drópping / càsting of the ánchor [...ˈæŋkə]; ◇ внаём létting; без ~и for good; взять без ~и (*вн.*) take* without the inténtion of giving back (*d.*); take* for keeps (*d.*) *разг.*; с по́лной ~ей whóleːheartedly [ˈhoulˈhɑːt-].

отдежу́рить *сов.* **1.** (*ко́нчить дежу́рство*) come* off dúty; **2.** (*не́которое время*): ~ два, три часа́ have had two, three hours on dúty [...auəz...].

отде́л *м.* **1.** (*подразделе́ние учрежде́ния, предприя́тия*) depártment; séction; ~ ка́дров pèrsonnél depártment; ~ спра́вок infòrmátion depártment, inːquiry óffice; ~ зака́зов órder depártment; **2.** (*часть книги, газеты и т. п.*) séction.

отде́лать(ся) *сов. см.* отде́лывать(ся).

отделе́ние *с.* **1.** (*действие*) sèparátion; **2.** (*часть помещения*) compártment, séction; (*обособленная часть стола, шкафа и т. п.*) pígeon-hòle [-dʒɪn-]; боево́е ~ (*танка*) fíghting cab / compártment; маши́нное ~ *мор.* éngine room [ˈendʒ-...]; мото́рное ~ (*танка*) éngine compártment; 3. (*филиал*) depártment, branch [-a:ntʃ]; ~ милиции lócal milítia óffice; 4. (*концерта и т. п.*) part; 5. *воен.* séction; squad *амер.*; пулемётное ~ machíne-gùn séction / squad [-ʃi:n-...]; стрелко́вое ~ rifle séction / squad.

отделённый I *прич. см.* отделять.

отделённый II *прил. воен.*: ~ командир séction / squad léader.

отдел||имый séparable. ~итель *м. тех.* séparàtor. ~и́ть *сов. см.* отделя́ть 1, 3. ~иться *сов. см.* отделя́ться.

отде́лка *ж.* 1. (*действие*) fínishing, trímming; оконча́тельная ~ fínishing tóuches [...'tʌ-] *pl. разг.*; чистова́я ~ *тех.* smóothing; 2. (*украшение*) fínish, dècorátion; (*на платье*) trímmings *pl.*; кружевна́я ~ lace trímmings *pl.*; вну́тренняя ~ *стр.* intérior dècorátion.

отде́лочн||ик *м.*, ~ица *ж.* trímmer.

отде́лочн||ый fínishing (*attr.*), trímming (*attr.*); ~ые рабо́ты work of dècorátion *sg.*, dècorátion work / fínish *sg.*; ~ стройматериа́л dècorátion matérials *pl.*

отдел||ывать, отде́лать 1. (*вн.*) fínish (*d.*), trim (up) (*d.*); отде́лать кварти́ру décoràte a flat; 2. (*вн. тв.*), укра́шать (*d.* with); ~ пла́тье кружева́ми trim *a* dress with lace; 3. (*вн.*) *разг.* (*портить*) spoil* (*d.*), rúin (*d.*); 4. (*вн.*) *разг.* (*бранить*) give* a dréssing down (*i.*); tick off (*d.*). ~**ываться**, отде́латься *разг.* 1. (*от*) get* rid (of); throw* off [-ou...] (*d.*), shake* off (*d.*); *сов. тж.* be through (*d.*), have fínished (with); ~аться от впечатле́ния shake* off *an* impréssion (*.*); (*чем-л.*) escápe (with smth.), get* off (with smth.); отде́латься о́бщими фра́зами от чего́-л. talk one's way out of smth.; ◇ дёшево ~аться get* off éasy / cheap [...'i:zɪ...]; счастли́во ~аться have a lúcky escápe; be none the worse for it [...nʌn...]; ~аться отгово́рками avoid giving a diréct ánswer [...'a:nsə].

отде́льн||о *нареч.* séparate:ly; ~ стоя́щий detáched, stánding by it:sélf. ~ость *ж.*: ка́ждый в ~ости each táken séparate:ly. ~ый séparate; *воен.* detáched, indepéndent; ~ая кварти́ра flat; ~ый ход prívate éntrance ['praɪ-...]; ~ая ко́мната séparate room; ~ые гра́ждане prívate cítizens; ~ые ли́ца indivíduals; ~ые стра́ны indivídual cóuntries [...'kʌ-].

отделя́ем||ый séparable, detáchable; ~ая часть косми́ческого корабля́ módùle.

отделя́ть, отдели́ть (*вн.*) 1. (*в разн. знач.*) séparàte (*d.*), detách (*d.*); (*разъединять*) disjóin (*d.*), divórce (*d.*); ~ занаве́ской cúrtain off (*d.*); ~ перегоро́дкой pàrtition off (*d.*); э́ти две пробле́мы не мо́гут быть отделены́ одна́ от друго́й these two próblems cánnòt be divórced from each other [...'prɒ-...]; ~ це́рковь от госуда́рства disestáblish the church; 2. *тк. несов.* (*служить грани́цей чему́-л.*) divíde (*d.*); 3. *уст.* (*давать часть из общего хозя́йства*) cut* off (*d.*); ◇ отдели́ть ове́ц от ко́злищ séparàte the sheep from the goats. ~ся, отдели́ться 1. séparàte; (*о предмете*) get* detáched; (*о верхнем слое*) come* off; 2. (*обособляться*) set* up on one's own [...oun]; 3. *страд.* к отделя́ть.

отдёр||гивать, отдёрнуть (*вн.*) jerk back (*d.*), draw* back quíckly (*d.*), with:dráw* (*d.*); (*в сторону*) draw* / pull aside [...pul...]. ~нуть *сов. см.* отдёргивать.

отдира́ть, отодра́ть (*вн.*) *разг.* tear* off [tɛə...] (*d.*), rip off (*d.*), ~ся, отодра́ться *разг.* be torn / ripped off.

отдохн||ове́ние *с. уст.* repóse. ~у́ть *сов. см.* отдыха́ть.

отдуба́сить *сов. см.* дуба́сить 1.

отдува́ться 1. (*тяжело дышать*) pant, blow* [-ou], puff; 2. (*за вн.*) *разг.* (*отвечать*) be ánswerable [...'a:nsə-] (for); take* the rap (for); ~ за друго́го (*работать*) do another pérson's work.

отду́мать *сов. см.* отду́мывать.

отду́мывать, отду́мать *разг.* change one's mind [tʃeɪ-...].

отду́ть (*вн.*) *разг.* thrash sóundly (*d.*).

отду́ш||ина *ж.* áir-hòle, áir-way, (áir-)vènt; (*перен.*) sáfety-vàlve, distráction. ~ник *м.* áir-hòle, áir-vènt.

о́тдых *м.* rest; (*передышка*) rè:laxátion; без ~а incéssantly; ◇ дом ~а hóliday / rest home [-dɪ...]; день ~а rést-day, day of rest; day off; не дава́ть ни ~у, ни сро́ку (*дт.*) néver give* a móment's rest (*i.*).

отдых||а́ть, отдохну́ть rest, have / take* a rest; be résting, be on hóliday [...-dɪ]; где вы ~а́ли в э́том году́? where did you spend your hóliday this year? ~а́ющий 1. *прич. см.* отдыха́ть; 2. *м. как сущ.* hóliday-màker [-dɪ-].

отдыша́ться *сов.* recóver one's breath [-'kʌ-...-eθ].

отёк *м. мед.* oedéma [i:'di:mə] (*pl.* -ata); ~ лёгких oedéma of the lungs, lung oedéma.

отека́ть, оте́чь 1. swell*, be swóllen [...-ou-], becóme* drópsical; 2. (*о свече*) drip.

отёл *м.* cálving ['ka:v-].

отели́ться *сов. см.* тели́ться.

оте́ль [-тэ́-] *м.* hotél.

отепл||е́ние *с.* protécting agàinst cold. ~и́ть *сов. см.* отепля́ть.

отепля́ть, отепли́ть (*вн.*; *о доме, помещении*) protéct agàinst cold (*d.*), make* proof agàinst cold (*d.*).

отере́ть *сов. см.* отира́ть.

оте́ц *м.* fáther ['fa:-]; ~ семе́йства fáther of *a* fámily; páter:famíliàs *разг.*; приёмный ~ fóster-fàther [-fa:-].

оте́ческий fáther:ly ['fa:-]; patérnal.

оте́чественн||ый home (*attr.*), of one's own cóuntry [...oun 'kʌ-]; ~ая промы́шленность home índustry; това́ры ~ого произво́дства hóme-prodùced goods [...gudz], goods prodúced in our own cóuntry; ~ая нау́ка the science of our country; ◇ Вели́кая Оте́чественная война́ (1941—1945 гг.) the Great Pàtriótic War [...-eɪt...].

оте́чество *с.* nátive land, móther:lànd ['mʌ-], fáther:lànd ['fa:-].

отёчный oedemátic [i:d-], oedémàtose [i:'demətəs].

оте́чь *сов. см.* отека́ть.

отжа́ть I *сов. см.* отжима́ть.

отжа́ть II *сов. см.* отжина́ть.

отже́чь *сов. см.* отжига́ть.

отжива́ть, отжи́ть (*устаревать*) becóme* óbsolète; (*о людях*) have had one's day; отжи́ть свой век (*об обычаях и т. п.*) go* out of fáshion / use [...-s]; (*о людях*) have had one's day; э́то уже́ отжи́ло this is out of date.

отжива́ющий òbsoléscent; móribùnd.

отжи́вший óbsolète.

о́тжиг *м. тех.* (*металла*) ánnealing; (*стекла*) frítting.

отжига́ть, отже́чь (*вн.*) *тех.* ánneal (*d.*).

отжи́ливать, отжи́лить (*что-л.*) *разг.* fail to retúrn smth. bórrowed.

отжи́лить *сов. см.* отжи́ливать.

отжима́ть, отжа́ть (*вн.*) wring* out (*d.*).

отжина́ть, отжа́ть (*вн.*) fínish hárvesting, fínish the hárvest.

отжи́ть *сов. см.* отжива́ть.

отзвене́ть *сов.* finish ríng:ing.

отзвони́ть *сов.* leave* off ríng:ing, stop / fínish ríng:ing; (*перен.*) *разг.* rattle off.

о́тзвук *м.* (*прям. и перен.*) échò ['ekou]; rè:percússion.

отзвуча́ть *сов.* be heard no more [...hə:d...], sound no more, stop / cease resóunding [...-s-'zaun-].

о́тзыв *м.* 1. (*суждение*) opínion, réference; (*официальный*) tèstimónial; (*рецензия*) revíew [-'vju:]; (*читателей и т. п.*) respónse, cómmènt; дать хоро́ший ~ о ком-л. give* a good* réference to smb.; 2. *воен.* reply.

отзы́в *м.* (*посла и т. п.*) recáll.

отзыва́ть I, отозва́ть (*вн.*) 1. (*отводить в сторону*) take* aside / apárt (*d.*); 2. (*посла и т. п.*) recáll (*d.*).

отзыва́ть II *безл.* (*тв.*) *разг.* = отзыва́ться II.

отзыва́ться I, отозва́ться 1. (*отвечать*) ánswer ['a:nsə], échò ['ekou]; (*на вн.*) ánswer (*d.*); 2. (*о, об*; *давать отзыв*) speak* (of); ~ с большо́й похвало́й give* high praise (to); 3. (*на пр.*; *влиять*) tell* (up:ón, on); 4. *страд.* к отзыва́ть I.

отзыва́ться II (*тв.*) *разг.* (*иметь привкус*) taste like [teɪ-...], (*d.*), taste (of).

отзывн||о́й: ~ы́е гра́моты *дип.* létters of recáll.

отзы́вчив||ость *ж.* respónsive:ness, sýmpathy. ~ый respónsive, sỳmpathétic; ~ый челове́к pérson of réady sýmpathy [...'redɪ...].

отира́ть, отере́ть wipe (*d.*), wipe dry (*d.*).

оти́т *м. мед.* otítis.

отка́з *м.* 1. refúsal [-z-], repùdiátion; *юр.* rejéction, nónsúit [-'sju:t]; получи́ть ~ be refúsed; be turned down *разг.*; не принима́ть ~a take* no denial, refúse to take no for an ánswer [...'a:nsə]; отве́тить ~ом на про́сьбу dený a request; 2.: ~ от чего́-л. giving smth. up; ~ от свои́х прав renùnciátion of one's rights; ~ от уча́стия (в *пр.*) non-pàrticipátion (in); 3. *муз.* nátural; ~ до ~a (*до предела*) to òver:flówing [...-'flou-]; to satiety; *тех.* as far as it will go; по́лный до ~а cram-fúll, full to capácity; работать без ~а (*о машине*) run* fáultlessly / smóothly [...-ð-].

отказа́ть I, II *сов. см.* отка́зывать I, II.

отказа́ться *сов. см.* отка́зываться.

отка́зчик *м. разг.* conscientious objéctor [-nʃɪ-...].

отка́зывать I, отказа́ть 1. (*в чём-л. кому́-л.*) refúse (smth. to smb.), dený (smth. to smb.) (*запрещать*) forbíd (smth. to smb.); ~ в по́мощи (*дт*) dený assístance (to); ~ в ви́зе (*дт*) refúse *a* vísa [...-'vi:zə] (to); ~ в и́ске *юр.* nónsúit [-'sju:t] (*d.*); ~ (*без доп.*) *переставать действовать*) fail, break* down [breɪk...]; pack up, conk out *разг.*; мото́р отказа́л the éngine conked out [...'endʒ-...]; ◊ ~ от до́ма forbíd* the house [...-s] (*i.*); ни в чём себе́ не ~ dený one:sélf nothing; ~ себе́ во всём stint one:sélf in éverything; ему́ нельзя́ отказа́ть в остроу́мии, любе́зности, уме́нии держа́ть себя́ *и т. п.* there's no denýing that he is wítty, ámiable, wéll-mánnered, *etc.*; не откажи́те в любе́зности be so kind as.

отка́зывать II, отказа́ть (что-л. кому́-л.) *уст.* (*завещать*) bequéath [-ð] (smth. to smb.).

отка́зываться, отказа́ться (от) 1. refúse (*d.*), declíne (*d.*), repúdiàte (*d.*); ~ от свои́х слов retráct one's words; go* back on one's word; ~ от то́чки зре́ния renóunce one's point of view [...vju:]; ~ от свое́й по́дписи dený one's sígnature; ~ вы́слушать кого́-л. refúse to hear smb.; 2. (*лишать себя*) renóunce (*d.*); (*лишаться чего́-л., что имел прежде*) give* up (*d.*); (*от власти*) ábdicàte (*d.*); (*от права*) relínquish (*d.*); ~ от свое́й до́ли (*в предприятии и т. п.*) relínquish one's share (in); отказа́ться от свои́х притяза́ний (на *вн.*) renóunce / waive, *или* write* off, one's claims (to); ~ от до́лжности leave*, *или* give* up, one's position / post [...-'zɪ- pou-], resígn one's position / post / óffice [-'zaɪn...]; relínquish one's posítion / post; ~ от борьбы́ give* up the struggle; ~ от поли́тики (*рд.*) abándon the pólicy (of); ~ от попы́тки renóunce / abándon an attémpt; ~ от свои́х пла́нов abándon one's plans; ◊ ~ от че́сти declíne the hónour [...'ɔnə]; не откажу́сь, не отказа́лся бы I won't say no [...waunt...], I don't mind if I do.

отка́лывать I, отколо́ть (*вн.*) 1. (*отламывать*) chop off (*d.*); break* off [breɪk...] (*d.*); 2. (*заставлять кого́-л. порвать с кем-л.*) make* smb. break with smb., divíde smb. from smb.; ~ отколо́ть словцо́ come* up with a wíse-cráck; ~ номера́ play pranks.

отка́лывать II, отколо́ть (*вн.; приколотое*) únpín (*d.*), unfásten [-sᵊn] (*d.*); take* a:wáy (*d.*), remóve [-'mu:v] (*d.*).

отка́лываться I, отколо́ться 1. break* off [-eɪk...]; отколо́ться от чего́-л. break* a:wáy from smth.; 2. (*порывать с кем-л., чем-л.*) break* a:wáy, cut* one:sélf off; 3. *страд. к* отка́лывать I.

отка́лываться II, отколо́ться 1. (*о чём-л. приколотом*) come* únpínned /

unfástened [...-sᵊnd]; 2. *страд. к* отка́лывать II.

отка́пывать, откопа́ть (*вн.*) dig* out (*d.*); (*о мёртвом теле*) exhúme (*d.*), disintér (*d.*); disentómb [-'tu:m] (*d.*); (*перен.*) *разг.* dig* up (*d.*), un:éarth [-'ɜ:θ] (*d.*); где вы э́то откопа́ли? where on earth did you get it? [...ɜ:θ...].

отка́рмливать, откорми́ть (*вн.*) fátten (*d.*); ~ на убо́й (*вн.*) fátten for sláughter (*d.*).

отка́т *м. воен.* recóil.

откати́ть(ся) *сов. см.* отка́тывать(ся).

отка́тка *ж. горн.* háulage; *уст.* (*ручная*) trámming.

отка́точный: ~ штрек *горн.* háulage-drift.

отка́тчик *м.* (*в шахтах*) háulage-man*, háuler, drágs:man*.

отка́тывать, откати́ть (*вн.*) 1. roll a:wáy (*d.*); (*в сторону*) roll asíde (*d.*); 2. (*в шахтах, рудниках*) haul (*d.*); (*вручную*) tram (*d.*). ~ся, откати́ться 1. roll a:wáy; (*об орудии*) recóil; 2. *воен. разг.* (*о войсках*) stream back, roll back; 3. *страд. к* отка́тывать.

откача́ть *сов. см.* отка́чивать.

отка́чивать, откача́ть (*вн.*) 1. pump out (*d.*); 2.: ~ уто́пленника admínister àrtifícial respirátion to *a* drowned pérson.

отка́чка *ж.* púmping (out).

откачну́ть *сов.* (*вн.*) swing* asíde (*d.*). ~ся *сов.* swing* asíde (*d.*); (*назад*) reel back.

отка́шл|ивать, отка́шлянуть (*вн.*) hawk up (*d.*). ~иваться, отка́шляться clear one's throat. ~януть *сов. см.* отка́шливать. ~яться *сов. см.* отка́шливаться.

отквита́ть *сов. см.* откви́тывать.

откви́тывать, отквита́ть (*вн.*) *разг.* give* (*i.*) as good as one gets.

откидн|о́й fólding, collápsible; ~о́е сиде́нье collápsible / típ-ùp seat; ~ борт flap.

отки́дывать, отки́нуть (*вн.*) 1. throw* a:wáy [-ou...] (*d.*); (*назад*) throw* back (*d.*); 2. (*отгибать*) fold / turn back (*d.*); ~ портье́ру rip the cúrtain asíde. ~ся, отки́нуться 1. lean* back; (*в кресле*) settle back; 2. *страд. к* отки́дывать.

отки́нуть(ся) *сов. см.* отки́дывать(ся).

откла́дыв|ать, отложи́ть (*вн.*) 1. (*в сторону*) put* / set* asíde (*d.*); (*запасать*) lay* / put* by (*d.*); save (*d.*); ~ на чёрный день put* by for a ráiny day (*d.*); 2. (*отсрочивать*) put* off (*d.*), pòstpóne [poust-] (*d.*), adjóurn [ə'dʒɜ:n] (*d.*); (*рассмотрение и т. п.*) defér (*d.*); отложи́ть оконча́тельное реше́ние put* off the final decísion; отложи́ть перегово́ры adjóurn the talks; ~ па́ртию ша́хм. adjóurn *a* game; ~ реше́ние suspénd júdg:ment; 3. *биол.* lay* (*d.*); ◊ ~ лошаде́й únhárness the hórses; ~ в до́лгий я́щик shelve (*d.*), put* off (*d.*), procrástinate (*i.*); ~ая в до́лгий я́щик right a:wáy, díréctly, on the spot.

откла́н|иваться, откла́няться *уст.* take* one's leave. ~яться *сов. см.* откла́ниваться.

отклева́ть *сов. см.* отклёвывать.

отклёвывать, отклева́ть (*вн.*) peck off / a:wáy (*d.*).

ОТК — ОТК O

откле́ивать, откле́ить (*вн.*) únstíck (*d.*). ~ся, откле́иться 1. come* únstúck; 2. *страд. к* откле́ивать.

откле́ить(ся) *сов. см.* откле́ивать(ся).

о́тклик *м.* 1. (*ответ*) respónse (*тж. перен.*); найти́ широ́кий ~ (*среди́*) find* a broad respónse [...brɔ:d...] (amóng); meet* with a warm respónse; вы́звать живо́й ~ rouse a réady / keen respónse [...redɪ...], evóke a warm respónse; 2. *обыкн. мн.* (*отзывы, оценка*) cómmènt(s); rèáction *sg.*; ~и в печа́ти press cómmènts; ~ (*эхо, отзвук*) écho (*тж. перен.*); ~и неда́вних собы́тий échoes of récent háppenings.

откли́каться, откли́кнуться (на *вн.*) respónd (to); (*перен.*) cómmènt (on); откли́кнуться на призы́в (*рд.*) respónd to the call / súmmons (of); take* up the call.

откли́кнуться *сов. см.* откли́каться.

отклон|е́ние *с.* 1. (*отход в сторону*) dèviátion, defléction; divérgence [daɪ-]; 2. (*отказ*) declíning, refúsal [-z-]; ~ хода́тайства refúsal of an àpplicátion; 3. (*от; отступление от чего́-л.*) depárture (from); ~ от но́рмы depárture from the norm; ~ от те́мы digréssion [daɪ-]; 4. *физ.* defléction; dèclinátion; érror: магни́тное ~ màgnétic dèclinátion, cómpass vàriátion ['kʌm-...]; ~ стре́лки defléction of the needle; вероя́тное ~ próbable érror. ~и́ть(ся) *сов. см.* отклоня́ть(ся).

отклоня́ть, отклони́ть (*вн.*) 1. (*в сторону*) defléct (*d.*); 2. (*отвергать, отказывать*) declíne (*d.*), turn down (*d.*); ~ про́сьбу refúse a requést; ~ попра́вку vote down *the* améndment. ~ся, отклони́ться 1. bend* / move asíde [...mu:v...]; divérge [daɪ-], dèviàte; стре́лка отклони́лась впра́во the needle swung to the right; 2. (*от; уклоняться от первоначального пути*) dèviàte (from); swerve (from); кора́бль отклони́лся от взя́того ку́рса the ship dèviàted from its course [...kɔ:s]; 3. (*от; отвлекаться*) digréss (from); ~ся от те́мы get* off the point; digréss, *или* wánder a:wáy, from the súbject; 4. *страд. к* отклоня́ть.

отклю|ча́ть, отключи́ть (*вн.*) cut* off (*d.*), disconnéct (*d.*). ~ча́ться, отключи́ться becóme* disconnécted. ~чённый 1. *прич. см.* отключа́ть; 2. *прил. эл.* dead [ded]. ~чи́ть(ся) *сов. см.* отключа́ть(ся).

откова́ть *сов. см.* отко́вывать.

отко́вывать, откова́ть 1. (*без доп.*) finish fórging; 2. (*вн.; изготовлять ковкой*) forge (*d.*); 3. (*отбивать прикованное*) hámmer off (*d.*).

отковы́р|ивать, отковыря́ть (*вн.*) *разг.* pick off (*d.*). ~я́ть *сов. см.* отковы́ривать.

откозыря́ть *сов.* (*дт.*) *разг.* salúte (*d.*).

отко́л *м.* bréak-a:wáy [-eɪk-], split, splítting off.

отко́ле *нареч. уст.* whence, where from.

отколоти́ть *сов.* (*вн.*) *разг.* 1. (*отбить приколоченное*) knock / beat* off (*d.*); 2. (*избить*) lick (*d.*), give* a lícking (*i.*).

ОТК – ОТЛ

отколо́ть(ся) I, II *сов. см.* отка́лывать(ся) I, II.

отколошма́тить *сов. см.* колошма́тить.

отколупа́ть *сов. см.* отколу́пывать.

отколу́пывать, отколупа́ть (*вн.*) pick off (*d.*).

отко́ль *нареч. уст.* = отко́ле.

откомандирова́ть *сов. см.* откомандиро́вывать.

откомандиро́вывать, откомандирова́ть (*вн.*) detach (*d.*), post (*d.*) (*to new duties or establishment*).

откопа́ть *сов. см.* отка́пывать.

отко́рм *м.* fáttening (up). **~и́ть** *сов. см.* отка́рмливать. **~ленный** 1. *прич. см.* отка́рмливать; 2. *прил.* fáttened, fat; (*о человеке*) wéll-féd; **~ленный скот** fat stock. **~очный** fáttening, féeding; **~очный скот** féeder cattle.

отко́с *м.* slope; ◇ пуска́ть по́езд под ~ deráil a train.

откочева́ть *сов. см.* откочёвывать.

откочёвывать, откочева́ть move on (to a new place) [mu:v...].

открепи́ть(ся) *сов. см.* открепля́ть(ся).

открепля́ть, открепи́ть (*вн.*) 1. unfásten [-sᵊn] (*d.*), úntie (*d.*); 2. (*снимать с учёта*) strike* off the régister / list (*d.*). **~ся**, открепи́ться 1. become* unfástened [...-sᵊnd]; 2. (*сниматься с учёта*) remóve one's name (from a régister, *etc.*), be struck off the list; 3. *страд. к* открепля́ть.

открести́ться (от) *разг.* refuse to have ány:thing to do (with), disówn [-'oun] (*d.*).

открове́н‖ие *с.* revelátion. **~ничать** (с кем-л.) *разг.* indúlge in cónfidences (with). **~но** *нареч.* fránkly, cándidly, ópen:ly; **~но говоря́** fránkly spéaking. **~ность** *ж.* fránkness, cándour. **~ный** cándid, frank; (*о человеке тж.*) outspóken; blunt; **~ное призна́ние** frank conféssion; avówal.

откромса́ть *сов.* (*вн.*) *разг.* cut* off cáre:lessly (*d.*).

открути́ть(ся) *сов. см.* откру́чивать(-ся).

откру́чивать, открути́ть (*вн.*; *о кране и т. п.*) turn off (*d.*). **~ся**, открути́ться 1. turn off; 2. (*от*) *разг.* (*ловко избавляться от чего-л.*) get* out (of); 3. *страд. к* откру́чивать.

открыва́лка *ж. разг.* ópener.

открыва́ть, откры́ть (*вн.*) 1. (*прям. и перен.*) ópen (*d.*); ~ дверь ópen *a* door [...dɔ:]; ~ глаза́ ópen one's eyes [...aɪz]; откры́ть но́вую э́ру ópen a new éra; ~ ско́бки ópen the bráckets; 2. (*делать доступным, свободным*) clear (*d.*); ~ путь clear the way; 3. (*обнажать*) uncóver [-'кл-] (*d.*), bare (*d.*); ~ грудь bare one's breast [...brest]; 4. (*об общественном здании, учреждении и т. п.*) ináugurate (*d.*); ~ па́мятник unvéil *a* mónument; 5. (*делать открытие*) discóver [-'кл-] (*d.*). 6. (*о секрете, тайне и т. п.*) let* out (*d.*), revéal (*d.*); 7.: ~ заседа́ние ópen *a* sítting; ~ пре́ния ópen the debáte; ~ ого́нь *воен.* ópen fire; blaze into áction; не

~ огня́ *воен.* hold* one's fire; ~ счёт, креди́т *бух.* ópen *an* accóunt; ◇ ~ ка́рты show* one's hand / game [ʃou...]; ~ кому́-л. глаза́ на что-л. ópen smb.'s eyes to smth.; ~ ду́шу кому́-л. ópen one's heart to smb. [...hɑ:t...]; lay* bare one's heart befóre smb.; ~ кран turn on *a* tap; ~ Аме́рику (*перен.*) ≅ retáil stale news. **~ся**, откры́ться 1. (*прям. и перен.*) ópen; 2. (*обнаруживаться*) come* to light, be reveáled; 3. (*кому-л.*) confíde (to smb.); 4. (*о ране*) ópen; 5. *страд. к* открыва́ть.

откры́т‖ие *с.* 1. (*действие*) ópen:ing; thrówing ópen ['θrou-...]; памятника inaugurátion / unvéiling of *the* memórial; день ~ия (*выставки и т. п.*) ópen:ing day; 2. (*научное*) discóvery [-'кл-].

откры́тка *ж.* póstcárd ['pou-]; (*с художественным изображением*) pícture póstcárd.

откры́т‖о I 1. *прил. кратк. см.* откры́тый; 2. *предик.* ópen, ópen:ed: все о́кна бы́ли ~ы all the windows were ópen(:ed).

откры́то II *нареч.* ópen:ly, pláinly; де́йствовать ~ act ópen:ly; говори́ть ~ speak* ópen:ly.

откры́т‖ый 1. *прич. см.* открыва́ть; 2. *прил.* (*в разн. знач.*) ópen; (*перен. тж.*) óvert; (*прямой, искренний тж.*) frank; (*явный тж.*) undis:guised; ~ое пла́тье lów-nécked dress ['lou-...]; ~ое заседа́ние públic sítting ['рл-...]; ~ фланг *воен.* ópen / expósed flank; ~ые разрабо́тки (*угольные, рудные и т. п.*) ópen-pit mines; ~ грунт ópen ground; ◇ ~ слог ópen sýllable; ~ая ра́на ópen wound [...wu:nd]; ~ое голосова́ние ópen bállot, vote by show of hands [...ʃou...]; оста́вить вопро́с ~ым leave* the quéstion ópen [...-stʃən...]; ~ое мо́ре ópen sea; вы́йти в ~ое мо́ре put* to sea; на ~ом во́здухе in the ópen (air), out of doors [...dɔ:z]; под ~ым не́бом in the ópen (air), únder the ópen sky; с ~ой душо́й ópen-héarted [-'hɑ:t-]; в ~ую shówing one's hand ['ʃou-...]; с ~ыми глаза́ми with ópen eyes [...aɪz].

откры́ть(ся) *сов. см.* открыва́ть(ся).

отку́да *нареч.* 1. (*вопрос.*) where from; (*относит.*) from which; (*перен.: из чего*) whence: ~ они́ отпра́вятся? where will they start from?; ~ вы (идёте)? where are you cóming from?; ме́сто, ~ они́ происхо́дят the place from which they come; ~ я́вствует, сле́дует whence it appéars, it fóllows; — ~ вы э́то зна́ете? how do you come / háppen to know (abóut) it? [...nou...]; он не знал, ~ после́довал уда́р he did not know where the blow was cóming from [...blou...]. 2.: ~ ни, ~ бы ни wheréver... from [wɛərˈevə...]: ~ он ни происхо́дит, ~ бы он ни происходи́л wheréver he comes, *или* may come, from; ◇ ~ ни возьми́сь *разг.* from no:where, out of the blue.

отку́да‖-либо, **~-нибудь** *нареч.* from some:where or other. **~-то** *нареч.* from some:where.

отку́п *м. ист.* fárming (*of revenues*); брать на ~ (*вн.*) farm (*перен.*) take* compléte contról [...-oul] (of); от-

дава́ть на ~ (*вн.*) farm out (*d.*); (*перен.*) give* smb. compléte contról (óver).

откуп‖а́ть, откупи́ть (*вн.*) *уст.* buy* [baɪ] (*d.*); (*брать на откуп*) farm (*d.*). **~а́ться**, откупи́ться 1. pay* off; 2. *страд. к* откупа́ть. **~и́ть(ся)** *сов. см.* откупа́ть(ся).

отку́пор‖ивать, отку́порить (*вн.*) uncórk (*d.*). **~ить** *сов. см.* отку́поривать. **~ка** *ж.* ópen:ing, uncórking.

отку́пщик *м. ист.* táx-fàrmer.

откуси́ть *сов. см.* отку́сывать.

отку́сывать, откуси́ть (*вн., рд.*) 1. bite* off (*d.*), take* a bite (of); 2. (*клещами и т. п.*) snap off (*d.*), nip off (*d.*).

отку́шать *сов. уст.* 1. have fínished one's meal; 2.: проси́ть ~ (*вн.*) invíte to a meal (*d.*).

отлага́тельств‖о *с.* deláy, procrastinátion; де́ло не те́рпит ~а the mátter brooks no deláy, the mátter is úrgent / préssing.

отлага́ть, отложи́ть (*вн.*) 1. = откла́дывать 2; 2. *геол.* depósit [-z-] (*d.*). **~ся**, отложи́ться 1. (*от*) *уст.* (*отделяться*) fall* awáy (from), detách onesélf (from), séparate (from); 2. *геол.* depósit [-z-], be depósited; 3. *страд. к* отлага́ть.

отла́мывать, отлома́ть, отломи́ть (*вн.*) break* off [-eɪk...] (*d.*). **~ся**, отлома́ться, отломи́ться 1. break* off [-eɪk...]; 2. *страд. к* отла́мывать.

отлег‖а́ть, отле́чь: у него́ ~ло́ от се́рдца he felt reliéved [...-'li:-].

отлежа́ть *сов. см.* отлёживать. **~ся** *сов. см.* отлёживаться 1, 2.

отлёживать, отлежа́ть: он отлежа́л но́гу, ру́ку his leg, arm has gone to sleep [...gɔn...]; he has pins and néedles in his leg, arm *идиом.*

отлёживаться, отлежа́ться *разг.* 1. rest in bed, keep* one's bed; 2. (*о яблоках и т. п.*) lie*, be stored (*in order to season, ripen, etc.*); 3. *тк. несов.* (*лежать, пережидая что-л.*) lie* low [...lou].

отлепи́ть(ся) *сов. см.* отлепля́ть(ся).

отлепля́ть, отлепи́ть (*вн.*) *разг.* take* off (*d.*); un:stíck* (*d.*); (*ср.* отклеи́вать). **~ся**, отлепи́ться *разг.* 1. come* unstúck, come* off; 2. *страд. к* отлепля́ть.

отлёт *м.* flýing awáy; (*о самолёте тж.*) depárture; táke-óff; ◇ дом на ~е house* stánding by it:sélf, *или* some dístance awáy [-s...]; жить на ~е *разг.* live far awáy from évery:where [lɪv...]; держа́ть что-л. на ~е *разг.* hold* smth. at arm's length; быть на ~е *разг.* be abóut to leave, be on the point of depárture.

отлет‖а́ть I, отлете́ть 1. fly* awáy/off; 2. *разг.* (*отскакивать*) rebóund, bounce back; 3. *разг.* (*отрываться*) come* off; у пальто́ ~е́ла пу́говица one of the búttons on the coat had come off.

отлет‖а́ть II *сов.* 1. (*кончить летать*) have compléted a flight; 2. (*вн.*) *разг.* (*пробыть лётчиком в течение какого-л. времени*) have been flýing (*d.*) (*for a given périod*); он ~а́л 20 лет he has done twénty years' flýing.

отлете́ть сов. см. отлета́ть I.
отле́чь сов. см. отлега́ть.
отли́в I м. (прям. и перен.) ebb, ébb-tide; (малая вода) lów-tíde.
отли́в II м. (отблеск, оттенок цвета) tint; play of cólours [...'кл-]; с золоты́м ~ом shot with gold.
отлива́ть I, отли́ть (вн.) (выливать часть жидкости) pour off [рɔ:...] (d.); (откачивать) pump out (d.).
отлива́ть II, отли́ть (вн.; в лите́йном деле) found (d.), cast* (in a mould) [...mou-] (d.).
отлива́ть III (тв.; каким-л. цветом) be shot (with a colour): ~ кра́сным, зелёным и т. п. be shot with red, green, etc.
отли́в‖**ка** ж. тех. 1. (действие) cásting, fóunding; 2. (изделие) cast, móulding ['mou-], íngot. **~но́й** тех. cast, fóunded, móulded ['mou-].
отлипа́ть, отли́пнуть come* off, come* únstúck.
отли́пнуть сов. см. отлипа́ть.
отли́ть I, II сов. см. отлива́ть I, II.
отлича́ть, отличи́ть 1. (вн. от; различа́ть) tell* (d. from), distínguish (d. from); ~ одно́ от друго́го tell* one from the other; 2. (вн.; отмечать награ́дой) rewárd (d.), confér a distínction (on); 3. тк. несов. (вн.; быть характе́рной осо́бенностью) distínguish (d.). **~ся**, отличи́ться 1. тк. несов. (от; быть непохожим) díffer (from); 2. тк. несов. (чем-л.; характеризова́ться) be nótable (for); 3. (выдаваться, выделя́ться) distínguish onesélf; excél; distínguish onesélf; ~ся в бою́ distínguish onesélf in áction; 4. разг., ирон. (делать что-л., вызывающее смех) cause a stir; (вызыва́ть осуждение) make* an exhibítion of onesélf [...eksɪ-...]; 5. страд. к отлича́ть.
отли́ч‖**ие** с. 1. dífference, distínction; в ~ от in cóntrast to, únlíke; as distínct from; знак ~ия decorátion; 2. (заслу́га) mérit; distínguished sérvices pl.; око́нчить с ~ем (вн.; о вузе и т. п.) gráduate with a fírst-cláss hónours degrée [...'ɔnəz...] (from); get* a first разг.; дипло́м с ~ем hónours degrée. **~и́тельный** distínctive. **~и́ть** сов. см. отлича́ть 1, 2. **~и́ться** сов. см. отлича́ться 3, 4.
отли́чн‖**ик** м., **~ица** ж. 1. (о шко́льнике) éxcellent púpil, púpil obtáining éxcellent marks; (о студенте) éxcellent stúdent, hónours stúdent; 2.: ~ики произво́дства éxcellent wórkers; ~ боево́й и полити́ческой подгото́вки ármy-man* with éxcellent resúlts in mílitary and polítical tráining [...'zʌl-...].
отли́чно I 1. прил. кратк. см. отли́чный; 2. предик. безл. it is éxcellent; (восклицание) éxcellent!
отли́чн‖**о** II 1. нареч. excéllently; pérfectly (well); ~ знать (вн.) know* pérfectly well [nou...] (d.); ~ понима́ть (вн.) understánd* pérfectly; ведь он ~ понима́ет! he knows very well!; 2. как сущ. с. нескл. (отме́тка) an éxcellent, éxcellent mark; око́нчить шко́лу на ~ leave* school with éxcellent marks. **~ый** 1. (от) уст. (отличающийся) dífferent (from); 2. (превосхо́дный) éxcellent; pérfect; ~ое здоро́вье pérfect health [...he-]; ~ое настрое́ние high spírits pl.; ~ое обслу́живание éxcellent sérvice; проду́кция ~ого ка́чества tóp-quálity prodúction.
отло́г‖**ий** slóping. **~ость** ж. slope.
отложе́ние с. 1. depósit [-z-]; sédiment, precipitátion; 2. уст. (отделение) sécéssion.
отложи́ть I сов. см. откла́дывать.
отложи́ть II сов. см. отлага́ть. **~ся** сов. см. отлага́ться.
отложно́й: ~ воротни́к túrn-down cóllar.
отлома́ть(ся) сов. см. отла́мывать(-ся).
отломи́ть(ся) сов. см. отла́мывать(-ся).
отлупи́ть сов. см. лупи́ть II.
отлупцева́ть сов. см. лупцева́ть.
отлуча́ть, отлучи́ть (вн.; от церкви) excommúnicàte (d.). **~ся**, ~и́ться 1. absént onesélf; ~и́ться на час be awáy for an hour [...auə]; 2. страд. к отлуча́ть.
отлуче́ние с. (от церкви) excommùnicátion.
отлучи́ть(ся) сов. см. отлуча́ть(ся).
отлу́чк‖**а** ж. ábsence; быть в ~е be awáy, be ábsent.
отлы́нивать (от) разг. shirk (d.); ~ от рабо́ты shirk one's work.
отма́лчиваться, отмолча́ться keep* sílent; keep* mum разг.; (держать про себя́) keep* smth. to onesélf.
отма́тывать, отмота́ть (вн.) wind* off (d.).
отмаха́ть сов. см. отма́хивать 1.
отма́хивать, отмаха́ть, отмахну́ть 1. при сов. отмаха́ть (вн.) разг. (покрыва́ть расстоя́ние) cóver ['кл-] (d.); он отмаха́л пять киломе́тров he cóvered five kílomètres. 2. при сов. отмахну́ть (вн.) wave awáy (d.). **~ся**, отмахну́ться 1. (от) wave / fan off / awáy (d.); (перен.: отвергать) wave awáy / aside (d.), brush aside (d.); отмахну́ться от реше́ния вопро́са turn one's back on a próblem [...'prɔ-], dismíss the mátter with a wave of one's hand; 2. страд. к отма́хивать.
отмахну́ть сов. см. отма́хивать 2. **~ся** сов. см. отма́хиваться.
отма́чивать, отмочи́ть (вн.) 1. soak off (d.); 2. (отклеивать, увлажни́в) únstíck* by wétting (d.); 3. разг. (говори́ть или делать что-л. неле́пое) do, say smth. lúdicrous or outrágeous; отмочи́ть шу́тку crack a joke; отмочи́ть глу́пость make* a gaffe [...gæf].
отмежева́ть(ся) сов. см. отмежёвывать(ся).
отмежёвывать, отмежева́ть (вн.) mark off (d.), draw* a bóundary (line) (betwéen). **~ся**, отмежева́ться 1. (от; обосо́бля́ться) dissóciate / ísoláte onesélf [...'ais-...] (from); (объявлять о своём несогласии) refúse to acknówledge [...'nɔ-] (d.); 2. страд. к отмежёвывать.
о́тмель ж. (sánd-)bar, (sánd-)bank.
отме́н‖**а** ж. abolítion; (о законе) abrogátion, repéal, revocátion; (о приказа́нии) cancellátion, counterménd [-ɑ:nd]; (о реше́нии) disaffirmátion; ~ эмба́рго the lífting of the embárgò; ~ ча́стной со́бственности abolítion of prívate próperty [...'praɪ-...]; ~ крепостно́го пра́ва the abolítion of sérfdom; ~ сме́ртной ка́зни abolítion of cápital púnishment [...'рл-]; ~ пригово́ра юр. repéal of séntence. **~и́ть** сов. см. отменя́ть.
отме́нный éxcellent.
отменя́ть, отмени́ть (вн.) abólish (d.); (о законе) ábrogáte (d.), repéal (d.), revóke (d.), call off (d.), rescínd [-'sɪ-] (d.); (о приказании) cáncel (d.), counterménd [-ɑ:nd] (d.); юр. (о решении) disaffírm (d.), revérse (d.); ~ постановле́ние и т. п. annúl a decrée, etc.; ~ прика́з revóke an órder; воен. rescínd an órder; ~ пригово́р repéal / rescínd a séntence; ~ о́тпуск cáncel leave; отмени́ть забасто́вку call off a strike.
отмере́ть сов. см. отмира́ть.
отмерза́ть, отмёрзнуть: у него́ отмёрзли ру́ки, у́ши his hands, ears are frózen.
отмёрзнуть сов. см. отмерза́ть.
отме́р‖**ивать**, отме́рить (вн.) méasure off ['me-...] (d.). **~ить** сов. см. отме́ривать.
отмеря́ть = отме́ривать.
отмести́ сов. см. отмета́ть.
отме́стк‖**а** ж. разг. revénge; в ~у in revénge.
отмета́ть, отмести́ (вн.) (прям. и перен.) sweep* aside (d.); (перен.) rejéct (d.); give* up (d.).
отме́тина ж. разг. mark; (на лбу животного) star.
отме́т‖**ить(ся)** сов. см. отмеча́ть(ся).
~ка ж. 1. note (d.); 2. (оценка знаний) mark; мн. grades амер.; ~ка по поведе́нию cónduct mark; ~ка по какому-л. предме́ту mark in / for a cértain súbject; хоро́шие ~ки high marks; плохи́е ~ки low marks [lou...]; поста́вить ~ку put* down a mark; (дт.) give* a mark (i.); выводи́ть о́бщую ~ку (за че́тверть, год и т. п.) decíde on an óver-àll mark. **~чик** м. márker.
отмеча́ть, отме́тить (вн.) 1. (в разн. знач.) mark (d.); (обращать внимание тж.) note (d.); (каким-л. знаком) mark off (d.); ~ по́двиги recórd the feats (of arms); ~ пти́чкой tick off (d.); отме́тить годовщи́ну (рд.) mark by celebrátion the annivérsary (of); 2. (упомина́ть) méntion (d.); 3. (вычёркивать из домо́вой кни́ги) régister (out) (a depárting ténant, etc.) [...'te-]; ◇ сле́дует отме́тить, что it should be nóted / obsérved that [...-'zə:vd...]. **~ся**, отме́титься 1. régister onesélf; 2. (при отъе́зде) régister one's depárture; 3. страд. к отмеча́ть.
отмира́ние с. dýing off; (исчезнове́ние) disappéarance; (атрофи́я) átrophy.
отмира́ть, отмере́ть die off, die out; (исчезать) disappéar; ста́рые обы́чаи ~а́ют old cústoms are dýing out.
отмока́ть, отмо́кнуть 1. (отсыревать) get* wet; 2. (отделя́ться) soak off.
отмо́кнуть сов. см. отмока́ть.
отмолоти́ть сов. finish thréshing.

ОТЛ–ОТМ O

ОТМ – ОТО

отмолча́ться *сов. см.* отма́лчиваться.

отмор‖**а́живать, отморо́зить:** ~ себе́ щёки injure one's cheeks by fróst-bite; у него́ отморо́жены ру́ки, но́ги *и т. п.* he has fróst-bitten hands, feet, *etc.*; his hands, feet, *etc.*, are fróst-bitten; ~о́женные щёки fróst-bitten cheeks. ~о́зить *сов. см.* отмора́живать.

отмота́ть *сов. см.* отма́тывать.

отмочи́ть *сов. см.* отма́чивать.

отмсти́ть = отомсти́ть.

отмще́ние *с. уст.* véngeance [-dʒəns].

отмыв‖**а́ть, отмы́ть** (*вн.*) 1. wash clean (*d.*); отмы́ть ру́ки wash one's hands clean; 2. (*смывать*) wash off / aẃay (*d.*); отмы́ть грязь wash off the dirt. ~**а́ться, отмы́ться** 1. wash (òne:́sélf) clean; э́то не ~а́ется it will not come off; 2. *страд. к* отмыва́ть.

отмыка́ть, отомкну́ть (*вн.*) ún:lóck (*d.*), únbólt (*d.*). ~**ся, отомкну́ться** 1. ún:lóck; 2. *страд. к* отмыка́ть.

отмы́ть(ся) *сов. см.* отмыва́ть(ся).

отмы́чка *ж.* máster-key [-ki:], skéleton-key [-ki:]; lóck-pick *разг.*

отмяка́ть, отмя́кнуть grow* soft [-ou...], sóften [-fn].

отмя́кнуть *сов. см.* отмяка́ть.

отне́киваться *разг.* make* excúses [...-sɪz], refúse.

отнести́ *сов. см.* относи́ть I.

отнести́сь *сов. см.* относи́ться 1.

отнима́ть, отня́ть (*вн.*) 1. (*прям. и перен.*) take* aẃay (*d.*); (*время*) take* (*d.*); (*вн. у*) take* (*d. from*); (*лишать*) beréave* (*of d.*); ~ мно́го вре́мени take* a lot of time; э́то о́тняло у него́ три часа́ it took him three hours [...auəz]; ~ у кого́-л. наде́жду deprive smb. of hope; 2. (*ампутировать*) ámputàte (*d.*); 3. *разг.* (*вычитать*) subtráct (*d.*); ◊ ~ от груди́ wean (*d.*); нельзя́ отня́ть чего́-л. у кого́-л. it cánnòt be denied he has smth. ~**ся, отня́ться** 1. (*парализоваться*) be páralysed; у него́ отняла́сь нога́ his leg is páralysed, he has lost the use of his leg [...ju:s...]; у него́ отня́лся язы́к he has lost (the use of) his tongue [...tʌn]; 2. *страд. к* отнима́ть.

относи́тельно I *прил. кратк. см.* относи́тельный.

относи́тельно II *нареч.* 1. rélative:ly; 2. *как предл.* (*рд.*; *касательно*) concérning; relative to; abóut; тепе́рь ~ э́того пла́на now, concérning this plan; она́ говори́ла мне ~ (н)его́ she spoke to me abóut him.

относи́тельн‖**ость** *ж.* rèlatívity; тео́рия ~ости théory of rèlatívity ['θɪərɪ...]. ~**ый** rélative; (*по сравнению с другим*) compárative; ~ая и́стина rélative truth [...tru:θ]; ~ое местоиме́ние *грам.* rélative pró:noun; ~ое споко́йствие, благоустро́йство compárative quiet, cómfort [...kʌm-].

от‖**носи́ть** I, **отнести́** 1. (*вн. в вн.*, *к*) take* (*d. to*); ~ что́-л. на ме́сто put* smth. in its place; 2. (*вн.*; *о ветре, течении*) cárry aẃay / off (*d.*); 3. (*вн. к*; *считать, приписывать*) at- tríbute (*d. to*); ascribe (*d. to*), refér (*d. to*); reláte (*d. to*); э́ти ру́кописи отно́сят к IX ве́ку these mánuscripts are believed to date from the IX céntury [...-'li:-...]; ◊ ~ на счёт чего́-л. put* down to smth.

относи́ть II *сов.* (*вн.*; *об оде́жде и т. п.*) fínish wéaring [...'wɛə-] (*d.*).

относи́ться, отнести́сь (*к*) 1. (*обраща́ться с кем-л.*) treat (*d.*); (*считать, смотреть на что-л.*) regárd (*d.*); хорошо́ ~ к кому́-л. treat smb. kíndly, be nice to smb.; пло́хо ~ к кому́-л. treat smb. bádly*, be ún:fríendly to smb. [...-'fre-...]; как вы отно́ситесь к моему́ пла́ну? what do you think of my plan?; серьёзно ~ к свои́м обя́занностям *и т. п.* take* one's dúties, *etc.*, sérious:ly; ~ со внима́нием to regárd with atténtion (*d.*); легко́ make* light (of); 2. *тк. несов.* (*иметь отношение*) concérn (*d.*), have to do (with); (*к делу, о котором идёт речь*) be to the point; э́то к нему́ не отно́сится it does:n't concérn him, it has nothing to do with him; э́то сюда́ не отно́сится it has nothing to do with it; that is irrélevant; э́то к де́лу не отно́сится it's beside the point; it's néither here nor there [...'naɪ-...] *разг.*; э́то в одина́ковой ме́ре отно́сится (к) it applies equal:ly (to); относя́щийся к béaring on ['bɛə-...], pertáining to; относя́щийся к де́лу rélevant; не относя́щийся к де́лу irrélevant; 3. *тк. несов. мат.* be: три отно́сится к четырём как шесть к восьми́ three is to four as six is to eight [...fɔ:...]; 4. *тк. несов.* (*принадлежать к какой-л. эпохе*) date (from); э́то зда́ние отно́сится к XIV ве́ку this búilding dates from the XIV céntury [...'bɪ-...]; э́то отно́сится к тому́ вре́мени it goes / dates back to the time; 5. *страд. к* относи́ть I.

отноше́н‖**ие** *с.* 1. (*к*) áttitude (to); (*обращение тж.*) tréatment (of); бе́режное ~ (к чему́-л.) care (of smth.); (*к кому́-л.*) regárd (for smb.), consideration (for smb.); небре́жное ~ к чему́-л. cáre:less tréatment of smth.; 2. (*связь*) relátionship; име́ть ~ к чему́-л. bear* a relátion to smth. [bɛə...]; have a béaring on smth. [...'bɛə-...], bear* on smth.; не име́ть ~ия к чему́-л. bear* no relátion to smth.; have nothing to do with smth. *разг.*; како́е э́то име́ет ~ (к)? what has it (got) to do (with)?; име́ть весьма́ отдалённое ~ к чему́-л. be very remóte:ly connécted with smth.; 3. *мн.* (*взаимное общение*) relátions, terms; быть в хоро́ших, плохи́х, дру́жеских ~иях с кем-л. be on good*, bad*, fríendly terms with smb. [...'fre-...]; быть в бли́зких ~иях с кем-л. be on terms of íntimacy with smb., be íntimate with smb.; дипломати́ческие ~ия diplomátic relátions; 4. *мат.* rátiò; в прямо́м, обра́тном ~ии in diréct, invérse rátiò; 5. *канц.* (official) létter, mèmorándum; ◊ в э́том ~ии in this respéct; во всех ~иях in every respéct; в други́х ~иях in other respécts; во мно́гих ~иях in many respécts; в ~ии (*рд.*), по ~ию (к) with respéct (to), as regárds (*d.*), regárding (*d.*); in respéct (of).

отны́не *нареч. уст.* hénce:fórth, hénce:fórward, from now on.

отню́дь *нареч.* by no means, not at all.

отня́‖**тие** *с.* 1. táking aẃay; 2.: ~ руки́, ноги́ *и т. п.* àmputátion of *an* arm, *a* leg, etc.; ◊ ~ ребёнка от груди́ wéaning *a* child*. ~**ть(ся)** *сов. см.* отнима́ть(ся).

ото *предл. см.* от.

отобе́дать *сов.* 1. (*кончить обедать*) have fínished dínner; 2. *уст.* (*пообедать*) dine; проси́ть ~ (*вн.*) ask to dínner (*d.*).

отобража́ть, отобрази́ть (*вн.*) refléct (*d.*); rèprésent [-'zent] (*d.*). ~**ся, отобрази́ться** 1. be refléct:ed; 2. *страд. к* отобража́ть. ~**éние** *с.* refléction; rèprèsèntátion [-zen-].

отобрази́ть(ся) *сов. см.* отобража́ть(ся).

отобра́ть *сов. см.* отбира́ть.

отова́ривать, отова́рить (*вн.*) *эк.* íssue goods [...gudz] (agáinst); ~ чек íssue goods agáinst a sale recéipt [...-'si:t].

отова́рить *сов. см.* отова́ривать.

отовсю́ду *нареч.* from éveryẁhere, from évery quárter.

отогна́ть I, II *сов. см.* отгоня́ть I, II.

отогну́ть(ся) *сов. см.* отгиба́ть(ся).

отогрева́ть, отогре́ть (*вн.*) warm (*d.*). ~**ся, отогре́ться** 1. warm òne:́sélf; 2. *страд. к* отогрева́ть.

отогре́ть(ся) *сов. см.* отогрева́ть(ся).

отодвига́ть, отодви́нуть (*вн.*) 1. move aside [mu:v...] (*d.*); 2. *разг.* (*о сроке*) put* off (*d.*). ~**ся, отодви́нуться** 1. move aside [mu:v...]; ~ся наза́д draw* back; 2. *разг.* (*о сроке*) be pòstpóned [...-poust-]; 3. *страд. к* отодвига́ть.

отодви́нуть(ся) *сов. см.* отодвига́ть(-ся).

отодра́ть I *сов. см.* отдира́ть.

отодра́ть II *сов.* (*вн.*) *разг.* give* a sound flógging (*i.*); ~ кого́-л. за́ уши pull smb.'s ears [pul...].

отодра́ться *сов. см.* отдира́ться.

отож(д)еств‖**и́ть** *сов. см.* отож(д)ествля́ть. ~**ле́ние** *с.* ìdentificátion [aɪ-].

отож(д)ествля́ть, отож(д)естви́ть (*вн.*) idéntify [aɪ-] (*d.*).

отожжённый *прич. и прил. тех.* annéaled.

отозв‖**а́ние** *с.* recáll. ~**а́ть** *сов. см.* отзыва́ть I. ~**а́ться** *сов. см.* отзыва́ться I.

отойти́ I, II *сов. см.* отходи́ть I, II.

отологи́ческий *мед.* òtológical.

отоло́гия *ж.* otólogy.

отомкну́ть(ся) *сов. см.* отмыка́ть(-ся).

отомсти́ть *сов. см.* мстить.

отоп‖**и́тельный** héating; ~ сезо́н ≃ cold season [...-z°n]; season for fíres; ~и́тельная систе́ма héating sýstem. ~**и́ть** *сов. см.* ота́пливать. ~**ле́ние** *с.* héating.

отора́чивать, оторочи́ть (*вн.*) edge (*d.*), trim (*d.*).

ото́рванн‖**ость** *ж.* isolátion [aɪ-], àliená:tion, detáchment. ~**ый** 1. *прич. см.* отрыва́ть I; 2. *прил.* (от) álienàted (from), estránged [-reɪndʒd] (from), cut off (from).

оторва́ть *сов. см.* отрыва́ть I. **~ся** *сов. см.* отрыва́ться I.
оторопе́лый *разг.* compléte:ly nónplússed.
оторопе́ть *сов.* be struck dumb.
о́торопь *ж.* confúsion; его́ ~ взяла́ he was dùmb:fóunded.
оторочи́ть *сов. см.* оторáчивать.
оторо́чка *ж.* édging.
отоско́п *м.* ótoscòpe [´outə-].
отосла́ть *сов. см.* отсыла́ть.
отоспа́ться *сов. см.* отсыпа́ться II.
отoчи́ть *сов.* (*вн.*) *разг.* shárpen (*d.*); ~ каранда́ш shárpen a péncil.
отоща́лый *разг.* emáciàted.
отоща́ть *сов. см.* тоща́ть.
отпад||а́ть, **отпа́сть** 1. fall* off, fall* a:wáy; (*от*; *перен.*) break* a:wáy [breɪk...] (from); 2. (*утрачивать силу, смысл*) fall* a:wáy; (*миновать*) pass; вопро́с ~áет the quéstion no lónger aríses [...-stſ-...]; у него́ отпа́ла охо́та к э́тому his desíre to do it has passed [...-´zɪə...].
отпаде́ние *с.* fálling a:wáy; (*от*; *перен.*) deféction (from); bréak-a:wáy [´breɪk-] (from).
отпа́ивать I, **отпая́ть** (*вн.*) únsólder [-´sɔ-] (*d.*).
отпа́ивать II, **отпои́ть** (*вн.*) 1. (*выкармливать жидкой пищей*) fátten (*d.*); 2. (*после отравления*) cure (*d.*) by gíving to drink; give* (milk, *etc.*) as an ántidòte for póison [...-z⁰n] (*i.*).
отпа́иваться I, **отпая́ться** 1. (*отламываться*) come* off; 2. *страд. к* отпа́ивать I.
отпа́иваться II *страд. к* отпа́ивать II.
отпа́ривать, **отпа́рить** (*вн.*) 1. steam (off) (*d.*); 2. (*отутюживать*) press through a damp cloth (*d.*); ~ брю́ки press tróusers through a damp cloth.
отпарирова́ть *сов.* (*вн.*; *прям. и перен.*) párry (*d.*), cóunter (*d.*).
отпа́рить *сов. см.* отпа́ривать.
отпа́рывать, **отпоро́ть** (*вн.*) únpíck (*d.*). ~ся *сов. см.* отпоро́ться 1. come* únstítched; 2. *страд. к* отпа́рывать.
отпа́сть *сов. см.* отпада́ть.
отпаха́ть *сов.* have fínished plóughing.
отпая́ть *сов. см.* отпа́ивать I. ~ся *сов. см.* отпа́иваться I.
отпева́ние *с. церк.* búrial sérvice [´ber-...].
отпева́ть, **отпе́ть** (*вн.*) *церк.* read* the búrial sérvice [...´ber-...] (óver, for).
отпере́ть *сов. см.* отпира́ть.
отпере́ться I, II *сов. см.* отпира́ться I, II.
о́тпертый *прич. и прил.* ún:lócked.
отпе́||тый 1. *прич. см.* отпева́ть; 2. *прил. разг.* (*отъявленный*) árrant, invétеratе, déspеrate. ~ть *сов. см.* отпева́ть.
отпеча́тать *сов.* 1. *см.* отпеча́тывать; 2. *как сов. к* печа́тать; ~ся *сов. см.* отпеча́тываться.
отпеча́т||ок *м.* (*прям. и перен.*) ímprint, ímprèss; ~ па́льца fínger-prìnt; брать ~ки па́льцев take* fínger-prìnts; накла́дывать (свой) ~ leave* its mark / ímprint.
отпеча́тывать, **отпеча́тать** (*вн.*) 1. (*заканчивать печатание*) print (*d.*); ~ печа́тать весь тира́ж кни́ги print the whole edítion of the book [...houl...]; 2. (*делать отпечаток*) imprínt (*d.*); 3. (*раскрывать, сняв печати*) únséal (*d.*), ópen up (*d.*). ~ся, отпеча́таться 1. leave* an ímprint; 2. *страд. к* отпеча́тывать.
отпива́ть, **отпи́ть** (*вн.*, *рд.*) take* a sip (of).
отпи́л||ивать, **отпили́ть** (*вн.*) saw* off (*d.*). ~и́ть *сов. см.* отпи́ливать.
отпира́тельство *с.* disavówal, denial.
отпира́ть, **отпере́ть** (*вн.*) ún:lóck (*d.*), ópen (*d.*).
отпира́ться I, отпере́ться 1. come* ún:lócked; 2. *страд. к* отпира́ть.
отпира́ться II, отпере́ться *разг.* (*от своих слов и т. п.*) dený (*d.*), disówn [-´oun] (*d.*).
отписа́ть(ся) *сов. см.* отпи́сывать(ся).
отпи́ска *ж.* an ánswer wrítten for form ónly [´a:nsə...], fórmal replý.
отпи́сывать, **отписа́ть** (*вн.*) *уст.* (*завещать*) bequéath [-ð] (*d.*), leave* by will (*d.*). ~ся, отписа́ться make* a (púre:ly) fórmal replý.
отпи́ть *сов. см.* отпива́ть.
отпи́х||ивать, отпихну́ть (*вн.*) *разг.* push a:wáy / off [puſ...] (*d.*), shove asíde [ſʌv...] (*d.*); (*перен.*) spurn (*d.*). ~иваться, отпихну́ться *разг.* push off [puſ...]. ~ну́ть(ся) *сов. см.* отпи́хивать(ся).
отпла́т||а *ж.* repáyment, requítal; в ~у in retúrn. ~и́ть *сов. см.* отпла́чивать.
отпла́чивать, **отплати́ть** (*дт.*) pay* back (*i.*), repáy (*d.*), requíte (*d.*); отплати́ть кому́-л. за услу́гу repáy smb. for his sérvice; отплати́ть добро́м за зло retúrn good for évil [...´i:-...]; ~ кому́-л. той же моне́той pay* smb. in his own coin [...oun...].
отплева́ться *сов. см.* отплёвываться.
отплёвывать, отплю́нуть (*вн.*) spit* out (*d.*); expéctoràte (*d.*). ~ся, отплева́ться spit* with disgúst.
отплыва́ть, **отплы́ть** sail, set* sail; (*о плывущих людях, животных*) swim* off / out; (*о предметах*) float off; он отплы́л оди́н киломе́тр от бе́рега he swam out a kílomètre from the shore.
отплы́ти||е *с.* sáiling, depárture; гото́вый к ~ю réady to sail [´redɪ...]; пе́ред ~ем before sáiling.
отплы́ть *сов. см.* отплыва́ть.
отплю́нуть *сов. см.* отплёвывать.
отпляса́ть *сов.* (*кончить плясать*) fínish dáncing.
отпля́сывать (*вн.*) *разг.* dance (*d.*); (*без доп. тж.*) shake* a leg *идиом.*; (*с увлечением*) dance with zest.
о́тповедь *ж.* repróof, rebúke, rebúff.
отпои́ть I *сов. см.* отпа́ивать II.
отпои́ть II *сов.* (*вн.*; *кончить поить* — *о скоте*) fínish wátering [...´wɔ:-] (*d.*).
отполз||а́ть, **отползти́** crawl a:wáy / back. ~ти́ *сов. см.* отполза́ть.
отполирова́ть *сов. см.* полирова́ть.
отпо́р *м.* rebúff, repúlse; дать ~ (*дт.*) repúlse (*d.*); встре́тить ~ meet* with a rebúff / repúlse; получи́ть реши́тельный ~ be final:ly / decísive:ly repúlsed [...-´saɪs-...].
отпоро́ть(ся) *сов. см.* отпа́рывать(ся).
отпотева́ть, **отпоте́ть** móisten [-s⁰n], becóme* / be moist / damp.

отпоте́ть *сов. см.* отпотева́ть.
отпочкова́ться *сов. см.* отпочко́вываться.
отпочко́вываться, отпочкова́ться *биол.* gémmàte, própagàte by gèmmátion; (*перен.*) detách òne:sélf.
отправи́тель *м.*, ~ница *ж.* sénder.
отпра́в||ить *сов. см.* отправля́ть I. ~иться *сов. см.* отправля́ться I 1. ~ка *ж. разг.* sénding off, fórwarding, dispátch; (*о товарах на судах*) shípping; ~ка поездо́в dispátch of trains.
отправле́ние I *с.* 1. (*отсылка — о письмах, багаже и т. п.*) sénding; 2. (*о поезде, судне*) depárture; 3. (*отправляемое по почте*) (item of) mail.
отправле́ние II *с.* 1. (*исполнение*) éxercise, perfórmance; ~ обя́занностей éxercise of one's dúties; ~ религио́зных ку́льтов perfórmance of relígious rites; 2. (*об организме*) fúnction.
отправля́ть I, отпра́вить (*вн.*) send* (*d.*), fórward (*d.*), dispátch (*d.*); (*по почте*) post [poust] (*d.*), mail (*d.*); ◇ ~ на тот свет send* to kíng:dom come (*d.*).
отправля́ть II (*вн.*; *исполнять*) perfórm (*d.*), éxercise (*d.*); ~ обя́занности éxercise dúties; ~ правосу́дие admínister jústice; ◇ ~ есте́ственные потре́бности relíeve náture [-i:v ´neɪ-].
отправля́ться I, отпра́виться 1. set* off / out; start; (*отбывать*) leave*, depárt; (*пойти куда-л.*) go* (to *a place*), make* (for *a place*); betáke* òne:sélf; по́езд отправля́ется в пять (часо́в) the train leaves at five (o'clóck); отпра́виться в путь set* out; отпра́виться по́ездом, парохо́дом go* by train, by ship; 2. *тк. несов.* (*от*; *исходить из чего-л.*) procéed (from); 3. *страд. к* отправля́ть I.
отправля́ться II *страд. к* отправля́ть II.
отправн||о́й: ~ пункт, ~а́я то́чка stárting-pòint.
отпра́здновать [-зн-] *сов.* 1. *см.* пра́здновать; 2. (*кончить праздновать*) fínish célebràting.
отпра́шиваться, отпроси́ться ask for leave; *сов. тж.* obtáin leave; (*с работы и т. п.*) get* permíssion to stay a:wáy, *или* ábsent òne:sélf.
отпроси́ться *сов. см.* отпра́шиваться.
отпры́г||ивать, отпры́гнуть (*назад*) jump / spring* back; (*в сторону*) jump / spring* asíde. ~нуть *сов. см.* отпры́гивать.
о́тпрыск *м.* (*прям. и перен.*) óff:shoot, scíon; (*о человеке*) óff:spring.
отпряга́ть, отпря́чь (*вн.*) únhárness (*d.*); take* out of the shafts (*d.*).
отпря́нуть *сов.* recóil, start / shrink* back.
отпря́чь *сов. см.* отпряга́ть.
отпу́г||ивать, отпугну́ть (*вн.*) frighten off (*d.*), scare a:wáy (*d.*). ~ну́ть *сов. см.* отпу́гивать.
о́тпуск *м.* 1. leave (of ábsence); (*у служащего*) hóliday [-dɪ], leave; *воен. тж.* fúrlough [-lou]; взять ме́сячный ~ take* a month's hóliday [...mʌ-...];

ОТП – ОТР

~ по болезни sick-leave; декретный ~ maternity leave; ~ без сохранения содержания leave without pay; в ~е on leave; **2.** (*выдача*) issue, delivery, distribution; **3.** *тк. ед. тех.* (*о металле*) tempering.

отпуска́ть, **отпусти́ть** (*вн.*) **1.** let* go (*d.*), let* off (*d.*); (*освобождать*) set* free (*d.*), release [-s] (*d.*); **2.** (*давать отпуск*) give* leave (of absence) (*i.*); **3.** (*выдавать*) supply (*d.*); (*в магазине*) serve (*d.*); ~ средства allot means; allocate funds; ~ в кредит sell* on credit (*d.*); **4.** (*отращивать*) grow* [-ou] (*d.*), let* grow (*d.*); ~ волосы grow* one's hair long; ~ бороду grow* a beard; **5.** (*ослаблять*) slacken (*d.*); turn loose [...-s] (*d.*); give* (*the* horse) its head [...hed]; отпусти́ть реме́нь loosen the belt; **6.** *уст.* (*прощать*) remit (*d.*), forgive* [-'gɪv] (*d.*); ~ грехи́ кому́-л. *церк.* give* smb. absolution; **7.** *тех.* (*о металле*) temper (*d.*), draw (*d.*); ◇ ~ остро́ты *разг.* crack jokes; ~ комплиме́нты *разг.* make* / pay* compliments.

отпускни́к *м.* person on leave, holiday-maker [-dɪ-]; *воен.* serviceman* / soldier on leave [...'souldʒə...]. ~о́й **1.** *прил.* к отпуск 1; ~о́е свиде́тельство authorization of leave [-raɪ-...]; ~ы́е де́ньги holiday pay [-dɪ...] *sg.* **2.**: ~а́я цена́ *эк.* selling price; **3.** *м. как сущ.* = отпускни́к.

отпусти́ть *сов. см.* отпуска́ть.

отпуще́н|ие *с. уст.* remission, remitment; ~ грехо́в *церк.* absolution; ◇ козёл ~ия *разг.* scapegoat.

отпу́щенник *м. ист.* freedman*.

отраба́тывать, **отрабо́тать** (*вн.*) **1.** (*возмещать работой*) clear by working (*d.*), work off (*d.*); **2.** (*какой-то срок*) work (for); отрабо́тать пять дней work for five days; **3.** (*совершенствовать*) work through (*d.*); give* a work-out (to); **4.** (*изучать*) perfect (*d.*).

отрабо́тавш|ий: ~ пар exhaust / waste steam [...weɪst...]; ~ее тепло́ waste heat.

отрабо́танн|ый 1. *прич. см.* отраба́тывать; **2.** *прил.*: ~ые га́зы exhaust gases.

отрабо́тать I *сов. см.* отраба́тывать.

отрабо́тать II *сов.* (*кончить работу*) finish one's work.

отрабо́тка *ж.* (*долга*) working off, paying by work.

отрабо́точн|ый *эк.*: ~ая рента labour rent; corvée (*фр.*) ['kɔːveɪ]; ~ая система труда́ statute labour.

отра́в|а *ж.* poison [-zn]; (*перен.*) bane. ~и́тель *м.*, ~и́тельница *ж.* poisoner [-znə]. ~и́ть(ся) *сов. см.* отравля́ть(ся). ~ле́ние *с.* poisoning [-zn-]; ~ле́ние га́зом gas poisoning; ~ле́ние свинцо́м lead poisoning [led...].

отравля́ть, **отрави́ть** (*вн.*; *прям. и перен.*) poison [-zn] (*d.*); envenom [-'ve-] (*d.*); ~ удово́льствие spoil* / mar the pleasure [...'ple-]. ~ся, отрави́ться **1.** poison oneself [-zn...]; **2.** *страд.* к отравля́ть.

отравля́ющ|ий 1. *прич. см.* отравля́ть; **2.** *прил.*: ~ее вещество́ poison gas [-zn...].

отра́д|а *ж.* delight, joy; (*утешение*) comfort ['kʌ-], consolation. ~ный gratifying, pleasant ['plez-]; (*утешительный*) comforting ['kʌ-]; ~ное явле́ние a great comfort [...greɪt 'kʌm-].

отража́тель *м.* **1.** *физ.* reflector; **2.** (*в оружии*) ejector [iː-]. ~ный reflecting; ~ная печь *тех.* reverberatory / reverberative furnace.

отража́ть, **отрази́ть** (*вн.*) **1.** (*о свете и т. п.*; *тж. перен.*) reflect (*d.*); **2.** (*отбивать*; *опровергать*) repulse (*d.*), repel (*d.*), parry ['plez-]; ~ уда́р parry a blow [...-ou]; ~ ата́ку repulse / repel, *или* beat* off, *an* attack / assault; ~ агре́ссию repel aggression. ~ся, отрази́ться **1.** be reflected; reverberate (*d.*); **2.** (*на пр.*; *оказывать влияние*) affect (*d.*), have an effect (on), tell* (on); это хорошо́ отрази́лось на его́ здоро́вье it was good* for, *или* had a beneficial effect on, his health [...helθ]; **3.** *страд.* к отража́ть.

отраже́н|ие *с.* **1.** (*о свете и т. п.*; *тж. перен.*) reflection, reverberation; **2.** (*о нападении и т. п.*) repulse, parry; warding off; ◇ тео́рия ~ия theory of reflection ['θiəri...].

отражённ|ый 1. *прич. см.* отража́ть; **2.** *прил.* reflected; сия́ть ~ым све́том shine* with reflected light.

отрази́ть(ся) *сов. см.* отража́ть(ся).

отрапортова́ть *сов.* (*вн.*) report (*d.*).

отраслев|о́й *прил.* к о́трасль; ~о́е объедине́ние trade association (*of a branch of industry*).

о́трасль *ж.* (*в разн. знач.*) branch [-aːntʃ], field [fiːld]; ~ зна́ний sphere / department / field of knowledge [...'nɔ-].

отраста́ть, **отрасти́** grow* [-ou]. ~и́ть *сов. см.* отраста́ть. ~и́ть *сов. см.* отра́щивать.

отра́щивать, **отрасти́ть** (*вн.*) grow* [-ou] (*d.*); ~ во́лосы grow* one's hair long; ~ бо́роду grow* a beard; ◇ отрасти́ть брю́хо *разг.* develop a paunch [-'ve-...].

отреаги́ровать *сов.* (на *вн.*) react (to).

отре́бье *с. тк. ед. собир. презр.* the rabble.

отрегули́ровать *сов.* (*вн.*) *тех.* adjust [ə'dʒʌ-] (*d.*), regulate (*d.*).

отредакти́ровать *сов. см.* редакти́ровать 1.

отре́з *м.* **1.**: ли́ния ~а line of the cut, cut; (*пробитая*) perforated line; (*надпись на линии отреза*) tear off here [tɛə...]; pull tab to open [pul...]; tear strip opener *амер.* **2.** (*о ткани*) length; pattern *амер.* ~ на пла́тье dress length. ~а́нность *ж.* (*от*) absence / lack of communication (with).

отре́зать *сов.* **1.** *см.* отреза́ть; **2.** *разг.* (*резко ответить*) snap out, cut* short.

отреза́ть, **отре́зать** (*вн.*; *в разн. знач.*) cut* off (*d.*); (*ножницами тж.*) snip off (*d.*); отре́зать себе́ путь к отступле́нию cut* off one's path* of retreat; (*перен.*) burn* one's boats.

отрезве́ть *сов. см.* трезве́ть. ~и́тельный sobering; ~и́тельный напи́ток pick-me-up. ~и́ть(ся) *сов. см.* отрезвля́ть(ся). ~ле́ние *с.* (*прям. и перен.*) sobering (up).

отрезвля́ть, **отрезви́ть** (*вн.*; *прям. и перен.*) sober (*d.*). ~ся, отрезви́ться **1.** sober up, become* sober; **2.** *страд.* к отрезвля́ть.

отрезвля́юще: ~ де́йствовать на кого́-л. have a sobering effect on smb.

отрезно́й detachable; ~ тало́н tear-off coupon ['tɛə- -'kuː-].

отре́з|ок *м.* (*часть чего-л.*) piece [piːs]; *мат.* segment; ~ пути́ section / length of road; ~ вре́мени space of time. ~ывать = отреза́ть.

отрека́ться, **отре́чься** (от) renounce (*d.*), disavow (*d.*); (*не признавать своим*) repudiate (*d.*); ~ от своего́ предложе́ния renounce, *или* renege on, one's own proposal [...-g...oun -z-]; ~ от свои́х слов deny one's words; ~ от престо́ла abdicate.

отрекомендова́ть *сов.* (*вн.*) *уст.* introduce (*d.*). ~ся *уст.* introduce oneself.

отремонти́ровать *сов.* (*вн.*) repair (*d.*), refit (*d.*); recondition (*d.*).

отре́пье *с. собир.* rags *pl.*

отрече́ние *с.* (от) renunciation (of); ~ от престо́ла abdication.

отре́чься *сов. см.* отрека́ться.

отреш|а́ть, **отреши́ть** *уст.*: ~ от до́лжности (*вн.*) suspend (*d.*), dismiss (*d.*). ~а́ться, отреши́ться **1.** (от) renounce (*d.*), give* up (*d.*); (*освобождаться*) get* rid (of); он не мог ~и́ться от мы́сли he could not dismiss the thought, *или* get* rid of the idea [...aɪ'dɪə]; **2.** *страд.* к отреша́ть. ~е́ние *с. уст.*: ~е́ние от до́лжности suspension, dismissal. ~ённость *ж.* estrangement [-reɪn-], aloofness. ~ённый **1.** *прич. см.* отреша́ть; **2.** *прил.* aloof, remote; ~ённый взгляд vacant stare, other-worldly look. ~и́ть(ся) *сов. см.* отреша́ть(ся).

отри́нутый *прич. и прил. уст.* rejected.

отри́нуть *сов.* (*вн.*) *уст.* reject (*d.*).

отрица́ние *с.* denial, negation; служи́ть ~м (*рд.*) negate (*d.*).

отрица́тельн|о *нареч.* negatively; отве́тить ~ answer in the negative ['aːnsə...]; ~ покача́ть голово́й shake* one's head [...hed]; относи́ться ~ (к) disapprove [-uːv] (of); ска́зываться ~ (на) have an adverse effect (on); affect adversely (*d.*). ~ый **1.** (*в разн. знач.*) negative: ~ый отве́т negative answer [...'aːnsə]; ~ая величина́ *мат.* negative quantity; ~ое число́ *мат.* negative number; ~ый геро́й negative character [...'kæ-]; "анти-геро́й"; ~ые ти́пы в рома́не the negative characters in the novel [...'nɔ-]; ~ое электри́чество negative electricity; ~ый электри́ческий заря́д negative charge; **2.** (*плохой*, *неблагоприятный*) bad, unfavourable; ~ый о́тзыв unfavourable criticism; ~ое влия́ние bad influence.

отрица́ть (*вн.*) **1.** deny (*d.*), disclaim (*d.*); ~ своё а́вторство disclaim authorship; ~ вино́вность *юр.* plead not guilty; **2.** (*быть противником чего-л.*) refute (*d.*), repudiate (*d.*); negate (*d.*); ~ иску́сство have no use for art [...dʒuːs...], proclaim art to be of no use or significance to society.

отро́г *м.* spur.

о́троду *нареч. разг.* **1.** (*о возрасте*): ему́ шесто́й деся́ток ~ пошёл he is on the wrong / shády side of fífty; **2.** (*никогда за всю жизнь*) néver, as long as one lives [...lɪvz], néver in one's life; néver in one's born days; он ~ не вида́л ничего́ подо́бного he has néver (in his born days) seen the like.

отро́дье *с. разг.* spawn, óff:spring, breed.

отродя́сь = о́троду.

о́трок *м. уст.* boy, lad, àdoléscent.

отрокови́ца *ж. уст.* girl [g-], lass, máiden.

отро́сток *м.* **1.** *бот.* shoot, sprout; **2.** *анат.* appéndix; **3.** *тех.* branch piece [-ɑːntʃ piːs].

о́троче||ский àdoléscent; ~ во́зраст àdoléscence, bóyhood [-hud]. ~**ство** *с.* àdoléscence.

отруба́ть, отруби́ть (*вн.*) chop off (*d.*); ~ ве́тку у де́рева chop a branch off a tree [...brɑː...]; ~ го́лову кому́-л. chop / cut* off smb.'s head [...hed].

о́труби *мн.* bran *sg.*

отруби́ть *сов.* **1.** *см.* отруба́ть; **2.** *разг.* (*резко и кратко ответить*) snap back.

отруга́ть *сов.* (*вн.*) *разг.* give* a scólding / ráting (*i.*).

отру́гиваться *разг.* retúrn abúse [...-s].

отру́ливать, отрули́ть *ав.* táxi aside.

отру́лить *сов. см.* отру́ливать.

отры́в *м.* (*действие*) téaring off ['tɛə-...]; (*перен.*) àlienátion, isolátion [aɪ-]; loss of commùnicátion; без ~а от произво́дства without discontínuing work, without drópping, *или* giving up, work; с ~ом от произво́дства work béːing discontínued; в ~е от масс out of touch with the másses [...tʌtʃ...]; ~ от проти́вника *воен.* bréaking of cóntact ['breɪk-...], bréak-aʹway ['breɪk-], dìsengáge:ment; ~ от земли́ *ав.* táke-òff.

отрыва́ть I, оторва́ть **1.** (*вн.*) tear* off / aʹway [tɛə...] (*d.*); оторва́ть пу́говицу tear* off a bútton; ему́ оторва́ло ру́ку снаря́дом his arm was torn off by a shell; **2.** (*вн. от; отнимать, отстранять*) tear* (*d.* from); tear* aʹway (*d.* from); я не мог оторва́ть глаз от карти́ны I could not tear myʹsélf aʹway from the pícture; **3.** (*вн.*) (*отвлекать*) divért (*d.*); (*прерывать*) ìnterrúpt (*d.*); ~ кого́-л. от де́ла, рабо́ты distúrb smb., prevént smb. from wórking, tear* smb. aʹway from work; **4.** (*вн. от; разлуча́ть*) séparàte (*d.* from); ◊ с рука́ми оторва́ть что-л. seize smth. with both hands [siːz... bouθ...].

отрыва́ть II *сов.* (*вн.; прям. и перен.*) únːéarth [-ʹəːθ] (*d.*); dig* out (*d.*).

отрыва́ться I, оторва́ться **1.** (*о пуговице и т. п.*) come* off, tear* off [tɛə...]; **2.** (*о летательном аппарате*) take* off; самолёт оторва́лся от земли́ the áircraft took off; **3.** (*от*) (*переставать смотреть, заниматься*) tear* oneˑself aʹway (from); не отрыва́ясь (*не прекращая работы*) without stópping, *или* léaving off, work; он не мог оторва́ться от кни́ги he could not tear hìmsélf aʹway from the book; **4.** (*от; терять связь*) lose* touch [luːz tʌtʃ] (with); оторва́ться от масс lose* cóntact with the másses; оторва́ться от действи́тельности lose* touch with reálity [...rɪʹæ-], be out of touch with reálity; **5.:** ~ от проти́вника *воен.* break* aʹway, break* / lose* cóntact, break* off; **6.** *страд. к* отрыва́ть I.

отрыва́ться II *страд. к* отрыва́ть II.

отры́вист||ый jérky, abrúpt; ~ая речь curt speech; ~ые зву́ки staccáto sounds [-ʹkɑː-...].

отрывно́й téar-óff ['tɛə-] (*attr.*), detáchable; ~ календа́рь téar-óff cálendar; ~ тало́н cóuponˑ ['kuːpɔn]; ~ лист pérforated sheet.

отры́во||к *м.* frágment; (*из текста тж.*) éxtràct, pássage. ~**чный** frágmentary, scráppy; ~чные све́дения désultory / scánty informátion.

отры́г||ивать, отрыгну́ть (*вн.*) belch (*d.*). ~**ну́ть** *сов. см.* отры́гивать.

отры́жка *ж.* bélch(ing), èructátion [iː-]; (*перен.*) survíval, thrów-bàck [-ou-].

отры́ть *сов. см.* отрыва́ть II.

отря́д *м.* **1.** détachment; detáched force; передово́й ~ advánced détachment; (*перен.*) ván:guàrd; пионе́рский ~ Young Pionéer détachment [jʌŋ...]; **2.** *биол.* órder.

отряди́ть *сов. см.* отряжа́ть.

отряжа́ть, отряди́ть (*вн.*) detách (*d.*), detáil [ʹdiː-] (*d.*), tell* off (*d.*).

отрясти́ *сов.* (*вн.*) *уст.* shake* off (*d.*); ◊ ~ти́ прах от свои́х ног shake* the dust off one's feet. ~**ти́** *сов. см.* отряса́ть.

отряха́ть(ся) *уст.* = отря́хивать(ся).

отря́хивать, отряхну́ть (*вн.*) shake* off / down (*d.*); ~ снег с воротника́ shake* snow off one's cóllar [...snou...]. ~**ся**, отряхну́ться **1.** shake* òneːsélf; **2.** *страд. к* отря́хивать.

отряхну́ть(ся) *сов. см.* отря́хивать(ся).

отсади́ть I, II *сов. см.* отса́живать I, II.

отса́дка *ж.* **1.** (*о растении*) trànsplánting [-ɑːnt-], plánting out [-ɑːnt-...]; **2.** *тех.* jígging.

отса́живать I, отсади́ть (*вн.*) **1.** (*о растении*) trànsplánt [-ɑːnt] (*d.*), plant out [-ɑːnt...] (*d.*); **2.** *тех.* jig (*d.*).

отса́живать II, отсади́ть (*вн.; об ученике*) seat apárt (*d.*).

отса́живаться I, отсе́сть **1.** seat òneːsélf apárt; **2.** *страд. к* отса́живать II.

отса́живаться II *страд. к* отса́живать I.

отса́сывание *с.* súction.

отса́сывать, отсоса́ть (*вн.*) draw* off (*d.*), suck off (*d.*).

отсве́т *м.* refléction, refléct ed light; sheen.

отсве́чивать **1.** (*тв.*) shine* (with), gleam (with); ~ зо́лотом have a sheen like gold; **2.** (*отражаться*) be refléct ed; **3.** *разг.* (*стоять, заслоняя собой свет*) stand* / be in the light.

отсебя́тина *ж. разг.* one's own words [...oun...]; *театр.* gag, àd-líbbing.

отсе́в *м.* **1.** = отсе́ивание; **2.** (*остатки*) síftings *pl.*; chaff; **3.:** ~ уча́щихся númber of stúdents who discontínued stúdies, *или* dropped out [...ʹstʌdɪz...]; (*по неуспеваемости*) númber of fáilures. ~**а́ть** = отсе́ивать.

отсе́вки *мн.* síftings.

отсе́ивание *с.* sífting; (*перен.*) èliminátion, scréening.

отсе́ивать, отсе́ять (*вн.*) **1.** sift out (*d.*); **2.** (*о студентах и т. п.*) elíminàte (*d.*), screen (*d.*). ~**ся**, отсе́яться **1.** fall* out; **2.** (*о студентах и т. п.*) drop out; **3.** *страд. к* отсе́ивать.

отсе́к *м.* compártment; (*космического корабля*) módule.

отсека́ть, отсе́чь (*вн.*) cut* off (*d.*), chop off (*d.*), séver [ʹse-] (*d.*).

отсе́ле, **отсе́ль** *нареч. уст.* hence.

отсели́ть(ся) *сов. см.* отселя́ть(ся).

отселя́ть, отсели́ть (*вн.*), move fúrther out [muːv -ðə...] (*d.*). ~**ся**, отсели́ться **1.** settle out; **2.** *страд. к* отселя́ть.

отсе́сть *сов. см.* отса́живаться I.

отсече́ние *с.* cútting off, séverance; ◊ дать го́лову, ру́ку на ~ *разг.* ≃ stake one's life (on).

отсе́чка *ж. тех.*: ~ па́ра, жи́дкости cút-òff.

отсе́чь *сов. см.* отсека́ть.

отсе́ять I *сов.* (*вн.; кончить сеять что-л.*) fínish sówing [...ʹsou-] (*d.*).

отсе́ять II *сов. см.* отсе́ивать. ~**ся** *сов. см.* отсе́иваться.

отсиде́ть I, II *сов. см.* отси́живать I, II.

отсиде́ться *сов. см.* отси́живаться.

отси́живать I, отсиде́ть (*вн.*) *разг.* (*пробыть*) stay (for); отсиде́ть в тюрьме́ serve one's time; он отсиде́л 10 лет в тюрьме́ he has done ten years (in príson) [...-ʹzn].

отси́живать II, отсиде́ть (*вн.*) *разг.* (*доводить до онемения*) make* numb by sítting (*d.*); отсиде́ть себе́ но́гу have pins and néedles in one's leg.

отси́живаться, отсиде́ться *разг.* sit* out; (*избегать опасности и т. п.*) sit* snug, sit* on the fence.

отска́бливать, отскобли́ть (*вн.*) scrape off (*d.*). ~**ся**, отскобли́ться **1.** scrape off; **2.** *страд. к* отска́бливать.

отскака́ть *сов.* (*вн.; какое-л. расстояние*) gállop (*d.*), cóver by gálloping [ʹkʌ-...] (*d.*).

отска́кивать, отскочи́ть **1.** (*отпрыгивать*) jump aside / aʹway; **2.** (*ударившись, отлетать обратно*) rebóund, recóil; bounce off; **3.** *разг.* (*отделяться*) break* off [breɪk...]; (*отрываться*) come* off, be torn off.

отскобли́ть(ся) *сов. см.* отска́бливать(-ся).

отскочи́ть *сов. см.* отска́кивать.

отскре||ба́ть, отскрести́ (*вн.*) *разг.* scratch off (*d.*); scrape off (*d.*). ~**сти́** *сов. см.* отскреба́ть.

отсла́ивать, отслои́ть (*вн.*) take* off in scales or láyers (*d.*), exfóliàte (*d.*). ~**ся**, отслои́ться exfóliàte, come* off in scales or láyers.

отсло́||ение *с.* exfóliàtion. ~**и́ть(ся)** *сов. см.* отсла́ивать(ся).

отслужи́ть *сов.* **1.** (*вн.; проработать некоторое время*) serve (*d.*); **2.** (*без доп.; отбыть срок службы*) serve one's time; **3.** (*без доп.; о вещах*) have served

ОТС – ОТС

its time, be worn out [...wɔːn...]; 4. (вн.) *церк.* finish a service.

отснять *сов.* (вн.) *кин.:* ~ фильм turn out, *или* make*, a film.

отсовéтов‖ать *сов.* (дт. + инф.) dissuáde [-'sweɪd] (d. from ger.); ему ~али уезжáть they persuáded him to stay [...-'sweɪ-...].

отсоединить *сов. см.* отсоединять.

отсоединять, отсоединить (вн.) cut* (d.), cut* off (d.); *эл.* ísolàte [aɪ-] (d.), disconnéct (d.); ~ провóдку disconnéct the eléctric circuit / wiring [...-kɪt...].

отсортировать *сов. см.* отсортирóвывать.

отсортирóвывать, отсортировáть (вн.) sort out (d.).

отсосáть *сов. см.* отсáсывать.

отсóхнуть *сов. см.* отсыхáть.

отсрóч‖ивать, отсрóчить (вн.) 1. pòstpóne (d.), deláy (d.), defér (d.); *юр.* adjóurn [əˈdʒɔːn] (d.); ~ уплáту долгóв *и т. п.* defér, *или* put* off, páyment of debts, *etc.* [...dets] 2. (*продлевáть срок действия документа*) exténd (d.); отсрóчить пáспорт exténd the validity of *one's* pássport. ~ить *сов. см.* отсрóчивать. ~ка *ж.* 1. pòstpóne:ment [poust-], deláy, defér:ment; réspite; *юр.* adjóurnment [əˈdʒɜː-]; ~ка платежá deférment of páyment; дать ~ку (дт.) grant a deláy [-ɑːnt...] (i.); получить ~ку be gránted a deláy; добиться месячной ~ки be gránted a month's grace [...mʌnθs...]; ~ка по воéнной слýжбе deférment of military service; предостáвить кому-л. ~ку defér smb.; ~ка наказáния réspite, repríeve [-iːv]; deférment of púnishment [...'рл-...]; 2. (*продлéние срóка действия документа*) exténsion; ~ка пáспорта exténding the validity of *one's* pássport.

отставáние *с.* lag; ликвидировать ~ в рабóте catch* up with the arréars / bácklòg of work.

отста‖вáть, отстáть 1. fall* / drop behínd, lag behínd; (*перен.*) be báckward, be behínd; (*в выполнéнии рабóты и т. п.*) be behínd:hànd; отстáть на киломéтр be a kilòmètre behínd; отстáть от спýтников drop behínd, fail to keep up with one's féllow-tràvellers; не ~ от кого-л. keep* up with smb.; не ~ ни на шаг от кого-л. keep* pace with smb., keep* close on smb.'s heels [...-s...]; отстáть от пóезда miss one's train; этот ученик отстáл от клáсса this pupil is behínd the rest of his class; этот ученик ~ёт this pupil is báckward; ~ от жизни lag behínd life, fail to keep pace with life; не ~ от жизни be / keep* abréast of life [...əˈbrest...]; не ~ от времени keep* pace with the times; 2. (*о часáх*) be slow [...-ou-]; часы ~ют на десять минýт the watch, *или* the clock, is ten minutes slow [...-nɪts...]; 3. (*от; отделяться — об обоях и т. п.*) come* off (d.); 4. (*от*) *разг.* (*оставлять в покóе*) leave* / let* alóne (d.).

отстáв‖ить *сов.* 1. *см.* отставлять; 2.: ~! (*команда*) as you were! ~ка *ж.* 1. *уст.* (*увольнéние*) dismíssal, discháarge; 2. (*ухóд со слýжбы*) rèsignátion [-z-]; retíre:ment; подáть в ~ку send* in one's rèsignátion; *воен.* send* in one's pápers; выйти в ~ку resígn [-'zaɪn], retíre; go* into retíre:ment; в ~ке retíred; on the retíred list; полкóвник в ~ке retíred cólonel [...'kɜːn°l]; ◇ ~ка кабинéта, правительства rèsignátion of the cábinet, the góvernment [...'ɡʌv-]; получить ~ку у кого-л. *разг.* ≅ get* the sack from smb.

отстав‖лять, отстáвить (вн.) 1. set* / put* aside (d.); 2. *уст.* (*смещáть, увольнять*) dismíss (d.), discháarge (d.).

отстáв‖ник *м. разг.* retíred sérvice:man*. ~нóй retíred.

отстáивать, отстоять (вн.) defénd (d.); stand* up (for); *сов. тж.* víndicàte (d.); *воен.* hold* agáinst énemy attácks (d.); make* a stand (for); ~ принцип (рд.) up:hóld* the principle (of); ~ дéло мира chámpion / up:hóld* / defénd the cause of peace; ~ с орýжием в рукáх dispúte in arms (d.); ~ свои правá assért / up:hóld* one's rights; ~ своё мнéние persíst in one's opínion; stick* to one's guns *идиом. разг.*; ~ чьи-л. интерéсы chámpion smb.'s ínterests, battle for smb.'s ínterests; отстоять свобóду и независимость up:hóld* (the) liberty and indepéndence; ~ единство пáртии up:hóld* / sáfe:guàrd the ùnity of the party.

отстáиваться, отстояться 1. settle; 2. (*о взглядах, мнéниях*) become* stabilized / fixed; 3. *страд. к* отстáивать.

отстáл‖ость *ж.* báckwardness. ~ый 1. (*устарéлый*) outdáted, rétrogràde; ~ые взгляды outdáted / rétrogràde views [...vjuːz]; 2. (*отстáвший в развитии*) báckward, retárded; ~ый человéк rétrogràde; 3. *м. как сущ.* (*отстáвший в пути*) the hínd:mòst.

отстá‖ть *сов. см.* отставáть. ~ющий 1. *прич. см.* отставáть; 2. *прил.* báckward.

отстегáть *сов. см.* стегáть II.

отстёгивать, отстегнýть (вн.) únfásten [-s°n] (d.), ún:dó (d.); (*о пýговицах тж.*) únbútton (d.). ~ся, отстегнýться 1. come* únfástened [...-s°nd], come* ún:dóne; 2. *страд. к* отстёгивать.

отстегнýть(ся) *сов. см.* отстёгивать (-ся).

отстирáть(ся) *сов. см.* отстирывать (-ся).

отстирывать, отстирáть (вн.) wash off (d.). ~ся, отстирáться 1. wash off, come* out (in wáshing); 2. *страд. к* отстирывать.

отстóй *м. тк. ед.* (*осáдок*) sédiment.

отстóйник *м.* séttling / sèdimèntátion / precipitátion tank.

отстоять I *сов. см.* отстáивать.

отстоять II *сов.* (*простоять на ногáх до концá чегó-л.*) stand* out / through, stand* (on one's feet) as long as smth. lasts.

отсто‖ять III (от; *быть на расстоянии*) be... distant (from), be... a:wáy (from); (*друг от дрýга*) be... apárt; этот гóрод ~ит на пять километров отсюда this town is five kilòmètres distant / a:wáy from here; эти городá ~ят друг от дрýга на пять километров these towns are five kilòmètres apárt.

отстояться *сов. см.* отстáиваться.

отстрадáть *сов.* súffer no more, have súffered enóugh [...'nʌf].

отстрáивать I, отстрóить (вн.) build* [bɪld] (d.); compléte the constrúction (of).

отстрáивать II, отстрóить (вн. от) *рад.* tune out (d. from).

отстрáиваться I, отстрóиться 1. be built [...-bɪ-], be compléted; 2. *страд. к* отстрáивать I.

отстрáиваться II, отстрóиться (от) 1. *рад.* tune out (from); 2. *страд. к* отстрáивать II.

отстранéние *с.* 1. púshing aside ['pu-...]; 2. (*увольнéние*) dismíssal, discháarge.

отстранить(ся) *сов. см.* отстранять (-ся).

отстранять, отстранить (вн.) 1. push aside [puʃ...] (d.); 2. (*от дóлжности, обязанностей и т. п.*) remóve [-'muːv] (d.); dismíss (d.), discháarge (d.); (*врéменно*) suspénd (d.); (*от учáстия в чём--либо*) debár (d.). ~ся, отстраниться 1. (*от; держáться в сторонé*) move a:wáy [muːv...] (from); keep* a:wáy (from), keep* alóof (from); 2. *страд. к* отстранять.

отстрéл *м. охот.* game shóoting.

отстрéливать I, отстрелить (вн.) shoot* off (d.); отстрелить себé пáлец shoot* off one's finger.

отстрéливать II, отстрелять (вн.; *на охóте, по спец. разрешéнию*) shoot* (d.).

отстрéливаться fire back, retúrn the fire; defénd òne:sélf by shóoting.

отстрелить *сов. см.* отстрéливать I.

отстрелять *сов. см.* отстрéливать II.

отстреляться *сов. воен. разг.* have fired / compléted a práctice, *или* an éxercise.

отстригáть, отстричь (вн.) cut* off (d.), clip (d.).

отстричь *сов. см.* отстригáть.

отстрóить I, II *сов. см.* отстрáивать I, II.

отстрóиться I, II *сов. см.* отстрáиваться I, II.

отстрóйка *ж. рад.* túning out.

отстрочить *сов.* 1. (вн.) stitch on (d.); 2. (*без доп.; кóнчить строчить*) have done stítching, have finished stítching.

отстýкать *сов. см.* отстýкивать.

отстýкивать, отстýкать (вн.) *разг.* tap out (d.); ~ мелóдию strum a tune; ~ на машинке bash out on a type:writer.

óтступ *м. полигр.* break off [breɪk...], indéntion.

отступ‖áть, отступить 1. step back; recéde; (*в стрáхе и т. п.*) recóil; отступить на шаг step back, take* a step báck(wards) [...-dz]; 2. *воен.* retréat (*тж. перен.*); fall* back; ~ с боями make* a fighting retréat; ~ в беспорядке retréat in confúsion / disórder; ~ пéред трýдностями retréat in the face of difficulties; отступить от своéй позиции abándon one's position [...-'zɪ-]; он не отстýпит от своих позиций he will not move / budge from his position [...muːv...]; 3. (*от; от прáвила и т. п.*) déviàte (from); не ~ от бýквы закóна not depárt from the létter of the law; 4. (от; *от темы и т.п.*) digréss (from); 5. *полигр.* indént. ~áться (от) give* up (*d.*), renóunce (*d.*); ~áться от своего слова go* back on one's word; все друзья отступились от него his friends have given him up [...fre-...]. ~и́ть(ся) *сов. см.* отступáть(ся). ~ле́ние *с.* 1. *воен.* retréat (*тж. перен.*); 2. (*от правил и т.п.*) deviátion; 3. (*от темы и т.п.*) digréssion [daɪ-]; лири́ческое ~ле́ние lýrical digréssion.

отступни́||к *м.*, ~ца *ж.* apóstate; récreant [-ɪənt]. ~ческий apóstate (*attr.*). ~чество *с.* apóstasy; récreancy [-ɪən-].

отступно́||е *с. скл. как прил.* còmpensátion. ~о́й: ~ы́е де́ньги = отступно́е.

отступя́ 1. *деепрыч. см.* отступа́ть; 2. *как нареч.* off: ~ два-три ме́тра two or three metres off.

отсу́тств||ие *с.* ábsence; (*чего-л.*) lack; за ~ием (*кого-л.*) in the ábsence (of); (*чего-л.*) for lack (of), for want (of); за ~ием вре́мени, де́нег for lack of time, móney [...'mʌ-]; в моё ~ие in my ábsence; находи́ться в ~ии be ábsent; ◊ блиста́ть (свои́м) ~ием *ирон.* be conspícuous by one's ábsence; ~ вся́кого прису́тствия (*у кого-л.*) ≅ complétely off one's rócker.

отсу́тств||овать be ábsent; *юр.* deféult. ~ующий 1. *прич. см.* отсу́тствовать; 2. *прил.:* ~ующий взгляд blank / vácant look; 3. *как сущ. м.* absentée; *мн.* those ábsent.

отсу́чивать, отсучи́ть (*вн.*): ~ рукава́ únːroll, *или* roll down, one's sleeves.

отсучи́ть *сов. см.* отсу́чивать.

отсчёт *м.* cóunting (out); (*по прибору*) réading; обра́тный ~ вре́мени (*перед ста́ртом*) cóunt-down.

отсчита́ть *сов. см.* отсчи́тывать.

отсчи́тывать, отсчита́ть (*вн.*) count off (*d.*), count out (*d.*).

отсыл||а́ть, отосла́ть 1. (*вн.*) send* aːwáy / off (*d.*), dispátch (*d.*); (*обратно*) send* back (*d.*); 2. (*к; указывать исто́чник*) refér (to): звёздочка ~а́ет к подстро́чному примеча́нию *an* ásterisk refers to *a* fóotnote [...'fut-].

отсы́лка *ж.* 1. (*посы́лка, отпра́вка*) dispátch; (*де́нег*) remíttance; 2. (*ссы́лка на исто́чник и т. п.*) réference.

отсыпа́ть *сов. см.* отсыпа́ть.

отсыпа́ть, отсы́пать (*вн., рд.*) pour out [pɔː...] (*d.*); (*отмерить*) méasure off ['me-...] (*d.*).

отсыпа́ться *сов. см.* отсыпа́ться I.

отсыпа́ться I, отсыпа́ться 1. *разг.* pour out [pɔː...]; 2. *страд. к* отсыпа́ть.

отсыпа́ться II, отоспа́ться sleep* off; make* up for lost sleep; have a long sleep; (*ночью*) have a good night's rest.

отсыре́лый damp.

отсыре́ть *сов. см.* сыре́ть.

отсыха́ть, отсо́хнуть dry off, wíther; (*отва́ливаться*) wíther and fall*.

отсю́да *нареч.* from here; (*перен.: из э́того*) hence; далеко́ ~ far (aːwáy) from here, a long way off / aːwáy; уе́хать прочь ~ go* aːwáy from here; ~ и досю́да from here (up) to here; ~ я́вствует, сле́дует hence it appéars, it fóllows.

отта́ивать, отта́ять thaw out.
отта́лкивание *с. физ.* repúlsion.
отта́лкивать, оттолкну́ть (*вн.*) push aːwáy [puʃ...] (*d.*); repél (*d.*), repúlse (*d.*); (*перен.*) spurn (*d.*), álienàte (*d.*); (*вызывать враждебное отношение*) antágonize (*d.*). ~ся, оттолкну́ться 1. (*от*) push off [puʃ...] (from); (*перен.*) depárt (from), make* a start (from); 2. *страд. к* отта́лкивать.

отта́лкивающ||ий 1. *прич. см.* отта́лкивать; 2. *прил.* repúlsive, repéllent; ~ая вне́шность repúlsive appéarance.

отта́птывать, оттопта́ть: ~ но́ги (*ходьбо́й*) hurt* / dámage one's feet (*by much wálking*); оттопта́ть но́гу кому́-л. tread* héavily on smb.'s foot* [tred 'hev-...fut].

отта́скать *сов. разг.:* ~ кого́-л. за́ волосы pull smb.'s hair [pul...], pull smb. by the hair; ~ кого́-л. за́ уши pull smb.'s ears, pull smb. by the ears.

отта́скивать, оттащи́ть (*вн.*) drag / pull aːwáy / asíde [...pul...] (*d.*); (*наза́д*) drag / pull back (*d.*).

отта́чивать, отточи́ть (*вн.*) shárpen (*d.*), whet (*d.*); ~ своё мастерство́ perféct one's skill.

оттащи́ть *сов. см.* отта́скивать.
отта́ять *сов. см.* отта́ивать.
оттека́ть, отте́чь flow off / down / back [flou...].
оттени́ть *сов. см.* оттеня́ть.
отте́н||ок *м.* (*прям. и перен.*) tinge, nuance [-'ɑːns], shade; (*о цвете тж.*) tint, hue; (*об интонации*) inflection; с голубы́м ~ком with tints of blue; ~ значе́ния shade of méaning; ~ печа́ли в го́лосе a tinge of sádness in one's voice.

оттеня́ть, оттени́ть (*вн.*) shade (*d.*), shade in (*d.*); (*перен.*) set* off (*d.*).

о́ттепель *ж.* thaw; стои́т ~ it is tháwing; наступи́ла ~ a thaw has set in.

оттере́ть(ся) *сов. см.* оттира́ть(ся).
оттесни́ть *сов. см.* оттесня́ть.
оттесня́ть, оттесни́ть (*вн.*) drive* back / off / aːwáy (*d.*), press back (*d.*); push asíde [puʃ...] (*d.*), shove back [ʃʌv...] (*d.*) (*тж. перен.*); оттесни́ть проти́вника *воен.* force the énemy back.

отте́чь *сов. см.* оттека́ть.
оттира́ть, оттере́ть (*вн.*) 1. (*очищать*) rub off / out (*d.*) / down (*d.*); 2. (*возвращать чувствительность*) restóre sensátion (to) by rúbbing; 3. *разг.* = оттесня́ть. ~ся, оттере́ться 1. rub off; 2. *страд. к* оттира́ть.

отти́ск *м.* 1. impréssion; 2. (*статья из журнала*) réːprint; отде́льный ~ réːprint.

отти́скивать, отти́снуть (*вн.*) 1. *разг.* (*оттесня́ть*) push asíde [puʃ...] (*d.*), push to one side (*d.*); 2. (*делать о́ттиск, отпеча́ток*) print (*d.*). ~нуть *сов. см.* отти́скивать.

оттого́ *нареч.* (*об.* ~... и) that is why, *об.* that's why: ~ он и не́ был там that's why he wasːnʼt there; ~ ~ что, ~..., что becáuse [-'kɔz]: это случи́лось ~, *или* это случи́лось, что окно́ бы́ло откры́то it háppened becáuse the window was ópen.

отто́к *м.* óutflow [-flou].
отто́ле *нареч. уст.* thence, from there.

ОТС – ОТУ O

оттолкну́ть(ся) *сов. см.* отта́лкивать(-ся).
отто́ль *нареч.* = отто́ле.
оттома́нка *ж.* óttoman.
оттопта́ть *сов. см.* отта́птывать.
оттопы́ренный *прич. и прил.* protrúding, stícking out; *тк. прил.* protúberant.

оттопы́ривать, оттопы́рить (*вн.*) *разг.* protrúde (*d.*); (*о локтя́х*) stick* out (*d.*). ~ся, оттопы́риться *разг.* bulge; stick* out, protrúde.

оттопы́рить(ся) *сов. см.* оттопы́ривать(ся).

отторга́ть, отто́ргнуть (*вн.*) tear* aːwáy [tɛə...] (*d.*), seize [siːz] (*d.*).
отто́ргнуть *сов. см.* отторга́ть.
оттор||же́ние *с.* téaring aːwáy ['tɛə-...], séizure ['siːʒə].

отто́ч||енный 1. *прич. см.* отта́чивать; 2. *прил.* (*о стиле*) fínished, fine. ~и́ть *сов. см.* отта́чивать.

оттрепа́ть *сов.* (*вн.*) *разг.* give* a good / sound thráshing / sháking (*i.*); ~ кого́-л. за́ уши pull smb.'s ears [pul...].

оттруби́ть *сов.* (*вн.*) 1. *воен.* have béaten retréat; have sóunded reveille [...rɪ'vælɪ]; 2. *разг.:* ~ де́сять лет в батрака́х have worked / slaved as a fárm-làbourer for ten years.

отту́да *нареч.* from there.
оттузи́ть *сов. см.* тузи́ть.
оттушева́ть *сов. см.* оттушёвывать.
оттушёвывать, оттушева́ть (*вн.*) shade (*d.*), shade off (*d.*).

оттяга́ть *сов.* (*вн.*) *разг.* gain by a láwsuit [...-sjuːt] (*d.*).

оття́гивать, оттяну́ть (*вн.*) 1. (*отта́скивать, отводи́ть*) draw* off (*d.*); 2. *разг.* (*откла́дывать, отсро́чивать*) deláy (*d.*), pròːcrástinàte (*d.*); чтобы оттяну́ть вре́мя to gain time.

оття́жка *ж.* 1. deláy, pròːcràstinátion; 2. *мор.* guy(-ròpe); strut, brace, stay.

оттяну́ть *сов. см.* оття́гивать.
оття́пывать, отпя́пать (*вн.*) *разг.* 1. chop off (*d.*); 2. (*отнима́ть*) gain by a láwsuit [...-sjuːt] (*d.*).

оту́жинать *сов.* 1. (*ко́нчить у́жинать*) have had súpper; 2. *уст.* (*поу́жинать*) have súpper; пригласи́ть ~ (*вн.*) ask to súpper (*d.*).

отума́н||ивать, отума́нить (*вн.*) 1. dim (*d.*), blur (*d.*); 2. *разг.* (*о голове́, рассу́дке*) bedím (*d.*), obscúre (*d.*). ~ить *сов. см.* отума́нивать.

отуп||е́лый *разг.* stúpefied, dúlled. ~е́ние *с. разг.* stupefáction, dull stúpor, tórpor.

отупе́ть *сов. разг.* grow* dull [-ou...], becóme* tórpid, sink* into tórpor.

отутю́ж||ивать, отутю́жить (*вн.*) iron out ['aɪən...] (*d.*), press (*d.*). ~ить *сов. см.* отутю́живать.

отуч||а́ть, отучи́ть (*вн. от*) break* (*d.*) of the hábit [breɪk...] (of), wean (*d. from*). ~а́ться, отучи́ться (*от*) lose* the hábit [luːz...] (of), becóme* únːúsed [...-'juːst] (to). ~и́ть *сов. см.* отуча́ть.

отучи́ться I *сов. см.* отуча́ться.

397

ОТУ – ОТШ

отучи́ться II *сов. разг.* (*кончить учение*) have finished one's lessons, finish learning [...′lə:-].

отфутбо́л‖**ивать**, отфутбо́лить (*вн.*) *разг.* get* rid of a petitioner by telling him to apply elsewhere. ~ить *сов. см.* отфутбо́ливать.

отха́живать, отходи́ть (*вн.*) cure (*d.*), heal (*d.*), nurse back to health [...helθ] (*d.*).

отха́рк‖**ать** *сов. см.* отха́ркивать. ~ивание *с.* expectoration.

отха́рк‖**ивать**, отха́ркать, отха́ркнуть (*вн.*) *ивающее с. скл. как прил. мед.* expectorant. ~нуть *сов. см.* отха́ркивать.

отхвати́ть *сов. см.* отхва́тывать.

отхва́тывать, отхвати́ть (*вн.*) *разг.* 1. (*отрезать*) snap off (*d.*), snip off (*d.*); (*отрубать*) chop off (*d.*); 2. (*приобретать, доставать*) get* (*d.*), obtain (*d.*).

отхлебну́ть *сов. см.* отхлёбывать.

отхлёбывать, отхлебну́ть (*вн., рд.*) *разг.* take* a mouthful (of); (*немного*) take* a sip (of).

отхлеста́ть *сов.* (*вн.*) *разг.* give* a lashing (*i.*); ◇ ~ кого́-л. по щека́м slap smb.'s face.

отхло́пать *сов. см.* отхло́пывать.

отхло́пывать, отхло́пать (*вн.*) *разг.*: аплоди́руя, отхло́пать себе́ ладо́ни hurt* one's palms by clapping.

отхлы́нуть *сов.* (*прям. и перен.*) rush back, flood back [flʌd...].

отхо́д *м.* 1. (*о поезде*) departure; (*о судне*) sailing; 2. *воен.* withdrawal, retirement, falling back; 3. (*отклонение*) deviation; (*отдаление, разрыв*) break (-ing) [′breik-].

отходи́ть I, отойти́ 1. move away / off [mu:v...]; (*о поезде и т. п.*) leave*, pull out [pul...]; depart (*особ. как указание в расписании*); (*о пароходе*) put* out, sail; 2. *воен.* withdraw*, draw* off, fall* back; 3. (*от; отклоня́ться*) step aside (from), walk away (from); deviate (from); (*от темы и т. п.*) digress (from); (*от оригинала, обычая и т. п.*) depart (from), diverge [dai-] (from); 4. (*от; отставать, отваливаться*) come* off (*d.*); 5. *уст.* (*умирать*) pass away, breathe one's last; *несов. тж.* be dying, be going.

отходи́ть II, отойти́ (*успокаиваться, приходить в себя*) recover [-′kʌl-], come* to oneself; *сов. тж.* be all right again; у него́ отошло́ от се́рдца he felt relieved [...-′li:vd].

отходи́ть III *сов. см.* отха́живать.

отхо́дн‖**ая** *ж. скл. как прил. церк.* prayer for the dying [prɛə...]; ◇ петь ~ую (*кому́-л.*) write* smb. off; (*чему́-л.*) give* up smth. as hopeless.

отхо́дчивый easily appeased [′i:z-...], not bearing grudges [...′bɛə-...].

отхо́ды *мн.* (*ед.* отхо́д *м.*) *тех.* waste products [wei- ′prɔ-]; waste *sg.*, scrap *sg.*

отхо́ж‖**ий**: ~ про́мысел *уст.* seasonal work [-z°n-...]; ~ее ме́сто *разг.* latrine [-i:n], earth closet [ə:θ...].

отцвести́ *сов. см.* отцвета́ть.

отцвета́ть, отцвести́ (*прям. и перен.*) fade; finish blossoming; (*о дереве тж.*) shed* its blossoms.

отцеди́ть *сов. см.* отце́живать.

отце́живать, отцеди́ть (*вн.*) strain off (*d.*), filter (*d.*).

отцепи́ть(ся) *сов. см.* отцепля́ть(ся).

отце́пка *ж. ж.-д.* uncoupling [-′kʌ-].

отцепля́ть, отцепи́ть (*вн.*) unhook (*d.*); *ж.-д.* uncouple [-′kʌ-] (*d.*). ~ся, отцепи́ться 1. come* unhooked; come* away; *ж.-д.* come* uncoupled [...-′kʌ-]; 2. *разг.* leave* smb. alone; отцепи́сь! leave me alone!; 3. *страд. к* отцепля́ть.

отцеуби́й‖**ство** *с.* parricide, patricide. ~ца *м. и ж.* patricide.

отцо́в *прил. разг.* one's father's [...′fɑ:-]. ~ский paternal; one's father's [...′fɑ:-]; ~ское насле́дие patrimony. ~ство *с.* paternity.

отча́иваться, отча́яться (+ *инф.*, *в пр.*) despair (of): отча́яться спасти́ больно́го despair of the patient's life.

отча́л‖**ивать**, отча́лить 1. (*вн.*; *отвязывать*) cast* off (*d.*); 2. (*без доп.*; *отплывать*) push / cast* off [puʃ...]. ~ить *сов. см.* отча́ливать.

отча́сти *нареч.* partly, rather [′rɑ:-].

отча́яние *с.* despair; приводи́ть в ~ (*вн.*) drive* / reduce to despair (*d.*); прийти́, впасть в ~ give* way, give* oneself up, to despair.

отча́янн‖**о** *нареч.* 1. desperately; 2. *разг.* (*очень*) awfully. ~ый 1. (*в разн. знач.*) desperate; ~ое положе́ние desperate plight; ~ая попы́тка desperate attempt; ~ый игро́к desperate gambler; ~ый дура́к *разг.* arrant dunce, awful fool; 2. (*безрассудно смелый*) foolhardy, reckless; ~ челове́к foolhardy person; ~ посту́пок reckless act; ~ое предприя́тие desperate undertaking; 3. *разг.* (*очень плохой*) rotten; ~ая пого́да ghastly weather [...′we-].

отча́яться *сов. см.* отча́иваться.

отчего́ *нареч.* why; вот ~ that is why, *об.* that's why; ~ же! why not!

отчего́-либо = почему́-либо.

отчего́-нибудь = почему́-нибудь.

отчего́-то = почему́-то.

отчека́н‖**ивать**, отчека́нить (*вн.*) coin (*d.*); (*перен.: слова и т. п.*) utter distinctly (*d.*); rap out (*d.*) *разг.* ~ить *сов. см.* отчека́нивать.

отчёркивать, отчеркну́ть (*вн.*) mark off (*d.*).

отчеркну́ть *сов. см.* отчёркивать.

отче́рпывать, отчерпну́ть (*вн., рд.*) ladle out (*d.*).

о́тчество *с.* patronymic.

отчёт *м.* account; дава́ть кому́-л. ~ в чём-л. give* an account to smb. of smth.; report to smb. on smth.; дава́ть де́ньги под ~ *бух.* give* money to be accounted for [...′mʌ-...]; брать де́ньги под ~ *бух.* take* money on account; ◇ отдава́ть себе́ ~ (в *пр.*) be aware (of, that, how); realize [′rɪə-] (*d.*, that); не отдава́ть себе́ ~а (в *пр.*) be unaware (of, that); fail to realize (*d.*, that).

отчётлив‖**ость** *ж.* distinctness; (*понятность*) intelligibility. ~ый distinct.

отчётно-вы́борн‖**ый**: ~ое собра́ние meeting held to hear reports and elect new officials.

отчётн‖**ость** *ж. тк. ед.* 1. (*счетоводство*) book-keeping; 2. (*документы*) accounts *pl.* ~ый 1. report (*attr.*); ~ый бланк report card; ~ый докла́д (summary) report; 2. (*о промежутке времени*) current, accountable; ~ый год, пери́од year, period under review [...-′vju:]; (*текущий*) the current year, period.

отчи́зна *ж.* one's country [...′kʌ-], native land, fatherland [′fɑ:-].

о́тчий *поэт. уст.* paternal.

о́тчим *м.* stepfather [-fɑ:-].

отчисле́ние *с.* 1. deduction; 2. (*ассигнование*) assignment [ə′saɪn-]; 3. (*увольнение*) dismissal; (*студентов*) sending down.

отчи́слить(ся) *сов. см.* отчисля́ть(ся).

отчисля́‖**ть**, отчи́слить (*вн.*) 1. deduct (*d.*); 2. (*ассигновывать*) assign [ə′saɪn] (*d.*), allot (*d.*); 3. (*увольнять*) dismiss (*d.*); (*студентов*) send* down (*d.*); ~ в распоряже́ние кого́-л. (detach and) place at smb.'s disposal [...-′zl]; ~ в запа́с *воен.* transfer to the reserve [...-′zə:v] (*d.*). ~ся, отчи́слиться 1. get* one's discharge; 2. *страд. к* отчисля́ть.

отчи́стить(ся) *сов. см.* отчища́ть(ся).

отчита́ть I *сов. см.* отчи́тывать.

отчита́ть II *сов.* (*вн.*) *разг.* (*кончить читать*): ~ ле́кцию *и т. п.* finish lecturing, *etc.*

отчита́ться *сов. см.* отчи́тываться.

отчи́тывать, отчита́ть (*вн.*) reprimand [-ɑ:nd] (*d.*), lecture (*d.*), read* a lecture (to); отчита́ть кого́-л. give* smb. a dressing down.

отчи́тываться, отчита́ться (в *пр.*) give* / render an account (of), report (on); ~ пе́ред избира́телями report back to the electors, *или* to one's constituency.

отчища́ть, отчи́стить (*вн.*) clean off (*d.*); (*щёткой*) brush off (*d.*). ~ся, отчи́ститься 1. come* off; 2. *страд. к* отчища́ть.

отчуди́ть *сов. см.* отчужда́ть 1.

отчужда́ем‖**ость** *ж. юр.* alienability. ~ый *юр.* alienable.

отчужд‖**а́ть**, отчуди́ть (*вн.*) 1. (*об имуществе*) alienate (*d.*); 2. *тк. несов.* (*отдалять*) estrange [-eɪndʒ] (*d.*). ~е́ние *с.* 1. *юр.* alienation; 2. (*от общества и т. п.*) estrangement [-eɪndʒ-]. ~ённость *ж.* estrangement [-eɪndʒ-]. ~ённый *прич. и прил.* 1. (*чуждающийся*) estranged [-eɪndʒd]; 2. *юр.* alienated.

отшага́ть *сов.* (*вн.*) *разг.* walk (*d.*), trudge (*d.*), tramp (*d.*); он ~а́л де́сять киломе́тров he tramped ten kilometres. ~ну́ть *сов. разг.* step aside.

отшатну́ться *сов. см.* отшатываться.

отша́тываться, отшатну́ться (от) 1. start back (from), shrink* back (from), recoil (from); 2. (*отказываться от общения*) forsake* (*d.*), renounce (*d.*).

отшвы́р‖**ивать**, отшвырну́ть (*вн.*) fling away (*d.*), throw* off [-ou-] (*d.*); (*ногой*) kick aside (*d.*). ~ну́ть *сов. см.* отшвы́ривать.

отше́льни‖**к** *м.* hermit, anchorite [-k-], recluse [-s]. ~ческий *прил.* к отше́льник; *тж.* anchoretic [-k-]. ~чество *с.* hermit's life, a recluse's life [...-s-...].

отши́б *м.*: на ~е *разг.* by itsélf; дом стоя́л на ~е the house* stood by itsélf [...-s stud...]; жить на ~е live on the óutskirts [lıv...]; (*перен.*) keep onesélf to onesélf, live in seclúsion.

отшиб||а́ть, отшиби́ть (*вн.*) *разг.* 1. (*отбрасывать ударом*) strike* / fling* back (*d.*), knock off (*d.*); 2. (*ушибать*) hurt* (*d.*); отшиби́ть себе́ но́гу hurt* one's foot, leg [...fut...]; 3. (*отламывать*) strike* off (*d.*), knock off (*d.*); (*откалывать*) break* off [-eɪk...] (*d.*); ◇ у него́, у неё и т.д. отшибло́ па́мять he, she, *etc.*, cánnòt remémber a thing, his, her, *etc.*, mémory fáiled him, her, *etc.* ~и́ть *сов. см.* отшиба́ть.

отши́ть *сов.* (*вн.*) *разг.* (*прогнать от себя, отстранить*) rebúff (*d.*), snub (*d.*).

отшлёпать *сов.* (*вн.*) *разг.* spank (*d.*).

отшлифова́ть *сов. см.* отшлифо́вывать.

отшлифо́вывать, отшлифова́ть (*вн.*) grind* (*d.*), búrnish (*d.*); pólish (*d.*) (*тж. перен.*).

отшпи́ливать, отшпи́лить (*вн.*) únpin (*d.*), únfásten [-s°n] (*d.*).

отшпи́лить *сов. см.* отшпи́ливать.

отшум||е́ть *сов.*: ~е́ли бои́ the úpròar of the fights was óver.

отшути́ться *сов. см.* отшу́чиваться.

отшу́чиваться, отшути́ться dismíss the mátter with a joke, laugh the mátter off [lɑ:f...], make* a joke in replý.

отщёлка́ть *сов.* (*вн.*) *разг.* strike* with flicks of one's fingers (*d.*); (*перен.*) insúlt (*d.*), abúse (*d.*).

отщепе́н||ец *м.* rénegàde, túrncoat, apóstate. ~ство *с.* apóstasy.

отщепи́ть *сов. см.* отщепля́ть.

отщепля́ть, отщепи́ть (*вн.*) chip off (*d.*).

отщипну́ть *сов. см.* отщи́пывать.

отщи́пывать, отщипну́ть (*вн.*) pinch / nip off (*d.*).

отъеда́ть, отъе́сть (*вн.*) eat* off (*d.*). ~ся, отъе́сться be well fed.

отъедини́ть *сов. см.* отъединя́ть.

отъединя́ть, отъедини́ть (*вн. от*) séparàte (*d.* from).

отъе́зд *м.* depárture.

отъе́здить *сов.* (*вн.*) *разг.* have dríven [...'drɪ-] (*d.*); have cóvered [...'kʌ-] (*during driving, riding*) (*d.*).

отъезжа́||ть [-ежжя́-], отъе́хать drive* off. ~ющий [-ежжя́-] 1. *прич. см.* отъезжа́ть; 2. *м. как сущ.* depárting pérson.

отъе́зж||ий *уст.*: ~ее по́ле húnting grounds *pl.*

отъёмный remóvable [-'muːv-], detáchable.

отъе́сть(ся) *сов. см.* отъеда́ть(ся).

отъе́хать *сов. см.* отъезжа́ть.

отъя́вленный thórough ['θʌrə], (*неисправимый*) invéterate (*d.*); негодя́й óut-and-óut scóundrel.

отыгра́ть(ся) *сов. см.* оты́грывать(ся).

оты́грывать, отыгра́ть (*вн.*) win* back (*d.*). ~ся, отыгра́ться win* back, get* back what one has lost, retríeve one's lósses [-riːv...], recóup onesélf [-'kuːp...].

о́тыгрыш *м. тк. ед. разг.* wínnings back *pl.*, retríeved lósses [-riːvd...] *pl.*

recóupment [-'kuːp-]; sum won back [...wʌn...].

отымённый *лингв.* denóminative; ~ глаго́л denóminative verb.

отыска́ть(ся) *сов. см.* оты́скивать(ся).

оты́скивать, отыска́ть (*вн.*) find* (*d.*); (*зверя на охоте; тж. перен.*) track down (*d.*), run* to earth [...əːθ] (*d.*); *несов. тж.* look for (*d.*), search [səːtʃ] (for). ~ся, отыска́ться 1. turn up, appéar; 2. *страд. к* оты́скивать.

отэкзаменова́ть *сов.* (*вн.*) fínish examíning (*d.*).

отяготи́ть *сов. см.* отягоща́ть.

отягоща́ть, отяготи́ть (*вн.*) búrden (*d.*).

отягч||а́ть, отягчи́ть (*вн.*) ággravàte (*d.*). ~а́ющие причи́ну обстоя́тельства ággravàting círcumstances. ~и́ть *сов. см.* отягча́ть.

отяжеле́лый héavy ['he-].

отяжеле́ть *сов.* grow* héavy [-ou 'he-].

отяжеля́ть, отяжели́ть (*вн.*) incréase the weight [-s...] (of), make* héavier [...'he-] (*d.*).

офе́ня *м. ист.* pédlar ['pe-], húckster.

офи́т *м. мин.* óphite.

офице́р *м.* (commíssioned) ófficer; ~ свя́зи liaíson ófficer [liː'eɪzɔːn...]; ~ фло́та nával ófficer. ~ский *прил. к* офице́р. ~ство *с. тк. ед.* 1. *собир.* the ófficers *pl.*; 2. *уст.* (*звание*) commíssioned ófficer's rank.

официа́льно I *прил. кратк. см.* официа́льный.

официа́льн||о II *нареч.* offícially. ~ый offícial; ~ое лицо́ an offícial; ~ое сообще́ние offícial commùnicátion / informátion; ~ые да́нные offícial dáta; ~ый визи́т dúty call, offícial vísit [...-zɪt]; с ~ым визи́том on a state vísit; быть в стране́ с ~ым визи́том be on an offícial vísit to *a* cóuntry [...'kʌ-]; ~ое приглаше́ние fórmal invitátion; ~ тон fórmal tone; ~ое торжество́ públic occásion ['ʌb-...].

официа́нт *м.* wáiter. ~ка *ж.* wáitress.

официо́з *м.* sèmi-offícial órgan. ~ный sèmi-offícial.

офо́рмитель *м.* décoràtor; *театр.* stáge-painter; (*книги*) desígner [-'zaɪnə].

офо́рмить(ся) *сов. см.* оформля́ть(ся). ~ле́ние *с.* 1. *иск.* móunting; (*внешний вид*) appéarance; (*о книге*) desígn [-'zaɪn]; сцени́ческое ~ле́ние stáging; худо́жественное ~ле́ние (décoràtive) desígn; 2. (*выполнение формальностей*) offícial règistrátion; lègalizátion [liːgəlaɪ-]; (*ср.* оформля́ть).

оформля́ть, офо́рмить (*вн.*) 1. (*придавать форму*) mount (*d.*), put* into shape (*d.*), get* up (próperly) (*d.*); (*о книге*) desígn [-'zaɪn] (*d.*); краси́во ~ кни́гу get* *a* book up hándsomely [...-ns-]; 2. (*узаконивать*) régister offícially (*d.*), légalize (*d.*); (*на работу*) put* on the staff (*d.*); ~ докуме́нт draw* up *a* dócument; офо́рмить чьи-л. докуме́нты put smb.'s pápers in órder. ~ся 1. (*принимать законченную форму*) take* shape (*d.*); 2. (*узаконивать своё положение*) légalize one's posítion [...-zɪ-]; (*на работу*) be put offícially on the staff; 3. *страд. к* оформля́ть.

офо́рт *м. иск.* étching.

офранцу́зить *сов.* (*вн.*) *разг.* Frénchifỳ (*d.*), Gállicize (*d.*). ~ся *сов. разг.* become* Frénchified, become* Gállicized.

офсе́т *м. полигр.* óffsèt próces. ~ный *полигр.* óffsèt (*attr.*); ~ная печа́ть óffsèt prínting.

офтальми́я *ж. мед.* òphthálmia.

офтальмо́лог *м.* òphthàlmólogist. ~и́ческий òphthàlmológic(al).

офтальмоло́гия *ж.* òphthàlmólogy.

ох *межд.* oh! [ou], ah!

оха́живать (*вн.*) *разг.* 1. (*обхаживать*) cajóle (*d.*), try to get round (*d.*); 2. (*бить, избивать*) whip (*d.*), lash (*d.*).

оха́ивать, оха́ять (*вн.*) *разг.* run* down (*d.*).

оха́льн||ик *м. разг.* míschief-màker. ~ичать *разг.* get* up to míschief. ~ый *разг.* míschievous.

охаме́ть *сов. см.* хаме́ть.

о́ханье *с. разг.* móaning.

оха́п||ка *ж.* ármful; ~ дров ármful of wood [...wud]; ◇ взять в ~у (*вн.*) *разг.* take* in one's arms (*d.*).

охарактеризова́ть *сов.* (*вн.*) describe (*d.*), cháracterize ['kæ-] (*d.*).

о́хать, о́хнуть sigh, moan.

оха́ять *сов. см.* оха́ивать.

охва́т *м.* 1. scope; 2. (*включение*) inclúsion; 3. *воен.* óutflànking; (*close*) envélopment [-s...]. ~и́ть *сов. см.* охва́тывать.

охва́||тывать, охвати́ть (*вн.*) 1. (*в разн. знач.*) envélop [-'ve-] (*d.*); пла́мя ~ти́ло весь дом the house* was envéloped in flames [...-s...]; ~ченный пла́менем envéloped in flames; забасто́вка ~ти́ла о́коло 100 ты́сяч рабо́чих the strike invólved abóut a húndred thóusand wórkers [...-zənd...]; 2. (*о чувстве*) seize [siːz] (*d.*), grip (*d.*); (*об ощущении*) creep* (óver); ~ченный за́вистью consúmed with énvy; ~ченный у́жасом térror-stricken; 3. (*понимать*) còmprehénd (*d.*); 4. (*включать*) inclúde (*d.*); embráce (*d.*), cóver ['kʌ-] (*d.*); ~ широ́кий круг вопро́сов embráce / cóver a wide range of quéstions [...-reɪ-... -stʃənz]; 5. *воен.* (*окружать*) surróund (*d.*).

охва́ченный *прич. см.* охва́тывать.

охво́стье *с. тк. ед. собир.* 1. *с.-х.* chaff; 2. *разг.* (*чьи-л. приспешники*) yés-men *pl.*; (*подонки*) riff-ràff.

охлад||ева́ть, охладе́ть grow* cold [-ou...], (*к*) grow* cool (towards), lose* ínterest [luː-...] (in); он ~е́л к ней he has grown cold / cool towards her [...gro-un...]; he loves her no lónger [...lʌvz...]; he has gone off her [...gɔn...] *разг.* ~е́лый *поэт.* cold, grown cold [-oun...].

охлад||е́ть *сов. см.* охладева́ть. ~и́тель *м. тех.* cóoler, refrígeràtor. ~и́тельный cóoling. ~и́ть(ся) *сов. см.* охлажда́ть(-ся).

охлажд||а́ть, охлади́ть (*вн.*) cool (*d.*), cool off (*d.*), chill (*d.*); (*при закалке*) quench (*d.*); (*перен.*) damp (*d.*); охлади́ть чей-л. пыл damp smb.'s árdour. ~а́ться, охлади́ться 1. become* cool; cool

ОХЛ—ОЧЕ

down; 2. *страд. к* охлажда́ть. ~а́ющий 1. *прич. см.* охлажда́ть; 2. *прил.* (*освежающий*) cóoling; (*прохладный*) cool; 3. *прил. тех.* cóoling; ~а́ющая жи́дкость, ~а́ющая смесь cóolant, cóoling míxture. ~е́ние *с.* 1. (*действие*) cóoling; 2. (*холод, равнодушие*) cóolness.

охламо́н *м. разг., бран.* blóckhead [-hed], né'er-do-wèll.

охло́пок *м.* tuft.

охло́пье *с. собир.* waste (of fíbrous súbstances) [weɪ-...].

охмеле́ть *сов.* become* típsy / tight.

охмури́ть *сов. см.* охмуря́ть.

охмуря́ть, охмури́ть (*вн.*) *разг.* swindle (*d.*), cheat (*d.*), dupe (*d.*).

о́хнуть *сов. см.* о́хать.

охолости́ть *сов. см.* холости́ть.

охора́шиваться *разг.* smárten òneself, make* òneself smart; preen one's féathers [...'feð-].

охо́та I *ж.* hunt, húnting; chase [-s]; (*с ружьём*) (gáme-)shóoting; (*на птицу*) fówling; псо́вая ~ fóllowing the hounds, ríding to hounds; соколи́ная ~ fálconry ['fɔ:-].

охо́т||а II *ж.* 1. (*желание*) wish, ìnclinátion; по свое́й ~е by one's own wish [...oun...], fóllowing one's ìnclinátion; 2. *предик. безл. разг.:* ему́ ~ чита́ть he feels like réading; ~ тебе́ занима́ться э́тим? what makes you do it?, what do you find in it?; что ему́ за ~! what makes him do it!; ◇ ~ пу́ще нево́ли *посл.* ≅ where there's a will, there's a way.

охо́титься (на *вн.*, за *тв.*) hunt (*d.*); (*с ружьём*) shoot* (*d.*); (за *тв.*; *перен.*) hunt (for).

охо́тк||а *ж.:* в ~у *разг.* with pléasure [...'ple-], éagerly ['i:gə-].

охо́тник I *м.* húnter; (*любитель*) spórtsman*; (*с ружьём тж.*) gun; (*ставящий капканы*) tráppper; за пушны́м зве́рем fúr-hùnter; ◇ морско́й ~ sùbmarine-cháser [-riːn- -sə].

охо́тник II *м.* (*имеющий склонность к чему-л.*, *любитель чего-л.*) lóver ['lʌ-]; быть ~ом до чего́-л. be a lóver of smth.; быть ~ом до ша́хмат be very fond of chess; есть ли ~и пойти́? is ánybody wílling to go?, will ányòne vòlunteer to go?

охо́тни||чий húnting; shóoting, spórting; ~чье ружьё shótgùn, spórting gun; (*для дичи*) fówling-pìece [-piːs]; ~чья соба́ка gún-dòg; (*гончая*) hound; ~ до́мик shóoting-bòx; ~ сезо́н húnting séason [...-zˀn], shóoting séason.

охо́тн||о *нареч.* wíllingly; réadily ['re-], gládly; он ~ сде́лает э́то he will be glad to do it; он ~ее ку́пит кни́гу he'd ráther buy *a* book [...'rɑː- baɪ...].

охо́чий (до *рд.*, на *вн.*, + *инф.*) *разг.* keen (to), having an urge (to).

о́хра *ж.* ochre ['oukə]; кра́сная ~ raddle.

охра́н||а *ж.* 1. (*действие*) guárding, protéction; ~ труда́ lábour protéction; indústrial sáfety méasures [...'meʒəz]; ~ матери́нства и де́тства matérnity and child protéction; ~ обще́ственного

поря́дка máintenance of públic órder [...ˈrɑ-...]; ~ приро́ды náture cònservátion / prèservátion ['neɪ-...-zə-]; ~ окружа́ющей среды́ cònservátion / prèservátion of surróundings; 2. (*стража*) guard; в сопровожде́нии ~ы únder éscòrt, in cústody. ~е́ние *с.* sáfegùarding; *воен.* protéction; *мор.* screen; похо́дное ~е́ние protéction on the march; ~е́ние на о́тдыхе protéction when at rest; боево́е ~е́ние battle óutpòsts [...-pousts] *pl.*; сторожево́е ~е́ние óutpòsts *pl.*

охрани́тельн||ый: ~ые по́шлины protéctive táriffs.

охрани́ть *сов. см.* охраня́ть.

охра́нка *ж.* (*охранное отделение*) *ист. разг.* Okhránka (Secret Polítical Políce Depártment in Tsarist Rússia).

охра́нник *м. разг.* 1. guard; 2. *ист.* okhránnik (*agent of the Secret Polítical Políce in Tsarist Rússia*).

охра́нн||ый *прил. к* охра́на 1; ~ лист, ~ая гра́мота sáfegùard; ~ая зо́на *воен.* restrícted área [...ˈɛərɪə]; ~ое отделе́ние *ист.* Secret Polítical Políce Depártment (*in Tsarist Rússia*) [...-ˈliːs...].

охран||я́ть, охрани́ть (*вн.* от) guard (*d.* from, agàinst); (*защищать*) protéct (*d.* from); (*вн.*; *стоять на страже чего-л.*) stand* guard (óver). ~я́ться *страд. к* охраня́ть; ~я́ется госуда́рством protécted by the State.

охри́плый *разг.* hoarse.

охри́п||нуть *сов.* become* hoarse. ~ший hoarse.

охроме́ть *сов.* go* lame.

оху́лк||а *ж.:* он ~и на́ руку не поло́жит *уст. разг.* ≅ he knows what is what [...nouz...], he is no fool.

оцара́пать *сов.* (*вн.*) scratch (*d.*). ~ся *сов.* scratch òneself; ~ся була́вкой scratch òneself on a pin.

оце́нивать, оцени́ть (*вн.*) fix the price (of); state the válue (of), válue (*d.*); (*признавать ценность чего-л.*) éstimàte (*d.*), appráise (*d.*), eváluàte (*d.*); оцени́ть дом state the válue of the house* [...-s]; ~ что-л. в де́сять рубле́й éstimàte / appráise smth. at ten roubles [...ruːblz]; put* smth. down at ten roubles; ~ по досто́инству apprécià te at its true válue (*d.*); ~ пра́вильно оцени́ть что-л. see* something in próper perspéctive [...ˈprɔ-...]; ~ положе́ние asséss / appráise the situátion.

оцени́ть *сов. см.* оце́нивать и цени́ть.

оце́н||ка *ж.* èstimátion, éstimate; (*суждение*) appráisal [-z-]; (*положительная*) apprèciátion; (*имущества*) valuátion; получи́ть высо́кую ~ку recéive / win* a high appráisal [-ˈsiːv...]; (*об отметке*) recéive a high mark; дать ~ку (*дт.*) asséss (*d.*); получи́ть положи́тельную ~ку (*о книге, постановке и т. п.*) be fávourably recéived; получи́ть хоро́шую ~ку (*о работе*) recéive a good ráting; ~ обстано́вки *воен.* éstimate / appráisal of the situátion. ~очный *прил.* к оце́нка. ~щик váluer; appráiser *амер.*

оцепене́лый tórpid; (*от холода и т. п.*) benúmbed.

оцепене́ть *сов. см.* цепене́ть.

оцеп||и́ть *сов. см.* оцепля́ть. ~ле́ние

с. 1. (*действие*) surróunding, córdoning off; 2. (*отряд, оцепляющий что-л.*) córdon.

оцепля́ть, оцепи́ть (*вн.*) surróund (*d.*); put* córdons (at, round), córdon off (*d.*).

оцинко́в||анный *прич. и прил.* zìnc-cóated; ~анное желе́зо gálvanized íron [...ˈaɪən]. ~а́ть *сов. см.* оцинко́вывать.

оцинко́вывать, оцинкова́ть (*вн.*) (coat with) zinc (*d.*), gálvanize (*d.*).

оча́г *м.* 1. (*прям. и перен.*) hearth [hɑːθ]; дома́шний ~ home, fámily hearth; 2. (*рассадник, источник*) hótbèd, seat, bréeding ground; nídus (*pl.* nídì [ˈnaɪdaɪ]) *научн.*; ~ землетрясе́ния éarthquake centre [ˈəːθ-...]; ~ войны́ seat of war; ~ агре́ссии seat, *или* bréeding ground, of aggréssion; ~ сопротивле́ния *воен.* centre of resístance [...-ˈzɪ-].

оча́нка *ж. бот.* éyebright [ˈaɪ-]; éuphrasy *научн.*

очарова́ние *с.* charm, fàscinátion.

очаро́ванный *прич. и прил.* charmed; (*тв. тж.*) táken (with).

очарова́||тельный chárming, fáscinàting. ~ть(ся) *сов. см.* очаро́вывать(ся).

очаро́вывать, очарова́ть (*вн.*) charm (*d.*), fáscinàte (*d.*). ~ся, очарова́ться 1. (*тв.*) be charmed / táken (with); 2. *страд. к* очаро́вывать.

очеви́д||ец *м.* éye-witness [ˈaɪ-]; расска́з ~ца éye-witness accóunt.

очеви́дно I 1. *прил. кратк. см.* очеви́дный; 2. *предик. безл.* it is óbvious / évident.

очеви́дн||о II *вводн. сл.* óbviously, appárently, mánifèstly, évidently; вы, ~, ду́маете, что you appárently think that. ~ый óbvious, évident, mánifèst.

очелове́||чение *с.* hùmanizátion [-naɪ-]; ~ обезья́ны hùmanizátion of the ape. ~чиваться become* a húman béing.

очелове́читься *сов. см.* очелове́чиваться.

о́чень *нареч.* (*при прилагат. и наречиях*) very; (*при глаголах*) very much; gréatly [-eɪt-]; ~ холо́дный very cold; прийти́ ~ по́здно come* very late; ~ мно́го (*с сущ. в ед. ч.*) very much; (*с сущ. во мн. ч.*) a great many [...-eɪt...]; он был ~ заинтересо́ван (*тв.*) he was very much ínterested (in); он ~ удивлён he is gréatly surprísed; ему́ э́то ~ понра́вилось he liked it very much; ~ вам благода́рен thank you very much; — не ~ not very; *или передаётся через отрицание при глаголе* (*см.* не 1) + very, very much (*ср. выше*): не ~ хо́лодный not very cold; не ~ дово́лен not very pleased; он поёт не ~ хорошо́ he doesn't sing very well; ему́ э́то не ~ нра́вится he doesn't like it very much.

очерви́веть *сов. см.* черви́веть.

очередни́к *м. разг.* pérson ìncluded in a wáiting list.

очередн||о́й 1. (*ближайший*) next; next in turn; ~а́я зада́ча the next task in turn, the ímmediate task; ~о́е зва́ние next higher rank; 2. (*следующий по порядку*) régular, órdinary; ~ пле́нум régular plénary séssion [...ˈpliː-...]; ~ о́тпуск régular hóliday [...-dɪ]; 3. (*обычный*) úsual [-ʒ-], recúrrent; ~ые неприм-

я́тности just the úsual kind of trouble [...trʌbl] sg.

очерёдность ж. régular succéssion, séquence ['si:-], órder of priórity; установи́ть ~ estáblish priórities.

о́черед||ь ж. 1. turn; по ~и in turn; за ним и т.д. ~ (+ инф.) it is his, etc., turn (+ to inf.); ждать своей ~и wait one's turn; пропусти́ть свою́ ~ miss one's turn; 2. (ряд) queue [kju:]; line амер.; ~ за биле́тами tícket-queue [-kju:]; за хле́бом bréad-line ['bred-]; стоя́ть в ~и (за тв.) stand* in a queue (for); stand* in line (for); queue up (for); 3. воен.: пулемётная ~ burst of machíne-gùn fire [...-'ʃi:n-...]; батаре́йная ~ (báttery) sálvò; ◇ на ~ next (in turn); в свою́ ~ in one's turn; в пе́рвую ~ in the first place / ínstance.

очере́т м. бот. bóg-rùsh.

о́черк м. sketch, éssay; (в газете) féature-stòry. ~и́ст м. éssayist.

очерко́вый: ~ жанр the éssay / féature-stòry type of wríting.

очерни́ть сов. см. черни́ть II.

очерстве́лый hárdened, cállous.

очерстве́ть сов. см. черстве́ть II.

очерств||и́ть сов. см. очерствля́ть. ~ля́ть, очерстви́ть (вн.) hárden (d.), depríve of féeling (d.).

очерта́ние с. óutline; мн. cóntours [-tʊəz] pl.

очертене́ть сов. (дт.) разг. bore to death [...deθ] (d.); ему́ всё ~е́ло he is bored to death.

очерти́ть сов. см. очерчивать.

очертя́: ~ го́лову разг. héadlòng ['hed-], thóughtlessly, without thínking.

оче́рчивать, очерти́ть (вн.) óutline (d.).

очёс м. тк. ед. собир. = очёски.

очеса́ть сов. см. очёсывать.

очёски мн. (ед. очёсок м.) текст. cómbings ['kou-], flocks; hards; льняны́е ~ flax tow [...toʊ] sg.

очёсывать, очеса́ть (вн.) comb out [koum...] (d.); ~ лён comb out flax.

оче́чник м. spéctacle case [...-s].

о́чи мн. см. о́ко.

очини́ть сов. см. чини́ть II.

очи́ст||ить(ся) сов. см. очища́ть(ся). ~ка ж. 1. cléaning; ~ка семя́н sórting of seeds; 2. тех. refíne:ment; хим. purificátion; rèctificátion; ~ка га́за gas cléaning; ~ка сто́чных вод séwage dispósal [...-z°l], purificátion of séwage; 3. воен. (от противника) mópping-ùp; ◇ для ~ки со́вести разг. for cónscience' sake [...-nʃəns...], in órder to clear one's cónscience.

очи́стки мн. péelings.

очи́ток м. бот. stóne:cròp.

очищ||а́ть, очи́стить (вн.) 1. clean (d.), cleanse [klenz] (d.); (перен.: освобожда́ть) clear (d.), free (d.), vácàte (d.); ~ го́род воен. evácuàte a town; ~ доро́гу воен. clear the way; ~ от проти́вника воен. mop up (d.); 2. тех. refíne (d.); хим. púrify (d.); réctify (d.); 3. (снима́ть кожицу) peel (d.); 4. разг. (обдира́ть) rob (d.), clean out (d.); 5.: ~ желу́док evácuàte the stómach [...'stʌmək]; (слабительным) give* an apérient; (клизмой) give* an énema. ~а́ться, очи́ститься 1. clear óne:sèlf;

2. (проясня́ться) clear; 3. страд. к очища́ть. ~е́ние с. = очи́стка.

очка́рик м. разг., шутл. pérson wéaring spéctacles [...'wεə-...].

очка́стый разг.: ~ ю́ноша young féllow wéaring (large) spéctacles [jʌŋ...'wεə-...].

очки́ мн. glásses, spéctacles; (защитные) góggles; ходи́ть в очка́х, носи́ть ~ wear* glásses [wεə...].

очк||о́ с. 1. (на картах, костях) pip; 2. в счёте point; он даст ему́ сто ~о́в вперёд разг. he can give him points; he is streets ahéad of him [...ə'hed...]; 3. спорт. point; набра́вший наибо́льшее коли́чество ~о́в the tóp-scòrer; занима́емое кем-л. ме́сто по коли́честву ~о́в smb.'s points position [...-'zɪ-]; 4. (отверстие) hole; смотрово́е ~ (глазо́к) péep:hòle; ◇ втира́ть ~и́ кому́-л. разг. ≅ húmbùg smb., pull the wool óver smb.'s eyes [pʊl... wʊl... aɪz].

очковти́ратель м., **~ница** ж. разг. húmbùg.

очковтира́тельство с. разг. éye-wàsh ['aɪ-].

очко́в||ый: ~ая змея́ cóbra.

очну́ться сов. 1. (просну́ться) wake; 2. (прийти́ в чу́вство) come* to óne:sèlf, come* to, regáin cónscious:ness [...-nʃəs-].

о́чн||ый: ~ая ста́вка юр. còntfrontátion [-ʌnt-]; ~ое обуче́ние fúll-time tuítion.

очуме́лый разг. sénse:less, mad; gone clean off one's head [gɒn... hed]; бежи́т как ~ he is rúnning like a mad thing.

очуме́||ть сов. разг. go* clean off one's head [...hed], go* crázy; что ты, ~л ли? have you gone mad? [...gɒn...].

очути́||ться сов. find* óne:sèlf; come* to be; как он здесь ~лся? how did he come to be here?

очу́хаться сов. разг. come* to óne:sèlf.

ошале́||лый разг. crázy. ~ть сов. см. шале́ть.

ошара́шивать, ошара́шить (вн.) разг. 1. (си́льно ударя́ть) beat* (d.), bang (d.); 2. (озада́чивать) dúmb:fòund (d.), strike* dumb (d.), flábbergàst (d.).

ошара́шить сов. см. ошара́шивать.

ошвартова́ть сов. (вн.) мор. make* fast (d.), moor (d.). ~ся сов. (у) мор. make* fast (to или alóng), moor (at).

оше́йник м. cóllar; соба́чий ~ dóg-còllar.

ошеломи́тельный разг. stúnning.

ошеломи́||ть сов. см. ошеломля́ть. ~ле́ние с. stùpefáction. ~ля́ть, ошеломи́ть (вн.) stun (d.), stúpefy (d.); ~ля́ть внеза́пностью воен. útterly surpríse (d.). ~ля́ющий прич. и прил. stúnning.

ошельмова́ть сов. см. шельмова́ть.

ошиб||а́ться, ошиби́ться make* mistákes, be mistáken; сов. тж. make* a mistáke; (заблужда́ться) err, be (in the) wrong, be at fault; жесто́ко ~ be sád:ly mistáken. ~ка сов. см. ошиба́ться.

оши́бк||а ж. mistáke, érror; (гру́бая) blúnder; по ~е by mistáke; впада́ть в ~у be mistáken; на ~ах у́чатся one learns from one's mistákes [...lə:nz...].

оши́бочно I прил. кратк. см. оши́бочный.

оши́бочн||о II нареч. by mistáke; errónеous:ly. ~ый erróneous, mistáken.

ошива́ться разг. hang* abóut, loaf.

оши́кать сов. (вн.) разг. hiss off the stage (d.).

ошмётки мн. (ед. ошмёток м.) разг. rags.

ошпа́ривать, ошпа́рить (вн.) разг. scald (d.). ~ся, ошпа́риться 1. разг. scald òne:sèlf; 2. страд. к ошпа́ривать.

ошпа́рить сов. см. ошпа́ривать и шпа́рить 1. ~ся сов. см. ошпа́риваться.

оштрафова́ть сов. см. штрафова́ть.

оштукату́рить сов. см. штукату́рить.

ошу́ю нареч. уст. to the left, on the left hand.

оцени́ться сов. см. щени́ться.

ощети́н||иваться, ощети́ниться brístle up (тж. перен.), raise háckles. ~иться сов. см. ощети́ниваться и щети́ниться.

ощипа́ть сов. см. ощи́пывать.

ощи́пывать, ощипа́ть (вн.) pluck (d.).

ощу́п||ать сов. см. ощу́пывать. ~ывать, ощу́пать (вн.) feel* (d.).

о́щупь ж.: на ~ to the touch [...tʌtʃ]; идти́ на ~ grope one's way.

о́щупью нареч. grópin(g:)ly, fúmblingly; by touch [...tʌtʃ]; иска́ть ~ (вн.) grope (for); пробира́ться ~ grope / feel* one's way, grope alóng.

ощути́||мый, ~тельный 1. percéptible, tángible [-ndʒə-], pálpable; 2. (значи́тельный, заме́тный) appréciable.

ощути́ть сов. см. ощуща́ть.

ощущ||а́ть, ощути́ть (вн.) feel* (d.), sense (d.); сов. тж. become* a:wáre (of). ~а́ться be obsérved [...-'zə:vd]; make* it:sélf felt. ~е́ние с. 1. sensátion; зри́тельное ~е́ние vísual sènsátion [-ʒ-...]; 2. (пережива́ние, чу́вство) féeling, sense.

оягни́ться сов. см. ягни́ться.

ояловеть сов. см. яловеть.

П

па с. нескл. pas (фр.) [pɑ:], step.

па́ва ж. зоол. péahen.

павиа́н м. зоол. babóon; cỳno:céphalus (pl. -lì) научн.

павильо́н м. pavílion; (для киносъёмок) film stúdiò.

павли́н м. зоол. péacòck, péafowl. ~ий прил. к павли́н; ◇ ~ий глаз (бабочка) péacòck bútterfly.

па́водок м. fréshet, spring flood [...-ʌd], high wáter [...'wɔ:-], flash flood.

па́вш||ий 1. прич. см. пада́ть 4, 6; 2. мн. как сущ. the fáll:en; ~ие на по́ле би́твы killed in áction; ~ие в боя́х за Ро́дину those who have died / fáll:en for their cóuntry [...'kʌ-].

пагина́ция ж. полигр. pàginátion.

па́года ж. pagóda.

па́губа ж. rúin, destrúction; bane.

па́губно I прил. кратк. см. па́губный.

па́губн||о II нареч. rúinous:ly, pernícious:ly, báne:fully; ~ отража́ться (на пр.) have a pernícious effèct (on, up:ón).

ПАД—ПАЛ

~ый pèrnícious; báne⁞ful; fátal; ~ое влияние pèrnícious / báne⁞ful ínfluence; ~ые послéдствия fátal cónsequences.
падаль ж. тк. ед. чаще собир. cárrion.
паданец м. fáll⁞er (fallen fruit).
па́да‖**ть**, пасть, упа́сть 1. (прям. и перен.) fall*; (быстро) drop; (снижаться) sink*; (приходить в упадок) decline*; ~ навзничь fall* on one's back; 2. тк. несов. (без доп.; об атмосферных осадках) fall*; снег ~ет snow is fálling [-ou...], it is snówing [...-ou-]; 3. тк. несов.: во́лосы ~ют на лоб hair falls across the fórehead [...'forid]; свет ~ет на кни́гу light falls on the book; 4. при сов. пасть (на вн.) fall* (on, to); отвéтственность за э́то ~ет на него́ respònsibílity for this falls on him; жрéбий пал на него́ the lot fell upón him; все расхо́ды ~ют на него́ the whole cost falls on him [...houl...]; 5. тк. несов. (на вн.) fall* (on); ударéние ~ет на пéрвый слог the áccent / stress falls on the first sýllable; 6. при сов. пасть (о скоте) pérish, die; 7. тк. несов. (выпадать — о волосах, зубах) fall* out, come* out; (о ценах) ~ют prices are drópping; барóметр ~ет the barómeter is fálling; ~ ду́хом lose* cóurage [lu:z 'kʌ-], lose* heart [...ha:t]; be despóndent; ~ в óбморок faint (a:wáy), swoon поэт.; ~ от устáлости be réady to drop [...'redɪ...]; пасть на пóле бра́ни be killed in áction, fall* in áction.
па́дающ‖**ий** 1. прич. см. па́дать; 2. прил. (о свете и т.п.) íncident; ~ие звёзды астр. shóoting stars.
падéж м. грам. case [-s].
падёж м. (скота) loss of cattle, cáttle-plàgue [-pleɪg], múrrain.
падéжн‖**ый** грам. case [-s] (attr.); ~ое окончáние case ending.
падéни‖**е** с. 1. fall; collápse; (снижение) drop, sínking; рéзкое ~ цен, спро́са slump in prices, demánd [...-a:nd]; ~ напряжéния эл. voltage drop; 2. (правительства и т.п.) dównfall, fall; 3. (нравственное разложение) dègradátion; морáльное ~ móral lapse ['mɔ-...]; 4. физ. íncidence; у́гол ~я angle of íncidence; воен. angle of fall; 5. геол. dip.
падиша́х м. pádisháh ['pɑ:-].
па́дкий (на вн., до) having a wéakness (for), gréedy (of, for); ~ на лесть a súcker for fláttery; ~ на дéньги gréedy for móney [...'mʌ-], mércenary.
па́дуб м. бот. ílex ['aɪ-], hólly.
паду́чая ж. скл. как прил. разг. fálling síckness.
па́дчерица ж. stépdaughter.
па́дший прич. и прил. fáll⁞en.
паевóй share (attr.); ~ взнос share.
паёк м. rátion ['ræ-].
паенакоплéние с. эк. shàre-accùmulátion.
паж м. page.
па́жить ж. поэт. pásture.
паз м. тех. slot, groove.
па́зух‖**а** ж. 1. разг. bósom ['buzəm]; за ~ой, за ~у in one's bósom; 2. анат. sínus; лóбные ~и fróntal sinus⁞es ['frʌ-...]; 3. бот. áxil; ◊ держáть ка́-

мень за ~ой (на, против рд.) hárbour a grudge (agáinst).
па́инька м. и ж. разг. good child*.
па‖**й** I м. share; вступи́тельный ~ initial shares pl.; товáрищество на ~я́х jóint-stòck cómpany [...'kʌ-].
пай II м. и ж. нескл. = па́инька.
пáйка I ж. тех. sólder(ing) ['sɔ-].
пáйка II ж. разг. (паёк) rátion ['ræ-]; ~ хлéба bread rátion [bred...].
пайкóвый прил. к паёк; тж. rátioned ['ræ-].
пáйщик м. shàre⁞hòlder.
пак м. тк. ед. páck-ice.
пакгáуз м. wàre⁞house* [-s], stóre⁞house* [-s]; (при таможне) bónded wàre⁞house*.
пакéт м. 1. páckage, párcel; (небольшой) pácket; (для продуктов) páper-bàg; 2. (официальное письмо) létter; почтóвый заказнóй ~ régistered létter; 3.: ~ áкций эк. share hólding; ◊ индивидуáльный ~ (indivídual) field dréssing [...fi:ld...], fírst-aid pack.
пакети́ровать несов. и сов. (вн.) pack (d.).
пакистáн‖**ец** м., ~ка ж., ~ский Pàkistáni [-ɑ:nɪ].
пáкля ж. tow [tou]; (из рассученных верёвок) óakum.
пакова́ть (вн.) pack (d.).
пакóв‖**ка** ж. pácking. ~очный pácking (attr.).
пáкостить I, напáкостить разг. (грязнить) soil, dírty; (дт.; причинять неприятности, вредить) play dírty / mean tricks (on).
пáкостить II, испáкостить (вн.) разг. (портить) spoil* (d.), mess up (d.).
пáкостн‖**ик** м., ~ица ж. разг. dírty dog, wretch.
пáкостный разг. dírty, mean, foul; (о запахе тж.) násty.
пáкост‖**ь** ж. разг. 1. dírty / mean trick; дéлать ~и (дт.) play dírty / mean tricks (on); 2. (дрянь) filth; 3. (непристóйное выражение, слово и т.п.) obscénity [-'si:-], fílthy word.
пакт м. полит. pact; ~ о взаимопóмощи mútual aid pact; ~ о ненападéнии nòn-aggréssion pact; ~ о взаи́мной безопáсности mútual secúrity pact.
пал м. site of fire (in forest or steppe).
паладин м. ист. páladin.
паланкин м. pàlanquín [-'ki:n].
палантин м. (fur) típpet.
палáс м. palás (napless woven woollen carpet).
палáта I ж. 1. (законодательное учреждение) chámber ['tʃeɪ-]; Верхóвный Совéт СССР состои́т из двух палáт: Совéта Сою́за и Совéта Национáльностей the Suprème Sóviet of the USSR consists of two chámbers: the Sóviet of the Union and the Sóviet of Nàtionálities [...næ-]; 2. (представительное учреждение) chámber, house* [-s]; ~ лóрдов (в Англии) the House of Lords; ~ общин (в Англии) the House of Cómmons; ~ депутáтов (во Франции) the Chámber of Députies; ~ представи́телей (в США) the House of Rèpreséntatives [...-'zen-]; 3.: ~ мер и весóв Board of Weights and Méasures [...'meʒ-];

Всесою́зная Кни́жная ~ All-Únion Book Chámber; торгóвая ~ Chámber of Cómmerce; 4. ист. chámber; Оружéйная ~ (в Кремлé) Ármoury (in the Kremlin); Грановитая ~ (в Кремлé) Hall of Fácets [...'fæ-] (in the Kremlin).
палáта II ж. 1. (в больнице) ward; 2. мн. уст. (дворец) pálace sg.; ◊ у негó умá ~ ≅ he is as wise as Sólomon.
палатализа́ция ж. лингв. pàlatalizátion [-laɪ-].
палатализóванный лингв. pálatalìzed.
палатализова́ть несов. и сов. (вн.) лингв. pálatalìze (d.). ~ся несов. и сов. лингв. become* pálatalìzed.
палата́льн‖**ость** ж. лингв. pálatal cháracter [...'kæ-]. ~ый лингв. pálatal; ~ая переглáсовка pálatal mutátion.
палáтка ж. 1. tent; (большая) màrquée [-'ki:]; в ~х воен. únder cánvas; 2. (киоск) stall, booth [-ð].
палáтный прил. к палáта II 1.
палáточн‖**ый** 1. прил. к палáтка 1; ~ городóк en⁞cámpment; (для строителей и т.п.) camp; 2. (лагерный) stall (attr.).
пала́ч м. éxecutioner, háng⁞man*; (перен. тж.) bútcher ['bu-]. ~еский прил. к пала́ч; (перен.) cruel and ún⁞just [kruəl...]; ~еский суд ún⁞just tríal; ~еские законы cruel laws.
палáш м. bróadsword ['brɔ:dsɔ:d].
пáлевый pále-yèllow, stràw-còlour⁞ed [-kʌ-].
палёный singed, scorched.
палеоботáника ж. pàl(a)eò⁞bótany.
палеóграф м. pàl(a)eógrapher. ~ический pàl(a)eográphic.
палеогрáфия ж. pàl(a)eógraphy.
палеозáвр м. палеонт. pàl(a)eosáurus [peɪlɪə-].
палеозóйск‖**ий** геол. pàl(a)eozó⁞ic; ~ая эра pàl(a)eozó⁞ic éra / périod.
палеоли́т м. археол. pàl(a)eolith. ~и́ческий археол. pàl(a)eolíthic.
палеонтóлог м. pàl(a)eòntólogist. ~логический pàl(a)eòntológic(al). ~лóгия ж. pàl(a)eòntólogy.
пá‖**лец** м. 1. (руки, перчатки) fínger; (ноги) toe; большóй ~ (руки) thumb; (ноги) big toe; указáтельный ~ fóre⁞finger, índex (fínger); срéдний ~ middle fínger, third fínger; безымя́нный ~ fourth fínger [fɔ:θ...]; (на левой руке тж.) ríng-finger; предохрани́тельный (резиновый) ~ fínger-stall; 2. тех. (crank) pin, fínger, cam; ◊ ~ о ~ не удáрить разг. not stir / lift / raise a fínger; ему́ пáльца в рот не клади́ разг. ≅ he is not to be trifled with; watch your step with him; смотрéть сквозь пáльцы на что-л. разг. look through one's fíngers at smth.; wink* at smth.; обвести́ вокрýг пáльца (вн.) разг. cheat (d.), dupe (d.), decéive [-'si:v] (d.), take* in (d.); он пáльцем никогó не трóнет ≅ he wouldn't hurt a fly; вы́сосать из пáльца что-л. разг. fábricate smth., dream* the whole thing up [...houl...]; знать что-л. как свои́ пять пáльцев разг. have smth. at one's fínger-tips / fínger-ènds; know* smth. báckwards [nou-, -dz], know* smth. like the back of one's hand; попáсть пáльцем в нéбо

разг. ≅ be wide of the mark; take* the wrong sow by the ear [...sou...] *идиом.*

палимпсе́ст [-сэ́-] *м. лингв.* pálimpsèst.

палиса́д *м.* 1. páling, pàlisáde; 2. *воен. ист.* stòckáde.

палиса́дник *м.* 1. front gárden [frʌ-...]. 2. = палиса́д 1.

палиса́ндр *м.* róse︱wood [-wud]. ~овый róse︱wood [-wud] (attr.).

пали́тра *ж.* pálette [ˈpælɪt]; (*о выразительных средствах*) range of expréssion [reɪ-...].

пали́ть I *разг.* (*обдавать жаром, зноем*) burn*, scorch; со́лнце пали́т the sun is scórching.

пал︱и́ть II *разг.* (*стрелять*) fire; ~и́! (*команда*) fire!

па́лица *ж. уст.* club, cúdgel.

па́лк︱а *ж.* stick; (*для прогулки*) wálking-stick, cane; (*посох*) staff; ~ метлы́ bróomstick; бить ~о́й (*вн.*) cane (*d.*) ◇ вставля́ть кому́-л. ~и в колёса *разг.* put* a spoke in smb.'s wheel; из-под ~и *разг.* ≅ únder the lash, únder préssure; ~ о двух конца́х ≅ twó-èdged / dóuble-èdged wéapon [...ˈdʌbl- ˈwep-]; э́то ~ о двух конца́х ≅ it cuts both ways [...bouθ...].

палла́дий *м. хим.* palládium.

паллиати́в *м.* palliative. ~ный pálliative.

пало́мни︱к *м.*, ~ца *ж.* pílgrim; (*в Палестину тж.*) pálmer [ˈpɑː-]. ~чать go* on (a) pílgrimage. ~ческий *прил.* к пало́мник. ~чество *с.* pílgrimage.

па́лочка I *ж. уменьш.* от па́лка.

па́лочка II *ж.*: бараба́нная ~ drúmstick; дирижёрская ~ (condúctor's) báton [ˈbætn] ◇ волше́бная ~ mágic wand; ~-выруча́лочка (*детская игра*) híde-and-séek (*children's game*).

па́лочка III *ж.* (*вертикальная чёрточка на письме*) line, stroke.

па́лочка IV *ж. бакт.* bacíllus (*pl.* -li); ~ Ко́ха bacíllus Kóchii.

па́лочн︱ый *прил.* к па́лка; ◇ ~ая дисципли́на discipline of the rod.

па́лтус *м.* (*рыба*) hálibut, túrbot.

па́луб︱а *ж.* deck; ве́рхняя ~ úpper deck; main deck *амер.*; ни́жняя ~ lówer deck [ˈlouə-...], órlòp (deck); полётная ~ *ав.* flight deck; навесна́я ~ fórecastle deck [ˈfouksl...]; úpper deck *амер.* ~ный *прил.* к па́луба.

-па́лубный (*в сложн. словах, не приведённых особо*) -décker (*attr.*); *напр.* двухпа́лубное су́дно twó-décker.

-па́лый (*в сложн. словах, не приведённых особо*) -fingered; *напр.* шестипа́лый síx-fingered.

пальба́ *ж. разг.* firing; пу́шечная ~ cànnonáde.

па́льм︱а *ж.* pálm(-tree) [ˈpɑːm-]; фи́никовая ~ dáte(-pàlm) [-pɑːm]; коко́совая ~ cócò, cóco-tree, cóco︱nut tree; ◇ получа́ть, уступа́ть ~у пе́рвенства bear*, yield the palm [bɛə jiːld-... pɑːm].

пальмити́нов︱ый *хим.* pálmític; ~ая кислота́ pálmític ácid.

па́льмов︱ые *мн. скл. как прил. бот.* pàlmáceae [-siː]. ~ый *прил.* к па́льма; ~ое де́рево pálm(-tree) [ˈpɑːm-]; (*как материал*) bóxwood [-wud]; ~ое ма́сло

pálm-oil [ˈpɑːm-]; ~ая ветвь (*как символ мира*) ólive-brànch [-ɑːntʃ].

пальто́ *с. нескл.* (óver)coat, tópcóat. ~вый *прил.* к пальто́; ~вые тка́ни coat fábrics.

пальцеви́дный fínger-shaped.

пальцеобра́зный *бот.* dígitàte(d).

пальч︱а́тый = пальцеобра́зный. ~ик *м. уменьш.* от па́лец 1.

паля́щий 1. *прич. см.* пали́ть I; 2. *прил.* búrning, scórching; ~ зной scórching heat; под ~им со́лнцем in the bróiling sun.

па́мпасы *мн. геогр.* pámpas.

пампу́шка *ж. кул.* pampúshka (kind of fritter).

памфле́т *м.* lampóon, pámphlet. ~и́ст *м.* pàmphletéer. ~ный *прил.* к памфле́т.

па́мятка *ж.* 1. commémorative bóoklet; 2. (*инструкция*) instrúction, written rules of behàviour *pl.*

па́мятлив︱ость *ж.* reténtive mémory; reténtive︱ness of mémory. ~ый having a reténtive mémory.

па́мятник *м.* (*в разн. знач.*) mónument; memórial (*тж. перен.*); (*надгробный камень*) tómb︱stòne [ˈtuːm-]; (*в виде статуи*) státue [-æ-]; литерату́рный ~ líterary mónument; ~и старины́ rélics of the past, old rélics and mónuments, ста́вить ~ кому́-л. put* / set* up, *или* erést, a mónument to smb.

па́мятн︱ый 1. mémorable; ~ день mémorable / nótable day; ~ое собы́тие mémorable évent; 2. (*служащий для напоминания*): ~ая кни́жка mèmorándum-book, nóte︱book; ~ая запи́ска *дип.* mèmorándum (*pl.* -da).

памятова́ть (*памятуя* (*о пр.*)) remémbering (*d.*), béaring in mind [ˈbɛə-...] (*d.*).

па́мят︱ь *ж. тк. ед.* 1. mémory; плоха́я ~ poor mémory; хоро́шая ~ good* / reténtive mémory; э́то вы́пало у него́ из ~и it slipped / escáped his mémory, it passed complete︱ly from his mémory / mind; запечатле́ться в чьей-л. ~и be stamped / en︱gráved on one's mémory; е́сли мне ~ не изменя́ет if my mémory does︱n't fail / betráy / decéive me [...-ˈsiːv...]; ~ ему́ изменя́ет his mémory fails him; 2. (*воспоминание*) rècolléction, remémbrance; в ~ (*рд.*) in mémory (of), in commèmorátion (of); подари́ть что-л. на ~ give* smth. as a kéepsake, *или* as a sóuvenir [...ˈsuːvənɪə]; оста́вить по себе́ до́брую ~ leave* fond mémories of òne︱sélf; оста́вить по себе́ дурну́ю ~ leave* a bad* mémory behìnd; 3. (*запоминающее устройство электронной машины*) mémory, store, stórage; ◇ на чьей-л. ~и within smb.'s rècolléction; на ~ ны́нешнего поколе́ния within líving mémory [...ˈlɪv...]; ве́чная ~ ему́ may his mémory live for ever [...lɪv...]; сохрани́ть ~ о ком-л. hold* smb. in remémbrance; люби́ть кого́-л. без ~и love smb. to distráction [lʌv...]; быть без ~и (*без сознания*) be únconscious [...-nʃəs]; быть без ~и от кого́-л. *разг.* be óver head and ears in love with smb. [...hed...]; be crázy about smb.; на ~ (*наизусть*) by heart [...hɑːt]; по ~и from mémory; по ста́рой ~и ≅ for old times' sake; (*по привычке*) by force of hábit; приходи́ть

кому́-л. на ~ come* back to one's mémory, come* back to one; ему́ пришло́ на ~, что он по́мнил that. Пан *м. миф.* Pan.

пан *м.* 1. *ист.* (*польский помещик*) Pólish lándowner [...-ounə]; 2. (*как обращение к взрослому мужчине в Польше и Чехословакии*) Mr., sir; ◇ ли́бо ~, ли́бо пропа́л *погов.* ≅ neck or nothing.

пана́ма I *ж.* (*шляпа*) Pànamá (hat) [-ˈmɑː...].

пана́ма II *ж.* (*крупное мошенничество*) swindle.

панаце́я *ж.* pànacéa [-ˈsɪə]; ~ от всех зол ùnivérsal pànacéa.

панба́рхат *м.* panne (vélvet).

пандеми́я [-дэ-] *ж. мед.* pàndémia.

па́ндус *м.* ramp.

панеги́р︱ик *м.* pànegýric, éulogy. ~и́ст *м.* pànegýrist, éulogist. ~и́ческий pàn-egýrical, eulogístic.

пане́л︱ь [-нэ́-] *ж.* 1. (*тротуар*) páve︱ment, fóotway [ˈfut-]; 2. (*деревянная обшивка стен*) pánel [ˈpæ-], wáinscot; 3. *стр.* pánel. ~ный [-нэ-] *прил.* к пане́ль; ~ное домостроéние pánel / séctional hóuse-building [...-sbɪl-].

панибра́т︱ский *разг.* famíliar. ~ство *с. разг.* fàmiliárity.

па́ник︱а *ж. тк. ед.* pánic, scare; наводи́ть ~у *разг.* raise / créàte a pánic, cause a scare; не впада́ть в ~у remáin calm [...kɑːm], keep* présence of mind [...ˈprez-...]; впада́ть в ~у, поддава́ться ~е be / become* pánic-stricken; pánic *разг.*; быть в ~е be pánic-stricken, be scared out of one's sénses; не поддава́ться ~е not succúmb, *или* not give* way, to pánic.

паникади́ло *с. церк.* chúrch-chàndelíer [-ˈʃændɪˈlɪə].

паникёр *м.* pánic-mònger [-mʌ-], scáre-mònger [-mʌ-], alármist. ~ский *прил.* к паникёр. ~ство *с.* alármism. ~ствовать *разг.* be pánic-stricken, pánic. ~ша *ж.* к паникёр.

панико́вать *разг.* pánic.

панирово́чн︱ый: ~ые сухари́ dried and fíne︱ly ground bréad-crùmbs [...ˈbred-].

панихи́да *ж. церк.* sérvice for the dead [...ded]; réquièm [ˈre-]; ◇ гражда́нская ~ civil fúneral rites *pl.*

пани́ческ︱ий 1. pánic; ~ страх pánic térror; ~ое бе́гство pánic-strickenflight; 2. *разг.* (*поддающийся панике*) pánicky.

панно́ *с. нескл.* 1. pánel [ˈpæ-]; 2. (*большая картина на холсте*) picture.

пано́птикум *м.* wáxworks èxhibítion / show [ˈwæ- ˌeksɪ-ˈʃou].

панора́м︱а *ж.* 1. (*в разн. знач.*) pànoráma [-ˈrɑːmə]; открыва́ется вели́чественная ~ a màgnífícent view opens up, *или* is reveáled [...vjuː...].

панора́ма II *ж.* (*оптический прибор*) pànorámic sight.

пансио́н *м.* 1. *ист.* (*учебное заведение*) bóarding-school; 2. (*гостиница*) bóarding-house* [-s] 3. (*полное содержание*) (full) board and lódging; жить на по́лном ~е have full board and lódging.

пансиона́т *м.* hóliday hòtel [-dɪ...], bóarding (guest) house [...-s].

ПАН – ПАР

пансионе́р *м.*, ~ка *ж.* bóarder; (*в гостинице тж.*) guest.

па́нский *прил.* к пан.

панслави́зм *м. ист.* pán-Slávism [-'slɑː-].

пантало́ны *мн.* 1. *уст.* (*брюки*) tróusers; 2. (*женские*) (wóman's) dráwers ['wu-...], knickers; pánties [-tız] *разг.*

панталы́к: сбить кого́-л. с ~у *разг.* drive* smb. deménted; сбиться с ~у *разг.* be driven deménted [...'drı-...], be thrown into confúsion [...-oun...], be confúsed / misléd.

панте||и́зм [-тэ-] *м.* pánthe:ism. ~и́ст [-тэ-] *м.* pánthe:ist. ~исти́ческий [-тэ-] pànthe:ístic(al).

пантео́н [-тэ-] *м.* pànthéon.

панте́ра *ж.* pánther.

панто́граф *м. тех.* pántogràph.

пантоми́м||а *ж. театр.* pántomìme, mime, dumb show [...ʃou]. ~и́ческий, ~ный *театр.* pántomìme (*attr.*).

па́нты *мн.* ántlers of young Sibérian stag [...ʌŋ saı-...].

па́нцирн||ые *мн. скл. как прил. зоол.* Tèstácea. ~ый 1. *зоол.* tèstáceous; 2. *воен.* ármour-clàd, íron-clàd ['aıən-...].

па́нцирь *м.* 1. *ист.* (*латы*) coat of mail, ármour; 2. *зоол.* tésta, shell.

па́па I *м. разг.* (*отец*) dad; (*в детской речи тж.*) dáddy.

па́па II *м.* (*глава римско-католической церкви*) Pope.

папа́ха *ж.* papákha [-'pɑː-] (*tall astrakhan hat*).

папа́ша *м. разг.* fáther ['fɑː-].

па́пенька *м. уст. разг.* = папа I.

па́перть *ж.* chúrch-pòrch, párvis.

папи́зм *м.* pápistry ['peı-].

папильо́тка *ж.* cúrl-pàper.

па́пин *прил.* fáther's ['fɑː-].

папироло́гия *ж.* pàpyrólogy.

папиро́са *ж.* cigarétte (with a cárdboard hólder); па́чка папиро́с pácket of cigaréttes; pack of cigaréttes *амер.*

папиро́сник *м. разг.* (*продавец*) cigarétte man* / véndor.

папиро́сница I *ж. разг.* (*продавщица*) cigarétte girl / véndor [...gəːl...].

папиро́сница II *ж.* (*коробка*) cigarétte-càse [-s].

папиро́сн||ый *прил.* к папиро́са; ~ая фа́брика cigarétte-fáctory; ~ая бума́га rice-pàper.

папи́рус *м.* papýrus (*pl.* -rì). ~ный, ~овый papýrus (*attr.*).

папи́ст *м.* pápist ['peı-]. ~ский papístic(al).

па́пка I *м. разг.* fáther ['fɑː-].

па́пка II *ж.* (*для бумаг*) fólder; 2. (*переплёт*) hard cóver [...'kʌ-].

па́поротник *м. бот.* fern.

па́поротников||ые *мн. скл. как прил. бот.* filicès [-iːz]. ~ый *прил.* к па́поротник; *тж.* férny.

па́почка *м. ласк.* dáddy.

па́п||ский *прил.* pápal; ~ престо́л St. Péter's chair. ~ство *с.* pápacy ['peı-].

папуа́с *м.*, ~ка *ж.*, ~ский Pápuan; ~ские языки́ the Pápuan lánguages.

па́пула *ж. мед.* pápùle, pápùla (*pl.* -lae).

папье́-маше́ *с. нескл.* papier-mâché (*фр.*) ['pæpjeı'mɑːʃeı].

пар I *м.* 1. steam; превраща́ться в ~ eváporàte; 2. (*от дыхания и т.п.*) èxhalátion; от ло́шади идёт ~ the horse is stéaming; ◊ стоя́ть под ~а́ми be únder steam, be réady to start [...'redı...]; на всех ~а́х at full speed.

пар II *м. с.-х.* fállow; чёрный (чи́стый) ~ bare fállow; находи́ться под ~ом lie* fállow; земля́ под ~ом fállow (land).

па́р||а *ж.* 1. (*в разн. знач.*) pair; couple [kʌ-]; ~ сапо́г, боти́нок pair of boots, shoes [...ʃuːz]; коренна́я ~ (*запряжка*) pole pair, wheel pair / team; ~ сил *мех.* couple (of fórces), force couple; он ей не ~ he is no match for her; супру́жеская ~ márried couple; танцу́ющая ~ dáncing couple; 2. *разг.* (*костюм*) suit [sjuːt]; ◊ на ~у слов *разг.* for a few words; два сапога́ ~ *разг.* ≃ they make a pair; ~ пустяко́в *разг.* ≃ a mere trífle, child's play.

парабе́ллум *м.* automátic (pístol).

пара́бол||а *ж. мат.* parábola. ~и́ческий *мат.* pàrabólic(al).

параболо́ид *м. мат.* parábolòid.

пара́граф *м.* páragràph, séction.

пара́д *м.* 1. paráde; *воен.* review [-'vjuː]; физкульту́рный ~ sports paráde; морско́й ~ nával revíew; возду́шный ~ air display; принима́ть ~ inspéct / take* a paráde; 2. *разг.* (*парадность*) cèremónial gét-ùp; быть в по́лном ~е be in full dress; be all tricked out, be in one's best bib and túcker; что э́то у вас за ~? what's the big show? [...ʃou].

паради́гма *ж. грам.* páradìgm [-daım].

пара́дн||ое *с. скл. как прил.* front door [-ʌnt dɔː]. ~ость *ж.* màgníficence; òstentátion; (*показная*) show [ʃou], shówiness ['ʃou-], sham efficiency; window-drèssing *разг.* ~ый 1. *прил.* к пара́д; ~ая фо́рма full dress / únifòrm; 2. (*главный — о входе в дом*) main, front [-ʌnt]; ~ый подъе́зд main éntrance; ~ая дверь front door [...dɔː]; ~ая ле́стница main stáircase [...-s]; 3. (*торжественный, пышный*) gála ['gɑː-]; (*показной*) for show [...ʃou]; ~ый спекта́кль gála perfórmance / night; ~ый вид smart appéarance; име́ть ~ый вид look smart.

парадо́кс *м.* páradòx.

парадокса́льн||ость *ж.* pàradóxicalness, pàradòxicálity. ~ый pàradóxical.

парази́т *м.* 1. *биол.* párasite; 2. (*о человеке*) párasite, spónger ['spʌndʒə]; 3. *мн.* (*вредители*) vérmin *sg.* ~а́рный pàrasític(al). ~и́зм *м.* párasìtism [-saı-]. ~и́ровать párasìtìze [-saı-]. ~и́ческий pàrasític. ~ный párasític.

паразитоло́гия *ж.* pàrasitólogy [-saı-].

парализо́в||анность *ж.* parálysis, pálsy ['pɔːlzı]. ~анный *прич. и прил.* párályzed, pálsied ['pɔːlzıd]; ~анная рука́ pàralỳsed / pálsied arm.

парализова́ть *несов. и сов.* (*вн.*) *прям. и перен.* párălỳse (*d.*), pálsy ['pɔːlzı] (*d.*); (*перен. тж.*) pétrify (*d.*).

парали́т||ик *м.* paralýtic. ~и́ческий pàralýtic.

парали́ч *м.* parálysis (*pl.* -sès [-siːz]), pálsy ['pɔːlzı]; де́тский ~ infántile parálysis; разби́тый ~ом parálysed. ~ный pàralýtic; ~ный больно́й pàralýtic.

паралла́кс *м. астр.* párallàx.

параллелепи́пед *м. мат.* pàrallélepipèd.

параллели́зм *м.* párallelìsm.

параллелогра́мм *м. мат.* pàrallélogràm.

паралле́ль *ж.* (*в разн. знач.*) párallèl; проводи́ть ~ (ме́жду; *перен.*) draw* a párallèl (betwéen).

паралле́льно I *прил. кратк. см.* параллельный.

паралле́льн||о II *нареч.* párallèl; (*наряду, одновременно*) sìmultáneous:ly, at the same time; проводи́ть одну́ ли́нию ~ друго́й draw* one line párallèl to another. ~ость *ж.* = параллелизм. ~ый (*в разн. знач.*) párallèl; ~ые бру́сья *спорт.* párallèl bars.

паралоги́зм *м. филос.* paralogism.

парамагн||ети́зм *м. физ.* pàramágnetism. ~и́тный *физ.* pàramàgnétic.

пара́метр *м. мат.* paràmeter.

паранджа́ *ж.* yáshmàk, páranjà [-ɑː-].

парано́ик *м. мед.* pàranóiac.

парано́йя *ж. мед.* pàranóia.

парапе́т *м.* párapet.

парапсихо́лог *м.* pàrapsychólogist [-rəsaı'kɔ-].

парапсихоло́гия *ж.* pàrapsychólogy [-rəsaı'kɔ-].

парасо́ль *м. ав.* párasòl.

парати́ф *м. мед.* páratýphoid [-'taı-].

парафи́н *м.* páraffin. ~овый *прил.* к парафи́н.

парафи́ровать *несов. и сов.* (*вн.*) *дип.* initial (*d.*).

парафра́з *м.* = парафра́за.

парафра́з||а *ж. лит., муз.* páraphràse. ~и́ровать *несов. и сов.* (*вн.*) páraphràse (*d.*).

парашю́т *м.* párachùte [-ʃuːt]; ~ для сбра́сывания по́чты mail párachùte; вытяжно́й ~ auxíliary párachùte; прыжо́к с ~ом párachùte jump; прыжки́ с ~ом párachùte júmping *sg.*; вы́броситься с ~ом bale out; на ~е, на ~ах by párachùte. ~и́зм *м.* párachùte júmping [-ʃuːt...].

парашюти́ров||ание *ав.* pán:càking. ~ать *несов. и сов. ав.* pán:càke.

парашюти́ст *м.*, ~ка *ж.* párachùte júmper [-ʃuːt...]; párachùtist [-ʃuːt-]; *воен. тж.* pàratrooper; párachùter [-ʃuːtə] *амер.*

парашю́тн||ый párachùte [-ʃuːt] (*attr.*); ~ деса́нт detáchment of párachùte troops; párachùte lánding force; ~ые войска́ párachùte troops, páratroops; ~ спорт párachùte júmping (*as sport*).

парвеню́ *м. нескл. уст.* párvenù, úpstart.

паре́з [-рэ́з] *м. мед.* parésis.

паре́ние *с.* sóaring.

паренхи́ма *ж. анат., бот.* paré́nchyma [-kı-].

па́рен||ый stewed; ◊ деше́вле ~ой ре́пы *разг.* ≃ dirt-chéap.

па́рень *м.* boy, féllow, lad, chap; bloke *разг.*

пари́ *с. нескл.* bet; держа́ть ~, идти́ на ~ (*с тв.*) bet (*d.*), lay* / have / make* a bet (with); ~ держу́, что *разг.* I bet that.

парижа́н‖**ин** м., ~**ка** ж. Parísian [-z-].

пари́жск‖**ий** Parísian [-z-]; Пари́жская комму́на ист. the Páris Cómmùne; ◇ ~ая зе́лень Páris green.

пари́к м. wig.

парикма́хер м. háirdrèsser; (мужской тж.) bárber. ~**ская** ж. скл. как прил. (мужская) bárber's (shop); (женская) háirdrèssing sálon [...'sæl:ŋ]; háirdrèsser's.

пари́льня ж. 1. (в бане) swéating--room ['swet-] (in baths); 2. тех. stéam--shòp.

пари́ровать несов. и сов. (сов. тж. отпари́ровать) (вн.; прям. и перен.) párry (d.), cóunter (d.); ~ уда́р párry a blow [...blou].

парите́т м. párity. ~**ный** párity (attr.); на ~ных нача́лах (с тв.) on a par (with), on an équal fóoting [...'fut-] (with).

па́р‖**ить** 1. (вн.; варить на пару) steam (d.); (варить в собств. соку) stew (d.); 2. безл.: ~ит it is súltry.

пари́ть soar; hóver ['hɔ-]; ◇ ~ в облака́х live in the clouds [lɪv...], live in clóud-lànd.

па́риться 1. (в бане) take* a steam bath (in Rússian baths) [...ʃən...]; 2. страд. к па́рить 1.

па́рия м. páriah ['pærɪə], óutcàst.

парк I м. park; ~ культу́ры и о́тдыха Park of Cúlture and Rest, rècreátion park; разбива́ть ~ lay* out a park.

парк II м. (подвижной состав) fleet; stock; автомоби́льный ~ fleet of mótor véhicles [...'vi:ɪ-]; áutomòbile / car park [-bi:l...]; mótor pool; тра́кторный ~ fleet of tráctors; станó́чный ~ stock of machíne-tools in òperátion [...-'ʃi:n...]; ваго́нный ~ rólling-stòck; самолётный ~ flýing stock; 3. (место стоянки подвижного состава) yard, dépôt ['depou]; трамва́йный ~ tram dépôt; ◇ артиллери́йский ~ órdnance dépôt; понто́нный ~ pòntóon bridge park, pòntóon train.

па́рка I ж. stéaming.

па́рка II ж. (верхняя одежда) párka.

парке́т м. 1. (пол) párquet [-keɪ]; настила́ть ~ в ко́мнате párquet a room [-keɪ...]; lay* a párquet floor in a room [...flɔ:...]; 2. тк. ед. собир. párquetry [-kɪ-]. ~**ный** párquet [-keɪ] (attr.); ~ный пол párquet(ed) floor [...flɔ:]. ~**чик** м. párquet floor láyer [-keɪ flɔ:...].

Па́рки мн. миф. Párcae [-sɪ], the Weird Sísters [...wɪəd...], Fates.

па́рков‖**ый** I прил. к парк I; ~ые культу́ры park plants [...-ɑ:nts].

па́рковый II прил. к парк II.

парла́мент м. párliament [-ləm-]. ~**ари́зм** м. pàrliamèntarianism [-lə'm-]. ~**а́рий** м. pàrliamèntárian [-ləm-]. ~**а́рный** pàrliaméntary [-lə'm-]; ~а́рный строй pàrliaméntary sýstem.

парламентёр м. truce énvoy, béarer of a flag of truce ['bɛə-...]. ~**ский**: ~ский флаг flag of truce.

парла́ментск‖**ий** pàrliaméntary [-lə'm-]; ~ая рефо́рма pàrliaméntary refórm; ~ запро́с intèrpèllátion; ~ зако́н Act of Párliament [...-ləm-]; ~ие вы́боры Pàrliaméntary eléctions.

пармеза́н м. (сыр) Pàrmesán (cheese) [-'zæn...].

парна́с м. Pàrnássus.

парна́с‖**ец** м. лит. Pàrnássian. ~**ский** лит. Pàrnássian; ~ская поэ́зия Pàrnássian póetry.

парни́к м. hótbèd, fórcing frame / pit; в ~é únder glass.

парнико́в‖**ый** hótbèd (attr.), hót:house [-s] (attr.); ~ая ра́ма hótfràme; ~ые расте́ния hót:house plants [...-ɑ:nts]; ~ое огоро́дничество ráising végetables únder glass.

парни́шка м. разг. lad, boy.

парн‖**о́й**: ~о́е молоко́ fresh milk, milk fresh from the cow; ~о́е мя́со frésh--kílled meat.

парнокопы́тные мн. скл. как прил. зоол. Àrtiodáctyla.

па́рн‖**ый** I 1. (составляющий пару) pair (attr.), fórming a pair; twin; 2. (расположенный парно — о листьях) cónjugate; 3. (о санях, дрожках и т.п.) páir-hòrse (attr.); 4. спорт. (производимый парой) pair (attr.); ~ая гребля́ double scúlling [dʌ-...]; ~ое ката́ние на конька́х pair fígure-skàting.

па́рный II разг. (о воздухе и т.п.) hot and close [...-s], warm and damp, súltry; múggy разг.

парови́к м. 1. тех. (котёл) bóiler; 2. уст. разг. (паровоз) stéam-èngine [-endʒ-].

парово́з м. (stéam-)èngine [-endʒ-], steam lócomòtive [...'lou-], ráilway éngine; маневро́вый ~ shúnting éngine. ~**ный** прил. к парово́з; ~ное депо́ lócomòtive dépôt / shed ['loukə- 'depou...]; ~ная брига́да éngine-crew ['endʒ-], lócomòtive crew ['lou-...].

паровозоремо́нтный stéam-èngine-repáir [-endʒ-] (attr.), stéam-lócomòtive--repáir [-'lou-] (attr.).

паровозостро‖**е́ние** с. stéam-lócomòtive búilding [-'loukə- 'bɪl-]. ~**и́тельный**: ~и́тельный заво́д stéam-lócomòtive--bùilding works [-'loukə- bɪl-...]; lócomòtive works ['loukə-...].

паров‖**о́й** I прил. к пар I; ~ котёл stéam-bòiler; ~ дви́гатель stéam-èngine [-endʒ-]; ~а́я ме́льница steam mill; ~а́я молоти́лка steam thrésher, steam thréshing-machíne [...-ʃi:n]; ~о́е отопле́ние stéam-héating; (центра́льное) céntral héating.

паров‖**о́й** II с.-х. (lýing) fállow; ~ое по́ле fállow.

паровпускно́й: ~ кла́пан тех. (steam) ín:lèt valve.

паровыпускно́й: ~ кла́пан тех. (steam) exháust valve.

парогенера́тор м. тех. stéam-genèrator.

паро́д‖**ийный** лит. párody (attr.). ~**и́ровать** несов. и сов. (вн.) párody (d.).

паро́дия ж. párody.

пароко́нный twó-hòrse (attr.).

парокси́зм м. pároxysm, fit.

паро́ль м. pássword, paróle, cóuntersìgn [-saɪn], wátchword.

паро́м м. férry(-boat); переправля́ть на ~е (вн.) férry (d.); переправля́ться на ~е férry; ~-самолёт flýing bridge, air férry. ~**ный** прил. к паро́м; ~ная перепра́ва (железнодорожная) tráin-férry; (для автотранспорта) cár-fèrry. ~**щик** м. разг. férry:man*.

паронепроница́емый stéam-tìght, stéam--pròof.

парообра́зный vápourous ['veɪ-].

парообразова́ние с. физ., тех. vapòrizátion [veɪpəraɪ-], steam gèneràtion.

пароотво́дн‖**ый**: ~ая труба́ тех. steam exháust-pìpe, steam dis:chárge pipe.

пароперегрева́тель м. тех. (steam) súperhèater.

паропрово́д м. тех. steam pípe:lìne.

парораспред‖**еле́ние** с. тех. stéam--distribútion, valve mótion. ~**и́тель** м. тех. steam distríbutor.

паросбо́рник м. тех. steam colléctor, steam drum.

паросило́‖**й** тех.: ~ая устано́вка stéam-pòwer plant [...-ɑ:nt].

парособира́тель м. = паросбо́рник.

парохо́д м. stéamer; (небольшой) stéamboat; (морской) stéamshìp; океа́нский ~ ócean-lìner ['ouʃ⁀n-]; пассажи́рский ~ pássenger ship [-ndʒə-...], líner; букси́рный ~ steam tug. ~**ный** прил. к парохо́д; ~ное сообще́ние stéamship commùnicátion, stéam(er)-sèrvice; ~ное о́бщество stéamship company [...'kʌm-]. ~**ство** с. 1. steam nàvigátion; 2. (предприятие) stéamship line.

па́рочка ж. уменьш.-ласк. от па́ра 1, 2.

парт- (в сложн.) Pàrty-.

па́рт‖**а** ж. school desk; сиде́ть за одно́й ~ой (с тв.) share the same desk (with); ◇ сесть за ~у begin* to learn [...lə:n].

парт‖**акти́в** м. (парти́йный акти́в) the áctive mémbers of a Párty òrganizátion [...-naɪ-]; the Párty áctivists. ~**биле́т** м. (парти́йный биле́т) Párty-mémbership card. ~**бюро́** с. нескл. (парти́йное бюро́) Párty buréau [...-'rou]. ~**взно́сы** мн. (парти́йные взно́сы) Párty dues. ~**взыска́ние** с. (парти́йное взыска́ние) Párty pénalty; накла́дывать ~взыска́ние inflíct a Párty pénalty. ~**госконтро́ль** м. (парти́йно-госуда́рственный контро́ль) Párty and State contról [...-oul]. ~**групо́рг** м. (руководи́тель парти́йной гру́ппы) Párty group órganizer [...gru:p...]. ~**гру́ппа** ж. (парти́йная гру́ппа) Párty group [...gru:p].

партеногене́з [-тэ-] м. биол. pàrthenogénesis.

партер [-тэр] м. театр. the pit; (передние ряды) the stalls pl.; кре́сло в ~е a seat in the stalls; пе́рвый ряд ~а first row of the stalls [...rou...].

партие́ц м. mémber of the Párty.

партиза́н м. pàrtisán [-'zæn], guer(r)ílla; кра́сный ~ Red pàrtisán. ~**ить** разг. fight* as a pàrtisán [...-'zæn]. ~**ка** ж. к партиза́н. ~**ский** прил. к партиза́н; ~ская война́ pàrtisán / guer(r)ílla wárfàre [...-'zæn...]; ~ский отря́д pàrtisán / guer(r)ílla detáchment. ~**ство** с. guer(r)ílla wárfàre.

партиза́нщина ж. неодобр. árbitrariness.

парти́йно-госуда́рственный: ~ контро́ль Párty and State contról [...-oul].

405

ПАР – ПАС

парти́йность ж. 1. (*принадлежность к партии*) Párty-mémbership; 2. (*направленность в работе, деятельности, проникнутая коммунистической идеологией*) Párty spirit, Párty príncipe; Cómmunist idéology as an íntegral part of one's activity, líterary críticism, art, *etc.* [...аɪ-...]; ~ в филосо́фии *и т.п.* Párty spirit in philósophy, *etc.*

парти́йно-хозя́йственн‖ый: ~ акти́в the most áctive mémbers of the Párty and administrátion; собра́ние ~ого акти́ва méeting of the most áctive mémbers of the Párty and administrátion.

парти́йн‖ый 1. *прил.* к па́ртия I; ~ акти́в the áctive mémbers of a Párty òrganizátion [...-naɪ-]; the Párty áctivists *pl.*; ~ое руково́дство Párty léadership; ~ биле́т Párty-mémbership card; ~ая организа́ция Párty òrganizátion; ~ая гру́ппа Párty group [...gru:p]; ~ рабо́тник Párty wórker; ~ая яче́йка Párty cell; ~ комите́т Párty Commíttee [...-tɪ]; ~ое бюро́ Párty buréau [...-'rou]; ~ стаж length of Párty mémbership; ~ая дисципли́на Párty díscipline; ~ое поруче́ние Párty assígnment [...ə'saɪn-]; ~ая шко́ла Párty school; ~ая конфере́нция Párty Cónference; ~ съезд Párty Cóngress; ~ое собра́ние Párty méeting; ~ое просвеще́ние Párty éducátion; ~ая учёба Párty stúdy [...'stʌ-]; ~ые взно́сы Párty dues; 2. *прил.*: ~ подхо́д true Cómmunist appróach; ~ое отноше́ние к рабо́те true Cómmunist áttitùde to one's work; 3. *м. как сущ.* mémber of the Párty.

партикуляри́зм *м. уст.* particularism.
партикуля́рн‖ый *уст.* cívil; ~ое пла́тье civílian clothes [...-ouðz], múfti.
партиту́р‖а *ж. муз.* score; игра́ть с ~ы play from *a* score.
па́рти‖я I *ж. полит.* párty; коммунисти́ческая ~ Cómmunist Párty; Коммунисти́ческая па́ртия Сове́тского Сою́за the Cómmunist Párty of the Sóviet Únion; коммунисти́ческие и рабо́чие ~ cómmunist and wórkers' párties; член ~и mémber of the Párty.
па́рти‖я II *ж.* 1. (*группа, отряд*) detáchment; párty, group [gru:p]; пои́скова ~ prospécting párty; 2. (*о товаре*) batch, lot; 3. (*в игре*) game, set; 4. *муз.* part; 5. *уст.* (*выгодный брак*) (good) match; сде́лать ~ю make* a good match.
парткабине́т *м.* (*кабинет политического просвещения*) Párty éducátional céntre.
партко́м *м.* (*партийный комитет*) Párty Commíttee [...-tɪ].
партконфере́нция *ж.* (*партийная конференция*) Párty Cónference.
партнёр *м.*, ~**ша** *ж.* pártner.
парт‖о́рг *м.* (*партийный организатор*) Párty órganizer. ~**организа́ция** *ж.* (*партийная организация*) Párty òrganizátion [...-naɪ-]. ~**просвеще́ние** *с.* (*партийное просвещение*) Párty éducátion. ~**рабо́тник** *м.* (*партийный работник*) Párty wórker. ~**собра́ние** *с.* (*партийное собрание*) Párty méeting. ~**съезд** *м.* (*партийный съезд*) Párty Cóngress. ~**шко́ла** *ж.* (*партийная школа*) Párty school.

па́рус *м.* sail; ста́вить, поднима́ть ~а make* / set* sail; под ~а́ми únder sail; идти́ под ~а́ми sail, be únder sail; на всех ~а́х (*прям. и перен.*) in full sail, with all sails set.
паруси́н‖а *ж.* cánvas; (*для парусов тж.*) sáilclòth, duck; (*просмолённая*) tàrpáulin. ~**овый** *прил.* к паруси́на; ~овые ту́фли cánvas shoes [...ʃu:z].
па́русник I *м.* (*судно*) sáiling véssel, sáiler.
па́русник II *м. уст.* (*тот, кто шьёт паруса*) sáilmàker.
па́рус‖ный: ~ное су́дно = па́русник I; ~ спорт sáiling (sport).
парфюме́р *м.* perfúmer. ~**ия** *ж.* perfúmery. ~**ный** *прил.* к парфюме́рия; ~ный магази́н perfúmer's shop; ~ная фа́брика perfúmery.
парцелля́ция *ж. эк., с.-х.* párcelling (out).
парч‖а́ *ж.* brocáde. ~**о́вый** *прил.* к парча́.
парша́ *ж.* tétter, mange [meɪ-], scab.
парши́веть, опарши́веть *разг.* become* mángy [...'meɪn-].
парши́в‖ец *м.*, ~**ка** *ж. разг.* lóusy creáture [-zɪ...].
парши́в‖ый 1. (*покрытый паршой*) scábby, mángy ['meɪndʒɪ]; 2. *разг.* (*дрянной, плохой*) násty, rótten, lóusy [-zɪ]; ◇ ~ая овца́ всё ста́до по́ртит *посл.* one black sheep will mar a whole flock [...houl...].
паря́щий *прич. и прил.* sóaring; ~ полёт sóaring flight.
пас I 1. *межд. карт.* pass; 2. *предик. безл.*: я ~ I pass; count me out (*тж. перен.*); в таки́х дела́х я ~ *разг.* this is not in my line, count me out.
пас II *м. спорт.* pass.
па́се‖ка *ж.* (*пчельник*) ápiary. ~**чник** *м.* bée-kèeper, bée-màster. ~**чный** *прил.* к па́сека.
па́сквиль *м.* líbel, pàsquináde; (*злобный, грубый*) làmpóon; (*краткий*) squib. ~**ный** líbellous ['laɪ-].
пасквиля́нт *м.* làmpóonist, slánderer ['slɑ:-].
паску́дный *бран.* foul, fílthy.
паслёновые *мн. скл. как прил. бот.* Sòlanáceae [-ʃɪi:].
па́смо *с. текст.* lea.
па́смурн‖о 1. *прил. кратк. см.* па́смурный; 2. *предик. безл.* it is clóudy, it is dull. ~**ость** *ж.* 1. (*о погоде*) clóudiness; 2. (*мрачность*) bléakness, glóominess. ~**ый** 1. (*о погоде, небе*) clóudy, dull; (*о небе тж.*) óver:càst; 2. (*хмурый, мрачный*) glóomy, súllen.
пасова́ть I, спасова́ть 1. *карт.* pass; 2. (*перед*) *разг.* (*сдаваться*) shirk (*d.*); give* up (*d.*), give* in (to); ~ пе́ред тру́дностями give* in to difficulties.
пасова́ть II *спорт.* pass.
пасо́вка *ж. спорт.* pássing.
паспарту́ *с. нескл.* pàsse-partout ['pæspɑ:tu:].
па́спорт *м.* 1. pàsspòrt; 2. *тех.* (*оборудования и т.п.*) règistrátion certíficate. ~**иза́ция** *ж.* (*introdúcing*) a pàsspòrt sýstem; проводи́ть ~иза́цию introdúce a pàsspòrt sýstem. ~**ный** *прил.* к па́спорт; ~ный стол pàsspòrt óffice.

пасс *м. чаще мн.* (*движение рук гипнотизёра*) pass.
пасса́ж I *м.* (*крытая галерея*) pàssage; (*с магазинами*) àrcáde.
пасса́ж II *м. муз.* pàssage.
пасса́ж III *м. уст.* (*странный, неожиданный случай*) únexpécted turn (of evènts); како́й ~! what a thing to háppen!; what a túrn-ùp (for the book)! *разг.*
пассажи́р *м.*, ~**ка** *ж.* pàssenger [-ndʒə-]; зал для ~ов wáiting-room. ~**ский** *прил.* к пассажи́р; ~ский по́езд pàssenger train [-ndʒə-]; ~ское движе́ние pàssenger sérvice / tráffic; ~ский самолёт áir-lìner.
пасса́т *м. геогр.* tráde-wind [-wɪnd]. ~**ный**: ~ный ве́тер = пасса́т.
пасси́в *м. тк. ед.* 1. *фин.* liabílities *pl.*; 2. *грам.* pàssive voice.
пасси́вн‖ость *ж.* pàssive:ness, pàssívity. ~**ый** (*в разн. знач.*) pàssive; ~ый хара́ктер pàssive / lethárgic témperament; ~ая роль pàssive role [...roul]; ~ый бала́нс *фин.* únfávour:able bálance; ~ая констру́кция *грам.* pàssive constrúction; ◇ ~ое избира́тельное пра́во èligibílity.
па́ссия *ж. уст.* flame, pássion; его́ бы́вшая ~ an old flame of his.
па́ста *ж.* paste [peɪst]; зубна́я ~ tóothpàste [-peɪst].
па́стбищ‖е *с.* pásture. ~**ный** pásturable.
па́ства *ж. церк.* flock, còngregátion.
пасте́ль [-тэ-] *ж. жив.* 1. pàstel, cráyon; 2. (*рисунок*) pàstél. ~**ный** [-тэ-] *жив.* 1. pástel (*attr.*); 2. (*сделанный пастелью*) in cráyons, drawn in pástel; ◇ ~ные тона́ pástel shades.
пастериза́ция [-тэ-] *ж.* pàsteurizátion [-təraɪ-].
пастеризо́ванный [-тэ-] *прич. и прил.* pásteurized [-tə-].
пастеризова́ть [-тэ-] *несов. и сов.* (*вн.*) pásteurize [-tə-] (*d.*).
пастерна́к [-тэ-] *м. бот.* pársnip.
пасти́ (*вн.*) graze (*d.*), pásture (*d.*); (*об овцах тж.*) shépherd [-pəd] (*d.*); ~ скот graze pásture cattle, tend grázing cattle.
пастила́ *ж.* pastilá [-'lɑ:] (*kind of sweet made of fruit or berries*).
пасти́сь graze, pásture, browse [-z].
па́стор *м.* mínister, pástor.
пастора́ль *ж.* 1. *лит.* pástoral; 2. *муз.* pastoràle [-ɑ:l]. ~**ный** pástoral, bucólic; ~ный стиль bucólic style.
па́сторский *прил.* к па́стор.
пасту́‖х *м.* hérds:man*; cówboy *амер.* (*овец тж.*) shépherd [-pəd]. ~**шеский** 1. *прил.* к пасту́х; ~шеский посо́х shépherd's crook [-pədz...]; 2. = пастора́льный. ~**ший** *прил.* к пасту́х; ~ший рожо́к shépherd's horn [-pədz...]; ~шья су́мка *бот.* shépherd's purse. ~**шка** *ж.* shépherdess [-pəd-]. ~**шо́к** *м.* 1. *уменьш.* от пасту́х; 2. (*в буколической поэзии*) swain.
па́стырь *м. уст.* 1. = пасту́х; 2. (*священник*) pástor.
пасть I *сов. см.* па́дать 1, 4, 6.
пасть II *ж.* mouth* (of ánimal); jaws *pl.*

пасть III *ж. охот.* trap.
пастьба́ *ж.* pásturage.
па́сх||а *ж.* 1. *рел.* (*христианский праздник*) Éaster; (*еврейский праздник*) the Pássover; на ~у at Eastertide; 2. *кул.* páskha (*rich mixture of sweetened curds, butter and raisins eaten at Easter*). ~**а́льный** *рел.* páschal ['pɑ:-]; Éaster (*attr.*); ~**а́льная неде́ля** Éaster week.
па́сынок *м.* stépsòn [-sʌn], stép⁝child*; (*перен. тж.*) óutcàst.
пасья́нс *м. карт.* pátience; раскла́дывать ~ play pátience; play sòlitáire *амер.*
пат I *м. тк. ед. кул.* paste [peɪ-].
пат II *м. шахм.* stále⁝máte.
пате́нт *м.* (на *вн.*) pátent (for), lícence ['laɪ-] (for); держа́тель, владе́лец ~ pàtentée [peɪ-]; получи́ть ~ take* out a pátent; вы́дать ~ (*дт.*) grant a pátent [grɑ:nt...] (to). ~**ный** pátent; ~**ный сбор** pátent dues *pl.*
патенто́ванн||ый 1. *прич. см.* патентова́ть; 2. *прил.* pátent; ~**ое сре́дство** (для) pátent devíce (for); (*лекарство*) pátent médicine (for).
патентова́ть, запатентова́ть (*вн.*) pátent (*d.*), take* out a pátent (for).
патентове́дение *с.* scíence of théory and práctice of pátenting and protéction of áuthor's right [...'θɪə-...].
пате́тика [-тэ-] *ж.* (the) pathétic élement.
патети́ческ||ий, патети́чный [-тэ-] pássionate, enthùsiástic [-zɪ-], emótional; ~**ая речь** emótional speech.
патефо́н *м.* (pórtable) grámophòne. ~**ный** grámophòne (*attr.*); ~**ная пласти́нка** grámophòne récord [...'re-].
па́тина *ж. археол., иск.* pátina.
пато||гене́з [-зэ-] *м. мед.* pathógeny, pàthogénesis. ~**ге́нный** *мед., бакт.* pàthogénic, pathógenous.
па́тока *ж.* tréacle; (*очищенная*) sýrup ['sɪ-]; све́тлая ~ gólden sýrup; чёрная ~ molásses.
пато́||лог *м.* pathólogist. ~**логи́ческий** pàthológic(al).
патоло́гия *ж.* pathólogy.
па́точный *прил. к* па́тока; *тж.* tréacly.
патриа́рх *м.* pátriàrch [-a:k].
патриарха́льн||ость *ж.* pàtriárchal cháracter [-kəl 'kæ-]. ~**ый** pàtriárchal [-kəl].
патриарха́т *м. этн.* pátriàrchy [-kɪ].
патриа́ршество *с. церк.* pátriàrchate [-kɪt].
патриа́рший *прил. к* патриа́рх.
патрио́т *м.* pátriot; (*своего города, предприятия и т.п.*) enthúsiàst [-zɪ-], suppórter. ~**и́зм** *м.* pátriotism [´pæ-]. ~**и́ческий, ~и́чный** pàtriótic [pæ-]. ~**ка** *ж. к* патрио́т.
патри́ций *м. ист.* patrícian.
патро́н I *м.* (*покровитель, хозяин и т.п.*) pátron; boss *разг.*
патро́н II *м.* 1. *воен.* cártridge; уче́бный ~ dúmmy cártridge; 2. *тех.* chuck; кулачко́вый ~ jaw chuck; 3. *эл.* lámp-sòcket, lámp-hólder.
патро́н III *м.* (*выкройка, образец*) (táilor's) páttern.
патрона́ж I *м.* (*покровительство*) pátronage.
патрона́ж II *м. мед.* régular pròphyláctic and médical atténdance. ~**ный** hóme-núrsing (*attr.*); ~**ная сестра́** vísiting nurse [-z-...].
патрона́т *м.* pátronage.
патроне́сса *ж.* pátroness ['peɪ-].
патрони́ровать (*вн.*) pátronize (*d.*).
патро́нник *м. воен.* (cártridge-)chàmber [-tʃeɪ-].
патро́нн||ый *прил. к* патро́н II 1; ~ **заво́д** cártridge fáctory; ~**ая ги́льза** cártridge-càse [-keɪs]; ~**ая ле́нта** cártridge-bèlt; ~**ая обо́йма** chárger; cártridge clip, strip-clip *амер.*; ~**ая су́мка** cártridge-pòuch.
патронта́ш *м. воен.* bàndolíer [-'lɪə]; àmmunítion belt.
па́трубок *м. тех.* branch pipe [brɑ:-...]; sócket; nozzle.
патрули́ровать (*вн.*) patról [-oul] (*d.*).
патру́ль *м.* patról [-oul]; ко́нный ~ móunted patról; зелёный ~ fórest patról ['fɔ-...]. ~**ный** 1. *прил.* patról [-oul] (*attr.*); 2. *м. как сущ.* patról.
па́уз||а *ж.* pause, ínterval, rest; де́лать ~у pause.
пау́к *м.* spíder.
паукообра́зн||ые *мн. скл. как прил. зоол.* Aráchnida. ~**ый** spíder⁝like, spídery ['spaɪ-].
па́упер *м.* páuper. ~**иза́ция** *ж.* pauperizátion [-raɪ-]. ~**и́зм** *м.* páuperism.
паути́на *ж.* spíder's web, cóbwèb; web (*тж. перен.*); (*осенью в воздухе*) góssamer.
па́фос *м.* 1. páthòs ['peɪ-]; 2. (*рд.*; *энтузиазм*) enthúsiàsm [-zɪ-] (for), zeal (for); ~ **созида́тельного труда́** enthúsiàsm of créative lábour; 3. (*творческий источник, идея чего-л.*) spírit; 4. *неодобр.* (*внешнее проявление одушевления*) bómbàst.
пах *м. анат.* groin.
па́хан||ый ploughed; ~**ая земля́** ploughed land.
па́харь *м.* plóugh⁝man*.
паха́||ть (*вн.*) plough (*d.*), till (*d.*); ~ **под пар** plough fállow land; ◇ **мы** ~**ли** ≅ we too ploughed (*about smb. who refers to himself as a major participant in performing a certain task, although his contribution was insignificant*).
па́хнуть (*тв.*) smell* (of); (*неприятно тж.*) reek (of); (*отдавать чем-л.*) sávour (of); (*перен.*) smack (of); па́хнет весно́й it smells of spring, spring is in the air; ◇ понима́ете ли вы чем э́то па́хнет? *разг.* do you réalize what this implíes? [...'гɪə-...]; па́хнет бедо́й this means trouble [...trʌ-]; па́хнет ссо́рой a quárrel is in the air.
пахну́||ть *сов. чаще безл.* puff; из пе́чи ~**ло ды́мом** smoke puffed out of *the* stove; ~**ло ды́мом** there was a puff of smoke; ~**л ве́тер** there was a gust of wind [..wɪ-]; ~**ло хо́лодом** there came a cold blast.
пахов||о́й *анат.* ínguinal; ~**а́я гры́жа** ínguinal hérnia.
пахот||а́ *ж.* tíllage, plóughing. ~**ный** árable; ~**ная земля́** árable land.
па́хта *ж.* = па́хтанье 2.
па́х||танье *с.* 1. (*действие*) chúrning; 2. (*сыворотка*) búttermìlk. ~**тать** (*вн.*) churn (*d.*).

ПАС — ПЕД

пах|у́ч||есть *ж.* ódorous⁝ness ['ou-]. ~**ий** ódorous ['ou-].
паца́н *м. разг.* boy, lad.
пацие́нт *м.,* ~**ка** *ж.* pátient.
пациф||и́зм *м.* pácifism. ~**и́ст** *м.,* ~**и́стка** *ж.* pácifist. ~**и́стский** pácifist.
па́че *уст.:* тем ~ the more so, the more réason (there is) [...-z²n...]; ~ **ча́яния** beyónd, *или* cóntrary to, èxpectátion.
па́чк||а I *ж.* bundle; (*писем, бумаг*) batch; sheaf*; (*папирос*) pácket; pack *амер.*; (*книг*) párcel; ◇ **стреля́ть** ~**ами** *уст.* fire bursts.
па́чка II *ж.* (*костюм балерины*) tùtù ['tu:tu:].
па́чк||ать, запа́чкать, испа́чкать (*вн.*) 1. soil (*d.*), dírty (*d.*); (*сажать пятна*) stain (*d.*); ~ **ру́ки** soil one's hands; 2. *тк. несов. разг.* (*плохо рисовать*) daub (*d.*); ◇ ~ **чью-л. репута́цию** stain / súlly smb.'s good name, smear smb.'s rèputátion; ру́ки ~ не хо́чется *разг.* would not soil my hands with it. ~**аться, запа́чкаться, испа́чкаться** 1. soil onesélf, make* onesélf dirty; 2. *страд. к* па́чкать. ~**отня́** *ж. разг.* (*о плохо написанной картине*) daub. ~**у́н** *м.,* ~**у́нья** *ж. разг.* 1. slóven ['slʌ-]; 2. (*о плохом художнике*) dáuber.
паша́ *м.* pashá [-a:].
па́шня *ж.* ploughed field [...fi:-]; árable land.
паште́т *м.* paste [peɪst]; pâté (*фр.*) ['pætɪ].
па́юсн||ый: ~**ая икра́** pressed cáviàr(e).
па́йл||ьник *м. тех.* sóldering íron [...'aɪən]. ~**ьный** sóldering (*attr.*); ~**ая ла́мпа** blówlàmp [-ou-], ~**ая тру́бка** blówpìpe [-ou-], blówtòrch [-ou-]. ~**щик** *м.* tín⁝man*, tínsmìth, tínker.
па́яние *с.* sóldering; (*твёрдым припоем*) brázing.
пая́сничать *разг.* play the fool / clown, clown aróund.
пая́ть (*вн.*) sólder ['sɔl-] (*d.*); ~ **мя́гким припо́ем** sólder [...-sɔl-] (*d.*), sweat [-et] (*d.*); ~ **твёрдым припо́ем** braze (*d.*).
пая́ц *м.* clown (*тж. перен.*); jack púdding [...'pu-].
ПВО (*противовозду́шная оборо́на*) ànti-áircràft defénce, air defénce; гражда́нская ПВО áir-raid precáutions *pl.*
пев||е́ц *м.,* ~**и́ца** *ж.* síng⁝er. ~**у́н** *м. разг.* sóng⁝ster. ~**у́нья** *ж. разг.* sóng⁝stress.
певу́ч||есть *ж.* melódious⁝ness. ~**ий** melódious.
пе́вч||ий 1. *прил.* síng⁝ing; ~**ая пти́ца** síng⁝ing bird, sóng-bird, wárbler; 2. *м. как сущ.* chórister ['kɔ-], chóirboy ['kwaɪə-].
Пега́с *м. миф.* Pégasus.
пе́гий skéwbàld, píe⁝bàld.
педаго́г *м.* téacher, pédagògue [-gɔg], èducátional spécialist [...'spe-]. ~**ика** *ж.* pédagògy [-gɔ-], pèdagógics.
педагоги́ческ||ий pèdagógic(al), èducátional; ~**ое учи́лище** prímary-school téachers' tráining cóllege ['praɪ-...]; ~ **институ́т** téachers' tráining ínstitute; ~ **факульте́т** èducátion depártment (for

ПЕД – ПЕР

training educationalists); ~ая пра́ктика téaching práctice, stúdent téaching; ~ сове́т másters' / téachers' méeting.

педагоги́чный èducátionally / pèdagógically corréct.

педа́ль ж. pedal ['pe-]; *mex. тж.* treadle [tre-]; ~ то́рмоза bráke-pèdal [-pe-]; брать ~, нажа́ть ~ pédal; рабо́тать ~ю treadle; ◇ нажа́ть на все педа́ли *разг.* go* flat out. ~ный *прил.* к педа́ль; де́тский ~ный автомоби́ль child's ~ pédal car [...'pe-...].

педа́нт м. pédant ['pe-], prig; сухо́й ~ Drý:as:dùst; drý:as:dùst pédant. ~и́зм м. pédantry. ~и́чность ж. pédantry, pùnctílious:ness. ~и́чный pedántic, pùnctílious.

педера́ст м. péderàst, páederàst ['ped-], sódomite. ~ия ж. péderàsty, páederasty ['ped-], sódomy.

педиа́тр м. p(a)ediátrist, p(a)ediatrícian. ~ия ж. p(a)ediátrics.

педикю́р м. pédicure, chirópody [k-]. ~ша ж. chirópodist [k-], pédicurist.

педо́метр м. pedómeter.

пейза́ж м. 1. (вид) view [vju:], scénery ['si:-], lándscape; 2. (картина) lándscape. ~и́ст м., ~и́стка ж. lándscàpe páinter. ~ный lándscape (attr.): ~ная жи́вопись lándscàpe páinting.

пек м. *тех.* pitch.

пека́рн∥**ый** báking; ~ая печь báke:house óven [-s 'ʌv'n]; ~ое де́ло the bákery trade [...'beɪ-...].

пека́рня ж. bákery ['beɪ-], báke:house* [-s].

пе́карск∥**ий** *прил.* к пе́карь; ~ие дро́жжи báker's yeast *sg*.

пе́карь м. báker.

пеклева́нн∥**ый**: ~ хлеб fine rye bread [...-ed]; ~ая мука́ rye flour (of the best quality).

пе́кло с. *разг.* (жара́) scórching heat; (перен.) hell.

пекти́н м. péctin(e). ~овый *прил.* к пекти́н; *тж.* péctic; ~овые вещества́ péctines.

пеларго́ния ж. *бот.* pèlargónium.

пелена́ ж. shroud; снéжная ~ mantle of snow [...-ou]; ◇ у него́ (сло́вно) (с глаз) упа́ла ~ the scales fell from his eyes [...aɪz].

пелена́ть, спелена́ть (вн.) swaddle (d.).

пе́ленг м. béaring ['bɛə-]. ~а́тор м. diréction-finder; *мор.* course and béaring índicàtor [kɔ:s... 'bɛə-...]; pelórus [-'lou-]. ~а́ция ж. diréction-finding.

пеленгова́ть *несов. и сов. (сов. тж.)* запеленгова́ть) *мор., ав., рад.* take* the béaring(s) [...'bɛə-] (of).

пелён∥**ки** мн. (ед. пелёнка ж.) náppies; swáddling clothes [...klouðz]; ◇ с ~ок from the cradle.

пелери́на ж. pélerine [-i:n], cape.

пелика́н м. *зоол.* pélican.

пельме́ни мн. (ед. пельме́нь м.) *кул.* pelméni (Siberian meat dumplings).

пельме́нная ж. *скл. как прил.* snáck-bàr sérving pelméni.

пе́мза ж. púmice(-stòne).

пе́н∥**а** ж. 1. foam, spume; (гря́зная; накипь) scum; (в бока́ле вина́, пи́ва)

froth, head [hed]; (мы́льная) (sóap-)sùds *pl.*, láther ['lɑ:-]; снима́ть ~у (с *рд.*) remóve scum [-'muːv...] (from); с ~ой fóamy; 2. (на ло́шади) láther; покры́тый ~ой in a láther; ◇ говори́ть, дока́зывать и т. п. с ~ой у рта speak*, árgue, *etc.*, fúriously / pássionate:ly.

пена́л м. péncil-càse [-s], péncil-bòx.

пена́льти м. и с. *нескл. спорт.* elèven-mètre pénalty kick [ɪ'le-...].

пена́т∥**ы** мн. *миф., поэт.* Pénàtes [-i:z]; ◇ верну́ться к свои́м ~ам ≅ retúrn to one's hearth and home [...hɑ:θ...].

пенёк м. *уменьш. от* пень.

пе́ние с. sínging; (птиц) song, pipe; (петуха́) (cock's) crówing [...-ou-].

пе́нистый fóamy; (о вине́, пи́ве) fróthy.

пенитенциа́рный [-тэ-] *юр.* pènitén tiary.

пе́нить (вн.) froth (d.). ~ся foam; (о вине́, пи́ве и т. п.) froth.

пеницилли́н м. *фарм.* pènicíllin(e).

пе́нк∥**а** I ж. (на молоке́) skin; (на варе́нье и т.п.) scum; снима́ть ~и (с *рд.*) skim (d.); (перен.) cream off (d.).

пе́нка II ж.: морска́я ~ méerschaum [-ʃəm].

пе́нков∥**ый**: ~ая тру́бка méerschaum (pipe) [-ʃəm...].

пенкосни ма́тель м. *пренебр.* créam-skímmer.

пе́нни с. *нескл.* 1. = пенс; 2. (фи́нская моне́та) pénny.

пенопла́ст м. foam plástic. ~овый foam plástic.

пе́ночка ж. (пти́ца) chiff-cháff.

пенс м. (англи́йская моне́та) pénny (*pl.* pence) (*сокр.* p.); два, три ~а twó:pence ['tʌpəns], thréepence ['θrepəns].

пенсионе́р м., ~ка ж. pénsioner; персона́льный ~ recípient of a mérit pénsion.

пенсио́нн∥**ый** pénsionary; ~ во́зраст pénsion / pénsionable age; ~ое обеспе́чение provísion of pénsions; ~ая кни́жка pénsion-book.

пенси∥**я** ж. pénsion; персона́льная ~ mérit pénsion; ~ по инвали́дности disábility pénsion; ~ по ста́рости óld-àge pénsion; ~ за вы́слугу лет sérvice pénsion; быть на ~и be on a pénsion; назна́чить ~ю (дт.) grant a pénsion [-ɑ:nt...] (to), pénsion (d.); вы́йти на ~ю retíre on a pénsion, be pénsioned off.

пенсне́ [-нэ] с. *нескл.* pince-nez (*фр.*) ['pænsneɪ].

пента́метр м. *лит.* pèntámeter. ~и́ческий *лит.* pèntamétric(al); pèntameter (attr.).

пента́эдр м. *мат.* pèntahédron [-'he-].

пе́нтюх м. *разг.* clódhòpper, búmpkin.

пень м. stump, stub; (перен.) blóckhead [-hed]; ◇ стоя́ть как ~ *разг.* ≅ stand* as if róoted to the ground; вали́ть через ~ коло́ду *разг.* ≅ do ányhow, do in a slipshòd mánner.

пеньк∥**а́** ж. hemp. ~овый hémpen.

пеньюа́р м. peignoir (*фр.*) ['peɪnwɑː].

пе́н∥**я** ж. fine; начисля́ть ~ю (на вн.) set* / impose a fine (upón), fine (d.).

пеня́ть, попеня́ть (дт. за вн.) repróach (d. with); (на вн.) blame (d.); пеня́й на себя́ you alóne are to blame, you have ónly yoursélf to blame; ◇ не́чего на зеркало ~, коли́ рожа крива́ *посл.* ≅ don't lay your own faults at another

pérson's door [...oun...dɔ:], don't blame your own faults on others.

пе́пел м. *тк. ед.* áshes *pl.*; обраща́ть в ~ (вн.) redúce to áshes (d.); incineràte (d.). ~и́ще с. site of fire; (перен.: родно́й дом, оча́г) old home, hearth and home [hɑ:θ...].

пе́пельница ж. ásh-tray.

пе́пельно-се́рый ásh-grey.

пе́пельный áshy; (о цве́те) ásh-grey.

пепси́н м. *физиол.* pépsin. ~овый *физиол.* péptic.

пепто́н м. *физиол.* péptòne. ~овый *физиол.* peptónic.

перве́йший the first; *разг.* (са́мый лу́чший) first-ráte.

перве́н∥**ец** м. first-bòrn; (перен.) fírstling. ~ство с. first place; *спорт.* chámpionship; ли́чное ~ство *спорт.* pérsonal / indivídual prè-éminence / prímacy [...'praɪ-]; кома́ндное ~ство *спорт.* team chámpionship; ~ство ми́ра *спорт.* world chámpionship; завоева́ть ~ство (в *пр.*, по *дт.*) take* (the) first place (in); win* the chámpionship (at); оспа́ривать ~ство (по *дт.*) *спорт.* compéte for the chámpionship, *или* the first place (in); ~ство СССР по футбо́лу USSR fóotball prè-éminence / prímacy.

пе́рвенствова́ть take* first place; (над, среди́) have / take* précedence [...-'si:-] (of), take* priórity (óver).

пе́рвенствующий 1. *прич. см.* пéрвенствовать; 2. *прил.* (са́мый важный) the most impórtant; prè-éminent, prímary ['praɪ-].

перви́чн∥**ость** ж. prímary náture ['praɪ-'neɪ-]; priórity; *филос.* prímacy ['praɪ-]. ~ый 1. prímary ['praɪ-]; (*первонача́льный*) inítial; ~ые поро́ды *геол.* prímary rocks; ~ый ток *эл.* prímary cúrrent; ~ый пери́од боле́зни inítial périod of íllness; матéрия перви́чна, созна́ние вторично́ mátter is prímary, cónsciousness is sécondary [...-nʃəs-...]; 2.: ~ая парти́йная организа́ция prímary / lócal Pàrty òrganizátion [...-naɪ-].

первобытнообщи́нный: ~ строй prímitive commúnal sýstem.

первобы́тн∥**ость** ж. prímitive state. ~ый prímitive, prìmórdial [praɪ-]; prìméval [praɪ-]; (дре́вний) prístine; (перен.) sávage; ~ый челове́к prímitive man*; ~ое о́бщество prímitive socíety; ~ые нра́вы sávage cústoms.

первого́док м. *разг.* 1. régular *or* sáilor in the first year of sérvice; 2. (о живо́тном) young ánimal less than one year old [jʌŋ...].

пе́рвое с. *скл. как прил.* (пе́рвое блю́до) first course [...kɔ:s]; что на ~ ? what is the first course?

первозда́нный *уст.* prìmórdial [praɪ-]; ~ ха́ос prìmórdial cháos [...'keɪ-] (*тж. перен.*).

первоисто́чник м. órigin, (prímary) source ['praɪ-...s:s].

первокла́сс∥**ник** м. first-fòrm boy; first-fórmer *разг.* ~ица ж. first-fòrm girl [...gə:l].

первокла́ссный first-cláss.

первоку́рсн∥**ик** м. first-year stúdent / man*, frésh:man*. ~ица ж. first-year stúdent / girl [...gə:l].

Первома́й м. May Day.

первома́йск∥ий Máy-Day (attr.); ~ая демонстра́ция Máy-Day dèmonstrátion.
пе́рво-на́перво *нареч. разг.* first of all.
первонача́льн∥о *нареч.* originally. ~**ый** 1. prímary ['praɪ-]; 2. *(являющийся началом, источником)* oríginal, inítial; ~ая сто́имость inítial cost; ~ый вклад inítial còntribútion; ~ая причи́на first cause; ~ое накопле́ние капита́ла *эк.* prímary accùmulátion of cápital; 3. *(элемента́рный)* èleméntary; 4.: ~ые чи́сла *мат.* prime númbers.
первообра́з *м.* próto:type.
первообра́зный próto:typal.
первоосно́ва *ж. филос.* fùndaméntal prínciple.
первооткрыва́тель *м.,* ~**ница** *ж.* pionéer, discóverer [-'kʌ-]. ~**ство** *с.* pionéering work.
первоочередн∥о́й first and fóre:mòst, immédiate; ~**а́я** зада́ча top priórity task, immédiate task.
первопеча́тник *м.* first prínter, prínting píoneer.
первопеча́тн∥ый 1. prínted éarly [...'əː-], belónging to the first years of prínting; ~**ые кни́ги** in:cunábula; 2. *(напеча́танный впервы́е)* first prínted.
первопричи́на *ж. филос.* oríginal / inítial cause.
первопрохо́дец *м.* éarliest explórer ['əː-...] *(of new countries, lands, etc.),* píoneer; páthfinder.
первопу́т∥ок *м. разг.* first snow [...-ou] *(which makes sledging possible),* first slédging; **по** ~**ку** alóng *a* road just cóvered with snow [...'kʌ-...], alóng *a* road just áfter the first snówfàll [...'snou-...].
перворазря́дн∥ик *м.,* ~**ица** *ж. спорт.* first-gràde spórts:man* / pláyer; *(по бегу)* first-gràde rúnner; *(по футбо́лу)* first-gràde fóotbàller [...'fuːt-...]; *(по ша́хматам)* first-gràde chéss-player.
перворазря́дный first-ráte.
перворо́дный *уст.* first-bòrn; ◊ ~ **грех** oríginal sin.
перворо́дство *с. ист., юр.* primogéniture [praɪ-].
первосвяще́нник *м. рел.* high priest [...priːst], chief priest [t∫iːf...], póntiff.
первосо́ртн∥ость *ж.* best quálity. ~**ый** 1. of the best quálity; tóp-quálity *(attr.);* 2. *разг. (превосхо́дный)* first-cláss, first-ráte; A 1 ['eɪ'wʌn].
первостате́йный 1. *уст.* impórtant, of cónsequence, of the first órder; 2. *разг. (превосхо́дный)* first-cláss, first-ráte.
первостепе́нн∥ый páramount; ~**ой** ва́жности of páramount impórtance.
первоцве́т *м. бот.* prímrose.
пе́рв∥ый first; *(о странице газеты)* front [-ʌ-]; *(из упомянутых выше)* fórmer; *(самый ранний)* éarliest ['əːl-]; ~**ое января́, февраля́** *и т.п.* the first of Jánuary, Fébruary, *etc.;* Jánuary, Fébruary, *etc.,* the first; *(страни́ца, глава́ и т.п.)* ~**ая** page, chápter one; ~ **но́мер** númber one; **уже́** ~ **час** it is past twelve; **в** ~**ом часу́** past / áfter twelve; **полови́на** ~**ого** half past twelve; **три че́тверти** ~**ого** *a* quárter to one; ~**ые плоды́** first-frùits [-fruːts], firstlings; ~**ый эта́ж** ground floor [...floː-]; ~ **учени́к** first púpil, best púpil; **быть, идти́** ~**ым** lead*, head [hed]; **он** ~ **заме́тил, ска-**за́л, ушёл he was the first to nótice, to say, to go [...'nou-...]; ~**ая по́мощь** first aid; ~ **рейс** *(нового паровоза, судна, самолёта)* máiden trip *мор. тж.* máiden vóyage; ~**ая речь** *(в парламенте и т.п.)* máiden speech; ~**ое вре́мя** at first; **с** ~**ого ра́за** from the first; ◊ **Пе́рвое ма́я** the First of May, May Day; ~ **встре́чный** *разг.* the first man* / pérson *one* meets; the first one who comes alóng; the first cómer [...'kʌ-]; **на** ~ **взгляд** on the face of it; **с** ~**ого взгля́да** at first sight; ~**ым де́лом** first of all; **в** ~**ую о́чередь** in the first place / ínstance; **в** ~**ую го́лову** in the first place, first and fóremòst; **при** ~**ой возмо́жности** at one's éarliest convénience; **as soon as póssible; из** ~**ых рук** first-hánd; at first hand; **он узна́л э́то из** ~**ых рук** he has learned it at first hand [...lə:nd...]; he has learned it from the hórse's mouth *идиом.*; ~**ая скри́пка** *(перен.)* first fíddle; **игра́ть** ~**ую скри́пку** *(прям. и перен.)* play first fíddle; ~ **шаг тру́ден** ≅ it is the first step that counts, évery:thing is dífficult befóre it is éasy [...'iːzɪ]; **не** ~**ой мо́лодости** *разг.* not in one's first youth [...juːθ]; **не** ~**ой све́жести** not quite fresh, stale; ~ **блин ко́мом** *погов.* ≅ you must spoil befóre you spin, práctice makes pérfect.
перга́ *ж. тк. ед.* bée-bread [-ed].
перга́мент *м. (в разн. знач.)* párchment. ~**ный** *прил.* к **перга́мент;** ~**ная бума́га** óil-pàper.
пере- глаго́льная приста́вка, употребля́ется в разн. знач.; в значении повторе́ния или соверше́ния де́йствия за́ново обы́чно перево́дится через re-, rè-: **перечита́ть** rè-réad*; в значе́нии распростране́ния де́йствия на ряд предме́тов оди́н за други́м обы́чно не перево́дится: **перечита́ть все кни́ги, газе́ты** *и т.п.* read* all the books, néwspàpers, *etc.;* **перешто́пать все чулки́** *и т.п.* darn all the stóckings, *etc.*
переадресова́ть *сов. см.* переадресо́вывать.
переадресо́вывать, переадресова́ть *(вн.)* rè:addréss *(d.).*
переаттест∥а́ция *ж.* rè-àttestátion, rè-cònfirmátion in a post [...poust]. ~**ова́ть** *сов. см.* переаттесто́вывать. ~**о́вывать,** переаттестова́ть *(вн.)* rè-attést *(d.),* rè-confírm in a post [...poust] *(d.).*
перебази́ровать *сов. (вн.)* shift *(d.),* tránsfer *(d.).* ~**ся** *сов.* shift / tránsfer one's base [...-s].
перебаллоти́р∥овать *сов. см.* перебаллоти́ровывать. ~**о́вка** *ж.* sécond bállot ['se-...].
перебаллоти́ровывать, перебаллоти́ровать *(вн.)* submít to a sécond bállot [...'se-...] *(d.).*
переба́рщивать, переборщи́ть *разг.* òver:dó it; go* too far.
перебега́ть, перебежа́ть 1. *(вн., че́рез)* run* acróss, cross (at a run, *или* rúnning) *(d.);* **перебежа́ть че́рез доро́гу** run* acróss the road; **перебежа́ть у́лицу** run* acróss the street, cross the street (at a run, *или* rúnning); ~ **на но́вое ме́сто** run* to *a* new place; 2. *(к) разг.* *(быть перебе́жчиком)* desért [-'zəːt] (to),

go* óver (to); ~ **к неприя́телю,** ~ **на сто́рону неприя́теля** desért to the énemy; turn tráitor; ◊ ~ **кому́-л. доро́гу** steal* a march on smb.; snatch *smth.* from únder smb.'s nose.
перебежа́ть *сов. см.* перебега́ть.
перебе́ж∥ка *ж. воен.* bound, rush; **де́лать** ~**ку** make* a rush.
перебе́жч∥ик [-ещик] *м.,* ~**ица** [-ещи-] *ж.* desérter [-'zəː-]; *(перен.)* túrncoat.
перебе́ливать, перебели́ть 1. *уст.* make* a fair cópy [...'kɔ-] (of); 2. *(вн.; за́ново)* give* a fresh coat of white:wàsh *(d.).*
перебели́ть I *сов. см.* перебе́ливать.
перебели́ть II *сов. (вн.; одно́ за други́м)* white:wàsh *(d.);* ~ **все сте́ны** white:wàsh all the walls.
перебеси́∥ться I *сов.* go* / run* mad: **все соба́ки** ~**лись** all the dogs have gone mad [...gɔn...].
перебеси́ться II *сов. разг. (остепени́ться)* have done with one's yóuthful fóllies [...'juːθ-...]; have sown one's wild oats [...soun...] *идиом.*
перебива́ть I, переби́ть *(вн.) разг. (перекрыва́ть ме́бель и т.п.)* rè-ùp:hólster [-'houl-] *(d.).*
перебива́ть II, переби́ть *(вн.)* 1. *(прерыва́ть)* interrúpt *(d.);* 2. *(нарушать)* spoil* *(d.),* kill *(d.);* **переби́ть аппети́т** spoil* one's áppetite; ◊ **переби́ть поку́пку** óffer / bid* a hígher price for a thing and get* it, out:bíd* for smth.
перебива́ться I *страд. к* перебива́ть I.
перебива́ться II, переби́ться *разг. (ко́е-ка́к содержать себя́)* keep* gó:ing, get* by; make* both ends meet [...bouθ...] *идиом.;* ◊ ~ **с хле́ба на квас** live from hand to mouth [lɪv...].
переби́вка *ж. (ме́бели)* rè-ùp:hólstering [-'houl-].
перебинтова́ть I *сов. см.* перебинто́вывать.
перебинтова́ть II *сов. (вн.; одно́ за други́м)* dress *(d.);* ~ **всех ра́неных** dress all the pátients' wounds [...wuː-].
перебинто́вывать, перебинтова́ть *(вн.)* change the dréssing [t∫eɪ-...] (on), put* a new dréssing (on).
перебира́ть I, перебра́ть 1. *(вн.; сорти́ровать)* sort out *(d.);* *(о бума́гах, пи́сьмах и т.п.)* look óver / through *(d.);* 2. *(вн.; каса́ться па́льцами)* fínger *(d.);* ~ **стру́ны** run* one's fíngers óver the strings, touch the strings [tʌt∫...]; ~ **чётки** tell* / count one's beads; 3. *(вн.; вспомина́ть)* recáll *(d.),* ~ **в уме́, па́мяти** go* / turn óver in one's mind *(d.),* call to mind *(d.);* ~ **в разгово́ре** bring* up *(d.),* touch up:ón *(d.);* 4. *(вн., рд.; брать бо́льше чем ну́жно)* take* in excéss *(d.);* **перебра́ть пять очко́в** score five éxtra points; 5. *(тв.):* ~ **ла́пками** move its paws up and down [muːv...]; ~ **нога́ми** *(о ло́шади)* paw the ground.
перебира́ть II, перебра́ть *(вн.) полигр. (за́ново)* rè:sét* *(d.).*
перебира́ться I *страд. к* перебира́ть I 1, 2, 3.
перебра́ться II, перебра́ться 1. *(переправля́ться)* get* óver; *(через)* get*

ПЕР—ПЕР

(óver): он с трудо́м перебра́лся he got óver with dífficulty; он перебра́лся че́рез руче́й he got óver the stream; 2. (переселяться) move [mu:v]: ~ на но́вую кварти́ру move to a new place (of résidence) [...-zɪ-], change one's lódgings [tʃeɪ-...].

переби́ть I, II сов. см. перебива́ть I, II.

переби́ть III сов. (вн.) 1. (убить — о многих) kill (d.), sláughter (d.), slay* (d.); ~ весь скот kill the cattle; 2. разг. (сломать) break [breɪk] (d.); ~ но́гу, ру́ку break* a leg, an arm; 3. (о посуде и т.п.) break* (d.): ~ все таре́лки break* all the plates.

переби́ться I сов. (о посуде) break* [-eɪk]: все таре́лки ~лись all the plates are bróken.

переби́ться II сов. см. перебива́ться II.

перебо́й м. 1. (в работе) stóppage; (перерыв) interrúption; (нерегулярность) irregulárity; (в моторе) mísfire; 2. мед. intermíssion; пульс с ~я́ми intermíttent pulse.

перебол||е́ть I сов. (тв.) 1. (перенести много болезней) have had (d.); ~ ко́рью, воспале́нием лёгких и т.п. have had measles, pneumónia, etc. [...-zlz nju:-]; он ~е́л все́ми де́тскими боле́знями he has had all the infantile diséases [...-'zɪz-]; 2. (перенести какую-л. болезнь — о многих): все де́ти ~е́ли ко́рью all the children have had measles.

перебол||е́ть II сов. (тв.; перенести какую-л. болезнь) have been down / ill (with); (перен.) outgrów [-'grou] (d.); э́той весно́й я ~е́л гри́ппом I was down with flu in the spring; он уже́ ~е́л э́тими настрое́ниями he has outgrówn áttitudes of this kind [...-'groun...].

перебо́р м. 1. муз. rúnning óver, fíngering; 2. (взятое с излишком) excéss, súrplus.

перебо́рка I ж. (картофеля и т.п.) sórting out.

перебо́рка II ж. разг. (перегородка) partítion; (на судне) búlkhead [-hed].

перебо́рка III ж. полигр. résétting.

перебор́оть сов. (вн.) óver:cóme* (d.), subdúe (d.); ~ страх, отвраще́ние и т.п. óver:cóme* one's fear, avérsion, etc.; contról one's féelings [-oul...] (of fear, avérsion, etc.); ~ себя́ take* a grip / hold on oneself.

перебо́рщить сов. см. переба́рщивать.

перебра́н||иваться (с тв.) разг. exchánge / bándy ángry words [-'tʃeɪ-...] (with), have words (with). ~и́ться сов. (с тв.) разг. quárrel (with), fall* out (with).

перебра́нка ж. разг. wrángle, squábble.

перебра́сывать, переброси́ть 1. (вн.) throw* óver [-ou-...] (d.); (вн. че́рез) throw* (d. óver); ~ че́рез плечо́ fling* óver one's shóulder [...'ʃou-] (d.), shóulder (d.); 2. (вн.; отправлять в другое место) tránsfér (d.); ◇ ~ мост че́рез ре́ку throw* a bridge acróss a ríver [...'rɪ-].

перебра́сываться, переброси́ться 1. (тв.) bándy (d.); переброси́ться не́сколькими слова́ми exchánge a few words [-'tʃeɪ-...]; 2. (распространяться — об эпидемии, огне и т.п.) spread* [-ed]; 3. (че́рез) разг. (перепрыгивать) get* (óver), jump (óver); ~ че́рез забо́р get* / jump óver the fence; 4. страд. к переба́сывать.

перебра́ть I, II сов. см. перебира́ть I, II.

перебра́ться сов. см. перебира́ться II.

переброди́ть сов. (о пиве и т.п.) have ferménted / rísen (d.).

перебро́са́ть сов. (вн.) throw* [-ou] (d.), throw* one áfter anóther (d.); ~ все ка́мни throw* all the stones.

перебро́с||ить(ся) сов. см. перебра́сывать(ся). ~ка ж. разг. tránsfer; (о войсках) tránspórt; móve:ment(s) ['mu:v-] (pl.).

перебуди́ть сов. (вн.) rouse (d.): ~ всех rouse everybody.

перебыва́||ть сов. (у кого-л., где-л.) have called (on smb., at a place); у него́ ~ли все друзья́ all his friends have been to his place [...fre-...].

перева́л м. 1. (действие) cróssing, pássing; 2. (место для перехода через хребет) pass.

перева́||лец м.: ходи́ть с ~льцем wáddle.

перева́ливать I, перевали́ть (вн.) tránsfér (d.), shift (d.); (с места на место) shift (d.); ~ мешо́к с одного́ плеча́ на друго́е shift the sack from one shóulder to the óther [...'ʃoul-...]; ~ отве́тственность на друго́го shift the respónsibility ón:to smb. else.

перева́л||ивать II, перевали́ть 1. (вн.; через горный хребет и т.п.) cross (d.), get* to the top (of); 2. безл. (дт.) разг.: ему́ ~и́ло за 50 (лет) he is past / óver fífty, he has turned fífty; 3. безл. разг.: ~и́ло за́ полночь it is past mídnight.

перева́ливаться I, перевали́ться fall* óver, roll óver; (че́рез) fall* (óver); túmble (óver).

перева́ливаться II разг. (о походке): ~ с бо́ку на бок wáddle.

перева́ливаться III страд. к перева́ливать I.

перевали́ть I, II сов. см. перева́ливать I, II. ~ся сов. см. перева́ливаться I.

перева́л||ка ж. (грузов) tráns-shípment, tránsfer, re:lóading. ~очный: ~очный пункт tráns-shípment point; stáging post [...poust].

перева́ривать I, перевари́ть (вн.; чрезмерно) óver:dó (d.), spoil* by óver:dó:ing (d.).

перева́ривать II, перевари́ть (вн.; заново) cook / boil agáin / anéw, или once more (вн.) [...wʌns...] (d.).

перевари́в||ать III, перевари́ть (вн.) 1. (о пищеварении) digést (d.) (тж. перен.); ~ прочи́танное digést what one has read [...red]; 2. (об. в отриц. предложении) разг. (терпеливо переносить) stand* (d.), bear* [beə] (d.); стома́ch [-ʌmək] (d.); он не ~ает лжи he can't stand lies [...kɑ:nt...]; он её не ~ает he can't stand / bear her.

перева́риваться I, перевари́ться be óver:dóne, be spoilt by óver:dó:ing.

перева́риваться II страд. к перева́ривать II.

перева́риваться III, перевари́ться (о пище) be digésted.

перевари́мый digéstible.

перевари́ть I, II, III сов. см. перева́ривать I, II, III.

перевари́ться I сов. см. перева́риваться I.

перевари́ться II сов. см. перева́риваться III.

переве́даться сов. см. переве́дываться.

переве́дываться, переве́даться (с тв.) уст. get* éven (with).

перевезти́ сов. см. перевози́ть.

переверну́ть сов. см. перевёртывать 1. ~ся сов. см. перевёртываться.

переверста́ть сов. см. перевёрстывать.

перевёрстывать, переверста́ть (вн.) полигр. ré:impóse (d.).

переверте́ть сов. см. перевёртывать 2.

перевёртывать, переверну́ть, переверте́ть (вн.) 1. при сов. переверну́ть turn óver (d.); разг. (перелицовывать) turn (d.); переверну́ть бо́чку дном кве́рху turn the bárrel óver; переверну́ть страни́цу turn óver a page; переверну́ть пальто́ turn a coat; ~ наизна́нку turn inside out (d.); ~ вверх дном turn úpside-dówn (d.); 2. при сов. переверте́ть óver:wind* (d.).

перевёртываться, переверну́ться 1. turn óver; (о корабле) cápsize; ~ с бо́ку на́ бок turn from side to side; ло́дка переверну́лась the boat turned óver; 2. страд. к перевёртывать.

перевёртыш м. разг. dóuble-déaling féllow ['dʌ-...], hýpocrite, túrncoat.

переве́с м. тк. ед. (превосходство) prepónderance; чи́сленный ~ majórity, numérical superiórity; supérior númbers pl.; ~ голосо́в majórity of votes; на его́ стороне́ был ~ the odds were in his fávour.

переве́сить I, II, III сов. см. переве́шивать I, II, III. ~ся сов. см. переве́шиваться III.

перевести́ I, II, III сов. см. переводи́ть I, II, III.

перевести́сь I, II сов. см. переводи́ться I, III.

переве́||шивать I, переве́сить (вн.; вешать на другое место) hang* / move some:where else [...mu:v...] (d.); ~ с одного́ ме́ста на друго́е, куда́-л. и т.п. move from one place and hang* in anóther, some:where, etc. (d.); карти́ну ну́жно ~сить the picture should be hung / moved some:where else; карти́ну ну́жно ~сить с э́той стены́ на ту the picture should be moved from this wall to that one, или moved from this wall and hung on that.

переве́шивать II, переве́сить (вн.; взвешивать заново) weigh agáin (d.).

переве́шивать III, переве́сить (вн.; перетягивать) outbálance (d.), óver:bálance (d.), outwéigh (d.), (перен.) outwéigh (d.), weigh down (d.); tip the scales (d.).

переве́шиваться I, II страд. к переве́шивать I, II.

переве́||шиваться III, переве́ситься lean* óver; (че́рез) lean* (óver): он ~сился и кри́кнул he leaned óver and shóuted; он ~сился че́рез пери́ла he leaned óver the bánisters / rail.

перевива́ть I, переви́ть (*вн.; заново*) weave* again (*d.*).

перевива́ть II, переви́ть (*вн. тв.; переплета́ть*) intérwéave* (*d.* with), intertwíst (*d.* with), intertwíne (*d.* with).

перевива́ться I *страд.* к перевива́ть I.

перевива́ться II, переви́ться (*с тв.*) interwéave* (with), intertwíne (with).

перевида́||ть *сов.* (*вн.*) *разг.* (*увидеть много чего-л.*) have seen (*d.*); (*испытать многое*) have expérienced (*d.*): мно́го ~л он на своём веку́ he has seen much in his life.

перевира́ть, перевра́ть (*вн.*) *разг.* múddle (*d.*), get* múddled (*d.*); (*умышленно; о фактах*) gárble (*d.*); ~ цита́ту mísquote; перевра́ть фами́лии mix up péople's names.

переви́ть *сов. см.* перевива́ть I, II.

переви́ться *сов. см.* перевива́ться II.

перево́д I *м.* 1. (*в другой город, учреждение и т. п.*) tránsference, tránsfer; 2. (*денег, долга*) remíttance; почто́вый ~ póstal (móney) órder ['pou-'mʌ-]; 3. : ~ часо́в вперёд, наза́д pútting a clock fórward / on, back; ~ стре́лки ж.-д. shúnting, swítching; 4. (*в другую систему измерения и т. п.*) convérsion; ~ мер convérsion of méasures [...'meʒ-].

перево́д II *м.* (*с одного языка на другой*) translátion [-ɑː-]; vérsion; (*устный*) interpretátion; маши́нный ~ machíne translátion [-ʃɪn-]; с ру́сского языка́ на англи́йский translátion from Rússian into Énglish [...-ʃən... 'ɪŋg-].

перево́д III *м. разг.* (*бессмысленное расходование*) waste [weɪ-], squándering; то́лько ~ де́нег a mere waste of móney [...'mʌ-].

переводи́ть I, перевести́ 1. (*вн.; в другой город, учреждение и т. п.*) tránsfer (*d.*), move [muːv] (*d.*); ~ на другу́ю рабо́ту tránsfer to another post [...-pou-] (*d.*); 2. (*вн.* че́рез) take* (*d.* across); 3. (*вн.; пересылать*) remít (*d.*), send* through the bank (*d.*); ~ де́ньги по телегра́фу wire móney [...'mʌ-]; 4. : ~ стре́лку часо́в вперёд, наза́д put* a clock fórward / on, back; перевести́ часы́ на (оди́н) час вперёд, наза́д put* the clock fórward, back one hour [...auə]; ~ стре́лку ж.-д. shunt, switch; ~ по́езд на запа́сный путь shunt / switch a train; 5. (*вн.* в *вн.*; *в другую систему измерения и т. п.*) convért (*d.* to); ~ в метри́ческую систе́му convért to métric system (*d.*); 6. (*вн.; из класса в класс*) move up into the next form (*d.*); ◇ ~ дух, дыха́ние take* breath [...-eθ]; не переводя́ дыха́ния without pàusing for breath; перевести́ взгляд (на *вн.*) shift one's gaze (to).

переводи́ть II, перевести́ (*вн. с рд. на вн.*; *на другой язык*) translàte [-ɑː-] (*d.* from into); (*устно*) interpret (*d.* from to): ~ с ру́сского (языка́) на англи́йский translàte from Rússian into Énglish [...-ʃən...'ɪŋg-] (*d.*).

переводи́ть III, перевести́ (*вн.*) 1. (*изводить, истреблять*) extérminate (*d.*); 2. (*расходовать полностью*) use up (*d.*); 3. *разг.* (*попусту тратить, расходовать*) squánder (*d.*).

переводи́ться I, перевести́сь 1. (*в другой город, учреждение и т. п.*) move [muːv], be tránsférred; 2. *страд.* к переводи́ть I.

переводи́ться II *страд.* к переводи́ть II.

переводи́ться III, перевести́сь 1. *разг.* (*исчезать*) come* to an end, become* extínct; ры́ба в пруду́ не перево́дится there is álways an abúndance of fish in the pond [...'ɔːlwəz...]; у него́ де́ньги не перево́дятся he is álways in funds; 2. *страд.* к переводи́ть III.

переводн||о́й: ~а́я бума́га cárbon-pàper; ~ы́е карти́нки tránsfèrs.

перево́дн||ый: ~ая литерату́ра fóreign literature in translátion ['fɔrɪn... -ɑː-]; ~ая на́дпись (*на векселе*) endórsement; ~ бланк (*почтовый*) póstal órder form ['pou-...].

перево́дческий *прил.* к перево́дчик I.

перево́дчик I *м.* (*литературы*) translátor [-ɑː-]; (*устный*) intérpreter.

перево́дчик II *м.* (*в автоматическом оружии*) chánge-lèver ['tʃeɪ-].

перево́дчица *ж.* к перево́дчик I.

перево́з *м.* 1. (*действие*) transpòrtátion; 2. (*место*) férry.

перевози́ть, перевезти́ (*вн.*) 1. transpòrt (*d.*), convéy (*d.*); (*о мебели и т. п.*) remóve ['muːv] (*d.*): он перевёз дете́й с да́чи в го́род he took the children from the country into town [...kʌ-...]; ~ груз по желе́зной доро́ге, во́дным путём cárry freight by rail, by wáter [...'wɔː-]; ~ на корабле́ ship (*d.*); ~ на теле́ге cart (*d.*); 2. (*через реку и т. п.*) take* / put* acróss (*d.*); (*вн.* че́рез) put* (*d.* across): он перевёз их и пое́хал да́льше he took them across and drove on; он перевёз их че́рез ре́ку he put / férried them across the river [...'rɪ-].

перево́з||ка *ж.* convéyance, transpòrtátion; (*на лошадях*) cárting; ~ войск tróop-carrying, troop transpòrtátion; ~ки автотра́нспортом road háulage / fréightage *sg.*; речны́е ~ки cárriage on ínland wáterways [-rɪdʒ— ...'wɔː-] *sg.*; морски́е ~ки sea shípping *sg.*; железнодоро́жные ~ки tránsit by rail fréightage *sg.*; сто́имость ~ок freight chárges *pl.*; маши́на для ~ки ме́бели remóval van [...-'muːv-...].

перево́зочн||ый: ~ые сре́дства means of convéyance, transpòrtátion facílities.

перево́зчик *м.* (*на пароме и т. п.*) férryman*; (*на лодке*) bóatman*.

переволнова́ть *сов.* (*вн.*) *разг.* alárm (*d.*), excíte (*d.*). ~ся *сов. разг.* be alármed, súffer prolónged ánxiety.

перевооруж||а́ть, перевооружи́ть (*вн.*) 1. re:árm (*d.*); 2. (*снабжать новыми орудиями труда*) re-equíp (*d.*). ~а́ться, перевооружа́ться 1. re:árm; 2. (*тв.*; *оснащаться новыми орудиями труда*) renéw one's equípment; 3. *страд.* к перевооружа́ть. ~е́ние *с.* 1. re:ármament; 2. (*снабжение новыми орудиями труда*) re-equípment. ~и́ть(ся) *сов. см.* перевооружа́ть(ся).

перевоплоти́ть(ся) *сов. см.* перевоплоща́ть(ся).

перевоплощ||а́ть, перевоплоти́ть (*вн.*) re-embódy [-'bɔ-] (*d.*), rè:in:cárnate (*d.*), rè:in:córporate (*d.*), re:sháp (*d.*). ~а́ться, перевоплоти́ться 1. rè:in:cárnate (*преобразовываться*) transfórm; 2. *страд.* к перевоплоща́ть. ~е́ние *с.* (*при-дание новой формы*) ré:in:càrnátion; (*принятие новой формы*) transformátion.

перевора́чивать(ся) = перевёртывать(-ся).

переворо́т *м.* 1. rèvolútion; óver:tùrn; coup [kuː]; социа́льный ~ sócial úp:héaval; госуда́рственный ~ coup d'état (*фр.*) ['kuːdeɪ'tɑː]; дворцо́вый ~ pálace rèvolútion; вое́нный ~ military coup d'état (*фр.*) [...'kuːdeɪ'tɑː]; промы́шленный ~ *ист.* the indústrial rèvolútion; 2. *геол.* cátaclysm; 3. *ав.*: ~ че́рез крыло́ rólling, hálf-róll ['hɑːf-], wíng-òver.

переворош́ить *сов.* (*вн.*) *разг.* 1. (*прям. и перен.*) turn óver (*d.*); ~ се́но turn hay; 2. (*разворошив, привести в беспорядок*) turn úpside-dówn (*d.*); ~ все бума́ги turn (óver) all one's pápers.

перевоспит||а́ние *с.* ré-educátion. ~а́ть(-ся) *сов. см.* перевоспи́тывать(-ся).

перевоспи́тывать, перевоспита́ть (*вн.*) ré-éducate (*d.*). ~ся, перевоспита́ться 1. ré-éducate onesélf; 2. *страд.* к перевоспи́тывать.

перевра́ть *сов. см.* перевира́ть.

перевыбира́ть, перевы́брать (*вн.*) ré-eléct (*d.*).

перевы́борн||ый eléctoral; eléction (*attr.*); ~ая кампа́ния eléction càmpaign [...-'peɪn]; ~ое собра́ние eléction méeting.

перевы́боры *мн.* 1. eléction *sg.*; 2. (*повторные выборы*) ré-eléction *sg.*

перевы́брать *сов. см.* перевыбира́ть.

перевыполне́ние *с.* óver:fulfílment [-ful-]; ~ пла́на на два́дцать проце́нтов twenty per cent óver:fulfílment of the plan.

перевы́полнить *сов. см.* перевыполня́ть.

перевыполня́ть, перевы́полнить (*вн.*) óver:fulfíl [-ful-] (*d.*), exceéd (*d.*); ~ план на два́дцать проце́нтов exceéd the plan by twenty per cent; перевы́полнить нормы exceéd the quótas.

перевяза́ть I, II *сов. см.* перевя́зывать I, II.

перевяза́ться *сов. см.* перевя́зываться I.

перевя́з||ка *ж.* bándaging (*раны тж.*) dréssing. ~очный: ~очный пункт dréssing státion, aid point / státion; ~очный материа́л dréssing.

перевя́зывать I, перевяза́ть (*вн.*) 1. (*перебинтовывать*) bándage (*d.*); (*о ране тж.*) dress (*d.*); ~ ра́ну dress the wound [...wuː-], change the dréssing [tʃeɪ-...]; 2. (*обвязывать со всех сторон*) tie up (*d.*); (*толстой верёвкой*) cord (*d.*); 3. (*заново*) tie up again (*d.*); (*толстой верёвкой*) cord again (*d.*); 4. (*перебинтовывать вновь*) bándage again (*d.*); (*о ране тж.*) dress again (*d.*).

перевя́зывать II, перевяза́ть (*вн.*) (*заново вязать*) knit again (*d.*); (*отдавая в перевязку*) have knítted again (*d.*); перевяза́ть ко́фту knit the jácket again; (*отдав в перевязку*) have the jácket knítted again.

перевя́зываться I, перевяза́ться 1. bándage one:sélf; (*перебинтовывать рану тж.*) dress one's wound [...wuː-];

411

ПЕР – ПЕР

2. (*тв.*; *обвязываться кругом*) tie *smth.* round one;self; 3. *страд. к* перевязывать I.

перевя́зываться II *страд. к* перевязывать II.

пе́ревяз‖**ь** *ж.* 1. *воен.* cróssbèlt, shóulder-bèlt [′ʃou-]; (*для меча, рога*) báldric; 2. *мед.* sling; у него́ рука́ на ~и his arm is in a sling.

перега́р *м. разг.* (ùnpléasant) resídual taste of álcohòl in the mouth [-′plez--′zɪ- teɪ-...]; smell of álcohòl; от него́ несло́ ~ом he reeked of álcohòl.

переги́б *м.* bend, twist; (*перен.*) extréme, exàggerátion [-dʒ-]; допусти́ть ~ в чём--ли́бо cárry smth. to extrémes, *или* to extréme lengths, cárry smth. too far.

перегиба́ть, перегну́ть (*вн.*) bend* (*d.*); (*перен.*) go* to extrémes; ◊ ~ па́лку *разг.* ≅ go* too far. ~**ся**, перегну́ться 1. bend*; 2. (*о человеке*) lean* óver; (че́рез) lean* (óver); он перегну́лся и кри́кнул he leaned óver and shóuted; он перегну́лся че́рез пери́ла he leaned óver the bánisters / rail; 3. *страд. к* перегиба́ть.

перегла́дить I *сов. см.* перегла́живать.

перегла́дить II *сов.* (*вн.*; одно́ за други́м) íron [′aɪən] (*d.*): ~ всё бельё íron the whole wáshing [...houl...].

перегла́живать, перегла́дить (*вн.*; за́ново) íron agáin [′aɪən...] (*d.*).

перегласо́вка *ж. лингв.* mùtátion.

перегляде́‖**ть** *сов.* (*вн.*) *разг.* (одно́ за други́м) exámine (one áfter the other); он ~л все свои́ ве́щи he exámined all his things one áfter the other.

перегля́‖**дываться**, перегляну́ться (с *тв.*) exchánge glánces [-′tʃeɪ-...] (with); они́ ~ну́лись they exchánged glánces, they looked at one anóther. ~**ну́ться** *сов. см.* перегля́дываться.

перегна́ть I, II, III *сов. см.* перегоня́ть I, II, III.

перегнива́ть, перегни́ть rot through.

перегни́ть *сов. см.* перегнива́ть.

перегнои́ть *сов.* (*вн.*) let* rot (*d.*), allów to decáy (*d.*).

перегно́й *м.* húmus. ~**ный**: ~ная по́чва húmus; ~ные горшо́чки cómpòst pots / bricks.

перегну́ть(ся) *сов. см.* перегиба́ть(ся).

перегова́риваться (с *тв.*) exchánge remárks / words [-′tʃeɪ-...] (with).

переговори́ть I *сов.* (о *пр.*) talk óver (*d.*), discúss (*d.*); ~ по телефо́ну speak* óver the télephòne.

переговори́ть II *сов.* (кого́-л.) *разг.* talk (smb.) down, out-tálk (smb.).

переговорн‖**ый**: ~ пункт (*телефо́на*) trúnk-càll óffice; públic télephòne [′pʌ-...]; ~ая бу́дка télephòne box; télephòne booth [...buːð] *амер.*

перегово́р‖**ы** *мн.* negòtiátions, talks; *воен.* párley *sg.*; вести́ ~ (с *тв.*) negótiàte (with), cárry on negòtiátions (with), condúct, *или* cárry on, talks (with); *воен.* párley (with); для ~ов to negótiàte; ~ на вы́сшем у́ровне súmmit talks; ~ на у́ровне мини́стров talks at ministérial lével [...′le-...]; ~ о переми́-

рии truce talks; ~ о прекраще́нии огня́ céase-fire talks [-s-...].

перего́н I *м.* (*скота́*) dríving.

перего́н II *м.* (*расстоя́ние ме́жду ста́нциями*) stage, span.

перего́нка *ж. хим., тех.* distillátion; суха́я ~ sùblimátion.

перего́нный: ~ куб still.

перегоня́ть I, перегна́ть (*вн.*: *опережать*) outdístance (*d.*); leave* behínd (*d.*; *тж. перен.*); (*в бе́ге тж.*) outrún* (*d.*); (*в ходьбе́ тж.*) outwálk (*d.*); ◊ догна́ть и перегна́ть óver;táke* and surpáss (*d.*).

перегоня́ть II, перегна́ть (*вн.*; *гоня́ перемеща́ть*; *переправля́ть*) drive* some;where else (*d.*); ~ с одного́ ме́ста на друго́е, куда́-л. *и т.п.* drive* from one place to another, some;where, *etc.* (*d.*); скот ну́жно перегна́ть с э́того па́стбища на друго́е the cattle should be dríven some;where else [...′drɪ-...]; скот ну́жно перегна́ть с э́того па́стбища на друго́е the cattle should be dríven from this pásture to some other; ~ самолёты férry áircraft.

перегоня́ть III, перегна́ть (*вн.*) *хим., тех.* distíl (*d.*); (*сухи́м спо́собом*) súblimàte (*d.*).

перегора́живать, перегороди́ть (*вн.*) pàrtítion off (*d.*). ~**ся**, перегороди́ться 1. pàrtítion off; 2. *страд. к* перегора́живать.

перегор‖**а́ть**, перегоре́ть 1. (*по́ртиться от дли́тельного горе́ния*) burn* out, fuse; (*о дымога́рных тру́бках*) burn* through; ла́мпочка ~е́ла the bulb has burnt out, *или* has fused; про́бка ~е́ла the plug has fused; 2. (*гнить*) rot through.

перегоре́ть *сов. см.* перегора́ть.

перегороди́ть(ся) *сов. см.* перегора́живать(ся).

перегоро́дка *ж.* pàrtítion.

перегре́в *м.* óver;héating. ~**а́ние** *с. тех.* sùperhéating.

перегрева́ть, перегре́ть (*вн.*) 1. óver;héat (*d.*); 2. *тех.* sùperhéat (*d.*). ~**ся**, перегре́ться 1. óver;héat; 2. *страд. к* перегрева́ть.

перегре́тый *прич. и прил.* óver;héated; (*о па́ре*) sùperhéated.

перегре́ть(ся) *сов. см.* перегрева́ть(ся).

перегруж‖**а́ть**, перегрузи́ть I, *чересчу́р* óver;lóad (*d.*), surchárge (*d.*); (*перен.*: *рабо́той*) óver;wórk (*d.*); (*подро́бностями, цита́тами*) òver;búrden (*d.*).

перегружа́ть II, перегрузи́ть (*вн.*) load some;where else (*d.*); ~ с одного́ ме́ста на друго́е, куда́-л. *и т.п.* transfér from one place to another, some;where, *etc.* (*d.*); ~ у́голь на́до перегрузи́ть с по́езда на парохо́д the coal has to be transférred from the train on to a ship.

перегружа́ться I, перегрузи́ться 1. *разг.* óver;lóad one;self; (*перен.*: *рабо́той*) óver;wórk one;self; 2. *страд. к* перегружа́ть.

перегружа́ться II, перегрузи́ться 1. be trànsférred some;where else; 2. *страд. к* перегружа́ть II.

перегру́женность *ж.* = перегру́зка I.

перегрузи́ть I, II *сов. см.* перегружа́ть I, II. ~**ся** I, II *сов. см.* перегружа́ться I, II.

перегру́зка I *ж.* (*чересчу́р больша́я нагру́зка*) óver;lóad; surchárge; (*перен.*: *рабо́той*) óver;wórk.

перегру́зка II *ж.* (*де́йствие*) (ùn;lóading and) ré;lóading, shifting, tránsfer, tràns-shípment; ~ с ба́ржи на кора́бль trans-shípment from the lighter to the ship.

перегру́зочный shifting, tràns-shipping.

перегрунтова́ть *сов. см.* перегрунто́вывать.

перегрунто́вывать, перегрунтова́ть (*вн.*) *жив.* (*за́ново*) prime agáin (*d.*).

перегруппиров‖**а́ть(ся)** *сов. см.* перегруппиро́вывать(ся). ~**о́вка** *ж.* ré;gróuping [-uːp-].

перегруппиро́вывать, перегруппирова́ть (*вн.*) ré;gróup [-uːp] (*d.*). ~**ся**, перегруппирова́ться 1. ré;gróup [-uːp]; 2. *страд. к* перегруппиро́вывать.

перегрыз‖**а́ть**, перегры́зть (*вн.*) gnaw through (*d.*); ◊ он гото́в перегры́зть мне го́рло ≅ he's réady, *или* he would like, to bite my head off [...′re-...hed...].

перегры́зть I *сов. см.* перегрыза́ть.

перегры́зть II (*вн.*; *загры́зть мно́гих*) bite* to death [...deθ] (*d.*). ~**ся** *сов.* (из-за) *разг.* (*о соба́ках*) fight* (óver); (*перен.*: *переруга́ться*) quárrel (óver); wrangle (abóut).

пе́ред, пе́редо *предл.* (*тв.*) 1. (*при обозначе́нии ме́ста, тж. перен.*) befóre; (*с отте́нком «напро́тив»*) in front of [...frʌnt...]: он останови́лся ~ две́рью he stopped in front of the door [...dɔː]; стул стои́т ~ столо́м the chair stands befóre, *или* in front of, the table; он положи́л часы́ ~ черни́льницей he put his watch in front of the ínkstand; он до́лго стоя́л ~ э́той карти́ной he stood befóre the picture for a long time [...stud...]; ~ э́тим сло́вом нет запято́й there is no cómma befóre this word; ~ на́ми больша́я зада́ча there is a great task befóre us [...greɪt...]; предста́ть ~ судо́м appéar befóre the court [...kɔːt];— не остана́вливаться ~ тру́дностями not be stopped by difficulties; 2. (*при обозначе́нии вре́мени*) befóre: ~ обе́дом befóre dínner; ~ нача́лом заня́тий befóre the beginning of the léssons; принима́ть лека́рство ~ едо́й take* médicine befóre one's food; ~ тем, как (+ *инф.*) befóre (+ *ger.*): ~ тем, как вы́йти из до́му befóre góing out (of the house*) [...-s]; 3. (*в отноше́нии*) to; (*по сравне́нию*) (as) compáred to: он извини́лся ~ ней he apólogized to her; он отвеча́ет ~ зако́ном he is ánswerable to the law [...′ɑːnsə-...]; они́ ничто́ ~ ним they are nothing compáred to him.

перёд *м.* front [-ʌ-], fóre-pàrt.

передав‖**а́ть**, переда́ть (*вн.*) 1. pass (*d.*), give* (*d.*); переда́ть в со́бственность (*дт.*) trànsfer to the posséssion [...-′zeʃ-] (of); земля́ была́ передана́ крестья́нам the land was turned óver to the péasants [...′pez-]; ~ из рук в ру́ки hand (*d.*); ~ по насле́дству hand down (*d.*); ~ свой о́пыт кому́-л. pass on one's expérience to smb., share one's expérience with smb.; ~ управле́ние (*тв. дт.*) hand óver the administrátion (of to); 2. (*воспроизводи́ть*) ré;prodúce (*d.*); 3.

(*сообщать*) tell* (*d.*); (*о новости и т. п.*) commúnicàte (*d.*); ~ по ра́дио bróadcàst ['brɔ:d-] (*d.*); ~ по телеви́дению télevìse (*d.*); ~ по телефо́ну tell* óver the télephòne (*d.*); ~ секре́тные све́дения pass sécret informátion; ~ поруче́ние delíver a méssage [-'lɪ-...]; ~ приказа́ние trànsmít an órder, pass the word; ~ благода́рность (*дт.*) convéy thanks (to); ~ приве́т, покло́н (*дт.*) send* one's (best) regárds (*i.*); beg to be remémbered (to); ~ серде́чный, бра́тский приве́т (*дт.*) convéy córdial, fratérnal gréetings / féelings (to); 4. (*о черте, свойстве*) trànsmít (*d.*); 5. (*об инфекции и т. п.*) commúnicàte (*d.*); 6. *разг.* (*давать больше, чем надо*) give* / pay* too much; переда́ть три рубля́ pay* three roubles too many [...ru:-...]; ◊ ~ де́ло в суд bring* the case befóre the court(s) [...-s...kɔ:t(s)], take* a mátter to law; переда́ть законопрое́кт в коми́ссию refér a bill to a Commíttee [...-tɪ]. **~ся**, переда́ться 1. (*сообщаться*) be inhérited (*дт.*); ему́, ей *и т. д.* э́то переда́лось it was inhérited by him, her, *etc.*; he, she, *etc.*, inhérited it; влече́ние к му́зыке передало́сь ему́ от отца́ he inhérited his love for músic from his fáther [...lʌv... -zɪk... 'fɑ:-]; ~ся из поколе́ния в поколе́ние come* down, *или* pass, from fáther to son [...sʌn]; be passed on from one gèneràtion to anóther, be hánded down / on from gèneràtion to gèneràtion; 2. (*дт.*) *уст. разг.* (*переходить на чью-л. сторону*) go* óver (to); 3. *страд. к* передава́ть.

переда́точн||ый trànsmíssion (*attr.*); ~ пункт ìntermédiate point; ~ая на́дпись *фин.* endórse‡ment; ~ механи́зм *тех.* driving gear [...gɪə]; ~ое число́ *тех.* gear rátio.

переда́тчик *м. рад.* trànsmítter.
переда́ть(ся) *сов. см.* передава́ть(ся).
переда́ч||а *ж.* 1. (*действие*) trànsmíssion; ~ иму́щества *юр.* àssignátion; ~ по насле́дству *юр.* déscent; ~ во владе́ние tránsfer; 2. (*больному в больнице и т. п.*) párcel; 3. *тех.* gear(ing) ['gɪə-], drive, trànsmíssion; балансирная ~ rócking léver gear [...gɪə]; дифференциа́льная ~ dìfferéntial gear, cómpensàting gear; зу́бчатая ~ train of gears, toothed géar(ing); реверси́вная ~ revérsing gear; червя́чная ~ wórm-gear [-gɪə]; фрикцио́нная ~ fríction-gear(ing); коне́чная ~ final / end drive; ремённая ~ belt drive; 4. (*по радио*) bróadcàst ['brɔ:d-]; (*трансляция*) re‡láying; (*по телевидению*) télecàst; вёл ~у Ивано́в your nàrrátor — Ivanóv; ◊ без пра́ва ~и not trànsférable.

передвига́ть, передви́нуть (*вн.*) move [mu:v] (*d.*), shift (*d.*) (*тж. перен.*); ~ с одного́ ме́ста на друго́е, куда́-л. *и т. п.* move from one place to anóther, sóme‡whère, *etc.* (*d.*); стол на́до передви́нуть the table should be moved sóme‡whère else; стол на́до передви́нуть из ко́мнаты в коридо́р the table should be moved from the room into the córridòr; ~ ме́дленно передвига́я но́ги slówly drágging one's feet ['slou-...]; ~ стре́лку часо́в вперёд, наза́д put* the hands of a clock fórward / on, back; ~ сро́ки (*рд.*) álter the date (of). **~ся**, передви́нуться 1. move [mu:v], shift; *тех.* trável ['træ-]; 2. *тк. несов.* (*ездить, ходить*) move; 3. *страд. к* передвига́ть.

передвиже́ни||е *с.* móve‡ment ['mu:v-]; *тех.* trável ['træ-]; ◊ сре́дства ~я means of convéyance.

передви́жка *ж.*: библиоте́ка-~ trávelling líbrary ['træ- 'laɪ-].

передви́жник *м.* Peredvízhnik (*member of Rússian school of réalist páinters of sécond half of 19th céntury*).

передвижн||о́й 1. móvable ['mu:v-]; 2. (*не стационарный*) móbile ['mou-], itínerant; ~а́я библиоте́ка trávelling líbrary ['træ- 'laɪ-]; ~ теа́тр móbile théatre [...'ɪə-]; ~а́я вы́ставка trávelling exhìbítion [...eksɪ-].

передви́нуть *сов. см.* передвига́ть. **~ся** *сов. см.* передвига́ться 1.

переде́л *м.* rè‡pàrtítion; rè‡division; rè‡distribútion; ~ ми́ра rè‡division of the world; ~ земли́ rè-allótment of land.

переде́лать I *сов. см.* переде́лывать.
переде́ла||ть II *сов.* (*вн.*) *разг.* (*много, всё*) do (*d.*): он ~л все дела́ he has done all he had to do.

переде́латься *сов. см.* переде́лываться.
передели́ть *сов.* (*вн.*) divide agáin (*d.*); rè‡divíde (*d.*).

переде́лк||а *ж.* àlterátion; отда́ть что-либо в ~у have smth. áltered; ◊ попа́сть в ~у *разг.* ≅ get* into a fine / prétty / jólly mess [...'prɪ-...].

переде́лывать, переде́лать (*вн.*) 1. do óver agáin (*d.*); (*об одежде*) álter (*d.*); (*отдавая в переделку*) have (*d.*) áltered; переде́лать пальто́ álter the coat; (*отдавая в переделку*) have the coat áltered; 2. (*перевоспитывать*) rè-éducàte (*d.*). **~ся**, переде́латься 1. *разг.* change [tʃeɪ-], тру́дно переде́латься в его́ во́зрасте it's dífficult to change at his age; 2. *страд. к* переде́лывать.

передёргивать I, передёрнуть (*в ка́ртах*) sharp, cheat, swindle; (*вн.*; *перен.*: *искажать*) distórt (*d.*), mísreprèsént [-'zent] (*d.*); ~ фа́кты júggle with facts.

передёр||гивать II, передёрнуть *безл.*: его́ ~нуло от бо́ли he was convúlsed with pain.

передёргиваться I *страд. к* передёргивать I.

передёргиваться II, передёрнуться flinch, wince.

передержа́ть *сов. см.* переде́рживать.
переде́рживать, передержа́ть (*вн.*) 1. (*о кушанье*) òver‡dó (*d.*), óver‡cóok (*d.*), óver‡bóil (*d.*); 2. *фот.* óver-expòse (*d.*).

переде́ржка I *ж. фот.* óver-expòsure [-'pou-].

переде́ржка II *ж. уст. разг.* (*об экзамене*) rè-exàminátion.

переде́ржка III *ж. разг.* (*при игре в карты*) chéating, swíndle; (*перен.*: *искажение*) mísreprèsèntátion [-ze-], júggling.

передёрнуть I, II *сов. см.* передёргивать I, II.

передёрнуться *сов. см.* передёргиваться II.

передко́вый *воен.* 1. *прил.* límber (*attr.*); 2. *м. как сущ.* límber númber.

передненёбный *лингв.* prepálatal.
переднеязы́чный *лингв.* (*апика́льный*) point (*attr.*); (*дорса́льный*) blade (*attr.*).

пере́дн||ий front [-ʌ-]; (*первый*) first; ~яя часть fóre-pàrt; ~ее колесо́ front wheel; ~ план fóre‡ground; на ~ем пла́не in the fóre‡ground; ~ие коне́чности (*четвероно́гих*) fóre‡legs, fóre‡feet; ~ край (*оборо́ны*) *воен.* first line of defénce; main line of resístance [...-'zɪ-].

пере́дник *м.* ápron; (*женский, детский тж.*) pínafòre.

пере́дняя *ж. скл. как прил.* ánteroom, (éntrance) hall, lóbby, éntrance-room.

пе́редо *предл.* = пе́ред.

передов||а́я *ж. скл. как прил.* 1. (*статья́*) léading árticle, léader, èditórial; 2. *воен.* front line [-ʌ-...].

передове́рить *сов. см.* передоверя́ть.
передоверя́ть, передове́рить (*что-л. кому́-л.*) tránsfer the trust (of smth. to smb.); (*о договоре*) sùbcontráct (*d.* to); передове́рить кому́-л. пра́во *юр.* tránsfer the pówer of attórney to smb. [...ə'tə:-...].

передови́к *м.*: ~и се́льского хозя́йства fóre‡mòst péople in ágricùlture [...pi:-...], frónt-ránk fármers ['frʌnt-...]; ~и произво́дства fóre‡mòst péople in índustry, frónt-ránk wórkers.

передови́ца *ж. разг.* = передова́я 1.

передов||о́й fóre‡mòst, héad‡mòst ['hed-], fórward; advánced (*тж. перен.*); (*прогрессивный*) progréssive; ~ отря́д *воен.* advánced detáchment; (*перен.*) ván‡guàrd; коммунисти́ческая па́ртия — ~ отря́д рабо́чего кла́сса the Cómmunist Párty is the ván‡guàrd of the wórking-clàss; ~ы́е взгля́ды advánced views [...vju:z]; ~ы́е лю́ди progréssive-mínded péople [...pi:-]; ~о́е челове́чество progréssive mankínd; ~а́я те́хника úp-to-dáte machínery [...-'ʃi:-]; ~ы́е пози́ции front line [-ʌnt...] *sg.*; ~ы́е предприя́тия, колхо́зы fóre‡mòst énterprises, colléctive farms; ~ы́е ме́тоды труда́ advánced méthods of work; ~ы́е спо́собы произво́дства advánced prodúction méthods; ◊ ~а́я статья́ léading árticle, léader, èditórial.

передо́к *м.* 1. (*теле́ги и т. п.*) detáchable front [...-ʌnt]; ~ плу́га plough fóre-cárriage [...-rɪdʒ]; 2. *обыкн. мн. воен.* límber.

передо́х||нуть *сов. разг.* die off; вся скоти́на ~ла all the cáttle have died off.

передохну́ть *сов. разг.* take*, *или* pause for, breath [...-eθ]; (*отдохнуть*) take* a short rest.

передра́знивание *с.* mímicry, mímicking.

передра́зн||ивать, передразни́ть (*вн.*) mímic (*d.*). **~и́ть** *сов. см.* передра́знивать.

передра́ться *сов.* (*с тв.*) *разг.* fight* (with).

передро́гнуть *сов. разг.* get* chilled through.

передружи́ться *сов.* (*с тв.*) *разг.* make* friends [...fre-] (with).

передря́г||а *ж. разг.* scrape; попа́сть в ~у ≅ get* into a scrape.

ПЕР – ПЕР

передýмать I *сов. см.* передýмывать.

передýмать II *сов.* (*вн.*) *разг.* (*обдýмать многое*) do a great deal of thinking [...-eɪt...].

передýмывать, передýмать (*изменять своё решение*) (think* it óver and) change one's mind [...tʃeɪ-...], think* bétter of it, have sécond thoughts [...'se-...].

передуши́||ть *сов.* (*вн.*) strangle (*d.*), smóther ['smʌ-] (*d.*): лиса́ ~ла мно́го кур the fox has killed many hens.

переды́шк||а *ж.* réspite, bréathing--spáce; дава́ть ~у (*дт.*) grant a réspite [-ɑ:nt...] (*i.*); не дава́я ни мину́ты ~и without a móment's réspite.

перееда́ние *с.* óver:eating, súrfeit [-fit].

перееда́ть I, **перее́сть** 1. (*рд.*) (*объеда́ться*) súrfeit [-fit] (on); (*без доп.*) óver:eat*; 2. (*вн.*) *разг.* (*есть больше другого*) out:éat* (*d.*), sùrpáss in éating (*d.*).

перееда́ть II, **перее́сть** (*вн.; о кислоте́*) corróde (*d.*); (*о ржа́вчине*) eat* a:wáy (*d.*).

перее́зд I *м.* 1. jóurney ['dʒə:-], pássage; (*по воде́*) cróssing 2. *ж.-д.* (*lével*) cróssing ['le-...]; (*на шоссе́*) híghway cróssing, cróssroads.

перее́зд II *м.* (*переселение*) remóval [-'mu:-]; (*в другой город*) léaving (for).

переезжа́ть I, **перее́хать** (*вн.; через*) cross (*d.*).

переезжа́ть II, **перее́хать** (*переселяться*) (re)móve [-'mu:v]; ~ на но́вую кварти́ру (re)móve to a new place (of résidence) [...-zɪ-], change one's lódgings [tʃeɪ-...]; ~ из Москвы́ в Ленингра́д (re)móve from Móscow to Léningràd.

перее́сть I, II *сов. см.* перееда́ть I, II.

перее́хать I, II *сов. см.* переезжа́ть I, II.

перее́хать III *сов.* (*вн.*) *разг.* (*задави́ть*) run* óver (*d.*); knock down (*d.*); его́ перее́хал по́езд he was run óver by a train.

пережа́ренный *прич. и прил.* òver:dóne, óver:róasted.

пережа́ривать, пережа́рить (*вн.; чрезме́рно*) òver:dó (*d.*), óver:róast (*d.*); ~ся, пережа́риться 1. be óver:dóne, be óver:róasted; 2. *страд. к* пережа́ривать.

пережа́рить I *сов. см.* пережа́ривать.

пережа́рить II *сов.* (*вн.; всё, мно́го*) roast (*d.*), fry (*d.*); (*ср.* жа́рить).

пережа́риться *сов. см.* пережа́риваться.

пережда́ть *сов. см.* пережида́ть.

пережева́ть *сов. см.* пережёвывать 1.

пережёвывать, пережева́ть (*вн.*) 1. másticàte (*d.*), chew (*d.*); 2. *тк. несов. разг.* (*повторять одно и то же*) repéat óver and óver agáin (*d.*).

пережени́||ть *сов.* (*вн.*) *разг.* márry off (*d.*). ~ться *сов. разг.* márry: они́ все ~лись they have / are all márried.

переже́чь *сов. см.* пережига́ть.

пережива́ние *с.* expérience; (*о чувстве*) féeling, emótion:al expérience.

пережива́ть, пережи́ть (*вн.*) 1. (*испы́тывать*) expérience (*d.*), go* through (*d.*); (*претерпева́ть*) endúre (*d.*), súffer (*d.*); (*без доп.; волнова́ться*) be upsét, wórry ['wʌ-]; тяжело́ ~ что-л. feel* smth. kéenly, take* smth. hard, have a hard time; 2. (*жить до́льше*) outlíve [-'lɪv] (*d.*), outlást (*d.*), survíve (*d.*).

пережига́ть, переже́чь (*вн.*) 1. burn* through (*d.*); 2. (*перерасходовать*) burn* more than one's quóta (of *fuel, electricity, etc.*).

пережида́ть, пережда́ть (*что-л.*) wait till (smth.) is óver; пережда́ть дождь wait till the rain is óver, *или* has stopped.

пережи́тое *с. скл. как прил. разг.* one's past, one's expérience.

пережи́т||ок *м.* survíval; (*остаток*) rémnant, véstige; искореня́ть ~ки капитали́зма в созна́нии люде́й root out the survívals of cápitalism from péople's minds [...pi:-...].

пережи́ть *сов. см.* пережива́ть.

пережо́г *м. тех.* óver:búrning.

перезабы́ть *сов.* (*вн.*) *разг.* forgét* [-'get] (*d.*): ~ всё, что знал forgét* all one ever knew.

перезакла́д *м.* ré:pàwning.

перезакла́дывать, перезаложи́ть (*вн.*) pawn agáin (*d.*), ré:pàwn (*d.*), put* back into pawn (*d.*); (*о недви́жимом иму́ществе*) mórtgage agáin ['mɔ:gɪdʒ...] (*d.*), ré-mórtgage [-'mɔ:gɪdʒ] (*d.*).

перезаключа́||ть, перезаключи́ть (*вн.*) renéw (*d.*); ~ догово́р renéw a cóntract. ~ние *с.* renéw:al. ~и́ть *сов. см.* перезаключа́ть.

перезало́||г *м.* = перезакла́д. ~жи́ть *сов. см.* перезакла́дывать.

перезаряди́ть(ся) *сов. см.* перезаряжа́ть(ся).

перезаряжа́ть, перезаряди́ть (*вн.*) ré--chàrge (*d.*); (*оружие тж.*) ré:lòad (*d.*). ~ся, перезаряди́ться 1. be / becóme* ré-chárged; 2. *страд. к* перезаряжа́ть.

перезва́нивать, перезвони́ть *разг.* 1. (*о колокола́х*) chime, ring* chimes; 2. (*по телефо́ну*) ring* up (once agáin) [...wʌns...].

перезво́н *м.* ríng:ing, chime.

перезвони́ть *сов. см.* перезва́нивать.

перезимова́ть *сов.* winter, pass the winter; ~ втору́ю, тре́тью зи́му spend* a sécond, third winter [...'se-...].

перезнако́мить *сов.* (*вн. с тв.*) *разг.* acquáint (*d.* with). ~ся *сов.* (*с тв.*) *разг.* get* / becóme* acquáinted (with).

перезрева́ть, перезре́ть becóme* óver:rìpe; (*перен.*) be past one's prime.

перезре́||лый óver:rìpe; (*перен.*) past one's prime. ~ть *сов. см.* перезрева́ть.

перезя́бнуть *сов. разг.* get* chilled.

переигра́ть I, II *сов. см.* переи́грывать I, II.

переигра́||ть III *сов.* (*вн.; всё, мно́го*) play (*d.*); perfórm (*d.*); (*об арти́сте тж.*) act (*d.*); тру́ппа ~ла весь свой репертуа́р the cómpany has álready perfórmed the whole répertoire [...'kʌm-...ɔ:l'reˌ-...hoʊl 'repətwɑ:].

переи́грывать I, **переигра́ть** (*вн.; за́ново*) play agáin (*d.*); (*перен.: реша́ть по-иному*) *разг.* change [tʃeɪ-] (*d.*); ~ игру́ begin* the game agáin, repláy.

переи́грыв||ать II, **переигра́ть** (*вн.*) *театр. разг.* óver:dó (*d.*), óver:áct (*d.*); он ~ает he òver:dóes it.

переизбира́ть, переизбра́ть (*вн.*) ré--eléct (*d.*).

переизбр||а́ние *с.* ré-eléction. ~а́ть *сов. см.* переизбира́ть.

переизд||ава́ть, переизда́ть (*вн.*) ré:pùblish [-'pʌ-] (*d.*), ré:prìnt (*d.*), ré:ìssue (*d.*). ~а́ние *с.* 1. (*действие*) ré-éditing, ré:pùblicátion [-pʌ-...], ré:ìssue; 2. (*книга*) new edítion; (*стереоти́пное*) ré:prìnt. ~а́ть *сов. см.* переиздава́ть.

переимено́ва||ние *с.* ré:náming, gíving a new name. ~ть *сов. см.* переимено́вывать.

переимено́вывать, переименова́ть (*вн.*) ré:náme (*d.*), give* a new name (*i.*).

переи́мчив||ость *ж. разг.* ímitàtive:ness. ~ый *разг.* ímitàtive.

переина́ч||ивать, переина́чить (*вн.*) *разг.* módify (*d.*), álter (*d.*); (*о смысле и т.п.*) misintérpret (*d.*), distórt (*d.*). ~ить *сов. см.* переина́чивать.

переиска́ть *сов.* (*вн.*) *разг.* search / look* éverywhère [sə:tʃ...]; он ~л всю́ду he has searched éverywhère.

перейти́ *сов. см.* переходи́ть.

перека́л *м. тех.* óver:héating, óver:témpering.

перекале́чить *сов.* (*вн.*) *разг.* cripple (*d.*), maim (*d.*), mútilàte (*d.*).

перека́ливать, перекали́ть (*вн.*) 1. *тех.* óver:témper (*d.*); 2. *разг.* (*о пе́чке и т.п.*) óver:héat (*d.*).

перекали́ть *сов. см.* перека́ливать.

перека́лывать, переколо́ть (*вн.; прикрепля́ть на друго́е ме́сто*) pin sóme:where else (*d.*); ~ с одного́ ме́ста на друго́е, куда́-л. *и т.п.* move from one place and pin in another, sóme:where, *etc.* [mu:v...] (*d.*): бант на́до переколо́ть the bow should be pinned sóme:where else [...boʊ...]; бант на́до переколо́ть на друго́е ме́сто the bow should be moved from this place and pinned in another.

перека́пывать, перекопа́ть (*вн.*) dig* óver agáin (*d.*).

перека́рмливать, перекорми́ть (*вн.*) óver:féed* (*d.*); (*кого-л. чем-л.*) súrfeit [-fit] (smb. on smth.).

перекати́-по́ле *с. тк. ед. бот.* báby's--breath [-breθ], túmble-weed; (*перен.: о челове́ке*) rólling stone.

перекати́ть(ся) *сов. см.* перека́тывать (-ся).

перека́ти||ый: голь ~ая *уст.* the dówn-and-outs *pl.*

перека́ты I *мн.* (*ед.* перека́т *м.*) (*мелково́дные участки в ру́сле реки́*) sand spits / bars, shállows.

перека́ты II *мн.* (*продолжи́тельный гул*) peals, rolls; ~ гро́ма peals of thúnder.

перека́тывать, перекати́ть (*вн.*) 1. roll / move sóme:where else [...mu:v...] (*d.*); ~ с одного́ ме́ста на друго́е, куда́-л. *и т.п.* roll / move from one place to another, sóme:where, *etc.* (*d.*): бо́чку на́до перекати́ть the bárrel should be moved sóme:where else; бо́чку на́до перекати́ть отсю́да в подва́л the bárrel should be moved out of this place into *the* céllar; 2. (*дальше како́го-л. преде́ла*) roll too far (*d.*), move too far (*d.*).

~ся, перекати́ться 1. roll (over); 2. (*слишком далеко*) roll too far; 3. *страд.* к перека́тывать.

перекача́ть *сов. см.* перека́чивать.

перека́чивать, перекача́ть (*вн.*) pump óver (*d.*).

перека́шивать, перекоси́ть 1. (*вн.*) warp (*d.*); 2. *чаще безл.*: у него́ переко́сило лицо́, его́ переко́сило his face becáme distórted; до́ску, ра́му и *т.п.* переко́сило the board, frame, *etc.*, has warped. **~ся**, перекоси́ться 1. warp, be warped, be wrenched out of shape; 2. (*о лице*) become* distórted; 3. *страд.* к перека́шивать.

переквалифика́ция *ж.* tráining for a new proféssion, rè-quàlificátion.

переквалифици́ровать *несов. и сов.* (*вн.*) train for a new proféssion (*d.*), rè-quálify (*d.*). **~ся** *несов. и сов.* 1. train for a new proféssion; 2. *страд.* к переквалифици́ровать.

перекида́ть *сов. см.* переки́дывать I.

перекидно́й: ~ мо́стик fóot-bridge ['fut-], gáng;way; ~ календа́рь lóose-leaf cálendar [-s-...].

переки́дывать I, перекида́ть (*вн.*) *разг.* (*одно за другим*) throw* (one áfter another) [θrou...] (*d.*).

переки́дывать II, переки́нуть = перебра́сывать.

переки́дываться, переки́нуться *разг.* = перебра́сываться.

переки́нуть *сов. см.* переки́дывать II. **~ся** *сов. см.* переки́дываться.

перекипа́ть, перекипе́ть boil (too long).

перекипе́ть *сов. см.* перекипа́ть.

перекипяти́ть *сов.* (*вн.*) boil agáin (*d.*).

переки́снуть *сов.* sour excéssive;ly, turn too sour.

пе́рекись *ж. хим.* peróxide, sùperóxide ['hai-...]; ~ водоро́да hýdrogen peróxide ['hai-...]; ~ ма́рганца mánganèse peróxide, permánganate.

перекла́дина *ж.* 1. cróss-beam, cróss-piece [-pi:s]; (*козёл*) tránsom; 2. *спорт.* horizóntal bar.

переклади||ы́е *мн. скл. как прил. ист.* póst-hòrses ['poust-], reláy-hòrses; е́хать на ~ы́х trável by póst-chaise, *или* by reláy [-æv'l...'poustfeiz...].

перекла́дывать I, переложи́ть (*вн.; перемеща́ть*) shift (*d.*), move [mu:v] (*d.*); put* / place sóme;where else (*d.*); (*перен.; о ноше, ответственности и т.п.*) shift off (*d.*); ~ руль *мор.* put* the helm óver.

перекла́дывать II, переложи́ть (*вн. тв.*) interláy* (*d.* with); ~ посу́ду соло́мой pack cróckery betwéen láyers of straw.

перекла́дывать III, переложи́ть (*заново*) set* up, *или* put in, agáin; ~ пе́чку set* *the* stove up agáin.

перекла́дывать IV, переложи́ть (*рд.*; *класть слишком много*) put* too much (*d.*); ~ со́ли, са́хара и *т.п.* put* too much salt, súgar, *etc.* [...ʃu-...].

перекла́дывать V, переложи́ть (*вн.*) (*излага́ть в другой форме*) arránge [ə'rei-] (*d.*); (*в другую тональность*) transpóse (*d.*); ~ на му́зыку set* to músic [...-zık] (*d.*); переложи́ть в стихи́ put* into verse (*d.*).

перекле́ивать I, перекле́ить (*вн.*) (*столя́рным клеем*) glue sóme;where else (*d.*); (*мучны́м клеем*) paste sóme;where else [pei-...] (*d.*); ~ с одного́ ме́ста на друго́е, куда́-л. *и т.п.* move from one place and glue, *или* paste, in another, sóme;where, *etc.* [mu:v...].

перекле́ивать II, перекле́ить (*вн.*; *заново*) rè-stíck (*d.*); (*столя́рным клеем*) glue agáin (*d.*), glue afrésh (*d.*); (*мучны́м клеем*) rè-páste [-'pei-] (*d.*).

перекле́ить I, II *сов. см.* перекле́ивать I, II.

перекле́йка I *ж.* (*действие*) rè-stícking.

перекле́йка II *ж.* (*многослойная фанера*) plýwood [-wud].

перекли́каться 1. call to one another; 2. (*с чем-л.*; *перен.*) have sóme;thing in cómmon (with smth.).

перекли́чк||а *ж.* cáll-òver, róll-càll; де́лать ~у call (óver) the roll; 2.: ~ городо́в (*по радио*) bróadcàst exchánge of méssages betwéen towns ['brɔ:d-tʃeɪndʒ...].

переключа́тель *м. тех.* switch.

переключ||а́ть, переключи́ть (*вн.*) *тех.* switch (*d.*); (*вн. на вн.*; *перен.*) switch (*d.* óver to): ~ ток switch the cúrrent; ~ разгово́р на другу́ю те́му switch / turn the cònversátion to another súbject; ~ заво́д на произво́дство тра́кторов и *т.п.* switch the works óver to the prodúction of tráctors, *etc.* **~а́ться**, переключи́ться 1. *тех.* switch; (на *вн.*; *перен.*) switch óver (to); заво́д ~и́лся на произво́дство тра́кторов и *т.п.* the works switched óver to the prodúction of tráctors, *etc.*; он преподава́л францу́зский язы́к, а зате́м ~и́лся на англи́йский he taught French, then he took up téaching English [...'iŋg-]; he taught French, then he went in for teaching English; 2. *страд. к* переключа́ть. ~ е́ние *с. тех.* switching; (на *вн.*; *перен.*) switching óver (to).

переключи́ть(ся) *сов. см.* переключа́ть(ся).

перекова́ть I, II *сов. см.* переко́вывать I, II.

перекова́ться *сов. см.* переко́вываться II.

перекова́ться *сов. см.* переко́вываться II.

переко́вка I *ж.* (*лошади*) rè-shóe;ing [-'ʃu:-].

переко́вка II *ж. тех.* rè-fórging.

переко́вывать I, перекова́ть (*вн.; о лошади*) rè-shóe [-'ʃu:] (*d.*).

переко́вывать II, перекова́ть 1. (*вн.; заново*) rè-fórge (*d.*); 2. (*вн. на вн.*) forge (out of *d.*), hámmer (out of *d.*), beat* (out of *d.*); ~ мечи́ на ора́ла *уст.* beat* one's swords into plóughshàres [...sɔ:dz...].

переко́вываться I *страд.* к переко́вывать.

переко́вываться II, перекова́ться 1. *разг.* (*перевоспи́тываться*) refórm (be rè-educated); 2. *страд. к* переко́вывать II.

перекоди́ровать *сов.* (*вн.*) rè-códe (*d.*).

перекола́чивать, переколоти́ть (*вн.*) nail sóme;where else (*d.*); ~ с одного́ ме́ста на друго́е, куда́-л. *и т.п.* take* from one place and nail in another, sóme;where, *etc.* (*d.*): ~ по́лку nail *the* shelf* sóme;where else (*d.*); ~ по́лку с одно́й стены́ на другу́ю nail / move *the* shelf* from one wall to another [...mu:v...].

переколоти́ть I *сов. см.* перекола́чивать.

переколоти́ть II *сов.* (*вн.*) *разг.* (*переби́ть*) smash (*d.*), break* [-eik] (*d.*): ~ все таре́лки smash / break* all the plates.

переколо́ть I *сов. см.* перека́лывать.

переколо́ть II *сов.* (*вн.*) *разг.* (*исколо́ть*) prick all óver (*d.*).

переколо́ть III *сов.* (*вн.*; *о дрова́х*) chop (*d.*), hew (*d.*).

перекопа́ть *сов. см.* перека́пывать.

перекорми́ть *сов. см.* перека́рмливать.

переко́ры *мн. разг.* squabble *sg.*

перекоря́ться *разг.* squabble.

переко́с *м.* warp; (*перен.*) *разг.* defect, fault.

перекоси́ть(ся) *сов. см.* перека́шивать(-ся).

перекочева́ть *сов. см.* перекочёвывать.

перекочёвывать, перекочева́ть move on [mu:v...]; (*мигрировать*) mígrate ['mai-].

переко́шенн||ый 1. *прич. см.* перека́шивать; 2. *прил.*: ~ое лицо́ twisted / distórted / convúlsed féatures *pl.*

перекра́ивать, перекро́йть (*вн.*) cut* out agáin (*d.*); (*перен.*; *переде́лывать*) rè-sháре (*d.*); ~ ка́рту ми́ра rè-dráw* the map of the world.

перекра́сить I *сов. см.* перекра́шивать.

перекра́сить II *сов.* (*вн.*; *всё, много*) cólour ['kʌlə] (*d.*); (*о ткани, волоса́х*) dye (*d.*); (*ср.* кра́сить).

перекра́ситься *сов. см.* перекра́шиваться.

перекра́шивать, перекра́сить (*вн.*) rè-cólour [-'kʌlə] (*d.*), rè-páint (*d.*); (*о тка́ни, волоса́х*) rè-dýe (*d.*). **~ся**, перекра́ситься 1. change cólour [tʃeındʒ 'kʌl-]; (*перен.*) become* a túrncoat; 2. *страд.* к перекра́шивать.

перекрести́ть I *сов. см.* перекре́щивать.

перекрести́ть II *сов. см.* крести́ть II.

перекрести́ть III *сов.* (*вн.*) *уст. разг.* (*дать новое имя кому-л.*) rè-náme (*d.*).

перекрести́ться I *сов. см.* перекре́щиваться.

перекрести́ться II *сов. см.* крести́ться II.

перекрёстн||ый cross; ~ допро́с cróss-exàminátion; ~ая ссы́лка cróss-rèference; ~ ого́нь *воен.* cróss-fìre; ~ое опыле́ние *бот.* cróss-pòllinátion.

перекрёст||ок *м.* cróssroads, cróssing; на ~ке at a cróssroads; ◊ крича́ть на всех ~ках *разг.* ≃ shout from the house-tòps [...-s-].

перекре́щивать, перекрести́ть (*вн.*; *о линиях и т.п.*) cross (*d.*). **~ся**, перекрести́ться (*о линиях и т.п.*) cross, interséct.

перекрича́ть *сов.* (*вн.*) outvóice (*d.*), shout down (*d.*); де́ти стара́лись ~ друг дру́га the children tried to shout one another down.

перекро́ить *сов. см.* перекра́ивать.

ПЕР – ПЕР

перекро́йка *ж.* cútting out agáin.
перекрути́ть *сов. см.* перекру́чивать.
перекру́чивать, перекрути́ть (*вн.*; *о пружине и т. п.*) óver⁞wind* (*d.*).
перекрыва́ть I, **перекры́ть** (*вн.*; *покрывать заново*) ré-cóver [-'кл-] (*d.*); ~ кры́шу make* a new roof.
перекрыва́ть II, **перекры́ть** (*вн.*) 1. *разг.* (*превышать — о норме и т. п.*) excéed (*d.*); перекры́ть реко́рд break* a récord [breɪk ...'re-]; 2. *карт.* (*козырем*) trump (*d.*); (*старшим козырем*) óver⁞trump (*d.*); 3. (*делать преграду в чём-л.*) stop up (*d.*), block (*d.*); (*выключать*) cut* off (*d.*); перекры́ть во́ду cut* off the wáter [...'wɔː-]; ~ ру́сло реки́ (*плотиной*) dam a river [...'rɪ-]; перекры́ть доро́ги block the roads, set* up róad-blòcks; 4. *тех.* òver⁞láp (*d.*).
перекры́тие *с.* 1. *арх.* floor [flɔː], céiling ['siːl-], óver⁞héad cóver [-'hed 'кл-]; 2. *тех.* òver⁞láp(ping); 3. (*русла реки и т. п.*) dámming.
перекры́ть I, II *сов. см.* перекрыва́ть I, II.
перекувырну́ть *сов.* (*вн.*) *разг.* ùpsét* (*d.*), òver⁞túrn (*d.*). ~ся *сов.* tópple óver; (*в воздухе*) turn a sómersault [...'sʌ-].
перекупа́ть I, **перекупи́ть** (*вн.*) òut⁞-bíd* (*d.*).
перекупа́ть II *сов.* (*вн.*) bath (*d.*): ~ всех дете́й give* all the chíldren a bath.
перекупа́ть III *сов.* (*вн.*) *разг.* (*слишком долго продержать в воде*) bathe too long [beɪð...] (*d.*).
перекупа́ться I *страд. к* перекупа́ть I.
перекупа́ться II *сов.* bathe too long [beɪð...], stay in wáter too long [...'wɔː-...].
перекупи́ть *сов. см.* перекупа́ть I.
переку́пщи‖**к** *м.,* ~**ца** *ж.* sécond-hànd déaler ['se-...].
переку́р *м. разг.* smoke break [...breɪk].
переку́ривать, перекури́ть 1. (*куря, пробовать сорта табака*) have smoked many sorts of tobácco; 2. (*причинять себе вред курением*) have smoked too much; 3. (*покурить в перерыве в работе*) have a short break (dúring work) for smóking [...breɪk...].
перекури́ть *сов. см.* переку́ривать.
перекуса́ть *сов.* (*вн.*) bite* (*d.*).
перекуси́ть *сов.* 1. (*вн.*) cut* / bite* through (*d.*); 2. (*без доп.*) *разг.* (*закусить*) have a bite / snack, snatch a móuthful.
перелага́ть = перекла́дывать V.
перела́мывать, переломи́ть (*вн.*) break* in two [-eɪk...] (*d.*); (*о ноге, руке и т. п.*) break* (*d.*), frácture (*d.*); (*перен.*: *преодолевать*) òver⁞cóme* (*d.*); ~ себя́ máster one's self, restráin one's féelings; переломи́ть свой хара́ктер change one's cháracter [tʃeɪ... 'kæ-]. ~ся, переломи́ться 1. break* in two [-eɪk...]; (*о руке, ноге и т. п.*) break*, be fráctured; 2. *страд. к* перела́мывать.
переле́жать *сов.* 1. lie too long (*in the sun, etc.*); 2. (*о фруктах и т. п.*) be rótten (*because of long stórage*).

перелеза́ть, переле́зть climb óver [-aɪm...], get* óver; (*через*) climb (óver), get* (óver): он переле́з и спры́гнул вниз he climbed / got óver and jumped down; он переле́з че́рез забо́р he climbed / got óver the fence.
переле́зть *сов. см.* перелеза́ть.
переле́сок *м.* copse, cóppice.
перелёт *м.* 1. (*птиц*) trànsmigrátion [-zmaɪ-]; 2. (*самолёта*) flight: беспоса́дочный ~ nón-stóp flight; 3. (*пули, снаряда*) shot óver the tárget [...-gɪt]; ~! óver!
перелет‖**а́ть, перелете́ть** 1. fly* óver; (*через*) fly* (óver): пти́ца с трудо́м ~е́ла the bird flew óver with dífficulty; пти́ца ~е́ла че́рез забо́р the bird flew óver the fence; 2. (*на другое место*) fly* sóme⁞where else; ~ с одного́ ме́ста на друго́е, куда́-л. *и т. п.* fly* from one place to another, sóme⁞where, *etc.*: пти́ца ~е́ла с одного́ куста́ на друго́й the bird flew from one bush to another [...bʊʃ...]; 3. (*о снаряде и т. п.*) fly too far; óver⁞shóot* (the mark).
перелете́ть *сов. см.* перелета́ть.
перелётн‖**ый:** ~ая пти́ца bird of pássage.
переле́чь *сов.* 1. lie* down sóme⁞where else; move [muːv]; он переля́жет he will lie down, *или* make his bed, sóme⁞where else; ~ с дива́на на крова́ть move from the sófa to the bed; 2. (*лечь иначе*) change one's position [tʃeɪ-...-'zɪ-]; ~ с одного́ бо́ка на друго́й turn from one side to the other, turn óver.
перелива́ние *с.* 1. póuring ['pɔː-]; 2. *мед.* trànsfúsion; ~ кро́ви blood trànsfúsion [-ʌd...].
перелива́ть I, **перели́ть** (*вн.*) 1. pour sóme⁞where else [pɔː...] (*d.*); ~ из одного́ стака́на в друго́й pour from one glass into another; молоко́ ну́жно перели́ть из ча́шки в стака́н the milk should be poured from the cup into a glass; 2. *мед.*: ~ кровь кому́-л. give* smb. a blood trànsfúsion [...-ʌd...]; ◊ ~ из пусто́го в поро́жнее *погов.* ≅ beat* the air, mill the wind [...wɪ-]; lábour in vain.
перелива́ть II, **перели́ть** (*вн.*; *через край*) let* óver⁞flów [...-oʊ] (*d.*): он перели́л молоко́ че́рез край he let the milk òver⁞flów.
перелива́ть III, **перели́ть** (*вн.*; *отливать заново*) ré-cást* (*d.*); (*вн. на вн.*) cast* (out of) (*d.*); ста́тую пришло́сь перели́ть the státue had to be ré⁞cást; ~ колокола́ на пу́шки melt down bells for guns.
перелива́ть IV (*о красках*) play; ~ всеми цветами радуги be iridescent.
перели‖**ва́ться** I, **перели́ться** flow sóme⁞where else [-oʊ...]; ~ из одного́ ме́ста в друго́е, куда́-л. *и т. п.* flow from one place into another, sóme⁞where, *etc.*: вода́ ~ла́сь из одно́й колбы в другу́ю the wáter flowed from one retórt into another [...'wɔː-...].
перели‖**ва́ться** II, **перели́ться** (*через край*) òver⁞flów [-oʊ], run* óver; (*через*) flow (óver), run* (óver): вода́ ~ла́сь че́рез край the wáter òver⁞flówed, *или* ran óver [...'wɔː-...]; вода́ ~ла́сь че́рез край сосу́да the wáter flowed / ran óver the

edge of the véssel; the véssel is brímming óver.
перелива́ться III *страд. к* перелива́ть I, II, III.
перелива́ться IV (*о красках*) play; (*о звуках*) módulàte; ~ всеми цвета́ми ра́дуги be irídescent.
перели́вка *ж. тех.* ré⁞cásting, cásting.
перели́вчатый (*о красках*) irídescent; (*о голосе*) módulàting.
перели́вы *мн.* (*красок*) tints, tínges; play *sg.*; (*звуков*) mòdulátions.
перелиста́ть *сов. см.* перели́стывать.
перели́стывать, перелиста́ть (*вн.*) 1. (*страницы*) turn óver (*d.*); leaf (*d.*); 2. (*бегло просматривать*) look through (*d.*).
перели́ть I, II, III *сов. см.* перелива́ть I, II, III.
перели́ться I, II *сов. см.* перелива́ться I, II.
перелицева́ть *сов. см.* перелицо́вывать.
перелицо́в‖**анный** *прич. и прил.* turned. ~**ка** *ж.* túrning: ~ка пальто́ túrning of the coat.
перелицо́вывать, перелицева́ть (*вн.*) turn (*d.*); (*сдавая в перелицовку*) have turned (*d.*): ~ пальто́ turn a coat; (*сдавая в перелицовку*) have a coat turned.
перелови́ть *сов.* (*вн.*) catch* (*d.*): ~ всех птиц catch* all the birds.
перело́г *м. с.-х.* fállow, fállow land.
переложе́ние *с.* 1. *муз.* (*для других инструментов*) árrange⁞ment [ə'reɪ-]; (*на другую тональность*) trànsposítion [-'zɪ-]; 2. (*на стихи*) vèrsificátion; 3. (*пересказ*) èxposítion [-'zɪ-].
переложи́ть I, II, III, IV, V *сов. см.* перекла́дывать I, II, III, IV, V.
перело́м *м.* 1. break [breɪk], bréaking ['breɪk-]; (*кости*) fracture; 2. (*резкая перемена*) súdden change [...tʃeɪ-]; (*в болезни*) crísis [-aɪs-] (*pl.* críses [-aɪsiːz]); (*поворотный пункт*) túrning-point; год вели́кого ~а the year of the great change [...greɪt...]; доби́ться коренно́го ~а bring* abóut a fùndaméntal ímprove⁞ment / change [...-'pruːv-...].
перелома́ть *сов.* (*вн.*) break* (*d.*): он перелома́л все игру́шки he has bróken all his toys. ~ся *сов. разг.* break*, be bróken: все игру́шки перелома́лись all the toys are bróken.
переломи́ть(ся) *сов. см.* перела́мывать(ся).
перело́мный *прил. к* перело́м 2; ~ моме́нт túrning-point; crítical / crúcial moment.
перелопа́тить *сов. см.* перелопа́чивать.
перелопа́чивать, перелопа́тить *с.-х.* shóvel ['ʃʌ-] (*d.*).
перема́зать *сов.* (*вн.*) *разг.* (*испачкать*) soil (*d.*); (*вн. тв.*) make* dírty (*d.* with), dirty (*d.* with); (*краской*) bedáub (*d.* with). ~ся *сов. разг.* soil òne⁞sélf, besméar òne⁞sélf.
перема́лывать I, **перемоло́ть** (*вн.*) grind* (*d.*), mill (*d.*); (*перен.*) púlverize (*d.*).
перема́лывать II, **перемоло́ть** (*вн.*; *заново*) grind* agáin (*d.*), mill agáin (*d.*).
перема́н‖**ивать, перемани́ть** (*вн.*) *разг.* entíce (*d.*); перемани́ть кого́-л. на свою́

сто́рону win* / gain smb. óver. ~и́ть сов. см. перема́нивать.

перема́тывание с. текст. ré:winding.

перема́тывать, перемота́ть (вн.) 1. wind* (d.); (на катушку) reel (d.); 2. (заново) ré:wind* (d.); (на катушку) ré-réel (d.).

перема́хивать, перемахну́ть разг. (перескакивать) jump óver; (через) leap* (óver).

перемахну́ть сов. см. перема́хивать.

перемежа́||ть (вн. тв.) álternàte (d. with). ~ться (с тв.) álternàte (with); снег ~лся с гра́дом snow álternàted with hail [snou...], it snowed and hailed by turns [...snou-...]. ~ющийся 1. прич. см. перемежа́ться; 2. прил. intermíttent; ~ющаяся лихора́дка мед. intermíttent féver, remíttent féver.

перемежева́ть сов. см. перемежёвывать.

перемежёвывать, перемежева́ть (вн.) súrvey agáin (d.), ré:súrvey (d.).

переме́н||а ж. 1. change [tʃeɪ-]; (во взглядах, политике и т.п.) vólte-fàce [-fɑːs]; ре́зкая ~ súdden change; ~ обстано́вки change of situátion; ~ декора́ции change of scénery [...ˈsiː-]; 2. школ. ínterval, break [-eɪk], intermíssion; recéss; больша́я ~ long / mídday break [...breɪk]; 3. (комплект белья) change of únderwear [...-weə]; (постельного) change of béd-lìnen [...-lɪ-]. ~и́ть сов. см. переменя́ть. ~и́ться сов. 1. см. переменя́ться; 2. (к; изменить своё отношение) change [tʃeɪndʒ] (to); ~и́ться к кому́-л. change towards smb., change one's áttitude towards smb.

переме́нн||ый váriable; ~ая пого́да chánge:able / váriable wéather [ˈtʃeɪ-... -we-], ~ ве́тер váriable wind [...wɪ-]; ~ая о́блачность váriable cloud; ~ капита́л эк. váriable cápital; ~ая величина́ мат. váriable (quántity); ~ ток эл. álternàting cúrrent.

переме́нчив||ость ж. chánge:abílity [tʃeɪ-]. ~ый chánge:able [ˈtʃeɪ-]. ~ая пого́да chánge:able wéather [...ˈweðə].

перемен||я́ть, переменя́ть (вн.) change [tʃeɪ-] (d.); ~я́ть тон change one's tune; ~я́ть пози́цию (в споре) shift one's ground; ~я́ть кни́гу в библиоте́ке change a book at the library [...ˈlaɪ-]. ~я́ться, переменя́ться 1. change [tʃeɪ-]; он ~и́лся в лице́ he changed cóuntenance; времена́ ~и́лись times have changed; ~я́ться к лу́чшему, ху́дшему change for the bétter, the worse; 2. страд. к переменя́ть.

перемерза́ть, перемёрзнуть разг. get* chilled, freeze*.

перемёрзнуть I сов. см. перемерза́ть.

перемёрз||нуть II сов. (о растениях — погибнуть от мороза) be nipped / caught by the frost; все цветы́ ~ли all the flówers were nipped by the frost.

переме́ривать, переме́рить (вн.) ré-méasure [-ˈmeʒə] (d.).

переме́рить I сов. см. переме́ривать.

переме́рить II сов. (вн.; всё, много) try on (d.): ~ все пальто́ try on all the coats.

перемеси́ть сов. см. переме́шивать II.

перемести́ть(ся) сов. см. перемеща́ть(-ся).

переме́т м. рыб. seine [seɪn, siːn].

перемета́ть сов. см. перемётывать.

переме́тить I сов. см. перемеча́ть.

переме́тить II сов. (вн.; всё, много) mark (d.): ~ всё бельё mark all the línen [...ˈlɪ-].

перемётну́ться сов. разг.: ~ на сто́рону врага́ desért to the énemy [-ˈzɜːt...].

перемётн||ый; ~ые су́мы, ~ые су́мки sáddle-bàgs; ◇ сума́ ~ая ≅ wéather-còck [ˈweðə-], wéather-vàne [ˈweðə-].

перемётывать, перемета́ть (вн.; заново) baste agáin [beɪ-...] (d.).

перемеча́ть, переме́тить (вн.) mark agáin (d.); (изменять метку) change the mark [tʃeɪ-...] (on).

переме́шивать I, перемеси́ть сов. см. переме́шиваться I.

переме́шивать I, перемеша́ть (вн.) 1. (смешивать) inter:mix (d.), intermíngle (d.); 2. (перемещать) shúffle (d.); ~ у́гли в пе́чке poke the fire in a stove; 3. разг. (приводить в беспорядок) confúse (d.); 4. разг. (принимать одно за другое) mix up (d.), confúse (d.).

переме́шивать II, перемеси́ть (вн.) (о тесте и т.п.) knead (d.).

переме́шиваться I, перемеша́ться 1. разг. (смешиваться) get* mixed up; 2. страд. к переме́шивать I.

переме́шиваться II страд. к переме́шивать II.

перемеща́ть, перемести́ть (вн.) move sóme:where else [muːv...]; (переводить куда-л.) tránsfer sóme:where else (d.); ~ с одного́ ме́ста на друго́е, куда́-л. и т.п. move / tránsfer from one place to another, sóme:where, etc. (d.): ме́бель на́до перемести́ть the fúrniture should be moved sóme:where else; жильцо́в до́ма на́до перемести́ть the inhábitants of the house* should be moved / tránsférred sóme:where else [...haus...]; ме́бель на́до перемести́ть из ко́мнаты в коридо́р the fúrniture should be moved from the room into the córridòr. ~ся, перемести́ться 1. move [muːv], shift; 2. страд. к перемеща́ть.

перемеще́ни||е с. 1. tránsference, shift, displáce:ment; ~ ли́нии фро́нта shift of the front [...-ʌnt]; ~я в кабине́те мини́стров cábinet ré:shúffle sg., ministérial chánges [...ˈtʃeɪ-]; 2. геол. dislocátion, displáce:ment; 3. тех. trável [ˈtræ-].

перемещённ||ый прич. см. перемеща́ть; ~ые ли́ца displáced pérsons.

переми́г||иваться, перемигну́ться (с тв.) разг. wink (at); (между собой) wink (at each other). ~ну́ться сов. см. переми́гиваться.

перемина́ться: ~ с ноги́ на́ ногу разг. ≅ shift from one foot to the other [...fut...].

переми́рие с. ármistice, truce; заключи́ть ~ con:clúde a truce, con:clúde / sign an ármistice [...saɪn...].

перемножа́ть, перемно́жить (вн.) мат. múltiplỳ (d.).

перемно́жить сов. см. перемножа́ть.

перемога́ть, перемо́чь (вн.) разг. òver:cóme* (d.); несов. тж. try to òver:cóme (d.). ~ся, перемо́чься разг. òver:cóme* an illness; make* óne:sélf keep gó:ing; несов. тж. try to óver:cóme an illness, try to keep gó:ing.

перемо́кнуть сов. get* drenched.

перемо́л м. с.-х. ré-grínd(ing).

перемола́чивать, перемолоти́ть (вн.) thresh / thrash agáin.

перемо́лвить сов. разг.: ~ сло́во (с тв.) exchánge a word [-ˈtʃeɪ-...] (with); не́ с кем сло́ва ~ there is no one to exchánge a word with. ~ся сов. разг.: ~ся не́сколькими слова́ми (с тв.) exchánge a few words [-ˈtʃeɪ-...] (with).

перемолоти́ть I сов. см. перемола́чивать.

перемолоти́ть II сов. (вн.; всё, много) thresh (d.), thrash (d.).

перемоло́ть I сов. см. перема́лывать I.

перемоло́ть II сов. см. перема́лывать II.

перемоло́ть III сов. (вн.; всё, много) grind* (d.), mill (d.). ~ся сов. grind*, mill; ◇ переме́лется — мука́ бу́дет посл. ≅ things will come right (in the end), all this trouble will pass a:wáy [...trʌ-...].

перемонти́ровать сов. (вн.) тех. mount agáin (d.), ré-móunt (d.).

переморо́зить сов. (вн.) разг. spoil* by chílling (d.).

перемости́ть сов. (вн.) rè:páve (d.), pave agáin (d.).

перемота́ть сов. см. перема́тывать.

перемо́чь(ся) сов. см. перемога́ть(ся).

перемудри́ть сов. разг. be too cléver by half [...ˈklevə... hɑːf].

перемучиться сов. разг. have súffered very much.

перемыва́ть, перемы́ть (вн.) wash up agáin (d.); ◇ ~ кому́-л. ко́сточки разг. ≅ pick smb. to píeces [...ˈpiːs-].

перемы́ть I сов. см. перемыва́ть.

перемы́ть II сов. (вн.; всё, много) wash up (d.).

перемы́чка ж. 1. стр. straight arch; búlkhead [-hed]; (плотины) cóffer-dàm; 2. тех. cróssspiece [-piːs], bridge.

перенапряга́ть, перенапря́чь (вн.) óver:stráin (d.). ~ся, перенапря́чься óver:stráin óne:sélf.

перенапряже́ние с. 1. óver:stráin, óver:exértion; 2. эл. óver:vóltage.

перенапря́чь(ся) сов. см. перенапряга́ть(ся).

перенаселе́ние с. эк. óver:populátion.

перенаселённ||ость ж. óver:populátion. ~ый прич. и прил. óver:pópulàted, óver:péopled [-ˈpiː-]; (о жилищах и т.п.) óver:crówded.

перенасели́ть сов. см. перенаселя́ть.

перенаселя́ть, перенасели́ть (вн.) óver:pópulàte (d.).

перенасы́тить сов. см. перенасыща́ть.

перенасыща́ть, перенасы́тить (вн.) хим. óver:sáturàte (d.).

перенасы́щенный прич. и прил. хим. óver:sáturàted.

перенесе́ние с. tránsference, trànspòrtátion.

перенести́ I, II сов. см. переноси́ть I, II.

перенести́сь сов. см. переноси́ться.

ПЕР – ПЕР

перенима́ть, переня́ть (*вн.*) adópt (*d.*); (*подражать*) ímitàte (*d.*); переня́ть чей-л. о́пыт, чьи-л. мéthods adópt smb.'s méthods.

переномерова́ть = перенумерова́ть.

перено́с *м.* 1. cárrying òver, tránsfèr; ~ огня́ *воен.* shift of fire; 2. (*части слова*) divísion of a word; 3. *разг.* (*знак переноса*) hýphen ['haɪ-].

переноси́мый (*выносимый*) béarable ['bɛə-], endúrable.

переноси́ть I, перенести́ (*вн.*) 1. cárry sòmewhère else (*d.*); (*об учреждениях и т. п.*) trànsfér sòmewhère else (*d.*); ~ с одного́ ме́ста на друго́е, куда́-л. *и т. п.* cárry / trànsfér from one place to another, sòmewhère, *etc.* (*d.*); ~ ого́нь (на *вн.*) *воен.* shift / switch / lift the fire (to); 2. (*о слове*) cárry òver to the next line (*d.*); 3. (*откладывать*) put* off (*d.*), pòstpóne [poust-] (*d.*); заседа́ние бы́ло перенесено́ (на *вн.*) the méeting was adjóurned [...ə'dʒɜ:nd] (till).

переноси́ть II, перенести́ (*вн.*; *терпеть — о боли и т. п.*) endúre (*d.*), bear* [bɛə] (*d.*), stand* (*d.*); (*об оскорблении, наказании и т. п.*) take* (*d.*); ~ боле́знь have an íllness; перенести́ мно́го го́ря go* through much sórrow; он э́того не перено́сит he can't bear / stand it [...ka:nt...].

переноси́ться, перенести́сь 1. be cárried; (*перен.; в мыслях*) be cárried awáy; 2. *страд.* к переноси́ть I.

перено́сица *ж.* bridge of the nose.

перено́с||**ка** *ж.* *разг.* cárrying from place to place; для ~ки for cárrying púrposes [...-sɪz]. ~ный 1. pórtable; 2. *лингв.* (*о значении*) fígurative, mètaphórical; в ~ном смы́сле in a fígurative sense, fíguratively.

перено́сч||**ик** *м.*, ~**ица** *ж.* cárrier; ~ боле́зни cárrier of a diséase [...-'zi:z]; ~ слу́хов, новосте́й spréader of rúmours ['spre-...], télltàle, rúmour-mònger [-mʌ-].

перено́сье *с. уст.* = перено́сица.

переночева́ть *сов.* spend* the night.

перенумерова́ть *сов.* (*вн.*) 1. númber (*d.*); ~ страни́цы (*рд.*) page (*d.*); 2. (*заново*) rénúmber (*d.*).

переня́ть *сов. см.* перенима́ть.

переобору́дов||**ание** *с.* rè-equípment. ~**ать** *несов. и сов.* (*вн.*) rè-equíp (*d.*).

переобремени́ть *сов. см.* переобременя́ть.

переобременя́ть, переобремени́ть (*вн. тв.*) òverbúrden (*d.* with).

переобува́ть, переобу́ть 1. (*кого-л.*) change smb.'s shoes [tʃeɪ-...ʃu:z]; 2. (*что-либо*) change (smth.); ~ сапоги́ change one's boots. ~**ся**, переобу́ться 1. change one's shoes, boots, *etc.* [tʃeɪ-...ʃu:z...]; 2. *страд.* к переобува́ть.

переобу́ть(**ся**) *сов. см.* переобува́ть(-ся).

переодева́ние *с.* 1. chánging clothes [tʃeɪ- -ouðz]; 2. (*маскировка*) disguíse.

переодева́ть, переоде́ть 1. (*кого-л.*) change smb.'s clothes [tʃeɪ-... -ouðz]; она́ переоде́ла де́вочку в бе́лое пла́тье she changed the girl's dress for *a* white one; 2. (*кого-л.; с целью маскарада, маскировки*) disguíse (smb.); (*кого-л. тв.*) disguíse (smb. as); (*кого-л. в вн.*) disguíse (smb. in); 3. (*что-л.*) *разг.* change (smth.); ~ пла́тье, ю́бку *и т. п.* change one's dress, skirt, *etc.* ~**ся**, переоде́ться 1. change (one's clothes) [tʃeɪ-...-ouðz]; (в *вн.*) change (into); 2. (в *вн.*; *с целью маскарада, маскировки*) disguíse òneself (in); (*тв.*) disguíse òneself (as); ~ся в чье-л. пла́тье disguíse òneself in smb.'s cóstùme; ~ся же́нщиной disguíse òneself as a wóman* [...'wu-]; 3. *страд.* к переодева́ть.

переоде́||**тый** 1. *прич. см.* переодева́ть 1, 2; 2. *прил.* (*тв.*; *замаскированный*) disguísed (as), in the disguíse (of). ~**ть**(**ся**) *сов. см.* переодева́ть(ся).

переосвиде́тельствование *с. мед.* rè-examinátion.

переосвиде́тельствовать *несов. и сов.* (*вн.*) *мед.* rè-exámine (*d.*), subjéct to a rè-examinátion (*d.*). ~**ся** *несов. и сов. мед.* be rè-exámined, be subjécted to a rè-examinátion.

переохлади́ть(**ся**) *сов. см.* переохлажда́ть(ся).

переохлажд||**а́ть**, переохлади́ть (*вн.*) sùpercóol (*d.*). ~**а́ться**, переохлади́ться becòme* too cold. ~**е́ние** *с.* 1. becòming too cold; 2. *физ.* sùpercóoling.

переоце́нивать I, переоцени́ть (*вн.*; *давать слишком высокую оценку*) òverèstimàte (*d.*), òverráte (*d.*); ~ свои́ си́лы òverèstimàte / òverráte one's abílities; bite* off more than one can chew *идиом.*; тру́дно переоцени́ть значе́ние э́того фа́кта the impórtance of this fact can scárcely be exággeràted [...-ɛəs-...].

переоце́нивать II, переоцени́ть (*вн.*; *снова оценивать*) réválue (*d.*), rèappráise (*d.*).

переоцени́ть I, II *сов. см.* переоце́нивать I, II.

переоце́нка I *ж.* (*слишком высокая оценка*) òverèstimátion.

переоце́нка II *ж.* (*заново*) rèvàluátion, rèappráisal [-zəl]; ~ це́нностей rèappráisal of válues.

перепа́д *м. тех.* òverfàll.

перепад||**а́ть**, перепа́сть *разг.* 1. (*изредка выпадать*): ~ют дожди́ it rains now and then, it is ráining on and off; 2. *безл.* (*дт.*) come* one's way; ему́ ма́ло перепа́ло little came his way.

перепа́ивать I, перепа́ять (*вн.*) sólder all òver agáin ['sɔl-...] (*d.*).

перепа́ивать II, перепои́ть (*вн.*) give* too much to drink (*i.*); (*вином и т. п.*) make* drunk (*d.*), ply with too much wine (*d.*); (*о животных*) wáter too much ['wɔ:-...].

перепа́лка *ж. разг.* 1. *уст.* (*стрельба*) skírmish; 2. (*перебранка*) high words *pl.*, squábble, wrángle.

перепа́ривать, перепа́рить (*вн.*) stew too much (*d.*).

перепа́рить *сов. см.* перепа́ривать.

перепа́рхивать, перепорхну́ть flútter / flit (sòmewhère else); ~ с одного́ на друго́е, куда́-л. *и т. п.* flútter / flit from one place to another, sòmewhère, *etc.*

перепа́сть *сов. см.* перепада́ть.

перепаха́ть *сов. см.* перепа́хивать.

перепа́хивать, перепаха́ть (*вн.*) *с.-х.* plough up agáin (*d.*).

перепа́чкать *сов.* (*вн.*) soil all òver (*d.*), make* dírty all òver (*d.*). ~**ся** *сов.* make* òneself dírty.

перепа́шка *ж. с.-х.* plóughing up agáin.

перепая́ть *сов.* 1. *см.* перепа́ивать I; 2. (*всё, много чего-л.*) sólder all the ['sɔl-...] (*d.*).

перепе́в *м.* réhàsh.

перепева́ть (*вн.*) réhàsh (*d.*).

перепек||**а́ть**, перепе́чь (*вн.*) òverbáke (*d.*). ~**ся**, перепе́чься be òverbáked.

пе́репел *м.* quail.

перепелена́ть *сов.* (*вн.*): ~ ребёнка change *a* baby [tʃeɪ-...], change *a* baby's nápkin / díaper.

перепели́ный *прил.* к пе́репел.

перепёлка *ж.* fémale quail ['fi:-...].

перепеля́тник *м.* 1. (*охотник*) quáil- -shòoter; 2. *зоол.* (spárrow-)hawk.

перепе́рчить *сов.* (*вн.*) put* too much pépper (into).

перепеча́т||**ать** *сов. см.* перепеча́тывать. ~**ка** *ж.* réprìnt(ing); ~ка воспреща́ется cópyright (resérved) [...-'zə:-].

перепеча́тывать, перепеча́тать (*вн.*) 1. (*на машинке*) type (*d.*); 2. (*заново*) réprìnt (*d.*); (*на машинке*) rétýpe (*d.*).

перепе́чь I *сов. см.* перепека́ть.

перепе́чь II *сов.* (*вн.*; *всё, много*) bake (*d.*).

перепе́чься *сов. см.* перепека́ться.

перепи||**ва́ться**, перепи́ться *разг.* get* complétely drunk; drink* òneself únder the table.

перепи́ливать, перепили́ть (*вн.*; *пополам*) saw* in two (*d.*).

перепили́ть I *сов. см.* перепи́ливать.

перепили́ть II *сов.* (*вн.*; *всё, много*) saw* (*d.*): ~ все дрова́ saw* up all the fírewood [...-wud].

переписа́ть I, II *сов. см.* перепи́сывать I, II.

перепи́с||**ка** *ж.* 1. (*действие*) cópying; (*на машинке*) týping; 2. (*корреспонденция*) còrrespóndence; быть в ~ке (с *тв.*) be in còrrespóndence (with); 3. *собир.* (*письма*) còrrespóndence; létters *pl.* ~**чик** *м.*, ~**чица** *ж.* cópyist; (*на машинке*) týpist ['taɪ-]. ~**ывание** *с.* cópying; (*на машинке*) týping.

перепи́сывать I, переписа́ть (*вн.*) 1. (*заново*) réwrìte* (*d.*); (*на пишущей машинке*) rétýpe (*d.*); ~ на́бело make* a fair cópy [...'kɔ-] (of), write* out fair (*d.*); 2. (*списывать*) récòpy [-'kɔ-] (*d.*).

перепи́сывать II, переписа́ть (*вн.*; *составлять список*) make* a list (of); (*для статистики*) take* a cénsus (of); переписа́ть всех take* down, *или* régister, éverybody's names.

перепи́сываться I, II *страд.* к перепи́сывать I, II.

перепи́сываться III (с *тв.*) còrrespónd (with), be in còrrespóndence (with).

пе́репись *ж.* cénsus; всео́бщая ~ населе́ния géneral cénsus of the pòpulátion.

перепи́ть *сов. разг.* 1. (*рд.*; *выпить слишком много*) drink* excéssively (*d.*); 2. (*вн.*; *выпить больше другого*) òutdrínk* (*d.*).

перепи́ться *сов. см.* перепива́ться.

перепла́вить I, II *сов. см.* переплавля́ть I, II.

переплавля́ть I, перепла́вить (*вн.*; *о руде*) smelt (*d.*); (*о металле*) melt (*d.*).

переплавля́ть II, перепла́вить (*вн.*; *о лесоматериалах*; *по воде*) float (*d.*); (*на плоту*) raft (*d.*).

переплани́ровать *сов.* (*вн.*) ré-plán (*d.*), álter plan (of).

переплани́ровка *ж.* ré-plánning.

перепла́т‖**а** *ж. разг.* súrplus páyment, óver-páyment. ~**и́ть** *сов. см.* перепла́чивать.

перепла́чивать, переплати́ть (*вн. дт.*) óver⸗páy* (*d.* to); (*дт. вн. за вн.*) óver⸗páy* (*i. d.* for).

переплести́ I, II *сов. см.* переплета́ть I, II.

переплести́сь *сов. см.* переплета́ться I.

переплёт *м.* 1. (*действие*) bínding; отдава́ть что-л. в ~ have smth. bound; 2. (*книги*) bínding, bóok-cóver [-kʌl-]; 3. (*оконный*) tránsom, (window-)sàsh; ◇ попа́сть в ~ *разг.* ≃ get* into a scrape / mess, get* into trouble [...trʌbl].

переплета́ть I, переплести́ 1. (*вн. тв.*) interláce (*d.* with), interknít (*d.* with); 2. (*о книге и т. п.*) bind* (*d.*).

переплета́ть II, переплести́ (*вн.*; *заново*) (*о косе*) plait agáin [plæt...] (*d.*), ré-pláit [-ˈplæt] (*d.*); braid agáin, ré-bráid (*d.*).

переплет‖**а́ться** I, переплести́сь 1. interláce, interwéave*; (*перен.*) become* / get* entángled; те́сно ~ (*с тв.*) be close⸗ly interwóven [...-s-...] (with); собы́тия ~а́лись things got mixed up, all sorts of things háppened at once [...wʌns]; 2. *страд.* к переплета́ть I.

переплета́ться II *страд.* к переплета́ть II.

переплете́ние *с.* 1. (*действие*) interwéaving, interlácing; 2. (*то, что сплетено между собой*) web, tangle; ~ обстоя́тельств tangle of círcumstances; 3. *текст.* weave.

переплёт‖**ная** *ж. скл. как прил.* bínd⸗ery, bóokbinder's shop. ~**ный** *прил.* к переплёт; ~ная мастерска́я = перепле́тная; ~ный цех bóokbinder's shop. ~**чик** *м.* bóokbinder.

переплыва́ть, переплы́ть swim* acróss; (*в лодке*) row acróss [rou...]; (*на корабле и т. п.*) sail acróss; (*на пароме*) férry acróss; (*вн., через*) cross (*d.*); (*вплавь*) swim* (acróss); (*в лодке*) row (acróss); (*на корабле и т. п.*) sail (acróss); (*на пароме*) férry (acróss).

переплы́ть *сов. см.* переплыва́ть.

переплю́нуть *сов.* (*вн.*) *разг.* spit* fúrther than (*d.*); (*перен.*) do bétter than (*d.*), súrpass (*d.*).

перепля́с *м.* Rússian fólk-dànce [-ˈʃɑn...].

переподгота́вливать, переподгото́вить (*вн.*) ré-tráin (*d.*).

переподгото́в‖**ить** *сов. см.* переподгота́вливать. ~**ка** *ж.* ré⸗tráining, fúrther tráining [-ðə...]; ку́рсы по ~ке refrésher cóurses [...ˈkɔː-].

перепо́йть I *сов. см.* перепа́ивать II.

перепо́‖**йть** II *сов.* (*вн.*) *разг.* (*всех, многих*) give* too much to drink (*i.*); make* drunk (*d.*); их всех ~и́ли they have all been given too much to drink, they were all drunk.

перепо́‖**й** *м.*: с ~о́я, с ~о́ю becáuse of, *или* áfter, drínking too much álcohòl [-kɔz...]; becáuse of a háng-over.

переполза́ть, переползти́ crawl óver, creep* óver; (*через*) crawl (óver), creep* (óver); он с трудо́м переполз he crawled / crept óver with difficulty; он перепо́лз че́рез кана́ву he crawled óver *the* ditch; he crossed the ditch on hands and knees.

переползти́ *сов. см.* переполза́ть.

переполне́ние *с.* 1. (*о трамвае, поезде*) òver⸗cròwding; 2.: ~ желу́дка *мед.* replétion.

перепо́лнить(ся) *сов. см.* переполня́ть(-ся).

переполня́ть, перепо́лнить (*вн. тв.*) óver⸗fill (*d.* with); (*вн.*; *о помещении*) óver⸗crówd (*d.*); (*перен.*; *о чувстве и т. п.*) fill (*d.*). ~**ся**, перепо́лниться 1. óver⸗fill; (*через край*) óver⸗brím; òver⸗flów [-ou] (*тж. перен.*); (*о помещении*) be óver⸗crówded; моё се́рдце перепо́лнилось ра́достью my heart óver⸗flówed with joy [...hɑːt...]; 2. *страд.* к переполня́ть.

переполо́ть *сов.* (*вн.*) weed (*d.*); (*заново*) weed agáin (*d.*).

переполо́‖**х** *м.* alárm, commótion, flúrry; подня́ть ~ cause alárm. ~**ши́ть** *сов.* (*вн.*) *разг.* alárm (*d.*), excíte (*d.*); flúrry (*d.*). ~**ши́ться** *сов. разг.* get* excíted, take* alárm.

перепо́нка *ж.* mémbrane; *зоол.* web; бараба́нная ~ *анат.* éar-drum; týmpanum (*pl.* -nums, -na) *научн.*

перепончатокры́л‖**ые** *мн. скл. как прил. зоол.* hymenóptera [haɪ-]. ~**ый** *зоол.* hymenópterous [haɪ-].

перепо́нчатый mèmbráneous, mémbranous; *зоол.* webbed; wéb-footed [-fut-].

перепо́ртить *сов.* (*вн.*) spoil* (*d.*), rúin (*d.*). ~**ся** *сов. разг.* be / get* rúined / spoiled.

перепоруча́ть, перепоручи́ть (что-л. кому́-л.) turn (smth. óver to smb. else): ~ веде́ние де́ла друго́му защи́тнику turn one's case óver to another láwyer [...keɪs...].

перепоручи́ть *сов. см.* перепоруча́ть.

перепорхну́ть *сов. см.* перепа́рхивать.

перепоя́саться *сов. см.* перепоя́сываться.

перепоя́сываться, перепоя́саться gird* òne⸗sélf [g-...].

перепра́ва *ж.* pássage, cróssing; (*брод*) ford; ~ че́рез ре́ку rìver cróssing [ˈrɪ-...]; деса́нтная ~ *воен.* férrying (acróss); морска́я паро́мная ~ train férry; car férry.

перепра́вить I, II *сов. см.* переправля́ть I, II.

перепра́виться *сов. см.* переправля́ться III.

переправля́ть I, перепра́вить (*вн.*) 1. convéy (*d.*); take* acróss (*d.*); (*на пароме*) férry óver / acróss (*d.*); 2. (*о пи́сьмах, посы́лках и т. п.*) fórward (*d.*).

переправля́ть II, перепра́вить (*вн.*) *разг.* (*исправлять*) corréct (*d.*).

переправля́ться I, II *страд.* к переправля́ть I, II.

переправля́ться III, перепра́виться swim* acróss; (*в лодке*) row acróss [rou...]; (*на корабле и т. п.*) sail acróss; (*на пароме*) férry óver / acróss; (*через*) cross (*d.*); (*вплавь*) swim* (acróss); (*в лодке*) row (acróss); (*на корабле и т. п.*) sail (acróss); (*на пароме*) férry (óver, acróss); они́ перепра́вились (*вплавь*) и вы́шли на бе́рег they swam acróss and came out on the bank; они́ перепра́вились че́рез ре́ку they crossed the river [...ˈrɪ-]; они́ перепра́вились че́рез ре́ку на паро́ме they férried acróss the river.

перепра́вочн‖**ый**: ~ые сре́дства means of convéyance / tránsfer.

перепрева́ть, перепре́ть 1. (*гнить*) rot; 2. *разг.* (*слишком долго вариться*) be óver⸗dóne; тушёное мя́со перепре́ло the stew is óver⸗dóne.

перепре́лый (*сгнивший — о листьях и т. п.*) rótten.

перепре́ть *сов. см.* перепрева́ть.

перепро́бовать *сов.* (*вн.*) 1. (*на вкус*) taste [teɪ-] (*d.*); 2. *разг.* (*испытать много чего-л.*) try (*d.*).

перепрод‖**ава́ть**, перепрода́ть (*вн.*) ré⸗séll* (*d.*). ~**а́жа** *ж.* ré⸗sále. ~**а́ть** *сов. см.* перепродава́ть.

перепроизво́дств‖**о** *с. эк.* óver⸗prodúction; кри́зис ~а óver⸗prodúction crísis (*pl.* -sès [-siːz]).

перепры́гивать, перепры́гнуть jump óver; (*вн., через*) jump (óver).

перепры́гнуть *сов. см.* перепры́гивать.

перепряга́ть, перепря́чь (*вн.*) 1. (*заново*) ré⸗hárness (*d.*); 2. (*менять лошадей и т. п.*) change [tʃeɪ-] (*d.*).

перепря́чь *сов. см.* перепряга́ть.

перепу́г *м.*: с ~у *разг.* in one's fright. ~**анный** *прич. и прил.* frightened.

перепуга́ть *сов.* (*вн.*) frighten (*d.*), give* a fright / turn (*i.*), scare (*d.*). ~**ся** *сов.* get* a fright, get* frightened.

перепу́тать(ся) *сов. см.* перепу́тывать(-ся).

перепу́тывать, перепу́тать (*вн.*) 1. entángle (*d.*); (*приводить в беспорядок*) muddle up (*d.*); 2. *разг.* (*принимать одно за другое*) confúse (*d.*), mix up (*d.*). ~**ся**, перепу́таться 1. get* entángled; 2. get* confúsed, *или* mixed up (*ср.* перепу́тывать); 3. *страд.* к перепу́тывать.

перепу́тье *с.* cróss-roads; на ~ (*перен.*) at the cróss-roads, at the crítical túrning-point.

перераба́тывать I, перерабо́тать 1. (*вн. в вн.*) *тех.* prócess (*d.* into); work (*d.* into); convért (*d.* to); 2. (*вн.*; *переделывать*) ré⸗máke* (*d.*); ~ статью́ ré-cást* an árticle.

перераба́тывать II, перерабо́тать *разг.* 1. (*вн.*) (*работать дольше положенного времени*) exceéd the fixed hours of work [...auəz...], work long hours; 2. *без доп.* (*утомляться*) óver⸗wórk.

перераба́тываться I *страд.* к перераба́тывать I.

перераба́тываться II, перерабо́таться òver⸗wórk.

перераба́тывающ‖**ий**: ~ая промы́шленность prócess⸗ing índustry.

ПЕР – ПЕР

перерабо́тать I, II *сов. см.* перераба́тывать I, II.

перерабо́таться *сов. см.* перераба́тываться II.

перерабо́т||ка I *ж.* 1. *тех.* pró̇cess:ing; tréatment; промы́шленность по ~ке сельскохозя́йственного сырья́ pró̇du̇ce pró̇cess:ing índustry; 2. (*переделка*) ré:máking.

перерабо́тка II *ж. разг.* (*работа сверх нормы*) óver:time work.

перераспределе́ние *с.* ré:distribútion. ~и́ть *сов. см.* перераспределя́ть.

перераспределя́ть, перераспредели́ть (*вн.*) ré:distríbute (*d.*).

перераста́ние *с.* 1. outgrówing [-'grou-]; 2. (*во что-л.; превращение*) devélopment (into); grówing ['grou-] (into).

перераста́ть, перерасти́ 1. (*вн.*) (óver:)tóp (*d.*); outgrów* [-'grou] (*d.*), outstríp (*d.*) (*тж. перен.*); он уже́ переро́с отца́ he is alréady táller than his fáther [...ɔː'reː... 'faː-]; 2. (*в вн.; превращаться*) devélop [-'ve-] (into), grow* [grou] (into); 3. (*без доп.; становиться по возрасту старше, чем требуется для чего-л.*) be too old (for).

перерасти́ *сов. см.* перераста́ть.

перерасхо́д *м.* 1. óver-expénditure; 2. *фин.* óver:draft. ~овать *несов. и сов.* (*вн.*) 1. spend* to excéss (*d.*); 2. *фин.* óver:draw* (*d.*).

перерасчёт *м.* ré-càlculátion; сде́лать ~ (*рд.*) make* a fresh account (of).

перерва́ть *сов. см.* перерыва́ть I. ~ся *сов. см.* перерыва́ться I.

перерегистра́ция *ж.* ré-règistrátion.

перерегистри́ровать *несов. и сов.* (*вн.*) ré-régister (*d.*). ~ся 1. *несов. и сов.* ré-régister; 2. *страд. к* перерегистри́ровать.

перере́зать I *сов. см.* перереза́ть.

перере́зать II *сов.* (*вн.*; *зарезать всех, многих*) kill (*d.*), sláughter (*d.*).

перереза́ть, перере́зать (*вн.*) 1. cut* (*d.*); верёвку cut* *the* rope; 2. (*преграждать путь*) cut* off (*d.*); ~ кому́-л. доро́гу block smb.'s path; ~ неприя́телю путь к отступле́нию cut* off the énemy's line of retréat; 3. (*местность*) break* [-eɪk] (*d.*).

перереша́ть I, перереши́ть 1. (*принимать другое решение*) change one's decísion [tʃeɪ-...], change one's mind; 2. (*вн.; решать иначе*) перереши́ть зада́чу solve a próblem in anóther way [...'prɔ-...].

перереша́ть II *сов.* (*вн.*; всё, мно́го) solve (*d.*): ~ все зада́чи solve all the próblems [...'prɔ-].

переши́ть *сов. см.* переша́ть I.

перержа́веть *сов.* 1. rust, be cóvered with rust [...'kʌ-...]; 2. (*разломаться от ржавчины*) rust through.

перерисова́ть *сов. см.* перерисо́вывать.

перерисо́вка *ж.* cópying.

перерисо́вывать, перерисова́ть (*вн.*) 1. (*заново*) draw* agáin (*d.*); 2. (*срисовывать*) cópy ['kɔ-] (*d.*).

перероди́ть(ся) *сов. см.* перерожда́ть(-ся).

перерожда́ть, переродить (*вн.*) regénerate (*d.*), make* a new man* (of).

~ся, переродиться 1. be ré-bórn; take* on a new life; regénerate; 2. (*вырожда́ться*) degénerate; 3. *страд. к* перерожда́ть.

перерожде́нец *м. презр.* degénerate, rénegáde.

перерожде́ние *с.* 1. regenerátion; 2. (*вырождение*) degenerátion; 3. *презр.* (*утрата прежнего мировоззрения*) degenerátion.

переро́сток *м. разг.* óver-áge júvenile; téen-áger too old to quálify.

переруба́ть, перерубить (*вн.*) cut* in (-to) two (*d.*), chop / cut* / hew asúnder (*d.*); (*о бревне*) chop in(to) two (*d.*).

переруби́ть *сов. см.* перерубать.

переруга́ть *сов.* (*вн.*) *разг.* abúse (*d.*).

переруга́ться *сов.* (*с тв.*) *разг.* quárrel (with), fall* out (with).

переру́гиваться *разг.* quárrel, squábble; ~ друг с дру́гом quárrel / squábble with one anóther.

переры́в *м.* interrúption; break [-eɪk], intermíssion; (*промежуток*) ínterval; ~ на де́сять мину́т ten mínutes' ínterval [...'mɪnɪts...]; обе́денный ~ dínner break; без ~а without a break; ле́тний ~ (*в работе, занятиях*) súmmer recéss; по́сле 8-дне́вного ~а (*в совещании*) áfter an 8-day recéss, áfter an adjóurnment of 8 days [...ə'dʒəːn-...]; сде́лать ~ на ле́тние *и т. п.* кани́кулы (*о парламенте и т. п.*) go* into súmmer, *etc.*, recéss, rise* for the súmmer, *etc.*, recéss; без ~ов without interrúption / intermíssion; с ~ами off and on.

перерыва́ть I, перерва́ть (*вн.*; *разрывать*) break* [-eɪk] (*d.*); tear* asúnder [tɛə...] (*d.*).

перерыва́ть II, переры́ть (*вн.*) 1. (*перекапывать*) dig* up (*d.*); (*перен.*; *о бумагах и т. п.*) rúmmage (among, in, through); 2. (*заново*) dig* agáin (*d.*).

перерыва́ться I, перерва́ться 1. break* [-eɪk]; 2. *страд. к* перерыва́ть I.

перерыва́ться II *страд. к* перерыва́ть II.

переры́ть *сов. см.* перерыва́ть II.

переряди́ть(ся) *сов. см.* переряжа́ть(-ся).

переряжа́ть, переряди́ть (кого́-л.) *разг.* dis:guíse (smb.); (кого́-л. кем-л.) dis:guíse (smb. as smb.), dress (smb.) up (as smb.); (кого́-л. в вн.) dis:guíse (smb. in). ~ся, переряди́ться 1. (*в вн.*) dis:guíse òne:sélf (in); (*тв.*) dis:guíse òne:sélf (as); 2. *страд. к* переряжа́ть.

переса́ди́ть I, II *сов. см.* переса́живать I, II.

переса́д||ка I *ж. с.-х., мед.* trans:plàntátion [-lɑːn-]; (*о растениях тж.*) ré:plàntátion [-ɑːn-]; (*о живой ткани тж.*) gráfting; опера́ция по ~ке се́рдца heart trans:plànt óperation [hɑːt -lɑː-...].

переса́д||ка II *ж. ж.-д.* tránsfèr; change (of cárriage / train) [tʃeɪ-... -rɪdʒ-...]; в Ленингра́д без ~ки no change for Léningràd, (straight) through to Léningràd. ~очный *прил. к* переса́дка II; ~очный биле́т tránsfèr.

переса́живать I, пересади́ть (*вн.*; *заставлять пересесть*) make* smb. change his seat [...tʃeɪ-...]: преподава́тель пересади́л ученико́в *the* téacher made *the* pu̇pils change their seats, *или* moved his pu̇pils round [...muː-...].

переса́живать II, пересади́ть (*вн.*) *с.-х., мед.* transplánt [-ɑːnt] (*d.*); (*о живой ткани тж.*) graft (*d.*).

переса́живаться I, пересе́сть 1. take* anóther seat; change pláces [tʃeɪ-...], exchánge seats [-'tʃeɪ-...]; 2. *ж.-д.* change cárriages / trains [...-rɪdʒɪz...]; 3. *страд. к* переса́живать I.

переса́живаться II *страд. к* переса́живать II.

переса́ливать, пересоли́ть (*вн.*) put* too much salt (in); (*без доп.; перен.*) òver:dó it, go* too far.

пересдава́ть, пересда́ть (*вн.*) 1. *разг.* (*об экзамене, зачёте*) ré:táke* (*d.*); ~ экза́мен repéat an exàminátion; ré-sít* an exàminátion; 2. (*в картах*) deal* (round) again (*d.*), ré-déal* (*d.*).

пересда́ть *сов. см.* пересдава́ть.

пересда́ча *ж. разг.*: ~ экза́мена repéating an exàminátion; ré-sítting an exàminátion.

переседла́ть *сов.* (*вн.*; *заново*) ré-sáddle (*d.*).

пересека́||ть, пересе́чь (*вн.*) cross (*d.*), travérse (*d.*); interséct (*d.*); (*о линиях, лучах и т. п.*) cut* (*d.*); пересе́чь у́лицу cross the street; ~ кому́-л. путь, доро́гу *и т. п.* cut* smb. off; cross smb.'s path. ~ться, пересе́чься 1. cross, intersect; 2. *страд. к* пересека́ть. ~ющийся *прич. и прил.* cróssing, intersécting; ~ющиеся ли́нии cróssing lines.

пересел́ён||ец *м.* mígrant, mígrátor [maɪ-]; séttler; (*иммигрант*) ímmigrant. ~ие *с.* 1. migrátion [maɪ-], èmigrátion, trànsmigrátion [-maɪ-]; (*иммиграция*) immigrátion; ré:séttle:ment; вели́кое ~ие наро́дов *ист.* the great migrátion of peoples [...-eɪt... piː-]; 2. (*с квартиры на квартиру*) move [muːv]. ~ческий *прил. к* переселе́ние 1.

пересели́ть(ся) *сов. см.* переселя́ть (-ся).

переселя́ть, пересели́ть (*вн.*) move [muːv] (*d.*); (*на новые земли*) ré:séttle (*d.*); ~ на но́вую кварти́ру move to a new place (of résidence) [...-zɪ-] (*d.*). ~ся, пересели́ться 1. move [muːv], mígráte [maɪ-], trànsmígráte [-maɪ-]; ~ся на но́вую кварти́ру move to *a* new place (of résidence) [...-zɪ-], change one's lódgings [tʃeɪ-...]; 2. *страд. к* переселя́ть.

пересе́сть *сов. см.* переса́живаться I.

пересече́ни||е *с.* cróssing, interséction; то́чка ~я point of interséction.

пересечё́нн||ый 1. *прич. см.* пересека́ть; 2. *прил.*: ~ая ме́стность bróken ground, rúgged cóuntry [...'kʌ-].

пересе́чь(ся) *сов. см.* пересека́ть(-ся).

переси́деть *сов. см.* переси́живать.

переси́живать, пересиде́ть 1. (*вн.*) *разг.* (*сидеть дольше кого-л.*) outstáy (*d.*); 2. (*сидеть где-л. дольше, чем следует*) sit* / stay too long.

переси́лить, переси́лить (*вн.*) òver:pówer (*d.*); (*перен.; о боли, чувстве и т. п.*) òver:cóme* (*d.*), máster (*d.*).

переси́лить *сов. см.* переси́ливать.

переси́нивать I, переси́ни́ть (*вн.*) òver:blúe (*d.*).

переси́нивать II, переси́ни́ть (*вн.*; *заново*) blue all óver agáin (*d.*).

пересини́ть I, II *сов. см.* переси́нивать I, II.

переска́з *м.* 1. (*действие*) rétélling, narrátion; 2. (*изложение*) expósition [-'zɪ-], réndering. ~а́ть *сов. см.* пересказывать.

переска́зывать, пересказа́ть (*вн.*) rétéll* (*d.*).

переска́кивать, перескочи́ть 1. jump óver; (*вн.*, *через*) jump (óver); vault (óver); (*перен.*; *при чтении*) skip (óver); он перескочи́л и побежа́л да́льше he jumped óver and ran on; он перескочи́л (че́рез) кана́ву he jumped óver a ditch; 2. (*с рд. на вн., к*) skip (from to): ~ с одно́й те́мы на другу́ю skip from one tópic to another.

перескочи́ть *сов. см.* переска́кивать.

пересласти́ть *сов.* (*вн.*) *разг.* make* too sweet (*d.*), put* too much súgar [...'ʃu-] (into), óver-swéeten (*d.*).

пересла́ть *сов. см.* пересыла́ть.

пересма́тривать I, пересмотре́ть (*вн.*) 1. (*о книге, статье и т. п.*) go* óver agáin (*d.*), revíse (*d.*); 2. (*в поисках чего-л.*) look óver (*d.*), go* through (*d.*).

пересма́тривать II, пересмотре́ть (*с целью изменения*) revíse (*d.*); (*о приговоре*) revíew [-'vju:] (*d.*); (*о решении*) revíse (*d.*), revíew (*d.*), récónsíder [-'sɪ-] (*d.*); ~ ста́рые но́рмы revíse old norms.

пересме́ивать, пересмея́ть (*вн.*) *разг.* mock (*d.*), make* fun of (*d.*).

пересме́иваться (*с тв.*) *разг.* exchánge smíles [-'tʃeɪ-] (with).

пересме́на *ж.*, **пересме́нка** *ж.* *разг.* ínterval between shifts.

пересме́шн||**ик** *м.* 1. *разг.* mócker; 2. (*птица*) mócking-bìrd. ~**ица** *ж.* к пересме́шник 1.

пересмея́ть *сов. см.* пересме́ивать.

пересмо́тр *м.* revísion; (*приговора*) revíew [-'vju:]; (*судебного дела*) re̋trial; (*решения*) recònsiderátion.

пересмотре́ть I, II *сов. см.* пересма́тривать I, II.

пересмотре́ть III *сов.* (*вн.*; *повидать много чего-л.*) go* óver (*d.*), have gone all through [...gɔn...] (*d.*), look óver (*d.*), have seen (*d.*).

переснима́ть, перенести́ (*вн.*) 1. (*о копии*) make* a cópy [...'kɔ-] (of) (*d.*); 2. *разг.* (*о фотографии*) make* another phóto̱grȧph (of). ~**ся**, пересня́ться 1. *разг.* have another phóto̱grȧph táken; 2. *страд.* к переснима́ть.

пересня́ть(**ся**) *сов. см.* переснима́ть(-ся).

пересоздава́ть, пересозда́ть (*вн.*) re̋créate (*d.*).

пересозда́ть *сов. см.* пересоздава́ть.

пересо́л *м.* too much salt; *посл.* недосо́л на столе́, а ~ на спине́ *посл.* ≅ bétter too líttle than too much. ~**и́ть** *сов. см.* переса́ливать.

пересортир||**ова́ть** *сов.* (*вн.*) re̋assórt (*d.*). ~**о́вка** *ж.* re̋assórting.

пересо́ртица *ж.* re̋gráding (*of goods*).

пересо́хнуть *сов. см.* пересыха́ть.

переспа́ть *сов. разг.* 1. (*спать слишком долго*) óverslèep*; 2. (*переночевать*) spend* the night.

переспева́ть, переспе́ть *разг.* get* too ripe.

переспе́лый óver̥rípe.

переспе́ть *сов. см.* переспева́ть.

переспо́р||**ить** *сов.* (*вн.*) *разг.* out-árgue (*d.*); deféat in árgument (*d.*); его́ не ~ишь there's no árguing with him, he must have the last word, he is álways in the right [...'ɔ:lwəz...].

переспра́шивать, переспроси́ть (*вн.*) ask agáin (*d.*); (*просить повторить*) ask to repéat (*d.*).

переспроси́ть I *сов. см.* переспра́шивать.

переспроси́ть II *сов.* (*вн.*; *всех, многих*) ask (*d.*); quéstion [-stʃ-] (*d.*); ~ всех ученико́в ask / quéstion all the púpils.

переccо́рить *сов.* (*вн.*) *разг.* cause to quárrel (*d.*); set* at váriance (*d.*); ~ ста́рых друзе́й cause old friends to quárrel [...'fre-...], start a quárrel between old friends. ~**ся** *сов.* *разг.* quárrel / break* [...-eɪk] (with), fall* out (with).

переставл||**я́ть**, переста́ть stop; (*постепенно*) cease [-s]; дождь переста́л the rain has stopped; переста́ть притворя́ться abándon all preténce; переста́нь те разгова́ривать! stop tálking!; не ~а́я incéssantly.

переста́вить *сов. см.* переставля́ть.

переставля́ть, переста́вить (*вн.*) move [muːv] (*d.*), shift (*d.*); tránspóse (*d.*); (*перемещать*) re̋arránge [-'reɪ-] (*d.*); ◊ е́ле но́ги ~ be hárdly áble to drag one's legs alóng.

переста́ивать, пересто́ять 1. (*портиться от долгого стояния*) stand* too long; 2. (*вн.*) *разг.* (*пережидать*) wait until (*d.*) pásses, wait for (*d.*) to pass; пересто́ять бу́рю в порту́ wait in hárbour till the storm pásses. ~**ся**, пересто́яться be left to stand too long.

переста́новка *ж.* 1. tránsposítion [-'zɪ-]; (*перемещение*) re̋arránge̋ment [-'reɪ-]; 2. *мат.* pèrmutátion.

перестара́ться *сов. разг.* óver̥dó it, try too hard.

переста́рок *м.* *разг.* pérson óver age.

переста́ть *сов. см.* перестава́ть.

перестели́ть *сов. разг.* = перестла́ть.

перестила́ть, перестла́ть (*вн.*) 1.: ~ посте́ль re̋máke* a bed; 2. (*досками*) board (*d.*); ~ пол в ко́мнате re̋flóor a room [-'flɔː...].

перести́лка *ж.* 1.: ~ посте́ли re̋máking of a bed; 2.: ~ по́ла в ко́мнате re̋flóoring of a room [-'flɔː-...].

перестира́ть I *сов. см.* перести́рывать.

перестира́ть II *сов.* (*вн.; всё, много*) wash (*d.*); ~ всё бельё wash all the línen [...'lɪ-].

перести́рывать, перестира́ть (*вн.*) wash agáin (*d.*), re̋-wásh (*d.*).

перестла́ть *сов. см.* перестила́ть.

пересто́ять(**ся**) *сов. см.* переста́ивать(-ся).

перестрада́ть *сов.* súffer (a great deal) [...-eɪt...], have súffered, have gone through much súffering [...gɔn...].

перестра́ивать, перестро́ить (*вн.*) 1. (*о доме и т. п.*) re̋búild* [-'bɪld] (*d.*), re̋constrúct (*d.*); 2. *муз.* tune (*d.*), attúne (*d.*); 3. *рад.* switch óver (*d.*).

ПЕР – ПЕР　　　　　**П**

перестра́ивать II, перестро́ить (*вн.*) 1. (*реорганизовывать*) re̋órganize (*d.*); ~ на вое́нный лад put* on a war fóoting [...'fut-] (*d.*); 2. *воен.* re̋fórm (*d.*).

перестра́иваться I, перестро́иться 1. re̋form; impróve one's méthods of work [-ruːv...]; 2. (на *вн.*) *рад.* switch óver (to): ~ на коро́ткую волну́ switch óver, *или* re̋túne, to short waves; 3. *страд.* к перестра́ивать I.

перестра́иваться II, перестро́иться 1. *воен.* re̋fórm; 2. *страд.* к перестра́ивать II.

перестрахова́ть(**ся**) *сов. см.* перестрахо́вывать(-ся).

перестрахо́в||**ка** *ж.* re̋insúrance [-'ʃuə-]; (*перен.*) *неодобр.* óver̥cáutious̥ness, pláying safe, "double insúrance" [dʌ-'ʃuə-]. ~**щик** *м.* *неодобр.* óver̥cáutious pérson, adhérent of pólicy of "pláying safe".

перестрахо́вывать, перестрахова́ть (*вн.*) re̋insúre [-'ʃuə] (*d.*). ~**ся**, перестрахова́ться 1. get* re̋insúred [...-'ʃuəd]; (*перен.*) *неодобр.* play safe, be óver̥cáutious (to avóid responsibílity); 2. *страд.* к перестрахо́вывать.

перестре́л||**иваться** exchánge fire [-'tʃeɪ-...], fire (at each other). ~**ка** *ж.* exchánge of fire [-'tʃeɪ-...], skírmish.

перестреля́ть I *сов.* (*вн.*; *убить*) shoot* (down) (*d.*).

перестреля́ть II *сов.* (*вн.*; *израсхо́довать*) use up (*d.*); ~ все патро́ны use up all the cártridges.

перестрое́ние *с.* *воен.* re̋formátion.

перестро́ить(**ся**) I, II *сов. см.* перестра́ивать(-ся) I, II.

перестро́йка *ж.* 1. (*здания*) re̋búilding [-'bɪl-], re̋constrúction; 2. (*идеологическая*) re̋òrientátion; 3. (*реорганизация*) re̋òrganizátion [-naɪ-]; ~ рабо́ты re̋òrganizátion of work, re̋formátion of procédure [...-'siːdʒə]; социалисти́ческая ~ се́льского хозя́йства sócialist re̋òrganizátion of ágriculture; 4. *муз.*, *рад.* re̋túning.

пересту́кива||**ние** *с.* (*с тв.*; *в тюрьме*) commùnicátion by rápping / tápping. ~**ться** (*с тв.*) commùnicáte by rápping / tápping (with).

переступа́ть, переступи́ть 1. step óver; (*вн.*, *через*) óver̥stép (*d.*), step (óver); (*перен.*: *нарушать*) trànsgréss (*d.*), break* [-eɪk] (*d.*); ~ поро́г step óver, *или* cross, the thréshold; ~ грани́цы прили́чия trànsgréss / óver̥stép the bounds of décency [...-ˈdiː-]; 2. *тк. несов.*: едва́ ~ move step by step [muːv...], move slówly [...'slou-]; ~ с ноги́ на́ ногу shift from one foot to the other [...fut...], shift from foot to foot.

переступи́ть *сов. см.* переступа́ть 1.

пересу́д *м. разг.* re̋tríal.

пересу́ды *мн. разг.* góssip *sg*.

пересу́шивать, пересуши́ть (*вн.*) óver̥drý (*d.*). ~**ся**, пересуши́ться 1. get* too dry; 2. *страд.* к пересу́шивать.

пересуши́ть I *сов. см.* пересу́шивать.

пересуши́ть II *сов.* (*вн.*; *всё, много*) dry (*d.*); ~ всё бельё dry all the línen [...'lɪ-].

421

пересуши́ться *сов. см.* пересу́шиваться.

пересчита́ть I *сов. см.* пересчи́тывать.

пересчита́ть II *сов.* (*вн.*; *всех, всё*) count (*d.*).

пересчи́тывать, пересчита́ть 1. (*вн.*; *заново*) ré-cóunt (*d.*). count agáin (*d.*); 2. (*вн. на вн.*; *выражать в других величинах*) eváluàte (*d.* in).

пересыла́ть, пересла́ть (*вн.*) send* (*d.*); (*о деньгах*) remít (*d.*); (*о письме и т. п.*) fórward (*d.*); ~ по по́чте send* by post [...pou-] (*d.*).

пересы́л‖**ка** *ж.* sénding; (*о деньгах*) remíttance; ~ това́ров cárriage of goods [-rɪdʒ... gudz]; сто́имость ~ки (*по почте*) póstage [′pou-]; ~ беспла́тно cárriage free; (*по почте*) post free [pou-...]. ~очный *прил. к* пересылка.

пересы́льн‖**ый** tránsit (*attr.*); ~ пункт tránsit camp; ~ая тюрьма́ tránsit príson [...-ɪz-].

пересы́пать I, II, III *сов. см.* пересыпа́ть I, II, III.

пересыпа́ть I, пересы́пать (*вн.*; *в другое место*) pour into another contáiner / place [pɔ:...] (*d.*); ~ из одного́ ме́ста в друго́е, куда́-л. и т. п. pour out of one place / contáiner into another, sóme‍where, *etc.*; ~ соль в мешо́к pour off salt into a bag.

пересыпа́ть II, пересы́пать (*вн. тв.*) (*прям. и перен.*) sprinkle (*d.* with); (*перен. тж.*) interspérse (*d.* with).

пересыпа́ть III, пересы́пать (*рд.*; *слишком много*) pour too much [pɔ:...] (*d.*), put* too much (*d.*).

пересыха́ть, пересо́хнуть dry up; (*чересчур*) get* too dry; (*о почве*) get* dry, become* parched; ◇ у него́ в го́рле пересо́хло his throat is dry / parched.

перета́пливать, перетопи́ть (*вн.*) 1. melt (*d.*); 2. (*заново*) melt agáin (*d.*). ~ся, перетопи́ться 1. melt; 2. *страд. к* перета́пливать.

перета́ск‖**а́ть** *сов.* (*вн.*) *разг.* 1. cárry (awáy) (*d.*); 2. (*украсть*) steal* (*d.*); у него́ ~а́ли все кни́ги all his books were stólen from him.

перета́скивать, перетащи́ть (*вн.*) (*волоча*) drag óver (*d.*); (*неся*) cárry óver (*d.*); (*через*; *волоча*) drag (óver); lug (across); (*неся*) cárry (óver).

перетасова́ть *сов. см.* перетасо́вывать.

перетасо́вка *ж.* shuffle.

перетасо́вывать, перетасова́ть (*вн.*) shuffle (*d.*), ré‍shuffle (*d.*).

перетащи́ть *сов. см.* перета́скивать.

перетере́ть I *сов. см.* перетира́ть.

перетере́ть II *сов.* (*вн.*; *всё, многое*) wipe up (*d.*); ~ всю посу́ду wipe all the díshes.

перетере́ться *сов. см.* перетира́ться.

перетерпе́ть *сов.* (*вн.*) *разг.* súffer (*d.*), endúre (*d.*); (*о боли и т. п.*) òver‍cóme* (*d.*).

перетира́ть, перетере́ть (*вн.*) 1. (*о верёвке и т. п.*) fray through (*d.*); 2. (*растирать*) grind* (*d.*); ◇ терпе́ние и труд всё перетру́т *посл.* ≅ pèrse‍

vérance wins; it's dógged as does it *разг.*; if at first you don't succéed, try, try, try agáin *разг.*; ~ся, перетере́ться 1. (*о верёвке и т. п.*) fray through; 2. *страд. к* перетира́ть.

перето́лки *мн. разг.* títtle-tàttle *sg.*

перетолкова́ть I *сов. см.* перетолко́вывать.

перетолкова́ть II *сов.* (*с тв. о пр.*) *разг.* talk (with óver), discúss (with *d.*).

перетолко́вывать, перетолкова́ть (*вн.*) *разг.* mísintérpret (*d.*).

перетопи́ть(ся) *сов. см.* перета́пливать(ся).

перетрево́жить *сов.* (*вн.*) *разг.* alárm (*d.*), distúrb (*d.*). ~ся *сов. разг.* be alármed / distúrbed, become* ánxious.

перетро́гать *сов.* (*вн.*) touch [tʌtʃ] (*d.*); ~ все ве́щи touch all the things.

перетру́сить *сов. разг.* have a fright, take* fright.

перетряса́ть, перетрясти́ (*вн.*) 1. shake* up (*d.*); 2. (*перебирать в поисках чего-л.*) look óver (*d.*).

перетрясти́ *сов. см.* перетряса́ть.

перетря́хивать, перетряхну́ть (*вн.*) shake* up (*d.*).

перетряхну́ть *сов. см.* перетря́хивать.

пере́ть *разг.* 1. (*идти*) trudge; ~ сквозь толпу́ barge through the crowd; 2. (*вн.*; *нести*) haul (*d.*); 3. *безл.*: зло́ба так и прёт из него́ his málice will out. ~ся *разг.* lurch, rush héavily [...′hev-], barge.

перетя́гивать I, перетяну́ть (*вн.*; *перевешивать*) outbálance (*d.*), òver‍bálance (*d.*), outwéigh (*d.*); перетяну́ть ча́шу весо́в turn the scale.

перетя́гивать II, перетяну́ть (*вн.*) 1. (*о верёвке и т. п.*) stretch agáin (*d.*); 2. (*туго стягивать*) pull in too tight [pul...] (*d.*).

перетя́гивать III, перетяну́ть (*вн.*; *перетаскивать*) pull / draw* sóme‍where else [pul...] (*d.*); ~ с одного́ ме́ста на друго́е, куда́-л. и т. п. pull / draw* from one place to another, sóme‍where, *etc.* (*d.*); ~ ло́дку к бе́регу pull / draw* the boat to the shore; ◇ перетяну́ть на свою́ сто́рону win* óver to one's side (*d.*).

перетя́гиваться, перетяну́ться lace òne‍sélf too tight.

перетяну́ть I, II, III *сов. см.* перетя́гивать I, II, III. ~ся *сов. см.* перетя́гиваться.

переубеди́ть(ся) *сов. см.* переубежда́ть(ся).

переубежда́ть, переубеди́ть (*вн.*) make* (*d.*) change his / her mind [...tʃeɪ-...]; он переубеди́л её ha made her change her mind. ~ся, переубеди́ться 1. change one's mind [tʃeɪ-...]; 2. *страд. к* переубежда́ть.

переу́лок *м.* síde-street; álley; (*в названиях*) lane.

переупря́мить *сов.* (*вн.*) *разг.* prove more stúbborn than [pru:v...] (*d.*).

переусе́рдствовать *сов. разг.* be òver‍díligent, show* excéss of zeal [ʃou...].

переустро́йство *с.* rèorganizátion [-naɪ-]; rè‍constrúction; социалисти́ческое ~ о́бщества sócialist rè‍constrúction of socíety.

переуступа́ть, переуступи́ть (*вн.*) cede (*d.*), give* up (*d.*).

переуступи́ть *сов. см.* переуступа́ть.

переутом‖**и́ть(ся)** *сов. см.* переутомля́ть(ся). ~ле́ние *с.* òver‍stráin; (*от работы тж.*) óver‍wòrk. ~лённый *прич. и прил.* óver‍stràined, óver‍tìred; (*работой тж.*) óver‍wòrked.

переутомля́ть, переутоми́ть (*вн.*) òver‍stráin (*d.*), òver‍tíre (*d.*); (*работой тж.*) òver‍wòrk (*d.*). ~ся, переутоми́ться 1. òver‍stráin / òver‍tíre òne‍sélf; (*работой тж.*) òver‍wòrk òne‍sélf; *сов. тж.* be run down; 2. *страд. к* переутомля́ть.

пересче́сть *сов. см.* переучи́тывать.

переучёт *м.* 1. (*о товарах и т. п.*) stóck-tàking, ínventory; 2. (*перерегистрация*) règistrátion.

переу́чивать, переучи́ть 1. (*кого-л.*) teach* agáin (smb.); 2. (*что-л.*) learn* agáin [lə:n...] (smth.), ré-léarn* (smth.). ~ся, переучи́ться learn* agáin [lə:n...].

переучи́тывать, переуче́сть (*вн.*; *о товарах и т. п.*) take* stock (of).

переучи́ть(ся) *сов. см.* переу́чивать (-ся).

переформирова́ть *сов. см.* переформиро́вывать.

переформиро́вывать, переформирова́ть (*вн.*) *воен.* ré-fórm (*d.*).

перефрази́ровать *несов. и сов.* (*вн.*) páraphràse (*d.*).

перефразиро́вка *ж.* páraphràse.

перехва́ливать, перехвали́ть (*вн.*) óver‍pràise (*d.*).

перехвали́ть *сов. см.* перехва́ливать.

перехвати́ть I *сов. см.* перехва́тывать.

перехвати́ть II *сов. разг.* (*преувеличить*) óver‍shòot* the mark.

перехва́тчик *м. ав.* intercéptor.

перехва́тывать, перехвати́ть (*вн.*) 1. (*задерживать в пути*) intercépt (*d.*); ~ письмо́ intercépt *a* létter; перехвати́ть телефо́нный разгово́р tap the wire; 2. *разг.* (*занимать деньги на короткое время*) bórrow (*d.*); 3. *разг.* (*поесть мимоходом*) take* a snack / bite.

перехитри́ть *сов.* (*вн.*) out‍wít (*d.*), óver‍rèach (*d.*).

перехлестну́ть *сов. см.* перехлёстывать.

перехлёстывать, перехлестну́ть (*вн.*, *через*) gush (óver); (*перен.*) *неодобр.* go* too far.

перехо́д *м.* (*в разн. знач.*) pássage, trànsítion [-ʒn]; (*из одного состояния в другое тж.*) change [tʃeɪ-]; (*действие тж.*) cróssing; *воен.* (day's) march; в двух ~ах от го́рода two days' march from the town; пешехо́дный ~ pedéstrian cróssing (*of a street*); подзе́мный ~ pedéstrian súbway; при ~е че́рез ре́ку while cróssing the ríver [...′rɪ-]; ~ от социали́зма к коммуни́зму trànsítion from sócialism to cómmunism; ~ коли́чества в ка́чество trànsítion from quántity to quálity; ~ от восьмиле́тнего на всео́бщее сре́днее, десятиле́тнее, образова́ние switch-òver from 8-year èdu‍cátion to géneral sécondary 10-year èdu‍cátion; бы́стрый ~ от тепла́ к хо́лоду rápid trànsítion from heat to cold; ~ в другу́ю ве́ру convérsion to another faith.

переходи́ть, перейти́ 1. get* acróss; (препятствие) get* óver; (вн., через) cross (d.), get* (óver); ~ грани́цу cross the fróntier [...-ʌn-]; 2. (к) pass on (to); (без доп.; менять место, занятие и т.п.) pass; ~ из уст в уста́ be passed on; ~ от слов к де́лу pass from words to deeds; перейти́ к ми́рной эконо́мике go* óver to a péace--time ècónomy [...i:-]; ~ на другу́ю те́му turn to other things; ~ в ру́ки (рд.) pass into the hands (of); ~ к друго́му владе́льцу change hands [tʃeɪ-...]; ~ в сле́дующий класс (в школе) move up [muː v...]; ~ на произво́дство мотоци́клов go* óver to máking mótor-cycles; ~ на сто́рону проти́вника go* óver to the énemy; (перен.) be a túrncoat; ~ к сле́дующему вопро́су go* on to the next quéstion / point [...-stʃən...]; 3. (в вн.; превращаться) turn (into); их ссо́ра перешла́ в дра́ку from words they came to blows [...-ouz]; 4.: ~ в ата́ку launch an attáck; ~ в наступле́ние pass to, или assúme, the offénsive; ◇ ~ грани́цы óver:stép the limits, pass all bounds; ~ из рук в ру́ки pass through many hands; change hands many times.

перехо́д|ный 1. trànsítional [-ʒn°l]; trànsítion [-ʒn] (attr.); ~ная эпо́ха trànsítion(al) périod; ~ пери́од от капитали́зма к социали́зму trànsítion(al) périod from cápitalism to sócialism; ~ во́зраст trànsítional age; 2. грам. trànsitive ['trɑːns-]; ~ глаго́л trànsitive verb. ~я́щий 1. прич. см. переходи́ть; 2. прил. trànsitory [-z-], trànsient [-z-]; ~ящие су́ммы фин. cárry-òvers; 3. прил. (о кубке и т.п.) chállenge (attr.); ~ящее зна́мя chállenge bánner; ~ящий приз, ку́бок chállenge prize, cup.

пе́рец м. pépper; стручко́вый ~ cápsicum; (красный) cayénne; ◇ зада́ть пе́рцу кому́-л. разг. ≃ give* it smb. hot.

перецара́паться сов. 1. scratch òne:sélf (on wire, thorns, etc.); 2. (взаимно) scratch one another, scratch each other.

перечека́н|ивать, перечека́нить (вн.) ré:cóin (d.). ~ить сов. см. перечека́нивать. ~ка ж. ré:cóinage.

пе́речень м. enùmerátion; (список) list.

перечёркивать, перечеркну́ть (вн.) cross (out) (d.); (перен.; о договоре и т.п.) cáncel (d.), make* null and void (d.).

перечеркну́ть сов. см. перечёркивать.

перечерти́ть сов. см. перече́рчивать.

перече́рчивать, перечерти́ть (вн.) 1. (заново) draw* agáin (d.), ré:dráw* (d.); 2. (снимать копию) cópy ['kɔ-] (d.), trace (d.).

перечеса́ть сов. см. перечёсывать.

переч́есть I сов. разг. = пересчита́ть II; их мо́жно по па́льцам ~ you could count them on the fíngers of one hand.

перече́сть II сов. см. перечи́тывать.

перечёсывать, перечеса́ть: ~ во́лосы do one's hair óver agáin; (менять причёску) do one's hair dífferently.

перечини́ть I сов. (вн.; всё, много — о белье и т.п.) mend (d.), repáir (d.).

перечини́ть II сов. (наново) mend agáin (d.), repáir agáin (d.).

перечини́ть III сов. (вн.; о карандаша́х) shárpen (d.), point (d.).

перечисле́ние с. 1. enùmerátion; 2. фин. tránsfer; (действие) trànsférring.

перечи́слить сов. см. перечисля́ть.

перечисля́ть, перечи́слить (вн.) 1. enúmerate (d.); 2. фин. tránsfer (d.).

перечита́ть I сов. см. перечи́тывать.

перечита́ть II сов. (вн.; одно за другим) read* (d.): ~ все кни́ги read* all the books.

перечи́тывать, перечита́ть, перече́сть (вн.) ré-réad* (d.).

пере́чить (дт.) разг. còntradíct (d.), thwart (d.).

пе́речница ж. pépper-bòx, pépper-pòt; ◇ чёртова ~ разг. old hag.

пе́речн|ый pépper (attr.); мя́та ~ая бот. péppermint.

перечу́вствовать сов. (вн.) feel* (d.), expérience (d.).

переша́гивать, перешагну́ть (вн., через) óver:stép (d.), step (óver); ~ поро́г cross the thréshold.

перешагну́ть сов. см. переша́гивать.

переше́ек м. геогр. ísthmus ['ɪsməs], neck (of land).

перешёптываться whisper to one another.

перешиб|а́ть, перешиби́ть (вн.) разг. frácture (d.), break* [-eɪk] (d.). ~и́ть сов. см. перешиба́ть.

переши|ва́ть, переши́ть (вн.) 1. sew* [sou] (d.); пу́говицу на́до переши́ть на карма́н the bútton should be sewn ón:to the pócket [...soun...]; 2. (переделывать) álter (d.); (сдавая в переделку) have (d.) áltered; переши́ть пальто́ álter a coat; (сдавая в переделку) have a coat áltered; 3. тех. álter (d.); ~ коле́ю ж.-д. álter the gauge [...geɪdʒ].

переши́вка ж. (платья) áltering, àlterátion (of clothes) [...-ouðʒ].

переши́ть сов. см. перешива́ть.

перешто́пать I сов. см. перешто́пывать.

перешто́пать II сов. (вн.; всё, много) darn (d.): ~ все носки́ darn all the socks.

перешто́пывать, перешто́пать (вн.) ré:dárn (d.), darn óver agáin (d.).

перещеголя́ть сов. (вн.) разг. out:dó (d.), beat* (d.); go* one bétter than (d.).

переэкзаменова́ть сов. (вн.) ré-exámine (d.).

переэкзамено́вк|а ж. sécond exàminátion (áfter a fáilure) ['se-...], ré-exàminátion (of those failing at first attempt); держа́ть ~у go* in for a sécond exàminátion.

периге́й м. астр. périgee.

периге́лий м. астр. pèrihélion.

перика́рд|ий м. анат. pèricárdium (pl. -ia). ~и́т м. мед. pèricardítis.

пери́ла мн. ráil(ing) sg.; (лестничные тж.) hánd-rail sg.; (у внутренней лестницы) bánisters.

пери́метр м. мат. perímeter.

пери́на ж. féather-bèd ['feðə-].

пери́од м. 1. (в разн. знач.) périod; (короткий тж.) spell; за коро́ткий ~ вре́мени in a short space of time; 2. геол. age; леднико́вый ~ glácial époch / périod [...-ɔk...], íce-àge.

периодиза́ция ж. divísion into périods.

перио́дика ж. собир. pèriódicals pl.

периоди́ческ|и нареч. pèriódically. ~ий (в разн. знач.) pèriódic(al); ~ий журна́л pèriódical, màgazine [-'ziːn], jóurnal ['dʒə-]; ~ое явле́ние (о явлениях природы) recúrrent phenómenon (pl. -mena); э́то ~ое явле́ние it cónstantly recúrs; ~ая дробь мат. recúrring décimal; ~ий зако́н pèriódic law, Mendeléyev's pèriódic law; ~ая систе́ма элеме́нтов Менделе́ева pèriódic sýstem.

периоди́чн|ость ж. pèriodícity. ~ый pèriódic(al).

перипате́тик [-тэ-] м. ист. филос. pèripatétic.

перипети́я ж. pèripetéia [-'taɪə], pèripetía; (внезапное осложняющее событие) trouble [trʌ-].

периселе́ний м. астр. perilúne.

периско́п м. périscòpe.

перископи́ческий pèriscópic(al).

периско́пный = перископический.

периста́льт|ика ж. физиол. pèristálsis. ~и́ческий физиол. pèristáltic.

перисти́ль м. арх. péristyle.

перистоли́стный бот. féather-leaved ['feðə-], pínnate.

пе́рист|ый 1. зоол., бот. pínnate; 2. (похожий на перья) féatherlike ['feðə-], plúmòse [-s]; ~ые облака́ fléecy / círrus clouds; cirri научн.

перитони́т м. мед. pèritonítis.

перифери́йный of / in the óutlying dístricts; ~ рабо́тник wórker in an óutlying dístrict of the cóuntry [...'kʌ-].

перифер|и́ческий períphéral. ~и́я ж. 1. períphery; 2. собир. (удалённые от центра районы) the óutlying dístricts pl.; próvinces pl.

перифра́за ж. períphrasis (pl. -asès [-iːz]).

перифрази́ровать несов. и сов. (вн.) use a períphrasis (for), páraphrase (d.).

перице́нтр м. астр. pèricéntre.

пёрка ж. тех. bit; ло́жечная ~ shell áuger.

перка́ль ж. текст. cámbric múslin ['keɪm-...], percále.

перку́сс|ия ж. мед. percússion. ~ти́ровать несов. и сов. (вн.) мед. percúss (d.).

перл м. pearl [pəːl].

перламу́тр м. móther-of-péarl ['mʌ-'pəːl], nácre.

перламу́тров|ый móther-of-péarl ['mʌ-'pəːl] (attr.); nácreous научн.; ~ая пу́говица pearl bútton [pəːl...].

пе́рлинь м. мор. háwser [-zə].

перло́вка ж. разг. = перло́вая крупа́ см. перло́вый.

перло́в|ый: ~ая крупа́ péarl-bárley ['pəːl-]; ~ суп péarl-bárley soup [...suːp]; ~ая ка́ша bóiled péarl-bárley.

перлюстр|а́ция ж. ópen:ing and inspéction of còrrespóndence. ~и́ровать несов. и сов. (вн.) ópen and inspéct còrrespóndence.

перма́нент м. разг. (завивка) pérmanent wave.

пермане́нтн|ость ж. pérmanence. ~ый pérmanent.

ПЕР – ПЕС

пе́рмск||ий: ~ая систе́ма *геол.* Pérmian formátion.

перна́тые *мн. скл. как прил.* birds.

перна́т||ый féathery ['feðə-], féathered ['feðəd]; ~ое ца́рство birds *pl.*, "féathered world".

пер||о́ I *с.* 1. (*птичье*) féather ['feðə]; (*украшение тж.*) plume; стра́усовое ~ óstrich féather; 2. (*зелёный лист лука и чеснока*) leaf* (*of onion or garlic*); ◇ ни пу́ха ни ~á! ≅ good luck!

пер||о́ II *с.* (*писчее*) pen; ◇ взя́ться за ~ take* up the pen; владе́ть ~о́м wield a skílful pen [wi:ld...]; владе́ть о́стрым ~о́м wield a fórmidable pen; э́того ~о́м не описа́ть it is beyónd descríption, it defíes / báffles all descríption.

перочи́нный: ~ нож pén:knife*.

перпендикуля́р *м. мат.* pèrpendícular; опуска́ть ~ (на *вн.*) drop a pèrpendícular (on); восстáвить ~ (к) raise a pèrpendícular (to). ~но *нареч.* pèrpendícularly. ~ный pèrpendícular.

перпе́туум-мо́биле *с. нескл.* perpétual mótion.

перро́н *м. ж.-д.* plátform. ~ный plátform (*attr.*).

перс *м.* Pérsian [-ʃən].

перси́дский Pérsian [-ʃen]; ~ язы́к Pérsian, the Pérsian lánguage; ◇ ~ порошо́к *уст.* ínsect-pówder.

пе́рсик *м.* 1. (*плод*) peach; 2. (*дерево*) péach(-tree).

пе́рсиков||ый péachy; ~ое де́рево péach-tree; ~ого цве́та péach-cólour:ed [-kʌ-].

персия́н||ин *м. уст.* = перс. ~ка *ж.* Pérsian (wóman*) [-ʃən 'wu-].

персо́н||а *ж.* pérson; обе́д на шесть персо́н dínner for six; ва́жная ~ *разг.* pérsonage; bígwig *идиом.*; ◇ со́бственной ~ой *как нареч.* in pérson; ~ гра́та *дип.* pèrsóna gráta [...'grɑ:-]; ~ нон гра́та *дип.* pèrsóna non gráta.

персона́ж *м.* cháracter ['kæ-], pérsonage.

персона́л *м. тк. ед. собир.* pèrsonnél, staff.

персона́льн||о *нареч.* pérsonally. ~ый pérsonal; ~ая пе́нсия mérit pénsion; ~ый пенсионе́р recípient of a mérit pénsion; ~ое приглаше́ние pérsonal / indivídual invitátion; ~ая отве́тственность pérsonal responsibílity.

персонифика́ция *ж.* pèrsonificátion.

персонифици́ровать *несов. и сов.* (*вн.*) pèrsónify (*d.*).

перспекти́в||а *ж.* 1. perspéctive (*тж. иск.*); поте́ря ~ loss of perspéctive; 2. (*открывающийся вид*) vísta; 3. *мн.* (*виды на будущее*) próspèct(s); óutlook *sg.*; ◇ в ~е in perspéctive, in próspect. ~ный 1. *иск.* perspéctive; 2. (*предусматривающий будущее развитие*) prospéctive; envísaging fúrther devélopment [...-ðə-...]; lóng-tèrm; ~ный план lóng-tèrm plan; ~ное плани́рование lóng-tèrm plánning; 3. (*имеющий хорошие перспективы*) having próspects, prómising; ~ный молодо́й учёный prómising young scíentist [...jʌn...].

424

перст *м. уст.* fínger; ◇ оди́н как ~ ≅ quite alóne; all by òne:sélf.

пе́рстень *м.* (fínger-)ring; (*с печатью*) séal-ring, sígnet-ring.

перстневи́дный crícoid; ~ хрящ *анат.* crícoid.

персульфа́т *м. хим.* persúlphàte.

пертурба́ция *ж.* pèrturbátion.

перуа́н||ец *м.*, ~ка *ж.*, ~ский Perúvian.

Перу́н *м. миф.* Peróun [-u:n].

перфе́кт *м. грам.* pérfect. ~ный *грам.* pérfect.

перфока́рта *ж. тех.* punched card.

перфоле́нта *ж. тех.* punched tape.

перфор||а́тор *м.* páper tape punch; *тех.* pérforàtor. ~а́ция *ж.* 1. *тех.* pèrforátion, púnching; 2. *мед.* pèrforátion. ~и́ровать *несов. и сов.* (*вн.*) *тех.* pérforàte (*d.*), punch (*d.*).

перха́ть *разг.* cough [kɔf].

перхлора́т *м. хим.* perchlórate.

перхо́та *ж. разг.* tíckling in the throat.

пе́рхоть *ж.* dándruff, scurf.

пе́рцевый pépper (*attr.*).

перце́пция *ж. филос.* percéption.

перцо́в||ка *ж.* pépper-brándy. ~ый pépper (*attr.*).

перча́тк||а *ж.* glove [-ʌv]; (*рукавица*) mitt, mítten; (*фехтовальная, шофёрская*) gáuntlet; боксёрская ~ bóxing-glòve [-ʌv]; ла́йковые ~и kíd-glòves [-ʌvz]; за́мшевые ~и suède gloves (*фр.*) [sweɪd...]; в ~е, в ~ax gloved [-ʌvd]; в бе́лых ~ax white-glòved [-ʌvd]; ◇ броса́ть ~y throw* down the gáuntlet [θrou-]; поднима́ть ~y take* / pick up the gáuntlet.

перча́точн||ик *м.*, ~ица *ж.* glóver [-ʌvə]. ~ый glove [-ʌv] (*attr.*).

пе́рченый péppered.

перчи́нка *ж.* péppercòrn.

пе́рчить, попе́рчить (*вн.*) *разг.* pépper (*d.*).

першеро́н *м.* (*лошадь*) pércheròn.

перши́ть *безл. разг.:* у него́ ~и́т в го́рле he has a tíckling in his throat.

пёрышко *с.* plúme:let; ◇ лёгкий как ~ féathery ['feð-], féather-light ['feð-].

пёс *м.* dog; созве́здие Большо́го Пса *астр.* Gréater Dog ['greɪtə-...]; Cánis Májor; созве́здие Ма́лого Пса Lésser Dog; Cánis Mínor; ◇ ~ его́ зна́ет! *разг.* who knows? [...nouz], who is to know?; псу под хвост *разг.* it's úse:less [...-s-], it's a waste [...weɪ-].

пе́сенка *ж.* song; (*короткая*) dítty; ◇ его́ ~ спе́та ≅ he is done for; he's had it *разг.*; his goose is cooked [...gu:s...] *идиом.*

пе́сенник I *м.* (*сборник песен*) sóng-book.

пе́сенник II *м.* 1. (*певец*) (chórus) síng:er ['k-...]; 2. (*автор песен*) áuthor of songs, sóng-writer.

пе́сенный song (*attr.*).

песе́ц *м.* 1. (*животное*) Árctic fox, pólar fox; голубо́й ~ blue fox; бе́лый ~ white fox; 2. (*мех*) blue fox (fur).

пе́сий *прил. к* пёс.

пе́сик *м. разг.* little dog, dóggie.

песка́рь *м.* (*рыба*) gúdgeon [-dʒ°n].

пескостру́йка *ж. разг.* sánd-blàster.

пескостру́йный *тех.* sánd-blàst (*attr.*); ~ аппара́т sánd-blàster.

песнопе́вец *м. уст.* síng:er, psálmist ['sɑ:m-].

песнопе́ние *с. уст.* psalm [sɑ:m], cánticle.

песн||ь *ж.* 1. *лит.* cántò; 2. *уст.* = пе́сня; ◇ Песнь Пе́сней Cánticles, the Song of Songs, the Song of Sólomon.

пе́сн||я *ж.* song; (*напев*) air; (*весёлая*) cárol ['kæ-]; (*с припевом*) róundelay; наро́дная ~ folk / pópular song; ◇ э́то ста́рая ~ *разг.* ≅ it is the same old stóry; э́то до́лгая ~ ≅ that's a long stóry; тяну́ть всё ту же ~ю *разг.* ≅ harp on the same string.

пес||о́к *м.* 1. *тк. ед.* sand; золотоно́сный ~ gold sands *pl.*; aurífferous grável [...'græ-]; золото́й ~ góld-dúst [...'dʌst]; 2. *мн.* sands; зыбу́чие ~ки́ quícksànds; rúnning sand *sg.*; 3. *мед.* grável ['græ-]; ◇ са́харный ~ gránulàted súgar [...'ʃu-]; стро́ить на ~ке́ build* on sand [bɪ-...].

песо́ч||ек *м. уменьш. от* песо́к; ◇ с ~ком пробира́ть кого́-л. tell* smb. off; give* smb. a piece of one's mind [...pi:s...].

песо́чить (*вн.*) *разг.* scold (*d.*), tell* off (*d.*).

песо́чница *ж.* 1. sánd-bòx; 2. *тех.* sánding appàrátus.

песо́чн||ый 1. sándy; ~ые часы́ sánd-glàss *sg.*; ~ого цве́та sánd-cólour:ed [-kʌ-]; 2. (*о тесте*) short; ~ое пече́нье shórtbread [-ed], shórtcàke.

пессими́||зм *м.* péssimism. ~ст *м.* péssimist. ~сти́ческий, ~сти́чный pèssimístic.

пест *м.* péstle [-stl]; stámper.

пе́стик I *м. уменьш. от* пест.

пе́стик II *м. бот.* pístil.

пе́стиковый *бот.* pistillàte.

пестици́ды *мн.* (*ед.* пестици́д *м.*) pésticìdes.

пе́стовать (*вн.*) 1. *уст.* nurse (*d.*); 2. (*заботливо выращивать, воспитывать*) fóster (*d.*), chérish (*d.*).

пестре́||ть 1. show* / appéar pártì:còlour:ed / mánycólour:ed [ʃou... -kʌləd -'kʌləd]; вдали́ ~ли знамёна there was a cólour:ful show of flags in the dístance [...'kʌ- ʃou...]; 2. (*тв.*) be gay (with): у́лицы ~ли знамёнами, плака́тами the streets were gay with flags, pósters [...'pou-].

пестр||и́ть 1. make* gáudy / fláshy; 2. *безл.:* у него́ ~и́т в глаза́х he is dázzled.

пестрота́ *ж.* divérsity of cólours [daɪ-... 'kʌ-]; (*перен.*) mixed cháracter [...'k-].

пестротка́ный tápestry (*attr.*).

пёстр||ый mótley ['mɔ-], várieg`ated, pártìcòlour:ed [-kʌləd], (*о красках*) mótley, gay; (*об одежде*) gáy-cólour:ed [-'kʌləd]; (*перен.*) (*разнородный*) mixed; (*вычурный*) flórid; preténtious, mánnered; ~ая аудито́рия mixed / mótley áudience; ~ слог flórid style.

пестряди́на *ж.* coarse mótley cótton fábric [...'mɔ-...].

пестря́дь *ж.* = пестряди́на.

пестун *м.*, ~ья *ж. уст.* méntor.

песцо́вый *прил. к* песе́ц.

песча́ник *м. геол.* sándstòne; (*крупнозернистый*) grítstòne. **~овый** *прил.* к песча́ник.

песча́н||ый sándy; ~ая по́чва sándy / light soil; ~ая коса́ sánd-bàr.

песчи́нка *ж.* grit, grain of sand.

пета́рда *ж.* 1. *ист.* petárd; пороховая ~ (*в снарядной трубке*) pówder péllet; 2. *ж.-д.* (*сигнальная*) détonàting cártridge.

пети́т *м. полигр.* brevíer [-'vɪə].

пети́ц||ия *ж.* petítion; обраща́ться с ~ией (к) petítion (*d.*); (к кому́-л. о чём-л.) petítion (smb. for smth.).

петли́ца *ж.* 1. búttonhòle; 2. (*нашивка*) tab.

петл||я́ *ж.* 1. loop; (*перен.*) noose [-s]; 2. (*для пуговицы*) búttonhòle; (*для крючка*) eye [aɪ]; мета́ть ~и búttonhòle, work búttonhòles; 3. (*в вязании*) stitch; спусти́ть ~ю drop *a* stitch; спусти́вшаяся ~ на чулке́ a run in *a* stócking; 4. (*дверная, оконная*) hinge; 5. *ав.* loop; де́лать ~ю loop the loop; ◇ лезть в ~ю run* one's head into the noose [...hed...]; наде́ть ~ю на ше́ю ≅ attach / hang* a míllstòne about one's neck; затяну́ть ~ю на ше́е fásten the noose aróund smb.'s neck [-s'n...].

петля́ть *разг.* dodge.

петрифика́ция *ж. геол.* pètrifáction; fòssilizátion [-aɪ-].

петро́граф *м.* petrógrapher.

петрографи́ческий pètrográphic(al).

петрогра́фия *ж.* petrógraphy.

петру́шка I *театр.* 1. *м.* (*кукла*) Punch; 2. *ж.* (*представление*) Púnch-and-Júdy show [...ʃou]; 3. *ж. разг.*: кака́я-то ~ вы́шла sómething has gone absúrdly wrong [...gɔn...]; что за ~! what nónsense!, what a mess!

петру́шка II *ж.* (*овощ*) pársley.

пету́нья *ж. бот.* petúnia.

пету́х *м.* cock, róoster *амер.*; инде́йский ~ túrkey-còck; ◇ встава́ть с ~а́ми *разг.* rise* at cóck-crow [...-krou]; get* up with the lark *идиом.*; пусти́ть ~а́ (*при пении*) let* out a squeak; пусти́ть кра́сного ~а́ commit an act of árson.

петуш||и́й, ~и́ный *прил.* к пету́х; ~и́ный бой cóck-fight(ing); ~о́к *бот.* cóckscòmb [-koum]; ~и́ный го́лос squéaky voice.

петуши́ться *разг.* get* on one's high horse; fume.

петушко́м *нареч. разг.*: идти́ ~ mince, walk míncingꞏly.

петушо́к *м.* cóckerel.

пе́тый: ~ дура́к *уст.* pérfect fool.

петь, спеть, пропе́ть 1. sing*; (*церковные напевы*) chant [tʃɑ:nt]; (*речитативом*) intóne; (*вполголоса*) hum; (*о птице тж.*) pipe; warble; (*о петухе*) crow* [-ou]; ~ ве́рно, фальши́во sing* in tune, out of tune; 2. (*издавать звуки, о самоваре, чайнике и т. п.*) sing*, hiss; (*о ветре тж.*) drone; 3. (*вн.; исполнять*) sing* (*d.*); (*чью-л. па́ртию*) sing* the part (of); 4. *тк. несов.*: ~ ба́сом, сопра́но и *т. п.* have a bass, a sopránò, *etc.*, voice [...beɪs...-rɑ:...]; ◇ ~ другу́ю пе́сню sing* another tune; ~ сла́ву (*дт.*) sing* the práises (of);

Ла́заря ~ ≅ whine, compláin; bemóan one's fate.

пе́ться: ему́, ей и *т. д.* не поётся he, she, *etc.*, is not in a mood for sínging.

пехо́т||а *ж. тк. ед.* infantry; the foot [...fut]; морска́я ~ marines [-i:nz] *pl.* ~инец *м.* infantryꞏman*. ~ный infantry (*attr.*).

печа́лить, опеча́лить (*вн.*) sádden (*d.*), grieve [-i:v] (*d.*). ~ся, опеча́литься be sad; grieve [-i:v] ◇ ра́ньше вре́мени meet* trouble hálf-wáy [...trʌ-'hɑ:f-].

печа́ль *ж.* grief [gri:f], sórrow; ◇ не твоя́ ~ *разг.* ≅ it is not your concérn / búsiness [...'bɪzn-], it's no concérn of yours; тебе́ что за ~? what has that to do with you? **~ный** 1. sad, móurnful ['mɔ:n-], dóleꞏful, wístful; 2. (*прискорбный*) gríevous ['gri:v-]; ~ные результа́ты unfórtunate / regréttable results [-tʃənɪt-...-'zʌ-]; ~ный коне́ц sad / dísmal end [...'dɪz-...].

печа́тание *с.* prínting; (*на машинке*) týping.

печа́тать, напеча́тать (*вн.*) 1. print (*d.*); (*на машинке*) týpe (*d.*); 2. (*помещать в газете и т. п.*): ~ статьи́ и *т. п.* в журна́ле write* árticles, *etc.*, for *a* màgazíne [...-'zi:n]. **~ся** 1. (*печатать свои произведения*) públish (*what one has wrítten*); (*в каком-л. журна́ле и т. п.*) write* for (*a* màgazíne, *etc.*) [...-'zi:n]; нача́ть ~ся get* into print; он мно́го печа́тается he públishes much; 3. (*находиться в печати*) be at the prínter's.

печа́тка *ж.* sígnet.

печа́тн||ик *м.* prínter. **~ый** 1. (*относящийся к печати*) prínting; ~ая маши́на prínting machine [...-'ʃi:n]; ~ый цех prínting shop; ~ый стано́к prínting-prèss; ~ое де́ло týpography [taɪ-], prínting; ~ый знак *полигр.* typográphical únit [taɪ-...]; ~ый лист *полигр.* quire, prínter's sheet; 2. (*напечатанный*) prínted; чита́ть по ~ому read* (in) print; 3.: писа́ть ~ыми бу́квами, по ~ому write* in block létters, print; письмо́ ~ыми бу́квами print hand; 4. (*опубликованный в печати*) públished ['pʌ-]; ~ые труды́ públished works.

печа́т||ь I *ж.* (*прям. и перен.*) seal, stamp; госуда́рственная ~ Great / State Seal [-eɪt...]; накла́дывать ~ (*вн.*) stamp (*d.*); set* / affix / attach *a* seal (to); отмеча́ть ~ю (*рд.*) háll-màrk (*d.* with); носи́ть ~ (*рд.*) have the seal (of); bear* the stamp [bɛə...] (of); на его́ лице́ ~ благоро́дства nóbleꞏness is written on his face; на его́ уста́х ~ молча́ния his lips are sealed; э́то для него́ кни́га за семью́ ~я́ми it is a sealed book to him.

печа́т||ь II *ж.* 1. (*пресса*) press; ме́стная ~ local press; свобо́да ~и freedom of the press; име́ть благоприя́тные о́тзывы в ~и have a good* press; 2. (*печатание*) print(ing); быть в ~и be in print; вы́йти из ~и appéar, come* out, be públished [...'pʌ-], come* off the press; подпи́сывать к ~и (*вн.*) send* to the press (*d.*); «подпи́сано к ~и» "passed for printing"; 3. (*вид отпечатанного*) print, type; ме́лкая ~ small print / type; кру́пная ~ large print /

type; убо́ристая ~ close print / type [-s...].

пече́ние *с.* (*действие*) báking.

печён||ка *ж.* líver ['lɪ-]; ◇ сиде́ть в ~ах (у кого́-л.) *разг.* ≅ be a pain in the neck (to smb.).

печёночник *м.* (*мох*) líverwòrt ['lɪ-].

печёночный *мед.* hepátic.

печёный baked.

печен||ь *ж.* líver ['lɪ-]; воспале́ние ~и hèpatítis, inflammátion of the líver.

пече́нье *с. кул.* pástry ['peɪ-]; (*сухое*) bíscuit [-kɪt].

печ||ка *ж. разг.* = печь I 1; ◇ танцева́ть от ~ки *разг.* ≅ begin agáin from the beginning. **~ни́к** *м.* stóve-sètter, stóve-man*, stóve-màker. **~но́й** *прил.* к печь I; ~на́я труба́ chímney; ~но́е отопле́ние stove héating.

печу́рка *ж. разг.* small stove.

печь I *ж.* 1. stove; (*духовая в плите и т. п.*) óven ['ʌvⁿn]; электри́ческая ~ eléctric stove; (*в автомашине*) héater; желе́зная ~ iron stove ['aɪən...]; ка́фельная ~ tile stove; 2. *тех.* fúrnace; ~ для о́бжига kiln; кремацио́нная ~ incinerátor.

печь II, испе́чь 1. (*вн.*; *в печи*) bake (*d.*); 2. *тк. несов.* (*обдавать сильным жа́ром*) be hot: со́лнце печёт the sun is hot.

пе́чься I, испе́чься, спе́чься 1. (*о хлебе и т. п.*) bake; 2. *тк. несов.* (*на солнце*) broil; 3. *страд.* к печь II 1.

пе́чься II (*о пр.*; *заботиться*) take* care (of); care (for).

пешехо́д *м.* pedéstrian, fóot-pàssenger ['fut- -ndʒə]. **~ный** pedéstrian; ~ная тропа́ fóotpàth* ['fut-]; ~ный мост fóot-bridge ['fut-]; ~ное движе́ние pedéstrian tráffic.

пе́ший 1. pedéstrian; 2. *воен.* foot [fut] (*attr.*), únmóunted.

пе́шка *ж. шахм.* (*тж. перен.*) pawn.

пешко́м *нареч.* on foot [...fut], afóot [ə'fut]; идти́ ~ walk, go* on foot; путеше́ствие ~ wálking tour [...tuə], pedéstrian trávelling.

пе́шня *ж.* íce-pìck, íce-spìke.

пеще́р||а *ж.* cave, cávern ['kæ-], gróttò. **~истый** 1. (*изобилующий пещерами*) with many caves; 2. *анат.* cávernous. **~ный** *прил.* к пеще́ра; ~ный челове́к *археол.* cáve-dwèller, cáve-màn*, tróglodyte.

пиа́ла *ж.* drínking bowl (*as used in Central Asia*).

пиани́но *с. нескл.* (úpꞏright) piánò [...'pjæ-]; игра́ть на ~ play the piánò.

пиани́ссимо *нареч. муз.* pianíssimo [pjæ-].

пиани́ст *м.*, **~ка** *ж.* píanist ['pjæ-].

пиа́но *нареч. муз.* piáno ['pjɑ:-].

пиано́ла *ж. муз.* pianóla [pjæ-].

пиа́стр *м.* (*монета в Турции, Египте и других странах*) piástre.

пивн||а́я *ж. скл. как прил.* áleꞏhouse* [-s], béerꞏhouse* [-s]; públic house* [...-s]; pub *разг.*; bár-room *амер.* **~о́й** beer (*attr.*); ~ые дро́жжи bréwer's yeast *sg.*; ~а́я кру́жка beer mug; tánkard.

ПЕС – ПИВ П

425

ПИВ – ПИР

пи́во с. тк. ед. beer; све́тлое ~ pale / light ale; тёмное ~ brown ale, по́ртер. ~ва́р м. bréwer. ~варе́ние с. bréwing.

пивова́ренн‖**ый** bréwing; ~ заво́д bréwery; ~ая промы́шленность bréwing.

пи́галица ж. зоол. lápwing, péewit; (перен.) разг. púny pérson.

пигме́й м. pýgmy, pígmy.

пигме́нт м. pigment. ~**а́ция** ж. pigmentátion. ~**ный** pigméntal, pígmentary.

пиджа́‖**к** м. coat, jácket. ~**чный** coat (attr.); ~чная па́ра, ~чный костю́м lounge suit [...sju:t].

пиеми́я ж. мед. pyáemia.

пиет‖**е́т** м. píety. ~**и́зм** м. píetism.

пижа́м‖**а** ж. pyjámas [-'dʒɑ:məz] pl.; pajámas ['dʒɑ:məz] pl. амер. ~**ный** pyjáma ['dʒɑ:mə] (attr.).

пижо́н м. разг. неодобр. fop. ~**истый** разг. неодобр. fóppish. ~**ский** разг. неодобр. fóppish. ~**ство** с. разг. неодобр. fóppishness.

пик м. 1. геогр. peak; (небольшой) pínnacle; 2. тж. как прил. неизм. (в работе транспорта, электростанции и т.п.) peak; часы́ ~ rush-hours [-auəz], peak hours [...auəz].

пи́ка I ж. (оружие) lance; ист. (пехотная) pike.

пи́к‖**а** II ж. карт. разг. spade; (см. тж. пи́ки); ◇ в ~у (дт.) разг. to spite (d.): сде́лать что-л. в ~у кому́-л. do smth. to spite smb.

пикадо́р м. pícador.

пика́нт‖**ость** ж. píquancy ['pi:k-], sávour, zest; придава́ть ~ чему́-л. add sávour / zest to smth. ~**ый** píquant ['pi:k-], sávoury; (перен.) spícy; (о внешности) séxy; ~ый анекдо́т risqué / spícy stóry ['rɪskeɪ...].

пика́п м. light van; píckùp (truck) амер.

пике́ I с. нескл. ав. = пики́рование.

пике́ II с. нескл. (ткань) piqué (фр.) ['pi:keɪ].

пике́йн‖**ый** piqué (фр.) ['pi:keɪ] (attr.); ~ое одея́ло piqué bédspread [...-spred].

пике́т I м. pícket, píquet, pícquet; выставля́ть ~ы place / post píckets [...pou-...]; (у, на, вокру́г и т.п.) pícket (d.).

пике́т II м. карт. piquét [-'ket].

пикети́ровать (вн.) pícket (d.).

пике́тчик м. pícketer.

пи́ки мн. (ед. пи́ка ж.) карт. spades; ходи́ть с пик lead* spades.

пики́рование с. ав. dive, díving, swóoping.

пики́ровать несов. и сов. (сов. тж. спики́ровать) (без доп.) ав. dive, swoop; сов. тж. go* into a pówer dive.

пикирова́ть несов. и сов. (вн.) с.-х. prick out (d.), single (d.).

пики́роваться несов. и сов. (с тв.) exchánge cáustic remárks [-'tʃeɪ-...] (with), have an àltercátion (with).

пики́роваться страд. к пикирова́ть.

пики́ровка I ж. с.-х. prícking out, síngling.

пики́ровка II ж. ав. = пики́рование.

пики́ровка III ж. разг. (препирательство) àltercátion, slánging-màtch.

пики́ровщик м. ав. díve-bòmb|er.

пики́рующий dive (attr.); ~ бомбарди́ровщик díve-bòmb|er.

пикни́к м. pícnic; устра́ивать ~ pícnic.

пикн‖**уть** сов. разг. let* out a squeak; (перен.) make* a sound of prótest; он ~ не сме́ет he does not dare útter a word; он и ~ не успе́л ≅ before he knew where he was; before he could say knife идиом.; то́лько ~и! (угроза) one sound out of you!

пико́в‖**ый** карт. of spades; ~ая да́ма queen of spades; ~ая масть spades pl.; ◇ ~ое положе́ние a prétty mess [...'prɪ-...]; попа́сть в ~ое положе́ние get* into a fine / nice mess, get* into hot wáter [...'wɔ:-]; оста́ться при ~ом интере́се ≅ get* nothing for one's pains.

пикра́ты мн. хим. pícrates.

пикри́нов‖**ый** хим. pícric; ~ая кислота́ pícric ácid.

пиктогра́фия ж. pictógraphy.

пи́кули мн. хим. píckles.

пи́кша ж. háddock.

пила́ ж. saw; (перен.: о человеке) nágger; ручна́я ~ hándsaw; кру́глая ~ círcular saw; ле́нточная ~ bánd-saw; механи́ческая ~ (в станке) fráme-saw; столя́рная ~ búck-saw.

пила́в м. = плов.

пила́-ры́ба ж. зоол. sáwfish.

пи́лен‖**ый** sawn; ~ лес tímber; lúmber амер.; ~ са́хар lump súgar [...'ʃu-].

пили́грим м. уст. pílgrim.

пили́кать разг. strum, scrape; ~ на скри́пке scrape on a víolin.

пили́ть (вн.) saw* (d.); (перен.) разг. nag (d.), péster (d.). ~**ся** 1. saw*; 2. страд. к пили́ть.

пи́лка ж. 1. (действие) sáwing; 2. (маленькая ручная пила) frétsaw; 3. (для ногтей) (náil-)file.

пи́ллерс м. мор. deck stánchion [...'stɑ:nʃən].

пиломатериа́лы мн. sáw-timber sg.

пило́н м. арх. pýlon.

пилообра́зный sèrráted, notched.

пилора́ма ж. pówer-saw bench.

пило́т м. pílot. ~**а́ж** м. flýing, pílot-age; вы́сший ~а́ж aerobátics [ɛərə-].

пилоти́рование с. pílot|ing.

пилоти́ровать (вн.) pílot (d.).

пило́тка ж. воен. field cap [fi:ld...], fórage cap.

пиль межд. охот. take!

пи́льщик м. sáwyer, wóodcutter ['wud-].

пилю́‖**ля** ж. pill; (большая) bólus; (маленькая) glóbule; pil(l)ùle; коробо́чка для ~ль pill-bòx; ◇ проглоти́ть ~лю swállow a pill; (перен.) swállow the pill; позолоти́ть ~лю sweeten / súgar the pill [...'ʃu-...]; го́рькая ~ bítter pill to swállow.

пиля́стра ж. арх. piláster.

пимы́ мн. (ед. пим м.) 1. pimý ['pɪ'mi] (deer-skin boots); 2. = ва́ленки.

пинакоте́ка ж. pícture gállery.

пина́ть, пнуть (вн.) разг. kick (d.).

пингви́н м. pénguin.

пине́тки мн. (ед. пине́тка ж.) báby's bóotees.

пи́ния ж. бот. stóne-pine, Itálian pine.

пин‖**о́к** м. разг. kick; дава́ть ~ка́ (дт.) kick (d.).

пи́нта ж. pint [paɪ-].

пинце́т м. píncers pl., twéezers pl.

пи́нчер м. (собака) Pínscher [-'ʃ-]; ка́рликовый ~ míniature Pínscher.

пио́н м. péony.

пионе́р I м. pionéer; быть ~ом в чём-л. (be a) pionéer in smth.

пионе́р II м. (член детской коммунистической организации) Young Pionéer [jʌŋ...].

пионервожа́тый м. скл. как прил. Young Pionéer léader [jʌŋ...].

пионе́рия ж. собир. the Young Pionéers [...jʌŋ...] pl.

пионе́рка ж. к пионе́р II.

пионеротря́д м. (пионе́рский отря́д) Young Pionéer detáchment [jʌŋ...].

пионе́рск‖**ий** прил. к пионе́р II; ~ га́лстук Young Pionéer tie [jʌŋ...]; ~ значо́к Young Pionéer badge; ~ ла́герь Young Pionéer súmmer camp; ~ая организа́ция Young Pionéer òrganizátion [...-naɪ-]; ~ое звено́ Young Pionéer séction; ~ отря́д Young Pionéer detáchment; ~ая дружи́на Young Pionéer group [...gru:p].

пипе́тка ж. pipétte; (для лекарства тж.) médicine dròpper.

пир м. feast, bánquet; ◇ в чужо́м ~ý похме́лье ≅ súffer for smb. élse's sins / mistákes; ~ на весь мир, ~ горо́й разг. súmptuous feast.

пирами́д‖**а** ж. pýramid. ~**а́льный** pyrámidal; ~а́льный то́поль Lómbardy póplar [...rə-].

пирамидо́н м. фарм. pýramidòn.

пира́т м. pírate ['paɪ-]. ~**ский** pirátic(al) [paɪ-]. ~**ство** с. píracy ['paɪ-]; возду́шное ~ство air píracy, ský-jàcking.

пирене́йский Pyrenéan [-'ni:ən].

пириди́н м. хим. pýridine.

пири́т м. мин. pyrítes [-ti:z].

пирова́ть feast, célebràte with féasting; (шумно) rével ['re-]; caróuse.

пиро́г м. pie; (откры́тый с фру́ктами) tart; ~ с я́блоками apple pie / túrnòver; ~ с гриба́ми pie, а язы́к держи́ за зуба́ми посл. ≅ keep your breath to cool your pórridge [...breθ...].

пиро́га ж. pirógue [-g].

пирогравю́ра ж. иск. pyrográvure.

пирожко́вая ж. скл. как прил. snáck-bàr sérving pátties.

пиро́ж‖**ник** м. уст. pástry-cook ['peɪ-]. ~**ное** с. скл. как прил. собир. pástry ['peɪ-]; (об отдельном) fáncy cake; (бисквитное) spónge-càke ['spʌ-]. ~**о́к** м. pátty; pásty ['peɪ-].

пироксили́н м. pýroxylin [paɪə-], gún-cotton. ~**овый** прил. к пироксили́н; тж. pýroxílic [paɪə-]; ~овый по́рох pýroxýlin [paɪə-...]; pýro pówder [paɪə-...]; ~овая ша́шка slab of gún-cotton.

пиро́метр м. физ., тех. pyrómeter [paɪə-]. ~**и́ческий** физ., тех. pyromètric(al) [paɪə-].

пироме́трия ж. физ. pyrómetry [paɪə-].

пироско́п м. физ. pyróscòpe.

пироте́хн‖**ика** ж. pyrotéchnics. ~**и́ческий** pyrotéchnic.

пирофо́сфорный хим. pyrophosphóric.

пирри́хий м. лит. pýrrhic (foot*) [...fut].

Пи́рров: ~а побе́да Pýrrhic víctory.

пирс м. мор. pier [pɪə].

пиру́шка ж. разг. júnket, mérry-màking, binge; (попойка) caróusal.

пируэ́т м. pirouétte [-ru-].

пи́ршество с. feast; bánquet; (весёлое, шумное) révelry. ~вать уст. feast.

писа́||**ка** ж. разг. презр. scríbbler. ~ние с. 1. writing; 2.: свяще́нное ~ние церк. Hóly Writ / Scrípture.

писани́на ж. разг. scribble.

пи́сан||**ый** hánd-written; говори́ть как по ~ому разг. speak* as from the book; ◇ ~ая краса́вица pícture of beauty [...'bju:-]; носи́ться с кем-л., чем-л. как (дура́к) с ~ой то́рбой разг. ≅ make* much of smb., smth.; fuss óver smb., smth.; like a child óver a new toy.

пи́сарский, писарско́й прил. к пи́сарь.

пи́сарь м. clerk [klɑ:k]; вое́нный ~ mílitary clerk; морско́й ~ nával writer.

писа́тель м. writer, áuthor. ~ница ж. (wóman) writer ['wu-...], áuthoress. ~ский прил. к писа́тель.

писа́ть, написа́ть **1.** (вн. и без доп.) write* (d.); ~ кру́пно, ме́лко write* large, small; разбо́рчиво, чётко write* plain, write* a good hand; неразбо́рчиво, нечётко write* illégibly, write* a bad hand; ~ небре́жно, на́скоро scribble; ~ перо́м write* with a pen; ~ черни́лами write* in ink; ~ про́зой, стиха́ми write* prose, verse; ~ под дикто́вку take* dictátion; ~ дневни́к keep* a díary; ~ письмо́ write* a létter; ~ на маши́нке type; **2.** тк. несов. (в газетах, журналах) write* (for); **3.** (вн. тв.; красками) paint (d. in): ~ карти́ны, портре́ты paint píctures, pórtraits [...-rɪts]; ~ акваре́лью paint in wáter-còlours [...'wɔ:təkʌ-]; ~ ма́слом, ма́сляными кра́сками paint in oils; **4.** тк. несов. (быть годным для писания): э́тот каранда́ш, перо́ хорошо́, пло́хо пи́шет this is a good*, bad* péncil, pen; ◇ не про него́, неё и т. д. пи́сано разг. (недоступно чьему-л. понима́нию) it is Greek, или double Dutch, to him, her, etc. [...dʌbl...], it is a sealed book to him, her, etc.; (не предназначено для кого-л.) it is not inténded / meant for him, her, etc. [...ment...]; пиши́ пропа́ло it is as good as lost. ~ся **1.** spell*, be spelt: как пи́шется э́то сло́во? how do you spell this word?; **2.** страд. к писа́ть.

писе́ц м. **1.** уст. clerk [klɑ:k]; **2.** ист. (переписчик) scribe.

писк м. peep, chirp (мышей тж.) squeak; (цыплят тж.) cheep; (жалобный) whine. ~ли́вый squéaky.

пи́ск||**нуть** сов. give* a squeak. ~отня́ ж. разг. squéaking, péeping. ~у́н м., ~у́нья ж. разг. squéaker.

писсуа́р м. **1.** (раковина) úrinal; **2.** (общественная уборная) street úrinal.

пистоле́т м. pístol; автомати́ческий ~ automátic (pístol); ~-пулемёт sùbmachíne-gùn [-'ʃi:n-]; ~ный pístol (attr.).

писто́н м. **1.** percússion cap; **2.** муз. píston. ~ный: ~ное ружьё percússion músket.

писцо́в||**ый:** ~ые кни́ги ист. cadástres, cadásters.

писчебума́жн||**ый** páper (attr.); ~ магази́н státioner's (shop); ~ые принадле́жности státionery sg., státionery supplíes.

пи́сч||**ий** writing (attr.); ~ая бума́га writing-pàper.

письмена́ мн. cháracters ['kæ-], létters.

пи́сьменно нареч. in writing, in written form; изложи́ть что-л. ~ put* smth. down on páper.

пи́сьменность ж. written lánguage; появле́ние ~и the appéarance of a written lánguage.

пи́сьменн||**ый 1.** (служащий для письма́) writing (attr.); ~ стол writing-tàble, (writing-)dèsk: (с выдвижными ящиками тж.) buréau [-'rou]; ~ые принадле́жности writing matérials; ~ прибо́р desk set; **2.** (написанный) written; ~ая рабо́та written work; (экзаменационная, зачётная) test-pàper; (рекомендация) written réference; в ~ой фо́рме in written form, in writing; ~ знак létter; ~ экза́мен written examinátion; ◇ ~ое приказа́ние order in writing.

письм||**о́** с. **1.** létter; откры́тое ~ póst-càrd ['pou-]; (в газете) ópen létter; заказно́е ~ régistered létter; недостави́тельное ~ dead létter [ded...]; поздрави́тельное ~ létter of congràtulátion; це́нное ~ régistered létter (with státement of value); делово́е ~ búsiness létter ['bɪznɪs...]; официа́льное ~ offícial létter; míssive; он давно́ не получа́л от неё пи́сем he has not heard from her for a long time [...hə:d...]; **2.** тк. ед. (умение писать) writing; иску́сство ~á art of writing; **3.** тк. ед. (система графических знаков) script; ара́бское ~ Árabic script.

письмо́вник м. ист. mánual of létter-writing (containing spécimen létters).

письмоводи́тель м. уст. clerk [klɑ:k].

письмоно́сец м. póst:man* ['pou-]; létter-cárrier амер.

пита́ние с. **1.** nóurishment ['nʌ-], nutrítion; име́ть трёхра́зовое ~ get* three meals a day, be fed three times a day; уси́ленное ~ high-calóric díet; nóurishing díet ['nʌ-...]; обще́ственное ~ públic cáter:ing; недоста́точное ~ ùndernóurishment [-'nʌ-]; malnutrítion; иску́сственное ~ àrtifícial féeding / àlimentátion; (младенца) bóttle-fèeding; корнево́е ~ (о растениях) root nutrítion; **2.** тех. feed, féeding; pówer supplý.

пита́тель м. тех. féeder.

пита́тельн||**ость** ж. nutrítious:ness. ~ый **1.** (о пище) nóurishing ['nʌ-], nutrítious; **2.** тех. féeding; feed (attr.); **3.** биол.: ~ая среда́ nútrient médium; ~ раство́р nútrient solútion.

пита́ть (вн.) **1.** (прям. и перен.) feed* (d.); nóurish ['nʌ-]; ~ больно́го feed* a pátient; **2.** (испытывать) feel* (d.); ~ чу́вство (рд.) nóurish / entertáin a féeling (of); ~ не́жные чу́вства (к) have a ténder afféction (for); ~ симпа́тию (к) feel* (a) sýmpathy (for); ~ отвраще́ние (к) have (an) avérsion (for), loathe (d.); ~ наде́жду chérish / nóurish the hope; **3.** тех. feed* (d.), supply (d.); ~ го́род электроэне́ргией supply a cíty with electrícity [...'sɪ-...]; ~ бой воен. feed* the battle. ~ся (тв.) feed* (on), live [lɪv] (on); хорошо́ ~ся be well fed, eat* well.

пите́йн||**ый** уст.: ~ дом, ~ое заведе́ние públic house* ['pʌ- -s]; pub разг.

питека́нтроп м. палеонт. pithecánthropus.

пито́м||**ец** м. fóster-child*; (находящийся на попечении) charge; (воспитанник) púpil; (школы) dísciple, alúmnus. ~ник м. núrsery; древе́сный ~ник núrsery gárden; àrborétum (pl. -ta) научн.

пито́н м. зоол. python ['paɪ-].

пить, вы́пить **1.** (вн.) drink* (d.), have (d.), take* (d.); ~ ма́ленькими глотка́ми sip (d.); жа́дно, больши́ми глотка́ми gulp (down) (d.); ~ чай, ко́фе и т. п. take* / have tea, cóffee, etc. [...-fɪ...]; я хочу́ ~ I am thírsty; ~ лече́бные во́ды take* the wáters [...'wɔ:-]; ~ за чьё-л. здоро́вье, за кого́-л. drink* the health of smb. [...helθ...], drink* to smb.; **2.** тк. несов. (без доп.) (пьянствовать) drink*; ◇ ~ го́рькую, ~ мёртвую разг. drink* hard; как дать pf. for sure [...ʃuə], as sure as eggs is eggs.

пить||**ё** с. **1.** (действие) drínking; **2.** (напиток) drink, béverage. ~ево́й drínkable; ~ева́я вода́ drínking wáter [...'wɔ:-]; ~ева́я со́да bi:cárbonate of sóda, báking sóda.

пифаго́р||**еец** м., ~е́йский Pythagoréan [paɪθædʒə'rɪən].

Пифаго́ров: ~а теоре́ма мат. Pythàgoréan propositíon / théorem [paɪθædʒə'rɪən -'z- 'θɪə-].

пи́фия ж. ист. the Pýthian, Pýthoness ['paɪ-].

пиха́ть, пихну́ть (вн.) разг. **1.** push [puʃ] (d.); (локтями) élbow (d.); **2.** (засовывать) shove [ʃʌv] (d.). ~ся разг. push [puʃ]; (локтями) élbow, shove [ʃʌv].

пихну́ть сов. см. пиха́ть.

пи́хта ж. fir(-tree), sílver fir, ábies ['æbɪi:z].

пи́хтовый fir(-tree) (attr.), sílver fir (attr.); ~ лес fir-tree fórest [...'fɔ-].

пиццика́то = пиччика́то.

пи́чкать, напи́чкать (вн. тв.) разг. stuff (d. with), cram (d. with) (тж. перен.); dose [-s] (d. with); ~ кого́-л. лека́рствами stuff smb. with médicines.

пичу́га ж., **пичу́жка** ж. разг. = пти́ца, пти́чка I.

пиччика́то с. нескл., нареч. муз. pizzicáto [pɪtsɪ'kɑ:-].

пи́шущ||**ий 1.** прич. см. писа́ть; **2.** прил. writing (attr.); ~ая маши́нка týpewriter; ◇ ~ эти стро́ки the présent writer; ~ая бра́тия разг. the líterary fratérnity.

пи́щ||**а** ж. тк. ед. (прям. и перен.) food; горя́чая ~ hot food; hot meals pl.; ~ для ума́ food for thought, méntal pábulum; духо́вная ~ spíritual nóurishment / food [...'nʌ-...]; дава́ть ~у слу́хам, подозре́ниям и т. п. feed* rúmours, suspícions, etc.

пища́ль ж. ист. (h)árquebus.

пища́ть, пропища́ть squeak; (о цыпля́тах и т. п.) cheep, peep.

427

ПИЩ – ПЛА

пищеблóк м. офиц. públic cáter;ing òrganizátion ['pʌ-...-naɪ-].

пищевáрени|е с. digéstion [-stʃn]; плохóе ~ bad* / poor digéstion; расстрóйство ~я digéstive disórder.

пищеварительный digéstive; digéstion [-stʃn] (attr.); ~ прóцесс digéstion.

пищеви́к м. wórker in the food índustry.

пищевóд м. анат. gúllet; oesóphagus [i:-] научн.

пищев|óй food (attr.); ~ые продýкты fóodstùffs; ~áя промы́шленность food índustry; ~ы́е концентрáты food cóncentràtes.

пи́щик м. 1. охот. pipe for lúring birds; 2. муз. reed; 3. театр. búzzer.

пия́вк|а ж. (прям. и перен.) leech; медици́нские ~и medícinal léeches; стáвить ~и apply léeches; приставáть как ~ разг. stick* like a leech.

плав м.: на ~ý мор. aflóat.

плáвани|е с. 1. swímming; шкóла ~я swímming school; 2. (судов) nàvigátion; sáiling; (путешествие) vóyage; ~ под парáми steam nàvigátion; каботáжное ~ cóastwise nàvigátion / trade, cóasting; дáльнее ~ ócean nàvigátion ['ouʃn...]; совершáть кругосвéтное ~ circùmnávigàte the globe / world; отправля́ться, уходи́ть в ~ put* to sea; ◊ большóму кораблю́ большóе (и) ~ ≅ a great ship needs deep wáters [...-eɪt...'wɔ:-].

плáвательн|ый swímming; nàtatórial [neɪ-]; nátatory ['neɪ-]; ~ бассéйн swímming pool; ~ая перепóнка (у птиц) web; (у черепахи и т.п.) flípper; ~ пузы́рь fish-sound, swímming-blàdder.

плáвать, опред. плыть, сов. поплы́ть 1. (о человеке и животном) swim*; 2. (о предмете; облаках) float, drift; (о судне) sail; (о пароходе) steam; 3. (на судне) sail, návigàte; (на лодке) boat; плыть на вёслах row [rou]; плыть под парусáми sail, go* únder sail; плыть в гондóле и т.п. float / glide in a góndola, etc.; плыть по течéнию go* down stream; (перен.) go* / swim* with the stream / tide; плыть прóтив течéния go* up stream; (перен.) go* against the stream; ~ по нéбу float across the sky; плыть по вóле волн drift (on the waves); ◊ всё плывёт передó мной évery⁎thing is swímming befóre my eyes [...aɪz], my head is swímming [...hed...]; плыть в рýки разг. drop into smb.'s lap.

плавбáза ж. flóating fish-fàctory.

плавикóв|ый: ~ая кислотá хим. hỳdro;fluóric ácid; ~ шпат мин. flúorspàr.

плави́ль|ный тех. mélting, smélting; ~ ти́гель mélting-pòt, crúcible ['kru:-]; ~ная печь smélting fúrnace. ~ня ж. fóundry, sméltery. ~щик м. fóunder, fúrnace óperàtor.

плáвить (вн.) melt (d.); (при высóкой температýре) fuse (d.). ~ся 1. melt; (при высóкой температýре) fuse; 2. страд. к плáвить.

плáвка ж. 1. (процесс) mélting, fúsion, fúsing; 2. (выплавленный за один произвóдственный цикл металл) melt;

3. (продукт) melt, tap; (чугуна) cast.

плáвки мн. спорт. swímming trunks.

плáв|кий méltable, fúsible [-zə-]. **~кость** ж. fúsibílity [-zə-]. **~лéние** с. mélting; тóчка ~лéния mélting-point.

плáвленый: ~ сыр prócess;ed cheese.

плавни́к м. (у рыбы) fin; (у кита и т.п.) flípper; спиннóй ~ dórsal fin; груднóй ~ thorácic fin; хвостовóй ~ cáudal fin; брюшнóй ~ àbdóminal fin.

плавн|óй: ~ая сеть dríft(ing)-nèt.

плáвн|ость ж. smóothness [-ð-]; (о речи) flúency, facílity. **~ый** 1. smooth [-ð]; ~ая похóдка éasy / light step ['i:zɪ...]; ~ая речь flúent / flówing speech [...'flou-...]; 2. лингв. (о звуке) líquid.

плавунéц м.: жук-~ wáter-tiger ['wɔ:-gə].

плавýч|есть ж. buóyancy ['bɔɪ-], fló(a)tage. **~ий** 1. flóating; ~ий маяк lightship, light-vèssel; ~ий мост flóating bridge, bridge of boats; ~ая льди́на (íce-)flòe; ~ий рыбозавóд fáctory ship; ~ий кран flóating crane; ~ий док flóating dock; 2. (способный держаться на поверхности воды) buóyant.

плагиáт м. plágiarism. **~ор** м. plágiarist. **~орский** прил. к плагиáтор.

плáзма ж. биол., физ. plásm(a) [-z-]. **~ти́ческий** биол. plasmátic [-z-].

плáзменный физ. plásma [-z-] (attr.), plásmic [-z-].

плазмóдий м. биол. plasmódium [-z-] (pl. -ia).

плакáльщи|к м., **~ца** ж. wéeper, móurner ['mɔ:-].

плакáт м. plácard ['plæ-], póster ['pou-]; учéбный ~ instrúctional wall sheet. **~и́ст** м. póster ártist ['pou-...]. **~ный** plácard ['plæ-] (attr.), póster ['pou-] (attr.); ~ное перó stýlò pen.

плáк|ать 1. weep*, cry; гóрько ~ weep* bítterly, cry one's heart out [...hɑ:t...]; ~ навзры́д sob; ~ от гóря, рáдости cry / weep* for / with sórrow, joy; ~ с кем-л. weep* with smb.; join smb. in wéeping; 2. (о пр.) weep* (for), cry (for); (оплакивать) mourn [mɔ:n] (d.); 3. (о том, что пропало): ~áли дéнежки разг. шутл. you can kiss your móney good-býe [...'mʌ-...], you can whistle for your móney; 4.: пáлка по немý плáчет he's ásking for it; what he needs is a thráshing; ◊ хоть плачь! it is enóugh to make you weep! [...'nʌf...]. **~аться**, поплáкаться (дт. на вн.) разг. complán (to of); (на вн.) lamént (for, óver).

плакирýют несов. и сов. (вн.) тех. plate (d.). **~óвка** ж. тех. pláting.

плáкс|а м. и ж. разг. crý-bàby, sníveller. **~и́вость** ж. téarfulness. **~и́вый** whining; ~и́вый ребёнок crý-bàby; ~и́вым гóлосом in a whining voice.

плакýн-травá ж. бот. wíllow-hèrb.

плакýч|ий wéeping; ~ая и́ва wéeping willow; ~ая берёза wéeping birch.

пламегаси́тель м. воен. (химический) flash extínguisher, ánti-flásh charge; (надульник) flash elíminator, flásh-hider.

плáменный поэт. flame, blaze; (тв., перен.) burn* (with); ~ страстью burn* with pássion.

плáменн|ость ж. árdour. **~ый** fláming, fíery; (перен.) árdent, fláming;

~ый патриоти́зм árdent / fláming pátriotism [...'ræ-].

плáм|я с. flame, flare; (яркое) blaze; вспы́хнуть ~енем burst* into flame; языки́ ~ени tongues of flame [tʌ-...].

план м. (в разн. знач.) plan; (проéкт тж.) scheme; (города и т.п. тж.) map; (задание) tárget [-gɪt] ~, рассчитанный на мнóго лет a lóng-tèrm plan; ~ преобразовáния приро́ды plan for the trànsformátion of náture [...'neɪ-]; учéбный ~ school plan; curriculum (pl. -la); ~ вы́пуска продýкции óutput plan / prógràm(me) [-put...]; ~ произвóдства чугунá на 1985 г. the 1985 píg-iron tárget [-aɪən...]; ~ строи́тельства (чертёж) ground plan of a prójéct; по ~у, соглáсно ~у accórding to plan; выполня́ть ~ fulfíl the plan [ful-...]; выполня́ть ~ досрóчно complète the plan ahéad of schédule / time [...ə'hed...'ʃe-...]; перевыполня́ть ~ óver;fulfíl the plan [-ful-...]; beat* / óutstrip / smash the tárget; стрóить ~ы plan, make* plans; намéтить ~ draw* up a plan; расстрáивать чьи-л. ~ы spoil* / upsét* smb.'s plans; снимáть с чегó-л. ~ make* a plan of smth.; ~ огня́ воен. fire plan; передний ~ fóre;ground; задний ~ báckground; на передне́м ~е in the fóre;ground; крýпный ~ кин. clóse-ùp [-s-]; óбщий ~ кин. long shot; ~ на пéрвом ~е first and fóre;mòst.

планёр м. ав. glíder; **~-пари́тель** sóaring glíder.

планё|ри́зм м. ав. glíding. **~и́ст** м. glíder pílot.

планёрка ж. разг. plánning méeting.

планёрный прил. к планёр; ~ спорт glíding.

планéт|а ж. plánet ['plæ-]; больши́е ~ы májor plánets; мáлые ~ы mínor plánets; ásteroids; ~-спýтник sátellite. **~áрий** м. plànetárium (pl. -ria). **~ный** plánetary; ~ная систéма plánet(ary) system ['plæ-...].

планимéтр м. геод. planímeter.

планиметри́ческий plànimétric.

планимéтрия ж. planímetry, plane geómetry.

плани́рование I с. plánning.

плани́рование II с. ав. glide, glíding; спирáльное ~ spíral glide.

плани́ровать I, сплани́ровать, расплани́ровать (вн.) 1. при сов. сплани́ровать plan (d.); 2. при сов. распланировать (о саде, парке и т.п.) lay* out (d.).

плани́ровать II, сплани́ровать ав. glide (down).

планирóвка ж. 1. plánning; 2. (сада, парка и т.п.) láy-out.

планисфéра ж. астр. plánisphère.

плáнка ж. lath*, slat; орденская ~ medal ríbbons ['me-...] pl.

планктóн м. биол. plánkton.

плановик м. plánner.

плáнов|ость ж. devélopment / arrángement accórding to plan [...ə'reɪ-...], planned cháracter [...'kæ-]. **~ый** 1. sỳstemátic, planned; ~ое хозя́йство planned économy [...i:-]; ~ая рабóта planned work; ~ое развитие devélopment on planned lines; ~ое задáние tárget (fìgure) [-gɪt...]; 2. (занимающийся сос-

тавлением планов) plánning (attr.); ~ый отдел plánning depártment.

планомерн||о нареч. (систематически) sỳstemátically, régularly; (по плану) accórding to plan; рабо́тать ~ work sỳstemátically. **~ость** ж. règulárity, sỳstemátic cháracter [...'kæ-]. **~ый** sỳstemátic, régular, plánned, bálanced; ~ое развитие народного хозяйства bálanced / plánned devélopment of the nátional ecónomy [...'næ- i:-].

плантатор м. plánter [-ɑ:n-]. **~ский** прил. к плантатор.

плантация ж. plàntátion; табачная ~ tobácco plàntátion; чайная ~ tea plàntátion.

планшайба ж. тех. fáce:plate.

планшет м. 1. pláne-table; огневой ~ воен. firing chart; 2. (полевая сумка) máp-càse [-s].

планшетка ж. разг. = планшет 2.

пласт м. 1. (прям. и перен.) láyer; 2. геол. strátum (pl. -ta), bed, seam; ◇ лежать ~ом be on one's back.

пластать (вн.) cut* in láyers (d.).

пластик||а ж. 1. (скульптура и т. п.) the plástic arts; 2. (искусство ритмических движений) sense of rhythm [...ðm]; 3. (пластичность) plastícity.

пластики мн. (ед. пластик м.) plástics.

пластилин м. plásticine [-i:n].

пластин||а ж. plate. **~ка** ж. 1. (в разн. знач.) plate; фотографическая ~ка (phòto)gráphic plate; чувствительная ~ка sénsitive plate; 2.: граммофо́нная, патефо́нная ~ка grámophòne récord [...'re-]; ~ка для звукозаписи recórding disc; 3. бот. blade, lámina (pl. -nae).

пластинчатожа́берные мн. скл. как прил. зоол. laméllibrànchia [-kɪə].

пластинчатый lamèllar, làmellàte.

пластическ||ий (в разн. знач.) plástic; ~ие движения plástic móvements [...'mu:v-]; ~ая масса plástic mass; ~ая хирургия plástic súrgery.

пластичн||ость ж. (в разн. знач.) plastícity. **~ый** (в разн. знач.) plástic.

пластмасс||а ж. (пластическая масса) plástic. **~овый** прил. к пластмасса.

пластун м. ист. prívate in Cóssack ínfantry ['praɪ-...], Cóssack ínfantry:man*.

пластырь м. 1. pláster; прикладывать ~ (к) put* a pláster (on); 2. мор. patch; подводить ~ secúre a collísion-màt.

плат м. уст. = платок.

плата ж. тк. ед. pay; (гонорар) fee; за проезд fare; квартирная ~, аре́ндная ~ rent; заработная ~ (рабочих) wáges pl.; (служащих) pay, sálary; ~ за обучение tuítion fee; входная ~, ~ за вход éntrance fee.

платан м. бот. plátan ['plæ-], pláne-(-tree). **~овый** прил. к платан.

платёж м. páyment; прекращать платежи suspénd / stop páyment(s); наложенным платежо́м cash on delívery (сокр. C.O.D.).

платёжеспосо́бн||ость ж. sólvency. **~ый** sólvent.

платёжн||ый pay (attr.); **~ая сила** денег púrchasing pówer of móney [-sɪŋ... ʌ-]; **~ день** pay-day; **~ая ведомость** pay-sheet, pay-roll; **~ баланс** bálance of páyment; **~ое соглашение** pay / páyment agreement.

плательщик м. páyer; ~ налогов táxpayer.

платин||а ж. plátinum. **~овый** прил. к платина; бриллианты в ~овой оправе díamonds móunted in plátinum.

платить (прям. и перен.) pay*; ~ золотом pay* in gold; ~ наличными pay* in cash, pay* in réady móney [...'redɪ 'mʌ-]; ~ натурой pay* in kind; ~ по счёту settle an accóunt, pay* the bill; ~ в рассрочку pay* by / in instálments [...-ɔ:l-]; ~ бешеные деньги (за вн.) pay* a fàntástic sum (for); pay* through the nose (for) идиом.; ~ услугой за услугу ≅ retúrn a fávour; (дт.) make* it up (to); ~ кому-л. той же монетой pay* smb. (back) in his own coin [...oʊn...]; give* smb. tit for tat разг.; ~ кому-л. взаимностью retúrn smb.'s love [...lʌv]; ~ дань (дт.) rénder tríbute (i.); ~ добром за зло retúrn good for évil [...'i:-]. **~ся**, поплатиться 1. (тв. за вн.) pay* (with for); поплатиться жизнью за что-л. pay* for smth. with one's life*; 2. страд. к платить.

платн||ый 1. (предоставляемый за плату) requiring páyment; 2. (оплачиваемый) paid; ~ая работа paid work; 3. (оплачивающий) páying; ~ ученик páying púpil.

плато с. нескл. геогр. pláteau [-tou] (pl. тж. -x), táble:land.

платок м. shawl; (на голову) kérchief, héadscàrf [hed-]; носовой ~ (pócket) hándkerchief [...-ŋkə-]; ханки разг.

платонический Platónic; ~ая любовь Platónic love [...lʌv].

платформа I ж. 1. (перрон) plátform; 2. (товарный вагон) (ópen) goods truck; flátcàr амер.

платформа II ж. полит. (программа) plátform.

плат||ье с. 1. собир. (одежда вообще) clothes [-oʊðz] pl., clóthing [-oʊ-]; готовое ~ réady-màde clothes ['redɪ-...]; верхнее ~ óuter gárments pl.; (женское) dress, gown, frock; вече́рнее ~ évening dress ['i:v-...]; ~-костюм twó-píece (dress) [-'pi:s...]. **~яной**: ~яной шкаф wárdrobe; ~яная щётка clóthes-brùsh ['kloʊðz-].

плаун м. бот. lỳcopódium [laɪ-], club-moss, wólf's-claw ['wʊlfs-].

плафо́н м. 1. арх. pláfond; 2. (абажур) (lamp)shàde. **~ный** прил. к плафо́н.

плаха ж. 1. block; 2. ист. execútioner's block.

плац м. ист. paráde(-ground); учебный ~ drill ground / square.

плацдарм м. воен. place of arms; jùmping-óff ground / place; brídge:head [-hed]; spríngboard (тж. перен.); ~ для нападения (на вн.) spríngboard for attáck (on).

плацента ж. анат. placénta (pl. -ae).

плацкарт||а ж. resérved seat tícket [-'zə:-...]; (в спальном вагоне) berth; билет с ~ой resérved seat; взять ~у book a resérved seat. **~ный:** ~ный вагон cárriage with númbered resérved seats [...-'zə:-...]; ~ное место resérved seat.

плач м. wéeping, crýing.

плачевн||ый lámentable, deplórable; sad; иметь ~ вид cut* a poor figure, be a sórry sight; иметь ~ исхо́д result in fáilure [-'zʌlt...]; ~ результат deplórable result; в ~ом состоянии in a sad state, in a sórry plight.

плачущий 1. прич. см. плакать; 2. прил. whining.

плашка ж. 1. plate; 2. тех. screw-thread die [-θred...].

плашкоут м. мор. lighter. **~ный:** ~ный мост мор. pontóon bridge.

плашмя нареч. flat, flátways, flátwise; prone; ударить саблей ~ strike with the flat of the sword [...sɔ:d]; падать ~ fall* prone, fall* flat on one's face.

плащ м. 1. cloak; 2. (непромокаемый) máckintòsh, wáterproof (coat) ['wɔ:-...], ráincoat.

плащаница ж. церк. shroud of Christ [...-aɪst].

плащ-палатка ж. wáterproof cápe-(-tènt) ['wɔ:-...], gróundsheet.

плебей м., **~ский** plebéian [-'bi:ən].

плебисцит м. полит. plébiscite. **~ный** прил. к плебисцит.

плебс м. собир. уст. mob; plebs pl.

плева ж. анат. mémbrane, film, coat; лёгочная ~ pléura; девственная ~ hýmen.

плевательница ж. spittóon.

плевать, плюнуть spit*; expéctorate; (на вн.; перен.) разг. spit* (upón); not care a straw / bit (abóut); shrug off (d.); ему́ ~ на всё, он плюёт на всё he doesn't care a straw, he doesn't give a damn abóut ány:thing; he lets things go hang; я ~ хотел I don't care (a fig / damn) ◇ не плюй в колодец: пригодится воды напиться посл. don't foul the well, you may need its wáters [...'wɔ:-]; ~ в потолок ≅ sit* twíddling one's thumbs; это ему раз плюнуть разг. it's a piece of cake, или child's play, for him [...pi:s...]; it's a snap for him амер. **~ся** разг. spit*.

плевел м. бот. dárnel, cóckle; weed (тж. перен.).

плевок м. 1. spit(tle); 2. (мокрота) spútum (pl. -ta).

плевр||а ж. анат. pléura. **~ит** м. мед. pléurisy.

плёв||ый разг. trífling; ~ое дело a dóddle, a piece of cake [...pi:s...].

плед м. rug; (шотландский) plaid [plæd].

плезиозавр м. палеонт. plésiosàurus ['pli:-] (pl. тж. -ri).

плейстоцен м. геол. pléistocène ['plɪ-].

плексиглас м. pléxiglàss, pérspèx. **~овый** прил. к плексиглас.

племенн||ой I (относящийся к племени) tríbal; ~ быт tríbal life.

племенн||ой II (породистый — о скоте) pédigree (attr.); ~ скот pédigree cáttle, blóodstòck ['blʌd-]; ~ое животноводство pédigree stóck-breeding.

ПЛЕ – ПЛО

племя I *с.* 1. tribe; 2. (*поколение*) gèneràtion; нóвое, молодóе ~ new, yóunger gèneràtion [...jʌŋ-...].

племя II *с.* (*в животноводстве*) breed; ◊ на ~ for breeding.

племя́нни‖**к** *м.* néphew [-vju:]. ~**ца** *ж.* niece [ni:s].

плен *м. тк. ед.* (*прям. и перен.*) cáptivity; быть в ~ý be in cáptivity; держáть когó-л. в ~ý hold* smb. cáptive; попадáть в ~ be táken prísoner [...'priz-]; брать когó-л. в ~ take* smb. prísoner.

пленáрн‖**ый** plénary ['pli:-]; ~ое заседáние plénary méeting, plénary séssion.

пленéние *с.* cápture.

пленúтельн‖**ость** *ж.* fàscinátion. ~**ый** fáscinating, chárming, cáptivating.

пленúть I *сов.* (*когó-л.*) *уст.* (*взять в плен*) take* smb. prísoner [...-iz-], cápture (smb.).

пленúть II *сов. см.* пленя́ть. ~**ся** *сов. см.* пленя́ться.

плёнк‖**а** *ж.* (*в разн. знач.*) film; (*тонкая*) péllicle; (*магнитная лента*) tape; запúсывать на ~у (*вн.*) make* a (sóund-)recórding (of), recórd (*d.*); ~ *разг.* заснять на ~у (*вн.*) phótogràph; зáпись на ~у tápe-recórding.

плéнн‖**ик** *м.*, ~**ица** *ж.* prísoner ['priz-], cáptive. ~**ый** 1. *прил.* cáptive; 2. *м. как сущ.* cáptive, prísoner ['priz-].

плéнум *м.* plénum, plénary séssion ['pli:-...].

пленя́ть, пленúть (*вн.*) cáptivàte (*d.*), fáscinàte (*d.*), charm (*d.*). ~**ся**, пленúться (*тв.*) be cáptivàted (by), be fáscinàted (by).

плеонáзм *м. лит.* pléonàsm.

плеонастúческий *лит.* pléonástic.

плёс *м.* reach (of ríver) [...'ri-], stretch (of ríver *or* lake).

плéсень *ж.* mould [mou-]; mústiness (*тж. перен.*); покры́ться ~ю be móuldy [...'mou-].

плеск *м. тк. ед.* splash, swash; (*весел*) plash; (*волн*) lápping.

плескáть, плеснýть 1. (*бры́згать водóй*) splash, plash; 2. (*о волнáх, мóре*) lap. ~**ся** 1. (*о волнáх, мóре и т. п.*) lap, swash; 2. (*в водé, водóй*) splash.

плéсневеть, заплéсневеть grow* móuldy / músty [grou 'mou-...].

плеснýть *сов. см.* плескáть.

плестú, сплестú (*вн.*; *о косе*) braid (*d.*), plait [plæt] (*d.*); (*о кружеве и т. п.*) weave* (*d.*), tat (*d.*); (*о корзúне, стýле и т. п.*) weave* (*d.*), plait (*d.*); wáttle (*d.*); ~ сéти net; ~ паутúну spin* a web; ~ венóк twine a wreath*; ~ лáпти make* bast shoes [...ʃu:z]; ◊ ~ вздор talk nónsense / rot; talk through one's hat *идиом.*

плестúсь 1 (*тащúться*) drag ònesélf alóng; toil alóng, trudge, plod alóng / on; ◊ ~ в хвостé lag / drag behínd; be at the táil-ènd; trail alóng at the back.

плестúсь II *страд. к* плестú.

плетéльн‖**ый** *текст.* bráiding. ~**ая машúна** bráiding machíne [...-'ʃi:n]; ~**ые издéлия** wícker-wòrk *sg.*

плетéние *с.* 1. bráiding, pláiting ['plæt-]; 2. (*плетёное издéлие*) wícker-wòrk.

плетён‖**ый** wáttled; wícker (*attr.*); ~ **стул**, ~**ое крéсло** wícker chair; ~**ая корзúнка** wícker básket.

плетéнь *м.* (wáttle-)fènce.

плётка *ж.* lash.

плеть *ж.* lash.

плечев‖**óй** *анат.* húmeral; ~**áя кость** húmerus (*pl.* -ri).

плеченóгие *мн. скл. как прил. зоол.* bráchiopoda [-k-].

плéчики *мн. разг.* (*вéшалка*) clóthes-hànger [-ouðz-] *sg.*, cóat-hànger *sg.*, hánger *sg.*

плéчико *с.* 1. *уменьш. от* плечó 1; 2. (*у сорóчки*) shóulder-stràp ['ʃou-].

плечúстый bróad-shouldered [-ɔ:dʃou-].

плеч‖**ó** *с.* 1. shóulder ['ʃou-]; ~**óм к ~ý** shóulder to shóulder; пожимáть ~**áми** shrug one's shóulders; брать на ~**и** (*вн.*) shóulder (*d.*); лéвое, прáвое ~ **вперёд, марш**! right, left wheel!; **на ~**! *воен.* slope arms!; 2. *анат.* úpper arm, húmerus (*pl.* -ri); 3. *физ., тех.* arm; ~ **кривошúпа** crank cheek / arm / web; ◊ **горá с плеч** (свалúлась) a load has been táken off one's mind; вынóсить на своúх ~**áх** (*вн.*) endúre (*d.*); cárry on one's broad shóulders [...brɔ:d...] (*d.*); bear* the full brunt (of); имéть гóлову на ~**áх** have a good head on one's shóulders [...hed...]; на ~**áх протúвника** *воен.* on top, *или* on the heels, of the énemy; **с плеч долóй** that's done, thank góodness; **это емý не по ~ý** he is not up to it; **с чужóго ~á** (*об одéжде*) worn [wɔ:n], sécond-hánd ['se-].

плешúв‖**еть**, оплешúветь grow* / get* bald [-ou...]. ~**ость** *ж.* báldness. ~**ый** bald.

плешúна *ж.*, **плешь** *ж.* bald patch / spot.

плея́да *ж.* Pléiad ['plaɪəd], gálaxy.

Плея́ды *мн. астр.* Pléiadès ['plaɪədi:z].

пли *межд. уст.* fire!

плимутрóк *м.* (*порóда кур*) Plýmouth Rock ['plɪməθ-].

плúнтус *м. арх.* plinth.

плиоцéн *м. геол.* pl(é)iocène ['plaɪ-].

плис *м.* vèlvetéen. ~**овый** vèlvetéen (*attr.*).

плиссé [-сэ] 1. *с. нескл.* accórdion pleats *pl.*; 2. *как неизм. прил.* accórdion-pléated.

плиссирóв‖**анный** *прич. и прил.* pléated. ~**áть** *несов. и сов.* (*вн.*) pleat (*d.*); make* accórdion pleats (in). ~**ка** *ж.* pléating.

плитá I *ж.* plate, slab, flag; (*для мощéния*) flágstòne; **мрáморная** ~ márble slab; **могúльная** ~ gráve-stòne, tómbstòne ['tu:m-]; **бетóнная** ~ cóncrete slab.

плитá II *ж.* (*кýхонная*) (kítchen-)range [-reɪ-], stove, cóoker.

плúтка I *ж.* 1. (*облицóвочная*) tile, thin slab; 2. (*шокóлада и т. п.*) bar, brick; **крáски в** ~**х** sólid wáter-còlours [...'wɔ:təkʌl-].

плúтка II *ж.* (*для приготовлéния пищи*) (cóoking-)range [-reɪ-], cóoker; **электрúческая** ~ eléctric stove.

плитня́к *м. тк. ед.* flágstòne.

плúточный *прил. к* плúтка I; ~ **пол** tiled floor [...flɔ:]; ~ **чай** brick-tea; ~ **шокóлад** slab chócolate.

плúца *ж.* 1. báiler; 2. (*лóпасть парохóдного колесá*) blade (*of a páddle-wheel*).

плов *м. кул.* piláu, piláw, piláff ['pɪlæf].

пловéц *м.* swímmer.

плод *м.* 1. (*прям. и перен.*) fruit [fru:t]; приносúть ~**ы** yield / bear* fruit [ji:ld bɛə...]; (*перен.*) bear* fruit; ~ **многолéтнего трудá** resúlt / fruit of many years' work / lábour [-'zʌlt...]; пожинáть ~**ы́ своúх трудóв** reap the fruits of one's lábour; пожинáть ~**ы́ чужúх трудóв** reap where one has not sown [...soun]; 2. *биол.* fóetus ['fi:-]; ◊ **запрéтный** ~ forbídden fruit.

плодúть (*вн.*) prócreàte ['proukri-] (*d.*), prodúce (*d.*); (*перен. тж.*) engénder [ɪn'dʒ-] (*d.*). ~**ся** própagàte.

плодовúт‖**ость** *ж.* frúitfulness ['fru:t-], fèrtílity, fecúndity. ~**ый** frúitful ['fru:t-], fértile, fécund ['fe-].

плодовóд‖**ство** *с.* frúit-gròwing ['fru:t-'grou-]. ~**ческий** frúit-gròwing ['fru:t-'grou-] (*attr.*).

плодóв‖**ый** *прил. к* плод 1; ~**ое дéрево** frúit-trèe [-u:t-], frúiter [-u:tə]; ~ **сáхар** frúit-sùgar [-u:tʃu-].

плодолúстик *м. бот.* cárpel.

плодонóжка *ж. бот.* pédicle, fruit stem [fru:t...], frúit-stàlk ['fru:t-].

плодоносúть bear* fruits [bɛə fru:ts], fruit [fru:t].

плодонóсный frúit(-bearing) ['fru:t-bɛə-].

плодоношéние *с.* frúiting ['fru:t-].

плодоовощнóй fruit and végetable [fru:t...] (*attr.*).

плодорóд‖**ие** *с.*, ~**ность** *ж.* fertílity, fecúndity. ~**ный** fértile, fecúnd ['fe-]; ~**ная пóчва** rich / fértile soil.

плодосмéнн‖**ый**: ~**ая систéма** *с.-х.* ròtátion of crops [rou-...], ròtátory sýstem [rou'teɪ-...].

плодосушúлка *ж. с.-х.* fruit kiln [fru:t...].

плодотвóрн‖**ость** *ж.* frúitfulness ['fru:t-]. ~**ый** frúitful ['fru:t-].

плóмб‖**а** *ж.* 1. (*зубнáя*) stópping, filling; стáвить ~**у** (*в зуб*) stop / fill a tooth*; 2. (*на двери и т. п.*) seal, lead [led].

пломбúр I *м.* (*морóженое*) íce-crèam.

пломбúр II *м.* (*инструмéнт для наклáдывания пломб*) séaler.

пломбúр‖**овáть**, запломбировáть (*вн.*) 1. (*о зýбе*) stop (*d.*), fill (*d.*); 2. (*о двéри и т. п.*) seal (*d.*). ~**óвка** *ж.* 1. (*зýба*) stópping, filling; 2. (*двéри и т. п.*) séaling.

плóск‖**ий** 1. flat; (*о повéрхности тж.*) plane; ~**ая стопá** *мед.* flát-fòot [-fut]; ~**ая грудь** flat chest; 2. (*о замечáнии, остротé и т. п.*) trívial; ~**ая шýтка** flat joke, feeble joke.

плоскогóрье *с.* plateau [-tou] (*pl. тж.* -x), táble-lànd.

плоскогрýдый flát-chéstèd.

плоскогýбцы *мн.* plíers.

плоскодóн‖**ка** *ж.* flát(-bòttomed) boat. ~**ный** flát-bòttomed.

плоскопеча́тн∥ый *полигр.*: ~ая маши́на flát-bèd (prínting) press.

плоскосто́пие *с. мед.* flát-fóotedness [-'fut-]; у него́ ~ he is flát-fóoted [...-'fut-], he has flat feet.

пло́скост∥ь *ж.* 1. flátness; 2. *(поверхность)* plane; накло́нная ~ inclíned plane; ~ управле́ния, направля́ющая ~ *ав.* contról súrface [-roul...]; в той же ~и *(прям. и перен.)* on the same plane; 3. *(плоское замеча́ние)* plátitùde, cómmonplàce remárk.

плот *м.* raft.

плотва́ *ж. тк. ед. (рыба)* roach.

плоти́на *ж.* weir [wɪə], dam; *(защитная)* dike, dyke; *(переливная)* ~ óver-flow weir / dam [-flou...].

плотне́ть, поплотне́ть grow* stout [-ou...].

пло́тни∥к *м.* cárpenter. ~чать work as a cárpenter. ~чий *прил.* к пло́тник. ~чный: ~чное де́ло cárpentry.

пло́тно I *прил. кратк. см.* пло́тный.

пло́тн∥о II *нареч.* 1. clóse(:ly) [-s-], tíghtly, ~ заколоти́ть дверь board / nail up *a* door [...dɔ:]; ~ прижима́ться (к) cling* close [...s] (to); ~ облега́ть *(о пла́тье и т. п.)* fit close; 2. *разг.*: ~ пообе́дать, ~ пое́сть, ~ позавтракать have a square / héarty meal [...'hɑ:tɪ...]. ~ость *ж.* 1. compáctness; *(густота)* dénsity; *(массивность)* solídity, strength; ~ость населе́ния dénsity of populátion; ~ость огня́ *воен.* dénsity of fire; 2. *физ.* dénsity. ~ый 1. compáct, dense; *(о ткани)* dense, close [-s], thick; ~ое населе́ние dense populátion; 2. *разг.*: ~ый за́втрак, обе́д, у́жин square / héarty meal [...'hɑ:-...]; 3. *разг. (о человеке)* thíck-sét, sólidly built [...bɪlt]; 4. *(массивный)* sólid, strong.

плотово́д *м.* ráfter, ráfts-man*.

плотовщи́к *м.* ráfter, ráfts-man*, férry-man*.

плотого́н *м.* = плотово́д.

плотоя́дн∥ый cárnivorous; *(перен.)* lústful; ~ое живо́тное cárnivòre *(pl.* -ra).

пло́тск∥ий *уст.* cárnal, fléshly; ~ие жела́ния cárnal desíres [...-'z-].

пло́т∥ь *ж. уст.* flesh; ◇ ~ и кровь (one's) flesh and blood [...-ʌd]; ~ от ~и, кость от ко́сти one bone and one flesh; bone of my bone, flesh of my flesh; облека́ть в ~ и кровь íncàrnàte; embódy in flesh [-'bɔ-...].

пло́хо I 1. *прил. кратк. см.* плохо́й; 2. *предик. безл.* that's bad*; 3. *предик. безл. (дт.) (о тяжёлом физи́ческом состоя́нии)*: ему́ ~ he is very ill; he's in a bad way *разг.*

пло́хо II 1. *нареч.* bád(:ly)*; ~ себя́ чу́вствовать feel* bad* / unwéll; э́то ~ па́хнет it smells bad*; ~ вести́ себя́ behave bád(:ly; ~ обраща́ться (с *тв.*) ill-úse (d.), ill-tréat (d.); ~ приспосо́бленный ill-adápted; 2. *с. как сущ. нескл. (отметка)* bad mark; получи́ть ~ (по *дт.*) get* a bad mark (for); ◇ одно́ ~ just one thing wrong, just one trouble [...trʌ-...]; ~ лежа́ть lie* in temptátion's way [...-m't-...]; ~ ко́нчить come* to a bad end. ~ва́тый ráther bad ['rɑ:-...], not too good.

плох∥о́й 1. *прил. (в разн. знач.)* bad*; ~а́я пого́да bad* / wrétched / násty wéather [...'weðə]; ~óe настрое́ние bad* mood; low spírits [lou...] *pl.*; быть в ~ом настрое́нии be in a bad* mood, be in low spírits, be out of sorts; ~óe здоро́вье poor health [...helθ]; больно́й о́чень плох the pátient is very bad, или is in a bad way; его́ дела́ пло́хи things are in a bad way with him; ~óe пищеваре́ние poor digéstion [...-stʃn]; ~óe утеше́ние poor consolátion; 2. *с. как сущ.*: что тут ~óго? what's wrong with that?, what's wrong about it?; ◇ с ним шу́тки пло́хи he is not one to be trífled with; he is a tough cústomer [...tʌf...] *идиом.*

плохо́нький *разг.* ráther bad ['rɑ:-...].

плоша́ть, оплоша́ть, сплоша́ть *разг.* make* a mistáke, fail; *сов. тж.* take* a false step [...fɔ:-...], slip up.

пло́шка *ж.* 1. *разг.* éarthen sáucer ['ə:θ-...]; 2. *(для иллюмина́ции)* lámpion.

площа́дка *ж.* 1. ground; ~ для игр pláyground; те́ннисная ~ ténnis-court [-kɔ:-]; баскетбо́льная и волейбо́льная ~ básket-bàll and vólley-bàll pitch; поса́дочная ~ *ав.* lánding ground; строи́тельная ~ búilding site ['bɪl-...]; 2. *(ле́стницы)* lánding; *(вагона)* plátfòrm, the end of the córridòr.

площадн∥о́й: ~áя брань foul lánguage, bíllings-gate (lánguage).

пло́щадь *ж.* 1. área ['ɛərɪə] *(тж. мат.)*; жила́я ~ líving space ['lɪv-...]; flóorspàce ['flɔ:-]; посевна́я ~ sown área [soun...]; посевна́я ~ под кукуру́зой área sown to maize; 2. *(в го́роде и т. п.)* square; база́рная ~ márket square / place.

плуг *м.* plough; тра́кторный ~ tráctor(-drawn) plough; двухлеме́шный, трёхлеме́шный ~ twó-shàre, thrée-shàre plough.

плу́нжер *м. тех.* plúnger [-ndʒə].

плут *м.* 1. cheat, swíndler, knave; 2. *разг. (хитре́ц)* rogue [roug].

плута́ть *разг.* stray; walk round in círcles (and lose* one's way) [...lu:z...].

плути́шка *м. разг.* líttle rogue [...roug], míschievous imp.

плу́тни *мн. (ед.* плу́тня *ж.) разг.* swíndle *sg.*, tricks.

плутов∥а́тый róguish ['rougɪʃ]; ~ ма́льчик róguish boy; ~ взгляд míschievous / róguish look; ~áтая улы́бка cúnning smile. ~áть, сплутова́ть *разг.* cheat, swíndle.

плуто́вка *ж.* 1. cheat, swíndler; 2. *ж.* к плути́шка.

плуто́в∥ско́й 1. knávish ['neɪ-]; ~ приём knávish trick; ~ска́я улы́бка míschievous / róguish smile [...'rougɪʃ...]; 2. *(о стиле рома́на)* picarésque. ~ство́ *с.* trickery; impósture, knávery ['neɪ-].

плутокра́т *м.* plútocràt. ~и́ческий plùtocrátic. ~ия *ж.* plùtócracy.

плыву́н *м. геол.* shífting sand, quícksànd.

плыву́чий flówing ['flou-], dèliquéscent.

плыть *см.* пла́вать.

плювио́метр *м. метеор.* plùvíometer.

плюга́вый *разг. (невзра́чный)* mean, shábby; *(дрянно́й)* despícable.

ПЛО—ПО П

плюма́ж *м. (на шля́пе)* plume.

плю́нуть *сов. см.* плева́ть.

плюрал∥и́зм *м. филос.* plúralism. ~ исти́ческий *филос.* plùralístic.

плюс *м.* 1. plus; 2. *разг. (преиму́щество)* advántage [-'vɑ:-].

плюсна́ *ж. анат.* mètatársus.

плюсова́ть, приплюсова́ть *(вн.)* add (d.).

плюсо́в∥ый: ~ая температу́ра témperature abóve zéro.

плю́хать(ся), плю́хнуть(ся) *разг.* flop (down); *(в вн.)* flop (into), plump (into).

плю́хнуть(ся) *сов. см.* плю́хать(ся).

плюш *м.* plush. ~евый plush *(attr.)*.

плю́шка *ж. разг.* bun.

плющ *м.* ívy.

плющи́льный *тех.*: ~ стано́к flátter, flátting mill.

плю́щить, сплю́щить *(вн.)* flátten (d.); *(о желе́зе)* láminàte (d.).

пляж *м.* beach; же́нский, мужско́й ~ wómen's, men's beach ['wɪ-...].

пляс *м. тк. ед. разг.* dance; пуска́ться в ~ throw* oneself, или break*, into a dance [θrou...-eɪk...].

пляса́ть *разг.* dance *(тж. перен.)*, do folk dáncing; ~ под чью-л. ду́дку dance to smb.'s tune / píping.

пля́с∥ка *ж.* dance, dáncing; ◇ ~ св. Ви́тта St. Vítus's dance; chòréa [kɔ'rɪə] *научн.*; ~ смерти Danse macàbre *(фр.)* [dɑ:ŋs mə'kɑ:br], Dance of Death [...deθ]. ~ова́я *ж. скл. как прил.* dance tune. ~ово́й dance *(attr.)*. ~у́н *м.*, ~у́нья *ж. разг.* dáncer; кана́тный ~у́н *уст.* rópe-dàncer.

пневма́тик *м. тех.* pneumátic tyre [nju:-...]; pneumátic tire *амер.*

пневма́т∥ика *ж.* pneumátics [nju:-]. ~и́ческий pneumátic [nju:-], áir-óperàted; compréssed-áir *(attr.)*.

пневмоко́кк *м. бакт.* pneumocóccus [nju:-] *(pl.* -cì).

пневмо∥ни́я *ж. мед.* pneumónia [nju:-]. ~то́ракс *м. мед.* pneumothórax [nju:-].

пнуть *сов. см.* пина́ть.

по I *предл. (дт.)* 1. *(на пове́рхности)* on; *(вдоль)* along: идти́ по́ полу, по траве́ walk on the floor, on the grass [...flɔ:...]; идти́, е́хать по доро́ге, тропи́нке, у́лице walk, drive* along the road, the path*, the street; — путеше́ствовать по стране́ jóurney through *a* cóuntry ['dʒə:-... 'kʌ-]; по всему́, по всей; кни́ги, тетра́ди *и т. п.* разло́жены по всему́ столу́ the books, cópy-books, *etc.*, are lýing all óver the table [...'kɔ-...]; стака́ны, ча́шки расста́влены по всему́ столу́ the glasses, cups are stánding all óver the table; он путеше́ствовал по всей стране́ he has trávelled all óver the cóuntry; 2. *(посре́дством)* by: по по́чте by post [...poust]; по желе́зной доро́ге by rail / train; е́хать по желе́зной доро́ге go* by rail / train; по во́здуху by air; — по ра́дио, телефо́ну óver the rádiò, the télephòne; 3. *(на основа́нии, в соотве́тствии)* by; *(согла́сно)* accórding to: по приказа́нию by órder; по пра́ву by right; по приро́де, по крови́ by náture,

431

ПО—ПОБ

by blood [...'neɪ-...blʌd]; по и́мени by name; суди́ть по вне́шнему ви́ду judge by appéarances; по Ле́нину accórding to Lénin; — по происхожде́нию by descent; он армяни́н по происхожде́нию he is of Arménian órigin; по его́ ви́ду мо́жно поду́мать from his looks you might suppóse; по сове́ту on, или accórding to, the advíce; по а́дресу to the addréss; по его́ а́дресу to his addréss; э́то по его́ а́дресу that is meant for him [...ment...], that is aimed at him; жить по сре́дствам live within one's means [lɪv...]; по положе́нию (согла́сно предписа́нию) accórding to the règulátions; (согла́сно занима́емому положе́нию) in accórdance with one's position [...-'zɪ-]; ex offício [ˈeksoˈfɪʃɪou] офиц.; **4.** (всле́дствие) by; (из-за) through: по оши́бке by mistáke; по невнима́тельности, рассе́янности through cárelessness, ábsent-mínded·ness; по боле́зни through íllness; по чьей-л. вине́ through smb.'s fault; не по его́ вине́ through no fault of his; — по обя́занности accórding to dúty; as in dúty bound идиом.; **5.** (об. дт. мн.; при обозначе́нии вре́мени) in, at, on: по утра́м in the mórning; по ноча́м at night; по выходны́м дням on one's free / off ·days; ◇ по пути́ (с кем-л.) см. путь; по рука́м! см. рука́; тж. и др. осо́бые слу́чаи, не приведённые здесь, но под те́ми слова́ми, с кото́рыми предло́г по образу́ет те́сные сочета́ния.

по II предл. (дт., вн.; в раздели́тельном знач.): по́ два, по десяти́ in twos, in tens; по дво́е two by two, in twos; по десяти́ челове́к in groups of ten [...gruːps...], in tens; по пяти́ рубле́й шту́ка at five roubles apíece [...ruːəˈpiːs]; по два́ я́блока на челове́ка two apples each.

по III предл. (вн.) **1.** (до) to; up to: по по́яс up to one's waist; с ию́ня по сентя́брь from June to September; по 1-е сентября́ up to the first of September; **2.**: по сю, по ту сто́рону (рд.) on this, on that, side (of); по пра́вую, ле́вую ру́ку см. рука́.

по IV предл. (пр.; после) on: по прибы́тии on one's arrival; (своём) прибы́тии on on his arríval he; по оконча́нии on the tèrminátion; по рассмотре́нии on exàminátion.

по- I глаго́льная приста́вка, употребля́ется в разн. знач.; в значе́нии ограни́ченности, кра́ткости де́йствия об. перево́дится через a little, for a time / while, или через фо́рмы глаго́ла have (a(n) + соотв. сущ.), но е́сли ограни́чение ука́зано осо́бо, то отде́льно об. не перево́дится: поспа́ть (немно́го, не́которое вре́мя) sleep* a little, for a time / while, have a sleep; поду́майте (немно́го) think* a little; поду́майте не́сколько мину́т think* for some mínutes [...-ɪts]; они́ хорошо́ попла́вали they had a good* swim; но ча́сто по- выража́ет то́лько сов. вид и тогда́ об. не перево́дится: он посмотре́л на них (взгляну́л) he looked at them;

он поду́мал, что (ему́ пришло́ в го́лову) he thought that; в таки́х слу́чаях посмотре́ть, поду́мать = смотре́ть look, ду́мать think* и т. п.

по- II приста́вка в сравн. степеня́х **1.** (немно́го) об. перево́дится через a little или a bit (+ comparative degree) или не перево́дится: подлинне́е, покоро́че (a little / bit) lónger, shórter; **2.** (наибо́лее) as... as one can (+ positive degree); в нареч. тж. in the... way one can (+ superlative degree): он постара́лся сде́лать э́то полу́чше he tried to do it as well as he could, he tried to do it in the best way he could.

по- III приста́вка-части́ца в наре́чиях **1.** (подо́бно) об. перево́дится через like (+ сущ.), или in a ... mánner / way; (как) as (+ сущ.): по-дру́жески like a friend [...fre-], in a fríendly mánner / way [...'fre-...]; as a friend; **2.** (при обозначе́нии языка́) in (+ сущ.) или не перево́дится: э́то напи́сано по-ру́сски, по-англи́йски и т. п. it is wrítten in Rússian, in Énglish, etc. [...-ʃən... 'ɪŋg-]; он писа́л по-ру́сски he wrote in Rússian; он уме́ет писа́ть по-ру́сски he can write Rússian; он сказа́л э́то по-ру́сски he said it in Rússian [...sed...]; он говори́т по-ру́сски he speaks Rússian.

побагрове́ть сов. см. багрове́ть.

поба́ива‖**ться** (рд., + инф.) разг. be ráther afráid [...'ɑː-...] (of, of ger.); он ~ется идти́ туда́ he is ráther afráid of góing there.

поба́ливать разг. (немно́го) ache a little [eɪk...]; (времена́ми) ache now and then, ache on and off.

побасёнка ж. разг. tale, stóry.

побе́г I м. (бе́гство) flight; (из тюрьмы́ тж.) escápe.

побе́г II м. (росто́к) sprout, shoot; (от ко́рня) súcker; (для поса́дки) set; (для приви́вки) graft.

побе́гать сов. run* a little, run* for a while, have a run.

побегу́шк‖**и**: быть у кого́-л. на ~ах be smb.'s érrand-boy, run* érrands for smb.; (перен.) be at smb.'s beck and call.

побе́д‖**а** ж. víctory; (успе́х) tríumph; одержа́ть ~у gain / win* (a) víctory, score a víctory, win* the day, cárry the day; (над) gain / win* a víctory (óver).

победи́тель м., ~**ница** ж. cónqueror [-kə-]; víctor поэт.; спорт. winner; победи́тели и побеждённые víctors and vánquished.

победи́ть сов. см. побежда́ть.

побе́дн‖**ый** triúmphal, triúmphant, victórious; ~ гимн triúmphal hymn; ~ клич triúmphant call; ◇ до ~ого конца́ till final víctory.

победоно́сный victórious, triúmphant; víctor (attr.).

побежа́лост‖**ь** ж.: цвет ~и тех. óxide tint.

побежа́ть сов. **1.** см. бе́гать 1, бежа́ть I; **2.** (нача́ть бежа́ть) break* into a run [-eɪk...].

побежда́ть, **победи́ть 1.** (вн.) cónquer [-kə] (d.), gain / win* a víctory (óver); (наноси́ть пораже́ние) deféat (d.); vánquish (d.) поэт.; (перен.: преодолева́ть)

òver:cóme* (d.); **2.** (без доп.; об иде́ях, уче́нии и т. п.) tríumph, prevail.

побе́жка ж. (спо́соб бе́га ло́шади) pace, gait.

побеле́ть сов. см. беле́ть 1. ~**и́ть** сов. см. бели́ть I.

побе́лка ж. white·wàshing.

побере́жье с. séa-coast, séaboard, líttoral, shore.

побере́чь сов. (вн.) **1.** (сохрани́ть) keep* (d.); **2.** (отнести́сь бе́режно, забо́тливо) take* care (of), look (áfter); ~ свои́ си́лы spare òne·self. ~**ся** сов. take* care of òne·self.

побесе́довать сов. (с тв. о пр.) have a talk (with abóut); (с указа́нием продолжи́тельности тж.) talk (with abóut); ~ немно́го с кем-л. о чём-л. have a (little) talk with smb. abóut smth., talk a little, или for a while, with smb. abóut smth.; ~ час have an hour's talk [...auəz...], talk for an hour.

побеспоко́ить сов. (вн.) trouble [trʌ-] (d.). ~**ся** сов. trouble [trʌ-]; вам придётся ~ся об э́том you will have to see to it.

побира́ться разг. beg, live by bégging [lɪv...].

поби́ть сов. **1.** см. бить I 1; **2.** (вн.) (о ли́вне, гра́де, ве́тре) beat* down (d.), lay* (down) (d.); (о моро́зе) nip (d.); ◇ ~ реко́рд break* a récord [-eɪk... ˈre-]. ~**ся** сов. break* [-eɪk]; ~ся об закла́д bet.

поблагодари́ть сов. см. благодари́ть.

побла́жк‖**а** ж. разг. indúlgence; pámpering; дава́ть ~и (дт.) indúlge (d.), give* an éasy time [...'iːzɪ...] (i.).

побледне́ть сов. см. бледне́ть.

поблёклый fáded, wíther:ed.

поблёкнуть сов. см. блёкнуть.

поблёскивать gleam.

побли́зости нареч. near at hand, hére:about(s), close by [-s...]; ~ от near (to).

побожи́ться сов. см. божи́ться.

побо́и мн. béating sg.; (уда́ры) blows [blouz].

побо́ище с. sláughter, cárnage; blóody battle ['blʌ-...] (тж. перен.).

по́боку нареч. разг.: всё де́ло ~ things have gone a·wrý [...gɔn...].

поболта́ть сов. (с тв. о пр.) разг. have a chat (with abóut); (с указа́нием продолжи́тельности тж.) chat (with abóut); ~ немно́го have a chat, chát(ter) a little; ~ полчаса́ have a half an hour's chat [...hɑːf...auəz...], chát(ter) for half an hour.

побо́льше I (сравн. ст. от прил. большо́й) (по разме́ру) (just) a little lárger / bígger; (по во́зрасту) (just) a little ólder.

побо́льше II (сравн. ст. от нареч. мно́го) (just) a little more.

по-большеви́стски нареч. like a Bólshevik, like Bólsheviks, in true Bólshevist style.

побо́рни‖**к** м., ~**ца** ж. ádvocate, ùp·hólder, chámpion; stándard-bearer [-bɛə-]; ~ ми́ра chámpion / stándard-bearer of peace.

поборо́ть сов. (вн.) fight* down (d.); òver:cóme* (d.) (тж. перен.); спорт. beat* (d.); ~ проти́вника deféat one's ádversary; ~ себя́ òver:cóme* òne·self.

432

поборы *мн.* (*ед.* побор *м.*) *уст.* requisitions [-'zɪ-]; (*незаконные*) extortion *sg.*

побочн‖**ый** 1. side (*attr.*), collateral; *юр.* accessary; ~ продукт *эк.* by-product; ~ая работа side-line, work on the side; ~ вопрос side-issue; 2. *уст.* (*о детях*) natural.

побояться *сов.* (*рд.*, + *инф.*) be afraid (of, of *ger.*); (*не осмелиться*) not venture (+ to *inf.*); (*не отважиться*) not dare (+ to *inf.*).

побранить *сов.* (*вн.*) give* a scolding (*i.*), scold a little (*d.*), tick off (*d.*). ~ся *сов.* (с *тв.*) *разг.* have a quarrel (with), have words (with).

побрататься *сов. см.* брататься.

побратим *м.* sworn brother [swɔːn'brʌ-]; города-~ы twin cities [...'sɪ-]. ~ство *с.* sworn brotherhood [swɔːn'brʌðəhud].

по-братски *нареч.* fraternally; (*в отношении одного человека*) like a brother [...'brʌ-]; (*в отношении двух и более*) like brothers; ~ разделить что-л. с кем-л. go* halves with smb. in smth. [...haːvz...].

побрать *сов.* (*вн.*) *разг.* take* (*d.*).

побрезгать *сов. см.* брезгать.

побрести *сов.* plod, start wandering.

побриться *сов. см.* бриться.

побродить *сов.* wander for some time.

побросать *сов.* (*вн.*) 1. throw* up [-ou...] (*d.*); 2. (*оставить, покинуть многое, многих*) forsake* (*d.*), desert [-'z-] (*d.*), abandon (*d.*).

побрызгать *сов.* sprinkle a little.

побрякать *сов. см.* побрякивать.

побряк‖**ивать, побрякать** (*тв.*) *разг.* rattle (with).

побрякушка *ж. разг.* trinket.

побудитель‖**ный** stimulating; ~ая причина motive, incentive.

побудить I *сов. см.* побуждать.

побудить II *сов.* (*вн.*; *спящего*) try to wake up (*d.*).

побудка *ж. воен.* reveille [-elɪ].

побужд‖**ать, побудить** (*вн.* к, + *инф.*) impel (*d.* to, + to *inf.*), induce (*d.* + to *inf.*), prompt (*d.* to, + to *inf.*); (*заставлять*) make* (*d.* + *inf.*); что побудило вас уйти? what made you go? ~ение *с.* motive, inducement, incentive; по собственному ~ению of one's own accord [...oun...].

побуреть *сов. см.* буреть.

побывальщина *ж. уст.* narration; true story.

побыва‖**ть** *сов.* 1. have been, have visited [...-z-]; он ~л во Франции и Испании he has been to France and Spain, he has visited France and Spain; он ~л всюду he has been everywhere; 2. *разг.* (*посетить*) look in, visit.

побывк‖**а** *ж. разг.* leave, furlough [-lou]; приезжать домой на ~у come* home on leave, come* home for a stay.

побыть *сов.* stay (*for a short time*); он побыл у меня меньше часа he stayed with me less than an hour [...auə].

повад‖**иться** *сов.* (+ *инф.*) *разг.* fall into the habit (of *ger.*), get* the habit (of *ger.*); ◇ ~ился кувшин по воду ходить, тут ему и голову сломить *посл.* the pitcher goes often to the well but it is broken at last [...'ɔːf(t)°n...].

повадка *ж. разг.* habit.

повадно: чтоб не было ~ (*дт.*) *разг.* (in order) to teach (*d.*) not to do so; (*дт.* + *инф.*) so that it does:n't become* a habit (with).

повалить I *сов. см.* валить I.

повалить II *сов.* 1. (*начать валить*) (*о народе*) begin* to throng; (*о снеге*) begin* to fall heavily [...'hev-], begin* to fall in thick flakes; (*о дыме*) begin* to belch; 2. как *сов.* к валить II.

повалиться *сов. см.* валиться.

повальн‖**о** *нареч.* without exception; здесь все ~ больны гриппом every:one here is down with the flu. ~ый general; ~ый обыск general search [...sɔːtʃ]; ~ая болезнь mass epidemic.

поваля‖**ть** *сов.* (*вн.*) roll (*d.*). ~ся *сов.* 1. roll about, wallow; 2. *разг.* (*в постели*) stay in bed.

повар *м.* cook.

поваренн‖**ый** cookery (*attr.*), cooking (*attr.*); ~ая книга cookery book; ~ая соль (common) salt, table salt; sodium chloride *хим.*

поварёнок *м. разг.* kitchen-boy.

поварёшка *ж. разг.* ladle.

повар‖**иха** *ж.* к повар. ~ской *прил.* к повар.

по-вашему *нареч.* 1. (*по вашему мнению*) in your opinion; to your mind / thinking; 2. (*по вашему желанию*) as you want / wish; as you would have it; он сделал ~ he did as you wanted / wished; ◇ пусть будет, *или* будь, ~ have it your own way [...oun...].

поведать *сов.* (*вн.*, *дт.*) *уст.* tell* (*d.* to), impart (*d.* to); ~ тайну (*дт.*) disclose / reveal a secret (to).

поведение *с.* conduct, behaviour; дурное ~ bad* behaviour, misbehaviour.

повезти I *сов. см.* везти I и возить I.

повезти II *сов. см.* везти II.

повел‖**евать, повелеть** 1. *тк. несов.* (*тв.*) *уст.* command [-aːnd] (*d.*); (*управлять*) rule (*d.*, over); 2. (*дт.*, *приказывать, указывать*) enjoin (*i.* + to *inf.*): мой долг ~евает мне сделать это my duty enjoins me to do it. ~ение *с. уст.* command [-aːnd].

повелеть *сов. см.* повелевать 2.

повелитель *м. уст.* sovereign [-vrɪn]. ~ница *ж. уст.* lady, sovereign [-vrɪn]. ~ный imperative, authoritative; ~ный тон imperious / peremptory tone; ~ное наклонение *грам.* imperative mood.

повенчать *сов. см.* венчать II. ~ся *сов. см.* венчаться II.

поверг‖**ать, повергнуть** 1. (*вн.*) *уст.* throw* down [-ou...] (*d.*); 2. (*вн.* в вн.) plunge (*d.* into); ~ кого-л. в печаль plunge smb. into sorrow; ~ кого-л. в уныние depress smb. ~ся, повергнуться 1. (*в вн.*) be plunged [...-ndʒd] (into), fall* (into); ~ся в уныние be plunged into depression; 2. *страд.* к повергать.

повергнуть(ся) *сов. см.* повергать(ся).

поверенный *м. скл. как прил.* 1. attorney [ə'tɜː-]; 2. (*тот, кому доверена тайна и т.п.*) confidant; ◇ ~ в делах chargé d'affaires (*фр.*) [ʃaːʒeɪdæ'fɛə].

поверить I *сов. см.* верить.

поверить II, III *сов. см.* поверять I, II.

повер‖**ка** *ж.* 1. checking up, check-up, verification; ~ времени (*по радио*) time signal; 2. (*перекличка*) roll-call; (*постов, караулов*) visiting [-z-]; ◇ на ~у in actual fact.

повернуть(ся) *сов. см.* поворачивать(-ся).

поверочн‖**ый**: ~ые испытания examinations; test *sg.*

поверстн‖**ый** *уст.* (measured) by the verst ['mɛʒ-...]; ~ая плата payment by the verst.

повёртывать(ся) = поворачивать(ся).

поверх *предл.* (*рд.*) over: ~ платья на ней было надето пальто she wore a coat over her dress; смотреть ~ очков look over the top of one's spectacles.

поверхностно I *прил. кратк. см.* поверхностный.

поверхностно II *нареч.* superficially, perfunctorily, in a perfunctory manner.

поверхностн‖**ый** surface (*attr.*); superficial, shallow; (*перен. тж.*) perfunctory; ~ая рана flesh / superficial wound [...wuː-]; ~ое натяжение surface tension; ~ая вода surface water [...'wɔː-]; ~ое знание superficial knowledge [...'nɔ-]; smattering.

поверхность *ж.* surface.

поверху *нареч.* on / along the surface, on top.

поверье *с.* popular belief [...-'liːf]; superstition.

поверять I, поверить (*вн. дт.*; *доверять*) entrust (*d.* to), trust (with *d.*); ~ кому-л. своё горе confide one's sorrow to smb.

поверять II, поверить (*вн.*; *проверять*) check (*d.*), check up (*d.*, on), verify (*d.*); ~ караулы, посты *воен.* inspect the guards, visit the sentry posts [-z-...pou-].

повеса *м. разг.* rake, scape:grace.

повесел‖**еть** *сов. см.* веселеть. ~ить *сов.* (*вн.*) amuse (*d.*). ~иться *сов.* enjoy one:self, make* merry.

по-весеннему *нареч.* as in spring; солнце греет ~ the sun is as hot as in spring.

повесить I, II *сов. см.* вешать I, II.

повеситься *сов. см.* вешаться II.

повесничать *разг.* lead* a rakish / wild life [...'reɪ-...].

повествова‖**ние** *с.* narration, narrative. ~тельный narrative.

повествовать (*о пр.*) narrate (*d.*), relate (*d.*), recount (*d.*), give* an account (of).

повести I *сов. см.* поводить I.

повести II *сов. см.* вести 1, 2 и водить 1.

повестись *сов.* 1. (*войти в обычай*) become* the custom; уж так повелось such is the custom; 2. (с *тв.*) *разг.* (*начать дружить*) make* friends [...frɛndz] (with); с кем поведёшься, от

ПОВ – ПОВ

того и наберёшься *посл.* tell me whom you live with and I will tell you who you are [...lıv...].

повестк‖**а** *ж.* 1. nótice ['nou-]; (*в суд*) súmmons, writ, subpoena [-'piː-]; (*в военкомат*) cáll-úp pápers *pl.*; 2. *воен.* (*вечерняя*) last post [...pou-]; ◇ ~ дня agénda, órder of the day; на ~е дня on the agénda; in the órder of the day; включить в ~у дня (*вн.*) put* on the agénda (*d.*); снять с ~и дня (*вн.*) remóve from the agénda [-'muːv...] (*d.*); принять ~у дня без изменéний adópt the agénda as it stands.

повесть *ж.* nárrative, tale, story.

повéтрие *с. разг.* epidémic, inféction; (*перен.*) craze; мóдное ~ it's all the rage.

повéшение *с.* hánging; казнь чéрез ~ hánging; приговорить когó-л. к смéртной кáзни чéрез ~ séntence smb. to death by hánging [...deθ...].

повéшенный 1. *прич. см.* вéшать II; 2. *м. как сущ.* the hángеd man*.

повé‖**ять** *сов.* 1. begín* to blow [...-ou-]; (*подуть слегка*) blow* sóftly; 2. *безл.* (*тв.*; *тж. перен.: вызвать чувства, воспоминания*) breathe (of); ~ло прохлáдой there came a breath of cool air [...breθ...], the air grew fresher.

повзвóдно *нареч. воен.* in / by platóons.

повздóрить *сов. см.* вздорить.

повзрослéть *сов. см.* взрослéть.

повивáльн‖**ый**: ~ая бáбка *уст.* mídwife*.

повидáть *сов.* (*вн.*) *разг.* see* (*d.*). ~**ся** *сов. см.* видáться.

по-видимому *вводн. сл.* appárently, to all appéarance, óbviously.

повидло *с. тк. ед.* jam.

повилика *ж. бот.* convólvulus, dódder.

повиниться *сов. см.* виниться.

повинн‖**ая** *ж. скл. как прил.* conféssion, acknówledgment of one's guilt [-'nɔ-...]; приносить ~ую, являться с ~ой give* óneself up; (*на суде*) plead guilty; (*перен.*) acknówledge one's fault / guilt [-'nɔ-...]; own up *разг.*

повинн‖**ость** *ж.* dúty, obligátion; трудовáя ~ *уст.* lábour conscríption; всеóбщая вóинская ~ *уст.* compúlsory military sérvice. ~**ый** (*в пр.*) guílty (of); ни в чём не ~ый innocent of any crime; ◇ ~ую гóлову меч не сечёт *посл.* ≅ a fault conféssed is half redréssed [...hɑːf...].

повинов‖**áться** *несов. и сов.* (*дт.*) obéy (*d.*). ~**éние** *с.* obédience.

повисáть, **повиснуть** 1. (*на пр.*) hang* (by); 2. (*над*; *склоняться*) hang* down (óver), droop (óver); ◇ повиснуть в вóздухе hang* (póised) in mid-air; remáin undecided / unséttled.

повисéть *сов.* (*некоторое время*) hang* for a time.

повитýха *ж. уст. разг.* mídwife*.

повлé‖**чь** *сов.* (*вн.*) entáil (*d.*); bring* abóut (*d.*); это ~ёт за собóй вáжные послéдствия this will entáil sérious cónsequences.

повлиять *сов. см.* влиять.

пóвод I *м.* occásion, cause, ground; кассациóнный ~ *юр.* ground for cassátion; ~ к войнé cásus bélli; по какóму ~у? in what connéction?; по какóму ~у вы об этом вспóмнили? what made you think of it?; служить ~ом (к) give* rise (to); ◇ давáть ~ (*дт.* + *инф.*) give* occásion (*i.* + to *inf.*); give* cause (for + to *inf.*); по ~у (*рд.*) on the occásion (of); apropós [-'pou] (of); без всякого ~а without cause; по этому ~у, по ~у этого as regárds this, apropós of this.

пóвод II *м.* (*у лошади и т.п.*) (bridle) rein; ◇ быть на ~ý у когó-л. be led by smb. [...led...].

повод‖**и́ть I**, **повести** (*тв.*) move [muːv] (*d.*); повести бровями raise one's brows, lift one's éyebrows [...'aı-]; ~ плечóм move one's shóulder [...'ʃou-]; ◇ он и брóвью не повёл ≅ he did not turn a hair, he did not bat an éyelid [...'aı-].

поводить II *сов.* (*вн.*) walk (*d.*), take* aróund (*d.*); ~ когó-л. по теáтрам, выставкам take* smb. to théatres, exhibítions [...'θıə- eksı-]; ~ лóшадь walk a horse.

поводóк *м.* (dog's) lead.

поводы́р‖**ь** *м.* léader, guide; слепóй с ~ём blind man* with his guide.

повоз‖**и́ть** *сов.* (*вн.*) drive* (*d.*), take* for drives (*d.*). ~**ся** *сов.* 1. (*без доп.*; *провести время в возне*) mess aróund; 2. (с, над *тв.*; *потратить время на что-л.*): емý пришлóсь ~ся с этим дéлом, с больным, с организáцией выставки *и т.п.* he has had plénty of trouble with this affáir, with the pátient, with the organizátion of the exhibítion, *etc.* [...trʌ-...-naı-...eksı-].

повóзка *ж.* véhicle ['viː1-], cárriage [-rıdʒ].

повóйник *м. уст.* povóinik (*headdress of a Russian married peasant woman*).

поволóк‖**а** *ж.*: глазá с ~ой lánguishing eyes [...aız].

поволóчь *сов.* (*вн.*) *разг.* drag (*d.*).

повoрáчивать, **повернýть** 1. (*вн.*) turn (*d.*); (*круто*) swing* (*d.*); (*перен.*) change [tʃeı-]; ~ ключ turn (*d.*); ~ кран turn *the* cock; повернýть разговóр change the súbject of *the* conversátion; повернýть назáд, вспять колесó истóрии revérse the course of history [...kɔːs...]; 2. (*без доп.*) turn; ~ напрáво, налéво, за угол turn (to the) right, (to the) left, (round) *the* córner. ~**ся**, **повернýться** 1. turn; (*круто*) swing*; (*перен.*) change [tʃeı-]; ~ся спинóй (к) turn one's back (up|on); ~ся кругóм turn round; *воен.* turn abóut; ~ся на якоре *мор.* swing* at ánchor [...'æŋkə]; 2. *страд. к* повoрáчивать.

поворожи́ть *сов. см.* ворожи́ть.

поворóт *м.* turn(ing); (*реки*) bend, curve; (*перен.*) change [tʃeı-], túrning-point; второй ~ напрáво sécond túrn(-ing) to / on the right ['seː-...]; на ~е реки at the bend of the ríver [...'rı-]; на ~е дорóги at the turn of the road; крутóй ~ к лýчшему súdden change / turn for the bétter [...tʃeı-...].

поворотить *сов. разг.* turn (*d.*). ~**ся** *сов. разг.* turn.

поворóтлив‖**ость** *ж.* 1. nímbleness, agility, quickness; 2. *тех., мор.* manóeuvrability [-nuːv-], hándiness. ~**ый** 1. nímble, ágile, quick; 2. *тех., мор.* manóeuvrable [-'nuːv-], hándy.

поворóтный *тех.* rótary ['rou-]; (*перен.*) túrning; ~ круг *ж.-д.* túrn-táble; ~ момéнт, ~ пункт túrning-point.

поворчáть *сов.* grúmble a líttle.

повредить I *сов. см.* вредить.

повредить II *сов. см.* поврежáть.

повредиться *сов. см.* поврежáться.

повреждáть, **повредить** (*вн.*) (*о машине и т.п.*) dámage (*d.*); (*о руке, ноге и т.п.*) ínjure (*d.*), hurt* (*d.*). ~**áться**, **повредиться** *разг.* be dámaged, be ínjured; повредиться в умé be méntally derángеd [...-'reı-]. ~**éние** *с.* dámage, ínjury; большие, си́льные ~ения exténsive / héavy / much dámage [...'hevı...] *sg.*

повременить *сов.* (с *тв.*) *разг.* wait a líttle (with).

повремéнн‖**ый** 1. (*об издании*) periódical; 2.: ~ая оплáта pay by the hour, day, week [...auə...]; ~ая рабóта tíme-work, work paid by the hour, day, week, *etc.*

повседнéвн‖**о** *нареч.* dáily, éveryday. ~**ость** *ж.* dáily occúrrence. ~**ый** dáily, éveryday; ~ая рабóта dáily / éveryday / dáy-to-dáy work; ~ая жизнь dáily / éveryday life; ~ая забóта éveryday care; ~ые нýжды dáy-to-dáy needs; ~ые обязанности dáily dúties.

повсемéстн‖**о** *нареч.* éverywhere, in all pláces / parts. ~**ый** occúrring éverywhere.

повскакáть *сов. разг.* (*о многих*) jump up (one áfter anóther).

повстáн‖**ец** *м.* rébel ['rebl], insúrgent, insurréctionist; ~**ческий** rébel ['rebl] (*attr.*), insúrgent; ~ческая áрмия insúrgent ármy.

повстреч‖**áть** *сов.* (*вн.*) *разг.* meet* (*d.*), run* into (*d.*). ~**áться** *сов.* (*дт.*, с *тв.*) *разг.* come* acróss (*d.*), meet* (*d.*); емý ~áлся знакóмый he met, *или* came acróss, an acquáintance.

повсюду *нареч.* éverywhere, far and wide.

повтор‖**éние** *с.* repetítion; (*многократное*) reiterátion. ~**и́тельный** recapítulatory; recapítulative; ~и́тельный курс refrésher course [...kɔːs]. ~**и́ть(ся)** *сов. см.* повторять(ся).

повтóрный repéated; recúrring.

повторяемость *ж.* repetítion; (*многократная*) reiterátion; (*явлений, событий и т.п.*) recúrrence.

повторять, **повторить** (*вн.*) repéat (*d.*); (*многократно*) reiterate (*d.*). ~**ся**, **повториться** 1. repéat oneself; recúr, be repéated; 2. *страд. к* повторять.

повы́сить(ся) *сов. см.* повышать(ся).

повыш‖**áть**, **повы́сить** (*вн.*; *в разн. знач.*) raise (*d.*), héighten ['haı-] (*d.*); ~ вдвóе, втрóе, вчéтверо double, tréble, quádruple [dʌ-...] (*d.*); ~ в пять, шесть *и т.д.* раз increase fivefold, sixfold, *etc.* (*d.*); ~ жизненный урóвень населéния raise the líving stándard of the populátion [...'lıv-...]; ~ благосостоя́ние нарóда impróve the people's wéll-béing [-'pruːv... piː-...]; ~ по слýжбе advánce

434

(*d.*), promóte (*d.*), preférr (*d.*); ~ производительность труда raise the pròdùctívity of lábour, raise lábour pròdùctívity; ~ квалификацию, ~ профессиональное мастерство impróve one's (professional) skill [-'pru:v...]; повысить ответственность (за *вн.*) enhánce the respònsibílity (for); ◇ ~ гóлос, тон raise one's voice. ~ся, повыситься 1. (*в разн. знач.*) rise*; ~ся по службе advánce; повыситься в чьём-л. мнении rise* in smb.'s opínion; то ~ся, то понижаться (*о звуке*) swell* and fade; 2. *страд. к* повышáть.

повыше I (*сравн. ст. от прил.* высокий) (just) a little hígher; (*о росте человека тж.*) (just) a little táller.

повыше II (*сравн. ст. от нареч.* высоко́) (just) a little hígher up.

повышение *с.* rise; ~ зарплаты ín:crease of wáges [-ri:s...]; ~ жизненного уровня rise in líving stándards [...'lɪv...]; ~ производительности труда ráising the pròdùctívity of lábour; (*более высокий уровень*) hígher / inténsified pròdùctívity; ~ по службе advánce:ment, promótion, preférrment; он получил ~ he has been advánced / promóted; ~ квалификации impróve:ment of (professional) skill [-ru:v...].

повышенн||ый 1. *прич. см.* повышáть; 2. *прил.* héightened ['haɪ-], hígher; ~ая чувствительность héightened sènsibílity; ~ интерéс héightened ínterest; ~ая температура high témperature; ~ое настроéние excíted mood.

повязáть I *сов. см.* повязывать.
повязáть II *сов.* (*вн.*) knit* (a little) (*d.*); ~ немного do a little knítting, knit* for a while.

повязáться *сов. см.* повязываться.
повязка *ж.* bándage; (*лента*) fíllet, band.

повязывать, повязáть (*вн.*) tie (*d.*); ~ гóлову платкóм cóver *one's* head with *a* kérchief ['kʌ-... hed...], tie a scarf* on *one's* head. ~ся, повязáться 1. (*тв.*): ~ся платкóм cóver one's head with *a* scarf / kérchief ['kʌ-... hed...]; 2. *страд. к* повязывать.

повя́||нуть *сов.* (*о многом*) wíther; цветы ~ли all the flowers are wíther:ed.

погадáть *сов. см.* гадáть 1.
поганец *м. разг.* ráscal.
погáн||ить (*вн.*) *разг.* pollúte (*d.*), defíle (*d.*). ~ка *ж.* 1. (*гриб*) tóadstool; 2. (*птица*) shéldrake; 3. ~ка мáлая dábchick. ~ый *разг.* 1. únclean, foul; ~ое ведрó gárbage-càn, réfuse pail [...-s...]; 2. (*о грибах*) póisonous [-zə-]; 3. (*неприятный*) foul, násty, rótten; 4. (*о человеке*) vile.

погань *ж. собир. разг. презр.* filth; dregs *pl.*

погасáть, погаснуть go* out *сов. тж.* be out, be extínguished.
погасить *сов. см.* гасить *и* погашáть.
погаснуть *сов.* 1. *см.* погасáть; 2. *как сов. к* гаснуть.

погаш||áть, погасить (*вн.*) líquidàte (*d.*); (*о долге*) pay* off (*d.*), clear off (*d.*); (*о марках*) cáncel (*d.*); ~ крéдит re:páy* crédit. ~éние *с.* (*долгов*) páying off, cléaring off; (*марок*) càncellátion; ~éние крéдитов re:páyment

of crédits; тирáж ~éния final draw.
погашенн||ый 1. *прич. см.* погашáть; 2. *прил.* cáncelled; used; ~ые марки cáncelled stamps.

погектáрн||ый per héctare [...-tɑ:]; ~ая норма поставок per-héctare delívery quóta.

погибáть, погибнуть pérish, be lost; be killed; цветы погибли от мороза the flówers pérished from the frost; корáбль погиб the ship is lost; погибнуть в бою fall*, *или* be killed, in báttle; от наводнéния погибла тысяча человéк a thóusand lives have been lost in the flood [...-z-...flʌd], the flood has táken a toll of a thóusand lives.

поги́бель *ж. уст.* rúin, perdítion; ◇ согнуть когó-л. в три ~и get* smb. únder one's thumb, make* smb. knúckle únder; согнуться в три ~и ≅ dóuble up [...dʌ-...]; (*перен.*) kówtow.

погибельный *уст.* rúinous, disástrous [-'zɑ:-], fátal.

поги́б||нуть *сов.* 1. *см.* погибáть; 2. *как сов. к* гибнуть. ~ший 1. *прич. см.* погибáть; 2. *прил.* lost; 3. *м. как сущ.:* числó ~ших déath-ròll ['deθ-].

поглáдить I *сов. см.* глáдить II.
поглáдить II *сов.* (*утюгом*) do a little íroning [...'aɪən-].
поглáживать (*вн.*) stroke (*d.*) (from time to time).

поглазéть *сов.* 1. *см.* глазéть; 2. (на *вн.*) *разг.* take* / have a look (at).
поглотитель *м. хим.* absórber, absórbent.
поглотить *сов. см.* поглощáть.
поглощáемость *ж.* absórbability.
поглощ||áть, поглотить (*вн.*) take* up (*d.*); absórb (*d.*) (*тж. перен.*); (*тк. перен.*) devóur (*d.*); ~ ромáн за ромáном devóur nóvel áfter nóvel [...'nɒ-...]; он весь ~ён свое́й рабóтой he is absórbed / en:gróssed in his work [...-'groust...]; он ~ён собóй he is wrapped up in hìm:sélf; ~ чьё-л. внимáние en:gróss / prè:òccupỳ smb.'s atténtion [-'grous...], absórb smb. ~áющий 1. *прич. см.* поглощáть; 2. *прил.:* ~áющее веществó absórber, absórbent. ~éние *с.* absórption. ~ённый 1. *прич. см.* поглощáть; 2. *прил.* (*тв.*) en:gróssed (in), prè:òccupied (with), en:gróssed [-'groust] (in), immérsed (in).

поглумиться *сов. см.* глумиться.
поглупéть *сов. см.* глупéть.
поглядéть *сов.* 1. *см.* глядéть 1, 5; 2. (на *вн.;* взглянуть) have a look (at); 3. (*некоторое время*) look for a while. ~ся *сов. см.* глядéться.

поглядывать *разг.* 1. (на *вн.*) cast* a glance (at); 2. (за *тв.;* присмáтривать) look (áfter), keep* an eye (on).

погнáть *сов.* (*вн.*) drive* (*d.*), begín* to drive (*d.*).
погнáться *сов.* (за *тв.*) run* (áfter), start in pursúit [...-'sju:t] (of), give* chase [-s] (*i.*), start (áfter); (*перен.*) strive* (for).

погнить *сов.* rot, decáy.
погнуть *сов.* (*вн.*) bend* (*d.*). ~ся *сов.* bend*.

погнушáться *сов. см.* гнушáться.
поговáрива||ть (о *пр.*) *разг.* talk (of); ~ют, что there is a talk of, it is rúmour:ed that.

поговорить I *сов. см.* говорить 2.
поговорить II *сов.* (с *тв.* о *пр.*) (*некоторое время*) have a talk (with about); (*с указанием продолжительности тж.*) talk (with about); ~ немнóго have a talk, talk a little, *или* for a while; ~ два часá have a two hours' talk [...auəz...], talk for two hours; ~ ещё раз have another talk.

поговóрк||а *ж.* sáying, próverb ['prɒ-], saw; bý-wòrd; войти в ~у becóme* provérbial; вошедший в ~у provérbial.

погóд||а *ж.* wéather ['weðə]; какáя бы ни была ~, во всякую ~у, в любую ~у rain or shine, wet or fine; мягкая ~ mild / soft wéather; хорóшая ~ good* / fine wéather; плохáя ~ bad* wéather; неустóйчивая ~ únsettled wéather; прогнóз ~ы wéather fóre:càst; сегóдня хорóшая ~ it is fine to:dáy; ◇ ждать у мóря ~ы ≅ wait in vain for smth.

погод||ить *сов.* (с *тв.*) *разг.* wait a little (with); ~и́те! wait a móment!, one móment!; немного ~я a little láter.

погóдки *мн.:* они ~ there is a year's dífference between them.
погóдный I (*производимый ежегодно*) yéarly, ánnual.
погóдн||ый II (*относящийся к погоде*) wéather ['weðə] (*attr.*); ~ые услóвия wéather condítions.

погóжий seréne, fine; ~ денёк a lóve:ly day [...'lʌv-...].

поголóвн||о *нареч.* one and all; все ~ one and all, (all) to a man; явились все ~ they came one and all, they all came to a man. ~ый 1. réckoned by the head [...hed]; càpitátion (*attr.*); 2. (*всеобщий*) géneral; ~ое ополчéние *ист.* lévy in mass ['le-...].

поголóвье *с. тк. ед.* tótal númber / head of líve:stòck [...hed...].
погóн *м. воен.* shóulder-stràp ['ʃou-].
погóнный (*о мерах*) línear ['lɪnɪə]; ~ метр long / línear metre.
погóнщик *м.* dríver; (*скотá*) dróver; ~ верблюдов cameléer; ~ мулóв muletéer.

погóня *ж.* 1. (*действие*) pursúit ['sju:t] (*тж. перен.*); chase [-s]; ~ за призáми pót-hùnting; 2. (*группа преследующих*) pursúers *pl.*

погонять (*вн.*) drive* on (*d.*); urge on (*d.*), húrry on (*d.*) (*тж. перен.*).

погорéлец *м.* one who has lost all his posséssions in *a* fire [...-'ze-...].
погорéть I *сов.* 1. (*сгореть целиком*) be burnt out; 2. (*от зноя*) burn* down; 3. (*лишиться имущества во время пожара*) lose* all one's posséssions in *a* fire [lu:z...-'ze-...]; 4. *разг.* (*потерпеть неудачу*) fail.

погорéть II *сов.* (*некоторое время*) burn* (for a while).

погорячиться *сов. разг.* be hásty [...'heɪ-], get* héated, get* worked up.

погóст *м.* cóuntry chúrch:yàrd / gráve-yàrd ['kʌn-...].

ПОГ–ПОД

погости́ть *сов.* (y) stay (for a while) (with).

погранзаста́ва *ж.* = пограни́чная заста́ва *см.* пограни́чный.

пограни́чн‖**ик** *м.* frontier guard [ˈfrʌ-...]. ~ый frontier [ˈfrʌ-] (*attr.*); ~ая охра́на frontier guards *pl.*; ~ые войска́ frontier troops; ~ый инциде́нт frontier incident; ~ая полоса́ borderland, border; ~ая заста́ва frontier post [...pou-]; ~ый столб boundary post.

пограни́чье *с.* frontier [ˈfrʌ-]; на да́льнем ~ at a far-away frontier.

погранохра́на *ж.* = пограни́чная охра́на *см.* пограни́чный.

по́греб *м.* cellar; (*сводчатый*) vault; заря́дный, пороховой ~ powder-magazine [-ziːn]; снаря́дный ~ *мор.* shell room; ви́нный ~ *уст.* wine cellar.

погреб‖**а́льный** funeral, funereal [-rɪəl], sepulchral, obsequial; ~а́льное пе́ние dirge; ~а́льный звон (funeral) knell. **~а́ть**, погрести́ (*вн.*) bury [ˈbe-] (*d.*). **~е́ние** *с.* burial [ˈbe-], interment.

погребе́ц *м. уст.* provisions hamper.

погребо́к *м.* (*кабачок*) wine-shop.

погрему́шка *ж.* rattle.

погрести́ I *сов. см.* погреба́ть.

погрести́ II *сов.* (*вёслами*) row (a little) [rou...].

погре́ть *сов.* (*вн.*) warm (*d.*). **~ся** *сов.* warm oneself (for a while).

погреш‖**а́ть**, погреши́ть (про́тив) sin (against), commit a sin (against), err (against). **~и́ть** *сов. см.* погреша́ть.

погре́шность *ж.* error, mistake.

погрози́ть *сов.*: ~ па́льцем (*дт.*) shake / wag one's finger [...wæg...] (at); ~ кулако́м (*дт.*) shake one's fist (at).

погро́м *м.* pogrom, massacre. **~и́ть** *сов.* (*вн.*) pogrom (*d.*), massacre (*d.*). **~ный** pogrom (*attr.*). **~щик** *м.* pogrom-maker, thug.

погромыха́ть *сов. см.* погромы́хивать.

погромы́хив‖**ать**, погромыха́ть *разг.* (*о громе*) rumble intermittently; вдали́ ~ает гром the thunder rumbles in the distance, it is thundering in the distance.

погру‖**жа́ть**, погрузи́ть (*вн. в вн.*; *в воду и т.п.*) dip (*d.* in, into), submerge (*d.* in); duck (*d.* into, under); immerse (*d.* in), plunge (*d.* in, into) (*тж. перен.*). **~жа́ться**, погрузи́ться 1. (*в вн.*; *в воду и т.п.*) sink (into), plunge (into); (*без доп.*) (*о подводной лодке*) submerge, dive; (*тонуть — о корабле*) sink, settle down; (*в вн.; перен.; в отчаяние, размышление и т.п.*) be plunged (in), be absorbed (in), be lost / buried [...ˈbe-] (in); ~зи́ться в рабо́ту be absorbed in one's work; ~жа́ться в сон fall / go into a deep sleep; ~зи́ться в размышле́ния be absorbed / lost / plunged in thought; be deep in thought; (*внезапно*) ~зи́ться в темноту́ be plunged in (sudden) darkness; го́род ~зи́лся в тишину́ stillness descended on the town; 2. *страд.* к погружа́ть. **~же́ние** *с.* immersion, submersion, submergence; (*корабля*) sinking, settling (down); (*подводной лодки*) dive, diving.

погрузи́ть *сов. см.* погружа́ть и грузи́ть. **~ся** *сов. см.* погружа́ться и грузи́ться.

погру́зка *ж.* loading; (*на суда*) shipment, lading; *воен.* embarkation.

погрузне́ть *сов. см.* грузне́ть.

погру́зочн‖**ый** loading (*attr.*); ~ая маши́на loader.

погру́зчик *м. тех.* loader.

погряза́ть, погря́знуть (в *пр.*) be stuck (in); be bogged down (in) *разг.*; wallow (in) (*тж. перен.*); ~ в долга́х be up to one's eyes / ears in debt [...aɪz...det].

погря́знуть *сов. см.* погряза́ть.

погуби́ть *сов. см.* губи́ть.

погу́дка *ж. разг.* tune, melody; ста́рая ~ на но́вый лад *погов.* the same tune in a new setting.

погу́ливать *разг.* 1. walk up and down; 2. (*изредка предаваться весёлому препровождению времени*) go on the spree (from time to time).

погуля́ть *сов.* 1. have / take a walk; (*с указанием времени тж.*) walk; ~ немно́го have / take a short walk; walk a little, *или* for a while; ~ два часа́ have / take a two hours' walk [...auəz...], walk for two hours; 2. (*повеселиться*) have a good time, have fun, make merry.

под I *м.* (*русской печи*) hearth (-stone) [ˈhɑːθ-]; (*заводской печи*) sole.

под II, **подо** *предл.* 1. (*тв. — где?*; *вн. — куда?*; *тж. перен.*) under: лежа́ть, сиде́ть ~ де́ревом lie, sit under *a* tree; лечь, сесть ~ де́рево lie down, sit down under *a* tree; я́щик стои́т ~ столо́м the box stands under *the* table; поста́вь я́щик ~ стол put / stand the box under *the* table; карти́на виси́т ~ ка́ртой the picture hangs under *the* map; пове́сь карти́ну ~ ка́ртой, ~ ка́рту hang the picture under *the* map; ~ окно́м under *the* window; ~ кома́ндой under *the* command [...-ɑːnd]; ~ зна́менем Ле́нина under the banner of Lenin; быть ~ ружьём be under arms; 2. (*тв.*; *занятый чем-л.*) occupied by; (*вн.*; *для*) for: помеще́ние ~ конто́рой, шко́лой *и т.п.* premises occupied by *an* office, *a* school, *etc.* [-sɪz...]; им ну́жно помеще́ние ~ конто́ру, шко́лу *и т.п.* they want premises for *an* office, *a* school, *etc.*; по́ле ~ карто́фелем field under potatoes [fiːld...]; — ба́нка ~ варе́нье jam-jar; по́ле ~ ро́жью field of rye [fiːld...], rye-field [-fiːld]; 3. (*тв.*; *около*) in the environs of; (*при*; *о битве, победе и т.п.*) of: Москво́й, Ленингра́дом in the environs of Moscow, Leningrad; би́тва ~ Москво́й the battle of Moscow; 4. (*вн.*; *о времени*) towards; (*накануне*) on the eve of; (*о возрасте*) close on [-s...]; ~ ве́чер, у́тро towards evening, morning [...iːv-...]; ~ Но́вый год, ~ Пе́рвое ма́я on New Year's Eve, on the eve of May Day; ему́ ~ со́рок лет he is close on forty; he is getting on for forty; 5. (*вн.*; *в сопровождении*) to: танцева́ть, петь ~ му́зыку dance, sing to the music [...-zɪk]; ~ аплодисме́нты to the applause; ~ зву́ки госуда́рственного ги́мна to the strains of the National Anthem [...ˈnæ-...]; — ~ дикто́вку from dictation; 6. (*вн.*; *наподобие*) in imitation: это сде́лано ~ мра́мор, ~ кра́сное де́рево *и т.п.* it is made in imitation marble, in imitation mahogany, *etc.*, ◇ под го́ру downhill; ~ аре́стом under arrest; ~ зало́г on security; быть ~ вопро́сом be undecided / open; под но́сом у кого́-л. *разг.* under smb.'s nose; ~ замко́м under lock and key [...kiː]; ~ па́русами under sail; ~ ви́дом, обли́чьем (*рд.*) under / in the guise (of), under the pretence (of); ~ пара́ми under steam, ready to start [ˈredɪ...]; ~ дождём in the rain; под руку, ~ руко́й, ~ пья́ную руку *см.* рука́; *тж. и др. особые случаи, не приведённые здесь, см. под теми словами, с которыми предл.* под *образует тесные сочетания*.

подава́льщ‖**ик** *м.* 1. (*в столовой*) waiter; 2. (*рабочий*) supplier. **~ица** *ж.* (*в столовой*) waitress.

подава́ть, пода́ть 1. (*вн. дт.*; *в разн. знач.*) give (*d.* to, *d.* i.); ~ знак give a sign [...saɪn] (to); ~ ми́лостыню give alms [...ɑːmz] (*i.*); ~ сове́т give advice (*i.*); ~ наде́жду give hope (*i.*); не ~ при́знаков жи́зни show / give no sign of life [ʃou...]; ~ по́вод (к) give rise (to); ~ кома́нду *воен.* give a command [...-ɑːnd]; ~ кому́-л. пальто́ help smb. on with his coat; ~ ру́ку hold out one's hand (to); (*даме тж.*) offer one's hand (to); они́ по́дали друг дру́гу ру́ки they shook hands; не пода́ть руки́ withhold one's hand; ~ приме́р set an example [...-ɑːm-] (*i.*); 2. (*вн.; ставить на стол*) serve (*d.*); ~ на стол serve up; обе́д по́дан dinner is served; 3. (*вн.*; *подводить для посадки, погрузки*) drive up (*d.*); маши́ну по́дали к подъе́зду the car was sent up to the door [...dɔː]; по́езд по́дали на 1-ю платфо́рму the train came in at platform one; на каку́ю платфо́рму подаду́т по́езд? what platform will the train come in at?; 4. (*вн.*) *спорт.* serve (*d.*): ~ мяч serve the ball; 5. (*вн.*): ~ заявле́ние hand in an application; ~ апелля́цию appeal; ~ пети́цию, проше́ние submit *an* application, forward *a* petition; ~ жа́лобу (*дт.*; *на вн.*) make a complaint (to about); lodge a complaint (with about); ~ в суд (на *вн.*) bring an action (against); 6. (*вн.*) *тех.* feed (*d.*); ◇ ~ телегра́мму (*дт.*) send a telegram (*i.*), wire (*d.*); ~ в отста́вку send in one's resignation [...-zɪ-]; *воен.* send in one's papers; ~ го́лос give tongue [...tʌŋ]; (*за вн.*; *на вы́борах*) vote (for).

подава́ться, пода́ться 1.: ~ вперёд, наза́д, в сто́рону draw / move forward, back, aside [...muːv...]; 2. *разг.* (*уступать*) give way; yield [jiːld] (*тж. перен.*); 3. *разг.* (*поехать, отправиться*) make for; 4. *страд.* к подава́ть.

подави́ть I *сов.* (*вн.*) 1. (*раздавить многое, многих*) press (*d.*); trample (a quantity of); 2. (*подвергнуть дав-*

лению) press (*d.*), squeeze (*d.*) (*for a time*).

подави́ть II *сов. см.* подавля́ть.

подави́ться *сов. см.* дави́ться 1.

подавле́ние *с.* 1. suppréssion; représsion; 2. *воен.* neutralizátion [-laɪ-].

пода́вленность *ж.* depréssion; blues *pl. разг.*

пода́вленн||ый 1. *прич. см.* подавля́ть; 2. *прил.* depréssed, dispírited; быть в ~ом состоя́нии be depréssed; have the blues *разг.*

подавля́||ть, подави́ть (*вн.*) 1. (*о восста́нии, мятеже и т. п.*) suppréss (*d.*), représs (*d.*), quell (*d.*), put* down (*d.*), (*перен.*) (*о чувстве*) restráin (*d.*), (*о стоне и т. п.*) stifle (*d.*), suppréss (*d.*); 2. *воен.* (*огнём*) néutralize (*d.*); 3. (*угнетать*) depréss (*d.*); (*величием и т. п.*) crush (*d.*), óver¦whélm (*d.*). ~ющий 1. *прич. см.* подавля́ть; 2. *прил.* (*превосходящий*) óver¦whélming, óver¦pówering; ~ющее большинство́ óver¦whélming majórity.

пода́вно *нареч. разг.* so much the more, all the more.

подагр||а́ *ж.* gout; pódagra *мед.* ~**ик** *м.* súfferer from gout, víctim of gout, góuty pérson. ~**и́ческий** góuty, podágric; ~**и́ческий больно́й** = подагрик.

пода́льше (*сравн. ст. от нареч.* далеко́) (*несколько дальше*) sómewhat, or a little, fárther on / awáy [...-ðə...]; (*как можно дальше*) as far as póssible.

подари́ть *сов. см.* дари́ть.

пода́рок *м.* présent [-ez-], gift [g-]; сде́лать ~ (*дт.*) give* / make* a présent (*i.*); получи́ть в ~ (*вн.*) recéive as a présent / gift [-'si:v...].

пода́тель *м.*, ~**ница** *ж.* (*письма*) béarer ['bɛə-]; (*прошения*) petítioner.

пода́тлив||ость *ж.* pliabílity, plíancy; (*тк. о человеке*) compláisance [-z-]. ~**ый** plíable, plíant; (*тк. о человеке*) compláisant [-z-].

пода́тн||ой *ист.* tax (*attr.*), dúty (*attr.*); póll-tàx páying; ~**а́я систе́ма** taxátion; ~ **инспе́ктор** asséssor (of táxes).

по́дать *ж. ист.* tax, dúty, asséssment.

пода́ть *сов. см.* подава́ть.

пода́ться *сов. см.* подава́ться.

пода́ча *ж.* 1. gíving; (*заявления и т. п.*) preséntíng [-'z-]; 2. *тех.* feed, féeding, supplý; 3. *спорт.* sérvice, serve; ◇ ~ **голоса** vóting.

пода́чка *ж.* sop (*тж. перен.*); (*денежная*) tip; грошо́вая ~ páltry dole, míserable píttance ['mɪz-...].

подая́ние *с. уст.* chárity, alms [ɑ:mz], dole, hándout.

подба́вить *сов. см.* подбавля́ть.

подбавля́ть, подба́вить (*вн., рд.*) add (*d.*); (*примешивая*) mix in (*d.*).

подба́лтывать, подболта́ть (*вн., рд.*) *разг.* mix in (*d.*), stir (in) (*d.*); ~ муки́ в со́ус mix / add flour into the sauce.

подбега́ть, подбежа́ть (к) run* up (to), come* rúnning up (to).

подбежа́ть *сов. см.* подбега́ть.

подберёзовик *м.* (*гриб*) brown cap bolétus.

подбива́ть I, подби́ть (*вн.*) 1. (*вн. тв.; делать подкладку*) line (*d.* with); ~ ме́хом line with fur (*d.*), fur (*d.*); подби́тый ме́хом fúr-lìned; подби́тый ва́той wádded, lined with wádding; 2. (*вн.; об обуви*) ré¦sóle (*d.*); 3. (*вн.*) *воен.* put* out of áction (*d.*); подби́ть самолёт shoot* down a plane; ◇ подби́ть глаз (*дт.*) give* a black eye [...aɪ] (*i.*).

подбива́ть II, подби́ть (*вн. на вн.*, + *инф.*) *разг.* (*подстрекать*) ínstigàte (*d.* to, + *to inf.*), incíte (*d.* to, + *to inf.*).

подбира́ть, подобра́ть (*вн.*) 1. (*поднимать*) pick up (*d.*); ~ **коло́сья** glean; подобра́ть ра́неных take* / pick up the wóunded [...'wu:-]; 2. (*подворачивать*) tuck up (*d.*); ~ **под себя́ но́ги** tuck one's legs únder one; 3. (*выбирать*) sort out (*d.*), seléct (*d.*); (*о фа́ктах и т. п.*) glean (*d.*); ~ **люде́й** seléct péople [...pi:-]; ~ **ключ** (к) fit a key [...ki:] (to), try a key (to); ~ **что-л. под цвет чего́-л.** choose* smth. to match (the cólour of) smth. [...'kʌl-...]; ~ **подкла́дку под цвет пальто́** choose* the líning to match (the cólour of) the coat. ~**ся, подобра́ться** 1. (к; *незаметно подходить*) steal* up (to) (*d.*); 2. (*принимать более строгий вид*) brace òne¦sélf up; 3. *страд. к* подбира́ть.

подби́ть I, II *сов. см.* подбива́ть I, II.

подбодри́ть *сов. см.* подбодря́ть.

подбодря́ть, подбодри́ть (*вн.*) cheer up (*d.*), en¦cóurage [-'kʌ-] (*d.*).

подболта́ть *сов. см.* подба́лтывать.

подбо́р *м.* 1. seléction; ~ **ка́дров** seléction of pèrsonnél; 2. *полигр.*: в ~ run on; ◇ **как на** ~ choice (*attr.*): я́блоки как на ~ choice apples.

подбо́рка *ж.* seléction; set; **газе́тная** ~ séction of reláted news ítems [...-z...] (*under a single heading in a newspaper*).

подборо́док *м.* chin; **двойно́й** ~ double chin [dʌ-...].

подбо́рщик *м. с.-х.* pick-ùp attáchment (to hárvester).

подбоче́н||ившись *нареч.* with one's arms akímbò, with one's hands on one's hips; **он стоя́л** ~ he stood with his hands on his hips, *или* with his arms akímbò [...stud...]. ~**ться** *сов.* put* one's arms akímbò.

подбра́сывать, подбро́сить 1. (*вн.; вверх*) toss up (*d.*), throw* up [-ou...] (*d.*); ~ **ребёнка** (*на руках*) toss up, *или* dandle, *a* child*; 2. (*вн. под вн.*) throw* (*d.* únder) (*d.*); 3. (*вн.; тайком*) put* stéalthily [...'stel-] (*d.*); ~ **ребёнка** abándon *a* báby at smb.'s door [...də:]; 4. (*вн., рд.; добавлять*) add (*d.*); **подбро́сить дров в пе́чку** throw* more (fire¦)wood on *the* fire [...-wud...]; 5. (*вн.*) *разг.* (*подвозить*) give* a lift (*d.*); 6. (*вн., рд.*) *разг.* (*предоставлять дополнительно*) bring* up (*d.*); ~ **резе́рвы** throw* in one's resérves [...'zə:vz].

подбрива́ть, подбри́ть (*вн.*) trim (*d.*); ~ **усы́** trim one's moustáche [...məs'tɑ:ʃ].

подбри́ть *сов. см.* подбрива́ть.

подбро́сить *сов. см.* подбра́сывать.

подва́л *м.* 1. (*подвальный этаж*) báse¦ment [-s-]; (*сводчатый*) vault; 2. (*погреб*) céllar; 3. (*в газете*) lówer

---

ПОД—ПОД **П**

half of the page ['louə hɑ:f...]; (*статья*) spécial árticle ['spe-...].

подва́ливать, подвали́ть 1. (*вн., рд.*) heap up (*d.*); 2. (*вн., рд.*) *разг.* (*добавлять*) add (*d.*); 3. (*без доп.*) *мор.* come* in (to), steam in (to); 4. *безл.* (*рд.*): **наро́ду подвали́ло** still more people came [...pi:-...].

подвали́ть *сов. см.* подва́ливать.

подва́льн||ый *прил. к* подва́л 1; ~ **эта́ж**, ~**ое помеще́ние** báse¦ment [-s-].

подва́ривать, подвари́ть (*вн.*) *разг.* boil, cook, *etc.*, addítionally (*d.*).

подвари́ть *сов. см.* подва́ривать.

подва́хтенные *мн. скл. как прил. мор.* watch belów [...-ou-] *sg.*

подве́домственный (*дт.*) withín the jùrisdíction (of), depéndent (on).

подвезти́ *сов. см.* подвози́ть.

подвезти́ II *сов. безл. разг.*: **ему́, им** *и т. д.* **подвезло́** he has, they have, *etc.*, had a stroke of luck.

подвене́чн||ый: ~**ое пла́тье** wédding dress.

подверга́ть, подве́ргнуть (*вн. дт.*) súbject (*d.* to); (*об опасности, риске*) expóse (*d.* to); ~ **сомне́нию** (*вн.*) call in quéstion [...-stʃən] (*d.*); ~ **штра́фу** (*вн.*) fine (*d.*); ~ **опа́сности** (*вн.*) expóse to dánger [...'deɪndʒə] (*d.*), endánger [-'deɪndʒə] (*d.*); ~ **осмо́тру** (*вн.*) exámine (*d.*), súbject to (an) examinátion (*d.*); ~ **испыта́нию** (*вн.*) put* on tríal (*d.*), put* to the test (*d.*); ~ **наказа́нию** (*вн.*) inflíct *a* pénalty (up¦ón); ~ **пы́тке** (*вн.*) put* to the tórture (*d.*), tórture (*d.*). ~**ся, подве́ргнуться** 1. (*дт.*) ùndergó* (*d.*); ~**ся опа́сности чего́-л.** run* the dánger of smth. [...'deɪndʒə...]; ~**ся си́льной кри́тике** be sevére¦ly críticized, be súbject to sevére críticism / cénsure; ~**ся самому́ серьёзному изуче́нию** recéive the most sérious stúdy [-'si:v...'stʌ-]; 2. *страд. к* подверга́ть.

подве́р||гнуть(ся) *сов. см.* подверга́ть(-ся). ~**женный** 1. *прич. см.* подверга́ть; 2. *прил.* (*дт.*) súbject (to), líable (to); ~**женный травмати́зму** áccident-prone.

подверну́ть(ся) *сов. см.* подвёртывать(-ся).

подвёртывать, подверну́ть (*вн.*) 1. (*подвинчивать*) screw a little (*d.*); ~ **кран** tíghten up *a* tap; ~ **винт** tíghten / take* up *a* screw; 2. (*подтыкать*) tuck in / up (*d.*); ~ **одея́ло** tuck in *the* blánket; 3. (*засучивать*) turn up (*d.*), roll up (*d.*); 4. (*повреждать*) sprain (*d.*); **подверну́ть но́гу** sprain one's ankle. ~**ся, подверну́ться** 1. (*о пла́тье, скатерти и т. п.*) tuck up; 2. (*подогнуться от неловкого движения*) slip; **у него́ нога́ подверну́лась** his foot slipped [...fut...]; 3. *разг.* (*оказываться*) turn up; **подверну́лся удо́бный слу́чай** an opportúnity turned up; ~**ся под ру́ку** come* to one's hand; **он кста́ти подверну́лся** he turned up just at the right móment; 4. *страд. к* подвёртывать.

подве́с||ить *сов. см.* подве́шивать. ~**ка** *ж.* 1. (*действие*) hánging up,

437

ПОД—ПОД

suspénsion; 2. (*украшение*) péndant; 3. *тех.* suspénsion brácket / clip; hánger brácket. ~ной suspénded, péndant, péndulous; suspénsion (*attr.*); ~ная канáтная дорóга cábleway; (*для лыжников*) cháir-lift. ~ок *м.* péndant.

подвести́ *сов. см.* подводи́ть.

подве́тренн‖**ый** léeward; lee (*attr.*); ~ая сторонá lee (side); ~ борт *мор.* lee side.

подве́шивать, подве́сить (*вн.*) hang* up (*d.*), suspénd (*d.*).

подвздо́шный *анат.* íliac.

подвива́ть, подви́ть (*вн.*) curl / frízzle a little, *или* slíghtly (*d.*).

по́двиг *м.* éxploit, feat, great / heróic deed [-eɪt...]; боевóй ~ feat of arms; трудовы́е ~и совéтского нарóда lábour éxploits of the Sóviet péople [...pi:-].

подви́гать *сов.* (*тв.*) move a little [muːv...] (*d.*).

подвига́ть, подви́нуть (*вн.*) push [puʃ] (*d.*), move [muːv] (*d.*); (*перен.*) advánce (*d.*), push fórward (*d.*).

подви́гаться *сов.* move (a little) [muːv...].

подвига́ться, подви́нуться move [muːv]; (*вперёд*; *тж. перен.*) advánce (*о работе и т.п.*) progréss; ~ назáд move / draw* back; ~ бли́же move / come* / draw* néarer.

подви́гнуть *сов.* (*вн. на вн.*) *уст.* rouse (*d.* to).

подви́д *м.* *биол.* súbspècies [-ʃiːz] *sg. и pl.*

подви́жка *ж.:* ~ льда ice mótion.

подви́жни‖**к** *м. церк.* ascétic, hérmit; (*перен.*) dèvotée, zéalot [ˈzel-], héro; ~ наýки dèvotée of scíence, pérson útterly devóted to (the cause of) léarning [...ˈlɜːn-]. ~ческий sélfless; ~ческий труд sélfless lábour. ~чество *с. церк.* ascétiсism; (*перен.*) sélfless devótion (*to a cause*).

подвижн‖**о́й** 1. móbile [ˈmou-]; ~óe равновéсие *хим.* móbile equilíbrium; ~áя шкалá зарабóтной платы slíding wage scale; 2. *тех.* trávelling; ~ блок trávelling block; 3. (*о человеке*) lívely, áctive, ágile; ~óe лицó móbile féatures *pl.*; ◊ ~ состáв *ж.-д.* rólling-stòck; ~ые и́гры óutdoor games [-dɔː...].

подви́жн‖**ость** *ж.* 1. mòbílity [mou-]; 2. (*о человеке, лице*) líveliness. ~ый = подвижнóй 3.

подвиза́ться work, act; ~ на пóприще (*рд.*) act (as), pursúe one's àctívities (in, at); ~ на юриди́ческом пóприще fóllow the law; ~ на литератýрном пóприще be an áuthor; ~ на сцéне tread* the boards [tred...].

подвинти́ть *сов. см.* подви́нчивать.

подви́нуть(ся) *сов. см.* подвига́ть(ся).

подви́нчивать, подвинти́ть 1. (*вн.*) screw up (*d.*), tíghten (*d.*); подвинти́ть гáйку tíghten / take* up *a* screw; 2. (*вн. к; привинчивать*) screw (*d.* on).

подвира́ть *разг.* fib; embróider (the truth) [...-uːθ].

подви́ть *сов. см.* подвива́ть.

подвла́стный (*дт.*) súbject (to), depéndent (on).

подво́д *м. тех.* admíssion, supplý, feed.

подво́да *ж.* cart.

подводи́ть, подвести́ 1. (*вн.* к) bring* (*d.* to); 2. (*вн.* под *вн.*; *сооружать*) place (*d.* únder); ~ фундáмент ùnderpín (*d.*); ~ дом под кры́шу roof the house* [...-s]; ~ ми́ну (ùnder-)míne (*d.*); 3. (*вн.*) *разг.* (*ставить в неприятное положение*) let* down (*d.*); do an ill, *или* a bad, turn (*i.*); ◊ ~ ито́ги (*дт.*; *прям. и перен.*) sum up (*d.*); ~ балáнс bálance the accóunts; подвести́ балáнс strike* a bálance; ~ брóви péncil one's éye:brows [...ˈaɪ-]; у негó живóт от гóлода подвелó ≅ he is áwfully húngry, he feels pínched (with húnger); ~ часы́ álter one's watch.

подво́дка *ж.* = подвóд.

подво́дник *м.* 1. súbmarìner [-riː-]; 2. (*водолаз*) díver; (*пловец*) frógman.

подводн‖**о́й**: ~ая трубá feed / supplý pipe.

подво́дн‖**ый** súbmarine [-riːn]; ~ кáбель súbmarine cable; ~ая лóдка súbmarine; ~ кáмень reef (*тж. перен.*); rock; ~ые растéния súbmerged plants [...-ɑːnts], ùnderwáter vègetátion [-ˈwɔː-...]; ~ое течéние ùndercùrrent, ùndersèt; ~ спорт ùnderwáter sports.

подво́дчик *м.* cárter.

подво́з *м.* tránspòrt; (*снабжение*) supplý. ~и́ть, подвезти́ 1. (*вн.*, *рд.*; *доставлять*) bring* (*d.*); 2. (*вн.*; *по пути — о пешеходе*) give* a lift (*i.*); предложи́ть подвезти́ óffer a lift (*i.*); проси́ть подвезти́ ask for a lift (*i.*).

подво́й *м. с.-х.* stock, wílding.

подво́рн‖**ый**: ~ спи́сок list of hómesteads / fármsteads [...-stedz -stedz]; ~ая подáть *ист.* héarth-mòney [ˈhɑːθmʌl-], chímney-mòney [-mʌl-]; ~ая пéрепись cénsus of (péasant) hóuse:hòlds [...ˈpez-s-].

подворотничо́к *м.* ùndercòllar (*sewn under the collar of a soldier's tunic*).

подворо́тня *ж.* 1. (*щель между воротами и землёй*) space betwéen gate and ground; 2. (*доска, закрывающая щель*) board attáched to bóttom of gate; 3. (*проём в стене дома*) gáte:way.

подво́рье *с.* 1. *уст.* cóaching inn; 2. *ист.* church in town (*belonging to a monastery settled in some other place*).

подво́х *м. разг.* dírty trick.

подвыва́ть howl.

подвы́пивший *разг.* a bit, *или* slíghtly, tight.

подвы́п‖**ить** *сов. разг.* have a cóuple [...-kʌl-]; он слегкá ~ил he's had a few.

подвяза́ть(ся) *сов. см.* подвя́зывать(-ся).

подвя́зка *ж.* gárter.

подвя́зывать, подвяза́ть (*вн.* к) tie up (*d.* to). ~ся, подвяза́ться 1. (*тв.*) tie round òneself, *или* one's waist, head, etc. [...hed]; 2. *страд.* к подвя́зывать.

подгада́ть *сов. см.* подга́дывать.

подга́дить *сов. разг.* 1. (*без доп.*; *испортить*) spoil* the effèct, make* a mess of smth.; 2. (*дт.*; *сделать неприятность*) play a dírty trick (on).

подга́дывать, подгада́ть *разг.* arríve / come* just in time.

подгиба́ть, подогну́ть (*вн.*) tuck in (*d.*), tuck / bend* (únder) (*d.*). ~ся, подогну́ться 1. bend*; 2. *страд.* к подгиба́ть.

подгляде́ть *сов. см.* подгля́дывать.

подгля́дывать, подгляде́ть *разг.* 1. (*в вн.*) peep (at); 2. (*за тв.*) watch fúrtive:ly (*d.*), spy (up:ón).

подгнива́ть, подгни́ть begín* to rot, rot slíghtly.

подгни́ть *сов. см.* подгнива́ть.

подгов‖**а́ривать**, подговори́ть (*вн.* на *вн.*, + *инф.*) ínstigàte (*d.* to, + to *inf.*), incíte (*d.* to, + to *inf.*), put* up (*d.* to); он ~ори́л её на э́то he ínstigàted / incíted her to do this, he put her up to this.

подгово́р *м.* ìnstigátion, incíte:ment.

подговори́ть *сов. см.* подгова́ривать.

подголо́вник *м.* héad-rèst [ˈhed-].

подголо́сок *м.* (*о голосе*) sécond part [ˈse-...], suppórting voice; (*перен.*) *разг.* yés-man*.

подго́нка *ж.* adjústment [əˈdʒʌ-].

подгоня́ть, подогна́ть 1. (*вн.*; *торопить*) drive* on (*d.*), urge on (*d.*), húrry (*d.*); 2. (*вн.* к; *приспособлять*) adjúst [əˈdʒʌst] (*d.* to), fit (*d.* to).

подгора́ть, подгоре́ть burn* slíghtly. ~е́лый slíghtly burnt.

подгоре́ть *сов. см.* подгора́ть.

подгота́вливать, подгото́вить (*вн.* для; *в разн. знач.*) prepáre (*d.* for); make* réady [...ˈredi] (*d.* for); (*обучать*) train (*d.* for); ~ кáдры train pèrsonnél; ~ к зимé (*о помещении и т.п.*) make* réady for the winter (*d.*); подгото́вить пóчву (*перен.*) pave the way (for). ~ся, подгото́виться 1. (к) prepáre (for), get* réady [...ˈredi] (for); 2. *страд.* к подгота́вливать.

подготови́тельн‖**ый** prepáratory; ~ая рабóта spáde-wòrk; ~ пери́од prepáratory périod; подготови́тельный комитéт prepáratory commíttee [...-tɪ].

подгото́в‖**ить(ся)** *сов. см.* подгота́вливать(ся). ~ка *ж.* 1. (к) prèparátion (for); (*обучение*) tráining (for); ~ка кáдров tráining of pèrsonnél; проходи́ть специáльную ~ку have spécial tráining [...ˈspe-...]; боевáя ~ка báttle tráining; cómbat instrúction / tráining *амер.*; 2. (*запас знаний*) gróunding, schóoling; у негó прекрáсная ~ка (в *пр.* или по *дт.*) he is well gróunded (in); у негó слáбая ~ка (в *пр.* или по *дт.*) he is weak (in).

подготовля́ть(ся) = подгота́вливать(ся).

подгреба́ть I, подгрести́ (*вн.*; *гребя, собирать в кучу*) rake up (*d.*).

подгреба́ть II, подгрести́ (к; *вёслами*) row (*d.*) [rou...] (to).

подгрести́ I, II *сов. см.* подгреба́ть I, II.

подгру́ппа *ж.* súb-group [-uːp].

подгу́зник *м.* (*пелёнка*) díaper, náppy.

подгул‖**я́ть** *сов. разг.* 1. (*выпить*) have a drop too much; 2. (*быть неудачным*) be ráther / prétty bad [...ˈrɑː-ˈprɪ-...], be far from good, be póorish.

поддава́ть, подда́ть 1. (вн.) (ударять снизу) strike* (d.); (ногой) kick (d.); 2. (вн.; в игре в шашки) give* a:wáy (d.); 3. (рд.) разг. (усиливать) add (d.); подда́ть жа́ру add fúel to the fire / flames [...ˈfjuː-...]. **~ся**, подда́ться 1. (дт.; в разн. знач.) yield [jiː-] (to), give* way (to); give* in (to); (искушению, соблазну тж.) fall* (for); не ~ся рези́ст [-ˈzɪ-] (d.); дверь подда́лась the door yielded, или gave way [...də...]; не легко́ поддаётся перево́ду does not lend it:sélf to tránslátion [...-ɑːn-]; не поддаю́щийся контро́лю un:aménable to contról [...-oul]; ~ся отча́янию give* way to despáir; не ~ся никаки́м угово́рам yield to no persuásion [...-ˈsweɪ-], stand* one's ground; не ~ся па́нике not succúmb, или not give* way, to pánic; не поддаю́щийся убежде́нию un:yíelding [-ˈjiː-]; ~ся чьему́-л. влия́нию come* / fall* únder smb.'s ínfluence, submít to the influence of smb.; ~ся искуше́нию be témpted [...-mt-], yield to the temptátion [...-mˈt-]; 2. страд. к поддава́ть; ◊ не ~ся описа́нию defy / báffle descríption, be be:yónd descríption.

поддавки́ мн.: игра́ть в ~ play at give-a:wáy.

подда́к∥ивать, подда́кнуть (дт.) разг. say* yes (to), assént (to); écho [ˈekou] (d.) (тж. перен.). **~нуть** сов. см. подда́кивать.

по́дда́н∥ная ж., **~ный** м. скл. как прил. súbject. **~ство** с. cítizenship; принима́ть ~ство be náturalized, take* out cítizenship.

подда́ть(ся) сов. см. поддава́ть(ся).

поддева́ть I, подде́ть 1. (вн.; надевать) put* on únder (d.); wear* únder [wɛə] (d.).

поддева́ть II, подде́ть (вн. тв.; зацеплять) hook (d. with).

поддева́ть III, подде́ть (вн.) разг. (говорить колкости) bait (d.), tease (d.).

подде́вка ж. poddyóvka (man's long tight-fitting coat).

подде́л∥ать(ся) сов. см. подде́лывать(ся). **~ка** ж. 1. (действие) fàlsificátion [fɔː-]; (документа) fórgery; 2. (поддельная вещь) imitátion, cóunterfeit [-fit]; fake разг.

подде́лыватель м., **~ница** ж. fálsifier [ˈfɔː-], fórger.

подде́лывать, подде́лать (вн.) cóunterfeit [-fit] (d.), fálsify [ˈfɔː-] (d.); fake (d.) разг.; (о документе, подписи тж.) forge (d.), fábricàte (d.). **~ся** 1. (под вн.) разг. (подражать) imitàte (d.); 2. (к; искать расположения) in:grátiate òne:sélf (with).

подде́льн∥ый false [fɔː-], cóunterfeit [-fit], sham, spúrious; fake (attr.); (искусственный) imitátion (attr.); (о документе, подписи) forged; **~ые** драгоце́нности imitátion jéwelry sg.; ~ая моне́та false / cóunterfeit coin; ~ бриллиа́нт sham díamond.

поддёргивать, поддёрнуть (вн.) разг. pull up [pul...] (d.).

поддержа́н∥ие с. máintenance; для ~ия ми́ра и безопа́сности to maintáin peace and secúrity.

поддержа́ть сов. см. подде́рживать 1, 2.

подде́рж∥ивать, поддержа́ть (вн.) 1. (прям. и перен.) suppórt (d.); (кандидатуру, мнение тж.) back (up) (d.); sécond [ˈse-] (d.); ~ мора́льно give* móral suppórt [...-ˈmɔ-...].ˈ; ~ резолю́цию sécond a rèsolútion [...-z-]; поддержа́ть ата́ку bólster up the attáck [ˈbou-...]; 2. (не давать прекратиться) maintáin (d.), keep* up (d.); ~ ого́нь feed* / keep* up the fire; ~ перепи́ску keep* up, или maintáin, a còrrespóndence; ~ разгово́р keep* up the cònversátion; keep* the ball (of cònversátion) rólling идиом.; ~ отноше́ния (с тв.) keep* in touch [...tʌtʃ] (with); ~ дру́жеские отноше́ния (с тв.) maintáin fríendly relátions [...ˈfrend-...] (with); ~ дипломати́ческие отноше́ния (с тв.) maintáin diplomátic relátions (with); ~ те́сную связь (с тв.) maintáin close cóntact [...klous...] (with); ~ дру́жбу (с тв.) keep* up a fríendship [...ˈfrend-] (with); ~ регуля́рное сообще́ние (о транспорте) maintáin a régular sérvice; 3. тк. несов. (служить опорой) bear* [bɛə] (d.), suppórt (d.). **~ка** ж. 1. (мнения, предложения и т.п.) bácking, séconding, suppórting; (моральная) en:coùrage:ment [-ˈkʌ-], móral suppórt [ˈmɔ-...]; (помощь) suppórt(ing); взаи́мная ~ка mútual suppórt; получи́ть ~ку (от) get* / derive en:coùrage:ment (from), recéive a pówerful bácking [-ˈsiːv-] (from); по́льзоваться горя́чей ~кой (рд.) enjóy the warm suppórt (of); находи́ть горя́чую ~ку (у) meet* with warm appróval / suppórt [...-ruː-v-...] (among, from); огнева́я ~ка воен. fire suppórt; (при наступлении) cóvering fire [ˈkʌ-...]; 2. (опора) suppórt, prop, stay.

поддёрнуть сов. см. поддёргивать.

подде́ть I, II, III сов. см. поддева́ть I, II, III.

поддо́нник м. sáucer (vessel placed under flowerpot).

поддра́з∥нивать, поддразни́ть (вн.) разг. tease (d.). **~и́ть** сов. см. поддра́знивать.

поддува́ло с. ásh-pit.

поддува́ть, подду́ть 1. blow* (from benéath) [-ou...]; 2. тк. несов. (слегка) blow* slíghtly.

подду́ть сов. см. поддува́ть 1.

по-де́довски нареч. разг. as of old.

подде́йствовать сов. см. де́йствовать 2.

подека́дно нареч. every ten days.

поде́л∥ать сов. разг.: ничего́ не ~аешь there is nothing to be done, it can't be helped [...kɑːnt...], you can't help it; ничего́ не могу́ с ним ~ I can't do ánything with him, there is no mánaging him.

подели́ть сов. см. дели́ть II. **~ся** сов. см. дели́ться II.

поде́л∥ка ж. 1. (случайная работа) odd job; 2. (изделие) hànd-máde árticle; ~и из слоно́вой ко́сти ívory árticles [ˈaɪ-...].

поделом́ нареч. разг.: ~ ему́ it serves him right.

поде́лыва∥ть: что ~ешь?, что ~ете? how are you getting on?

подёнка ж. зоол. ephémeròn, ephémera.

подён∥но нареч. by the day. **~ный** dáily, by the day; ~ная опла́та pay by the day; ~ная рабо́та work by the day, dáy-làbour, tíme-wòrk. **~щик** м. wórk:man* hired by the day, dáy-làbour:er, tíme-wòrker. **~щина** ж. work paid for by the day, dáy-làbour. **~щица** ж. wóman* hired by the day [ˈwu-...], dáy-làbourer; chár:wòman* [-wu-].

подёрг∥ать сов. см. подёргивать 1. **~ивание** с. (мускула) twitch(ing), jerk. **подёрг∥ивать**, подёргать 1. (вн.) pull [pul] (d., at); tug (at); 2. тк. несов. (тв.) twitch (d.); он ~ал плечо́м his shóulder twitched [...ˈʃou-...]. **~аться** twitch; у него́ ~ается лицо́ his face twitches.

подержа́ние с.: взять на ~ (вн.) bórrow (d.); дать на ~ (вн.) lend* (d.).

поде́ржанн∥ый sécond-hánd [ˈse-]; ~ое пла́тье sécond-hánd clóthing [...ˈklou-].

подержа́ть сов. (вн.) hold* for some time (d.); (у себя) keep* for some time (d.). **~ся** сов. 1. (за вн.) hold* for some time (on); 2. (сохраниться) stand*; забо́р ещё подержи́тся the fence will stand / last for some time.

подёрну́ть сов. безл. cóver [ˈkʌ-]; ре́ку ~ло то́нким сло́ем льда the river was cóated with thin ice [...ˈri-...], there was a thin crust of ice on the river. **~ться** сов. (тв.) be cóvered [...ˈkʌ-].

подешеве́ть сов. см. дешеве́ть.

поджа́ривать, поджа́рить (вн.; на сковороде) fry (d.); (на открытом огне) roast (d.); (на рашпере) grill (d.); ~ хлеб toast bread [...bred]. **~ся**, поджа́риться 1. fry; roast; broil; (ср. поджа́ривать); 2. страд. к поджа́ривать.

поджа́р∥истый brown, brówned, crisp. **~ить(ся)** сов. см. поджа́ривать(ся).

поджа́рка ж. кул. grilled beef dish.

поджа́рый разг. wíry, lean, sínewy.

поджа́ть сов. см. поджима́ть.

поджелу́дочн∥ый: ~ая железа́ анат. páncreas [-rɪəs].

подже́чь сов. см. поджига́ть.

поджива́ть, поджи́ть (о ране и т.п.) разг. heal.

поджига́тель м., **~ница** ж. incéndiary; (перен. тж.) instigàtor; ~ войны́ wármònger [-mʌ-].

поджига́тельский inflámmatory.

поджига́ть, подже́чь (вн.) 1. set* fire (to), set* on fire (d.); 2. разг. (давать подгоре́ть) burn* slíghtly.

поджида́ть (вн., рд.) разг. wait (for); (в засаде и т.п.) lie* in wait (for).

поджи́лки мн. knee téndons; у него́ ~ трясу́тся разг. ≃ he is sháking in his shoes [...ʃuːz], he is quáking with fear.

поджим∥а́ть, поджа́ть: ~ гу́бы purse one's lips; поджа́ть хвост put* the tail between the legs; have one's tail between one's legs (тж. перен.); поджа́в хвост with one's tail between one's legs; сиде́ть, поджа́в но́ги sit* cróss-lègged; сро́ки ~а́ют time présses sg.

ПОД–ПОД

поджи́ть *сов. см.* поджива́ть.
поджо́г *м.* árson.
подзаб||**ы́ть** *сов.* (вн.) *разг.* forgét pártially [-'get...] (*d.*); я ~ы́л неме́цкий язы́к my Gérman is a little rústy.
подзаголо́вок *м.* súbtitle, súbheading [-hed-].
подзадо́р||**ивать**, подзадо́рить (вн.) *разг.* set* on (*d.*), egg on (*d.*); (вн. на вн.) set* on (*d.* to), put* up (*d.* to), egg on (*d.* to); он ~и́л его́ на э́то he put him up to it, he egged him on to it; он ~и́л его́ пойти́ туда́ he egged him on to gó(:ing) there.
подзадо́рить *сов. см.* подзадо́ривать.
подзакуси́ть *сов. разг.* have a snack / bite.
подзарабо́тать *сов.* (вн., рд. и без доп.) earn (a little móney) [ə:n...'mʌl-].
подзаряди́ть *сов.* (вн.) эл., тех. rè:chárge (*d.*).
подзаря́дка *ж. эл.* bóoster charge, rè:chárge; ~ батаре́и rè:chárging of a báttery.
подзаты́льник *м. разг.* clip on the back of the head [...hed].
подзащи́тный *м. скл. как прил. юр.* client.
подземе́лье *с.* cave; (темни́ца) dúngeon [-ndʒən].
подзе́мка *ж. разг.* (подземная железная дорога) tube, únderground.
подзе́мн||**ый** únderground, sùbterránean [...'ɔ:θ-...]; ~ толчо́к an éarthquàke shock [...'ɔ:θ-...]; (слабый) trémor ['tre-]; ~ перехо́д únderground pássage; pedéstrian súbway; ~ая (городска́я) желе́зная доро́га the únderground (ráilway); (в Ло́ндоне тж.) tube; súbway амер.; ~ые рабо́ты únderground wórkings; ~ ход sùbterránean pássage; ~ взрыв únderground explósion; ~ые я́дерные испыта́ния únderground núclear tests; ◊ ~ое ца́рство the únderground kíng:dom.
подзерка́льник *м.* píer-glàss table ['rɪə-...].
подзо́л *м. с.-х.* pódzòl.
подзо́лист||**ый** *с.-х.*: ~ые по́чвы pódzòl soils.
подзо́р *м.* 1. (резной карниз в русском деревянном зодчестве) córnice (of Russian wood building); 2. (кружевная оборка, кайма) édging, trímming.
подзо́рн||**ый**: ~ая труба́ spý:glàss, télescòpe.
подзуди́ть *сов. см.* подзу́живать.
подзу́живать, подзуди́ть *разг.* = подзадо́ривать.
подзыва́ть, подозва́ть (вн.) к call up (*d.* to); (жестом) béckon (*d.* to).
поди́ I *разг.* = пойди́ см. пойти́.
поди́ II *разг.* 1. *вводн. сл.* (вероятно, пожалуй передаётся личн. форма́ми must и would (+ *inf.*); тж. I should not wónder [...'wʌn-], I dare say; ты, ~, забы́л меня́ I shouldn't wónder if you had forgótten me, I dare say you have forgótten me; он, ~, уста́л, спит, забы́л he must be tired, sléeping, must have forgótten; I shouldn't wónder if he were tired, sléeping, if he had

forgótten; уже́, ~, по́здно it must be gétting late; 2. *частица* (с повелит. накл.; попробуй) just try (+ to *inf.*): ~ поспо́рь с ним you just try to árgue with him; ◊ вот ~ ж ты! ≃ just imágine!; well, who would have thought it póssible?
подиви́ть *сов.* (вн.) *разг.* cause (*d.*) to márvel, astónish (*d.*). ~ся *сов.* (дт., на вн.) márvel (at).
подира́||**ть**: моро́з по ко́же ~ет *разг.* it makes *one's* flesh creep, it gives *one* the creeps / shívers [...'ʃɪ-].
подка́лывать, подколо́ть (вн.) pin up (*d.*); (о документе и т. п.) attàch (*d.*), appénd (*d.*).
подка́пывать, подкопа́ть (вн.) ùndermíne (*d.*), sap (*d.*). ~ся, подкопа́ться 1. (под вн.) ùndermíne (*d.*) (тж. перен.); под него́ не подкопа́ешься there is no trípping him up 2. страд. к подка́пывать.
подкара́уливать, подкара́улить (вн.) *разг.* catch* (*d.*); *несов. тж.* be on the watch (for), be in wait (for).
подкара́улить *сов. см.* подкара́уливать.
подка́рмливать, подкорми́ть (вн.) 1. feed* up (*d.*); (о скоте тж.) fátten (*d.*); 2. с.-х. (вводить дополнительное удобрение) add fértilizer (to).
подкати́ть(ся) *сов. см.* подка́тывать (-ся).
подка́тывать, подкати́ть 1. (вн.) к roll (*d.* to), drive* (*d.* to); 2. (к; подъезжать) roll up (to), drive* up (to); подкати́ть к са́мому подъе́зду drive* right up to the front door [...frʌ- dɔ:]; 3. *разг.*: у него́ ком подкати́л к го́рлу he felt a lump rise in his throat. ~ся, подкати́ться 1. roll (únder); 2. страд. к подка́тывать 1.
подкача́ть *сов.* 1. *см.* подка́чивать; 2. *разг.* (подвести) let* one down; make* a mess (of things).
подка́чивать, подкача́ть (вн., рд.) pump (*d.*); подкача́ть воды́ pump more water [...'wɔ:-].
подка́шивать, подкоси́ть (вн.; о траве) cut* (*d.*); (перен.: лишать сил): э́то несча́стье оконча́тельно подкоси́ло его́ he sank únder this last blow [...-ou]; this misfórtune was the last straw [...-tʃən...]; упа́сть как подко́шенный ≃ fall* flat, fall* as if shot. ~ся, подкоси́ться: у него́ но́ги подкоси́лись his legs gave way, he becáme weak in the knees.
подки́||**дывать**, подки́нуть *разг.* = подбра́сывать. ~ дыш *м.* fóundling. ~нуть *сов. см.* подки́дывать.
подкисли́ть *сов. см.* подкисля́ть.
подкисля́ть, подкисли́ть (вн.) *хим.* acídify (*d.*), acídulàte (*d.*).
подкла́дк||**а** *ж.* líning; сде́лать ~у к пальто́ line a coat; (на заказ) have a coat lined; на шёлковой ~е silk-lined, with a silk líning.
подкладн||**о́й**: ~о́е су́дно béd-pàn.
подкла́дочный líning (attr.).
подкла́дывать, подложи́ть 1. (вн. под вн.) lay* (*d.* únder); put* (*d.* únder); 2. (вн. под вн.; о подкладке, вате и т. п.) line (with *d.*); 3. (вн., рд.; добавлять) add (*d.*); put* some more

(*d.*); подложи́ть дров add some fire:wood [...-wud]; 4. (вн.; класть скрытно) put* fúrtive:ly (*d.*); ◊ подложи́ть свинью́ кому́-л. ≃ play a mean / dírty trick on / upón smb., do the dírty on smb.
подкла́сс *м. биол.* sùbclàss.
подкле́||**ивать**, подкле́ить 1. (вн. под вн.) glue (*d.* únder); (мучным клеем) paste [peɪ-] (*d.* únder); 2. (вн.; чинить) glue up (*d.*); (мучным клеем) paste up (*d.*). ~ить *сов. см.* подкле́ивать. ~йка *ж.* glúe:ing; (мучным клеем) pásting ['peɪ-].
подкле́ть *ж.* ground floor [...flɔ:] (in old Russian wooden houses).
подключ||**а́ть**, подключи́ть (вн.) *тех.* link up (*d.*), connéct up (*d.*); *перен.* attách (*d.*), подключи́ться *тех.* be linked / connécted up; (перен.) séttle down; get* the hang of things. ~и́ть (-ся) *сов. см.* подключа́ть(ся).
подключи́чный *анат.* sùbclávian, sùbclavícular.
подко́в||**а** *ж.* (hórse:)shoe [-ʃu:]. ~а́ть (-ся) *сов. см.* подко́вывать(ся).
подковообра́зный hórse:shoe-sháped [-ʃu:-]; hórse:shòe (attr.).
подко́вывать, подкова́ть (вн.) shoe [ʃu:] (*d.*); (вн. в пр.; перен.) *разг.* ground (*d.* in), give* (*d.*) gróunding (in); челове́к, полити́чески подко́ванный a man* well gróunded in pólitics. ~ся, подкова́ться 1. (в пр.) *разг.* get* a gróunding (in); 2. страд. к подко́вываться.
подковы́р||**ивать**, подковырну́ть (вн.) *разг.* pick (*d.*); (перен.) catch* out (*d.*); tease (*d.*). ~ка *ж.* catch; attémpt to catch out. ~ну́ть *сов. см.* подковы́ривать.
подко́жн||**ый** hypodérmic [haɪ-], sùbcutáneous; ~ая клетча́тка hypodérmic tíssue; ~ое впры́скивание hypodérmic injéction.
подколе́нный *анат.* poplíteal [-tɪəl].
подколо́дн||**ый**: змея́ ~ая *разг.* snake in the grass.
подколо́ть *сов. см.* подка́лывать.
подкоми́ссия *ж.* sùbcommíttee [-tɪ].
подкомите́т *м.* sùbcommíttee [-tɪ].
подконтро́льный ùnder contról [...-oul].
подко́п *м.* (в разн. знач.) sap, ùndermíning; вести́ ~ подо что-л. ùndermíne smth., sap smth. ~а́ть(ся) *сов. см.* подка́пывать(ся).
подко́рм *м.* addítional fórage.
подкорми́ть *сов. см.* подка́рмливать.
подко́рмка *ж. с.-х.* addítional fértilizing.
подко́с *м. стр.* strut, cross brace.
подкоси́ть(ся) *сов. см.* подка́шивать(-ся).
подкра́дываться, подкра́сться (к) steal* up (to), sneak up (to).
подкра́||**сить(ся)** *сов. см.* подкра́шивать(ся). ~ка *ж.* 1. (действие) tíncturing; 2. (окрашенное место) tint.
подкра́сться *сов. см.* подкра́дываться.
подкра́шивать, подкра́сить (вн.) tint (*d.*), tíncture (*d.*), cólour ['kʌ-] (*d.*); гу́бы touch up one's lips [tʌtʃ...]. ~ся, подкра́ситься 1. touch up one's máke-ùp; 2. страд. к подкра́шивать.

подкреп||и́ть(ся) сов. см. подкрепля́ть(-ся). ~ле́ние с. 1. confirmátion; (о теории тж.) corroborátion; для ~ле́ния свои́х слов in confirmátion / corroborátion of one's words, to confirm / corróborate / back one's words; 2. (едо́й, питьём) refréshment; 3. воен. rèinfórce⁚ment.

подкрепл||я́ть, подкрепи́ть (вн.) 1. suppórt (d.); (подтверждать) confirm (d.); (о теории тж.) corróborate (d.); ~и́ть слова́ дела́ми back words by deeds, suit áction to words [sju:t...]; 2. (едо́й, питьём) refrésh (d.), fórtify (d.); 3. воен. rèinfórce⁚ment. ~я́ться, ля́ться 1. (едо́й, питьём) fórtify onesélf, refrésh onesélf; 2. страд. к подкрепля́ть.

подкузьми́ть сов. (вн.) разг. do a bad, или an ill, turn (i.); let* / do down (d.).

подкула́чн||ик м. kulák's hénch⁚man*. ~ица ж. kulák's hénch⁚wòman* [...-wu-].

по́дкуп м. тк. ед. bríbery ['braɪ-], subòrnátion; graft амер.

подкуп||а́ть, подкупи́ть 1. (вн.) bribe (d.), subórn [sʌ-] (d.); graft (d.) амер.; (перен.) win* óver (d.); всех ~и́ла его́ и́скренность his sincérity won all hearts [...hɑːts]; 2. (вн., рд., покупать дополнительно) buy* some more [baɪ...] (d.), buy* éxtra (d.). ~а́ющий appéaling, cáptivating, attráctive; ~а́ющая улы́бка winning smile. ~и́ть сов. см. подкупа́ть.

подкупно́й bríbable.

подла́вливать, подлови́ть (вн.) разг. catch* (d.).

подла́диться сов. см. подла́живаться.

подла́живаться, подла́диться (к) разг. 1. adápt onesélf (to); fit in (with); húmour (d.); 2. (заи́скивать) make* up (to).

подла́мываться, подломи́ться (под тв.) break* [-eɪk] (únder).

по́дле предл. (рд.) by the side of, by smb.'s side; ~ стола́ стоя́л стул by the side of the table stood a chair [...stud...]; она́ се́ла ~ него́ she sat down by his side.

подлёдный únder the ice (после сущ.); ~ лов ры́бы ice físhing.

подлеж||а́ть (дт.) be súbject (to), be líable (to); ~ обложе́нию нало́гами be súbject to taxátion; ~ уничтоже́нию be líable / déstined to destrúction; ~ исполне́нию be due to be cárried out; ~ суду́ be indíctable [...-'daɪt-]; ~ ве́дению кого́-л. be within smb.'s cómpetence, be únder smb.'s authórity; ◊ не ~и́т сомне́нию it is beyónd / past doubt [...daut], there is no doubt; не ~и́т оглаше́нию it is not to be made públic [...'pʌ-].

подлежа́щее с. скл. как прил. грам. súbject.

подлежа́щ||ий прич. (тж. как прил.) (дт.) súbject (to), líable (to); ~ обложе́нию сбо́ром, по́шлиной dútiable; ~ штра́фу líable to fine; не ~ (дт.) not súbject / líable (to), free / exémpt (from); не ~ оглаше́нию confidéntial, prívate ['praɪ-]; óff-the-récòrd [-'re-] разг.; ~ие вопро́сы, ~ие урегули́рованию próblems awáiting séttle⁚ment ['prɔ-...].

подлеза́ть, подле́зть (под вн.**)** creep* (únder).

подле́зть сов. см. подлеза́ть.

подле́сок м. únderbrùsh, úndergròwth [-ouθ].

подлета́ть, подлете́ть (к) fly* up (to); (перен.: быстро подходить) run* / rush up (to).

подлете́ть сов. см. подлета́ть.

подле́ц м. scóundrel, víllain [-lən], ráscal.

подле́чивать, подлечи́ть (вн.) разг. treat (d.). ~ся, подлечи́ться разг. recéive médical tréatment [-'siːv...] (for some time).

подлечи́ть(ся) сов. см. подле́чивать(-ся).

подлива́ть, подли́ть (вн., рд. в вн.) add (d. to); ◊ подли́ть ма́сла в ого́нь pour oil on the flames [pɔː...], add fúel to the fire [...'fjuː-...].

подли́вка ж. sauce, dréssing; (мясна́я) grávy.

подли́за м. и ж. разг. líckspittle, tóady, whéedler.

подлиза́ть(ся) сов. см. подли́зывать(-ся).

подли́зывать, подлиза́ть (вн.) lick up (d.). ~ся, подлиза́ться (к кому́-л.) разг. make* / suck up to smb.; lick smb.'s boots, whéedle smb.

по́длинник м. original; чита́ть в ~е read* in the original.

по́длинно I прил. кратк. см. по́длинный.

по́длинно II нареч. réally ['rɪə-]: э́то ~ интере́сная кни́га it is a réally ínteresting book; — он ~ наро́дный поэ́т he is a génuine póet of the péople [...piːpl].

по́длинн||ость ж. authenticity. ~ый 1. (не подде́льный) authéntic; génuine; (не ко́пия) original; ~ая демокра́тия génuine demócracy; ~ое иску́сство génuine art; ~ый текст original (text); ~ые докуме́нты authéntic documents; с ~ым ве́рно cértified true cópy [...kɔ-]; его́ ~ые слова́ his own / very words [...oun...]; 2. (истинный) true, real [rɪəl].

подли́па́ла м. и ж. разг. = подли́за.

подли́ть сов. см. подлива́ть.

подли́чать act méanly, act in a mean way, beháve like a scóundrel.

подлови́ть сов. см. подла́вливать.

подло́г м. fórgery.

подло́дка ж. (подводная лодка) súbmarine [-riːn].

подло́жечный анат. epigástric.

подложи́ть сов. см. подкла́дывать.

подло́жн||ость ж. fálseness ['fɔː-], spúrious⁚ness. ~ый false [fɔː-], spúrious, counterfeit [-fɪt].

подлокотник м. élbow-rèst, arm (of a chair).

подломи́ться сов. см. подла́мываться.

подлопа́точный анат. subscápular.

по́длость ж. méanness, báseness [-s-]; (подлый поступок тж.) mean / lów-down áction [...'lou-...].

подлу́нный sublúnar(y).

по́длый mean, base [-s], foul.

подлю́га м. и ж. разг., презр. = подле́ц.

подма́зать(ся) сов. см. подма́зывать(-ся).

подма́зка ж. gréasing; (перен.) разг. bribe.

подма́зывать, подма́зать (вн.; жи́ром) grease (d.), oil (d.); (перен.: подкупа́ть) разг. grease smb.'s palm [...pɑːm]; oil the wheels. ~ся, подма́заться разг. 1. (подкра́шиваться) touch up one's máke-up [tʌ-...]; 2. (к кому́-л.; подде́лываться) make* up (to), cúrry fávour (with); 3. страд. к подма́зывать.

подмалева́ть сов. см. подмалёвывать.

подмалёвывать, подмалева́ть (вн.) разг. tint (d.), cólour ['kʌ-] (d.), touch up [tʌtʃ...] (d.).

подманда́тн||ый mándated; ~ая террито́рия mándated territory.

подма́нивать, подмани́ть (вн.) разг. call (to), béckon (d.).

подмани́ть сов. см. подма́нивать.

подма́сливать, подма́слить (вн.) add bútter (to) (porridge, etc.); (перен. разг.) cajóle (d.), win* óver (d.) (by bribes, etc.).

подма́слить сов. см. подма́сливать.

подмасте́рье м. apprentice.

подма́х||ивать, подмахну́ть (вн.) разг. sign (hástily and négligently) [saɪn 'heɪ-...], scríbble a sígnature (to). ~ну́ть сов. см. подма́хивать.

подма́чивать, подмочи́ть (вн.) wet slíghtly (d.), damp (d.); (о товарах) dámage by expósing to damp (d.).

подме́н||а ж. substitútion (of smth. false for smth. real). ~и́ть сов. см. подменя́ть.

подменя́ть, подмени́ть 1. (вн. тв.) substitute (for d.); 2. (вн.) разг. (временно заменять кого-л.) repláce (d.).

подмерза́ть, подмёрзнуть freeze* slíghtly.

подмёрзнуть сов. см. подмерза́ть.

подмеси́ть сов. см. подме́шивать II.

подмести́ сов. см. подмета́ть I.

подмета́льн||ый: ~ая маши́на road swéeper-collèctor.

подмета́льщик м. swéeper; ~ у́лиц street swéeper.

подмета́ть I, подмести́ (вн.) sweep* (d.); ~ ко́мнату sweep* a room.

подмета́ть II сов. см. подмётывать.

подмести́ сов. см. подметать I.

подмёт||ка ж. sole; ◊ в ~и кому́-л. не годи́ться разг. ≃ be not fit to hold a cándle to smb., be not a patch on smb.

подмётн||ый: ~ое письмо́ уст. anónymous létter.

подмётывать, подмета́ть baste on [beɪ-...] (d.); tack (d.).

подмеча́ть, подме́тить (вн.) nótice ['nou-].

подмеша́ть сов. см. подме́шивать I.

подме́шивать I, подмеша́ть (вн., рд. к, в вн.; меша́я, подбавля́ть) mix (d. into, with), stir (d. in).

подме́шивать II, подмеси́ть (вн., рд.; меся́, подбавля́ть) add (d.), mix in (d.).

подми́г||ивать, подмигну́ть (дт.) wink (at); сов. тж. give* a wink (at). ~ну́ть сов. см. подми́гивать.

подмина́ть, подмя́ть (вн.) press / crush down (d.); подмя́ть под себя́ проти́вника get* one's opponent únder.

ПОД–ПОД

подмо́г∥а *ж. разг.* help, assistance; идти́ на ~у (к, *дт.*) give* / lend* a hélping hand (*i.*), lend* a hand (*i.*), come* to the aid (of).

подмока́ть, подмо́кнуть get* slíghtly wet.

подмо́кнуть *сов. см.* подмока́ть.

подмора́жив∥ать, подморо́зить *безл.* freeze*; ~ает it is fréezing.

подморо́женный 1. *прич. см.* подмора́живать; **2.** *прил.* fróst-bìtten, slíghtly frózen.

подморо́зить *сов. см.* подмора́живать.

подмоско́вный (sítuated) near Móscow.

Подмоско́вье *с.* dístricts / locálities near Móscow *pl.*

по́дмости *мн. стр.* scáffolding *sg.*, scáffold *sg.*, stáging *sg.*

подмо́стки *мн.* **1.** (*настил из досок*) scáffolding *sg.*, stáging *sg.*; **2.** (*сцена*) stage *sg.*, boards.

подмо́ч∥енный 1. *прич. см.* подма́чивать; **2.** *прил.* slíghtly wet; damped; (*о товарах*) dámaged; (*перен.: о репута́ции*) *разг.* tárnished. **~и́ть** *сов. см.* подма́чивать.

подмы́в *м.* (*берега и т.п.*) ùndermíning; (*размывание*) wáshing awáy.

подмыва́∥ть, подмы́ть (*вн.*) **1.** wash (*d.*); **2.** (*о береге и т.п.*) ùndermíne (*d.*); (*размывать*) wash awáy (*d.*); **3.** *тк. несов. безл. разг.*: его́ так и ~ет (+ *инф.*) he feels an urge (+ to *inf.*), he can hárdly keep hìm:sélf (from *ger.*).

подмы́ть *сов. см.* подмыва́ть 1, 2.

подмы́шник *м.* dréss-presèrver [-'zə:-].

подмя́ть *сов. см.* подмина́ть.

поднабира́ться, поднабра́ться (*рд.*) *разг.* collect (*d.*); поднабрало́сь поря́дочно наро́ду a crowd colléctéd; поднабра́ться зна́ний acquíre knówledge [...'nɔ-]; поднабра́ться хра́брости take* cóurage [...'kʌ-].

поднабра́ться *сов. см.* поднабира́ться.

поднадзо́рный *м. скл. как прил.* pérson únder survéillance.

поднажа́ть *сов.* (на *вн.*) *разг.* press (*d.*), put* préssure (on).

поднака́пливать, поднакопи́ть (*вн., рд.*) *разг.* save up (*d.*).

поднакопи́ть *сов. см.* поднака́пливать.

поднаторе́ть *сов.* (в *пр.*) *разг.* becóme* skilled (at, in).

поднача́льный *уст., шутл.* subórdinate.

подна́чивать, подна́чить (*вн.*) *разг.* egg on (*d.*).

подна́чить *сов. см.* подна́чивать.

подна́чка *ж. разг.* égging on.

поднебе́сье *с. тк. ед.* the skies *pl.*

поднево́льный 1. (*о человеке*) depéndent; **2.** (*принудительный*) forced; ~ труд forced lábour.

поднес∥е́ние *с.* prèsentátion [-zə-]. **~ти́** *сов. см.* подноси́ть.

поднима́∥ть, подня́ть (*вн.*) **1.** (*в разн. знач.*) lift (*d.*), raise (*d.*); (*о глазах, руках тж.*) lift up (*d.*); (*что-л. тяжёлое*) heave* (*d.*); ~ ру́ку raise one's hand; ~ ру́ку на кого́-л. lift one's hand agáinst smb.; ~ бока́л (за *вн.*) raise one's glass (to); ~ пыль raise dust; — ~ ору́жие take* up arms; ~ паруса́ hoist / set* sail; ~ флаг hoist *a* flag, *мор.* make* the cólours [...'kʌ-]; ~ воротни́к turn up one's cóllar; **2.** (*подбирать*) pick up (*d.*); **3.** (*повышать*) raise (*d.*); ~ дисципли́ну raise the stándard of díscipline; ~ производи́тельность труда́ raise the pròductívity of lábour, raise lábour pròductívity; ~ у́ровень жи́зни raise the stándard of líving [...'lɪv-]; ~ на бо́лее высо́кий у́ровень raise to a much hígher lével [...'le-] (*d.*); ~ прести́ж (*рд.*) enhánce the prestíge [...-ti:ʒ] (of); ~ значе́ние (*рд.*) enhánce the impórtance (of), raise the signíficance (of); ◇ ~ на́ ноги rouse (*d.*), get* up (*d.*); ~ всех на́ ноги raise a géneral alárm; ~ с посте́ли rouse (*d.*); ~ новину́, целину́ break* fresh ground [-eɪk...], ópen up vírgin lands; подня́ть из руи́н raise from the rúins; ~ вопро́с raise a quéstion [...-stʃən]; ~ трево́гу raise an alárm; ~ восста́ние excíte, *или* stir up, rebéllion; подня́ть на борьбу́ stir to áction; ~ шум, крик make* a noise, set* up a clámour; ~ го́лову hold* up one's head [...hed]; ~ кого́-л. на́ смех make* a láughing-stòck of smb. [...'lɑ:f-...]; ~ нос put* on airs *идиом.*: ~ настрое́ние cheer up (*d.*), raise the spírits (of); ~ на во́здух (*взрывать*) blow* up [-ou...] (*d.*); ~ пе́тли pick up stítches. **~ся, подня́ться 1.** (*в разн. знач.; тж. перен.: восстава́ть*) rise*; подня́ться во весь рост rise* to one's full height [...haɪt]; они́ подняли́сь как оди́н they rose as one (man); его́ бро́ви подняли́сь his éye:brows rose [...'aɪ-...]; ~ся на́ ноги rise* to one's feet; те́сто подняло́сь the dough has rísen [...dou...'rɪzn]; подня́ться из руи́н rise* from the rúins; его́ настрое́ние подняло́сь his spírits rose; — у него́ подняла́сь температу́ра his témperature rose, he devéloped a témperature; подня́лся шум (в кла́ссе, ко́мнате и т.п.) the class, the room, *etc.*, becáme nóisy [...-zɪ]; из-за э́того подняла́сь шуми́ха it caused a sensátion; ~ся волно́й surge; ~ся ра́но (*просыпаться*) get* up éarly [...'ə:-]; це́ны подняли́сь príces went up; ~ся из-за горы́ come* up from behínd the móuntain; **2.** (на *вн.; на го́ру и т.п.*) climb [klaɪm] (*d.*); ascénd (*d.*); **3.** *страд.* к поднима́ть; ◇ у него́ рука́ не поднима́ется (+ *инф.*) he can't bring hìm:sélf [...kɑ:nt...] (+ to *inf.*).

подн и́ть *сов. см.* подновля́ть.

поднов∥ля́ть, поднови́ть (*вн.*) renéw (*d.*), rénovàte (*d.*).

подного́тн∥ая *ж. скл. как прил. разг.* the whole truth [...houl -u:θ], all there is to know [...nou]; знать всю ~ую (*рд.*) know* the ins and outs (of), know* all (there is to know) (abóut).

подно́ж∥ие *с.* **1.** (*горы́*) foot* [fut]; у ~ия горы́ at the foot* of *a* hill / móuntain; **2.** (*памятника и т.п.*) pédestal.

подно́жка I *ж.* (*экипажа, трамва́я и т.п.*) step, fóotboard ['fut-].

подно́жка II *ж.* (*в борьбе́, игра́х и т.п.*) báckheel.

подно́жн∥ый: ~ корм pásture, pásturage, grass; быть на ~ом корму́ be at grass; пуска́ть на ~ корм put* to grass.

подно́с *м.* tray; (*металлический тж.*) sálver; ча́йный ~ téa-tray.

подноси́ть, поднести́ 1. (*вн.* к) bring* (*d.* to), take* (*d.* to); **2.** (*дт. вн.; в подарок*) presént [-'ze-] (*d.* with); **3.** (*дт. вн.*) *разг.* (*угощать*) treat (*d.* to).

подно́ска *ж.* brínging up; cárrying.

подно́счик *м.* cárrier; ~ патро́нов àmmunítion cárrier.

подноше́ни∥е *с.* présent [-ez-], gift [g-]; цвето́чные ~я flóral tríbutes.

подны́ривать, подныр́ну́ть (под *вн.*) dive (únder).

поднырну́ть *сов. см.* подны́ривать.

подня́тие *с.* ráising, rise, rísing; ~ фла́га hóisting *a* flag; *мор.* máking the cólours [...'kʌ-]; ~ производи́тельности труда́ ráising the pròductívity of lábour; голосова́ть ~м рук vote by show of hands [...fou...]; ~ за́навеса cúrtain-rìse.

подня́ть(ся) *сов. см.* поднима́ть(ся).

подо *предл.* = под II.

подоба́∥ть (*дт.* + *инф.*) becóme* (*d.* + to *inf.*); befít (*d.* + to *inf.*); как ~ет as it becómes / befíts *one*; не ~ет так поступа́ть it doesn't become *one* to behave like that, such behávour / cónduct is ùnbecóming [...-kʌm-]. **~ющий 1.** *прич. см.* подоба́ть; **2.** *прил.* próper ['prɔ-]; взять ~ющий тон adópt the próper tone; заня́ть ~ющее ме́сто, положе́ние óccupy a fítting place, posítion [...-'zɪ-]; ~ющим о́бразом próperly.

подо́бие *с.* **1.** (*сходство*) líke:ness; **2.** *мат.* similárity.

подо́блачный únder the clouds (*после сущ.*), on high (*после сущ.*).

подо́бно I *прил. кратк. см.* подо́бный.

подо́бн∥о II *нареч. тж. как предл.* (*дт.*) like; ~ геро́ям like héroes; ~ тому́, как just as: ~ тому́, как со́лнце освеща́ет зе́млю just as the sun lights up the earth [...ə:θ]. **~ый** (*дт.*) **1.** like; símilar (to); (*такой*) such a / an; such; он ничего́ ~ого не ви́дел he has never seen ány:thing like it; ~ый отве́т such an ánswer [...'ɑ:nsə]; ~ое поведе́ние such behávour; **2.** *мат.* símilar (to); ~ые треуго́льники símilar tríangles; ◇ ничего́ ~ого! *разг.* nóthing of the kind!; и тому́ ~ое and so on, and so forth.

подобостра́ст∥ие *с.* sèrvílity. **~ный** sérvile.

подо́бранн∥ость *ж.* néatness, tídiness ['taɪ-]. **~ый** neat, tídy.

подобра́ть(ся) *сов. см.* подбира́ть(ся).

подобре́ть *сов. см.* добре́ть I.

подобру́-поздоро́ву *нареч. разг.* (*вовремя*) in good time; (*пока цел*) with a whole skin [...houl...]; while you are still in one piece [...pi:s].

подо́в∥ый baked in the hearth [...hɑ:θ]; ~ые пироги́ pies baked in the hearth.

подогна́ть *сов. см.* подгоня́ть.
подогну́ть(ся) *сов. см.* подгиба́ть(ся).
подогре́в *м. тех.* héating; предвари́тельный ~ pré-héating.
подогрева́ние *с.* héating.
подогрева́тель *м. тех.* héater.
подогрева́ть, подогре́ть (*вн.*) warm up (*d.*); (*перен.*) stir up (*d.*), rouse (*d.*); ~ молоко́ warm up *the* milk.
подогре́ть *сов. см.* подогрева́ть.
пододвига́ть, пододви́нуть (*вн.* к) push up [puʃ...] (*d.* to), move up [mu:v...] (*d.* to). ~ся, пододви́нуться 1. (к) move [mu:v] (to); 2. *страд.* к пододвига́ть.
пододви́нуть(ся) *сов. см.* пододвига́ть(-ся).
пододея́льник *м.* blánket cóver / slip [...'kl-...], quilt cóver / slip.
подожда́||ть *сов.* (*вн., рд.*) wait (for); он немно́го ~л вас, а пото́м ушёл he wáited a little for you and then went awáy; ~йте мину́тку! wait a mínute! [...'mɪnɪt]; hang on (a mínute!) *разг.*
подозва́ть *сов. см.* подзыва́ть.
подозрева́емый 1. *прич. см.* подозрева́ть; 2. *прил.* suspécted; súspect (*predic.*).
подозр||ева́ть (*вн.* в *пр.*) suspéct (*d.* of). ~ева́ться be suspécted. ~е́ние *с.* suspícion; быть под ~е́нием, быть на ~е́нии be únder suspícion; по ~е́нию on suspícion; оста́ться вне ~е́ний remáin abóve suspícion.
подозри́тельно I 1. *прил. кратк. см.* подозри́тельный; 2. *предик. безл.* it is suspícious.
подозри́тельн||о II *нареч.* 1. (*вызывая подозрение*) suspícious:ly; вести́ себя́ ~ beháve suspícious:ly; 2. (*с подозрением*) suspícious:ly, with suspícion; смотре́ть ~ (на *вн.*) look suspícious:ly (at), look with suspícion (at). ~ость *ж.* suspícious:ness. ~ый 1. (*вызывающий подозрение*) suspícious; súspect (*predic.*); (*сомнительный*) shády; fishy *разг.*; ~ого ви́да suspícious-lóoking; 2. (*недоверчивый*) suspícious, mistrústful.
подои́ть *сов. см.* дои́ть.
подо́йник *м.* milk pail.
подойти́ *сов. см.* подходи́ть.
подоко́нник *м.* window-sill.
подо́л *м.* hem (of *a* skirt); skirt; подня́ть ~ raise the hem of *the* skirt; по́лный ~ (*рд.*) a skírtful (of).
подо́лгу *нареч.* long; for hours, days, months, *etc.* [...auəz...mʌ-]: он, быва́ло, ~ си́живал с на́ми he used to sit with us for hours [...ju:st...]; он жил у нас ~ he lived with us for months, years [...lɪ-...].
подольсти́ться *сов. см.* подольща́ться.
подольща́ться, подольсти́ться (к кому́-л.) *разг.* worm onesélf into smb.'s fávour, *или* into smb.'s good gráces.
по-дома́шнему *нареч.* símply, without céremony; оде́т ~ (dréssed) in clothes worn abóut the house [...klou- wɔ:n...-s].
подо́нки *мн.* dregs; (*перен. тж.*) riff-ráff *sg.*, scum *sg.*; ~ о́бщества scum / dregs of socíety.
подопе́чн||ый 1. *прил.* únder wárdship; ~ая террито́рия *полит.* trust térritory; 2. *м. как сущ.* ward.

подоплёк||а *ж.* hídden mótive, únderlýing réason [...-z°n]; знать всю ~у (*рд.*) know* all [nou...] (abóut), know* the real state (of); have ínside informátion (on).
подопрева́ть, подопре́ть 1. rot slíghtly; се́но подопре́ло the hay is slíghtly rótten; 2. (*о коже грудного ребёнка*) súffer from náppy rash.
подопре́ть *сов. см.* подопрева́ть.
подо́пытн||ый expèriméntal; ~ые живо́тные expèriméntal ánimals; ~ кро́лик (*перен.*) guínea-pìg ['gɪnɪ-].
подорва́ть *сов. см.* подрыва́ть II.
подорва́ться *сов. см.* подрыва́ться II.
подорожа́ть *сов. см.* дорожа́ть; rise* in price; go* up; becóme* more expénsive.
подоро́жная *ж. скл. как прил. ист.* órder for (fresh) póst-hòrses, *или* for reláys [...'poust-...].
подоро́жник *м.* 1. *бот.* plántain; 2. *разг.* (*закуска, взятая в дорогу*) provísions táken on a jóurney [...'dʒə:-].
подоро́жный on the road, alóng the road; ~ столб míle:stòne.
подоси́новик *м.* (*гриб*) órange-càp bolétus.
подосла́ть *сов. см.* подсыла́ть.
подосно́ва *ж.* real, *или* ùnderlýing, cause [rɪəl...].
подоспе́ть *сов. разг.* come* in time, arrive in time.
подостла́ть *сов. см.* подстила́ть.
подотде́л *м.* séction, sùbdivísion.
подоткну́ть *сов. см.* подтыка́ть.
подотчёт||ность *ж. фин.* accòuntabílity. ~ый *фин.* 1. accóuntable; о́рганы, ~ые (*дт.*) órgans accóuntable (to); 2. (*о деньгах*) on accóunt; ~ая су́мма sum paid out on accóunt.
подо́хнуть *сов.* 1. *см.* подыха́ть; 2. *как сов. к* до́хнуть.
подохо́дный: ~ нало́г íncome-tàx.
подо́шв||а *ж.* 1. (*ноги, башмака*) sole; 2. (*горы*) foot* [fut]; у ~ы горы́ at the foot of *a* hill / móuntain.
подошвенный sole (*attr.*).
подпада́ть, подпа́сть (под *вн.*) fall* (únder); ~ под чьё-л. влия́ние fall* únder smb.'s ínfluence.
подпа́ивать, подпои́ть (*вн.*) *разг.* make* típsy / drunk (*d.*).
подпа́л||ивать, подпали́ть (*вн.*) *разг.* 1. (*слегка опалять*) singe (*d.*), scorch (*d.*); 2. (*поджигать*) put* / set* on fire (*d.*). ~ина *ж.* réddish or white spot on ánimal's fur *or* hair. ~и́ть *сов. см.* подпа́ливать.
подпа́рывать, подпоро́ть (*вн.*) rip up (*d.*), únpíck (*d.*), únstítch (*d.*). ~ся, подпоро́ться 1. rip, get* unpícked / únstítched; 2. *страд.* к подпа́рывать.
подпа́сок *м.* hérdsboy.
подпа́сть *сов. см.* подпада́ть.
подпа́хивать *разг.* stink* a little.
подпева́ла *м. и ж. разг. неодобр.* yés-man*.
подпева́ть (*дт.*) join (in síng:ing) (*d.*), join in *a* song (*d.*); (*перен.*) *разг. неодобр.* écho ['ekou] (*d.*).
подпере́ть *сов. см.* подпира́ть.
подпи́л||ивать, подпили́ть (*вн.*) 1. (*подрезать пилой*) saw* (*d.*); (*напильником*) file (*d.*); 2. (*пиля, укорачивать*) shórten (*d.*); ~ но́жки стола́, сту-

ПОД—ПОД П

ла *и т.п.* shórten the legs of *a* table, *a* chair, *etc.* ~и́ть *сов. см.* подпи́ливать.
подпи́лок *м.* file.
подпира́ть, подпере́ть (*вн.*) prop up (*d.*).
подписа́||ние *с.* sígning ['saɪn-]. ~ть(ся) *сов. см.* подпи́сывать(ся).
подпи́с||ка *ж.* subscríption; принима́ется ~ на газе́ты subscríptions to néwspàpers are táken / accépted; 2. (*письменное обязательство*) en:gáge:ment; wrítten ùndertáking; дать ~ку make* a signed státe:ment [...saɪnd...]; он дал в э́том ~ку he made a signed státe:ment to the effect; дать ~ку о невы́езде give* a wrítten ùndertáking not to leave a place. ~ной subscríption (*attr.*); ~ное изда́ние subscríption edítion; ~ая цена́ the cost of subscríption; ◊ ~ной лист subscríption list. ~чик *м.*, ~чица *ж.* subscríber.
подпи́с||ывать, подписа́ть 1. (*вн.*; *ставить подпись*) sign [saɪn] (*d.*); 2. (*вн.* к; *добавлять к написанному*) add (*d.* to); 3. (*вн.* на *вн.*; *включать в число подпи́счиков*) subscríbe (*d.* for); ~ кого́-л. на газе́ту subscribe smb. for *a* néwspàper, take* out a néwspàper subscríption for smb. ~ся, подписа́ться 1. *ставить подпись*) sign [saɪn]; 2. (*под тв.*) sign (to), put* one's name (to); (*перен.: соглашаться*) subscríbe (to); 3. (*на вн.*; *становиться подпи́счиком*) subscríbe (for, to); ~ся на журна́л take* out a subscríption for a màgazíne [...-'zi:n]; 4. *страд.* к подпи́сывать.
по́дпись *ж.* sígnature; поста́вить свою́ ~ (под *тв.*) put* one's sígnature (to), affix one's sígnature (to); под э́тим соглаше́нием стоя́т по́дписи (*рд.*) this agréement bears the sígnature [...bɛəz...] (of); за ~ю (*рд.*) signed [saɪnd] (by); за ~ю и печа́тью signed and sealed.
подплыва́ть, подплы́ть (к; *вплавь*) swim* up (to), come* swímming (to); (*на судне и т.п.*) sail up (to), come* (sáiling / stéaming) up (to); (*в лодке*) row up [rou...] (to), come* (rówing) up (to) [...'rou-...]; (*на пароме*) férry up (to), come* up (to).
подплы́ть *сов. см.* подплыва́ть.
подпои́ть *сов. см.* подпа́ивать.
по́дпол *м. разг.* = подпо́лье 1.
подполз||а́ть, подползти́ 1. (к; *приближаться*) creep* up (to); 2. (под *вн.*) creep* (únder). ~ти́ *сов. см.* подполза́ть.
подполко́вник *м. воен.* lieuténant-cólonel [lef'tenənt'kə:n°l].
подпо́ль||е *с.* 1. céllar (únder the floor) [...flɔ:]; 2. (the) ùnderground (òrganizátion) [...-naɪ-]; (*деятельность*) ùnderground work / àctivity; рабо́тать в ~ do ùnderground work; уйти́ в ~ go* ùnderground. ~ный 1. únder the floor [...flɔ:]; 2. ùnderground (*attr.*); ~ная òrganizátion; ~ная рабо́та ùnderground work / àctivity; ~ная типогра́фия ùnderground / sécret press. ~щик *м.* mém-

443

ber of an únderground òrganizátion [...-naɪ-]; one wórking illégal;ly.

подпóр *м. тех.* head (of wáter) [hed...ˈwɔː-], báckwàter [-wɔː-].

подпóр‖**а** *ж.*, **~ка** *ж.* prop, suppórt, brace, strut.

подпóрн‖**ый**: **~ая** сте́нка bréastwàll [ˈbrest-].

подпорóть(ся) *сов. см.* подпáрывать (-ся).

подпóртить *сов.* (*вн.*) *разг.* spoil* slíghtly (*d.*).

подпорýчик *м. воен. ист.* sécond lieuténant [ˈse- lefˈtenənt].

подпóчва *ж.* súbsoil, súbstrátum (*pl.* -ta).

подпóчвенн‖**ый** súbsoil (*attr.*); **~ая** водá únderground / súbsoil wáter [...ˈwɔː-]; **~** слой pan.

подпоя́сать(ся) *сов. см.* подпоя́сывать(ся).

подпоя́сывать, подпоя́сать (*вн.*) belt (*d.*), gird [g-] (*d.*), girdle [g-] (*d.*). **~ся**, подпоя́саться 1. belt / girdle / gird òne:- sélf [...g- g-...], put* on *a* belt / girdle; 2. *страд.* к подпоя́сывать.

подпрáвить *сов. см.* подправля́ть.

подправля́ть, подпрáвить (*вн.*) touch up [tʌtʃ...] (*d.*), retóuch [-ˈtʌtʃ] (*d.*).

подпрýга *ж.* (sáddle-)girth [-g-], bélly- -bànd.

подпры́г‖**ивать**, подпры́гнуть jump up, leap*; bob (up and down); *сов. тж.* give* a jump. **~нуть** *сов. см.* подпры́гивать.

подпус‖**кáть**, подпусти́ть (*вн.* к) allów (*d.*) to appróach, *или* to come near (*d.*); ◇ **~ти́ть** шпи́льку (*дт.*) ≃ get* in, *или* have, a dig (at). **~ти́ть** *сов. см.* подпускáть.

подпя́тник *м. тех.* stép-bearing [-bɛə-].

подрабáтывать, подрабóтать *разг.* 1. (*вн., рд.*) earn addítionally [əːn...] (*d.*); 2. (*вн.*; *дополнительно изучать*) work up (*d.*).

подрабóтать *сов. см.* подрабáтывать.

подрáвнивать, подровня́ть (*вн.*) trim (*d.*).

подрáгивать *разг.* shake*, tremble intermíttently.

подражá‖**ние** *с.* imitátion. **~тель** *м.*, **~тельница** *ж.* imitátor. **~тельный** ímitátive. **~тельство** *с.* imitátion.

подражáть (*дт.*) ímitàte (*d.*).

подраздéл *м.* súbsèction.

подразделéние *с.* 1. sùbdivìsion; 2. *воен.* sùb-únit, élement. **~ить** *сов. см.* подразделя́ть.

подразделя́ть, подраздели́ть (*вн.* на *вн.*) sùbdivíde (*d.* into). **~ся** 1. (на *вн.*) sùbdivíde (into); 2. *страд.* к подразделя́ть.

подразни́ть *сов.* (*вн.*) tease (*d.*).

подразумевáть (*вн.*) imply (*d.*), mean* (*d.*). **~ся** be implied / meant [...ment].

подрáмник *м. жив.* strétcher (*frame for canvas*).

подрáнивать, подрáнить (*вн.*) *охот.* wound when hùnting [wuːnd...] (*d.*); (*о птице*) wing (*d.*).

подрáнить *сов. см.* подрáнивать.

подрáнок *м. охот.* wóunded game [ˈwuːn-...]; (*о птице*) winged bird.

подрастá‖**ть**, подрасти́ grow* up [grou...]. **~ющий**: **~ющее** поколéние the rísing generátion.

подрасти́ *сов. см.* подрастáть.

подрасти́ть *сов. см.* подрáщивать.

подрáться *сов. см.* дрáться I 1.

подрáщивать, подрасти́ть (*вн.*) let* grow [...-ou] (*d.*); breed* (*d.*).

подрéберный *анат.* sùbcóstal.

подрéзать *сов. см.* подрезáть.

подрезáть, подрéзать 1. (*вн.*) cut* (*d.*); (*о волосах, деревьях тж.*) clip (*d.*), trim (*d.*); (*о ветвях тж.*) prune (*d.*), lop (*d.*); 2. (*рд.*) *разг.* (*добавлять*) add (*d.*), cut* in addítion (*d.*); ◇ подрéзать кры́лья кому́-л. clip smb.'s wings.

подремáть *сов.* have a nap; doze; **~** немнóго have a (short) nap, take* a short sleep, doze a little, *или* for a while; have fórty winks; **~** дéсять мину́т have a ten mínutes' nap [...ˈmɪ- nɪts...], doze for ten mínutes.

подремонти́ровать *сов.* (*вн.*) *разг.* repáir (pártly) (*d.*).

подрисовáть *сов. см.* подрисóвывать.

подрисóвывать, подрисовáть (*вн.*) (*подправлять рисунок*) touch up [tʌtʃ...] (*d.*), retóuch [-ˈtʌtʃ] (*d.*); (*добавлять к рисунку*) add (*d.*); (*о бровях и т.п.*) make* up (*d.*).

подрóбно I *прил. кратк. см.* подрóбный.

подрóбн‖**о** II *нареч.* in détail [...ˈdiː-], at (great) length [...greɪt...], mínutely [maɪ-]; **~ее** at gréater length [...eɪ-...], in gréater detáil; **~** рассказáть (о *пр.*) détail the stóry (of). **~ость** *ж.* détail [ˈdiː-]; вдавáться в **~ости** go* into détail(s); во всех **~остях** in every détail; до мельчáйших **~остей** to the smáll;est detáil. **~ый** détailed [ˈdiː-], mínute [maɪ-]; **~ое** описáние détailed / mínute descríption.

подровня́ть *сов. см.* подрáвнивать.

подросткóвый *прил.* к подрóсток.

подрóсток *м.* júvenìle, téenàger; (*юноша тж.*) youth* [juːθ]; (*девушка*) young girl [ʤʌ g-].

подрубáть I, подруби́ть (*вн.*) 1. (*топором*) hew (*d.*); 2. (*укорачивать, рубя*) chop back (*d.*), shórten by héwing (*d.*).

подрубáть II, подруби́ть (*вн.*; *подшивать*) hem (*d.*).

подруби́ть I, II *сов. см.* подрубáть I, II.

подрýга *ж.* (fémàle) friend [ˈfriː- frend]; (*детства, игр*) pláymàte; (*школьная*) schóol-frìend [-frend]; ◇ **~** жи́зни compánion in life [ˈpæ-...], hélpmàte.

по-дрýжески *нареч.* in a fríendly way [...ˈfrend-...], as a friend [...frend].

подружи́ться *сов.* (с *тв.*) make* friends [...frendz] (with).

подрýжка *ж. уменьш.-ласк. от* подрýга; *разг.* gírl-frìend [ˈg- -frend].

подрули́ть *сов.* (к) *ав.* táxi (to).

подрумя́нивать, подрумя́нить (*вн.*) 1. rouge [ruːʒ] (*d.*), touch up with rouge [tʌtʃ...] (*d.*); мороз подрумя́нил её щёки the frost brought a flush to her cheeks; 2. *кул.* make* nice and brown (*d.*). **~ся**, подрумя́ниться 1. (use) rouge [...ruːʒ]; 2. *кул.* brown.

подрумя́нить(ся) *сов. см.* подрумя́нивать(ся).

подрýчн‖**ый** 1. *прил.* at hand; **~** материáл ímprovised matérial; matérial at hand; **~ые** срéдства ímprovised means, ány;thing aváilable; 2. *м. как сущ.* appréntice, assístant, mate.

подры́в *м.* injury, détriment; ùndermíning; **~** чьего́-л. авторитéта a blow to smb.'s prestíge [...blou... -ˈtiːʒ]; **~** торгóвли détriment to trade; вести́ к **~у** чего́-л. ùndermíne smth.

подрывá‖**ние** *с. воен., тех.* blásting, blówing up [ˈblou-...]; dèmolítion (by explósives); **~** мостóв dèmolítion of bridges, bridge dèmolítion.

подрывáть I, подры́ть (*вн.*) ùndermíne (*d.*), sap (*d.*).

подрывáть II, подорвáть (*вн.*) blow* up [-ou...] (*d.*), blast (*d.*); (*перен.*) ùndermíne (*d.*), sap (*d.*); **~** здорóвье, си́лы ùndermíne one's health, strength [...helθ...]; **~** чей-л. авторитéт ùndermíne smb.'s authórity; **~** довéрие когó-л. к кому́-л. shake* smb.'s faith in smb.; **~** экономику, единство ùndermíne the économy, the únity [...iː-...]; **~** воéнную мощь ùndermíne / sap the military pówer.

подрывáться I *страд.* к подрывáть I.

подрывáться II, подорвáться 1. be blown up [...bloun...]; (*перен.*) be ùndermíned; подорвáться на ми́не be blown up by *a* mine; 2. *страд.* к подрывáть II.

подрывни́‖**к** *м. воен.* mémber of dèmolítion squad. **~ óй** blásting; dèmolítion (*attr.*); (*перен.*) ùndermíning, sùbvérsive; **~ая** рабóта *воен.* dèmolítion work, blásting; **~óй** заря́д blásting / dèmolítion charge; **~ая** деятельность sùbvérsive / ùndermíning àctivities *pl.*

подры́ть *сов. см.* подрывáть I.

подря́д I *м.* cóntràct; **~** на пострóйку cóntràct for búilding [...ˈbɪl-]; пострóйка по **~у** búilding by cóntràct; заявка на **~** ténder for *a* cóntràct; взять **~** на что́-л., взять что́-л. с **~а** contráct for smth., take* smth. by cóntràct; сдать **~** на что́-л., сдать что́-л. с **~а** put* smth. out to cóntràct.

подря́д II *нареч.* in succéssion; rúnning; (*с оттенком неодобрения*) on end: пять часóв **~** five hours in succéssion [...ənəz...], five hours rúnning; five hours on end.

подряди́ть(ся) *сов. см.* подряжáть(ся).

подря́дн‖**ый** by cóntràct; cóntràct (*attr.*); **~ые** рабóты work by cóntràct *sg.*, cóntràct work *sg.*

подря́дчик *м.* contráctor.

подряжáть, подряди́ть (*вн.*) *разг. уст.* hire (*d.*); **~** рабóчих hire wórkmen. **~ся**, подряди́ться *разг. уст.* 1. (+ *инф.*) contráct (+ to *inf.*); 2. *страд.* к подряжáть.

подря́сник *м.* cássock.

подсади́ть I, II *сов. см.* подсáживать I, II.

подсáживать I, подсади́ть (*вн.* на *вн.*) help (*d.* to); **~** когó-л. на лóшадь help smb. mount *a* horse.

подса́живать II, подсади́ть (*вн., рд.*) add (*d.*); подсади́ть ещё цвето́в plant some more flowers [-ɑːnt...].

подса́живаться II, подсе́сть 1. (к) take* a seat (near), sit* down (near); 2. *страд.* к подса́живать I.

подса́живаться II *страд.* к подса́живать II.

подса́ливать, подсоли́ть (*вн.*) add some salt (to), put* some more salt (into).

подса́харить *сов.* (*вн.*) *разг.* súgar [ʃu-] (*d.*).

подсве́т *м.* illùminátion.

подсвети́ть *сов. см.* подсве́чивать.

подсве́чивать, подсвети́ть (*вн.*) illúminate from benéath (*d.*).

подсве́чник *м.* cándle:stick.

подсви́нок *м. с.-х.* gilt [g-].

подсви́стывать whistle.

подсева́ть, подсе́ять (*вн., рд.*) sow* (in addition, some more) [sou...] (*d.*).

подсе́д *м.* 1. *лес., с.-х.* úndergrowth [-ouθ]; 2. (*у меха*) líghter hairs in dark fur.

подседе́льник *м.* girth [g-], bélly-bànd.

подсе́ка *ж. с.-х.* slásh-bùrn cléaring.

подсека́ть, подсе́чь (*вн.*) 1. (*подрубать*) hew / hack (únder) (*d.*); 2. *рыб.* hook (*d.*), strike* (*d.*).

подсе́кция *ж.* súbsèction.

подсеме́йство *с. биол.* súbfàmily.

подсе́сть *сов. см.* подса́живаться I.

подсе́чь *сов. см.* подсека́ть.

подсе́ять *сов. см.* подсева́ть.

подсиде́ть *сов. см.* подси́живать.

подси́живание *с. разг.* intríguing [-iːg-], schéming (*against a colleague, fellow worker*).

подси́живать, подсиде́ть 1. (*вн.*) *охот.* lie* in wait (for); 2. (*кого-л.*) *разг.* scheme / intrigue [...-iːg] (*against a colleague, fellow worker*).

подси́н‖ивать, подсини́ть (*вн.*) blue (*d.*), apply blúe:ing (to). ~**и́ть** *сов.* 1. *см.* подси́нивать; 2. *как сов. к* сини́ть.

подска́бливать, подскобли́ть (*вн.*) scrape off (*d.*).

подсказа́ть *сов. см.* подска́зывать.

подска́зка *ж. разг.* prómpt(ing) [-mt-].

подска́з‖чик *м.*, ~**чица** *ж. разг.* prómpter [-mtə].

подска́зывать, подсказа́ть (*вн., дт.*) prompt [-mt] (*d.*) (*тж. перен.*); не ~! no prómpting!

подскака́ть *сов. см.* подска́кивать II.

подска́кивать I, подскочи́ть 1. (к; *подбегать*) run* up (to), come* rúnning (to); 2. (*подпрыгивать*) jump up; *сов. тж.* give* a jump; (*перен.: повышаться*) jump; температу́ра подскочи́ла the témperature jumped; це́ны подскочи́ли príces jumped / soared.

подска́кивать II, подскака́ть (к) come* gálloping up (to).

подскобли́ть *сов. см.* подска́бливать.

подскочи́ть *сов. см.* подска́кивать I.

подскреба́ть, подскрести́ (*вн.*) *разг.* scrape (*d.*), scrape clean (*d.*).

подскрести́ *сов. см.* подскреба́ть.

подсла́‖щивать, подсласти́ть (*вн.; прям. и перен.*) swéeten (*d.*), súgar [ʃu-] (*d.*); подсласти́ть го́рькую пилю́лю súgar the pill [ʃu-...].

подсле́дственный *юр.* únder invèstigátion.

подслепова́тый wéak-síghted.

подслу́ж‖иваться, подслужи́ться (к) *разг.* worm one:sélf into the fávour (of), fawn (up:ón), cringe (before). ~**и́ться** *сов. см.* подслу́живаться.

подслу́шать *сов. см.* подслу́шивать.

подслу́шивать, подслу́шать (*вн.*) òverhéar* (*d.*); *несов. тж.* éaves:dròp (on); (*о телефонных разговорах и т.п.*) bug (*d.*), intercépt (*d.*).

подсма́тривать, подсмотре́ть (*вн.*) spy (*d.*).

подсме́иваться (над) laugh [lɑːf] (at), make* fun (of).

подсмотре́ть *сов. см.* подсма́тривать.

подсне́жник *м. бот.* snówdrop [ʃsnou-].

подсне́жн‖ый: ~ая клю́ква winter crànberry (*gathered after snow-falls*).

подсоби́ть *сов.* (*дт.*) *разг.* help (*d.*), give* a hand (*i.*).

подсо́бка *ж. разг.* store room.

подсо́бн‖ый 1. subsídiary; ~ рабо́чий auxíliary wórker; ~ое хозя́йство farm or márket gárden attáched to a fáctory, works, sànatórium, *etc.*; ли́чное ~ое хозя́йство subsídiary smáll-hólding; 2. (*второстепенный*) sécondary; ~ая рабо́та áccessory work; ~ про́мысел bý-wòrk.

подсо́вывать, подсу́нуть 1. (*вн. под вн.*) put* (*d.*) únder), shove [ʃʌv] (*d.* únder); 2. (*вн. дт.*) *разг.* (*класть незаметно*) slip (*d.* into); (*давать что-л. негодное*) palm off [pɑːm...] (*d.* on / up:ón).

подсозна́ние *с.* súbconscious:ness [-nʃəs-].

подсознательный súbcónscious [-nʃəs].

подсоли́ть *сов. см.* подса́ливать.

подсо́лнечн‖ик *м.* súnflower. ~**ый** súnflower (*attr.*); ~ое ма́сло súnflower-seed oil.

подсо́лнух *м. разг.* 1. = подсо́лнечник; 2. *мн.* (*семечки*) súnflower seeds.

подсо́хнуть *сов. см.* подсыха́ть.

подсо́чка *ж.* (*деревьев*) tápping.

подспо́рье *с. тк. ед. разг.* help; служи́ть больши́м ~м be a great help [...-eɪt...].

подспу́дный látent, hídden.

подста́ва *ж. уст.* reláy (*of horses*).

подста́вить *сов. см.* подставля́ть.

подста́вка *ж.* suppórt, rest, stand, prop; pédestal.

подстав‖ля́ть, подста́вить 1. (*вн. под вн.*) put* (*d.* únder), place (*d.* únder); 2. (*вн.; придвигать*) move up [muːv] (*d.*); put* near (*d.*); ~ стул кому́-л. move up a chair for smb.; 3. (*вн. вме́сто*) *мат.* súbstitùte (*d.* for); ~ два вме́сто трёх súbstitùte two for three; 4. (*вн. дт.; щёку и т.п.*) hold* up (*d.* to); óffer (*d.* to); ~ но́жку (кому́-л.; *прям. и перен.*) trip smb. up; ~ другу́ю щёку turn the other cheek. ~**но́й** false [fɔː-]; ~**но́й** свиде́тель subórned wítness; ~**но́е** лицо́ dúmmy, man* of straw, fígure-head [-hed].

подстака́нник *м.* gláss-hòlder.

подстано́вка *ж. мат.* sùbstitútion.

подста́нция *ж.* 1. sùbstátion; 2. (*телефонная*) lócal télephòne exchánge [...-tʃeɪ-].

подста́ть = под стать *см.* стать IV.

подстёгивать, подстегну́ть (*вн.*) whip (up) (*d.*); urge fórward (*d.*), urge (on) (*d.*) (*тж. перен.*).

подстегну́ть *сов. см.* подстёгивать.

подстели́ть *сов. разг. см.* подстила́ть.

подстерега́ть, подстере́чь (*вн.*) be on the watch (for), lie* in wait (for); *сов. тж.* catch* (*d.*); ~ моме́нт choose* a móment.

подстере́чь *сов. см.* подстерега́ть.

подстила́ть, подостла́ть, *разг.* подстели́ть (*вн. под вн.*) lay* (*d.* únder), stretch (*d.* únder).

подсти́лка *ж.* 1. (*для спанья*) bédding; 2. (*для скота*) lítter.

подстра́ивать, подстро́ить *разг.* 1. (*вн. к*; *пристраивать*) build* on (*d.* to); 2. (*вн.; муз. инструмент*) tune (up) (*d.*); 3. (*вн. дт.; втайне делать что-л.*) bring* abóut by sécret plótting (*d.* to); contríve (*d.*); ~ шу́тку play a trick (on, up:ón); э́то де́ло подстро́ено this is a pút-úp job [...ˈpʊt-...]; it's a fráme-úp *амер.*

подстрахова́ть *сов.* (*вн. от*) *разг.* secúre (*d.* agáinst).

подстрахо́вка *ж.* secúring (agáinst).

подстрека́тель *м.*, ~**ница** *ж.* instigàtor; fíre:brànd *разг.* ~**ство** *с.* instigátion, incíte:mènt, sétting-òn.

подстрек‖а́ть, подстрекну́ть 1. (*вн. на вн.*) incíte (*d.* to), instigàte (*d.* to), set* on (*d.*); 2. (*вн.; возбуждать*) excíte (*d.*); ~**ну́ть** чьё-л. любопы́тство excíte smb.'s cùriósity. ~**ну́ть** *сов. см.* подстрека́ть.

подстре́ливать, подстрели́ть (*вн.*) wound (by a shot) [wuː-...] (*d.*); (*гл. обр. о птице*) wing (*d.*).

подстрели́ть *сов. см.* подстре́ливать.

подстрига́ть, подстри́чь (*вн.*) cut* (*d.*); (*о волосах, деревьях тж.*) clip (*d.*), trim (*d.*); (*о деревьях тж.*) prune (*d.*), lop (*d.*); ~ (себе́) но́гти trim (one's) nails; ~ ребёнка cut* the child's hair; ко́ротко подстри́женные во́лосы (clósely) crópped hair [-s-...] *sg.* ~**ся**, подстри́чься cut* / trim one's hair; (*в парикмахерской тж.*) have a háircùt, have one's hair cut.

подстри́чь(ся) *сов. см.* подстрига́ть (-ся).

подстро́ить *сов. см.* подстра́ивать.

подстро́чн‖ик *м.* word for word trànslátion [...-ɑːns-]. ~**ый** 1. (*буквальный*) word for word; ~ый перево́д word for word trànslátion [...-ɑːns-]; 2. (*расположенный под строчками*) foot [fʊt] (*attr.*); ~ое примеча́ние fóotnòte [ˈfʊt-].

о́дступ *м.* appróach; *воен. тж.* ávenue of appróaches; бой на да́льних ~ах к го́роду fighting on the dístant appróaches to the city [...ˈsɪ-] *sg.*; ◊ к нему́ и ~а нет he is quite ìnaccéssible, you can't get near him [...kɑːnt...]. ~**а́ть**, подступи́ть (к) appróach (*d.*), come* up (to); (*перен.*) come* (to); войска́ ~и́ли к го́роду the troops appróached the town; слёзы ~и́ли к его́ глаза́м tears came to his eyes [...aɪz].

ПОД—ПОД

~**ить** *сов. см.* подступа́ть. ~**иться** (к) *разг.*: к нему́ не ~и́ться you can't get near him [...ka:nt...]; к э́тому не ~и́ться it is quite be:yónd one's means.

подсуди́м‖**ый** *м. скл. как прил.* the accúsed; deféndant; (*в суде тж.*) prísoner at the bar [-z-...]; скамья́ ~ых the dock, the bar.

подсуди́ть *сов. см.* подсу́живать.

подсу́дн‖**ость** *ж. юр.* jurisdíction; cógnizance. ~**ый** (*дт.*) *юр.* únder / withín the jùrisdíction / cómpetence (of), cógnizable (to); быть ~ым (*дт.*) be únder the jurisdíction (of), fall* withín the jùrisdíction / cómpetence (of); ~ое лицо́ jùstíciable pérson.

подсу́живать, подсуди́ть (*дт.*) *спорт. разг.* fávour (*d.*).

подсу́мок *м. воен.* cártridge pouch.

подсу́нуть *сов. см.* подсо́вывать.

подсу́ш‖**ивать**, подсуши́ть (*вн.*) dry a little (*d.*). ~**иваться**, подсуши́ться 1. dry; 2. *страд. к* подсу́шивать. ~**и́ть(ся)** *сов. см.* подсу́шивать(ся).

подсчёт *м.* càlculátion; ~ голосо́в the count (at an eléction).

подсчита́ть *сов. см.* подсчи́тывать.

подсчи́тывать, подсчита́ть (*вн.*) count up (*d.*), càlculàte (*d.*); ~ голоса́ count the votes; ~ трофе́и *воен.* count one's tróphies; count (up) the cáptured matérial.

подсыла́ть, подосла́ть (*вн.*) send* (*d.*).

подсы́пать *сов. см.* подсыпа́ть.

подсыпа́ть, подсы́пать (*вн.*, *рд.*) add (*d.*), pour (in addítion) [pɔ:...] (*d.*).

подсыха́ть, подсо́хнуть get* dry, dry off, dry out a little; на у́лице подсо́хло it has dried up out of doors [...dɔ:z].

подта́ивать, подта́ять thaw / melt* a little.

подта́лкивать, подтолкну́ть (*вн.*) push slightly [puʃ...] (*d.*); (*перен.*) urge on (*d.*); ~ ло́ктем nudge (*d.*).

подта́пливать, подтопи́ть (*вн.*; *о печи и т. п.*) heat a little (*d.*).

подта́скивать, подтащи́ть (*вн.* к) drag up (*d.* to).

подтас‖**ова́ть** *сов. см.* подтасо́вывать. ~**о́вка** *ж. карт.* únfáir / trick shúffling; (*перен.*) gárbling, júggling; ~о́вка фа́ктов júggling with facts.

подтасо́вывать, подтасова́ть (*вн.*) *карт.* shúffle únfáirly (*d.*); (*перен.*) gárble (*d.*), júggle (with); ~ фа́кты júggle with facts; give* a gárbled vérsion.

подта́чивать, подточи́ть (*вн.*) 1. (*делать острее*) shárpen (*d.*), give* an edge (to); подточи́ть каранда́ш shárpen a péncil (a little bit); 2. (*подгрызать*) eat* (*d.*), gnaw (*d.*); (*о воде*, *подмывать*) ùndercút (*d.*), ùndermíne (*d.*); (*перен.*; *о здоровье*, *силах и т. п.*) ùndermíne (*d.*), sap (*d.*); река́ подточи́ла бе́рег the river has ùndermíned / ùndercút the bank [...'ɡɪ...]; э́то подточи́ло его́ здоро́вье this ùndermíned his health / strength [...helθ...].

подтащи́ть *сов. см.* подта́скивать.

подта́ять *сов. см.* подта́ивать.

подтверди́ть(ся) *сов. см.* подтверждать(ся).

подтвержд‖**а́ть**, подтверди́ть (*вн.*) confírm (*d.*); (*о теории тж.*) corróbràte (*d.*); ~ вновь ré:affírm (*d.*); ~ получе́ние чего́-л. acknówledge the recéipt of smth. ['nɔ- ...-'si:t...]. ~**а́ться**, подтверди́ться 1. be confírmed; (*о теории тж.*) be corróborated, be borne out; слух не ~а́ется the rúmour was not confírmed / corróborated; 2. *страд. к* подтвержда́ть. ~**е́ние** *с.* cònfirmátion; (*теории тж.*) corròborátion; для ~е́ния свои́х слов in cònfirmátion / corròborátion of one's words, to confírm / corróboràte one's words; ~е́ние получе́ния чего́-л. acknówledge:ment of the recéipt of smth. ['nɔ- ...-'si:t...].

подтёк *м.* 1. (*от удара*) bruise [-u:z]; 2. (*на стене*, *обоях*) stain, damp patch.

подтека́‖**ть**, подте́чь 1. (*под вн.*) flow* [-ou] (únder), run* (únder); 2. (*протекать*) leak; ча́йник ~ет the téapòt is léaking, *или* has a small leak in it.

подте́кст *м.* ìmplicátion.

подтекстовка *ж.* 1. còmposítion of words (*for vocal music*) ['zi-...]; 2. the lýrics (*of a song, etc.*).

подтёлок *м.* óne-yéar-òld calf* [...kɑ:f].

подтере́ть *сов. см.* подтира́ть.

подте́чь *сов. см.* подтека́ть.

подтира́ть, подтере́ть (*вн.*) wipe (up) (*d.*).

подтолкну́ть *сов. см.* подта́лкивать.

подтопи́ть *сов. см.* подта́пливать.

подточи́ть *сов. см.* подта́чивать.

подтру́н‖**ивать**, подтруни́ть (над) chaff (*d.*), bánter (*d.*), kid (*d.*). ~**и́ть** *сов. см.* подтру́нивать.

подтушева́ть *сов. см.* подтушёвывать.

подтушёвывать, подтушева́ть (*вн.*) shade slíghtly (*d.*).

подтыка́ть, подоткну́ть (*вн.*) *разг.* tuck up (*d.*); подоткну́ть одея́ло, простыню́ tuck up / in the blánket, the sheet; подоткну́ть ю́бку tuck up one's skirt.

подтя́гивать, подтяну́ть 1. (*вн.* к) pull [pul] (*d.* to); (*кверху*) pull up (*d.* to); *мор.* haul up (*d.* to); ~ бревно́ к бе́регу pull the log to the shore; ~ бревно́ к кры́ше haul the log on to the roof; 2. (*вн.* к; *о войсках*) bring* up (*d.* to), move clóser to [mu:v -sə...] (*d.* to); 3. (*вн.*; *затягивать потуже*) tíghten (*d.*); 4. (*дт.*; *подпевать*) join in síng:ing (with); join in a song (*d.*); 5. (*вн.*) *разг.* (*делать дисциплини́рованнее*, *работоспособнее*) pull up (*d.*); ~ дисципли́ну tíghten up díscipline. ~**ся**, подтяну́ться 1. (*затягивать пояс туже*) gird* òne:sélf more tíghtly [g-...], tíghten one's belt; 2. (*на гимнастических снарядах*) pull one:sélf up [pul...]; 3. *разг.* (*об отстающих*) catch* up with the rest; (*подбодри́ться*) brace òne:sélf up; pull òne:sélf togéther [...-'ge-...]; 4. (*о войсках*) move up [mu:v...], move in; 5. *страд. к* подтя́гивать.

подтя́жки *мн.* bráces, suspénders.

подтя́нутый 1. *прич. см.* подтя́гивать; 2. *прил.* (*бодрый*, *опрятный*) smart; ~ вид smart appéarance.

подтяну́ть(ся) *сов. см.* подтя́гивать(-ся).

поду́м‖**ать** *сов.* 1. *см.* ду́мать 1, 3, 4; 2. (*немного*) think* a little, *или* for a while; ◊ и не ~аю! *разг.* I wouldn't think / dream of it!; кто бы ~ал! who would have thought it!; мо́жно ~ one may think; ~ то́лько! just think!; ~аешь! I say! what a wónder! ~**аться** *сов. безл.* (*дт.*) *разг.*: мне ~алось it occúrred to me, I thought.

поду́мывать 1. (*о пр.*) think* (of, abóut); 2. (+ *инф.*; *намереваться*) think* (of, abóut + -ing).

по-дура́цки *нареч. разг.* fóolishly, like a fool.

подура́читься *сов. разг.* fool abóut.

подурне́ть *сов. см.* дурне́ть.

поду́ськать *сов. см.* поду́ськивать.

поду́ськивать, поду́ськать (*вн.*) *разг.* set* on (*d.*); (*перен.*) egg on (*d.*); ~ соба́ку на кого́-л. set* a dog on smb.

поду́ть *сов. см.* дуть.

подучи́‖**ть** *сов.* 1. (*вн.*; *об уроке и т. п.*) learn* [lə:n] (*d.*); 2. (*вн. дт.*; *обучить*) teach* (*i. d.*): ~ ма́льчика столя́рному де́лу teach* a boy sóme:thing abóut cárpentry; 3. (*вн.* + *инф.*) *разг.* (*подговорить*) prompt [-mt] (*d.* + to *inf.*), egg on (*d.* + to *inf.*, *ger.*), put* up (*d.* to): он ~л меня́ сказа́ть э́то he prómpted me to say this, he egged me on to say this, he put me up to it. ~**ться** *сов.* (*дт.*) learn* (a little more, a little bétter) [lə:n...] (*d.*).

поду́шечка *ж.* 1. *уменьш. от* поду́шка; (*для булавок*) pín:cùshion [-ku-]; 2. *мн.* (*сорт карамели*) bòn-bón sg.

подуши́ть *сов.* (*вн.*; *духами*) spray with pérfume (*d.*). ~**ся** *сов.* (*духами*) put* some pérfume on òne:sélf; spray òne:sélf with pérfume; touch one's face, ears, etc., with pérfume [tʌtʃ...], put* a touch of pérfume on one's face, ears, etc.

поду́шк‖**а** *ж.* 1. píllow; (*диванная*) cúshion ['ku-]; (*надувная*) áir-cùshion [-ku-]; ~ для штéмпелей ínk-pàd; положи́ть го́лову на ~у lay* / rest the head on a píllow [...hed...]; 2. *тех.* cúshion; bólster; возду́шная ~ áir-cùshion [-ku-].

поду́шн‖**ый**: ~ая пода́ть *ист.* póll-tàx, càpitátion.

подфа́рник *м. авт.* síde:light.

подхали́м *м.* tóady, bóotlicker, sýcophant. ~**а́ж** *м. разг.* = подхали́мство. ~**ничать** (*перед*) *разг.* tóady (to), cringe (to, befóre). ~**ство** *с.* tóadying, bóotlicking, gróvelling.

подхвати́ть *сов. см.* подхва́тывать.

подхва́‖**тывать**, подхвати́ть (*вн.*) 1. (*в разн. знач.*) catch* (up) (*d.*), pick up (*d.*); соба́ка ~и́ла кость the dog snatched the bone; он ~и́л скарлати́ну *разг.* he caught scárlet féver; 2. (*присоединяться*) catch* up (*d.*); они́ ~и́ли пе́сню they took up the mélody, they joined in a song; 3.: ~ чью-л. инициати́ву take* up smb.'s inítiative.

подхихи́кивать *разг.* títter, snígger.

подхлестну́ть *сов. см.* подхлёстывать.

подхлёстывать, подхлестнуть (вн.) whip (up) (d.); urge forward (d.), urge (on) (d.) (тж. перен.); ~ лошадь whip a horse (on), urge a horse (on).

подхо́д м. 1. (действие и место) appróach; воен. appróach march; 2. (умение подойти) méthod of appróach; (точка зрения) point of view [...vju:]; индивидуа́льный ~ indivídual appróach; ко́мплексный ~ (к) cómplex appróach (to); пра́вильный ~ the right méthod of appróach; пра́вильный ~ к де́лу corréct / right appróach to the mátter; кла́ссовый ~ class appróach; маркси́стский ~ Márxist point of view; Márxist méthod of appróach.

подхо́д||ец м.: говори́ть с ~цем разг. make* rèservátions [...-zə-], speak* in a róundabout way.

подхо́д||и́ть, подойти́ 1. (к; приближаться) come* up (to), appróach (d.), go* up (to); (без доп.; перен.: наступать — о времени, событии и т.п.) draw* near; (к ста́нции о поезде) come* in, pull in [pul...]; 2. (дт.; годиться, соответствовать) do (for); (по размеру) fit (d.); (быть к лицу) suit [sju:t] (d.), become* (d.); очень ~ go* very well (with); это ему́ не подхо́дит this won't do for him [...wount...]; 3. (к; с определённой точки зрения) appróach (d.); ~ к вопросу appróach a quéstion [...-stʃən]; это зави́сит от того́, как подойти́ к э́тому it depends on how you look at it; ◇ ~ к концу́ come* to an end; be néaring its end. ~я́щий 1. прич. см. подходи́ть; 2. прил. súitable [ʹsju:-]; próper [ʹprɔ-], appropriate [əʹprou-]; ~ящий момент right móment; ~ящий работник pérson súitable for the work; the right man* for the job идиом. разг.

подцепи́ть сов. см. подцепля́ть.

подцепля́ть, подцепи́ть (вн.) hook on (d.); pick up (d.) (тж. перен.); подцепи́ть на́сморк разг. pick up a cold.

подча́ливать, подча́лить (к) moor (to); ~ к бе́регу moor to the shore.

подча́лить сов. см. подча́ливать.

подча́с нареч. разг. sóme:times, at times.

подча́сок м. relief séntry [-ʹli:f...].

подчелюстно́й анат. sùbmáxillary.

подчёркивание с. ùnderlíning; (перен.) stress, émphasis.

подчёркивать, подчеркну́ть (вн.) ùnderline (d.), ùnderscóre (d.); (перен.) émphasize (d.), lay* stress / émphasis (on), accéntuàte (d.), stress (d.).

подчеркну́ть сов. см. подчёркивать.

подчерни́ть сов. (вн.) blácken (d.).

подчинённ||е с. (действие) submíssion, subjécting; 2. (состояние) subordinátion; subjéction, submíssion; быть в ~и (у) be subórdinate (to); попа́сть в ~ (дт.) become* subórdinate (to); передать что-л. в ~ (рд.) place smth. únder the authórity (of); 3. лингв. subòrdinátion.

подчинённ||ость ж. subòrdinátion. ~ый 1. прич. см. подчиня́ть; 2. под ~ smb. únder the commánd of [...-ɑ:nd...]; войска́, ~ые генера́лу Х., the troops únder Géneral X., или únder Géneral X.'s commánd; 2. прил. (в разн. знач.) subórdinate; 3. м. как сущ. subórdinate.

подчини́тельный грам. subòrdináting.

подчини́ть(ся) сов. см. подчиня́ть(ся).

подчиня́ть, подчини́ть (вн.; дт.) subórdinate (d. to); воен. тж. place (d. under); place (d.) únder the commánd [...-ɑ:nd] (of); (вн.; покоря́ть) subdúe (d.); подчини́ть свое́й во́ле (вн.) bend* to one's will (d.); ~ себе́ (вн.) òverríde (d.). ~ся, подчини́ться 1. (дт.) submit (to); (требованиям, приказу) obéy (d.); ~ся судьбе́ surrénder to fate; 2. страд. к подчиня́ть.

подчи́стить сов. см. подчища́ть.

подчи́стка ж. (соскабливание написанного) rúbbing out; (в документе) erásure [ɪʹreɪʒə].

подчи́стую нареч. разг. without remáinder; мы съе́ли всё ~ we left our plates clean, we fínished off / up éverything.

подчи́тчик м. полигр. cópy-hòlder [ʹkɔ-].

подчища́ть, подчи́стить (вн.) 1. (соскабливать написанное) rub out (d.), erase (d.); 2. разг. (дочиста съедать, брать и т.п.) mop up (d.).

подшефный (дт.) únder the pátronage (of), suppórted (by), spónsored (by).

подшиба́ть, подшиби́ть (вн.) разг. knock (d.).

подшиби́ть сов. см. подшиба́ть.

подшива́ть, подши́ть (вн.) 1. sew* ùndernéath [sou...] (d.); (подгибать края) hem (d.); (об обуви) sole (d.); (о подкла́дке) line (d.); (о подкла́дке к пальто́) line a coat; 2. (бумаги к делу и т.п.) file (d.).

подши́вка ж. 1. (действие; о платье) hémming; (об обуви) sóling; 2. (у платья) hem; 3. (бумаг к делу) filing; 4.: ~ газе́ты néwspàper file.

подши́пник м. тех. béaring [ʹbɛə-]; ша́риковый ~ báll-béaring; ро́ликовый ~ róller béaring. ~овый прил. к подши́пник; ~овый сплав bábbit.

подши́ть сов. см. подшива́ть.

подшле́мник м. воен. cap cómforter [...ʹkʌm-].

подшпи́ливать, подшпи́лить (вн.) разг. pin up (d.).

подшпи́лить сов. см. подшпи́ливать.

подшта́нники мн. разг. únderpànts.

подштопать сов. (вн.) darn (d.).

подштукату́р||ивать, подштукату́рить (вн.) pláster (d.). ~ить сов. см. подштукату́ривать.

подшути́ть сов. см. подшу́чивать.

подшу́чивать, подшути́ть (над) bánter (d.), chaff (d.); сов. тж. play a práctical joke (on); судьба́ зло подшути́ла над ним fate (has) played a spíte:ful trick on him.

подъеда́ть, подъе́сть (вн.) разг. (съедать всё) eat* up (d.), fínish off (d.).

подъе́зд м. 1. (вход в здание) porch, éntrance, dóorway [ʹdɔ:-]; 2. (место, по которому подъезжают к чему-л.) appróach(es) (pl.).

подъездн||о́й: ~ путь ж.-д. spúr-tràck; ~а́я доро́га (к стройке и т.п.) áccess road.

подъезжа́ть, подъе́хать (к) drive* up (to); (перен.) разг. get* (round), get* on the right side (of); он подъе́хал к подъе́зду he drove up to the éntrance; мо́жно ли подъе́хать сюда́ на автомоби́ле? can one drive a car here?; ло́вко он к ней подъе́хал he got round her very nice:ly, he got on the right side of her.

подъём м. 1. (поднятие) lifting; (флага и т.п.) hóisting; (о затону́вших судах, самолётах и т.п.) sálvaging; 2. (восхождение) ascént; 3. (о самолёте) climb [klaɪm]; (о дирижа́бле) ascént; 4. (горы и т.п.) slope, rise; 5. (рост, развитие) ráising, devélopment; (о промышленности, экономике и т.п.) úpsurge; на ~е on the rise; неукло́нный ~ народного хозяйства contínuous prógress / advánce / growth of the nátional ècónomy [...-ouθ ...ʹnæ- i:-]; осуществи́ть круто́й ~ сельскохозя́йственного произво́дства bring* about a rápid advánce, или a sharp rise, in agricúltural prodúction; ~ в животново́дстве a rise in the level of live:stòck fárming; ~ материа́льного и культу́рного у́ровня ráising the matérial and cúltural level [...ʹle-]; но́вый ~ трудово́й акти́вности a fresh úpsurge of lábour àctívity; чередующиеся ~ы и кри́зисы эк. álternàting booms and crises [...-si:z]; 6. (воодушевление) enthúsiàsm [-zi-]; (оживление) ànimátion; революцио́нный ~ rèvolútionary enthúsiàsm; в обстано́вке всео́бщего ~а in an átmosphère of géneral enthúsiàsm; он говорил с больши́м ~ом he spoke with great ànimátion [...-eit...]; 7. (ноги) ínstep; 8. (вставание после сна) time for getting up; воен. rèvéille [-ʹveli]; 9.: ~ зяби áutumn plóughing; ~ паро́в plóughing up of (the) fállow; ◇ лёгок на ~ light on one's feet, quick on one's toes, brisk; тяжёл на ~ slúggish, slow to start [slou...]. ~ник м. lift, èlevàtor. ~ный 1. lifting; ~ный кран crane, jénny; ~ный механи́зм lifting gear [...gɪə]; ~ный лифтёр; воен. èlevàting gear; ~ная маши́на wind:er, winding-èngine [-endʒ-]; ~ная сила cárrying capácity / pówer; ав. lift; 2.: ~ный мост dráwbridge, báscule-bridge; líft-bridge; 3. мн. как сущ. trávelling allówance sg.

подъе́хать сов. см. подъезжа́ть.

подъязы́чный анат. sùblíngual.

подъярёмный уст. yoked.

подыгра́ть(ся) сов. см. подыгра́вать(ся).

подыгра́вать, подыгра́ть (дт.) разг. 1. (об аккомпанементе) accómpany [əʹkʌ-] (d.); vamp (d.); 2. театр. play up (to); 3. (в картах) play into smb.'s hand.

подыгра́ваться, подыгра́ться (к) разг. get* (round); несов. тж. try to get (round); не подыгра́вайся ко мне don't try to get round me, it's no use your trying to get round me [...ju:s...].

подыма́ть(ся) разг. = поднима́ть(ся).

подыска́ть сов. см. поды́скивать.

447

ПОД—ПОЗ

подыскивать, подыскать (вн.) seek* out (d.); сов. тж. find* (d.); несов. тж. try to find (d.).

подытож||ивать, подытожить (вн.) sum up (d.). ~ить сов. см. подытоживать.

подыхать, подохнуть 1. (о животных) die, fall*; 2. груб. (о людях) peg out, kick the bucket.

подышать сов. breathe; ~ чистым воздухом take* / get* / catch* / have a breath of fresh air [...breθ...].

подьячий м. скл. как прил. ист. minor official, scrivener, clerk [klɑːk].

поедать, поесть (вн.) eat* up (d.); (о моли) eat* through (d.).

поединок м. duel; (единоборство) single combat.

поедом нареч. разг.: ~ есть кого-л. ≅ make* smb.'s life a misery by nagging [...-z-...].

поезд м. train; скорый ~ fast train; курьерский ~ express (train); ~ прямого сообщения through train; ~ особого назначения special train ['spe-...]; ~ на Москву train to Moscow; ~ дальнего следования long-distance train; ◇ свадебный ~ wedding procession.

поездить сов. travel about a little / bit ['træ-...], do a bit of travelling.

поездк||а ж. journey ['dʒə:-]; (экскурсия) trip, excursion, outing; (гастрольная) tour [tuə]; совершить ~у (в вн.) go* for a trip (to); совершить ~у по стране go* on a tour of the country [...'kʌ-].

поездн||ой train (attr.); ~ая бригада train crew.

поёмн||ый under water at flood times [...'wɔː-...flʌd...]; ~ые луга water-meadows ['wɔːtəˈme-].

поесть сов. 1. см. поедать; 2. (немного) eat*; (закусить) have a bite / snack, take* some food; ~ супу have some soup [...suːp].

поехать сов. 1. см. ездить; 2. (отправиться) set* off, depart; (верхом) go* on horseback; (на прогулку верхом) go* for a ride; (в экипаже) go* for a drive; ~ на трамвае go* by tram; ~ со следующим поездом take* the next train; поехали! разг. come along!; let's start!; ◇ ну, поехал! разг. ≅ now he's off!

пожадничать сов. разг. be greedy.

пожалеть сов. см. жалеть.

пожаловать сов. см. жаловать 1, 3.

пожаловаться сов. см. жаловаться.

пожалуй 1. (в самостоятельном употреблении) perhaps, very like:ly: вы пойдёте туда?—Пожалуй will you go there?—Perhaps, или Very like:ly; **2.** вводн. сл. (возможно, что + личн. форма) may (+ inf.); (я полагаю, что) I think (that): ~, он придёт он may come, I think he will come; ~, она уехала she may have gone [...gɔn], I think she has gone; ~, вы правы you may be right.

пожалуйста [-лус-] частица **1.** (при вежливом обращении к кому-л.) please; дайте мне, ~, воды will you please give me some water [...'wɔː-...]; please give me some water; сделай это, ~, для меня do it for me, please; please do it for me; **2.** (при вежливом выражении согласия) обычно не переводится, но можно также сказать certainly!; передайте мне, ~, нож.—Пожалуйста would you mind passing me the knife*?—Certainly!; there you are!; **3.** (в ответ на «спасибо», «благодарю вас») don't mention it; not at all; you are welcome.

пожар м. fire; (большой тж.) conflagration; ◇ как на ~ бежать run* like hell; не на ~ there's no hurry. ~ище с. site of a fire, scorched / charred ruins; лесное ~ charred tree-trunks after a forest fire [...'fɔ-...]. ~ник м. fire:man*. ~ный **1.** прил. fire (attr.); ~ная часть fire station; ~ная команда fire brigade; ~ная лестница fire-escape; ~ный кран fire-cock; ~ная машина fire-engine [-endʒ-]; ~ный инвентарь fire-fighting tools pl.; **2.** м. как сущ. fire:man*; ◇ в ~ном порядке разг. шутл. hastily ['heɪ-], helter-skelter; на всякий ~ный случай разг. шутл. in case of dire need [...-s...].

пожатие с.: ~ руки shake of the hand, handshake.

пожать I сов. см. пожимать.

пожать II сов. см. пожинать.

пожаться сов. см. пожиматься.

пождать (рд.) разг. wait (for some time, или for a while) (d.); ждать-~ wait a while, или a long time (for).

пожевать сов. (вн.) chew (d.), masticate (d.); ~ губами move one's lips [muːv...].

пожелан||ие с. wish, desire [-'z-]; наилучшие ~ия best wishes.

пожелать сов. см. желать.

пожелтелый yellowed; turned yellow (после сущ.).

пожелтеть сов. см. желтеть 1.

поженить сов. (вн.) marry (d.). ~ся сов. marry, get* married.

пожертвование с. donation.

пожертвовать сов. см. жертвовать.

пожечь сов. (вн.) burn* up (d.), destroy by fire (d.).

пожива ж. тк. ед. разг. gain, profit.

пожива||ть разг.: как вы ~ете? how are you (getting on)?

поживиться сов. (тв.) разг. profit (by); ~ за счёт кого-л. make* good at another's expense.

пожизненн||ый life (attr.), for life; life:long; ~ая пенсия life pension; ~ая рента (life) annuity; ~ое заключение imprisonment for life [-z-...]; ~ая каторга penal servitude for life; ~ая ссылка exile for life, life:long exile.

пожилой elderly.

пожимать, пожать (вн.) press (d.); ~ руку кому-л. shake* smb. by the hand; ~ руки shake* hands (with); ~ плечами shrug one's shoulders [...'ʃou-]; вместо ответа пожать плечами shrug off the question [...-stʃən]. ~ся, пожаться huddle up.

пожинать, пожать (вн.; прям. и перен.) reap (d.); ~ плоды своих трудов reap the fruits of one's labour [...fruːts...]; ~ плоды чужого труда ≅ reap where one has not sown [...soun]; ~ лавры reap / win* one's laurels [...'lɔ-...]; что посеешь, то и пожнёшь посл. one must reap as one has sown.

пожирать, пожрать (вн.) devour (d.); ◇ ~ глазами (вн.) devour with one's eyes [...aɪz].

пожитк||и мн. разг. belong:ings; (вещи) (one's) things; goods and chattels; собрать свои ~ get* one's things together [...'ge-], pack up; со всеми ~ами with one's bag and baggage.

пожи||ть сов. **1.** live [lɪv], stay; ~ немного, два года live for a short while, for two years; **2.** разг. (насладиться жизнью) have seen life; ~ в своё удовольствие lead* a gay life, live for pleasure [...'pleʒə]; ◇ ~вём—увидим погов. we shall see what we shall see.

пожрать сов. см. пожирать.

пожухнуть сов. см. жухнуть.

поз||а ж. pose, attitude, posture; принимать ~у strike* an attitude; принимать ~у кого-л., встать в ~у кого-л. pose as smb.; это только ~ it is a mere pose.

позабавить сов. (вн.) amuse a little (d.). ~ся сов. amuse one:self a little.

позаботиться сов. см. заботиться.

позабыв||ать, позабыть (вн., о пр.) разг. forget* [-'get] (d., about).

позабыть сов. см. позабывать.

позавидовать сов. см. завидовать.

позавтракать сов. см. завтракать.

позавчера нареч. the day before yesterday [...-di].

позади I нареч. behind: дом стоит ~ the house* stands behind [...haus...]; оставлять (далеко) ~ (вн.) leave* (far) behind (d.); — всё тяжёлое осталось ~ all hardships are behind, hard times are past.

позади II предл. (рд.) behind: ~ стола стоит стул there is a chair behind the table.

позаимствовать сов. (вн.) adopt (d.), borrow (d.).

позаниматься сов. do some work.

позапрошлый before last; ~ год, месяц the year, month before last [...mʌ-...].

позариться сов. см. зариться.

позвать сов. см. звать I.

по-зверски нареч. brutally, like a beast, bestially.

позволени||е с. permission, leave; просить ~я ask permission; с вашего ~я with your permission, by your leave; ◇ этот (эта и т.п.), с ~я сказать this apology for, if one may call him, etc., so; этот, с ~я сказать, дом this apology for a house* [...-s]; этот учёный, с ~я сказать this scientist, if one may call him so.

позволительн||о нареч.: ~ спросить we may ask, it is permissible to ask. ~ый permissible.

позволить сов. см. позволять.

позволять, позволить **1.** (дт. вн., дт. + инф.) allow (i. d., i. + to inf.); permit (i. d., i. + to inf.); он позволил ей пойти туда he allowed / permitted her to go there, he let her go there; болезнь не позволила мне поехать туда illness prevented me from going there; **2.** пов. накл. (как вежли-

448

вая форма обращения): позволь(те) (мне) (+ *инф.*) allow me (+ to *inf.*); ◇ позволить себе (+ *инф.*; *осмеливаться*) vénture (*d.*, + to *inf.*), permít onesélf (+ to *inf.*); он позволил себе сделать замечание he véntured a remárk; ~ себе вольность (с *тв.*) take* líberties (with); ~ себе слишком много take* liberties, presúme [-'zju:m]; ~ себе (*вн.*; *расход*) be able to affórd (*d.*).

позвонить(ся) *сов. см.* звонить(ся).

позвон||**о́к** *м. анат.* vértebra (*pl.* -rae); шейные ~ки́ júgular / cérvical vértebrae; поясничные ~ки́ lúmbar vértebrae. ~о́чник *м. анат.* spine, báckbone, vértebral / spínal cólumn [...'kɔ-]. ~о́чные *мн. скл. как прил. зоол.* vértebrates. ~о́чный vértebral; ~о́чный столб = позвоночник.

по́здн||**ий** (*в разн. знач.*) late; (*запоздалый тж.*) tárdy; ~ гость late guest; ~ее появление tárdy appéarance; читать до ~ей ночи read* till late at night, *или* late into the night; осень в том году была ~яя áutumn was late that year, we had a late áutumn that year.

по́здно I 1. *прил. кратк. см.* поздний; 2. *предик. безл.* it is late; ~! it is too late!

по́здно II *нареч.* late; ~ ночью late at night; ◇ лу́чше ~, чем никогда́ better late than néver.

поздоро́ваться *сов. см.* здоро́ваться.

поздор||**ове́ть** *сов. см.* здорове́ть. ~**о́виться** *сов. безл. разг.*: ему́ не ~о́вится (за *вн.*) he'll have to pay (for), he won't be the bétter off [...wount...] (for).

поздрави́тель *м.*, ~**ница** *ж.* béarer of congratulátions ['bɛə-...], well-wísher.

поздрави́тельн||**ый** congrátulatory [-leɪ-]; ~ая телегра́мма télegram of congratulátion.

поздра́в||**ить** *сов. см.* поздравля́ть. ~**ле́ние** *с.* congratulátion; дру́жеские ~ле́ния friendly congratulátions ['fren-...].

поздравля́||**ть**, поздра́вить (*вн.* с *тв.*) congrátulate (*d.* on, upón) ; ~ кого́-л. с днём рожде́ния congrátulate smb. on his birthday; ~ кого́-л. с Но́вым го́дом wish smb. a háppy New Year; ~ю вас с днём рожде́ния, с пра́здником *и т. п.* (I wish you) many háppy retúrns of the day.

позёвывать *разг.* yawn (from time to time), keep* yáwning.

позелене́ть *сов. см.* зелене́ть 1.

позелени́ть *сов. см.* зелени́ть.

позём *м. тк. ед. с.-х.* manúre.

позе́мельный land (*attr.*); ~ нало́г lánd-tàx.

позёмка *ж.* blízzard accómpanied by ground wind [...ə'kʌ- wɪ-].

позёр *м.* poséur [pou'zəː].

по́зже I *сравн. ст. прил. см.* поздний.

по́зже II 1. *сравн. ст. нареч. см.* поздно II; 2. *нареч.* láter (on): он придёт ~ he will come láter (on); они займутся этим ~ they will atténd to this láter on.

по-зи́мнему *нареч.* as in winter; одет ~ (dressed) in winter clothes [...klou-].

пози́ровать (*дт.*) sit* (to); (*без доп.; перен.*) pose; ~ для портре́та sit* for one's pórtrait [...-rɪt].

позити́в *м. фот.* pósitive [-z-].

позитив||**и́зм** *м. филос.* pósitivism [-zɪ-], pósitive philósophy [-z-...]. ~**и́ст** *м.* pósitivist [-zɪ-].

позити́вн||**ость** *ж.* positívity [-z-], pósitiveness [-z-]. ~**ый** pósitive [-z-].

позитро́н *м. физ.* pósitron [-z-].

позицио́нн||**ый** *прил.* к пози́ция; ~ая война́ trench wárfare.

пози́ци||**я** *ж.* (*в разн. знач.*) position [-'zɪ-]; заня́ть ~ю take* one's stand; *воен.* take* up *a* position; занима́ть пра́вильную ~ю take* a correct, *или* the right, stand; сбли́зить ~и bring* positions clóser togéther [...-s- -'gɛ-]; стоя́ть на ~и ми́ра stand* for peace; выгодная ~ advántage-ground [-'vɑː-]; приде́рживаться ~и adhére to the position; измени́ть свою́ ~ю shift one's ground, revíse one's stand; уде́рживать, сохраня́ть свои́ ~и hold* one's own [...oun], stand* one's ground; выжида́тельная ~ wait and see áttitude; *воен.* position in réadiness [...'redɪ-]; с ~и си́лы from (a position of) strength; поли́тика с ~и си́лы the position-of-strength pólicy [...-'zɪ-...]; передовы́е ~ front line [frʌ-...] *sg.*; исходная ~ inítial position; огневая ~ *воен.* firing position.

позли́ть *сов.* (*вн.*) *разг.* tease a little (*d.*); он сде́лал э́то, чтобы ~ тебя́ he did it to tease you; он про́сто хоте́л ~ тебя́ немно́го he just wánted to tease you a little.

позна́бливать *безл.* feel* a little shívery / féverish.

позна||**ва́емость** *ж.* cognoscibílity; ~ ми́ра и его́ закономе́рностей the possibílity of knówing the world and its laws [...'nou-...]. ~**ва́емый** cógnizable, knówable ['nou-...], cognóscible; мир и ~ем the world is knówable. ~**ва́тельный** cógnitive; ~ва́тельная спосо́бность cognítion.

позна||**ва́ть**, позна́ть (*вн.*) 1. get* to know [...nou] (*d.*); *филос.* cógnize (*d.*); позна́ть самого́ себя́ know* onesélf; позна́ть зако́ны приро́ды, обще́ственного разви́тия *и т. п.* get* to know, *или* learn* to apprehénd, the laws of náture, sócial devélopment, *etc.* [...lɔːn...'neɪ-...]; 2. (*испытывать, переживать*) become* acquáinted (with), expérience (*d.*); ра́но позна́ть го́ре become* acquáinted with grief éarly in life [...-ːf 'ɔː...]. ~**ва́ться** 1.: друзья́ ~ю́тся в беде́ *погов.* ≅ a friend in need is a friend indéed [...frend...]; 2. *страд.* к познава́ть.

познако́мить(ся) *сов. см.* знако́мить(ся).

позна́||**ние** *с.* 1. *филос.* cognítion; тео́рия ~ния theory of knówledge ['θɪə-...'nɔ-]; epistemólogy; 2. *мн.* (*све́дения*) knówledge *sg.* ~**ть** *сов. см.* познава́ть.

позоло́та *ж.* gílding ['gɪ-], gilt [g-].

позолоти́ть *сов. см.* золоти́ть.

позо́р *м.* shame, disgráce, ínfamy, ignominy; быть ~ом (для) be a disgráce (to); покрыва́ть ~ом (*вн.*) disgráce (*d.*); heap ignominy (upón); выставить на ~

(*вн.*) expose to shame (*d.*); не пережи́ть ~а not survíve disgráce; с ~ом удали́ться leave* ignomíniously.

позо́р||**ить**, опозо́рить (*вн.*) disgráce (*d.*); (*слова́ми и т. п.*) deféme (*d.*). ~**иться**, опозо́риться disgráce onesélf. ~**ище** *с. разг.* sháme:ful evént, disgráce. ~**ный** disgráceful; (*постыдный*) sháme:ful; ◇ ~ный столб *уст.* píllory; поста́вить к ~ному столбу́ (*вн.*) put* in the píllory (*d.*), píllory (*d.*).

позуме́нт *м.* gallóon, braid; золото́й, серебряный ~ gold, sílver lace / braid.

позы́в *м.* urge; ~ на рво́ту urge to be sick, (féeling of) náusea [...-sɪə].

позывн||**о́й**: ~ сигна́л cáll-sign [-saɪn]. ~**ы́е** *мн. скл. как прил.* 1. cáll-sign [-saɪn] *sg.*; 2. *мор.* ship's número *sg.*; подня́ть ~ы́е make* the ship's number.

поигра́ть *сов.* play (a little).

поиздержа́ться *сов. разг.* have been spénding héavily [...'hev-], óver:spénd*.

по́йлец *м.*: ~ и корми́лец *уст.* bréad-winner ['bred-].

по́йл||**ка** *ж.* 1. (*для скота*) drínking bowl / trough [...boul trɔf]; 2. = по́йльник.

по́йльник *м.* (*для лежачих больных*) féeding-cùp, drínking-vèssel (for invalids).

поимённ||**о** *нареч.* by name; вызыва́ть ~ call the roll. ~**ый** nóminal; ~ый спи́сок list of names, nóminal list / roll.

поименова́ть *сов.* (*вн.*) name (*d.*), méntion (*d.*).

по́имка *ж.* cátching, cápture; ~ на ме́сте преступле́ния cátching in the act, cátching réd-hànded.

поиму́щественный: ~ нало́г próperty tax.

по-ино́му *нареч.* dífferently, in a dífferent way.

по́иск *м.* 1. search [səːtʃ]; 2. *воен.* raid, tránch-raid; *мор.* sweep; 3. *чаще мн. геол.* reconnaissance [-nɪ-].

поиска́ть *сов.* (*вн.*) look (for); он ~л кни́гу, но не нашёл he looked for *the* book but did not find it; поищи́ полу́чше, мо́жет быть, найдёшь э́то if you look hárder you may find it; why don't you look better, you might find it.

по́иск||**и** *мн.* search [səːtʃ] *sg.*; в ~ах (*рд.*) in search (of).

поиско́в||**ый** séarching ['səːtʃ-]; reconnaissance [-nɪ-] (*attr.*); ~ая па́ртия reconnaissance group [...-uːp].

пои́стине *нареч.* indéed, in truth [...-uːθ].

поистра́ти||**ть** *сов.* (*вн.*) *разг.* spend* (*d.*); он все де́ньги ~л he has spent all his móney [...'mʌnɪ]. ~**ться** *сов. разг.* spend* all one's money [...'mʌnɪ].

пои́ть, напои́ть (*вн.*) give* to drink (*i.*); (*о ско́те*) wáter ['wɔː-] (*d.*); ~ ча́ем give* some tea (*i.*); (*угоща́ть*) offer tea (*i.*).

по́йло *с.* swill, mash; (*для свиней*) hóg-wàsh, pígswill.

по́йма *ж.* flóod-lànds [-ʌd-] *pl.*; (*заливной луг*) wáter-mèadow ['wɔːtəme-].

ПОЙ–ПОК

пойма́ть *сов. см.* лови́ть.

по́йменн‖ый *прил.* к по́йма; ~ые луга́ flóod-lànds ['flʌd-].

по́йнтер *м.* (*собака*) póinter.

пойти́ *сов.* 1. *см.* идти́ 2, 4, 6, 8, 9, 10, 11, 12, 13 *и* ходи́ть 2, 3, 4, 5, 6; ребёнок пошёл the child* begán / stárted to walk; 2. (+ *инф.*) *разг.* (*приниматься*) begin* (+ to *inf.*); ◊ пошёл! off you go!; пошёл вон! *разг.* off with you!, be off!; он пошёл в отца́ he takes áfter his fáther [...'fɑː-]; уж е́сли на то пошло́ as far as that goes, for that mátter; (так) не пойдёт! *разг.* that won't work! [...wount...], that won't wash / do!

пока́ I *нареч.* for the présent [...'prez-], for the time béːing: э́то мо́жно ~ так оста́вить you can leave it as it is for the présent; — что *разг.* in the méantime; они́ ~ что э́то сде́лают they will do it in the méantime; ~ всё that is all, *или* that will do, for the time béːing; ◊ ~! *разг.* see you soon!, býe-býe!, so long!, chéeriò!

пока́ II *союз* 1. (*в то время как*) while; на́до поговори́ть с ним, ~ он там we must speak to him while he is there; 2. (*до тех пор пока*) until, till; звони́те, ~ не отве́тят ring till you get an ánswer [...'ɑːnsə]; она́ не мо́жет написа́ть, ~ не узна́ет а́дреса she cánnot write until she finds out, *или* gets, the address.

пока́з *м.* show [ʃou], dèmonstrátion.

показа́ни‖е *с.* 1. (*свидетельство*) téstimony, évidence; *юр.* (*заявление тж.*) státeːment, depositìon [-zɪ-]; (*письменное под присягой*) àffidávit ['deɪ-]; дава́ть ~я *см.* пока́зывать 5; 2. (*о приборе*) réading.

показа́тел‖ь *м.* 1. índex (*pl.* índices [-siːz]); *эк. тж.* shówing [ʃou-]; ка́чественные и коли́чественные ~и quàntitàtive and quàlitàtive índices; превы́сить ~и про́шлого го́да excéed last year's shówing; сде́лать наилу́чшие ~ (*в работе и т. п.*) make* the best shówing; замеча́тельные ~и (*в игре, соревновании и т. п.*) splèndid shówing *sg.*; доби́ться хоро́ших ~ей (*в работе*) make* a good* shówing; (*в учёбе*) make* good* prógress; 2. *мат.* èxponent, índex.

показа́тельн‖ый 1. (*образцовый*) módel ['mɔ-] (*attr.*); ~ое хозя́йство módel farm; ~ уро́к dèmonstrátion lésson, òbject-lèsson; 2. (*о процессе*) dèmonstrative; dèmonstrátion (*attr.*); ~ суд show tríal [ʃou-]; 3. (*характерный*) significant, réveáling; э́то о́чень ~о that is extréːmely significant; it tells a tale *разг.*

показа́ть *сов. см.* пока́зывать. **~ся** *сов.* 1. *см.* пока́зываться; 2. *см.* каза́ться 1, 2.

показн‖о́й for show [...ʃou], òstentátious; ~а́я ро́скошь òstentátious màgníficence; ~ое благополу́чие a show of pròspérity, a preténce that all is well.

показу́ха *ж. разг. неодобр.* window-drèssing; э́то сплошна́я ~ it's all put on; just for show [...ʃou].

пока́зыва‖ть, показа́ть 1. (*вн. дт.*) show* [ʃou] (*d.* to, *d. i.*); ~ кому́-л. го́род, вы́ставку *и т. п.* show* smb. round *the* town, èxhibítion, *etc.* [...eksɪ-]; 2. (*вн.*; *обнаруживать, проявлять*) displáy (*d.*), show* (*d.*); (*о рекорде, времени и т. п.*) achíeve [-iːv] (*d.*), показа́ть себя́ prove òneːsélf [pruːv...]; они́ показа́ли себя́ в труде́ they have proved their worth in lábour [...pruːvd...]; ~ хра́брость displáy cóurage [...'kʌ-]; и ви́ду не ~ show* / give* no sign [...saɪn]; 3. (*о приборе*) show*, régister, read*; термо́метр ~ет 8° ни́же нуля́ the thermómeter shows / reads eight degrées belów zéro [...-'lou...]; часы́ ~ют 10 the clock / watch is at ten; 4. (*на вн.*; *указывать*) point (at, to); 5. (*вн.*) *юр.* (*давать показания*) téstify (*d.*), give* évidence (of); (*свидетельствовать*) bear* wítness [bɛə...] (to); (*под присягой*) swear* [swɛə] (*d.*); ◊ ~ кому́-л. на дверь show* smb. the door [...dɔː]; ~ приме́р set* an exámple [...-aːm-]; я вам покажу́! I'll show you! **~ся**, показа́ться 1. show* òneːsélf [ʃou...]; (*становиться видным*) come* in sight, appéar; (*являться*) show* up; ~ на глаза́ кому́-л. appéar in smb.'s présence [...'prez-]; ~ся врачу́ see* *a* dóctor; 2. *страд.* к пока́зывать.

пока́лыва‖ть prick occásionally; у него́ ~ет в боку́ he feels an occásional pain, *или* a stitch, in his side; he gets the odd twinge in his side *разг.*

покаля́кать *сов.* (*с тв. о пр.*) *разг.* have a chat (with about).

пока́мест *нареч. разг.* = пока́ I.

покара́ть *сов. см.* кара́ть.

покарау́лить *сов.* (*вн.*) watch (for), keep* (a) watch (on, óver); ~ немно́го watch for a short while.

поката́ть I *сов.* (*вн.*) roll for a while (*d.*).

поката́ть II *сов.* (*вн.*; *повозить*) take* for a drive (*d.*); ~ на сала́зках take* slédging (*d.*); ~ немно́го, де́сять мину́т take* for a short drive, *или* drive* for a while, take* for a ten mínutes' drive, *или* drive* for ten mínutes [...'mɪnɪts...]. **~ся** *сов.* go* for a drive; (*с указанием времени тж.*); ~ся на сала́зках go* for a run in a sledge; go* slédging; ~ся на ло́дке go* out bóating; ~ся немно́го, де́сять мину́т go* for a short drive, *или* drive* a little, *или* drive* for a while, go* for a ten mínutes' drive, *или* drive* for ten mínutes [...'mɪnɪts...].

покати́ть *сов.* 1. *см.* ката́ть II 1; 2. (*без доп.*) start (rólling), roll off / a;wáy. **~ся** *сов. см.* кати́ться II; 2. start rólling, roll.

пока́тость *ж.* 1. slope; 2. (*покатая поверхность*) slope, inːclíne; (*горы, холма и т. п. тж.*) declívity.

пока́тываться: ~ со́ смеху *разг.* roar with láughter [...'lɑːf-], fall* about láughing [...'lɑːf-].

пока́т‖ый slóping, slánting [-ɑː-]; ~ая кры́ша slóping roof; ~ лоб retréating fórehead [...'fɔrɪd].

покача́‖ть (*вн.*) rock (*d.*), (*маятник, качели и т. п.*; *на качелях, в гамаке и т. п.*) swing* (*d.*); ~й ребёнка rock / swing *the* child*; ◊ ~ голово́й shake* one's head [...hed]. **~ться** *сов.* rock; (*о маятнике, качелях и т. п.*; *на каче́лях, в гамаке и т. п.*) swing*; ма́ятник ~лся и останови́лся the péndulum swung for a while and stopped; он лю́бит ~ться на каче́лях he likes swíngːing.

пока́чива‖ть (*вн., тв.*) rock (slíghtly) (*d.*). **~ться** rock; ло́дка ~лась на волна́х the boat was rócking on the waves; он шёл ~ясь he walked with únsteady steps [...-'stedɪ...], he walked únsteadily [...-'sted-].

покачну́‖ть *сов.* (*вн.*) shake* (*d.*). **~ться** *сов.* sway; give* a lurch; (*перен.*) *разг.* take* a turn for the worse; он ~лся и чуть не упа́л he swayed and álmòst fell [...'ɔːlmoust...].

пока́шл‖ивать have a slight cough [...kɔf], cough (slíghtly, a little, intermíttently). **~ять** *сов.* cough [kɔf].

покая́ни‖е *с.* confession; (*раскаяние*) repéntance, pénitence; *церк.* pénance; приноси́ть ~ (*в пр.*) repént (*d.*, of); ◊ отпусти́ть ду́шу на ~ *разг.* ≅ let go in peace (*d.*). **~ный** pèniténtial.

покая́ться *сов. см.* ка́яться 2.

поква́рта́льно *нареч.* by the quárter, per quárter, évery quárter.

поквита́‖ться *сов.* (*с тв.*) *разг.* be quits (with); get* éven (with); тепе́рь мы с ва́ми ~лись now we're quits; я ещё с ним ~юсь I will get éven with him yet.

по́кер *м. карт.* póker.

покива́ть *сов.* nod (séveral times).

покида́ть, поки́нуть (*вн.*; *оставлять*) leave* (*d.*); (*бросать*) abándon (*d.*), desért [-'zɜː-] (*d.*); forsáke* (*d.*); поки́нуть зал заседа́ния walk out.

поки́нутый 1. *прич. см.* покида́ть; 2. *прил.* (*одинокий*) abándoned; (*брошенный*) desérted [-'zɜː-].

поки́нуть *сов. см.* покида́ть.

покла́да‖ть: труди́ться не ~я рук *разг.* ≅ work indefátigably.

покла́дист‖ость *ж.* compláisance [-zəns]. **~ый** compláisant [-zənt], oblíging.

покла́жа *ж. разг.* load; (*багаж*) lúggage.

поклева́ть *сов.* 1. (*вн.*; *склевать всё*); воробьи́ ~а́ли все кро́шки the spárrows pecked up all the crumbs. 2. (*вн. и без доп.*; *немного поесть*) nibble a little; 3. (*без доп.*; *некоторое время*) peck for a while.

поклёп *м. разг.* slánder [-ɑː-], cálumny; взвести́ (*на вн.*) slánder (*d.*), cast* aspérsions (on).

покло́н *м.* 1. bow; сде́лать о́бщий ~ make* a géneral bow; отве́тить на ~ кому́-л. ~ return smb.'s bow; 2. (*привет*): переда́йте ему́ ~ give him my cómpliments, give my kind regárds; ◊ идти́ на ~, идти́ с ~ом к кому́-л. go* cap in hand to smb.

поклоне́ние *с.* wórship.

поклони́ться *сов. см.* кла́няться.

покло́нни‖к *м.*, **~ца** *ж.* admírer, wórshipper.

поклоня́ться (*дт.*) wórship (*d.*).

покля́сться *сов. см.* кля́сться.

поко́вка *ж. тех.* fórging, fórged piece [...piːs].

поко́ит‖ься 1. (на *пр.*) rest (on, upːón), repóse (on, upːón); 2. (*об умер-*

шем)* lie*; здесь ~ся прах (*рд.*) here lies the bódy [...'bɔ-] (of).

поко́||й I *м.* rest, peace; не знать ~я know* no rest [nou...]; не име́ть ~я have no peace; ему́, ей *и т. д.* не дава́ли ~я he, she, *etc.*, wa:sn't able to get a móment's peace, they would not let him, her, *etc.*, have a mínute's peace; наруша́ть чей-л. ~ shátter smb.'s peace and quiet; distúrb smb.; ◊ оста́вить кого́-л. в ~е leave* smb. alóne, *или* in peace; уйти́ на ~ retíre; на ~е rétired; ве́чный ~ etérnal peace.

поко́й II *м. уст.* (*комната*) room, chámber ['tʃeɪ-].

поко́||йник *м.*, **~ница** *ж.* the decéased [...-'siːst]. **~ницкая** *ж. скл. как прил.* mórtuary.

поко́йно *нареч.* quíetly.

поко́йн||ый I 1. (*тихий, спокойный*) quiet, calm [kɑːm]; 2. (*удобный*) cómfortable ['kʌm-]; ◊ ~ой но́чи! good night!; будь поко́ен! don't (you) wórry! [...'wʌ-].

поко́йный II 1. *прил.* (*умерший*) late; 2. *м. как сущ.* the decéased [...-'siːst].

поколеба́ть *сов. см.* колеба́ть.

поколеба́ться *сов.* 1. *см.* колеба́ться 1, 2; 2. (*некоторое время*) wáver / hésitate for a time [...'hez-...].

поколе́ни||е *с.* gènerátion; молодо́е, ста́рое ~ the yóunger, the ólder gèneration [...'ʤʌŋɡə-]; из ~я в ~ from gèneration to gèneration.

поколоти́ть *сов.* (*вн.*) *разг.* beat* (*d.*), give* a thráshing (*i.*).

по-коммунисти́чески *нареч.* as true Cómmunists do; жить, рабо́тать и боро́ться ~ live, work and fight as true Cómmunists do [liv...].

поко́нч||ить *сов.* (*вн., с тв.*) fínish (with); fínish off (*d.*); be through (with), have done (with); ~ с чем-л. put* an end to smth., do a:wáy with smth.; с э́тим ~ено that is done with; ◊ ~ с собо́й put* an end to one's life; ~ жизнь самоуби́йством commít súicide.

поко́р||е́ние *с.* sùbjugátion, subdúal; ~ пусты́ни táming / sùbjugátion of *a* désert [...'dez-]; ~ ко́смоса space èxplorátion. **~и́тель** *м.* súbjugàtor; explórer; ◊ ~и́тель серде́ц lády-killer. **~и́ть(ся)** *сов. см.* покоря́ть(ся).

покорми́ть *сов. см.* корми́ть 1, 2.

поко́рно I *прил. кратк. см.* поко́рный.

поко́рн||о II *нареч.* (*смиренно*) húmbly; (*послушно*) submíssive:ly, obédient:ly; ◊ ~ благодарю́ *разг.* thank you very much indéed; благодарю́ ~, вы меня́ не заста́вите э́то сде́лать *разг.* no, thank you, you won't get me to do that [...wount...]. **~ость** *ж.* (*дт.*) submíssive:ness (to), obédience [ə'biː-] (to); (*дт.*) submíssive (to), obédient (to); (*смиренный*) resígned [-'zaɪnd] (to); ~ый судьбе́ resígned to one's fate; ◊ ваш ~ый слуга́ *уст.* your most humble sérvant; слуга́ ~ый *разг. ирон.* ≃ it's not for me; I am not having / táking any.

покоро́бить(ся) *сов. см.* коро́бить(ся).

поко́рствовать (*дт.*) *уст.* be obédient / submíssive (to), submít (to).

покоря́ть, **покори́ть** (*вн.; прям. и перен.*) súbjugàte (*d.*), subdúe (*d.*); ~ пусты́ни sùbjugàte déserts [...'dez-]; ~ ко́смос cónquer space [-kə-]; ~ се́рдце (*рд.*) *разг.* win* the heart [...hɑːt] (of). **~ся**, **покори́ться** (*дт.*) submít (to); (*подчиняясь необходимости*) resígn òne:sélf [-'zaɪn...] (to); ~ся судьбе́ resígn òne:sélf to one's fate.

поко́с *м. с.-х.* 1. (*косьба*) mówing ['mou-], háymàking; второ́й ~ áftermàth; 2. (*время косьбы*) háymàking time; 3. (*луг*) méadow(-lànd) ['medou-].

покоси́вшийся 1. *прич. см.* покоси́ться 1; 2. *прил.* ríckety, crázy, rámshàckle.

покоси́ться *сов.* 1. (*о постройке и т. п.*) sink* to one side; be lóp-síded; 2. *см.* коси́ться.

покра́жа *ж.* 1. theft; 2. (*украденные вещи*) stólen goods [...gudz] *pl.*

покра́пывать *разг.* = накра́пывать.

покра́сить *сов. см.* кра́сить 1.

покрасне́ть *сов. см.* красне́ть 1.

покриви́ть *сов. см.* криви́ть. **~ся** *сов. см.* криви́ться 1.

покри́кивать (на *вн.*) *разг.* shout (at); (*бранить*) réprimànd [-ɑːnd] (*d.*); (*без доп.*) call out, *или* útter, cries.

покрича́ть *сов.* 1. shout (for some time); 2. (на *вн.*) scold (a little) (*d.*).

покро́в *м.* 1. cóver ['kʌ-]; (*на гроб*) héarse-clòth ['həːs-], pall; (*перен.*) cloak, shroud, pall; по́чвенный ~ tópsoil; под ~ом но́чи únder (the) cóver of night; 2. *анат.* intégument.

покрови́тель *м.* pátron, protéctor, spónsor. **~ница** *ж.* pátroness ['peɪ-], protéctress.

покрови́тельственн||ый 1. protéctive; ~ тари́ф *эк.* protéctive táriff; ~ые по́шлины *эк.* protéctive dúties; 2. (*самоуверенно-снисходительный*) còndescénding, pátronizing; ~ тон còndescénding tone; 3. *зоол.*: ~ая окра́ска protéctive cólouring [...'kʌlə-].

покрови́тельство *с.* pátronage, protéction; под ~м (*рд.*) únder the pátronage / protéction (of).

покрови́тельствовать (*дт.*) pátronize (*d.*), protéct (*d.*).

покро́вный *анат.* intègumèntary.

покро́й *м.* (*платья*) cut; ◊ все на оди́н ~ all in the same style.

покроши́ть *сов.* (*вн., рд.*) crumble (*d.*); (*о хлебе*) crumb (*d.*); (*порубить*) mince (*d.*), chop (*d.*).

покругле́ть *сов. см.* кругле́ть.

покружи́ть *сов.* (*без доп.*) *разг.* 1. circle round and round; 2. (*проблуждать*) roam abóut / aróund. **~ся** *сов.* turn round and round; (*о птицах и т. п.*) fly* aróund, circle.

покрупне́ть *сов. см.* крупне́ть.

покрути́ть *сов.* (*вн., тв.*) twist (*d.*). **~ся** *сов.* go* round.

покрыва́ло *с.* (*накидка*) shawl; (*вуаль*) veil; (*на кровать*) bédspread [-spred], cóverlet ['kʌ-], cóunterpàne.

покрыва́ть, **покры́ть** 1. (*вн. тв.*) cóver ['kʌ-] (*d.* with); (*усеивать*) dot (*d.* with); (*крышей*) roof (*d.*); (*краской и т. п.*) paint (*d.* with), coat (*d.* with); ~ ла́ком várnish (*d.*), lácquer [-kə] (*d.*); (*японским*) japán (*d.*); ~ желе́зом íron ['aɪən] (*d.*); 2. (*вн.; оплачивать*) meet* (*d.*), pay* off (*d.*); ~ расхо́ды defráy expénses; 3. (*вн.; не выдавать*) cóver up (*d.*); shield [ʃiːld] (*d.*); hush up (*d.*); 4. (*вн.; заглушать звук*) drown (*d.*); 5. (*вн.; о расстоянии*) cóver (*d.*); 6. (*вн.*) *карт.* cóver (*d.*); ◊ ~ себя́ сла́вой cóver òne:sélf with glòry / fame; ~ та́йной shroud in mýstery (*d.*). **~ся**, **покры́ться** 1. cóver òne:sélf ['kʌ-...]; get* cóvered; ~ся ко́ркой crust, get* crústed óver; ~ся пе́ной scum; (*о вине и т.*) mantle; ~ся румя́нцем blush; ~ся ли́стьями be cóvered with leaves; не́бо покры́лось ту́чами the sky bécame clóudy, *или* clóuded óver; 2. *страд. к* покрыва́ть.

покры́тие *с.* 1. (*действие*) cóvering ['kʌ-]; (*краской*) cóating; ~ кры́ши roofing; ~ доро́ги road súrfacing; 2. (*долгов, дефицита и т. п.*) dis:chárge, páyment; ~ расхо́дов defráyment / defráyal of expénses.

покрытосемя́нные *мн. скл. как прил. бот.* àngiospérms [æn-].

покры́ть *сов. см.* крыть и покрыва́ть. **~ся** *сов. см.* покрыва́ться 1. **~шка** *ж.* 1. cóver(ing) ['kʌ-]; 2. (*шины*) týre-còver [-kʌ-], (óuter) tyre; (*мяча*) óuter cóver [...'kʌ-].

покря́кивать quack now and then [kwæk...].

поку́да I, II *разг.* = пока́ I, II.

покуме́кать *сов. разг.* think* óver, turn óver in one's mind.

покупа́тель *м.*, **~ница** *ж.* búyer ['baɪə], púrchaser [-tʃəsə]; (*постоянный*) cústomer, clíent. **~ный** *эк.* púrchasing [-sɪŋ]; ~ная спосо́бность (*денег*) púrchasing pówer; (*населения*) púrchasing capácity; ~ная си́ла рубля́ the púrchasing pówer of the rouble [...ruː-]. **~ский** *прил. к* покупа́тель.

покупа́ть I, **купи́ть** (*вн.*) buy* [baɪ] (*d.*), púrchase [-s] (*d.*).

покупа́ть II *сов.* (*вн.*) (*в море, реке и т. п.*) bathe [beɪð] (*d.*); (*в ванне*) bath (*d.*).

покупа́ться I *страд. к* покупа́ть I.

покупа́ться II *сов.* (*в море, реке и т. п.*) have a bathe [...beɪð], bathe; (*в ванне*) have / take* a bath.

поку́п||ка *ж.* 1. (*действие*) búying ['baɪ-], púrchasing [-sɪŋ]; púrchase [-tʃəs]; 2. (*приобретённый товар*) púrchase; вы́годная ~ bárgain; де́лать ~ки go* shópping. **~но́й** 1. púrchased [-st], bought; 2. = покупа́тельный; ~на́я цена́ púrchase price [-tʃəs...].

покупщ||и́к *м.*, **~и́ца** *ж. уст.* búyer ['baɪə], púrchaser [-tʃəsə].

поку́ривать (*вн.*) *разг.* smoke (a little, from time to time) (*d.*); ~ тру́бку, папиро́су smoke *a* pipe, *a* cigarétte.

покури́ть *сов.* have a smoke; дава́й поку́рим! let's have a smoke!

покуса́ть *сов.* (*вн.*) bite* (*d.*); (*ужа́лить*) sting* (*d.*).

покуси́ться *сов. см.* покуша́ться.

поку́сывать (*вн.*) bite* (a little) (*d.*); ~ гу́бы от волне́ния bite* one's lips with emótion.

ПОК—ПОЛ

покушать *сов.* 1. (*вн., рд.*) eat* (*d.*), have (*d.*), take* (*d.*); 2. (*без доп.*) eat*.

покуш||а́ться, покуси́ться (на *вн.*) 1. attémpt (*d.*); ~ на самоуби́йство attémpt súicide; ~ на чью-л. жизнь attémpt, *или* make* an attémpt upón, smb.'s life; 2. (*посягать*) en:cróach (on, upón); ~ на чужу́ю террито́рию, на чьи-л. права́ en:cróach on smb.'s térritory, on smb.'s rights. ~е́ние *с.* (на *вн.*) 1. attémpt (at); ~е́ние на чью-л. жизнь attémpt upón smb.'s life; 2. (*посягательство*) en:cróachment (on, upón); ◇ ~е́ние с него́дными сре́дствами fútile attémpt.

пол I *м.* floor [flɔ:]; настила́ть ~ (в *пр.*) floor (*d.*).

пол II *м.* биол. sex; обо́его ~а of both séxes [...bouθ...]; же́нского ~а fémale ['fi:-]; мужско́го ~а male; ◇ прекра́сный ~ the fair (sex); си́льный ~ the strónger / stérner sex.

пол- (*в сложн.*) half [hɑ:f]; полкило́ half a kílogràm(me); полчаса́ half an hour [...auə]; полко́мнаты half of the room; полбуты́лки half a bottle; на полпути́ hálf-wáy ['hɑ:f-].

пол||а́ *ж.* skirt, flap, lap; ◇ из-под ~ы́ on the side, cóvertly ['kʌ-]; торгова́ть из-под ~ы́ sell* únder the cóunter.

полага́||ть (*вн.*) suppóse (*d.*), think* (*d.*); я ~ю I dare say; ~ют it is believed / suppósed / understóod [...-'li:vd...-'stud]; ~ют, что он в Москве́ he is believed to be in Móscow; ~ют, что он уе́хал из Москвы́ he is believed to have left Móscow; ◇ на́до ~ *как вводн. сл.* suppóse so, one would think so, very líke:ly.

полага́||ться I, положи́ться (на *вн.*; *рассчитывать*) relý (upón); pin one's hopes (on); ~ в чём-л. на чей-л. вкус defér in smth. to smb.'s taste [...teist]; положи́тесь на меня́ depénd upón me.

полага́||ться II *безл.* 1.: (не) ~ется (+ *инф.*) one is (not) suppósed (+ to *inf.*); здесь не ~ется кури́ть you are not suppósed to smoke here; так ~ется it is the cústom; 2. (*дт.*; *причитаться*) be due (to); ему́ э́то ~ется it is his due, he has the right to it; ка́ждому ~ется пять рубле́й évery:òne is to have five roubles [...ru:-].

пола́дить *сов.* (с *тв.*) come* to an únderstánding (with); get* on (with).

пола́комиться *сов. см.* ла́комиться.

поласка́ть *сов.* (*вн.*) caréss (*d.*), fondle (*d.*).

пола́ти *мн. уст.* poláty (*planking fixed between ceiling and stove used as sleeping place*).

по́лба *ж. бот.* spelt, Gérman wheat.

полбеды́ *предик. разг.* half the trouble [hɑ:f...trʌ-], a small loss; э́то ещё ~ it could be worse.

полбуты́лки *ж. разг.* hálf-bòttle ['hɑ:f-].

полве́ка *м.* half a céntury [hɑ:f...].

полго́да *м.* half a year [hɑ:f...]; six months [...mʌ-] *pl.*

полго́ря *предик. разг.* = полбеды́.

полде́ла *с. разг.* half the work [hɑ:f...].

по́лдень *м.* noon, mídday; в ~ at noon; вре́мя до полу́дня fóre:noon; вре́мя после полу́дня áfter:noon; после полу́дня in the áfter:noon.

полдне́вный noon (*attr.*); mídday (*attr.*).

полдни́к *м.* (áfter:noon) snack (*light meal between dinner and supper*). ~ичать have an áfter:noon snack.

полдоро́г||и *ж.* hálf-wáy ['hɑ:f]; останови́ться на ~е stop hálf-wáy (*тж. перен.*).

по́л||е *с.* 1. field [fi:ld]; выходи́ть в ~ (*на полевы́е рабо́ты*) go* out into the fields; рабо́тать в ~ work in the fields; ржано́е ~ rye field; спорти́вное ~ pláying field, sports ground; 2. (*фон*) ground; 3. *чаще мн.* (*у книги и т. п.*) márgin; заме́тки на ~я́х márginal notes; 4. *мн.* (*у шляпы*) brim *sg.*; 5. *физ.* field; магни́тное ~ magnétic field; ◇ ~ би́твы báttle:field [-fi:ld]; ~ зре́ния field of vísion; ~ де́ятельности field / sphere of áction; оди́н в ~ не во́ин *посл.* ≅ the voice of one man is the voice of no one; one cánnot cónquer alóne [...-kə...].

полеве́ть *сов. см.* леве́ть.

полеви́ца *ж. бот.* spear grass.

поле́вка *ж. зоол.* field-vòle ['fi:ld]; vóle(:mouse*) [-maus].

полево́д *м.* field-cròp grówer ['fi:ld-grouə]. ~ство *с.* field-cròp cùltivátion ['fi:-...], field húsbandry [fi:ld 'hʌz-]. ~ческий: ~ческая брига́да field(-cròp) team / brigáde.

полев||о́й (*в разн. знач.*) field [fi:ld] (*attr.*); ~а́я мышь field-mouse* ['fi:ld-s]; ~ы́е рабо́ты field-wòrk *sg.*; ~ы́е цветы́ wild flówers; ~а́я артилле́рия field àrtillery; ~о́й го́спиталь field hóspital, móbile hóspital ['mou-...]; ~а́я по́чта field póst-òffice [...'pou-]; ~ шпат *мин.* féldspar.

полего́ньку *нареч. разг.* by éasy stáges [...'i:zɪ...].

полегч||а́ть [-хч-] *сов. разг.* 1. *см.* легча́ть; 2. *безл.* (*дт.*): больно́му ~а́ло the pátient is / feels bétter; у него́ на душе́ ~а́ло he feels relíeved [...-'li:vd].

поле́гче [-хч-] (*сравн. ст. от прил.* лёгкий *и нареч.* легко́) 1. (*о весе*) (sóme:what) lighter; 2. (*о трудности*) (just) a little éasier [...'i:zɪə], (just) a little less difficult [...]; ◇ ~! ease off a bit!; not so fast!

полежа́ть *сов.* lie*; lie* down (for a while); have a líe-down *разг.*

полёживать *разг.* lie* down (off and on).

полезащи́тн||ый field-protécting ['fi:ld-]; ~ые по́лосы shélter belts; ~ые лесны́е полосы́ fórest shélter-bèlts ['fɔ-...]; ~ое лесонасажде́ние field-protéctive àfforestátion.

поле́зн||о 1. *прил. кратк. см.* поле́зный; 2. *предик. безл.* it is úseful [...'ju:s-]; (*для здоровья*) it is héalthy [...'hel-], it is whóle:some [...'houl-]. ~ый úseful ['ju:s-], hélpful; (*для здоровья*) héalth-giving ['hel-]; good* (for); whóle:some ['houl-]; ~ая кри́тика hélpful críticism; э́то оказа́лось для него́ ~ым this stood him in good stead [...stud...sted]; обще́ственно ~ый of sócial utílity; ~ая жила́я пло́щадь áctual líving space [...'lɪv-...]; ~ая нагру́зка *тех.* páyload; ◇ чем могу́ быть поле́зен? can I help you?, what can I do for you?

поле́зть *сов.* 1. *см.* ла́зить, лезть; 2. (*начать лезть*) start to climb [...-aim].

полемизи́ровать (с *тв.*) énter into, *или* cárry on, a cóntrovèrsy (with), árgue (against).

поле́м||ика *ж. тк. ед.* cóntrovèrsy, polémic(s) (*pl.*), dispúte; газе́тная ~ newspaper cóntrovèrsy; вступи́ть в ~ику (с *тв.*) énter into polémics (with). ~и́ст *м.* àrguméntative pérson, còntrovérsialist, polémicist, polémist. ~и́ческий còntrovérsial, polémic(al). ~и́чный polémical.

по-ле́нински *нареч.* like Lénin; мы должны́ рабо́тать ~ we must work as Lénin did.

полени́ться *сов.* (+ *инф.*) be too lázy (+ to *inf.*).

поле́нница *ж.* stack (of fire:wood) [...-wud]; pile (of logs).

поле́но *с.* log, billet.

поле́сье *с.* wóoded district ['wu-...]; wóodlands ['wu-] *pl.*

полёт *м.* flight; ~ на да́льность lóng-dístanse flight; ~ в тума́не fog flying; высо́тный ~ hígh-áltitude flight [-'æl-...]; продолжи́тельный ~ prolónged flight; слепо́й ~, ~ по прибо́рам *ав.* blind flying; ínstrument flying; пики́рующий ~ díving; фигу́рный ~ àerobátics [ɛərə-], àcrobátic flight; косми́ческий ~ space flight; ~ на Луну́, к Луне́ flight to the Moon; ◇ ~ мы́сли flight of thought; ~ фанта́зии flight of fáncy; вид с пти́чьего ~а bírd's-eye view [-aɪ vju:].

полета́ть *сов.* fly* (a little, for a while), do some flying.

полете́||ть *сов.* 1. *см.* лета́ть; 2. start to fly; fly* forth / off; самолёт ~л the plane flew off; 3. *разг.* (*упасть*) fall*, go* héadlòng [...'hed-].

по-ле́тнему *нареч.* as in súmmer; оде́т ~ (dressed) in súmmer clothes [...klou-]; со́лнце гре́ет ~ the sun is as hot as in súmmer.

полечи́ть *сов.* (*вн.*) treat (*d.*); его́ на́до ~ he should be tréated, he ought to be tréated, he needs médical atténtion. ~ся *сов.* ùnder:gó* tréatment; ему́ ну́жно ~ся he should ùnder:gó tréatment, he ought to be tréated, he needs médical atténtion.

поле́чь *сов.* 1. *разг.* (*лечь — обо всех, многих*) lie* down; 2. (*быть убитым*) fall*, be killed; 3. (*о растениях*) lie* flat, be béaten down.

полжи́зни *ж.* half of one's life [hɑ:f...].

ползти́, поползти́ *сов.* поползти́ creep*, crawl; ◇ ~ в нога́х у кого́-л. gróvel at smb.'s feet ['grɔ-...].

ползко́м *нареч.* cráwling, on all fours [...fɔ:z], on hands and knees.

ползт||и́, поползти́ 1. *см.* по́лзать; 2. *разг.* (*медленно двигаться*) crawl / creep* alóng; по́езд ползёт the train is cráwling / créeping alóng; по не́бу ползли́ ту́чи clouds moved slówly acróss the sky [...mu:vd slou-...]; тума́н ползёт mist creeps; 3. *разг.* (*о слухах и т. п.*) spread*

[-ed]; 4. *разг.* (*о ткани*) rável out ['ræ-...], fray.

ползу́н *м. тех.* slíde-blòck, slíder.

ползунки́ *мн.* (child's) rómper suit [...sju:t]; cráwlers *pl*.

ползуно́к *м. разг.* tóddler.

ползу́ч∥ий crèeping; ~ие расте́ния crèepers.

поли- (*в сложн.*) poly-.

полиа́ндрия *ж. этн.* pólyàndry.

полиартри́т *м. мед.* pòlyàrthrítis.

поли́в *м.* wátering ['wɔ:-], sprínkling.

поли́ва *ж. тех.* glaze.

полива́льн∥ый: ~ая устано́вка sprínkler sýstem.

полива́ть, поли́ть (*вн. тв.*) pour [pɔ:] (on / up:ón *d.*); ~ водо́й wáter ['wɔ:-] (*d.*); ~ со́усом sauce (*d.*); ~ из шла́нга hóse(-pipe) (*d.*). ~ся, поли́ться 1. (*тв.*) pour on / up:ón one:sélf [pɔ:...] (*d.*); 2. *страд.* к полива́ть.

поливитами́ны *мн.* pòlyvítamins.

поли́вка *ж.* wátering ['wɔ:-]; ~ у́лиц strèet-flúshing.

поливн∥о́й: ~ы́е зе́мли áreas requíring ìrrigátion ['ɛərɪəz...].

полива́очн∥ый wátering ['wɔ:-] (*attr.*); ~ая маши́на wátering machíne ['wɔ:-ˈʃi:n].

полига́мия *ж. этн.* pòlýgamy.

полигло́т *м.* pólyglòt.

полиго́н *м. воен.* firing ground / range [...-eɪn], órdnance yard; испыта́тельный ~ próving ground ['pru:-...], tésting área [...ˈɛərɪə]; уче́бный ~ tráining ground.

полигра́ф∥ист *м.* pòlygráphic wórker. ~и́ческий pòlygráphic; ~и́ческая промы́шленность prínting índustry; ~и́ческий комбина́т (múltiple) prínting plant [...-a:nt]. ~и́я *ж.* pòlýgraphy, prínting trades.

полиза́ть *сов.* (*вн.*) lick (*d.*).

поликли́ника *ж.* pòlyclínic, óut-pátients' clínic.

полимер∥иза́ция *ж. хим.* pòlymerizátion [-raɪ-]. ~изова́ть *несов. и сов.* (*вн.*) *хим.* pólymerìze (*d.*).

полиме́р∥ный *хим.* pòlyméric, pólymerous. ~ы *мн. хим.* pólymers.

полиморф∥и́зм *м.* pòlymórphism. ~и́ческий pòlymórphic, pòlymórphous.

полимо́рфный pòlymórphous.

полиневри́т *м. мед.* pòlyneurítis.

полине́з∥иец *м.*, ~и́йский Pòlynésian [-zɪən].

полино́м *м. мат.* pòlynómial.

полиня́∥лый *разг.* fáded, discóloured [-ˈkʌ-]. ~ть *сов. см.* линя́ть.

полиомиели́т *м. мед.* pòliomyelítis.

поли́п I *м. зоол.* pólyp ['pɔ-].

поли́п II *м. мед.* pólypus (*pl.* -pì, -puses).

полирова́льн∥ый pólishing; ~ стано́к pólishing machíne [...-ˈʃi:n]; бу́ффing machíne; ~ая бума́га sándpàper.

полиро́ванный *прич. и прил.* pólished.

полирова́ть, отполирова́ть (*вн.*) pólish (*d.*); (*о металле*) buff (*d.*).

полиро́в∥ка *ж.* pólish(ing); (*металлов*) búffing. ~очный pólishing; ~щик (*для металлов*) búffing; pólisher.

по́лис *м.*: страхово́й ~ *фин.* insúrance pólicy [-ˈʃʊə-...]; (*от огня*) fíre-pólicy.

полисема́нт∥изм *м. лингв.* pólysèmy. ~и́ческий *лингв.* pòlysemántic.

полисеми́я *ж. лингв.* pólysèmy.

полисинтети́ческий [-тэ-] *лингв.* pòlysynthétic.

полисме́н *м.* (*в Англии и США*) políce:man* [-ˈli:s-], cónstable.

полиспа́ст *м. тех.* pólyspàst, cómpound / assémbly púlley [...ˈpu-].

поли́стный *per* sheet.

полит- *сокр.* полити́ческий.

политбесе́да *ж.* polítical talk, talk on polítics.

Политбюро́ ЦК КПСС Polítical Bùreau of the Céntral Commíttee of the C.P.S.U. [...-ˈrou... -t...].

полите∥и́зм [-тэ-] *м.* pólythè:ism. ~исти́ческий [-тэ-] pòlythè:ístic.

полит∥ехниза́ция *ж.* introdúction of pòlytéchnic educátion. ~техни́зм *м.* sýstem of pòlytéchnic educátion. ~техникум *м.* pòlytéchnic school, pòlytéchnic. ~техни́ческий pòlytéchnic(al); ~техни́ческое обуче́ние pòlytéchnical tráining; ~техни́ческое образова́ние pòlytéchnical educátion.

политзаключённый *м. скл. как прил.* polítical prísoner [...-zə-].

поли́тик *м.* polítical fígure, pòlitícian.

поли́тик∥а *ж.* polítics *pl.*; pólicy; вну́тренняя ~ home / intérnal pólicy; вне́шняя ~ fóreign pólicy ['fɔrɪn...]; ~ ми́ра peace pólicy; ~ невмеша́тельства pólicy of nòn-intervéntion; теку́щая ~ cúrrent polítics; говори́ть о ~е talk polítics; ~ да́льнего прице́ла lóng-ránge pólicy [-ˈreɪndʒ...]; ~ с пози́ции си́лы pólicy from the posítion of strength [...-ˈzɪ-...], big stick pólicy *разг.*; ~ нажи́ма pólicy of "préssure"; ~ на гра́ни войны́ brínkmanship.

полити́к∥ан *м.* intríguer [-ri-], pòlitícian. ~ство *с.* intrígue [-ri:g]. ~ствовать be an intríguer [-ri:-].

поли́тико-воспита́тельн∥ый: ~ая рабо́та polítical-educátion work.

политинформ∥а́тор *м.* pérson who makes régular repórts on home and internátional evénts. ~а́ция *ж.* repórt on recent home and internátional evénts.

полити́ческ∥ий polítical; ~ая борьба́ polítical strúggle; ~ие права́ polítical rights; ~ де́ятель polítical fígure, pòlitícian; ~ отчёт polítical repórt; ~ая зре́лость polítical matúrity; ~ая акти́вность масс polítical actívity of the másses; ~ая конъюнкту́ра polítical sitùátion; по ~им соображе́ниям for polítical réasons [...ˈri:z-...]; ~ строй polítical sýstem; систе́ма ~ого образова́ния polítical educátion sýstem; ◇ ~ая эконо́мия polítical ècónomy [...-i:-].

полити́чный politic.

политкаторжа́нин *м.* pré-rèvolútionary polítical cónvict.

политкружо́к *м.* polítical stúdy circle / group [...ˈstʌ-... -u:p].

полит∥отде́л *м.* polítical depártment / séction / divísion. ~просвеще́ние *с.* polítical educátion; систе́ма ~просвеще́ния sýstem of polítical educátion. ~рабо́тник *м.* polítical wórker. ~ру́к *м. ист.* polítical instrúctor.

политуправле́ние *с.* Polítical Admìnistrátion.

политу́ра *ж.* pólish, várnish.

политучёба *ж.* polítical educátion.

политшко́ла *ж.* polítical school.

пол∥и́ть *сов.* 1. *см.* полива́ть; 2. (*начать лить*) begin* to pour [...pɔ:], come* pòuring (down) [...ˈpɔ:-...]; ~и́л дождь it begán to pour with rain. ~и́ться *сов.* 1. *см.* полива́ться; 2. (*начать литься*) begin* to flow [...flou].

политэконо́мия *ж.* polítical ècónomy [...i:-].

политэмигра́нт *м.* polítical émigré (*фр.*) [...ˈemɪgreɪ].

полиурета́н *м.* pòlyúrethàne. ~овый *прил.* к полиурета́н.

полифони́я *ж. муз.* pólyphòny.

полихлорвини́л *м. хим.* pòlyvínyl chlóride [...ˈklɔ:-]. ~овый vínyl; P.V.C.

полихро́мия *ж.* pólychròmy.

полицеймейстер *м. ист.* chief of cíty políce [tʃi:f... -ˈli:s-].

полице́йский I *прил.* políce [-ˈli:s] (*attr.*); ~ уча́сток *ист.* políce státion.

полице́йский II *м. скл. как прил.* políce:man [-ˈli:s-], políce-òfficer [-ˈli:s-].

поли́ция *ж.* políce [-ˈli:s]; сыскна́я ~ *уст.* críminal invèstigátion depártment.

полицме́йстер *м.* = полицеймейстер.

поли́чн∥ое *с. скл. как прил.*: пойма́ть с ~ым (*вн.*) catch* réd-hánded (*d.*).

полишине́ль *м.* Pùnch(inéllo); ◇ секре́т ~я ≅ ópen sécret.

полиэ́др *м. мат.* pólyhédron [-ˈhe-].

полиэтиле́н *м. хим.* pòlyéthylène. ~овый *прил.* к полиэтиле́н.

полк *м.* régiment; авиацио́нный ~ air régiment; (*в Англии*) group [gru:p] (*in air forces*); ◇ на́шего ~у́ прибы́ло *разг.* our númbers have grown [...groun].

по́лка I *ж.* 1. shelf*; кни́жная ~ bóok:shèlf*; 2. (*в ж.-д. вагоне*) berth; ве́рхняя, ни́жняя ~ úpper, lówer berth [...ˈlouə...].

по́лка II *ж.* (*огорода*) wéeding.

полко́вник *м.* cólonel ['kə:n'l].

полково́дец *м.* commánder [-a:n-], mílitary léader.

полково́й règiméntal.

пол-ли́тра *м.* 1. half litre [hɑ:f ˈli:tə]; 2. *разг.* (*бутылка водки*) half litre bóttle (of vódka).

поллитро́вка *ж.* = пол-ли́тра 2.

пол-литро́вый hálf-lítre [ˈhɑ:fli:-] (*attr.*).

поллю́ция *ж. физиол.* spèrmatórrh(ó)ea [-ˈri:ə].

полмиллио́на *м.* half a míllion [hɑ:f...].

полне́йший (*абсолютный*) sheer, útter:mòst.

полн∥е́ть, пополне́ть grow* stout [-ou...], put* on weight. ~и́ть (*вн.*; *о платье и т. п.*) make* look fat (*d.*).

полно́ I *прил. кратк. см.* по́лный.

полно́ II *нареч.* brím-fúll, full to the brim; сли́шком ~ too full.

по́лно *нареч. разг.* 1. (*довольно!, перестаньте!*): ~!, по́лноте! enóugh! [-ʌf], enóugh of this!, that will do!, don't!; ~ пла́кать! stop crýing!; 2. (*да что вы?, что вы говори́те?*) you don't mean that; you don't mean to say so.

453

полновес||ость ж. full weight; (перен.) soundness. **~ый** of full weight; full-weight (attr.); (перен.) sound; **~ая монета** coin of standard weight; **~ое зерно** heavy-eared grain ['he-...]; **~ый аргумент** sound / weighty argument.

полновласт||ие с. sovereignty [-vrɪn-]. **~ный** [-сн-] sovereign [-vrɪn]; **~ный хозяин** (рд.) sole master (of).

полноводный full-flowing [-'flou-].

полноводье с. high water [...'wɔ:-].

полноглас||ие с. лингв. pleophony. **~ный** лингв. pleophonic.

полнозвучный sonorous.

полнокров||ие с. plethora. **~ный** full-blooded [-'blʌ-]; (перен. тж.) sanguineous; мед. plethoric.

полнолуние с. full moon.

полнометражный: **~ фильм** full-length film.

полномоч||ие с. authority, power; plenary powers ['pli:-...] pl.; юр. proxy; **чрезвычайные ~ия** emergency powers; **широкие ~ия** wide powers; **иметь ~ия выступить от имени** (рд.) have the authority to speak (for); **превышение ~ий** exceeding one's commission; **передать свои ~ия** (дт.) resign one's commission [-'zaɪn...] (to); **срок ~ий** (о депутате) term of office; **по истечении ~ий** (рд.; о законодательном органе) on the expiration of the term of office (of); **давать ~ия** (дт.) empower (d.); **предоставить чрезвычайные ~ия** (дт.) confer emergency powers (on). **~ный** plenipotentiary; **~ный министр** Minister Plenipotentiary; **~ный посол** Ambassador Plenipotentiary; **~ный представитель** plenipotentiary.

полноправ||ие с. full rights pl. **~ный** enjoying full rights; competent; **~ный член** full member.

полностью нареч. completely, utterly; (со всеми подробностями) in full; **утвердить ~** (о бюджете и т.п.) approve in its entirety [-ru:v...]; **целиком и ~** completely, entirely.

полнот||а ж. 1. (обилие) plenitude; (цельность) completeness; **для ~ы картины** to give a complete picture, to make the picture complete; 2. (тучность) stoutness; corpulence; (ребёнка, женщины тж.) plumpness; (чрезмерная) obesity [-i:s-]; ◇ **от ~ы сердца, души** in the fullness of one's heart [...hɑ:t]; **~ власти** absolute power / authority.

полноценн||ость ж. full value. **~ый** of full value; (перен.) valuable; **~ая монета** coin of full value; **стать ~ым работником** become* a fully fledged worker.

полночный прил. к полночь.

полночь ж. midnight; **в ~** at midnight; **за ~** after midnight; **далеко за ~** in the small hours [...auəz].

полн||ый 1. (наполненный) full; (набитый) packed; **~ до краёв** brim-full, full to the brim; **~ая тарелка** a full plate; (чего-л.) a plateful (of smth.); 2. (целый, весь) complete, total; **~ое собрание сочинений** complete works pl.; **~ комплект** a complete set; **они здесь в ~ом составе** they are here in a body [...'bɔ-], they are here in full force; **делегация в ~ом составе** the full delegation; **~ое затмение** total eclipse; 3. (абсолютный) absolute; (совершенный) perfect; **~ покой** absolute rest; **~ое невежество** complete ignorance; **в ~ой безопасности** in perfect security; — **~ая независимость** complete independence, full sovereignty [...'sɔvrɪn-]; **выразить ~ое одобрение** (дт.) express full approval [...-ru:v-]; (of, for); **~ое разорение** utter ruin; **жить в ~ом довольстве** live in plenty [lɪv...]; **в состоянии ~ого безумия** stark / raving mad; 4. (достигающий предела, наивысший): **в ~ом расцвете сил** in the prime of (one's) life, in one's prime; **на ~ом ходу** at full speed; **с ~ым знанием дела** being fully conversant with the matter / subject [...'fu-...]; 5. (тучный) stout, portly, corpulent; (о ребёнке, женщине тж.) plump; (чрезмерно) obese [-s]; ◇ **~ая луна** full moon; **жить ~ой жизнью** live a full life; **у них дом — ~ая чаша** they live in plenty; **~ым голосом** at the top of one's voice; **сказать что-л. ~ым голосом** say* smth. outright; **в ~ой мере** in full measure [...'meʒə]; **идти ~ым ходом** (о работе и т.п.) be in full swing.

полным-полно нареч. full; **в комнате, в трамвае** и т.п. **~ народу** the room, the tram, etc., is full of people, или is crowded with people, или is full up [...pi:pl...]; **в комнате ~ дыму** the room is full of, или thick with, smoke.

поло с. нескл. спорт. polo; ◇ **водное ~** water polo [wɔ:-...].

пол-оборота м. нескл. half-turn ['hɑ:f-]; воен. half-face ['hɑ:f-]; **~ налево, направо** воен. left, right incline.

полова ж. chaff.

половик м. doormat ['dɔ:-], floor covering [flɔ: 'kʌ-].

половин||а ж. (в разн. знач.) half* [hɑ:f]; **~ третьего** half past two; **в ~е июля** и т.п. in the middle of July, etc.; **~ игры** (в футболе) half-time ['hɑ:f-]. **~ка** ж. 1. half* [hɑ:f]; 2. (дверная) leaf*. **~ный** half [hɑ:f]; **в ~ном размере** half: **заплатить за что-л. в ~ном размере** pay* half price for smth.

половинчат||ость ж. half-way policy ['hɑ:f-...]. **~ый** halved [hɑ:-]; (перен.) undecided, indeterminate; half-and-half ['hɑ:f-].

половица ж. floor board [flɔ:-...].

половичок м. уменьш. от половик.

половник м. ladle.

половодье с. flood [-ʌd], high water [...wɔ:-]; (период) flood-time [-ʌd-].

полов||ой I прил. (для пола) floor [flɔ:] (attr.); **~ая тряпка** floor-cloth ['flɔ:-]; **~ая щётка** broom.

полов||ой II прил. биол. sexual (attr.); **~ые органы** genitals, sexual organs; **~ая зрелость** puberty; **~ая жизнь** sexual life; **~ая связь** sexual intercourse [...-kɔ:s]; liaison [li:'eɪzɔ:n]; **~ое влечение** sexual attraction; **~ое бессилие** мед. impotence.

половой III м. скл. как прил. уст. (слуга в трактире) waiter.

половцы мн. ист. Polovtsian [pə-'lɔftsiən], Polovtsians.

полог м. (бед-)curtains pl.; **под ~ом ночи** поэт. under (the) cover of night [...'kʌ-...].

полог||ий gentle, gently sloping; **~ берег** sloping bank / shore. **~ость** ж. slope, declivity.

положени||е с. 1. (местонахождение) position [-'zɪ-], whereabouts; location; **географическое ~** geographical situation; geographical location; 2. (расположение, поза) posture, attitude; 3. (состояние) condition, state; (общественное и т.п.) status, standing; (перен.: ситуация) situation; **официальное ~** official standing; **семейное ~** family status; **социальное ~** social status; **материальное ~** financial position; welfare standards pl.; **по (занимаемому) ~ю** by one's position; **ex officio** ['eksɔ'fɪʃiou] офиц.; **при данном ~и дел** as the case stands [...keɪs...]; **при таком ~и дел** things being as they are, this being the situation / case, as things now stand / are; **~ улучшается** things are improving [...-ru:v-]; **господствующее ~** dominating position; control [-oul]; **щекотливое ~** awkward / embarrassing situation; **неловкое ~** awkward situation; **военное ~** martial law; **осадное ~** state of siege [...si:dʒ]; **чрезвычайное ~** state of emergency; **будь он в вашем ~и** if he were you, if he were in your place; **быть в стеснённом ~и** be in strained / reduced / straitened circumstances; be hard up разг.; **находиться в отчаянном ~и** be in desperate straits; **на нелегальном ~и** in hiding; **с ~ем** of high standing; **он человек с ~ем** he is a man* of high standing; **занимать высокое ~ в обществе** be high in the social scale; 4. (тезис) thesis (pl. theses [-i:z]); principal proposition [...-'z-]; (договора и т.п.) clause; provisions pl.; **теоретическое ~** theoretical proposition; **основные ~я теории марксизма** fundamental tenets of the Marxist theory [...'θɪə-]; 5. (свод правил, законов и т.п.) regulations pl., statute; **~ о выборах** statute of elections; election regulations pl.; **по ~ю** according to the regulations; ◇ **быть в ~и** разг. (о женщине) be in the family way, be expecting a child; **быть на высоте ~я** be up to the mark; rise* to the occasion; **хозяин ~я** master of the situation; **вещей такого, что** the state of affairs is such that; **войти в чьё-л. ~** understand* smb.'s position; sympathize with smb.; **выходить из ~я** find* a way out.

положенный 1. прич. см. класть I; 2. прил. (установленный) fixed; (полагающийся) prescribed, authorized; **в ~ срок** in the allotted time; **в ~ час** at the appointed hour [...auə].

положено предик. разг.: **этого делать не ~** one is not supposed to do that; it is not done.

положим вводн. сл. let us assume; **~, что вы правы** assuming that you are right; ~ что уже пора let us assume that it is time.

положительно I *прил. кратк. см.* положительный.

положительно II *нареч.* 1. (*утвердительно*) pósitive:ly [-z-]; ответить ~ ánswer in the affírmative [′ɑːnsə...]; (*согласиться*) agrée; (*разрешить*) give* permíssion; отнестись ~ (к) take* a pósitive / fávour:able view [...-z-... vjuː] (of), look fávour:ably (up:ón), be fríendly [...′fren-] (towards), have a pósitive áttitude (towards); 2. (*решительно*) ábsolùte:ly: он ~ ничего не знает he knows ábsolute:ly nothing [...nouz...].

положительн||ый 1. (*в разн. знач.*) pósitive [-zɪ-]; (*о характере тж.*) sedáte, staid, ~ ответ affírmative ánswer / replý [...′ɑːnsə...]; (*благоприятный*) fávour:able reply / ánswer; ~ое решение вопроса pósitive / fávour:able solútion of the próblem [...′prɒ-]; ~ герой pósitive cháracter / héro [...′kæ-...]; ~ электрический заряд pósitive eléctric charge; ~ая степень сравнения *грам.* pósitive degrée; ~ая философия pósitive philósophy, pósitivism [-zɪ-]; 2. *разг.* (*совершенный, полный*) compléte, ábsolùte; ~ невежда compléte ignorámus.

положить *сов. см.* класть I. ~ся *сов. см.* полагаться I.

полоз *м.* sledge rúnner.

полок I *м.* (*в бане*) swéating shelf* (*in steam bath*) [′swet-...].

полок II *м.* (*телега*) dray.

полольщи||к *м.*, ~ца *ж.* wéeder.

поломать *сов.* (*вн.*) *разг.* break* (down) [-eɪk...] (*d.*).

поломаться I *сов.* (*сломаться*) break*.

поломаться II *сов. разг.* (*покривляться*) assúme / strike* a pose.

поломка *ж.* bréakage [′breɪk-].

поломойка *ж. разг.* chár:wòman* [-wu-].

полонéз [-нэ́з] *м.* polonáise.

полонизм *м. лингв.* Pólonism.

полонить *сов.* (*вн.*) *уст.* take* cáptive (*d.*).

полопаться *сов.* (*о многих предметах*) burst*.

полорогий *зоол.* cávicòrn.

полос||á *ж.* 1. stripe; (*узкий кусок*) strip; (*о железе и т. п.*) band, strip, flat bar; 2. (*от удара кнутом и т. п.*) wale, weal; 3. (*область*) région, zone, belt; чернозёмная ~ bláck-sóil belt, bláck-earth zone [-əːθ...]; военных действий báttle zone; пограничная ~ fróntier [′frʌ-]; взлётно-посáдочная ~ *ав.* táke-off and lánding strip; rúnway; 4. (*период времени*) périod; ~ хорошей погоды spell of fine weáther [...′weðə]; ~ неудáч run of bad luck; 5. *с.-х. уст.* field [fiːld]; patch; 6. *полигр.* type page.

полосáтик *м. зоол.* rórqual.

полосáтый striped, strípy.

полоск||а *ж. уменьш. от* полосá 1, 5; в ~у striped.

полоскáние *с.* 1. (*действие*) rinse, rínsing; (*горла*) gárgling; 2. (*жидкость*) móuthwash; (*для горла*) gargle. ~ **тельница** *ж.* slóp-bàsin [-eɪs-]. ~тельный; ~тельная чáшка = полоскáтельница.

полоскáть (*вн.*; *о белье, посуде, рте*) rinse (*d.*); (*о горле*) gargle (*d.*). ~ся 1. (*плескаться в воде*) páddle, dábble; (*перен.*; *о парусе, флаге*) flap; 2. *страд. к* полоскáть.

полоснýть *сов.* (*вн. тв.*) *разг.* slash (*d.* with).

полосовáть I, располосовáть (*что-л.*) *тех.* make* into bars (smth.).

полосовáть II, исполосовáть (*кого-л.*) *разг.* (*избивать*) flog (smb.), scourge [skəːdʒ] (smb.), welt (smb.).

полосов||óй: ~óе желéзо band / strip / bar íron [...′aɪən].

пóлость I *ж. анат.* cávity; брюшнáя ~ abdóminal cávity; ~ рта mouth cávity.

пóлость II *ж.* (*саней*) (sledge) rug; láp-ròbe, sleigh robe *амер.*

полотéнце *с.* tówel; ~ на вáлике róller tówel, jáck-tówel; посýдное ~ téa-towel; мохнáтое ~ bath tówel, Túrkish tówel.

полотёр *м.* flóor-pòlisher [′flɔː-]. ~ный flóor-polishing [′flɔː-]; ~ная щётка brush.

полотнищ||е *с.* width, cloth; юбка в два ~а twó-píecer [-′piːsə]; ~ знáмени *воен.* cólour cloth [′kʌ-...]; палáтки tent séction; shélter half* [...hɑːf] *амер.*; авиационáльное ~ *воен.* ground strip / pánel [...′pæ-]; опознавáтельное ~ *воен.* idèntificátion pánel [aɪ-...].

полотн||ó *с.* 1. (*ткань*) línen [′lɪ-]; камчáтное, узорчáтое ~ díaper-clòth; 2. (*дороги*) róad-bèd; железнодорожное ~ pérmanent way, ráilway bed; землянóе ~ (*дороги*) súbgràde; 3. *тех.*: ~ пилы blade, web (*of a* saw); 4. (*картина художника*) cánvas; ◊ блéдный как ~ white as a sheet, pale as a ghost [...goust]. ~яный línen [′lɪ-].

полóть (*вн.*) weed (*d.*).

полоýмный *разг.* hálf-wítted [′hɑːf-]; crázy.

полочка *ж. уменьш. от* пóлка I.

полпрéд *м.* (*полномочный представитель*) (ámbássador) plènipoténtiary. ~ство *с.* (*полномочное представительство*) plènipoténtiary rèprèsèntátion [...-zen-], émbassy.

полпутú *м. нескл.*: на ~ hálf-wáy [′hɑːf-]; остановиться на ~ stop hálf-wáy; (*перен.*) hésitàte hálf-wáy [-zɪ-...]; вернуться с ~ turn back hálf-wáy.

полслóв||а *с.*: он не сказáл ни ~ he néver úttered a word; можно вас на ~? may I speak to you for a mínute? [...′mɪnɪt], may I have a word with you?; понять с ~, оборвáть на ~е, остановиться на ~е *см.* полслóво.

полсóтни *ж.* fifty; с ~ fifty odd.

полтинá *ж.* = полтинник.

полтинник *м. разг.* 1. fifty cópecks *pl.*; 2. (*монета*) fifty-cópeck piece [...piːs].

полтор||á *числит.* one and a half [...hɑːf], one / a(n)...and a half; ~ы́ тысячи one and a half thóusand [...-zənd]; ~ столетия a céntury and a half; в ~ рáза бóльше (*рд. или чем*) half as much agáin (as); в ~ рáза тяжелéе (*рд. или чем*) half as héavy agáin [...′hevɪ...] (as); ~ гóда a year and a half; ◊ ни двá ни ~ *разг.* ≅ néither one thing, nor anóther [′naɪ-...]; néither fish, nor fowl.

ПОЛ — ПОЛ   П

полторáста *числит.* one / a húndred and fifty.

полу- (*в сложн.*) half [hɑːf], sèmi-: полуулыбка hálf-smile [′hɑːf-]; полукрýглый hálf-round [′hɑːf-], sèmicírcular; *см. также слова, начинающиеся на полу-*.

полуавтомáт *м.* sèmi-automátic devíce. ~ический sèmi-automátic.

полубáк *м. мор.* raised / tòp-gállant fórecastle [...′fouks′l].

полубессознáтельный sèmi-cónscious [-nʃəs].

полубóг *м.* démigòd.

полуботи́нки *мн.* (*ед.* полуботи́нок *м.*) wálking shoes [...ʃuːz]; low shoes [lou...] *амер.*

полувáттный *эл.* hálf-wátt [′hɑːf-] (*attr.*).

полувековóй sèmi-cènténnial, of half a céntury [...hɑːf...]; ~ гнёт fifty years of oppréssion *pl.*, half a céntury of oppréssion.

полуглáсный *м. скл. как прил. лингв.* sèmi-vówel.

полугнилóй hálf-rótten [′hɑːf-].

полугóд||ие *с.* hálf-yéar [′hɑːf-]; six months [...mʌ-] *pl.* ~ичный hálf-yéarly [′hɑːf-], sèmi-ánnual; of six months' durátion [...mʌ-...]; ~ичные курсы síx-mònth cóurses [-mʌ- ′kɔːs-]. ~овáлый síx-mònth-óld [-mʌ-], hálf-year-old [′hɑːf-]. ~овóй hálf-yéarly [′hɑːf-], síx-mònthly [-mʌ-]; ~овóй план síx-mònths plan [-mʌ-...].

полуголóдный hálf-stárved [′hɑːf-].

полуго́лый hálf-náked [′hɑːf-].

полуграмотный sèmi-líterate.

полýда *ж.* (*лужение и сплав для него*) tínning.

полýденный 1. mídday (*attr.*); 2. *поэт. уст.* (*южный*) sóuthern [′sʌð-].

полудикий (*о племенах*) sèmi-bàrbárian, half sávage [hɑːf...].

полудить *сов. см.* лудить.

полужёстк||ий sèmi-rígid; дирижáбль ~ой системы sèmi-rígid áirship.

полужесткокрылые *мн. скл. как прил. зоол.* hemíptera.

полуживóй half dead [hɑːf ded]; (*от страха*) more dead than alíve.

полузабытый hálf-forgótten [′hɑːf-].

полузабытьё *с.* sèmi-cónsciousness [-nʃəs-]; hálf-cónscious state [′hɑːf-nʃəs...].

полузащит||а *ж. спорт.* hálf-bácks [′hɑːf-] *pl.* ~ник *м. спорт.* hálf-báck [′hɑːf-].

полукафтáн *м.* short cáftan.

полуколониáльн||ый sèmi-colónial; ~ая странá sèmi-colónial cóuntry [...′kʌ-].

полуколония *ж.* sèmi-colónial térritory.

полукопы́тный *зоол.* sùbúngulàte [-n-].

полукров||ка *ж. с.-х.* hálf-blooded [′hɑːf-], hálf-bred [′hɑːf-]. ~ный *с.-х.* hálf-blooded [′hɑːf-], hálf-bred [′hɑːf-].

полукрýг *м.* sèmicírcle. ~лый sèmicírcular.

полукустáрник *м. бот.* súbshrùb, súffrutèx (*pl.* -tices).

полулежáть reclíne.

455

ПОЛ – ПОЛ

полулитро́вый hálf-litre [ˈhɑːfˈliːtə] (attr.).

полума́ска ж. half mask [hɑːf...].

полумгла́ ж. hálf-light [ˈhɑːf-] (before sunrise or after sunset).

полуме́ра ж. half méasure [hɑːf ˈmeʒə].

полумёртвый half dead [hɑːf ded]; (от страха) more dead than alíve.

полуме́сяц м. hálf-moon [ˈhɑːf-]; (серп) créscent.

полуме́сячный fórtnightly; of a fórtnight's durátion.

полумра́к м. semi-dárkness, shade.

полунаго́й hálf-náked [ˈhɑːf-].

полу́ндра межд. мор. stand from únder!

полунезави́симый sémi-indepéndent.

полуно́чн∥**ик** м., ~**ица** ж. разг. níght-owl. ~**ичать** разг. burn* the mídnight oil.

полу́ночный 1. mídnight (attr.); 2. поэт. уст. (северный) nórthern [-ðən].

полуобнажённый hálf-náked [ˈhɑːf-].

полуоборо́т м. hálf-turn [ˈhɑːf-].

полуоде́тый hálf-dréssed [ˈhɑːf-], hálf-clóthed [ˈhɑːfˈkloʊðd].

полуокру́жность ж. sémi-circúmference.

полуосвещённый hálf-lít [ˈhɑːf-].

полуо́стров м. península. ~**но́й** penínsular.

полуот∥**во́ренный**, ~**кры́тый** hálf-ópen [ˈhɑːf-]; (о двери тж.) ajár.

полуофициа́льный sémi-offícial.

полупальто́ с. нескл. short coat.

полупереход м. воен. half day's march [hɑːf...].

полуподва́льный: ~ эта́ж sémi-báse:ment [-eɪs-].

полупокло́н м. slight bow.

полуприседа́ние с. спорт. half squátting [hɑːf...].

полупроводни́к м. физ. sémi-condúctor, trànsístor.

полупроводнико́вый sémi-condúctor (attr.), sémi-condúcting; ~ радиоприёмник trànsístor.

полупрозра́чный sémi-tránsparent, trànslúcent [-nz-].

полупролета́р∥**ий** м. sémi-prolètárian [-prou-]. ~**ский** sémi-prolètárian [-prou-].

полупромы́шленн∥**ый** pílot; ~ое предприя́тие pílot plant [...-ɑːnt]; ~ экспериме́нт pílot expériment.

полупусты́ня ж. sémi-désert [-ˈdez-].

полупья́ный típsy; half drunk [hɑːf...]; hálf-seas-óver [ˈhɑːf-] (predic.) идиом. разг.

полуразде́тый = **полуоде́тый**.

полуразру́шенный túmble∶down, dilápidáted.

полураспа́д м. физ. hálf-decáy, hálf-disintegrátion; пери́од ~а hálf-lífe, hálf-válue périod.

полуро́та ж. воен. hálf-còmpany [ˈhɑːfkʌm-].

полусве́т I м. (сумерки) twílight [ˈtwaɪ-].

полусве́т II м. уст. démi-mónde [-ˈmɔːnd].

полусерьёзный hálf-sérious; half in jest (predic.).

полусло́в∥**о** с.: поня́ть с ~а take* the hint, be quick in the úptàke, catch* the méaning at once [...wʌns]; оборва́ть кого́-л. на ~е cut* smb. short; останови́ться на ~е stop in the middle of a séntence.

полусме́рт∥**ь** ж.: изби́ть кого́-л. до ~и beat* smb. within an inch of his life; испуга́ться до ~и be fríghtened to death [...deθ].

полусо́гнутый hálf-bént [ˈhɑːf-].

полусозна́тельный sémi-cónscious [-nʃəs].

полу∥**со́н** м. doze, light slúmber; sómnolence; в ~сне́ half asléep. ~**со́нный** half asléep [hɑːf...] (predic.); dózing; drówsy [...-zɪ].

полуста́нок м. ж.-д. halt.

полусти́шие с. hémistich [-k].

полусу́точный hálf-diúrnal.

полутёмный dark, scántily lit.

полуте́нь ж. penúmbra.

полуто́н м. 1. муз. sémitòne; 2. жив. úndertìnt, hálf-tìnt [ˈhɑːf-].

полуторагодова́лый óne-and-a-hálf-yéar-old [-hɑːf-].

полуторато́нка ж., **полу́торка** ж. разг. thírty-hùndred-wéight (сокр. 30-cwt) lórry; óne-and-a-hálf-tón truck [-hɑːftʌn...] амер.

полу́торн∥**ый** óne-and-a-hálf [...hɑːf] (attr.); в ~ом разме́ре half as much agáin.

полутьма́ ж. hálf-dárk [ˈhɑːf-], sémi-dárkness.

полуфабрика́т м. hálf-fínished / sémi-fínished próduct [ˈhɑːf-...ˈprɔ-]; пищевы́е ~ы prepáred food sg., convénience foods.

полуфеода́льный sémi-féudal; ~ строй sémi-féudal sýstem.

полуфина́л м. спорт. sémi-fínal.

полуфинали́ст м. sémi-fínalist, spórtsːman* táking part in sémi-fínals.

полуфина́льн∥**ый** спорт. sémi-fínal; ~ые и́гры, встре́чи sémi-fínals.

полуциркульный арх. sèmicírcular.

получа́с м.: в тече́ние ~а (с глаг. несов. вида) for half an hour [...hɑːf ən auə]; (с глаг. сов. вида) (with)in half an hour. ~**ово́й** (о продолжи́тельности) of half an hour's durátion [...hɑːf...auə...]; (о повторяемости) hálf-hourly [hɑːfauəlɪ].

получа́тель м., ~**ница** ж. recípient.

получ∥**а́ть**, **получи́ть** (вн.) (в разн. знач.) recéive [-iːv] (d.), get* (d.); (доста-ва́ть, добыва́ть) obtáin (d.); ~ прика́з recéive an órder; ~ пре́мию recéive a prize, be rewárded with a prémium; ~ кокс из ка́менного у́гля obtáin coke from coal; ~**и́ть** интере́сные вы́воды derive váluable conclúsions, obtáin ínteresting results [...-ˈzʌ-]; ~ что-л. по подпи́ске take* in smth.; ~ дово́льствие воен. draw* one's allówance; ~**и́ть** зака́з secure an órder; ~ замеча́ние be réprimànded [...-mɑː-]; ~ огла́ску become* known [...noun]; recéive públicity [...pʌ-]; be made known; ~ призна́ние obtáin rècognítion; его́ заслу́ги ~и́ли всеми́рное призна́ние his mérits are ùnivérsally récognized; (раньше, в своё время) his mérits were ùnivérsally récognized; ~ большинство́ win* a majórity; ~**и́ть** на́сморк, воспале́ние лёгких, брюшно́й тиф и т.п. catch* / contráct a cold, pneumónia, týphoid féver, etc. [...njuːˈmounjə ˈtaɪ-...]. ~**а́ться**, **получи́ться** 1. (по почте) come*, arríve; 2. (оказываться) turn out, be; результа́ты ~и́лись блестя́щие the results turned out brílliant [...-ˈzʌ-...]; вы́вод ~и́лся неожи́данный the conclúsion is unːexpécted; (раньше, в своё время) the conclúsion was unːexpécted; но ~и́лось ина́че but it turned out óther∶wise; 3. страд. к **получа́ть**. ~**е́ние** с. recéipt [-ˈsiːt]; для ~е́ния in órder to recéive [...-ˈsiːv]; подтверди́ть ~е́ние (рд.) acknówledge the recéipt [-ˈnɔ-...] (of); распи́ска в ~е́нии recéipt; по ~е́нии on recéipt, on recéiving [...-ˈsiːv-].

получи́ть(ся) сов. см. **получа́ть(ся)**.

полу́чк∥**а** ж. разг. (зарплата) pay (pácket); sum paid; день ~и páy-day.

полу́чше (сравн. ст. от прил. хоро́ший и нареч. хорошо́) (just) a little bétter, ráther bétter [ˈrɑː-...].

полуша́лок м. разг. kérchief.

полуша́ри∥**е** с. (в разн. знач.) hémisphère; ~я головно́го мо́зга cérebral hémisphères [-ðən...]; се́верное ~ nórthern hémisphère [-ðən...]; ю́жное ~ sóuthern hémisphère [ˈsʌðən...].

полушёпотом нареч.: говори́ть ~ speak* in úndertònes.

полуше́рсть ж. wool míxture [wul...], not all / pure wool.

полушерстян∥**о́й** hálf-wóollen [ˈhɑːfˈwul-]; э́то ~а́я ткань this is a wool míxture, this is not pure wool; э́то пла́тье ~о́е this dress is not all / pure wool.

полу́шк∥**а** ж. уст. a quárter-cópeck piece [...piːs]; ◇ не име́ть ни ~и be pénniless, be without a pénny.

полушу́бок м. short shéepskin coat, shéepskin jácket.

полушутя́ нареч. half in jest [hɑːf...].

полуэскадро́н м. воен. hálf-squàdron [ˈhɑːfskwɔ-].

полцены́ ж.: за ~ at half price [...hɑːf...]; (о крупной покупке) for half its worth: он купи́л кни́гу за ~ he bought the book at half price; он купи́л дом за ~ he bought the house* for half its worth [...haus...].

полчаса́ м. half an hour [hɑːf ən auə].

по́лчище с. (войско) horde; (перен.) mass.

полшага́ м. hálf-pàce [ˈhɑːf-].

по́л∥**ый** 1. (пустой) hóllow; метал. (об отливке) cored; 2.: ~ая вода́ flóod-wàter [ˈflʌdwɔː-].

по́лымя с.: из огня́ да в ~ погов. ≃ out of the frýing-pàn into the fire.

полы́нн∥**ый** wórmwood [-wud] (attr.); ~ая во́дка ábsinth.

полы́нь ж. wórmwood [-wud], ábsinth.

полынья́ ж. polýnia [-ˈlɪ-] (unfrozen patch of water in the midst of an icebound river).

полысе́ть сов. grow* bald [-ou...].

полыха́ть blaze.

по́льз∥**а** ж. use [-s]; bénefit, prófit; good [gud]; обще́ственная ~ public bénefit [ˈpʌ-...]; (благополучие) public wéll-bé∶ing; для о́бщей ~ы for the cómmon good; для ~ы кого́-л. for smb.'s good; for the bénefit of smb.; приноси́ть ~у (*дт.*) be of bénefit (to); э́то не принесло́ ему́ ~ы he derived no bénefit from it; извлека́ть из чего́-л. ~у deríve bénefit from smth., bénefit by smth.; кака́я от э́того ~? what good will it do?; обраща́ть в свою́ ~у (*вн.*) turn to one's own advántage [...oun -'va:n-] (*d.*); что ~ы говори́ть об э́том? what's the use of tálking abóut that?, what good does it do to talk abóut that?; ◇ в ~у (*рд.*) in fávour of, for; в ~у *и т.п.* ~у in his, *etc.*, fávour; 2 : 0 ~ у Дина́мо *спорт.* 2 : 0 to Dýnamo [...'dai-]; до́воды в ~у чего́-л. árguments in fávour of smth., árguments for smth.; он дал показа́ние в ~у подсуди́мого he gave évidence for the accúsed; э́то не говори́т в его́ ~у it is not to his crédit, it does not do him, *или* redóund to his, crédit, it does not speak well for him; говори́ть, реша́ть в чью-л. ~у speak*, decíde in smb.'s fávour; пойти́ на ~у кому́-л. do smb. good.

по́льзовани||е *с.* use [-s]; о́бщего ~я в / for géneral use; находи́ться в чьём-л. ~и be in smb.'s use; пра́во ~я right of úser; *юр.* úsufruct.

по́льзовать (*вн.*) *уст.* (*лечи́ть*) treat (*d.*).

по́льз||оваться (*тв.*) 1. make* use [...ju:s] (of); (*извлекать выгоду*) prófit (by); ~ слу́чаем take* an opportúnity; 2. (*обладать, иметь*) enjóy (*d.*): ~ права́ми enjóy the rights; ~ плода́ми (*рд.*) enjóy the fruits [...fru:ts] (of); ~ подде́ржкой (*рд.*) enjóy the suppórt (of); ~ привиле́гиями enjóy prívileges; ~ преиму́ществом enjóy an advántage [...-'va:-]; ~ дове́рием enjóy smb.'s cónfidence; — ~ уваже́нием be held in respéct; ~ успе́хом be a succéss; она́ ~уется больши́м успе́хом у мужчи́н she is much cóurted by men [...'kɔ:t-...]; ~ мирово́й изве́стностью be wórld-fámed [-'zes...], be in crédit.

по́лька I *ж.* Pole.

по́лька II *ж.* (*танец*) pólka.

по́льский Pólish ['pou-]; ~ язы́к Pólish, the Pólish lánguage.

польсти́ть *сов. см.* льстить 1, 2. ~ся *сов. см.* льсти́ться.

польщённый (*тв.*) fláttered (by).

полюби́ть *сов.* (*вн.*) come* to love [...lʌv] (*d.*), grow* fond [grou...] (of); (*влюбиться*) fall* in love (with); ◇ полюби́те нас чёрненькими, а бе́ленькими нас всяк полю́бит *посл.* ≃ take us as you find us. ~ся *сов.* (*дт.*) *разг.* catch* the fáncy (of); он ей полюби́лся he caught her fáncy, she took a líking / fáncy to him.

полюб||ова́ться *сов.* 1. *см.* любова́ться; 2. *разг. ирон.:* ~у́йтесь на себя́! just look at your:sélf!

полюбо́вн||о *нареч.* ámicably; реши́ть, ко́нчить де́ло ~ come* to an ámicable agréement. ~ый ámicable; ~ое соглаше́ние ámicable agréement / séttle:ment.

полюбопы́тствовать *сов. см.* любопы́тствовать.

по-лю́дски *нареч. разг.* as óthers do, in the accépted mánner; жить ~ live as óther péople do [lɪv... pi:-...], live like a (nórmal) húman bé:ing.

по́люс *м.* (*в разн. знач.*) pole; Се́верный ~ North Pole; Ю́жный ~ South Pole; положи́тельный, отрица́тельный ~ *эл.* pósitive, négative pole [-zɪ-...]; ~ непристу́пности pole of inaccessibility; два ~а (*перен.*) poles apárt. ~ный pólar.

поля́к *м.* Pole.

поля́на *ж.* glade, cléaring.

поляриз||а́тор *м. физ.* pólarizer ['pou-]. ~ацио́нный *физ.* pólarizable ['pou-]. ~а́ция *ж. физ.* polarizátion [poulərai-].

поляризова́ть *несов. и сов.* (*вн.*) *физ.* pólarize ['pou-] (*d.*).

поляри́метр *м. физ.* pólarimeter [pou-].

поля́рник *м.* pólar explórer; mémber of a pólar expedítion.

поля́рность *ж.* polárity.

поля́рн||ый árctic; pólar (*тж. перен.*); ~ круг pólar círcle; Поля́рная звезда́ the North Star, Pole Star; ~ая экспеди́ция expedítion to the pólar / árctic régions, pólar / árctic expedítion; ~ая ста́нция pólar státion; ~ая ночь the pólar night.

пома́д||а *ж.* pomáde [-'ma:d]; (*для волос тж.*) pomátum; губна́я ~ lipstick. ~ить, напома́дить (*вн.*) pomáde [-'ma:d] (*d.*), grease (*d.*).

пома́дка *ж. собир.* pomádka (*kind of sweets*).

пома́зан||ие *с. церк.* (*на ца́рство*) anóinting. ~ник *м. церк.* (*на ца́рство*) anóinted sóvereign [...'sovrɪn].

пома́зать I *сов.* 1. (*вн., тв.*) oil (*d.* with), spread* [spred] (*d.* on); 2. *как сов. к* ма́зать 2.

пома́зать II *сов.* (*вн.*) *церк.:* ~ на ца́рство anóint (*d.*).

помазо́к *м.* little brush; (*для бритья*) sháving-brush.

помале́ньку *нареч. разг.* little by little; (*о здоровье*) só-so.

пома́лкивать *разг.* hold* one's tongue [...tʌŋ]; keep* mum.

по-мальчи́шески *нареч.* in a bóyish way, like a boy.

помани́ть *сов. см.* мани́ть 1.

пома́рка *ж.* blot; (*карандашом*) péncil mark; (*исправление*) corréction.

помаха́ть *сов.* 1. (*немного*) wave (for a while); (*весело*) ~ руко́й give* a (chéery) wave; помаши́ ему́ руко́й wave your hand to him; 2. *как сов. к* маха́ть.

пома́хива||ть (*тв.*) wave (*d.*); (*тросточкой и т.п.*) whisk (*d.*), swing* (*d.*); (*хвостом*) wag [wæg] (*d.*); он шёл, ~я тро́сточкой he walked twírling / swínging his cane; соба́ка ~ет хвосто́м the dog wags his tail.

поме́длить *сов.* (*с тв.*) línger (on).

помело́ *с.* broom.

поме́ньше (*сравн. ст. от прил.* ма́ленький *и нареч.* ма́ло) (*по количеству*) (just) a little less; (*по размеру*) (just) a little less / smáll:er; (sóme:what) less / smáll:er.

поменя́ть *сов. см.* меня́ть 2. ~ся *сов. см.* к меня́ть II 1.

помера́нец *м.* 1. (*плод*) bítter / wild órange; 2. (*дерево*) wild órange-tree.

помера́нцев||ый *прил. к* помера́нец; ~ые цветы́ órange-blóssom *sg*.

помере́ть *сов. см.* помира́ть.

помере́щиться *сов. см.* мере́щиться.

помёрз||нуть *сов. разг.* be frost-bítten; цветы́ ~ли the flówers have been killed by frost.

поме́рить *сов. см.* ме́рить II.

поме́риться *сов. см.* ме́риться I.

поме́ркнуть *сов. см.* ме́ркнуть.

помертве́лый déathly pale ['deθ-...].

помертве́ть *сов.* (*от у́жаса, го́ря и т.п.*) grow* stiff / cold [grou...] (*with fright, grief, etc.*).

помести́тельн||ость *ж.* spácious:ness; (*вместительность*) capácious:ness. ~ый (*просторный*) róomy, spácious; (*вместительный*) capácious.

помести́ть *сов. см.* помеща́ть. ~ся *сов. см.* помеща́ться 2.

поме́стн||ый: ~ое дворя́нство *ист.* lánded géntry.

поме́стье *с.* estáte; (*родовое, наследственное*) pátrimony.

по́месь *ж.* 1. cross-breed; (*гибрид*) hýbrid ['hai-], 2. *разг.* (*смесь, соединение чего́-л. разноро́дного*) mísh-másh.

поме́сячн||о *нареч.* by the month [...mʌ-], per month; mónthly ['mʌ-]. ~ый mónthly ['mʌ-].

помёт I *м.* (*кал животных, птиц*) dung, éxcrement; dróppings *pl*.

помёт II *м.* (*выводок*) lítter, brood; (*о поросятах*) fárrow.

поме́т||а *ж.* mark; стилисти́ческие ~ы úsage lábels ['ju:z-...].

поме́т||ить *сов. см.* помеча́ть. ~ка *ж.* mark, note; де́лать ~ки на поля́х make* notes in the márgin.

помех||а *ж.* 1. híndrance; (*препятствие*) óbstacle; en:cúmbrance; быть ~ой (в *пр.*) hínder (*d.*), stand* in the way (of); 2. *обыкн. мн.* рад., *тлв.* ínterference [-'fɪə-] *sg*.

помеча́ть, поме́тить (*вн. тв.*) mark (*d.* with); (*о дате*) date (*d. d.*); ~ га́лочкой mark with a tick (*d.*), tick off (*d.*); он поме́тил письмо́ 15-м декабря́ he dáted *the* létter the 15th of Decémber.

поме́ш||анный 1. *прил.* mad, crázy; (*психически больной*) insáne; (*на пр.; перен.*) mad (on, abóut), crázy (abóut); 2. *как сущ. м.* mád:man; *ж.* mád:wòman [-wu-]; *мн.* the mad. ~а́тельство *с.* mádness, craze; (*безумие*) insánity; (*на пр.; перен.*) infatuátion (for).

помеш||а́ть I *сов. см.* меша́ть I; э́то не ~а́ет it won't hurt [...wount...].

помеша́ть II *сов.* (*размешать*) 1. (*немного*) stir (a little, for a while); 2. *как сов. к* меша́ть II 1.

помеша́ться *сов.* (*сойти́ с ума́*) go* mad, go* crázy; (*на пр.; перен.*) mad (on, abóut).

поме́шивать (*вн.*) stir slówly [...-ou-] (*d.*).

помещ||а́ть, помести́ть (*вн.*) 1. place (*d.*), put* (*d.*); locáte (*d.*); (*о капитале, деньгах*) invést (*d.*); ~ объявле́ние ádvertise, put* up *an* advértise:ment [...-s-]; ~ на пе́рвой страни́це (*о фотогра́фии и т.п.*) féature / cárry on the front page [...frʌnt...] (*d.*); ~ статью́

457

insért an árticle; 2. (поселять) lodge (d.), accommodáte (d.), put* up (d.). ~áться, помести́ться 1. тк. несов. (находиться) be; be housed (жить) lodge, be accommodáted / locáted; учрежде́ние ~а́ется в э́том зда́нии the office is in this búilding [...'bɪl-]; 2. (вмещаться; о людях) find* room*; (о вещах) go* in; (ср. тж. вмеща́ться); 3. страд. к помеща́ть. ~е́ние с. 1. (действие) locátion; (капитала) invéstment; 2. (жильё) lódging, apártment, room; (для учреждения и т. п.) prémises [-sɪz] pl.; здесь большо́е ~е́ние there is plénty of room here; обеспе́чить ~е́нием (вн.) províde accommodátion (for); ~е́ния для скота́ hóusing for líve:stock; жило́е ~е́ние líving accommodátion ['lɪv-...]; произво́дственные ~е́ния indústrial prémises.

помéщи||к м. lándowner [-ounə], lándlord; lánded géntle:man*, lord of the mánor [...'mæ-]. ~ца ж. land-ówning lády ['oun-...], lády of the mánor [...'mæ-]. ~чий прил. к помéщик; ~чий дом mánor-house* ['mæ- -s]; ~чья уса́дьба cóuntry estáte ['kʌl-...]; уничтоже́ние ~чьего землевладе́ния abolítion of lándlord próperty rights.

помидо́р м. tomáto [-'mɑː-].

помилова́ни||е с. párdon, forgíve:ness [-'gɪv-]; про́сьба о ~и appéal (for párdon).

поми́лова||ть сов. (вн.) párdon (d.), forgíve* [-'gɪv] (d.), show* mércy [ʃou...] (to, on); быть ~нным obtáin mércy.

поми́луй, ~те пов. разг. for píty's / góod:ness' sake! [...'pɪ-...].

поми́мо предл. (рд.) 1. (сверх) besídes; (исключая) apárt from: там бы́ло мно́го наро́ду ~ них there were many people besídes them [...piː-...]; ~ други́х соображе́ний other consideráions apárt; 2. (без ведома, участия кого-л.) without smb.'s knówledge [...'nɔ-]: э́то бы́ло сде́лано ~ него́ this was done without his knówledge.

поми́н м. разг.: лёгок на ~е ≅ talk of the dévil (and he is sure to appéar) [...ʃuə-...]; его́ и в ~е нет ≅ there is no trace of him; об э́том и ~у не́ было there was no méntion of it, no méntion was made of it.

помина́льн||ый уст.: ~ обе́д fúneral repást; ~ые обря́ды fúneral rites.

помин||а́ть, помяну́ть (вн.) 1. méntion (d.), make* méntion (of); помяну́ть кого́-л. хоро́шим сло́вом разг. speak* well of smb.; помяни́(те) моё сло́во разг. mark my words; 2. церк. pray (for) ◇ не ~а́й(те) меня́ ли́хом реме́мбер me kíndly; think kíndly of me; ~а́й, как зва́ли погов. ≅ and that was the last that was éver seen (of him, them, etc.).

поми́нки мн. fúneral repást / bánquet sg.

поминове́ние с. уст. prayer (for the dead) [prɛə...ded]; remémbrance (of the dead) in prayer.

помину́тн||о нареч. évery móment / mínute ['mɪnɪt]; ~ кто́-нибудь звони́т ему́ по телефо́ну évery móment / mínute sóme:body rings him up. ~ый 1. (беспрестанный) occúrring évery mínute [...'mɪnɪt]; cónstant, contínual; 2. (исчисляемый по минутам) per mínute.

помира́ть, помере́ть разг. die; ◇ ~ со́ смеху ≅ die láughing [...'lɑːf-].

помири́ть сов. см. мири́ть 1. ~ся сов. см. мири́ться 1.

по́мн||ить (вн., о пр.) remémber (d.), keep* in mind (d.); он ~ит об э́том he remémbers it; он всё вре́мя ~ит об э́том he néver forgéts it [...-g-...]; he thinks of nóthing else; твёрдо ~ keep* / bear* fírmly in mind [...bɛə...] (d.); ◇ не ~ себя́ (от) be besíde onesélf (with). ~иться 1. (дт.): ему́, им и т. д. э́то ~ится he remémbers, they remémber, etc., it; ему́, им и т. д. хорошо́ ~ились э́ти стро́ки he, they, etc., remémbered these lines véry well; ему́, им и т. д. э́то до́лго ~илось he, they, etc., remémbered, или kept remémbering, it for a long time; he, they, etc., néver forgót it; it stuck in his mind, their minds, etc., for a long time; наско́лько ему́, им и т. д. ~ится as far as he, they, etc., can remémber; таки́е ве́щи до́лго ~ятся one remémbers such things for a long time, one néver forgéts such things [...-'gets...]; 2. безл.: ~ится как вводн. сл. разг. I remémber (that); ~ится, он тебе́ тогда́ не понра́вился I remémber (that) you did not like him then; ~ится, он жил здесь когда́-то I remémber he lived here once [...lɪvd... wʌns].

помно́гу нареч. in plénty, in large númbers / quántities.

помнож||а́ть, помно́жить (вн. на вн.) múltiply (d. by); ~ два на три múltiply two by three; два, помно́женное на два, равня́ется четырём twice two is four [...fɔː], two twos are four; семь, помно́женное на де́сять, равня́ется семи́десяти séven times ten is séventy ['se-...].

помно́жить сов. см. помножа́ть и мно́жить 1.

помога́ть, помо́чь 1. (дт.) help (d.), assíst (d.), aid (d.); (материально) suppórt (d.); кому́-л. подня́ться help smb. up; кому́-л. сойти́, спусти́ться help smb. down; ~ кому́-л. наде́ть пальто́ help smb. on with his (óver:)coat; э́то де́лу не помо́жет this won't mend mátters [...wount...]; it won't do any good; 2. (без доп.; дава́ть жела́емый результа́т) be efféctive; relíeve [-iːv].

по-мо́ему нареч. 1. (по моему мнению) as I think; in, или accórding to, my opínion; to my mind, to my way of thínking; 2. (по моему желанию) as I want / wish; as I would have it; (по моему совету) as I advíse.

помо́||и мн. slops; облива́ть ~я́ми кого́-л. разг. ≅ fling* mud at smb.

помо́йка ж. разг. rúbbish heap / dump / tip; (ящик) dústbin; gárbage can амер. ~ный: ~ное ведро́ slóp-pail; ~ная я́ма refúse / rúbbish pit [-s-...], césspit.

помо́л м. тк. ед. 1. (действие) gríinding; 2. (качество размола) grade: му́ка́ ме́лкого ~а fíne-ground flour; му́ка́ кру́пного ~а cóarse-ground flour.

помо́лв||ить сов. уст.: быть ~ленным с кем-л. be engáged to smb.; be betróthed to smb. [...-ouðd...]. ~ка ж. уст. engáge:ment; betróthal [-ouðˡl].

помоли́ться сов. см. моли́ться 1.

помоло́деть сов. см. молоде́ть.

помолога́ия ж. pomólogy.

помолча́ть сов. (некоторое время и т. п.) be sílent (for a while, etc.); ~и́(те)! sílence! ['saɪ-], stop tálking!

помо́р м., ~ка ж. cóast-dwéller (of Rússian inhábitants of coast of White Sea). ~ский прил. к помо́р.

поморо́зить сов. (вн.) freeze* (d.), congéal (d.); spoil* by expósure to frost [...-'pou-...] (d.).

помо́рщиться сов. make* a wry face.

помо́рье с. séaboard; líttoral région, cóastal área [...'ɛərɪə].

помо́ст м. dáis ['deɪs], stage, plátform; róstrum (pl. -ra); (эшафот) scáffold.

помо́ч||и мн. 1. léading strings; 2. (подтяжки) (pair of) bráces; ◇ быть, ходи́ть на ~а́х be in léading strings.

помочи́ть сов. (вн.) móisten slightly [-sn...] (d.). ~ся сов. см. мочи́ться.

помо́чь сов. см. помога́ть.

помо́щни||к [-шн-] м., ~ца [-шн-] ж. assístant; help, hélper; ~ дире́ктора assístant diréctor; ~ заве́дующего assístant mánager; ~ маши́ниста éngine-dríver's mate / assístant ['endʒ-...]; ~ капита́на мор. mate.

по́мощ||ь ж. help, assístance, aid; (общественная и т. п.) relíef [-'liːf]; оказа́ть ~ (дт.) give* help (i.), help (d.); rénder assístance (i.); приходи́ть на ~ (дт.) come* to the aid (of); пода́ть ру́ку ~и (дт.) give* / lend* a hélping hand (i.), lend* a hand (i.); на ~! help!; при ~и, с ~ью (рд.) with the help / aid (of), by means (of); без посторо́нней ~и unassísted; síngle-hánded разг.; пе́рвая ~ first aid; ско́рая ~ (emergency) first aid; автомоби́ль ско́рой ~и ámbulance car; ~ на дому́ out relíef, home help, home vísiting sérvice [...-z-...]; техни́ческая ~ téchnical aid / assístance, fírst-aid repáir.

помпа I ж. тех. pump.

помпа II ж. тк. ед. (торже́ственность) pomp, state.

помпе́зн||ость ж. pompósity. ~ый pómpous.

помпо́н м. pómpon ['pɔ:mpɔ:n].

помрач||а́ть, помрачи́ть (вн.) уст. dárken (d.), obscúre (d.); (о рассудке) dull (d.), cloud (d.). ~а́ться, помрачи́ться 1. grow* dark [-ou...], becóme* obscúred; 2. страд. к помрача́ть. ~е́ние с. becóming dark / obscúred / clóuded; ◇ уму́ ~е́ние уст. it takes one's breath awáy [...breθ...]. ~ённый: ~ённый взор clóuded eyes [...aɪz] pl.

помрачи́ть(ся) сов. см. помрача́ть(ся).

помрачне́ть сов. см. мрачне́ть.

помут||и́ть сов. см. мути́ть 2. ~и́ться сов. см. мути́ться 2. ~не́ние с. dímness. ~не́ть сов. см. мутне́ть.

помуч||ить сов. make* súffer (d.), tormént (d.). ~ся сов. 1. (немного и т. п.) súffer (for a while, etc.); 2. (потрудиться) take* pains.

помча́ть *сов.* 1. (*вн.*) whirl off / awáy (*d.*); 2. *разг.* = помча́ться. ~ся *сов.* dart, begin* to tear alóng [...tɛə...].

помы́кать (*тв.*) *разг.* órder abóut (*d.*).

по́мысел *м.* (*мысль*) thought; (*намерение*) desígn [-'zaɪn], inténtion.

помы́слить *сов. см.* помышля́ть.

помы́ть(ся) *сов. см.* мы́ть(ся).

помышле́ние *с. = помысел.*

помышля́ть, помы́слить (о *пр.*) *разг.* think* (abóut); (*мечтать*) dream* (of).

помяну́ть *сов. см.* помина́ть.

помя́тый 1. *прич. см.* помя́ть; 2. *прил. разг.* (*о лице*) flábby, bággy.

помя́ть *сов. см.* мять. ~ся *сов. см.* мя́ться I.

по-над *предл.* (*тв.*) *поэт.* alóng, by.

понаде́яться *сов. разг.* (на что-л.) count (upón smth.); (на кого-л.) relý (on smb.).

пона́доби||ться *сов.* (*дт.*) *разг.*: ему́, им *и т. д.* это мо́жет ~ he, they, *etc.*, may need it, *или* may have need of it, *или* may be in need of it; ему́, им *и т. д.* эта кни́га не ~лась he, they, *etc.*, did not need this book, *или* had no need of this book, he was, they were *etc.*, not in need of this book; е́сли ему́ э́то когда́-л. ~тся if he ever needs it, *или* has need of it, *или* is in need of it; е́сли ~тся if nécessary, if need be; е́сли ~тся, он тебе́ позвони́т if nécessary he will ring you up.

понае́хать *сов. разг.* come* in large númbers.

понапра́сну *нареч. разг.* in vain.

понаро́шку *нареч. разг.* for fun, preténding, in preténce.

понаслы́шке *нареч. разг.* by héarsay.

по-настоя́щему *нареч.* (*как следует*) in the right way, próperly.

понату́житься *сов. разг.* put* one's back into the job.

понача́лу *нареч. разг.* at first, first:ly, in the beginning.

по-на́шему *нареч.* 1. (*по нашему мнению*) as we think; in, *или* accórding to, our opinion; to our way of thínking; 2. (*по нашему желанию*) as we would wish; as we would have it; (*по нашему совету*) as we advíse; бу́дет ~ we have it our own way [...oun...]; it has turned out as we would have wished; 3. (*по нашему обычаю*) accórding to our cústom.

поне́ва *ж.* hóme:spùn wóollen skirt [...'wul-...].

понево́ле *нареч.* (*по необходимости*) wílly-nílly; (*против воли*) against one's will.

понеде́льник *м.* Mónday ['mʌndɪ]; по ~ам on Móndays, évery Mónday.

понеде́льн||о *нареч.* by the week, per week; wéekly. ~ый wéekly.

поне́житься *сов.* take* one's ease, lúxúriate.

понемно́||гу, ~жку *нареч.* 1. líttle, a líttle at a time; он ест ~, но ча́сто he eats líttle but óften [...'ɔ:f(t)ⁿ]; 2. (*постепенно*) líttle by líttle; не́бо ~ проясни́лось líttle by líttle the sky cleared.

понес||ти́ *сов. см.* нести́ I 1, 2, 6 и носи́ть 1, 2. ~ти́сь *сов.* 1. *см.* нести́сь I и носи́ться I 1; 2. (за *тв.*) rush off (áfter), dash off (áfter), tear* alóng [tɛə...] (áfter); он понёсся за ни́ми he rushed / dashed off áfter them, he tore áfter them; 3. (*помчаться*) dash off, tear* off; ло́шади ~ли́сь the hórses dashed / tore / gálloped off.

по́ни *м. нескл.* póny.

пониж||а́ть, пони́зить (*вн.*) lówer ['louə] (*d.*); (*ослаблять, уменьшать*) redúce (*d.*); ~ це́ны lówer príces; ~ по слу́жбе demóte (*d.*); ~ го́лос lówer / drop one's voice. ~ся, пони́зиться 1. fall* / go* down, drop; (*о ценах тж.*) sink*; 2. *страд. к* понижа́ть.

пони́же (*сравн. ст. от прил.* ни́зкий *и нареч.* ни́зко) (ráther, *или* a líttle) lówer ['rɑː-... 'louə]; (*о росте человека*) (ráther, *или* a líttle) shórter.

пониже́ние *с.* fall, lówering ['lou-], drop; (*уменьшение, ослабление*) redúction; ~ цен redúction / fall in príces; ~ давле́ния préssure drop; ~ у́ровня воды́ sínking / abáte:ment of the wáter-lèvel [...'wɔː- -le-]; ~ по слу́жбе demótion; ~ зарабо́тной пла́ты wage cut; игра́ть на ~ (*на бирже*) spéculàte for a fall, sell* short; bear [bɛə] *разг.*

пони́женный 1. *прич. см.* понижа́ть; 2. *прил.* low [lou]; (*перен.*) depréssed.

пони́зить(ся) *сов. см.* понижа́ть(ся).

понизо́вье *с.* lówer réaches ['louə...] *pl.*

пони́зу *нареч.* low [lou]; alóng the ground, close to the ground [-s...]; дым сте́лется ~ smoke hangs low.

поника́ть, пони́кнуть droop; (*о растениях тж.*) wilt; ~ голово́й hang* one's head [...hed].

пони́кнуть *сов. см.* поника́ть и ни́кнуть.

понима́ни||е *с.* 1. ùnderstánding, còmprehénsion; э́то вы́ше моего́ ~я it is beyónd my ùnderstánding / còmprehénsion, it is beyónd me; 2. (*толкование, точка зрения*) ìnterpretátion, concéption; sense; в маркси́стском ~и in the Márxist sense; в моём ~и as I see it.

понима́||ть, поня́ть 1. (*вн.*) ùnderstánd* (*d.*); (*постигать*) còmprehénd (*d.*); (*осознавать*) réalize ['rɪə-] (*d.*); ~ю!, по́нял! I see!; я вас ~ю I see your point; пойми́(те) меня́ don't mìsunderstánd me; don't get me wrong *разг.*; легко́ поня́ть it will be éasily ùnderstóod [...'iːz-...]; поня́ть намёк take* the hint; поня́ть непра́вильно mìsunderstánd* (*d.*), mistáke* (*d.*); пора́, наконе́ц, поня́ть, что it is high time it was réalized that; 2. *тк. несов.* (*вн.*, в *пр.*) знать толк) be a good judge (of); он ~ет му́зыку, *или* в му́зыке he is a good judge of músic [...-zɪk]; он пло́хо ~ет жи́вопись he is no judge of páinting; ◇ дать поня́ть (*дт.* *вн.*) give* (*i.*) to ùnderstánd (*d.*); он дал я́сно поня́ть, что he made it clear that. ~ющий ùnderstánding; ~ющий взгляд ùnderstánding look.

по-но́вому *нареч.* in a new fáshion; нача́ть жить ~ start life afrésh; turn over a new leaf *идиом.*

поножо́вщина *ж. разг.* knífe-fight, knífing.

понома́рь *м.* séxton, sácristan.

ПОМ—ПОН П

поно́с *м.* dìarrh(ó)ea [-'rɪə]; крова́вый ~ blóody flux [-ʌdɪ...].

поноси́ть I (*вн.*; *оскорблять*) abúse (*d.*), deféme (*d.*), revíle (*d.*).

поноси́ть II *сов.* (*вн.*) 1. (*некоторое время и т. п.*) cárry (for a while, *etc.*) (*d.*); 2. (*о платье и т. п.*) wear* [wɛə] (*d.*); (*некоторое время и т. п.*) wear* (for a while, *etc.*) (*d.*).

поно́с||ка *ж.* 1. (*вещь, которую несёт в зубах собака*) óbject cárried by a dog betwéen its teeth; 2. (*умение собаки носить вещи в зубах*) cárrying; обучи́ть соба́ку ~ке train a dog to cárry things.

поно́сн||ый *уст.* abúsive, defámatory; ~ые слова́ abúsive words.

поноше́ние *с.* abúse [-s], dèfamátion, revíling

поно́шенный shábby, thréadbàre ['θred-], frayed; (*перен.*: *о человеке*) hággard, worn [wɔːn]; ~ костю́м shábby / thréadbàre suit [...sjuːt]; ~ вид hággard appéarance, worn look.

понра́виться *сов. см.* нра́виться.

понтёр *м. карт.* púnter.

понти́ровать *карт.* punt.

понто́н *м.* 1. (*плоскодонное судно*) pòntóon; pòntón *амер.*; 2. (*мост*) pòntóon-bridge. ~ёр *м.* pòntoonéer, pòntoniér. ~ный pòntóon (*attr.*); ~ный мост pòntóon-bridge; ~ная ро́та pòntóon cómpany [...'kʌ-]; ~ное де́ло pòntóon-brìdging.

понуди́тельный impélling, préssing.

пону́дить *сов. см.* понужда́ть.

понужд||а́ть, пону́дить (*вн.* + *инф.*) force (*d.* + to *inf.*), compél (*d.* + to *inf.*), impél (*d.* + to *inf.*). ~е́ние *с.* compúlsion.

понук||а́ние *с. разг.* dríving on, spéeding on, úrging on. ~а́ть (*вн.*) *разг.* drive* on (*d.*), speed* on (*d.*), urge (*d.*), urge on (*d.*).

пону́р||ить *сов.:* ~ го́лову hang* one's head [...hed]; ~ив го́лову hánging one's head, with head lówered [...'lou-]. ~ый dówn:càst, depréssed.

по́нчик *м.* dóughnùt ['dou-].

поны́не *нареч.* up to the présent (time) [...'prez-...], until now, till now.

поню́хать *сов. см.* ню́хать.

поню́ш||ка *ж.*: ~ табаку́ pinch of snuff; ◇ ни за ~ку табаку́ for nothing, in vain.

поня́т||ие *с.* 1. idéa [aɪ'dɪə], nótion, concéption; име́ть ~ о чём-л. have an idéa, *или* a nótion, of smth.; не име́ть (ни мале́йшего) ~ия о чём-л. have no idéa / nótion of smth., have not the slíghtest / fáintest / remótest idéa / nótion of smth.; растяжи́мое ~ loose cóncept [-s...]; 2. *филос.* cóncèpt. ~ийный concéptual. ~ливость *ж.* còmprehénsion. ~ливый quick in the úptake; он ~ливый (учени́к, студе́нт, ребёнок *и т. п.*) he is quick, he cátches on quíckly.

поня́тно I 1. *прил. кратк. см.* поня́тный; 2. *предик. безл.* it is clear; ~! *разг.* I see!; ~? *разг.* (you) see?; ~, что (*ясно*) it is clear that; (*естественно*) it is quite nátural that; вполне́

ПОН – ПОП

~, что it is quite clear / understandable that; one can well understand that; 3. *как вводн. сл.* (*естественно*) naturally; (*конечно*) of course [...kɔːs].

понятно II *нареч.* clearly, plainly; (*вразумительно*) forcibly, perspicuously.

понятн∥ость *ж.* clearness, intelligibility; (*вразумительность*) perspicuity. ~ый intelligible; (*ясный*) clear; это ~о (*ясно*) it is clear; (*естественно*) it is natural; ◊ ~ое дело, ~ая вещь *как вводн. сл. разг.* quite naturally.

понятой *м. скл. как прил.* witness (*at an official search, etc.*).

понять *сов. см.* понимать 1.

пообедать *сов. см.* обедать.

пообещать *сов.* (*вн. дт.*) promise [-s] (*d. i.*). ~ся *сов. разг.* promise [-s].

пообжиться *сов. разг.* get* accustomed to one's new surroundings.

пообноситься *сов. разг.* be short of clothes [...klou-].

поодаль *нареч.* at some distance, aloof.

поодиночке *нареч.* one at a time, one by one.

по-осеннему *нареч.* as in autumn.

поосмотреться *сов. разг.* take* a look round, get* accustomed to one's new surroundings.

поочерёдн∥о *нареч.* in turn, by turns. ~ый by turn; у постели больного было установлено ~ое дежурство they took it in turns to watch the sick man*.

поощр∥ение *с.* encouragement [-ˈkʌ-]; материальное ~ financial incentives [faɪ-...] *pl.* ~ительный encouraging [-ˈkʌ-]. ~ить *сов. см.* поощрять.

поощрять, поощрить (*вн.*) encourage [-ˈkʌ-] (*d.*); (*гл. обр. материально*) give* an incentive (to), stimulate the interest (of); (*поддерживать*) countenance (*d.*).

поп I *м. разг.* priest [-iːst]; ◊ каков ~, таков и приход *погов.* like priest, like people [...piː-]; ≃ like master, like man.

поп II *м.* pin (*in game of gorodki*); ◊ поставить на ~а (*вн.*) *разг.* stand* on end (*d.*), place upright (*d.*).

попадание *с.* (*в цель*) hit; прямое ~ direct hit.

попадать *сов.* fall* one after the other.

попадать, попасть 1. (*в вн.*; *в цель и т. п.*) hit* (*d.*); пуля попала ему в ногу the bullet hit / struck him in the leg [...ˈbu-...]; в цель не попасть miss (one's aim); 2. (*куда-л.*) get*; (*очутиться*) find* oneself; fetch up (at) *разг.*; попасть на поезд, трамвай *и т. п.* catch* a train, tram, *etc.*; письмо попало не по адресу the letter came to the wrong address; как попасть на вокзал? what is the way to the railway station?; попасть кому-л. в руки fall* into smb.'s hands; попасть под суд be brought to trial; попасть в плен be taken prisoner [...ˈprɪz-]; попасть в беду get* into trouble [...trʌbl]; come* to grief [...-iːf] *идиом.*; ~ в неприятное положение get* into trouble; get* into a scrape; be in a nice mess; ◊ попасть пальцем в небо *разг.* ≃ be wide of the mark; take* the wrong sow by the ear [...sou...] *идиом.*; попасть в самую точку ≃ hit* (the right) nail on the head [...hed], hit* the mark, strike* home; ему попало *разг.* he caught it (hot); ему попадёт! *разг.* he will catch it!, he will get it hot!; как попало (*небрежно*) anyhow; any old way; (*в беспорядке, панике*) helter-skelter; где попало anywhere; кому попало to anybody; он готов отдать это кому попало he is ready to give it to anybody [...ˈredɪ...]. ~ся, попасться 1. be caught; get*; ~ся с поличным be taken / caught red-handed; ~ся на удочку swallow / take* the bait; (*перен. тж.*) fall* for the bait; ~ся кому-л. в руки fall* into smb.'s hands; больше не попадайся don't let me, him, *etc.*, catch you again; 2. (*дт.*; *встречаться*): по дороге ему, ей *и т. д.* попался только один человек on the way he, she, *etc.*, came across, *или* ran into, only one man*; эта книга ему попалась совершенно случайно he came across, *или* found, this book quite by chance; на экзамене ему попался трудный билет at the examination he drew a difficult question [...-stʃən]; ~ся кому-л. на глаза catch* / meet* smb.'s eye [...aɪ]; ◊ что попадётся anything; первый попавшийся the first comer [...ˈkʌ-], the first person one comes across; anybody.

попадья *ж.* priest's wife* [priː-...].

попадя: чем (ни) ~ *разг.* with whatever comes to hand.

попарно *нареч.* in pairs, two and / by two.

попасть(ся) *сов. см.* попадать(ся).

попа́хива∥ть (*тв.*) *разг.* smell* slightly (of); здесь ~ет дымом there is a smell of smoke here.

попенять *сов. см.* пенять.

поперёк *нареч. и предл.* (*рд.*) across: перерезать что-л. ~ cut* smth. across; протянуть что-л. ~ stretch smth. across; ~ улицы across the street; лечь ~ постели lie* across the bed; ◊ вдоль и ~ *разг.* (*во всех направлениях*) far and wide; (*во всех подробностях*) thoroughly [ˈθʌrə-], minutely [maɪ-...]; знать что-л. вдоль и ~ know* smth. thoroughly, *или* through and through [nou...], know* smth. inside out, know* all the ins and outs of smth.; стоять у кого-л. ~ дороги be in smb.'s way; стать кому-л. ~ горла *разг.* stick* in one's craw.

попеременно *нареч.* in turn, by turns, alternately.

попереть *сов. разг.* 1. go*, make* one's way; он попёр через толпу he barged through the crowd; 2. (*вн.*; *выгнать*) drive* out (*d.*); (*с работы*) sack (*d.*).

поперечина *ж.* cross-beam, cross-piece [-piːs], cross-bar.

поперечник *м.* diameter; пять метров в ~е five metres in diameter; five metres across.

поперечн∥ый diametrical, transversal [-nz-], cross, cross-cut; ~ разрез, ~ое сечение cross-section; ~ая пила cross-cut saw; ~ая балка transverse (beam) [-nz-...], cross-beam; ◊ (каждый) встречный и ~ *разг.* anybody and everybody; (every) Tom, Dick and Harry *идиом.*

поперхнуться *сов.* (*тв.*) choke (over).

поперчить *сов. см.* перчить.

попечени∥е *с.* care; иметь кого-л. на ~и have smb. in charge, have smb. to take care of, have smb. to care for; быть на ~и (*рд.*) be in the charge (of); ◊ отложить ~ о чём-л. cease caring about smth. [-s...].

попечитель *м.* 1. trustee, guardian; 2. *ист.* (*руководитель некоторых учреждений*) warden, administrator. ~ница *ж.* к попечитель 1. ~ство *с.* 1. trusteeship, guardianship; 2. *ист.* board of guardians.

попива∥ть *разг.* 1. (*вн.*) drink* slowly [...ˈslou-] (*d.*), sip (*d.*); сидит и чаёк ~ет he, she sits sipping his, her tea; 2. (*без доп.*; *пьянствовать понемногу*) take* to drink, drink* occasionally; take* to the bottle *идиом.*

попирать, попрать (*вн.*) trample (*d.*, on); (*перен. тж.*) defy (*d.*), flout (*d.*), scorn (*d.*); ~ ногами tread* under foot* [tred... fut] (*d.*); ~ права (*рд.*) violate the rights (of).

попировать *сов.* feast.

пописать *сов.* write* (for some time, for a while), do some writing; ◊ ничего не попишешь *разг.* nothing can be done about.

попискивать cheep.

пописывать (*вн.*) *разг.* write* (*d.*); do an occasional bit of writing; *ирон.* (*о литераторе и т. п. тж.*) scribble (*d.*).

попить *сов.* have a drink.

попка *м. разг.* (*попугай*) parrot, Polly.

поплавать *сов.* have / take* a swim.

поплавковый float-; ~ гидросамолёт float-plane.

поплавок *м.* 1. float; 2. *разг.* (*ресторан*) floating restaurant [...-tərɔ:ŋ], floating bar.

поплакать *сов.* 1. (*некоторое время, немного и т. п.*) cry / weep* (for a while, a little, *etc.*), shed* a few tears; 2. *как сов. к* плакать. ~ся *сов. см.* плакаться.

по-пластунски *нареч.*: ползание ~ leopard crawl [ˈlep-...], crawl on one's stomach [...ˈstʌmək].

поплатиться *сов. см.* платиться.

поплёвывать *разг.* spit*.

поплестись *сов. разг.* push off [puʃ...], drag oneself along.

поплин *м. текст.* poplin. ~овый *прил. к* поплин.

поплотнеть *сов. см.* плотнеть.

поплыть *сов.* 1. *см.* плавать; 2. (*о пловце*) strike* out, start swimming.

поплясать *сов.* 1. (*некоторое время, немного и т. п.*) dance, have a dance; 2. *как сов. к* плясать; ◊ он у меня попляшет *разг.* ≃ he will get it hot, he will catch it.

попович *м.* son of a priest [sʌn ...priː-].

поповна *ж.* daughter of a priest [...priː-].

попозже (*сравн. ст. от нареч.* поздно) (a little) later.

попойка *ж.* drinking-bout, carouse.

пополам *нареч.* in two, half-and-half [ˈhɑːf-]: делить ~ (*вн.*) divide in two (d.), divíde in half [...hɑ:f] (d.), halve [hɑ:v] (d.); давайте заплатим ~ let's go halves.

поползнове́ние с. faint / feeble éffort.

поползти́ сов. см. ползти́.

пополне́ние с. 1. replénishment; ~ боеприпа́сами replénishment of ammuni̇́tion; ~ запа́сов то́плива re:fuelling [-'fju-]; ~ библиоте́ки stócking of library funds [...'laı-...]; 2. воен. (людьми) re:ínforce:ment, draft; ~ поте́рь re:pláce:ment of cásualties [...-ʒuəl-]; 3. (то, чем пополняется что-л.; о войсках) re:ínforce:ments pl.; fresh fórces pl.; (о кадрах) addítional staff.

пополне́ть сов. см. полне́ть.

попо́лнить(ся) сов. см. пополня́ть(ся).

пополня́ть, попо́лнить (вн.) 1. repléni̇́sh (d.); fill up (d.), súpplement (d.); (о знаниях) enri̇́ch (d.), widen (d.), enlárge (d.); ~ запа́сы то́плива re:fuel [-'fjuəl] (d.); 2. воен. (людьми) re:mán (d.), re:ínforce (d.); (о потерях) re:pláce (d.). ~ся, попо́лниться 1. in:créase [-s], be repléni̇́shed; (о знаниях) wi̇́den (d.); 2. страд. к пополня́ть.

прополоска́ть сов. (вн.; о белье) ri̇́nse (out) (d.); (о горле) gárgle (d.).

пополу́||дни нареч. in the áfternoon, post meri̇́diem [poust...] (сокр. p. m. ['pi:'em]). ~ночи нареч. áfter mi̇́dnight, ánte meri̇́diem (сокр. a. m. ['eı'em]).

попо́мн||ить сов. разг. (вн.) remémber (d.); я тебе́ это ~ю I'll repáy you, или pay you back, for this; I'll get éven with you; ◇ ~и(те) моё сло́во! mark my words!

попо́на ж. hórse-cloth.

попо́ртить сов. разг. = испо́ртить см. по́ртить.

попо́тчевать сов. см. по́тчевать.

поправе́ть сов. см. праве́ть.

попра́вимый répȧ́rable, remé̱diable.

попра́в||ить(ся) сов. см. поправля́ть(ся). ~ка ж. 1. тк. ед. (о здоровье) recóvery [-'kʌ-]; у него́ де́ло идёт на ~ку he is on the way to recóvery; he is on the mend разг.; 2. (почи́нка) repáiring, ménding; 3. (исправле́ние) corré̱ction; (к законопроекту и т.п.) améndment; вноси́ть ~ки (в вн.) aménd (d.), insért / introdúce améndments (ínto). ~ле́ние с. corré̱ction; (восстановление) restorátion; (переводится тж. формой на -ing от соответствующих глаголов; см. поправля́ть).

поправля́ть, попра́вить (вн.) 1. (чини́ть) repáir (d.), mend (d.); 2. (об ошибке) corré̱ct (d.); (оратора, собеседника и т.п.) put* / set* right (d.); попра́вить ученика́ corré̱ct the púpil, put* the púpil right; 3. (приводить в надлежащее положение) put* / set* straight (d.), re:adjúst [-ə'dʒʌ-] (d.); ~ шля́пу set* the hat straight; ~ причёску smooth / tídy one's hair [-ð...]; ~ поду́шку arránge / straighten the pillow [ə'reındʒ...]; 4. (улучшать, восстанавливать) bétter (d.); (о здоровье) restóre (d.); ~ де́нежные дела́ bétter one's posítion [...-'zı-], ease one's finánciаl di̇́fficulties, mend one's finánces; он пое́хал в дере́вню, что́бы попра́вить своё здоро́вье he went to the cóuntry for his health [...'kʌ-...helθ]; дела́ попра́вить

нельзя́ things / má̇tters are beyónd repáir. ~ся, попра́виться 1. (выздора́вливать) get* well, recóver [-'kʌ-]; сов. тж. be well agáin; (полнеть) gain weight, put* on weight; вы хорошо́ попра́вились you look much bétter; он о́чень попра́вился he has put on a lot of weight; 2. (исправлять ошибку) corré̱ct òne:sélf; 3. (о делах и т.п.) impróve [-ru:v]; 4. страд. к поправля́ть.

попра́вочный corré̱ction (attr.); ~ коэффицие́нт corré̱ction fáctor.

попра́ть сов. см. попира́ть.

по-пре́жнему нареч. as befóre; (как обычно) as úsual [...'ju:ʒ-].

попрёк м. repróach.

попрек||а́ть, попрекну́ть (вн. тв., вн. за вн.) repróach (d. for, with). ~ну́ть сов. см. попрека́ть.

по́прище с. field [fi:ld]; walk of life; литерату́рное ~ literary pursúits [...-'sju:-] pl.; на э́том ~ in this walk of life; вступи́ть на но́вое ~ embárk on a new caréer; вступи́ть на дипломати́ческое ~ énter on one's diplomátic caréer.

по-прия́тельски нареч. as a friend [...frend], in a fri̇́endly mánner [...'frend-...].

попро́бовать сов. см. про́бовать.

попроси́ть(ся) сов. см. проси́ть(ся).

по́просту нареч. разг. simply, without céremony; ~ говоря́ to put it blúntly, blúntly spéaking, not to put too fi̇́ne a point on it; ~ говоря́, он нече́стный челове́к to put it blúntly, he is not an hónest pérson [...'ɔnıst...].

попроша́||йка м. и ж. 1. уст. (нищий) béggar; 2. разг. пренебр. (тот, кто надоедает просьбами) cádger. ~ничать разг. beg; cadge (ср. попрошайка). ~ничество с. разг. bégging; cádging (ср. попрошайка).

попроща́ться сов. см. проща́ться I.

попры́г||ать сов. jump, hop. ~ýн м., ~у́нья ж. разг. fidget.

попры́скать сов. (вн. тв.) разг. sprínkle (d. with), spray (d. on).

попря́тать сов. (вн.) разг. hide* (d.), concéal (d.). ~ся сов. разг. hide* òne:sélf.

попуга́й м. párrot; повторя́ть как ~ (вн.) párrot (d.). ~ничать разг. párrot.

попуга́ть сов. (вн.) разг. scare (d.), fri̇́ghten a little (d.).

попу́дно нареч. by the pood.

попу́др||ить сов. (вн.) pówder (d.). ~ся сов. pówder one's face.

популяриз||а́тор м. pópularizer. ~а́ция ж. pòpularizátion [-raı-]. ~и́ровать, ~ова́ть несов. и сов. (вн.) pópularize (d.).

популя́рн||ость ж. pòpulárity; по́льзоваться широ́кой ~остью enjóy wide pòpulárity. ~ый pópular.

попурри́ с. нескл. муз. pot-pourri (фр.) ['pou'puri].

попусти́тельств||о с. connivance [-'naı-]; при ~е (рд.) with the conni̇́vance (of).

попусти́тельствовать (дт.) connive (at), wink (at), shut* one's eyes [...aız] (to).

по́пусту нареч. разг. in vain, to no púrpose [...-s].

попу́т||ать сов. разг.: чёрт ~ал it's the dévil's work.

ПОП — ПОР   П

попу́т||но нареч. in pássing, on one's way; incidéntally; (в то же время) at the same time. ~ный pássing, fóllowing; ~ная маши́на pássing car, car gói:ng one's way; ~ное замеча́ние pássing remárk; ~ная струя́ мор. back éddy, bácḱwash; ~ный ве́тер fair / fávour:able wind [...wı-]; идти́ ~ным ве́тром мор. sail free. ~чик м., ~чица ж. féllow-tráveller.

попыта́ть сов.: ~ сча́стья try one's luck.

попыта́ться сов. см. пыта́ться.

попы́тк||а ж. attémpt, endéavour [-'devə]; де́лать, предпринима́ть ~у make* an attémpt; неуда́чная ~ unsuccéssful attémpt; отча́янная ~ désperate attémpt; ~и сближе́ния дип. appróaches; ◇ ~ — не пы́тка, спрос — не беда́ посл. ≅ nothing vénture, nothing gain / win / have.

попы́хивать (тв.) разг. puff a:wáy (at, d.): ~ тру́бкой puff a:wáy (at) a pipe.

попя́т||иться сов. см. пя́титься. ~ный: идти́ на ~ный разг. go* back on one's word.

по́ра ж. pore.

пор||а́ ж. 1. time; ле́тняя ~ súmmertime; зи́мняя ~ wintertime; весе́нняя ~ springtime; осе́нняя ~ áutumn; fall амер.; вече́рней ~о́й of an évening [...'i:v-]; 2. предик. безл. it is time: ~ идти́ (it is) time to go; давно́ ~ it is high time; не ~ ли? is:n't it time?; ~ вам ~ спать it is your bédtime; ◇ на пе́рвых ~áх at first; до ~ы́ до вре́мени for the time béi:ng; до каки́х пор? till when?, how long?; с каки́х пор? since when?; до тех пор, пока́ (не) until; as long as; с э́тих пор since that time; (о будущем) hénce:fórward; до сих пор (о времени) till now, up to now; hithertó̱ [-'tu:]; (ещё, всё ещё) still; (о месте) up to here, up to this point; до сей ~ы́ to this day; с тех пор since then; from then, или that time, on; с тех пор, как (éver) since; с да́вних пор long, for a long time; for áges разг.; в по́ру оппорту́не:ly, at the right time; в са́мую по́ру just at the right time; не в по́ру inoppó̱rtune:ly, at the wrong time; его́ прие́зд не в по́ру his arrival is inoppórtune; в са́мой ~é in one's prime.

порабо́та||ть сов. work, do some work; над э́тим на́до ~ one will have to work at it; сла́вно ~ли! well done!; сего́дня мы хорошо́ ~ли we have put in a good day's work to:dáy; ~ в саду́ do a bit in the gárden.

пораб||оти́тель м., ~и́тельница ж. ensláver, oppréssor; (завоеватель) cónqueror [-kə-].

поработи́ть сов. см. порабоща́ть.

порабощ||а́ть, поработи́ть (вн.) enslа́ve (d.); enthrál(l) (d.) (тж. перен.). ~е́ние с. enslа́ve:ment; enthrálment [-ɔ:l-].

поравня́ться сов. (с тв.) come* alóng:side (of), come* up (to, with).

пораде́ть сов. см. раде́ть.

пора́довать сов. 1. как сов. к ра́довать; 2. (вн.) make* háppy for a

461

поража́ть, порази́ть (*вн.*) 1. (*наносить удар*) strike* (*d.*); (*неприятеля*) en:gáge (*d.*); (*попадать — о пуле*) hit* (*d.*); ~ цель *воен.* hit* the tárget [...-gɪt]; 2. (*удивлять*) strike* (*d.*), startle (*d.*); (*потрясать*) stágger (*d.*); поражённый го́рем stricken by grief [...-iːf], grief-stricken [-iːf-]; поражённый у́жасом térror-stricken, hórror-stricken; 3. *мед.* affect (*d.*), strike* (*d.*). ~ся, порази́ться 1. be surprised / astónished / thúnderstrùck; 2. *страд.* к поража́ть 1, 3.

пораже́нец *м.* deféatist.

пораже́н‖**ие** *с.* 1. deféat; по́лное ~ útter deféat; наноси́ть (*дт.*) deféat (*d.*), inflict a deféat (on); терпе́ть ~ súffer / sustáin a deféat, be defeated; не име́ть ~ий *спорт.* be únbeaten, have an únbeaten récord [...-re-]; 2. *воен.* (*действие огнём*) hitting; 3. *мед.* afféction, lésion; ◇ ~ в права́х disfránchise:ment.

поражённый *прич. см.* поража́ть.

пораже́нче‖**ский** deféatist (*attr.*). ~ство *с.* deféatism.

порази́тельн‖**ый** stríking, stártling; (*потрясающий*) stággering; ~ое схо́дство (*с тв.*) stríking resémblance / líke:ness [...-ˈzem-] (to).

порази́ть(**ся**) *сов. см.* пораже́ть(ся).

поразмы́слить *сов.* (*о пр.*) *разг.* think* óver (*d.*), give* some thought (to).

по-ра́зному *нареч.* dífferently, in dífferent ways; сообще́ние бы́ло встре́чено ~ the annóunce:ment had a mixed recéption.

пора́нить *сов.* (*вн.*) wound [wuː-] (*d.*), hurt* (*d.*). ~ся *сов. разг.* wound òne:sélf [wuː-...].

пора́ньше (*сравн. ст. от нареч.* ра́но) a bit éarlier [...ˈəːlɪə]; as éarly as póssible [...ˈəːlɪ...].

пораста́ть, порасти́ (*тв.*) become* óver:grown [...-oun] (with); порасти́ траво́й become* óver:grown with grass; ~ сорняко́м, бурьяно́м become* óver:grown with weeds, go* to weeds.

порасти́ *сов. см.* пораста́ть.

порва́ть *сов.* 1. *см.* порыва́ть; 2. *как сов.* к рвать I 1, 4. ~ся *сов.* 1. break* off [-eɪk...], be torn; 2. *как сов.* к рва́ться I 1.

пореде́ть *сов. см.* реде́ть.

поре́з *м.* cut. ~ать *сов.* (*вн.*) cut* (*d.*); он ~ал себе́ па́лец he cut his finger. ~аться *сов.* cut* òne:sélf.

порезви́ться *сов.* (*некоторое время и т. п.*) gámbol (for a while, *etc.*).

поре́й *м. бот.* leek.

порекомендова́ть *сов.* 1. (*вн.*) recomménd (*d.*); 2. (+*инф.*) advíse (+ to *inf.*).

пореши́ть *сов.* 1. (+ *инф., без доп.*) *разг.* make* up one's mind (+ to *inf.*); 2. (*вн.*) *уст.* (*закончить*) decíde (*d.*), finish (*d.*), settle (*d.*); 3. (*вн.*) *разг.* (*убить, прикончить*) finish off (*d.*), do a:wáy (with).

поржа́веть *сов. см.* ржа́веть.

пори́ст‖**ость** *ж.* pòrósity. ~ый pórous.

порица́ни‖**е** *с.* (*упрёк*) blame, repróach; *офиц.* cénsure; заслу́живать ~я be bláme:wòrthy [...-ðɪ]; ме́рит cénsure; досто́йный ~я repreénsible; вы́разить (*дт.*) expréss cénsure (on); (*в парламе́нте*) pass a vote of cénsure (on); выноси́ть обще́ственное ~ (*дт.*) réprimànd públicly [-aːnd ˈpʌ-] (*d.*), admínister a públic réprimànd [...ˈpʌ-...] (to).

порица́ть (*вн.* за *вн.*) blame (*d.* for), repróach (*d.* for, with); *офиц.* cénsure (*d.* for).

по́рка I *ж. разг.* (*наказание*) flógging, thráshing, láshing; (*розгами тж.*) bírching; (*хлыстом тж.*) whípping; (*ремнём тж.*) strápping.

по́рка II *ж.* (*о платье и т. п.*) ún:dóing; (*о шве*) rípping, únstìtching, únpìcking.

порногр‖**афи́ческий** pòrnográphic. ~а́фия *ж.* pòrnógraphy.

по́ровну *нареч.* équal:ly, in équal parts / pórtions; дели́ть ~ (*вн.*) devíde into équal parts (*d.*); (*пополам тж.*) halve [hɑːv] (*d.*); получа́ть ~ get* équal parts / pórtions.

поро́г *м.* 1. (*прям. и перен.*) thréshòld; переступи́ть ~ (*прям. и перен.*) cross the thréshòld; стоя́ть на ~е сме́рти be on the brink / thréshòld of death [...deθ]; be at death's door [...dɔː]; ~ слы́шимости, слухово́й ~ *физиол.* thréshòld of audìbility; светово́й ~ *физиол.* vísual thréshòld [-ʒju-...]; 2. (*речной*) rápids *pl.*; ◇ обива́ть ~и у кого́-л. haunt smb.'s thréshòld, péster smb.; я его́ на ~ не пущу́ he never shall set foot on my thréshòld [...fut...]; he shall never dárken my door *идиом.*

поро́д‖**а I** *ж.* (*домашних животных, растений*) race, breed, spécies [-ʃiːz]; (*перен.*) kind, sort, type; ~ы скота́ strains of cattle; той же ~ы of the same race / breed / spécies; (*перен.*) of the same kind / sort / type; э́та ~ люде́й this sort of people [...piː-].

поро́да II *ж. горн.* rock; пуста́я ~ dirt; бáрren / dead rock [...ded...]; материко́вая, корення́я ~ béd:ròck.

породи́ст‖**ость** *ж.* race, breed. ~ый (*племенной — о скоте*) thóroughbrèd [ˈθʌrə-]; pédigree (*attr.*); (*о собаке*) púre-brèd.

породи́ть *сов. см.* порожда́ть.

породни́ть *сов. см.* родни́ть 2. ~ся *сов. см.* родни́ться.

поро́дн‖**ость** *ж.* с.-х. race, breed; улучше́ние ~ости скота́ impróve:ment of ánimal breeds [-ˈpruːv-...]. ~ый *с.-х.* pédigree (*attr.*).

порожд‖**а́ть**, породи́ть (*вн.*) give* birth (to), begét* (*d.*); (*перен. тж.*) raise (*d.*), en:génder (*d.*), give* rise (to). ~е́ние *с.* resúlt [-ˈzʌl-], óut:còme [-kʌm].

поро́жистый (*о реке*) full of rápids.

поро́жн‖**ий** *разг.* émpty, vácant. ~я́к *м. ж.-д.* émpties *pl.*; в ~яко́м *нареч. разг.* émpty, without a load.

по́рознь *нареч.* séparate:ly, apárt.

порозове́ть *сов. см.* розове́ть 1.

поро́й *нареч.* at times; now and then.

поро́к *м.* 1. vice; 2. (*недостаток*) vice, defect; flaw (*особ. в металле*); ~ ре́чи speech defect / impédiment; ~ сéрдца *мед.* heart diséase [hɑːt dɪˈziːz].

пороло́н *м.* porólon.

порос‖**ёнок** *м.* súcking-pig, píg:let. ~и́ться, опороси́ться fárrow.

по́росль *ж.* vérdure [-dʒə]; shoots *pl.*; young growth [jʌŋ grouθ] (*тж. перен.*).

порося́та *мн. см.* поросёнок.

порося́тина *ж.* súcking-pig (meat).

поро́тно *нареч. воен.* by cómpanies [...ˈkʌ-].

поро́ть I, вы́пороть (*вн.*; *сечь*) flog (*d.*), lash (*d.*), thrash (*d.*); (*розгами тж.*) birch (*d.*); (*хлыстом тж.*) whip (*d.*); (*ремнём тж.*) strap (*d.*); *сов. тж.* give* a flógging / thráshing / whípping, *etc.* (*i.*).

поро́ть II (*вн.*; *о платье и т. п.*) ún:dó (*d.*), (*о шве*) rip (*d.*), únstìtch (*d.*), únpìck (*d.*); ◇ ~ чушь, ерунду́, вздор *разг.* talk nónsense; ~ горя́чку dash abóut in a flap; чего́ ты по́решь горя́чку? what's the húrry?; не́чего ~ горя́чку there's no need for such a rush. ~ся 1. (*о платье и т. п.*) come* ún:dóne; (*о шве*) rip, get* únstìtched / únpìcked; 2. *страд.* к поро́ть II.

по́рох *м.* pówder; чёрный ~ gúnpowder; безды́мный ~ smóke:less pówder; ◇ па́хнет ~ом there is a smell of gúnpowder in the air; понюха́ть ~a smell* pówder; держа́ть ~ сухи́м keep* one's powder dry; ~ да́ром тра́тить spend* one's wits to no púrpose [...-s]; waste one's fire [weɪ-...]; ему́ ~a не хвата́ет he lacks the énergy; he has not got it in him, he is not up to it; он ~a не вы́думает *разг.* ≅ he'll never set the Thames on fire [...temz...].

порохови́ца *ж.* pówder-flàsk; ◇ есть ещё ~x we are not licked yet.

порохово́й (gún)powder (*attr.*); ~ заво́д gúnpowder works, pówder-mìll; ~ по́греб pówder-màgazìne [-ˈziːn].

поро́ч‖**ить**, опоро́чить (*вн.*) 1. (*позорить*) deféme (*d.*), cóver with shame [ˈkʌ-...]; smear (*d.*) *разг.* 2. (*признавать негодным*) discrédit (*d.*), déro:gàte (from); ~ показа́ния свиде́телей discrédit the witnesses' téstimony; ~ вы́воды иссле́дования discrédit the findings of the invèstigàtion. ~**ность** *ж.* 1. (*безнравственность*) deprávity, vícious:ness; 2. (*неправильность*) fallácious:ness. ~**ный** 1. (*безнравственный*) vícious; deprávéd; wánton (*гл. обр. о женщине*); 2. (*неправильный, ошибочный*) fáulty, fallácious; ◇ ~ный круг vícious circle.

поро́ша *ж. тк. ед.* néwly-fàll:en snow [...-ou].

пороши́нка *ж.* grain of pówder.

порош‖**и́ть** *безл.*: ~и́т it is snówing slightly [...ˈsnou-...].

порошко́в‖**ый** *прил. к* порошо́к; ~ое молоко́ milk pówder, dried milk.

порошкообра́зный pówder-like, pówdery.

порошо́к *м.* pówder; зубно́й ~ tóoth-pòwder; ◇ стере́ть кого́-л. в ~ *разг.* grind* smb. into dust, grind* smb. down, make* mínce:meat of smb.

поро́ю *нареч.* = поро́й.

порска́ть *охот.* set* on (hounds).
порт *м.* port; (*гавань*) hárbour; во́льный ~ free port; вое́нный ~ nával port / dóck⁝yàrd; морско́й ~ séapòrt; речно́й ~ ríver port ['rɪ-...].
порта́л *м.* 1. *арх.* pórtal; 2. *тех.* gántry.
порта́льный 1. *арх.* pórtal (*attr.*); 2. *тех.* gántry (*attr.*); ~ кран gántry crane.
порта́тивн||ость *ж.* pòrtabílity, pórtable⁝ness. ~ый pórtable; ~ая радиоустано́вка pórtable rádiò set; wálkie-tàlkie *разг.*; ~ая пи́шущая маши́нка pórtable týpe⁝writer; ~ая счётная маши́нка mícro⁝cálculàtor.
порта́ч *м. разг. презр.* búngler, tínker. ~ить, напорта́чить búngle, tínker.
портве́йн *м.* port.
по́ртер *м.* pórter; (*крепкий*) stout.
по́ртик *м. арх.* pórticò (*pl.* -òes, -òs).
по́ртить, испо́ртить (*вн.*) spoil* (*d.*); (*нравственно тж.*) corrúpt (*d.*); (*причинять непоправимый вред*) mar (*d.*); телефо́н испо́рчен the télephòne is out of órder; ~ аппети́т spoil* one's áppetite; dull the edge of áppetite *идиом.*; ~ удово́льствие кому́-л. spoil* / mar smb.'s pléasure [...'ple-...]; ~ себе́ не́рвы *разг.* take* on; не по́ртите себе́ не́рвы don't wórry / fret [...'wʌ-...]; don't take it to heart [...hɑ:t]; испо́ртить желу́док upsét* the stómach [...'stʌmək], cause indigéstion [...-stʃən]; ~ себе́ зре́ние rúin one's éye⁝sight [...'aɪ-]. ~ся, испо́ртиться 1. (*ухудшаться*) detériorate, becóme* worse; (*о пище*) go* bad; (*нравственно*) becóme* corrúpt / demóralized; (*о зубах*) decáy; (*гнить*) rot; не ~ся от жары́, сы́рости *и т.п.* resíst heat, móisture, etc. [-'zɪst... -stʃə], be héatproof, móisture⁝proof, etc. [...-stʃə-]; у него́ по́ртится настрое́ние he is lósing his good spírits .[...'lu:z-...]; 2. *страд. к* по́ртить.
портки́ *мн. разг.* pants.
портмоне́ [-нэ́] *с. нескл.* purse.
портн||и́ха *ж.* dréssmàker. ~о́вский táilor's. ~о́й *м. скл. как прил.* táilor.
портня́ж||ить, ~ничать *разг.* be a táilor.
портня́жн||ый táilor's, sàrtórial; ~ое де́ло táiloring.
портови́к *м.* dócker.
порто́вый port (*attr.*); ~ го́род séapòrt; ~ рабо́чий dócker, stévedòre ['stiː-].
по́рто-фра́нко *с. нескл. эк.* free port.
портпле́д *м.* hóld-àll.
портре́т *м.* (*в разн. знач.*) pórtrait [-rɪt]; líke⁝ness; ~ во весь рост fúll-length pórtrait ['hɑːf-...]; поясно́й ~ hálf-length pórtrait ['hɑːf-...]; писа́ть ~ с кого́-л. paint smb.'s pórtrait; рисова́ть чей-л. ~ make* a dráwing of smb.; (*перен.*) pòrtráy smb.; он живо́й ~ своего́ отца́ he is the (líving / spítting) ímage of his fáther [...'fɑː-...]. ~и́ст *м.* pórtrait-páinter [-rɪt-], pòrtraítist [-rɪt-]. ~ный pórtrait [-rɪt] (*attr.*); ~ная жи́вопись pórtraiture [-rɪ-].
портсига́р *м.* (*для папирос*) cigarétte-càse [-s], (*для сигар*) cigár-càse [-s].
португа́л||ец *м.*, ~ка *ж.* Pòrtuguése; *мн. собир.* the Pòrtuguése.
португа́льский Pòrtuguése; ~ язы́к Pòrtuguése, the Pòrtuguése lánguage.
портула́к *м. бот.* púrslane.
портупе́я *ж. воен.* (*поясная*) swórd-bèlt ['sɔːd-], wáist-bèlt; (*плечевая*) shóulder-bèlt ['ʃou-].
портфе́ль *м.* 1. bríefcàse ['briːf- -s]; bag; 2. (*министерский*) pòrtfóliò (*pl.* -òs); име́ть ~ мини́стра (*рд.*) be mínister (of / for); распределя́ть мини́стерские ~и distríbute the pòrtfólios, distríbute cábinet posts [...pou-].
портше́з *м.* sedán(-chair).
порты́ *мн.* = портки́.
портье́ *м. нескл.* pórter, dóor⁝màn* ['dɔː-].
портье́ра *ж.* portière (*фр.*) ['pɔːtɪɛə], cúrtain, dóor-cùrtain ['dɔː-]; с ~ми cúrtained; с шёлковыми ~ми sílk-cùrtained.
портя́нка *ж.* fóot-binding ['fut-] (*worn instead of sock or stocking*).
поруби́ть *сов.* 1. (*немного*) chop / hew (a little); 2. (*вн., рд.; многое, многих*) chop down (*a large number* of); 3. *как сов. к* руби́ть.
пору́б||ка *ж.* illégal cútting / félling of tímber. ~щик *м.* wóod-stéaler ['wud-].
поруга́ни||е *с.* pròfanátion, dèsecrátion; отдава́ть на ~, предава́ть ~ю (*вн.*) pròfane (*d.*), désecràte (*d.*); (*святыню тж.*) víolate the sánctity (of).
пору́ганн||ый *прич. и прил.* (*осквернённый*) pròfáned, désecràted; ~ая честь óutràged hónour [...'ɔnə].
поруга́ть *сов.* (*вн.*) *разг.* scold (*d.*). ~ся *сов.* (*с тв.*) *разг.* quárrel (with); (*порвать отношения*) break* (off) [-eɪk...] (with).
пору́к||а *ж.* bail; (*гарантия*) guarantée; отпуска́ть на ~и (*вн.*) accépt / take* bail (for), reléase on bail [-s...] (*d.*); брать на ~и (*вн.*) bail (*d.*), go* bail (for); кругова́я ~ mútual respònsibílity; (*ср.* ~у. ['кʌ-] *разг.*
по-ру́сски *нареч.* (*при обозначении языка*) in Rússian [...-ʃən], Rússian: э́то напи́сано ~ it is wrítten in Rússian; он писа́л ~ he wrote in Rússian; он уме́ет писа́ть ~ he can write Rússian; говори́ть ~ speak* Rússian; он сказа́л э́то ~ he said it in Rússian [...sed...]; он говори́т ~ he speaks Rússian.
поруч||а́ть, поручи́ть 1. (*дт. вн., дт.* + *инф.; давать поручение*) charge (*d.* with, *d.* with *ger.*), commíssion (*d.* with, *d.* with *ger.*); он ~а́ет вам отве́тить на э́ти пи́сьма he entrústs you with the ánswering of these létters [...'ɑːnsə-...]; мне пору́чено (+ *инф.*) I have been instrúcted / charged (+ to *inf.*); ~ кому́-либо каку́ю-л. рабо́ту emplóy smb. on some work; 2. (*дт. вн.; вверять*) entrúst (*d.* with *ger.*).
поруче́нец *м. офиц.* spécial méssenger ['spe-...].
поруче́н||ие *с.* commíssion, érrand; (*задание*) assígnment [ə'saɪn-]; (*дипломатическое*) míssion; по ~ию (*рд.*) on the instrúctions (of), on a commíssion (from); (*от имени*) on behálf [...-ɑːf] (of); per pròcùratiónem (*сокр.* p. p., per pro.) *офиц.*; дава́ть ~ (*дт.* + *инф.*) charge (*d.* with *ger.*); instrúct (*d.* + to *inf.*); дава́ть ва́жное ~ (*дт.*) charge with an impórtant míssion (*d.*); он дал ей э́то ~ he gave her the commíssion.
пору́чик *м. ист.* lieuténant [lef'te-].
поручи́тель *м.*, ~ница *ж.* 1. guarantée, guarantór; 2. *фин.* wárrantor, bail. ~ство *с.* guarantée; (*залог*) bail.
поручи́ть *сов. см.* поруча́ть.
поручи́ться *сов. см.* руча́ться.
по́ручни *мн.* (*ед.* по́ручень *м.*) hánd-rail *sg.*
пору́шить *сов. см.* ру́шить II.
порфи́р *м. мин.* pórphyry.
порфи́ра *ж.* the púrple.
порфи́рный *уст.* (*багряный*) púrple.
порфи́ровый *мин.* pòrphýritic.
порха́ть, порхну́ть flit, flútter; fly* abóut.
порхну́ть *сов. см.* порха́ть.
порцио́н *м.* rátion ['ræ-].
порцио́нный (*о блюде*) à la carte (*фр.*) [ɑːlɑː'kɑːt].
по́рци||я *ж.* pórtion; (*о кушанье*) hélping; две, три ~и мя́са meat for two, three; two, three plates of meat; две, три ~и сала́та sálad for two, three ['sæ-...]; two, three pórtions / hélpings of sálad.
по́рч||а *ж.* 1. spóiling; corrúption; (*вред, ущерб*) dámage; 2. (*в народных поверьях*) wásting diséase [...-ziːz]; навести́ ~у на кого́-л. put* the évil eye on smb. [...'iːv- aɪ...].
по́рченый *разг.* 1. spoiled; (*о пищевых продуктах*) bad; 2. (*больной от порчи*) bewítched, únder the évil eye [...'iːv- aɪ].
по́рш||ень *м. тех.* píston; (*насоса*) súcker, plúnger [-n-]; ~нево́й píston (*attr.*); súcker (*attr.*); (*ср.* по́ршень); ~нево́й дви́гатель recíprocàting éngine [...-endʒ-]; ~нево́е кольцо́ píston ring.
поры́в *м.* 1. (*о буре, ветре*) gust; (*о ветре тж.*) rush; 2. (*о чувстве и т.п.*) fit, ímpulse, (óut)burst; ~ гне́ва fit of témper / pássion, gust of pássion; в ~е ра́дости in a burst of joy; in a tránspòrt of joy *поэт.*; благоро́дный ~ nóble ímpulse.
порыва́ть, порва́ть (с *тв.*) break* (off) [-eɪk...] (with); (*с принципами, учением и т.п. тж.*) desért [-'zəːt] (*d.*); порва́ть дипломати́ческие отноше́ния break* off diplomátic relátions.
порыва́ться (+ *инф.*) try (+ to *inf.*); endéavour [-'de-] (+ to *inf.*).
поры́вист||ость *ж.* impetuósity, víolence. ~ый 1. (*о ветре*) gústy; 2. (*о человеке*) impétuous, víolent; 3. (*стремительный*) jérky, abrúpt; ~ые движе́ния jérky móve⁝ments [...muː-].
порыже́лый rústy, grown brównish / réddish [-oun-...]. ~ть *сов. см.* рыже́ть 1.
поры́ться *сов.* 1. *см.* ры́ться; 2. (*в пр.; некоторое время, немного и т.п.*) rúmmage (for a while, a little, etc.) (in); ◇ ~ в па́мяти search, *или* rúmmage in, one's mémory [səːtʃ...].
по-ры́царски *нареч.* in a chívalrous mánner [...'ʃɪ-...].
поряди́ться *сов. см.* ряди́ться I.
поря́дков||ый órdinal; но́мер órdinal number; índex number; ~ое числи́тельное *грам.* órdinal númeral.

ПОР – ПОС

поря́дком *нареч. разг.* 1. (*очень, основательно*) prétty ['prɪ-], ráther ['rɑː-]; a good deal; он ~ устáл he is prétty / ráther tired; 2. (*как следует*) próperly, thóroughly ['θʌrə-]; он ничегó ~ не сдéлал he did not do ány⁚thing próperly / thóroughly.

поря́д‖ок *м.* 1. (*правильное, налаженное состояние*) órder; приводи́ть в ~ (*вн.*) put* in órder (*d.*); приводи́ть себя́ в ~ tídy òne⁚sélf up, set* òne⁚sélf to rights; соблюда́ть ~, следи́ть за ~ком keep* órder; поддéрживать ~ maintáin órder; наводи́ть ~ (в *пр.*) introdúce próper órder [...'prɔ-] (in); навести́ ~ у себя́ в дóме put* one's house* in órder [...haus...]; восстана́вливать ~ restóre órder; устанóвленный ~ estáblished órder; призыва́ть к ~ку (*вн.*) call to órder (*d.*); быть не в ~ке be out of órder, be fáulty; у негó пéчень, сéрдце *и т. п.* не в ~ке there is smth. wrong with his líver, heart, *etc.* [...'lɪvə hɑːt], he has líver, heart, *etc.*, trouble [...trʌbl]; 2. (*последовательность*) órder, séquence ['siː-]; алфави́тный ~ àlphabétical órder; по ~ку one áfter another, in succéssion; в ~ке óчереди in turn; 3. (*способ*) órder; procédure [-'siːdʒə]; в ~ке контрóля as a check; в обяза́тельном ~ке without fail: все должны́ быть там в обяза́тельном ~ке everybody is to be there without fail; — в спéшном ~ке quíckly; закóнным ~ком légal⁚ly; преслéдовать судéбным ~ком (*вн.*) prósecùte (*d.*); в администрати́вном ~ке administrative⁚ly, by administrative órder; организóванным ~ком in an órganìzed mánner; в ~ке (*рд.*; *товарообмена, обяза́тельных поставок и т. п.*) by way (of), únder the sýstem (of); ~ голосова́ния méthod of vóting, vóting procédure; ~ рабóты procédure, routíne [ruː'tiːn]; в устанóвленном ~ке in accórdance with estáblished procédure; 4. (*строй, систе́ма*) órder; существу́ющий ~ prèsent / existing sýstem ['prez-...]; ста́рый ~ — the áncient regíme [...'eɪn- reɪ'ʒiːm], the old órder; 5. *воен.* órder, arráy; похóдный ~ march fòrmátion; боевóй ~ báttle órder; 6. *мн.* (*обычаи*) úsages ['juː-]; cústoms; ◇ ~ дня (*повестка*) agénda, órder of the day, órder of búsiness [...'bɪzn-]; стоя́ть в ~ке дня be on the agénda; в ~ке обсуждéния as a mátter for discússion; взять слóво в ~ку вéдения собра́ния rise* to a point of órder; к ~ку! (*на заседа́нии*) órder!, órder!; всё в ~ке éverything is all right, it's quite all right, òkáy, OK; э́то в ~ке вещéй it is in the órder of things, it is quite nátural; it is all in the day's work *идиом.*; дéло идёт свои́м ~ком things are táking their régular course [...kɔːs].

поря́д‖очно *нареч.* 1. *разг.* (*много*) fair amóunt; (*изря́дно*) fáirly, prétty ['prɪ-], ráther ['rɑː-]; мы ~ устáли we were prétty tired; 2. *разг.* (*хорошо*) prétty / fáirly well; 3. (*честно*) décent⁚ly, hónest⁚ly ['ɔ-]. **~ость** *ж.* décency ['diː-], hónesty ['ɔ-], próbity. **~ый** 1. (*довольно большой*) consíderable; (*о размере тж.*) sízable; 2. *разг.* (*довольно хороший*) ráther good ['rɑː-...]; 3. (*честный*) décent, hónest ['ɔ-], respéctable; ~ый человéк hónest man*; они́ ~ые лю́ди they are respéctable people, *или* décent folk [...piː-...]; 4. *разг.* (*обладающий какими-л. качествами, преимущ. отрицательными*) fair; consíderable; он ~ый плут he is prétty much of a rogue [...'prɪ-...roug].

поса́д *м.* 1. *ист.* tráding quárter (*situated outside city wall*); 2. *уст.* (*пригород*) súbùrb.

посади́ть *сов. см.* сади́ть 1 *и* сажа́ть I, II.

поса́дк‖а *ж.* 1. (*о растениях*) plánting [-ɑːn-]; 2. *обыкн. мн.* (*посаженные растения*) plàntátion of young trees [...jʌŋ...] *sg.*; 3. (*на судно*) èmbàrkátion; (*на поезд*) bóarding; *воен.* entráinment; (*на автомашины*) *воен.* embússing; (*на самолёты*) *воен.* empláning; ~и на пóезд нет pássengers are not táken on [-ndʒəz...]; ~ на пóезд начнётся в три часа́ pássengers may bòard the train from three o'clóck ònwards; 4. *ав.* lánding; (*на во́ду*) alíghting; соверша́ть ~у, произвóдить ~у make* a lánding; 5. (*мане́ра сидеть в седле́*) seat; 6. *тех.* (*пригонка*) fit.

поса́дн‖ик *м. ист.* posádnik (*governor of medieval Russian city-state, appointed by prince or elected by citizens*). **~ица** *ж.* 1. wife* of posádnik; 2. *ж. к* поса́дник.

поса́дочн‖ый 1. *с.-х.* plánting [-ɑːn-] (*attr.*); ~ карто́фель seed potátòes *pl.*; ~ая маши́на plánting machíne [...'ʃiːn]; 2. *ав.* lánding (*attr.*); ~ая площа́дка lánding ground; ~ая полоса́ lánding strip; ~ые огни́ flare path*.

поса́дск‖ий *прил. к* поса́д; ~ие лю́ди *ист.* tráde⁚people [-piː-].

посажён‖ый: ~ отéц, ~ая мать spónsor at *a* wédding.

поса́пывать *разг.* snúffle; (*во сне*) breathe héavily [...'he-].

поса́сывать (*вн.*) *разг.* suck (at, *d.*); ~ трýбку suck one's pipe.

поса́харить *сов. см.* са́харить.

посва́тать(ся) *сов. см.* сва́тать(ся).

посвеже́ть *сов. см.* свеже́ть.

посвети́ть *сов.* 1. (*некоторое время и т. п.*) shine* (for a while, *etc.*); 2. (*кому-л.*) hold* the light (for smb.); (*осветить дорогу*) light* the way (for smb.), light* smb. (*to a place*).

посветле́ть *сов. см.* светле́ть 1.

по́свист *м.* whístling.

посвиста́ть, посвисте́ть *сов.* whístle.

посви́стыва‖ть whístle; он шёл ~я he whístled as he walked.

по-своему *нареч.* (in) one's own way [...oun...]; дéлайте, поступа́йте ~ have it your own way.

по-свóйски *нареч. разг.* 1. = по-своему; 2. (*по-ро́дственному*) in a famíliar way.

посвяти́ть *сов. см.* посвяща́ть.

посвяща́‖ть, посвяти́ть 1. (*вн. дт.*) devóte (*d.* to); ~ себя́ нау́ке devóte òne⁚sélf to (the cause of) léarning, *или* to science [...'lɜːn-...]; 2. (*вн. дт.*; *о трудé, книге и т. п.*) dédicàte (*d.* to); 3. (*вн. в вн.*; *в тайну и т. п.*) let* (*d.* into), inítiate (*d.* into), ~ когó-л. в за́говор let* smb. into the conspíracy; 4. (*вн. в вн.*; *в сан*) òrdáin (*d.* into), cónsecràte (*d.* into); ~ в ры́цари knight (*d.*), confér knight⁚hood [...-hud] (up⁚ón). **~ ́ться** *страд. к* посвяща́ть; ~ ́ется па́мяти (*рд.*) is dédicàted to the mémory (of). **~éние** *с.* 1. (*в книге*) dèdicátion; 2. (*в тайну*) inìtiátion; 3. (*в сан*) òrdáining, cónsecràting; (*в рыцари*) kníghting.

посéв *м.* 1. (*действие*) sówing ['sou-]; 2. (*то, что посе́яно*) crops *pl.*; плóщадь ~ов sown área [soun 'eərɪə]; área únder (grain) crops; ~ы всхóдят crops are cóming up. **~ная** *ж. скл. как прил.* sówing càmpáign ['sou- -eɪn]. **~нóй** sówing ['sou-]; ~на́я плóщадь área únder crops ['eərɪə]; ~на́я кампа́ния sówing càmpáign [...-eɪn].

поседéлый grízzled, grown grey [-oun...].

поседéть *сов. см.* седéть.

посел‖éнец *м.* 1. séttler; 2. *ист.* (*ссы́льный*) depórtée [diː-]. **~éние** *с.* 1. (*действие*) séttling; 2. (*посёлок*) séttle⁚ment; 3. *ист.*: ссы́лка на ~éние dèpòrtátion [diː-].

посели́ть(ся) *сов. см.* поселя́ть(ся).

поселкóвый *прил. к* посёлок; ~ Совéт нарóдных депута́тов Séttle⁚ment Sóvièt of People's Députies [...piː-...].

посёлок *м.* séttle⁚ment; рабóчий ~ wórkmen's séttle⁚ment; (*большой, нового типа*) fáctory hóusing estáte, wórkers' town; да́чный ~ subúrban séttle⁚ment.

поселя́ть, посели́ть (*вн.*) 1. séttle (*d.*); (*размещать*) lodge (*d.*); 2. (*вызывать, возбуждать*) inspíre (*d.*); en⁚géndér (*d.*); ~ нéнависть en⁚géndér hátred. **~ся**, посели́ться séttle, take* up one's résidence / quárters [...'rez-...]; make* one's home.

посему́ *нареч. канц.* = поэ́тому.

посеребр‖ённый *прич. и прил.* sílver-pláted; (*перен.*) sílvered òver. **~и́ть** *сов. см.* серебри́ть.

посереди́не *нареч.* in the míddle; hálf way alóng [hɑːf...].

посерёдке *нареч. разг.* = посереди́не.

посерéть *сов. см.* серéть 1.

посерьёзнеть *сов. см.* серьёзнеть.

посети́тель *м.*, **~ница** *ж.* vísitor [-zɪ-], cáller; (*гость*) guest; ча́стый ~ frequénter.

посети́ть *сов. см.* посеща́ть.

посéтовать *сов. см.* сéтовать.

посещ‖а́емость *ж.* (*лекций и т. п.*) atténdance: плоха́я, хорóшая ~ poor, good* atténdance. **~а́ть, посети́ть** (*вн.*) call on (*d.*); vísit [-z-] (*d.*; *тж. перен.* — *о несчастье и т. п.*); (*лекции и т. п.*) atténd (*d.*); ча́сто ~а́ть frequént (*d.*); resórt [-'zɔːt] (to); ~а́ть музéй see* a mùséum [...-'zɪəm].

посещéние *с.* vísit [-z-]; vìsitátion [-zɪ-] *лит.*; (*лекций и т. п.*) atténdance.

посéять *сов. см.* сéять.

посидéлки *мн.* (víllage) young people's gáther⁚ing [jʌŋ piː-...] *sg.* (*for recreation on winter evenings*).

посидéть *сов.* (*некоторое время и т. п.*) sit* (for a while, *etc.*).

посильн∥ый within one's pówers / ability, féasible [-z-]; она оказала ему ~ую помощь she did what she could to help him; ~а ли ему эта работа? is he up to the work?, is the work within his pówers?; ~ая задача task within one's pówers, féasible task.

посинеть *сов. см.* синеть 1.

поскакать I *сов. см.* скакать 1, 2.

поскакать II *сов.* (*попрыгать немного*) hop, jump.

поскользнуться *сов.* slip.

поскольку *союз* 1. (*насколько*) so far as, as far as: ~ ему известно so far as he knows [...nouz]; ~ это касается его so far as it concérns himsélf; 2. (*так как*) so long as; since: ~ он согласен so long as he agrées; ~ он довóлен, довóльна и она since he is pleased, so is she; — ~ А не изменяется, не изменяется и Б as A remáins uncháged so does B [...-'tʃeɪ-].

посконн∥ый hémpen; ~ая рубаха hémpen shirt.

поскорее (*сравн. ст. от нареч.* скоро) sóme[what quícker; ~! quick!, make haste! [...heɪ-].

поскупиться *сов. см.* скупиться.

поскучнеть *сов. см.* скучнеть.

послабление *с.* indúlgence.

послан∥ец *м.* méssenger [-ndʒə], énvoy; ~цы мира énvoys of peace. ~ие *с.* 1. méssage; ~ие доброй воли góodwill méssage, méssage of góodwill; 2. *лит.* epístle. ~ник *м.* énvoy, mínister; чрезвычайный ~ник и полномочный министр énvoy extraórdinary and mínister plenipoténtiary [...ɪks'trɔːdnrɪ...].

посланный 1. *прич. см.* послать; 2. *м. как сущ.* méssenger [-ndʒə], énvoy.

пославить *сов. см.* славить.

послать *сов. см.* посылать.

после I *нареч.* láter (on); áfterwards [-dz]: мы поговорим об этом ~ we shall speak abóut it láter on; это можно сделать ~ you can do it áfterwards.

после II *предл.* (*рд.*) áfter; (*с тех пор как*) (*об. conj.*): он придёт ~ работы he will come áfter work; она не видала его ~ его возвращения she has not seen him since his retúrn, *или* since he came back; — ~ всех (*последним*) last: он пришёл, кончил ~ всех he came, finished last; ~ всего́ áfter all; when all is said and done [...sed...].

послевоенный póst-wár ['pou-].

послед *м. анат.* placénta (*pl.* -tae).

последить *сов.* (за *тв.*) look (áfter), see* (to).

последки *мн. разг.* remáinder *sg.*; rémnants, léftovers.

последн∥ий 1. last; ~ее усилие the last éffort; в ~ раз for the last time; в ~юю минуту at the last móment; в ~ее время láte:ly, of late, látterly; for some time past; за ~ее время recént:ly, láte:ly; до ~его времени until (very) recént:ly; ~ срок déadline ['ded-]; бороться до ~ей капли крови fight* to the last drop of blood [...blʌd]; ~яя капля (*перен.*) ≅ the last straw; 2. (*самый новый*) new, the látest; ~яя мода the látest fáshion; ~ее слово науки the last word in science; ~ие известия látest news [...-z]; 3. (*окончательный, бесповоротный*) last, definitive; это моё ~ее слово it is my last word (on the mátter); 4. *разг.* (*самый плохой*) lówest ['lou-], worst; ~ сорт the lówest grade; the worst kind; ~ее дело! *разг.* it's the end!, it's the very límit!; ругаться ~ими словами use foul lánguage; 5. (*только что упомянутый*) the látter; 6. *с. как сущ.* the last; ◇ до ~его to the very úttermost.

последователь *м.*, ~ница *ж.* fóllower. ~ность *ж.* 1. (*порядок*) succéssion, séquence ['si:-]; в строгой ~ности in strict succéssion / séquence; 2. (*логичность*) consístency; ему не хватает ~ности he lacks consístency. ~ный 1. (*о порядке*) succéssive, consécutive; в ~ном порядке in consecútive órder; 2. (*логичный*) consístent, lógical.

последовать *сов. см.* следовать I 1, 2, 3, 4.

последстви∥е *с.* cónsequence, séquel; *мн. тж.* áfter-effects; чреватый ~ями fraught / prégnant with cónsequences; иметь серьёзные ~я have grave cónsequences; ◇ его жалоба осталась без ~я no áction was táken on his compláint.

последующий fóllowing, súbsequent, postérior; (*следующий*) next; *мат.* cónsequent.

последыш *м.* the last-bórn child*; (*перен.*) Epígonus (*pl.* -ni).

послезавтра *нареч.* the day áfter tomórrow.

послелог *м. лингв.* póstposítion ['pəʊstpə'zɪ-].

послеобеденный áfter-dínner (*attr.*); ~ отдых áfter-dínner rest.

послеоктябрьский áfter the Great Octóber Sócialist Revolútion [...-eɪt...], póst-Óctober [pou-].

послереволюционный pòst-rèvolútionary [pou-].

послеродовой póst-nátal ['pou-].

послесловие *с.* épilogue [-lɔg]; áfterword.

послеударный *лингв.* pòst-tónic [pou-]: ~ гласный, слог pòst-tónic vówel, sýllable.

пословиц∥а *ж.* próverb ['prɔ-], sáying; войти в ~у become* provérbial.

послуж∥ить *сов. см.* служить 1, 2, 3, 5. ~ной: ~ной список sérvice récord [...'re-]; státement of sérvice *амер.*

послушание *с.* 1. obédience; 2. (*в монастыре*) work of pénance.

послушать *сов.* 1. *см.* слушать 1, 2, 3, 4; 2. (*немного*) lísten (to smth. for a while). ~ся *сов. см.* слушаться.

послушни∥к *м.* (*в монастыре*) nóvice, lay bróther [...'brʌ]; ~ца *ж.* (*в монастыре*) nóvice, lay síster.

послушный obédient, dútiful.

послышаться *сов. см.* слышаться.

послюнить *сов. см.* слюнить.

посматривать (на *вн.*) look (at); ~ время от времени look from time to time, *или* now and then (at); ~ по сторонам glance round from time to time.

посмеиваться chúckle, laugh (sóftly) [lɑːf-]; ~ про себя laugh up one's sleeve.

посменн∥о *нареч.* in turn, by turns; работать ~ work in shifts. ~ый by turns, in shifts.

посмертно *нареч.* pósthumous:ly [-tju-]; награждён ~ awárded pósthumous:ly; awárded a pósthumous décorátion [...-tju-...].

посмертный pósthumous [-tju-].

посметь *сов. см.* сметь.

посме∥шище *с.* láughing-stock ['lɑːf-]; делать кого-л. ~шищем make* a láughing-stock of smb. ~яние *с.*: отдать на ~яние (*вн.*) make* a láughing-stock [...'lɑːf-] (of). ~яться *сов.* 1. *как сов. к* смеяться; 2. (*немного*) laugh (for a while) [lɑːf-].

посмотреть *сов. см.* смотреть 1, 2, 3, 4, 5. ~ся *сов. см.* смотреться.

поснимать *сов.* (*вн.*) *разг.* take* off / awáy (*d.*); ~ все картины take* down / awáy all the píctures.

пособи∥е *с.* 1. (*денежное*) grant [grɑːnt], allówance, gránt-in-áid [grɑːnt-]; gratúity; ~ по болезни sick bénefit / pay; ~ по временной нетрудоспособности témporary disabílity allówance; назначить ~ (*дт.*) grant an allówance (*i.*); выплачивать ~ (*дт.*) pay* allówances (*i.*); ~ многодетным матерям grant / allówance to móthers of large families [...'mʌl-...]; 2. (*учебник*) téxtbook; mánual; справочное ~ hándbook; 3. *об. мн.* (*учебные*) educátional supplíes; наглядные ~я vísual aids ['vɪz-...].

пособить *сов. см.* пособлять.

пособлять, пособить (*дт.*) *разг.* aid (*d.*); relíeve [-li:v] (*d.*); пособить горю assuáge grief [ə'sweɪdʒ griːf].

пособни∥к *м.*, ~ца *ж.* accómplice. ~чество *с.* complícity (in); áiding and abétting.

посовеститься *сов. см.* совеститься.

посоветовать(ся) *сов. см.* советовать(-ся).

посодействовать *сов.* (кому-л.) assíst (smb.), help (smb.); (чему-л.) fúrther [-ðə] (smth.), promóte (smth.), contríbute (to smth.); make* (for smth.).

посол I *м. дип.* àmbássador; чрезвычайный и полномочный ~ àmbássador extraórdinary and plenipoténtiary [...ɪks'trɔːdnrɪ...].

посол II *м.* (*засол*) sálting; пряного ~а pickled in brine.

посолить *сов. см.* солить.

посоловелый *разг.* bleared, bléary.

посоловеть *сов. разг.* become* dull and lífeless; у него ~ели глаза his eyes glazed óver [...aɪz...].

посольский (*относящийся к послу*) àmbassadórial; (*относящийся к посольству*) émbassy (*attr.*).

посольство *с.* émbassy.

по-соседски *нареч.* in a néighbour:ly way.

посотенно *нареч.* by the húndred, by húndreds.

посох *м.* staff*, crook; (*епископский*) (bíshop's) crózier [...-ʒə].

посох∥нуть *сов.* dry up; wíther; become* wíther:ed; все растения ~ли all the plants have wíther:ed [...plɑːnts...].

ПОС–ПОС

посошо́к м. 1. *уменьш. от* по́сох; 2. *разг.* one for the road (*final drink before departure*).

поспа́ть *сов.* have a nap; (*с указанием времени тж.*) sleep*; ~ немно́го, полчаса́ have a (short) nap, take* a short sleep, sleep* a little, *или* for a while; have half an hour's nap [...hɑːf...auəz...], sleep* for half an hour; have fórty winks *идиом*.

поспева́ть I, **поспе́ть** 1. (*созревать*) ri̇́pen; 2. *разг.* (*о кушанье*) be done.

поспева́ть II, **поспе́ть** *разг.* 1. (*успевать*) have time; 2. (*приходить вовремя*) be in time; не поспе́ть be late; поспе́ть на по́езд catch* *the* train; не поспе́ть к по́езду be late for *the* train, miss *the* train; поспе́ли ли вы?, were you in time?, did you make it?; ◇ ~ за кем-л. keep* up with smb., keep* pace with smb.

поспе́ть I, II *сов. см.* поспева́ть I, II.

поспеши́ть *сов. см.* спеши́ть 1; ◇ ~и́шь — люде́й насмеши́шь *посл.* ≅ more haste, less speed [...heɪ-...]; haste makes waste [...weɪst].

поспе́шн‖о *нареч.* in a húrry, húrriedly, hástily [ˈheɪ-]; ~ возвраща́ться húrry back; ~ уезжа́ть leave* in a húrry; ~ уходи́ть húrry away; ~ отступа́ть beat* a hásty retréat [...ˈheɪ-...]; ~ войти́ (*в вн.*) come* húrriedly / húrrying (in, into), húrry (in, into). ~ость ж. húrry, haste [heɪ-]; (*необдуманность*) ráshness. ~ый prompt, hásty [ˈheɪ-], húrried; (*необдуманный*) rash, thóughtless; сде́лать ~ое заключе́ние draw* a hásty conclúsion.

посплётничать *сов.* (*с тв.*) *разг.* (*некоторое время и т.п.*) talk scándal (with), have a góssip (with).

поспо́рить *сов.* 1. *см.* спо́рить; 2. (*некоторое время, немного и т.п.*) árgue (for a while, a little, *etc.*); 3. (*на вн.*; *заключить пари*) bet (*d.*); ~ на сто рубле́й bet a hú̇ndred roubles [...ruː-]; 4. (*с тв.*; *вступить в состязание*) conténd (with).

посрам‖и́ть(ся) *сов. см.* посрамля́ть (-ся). ~ле́ние *с.* disgráce.

посрамля́ть, **посрами́ть** (*вн.*) disgráce (*d.*). ~ся, посрами́ться 1. cȯ́ver onesélf with shame [ˈkʌ-...], disgráce onesélf; 2. *страд. к* посрамля́ть.

посреди́ 1. *предл.* (*рд.*) in the middle (of): ~ реки́, у́лицы, двора́ in the middle of *the* river, *the* street, *the* yard [...ˈrɪ-...]; 2. *как нареч.* (*об. при противопоставлении*) in the middle.

посреди́не = посереди́не.

посре́дни‖к м. 1. mèdiátor, intermédiary; (*в переговорах*) negótiator, gó-between; 2. (*комиссионер*) middle:mán*; 3. *воен.* úmpire. ~чать act as a gó-between, médiate, come* in between. ~ческий intermédiary, médiatory. ~чество *с.* mèdiátion; при ~честве (*рд.*) through the mèdiátion (of).

посре́дственно I *прил. кратк. см.* посре́дственный.

посре́дственн‖о II 1. *нареч.* sȯ́-sȯ; 2. *как сущ. с. нескл.* (*отметка*) fair, sàtisfáctory. ~ость ж. mèdiȯ́crity. ~ый mèdiȯ́cre; (*об отметке*) sàtisfáctory.

посре́дств‖о *с.*: при ~е чего-л. by means of smth.; through the instrumèntálity of smth.; через ~, при ~е кого-л. thanks to smb.

посре́дством *предл.* (*рд.*) by means of; by the use of [...juːs...].

поссо́рить(ся) *сов. см.* ссо́рить(ся).

пост I м. (*в разн. знач.*) post [pou-]; быть, остава́ться на своём ~у be, remáin at one's post; поки́нуть свой ~ desért one's post [-ˈzəːt...]; занима́ть ~ hold* / fill a post; стоя́ть на ~у́ be at one's post; (*о милиционере*) be on one's beat; (*о регулировщике уличного движения*) be on póint-dùty; расста́вить ~ы́ post séntries.

пост II м. (*воздержание от пищи*) fást(ing); наруша́ть, соблюда́ть ~ break*, keep* the fast [breɪk...]; вели́кий ~ *церк.* Lent.

поста́вить I *сов. см.* ста́вить.

поста́вить II *сов. см.* поставля́ть.

поста́вк‖а ж. delivery; ~а това́ров delivery of goods [...gudz]; госуда́рственные ~и State delíveries, delíveries to the State; ма́ссовые ~и bulk delíveries; взаи́мные ~и това́ров recíprocal commódity delíveries.

поставл‖я́ть, **поста́вить** (*вн. дт.*) supplý (with *d.*); purvéy (*d.* for). ~щи́к м. supplíer, províder; cátererer; (*обмундирования, снаряжения*) óutfitter.

постаме́нт м. pédestal, base [-s].

постана́вливать = постановля́ть.

постанови́ть *сов. см.* постановля́ть.

постано́вка ж. 1. (*сооружение*) eréction, ráising; 2. *муз.*: ~ па́льцев fínger tráining; ~ го́лоса vóice tráining; 3. *театр.* stáging; prodúction; 4. (*спектакль*) play, perfórmance; 5. (*дела, работы и т.п.*) arrángement [əˈreɪn-], òrganizátion [-naɪ-]; ◇ ~ вопро́са státe:ment of a quéstion [...-stʃən]; the way a quéstion is put / fórmulàted / státed.

постановле́н‖ие *с.* 1. (*решение*) decísion; rèsolútion [-zə-]; выноси́ть ~ pass a rèsolútion; ~ коми́ссии the commíttee's decísion [...-ˈmɪtɪz...]; по ~ию о́бщего собра́ния in accórdance with the rèsolútion of the géneral méėting; 2. (*указ*) decrée, enáctment.

постано̇в‖ля́ть, **постанови́ть** (*вн.*) (*издавать распоряжение*) decrée (*d.*), enáct (*d.*); (*решать*) decíde (*d.*); resólve [-ˈzɔlv] (*d.*); плéнум ~ля́ет the Plénum resólves; ~ большинство́м голосо́в resólve by a majórity of votes (*d.*); ~и́ли (*в протоколе*) resólved.

постано́в‖очный *театр.*: ~очная пьéса play effective in stage prodúction. ~щик м. *театр.* prodúcer, stáge-mànager, diréctor.

постара́ться *сов. см.* стара́ться.

постаре́ть *сов. см.* старе́ть 1.

по-ста́рому *нареч.* 1. as before; 2. (*как в старые времена*) as of old.

постате́йный by páragràphs, páragràph áfter páragràph.

постели́ть *сов. см.* постила́ть.

посте́‖ль ж. bed; ~ больно́го a sick bed; лежа́ть в ~ли be in bed; лечь в ~ get* into bed; прико́ванный к ~ли bédridden. ~льный bed (*attr.*); ~льные принадле́жности bédding *sg.*; ~льное бельё bédclòthes [-klou-] *pl.*; ~льный режи́м confínement to bed.

постепе́нн‖о *нареч.* grádually, little by little, by degrées. ~ость ж. (*рд.*) grádualness (of); ~ость разви́тия, перехо́да *и т.п.* (от к) grádual devélopment, change, *etc.* [...tʃeɪ-] (from to). ~ый grádual, progréssive; ~ый перехо́д grádual trànsítion [...-ʒn].

постесня́ться *сов. см.* стесня́ться I 2.

постига́ть, **пости́гнуть**, **пости́чь** (*вн.*) 1. (*понимать*) understánd* (*d.*), grasp (*d.*), còmprehénd (*d.*), percéive [-ˈsiːv] (*d.*); 2. (*случаться с кем-л.*) strike* (*d.*), òvertáke* (*d.*), befáll* (*d.*); его́ пости́гло несча́стье misfórtune òvertóok / befė́ll him [-tʃən...]; его́ пости́гла зла́я судьба́ his was a sad fate; a sad fate òvertóok him.

пости́гнуть *сов. см.* постига́ть.

постиж‖е́ние *с.* ùnderstánding, còmprehénsion, còmprehénding, grasp. ~и́мый ùnderstándable, còmprehénsible; concéivable [-ˈsiːv-].

постила́ть, **постла́ть**, *разг.* постели́ть (*вн.*) spread* [-ed] (*d.*); ~ ковёр spread* a cárpet; ~ посте́ль make* up a bed.

постира́ть *сов. разг.* = вы́стирать *см.* стира́ть II; 2. (*немного*) do some wáshing; wash (a little), do a wash.

постиру́шка ж. *разг.* a little bit of wáshing.

пости́ться fast, keep* the fast.

пости́чь *сов. см.* постига́ть.

постла́ть *сов.* 1. *см.* постила́ть; 2. *как сов. к* стлать.

по́стн‖ый 1. lénten; (*перен.*; *ханжеский*) píous, hỳpocrítical; (*скучный*) glum; ~ая еда́ lénten fare; ~ое ма́сло végetable oil; ~ое лицо́ *разг.* píous / hỳpocrítical expréssion; glum expréssion; 2. *разг.* (*не жирный*) lean; ~ое мя́со lean meat.

постово́й 1. *прил.* on póint-dùty; ~ милиционе́р milítia:man* on póint-dùty; 2. м. как сущ. man* on póint-dùty, póints:man*.

посто́й м. *уст.* bílleting; поста́вить на ~ (*вн.*) bíllet (*d.*); пла́та за ~ bílleting charge.

посто́льку *союз* in so far as, in:as:much as; ◇ ~ ... поско́льку ... so far as.

посторони́ться *сов. см.* сторони́ться 1.

посторо́нн‖ий 1. *прил.* (*чужой*) strange [-eɪndʒ]; (*побочный*) óutside; ~ее те́ло fóreign bódy [ˈfɔrɪn bɔ-]; ~ие дела́ óutside mátters; ~ие вопро́сы èxtráneous íssues; без ~ей по́мощи ùn:assísted, withóut óutside assístance; síngle-hánded *разг.*; 2. м. как сущ. stránger [-eɪndʒ], óutsider; ~им вход воспрещён no admíttance; ùn:áuthorized pérsons not admítted.

постоя́лец м. *уст. разг.* lódger; (*в гостинице тж.*) guest.

постоя́лый *уст.*: ~ двор cóaching inn.

постоя́нно I *прил. кратк. см.* постоя́нный.

постоя́нн‖о II *нареч.* cónstantly, contínually, álways [ˈɔːlwəz]. ~ый cónstant; (*неизменный*) inváriable, pérmanent; ~ый а́дрес pérmanent addréss; ~ый жи́тель pérmanent résident [...-z-]; ~ый

пос—пос

посетитель регулярный visitor [...-zi-]; проявлять ~ую заботу unceasing concern [...-'sɜ:s-...]; ~ая величина мат. constant; ~ая армия воен. regular army; ~ый ток эл. direct current; ~ый капитал эк. constant capital.

постоянство с. constancy; рётность.

постоять II сов. 1. (некоторое время) stand* (for a while, etc.); 2. пов. (подожди) wait a bit / little! (остановись, остановитесь) stop!; ~ за себя́ защитить stand* up for oneself; ~ за Ро́дину defend one's country [-'kʌ-].

пострада́вший 1. прич. см. страда́ть 2; 2. м как сущ. victim.

пострада́ть сов. 1. см. страда́ть 2, 3; 2. (немно́го) suffer a little.

постра́ничный paginal, by the page, per page.

постра́нствовать сов. travel [-æv-], do some travelling; он мно́го ~л на своём веку́ he has done a lot of travelling in his life.

постре́л м разг. little rogue [...roug], ~ везде́ поспе́л ≡ the scamp has a finger in every pie.

постре́ливать fire (intermittently), shoot* now and then.

постреля́ть сов. 1. (без доп.; некоторое время) spend* some time shooting, do some shooting; 2. (вн. рд.) bag (д.), (добить известное число) shoot* (a number of).

постриг м taking of monastic vows; (о женщине тж.) taking the veil.

постригать, постричь II (в монахи, в монахини) make* a monk [...mʌ-] (д.); (в монахи́ни) admit to monastic vows (д.); постри́чься (в монахи) take* monastic vows (д.); (о женщине тж.) take* the veil.

постри́чь I сов. = остри́чь см. стричь.

постри́чься II сов. см. постри́гаться.

построе́ние с. 1. (в разн. знач.) construction; ~ социализма building of socialism [...-bl-...]; 2. воен. formation.

постро́ить I, II сов. см. строить.

постро́йка ж. 1. (действие) building [-bl-]; erection; ~ новых фабрик-зданий ['hausbl-]; ~ домов house-building ['hausbl-]; ~ эре́кция / erection of new factories; 2. (строение) building, stone building; (из кирпича) brick building.

постро́чный by the line, per line; ~ая пла́та payment by the line linage [-ʹlai-].

пост-скри́птум м. postscript [ʹpou-]; сокр. P.S.

посту́кива||ть (по дт.) tap (on), patter (on); ~я па́лочкой he walked tapping with his stick.

постули́ровать несов. и сов. (вн.) postulate [-eit].

посту́лат м. филос., мат. postulate (o старом суде)

посту́лина ж. разг. 1. vessel; 2. мор. tea-things pl.; 2. разг. (сосуд) vessel; скрип ~ [-'z:] ≡ creaking doors hang the longest [...-ŋ-...].

посту́кивать несов. см. посту́кивать.

посту́п||ать сов. (в вн.) 1. (в вн.) knock (at), rap (a little, for a while, etc.); ~ся сов. (в вн.) knock (at, on).

посту́пок м. action; act; deed; безрассу́дный ~ rash action; сме́лый ~ brave deed; ~ки его́ не нра́вятся he doesn't like the way she behaves, he doesn't like her behaviour.

по́ступь ж. step; tread; твёрдая ~ firm step; ме́рная ~ measured tread ['mez-...].

постуча́||ть сов. (в вн.) 1. knock (at), rap (at, on); ~ли в дверь there was a knock / rap at the door [...-dɔ:]; 2. (некоторое время, немного и т.п.) knock / rap (a little, for a while, etc.); ~ться сов. (в вн.) knock (at), rap (at, on).

постфа́ктум нареч. post factum [ʹpoust-...], after the event.

посты́|дить сов. (вн.) разг. reprimand slightly [-a:nd-...], pull up (д.); ~ся сов. (рд.) be / feel* ashamed (of).

посты́дный разг. shameful, disreputable.

посты́лый разг. hateful, repellent.

посу́д||а ж. 1. собир. tableware, ~ы; dishes pl.; crockery; фарфо́ровая ~ china, ~ фая́нсовая ~ earthenware [ʹɜ:-]; жестяна́я ~ tinware; ку́хонная ~ kitchen utensils pl.; ча́йная ~ tea-things pl.; 2. разг. (сосуд) vessel; скрип ~ [-'z:] ≡ creaking doors hang the longest [...-ŋ-...].

посуди́на ж. разг. 1. vessel; 2. мор. (о старом судне) old tub.

посуди́ть сов.: ~е са́ми judge for yourself.

посу́д||ный прил. к посу́да; ~ шкаф dresser; ~ магази́н china-shop; crockery shop; ~ое полоте́нце dishcloth, tea-towel.

посудомо́е||чный: ~ая маши́на dish-washing machine [...ʃi:n].

посудомо́йка ж. разг. = посудомо́ечная маши́на см. посудомо́ечный.

посу́ли||ть сов. разг. promise [-s]; ~ с три ко́роба на ~ бы make* all manner of promises, be lavish with promises.

посу́точно нареч. by the day, for every 24 hours [ʹauəz]; плати́ть ~ pay by the day; ~ый 24-hour [-auə] (attr.); by the day; ~ое дежу́рство 24-hour spell of duty; ~ая опла́та pay by the day.

посу́ху нареч. разг. on dry land.

посчастли́вить||ся сов. безл.: ему́ и т.п. ~лось ~ (+ инф.) he has (+ to inf.), they have, etc. the luck (+ to inf.); he is, they are, etc. lucky enough (+ to inf.); ему́ ~лось доста́ть э́ту кни́гу he had the good fortune, или was lucky enough, to get this book [...-tʃən...]; ему́ ~лось he happened (to).

посчита́ть сов. 1. (вн.) count up (д.); 2. см. счита́ть I 1.

посчита́ться сов. 1. (с тв. разг. be quits / even (with); мы ещё ~емся! I shall get even with you yet!; 2. см. счита́ться I 1.

посыла́ть (вн.) см. посла́ть* send* (д.; о письме и т.п.) dispatch (д. to); (вн. за тв.) send (д. for); ~ по по́чте post (send) by post [poust...] (д.); ~ по по́чте mail (д. to); ~ кого́-л. в кома́ндиро́вку send* smb. on a business trip [...-bizn-...]; ~ кого́-л. за врачо́м send* for the doctor; ~ возду́шные поцелу́и kiss one's hand (to), blow* kisses [-ou-...]; ~ покло́н, приве́т send* one's (best) regards (to), beg to be remembered (to).

посы́л||ка I ж. (дéжурное) sending, dispatching; ◇ быть на ~ках у кого́-л. run smb.'s errands, be at smb.'s beck and call.

посы́л||ка II ж. (почтовая) parcel; отправля́ть ~ку post a parcel [poust...]; по́чтою ~кой III ж. филос. (суждение) premise [-s]; бо́льшая, ма́лая ~ major, minor premise.

посы́лочный parcel (attr.).

посы́льный м. ска. как прил. messenger [-n-], commissionaire [-sjəʹneə].

посыпа́ть сов. см. посыпа́ть.

посы́пать (вн. тв.) strew* (д. with), powder (д. with); sprinkle (д. with); ~ гра́вием gravel [ʹgræ-] (д.); ~ песко́м sand (д.), ~ со́лью salt (д.), sugar [ʹʃu-] (д.); ~ со́лью sprinkle with salt (д.).

посы́п||аться сов. begin* to fall down, fall down (перен.); pour down [pɔ:...], rain; ~лись уда́ры blows rained, fell thick and fast [blouz...].

посяга́тельство с. (на вн.) encroachment (on, up[on]), infringement (of), ~ть (на вн.) encroach (on, up[on]), infringe (on, up[on]), make*

ПОТ — ПОТ

an encróachment (on, upón); ~áть на чью-л. свободу, на чьё-л. имущество и т. п. encróach / infrínge on smb.'s líberty, próperty, *etc.*; ~áть на чьи-л. права infrínge upón smb.'s rights; ~áть на чужую жизнь make* an attémpt on smb.'s life. ~**нýть** *сов. см.* посягáть.

пот *м.* sweat [swet], pèrspirátion; холóдный ~ cold sweat; обливáясь ~ом drípping with sweat; весь в ~ý bathed in sweat [beɪðd...]; all of a sweat; ◊ в ~е лицá by the sweat of one's brow; трудиться до седьмóго ~а sweat one's guts out; ~ом и крóвью with blood and sweat [...blʌd...]; вогнáть когó-л. в ~ make* smb. go hot and cold; work smb. to the bone.

потаённый *уст.* = потайнóй.

потайн||óй sécret; ~ ход sécret pássage; ~áя дверь sécret door [...dɔː].

потакáние *c.* indúlgence, connívance [-'naɪ-].

потакáть (*дт.* в *пр.*) *разг.* indúlge (*d.* in); ~ ребёнку в егó шáлостях, ~ шáлостям ребёнка indúlge *a* child's capríces [...-'riː-].

потанц||евáть *сов.* have a dance; (*некоторое время, немного и т. п.*) dance (for a while, *etc.*); давáйте ~ýем let's have a dance, shall we dance?

потáсканный *разг.* 1. shábby, the worse for wear [...wɛə]; 2. костюм frayed suit [...sjuːt]; 2. (*о внешности*) séedy.

потаскýха *ж.*, **потаскýшка** *ж. бран.* strúmpet, tróllop.

потасóвка *ж. разг.* brawl, fight, scúffle.

потáт||чик *м.*, ~**чица** *ж. разг.* indúlger.

потáчка *ж. разг.* = потакáние.

потáш *м.* pótash.

потащить *сов. см.* таскáть 1. ~**ся** *сов. см.* таскáться.

по-твóему *нареч.* 1. (*по твоему мнению*) in, *или* accórding to, your opínion; to your way of thínking; 2. (*по твоему желанию*) as you wish; as you would have it; (*по твоему совету*) as you advíse; ◊ пусть будет, *или* будь, ~ have it your own way [...oʊn...], let it be as you wish.

потвóр||ство *с.* indúlgence, connívance [-'naɪ-], pándering. ~**ствовать** (*дт.*) connive (at), show* indúlgence [ʃoʊ...] (towards), pánder (to). ~**щик** *м.*, ~**щица** *ж. разг.* pánderer.

потёк *м.* stain; damp patch.

потёмк||и *мн.* dárkness *sg.*; в ~ax in the dark; ◊ чужая душá — ~ *посл.* the húman heart is a mýstery [...hɑːt...].

потемнéние *с.* dárkening; (*в глазах*) dímness.

потемнéть *сов. см.* темнéть I 1.

потéние *с.* swéating ['swet-], pèrspirátion.

потенци||áл [-тэ-] *м.* poténtial; рáзность ~áлов poténtial dífference; воéнный ~ war poténtial. ~**áльный** [-тэ-] poténtial.

потенциóметр [-тэ-] *м. эл.* potèntiómeter.

потéнция [-тэ-] *ж.* pótency ['poʊ-], potèntiálity.

потеплéние *с.* rise in témperature; gétting wármer; наступило ~ a warm spell (has) set in, the cold snap is óver, *или* has bróken.

потеплéть *сов. см.* теплéть.

потерéть *сов.* (*вн.*) rub (*d.*).

потерпéвший 1. *прич. см.* потерпéть; 2. *м. как сущ.* víctim. ~ от пожáра fire víctim; ~ кораблекрушéние a shípwrecked pérson, shípwreck survívor.

потерпéть *сов.* 1. (*проявить терпение*) be pátient, keep* one's pátience; 2. (*вн.*; *перенести, испытать*) súffer (*d.*); ~ потéри, убытки súffer lósses, dámages; ~ кораблекрушéние be shípwrecked; ~ поражéние sustáin a defeat, be deféated; 3. (*вн.; допустить*) súffer (*d.*), stand* (*d.*), tólerate (*d.*); он не потéрпит этого he won't stand / tólerate that [...woʊnt....].

потёрт||ый *разг.* 1. shábby, threadbáre ['θred-], frayed; 2. (*утомлённый, несвежий*) wáshed-óut; ~ вид wáshed-óut look / appéarance; ~ое лицó worn face [wɔːn...].

потéр||я *ж.* 1. (*утрата*) loss; (*времени, денег и т. п.*) waste [weɪ-]; ~ крóви loss of blood [...blʌd]; ~ зрéния loss of sight; ~ пáмяти loss of mémory; *мед.* àmnésia [-z-]; ~ сознáния loss of cónsciousness [-nʃəs-]; (*пóлная*) ~ и трудоспосóбности (tótal) disabílity; ~и при убóрке урожáя hárvesting lósses; hárvesting waste *sg.*; ~и скотá от падежá lívestock mòrtálity *sg.*; устранять ~и eliminate, *или* cut* out, waste; 2. *мн. воен.* lósses; ~и в людскóй силе и тéхнике lósses in mánpower / men and matériel (*фр.*) [...mətɪərɪ'el]; ~и убитыми fátal cásualties [...'kæʒ-], ~и убитыми и рáнеными lósses in killed and wóunded [...'wuːn-]; списóк ~ь cásualty list ['kæʒ-...]; крупные, серьёзные ~и sérious lósses.

потéрянный 1. *прич. см.* терять; 2. *прил.* (*расстроенный*) embárrassed, perpléxed; у неё был ~ вид she had a lost expréssion; 3. (*конченый*): он ~ человéк he is done for.

потерять(ся) *сов. см.* терять(ся).

потеснить *сов. см.* теснить I.

потесниться *сов.* (*освободить место*) make* room; (*о сидящих, стоящих и т. п.*) sit*, stand*, *etc.*, clóser (so as to make room for smb. or smth.) [...'kloʊsə...].

потéть I, вспотéть 1. (*покрываться потом*) sweat [swet], perspíre; 2. *тк. несов.* (*над*) *разг.* (*трудиться*) toil (óver), sweat (óver).

потé||ть II, запотéть *разг.* (*покрываться влажным налётом*) mist (óver), be / become* cóvered with steam [...'kʌ-]; óкна ~ют the windows are damp / místy, *или* are cóvered with steam.

потéха *ж.* fun; вот ~! what fun!; ◊ пошлá ~ now the fun has begún!

потéчь *сов.* 1. (*начать течь*) begin* to flow [...-oʊ]; (*о бочке, лодке и т. п.*) begin* to leak; 2. *как сов. к* течь I.

потешáть *разг.* = тéшить. ~**ся** *разг.* 1. amúse onesélf; 2. (*над*) laugh [lɑːf] (at); make* fun (of); (*издеваться*) mock (at).

потéш||ить *сов.* 1. *см.* тéшить. 2. (*вн.*; *некоторое время, немного и т. п.*) amúse / èntertáin (for a while, a little, *etc.*) (*d.*). ~**иться** *сов. см.* тéшиться. ~**ный** fúnny, amúsing; ◊ ~ный полк potéshny régiment (regiment of boy-soldiers under Peter I).

потирáть (*вн.*) *разг.* rub (*d.*); ~ рýки rub one's hands; ~ рýки от рáдости, удовóльствия rub one's hands with joy, pléasure [...'ple-].

потихóньку *нареч. разг.* 1. (*не спеша*) slówly [-oʊlɪ]; 2. (*тихо*) nóiselessly, sílently; 3. (*тайком*) on the sly, sécretly, by stealth [...stelθ].

потлив||ость *ж.* dispositíon to sweat / perspíre [-'zɪ-... swet...]. ~**ый** súbject to swéating / pèrspirátion [...'swet-...], swéaty ['swetɪ].

потник *м.* swéat-cloth ['swet-].

пóтн||ый swéaty ['swetɪ], damp with pèrspirátion; ~ые рýки clámmy hands.

по-товáрищески *нареч.* as a friend / cómrade [...frend...]; in a fríendly way / mánner [...'frend-...]; это не ~ that is not béing fríendly.

потов||óй *анат.*: ~ые жéлезы sweat glands [swet...].

потогóнн||ое *с. скл. как прил.* sùdorífic, dìaphorétic. ~**ый** sùdorífic, dìaphorétic; ◊ ~ая систéма swéated lábour sýstem ['swet-...], spéed-úp (sýstem).

потóк *м.* 1. stream, tórrent, flow [-oʊ]; (*перен. тж.*) cúrrent; гóрный ~ móuntain stream / tórrent; воздýшный ~ air flow; лить ~и слёз shed* tórrents of tears, weep* in floods [...flʌdz]; ~ слов flow of words; ~ ругáтельств a tórrent / stream / shówer of abúse [...-s]; людскóй ~ stream of people [...piː]; нескончáемым ~ом in an éndless stream; 2. (*система производства*) prodúction line. 3. (*часть состава учащихся*) group [gruːp], stream; ◊ отдáть на ~ и разграблéние give* óver to whóle:sàle píllage.

потолковáть *сов.* 1. (*с тв. о пр.*; *немного и т. п.*) talk (a little, *etc.*) (with abóut), have a (short) talk (with abóut); ~ десять минýт have a ten mínutes' talk [...-nɪts...]; 2. *как сов. к* толковáть 3.

потол||óк *м.* 1. céiling ['siːl-]; *ав. тж.* roof; с высóким ~кóм híghcéilinged [-'siːl-]; с низким ~кóм lówcéilinged ['loʊ'siːl-]; кессóнный, ящичный ~ *тех.* cóffer-wòrk céiling; 2. (*предел*) límit, ábsolute límit; ◊ взять что-л. с ~кá *разг.* make* smth. up; spin* smth. out of thin air.

потолстéть *сов. см.* толстéть.

потóм *нареч.* (*после*) áfterwards [-dz]; (*затем*) then; (*позже*) láter on.

потóмок *м.* 1. descéndant, óffspring; 2. *мн.* (*будущее поколение*) prógeny.

**потóмственный* heréditary; ~ дворянин *ист.* géntleman by birth; ~ шахтёр, сталевáр и т. п. (he comes) of a fámily of míners, steel fóunders, *etc.*

потóмство *с. собир.* 1. (*потомки*) postérity; 2. (*молодое поколение*) descéndants *pl.*

потомý I *нареч.* (*об.* ~... и) that is why, *об.* that's why: ~ он и приéхал немéдленно that's why he came immédiately; — ~ что, ~... что becáuse

[-'kɔz]: он это сделал ~, или ~ сделал это, что не знал he did it because he did not know [...nou].

потому́ II *союз*: ~ что becáuse [-'kɔz], for, as.

потону́ть *сов. см.* тону́ть I.

пото́п *м.* flood [-ʌd], déluge; ◇ всеми́рный ~ the Flood, the Déluge.

потопи́ть I *сов.* (*нагреть немного топкой*) heat a little.

потоп‖**и́ть** II *сов. см.* топи́ть III. ~**ле́ние** *с.* sínking.

потопта́‖**ть** *сов.* (*вн.*) tread* [tred] (*d.*), trample (*d.*); скот ~л траву́ the cattle trod down, *или* trampled (down), the grass. ~**ться** *как сов. к* топта́ться.

потора́пливать (*вн.*) *разг.* húrry up (*d.*), urge on (*d.*). ~**ся** *разг.* make* haste [...heɪ-], húrry; поторапливайся! get a move on! [...muːv...].

поторгова́‖**ться** *сов.* (*некоторое время, немного и т. п.*) bárgain (for a while, a little, *etc.*), haggle (*d.*); ты бы ~лся you should have bárgained.

поторопи́ть(ся) *сов. см.* торопи́ть(ся).

пото́чн‖**ый**: ~ ме́тод prodúction; ма́ссовое ~ое произво́дство mass line prodúction; ~ая ли́ния prodúction line.

потра́ва *ж.* dámage (caused to a field, meadow, *etc.*, by grázing cattle) [...fiː-'meː-...].

потра́вить *сов. см.* трави́ть III.

потра́тить *сов.* (*вн.*) spend* (*d.*); (*понапрасну*) waste [weɪ-] (*d.*). ~**ся** *сов.* spend* móney [...'mʌ-].

потра́фить *сов. см.* потрафля́ть.

потрафля́ть, потра́фить (*дт.*) *разг.* please (*d.*), sátisfy (*d.*); ему́ тру́дно потрафить he is hard / difficult to please; there is no pléasing him.

потреби́тель *м.*, ~**ница** *ж.* consúmer, úser. ~**ный** consúmption (*attr.*); ~**ная сто́имость** *эк.* use válue [-s-...]. ~**ский** *прил. к* потреби́тель; ~**ская коопера́ция** consúmers' co-óperatives *pl.*; ~**ское о́бщество** consúmers' society.

потреби́ть *сов. см.* потребля́ть.

потребле́ни‖**е** *с.* consúmption, use [-s]; предме́ты ~я óbjects of consúmption; предме́ты, това́ры широ́кого ~я consúmer goods [...gudz]; райо́ны ~я áreas of consúmption [ˈɛərɪəz...]; обще́ственные фо́нды ~я públic consúmption funds.

потребля́ть, потреби́ть (*вн.*) consúme (*d.*), use (*d.*).

потре́бн‖**ость** *ж.* want, necéssity, need; есте́ственная ~ phýsical need [-zɪ-...]; жи́зненные ~**ости** the necéssities of life; постоя́нно расту́щие ~**ости** cónstantly grówing requíre;ments [...'graʊ-...]; материа́льные и культу́рные ~**ости** наро́да matérial and cúltural needs of the people [...piː-]; ~ в рабо́чей си́ле mánpower / lábour requíre;ments / needs *pl.*; ~ в промы́шленности в сырье́ indústrial demánd for raw matérials [...-ɑːnd...]. ~**ый** nécessary, requíred; néedful; ~**ое коли́чество** (*рд.*) the nécessary / requíred amóunt (of).

потре́бовать *сов. см.* тре́бовать 1, 2, 4. ~**ся** *сов. см.* тре́боваться.

потрево́жить *сов. см.* трево́жить I. ~**ся** *сов. см.* трево́житься I.

потрёпанн‖**ый** 1. *прич. см.* трепа́ть 3; 2. *прил.* shábby, thréadbare [-ed-]; (*перен.*) séedy; ~ая кни́га táttered book; име́ть ~ вид look séedy; ~ые диви́зии врага́ báttered énemy divísions.

потрепа́ть *сов. см.* трепа́ть 2, 3, 4. ~**ся** *сов. см.* трепа́ться 1.

потре́скаться *сов. см.* тре́скаться.

потре́скивание *с.* cráckle, cráckling.

потре́скивать cráckle.

потро́гать *сов.* (*вн.*) touch [tʌtʃ] (*d.*); ~ па́льцем finger (*d.*).

потрох‖**а́** *мн.* pluck *sg.*; жа́реные ~ háslet(s) [-z-]; гуси́ные ~ goose gíblets [-s 'dʒɪ-]; суп из гуси́ных ~**о́в** gíblet soup [...suːp]; ◇ со все́ми ~**а́ми** *разг.* lock, stock and bárrel.

потроши́ть, вы́потрошить (*вн.*) dísembówel (*d.*), clean (*d.*); (*о птице*) draw* (*d.*).

потруди́‖**ться** *сов.* 1. take* some pains; (*некоторое время и т. п.*) work (for a while, *etc.*); он даже не ~лся сде́лать э́то he didn't éven take the trouble to do it [...trʌbl...]; 2. *пов.* (*в обраще́нии*): ~**тесь** сде́лать э́то be so kind as to do it; ~**тесь** уйти́! kind;ly leave the room!

потрудне́е (*сравн. ст. от прил.* тру́дный *и нареч.* тру́дно) (a little) more dífficult.

потряс‖**а́ть**, потрясти́ 1. (*вн.*, *тв.*) shake* (*d.*); (*оружием и т. п.*) brándish (*d.*); потрясти́ до основа́ния shake* / rock to its foundátion (*d.*); ~ во́здух кри́ками rend* the air with shouts; 2. (*вн.*; *производить большое впечатле́ние*) amáze (*d.*), astóund (*d.*), shock (*d.*); (*волнова́ть*) shake* (*d.*); он был ~ён э́тим he was sháken by this; (*крайне удивлён*) he was amázed / astóunded / shocked at this. ~**а́ющий** 1. *прич. см.* потряса́ть; 2. *прил.* stággering, stupéndous, treméndous; (*о фактах, событиях и т. п.*) stártling; ~**а́ющее впечатле́ние** treméndous impréssion; ~**а́ющее собы́тие** stággering event, event of út;most impórtance. ~**е́ние** *с.* shock; не́рвное ~**е́ние** (nérvous) shock.

потрясти́ I *сов. см.* потряса́ть.

потрясти́ II *сов.* 1. (*вн.*; *немного*) shake* (a little) (*d.*); 2. *как сов. к* трясти́.

потря́хивать (*тв.*) *разг.* shake* (*d.*), jolt (*d.*).

поту́ги *мн.* 1. múscular contráction *sg.*; (*во время родов*) lábour *sg.*; 2. (*бесплодные усилия, попытки*) vain attémpts.

потупи́вшись *нареч.* with dówncast eyes [...aɪz].

поту́п‖**и́ть(ся)** *сов. см.* потупля́ть(-ся). ~**ля́ть**, потупи́ть (*вн.*): ~**ить** взгляд, взор cast* down, *или* drop, one's eyes [...aɪz], lówer one's gaze ['loʊ...]; ~**я** взгляд, взор with dówncast eyes. ~**ля́ться**, потупи́ться look down, cast* down one's eyes [...aɪz], drop one's eyes.

потускне́лый tárnished; (*о взгляде*) láck-lùstre.

потускне́ть *сов. см.* тускне́ть.

потусторо́нний: ~ мир the óther world, the beyónd.

потуха́ние *с.* extínction.

потуха́ть = ту́хнуть I.

поту́хнуть *сов. см.* ту́хнуть I.

поту́хш‖**ий** 1. *прич. см.* ту́хнуть I; 2. *прил.* extínct; ~ вулка́н extínct volcáno; ◇ ~**ие** глаза́, ~ взор dimmed / lácklùstre eyes [...aɪz].

потучне́ть *сов. см.* тучне́ть.

потуши́ть I *сов. см.* туши́ть I.

потуши́ть II *сов. см.* (*вн.*) *кул.* (*некоторое время и т. п.*) stew (for a while, *etc.*) (*d.*); óвощи на́до ~ the végetables should be stewed.

поту́чевать, попо́тчевать (*вн. тв.*) regále (*d.* with), treat (*d.* to), entertáin (*d.* to).

потяга́ться *сов.* (с *тв.* в *пр.*) *разг.* conténd (with in).

потя́гивать (*вн.*) *разг.* 1. (*понемногу пить*) sip (*d.*); 2. (*курить*) pull [pul] (at), draw* (at); ~ папиро́су draw* at a cigarétte.

потя́гиваться, потяну́ться stretch òne;sélf.

потяну́ть *сов. см.* тяну́ть 1, 6, 7, 8, 9, 11. ~**ся** *сов.* 1. *см.* тяну́ться 4, 5, 8; 2. *см.* потя́гиваться.

поу́жинать *сов. см.* у́жинать.

поумне́ть *сов. см.* умне́ть.

поуро́чн‖**о** *нареч.* by the piece [...piːs]. ~**ый**: ~**ая опла́та** píece-wòrk pay ['piːs-...].

поутру́ *нареч.* in the mórning.

поуча́ть (*вн.*) 1. *уст.* (*учить*) teach* (*d.*), instrúct (*d.*); 2. (*наставлять*) preach (at), lécture (*d.*), give* a lécture (*i.*).

поуче́ние *с.* précept, lésson; (*наставление*) lécture, sérmon; (*скучное*) hómily.

поучи́тельн‖**ость** *ж.* instrúctive;ness; didáctic. ~**ый** instrúctive; didáctic.

пофарт‖**и́ть** *сов. разг.* be lúcky, be in luck; нам ~**и́ло** we were in luck.

поха́б‖**ность** *ж. разг.* obscénity [-'siː-], báwdiness. ~**ный** *разг.* obscéne, báwdy, indécent. ~**щина** *ж. разг.* obscénities [-'siː-] *pl.*

поха́живать *разг.* 1. pace, stroll; 2. (*заходить, приходить куда-л.*) come*, go* (from time to time).

похвал‖**а́** *ж.* praise; отзыва́ться с ~**о́й** (о *пр.*) praise (*d.*), speak* fávour;ably (of).

похва́ливать (*вн.*) *разг.* praise (*d.*); есть да ~ praise the food.

похвали́ть *сов. см.* хвали́ть. ~**ся** *сов. см.* хвали́ться и похваля́ться.

похвальба́ *ж. разг.* brágging, bóasting.

похва́льн‖**ый** 1. (*заслуживающий похвалы*) práise;wòrthy [-ðɪ], laúdable, comméndable; ~ посту́пок, ~ое наме́рение práise;wòrthy / laúdable act, aim; 2. (*содержащий похвалу*) práising; ~ая гра́мота certíficate of mérit; ~ лист *уст.* school testimónial of good cónduct and prógress; 3. *уст.* (*хвалебный*) laúdatory, eulogístic; ~ое сло́во éulogy, en;cómium.

похваля́ться, похвали́ться (*тв.*) *разг.* boast (of, abóut), brag (of, abóut).

похва́рывать *разг.* be fréquent;ly unwéll, be súbject to indisposítion [...-ˈzɪ-...].

похва́стать(ся) *сов. см.* хва́стать(ся).

469

ПОХ—ПОЧ

похе́рить *сов.* (*вн.*) *разг.* cross out / off (*d.*), cáncel (*d.*).

похити́тель *м.*, ~**ница** *ж.* thief [θi:f]; (*людей*) kídnàpper; (*женщины тж.*) àbdúctor; (*автомобиля, самолёта*) hí:jàcker.

похи́тить *сов. см.* похища́ть.

похища́|ть, похи́тить (*вн.*) steal* (*d.*); (*о людях*) kídnàp (*d.*); (*о женщине тж.*) abdúct (*d.*); (*об автомобиле, самолёте*) híjack (*d.*); ~**ение** *с.* theft; (*людей*) kídnàpping; (*женщины тж.*) abdúction; (*автомобиля, самолёта*) híjàcking.

похлёбка *ж. разг.* soup [su:p], póttage.

похло́пать *сов.* (*вн.*) slap (*d.*); ~ кого́-л. по плечу́ tap smb. on the shóulder [...'ʃou-].

похлопота́ть *сов. см.* хлопота́ть 2, 3.

похло́пывать (*вн.*) pat (*d.*).

похме́ль|е *с.* háng:over; "the mórn:ing áfter the night befóre"; быть с ~я have a háng:òver, have a bad / thick head [...hed]; ◇ в чужо́м пиру́ ~ ≅ súffer for smb. élse's sins / mistákes.

похо́д I *м.* march, *мор.* trip, cruise [kru:z]; выступа́ть в ~ take* the field [...fi:ld]; 2. (*на вн., про́тив; вое́нная кампа́ния*) càmpáign [-'peɪn] (agáinst); (*тж. перен.*); 3. (*экску́рсия; путеше́ствие, прогу́лка*) wálking tour / trip [...tuə]; hike; отпра́виться в двухдне́вный ~ go* on a twó-days' wálking tour / trip ['fi:-, 'ski:-...]; ~ на лы́жах skíing trip.

похо́д II *м. разг.* (*излишек*) óver:weight.

похода́тайствовать *сов. см.* хода́тайствовать.

походи́ть I (на *вн.*; *быть похо́жим*) resémble [-'ze-] (*d.*), bear* a resémblance [beə -'ze-] (to), be like (*d.*), be not únlíke (*d.*).

походи́ть II *сов.* (*некоторое время и т. п.*) walk (for a while, *etc.*).

похо́дка *ж.* gait, walk, step; лёгкая ~ light step; бы́страя ~ rápid gait; ме́дленная ~ slow gait [-ou...]; перева́ливающаяся ~ waddle.

похо́дн||ый 1. march (*attr.*); márching; route [ru:t] (*attr.*); ~ поря́док márching órder, march fòrmátion; ~ строй march fòrmátion; ~ая пе́сня márching song; ~ая коло́нна cólumn of route (*d.*); 2. (*предназначенный для похо́да*) field [fi:ld] (*attr.*); camp (*attr.*); ~ая крова́ть cámp:bèd; ~ое снаряже́ние *воен.* field kit; ~ая фо́рма márching órder, field dress; 3. (*передвижно́й*) field [fi:ld] (*attr.*), móbile ['mou-]; ~ го́спиталь field hóspital; ~ая ку́хня móbile kítchen; field kítchen.

походя́ *нареч. разг.* 1. (*не садя́сь, торопли́во*) as one góes alóng; on the march; мы е́ли ~ we ate as we went alóng; 2. (*попутно, мимохо́дом*) in pássing, in an óff:hànd mánner; нельзя́ реша́ть дела́ ~ you can't settle mátters óff:hand, *или* out of hand [...kɑ:nt...].

похожде́ние *с.* advénture.

похо́ж||ий resémbling [-'ze-]; alíke (*predic.*); (на *вн.*) like (*d.*); дово́льно ~ ráther like ['rɑ:-...], not únlíke; ~ на воск, желе́зо *и т. п.* like wax, íron, *etc.* [...wæ- 'aɪən]; wáx-like, íron-like, *etc.* ['wæ- 'aɪən-]; быть ~им (на *вн.*) be like (*d.*), resémble [-'ze-] (*d.*), bear* resémblance [beə -'ze-] (to); они́ о́чень ~и друг на дру́га they are very much alíke; they bear a great resémblance to each other [...-eɪt...]; э́то о́чень ~е (на *вн.*) it looks very much like (*d.*); э́то на него́ ~е! it's just like him!; that's him all óver!; на кого́ вы ~и! just look at yourself!; what a sight!; ~е на то, что it looks as if: ~е на то, что пойдёт дождь it looks as if it is góing to rain, it looks like rain; — э́то ни на что не ~е! ≅ it's like nothing on earth! [...ə:θ]; (*о поведении*) it is únhéard of! [...-'hə:d...]; он не похо́ж на самого́ себя́ he is not him:sélf.

по-хозя́йски *нареч.* thríftily, wíse:ly; расхо́довать сре́дства ~ spend* funds thríftily / wíse:ly.

похолода́|ние *с.* fall of témperature, cold spell / snap; наступи́ло ~ it grew cólder, there is a cold snap. ~**ть** *сов. безл.*: ~ло it has got cólder.

похолоде́ть *сов. см.* холоде́ть.

похорони́ть *сов. см.* хорони́ть 1.

похоро́нка *ж. разг.* = похоро́нная.

похоро́нная *ж. скл. как прил.* "killed in battle" nótice [...'nou-].

похоро́нн||ый (*перен.*) fúnereal [-'nɪərɪəl]; ~ое бюро́ úndertàker's óffice, fúneral párlour; ~ марш fúneral / dead march [...ded...]; ~ звон (fúneral) knell.

по́хороны *мн.* búrial ['be-] *sg.*, fúneral *sg.*

по-хоро́шему *нареч.* in an ámicable / fríendly way [...'frend-...].

похороше́ть *сов. см.* хороше́ть.

похотли́в||ость *ж.* lust, léwdness, lascíviousness. ~**ый** lústful, lewd, lascívious.

по́хоть *ж.* lust, càrnálity.

похохота́|ть *сов.* (*немного, некоторое время и т. п.*) laugh (a little, for a while, *etc.*) [lɑ:f...], have a laugh.

похра́пывать *разг.* snore (géntly / slíghtly).

похристо́соваться *сов. см.* христо́соваться.

похуде́ть *сов. см.* худе́ть.

поца́паться *сов. см.* ца́паться.

поцара́пать *сов.* (*вн.*) scratch slíghtly (*d.*). ~**ся** *сов.* get* slíghtly scratched.

поцелова́ть(ся) *сов. см.* целова́ть(ся).

поцелу́й *м.* kiss.

поча́сный = почасово́й.

почасови́к *м.* párt-time lécturer (*paid by the hour*).

почасов||о́й by the hour [...auə]: ~а́я опла́та pay by the hour.

поча́ток *м.* 1. *бот.* ear; ~ кукуру́зы córn-còb; 2. *текст.* cop.

почв||а́ *ж.* soil; ground (*тж. перен.*); плодоро́дная ~ rich / fértile soil; не теря́ть ~ы под нога́ми, стоя́ть на твёрдой ~е stand* up:ón sure / firm ground [...ʃuə...]; ~ ускольза́ет у них из-под ног the ground is slípping from únder their feet; выбива́ть ~у из-под ног cut* the ground from únder *smb.*, *или smb.'s* feet; take* the wind out of *smb.'s* sails [...wɪnd...]; нащу́пывать, зонди́ровать ~у explore the ground; подгото́вить ~у (для) pave the way (for); prepáre the ground (for); не име́ть под собо́й ~ы be gróundless / báse:less / únfóunded [...-s-...]; ◇ на ~е (*pd.*) becáuse [-'kɔz] (of), ówing ['ouɪŋ] (to).

по́чвенный soil (*attr.*), ground (*attr.*).

почвове́д *м.* soil scíentist. ~**ение** *с.* soil science. ~**ческий** sóil-science (*attr.*).

почвообраба́тывающий *с.-х.* sóil-cúltivàting.

почвоуглуби́тель *м. с.-х.* súbsoil plough.

почём *нареч. разг.* 1. (*по како́й цене́*) how much?: ~ сего́дня карто́фель, я́йца, молоко́? how much are potátoes, eggs to:dáy?, how much is milk?; 2.: ~ знать? how should we know? [...nou], who can tell? ◇ ~ зря *разг.* whatéver comes to mind.

почему́ *нареч.* 1. (*вопрос.*) why: ~ он пое́хал туда́? why did he go there?; скажи́те (мне), ~ он пое́хал туда́ tell me why he went there; но ~ (же)? but why?; ~ нет? why not?; ~ не пое́хать туда́ за́втра? why not go there to:mórrow?; 2. (*относит.*) (and) so; that's why: он забы́л а́дрес, (он) и не писа́л he forgót the addréss (and) so, *или* that's why, he did not write.

почему́-либо, почему́-нибудь *нареч.* for some réason or other [...-z'n...]: е́сли он ~ опозда́ет if he is late for some réason or other.

почему́-то *нареч.* for some réason [...-z'n].

по́черк *м.* 1. hánd(writing); име́ть хоро́ший, плохо́й ~ write* a good, bad hand; 2. (*индивидуа́льная мане́ра*) hand.

почерне́лый dárkened, dark.

почерне́ть *сов. см.* черне́ть 1.

почерпну́ть *сов.* (*вн.*) get* (*d.*), draw* (*d.*); deríve (*d.*); ~ све́дения pick up informátion; ~ зна́ния из книг deríve knówledge from books [...'nɔ-...].

почерстве́ть *сов. см.* get* stale.

почеса́ть *сов. см.* чеса́ть 3. ~**ся** *сов. см.* чеса́ться 1.

по́чест||ь *ж.* hónour ['ɔnə]; ока́зывать, воздава́ть ~и (*дт.*) do hónour (to), rénder hómage (to); отдава́ть после́дние ~и (*дт.*) pay* one's last respécts (to); вое́нные ~и mílitary hónours, the hónours of war.

поче́сть *сов. см.* почита́ть II.

почёсывать (*вн.*) *разг.* scratch (now and then) (*d.*).

почёт *м.* hónour ['ɔnə]; (*уваже́ние*) respéct, estéem; быть в ~е, по́льзоваться ~ом у кого́-л. stand* high in smb.'s estéem; be híghly thought of by smb. ◇ ~ и уваже́ние! my cómpliments! ~**ный** 1. (*по́льзующийся почётом*) hónour:able ['ɔnə-]; ~ный гость guest of hónour [...'ɔnə-]; 2. (*избира́емый в знак почёта*) hónorary ['ɔnə-]; ~ный член hónorary mémber; ~ный акаде́мик hónorary mémber of the Acádemy; ~ный прези́диум hónour:able præsídium; ~ное зва́ние hónorary títle; 3. (*явля́ющийся проявле́нием почёта*) ~ный карау́л guard of hónour; ~ное ме́сто place of hónour; ~ное положе́ние distínguished posítion [...-'zɪ-].

по́чечн||ый *анат.*, *мед.* nèphrític; rénal; ~ая лоха́нка pélvis (of the kídney) ~ые ка́мни (gáll-)stònes.

почива́ть *уст.* sleep*.

почи́вший 1. *прич. см.* почи́ть; **2.** *м. как сущ.* the decéased [...-'si:st].

почи́н *м.* **1.** (*инициатива*) inítiative; по со́бственному ~у on one's own inítiative [...oun...]; сме́лый ~ dáring innovátion; подхвати́ть чей-л. ~ take* up smb.'s inítiative; **2.** *разг.* (*начало*) begínning; (*в торговле тж.*) first sale of the day; для ~а for a start, to make a begínning / start.

почини́ть *сов. см.* чини́ть I.

почи́н||ка *ж.* repáiring; (*обуви, одежды тж.*) ménding. **~очный** repáiring (*attr.*), ménding (*attr.*).

починя́ть = чини́ть I.

почи́стить(ся) *сов. см.* чи́стить(ся).

почита́й *разг.* **1.** *нареч.* (*почти*) álmost ['ɔ:lmoust], nigh on; ~ уж год прошёл álmost a year has passed; **2.** *вводн. сл.* (*пожалуй, вероятно*): он, ~, всё забра́л he seems to have táken éverything.

почита́ние *с.* (*уважение*) hónour:ing ['ɔnə-], respéct, estéem; (*культ*) réverence, wórship. **~тель** *м.*, **~тельница** *ж.* admírer, wórshipper.

почита́ть I (*вн.*) (*уважать*) hónour ['ɔnə] (*d.*), respéct (*d.*), estéem (*d.*); (*как святыню*) revére (*d.*), hold* sácred (*d.*).

почита́||ть II, **поче́сть** (*тв.*) *уст.* consíder ['sɪ-] (*d.*), think* (*d.*); ~ет свои́м до́лгом сде́лать э́то he considers / thinks it his dúty to do it.

почита́ть III *сов.* **1.** (*вн.*; *читать немного, некоторое время и т. п.*) read* (a little, for a while, *etc.*) (*d.*); **2.** *как сов. к* чита́ть.

почи́тывать (*вн.*) *разг.* read* (now and then) (*d.*).

почи́ть *сов.* **1.** (*успокоиться, уснуть*) rest, take* one's rest; **2.** (*умереть*) pass awáy, pass to one's rest; ◇ ~ на ла́врах rest on one's láurels [...'lɔ-].

по́чк||а I *ж.* **1.** *бот.* bud; (*листа тж.*) léaf-bùd; бу́ргеон *поэт.*; ~и на дере́вьях набу́хли the trees are in full bud; **2.** *бот., зоол.* gémma (*pl.* -mae); заро́дышевая ~ plúmùle.

по́чк||а II *ж.* **1.** *анат.* kídney; воспале́ние ~ек *мн. кул.* kídneys.

почкова́||ние *с. биол.* búdding, gèmmátion. **~ться** *биол.* bud, gèmmáte.

почкови́дный kídney-shàped; rénifòrm ['ri:-] *научн.*

по́чт||а *ж.* **1.** post [pou-]; по ~е by post; посыла́ть письмо́ ~ой send* a létter by post, post / mail a létter; возду́шная ~ air mail; возду́шной ~ой by air mail; спе́шной ~ой by spécial / expréss delívery [...'spe-...]; с у́тренней ~ой by the mórning post; с вече́рней ~ой by the évening post [...'i:v-...]; с обра́тной ~ой by retúrn (of) post; **2.** (*корреспонденция*) póst-òffice ['pou-] (*сокр.* G.P.O.).

почтальо́н *м.* póstman* ['pou-], létter-càrrier.

почта́мт *м.* head póst-òffice [hed 'pou-]; гла́вный ~ Géneral Póst-Òffice (*сокр.* G.P.O.).

почте́ние *с.* respéct, estéem, considerátion; déference; относи́ться с ~ием (к), ока́зывать ~ (*дт.*) treat with respéct / distínction (*d.*); относи́ться без вся́кого ~ия (к) treat without any respéct (*d.*), have no respéct (for); с ~ием (*подпись в письме*) respéctfully yours, yours fáithfully; ◇ моё ~! *разг.* my cómpliments! **~ный 1.** hónour:able ['ɔnə-]; respéctable; éstimable; (*о возрасте*) vénerable; **2.** *разг.* (*значительный*) considerable.

почти́ *нареч.* álmost ['ɔ:lmoust], néarly; ~ невозмо́жно álmost impóssible, next to impóssible, wéll-nìgh impóssible; он ~ ко́нчил свою́ рабо́ту he has álmost fínished his work; ~ никаки́х переме́н práctically no chánges [...'tʃeɪ-]; ~ ничего́ next to nothing; ~ ничего́ не оста́лось there is hárdly ány:thing left; ~ во всём práctically / vírtually in éverything; ~ что néarly.

почти́тельн||ость *ж.* respéct, respéctfulness, déference. **~ый 1.** respéctful, deferéntial; ~ый тон respéctful / deferéntial tone; **2.** *разг.* (*значительный*) considerable; на ~ом расстоя́нии at a respéctful dístance; держа́ть на ~ом расстоя́нии keep* at a respéctful dístance; keep* at arm's length *идиом.*

почти́ть *сов.* (*вн.*) hónour ['ɔnə] (*d. by*), pay* / do hómage (to by); ~ кого́-л. свои́м прису́тствием hónour smb. with one's présence [...-zəns]; ~ чью-л. па́мять встава́нием stand* / rise* in hónour of smb.

почтме́йстер *м. уст.* póstmàster ['pou-].

почто́во-телегра́фный póst-and-télegràph ['pou-] (*attr.*).

почто́в||ый post [pou-] (*attr.*); póstal ['pou-]; ~ые расхо́ды póstage ['pou-] *sg.*; ~ перево́д póstal (móney) órder [...'mʌ-...]; ~ я́щик létter-bòx; (*на цоколе*) píllar-bòx; ~ая бума́га létter-pàper, nóte:pàper, wríting-pàper; ~ая откры́тка póstcàrd ['pou-]; ~ая посы́лка párcel sent by post; ~ая ма́рка (póstage) stamp; ~ое отделе́ние póst-òffice ['pou-]; ~ по́езд mail train; ~ ваго́н máil-vàn; máil-càr *амер.*; ~ го́лубь cárrier-pìgeon [-dʒɪn]; hóming pígeon [...-dʒɪn]; ~ые ло́шади póst-hòrses; е́хать на ~ых *ист.* trável by póst-chaise, *или* by reláy ['træ-...'poust[eɪ...].

почу́вствовать *сов. см.* чу́вствовать.

почу́диться *сов. см.* чу́диться.

почу́ять *сов. см.* чу́ять.

пошаба́шить *сов. см.* шаба́шить.

поша́лива||ть *разг.* **1.** play pranks, be náughty; **2.** (*быть не совсем здоровым*): у него́ се́рдце ~ет he has trouble with his heart [...trʌ-...hɑ:t]; he has a heart condítion; **3.** (*заниматься разбоем*): здесь ~ют there are róbbers abóut here; your wállet is:n't safe in these parts.

пошали́ть *сов.* (*немного*) gámbol (a little), play pranks (for a while).

поша́рить *сов. см.* ша́рить.

пошатну́||ть *сов.* (*вн.*; *прям. и перен.*) shake* (*d.*); ~ чьи-л. убежде́ния shake* smb.'s convíctions. **~ться** *сов.* **1.** stágger; shake*; (*наклониться набок — о столбе и т. п.*) lean* on one side; она́ ~лась и упа́ла she stággered and fell; **2.** (*ослабеть*) be sháken; э́то бы́ло причи́ной того́, что его́ здоро́вье ~лось it has been a shock to his sýstem; his health has súffered [...helθ...]; его́ уве́ренность ~лась he was sháken in his cónfidence.

поша́тыва||ть *безл.*: его́ ~ет he is réeling, he is únsteady on his legs [...-tedɪ...]. **~ться** stágger, reel, sway on one's feet.

пошеве́лива||ть (*вн., тв.*) *разг.* stir (*d.*, with). **~ться** *разг.* stir; ~айся! get* a move on! [...mu:v...], húrry up!, get crácking!

пошевели́ть *сов.* (*вн., тв.*) *разг.* **1.** (*немного*) stir / move (a little) [...mu:v...] (*d.*); **2.** *как сов. к* шевели́ть. **~ся** *сов.* **1.** stir / move (a little) [...mu:v...]; **2.** *как сов. к* шевели́ться.

пошевельну́ть(ся) *сов.* = пошевели́ть(-ся).

пошёл *ед. прош. вр. см.* пойти́.

пошехо́нец *м.* cóuntry búmpkin ['kʌ-...].

пошиб *м. тк. ед. разг.* mánner.

поши́в||ка *ж.* séwing ['sou-]. **~очный** séwing ['sou-] (*attr.*); ~очная мастерска́я séwing wórk:shòp ['sou-...].

поши́ть *сов.* (*некоторое время и т. п.*) sew* (for a while) [sou...], do some séwing [...'sou-].

пошле́ть, опошле́ть becóme* (ráther) cómmonplàce / trívial / banál [...'rɑ:-...-'nɑ:l].

по́шлин||а *ж.* dúty; cústoms *pl.*; облага́ть ~ой (*вн.*) impóse dúty (on); опла́ченный ~ой dúty-paid; покрови́тельственные ~ы protéctive dúty *sg.*; запрети́тельные ~ы prohíbitory dúty *sg.*; ввозна́я, и́мпортная ~ ímpòrt dúty; э́кспортная ~ éxpòrt dúty; возвра́т ~ы dráwbàck; ге́рбовая ~ stámp-dùty; тамо́женная ~ cústoms *pl.*; суде́бные ~ы costs, légal expénses.

по́шл||ость *ж.* cómmonplàce, bànálity, plátitùde, tríte:ness; (*ср. с* по́шлый); говори́ть ~ости útter bànálities, talk cómmonplàces; кака́я ~! how pétty! **~ый** cómmonplàce, vúlgar; (*тривиальный*) trívial; (*банальный*) banál [-'nɑ:l]; (*затасканный*) trite. **~я́к** *м. разг.* vúlgar pérson. **~я́тина** *ж. разг.* = по́шлость.

пошто́пать *сов.* **1.** (*вн.*) mend (*d.*), darn (*d.*); **2.** (*некоторое время и т. п.*) do some ménding / dárning.

поштучн||о *нареч.* by the piece [...pi:s]. **~ый** by the piece [...pi:s]; ~ая опла́та pay by the piece.

пошуме́ть *сов.* (*некоторое время и т. п.*) make* a bit of a noise.

пошути́ть *сов. см.* шути́ть.

поща́д||а *ж.* mércy; без ~ы without mércy; нет ~ы, никако́й ~ы no quárter; проси́ть ~ы ask for mércy, ask for quárter, cry quárter; не дава́ть ~ы (*дт.*) give* no quárter (*i.*). **~и́ть** *сов. см.* щади́ть.

пощекота́ть *сов. см.* щекота́ть.

пощёлк||ивание *с.* clícking. **~ивать** (*тв.*) click (*d.*); ~ивать языко́м *разг.* click one's tongue [...tʌŋ]; ~ивать па́льцами snap one's fingers.

пощёчин||а *ж.* box on the ear; slap in the face (*тж. перен.*); дать ~у ко-

ПОЩ – ПРА

му́-л. slap smb. in the face; cuff / box smb.'s ears.

пощипа́ть сов. (вн.) разг. 1. pinch (d.); 2. (о траве и т.п.) nibble (d.); 3. шутл. (пограбить) rob (d.), pinch (d.).

пощи́пывать (вн.) 1. (о морозе) nip (d.); 2. (траву) nibble (d.).

пощу́пать сов. см. щу́пать.

поэ́зия ж. póetry.

поэ́ма ж. póem; лири́ческая ~ lýric (póem); эпи́ческая ~ épic (póem).

поэ́т м. póet. **~е́сса** [-тэ́-] ж. póetess. **~изи́ровать** несов. и сов. (вн.) poéticize (d.). **~ика** ж. 1. poétics pl.; théory of póetry [ˈθɪə-...]; 2. (поэтическая манера) poétic mánner / style. **~и́ческий, ~и́чный** poétic(al).

поэ́тому нареч. théreˈfòre; and so: он знал, что сегодня собра́ние, ~ он пришёл he knew there was to be a méeting toˈday, théreˈfòre, или and so, he came; он сего́дня дежу́рный, ~ он оста́нется здесь he is on dúty toˈday, théreˈfòre, или and so, he will stay here.

появ||и́ться сов. см. появля́ться. **~ле́ние** с. appéarance; (о призраке) appariˈtion; пе́рвое ~ле́ние first appéarance / emérgence.

появ||ля́ться, появи́ться appéar, make* one's appéarance; (неожиданно) crop up; (становиться заметным) show* up [ʃou...]; (на поверхности) emérge; (о судне на горизонте) heave* in sight; **~и́ться** (как раз) во́время appéar, или show* up, in the nick of time; put* in a tímely appéarance идиом.; **~и́ться** из-за горы́ appéar from behínd the móuntain.

поя́р||ковый felt (attr.); **~ковая шля́па** wool felt hat [wul...]. **~ок** м. lámb's-wool felt [wul-...].

по́яс м. 1. belt, girdle [g-]; (кушак) sash, wáistband; за **~ом** in one's belt; 2. (талия) waist; по **~** up to the waist, wáistˈdeep, waist-high; по в снегу́ wáistˈdeep in snow [...snou]; трава́ по **~** wáist-high grass; 3. геогр. zone: поля́рный **~** frígid zone; уме́ренный **~** témperate zone; тропи́ческий **~** tórrid zone; 4. эк. belt, zone; ◇ спаса́тельный **~** lífeˈbèlt; кла́няться в **~** (дт.) bow from the waist (to); заткну́ть за **~** кого́-л. разг. ≃ be one too many for smb.; go* one bétter than smb.

поясн||е́ние с. èxplanátion, elùcidátion. **~и́тельный** explánatory, elúcidàtory [-deɪ-]. **~и́ть** сов. см. поясня́ть.

поясни́||ца ж. waist; loins pl., small of the back; боль в **~це** pain in the small of one's back. **~чный** lúmbar.

поясн||о́й 1. прил. к по́яс 1; **~** реме́нь (wáist-)bèlt; 2. (по пояс): **~** портре́т hálf-lèngth pórtrait [ˈhɑːf- -rɪt]; **~а́я ва́нна** hípˈbàth*; 3. прил. к по́яс 3, 4; **~о́е вре́мя** zone time; **~** тари́ф zónal táriff.

поясня́ть, поясни́ть (вн. дт.) expláin (d. to), elúcidàte (d. to); **~** приме́ром illustrate by an exámple [...ˈzɑː-] (d. to), exémplifỳ (d. to).

праба́б||ка ж., **~ушка** ж. gréat-grándmòther [-eɪt- -mʌ-].

«**Пра́вда**» ж. (газета) The "Právda".

правд||а ж. 1. (истина) truth [-uːθ]; э́то **~** it is the truth; (это верно) it is true; э́то су́щая **~** that is the exáct / real truth [...rɪəl...]; в его́ слова́х мно́го **~ы** there is a great deal of truth in what he says [...greɪt...sez]; в э́том нет ни сло́ва **~ы** there is not a word of truth in it; 2. (справедливость) jústice; иска́ть **~ы** seek* jústice; стоя́ть за **~у** fight* for jústice; пострада́ть за **~у** súffer in the cause of jústice; 3. как вводн. сл. true; (хотя) though [ðou]: **~**, он не тако́й плохо́й рабо́тник true, he is not such a bad wórker; он не тако́й плохо́й рабо́тник, **~** he is not such a bad wórker, though; он, **~**, уже́ уе́хал true, he has álready left [...ɔːˈredɪ...]; **~**, я с ва́ми не согла́сен, но though I do not agrée with you, still; — **~**, э́то не он, а его́ брат, но э́то нева́жно it is not he but his bróther, but it does not mátter [...ˈbrʌðə...]; ◇ ва́ша **~** you are right; **~?** indéed?, réally? [ˈrɪə-]; по **~е** сказа́ть, **~у** сказа́ть to tell / say the truth, truth to tell / say; все́ми **~ами** и непра́вдами by fair means or foul; ≅ by hook or by crook; что **~**, то **~** погов. there's no denýing the truth; смотре́ть **~е** в глаза́ face the truth; **~** глаза́ ко́лет посл. ≅ home truths are hard to swallow; truth hurts; **~-ма́тка** home truth.

правди́в||ость ж. trúthfulness [-uːθ-], úpˈrightness, verácity; **~** в изображе́нии жи́зни fidélity to life. **~ый** trúthful [-uːθ-], úpˈright, verácious; **~ый челове́к** trúthful / úpˈright man*; **~ый расска́з** true stóry; **~ый отве́т** hónest ánswer [ˈɔ-ːnsə].

правди́ст м. pérson emplóyed on prodúction of néwspàper "Právda".

правдоподо́б||ие с. vèrisimílitùde; (вероятность) probabílity, líkeˈlihood [-hud], plausibílity [-zɪ-]. **~ность** ж. = правдоподобие. **~ный** vèrisímilar; (вероятный) próbable, líkeˈly.

пра́ведн||ик м. just / ríghteous man*; спать сном **~ика** sleep* the sleep of the just. **~ый** 1. (благочестивый) píous, relígious; 2. (справедливый) just, ríghteous: **~ый судья́** just judge.

праве́ть, поправе́ть полит. becóme* more consérvative, swing* to the right.

прави́л||о с. 1. rule; мн. тж. règulátions; соблюда́ть **~а** keep* the rules / règulátions; четы́ре **~а** арифме́тики the first four rules of aríthmetic [...fɔː...]; **~а** вну́треннего распоря́дка в учрежде́нии, на фа́брике и т.п. the règulátions of an estáblishment; **~а** у́личного движе́ния tráffic règulátions; híghway code sg.; 2. (принцип) príncipe, máxim; устано́вленное **~** stánding rule; у него́ бы́ло **~** it was a príncipe / máxim with him; взять за **~** make* a rule; взять себе́ за **~** make* a point (of ger.); челове́к без **~** a man* without any príncipes; ◇ как **~** as a rule; как о́бщее **~** as a géneral rule; по всем **~ам** accórding to all the rules.

пра́вило с. 1. стр. strá ightener, straight edge; mex. revérsing rod, guide-bàr; (оселок) strickle; воен. trávèrsing hánd-spike; 2. охот. tail, brush; 3. уст. (руль) helm, rúdder.

пра́вильно I 1. прил. кратк. см. пра́вильный; 2. предик. безл. it is corréct; (при восклицании) that's right!, right you are!, exáctly!, just so!; бы́ло бы **~** сказа́ть it would be true to say.

пра́вильн||о II нареч. 1. (верно) ríghtly; (без ошибок) corréctly; часы́ иду́т **~** the watch is kéeping (good) time; 2. (регулярно) régularly. **~ость** ж. 1. ríghtness; (безошибочность) corréctness; **~ость** и́збранного пути́ corréctness of the chósen path*; 2. (регулярность) règulárity. **~ый** 1. right, true; (без ошибок) corréct; **~ое** реше́ние sound decísion; еди́нственно **~ый** путь the ónly true way; при **~ом** веде́нии хозя́йства given próper mánageˈment [...ˈrɔ-...]; 2. (закономерный, регуля́рный) régular; **~ое** соотноше́ние just propórtion; 3. грам. régular; 4. мат. (о дроби) próper; (о многоугольнике) rèctilínear, rèctilíneal; ◇ **~ые** черты́ лица́ régular féatures.

прави́льный mex. corrécting, lévelling, stráightening.

прави́тель м., **~ница** ж. rúler.

прави́тельственн||ый gòvernméntal [gʌ-]; góvernment [ˈgʌ-] (attr.); **~ое** учрежде́ние góvernment institútion / estáblishment; **~ое** сообще́ние góvernment / official communiqué (фр.) [...kəˈmjuːnɪkeɪ]; **~ая** делега́ция góvernment dèleˈgátion; **~ая** награ́да góvernment aˈward.

прави́тельство с. góvernment [ˈgʌ-]; Сове́тское **~** Sóvièt Góvernment.

пра́вить I (тв.) 1. (руководить) góvern [ˈgʌ-] (d.), rule (d., óver); 2. (лошадьми, автомобилем) drive* (d.); (рулём) steer (d.).

пра́вить II (вн.) 1. (исправлять ошибки) corréct (d.); **~** корректу́ру read* / corréct the proofs; 2. (о бритве) set* (d.).

пра́вка ж. 1. (исправление ошибок) corrécting; **~** корректу́ры próof-reading, próof-corrécting; 2. (о бритве) sétting.

правле́ни||е с. 1. góverning [ˈgʌ-], góvernment [ˈgʌ-]; о́браз **~я** form of góvernment; 2. (учреждение) board of admìnistrátion, board (of diréctors); **~** колхо́за kòlkhóz mánageˈment (board); (помещение) kolkhóz óffice; быть, состоя́ть чле́ном **~я** be on the board; ◇ бразды́ **~я** the reins of góvernment.

пра́вленый corrécted; **~** экземпля́р fair cópy [...ˈkɔ-].

пра́вну||к м. gréat-grándsòn [-eɪt- -sʌn]. **~чка** ж. gréat-gránddaughter [-eɪt-].

пра́в||о I с. 1. (в разн. знач.) right; **~** ве́то (right of) véto; **~** го́лоса the vote, súffrage; с **~ом** совеща́тельного го́лоса with delíbèrative fúnctions; всео́бщее избира́тельное **~** ùnivérsal súffrage; всео́бщее, ра́вное и прямо́е избира́тельное **~** при та́йном голосова́нии ùnivérsal, équal and diréct súffrage by sécret bállot; **~** на́ций на самоопределе́ние right of nátions to sélf-determinátion; **~** убе́жища right of sánctuary; **~** да́вности юр. prescríptive right; **~а́** гражда́нства cívic rights; пораже́ние в **~а́х** disfránchìseˈment; лиша́ть кого́-л. **~а** deprive smb. of his right; лиша́ть ~а го́лоса (вн.) dísfránchise (d.); восстанови́ться в ~а́х be rèhabílitated [...riːə-]; быть в ~е (+ инф.) have the right (+ to inf.); be entítled (+ to inf.); по ~у by right; с по́лным ~ом ríghtfully; вступа́ть в свои́ ~а́ come* into one's own [...oun]; (перен.) assért òneself; воспо́льзоваться свои́м ~ом (на вн.) éxercise one's right (to); име́ть (на вн.) have the right (to), be entítled (to); дать кому́-л. ~ на уча́стие в вы́ставке quálify smb. to take part in an exhibítion [...eksɪ-]; 2. мн. (свиде́тельства) lícence [ˈlaɪ-] sg.; води́тельские ~а́ dríving lícence; 3. тк. ед. (наука) law; изуча́ть ~ stúdy law [ˈstɔː-...]; уголо́вное ~ críminal law; гражда́нское ~ cívil law; междунаро́дное ~ internátional law [-ˈnæ-...]; обы́чное ~ cómmon law, cústomary law.

пра́во II вводн. сл. разг. réally [ˈrɪə-], trúly, indéed; ~, уже́ по́здно it is réally late, I réally think it is late; ~, на́до идти́ I must réally go, I réally think I must go.

правобере́жный sítuated on the right bank (of a river) [...ˈrɪ-]; ríght-bànk (attr.).

правове́д м. 1. (специалист по правоведению) láwyer, júrist; 2. уст. (учащийся или окончивший училище правоведения) stúdent or gráduate of the School of Júrisprùdence.

правове́дение с. science of law, júrisprùdence.

правове́рн||ость ж. órthodòxy. **~ый** 1. прил. órthodòx; 2. м. как сущ. true believer [...ˈliː-]; мн. собир. true believers, the faithful.

правов||о́й légal; ~ые учрежде́ния légal institútions; ~ые но́рмы légal rules; ~а́я осно́ва госуда́рственной и обще́ственной жи́зни légal foundátions of the functioning of the state and of públic life [...ˈrʌ-...].

правоме́рный ríghtful, láwful.

правомо́ч||ие с. cómpetence. **~ный** cómpetent.

правонаруш||е́ние с. bréaking / trànsgréssion / ínfringement of the law [ˈbreɪk-...]; delínquency. **~и́тель** м. wróng|dòer[-duːə]; trànsgréssor / infríngèr of the law; delínquent; ю́ный ~и́тель júvenile delínquent.

правописа́ние с. spélling, òrthógraphy.
правопоря́док м. law and órder.
правосла́в||ие с. órthodòxy. **~ный** 1. прил. órthodòx; ~ная це́рковь (Greek) Órthodòx Church; 2. м. как сущ. órthodòx believer [...ˈliː-]; mémber of the Órthodòx Church.

правосозна́ние с. féeling for law and órder, sense of jústice.

правоспосо́бн||ость ж. юр. (légal) capácity. **~ый** юр. cápable.

правосторо́нний right-side (attr.).

правосу́ди||е с. jústice; отправля́ть ~ admínister jústice; иска́ть ~я demánd jústice [-ɑːnd...].

правот||а́ ж. ríghtness; (невиновность) ínnocence; дока́зывать свою́ ~у́ prove one's case [pruː...-s]; ~ де́ла ríghteousness of the cause; жизнь подтверди́ла ~у́ его́ слов life has confírmed the corréctness of his words.

правофланго́вый 1. прил. right-flánk (attr.), ríght-wing (attr.); 2. м. как сущ. ríght-flánk man*; (передовик) páce-sètter, páce-màker.

прав||ый I (по направлению) right; ríght-hànd (attr.); (о борте судна) stárboard [ˈstɑːbəd]; (о лошади, части экипажа и т.п.) off(-side); ~ карма́н ríght-hànd pócket; ~ я́щик стола́ ríght-hànd drawer [...drɔː]; ~ая сторона́ right side, off side; ~ борт stárboard side; о руля́! мор. stárboard the helm!; right rúdder! амер.; о на борт! мор. hard astárboard!; ~ая ло́шадь (пары) off horse; ~ая за́дняя нога́ (лошади в упряжке) the off hind leg; ◊ он его́ ~ая рука́ he is his right hand, или ríght-hànd man.

пра́в||ый II (правильный, справедливый) right; вы ~ы you are right; ~ое де́ло just / ríghteous cause; на́ше де́ло ~ое our cause is right, ours is the right cause.

пра́в||ый III полит. 1. прил. ríght-wing (attr.); ~ая па́ртия ríght-wing párty, párty of the right; ~ укло́н ríght-wing deviátion / trend; 2. м. как сущ. ríght-wing|er.

пра́вящ||ий прич. и прил. rúling; ~ие кла́ссы the rúling classes; ~ая верху́шка rúling clique [...kliːk].

прагмати́||зм м. филос. prágmatism. **~ческий** филос. pràgmátic(al).

пра́дед м. 1. great-grándfàther [-eɪt- -fɑː-]; 2. мн. áncestors, fòre|fàthers [-fɑː-]; на́ши ~ы our áncestors, our fòre|fàthers.

пра́дед||овский прил. к пра́дед. **~ушка** м. разг. = пра́дед 1.

пра́здн||ество [-зн-] с. féstival; (торжество) solémnity; festívities pl., celebrátions pl. **~ик** [-зн-] м. hóliday [-dɪ] церк. (religious) feast; (празднование) a féstive occásion; э́то большо́й ~ик (для) it is a great / grand occásion [...-eɪt-] (for); по слу́чаю ~ика to célebrate the occásion; по ~икам on high days and hólidays; с ~иком! congrátulátions!; бу́дет и на на́шей у́лице ~ик погов. ≅ our day will come.

пра́зднич||но [-зн-] нареч. féstively; зал был ~ укра́шен the hall was féstively décorated; ~ оде́тый hóliday-dréssed [-dɪ-]. **~ый** [-зн-] hóliday [-dɪ] (attr.), féstal, féstive; ~ое настрое́ние féstive mood; име́ть ~ вид (о городе и т.п.) have a féstive / hóliday-like appéarance [...-dɪ-...]; ~ый день red-létter day, hóliday.

пра́здно [-зн-] нареч. ídly; сиде́ть ~ sit ídly.

празднова́ние [-зн-] с. celebrátion.

пра́здновать [-зн-], отпра́здновать (вн.) célebrate (d.).

празднословие [-зн-] с. idle / empty talk.

пра́здность [-зн-] ж. 1. (незанятость) ídle|ness, inactívity; 2. (бесполезность) úse|lessness [ˈjuːs-]; 3. (бессодержательность) ídle|ness; ~ разгово́ра ídle|ness / émptiness of the convèrsátion.

празднош́атающийся [-зн-] м. скл. как прил. ídler, lóunger.

пра́здн||ый [-зн-] 1. (безде́льный) idle; ~ая жизнь a life of ídle|ness; 2. (бесполезный) úse|less [ˈjuːs-], únnecessary; ~ые попы́тки vain / fútile ídle attempts; 3. (пустой) idle; ~ разгово́р, ~ые слова́ idle / émpty talk; ~ое любопы́тство ídle curiósity.

ПРА — ПРЕ   П

пра́ктик м. 1. práctical wórker; 2. (деловой человек) práctical pérson.

пра́ктик||а ж. (в разн. знач.) práctice; на ~е in práctice; у врача́ больша́я ~ the doctor has a large práctice; занима́ться медици́нской ~ой práctise médicine [-tɪs...]; проходи́ть ~у do práctical work; войти́ в ~у become* cústomary. **~а́нт** м., **~а́нтка** ж. probátioner; stúdent, engáged in práctical work.

практик||ова́ть 1. (вн.) práctise [-tɪs] (d.); 2. (без доп.; проходить практику) be a probátioner; 3. (без доп.) уст. (о враче) práctise médicine; (о юристе) práctise law. **~ова́ться** 1. (в пр.) práctise [-tɪs] (d.); 2. страд. к практикова́ть 1; это ча́сто ~уется it is often done [...ˈɔːf(t)n...].

пра́ктикум м. práctical work.
практици́зм м. prácticalness.
практи́ч||еский (в разн. знач.) práctical; ~еская де́ятельность práctical actívity; ~еские заня́тия práctical tráining sg.; ~еская медици́на applied médicine; ~еская рабо́та práctical work; ~ челове́к práctical man*. **~ность** ж. prácticalness. **~ный** 1. práctical; ~ный челове́к práctical man*; 2. (экономный, выгодный) efficient.

прама́терь ж. уст. the original móther [...ˈmʌðə].

пра́от||ец м. уст. fòre|fàther [-fɑː-]; ◊ отпра́виться к ~цам разг. (умереть) be gáthered to one's fàthers [...ˈfɑː-]; отпра́вить к ~цам (вн.) разг. (убить) kill (d.).

пра́порщик м. 1. (в Советской Армии) wárrant officer; 2. ист. énsign [-saɪn].

прапра́дед м. great-great-grándfàther [-eɪt- -fɑː-].

прароди́тель м. уст. primo|génitor, fòre|fàther [-fɑː-].

пра́сол м. уст. cáttle-dealer.

прах м. 1. dust, earth [-əː-θ]; 2. (останки) áshes pl., remáins pl.; здесь поко́ится ~ here lies; мир ~у твоему́ may you rest in peace; ◊ отрясти́ ~ от свои́х ног shake* the dust off one's feet; пойти́ ~ом разг. go* to rack and rúin; в ~ útterly, tótally; развея́ть в ~ (вн.) redúce to dust / áshes (d.); разби́ть в пух и ~ (вн.) ≅ deféat útterly (d.), put* to complete rout (d.); разнести́ в пух и ~ (вн.) give* a thórough ráting [...ˈθʌrə...] (i.), give* a sound scólding (i.); ~ его́ (тебя́ и т.д.) побери́! разг. may he (you, etc.) rot!

пра́ч||ечная [-шн-] ж. скл. как прил. láundry; (помещение тж.) wásh-house* [-s]. **~ка** ж. láundress.

праща́ ж. sling.

пра́щур м. áncestor, fòre|fàther [-fɑː-].

праязы́к м. лингв. párent lánguage.

пре- приставка в прилагательных, в значении высшей степени об. переводится через most, а при односложных прил.— через exceeding|ly, very: пре-

473

ПРЕ — ПРЕ

интере́сный most ínteresting; преглубо́кий excéedingly deep, very deep.

преа́мбула ж. preámble [-'æ-].

пребыва́ни‖**е** с. stay, sójourn ['sɔdʒə:n]; ме́сто постоя́нного ~я pérmanent résidence [...-zɪ-]; ~ в до́лжности, ~ на посту́ ténure / períod of óffice.

пребыва́ть be; (жить тж.) abíde*, resíde [-'zaɪd]; ~ в уны́нии be out of spirits / heart [...hɑ:t]; ~ в неве́дении be in the dark.

превали́ровать (над) prevail (óver).

превенти́вн‖**ый** prevéntive; ~ые ме́ры prevéntive méasures [...'meʒ-].

превзойти́ сов. см. превосходи́ть.

превозмога́ть, превозмо́чь (вн.) óver:cóme* (d.), surmóunt (d.).

превозмо́чь сов. см. превозмога́ть.

превознести́ сов. см. превозноси́ть.

превозноси́ть, превознести́ (вн.) extól (d.), praise (d.); ~ до небе́с extól / praise to the skies (d.).

превозноше́ние с. inórdinate praise, laudátion.

превосходи́тельство с. (титул) éxcellency.

превосходи́ть, превзойти́ 1. (вн. тв., вн. в пр.) excél (d. in); ~ кого́-л. му́жеством excél smb. in cóurage [...'kʌ-]; ~ чи́сленностью outnúmber (d.); 2. (вн.; превыша́ть) surpáss (d.), excéed (d.); превзойти́ все ожида́ния excéed / surpáss all expectátions ◊ превзойти́ самого́ себя́ surpáss onesélf.

превосхо́д‖**ный** 1. éxcellent, mágnificent; (совершенный) pérfect, first-cláss, first-ráte; (о пении, музыке и т. п.) supérb; 2. уст. = превосходя́щий; 3. грам.: ~ная сте́пень supérlative degrée. ~**ство** с. superióriy; ~ство в во́здухе воен. air superióriy; огнево́е ~ство воен. fire superióriy. ~**ящий** supérior; ~щие си́лы воен. supérior fórces / númbers.

преврати́ть(ся) сов. см. превраща́ть(-ся).

превра́тно I прил. кратк. см. превра́тный.

превра́тн‖**о** II нареч. wróng:ly; ~ понима́ть (вн.) misunderstánd* (d.); get* hold of the wrong end of the stick идиом.; ~ истолко́вывать (вн.) misintérpret (d.). ~**ость** ж. 1. (ложность) wróng:ness, fálsity ['fɔ:l-]; 2. чаще мн. (изменчивость) vicissitúde; cháng:ability [tʃeɪ-]; ~ости судьбы́ the vicissitúdes of life, the revérses of fórtune [...-tʃən], the ups and downs. ~**ый** 1. (ложный) wrong, false [fɔ:ls]; ~ое толкова́ние misinterpretátion; ~ое представле́ние wrong / false impréssion; 2. (изменчивый) chánge:ful [tʃeɪ-]; ~ое сча́стье chánging / incónstant luck [tʃeɪ-...], chánging / incónstant fórtune [...-tʃən]; delúsive / illúsory háppiness.

превраща́‖**ть**, преврати́ть (вн. в вн.) turn (d. to, into), convért (d. into); transmúte [-nz-] (d. into); redúce (d. to, into); ~ ме́тры в киломе́тры convért metres into kílomètres; ~ в пыль redúce to pówder (d.); púlverize (d.); ~ в ка́мень turn to stone (d.); ~ в у́голь cárbonize (d.); ~ в шу́тку turn into a joke (d.). ~**ться**, преврати́ться 1. (в вн.) turn (into); change [tʃeɪ-] (into, to); мину́ты превраща́лись в часы́ the minutes passed / stretched into hours [...'mɪnɪts... auəz]; 2. страд. к превраща́ть; ◊ преврати́ться в слух be all ears. ~**е́ние** с. transformátion, convérsion; биол. transmutátion [-z-]; (неожиданное изменение) metamórphosis (pl -ses [-siːz]).

превы́сить сов. см. превыша́ть.

превыш‖**а́ть**, превы́сить (вн.) excéed (d.); превы́сить устано́вленный план на 20% top the tárget by 20 per cent [...-gɪt...]; э́то в три ра́за ~а́ет дово́енную вы́работку it is three times the pre-wár output [...-put]; ~ власть, полномо́чия и т. п. excéed one's authórity, etc.; ~ свой креди́т в ба́нке óver:dráw* (one's accóunt).

превы́ше нареч.: ~ всего́ above all; любо́вь к оте́честву ~ всего́ love of one's country comes first [lʌv...'kʌl-...].

превыше́ние с. excéeding, excéss; ~ вла́сти excéeding one's authórity; ~ своего́ креди́та в ба́нке óver:dráft.

прегра́да ж. bar, bárrier; (препятствие) óbstacle; во́дная ~ wáter óbstacle / bárrier ['wɔ:-...]; на их пути́ мно́го прегра́д there are many óbstacles in their path*.

прегради́ть сов. см. прегражда́ть.

прегра‖**жда́ть**, прегради́ть (вн.) bar (d.), block up (d.); ~ди́ть путь кому́-л. bar / stop / block smb.'s way; ~ди́ть путь к чему́-л. bar / stop / block the way to smth.

прегреше́ние с. уст. sin, transgréssion.

пред = перед.

предава́ть, преда́ть (вн.) 1. (подвергать чему-л.) hand óver (d.), commít (d.); ~ суду́ bring* to tríal (d.), hand óver to jústice (d.); ~ гла́сности make* known / públic [...noun 'pʌb-]; give* publícity [...-pʌb-] (to); ~ сме́рти put* to death [...deθ] (d.); ~ земле́ commít to the earth [...ə:θ] (d.); ~ забве́нию consígn to oblívion [-'saɪn-...] (d.); ~ огню́ и мечу́ give* óver to fire and sword [...sɔ:d] (d.); ~ прокля́тию curse (d.); 2. (изменять) betráy (d.). ~**ся**, преда́ться 1. (дт.) give* onesélf up (to); ~ся гне́ву, страстя́м и т. п. give* onesélf up, или abándon onesélf, to ánger, pássions, etc.; ~ся отча́янию give* way to despáir; ~ся поро́кам indúlge in víces; ~ся мечта́м fall* into a réverie, lapse into dáy-dreams; 2. страд. к предава́ть.

преда́ние I с. (рассказ, легенда) légend ['le-]; (поверье) tradítion.

преда́ние II с.: ~ суду́ bríng:ing to tríal, hánding óver to jústice; ~ сме́рти putting to death [...deθ]; ~ земле́ commítting to the earth [...ə:θ]; ~ забве́нию búrying in oblívion ['be-...]; ~ огню́ commítting to the flames.

пре́данн‖**ость** ж. devótion. ~**ый** 1. прич. см. предава́ть; 2. прил. devóted, sta(u)nch [-ɑ:-, (-ɔ:-)]; (дт.) devóted (to); ~ый сын devóted son [...sʌn]; ~ый друг devóted / staunch friend [...fre-]; ~ый вам (в письме) yours fáithfully, yours trúly.

преда́тель м. tráitor, betráyer; оказа́ться преда́телем turn tráitor. ~**ница** ж. tráitress. ~**ский** tréacherous ['tretʃ-] (тж. перен.); tráitorous, perfídious; ~ский румя́нец télltale blush. ~**ство** с. tréachery ['tretʃ-], betráyal, pérfidy.

преда́ть(ся) сов. см. предава́ть(ся).

предба́нник м. dréssing-room (in a báth-house*) [...-s].

предваре́ние с. 1. уст. (предуведомление) fóre:wárning, telling befóre:hánd; 2. (события и т. п.) fóre:stálling; ~ равноде́нствия астр. precéssion (of the équinox) [...'i:-].

предвари́тельн‖**о** нареч. befóre:hánd, preliminarily; as a preliminary. ~**ый** preliminary; ~ая прода́жа биле́тов advance sale of tickets, advánce bóoking; ка́сса ~ой прода́жи биле́тов advánce bóoking-óffice; ~ое усло́вие preliminary / príor condítion; préréquisite [-zɪt]; ~ые перегово́ры preliminary talks / negotiátions; pourparlers (фр.) [puə'pɑ:leɪ]; ~ое заключе́ние юр. imprísonment befóre tríal [-rɪz-...]; ~ое сле́дствие юр. preliminary investigátion / ínquest; ~ые расхо́ды preliminary expénses; ~ая кома́нда воен. prepáratory command [...-ɑ:nd]; ~ый нагре́в тех. pré:héating.

предвари́ть сов. см. предваря́ть.

предвар‖**я́ть**, предвари́ть (вн.) 1. уст. (вн. о пр.; извещать) tell* befóre:hánd (i. about), (fóre)wárn (d. of); 2. (вн.; собы́тия и т. п.) fóre:stáll (d.), antícipate (d.).

предве́ст‖**ие** с. présage, fóre:tóken, pórtent, ómen. ~**ник** м., ~**ница** ж. fóre:rúnner, precúrsor; hérald ['he-], hárbinger; (тк. о неодушевлённых предметах) présage, pórtent; чёрные ту́чи — ~ники бу́ри dark clouds are the héralds of a storm; ~ники войны́ pórtents of war.

предвеща́‖**ть** (вн.) betóken (d.), fóre:tóken (d.), fóre:shádow [-'ʃæ-] (d.), présage (d.); hérald ['he-] (d.); всё ~ло дождь éverything póinted to rain; э́то не ~ает ничего́ хоро́шего it is of ill ómen, it bodes no good; ~ недо́брое (дт.) bode ill (for), pórtend (d.).

предвзя́т‖**ость** ж. précon:céption; (предубеждение) préjudice, bías. ~**ый** prè:concéived [-'siːvd], bíassed; ~ое мне́ние prè:concéived opínion / nótion.

предви́дение с. fóre:síght, prevísion.

предви́деть (вн.) fóre:sée* (d.), fóre:knów* [-'nou] (d.). ~**ся** 1. be expécted / fóre:séen; 2. страд. к предви́деть.

предвкуси́ть сов. см. предвкуша́ть.

предвкуш‖**а́ть**, предвкуси́ть (вн.) look fórward (to), antícipate (with pléasure) [...'ple-] (d.). ~**е́ние** с. anticipátion.

предводи́тель м., ~**ница** ж. (вождь) léader; (главарь шайки и т. п.) ríng:leader; ~ дворя́нства ист. márshal of the nobility.

предводи́тельство с. léadership, commánd [-ɑ:nd]; под ~м (рд.) únder the léadership (of), únder the commánd (of).

предводи́тельствовать (тв.) lead* (d.), be the léader (of).

предвозвести́ть сов. см. предвозвеща́ть.

предвозвеща́ть, предвозвести́ть (вн.) уст. fóre:téll* (d.).

предвосхи́тить *сов. см.* предвосхища́ть.

предвосхища́||ть, предвосхи́тить (*вн.*) antícipate (*d.*); предвосхи́тить чью-л. мысль antícipate smb.'s thought. ~е́ние *с.* anticipátion.

предвы́борн||ый (prè-)eléction (*attr.*); ~ая кампа́ния eléction campáign [...-'peɪn]; ~ое собра́ние (prè-)eléction meeting.

предго́рье *с.* fóot:hills ['fut-] *pl.*

предгрозов||о́й: ~а́я мо́лния the lightning before a storm.

преддве́ри||е *с.* thréshòld (*тж. перен.*); в ~и (*рд.*) on the thréshòld (of).

преде́л *м.* limit (*тж. мат.*); (*граница*) bound, (*конец*) end; в ~ах (*рд.*) within (*d.*), within the limits (of); в ~ах СССР within the USSR; в ~ах го́рода, городско́й черты́ within the city limits [...'sɪ-...], within the bounds of the city; в ~ах досяга́емости within striking distance, within close range [...-s reɪndʒ]; за ~ами страны́ outside the country [...'kʌ-], beyónd the bòrders of the country; вы́йти за ~ы (*рд.*) over:stèp the limits (of), exceed the bounds (of); всему́ есть ~ there is a limit to everything; положи́ть ~ (*дт.*) put* an end (to); в разу́мных ~ах within réasonable limits [...-z-...]; within one's reach; в ~ах го́да within a year; в ~ах мои́х зна́ний within my knowledge [...'nɒ-]; всё в ~ах мои́х сил all in my pówer; ~ жела́ний summit / pinnacle of one's desires [...-'z-]; ~ про́чности *тех.* bréaking point ['breɪ-...].

преде́льн||ый máximum (*attr.*), út:mòst; ~ая ско́рость top / maximum speed; ~ во́зраст age limit; ~ срок time-limit; с ~ой я́сностью with the út:mòst clárity; ~ое напряже́ние *тех.* strain / stress / préssure limit, bréaking point ['breɪ-...].

предержа́щ||ий: вла́сти ~ие *уст.*, *ирон.* the pówers that be.

предзавко́ма *м. нескл.* (председа́тель заводско́го комите́та) cháir:man* of the fáctory trade union committee [...-tɪ].

предзака́тный before súnsèt; ~ час the hour before súnsèt [...auə-...].

предзнаменова́ние *с.* ómen, présage, áugury.

предика́т *м. филос., грам.* prédicate.

предикати́вн||ость *ж. грам.* predicatívity. ~ый *грам.* prédicative; ~ый член prédicative; ~ое прилага́тельное prédicative ádjective.

предисло́вие *с.* préface, fóre:wòrd; снабжа́ть ~ем (*вн.*) fúrnish with a préface (*d.*), préface (*d.*); служи́ть ~ем (к) serve as a préface (to); ◊ без ~й ≃ don't beat abóut the bush [...buʃ].

предлага́||ть, предложи́ть 1. (*вн. дт.*; *дт.* + *инф.*) offer (*d.* to; *i.* + *inf.*); ~ кому́-л. свои́ услу́ги offer smb. one's sérvices: 2. (*вн.*; *на обсужде́ние, вы́бор*) propóse (*d.*); ~ кому́-л. вы́сказаться invíte smb. to speak; ~ тост (за *вн.*) propóse *a* toast (to); ~ чью-л. кандидату́ру propóse smb. for eléction; ~ кого́-л. в прези́диум propóse smb. as cándidate to the presídium [...-'zɪ-], propóse smb. for eléction to the presí-

dium; ~ внима́нию bring* fórward (*d.*), call atténtion (to); ~ вопро́с кому́-л. put* a quéstion to smb. [...-stʃən...], ask smb. *a* quéstion, ask *a* quéstion of smb.; ~ зада́чу (*дт.*) set* *a* próblem [...'prɔ-] (*i.*); ~ но́вый план (*дт.*) suggést a new scheme / plan [-'dʒest...] (to); 3. (*дт.* + *инф.*; *советовать*) suggést (that + *subject* + *личн. форма глаг.*); он предложи́л ей пойти́ туда́ he suggésted that she should go there; 4. (*дт.* + *инф.*; *предписывать*) órder (*i.* + to *inf.*); ему́ предложи́ли зако́нчить рабо́ту в неде́льный срок he was ordered to finish his work in a week; ◊ ~ ру́ку и се́рдце (*дт.*) make* a propósal of márriage [...-z-...-rɪdʒ] (to).

предло́г I *м.* (*отговорка*) prétèxt, excúse [-s], preténce; (*повод*) ground; под ~ом (*рд.*) únder preténce (of); únder the prétèxt (of); on the plea (of); под тем ~ом, что únder the preténce that; под разли́чными ~ами on várious prétèxts; воспо́льзоваться ~ом catch* at an excúse; ~ для ссо́ры ground for quárrelling.

предло́г II *м. грам.* prèposítion [-'zɪ-].

предложе́ни||е I *с.* 1. offer, suggéstion ['-dʒestʃən]; (*о браке*) propósal of márriage [-z-...-rɪdʒ]; ~ услу́г offer of sérvices; де́лать ~ кому́-л. make* smb. *an* offer; (*о браке тж.*) propóse márriage to smb.; принима́ть ~ accépt *an* offer; (*о браке*) accépt *a* propósal; миролюби́вые ~я péace:ful óver:tures; 2. (*на общем собрании*) propósal, mótion; обсуди́ть ~ discúss *a* propósal; отклони́ть ~ rejéct, *или* turn down, *a* propósal; 3. *эк.* supplý; ~ труда́ lábour supplý; спрос и ~ demánd and supplý [-ɑːnd...].

предложе́ние II *с. грам.* séntence; (*часть сложного предложения*) clause; гла́вное ~ príncipal clause; прида́точное ~ depéndent / subórdinate clause; просто́е ~ simple séntence; вво́дное ~ paren:thesis (*pl.* -ses [-siːz]), parenthétic clause; ~ с одноро́дными чле́нами contrácted séntence; сложноподчинённое ~ cómplex séntence; сложносочинённое ~ cómpound / cò-órdinàted séntence; усло́вное ~ condítional séntence.

предложи́ть *сов. см.* предлага́ть.

предло́жн||ый *грам.* prèposítional [-'zɪ-]; ~ паде́ж prèposítional case [...-s]; ~ая констру́кция prèposítional constrúction.

предма́йский prè-Máy-Day.

предме́стье *с.* súburb.

предме́т *м.* 1. óbject; (*вещь*) árticle, ítem; ~ы широ́кого потребле́ния consúmer(s') goods [...gudz]; ~ы ма́ссового потребле́ния árticles of mass consúmption; ~ы ли́чного потребле́ния árticles of pérsonal consúmption; ~ы пе́рвой необходи́мости top prióríties; 2. (*тема*) súbject, tópic, theme; ~ нау́чного иссле́дования súbject of scientífic reséarch [...-'səːtʃ]; ~ спо́ра the point at issue; 3. (*в преподавании*) súbject; 4. *воен.*: ме́стный ~ (ground) féature; ◊ на ~ (*рд.*) for the púrpose [...-s] (of).

предме́тный: ~ уро́к óbject-lèsson; ~ указа́тель súbject índex (*pl.* -èxes, -icès

[-ɪsɪːz]); ~ сто́лик (*микроскопа*) stage.

предмо́стн||ый: ~ое укрепле́ние bridge:head [-hed]; ~ плацда́рм bridge:head.

предназн||ача́ть, предназна́чить (*вн.*) для inténd (*d.* for), déstine (*d.* for, to); (*намечать*) mean* (*d.* for); (*специально выделять*) set* aside (*d.* for), éarmàrk (*d.* for). ~аче́ние *с.* dèstinátion, prèdestinátion. ~а́ченный *прич. и прил.* inténded, meant [ment], déstined. ~а́чить *сов. см.* предназнача́ть.

преднаме́ренн||ость *ж.* prèmèditátion, fóre:thought. ~ый prèméditàted, afóre:thought; ~ое искаже́ние фа́ктов delíberate distórtion of facts.

предначерта́ние *с.* óutline, plan, design [-'zaɪn]; ~ судьбы́ prèdestinátion.

предначерта́ть *сов.* (*вн.*) óutline / plan befóre:hànd (*d.*), fòre:órdáin (*d.*); предначе́ртанный судьбо́й prèdéstined.

предо *предл. поэт.* = пе́ред.

предобе́денный befóre-dínner (*attr.*).

пре́док *м.* áncestor, fóre:fàther [-fɑː-].

предокт||я́брьский 1. (*до Октябрьской революции*) prè-rèvolútionary; 2. (*посвящённый годовщине Октябрьской революции*) befóre / márking the ànnivérsary of the Òctóber Rèvolútion, prè-Octóber.

предопераци́онный prè:óperative.

предопредел||е́ние *с.* prè:dètermin:átion, prèdestinátion. ~и́ть *сов. см.* предопределя́ть.

предопределя́ть, предопредели́ть (*вн.*) prè:détermine (*d.*), prèdéstine (*d.*), fòre:órdáin (*d.*); ~ исхо́д prè:détermine the óut:còme.

предоста́вить *сов. см.* предоставля́ть.

предоставле́ние *с.* assígnment [-aɪn-], allótment; (*в чьё-л. распоряжение*) plácing at smb.'s dispósal [...-zˀl]; ~ помеще́ний àllocátion of accòmmodátion; ~ пра́ва concéssion of *a* right; ~ креди́тов àllocátion of crédits.

предоставля́ть, предоста́вить 1. (*дт. вн.*; *дт.* + *инф.*; *позволять*) let* (*d.* + *inf.*); ему́ предоста́вили (самому́) реши́ть э́то the decision was left to him; he was left to decíde the matter for him:sélf; ~ кому́-л. сло́во let* smb. have the floor [...flɔː], clear the floor for smb., call upón smb. to speak; ~ кому́-л. вы́бор в чём-л. leave* smth. to smb.'s choice; 2. (*вн. дт.*; *давать*) give* (*d. i.*), grant [grɑːnt] (*d. i.*); ~ кому́-л. возмо́жность give* smb. *an* òpportúnity, give* smb. *a* chance; ~ креди́т give* crédit (*d.*); ~ заём grant *a* loan (*i.*); ~ пра́во concéde / grant *a* right (*i.*); ~ норма́льные усло́вия allów nórmal facílities (to); ~ что-л. в чье-л. распоряже́ние place / put* smth. at smb.'s dispósal [...-zˀl]; ~ о́тпуск grant leave (to); ◊ ~ кого́-л. самому́ себе́ leave* smb. to his own resóurces / devíces [...oun -'sɔː-...].

предостере||га́ть, предостере́чь (*вн.* от) warn (*d.* agáinst), cáution (*d.* agáinst), put* on one's guard (*d.* agáinst). ~же́ние *с.* wárning, cáution.

предостере́чь *сов. см.* предостерега́ть.

ПРЕ — ПРЕ

предосторо́жност‖**ь** *ж.* cáution; (*ме́ра*) precáution; из ~и out of cáution; ме́ры ~и precáutions, precáutionary méasures [...'meʒ-]; принима́ть ме́ры ~и (про́тив) take* precáutions (agáinst).

предосуди́тельн‖**ость** *ж.* bláme⁀wòrthiness [-ðɪ-], rèprehènsibility. ~**ый** wrong, bláme⁀wòrthy [-ðɪ], blámable, rèprehénsible.

предотврати́ть *сов. см.* предотвраща́ть.

предотвраща́ть, **предотврати́ть** (*вн.*) avért (*d.*), stave off (*d.*), prevént (*d.*); ~ войну́ avért war; ~ опа́сность войны́ avért the dánger of war [...'deɪn...]; ~ опа́сность, пораже́ние, кри́зис stave off dánger, deféat, *the* crísis; ~ агре́ссию prevént aggréssion. ~**е́ние** *с.* avérting, stáving off, prevéntion; ~е́ние войны́ prevéntion of war.

предохране́ние *с.* (от) protéction (against), prèservátion [-zə:-] (from).

предохрани́тель *м. тех.* sáfety device; пла́вкий ~ sáfety fuse / cút-out. ~**ный** presérvative [-'zə:-]; prevéntive (*особ. от боле́зней*); *тех.* sáfety (*attr.*); ~ные ме́ры precáutions, precáutionary méasures [...'meʒ-]; ~ная приви́вка prevéntive inòculátion; ~ная окра́ска живо́тных protéctive cólouring of ánimals [...'kʌl-...]; ~ный кла́пан sáfety-vàlve.

предохрани́ть *сов. см.* предохраня́ть.

предохраня́ть, **предохрани́ть** (*вн.* от) protéct (*d.* from), presérve [-'zə:v] (*d.* from).

предпарла́мент *м. ист.* Prè⁀párliament [-lə-].

предписа́‖**ние** *с.* diréction; diréctions *pl.*, instrúctions *pl.*; (*прика́з*) órder; (*гл. обр. врача́*) prescríption; ~ суда́ court órder [kɔ:t...]; секре́тное ~ sécret órder; согла́сно ~нию by órder. ~**ть** *сов. см.* предпи́сывать.

предпи́сывать, **предписа́ть** (*дт. вн.*; *дт.* + *инф.*) órder (*d. d.*; *d.* + to *inf.*); diréct (*d.* + to *inf.*); (*о лече́нии, дие́те и т. п.*) prescríbe (*d.*).

предпле́чье *с. анат.* fóre⁀àrm.

предплу́жник *м. с.-х.* có(u)lter ['kou-].

предплюсна́ *ж. анат.* társus (*pl.* -rsi).

предполага́емый 1. *прич. см.* предполага́ть; 2. *прил.* suppósed, conjéctural.

предполага́ть, **предположи́ть** 1. (*вн.*; *ду́мать*) suppóse (*d.*); (*де́лать дога́дки*) conjécture (*d.*), surmíse (*d.*); (*допуска́ть*) assúme (*d.*); предположи́м, что э́то треуго́льник (let us) suppóse / assúme it to be a tríangle; предположи́м, что вы э́то потеря́ете suppóse you lose it [...lu:z...]; 2. *тк. несов.* (+ *инф.*; *наме́реваться*) inténd (+ to *inf.*), propóse (+ to *inf.*), cóntemplate (+ *ger.*); что вы ~аете де́лать? what are you góing to do?; 3. *тк. несов.* (*вн.*; име́ть свои́м усло́вием) prè⁀suppóse (*d.*). ~**аться** 1. *безл.*: ~а́ется, что it is assúmed / suppósed that; 2. *страд. к* предполага́ть.

предположе́ни‖**е** *с.* 1. sùpposítion [-'zɪ-]; (*допуще́ние*) assúmption; законода́тельное ~ draft bill; э́то послужи́ло по́водом для вся́кого ро́да ~й it has arôused all mánner of spèculátion; 2. (*наме́рение*) inténtion.

предположи́тельно I *прил. кратк. см.* предположи́тельный.

предположи́тельн‖**о II** 1. *нареч.* suppósed⁀ly, presúmably [-'zju:-]; 2. *как вводн. сл.* próbably; (*приблизи́тельно*) appróximate⁀ly. ~**ый** hypò⁀thétical, conjéctural, presúmable [-'zju:-].

предположи́ть *сов. см.* предполага́ть 1.

предпосла́ть *сов. см.* предпосыла́ть.

предпосле́дн‖**ий** last but one, next to last; pénultimate; (*в спи́ске*) one from (the) bóttom; на ~ем собра́нии at the last méeting but one; ~ слог pénultimate sýllable.

предпосыла́ть, **предпосла́ть** (*вн. дт.*) premíse (*d.* to); (*статье́ и т. п.*) préface (with *d.*); ~ докла́ду обзо́р литерату́ры préface the lécture with a súmmary / súrvey of líterature on the súbject.

предпосы́лк‖**а** *ж.* précondition, préréquisite [-zɪt]; *филос.* prémise [-s]; создава́ть необходи́мые ~и (для) creáte the nécessary pré⁀réquisites (for); э́то явля́ется важне́йшей ~ой (для) it is a májor réquisite / pré⁀condítion [...-zɪt...] (for).

предпоче́сть *сов. см.* предпочита́ть.

предпоч‖**ита́ть**, **предпоче́сть** (*вн. дт.*; + *инф.*) prefér (*d.* to; + to *inf.*); он ~ёл бы (+ *инф.*) he would prefér (+ to *inf.*), he would ráther [...'ra:-] (+ *inf.*); ~ одно́ друго́му prefér one to another, fávour one óver another.

предпочте́ние *с.* préference, prèdiléction [pri:-]; отдава́ть, ока́зывать ~ (*дт.*) show* préference [ʃou...] (to), give* préference (*i.*).

предпочти́тельно I *прил. кратк. см.* предпочти́тельный.

предпочти́тельн‖**о II** *нареч.* 1. ráther ['ra:-], préferably; 2. (пе́ред) *уст.* in préference (to). ~**ый** préferable.

предпра́здничн‖**ый** hóliday [-dɪ] (*attr.*); ~ое настрое́ние hóliday mood; ~ая суета́ hóliday rush; ~ая торго́вля hóliday trade.

предприи́мчив‖**ость** *ж.* énterprise. ~**ый** énterprising.

предпринима́тель *м.*, ~**ница** *ж.* ówner (of *a* firm, of *a* búsiness) ['ou-...'bɪzn-], emplóyer. ~**ский** ówner's ['ou-], emplóyer's. ~**ство** *с.* (*private*) búsiness ùndertákings ['praɪ-'bɪzn-...] *pl.*; свобо́дное ~ство free énterprise.

предприн‖**има́ть**, **предприня́ть** (*вн.*) ùndertáke* (*d.*); ~ ата́ку launch *an* attáck / assáult; ~ наступле́ние take* the offénsive; предприня́ть шаги́ take* steps. ~**я́ть** *сов. см.* предпринима́ть.

предприя́тие *с.* 1. ùndertáking, énterprise; (*делово́е, промы́шленное тж.*) búsiness ['bɪzn-]; риско́ванное ~ vénture; ри́скуй undertáking; 2. (*заво́д, фа́брика и т. п.*) énterprise, (índustrial) works.

предрасполага́ть, **предрасположи́ть** (*вн. к*) pré⁀dispóse (*d.* to).

предрасположе́ние *с.* (к) prédispositíon [-'zɪ-] (to); *мед. тж.* diáthesis (*pl.* -eses [-i:z]) (to).

предрасполо́жен‖**ность** *ж.* = предрасположе́ние. ~**ный** *прич. и прил.* (к) pré⁀dispósed (to).

предрасположи́ть *сов. см.* предрасполага́ть.

предрассве́тн‖**ый** precéding dawn; héralding dawn; ~ые су́мерки false dawn [fɔ:ls...] *sg.*; ~ хо́лод the chill of appróaching dawn; ~ тума́н early mórning mist ['ə:lɪ...].

предрассу́д‖**ок** *м.* préjudice; без ~ков without préjudices, ùnpréjudiced; закосне́лый в ~ках steeped in préjudice.

предрека́ть, **предре́чь** (*вн.*) *уст.* fóre⁀téll* (*d.*), prognósticate (*d.*).

предре́чь *сов. см.* предрека́ть.

предреш‖**а́ть**, **предреши́ть** (*вн.*) decide beforehand (*d.*), préjúdge (*d.*); (*определя́ть зара́нее*) prédetermine (*d.*); ~ вопро́с decide *the* quéstion beforehand [...-stʃən...], préjúdge the íssue; ~ исхо́д сраже́ния prédetermine the íssue / óutcòme of *the* báttle. ~**и́ть** *сов. см.* предреша́ть.

председа́тель *м.* cháir⁀man*; (*правле́ния и т. п.*) cháir⁀man*, président [-z-]; (*пала́ты общи́н в А́нглии и пала́ты представи́телей в США*) the Spéaker; Председа́тель Прези́диума Верхо́вного Сове́та СССР the Cháirman of the Presídium of the Súprème Sóviet of the USSR; Председа́тель Сове́та Мини́стров СССР the Cháirman of the Cóuncil of Mínisters of the USSR. ~**ский** cháir⁀man's; président's [-z-]; заня́ть ~ское ме́сто take* the chair. ~**ство** *с.* (*на собра́нии*) cháirmanship; (*в правле́нии и т. п.*) prèsidency [-zɪ-]; под ~ством (*рд.*) under the cháirmanship (of), presíded óver [-'zaɪ-...] (by).

председа́тельств‖**овать** 1. (в *пр.*; *быть председа́телем колхо́за и т. п.*) be cháir⁀man* (of); 2. (*на собра́нии*) presíde [-'zaɪd], be in the chair, take* the chair. ~**ующий** 1. *прич. см.* председа́тельствовать; 2. *м. как сущ.* cháir⁀man*.

предсе́рдие *с. анат.* áuricle (of the heart).

предска́з‖**а́ние** *с.* próphecy, prèdiction, prògnostication; fórecàst (*особ. о пого́де*). ~**тель** *м.*, ~**тельница** *ж.* fóre⁀téller, sóothsayer.

предсказа́ть *сов. см.* предска́зывать.

предска́зывать, **предсказа́ть** (*вн.*) fóre⁀téll* (*d.*); (*нау́чно*) predíct (*d.*), prognósticate (*d.*); fórecast (*d.*; *особ. о пого́де*).

предсме́ртн‖**ый** death [deθ] (*attr.*), dying; ~ые страда́ния déath-agony [deθ-] *sg.*, déath-strùggle ['deθ-] *sg.*; ~ое жела́ние dýing wish.

представа́ть, **предста́ть** (*пе́ред*) appéar (befóre); ~ пе́ред судо́м appéar in court [...kɔ:t].

представи́тель *м.* 1. rèpreséntative [-'ze-]; (*вырази́тель чьих-л. интере́сов*) spókesman* (for); полномо́чный ~ plènipoténtiary; ~ сове́тской обще́ственности rèpresentative of the Sóviet públic [...рл-]; 2. (*образе́ц*) spécimen.

представи́тельност‖**ь** *ж.* impósing / dígnified / impréssive appéarance / présence [...'prez-]; не име́ть ~и have nóthing impósing / dígnified / impréssive in one's appéarance.

представи́тельный I *полит.* rèpreséntative [-'ze-].

представи́тельн‖**ый II** (*о вне́шнем*

виде) impósing, dígnified, impréssive; ~ая внéшность impósing / dígnified / impréssive appéarance; ~ человéк dígnified / impréssive man*, man* of impósing / dígnified appéarance.

представи́тельство *с.* 1. rèpresèntátion [-zen-]; 2. (*учреждение*): диплома́ти́ческое ~ diplomátic rèpresèntátives [...-'z-] *pl.*; Торго́вое ~ СССР Trade Dèlegátion of the USSR; 3. (*право, порядок выборов представителей*) eléction (of), sénding of rèpreséntatives [-'zen-].

представи́тельствовать act as rèpreséntative [...-'zen-], députize.

предста́вить *сов. см.* представля́ть 1, 2, 4, 5, 6, 7, 9. ~ся *сов. см.* представля́ться.

представле́ни||е *с.* 1. prèsentátion [-zen-]; (*о документах тж.*) hánding-in; 2. *театр.* perfórmance; 3. (*понятие*) idéa [aɪ'dɪə], nótion, concéption; имéть ~ (о *пр.*) have an idéa / nótion (abóut); он не имéет ни мале́йшего ~я he hás:n't the slíghtest idéa, *или* the remótest concéption; he hás:n't the háziest nótion; дава́ть ~ (о *пр.*) give* an idéa (of); имéть я́сное ~ о положéнии дел have a clear view of the situátion [...vju:...]; 4. *офиц.* rèpresèntátion [-zen-]; ~я бы́ли сде́ланы rèpresèntátions were made.

представ||ля́ть, предста́вить 1. (*вн.; являться, быть*) presént [-'zent] (*d.*), óffer (*d.*); э́то не ~ля́ет тру́дности it óffers no dífficulty; э́то не ~ля́ет для меня́ интере́са it is of no ínterest to me; ~ большу́ю це́нность be of great válue [...greɪt 'væ-]; 2. (*вн.; предъявля́ть*) prodúce (*d.*), — доказа́тельства, соображе́ния prodúce évidence, réasons [...'ri:z-]; — ~ на рассмотре́ние, утвержде́ние *и т.п.* submít for considerátion, appróval, *etc.* [...-ru:v-] (*d.*); 3. *тк. несов.* (*вн.; быть представителем*) rèprésent [-'ze-] (*d.*); 4. (*вн. дт.; знакомить*) introdúce (*d.* to), presént (*d.* to); 5. (*вн.; чаще со словом себе; воображать*) imágine (*d.*), pícture (*d.*), fáncy (*d.*), concéive ['si:v] (*d.*); предста́вьте себе́ моё удивле́ние imágine my astónishment; вы не мо́жете себе́ предста́вить you can't imágine [...ka:nt...]; нельзя́ предста́вить себе́, что it is in:concéivable that [...'si:v-...]; 6. (*вн.*) *театр.* perfórm (*d.*), act (*d.*); 7. (*вн.; изображать*) rèprésent (*d.*), embódy [-'bɔ-] (*d.*); 8. *тк. несов.:* ~ собо́й что-л. rèprésent smth.; be smth.; Земля́ ~ля́ет собо́й сферо́ид the Earth is a sphéroid [...ə:θ...]; что он собо́й ~ля́ет? what kind of pérson is he?; 9. (*вн. к*): ~ кого́-л. к награ́де, о́рдену rècomménd smb., *или* put* smb. fórward, for *a* rewárd, dècorátion; ◊ ~ что-л. в лу́чшем све́те show* / pòrtráy things in the most fávour:able light [ʃou...].

~ля́ться, предста́виться 1. (*возника́ть*) occúr, presént it:sélf [-'zent-]; (*о случае тж.*) óffer, aríse*; на́шим глаза́м предста́вилась печа́льная карти́на a pícture of dèsolátion rose befóre our eyes [...aɪz]; слу́чай ско́ро предста́вился an òppor:túnity soon prèsénted it:sélf; е́сли предста́вится (удо́бный) слу́чай should an òppor:túnity aríse, if òppor:túnity óffers; 2. *безл.* (*дт.; казаться*) seem (to); ему́ предста́вилось, что it seemed to him that, he imágined that; ~ля́ться больны́м feign síckness [feɪn...]; 3. (*дт.; знакомиться*) introdúce òne:sélf (to); 4. *страд. к* представля́ть.

представи́тель||ый: ~ая железа́ *анат.* próstate (gland).

предста́ть *сов. см.* представа́ть.

предсто||я́ть be in próspect, be cóming; че́рез не́сколько дней ~я́т вы́боры in a few days we are góing to have eléctions, in a few days eléctions will take place; нам ~и́т (+ *сущ.*) we are faced (with); we are in (for) *разг.*; (+ *глаг.*) we are (+ to *inf.*): нам ~и́т путеше́ствие we are faced with a jóurney [...'dʒə:-]; ему́ ~я́т тру́дности dífficulties are in store, *или* lie* in wait, for him; нам ~и́т реши́ть вопро́с we (will) have to solve *the* próblem [...'prɔ-]. ~я́щий 1. *прич. см.* предстоя́ть; 2. *прил.* cóming, fòrth:cóming; (*неминуемый*) impénding; at hand; ahéad [ə'hed] (*predic.*); ~я́щие вы́боры, ~я́щая конфере́нция fòrth:cóming eléctions, cónference; ввиду́ ~я́щих затра́т in view of impénding expénses [...vju:...].

предте́ча *м. и ж. уст.* (*предшественник*) fòre:rúnner, precúrsor.

предубежд||е́ние *с.* préjudice, bías; относи́ться с ~е́нием к чему́-л. be préjudiced agáinst smth. ~ённый *прич. и прил.* préjudiced, bíassed.

предупред||и́ть *сов. см.* предупрежда́ть. ~ле́ние *с.* fòre:wárning.

предуведомля́ть, предуве́домить (*вн. о пр.*) *уст.* infórm befòre:hánd (*d.* abóut), give* advánce nótice [...'nou-...] (to abóut); (fòre:)wárn (*d.* of, abóut).

предуга́дать *сов. см.* предуга́дывать.

предуга́дывать, предугада́ть (*вн.*) guess (in advánce) (*d.*), divíne (*d.*), fòre:sée* (*d.*), fòre:téll* (*d.*); чьи-л. наме́рения divíne smb.'s inténtions.

предуда́рный *лингв.* prè:tónic; ~ гла́сный, слог prè:tónic vówel, sýllable.

предумы́шленн||ость *ж.* prèmeditátion, fòre:thought. ~ый prèméditated; ~ое уби́йство prèméditated múrder.

предупреди́тельн||ость *ж.* cóurtesy ['kə:tsɪ]; (*внимательность*) attèntive:ness. ~ый 1. (*о мерах и т.п.*) prevéntive, precáutionary; 2. (*о человеке*) oblíging; (*внимательный*) attèntive; (*любезный*) cóurteous ['kə:t-].

предупреди́ть *сов. см.* предупрежда́ть.

предупре||жда́ть, предупреди́ть 1. (*вн. о пр.; заранее*) let* know befóre:hánd [...nou-...] (of, abóut), give* advánce nótice [...'nou-] (to abóut); (*извещать*) nótify ['nou-] (*d.* abóut), tell* befòre:hánd (*d.* abóut), give* nótice [...'nou-] (*i.* abóut); warn (*d.* of, abóut); ~ за ме́сяц give* a month's nótice / wárning [...mʌ-...] (to); 2. (*вн. о пр.; предостерегать*) warn (*d.* agáinst), fòre:wárn (*d.* of / abóut); 3. (*вн.; предотвраща́ть*) prevént (*d.*), avért (*d.*); пожа́р, несча́стный слу́чай prevént fire, *an* áccident; 4. (*вн.; опережать*) àntícipàte (*d.*), get* ahéad [...ə'hed] (of), fòre:stáll (*d.*); я хоте́л сде́лать э́то для вас, но он ~ди́л меня́ I wánted to do it for you but he àntícipàted / fòre:stálled me, *или* got ahéad of me; я хоте́л э́то сказа́ть, но он ~ди́л меня́ I was just góing to say it, but he fòre:stálled me; I was just góing to say it, when he took the words out of my mouth *идиом.*; ~ди́ть собы́тия àntícipàte evénts. ~жде́ние *с.* 1. (*извещение*) nótice ['nou-]; 2. (*предостережение*) wárning; 3. (*предотвращение*) prevéntion; ◊ вы́говор с ~жде́нием sevére réprimànd and wárning [...-a:nd...].

предусма́трив||ать, предусмотре́ть (*вн.*) fòre:sée* (*d.*); (*о плане тж.*) envísage [-z-] (*d.*); envísion (*d.*) *амер.*; (*обеспечивать, обусловливать*) províde (for), stípulàte (*d.*); предусмотре́ть все возмо́жности províde for évery èventuálity; всё бы́ло предусмо́трено éverything was províded for, nóthing was left to chance; зако́н не ~ает тако́го слу́чая the law makes no provísion for such a case [...keɪs]; предусмо́тренный пла́ном énvisaged / stípulàted by the plan; предусмо́тренный статьёй, пу́нктом догово́ра spécified in *the* árticle, the páragraph of *the* cóntract.

предусмотре́ть *сов. см.* предусма́тривать.

предусмотри́тельн||ость *ж.* fòre:sight; (*осторожность*) prúdence. ~ый fàr-sìghted, próvident; (*осторожный*) prúdent; ~ый челове́к a man* of fòre:sight.

предустано́вленный *уст.* prè-estáblished, prè:détermined.

предутренний dáybreak [-breɪk] (*attr.*); at dawn (*после сущ.*), at break of day [...breɪk...] (*после сущ.*); ~ час the hour befóre dawn [...auə...].

предчу́встви||е *с.* prèsèntiment [-'ze-]; (*дурное об.*) fòre:bóding, mìs:gíving, prèmonítion [prɪ-]; ~ беды́, несча́стья fòre:bóding of évil [...'i:vl]; ве́рить ~ям indúlge in prèmonítions.

предчу́вств||овать (*вн.*) have a presèntiment / fòre:bóding [...-'ze-...] (of, abóut); так он и ~ал he had a prèsèntiment abóut it; он ~ал, что э́то так бу́дет he had a prèsèntiment that it would be so, he had a féeling this would háppen.

предше́ственн||ик *м.*, ~ица *ж.* prèdecéssor ['prɪ-], fòre:rúnner, precúrsor.

предше́ств||овать (*дт.*) precéde (*d.*), fòre:gó* (*d.*); ~ующий 1. *прич. см.* предшествовать; 2. *прил.* prévious, fórmer; 3. *с. как сущ.* = преды́дущее *см.* преды́дущий 2.

предъяв||и́тель *м.* béarer ['beə-]; ~ иска́ pláintiff, cláimant; чек с упла́той на ~и́теля cheque páyable to béarer. ~и́ть *сов. см.* предъявля́ть. ~ле́ние *с.* prodúcing, prèsentátion [-ze-]; ~ле́ние обвине́ния (в *пр.*) àccusátion [-'zeɪ-] (of), charge (of); ~ле́ние иска́ brínging of a suit [...sju:t]; ~ле́ние пра́ва assértion of a claim; по ~ле́нии on prèsentátion.

предъявля́ть, предъяви́ть (*вн.*) 1. (*показывать*) show* [ʃou] (*d.*), prodúce (*d.*): ~ биле́ты show* / prodúce tíckets;

477

ПРЕ — ПРЕ

~ докуме́нты show* one's documents; ~ доказа́тельства show* / present proofs [...-'zent...]; produce évidence; 2. (заявля́ть) ~ пра́во (на вн.) raise a claim (to); ~ тре́бование (к) lay* claim (to); ~ высо́кие тре́бования (к) make* great / high demánds [...greɪt...-ɑ:ndz] (of); demánd much [-ɑ:nd...] (of); ~ иск (к) bring* a suit [...sju:t] (agáinst); ~ обвине́ние (дт. в пр.) bring* an accusátion [...-'zeɪ-] (agáinst of), charge (d. with); ~ кому́-л. обвине́ние в уби́йстве bring* an accusátion of múrder agáinst smb., charge smb. with múrder.

предыду́щ∥ий 1. прил. prévious, precéding; ~ год prévious year; 2. с. как сущ. the foregóing: из ~его сле́дует, что from the foregóing it fóllows that.

прее́мник м. succéssor; быть чьим-л. ~ом be smb.'s succéssor, succéed to smb.

прее́мственн∥ость ж. succéssion, continúity; ~ поли́тики continúity of pólicy. **~ый** succéssive.

прее́мство с. succéssion.

пре́жде 1. нареч. (ра́ньше) befóre; (снача́ла) first; (в про́шлом) fórmerly, in fórmer times; на́до бы́ло ду́мать об э́том ~ you ought to have thought about it befóre; он до́лжен ~ ко́нчить э́то he must finish this first; ~ он был журнали́стом fórmerly he was a jóurnalist [...'dʒɜ:-]; he used to be a jóurnalist [...jʊst...]; ~ чем (+ инф.) befóre (+ ger.): он до́лжен поговори́ть с ней, ~ чем уе́хать he must speak to her befóre góing; 2. как предл. (рд.) befóre: он пойдёт туда́ ~ неё he will go there befóre her; ◇ ~ всего́ first of all, to begín with; first and fóremost.

преждевре́менно I прил. кратк. см. преждевре́менный.

преждевре́мен∥о II нареч. prematúrely; ~ сконча́ться die prematúrely, die befóre one's time. **~ость** ж. prematúrity, untíme∥liness. **~ый** prematúre, untíme∥ly; ~ые ро́ды мед. prematúre birth sg.

пре́жн∥ий fórmer; в ~ее вре́мя in the old days, in fórmer times.

презе́нт м. уст. présent ['prez-].

презента́бельн∥ость ж. présentable appéarance / look [-'ze-...]. **~ый** présentable [-'ze-], décent.

презентова́∥ть несов. и сов. (вн. дт.) разг. уст. présent [-'ze-] (d. i., with d.), give* for a présent [...'prez-] (d. i.), make* a présent (of to); он ~л ему́ кни́гу he présented a book to him, he présented him with a book.

президе́нт м. président [-zɪ-]. **~ский** presidéntial [-zɪ-]. **~ство** с. présidency [-zɪ-].

прези́диум м. presídium; Прези́диум ЦК КПСС ист. Presídium of the Céntral Commíttee of the C.P.S.U. [...-tɪ...]; Прези́диум Верхо́вного Сове́та СССР Presídium of the Supréme Sóviet of the USSR; Прези́диум Акаде́мии нау́к Presídium of the Acádemy of Sciences.

478

презира́∥ть, презре́ть (вн.) 1. тк. несов. despíse (d.), hold* in contémpt (d.); ~ кого́-л. за тру́сость despíse smb. for his cówardice; ~ лесть disdáin fláttery; 2. (отверга́ть, пренебрега́ть) disdáin (d.); ~ опа́сность defý / scorn dánger [...'deɪn-].

презре́н∥ие с. 1. contémpt, scorn, disdáin; 2. (к опа́сности и т. п.) defíance. **~ный** contémptible, déspicable; ◇ ~ный мета́лл разг. filthy lucre.

презре́ть сов. см. презира́ть 2.

презри́тельн∥ость ж. contémpt, disdáin. **~ый** contémptuous, scórnful, disdáinful.

презу́мпция ж. юр. presúmption [-'zʌ-].

преиму́щественн∥о нареч. máinly, chíefly ['tʃi:f-]. **~ый** 1. prímary ['praɪ-]; име́ть ~ое значе́ние be of prímary, или the first, impórtance; 2. юр. preferéntial; ~ое пра́во préference; ~ое пра́во на поку́пку pre-émption.

преиму́ществ∥о с. 1. advántage [-'vɑ:-]; (предпочте́ние) préference; отдава́ть ~ (дт. пе́ред) prefér (d. to); получа́ть (пе́ред) gain an advántage (óver); име́ть ~ (пе́ред) have / posséss an advántage [...-'zes...] (óver); они́ име́ют то ~, что они́ деше́вы they have the advántage of chéapness; 2. юр. prívilege; ◇ по ~у for the most part, chíefly ['tʃi:f-].

преиспо́дняя ж. скл. как прил. уст. the néther / inférnal régions pl.; the únderwórld.

преиспо́лн∥енный 1. прич. см. преисполня́ть; 2. прил. (рд., тв.) full (of), filled (with); ~ бо́дрости, му́жества full of mettle; ~ ра́достью filled with joy; ~ реши́мости firmly resólved [...-'zɔ-]; ~ опа́сности fraught with dánger [...'deɪn-]. **~ить(ся)** сов. см. преисполня́ть(ся).

преисполня́∥ть, преиспо́лнить (вн. тв., рд.) fill (d. with). **~ся**, преиспо́лниться (тв., рд.) be filled (with).

прейскура́нт м. price-list; (в рестора́не) bill of fare.

преклоне́ние с. (пе́ред) admirátion (for), wórship (of). **~и́ть(ся)** сов. см. преклоня́ть(ся).

прекло́нный: ~ во́зраст old age; declíning years pl.

преклоня́ть, преклони́ть (вн.): ~ коле́на kneel*, génuflèct; ~ го́лову bow one's head [...hed]. **~ся**, преклони́ться (пе́ред) 1. bend* / bow down (befóre); 2. (чу́вствовать уваже́ние, восхище́ние) admíre (d.), wórship (d.).

прекосло́в∥ие с. уст. contradíction; без ~ия without contradíction. **~ить** (дт.) contradíct (d.), cross (d.).

прекра́сно I прил. кратк. см. прекра́сный.

прекра́сно II 1. нареч. excéllently, pérfectly well; 2. как межд. very well!, wónderful! ['wʌn-].

прекрасноду́ш∥ие с. уст., ирон. stárry-éyed idéalism [-'aɪd aɪ'dɪə-]. **~ный** уст., ирон. stárry-éyed [-'aɪd].

прекра́сн∥ое с. скл. как прил. the béautiful [...'bju:t-]. **~ый** 1. béautiful ['bju:t-], fine; 2. (отли́чный) excéllent, cápital; ◇ в оди́н ~ый день one fine day; в одно́ ~ое у́тро one fine mórning; ~ый пол the fair (sex); ра́ди ~ых глаз разг. as a fávour.

прекрати́ть(ся) сов. см. прекраща́ть(-ся).

прекраща́∥ть, прекрати́ть (вн.) stop (d.), cease [-s] (d.), discontínue (d.); (положи́ть коне́ц чему́-л.) put* an end (to), make* an end (of); bring* to a stop (d.); (о сноше́ниях и т. п.) break* off [breɪk...] (d.), séver ['se-] (d.); ~ знако́мство (с тв.) break* (off) (with); ~ пре́ния close the debáte; ~ разгово́р break* off the conversátion; ~ обсужде́ние вопро́са dismíss the súbject; прекрати́м э́тот спор let us drop this árgument; ~ рабо́ту leave* off, или cease, work; down tools разг.; ~ войну́ put* an end to the war; прекрати́ть испыта́ния я́дерного ору́жия discontínue núclear wéapons tests [...'wep-...]; ~ вое́нные де́йствия cease hostílities; ~ ого́нь воен. cease fire; ~ подпи́ску discontínue the subscríption; ~ платежи́ suspénd / stop páyment(s); ~ рассле́дование drop an ínquiry; ~ пода́чу эне́ргии, га́за и т. п. cut* off the electrícity, the gas supplý. **~а́ться,** прекрати́ться 1. end, cease [-s]; 2. страд. к прекраща́ть. **~е́ние** с. stópping, cessátion, céasing [-s-], discontínuance; ~е́ние вое́нных де́йствий cessátion of hostílities; ~е́ние огня́ céase-fire [-s-]; ~е́ние состоя́ния войны́ (ме́жду) terminátion of the state of war (betwéen); ~е́ние произво́дства а́томного ору́жия stóppage / hálting of the prodúction of atómic wéapons [...'wep-...]; ~е́ние го́нки вооруже́ний hálting of arms race; ~е́ние платеже́й suspénsion of páyments; ~е́ние пре́ний clósure of the debáte ['klouzə...]; внести́ предложе́ние о ~е́нии пре́ний move the clósure of the debáte [mu:v...].

прела́т м. prélate.

преле́стный chárming, delíghtful; lóvely ['lʌ-] разг.

пре́лесть ж. 1. charm, fascinátion; 2. мн. (прия́тные явле́ния) delights; 3. разг.: э́то ~! chárming!, lóvely! ['lʌ-]; кака́я ~! how lóvely!; ◇ ~ новизны́ charm of nóvelty.

прелимина́р∥ии мн. дип. prelíminaries. **~ный** дип. prelíminary.

преломл∥и́ть(ся) сов. см. преломля́ть(-ся). **~е́ние** с. физ. refráction; (перен.) áspect, interpretátion. **~лённый** прич. и прил. физ. refrácted. **~ля́емость** ж. физ. refráction, refrangibílity [-n-]. **~ля́емый** физ. refráctable, refrángible [-n-].

преломл∥я́ть, преломи́ть (вн.) физ. refráct (d.); (перен.) intérpret (d.); ~ лучи́ refráct rays. **~я́ться,** преломи́ться 1. физ. be refrácted; (перен.) be intérpreted; в созна́нии ребёнка всё ~я́ется по-осо́бенному the child's mind percéives éverything in its own way [...-'si:vz... oun...]; 2. страд. к преломля́ть. **~я́ющий** 1. прич. см. преломля́ть; 2. прил. физ. refráctive, refrácting.

пре́лый rótten, fústy; (пропи́танный гнило́й сы́ростью) músty.

прель ж. rot, móuldiness ['mou-], mould [mould].

прельсти́ть(ся) сов. см. прельща́ть(-ся).

прельща́ть, прельсти́ть (вн. тв.) entíce (d. with); (очаровывать) fáscinàte (d. with); ~ кого́-л. обеща́ниями lure smb. with prómises [...-sɪz]; путеше́ствие по́ мо́рю прельсти́ло его́ the sea vóyage was an entíce:ment / attráction to him; the thought of *the* sea vóyage was entícing / attráctive to him. ~ся, прельсти́ться (тв.) become* / be attrácted (by); (соблазняться) become* / be témpted (by).

прелюбо||де́й м. уст. adúlterer. ~де́йствовать уст. commít adúltery. ~дея́ние с. уст. adúltery.

прелю́д м., **прелю́дия** ж. муз. (тж. перен.) prélùde.

премиа́льн||ый 1. прил. к пре́мия; ~ фонд bónus funds pl.; ~ая систе́ма bónus sýstem; 2. мн. как сущ. bónus sg.: получи́ть ~ые get* a bónus.

преми́н||уть сов.: не ~ (+ инф.) not fail (+ to inf.); он не ~ул доба́вить he did not fail to add.

премирова́ние с. awárding a prémium / bónus, awárding a prize.

премиро́ванный 1. прич. см. премирова́ть; 2. прил. prize (attr.); ~ скот prize cattle; 3. м. как сущ. prize--wìnner.

премирова́||ть несов. и сов. (вн.) give* / award a bónus / prémium (i.): администра́ция ~ла его́ за перевыполне́ние пла́на the authorities gave him a bónus for óver:fulfílling the plan [...-ful-...]; его́ ~ли кни́гой he was awárded a book as a prize.

пре́мия ж. 1. bónus, prémium; ~ за перевыполне́ние пла́на óver:fulfílment bónus [-ful-...]; 2. (награда) prize, rewárd; Междунаро́дная Ле́нинская пре́мия «За укрепле́ние ми́ра ме́жду наро́дами» Internátional Lénin Peace Prize [-'næ-...]; Но́белевская ~ Nóbel Prize; 3. эк. prize, bóunty; экспортная ~ bóunty; 4. фин. prémium; страхова́я ~ prémium, insúrance [-'ʃuə-].

премно́го нареч. уст. very much, extréme:ly.

прему́др||ость ж. 1. wisdom [-z-]; 2. разг., ирон. (что-л. труднопонимаемое) súbtlety ['sʌtltɪ]; ◇ невелика́ ~ разг. it does:n't require much wisdom / knówledge [...'nɔ-]. ~ый (very) wise; sage.

премье́р м. 1. prime mínister, prémier ['premjə]; 2. театр. léading man*, star áctor, lead.

премье́ра ж. театр. (первое представление) first / ópen:ing night, première (фр.) ['premɪəə]; (новая постановка) new prodúction.

премье́р-мини́стр м. prime mínister, prémier ['premjə].

премье́рша ж. театр. разг. léading lády / áctress, lead.

пренебре||га́ть, пренебре́чь (тв.) 1. negléct (d.); disregárd (d.); ~ свои́ми обя́занностями negléct / disregárd one's dúties; 2. (презирать) scorn (d.), ignóre (d.), despíse (d.); ~ чьим-л. мне́нием scorn / ignóre smb.'s opínion; ~ сове́том scorn smb.'s advíce; ~ опа́сностью scorn / defý dánger [...'deɪn-]; не ~ никаки́ми сре́дствами stop at nothing, shun no means. ~же́ние с. 1. (невнимание) negléct, disregárd; ~же́ние свои́ми обя́занностями negléct / disregárd of one's dúties; относи́ться с ~же́нием (к) кого́-л. set* at nought / defíance (d.); 2. (презрение) scorn, disdáin; говори́ть с ~же́нием (о пр.) speak* slíghting:ly (of), dispárage (d.).

пренебрежи́тельн||ость ж. scorn, disdáin, contémpt. ~ый slíghting, scórnful, disdáinful; ~ый тон slíghting tone.

пренебре́чь сов. см. пренебрега́ть.

пре́ние с. rótting.

пре́ни||я мн. debáte sg., discússion sg.; суде́бные ~ pléadings; открыва́ть, прекраща́ть ~ open, close the debáte; прекраще́ние ~й clósure of the debáte ['klou-...].

преоблада́ние с. predóminance, prévalence.

преоблада́||ть prevàil; (над, среди) predóminàte (óver), prevàil (óver). ~ющий 1. прич. см. преоблада́ть; 2. прил. predóminant, prévalent.

преобра||жа́ть, преобрази́ть (вн.) change [tʃeɪ-] (d.), transfórm (d.), tránsfigure (d.). ~жа́ться, преобрази́ться 1. change [tʃeɪ-]; 2. страд. к преобража́ть. ~же́ние с. 1. transformátion; 2. церк. the Trànsfigurátion. ~зи́ть(ся) сов. см. преобража́ть(ся).

преобразова́||ние с. 1. transformátion; (реформа) refórm; (реорганизация) rè:organizátion [-naɪ-]; революцио́нное ~ о́бщества rèvolútionary ré:màking / rè:òrganizátion of socíety; 2. физ. transformátion, convérsion; ~ то́ка transformátion of cúrrent. ~тель м. 1. refórmer, ré:órganizer; 2. физ. transfórmer, convérter.

преобразова́ть(ся) сов. см. преобразо́вывать(ся).

преобразо́вывать, преобразова́ть (вн.) 1. change [tʃeɪndʒ] (d.), transfórm (d.); (реорганизовывать) refórm (d.), ré:órganìze (d.); преобразова́ть приро́ду tràns:fórm / ré:màke* náture [...'neɪ-]; преобразова́ть дипломати́ческую ми́ссию в посо́льство raise a diplomátic míssion to émbassy rank, élevàte a diplomátic míssion into an émbassy; 2. физ., мат. transfórm (d.); эл. convért (d.). ~ся, преобразова́ться be trànsfórmed / changed [...tʃeɪ-], be convérted.

преодол||ева́ть, преодоле́ть (вн.) òver:cóme* (d.); (о чувстве тж.) get* the bétter (of); (о препятствии тж.) get* óver (d.), surmóunt (d.); преодоле́ть лень óver:cóme* one's láziness [...'leɪ-]; ~ тру́дности óver:cóme*, или get* óver, *the* difficulties; преодоле́ть отстава́ние make* good the lag; catch* up разг.; make* up lée-way идиом. ~е́ние с. òver:cóming.

преодоле́ть сов. см. преодолева́ть. ~и́мый sùrmóuntable.

преосвящён||ный м. скл. как прил. церк. Right Réverend. ~ство с. церк. (титул епископа): его́ ~ His Grace.

препара́т м. prèparátion.

препара́тор м. labóratory assístant, démonstràtor.

препари́ровать несов. и сов. (вн.) prepáre (for èxperiméntal púrposes) [...-sɪz] (d.).

препина́ни||е с.: зна́ки ~я грам. stops, pùnctuátion marks.

препира́тельство с. àltèrcátion, wrángling, squábbling.

препира́ться (с тв.) have an àltèrcátion (with), wrángle (with), squábble (with).

преподава́ние с. téaching.

преподава́тель м., ~ница ж. téacher; (в вузе) lécturer, instrúctor. ~ский téacher's, téaching; ~ский соста́в the téaching staff.

преподава́ть 1. (вн. дт.) teach* (d. i.; d. to); 2. (вн., без доп.; быть учителем) teach*; lécture; ~ хи́мию be a lécturer in chémistry [...'ke-]; ~ в университе́те lécture at the Úniversity.

препода́ть сов. (вн. дт.; урок, совет) give* (d. i.).

преподнести́ сов. см. преподноси́ть.

преподно||си́ть, преподнести́ (вн. дт.) presént [-'z-] (d. i.; with d.), make* a présent [...-ez-] (of to): он преподнёс ей кни́гу he presénted a book to her, he presénted her with a book; — преподнести́ сюрпри́з кому́-л. give* a surprise; преподнести́ неприятную но́вость bring* bad* news [...-z] (i.), be a béarer of bad* news [...'bɛə-...]; преподнести́ что́-л. кому́-л. в гото́вом ви́де (перен.) hand smth. to smb. on a plate. ~ше́ние с. 1. (действие) prèsèntátion [-zen-]; 2. (подарок) présent [-ez-], gift [g-].

препода́б||ие с. церк. Réverence. ~ный церк. saint; (как титул священника) Réverend.

препо́на ж. óbstacle, impédiment.

препоруча́ть, препоручи́ть (вн. дт.) уст. entrúst (d. to, d. with) commít (d. to).

препоручи́ть сов. см. препоруча́ть.

препроводи́тельный = сопроводи́тельный.

препроводи́ть сов. см. препровожда́ть.

препровожд||а́ть, препроводи́ть (вн.) офиц. fórward (d.), send* (d.), dispátch (d.). ~е́ние с. fórwarding; ◇ ~е́ние вре́мени pástime; (впустую) waste of time [weɪ-...]; для ~е́ния вре́мени to pass the time.

препя́тстви||е с. óbstacle, impédiment, híndrance; чини́ть ~я кому́-л. put* óbstacles in smb.'s way; есте́ственное, иску́сственное ~ воен. nátural, àrtifícial óbstacle; ска́чки с ~ями stéeple:chàse [-s] sg. (тж. перен.); брать ~я спорт. clear óbstacles.

препя́тствовать (дт. в пр.) prevént (d. from), hínder ['hɪ-] (d. from); (дт.) put* óbstacles in the way (of), impéde (d.); ~ торго́вле hámper trade; ~ приёму кого́-л. в организа́цию block smb.'s admíssion to an òrganizátion [...-naɪ-].

прерва́ть(ся) сов. см. прерыва́ть(ся).

переки||на́ние с. árgument, wrángle, àltèrcátion; вступи́ть в ~ния с кем-л. start an árgument with smb., énter into an árgument with smb. ~ться (с тв.) árgue (with), wrángle (with).

479

пре́рия ж. геогр. práirie.
прерогати́ва ж. prerógative.
прерыва́тель м. тех. interrúpter, bréaker [-eɪkə], cút-out.
прерыва́|ть, прерва́ть (вн.) interrúpt (d.); cut* short (d.); (внезапно прекращать) break* off [-eɪk...] (d.); ~ разгово́р (чужой) interrúpt the conversátion; (свой) break* off the conversátion; нас прерва́ли we were interrúpted; (о телефонном разговоре) we have been cut off; ~ заня́тия interrúpt one's stúdies [...'stʌ-]; ~ перегово́ры break* off negotiátions, suspénd talks; ~ рабо́ту на кани́кулы (о парламенте и т.п.) go* into recéss; прерва́ть дипломати́ческие отноше́ния break* off, или séver, diplomátic relátions [...'se-...]; ~ молча́ние break* the silence [...'saɪ-]; ~ ток эл. interrúpt the cúrrent. ~**ться**, прерва́ться 1. be interrúpted; (о голосе — от волнения и т.п.) break* [-eɪk]; 2. страд. к прерыва́ть. ~**ющийся** 1. прич. см. прерыва́ться; 2. прил. chóking, fáltering; ~ющимся го́лосом with a catch in one's voice.
преры́висто I прил. кратк. см. преры́вистый.
преры́висто II нареч. in a bróken way; говори́ть ~ speak* in a bróken voice, или in a staccáto way [...-'kɑ:-...]; дыша́ть ~ gasp. ~**ость** ж. bróken:ness, intermíttence. ~**ый** bróken, interrúpted.
пресека́ть, пресе́чь (вн.) suppréss (d.), stop (d.); он сра́зу пресе́к это he stopped it at once [...wʌns]; ~ в ко́рне nip in the bud (d.): пресе́чь зло в ко́рне nip the évil in the bud (d.). ~**ся**, пресе́чься 1. stop; (о голосе — от волнения и т.п.) break* [-eɪk]; рабо́та пресекла́сь the work stopped; его́ го́лос пресе́кся his voice broke off; 2. страд. к пресека́ть.
пресече́ни|е с. suppréssion; ме́ра ~я юр. prevéntive púnishment [...'pʌ-].
пресе́чь(ся) сов. см. пресека́ть(ся).
пресле́дова|ние с. 1. (погоня) pursúit [-'sju:t]; мор. chase [-s]; нача́ть ~ (кого-л.) start in pursúit (of smb.); мор. give* chase (to smb.); 2. (притеснение) pèrsecútion, victimizátion [-maɪ-]; 3. юр.: судеб́ное ~ pròsecútion. ~**тель** м. pèrsecútor.
пресле́д|овать (вн.) 1. (гнаться за) pursúe (d.), chase [-s], be áfter (d.); (перен.: мучить) haunt (d.); неприя́теля pursúe the énemy; эта мысль ~ует меня́ this thought haunts me; 2. (притеснять) pèrsecúte (d.), víctimìze (d.); 3. (предавать суду) prósecùte (d.); 4. (стремиться к чему-л.) strive* (for), pursúe (d.); ~ цель pursúe one's óbject, have for an óbject; ~ со́бственные интере́сы stúdy one's own ínterests ['stʌ-...oun...], pursúe one's own ends.
пресловУтый notórious.
пресмыка́|тельство с. grόvelling. ~**ся** 1. уст. creep*, crawl; 2. (перед; раболепствовать) grόvel [-ɔ-] (before); ~ться пе́ред кем-л. fawn on smb., grόvel / cringe before smb.; lick the boots of smb. ~**ющееся** с. скл. как прил. зоол. réptile.

пресн|ый (о воде) fresh, sweet; (о хлебе) únléavened [-'lev-]; (о пище) insípid, únfláyour:ed; (перен.) insípid, vápid; ~ые остро́ты feeble / flat / lame jokes, feeble wítticisms.
преспоко́йн|о нареч. разг. 1. very quíetly; 2. (как ни в чём не бывало) impertúrbably. ~**ый** разг. very quíet / péace:ful.
пресс м. press; винтово́й ~ screw press.
пре́сса ж. 1. the press (the newspapers génerally); 2. собир. (журналисты) préssmen, the press.
пресс-атташé м. нескл. press attaché (фр.) [...ə'tæfeɪ], press rèpreséntative [...-'ze-].
пресс-бюро́ с. нескл. press depártment.
пре́ссинг м. спорт. préssing.
пресс-конфере́нция ж. press / news cónference [...nju:z...].
прессова́ние с. = прессо́вка.
прессо́ванн|ый прич. и прил. pressed; ~ таба́к pressed tobácco; ~ое сёно pressed hay.
прессова́ть, спрессова́ть (вн.) press (d.), compréss (d.).
прессо́в|ка ж. préssing, comprèssing. ~**щик** м. présser, press óperàtor.
пресс-папьé с. нескл. 1. blótter; 2. (для придавливания бумаг) páper-weight.
пресс-це́нтр м. préss-cèntre.
преста́виться сов. уст. pass a:wáy.
престаре́лый advánced in years.
прести́ж м. prestíge [-'ti:ʒ]; поднима́ть ~ (рд.) enhánce the prestíge (of); поте́ря ~a loss of prestíge / face; сохрани́ть свой ~ save one's face. ~**ность** ж. prestígious:ness [-'ti:ʒəs-].
прести́жный prestíge [-'ti:ʒ], prestígious [-'ti:ʒəs].
престо́л м. 1. throne; вступи́ть на ~ come* to the throne; mount / ascénd the throne; возводи́ть на ~ (вн.) enthróne (d.); сверга́ть с ~a (вн.) dethróne (d.); отрека́ться от ~a ábdicàte (the crown); 2. церк. áltar, commúnion-tàble.
престолонасле́д|ие с. succéssion to the throne. ~**ник** м., ~**ница** ж. succéssor to the throne.
престо́льный 1. ист.: ~ го́род cápital (city) [...'sɪ-]; 2. церк.: ~ пра́здник pátron saint's day, pátronal féstival.
преступ|а́ть, преступи́ть (вн.) transgréss (d.), tréspass (d.); víolate (d.), break* [-eɪk] (d.); ~и́ть зако́н transgréss / víolate / break* the law. ~**и́ть** сов. см. преступа́ть.
преступле́ни|е с. crime (тж. перен.); offénce; юр. félony; госуда́рственное ~ tréason [-z'n]; полити́ческое ~ political crime / offénce; уголо́вное ~ críminal offénce; соверша́ть ~ commit a crime; соста́в ~я юр. córpus delícti; должностно́е ~ юр. criminal breach of trust, málfeasance [-z-].
престу́пн|ик м., ~**ица** ж. críminal, offénder; юр. félon ['fe-]; госуда́рственный ~ state críminal; вое́нный ~ war críminal. ~**ость** ж. 1. criminálity, críminal náture [...'neɪ-]; 2. (наличие преступлений) crime; борьба́ с ~остью prevéntion of crime.
престу́пн|ый críminal; юр. felónious; ~ое отноше́ние к свои́м обя́занностям críminal négligence in the perfórmance of one's dúties.
пресы́тить(ся) сов. см. пресыща́ть(ся).
пресыщ|а́ть, пресы́тить (вн. тв.) уст. sátiàte (d. with); (особ. пищей) súrfeit [-fɪt] (d. on), sate (d. with). ~**а́ться**, пресы́титься (тв.) be sátiàted (with); (особ. пищей) have had a súrfeit [...-fɪt] (of), be súrfeited [...-fɪtɪd] (with). ~**éние** с. satiety; (особ. пищей) súrfeit [-fɪt]; до ~éния to satiety.
пресыще́н|ность ж. = пресыще́ние. ~**ый** прич. и прил. sátiàted; (особ. пищей) súrfeited [-fɪt-]; sáted; прил. тж. repléte.
претвор|е́ние с. convérsion, trànsubstàntiátion; ~ в жизнь (рд.) rèalizátion [rɪəlaɪ-] (of), cárrying into life (d.), pútting into práctice (d.). ~**и́ть(ся)** сов. см. претворя́ть(ся).
претвор|я́ть, претвори́ть (вн. в вн.) 1. уст. turn (d. into), change [tʃeɪ-] (d. into), convért (d. into); 2. (воплощать): ~ в жизнь, в де́ло réalize ['rɪə-] (d.), cárry out (d.), put* into práctice (d.); ~ в жизнь заве́ты (рд.) cárry out the behésts (of). ~**я́ться**, претвори́ться 1.: ~я́ться в жизнь come* true, be réalized [...'rɪə-]; его́ мечта́ ~и́лась в жизнь his dream came true; his dream was réalized; прое́кт ~и́лся в жизнь the próject was réalized; 2. страд. к претворя́ть.
претенде́нт м., ~**ка** ж. (на вн.) preténder (to), cláimant (to, up:ón), aspirant (to); спорт. conténder (for), chállenger (for); ~ы на пост президе́нта presidéntial aspirants [prez-...].
претендова́ть (на вн.) preténd (to), lay* claim (to); aspíre (to); put* in a claim (for), have a claim (on).
прете́нзи|я ж. 1. claim; фина́нсовые ~ фіnàncial claims [faɪ-...]; име́ть ~ю (на вн.) lay* claim (to), claim (d.), have a claim (on); 2. (стремление произвести впечатление) preténsion; челове́к с ~ями man* of preténsions, preténtious man*; он челове́к без ~й he is unpreténtious; ◇ быть в ~и на кого́-л. bear* smb. a grudge [bɛə...], have a grudge agáinst smb.
претенцио́зн|ость ж. preténtious:ness, àffectátion. ~**ый** preténtious, afféсted.
претерпева́ть, претерпе́ть (вн.) súffer (d.); (подвергаться) ùndergó* (d.); претерпе́ть лише́ния endúre hárdships / privátions [...praɪ-]; ~ измене́ния ùndergó* chánges [...'tʃeɪ-].
претерпе́ть сов. см. претерпева́ть.
прети́|ть (дт.) sícken (d.); мне ~т it sickens me, I am sick of it.
преткнове́ни|е с.: ка́мень ~я stúmbling-blòck.
пре́тор м. ист. práetor. ~**иа́нец** м., ~**иа́нский** ист. praetórian.
преть, сопре́ть, взопре́ть 1. при сов. сопре́ть (гнить) rot; 2. тк. несов. (вариться) stew; 3. тк. несов. (о земле) become* damp (from warmth); 4. при сов. взопре́ть разг. (потеть) sweat [swet], perspíre.

преувел||иче́ние с. exaggerátion [-ædʒə-], óver:státe:ment. ~**и́ченный** 1. прич. см. преувели́чивать; 2. прил. exággerated [-ædʒə-], hýper:ból:ical.

преувели́чивать, преувели́чить (вн.) exággerate [-ædʒə-] (d.), óver:státe (d.); си́льно ~ gróssly exággerate [-ous-...] (d.).

преувели́чить сов. см. преувели́чивать.

преуменьша́ть, преуме́ньшить (вн.) únder:éstimate (d.), únder:státe (d.); ~ опа́сность, поте́ри únder:éstimate the dánger, the lósses [...'deɪ-...]; ~ свои́ заслу́ги make* light of one's sérvices; ~ значе́ние belíttle / únder:éstimate the impórtance.

преуменьше́ние с. únder:èstimátion; únder:státe:ment; ~ опа́сности, поте́рь únder:èstimátion of dánger, lósses [...'deɪ-...]; ~ свои́х заслу́г máking light of one's sérvices.

преуме́ньшить сов. см. преуменьша́ть.

преумноже́ние с. augméntìng.

преуспева́||ть, преуспе́ть 1. (в пр.) succéed (in), be succéssful (in), prósper (in); ~ в жи́зни get* on in life; 2. тк. несов. (без доп.; процветать) flóurish ['flʌ-], thrive*, prósper. ~**ющий** 1. прич. см. преуспева́ть; 2. прил. succéssful, prósperous.

преуспе́ть сов. см. преуспева́ть 1.

преуспе́яние с. уст. succéss.

префе́кт м. préfect. ~**у́ра** ж. préfècture ['priː-].

префера́нс м. карт. préference (card game).

пре́фикс м. грам. préfix ['priː-]. ~**а́льный** грам. with a préfix [...'priː-]. ~**а́ция** ж. грам. prèfixion [priː-].

преходя́щий tránsient [-z-].

прецеде́нт м. précedent; нет тако́го ~а there is no précedent for it, it is únprécedented.

прецессио́нн||ый: ~ое колеба́ние астр. wóbbling.

прецизио́нный тех. precísion (attr.); ~ прибо́р precísion ínstrument / devíce.

при предл. (пр.) 1. attached to: он живёт при ста́нции his house* is attached to the státion [...haus...]; го́спиталь при диви́зии a hóspital attached to a división; — би́тва при Бородине́ и т.п. the báttle of Borodinó, etc.; при впаде́нии реки́ near the river's mouth* [...'ɡɪ-...]; 2. (в присутствии) in the présence of [...'prez-...]; э́то на́до сде́лать при нём this must be done in his présence; — при посторо́нних, при де́тях in front of, или befóre, strángers, in front of, или befóre, the children [...frʌnt... -eɪndʒ-...]; 3. (во время, в эпоху) in the time of; (о правительстве, власти и т.п.) únder: при Пу́шкине in Púshkin's time [...'puː-...]; при Петре́ Пе́рвом, при царе́, при Стю́артах under Péter the First, under the tsar the tsar [...zaː, tsaː]; 4. (с собой) by; (на себе) abóut, on; у него́ э́того при себе́ нет he has not got it by him; у него́ при себе́ все бума́ги he has got all the pápers by him; all the dócuments are in his kéeping; у него́ нет при себе́ де́нег he has no móney with / on him [...'mʌnɪ...]; 5. (при обозначении обстоя-

тельств действия) by, when (+ger.): при электри́честве, свеча́х, дневно́м све́те by eléctric light, by cándle:light, by dáylight; при перехо́де че́рез у́лицу when cróssing the street; 6. (при наличии) with; (несмотря на) for; при таки́х зна́ниях, тала́нтах with such, или so much, knówledge, tálent [...'nɒ- 'tæ-]; при тако́м здоро́вье with such health [...helθ]; (о плохом состоянии здоровья) when one's health is so poor; при всём его́ уваже́нии, любви́, пре́данности и т.п. he мог for all his respéct, love, devótion, etc., he could:n't [...lʌv...]; при всём том (кроме того) móreòver; (несмотря на то) for all that.

приба́в||ить(ся) сов. см. прибавля́ть(-ся). ~**ка** ж. 1. (действие) addítion, augmèntátion; 2. (то, что прибавлено) súpplement, íncrease [-s]; получи́ть ~ку get* a rise. ~**ле́ние** с. 1. (увеличение, дополнение) addítion, augmèntátion; ~**ле́ние семе́йства** addítion to one's fámily; 2. (приложение) súpplement.

прибавля́ть, приба́вить 1. (вн., рд.) add (d.); 2. (рд.; увеличивать) íncrease [-s] (d.); ~ жа́лованья raise the wáges, íncrease a sálary; give* a rise; ~ ша́гу quícken / hásten one's steps [...'heɪ-...]; mend* one's pace; ~ хо́ду разг. put* on speed; 3.: ~ в ве́се put* on weight; 4. (вн., без доп.; делать шире, длиннее — о части одежды) widen (d.), léngthen (d.); 5. разг. (преувеличивать) lay* it on. ~**ся**, приба́виться 1. íncrease [-s]; (о воде) rise*, swell*; (о луне) wax [wæ-]; день приба́вился the days are gétting lónger; 2.: ~ся в ве́се put* on weight; 3. страд. к прибавля́ть.

приба́вочн||ый 1. addítional; 2. эк. súrplus (attr.); ~ труд súrplus lábour; ~ **проду́кт** súrplus próducts [...'prɒ-] pl.; ~**ая сто́имость** súrplus válue.

прибалти́йский Báltic.

прибау́тка ж. разг. facétious sáying, húmorous cátch-phrase.

прибега́ть I, **прибе́гнуть** (к) resórt [-'zɔːt] (to), have recóurse [...-'kɔːs] (to); fall* back (upón); ~ к по́мощи (рд.) resórt to the help (of), have recóurse (to); ~ к си́ле resórt to force.

прибега́ть II, **прибежа́ть** come* rúnning.

прибе́гнуть сов. см. прибега́ть I.

прибедн||и́ться сов. см. прибедня́ться. ~**я́ться**, прибедни́ться разг. preténd to be poorer than one is, feign póverty [feɪn...]; (прикидываться несчастным) show* false módesty [ʃoʊ fɔːls...]; не ~я́йтесь! enóugh of your false módesty! [ɪ'nʌf...].

прибежа́ть сов. см. прибега́ть II.

прибе́жище с. réfuge; находи́ть ~ (в пр.) take* réfuge (in).

приберега́ть, прибере́чь (вн., рд.) save up (d.), resérve [-'zɜːv] (d.).

прибере́чь сов. см. приберега́ть.

прибива́ть I, **приби́ть** (вн.) 1. (гвоздя́ми) nail (d.); 2. (дождём, градом) lay* (d.); пыль приби́ло дождём, дождь приби́л пыль the rain laid the dust; град приби́л рожь к земле́ the hail has laid the rye on the ground, или fláttened the rye.

прибива́ть II, **приби́ть** (вн.) ча́ще безл.: ло́дку приби́ло к бе́регу the boat was cast up on the shore; труп приби́ло к бе́регу the body was washed ashóre [...'bɔ-...].

прибира́||ть, прибра́ть (вн.) разг. 1. (приводить в порядок) put* in órder (d.), clean up (d.); tídy (d.), tídy up (d.); ~ ко́мнату do a room; ~ посте́ль make* a bed; 2. (прятать) put* awáy (d.). ◊ прибра́ть к рука́м кого́-л. take* smth. in hand; прибра́ть к рука́м что-л. appróприate smth., lay* one's hands on smth. ~**ся**, прибра́ться разг. 1. put* éverything in órder, clean up éverything; 2. страд. к прибира́ть.

приби́ть I, II сов. см. прибива́ть I, II.

приби́||ться сов. (к) разг. attách oné:self (to); latch (ón:to); ко мне ~лся чужо́й щено́к smb.'s dog látched ón:to me.

приближ||а́ть, прибли́зить (вн.) draw* néarer (d.), bring* néarer (d.); прибли́зить кни́гу к глаза́м bring* the book néarer / clóser to one's eyes [...'klousə... aɪz]; прибли́зить произво́дство к исто́чникам сырья́ bring* índustry néarer to the sóurces of raw matérials [...'sɔːs-...]; он прибли́зил свой прие́зд he arránged his arríval for an éarlier date [...ə'reɪn-... 'ɔː-...], he brought fórward the date of his arríval; прибли́зить срок сда́чи материа́ла shórten the time for delívery of work. ~**а́ться**, прибли́зиться 1. (к) appróach (d.), draw* / come* néarer (to); near (d.); 2. тк. несов. (становиться похожим) appróximate; ~**а́ться к и́стине** appróximate to the truth [...-uːθ]; 3. страд. к приближа́ть. ~**е́ние** с. 1. appróach(ing), dráwing near; 2. мат. appróximátion; сте́пень ~**е́ния** degrée of appróximátion.

приближённость ж. próximity.

приближённый I прил... мат. appróximate, rough [rʌf].

приближённый II 1. прил. (о людях) close [-s]; 2. м. как сущ. уст. pérson in atténdance, retáiner; мн. rétinue sg.

приблизи́тельн||о нареч. appróximately, róughly ['rʌf-]. ~**ость** ж. appróxi:mate:ness. ~**ый** appróximate, rough [rʌf].

прибли́зить сов. см. приближа́ть. ~**ся** 1. сов. см. приближа́ться 1; 2. как сов. к бли́зиться.

приблу́дный разг. (о животном) stray.

прибо́||й м. surf; bréakers [-eɪk-] pl.; гро́хот ~я thúndering of the bréakers, roar of the surf.

приболе́ть сов. разг. be únwéll / indispósed.

прибо́р м. 1. devíce, appará́tus, ínstrument; отопи́тельный ~ héater; навигацио́нные ~ы nàvigátion ínstruments pl.; 2. (комплект чего-л.) set; столо́вый ~ cóver ['kʌ-]; ча́йный ~ téa-sèt; téa-sèrvice; téa-things pl.; пи́сьменный ~ dèsk-sèt; ~ для бритья́ sháving-sèt, sháving things pl.; ками́нный ~ set of fíre-ìrons [...-aɪənz]; туале́тный ~ tóilet-sèt; 3. (набор частей для изготовления) fíttings pl.; око́нный ~ wíndow fíttings. ~**ный** ínstrument (attr.); ~**ная доска́** dáshboard, ínstrument pánel [...'pæ-].

ПРИ — ПРИ

приборостроéние *с.* ínstrument-màking (índustry).

прибрá́ть(ся) *сов. см.* прибирáть(ся).

прибрéжн||ый (*у моря*) cóastal, líttoral; (*по реке*) ríver;side ['rɪ-] (*attr.*); ~ая полосá cóastal strip; ~ые островá óffshòre íslands [...'aɪl-].

прибрести́ *сов. разг.* come* jógging / trúdging (alóng).

прибывáть I, прибы́ть arríve; (*о поезде и т. п.*) get* in; пóчта прибылá the post / mail has come [...poust...].

прибывá||ть II, прибы́ть *разг.* (*увеличиваться*) in;créase [-s], grow* [-ou]; (*о воде*) rise*, swell*; (*о луне*) wax [wæks]; ◇ нáшего полку́ прибыло́ *разг.* our númbers have grown [...-oun].

при́быль *ж.* 1. prófit(s) (*pl.*), gain, retúrn; валовáя ~ gross prófit [-ous...]; чи́стая ~ net prófit; срéдняя ~ áverage prófit; извлекáть ~ (из) prófit (by, from); приноси́ть ~ make* a prófit; э́то предприя́тие прино́сит большу́ю ~ this énterprise / búsiness makes a large prófit [...'bɪz-...]; э́то предприя́тие прино́сит ма́ло при́были this énterprise does not make much of a prófit; получáть ~ (от) get* a prófit (out of), recéive a prófit [-'si:v...] (from); prófit (by, from); 2. (*увеличение*) ín;crease [-s], rise; ~ воды́ rise in the wáter-lèvel [...'wɔːtəlе-]; водá идёт на ~ the wáter is rísing; ~ населéния ín;crease of pòpulátion; 3. *тех.* rúnner, ríser; ~ отли́вки head of cásting [hed...]. **~ность** *ж.* pròfitabílity, lúcrative;ness. **~ный** prófitable, lúcrative; ~ное предприя́тие prófitable énterprise; ~ное де́ло, заня́тие prófitable affáir / búsiness / òccupátion [...'bɪzn-...].

прибы́ти||е *с.* arríval; по ~и on one's arríval.

прибы́ть I, II *сов. см.* прибывáть I, II.

привáдить *сов. см.* привáживать.

привáживать, привáдить 1. (*вн.*) *охот.* train (*d.*) (*a bird by putting out food*); 2. (*вн.*) *к разг.* (*приучать к себе лаской, вниманием*) attráct (*d.* to), pré;dispóse (*d.* towards).

привáл *м.* halt; дéлать ~ halt.

привáл||ивать, привали́ть 1. (*вн.; прислонять*) lean* (*d.*), rest (*d.*); ~и́ть ка́мень к стене́ lean* / rest a stone agáinst *the* wall; 2. (*без доп.; о судне*) come* alóng;sìde; 3. *разг.* (*появляться*): ~и́ло мно́го наро́ду people came in crowds [pi:-...]; счáстье ему́ ~и́ло fórtune smiled on him [-tʃən...].

привали́ть *сов. см.* привáливать.

привáривать, привари́ть 1. (*вн.* к) *тех.* weld on (*d.* to); 2. (*вн., рд.*) *разг.* boil / cook some more (*d.*); привари́ть ещё ка́ши cook some more pórridge.

привари́ть *сов. см.* привáривать.

привáрка *ж. тк. ед. тех.* wélding.

привáрок *м. тк. ед.* víctuals ['vɪtᵒlz] *pl.*; cooked food; hot meals *pl.*

привáт-доцéнт [-'vɑːt-] *м. уст.* privát-dòcent (*unestablished university lecturer*).

привáтный *уст.* prívate ['praɪ-].

приведéние *с.* 1. bríng;ing; 2. *мат.* redúction; ~ к о́бщему знаменáтелю redúction to a cómmon denóminàtor; 3. (*о фактах, данных и т. п.*) addúcing, bríng;ing fórward; ~ доказáтельств prodúction of proofs; 4. (*в какое-л. состоя́ние*) pútting; ~ в движе́ние sétting / pútting in mótion; ~ в поря́док pútting in órder; ◇ ~ в исполне́ние cárrying out, èxecútion, implemèntátion, pútting into práctice / effèct; ~ к прися́ге admìnistrátion of oath; swéaring in ['sweə-...].

привезти́ *сов. см.* привози́ть.

привере́да *м. и ж. разг.* = привере́дник, привере́дница.

привере́д||ник *м.*, **~ница** *ж.* fástídious;ness, squéamishness. **~ливый** fàstídious, squéamish. **~ник** *м.*, **~ница** *ж.* fàstídious / squéamish pérson. **~ничать** *разг.* be hard to please, be fàstídious / squéamish / fússy.

привéржен||ец *м.* adhérent; (*последователь*) fóllower. **~ность** *ж.* adhérence [-'hɪə-]; (*преданность*) devótion, fidélity. **~ный** attáched; (*преданный*) devóted, lóyal.

привернýть *сов. см.* привёртывать II.

привертéть *сов. см.* привёртывать I.

привёртывать I, привертéть (*вн.* к) *разг.* screw on (*d.* to).

привёртывать II, привернýть (*вн.*) turn down (*d.*).

привéс *м. с.-х.* addítional weight.

привéс||ить *сов. см.* приве́шивать. **~ок** *м. разг.* máke;weight; (*перен.: ненужное дополнение*) appéndage.

привести́(сь) *сов. см.* приводи́ть(ся).

привéт *м.* 1. regárd(s) (*pl.*); gréetings *pl.*; передавáть ~ (*дт.*) send* one's (kind) regárds (*i.*); он передаёт вам горя́чий ~ he sends you his kíndest / wármest regárds; не забýдь передáть ему́ мой ~ don't forgét to give him my regárds [...-'get...]; передáй ~ вáшей сестре́ remémber me to your síster, my kind regárds to your síster, my cómpliments to your síster; с ~ом (*в конце письма*) yours trúly; 2. *неизм. разг.* (*восклицание при встрече или расставании*): ~! hi!; ~, ребя́та! helló éverybody!; ◇ ни отвéта ни ~а от него́ not a word from him. **~ливость** *ж.* affabílity. **~ливый** áffable, fríendly ['frend-]. **~ственный** salútatory, wélcoming; ~ственная речь salútatory addréss, speech of wélcome. **~ствие** *с.* 1. gréeting, salúte; sàlutátion; 2. (*приветственная речь и т. п.*) salútatory addréss, speech of wélcome; послáть ~ствие (*дт.*) send* a méssage of gréetings (to).

привéтствовать (*вн.*) 1. greet (*d.*), wélcome (*d.*), hail (*d.*); ~ от и́мени кого́-л wélcome / greet on behálf of smb. [...-'hɑːf...]; ~ съезд, конгрéсс greet / hail the Cóngress; 2. (*выражать одобрение*) wélcome (*d.*); ~ меропри́ятия, реше́ние wélcome méasures, *the* decísion [...'meʒ-...]; 3. (*о военных*) salúte (*d.*).

привéшивать, приве́сить (*вн.*) hang* up (*d.*), suspénd (*d.*).

прививáть, приви́ть (*вн. дт.*) 1. *мед.* inóculàte (with *d.*); váccinàte (agáinst *d.; особ. об оспе*); 2. *бот.* en;gráft (*d.* up;ón); inóculàte (with *d.*); 3. (*о привычке, свойстве*) ín;cùlcàte (*d.* in), impárt (*d.* to); ~ привы́чку к трудý (*дт.*) ín;cùlcàte hábits of work (in); ~ практи́ческие навы́ки (*дт.*) impárt práctical skill (to); ~ де́тям любо́вь к трудý cúltivàte / implánt / fóster in chíldren love for / of work [...-ɑːnt...lʌv...]; ~ де́тям любо́вь к Ро́дине infúse children with love for / of their cóuntry / móther;lànd [...'kʌl- 'mʌ-...]; ~ но́вую мо́ду (на *вн.*) set* a new fáshion (for, in). **~ся, приви́ться** 1. (*о вакцине, черенке*) take*; (*перен.; о выражении*) becóme* estáblished; (*о взглядах и т. п.*) find* accéptance; óспа хорошо́ привилáсь the vàccinátion took well*; э́ти взгля́ды не привили́сь these views did not find accéptance [...vjuːz...]; э́то выражéние не привило́сь в рýсском языке́ this expréssion has not táken root in the Rússian lánguage [...'gʌlʃən...]; мóда привилáсь не срáзу the fáshion did not becóme pópular at once [...wʌns...]; the fáshion did not catch on at once *разг.*; 2. *страд.* к привива́ть.

приви́вк||а *ж.* 1. *мед.* inòculátion; vàccinátion (*особ. об оспе*); сдéлать комý-л. ~у (от, прóтив) inóculàte smb. (agáinst); 2. *бот.* inòculátion, gráfting, en;gráfting.

приви́вочный 1. *мед.* inóculàtive; 2. *бот.* gráfting, sérving as a graft; inòculátion (*attr.*).

привидéние *с.* ghost [goust], spéctre; (*видение*) àpparítion; spook [-uːk] *разг.*

приви́де||ться *сов. безл.*: емý, им и *т. д.* ~лся сон he, they, *etc.*, had a dream.

привилегирóванн||ость *ж.* prívileges *pl.*, pérquisites [-z-] *pl.*; ~ положéния prívileges of the posítion [...-'zɪ-]. **~ый** prívileged; ~ое положéние prívileged posítion [...-'zɪ-].

привилéгия *ж.* prívilege.

привинти́ть *сов. см.* приви́нчивать.

приви́нчивать, привинти́ть (*вн.* к) screw on (*d.* to).

приврáть, приврáть (*вн.*) *разг.* fib (*d.*).

приви́тие *с.* (*навыков и т. п.*) ín;cùlcátion, cùltivátion.

приви́ть(ся) *сов. см.* привива́ть(ся).

при́вкус *м.* (*прям. и перен.*) smack, touch [tʌtʃ]; (*остающийся*) áfter-tàste [-teɪ-]; имéть ~ чего́-л. smack of smth.

привлекáтельн||ость *ж.* attráctive;ness. **~ый** attráctive, wínning; (*заманчивый*) allúring, invíting; ~ая улы́бка wínning smile.

привлекá||ть, привле́чь (*вн.*) 1. draw* (*d.*), attráct (*d.*); ~ чьё-л. внимáние attráct / arrést / draw* smb.'s atténtion; ли́чность, ~ющая внимáние arrésting pèrsonálity; 2. (*делать участником*) draw* in (*d.*); ~ к работе enlíst (*d.*); enlíst the sérvices / co-òperátion (of); ~ на свою сторону win* round (*d.*), win* óver (to one's side) (*d.*); 3.: ~ к сýду bring* to triál (*d.*), put* on triál (*d.*), take* to court [...kɔːt] (*d.*), sue in court (*d.*); ли́ца, привлечённые по э́тому де́лу pérsons invólved in this case [...-s]; ~ к отвéтственности (*вн.* за *вн.*) make* (*d.*) ánswer [...'ɑːnsə] (for), make* ánswerable [...'ɑːnsə-] (*d.* for), call (*d.*) to accóunt (for); они привлекли его за это к ответственности he was made ánswerable for it; привлечь кого-л. к уголовной ответственности institute criminal proceedings against smb.

привлечь *сов. см.* привлекать.

привнести *сов. см.* привносить.

привносить, привнести (*вн.*) introduce (*d.*).

привод I *м. тех.* (*передача*) drive, driving gear [...gɪə]; ременный ~ belt drive; кулачковый ~ cam gear / drive; цепной ~ chain drive; ручной ~ hand gear.

привод II *м. юр.* bring:ing to court or militia office [...kɔ:t...] (*of accused or witness for questioning*).

приводить, привести 1. (*вн.*) bring* (*d.*); что привело вас сюда? what brings you here?; дорога привела нас к станции the road took us to the station; 2. (*вн.*) к lead* (*d.* to), bring* (*d.* to); (*к результату и т. п.*) result [-'zʌlt] (in); это привело к печальным последствиям it led to unfortunate results [...-'fɔ:tʃ-...]; это к добру не приведёт it will lead to no good, no good will come of it; 3. (*вн.*) *мат.* reduce (*d.* to); ~ к общему знаменателю reduce to a common denominator (*d.*); 4. (*вн.*; *о фактах, данных и т. п.*) adduce (*d.*), cite (*d.*); (*называть, перечислять*) list (*d.*); (*удачную*) цитату cite / make* a (good*) quotation [...-'zɑ:-]; ~ доказательства produce / adduce proofs; ~ пример give* an example [...-'zɑ:-], cite an instance; привести несколько примеров list several examples; ~ что-л. в пример cite smth. as an example; 5. (*вн.*; *в какое-л. состояние*): ~ в восторг delight (*d.*), enrapture (*d.*), entrance (*d.*); ~ в бешенство mad (*d.*), throw* into a rage [-ou-...]; ~ в ярость infuriate (*d.*); ~ в отчаяние reduce / drive* to despair (*d.*); ~ в смятение throw* into confusion / disarray (*d.*); ~ в ужас horrify (*d.*); ~ в замешательство, смущение throw* into confusion (*d.*); ~ в затруднение give* difficulty (*i.*), cause difficulties (*i.*); ~ в изумление surprise (*d.*), astonish (*d.*); ~ кого-л. в чувство bring* smb. to his senses; bring* smb. round *разг.*; ~ в нормальное состояние restore to a normal state (*d.*); ~ в соответствие (с *тв.*) bring* into accord (*d.* with); ~ в порядок put* in order (*d.*), arrange [-eɪndʒ] (*d.*), tidy (*d.*); fix (*d.*) *разг.*; ~ в беспорядок make* untidy (*d.*), disorder (*d.*), disarrange [-eɪndʒ] (*d.*), get* into a mess (*d.*); *воен.* throw* into confusion (*d.*); ~ в негодность put* / bring* out of commission (*d.*), make* use:less / worthless [...-s-...] (*d.*); ~ в действие, движение set* / put* in motion (*d.*), set* / get* go:ing (*d.*); ◊ ~ в исполнение carry out (*d.*), execute (*d.*), implement (*d.*), carry into effect (*d.*); ~ кого-л. к присяге administer the oath to smb., swear* smb. in [sweə-...]. ~ся, привестись 1. *безл.* (*дт.*; *случаться*) happen, chance; ему привелось быть там he happened / chanced to be there; ему привелось испытать много горя he has passed through many hardships, he has undergone many misfortunes [...-gɔn...-tʃənz]; 2. *страд. к* приводить.

приводка *ж. тк. ед. полигр.* registration.

приводн||ение *с. ав.* alighting / landing on water [...'wɔ:-]; (*космического корабля*) splash-down. ~иться *сов. см.* приводняться.

приводн||ой *тех.* driving: ~ ремень driving belt; ~ вал driving shaft; — ~ая радиостанция homing radio / wireless set.

приводняться, приводниться *ав.* alight / land on water [...'wɔ:-], come* down on water; (*о космическом корабле*) splash down.

привоз *м.* 1. (*действие*) bring:ing, supply; (*из-за границы*) import, importation; 2. *разг.* (*привезённые товары*) load.

привоз||ить, привезти (*вн.*) bring* (*d.*); ~ сюда bring* over here (*d.*); ~ обратно bring* / fetch back (*d.*). ~ной imported.

привозный = привозной.

привой *м. с.-х.* scion, graft.

приволакивать, приволочь (*вн.*) *разг.* bring* (*d.*), drag (*d.*).

приволокнуться *сов.* (за *тв.*) *разг.* flirt (with).

приволочить, приволочь *сов. см.* приволакивать.

привольн||е *с.* 1. (*простор*) spacious:ness, free space; 2. (*свобода*) freedom. ~ый free; ~ая жизнь free and untrammelled life.

привораживать, приворожить (*вн.*) bewitch (*d.*), charm (*d.*); чем он приворожил её к себе? how did he manage to charm her?; what is his attraction for her?

приворожить *сов. см.* привораживать.

приворотн||ый *уст.*: ~ое зелье love-philtre ['lʌv-], love-potion ['lʌv-].

привратн||ик *м.* door-keeper ['dɔ:-], porter. ~ица *ж.* door-keeper ['dɔ:-], portress.

приврать *сов. см.* привирать.

привскакивать, привскочить start, jump up.

привскочить *сов. см.* привскакивать.

привставать, привстать half-rise* (to greet smb., etc.) ['hɑ:f-...].

привстать *сов. см.* привставать.

привходящ||ий attendant; ~ие обстоятельства attendant circumstances.

прив||ыкать, привыкнуть (к, + *инф.*) get* accustomed / used [...ju:st] (to, to *ger.*); get* into the way (of *ger.*); он уже ~ык к тому, что его алеади got accustomed, *или* he is already used, to this [...ɔ:l're-...]; он ~ык исполнять свои обещания he is accustomed to keeping his promises [...-sɪz]; ребёнок ~ык к бабушке the child* has got accustomed to *his* grandmother [...-mʌ-]; он ~ык к такому тону he is used to this sort of tone; он ~ык обращаться с ней как с маленькой he has got into the way of treating her, *или* has come to treat her, as though she were a child [...ðou-...].

привыкнуть *сов. см.* привыкать.

привычк||а *ж.* habit; по ~е from force of habit; выработать в себе ~у form *a* habit; иметь ~у (к) be in the habit (of), be given (to), be accustomed (to); приобрести ~у (+ *инф.*) get* / fall* into the habit (of *ger.*), acquire the habit (of *ger.*); он приобрёл эту ~у he has got / fall:en into, *или* acquired, this habit; он приобрёл ~у курить перед сном he has got / fall:en into the habit of smoking before go:ing to sleep; это у него вошло в ~у it has become / grown a habit / practice with him [...-oun...]; это не в его ~ах it is not his habit / practice; ◊ ~ — вторая натура *посл.* habit is second nature [...-'se- 'neɪ-].

привычн||ость *ж.* habitualness. ~ый 1. habitual, usual ['juːʒ-]; 2. (к) *разг.* (*привыкший*) accustomed (to).

привязанн||ость *ж.* (к) attachment (to, for); affection (towards, for); её мать — самая большая её ~ her greatest affection is towards / for her mother [...'greɪt-...'mʌ-], she is fondest of all of her mother; она его старая ~ she is an old flame of his. ~ый 1. *прич. см.* привязывать; 2. *прил.* (*преданный*) attached.

привязать(ся) *сов. см.* привязывать(-ся).

привязной fastened [-s°nd], secured; ~ аэростат captive balloon, balloon on bearings [...'beə-]; ~ трос (*аэростата*) ground cable.

привязчив||ость *ж. разг.* 1. affectionate nature [...-'neɪ-], loving:ness ['lʌv-]; 2. (*придирчивость*) captious:ness. ~ый *разг.* 1. affectionate, loving ['lʌv-]; 2. (*придирчивый*) captious, quarrel:some; 3. (*надоедливый*) importunate, annoying, given to pestering.

привязывать, привязать (*вн.* к) 1. tie (*d.* to), bind* (*d.* to), fasten [-s°n] (*d.* to); (*о пасущемся животном*) tether (*d.* to); ~ лошадь tether *a* horse; 2. (*внушать чувство привязанности*) attach (*d.* to); привязать к себе ребёнка добротой attach *a* child* to one:self by kind:ness. ~ся, привязаться (к) 1. become* / get* / be attached (to); он очень к ней привязался he has become very (much) attached to her; 2. *разг.* (*приставать, следовать за кем-л.*) attach one:self (to); на улице какая-то собачонка привязалась к нему a stray dog attached it:self to him in the street; 3. *разг.* (*надоедать*) bother (*d.*), pester (*d.*); что ты к нему привязался? why are you bother:ing him?, why don't you leave him alone?; 4. *страд. к* привязывать.

привяз||ь *ж.* tie; (*для собаки*) leash, lead; (*для пасущегося животного*) tether; на ~и (*о собаке*) on a leash / lead.

пригвождать, пригвоздить (*вн.* к) nail (*d.* to); nail down (*d.* to); (*перен.*; *о страхе и т. п.*) pin (down) (*d.*); пригвоздить к месту root to the spot / ground (*d.*); пригвоздить к позорному столбу pillory (*d.*).

пригвоздить *сов. см.* пригвождать.

ПРИ — ПРИ

пригиба́ть, пригну́ть (*вн.*) bend* down (*d.*), bow (*d.*). ~**ся**, пригну́ться 1. bend* down, bow; 2. *страд.* к пригиба́ть.

пригла́дить(ся) *сов. см.* пригла́живать(ся).

пригла́живать, пригла́дить (*вн.*) smooth [-ð] (*d.*) (*тж. перен.*); (*о волоса́х тж.*) sleek (*d.*). ~**ся**, пригла́диться 1. *разг.* smooth one's hair [-ð...]; 2. *страд.* к пригла́живать.

приглас||и́тельный invitátion (*attr.*); ~ биле́т invitátion card. ~**и́ть** *сов. см.* приглаша́ть.

приглаш||а́ть, пригласи́ть (*вн.*) 1. invíte (*d.*), ask (*d.*); ~ на ча́шку ча́я invíte round for a cup of tea (*d.*); ~ на обе́д invíte / ask to dínner (*d.*); ~ на па́ртию в ша́хматы invíte to a game of chess (*d.*); ~ го́стя сесть ask *the* guest to sit down, *или* to take a seat; ~ на та́нцы ask to a dance (*d.*); пригласи́ть кого́-л. на та́нец ask smb. to dance; 2. (*врача́ и т. п.*) call (*d.*); 3. (*нанима́ть*) engáge (*d.*); ~ на рабо́ту óffer work (*i.*); óffer a job (*i.*) *разг.* ~**éние** *с.* 1. invitátion; (*пи́сьменное*) invitátion card; по ~éнию кого́-л. on smb.'s invitátion; разосла́ть ~éния send* out invitátion cards; 2. (*на рабо́ту*) óffer.

приглуш||а́ть, приглуши́ть (*вн.*) damp down (*d.*); (*об огне́ тж.*) choke (*d.*); (*о зву́ке тж.*) múffle (*d.*), déaden ['ded-] (*d.*). ~**и́ть** *сов. см.* приглуша́ть.

пригляде́ть(ся) *сов. см.* пригля́дывать(ся).

пригля́дывать, пригляде́ть *разг.* 1. (*вн.*) подыскивать) choose* (*d.*), *тж.* find* (*d.*); 2. (*за тв.; наблюда́ть*) look (áfter): ~ за детьми́ look áfter *the* children. ~**ся**, пригляде́ться *разг.* 1. (к) get* accústomed / used [...ju:st] (to): пригляде́ться к темноте́ get* accústomed / used to the dark; 2. (*надоеда́ть, приеда́ться*): ему́, ей *и т. д.* пригляде́лись э́ти карти́ны he, she, *etc.*, is sick / tíred of these pictures.

пригляну́ться *сов.* (*кому́-л.*) *разг.* (*понра́виться*) catch* / take* smb.'s fáncy.

пригна́ть I, II *сов. см.* пригоня́ть I, II.

пригну́ть(ся) *сов. см.* пригиба́ть(ся).

пригова́ривать I (*вн.*) *разг.* repéat (*d.*), say* agáin and agáin (*d.*), keep* sáying / repéating (*d.*).

пригова́ривать II, приговори́ть (*вн. к; о преступнике*) séntence (*d.* to), condémn (*d.* to): ~ к тюре́мному заключе́нию séntence to imprísonment [...-iz-] (*d.*); ~ к сме́ртной ка́зни séntence / condémn to death [...deθ] (*d.*).

пригово́р *м.* (*суда́*) séntence; (*прися́жных*) vérdict; (*перен.: осужде́ние*) condèmnátion; выноси́ть ~ (*дт.*) pass séntence (on), séntence (*d.*); bring* in a vérdict (on); привести́ ~ в исполне́ние éxecute *the* séntence. ~**и́ть** *сов. см.* пригова́ривать II.

пригоди́ться *сов.* (*кому́-л.*) prove úse:ful [pru:v 'ju:s-] (to smb.), come* in hándy / úse:ful (to smb.), be of use [...ju:s] (to smb.), stand* smb. in good stead [...sted].

пригодн||ость *ж.* fítness, súitable:ness ['sju:t-], suitability [sju:t-]. ~**ый** (к) fit (to, for), súitable ['sju:t-] (for), good* (for); ма́ло ~ый of little use [...ju:s]; ни к чему́ не ~ый góod-for-nòthing, wórthless.

приго́жий *разг.* cóme:ly ['kʌ-].

приголу́бить *сов.* (*вн.*) *поэт.* fondle (*d.*), caréss (*d.*); (*прояви́ть забо́ту*) take* ténder care (of).

прито́н *м.* (*о скоте́*) bríng:ing home, dríving home.

приго́нка *ж.* fitting, adjústing [əˈdʒʌ-], jóinting.

пригоня́ть I, пригна́ть (*вн.; о скоте́*) bring* home (*d.*), drive* home (*d.*).

пригоня́ть II, пригна́ть (*вн.; прила́живать*) fit (*d.*), adjúst [əˈdʒʌ-] (*d.*), joint (*d.*).

пригор||а́ть, пригоре́ть be burnt; молоко́ ~е́ло the milk is burnt. ~**е́лый** burnt.

пригоре́ть *сов. см.* пригора́ть.

при́город *м.* súburb. ~**ный** 1. subúrban; 2. (*местный*) lócal; ~ный по́езд lócal train; ~ное движе́ние *ж.-д.* lócal tráffic / sérvice.

приго́рок *м.* híllock, knoll.

приго́ршня *ж.* hándful: он сы́пал зерно́ по́лными ~ми he scáttered the grain in hándfuls; ~ ви́шен a hándful of chérries; — пить во́ду ~ми drink* wáter from cupped hands [...'wɔ:-...].

пригорю́ни||ваться, пригорю́ниться *разг.* becóme* sad. ~**ться** *сов. см.* пригорю́ниваться.

приготовительный prepáratory.

пригото́вить *сов. см.* гото́вить. ~**ся** *сов. см.* гото́виться 1.

приготови́шка *м. и ж. уст. разг.* pú:pil of prepáratory form.

приготов||ле́ние *с.* prèparátion; без ~ле́ний without prèparátion; (*экспро́мтом*) óff-hánd, extémpore [-rɪ]. ~**ля́ть** = гото́вить. ~**ля́ться** = гото́виться 1.

пригреба́ть, пригрести́ 1. (*вн.*) rake up (*d.*); ~ снег к забо́ру heap snow to the fence [...snou...]; 2. (к; *приближа́ться, гребя́*) row [rou] (towards).

пригрева́ть, пригре́ть (*вн.*) warm (*d.*); (*перен.*) give* shélter (to), treat kínd:ly (*d.*); ◊ пригре́ть змею́ на груди́ cherish a snake in one's bósom [...'buz-].

пригре́зиться *сов. см.* гре́зиться.

пригрести́ *сов. см.* пригреба́ть.

пригре́ть *сов. см.* пригрева́ть.

пригрози́ть *сов.* (*дт.*) thréaten ['θre-] (*d.*).

пригу́бить *сов.* (*вн.*) take* a sip (of), taste [tei-] (*d.*).

прида||ва́ть, прида́ть 1. (*вн.*) add (*d.*); *воен.* attách (*d.*), place únder smb.'s commánd [...-ɑ:nd]; 2. (*рд. дт.; прибавля́ть, уси́ливать*): ~ си́лы give* strength (to); э́то прида́ло ему́ си́лы it gave him strength; ~ ду́ху encóurage [-'kʌ-] (*d.*), inspírit (*d.*), héarten ['hɑ:t-] (*d.*), put* heart [...hɑ:t] (into); ~ сме́лости make* bold (*d.*), embólden (*d.*); 3. (*вн. дт.; о свойстве, состоянии и т. п.*) impárt (*d.* to), commúnicate (*d.* to); ~ фо́рму shape / fáshion (*d.* into); ~ жёсткость *тех.* stíffen (*d.*); ~ лоск give* a pólish (*i.*); ~ вкус add a zest (to), make* píquant [...'pi:kənt] (*d.*); 4.: ~ (большо́е) значе́ние чему́-л. attách (great) impórtance to smth. [...-eit...], make* much of smth.; э́то ~ёт ещё бо́льшее значе́ние (*дт.*) it lends in:créasing, *или* still gréater, impórtance [...-s-...'grei-...] (to); он не ~ёт э́тому никако́го значе́ния he attáches no impórtance to it.

придави́ть *сов. см.* прида́вливать.

прида́вливать, придави́ть (*вн.* к) press (*d.* agáinst); (*кни́зу тж.*) press down (*d.* agáinst), weigh down (*d.* agáinst); ~ ка́мнем press down únder / with a stone (*d.*).

прида́ни||е *с.* gíving, confèrring, impárting, commùnicátion; (*ср.* придава́ть); для ~я си́лы (in órder) to give strength; для ~я зако́нной си́лы (*дт.*) *юр.* for the enfórcing (of).

прида́ное *с.* 1. dówry; (*пла́тье, бельё*) tróusseau ['tru:sou]; 2. (*для новорождённого*) layette [lei'et].

прида́то||к *м.* appéndage, ádjùnct. ~**чный** 1. addítional, sùppleméntary; ~чное предложе́ние *грам.* subórdinate clause; 2. *бот.* advéntive, advèntítious; ~чная по́чка advèntítious bud.

прида||́ть *сов. см.* придава́ть. ~**ча** *ж.*: в ~чу in addítion; into the bárgain (*тк. в конце́ фра́зы*); to boot; в ~чу он получи́л ещё одну́ кни́гу he got another book in addítion.

придвига́ть, придви́нуть (*вн.*) move (up) [mu:v] (*d.*), draw* up (*d.*); придви́нуть стол к стене́ move *the* table up to *the* wall; придви́нуть к себе́ таре́лку move / draw* / pull *the* plate towards one [...pul...]; придви́нуть стул побли́же move / draw* / pull *the* chair néarer. ~**ся**, придви́нуться 1. move up [mu:v...], draw* near; 2. *страд.* к придвига́ть.

придви́нуть(ся) *сов. см.* придвига́ть(-ся).

придво́рный 1. *прил.* court [kɔ:t] (*attr.*); ~ врач court physícian [...-'zi-]; ~ поэ́т the (Póet) Láureate [...-rut] (*в А́нглии*); ~ шут court jéster; 2. *м. как сущ.* cóurtier ['kɔ:-].

приде́л *м.* (*в це́ркви*) síde-chàpel [-tʃæ-], síde-àltar [-ɔ:-].

приде́лать *сов. см.* приде́лывать.

приде́лывать, приде́лать (*вн.* к) attách (*d.* to), fix (*d.* to); приде́лать замо́к к две́ри fit / put* a lock in *the* door [...dɔ:].

придержа́ть *сов. см.* приде́рживать.

приде́рживать, придержа́ть (*вн.*) hold* (back) (*d.*); ◊ придержа́ть язы́к *разг.* keep* a still tongue in one's head [...tʌŋ ...hed].

приде́рживаться 1. (*рд.*) hold* (to), keep* (to); (*перен. тж.*) stick* (to), confíne onesélf (to), adhére (to); ~ за пери́ла hold* on to the bánisters; ~ мне́ния hold* the opínion, be of the opínion, hold* to the opínion; ~ одного́ с кем-л. мне́ния hold* with smb.; ~ пра́вила fóllow the rule; ~ стро́гих пра́вил stick* to hard and fast rules; ~ устано́вленного поря́дка keep* to the estáblished órder; ~ прогрáммы stick* to the prógram(me) [...'prou-]; ~ тéмы keep*, или confíne one:sélf, to the súbject; stick* to the súbject разг.; ~ договóра adhére to the agréement, abíde* by the agréement; ~ полúтики, позúции adhére to a pólicy, posítion [...-'zɪ-]; 2. страд. к придéрживать.

придúра м. и ж. разг. cáviller, cáptious féllow, fáultfinder.

придирáться, придрáться (к) 1. find* fault (with), cávil (at), carp (at); nag (at), pick (on) разг.; он ~áется к кáждому слóву he cávils at every word; 2. разг. (воспользоваться) seize [si:z] (on, up:ón): придрáться к слýчаю seize up:ón a chance.

придúрка ж. cávil, cáptious objéction; (вéчные) ~ки (etérnal) fáultfinding sg.; etérnal cárping / nágging sg. ~**чивость** ж. cáptious:ness. ~**чивый** óverpartícular, cáptious, fáultfinding, cárping, nágging.

придорóжный róadside (attr.), wáyside (attr.).

придрáться сов. см. придирáться.
придýмать сов. см. придýмывать.
придýм|ывать, придýмать (вн.) think* (of), devíse (d.), invént (d.); он не мóжет ~ать другóго вýхода he can think of no álternative; он ~ал, как это сдéлать he has found the means of doing it; ~ать отговóрку, оправдáние invént, или think* up, an excúse [...-s].

придýриваться разг. play the fool.
придуркóват|ость ж. разг. sílliness, imbecílity. ~**ый** разг. silly, daft, ímbecíle, dóltish, hálf-báked ['hɑ:f-].
придушúть сов. (вн.) разг. stróngle (d.), smóther ['smʌ-] (d.).
придыхá|ние с. лингв. aspirátion. ~**тельный** лингв. 1. прил. áspirate; 2. м. как сущ. áspirate.
приедáться, приéсться (дт.) разг. pall (on); емý это приéлось he's fed up with it, he's tired of it; такáя мýзыка емý приéлась this kind of músic palls on him [...-zɪk...].
приéзд м. arríval, cóming; с ~ом! wélcome!
приезж|áть [-ежьжя-], приéхать arríve, come*. ~**áющий** [-ежьжя-] 1. прич. см. приезжáть; 2. м. как сущ. néwcómer [-'kʌ-], (new) arríval; гостúница для ~áющих hótel.
приезж|ий [-éжьжий] 1. прил. néwly arríved; ~ая трýппа театр. troupe on tour [tru:p...tuə]; 2. м. как сущ. néwcómer [-'kʌ-], vísitor [-z-]; на курóрте мнóго ~их there are many vísitors at the resórt [...-'zɔ:t].
приём I м. 1. recéiving [-'si:v-], recéption; 2. (гостéй, посетúтелей и т. п.) recéption; (гостéй тж.) párty; часы ~а recéption hours [...auəz], cálling / vísiting hours [...vɪz-...]; (у врачá) súrgery hours; рáдушный ~ héarty / córdial wélcome ['hɑ:tɪ...]; на торжéственном recéption, оказáть хорóший ~ (дт.) wélcome (d.); 3. (в партию, профсоюз и т. п.) admíttance; enrólment [-oul-]; 4. (о лекáрстве) táking; (дóза)

dose [-s]; пóсле ~а лекáрства áfter táking the médicine; лекáрства остáлось тóлько на два ~а there are only two dóses of the médicine left; ◇ в одúн ~ at one go, at a stretch; в два, три ~а in two, three mótions / steps / stáges.

приём II м. (спóсоб) méthod, way, mode; (в художественном произведéнии) devíce; лечéбный ~ the méthod / way / mode of tréatment; ружéйные ~ы воен. mánual of the rífle sg.

приёмка ж. fórmal accéptance (of building, etc., on complétion of construction, of a consígnment of goods, etc.).

приéмлем|ость ж. acceptabílity; (допустúмость) admissibílity. ~**ый** accéptable; (допустúмый) admíssible.

приёмная ж. скл. как прил. recéption-room; dráwing-room; (для ожидáния) wáiting-room.

приёмник I м. recéiver [-'si:və]; рад. wíre:less (set), rádio (set); ~ видеосигнáлов vídeo recéiver ['vɪ-...]; ~ излучéния radiátion sénsor / detéctor.

приёмник II м.: дéтский ~ ист. recéption centre / camp (e. g. for órphaned children).

приёмн|ый 1. recéiving [-'si:v-]; recéption (attr.); ~ день (в учреждéнии) recéption day; (в частном доме) "at home" day; ~ые часы recéption hours [...auəz], cálling / vísiting hours [...-z-...]; (у врачá) súrgery hours; 2.: ~ая комúссия seléction commíttee [...-tɪ]; ~ые экзáмены éntrance examinátions; 3. (усыновúвший, усыновлённый) fóster, adóptive; (усыновлённый тж.) adópted; ~ отéц fóster-fáther [-fɑː-]; ~ая мать fóster-móther [-mʌ-]; ~ сын adópted son [...sʌn], fóster-son [-sʌn-]; ◇ ~ покóй cásualty ward [-ʒjuəl-...].

приём|очный for recéption; recéption (attr.); ~ пункт recéption centre. ~**щик** м., ~**щица** ж. examíner, inspéctor (of goods at a factory).

приёмыш м. разг. adópted child*, fóster-child*.

приéсться сов. см. приедáться.
приéхать сов. см. приезжáть.
прижáть(ся) сов. см. прижимáть(ся).
прижéчь сов. см. прижигáть.
прижива|лка ж., ~**льщик** м. depéndant; (перен.) spónger [-ʌndʒə].
приживá|ть, прижúть (вн.) разг. begét* [-'get] (d.).
приживáться, прижúться 1. get* accústomed (to a place), get* acclimátized [...-laɪ-]; 2. (о растениях) take* / strike* root.
приживúть сов. см. приживлять.
приживл|ять, приживúть (вн.) с.-х., мед. graft (d.).
прижигáние с. мед. cauterizátion [-raɪ-], séaring.
прижигáть, прижéчь (вн.) cáuterize (d.), sear (d.).
прижúзненный in one's life:time.
прижим|áть, прижáть 1. (вн. к) press (d. to); clasp (d. to); ~ к грудú clasp / press to one's breast / bósom [...brest 'buz-] (d.); ~ протúвника к землé воен. keep* the énemy's heads down [...hedz...]; pin the énemy down to the ground; ~ ýши (о лóшади) lay* back

its ears; 2. (вн.) разг. (притеснять) press (d.); ◇ прижáть когó-л. к стенé drive* smb. into a córner; прижáтый к стенé dríven into a córner ['drɪ-...]. ~**ся**, прижáться 1. (к) press one:sélf (to); (лáсково) snúggle up (to), cúddle up (to), néstle up (to); ~ся к стенé hug the wall, flátten one:sélf agáinst the wall; 2. страд. к прижимáть.

прижúмистый разг. clóse-físted [-s-], tíght-físted, níggardly, stíngy [-n-].

прижúть сов. см. приживáть.
прижúться сов. см. приживáться.
приз м. prize; дéнежный ~ móney prize ['mʌ-...]; получáть ~ win* a prize; присуждáть ~ (дт.) awárd a prize (to); перехóдящий ~ спорт. chállenge prize.

призадýматься сов. см. призадýмываться.
призадýмываться, призадýматься разг. becóme* thóughtful / pénsive; (колебáться) hésitáte [-zɪ-].

призаня́ть сов. (вн., рд.) разг. bórrow (d.).

призвáни|е с. vocátion, cálling; (предназначéние) míssion; чýвствовать ~ (к) have a cálling (for); слéдовать своемý ~ю fóllow one's vocátion / cálling; худóжник по ~ю páinter by vocátion.

призвáть I, II сов. см. призывáть I, II.
призвáться сов. см. призывáться II.
приземúст|ый stócky, squat; (о человéке тж.) thíckset; ~ая фигýра stócky / squat figure; ~ое строéние low / squat búilding [lou...'bɪl-].

приземлéние с. ав. lánding, touch-down ['tʌtʃ-].

приземлённ|ость ж. nárrowly utilitárian óutlook. ~**ый** (об интересах, чувствах) matérially-mínded, utilitárian.

приземл|я́ть(ся) сов. см. приземлять(-ся). ~**я́ть**, приземлúть (вн.) ав. land (d.), bring* in to land (d.); (перен.) bring* down to land (d.). ~**я́ться**, приземлúться ав. land, touch down [tʌtʃ...].

призёр м. спорт. príze-winner, príze:man.

призм|а ж. prism; ◇ сквозь ~у (рд.) in the light (of).

призма-отражáтель ж. refléctíng prism.

призматúческий prismátic [prɪz-].

признавáть, признáть 1. (вн.) récognize (d.); ~ прави́тельство récognize the góvernment [...'gʌ-]; 2. (вн.; сознавáть) admít, own [oun] (d.), acknówledge [-'nɔ-] (d.); ~ свою винý, свои ошибки admít / acknówledge one's guilt, one's fault / mistákes; нáдо признáть it must be admítted; ~ себя виновным юр. plead gúilty; ~ себя побеждённым acknówledge deféat; own one:sélf béaten разг.; throw* up the sponge [-ou- spʌ-] спорт.; 3. (вн. тв.; считáть) vote (d. d.); признáть необходúмым, нýжным considér it nécessary [-'sɪ-...], récognize as nécessary; ~ (не)винóвным юр. bring* in a vérdict of (not) gúilty; представлéние было прúзнано неудáчным the perfórmance was vóted a fáilure; ~ недействúтель-

ПРИ — ПРИ

ным *юр.* decláre inválid (*d.*), núllify (*d.*); ~ негóдным к воéнной слýжбе pronóunce únfit for áctive sérvice; 4. (*вн.*) *разг.* (*узнавать*) know* (agáin) [nou...] (*d.*); spot (*d.*), idéntify [aɪ-] (*d.*); ~ в ком-л. когó-л. idéntify smb. with smb.; он признáл во мне рýсского he spótted me for a Rússian [...-ʃən]; я вас срáзу не признáл I didn't know you first, *или* at once [...wʌns]. ~ся, признáться 1. (*дт.* в *пр.*) conféss (to *d.*), own [oun] (to *d.*); ~ся в любвú (*дт.*) make* a declarátion of love [...lʌv] (*i.*); признáться во всём own up; get* the whole thing off one's chest [...houl...], make* a clean breast of it [...brest...] *идиом.*; 2. *страд.* к признавáть; ◊ признáться (сказáть) to tell (you) the truth [...-uːθ]; нáдо признáться, что the truth is that; it must be conféssed that.

прúзнак *м.* sign [sain], indicátion; ~ болéзни sýmptom; обнарýживать ~и нетерпéния show* signs of impátience [ʃou...]; обнарýживать ~и устáлости show* signs / indicátions of fatígue [...-ˈtiːg]; там нé было никакúх ~ов жильЯ there were no indicátions that anybody was líving there [...ˈlɪ-...]; имéются все ~и тогó, что there is évery indicátion that; не подавáть ~ов жúзни show* / give* no sign of life; служúть ~ом (*рд.*) be a sign, *или* an indicátion (of); вечéрняя росá слýжит ~ом хорóшей погóды évening dew is a sign of fine wéather [ˈiːv-...ˈweðə]; по ~у (*рд.*) on the básis [...ˈbei-] (of).

признáни||е *с.* 1. acknówledge:ment [-ˈnɔ-], récognition (*рд.*); получúть ~ obtáin / win* the récognition (of); получúть, заслужúть всеóбщее ~ be génerally récognized; взаúмное ~ закóнов и обычаев другúх нáции cómity of nátions; 2. (*заявление*) conféssion, declarátion; по óбщему ~ю admíttedly; чистосердéчное ~ frank conféssion; ~ винЫ avówal of guilt; откровéнное ~ ошúбки и *т. п.* frank admíssion of érror, *etc.*; невóльное ~ involúntary admíssion; ~ в любвú declarátion of love [...lʌv].

прúзнанный *прич.* и *прил.* acknówledged [-ˈnɔ-], récognized; avówed; ~ авторитéт récognized authórity; ~ писáтель wríter of stánding reputátion.

признáтельн||ость *ж.* grátitude, thánkfulness. ~ый gráte:ful, thánkful.

признавáть(ся) *сов. см.* признавáть(ся).

призовóй I *прил.* к приз; ~ые местá *спорт.* príze-winning pláces.

призовóй II *мор.*: ~ суд príze-court [-kɔːt].

призóр *м. разг.*: без ~а unténded, negléted.

прúзрак *м.* spectre, ghost [goust], phántom, apparítion; spook [-uːk] *разг.*; ~ счáстья illúsion of háppiness; ужáсный ~ térrible àpparítion; ~ гонЯться за ~ами pursúe / chase shádows [...-s ˈʃæ-].

прúзрачн||ость *ж.* illúsory quálity / náture [...ˈneɪ-]. ~ый spéctral, phàntásm:al, shádowy, ghóst:ly [ˈgou-]; (*нереальный*) ún:réal [-ˈrɪəl], illúsory; ~ая надéжда delúsive hope.

призревáть, призрéть (*вн.*) *уст.* suppórt by chárity (*d.*).

призрé||ние *с. уст.* care, chárity; дом ~ния бéдных póor-house* [-s], wórk:house* [-s], álms:house* [ˈɑːmzhaus]. ~ть *сов. см.* призревáть.

призЫв I *м.* 1. call, appéal; отклúкнуться на ~ respónd to *the* call, take* up *the* call; по ~у (*рд.*) at the call (of); 2. (*лозунг*) slógan; Первомáйские ~ы Máy-Day slógans; ◊ Лéнинский ~ the Lénin Enrólment [...-ˈrou-].

призЫв II *м. воен.* lévy [ˈle-]; call to mílitary sérvice, cáll-úp; conscríption; seléction, draft *амер.*

призывáть I, призвáть (*вн.*; в *разн. знач.*) call (*d.*); súmmon (*d.*); (*вн.* к *чему-л.*) call (up:ón for); (*вн.* + *инф.*) call (up:ón + to *inf.*), urge (*d.* + to *inf.*); ~ на пóмощь call for help; ~ когó-л. на пóмощь call to smb. for help, call smb. to one's assístance; ~ к порЯдку call to órder (*d.*); ~ проклЯтия на чью-л. гóлову call down cúrses on smb.'s head [...hed].

призывáть II, призвáть (*вн.*): ~ на воéнную слýжбу call up (for mílitary sérvice) (*d.*), call to the cólours [...ˈkʌ-] (*d.*), conscrípt (*d.*).

призывáться I *страд.* к призывáть I.

призывáться II, призвáться (*на воéнную слýжбу*) be called up.

призЫв||ник *м.* man* called up for mílitary sérvice, man* due for cáll-úp, cónscript; seléctee, dráftee *амер.* ~нóй: ~нóй вóзраст *воен.* cáll-úp age; ~нóй пункт enlístment óffice; indúction státion *амер.*

призЫвный invócatory; (*манящий*) invíting; ~ клич call.

прúиск *м.* mine; золотЫе ~и góld:field(s) [-fiːl-].

прииск||áние *с. разг.* finding. ~ть *сов. см.* приúскивать.

приúскивать, приискáть (*вн.*) *разг.* find* (*d.*); *несов. тж.* look (for).

приискóвый mine (*attr.*).

прийтú *сов. см.* приходúть. ~сь *сов. см.* приходúться 1, 2, 3, 4, 5.

прикáз *м.* 1. órder; commánd [-ɑːnd]; по ~у by órder; по ~у когó-л. by órder of smb.; ~ по войскáм órder of the day; ~ о выступлéнии *воен.* márching órders *pl.*; боевóй ~ *воен.* báttle-órder; отдáть ~ give* an órder; издáть an órder; получúть ~ recéive an órder [-ˈsiːv...]; ~ есть ~ órders are órders; 2. *ист.* depártment, óffice. ~áние *с.* órder, injúnction; bídding; отдавáть ~áние (*дт.*) give* an órder (*i.*). ~áть *сов. см.* прикáзывать. ~ный 1. *прил.* к прикáз 1; в ~ном порЯдке in the form of an órder; 2. *прил. ист.* depártmentál [diː-]; 3. *м. как сущ. ист.* clerk [-ɑːk], scribe.

прикáзчик *м. уст.* 1. (в *лавке*) shóp-assístant, sáles:man*, shóp:man*; 2. (в *имении*) stéward, báiliff.

прикá||зывать, приказáть (*дт.* + *инф.*) órder (*d.* + to *inf.*), commánd [-ɑːnd] (*d.* + to *inf.*); diréct (*d.* + to *inf.*); он ~зáл ей пойтú тудá немéдленно he órdered / commánded her to go there at once [...wʌns]; he órdered / commánded that she should go there at once; он ~зáл очúстить помещéние he órdered the prémises to be cleared [...-sɪz...]; ◊ ~зáть дóлго жить *разг.* ≅ depárt this life, depárt from life; ~зывáй! say the word!; что ~жете? what do you wish?, what can I do for you?; как ~жете as you wish / please; как ~жете понимáть это? how am I to únderstánd this?, how am I supposed to take this?, and what do you mean by this?

прикáлывать, приколóть (*вн.*) 1. (*булавкой*) pin (*d.*), fásten / attách with a pin [ˈfɑːsn...]; 2. (*добивать*) tránsfix (*d.*), stab to death [...deθ] (*d.*), fínish off (*d.*); (*штыком*) báyonet (*d.*).

прикáнчивать, прикóнчить (*вн.*; *прям. и перен.*) *разг.* fínish off (*d.*).

прикармáнивать, прикармáнить (*вн.*) *разг.* pócket (*d.*).

прикармáнить *сов. см.* прикармáнивать.

прикáрмливать, прикормúть (*вн.*) *разг.* 1. (*о голубях и т. п.*) lure (*d.*); 2. *тк. несов.* (*о детях*) give* addítional food (*i.*) (*during the weaning period*).

прикасáться, прикоснýться (к) touch lightly [tʌtʃ...] (*d.*).

прикатúть *сов. см.* прикáтывать.

прикáтывать, прикатúть 1. (*вн.* к) roll (*d.* near), roll up (*d.* to); 2. (*без доп.*) *разг.* (*приезжать*) come*, arrive.

прикúдывать, прикúнуть (*вн.*) *разг.* 1. (*рассчитывать приблизительно*) éstimate (*d.*); прикúнуть в умé weigh up (*d.*), pónder (óver); 2. (*примерять*) try on (*d.*); 3.: ~ на весáх weigh (*d.*); 4. (*прибавлять*) throw* in [-ou...] (*d.*), add (*d.*).

прикúдываться I, прикúнуться *разг.* preténd, feign [fein]; ~ больнЫм preténd to be ill, feign íllness; ~ лисóй *разг.* fawn, tóady.

прикúдываться II *страд.* к прикúдываться.

прикúнуть *сов. см.* прикúдывать.

прикúнуться *сов. см.* прикúдываться I.

прикипáть, прикипéть (к) *разг.* (*полюбить, привязаться*) take* a strong líking (to), take* a fáncy (to).

прикипéть *сов. см.* прикипáть.

приклáд I *м.* (*оружия*) butt, bútt-stóck.

приклáд II *м.* (в *портновском деле*) trímmings *pl.*

приклáдка *ж.* (*винтовки*) lévelling (of *the* rifle), posítion [-ˈzɪ-].

приклáдн||ой applied; ~ые наýки applied sciences; ~óе искýсство applied art(s) (*pl.*).

приклáдывать, приложúть (*вн.*) 1. (*присоединять*) add (*d.*); (*к письму, заявлению*) en:clóse (*d.*), join (*d.*); 2. (*приближать вплотную*) put* (*d.*), apply (*d.*); приложúть часы к ýху put* / hold* a wátch to one's ear; ~ рýку к козырькý put* / hold* one's hand to the peak of one's cap, salúte; ◊ ~ печáть (к) set* / affíx / attách *a* seal (to);

приложи́ть ру́ку (к) (*принять участие*) bear* / take* a hand [bɛə...] (in); put* one's hand (to); (*подписаться*) sign [saɪn] (*d.*), add one's signature (to). **~ся, приложи́ться 1.** (*при стрельбе*) take* aim; **2.** (к) *разг.* (*целовать*) kiss (*d.*); **3.** *страд.* к прикла́дывать; ◇ оста́льное прило́жится *разг.* the rest will come.

прикле́ивать, прикле́ить (*вн.*) stick* (*d.*); (*животным клеем*) glue (*d.*); (*мучным*) paste [peɪ-] (*d.*); ~ ма́рку stick* on *a* stamp. **~ся**, прикле́иться **1.** (к) stick* (to), adhére (to), be glued / pásted [...'peɪ-] (to); **2.** *страд.* к прикле́ивать.

прикле́ить(ся) *сов. см.* прикле́ивать (-ся).

приклепа́ть *сов. см.* приклёпывать.

приклёпка *ж.* ríveting.

приклёпывать, приклепа́ть (*вн.*) rívet ['rɪ-] (*d.*).

приклони́ть: он не зна́ет, где ~ го́лову he does not know where to lay his head [...nou...hed].

приключа́ть, приключи́ть (к) connéct up (with).

приключ||а́ться, приключи́ться *разг.* háppen, occúr. **~е́ние** *с.* advénture; иска́тель ~е́ний advénturer; иска́тельница ~е́ний advénturess. **~е́нческий** advénture (*attr.*); ~е́нческий рома́н advénture nóvel [...'nɔ-].

приключи́ть *сов. см.* приключа́ть.

приключи́ться *сов. см.* приключа́ться.

прико́вывать *сов. см.* прико́вывать.

прико́в||ывать, прикова́ть (*вн.*) chain (*d.*); (*перен.*) rívet ['rɪ-] (*d.*); ~ чьё-л. внима́ние absórb / rívet / compél / arrést / engróss smb.'s atténtion [...-'grous...]; моё внима́ние бы́ло ~ано (на) my atténtion was ríveted (on); страх ~а́л его́ к ме́сту fear róoted him to the spot / ground; ~анный к посте́ли bédridden; ~анный к кре́слу confíned to one's ármchair.

прико́л *м.* post [pou-]; на ~е *мор.* laid up; стоя́ть на ~е be laid up.

прикола́чивать, приколоти́ть (*вн.*) nail (*d.*), fásten with nails [-sᵊn...] (*d.*).

приколоти́ть *сов. см.* прикола́чивать.

приколо́ть *сов. см.* прика́лывать.

прикомандиро́ванный *прич.* и *прил.* attáched.

прикомандирова́ть *сов.* (*вн.* к) attách (*d.* to).

прико́нчить *сов. см.* прика́нчивать.

прикопи́ть *сов.* (*вн., рд.*) *разг.* save (*d.*), save up (*d.*); ~ де́нег save some móney [...'mʌ-], put* by / aside some móney.

прико́рм *м.* **1.** (*действие*) féeding up; **2.** (*то, чем прикармливают; для рыб, птиц*) lure, bait. **~и́ть** *сов. см.* прика́рмливать.

прико́рмка *ж.* = прико́рм.

прикорну́ть *сов. разг.* néstle down; ~ на дива́не curl up on the sófa.

прикоснове́н||ие *с.* **1.** touch [tʌtʃ]; при ~ии at a touch; то́чка ~ия point of cóntact; **2.** *тк. ед. уст.* (*касательство*) concérn. **~ность** *ж.* (к) *уст.* concérn (in), invólvement (in). **~ный** (к) *уст.* concérned (in), invólved (in); привле́чь всех ~ных к де́лу люде́й call up⸱on all those concérned / invólved in the affáir.

прикосну́ться *сов. см.* прикаса́ться.

прикра́||са *ж. чаще мн. разг.* embéllishment; без ~с unvárnished, unadórned; изобража́ть без ~с (*вн.*) show* in its true cólours [ʃou... 'kʌ-] (*d.*); рассказа́ть что-л. без ~с give* a straightfórward accóunt of smth. **~сить** *сов. см.* прикра́шивать.

прикра́шивать, прикра́сить (*вн.*) embróider (*d.*), embéllish (*d.*) (*in speech*).

прикрепи́тельный *прил.* к прикрепле́ние 2; ~ тало́н registrátion check. **~и́ть(ся)** *сов. см.* прикрепля́ть(ся). **~ле́ние** *с.* **1.** fástening [-sᵊn-]; attáchment (*тж. перен.*); ~ле́ние к земле́ *ист.* attáching to the land / soil (*as serf*); **2.** (*принятие на учёт*) règistrátion.

прикрепля́ть, прикрепи́ть (*вн.* к) **1.** fásten [-sᵊn] (*d.* to); attách (*d.* to; *тж. перен.*); **2.** (*принимать на учёт*) régister (*d.* at). **~ся**, прикрепи́ться **1.** fásten [-sᵊn]; **2.** (*становиться на учёт куда-л.*) régister; прикрепи́ться к поликли́нике régister at a polyclínic; **3.** *страд.* к прикрепля́ть.

прикри́||кивать, прикри́кнуть (на *вн.*) shout (at), raise one's voice (at). **~кнуть** *сов. см.* прикри́кивать.

прикрути́ть *сов. см.* прикру́чивать.

прикру́чивать, прикрути́ть **1.** (*вн.* к; *привязывать*) tie (*d.* to), bind* (*d.* to), fásten [-sᵊn] (*d.* to); **2.** (*вн.*) *разг.* (*о фитиле в лампе*) turn down (*d.*).

прикрыва́ть, прикры́ть (*вн.*) **1.** (*закрывать*) cóver ['kʌ-] (*d.*), screen (*d.*); (*о двери, окне и т. п.*) close / shut* sóftly (*d.*); **2.** (*защищать*) cóver (*d.*), protéct (*d.*), shélter (*d.*), shield [ʃiːld] (*d.*); (*от солнца тж.*) shade (*d.*); ~ глаза́ руко́й (*от солнца*) shade / shield one's eyes with one's hand [...aɪz...], cup one's hand óver one's eyes; ~ отступле́ние *воен.* cóver the retréat; ~ фланг *воен.* protéct the flank; **3.** (*маскировать*) concéal (*d.*), screen (*d.*); ~ безде́йствие гро́мкими фра́зами use long words as a cóver for one's inactívity; **4.** *разг.* (*ликвидировать — о предприятии и т. п.*) líquidàte (*d.*), close down (*d.*), wind* up (*d.*). **~ся**, прикры́ться **1.** (*тв.; покрываться*) cóver (onesélf) ['kʌ-...] (with); (*перен.*) use as a cóver (*d.*), take* réfuge (in); он прикрыва́ется свои́м незна́нием he uses his ígnorance as a cóver, he takes réfuge in his ígnorance; **2.** *разг.* (*ликвидироваться — о предприятии и т. п.*) close down; be líquidàted; **3.** *страд.* к прикрыва́ть.

прикры́||тие *с.* cóver ['kʌ-], (*конвой*) éscort; (*перен.*) screen, cloak; под ~тием (*рд.*) únder cóver (of), únder the shélter (of), scréened (by); артиллери́йское ~ àrtíllery cóver / éscòrt; ~ истреби́телями fighter cóver. **~ть(ся)** *сов. см.* прикрыва́ть(ся).

прикупа́ть, прикупи́ть (*вн., рд.*) buy* (some more) [baɪ...] (*d.*); прикупи́ть (ещё) са́хару buy* some more súgar [...'ʃu-].

прикупи́ть *сов. см.* прикупа́ть.

прику́ривать, прикури́ть light a cigarétte; (*у кого-л.*) get* a light from smb.'s cigarétte; позво́льте прикури́ть! can you give me a light, pléase!

ПРИ — ПРИ   **П**

прикури́ть *сов. см.* прику́ривать.

прику́с *м.* bite. **~и́ть** *сов. см.* прику́сывать.

прику́ска *ж. вет.* críb-bìting.

прику́с||ывать, прикуси́ть (*вн.*) bite* (*d.*); ~и́ть (себе́) язы́к bite* one's tongue [...tʌŋ]; (*перен.*) keep* one's mouth shut, hold* one's tongue.

прила́в||ок *м.* cóunter; рабо́тник ~ка sáles⸱man*, shóp-assistant, cóunter-hànd; *мн. собир.* sáles⸱people [-piː-].

прилага́емый *прич.* и *прил.* accómpanying [ə'kʌ-]; (*к письму, заявлению*) enclósed; (*в конце текста и т. п.*) subjóined.

прилага́тельное *с. скл. как прил. грам.*, и́мя ~ ádjective.

прилага́ть, приложи́ть (*вн.*) **1.** = прикла́дывать 1; **2.** (*применять*) apply (*d.*); ~ уси́лия make* éfforts; ~ все уси́лия make* / exért évery éffort; ~ стара́ния take* pains, exért onesélf; приложи́ть всё стара́ние do / try one's best, try one's hárdest.

прила́дить *сов. см.* прила́живать.

прила́живать, прила́дить (*вн.* к) fit (*d.* to), adápt (*d.* to), adjúst [ə'dʒʌst] (*d.* to).

приласка́ть *сов.* (*вн.*) caréss (*d.*), fóndle (*d.*), pet (*d.*); be nice to one *разг.*; (*погладить*) stroke (*d.*). **~ся** *сов.* (к) snúggle up (to).

прилега́||ть (к) **1.** (*об одежде*) fit clósely [...-s-] (*d.*); **2.** (*примыкать*) adjóin [ə'dʒ-] (*d.*), bórder (up⸱on), skirt (*d.*), be adjácent [...ə'dʒeɪ-] (to). **~ющий 1.** (*об одежде*) clóse-fìtting [-s-], tíght-fìtting; **2.** (к; *смежный*) adjóining [ə'dʒ-] (*d.*), adjácent [ə'dʒeɪ-] (to), contíguous (to), bórdering (on).

прилежа́ние *с.* díligence, índustry; (*усердие*) assíduous⸱ness, assidúity; applicátion (to work); (*к наукам*) stúdious⸱ness.

прилежа́щ||ий *мат.* adjóining [ə'dʒ-], contíguous; ~ая сторона́ adjóining side.

приле́жн||о *нареч.* díligently, indústriously; (*усердно*) assíduously, stúdiously; **~ый** díligent, (*усердный*) assíduous, stúdious.

прилепи́ть(ся) *сов. см.* прилепля́ть (-ся).

прилепля́ть, прилепи́ть (*вн.* к) stick* (*d.* to, on). **~ся**, прилепи́ться **1.** (к) stick* (to); **2.** *страд.* к прилепля́ть.

прилёт *м.* arríval by air.

прилета́ть, прилете́ть come* flýing; (*на самолёте*) arríve by air; (*перен.*) *разг.* come* / arríve in haste [...heɪ-], come* húrrying / flýing.

прилете́ть *сов. см.* прилета́ть.

приле́чь *сов.* lie* down; он прилёг на полчаса́ he lay down for half an hour [...hɑːf...auə].

прили́в *м.* **1.** flow [flou], flood (of tide) [-ʌd...], rísing tide; (*перен.*) surge, ínflux, áfflùx; волна́ ~а tídal wave; ~ и отли́в ebb and flow, high and low tide [...lou...]; (*перен.*) flux and réflùx; ~ы и отли́вы tides; ~ го́рдости surge of pride; ~ не́жности áccess of ténderness; ~ эне́ргии burst of énergy;

487

ПРИ — ПРИ

2. *мед.* con:géstion [-stʃ-]; ~ крови rush of blood [...-ʌd]; 3. *тех.* lug, boss.
прилива́ть, прили́ть (к) flow [-ou] (to); (*о крови*) rush (to); кровь прилила́ к щека́м the blood rushed to, *или* suffúsed, his cheeks [...blʌd...].
прили́вн||ый tídal; ~ая полоса́ tide lands *pl.*; ~ая волна́ tídal wave.
прили́з||анный 1. *прич. см.* прили́зывать; 2. *прил. разг.* (*о волосах*) sleek, smooth [-ð]. ~а́ть *сов. см.* прили́зывать.
прили́зывать, прилиза́ть *разг.*: ~ во́лосы smooth / sleek one's hair (down) [-ð...].
прилипа́ла *м. и ж. разг.* bore; obséssive pérson.
прилипа́ть, прили́пнуть (к) stick* (to), adhére (to).
прили́пнуть *сов. см.* прилипа́ть.
прили́пчивый *разг.* 1. stícking, adhésive; (*перен.; о человеке*) bóring, bóther:some; 2. (*о болезни*) cátching.
прили́стник *м. бот.* stípule.
прили́ть *сов. см.* прилива́ть.
приличе́ствовать *сов.* (*дт.*) *уст.* befít (d.), becóme* (d.).
прили́чи||е *с.* décency [ˈdiː-], propríety; decórum; из ~я, для ~я for the sake of propríety; in décency; соблюда́ть ~я obsérve the propríeties [-ˈzəːv...].
прили́чно I *прил. кратк. см.* прили́чный.
прили́чн||о II *нареч.* 1. décent:ly, próper:ly [ˈprɔ-], becóming:ly [-ˈkʌ-]; (*пристойно*) décorous:ly; 2. (*хорошо*) quite well. ~ый 1. décent, respéctable; próper [ˈprɔ-], becóming; (*подобающий*) séemly; (*пристойный*) décorous; ~ый с виду preséntable [-ˈze-]; 2. *разг.* (*неплохой*) décent, pássable; ~ый перево́д tólerable / pássable translátion [...traː-].
прилови́ться *сов. разг.* get* into the way (*of doing smth.*).
прило́ж||ение *с.* 1. (*печати*) apposítion [-ˈzɪ-], affíxing; 2. (*приложенные документы и т. п.*) en:clósure [-ˈklou-]; 3. (*к журналу и т. п.*) appéndix (*pl.* -ices [-ɪsiːz], -ixes) supplement; 4. *грам.* apposítion; 5. (*применение*) applicátion; сфе́ра ~éния (*рд.*) sphere of applicátion (of); сфе́ра ~éния капита́ла *эк.* cápital invéstment spheres *pl.* ~и́ть *сов. см.* прикла́дывать и прилага́ть. ~и́ться *сов. см.* прикла́дываться.
прилунéние *с.* lánding on the Moon, lúnar lánding. ~и́ться *сов. см.* прилуня́ться.
прилуня́ться, прилуни́ться land on the Moon.
прильну́ть *сов. см.* льнуть 1.
при́ма *ж.* 1. *муз.* tónic; 2. (*первая струна*) first string, top string; 3. (*первая скрипка*) first víolin.
при́ма-балери́на *ж. театр.* príma ballerína [ˈpriː- -ˈriː-], first dáncer.
примадо́нна *ж. театр.* príma dónna [ˈpriː-...], díva [ˈdiː-].
прима́заться *сов. см.* прима́зываться.
прима́зываться, прима́заться (к) *разг.* stick* (to), hang* on (to).

прима́нивать, примани́ть (*вн.*) *разг.* lure (d.), entíce (d.), allúre (d.), decóy (d.).
примани́ть *сов. см.* прима́нивать.
прима́нка *ж.* bait, lure; (*перен.*) entíce:ment.
прима́т *м. филос.* prímacy [ˈpraɪ-], pre-éminence.
прима́ты *мн. зоол.* prímátes [praɪˈmeɪtiːz].
прима́чивать, примочи́ть (*вн.*) móisten [-sn] (d.), bathe [beɪð] (d.), wet (d.).
примелька́ться *сов. разг.* becóme* famíliar.
примен||е́ние *с.* applicátion; (*употребление*) use [-s]; ~ новой технологии applicátion of new technólogy; находи́ть ~ (*дт.*) find* a use, *или* an applicátion (for); получи́ть широ́кое ~ (*о методах и т. п.*) be wíde:ly adópted; в ~е́нии (к) in applicátion (to), as applied (to); ~ к ме́стности *воен.* use of térrain, adaptátion to the terrain. ~и́мость *ж.* (*теории и т. п.*) applicability. ~и́мый applicable, súitable [ˈsjuːt-]. ~и́тельно *нареч.* (к) confórmably (to); in confórmity (with); as applied (to). ~и́ть(ся) *сов. см.* применя́ть(ся).
применя́ть, примени́ть (*вн.*) apply (d.); (*использовать*) emplóy (d.), use (d.); ~ на пра́ктике put* into práctice (d.). ~ся, примени́ться 1. (к) adápt òne:sélf (to); confórm (to); ~ся к ме́стности *воен.* adápt òne:sélf to the terrain; 2. *страд. к* применя́ть.
приме́р *м.* (*в разн. знач.*) exámple [-ɑːm-], ínstance; приводи́ть ~ give* an exámple, cite an exámple; приводи́ть в ~ cite as an exámple; ста́вить кого-л. в ~ hold* smb. up as an exámple; брать ~ с кого-л. fóllow smb.'s exámple; подавать ~ set* an exámple; ли́чным ~ом by pérsonal exámple; для ~а *разг.* as an exámple / módel [...ˈmɔ-]; показа́ть ~ (*быть пе́рвым в чём-л.*) give* the lead; сле́довать ~у fóllow suit [...sjuːt]; по ~у (*рд.*) áfter the exámple (of); in imitátion (of); ◇ не в ~ (*дт.*) *разг.* un:líke (d.); (+ *сравн. ст.*) far more: не в ~ остальны́м он о́чень мно́го рабо́тает unlíke the others he works very hard; его́ расска́зы были не в ~ интере́снее his stóries were far more ínteresting; his stóries were more ínteresting by far; — не в ~ друго́му as an excéption; к ~у *разг.* by way of illustrátion.
примерза́ть, примёрзнуть (к) freeze* (to).
примёрзнуть *сов. см.* примерза́ть.
приме́р||ить(ся) *сов. см.* примеря́ть(ся). ~ка *ж.* (*на себя*) trýing on; (*на другого*) fítting.
приме́рн||о *нареч.* 1. (*отлично*) exémplarily, éxcellently; ~ вести́ себя́ be an exámple [...-ɑːm-], behave pérfectly / fáultlessly; 2. (*приблизительно*) appróximate:ly, róughly [ˈrʌf-]. ~ый 1. (*образцовый*) exémplary; módel [ˈmɔ-] (*attr.*); ~ый учени́к módel púpil; 2. (*приблизительный*) appróximate, rough [rʌf].
примеря́ть, приме́рить (*вн.; на себя*) try on (d.); (*на другого*) fit (d.); ◇ семь раз приме́рь, а оди́н отре́жь *посл.* ≃ look befóre you leap. ~ся, приме́риться 1. *разг.* aim; 2. *страд.* к примеря́ть.

при́месь *ж.* admíxture; (*о красках*) tinge; (*о жидком*) dash; (*перен.*) touch [tʌtʃ]; с ~ю (*рд.*) with a touch (of).
приме́т||а *ж.* 1. (*отличительное сво́йство*) sign [saɪn], token; mark; ~ы distínctive marks; 2. (*предвестник*) ómen, sign; плоха́я ~ bad* ómen / sign; ◇ име́ть на ~е (*вн.*) have an eye (to), have in view [...vjuː] (d.).
примета́ть *сов. см.* примётывать.
приме́т||ить *сов. см.* примеча́ть. ~ливость *ж. разг.* pówer of òbservátion [...-zəː-]. ~ливый *разг.* obsérvant [-ˈzəː-]. ~ный percéptible, vísible [-z-]; (*привлекающий внимание*) conspícuous, próminent.
примётывать, примета́ть (*вн.*) tack (on) (d.), stitch (on) (d.).
примеча́ни||е *с.* note, cómment; (*внизу страницы*) fóotnote [ˈfut-]; (*объяснение*) annotátion; снабди́ть ~ями (*вн.*) ánnotàte (d.).
примеча́тельн||ость *ж.* nòtability [nou-], nóte:worthiness [-ði-]. ~ый nótable, nóte:worthy [-ði], remárkable.
примеча́ть, приме́тить (*вн.*) *разг.* nótice [ˈnou-] (d.), percéive [-ˈsiːv] (d.).
примеша́ть *сов. см.* приме́шивать.
приме́шивать, примеша́ть 1. (*вн., рд.*) add (d.), admíx (d.); (*в сплав*) allóy (d.); 2. (*вн.*) *разг.* (*впутывать*) entángle (d.).
примина́ть, примя́ть (*вн.*) crush (d.); (*ногами*) trample down (d.), tread* down [tred...] (d.), (*рукой*) flátten (d.), make* flat (d.).
примире́нец *м.* conciliátor, cómpromìser.
примире́ние *с.* rèconciliátion; (*интересов, взглядов*) conciliátion.
примире́нче||ский conciliatory; cómpromìse (*attr.*). ~ство *с.* conciliatori:ness, spírit of conciliátion / cómpromìse.
примир||и́мый réconcilable. ~и́тель *м.*, ~и́тельница *ж.* réconciler, conciliátor, péace-màker. ~и́тельный conciliatory, pacíficàtory [-keɪ-]. ~и́ть *сов.* 1. *см.* примиря́ть; 2. *см.* мири́ть 2. ~и́ться *сов.* 1. *см.* примиря́ться; 2. *см.* мири́ться.
примиря́ть, примири́ть 1. (*кого-л.*) réconcile (smb.); 2. (*что-л.*) concíliàte (smth.); ~ противоречи́вые то́чки зре́ния réconcile contradíctory views [...vjuːz]; ~ противоречи́вые тре́бования bálance the conflicting claims. ~ся, примири́ться 1. (*с кем-л.*) be réconciled (with smb.), make* it up (with smb.); 2. (*с чем-л.*) réconcile òne:sélf (to smth.); примири́ться со свои́м положе́нием réconcile òne:sélf to the situátion; примири́ться с фа́ктом accépt the fact.
примиря́юще *нареч.* in a conciliátory way.
примити́в *м.* prímitive. ~и́зм *м.* (*в разн. знач.*) prímitivism. ~ность *ж.* prímitive:ness. ~ный (*в разн. знач.*) prímitive.
примкну́ть *сов. см.* примыка́ть 1, 2.
примо́лкнуть *сов. разг.* fall* sílent.
примо́рский séasíde (*attr.*); máritime: ~ куро́рт séaside resórt [...-ˈzɔːt].
примо́рье *с.* líttoral; séaside.

примости́ть сов. (вн.) разг. find* room (for), stick* (d.) (in a crowded place or inconvenient surroundings). **~ся** сов. разг. find* room, или a place, for òne:sélf, perch òne:sélf.

примочи́ть сов. см. прима́чивать.

примо́чк||а ж. wash, lótion; свинцо́вая ~ Goulárd (wáter) [guːˈlɑːdˈwɔː-]; ~ для глаз éye-lòtion [ˈaɪ-]; де́лать ~и applý lótion.

при́мула ж. prímula, prímròse.

при́мус м. prímus stove.

примча́ть сов. разг. 1. (вн.) bring* in a húrry (d.); 2. = примча́ться. **~ся** сов. come* téaring alóng [...ˈtɛə-...].

примыка́ние с. 1. contigúity [-ˈgjuː-]; 2. грам. parátaxis.

примыка́||ть, примкну́ть 1. (к; присоединя́ться) join (d.), side (with); **2.** (; плотно придвига́ть) fix (d.); примкну́ть штыки́! fix báyonets!; **3.** тк. несов. (к; быть сме́жным) adjóin [əˈdʒɔɪ-] (d.), bórder (upòn, with), abút (upòn); ~ющие организа́ции affíliàted òrganizátions [...-naɪ-]; **4.** тк. несов. грам. adjóin.

примя́ть сов. см. примина́ть.

принадлеж||а́ть (дт.; в разн. знач.) belóng (to); (относи́ться к чему́-л. тж.) appertáin (to); ~ по пра́ву belóng by right, belóng ríghtfully; ~ащее по пра́ву ме́сто ríghtful place; ~ к числу́ выдаю́щихся писа́телей, худо́жников и т.п. be one of the, или be amòng the, óutstànding wríters, ártists, etc.; ~ к па́ртии be a mémber of a párty.

принадле́жност||ь ж. 1. тк. ед. (пребывание в составе чего-л.) belóng:ing; ~ к па́ртии mémbership of a párty; кла́ссовая ~ class affiliátion; 2. об. мн. accéssories, appúrtenances; táckle sg.; тех. fíttings; (компле́кт) óutfit sg., equípment sg.; ~и туале́та tóilet árticles; бри́твенные ~и sháving táckle sg.; пи́сьменные ~и wríting-matèrials; рыболо́вные ~и físhing-tàckle sg.; 3. тк. ед. уст. (неотъе́млемое пра́во) próperty; ◊ обрати́ться по ~и applý to the próper quárter [...ˈprɔ-...].

принале́||чь сов. (на вн.) разг. 1. (навали́ться) press (on, upòn), reclíne (upòn); **2.** (усе́рдно приня́ться за что́-либо) applý òne:sélf (to), plý (d.); он ~лё́г на рабо́ту he applíed him:sélf to his work; они́ ~гли́ на вё́сла they plíed their oars vígorous:ly, they púlled hard [...puld...].

принаряди́ть(ся) сов. см. принаряжа́ть(-ся).

принаряжа́ть, принаряди́ть (вн.) разг. dress up (d.), deck out (d.). **~ся**, принаряжа́ться разг. dress / get* òne:sélf up, smárten òne:sélf up.

принево́л||ивать, принево́лить (вн. + инф. force (d. + to inf.), make* (d. + inf.): он ~ил её́ сде́лать э́то he forced her to do it, he made her do it.

принево́лить сов. см. принево́ливать.

принести́ сов. см. приноси́ть.

принести́сь сов. разг. 1. = примча́ться; 2. (о звука́х, запа́хах) be bórne alóng.

принижа́ть, прини́зить (вн.) 1. húmble (d.), humíliàte (d.); 2. (умаля́ть) dispárage (d.), belíttle (d.); ~ роль (рд.) mínimize / depréciàte, или play down, the role (of).

принижéние с. dispárage:ment, belíttling, depreciátion.

прини́женн||ость ж. humílity, húmble:ness. **~ый** humíliàted, húmble; (рабо́лепный) sérvile.

прини́зить сов. см. принижа́ть.

принике́||ть, прини́кнуть (к) press òne:sélf (agáinst), press òne:sélf close [...klous] (to); (к кому́-л. тж.) néstle (agáinst, to), néstle close (to); ~ у́хом put* one's ear (to).

прини́кнуть сов. см. принике́ть.

принима́ние с. спорт., воен.: ~ в сто́рону (в верхово́й езде́) pássage.

принима́||ть, приня́ть 1. (вн.; в разн. знач.) take* (d.); ~ лека́рство take* one's médicine; ~ ва́нну have / take* a bath; ~ пи́щу take* food; порт мо́жет ~ океа́нские парохо́ды the port can hándle / take* óceàn-gó:ing véssels [...ˈouʃn-...]; ~ прися́гу take* the oath (of allégiance); ~ ме́ры take* méasures [...ˈmeʒ-], make* arránge:ments [...-eɪn-], ~ ме́ры предосторо́жности take* precáutions; ~ уча́стие (в пр.) take* part (in), pàrtícipate (in), pàrtáke* (in); ~ реше́ние (достига́ть разреше́ния) take* a decísion, или come* to, или reach, a decísion; они́ приня́ли реше́ние сде́лать э́то неме́дленно they decíded to do it at once [...wʌns]; они́ приня́ли ва́жное реше́ние they came to an impórtant decísion; ~ к све́дению, во внима́ние, ~ в расчё́т take* into considerátion / accóunt (d.); не ~ к све́дению, не ~ во внима́ние disregárd (d.); не ~ в расчё́т discóunt (d.); не ~ во внима́ние, что táking into considerátion / accóunt that, considering that; ~ая что-л. во внима́ние táking smth. into accóunt / considerátion; ~ (бли́зко) к сéрдцу take* / lay* to heart [...hɑːt] (d.); не ~ а́йте э́того (бли́зко) к сéрдцу don't take it to heart; ~ чью-л. сто́рону take* the part of smb., side with smb.; ~ по́дписку sign for [saɪn...] (d.); ~ за пра́вило make* it a rule; ~ что-л. в шу́тку take* smth. as a joke; ~ что-л. всерьё́з take* smth. sérious:ly; ~ что-л. на свой счё́т take* smth. as refèrring to òne:sélf; ~ на себя́ что-л. take* smth. upòn òne:sélf, assúme smth.; ~ на себя́ ли́чно управле́ние (тв.) take* pérsonal contról [...-oul] (of); ~ до́лжность accépt, или take* óver, a post [...pou-]; ~ кома́ндование (тв.) assúme / take* commánd [...-ɑːnd] (of, óver); ~ пода́рок accépt a présent [...ˈprez-]; ~ гражда́нство be náturalized; он при́нял сове́тское гражда́нство he becáme a Sóviet cítizen, he took Sóviet cítizenship; ~ христиа́нство, магомета́нство adópt Christiánity, Mohámmedanism; ~ креще́ние be báptized; ~ мона́шество take* monástic vows, becòme* a monk [...mʌŋk]; (о же́нщине) take* the veil; э́то так при́нято it is the cústom; прими́те моё уваже́ние (в письме́) yours respéctfully; 2. (вн. в, на вн.; включа́ть в соста́в) admít (d. to), accépt (for); ~ но́вых чле́нов (в вн.) accépt new mémbers (for); ~ в па́ртию admít to / into the párty (d.); ~ в комсомо́л accépt for the Kómsomòl (d.); ~ в гражда́нство náturalize (d.); ~ на рабо́ту take* on (d.), give* emplóyment (to); ~ в шко́лу, институ́т admít to school, to the institùte (d.); 3. (вн.; соглаша́ться на) accépt (d.); ~ предложе́ние accépt an óffer; (о бра́ке) accépt a propósal (of márriage) [...-z-...-rɪdʒ]; ~ вы́зов accépt the chállenge; take* up the gáuntlet идиом.; ~ бой accépt báttle; ~ как до́лжное accépt as one's due (d.), take* as a mátter of course [...kɔːs]; ~ резолю́цию pass / adópt / appróve / cárry a rèsolútion [...-ruː...-zə-]; ~ зако́н pass a law; ~ законопрое́кт appróve a bill; 4. (вн.; посети́телей и т.п.) recéive [-ˈsiːv] (d.); ~ госте́й recéive guests / vísitors [...-z-]; ~ у себя́ кого́-л. play host to smb. [...houst...]; ~ ра́душно wélcome (d.); он сего́дня не ~а́ет he does not recéive visitors to:dáy; (о враче́) he does not see pátients to:dáy; 5. (вн.; приобрета́ть) assúme (d.); ~ фо́рму чего́-л. take* the shape of smth.; ~ вид assúme / afféct an air, put* / take* on an air; его́ боле́знь приняла́ о́чень серьё́зный хара́ктер his íllness assúmed a grave cháracter, или took on a very sérious áspèct [...ˈkæ-...]; де́ло при́няло неожи́данный оборо́т the affáir took an únexpècted turn; ~ ожесточё́нный хара́ктер becòme* fierce [...fɪəs]; 6. (вн. за вн.; счита́ть) take* (d. for): он при́нял его́ за това́рища Н. he took him for Cómrade N.; за кого́ вы меня́ ~а́ете? whom do you take me for?; 7. (вн. от; брать в своё веде́ние) take* óver (d. from); ~ дела́ от кого́-л. take* óver sómebody's dúties, take* óver dúties from smb.; 8. (вн. за что-л., счита́ть) assúme (d. to be smth.); 9. об. несов. (у кого́-л. — ребё́нка при рода́х) delíver [-ˈlɪ-] (smb. of a child).

принима́ться, приня́ться 1. (+ инф.; начина́ть) begín* (+ to inf., + ger.), start (+ ger.); ~ петь begín* / start síng:ing; **2.** (за вн.; приступа́ть к чему́-л.) set* (to); ~ за рабо́ту, де́ло set* to work, get* down to work, séttle to (one's) work; приня́ться за разреше́ние пробле́мы attáck a próblem [...ˈprɔ-]; он не зна́ет, как приня́ться за э́то he doesn't know how to begín it, или how to set / go abóut it [...nou...]; **3.** разг.: ~ за кого́-л. take* smb. in hand; **4.** (без доп.) (о расте́ниях) strike* / take* root; (о приви́вке) take*; **5.** страд. к принима́ть.

приноровля́вать, принорови́ть (вн.) разг. fit (d.), adápt (d.), adjúst [əˈdʒ-] (d.). **~ся**, принорови́ться (к) разг. adápt / accómmodàte òne:sélf (to).

принорови́ть(ся) сов. см. принорови́вать(ся).

принос||и́ть, принести́ (вн.) 1. bring* (d.), fetch (d.); ~ обра́тно bring* back (d.); (дава́ть: об урожа́е) yield [jiː-] (d.); ~ плоды́ yield fruit [...-uːt]; bear* fruit [bɛə...] (тж. перен.); 3. (дава́ть *в результате*) bring* in (*d.*); ~ (большой) доход bring* in a big revenue, show* a large return [ʃou...]; ~ пользу be of use / benefit [...-s...]; учение принесло ему пользу learning was of benefit / use to him [ˈlə:n-...]; это не принесло ему пользы he derived no benefit from it; ◇ ~ счастье, несчастье bring* luck, misfortune [...-tʃən]; ~ в жертву sacrifice (*d.*); ~ жертву make* a sacrifice; ~ благодарность (*дт.*) express one's gratitude (to): я приношу вам глубокую благодарность I want to express my deep gratitude to you; — ~ жалобу (на *вн.*) lodge a complaint (against); принесла тебя, его и *т. д.* нелёгкая! why the devil did you, he, *etc.*, have to turn up? **~шéние** *с.* offering, present [-ez-]; gift [g-].

принудительн∥ый 1. compulsory; forced; ~ые меры measures of compulsion [ˈmeʒ-...]; ~ые работы forced labour *sg.*, hard labour *sg.*; ~ сбор levy [ˈle-]; 2. *тех.* (*о движении, подаче и т. п.*) positive [-z-].

принýдить *сов. см.* принуждать.

принужд∥áть, принýдить (*вн.*) compel (*d.*), force (*d.*), constrain (*d.*), coerce (*d.*); ~ к молчанию reduce to silence [...ˈsaɪ-] (*d.*). **~éние** *с.* compulsion, constraint, coercion; по ~éнию under compulsion / constraint; делать что-л. по ~éнию do smth. under compulsion / duress; без ~éния without any compulsion / constraint.

принуждённ∥ость *ж.* constraint; (*натянутость*) stiffness, tension. **~ый** 1. *прич. см.* принуждать; 2. *прил.* (*неестественный*) constrained, forced; ~ая улыбка forced smile; ~ый смех forced laughter [...ˈlɑ:f-].

принц *м.* prince. **~éсса** *ж.* princess.

принцип *м.* principle; ~ы марксизма-ленинизма principles of Marxism-Leninism; из ~а on principle; ◇ в ~е in principle, as a matter of principle; теоретически.

принципáл *м. уст.* principal.

принципáт *м. ист.* principate.

принципиáльничать *разг.* be over-scrupulous, stick* / adhere rigidly to one's principle(s).

принципиáльн∥о *нареч.* 1. (*из принципа*) on principle; 2. (*по существу*) in the main, in essence. **~ость** *ж.* adherence to principle(s) [-ˈhɪə-...]. **~ый** of principle; based on principle, guided by principle; ~ый человек man* of principle; ~ый вопрос question of principle [-stʃən...], fundamental question; ~ое согласие (на *вн.*) consent / agreement in principle (to); он дал ~ое согласие he consented in principle; ~ый спор controversy on a point of principle; ~ая линия line based on principle [...-st...]; этот вопрос имеет ~ое значение this question is a matter of principle; ~ое разногласие disagreement on a question of principle; поднимать что-л. на ~ую высоту make* smth. a matter of principle.

принюхаться *сов.* (к) *разг.* (*привык-*

нуть к запаху*) get* used / accustomed to *the* smell [...ju:st...] (of).

приняти∥е *с.* 1. reception; (*пищи, лекарства и т. п.*) taking; после ~я лекарства after taking, *или* having taken, *the* medicine; ~ командования assumption of command [...-ɑ:nd]; ~ присяги taking *the* oath (of allegiance); 2. (*в состав, в члены*) admission; admittance; ~ гражданства naturalization [-laɪ-]; ~ советского гражданства becoming a Soviet citizen; 3. (*предложения и т. п.*) acceptance; (*резолюции тж.*) adoption; (*ср. тж.* принимать).

принято *предик. безл.* it is accepted, it is usual [...ˈju:ʒ-]; это не ~ it is not done.

принят∥ый *прич. и прил.* accepted; adopted; (*ср.* принимать); ~ая резолюция adopted resolution [...-zə-]; ~ порядок established order.

принять(ся) *сов. см.* принимать(ся).

приободрить(ся) *сов. см.* приободрять(-ся).

приободрять, приободрить (*вн.*) encourage [-ˈkʌ-] (*d.*), cheer up (*d.*), hearten [ˈhɑ:t-] (*d.*). **~ся**, приободриться cheer up, feel* more cheerful, recover one's spirits [-ˈkʌ-...].

приобрести *сов. см.* приобретать.

приобретать, приобрести (*вн.*) 1. acquire (*d.*), gain (*d.*); ~ знания acquire knowledge [...ˈnɔ-]; приобрести большой опыт (в *пр.*) gain wide experience (in); приобрести плохую репутацию acquire a bad* reputation, fall* into disrepute; ~ чьё-л. расположение win* / gain smb.'s favour, obtain smb.'s good graces; ~ хороший вид look much better; ~ значение gain in importance; ~ особое значение take* on special significance [...ˈspe-...]; ~ всё большее значение assume ever greater importance [...ˈgreɪt...]; приобрести особый характер assume a special character [...ˈspe- ˈkæ-]; 2. (*покупать*) buy* [baɪ] (*d.*), purchase [-s] (*d.*).

приобретéние *с.* 1. (*действие*) acquisition [-zɪ-]; (*покупка*) purchase [-s]; 2. (*нечто приобретённое*) acquisition, gain; (*покупка*) purchase; (*выгодная покупка*) bargain.

приобщ∥áть, приобщить 1. (*вн.* к) accustom (*d.* to); приобщить широкие массы к культуре give* the masses access to (modern) culture; 2. (*вн.* к) присоединять) join (*d.* to); ~ к делу канц. file (*d.*); 3. (*вн.*) *церк.* administer the sacrament (to), communicate (*d.*). **~áться**, приобщиться 1. (к; *присоединяться*) join (*d.*); 2. *церк.* communicate; 3. *страд. к* приобщать. **~ить(ся)** *сов. см.* ~áть(ся).

приодеть *сов.* (*вн.*) *разг.* dress up (*d.*), smarten up (*d.*). **~ся** *сов. разг.* dress up, get* oneself up.

приозёрный lake (*attr.*), lakeside (*attr.*).

приоритéт *м.* priority.

приосáниться *сов.* assume a dignified air.

приостанáвливать, приостановить (*вн.*) hold* up (*d.*), stop (*d.*); call a halt (to); check (*d.*); (*о приговоре, решении и т. п.*) suspend (*d.*); (*особ. при-*

ведение в исполнение смертного приговора*) reprieve [-ri:v] (*d.*); приостановить работу suspend work; приостановить военные действия halt the fighting. **~ся**, приостановиться 1. halt, come* to a halt; pause; 2. *страд. к* приостанавливать.

приостанов∥ить(ся) *сов. см.* приостанавливать(ся). **~ка** *ж.* stopping, check(ing); (*приговора, решения и т. п.*) suspension; (*смертного приговора*) reprieve [-ri:v]; ~ка работ stoppage of work.

приотворить(ся) *сов. см.* приотворять(-ся).

приотворять, приотворить (*вн.*) open slightly, *или* a little way (*d.*), half-open [ˈhɑ:f-] (*d.*); (*о двери тж.*) set* ajar (*d.*). **~ся**, приотвориться 1. open slightly, half-open [ˈhɑ:f-]; 2. *страд. к* приотворять.

приоткрывáть(ся) = приотворять(ся).

приоткрыть(ся) = приотворить(ся).

приохóтить *сов.* (кого-л. к) *разг.* give* smb. a taste [...teɪst] (for). **~ся** *сов.* (к) *разг.* take* (to), take* a liking (to).

припадáть, припасть 1. (к) fall* down (to), press oneself (to); ~ к груди кого-л. press oneself against smb.'s breast [...brest]; ~ к чьим-л. ногам prostrate oneself before smb.; ~ ухом press one's ear (to); 2. *тк. несов. разг.* (*слегка хромать*): ~ на правую, левую ногу be lame in the right, left leg.

припáд∥ок *м.* fit; (*о болезни тж.*) attack; (*очень сильный*) paroxysm; ~ гнева fit of anger, outburst of passion; нервный ~ fit / attack of nerves, nervous fit; ~ безумия fit of madness; ~ бешенства paroxysm of rage; ~ отчаяния paroxysm of despair. **~чный** 1. *прил.* epileptic; ~чные явления fits; 2. *м. как сущ. разг.* epileptic.

припáивать, припаять (*вн.* к) solder [ˈsɔ-] (*d.* to); (*твёрдым припоем*) braze (*d.* to). **~ся**, припаяться 1. join / fuse together [...-ˈge-]; 2. *страд. к* припаивать.

припáй *м.* fast shore ice.

припáйка *ж.* 1. (*действие*) soldering [ˈsɔ-]; (*твёрдым припоем*) brazing; 2. (*припаянная часть*) soldered joint [sɔ-...].

припáрк∥а *ж. мед.* poultice [ˈpou-], fomentation [fou-]; класть ~у (*дт.*) poultice (*d.*), foment (*d.*).

припасáть, припасти (*вн.*) lay* in store (*d.*), lay* up (*d.*); (*об ответе, остроте и т. п.*) prepare (*d.*), provide (*d.*).

припасти *сов. см.* припасáть.

припáсть *сов. см.* припадáть 1.

припáсы *мн.* stores, supplies; съестные ~ provisions, victuals [ˈvɪtlz], comestibles; боевые ~ ammunition *sg.*

припаять(ся) *сов. см.* припáивать(ся).

припéв *м.* refrain, burden. **~áть** *разг.* hum, troll.

припевáючи *нареч. разг.*: жить ≅ live in clover [lɪv...].

припёк I *м.* (*увеличение в весе хлеба после выпечки*) surplus (*excess in weight of baked loaf over that of the flour used*).

припёк II *м. разг.* (*сильно пригреваемое место*) heat of the sun; на ~е in the full glare of the sun, in blazing sunshine.

припёка *ж. разг.*: сбоку ~ *погов.* ≅ out of place; (*о человеке*) odd man* out.
припека́||**ть** *разг.* be hot; со́лнце ~ет the sun is rather hot [...'ɑː...].
припере́ть *сов. см.* припира́ть.
припеча́тать I, II *сов. см.* припеча́тывать I, II.
припеча́тывать I, припеча́тать (*вн.*) *разг.* (*ставить печать* (*d.*), affix / attách a seal (to); (*сургучом*) apply séaling-wàx [...-wæks] (to).
припеча́тывать II, припеча́тать (*вн.*; *дополнительно*) print in addition (*d.*).
припира́ть, припере́ть (*вн.*) *разг.* (*прижимать*) press (*d.*); (*закрывать*) shut* (*d.*); ~ чем-л. дверь put* smth. héavy agáinst the door [...'hevɪ...dɔː]; ◊ припере́ть кого́-л. к стене́ drive* smb. into a córner, bring* smb. to bay, put* smb. in a spot.
приписа́ть(ся) *сов. см.* припи́сывать(-ся).
припи́ск||**а** *ж.* 1. addition; (*в письме*) póstscript ['poʊssk-] (*сокр.* P. S.); ~ к завеща́нию *юр.* códicil; 2. (*зачисление*) règistrátion; порт ~и *мор.* port of règistrátion; 3. *об. мн.* (*ложные показатели выполнения плана*) úpward distórtion (of resúlts achíeved) [...-'zɔː- -iːv].
припи́сывание *с.* ascríption.
припи́сывать, приписа́ть 1. (*вн.*; *прибавлять к письму и т. п.*) add (*d.*); 2. (*вн.*; *причислять куда-л.*) attách (*d.*), régister (*d.*); 3. (*вн. дт.*; *считать принадлежащим кому-л.*) ascríbe (*d.* to), áttribùte (*d.* to); (*относить за счёт чего-л.*) put* down (*d.* to); (*о чём-л. дурном*) impúte (*d.* to); ~ся, приписа́ться 1. (к) get* régistered (to); 2. *страд. к* припи́сывать.
припла́т||**а** *ж.* éxtra páyment. ~**и́ть** *сов. см.* припла́чивать.
припла́чивать, приплати́ть (*вн.*) pay* éxtra (*d.*).
приплести́ *сов. см.* приплета́ть.
приплести́сь *сов. разг.* come* drágging onesélf alóng.
приплета́ть, приплести́ (*вн.*) *разг.* (*впу́тывать*) ímplicàte (*d.*), drag in (*d.*).
припло́д *м. тк. ед.* lítter, óffspring; дава́ть ~ breed*.
приплыва́ть, приплы́ть swim* up, come* swímming; (*о корабле и т. п.*) sail up; ~ к бе́регу reach the shore.
приплы́ть *сов. см.* приплыва́ть.
приплю́снутый fláttened, flat; ~ нос flat nose.
приплю́снуть *сов. см.* приплю́щивать.
приплюсова́ть *сов. см.* плюсова́ть и приплюсо́вывать.
приплюсо́вывать, приплюсова́ть (*вн.*) add (*d.*).
приплю́щивать, приплю́снуть (*вн.*) flátten (*d.*).
припля́сыва||**ть** dance, hop, trip. ~**ющий** *~ющая похо́дка* dáncing gait.
приподнима́ть, приподня́ть (*вн.*) raise (a little, slightly) (*d.*), lift (a little, slíghtly) (*d.*). ~**ся**, приподня́ться 1. raise onesélf (a little); (*в кресле, кровати*) sit* up; ~ся на ло́кте raise onesélf on one's élbow; ~ся на цы́почках stand* on típtoe, или come* up, on one's toes; 2. *страд. к* приподнима́ть.

приподня́т||**ость** *ж.* elátion, ànimátion. ~**ый** 1. *прич. см.* приподнима́ть; 2. *прил.* élevàted, elàted; ~ый стиль élevàted style; ~ое настрое́ние elàted mood; быть в ~ом настрое́нии be elàted.
приподня́ть(ся) *сов. см.* приподнима́ть(ся).
припо́й *м. тех.* sólder ['sɔ-]; (*твёрдый*) braze.
приполза́ть, приползти́ creep* up, crawl up; come* créeping / cráwling.
приползти́ *сов. см.* приполза́ть.
припомин||**а́ть**, припо́мнить (*вн.*) re- mémber (*d.*), rècolléct (*d.*), recáll (*d.*); наско́лько я ~а́ю as far as I remém- ber; я не ~а́ю э́того сло́ва I don't remémber / rècolléct this word; припо́мнил! now I remémber it!; сму́тно ~ have a házy rècolléction (of).
припо́мн||**ить** *сов.* 1. *см.* припомина́ть; 2. (*вн. дт.*) *разг.* get* éven (with *d.*); он вам э́то ~ит! he will pay you back for it (some day)!, he will get his own back on you for it! [...oun...].
припра́в||**а** *ж.* séasoning [-z-], rélish, cóndiment, flávouring; с ~ой (*из*) séasoned (with) [-z-...]; без ~ы únsea- soned [-zənd].
припра́вить I, II *сов. см.* приправ- ля́ть I, II.
припра́вка *ж. полигр.* máking réady [...'redɪ].
приправля́ть I, припра́вить (*вн. тв.*; *о еде*) séason [-z-] (*d.* with), dress (*d.* with), flávour (*d.* with); (*пряностями*) spice (*d.* with) (*тж. перен.*).
приправля́ть II, припра́вить (*вн.*) *по- лигр.* make* réady [...'redɪ] (*d.*).
припры́гивать *разг.* hop, skip.
припря́тать *сов. см.* припря́тывать.
припря́тывать, припря́тать (*вн.*) *разг.* 1. (*прятать*) hide* (*d.*), secréte (*d.*); 2. (*приберегать*) lay* up (*d.*), store up (*d.*), put* by (*d.*).
припу́гивать, припугну́ть (*вн. тв.*) *разг.* intímidàte (*d.* with), scare (*d.* with).
припугну́ть *сов. см.* припу́гивать.
припу́дривать, припу́дрить (*вн.*) 1. pówder (*d.*); 2. *тех.* dust (*d.*). ~**ся**, припу́дриться 1. pówder onesélf; 2. *страд. к* припу́дривать.
припу́дрить(ся) *сов. см.* припу́дри- вать(ся).
при́пуск *м. тех.* allówance, márgin.
припуска́ть I, припусти́ть (*вн.*; *при шитье*) let* out (*d.*).
припуска́ть II, припусти́ть *разг.* (*бе- жать быстрее*) mend / quícken one's pace; (*усиливаться — о дожде*) come* down hárder.
припуска́ть III, припусти́ть (*вн.* к; *случать*) couple [kʌ-] (*d.* with).
припуска́ться, припусти́ться *разг.* mend / quícken one's pace.
припусти́ть I, II, III *сов. см.* припу- ска́ть I, II, III.
припусти́ться *сов. см.* припуска́ться.
припу́т||**ать** *сов. см.* припу́тывать. ~**ывать**, припу́тать (*вн.* к) ímplicàte (*d.* in).
припуха́ть, припу́хнуть swell* up (a little).
припу́х||**лость** *ж.* (slight) swélling; ìntuméscence *научн.* ~**лый** (slíghtly) swóllen [-ou-]; tùméscent *научн.* ~**нуть** *сов. см.* припуха́ть.
прираба́тыв||**ать**, прирабо́тать (*вн., рд.*) earn éxtra [əːn...] (*d.*); он ~ает 10, 20 *и т. д.* рубле́й he earns ten, twénty, *etc.*, roubles éxtra [...ruː-...].
прирабо́тать *сов. см.* прираба́тывать.
при́работок *м.* addítional / éxtra éarn- ings [...-ˈəːn-] *pl.*; большо́й ~ large ad- dítion to one's éarnings.
прира́внивать, приравня́ть (*вн.* к) equáte (*d.* with), put* / place on the same fóoting [...ˈfut-] (*d.* as); give* / confér the same státus (*i.* as). ~**ся**, приравня́ться 1. (к) be équal (to); 2. *страд. к* прира́внивать.
приравня́ть(ся) *сов. см.* прира́вни- вать(ся).
прираст||**а́ть**, прирасти́ 1. (к) adhére (to), grow* fast [-ou-] (to); ~ к ме́сту *разг.* (*о человеке*) becóme* róoted to the spot / ground; 2. (*увеличивать- ся*) incréase [-s], be on the íncrease [...-s]; (*о капитале тж.*) accrúe. ~**сти́** *сов. см.* прираста́ть. ~**ще́ние** *с.* 1. íncrease [-s], íncrement; 2. *лингв.* áug- ment.
приревнова́||**ть** *сов.* (*вн.*) be jéalous [...'dʒel-] (of); он ~л её к своему́ дру́гу he was jéalous of her ínterest in his friend [...fre-].
прире́зать I, II *сов. см.* прире́за́ть I, II.
прире́зать I, прире́зать (*вн.*) *разг.* 1. (*о животном*) kill (*d.*); 2. (*о челове- ке*) cut* the throat (of).
прире́за́ть II, прире́зать (*вн.*; *прибав- лять путём межевания*) add on (*d.*); прире́зать уча́сток земли́ add / tack on a plot of land.
приро́д||**а** *ж.* 1. náture ['neɪ-]; явле́- ния ~ы nátural phenómena; зако́н ~ы law of náture; 2. (*места вне городов*) cóuntryside ['kʌn-]; 3. (*сущность, харак- тер*) náture, cháracter ['kæ-]; ◊ по ~е, от ~ы by náture, náturally; весёлый по ~е náturally chéerful, gay by náture; он лени́в от ~ы he is lazy by náture, he is náturally lázy; э́то в ~е веще́й it is in the náture of things. ~**ный** 1. nátural; ~ная стихи́я the élements *pl.*; ~ные бога́тства nátural resóurces [...-'sɔːs-]; ~ные усло́вия nátural condí- tions; 2. (*принадлежащий по рождению*) born; ~ный ру́сский Rússian by birth [-ʃən...]; 3. (*врождённый*) ínborn, innáte; ~ный недоста́ток congénital deféct; ~ный ум native wit; móther wit ['mʌ- ...] идио́м. *см.* ум.
природове́д *м.* nátural histórian, nát- uralist. ~**ение** *с.* nátural hístory.
прирождённ||**ый** (*о способности, та- ланте*) innáte, ínborn; (*о человеке*) born; ~ая актри́са a born áctress.
приро́ст *м.* íncrease [-s], accrétion; ~ населе́ния íncrease in / of pòpulátion.
прирубе́жный (sítuated) near the frón- tier [...ˈfrʌ-]; bórder (*attr.*); ~ посёлок bórder hámlet [...ˈhæ-].
прируч||**а́ть**, приручи́ть (*вн.*) tame (*d.*) (*тж. перен.*); (*о животных*) domésti- càte (*d.*). ~**е́ние** *с.*: ~е́ние живо́тных

ПРИ—ПРИ

domestication of animals. ~ить *сов. см.* приручать.

приса́живаться, присе́сть sit* down, take* a seat; приса́живайтесь, прися́дьте take a seat.

приса́ливать, присоли́ть (*вн.*) *разг.* salt (*d.*), sprinkle with salt (*d.*), add a pinch of salt (to).

приса́сываться, присоса́ться (к) stick* (to), adhére by súction (to); (*перен.*) fásten [-s°n...] on(:to).

присва́ивать I, присво́ить (*вн.*; *завладевать*) appropriate (*d.*); ~ незаконно misappropriate (*d.*); ~ себе́ честь (*рд.*) assúme the hónour [...'онə] (of); ~ себе́ пра́во assume the right.

присва́ивать II, присво́ить (*вн. дт.*; *наделять чем-л.*) give* (*d. i.*), confer (*d. on*), award (*d. to*); ~ квалификацию give* a qualification (*i.*); ~ звание (*рд.*) give* / confer the rank (of); ему́ присво́или зва́ние майо́ра he was given the rank of major; ему́ присво́или сте́пень до́ктора he has been given the degree of Doctor, a doctorate has been conferred upon him; ~ имя (*рд.*) name (after); Худо́жественному теа́тру присво́ено и́мя Макси́ма Го́рького the Art Théatre was (re:)named after Maxim Gorky [...'θɪə-...].

при́свист *м.* 1. (*свист*) whistle; 2. (*свистящий призвук*) síbilance; говорить с ~ом síbilate.

присви́стнуть [-сн-] *сов.* give* a whistle.

присви́стывать 1. whistle; 2. (*говорить с присвистом*) síbilate.

присвое́ние I *с.* appropriátion; незаконное ~ misappropriátion; ~ прибавочной стоимости the appropriátion of súrplus válue.

присвое́ние II *с.* (*звания и т. п.*) awárding, conférment.

присво́ить I, II *сов. см.* присва́ивать I, II.

приседа́ние *с.* 1. squátting; 2. *уст.* (*реверанс*) cúrts(e)y.

приседа́ть, присе́сть 1. (*на корточки*) squat; (*от страха*) cówer; 2. *уст.* (*делать реверанс*) drop curts(e)ys, cúrts(e)y *сов. тж.* drop a cúrts(e)y.

присе́ст *м.* в один ~, за один ~ *разг.* at one go, at one sitting, at a stretch.

присе́сть *сов.* 1. *см.* приса́живаться; 2. *см.* приседа́ть.

приска́зка *ж. лит.* (story-tèller's) introdúction; flourish ['flʌ-], embéllishment (of *a* story).

прискака́ть *сов.* 1. (*на лошади*) come* gálloping, arríve at a gallop; (*перен.*) *разг.* rush, tear* [tɛə] ~ *тéaring* alóng [...'tɛə-...]; 2. (*на одной ноге*; *тж. о животных*) hop, come* hópping.

приско́рб||ие *с.* sórrow, regrét; с глубоким ~ием with deep regret; к моему́ ~ию to my regret. ~ный sórrowful, regréttable, laméntable, deplórable; ~ный факт, случай deplórable fact, occúrrence.

прискучи́||ть *сов.* (*дт.*) *разг.* wéary (*d.*), bore (*d.*), tire (*d.*); ему́ э́то ~ло he is bored with it, he is tired of it.

присла́ть *сов. см.* присыла́ть.

прислони́ть(ся) *сов. см.* прислоня́ть(-ся).

прислоня́ть, прислони́ть (*вн.* к) lean* (*d.* agáinst), rest (*d.* agáinst). ~ся, прислони́ться 1. (к) lean* (agáinst), rest (agáinst); 2. *страд. к* прислоня́ть.

прислу́||га *ж.* 1. *уст.* (*служанка*) sérvant, máidservant, maid; приходя́щая ~ chár:wòman* [-wu-], help; 2. *собир. уст.* (*слуги*) doméstics *pl.*, hóuse:hòld sérvants [-s-...] *pl.*; 3. *собир. воен.* crew; оруди́йная ~ gun crew. ~живать (*дт.*) *уст.* wait (up:ón), atténd (up:ón). ~живаться, прислужи́ться (к) *уст.* worm one:self into the fávour (of), fawn (up:ón), cringe (before). ~жи́ться *сов. см.* прислу́живаться. ~жник *м. уст.* sérvant; (*перен.*) fáwner, mènial, sérvitor, únderling. ~жничество *с. презр.* subsérvience, servility.

прислу́шаться *сов. см.* прислу́шиваться.

прислу́шиваться, прислу́шаться (к) listen [-s°n] (to), lend* (an) ear (to), lend* one's ear (to); cock an ear (to) *разг.*; внима́тельно ~ к чьим-л. жа́лобам lend* an atténtive ear to smb.'s compláints; ~ к чьему́-л. мне́нию consíder smb.'s opínion [-'sɪ-...]; ~ к го́лосу наро́да heed the voice of the people [...pɪː-].

присма́тривать, присмотре́ть 1. (*за тв.*) look (after), keep* an eye [...aɪ] (on); ~ за ребёнком mind the báby; ~ за рабо́той súpervise / sùperinténd the work; 2. (*вн.*; *подыскивать*) look (for); *сов. тж.* find* (*d.*). ~ся, присмотре́ться (к) 1. look closely / atténtively [...-ous-...] (at); ~ся к кому́-л. size smb. up; take* smb.'s méasure [...'mɛʒə] *идиом.*; 2. (*привыкать*) get* accústomed / used [...juːst] (to).

присмире́ть *сов.* grow* quiet [-ou-...].

присмо́тр *м.* care, tending, lóoking áfter; (*надзор*) sùperinténdence, sùpervísion; под ~ом кого́-л. únder smb.'s care / sùpervísion.

присмотре́ть(ся) *сов. см.* присма́тривать(ся).

присни́ться *сов. см.* сни́ться.

при́сные *мн. скл. как прил. разг.* assóciates; вы и ва́ши ~ you and your gang, you and your mates.

присовокупи́ть *сов. см.* присовокупля́ть.

присовокупля́ть, присовокупи́ть (*вн.*) 1. add (*d.*); say* in addítion (*d.*); 2. (*приобщать*) attach (*d.*); ~ докуме́нты к де́лу file the pápers.

присоедине́ние *с.* 1. (*чего-л.*) addítion; (*кого-л.*) jóining; 2. (*территории*) annexátion; jóining; 3. *эл.* connéction; 4. (*к мнению и т. п.*) adhésion, adhérence [-'hɪə-]. ~и́тельный *грам.* conjúnctive. ~и́ть(ся) *сов. см.* присоединя́ть(ся).

присоединя́ть, присоедини́ть (*вн.*) 1. join (*d.*); (*прибавлять*) add (*d.*); присоедини́ть свой го́лос к го́лосу (*рд.*) join one's voice to that (of); 2. (*о террито́рии*) annex (*d.*); join (*d.*); 3. *эл.* connéct (*d.*). ~я́ться, присоедини́ться 1. (к) join (*d.*); (*в прогулке, поездке*) go* alóng (with); (*солидаризироваться*) assóciàte (òne:self) (with); к ним ~и́лись де́ти the children joined them; ~я́ться к мне́нию кого́-л. subscríbe to smb.'s opínion; ~я́ться к заявле́нию subscríbe / adhére to *a* státement; ~и́ться к чьей-л. про́сьбе join in smb.'s requést; 2. *страд. к* присоединя́ть.

присоли́ть *сов. см.* приса́ливать.

присоса́ться *сов. см.* приса́сываться.

присосе́диться *сов.* (к) *разг.* sit* down (next to).

присо́ска *ж.*, **присо́сок** *м. биол.* súcker.

присо́хнуть *сов. см.* присыха́ть.

приспе́ть *сов.* (*о времени*) come*, be ripe, draw* near.

приспе́шни||к *м.*, ~ца *ж.* mýrmidon.

приспичи́||ть *сов. безл. разг.*: ему́, им *и т. д.* ~ло е́хать за́втра he, they, *etc.*, felt / had an urge, *или* was, were impátient, to go to:mórrow.

приспоса́бливать(ся) = приспособля́ть(ся).

приспосо́бить(ся) *сов. см.* приспособля́ть(ся).

приспособле́нец *м. презр.* time-sèrver.

приспособле́ние *с.* 1. (*действие*) àdaptátion, accòmmodátion; ~ к кли́мату acclìmatizátion [əklaɪmətaɪ-]; 2. (*устройство*) device; (*механическое тж.*) contrívance [-'traɪ-], appliance; gádget *разг.*; регулиро́вочное ~ adjusting device [ə'dʒʌ-...], adjúster [ə'dʒʌ-].

приспособле́нность *ж.* fitness, suìtability [sjuː-].

приспособле́нче||ский *презр.* time-sèrving. ~ство *с. презр.* time-sèrving.

приспособля́емость *ж.* àdaptability, fáculty of accòmmodátion; adjùstability [ədʒʌ-].

приспособля́ть, приспосо́бить (*вн.*) fit (*d.* to), adápt (*d.* to, for), accómmodate (*d.* to), adjúst [ə'dʒʌ-] (*d.* to). ~ся, приспосо́биться 1. (к) adjúst / adápt òne:self [ə'dʒʌ-...] (to), accómmodate òne:self (to); 2. *страд. к* приспособля́ть.

приспуска́ть, приспусти́ть (*вн.*) lówer a little ['louə...] (*d.*), let* down a little (*d.*); ~ флаг lówer *the* flags / cólours to half-mást [...'kл-...'hɑːf-]; *мор.* half-mast *the* cólours; флаги́ бы́ли приспу́щены the flags were at half-mást; приспу́щенные фла́ги flags at half-mást. ~ся, приспусти́ться 1. lówer a little ['louə...]; 2. *страд. к* приспуска́ть.

приспусти́ть(ся) *сов. см.* приспуска́ть(ся).

при́став *м. ист.* police-òfficer [-'liːs-]; суде́бный ~ báiliff; станово́й ~ dístrict sùper:inténdent of police [...-'liːs-].

пристава́ние *с.* (*надоедание*) bóther:ing, pestering.

пристава́ть, приста́ть 1. (к; *прилипать*) stick* (to), adhére (to); 2. (к; *причаливать*) put* in (to); come* alóngsíde (of); приста́ть к берегу (*о лодке*) pull in to the shore [pul...]; 3. (к) *разг.* (*присоединяться к кому-л.*) join (*d.*); ко мне приста́ла чужа́я соба́ка sóme:one's dog attached it:self to me; 4. (к *дт.* с *тв.*) *разг.* (*надоедать*) bóther (*d.* with), péster (*d.* with); bádger (*d.* with), impòrtúne (*d.* with); ~ с сове́тами press advíce (up:ón) 5. *разг.* (*передаваться* — *о боле́знях и т. п.*) be passed on (to).

приста́вить *сов. см.* приставля́ть.
приста́вка *ж. грам.* préfix ['pri:-].
приста́в||ля́ть, приста́вить (*вн.* к) 1. put* (*d.* agáinst), set* (*d.* agáinst, to), lean* (*d.* agáinst, to); 2. *разг.* (*назначать для наблюдения и т. п.*) appóint (*d.*) to look (áfter). **~но́й** ádded, attáched; **~на́я ле́стница** ládder.
приста́вочный *грам.* préfixal ['pri:-].
приста́льн||о *нареч.* fíxedly, inténtly; **~ смотре́ть** (на *вн.*) look fíxedly / inténtly (at); stare (at), gaze (at). **~ость** *ж.* fíxedness. **~ый** fixed, intént; **~ый взгляд** stare, gaze; fixed / intént look; **с ~ым внима́нием** inténtly.
приста́нище *с.* réfuge, háven; (*кров*) shélter; (*убежище*) ásylum.
пристанцио́нный státion (*attr.*).
приста́нь *ж.* lánding-stáge, (lánding) pier [...piə]; dock *амер.*; (*для погрузки и разгрузки*) wharf*; (*перен.*) réfuge.
приста́ть *сов.* 1. *см.* пристава́ть; 2. *безл.* (*дт.*; *чаще с отрицанием*; *приличествовать*) becóme* (*d.*), befít (*d.*); 3. (*дт.*) *уст.* (*быть к лицу*) becóme* (*d.*), suit [sju:t] (*d.*).
пристёгивать, пристегну́ть (*вн.*) 1. fásten [-sⁿn] (*d.*); (*на пуговицу*) bútton up (*d.*); 2. *разг.* (*приплетать*) ímplicàte (*d.*).
пристегну́ть *сов. см.* пристёгивать.
присто́йн||ость *ж.* décency ['di:-], propríety, decórum. **~ый** décent, próper ['prɔ-], décorous, séemly.
пристра́ивать I, пристро́ить (*вн.*) 1.: **~ к зда́нию, до́му** *и т. п.* attách / add, *или* build* on, to a búilding, a house*, *etc.* [...bıld-...'bıl-...-s]; 2. *разг.* (*устраивать*) séttle (*d.*), place (*d.*), fix up (*d.*).
пристра́ивать II, пристро́ить (*вн.*; к стро́ю) join up (with), form up (with).
пристра́иваться I, пристро́иться 1. *разг.* get* a place, be séttled, be fixed up; 2. *страд.* к пристра́ивать I.
пристра́иваться II, пристро́иться (к стро́ю) join up (with), form up (with); *ав.* join, *или* take* up, formátion (with).
пристра́стие *с.* (к) 1. (*склонность*) líking (for), wéakness (for), prédilèction [pri-] (for); 2. (*необъективное отношение*) partiálity (to), bías (towards); **относи́ться с ~м к** treat with partiálity (*d.*), adópt a pártial / préjudiced áttitùde (towards); ◊ **допро́с с ~м** *уст.* intèrrogátion únder tórture.
пристрасти́ть *сов.* (вн. к) make* keen (*d.* on). **~ся** *сов.* (к) take* (to), concéive a líking [-'si:v...] (for).
пристра́стн||о [-сн-] *нареч.* with partiálity, with préjudice; **~ относи́ться к кому́-л.** (*хорошо*) treat smb. with partiálity, adópt a pártial / préjudiced áttitùde towards smb. **~ость** [-сн-] *ж.* partiálity. **~ый** [-сн-] pártial; **быть ~ым** (к) be pártial (to).
пристра́чивать, пристрочи́ть (*вн.* к) sew* [sou] (*d.* to).
пристре́ливать I, пристрели́ть (*вн.* к *убивать*) shoot* (down) (*d.*); (*раненое, больное животное*) destróy (*d.*).
пристре́ливать II, пристреля́ть (*вн.*; *устанавливать правильный прицел*) adjúst [ə'dʒʌ-] (*d.*), zéro (*d.*); **пристреля́ть ору́дие** régister *a* gun on.

пристре́ливаться I *страд.* к пристре́ливать I.
пристре́ливаться II, пристреля́ться 1. *воен.* adjúst fire [ə'dʒʌ-...]; find* the range [...reındʒ] (*гл. обр. по дальности*); **батаре́я пристреля́лась** the báttery found the range; 2. *страд.* к пристре́ливать II.
пристрели́ть *сов. см.* пристре́ливать I.
пристре́л||ка *ж. воен.* adjústment (of fire) [ə'dʒʌ-...], ránging (fire) ['reın-...], fire for adjústment; **вести́ ~ку** find* the range [...rei-]. **~очный** *воен.* ránging ['reın-]; régistering; **~очное ору́дие** ránging gun.
пристре́льный *воен.*: **~ ого́нь** stráddling fire.
пристреля́ть *сов. см.* пристре́ливать II. **~ся** *сов. см.* пристре́ливаться II.
пристро́ить I, II *сов. см.* пристра́ивать I, II.
пристро́иться I, II *сов. см.* пристра́иваться I, II.
пристро́йка *ж.* ánnèx(e); exténsion; (*отдельная*) óut:house* [-s]; (*лёгкая, вроде навеса*) lean-tó.
пристрочи́ть *сов. см.* пристра́чивать.
приструн||ивать, приструни́ть (*вн.*) *разг.* take* in hand (*d.*). **~ить** *сов. см.* приструнивать.
присту́кивать, присту́кнуть (*тв.*) *разг.* tap (*d.*); **~ каблука́ми** tap (with) one's heels, click one's heels.
присту́кнуть I *сов. см.* присту́кивать.
присту́кнуть II *сов.* (*вн.*) *разг.* (*убить*) kill with a blow [...blou] (*d.*), club to death [...deθ] (*d.*).
при́ступ *м.* 1. *воен.* assáult, storm, rush; **брать ~ом** (*вн.*) take* by assáult / storm (*d.*), cárry by assáult (*d.*), storm (*d.*), rush (*d.*); 2. (*припадок*) fit, attáck; (*болезни*) bout (*d.*); (*лёгкий*) touch [tʌtʃ]; **~ бо́ли** pang; paróxysm (of pain); **~ маляри́и** bout of malária; **~ ревмати́зма** twinge of rheumátics; **~ гне́ва** fit of ánger; **~ ка́шля** fit / bout of cóughing [...'kɔf-]; attáck of cóughing; ◊ **к нему́ ~у нет** *разг.* he is inaccéssible / únàppróachable.
приступ||а́ть, приступи́ть (к; *начинать*) set* abóut (*d.*), start (*d.*); (*переходя к другому занятию*) procéed (to); **~ к рабо́те** begín* / start one's work, get* down to work; **~и́ть к де́лу** set* to work; **~ к исполне́нию свои́х обя́занностей** énter upón one's dúties; **~ к исполне́нию обя́занностей** (*рд.*) take* up the dúties (of); **~ к чте́нию** begín* / start réading. **~и́ть** *сов. см.* приступа́ть.
~и́ться *сов.* (к) *разг.* appróach (*d.*), accóst (*d.*); **к нему́ не приступи́шься, нельзя́ ~и́ться = к нему́ ~у нет** *см.* при́ступ.
присту́пок *м. разг.* step.
пристыди́ть *сов.* (*вн.*) shame (*d.*), put* to shame (*d.*), make* ashámed of *smth.* (*d.*).
пристыжённый *прич. и прил.* ashámed.
пристя́жк||а *ж.* 1. = пристяжна́я; 2.: **в ~е** in tráces (outsíde the shafts).
пристяжна́я *ж. скл. как прил.* óutrùnner, tráce-hòrse.
присуди́ть *сов. см.* присужда́ть.
прису||жда́ть, присуди́ть 1. (*вн. к, вн. дт.; о суде*: *приговаривать к чему-л.*) séntence (*d.* to), condémn (*d.* to); **~ к сме́ртной ка́зни** condémn to death [...deθ]; **~ кого́-л. к штра́фу** fine smb., impóse a fine on smb.; 2. (*вн. дт.*; *награждать*) awárd (*d. d.*), adjúdge [ə'dʒʌ-] (*d.* to); (*о степени*) confér (*d.* on); **ему́ ~ди́ли пе́рвую пре́мию** he was awárded the first prize; **ему́ ~ди́ли сте́пень до́ктора** a dóctorate, *или* the degrée of Dóctor, has been conférred upón him. **~жде́ние** *с.* (*о награде, премии*) awárding, adjùdicátion [ədʒu-]; (*о степени*) confèrment.
прису́тственн||ый *уст.*: **~ое ме́сто** óffice, buréau [bjuə'rou]; **~ые часы́** óffice / búsiness hours [...'bız- auəz]; **~ день** wórking-day.
прису́тстви||е *с.* 1. présence [-z-]; **в ~и кого́-л.** in smb.'s présence; **ва́ше ~ необходи́мо** your présence / atténdance is esséntial; **э́то произошло́ в моём ~и** it was done in my présence, *или* in front of me [...frʌnt...]; **э́то бы́ло ска́зано в моём ~и** it was said in my héaring [...sed...], it was said before me; 2. *уст.* (*учреждение*) óffice; ◊ **~ ду́ха** présence of mind.
прису́тств||овать (на *пр.*) be présent [...-ez-] (at); assíst (at); (*на лекции, торжестве и т. п.*) atténd (*d.*); **на приёме ~овало мно́го госте́й** the recéption was atténded by a great númber of guests [...greit...]. **~ующий** 1. *прич. см.* прису́тствовать; 2. *м. как сущ.* présent ['prez-]; **~ующие** those présent; **о ~ующих не говоря́т** *погов.* ≅ présent cómpany (álways) excépted [...'kʌ- 'ɔ:lwəz...].
прису́щ||ий (*дт.*) inhérent (in); **с ~им ему́ ю́мором** with the húmour so characterístic of him [...kæ-...]; **с характерísтическим** húmour; **~ие им осо́бенности** their own distínctive féatures [...ou..n...].
присчита́ть *сов. см.* присчи́тывать.
присчи́тывать, присчита́ть (*вн.*) add on (*d.*).
присыла́ть, присла́ть (*вн.*) send* (*d.*).
присы́лка *ж.* sénding.
присы́пать *сов. см.* присыпа́ть.
присып||а́ть, присы́пать 1. (*вн., рд.*; *дополнительно*) put* (*d.*); pour some more [pɔ:...] (*d.*); **присы́пать (ещё) муки́** add some more flour; 2. (*вн. тв.*; *посыпать*) sprínkle (*d.* with), pówder (*d.* with), dust (*d.* with).
присы́пка *ж.* 1. (*действие*) sprínkling, pówdering, dústing; 2. (*порошок*) pówder.
присыха́ть, присо́хнуть (к) adhére (in drýing) (to), stick* (to), dry (on, to); **присо́хшая грязь** caked mud / dirt.
прися́г||а *ж.* oath*; *воен.* oath* of allégiance; oath* of enlístment *амер.*; **приводи́ть к ~е** (*вн.*) swear* in [sweə...] (*d.*), adminíster the oath (to); **~ой, под ~ой** on oath, únder oath; **дава́ть показа́ния под ~ой** téstifỳ únder oath; **дава́ть ~у** swear*; **принима́ть ~у** take* the oath; **ло́жная ~** pérjury.
прися́г||а́ть, присягну́ть (*дт. в пр.*) swear* [sweə] (to *d.*); (*без доп.*) take* one's oath, swear* an oath; **~ в ве́рности** (*дт.*) swear* allégiance (to).

ПРИ — ПРИ

присягну́ть *сов. см.* присяга́ть.

прися́жн‖**ый 1.** *прил. юр.*: ~ пове́ренный *уст.* bárrister; ~ заседа́тель *уст. см.* 3; **2.** *прил. разг.* (*постоя́нный*) born: ~ расска́зчик born stóry-tèller; **3.** *м. как сущ.* júror, júry⁝man*; суд ~ых júry.

притаи́ться *сов.* lurk, hide*; concéal òne⁝sélf; keep* quíet.

прита́птывать, **притопта́ть 1.** (*вн.*) tread* down [tred...] (*d.*); **2.** *тк. несов. разг.* (*нога́ми, каблука́ми*) tap (with) one's heels, click one's heels.

прита́скивать, **притащи́ть** (*вн.*) *разг.* bring* (*d.*), drag (*d.*), haul (*d.*). ~ся, притащи́ться *разг.* drag òne⁝sélf.

притача́ть *сов. см.* прита́чивать.

прита́чивать, **притача́ть** (*вн. к*) stitch (*d.* to), sew* on [sou...] (*d.* to).

притащи́ть(ся) *сов. см.* прита́скивать(ся).

притво́р *м.* (*в це́ркви*) vestìbùle.

притво́ра *м. и ж. разг.* = притво́рщик, притво́рщица.

притвори́ть *сов. см.* притворя́ть.

притвори́ться I, II *сов. см.* притворя́ться I, II.

притво́рно I *прил. кратк. см.* притво́рный.

притво́рно II *нареч.* afféctedly, hỳpocrítically; ~ скро́мный móck-mòdest [-mɔd-].

притво́р‖**ный** affécted, preténded, féigned [feind], sham; ~ные слёзы féigned tears; ~ное равноду́шие affécted / féigned indífference. ~ство *с.* dissémbling, preténce, sham. ~щик *м.*, ~щица *ж.* preténder, sham; (*обма́нщик*) hýpocrite, dissémbler.

притворя́ть, **притвори́ть** (*вн.*) shut* (*d.*), close (*d.*).

притворя́ться I, **притвори́ться 1.** (*закрыва́ться*) shut*, close; **2.** *страд. к* притворя́ть.

притворя́‖**ться** II, **притвори́ться** (*прики́дываться*) preténd (to be); feign [fein], dissémble, símulàte, sham; ~ больны́м preténd to be ill, feign / sham íllness; ~ спя́щим preténd to be sléeping, sham sleep; ~ глухи́м preténd to be deaf [...def]; ~ мёртвым preténd to be dead [...ded], sham / feign death [...deθ]; play póssum *разг.*; ~ безразли́чным feign indifference; ~ удивлённым feign surprise; не обраща́йте внима́ния, он ~ется take no nótice, he is ónly shámming [...'nou-...].

притека́ть, **прите́чь** flow [flou].

притере́ть *сов. см.* притира́ть 1. ~ся *сов. см.* притира́ться.

притерпе́‖**ться** *сов.* (*к*) *разг.* get* accústomed / used [...ju:st] (to); он ~лся ко всем неудо́бствам he got accústomed / used to all the in⁝convéniences.

притёрт‖**ый**: ~ая про́бка gróund-in stópper.

притесн‖**е́ние** *с.* oppréssion. ~и́тель *м.*, ~и́тельница *ж.* oppréssor. ~и́ть *сов. см.* притесня́ть.

притесн‖**я́ть**, **притесни́ть** (*вн.*) oppréss (*d.*), keep* down (*d.*): ца́рское прави́тельство ~я́ло рабо́чих the tsárist góvernment oppréssed, *или* kept down, the wórkers [...'za:-, 'tsa:- 'gʌ-...].

прите́чь *сов. см.* притека́ть.

притира́ть, **притере́ть** (*вн.*) **1.** *тех.* grind* in (*d.*), lap (*d.*); **2.** *тк. несов.* (*втира́ть*) rub in lightly (*d.*). ~ся, притере́ться **1.** *тех.* get* ground; **2.** (*к*) *разг.* (*приспоса́бливаться*) get* accústomed (to), get* used [...ju:st] (to); **3.** *страд. к* притира́ть.

прити́скивать, **прити́снуть** (*вн. к*) *разг.* squeeze (*d.* against).

прити́снуть *сов. см.* прити́скивать.

притиха́ть, **прити́хнуть** grow* quíet [-ou...], quíet down; hush; (*перен.*) sing* small, pipe down.

прити́хнуть *сов. см.* притиха́ть.

приткну́ть *сов. разг.* stick* (*d.*). ~ся *сов. разг.* perch òne⁝sélf, find* room for òne⁝sélf; ему́, им *и т. д.* не́где ~ся he, they, *etc.*, can't squeeze in ány⁝where [...kɑ:nt...].

прито́к *м.* **1.** *геогр.* tríbutary; **2.** (*поступле́ние в большо́м коли́честве*) ínflow [-ou-], índraught [-drɑ:ft], índràft; ínflux (*тж. перен.*).

прито́лока *ж.* líntel.

прито́м *союз* (and) besídes; ~ он ничего́ не зна́ет (and) besídes he knows nóthing [...nouz...].

притоми́ть *сов.* (*вн.*) *разг.* tire a little (*d.*). ~ся *сов. разг.* get* tired a little.

прито́н *м.* den, haunt, híde-out; háng⁝out *амер.*; воровско́й ~ den of thieves [...θi:-]; иго́рный ~ gámbling-dèn, gámbling-hèll.

прито́пать *сов. см.* прито́пывать.

притопта́ть *сов. см.* прита́птывать 1.

прито́пывать, **прито́пнуть** stamp one's foot* [...fut]; (*каблука́ми*) tap with one's heels.

прито́рачивать, **приторочи́ть** (*вн.*) strap (*d.*).

приторма́живать, **притормози́ть** (*вн., без доп.*) *разг.* apply the brake; ~ на поворо́те apply the brake at the turn of the road, brake on the córner.

притормози́ть *сов. см.* приторма́живать.

прито́рн‖**ость** *ж.* síckly / excéssive swéetness; lúscious⁝ness ['lʌʃəs-] (*тж. перен.*). ~ый síckly sweet, sáccharine; lúscious ['lʌʃəs] (*тж. перен.*); ~ый челове́к méaly-mouthed pérson; ~ая улы́бка súgary smile ['ʃu-...].

приторочи́ть *сов. см.* прито́рачивать.

притра́гиваться, **притро́нуться** (*к*) touch [tʌtʃ] (*d.*).

притро́нуться *сов. см.* притра́гиваться.

притули́ться *сов. разг.* find* room for òne⁝sélf.

притуп‖**и́ть(ся)** *сов. см.* притупля́ть(-ся). ~ле́ние *с.* blúnting; (*перен.*) dúlling, déadening ['ded-].

притупля́ть, **притупи́ть** (*вн.; о ноже́ и т. п.*). blunt (*d.*), dull (*d.*), take* the edge off (*d.*); (*перен.*) déaden ['ded-], dull (*d.*). ~ся, притупи́ться **1.** (*о ноже́ и т. п.*) becóme* blunt / dull; (*перен.*) déaden ['ded-], becóme* dull; **2.** *страд. к* притупля́ть.

притуши́ть *сов.*: ~ костёр damp a fire; ~ фа́ры dip the lights; ~ сигаре́ту stub a cigarétte.

при́тча *ж.* párable ['pæ-]; что за ~? what is the méaning of all that?!, what on earth?! [...'ə:θ]; ◇ ~ во язы́цех ≃ the talk of the town.

притяга́тельн‖**ость** *ж.* attráctive⁝ness. ~ый attráctive, màgnétic; ~ая си́ла màgnétic force.

притя́гивать, **притяну́ть** (*вн.*) **1.** drag (up) (*d.*), pull (up) [pul...] (*d.*); (*о магни́те*) attráct (*d.*); **2.** (*привлека́ть, призыва́ть*) súmmon (*d.*); притяну́ть к отве́ту call to accóunt (*d.*); притяну́ть к суду́ *разг.* sue (*d.*); have up (*d.*); ◇ притя́нутый за́ уши, за́ волосы fár-fétched.

притяжа́тельн‖**ый** *грам.* posséssive [-'ze-]; ~ое местоиме́ние posséssive pró⁝noun.

притяже́ни‖**е** *с.* attráction; земно́е ~ Earth's / terréstrial attráction [ə:θs...]; зако́н земно́го ~я law of grávity.

притяза́‖**ние** *с.* preténsion, claim; име́ть ~ния (на *вн.*) have claims (on). ~тельный preténtious, exácting, éxigent.

притяза́ть (на *вн.*) lay* claim (to).

притяну́ть *сов. см.* притя́гивать.

приуда́рить *сов. см.* приударя́ть.

приударя́ть, **приуда́рить** (за *тв.*) *разг.* run* (áfter), flirt (with).

приукра́сить *сов. см.* приукра́шивать.

приукраша́ть = приукра́шивать.

приукра́шивать, **приукра́сить** (*вн.*) *разг.* décorate (*d.*), adórn (*d.*), préttify ['prɪ-] (*d.*); (*перен.*) embéllish (*d.*), embróider (*d.*); ~ действи́тельность cólour the truth ['kʌl-...tru:θ].

приуме́ньш‖**ать**, **приуме́ньшить** (*вн.*) *разг.* dimínish (*d.*), redúce (*d.*), léssen (*d.*).

приуме́ньшить *сов. см.* приуменьша́ть.

приумнож‖**а́ть**, **приумно́жить** (*вн.*) in⁝créase [-s], áugmènt (*d.*), múltiplỳ (*d.*). ~а́ться, приумно́житься **1.** in⁝créase [-s], múltiplỳ; **2.** *страд. к* приумножа́ть. ~е́ние *с.* ín⁝crease [-s], àugmentátion, mùltiplicátion.

приумно́жить(ся) *сов. см.* приумножа́ть(ся).

приумо́лкнуть *сов. разг.* becóme* / fall* sílent.

приуны́ть *сов.* becóme* mélancholy / glóomy [...-kə-...], be in low spírits [...lou...].

приуро́ч‖**ивать**, **приуро́чить** (*вн. к*) time (*d.* to). ~ить *сов. см.* приуро́чивать.

приуса́дебный adjóining the fárm (-house*) [...-s]; ~ уча́сток (*колхо́зника*) pérsonal plot (belóng⁝ing to colléctive fármer).

приути́хнуть *сов.* quíet(en) down; (*о бу́ре*) abáte; (*о ве́тре*) fall*, drop; (*о разгово́ре*) stop, cease [-s], flag.

приуч‖**а́ть**, **приучи́ть** (*вн. к, вн. + инф.*) train (*d.* to); school (*d.* to); ~ кого́-л. к дисципли́не train smb. to díscipline, ín⁝cùlcate díscipline / órder into smb.; ~ кого́-л. к поря́дку train smb. to be órderly; ~ кого́-л. ра́но встава́ть train smb. to early rísing [...'ə:li...]; ~ себя́ к терпе́нию learn* to be pátient [lə:n...], school òne⁝sélf to pátience. ~а́ться, приучи́ться **1.** (+ *инф.*) accústom òne⁝sélf (to); **2.** *страд. к* приуча́ть.

приучи́ть(ся) *сов. см.* приуча́ть(ся).

прифранти́ться *сов. разг.* dress up; put* on one's best bib and túcker *идиом*.

прифронтов||о́й front [frʌnt] (*attr.*), frónt-line ['frʌnt-] (*attr.*); ~а́я полоса́ frónt-line área [...'ɛərɪə].

прихва́рывать, **прихворну́ть** *разг.* be únwéll / indispósed (off and on).

прихвастну́ть *сов. разг.* boast / brag a little.

прихвати́ть *сов. см.* **прихва́тывать**.
прихва́тывать, **прихвати́ть** (*вн.*) *разг.* 1. catch* up (*d.*), seize up [si:z...] (*d.*); (*брать с собой*) take* (*d.*); (*взаймы*) bórrow (*d.*); 2. (*привязывать*) fásten [-sᵊn] (*d.*); 3. (*повреждать морозом*) touch [tʌtʃ] (*d.*); цветы́ прихвати́ло моро́зом the flówers are touched with frost.

прихворну́ть *сов. см.* **прихва́рывать**.
при́хвостень *м. презр.* háng;er-ón, stooge.

прихлеба́тель *м. разг.* spónger [spʌn-], háng;er-ón. ~ский *прил. к* прихлеба́тель *и* прихлеба́тельство. ~ство *с. разг.* spónging ['spʌn-].

прихлебну́ть *сов.* take* a sip.
прихлёбывать (*вн.*) sip (*d.*).
прихло́пнуть *сов. см.* **прихло́пывать** 1, 2, 4.
прихло́пывать, **прихло́пнуть** 1. (*вн.*) slam (down) (*d.*); 2. (*вн.*; *прищемлять*) pinch (*d.*); прихло́пнуть па́лец две́рью pinch one's finger in the door [...dɔ:]; 3. *тк. несов.* (*без доп.*; *хлопать в аккомпанемент чему-л.*) clap, slap; 4. (*вн.*) *разг.* (*убить*) kill (*d.*).

прихлы́нуть *сов.* (*к*) *разг.* rush (to); sweep* (towards).

прихо́д I *м.* (*прибытие*) cóming, arríval; ádvent; ~ к вла́сти ádvent / accéssion to pówer.

прихо́д II *м.* (*доход*) recéipts [-'si:ts] *pl.*; ~ и расхо́д íncome and expénditure.

прихо́д III *м.* (*церковный*) párish; ◇ каков поп, таков и ~ *погов.* like priest like people [...-i:st...pi:-]; like máster like man*.

приходи́ть, **прийти́** (*в разн. знач.*) come*; (*прибывать*) arríve: ~ пе́рвым, вторы́м *и т. д.* (*на гонках, бегах и т. п.*) come* in first, sécond, *etc.* [...-se-]; ~ в порт come* in to port / dock; ~ к вла́сти come* to pówer; ~ к убежде́нию, заключе́нию come* to *the* con;clúsion, arríve at *a* con;clúsion; ~ к соглаше́нию come* to *an* agréement / únderstànding; come* to terms; ~ к концу́ come* to an end; — прийти́ в отча́яние give* way, *или* give* òne;sélf up, to despáir; ~ в восто́рг (от) go* into ráptures (óver), be enráptured / delíghted (with), be enthúsiàstic [...-zɪ-] (óver, about); ~ в у́жас be hórrified; ~ в негодова́ние becóme* indígnant; ~ в упа́док fall* into decáy; ~ в весёлое настрое́ние becóme* gay / mérry; ~ в плохо́е настрое́ние gèt* into a bad* mood; ~ в го́лову, ~ на ум кому́-л. occúr to smb., strike* smb.; come* into smb.'s mind; ему́ пришло́ в го́лову, что it occúrred to him that, it came into his mind that, it crossed his mind

that; ~ в себя́, ~ в чу́вство (*после обморока*) come* to òne;sélf, come* to one's sénses, regáin cónscious;ness, *или* one's sénses [...-nʃəs-...]; come* round / to *разг.*; ~ в но́рму settle into shape; ~ в изумле́ние be surprísed / amázed; ну вот мы и пришли́ well, here we are.

приходи́ться, **прийти́сь** 1. (*по дт.*; *соответствовать*) fit (*d.*); ша́пка пришла́сь ему́, ей *и т. д.* по голове́ the hat fitted his, her, *etc.*, head quite well [...hed...]; прийти́сь кому́-л. по вку́су be to smb.'s taste [...-teɪ-], suit smb.'s taste [sju:t...]; кни́га пришла́сь ему́ по вку́су he found the book to his liking, the book was just what he wánted. 2. (*на вн.*; *совпадать*) fall* (on); выходно́й день прихо́дится на 7 ма́я the day off falls on the 7th of May; 3. *безл.*: ему́ пришло́сь (+ *инф.*) he had (+ *to inf.*); ему́ пришло́сь уе́хать he had to leave; ему́ прихо́дится (+ *инф.*) he has (+ *to inf.*); ему́ придётся подожда́ть he'll have to wait; прихо́дится пожале́ть об э́том it is to be regrétted. 4. (*иметь случай, возможность*): ему́ не раз приходи́лось наблюда́ть восхо́д со́лнца he has óften watched the súnrise [...'ɔ:f(t)ʰn...]; 5. *безл. разг.* (*причитаться*): с него́ прихо́дится пять рубле́й he must pay five roubles [...ru:-]; на ка́ждого (из нас, из них) прихо́дится по рублю́ we shall, they will, get one rouble each; 6. *тк. несов.* (*дт.*) (*являться, доводиться*) be reláted (to); он прихо́дится мне отцо́м, дя́дей *и т. п.* he is my fáther, úncle, *etc.* [...'fɑ:-...]; он мне прихо́дится двою́родным бра́том he is a first cóusin of mine [...'kʌz-...]; он прихо́дится ей ро́дственником he is reláted to her; ◇ не прихо́дится сомнева́ться в том, что there can be no doubt that [...daut...]; ему́ ту́го прихо́дится he is hard pressed; he is having a rough / hard time [...rʌf...].

прихо́дн||ый *прил. к* **прихо́д** II; ~ая кни́га recéipt-book [-'si:t-]; ~ о́рдер crédit-òrder.

прихо́довать (*вн.*) *бух.* débit (*d.*).
прихо́до-расхо́дн||ый crédit and débit (*attr.*); ~ая кни́га accóunt-book, lédger.
прихо́дск||ий paróchial [-'rouk-]; párish (*attr.*); ~ свяще́нник párish priest [...pri:st], párson, vícar ['vɪ-]; ~ая це́рковь párish church.

приходя́щ||ий 1. *прич. см.* **приходи́ть**; 2. *прил.* nón-résident [-zɪ-]; ~ больно́й óut-pàtient; ~ая домрабо́тница chár;wòman* [-wu-], home help.

прихожа́н||ин *м.*, ~ка *ж. церк.* paríshioner.

прихо́жая *ж. скл. как прил.* (éntrance) hall, ánteroom, ántechàmber [-eɪm-].

прихора́шиваться *разг.* smárten òne;sélf up, preen òne;sélf, doll òne;sélf up.

прихотли́в||ость *ж.* whimsicálity [-zɪ-], capríciousness; (*разборчивость*) fastídious;ness. ~ый 1. whímsical [-zɪ-], caprícious; (*разборчивый*) fastídious; 2. (*затейливый*) fánciful, íntricate.

при́хоть *ж.* whim, caprice [-'ri:s], whímsy [-zɪ], fáncy.

прихра́мывать limp, hóbble.

ПРИ—ПРИ   **П**

прицве́тник *м. бот.* bract.
прице́л *м.* sight; (*у стрелкового оружия*) báck;sight; rear sight *амер.*; (*у орудия*) gún-sight; ~ для бомбомета́ния bómb-sight; оптический ~ telescópic sight; взять на ~ (*вн.*; *прице́литься*) take* aim / sight (at); aim (at), point (at) (*тж. перен.*).

прице́ливаться, **прице́литься** take* aim / sight.
прице́литься *сов. см.* **прице́ливаться**.
прице́льн||ый áiming, sighting; aimed (rear) sight (*attr.*), báck;sight (*attr.*); ~ ого́нь aimed fire; ~ые приспособле́ния sighting device *sg.*; sights.

прице́ниваться, **прицени́ться** (*к*) *разг.* ask the price (of).
прицени́ться *сов. см.* **прице́ниваться** *и* **прицени́ться**.
приценя́ться, **прицени́ться** = **прице́ниваться**.

прице́п *м.* tráiler; однооо́сный, двухо́сный ~ síngle-àxle, dóuble-àxle tráiler [...'dʌbl-...]; тра́ктор с ~ом tráctor with a tráiler.

прицепи́ть(ся) *сов. см.* **прицепля́ть(ся)**.
прице́пка *ж.* 1. hítching, hóoking; 2. *разг.* (*придирка*) (pétty) objéction.

прицепля́ть, **прицепи́ть** (*вн.*; *к*) 1. hitch (*d.* to), hook (*d.* to); (*о вагонах*) cóuple [kʌ-] (*d.* to); (*о локомотиве*) tie on (*d.* to), make* fast (*d.* to); 2. *разг.* (*о брошке, банте и т. п.*) pin (*d.* on to), fásten [-sᵊn] (*d.* to), tack (*d.* to), tag (*d.* on to). ~ся, прицепи́ться 1. (*к*) stick (to), cling* (to); (*перен.*) *разг.* (*приставать*) péster (*d.*); (*придираться*) nag (at), cávil (at); 2. *страд. к* прицепля́ть.

прицепно́й: ~ ваго́н tráiler; ~ инвента́рь *с.-х.* tráctor-dràwn ímplements *pl.*

прице́пщ||ик *м.*, ~ица *ж.* tráiler hand.
прича́л *м.* 1. (*действие*) móoring, fástening [-sᵊnɪŋ]; 2. (*канат*) móoring line; 3. (*место*) móorage [-rɪdʒ]; у ~ов (*о судне*) at her / its móorings.

прича́л||ивать, **прича́лить** 1. (*к*) moor (to); 2. (*вн.*) moor (*d.*). ~ить *сов. см.* прича́ливать.

прича́льн||ый móoring (*attr.*); ~ кана́т móoring line; ~ая ма́чта *ав.* móoring mast; ~ая ли́ния bérthing line.

прича́стие I *с. грам.* párticiple; ~ настоя́щего вре́мени présent párticiple ['prez-...]; ~ проше́дшего вре́мени past párticiple.

прича́стие II *с. рел.* the Éucharist ['ju:k-], commúnion.

причасти́ть(ся) *сов. см.* **причаща́ть(ся)**.
прича́стность *ж.* participátion.
прича́стн||ый I (*к*) partícipàting (in), concérned (in, with, abóut); (*к преступлению*) invólved (in); prívy ['prɪ-] (to); быть ~ым (*к*) partícipàte (in); (*к преступлению*) be invólved (in); be prívy (to), be an accéssary (to).

прича́стный II *грам.* participial: ~ оборо́т participial constrúction.

причащ||а́ть, **причасти́ть** (*вн.*) *рел.* give* / admínister commúnion (to). ~а́ться, причасти́ться *рел.* recéive commú-

495

ПРИ — ПРО

nion [-ˈsiːv...], make* one's commúnion. ~**éние** с. *рел.* recéiving commúnion [-iːv-...], máking one's commúnion.

причём *союз об. не переводится; следующая личная форма глагола передаётся через pres. part.*: имéется два сосýда, ~ кáждый из них содéржит два лúтра there are two véssels, each hólding two litres [...ˈliː-]; ~ извéстно, что it béːing known that [...noun...].

причеса́ть(ся) *сов. см.* причёсывать(ся).

причёска ж. (*мужская*) háircùt; (*женская*) coiffure (*фр.*) [kwaːˈfjuə]; hair style; háir-dò *разг.*; емý нрáвится её ~ he likes the way she does her hair.

причёсывать, причеса́ть (*кого-л.*) do smb.'s hair; (*щёткой*) brush smb.'s hair; (*гребёнкой*) comb smb.'s hair [koum...]. ~**ся**, причеса́ться do one's hair, comb one's hair [koum...]; (*у парикмахера*) have one's hair done, have a háir-dò.

причётник м. *церк.* júnior déacon.

причи́н‖**а** ж. cause (*основание*) réason [-zn]; (*побуждение*) mótive: ~ и слéдствие cause and effect; по той или инóй ~е for some réason or other; по той простóй ~е, что for the simple réason that; ~ явля́ться ~ой чего-л. be at the bóttom of smth.; по ~е (*рд.*) becáuse [-ˈkɔz] (of), ówing [ˈou-] (to), on accóunt (of), by réason (of); по какóй ~е вы э́то сдéлали? for what réason, *или* why, have you done this?; безо вся́кой ~ы without the slightest cause; не без ~ы not without réason; уважи́тельная ~ good réason, good / pláusible excúse [...-z- -s]; нет никакóй ~ы, почемý бы вам не there is no réason why you should not.

причинда́лы *мн. разг.* belóng‖ings; goods and cháttels [gudz...].

причини́ть *сов. см.* причиня́ть.

причи́нн‖**ость** ж. causálity [-ˈzæ-]. ~**ый** cáusal [-z-], cáusative [-zə-]; ~**ая связь** cáusal reláˈtionːship; *филос.* causáˈtion [-ˈzeɪ-].

причиня́ть, причини́ть (*вн.*) cause (*d.*), occáˈsion (*d.*); ~ вред (*дт.*) harm (*d.*), do harm (to), ínjure (*d.*); ~ беспокóйство (*дт.*) trouble [trʌ-] (*d.*), give* trouble (*i.*); (*доставлять неудобство*) put* to inˈconvénience (*d.*); ~ боль (*дт.*) pain (*d.*), hurt* (*d.*); ~ огорчéние (*дт.*) give* pain (to); ~ незначи́тельный урóн (*дт.*) do little dámage (to), cause (but) slight dámage (to).

причислéние с. (*рд.*) к) 1. réckoning (*d.* among, in); 2. (*назначение*) attáchːing (*d.* to).

причи́слить *сов. см.* причисля́ть.

причисля́ть, причи́слить (*вн.* к) 1. *разг.* (*прибавлять*) add on (*d.* to); 2. (*относить к числу кого-л.*) réckon (*d.* among, in), númber (*d.* among), rank (*d.* among, with); 3. (*назначать*) attách (*d.* to).

причи́тани‖**е** с. (*ritual*) lamentáˈtion; похорóнные ~я keen, kéening.

причита́ть (по *дт.*) lamént (for, óver), bewáil (*d.*), keen (óver).

причита́‖**ться** be due; за рабóту емý ~ется сто рублéй a / one húndred roubles are due to him for his work [...ruː-...], he is due to get a / one húndred roubles for his work; с вас ~ется три рубля́ you have three roubles to pay, three roubles are due from you.

причита́ющ‖**ийся** (*дт.*) due (to); получи́ть всё ~ееся recéive one's full due [-ˈsiːv...].

причмóк‖**ивать**, причмóкнуть smack one's lips. ~**нуть** *сов. см.* причмóкивать.

причт м. *собир. церк.* the clérgy of a párish.

причýд‖**а** ж. whim, whímsy [-zɪ], freak, caprícе [-ˈriːs], fáncy; (*странность*) óddity, vágary [ˈveɪ-]; с ~ами full of whims / freaks. ~**ливость** ж. fáncifulness; whimsicálity [-zɪ-]; (*странность*) quáintness, óddity, quéerness. ~**ливый** whímsical [-zɪ-]; (*фантастический*) fàntástic(al) [-zɪ-]; (*странный*) quaint, odd, queer.

причýдн‖**ик** м., ~**ица** ж. *разг.* crank, odd / queer pérson.

пришвартова́ть(ся) *сов.* 1. *см.* пришвартóвывать(ся); 2. как *сов.* к швартова́ть(ся).

пришвартóвывать, пришвартова́ть (*вн.* к) *мор., ав.* moor (*d.* to), make* fast (*d.* to). ~**ся**, пришвартова́ться 1. (к) tie up (at), moor (to); 2. *страд. к* пришвартóвывать.

пришéлец м. néwcòmer [-ˈkʌ-], strángːer [-eɪn-].

пришепётывать *разг.* lisp slightly.

пришéстви‖**е** с. ádvent; до вторóго ~я *разг.* ≅ till dóomsday [...-z-].

пришиби́ть *сов.* (*вн.*) *разг.* strike* dead [...ded] (*d.*); (*перен.: повергнуть в угнетённое состояние*) dispíˈrit (*d.*), depréss (*d.*).

пришúбленный *прич. и прил. разг.* crestfáll‖en, dejéctːed; ~ вид dejéctːed look.

пришив‖**а́ть**, приши́ть 1. (*вн.* к) sew* [sou] (*d.* on, *d.* to); пришúть пýговицу sew* on *a* bútton; пришúть пýговицу к пальтó sew* *a* bútton on *a* coat; 2. (*вн.* к; *приколачивать*) nail on (*d.* to); 3. (*вн.* дт.; *ложно обвинять в чём-л.*) pin (an àccusáˈtion, *etc.*) on [...-ˈzeɪ-...] (*d.*). ~**нóй** sewed on [soud...], sewn on [soun...].

приши́ть *сов. см.* пришива́ть.

пришкóльный school (*attr.*); ~ óпытный учáсток school èxperimèntal plot.

пришлый álien, strange [-eɪndʒ], newly come / arrived.

пришпи́л‖**ивать**, пришпи́лить (*вн.*) pin (*d.*). ~**ить** *сов. см.* пришпи́ливать.

пришпóр‖**ивать**, пришпóрить (*вн.*) spur (*d.*); put* / set* spurs (to). ~**ить** *сов. см.* пришпóривать.

прищёлкивать, прищёлкнуть: ~ пáльцами snap one's fingers; ~ кнутóм crack one's whip; ~ языкóм click one's tongue [...tʌŋ].

прищёлкнуть *сов. см.* прищёлкивать.

прищеми́ть *сов. см.* прищемля́ть.

прищем‖**ля́ть**, прищеми́ть (*вн.*) pinch (*d.*); ~и́ть себе́ пáлец pinch / squeeze one's finger; ~и́ть пáлец двéрью pinch / shut* / squeeze / trap one's finger in the door [...doː].

прищепи́ть *сов. см.* прищепля́ть.

прищéпка ж. clóthes-pèg [-ouðz-].

прищепля́ть, прищепи́ть (*вн.*) *бот.* graft (*d.*).

прищýр м. *разг.*: глазá с ~ом scréwed-ùp eyes [...aɪz].

прищýривать, прищýрить: ~ глазá = прищýриваться. ~**ся**, прищýриться screw up one's eyes [...aɪz].

прищýрить(ся) *сов. см.* прищýривать(-ся).

прищýч‖**ивать**, прищýчить (*вн.*) *разг.* take* to task (*d.*), rap óver the knuckles (*d.*).

прищýчить *сов. см.* прищýчивать.

приют м. 1. shélter, réfuge; найти́ ~ take* / find* shélter / réfuge; take* / find* asýlum; 2. *уст.* asýlum; дéтский ~ órphanage, órphan-asýlum.

приюти́ть *сов.* (*вн.*) shélter (*d.*), give* réfuge (*i.*). ~**ся** *сов.* take* shélter.

прия́знь ж. *уст.* friéndliness [ˈfrend-], góodwill.

прия́тель м. friend [frend]; pal; búddy *амер.* ~**ница** ж. (lády-)friend [-frend], (girl-)friend [ˈgəːlfrend]. ~**ский** friéndly [ˈfrend-], ámicable.

прия́тно I 1. *прил. кратк. см.* прия́тный; 2. *предик. безл.* it is pléasant [...ˈplez-], it is nice; емý э́то ~ he enjóys it; емý э́то дéлать he enjóys doing it; емý бýдет ~ э́то сдéлать he will be glad to do it.

прия́тн‖**о** II *нареч.* pléasantly [ˈplez-]; agréeably [əˈgrɪə-]. ~**ый** nice, pléasant [ˈplez-], pléasing, agréeable [əˈgrɪə-]; wélcome; ~**ий на вид** níce-lóoking, pléasant to look at, grátifying to the eye [...aɪ]; ~**ый на вкус** pálatable; ~**ая нóвость** wélcome news [...-z]; ~**ой нарýжности** of pléasing appéarance; ~**ый человéк** pléasant pérson.

про *предл.* (*вн.*) 1. (*относительно*) abóut: он говори́л емý про э́ту кни́гу he has spóken to him abóut this book; он слы́шал про э́то he has heard abóut it [...həːd...]; 2. *разг.* (*для*) for: э́то не про вас this is not for you; ◊ про себя́ to óneːself; он подýмал про себя́ he thought to himːself; читáть про себя́ read* to óneːself, read* sílentːly.

про- *глагольная приставка, употребляется в разных значениях*: 1. (*при обозначении затраченного времени*) передаётся глаголом spend* (+ *pres. part. соотв. глагола*); *напр.* прозанимáться, просидéть *и т. п.* два, три часá, два дня *и т. п.* spend* two, three hours, two days, *etc.*, léarning, sítting, *etc.* [...auz...ˈləː-n-...]; 2. (*с глаголами, обозначающими звучание*) образýет фóрмы, имéющие значéние совершéнного вúда; *напр.* прокричáть, пропéть *и т. п.* cry, sing*, *etc.*; (*ср.* кричáть, петь *и т. п.*).

проанализи́ровать *сов. см.* анализи́ровать.

прóб‖**а** ж. 1. (*действие*) tríal, test; (*репетиция*) trý-òut; (*испытания металла*) assáy; ~ голосóв test of vóices, voice test; ~ сил tríal / test of strength; на ~у on tríal; ~ перá (*перен.*) first steps in líterature *pl.*; test of the pen; 2. (*часть материала, взятая для анализа*) sample; взять ~у take* *a* sample; 3. (*относительное содержание благорóдного металла*) stándard; зóлото 56-óй

~ы 14-cárat gold [-ˈkæ-...]; золото 96-ой ~ы pure gold, 24-cárat gold; 4. (клеймо на благородных металлах) hállmárk.

пробавля́ться (тв.) разг. subsíst (on), rub alóng (with); make* do (with).

проба́лтываться, проболта́ться разг. blab (out); blurt out a sécret; let* the cat out of the bag идиом.

проба́сить сов. (вн.) speak* / útter in a bass / déep voice [...beıs...] (d.).

пробе́г м. run; лы́жный ~ skí-rùn [ski:-, ˈʃi:-], ski race [ski:, ʃi:...]; ~ при поса́дке ав. lánding run.

пробе́гать сов. 1. run* abóut (for a cértain time) — весь день по го́роду spend* the whole day rúnning round the town [...houl...]; 2. (вн.) разг. (пропустить) miss with all one's rúnning abóut (d.).

пробе́|га́ть, пробежа́ть 1. (без указания места или объекта) pass (rúnning), run* by; (мимо) run* by / past; (через) run* through; (по) run* alóng; он ~жа́л па́льцами по клавиату́ре he ran his fíngers óver the kéyboard [...ˈki:-]; 2. (вн.; о расстоянии) run* (d.), cóver [ˈkʌ-] (d.); 3. (вн.; бегло прочитывать) run* / look through (d.), skim (d.), scan (d.); дрожь ~жа́ла у него́ по те́лу he shivered víolently [...ˈʃi-...], тень ~жа́ла по его́ лицу́ a shádow passed óver his face [...ˈʃæ-...].

пробежа́ть сов. см. пробега́ть.

пробежа́ться сов. run*; take* a run; ~ по доро́жке run* alóng a path*.

пробе́жка ж. спорт. run.

пробе́л м. 1. (оставленное место) blank, gap; (в рукописи) omíssion; заполнить ~ы fill up the gaps / blanks; 2. (недостаток) flaw, defíciency; ~ в образова́нии gap in one's éducation; воспо́лнить ~ make* up for a defíciency; meet* a lack; fill a want; bridge the gap разг.

пробива́ть, проби́ть (вн.) make* / punch a hole (in); (о пуле и т.п.) pierce [pɪəs] (d.), go* (through); (пробойником, компостером) punch (d.); (стену) breach (d.); (шину) púncture (d.); ~ путь, доро́гу (прям. и перен.) ópen the way; ~ себе́ доро́гу (к) force / carve one's way (to). ~ся, проби́ться 1. fight / force / make* one's way through; break* / win* / strike* through [-eɪk...]; лучи́ пробива́ются сквозь тума́н rays struggle through the fog; ~ся сквозь толпу́ break* / force / fight* / élbow one's way through a crowd; с трудо́м ~ся struggle through; проби́ться из окруже́ния break* out, cut* one's way back / out; 2. (о растениях) shoot*, show* [ʃou], push up [puʃ...]; трава́ начина́ет ~ся the grass begins to shoot; 3. страд. к пробива́ть.

проби́вка ж. hóling, píercing [ˈpɪə-]; (пробойником, компостером) púnching.

пробивн||о́й 1. píercing [ˈpɪəs-]; ~а́я си́ла (снаря́да, раке́ты) pènetrátion; 2. разг. (энергичный, настойчивый) gó-ahead [-əhed], gó-gètting; он ~ па́рень he is a gó-ahead chap.

пробира́|ть, пробра́ть (вн.) разг. 1. (бранить) scold (d.), rate (d.), réprimànd [-ɑ:nd] (d.); 2. (пронимать, прохватывать): хо́лод ~л его́ the cold struck through him; моро́з ~л его́ до косте́й he was chilled to the márrow / bone; его́ ~ет страх he is sháken with fear; его́ ниче́м не проберёшь there's no way of gétting at him; he cánnot be got at.

пробира́ться, пробра́ться make* one's way, thread / pick one's way [θred...]; (работая локтями) élbow one's way; (тайком) steal* (through, past); с трудо́м ~ вперёд struggle fórward; ~ о́щупью feel* / grope one's way; ~ густы́м куста́рником work one's way through the thick búshes [...ˈbu-]; ~ на цы́почках tiptóe one's way.

проби́рка ж. tést-tùbe.

проби́р||ный: ~ное клеймо́ hállmárk, mark of assáy; ~ ка́мень tóuchstone [ˈtʌtʃ-]; ~ная пала́та assáy óffice; ~ ма́стер = пробирщик. **~щик** м. assáyer, assáy-màster.

проби́ть I сов. см. пробива́ть.

проби́ть II сов. см. бить II.

проби́ться I сов. см. пробива́ться.

проби́ться II сов. (над; промучиться над чем-л.) struggle (with).

про́бк||а ж. 1. (материал) cork; 2. (для бутылок и т.п.) cork; (стеклянная) stópper; (деревянная, металлическая) plug; (притёртая) gróund-ìn stópper; 3. разг. (затор) tráffic jam, hóld-ùp; tráffic congéstion [...-stʃən]; 4. эл. fuse, cút-out; он глуп как ~ he is a blóckhead [...-hed], he is daft as a brush. **~овый** cork (attr.); súbereous, súberic научн.; ~овый по́яс córk-jàcket, lífe-bèlt; ◇ ~овый дуб córk-oak.

пробле́м||а ж. próblem [ˈprɔ-]; ~а́тика ж. próblems [ˈprɔ-] pl. **~ати́ческий** pròblemátic(al). **~ати́чность** ж. pròblemátical cháracter [...ˈkæ-]. **~ати́чный** = проблемати́ческий.

про́блеск м. flash; (перен. тж.) gleam, ray; ~и созна́ния signs of cónsciousness [sainz...-nʃəs-]; ~ наде́жды ray / gleam of hope.

проблужда́||ть сов. wánder, rove, roam; он ~л два часа́ he wándered / roved / roamed for two hours [...auəz]; он ~л по́ лесу всю ночь he wándered / roved / roamed in the fórest the whole night [...ˈho-...houl...].

про́бн||ый 1. tríal (attr.), test (attr.); ~ уро́к test lésson; ~ полёт test flight; ~ раство́р èxperiméntal solútion; ~ экземпля́р spécimen cópy [...ˈkɔ-]; 2. (с клеймом пробы) hállmárked; ~ое зо́лото hállmárked gold; ◇ ~ ка́мень tóuchstone [ˈtʌtʃ-]; ~ шар ballon d'essai (фр.) [bɑːˈlɔ:ŋdeˈseɪ].

про́бова||ть, попро́бовать 1. (+ инф.; пытаться) atte'mpt (+ to inf.), try (+ to inf.); endéavour [-ˈdevə] (+ to inf.); он ~л сде́лать э́то he attémpted / tried to do it; 2. (вн.; испытывать) test (d.); 3. (вн.) (на вкус) taste [teɪ-] (d.), (на о́щупь) feel* (d.).

прободе́ние с. мед. pèrforátion.

пробо́ина ж. hole, gap; (от пули) búllet-hòle [ˈbul-]; (от снаряда) shót-hòle.

пробо́й м. (для замка́) hóldfàst; clamp, hasp.

пробо́йник м. тех. punch.

проболе́ть сов. be ill (for a cértain time).

проболта́ть сов. 1. waste time chátter- ing [weɪst...], play for time by tálking; 2. (вн.; выдать) blab (out) (d.).

проболта́ться I сов. см. проба́лтываться.

проболта́ться II сов. разг. (провести́ како́е-л. вре́мя без де́ла) idle, loaf.

пробо́р м. párting; прямо́й ~ párting in the middle; он но́сит во́лосы на прямо́й, косо́й ~ his hair is párted in the middle, at one side; де́лать (себе́) ~ part one's hair.

пробормота́ть сов. см. бормота́ть.

про́бочник м. разг. córkscrew.

пробра́ть сов. см. пробира́ть.

пробра́ться сов. см. пробира́ться.

проброди́||ть сов. wánder (áimlessly); они́ ~ли два часа́ they wándered for two hours [...auəz].

проброса́ться сов. (тв.) разг. lose* through inatténtion, poor or cáreːless tréatment [luːz...] (d.).

пробубни́ть сов. см. бубни́ть.

пробуди́ть(ся) сов. см. пробужда́ть (-ся).

пробужд||а́ть, пробуди́ть (вн.) wake* up (d.), aːwáke* (d.), (a)wáken (d.), (a)róuse (d.) (тж. перен.). **~а́ться**, пробуди́ться wake* up, aːwáke* (тж. перен.). **~е́ние** с. aːwákenːing, wáking up.

пробура́вить сов. см. пробура́вливать.

пробура́вливать, пробура́вить (вн.) bore (d.), pérforate (d.), drill (d.).

пробурча́ть сов. см. бурча́ть 1.

пробы́ть сов. stay, remáin; он про́был там три дня he stayed / remáined there three days.

прова́л м. 1. (падение) dównfàll; театр. (под сцену) trap; 2. (яма) gap; 3. (неудача) failure; (о спектакле тж.) flop; обречён на ~ doomed to fail; ◇ у него́ по́лный ~ па́мяти his mémory is a compléte blank.

прова́л||ивать, провали́ть (вн.) разг.: ~и́ть на экза́мене fail in the èxaminátion (d.); ~и́ть предложе́ние turn down a suggéstion [...-ˈdʒest∫-]; ~и́ть де́ло rúin things, make* a mess of things, mess things up; ~и́ть роль rúin one's part; ~и́ть законопрое́кт и т.п. kill a bill, etc.; ◇ ~ива́й! off / aːwáy with you!, make yourːsélf scarce! [...skɛəs]. **~ива́ться**, провали́ться 1. fall* through, come* down, collápse; потоло́к ~и́лся the céiling has come down [...ˈsiːl-...]; мост ~и́лся the bridge collápsed; 2. (терпеть неудачу) fail, míscarry; (на экзамене) fail; be ploughed, be plucked разг.; по́лностью ~и́ться be a compléte failure, fall* flat; ~и́ться с тре́ском разг. turn out a compléte fiásco; 3. разг. (исчезать) disappéar, vánish; ◇ как сквозь зе́млю ~и́лся vánished into thin air; он гото́в был сквозь зе́млю ~и́ться he wished the earth could swállow him up [...ːθ...]; ~и́сь мне на э́том ме́сте, если ≃ I'll be shot / damned if. **~и́ть(ся)** сов. см. прова́ливать(ся).

ПРО — ПРО

провансаль *м. кул.*: капуста ~ sáuerkraut with sálad-oil ['sauərkraut...'sæ-]; сóус ~ mayonnáise dréssing.

провáнск||ий: ~ое мáсло ólive oil [ˈɔ-...], sálad-oil [ˈsæ-].

провáривать, проварúть (*вн.*) boil thóroughly [...ˈθʌrə-] (*d.*).

проварúть *сов. см.* провáривать.

провéдать *сов. см.* провéдывать.

проведéние *с.* 1. (*дорог*) constrúction, búilding [ˈbɪl-]; (*прокладка труб, кабеля*) láying; 2. (*электричества, канализации в помещении*) installátion; 3. (*осуществление*) cárrying out, realizátion [rɪəlaɪ-]; ~ в жизнь чего-л. putting smth. into effect; 4. (*законопроекта*) cárrying, adóption.

провéдывать, провéдать 1. (*вн.; навещать*) come* to see (*d.*), call on (*d.*); 2. (*вн., о пр.; узнавать*) find* out (*d.*), learn* [lə:n] (*d.*, of, abóut).

провезтú *сов. см.* провозúть I.

провéивать, провéять (*вн.*) wínnow (*d.*).

провентилú||ровать *сов. см.* вентилúровать.

провéренный 1. *прич. см.* проверять; 2. *прил.* proved [pru:vd], of proved worth.

провéр||ить *сов. см.* проверять. ~ка *ж.* verificátion; (*контроль*) check-úp, contról [-oul]; (*испытание*) examinátion; ~ка знáний examinátion; ~ка исполнéния control of work done, work chéck-úp; chécking on perfórmance; fóllow-úp *амер.*; ~ка счетóв áudit; ~ка налúчия (*товаров, инвентаря*) stóck-táking; ~ка паспортóв examinátion of pássports; ~ка бóя (*оружия*) chécking the zéro (*of a weapon*).

провернýть *сов. см.* провёртывать.

провéрочн||ый verifýing, chécking; ~ая рабóта test work / páper.

провертéть *сов. см.* провёртывать 1.

провёртывать, провернýть, провертéть (*вн.*) 1. bore (*d.*), pérforate (*d.*); pierce [pɪəs] (*d.*); 2. *при сов.* провернýть *разг.* (*быстро делать*) cárry through (*d.*), rush through (*d.*).

провéрщ||ик *м.* ~ица *ж.* chécker, inspéctor.

проверять, провéрить (*вн.*) vérify (*d.*), check (*d.*); (*на практике*) test (*d.*); (*экзаменовать*) exámine (*d.*); áudit (*d.*); ~ билéты exámine tíckets; ~ часы set* the clock to the correct time; ~ свои силы try one's strength; ~ фамúлии по спúску check óver the names with a list; ~ тетрáди corréct éxercise-bóoks; чью-л. рабóту check up on smb.'s work.

провéс I *м.* (*недостаток в весе*) short weight.

провéс II *м.* (*провисшее место*) sag, dip.

провестú *сов. см.* проводúть II 1, 2, 3, 4, 5, 6, 7, 8, 10.

провéтривать, провéтрить (*вн.*) air (*d.*); (*о помещении тж.*) véntilate (*d.*). ~ся, провéтриться 1. take* / have an áiring; be refréshed; (*перен.*) have a change of scene [...tʃeɪ-...]; 2. *страд. к* провéтривать.

провéтрить(ся) *сов. см.* провéтривать(ся).

провéять *сов. см.* провéивать.

провиáнт *м. тк. ед.* provísions *pl.*, víctuals [ˈvɪtlz] *pl.*; снабжáть ~ом (*вн.*) provísion (*d.*), víctual [ˈvɪtl] (*d.*). ~ский provísion (*attr.*); ~ские запáсы víctuals [ˈvɪtlz], provísions.

провúдени||е *с.* fóresight, fóreknowledge [-ˈnɔ-]; дар ~я gift of fóresight [gɪ-...], prophétic gift.

провидéние *с. рел.* Próvidence.

провúдеть (*вн.*) fóresée* (*d.*).

провúдец *м. уст.* seer, próphet.

провизиóнный *уст.* provísion (*attr.*).

провúзи||я *ж. тк. ед. уст.* provísions *pl.*, víctuals [ˈvɪtlz] *pl.*; fóodstuffs *pl.*; снабжáть ~ей (*вн.*) provísion (*d.*), víctual [ˈvɪtl] (*d.*), cáter (for).

провúзор *м.* pharmacéutical chémist [...ˈke-].

провизóрный provísory [-ˈvaɪz-]; (*временный тж.*) témporary.

провинú||ться *сов.* (*в пр.*) commít an offénce (in), be guílty (of); (*без доп.*) be at fault; ~ пéред кем-л. do smb. wrong, wrong smb.; в чём он ~лся? what is he guílty of?, what has he done?, what has he done wrong?

провúнность *ж. разг.* fault; offénce.

провинциáл *м.* provínсial. ~úзм *м.* provincialism. ~ка *ж.* provinсial.

провинциáльн||ость *ж.* provinciálity. ~ый provínсial.

провúнци||я *ж.* 1. (*область, административная единица в некоторых государствах*) próvince; 2. (*местность вдалеке от крупных центров*) the próvinces *pl.*; жить в глухой ~и live in the depths of the cóuntry [lɪv...ˈkʌ-].

провирáться, проврáться *разг.* give* onesélf awáy, slip up (*in lying*).

провисáть, провúснуть *тех.* sag; бáлки провúсли the beams have sagged.

провúснуть *сов. см.* провисáть.

прóвод *м.* wire, lead, condúctor; воздýшный ~ áerial condúctor [ˈɛə-...]; телефóнный ~ téléphone wire; прямóй ~ diréct-line (téléphone); гóлый ~ bare condúctor / wire. ~úмость *ж. физ.* condúctivity; condúctance; магнúтная ~úмость permeabílity [-mɪə-], pérmeance [-mɪəns]; удéльная ~úмость specífic condúctivity.

проводúть I *сов. см.* провожáть.

проводúть II, **провестú** 1. (*вн.; сопровождать*) take* (*d.*), lead* (*d.*); провестú когó-л. чéрез лес take* / lead* smb. through the fórest [...ˈfɔ-...]; ~ судá pílot ships; 2. (*вн.; прокладывать*) build* [bɪld] (*d.*); ~ желéзную дорóгу build* a ráilway; ~ электрúчество instáll eléctrical equípment; ~ водопровóд lay on wáter (supply) [...ˈwɔ:-...]; ~ электрúчество, вóду в дом have the house* put on to the mains electrícity, to the wáter mains [...haus...]; 3. (*вн.; осуществлять*) condúct (*d.*); cárry out (*d.*); ~ урок condúct a lésson; ~ óпыты cárry out tests; ~ кампáнию condúct, или cárry on, a campáign [...eɪn]; ~ полúтику pursúe / fóllow a pólicy; ~ полúтику мúра pursúe a pólicy of peace; ~ рефóрмы, преобразовáния и т. п. cárry out refórms, etc.; ~ бесéду give* a talk, hold* a discússion; ~ конферéнцию hold* a cónference; ~ собрáние hold* a méeting; (*председательствовать*) presíde óver a méeting; ~ в жизнь put* into práctice / effect (*d.*); (*о постановлении, директиве и т. п.*) ímplement (*d.*); ~ мысль, идéю advánce an idéa [...aɪˈdɪə]; 4. (*тв. по дт.*) run* (*d.* óver), pass (*d.* óver): ~ рукой по волосáм run* / pass one's hand óver one's hair; 5. (*вн.; о времени*) spend* (*d.*), pass (*d.*); чтóбы провестú врéмя to pass awáy the time; как вы провелú врéмя? did you have a good time?, what sort of time did you have?; 6. (*вн.; о проекте и т. п.*) pass (*d.*); 7. (*вн.*) *бух.* book (*d.*); ~ по кнúгам book (*d.*); 8. (*вн.; о линии и т. п.*) draw* (*d.*); ~ чертý draw* a line; ~ границу draw* a bóundary-line; 9. *тк. несов.* (*вн.*) *физ.* (*быть проводником*) condúct (*d.*); 10. (*вн.*) *разг.* (*обманывать*) cheat (*d.*), trick (*d.*), take* in (*d.*), dupe (*d.*); вы меня не проведёте you can't fool me [...kɑ:nt...].

проводка *ж.* 1. (*действие*) condúcting; (*судов*) stéering; (*электричества*) installátion; (*железной дороги*) búilding [ˈbɪl-], constrúction; (*водопровода*) láying on, convéying; 2. (*провода*) wires *pl.*, wíring.

проводнúк I *м.* 1. (*сопровождающий*) guide; condúctor; 2. (*в поезде*) condúctor; guard.

проводнúк II *м. физ.* condúctor; (*перен.*) béarer [ˈbɛə-], chámpion; он был ~óм нóвых идéй he chámpioned new idéas [...aɪˈdɪəz].

проводнúца *ж. к* проводнúк I.

прóвод||ы *мн.* sée||ing-óff *sg.*, sénd-off *sg.*; в их ~ах учáствовали все рóдственники they were seen off by all their rélatives.

провожáтый *м. скл. как прил.* guide, éscort.

провожáть, проводúть (*вн.*) accómpany [əˈkʌ-] (*d.*); (*об отъезжающем*) see* off (*d.*); ~ до угла see* as far as the córner (*d.*); ~ когó-л. домой see* smb. home, ~ когó-л. до дверéй see* smb. to the door [...dɔ:], go* with smb. to the door; ~ на пóезд see* off (on the train) (*d.*); ~ глазáми fóllow with one's eyes [...aɪz]; ~ покóйника atténd a fúneral.

провóз *м.* tránsport, convéyance, cárriage [-rɪdʒ]; плáта за ~ пять рублéй (the páyment for) cárrage (runs to) five roubles [...ru:-].

провозве||стúть *сов. см.* провозвещáть. ~стúть, провозвестúть (*вн.*) *уст.* procláim (*d.*), próphesy [-sɪ] (*d.*).

провозгла||сúть *сов. см.* провозглашáть. ~шáть, провозгласúть (*вн.*) procláim (*d.*); провозгласúть принципы enúnciàte prínciples; ~шáть лóзунг advánce a slógan; ~шáть тост (*за вн.*) propóse a toast (to); propóse smb.'s health [...helθ].

провозглашéние *с.* proclamátion; declarátion; ~ незавúсимости declarátion of índepéndence; ~ тóста (*за вн.*) propósing the toast (to), propósing smb.'s health [...helθ].

провози́ть I, провезти́ (вн.) tránspórt (d.), convéy (d.); ~ контраба́ндой smúggle (d.).

провози́ть II сов. (вн.; *некоторое время*) cárry around (d.) (*for a certain time*).

провози́ться I сов. разг. (*некоторое время*) spend* (some time); (*без толку*) waste (some time) [weɪst...]; fool aróund.

провози́ться II страд. к провози́ть I.

провозн||о́й: ~а́я пла́та fare; (*по водным путям*) freight.

провозоспосо́бность ж. cárrying capácity.

провока́тор м. 1. (agent) provocateur (*фр.*) [aːˈʒɑːŋ prɔvɔkəˈtəː]; stóol-pigeon [-pɪdʒɪn] разг.; 2. (*подстрекатель*) instigátor, provóker. ~ский прил. к провока́тор.

провокацио́нный provócative.

провока́ция ж. provocátion.

про́волока ж. wire; колю́чая ~ barbed wire.

проволо́чка ж. fine wire, short wire.

проволо́чка ж. разг. deláy, procràstinátion.

про́волочн||ый wire (*attr.*); ~ое загражде́ние wire entánglement.

прово́рн||ость ж. = прово́рство. ~ый 1. (*быстрый*) quick, prompt, swift; expeditious; 2. (*ловкий*) ágile, adróit, déxterous, nímble.

проворова́ться сов. см. проворо́вываться.

проворо́вываться, проворова́ться разг. be caught embézzling / stéaling.

проворо́нить сов. разг. = прозева́ть I.

прово́рство с. (*быстрота*) quíckness, prómptness, swíftness; 2. (*ловкость*) agílity, dextérity.

проворча́ть сов. (вн.) mútter (d.), grúmble (d.).

провоци́ровать несов. и сов. (сов. тж. спровоци́ровать; вн.) provóke (d.).

провра́ться сов. см. провира́ться.

провя́лить(ся) сов. см. вя́лить(ся).

прога́дать сов. см. прога́дывать.

прога́дывать, прогада́ть разг. miscálculáte; я прогада́л I'm the lóser [...ˈluːzə].

прога́лина ж. разг. 1. glade; 2. (*промежуток*) gap.

проги́б м. тех. cáving in, ságging, fléxure [-kʃə].

прогиба́ться, прогну́ться cave in, sag.

прогла́дить I сов. см. прогла́живать.

прогла́дить II сов. (*некоторое время*) íron (for a while) [ˈaɪən...].

прогла́живать, прогла́дить (вн.) íron [ˈaɪən] (d.).

прогла́тыв||ать, проглоти́ть (вн.) swállow (d.) (*тж. перен.*); (*жадно*) gulp down (d.); (*с трудом*) choke down (d.); проглоти́ть оби́ду, оскорбле́ние swállow / pócket an ínsult; говори́ть, ~ая слова́ swállow one's words; ◊ как, бу́дто, сло́вно арши́н проглоти́л разг. ≅ as stiff as a póker; проглоти́ть язы́к lose* one's tongue [lʌz...tʌŋ]; проглоти́ть кни́гу devóur a book; язы́к прогло́тишь (*о чём-л. очень вкусном*) it makes your mouth* wáter [...ˈwɔː-].

проглоти́ть сов. см. прогла́тывать.

прогляде́ть I сов. см. прогля́дывать 1.

прогляде́ть II сов. (вн.; *не заметить ошибки и т.п.*) overlóok (d.).

прогля́||дывать, прогляде́ть, прогляну́ть 1. *при сов.* прогляде́ть (вн.; *просматривать книгу и т.п.*) look through (d.); (*бегло прочитывать*) skim (d.); 2. *при сов.* прогляну́ть (*показываться*) be percéptible; peep out; со́лнце ~ну́ло the sun peeped out, the sun appéared; луна́ ~ну́ла из-за туч the moon showed / peeped out from behind the clouds [...ʃaʊd...]; в его́ слова́х ~дывала иро́ния there was a touch of írony in his words [...tʌtʃ...ˈaɪərə-...]; ◊ все глаза́ прогляде́ть wear* one's eyes out [wɛə... aɪz...]. ~ну́ть сов. см. прогля́дывать 2.

прогна́ть сов. см. прогоня́ть I.

прогне́ва||ть сов. (вн.) уст. ánger (d.), incénse (d.). ~ся сов. (на вн.) уст. becóme* ángry (with); не прогне́вайтесь don't be ángry.

прогневи́ть сов. см. гневи́ть.

прогнива́ть, прогни́ть rot through.

прогни́ть сов. см. прогнива́ть.

прогно́з м. prògnósis (*pl.* -sès [-siːz]), fórecàst; ~ пого́ды wéather fórecast [ˈweðə...].

прогнози́ров||ание с. predíction, prognòsticátion, fórecàsting. нау́чное ~ scientífic prognòsticátion. ~ать несов. и сов. (вн.) fórecàst (d.).

прогну́ться сов. см. прогиба́ться.

прогова́риваться, проговори́ться let* out a sécret; blab (out) разг.; let* the cat out of the bag *идиом*.

проговори́ть сов. 1. (вн.; *сказать*) say* (d.); (*произнести*) pronóunce (d.), útter (d.); ~ сквозь зу́бы mútter (d.); 2. (*провести время в разговоре*) speak*, talk; он проговори́л два часа́ he spoke / talked for two hours [...aʊəz]. ~ся сов. см. прогова́риваться.

проголода́ть сов. húnger, starve. ~ся сов. feel* / get* / grow* húngry [...graʊ...]; feel* péckish разг.

проголосова́ть сов. (вн.) vote (d.).

прого́н м. 1. арх. (*лестничная клетка*) well, wéll-shaft (for a stáircàse) [...-keɪs]; 2. стр. (*опорная балка*) púrlin; (*моста*) róad-bearer [-bɛə-], baulk.

прого́н м. театр. rún-through.

прого́н||ный ист.: ~ые де́ньги allówance for trávelling expénses, trável (-ling) allówance sg.

прого́ны мн. ист. (*плата за проезд*) trávelling állowance sg.

прогоня́ть I, прогна́ть (вн.) drive* awáy (d.) (*тж. перен.*); send* awáy (d.); (*с работы*) dismíss (d.); fire (d.), sack (d.) разг.; (*выпроваживать*) send* about his búsiness [...ˈbɪzn-] (d.); ве́тер прогна́л ту́чи the wind drove / blew awáy the clouds [...wɪ-...]; прогна́ть ску́ку drive* awáy bóredom; ~ кого́-л. с глаз доло́й bánish smb. from one's sight; прогна́ть кого́-л. взаше́й разг. turn smb. out neck and crop; прогна́ть кого́-л. сквозь строй ист. make* smb. run the gáuntlet.

прогоня́ть II сов. (вн.) разг. (*в течение определённого времени*) drive* for a time, *или* áimlessly (d.).

прогора́ть, прогоре́ть 1. (*о дровах и т.п.*) burn* down; 2. (*портиться от огня*) burn* through; 3. разг. (*разоряться*) go* bánkrupt, be rúined.

прогоре́ть I сов. см. прогора́ть.

прогоре́ть II сов. (*в течение определённого времени*) burn*.

прого́рк||лость ж. ránkness, ràncídity. ~лый rank, ráncid. ~нуть сов. см. го́ркнуть.

прогости́ть сов. stay; ~ неде́лю stay for a week.

програ́мм||а ж. (*в разн. знач.*) prógram (-me) [ˈproʊ-]; ~ Коммунисти́ческой па́ртии Сове́тского Сою́за Prógramme of the Cómmunist Párty of the Sóviet Únion; ~ для вычисли́тельной маши́ны compúter prógram(me); уче́бная ~ sýllabus; ~ по исто́рии history sýllabus; ~ ска́чек ráce-càrd; ~ спорти́вных состяза́ний fíxture list; fíxtures *pl.*; театра́льная ~ théatre prógramme [ˈθɪə-...]; plýbill *амер.*; передава́ть по ра́дио по пе́рвой, второ́й ~е bróadcàst on the first, sécond prógram (-me) [ˈbrɔːd-...ˈseː-...].

программи́ров||ание с. prógràmming [ˈproʊ-]. ~ать, запрограмми́ровать (вн.) prógràm (*d.*) [ˈproʊ-].

программи́ст м. prógràmmer [ˈproʊ-].

програ́ммн||ый prógram(me) [ˈproʊ-] (*attr.*); ~ое управле́ние prógrammed / compúter contról [...-oʊl]; ~ая му́зыка prógram(me) músic [...-zɪk].

прогре́в м. wárming up.

прогрева́ть, прогре́ть (вн.) warm thóroughly [...ˈθʌlə-] (d.), heat (d.); (*о моторе, машине*) warm up (d.). ~ся, прогре́ться 1. get* warmed thóroughly [...ˈθʌlə-]; (*о моторе, машине*) warm up; 2. страд. к прогрева́ть.

прогреме́ть сов. thúnder.

прогре́сс м. prógrèss; социа́льный ~ sócial prógrèss.

прогресси́вка ж. разг. páyment on slíding scale (for complétion of work in excess of plan).

прогресси́вн||ость ж. progréssiveness. ~ый (*в разн. знач.*) progréssive; (*о писателях, учёных и т.п. тж.*) prógrèss-mínded; ~ое челове́чество progréssive mankínd / humánity; ~ый подохо́дный нало́г progréssive íncome tax; ~ый парали́ч *мед.* progréssive parálysis (*pl.* -sès [-siːz]).

прогресси́ровать progréss, make* prógrèss; (*о болезни*) grow* progréssively worse [-oʊ-...].

прогре́ссия ж. мат. progréssion; арифмети́ческая ~ àrithmétical progréssion; геометри́ческая ~ geométrical progréssion.

прогре́ть(ся) сов. см. прогрева́ть(ся).

прогромыха́ть сов. см. громыха́ть.

прогрохота́ть сов. см. грохота́ть.

прогрыза́ть, прогры́зть (вн.) gnaw through (d.). ~ся, прогры́зться gnaw through.

прогры́зть(ся) сов. см. прогрыза́ть(ся).

прогуде́ть сов. buzz; (*о гудке*) hoot.

прогу́л м. trúancy, ábsence (from work); àbsentéeism; у него́ в э́том ме́сяце бы́ло два ~а he failed to re-

ПРО — ПРО

pórt at his work twice this month (without good réason) [...mл-...-z-].

прогу́ливать I, прогуля́ть 1. (*не работать*) be ábsent from work (without good réason) [...-z°n]; 2. (*вн.*; *пропускать*) miss (*d.*); ~ уро́ки play trúant, shirk school; прогуля́ть обе́д miss one's dínner.

прогу́ливать II (*вн.*; *водить шагом*) walk (*d.*); ~ ло́шадь walk *a* horse.

прогу́л‖иваться, прогуля́ться 1. (*совершать прогулку*) take* a walk / stroll / promenáde [-ˈnɑːd]; пойти́ ~я́ться go* for a walk / stroll; 2. *тк. несов.* (*расхаживать не спеша*) stroll, sáunter (*без цели*) ramble. ~ка *ж.* walk, áiring; (*увеселительная*) óuting; (*непродолжительная*) stroll, sáunter; (*в экипаже, автомобиле*) drive; (*верхом*) ride; (*в лодке*) row [rou]; (*под парусами*) sail; ~ка для моцио́на constitútional; ~ка на лы́жах ski trip / jaunt [skiː, ʃiː...].

прогу́льщ‖ик *м.*, ~ица *ж.* shírker, àbsentée, trúant.

прогуля́ть I *сов. см.* прогу́ливать I.

прогуля́ть II *сов.* (*гулять некоторое время*) walk; stroll abóut; ~ до ве́чера walk, *или* stroll abóut, till the évening [...ˈiːv-]; ~ весь день spend* / pass the whole day in wálking, *или* in strólling abóut [...houl...].

прогуля́ться *сов. см.* прогу́ливаться 1.

продава́‖ть, прода́ть (*вн.*) sell* (*d.*); (*перен.*: *предавать*) sell* out (*d.*); ~ о́птом sell* whóle‖sàle [...ˈhoul-]; ~ в ро́зницу sell* by réːtail (*d.*); ~ с торго́в sell* by áuction (*d.*); put* up for sale (*d.*); ~ в креди́т sell* on crédit, *или* on trust (*d.*); ~ за нали́чный расчёт sell* for cash (*d.*); ~ себе́ в убы́ток sell* at a loss (*d.*); ~ за гроши́ sell* dirt cheap (*d.*); ~ за пе́сню sell* for a song (*d.*) *идиом.* ~ся, прода́ться 1. be on / for sale; дёшево ~ся sell*, *или* be sold, at a low price [...lou...]; кни́га хорошо́ продаётся the book sells well*, the book is a good séller; дом продаётся the house* is (up) for sale [...-s...]; 2. (*о человеке*) sell* òne‖sélf; 3. *страд. к* продава́ть.

продаве́ц *м.* séller; véndor; (*в магазине*) sáles‖man*, shop assístant.

продави́ть *сов.* (*вн.*) crush / break* through [...-eɪk...] (*d.*); squeeze / press through (*d.*).

продавщи́ца *ж.* séller; (*в магазине*) sáles‖wòman* [-wu-], shop-assistant, shop-girl [-gəːl].

прода́ж‖а *ж.* sale, sélling; ~ биле́тов (*на самолёт и т. п.*) bóoking; опто́вая ~ whóle‖sàle [ˈhoul-]; ~ в ро́зницу réːtail(-sàle) (-); ~ с торго́в públic sale [ˈpʌ-...], áuction sale; идти́ в ~у be óffered for sale, be put on the márket, be put up for sale; поступи́ть в ~у be on sale, be in the márket; нет в ~е is not on sale; (*о книге*) is out of print.

прода́жн‖ость *ж.* mércenariness, vènálity [viː-]; ~ый 1. *прил. к* прода́жа; *тж.* sélling; ~ая цена́ sale price; 2. (*предназначенный для продажи*) to be sold, for sale; 3. (*подкупный*) corrúpt, mércenary, vénal; ~ая душа́ mércenary / vénal créature.

прода́лбливать, продолби́ть (*вн.*) make* a hole (in), chísel through [ˈtʃɪz-...] (*d.*).

прода́ть(ся) *сов. см.* продава́ть(ся).

продви‖га́ть, продви́нуть (*вн.*) move, *или* push, on / fórward / fúrther [muːv puʃ... -ðə] (*d.*); (*перен.*) promóte (*d.*), fúrther, advánce (*d.*); ~ на се́вер, на юг (*о с.-х. культурах*) exténd to the north, to the south (*d.*). ~га́ться, продви́нуться 1. advánce (*тж. перен.*); move, *или* push, fórward / on / fúrther [muːv puʃ...-ðə]; (*настойчиво сквозь снег и т. п.*) forge ahéad [...əˈhed]; ~га́ться вперёд advánce; *воен.* gain / make* ground, make* héadway [...ˈhed-]; с боя́ми ~га́ться вперёд fight one's way fórward; ~га́ться скачка́ми prógress in fits and starts; 2. *страд. к* продвига́ть. ~же́ние *с.* 1. (*в разн. знач.*) advánce‖ment; 2. *воен.* prógress, advánce.

продви́нуть(ся) *сов. см.* продвига́ть(-ся).

продева́ть, проде́ть (*вн.*) pass (*d.*), put* / run* through (*d.*); ~ ни́тку в иго́лку thread *a* needle [θred...].

продежу́рить *сов.* be on dúty (for some time); ~ су́тки be on dúty for twénty-four hours [...-fɔːr auəz].

продезинфици́ровать *сов.* (*вн.*) disinféct (*d.*).

продеклами́ровать *сов. см.* деклами́ровать.

проде́лать I, II *сов. см.* проде́лывать I, II.

проде́лка *ж.* trick; (*шаловливая*) prank; (*дерзкая*) escapáde; моше́нническая ~ swindle, piece of tríckery [piːs...], fraud; dírty trick *разг.*

проде́л‖ывать I, проде́лать (*вн.*; *выполнять*) do (*d.*), perfórm (*d.*); ~ана больша́я рабо́та much work has been done.

проде́лывать II, проде́лать (*вн.*; *делать отверстие*) make* (*d.*); ~ прохо́ды в загражде́ниях *и т. п.*) make* gaps.

продемонстри́ровать *сов.* (*вн.*) show* [ʃou] (*d.*), displáy (*d.*), démonstràte (*d.*); ~ своё иску́сство show* / displáy one's skill.

продёргать *сов. см.* продёргивать II.

продёргивать I, продёрнуть (*вн.*) 1. (*нитку и т. п.*) pass (*d.*), run* (*d.*); 2. *разг.* (*в газете и т. п.*) críticize (*d.*), give* a good dréssing-down (*i.*).

продёргивать II, продёргать (*вн.*) *с.-х.* thin (out) (*d.*), weed out (*d.*).

продержа́ть *сов.* (*вн.*; *некоторое время*) hold* / keep* (for a cértain time) (*d.*). ~ся *сов.* (*не сдаться*) hold* out, stand*.

продёрнуть *сов. см.* продёргивать I.

проде́ть *сов. см.* продева́ть.

продефили́ровать *сов. см.* дефили́ровать.

продешеви́ть *сов.* (*вн.*) *разг.* sell* too cheap (*d.*), make* a bad bárgain (of).

продикто́ват́ь *сов. см.* диктова́ть.

продира́ть, продра́ть (*вн.*) *разг.* hole (*d.*), tear* holes [tɛə...] (in) (*изнаши-
вать*) wear* out [wɛə...] (*d.*); ◇ ~ глаза́ ópen one's eyes [...aɪz]. ~ся, продра́ться *разг.* 1. (*рваться*) tear*, *или* be worn, into holes [tɛə...wɔːn...]; у него́ продра́лись ло́кти his coat is out at the élbows; 2. (*пробираться сквозь что-л.*) squeeze / make* / force one's way through; 3. *страд. к* продира́ть.

продл‖ева́ть, продли́ть (*вн.*) prolóng (*d.*), exténd (*d.*); ~и́ть срок де́йствия prolóng *the* term; ~и́ть срок де́йствия биле́та exténd *a* ticket. ~е́ние *с.* prolòngátion [prou-], exténsion; ~е́ние о́тпуска exténsion of leave; ~е́ние сро́ка де́йствия exténsion / prolòngátion of *the* term. ~ённый: ~ённый день (*в школе*) exténded day (*at school*); гру́ппа ~ённого дня exténded-day group / class [...gruːp...]. ~и́ть *сов. см.* продлева́ть.

продли́ться *сов.* last (for some time); (*затянуться*) draw* out.

проднало́г *м.* (*продовольственный нало́г*) *ист.* tax in kind.

продово́льственн‖ый food (*attr.*); *воен.* rátion [ˈræ-] (*attr.*); ~ые това́ры fóodstuffs; ~ая ка́рточка food card, rátion book [ˈræ-...], rátion card; ~ магази́н grócery (store) [ˈgrou-...]; províson / food store *амер.*; ~ склад food dépôt [...ˈdepou]; *воен.* rátion / provísion store; (*полевой*) rátion dump; ~ вопро́с food quéstion [...-stʃən]; ~ое снабже́ние rátion / food supply; ~ые райо́ны food-producing áreas [...ˈɛərɪəz].

продово́льстви‖е *с.* fóodstuffs *pl.*; *воен. тж.* rátions [ˈræ-] *pl.*; supply of províons; но́рма ~я rátion scale; вы́дача ~я натуро́й rátions in kind.

продолби́ть *сов. см.* прода́лбливать.

продолгова́т‖ость *ж.* óblòng shape / form [ˈɔb-...]. ~ый óblòng [ˈɔb-]; ~ый мозг *анат.* medúlla (oblongáta).

продолжа́тель *м.* contínuer, succéssor.

продолж‖а́ть, продо́лжить (*вн.*, + *инф.*) 1. contínue (*d.*, + *ger.*, + *to inf.*), go* on (with, + *ger.*); procéed (with); keep* on (+ *ger.*); он ~а́л свою́ рабо́ту he contínued, *или* procéeded with, his work, he went on with his work, *или* wórking; он ~а́л чита́ть he contínued réading, *или* to read; he went on réading; он ~а́л свой расска́з he went on with his stóry; ~ чьё-л. де́ло contínue the cause begún by smb.; take* up where smb. has left off; ~ тради́цию cárry on *the* tradítion; 2. (*продлевать срок и т. п.*, *увеличивать*) exténd (*d.*), prolóng (*d.*). ~а́ться, продо́лжиться contínue, last, go* on, be in prógress; перегово́ры ещё ~а́ются negotiátions are still in prógress; э́то не мо́жет ~а́ться ве́чно this cánnot go on for ever; их контро́льная пое́здка ~а́ется уже́ четвёртую неде́лю their tour is álready in its fourth week [...tuə...ɔːlˈre-...-fɔːθ...].

продолже́ние *с.* continuátion; (*книги тж.*) séquel; (*в пространстве*) prolòngátion [prou-]; (*удлинение*) exténsion; ~ сле́дует to be contínued; ~ стены́, ли́нии exténsion of *the* wall, *the* line; тропи́нка была́ ~м алле́и the fóotpàth* was a continuátion of *the* ávenue [...ˈfut-...]; 2.: в ~ *предл.* (*рд.*)

dúring, for, through;óut; в ~ лéта dúring the súmmer, through;óut the súmmer; в ~ двух лет for two years; в ~ гóда dúring / through;óut the year.

продолжи́тельн||ость ж. durátion; ~ лéтнего дня the length of the súmmer day; испытáние на ~ (о полёте и т. п.) endúrance test; ~ рабóчего дня wórking hours [...auəz] pl. ~ый long; (затяну́вшийся) prolónged; на ~ое врéмя for a long time.

продо́лжить(ся) сов. см. продолжа́ть(-ся).

продо́льн||ый longitúdinal [-ndʒ-] / léngth;wise; мор. fóre-and-áft; ~ разрéз, надрéз slit; (на чертеже) lòngitúdinal séction; ~ая пилá ríp-saw; ~ая ось lòngitúdinal / long áxis; ~ая перебóрка мор. fóre-and-áft búlkhead [...-hed].

продохну́ть сов. разг. breathe fréely [bri:ð...].

продразвёрстка ж. (продово́льственная развёрстка) ист. súrplus-apprópriátion sýstem.

продра́ть(ся) сов. см. продира́ть(ся).

продро́гнуть сов. см. дро́гнуть I.

проду||вáние с. 1. мед. insufflátion; 2. тех. = проду́вка.

проду||ва́ть, проду́ть 1. (вн.) blow* through [blou...] (d.); 2. тк. несов.: ветеро́к ~áет there is a cool breeze; 3. тех. blow* off / through / down (d.); (о цилиндре дизеля) scávenge (d.). ~áться, проду́ться 1. разг. (проигрывать) lose* (héavily) [lu:z 'hevi-]; 2. страд. к продува́ть.

проду́вка ж. тех. blówing off / through ['blou-...]; (о цилиндре дизеля) scávenging [-ndʒ-].

продувн||о́й разг. cráfty, sly, róguish ['rou-]; ~áя бéстия разг. cráfty dévil, a sly fox, a deep one.

проду́кт м. 1. próduct ['prɔ-], prodúce; побо́чный ~ bý-pròduct [-prɔ-]; ~ы сéльского хозя́йства farm prodúce sg.; ~ы животново́дства ánimal próducts; ~ы производства fruits of prodúction [fru:ts...]; 2. мн. (съестные припа́сы) provísions, víctuals ['vɪt⁰lz], fóodstuffs; моло́чные ~ы dáiry prodúce sg.

продукти́вно I прил. кратк. см. продукти́вный.

продукти́вн||о II нареч. prodúctive;ly, efficiently, with a good resúlt / efféct [...-'zʌlt...]. ~ость ж. prodúctivity, efficiency; подня́ть ~ость животново́дства raise the prodúctivity of ánimal húsbandry [...-z-]. ~ый (в разн. знач.) prodúctive; ~ый скот prodúctive líve;stock; ~ый труд prodúctive lábour; ~ый слова́рь лингв. áctive vocábulary.

продукто́вый: ~ магази́н grócery (store) ['grou-...]; provísion / food store амер.

продуктообме́н м. próducts-exchànge ['prɔ- -tʃeɪ-].

проду́кция ж. prodúction, prodúce, óutpùt [-put].

проду́манн||ый 1. прич. см. проду́мывать; 2. прил. (well) thóught-óut, consídered; ~ое решéние considered decísion.

проду́мать сов. см. проду́мывать.

проду́мывать, проду́мать (вн.) think* óver (d.); (до конца) think* out (d.), réason out [-z°n...] (d.).

проду́||ть сов. 1. см. продува́ть 1, 3; **2.** безл.: его́, их и т. д. ~ло ≅ he has, they have, etc., caught cold by sítting / béing in a draught [...drɑ:ft]; **3.** (вн.) разг. (проиграть) lose* [lu:z] (d.). ~ться сов. см. продува́ться.

проду́шина ж. áir-hòle, vent.

продыря́вить(ся) сов. см. продыря́вливать(ся).

продыря́вливать, продыря́вить (вн.) разг. make* a hole (in), hole (d.), pierce [pɪəs] (d.), ~ся, продыря́виться разг. **1.** tear* [tɛə] (пронашиваться) wear* through [wɛə...]; **2.** страд. к продыря́вливать.

проеда́ть I, прое́сть (вн.) (о ржавчине, моли и т. п.) eat* through / a;wáy (d.); (о кислоте) corróde (d.).

проеда́ть II, прое́сть (вн.) разг. (тратить на питание) spend* on food (d.); мы прое́ли все свои́ де́ньги we spent all our móney on food [...mʌ-...].

прое́зд м. **1.** jóurney ['dʒə:-]; **2.** (место, где можно проехать) pássage, thóroughfàre ['θʌrə-]; ~а нет! no thóroughfàre! **3.** (переулок) pássage.

прое́здить I сов. см. проезжа́ть II.

прое́здить II сов. (провести́ какое-л. время в езде) spend* some time dríving, ríding; (пропутешествовать) have trávelled.

прое́здить III сов. см. проезжа́ть III.

прое́зд||иться сов. разг. (истратиться в дороге) spend* all one's móney on a jóurney, или in trávelling [...mʌ-...'dʒə:-...]. ~но́й: ~на́я пла́та fare; ~но́й биле́т ticket. ~ом нареч. in tránsit, pássing through, in the course of a jóurney [...kɔ:s...'dʒə:-].

проезжа́ть I [-ежьжя́-], прое́хать 1. (вн.; мимо, через) pass (by, through); (в экипаже и т. п.) go* / drive* (by, past, through); (верхо́м, на велосипе́де) ride* (by, past, through); **2.** (без доп.; без указания места, объекта) pass by; (в экипа́же) drive* by; (верхом, на велосипеде) ride* by; **3.** (вн.; покрывать расстояние) do (d.), make* (d.); ~ 50 киломе́тров в час do fifty kílomètres an hour [...auə]; прое́хать за су́тки 400 киломе́тров cóver four húndred kílomètres in twénty-four hours ['kʌ- fɔ:...-fɔ:...].

проезжа́ть II [-ежьжя́-], прое́здить (вн.; ло́шадь) éxercise (d.).

проезжа́ть III [-ежьжя́-], прое́здить (вн.; тратить деньги на путешествие) spend* on trávelling (d.); прое́здить на такси́ два́дцать рубле́й spend* twénty róubles on táxi [...ru:-...].

прое́зж||ий I [-е́жьжи-] прил.: ~ая доро́га públic road ['pʌ-...], thóroughfàre ['θʌrə-]; ~ая часть у́лицы cárriageway [-rɪdʒ-].

прое́зжий II [-ежьжи-] м. скл. как прил. tráveller; pásser-by (pl. pássers-bý).

прое́кт м. **1.** (план какого-л. сооружения) pròjéct ['prɔ], design [-'zaɪn]; **2.** (документа) draft; ~ резолю́ции draft resolútion [...-zə-]; **3.** (замысел) scheme, pròjéct.

проекти́вн||ый: ~ая геоме́трия descríptive geómetry, projécting geómetry.

проекти́рование I с. projécting, projéction, plánning, designing [-'zaɪn-].

проекти́рование II с. (изображения на экра́н) projécting.

проекти́ровать I, запроекти́ровать, спроекти́ровать (вн.) **1.** (разрабатывать проект) pròjéct (d.), plan (d.), design [-'zaɪn] (d.); **2.** тк. несов. (вн., + инф.; планировать, предполагать) plan (d., + to inf.).

проекти́ровать II (вн.) projéct (d.); ~ изображе́ние на экра́н project a picture on a screen.

проекти́ров||ка ж. = проекти́рование I. ~очный desígning [-'zaɪn-]. ~щик м. plánner, desígner [-'zaɪnə].

прое́ктн||ый desígned [-'zaɪnd]; ~ые мо́щности ráted capácity sg.; ~ые организа́ции plánning organizátions [...-naɪ-].

прое́ктор м. projéctor, projéction apparátus.

проекцио́нный: ~ фона́рь projéctor, mágic lántern; still projéctor амер.

прое́кция ж. мат. projéction; вертика́льная ~ vértical projéction; front view [-ʌnt vju:], elevátion; горизонта́льная ~ horizóntal projéction; plan view.

проём м. арх. áperture, embrásure [-reɪ-]; дверно́й ~ dóorway ['dɔ:-]; око́нный ~ window ópen;ing.

прое́сть I, II сов. см. проеда́ть I, II.

прое́хать сов. см. проезжа́ть I. ~ся сов. **1.** (прокатиться на чём-л.) take* a drive; **2.**: ~ся на чей-л. счёт разг. show* wit at smb.'s expénse [ʃou...], make* a snide remárk about smb.

прожа́ренный прич. и прил. wéll-dòne; ~ бифште́кс wéll-dòne steak [...steɪk].

прожа́р||ивать, прожа́рить (вн.) fry / roast thóroughly [...'θʌrə-] (d.); (ср. жа́рить). ~иваться, прожа́риться 1. fry / roast thóroughly [...'θʌrə-] (ср. жа́риться); 2. страд. к прожа́ривать.

прожа́рить(ся) сов. см. прожа́ривать(-ся).

прожда́||ть сов. (вн., рд.) wait (for); spend* (a cértain time) wáiting (for); он ~л её час he has been wáiting for her for an hour [...auə].

прожева́ть сов. см. прожёвывать.

прожёвывать, прожева́ть (вн.) chew well (d.), másticate well (d.).

проже́кт м. **1.** уст. = прое́кт 3; **2.** разг. ирон. (неосуществимый план) háre-bráined / imprácticable pròjéct / scheme [...'prɔ-...].

проже́ктёр м. schémer. ~ство с. háre-bráined plans / schemes pl.

проже́ктор м. séarchlight ['sə:tʃ-]; projéctor. ~ный séarchlight ['sə:tʃ-] (attr.).

проже́чь сов. см. прожига́ть I.

прожжённый разг. (отъявленный) arch; ~ плут crook, invéterate scóundrel.

прожива́ть, прожи́ть 1. тк. несов. (жить где-л.) live [lɪv], resíde [-'z-]; (временно) stay, sójourn ['sɔdʒən]; **2.** (вн.; тратить) spend* (d.); run* through

ПРО — ПРО

(d.). ~ся, прожи́ться разг. spend* all one's money [...ˈmʌ-].

прожига́тель м.: ~ жи́зни разг. fast líver [...ˈlɪ-], pláyboy.

прожига́ть I, проже́чь (вн.) burn* through (d.); ~ дыру́ в чём-л. burn* a hole in smth.

прожига́ть II (вн.) разг.: ~ жизнь lead* a díssipàted / fast life, live fast [lɪv...].

прожи́лка ж. vein.

прожи́||**тие** с. líving [ˈlɪ-], líve:lihood [-hud]; де́ньги на ~ móney for líving expénses [ˈmʌ-...] sg. ~**точный**: ~ то́чный ми́нимум líving wage [ˈlɪ-...], subsístence mínimum, subsístence wage.

прожи́ть сов. 1. см. прожива́ть 2; 2. как сов. к жить; ему́ не ~ и го́да (о больно́м) he won't last / live a year [...wount...lɪv...]; 3. (вн.; не́которое время) spend* through (d.), run* through (d.). ~**ся** сов. см. прожива́ться.

прожо́рлив||**ость** ж. vorácity, vorácious:ness, glúttony. ~**ый** vorácious, glúttonous.

прожужжа́||**ть** сов. buzz, drone; (негромко) hum; ◇ ~ у́ши кому́-л. о чём-л. разг. din smth. into smb.'s ears.

про́з||**а** ж. (прям. и перен.) prose; писа́ть ~ой write* prose; ~ жи́зни húmdrum of life. ~**аи́зм** м. prósaism [-zeɪzm].

проза́ик м. prose wríter, prósaist [-zeɪɪst].

проза́ическ||**ий** prosáic [-ˈzeɪɪk]; (тк. о лю́дях) mátter-of-fáct, prósy [-zɪ]; ~**ое** произведе́ние prose work.

проза́ичн||**ость** ж. prosáic náture [-ˈzeɪɪk ˈneɪ-]; (о жи́зни) dúllness, flátness, prósiness [ˈprouz-]; (о литерату́рном сти́ле) mátter-of-fáctness. ~**ый** prosáic [-ˈzeɪɪk]; (бу́дничный тж.) cómmonplàce, húmdrum, prósy [-zɪ].

прозва́ни||**е** с. nicknàme; (шутли́вое тж.) sóbriquet [ˈsoubrɪkeɪ]; по ~**ю** nícknàmed, óther:wise known as [...noun...].

прозва́ть сов. см. прозыва́ть.

прозвене́ть сов. 1. ring*, ring* out, give* a ring. 2. как сов. к звене́ть.

про́звищ||**е** с. nicknàme; (шутли́вое тж.) sóbriquet [ˈsoubrɪkeɪ]; дать ~ (дт.) nícknàme (d.); по ~**у** nícknàmed.

прозвони́ть сов. ring* out, give* a ring / peal.

прозвуча́ть сов. см. звуча́ть.

прозева́ть I сов. см. зева́ть 3.

прозева́ть II сов. (како́е-л. вре́мя) yawn.

прозе́ктор м. prosèctor, dissèctor. ~**ская** ж. скл. как прил. dissècting room.

прозели́т м. próselyte.

прозимова́ть сов. см. зимова́ть.

прозна́ть сов. (вн., о) разг. find* out (d., abóut), hear* (abóut).

прозоде́жда ж. (произво́дственная оде́жда) wórking clothes [...klouðz] pl. | óver:àll(s) (pl.).

прозорли́в||**ость** ж. sagácity, pèrspicácity, ínsight. ~**ый** sagácious, pèrspicácious.

прозра́чн||**ость** ж. tránspárence [-ˈpɛə-], tránspárency [-ˈpɛə-] (тж. перен.); limpídity. ~**ый** tránspárent (тж. перен.); límpid; pellúcid; ~**ый** намёк tránspárent allúsion / hint.

прозрева́ть, прозре́ть recóver one's sight [-ˈkʌ-...]; (перен.) begin* to see cléarly; тут-то он и прозре́л then his eyes were ópen:ed [...aɪz...], he was enlíghtened.

прозре́ние с. recóvery of sight [-ˈkʌ-...]; (перен.) enlíghtenment, ínsight.

прозре́ть сов. см. прозрева́ть.

прозыва́ть, прозва́ть (вн. тв.) nícknàme (d. d.), name (d. d.). ~**ся** разг. be nícknàmed.

прозяба́ние с. vègetátion, végetàtive life, végetàting.

прозяба́ть végetàte.

прозя́бнуть сов. разг. be chilled; ~ до мо́зга косте́й be chilled to the márrow / bone.

проигра́ть I, II сов. см. проигрывать I, II.

проигра́ться сов. см. проигрываться I.

прои́грыватель м. récord-pláyer [ˈre-].

прои́грывать I, проигра́ть (вн.) lose* [luːz] (d.); проигра́ть пари́ lose* a bet / wáger; ~ в ка́рты lose* at cards (d.); ~ суде́бный проце́сс lose* a case [...-s]; ◇ ~ в чьём-л. мне́нии, в чьих-л. глаза́х sink* in smb.'s èstimátion.

прои́грывать I, проигра́ть (вн.) разг. (игра́ть, исполня́ть) play (d.); (до конца́) play through (d.); (для прове́рки) play óver (d.); проигра́ть все пласти́нки play all the récòrds [...ˈre-].

прои́грываться I, проигра́ться 1. lose* all one's móney (at gámbling) [luːz...ˈmʌ-...]; 2. страд. к прои́грывать I.

прои́грываться II страд. к прои́грывать II.

прои́грыш м. loss; он оста́лся в ~е he was the lóser [...ˈluːzə], he came off worst.

произведе́ни||**е** с. 1. work, prodúction; ~ иску́сства work of art; музыка́льное ~ músical còmposítion [-zɪk- -ˈzɪ-]; лу́чшее, образцо́вое ~ másterpiece [-piːs]; ме́лкие ~**я** short / mínor works; ~ литерату́ры work of líterature, líterary prodúction; ~**я** Пу́шкина works by / of Púshkin [...ˈpu-]; и́збранные ~**я** selécted works; seléction (of works) sg.; 2. мат. prodùct [ˈprɒ-].

произвести́ сов. см. производи́ть 1, 3, 4.

производи́тел||**ь** I м. prodúcer; ме́лкие, сре́дние ~**и** small, médium prodúcers; ~ материа́льных благ prodúcer of matérial válues; ◇ ~ рабо́т sùperinténdent of work, clerk of the works [klɑːk...].

производи́тель II м. (в животново́дстве, саме́ц) sire; (о жеребце́ тж.) stúd-hòrse; (о быке́ тж.) bull [bul].

производи́тельн||**ость** ж. prodúctivity; (о вы́работке) óutpùt [-put]; prodúctive:ness; ~ труда́ prodúctivity of lábour, lábour prodúctivity. ~**ый** prodúctive, effícient; ~**ые** си́лы prodúctive fórces; ~**ый** труд effícient lábour.

производи́ть, произвести́ 1. (вн.; де́лать, выполня́ть) make* (d.); ~ ремо́нт (рд.) repáir (d.), cárry out repáirs; ~ рабо́ту éxecùte the work; ~ смотр (дт.) hold* a review [...-ˈvjuː] (of), review (d.); ~ съёмку (рд.; землеме́рную) make* a súrvey (of); ~ съёмку кинофи́льма shoot* a film; ~ уче́ние воен. drill, train; ~ шум make* a noise; ~ сле́дствие hold* an ínquest; произвести́ вы́стрел fire a shot; ~ платёж effect páyment; ~ о́пыты (над) cárry out expériment (on, with), cárry out expériments (on, with); ~ подсчёт make* a càlculátion; ~ техни́ческий осмо́тр cárry out a technical inspéction. 2. тк. несов. (вн.; выраба́тывать) prodúce (d.). 3. (вн.; порожда́ть) give* birth (to); ~ на свет bring* into the world (d.). 4. (вн. в вн. мн.) воен. (присва́ивать зва́ние) promóte (d. to sg.): d. to the rank of sg.): его́ произвели́ в капита́ны he has been promóted (to the rank of) cáptain; 5. тк. несов. (вн.) лингв. derive (d.); ◇ ~ сенса́цию make* / cause a sènsátion; ~ впечатле́ние (на вн.) make* / creáte an impréssion (on, upón), impréss (d.), have an effect (on); ~ благоприя́тное впечатле́ние на кого́-л. impréss smb. fávour:ably; како́е впечатле́ние он, э́то произво́дит на вас? what impréssion does he, it make on you?, how does he, it strike you?

произво́дн||**ая** ж. скл. как прил. мат. derívative. ~**ый** лингв., мат. derívative.

произво́дственн||**ик** м., ~**ица** ж. prodúction / indústrial wórker, one en:gáged in prodúction.

произво́дственн||**ый** прил. к произво́дство; тж. indústrial; ~ план prodúction plan; ~**ые** отноше́ния эк. relátions of prodúction; ~ проце́сс prócèss of prodúction, indústrial prócèss; ~**ая** пра́ктика студе́нтов práctical tráining for stúdents; ~**ое** обуче́ние indústrial tráining; ~**ая** квалифика́ция indústrial quàlificátion; ~ стаж indústrial work récòrd [...ˈre-], récòrd of work (in índustry); ~ о́пыт prodúction expérience; ~**ое** совеща́ние prodúction cónference, cónference on prodúction; ~**ое** зада́ние óutpùt prógramme [-put ˈprou-]; ~**ая** мо́щность prodúctive capácity.

произво́дств||**о** с. 1. prodúction, mànufácture; ~ маши́н prodúction of machínes [...-ˈʃiːnz]; ~ о́буви mànufácture of shoes [...ʃuːz]; маши́нное mechánical prodúction [-ˈkæn-...]; пото́чное ~ line prodúction; сре́дства ~**а** means of prodúction; ~ средств ~**а** prodúction of means of prodúction; ~ предме́тов потребле́ния prodúction of consúmer goods [...gudz]; ~ материа́льных благ prodúction of matérial válues; спо́соб ~**а** mode of prodúction; социалисти́ческое ~ sócialist prodúction; маши́ны сове́тского ~**а** Sóviet-prodúced / Sóviet-máde machínes; изде́ржки ~**а** the cost of prodúction sg.; 2. (выполне́ние, соверше́ние) èxecútion; ~ платеже́й effécting of páyment; ~ о́пытов expèrimèntátion; ~ вы́стрела воен. firing of a shot; 3. разг. (фа́брика, заво́д) fáctory; works; идти́ на ~ go* to work at a fáctory; 4. воен. (присвое́ние зва́ния) promóting.

производя́щий 1. *прич. см.* производи́ть; 2. *прил. эк.* productive.
произво́л *м.* 1. týranny; árbitrary rule; 2. (*необоснованность*) árbitrariness; ◊ оставля́ть, броса́ть на ~ судьбы́ (*вн.*) leave* to the mércy of fate (*d.*).
произво́льно I *прил. кратк. см.* произво́льный.
произво́льн||**о** II *нареч.* 1. (*по желанию*) at will; 2. (*по произволу*) árbitrarily. **~ость** *ж.* árbitrariness. **~ый** árbitrary.
произнес||**е́ние** *с.* pronóuncing; útterance; (*речи*) delívery. **~ти́** *сов. см.* произноси́ть.
произноси́тельн||**ый** *лингв.* àrticulátory [-lei-]; ~ аппара́т àrticulátory àparátus; ~ые на́выки àrticulátory hábits.
произно||**си́ть**, произнести́ (*вн.*) 1. (*говорить*) pronóunce (*d.*), say* (*d.*), útter (*d.*); ~ речь delíver a speech [-iː-...]; ~ пригово́р pronóunce a séntence; pass júdge:ment; не произнести́ ни сло́ва not útter a word (*d.*); 2. (*артикулировать*) pronóunce (*d.*), àrticuláte (*d.*). **~ше́ние** *с.* pronùnciátion; (*артикуляция*) àrticulátion; карта́вое ~ше́ние burr.
произойти́ *сов. см.* происходи́ть.
произраста́ние *с.* growth [-ouθ], grówing ['grou-]; spróuting.
произраста́ть, произрасти́ grow* [-ou-], spring* up; sprout.
произрасти́ *сов. см.* произраста́ть.
проиллюстри́ровать *сов.* (*вн.*) illùstráte (*d.*).
проинструкти́ровать (*вн.*) instrúct (*d.*), give* instrúctions (to).
проинтервьюи́ровать [-тэ-] (*вн.*) ínterview [-vjuː] (*d.*).
проинформи́ровать *сов.* (*вн.*) infórm (*d.*).
происка́||**ть** *сов.* (*вн.*) *разг.* (*в течение какого-то времени*) look (for), spend* some time lóoking (for); он весь день ~л её а́дрес he spent the whole day in search of her address [...houl...soːtʃ...].
про́иски *мн.* íntrigues [-'triːgz]; únderhànd plótting *sg.*; сорва́ть ~ поджига́телей войны́ frùstráte / foil the schemes of the wár-mòngers [...-mʌ-].
проистека́ть, происте́чь (из, от) resúlt [-'zʌ-] (from), spring* (from).
происте́чь *сов. см.* проистека́ть.
происходи́ть, произойти́ 1. (*случаться*) háppen, occúr; (*иметь место*) take* place, *несов. тж.* be gó:ing on, go* on; что здесь происхо́дит? what is gó:ing on here?; там происхо́дят стра́нные ве́щи strange things háppen there [-eindʒ...]; there are queer gó:ings-ón there *разг.*; круто́й перело́м произошёл в жи́зни наро́да а rádical change came abóut, *или* came óver, the life of the people [...tʃei-...piː-]; 2. (от, из) (*откуда-л.*) come* (from); (*из рода; от родителей*) be descénded (from), descénd (from), come* (of); 3. (*из-за, от; по причине*) be the resúlt [-'zʌ-] (of), spring*, (from), aríse* (from).
происходя́щее 1. *прич. см.* происходи́ть; 2. *с. как сущ.* what is gó:ing on, *или* háppening.

происхожде́ни||**е** *с.* 1. órigin; (*место возникновения*) próvenance; ~ ви́дов *биол.* órigin of spécies [...-ʃiːz]; 2. (*принадлежность по рождению*) birth, párent:age, descént, extráction; (*родословная*) líneage [-nidʒ]; по ~ю by birth; соци́альное ~ sócial órigin.
происше́стви||**е** *с.* íncident; (*событие*) évent; (*несчастный случай*) áccident; отде́л ~й (*в газете*) lócal news [...-z]; никаки́х ~й не́ было nothing to repórt; и́стинное ~ true stóry.
пройдо́ха *м. и ж. разг.* old fox.
про́йма *ж.* (*прорез для рукава*) árm:hole.
пройти́ I, II *сов. см.* проходи́ть I 1, 2, 3, 4 *и* II.
пройти́сь *сов. см.* проха́живаться.
прок *м. тк. ед. разг.* use [juːs], bénefit; из э́того не бу́дет ~у no good will come of this; no one will be the bétter for it; что в э́том ~у? what is the use of it?; what is the good of it?
прокажённый 1. *прил.* léprous [ˈle-]; 2. *м. как сущ.* léper [ˈle-].
прока́за I *ж. тк. ед. мед.* léprosy.
прока́за II *ж.* (*шалость*) mís:chief [-tʃif], prank, trick.
прока́з||**ить**, напрока́зить *разг.* play pranks, be up to mís:chief [...-tʃif]. **~ливость** *ж.* pránkishness, mís:chievousness [-tʃiv-]. **~ливый** míschievous [-tʃiv-], pránkish, arch.
прока́зни||**к** *м.*, **~ца** *ж.* mís:chievous / pránkish pérson [-tʃiv-...]; (*о ребёнке*) mís:chievous / pránkish child*, a bundle of mís:chief [...-tʃif]. **~ичать**, напрока́зничать = прока́зить.
прока́л||**ивать**, прокали́ть (*вн.*) témper (*d.*), annéal (*d.*). **~ся**, прокали́ться 1. get* témpered / annéaled 2. *страд. к* прока́ливать.
прокали́ть(ся) *сов. см.* прока́ливать(ся).
прока́лка *ж.* témpering.
прока́лывать, проколо́ть (*вн.*) 1. pierce [piəs] (*d.*), púncture (*d.*), prick (*d.*); *тех. тж.* pérforate (*d.*), punch (*d.*); 2. (*колющим оружием*) run* through (*d.*).
проканите́лить(ся) *сов. см.* канители́ть(ся).
прока́пывать, прокопа́ть (*вн.*) dig* (*d.*); прокопа́ть кана́ву dig* a ditch.
прокарау́ли||**ть** *сов.* (*вн.*) 1. (*в течение какого-то времени*) guard (*d.*), watch (*d.*); spend* *the time* gúarding / wátching (*d.*): он всю ночь ~л дом he guárded / watched *the* house* all night [...haus...], he spent all night guárding / wátching *the* house*; 2. *разг.* (*упустить, прозевать*) let* slip (*d.*), let* go while on guard (*d.*).
прока́т I *м.* hire; пла́та за ~ роя́ля páyment for the hire of a piáno [...ˈpjæ-].
прока́т II *м. тех.* 1. (*процесс*) rólling; 2. (*изделие*) rolled métal [...ˈme-].
прока́та́ть I *сов. см.* прока́тывать.
прокатá́ть II *сов.* (*вн.*) *разг.* (*в течение какого-то времени*) drive* for a while (*d.*). **~ся** *сов.* (*в течение какого-то времени*) drive* (*ср.* ката́ться I).
прокати́ть *сов.* 1. (*вн.*) (*на лошади и т. п.*) give* a ride (*i.*); (*в экипаже*)

ПРО — ПРО   П

take* for a drive (*d.*); 2. (*вн.*; *передвинуть, катя*) roll alóng / abóut (*d.*); 3. (*без доп.*) *разг.* (*быстро проехать*) roll by; ◊ ~ на вороны́х *уст. разг.* (*забаллотировать*) bláckball (*d.*). **~ся** *сов.* go* for a drive, take* a ride.
прока́тка *ж. тех.* rólling.
прока́тный I (*наёмный*) let out on hire, hired.
прока́тн||**ый** II *тех.* rólling; ~ стан rólling-mill.
прока́тчик *м.* róller.
прока́тывать, проката́ть (*вн.*) *тех.* roll (*d.*), spread* flat with a róller [spred...] (*d.*).
прока́шля||**ть** *сов.* cough [kɔf]; он ~л всю ночь he was cóughing all night [...ˈkɔf-...]. **~ться** *сов.* clear one's throat.
проква́сить *сов. см.* прокваши́вать.
проква́шивать, проква́сить (*вн.*) *разг.* allów (*cabbage, etc.*) to go sour.
прокипе́ть *сов.* boil thóroughly / sufficiently [...ˈθʌrə-...].
прокипяти́ть *сов.* (*вн.*) boil thóroughly [...ˈθʌrə-...] (*d.*).
проки́са́ть, проки́снуть turn sour; молоко́ проки́сло the milk has turned (sour).
проки́снуть *сов. см.* прокиса́ть.
прокла́дка *ж.* 1. (*действие*) láying, constrúction; ~ ка́беля cable láying; ~ доро́ги road búilding / constrúction [...ˈbɪl-...]; búilding a road; (*через горы, лес и т. п.*) bréaking a road [-eik-...]; 2. (*промежуточный слой из чего-л.*) wásher, gásket, pácking, pádding.
прокла́||**дывать**, проложи́ть 1. (*вн.*) (*о трубах и т. п.*) lay* (*d.*); (*о дороге и т. п.*) build* [bild] (*d.*), constrúct (*d.*); ~ курс (*судна, самолёта*) lay* a course [...kɔːs]; ~ тунне́ль drive* a túnnel; ~ доро́гу (*перен.*) pave the way; ~ себе́ доро́гу work / carve one's way; (*локтями*) élbow one's way; ~ путь make* a path / road, break* a trail [-eik-...] (*перен.*) pave the way; ~ но́вые пути́ blaze new trails (*перен. тж.*) pionéer; 2. (*вн. ме́жду*) interláy* (with *d.*); ~ кни́гу бе́лыми листа́ми interléave* a book; ~ копи́рку между листа́ми бума́ги insert cárbon-pàper between the sheets of páper.
проклама́ция *ж.* (*листовка*) léaflet.
проклами́ровать *несов. и сов.* (*вн.*) procláim (*d.*).
прокле́вать *сов. см.* проклёвывать.
проклёвывать, проклева́ть, проклю́нуть (*вн.*) peck through (*d.*). **~ся**, проклю́нуться (*о птенце*) break* the egg-shell; (*перен.*) *разг.* aríse*; проклю́нулась но́вая иде́я a new idéa aróse / occúrred [...aiˈdiə...].
прокле́||**ивать**, прокле́ить (*вн.*) paste [pei-] (*d.*), glue (*d.*); (*бумагу тж.*) size (*d.*). **~ить** *сов. см.* прокле́ивать.
прокле́йка *ж.* (*бумаги*) sízing.
проклина́ть, прокля́сть (*вн.*) curse (*d.*), damn (*d.*); ◊ будь я про́клят, е́сли I'll be, *или* I'm, damned if; будь он про́клят! damn / curse him!
проклю́нуть(ся) *сов. см.* проклёвывать(ся).

503

ПРО—ПРО

прокля́‖**сть** *сов. см.* проклина́ть. ~**тие** *с.* 1. dàmnátion; imprecátion, màledíction; 2. (*бранное слово*) curse; 3. *как межд.*: ~тие! damn it!, dàmnátion! ~**тый** cúrsed, damned; accúrsed; *разг.* (*противный*) confóunded; ◇ ~**тый вопро́с** accúrsed próblem [...'prɒ-].

проковыля́ть *сов. разг.* hobble / stump alóng / by / past.

проковыря́ть *сов.* (*вн.*) pick / make* a hole in.

проко́л *м.* púncture; (*тонкий*) pín-hòle.

проколо́ть *сов. см.* прока́лывать.

прокомменти́ровать *сов.* (*вн.*) cómment (upòn).

прокомпости́ровать *сов. см.* компости́ровать.

проконопа́тить *сов. см.* конопа́тить.

проконспекти́ровать *сов. см.* конспекти́ровать.

проко́нсул *м. ист.* prò́cónsul.

проконсульти́ровать *сов. см.* консульти́ровать 1. ~**ся** *сов. см.* консульти́роваться.

проконтроли́ровать *сов. см.* контроли́ровать.

прокопа́ть *сов. см.* прока́пывать.

прокопа́ться *сов. разг.* dawdle, mess about (*for a certain time*).

прокопте́лый *разг.* cóvered with soot ['kл-...], sóoty.

прокопти́ть *сов.* (*вн.*) 1. smoke (*d.*), cure in smoke (*d.*); 2. (*загрязнить ко́потью*) soil with smoke (*d.*), soot (*d.*). ~**ся** *сов.* get* smoked.

проко́рм *м. тк. ед. разг.* nóurishment ['nл-], sústenance.

прокорми́ть I *сов.* (*вн.*; *определённое время*) feed* (*d.*).

прокорми́ть II *сов.* (*вн.*; *предоста́вить средства к существова́нию*) keep* (*d.*), maintáin (*d.*), províde (for); (*свою́*) семью́ keep* / maintáin one's fámily, províde for one's fámily. ~**ся** *сов.* (*тв.*) *разг.* subsíst (on), live [lɪv] (on).

прокорректи́ровать *сов. см.* корректи́ровать.

прокра́дываться, **прокра́сться** steal* (*тж. перен.*); ~ **ми́мо** steal* by / past; **прокра́сться в ко́мнату** steal* into a room.

прокра́сить *сов. см.* прокра́шивать.

прокра́сться *сов. см.* прокра́дываться.

прокра́шивать, **прокра́сить** (*вн.*) paint óver (*d.*), coat with paint (*d.*).

прокрич‖**а́ть** *сов.* 1. shout, give* a shout; 2. (*в течение како́го-то вре́мени*) shout: **он** ~**а́л це́лый час** he was shóuting for an hour [...auə]; 3. *разг.* (*о пр.*) trúmpet (*one's success*); ◇ **об успе́хах трýмпет** *one's* success; ◇ ~**а́ть у́ши кому́-л. о чём-л.** *разг.* din smth. into smb.'s ears.

прокру́стов: ~**о** ло́же Procrústean bed, the bed of Procrústes.

прокурату́ра *ж.* Óffice of Públic Prósecutor [...'рл-...].

проку́ривать, **прокури́ть** *разг.* 1. (*пропи́тывать таба́чным ды́мом*) fill with tobàccò smoke (*d.*); 2. (*расхо́довать на куре́ние*) spend* on smóking (*d.*).

прокури́ть *сов.* проку́ривать.

прокуро́р *м.* públic prósecùtor ['рл-...]; pròcuràtor; **Генера́льный Прокуро́р СССР** Pròcuràtor-Géneral of the USSR; **това́рищ ~а** *ист.* assístant prósecùtor. ~**ский**: ~**ский надзо́р** Diréctorate of Públic Pròsecútions [...'рл-...]; **довести́ до све́дения ~ского надзо́ра** infórm the Diréctorate of Públic Pròsecútions.

проку́с *м.* bite.

прокуси́ть *сов. см.* проку́сывать.

проку́сывать, **прокуси́ть** (*вн.*) bite* through (*d.*).

прокути́ть *сов. см.* проку́чивать.

проку́чивать, **прокути́ть** 1. go* on the spree; **прокути́ть всю ночь напролёт** make* a night of it; 2. (*вн.*; *тра́тить на кутёж*) squánder (*d.*), díssipàte (*d.*); **прокути́ть состоя́ние** díssipàte *a* fórtune [...-tʃən], run* through *a* fórtune.

пролага́ть: ~ **путь** (*перен.*) pave the way.

прола́за *м.* и *ж. разг.* dódger, (sly) old fox; **э́то тако́й** ~ he is up to every trick.

прола́мывать, **проломи́ть** (*вн.*) break* (through) [-eɪk] (*d.*); (*о бочке, лодке тж.*) stave in (*d.*); ~ **лёд** break* the ice; ~ **отве́рстие** make* *an* òpening; **проломи́ть себе́ че́реп** fràcture one's skull. ~**ся**, **проломи́ться** 1. break* (down) [-eɪk], give* way; **пол проломи́лся** the floor has given way, *или* cáved in [...flɒ:...]; 2. *страд.* к прола́мывать.

прола́‖**ять** *сов.* 1. bark, give* a bark; 2. (*в течение како́го-то вре́мени*) bark: **соба́ка** ~**ла всю ночь** the dog barked all night long; 3. *как сов.* к ла́ять.

пролега́‖**ть** lie*, run*; **доро́га** ~**ла че́рез по́ле** the path* lay / ran acróss a field [...fi:ld].

пролежа́‖**ть** *сов.* (*в течение како́го-то вре́мени*) lie*; spend* *the* time lýing; (*остава́ться в том же положе́нии*) remáin; **он весь день** ~**л** he spent the whole day lýing down [...houl...]; (*в посте́ли*) he spent *the* whole day (lýing) in bed; **посы́лка** ~**ла две неде́ли на по́чте** the párcel lay for two weeks in the póst-òffice [...'poust-].

про́лежень *м. мед.* bédsòre.

пролеза́ть, **пролéзть**, get* through, wriggle through; climb through [klaɪm...]; squeeze through; (**в** *вн.*; *перен.*) worm òneself (into).

проле́зть *сов. см.* пролеза́ть.

проле́сок *м.* glade; vísta.

пролёт I *м.* (*де́йствие*) flight.

пролёт II *м.* 1. (*ле́стницы*) stáir-wèll; 2. *арх.* bay; (*моста́*) span, bridge span; 3. *разг.* (*расстояние между станциями*) stage.

пролетар‖**иа́т** *м.* pròletáriat [prou-]; **диктату́ра** ~**иа́та** dictátor;ship of the pròletáriat. ~**иза́ция** *ж.* pròletàrianizátion [pròulɪtəraɪzəʻneɪ-].

пролета́р‖**ий** *м.*, ~**ка** *ж.* pròletárian [prou-]; **Пролета́рии всех стран, соединя́йтесь!** Wórkers of the world, ùnite! ~**ский** pròletárian [prou-]; ~**ская револю́ция** pròletárian rèvolútion; ~**ский интернационали́зм** pròletàrian internátionalism [...-ˈnæ-].

пролет‖**а́ть**, **пролете́ть** 1. (**ми́мо**, **че́рез**) fly* (by, past, through); (*перен.*) pass rápidly; (*о времени*) fly by; ~**е́ли две неде́ли** two weeks flew by; 2. (*вн.*; *покрыва́ть како́е-л. расстоя́ние*) cóver ['kл-] (*d.*).

пролете́ть *сов. см.* пролета́ть.

пролётка *ж.* dróshky, (horse) cab.

пролётн‖**ый**: ~**ая пти́ца** bird of pássage.

проли́в *м.* strait, sound.

пролива́ть, **проли́ть** (*вн.*) spill* (*d.*); ◇ ~ (**свою**) **кровь** (**за** *вн.*) shed* one's blood [...blʌd] (for); ~ **слёзы** (**по** *дт., пр., о пр.*) shed* tears (óver); **turn on the wáterwòrks** [...ˈwɔː-] *идиом. разг.*; ~ **свет** (**на** *вн.*) shed* / throw* light [...θrou...] (on). ~**ся**, **проли́ться** 1. spill*; 2. *страд.* к пролива́ть.

проливно́й: ~ **дождь** póuring / pélting rain ['rɔː-]; **идёт** ~ **дождь** it is póuring (with rain).

проли́тие *с.*: ~ **кро́ви** blóodshèd ['blʌd-].

проли́ть(**ся**) *сов. см.* пролива́ть(ся).

проло́г *м.* próloguè ['proulɒg].

проложи́ть *сов. см.* прокла́дывать.

проло́м *м.* breach, break [-eɪk], gap; (*че́репа*) fràcture.

проломи́ть(**ся**) *сов. см.* прола́мывать(-ся).

пролонг‖**а́ция** *ж. юр., фин.* pròlongátion [prou-]. ~**и́ровать** *несов. и сов.* (*вн.*) *юр., фин.* prolóng (*d.*).

пром- *сокр.* 1) промы́шленный; 2) промысло́вый.

прома́зать *сов.* 1. (*вн. тв.*) coat (*d.* with); (*маслом*) oil (*d.*); ~ **окно́ зама́зкой** pútty *a* window; 2. *разг.* (*промахну́ться*) miss; miss one's stroke, fail to hit.

прома́лывать, **промоло́ть** (*вн.*) grind* (*d.*), mill (*d.*).

промарино́в‖**ать** *сов.* 1. márinàte (*d.*); 2. *разг.* (*наме́ренно задержа́ть*) delàý néedlessly (for so long) (*d.*); **он** ~**а́л э́то де́ло две неде́ли** he deláyed / shelved the case for two weeks [...keɪs...].

прома́слен‖**ный** *прич.* и *прил.* oiled; greased; *тк. прил.* (*вы́пачканный в ма́сле*) gréasy [-zɪ]; ~**ая бума́га** oil-pàper.

прома́сл‖**ивать**, **прома́слить** (*вн.*) oil (*d.*), treat with oil (*d.*), grease (*d.*). ~**ить** *сов. см.* прома́сливать.

прома́тывать, **промота́ть** (*вн.*; *расточа́ть*) squánder (*d.*), díssipàte (*d.*), waste [weɪ-] (*d.*); ~ **де́ньги** squánder / díssipàte / waste *one's* móney [...'mʌ-]; **промота́ть состоя́ние** run* through *a* fórtune [...-tʃən]; (*разори́ться*) rúin òneself. ~**ся, промота́ться** squánder one's móney [...'mʌ-].

про́мах *м.* (*при стрельбе*) miss; (*перен.*) slip; (*гру́бая оши́бка*) blúnder; ◇ **он ма́лый не** ~ *разг.* he's nó;body's fool; he knows what's what [...nouz...]. ~**ну́ться** *сов.* (*не попасть в цель*) miss (one's aim), miss the mark, fail to hit; (*на билья́рде*) miscúe; (*перен.*) miss the mark; be wide of the mark.

прома́чивать, **промочи́ть** (*вн.*) wet thóroughly [...ˈθл-] (*d.*), drench (*d.*), soak (*d.*); **промочи́ть но́ги** have wet feet, get* one's feet wet; ◊ промочи́ть го́рло *разг.* wet one's whistle.

промедле́ни‖е *с.* delay; procrastination; без ∼я without delay; ∼ сме́рти подо́бно delay may mean death [...deθ].

проме́длить *сов.* delay, linger.

проме́ж *предл. (рд., тв.) разг.* between; among; ∼ нас between ourselves.

проме́жность *ж. анат.* perinéum.

промежу́т‖**ок** *м.* ínterval, space, span; ∼ вре́мени périod / space / stretch of time; spell. ∼**очный** intermédiate, intervening, ínterim; *(тк. о пространстве)* interstítial; ∼**очная ста́нция** *ж.-д.* way station; ∼**очное реше́ние** ínterim solution.

промелькну́‖**ть** *сов.* 1. flash; *(о времени)* fly*; by, pass swiftly; ∼ли две неде́ли two weeks flew by; ∼ в голове́ *(о мысли)* flash through one's mind; 2. *(появиться)*: в его́ слова́х ∼ла иро́ния there was a touch of írony in his words [...tʌtʃ...'aɪə-...].

проме́нивать, **променя́ть** *(вн. на вн.)* 1. exchánge [-'tʃeɪ-] *(d.* for), bárter *(d.* for), truck *(d.* for); 2. *(предпочитать кого-л. кому-л.)* change [tʃeɪ-] *(d.* for); ◊ променя́ть куку́шку на я́стреба *погов.* ≅ give* a lark to catch a kite; change bad for worse.

променя́ть *сов. см.* проме́нивать.

проме́р *м.* méasure:ment ['meʒə-]; súrvey; *(глубин)* sóunding; 2. *(ошибка при измерении)* érror in méasure:ment.

промерза́ть, **промёрзнуть** freeze* (right) through; be chilled.

промёрзлый frózen.

промёрзнуть *сов. см.* промерза́ть.

проме́р‖**ивать**, **проме́рить** *(вн.; производить измерения)* méasure ['meʒə] *(d.)*, súrvey; *(глубину)* sound *(d.)*, ∼**ить** *сов.* 1. *см.* проме́ривать; 2. *(ошибиться при измерении)* make* an érror in méasure:ment [...'meʒə-]. ∼**ный**: ∼**ное су́дно** survéying véssel.

промеси́ть *сов. см.* проме́шивать I.

промеша́ть *сов. см.* проме́шивать II.

проме́шивать I, **промеси́ть** *(вн.; месить как следует)* knead (well / próperly / thóroughly) [...'θʌ-] *(d.)*; puddle (well / próperly / thóroughly *(d.)*.

проме́шивать II, **промеша́ть** *(вн.; размешивать как следует)* stir well / thóroughly [...'θʌ-] *(d.)*.

промешка́ть *сов. разг.* línger, dáwdle.

промкоопера́ция *ж.* = про́мысло́вая коопера́ция *см.* про́мысло́вый.

промозгл‖**ость** *ж.* dánkness. ∼**ый** dank; ∼**ая пого́да** dank wéather [...weðə].

промо́ина *ж.* gúlly, ravíne [-i:n].

промока́тельн‖**ый**: ∼**ая бума́га** blótting-pàper.

промока́ть I, **промо́кнуть** get* wet / sóaked; *несов. тж.* be sóaking; *сов. тж.* be sópping wet; промо́кнуть до косте́й get* sóaked to the skin; пальто́ промо́кло наскво́зь the coat is sóaking wet, the coat is wet through.

промока́‖**ть II** *(пропускать влагу)* let* wáter (through) [...'wɔ:-...], be pérvious to wáter, not be wáterproof [...'wɔ:-...]; э́тот плащ ∼**ет** (от дождя́) this máckintòsh lets the rain through, this máckintòsh is not ráinproof; э́та бума́га ∼**ет** this páper absórbs ink.

промока́ть III, **промокну́ть** *(вн.)* blot *(d.)*.

промока́шка *ж. разг.* blótter.

промо́кнуть *сов. см.* промока́ть I.

промокну́ть *сов. см.* промока́ть III.

промо́лвить *сов. (вн.)* say* *(d.)*, útter *(d.)*.

промолоти́ть *сов. (вн.)* thrash *(d.)*, thresh *(d.)*.

промоло́ть *сов. см.* прома́лывать.

промолча́‖**ть** *сов.* 1. *(в течение какого-то времени)* be / keep* sílent, say* nothing; они́ ∼**ли** весь ве́чер they were / kept sílent all the évening [...'i:v-], they did not speak, *или* néver úttered a word, all the évening; 2. *(умолчать)* hold* one's peace; 3. *как сов. к* молча́ть.

промора́живать, **проморо́зить** *(вн.)* keep* expósed to frost *(d.)*.

проморга́ть *сов. (вн.) разг.* miss *(d.)*, òverloók *(d.)*; ∼ удо́бный слу́чай miss an opportúnity, let* a change slip (by).

промори́ть *сов. (вн.) разг.* 1.: ∼ го́лодом кого́-л. starve smb. 2. *(подвергнуть лишениям)* impóse priváti[o]ns [...praɪ-] (up:ón).

проморо́зить *сов. см.* промора́живать.

промота́ть(ся) *сов. см.* прома́тывать(ся).

промочи́ть *сов. см.* прома́чивать.

промтова́рный: ∼ магази́н mànufáctured goods shop [...gudz...].

промтова́ры *мн.* (промы́шленные това́ры) mànufáctured goods [...gudz].

прому́чить *сов. (вн.) разг.* tòrmént *(d.)*, hárass ['hæ-] *(d.)* *(for a certain time)*. ∼**ся** *сов. разг.* be tòrménted, tormént one:sélf *(for a certain time)*.

промфинпла́н *м.* (промы́шленно-фина́нсовый план) industrial and finàncial plan [...faɪ-...].

промча́ться *сов.* 1. *(мимо, через)* tear* / sweep* [tɛə...] (by, past, through); ∼ стрело́й dart by, flash by; 2. *(о времени)* fly* by.

промыва́ние *с.* wáshing (out); *мед. (о ране)* báthing ['beɪð-]; ∼ желу́дка lavage of the stómach [...'stʌmək].

промыва́ть, **промы́ть** *(вн.)* 1. wash (well / próperly / thóroughly) [...'θʌ-] *(d.)*: в жёсткой воде́ нельзя́ промы́ть во́лосы как сле́дует you can't wash your hair próperly in hard wáter [...kɑ:nt...'wɔ:-]; 2. *(о ране, глазах и т. п.)* bathe [beɪð] *(d.)*; *(мед. тж.)* írrigàte *(d.)*; 3. *(о руде)* jig *(d.)*; ∼ зо́лото pan out gold.

про́мы́с‖**ел** *м.* 1. *(занятие)* trade, búsiness ['bɪzn-]; куста́рный ∼ hándicràft / cóttage industry; отхо́жий ∼ séasonal work [-zə-...]; охо́тничий ∼ húnting; *(с ружьём)* gáme-shooting; *(капканами)* trápping; 2. *чаще мн. (предприятие)*: ры́бные ∼**лы** físhery *sg.*; го́рные ∼**лы** mines; золоты́е ∼**лы** góld-fields [-fi:-], góld-mìnes; соляны́е ∼**лы** sált-mines, sált-wòrks.

про́мысел *м. церк. (провидение)* Próvidence.

про́мыслови́к *м.* 1. proféssional húnter / físher:man*; 2. *(работающий на промыслах)* míner.

про́мысло́в‖**ый**: ∼**ая коопера́ция** prodúcers' cò-òperátion; prodúcers' cò-óperative òrganizátion [...-naɪ]; ∼ зверь fúr-bearing ánimals [-bɛə-...]; ∼**ая ры́ба** márketable fish; ∼**ая пти́ца** gáme-bird; ∼**ое свиде́тельство** lícence ['laɪ-]; ∼ флот físhing fleet.

промы́ть *сов. см.* промыва́ть.

промыча́ть *сов.* 1. low [loʊ], moo; *(один раз)* give* a low; 2. *как сов. к* мыча́ть.

промы́шленник *м.* mànufácturer, indústrialist.

промы́шленн‖**ость** *ж.* índustry; кру́пная ∼ lárge-scàle índustry; тяжёлая ∼ héavy índustry ['hevɪ...]; лёгкая ∼ light índustry; добыва́ющая ∼ extráctive índustry; обраба́тывающая ∼ mànufácturing / próces[s]ing índustry; основны́е о́трасли ∼**ости** main bránches of índustry [...-ɑ:n-...]; main / básic índustries [...'beɪ-]. ∼**ый** indústrial; ∼**ый** капита́л indústrial cápital; ∼**ый** капитали́зм indústrial cápitalism; ∼**ый** пролетариа́т indústrial pròletáriat [...-prou-]; ∼**ые** райо́ны indústrial régions; ∼**ый** потенциа́л страны́ indústrial poténtial of the cóuntry [...'kʌ-]; ∼**ые** запа́сы commérci[a]l resérves [...'zə:vz].

промышля́ть 1. *(вн., рд.) разг. (добывать, доставать что-л.)* earn one's líving [ɔ:n...'lɪv-] (by); 2. *(тв., вн.; заниматься каким-л. промыслом)* trade (in); ∼ охо́той trade in húnting.

про́мямлить *сов. см.* мя́млить 1.

пронести́ I, II *сов. см.* проноси́ть I, II.

пронести́сь *сов. см.* проноси́ться I.

пронза́ть, **пронзи́ть** *(вн.)* pierce [pɪəs] *(d.)*, tránsfix *(d.)*; run* through *(d.)*; ∼ копьём spear *(d.)*; ◊ ∼ взгля́дом pierce with one's glance *(d.)*, look dággers (at).

пронзи́тельн‖**о** *нареч.* shrílly, piércingly ['pɪə-]; strídent:ly; ∼ крича́ть, визжа́ть scream, screech, útter shrill screams. ∼**ый** shrill, sharp, piércing ['pɪə-]; strídent; ∼**ый** крик piércing shriek [...i:k]; ∼**ый** взгляд piércing look; pénetràting glance; ∼**ым** го́лосом in a shrill voice.

пронзи́ть *сов. см.* пронза́ть.

пронизать *сов. см.* прони́зывать.

прони́зыва‖**ть**, **пронизать** *(вн.)* pierce (through) [pɪəs] *(d.)*; trànspíerce [-'pɪ-əs] *(d.)*; *(проникать)* pénetràte *(d.)*, pérmeàte [-mɪeɪt] *(d.)*; ∼ до косте́й *(о ветре)* chill to the márrow *(d.)*; э́та мысль ∼**ет** всю кни́гу this idéa runs through the entíre book [...aɪ'dɪə...], the whole book is pérmeàted with this idéa [...houl...]. ∼**ющий** *прич. и прил.* piércing ['pɪə-]; ∼**ющий** хо́лод piércing cold.

проника́ть, **прони́кнуть** *(в вн.)* pénetràte *(d.)*, into *(тж. перен.)*; *(через)* pénetràte (through), go* (through), pass (through); *(просачиваться)* pércolàte (through); ∼ в чьи-л. наме́рения fáthom smb.'s desígns [-ðəm...-'zaɪnz]. ∼**ся**, прони́кнуться *(тв.)* be imbúed (with), imbúe one's mind (with); be filled (with); ∼**ся** созна́нием до́лга be imbúed / fill-

ПРО—ПРО

ed with a sense of dúty; ~ся любо́вью be inspired with love [...lʌv].

проникнове́н||ие с. 1. pènetrátion; 2. = прони́кновенность. ~**ность** ж. emótion, féeling. ~**ный** móving ['mu:v-], sincére, héartfèlt ['ha:t-].

прони́кну||тый (тв.) imbúed (with), inspíred (with), full (of). ~**ть(ся)** сов. см. проника́ть(ся).

пронима́ть, проня́ть (вн.) разг. pènetráte (d.), strike* through (d.); (перен. тж.) get* out (d.); его́ ниче́м не проймёшь you can't get at him [...ka:nt-...]; хо́лод проня́л его́ the cold struck through him; хо́лод проня́л его́ до косте́й he was chilled to the márrow / bone.

проница́ем||ость ж. pèrmeability [-mɪə-], pènetrability, pérviousness; (для света) pellúcidity; магни́тная ~ pérmeance [-mɪəns]. ~**ый** pérmeable [-mɪə-], pérvious; (для света) pellúcid.

проница́тельн||ость ж. pèrspicácity, ínsight, acúmen; облада́ть большо́й ~остью have a very keen ínsight (into). ~**ый** pèrspicácious, acúte, shrewd; astúte; ~**ый** взор pènetráting gaze, píercing look ['pɪə-...]; ~**ый** ум pènetráting / astúte mind, shréwdness.

проноси́ть I, пронести́ 1. (вн. ми́мо, че́рез) cárry (d. by, past, through); пронести́ че́рез века́ (вн.) retáin through the cénturies (d.); 2. безл. разг.: беду́ пронесло́! the dánger is óver ['deɪn-...]!

проноси́ть II, пронести́ безл. разг.: его́ пронесло́ his bówels have moved [...mu:vd], he has ópened his bówels.

проноси́ть III сов. (вн.) разг. 1. (в течение какого-то времени) cárry abóut (d.); (об одежде) wear* [wɛə] (d.): он весь день проноси́л э́ту кни́гу he cárried the book abóut all day; он проноси́л э́то пальто́ три го́да he wore the coat for three years; 2. (изнашивать до дыр) wear* out (d.), wear* to shreds (d.).

проноси́ться I, пронести́сь 1. shoot* / sweep* past; пробежа́ть тж.) rush / scud past; 2. (быстро миновать) fly* by; (о буре и т. п.) blow* óver [blou-...]; 3. (быстро распространиться): пронёсся слух, что there was a rúmour that, a rúmour went round that; 4. страд. к проноси́ть I.

проноси́ться II сов. 1. (приходить в ветхость) wear* out [wɛə...], be worn out [...wɔ:n...]; 2. (пробыть в носке какое-то время) last; костю́м проноси́лся три го́да the suit lásted three years [...sju:t...].

пронумерова́ть сов. см. нумерова́ть.

проны́р||а м. и ж. разг. púshful / intrúsive pérson ['pu-...]; slý-boots идиом. разг. ~**ливость** ж. разг. púshing / indélicate ways ['pu-...] pl. ~**ливый** разг. púshing ['pu-], púshful ['pu-].

проню́х||ивать, проню́хать (вн.) разг. см. проню́хивать.
~**ивать**, проню́хать (вн.) разг. (разузнавать) smell* out (d.), nose out (d.), get* wind [...wɪnd] (of).

проня́ть сов. см. пронима́ть.

проо́браз м. próto:type.

пропага́нд||а ж. informátion, téaching; pròpagánda; (методов работы, достижений науки и т. п.) pòpularizátion [-гаɪ-...], сре́дства ~ы públicity média [rлb-...]. ~**и́ровать** (вн.) pròpagándize (d.), ádvocàte (d.); (о методах работы, достижениях науки и т. п.) pópularize (d.). ~**и́ст** м., ~**и́стка** ж. pròpagándist. ~**и́стский** pròpagándistic; pròpagánda (attr.).

пропа́д||ать, пропа́сть 1. (теряться) be míssing; (о вещах тж.) be lost; 2. (исчезать) disappéar, vánish; (о чувствах) die, pass; пропа́сть и́з виду disappéar from view [...vju:]; пропа́сть бе́з вести be míssing; пропа́вший бе́з вести míssing; 3. (погибать) pérish, die; я пропа́л! I am lost!, I am done for!, I've had it!, it is all óver with me!; цветы́ пропа́ли от моро́за the flówers were killed by the frost; 4. (проходить бесполезно) be wásted [...'weɪ-]; ~ да́ром go* to waste [...weɪst]; весь день пропа́л у меня́ the whole day has been wásted [...houl...], I've wásted the whole day; ◇ где вы ~**а́ли**? where (on earth) have you been? [...ə:θ...]; пиши́ пропа́ло разг. it is as good as lost; ~ **и́** он про́падом! разг. the dévil take him!

пропа́ж||а ж. loss; все ~**и** нашли́сь разг. all the lost things are found.

пропа́лывать, прополо́ть (вн.) weed (d.).

пропа́ривать, пропа́рить (вн.) steam thóroughly [...'θʌ-] (d.). ~**ся**, пропа́риться get* steamed thóroughly [...'θʌɡə-].

пропа́рить(ся) сов. см. пропа́ривать (-ся).

пропа́рывать, пропоро́ть (вн.) разг. cut* through (d.), tear* [tɛə] (d.).

пропа́ст||ь ж. 1. précipice, abýss; gulf (тж. перен.); на краю́ ~**и** (перен.) on the verge of disáster / rúin [...-'za:-...]; 2. (рд.) разг. (множество) a world (of), a lot (of), a great deal [..-eɪt...] (of); у него́ ~ **де́нег** he has a lot of móney [...'mʌ-]; наро́ду там бы́ло ~ there were swarms of péople there [...pi:-...].

пропа́сть сов. см. пропада́ть.

пропаха́ть I сов. см. пропа́хивать.

пропах||а́ть II сов. (некоторое время) plough (for some time): он ~**а́л** всё у́тро he has been plóughing the whole mórning [...houl...].

пропа́хивать, пропаха́ть (вн.) plough (d.); (пропашником) cúltivàte (d.).

пропа́х||нуть сов. 1. (тв.) become* pèrméated with the smell [...-mɪeɪ-...] (of); 2. (испортиться) smell*; ры́ба ~ **ла** the fish has stárted to smell.

пропа́ш||ка ж. с.-х. intertíllage. ~**ник** м. с.-х. cúltivàtor, fúrrow plough. ~**но́й**: ~**ны́е** культу́ры с.-х. (ìnter)tílled / cúltivàted crops; ~**но́й** тра́ктор tráctor-cúltivàtor.

пропа́щий разг.: он ~ челове́к he is a hópe:less case [...keɪs], he's done for; э́то ~**ее** де́ло it's a bad job, nothing will come of it.

пропеде́вт||ика ж. pròpaedéutics [prou-], prelíminary stúdy [...'stʌ-]. ~**и́ческий** pròpaedéutic [prou-]; ~**и́ческий** курс ìntrodúctory course [...kɔ:s].

пропека́ть, пропе́чь (вн.) bake thóroughly / well [...'θʌ-...] (d.). ~**ся**, пропе́чься 1. get* baked through; 2. страд. к пропека́ть.

пропе́ллер м. propéller.

пропе́сочивать, пропе́сочить (вн.) разг. críticize sevére:ly (d.), slate (d.).

пропе́сочить сов. см. пропе́сочивать.

пропе́ть сов. 1. см. петь 1, 2, 3; 2. (в течение какого-то времени) sing*: они́ пропе́ли всё у́тро they sang, или were sínging, all the mórning.

пропеча́тать сов. (вн.) разг. write* a sharp críticism (of), state in the press (d.); make* it hot (for).

пропе́чь(ся) сов. см. пропека́ть(ся).

пропива́ть, пропи́ть (вн.) 1. spend* / squánder on drink (d.); пропи́ть ве́щи sell* one's things to get* móney for drink [...'mʌ-...], swap one's things for drink; 2. разг. rúin through excéssive drínking (d.); пропи́ть го́лос rúin one's voice through excéssive drínking.

пропи́л м. тех. slit, (sáw-)kèrf.

пропи́л||ивать, пропили́ть (вн.) saw* through (d.). ~**и́ть** сов. см. пропи́ливать.

прописа́ть(ся) сов. см. прописывать (-ся).

пропи́ск||а ж. règistrátion; ~ па́спорта règistrátion of a pássport; получи́ть (постоя́нную) ~**у** acquíre the right of (pérmanent) résidence [...-zɪ-].

пропи́сн||о́й: ~**а́я** бу́ква cápital létter; ~**а́я** мора́ль cópy-book moràlity ['kɔ-...]; cópy-book máxims pl.; ~**а́я** и́стина cópy-book truth [...-u:θ], cómmon truth; trúism.

пропи́сывать, прописа́ть (вн.) 1. (о лекарстве и т. п.) prescríbe (d.); ~ лече́ние prescríbe a tréatment; 2. (регистрировать) régister (d.); ~ па́спорт régister a pássport; ~ но́вого жильца́ régister a new ténant [...'te-]. ~**ся**, прописа́ться 1. get* régistered; régister (òne:sélf); 2. страд. к пропи́сывать.

про́пис||ь ж. sámples of wríting pl. ~**ью** нареч.: писа́ть ~ (число́) write* out (a númber) in words.

пропита́ние с. уст. subsístence; зараба́тывать себе́ на ~ earn one's dáily bread [ə:n...bred], earn one's líving [...'lɪv-].

пропита́ть(ся) сов. см. пропи́тывать(ся).

пропи́тка ж. тех. ìmprègnátion, steep.

пропито́й разг.: ~ го́лос hoarse voice (ruined through excessive drinking).

пропи́тывать, пропита́ть (вн. тв.) ìmprègnàte (d. with), sáturàte (d. with); soak (d. in), steep (d. in). ~**ся**, пропита́ться 1. (тв.) become* / get* sáturàted / ìmprègnàted / soaked (with); несов. тж. soak (in); 2. страд. к пропи́тывать.

пропи́ть сов. см. пропива́ть.

пропи́х||ивать, пропихну́ть (вн.) разг. push / shove / force / squeeze through [puʃ ʃʌv...] (d.). ~**иваться**, пропихну́ться разг. shove / force one's way through [ʃʌv...]. ~**ну́ть(ся)** сов. см. пропи́хивать(ся).

пропища́ть сов. 1. см. пища́ть; 2. (издать писк) squeal, give* a squeal.

пропла́ва́||ть *сов.* (*в течение какого-то времени*; *о живом существе*) swim*, be swimming; (*о судне*) sail, be sáiling; он ~л це́лый час he has been swimming for a whole hour [...houl uǝ], he spent an hour swimming; кора́бль ~л два дня the ship sailed for two days, the ship was sáiling for two days; ~ всю жизнь матро́сом be a sáilor all one's life.

пропла́кать *сов.* (*в течение какого-то времени*) cry, weep* (*for a certain time*); ◊ все глаза́ ~ *разг.* cry one's eyes out [...aɪz...].

проплесневе́ть *сов.* go* móuldy all through [...'mou-...].

проплута́ть *сов. разг.* wánder abóut (*for a certain time*).

проплыва́ть, проплы́ть 1. (*мимо, через*) (*о живом существе*) swim* (by, past, through); (*о судне*) sail (by, past, through); (*о предмете*) float / drift (by, past, through); **2.** (*вн.*; *покрывать расстояние*) cóver ['kʌ-] (*d.*): он проплы́л два киломе́тра he (has) cóvered two kílomètres.

проплы́ть *сов. см.* проплыва́ть.

пропове́дник *м.* **1.** préacher; **2.** (*теории и т. п.*) ádvocate.

пропове́довать (*вн.*) **1.** preach (*d.*), sérmonize (*d.*); **2.** (*о теории и т. п.*) própagàte (*d.*), ádvocàte (*d.*).

про́поведь *ж.* **1.** sérmon, hómily; **2.** (*теории, взглядов и т. п.*) própagátion, ádvocacy.

пропо́йца *м. разг.* drúnkard.

пропола́скивать, прополоска́ть (*вн.*) rinse (*d.*); (*о горле*) gargle (*d.*); прополоска́ть бельё rinse the línen [...'lɪ-].

проползти́, проползти́ creep*, crawl.

проползти́ *сов. см.* проползти́.

пропо́лка *ж. с.-х.* wéeding.

прополоска́ть *сов. см.* пропола́скивать.

прополо́ть I *сов. см.* пропа́лывать.

прополо́||ть II *сов.* (*некоторое время*) weed (*for a certain time*); они́ ~ли весь день they spent the whole day wéeding [...houl...].

пропоро́ть *сов. см.* пропа́рывать.

пропорциона́льно *нареч.* (*дт.*) in propórtion (to); обра́тно ~ ínverse̞ly propórtional (to).

пропорциона́льн||ость *ж.* propòrtionálity; (*соразмерность*) propórtionate̞ness, propórtion. **~ый** propórtional; (*соразмерный*) propórtionate; ~ый чему́-л. propórtionate to smth.; систе́ма ~ого представи́тельства sýstem of propórtional rèpresèntátion [...-zen-]; ~ое обложе́ние (*налогом*) propórtional tàxátion; ~ое распределе́ние apprórtionment; ~ое сре́днее *мат.* the mean propórtional; пря́мо ~ый чему́-л. diréctly propórtional to smth.; обра́тно ~ый чему́-л. ínverse̞ly propórtional to smth.

пропо́рция *ж.* propórtion; rátiò; арифмети́ческая ~ àrithmétical propórtion; геометри́ческая ~ gèométrical propórtion.

пропоте́ть *сов.* **1.** pèrspíre fréely, sweat profúsely [swet...]; **2.** (*пропитаться потом*) be sóaked in sweat [...swet].

про́пуск *м.* **1.** *тк. ед.* (*действие*) admíssion; **2.** (*мн.* ~и) (*рд.*; *непосеще-*

ние) ábsence (from); nón-atténdance (of); **3.** (*мн.* ~и) (*упущение*) omíssion; lapse; **4.** (*мн.* ~и) (*пустое место*) blank, gap; **5.** (*мн.* ~и и ~á*) (*документ*) pass; (*разрешение*) pérmit; **6.** (*мн.* ~á) *воен.* (*пароль*) pássword.

пропуск||а́ть, пропусти́ть 1. (*вн.*; *давать пройти*) let* (*d.*) go past; let* (*d.*) pass; make* way (for); let* through (*d.*); (*впускать*) let* in (*d.*), admít (*d.*); (*выпускать*) let* out (*d.*); пропусти́те его́ let him pass / go; **2.** (*вн.* че́рез) run* / pass (*d.* through); ~ мя́со че́рез мясору́бку mince meat; **3.** (*вн.*; *не упоминать*) omít (*d.*), leave* out (*d.*); (*при чтении, переписке и т. п.*) skip (*d.*); ~а́йте подро́бности omít the details [...'di:-]; пропусти́ть стро́чку skip a line; **4.** (*вн.*; *заседание и т. п.*) miss (*d.*); (*случай и т. п. тж.*) let* slip (*d.*); пропусти́ть ле́кцию miss a lécture; (*намеренно*) cut* a lécture; **5.** *тк. несов.* (*вн.*; *насквозь*) let* pass (*d.*); (*о бумаге*) drink* (*d.*), absórb (*d.*); ~ во́ду be pérvious to wáter [...'wɔ:-], leak; не ~ во́ду be impérvious to wáter, be wáterproof [...'wɔ:-]; э́та бума́га ~а́ет (*чернила*) this páper absórbs / drinks (ink); **6.**: пропусти́ть гол *спорт.* let* through a goal; ◊ ~ ми́мо уше́й (*вн.*) *разг.* turn a deaf ear [...def...] (to); pay no heed (to); пропусти́ть стака́нчик, рю́мочку и т. п. *разг.* toss off a glass, *etc.*

пропускн||о́й: ~а́я бума́га blótting-pàper; ~а́я спосо́бность capácity; (*транспорта*) tráffic / cárrying capácity.

пропусти́ть *сов. см.* пропуска́ть 1, 2, 3, 4.

пропыли́ть *сов.* (*вн.*) make* thóroughly dústy [...'θʌlrǝ-...] (*d.*), cóver with dust ['kʌ-...] (*d.*), fill with dust (*d.*). **~ся** *сов.* be cóvered with dust [...'kʌv-...], be full of dust.

пропыхте́ть *сов. см.* пыхте́ть.

пропья́нствова||ть *сов. разг.* (*в течение какого-то времени*) drink*: он ~л це́лую неде́лю he drank (hard / héavily) for a whole week [...'hev-...houl...]; for a whole week he was drínking (hard / héavily).

прора́б *м.* (*производитель работ*) work sùperinténdent, clerk of the works [klɑ:k...].

прораба́тывать, прорабо́тать (*вн.*) *разг.* **1.** (*изучать*) stúdy ['stʌ-] (*d.*), work (at); в вопро́с look / go* into a quéstion [...-stʃǝn]; **2.** (*критиковать*) pick holes (in), pick to píeces [...'pi:-] (*d.*), slate (*d.*).

прорабо́т||ать I *сов.* (*в течение какого-то времени*) work; spend* *the time* wórking; он ~ал там два го́да (*в прошлом*) he worked there for two years; (*и сейчас работает*) he has been wórking there two years; он ~ал всю ночь he worked all night; he spent, *или* sat up, all night wórking.

прорабо́тать II *сов. см.* прораба́тывать.

прорабо́тка *ж. разг.* **1.** (*изучение*) stúdying ['stʌ-], stúdy ['stʌ-]; **2.** (*критика*) críticism, sláting.

прораста́ние *с.* gèrminátion; spróuting; (*ср.* прораста́ть).

ПРО — ПРО   **П**

прораста́ть, прорасти́ gérminàte; (*давать ростки, побеги*) sprout, shoot*.

прорасти́ *сов. см.* прораста́ть.

про́рва *ж. груб.* **1.** (*рд.*; *много*) a lot (of), a mass (of), másses (of); **2.** (*о человеке*) glútton.

прорва́ть I *сов. см.* прорыва́ть I.

прорв||а́ть II *сов. безл. разг.*: его́ ~а́ло he lost his pátience.

прорва́ться *сов. см.* прорыва́ться.

прореаги́ровать *сов. см.* реаги́ровать.

прореди́ть *сов. см.* прореживать.

проре́живать, прореди́ть (*вн.*) *с.-х.* thin out (*d.*).

проре́з *м.* cut; (*щель*) slit.

проре́зать *сов. см.* прореза́ть.

прореза́ть, проре́зать (*вн.*) cut* through (*d.*); ~ дыру́ cut* a hole.

проре́заться *сов. см.* прореза́ться и ре́заться 1.

прореза́||ться, проре́заться 1. (*о зубах*) cut*; erúpt; у ребёнка зу́бы ~ются the child* is cútting teeth, the child* is téething; **2.** *страд. к* прореза́ть.

прорези́ненн||ый *прич. и прил.* rúbberized; ~ая ткань rúbberized fábric.

прорези́ни||вать, прорези́нить (*вн.*) rúbberize (*d.*). **~ть** *сов. см.* прорези́нивать.

прорезыва́||ние *с.* **1.** cútting; **2.** (*о зубах*) téething, dèntítion; erúption of teeth. **~ть** = прореза́ть. **~ться** = прореза́ться.

про́резь *ж.* cut, ópening; (*щель*) slit.

проре́ктор *м.* prò-réctor.

прорепети́ровать *сов. см.* репети́ровать 1.

проре́ха *ж.* rent, tear [teǝ]; (*разрез*) slit; (*дыра*) hole; (*перен.: упущение*) lapse, gap.

прорецензи́ровать *сов. см.* рецензи́ровать.

проржа́веть *сов.* rust through.

прорица́||ние *с.* sóothsàying, próphecy. **~тель** *м.* sóothsàyer, próphet. **~тельница** *ж.* sóothsàyer, próphetess.

прорица́ть (*вн.*) próphesỳ (*d.*), sóoth: sày* (that).

проро́к *м.* próphet; ◊ нет ~а в своём оте́честве no man is a próphet in his own cóuntry [...oun 'kʌ-].

пророни́ть *сов.* (*вн.*; *звук, слово и т. п.*) útter (*d.*), breathe (*d.*); не ~ ни сло́ва never útter / breathe a word, not útter a word; не ~ (ни) слези́нки not shed* a (single) tear.

проро́че||ский prophétic(al), òrácular. **~ство** *с.* próphecy, óracle.

проро́чествовать (*о пр.*) próphesỳ (*d.*).

проро́ч||ить, напроро́чить (*вн.*) próphesỳ (*d.*), predíct (*d.*). **~ица** *ж.* próphetess.

проруб||а́ть, проруби́ть (*вн.*) hack / hew / cut* through (*d.*). **~и́ть** *сов. см.* проруба́ть.

про́рубь *ж.* ice-hòle.

прору́ха *ж. разг.* blúnder, mistáke; ◊ и на стару́ху быва́ет ~ *посл.* ≃ èverybody makes mistákes, nó:body's pérfect; èvery man has a fool in his sleeve *идиом.*

проры́в *м.* **1.** (*в разн. знач.*) break [-eɪk]; *воен.* bréak-thròugh [-eɪk-], breach;

507

ПРО — ПРО

2. (*в работе*) hitch; hóld-ùp; пóлный ~ bréak-down [-eɪk-]; ликвидировать ~ bridge the gaps; (*выполнить план*) catch* up with the plan.

прорыва́ть I, прорва́ть (*вн.*) **1.** (*в разн. знач.*) break* through [-eɪk...] (*d.*), breach (*d.*); ~ плотину break through, или burst*, the dam; ~ блокаду run* the blockáde; ~ фронт break* / breach the énemy front [...frʌnt]; ~ оборону противника break* through / breach the énemy's defénces; **2.** (*делать дырку*) tear* [tɛə] (*d.*); я прорва́л носо́к I have a hole in my sock.

прорыва́ть II, проры́ть (*вн.*) dig* through / acróss (*d.*), búrrow through / acróss (*d.*).

прорыва́ться, прорва́ться **1.** (*лопаться*) burst* ópen; (*о нарыве*) break* [-eɪk]; **2.** (*о платье и т. п.*) tear* [tɛə]; **3.** (*о плотине*) break*, burst*; **4.** (*через вн.; силой прокладывать себе путь*) force / cut* one's way (through), burst* (through), *воен.* break* (through), pénetràte (*d.*); **5.** *страд.* к прорыва́ть I.

проры́ть *сов.* *см.* прорыва́ть II.
проры́ча́ть *сов.* *см.* рыча́ть.
проса́ди́ть *сов.* *см.* проса́живать.
проса́живать, просади́ть (*вн.*) *разг.* squánder (*d.*), lose* [lu:z] (*d.*); просади́ть состоя́ние squánder one's fórtune [...tʃən].

проса́ливать I, просали́ть (*вн.*) grease (*d.*).
проса́ливать II, просоли́ть (*вн.*) salt (*d.*), (*о мясе*) corn (*d.*).
просали́ть *сов.* *см.* проса́ливать I.
проса́чивание *с.* percolátion; (*наружу*) léakage, óozing; exudátion; (*внутрь*) sóakage, fíltering, infiltrátion (*тж. перен.*).

проса́чиваться, просочи́ться percolàte; (*наружу*) leak, ooze; seep out; exúdàte; (*внутрь*) soak; (*каплями*) trickle (through); filter, infíltràte (*тж. перен.*); ~ в пре́ссу filter into the press.

просва́тать *сов.* (*вн. дт.*) *разг.* (*о родителях невесты*) prómise in márriage [-s...-rɪdʒ] (*d. to*).

просве́рливать, просверли́ть (*вн.*) pierce [pɪəs] (*d.*), drill (*d.*); pérforàte (*d.*).
просверли́ть *сов.* *см.* просве́рливать.
просве́т *м.* **1.** clear space; (*в облаках*) ray of light; (*перен.*) ray of hope; без ~a without a ray / gleam of hope; **2.** (*на погонах*) space; **3.** *тех.* gap; **4.** *арх.* bay, áperture, ópen;ing.

просвети́тель *м.* enlíghtener. ~ный instrúctive, elúcidàtive; ◇ ~ная филосо́фия *ист.* philósophy of the Enlíghtenment. ~ский *прил.* к просвети́тель. ~ство *с.* enlíghtenment.

просвети́ть I *сов.* *см.* просвеща́ть.
просвети́ть II *сов.* *см.* просве́чивать I.
просвети́ться *сов.* *см.* просвеща́ться.
просветле́ние *с.* enlíghtenment; (*перен.*) lúcid ínterval / móment.

просветле́ть *сов.* clear up; (*перен.*) bríghten up; (*о сознании и т. п.*) get* / becòme* lúcid; ~ от ра́дости light* up with joy.

просветля́ть *сов.* *см.* просветля́ть. ~я́ть, просветли́ть (*вн.*) clárify (*d.*).

просве́чивание *с.* *мед.* radiógraphy; X-ráying.
просве́чивать I, просвети́ть (*вн.*) *мед.* exámine with X-rays (*d.*), X-ray (*d.*).
просве́чивать II **1.** (*быть прозра́чным*: *о ткани и т. п.*) be translúcent [...-nz-]; **2.** (*быть видным через*) appéar through; be seen / vísible through [...-zɪ-...], show* through [ʃou...].

просве́чиваться *страд.* к просве́чивать I.

просвеща́||ть, просвети́ть (*вн.*) enlíghten (*d.*), éducàte (*d.*). ~ться, просвети́ться be enlíghtened, be infórmed. ~енец *м.* educátionist. ~ение *с.* enlíghtenment; наро́дное ~ение públic educátion ['pʌ-...]; полити́ческое ~ение polítical educátion; ◇ эпо́ха Просвеще́ния the Age of the Enlíghtenment.

просвеще́нн||ость *ж.* cúlture, enlíghtenment. ~ый enlíghtened, éducàted; ~ый ум infórmed mind; ~ое мне́ние expèrt opínion.

просвира́ *ж. церк.* commúnion bread (*in the Orthodox Church*) [...bred].
просви́рня *ж. уст.* wóman* máking commúnion bread ['wu:-...bred].
просвисте́ть *сов.* (*в разн. знач.*) whistle.
про́седь *ж.* streak(s) of grey (*pl.*); во́лосы с ~ю gréying hair *sg.*, hair touched with grey [...tʌtʃt...].
просе́ивание *с.* (*сквозь сито*) sífting; (*сквозь решето*) scréening.
просе́ивать, просе́ять (*вн.*) sift (*d.*); (*сквозь решето*) screen (*d.*).
про́сек *м.*, **про́сека** *ж.* ópen;ing, cútting (*in a forest*) [...'fɔ-].
просёло||к *м.* country road ['kʌ-...], country-tràck ['kʌ-], cárt-tràck. ~чный: ~чная доро́га = просёлок.
просе́ять *сов.* *см.* просе́ивать.
просигнализи́ровать *сов.* (*дт. о пр.*) give* a sígnal (*to of*).
просигна́лить *сов.* = просигнализи́ровать.
просиде́ть I, II *сов.* *см.* проси́живать I, II.
проси́живать I, просиде́ть (*в течение какого-то времени*) sit*; spend* the time sitting; ~ часа́ми sit* for hours [...auəz]; просиде́ть ночь за кни́гой sit* up all night óver a book; он просиде́л там це́лый день he sat there the whóle day [...houl...], he spent the day sítting there; просиде́ть ве́чер до́ма stay / pass the évening at home [...'i:v-...]; просиде́ть ночь у посте́ли больно́го pass the night at the pátient's béd-side.
проси́живать II, просиде́ть (*вн.*; *продавливать*) wear* out the seat [wɛə...] (*of*); (*протирать*) wear* into holes by sítting (*d.*).
про́синь *ж.* blúish tint / cólour [...'kʌ-...], ~ не́ба the ázure of the sky [...'æʒə-...].
проси́тель *м.*, ~ница *ж. уст.* ápplicant; súppliant; *юр.* petítioner. ~ный pléading; ~ный взгляд pléading glance.

проси́||ть, попроси́ть **1.** (*кого-л.*) ask (smb.), beg (smb.); (*что-л., чего-л., о чём-л.*) ask (*for smth.*), beg (*for smth.*): он ~л его́ об э́том he asked him for it; он ~л кни́гу he asked for a book; он ~л о по́мощи he begged him for help, или his assístance; ~ вре́мени на размышле́ние ask for time to think *smth.* over; ~ одолже́ния (у кого́-л.) ask a fávour (of smb.), ask (smb.) a fávour; ~ разреше́ния ask permíssion; — ~ извине́ния у кого́-л. beg smb.'s párdon, apólogize to smb.; ~ сове́та ask for advíce, requést advíce; ~ снисхожде́ния у кого́-л. crave smb.'s indúlgence; ~ ми́лостыню beg, go* bégging; **2.** (*кого-л. за кого-л.*) intercéde (with smb. for smb.); **3.** (*вн.*; *приглашать*) invíte (*d.*); ~ к столу́ call to table (*d.*); ◇ про́сят не кури́ть (*объявление*) no smóking! ~и́ться, попроси́ться ask; ~и́ться в о́тпуск ask for leave, apply for leave; ◇ ~и́ться с языка́ be on the tip of one's tongue [...tʌŋ]; пейза́ж так и про́сится на карти́ну the lándscàpe cries out, *или* is just ásking, to be páinted.

проси́||ть *сов.* **1.** (*о солнце*) come* out, begín* to shine, shine*; **2.** (*от удово́льствия, сча́стья и т. п.*) bríghten (with), light* up (with), beam (with); ~ от ра́дости beam with joy; её лицо́ проси́ло her face lit up.

проскака́ть *сов.* (*мимо, через*) gállop (by, past, through).
проска́кивать, проскочи́ть **1.** rush by, tear* by [tɛə...]; **2.** (*пробираться*) slip; **3.** (*сквозь, между; падать*) fall* (through, betwéen); **4.** *разг.* (*об ошибке, описке и т. п.*) slip in, creep* in; проскочи́ло мно́го оши́бок many érrors have crept / slipped in.

проска́льзывать, проскользну́ть steal*, creep*, slip.
проскво́зи́||ть: его́, их *и т. д.* ~ло he has, they have, *etc.*, caught cold (by, from) sítting, *или* from béing, in a draught [...-ɑ:ft].

проскло́ня́ть *сов.* *см.* склоня́ть II.
проскользну́ть *сов.* *см.* проска́льзываять.
проскочи́ть *сов.* *см.* проска́кивать.
проскрипе́ть *сов.* *см.* скрипе́ть.
проскрипцио́нный: ~ спи́сок *ист.* proscríption list.
проскри́пци||я *ж. ист.* proscríption; подверга́ть ~и (*вн.*) proscríbe (*d.*).
проскуря́к *м. бот.* marsh mállow.
проскуча́||ть *сов.* have a dull / bóring time; он ~л весь ве́чер he had a dull / bóring évening [...'i:v-].
просла́бить *сов.* *см.* слаби́ть.
просла́в||ить(ся) *сов.* *см.* прославля́ть(ся). ~ле́ние *с.* glorificátion [glɔ:-]; apòtheósis (*pl.* -sès [-si:z]). ~ленный **1.** *прич.* *см.* прославля́ть; **2.** *прил.* fámous, célebràted, illústrious, renówned.
прославля́ть, просла́вить (*вн.*) glórify ['glɔ:-] (*d.*), bring* fame (to), make* fámous / illústrious (*d.*). ~ся, просла́виться **1.** (*тв.*) becòme* fámous (for); **2.** *страд.* к прославля́ть.
просла́ивать, прослои́ть (*вн. тв.*) interláy* (*d. with*), sándwich [-nwɪdʒ] (*d. with*).
проследи́ть *сов.* *см.* просле́живать.
просле́довать *сов.* procéed, go* / pass in state.
просле́живать, проследи́ть **1.** (*вн.*; *выслеживать*) spy (on, upón), trace (*d.*), track (*d.*); **2.** (*вн.*; *исследовать, изуча́ть*) retráce (*d.*), trace back (*d.*); **3.** (*за тв.*) *разг.* (*проверять*) obsérve

[-'zə:v] (d.); проследить за выполнением чего-л. see* smth. done.
прослезиться сов. shed* a few tears.
прослоить сов. см. прослаивать.
прослойка ж. **1.** streak, layer, stratum (pl. -ta) (тж. перен.); **2.** геол. interlayer.
прослужи́||**ть** сов. **1.** (в течение какого-то времени) work; serve; (о военнослужащем) be in the services; **2.** (о вещи) be in use [...ju:s]: этот нож ~л несколько лет this knife* has been in use for several years.
прослу́шать сов. **1.** см. прослу́шивать; **2.** как сов. к слу́шать 1, 2.
прослу́шивать, **прослу́шать** (вн.) **1.** hear* (d.); ~ пласти́нки listen to records ['lɪsn'...'re-]; **2.** мед. listen to (d.); ~ се́рдце listen to smb.'s heart [...hɑ:t]; **3.** разг. (пропускать мимо ушей) miss (d.), not catch* (what smb. has said) [...sed].
прослы́ть сов. (тв.) pass (for), be reputed (to + inf.).
прослы́шать сов. (о пр.) разг. find* out (d.), hear* about (d.).
просма́ливать, **просмоли́ть** (вн.) tar (d.); coat / impregnate with tar (d.); мор. тж. pay* (d.).
просма́тривать, **просмотре́ть** (вн.) (ознакомляться) look over / through (d.); (бегло) glance / run* over (d.).
просмоли́ть сов. см. просма́ливать.
просмо́тр м. survey; (документов и т. п.) examination; (фильма и т. п.) review ['vju:]; предварительный ~ preview ['vju:]; закрытый ~ private view ['praɪ-]; общественный ~ (пьесы) public pre:view ['prʌ-...].
просмотре́ть I сов. см. просма́тривать.
просмотре́ть II сов. (вн.; пропустить) over:look (d.), miss (d.).
просмо́тровый: ~ зал viewing room ['vju:-...].
проснуться сов. см. просыпа́ться II.
про́со с. millet.
просо́вывать, **просу́нуть** (вн.) push through / in [puʃ...] (d.); (с силой) force through (d.); (резким движением) shove through / in [ʃʌv...] (d.), thrust* through / in (d.); (легко) pass through / in (d.).
~**ся**, просу́нуться **1.** push / get* in [puʃ...]; **2.** страд. к просо́вывать.
просодический лингв. prosodic(al), prosodial.
просо́дия ж. лингв. prosody.
просоли́ть сов. см. проса́ливать II.
просо́хнуть сов. см. просыха́ть.
просочи́ться сов. см. проса́чиваться.
проспа́ть II сов. (в течение некоторого времени) sleep*; ~ три часа́ sleep* for three hours [...auəz]; ~ всё у́тро sleep* a:way the whole morning [...houl...].
проспа́ться сов. разг. **1.** (протрезвиться) sleep* one:self sober, sleep* off one's drunkenness; **2.** (выспаться) have a good sleep.
проспе́кт I м. (улица) avenue.
проспе́кт II м. (программа) prospectus (of); (рекламный тж.) booklet, folder.

проспиртова́ть сов. (вн.) alcoholize (d.). ~**ся** сов. alcoholize.
проспо́рить сов. **1.** (в течение какого-то времени) argue; spend* the time arguing: они́ проспорили весь вечер they argued all the evening [...'i:v]; they spent the whole evening arguing [...houl...]; **2.** (вн.) разг. (проиграть) lose* (in a wager) [lu:z...] (d.).
проспряга́ть сов. см. спряга́ть.
просро́ченный 1. прич. см. просро́чивать; **2.** прил. over:due.
просро́ч||**ивать**, **просро́чить** exceed the time-limit; ~**ить** о́тпуск over:stay one's leave; ~**ить** платёж fail to pay on time; он ~**ил** паспорт his passport has run out; ве́ксель ~**ен** the draft is over:due. ~**ить** сов. см. просро́чивать.
~**ка** ж. delay, expiration of a time-limit [-paɪə-...]; ~**ка** в предъявлении иска юр. non-claim.
проста́вить сов. см. проставля́ть.
проставля́ть, **проста́вить** (вн.; вписывать) state (d.), put* / write* down (d.), fill in (d.); ~ да́ту (в пр.) date (d.).
проста́ивать, **простоя́ть 1.** (в течение какого-то времени) stay, stand*; spend* the time standing: он простоял там всё у́тро, два часа́ he stood there the whole morning, for two hours [...stud...houl...auəz], he spent the whole morning, two hours standing there; поезд простоял там два дня the train stayed / stood there for two days; ~ полк простоял в этом городе год the regiment had a year's garrison duty, или was quartered for a year, in this town; **2.** (бездействовать) stand* idle; (о судах) lie* idle; **3.** (о доме и т. п.) stand*, last.
проста́к м. simpleton.
проста́та ж. анат. prostate (gland).
простега́ть сов. см. простёгивать.
простёгивать, **простега́ть** (вн.) quilt (d.).
просте́йшие мн. скл. как прил. зоол. protozoa [proutə'zouə].
просте́нок м. (между окнами) pier [pɪə].
про́стенький разг. plain and simple, unpretentious.
простере́ть сов. см. простира́ть I.
~**ся** сов. см. простира́ться.
простира́ть I, **простере́ть** (вн.) stretch (d.), extend (d.), hold* / reach (out) (d.); ~ ру́ки raise, или hold* / reach out, one's hands.
простира́||**ть** II сов. (вн.; в течение некоторого времени) wash (d.); она́ ~**ла** бельё всю ночь she washed linen the whole night [...lɪ-...houl...]; she spent the (whole) night washing (the linen), или laundering.
простира́ть III сов. см. прости́рывать.
простира́ться, **простере́ться** stretch, reach, range [reɪ-]; ~ до чего́-л. reach smth., stretch to smth.; ~ на сто километров stretch for a hundred kilometres.
простирну́ть сов. (вн.) разг. give* a wash (i.), wash (d.).
прости́рывать, **простира́ть** (вн.) wash (d.).
прости́тельн||**ый** pardonable, justifiable, excusable [-zəbl]; это ~о it is pardon-

able; ему́ ~о так ду́мать he is justified in thinking so.
проституи́ровать несов. и сов. (вн.) prostitute (d.). ~**ся** be prostituted.
проститу́||**тка** ж. prostitute, street-walker. ~**ция** ж. prostitution.
прости́ть сов. **1.** см. проща́ть; **2.**: прости́те меня́! excuse me!, I beg your pardon! ~**ся** сов. см. проща́ться I.
про́сто I **1.** прил. кратк. см. просто́й I; **2.** предик. безл. it is simple; (легко) it is easy [...-zɪ]; ему́ о́чень ~ э́то сде́лать it costs him nothing to do it.
про́сто II нареч. и как частица simply; он ~ ничего́ не зна́ет he knows nothing [...nouz...]; он не мо́жет э́тому пове́рить he simply cannot believe it [...-'li:v...]; ~ по привы́чке from sheer / mere habit, purely out of habit; ~ так for no particular reason [...-z-]; а ла́рчик ~ открыва́лся ≅ the solution / explanation was quite simple.
простова́||**тость** ж. разг. simplicity. ~**тый** разг. simple (-minded).
простоволо́сый разг. bare-headed [-'hed-], with head un:covered [...hed -'kʌv-].
простоду́ш||**ие** с. open-heartedness [-'hɑ:t-], simple-heartedness [-'hɑ:t-], simple-minded:ness; (бесхитростность) artlessness, ingenuous:ness [ɪn'dʒe-]. ~**ный** open-hearted [-'hɑ:t-]; simple-hearted [-'hɑ:t-], simple-minded; (бесхитростный) artless, unsophisticated.
прост||**о́й** I прил. **1.** simple; (нетрудный, несложный) easy ['i:zɪ]; **2.** (обыкновенный) common, plain, ordinary; ~ о́браз жи́зни plain living [...'lɪ-]; ~ы́е мане́ры un:affected manners; ~ы́е лю́ди ordinary people [...pi:-]; (без претензий) simple folk, home:ly / unpretentious people; ~ смертный a mere mortal; **3.** (не составной): ~ое число́ мат. prime number; ~ое те́ло хим. simple / elementary substance; element; **4.** (не более как, всего лишь) mere; ~ое любопы́тство mere curiosity; ◊ ~ое письмо́ non-registered letter; ~ым гла́зом with the naked eye [...aɪ]; по той ~ причи́не, что for the simple reason that [...-z°n-].
просто́й II м. standing idle; (у рабочих) idle time; (судна, вагона) demurrage; пла́та за ~ (вагонов, судов) demurrage.
простоква́ша ж. sour clotted milk.
простолюди́н м. уст. commoner, man* of the common people [...pi:-].
про́сто-на́просто нареч. simply.
простонаро́дье с. уст. the common people [...pi:-].
простона́||**ть** сов. **1.** (в течение определённого времени) groan, moan: больно́й ~**л** всю ночь the patient was groaning all night; **2.** (издать стон) utter a groan / moan; **3.** как сов. к стона́ть.
просто́р м. **1.** (пространство) spacious:ness; space; **2.** тк. ед. (свобода, раздолье) scope, elbow-room; дава́ть

~ (дт.) give* scope (i.), give* full play, или free range [...reɪ-] (i.).

простре́ч||ие с. лингв. pópular lánguage; в ~ии in cómmon párlance. ~**ный** лингв. cómmon, low collóquial [lou...].

просто́рн||о 1. прил. кратк. см. просто́рный; 2. предик. безл.: здесь ~ there is plénty of room here, there is ámple space here. ~**ый** spácious, róomy; (об одежде) loose [-s], wide; ~**ый зал** spácious hall, hall of génerous propórtions.

простосерде́ч||ие с. símple-héartedness [-'hɑ:t-]; (бесхитростность) ártlessness; (откровенность) fránkness. ~**ный** símple-héarted [-'hɑ:t-]; (бесхитростный) ártless; (откровенный) frank.

простот||а́ ж. (в разн. знач.) simplícity; ◊ **свята́я ~** разг. a simple soul [...soul]; **по ~е́ серде́чной** in one's innocence.

простофи́ля м. и ж. разг. dúffer, nínny.

простоя́ть сов. см. проста́ивать.

простра́нн||ость ж. 1. exténsive꞉ness; 2. (многословие) diffúse꞉ness [-s-], verbósity, wórdiness. ~**ый** 1. (обширный) exténsive, vast; 2. (многословный) diffúse [-s-], verbóse [-s-], wórdy.

простра́нственный spátial.

простра́нств||о с. space; **возду́шное ~** air space; **мёртвое ~** воен. dead space [ded...]; **безвозду́шное ~** физ. vácuum (pl. -ms, -cua); **косми́ческое ~** (óuter) space; **вре́дное ~** тех. (в цилиндре) cléarance; **пусто́е ~** void; **боя́знь ~а** мед. àgorapho͞bia.

простра́ция ж. pròstrátion, méntal and phýsical exháustion [...-zɪ-stʃən].

простра́чивать, прострочи́ть (вн.) stitch (d.), báck-stitch (d.).

простре́л м. разг. (болезнь) lùmbágò.

простре́ливать, прострели́ть (вн.) 1. shoot* through (d.); 2. тк. несов. воен. (иметь возможность обстреливать какой-л. участок) rake / sweep* with fire (d.). ~**ся** 1. воен. be expósed to fire; 2. страд. к простре́ливать.

прострели́ть сов. см. простре́ливать 1.

прострочи́ть сов. см. простра́чивать.

просту́д||а ж. cold, chill; **схвати́ть ~у** разг. catch* cold; **take* / catch* a chill**. ~**и́ть(ся)** сов. см. простужа́ть(ся). ~**ный** catárrhal.

просту||жа́ть, простуди́ть (вн.) let* (d.) catch cold, let* (d.) take / catch a chill; **он ~ди́л ребёнка** he let the child* catch cold, или a chill; **не ~ди́те ребёнка** take care the child* does'n't catch cold. ~**жа́ться, простуди́ться** 1. catch* cold, take* / catch* a chill; 2. страд. к простужа́ть.

просту́ж||енный прич. и прил.: **он ~ен** he has caught cold, he has táken / caught a chill. ~**ивать(ся)** = простужа́ть(ся).

просту́кать сов. см. просту́кивать.

просту́кивать, просту́кать (вн.) мед. tap (d.).

проступ||а́ть, проступи́ть ooze, exúde; show* through [ʃou...]; **вода́ ~и́ла** wáter has oozed out ['wɔː-...]; **пот ~и́л у него́ на лбу** pèrspirátion stood out on his fórehead [...stud...'fɔrɪd]; **на его́ лице́ ~и́л румя́нец** the cólour rose to his cheeks [...kʌ-...]. ~**и́ть** сов. см. проступа́ть.

просту́пок м. fault; delínquency; юр. misdeméanour.

просту́шка ж. разг. símpleton, nínny.

простыва́ть, просты́ть разг. 1. get* / grow* cold [...grou...], cool; 2. (простужаться) catch* cold; ◊ **и след просты́л** ≅ not a trace.

просты́нн||ый: ~**ое полотно́** shéeting.

простыня́ ж. sheet, béd-sheet.

просты́ть сов. см. простыва́ть.

просу́нуть(ся) сов. см. просо́вывать(-ся).

просу́шивать, просуши́ть (вн.) dry (up) (d.), dry out (d.); (не отжимая) dríp-drý (d.). ~**ся**, **просуши́ться** 1. (get*) dry; 2. страд. к просу́шивать.

просуши́ть(ся) сов. см. просу́шивать(ся).

просу́шка ж. drýing.

просуществова́ть сов. exíst (for a certain time), last.

просфора́ ж. = просвира́.

просце́ниум м. театр. prò꞉scénium.

просчёт м. 1. (действие) chécking; 2. (ошибка) érror (in réckoning / cóunting); miscàlculátion.

просчита́ть I сов. см. просчи́тывать.

просчита́ть II сов. (в течение какого-то времени) count, spend* some time cóunting; **он ~л весь ве́чер** he did accóunts the whole évening [...houl'i:v-], he spent, или sat up, the whole évening cóunting.

просчита́ться сов. см. просчи́тываться.

просчи́тывать, просчита́ть (вн.) разг. count (d.). ~**ся, просчита́ться** 1. make an érror in cóunting; go* wrong, be out in cóunting; 2. (ошибаться в предположениях) miscàlculáte; bring* one's eggs / goods / hogs to the wrong márket [...gudz...] разг. идиом.

про́сып м.: **без ~у** разг. without wáking; (неустанно, всё время) without stópping, without restráint; **спать без ~у** sleep* sóundly, sleep* the clock round.

просыпа́ть сов. см. просыпа́ть I.

просыпа́ть I, просы́пать (вн.) spill* (d.).

просыпа́ть II, проспа́ть 1. (не проснуться вовремя) óver꞉sléep*; 2. (вн.) разг. (пропускать) miss (d.).

просы́паться сов. см. просыпа́ться I.

просыпа́ться I, просы́паться 1. spill*; get* spilled; **мешо́к прорва́лся, и мука́ просы́палась** the bag tore / burst and some flour spilled out; 2. страд. к просыпа́ть I.

просыпа́ться II, просну́ться wake* up, a꞉wáke* (тж. перен.).

просыха́ть, просо́хнуть get dry, dry (up).

про́сьб||а ж. 1. request; **у меня́ к вам ~** I have a fávour to ask of you; ~ **соблюда́ть тишину́!** silence, please! ['saɪ-...]; ~ **о поми́ловании** appéal for mércy; **обраща́ться с ~ой** (о пр.) make* a requést (for); **удовлетвори́ть чью-л. ~у** comply with smb.'s request; **по чьей-л. ~е** at smb.'s requést; 2. уст. (прошение) àpplicátion, petítion.

прося́но́й míllet (attr.).

прота́ивать, прота́ять thaw through.

прота́лина ж. thawed patch.

прота́лкивать, протолкну́ть (вн.) push through [puʃ...] (d.), press through (d.); ◊ ~ **де́ло** разг. push an affáir / a mátter fórward. ~**ся, протолка́ться, протолкну́ться (че́рез)** force one's way (through), push / élbow / shóulder one's way [puʃ...ʃou-...] (through).

протанцева́ть сов. 1. (вн.) dance (d.). ~ **вальс** dance a waltz [...wɔːls]; 2. (в течение какого-то времени) dance, spend* the time dáncing: **они́ протанцева́ли всю ночь** they danced all night, they spent the whole night dáncing [...houl...].

прота́пливать, протопи́ть (вн.) heat thóroughly [...'θʌrə-] (d.).

прота́птывать, протопта́ть (вн.) 1. (о тропи́нке и т. п.) tread* [tred] (d.), beat* (d.), make* (by wálking) (d.); 2. разг. (об обуви) wear* out [wεə-...] (d.).

протара́нить сов. (вн.) воен. ram (d.); ~ **оборо́ну** break* the defénces [-eɪk-...].

прота́скивать, протащи́ть (вн.) 1. pull through [pul...] (d.); (с усилием) drag (d.); (легко) trail (d.); 2. разг. (проводить обманным путём) júggle (d.), force through (d.).

прота́чивать, проточи́ть (вн.) 1. (о черве и т. п.) gnaw through (d.), eat through (d.); 2. (о воде) wash (d.); 3. (на токарном станке) turn (d.).

прота́щить сов. см. прота́скивать.

прота́ять сов. см. прота́ивать.

протеж||е́ [-тэ-] нескл. м. protégé (фр.) ['prouteʒeɪ]; ж. protégée (фр.) ['prouteʒeɪ]. ~**и́ровать** [-тэ-] (дт.) fávour (d.), pull strings / wires [pul...] (for) разг.

проте́з [-тэз] м. prosthétic appliance; (конечностей) àrtifícial limb; **зубно́й ~** dénture; (отдельного зуба) false tooth* [fɔːls...]. ~**и́ровать** [-тэ-] несов. и сов. make* a prosthétic appliance. ~**и́ст** м. pròsthetist; (зубно́й) déntal mechánic [...-'kæ-]. ~**ный** [-тэ-]: ~**ная мастерска́я** òrthopáedic wórkshòp [ɔːθou...].

проте́иды [-тэ-] мн. хим. próteïds [-tiːɪdz].

протеи́н [-тэ-] м. хим. próteïn [-tiːɪn].

протека́||ть, проте́чь 1. (о реке, ручье) flow [flou], run*; 2. (просачиваться) leak, ooze; 3. (пропускать воду) be léaky; 4. (о времени и т. п.) elápse; (быстро) fly*; 5. (о процессе и т. п.) procéed; **боле́знь ~ет норма́льно** the illness is táking its nórmal course [...kɔːs].

проте́ктор м. 1. protéctor; 2. (шины) tread [tred].

протектора́т м. protéctorate.

протекцион||и́зм м. 1. эк. protéctionism; 2. разг. неодобр. fávour꞉itism. ~**и́ст** м. protéctionist. ~**и́стский** эк. protéctionist.

протекцио́нный эк. protéctive.

проте́кци||я ж. pátronage, ínfluence; **ока́зывать кому́-л. ~ю** pátronize smb.;

pull strings / wires for smb. [pul...] *разг.*

протéкший 1. *прич. см.* протекáть; 2. *прил.* (*минувший*) past, last.

протерéть(ся) *сов. см.* протирáть(ся)

протерпéть *сов.* (*вн.*) endúre (*d.*), stand* (*d.*).

протеснúться *сов. разг.* force / élbow / shóulder / push one's way (through) [...ʃou- puʃ...].

протéст *м.* 1. prótest, remónstrance; заявлять ~ (прóтив) make* a prótèst (agàinst), remónstrate (agàinst); подавáть ~ régister / énter a prótèst; крики ~а shouts of prótèst; óutcrỳ *sg.*; 2.: ~ вéкселя prótèst of a prómissory note; 3. *юр.*: ~ прокурóра objéction of the públic prósecùtor [...ˈpr-...].

протестáнт *м. рел.* Prótestant. ~úзм *м. рел.* Prótestantism. ~ский *рел.* Prótestant. ~ство *с.* = протестантизм.

протестовáть (прóтив) protest (agàinst, at), object (to), remónstrate (agàinst); make* a prótèst (agàinst).

протéчь *сов. см.* протекáть.

прóтив *предл.* (*рд.*) 1. (*в разн. знач.*) agàinst: борóться ~ чегó-л. fight* agàinst smth.; спóрить ~ чегó-л. árgue agàinst smth.; он ~ этого he is agàinst it; ~ течéния agàinst the cúrrent; ~ вéтра agàinst the wind [...wɪ-] (*см. тж.* вéтер); ~ свéта agàinst the light; — имéть что-л. ~ have smth. agàinst (*возражать*) mind smth.: он ничегó не имéет ~ этого he has nothing agàinst it, he does not mind; онá ничегó не бýдет имéть ~, éсли он закýрит, откроéт окнó, включúт рáдио? will she mind if he smokes, ópens the window, switches on the rádio?; — вы ничегó не имéете ~ тогó, что я курю? do you mind my smóking?; 2. (*напротив*) ópposite [-zɪt] (*лицóм*) fácing: дéрево ~ дóма the tree ópposite the house* [...haus]; пóлка ~ окнá the shelf* ópposite the window; он сел ~ окнá he sat fácing the window;—дрýг дрýга face to face, fácing one anóther; vis-à-vis (*фр.*) [ˈviːzaˈviː]; 3. (*вопреки*) cóntrary to: ~ егó ожидáний всё сошлó хорошó cóntrary to his expèctátions all went well; 4. (*по сравнéнию*) to, as agàinst; дéсять шáнсов ~ одногó, что он приéдет сегóдня it is ten to one that he will come toˈdáy; рост продýкции ~ прóшлого гóда the inˈcrease in óutpùt as agàinst last year [...-s...-put...]; ◊ за и ~ for and agàinst, pro and con; *как сущ. мн.* pros and cons [-ouz...].

прóтивень *м.* báking tray / sheet; gríddle.

противúтельный: ~ союз *грам.* advérsative conjúnction.

протúвиться, воспротúвиться (*дт.*) oppóse (*d.*), object (to); (*сопротивляться*) resíst [-ˈzɪ-] (*d.*), stand* up (agàinst); set* one's face (agàinst).

протúвник I *м. тк. ед. собир.* (*вражеское войско*) énemy.

протúвн‖**ик** II *м.,* ~**ица** *ж.* 1. (*недоброжелатель*) oppónent, ántagonist; 2. (*соперник*) ádversary.

протúвно I 1. *прил. кратк. см.* протúвный I, II; 2. *предик. безл.* it is disgústing / repúlsive / repúgnant; ~ смотрéть (на *вн.*) it is disgústing to look (at); емý ~ he is disgústed, it goes agáinst him.

протúвно II *нареч.* (*отвратительно*) in a disgústing way / mánner; он óчень ~ кричúт he shouts in a disgústing way / mánner, he has a disgústing way of shóuting.

протúвно III *предл.* (*дт.; в противорéчии*) agàinst: дéйствовать ~ указáниям act agàinst instrúctions; он поступúл ~ сóбственным интерéсам what he has done is agàinst his own ínterests [...oun...]; это ~ всемý егó существý it goes agàinst his náture [...ˈneɪ-].

протúвн‖**ое** *с. скл. как прил.*: доказáтельство от ~ого the rule of cóntraries.

протúвн‖**ый** I 1. (*противоположный*) ópposite [-zɪt]; ~ вéтер cóntrary wind [...wɪ-]; head wind [hed...]; *мор.*; 2. (*враждéбный*) cóntrary, ádverse; ~ая сторонá the ópposite / ádverse párty; ◊ в ~ом слýчае ótherˈwise.

протúвн‖**ый** II (*неприятный*) násty, offénsive; (*отталкивающий*) repúlsive; ~ зáпах offénsive / násty smell; ~ человéк ùnpléasant / repúlsive man* [-ˈplez-...].

противоалкогóльный témperance (*attr.*).

противоатóмн‖**ый** ánti-núclear, ántiràdiátion; ~ая защúта ánti-núclear defénce / protéction.

противобóрствовать (*дт.*) *уст.* oppóse (*d.*), fight* (agàinst), show* hóstility / àntagonism [ʃou...] (to, towards).

противовéс *м.* (*прям. и перен.*) cóunterbàlance, cóunterpoise; в ~ этому to counterbálance.

противовозду́шн‖**ый** ánti-áircràft; áirdefénce (*attr.*); ~ая оборóна ánti-áircràft defénce, áir-defénce.

противогáз *м.* gás-màsk, réspiràtor.

противогáзовый ánti-gás; gás-defénce (*attr.*).

противодéйств‖**ие** *с.* oppósition [-ˈzɪ-]: (*активное*) counteráction. ~овать (*дт.*) oppóse (*d.*); (*активно*) counteráct (*d.*).

противоестéственный ùnnátural; (*извращённый*) pervérted.

противозакóнн‖**ый** *ж.* illegálity. ~ый ùnláwful; *юр.* illégal; ~ый постýпок illégal áction.

противозачáточн‖**ый** còntracéptive; ~ое срéдство còntracéptive; the pill *разг.*

противоипрúтный ánti-mústard-gàs.

противокислóтный ácid-proof.

противолежáщий *мат.* ópposite [-zɪt]; ~ угол álternate ángle.

противолихорáдочн‖**ый** *мед.* ànti-fébrìle [-ˈfiː-]; ~ое срéдство fébrifùge.

противолóдочный *мор.* ánti-sùbmarine [-iːn].

противомúнный *мор.* ánti-tòrpédò.

противообщéственный àntisócial.

противопожáрн‖**ый** fire-prevéntion (*attr.*); ~ые мéры fíre-prevéntion méasures [...ˈmeʒ-], fire precáutions.

противопоказáние *с. юр.* còntradíctory évidence; 2. *мед.* còntra-indicátion.

противопокáзан‖**ный** *мед.* cóunter-indícative; còntra-indicàted; это лекáрство ~о the use of this drug / médicine is cóntra-índicàted [...juːs...].

противопол‖**агáть** = противопоставлять. ~ожéние *с.* = противопоставлéние.

противополóжн‖**ость** *ж.* 1. cóntràst, òpposítion [-ˈzɪ-]; в ~ (*дт.*) cóntrary (to); as oppósed (to); 2. *филос.*: едúнство ~остей únity of ópposites [...-zɪts], борьбá ~остей struggle / cónflict of ópposites; 3. (*кто-л., что-л. противоположное*) ópposite, ántipòde, ántithesis; пóлная ~ exáct ántithesis; ~ости схóдятся extrémes meet. ~ый 1. (*расположенный напротив*) ópposite [-zɪt]; 2. (*несходный*) cóntrary, oppósed; ~ое мнéние cóntrary opínion.

противопостáв‖**ить** *сов. см.* противопоставлять. ~лéние *с.* 1. òpposítion [-ˈzɪ-]; 2. (*сопоставление*) còntrásting, contrapósition [-ˈzɪ-], sétting off.

противопоставля́ть, противопостáвить (*вн. дт.*) 1. (*направлять против*) oppóse (*d.* to); 2. (*сопоставлять*) cóntràst (*d.* with), set* off (*d.* agàinst).

противоправúтельственный àntigóvernment [-ˈɡʌ-] (*attr.*), àntigòvernméntal [-ɡʌ-].

противоракéт‖**а** *ж. воен.* ánti-míssile. ~ный *воен.* ánti-míssile (*attr.*); ~ная ракéта ánti-míssile missile / rócket; ~ная оборóна ánti-míssile defénce.

противорéчив‖**ость** *ж.* discrépancy, còntradíctoriness. ~ый discrépant, còntradíctory, conflícting; ~ые слýхи discrépant rúmours; ~ые трéбования conflícting demánds / claims [...-ɑːndz...].

противорéчи‖**е** *с.* (*в разн. знач.*) còntradíction; òpposítion [-ˈzɪ-]; дух ~я spírit of còntradíction; defíance; cóntrariness; он сдéлал это из дýха ~я he did it in a spirit of defiance, he did it to defý (me, him, *etc.*); клáссовые ~я class contradíctions; ~я капитализма còntradíctions of cápitalism; приходúть в ~ come* into cónflict; находúться в ~и (*с тв.*) còntradíct (*d.*), be at váriance (with), cónflict (with); усúливать ~я (*между*) àggravàte / inténsify còntradíctions (betwéen); непримирúмые ~я irrecóncilable còntradíctions.

противорéч‖**ить** 1. (*кому-л.*) còntradíct (smb.); gainˈsáy* (smb.); ~ самомý себé còntradíct oneˈsélf; ~ дрýг дрýгу còntradíct one anóther, clash with óther; он любит ~ ей he likes to còntradíct her; 2. (*чему-л.*) còntradíct (smth.), run* cóunter (to), be at váriance (with); в действúтельности ~ит be at váriance with the facts, be cóntrary to the facts; это предложéние ~ит скáзанному рáньше this státeˈment còntradícts, *или* is at váriance with, what has been said before [...sed...]; егó словá ~ат егó дéйствиям his actions belie his words; это ~ит мойм взглядам this runs cóunter to my views [...vjuːz].

противосамолётный *воен.* ánti-áircràft.

противосéлевый ánti-múd-flow [-flou] (*attr.*).

противоснарядный *воен.* shéll-proof.

ПРО — ПРО

противостолбня́чный *мед.* ántitétanus, ántitetánic.

противостоя́ние *с. астр.* òpposítion [-′zɪ-].

противостоя́ть (*дт.*) 1. (*сопротивляться*) resíst [-′zɪst] (*d.*), with:stánd* (*d.*); 2. (*противополагаться*) be oppósed (to), oppóse (*d.*); 3. *астр.* be in òpposítion [...-′zɪ-] (to).

противота́нков‖**ый** ánti-tánk; ánti--méchanized [-kə-] *амер.*; ~ое ружьё ánti-tánk rifle; ~ая оборо́на ánti-tánk defénce.

противотифо́зный ántitýphoid [-′taɪ-].

противотума́нн‖**ый**: ~ые фа́ры fóg--làmps.

противохими́ческ‖**ий** ánti-gás; ~ая оборо́на gas defénce; ~ая защи́та ánti--gás protéction.

противохоле́рный ánti-chóleric [-′kɔ-].

противоцинго́тный ánti-scòrbútic.

противочу́мный ántiplágue [-′pleɪɡ] (*attr.*).

противошо́ковый ánti-shóck.

противоя́дие *с.* (про́тив) ántidòte (for).

протира́ть, **протере́ть** (*вн.*) 1. (*продырявливать трением*) wear* through [wɛə...] (*d.*), wear* into holes (*d.*), fray (*d.*), rub a hole (in); 2. (*чистить*) wipe / rub (dry) (*d.*); 3. (*сквозь решето, сито*) rub through (*d.*), grate (*d.*); ◇ протере́ть глаза́ *разг.* rub one's eyes (ópen) [...aɪz...]. ~ся, протере́ться 1. wear* through [wɛə...], wear* into holes, get* frayed; 2. *страд. к* протира́ть.

проти́рка *ж.* (*действие*) cléaning, wíping out. ~очный: ~очный материа́л cléaning / wíping cloth / rag.

проти́скаться *сов. см.* проти́скиваться.

проти́скивать, **проти́снуть** (*вн.*) *разг.* push / shove through [puʃ ʃʌv...] (*d.*).

проти́скиваться, проти́скаться, проти́снуться *разг.* force / push / shóulder / élbow one's way (through) [...puʃ ′ʃou-...], squeeze (òne:sélf) through; ~ сквозь, че́рез толпу́ force / push / élbow one's way through *a* crowd.

проти́снуть *сов. см.* проти́скивать. ~ся *сов. см.* проти́скиваться.

проткну́ть *сов. см.* протыка́ть.

протоакти́ний *м. хим.* pròtòactínium [′prou-].

протоге́н *м. мин.* prótogine [′prou-], prótogène [′proutou-]

протодья́кон *м. церк.* árchdèacon (*of the Orthodox Church*).

протоиере́й *м. церк.* árchpríest [-′pri:st].

прото́к *м.* 1. chánnel; (*искусственный*) canál; 2. *анат.* duct; слёзный ~ láchrymal duct.

прото́ка *ж.* = прото́к 1.

протоко́л *м.* repórt; récòrd of procéedings [′re-...]; (*судебный тж.*) récòrd of évidence; (*учёного общества*) procéedings *pl.*, mínutes [′mɪnɪts] *pl.*, transáctions [-′zæ-] *pl.*; *дип.* prótocòl [′prou-]; вести́ ~ récord the mínutes, take* the mínutes; ~ (д)опро́са *юр.* examinátion récord; составля́ть ~ draw* up a státe:ment of the case [...-s]; draw* up a

repórt; заноси́ть в ~ (*вн.*) énter in the mínutes (*d.*).

протоколи́ровать *несов. и сов.* (*сов. тж.* запротоколи́ровать) (*вн.*) mínute [′mɪnɪt] (*d.*), récòrd (*d.*).

протоко́льн‖**ый** *прил. к* протоко́л; ~ отде́л prótocòl depártment [′prou-...]; заве́дующий ~ым отде́лом head / chief of the prótocòl depártment [hed tʃi:f...].

протолка́ться *сов. см.* прота́лкиваться.

протолкну́ть(**ся**) *сов. см.* прота́лкивать(ся).

прото́н *м. физ.* prótòn.

протопи́ть *сов. см.* прота́пливать.

протопла́зма *ж. биол.* próto:plàsm, plásm(a) [-z-].

протопо́п *м. разг.* árchpríest [-′pri:st].

протопта́ть *сов. см.* прота́птывать.

проторгова́ть I *сов.* (*вн.*) *разг.* lóse* [lu:z] (*d.*) (*in trading*), make* a loss (of).

проторгова́ть II *сов.* (*некоторое время*) sell* (*for a certain time*).

проторгова́ться I *сов. разг.* (*потерпеть убытки*) have lósses (*in tráding*); (*разориться*) be rúined in trade.

проторгова́ться II *сов.* (*торговаться некоторое время*) bárgain.

проторённ‖**ый** *прич. и прил.* béaten, wéll-tródden; ~ая доро́жка béaten track; blazed trail *амер.*; ◇ идти́ по ~ой доро́жке keep* to the béaten track.

протори́ть *сов. см.* проторя́ть.

проторя́ть, протори́ть (*вн.*) beat* (*d.*); blaze (*d.*) *амер.*

прототи́п *м.* próto:týpe.

проточи́ть *сов. см.* прота́чивать.

прото́чн‖**ый** flówing [′flou-], rúnning; ~ая вода́ rúnning wáter [...′wɔ:...]; ~ пруд pond fed by springs, rúnning-wàter pond [-wɔ:-...] (*formed by a dam*).

протра́в‖**а** *ж.* (*вещество*) mórdant; (*кислотная ванна*) pickle, dip. ~**и́ть** *сов. см.* протра́вливать, протравля́ть. ~**ка** *ж.*, ~**ливание** *с.* píckling, dípping.

протра́в‖**ливать**, протрави́ть (*вн.*) 1. treat with a mórdant (*d.*); 2. *тех.* pickle (*d.*), dip (*d.*); (*дерево*) stain (*d.*); (*металл*) etch (*d.*). ~**ля́ть** = протра́вливать.

протрезв‖**е́ть** *сов. разг.* = протрезви́ться *см.* протрезвля́ться. ~**и́ть**(**ся**) *сов. см.* протрезвля́ть(ся).

протрезвля́ть, протрезви́ть (*вн.*) make* sóber (*d.*), sóber up (*d.*); dispél the intòxicátion (of). ~**ся**, протрезви́ться 1. get* sóber, sóber up; 2. *страд. к* протрезвля́ть.

протреща́ть *сов. см.* треща́ть 2, 3.

протруби́ть *сов. см.* труби́ть.

протубера́нец *м. астр.* sólar próminence; protúberance.

протури́ть *сов.* (*вн.*) *разг.* drive a:wáy (*d.*), turn / chuck out (*d.*).

протуха́ть, проту́хнуть become* foul / rótten; (*о пище*) go* bad.

проту́х‖**нуть** *сов.* 1. *см.* протуха́ть; 2. *как сов. к* ту́хнуть II. ~**ший** foul, rótten, pútrid; (*о пище*) bad, táinted.

протыка́ть, проткну́ть (*вн.*) pierce (through) [pɪəs...] (*d.*); (*насквозь*) transfíx (*d.*); (*шпагой тж.*) pink (*d.*); (*мясо вертелом*) spit (*d.*), skéwer (*d.*).

протя́‖**гивать**, протяну́ть (*вн.*) 1. (*вдоль чего-л.*) stretch (*d.*); 2. (*выставлять,

подавать*) reach out (*d.*), stretch out (*d.*), exténd (*d.*); (*предлагать*) óffer (*d.*), próffer (*d.*); ~ ру́ку (за чем-л.) hold* / stretch / reach out one's hand (for smth.); ~ газе́ту, кни́гу óffer, *или* hold* out, a páper, a book; с ~нутыми рука́ми with (one's) arms outstrétched; 3. (*о зву́ке*) drawl (*d.*), prolóng (*d.*); ◇ ~ну́ть но́ги *разг.* turn up one's toes; ~ ру́ку по́мощи give* / lend* a hélping hand; по оде́жке ~гивай но́жки *посл.* ≅ cut the coat accórding to one's cloth, live withín one's means [lɪv...]. ~**гиваться**, протяну́ться 1. (*о руках*) stretch out, reach out; 2. *разг.* (*в пространстве*) exténd, reach, stretch; 3. *страд. к* протя́гивать.

протяже́ни‖**е** *с.* 1. exténd, stretch; на ~и пяти́ киломе́тров for a distance of five kílomètres; на всём ~и (*рд.*) along the whole length [...houl...] (of), all (the) way alóng (*d.*); 2. (*промежуток времени*): на ~и пяти́ дней (for a períod of) five days.

протяжённ‖**ость** *ж.* exténd, length. ~**ый** exténsive, léngthy.

протя́жн‖**о** *нареч.* in a dráwling mánner; говори́ть ~ drawl. ~**ость** *ж.* (*речи и т. п.*) slówness [′slou-], drawl. ~**ый** long dráwn-out; (*о речи и т. п.*) dráwling; ~ый стон long dráwn-out moan / groan; ~ое произноше́ние drawl, dráwling áccent; ~ый крик wail, lóng-drawn-out cry.

протяну́ть *сов.* 1. *см.* протя́гивать; 2. *разг.* (*прожить*) last; он до́лго не протя́нет (*о больном*) he won't last / línger long [...wount...]; он ещё протя́нет he'll last a little lónger; 3. *как сов. к* тяну́ть 3. ~**ся** *сов.* 1. *см.* протя́гиваться; 4. (*о времени*) last, línger, draw* out; 5. *как сов. к* тяну́ться 2.

проу́лок *м. разг.* lane.

проуч‖**и́ть I** *сов.* (*вн.*) *разг.* (*наказать*) teach* / give* a good lésson (*i.*); я его́ ~у́! I'll teach him!

проучи́ть II *сов.* (*вн.*; *учить какое-то время*) stúdy [′stʌ-] (*d.*); он проучи́л уро́ки весь день he spent the whole day prepáring his léssons [...houl...]. ~**ся** *сов.* stúdy [′stʌ-].

проу́шина *ж.* lug, stáple.

проф- *сокр.* профессиона́льный; профсою́зный.

профакти́в *м.* (профсою́зный акти́в) the most áctive mémbers of *a* trade únion *pl.*

профа́н *м.* ignorámus; (*неспециалист*) láy:man*; он по́лный ~ he knows ábsolùte:ly nothing [...nouz...]; he has no erudítion.

профан‖**а́ция** *ж.* prófanátion. ~**и́ровать** *несов. и сов.* (*вн.*) profáne (*d.*).

профбиле́т *м.* (профсою́зный биле́т) trade únion card.

профгру́ппа *ж.* (профсою́зная гру́ппа) trade únion group [...-u:p].

профдвиже́ние *с.* (профсою́зное движе́ние) trade únion móve:ment [...′mu:-].

профессиона́л *м.*, ~**ка** *ж.* proféssional.

профессиона́льно-техни́ческ‖**ий**: ~ое учи́лище vocátional tráining school.

профессиона́льн‖**ый** proféssional; ~ сою́з trade únion; ~ое мастерство́ professional skill; ~ая ориентация vocátional guidance [...'gaɪ-]; ~ое заболевание occupátional diséase [...-'ziːz]; ~ое образование vocátional tráining / èducátion; ~ революционер proféssional rèvolútionary.

профе́сси||я *ж.* òccupátion, proféssion, trade; какая у него ~? what is his òccupátion?; по ~и by proféssion, by trade; свободные ~и free proféssions; выбор ~и choice of proféssion.

профе́ссор *м.* proféssor. ~ский pròféssórial. ~ство *с.* proféssorship.

профессу́ра *ж. тк. ед.* 1. (*должность*) proféssorship; 2. *собир.* (*профессора*) proféssorate.

профила́ктика *ж.* prevéntive méasures [...'meʒəz], precáutions; *мед.* pròphyláxis.

профилакти́ческ||ий *мед.* pròphyláctic, prevéntive; ~ое средство pròphyláctic, prevéntive; ~ая помощь diséase-prevéntion sérvice [-'ziːz-...].

профилакто́рий *м.* prevéntive clínic; (*на предприятии*) áfter-work sànatórium.

про́филь *м.* 1. (*в разн. знач.*) prófile ['proufiːl]; (*вид сбоку*) síde*;*víew [-vjuː]; (*дороги, окопа, траншеи тж.*) séction; (*геогр. тж.*) the lie of the land; попере́чный ~ cróss-sèction; в ~ in prófile; 2. (*специфический характер*) type; ~ школы type of school.

про́фильн||ый prófile ['proufiːl] (*attr.*); ~ое сопротивле́ние *ав.* prófile drag; ◇ ~ая сталь séction steel.

профильтрова́ть *сов.* (*вн.*) filter (*d.*), pass through (*d.*).

профко́м *м.* (*профсоюзный комитет*) lócal trade únion commíttee [...-tɪ].

профнепри́годность *ж.* únsuitabílity for a proféssion / òccupátion [-sjuːt-...].

профо́рг *м.* (*профсоюзный организа́тор*) trade únion órganizer.

профорганиза́ция *ж.* (*профсоюзная организация*) trade únion òrganizátion [...-naɪ-].

профориента́ция *ж.* vocátional guídance [...'gaɪ-].

профо́рм||а *ж. разг.* fòrmálity; чистая ~ sheer / mere fòrmálity; для ~ы as a mátter of form, for form's sake, for the sake of appéarances.

профрабо́т||а *ж.* (*профсоюзная работа*) trade únion work. ~ник *м.* (*профсоюзный работник*) trade únion wórker.

профсою́з *м.* (*профессиональный союз*) trade únion. ~ный trade únion (*attr.*); ~ная организация trade únion òrganizátion [...-naɪ-]; ~ный билет trade únion card; ~ное движение trade únion móve*;*ment [...ˈmuː-]; ~ное собра́ние trade únion méeting; ~ная работа trade únion work; ~ный работник trade únion wórker.

профтехучи́лище *с.* (*профессионально-техническое училище*, *ПТУ*) vocátional tráining school; trade school.

профуполномо́ченный *м. скл. как прил.* (*уполномоченный профсоюза*) trade únion rèpreséntative [...-'zeː-].

проха́живаться, пройти́сь walk alóng, walk up and down, stroll; *сов. тж.* take* a stroll; ~ по комнате pace up and down *the* room; ◇ пройти́сь на чей-л. счёт, по чьему-л. а́дресу have a dig at smb.

прохвати́ть *сов. см.* прохва́тывать.

прохва́тывать, прохвати́ть (*вн.*) *разг.* (*о холоде*) chill (*d.*).

прохвора́||ть *сов. разг.* (*в течение какого-то времени*) be·ill; (*пролежать в постели*) be laid up; он ~л две неде́ли he was ill for two weeks; he was laid up for two weeks.

прохво́ст *м. бран.* scóundrel.

прохинде́й *м. разг.* swíndler, dódger, rogue [roug].

прохла́д||а *ж.* the cool, cóolness; вече́рняя ~ évening fréshness / cool ['iːv-...], the cool of the évening. ~ец *м.*: работать с ~цем *разг.* take* one's time; work líst*;*lessly.

прохлад||и́тельный refréshing, cóoling; ~и́тельные напитки soft drinks. ~и́ться *сов. см.* прохлажда́ться 1.

прохла́дн||о 1. *прил. кратк. см.* прохла́дный; 2. *предик. безл.* it is fresh / cool; (*довольно холодно*) it is ráther cold ['rɑː-...]. ~ый fresh; cool (*тж. перен.*); chílly.

прохла́дца *ж.* = прохла́дец.

прохлажда́ться, прохлади́ться *разг.* 1. (*освежаться*) refrésh òne*;*sélf; 2. *тк. несов.* (*бездельничать*) loaf abóut, idle (a*;*wáy one's time), take* things éasy.

прохло́пать *сов.* (*вн.*) *разг.* let* slip (*d.*), miss (*d.*); ~ удо́бный слу́чай miss an òppórtunity.

прохо́д *м.* (*в разн. знач.*) pássage; pass; (*место*) pássage*;*way; (*между рядами кресел*) gáng*;*way, aisle [aɪl]; кры́тый ~ cóvered way ['kʌ-...]; в заграждениях *воен.* gap in the óbstacles; за́дний ~ *анат.* ánus; (*у рыб, птиц*) vent; слуховой ~ *анат.* acóustic duct; ◇ мне от него ~а нет I cánnot get rid of him; не дава́ть ~а (*дт.*) pursúe (*d.*); пра́во ~а right of way / pássage; ни ~а, ни прое́зда not a chance of getting through.

проходи́мец *м. разг., бран.* rogue [roug], ráscal, crook.

проходи́м||ость *ж.* 1. (*дорог и т. п.*) pràcticabílity, pàssabílity; 2. (*о транспортных средствах*) cróss-cóuntry abílity [-'kʌ-...]; 3. *мед.* pèrmeabílity [-mɪə-]. ~ый pássable, práctìcable; pérmeable [-mɪəbl].

проходи́ть I, пройти́ 1. pass; go*; (*пешком тж.*) walk; ~ ми́мо go* by / past; (*рд., перен.*) disregárd (*d.*), òver*;*lóok (*d.*); ~ торже́ственным ма́ршем march past; ~ по мосту cross a bridge; пройти́ до́лгий и сла́вный путь trável a long and glórious road; доро́га прохо́дит че́рез лес the road / way lies through *a* wood [...wud]; 2. (*о времени*) pass, elápse; go*, go* by; (*незаметно*) slip by; бы́стро ~ pass quíckly; не прошло́ ещё и го́да a year has not yet pássed / elápsed, *или* has not yet gone by [...gɔn...]; не прошло́ пяти́ мину́т, как within five mínutes [...'mɪnɪts]; срок ещё не прошёл the term has not yet expíred; 3. (*кончаться*) be óver; его́ боле́знь прошла́ his íllness has pássed, *или* is óver; ле́то ско́ро пройдёт súmmer will soon be óver; это́ у него́ пройдёт с года́ми (*о ребёнке*) he will grow out of it [...grou...]; 4. (*состояться*) go* off; (*о собрании и т. п.*) be held; спекта́кль прошёл уда́чно the play went off well; по всей стране́ прохо́дят собра́ния méetings are (béːing) held all óver the cóuntry [...'kʌ-]; 5. *тк. несов.* (*находиться*) pass, be; тунне́ль прохо́дит че́рез го́ру the túnnel pásses through *a* móuntain; ◇ э́то не пройдёт *разг.* it won't work [...wɔːnt...].

проходи́ть II, пройти́ (*вн.*; *изучать*) stúdy [-ʌdɪ] (*d.*); ~ фи́зику stúdy phýsics [...-zɪ-]; пройти́ фи́зику, геогра́фию *и т. п.* compléte a course in phýsics, geógraphy, *etc.* [...kɔːs...]; пройти́ курс (*обучения*) go* through a course, take* / do a course.

проходи́ть III *сов.* (*в течение како́го-то времени*) walk; spend* *the* time in wálking; ~ весь день walk the whole day [...houl...], spend* the whole day wálking; ~ до ве́чера walk till the évening [...ˈiːv-].

прохо́дка *ж. горн.* (*горизонтальных вырабо́ток*) dríving, drífting, túnnelling; (*ша́хтных стволов*) shaft sínking.

проходна́я *ж. скл. как прил.* éntrance chéck-point.

проходн||о́й: ~ двор yard with a through-pàssage; ~а́я ко́мната room gíving áccess into another, intercommúnicàting room; ~а́я бу́дка éntrance-lòdge, contról post [-roul poust].

прохо́дческ||ий: ~ая брига́да drívers' / túnnellers' brigáde.

прохо́дчик *м.* dríver, drift míner, túnneller; (*ша́хтных стволов*) (mine shaft) sínker.

прохожде́ние *с.* pássing, pássage; ~ слу́жбы sérvice; ~ торже́ственным ма́ршем *воен.* march past.

прохо́жий 1. *прил.* pássing, in tránsit; 2. *м. как сущ.* pásser-by (*pl.* pássers-by).

прохрипе́ть *сов. см.* хрипе́ть.

прохуди́ться *сов. разг.* be worn out [...wɔːn...].

процвет||а́ние *с.* pròspérity, wéll-béːing, flóurishing ['flʌ-]. ~а́ть próspèr, flóurish ['flʌ-]; thrive*.

процеди́ть *сов.* 1. *см.* проце́живать; 2. *как сов. к* цеди́ть.

процеду́р||а *ж.* 1. procédure ['siːdʒə]; суде́бная ~ légal / court procéedings [...kɔːt...] *pl.*; 2. *чаще мн.* (*процесс лечения*) tréatment; ходи́ть на ~ы take* tréatment, go* for tréatment. ~ный tréatment (*attr.*); ~ный кабине́т tréatment room.

проце́живать, процеди́ть (*вн.*) filter (*d.*); strain (*d.*); ~ сквозь си́то pass through *a* sieve [...sɪv].

проце́нт *м.* 1. percéntage, rate (per cent); оди́н ~, два ~а *и т. д.* one, two, *etc.*, per cent; выполнить план на 100% fulfíl *the* plan 100 per cent [...fuːl-...]; ба́нковский учётный ~ bánk-ràte; просты́е, сло́жные ~ы *мат.* símple, cómpound ínterest *sg.*; 2. (*доход с капита́ла*) ínterest; под больши́е ~ы at high ínterest; ростовщи́ческий

ПРО — ПРО

~ exórbitant ínterest; размéр ~а rate of ínterest. **~ный** *прил. к* процéнт; ~ные бумáги ínterest-béaring secúrities [-'bɛə-...]; ~ная надбáвка ráted íncrease [...-s]; ~ный заём ínterest-béaring loan; ~ные облигáции ínterest-béaring bonds; ~ное отношéние percéntage.

процéсс *м.* **1.** prócèss; ~ развѝтия devélopment; в ~е рабóты in the prócèss of work; произвóдственный ~ work / mànufácturing prócèss; **2.** *юр.* trìal; légal procéedings *pl.*; légal áction; cause, case [-s]; (граждáнский *тж.*) láwsùit [-sju:t], suit [sju:t]; уголóвный ~ críminal tríal; **3.** *мед.* áctive condìtion; ~ в лёгких tubèrculósis of the lungs, áctive púlmonary tubèrculósis.

процéссия *ж.* procéssion; похорóнная ~ fúneral train / procéssion.

процессуáль||ный *юр.*: ~ые нóрмы judìcial procédure [...-'si:dʒə] *sg.*, légal procédure *sg.*

процитѝровать *сов. см.* цитѝровать.

прóчерк *м.* dash.

прочёркивать, прочеркнýть (*вн.*) draw* a line (through), strike* through (*d.*).

прочеркнýть *сов. см.* прочёркивать.

прочертѝть *сов. см.* прочéрчивать.

прочéрчивать, прочертѝть (*вн.*) draw* (*d.*).

прочесáть *сов. см.* прочёсывать.

прочéсть *сов. см.* читáть.

прочёсывать, прочесáть (*вн.*) **1.** comb out thóroughly [koum...'θʌlɡə] (*d.*); **2.** *воен. разг.* comb (*d.*); ~ лес comb a fórest [-'fɔ-].

прóч||ий 1. *прил.* other; **2.** *с. как сущ.*: и ~ее etcétera [-trə] (*сокр.* etc.); and so on; **3.** *мн. как сущ.*: все ~ие the rest; ◇ мéжду ~им by the way; incidentally; помѝмо всегó ~его in addìtion.

прочѝстить *сов. см.* прочищáть.

прочитáть I *сов. см.* читáть.

прочитáть II *сов.* (*в течéние какóго-то врéмени*) read*; spend* *the time* réading; он прочитáл всю ночь he read all night [...red...]; he spent all night réading.

прóчить (*вн. в вн.*) inténd (*d.* for).

прочищáть, прочѝстить (*вн.*) clean (out) (*d.*); cleanse thóroughly [klenz 'θʌ-] (*d.*); (*о засорённой трубé и т. п.*) clean (*d.*).

прóчно I *прил. кратк. см.* прóчный.

прóчн||о II *нареч.* sólidly, fírmly, well. **~ость** *ж.* dùrabílity; solídity, fírmness; strength; (*о крáске и т. п.*) fástness; ~ость на разрыв *тех.* ténsile strength; ~ость на изгѝб *тех.* bénding strength; запáс ~ости *тех.* sáfe;ty fáctor, sáfe;ty márgin. **~ый** dúrable; sólid, firm; strong, stróng;ly built / constrúcted [...bɪlt...]; ~ый фундáмент stable foundátion; ~ая ткань hárd-wéaring fábric [-'wɛə-...], dúrable stuff; ~ая крáска fast dye / cólour [...'kʌ-]; ~ая позѝция firm / sound posìtion [...'zɪ-]; ~ая репутáция estáblished rèputátion; ~ый и длѝтельный мир lásting and endúring peace; ~ый союз stable / firm / lásting allìance; ~ые знáния sound knówledge [...'nɔ-] *sg.*

прочтéни||е *с.* réading; perúsal [-z-]; по ~и (*рд.*) on réading (*d.*); áfter perúsal (of).

прочýвствованный 1. *прич. см.* прочýвствовать; **2.** *прил.* full of emótion, héart-fèlt ['hɑ:t-], déep-fèlt.

прочýвствовать *сов.* (*вн.*) feel* déeply / acúte;ly / kéenly (*d.*).

прочь *нареч.* a;wáy, off: убирáть ~ take* a;wáy / off; уносѝть ~ cárry a;wáy / off; ~ (подѝ) ~! go a;wáy!, be off!, a;wáy / off with you!; ~ с дорóги! get out of the way!; make way!; ~ отсю́да! get out of here!; out with you!; ~ с глаз мойх! get out of my sight!; рýки ~! hands off!; ◇ не ~ *предик.* (+ *инф.*) *разг.* have no objéction (+ to *ger.*); would not mind (+ *ger.*); он не ~ сдéлать это he has no objéction to doing it, he would not mind doing it; он не ~ пойтѝ he wouldn't mind gó;ing; he has nothing agáinst gó;ing; он не ~ повеселѝться he is quite willing to amúse him;sélf, *или* to have a bit of fun; he is not avérse to having a bit of fun, *или* to enjóying him;sélf.

прошвырнýться *сов. разг.* have a stroll / walk.

прошéдш||ий 1. *прич. от* пройтѝ I *см.* проходѝть I; **2.** *прил.* past; (*послéдний*) last; ~ей зимóй last winter; ~ее врéмя *грам.* past tense; **3.** *с. как сущ.* (*прóшлое*) the past.

прошéние *с. уст.* àpplicátion, petìtion; подавáть ~ submit an àpplicátion; fórward a petìtion.

прошептáть *сов. см.* шептáть.

прошéстви||е *с.*: по ~и (*рд.*) áfter the lapse (of), áfter the expirátion [...-paɪə-] (of); по ~и пятѝ лет áfter five years had elápsed, five years láter; по ~и этого врéмени áfter that périod of time; по ~и срóка áfter the èxpirátion of the term.

прошиб||áть, прошибѝть (*вн.*) *разг.* **1.** break* through [-eɪk...] (*d.*); **2.**: егó пот прошѝб he broke into a sweat [...swet], he begán to sweat; егó слезá прошѝбла tears sprang to his eyes [...aɪz]. **~ѝть** *сов. см.* прошибáть.

прошивáть, прошѝть (*вн.*) **1.** sew* [sou] (*d.*), stitch (*d.*); **2.** *тех.* broach (*d.*).

прошѝвка *ж.* (*на бельé, плáтье*) insértion; кружевнáя ~ lace insértion.

прошипéть *сов. см.* шипéть 1.

прошѝть *сов. см.* прошивáть.

прошлогóдний last year's; of last year.

прóшл||ое *с. скл. как прил.* the past; слáвное ~ glórious past; далёкое ~ remóte past; уйтѝ в (далёкое) ~ becóme* a thing of the past; в недалёком ~ом not long agó, in recent times. **~ый** past; (*прошéдший*) bý;gòne [-gɔn]; (*послéдний*) last; в ~ом годý last year; на ~ой недéле last week; вызывáть воспоминáния ~ых лет call up old memories; ◇ дéло ~ое ≃ let bý;gònes be bý;gònes.

прошмы́гивать, прошмыгнýть *разг.* slip; steal* (past).

прошмыгнýть *сов. см.* прошмы́гивать.

прошнуровáть *сов. см.* прошнуровы́вать.

прошнуровы́вать, прошнуровáть (*вн.*) string* / tie togéther [...-'ge-] (*d.*), pass a string (through).

прошпаклевáть *сов. см.* прошпаклёвывать.

прошпаклёвывать, прошпаклевáть (*вн.*) pútty (*d.*); *мор.* caulk (*d.*).

проштрáфиться *сов. разг.* make* a slip, be at fault.

проштудѝровать *сов. см.* штудѝровать.

прошумéть *сов.* roar past; (*перен.*) becóme* fámous; егó ѝмя ~ло по всемý мѝру his name becáme fámous all óver the world.

прощáй, -те goodbýe!; fáre;wéll!, adiéu! [ə'dju:].

прощáльн||ый párting; fáre;wéll (*attr.*); vàledíctory; ~ые словá párting words; ~ спектáкль fáre;wéll perfórmance; ~ обéд fáre;wéll dínner.

прощáние *с.* fáre;wéll; (*расставáние*) párting, léave-tàking; ◇ на ~ at párting; (по)махáть рукóй на ~ wave goodbýe.

прощáть, простѝть 1. (*вн.*) forgíve* [-'gɪv] (*d.*), párdon (*d.*); (*о грехáх*) absólve [-'z-] (*d.*); **2.** (*вн. дт.*; *о дóлге*) remít (*d.*), óver;lòok (*d.*).

прощáться I, простѝться, попрощáться (с *тв.*) say* goodbýe (to), take* (one's) leave (of), bid* adiéu [...ə'dju:] (*i.*), bid* fáre;wéll (*i.*); онѝ дóлго прощáлись they were a long time sáying goodbýe to, *или* táking leave of, one anóther.

прощáться II *страд. к* прощáть.

прóще (*сравн. ст. от прил.* простóй I *и нареч.* прóсто II) símpler; pláiner; éasier ['i:z-].

прощелы́га *м. и ж. бран.* knave, rogue [roug].

прощéни||е *с.* forgíve;ness [-'gɪ-], párdon; (*грехóв*) àbsolútion; простѝть ~я у когó-л. ask / beg smb.'s párdon; ◇ прошý ~я! (I am) sórry!, I beg your párdon!

прощýпать(ся) *сов. см.* прощýпывать(ся).

прощýпывать, прощýпать (*вн.*) feel* (for) (*d.*); (*перен.*) sound (*d.*). **~ся**, прощýпаться **1.** feel*; **2.** *страд. к* прощýпывать.

проэкзаменовáть(ся) *сов. см.* экзаменовáть(ся).

проявѝтель *м. фот.* devéloper.

прояв||ѝть(ся) *сов. см.* проявлять(ся). **~лéние** *с.* **1.** mànifestátion, displáy; ~лéние хрáбрости displáy of cóurage [...'kʌ-]; **2.** *фот.* devélopment.

прояв||ля́ть, проявѝть (*вн.*) **1.** show* [ʃou] (*d.*), displáy (*d.*), mánifèst (*d.*); revéal (*d.*), give* évidence (of); ~ мýжество show* / displáy cóurage [...'kʌ-]; ~ неудовóльствие show* / mánifèst displéasure [...-leʒə]; ~ рáдость show* / mánifèst joy; ~ интерéс (к) show* ínterest (in, for); ~ живóй интерéс к чемý-л. displáy a keen ínterest in smth.; ~ инициатѝву (в *пр.*) show* / displáy inítiative (in); ~ нерешѝтельность hésitàte [-z-]; vácillàte; ~ нетерпéние show* / exhíbit signs of impátience [...saɪnz...]; ~ сѝлу displáy strength; ~ такт show* tact [ʃou...], be táctful; **2.**

фот. devélop [-'ve-] (d.); ◇ ~ себя́ (без доп.) show* one's worth; (тв.) prove [pru:v] (d.); он ~и́л себя́ на э́той рабо́те he has shown his worth in this work [...ʃəʊn...]; он ~и́л себя́ хоро́шим рабо́тником he proved (to be) a good* wórker. **~ля́ться, проявиться 1.** becóme* appárent, show* [ʃəʊ]; **2.** фот. be devéloped, devélop [-'ve-]; **3.** страд. к проявля́ть.

проясне́ние с. cléaring (up).

проясн||е́ть сов. clear (up, a:wáy); не́бо ~е́ло the sky has cleared.

проясн||и́ть сов. bríghten (up). **~и́ться** сов. см. проясня́ться. **~я́ться, проясни́ться 1.** clear; (о лице́) bríghten (up); **2.** (о пого́де) clear (up).

пруд м. pond.

пруд||и́ть (вн.) pond (d.), dam (up) (d.); ◇ хоть пруд ~и́ (рд.) разг. there is plénty (of); де́нег у него́ — хоть пруд ~и́ he is rólling in móney [...'mʌ-].

пружи́н||а ж. (прям. и перен.) spring; гла́вная ~ mainspring; боева́я ~ (в ору́жии) mainspring; спускова́я ~ (в ору́жии) sear spring; он явля́ется гла́вной ~ой э́того де́ла, he is the mainspring of this affáir, he is the dríving force in the mátter; нажа́ть на все ~ы разг. ≃ pull (all) the wires [pul...].

пружи́нист||ость ж. elastícity, spríng:iness. **~ый** elástic, spríngy [-ŋɪ].

пружи́н||ить 1. be elástic / resílient [...-zɪ-]; **2.** (вн.; напряга́ть) tense (d.). **~иться** be spríngy [-ŋɪ], posséss spring [-'zes...]. **~ка** ж. (в часа́х) máinspring; háirspring. **~ный** spring (attr.); **~ный** матра́ц spring máttress.

пруса́к м. (тарака́н) cóckroach.

прусса́к м. Prússian [-ʃən].

пру́сский Prússian [-ʃən].

прут м. **1.** (ве́тка) twig; (хлыст) switch; и́вовый ~ withe [wɪθ], wíthy [-ð]; **2.** (металли́ческий сте́ржень) rod. **~ик** м. thin / short switch, small twig.

прутко́в||ый: ~ое желе́зо тех. rod íron [...'aɪən].

пры́галка ж. разг. skípping-rope.

пры́гание с. júmping, léaping; skípping (особ. со скака́лкой).

пры́гать, пры́гнуть spring*, jump, leap*; (бы́стро) bound; (о мя́че) bounce; (от; перен.) (от ра́дости и т. п.) jump (with), leap* (with); (весели́ться) frisk / cáper (abóut); ~ на одно́й ноге́ hop on one leg; ~ с упо́ром спорт. vault; ~ с шесто́м спорт. póle-vault.

пры́гнуть сов. см. пры́гать; **2.** (сде́лать прыжо́к) take* a leap / jump.

прыгу́н м. **1.** (спортсме́н) júmper; **2.** (о ребёнке) (óver-)áctive child, fídget.

прыж||о́к м. jump, spring, leap, cáper; ~ с парашю́том párachute jump(ing) [-ʃu:t]; ~ки́ в во́ду спорт. díving sg.; (с вы́шки) high(board) díving sg.; он сде́лал ~ в во́ду he made a dive, или he dived, into the wáter [...'wɔ:-]; (с вы́шки) he made a high dive; ~ в высоту́ спорт. high jump; ~ в длину́ спорт. long jump; ~ с упо́ром спорт. vault(ing); ~ с шесто́м спорт. póle-vault; ~ с ме́ста спорт. stánding jump;

~ с разбе́га спорт. rúnning jump; де́лать ~ки́ cáper, cut* cápers.

пры́скать, пры́снуть (вн. тв.; водо́й и т. п.) (be)sprínkle (d. with); ◇ пры́снуть со́ смеху burst* out láughing [...'la:f-]. **~ся** разг. (be)sprínkle onesélf.

пры́снуть сов. см. пры́скать.

пры́тк||ий разг. quick, prompt, líve:ly, nímble; smart. **~ость** ж. разг. quíckness, prómptness, líve:liness, nímble:ness.

прыт||ь ж. разг. **1.**: во всю ~ as fast as one can, as fast as one's legs can cárry one, at full speed; **2.** (прово́рство) quíckness; vim, pep амер.; отку́да у него́ така́я ~? where does he get his énergy from?; от него́ не ожида́ли тако́й ~и one would never have thought he would dare do such a thing.

прыщ м. pímple, spot; pústule мед.; в ~а́х pímply, spótty. **~а́вый** разг. pímply, spótty.

прыщева́тый = прыща́вый.

прюне́левый prunélla (attr.).

прюне́ль ж. prunélla.

пря́дать = прясть II.

пряде́ние с. spínning; ручно́е ~ hánd-spinning; маши́нное ~ machíne-spinning [-'ʃi:n-].

пря́деный spun.

пряди́л||ьный маши́нное spínning; ~ная маши́на spínning machine / frame [...-'ʃi:n...]; ~ная фа́брика spínning mill / fáctory. **~щик** м., **~щица** ж. spínner.

прядь ж. **1.** (воло́с) lock; **2.** (тро́са) strand.

пря́жа ж. тк. ед. yarn, thread [θred]; шерстяна́я ~ wóollen yarn ['wu-...], wórsted ['wustɪd].

пря́жк||а ж. búckle, clasp; застёги-вать ~у búckle, clasp; ~ для по́яса bélt-buckle.

пря́лка ж. (ручна́я) dístaff; (с колесо́м) spínning-wheel.

прям||а́я ж. скл. как прил. straight line; спорт. straight; проводи́ть ~у́ю draw* a straight line; расстоя́ние по ~о́й in a straight line; dístance as the crow flies [...krou...].

прямёхонько нареч. разг. straight, di-réctly.

прямизна́ ж. stráightness.

прямико́м нареч. разг. acróss cóuntry [...'kʌ-].

пря́мо I прил. кратк. см. прямо́й.

пря́мо II нареч. **1.** straight; держа́ться ~ hold* onesélf eréct / úp:right; **2.** (без переса́док, остано́вок; непосре́дственно) straight; ~ к де́лу to the point; идти́ ~ к це́ли go* straight to the tárget [...-gɪt]; э́то ~ отно́сится к вопро́су it has diréct réference to the case / quéstion [...keɪs -stʃən]; **3.** (открове́нно) fránkly, ópen:ly, blúntly; сказа́ть ~ say fránkly / ópen:ly; tell* róundly; она́ сказа́ла э́то ему́ ~ в лицо́ she said it right to his face [...sed...]; she told him róundly; скажи́те ~ come* right out with it, be frank; **4.** разг. (соверше́нно; при сущ.) real [rɪəl]; (при прил.) réally ['rɪə-]: он ~ геро́й he is a real héro; я ~ поражён I am réally astónished; **5.** разг. (как раз) exáctly; dównright; ~ противополо́жно

exáctly the ópposite [...-zɪt]; ~ в глаз square in the eye [...aɪ]; ~ в нос full on the nose; попада́ть ~ в цель (прям. и перен.) hit* the mark, hit* the bull's eye [...bulz...]; смотре́ть ~ в глаза́ кому́-л. look smb. straight in the eye(s); ◇ ~ со шко́льной скамьи́ fresh / straight from school.

прямоду́ш||ие с. straightfórwardness, síngle-héartedness [-'ha:-], fránkness. **~ный** straightfórward [-'ha:-], síngle-héarted, frank.

прям||о́й 1. straight; (вертика́льный, вы́прямившийся) úp:right, eréct; идти́ ~о́й доро́гой take*, или go* by, a diréct route [...ru:t]; ~а́я ли́ния straight line; ~ у́гол мат. right angle; ~а́я кишка́ анат. réctum; **2.** (без промежу́точных инста́нций) through; по́езд ~о́го сообще́ния through train; ~ым путём diréctly; говори́ть по ~о́му про́воду (с тв.) speak* on a diréct line (to); **3.** (непосре́дственный) diréct; ~ые вы́боры diréct eléctions; ~ нало́г diréct tax; ~ насле́дник diréct heir [...-ɛə-], heir in a diréct line; **4.** (о хара́ктере, челове́ке) straightfórward; (открове́нный) frank; (и́скренний) sincére; ~ вопро́с, отве́т diréct quéstion, ánswer [...-stʃən 'a:nsə]; **5.** (безусло́вный) real [rɪəl]; ~ убы́ток straight loss; ~а́я вы́года sure gain [ʃuə...]; ◇ ~а́я речь diréct speech; ~о́е дополне́ние diréct óbject; в ~о́м смы́сле э́того сло́ва in the líteral sense of the word; ~а́я противополо́жность (дт.) exáct ópposite [...-zɪt] (to); ~а́я наво́дка воен. diréct láying; ~ наво́дкой óver ópen sights, by diréct láying; ~ пробо́р párt-ing in the míddle.

прямокры́лые мн. скл. как прил. зоол. Orthóptera.

прямолине́йн||ость ж. straightfórwardness. **~ый** réctilinear [-nɪə], rectilíneal [-nɪəl]; (перен.) straightfórward; ~ый челове́к straightfórward pérson; ~ый отве́т straightfórward ánswer [...-'a:nsə].

прямота́ ж. straightfórwardness; plain déaling.

прямото́чный: ~ котёл тех. úniflow bóiler [-flou...].

прямоуго́льн||ик м. мат. réctangle. **~ый** right-ángled; (о четырёхуго́льнике) rectángular; ~ый треуго́льник мат. right-ángled tríangle.

пря́ни||к м. spíce-cake; (на па́токе) tréacle-cake; медо́вый ~ hóney-cake ['hʌ-]; имби́рный ~ gíngerbread [-ndʒə-bred]. **~чный** прил. к пря́ник.

пря́н||ость ж. spice. **~ый** spícy; (о за́пахе) héady ['hedɪ].

прясть I, спрясть (вн.) spin* (d.): ~ пря́жу spin* yarn.

прясть II ~ уша́ми move the ears [mu:v...].

пря́т||ать, спря́тать (вн.) hide* (d.), concéal (d.); (тж. перен.). **~аться, спря́таться 1.** hide*, concéal onesélf; **2.** страд. к пря́тать. **~ки** мн. (игра́) híde-and-seek sg.; игра́ть в ~ки play híde-and-seek.

пря́ха ж. spínner.

ПСА—ПУД

псало́м *м. церк.* psalm [sɑ:m]. ~**щик** *м. церк.* (psálm-)réader ['sɑ:m-], séxton.
псалты́рь *ж. и м. церк.* Psálter ['sɔ:l-], psálm-book ['sɑ:m-].
пса́рня *ж.* kénnel.
псарь *м. ист.* húnts:man* (*person in charge of hounds*).
псевдо- (*в сложн.*) pséudò-, mock-, false [fɔ:ls].
псевдогерои́ческий *лит.* móck-heró:ic.
псевдокласс‖**ици́зм** *м. лит.* pséudò-clássicism. ~**и́ческий** *лит.* pséudò-clássical.
псевдомаркси́стский pséudò-Márxist.
псевдоуна́у‖**ка** *ж.* pséudò-science. ~**чный** pséudò-scientífic.
псевдони́м *м.* pséudonym, álias; (*литературный*) pén-nàme; (*артиста*) stáge-nàme; **под** ~**ом** únder the pséudonym; (*о писателе*) únder the pén-nàme; **раскрыва́ть** ~ decípher the pséudonym [-'saɪ-...].
пси́н‖**а** *ж. разг.* 1. (*собачье мясо*) dog's flesh; 2. (*запах собаки*) dog's / dóggy smell; 3. (*большой пёс*) dog.
пси́ный *разг.* dog (*attr.*), dog's.
псих *м. разг.* mád:man*, lóony; nút(-càse) [-s].
психану́ть *сов. см.* психова́ть.
психастен‖**и́ческий** *мед.* psychasthénic [saɪk-]. ~**и́я** *ж. мед.* psychasthénia [saɪk-].
психиа́тр *м.* psychíatrist [saɪˈk-], psychíater [saɪˈk-]. ~**и́ческий** psychíatric(al) [saɪk-]; ~**и́ческая больни́ца** méntal hóspital. ~**и́я** *ж. мед.* psychíatry [saɪˈk-].
пси́хика *ж.* psychólogy [saɪˈk-], psýche ['saɪkɪ]; state of mind.
психи́ческ‖**и** *нареч.* méntally; ~ **больно́й** méntally ill / diséased [...-'zi:-]; (*во врачебной диагностике*) méntal case [...-s]. ~**ий** psýchic(al) [saɪk-], méntal; ~**ая боле́знь** méntal íllness / diséase [...-'zi:z]; ~ **ое расстро́йство** méntal disórder; ~**ая ата́ка** *воен.* psychológical attáck [saɪk-...].
психоана́лиз *м. мед.* psychò-análysis [saɪk-].
психоанали́т‖**ик** *м.* psychò:ánalyst [saɪk-]. ~**и́ческий** psychò:ànalýtic(al) [saɪk-].
психова́ть, **психану́ть** *разг.* beháve like a mád:man*; be hystérical.
психо́з *м. мед.* psychósis [saɪˈk-], méntal diséase / íllness [...-'zi:z...]; ◇ **вое́нный** ~ war hystéria.
психо́лог *м.* psychólogist [saɪˈk-]. ~**и́зм** *м.* psychológical análysis / ínsight [saɪk-...]. ~**и́ческий** psychológic(al) [saɪk-]; ~**и́ческая война́** psychológical war.
психоло́гия *ж.* psychólogy [saɪˈk-].
психометри́ческий psychò:métric [saɪk-].
психомото́рный psychò:mótor [saɪk-].
психоневро́з *м. мед.* psychò:neurósis [saɪk-] (*pl.* -sès [-si:z]).
психоневрологи́ческий psychò:neurológical [saɪk-].
психоневроло́гия *ж.* psychò:neurólogy [saɪk-].
психоневропато́лог *м.* psychò:neuropathólogist [...-], ~**и́ческий** psychò:neuropathólogic(al) [saɪk-].

психоневропатоло́гия *ж.* psychò:neuropathólogy [saɪk-].
психопа́т *м.* psychò:páth [saɪk-]; crank *разг.* ~**ия** *ж.* psychópathy [saɪˈk-]. ~**ка** *ж. к* психопа́т.
психопатологи́ческий psychò:pathológical [saɪk-].
психопатоло́гия *ж.* psychò:pathólogy [saɪk-].
психотерапевти́ческий *мед.* psychò:thèrapéutic ['saɪk-].
психотерапи́я *ж. мед.* psychò:thérapy ['saɪk-].
психотехн‖**ика** *ж.* vocátional psychólogy [saɪk-]. ~**и́ческий** vocátional psychólogy [...saɪˈk-] (*attr.*).
психофи́зика *ж.* psychò:phýsics [saɪkouˈfɪz-].
психофизиологи́ческий psychò:physiológical [saɪkoufɪz-].
психофизиоло́гия *ж.* psychò:phỳsiólogy [saɪkoufɪz-].
психофизи́ческий psychò:phýsical [saɪkouˈfɪz-].
псо́в‖**ый**: ~**ая охо́та** húnting with hounds.
пта́шка *ж. разг.* líttle bird; bírdie; ◇ **ра́нняя** ~ éarly bird ['ə:lɪ...].
птене́ц *м.* néstling, flédge:ling, chick; (*перен.: воспитанник*) púpil.
пте́нчик *м.* néstling, flédge:ling, chick.
птерода́ктиль [-тэ-] *м. палеонт.* ptèrodáctyl.
пти́ц‖**а** *ж.* bird; **певчая** ~ sóng-bird; **водопла́вающие** ~**ы** wáterfowl ['wɔː-] *sg.*; **перелётная** ~ mígrant bird; bird of pássage (*тж. перен.*); **боло́тная** ~ wáder ['weɪ-]; **хи́щные** ~**ы** birds of prey; **дома́шняя** ~ *собир.* póultry ['pou-]; ◇ **ви́дна** ~ **по полёту** *погов.* ≅ a bird may be known by its song [...noun...].
птицево́д *м.* póultry fármer / bréeder ['pou-...]; (*любитель*) bírd-fàncier. ~**ство** *с.* póultry kéeping / fárming ['pou-...]. ~**ческий** *прил.* **к** птицево́дство; ~**кий совхо́з** State póultry farm [...'pou-...]; ~**ческая фе́рма** póultry farm.
птицело́в *м.* fówler; bírd-càtcher, bírd-snàrer. ~**ство** *с.* fówling.
птицефе́рма *ж.* póultry farm ['pou-...].
пти́‖**чий** *прил.* **к** пти́ца; ávian *научн.*: póultry ['pou-] (*attr.*); ~ **двор** póultry-yàrd ['pou-]; ◇ ~**чье молоко́** *разг.* pígeon's milk ['pɪdʒɪnz...]; **c** ~**чьего полёта** from a bírd's-eye view [...-aɪ vju:]; **вид с** ~**чьего полёта** bírd's-eye view; **жить на** ~**чьих права́х** live* a precárious exístence [lɪv...].
пти́чка *ж. уменьш. от* пти́ца.
пти́чк‖**а** II *ж.* (*пометка*) tick; **ста́вить** ~**и** tick.
пти́чн‖**ик** I *м.* (*пти́чий двор*) póultry-yàrd ['pou-]; chícken-rùn.
пти́чник II *м.* (*работник*) póultry-man*.
пти́чница *ж.* póultry-wòman* ['pou-wu-]; póultry-maid ['pou-].
птома́ин *м. хим.* ptomaine ['tou-].
ПТУ *с. неизм.* = профтехучи́лище.
пуансо́н *м. тех.* púncheon, punch, stamp.
пуа́нт *м. театр.*: **стоя́ть на** ~**ах** be on points; **танцева́ть на** ~**ах** dance on points.

пу́блика *ж. собир.* públic ['pʌ-]; (*в театре и т. п. тж.*) the áudience.
публика́ци‖**я** *ж.* 1. (*действие*) publicátion [pʌ-]; 2. (*объявление*) advertise:ment [-s-]; **дава́ть** ~**ю** advertíse.
публикова́ть, **опубликова́ть** (*вн.*) públish ['pʌ-] (*d.*); **печа́ть публику́ет заявле́ние** (*рд.*) the néwspapers cárry a státe:ment (by).
публици́ст *м.* públicist ['pʌ-]; pámphletéer. ~**ика** *ж.* públicism ['pʌ-], sócial and political jóurnalism [...'dʒəːn-]. ~**и́ческий** publicístic [pʌ-]; ~**и́ческий жанр** journalístic genre [dʒəːnə- ʒɑːŋr].
публи́чн‖**о** *нареч.* públicly ['pʌ-], in públic [...-]; (*открыто*) ópen:ly. ~**ость** *ж.* publícity [pʌ-]. ~**ый** públic ['pʌ-]; ~**ая ле́кция** públic lécture; ~**ая библиоте́ка** públic líbrary [...'laɪ-]; ~ **ое пра́во** públic law; ◇ ~**ый дом** *уст.* bróthel, house* of próstitution [-s...]; párlor house* *амер.*; ~**ая же́нщина** *уст.* próstitute; ~**ые торги́** áuction *sg.*, públic sale *sg.*
пуга́ло *с.* scáre:crow [-krou], búgbear [-bɛə]; (*перен.*) fright; **он вы́рядился как** ~ he has made hìm:sélf look a real fright (in those clothes) [...rɪəl...klouðz].
пу́ган‖**ый**: ~**ая воро́на (и) куста́ бои́тся** *посл.* ≅ once bítten twice shy [wʌns...].
пуга́‖**ть**, **испуга́ть** 1. (*вн.*) frighten (*d.*), scare (*d.*); (*запугивать*) intímidate (*d.*); 2. (*вн. тв.; угрожать*) thréaten ['θret-] (*d.* with). ~**ться**, **испуга́ться** (*рд.*) be frightened (by), be startled (at); (*о лошади*) shy (at), take* fright (of); **он всего́** ~**ется** he is afráid of évery:-thing; **не испуга́ться тру́дностей** not be dáunted by difficulties.
пуга́ч *м.* (*игрушка*) tóy-pístol.
пугли́в‖**ость** *ж.* féarfulness, timídity. ~**ый** féarful, éasily frightened / scared ['iːz-...]; shy (*тж. о лошади*).
пугну́ть *сов.* (*вн.*) frighten (*d.*), scare (*d.*).
пу́гов‖**ица** *ж.* bútton; **держа́ть за** ~**ицу** *разг.* búttonhòle (*d.*). ~**и́чный** bútton (*attr.*); ~**ичное произво́дство** bútton-màking. ~**ка** *ж.* small bútton.
пуд *м.* (16,38 *кг*) pood (36 *lb. avoirdupois*).
пу́дель *м.* poodle.
пу́динг *м.* púdding ['pu-].
пудлингов‖**а́ние** *с. тех.* púddling. ~**а́ть** *несов. и сов.* (*вн.*) *тех.* puddle (*d.*).
пу́длингов‖**ый** *тех.*: ~**ая печь** púddling fúrnace.
пудо́в‖**ой**, **пудо́вый** one pood (*attr.*); of one pood; (*тяжёлый*) very héavy [...'hevɪ]; ~**ая ги́ря** one pood in weight.
-пудо́вый (*в сложн. словах, не приведённых особо*) of...poods, -pood (*attr.*); *напр.* **двадцатипудо́вый** of twenty poods, twénty-pood (*attr.*).
пу́дра *ж.* pówder; ◇ **са́харная** ~ cástor súgar [...'ʃu-].
пу́дреница *ж.* pówder-càse [-s].
пу́дреный pówdered.
пу́дрить, **напу́дрить** (*вн.*) pówder (*d.*). ~**ся**, **напу́дриться** 1. pówder (óne:sélf), pówder one's face, use pówder; 2. *страд.* **к** пу́дрить.

пуза́тый *разг.* bíg-béllied, pót-béllied; páunchy (*тж. о кувшине и т. п.*); ~ самова́р róund-béllied sàmovár.

пу́зо *с. тк. ед. разг.* bélly, paunch; отрасти́ть ~ grow* a paunch [-ou...].

пузырёк *м.* 1. (*бутылочка*) phíal, vial; 2.: ~ во́здуха bubble; (*в стекле тж.*) bleb.

пузы́риться *разг.* (*покрываться пузырями*) bubble; effervésce.

пузы́рник *м. бот.* sénna.

пузы́рчатый *разг.* full of bubbles.

пузы́р∥ь *м.* 1. bubble; мы́льный ~ sóap-bùbble; пуска́ть мы́льные ~и blow* bubbles [blou...]; 2. (*волдырь*) blíster; 3. (*для плавания*) áir-blàdder; 4. *анат.* blàdder; жёлчный ~ gáll-blàdder; мочево́й ~ úrinary blàdder; пла́вательный ~ (*у рыб*) (fish-)sound, swímming-blàdder; 5. *разг.* (*малыш*) kid, kíddy; ◇ ~ со льдом íce-bàg.

пук *м.* (*овощей, цветов*) bunch; (*травы тж.*) tuft; (*соломы и т. п.*) wisp; (*прутьев*) bundle.

пулев∥о́й: ~о́е ране́ние búllet wound ['buˑwuː-].

пулемёт *м.* machíne-gùn [-ʃiːn-]; зени́тный ~ ànti-áircràft machíne-gùn; ручно́й ~ light machíne-gùn; станко́вый ~ (médium) machíne-gùn; ста́рший ~ héavy machíne-gùn ['hevɪ...] *амер.*; ~ный machíne-gùn [-ʃiːn-] (*attr.*); ~ный ого́нь machíne-gùn fire; ~ная ле́нта cártridge-bèlt. ~чик *м.,* ~чица *ж.* machíne-gùnner [-ʃiːn-].

пулесто́йкий *воен.* búllet-proof ['buˑ-].

пуло́вер *м.* púllòver ['pul-].

пульвериза́∥тор *м.* púlverizer, átomizer, spráyer. ~ция *ж.* pùlverizátion [-raɪ-], spráying.

пульверизи́ровать *несов. и сов.* (*вн.*) púlverize (*d.*), spray (*d.*).

пу́лька I *ж. уменьш. от* пу́ля.

пу́лька II *ж. карт.* pool.

пу́льпа I *ж. анат.* pulp.

пу́льпа II *ж. тех.* pulp, crushed ore.

пульс *м.* pulse; (*число ударов пульса*) pulse rate; бие́ние ~а pùlsátion; throbbing of the pulse; неро́вный ~ irrégular pulse; сла́бый ~ low / weak pulse [lou...]; её ~ был сто в мину́ту her pulse was at a húndred, she had a pulse rate of a húndred, ~ с перебо́ями drópped-beat pulse, intermíttent pulse; счита́ть ~ take* the pulse; щу́пать ~ feel* the pulse. ~а́ция *ж.* pùlsátion, pulse.

пульси́ровать 1. pulse, pùlsáte, beat*, throb; 2. *тех.* pùlsáte, pulse.

пульсо́метр *м. тех.* pùlsómeter.

пульт *м.* 1. (*подставка для нот*) desk, stand; дирижёрский ~ condúctor's stand; 2. *тех.:* ~ управле́ния contról pánel [-oul 'pæ-].

пу́л∥я *ж.* búllet ['buˑ-], prójectile; трасси́рующая ~ trácer búllet; отлива́ть, лить ~и mould búllets [mould...]; (*перен.*) *разг.* tell* fibs / lies.

пуля́рка *ж.* fátted fowl.

пу́ма *ж. зоол.* púma, cóugar ['kuː-].

пуни́ческ∥ий *ист.* Púnic; ~ие во́йны Púnic Wars.

пункт *м.* 1. (*в разн. знач.*) point; нача́льный, исхо́дный ~ stárting, inítial point; кульминацио́нный ~ cúlminátion, clímax; коне́чный ~ términal, términus; населённый ~ séttlement; популя́тед áreа [...ˈɛərɪə]; *воен.* inhábited locálity / área; опо́рный ~ *воен.* strong point; наблюда́тельный ~ òbservátion post [-zə-poust]; кома́ндный ~ commánd post [-ɑːnd...]; 2. (*организационный центр*) státion; медици́нский ~ dispénsary; *воен.* dréssing-stàtion; aid post; перегово́рный ~ públic (téle-phòne) cáll-bòxes ['pʌ-...] *pl.* (*междугородного телефона*) trúnk-càll óffice; сбо́рный ~ assémbly point / place; призывно́й ~ recrúiting céntre [-ˈkruːt-...]; indúction cénter *амер.*; 3. (*параграф*) páragràph, ítem, point; (*политической программы*) plank; по ~ам point by point, páragràph after páragràph, ítem after ítem; отвеча́ть по ~ам ánswer point by point ['ɑːnsə...]; чита́ть по ~ам read* páragràph by páragràph; по всем ~ам at all points; at every point; 4. *полигр.* point.

пу́нктик *м.* 1. *уменьш. от* пункт; 2. (*странность*) èccèntrícity, peculiárity; он челове́к с ~ом he is a bit odd.

пункти́р *м.* dótted line; начерти́ть ~ом (*вн.*) dot (*d.*). ~ный dótted; ~ная ли́ния dótted line.

пунктуа́льно I *прил. кратк. см.* пунктуа́льный.

пунктуа́льн∥о II *нареч.* púnctually, on the dot. ~ость *ж.* pùnctuálity. ~ый púnctual.

пунктуа́ция *ж. грам.* pùnctuátion.

пу́нкция *ж. мед.* púncture; (*лёгкого*) tápping; (*волдыря*) prícking.

пу́ночка *ж.* (*птица*) snow búnting [snou...].

пунсо́н *м.* 1. = пуансо́н; 2. *полигр.* punch.

пунцо́вый crímson [-zn].

пунш *м.* punch (*drink*). ~евый punch (*attr.*).

пуп *м.* nável; ómphalòs, ùmbílicus *анат.*; ◇ ~ земли́ the hub of the úniverse.

пупа́вка *ж. бот.:* ~ воню́чая stínking cámomìle, dog fénnel; ~ полева́я corn cámomìle [...ˈkæ-].

пуп∥ови́на *ж. анат.* ùmbílical cord; nável-string. ~о́к *м.* 1. = пуп; 2. (*у птиц*) gízzard ['gɪ-]. ~о́чный *анат.* ùmbílical; ~о́чная гры́жа *мед.* ùmbílical hérnia.

пупы́рышек *м. разг.* pímple.

пурга́ *ж. тк. ед.* snówstorm ['snou-], blízzard.

пури́зм *м.* púrism.

пури́ст *м.* púrist.

пурита́н∥ин *м.* Púritan. ~ство *с.* Púritanism.

пу́рпур *м.* purple.

пурпу́р∥ный, ~овый purple.

пуск *м.* (*рд.; о заводе и т. п.*) stárting (up) (*d.*); (*о машине и т. п. тж.*) sétting in mótion (*d.*); (*о домне*) firing (*d.*); (*о ракете*) láunch(ing) (*d.*).

пуска́й I *пов. см.* пуска́ть.

пуска́й II = пусть.

пуска́ть, пусти́ть 1. (*вн.*) let* (*d.*), allów (*d.*); (*разрешать*) permít (*d.*); (*давать свободу*) set* free (*d.*); ~ куда́-л. let* (*d.*) go sóme:whère, allów (*d.*) to go sóme:whère; ~ дете́й гуля́ть permít the children to go, *или* let* the chíldren go, for a walk; ~ на во́лю set* free (*d.*); (*птицу*) let* out (*d.*); ~ кого́-л. в о́тпуск let* smb. go on leave, give* smb. leave (of ábsence); 2. (*вн.; впускать*) let* in (*d.*); не ~ (*внутрь*) keep* out (*d.*); не пуска́йте его́ сюда́ don't let him in; don't allów him to énter; keep him out; 3. (*вн.; приводить в движение*) start (*d.*), put* in áction (*d.*); (*о машине тж.*) start (*d.*), set* in mótion (*d.*); (*о предприятии*) start (*d.*), set* wórking (*d.*); ~ во́ду, газ turn on wáter, gas [...ˈwɔ-...]; ~ часы́ start a clock; ~ фейерве́рк let* off fíre:works; ~ волчо́к spin* a top; ~ фонта́н set* the fountáin pláying; ~ змея́ fly* a kite; 4. (*вн., тв.; бросать*) throw* [θrou] (*d.*), shy (*d.*): ~ ка́мнем в кого́-л. throw* a stone at smb.; ~ — стрелу́ shoot* an árrow; 5. (*вн.*) *бот.* sprout (*d.*), put* out, put* forth (*d.*); ~ ростки́ put* out shoots, sprout; ~ ко́рни root, take* root (*тж. перен.*); ◇ ~ в обраще́ние (*вн.*) put* in cìrculátion (*d.*); ~ в произво́дство (*вн.*) put* in prodúction (*d.*), put* on the prodúction line (*d.*); ~ в ход что-л. start smth., set* smth. gó:ing, set* smth. in mótion, give* smth. a start; launch smth.; set* smth. in train; ~ в ход все сре́дства ≅ leave* no stone untúrned; move héaven and earth [muːv ˈhe-...əːθ] *идиом.*; ~ в прода́жу (*вн.*) óffer, *или* put* up, for sale (*d.*); ~ слух start / spread* a rúmour [...spred....]; ~ ло́шадь ры́сью trot a horse; ~ ло́шадь во весь опо́р give* a horse its head [...hed]; ~ жильцо́в take* in lódgers; let* (a house*, a room, etc.) [...-s...]; ~ ко дну (*вн.*) send* to the bóttom (*d.*), sink* (*d.*); ~ под отко́с (*вн.*) deráil (*d.*); ~ по́ миру (*вн.*) béggar (*d.*), rúin útterly (*d.*); ~ козла́ в огоро́д ≅ set* the wolf* to keep the sheep [...wulf...]; пусти́ть себе́ пу́лю в лоб blow* one's brains out [blou...]; put* a búllet through one's head [...ˈbuˑ-...hed]; ~ кому́-л. кровь bleed* smb.; *мед.* phlebótomize smb.; ~ пыль в глаза́ ≅ cut* a dash, show* off [ʃou...]. ~ся, пусти́ться 1. (*в разн. знач.*) start, set* out; пусти́ться бежа́ть break* in a run, start rúnning; пусти́ться вдого́нку за кем-л. rush / dash áfter smb., *или* in pursúit of smb. [...ˈsjuː-...]; ~ся в риско́ванное предприя́тие let* òneself in for a risky ùndertáking; ~ся в подро́бности go* into détail(s) [...ˈdiː-...]; ~ся в простра́нные объясне́ния énter upón léngthy èxplanátions; ~ся в путь start on a jóurney [...ˈdʒəː-...]; 2. *страд. к* пуска́ть.

пусков∥о́й stárting; ~ механи́зм stárting device, stárter; ~ пери́од inítial phase; ~а́я площа́дка (rócket) láunching plátfòrm / site.

пустельга́ 1. *ж. зоол.* késtrel; 2. *м. и ж. разг.* (*о человеке*) líght-mínded / wórthless féllow.

ПУС—ПУТ

пусте́ть, опусте́ть (become*) émpty; (становиться безлюдным) become* desérted [...-ˈzəː-].

пусти́ть(ся) сов. см. пуска́ть(ся).

пу́сто предик. безл. переводится личн. оборотом от be émpty: в ко́мнате бы́ло ~ the room was émpty; ◇ чтоб тебе́ ~ бы́ло! разг. ≃ to hell with you!, go to hell!, go to the dévil!; то гу́сто, то ~ погов. ≃ stuff to:dáy and starve to:mórrow.

пустобре́х м. разг. chátterbòx, wíndbàg [ˈwɪ-].

пустова́тый разг. 1. ráther émpty [ˈrɑː-...]; 2. (о человеке) fátuous.

пустова́ть be / stand* émpty; (о здании) be ténantless / ún:inhábited; (о земле) lie* fállow.

пустоголо́вый разг. émpty-héaded [-ˈhed-]; ráttle-brained, féather-brained [ˈfeðə-].

пустозво́н м. разг. idle tálker, wíndbàg [ˈwɪ-]. **~ить** разг. en:gáge in idle talk. **~ство** с. разг. idle talk.

пуст‖**о́й** 1. émpty; (полый) hóllow; (необитаемый) ún:inhábited; (покинутый) desérted [-ˈzəː-]; **~а́я поро́да** геол. bárren / dead rock [...ded...], dirt; **на ~ желу́док** on an émpty stómach [...ˈstʌmək]; 2. (бессодержательный — о разговоре; о человеке, характере и т. п.) shállow, sùperfícial; (легкомысленный — об образе жизни) fútile, frívolous; **~а́я болтовня́** idle talk; 3. (неосновательный, напрасный) vain, ún:gróunded; **~ые мечты́** cástles in the air, pípe-dreams; **~а́я отгово́рка** lame excúse [...-s]; **~ые слова́** émpty / méaningless words; **~ые наде́жды** vain hopes; **~ые угро́зы** émpty / idle threats [...θrets]; blúster sg.; ◇ **перелива́ть из ~о́го в поро́жнее** погов. ≃ beat* the air, mill the wind [...wɪ-]; lábour in vain; **с ~ыми рука́ми** разг. émpty-hánded; **~ое ме́сто** blank space; **он ~ое ме́сто** he has nothing in him.

пустоме́ля м. и ж. разг. twáddler, wíndbàg [ˈwɪ-], bábbler.

пустопоро́жний разг. émpty, vácant.

пустосло́в м. разг. idle tálker, wíndbàg [ˈwɪ-].

пустосло́в‖**ие** с. разг. idle talk, twáddle, vérbiage. **~ить** разг. twáddle, prate.

пустота́ ж. 1. émptiness; void; (перен.) futílity; frívolousness; 2. физ. vácuum; **ториче́ллиева ~** Tòrricéllian vácuum [-ˈtʃe-...].

пустоте́лый hóllow; **~ кирпи́ч** hóllow brick.

пустоцве́т м. бот. bárren / stérile flówer (тж. перен.).

пу́стошь ж. waste plot (of land) [weɪ-...], waste ground.

пусты́нн‖**ик** м. hérmit; ánchorèt [-kə-], ánchorìte [-kə-]. **~ый** désert [ˈdez-]; (безлюдный) ún:inhábited; (об улицах и т. п.) desérted [-ˈzəː-].

пусты́нь ж. hérmitage.

пусты́ня ж. désert [ˈdez-] [weɪ-], wílderness.

пусты́рь м. waste / vácant plot of land [weɪ-...], vácant lot.

пусты́шка ж. разг. 1. (соска) báby's dúmmy; 2. (о человеке) shállow pérson, hóllow man*.

пусть 1. частица передаётся посредством глаг. let (+ inf.): ~ он идёт let him go; ~ она́ пи́шет let her write; ~ X ра́вен Y let X équal Y; но ~ они́ не ду́мают, что but let them not decéive thèm:sélves into thínking that [...-ˈsiːv...]; 2. как союз (хотя) though [ðou], éven if; ~ по́здно, но я пойду́ though it is late, или late as it is, I inténd to go.

пустя́‖**к** м. trifle; **спо́рить из-за ~ко́в** split* hairs, péttifòg; **тра́тить вре́мя по ~ка́м** waste one's time on trifles [weɪ-...]; **су́щий ~** a mere nóthing; ◇ **~ки́!** it's nóthing!; (вздор!) nónsense!; fíddle:stìcks!; (неважно!) néver mind!; **па́ра ~ко́в** разг. ≃ a mere trifle, child's play. **~ко́вый, ~чный** разг. trífling, trívial, fútile.

пу́тан‖**ик** м. разг. fúmbler, múddle-héaded pérson [-hed-...]. **~ица** ж. confúsion, múddle, mess, tángle; (неразбериха) míshmàsh, júmble. **~ый** 1. confúsed; (сбивающий с толку) confúsing; tángled, múddled up; 2. разг.: **~ый челове́к** múddle-héaded pérson.

пу́тать 1. (вн.; о верёвке, нитках и т. п.) tángle (d.); 2. (вн.; сбивать с толку) confúse (d.); 3. (вн. с тв.; смешивать) confúse (d. with); mix up (d. with); 4. (говори́ть сбивчиво) get* mixed up, mix things up; 5. (вн.; о лошади и т. п.) fétter (d.); hóbble (d.); 6. (вн.) разг. (вмешивать, вовлекать) mix up (d.), ímplicàte (d.). **~ся** 1. (сбиваться с толку) get* tángled; **~ся в расска́зе** give* a confúsed accóunt / stóry; **~ся в показа́ниях** be in:cónsistent in one's téstimony, còntradíct òne:sélf in one's évidence / státe:ment; 2. (о мыслях) get* confúsed; 3. (в вн.) разг. (вмешиваться) interfére (in), méddle (in); **~ся не в своё де́ло** méddle in óther péople's affáirs [...piː-...]; 4. (с тв.) разг. keep* cómpany [...ˈkʌ-] (with), get* mixed up (with).

путёвк‖**а** ж. 1. vóucher; **~ в санато́рий** vóucher to a sànatórium; **~ на 24 дня** a 24-day vóucher; **пода́ть заявку на ~у в санато́рий** apply for a place in a sànatórium; 2. (у водителей транспорта) schédule of dúties [ˈʃe-...]; ◇ **~ в жизнь** a start in life.

путево‖**ди́тель** м. guide, guíde-book, itínerary; **~ по музе́ю** mùseum guide [-ˈzɪəm-...]. **~во́дный** guíding, léading; **~во́дная звезда́** guíding star, lóde:stàr.

путев‖**о́й** trávelling, itínerary [aɪ-]; **~ые заме́тки** trável notes [ˈtræ-...]; **~а́я ка́рта** róad-mà́p; **~а́я ско́рость** ав. ábsolùte / ground speed; **~ обхо́дчик** tráck:mà́n*, tráckwàlker, pérmanent way man*; **~ ко́мпас** мор. stéering cómpass [...ˈkʌ-].

путе́ец м. разг. 1. (инженер) ráilway enginéer [...endʒ-]; 2. (работник службы пути) ráilway:mà́n*.

путём I предл. (рд.: посредством) by means of, by dint of.

путём II нареч. разг. próperly; **он никогда́ ~ не пое́ст** he néver sits down to a square meal.

путеме́р м. (измерительное колесо) pedómeter.

путеобхо́дчик м. tráck:mà́n*, tráckwàlker, pérmanent way man*.

путеочисти́тель м. tráck-cléarer.

путепрово́д м. (на дорогах) óver:pàss, únderpàss; ж.-д. óver:brìdge.

путеукла́дчик м. тех. trácklayer.

путеше́ственн‖**ик** м., **~ица** ж. tráveller.

путеше́стви‖**е** с. 1. jóurney [ˈdʒəː-]; (по морю) vóyage; (увеселительное) trip; **кругосве́тное ~** world tour [...tuə]; (по морю) world cruise [...kruːz]; 2. (название литературного произведения) trávels [ˈtræ-] pl.; **он лю́бит чита́ть ~я** he loves réading trável books [...ˈlʌ-...].

путеше́ствовать trável [ˈtræ-], go* on trávels; (по морю) vóyage; **он лю́бит ~** he is fond of trávelling.

пути́на ж. físhing (séason) [...ˈsiːz-].

пу́тн‖**ик** м., **~ица** ж. tráveller, wáyfarer.

пу́тн‖**ый** разг. 1. прил. sénsible; wórth:whìle; 2. с. как сущ.: **из него́ ничего́ ~ого не вы́йдет** you'll néver make a man* of him; **он ни на что ~ое не годи́тся** he'll néver amóunt to ány:thìng, he is a né'er-do-wèll [...ˈnɛədu:wel].

путч м. putsch [putʃ].

пу́ты мн. (лошади) hóbble sg.; hórse-lòck sg.; (перен.) chains, fétters; trámmels.

пут‖**ь** м. 1. way, track, path*; (солнца, луны) race; (самолёта) track; (железнодорожный) (ráilway) track; **запа́сный ~** ж.-д. síding, síde-tràck; shunt; **во́дный ~** wáter-way [ˈwɔː-]; **во́дным ~ём** by wáter [...ˈwɔː-]; **морски́е ~и́** shípping routes [...ruːts], sea lanes; **са́нный ~** slédge-road, slédge-tràck; **~и́ сообще́ния** commùnicátions; **~ подво́за** воен. line of supplý; **тылово́й ~** воен. line of retréat; **сби́ться с (ве́рного) ~и́** lose* one's way [luːz...]; (перен.) go* astráy; **для них откры́ты все ~и́** all roads are ópen to them; **про́йденный ~** trávorsed path*; **~** (путешествие) jóurney [ˈdʒəː-]; (морем) vóyage; **пуска́ться в ~** start on a jóurney; **находи́ться в ~и́** be on one's way, be en route [...ˈruːt]; **в трёх днях ~и́ (от)** three days jóurney (from); **по ~и́** on the way; **на обра́тном ~и́** on the way back; **держа́ть ~ (на вн.)** head [hed] (for), make* (for); **счастли́вого ~и́!** bon vóyage! (фр.) [bɔ̃ vɔˈjaːʒ]; háppy jóurney!; 3. мн. анат. pássage sg., duct sg.; **дыха́тельные ~и́** respíratory tract [-ˈpaɪə-...] sg.; 4. (способ) means pl., way; **каки́м ~ём?** in what way?; by what means?; **око́льным ~ём, око́льными ~ями** in / by a róundabout way; **лега́льным ~ём** in a légal way, légal:ly; **ми́рным ~ём** ámicably, péace:fùlly, in a fríendly way [...ˈfre-...]; **он не зна́ет, како́й ~ избра́ть** he does:n't know what course to take [...nou... kɔːs...]; **найти́ ~и́ и сре́дства** find* ways and means; 5. (направление деятельности, развития) way; **по ле́нинскому ~и́** in the steps of Lénin; **социалисти́ческий ~ разви́тия** the sócialist way of devélopment; **пройти́ ~ от солда́та до генера́ла** work one's way up from sóldier to géneral [...'sould ʒə...]; станови́ться на ~ (рд.) take* the road (of), embárk on the path (of), set* foot on the (high) road [...fut...] (of); идти́ по ~и́ (рд.) procéed alóng, *или* fóllow, the path (of); пойти́ по ~и́ ми́ра take* the path of peace; ◇ на пра́вильном ~и́ on the right track; друго́го, ино́го ~и́ нет there are no two ways abóut it; стоя́ть на чьём-л. ~и́ stand* in smb.'s way; отре́зать ~ (к) close the door [...dɔ:] (to), bar the way (to); ему́, ей *и т. д.* по ~и́ с ва́ми, с ни́ми *и т. д.* he, she, *etc.*, goes your way, their way, *etc.*

пуф *м.* 1. (*низкая табуретка*) pouffe [-u:f], pádded stool; 2. (*сборка, складка*) puff; 3. (*обман*) bluff.

пух *м. тк. ед.* down; (*на лице у юноши*) fuzz; ◇ ни ~а ни пера́! good luck!; разряди́ться, разоде́ться в пух и прах *разг.* ≃ put* on all one's fínery [...'faɪ-]; be dressed to kill, *или* to the nines; be done up to the éye:balls [...'aɪ-]; разби́ть в пух и прах (*вн.*) deféat útterly (*d.*), put* to compléte rout (*d.*).

пу́хл||енький *разг.* chúbby, plump. ~ый púdgy, plump.

пу́хнуть swell*.

пухови́к *м.* féather bed ['fe-...].

пухо́вка *ж.* (pówder-)puff.

пухо́вый dówny.

пучегла́з||ие *с. мед.* exóphthálmus, exóphthálmòs. ~ый *разг.* góggle-eyed [-aɪd], with búlging eyes [...aɪz].

пучи́на *ж.* gulf; (*морская бездна*) the deep, (*перен.*) abýss; ~ страда́ний abyss of mísery [...'mɪz-].

пу́чи||ть *разг.* 1.: ~ глаза́ goggle; 2. *безл.*: у него́ живо́т ~т he is troubled with wind [...trʌ-... wɪ-].

пу́чность *ж. физ.* antínòde, loop.

пуч||о́к *м.* 1. bundle, bunch, fáscicle; ~ цвето́в bunch of flówers; ~ соло́мы wisp of straw; straw wisp; ~ луче́й *физ.* péncil (of rays); сосу́дисто-волокни́стые ~ки́ *анат.* fíbro-váscular bundles / fascículi; 2. (*причёска*) bun, knot.

пу́шечн||ый gun (*attr.*), cánnon (*attr.*); ~ая стрельба́ gún-fire; cánnon-fire; ~ металл, ~ая бро́нза gun métal [...'me-...]; ◇ ~ое мя́со cánnon-fódder.

пуш||и́нка *ж.* bit of fluff; ~ сне́га snówflake ['snou-...]. ~и́стый dówny, fluffy.

пуши́ть, распуши́ть (*вн.*) 1. (*делать пушистым*) fluff up (*d.*); 2. *разг.* (*ругать*) give* a good scólding (*i.*).

пуш||ка I *ж.* gun, cánnon; зени́тная ~ ánti-áircráft gun, hígh-àngle gun; противота́нковая ~ ánti-tánk gun; стреля́ть из ~ек по воробья́м ≃ use a sledge-hammer to crack a nut.

пу́шка II *ж. разг.* (*ложь*) lies *pl.*; ◇ взять на ~ку кого́-л. decéive smb. [-'siːv...]; pull the wool óver smb.'s eyes [pul... wul... aɪz].

пушка́||рь *м. ист.* 1. (*артиллерист*) gúnner; 2. (*мастер по изготовлению пушек*) cánnon-fóunder.

пушкини́ст *м.* Púshkin schólar ['puʃkə-].

пушкинове́дение *с.* Púshkin stúdies ['puʃ- ...stʌ-] *pl.*

пушн||и́на *ж. тк. ед. собир.* furs *pl.*, fúr-skins *pl.*; péltry; pelts *pl.* ~о́й: ~о́й зверь fúr-béaring ánimal [-'beər-...]; *собир.* fúr-béaring ánimals *pl.*; ~о́й това́р furs *pl.*; ~о́й про́мысел fur trade.

пушо́к *м.* 1. fluff; 2. (*на плодах*) bloom.

пу́ща *ж.* dense / vírgin fórest [...'fɔ-].

пу́ще *нареч. разг.* more / worse than; он бои́тся его́ ~ сме́рти he fears him more than death [...deθ]; — ~ всего́ most of all.

пу́щ||ий: для ~ей ва́жности *разг.* for gréater show [...'greɪtə ʃou].

пуэрторика́н||ец *м.*, ~ка *ж.*, ~ский Puérto-Rícan [-'riː-].

пчел||а́ *ж.* bee; рабо́чая ~ wórker bee. ~и́ный bees (*attr.*), bee (*attr.*); ~и́ный у́лей (bée-)hive; ~и́ный рой swarm of bees; ~и́ный воск béeswax [-zwæks]; ~и́ная ма́тка quéen bee.

пчелово́д *м.* bée-kéeper; ápiarist. ~ство *с.* bée-kéeping, ápiculture ['eɪ-]. ~ческий bée-kéeping (*attr.*).

пчелолече́ние *с.* ápio:thèrapy.

пчелотерапи́я *ж.* = пчелолече́ние.

пче́льник *м.* bée-gárden, ápiary.

пшени́||ца *ж.* wheat; ярова́я, ози́мая ~ spring, winter wheat. ~чный whéaten; ~чная мука́ wheat flour; ~чный хлеб white bread [...bred]; (*каравай*) whéaten loaf*.

пшённ||ик *м.* míllet-púdding [-pu-]. ~ый míllet (*attr.*); ~ая ка́ша (*жидкая*) míllet gruel [...gru-]; (*густая*) míllet pórridge.

пшено́ *с.* míllet.

пши́к *м. разг.* nothing; оста́лся оди́н ~ nothing was left.

пыж *м. охот.* wad.

пы́жик *м.* 1. (*животное*) young réindeer* [ˈreɪn...]; 2. (*мех*) fur of young réindeer. ~о́в||ый: ~ая ша́пка déer-skin cap.

пы́житься, напы́житься *разг.* 1. (*важничать*) be puffed up, puff up; 2. (*стараться*) make* éfforts.

пыл *м.* 1. heat; пирожки́ с ~у hot pásties; 2. (*душевный подъём*) heat, árdour; в ~у́ гне́ва in a fit of ánger; ◇ в ~у́ сраже́ния in the heat of the battle; в ~у́ спо́ра in the heat of *the* árgument.

пыла́||ть 1. flame, blaze; (*о доме и т. п.*) be abláze; (*перен.; о лице*) glow [glou]; с ~ющими щека́ми one's cheeks aglów / fláming / glówing [əˈglou...'glou-]; 2. (*тв.*) burn* (with); ~ стра́стью be consúmed / afíre with pássion; ~ гне́вом be in a rage, blaze with ánger; rage.

пылеви́дн||ый pówdered; ~ое то́пливо pówdered fuel [...fju-].

пыленепроница́емый dúst-proof.

пылесо́с *м.* vácuum cléaner.

пылесо́сить (*вн.*) *разг.* vácuum (*d.*).

пыли́нка *ж.* speck of dust.

пыли́||ть, напыли́ть raise dust, fill the air with dust. ~ся get* / becóme* dústy.

пы́лк||ий árdent, pássionate; ~ая речь férvent / impássioned speech; ~ое жела́ние búrning / férvent desíre [...-'z-]; ~ое воображе́ние férvid imaginátion. ~ость

ПУФ—ПЬЯ П

ж. árdency, árdour, férvency, pássion.

пыл||ь *ж.* dust; (*водяная*) spray; у́гольная ~ cóal-dùst; быть в ~и́ be cóvered / pówdered with dust [...'kʌ-...]; смета́ть ~ (с *рд.*) dust (*d.*); ◇ пуска́ть ~ в глаза́ ≅ cut* a dash, show* off [ʃou...].

пы́льник I *м. бот.* ánther; без ~ов ánantherous.

пы́льник II *м. разг.* (*плащ*) dúst-coat, dúst-cloak, dúster.

пы́льн||о 1. *прил. кратк. см.* пы́льный; 2. *предик. безл.* it is dústy. ~ый 1. ~ая доро́га dústy road; ~ая тря́пка *разг.* dúster.

пыльца́ *ж. бот.* póllen.

пыре́й *м. бот.* cóuch-gràss.

пырну́ть *сов.* (*вн.*) *разг.* jab (*d.*); ~ ножо́м thrust* a knife* (into); ~ рога́ми butt (*d.*).

пыта́ть (*вн.*) 1. (*подвергать пытке; тж. перен.*) torture (*d.*), tormént (*d.*); 2. *разг.* (*пробовать*) try (*d.*); ~ сча́стье try one's luck. ~ся, попыта́ться 1. attémpt, try; endéavour [-'devə]; 2. *страд. к* пыта́ть 1.

пы́тк||а *ж.* torture, tormént (*тж. перен.*); (*мука*) ánguish; подверга́ть ~е (*вн.*) subject* to torture (*d.*); put* on the rack (*d.*) *идиом.*; ору́дие ~и ínstrument of torture.

пытли́в||ость *ж.* in:quísitive:ness [-zɪ-], séarching:ness ['səːtʃ-], kéenness. ~ый in:quísitive [-zɪ-], séarching ['səːtʃ-], keen; ~ый ум in:quísitive mind; ~ый взгляд keen / séarching look; keen / séarching eyes [...aɪz] *pl.*

пыха́ть *разг.* blaze; (*тв.*) give* out (*d.*), put* forth (*d.*); be full (of); (*перен.*) be the pícture (of); от пе́чки пы́шет (*жа́ром*) the stove is blázing; он, она́ пы́шет здоро́вьем he, she is a pícture of health [...helθ].

пыхте́ть, пропыхте́ть puff; pant; (*над; перен.*) puff (óver), pant (óver).

пы́шка *ж.* 1. (*булка*) puff, dóughnùt ['dou...]; bun; 2. *разг.* (*о человеке*) plump pérson, dúmpling.

пы́шн||ость *ж.* splendour, mágnificence. ~ый 1. (*роскошный*) spléndid, mágnificent; 2. (*о растительности*) lúxuriant; 3. (*лёгкий, как бы воздушный*) fluffy; ~ые во́лосы fluffy / lúxuriant hair *sg.*; ~ый рука́в puffed sleeve; ~ый пиро́г light pie.

пьедеста́л *м.* pédestal; ~ почёта *спорт.* pódium.

пье́ксы *мн.* (*ед.* пье́кса *ж.*) ski boots [skiː, ʃiː...].

пье́са *ж.* 1. *театр.* play; 2. *муз.* piece [piːs].

пьяне́ть, опьяне́ть get* tipsy / inébriated [...-ˈniː-]; get* intóxicated (*тж. перен.*); опьяне́ть (от) be drunk / tipsy (with); be intóxicated (with; *тж. перен.*).

пьяни́ть, опьяни́ть (*вн.*) make* drunk (*d.*); intóxicate (*d.; тж. перен.*).

пья́ни||ца *м. и ж.* drúnkard, tóper, tippler; быть ~ей be a hard drinker; drink* like a fish; ◇ го́рький ~ confirmed drúnkard, sot.

519

ПЬЯ—ПЯТ

пья́нка ж. разг. drínking-bout; spree; binge; (шумная) caróusal [-zəl], bóoze-up.

пья́нство с. hard drínking. ~вать drink* hard / deep / héavily [...'hev-].

пьянчу́||га м., ~жка м. разг. sot.

пья́н||ый 1. прил. drunk, típsy; intóxicated (тж. перен.); tight разг.; ~ое вино́ héady wine ['hedɪ...]; ~ая похо́дка típsy gait; ~ го́лос típsy voice; он си́льно пьян he is drunk as a lord; he is well gone [...gɔn] разг.; 2. м. как сущ. drunk man*; ◊ по ~ой ла́вочке, с ~ых глаз while drunk, или in one's cups.

пэр м. peer (member of one of the degrees of nobility).

пюпи́тр м. desk, réading-desk, réading-stand; но́тный ~ músic-stand [-zɪk-].

пюре́ [-рэ] с. нескл. purée (фр.) ['pjuəreɪ]; карто́фельное ~ mashed potátoes pl.; potáto mash; суп-~ potáge [-a:ʒ], thick soup [...su:p].

пяд||ь ж. span; (перен.) inch; ◊ ни ~и not a single inch; будь он семи ~ей во лбу ≃ be he a Sólomon.

пя́лить: ~ глаза́ (на вн.) разг. stare (at). ~ся (на вн.) разг. stare (at).

пя́льцы мн. (круглые для вышивания) támbour [-buə] sg.; (для кружев) láce-frame sg.

пясть ж. анат. mètacárpus.

пят||а́ ж. 1. уст. heel; 2. тех. abútment; ◊ ходи́ть за кем-л. по ~а́м fóllow on smb.'s heels, tread* on smb.'s heels [tred...]; гна́ться за кем-л. по ~а́м pursúe smb. clósely [...-s-]; be at / on smb.'s heels; ахилле́сова ~ Achílles' heel [ə'kɪli:z...]; с головы́ до пят from top / head to toe [...hed...]; быть под ~о́й у кого́-л. be únder the heel of smb.

пят||а́к м. разг. five-cópeck coin. ~ачо́к м. разг. 1. = пята́к; 2. (рыло у свиньи) snout; 3. разг. (небольшая площадка) patch.

пятёрк||а ж. 1. разг. (цифра) five; 2. разг. (отметка) five, éxcellent; учени́к получи́л ~у по исто́рии the púpil's mark for history was éxcellent, the púpil got an éxcellent for history; поста́вить кому́-л. ~у give* smb. distínction, или top mark; 3. разг. (пять рублей) five-rouble note [-ru:-...]; 4. карт. five; козырна́я ~ five of trumps; ~ черве́й, пик и т. п. the five of hearts, spades, etc. [...hɑ:ts...].

пятерня́ ж. разг. all five fíngers, palm with five fíngers [pɑ:m...].

пя́теро числит. five; для всех пятеры́х for all five; нас ~ there are five of us.

пятёрочн||ик м., ~ица ж. разг. éxcellent púpil.

пяти- (в сложн. словах, не приведённых особо) of five, или five- — соотв. тому, как даётся перевод второй части слова; напр. пятидне́вный of five days, five-day (attr.); (ср. -дне́вный: of ... days, -day attr.); пятиме́стный with berths, seats for 5; (о самолёте, машине и т. п.) five-seater (attr.); (ср. -ме́стный).

пятиалты́нный м. скл. как прил. разг. fiftéen-cópeck coin, fiftéen cópecks pl.

пятибо́рье с. спорт. pentáthlon.

пятигла́вый five-dòmed; five-héaded [-'hed-].

пятигра́нн||ик м. мат. pentahédron. ~ый pentahédral.

пятидесяти- (в сложн. словах, не приведённых особо) of fifty, или fifty- — соотв. тому, как даётся перевод второй части слова; напр. пятидесятидне́вный of fifty days, fifty-day (attr.); (ср. -дне́вный: of ... days, -day attr.); пятидесятиме́стный with berths, seats for 50; (о самолёте и т. п.) fifty-seater (attr.); (ср. -ме́стный).

пятидесятиле́т||ие с. 1. (годовщина) fíftieth ànnivérsary; (день рождения) fíftieth bírthday; 2. (срок в 50 лет) fifty years pl. ~ний 1. (о сроке) of fifty years; fifty-year (attr.); ~ний юбиле́й fíftieth ànnivérsary; 2. (о возрасте) of fifty, fifty-year-òld; ~ний челове́к man* of fifty, fifty-year-òld man*.

пятидеся́т||ый fíftieth; страни́ца, глава́ ~ая page, chápter fifty; ~ но́мер númber fifty; ему́ (пошёл) ~ год he is in his fíftieth year; ~ые го́ды (столетия) the fifties; в нача́ле ~ых годо́в in the éarly fifties [...'ə:lɪ...]; в конце́ ~ых годо́в in the late fifties.

пятидне́вка ж. five-day week.

пятидне́вный of five days; five-day (attr.); в ~ срок in / within five days.

пятикла́сс||ник м. fifth-fòrm boy; fifth-fórmer разг. ~ница ж. fifth-fòrm girl [...g-].

пятиконе́чн||ый pentágonal, five-pòinted; ~ая звезда́ five-pointed star.

пятикра́т||ный fíve!fòld, quíntuple; в ~ом разме́ре five times the amóunt, five!fòld, five times óver.

пятиле́тие с. 1. (годовщина) fifth ànnivérsary; 2. (срок в 5 лет) five years pl.

пятиле́т||ка ж. 1. = пятиле́тие 2; 2. (пятилетний план) five-year plan; ~ в четы́ре го́да complétion / fulfílment of the five-year plan in four years [...ful-...fɔ:...]. ~ний 1. (о сроке) of five years; five-year (attr.); ~ний план five-year plan; 2. (о возрасте) of five; five-year-òld; ~ний ребёнок child* of five; five-year-òld child*.

пятиме́сячный 1. (о сроке) of five months [...mʌ-]; lásting five months; five-mònth [-mʌ-] (attr.); в ~ срок in five months (time); within five months (time); 2. (о возрасте) five-mònth-òld [-mʌ-]; ~ ребёнок five-mònth-òld child*.

пятинеде́льный 1. (о сроке) of five weeks; five-wéek (attr.); 2. (о возрасте) five-week-òld.

пятипо́лье с. с.-х. five-field crop rotátion [-fi:-...-rou-].

пятирублёвка ж. разг. five-rouble note [-ru:-...].

пятисло́жный грам. pèntasyllábic.

пятисотле́т||ие с. 1. (годовщина) five-húndredth ànnivérsary, quincèntenary [-'ti:-]; пра́здновать ~ чего́-л. célebrate the quincèntenary of smth.; 2. (срок в 500 лет) five húndred years pl.; five cénturies pl. ~ний 1. (о сроке) of five húndred years; 2. (о годовщине) five-húndredth, quincèntenary [-'ti:-].

пятисо́т||ый five-húndredth; страни́ца ~ая page five húndred; ~ но́мер númber five húndred; ~ая годовщи́на five-húndredth ànnivérsary; ~ год the year five húndred.

пятисто́пный лит.: ~ стих pentámeter; ~ ямб ìámbic pentámeter.

пятито́нка ж. разг. five-ton lórry [-tʌn-].

пятиты́сячный 1. the five-thóusandth [-zə-]; 2. (ценою в 5000 рублей) five thóusand roubles worth [...-zə- ru:-...], cósting 5000 roubles; 3. (состоящий из 5000) 5000 strong.

пя́титься, попя́титься move báckward(s) [mu:v -dz]; back; (о лошади) jib.

пятиуго́льн||ик м. мат. péntagon. ~ый pèntagonal, five-còrnered.

пятичасово́й 1. (о продолжительности) of five hours [...auəz]; five-hour [-auə] (attr.); 2. (назначенный на пять часов) five o'clóck (attr.); ~ по́езд the five o'clock train; the five o'clóck разг.

пятиэта́жный five-stòrey (attr.).

пя́т||ка ж. heel; двойна́я ~ (чулка) double heel [dʌ-...]; ◊ у него́ душа́ в ~ки ушла́ his heart sank to his boots [...hɑ:t...]; he has his heart in his mouth; лиза́ть кому́-л. ~ки разг. ≃ lick smb.'s boots; от головы́ до ~ок ≃ from head to foot [...hed...fut]; from top to toe; удира́ть так, что ~ки сверка́ют show* a clean pair of heels [ʃou...], take* to one's heels.

пятнадцати- (в сложн. словах, не приведённых особо) of fiftéen, или fiftéen- — соотв. тому, как даётся перевод второй части слова; напр. пятнадцатидне́вный of fiftéen days, fiftéen-day (attr.); (ср. -дне́вный: of ... days, -day attr.); пятнадцатиме́стный with berths, seats for 15; (о самолёте и т. п.) fiftéen-seater (attr.); (ср. -ме́стный).

пятнадцатиле́тний 1. (о сроке) of fiftéen years; fiftéen-year (attr.); 2. (о возрасте) of fiftéen, fiftéen-year-òld; ~ ма́льчик boy of fiftéen, fiftéen-year-òld boy.

пятна́дцат||ый fiftéenth; ~ое февраля́ и т. п. the fiftéenth of Fébruary, etc.; Fébruary, etc., the fiftéenth; страни́ца, глава́ ~ая page, chápter fiftéen; ~ но́мер númber fiftéen; ему́ (пошёл) ~ год he is in his fiftéenth year; одна́ ~ая one fiftéenth.

пятна́дцать числит. fiftéen; ~ раз ~ fiftéen times fiftéen; fiftéen fiftéens.

пятна́ть (вн.) 1. spot (d.), stain (d.), brand (d.), blémish (d.), (be)smírch (d.) (тж. перен.); 2. разг. (в игре в пятнашки) catch* (d.).

пятна́шки мн. разг. (игра) tag sg., "he" sg.

пятни́стый spótty; dáppled, spótted, blotched; ~ оле́нь sika deer* ['si:-...].

пя́тница ж. Fríday ['fraɪdɪ]; по ~м on Frídays, every Fríday; ◊ у него́ семь пя́тниц на неде́ле ≃ he keeps chánging his mind [...tʃeɪ-...].

пятно́ с. spot (тж. перен.); patch; blot, stain (тж. перен.); (на репутации тж.) blémish; (позорное) stígma; сólнечные пя́тна астр. sún-spòts; родимое ~ bírth-màrk; mole; в пя́тнах (запа́чканный) stained; (о лице) blótchy; выводи́ть пя́тна remóve, или take* out, stains [-'mu:v...]; э́то ~ на его́ репута́ции that is a stain on his reputátion; ◇ и на со́лнце есть пя́тна посл. ≅ nothing is perfect.

пя́тнышко с. speck.

пято́к м. разг. five pl.; ~ яи́ц, я́блок и т. п. five eggs, apples, etc.

пя́т∥ый fifth; ~ое января́, февраля́ и т. п. the fifth of Jánuary, Fébruary, etc.; Jánuary, Fébruary, etc., the fifth; страни́ца, глава́ ~ая page, chápter five; ~ но́мер númber five; (о размере) size five; ему́ (пошёл) ~ год he is in his fifth year; ему́ ~ деся́ток пошёл he is past fórty; уже́ ~ час it is past four [...fɔ:]; в ~ом часу́ past / áfter four; полови́на ~ого half past four [hɑ:f...]; три че́тверти ~ого a quárter to five; одна́ ~ая one fifth; ◇ ~ая коло́нна Fifth Cólumn; расска́зывать из ~ого в деся́тое ≅ tell* a story in snátches; ≅ jump from one thing to another.

пять числит. five.

пятьдеся́т числит. fífty; ~ оди́н и т. д. fífty-òne, etc.; ~ пе́рвый и т. д. fífty-fírst, etc.; лет ~ (о времени) about fífty years; (о возрасте) about fífty; лет ~ тому́ наза́д about fífty years agó; ему́ лет ~ he is / looks about fífty; ему́ о́коло пяти́десяти he is about fífty; ему́ под ~ he is néarly fífty; ему́ (перевали́ло) за ~ he is óver fífty; he is in his fífties; челове́к лет пяти́десяти a man* of / about fífty; в пяти́десяти киломе́трах (от) fífty kílomètres (from).

пятьсо́т числит. five húndred.

пя́тью нареч. five times; ~ пять five times five; five fives.

Р

раб м. slave (тж. перен.); (крепостно́й крестья́нин тж.) serf, bónd(s)man*, bóndslàve.

раба́ ж. slave; (крепостна́я крестья́нка тж.) serf, bóndmaid, bónd∶wòman* [-wu-].

рабко́р м. (рабо́чий корреспонде́нт) wórker còrrespóndent.

рабовлад∥е́лец м., **~е́лица** ж. sláve-hólder, sláve-owner [-ou-]. **~е́льческий** sláve-hólding; **~е́льческий строй (и́ли ~е́ние с.) ~éниe** с. sláve-owning sýstem [-ou-...]. **~éние** с. sláve-owning [-ou-].

раболе́пие с. = раболе́пство.

раболе́п∥ный sérvile. **~ство** с. servílity, crínging [-ndʒ-]. **~ствовать** (пе́ред) fawn (on, upón), cringe (to).

рабо́т∥а ж. 1. (в разн. знач.) work; (де́йствие тж.) wórking; тру́дная ~ hard work; физи́ческая ~ mánual work; у́мственная ~ intelléctual work; нау́чная ~ scientífic work; совме́стная ~ collaborátion; обще́ственная ~ sócial work; ажу́рная ~ ópen-wòrk; (об архитекту́рном орна́менте) trácery ['treɪ-]; ле́пная ~ stúccò work, pláster work; мо́(у)лдинги ['mou-] pl.; сельскохозя́йственные ~ы agricúltural work sg.; нала́живать, развёртывать ~у órganize work; за ~ой at work; едини́ца ~ы физ. únit of work; обеспе́чить норма́льную ~у (рд.; учрежде́ния и т. п.) ensúre the nórmal fúnctioning [-'ʃuə...] (of); режи́м ~ы тех. óperàting / wórking condítions pl.; дома́шняя ~ hóme-assígnment [-aɪn-], hóme-tàsk, hómewòrk; 2. (заня́тие, слу́жба) work, job; случа́йная ~ cásual work ['kæʒ-...]; (pl.) разг.; постоя́нная ~ régular work; поступа́ть на ~у go* to work; иска́ть ~у look for work; look for a job разг.; снять кого́-л. с ~ы dismíss smb., disсhárge smb., lay* off smb., быть без ~ы, не име́ть ~ы be out of work; 3. мн.: ка́торжные ~ы уст. pénal sérvitude sg., hard lábour sg.; принуди́тельные ~ы forced lábour sg.; ◇ это́ его́ ~ that is his dóing; взять кого́-л. в ~у take* smb. in hand, take* smb. to task.

рабо́т∥ать 1. (в разн. знач.) work; ~ по на́йму work for hire; ~ подённо work by the day; ~ сверхуро́чно work óver∶time; ~ сде́льно do píece-wòrk [...'pi:s-]; ~ спустя́ рукава́ scamp one's work; усе́рдно ~ work hard, work with zeal / díligence; ~ не поклада́я рук идиом.; ~ за четверы́х do the work of four [...fɔ:]; ~ в две, три сме́ны work in two, three shifts; ~ по ноча́м work nights; burn* the mídnight oil идиом.; ~ над кни́гой work on a book; ~ вёслами ply the oars; ~ на заво́де work at a fáctory; ~ перево́дчиком work as an intérpreter; кружо́к ~ает уже́ четы́ре го́да the círcle has been góing for four years; 2. (о маши́не и т. п.) work, run*; óperàte; не ~ (быть испо́рченным) not work, be out of órder; телефо́н не ~ает the télephòne does not work, или is out of órder; 3. (быть откры́тым — об учрежде́нии и т. п.) be ópen: библиоте́ка ~ает до 5 часо́в the líbrary is ópen till 5 o'clóck [...'laɪ-...]; ◇ вре́мя ~ает на нас time is on our side; кто не ~ает, тот не ест he who does not work, néither shall he eat [...'naɪ-...].

рабо́т∥аться безл.: сего́дня хорошо́ ~ается work is góing well to∶dáy; ему́ не ~алось he did not feel like wórking.

рабо́тни∥к м. (в разн. знач.) wórker; (наёмный — в дере́вне) fárm-hànd; ~ки у́мственного труда́ intelléctual wórkers; ~ки физи́ческого труда́ mánual wórkers; ~ки у́мственного и физи́ческого труда́ intelléctual and mánual wórkers; ~ки иску́сства wórkers in the field of art [...fɪː-...], péople of the artístic world [piː-...]; ~ки се́льского хозя́йства wórkers of ágricùlture; ~ки торго́вли sálesman*, sáles∶wòman* [-'wu-], shóp-assístant; ~ки наро́дного образова́ния educátion∶alists [-'sə-], scíentist; (в о́бласти гуманита́рных наук) schólar ['skɔ-]; отве́тственный ~ exécutive; парти́йный ~ párty wórker; квалифици́рованный ~ skilled wórker; отли́чный ~ éxcellent wórker; он еди́нственный ~ в семье́ he is the ónly

bréad-winner in the fámily [...'bred-...]. **~ца** ж. wórker, wóman-wòrker ['wu-]; ◇ дома́шняя ~ца (doméstic) sérvant, hóuse∶maid [-s-].

рабо́тный: ~ дом ист. wórk∶house* [-s-].

работода́тель м. emplóyer.

работорго́в∥ец м. sláve-tràder, sláver. **~ля** ж. sláve-tràde.

работоспосо́бн∥ость ж. capácity for work, efficiency. **~ый** 1. (трудоспосо́бный) áble-bódied [-'bɔ-] (об. attr.), cápable of wórking; 2. (спосо́бный мно́го рабо́тать) hárd-wòrking; efficient.

работя́∥га м. и ж. разг. hard wórker; plódder, slógger. **~щий** indústrious, hárd-wòrking.

рабо́че-крестья́нский Wórkers' and Péasants' [...'pez-]; Рабо́че-Крестья́нская Кра́сная А́рмия ист. the Wórkers' and Péasants' Red Ármy.

рабо́чий I м. скл. как прил. wórker, wórk∶man*, wórking man*; lábour∶er, hand; индустриа́льный ~ indústrial wórker; ~ от станка́ fáctory wórker; наёмный ~ hired wórker; (в се́льском хозя́йстве) hired lábour∶er; hand; сельскохозя́йственный ~ agricúltural wórker, fárm-làbour∶er; подённый ~ dáy-làbour∶er; сезо́нный ~ séasonal wórker [-z°n-...]; ~-железнодоро́жник ráilway∶man*; ráilroad∶man*, ráilroader амер.; коллекти́в ~их the wórkers pl.; ~ие и слу́жащие indústrial, óffice and proféssional wórkers; (како́го-л. предприя́тия) mánual and óffice wórkers.

рабо́ч∥ий II прил. 1. wórker's, wórking; wórking-clàss (attr.); lábour (attr.), work (attr.); ~ класс the wórking class; ~ая молодёжь wórking youth [...juːθ]; young wórkers [jʌŋ] pl.; ~ее движе́ние wórking-clàss móve∶ment [...'muː-]; ~ по́езд wórkmen's train; 2. (произво́дящий рабо́ту) work (attr.), wórking; ~ скот draught ánimals [drɑːft] pl.; ~ая ло́шадь dráught-hòrse ['drɑːft-]; ~ая пчела́ wórker bee; ~ мураве́й wórker ant; 3. прил. к рабо́та 1, 2; тж. wórking; ~ее вре́мя wórking time; wórking hours [...auəz] pl.; ~ день wórking day; ~ее пла́тье wórking clothes [...klouðz] pl.; ~ее ме́сто wórking place, óperàtor's posítion [...-'zɪ-]; ~ее колесо́ driving wheel; ~ объём (цили́ндра) (píston-)swept vólume; ~ чертёж wórking dráwing; ~ ход wórking stroke; (поршня́) driving / explósion / ignítion stroke; ◇ ~ие ру́ки, ~ая си́ла lábour force, mánpower; в ~ем поря́дке in the course of the work [...kɔːs...], on the job.

рабочко́м м. (рабо́чий комите́т) wórkers' commíttee [...-tɪ].

ра́бск∥ий 1. slave (attr.); ~ труд slave lábour; slávery ['sleɪ-]; 2. (поко́рный) sérvile, slávish ['sleɪ-]; ~ое послуша́ние, ~ое подчине́ние sérvile submíssion, ~ое подража́ние sérvile / slávish imitátion.

ра́бств∥о с. slávery ['sleɪ-]; (состоя́ние раба́ тж.) sérvitude, bóndage, thráldom ['θrɔːl-]; быть в ~е (у) be held in

РАБ — РАД

sérvitùde (by); отмéна ~ abolítion of slávery.

рабфáк м. (рабочий факультéт) ист. wórkers' fáculty, rabfák (*educational establishment set up to prepare workers and peasants for higher education*). ~овец м., ~овка ж. ист. wórkers' fáculty stúdent, rabfák stúdent. ~овский ист. rabfák (*attr.*), of wórkers' fáculty.

рабы́ня ж. slave, bóndmaid, bónd:woman* [-wu-].

раввúн м. rábbi.

равелúн м. воен. уст. rávelin.

рáвенств‖о с. (*в разн. знач.*) equálity [i:-]; ~ пéред закóном equálity befóre the law; equálity in the eye of the law [...aɪ...] идиом.; знак ~а the sign of equálity [...saɪn...], équals sign.

равнéние с. dréssing, alígnment [-aɪn-]; ~ напрáво! eyes right! [aɪz...]; ~ налéво! eyes left!

равнúн‖а ж. plain. ~ный прил. к равнúна; ~ный жúтель pláins:man*; ~ная мéстность flat cóuntry [...'kʌ-].

равнó I 1. *прил. кратк. см.* рáвный; **2.** *предик. переводится личн. формами гл.* be *или* make*: пять плюс три ~ восьмú five plus three is / makes eight; ◇ всё ~ (*безразлично*) it is all the same, it makes no dífference; it does not mátter; (*несмотря ни на что*) all the same; емý всё ~ he does not care; емý всё ~, пойдёт онá úли нет it is all the same to him, *или* he does not care, whéther she goes or not; он всё ~ придёт he will come all the same; не всё ли ~? what does it mátter?, what's the dífference?, what dífference does it make?; всё ~ что just the same as; это всё ~, что отказáться it is equívalent to a refúsal [...-z-]; емý это не всё ~ he does care.

равнó II *нареч.* **1.** (*одинаково*) alíke, in like mánner; он поступáет ~ со всéми he treats éverybody alíke, *или* in the same mánner; **2.** *как союз* (*также*) *об.* а ~ и, ~ как (и) as well as; (*после отриц.*) nor; он дýмает о ней, а ~ и о её дéтях he thinks of her as well as of her chíldren; онú от вас ничегó не трéбуют, ~ как и от вáшего брáта they requíre nóthing éither of you or of your bróther [...'aɪ-...'brʌ-].

равнобéдренный *мат.* isósceles [aɪ'sɔsəli:z]; ~ треугóльник isósceles tríangle.

равновелúк‖ий isométric [aɪ-], equigráphic [i:-]. ~ая equívalent; ~ая проéкция equigráphic projéction [i:-]; ~ие плóщади equívalent áreas [...'ɛərɪəz]; ~ие треугóльники equívalent tríangles.

равновéс‖ие с. (*прям. и перен.*) equilíbrium [i:-], bálance, équipoise; устóйчивое ~ stáble equilíbrium; неустóйчивое ~ ùnstáble equilíbrium; политúческое ~ bálance of pówer; воéнное ~ mílitary equilíbrium; душéвное ~ méntal equilíbrium; терять ~ (*прям. и перен.*) lose* one's bálance [lu:z...]; восстанáвливать ~ restóre the equilíbrium / bálance; это восстановúло её душéвное ~ it helped her to recóver her equilíbrium / bálance [...-'kʌ-...]; нарушáть ~ (*рд.*), выводúть из ~ия (*вн.*) distúrb the equilíbrium (of), ùpsét* the bálance (of); (*о человеке*) ùpsét* smb., *или* smb.'s equanímity [...i:-]; приводúть в ~ (*вн.*) bálance (*d.*), сохранять ~ (*прям. и перен.*) keep* one's bálance.

равнодéйствующая *ж. скл. как прил.* *физ., мат.* resúltant (force) [-'zʌ-...].

равнодéнств‖енный *астр.* equinóctial [i:-], equidiúrnal [i:-]. ~ие *с. астр.* équinox ['i:-]; тóчка ~ия equinóctial point [i:-...]; весéннее, осéннее ~ие vérnal, autúmnal équinox.

равнодýшие с. indífference; относúться с ~м (к) treat with indífference (*d.*), be indífferent (to, towards).

равнодýшно I *прил. кратк. см.* равнодýшный.

равнодýшн‖о II *нареч.* with indífference, indífferently. ~ый (к) indífferent (to).

равнознáч‖ащий, ~ный equívalent, equipóllent [i:-].

равномéрно I *прил. кратк. см.* равномéрный.

равномéрн‖о II *нареч.* évenly; *физ., тех.* únifòrmly; ~ распределять что-л. distríbute smth. évenly; ~ развивáться devélop évenly [-'ve-...]; ~ ускóренный *физ.* únifòrmly accélerated; ~ замéдленный *физ.* únifòrmly decélerated [...di:-]. ~ость *ж.* évenness; ùnifórmity. ~ый éven; *физ., тех.* únifòrm; ~ое распределéние éven distribútion; ~ое развúтие éven devélopment [...-'ve-]; ~ое движéние *физ.* únifòrm mótion / velócity; ~ое ускорéние *физ.* únifòrm accelerátion; ~ое замедлéние *физ.* únifòrm decelerátion [...di:-].

равноотстоящий *мат.* equidístant ['i:-].

равнопрáв‖ие с. equálity (of rights) [i:-...]; пóлное ~ complète equálity of rights. ~ный équal in rights, posséssing / enjóying équal rights [-'zes-...]; быть ~ным posséss / enjóy équal rights [-'zes...].

равносúльн‖ый 1. equívalent, tántamount, équal in strength; **2.** (*дт.*) *тождественный* équal (to), tántamount (to); это ~о катастрóфе it is equívalent / tántamount to a catástrophe [...-fi], it amóunts to a catástrophe.

равно‖стóронний *мат.* equilátéral ['i:-]; ~ треугóльник equilátéral tríangle. ~угóльный *мат.* equiángular [i:-]; ~угóльный треугóльник equiángular tríangle.

равноускóренный *физ., тех.* únifòrmly accélerated.

равноцéнн‖ость *ж.* equívalence. ~ый equívalent; of équal worth / válue; ~ые товáры commódities of équal worth.

рáвн‖ый, ~ый 1. *прил.* (*в разн. знач.*) équal; почтú ~ néarly équal; sùbéqual *научн.*; ~ая величинá, ~ое колúчество équal quántity; ~ой длины́, ширины́ of équal, *или* the same, length, width / breadth [...bre-]; быть ~ым комý-л. (*по дт.*) be équal to smb. (in), équal smb. (in); у них ~ые спосóбности their abílities are équal, they are équal in abílity; ~ым óбразом équal:ly, as well as, líke:wise; при прóчих ~ых услóвиях óther things bé:ing équal; на ~ых основáниях on équal grounds; **2.** *м. как сущ.*: относúться к комý-л. как к ~ому treat smb. as one's équal; емý нет ~ого he has no équal / match, it would be hard to find his match; ◇ на ~ых as an équal.

равнять, сравнять 1. (*вн.*) *дéлать рáвным*) éven (*d.*); сравнять счёт *спорт.* équalize ['i:k-]; éven the score; **2.** (*вн. с тв.*) *разг.* (*давать равную оценку*) compáre équally [...'i:k-] (*d.*).

равняться, сравняться 1. (*с тв.*) *разг.* (*признавать себя равным*) compéte (with); match (*d.*); никтó не мóжет ~ с ним nó:body can compéte with him, he is without a ríval; **2.** *тк. несов.* (*дт.*) *быть рáвным*) be équal / equívalent / tántamount (to) (*тж. перен.*); amóunt (to); come* práctically (to); двáжды три равняется шестú twice three makes, *или* is (équal to), six; ~ катастрóфе be equívalent / tántamount to a catástrophe [...-fi], amóunt to a catástrophe; **3.** *тк. несов.* (на *вн.*, по *дт.*; *следовать чьему-л. примеру*) émulàte (*d.*); ~ по лýчшим attáin to the level of the best [...'le-...]; **4.** *тк. несов.* (по *дт.*) *воен.* dress (on), alígn òne:sélf [ə'laɪn...] (on, with); равняйсь! dress!; **5.** *страд. к* равнять.

рагý *с. нескл.* ràgout ['ræɡu:].

рад *предик.* (что, + *инф.*, комý-л.) am, is, *etc.*, glad (that, + to *inf.*, to see smb.); он ~, онú ~ы *и т. д.* чемý-л. he is glad, they are glad, *etc.*, becáuse of smth. [...-'koz...]; smth. makes him, them, *etc.*, glad; (я) ~ вас вúдеть, (я) ~ вам (I am) glad to see you; онú ~ы гóстю they are glad to have *a* vísitor [...-z-]; óчень ~ познакóмиться с вáми! very pleased to meet you!; ◇ ~ не ~ wílly-nílly, like it or not; и не ~, сам не ~ I, *etc.*, regrét it; I, *etc.*, am sórry; ~-радёшенек *разг.* pleased as Punch.

Рáда *ж. ист.* Ràdà ['rɑːdɑː] (*delíberative or législative bódy in áncient Ukráine*).

радáр *м.* ràdàr. ~ный ràdàr (*attr.*); ~ная устанóвка ràdàr installátion.

радéние *с. уст.* (*забота, усердие*) zeal.

радéть, порадéть (*дт.*) *уст.* (*заботиться*) oblíge (*d.*), take* care (of).

рáджа *м.* rájah ['rɑːdʒə].

рáди *предл.* (*рд.*) for the sake of; ~ когó-л. for smb.'s sake; ~ негó, них *и т. д.* for his, their, *etc.*, sake; чегó ~? what for?; шýтки ~ for fun; ◇ ~ бóга, ~ всегó святóго *разг.* for góod:ness' sake, for God's sake.

радиáльный rádial.

радиáтор *м. тех.* rádiàtor.

радиациóнный ràdiátion (*attr.*).

радиáция *ж. физ.* ràdiátion; сóлнечная ~ sólar ràdiátion.

рáдиевый rádium (*attr.*).

рáди‖й *м. хим.* rádium; эманáция ~я rádium èmanátion.

радикáл I *м. мат., хим.* rádical.

радикáл II *м. полит.* rádical. ~úзм *м. полит.* rádicalism.

радикáльн‖ость *ж.* **1.** *полит.* rádicalism; **2.** (*лечения, меры*) éfficacy.

~ый 1. *полит.* rádical; 2. (*решительный*) rádical, drástic; ~ое лечéние rádical cure; ~ые изменéния rádical / swéeping chánges [...'tʃeɪ-]; принимáть ~ые мéры take* drástic méasures [...'meʒ-]; ~ое срéдство drástic rémedy.

рáдио *с. нескл.* (*в разн. знач.*) rádio; (*приёмник тж.*) rádio set; wíre⫶less; провести ~ install *a* rádio set; по ~ by rádio; óver the air; передавáть по ~ (*вн.*) bróadcast ['brɔːd-] (*d.*); слýшать ~ lísten in ['lɪsn...]; обращáться к нарóду по ~ bróadcast to the nátion / cóuntry [...'kʌl...]; выступáть по ~ speak* / bróadcast óver the rádio; go* on the air; гимнáстика по ~ rádio gymnástics *pl.*; rádio drill.

радиоактíвн|**ость** *ж. хим., физ.* rádio⫶activity. ~**ый** *хим., физ.* rádio⫶áctive; ~ые элемéнты rádio⫶áctive élements; ~ые изотóпы rádio⫶ísotopes [-'aɪ-]; ~ые вещéства rádio⫶áctive materials [...'aɪ-]; ~ый осáдок rádio⫶áctive fáll-óut; выпадáющие ~ые частíцы fáll-óut rádio⫶áctive matérials; ~ое заражéние rádio⫶áctive contaminátion; ~ая пыль rádio⫶áctive dust.

рáдио|**аппарáт** *м.* rádio set. ~**астронóм** *м.* rádio-astrónomer. ~**астронóмический** rádio-astrónomy (*attr.*), rádio-astronómical. ~**астронóмия** *ж.* rádio-astrónomy.

рáдио|**биóлог** *м.* rádio-biólogist. ~**биологíческий** rádio-biológical. ~**биолóгия** *ж.* rádio-biólogy.

рáдио|**вещáние** *с.* bróadcasting ['brɔː-]. ~**вещáтельный** bróadcasting ['brɔːd-]; ~вещáтельная устанóвка bróadcasting set, transmítter [-z-]. ~**видимость** *ж.* rádio visibility [...-zɪ-]. ~**волнá** *ж.* rádio-wave. ~**высотомéр** *м.* rádio áltimeter [...æl-]. ~**грáмма** *ж.* rádio⫶gram, wíre⫶less (méssage), rádio⫶télegram. ~**грáфия** *ж.* radiógraphy. ~**журнáл** *м.* régular (rádio) féature. ~**зóнд** *м.* rádio sónde. ~**инженéр** *м.* rádio enginéer [...endʒ-]. ~**информáция** *ж.* rádio-information. ~**канáл** *м.* rádio chánnel. ~**комáнда** *ж.* rádio commánd [...-ɑːnd]. ~**комментáтор** *м.* rádio comméntator. ~**кóмпас** *м.* rádio cómpass [...'kʌl-]. ~**концéрт** *м.* rádio cóncert.

радиóла *ж.* rádio-grámophone.

рáдио|**лáмпа** *ж.* rádio valve. ~**лíния** *ж.* rádio link / line.

радиолóг *м.* radiólogist. ~**íческий** radiológical.

радиолóгия *ж.* radiólogy.

радиолокá|**тор** *м.* rádio-locátor, rádar set. ~**циóнный** rádio-locáting (*attr.*); ~циóнная устанóвка rádar installátion. ~**ция** *ж.* rádio⫶locátion, rádar.

радиолýч *м.* rádio beam.

радиолюбíтель *м.* rádio-ámateur [-tə:], wíre⫶less enthúsiast [...-zɪ-]; rádio ham *разг.*

рáдио|**мáчта** *ж.* rádio-mást. ~**маяк** *м.* rádio(-ránge) béacon [-reɪ-...].

радиометеоролóгия *ж.* rádio meteorólogy.

рáдио|**мéтр** *м. тех.* radiómeter. ~**метрíст** *м.* rádar óperator.

радиомéтр|**íческий** rádio⫶métric. ~**íя** *ж.* radiómetry.

рáдио|**молчáние** *с.* rádio sílence [...'saɪ-]. ~**монтáж** *м.* rádio review [...-'vjuː]. ~**наблюдéние** *с.* rádio observátion [...-zə-]. ~**наведéние** *с.* rádio guídance [...'gaɪ-]. ~**наýшники** *мн.* éarphones. ~**оборýдование** *с.* wíre⫶less / rádio equípment. ~**пéленг** *м.* wíre⫶less / rádio (diréctional) béaring [...'bɛə-]. ~**пеленгáтор** *м.* wíre⫶less / rádio diréction-finder; rádio⫶goniómeter. ~**пеленгáция** *ж.* wíre⫶less / rádio diréction-finding, rádio hóming. ~**передáтчик** *м.* (wíre⫶less / rádio) transmítter [...-z-]. ~**передáча** *ж.* rádio transmíssion [...-ʒn-]; ~ bróadcast [-ɔːd-]; передáча по пéрвой, вторóй прогрáмме bróadcasting on the first, sécond prógram(me) [...'seprougræm]; слýшать ~передáчу lísten in [-s'n...]. ~**переклíчка** *ж.* exchánge of rádio méssages [-'tʃeɪ-...], rádio link-úp. ~**перехвáт** *м.* wíre⫶less intercéption; rádio íntercèpt. ~**полукóмпас** *м.* wíre⫶less / rádio cómpass [...'kʌl-]. ~**помéхи** *мн.* rádio interférence [...-'fɪə-]. ~**постанóвка** *ж.* rádio show [...ʃou]. ~**прибóр** *м.* wíre⫶less / rádio set. ~**приём** *м.* rádio recéption. ~**приёмник** *м.* (wíre⫶less / rádio) recéiver [...-'siːvə], rádio-recéiving set [-'siːv-...], rádio set; ~**приёмный** (rádio-)recéiving [-'siːv-]; ~приёмная стáнция recéiving státion. ~**провóдка** *ж.* installátion of wíre⫶less / rádio. ~**связь** *ж.* wíre⫶less / rádio commùnicátion / cóntact. ~**сеть** *ж.* wíre⫶less / rádio net; rádio nétwork. ~**сигнáл** *м.* wíre⫶less / rádio sígnal; ~сигнáл врéмени *м.* rádio time sígnal. ~**слýшатель** *м.* rádio lístener [...'lɪsnə]. ~**спектáкль** *м.* rádio play. ~**стáнция** *ж.* wíre⫶less / rádio státion; bróadcasting státion ['brɔːd-...]; похóдная ~стáнция wíre⫶less ténder. ~**теáтр** *м.* rádio théatre [...'θɪə-]. ~**телегрáмма** *ж.* = радиогрáмма. ~**телегрáф** *м.* wíre⫶less, rádio-télegraph. ~**телегрáфия** *ж.* rádio-telégraphy, wíre⫶less telégraphy; contínuous wave rádio *амер.* ~**телеметрíя** *ж.* rádio teleметry. ~**телескóп** *м.* rádio-téléscope. ~**телефóн** *м.* rádio-téléphone. ~**телефонíя** *ж.* rádio-teléphony, radióphony. ~**терапíя** *ж. мед.* rádio-thérapy.

радиотéхн|**ик** *м.* rádio technícian. ~**ика** *ж.* rádio engineering [...endʒ-]. ~**íческий**: ~íческий институт institute of rádio enginéering [...endʒ-]; ~íческая промышленность rádio industry.

радиотрансляциóнный bróadcasting ['brɔːd-], rádio relay (*attr.*).

радиотрансля́ция *ж.* (re⫶)bróadcasting [-'brɔːd-], rádio relay (sýstem).

радиотумáнность *ж.* rádio nébula.

рáдио|**ýзел** *м.* bróadcasting / rádio centre ['brɔːd-...], rádio relay centre. ~**управлéние** *с.* rádio contról [...-oul]. ~**управля́емый** rádio-contrólled [-ould-]. ~**устанóвка** *ж.* rádio set.

радиофíзика *ж.* rádio phýsics [...-zɪ-].

радиофи|**кáция** *ж.* installátion of wíre⫶less / rádio; ~ сёл installátion of rádio / wíre⫶less in víllages. ~**цировать** *несов. и сов.* (*вн.*) install rádio (in), equíp with rádio (*d.*). ~**цироваться** *несов. и сов.* be províded / equípped with rádio.

радиохимия *ж.* rádio-chémistry [-'ke-].

рáдио|**цéнтр** *м.* wíre⫶less / rádio centre, bróadcasting centre [-ɔːd-...]. ~**частотá** *ж.* rádio-fréquency [-'friː-].

радиоэлектрóн|**ика** *ж.* rádio eléctronics. ~**ный** rádio-eléctronic.

радíровать *несов. и сов.* (*вн.*, *о пр.*) wíre⫶less (*d.*), rádio (*d.*), wire (*d.*).

радíст *м.*, ~**ка** *ж.* wíre⫶less óperator, rádio óperator; *мор.* télegraphist.

рáдиус *м.* rádius (*pl.* -dii).

рáдовать, обрáдовать (*вн.*) make* glad / háppy (*d.*), cause joy (to), gládden (*d.*); это егó óчень рáдует it makes him glad / háppy; это извéстие егó обрáдовало he was very glad to hear the news [...-z]; ~ взор, взгляд gládden the eye [...aɪ], be a pléasure to the eye [...'pleʒə-]; ~ сердцá rejóice / gládden the hearts [...hɑːts]; ~**ся**, обрáдоваться be glad / háppy; rejóice; ~ся за когó-л. be glad for smb.'s sake; он рáдуется, вúдя вас снóва здорóвым he is glad to see you well agáin; он рáдуется вáшему счáстью he rejóices at your háppiness; ◇ душá рáдуется the heart fills with joy [...hɑːt...].

радóн *м. хим.* rádon. ~**овый** rádon (*attr.*).

рáдостн|**ый** glad, jóyous, jóyful; ~ крик jóyful cry; ~ое извéстие glad / háppy news [...-z], glad / háppy tídings *pl.*

рáдос|**ть** *ж.* gládness, joy; ~ жизни the joy of life; не пóмнить себя от ~ти be óver⫶jóyed, be besíde ònesélf with joy; плáкать от ~ти cry / weep* for / with joy; с ~тью with joy; егó ждалá ~ joy was awáiting him; какáя ~! what joy / delíght!; ◇ на ~тях in one's joy; моя́ ~, ~ моя́ my dear, my dárling.

рáдуга *ж.* ráinbow [-bou].

рáдужн|**о** *нареч.* chéerfully; ~ смотрéть на всё look on the bright side of éverything; ~**ый** irridéscent, òpaléscent [ou-]; ráinbowed [-boud] (*тж. перен.*); (*перен.*) chéerful; ~ые надéжды òptimístic expectátions; у негó ~ое настроéние he is in véry high spírits; ◇ ~ая оболóчка (глáза) íris ['aɪə-]; вúдеть, представля́ть что-л. в ~ом свéте have a rádiant / glówing pícture of smth. [...'glou-...].

радýш|**ие** *с.* còrdiálity. ~**но** *нареч.* córdially; ~но принимáть, встречáть когó-л. give* smb. a córdial / héarty wélcome [...'hɑː-...]. ~**ный** córdial; ~ный приём córdial / héarty wélcome [...'hɑː-...]; ~ный хозя́ин córdial host [...houst].

раёк *м. театр. уст.* gállery; посетúтели райкá óccupants of *the* gállery; the gods *разг.*

раж *м. разг.* rage, pássion; входúть, приходúть в ~ fly* into a pássion, fly* into a rage.

раз I *м.* 1. time; на этот ~ for (this) once [...wʌns], this time, on this occásion; во вторóй, трéтий *и т. д.* ~ for the sécond, third, *etc.*, time [...'se-...]; в другóй ~ another time, some other time; ещё ~ once agáin, once more; в послéдний ~ for the last

раз — time; ~ в день once a day; ~ в год once a year; всякий ~ every time, each time; всякий раз, когда whenéver; ~ за ~ом time áfter time; иной ~ sómetimes; один ~, как-то ~ once, one day; два ~a twice; три ~a, пять ~ и т. д. three, five, etc., times; до другого ~a till another time; много ~ many times; с первого ~a from the very first; ни ~y not once, never; не ~ more than once; time and agáin; навсегда once (and) for all; **2.** *нескл. (при счёте — один)* one; ~, два, три one, two, three; это ~ *(при перечислении)* that is the first réason [...'riːz-]; ◊ вот тебе (и) ~! *разг.* that's done it!; well, I néver!; can you beat that! *амер.*; ≅ oh, réally! [ou 'rɪə-]; как ~ just, exáctly; как ~ то the very thing; that's just the tícket *разг.*; как ~ то, что мне нужно just what I want, the very thing I want; ~ так..! if that's the way you will have it..!

раз II *нареч. (однажды)* once [wʌns], one day.

раз III *союз* since: ~ он не пойдёт, они останутся здесь since he is not góing, they will stay here; — ~ так, не о чем говорить больше in that case there is no more to be said [...keɪs-sed].

разагити́ровать *сов. (вн.)* **1.** *(убедить)* convínce *(d.)*, persuáde [-'sweɪd] *(d.)*; **2.** *разг. (отговорить)* dissuáde [-'sweɪd] *(d.)*.

раза́хаться *разг.* sigh *(with surprise, grief)*; excláim "ah", "oh", béing surprísed, grieved [...griːvd].

разба́вить *сов. см.* разбавля́ть.

разбавля́ть, разба́вить *(вн.)* dilúte [daɪ-] *(d.)*; ~ водой dilúte with wáter [...'wɔː-] *(d.)*.

разбаза́рив‖**ание** *с. разг.* squándering. ~**ать**, разбаза́рить *(вн.) разг.* squánder *(d.)*.

разбаза́рить *сов. см.* разбаза́ривать.

разба́ливаться I, разболе́ться *разг. (о человеке)* become* ill: он совсем разболе́лся he has become quite ill.

разба́ливаться II, разболе́ться *(об отдельном органе)* ache [eɪk]: (у меня) рука разболе́лась my hand aches [...eɪks]; — (у меня) голова разболе́лась I have (got) a héadache [...'hedeɪk].

разбалова́ться *сов. разг.* **1.** *(о детях)* romp; play nóisily [...-zɪ-]; **2.** *(слишком избаловаться)* become* too spoilt.

разба́лтывать I, разболта́ть *(вн.) разг.* **1.** *(расшатывать)* lóosen [-s-] *(d.)*; **2.** *(перемешивать)* shake* up *(d.)*, stir up *(d.)*.

разба́лтывать II, разболта́ть *(вн.) разг. (разглашать)* give* awáy *(d.)*; ~ секрет give* awáy a sécret.

разба́лтываться I, разболта́ться *разг.* **1.** *(о винте, болте и т. п.)* work / come* loose [...-s]; *(о машине и т. п.)* go* wrong; **2.** *(о человеке)* get* out of hand: он совсем разболта́лся he has got quite out of hand; **3.** *(размешиваться от взбалтывания)* be mixed; мука хорошо разболта́лась в воде the flour is well mixed with wáter [...'wɔː-].

разба́лтываться II, разболта́ться forgét ònesélf in cháttering [-'get...].

разбе́г *м.* rúnning start; прыгать с ~у take* a rúnning jump; нырять с ~у take* a rúnning dive; перескочить ров с ~у take* a rúnning jump óver a ditch; здесь нет места для ~а there is no room to take one's run; прыжок с ~у rúnning jump; прыжок без ~а stánding jump; ~ при взлёте *ав.* táke-óff run.

разбега́ться *сов. разг.* scámper abóut.

разбе́‖**га́ться,** разбежа́ться *(в разные стороны)* scátter; ~ по местам run* to one's pláces / posts / státions [...pousts...]; ◊ у него глаза́ ~жа́лись he was dázzled.

разбежа́ться *сов. см.* разбега́ться, **2.** *(взять разбег)* take* a run, run* up *(before júmping, díving, etc.)*; негде ~ there is no room for a rúnning jump, dive, etc.

разбереди́ть *сов. см.* береди́ть.

разбива́ть, разби́ть *(вн.)* **1.** break* [-eɪk] *(d.; тж. перен.)*; *(о машине, самолёте)* crash *(d.)*, smash *(d.)*; ~ окно, чашку break* the window, the cup; ~ вдребезги smash to smitheréens [...-ðə-] *(d.)*; разбить чью-л. жизнь rúin smb.'s life; **2.** *(разделять)* divíde *(d.)*, break* up / down *(d.)*; ~ на слоги divíde, или break* up, into sýllables *(d.)*; ~ на группы divíde into groups [...gruː-] *(d.)*; **3.** *(распланировав, сажать)* lay* out *(d.)*; разбить парк lay* out a park; **4.** *(палатку, лагерь и т. п.)* pitch *(d.)*, set* up *(d.)*; **5.** *(наносить поражение)* beat* *(d.)*, deféat *(d.)*, smash *(d. тж. перен.)*; разбить наголову crush *(d.)*, rout *(d.)*, deféat útterly *(d.)*; ~ доводы, утверждения и т. п. demólish árguments, assértions, etc.; **6.** *(повреждать, ранить)* hurt* bádly *(d.)*, break* *(d.)*, frácture *(d.)*; ~ голову hurt* one's head bádly [...hed...]; ~ череп frácture the skull; ~ кому-л. нос в кровь draw* blood from smb.'s nose [...blʌd...], smash smb.'s nose, make* smb.'s nose bleed, give* smb. a blóody nose [...'blʌ-...]; **7.** *полигр.* space (out) *(d.)*; ◊ быть разбитым параличом be páralyzed, súffer from pálsy [...'pɔːlzɪ]. ~**ся,** разбиться **1.** break* [-eɪk], get* / be bróken; *(о машине, самолёте)* crash; **2.** *тк. несов. (о волне)* break*; **3.** *(разделяться)* break* up, divíde; ~ся на группы break* up into groups [...gruː-]; **4.** *(получать повреждения)* hurt* / bruise ònesélf bádly [...bruːz...]; **5.** *страд. к* разбива́ть.

разби́вка *ж.* **1.** *(планировка)* láying out; **2.** *полигр.* spácing (out).

разбинтова́ть(ся) *сов. см.* разбинто́вывать(ся).

разбинто́вывать, разбинтова́ть *(вн.)* take* off, или remóve, a bándage [...-'muːv...] *(from).* ~**ся,** разбинтова́ться **1.** come* / get* únbándaged; рука разбинтова́лась the hand has come / got únbándaged, the bándage on the hand has come úndone; **2.** *страд. к* разбинто́вывать.

разбира́тельство *с. юр.* trial; судебное ~ court examinátion [kɔːt...].

разбир‖**а́ть,** разобра́ть *(вн.)* **1.** *(расхватывать)* take* *(d.)*; *(раскупать)* buy* up [baɪ...] *(d.)*; все книги разобра́ли all the books are táken, the books have all been táken; **2.** *(на части — о механизме и т. п.)* strip *(d.)*, disassémble *(d.)*, dismántle *(d.)*, take* to píeces [...piː-] *(d.)*; *(о доме, стене и т. п.)* pull down [pul...] *(d.)*, demólish *(d.)*; **3.** *(рассортировывать)* sort out *(d.)*; **4.** *(расследовать дело, вопрос и т. п.)* look (into), invéstigate *(d.)*; *(рассматривать)* discúss *(d.)*; sort out *(d.) разг.*; **5.** *грам. (по частям речи)* parse [paːz] *(d.)*; *(по членам предложения)* ánalyse *(d.)*; **6.** *(понимать)* make* out *(d.); несов. тж.* try to make out *(d.)*; *(о нотах)* read* *(d.)*; он не может разобра́ть её почерк he cánnot make out her hándwriting; он хорошо ~ет почерки he is good / cléver at decíphering péople's hándwriting [...'kle-... -'saɪ piː-...]; не разобра́ть fail to make out *(d.)*; разбира́л, но не мог разобра́ть почерк tried to make out the hándwriting but could;n't / failed; он не разобра́л его вопроса he did not únderstand his quéstion [...-stʃ-]; разобра́ть сигнал / флаги *мор.* make* out the signal / flags; ничего не могу разобра́ть I can't make anything out [...kɑːnt...]; I can't make head or tail of it [...hed...] *идиом.*; **7.** *разг. (охватывать — о чувствах)* seize / fill with [siːz...]; его ~а́л смех he was búrsting with suppréssed láughter [...'lɑːf-]; **8.** *тк. несов. разг. (быть разборчивым)* be fàstídious; брать не ~я take* indiscrímináte;ly; **9.** *тк. несов. (критически обсуждать)* discúss *(d.)*. ~**а́ться,** разобра́ться **1.** *тк. несов. (быть разборным)* come* apárt; **2.** *разг. (разбирать вещи)* únpáck *(d.)*; **3.** *(в пр.) разг. (рассматривать, исследовать)* invéstigate *(d.)*, examíne *(d.)*, look (into); *(достигать понимания)* únderstand* *(d.); сов. тж.* gain an ùnderstánding (of), come* to know the partículars [...nou...] (of); **4.** *страд. к* разбира́ть.

разбитно́й *разг.* bright, sprightly; sharp; *(развязный)* sáucy; ~ малый sprightly lad.

разби́т‖**ый 1.** *прич. см.* разбива́ть; **2.** *прил. разг.* jáded; чувствовать себя ~ым feel* jáded; ◊ очутиться у ~ого корыта ≅ be no bétter off than befóre, be back where one stárted, be back to square one.

разби́ть *сов. см.* разбива́ть. ~**ся** *сов. см.* разбива́ться 1, 3, 4.

разблагове́стить *сов. см.* благове́стить 2.

разбогате́ть *сов. см.* богате́ть.

разбо́й *м.* róbbery, brígandage; морской ~ píracy ['paɪə-]; ~ на большой доро́ге *(прям. и перен.)* highway róbbery. ~**ник** *м.* **1.** róbber, brígand ['brɪ-]; морской ~ник sèa-ròbber, pírate ['paɪə-]; ~ник с большой дороги híghway;man*, híghway-ròbber; fóotpàd ['fut-]; **2.** *разг., шутл. (шалун)* rogue [roug].

разбо́йнич‖**ать** rob, plúnder, maráud; *(перен.)* plúnder. ~**еский** *прил. к* разбо́йник.

разбо́йни‖**чий** *прил. к* разбо́йник; ~чья ша́йка gang of róbbers.

разболе́ться I, II *сов. см.* разба́ливаться I, II.

разболта́н‖**ность** *ж. разг.* lóose‡ness [-s-], loose discipline [-s...]. **~ный** *разг.* disórderly, disórganized.

разболта́ть I, II *сов. см.* разба́лтывать I, II.

разболта́ться I, II *сов. см.* разба́лтываться I, II.

разбомби́ть *сов.* (вн.) destróy by bómb‡ing (d.).

разбо́р *м.* 1. (*анализ*) análysis (*pl.* -ses [-si:z]); (*рассмотрение*) investigátion; 2. *грам.* (*по частям речи*) pársing [-zɪŋ]; (*по членам предложения*) análysis; 3. (*критическая статья*) critíque [-'ti:k]; 4. *разг.*: без ~а indíscriminate‡ly, promíscuous‡ly; брать без ~а (вн.) take* indíscriminate‡ly (d.); с ~ом discríminating‡ly, exáct‡ly, fastídious‡ly; ◇ прийти́ к ша́почному ~у *разг.* ≅ come* when the show is óver [...ʃou...], come* áfter the feast; miss the bus.

разбо́р‖**ка** *ж.* 1. (*писем, товаров и т.п.*) sórting out; 2. (*на части — о механизме и т.п.*) stripping, disassémbling, dismántling, táking apárt, *или* to píeces [...'pi:-]; **~ный** *тех.* collápsible, dismóuntable; táke-dówn; (*о доме и т.п.*) prefábricated; ~ный мост témporary bridge.

разбо́рчив‖**ость** *ж.* 1. (*чёткость*) legibílity; 2. (*требовательность*) fastídious‡ness; (*в средствах*) scrúpulous‡ness. **~ый** 1. (*чёткий*) légible; 2. (*требовательный*) discríminating, exácting, fastídious; (*в средствах*) scrúpulous.

разбрани́ть *сов.* (вн.) *разг.* give* a sharp scólding (i.). **~ся** *сов.* (с *тв.*) *разг.* quárrel (with), fall* out (with), squábble (with).

разбра́сыватель *м.* (*навоза, удобрений*) spréader ['spre-].

разбра́сывать, разброса́ть, *разг.* разбро́сить (вн.) throw* abóut [-ou...] (d.); (*рассыпать*) scátter (d.), scátter abóut (d.), strew* abóut (d.); (*перен.*) scátter (d.); ~ наво́з spread* manúre [-ed...]; ◇ ~ де́ньги на ве́тер díssipàte / squánder / waste one's móney [...weɪ-...'mʌ-...]. **~ся** 1. *разг.* squánder / díssipàte one's énergies in conflícting diréctions; не разбрасывайся don't try to do éverything, *или* too much, at once [...wʌns]; 2. *страд. к* разбра́сывать.

разбре‖**да́ться**, разбрести́сь dispérse; (*двигаться в беспорядке*) strággle; ~ в ра́зные сто́роны dispérse in dífferent diréctions; ~сти́сь по дома́м dispérse and go* home. **~сти́сь** *сов. см.* разбреда́ться.

разбро́д *м.* disórder; confúsion; идейный ~ ideológical confúsion [aɪ-...].

разбро́санн‖**ость** *ж.* (*отдалённость друг от друга*) spárse‡ness, dispérsedness; (*перен.; о мыслях и т.п.*) disconnéctedness, incohérence [-'hɪə-]. **~ый** 1. *прич. см.* разбра́сывать; 2. *прил.* (*о населении*) sparse, scáttered; (*о домах и т.п.*) strággling; (*перен.; о мыслях и т.п.*) disconnécted, incohérent, disjóinted.

разброса́ть *сов. см.* разбра́сывать.

разбро́сить *сов. см.* разбра́сывать.

разбры́зг‖**ать** *сов. см.* разбры́згивать. **~ивать**, разбры́згать (вн.) splash (d.); (*мелкими каплями*) spray (d.).

разбрюзжа́ться *сов. разг.* have a fit of grúmbling, have a grouse [...-s].

разбуди́ть *сов. см.* буди́ть.

разбуха́ние *с.* swélling.

разбуха́ть, разбу́хнуть swell* (*тж. перен.*); disténd; (*перен.*) grow* excéssive‡ly / immóderate‡ly [-ou...], infláte; кни́га разбу́хла от примеча́ний the size of the book is made excéssive‡ly large by too many fóot-nòtes ['fut-].

разбу́хнуть *сов. см.* разбуха́ть *и* бу́хнуть II.

разбушева́‖**ться** *сов.* 1. (*о буре, шторме и т.п.*) rage, blúster; blow* up [blou...]; (*о море*) run* high; мо́ре ~лось the sea ran high, it was a rough sea [...rʌf...]; ~вшаяся стихи́я the ráging éléments *pl.*; 2. *разг.* (*о человеке*) becóme* enráged, fly* into a rage.

разбуя́ниться *сов. разг.* fly* into a rage, get* víolent, get* into a fúry.

разва́жничаться *сов. разг.* put* on airs, give* onesélf airs.

разва́л *м.* (*распад*) disintegrátion, bréakdown [-eɪk-]; (*перен.: расстро́йство, разру́ха*) disórganization [-naɪ-].

разва́л‖**ец** *м.*: ходи́ть с ~льцем *разг.* shamble.

разва́ливать, развали́ть (вн.; *о здании и т.п.*) pull down [pul...] (d.); (*перен.; о хозя́йстве, работе и т.п.*) spoil* (d.), mess up (d.). **~ся**, развали́ться 1. tumble down, collápse; (*перен.*) go* / fall* to píeces [...'pi:-]; break* down [breɪk...]; не дать развали́ться де́лу hold* things togéther [...'ge-]; 2. *разг.* (*сидеть развалившись*) sprawl, lounge; 3. *страд. к* разва́ливать.

разва́лин‖**а** *ж. разг.* (*о человеке*) wreck, rúin; он преврати́лся в ~у he is (but) a rúin of his fórmer self.

разва́лин‖**ы** *мн.* rúins; гру́да разва́лин a heap of rúins; расчи́стка разва́лин cléaring of débris [...'debri:]; преврати́ть в ~ (вн.) redúce to rúins (d.); лежа́ть в ~ax be in rúins; подня́ться из разва́лин rise* from the rúins / áshes.

развали́ть(ся) *сов. см.* разва́ливать(ся).

развалю́ха *ж. разг.* decrépit / dilápidàted house*, car, *etc.* [...-s...].

разва́ривать, развари́ть (вн.) boil soft (d.). **~ся**, развари́ться 1. be boiled soft; (*чрезмерно*) be óver‡cóoked; ~ся в ка́шу be boiled to pulp; 2. *страд. к* разва́ривать.

развари́ть(ся) *сов. см.* разва́ривать(ся).

разварно́й boiled.

ра́зве *частица* 1. réally? ['rɪə-]; *в составе вопросительного и вопросительно-отрицательного предложения обычно не переводится*: он там был.— Ра́зве? he was there.— Réally?; ~ он прие́хал? has he arrived?; ~ он их не ви́дел? has he not seen them?; ~ ты их не знаешь? don't you know them? [...nou...]; — ~ мо́жно, ну́жно (+ *инф.*) is it póssible, is it nécessary (+ to *inf.*); ~ мо́жно, ну́жно ему́ *и т.д.* (+ *инф.*) do you think he, *etc.*, should (+ *inf.*); 2. (+ *инф.*) *разг.* (*не следует ли*) perháps (+ had bétter + *inf.*); ~ пойти́ (ему́) к до́ктору perháps he had bétter go to *the* dóctor; ~ лечь (мне) спать? hadn't I bétter go to bed?; 3. (*если не*) unléss; (*за исключением*) excépt / save perháps; он непреме́нно э́то сде́лает, ~ (то́лько) заболе́ет he will cértain‡ly do it, unléss he falls ill; никто́ не зна́ет э́того, ~ то́лько он но́бody knows it with the póssible excéption of himsélf [...nouz...]; nó‡body knows it unléss he does.

развева́‖**ть** (вн.) blow* abóut [-ou...] (d.); ве́тер ~ет зна́мя the banner is flápping / stréaming in the wind. **~ться** flútter, fly*; с ~ющимися знамёнами with bánners / cólours flýing [...'kʌl-...], cólours flýing.

разве́дать *сов. см.* разве́дывать.

разведе́ние I *с.* (*животных*) brééding, réaring; (*растений*) cultivátion.

разведе́ние II *с.* (*моста*) swínging ópen, ópen‡ing.

разведённый I, II *прич. см.* разводи́ть I, II.

разведённый III 1. *прич. и прил.* (*о супругах*) divórced; 2. *как сущ. м.* divórcé; divorcé (*фр.*) [dɪ'vɔːseɪ]; *ж.* divorcée (*фр.*) [dɪ'vɔːseɪ].

разве́д‖**ка** *ж.* 1. sécret sérvice, intélligence sérvice; 2. *воен.* intélligence; (*на местности, рекогносцировка*) reconnáissance [-nɪ-]; в хо́де боя battle reconnáissance; возду́шная ~ air reconnáissance; ~ бо́ем reconnáissance in force; devéloping attáck *амер.*; звуковая ~ sound-rànging [-reɪndʒ-]; опти́ческая ~ flash spótting; flash ránging [...'reɪndʒ-] *амер.*; идти́ в ~ку reconnóitre; 3. (*войсковая группа*) reconnáissance párty; вы́слать ~ку send* out *a* reconnáissance párty; 4. *геол.* próspèct, próspècting. **~очный** *прил.* к разве́дка; ~очное буре́ние explorátory drilling.

разведце́нтр *м.* (*разве́дывательный центр*) reconnáissance céntre [-nɪs-...].

разве́дчик I *м.* 1. sécret sérvice man*; (*офицер разведки*) intélligence ágent; 2. *воен.* scout; 3. *геол.* próspèctor.

разве́дчик II *м.* (*самолёт*) reconnáissance áircràft / plane [-nɪs- 'ɛə-...], scout plane.

разве́дчица *ж.* 1. sécret sérvice wóman* [...'wu-]; (*офицер разведки*) intélligence wóman* ágent; 2. *воен.* scout wóman*; 3. *ж. к* разве́дчик I 3.

разве́дывательн‖**ый** reconnáissance [-nɪs-] (*attr.*), intélligence (*attr.*), reconnóitring; ~ отря́д *воен.* reconnáissance detáchment; ~ отде́л, *или* отделе́ние *воен.* intélligence séction; ~ые да́нные *воен.* intélligence dáta, reconnáissance dáta; ~ самолёт reconnáissance áircràft plane; ~ полёт reconnáissance flight; ~ая па́ртия reconnóitring párty; *геол.* próspècting párty; ~ая экспеди́ция reconnóitring expedítion; ~ая рабо́та (*войсковая*) reconnáissance work / dúty; reconnáissance dúties *pl.*; (*вневойсковая*) intélligence work; ~ые бо́и próbing attácks.

РАЗ — РАЗ

развед||ывать, разведать 1. (вн., о пр.) разг. find* out (d., about); 2. (вн.) воен. rèconnóitre (d.); rèconnóiter (d.) амер.; 3. (вн.) геол. prospéct (d.); explóre (d.); ~ район на нефть prospéct a district for oil; ~анные запасы (нефти и т. п.) explóred / known resérves (of oil, etc.) [...noun -'zə:-...].

развезти I, II сов. см. развозить I, II.

развеивать, развеять (вн.) scátter (d.), dispérse (d.); (перен.: уничтожать, рассеивать) dispél (d.); ветер развеял облака the wind dispérsed the clouds [...wɪ-...]; развеять миф explóde / discrédit / shátter the myth. ~ся, развеяться dispérse; (перен.) be dispélled.

развенчанный прич. и прил. dethróned.

развенчать сов. см. развенчивать.

развенчивать, развенчать (вн.) dethróne (d.); debúnk (d.) разг.

развередить сов. см. вередить.

разверзаться, разверзнуться уст., поэт. ópen wide, yawn, gape.

разверзнуться сов. см. разверзаться.

развёрнут||ый 1. прич. см. развёртывать; 2. прил. únfólded; (организованный в широких масштабах) exténsive, lárge-scále, fúll-scále, áll-óut; 3. прил. (подробный) détailed ['di:-...]; принимать ~ую резолюцию adópt a détailed rèsolútion [...-zə-...]; ~ая программа còmprehénsive / détailed prógram(me) [...'prou-]; 4. прил. воен. deplóyed; ~ строй exténded line fòrmátion.

развернуть сов. см. развёртывать. ~ся сов. см. развёртываться и разворачиваться.

разверстать сов. см. развёрстывать.

развёрстка ж. appórtionment, allótment; (налога) asséssment.

развёрстывать, разверстать (вн.) appórtion (d.), allót (d.); (о налоге) assése (d.).

разверстый уст., поэт. ópen, yáwning, gáping.

развёртка ж. 1. мат. devélopment, évolvent; 2. тех. réamer; 3. (в телевидении и радиолокации) scánning.

развёртывание с. 1. (раскрывание — скатанного) únrólling, únwinding; (сложенного) únfólding; (завёрнутого) únwrápping; 2. (развитие) devélopment; expánsion; 3. воен. deplóyment; ~ новых ракет deplóyment of new míssiles.

развёртывать, развернуть (вн.) 1. (раскрывать — скатанное) únróll (d.), únwind* (d.); (сложенное) únfóld (d.); (завёрнутое) únwráp (d.); ковёр únróll a cárpet; ~ газету únfóld the páper; ~ пакет únwráp a párcel; 2. (проявлять в полной мере) show* [ʃou] (d.), displáy (d.), revéal (d.); ~ свои силы show* / displáy / revéal one's strength; ~ свой талант show* / displáy one's tálent [...'tæ-]; 3. (предпринимать в широких масштабах) devélop [-'ve-] (d.); ~ социалистическое соревнование spread* / sócialist còmpetítion / èmulátion [-ed-...]; ~ орговлю expánd trade; развернуть самокритику devélop sélf-críticism; ши-

роко развернуть работу place the work on a broad fóoting [...-ɔːd 'fu-]; развернуть широкую программу обучения promóte / fórward a wide prógram(me) of tráining [...'prougræm...], devélop an exténsive tráining prógram(me); 4. воен. (в боевой порядок) deplóy (d.), exténd (d.); 5. (вн. в вн.) воен. (в более крупную единицу) expánd (d. into); 6. воен. (устраивать) estáblish (d.), set* up (d.); 7. (автомашину, самолёт) turn (d.), swing* abóut / aróund; (корабль и т. п. тж.) slew (abóut) (d.).

развёртываться, развернуться 1. (раскрываться — о скатанном) únróll; (о сложенном) únfóld; (о завёрнутом) come* únwrápped; 2. (проявляться) show* onesélf [ʃou-...], displáy onesélf; 3. (принимать широкий размах) spread* [-ed]; широко развернулось социалистическое соревнование sócialist còmpetítion / èmulátion spread widely; во всех цехах развернулось соревнование èmulátion spread to all the shops; борьба развернулась (вокруг) the struggle raged (aróund); 4. воен. (переходить в более широкий и глубокий порядок) deplóy; 5. (в вн.) воен. (в более крупную единицу) expánd (into), be expánded (into); 6. (делать поворот) turn, swing* abóut / aróund; мор. тж. slew (abóut); 7. страд. к развёртывать.

развес м. wéighing out.

развеселить (вн.) cheer up (d.), brighten up (d.). ~ся сов. cheer up, brighten up.

развесёлый разг. mérry, gléeful.

развесистый spréading [-red-], bránchy [-ɑː-].

развесить I, II, III сов. см. развешивать I, II, III.

развеска I ж. (на весах) wéighing out.

развеска II ж. (картин и т. п.) hánging.

развесной sold by weight.

развести I, II, III, IV сов. см. разводить I, II, III, IV.

развестись I, II сов. см. разводиться I, II.

разветвить(ся) сов. см. разветвлять (-ся).

разветвление с. 1. bránching [-ɑː-], rámificátion; (о дороге тж.) fórking; 2. (место разветвления) branch [-ɑː-]; (о дороге тж.) fork; 3. (ответвление) fork; ~ нерва анат. rádicle.

разветвлённ||ый 1. прич. см. разветвлять; 2. прил. rámified; ~ая система rámified sýstem; широко ~ая сеть broad / fár-flúng nétwòrk [brɔːd...]; ~ая индустриальная структура divérsified indústrial strúcture [daɪ-...].

разветвля||ть, разветвить (вн.) branch [-ɑː-] (d.); (о дороге тж.) fork (d.). ~ться, разветвиться branch [-ɑː-], rámify; (о дороге тж.) fork, divíde.

развешать сов. см. развешивать III.

развешивать I, развесить (вн.; на весах) weigh out (d.).

развешивать II, развесить (вн.; о ветвях и т. п.) spread* [-ed] (d.), stretch out (d.). ◊ развесить уши разг. ≃ lísten ópen-móuthed ['lɪsˀn...]; let* onesélf be duped / fooled.

развешивать III, развесить, развешать (вн.; о картинах и т. п.) hang* (d.).

развеять(ся) сов. см. развеивать(ся).

развивать I, развить (вн.; в разн. знач.) devélop [-'ve-] (d.); ~ мускулатуру devélop / impróve one's muscles [...-uːv... -slz]; ~ память devélop one's mémory; ~ промышленность devélop the industry; ~ сотрудничество devélop co-òperátion; ~ успех воен. explóit a succéss; ~ скорость воен. pick up, speed; развить скорость до 150 км в час devélop a speed of 150 km per hour (сокр. p. h.) [...auə]; ~ чью-л. мысль, чей-л. план и т. п. devélop smb.'s idéa, plan, etc. [...aɪ'dɪə...]; ~ творческую инициативу stímulàte créative inítiative; ~ культурные связи promóte / exténd cúltural relátions.

развивать II, развить (вн.; раскручивать, расплетать) úntwist (d.), úntwine (d.).

развиваться I, развиться 1. (в разн. знач.) devélop [-'ve-]; 2. страд. к развивать I.

развиваться II, развиться 1. (раскручиваться) úntwist; (о волосах) come* úncúrled, lose* its curls [luːz...]; 2. страд. к развивать II.

развива́ющ||ийся: ~иеся страны, государства devéloping cóuntries [-'ve-kʌ-].

развили||на ж. fork; bifurcátion [baɪ-]; (у дерева) fórked crown; fùrcátion. ~стый fórked.

развилка ж., **развилок** м. разг. fork, fùrcátion (of a road, etc.).

развинтить(ся) сов. см. развинчивать (-ся).

развинченн||ость ж. разг. réstiveness. ~ый 1. прич. см. развинчивать; 2. прил. разг. (о человеке) únstrúng, on edge; 3. прил. разг. (о походке) loose [-s], strággling.

развинчивать, развинтить (вн.) únscréw (d.). ~ся, развинтиться be / come* únscréwed; (перен.) разг. get* únstrúng; у него нервы развинтились he is a nérvous wreck.

развитие с. (в разн. знач.) devélopment; prógress; ~ общества prógress of socíety; ~ промышленности devélopment / growth of índustry [...grouθ...]; умственное, физическое ~ méntal, phýsical devélopment [...-zɪ-...]; политическое ~ lével of polítical cónsciousness [...-nʃəs-]; диалектическое ~ dialéctical devélopment; ~ навыков devélopment of hábits; ~ успеха воен. explóitátion of succéss; в ~ чего-л. in elàborátion of smth.

развит||ой 1. (в разн. знач.) devéloped; физически ~ physically devéloped [-zɪ-...]; умственно ~ méntally devéloped; политически ~ polítically devéloped; ~ое социалистическое общество devéloped sócialist socíety; 2. (культурный, духовно зрелый) wéll-devéloped; (сообразительный, смышлёный) intélligent.

развить(ся) I, II сов. см. развивать (-ся) I, II.

развлекательн||ость ж. разг. amúsement, èntertáinment. ~ый разг. èntertáining; ~ое чтение light réading.

развлека́ть, развле́чь (вн.) 1. entertáin (d.), amúse (d.); 2. (отвлека́ть) divért (d.). ~ся, развле́чься 1. have a good time, amúse / divért òne:sélf; 2. (отвлека́ться) get* / be distrácted.

развлече́ние с. 1. entertáinment; (заба́ва) amúsement; (как о́тдых) rè:laxátion; 2. (отвлечение) divérsion [dai-].

развле́чь(ся) сов. см. развлека́ть(ся).

развод I м. (расторжение брака) divórce; они́ в ~e they are divórced; получи́ть ~ get* a divórce; дава́ть ~ кому́-л. give* smb. a divórce, agrée to divórce smb.; проце́сс о ~e divórce suit [...sju:t]; divórce procéedings pl.

развод II м. воен.: ~ карау́лов guard móunting; (торжественный) tróoping the cólour [...'kл-]; ~ часовы́х pósting of séntries ['pou-...].

развод III м. (разведение) bréeding; оставля́ть на ~ (вн.) разг. keep* for bréeding (d.).

разводи́ть I, развести́ (вн.) 1. (куда́-л.) take* (d.), condúct (d.); ~ по дома́м take* to their homes (d.); госте́й развели́ по их ко́мнатам the guests were shown (to) their rooms [...ʃoun...]; ~ войска́ по кварти́рам воен. take* / dispérse troops to their billets; 2. (в разные стороны) part (d.), move* / pull apárt [mu:v pul...] (d.), séparate (d.); ~ ве́тки part the bránches [...'brɑ:-]; ~ мост (подъёмный) raise a bridge; (поворо́тный) swing* a bridge ópen; ~ пилу́ set* a saw; 3. (разбавлять) dilúte [dai-] (d.); 4. (растворять) dissólve [-'zɔlv] (d.); 5: ~ ого́нь light* / kindle a fire (d.); ~ костёр light* a cámp-fire; ~ па́ры raise steam, get* up steam; ◇ ~ рука́ми ≅ make* a hélpless gésture, lift one's hands (in dismáy).

разводи́ть II, развести́ воен. mount (d.); ~ карау́лы mount the guards; ~ часовы́х post séntries [poust...].

разводи́ть III, развести́ (о супру́гах) divórce (d.).

разводи́ть IV, развести́ (вн.) (о живо́тных, пти́цах) breed* (d.), rear (d.); (о растениях) cúltivate (d.), grow* [-ou] (d.); (о саде, парке и т. п.) make* (d.), plant [-ɑ:nt] (d.), lay* out (d.).

разводи́ться I, развести́сь 1. (с тв.; о супру́гах) be divórced (from); ~ с жено́й, му́жем divórce one's wife', húsband [...hлz-]; он разво́дится с жено́й he is getting his / a divórce; 2. страд. к разводи́ть III.

разводи́ться II, развести́сь 1. (о живо́тных, пти́цах) breed*, múltiply; 2. страд. к разводи́ть IV.

разводи́ться III, IV страд. к разводи́ть I, II.

разво́дка ж. 1. (действие): ~ моста́ (подъёмного) dráwing of a bridge; (поворо́тного) swing:ing a bridge ópen; ~ пилы́ saw sétting; 2. (для пил) saw set.

разводно́й: ~ мост dráwbridge; ~ (га́ечный) ключ adjústable spánner [ə'dʒл-...]; mónkey wrench ['mл-...].

разводн|ый = бракоразво́дный; ~ое свиде́тельство divórce certíficate.

разво́д|ы мн. 1. (узо́ры) free desígns [...-'zainz]; broad páttern [-ɔ:d-] sg.; c ~ами with free desígns; 2. разг. (пятна, потёки) stains.

разво́дье с. 1. spring floods [...flлdz]; 2. (пространство чистой воды между льдами) patch of íce-free wáter [...'wɔ:-].

разводя́щий м. скл. как прил. воен. córporal of the guard, guard commánder [...-ɑ:n-].

развоева́ться сов. разг. get* trúculent [...'trл-].

разво́з м. convéyance.

развози́ть I, развезти́ (вн.) convéy (d.), tránsport (d.); ~ това́ры delíver goods [-'li- gudz]; развезти́ всех по дома́м drive* éveryóne home.

развози́ть II, развезти́ разг. 1. безл.: его́ развезло́ (от) he grew weak and limp (from); 2. безл.: доро́ги развезло́ от дождя́ the roads were made impássable, или únfit for tráffic, by rain; 3. (вн. и без доп.; рассказывая, растя́гивать) drag out (d.).

развози́|ться сов. разг. kick up a din, begín* to romp abóut; дети ~лись в саду́ the children are rómping, или have stárted a romp, in the gárden.

разво́зка ж. разг. convéying, convéyance; (доставка) delívery.

разволнова́ть сов. (вн.) разг. excíte (d.), ágitate (d.). ~ся сов. разг. get* excíted / ágitated.

развора́чивать, развороти́ть (вн.) 1. make* hávoc [...'hæ-] (of), play hávoc (among, with), turn úpside-dówn (d.); 2. тк. несов. (автомашину, самолёт и т. п.) turn (d.), swing* abóut / aróund (d.); мор. тж. slew abóut (d.). ~ся, разверну́ться 1. разг. = развёртываться; 2. (поворачивать) turn, swing* abóut / aróund; мор. тж. slew (abóut); 3. страд. к развора́чивать.

развороба́ть сов. см. развороба́вывать.

развороба́вывать, развороба́ть (вн.) plúnder (d.), embézzle (d.); clean* out (d.) разг.

разворо́т м. 1. turn; (автотранспорта) Ú-turn ['ju:-]; круто́й ~ ав. sharp turn; ~ на 180° ав. 180° turn; 2. разг. (рост, развитие) deplóyment, devélopment.

развороти́ть сов. см. развора́чивать 1.

развороши́ть сов. (вн.) turn úpside-dówn (d.), scátter (d.).

разворча́ться сов. разг. grúmble.

развра́т м. léchery, dissipátion, deprávity; (распу́щенность) debáuch, debáuchery; предава́ться ~у indúlge in lust / léchery, lead* a deprávved life. ~и́тель м. debáucher, sedúcer. ~и́тельница ж. sedúcer. ~и́ть(ся) сов. см. развраща́ть(ся).

развра́тн|ик м., ~ица ж. debauchée, prófligate.

развра́тн|ичать разг. lead* a deprávved / loose life [...-s...], indúlge in lust / debáuchery. ~ость ж. deprávity, líbertinage [-'li-...], léwdness, prófligacy. ~ый lécherous, debáuched, prófligate.

развраща́ть, разврати́ть (вн.) corrúpt (d.), deprávve (d.), debáuch (d.). ~ся, разврати́ться 1. become* corrúpted, become* deprávved, become* prófligate, go* to the bad; 2. страд. к развраща́ть.

развращённ|ость ж. corrúptness, deprávity. ~ый прич. и прил. corrúpted, deprávved.

развью́чивать, развью́чить (вн.) únbúrden (d.), únlóad (d.).

РАЗ—РАЗ   **Р**

развью́чить сов. см. развью́чивать.

развяза́ть(ся) сов. см. развя́зывать (-ся).

развя́з|ка ж. 1. (в романе, драме) dénouement (фр.) [dei'nu:mɑ̃n]; 2. (завершение) óut:come, íssue; úp:shót; де́ло идёт к ~ке the affáir is coming to a head [...hed]; 3. (транспортная) flý:óver (road júnction).

развя́зн|о нареч.: держа́ть, вести́ себя́ ~ be únduly famíliar, be free and éasy [...-zı]. ~ость ж. úndúe familiárity. ~ый (únduly) famíliar, frée-and-éasy [-zı], óver-frée.

развя́зывать, развяза́ть (вн.) úntíe (d.), únbínd* (d.); (узел, завязанное узло́м) úndó* (d.); (привязь) ún:léash (d.); (перен.) líberáte (d.); ~ кому́-л. ру́ки úntíe smb.'s hands; (перен. тж.) give* smb. a free hand, leave* smb. free to act; у него́ развя́заны ру́ки he is given full scope; ◇ ~ кому́-л. язы́к loose / lóosen smb.'s tongue [lu:s -sn...tлŋ], get* smb. to talk; ~ войну́ ún:léash war. ~ся, развяза́ться 1. (о ле́нте, узле и т. п.) get* / come* ún:dóne, get* úntíed; 2. (с тв.; конча́ть, отде́лываться) have done (with), be through (with); ◇ у него́ язы́к развяза́лся ≅ he is talking fréely at last, his tongue has been lóosened [...tлŋ...'lu:s-].

разга́дка сов. см. разга́дывать.

разга́дка ж. solútion, clue.

разга́дывать, разгада́ть (вн.) 1. únrável [-'ræ-] (d.), únríddle (d.); ~ сны intérpret / read* dreams; ~ зага́дку solve / guess a riddle; 2. (распознавать) guess; divíne; разгада́ть чьи-л. наме́рения guess / discóver smb.'s inténtions [...-'kл-...]; разгада́ть челове́ка find* smb. out; get* to the bóttom of a pérson.

разга́р I м.: в (са́мом) ~e in full swing; рабо́та в са́мом ~e the work is in full swing; ле́то, сезо́н и т. п. в са́мом ~e the súmmer, séason, etc., is at its height [...-z'n... hait]; в ~e спо́ра at the height of the dispúte, in the heat of the dispúte; в ~e боя́ at the height of the fighting; в ~e борьбы́ when the struggle was at its height.

разга́р II м. (ствола оружия) scóring, erósion.

разгерметиз|а́ция ж. depréssurizátion [-rai-], depréssurízing. ~и́ровать сов. (вн.) depréssurize (d.). ~и́роваться сов. becóme* depréssurízed.

разгиба́|ть, разогну́ть (вн.) únbénd* (d.), stráighten (d.); ~ спи́ну stráighten one's back; ◇ не ~я спины́ ≅ without rè:laxátion, without a let-úp. ~ться, разогну́ться 1. stráighten òne:sélf up; 2. страд. к разгиба́ть.

разгиба́ющий прич. см. разгиба́ть; ~ му́скул анат. exténsor.

разгильд|я́й м. разг. slóvenly indivídual [-лv-...]. ~ничать разг. be slóvenly / slípshód [...-лv-...]. ~ство с. разг. slóvenliness [-лv-].

разглаго́льствование с. разг. profúse talk [-s...]; lófty phráses pl., expatiátion; vérbiage; пусто́е ~ idle talk.

527

РАЗ—РАЗ

разглагóльствовать (о *пр.*) *разг.* talk profúse|ly [...-s-] (abóut), hold* forth (on), expánd (on), talk on and on.

разглáдить(ся) *сов. см.* разглáживать(ся).

разглáживать, разглáдить (*вн.*) smooth out [-ð...] (*d.*); (*утюгом*) íron out [ˈaɪən...] (*d.*); ~ морщи́ны на лбу smooth out wrinkles on *the* fórehead [...ˈfɔrɪd...] (*d.*); ~ **ся, разглáдиться 1.** smooth (down) [-ð...], become* smoothed out; морщи́ны на его́ лбу разглáдились the wrinkles on his fórehead reláxed, *или* were smoothed a:wáy [...ˈfɔrɪd...]; **2.** *страд. к* разглáживать.

разгласи́ть *сов. см.* разглашáть.

разглашáть, разгласи́ть 1. (*вн.*; *о секрете, тайне и т.п.*) divúlge [daɪ-] (*d.*), disclóse (*d.*), give* a:wáy (*d.*); **2.** (*о пр.*) *разг.* (*объявлять*) trúmpet (*d.*), broadcast [ˈbrɔːd-] (*d.*).

разглашéние *с.* divúlging [daɪ-], disclósure; ~ воéнной тáйны divúlgence of mílitary secrets [daɪ-...].

разглядéть *сов.* (*вн.*) make* out (*d.*), discérn (*d.*), descrý (*d.*); (*перен.*) percéive [-ˈsiːv] (*d.*).

разгля́дывать (*вн.*) view [vjuː] (*d.*), examine (*d.*); scrútinize (*d.*); ~ со всех сторóн take* an áll-round view.

разгнéванный *прич. и прил.* incénsed, infúriated.

разгнéвать *сов.* (*вн.*) ánger (*d.*), incénse (*d.*). ~ **ся** *сов. см.* гнéваться.

разговáрива||ть 1. speak*, talk; (*с тв.*) talk (to, with), speak* (to, with), convérse (with); ~ по-ру́сски, по-немéцки, по-англи́йски *и т.п.* talk / speak* Rússian, Gérman, Énglish, *etc.* [...ʃən-ˈɪŋ-]; довóльно ~! stop tálking!; не стóит и ~ об э́том it is not worth tálking abóut it; не ~йте таки́м тóном don't speak in such a tone; не хочу́ с вáми ~! I don't want to speak to you!; ~ с сами́м собóй talk to onesélf; **2.** (*с тв.*) *разг.* (*поддерживать общение с кем-л.*) be on spéaking terms (with); мы с ним не ~ем we are not on spéaking terms.

разговéться *сов. см.* разговля́ться.

разговля́ться, разговéться *церк.* break* one's fast [-eɪk...].

разговóр *м.* talk, cònversátion; крýпный ~ high words *pl.*; имéть крýпный ~ с кем-л. have high words with smb.; завя́зывать ~ с кем-л. énter into cònversátion with smb.; заводи́ть ~ о чём-либо bring* up smth.; перемени́ть ~ change the súbject [tʃeɪ-...]; без ли́шних ~ов without more adó, without wásting time on tálking [...ˈweɪ-...]; и ~а не бы́ло (*о пр.*) there was no quéstion [...-stʃ-] (of); бы́ло мнóго ~ов (о *пр.*) there was a great deal of talk (abóut); дáльше ~ов э́то не пойдёт it will end in talk, it will not go beyónd the tálking stage; никаки́х ~ов! (*возражений*) no báck-tàlk!; никаки́х ~ов, дéлай, как тебé говоря́т I don't want to hear ánything abóut it, do as you are told; довóльно ~ов! enóugh tálking! [ɪˈnʌf...]; тóлько и ~у, что об э́том it is the talk of the day; без ~ов! and no árgument!

разговори́ть *сов.* (*вн.*) *разг.* **1.** (*вызвать на разговор*) get* (*d.*) tálking; **2.** (*отговорить от чего-л.*) dissuáde [-ˈsweɪd] (*d.*).

разговори́||ться *сов. разг.* **1.** (*с тв.*; *вступить в разговор*) find* plénty to talk abóut (with); они́ ~лись they got into cònversátion; **2.** (*увлечься разговором*) warm to one's tópic.

разговóрник *м.* phráse-book.

разговóрн||ый (*о речи, стиле и т.п.*) collóquial; ~ язы́к spóken lánguage; ◇ ~ая бýдка télephòne booth / box [...-ð...].

разговóрчив||ость *ж.* tálkative:ness, loquácity. ~ **ый** tálkative, loquácious.

разгóн *м.* **1.** (*толпы, собрания и т.п.*) dispérsal; **2.** *физ., тех.* àccelerátion; **3.** *ав.* (*разбег*) stárting / táke-òff run; **4.** (*расстояние*) dístance; ◇ быть в ~е *разг.* be out, be rúnning abóut.

разгоня́ть, разогнáть (*вн.*) **1.** drive* a:wáy (*d.*); (*о толпе и т.п.*) dispérse (*d.*); (*о демонстрации тж.*) break* up (*d.*); **2.** (*рассеивать*) dispérse (*d.*), drive* a:wáy (*d.*); (*перен.*; *о скуке, сомнении и т.п.*) dispél (*d.*); вéтер разогнáл тýчи the wind blew a:wáy the clouds [...wɪ-...], разогнáть тоскý drive* a:wáy one's depréssion; **3.** (*придавать скорость*) speed* up (*d.*), race (*d.*), drive* at high speed (*d.*); **4.** *полигр.* space (*d.*). ~ **ся, разогнáться 1.** gáther moméntum; *сов. тж.* gáther speed; **2.** *страд. к* разгоня́ть.

разгорáживать, разгороди́ть (*вн.*) pàrtítion off (*d.*). ~ **ся, разгороди́ться 1.** (*с тв.*) partítion / divíde onesélf off (from); **2.** *страд. к* разгорáживать.

разгор||áться, разгорéться flame up, flare up, костёр ~éлся the fire flared up; дровá ~éлись the fíre:wood kíndled [...-wʊd...]; ~éлся спор an árgument flared up; ~éлся бой a héated fight devéloped; стрáсти ~éлись féeling ran high, pássions flared up; у неё щёки ~éлись her cheeks flushed.

разгорéться *сов. см.* разгорáться.

разгороди́ть(ся) *сов. см.* разгорáживать(ся).

разгоряч||и́ть *сов. см.* горячи́ть. ~ **и́ться** *сов.* **1.** (*от*) be flushed (with); он ~и́лся от винá, от езды́ верхóм he was flushed with wine, from the ride; **2.** *см.* горячи́ться.

разгрáбить *сов.* (*вн.*) ránsack (*d.*), plúnder (*d.*), pillage (*d.*), loot (*d.*).

разграблéние *с.* plúnder, pillage.

разгради́ть *сов. см.* разграждáть.

разграждá||ть, разгради́ть (*вн.*) *воен.* remóve óbstacles [-ˈmuːv...] (from). ~ **ние** *с. воен.* remóval of óbstacles [-ˈmuː-...], óbstacle cléaring.

разграничéние *с.* **1.** (*различение понятий и т.п.*) differèntiátion, discrìminátion; **2.** (*размежевание*) dèlimitátion, dèmàrcátion [diː-].

разграни́чивать, разграни́чить (*вн.*) **1.** (*различать понятия и т.п.*) differéntiate (*d.*), discríminate (*d.*); **2.** (*размежёвывать*) dèlímit (*d.*), démàrcàte [ˈdiː-] (*d.*). ~ **ся, разграни́читься 1.** (*о поня́тиях и т.п.*) be / become* discrìmináted; **2.** (*размежёвываться*) get* dèlímited / dèmàrcàted [...ˈdiː-]; **3.** *страд. к* разграни́чивать.

разграни́чить(ся) *сов. см.* разграни́чивать(ся).

разграфи́ть *сов. см.* разграфля́ть.

разграфлéние *с.* rúling.

разграфля́ть, разграфи́ть (*вн.*) rule (*in squares, columns, etc.*) (*d.*).

разгребáть, разгрести́ (*вн.*; *граблями*) rake (aside, a:wáy) (*d.*); (*лопатой, совкóм и т.п.*) shóvel [ˈʃʌ-] (aside, a:wáy) (*d.*).

разгрести́ *сов. см.* разгребáть.

разгрóм *м.* **1.** deféat, rout; пóлный ~ неприя́теля crúshing / compléte / útter deféat of the énemy; идéйный ~ ideológical deféat [aɪ-...]; **2.** (*разорение, опустошение*) dèvastátion; **3.** *разг.* (*беспорядок*) hávoc [ˈhæ-], mess; в кóмнате был пóлный ~ éverything in the room was turned úpside-dówn.

разгроми́ть *сов. см.* громи́ть.

разгружá||ть, разгрузи́ть (*вн.*) únlóad (*d.*), dischárge (*d.*); (*вн. от*; *перен.*) relíeve [-iːv] (*d. of*). ~ **ся, разгрузи́ться 1.** get* únlóaded; (*от*; *перен.*) get* / be relíeved [...-iːvd] (of); **2.** *страд. к* разгружáть.

разгрузи́ть(ся) *сов. см.* разгружáть(ся).

разгрýз||ка *ж.* únlóading, (*перен.*) relíef [-liːf]. ~ **очный** únlóading (*attr.*); ~ очное сýдно líghter; ◇ ~ очные дни fásting days.

разгруппировáть *сов. см.* разгруппирóвывать.

разгруппирóвывать, разгруппировáть (*вн.*) divíde into groups [...-uːps] (*d.*), group [-uːp] (*d.*).

разгрызáть, разгры́зть (*вн.*) bite* in two (*d.*); crack (*with one's teeth*) (*d.*); разгры́зть орéх crack *a* nut.

разгры́зть *сов. см.* разгрызáть.

разгýл *м.* **1.** (*рд.*; *безудержное проявление чего-л.*) ráging (of), wild óutburst (of); ~ реáкции órgy of reáction; **2.** (*сильный кутёж*) révelry [-vl-], debáuch.

разгýливать I *разг.* stroll abóut, walk abóut.

разгýливать II, разгуля́ть (*вн.*) *разг.* (*о ребёнке*) keep* from fálling asléep (*d.*).

разгýливаться I, разгуля́ться *разг.* **1.** (*кутить*) go* on the spree; *сов. тж.* be on the loose [...-s]; **2.** (*становиться яснее, лучше*) clear up; погóда разгуля́лась the wéather has cleared up [...ˈwe-...]; день разгуля́лся the day has turned fine; **3.** (*разражаться*) break* loose [-eɪk -s], rámpáge, rage; непогóда разгуля́лась a storm is ráging.

разгýливаться II, разгуля́ться (*не хотéть спать — о детя́х*) have one's sleep dríven a:wáy, *или* díssipated [...ˈdrɪ-...], become* wide a:wáke.

разгýлье *с. разг.* mérry-mȁking, spree.

разгýльн||ый loose [-s], rákish [ˈreɪ-]; вести́ ~ ую жизнь lead* a díssipated / wild life.

разгуля́ть *сов. см.* разгýливать II.

разгуля́ться I, II *сов. см.* разгýливаться I, II.

раздавáть, раздáть (*вн. дт.*) distríbute (*d. to, among*), give* out (*d. to*), serve

раздава́ться I, разда́ться (*о звуке*) be heard [...hə:d], sound, resóund [-´z-], ring* (out); разда́лся крик a cry was heard, *или* resóunded, *или* rang out; разда́лся стук в две́ри there was a knock at the door [...dɔ:].

раздава́ться II, разда́ться 1. (*расступаться*) make* way; толпа́ раздала́сь the crowd made way; 2. *разг.* (*расширяться*) expánd; 3. *разг.* (*толстеть*) put* on weight.

раздава́ться III страд. к раздава́ть.

раздави́ть *сов.* (*вн.*) crush (*d.*); (*о чём-л. мягком тж.*) squash (*d.*); (*о противнике тж.*) óver:whélm (*d.*); (*переехав, убить или искалечить*) run* / knock down (*d.*); ◇ ~ буты́лку *разг.* crack a bottle (of wine).

раздалбливать, раздолби́ть (*вн.*) 1. hóllow (*d.*), enlárge by hóllowing (*d.*); 2. (*долбя, испортить*) break* [breik] (*d.*), smash (*d.*).

раздаривать, раздари́ть (*вн. дт.*) give* awáy (*d. to*).

раздари́ть *сов. см.* раздаривать.

разда́точный distríbuting; ~ пункт distríbuting centre.

разда́тчи||к *м.*, ~ца *ж.* distríbutor, dispénser.

разда́ть *сов. см.* раздава́ть.

разда́ться I, II *сов. см.* раздава́ться I, II.

разда́ча *ж.* distribútion, dispénsing, dispensátion.

раздва́ивать, раздво́ить (*вн.*) biséct (*d.*), divíde into two (*d.*). ~ся, раздво́иться 1. bifúrcate [´bai-], fork; 2. *страд. к* раздва́ивать.

раздвига́ть, раздви́нуть (*вн.*) move / slide* apárt [mu:v...] (*d.*); (*отдёргивать в разные стороны*) pull / draw* apárt [pul...] (*d.*); ~ стол exténd / expánd *a* table; ~ за́навес draw* *the* cúrtain back. ~ся, раздви́нуться 1. move / slide* apárt [mu:v...]; за́навес раздви́нулся the cúrtain was drawn back; толпа́ раздви́нулась the crowd made way; 2. *тк. несов.* (*быть раздвижным*) expánd, exténd; 3. *страд. к* раздвига́ть.

раздвижно́й exténsible; slíding; ~ стол expánding table, exténsion-table; léaf-table; ~ за́навес *театр.* draw cúrtain.

раздви́нуть *сов. см.* раздвига́ть. ~ся *сов. см.* раздвига́ться 1.

раздвое́ние *с.* 1. division into two, divaricátion [dai-], bifurcátion [bai-]; 2.: ~ ли́чности *мед.* split pérsonality.

раздво́енн||ый 1. *прич. и прил.* forked; bifúrcated [´bai-]; ~ое копы́то cloven hoof; 2. *прил. бот.* dichótomous [-´kɔ-], fúrcate.

раздвои́ть(ся) *сов. см.* раздва́ивать(ся).

раздева́||лка *ж. разг.*, ~льная *ж.* скл. как прил., ~льня *ж. разг.* clóak-room.

раздева́ние *с.* undréssing.

раздева́ть, разде́ть (*вн.*) undréss (*d.*). ~ся, разде́ться undréss, strip; (*снимать пальто*) take* off one's coat; ~ся догола́ strip (stark) náked, strip to the skin; ~ся до по́яса strip to the waist; не раздева́ясь without táking off one's clothes [...klouðz]; (*не снимая верхней одежды*) without táking off one's coat.

разде́л *м.* 1. (*действие*) division; partítion; (*земли*) allótment; ~ иму́щества division of próperty; 2. (*часть*) séction; (*в книге*) part; (*в документе*) íssue.

разде́лать(ся) *сов. см.* разде́лывать(ся).

разделе́ние *с.* division; ~ труда́ division of lábour; ~ на уча́стки párcelling out.

раздели́мый divísible [-z-].

раздели́тельн||ый 1. dividing, séparating; ~ая черта́ dividing line; 2. *филос., грам.* disjúnctive; distríbutive; ~ сою́з disjúnctive conjúnction.

раздели́ть *сов. см.* дели́ть I *и* разделя́ть. ~ся *сов. см.* дели́ться I *и* разделя́ться.

разде́лывать, разде́лать (*вн.*) 1. dress (*d.*); (*о туше тж.*) cut* (*d.*); (*о гря́дках и т.п.*) lay* out (*d.*); 2. (*красить под дерево, мрамор и т.п.*) grain (*d.*); ~ шкаф под дуб, оре́х *и т.п.* grain *the* bóokcàse in imitátion of oak, házel, *etc.* [...-keis...]; ◇ разде́лать под оре́х (*вн.*) (*отругать кого-л.*) haul óver the coals (*d.*); (*сделать что-л. хорошо*) make* a very good job of it. ~ся, разде́латься (с тв.) 1. have done (with), be quit (of), be through (with); (*с долгами и т.п.*) pay* off (*d.*), settle (*d.*); 2. (*расправляться*) square / settle accóunts (with); be quits / éven (with); он с ним разде́лается he will make him smart.

разде́льно *нареч.* séparate:ly.

разде́льн||ый 1. (*отдельный*) séparate; ~ое голосова́ние vote on indivídual ítems; ~ое обуче́ние séparate educátion for boys and girls [...-g-]; ~ая убо́рка *с.-х.* twó-stàge hárvesting; 2. (*о произношении*) clear, distínct.

разделя́ть, раздели́ть (*вн.*) 1. divíde (*d.*); (*на вн.*) divíde (*d.* in, into); (*вн. между*) divíde (*d.* betwéen, among); 2. (*разъединять*) séparate (*d.*), part (*d.*); 3. (*присоединяться к чему-л.*) share (*d.*); ~ мне́ние кого́-л. share smb.'s opínion; ~ взгля́ды кого́-л. share smb.'s views [...vju:z]; раздели́ть судьбу́ кого́-л. share smb.'s fate. ~ся, раздели́ться 1. (на вн.) divíde (into) (*тж. перен.*); отря́д раздели́лся на четы́ре гру́ппы the detáchment divided into four groups [...fɔ: gru:-]; мне́ния раздели́лись opinions were divíded; 2. (*прекращать совместную жизнь*) séparate, part; 3. (*на вн.; делиться без остатка*) divíde (by); э́то число́ разде́лится на три this number is divisible by three [...-zi-...]; 4. *страд. к* разделя́ть.

раздёргивать, раздёрнуть 1. (*вн.*) *разг.* draw* / pull apárt [...pul...] (*d.*); раздёрнуть за́навески draw* *the* cúrtains (apárt); 2. *мор.* let* go (by the run).

раздёрнуть *сов. см.* раздёргивать.

разде́ть(ся) *сов. см.* раздева́ть(ся).

раздира́||ть, разодра́ть (*вн.*) *разг.* 1. tear* up [tɛə...] (*d.*); 2. *тк. несов.* (*душу, сердце и т.п.*) rend* (*d.*), lácerate (*d.*), tear* (*d.*); 3. *тк. несов.* (*вызывать внутренние противоречия*) tear* apárt (*d.*), split* (*d.*); ~емый вну́тренней борьбо́й torn by intérnal strife. ~ться,

РАЗ — РАЗ   Р

разодра́ться 1. tear* [tɛə]; 2. *страд. к* раздира́ть.

раздира́ющий 1. *прич. см.* раздира́ть; 2. *прил.* (*ужасный*) héart-rènding [´ha:t-], héart-breaking [´ha:tbrei-]: ~ ду́шу крик héart-rènding / héart-breaking cry.

раздобре́ть *сов. см.* добре́ть II.

раздобри́ться *сов. разг.* become* génerous.

раздобыва́ть, раздобы́ть (*вн.*) *разг.* procúre (*d.*), get* (*d.*); раздобы́ть де́нег get* / raise some móney [...´mʌ-], come* by some móney.

раздобы́ть *сов. см.* раздобыва́ть.

раздолби́ть *сов. см.* раздалбливать.

раздо́ль||е *с.* (*простор*) expánse; (*перен.*) fréedom, líberty; ему́ ~ he is quite free to do what he likes. ~ная жизнь free / éasy life [...´i:zɪ...].

раздо́р *м.* díscord, dissénsion; жить в ~е live in díscord [liv...]; ◇ семена́ ~а seeds of díscord; я́блоко ~а apple of díscord, bone of conténtion; се́ять ~ breed* strife, sow* díscord [sou...].

раздоса́довать *сов.* (*вн.*) *разг.* vex (*d.*). ~ся *сов. разг.* get* / become* vexed.

раздража́ть, раздражи́ть (*вн.*; в разн. знач.) írritàte (*d.*); annóy (*d.*), put* out (*d.*); (*действовать на нервы*) exásperate (*d.*). ~ся, раздражи́ться get* írritated / annóyed, chafe; ~ся из-за пустяко́в, по пустяка́м get* írritated, *или* chafe, at a mere nothing; напра́сно он раздража́ется he should:n't get so upsét; there's nothing for him to be ángry about.

раздража́ющ||ий 1. *прич. см.* раздража́ть; 2. *прил.* írritàting, annóying, írk:some; ~ее ОВ írritant (gas).

раздраже́н||ие *с.* (в разн. знач.) irritátion; с ~ием with irritátion; в ~ии in irritátion, in a témper.

раздражённый 1. *прич. см.* раздража́ть; 2. *прил.* ángry, írritated, exásperàted.

раздражи́мость *ж.* irritability.

раздражи́тель *м. физиол.* írritant. ~но *нареч.* with irritátion, in irritátion, in a témper, írritably. ~ность *ж.* irritability, shortness of témper, pétulance. ~ный írritable, short of témper, shórt-témpered, pétulant; он о́чень раздражи́телен he is very írritable.

раздражи́ть(ся) *сов. см.* раздража́ть(ся).

раздразни́ть *сов.* (*вн.*) *разг.* 1. tease (*d.*); 2. stímulate (*d.*); ~ чей-л. аппети́т excite / whet smb.'s áppetite.

раздрако́н||ивать, раздрако́нить (*вн.*) *разг.* break* [breik] (*d.*), smash (*d.*), deféat útterly (*d.*). ~ить *сов. см.* раздрако́нивать.

раздроби́ть(ся) *сов. см.* раздробля́ть(-ся) *и* дроби́ть(ся).

раздробле́ние *с.* 1. bréaking up [´brei-...], párcelling (out); 2. *мат.* redúction.

раздро́бленн||ый 1. *прич. см.* раздробля́ть; 2. *прил.* crushed, bróken; (*о кости*) splíntered, sháttered; 3. *прил.*: ~ое се́льское хозя́йство scáttered fárming.

529

РАЗ — РАЗ

раздробля́ть, раздроби́ть 1. (вн.) break* / smash to pieces [-eɪk... ′piː-] (д.); (об участке земли и т.п.) parcel (out) (д.); (о кости) splinter (д.), shatter (д.); 2. (вн. в вн.) мат. turn (д. into); ~ ме́тры в сантиме́тры turn / convert metres into centimetres, express metres in terms of centimetres. ~ся, раздроби́ться 1. break* / smash to pieces [-eɪk...′piː-]; (о кости) splinter, shatter; 2. страд. к раздробля́ть.

раздружи́ться сов. (с тв.) break* it off [breɪk...] (with), break* off (friendly) relations [...′fren-...] (with).

раздува́ние с. 1. (огня) blowing [′blou-]; 2. (преувеличение) exaggeration [-dʒə-].

раздува́ть, разду́ть (вн.) 1. (об огне) fan (д.) (тж. перен.); (мехами и т.п.) blow* [-ou] (д.); (перен.) rouse (д.); ~ пла́мя войны́ fan the flames of war; 2. (надувать) blow* (out) (д.); ~ щёки blow* out one's cheeks; 3. безл.: у него́ разду́ло лицо́, щёку и т.п. his face, cheek, etc., is swollen [...-ou-]; 4. разг. (преувеличивать) exaggerate [-dʒə-] (д.); (создавать шумиху) swell* (д.), push [puʃ] (д.), boost (д.); ~ вое́нную истерию whip up, или fan, war hysteria / psychosis [...saɪ′k-]; 5. тк. несов. разг. (развевать) blow* about (д.), flutter (д.); ве́тер раздува́л знамёна the colours / banners are flying / flapping in the wind [...′kʌ-...wɪ-]. ~ся, разду́ться 1. be blown / puffed up [...-oun...], swell*; щека́ у него́ разду́лась his cheek is swollen [...-ou-]; с раздува́ющимися ноздря́ми with dilated nostrils [...daɪ-...]; 2. страд. к раздува́ть.

разду́мать сов. (+ инф.) change one's mind [tʃeɪ-...] (about + -ing), decide not (+ to inf.); он ~ал идти́ туда́ he has changed his mind about going there; he has decided not to go there.

разду́маться сов. (о пр.) разг. start thinking (about), be absorbed in thinking (about).

разду́мывать 1. (о пр.; размышлять) meditate (on, upon), muse (over), ponder (over), consider [-′sɪ-] (д.), ruminate (on); (грустно, мрачно) brood (over); (взвешивать) deliberate (д.); 2. (колебаться) hesitate [-zɪ-]; не ~ая without hesitation [...-zɪ-], without a moment's thought.

разду́мье с. 1. (задумчивость) meditation, thoughtful mood; в глубо́ком ~ deep in thought; в мра́чном ~ in gloomy reflection; 2. (колебание) hesitation [-zɪ-]; его́ взяло́ ~ he is in doubt [...daut].

разду́тый 1. прич. см. раздува́ть; 2. прил. (преувеличенный) exaggerated [-dʒə-]; (о бюджете и т.п.) inflated; ~ые шта́ты inflated staffs; ~ые сме́ты exaggerated estimates.

разду́ть сов. см. раздува́ть 1, 2, 3, 4. ~ся сов. см. раздува́ться.

разева́ть, рази́нуть (вн.) разг. open (wide) (д.); ~ рот open wide one's mouth*; (зевать, глазеть и т.п.) gape; рази́нув рот agape, open-mouthed.

разжа́лобить сов. (вн.) move to pity [muːv... ′pɪ-] (д.), stir the pity (of); ~ до слёз move to tears (д.). ~ся сов. разг. be moved to pity [...muːvd... ′pɪ-].

разжа́лование с. уст. degradation.

разжа́лованный уст. 1. прич. см. разжа́ловать; 2. м. как сущ. воен. degraded officer.

разжа́ловать сов. (вн.) уст. degrade (д.); demote (д.); ~ в солда́ты reduce to the ranks.

разжа́ть(ся) сов. см. разжима́ть(ся).

разжева́ть сов. см. разжёвывать.

разжёвывание с. chewing, mastication.

разжёвывать, разжева́ть (вн.) chew (д.), masticate (д.); (перен.) разг. chew over (д.); э́то мя́со тру́дно разжева́ть this meat is hard to chew.

разже́чь(ся) сов. см. разжига́ть(ся).

разжи́ва ж. разг. gain, profit.

разжива́ться, разжи́ться разг. 1. (наживаться, богатеть) get* rich, make* a pile; 2. (тв.; добывать что-л.) come* (by), get* hold (of).

разжига́ть, разже́чь (вн.) kindle (д.), enkindle (д.); (перен. тж.) rouse (д.): ~ дрова́, ого́нь kindle the firewood, fire [...-wud...]; ~ не́нависть (en-)kindle / rouse hatred (д.); ~ любо́вь kindle the flame of love [...lʌv], kindle love into a flame; — ~ стра́сти inflame the passions, arouse passion; ~ национа́льную вражду́ rouse, или stir up, national hatred [...′næ-...].

разжига́ться, разже́чься 1. kindle; (перен.) be aroused, be (en-)kindled; дрова́ разожгли́сь the firewood kindled [...-wud...]; 2. страд. к разжига́ть.

разжиди́ть сов. см. разжижа́ть.

разжижа́ть, разжиди́ть (вн.) dilute [daɪ-] (д.), thin (д.).

разжиже́ние с. dilution [daɪ-], rarefaction [rɛə-], thinning (out).

разжима́ть, разжа́ть (вн.; кулак) unclench (д.), undo (д.), open (д.); (пружину и т.п.) let* down (д.), release [-s] (д.); ~ ру́ки unclasp one's hands; не ~ я губ without opening one's lips. ~ся, разжа́ться 1. (о кулаке) unclench, open; (о пружине и т.п.) expand, extend; гу́бы разжа́лись the lips parted; 2. страд. к разжима́ть.

разжире́ть сов. см. жире́ть.

разжи́ться сов. см. разжива́ться.

раззадо́ривать, раззадо́рить (вн.) разг. provoke (д.), excite (д.), stir up (д.). ~ся, раззадо́риться разг. get* excited, get* worked up.

раззадо́рить(ся) сов. см. раззадо́ривать(ся).

раззва́нивать, раззвони́ть (вн., о пр.) разг. (разглашать) trumpet (д.); proclaim from the house-tops [...-s-]; он раззвони́л об э́том повсю́ду he trumpeted it everywhere.

раззвони́ть сов. см. раззва́нивать.

раззнако́миться сов. (с тв.) разг. break* off one's acquaintance [breɪk...] (with), break* (with), break* off (with).

раззуде́ться сов. разг. cause a smarting pain; (перен.) itch for action.

разя́ва м. и ж. разг. = рази́ня.

рази́нуть сов. см. разева́ть.

рази́ня м. и ж. разг. scatter-brain.

рази́тельность ж. strikingness. ~ый striking; ~ый приме́р striking example [...-ɑːm-]; ~ое схо́дство striking likeness.

рази́ть I, срази́ть (вн.; ударять, поражать) strike* (д.), hit* (д.); сов. тж. strike* down (д.).

рази́ть II безл. (тв.) разг. (сильно пахнуть) reek (of); от него́ ~ло вино́м he reeked of wine.

разлага́ть, разложи́ть (вн.) 1. (на составные части) хим. decompose (д.); мат. factorize (д.); физ. (о силе) resolve [-′zɔ-] (д.); ~ во́ду на кислоро́д и водоро́д decompose / break* water into oxygen and hydrogen [...breɪk ′wɔː-... ′haɪ-]; ~ число́ на мно́жители factorize a number; 2. (деморализовать) demoralize (д.), corrupt (д.); ~ а́рмию проти́вника demoralize / corrupt the enemy's army.

разлага́ться, разложи́ться 1. (на составные части) хим. decompose; мат. be factorized; число́ разложи́лось на мно́жители the number was factorized; 2. (загнивать) decompose; rot, decay; труп разложи́лся the body decomposed [...′bɔ-...]; 3. (деморализоваться) get* corrupted / demoralized; а́рмия врага́ разложи́лась the enemy's army was demoralized; 4. страд. к разлага́ть.

разлага́ющий 1. прич. см. разлага́ть; 2. прил. harmful, corrupting; ~ее влия́ние corrupting influence.

разла́д м. 1. (в работе и т.п.) disorder; 2. (раздор, разногласие) discord, dissension; вноси́ть ~ sow* dissension / discord [sou-...].

разла́дить(ся) сов. см. разла́живать(-ся).

разла́живать, разла́дить (вн.) 1. derange [-′reɪ-] (д.); 2. разг. (расстраивать) mess up (д.). ~ся, разла́диться 1. get* out of order; 2. (о деле, предприятии и т.п.) take* a bad turn, go* wrong; 3. страд. к разла́живать.

разла́комить сов. (кого-л. чем-л.) разг. give* smb. a taste [...-teɪ-] (for smth.), make* smb.'s mouth water [...′wɔː-] (for smth.). ~ся сов. (тв.) get* a taste [...-teɪ-] (for).

разла́мывать, разлома́ть, разломи́ть (вн.) 1. при сов. разлома́ть break* [-eɪk] (д.); (разрушать) break* down (д.), pull down [pul...] (д.); 2. при сов. разломи́ть break* (д.). ~ся, разлома́ться, разломи́ться 1. break* [-eɪk]; 2. страд. к разла́мывать.

разлёживаться разг. lie* in.

разлеза́ться, разле́зться разг. ravel out [′ræ-...]; его́ сапоги́ разле́злись his boots are coming to pieces, или falling to bits [...′piː-...].

разле́зться сов. см. разлеза́ться.

разлени́ться сов. разг. grow* very lazy [-ou-...]; become* sunk in sloth [...slouθ].

разлепи́ть(ся) сов. см. разлепля́ть(ся).

разлепля́ть, разлепи́ть (вн.) разг. unstick* (д.). ~ся, разлепи́ться разг. 1. come* unstuck; 2. страд. к разлепля́ть.

разлета́ться, разлете́ться 1. (улетать) fly* away; (рассеиваться) scatter (in the air), fly* asúnder; листы́ ~е́лись по ко́мнате the páges flew abóut the room; 2. *разг.* (*рассыпаться разбившись*) (*перен.*; *о мечтах и т. п.*) vánish, be lost, shátter; ~ на куски́ fly* to bits; smash to smithereens; все на́ши наде́жды ~е́лись all our hopes vánished, *или* were dashed.

разлете́ться *сов.* 1. *см.* разлета́ться; 2. (к, в *вн.*) *разг.* (*поспешно прибежать*) dash (to *a* place, up to *a* person, into *a* room).

разле́чься *сов.* stretch oneself out, sprawl.

разли́в *м.* 1. (*реки и т. п.*) flood [-ʌd], óverflow [-ou]; 2. (*вина и т. п.*) bóttling. ~а́ние *с.* póuring out ['pɔː-...]; она́ была́ занята́ ~а́нием ча́я she was búsy póuring out tea [...'biːzɪ...].

разлива́нн||ый: ~ое мо́ре *разг.* óceans / láshings (of drink) ['ouʃnz...].

разлива́тельн||ый: ~ая ло́жка soup ladle [suːp...].

разлива́ть, разли́ть (*вн.*) 1. (*проливать*) spill* (*d.*); 2. (*наливать*) pour out [pɔː...] (*d.*); (*по бутылкам*) bottle (*d.*); ~ чай pour the tea; ~ суп ladle out soup [...suːp]; ~ вино́ pour the wine; ◇ водо́й не разольёшь *разг.* ≅ thick as thieves [...θiːvz] *идиом.* ~ся, разли́ться 1. spill*; 2. (*выходить из берегов*) óverflow [-ou]; от дожде́й река́ разлила́сь the rains caused the river to óverflow, *или* to burst its banks [...'tɪ-...]; 3. мед.: у него́ жёлчь разлила́сь he has a bílious attáck; 4. (*распространяться*) spread* [-ed]; 5. *тк. несов.* (*петь звонко*) pour out one's song; 6. *страд. к* разлива́ть.

разливн||о́й: ~о́е пи́во, вино́ beer, wine on tap / draught [...drɑːft]; beer, wine from the wood [...wud]; ~о́е молоко́ únbóttled milk.

разли́вочн||ый *тех.* téeming, cásting; ~ая маши́на cásting machine [...-ʃiːn]; ~ ковш cásting ladle.

разлинова́ть *сов. см.* разлино́вывать.

разлино́вывать, разлинова́ть (*вн.*) rule (*d.*) (make parallel lines).

разли́тие *с.* 1. (*рек и т. п.*) óverflow [-ou]; 2. *мед.:* ~ жёлчи bílious attáck.

разли́ть *сов. см.* разлива́ть. ~ся *сов. см.* разлива́ться 1, 2, 3, 4.

различ||а́ть, различи́ть (*вн.*) 1. (*проводить различие*) distínguish (*d.*), discérn (*d.*); 2. (*распознавать*) make* out (*d.*). ~а́ться 1. differ; ~а́ться длино́й, ширино́й *и т. п.* differ in length, in width, *etc.*; 2. *страд. к* различа́ть. ~е́ние *с.* distínguishing, discérning.

разли́чи||е *с.* distínction; (*несходство, разница*) dífference; де́лать ~ (ме́жду) discríminate (betwéen), make* distínctions (betwéen); без ~я without distínction; ~ во взгля́дах dífference of opínion; ◇ зна́ки ~я bádges of rank.

различи́тельный distínctive.

различи́ть *сов. см.* различа́ть.

разли́чн||ый 1. (*неодинаковый*) dífferent; ~ по существу́ essentially dífferent; 2. (*разнообразный*) divérse [daɪ-], várious; по ~ым соображе́ниям for várious réasons [...'riːz-]; ~ые лю́ди all mánner of péople [...piː-].

разлож||е́ние *с.* 1. (*на составные части*) dècompositíon [-'zɪ-]; 2. *мат.* expánsion; *физ.* (*сил*) rèsolútion [-zə-]; 3. (*гниение*) dècompositíon; (*перен.; упадок*) decáy; 4. (*деморализация*) dèmorálization [-laɪ-], corrúption; мора́льное ~ móral dègradátion ['mɔ-...]. ~и́вшийся *прич. и прил.* 1. (*загнивший*) dècompósed; decáyed, rótten (*тж. перен.*); 2. (*деморализованный*) démoralized, corrúpted.

разложи́ть *сов.* 1. *см.* раскла́дывать; 2. *см.* разлага́ть. ~ся *сов.* 1. *см.* раскла́дываться; 2. *см.* разлага́ться.

разло́м *м.* 1. (*действие*) bréaking [-eɪk-]; breák-úp [-eɪk-]; 2. (*место*) break [-eɪk].

разломи́ть *сов. см.* разла́мывать 1. ~ся *сов. см.* разла́мываться.

разлом||и́ть *сов.* 1. *см.* разла́мывать 2; 2. *безл. разг.:* его́ всего́ ~и́ло every bone in his bódy aches [...'bɔdɪ eɪks]. ~и́ться *сов. см.* разла́мываться.

разлу́к||а *ж.* 1. sèparátion; жить в ~е (с *тв.*) live apárt [lɪv...] (from); be sèparáted (from); 2. (*расставание*) párting; час, день ~и hour, day of párting [auə...].

разлуч||а́ть, разлучи́ть (*вн. с тв.*) sèparáte (*d.* from), part (*d.* from), séver ['se-] (*d.* from). ~а́ться, разлучи́ться 1. sèparáte, part; 2. *страд. к* разлуча́ть. ~и́ть(ся) *сов. см.* разлуча́ть(ся).

разлу́чн||ик *м.,* ~ица *ж. разг.* rival in love [...lʌv].

разлюби́ть *сов.* (*кого-л.*) love no lónger [lʌv...] (smb.), stop lóving [...'lʌv-] (smb.), cease to love [-s-] (smb.), stop cáring (for); (*что-л.*) like no lónger (smth.), cease to like (smth.).

размагни́||тить(ся) *сов. см.* размагни́чивать(ся). ~чивать, размагни́тить (*вн.*) demágnetize (*d.*); (*перен.*) cool off (*d.*). ~чиваться, размагни́титься 1. becóme* demágnetized; (*перен.*) *разг.* lose* one's zest [luːz...], cool off; 2. *страд. к* размагни́чивать.

разма́зать(ся) *сов. см.* разма́зывать (-ся).

размазн||я́ 1. *ж.* (*каша*) gruel [gru-]; 2. *м. и ж. разг.* (*о человеке*) ditherer [-ðə-], sap.

разма́з||ывать, разма́зать (*вн.*) 1. spread* [-ed] (*d.*); ма́льчик ~ал грязь по всему́ лицу́ a boy spread* dirt all óver his face; 2. *разг.* (*о манере говорить*) pad out (*d.*), spin* out (*d.*); он ~ал свой докла́д he pádded out his repórt. ~ываться, разма́заться 1. spread* [-ed], blur, get* smeared; 2. *страд. к* разма́зывать.

размалева́ть *сов. см.* размалёвывать.

размалёвывать, размалева́ть (*вн.*) *разг.* daub (*d.*).

разма́лывать, размоло́ть (*вн.*) grind (*d.*), mill (*d.*). ~ся, размоло́ться 1. get* ground / milled; 2. *страд. к* разма́лывать.

разма́тывать, размота́ть (*вн.; о верёвке и т. п.*) únwind* (*d.*), úncóil (*d.*); (*о катушке тж.*) únréel (*d.*). ~ся, размота́ться 1. (*о верёвке и т. п.*) únwind*, úncóil; (*о катушке тж.*) únréel; 2. *страд. к* разма́тывать.

РАЗ — РАЗ   Р

разма́х *м.* 1. (*величина колебания, качания*) swing; 2. (*сила взмаха*) sweep; со всего́ ~у with all one's might; уда́рить с ~у (*вн.*) strike* with all one's might; 3. (*крыльев*) wing-spread [-ed]; wing-spán (*тж. ав.*); 4. (*о деятельности и т. п.*) scope, range [reɪ-], sweep, scale; челове́к широ́кого ~а a man* of wíde-ranging énterprise [...-reɪ-...]; ~ революцио́нного движе́ния scope / range of the rèvolútionary móvement [...'muː-]; приобрета́ть всё бо́льший ~ continually gain in scope; широ́кий ~ строи́тельства wide scope of constrúction.

размаха́ться *сов. разг.* wave, brándish.

разма́х||ивать (*тв.*) swing* (*d.*); (*мечом, палкой и т. п.*) brándish (*d.*); ~ивая рука́ми swínging one's arms; ~ рука́ми (*жестикулировать*) gèstículate; saw* the air *идиом.* ~иваться, размахну́ться swing* one's arm; (*перен.*) *разг.* do things in a big way; он ~ну́лся и уда́рил его́ he swung his arm and struck him. ~ну́ться *сов. см.* разма́хиваться.

разма́чивать, размочи́ть (*вн.*) soak (*d.*), steep (*d.*). ~ся, размочи́ться 1. get* soaked / steeped; 2. *страд. к* разма́чивать.

разма́шист||о *нареч.* bóldly, in a swéeping mánner; писа́ть ~ write* a bold hand; ~ грести́ row with vígorous strokes [rou...]. ~ый swéeping; ~ый по́черк bold hand; ~ые движе́ния swínging / swéeping mótions.

размежева́ние *с.* dèmarcátion [di:-], dèlimitátion.

размежева́ть(ся) *сов. см.* размежёвывать(ся).

размежёвывать, размежева́ть (*вн.*) dèmárcàte ['di:-] (*d.*), dèlímit [di:-] (*d.*) (*тж. перен.*). ~ся, размежева́ться 1. fix the bóundaries (betwéen us, you, them); (*перен.; о функциях*) dèlímit the fúnctions / àctivities, *или* the spheres of áction; 2. (*с тв.; отделяться*) break* off relátions (with).

размельч||а́ть, размельчи́ть (*вн.*) make* small (*d.*); (*в порошок*) púlverize (*d.*). ~а́ться, размельчи́ться becóme* small; becóme* púlverized; ~е́ние *с.* máking small; (*в порошок*) pùlverizátion [-raɪ-]. ~и́ть(ся) *сов. см.* размельча́ть (-ся).

разме́н *м.* exchánge [-'tʃeɪ-]; ~ де́нег chánging of móney ['tʃʌnɪ-...'mʌ-].

разме́нивать, разменя́ть (*вн.*) change [tʃeɪ-] (*d.*). ~ся, разменя́ться (*тв.*) exchánge [-'tʃeɪ-] (*d.*); ~ся на ме́лочи, по мелоча́м *разг.* squánder one's gifts / tálents on trífles [...g- 'tæ-...], díssipàte one's tálent(s).

разме́нн||ый: ~ая моне́та small change [...tʃeɪ-].

разменя́ть(ся) *сов. см.* разме́нивать (-ся).

разме́р I *м.* 1. (*величина, масштаб*) diménsions *pl.;* стол ~ом в два квадра́тных ме́тра table méasuring two square metres [...'meʒ-...]; 2. (*об одежде, обуви*) size; э́то не мой ~ it is not my

РАЗ—РАЗ

size; 3. (*о проценте, налогах, зарплате*) rate; ~ финансирования volume of financing [...faɪ-]; 4. (*степень*) degree, extent; scale; в небольшом ~е on a small scale; в широких ~ax on a large scale; увеличиться до огромных ~ов in:créase to, *или* assume, enormous propórtions [-s...].

размер II *м.* 1. (*стиха*) metre; 2. *муз.* méasure ['me-], time.

размеренн||ый 1. *прич. см.* размерять; 2. *прил.* méasured ['me-]; ~ая походка méasured tread [...tred]; méasured steps *pl*.

размерить *сов. см.* размерять.

размерять, размерить (*вн.*) méasure off ['me-...] (*d.*); méasure ['meʒə] (*d.*) (*тж. перен.*).

размесить *сов. см.* размешивать I.

размести *сов. см.* разметать I.

разместить(ся) *сов. см.* размещать (-ся).

разметать I, размести (*вн.*) 1. (*очищать от чего-л.*) sweep* clear (*d.*); 2. (*убирать что-л.*) sweep* a:wáy / off (*d.*).

разметать II *сов.* (*вн.*) dispérse (*d.*); (*о сене и т.п.*) scátter / spread* abóut [...-ed...] (*d.*).

разметаться *сов.* (*в постели*) toss (abóut).

размет||ить *сов. см.* размечать. **~ка** *ж.* márking-óut.

разметчик *м.* (*квалификация*) márker.

размечать, разметить (*вн.*) mark (*d.*).

размечтаться *сов. разг.* be lost in dáy-dreams.

размешать *сов. см.* размешивать II.

размешивать I, размесить (*вн.*; *о тесте, глине и т.п.*) knead (*d.*).

размешивать II, размешать (*вн.*) stir (*d.*).

размещать, разместить (*вн.*) 1. place (*d.*), put* (*d.*), accómmodàte (*d.*); house (*d.*); (*о грузе*) stow [stou] (*d.*); (*о войсках — по квартирам*) quárter (*d.*), bíllet (*d.*); 2. (*о капитале*) invést (*d.*), place (*d.*); ~ заём distríbute / float *a* loan. **~ся**, разместиться 1. take* seats / pláces; (*располагаться*) be quártered / accómmodàted; 2. *страд. к* размещать.

размещение *с.* plácing, accómmodátion; ~ груза stówage ['stou-]; ~ промышленности в стране tèrritórial / gèográphical dìstribútion of índustry in the cóuntry [...ˈkʌn-]; ~ предприятий síting of plants [...a:nts]; ~ по квартирам (*войск*) quártering, bílleting; ~ вооружённых сил dispositión / státioning of armed fórces [-ˈzɪ-...]; 2. (*о капитале*) invéstment; ~ займа distríbuting / flóating *a* loan.

разминать, размять (*вн.*) 1. (*о тесте, глине и т.п.*) knead (*d.*); (*о картофеле и т.п.*) mash (*d.*); 2.: ~ ноги *разг.* stretch one's legs. **~ся**, размяться 1. grow* soft by knéading [-ou-...]; (*о картофеле и т.п.*) get* mashed; 2. *разг.* (*двигаться*) stretch one's legs; 3. *спорт.* límber up; lóosen up [-s-...]; 4. *страд. к* разминать.

разминирова||ние *с. воен.* mine cléaring.

~ть *несов. и сов.* (*вн.*) *воен.* clear of mines (*d.*), demíne (*d.*).

разминка *ж. спорт.* límbering-ùp, wárming-ùp.

разминуться *сов. разг.* 1. (*не встретиться*) miss each other; (*о письмах*) cross each other; 2. (*о машинах, лодках и т.п.*) (be able to) pass.

размнож||ать, размножить (*вн.*) múltiplỳ (*d.*); (*документ в копиях тж.*) mánifòld (*d.*), dúplicàte (*d.*); (*на ротаторе тж.*) mímeográph (*d.*). **~áться**, размножиться 1. *биол.* própagàte it:sélf; (*о животных тж.*) breed*; (*о рыбах, лягушках*) spawn; (*о растениях*) própagàte; ~áться делéнием, почкованием própagàte it:sélf by gèmmátion; 2. (*увеличиваться в числе*) múltiplỳ (*d.*); 2. *страд. к* размножáть. **~éние** *с.* 1. rè:prodúction in quántity; 2. *биол.* rè:prodúction; própagàtion; половое ~éние séxual rè:prodúction; беспóлое ~éние aséxual rè:prodúction; ~éние делéнием, почкованием rè:prodúction by gèmmátion; óрганы ~éния rè:prodúctive órgans.

размножить *сов. см.* размножать. **~ся** *сов. см.* размножáться.

размозжить [-ожжи-] *сов.* (*вн.*) smash (*d.*); ~ кому-л. гóлову smash smb.'s skull; ~ себé гóлову smash / break* one's skull [...breɪk...].

размокáть, размóкнуть get* sóaked (*сильно*) get* sódden; сухари размóкли the rusks are sódden.

размóкнуть *сов. см.* размокáть.

размóл *м.* 1. (*процесс*) grínding; 2.: мукá крýпного ~а cóarse flour, cóarse-ground flour; мукá мéлкого ~а fine flour, fíne:ly ground flour.

размóлвка *ж.* tiff, mìsùnderstánding, disagréement; между ними ~ they have fáll:en out.

размолóть(ся) *сов. см.* размáлывать (-ся).

размонтировать *сов.* (*вн.*) dìsmóunt (*d.*), dìsmántle (*d.*).

размораживать, разморозить (*вн.*) (*о замороженных продуктах*) dèfréeze (*d.*), ùnfréeze (*d.*); (*о холодильнике*) dèfróst (*d.*).

размори||ть *сов.* (*вн.*) *разг.*: жарá егó совсéм ~ла, егó ~ло от жары he was worn out by the heat [...wɔ:n...]. **~ться** *сов. разг.* be worn out by the heat [...wɔ:n...].

разморозить *сов. см.* размораживать.

размотáть(ся) *сов. см.* размáтывать (-ся).

размóтка *ж.* ùnwínding, ún:cóiling; (*с катушки*) ún:réeling.

размочить(ся) *сов. см.* размáчивать (-ся).

размыв *м.* wásh-óut, erósion.

размывáние *с.* wáshing out.

размывáть, размыть (*вн.*) wash a:wáy (*d.*); *геол.* eróde (*d.*); рекá размыла берегá the ríver has washed a:wáy its banks [...ˈrɪ-...].

размыкáние *с.* 1. bréaking [-eɪk-]; 2. *воен.* ópen:ing.

размы́кать *сов.* (*вн.*) *разг.* shake* off (*d.*); ~ гóре shake* off one's grief [...-i:f].

размыкáть, разомкнýть (*вн.*) 1. break* [-eɪk] (*d.*); ~ ток эл. break* the eléctric cúrrent, dìsconnéct the cúrrent; 2. *воен.* ópen (*d.*). **~ся**, разомкнýться 1. come* apárt; ópen; 2. *воен.* exténd, ópen ranks; 3. *страд. к* размыкáть.

размыслить *сов. см.* размышлять 1.

размыть *сов. см.* размывáть.

размышлéни||е *с.* reflection, mèditátion; это наводит на ~я it makes *one* think / wónder [...ˈwʌ-]; по зрéлом ~и on matúre reflection, on sécond thoughts [...ˈse-...]; пять минýт на ~ five mínutes for reflection [...ˈmɪnɪts...]; быть погружённым в ~я be lost in thought / mèditátion.

размышлять, размыслить (*о пр.*) 1. refléct (on, up:ón), méditàte (on, up:ón), pónder (óver, on), muse (on, up:ón); 2. *тк. несов.* turn óver in one's mind (*d.*).

размягч||áть, размягчить (*вн.*) make* soft (*d.*); sóften [-f'n] (*d.*) (*тж. перен.*). **~áться**, размягчиться 1. sóften [-f'n], grow* soft [-ou-...]; 2. *страд. к* размягчáть. **~éние** *с.* sóftening [-f'n-]; **~éние** мóзга *мед.* sóftening of the brain; **~éние** костéй òsteomalácia. **~ить(ся)** *сов. см.* размягчáть(ся).

размякáть, размякнуть 1. sóften [-f'n], grow* soft [-ou...]; 2. (*перен.*) *разг.* (*о человеке*) be sóftened [...-f'nd], melt.

размякнуть *сов.* 1. *см.* размякáть; 2. *как сов. к* мякнуть.

размять(ся) *сов. см.* разминáть(ся).

разнарядка *ж. тех.* órder, múltiple púrchase órder [...-s...].

разнáшивать, разносить (*вн.; об обуви*) wear* in [weə-...] (*d.*). **~ся**, разноситься becóme* cómfortable [...ˈkʌ-].

разнéживаться, разнéжиться *разг.* (*расчувствоваться, смягчáться*) grow* soft [-ou...], becóme* too soft.

разнéжиться *сов. см.* разнéживаться.

разнéжничаться *сов. разг.* bill and coo.

разнéрвничаться *сов. разг.* becóme* nérvous.

разнестí *сов. см.* разносить II. **~сь** *сов. см.* разноситься II.

разнимáть, разнять (*вн.*) 1. (*разъединять*) dìsjóint (*d.*); (*на чáсти тж.*) take* to píeces [...ˈpi:-] (*d.*); 2. *разг.* (*о дерýщихся*) séparàte (*d.*), part (*d.*).

рáзниться díffer.

рáзниц||а *ж.* dífference; (*неравенство*) dispárity; с той ~ей, что with the dífference that; ~ в том, что the dífference is that; ~ в ценé dífference in price; огрóмная ~ a great dífference [...-eɪt...]; ~ в годáх dispárity in age; ◊ какáя ~? what's the dífference?

разнобóй *м. разг.* lack of cò-òrdinátion, díscòrd.

разновéс *м. тк. ед. собир.* set of weights.

разновидность *ж.* varíety.

разноврéменн||ый táking place, *или* háppening, at dífferent times; ~ые собы́тия evénts háppening at dífferent times.

разноглáси||е *с.* (*в пр.*) 1. dífference (of), dìsagréement (in), díscòrd (in); между нами ~я they are at várìance, they are in dìsagréement; ~ во взглядах dífference of opínion; устранить ~я séttle / resólve the dífferences [...-ˈzɔlv...]; smooth / íron out the dífferences

532

[-ðˈaɪən...]; 2. (*противоречие*) discrépancy (betwéen); ~ в показаниях *юр.* conflícting évidence.

разноголо́сица *ж. разг.* discordance, dissonance; ~ во мне́ниях discórdance / dífference of opínion, dissént.

разноголо́сый discórdant.

ра́зное *с. скл. как прил.* (*на повестке дня и т. п.*) any other búsiness [...ˈbɪzn-]; (*рубрика в журнале, газете*) miscellánea [-nɪə] *pl.*

разнокали́берный *тех., воен.* of dífferent cálibres; (*перен.*) *разг.* mixed, héterogéneous.

разнома́стный 1. of dífferent cólours [...ˈkʌl-]; (*о лошадях тж.*) of dífferent coats; 2. *карт.* of dífferent suits [...sjuːts].

разномы́сл‖ие *с.* dífference of opínion(s) / mind. ~**ящий** díssident.

разнообра́з‖ие *с.* varíety, divérsity [daɪ-]; вноси́ть ~ в жизнь relíeve the monótony of life [-ˈliːv...]; для ~ия just for a change [...tʃeɪ-].

разнообра́з‖ить (*вн.*) divérsifý [daɪ-] (*d.*), váry (*d.*). ~**ность** *ж.* varíety, divérsity [daɪ-]. ~**ный** várious, divérse [daɪ-].

разноплемённый of dífferent ráces / tribes.

разнопо́лый *биол.* of dífferent séxes.

разнорабо́чий *м. скл. как прил.* únskilled lábourer; òdd-jób man*.

разноречи́в‖ость *ж.* còntradíction. ~**ый** contradíctory.

разноро́дн‖ость *ж.* hèterogenéity [-ˈniː-]. ~**ый** héterogéneous.

разно́с *м. разг.* 1. (*писем и т. п.*) cárrying; 2. (*выговор*) ráting, dréssing (down), blówing-úp [ˈbloʊ-].

разноси́ть I *сов. см.* разна́шивать.

разноси́ть II, **разнести́** (*вн.*) 1. (*доставлять*) cárry (*d.*), convéy (*d.*); (*о письмах*) delíver [-ˈlɪ-] (*d.*); 2. *разг.* (*распространять — о новостях и т. п.*) spread* [-ed] (*d.*); 3. (*по книгам, на карточки*) énter (*d.*); (*по книгам тж.*) book (*d.*); 4. *безл. разг.*: щёку разнесло́ *his* cheek is swóllen [...-oʊ-]; его́ разнесло́ he has got very fat; 5. (*разбивать, разрушать*) smash (*d.*); destróy (*d.*); бу́ря разнесла́ ло́дку в щепки the storm smashed the boat to píeces [...ˈpiː-]; 6. *разг.* (*рассеивать*) scátter (*d.*), dispérse (*d.*); ве́тер разнёс обры́вки бума́ги the wind scáttered the strips of páper; 7. *разг.* (*бранить*) give* a ráting (*i.*), give* a good dréssing down, *или* a good wígging (*i.*); blow* up [bloʊ...] (*d.*).

разноси́ться I *сов. см.* разна́шиваться.

разноси́ться II, **разнести́сь** 1. (*распространяться*) spread* [-ed]; 2. (*раздаваться — о звуке*) resóund [-ˈzaʊnd]; 3. *страд. к* разноси́ть II.

разно́ска *ж. разг.* (*писем и т. п.*) delívery.

разносклоня́емый *грам.* hèteroclític.

разносн‖ый́ 1.: ~ая книга delívery book; ~ая торго́вля stréet-hawking; 2. *разг.* (*резко критикующий*) annihílating [əˈnaɪə-], sláshing; ~ая статья́ в газе́те annihílating néwspàper árticle.

разносо́л *м.* 1. *уст.* pickle(s) *pl.*; 2. *мн. разг.* dáinties, délicacies.

разноспряга́емый *грам.*: ~ глаго́л hèteroclític verb.

разносторо́нн‖ий 1. *мат.* scálene [ˈskeɪ-]; ~ треуго́льник scálene tríangle; 2. (*многообразный*) mány-síded, vérsatile; ~ писа́тель vérsatile wríter; ~ее образова́ние áll-róund èducátion; удовлетворя́ть ~ие потре́бности give* áll-róund sàtisfáction to the requíre;ments of the péople [...piː-]. ~**ость** *ж.* vérsatílity.

ра́зность *ж.* (*в разн. знач.*) dífference; ~ у́ровней *тех.* head [hed].

разно́счик *м.* 1.: ~ газе́т néws-vèndòr [-z-], néws-boy [-z-]; 2. (*продавец*) pédlar [ˈpe-], háwker; ◊ ~ новосте́й néwsmònger [-zmʌ-].

разноти́пный pòlytýpic.

разнотра́вье *с.* mótley grass [ˈmɔ-...].

разнохара́ктерный divérse [daɪ-], várious, divérsified [daɪ-].

разноцве́тный mány-cólour;ed [-kʌl-], mótley [ˈmɔ-...], váriegàted.

разночи́нец *м. ист.* raznochinétz (*intelléctual not belónging to the géntry in 19th céntury Rússia*).

разночте́ние *с. лингв.* àlternátive vérsion, váriant réading.

разношёрстный (*о животных*) with dífferent coats; (*перен.*) *разг.* mixed, íll-mátched, íll-assórted.

разноязы́к‖ий pòlyglót, mùltilíngual; ~ая толпа́ crowd spéaking divérse lánguages [...daɪ-...]; pòlyglót crowd.

разноязы́чн‖ый 1. pòlyglót, of mány lánguages / tongues [...tʌŋz]; ~ое населе́ние pòlyglót pòpulátion; 2.: ~ словарь mùltilíngual díctionary.

разну́зданн‖ость *ж.* (*произвол*) ùnrúliness; (*распутство*) licéntious;ness [laɪ-]. ~**ый** 1. *прич. см.* разну́здывать; 2. *прил.* únbridled, ùnrúly (*распутный*) licéntious [laɪ-].

разнузда́ть(ся) *сов. см.* разну́здывать(-ся).

разну́здывать, **разнузда́ть** (*вн.*) únbridle (*d.*) (*тж. перен.*). ~**ся**, **разнузда́ться** 1. get* únbridled / ùnrúly (*тж. перен.*); 2. *страд. к* разну́здывать.

ра́зн‖ый (*в разн. знач.*) dífferent, divérse [daɪ-], várious; ~ого ро́да of dífferent / várious kinds; в ~ое вре́мя at dífferent times; под ~ыми предло́гами únder dífferent / divérse prétexts.

разню́ниться *сов. разг. неодобр.* whímper, snível [ˈsnɪ-].

разню́хать *сов. см.* разню́хивать.

разню́хивать, **разню́хать** (*вн.*) *разг.* smell* abóut (*d.*), sniff abóut (*d.*); (*перен.: разузнавать*) smell* out (*d.*), nose out (*d.*).

разня́ть *сов. см.* разнима́ть.

разоби́деть *сов.* (*вн.*) *разг.* offénd gréatly [...-eɪt-] (*d.*), give* great offénce [...-eɪt-] (*i.*); put* smb.'s back up próperly *idiom.* offénded [...-eɪt-...], take* offénce. ~**ся** *сов. разг.* be gréatly offénded [...-eɪt-...], take* offénce.

разоблач‖а́ть, **разоблачи́ть** (*вн.*) 1. *уст., шутл.* (*раздевать*) dísròbe (*d.*), divést [daɪ-] (*d.*), ùnclóthe [-oʊð] (*d.*), úndress (*d.*); 2. (*об обмане и т. п.*) disclóse (*d.*), únmàsk (*d.*), lay* bare (*d.*); (*публично обвинять*) denóunce (*d.*); ~ поджига́телей войны́ expóse / únmàsk the wármongers [...-mʌ-]; он был ~ён he was únmàsked. ~**а́ться**, **разоблачи́ться** 1. *уст., шутл.* dísròbe, divést òne;sélf [daɪ-...], úndress (òne;sélf); 2. (*раскрываться, обнаруживаться*) be expósed / únmàsked, come* to light; 3. *страд. к* разоблача́ть. ~**е́ние** *с.* disclósure [-ˈkloʊ-]; (*обмана и т. п.*) expósure [-ˈpoʊ-], únmàsking; (*публичное обвинение*) denùnciátion.

разоблачи́тель *м.* únmàsker. ~**ный** únmàsking.

разоблачи́ть(ся) *сов. см.* разоблача́ть(-ся).

разобра́ть *сов. см.* разбира́ть 1, 2, 3, 4, 5, 6, 7. ~**ся** *сов. см.* разбира́ться 2, 3.

разобщ‖а́ть, **разобщи́ть** (*вн.*) 1. séparate (*d.*); disúnite (*d.*); (*перен.: делать чуждыми*) estránge [-eɪndʒ] (*d.*); 2. *тех.* disconnéct (*d.*), úncòuple [-ˈkʌpl] (*d.*), úngèar [-ˈgɪə] (*d.*). ~**а́ться**, **разобщи́ться** 1. *тех.* becóme* disconnécted; 2. *страд. к* разобща́ть. ~**е́ние** *с.* disconnéction; dissòciátion.

разобщённ‖о *нареч.* apárt; séparate;ly; де́йствовать ~ act indepéndently. ~**ость** *ж.* = разобще́ние. ~**ый** *прич. и прил.* disconnécted.

разобщи́тель *м. тех.* disconnéctor.

разобщи́ть(ся) *сов. см.* разобща́ть(-ся).

ра́зовый válid for one occásion (ónly), ònce-ónly [wʌns-]; ~ про́пуск pass for one occásion.

разогна́ть(ся) *сов. см.* разгоня́ть(-ся).

разогну́ть(ся) *сов. см.* разгиба́ть(-ся).

разогре́в *м.*, ~**а́ние** *с.* wárming-úp.

разогрева́ть, **разогре́ть** (*вн.*) warm up (*d.*). ~**ся**, **разогре́ться** 1. warm up, grow* warm [-oʊ-...]; 2. *страд. к* разогрева́ть.

разогре́тый *прич. и прил.* wármed-úp; (*о кушанье тж.*) réchauffé (*фр.*) [reɪˈʃoʊfeɪ].

разогре́ть(ся) *сов. см.* разогрева́ть(-ся).

разоде́тый *прич. и прил. разг.* (all) done up; (all) fígged up / out.

разоде́ть *сов.* (*вн.*) *разг.* dress up (*d.*). ~**ся** *сов. разг.* dress up; ◊ ~ся в пух и прах *разг.* ≅ put* on all one's fínery [...ˈfaɪ-], be dressed to kill, *или* to the nines; be done up to the éye;balls [...ˈaɪ-].

разодолжи́ть *сов.* (*вн.*) *разг. ирон.* give* a násty surprise (*i.*).

разодра́ть *сов. см.* раздира́ть 1. ~**ся** *сов. см.* дра́ться II и раздира́ться.

разозли́ть *сов.* (*вн.*) make* ángry (*d.*), inf́úriàte (*d.*); get* smb.'s dánder up *idiom.* ~**ся** *сов.* (*на кого-л.*) get* ángry (with smb.), (*на что-л.*) get* ángry (at smth.).

разойти́сь I, II *сов. см.* расходи́ться I, II.

разо́к *м. разг.* just once [...wʌns]; ещё ~ once more; ~-друго́й once or twice.

ра́зом *нареч. разг.* 1. (*одновременно*) at the same time, togéther [-ˈge-]; (*сра-*

РАЗ — РАЗ

зу) at once [...wʌns]; все ~ all together; 2. (*в один приём*) at one go.

разо́мкнут‖**ый** 1. *прич. см.* размыка́ть; 2. *прил.*: ~ строй *воен.* open order; ~ым стро́ем in open order.

разомкну́ть(ся) *сов. см.* размыка́ть(-ся).

разомле́ть *сов. разг.* (*от жары*) languish, grow* languid [-ou...].

разонра́виться *сов.* (*дт.*) *разг.* lose* one's attraction [lu:z...] (for), cease to please [si:s...] (*д.*).

разопре́ть *сов. разг.* (*о кушанье*) become* soft.

разора́ться *сов. разг.* become* uproarious, raise a hullabaloo.

разорва́ть *сов. см.* разрыва́ть I. ~ся *сов. см.* разрыва́ться.

разоре́‖**ние** *с.* 1. (*города и т. п.*) destruction, ravage; 2. (*потеря состояния*) ruin. ~**ённый** 1. *прич. см.* разоря́ть; 2. *прил.* ruined. ~**и́тельность** *ж.* ruinousness. ~**и́тельный** ruinous, wasteful ['weɪ-].

разори́ть *сов. см.* разоря́ть. ~**ся** *сов. см.* разоря́ться 1.

разоруж‖**а́ть**, **разоружи́ть** (*вн.*) disarm (*д.*) (*тж. перен.*); *мор.* unrig (*д.*), dismantle (*д.*); ~**а́ться 1.** disarm; *мор.* get* / become* unrigged / dismantled; **2.** *страд. к* разоружа́ть. ~**е́ние** *с.* disarmament; конфере́нция по ~е́нию disarmament conference; всео́бщее и по́лное ~е́ние universal / general and complete disarmament; части́чное ~е́ние partial disarmament.

разоружи́ть(ся) *сов. см.* разоружа́ть(-ся).

разоря́ть, **разори́ть** (*вн.*) 1. (*разрушать*) destroy (*д.*); (*опустошать*) ravage (*д.*); 2. (*доводить до нищеты*) ruin (*д.*), bring* to ruin (*д.*). ~**ся**, разори́ться 1. ruin oneself; 2. *тк. несов. разг.* (*ругаться*) curse, swear* [sweə]; 3. *страд. к* разоря́ть.

разосла́ть *сов. см.* рассыла́ть.

разоспа́ться *сов. разг.* be fast asleep; (*спать слишком долго*) oversleep*.

разостла́ть(ся) *сов. см.* расстила́ть(-ся).

разоткрове́нничаться *сов. разг.* open one's heart to smb. [...hɑ:t...].

разо́хаться *сов. разг.* moan and groan.

разохо́титься *сов.* (+ *инф.*) *разг.* take* a liking (to *ger.*), acquire a taste [...teɪ-] (for *ger.*); take* a liking to it.

разочарова́ние *с.* disappointment, disillusionment.

разочаро́ванн‖**о** *нареч.* with disappointment, disappointedly. ~**ый** *прич. и прил.* disappointed, disillusioned.

разочарова́ть(ся) *сов. см.* разочаро́вывать(ся).

разочаро́вывать, **разочарова́ть** (*вн. в пр.*) disappoint (*д.* over, in). ~**ся**, разочарова́ться (*в ком-л.*) be disappointed (in smb.); (*в чём-л.*) be disappointed (with smth.).

разраба́тывать, **разрабо́тать** (*вн.*) 1. (*о земле*) cultivate (*д.*); 2. (*о вопросе, проекте*) work out / up (*д.*); (*детально*) elaborate (*д.*); ~ методы devise,

или work out, methods; ~ пла́ны work out, *или* develop, plans [...-'ve-...]; 3. *горн.* work (*д.*), exploit (*д.*); ~ рудни́к work a mine; 4. (*улучшать*) develop [-'ve-] (*д.*), train to perfection (*д.*); разрабо́тать го́лос develop a voice; 5. *горн.* (*выбирать без остатка*) exhaust (*д.*).

разрабо́тать *сов. см.* разраба́тывать.

разрабо́тка *ж.* 1. (*участка земли*) cultivation; 2. *горн.* working, exploitation; 3. *мн.* (*место добычи ископаемого*) mine workings; (*открытие*) open-cast / cut mines; (*подземные*) underground mines; 4. (*вопроса, проекта*) working out / up; (*детальная*) elaboration.

разра́внивать, **разровня́ть** (*вн.*) make* even (*д.*), level ['le-] (*д.*).

разража́ться, **разрази́ться** 1. (*о грозе, войне и т. п.*) break* out [-eɪk...], burst* out; 2. (*тв.*) burst* (into), burst* out (+ *ger.*); ~ слеза́ми burst* into tears; разрази́ться бра́нью break* into abuse [...-s]; разрази́ться сме́хом burst* out laughing [...'lɑ:f-].

разраз‖**и́ть** (*вн.*): ~**и́ меня́ гром** *разг.* may I drop dead if [...ded...].

разрази́ться *сов. см.* разража́ться.

разраста́ться, **разрасти́сь** grow* [-ou]; (*о растениях тж.*) spread* (out) [-ed-]; grow* thick, bush out [buʃ...]; го́род разро́сся the town has grown up [...-oun...]; де́рево разросло́сь the tree has spread; ро́ща разросла́сь the grove has grown thick; де́ло разросло́сь the business has grown / expanded [...'bɪzn-...].

разрасти́сь *сов. см.* разраста́ться.

разреве́ться *сов. разг.* raise / start a howl, start howling.

разреди́ть(ся) *сов. см.* разрежа́ть(ся).

разреж‖**а́ть**, **разреди́ть** (*вн.*) 1. (*о лесе, рассаде и т. п.*) thin out (*д.*), weed out (*д.*); 2. (*о воздухе*) rarefy ['rɛə-] (*д.*). ~**а́ться**, разреди́ться 1. thin; 2. (*о воздухе*) rarefy ['rɛə-]; 3. *страд. к* разрежа́ть. ~**ённость** *ж. физ.* (*воздуха*) rarefaction [rɛə-], rarity ['rɛə-]. ~**ённый** 1. *прич. см.* разрежа́ть; 2. *прил. физ.* rarefied ['rɛə-], rare.

разре́з *м.* 1. cut; 2. (*сечение*) section; попере́чный ~ cross-section; продо́льный ~ longitudinal section [lɔndʒ-...]; вертика́льный ~ vertical section; 3. *горн.* open-cast / cut / open-pit mine; ◊ ~ глаз shape of one's eyes [...aɪz]; в э́том ~е in the context (of).

разреза́ть *сов. см.* разреза́ть.

разрез‖**а́ть**, **разре́зать** (*вн.*) cut* (*д.*); (*вдоль*) slit* (*д.*); (*на доли*) cut* into sections (*д.*); (*о мясе*) carve (*д.*); разре́зать до кости лay* open to the bone (*д.*). ~**но́й**: ~но́й нож paper-knife*.

разре́зывать = разреза́ть.

разрекламирова́ть *сов.* (*вн.*) *разг.* advertise (*д.*), boost (*д.*).

разреш‖**а́ть**, **разреши́ть** 1. (*вн. дт.*; *дт.* + *инф.*) allow (*д.* + to *inf.*); permit (*i.* + to *inf.*): он ему́ ~и́л это де́лать he allowed him to do it; он ~и́л ему́ гуля́ть he allowed / permitted him to go for a walk; врач ~и́л ему́ (есть) мя́со the doctor allowed him (to eat) meat; 2. (*вн.*; *к печати, представлению и т. п.*) authorize (*д.*); разреши́ть кни́гу к печа́ти authorize the printing of *the* book; 3. (*вн.*; *о задаче, проблеме и т. п.*) solve (*д.*); 4. (*вн.*; *о вопросе, споре и т. п.*) settle (*д.*); ~ сомне́ния resolve doubts [-'zɔlv dauts]; 5. *пов. накл.* (*как вежливая форма обращения*): ~**и́(те)** (мне) (+ *инф.*) allow me (+ to *inf.*); do you mind if I (+ *pres.*), *или* my (+ *ger.*): ~и́те объяви́ть заседа́ние откры́тым allow me to declare the meeting open; ~и́те пройти́ allow me to pass; ~и́те закури́ть do you mind if I smoke?, do you mind my smoking? ~**а́ться**, разреши́ться 1. (*о вопросе, деле и т. п.*) be solved; 2. (*о споре, конфликте*) be settled; 3. *тк. несов. безл.* (*быть позволенным*) be allowed; здесь кури́ть не ~а́ется no smoking (is allowed) here; здесь кури́ть ~а́ется smoking (is) allowed here; 4. *страд. к* разреша́ть; ◊ ~**и́ться от бре́мени** *уст.* be delivered of a child. ~**е́ние** *с.* 1. (*позволение*) permission, permit; с ва́шего ~е́ния with your permission, by your leave; дава́ть ~е́ние (*дт.*) give* permission (*i.*); 2. (*письменное*) permit, authorization [-raɪ-]; (*свидетельство*) license ['laɪ-]; ~е́ние на въезд (*в страну*) entry visa / permit [...'vi:zə...]; ~е́ние на вы́езд (*из страны*) exit visa / permit; 3. (*задачи, проблемы*) solution; 4. (*спора, конфликта*) settlement; ◊ ~е́ние от бре́мени *уст.* delivery. ~**и́мый** solvable.

разреши́ть *сов. см.* разреша́ть. ~**ся** *сов. см.* разреша́ться 1, 2.

разрисова́ть *сов. см.* разрисо́вывать.

разрисо́вка *ж.* painting.

разрисо́вывать, **разрисова́ть** (*вн.*) cover with drawings ['krʌ-...] (*д.*), ornament with designs [...-'zaɪnz] (*д.*); (*перен.*) paint a picture (of).

разровня́ть *сов. см.* разра́внивать.

разроди́ться *сов. разг.* be delivered (of).

разро́зненн‖**ый** 1. *прич. см.* разро́знивать; 2. *прил.* (*о комплекте, собрании сочинений*) odd; 3. *прил.* (*несогласованный*) separate, unco-ordinated; ~ые уси́лия separate / unco-ordinated efforts.

разро́знивать, **разро́знить** (*вн.*) break* a set [-eɪk-...] (of).

разро́знить *сов. см.* разро́знивать.

разру́б *м.* cut, cutting.

разруб‖**а́ть**, **разруби́ть** (*вн.*) cut* (*д.*), cleave* (*д.*); ~ на ча́сти cut* into pieces [...'pi:s-] (*д.*); ◊ ~**и́ть го́рдиев у́зел** cut* the Gordian knot.

разруби́ть *сов. см.* разруба́ть.

разруга́ть *сов.* (*вн.*) *разг.* scold (*д.*), blow* up [blou...] (*д.*); give* a dressing down (*i.*); (*дать неодобрительный отзыв*) attack (*д.*). ~**ся** *сов.* (*с тв.*) *разг.* have a stormy quarrel (with), quarrel (with).

разрумя́нить *сов.* (*вн.*) 1. *разг.* (*покрыть румянами*) rouge [ru:ʒ] (*д.*); 2. (*вызвать румянец*) redden (*д.*). ~**ся** *сов.* (*от волнения, радости и т. п.*) blush; (*от быстрого движения и т. п.*) be flushed; (*от мороза, ветра и т. п.*) redden.

разру́ха *ж.* ruin, devastation; экономи́ческая ~ economic dislocation [i:k-...].

534

разруш||а́ть, разру́шить (*вн.*) 1. destróy (*d.*), demólish (*d.*), wreck (*d.*); ~ до основа́ния rase / raze (to the ground) (*d.*); ~ наро́дное хозя́йство wreck the nátional ècónomy [...'næ- i:-]; города́, разру́шенные войно́й wár-rávaged cíties, towns [...'sɪ-...]; 2. (*расстраивать пла́ны, наде́жды и т. п.*) frústrate (*d.*), blast (*d.*), blight (*d.*); 3. (*подрывать*) rúin (*d.*); ~ здоро́вье rúin one's health [...he-]. ~а́ться, разру́шиться 1. go* to rúin; collápse; 2. (*о пла́нах и т. п.*) fail, fall* to the ground; 3. *страд.* к разруша́ть. ~е́ние *с.* destrúction, dèmolítion; по́лное ~е́ние complete / útter destrúction; ~е́ния, причинённые войно́й the ravages of war. ~и́тельный destrúctive, destróying; ◊ ~и́тельная си́ла вре́мени wear and tear of time [wɛə... tɛə...].

разру́шить I *сов. см.* разруша́ть.
разру́шить II *сов. см.* ру́шать I.
разру́шиться *сов. см.* разруша́ться.
разры́в *м.* 1. break [-eɪk], gap (*тж. перен.*); rúpture, séverance; ~ кровено́сного сосу́да rúpture of a blóod-vèssel [...-ʌd-]; ме́жду ни́ми произошёл ~ they have bróken off their relátions, they have bróken it off; ~ диплома́тических отноше́ний séverance / bréaking-òff of diplomátic relátions [...'breɪ-...]; 2. (*ме́сто*) gap; ~ в облака́х break / rent in the clouds; ~ ли́нии фро́нта gap / breach in the front line [...-ʌ-...]; 3. (*взрыв*) burst, explósion; ~ снаря́да shell burst.
разрыва́ть I, разорва́ть 1. (*вн.*) tear* [tɛə] (*d.*), tear* asúnder (*d.*); ~ на куски́ tear* to pieces [...'pi:-] (*d.*); 2. *безл.*: пу́шку разорва́ло *the* gun / cánnon has blown up, *или* has burst [...bloun...]; 3. (*с тв.*, *порыва́ть*) break* [-eɪk] (with); ~ с про́шлым break* with the past; разорва́ть диплома́тические отноше́ния break* off, *или* séver, diplomátic relátions [...'se-...] (with).
разрыва́ть II, разры́ть (*вн.*) 1. dig* up (*d.*); 2. *разг.* (*приводи́ть в беспоря́док*) rúmmage through (*d.*), turn úpside-down (*d.*).
разрыва́||ться, разорва́ться 1. (*о верёвке и т. п.*) break* [-eɪk]; (*о пла́тье и т. п.*) tear* [tɛə]; (*о сапога́х и т. п.*) burst*; 2. (*взрыва́ться*) burst*, go* off, explóde; 3. *разг. ча́ще с отриц.*: он не мо́жет разорва́ться he can't be évery;where at once [...kɑ:nt... wʌns] ◊ у него́ се́рдце ~е́тся his heart is bréaking [...hɑ:t...].
разрывн||о́й: ~ заря́д búrsting charge; ~ снаря́д explósive shell; ~а́я пу́ля explósive bullet [...'bu-].
разрыда́ться *сов.* burst* into tears / sobs.
разры́ть *сов. см.* разрыва́ть II.
разрыхле́ние *с.* lóosening [-s-].
разрыхли́ть, разрыхли́ть (*вн.*) lóosen [-s'n] (*d.*), make* light (*d.*); (*моты́гой*) hoe (*d.*).
разря́д I *м. эл.* dis;chárge.
разря́д II *м.* 1. (*класс, гру́ппа*) cátegory, rank; sort; пе́рвого ~a first-class; второ́го ~a sécond-class ['se-]; 2. (*сте́пень квалифика́ции в профе́ссии, спо́рте*) grade, class, ráting.

разряди́ть I, II, III *сов. см.* разряжа́ть I, II, III.
разряди́ться I, II *сов. см.* разряжа́ться I, II.
разря́дка I *ж.* dis;chárging; un;lóading; (*ср.* разряжа́ть II); ~ междунаро́дной напряжённости léssening of internátional ténsion [...-'næ-...]; détente (*фр.*) [deɪ'tɑ:nt].
разря́дка II *ж. полигр.* spácing (out); bróken underlíning.
разря́дник I *м. эл.* dis;chárger; spárk-gàp.
разря́дник II *м. спорт.* ráted spórts;man*, spórts;man* with a sports ráting.
разря́дный *прил.* к разря́д I.
разряжа́ть I, разряди́ть (*вн.*) *разг.* (*наряжа́ть*) dress up / out (*d.*).
разряжа́ть II, разряди́ть (*вн.*) 1. *эл.* dis;chárge (*d.*); 2. (*ору́жие*) un;lóad (*d.*); 3. (*ослабля́ть напряжённость*): разряди́ть атмосфе́ру relíeve (the) ténsion [-i:v...], take* the strain off, clear the air; разряди́ть напряжённость междунаро́дной обстано́вки relíeve internátional ténsion [...-'næ-...].
разряжа́ть III, разряди́ть (*вн.*) полигр. space out (*d.*).
разряжа́ться I, разряди́ться *разг.* (*наряжа́ться*) dress up, deck one;sélf out, doll one;sélf up.
разряжа́ться II, разряди́ться 1. *эл.* run* down; 2. (*станови́ться ме́нее напряжённым*) ease, reláx, abáte, clear; атмосфе́ра разряди́лась the átmosphère has become less tense; 3. *страд.* к разряжа́ть II.
разубеди́ть(ся) *сов. см.* разубежда́ть(-ся).
разубежда́ть, разубеди́ть (*вн.* в *пр.*; *вн.* + *инф.*) dissuáde [-'sweɪd] (*d.* from; *d.* from *ger.*). ~ся, разубеди́ться 1. (в *пр.*) change one's opínion / mind [tʃeɪ-...] (abóut), have sécond thoughts [...'se-...] (abóut); 2. *страд.* к разубежда́ть.
разува́ть, разу́ть (кого́-л.) take* smb.'s shoes off [...ʃu:z...]. ~ся, разу́ться 1. take* one's shoes off [...ʃu:z...]; 2. *страд.* к разува́ть.
разуве́рение *с.* dissuásion [-'sweɪʒn].
разуве́рить(ся) *сов. см.* разуверя́ть(-ся).
разувер||я́ть, разуве́рить (*вн.* в *пр.*) dissuáde [-'sweɪd] (*d.* from); undecéive [-i:v] (*d.* in), árgue (*d.* out of). ~я́ться, разуве́риться в (*пр.*) lose* one's faith [lu:z...] (in); он разуве́рился в свои́х друзья́х, в э́той тео́рии he lost faith in his friends, in this théory [...fre-... 'θɪə-].
разнава́ть, разузна́ть (*вн.*) *разг.* find* out (*d.*); *несов. тж.* make* in;quíries (abóut), try to find out (*d.*).
разузна́ть *сов. см.* разузнава́ть.
разукра́сить(ся) *сов. см.* разукра́шивать(ся).
разукра́шивать, разукра́сить (*вн.*) *разг.* décorate (*d.*), adórn (*d.*), embéllish (*d.*). ~ся, разукра́ситься *разг.* 1. décorate one;sélf, adórn one;sélf; 2. *страд.* к разукра́шивать.
разукрупн||е́ние *с.* bréaking up into smáller units [-eɪk-...]. ~и́ть(ся) *сов. см.* разукрупня́ть(ся).

РАЗ — РАЗ

разукрупня́ть, разукрупни́ть (*вн.*) divíde, *или* break* up, into smáller units [...breɪk...] (*d.*). ~ся, разукрупни́ться 1. break* up into smáller units [breɪk...]; 2. *страд.* к разукрупня́ть.
ра́зум *м.* 1. réason [-z'n]; 2. (*ум, интелле́кт*) mind, íntellect; ◊ у него́ ум за ~ захо́дит *разг.* he is at his wit's end.
разуме́н||ие *с.* understánding; по моему́ ~ию to my mind / understánding, as I see it.
разуме́ть (*вн.*) understánd* (*d.*); (*подразумева́ть*) mean* (*d.*). ~ся 1. be understóod [...-'stud]; само́ собо́й разуме́ется it goes without sáying, it stands to réason [...-z'n]; 2.: разуме́ется *как вводн. сл.* of course [...kɔ:s]; to be sure [...ʃuə].
разу́мн||ик *м. разг.* cléver chap / boy ['kle-...]. ~ица *ж. разг.* cléver girl ['kle-g-].
разу́мно I *прил. кратк. см.* разу́мный; э́то (вполне́) ~ it is (quite) réasonable [...-z-], that makes (good) sense.
разу́мн||o II *нареч.* 1. réasonably [-z-], judícious;ly, wíse;ly. 2. (*умно́*) cléverly, sénsibly. ~ый 1. réasonable [-z-], judícious, wise; 2. (*у́мный*) cléver ['kle-], wise.
разу́тый 1. *прич. см.* разува́ть; 2. *прил.* báre;foot [-fut], shóe;less ['ʃu:-], without shoes [...ʃu:z].
разу́ть(ся) *сов. см.* разува́ть(ся).
разутю́жить *сов.* (*вн.*) íron / flátten out ['aɪən...] (*d.*).
разуха́бистый *разг.* 1. (*задо́рный*) róllicking; 2. *неодобр.* (*развя́зный*) frée-and-éasy.
разу́чивать, разучи́ть (*вн.*) learn* [lə:n] (*d.*); (*пе́ред выступле́нием*) prepáre to perfórm (*d.*); ~ роль learn* / stúdy one's part [...stʌ-...].
разу́чива||ться, разучи́ться 1. (+ *инф.*) lose* the art [lu:z...] (of); forgét* [-'get] (how + to *inf.*): он разучи́лся говори́ть по-францу́зски he has forgótten how to speak French; 2. *страд.* к разу́чивать.
разучи́ть(ся) *сов. см.* разу́чивать(ся).
разъеда́ть, разъе́сть (*вн.*) *разг.* (*о ржа́вчине*) eat* a;wáy (*d.*); (*о кислоте́; тж. перен.*) corróde (*d.*).
разъеда́ться, разъе́сться *разг.* get* fat.
разъедин||е́ние *с.* 1. sèparátion; 2. *эл.* disconnéction, bréaking [-eɪk-]. ~и́ть(ся) *сов. см.* разъединя́ть(ся).
разъедин||я́ть, разъедини́ть (*вн.*) 1. séparate (*d.*), part (*d.*), disjóin (*d.*); 2. *эл.* disconnéct (*d.*), break* [-eɪk] (*d.*); нас ~и́ли (*по телефо́ну*) we were cut off. ~я́ться, разъедини́ться 1. séparate, part; 2. *эл.* get* disconnécted; 3. *страд.* к разъединя́ть.
разъе́зд I *м.* (*отъе́зд*) depárture.
разъе́зд II *м. ж.-д.* pássing-tràck; dóuble-tràck séction ['dʌ-...]; (*остано́вочный пункт*) halt.
разъе́зд III *м. воен.* móunted patról [...-oul].
разъездно́й I *прил.* к разъе́зд II; ~ путь ráilway síding.

РАЗ—РАЗ

разъездно́й II (*связанный с разъездами*) trávelling; ~ аге́нт trávelling ágent.

разъе́зд‖**ы** *мн.* (*путешествия*) jóurneyings [′dʒɜ-]; он всё вре́мя в ~ах he is álways trávelling [...′ɔːlwəz...].

разъезжа́‖**ть** drive* (abóut, aróund), ride* (abóut, aróund); он постоя́нно ~ет he is álways on the move [...′ɔːlwəz... muːv]. ~**ться**, **разъе́хаться** 1. (*уезжать*) depárt; го́сти разъе́хались the guests have depárted; 2. *тк. сов.* (*об экипажах и т.п.*) (be able to) pass (one another); у́лица так узка́, что два автомоби́ля с трудо́м мо́гут разъе́хаться the street is so nárrow, that two cars are hárdly able to pass each other; они́ с трудо́м разъе́хались they passed each other with difficulty; 3. *тк. сов.* (*разминуться*) miss each other, pass one another (without méeting); 4. (*переставать жить вместе*) séparate; 5. *разг.* (*скользя, расходиться*) slide* apárt; 6. *разг.* (*расползаться от ветхости*) fall* to pieces [...′piː-].

разъёмный séctional, split; ~ подши́пник split béaring [...′bɛə-].

разъе́сть *сов. см.* разъеда́ть.

разъе́сться *сов. см.* разъеда́ться.

разъе́хаться *сов. см.* разъезжа́ться.

разъярённый 1. *прич. см.* разъяря́ть; 2. *прил.* infúriated, in a white rage.

разъяри́ть(ся) *сов. см.* разъяря́ть(ся).

разъяря́ть, **разъяри́ть** (*вн.*) infúriate (*d.*), rouse to fúry (*d.*). ~**ся**, **разъяри́ться** 1. become* / get* fúrious, get* into a fúry; 2. *страд. к* разъяря́ть.

разъясн‖**е́ние** *с.* èxplanátion, elùcidátion; (*о законе, постановлении*) intèrpretátion; ~ пра́вила, зада́чи elùcidátion of the rule, the próblem [...′prɔ-]; дава́ть ~е́ния (*дт.*) expláin (to). ~**и́тельный** èxplánatory, elúcidàtive, elúcidàtory [-deɪ-]; ~и́тельная рабо́та èxplánatory work.

разъясни́ть *сов. см.* разъясня́ть.

разъясни́ться *сов. разг.* (*о погоде*) clear up.

разъясня́ться *сов. см.* разъясня́ться.

разъясня́ть, **разъясни́ть** (*вн. дт.*) expláin (*d.* to); (*о законе, постановлении*) intèrpret (*d.* to); ~ кому́-л. зада́чу, значе́ние сло́ва expláin the próblem, the méaning of the word to smb. [...′prɔ-]. ~**ся**, **разъясни́ться** 1. become* clear, be cleared up; де́ло разъясни́лось the mátter was cleared up; 2. *страд. к* разъясня́ть.

разыгра́ть(ся) *сов. см.* разы́грывать(-ся).

разы́грывать, **разыгра́ть** (*вн.*) 1. (*о пьесе, роли и т.п.*) play (*d.*), perfórm (*d.*); 2. (*в лотерею*) ráffle (*d.*); (*по жребию*) draw (*d.*); 3. *разг.* (*подшучивать*) play a trick (on), play a práctical joke (on), pull smb.'s leg [pul...]; ◊ разыгра́ть дурака́ play the fool, make* a fool of òneself. ~**ся**, **разыгра́ться** 1. (*о детях*) become* frólicsome; 2. (*о пианисте, актёре и т.п.*) warm up; 3. (*о ветре, море*) rise*; (*о буре*) break* [-eɪk]; (*о чувствах и т.п.*) run* high;

разыгра́лись собы́тия moméntous events were táking place; у него́ разыгра́лась пода́гра his gout broke out, *или* made itself felt, he had an attáck of gout.

разыска́ть(ся) *сов. см.* разы́скивать(-ся).

разы́скива‖**ть**, **разыска́ть** (*вн.*) look (for), search [sɜːtʃ] (for); *сов. тж.* find* (*d.*). ~**ться**, **разыска́ться** 1. turn up, be found; 2. *страд. к* разы́скивать; он ~ется властя́ми he is wánted by the authórities.

рай *м.* páradise [-s], (Gárden of) Éden; Elýsium [-z-] *поэт.*

рай- *сокр.* райо́нный.

райиспо́лком *м.* (*исполни́тельный комите́т райо́нного Сове́та наро́дных депута́тов*) Exécutive Commíttee of the Dístrict Sóviet of Péople's Députies [...-′mɪtɪ...].

райко́м *м.* (*райо́нный комите́т*) dístrict commíttee [...-′mɪtɪ]; ~ КПСС CPSU Dístrict Commíttee; ~ комсомо́ла Kómsomòl Dístrict Commíttee.

райо́н *м.* 1. région; (*административный*) dístrict; 2. (*местность, округа*) área [′ɛərɪə], vicínity; в ~е N. in the N área, in the vicínity of N.—оборони́тельный ~ *воен.* defénded locálity; defénse / defénsive área *амер.*; укреплённый ~ *воен.* fórtified séctor.

райони́рование *с.* divísion into dístricts.

райони́ровать *несов. и сов.* (*вн.*) dístrict (*d.*), divíde into dístricts (*d.*).

райо́нный dístrict (*attr.*); área [′ɛərɪə] (*attr.*); ~ центр dístrict centre, main town of a dístrict.

ра́йск‖**ий** pàradisíacal, héavenly [′he-]; ◊ ~ое я́блочко páradise apple; ~ая пти́ца bird of páradise [...-s].

райсове́т *м.* (*райо́нный Сове́т наро́дных депута́тов*) Dístrict Sóviet (of Péople's Députies) [...piː-...].

Рак *м. астр.* Cáncer; тро́пик ~а trópic of Cáncer.

рак I *м. зоол.* cráwfish, cráyfish; кра́сный как ~ red as a lóbster; ◊ показа́ть кому́-л., где ~и зиму́ют give* it smb. hot, make* it (too) hot for smb.; когда́ ~ сви́стнет ≅ once in a blue moon [wʌns...]; wait till Christmas [...-sm-].

рак II *м. мед.* cáncer; *бот.* (*у растений*) cánker.

ра́ка *ж. церк.* shrine.

раке́т‖**а** I *ж.* (*в разн. знач.*) rócket; (*боевой снаряд тж.*) míssile; (*сигнальная*) flare; косми́ческая ~ space rócket; трёхступе́нчатая ~ three-stàge rócket; баллисти́ческая ~ ballístic míssile; да́льнего де́йствия lóng-ràngе míssile [-eɪ-...]; освети́тельная ~ phóto-flàsh cártridge; запуска́ть ~у start / launch a rócket / míssile.

раке́т‖**а** II *ж.* = раке́тка.

раке́та III *ж.* (*судно на подводных крыльях*) (pássenger-cárrying) hýdrofoil [-ndʒɜ-...].

раке́та-зонд *м.* rócketsònde, probe rócket. ~-**носи́тель** *м.* cárrier rócket.

раке́тка *ж. спорт.* rácket.

раке́тница *ж.* flare pístol, sígnal pístol.

раке́тн‖**ый** rócket (*attr.*); ~ дви́гатель rócket éngine [...′endʒ-]; ~ кора́бль

gúided míssile ship; ~ое ору́жие rócket wéapon [...′wep-].

ракетодро́м *м.* rócket áirfield [...-fiː-].

ракетоно́сец *м.* míssile / rócket cárrier.

ракетоноси́тель *м.* 1. (*многоступе́нчатая раке́та*) launch véhicle [...′viːɪkl]; cárrier rócket. 2. (*самолёт*) míssile-cárrier.

ракетоно́сный míssile-cárrying.

ракетопла́н *м.* rócket glíder; bóost-glìde áircraft.

ракетострое́ние *с.* rócket prodúction.

раке́тчик *м.* 1. ròcketéer; 2. (*сигнальщик*) rócket sígnaller.

раки́т‖**а** *ж.* broom. ~**ник** *м.* 1. (*кустарник*) broom; 2. (*заросль*) broom grove.

ра́ковина *ж.* 1. shell; 2.: ушна́я ~ hélix [′hiː-]; 3. (*в металле*) blíster, bleb; усадочная ~ blówhòle [′blou-]; 4. (*водопроводная*) sink; (*умывальная*) wásh-bowl [-oul]; 5. (*для оркестра в парках и т.п.*) bándstànd.

ра́ковый I cráwfish (*attr.*), cráyfish (*attr.*); ~ суп cráwfish / cráyfish soup [...suːp].

ра́ков‖**ый** II *мед.* cáncerous; cáncer (*attr.*); *бот.* cánkerous; ~ая о́пухоль cáncerous túmour.

ракообра́зные *мн. скл. как прил. зоол.* crustácea [-′teɪʃɪə].

ракообра́зный *мед.* cáncroid.

раку́рс *м. жив.* fòre:shórtening; в ~е fòre:shórtened.

раку́шечник *м. мин.* coquína [-′kiː-], shell rock.

раку́шка *ж.* cóckle-shèll; (*двуство́рчатая*) mússel.

раку́шник *м.* = раку́шечник.

ра́лли *с. нескл.* rálly.

ралли́ст *м.* rállier.

ра́м‖**а** *ж.* frame; око́нная ~ window-fràme, sash; вставля́ть в ~у (*вн.*) frame (*d.*); вынима́ть из ~ы (*вн.*) take* out of its frame (*d.*); карти́на в золочёной ~е gilt-fràmed pícture [′gɪ-...]; 2. *тех.* chássis [′ʃæsɪ], cárriage [-rɪdʒ]. ~**ка** *ж.* frame; в ~ке framed; (*о тексте*) boxed; без ~ки únfràmed; в сере́бряной ~ке sílver-fràmed.

ра́м‖**ки** *мн.* (*границы*) límits; держа́ться в ~ках (*рд.*) keep* within the bounds / límits (of); выходи́ть за ~ (*рд.*) excéed the límits (of); выходи́ть из ~ок те́мы déviàte from the theme, wánder off from the theme. ~**очный** *прил. к* ра́мка; ~очная анте́нна *рад.* loop / frame áerial [...′ɛə-].

ра́мпа *ж. театр.* fóotlights [′fut-] *pl.*

ра́на *ж.* wound [wuː-]; пулева́я ~ búllet wound [′bul-...]; душе́вная ~ wound (to one's féelings), emótional shock.

ранг *м.* class, rank; капита́н пе́рвого ~а *мор.* cáptain.

рангоу́т *м. мор.* (masts and) spars *pl.* ~**ный**: ~ное де́рево *мор.* spar.

ра́нее = ра́ньше.

ране́ние *с.* 1. (*действие*) wóunding [′wuː-]; 2. (*рана*) wound [wuː-]; ínjury.

ра́неный 1. *прил.* ínjured; (*оружием*) wóunded [′wuː-]; 2. *м. как сущ.* ínjured man*; cásualty [′kæʒ-]; (*оружием тж.*) wóunded man*; *мн.* (the) ínjured; cásualties; (*оружием тж.*) (the) wóunded.

ранет м. (сорт яблок) rénnet.
ранец м. (солдатский) háversack ['hæ-], knápsack; (школьный) sátchel.
ранжир м. воен.: по ~у in órder of size.
ранимый vúlnerable.
ранить несов. и сов. (вн.) ínjure (d.); (оружием) wound [wu:-] (d.); (перен. тж.) hurt* (d.); ~ в ногу, руку и т.п. wound in the leg, the arm, etc.
раннеспелый éarly-matúring ['ɔ:-], éarly-rípe ['ɔ:-].
ранн||ий (в разн. знач.) éarly ['ɔ:-]; ~им утром éarly in the mórning; ~ие овощи, фрукты éarly végetables, fruit [...fru:t]; наступила ~яя зима wínter came éarly; ~ее детство éarly child-hood [...-hud]; с ~его детства since / from éarly childhood; с (одних) самых ~их (one's) éarliest years [...'ɔ:-...]; ◊ из молодых, да ~! погов. stárting éarly!
рано I предик. безл. it is éarly [...'ɔ:-]; (ещё, слишком) ~ it is too éarly; ещё ~ обедать it is too éarly for dínner, it is not yet time for dínner.
рано II нареч. éarly ['ɔ:-]; ~ утром éarly in the mórning; ◊ или поздно some time or óther, sóoner or láter, éarly or late; ~ пташечка запела, как бы кошечка не съела посл. ≃ laugh befóre bréakfast, you'll cry befóre súpper [lɑ:f... 'brek-...].
рант м. welt; сапоги на ~у wélted boots.
рантов||ой wélted; ~ая обувь wélted fóotwear [...'futwɛə].
рантье м. нескл. rentier ['rɔntıeı], invéstor.
рань ж. разг. éarly / úngódly hour ['ɔ:-...auə]; в такую ~! at such an éarly / úngódly hour!
раньше нареч. **1.** (сравн. ст. от рано II) éarlier ['ɔ:-]; как можно ~ as éarly as póssible; (скорее) as soon as póssible; **2.** (до какого-то момента) befóre, untíl; я не вернусь ~ вечера I shall not be back befóre évening [...'i:v-]; **3.** (прежде другого) befóre; ~ нас befóre us; **4.** (прежде) befóre, fórmerly, préviously, in the past; ~ здесь помещалась школа there was a school here fórmerly; this used to be a school [...ju:st...]; **5.** (сперва) first, fírstly.
рапа ж. мин., мед. brine.
рапира ж. foil.
рапирист м., **~ка** ж. féncer (with foils).
рапорт м. repórt; отдавать ~ repórt; принимать ~ recéive / hear* a repórt [-'si:v...].
рапортовать несов. и сов. (дт. о пр.) repórt (to d.).
рапс м. бот. rape.
рапсодия ж. муз. rhápsody.
раритет м. rárity ['rɛə-], curiósity.
раса ж. race.
рас||изм м. rácism. **~ист** м. rácist. **~истский** rácist (attr.).
раскавычивать, **раскавычить** (вн.) deléte the quotátion marks (d.).
раскаиваться сов. см. раскавычивать.
раскаиваться несов. (в пр.) repént (d., of), be remórseful (of); (сожалеть) regrét (d.).

раскал||ённый 1. прич. см. раскалять; **2.** прил. (очень горячий) scórching, búrning hot; ~ песок scórching sand; ~ камень búrning hot stone; ~ докрасна réd-hot; ~ добела white-hot. **~ить(ся)** сов. см. раскалять(ся).
раскалывание с. cléavage, cléaving; (вдоль) splítting.
раскалывать, **расколоть** (вн.) cleave* (d.), split* (d.) (тж. перен.); (о дровах) chop (d.); (об орехах и т.п.) crack (d.); (о сахаре) break* [-eɪk] (d.); (перен.) disrúpt (d.). **~ся**, **расколоться 1.** cleave*; split* (тж. перен.); (об орехах) crack; **2.** страд. к раскалывать.
раскалять, **раскалить** (вн.) make* búrning hot (d.), bring* to a great heat [...-eɪt] (d.); incandésce (d.); ~ докрасна make* réd-hot (d.); ~ добела make* white-hot (d.). **~ся**, **раскалиться 1.** glow [-ou]; becóme* / get* hot; ~ся докрасна becóme* réd-hot; ~ся добела becóme* white-hot; **2.** страд. к раскалять.
раскапывать, **раскопать** (вн.) **1.** dig* out (d.); (перен.) únéarth [-'ɔ:θ] (d.); (находить) grub up / out (d.); **2.** археол. excavate (d.).
раскаркаться сов. разг. (о вороне) begin* to croak / caw lóudly and persístently; (перен.) неодобр. próphesy ill.
раскармливать, **раскормить** (вн.) fat (d.), fátten (d.).
рассасировать сов. (вн.) líquidàte (d.); воен. disbánd (d.).
раскат м. roll, peal; ~ грома peal of thúnder; ~ смеха peal of láughter [...'lɑ:f-].
раскатать сов. см. раскатывать 1. **~ся** сов. см. раскатываться 1.
раскатистый rólling, resóunding [-'zau-]; ~ удар грома rólling peal of thúnder; ~ смех rólling / bóoming láughter [...'lɑ:f-], peals of láughter pl.
раскатиться сов. **1.** см. раскатываться 2; **2.** (набрать скорость) gáther moméntum, gain / gáther speed; **3.** (прозвучать) resóund [-'zau-].
раскатывать, **раскатать 1.** (вн.) roll (out) (d.); ~ тесто roll out dough / paste [...dou peɪ-]; **2.** тк. несов. разг. (много ездить) drive* (abóut, aróund), ride* (abóut, aróund). **~ся**, **раскатиться 1.** при сов. раскатиться roll (out) (d.); **2.** при сов. раскатиться roll asúnder; (заноситься в сторону) swerve, sídeslip.
раскачать(ся) сов. см. раскачивать(-ся).
раскачивать, **раскачать** (вн.) **1.** (о качелях и т.п.) swing* (d.); (перен.) разг. move [mu:v] (d.), stir up (d.); **2.** (расшатывать) loosen [-s-] (d.), shake* loose [...-s] (d.). **~ся**, **раскачаться** (на качелях) swing*; rock ònesélf to and fro, sway; (перен.: приниматься за что-л.) разг. bestír / move ònesélf [...mu:v...], get* into the swing (of).
раскашляться сов. have a fit of cóughing [...'kɔf-].
раскаяние с. repéntance, remórse.
раскаяться сов. см. каяться 1 и раскаиваться.
расквартирование с. quártering, bílleting.

РАН — РАС

расквартировать сов. см. расквартировывать.
расквартировывать, **расквартировать** (вн.) quárter (d.), bíllet (d.).
расквасить сов. см. расквашивать.
расквашивать, **расквасить** разг.: расквасить себе нос get* one's nose smashed; расквасить нос кому-л. give* smb. a blóody nose [...'blʌdɪ...].
расквитаться сов. (с тв.) разг. square, или settle up, accóunts (with); (перен.) get* éven (with).
раскидать сов. см. раскидывать I.
раскидистый разг. (о дереве) bránchy [-ɑ:n-], spréading [-ed-].
раскидной fólding.
раскидывать I, **раскидать** (вн.) scátter (d.).
раскидывать II, **раскинуть** (вн.) **1.** (распростирать) stretch out (d.), (ветви) spread* [-ed] (d.), ~ руки, ноги spread* (out) one's arms, legs; **2.** (палатку, лагерь) pitch (d.), set* up (d.); ◊ раскинуть умом consíder [-'sɪ-], think* óver. **~ся**, **раскинуться 1.** об. сов. (простираться) spread* out [-ed...], stretch out, stretch far awáy; по склону горы раскинулась деревня a víllage spread óver the hill; **2.** (на диване, постели) sprawl; **3.** страд. к раскидывать II.
раскинуть сов. см. раскидывать II. **~ся** сов. см. раскидываться.
раскисать, **раскиснуть** разг. becóme* limp; ~ от жары becóme* limp with the heat.
раскисл||ение с. хим. dèoxidizátion [-daɪ-]. **~итель** м. хим. dèóxidizer.
раскислить сов. см. раскислять.
раскиснуть сов. см. раскисать.
расклад||ка ж. appórtionment; делать ~ку (рд.) appórtion (d.).
раскладной fólding.
раскладушка ж. разг. fólding bed, cámp-bèd, cot.
раскладывать, **разложить** (вн.) **1.** lay* out (d.); **2.** (расстилать) spread* [-ed] (d.); **3.** (распределять) distríbute (d.), appórtion (d.); **4.**: ~ огонь make* a fire; ~ костёр make* / build* a fire [...bɪ-...]. **~ся**, **разложиться 1.** разг. (распаковываться) únpáck (d.); **2.** страд. к раскладывать.
раскланиваться, **раскланяться 1.** make* one's bow; (с тв.) exchánge bows [-'ʧeɪ-...] (with); **2.** разг. (прощаться) take* leave (of).
раскланяться сов. см. раскланиваться.
расклевать сов. см. расклёвывать.
расклёвывать, **расклевать** (вн.) **1.** peck to bits / pieces [...'pi:s-] (d.); **2.** (склевать всё) peck up all (d.).
расклеивать, **расклеить** (вн.) **1.** (об афишах и т.п.) stick* (d.), paste [peɪ-] (d.); **2.** (отклеивать) únstíck* (d.), únpáste [-'peɪ-] (d.), únglúe (d.). **~ся**, **расклеиться 1.** get* / becóme* unstúck; **2.** разг. (расстраиваться) fall* through, fail to come off; **3.** разг. (расхварываться) be out of sorts, feel* séedy; он совсем расклеился he has gone to

537

расклеи́ть(ся) сов. см. раскле́ивать(-ся).

раскле́йка ж. (афиш и т.п.) stícking, pásting [ˈpeɪ-].

раскле́йщик м. bíll-stìcker.

расклепа́ть сов. см. расклёпывать.

расклёпывать, расклепа́ть (вн.) únrívet [-ˈrɪ-] (d.), únclénch (d.); (о скобе, цепи) únsháckle (d.).

расклёшивать, расклёшить (вн.) cut* out béll-shàped (d.).

расклёшить сов. см. расклёшивать.

раскли́нивать, расклини́ть (вн.) 1. (выбивать клин) knock aˈwáy wédge(s), únwédge (d.); 2. (расщеплять клином) split* / ópen (with wedge) (d.).

расклини́ть сов. см. раскли́нивать.

раско́ванн‖о нареч. reláxedly, in a reláxed mánner. ~ость reláxedness. ~ый 1. прич. см. раско́вывать; 2. прил. reláxed, ùninhíbited.

раскова́ть(ся) сов. см. раско́вывать(-ся).

раско́вывать, раскова́ть (вн.) 1. (о лошади) únshóe [-ˈʃuː] (d.); 2. (освобождать от оков) únchán (d.), únfétter (d.); 3. тех. ùpsét* (d.). ~ся, раскова́ться 1. (о лошади) cast* a shoe [...ʃuː]; 2. страд. к раско́вывать.

расковыря́ть сов. (вн.) pick ópen (d.); (о прыще и т.п.) scratch raw (d.).

раско́кать сов. (вн.) разг. drop and break* [...-eɪk] (d.).

раско́л м. 1. split, díssidence; углуби́ть ~ widen the divísion / split; ~ стал бо́лее я́вным the cléavage has become more shárply defined; 2. рел. schism [sɪ-], díssidence.

раскола́чивать, расколоти́ть (вн.) 1. únnáil (d.); 2. разг. (бить — о посуде) break* [-eɪk] (d.); 3. разг. (о противнике) beat* up (d.), deféat (d.).

расколоти́ть сов. см. раскола́чивать.

расколо́ть(ся) сов. см. раска́лывать(-ся).

расколупа́ть сов. разг. = расковыря́ть.

раско́льни‖к м. 1. disse´nter, díssident; 2. рел. Raskólnik (pl. Raskólniki, Raskólniks), schismátic [sɪz-], díssenter. ~ческий 1. splítting, díssident; ~ческая та́ктика splítting táctics pl.; 2. рел. schismátic [sɪz-], díssident, disse´nting, Raskólniks'.

раскопа́ть сов. см. раска́пывать.

раско́пки мн. археол. excavátions.

раскорми́ть сов. см. раска́рмливать.

раскорчева́ть сов. см. раскорчёвывать.

раскорчёвывать, раскорчева́ть (вн.) grub out (d.), stub out (d.).

раскоря́к‖а м. и ж. разг.: ходи́ть ~ой walk bów-lègged [...ˈboʊ-].

раскоси́ть сов. (вн.) (укрепить раскосами) brace (d.) (with a diagonal brace).

раскосма́тить сов. см. космáтить.

раско́с‖ый slánting [-ɑː-]; ~ые глаза́ slánting eyes [...aɪz].

раскошё‖ливаться, раскошёлиться разг. come* down with móney [...ˈmʌ-], loosen one's púrse-strings [-s-...]; cough up (the móney) [kɔf...]. ~иться сов. см. раскошёливаться.

раскра́дывать, раскра́сть (вн.) разг. steal* (d.), loot (d.).

раскра́ивать, раскрои́ть (вн.; о ткани) cut* out (d.); ◇ раскрои́ть кому́-л. себе́ че́реп split* smb.'s, one's skull.

раскра́сить сов. см. раскра́шивать.

раскра́ска ж. 1. (действие) cólour:ing [ˈkʌ-], páinting 2. (расцветка) còlo(u)rátion [kʌ-].

раскрасне́ться сов. get* red in the face; (от мороза тж.) rédden; (от волнения, быстрого движения) flush; (от стыда, смущения) blush.

раскра́сть сов. см. раскра́дывать.

раскра́шивание с. páinting, cólour:ing [ˈkʌ-].

раскра́шивать, раскра́сить (вн.) paint (d.), cólour [ˈkʌ-] (d.).

раскрепости́ть(ся) сов. см. раскрепоща́ть(ся).

раскрепоща́‖ть, раскрепости́ть (вн.) set* free (d.), emáncipàte (d.), líberàte (d.). ~ться, раскрепости́ться 1. get* free / líberàted, gain one's fréedom; 2. страд. к раскрепоща́ть. ~ние с. emàncipátion, liberátion; ~ние же́нщины emàncipátion of wómen [...ˈwɪmɪn].

раскрепощённый прич. и прил. emáncipàted, líberàted; ~ труд únsháckled lábour.

раскритикова́ть сов. (вн.) críticize sevérely (d.), slate (d.).

раскрича́ться сов. 1. start shóuting, raise a cry; 2. (на вн.) shout (at), béllow (at); give* hell (i.).

раскрои́ть сов. см. раскра́ивать.

раскроши́ть сов. (вн.) crumb (d.), crúmble (d.). ~ся crúmble.

раскрути́ть(ся) сов. см. раскру́чивать(-ся).

раскру́чивать, раскрути́ть (вн.) úntwíst (d.), úntwíne (d.), ùndó (d.). ~ся, раскрути́ться 1. come* úntwísted, úntwist; 2. страд. к раскру́чивать.

раскрыва́ть, раскры́ть (вн.) 1. ópen (d.); ~ окно́ ópen the wíndow; ~ зо́нтик ópen, или put* up, an umbrélla; 2. (обнажать) expóse (d.); 3. (разоблачать, обнаруживать) revéal (d.), disclóse [-ˈkl-] (d.), lay* bare (d.); (об обмане) discóver [-ˈkʌ-] (d.); ~ за́говор revéal / discóver a plot; раскры́ть все обстоя́тельства дела throw* light on all the partículars of a case, или of an affáir [θruː... keɪs...]; раскры́ть и́стину lay* bare the truth; ◇ ~ ско́бки ópen the bráckets; ~ свои́ ка́рты show* one's cards / hand [...ʃoʊ...], lay* one's cards on the table. ~ся, раскры́ться 1. ópen; бот. (о семенных коробках) dehísce; 2. (обнажаться) uncóver onesélf [-ˈkʌ-...]; 3. (обнаруживаться — о преступлении, обмане) come* out, come* to light; 4. страд. к раскрыва́ть.

раскры́тие с. 1. ópen:ing; ~ ско́бок ópen:ing of the bráckets; 2. (преступления и т.п.) disclósing, expósure [-ˈroʊʒə].

раскры́ть(ся) сов. см. раскрыва́ть(ся).

раскуда́хтаться сов. разг. set up a cáckling.

раскула́чивание с. dispossession of (the) kúlaks [-ˈzeː-...].

раскула́чивать, раскула́чить (вн.) disposséss the kúlaks [-ˈzeː-...].

раскула́чить сов. см. раскула́чивать.

раскуп‖а́ть, раскупи́ть (вн.) buy* up [baɪ...] (d.). ~и́ть сов. см. раскупа́ть.

раску́поривание с. (бутылок) úncórking; (ящика) ópen:ing.

раску́поривать, раску́порить (вн.) ópen (d.); (о бутылке) úncórk (d.). ~ся, раску́пориться 1. ópen; (о бутылке) come* úncórked; 2. страд. к раску́поривать.

раску́пор‖ить(ся) сов. см. раску́поривать(ся). ~ка ж. = раску́поривание.

раску́ривать, раскури́ть (вн.) light* up (d.); ~ папиро́су, тру́бку make* a cigarétte, a pipe draw, puff at a cigarétte, a pipe to make it draw. ~ся, раскури́ться (о папиросе и т.п.) puff, draw*.

раскури́ть(ся) сов. см. раску́ривать(-ся).

раскуси́ть сов. см. раску́сывать.

раску́сывать, раскуси́ть 1. (вн.) bite* through (d.); 2. тк. сов. разг. (что-л. хорошо понять) get* to the core / heart / bóttom [...hɑːt...] (of smth.); (кого́-л. хорошо узнать) see* through smb.; get* smb.'s méasure [...ˈme-] идиом.; раскуси́ть, в чём де́ло get* to the core / heart of the mátter; тепе́рь я вас раскуси́л I've got to the bóttom of you now; он раскуси́л её he saw through her.

раску́тать(ся) сов. см. раску́тывать(-ся).

раску́тывать, раску́тать (вн.) únwráp (d.). ~ся, раску́таться 1. únwráp onesélf; 2. страд. к раску́тывать.

ра́совый rácial; ~ая дискримина́ция rácial / race discriminátion.

распа́д м. 1. disintegrátion, bréak-úp [-eɪk-]; (перен.) collápse; ~ колониа́льной систе́мы disintegrátion of the colónial sýstem; 2. хим. decáy, dissòciátion; ~ ядра́ núclear decáy.

распада́ться, распа́сться 1. disintegràte, fall* to pieces [...ˈpiː-], come* apárt / asúnder; (на вн.) break* down [-eɪk-] (into); (перен.) break* up; (приходить в расстройство, упадок) collápse; 2. хим. dissóciàte.

распа́ивать, распая́ть (вн.) únsólder [-ˈsɔ-] (d.). ~ся, распая́ться 1. come* únsóldered [...-ˈsɔ-]; 2. страд. к распа́ивать.

распак‖ова́ть(ся) сов. см. распако́вывать(ся). ~о́вка ж., ~о́вывание с. únpácking.

распако́вывать, распакова́ть (вн.) únpáck (d.), ùndó (d.); (о товарах) únbóx (d.). ~ся, распакова́ться 1. (о свёртке и т.п.) come* úndóne; 2. разг. (распаковывать свои вещи) únpáck; 3. страд. к распако́вывать.

распали́ть(ся) сов. см. распаля́ть(ся).

распаля́‖ть, распали́ть (вн.) make* búrning hot (d.); (перен.: возбуждать) infláme (d.), excíte (d.); ~ гне́вом incénse (d.), infúriàte (d.). ~ся, распали́ться 1. get* búrning hot; (тв.; перен.; гневом и т.п.) burn* (with), be incénsed (by); 2. страд. к распаля́ть.

распа́ривать, распа́рить (вн.; о коже и т.п.) steam out (d.); (об овощах)

распа́риться stew well (d.). ~ся, распа́риться 1. (о коже и т.п.) steam out; (об овощах) be stewed well; 2. разг. (разогреваться до пота) be steaming, break* into a sweat [-eik... swet]; 3. страд. к распа́ривать.

распа́рить(ся) сов. см. распа́ривать (-ся).

распа́рывание с. ripping (off, open), un̦ripping.

распа́рывать, распоро́ть (вн.) un̦rip (d.), rip up (d.); rip (open) (d.), un̦do (d.). ~ся, распоро́ться 1. rip; 2. страд. к распа́рывать.

распа́сться сов. см. распада́ться.

распатро́нивать, распатро́нить (вн.) разг. 1. (распаковывать) un̦pack (d.), un̦do (d.). 2. (сильно ругать) scold (d.), give* it hot (to).

распатро́нить сов. см. распатро́нивать.

распаха́ть сов. см. распа́хивать I.

распа́хивать I, распаха́ть (вн.) plough up (d.), till (d.); распаха́ть целину́ plough up virgin land.

распа́хивать II, распахну́ть (вн.) throw* / fling* / thrust* open [θrou...] (d.); open wide (d.); ~ пальто́ throw* open one's coat; ~ окно́ throw* / fling* the window open; ве́тер распахну́л дверь the wind blew the door open [...wɪ-...ɔː...]; широко́ распахну́ть две́ри (дт.; прям. и перен.) open wide the doors (to). ~ся, распахну́ться 1. (широко растворя́ться) fly* / swing* / sweep* open; 2. (распа́хивать полы своей одежды) throw* open one's coat [-ou...]; 3. страд. к распа́хивать II.

распахну́ть сов. см. распа́хивать II. ~ся сов. см. распа́хиваться.

распа́шка ж. ploughing up.

распашно́||й спорт.: ~о́е весло́ single-bank oar.

распашо́нка ж. baby's loose jacket [...-s...].

распая́ть(ся) сов. см. распа́ивать(ся).

распева́ть (вн.) sing* (d.). ~ся, распе́ться 1. (увлекаться пением) sing away. 2. (входить в голос) warm up (to sing̦ing); он ещё не распе́лся he has not warmed up yet; когда́ он распоётся, его́ не остано́вишь once he gets warmed up there is no stopping him [wʌns...]; 3. страд. к распева́ть.

распека́ть, распе́чь (вн.) разг. give* a good scolding (i.); blow* up [blou...] (d.).

распелена́ть сов. (вн.) un̦wrap (d.), un̦swaddle (d.). ~ся сов. get* / come* un̦wrapped, get* out of one's swaddling-clothes / baby-wraps [...-klou-...].

распере́ть сов. см. распира́ть.

распетуши́ться сов. разг. get* into a huff / paddy, have one's hackles up.

распе́ться сов. см. распева́ться.

распеча́т||ать(ся) сов. см. распеча́тывать(ся). ~ывание с. 1. (снятие печатей) un̦sealing; 2. (письма) open̦ing.

распеча́тывать, распеча́тать (вн.) 1. (снимать печати) un̦seal (d.), break* the seal [-eik...] (on), take* the seal (off). 2. (о письме) open (d.). ~ся, распеча́таться 1. (о запеча́танном) come* un̦sealed; 2. (о письме) come* open; 3. страд. к распеча́тывать.

распе́чь сов. см. распека́ть.

распива́ть, распи́ть (вн.) разг. drink* (d.); распи́ть буты́лку вина́ (с кем-л.) split* a bottle (with smb.).

распи́вочн||ый уст.: ~ая прода́жа вина́, пи́ва и т.п. wine, beer, etc., sold for consumption on the premises [...-sɪz].

распи́л м. saw cut.

распи́л||ивать, распили́ть (вн.) saw* up (d.), cut* up (d.); (на горбыли́) flitch (d.). ~и́ть сов. см. распи́ливать. ~ка ж., ~о́вка ж. sawing, cutting.

распина́ть, распя́ть (вн.) crucify (d.). **распина́ться** 1. (за кого-л.) разг. lay* oneself out (for smb.'s sake), put* oneself out (on smb.'s behalf) [...-'hɑːf]; 2. страд. к распина́ть.

распира́ть, распере́ть (вн.) burst* open (d.), cause to burst (d.).

расписа́н||ие с. time-table, schedule ['ʃe-]; ~ поездо́в train schedule; по ~ию according to time-table / schedule; по́езд идёт по ~ию the train is running to time; боево́е ~ воен. order of battle; мор. battle stations pl.; quarter bill амер.

расписа́ть(ся) сов. см. распи́сывать (-ся).

распи́ска I ж. (стен и т.п.) painting.

распи́ск||а II ж. (документ) receipt [-'siːt]; в получе́нии receipt; обра́тная ~ return receipt, voucher; дава́ть, брать ~у в получе́нии де́нег give*, take* a receipt for money received [...'mʌ-'siːvd]; сдать письмо́ под ~у make* smb. sign for a letter [...saɪn...]; сда́йте ему́ паке́т под ~у have him sign for the parcel.

расписно́й painted, decorated with designs [...-'zaɪnz].

распи́сывать, расписа́ть (вн.) 1. (разрисовывать) paint (d.); 2. (распределять) assign [-aɪn] (d.); 3. бухг. enter (d.); ~ счета́ по кни́гам enter bills in a register, enter bills in an account-book; 4. (регистрировать брак) register (d.); 5. разг. (красочно изображать) paint / draw a picture (of); он так расписа́л свой успе́х, что все удиви́лись he painted / drew such a picture of his success that everybody was surprised. **~ся**, расписа́ться 1. (подписываться) sign (one's name) [saɪn...]; прочти́те э́ту бума́гу и распиши́тесь read this paper and sign (your name); 2. (в пр.; в получении чего-л.) sign (for): распиши́тесь в получе́нии зарпла́ты sign for your salary; 3. разг. (регистрировать брак) register one's marriage [...-rɪdʒ]; 4. разг. (писать много) get* into a writing vein; 5. страд. к распи́сывать; ◊ расписа́ться в со́бственном неве́жестве acknowledge one's own ignorance [ək'nɔ-...oun...]; расписа́ться в со́бственной глу́пости testify to one's own stupidity.

распи́ть сов. см. распива́ть.

распиха́ть сов. см. распи́хивать.

распи́хивать, распиха́ть (вн.) разг. 1. (расталкивать) push aside / apart / away [puʃ...]; 2. (рассовывать) shove [ʃʌv] (d.); ~ по карма́нам stuff into one's pockets (d.).

распла́вить(ся) сов. см. расплавля́ть (-ся).

РАС—РАС   Р

расплавле́ние с., распла́вливание с. melting, founding, fusion.

расплавля́ть, распла́вить (вн.) melt (down) (d.), found (d.), fuse (d.). ~ся, распла́виться 1. melt; 2. страд. к расплавля́ть.

распла́каться сов. burst* into tears.

распланирова́ть сов. см. планирова́ть I 2.

распласта́ть(ся) сов. см. распла́стывать(ся).

распла́стывать, распласта́ть (вн.) 1. (делить на пласты́) split* (d.); 2. разг. (растягивать плашмя́) spread* [-ed] (d.). ~ся, распласта́ться sprawl; (лежать неподвижно) lie* prone / flat.

распла́т||а ж. payment; (перен.) atоnement, retribution: час ~ы ≈ day of reckoning. ~и́ться сов. см. распла́чиваться.

распла́чиваться, расплати́ться 1. (с тв.) pay* off (d.); (перен.: отпла́чивать, мстить) be quits, или get* even (with); reckon (with); ~ с долга́ми разг. pay* off one's debts [...dets]; ~ по ста́рым счета́м, долга́м pay* off old scores, debts; 2. (за вн.; нести наказание) pay* (for); ~ за оши́бку pay* for one's mistake.

расплеска́ть(ся) сов. см. расплёскивать(ся).

расплёскивать, расплеска́ть (вн.) spill* (d.). ~ся, расплеска́ться 1. spill*; 2. страд. к расплёскивать.

расплести́(сь) сов. см. расплета́ть(ся).

расплета́ть, расплести́ (вн.) un̦twine (d.), un̦twist (d.), un̦weave* (d.), un̦do (d.); (о волосах) un̦plait [-æt] (d.). ~ся, расплести́сь 1. un̦twine, un̦twist; (о волосах) come* un̦plaited [...-æt-]; 2. страд. к расплета́ть.

расплоди́ть сов. (вн.; прям. и перен.) breed* (d.). ~ся сов. (прям. и перен.) breed*.

расплыва́||ться, расплы́ться 1. (растекаться) run*; черни́ла ~ются на э́той бума́ге the ink runs on this paper; 2. разг. (полнеть) run* to fat, grow* obese [-ou -s]; ◊ расплы́ться в улы́бку break* into a smile [-eik...].

расплы́вчат||ость ж. diffusion, diffusive̦ness, dimness; (перен.) vague̦ness ['veɪg], indistinctness. ~ый diffuse [-s], diffused, dim; (перен.) vague [veɪg], indistinct.

расплы́вшийся 1. прич. см. расплыва́ться; 2. прил. flabby.

расплы́ться сов. см. расплыва́ться.

расплю́щивание с. flattening.

расплю́щи||вать, расплю́щить (вн.) flatten (out) (d.), crush flat (d.); (молотком) hammer out (d.). ~ваться, расплю́щиться 1. become* flat; 2. страд. к расплю́щивать. ~ть(ся) сов. см. расплю́щивать(ся).

распознава́||емый recognizable, discernible. ~ние с. recognition, discerning, discernment.

распознава́ть, распозна́ть (вн.) recognize (d.), discern (d.); распозна́ть боле́знь diagnose the illness.

распозна́ть сов. см. распознава́ть.

располаг||а́ть I 1. (*тв.*; *иметь в своём распоряжении*) dispóse (of), have aváilable (*d.*); ~ вре́менем have time at one's dispósal [...-z°l], have time aváilable; ~а́йте мной, мое́й жи́знью dispóse of me, of my life; 2. (+ *инф.*) *уст.* (*намереваться*) inténd (+ to *inf.*, + *ger.*), propóse (+ to *inf.*, + *ger.*); он ~а́ет за́втра вы́ехать he inténds / propóses to go, *или* gó:ing, a:wáy to:mórrow.

располага́ть II, расположи́ть 1. (*вн.*; *размещать*) dispóse (*d.*), arránge [-eɪndʒ] (*d.*), place (*d.*), put* (*d.*), set* (*d.*); ~ в алфави́тном поря́дке arránge in álphabétical órder (*d.*); расположи́ть свои́ войска́ dispóse / státion one's troops; дом был расположен у реки́ the house* was sítuated / locáted near *the* ríver [...haus...'rɪ-]; 2. (*вн.* к; *в чью-л. пользу*) gain (*d.*), win* óver (*d.*); расположи́ть кого́-л. к себе́ gain smb., win* smb.'s fávour; ~ кого́-л. в свою́ по́льзу win* smb.'s fávour, pré:posséss smb. [-ˈzes...]; он расположи́л её в свою́ по́льзу he has ínterested her in his fávour; 3. *тк. несов.* (к; *настраивать*) dispóse (to); ~ к размышле́нию dispóse to meditátion; обстано́вка располага́ет к рабо́те the átmosphère is fávour:able to work. ~ся, расположи́ться 1. (*устраиваться*) sеttle, make* óne:self cómfortable [...ˈkʌm-]; он расположи́лся на дива́не he made him:self cómfortable on the sófa; он расположи́лся писа́ть he sat / séttled down to write; он реши́л здесь расположи́ться he decíded to stay here; (*на продолжительное время*) he decíded to séttle down here; ~ся ла́герем camp; 2. *страд.* к располага́ть II.

располага́ющий I *прич. см.* располага́ть I.

располага́ющ||ий II 1. *прич. см.* располага́ть II; 2. *прил.* pré:posséssing [-ˈzes-]; ~ая вне́шность pré:posséssing appéarance.

располза́ться, расползти́сь 1. (*о насекомых и т. п.*) crawl (a:wáy); 2. *разг.* (*разрываться по швам*) come* unrávelled [...-ˈræ-], tear* / give* at the seams [tɛə...].

расползти́сь *сов. см.* располза́ться.

располне́ть *сов. разг.* grow* stout [grou...]; (*о женщине, ребёнке тж.*) grow* plump.

расположе́н||ие *с.* 1. (*размещение*) dispositión [-ˈzɪ-], arrángeːment [-eɪn-]; кварти́рное ~ *воен.* billets *pl.*; ~ войск по кварти́рам billeting of *the* troops; 2. (*местоположение*) situátion, locátion; *воен. тж.* position [-ˈzɪ-]; ~ уча́стка, са́да *и т. п.* situátion of *a* plot, gárden, *etc.*; ~ на ме́стности *воен.* locátion on the ground; прони́кнуть в ~ войск проти́вника pénetràte the énemy's posítions / lines; 3. (*порядок размещения чего-л.*) arrángeːment, láyːout; ~ не́рвов nerváition; ~ слов *грам.* wórd-órder; 4. (*симпатия*) fávour, líking, inclinátion; по́льзоваться чьи́м-л. ~ием enjóy smb.'s fávour, be liked by smb.; be in smb.'s good books *идиом.*; заслужи́ть чьё-л. ~ win* smb.'s fávour, gain smb.'s

иска́ть чьего́-л. ~ия court smb. [kɔːt...], cúrry fávour with smb.; сниска́ть чьё-л. ~ win* smb.'s fávour; 5. (к; *наклонность*) inːclinátion (to, for); disposítion (to), propénsity (to), bías (towards); (*к музыке, искусству и т. п. тж.*) disposítion (for), taste [teɪ-] (for); ~ к боле́зни, полноте́ téndency to íllness, stóutness; 6. (*настроение*) disposítion, mood; ~ ду́ха mood, húmour; быть в хоро́шем ~ии ду́ха be in a good* / chéerful mood, be chéerful, be in (good) spírits; быть в плохо́м ~ии ду́ха be in a bad* húmour; у него́ нет ~ия де́лать что-л. he isːn't in the mood to do smth.; he is in no mood for doing smth.; у него́ нет ~ия е́хать туда́ he is in no mood to go there.

располож||енный 1. *прич. см.* располага́ть II; 2. *прил.* (к; *питающий чувство симпатии*) dispósed (towards, to); он ~ен ко мне, в мою́ по́льзу he is well dispósed towards me, he is dispósed in my fávour; 3. *прил.* (к; + *инф.*; *склонный*) dispósed (to; + to *inf.*); inːclíned (+ to *inf.*); он не ~ен к серьёзному разгово́ру he is not dispósed to have a sérious talk; он не ~ен сего́дня рабо́тать he is not in a mood to work to:dáy.

расположи́ть *сов. см.* располага́ть II 1, 2. ~ся *сов. см.* располага́ться.

расположи́ться *сов. см.* полосова́ть I.

распо́р *м. тех.* thrust. ~**ка** *ж. тех.* dístance piece [...piːs], cróss-piece [-piːs], spréader (bar) [-edə...], strut.

распоро́ть *сов.* 1. *см.* распа́рывать; 2. *как сов. к* поро́ть II. ~**ся** *сов.* 1. *см.* распа́рываться; 2. *как сов. к* поро́ться.

распоряди́тель *м.*, ~**ница** *ж.* mánager; (*на торжестве*) máster of céremonies. ~**ность** *ж.* good mánagement; отсу́тствие ~ности mismánageːment. ~**ный** 1. (*о человеке*) áctive, efficient, cápable; быть ~ным be a good / cápable, *или* an áctive, mánager; 2.: ~ный о́рган administrátive órgan.

распоряди́ться *сов. см.* распоряжа́ть:ся 1, 3.

распоря́д||ок *м.* órder; (*обычный*) routíne [ruːˈtiːn]; пра́вила вну́треннего ~ка в учрежде́нии, на фа́брике *и т. п.* óffice, fáctory, *etc.*, règulátions; ~ дня the dáily routíne; како́й у вас ~ дня? how is your day divíded?, what is your dáily routíne?

распоря||жа́ться, распоряди́ться 1. (*о пр.*, + *инф.*; *давать приказание*) órder (*d.*, *d.* + to *inf.*); *сов. тж.* see* (that); (*устраивать*) make* arrángeːments [...-əˈreɪ-]; ~ди́ться сде́лать, принести́, убра́ть что-л. have / see* smth. done, brought, táken aːwáy; ~ди́ться пригото́вить ко́мнату have *a* room prepáred; он ~ди́тся об упла́те вам э́той су́ммы he will see that this sum is paid to you, he will arránge for this sum to be paid to you [...-eɪndʒ...]; разреши́те ~ди́ться по своему́ усмотре́нию let me have a free hand; 2. *тк. несов.* (*управлять, хозяйничать*) give* órders, be in commánd / charge [...-ɑːnd...]; commánd; be the boss *разг.*; кто здесь ~жа́ется? who gives órders,

или who is in commánd / charge, here?; он лю́бит ~ he likes to commánd / boss; ~ как у себя́ до́ма beháve as though the place belónged to one [...ðou...]; 3. (*тв.*; *находить применение чему-л.*) dispóse (of), deal* (with), do (with); он не зна́ет, как ~ди́ться э́тими деньга́ми he does not know how to use this móney [...nou...'mʌ-]; ~ свое́й со́бственной судьбо́й be one's own máster [...oun...], be the árbiter / máster of one's own déstiny.

распоряже́н||ие *с.* (*приказ*) órder; insτrúction, diréction; (*указ, постановление*) decrée; завеща́тельное ~ bequést; до осо́бого ~ия until fúrther nótice [...-ðə ˈnou-]; ◇ быть в ~ии кого́-л. be at smb.'s dispósal / commánd [...-z°l -ˈmɑː-]; име́ть в своём ~ии have at one's dispósal / commánd.

распоя́саться *сов. см.* распоя́сываться.

распоя́сываться, распоя́саться únːgirdle [-ˈgə-]; (*перен.*) throw* asíde all restráint [-ou...], let* oneˈsélf go.

распра́в||а *ж.* víolence, repríṣal [-zˀl]; кула́чная ~ físt-law; крова́вая ~ mássacre, cárnage; жесто́кая ~ sávage repríṣal; ◇ твори́ть суд и ~у *уст.* adminíster jústice and mete out púnishment; коро́ткая ~ short shrift; у меня́ с ним ~ коротка́ I'll give him short shrift, I'll make short work of him.

распра́вить *сов. см.* расправля́ть.

распра́виться I, II *сов. см.* расправля́ться I, II.

расправля́ть, распра́вить (*вн.*) 1. (*выпрямлять*) stráighten (*d.*); (*делать гладким*) smooth out [-ð...] (*d.*); ~ скла́дки smooth out créases [...-sɪz]; ~ кры́лья (*прям. и перен.*) spread* one's wings [-ed...]; 2. (*вытягивать*) stretch (*d.*); ~ пле́чи stráighten / square one's shóulders [...ˈʃou-].

расправля́ться I, распра́виться 1. (*о скла́дках и т. п.*) get* smoothed out [...-ðd...], fall* out; 2. *страд.* к расправля́ть.

расправля́ться II, распра́виться (*с тв.*; *учинять расправу*) deal* (with); make* short work (of), give* short shrift (to) *разг.*; ~ без суда́ take* the law into one's own hands [...oun...].

распределе́н||ие *с.* 1. (*в разн. знач.*) distribútion; (*налогов*) asséssment; боево́е ~ *воен.* báttle òrganizátion [...-naɪ-]; 2. (*молодых специалистов*) assígnment [əˈsaɪn-]. ~**и́тель** *м.* distríbutor. ~**и́тельный** distríbutive; ~и́тельная доска́, ~и́тельный щит *тех.* swítchboard; ~и́тельная коро́бка *эл.* pánel box [ˈpæ-...], switch box. ~**и́ть** *сов. см.* распределя́ть.

распределя́ть, распредели́ть 1. (*вн. между*) distríbute (*d.* to, among), allót (*d.* to); (*о налогах*) asséss (*d.* upːón); ~ вре́мя régulàte / órder one's time, állocàte one's time; ~ частоты́ *рад.* assígn rádio fréquencies [əˈsaɪn... ˈfriː-]; 2. (*вн.*; *о молодых специалистах*) assígn [əˈsaɪn-].

распродава́ть, распрода́ть (*вн.*) sell* off / out (*d.*); have a (cléarance) sale; кни́га распро́дана the book is out of print.

распрода́‖**жа** *ж. тк. ед.* sale; (*о товарах*) cléarance sale. ~ть *сов. см.* распродава́ть.

распропаганди́ровать *сов.* (*вн.*) *разг.* convínce (of), persuáde [pəˈsweɪd] (*d.*).

распростере́ть(ся) *сов. см.* простира́ть(ся).

распростёрт‖**ый** *прич. и прил.* (out)strétched; *прил. тж.* próstrate, prone; с ~ыми кры́льями with exténded wings; ◊ встреча́ть с ~ыми объя́тиями recéive with ópen / outstrétched arms [-ˈsiːv...].

распростира́ть, распростере́ть (*вн.*) stretch out (*d.*); exténd (*d.*). ~ся, распростере́ться 1. stretch, exténd, pròstráte òneːsélf; (*перен.*; *о влия́нии и т. п.*) spread* [-ed], wíden; 2. *страд. к* распростира́ть.

распрости́ться *сов.* (*с тв.*) take* fínal leave (of); (*перен.: расста́ться*) take* leave (of); ~ со все́ми наде́ждами say* good-býe to all hopes, bid* fáreːwell to all hopes.

распростране́ние *с.* spréading [-ed-], diffúsion; (*об иде́ях и т. п.*) dissèminátion; ~ слу́хов spréading of rúmours; ~ инфе́кции spréading of inféction; ~ передовы́х мéтодов рабо́ты the spread of progréssive méthods of work [...-ed...]; име́ть, получи́ть большо́е ~ be wídely práctised [...-st]; (*о мне́нии, иде́е и т. п.*) be wídely used / spread [...-ed]; Всесою́зное о́бщество по распростране́нию полити́ческих и нау́чных зна́ний All-Únion Socíety for the Disseminátion of Polítical and Scientífic knówledge [...ˈnɔ-].

распространённ‖**ость** *ж.* prévalence; exténd to which *smth.* has spread [...spred], exténd to which *smth.* has been dissèmináted. ~ый 1. *прич. см.* распространя́ть; 2. *прил.* wídeːspread [-ed]; широ́ко ~ые ви́ды расте́ний, живо́тных и т. п. wídely-distríbuted spécies of plants, ánimals, *etc.* [...fiːz...plɑː-...]; 3. *прил.:* ~ое предложе́ние *грам.* exténded séntence.

распространи́тель *м.*, ~**ница** *ж.* spréader [-edə]. ~**ный** exténded.

распространя́ть(ся) *сов. см.* распространя́ть(ся).

распростран‖**я́ть,** распространи́ть (*вн.*) spread* [-ed] (*d.*), diffúse (*d.*); (*об арома́те, за́пахе*) give* out / off (*d.*); (*об идéях, учéнии и т. п.*) dissèmináte (*d.*), própagate (*d.*); (*о мéтодах рабо́ты, о́пыте и т. п.*) pópularize (*d.*); ~ де́йствие зако́на (*на вн.*) exténd the applicátion of *the* law (*to*); ~ сведе́ния spread* informátion; ~ить мемора́ндум (*среди́*) círculate *a* memorándum (*among*); ~ кни́ги, листо́вки distríbute books, léaflets; ~ на всех exténd to éverybody (*d.*).

распространя́‖**ться,** распространи́ться 1. spread* [-ed]; э́то ~ется на всех this applíes to all; зако́н не ~ется (*на вн.*) the law does not apply (to); 2. (*о пр.*) *разг.* (*подро́бно говори́ть*) enlárge (on), expátiate (on), dilate [daɪ-] (on); 3. *страд. к* распространя́ть.

распроща́ться *разг.* = распрости́ться.

распры́скать *сов.* (*вн.*) *разг.* spray about (*d.*); (*истратить*) use up by spráying (*d.*).

ра́спря *ж.* díscòrd, strife.

распряга́ть, распря́чь (*вн.*) únhárness (*d.*). ~ся, распря́чься 1. become* / get* únhárnessed; 2. *страд. к* распряга́ть.

распрями́ть(ся) *сов. см.* распрямля́ть(ся).

распрямля́ть, распрями́ть (*вн.*) stráighten (*d.*), únbénd* (*d.*). ~ся, распрями́ться 1. stráighten òneːsélf; 2. *страд. к* распрямля́ть.

распря́чь(ся) *сов. см.* распряга́ть(ся).

распуга́ть *сов. см.* распу́гивать.

распу́гивать, распуга́ть (*вн.*) scare / frighten aːwáy (*d.*).

распуска́ние *с.* 1. (*о расте́ниях*) blóoming, blóssoming; 2. (*растворе́ние*) solútion; (*раста́пливание*) mélting; 3. (*вя́заных изде́лий*) ùnːrávelling.

распуска́ть, распусти́ть (*вн.*) 1. (*отпуска́ть*) dismiss (*d.*); (*об организа́циях, войска́х*) disbánd (*d.*); ~ собра́ние dismíss *a* meeting; ~ парла́мент dissólve párliament [-ˈzɔl -ləm-]; ~ кома́нду *мор.* pay* off the crew; ~ на кани́кулы dismiss for the hólidays [...-dɪz]; ~ break* up [-eɪk...]; 2. (*ослабля́ть*) lóosen [-sⁿn] (*d.*); ~ по́яс lóosen the belt; 3. (*по́ртить, ослабля́ть контро́ль*) allow to get out of hand (*d.*), let* (*d.*) get out of hand; он распусти́л своего́ сы́на he has lost control of his son [...-oul...sʌn]; 4. (*развёртывать, расправля́ть*) let* out (*d.*); ~ знамёна spread* / únfúrl the cólours / bánners [-ed...ˈkʌl...]; ~ во́лосы let* out one's hair down; ~ хвост (*о павли́не*) spread* its tail; 5. (*растворя́ть в жи́дкости*) dissólve (*d.*); (*раста́пливать*) melt (*d.*); 6. (*о вя́заных изде́лиях*) ùnːrável [-ˈræ-] (*d.*); (*о скла́дках*) úntúck (*d.*), let* out (*d.*); 7. *разг.* (*распространя́ть*) set* afloat (*d.*): ~ слух set* a rúmour afloat; ◊ ~ ню́ни *разг.* snível [ˈsnɪ-], slóbber, whimper. ~ся, распусти́ться 1. (*о расте́ниях*) ópen, blóssom out; берёза ещё не распусти́лась the birch-tree has not come out yet, *или* has not yet bróken into leaf; the birch is not yet in leaf; 2. (*развя́зываться, ослабля́ться*) become* loose [...-s], ùnːlóosen [-sⁿn]; sláсken; (*в отноше́нии дисципли́ны*) become* undisciplined, let* oneːself go; 3. (*растворя́ться в жи́дкости*) dissólve [-ˈzɔlv]; (*раста́пливаться*) melt (*d.*); 4. (*о вя́заных изде́лиях*) get* / come* ùnːrávelled; 5. *страд. к* распуска́ть.

распустёха *ж. разг.* sláttern, slut.

распусти́ть(ся) *сов. см.* распуска́ть(ся).

распу́тать(ся) *сов. см.* распу́тывать(ся).

распу́тица *ж.* 1. séason of bad roads [-zⁿn...]; 2. (*плохо́е состоя́ние доро́г*) slush.

распу́тн‖**ик** *м.,* ~**ица** *ж.* prófligate, líbertine.

распу́т‖**ничать** lead* a dissólute life. ~**ный** dissólute, licéntious [laɪ-], réprobate. ~**ство** *с.* líbertinism, debáuchery, dissolúteness, dissipátion.

распу́тывать, распу́тать (*вн.*; *о верёвке, ни́тках и т. п.*) úntángle (*d.*), úntwine (*d.*); disentángle (*d.*), ùnːrável

[-ˈræ-] (*d.*) (*тж. перен.*); (*перен.*) puzzle out (*d.*). ~ся, распу́таться 1. (*о верёвке, ни́тках и т. п.*) become* / get* disentángled / ùnːdóne / úntwined; (*перен.*) become* / get* disentángled / clear; 2. (*с тв.*) *разг.* (*освобожда́ться от кого́-л., чего́-л.*) rid* oneːself (of); 3. *страд. к* распу́тывать.

распу́тье *с.* cróssroads *pl.*, párting of the ways; ◊ на ~ at the párting of the ways; at the cróssroads.

распуха́ние *с.* swélling (up / out); intuméscence *научн.*

распуха́ть, распу́хнуть 1. (*от*) swell* (up / out) (with); 2. *разг.* (*изли́шне увели́чиваться*) swell*, become* infláted.

распу́хнуть *сов. см.* распуха́ть.

распуши́ть *сов. см.* пуши́ть.

распу́щенн‖**ость** *ж.* 1. (*недисциплини́рованность*) lack of discipline; 2. (*безнра́вственность*) díssolúteness, licéntiousness [laɪ-], dissipátion. ~**ый** 1. *прич. см.* распуска́ть; ~ые во́лосы loose / flowing hair [-s ˈflou-...] *sg.*; 2. *прил.* (*недисциплини́рованный*) ùndisciplined; ~ый ребёнок ùngóvernable child* [-ˈgʌ-...]; 3. *прил.* (*развра́тный*) díssolùte; fast *разг.*

распыл‖**е́ние** *с.* dispérsion, àtomizátion [-maɪ-]; (*перен.; сил и т. п.*) scáttering; ~ средств dìssipátion of resóurces [...-ˈsɔːs-]. ~**итель** *м. тех.* spráyer, átomizer, púlverizer.

распыли́ть(ся) *сов. см.* распыля́ть(ся).

распыля́ть, распыли́ть (*вн.*) púlverize (*d.*), dispérse (*d.*); (*о жи́дкости*) spray (*d.*), átomize (*d.*); (*перен.; о си́лах и т. п.*) scátter (*d.*). ~ся, распыли́ться 1. dispérse; (*перен.; о си́лах и т. п.*) get* scáttered; 2. *страд. к* распыля́ть.

распя́л‖**ивать,** распя́лить (*вн.*) stretch (on *a* frame) (*d.*). ~**ить** *сов. см.* распя́ливать.

распя́лка *ж.* strétching frame.

распя́тие *с.* crucífíxion; (*изображе́ние тж.*) cross, crúcifix.

распя́ть *сов. см.* распина́ть.

расса́д‖**а** *ж. тк. ед.* séedlings *pl.*; капу́стная ~ cábbage-plants [...-ɑːnts] *pl.*; сажа́ть ~у plant out séedlings [-ɑːnt...].

рассади́ть I, II *сов. см.* расса́живать I, II.

расса́дка *ж. с.-х.* plánting out [-ɑːnt-...], transplánting [-lɑːn-].

расса́дник *м.* séed-plot; hótbèd, bréeding-ground (*тж. перен.*); ~ зара́зы disease-bréeder [-ˈziːz-].

рассадопоса́дочн‖**ый:** ~ая маши́на *с.-х.* séedling plánter [...-ɑːn-].

расса́живать I, рассади́ть (*вн.*) 1. (*по места́м*) seat (*d.*), óffer seats (*i.*); ~ госте́й seat one's guests round the table; 2. (*сажа́ть по́рознь*) séparate (*d.*), seat séparately (*d.*); рассади́ть шалуно́в séparate the misbeháv ers.

расса́живать II, рассади́ть (*о расте́ниях*) transplánt [-ɑːnt] (*d.*), plant out [-ɑː-...].

расса́живаться I, рассе́сться 1. (*по места́м*) take* one's seats; 2. *разг.* (*са-*

РАС — РАС

диться *разваляcь*) sprawl; **3.** *страд.* к **рассаживать I**.

рассаживаться II *страд.* к **рассаживать II**.

рассасывание *с. мед.* rèsolútion [-z-], resórption.

рассасыва||ться, рассосаться *мед.* resólve [-'zɔlv]; (*перен.*) *разг.* dispérse, scátter; опухоль ~ется the túmour is resólving.

рассверливать, рассверлить (*вн.*) ream (*d.*), bore out (*d.*), enlárge by drílling (*d.*).

рассверлить *сов. см.* **рассверливать**.

рассесться *сов. см.* **рассветать**.

рассвет *м.* dawn (*тж. перен.*); dáybreak [-eɪk]; на ~е at dawn, at dáybreak; перед ~ом, до ~а befóre dawn, befóre dáybreak.

рассве||тать, рассвести *безл.*: ~тает it is dáwning, day is bréaking [...-eɪk-]; ~ло́ it is álready (dáy)light [...-ɔːˈredɪ...]; совершенно ~ло́ it is broad dáylight [...-ɔːd...].

рассвирепеть *сов.* becóme* fúrious, get* into a rage.

расседаться, рассесться crack, split*; стена расселась the wall cracked.

расседлать *сов. см.* **расседлывать**.

расседлывать, расседлать (*вн.*) únsáddle (*d.*).

рассеивание *с.* dispérsion, scáttering; (*перен. тж.*) dissipátion.

рассеивать, рассеять (*вн.*) **1.** dispérse (*d.*); (*о мраке, страхе, сомнениях и т.п.*) dispél (*d.*), díssipate (*d.*); ~ свет dispérse / diffráct the light; ~ опасения allay appreḣénsions; **2.** (*о неприятеле, толпе и т.п.*) dispérse (*d.*), scátter (*d.*). ~ся, рассеяться **1.** dispérse; (*о мраке, облаках*) díssipate; (*о дыме, тумане тж.*) clear awáy; (*об опасениях, волнениях и т.п.*) blow* óver [blou...]; туман рассеялся the mist / fog has lífted, *или* has cleared; ~ся как дым vánish into smoke, *или* thin air, end in smoke; **2.** (*о толпе и т.п.*) dispérse, scátter; **3.** (*развлекаться*) divért / distráct òneself [daɪ-...]; ему нужно рассеяться he needs a break [...-eɪk]; **4.** *страд.* к **рассеивать**.

рассекать, рассечь (*вн.*) **1.** cut* (*d.*), cleave* (*d.*) (*тж. перен.*); ~ воду cleave* the wáter [...ˈwɔː-]; **2.** (*ранить*) cut* bádly (*d.*), slash (*d.*).

рассекретить *сов. см.* **рассекречивать**.

рассекречивать, рассекретить (*вн.*) **1.** declássify (*d.*), take* off the secúrity list (*d.*); **2.** *разг.* (*о людях*) dený áccess to sécret dócuments (*d.*), take* off sécret work (*d.*).

расселение *с.* **1.** séttling (in *a* new place); **2.** (*порознь*) sèparátion; séttling apárt.

расселина *ж.* cleft, rift.

расселить(ся) *сов. см.* **расселять(ся)**.

расселять, расселить (*вн.*) **1.** settle (in *a* new place) (*d.*); **2.** (*порознь*) séparàte (*d.*), settle apárt (*d.*). ~ся, расселиться **1.** settle (in *a* new place); **2.** (*порознь*) séparàte, settle séparately; **3.** *страд.* к **расселять**.

рассердить *сов.* (*вн.*) ánger (*d.*), make* ángry (*d.*). ~ся *сов.* (на *вн.*) becóme* / get* ángry (with).

рассерчать *сов. см.* **серчать**.

рассесться I *сов. см.* **рассаживаться I**.

рассесться II *сов. см.* **расседаться**.

рассечь *сов. см.* **рассекать**.

рассеяние *с.* dispérsion; ~ света *физ.* dispérsion of light, light diffúsion.

рассеянн||о *нареч.* ábsently, ábsent-mínde:dly; посмотреть ~ (на *вн.*) look ábsently (at). ~ость *ж.* **1.** (*разбросанность*) dispérsion; **2.** (*невнимательность*) ábsent-mínde:dness, distráction. ~ый **1.** *прич. см.* **рассеивать**; **2.** *прил.* scáttered, díssipated; ~ое населéние scáttered pòpulátion; ~ый свет *физ.* diffúsed / scáttered light; **3.** *прил.* (*невнимательный*) ábsent-mínded; ~ый взгляд vácant / wándering glance / look; **4.** *прил.* (*праздный*) díssipated; ~ый образ жизни díssipated life.

рассеять(ся) *сов. см.* **рассеивать(ся)**.

рассидеться *сов. см.* **расси́живаться**.

расси́живаться, рассидеться *разг.* sit* for a long time.

рассказ *м.* **1.** stóry, tale; (*литературный жанр*) short stóry; **2.** (*изложение событий*) account. ~ать *сов. см.* **рассказывать**. ~чик *м.*, ~чица *ж.* (stóry-)tèller, nàrrátor. ~ывание *с.* télling, nàrrátion.

рассказыв||ать, рассказать (*вн. дт.*) reláte (*d. i.*), tell* (*d. i.*), nàrráte (*d. i.*), recóunt (*d. i.*); ~ о своём горе (*дт.*) confíde one's sórrow (to); ~ дальше go* on with one's stóry; ~ают, что the stóry goes that; ◇ ~ай кому-нибудь другому *разг.* ≅ tell that to the (hòrse-)-marines [...-riː-]; ~ай сказки! tell me another one!; ты мне не ~ай! don't tell me tales!; ты мне не ~ай, я сам знаю! you're télling me!, you don't say!

расслабева́ть, расслабнуть *разг.* wéaken, grow* weak [-ou...]; (*от жары*) grow* limp.

расслаб||ить *сов. см.* **расслаблять**. ~ление *с.* wéakening, enféeble:ment. ~ленность *ж.* slackness, límpness. ~ленный **1.** *прич. см.* **расслаблять**; **2.** *прил.* slack; чувствовать себя ~ленным feel* slack / limp.

расслаблять, расслабить (*вн.*) wéaken (*d.*), enféeble (*d.*); únnerve (*d.*).

расслабнуть *сов. см.* **расслабевать**.

расславить *сов. см.* **расславлять**.

расславлять, расславить (*вн.*) *разг.* **1.** (*превозносить*) praise to the skies (*d.*); **2.** (*разглашать*) shout from the hóuse:tops [...ˈhaus-].

расслаивать, расслоить (*вн.*) divide into láyers (*d.*), strátify (*d.*); (*перен.*) differéntiàte (*d.*). ~ся, расслоиться **1.** èxfóliàte; (*перен.*) becóme* differéntiàted; **2.** *страд.* к **расслаивать**.

расследование *с.* invèstigátion, èxaminátion; *юр.* invèstigátion, ín:quèst, ínquiry; назначать ~ (*рд.*) órder *an* ínquest (into); произвести (*рд.*) hold* *an* ínquiry (into).

расследовать *несов. и сов.* (*вн.*) invèstigate (*d.*) (*тж. перен.*); look (into), hold* *an* ínquiry (into); это надо ~ this must be invèstigated, this must be looked into.

расслоение *с.* èxfóliátion; (*перен.*) strátificátion; ~ крестьянства stràtificátion of the péasantry [...ˈpez-].

расслоить(ся) *сов. см.* **расслаивать(-ся)**.

расслыш||ать *сов.* (*вн.*) catch* (*d.*); он ~ал только два слова he caught only two words; он не ~ал меня, он не ~ал, что я сказал he didn't catch what I said [...sed].

рассматрива||ть, рассмотреть (*вн.*) **1.** (*о деле, вопросе и т.п.*) consíder [-ˈsɪ-] (*d.*), examine (*d.*); ~ заявление consíder / examine *an* application; ~емый период the périod únder revíew [...-ˈvjuː]; **2.** *тк. несов.* (*считать*) regárd (as), consíder (*d.*); он ~ет это как оскорбление he regárds it as an ínsult; **3.** *тк. несов.* (*внимательно смотреть*) (have a good) look (at), examine (*d.*), scrútinize (*d.*); **4.** (*различать*) descrý (*d.*), discérn (*d.*), make* out (*d.*); он с трудом рассмотрел парус вдали he could scárcely make out, *или* discérn, the sail in the dístance [...-ɛəs-...]; в темноте трудно было рассмотреть его лицо it was dífficult to see his face in the dárkness.

рассмешить *сов.* (*вн.*) make* (*d.*) laugh [...lɑːf], set* láughing [...ˈlɑːf-] (*d.*).

рассмеяться *сов.* begín* to laugh [...lɑːf], burst* out láughing [...ˈlɑːf-].

рассмотрен||ие *с.* examinátion; (*проекта, предложения*) considerátion, scrútiny; (*договора*) discússion; представлять на ~ submít for considerátion (*d.*); выносить на ~ (*вн.*) place for considerátion (*d.*); быть на ~ии be únder considerátion; оставлять жалобу без ~ия dismíss *an* appéal, brush *an* appéal asíde; назначать дело на ~ appóint / set* / fix *a* time for the considerátion of *a* case [...keɪs]; передавать дело на новое ~ submít *a* case for rè:considerátion.

рассмотреть *сов. см.* **рассматривать 1, 4**.

рассовать *сов. см.* **рассовывать**.

рассовывать, рассовать (*вн.*) *разг.* shove about [ʃʌv...] (*d.*); ~ по карманам stuff / shove into one's (different) póckets (*d.*).

рассол *м.* **1.** brine; слабый ~ weak brine; **2.** *кул.* píckle.

рассольник *м.* rassólnik (*meat or fish soup with salt cucumbers*).

рассорить *сов.* (*вн.*) set* at váriance [...ˈvɛə-] (*d.*); set* by the ears (*d.*), set* at lóggerheads [...-hedz] (*d.*) *идиом.* ~ся *сов.* (с *тв.*) quárrel (with), fall* out (with), fall* foul (of); be at váriance [...ˈvɛə-] (with).

рассортировать *сов. см.* **рассортировывать**.

рассортировка *ж.* sórting out; ~ угля scréening of coal.

рассортировывать, рассортировать (*вн.*) sort out (*d.*).

рассосаться *сов. см.* **рассасываться**.

рассохнуться *сов. см.* **рассыхаться**.

расспрашивать, расспросить (*вн.*) quéstion [-stʃ-] (*d.*); (*о пр.*) make* ínquiries (about).

расспросить *сов. см.* **расспрашивать**.

542

расспро́с∥ы мн. quéstions [-stʃ-]; cróss-quéstioning [-stʃ-] sg.; надоеда́ть с ~ами péster with quéstions.

рассредото́чение с. воен. dispérsal.

рассредото́ч∥ивать, рассредото́чить (вн.) воен. dispérse (d.). ~**иваться, рассредото́читься** 1. воен. dispérse, break* up (into small únits) [breɪk...]; 2. страд. к рассредото́чивать. ~**ить(ся)** сов. см. рассредото́чивать.

рассро́ч∥ивать, рассро́чить (вн.) spread* (out) [-ed...] (d.); (о платеже и т.п.) arránge on the instálment sýstem [-eɪndʒ... -tɔːl-...] (d.); ~ить рабо́ту на неде́лю spread* the work óver a week; ~ить погаше́ние до́лга allów smb. to pay his debt by / in instálments [...det...]. ~**ить** сов. см. рассро́чивать.

рассро́чк∥а ж. тк. ед.: в ~у by / in instálments [...-tɔːl-]; поку́пка в ~у híre-púrchase [-s]; приобрета́ть что-л. (с опла́той) в ~у buy* smth. on an instálment plan [baɪ...], buy* smth. on the híre-púrchase sýstem; с ~ой на год on a year's instálment plan; предоста́вить ~у grant the right to pay by instálments [grɑːnt...].

расстава́ни∥е с. párting; при ~и on párting.

расстава́ться, расста́ться (с тв.) part (with); (с ро́диной, до́мом) leave* (d.); расста́немся друзья́ми let us part friends [...frendz]; ~ с мы́слью put* the thought out of one's head [...hed]; give* up the thought; ~ с привы́чкой break* a hábit [-eɪk...], give* up a hábit.

расста́вить сов. см. расставля́ть.

расставля́ть, расста́вить (вн.) 1. (размещать) place (d.), arránge [-eɪndʒ] (d.); ~ кни́ги arránge books; ~ часовы́х post séntries [poust...]; ~ се́ти set* / lay* / spread* nets [...spred...]; ~ се́ти кому́-л. set* a trap for smb.; 2. (раздвигать) move apárt [muːv...] (d.); ~ но́ги stand* with one's legs apárt; расста́вив но́ги feet plánted apárt [...-ɑːn-...]; 3. (о платье и т.п.) let* out (d.).

расстана́вливать разг. = расставля́ть 1.

расстано́вк∥а ж. 1. plácing, arránge:ment [-eɪn-]; ~ слов arránge:ment of words; ~ ка́дров plácing of pèrsonnél; 2. разг. (пауза) pause; говори́ть с ~ой ≅ speak* without haste [...heɪ-], speak* in méasured tones [...'mez-...].

расста́ться сов. см. расстава́ться.

расстега́й м. кул. rassegái [-ɑːɪ] (open-topped pasty).

расстёгивать, расстегну́ть (вн.) úndó (d.), únfásten [-s°n] (d.); (застёгнутое на пуговицы тж.) únbútton (d.); (застёгнутое на крючки тж.) únhóok (d.); (застёгнутое на застёжки тж.) únclásp (d.); (застёгнутое на пря́жки тж.) únbúckle (d.). ~**ся, расстегну́ться** 1. (о чём-л. застёгнутом) come* úndóne / únfástened [...-s°nd], come* únbúttoned, únbúckled, únclásped, únhóoked, etc. (ср. расстёгивать); 2. (расстёгивать на себе) úndó / únfásten one's coat; únbútton, únhóok, únclásp, únbúckle one's coat (ср. расстёгивать); 3. страд. к расстёгивать.

расстегну́ть(ся) сов. см. расстёгивать(ся).

расстели́ть(ся) сов. разг. = разостла́ть(ся) см. расстила́ть(ся).

расстил м.: ~ льна spréading, или láying out, flax [-ed-...].

расстила́ть, разостла́ть (вн.) spread* (out) [-ed...] (d.), lay* (d.). ~**ся, разостла́ться** разг. 1. spread* [-ed]; 2. страд. к расстила́ть.

расстоя́ни∥е с. dístance; space; на не́котором ~и (от) at some dístance (from), at a dístance (from); на далёком ~и (от) a great way off [...-eɪt...] (from), a great dístance aẃáy (from); на бли́зком ~и (от) at a short dístance (from); на одина́ковом ~и (о ряде предметов) at régular íntervals; на ~и пяти́, десяти́ киломе́тров (от) at five, ten kílomètres' dístance (from); он ви́дит на далёком ~и he can see at quite a dístance; ◊ на ~и пу́шечного вы́стрела, челове́ческого го́лоса within gúnshòt, within hail; держа́ть кого́-л. на ~и keep* smb. at arm's length; держа́ться на ~и keep* one's dístance; держа́ться на почти́тельном ~и keep* at a respéctful dístance, keep* alóof.

расстра́ивать, расстро́ить (вн.) 1. (приводить в беспорядок) disórder (d.), distúrb (d.); throw* into confúsion [-ou...] (d.), únséttle (d.); ~ ряды́ проти́вника break* (up) the énemy's ranks [-eɪk...]; 2. (причинять вред) shátter (d.); ~ своё здоро́вье rúin one's health [...he-]; ~ желу́док upsét* one's stómach [...'stʌmək...]; у него́ расстро́ены не́рвы his nerves are sháttered; 3. (причинять ущерб) rúin (d.), wreck (d.); 4. (мешать осуществлению) derange [-eɪn-] (d.), frustráte (d.), thwart (d.); ~ пла́ны frustráte the plans; ~ сва́дьбу break* the engágement; 5. (огорчать) upsét* (d.), put* out (d.); 6. (о музыкальном инструменте) put* out of tune (d.), untúne (d.). ~**ся, расстро́иться** 1. (становиться нестройным, беспорядочным) fall* apárt; ряды́ проти́вника расстро́ились the énemy's ranks broke up, the énemy broke ranks; 2. (приходить в упадок) go* to píeces [...'piːs-]; break* down [breɪk...], fail; 3. (о планах и т.п.) fall* to the ground, be frustráted; 4. (приходить в болезненное состояние) fail, collápse; 5. (о музыкальном инструменте) be out of tune; 6. (от; огорчаться) feel* / be upsét (óver, abóut); be put out (abóut); be disappóinted (at); 7. страд. к расстра́ивать.

расстре́л м. 1. (казнь) shóoting, èxecútion; пригова́ривать к ~у (вн.) séntence to be shot (d.); 2. (сильный обстрел на коротком расстоянии) shóoting down, fusilláde [-zɪ-].

расстре́ливать I, расстреля́ть (вн.) 1. (казнить) shoot* (d.); èxecúte by shóoting; 2. (подвергать сильному обстрелу на коротком расстоянии) shoot* down, fusilláde [-zɪ-] (d.); (из пулемёта) machine-gùn [-'ʃiːn-] (d.).

расстре́ливать II, расстреля́ть (вн.; расходовать патроны при стрельбе) use up (d.), несов. тж. use (d.).

расстреля́ть I, II сов. см. расстре́ливать I, II.

расстри́г∥а м. церк. únfrócked monk [...mʌ-]; únfrócked priest [...priː-]. ~**а́ть, расстри́чь** (вн.) церк. únfróck (d.).

расстри́чь сов. см. расстрига́ть.

расстро́енный 1. прич. см. расстра́ивать; 2. прил. sad, dówncàst.

расстро́ить(ся) сов. см. расстра́ивать(ся).

расстро́йств∥о с. 1. disórder, disarráy, discompósure [-'pouzə]; (планов и т.п.) deránge:ment [-eɪn-], frustrátion; ~ желу́дка stómach upsét ['stʌmək...], indigéstion [-stʃ-], diarrhóea [-'rɪə]; не́рвное ~ nérvous disórder / bréakdown [...breɪk-]; приводи́ть в ~ (вн.) throw* into confúsion / disórder [-ou...] (d.), disórder (d.); (о планах и т.п.) disarránge [-eɪn-] (d.); приходи́ть в ~ (о делах и т.п.) be in a sad condítion / state; 2. (огорчение): приводи́ть в ~ (вн.) upsét* (d.), put* out (d.); быть в ~е разг. feel* / be úpsèt, be put out.

расступ∥а́ться, расступи́ться part; толпа́ ~и́лась, что́бы пропусти́ть нас the crowd párted to let us pass. ~**и́ться** сов. см. расступа́ться.

расстыкова́ться сов. см. расстыко́вываться.

расстыко́вка ж. (космических кораблей) úndócking.

расстыко́вываться, расстыкова́ться (о космических кораблях) úndóck.

рассуди́тельн∥ость ж. réasonable:ness ['riːz-]; (осторожность, благоразумие) discrétion. ~**ый** réasonable [-z-], sóber-mínded.

рассуд∥и́ть сов. 1. (вн.) judge (d.); ~и́те нас be an árbiter betwéen us, séttle our dispúte / quárrel; 2. (без доп.: сообразить, решить) think*, consíder [-'sɪ-]; он ~и́л, что ему́ лу́чше уе́хать he decíded that he had bétter go.

рассу́д∥ок м. 1. réason [-z°n]; íntellèct, mind; го́лос ~ка the voice of réason; в по́лном ~ке in full posséssion of one's fáculties [...-z-]; теря́ть ~ разг. lose* one's réason [luːz-]; лиши́ться ~ка go* out of one's mind; 2. (здравый смысл) cómmon sense; вопреки́ ~ку cóntrary to cómmon sense.

рассу́дочный rátional ['ræ-], góverned by the réason ['gʌv-...-z°n].

рассужд∥а́ть 1. réason [-z°n]; 2. (о пр.; обсуждать) discúss (d.); (в споре) árgue (abóut). ~**е́ние** с. 1. réasoning [-z-]; 2. (высказывание) díscourse [-'kɔːs]; discússion, debáte; árgument; без ~е́ний without árguing / árgument; 3. уст. (сочинение) dissertátion.

рассупо́нивать, рассупо́нить (вн.) úntíe the háme-stràp (when unhárnessing a horse).

рассупо́нить сов. см. рассупо́нивать.

рассу́ч∥ивать, рассучи́ть (вн.) 1. úntwist (d.); 2. (опускать засученное) úndó (d.); рассучи́ть рукава́ roll one's sleeves down. ~**иваться, рассучи́ться** 1. (расплета́ться) úntwist; 2. (о рукавах) come* úndóne; 3. страд. к рассу́чивать. ~**и́ть(ся)** сов. см. рассу́чивать(ся).

рассчи́танн∥ый 1. прич. см. рассчи́тывать; 2. прил. (умы́шленный) delíberate;

рассчита́ть *сов. см.* рассчи́тывать 1, 2, 5. **~ся** *сов. см.* рассчи́тываться 1, 2, 3.

рассчи́т∥ывать, рассчита́ть, расче́сть 1. (*вн.*) (*производить подсчёт, расчёт*) cálculate (*d.*); (*на определённую мощность, скорость и т. п.*) rate (at); не ~а́ть свои́х сил ≃ óver:ráte one's strength; bite* off more than one can chew *идиом.*; 2. (*вн.*) (*увольнять*) dismíss (*d.*), sack (*d.*); 3. *тк. несов.* (*на вн.*; *предполагать*) cálculate (on, upón), count (on, upón), réckon (on, upón); (+ *инф.*) expéct (+ to *inf.*), (*намереваться*) mean* (+ to *inf.*), expéct (+ to *inf.*); он ~ывал сде́лать э́то ве́чером he meant to do it in the évening [...ment...'i:v-]; он ~ывал получи́ть (*вн.*) he expécted to recéive [...-'si:v] (*d.*); 4. *тк. несов.* (*на вн.*: *полагаться*) depénd (on, upón), relý (on, upón), count (on); 5. *при сов.* рассчита́ть (*вн.*) *воен.* númber off (*d.*).

рассчи́тываться, рассчита́ться, расче́сться 1. (с *тв.*) settle accóunts (with), réckon (with); (*без доп.*) settle up; 2. (с *тв.*) *разг.* (*мстить*) get* éven (with); get* back some of one's own [...oun] *идиом. разг.*; 3. *при сов.* рассчита́ться (*без доп.*) *воен.* númber (off); 4. *тк. несов.* (за *вн.*; нести́ отве́тственность) pay* (for); ~ за свои́ просту́пки pay* for one's áctions; 5. *страд. к* рассчи́тывать 1, 2.

рассыла́ть, разосла́ть (*вн.*) send* (abóut, round) (*d.*); (*о повестках, извещениях и т. п.*) distríbute (*d.*); (*о листовках, рекламе и т. п.*) círculate (*d.*).

рассы́лка *ж.* distribútion, delívery.

рассы́льный *м. скл. как прил.* érrand-boy, delívery man*.

рассы́пать *сов. см.* рассыпа́ть.

рассыпа́ть, рассы́пать (*вн.*) 1. spill* (*d.*); (*разбрасывать*) strew* (*d.*), scátter (*d.*); 2. (*распределять*, *насыпая*) pour out [pɔ:...] (*d.*); 3. *воен.*: ~ ро́ту в цепь draw* up a cómpany in exténded line [...kʌm-...].

рассы́паться *сов. см.* рассыпа́ться.

рассыпа́ться, рассы́паться 1. spill*, scátter; 2. (*разбегаться*) scátter, scámper off; 3. *воен.*: ~ в цепь exténd; 4. (*разваливаться*) go* to píeces [...'pi:-]; (*о хлебе и т. п.*) crúmble; ~ в пыль crúmble to dust; ◊ ~ в похвала́х, комплиме́нтах (*дт.*) shówer práises, cómpliments (on); ~ в извине́ниях be profúse in one's apólogies [...-'fju:s-...]; ~ ме́лким бе́сом пе́ред кем-л. *разг.* ≃ fawn on smb., seek* to in:grátiàte one:sélf with smb.; ków:tòw to smb.

рассыпн∥о́й loose [-s]; ~ы́е папиро́сы cigaréttes sold loose [-s]; 2.: ~ строй *воен. уст.* exténded órder.

рассы́пчат∥ый crúmbly; fríable; (*о тесте*) short; ~ое пече́нье shórtbread [-ed].

рассыха́ться, рассо́хнуться (*от жары*) crack (with heat).

раста́лкивать, растолка́ть (*вн.*) *разг.* 1. push apárt / a:wáy [puʃ...] (*d.*); 2. (*спящего*) shake* (in órder to a:wáken) (*d.*), shake* out of slúmber (*d.*).

раста́пливать I, растопи́ть (*вн.*; *о печи и т. п.*) light* (*d.*), kíndle (*d.*).

раста́пливать II, растопи́ть (*расплавлять — о масле, воске и т. п.*) melt (*d.*); (*о снеге*) (cause to) thaw (*d.*).

раста́пливаться I, растопи́ться 1. (*о печи и т. п.*) burn*; 2. *страд. к* раста́пливать I.

раста́пливаться II, растопи́ться 1. (*расплавляться*) melt; 2. *страд. к* раста́пливать II.

раста́птывать, растопта́ть (*вн.*; *прям. и перен.*) trámple (*d.*), stamp (on), crush (*d.*).

растаска́ть *сов. см.* раста́скивать 1.

раста́скивать, растаска́ть, растащи́ть (*вн.*) *разг.* 1. (*уносить по частям*) take* a:wáy (bit by bit) (*d.*), remóve (part by part) (*d.*); (*разворовывать*) pílfer (*d.*); 2. *при сов.* растащи́ть (*в разные стороны*) drag / pull apárt [...pul...] (*d.*); растащи́ть деру́щихся drag fíghters apárt.

растасова́ть *сов. см.* растасо́вывать.

растасо́вывать, растасова́ть (*вн.*) *разг.* (*прям. и перен.*) shúffle (*d.*).

раста́чивать, расточи́ть (*вн.*) *тех.* bore / chísel (out) [...-iz-...] (*d.*); ~ паз chísel (out) a slot.

растащи́ть *сов. см.* раста́скивать.

раста́ять *сов. см.* та́ять 1, 2, 3, 5.

раство́р I *м.* 1. (*проём*) ópen:ing; ~ две́ри dóorway ['dɔ:-]; 2.: ~ ци́ркуля spread of a pair of cómpasses [-ed...'kʌl-].

раство́р II *м.* 1. *хим.* solútion; кре́пкий, сла́бый ~ strong, weak solútion; 2. *тех.*: известко́вый ~ lime mórtar, white-lime; цеме́нтный ~ cemént solútion / mórtar; гли́няный ~ clay mórtar; строи́тельный ~ grout (buílding) mórtar ['bil-...].

раствор∥е́ние *с.* (dis)solútion. ~и́мость *ж. хим.* (dis)solubílity. ~и́мый *хим.* (dis)sóluble. ~и́тель *м. хим.* (dis)sólvent [-'zɔl-], véhicle ['vi:ikl].

раствори́ть I, II *сов. см.* растворя́ть I, II. **~ся** I, II *сов. см.* растворя́ться I, II.

растворя́ть I, раствори́ть (*вн.*; *раскрывать*) ópen (*d.*).

растворя́ть II, раствори́ть (*вн.*) *хим.* dissólve [-'zɔlv] (*d.*).

растворя́ться I, раствори́ться 1. (*раскрываться*) ópen; 2. *страд. к* растворя́ть I.

растворя́ться II, раствори́ться 1. *хим.* dissólve [-'zɔlv]; 2. *страд. к* растворя́ть II.

растека́ться, расте́чься spread [-ed] (*о чернилах*) run*; (*перен.*) spread abóut.

расте́ние *с.* plant [-ɑ:nt]; одноле́тнее ~ ánnual; многоле́тнее ~ perénnial; двухле́тнее ~ biénnial; водяно́е ~ wáter plant ['wɔ:-...]; aquátic plant *научн.*; вью́щееся ~ clímber ['klaimbə]; ползу́чее ~ créeper; сте́лющееся ~ tráiler.

растениево́д *м.* plánt-grower [-ɑ:nt-ou-], plánt-breeder [-ɑ:nt-]. ~ство *с.* plánt-growing [-ɑ:nt- -ou-].

растереби́ть *сов.* (*вн.*) *разг.* 1. (*привести в беспорядок*) pull to píeces [pul...'pi:-] (*d.*), make* a mess (of) (*d.*); 2. (*побудить к активности*) stir up (*d.*), rouse (*d.*), spur to áctivity (*d.*).

растере́ть(ся) *сов. см.* растира́ть(ся).

расте́рзанный *прич. и прил.* tóusled, táttered; (*перен.*) tòrménted.

растерза́∥ть *сов.* (*вн.*) tear* to píeces [teə...'pi:-] (*d.*); во́лки ~ли овцу́ the wolves tore the sheep* to píeces [...wu-...].

расте́рянн∥ость *ж.* confúsion, embárrassment, perpléxity. ~ый 1. *прич. см.* растеря́ть; 2. *прил.* confúsed, embárrassed, perpléxed.

растеря́ть *сов.* (*вн.*) lose* (líttle by líttle) [lu:z...] (*d.*). ~ся *сов.* 1. (*пропасть*) get* lost; 2. (*утратить спокойствие*) lose* one's head [lu:z...hed]; ~ся от неожи́данности be táken abáck; не ~ся keep* one's head.

расте́чься *сов. см.* растека́ться.

расти́ 1. (*в разн. знач.*) grow* [-ou]; (*о детях*) grow* up; 2. (*увеличиваться*) in:créase [-s]; растёт и кре́пнет ла́герь демокра́тии и социали́зма the camp of demócracy and sócialism is gáining in strength and scope; 3. (*совершенствоваться*) advánce; писа́тель растёт с ка́ждым свои́м произведе́нием the wríter matúres, *или* grows in státure, with évery work he prodúces [...grouz...].

растира́ние *с.* 1. grínding; 2. *мед.* mássàge [-ɑ:ʒ].

растира́ть, растере́ть (*вн.*) 1. (*превращать в порошок, пыль*) grind* (*d.*); ~ в порошо́к grind* to pówder (*d.*); *хим.* tríturate (*d.*); 2. (*размазывать*) spread* [-ed] (*d.*); ребёнок растёр грязь по лицу́ a child* rubbed dirt on his face; 3. (*делать массаж*) rub (*d.*), mássàge [-ɑ:ʒ] (*d.*). ~ся, растере́ться 1. (*превращаться в порошок, пыль*) becóme* pówdered; turn into pówder; *хим.* becóme* tríturàted; 2. (*делать обтирание*) rub one:sélf brískly; 3. *страд. к* растира́ть.

расти́тельн∥ость *ж.* 1. vègetátion, vérdure [-dʒə]; лишённый ~ости bare, bárren; 2. *разг.* (*волосы*) hair. ~ый 1. (*в разн. знач.*) végetable; ~ый мир, ~ое ца́рство the végetable kíng:dom; ~ый органи́зм végetable órganism; ~ая пи́ща végetable díet; ~ое ма́сло végetable oil; ◊ ~ая жизнь végetable life / exístence; жить ~ой жи́знью végetàte.

расти́ть 1. (*кого-л.*) raise (smb.), bring* up (smb.); забо́тливо ~ ка́дры train / rear pèrsonnél with much care; 2. (*что-л.*) grow* [-ou] (smth.), cúltivàte (smth.); ~ бо́роду, во́лосы grow* a beard, one's hair.

растл∥ева́ть, растли́ть (*вн.*) sedúce (*d.*), rávish (*d.*); (*перен.*) corrúpt (*d.*), deprávе (*d.*). ~е́ние *с.* sedúction; ~е́ние нра́вов corrúption (of mórals) [...'mɔ-]. ~ённый corrúpt. ~и́ть *сов. см.* растлева́ть.

растолка́ть *сов. см.* раста́лкивать.

растолкова́ть *сов. см.* растолко́вывать.

растолко́вывать, растолкова́ть (*что-л. кому́-л.*) expláin (smth. to smb.), make* smb. see smth., make* smb. understand smth.

растолочь *сов. см.* толочь.
растолстеть *сов.* grow* stout [-ou...], put* on flesh / weight.
растопить I, II *сов. см.* растапливать I, II. ~**ся** I, II *сов. см.* растапливаться I, II.
растопк||**а** *ж.* 1. (*действие*) lighting, kindling; на ~y for kindling; 2. *собир. разг.* (*материал для разжигания*) kindling (wood) [...wud].
растоптанный 1. *прич. см.* растаптывать; 2. *прил. разг.* (*разношенный — об обуви*) shape:less from wear [...wɛə].
растоптать *сов. см.* растаптывать.
растопыр||**ивать**, **растопырить** (*вн.*) *разг.* spread* wide [-ed...] (*д.*). ~**ить** *сов. см.* растопыривать.
расторгать, **расторгнуть** (*вн.*) cáncel (*д.*), dissólve [-'zɔ-] (*д.*), annúl (*д.*), ábrogàte (*д.*); ~ брак dissólve a márriage [...-rɪdʒ]; ~ соглашение, контракт annúl / cáncel an agréement / a cóntract; ~ договор ábrogàte / dissólve a tréaty / convéntion.
расторгнуть *сов. см.* расторгать.
расторговаться *сов. разг.* 1. begin* to do a brisk trade; 2. (*продать весь товар*) have sold out.
расторжение *с.* dissolútion, cancellátion, annúlment, abrogátion; ~ брака dissolútion of márriage [...-rɪdʒ].
растормошить *сов.* (*вн.*) tug in órder to awáken (*д.*); (*перен.*) stir up (*д.*), spur to activity (*д.*).
растороп||**ость** *ж.* quickness, prómptness, efficiency. ~**ый** quick, prompt, efficient, smart; ~**ый** малый prompt / efficient féllow.
расточ||**ать**, **расточить** (*вн.*) 1. (*безрассудно тратить*) dissipate (*д.*), squánder (*д.*), waste [weɪ-] (*д.*); ~ деньги squánder móney [...'mʌnɪ]; ~ народное достояние squánder nátional próperty [...'næ-...]; ~ время waste / squánder time; 2. *тк. несов.* (*щедро давать*) lávish (*д.*), shówer (*д.*); ~ похвалы, улыбки (*дт.*) lávish / shówer práises, smiles (on, upón). ~**ение** *с.* (*безрассудная трата*) dissipátion, squándering.
расточ||**итель** *м.*, ~**ница** *ж.* squánderer, spéndthrift, wáster ['weɪ-]. ~**ность** *ж.* extrávagance, wáste:fulness ['weɪ-]; dissipátion. ~**ый** extrávagant, wáste:ful ['weɪ-]; spéndthrift (*attr.*). ~ **ство** *с.* squándering, dissipátion.
расточить I *сов. см.* расточать 1.
расточить II *сов. см.* растачивать.
расточка *ж. тех.* bóring / chíselling out.
растравить *сов. см.* растравлять.
растравлять, **растравить** (*вн.*) (*о ране и т. п.*) irritate (*д.*); (*перен.*) embitter (*д.*), ággravàte (*д.*); ~ рану (*перен.*) rub salt on the wound [-wu:-]; ~ горе exácerbàte *one's* grief [...gri:f].
растранжирить *сов. см.* транжирить.
растрат||**а** *ж.* 1. spénding; (*потеря*) waste [weɪ-]; 2. (*чужих денег и т. п.*) embézzlement, peculátion. ~**ить**(**ся**) *сов. см.* растрачивать(ся). ~**чик** *м.*, ~**чица** *ж.* embézzler, peculátor.
растрачивать, **растратить** (*вн.*) 1. (*расходовать*) spend* (*д.*); (*безрассудно*) dissipàte (*д.*), waste [weɪ-] (*д.*); squánder (*д.*); (*перен.*) rúin (*д.*); растратить своё состояние run* through, *или* squánder, one's fórtune [...-tʃən]; растратить здоровье rúin one's health [...he-]; ~ своё время frítter a:wáy one's time; 2. (*незаконно расходовать*) embézzle (*д.*), peculàte (*д.*). ~**ся**, растратиться 1. dissipàte one's energies; 2. *страд. к* растрачивать.
растревожить *сов.* (*вн.*) *разг.* alárm (*д.*), ágitàte (*д.*); ~ муравейник stir up an ánt-hill. ~**ся** *сов. разг.* take* alárm, get* ánxious.
растрезвонить *сов. см.* трезвонить 2.
растрёпа *м. и ж. разг.* shóck-head [-hed]; slóven ['slʌ-].
растрёпанн||**ый** *прич. и прил.* (*о волосах*) dishévelled, tousled [-z-]; (*о книге, одежде*) táttered; ◇ быть в ~**ых** чувствах *разг.* be confused, be troubled [...trʌ-].
растрепать *сов.* (*вн.*) 1. tousle [-zl] (*д.*); ~ волосы кому-л. tousle / disarránge smb.'s hair [...-eɪndʒ...]; 2. (*о книге и т. п.*) deface (*д.*). ~**ся** *сов.* 1. (*о волосах*) get* / be dishévelled; 2. (*о книге и т. п.*) get* / be táttered.
растрескаться *сов.* crack; (*о коже*) chap; ~ от жары crack with heat.
растроганный *прич. и прил.* moved [mu:vd], touched [tʌtʃt].
растрогать *сов.* (*вн.*) move [mu:v] (*д.*), touch [tʌtʃ] (*д.*); ~ кого-л. до слёз move smb. to tears. ~**ся** *сов.* be (déeply) moved / touched [...mu:- tʌ-].
раструб *м.* (*трубы*) sócket, bell, bell mouth*; (*духового инструмента*) bell; с ~**ом** béll-shaped, béll-mouthed; труба с ~**ом** sócket-pipe; соединение ~**ом** béll-and-spígot joint [-'spɪ-...].
раструбить *сов.* (*о пр.*) *разг.* trúmpet (*д.*).
растряс||**ти** *сов.* 1. (*вн.*; *о сене и т. п.*) strew* (*д.*); 2. *безл.* (*в экипаже и т. п.*) jolt; его, их и т. д. ~**ло** he was, they were, *etc.*, jólted in the cárriage [...-rɪdʒ]; 3. (*вн.*) *разг.* (*растратить*) squánder (*д.*).
растушевать *сов. см.* растушёвывать. ~**ёвка** *ж. жив.* 1. (*действие*) sháding; 2. (*палочка для тушёвки*) stump.
растушёвывать, **растушевать** (*вн.*) *жив.* shade (*д.*).
раст||**ягивать**, **растянуть** (*вн.*) 1. (*вытягивать*) stretch (*д.*); 2. (*лишать упругости*) wear* out [wɛə...] (*д.*), strain (*д.*); 3. (*повреждать*) strain (*д.*); sprain (*д.*); растянуть себе мускул, связку strain / pull a muscle, a tendon [...pul... mʌsl...]; 4. (*делать слишком длинным*) stretch out (*д.*); 5. (*затягивать, задерживать*) protráct (*д.*), prolóng (*д.*); spin* out (*д.*) *разг.*; (*о докладе, повести и т. п.*) drag out (*д.*); 6.: ~ слова drawl (*д.*). ◇ ~ удовольствие prolóng a pléasure [...'ple-]. ~**ся**, растянуться 1. stretch, léngthen out; *разг.* (*ложиться*) stretch one:sélf, sprawl; 3. *тк. сов. разг.* (*упасть*) go* spráwling; méasure one's length ['me-...] *идиом.*; 4. (*терять упругость*) be worn out [...wɔ:n...]; 5. (*располагаться на большом пространстве*) stretch out, spread*

[spred]; 6. (*затягиваться*) drag on; 7. *страд. к* растягивать.
растяж||**ение** *с.* ténsion; ~ сухожилия strained téndon. ~**имость** *ж.* ténsility, ténsile strength; (*в длину*) exténsibility; (*в ширину*) expánsibility. ~**имый** ténsile; exténsible; expánsible; ◇ ~**имое** понятие loose cóncept [lu:s...].
растяжка *ж.* 1. strétching, exténsion, léngthening out; 2. *тех.*: проволочная ~ ténsion wire.
растян||**утость** *ж.* 1. (*рассказа и т. п.*) prolíxity, lóng-windedness [-'wɪ-]; 2. *воен.*: ~ коммуникаций exténsion / léngthening, *или* strétching out, of the lines of commùnicátion; ~ линии фронта wide fróntage [...'frʌ-]. ~**утый** 1. *прич. и прил.* stretched; 2. *прил.* (*о рассказе и т. п.*) lóng-winded [-'wɪ-], prólix [-ou-]. ~**уть**(**ся**) *сов. см.* растягивать(ся).
растяпа *м. и ж. разг.* múddler, blúnderer, dúnderhead [-hed], búngler.
расфасовать *сов. см.* расфасовывать.
расфасовка *ж.* pácking, párcelling; ~ пищевых товаров pácking of food commódities.
расфасовывать, **расфасовать** (*вн.*) pack up (*д.*), párcel up (*д.*).
расформиров||**ание** *с.* bréaking up [-eɪk-...]; *воен.* disbándment. ~**ать** *сов. см.* расформировывать.
расформировывать, **расформировать** (*вн.*) break* up [-eɪk...] (*д.*); *воен.* disbánd (*д.*).
расфран||**титься** *сов. разг.* dress up. ~**чённый** *прич. и прил. разг.* óver:dréssed; dressed up to the nines *идиом.*
расфуфыриться *сов. разг.* put* on one's best bib and túcker; (*о женщине тж.*) be all dolled up.
расхаживать walk / strut about; ~ по комнате pace the room; ~ взад и вперёд walk up and down, walk to and fro.
расхвал||**ивать**, **расхвалить** (*вн.*) lávish / shówer praise (on, upón), praise to the skies (*д.*). ~**ить** *сов. см.* расхваливать.
расхварываться, **расхвораться** *разг.* fall* ill; он не на шутку расхворался he has fáll:en sérious:ly ill.
расхвастаться *сов. разг.* brag a:wáy, brag / boast wíld:ly; shoot* a line (abóut), shoot* (off) one's mouth.
расхватать *сов. см.* расхватывать.
расхватывать, **расхватать** (*вн.*) *разг.* 1. (*быстро разбирать*) snatch a:wáy (*д.*); 2. (*раскупать*) buy* up [baɪ...] (*д.*).
расхвораться *сов. см.* расхварываться.
расхититель *м.* plúnderer.
расхитить *сов. см.* расхищать.
расхищ||**ать**, **расхитить** (*вн.*) plúnder (*д.*). ~**ение** *с.* plúnder, plúndering, misappropriátion.
расхлебать *сов. см.* расхлёбывать.
расхлёбыв||**ать**, **расхлебать** (*вн.*) *разг.* disentángle (*д.*); ◇ сам заварил кашу, сам и ~**ай** ≅ you've made your bed,

РАС—РАС

now you can lie on it; этой каши не расхлебать ≅ it's a hopeless mess.

расхлябанн||ость ж. 1. looseness [-s-]; instability; 2. (недисциплинированность) slackness; lack of discipline, laxity. ~ый 1. loose [-s]; unstable; ~ая походка slack way of walking, slouching (walk); 2. (недисциплинированный) lax, undisciplined.

расход м. 1. expense, expenditure; мн. (издержки) expenses; expenditure sg., outlay sg.; ~ электроэнергии expenditure of (electric) power; ~ы производства working expenses; деньги на карманные ~ы pocket-money [-mʌnɪ] sg.; покрытие ~ов clearing / bearing of charges [...ˈbɛə-...]; канцелярские ~ office outlay / expenditure sg.; накладные ~ы overhead expenses [-ˈhed...], overheads; дорожные ~ы travelling expenses; брать на себя ~ы bear* the expenses [bɛə...]; нести все ~ы bear* the whole of the cost / expenses [...houl...]; участвовать в ~ах share the expenses; вводить в ~ (вн.) put* to expense (d.); 2. бух. expenditure, outlay; приход и ~ income and expenditure; записывать в ~ (вн.) enter as expenditure (d.); списать в ~ (вн.) write* off (d.); ◇ вывести, пустить в ~ кого-л. shoot* smb.

расход||иться I, разойтись 1. go* away; (в разные стороны) disperse; (о толпе, собрании и т.п.) break* up [-eɪk...]; (о двух-трёх людях) part, separate; (рассеиваться) drift apart; мор. pass (clear of each other); тучи разошлись the clouds have dispersed, или have drifted apart; 2. (о линиях и т.п.) diverge [daɪ-], branch off [-aːntʃ...]; (о дорогах тж.) fork; (о лучах) radiate; 3. (разъединяться): у пальто полы расходятся the coat does not lap over; половицы разошлись the floor boards became disjointed [...flɔː...]; наши пути разошлись our ways have parted; 4. (с тв.; расставаться) part (from); (разводиться) get* divorced (from); они разошлись друзьями they parted friends [...fre-]; он разошёлся со своей женой he has separated from his wife*; 5. (с тв. в пр.; не соглашаться) differ (from in); ~ во мнении differ in opinion (from), disagree (with); мнения расходятся opinions vary / differ; его слова никогда не расходятся с делом his words and deeds are never at variance; ~ в корне (с тв.) differ fundamentally (from); 6. (растворяться) dissolve [-ˈzɔlv]; (растапливаться — о масле и т.п.) melt; 7. (распродаваться) be sold out; (о книге тж.) be out of print; (растрачиваться) be spent; книга разошлась the book is sold out, или is out of print; все деньги разошлись all the money has been spent [...ˈmʌ-...].

расходиться II, разойтись разг. (разбушеваться) fly* into a temper, lose* one's self-control [luːz...-oul], let* oneself go.

расход||ный прил. к расход; ~ная книга expenses / housekeeping book

[...-s-...]. ~ование с. 1. expense, expenditure; 2. разг. (потребление) consumption. ~овать, израсходовать (вн.) 1. spend* (d.), expend (d.); 2. разг. (потреблять) consume (d.), use up (d.). ~оваться, израсходоваться 1. разг. (тратить деньги) spend*; lay* out money [...ˈmʌ-]; он совсем израсходовался he has spent all his money, или all he had; 2. (использоваться) be used up, be spent, be consumed; 3. страд. к расходовать.

расхождение с. divergence [daɪ-], discrepancy; ~ во мнениях difference / divergence of opinion; ~ во взглядах divergence of views [...vjuːz].

расхожий разг. 1. (о товарах) in demand [...-ɑːnd], popular; 2. (в постоянном употреблении) in everyday use [...-s]; ~ костюм everyday suit [...sjuːt].

расхолаживать, расхолодить (кого-л.) damp smb.'s ardour.

расхолодить сов. см. расхолаживать.

расхоте||ть сов. (+ инф.) разг. cease to want [-s...] (+ inf.); он ~л спать he no longer wants to sleep. ~ться безл. разг.: ему, им и т. д. ~лось he does not, they do not, etc., want any more; ему ~лось спать he no longer wants to sleep.

расхохотаться сов. разг. burst* out laughing [...ˈlɑː f-]; (громко) start roaring with laughter [...ˈlɑːf-].

расхрабриться сов. (+ инф.) разг. take* heart [...hɑːt] (+ to inf.); screw up one's courage [...ˈkʌ-] (+ to inf.).

расцарапать(ся) сов. см. расцарапывать(ся).

расцарапывать, расцарапать (вн.) scratch badly / severely (d.). ~ся, расцарапаться scratch oneself.

расцвести сов. см. расцветать.

расцвет м. bloom, blossoming; (перен.) flourishing [-ʌr-], flowering, heyday; бурный ~ violent growth [...-ouθ], astounding growth; ~ промышленности flourishing / prosperity of industry; ~ литературы, культуры и т. п. golden age of literature, culture, etc.; ~ искусства the flowering of art; в ~е сил in the prime of (one's) life, in one's prime / heyday.

расцветать, расцвести, расцвести (прям. и перен.) bloom, blossom (out); (перен. тж.) flourish [-ʌr-]; её лицо расцвело улыбкой, в улыбке her face was wreathed in smiles.

расцветить сов. см. расцвечивать.

расцветка ж. разг. colours [ˈkʌl-] pl., colouration [kʌl-], colouring [ˈkʌl-]; приятная, яркая ~ ткани pleasant, bright colours of the material [ˈpleːz-...] pl.

расцвечивать, расцветить (вн.) 1. разг. paint in gay / bright colours [...ˈkʌl-] (d.); 2. (украшать) deck (d.), adorn (d.); ~ флагами мор. dress (d.).

расцелова||ть сов. (вн.) 1. разг. kiss (d.), smother with kisses [ˈsmʌ-...] (d.). ~ться сов. exchange kisses [-ˈtʃeɪ-...], kiss each other; они крепко ~лись they kissed each other heartily [...ˈhɑː-].

расцен||ить, расценить (вн.) 1. (определять стоимость, цену) estimate (d.), value (d.), assess (d.); 2. (считать) rate (d.), consider [-ˈsɪ-], regard (d.); как

вы ~ете его выступление? what do you make / think of his speech?

расценить сов. см. расценивать.

расцен||ка ж. 1. (действие) valuation (d.); 2. (цена) price; 3. (ставка) wage-rate. ~очный price (attr.); rate (attr.); ~очно-конфликтная комиссия rates and disputes commission.

расцепить(ся) сов. см. расцеплять(ся).

расцепка ж. uncoupling [-ˈkʌ-], disengagement.

расцепление с. unhooking, unlinking; (автоматическое) tripping.

расцеплять, расцепить (вн.) unhook (d.), unlink (d.); (о вагонах) uncouple [-ˈkʌ-] (d.); (автоматически) trip (d.). ~ся, расцепиться 1. come* unhooked / unlinked; (о вагонах) come* uncoupled [...-ˈkʌ-]; 2. страд. к расцеплять.

расчалка ж. тех. brace, wire-brace, bracing wire.

расчертить сов. см. расчерчивать.

расчерчивать, расчертить (вн.) rule (d.), line (d.).

расчесать(ся) сов. см. расчёсывать(ся).

расчёска ж. разг. (гребёнка) comb [koum].

расчесть сов. см. рассчитывать 1, 2. ~ся сов. см. рассчитываться 1, 2.

расчёсыв||ание с. 1. (волос) combing [ˈkou-]; (льна, шерсти) carding; 2. (расцарапывание) scratching. ~ать, расчесать (вн.) 1. (о волосах) comb [koum] (d.); (о льне, шерсти) card (d.); ~ать волосы на пробор part one's hair; 2. (расцарапывать) scratch raw (d.). ~аться, расчесаться 1. разг. (расчёсывать волосы) comb one's hair [koum...]; 2. разг. (расцарапываться) scratch oneself (all over); 3. страд. к расчёсывать.

расчёт I м. 1. calculation, computation; (приблизительный) estimate; ~ времени timing; из ~а 2% годовых at two per cent per annum; из ~а по пять рублей на человека at a rate of five roubles per head [...ruː-...hed]; пенсия исчисляется из ~а (рд.) the pension is reckoned on the basis [...ˈbeɪ-] (of); принимать в ~ (вн.) take* into consideration / account (d.), take account (of); не принимать в ~ (вн., рд.) leave* out of account (d.); не принимаемый в ~ negligible; нет ~а делать это it is not worth while; по его ~у according to him; это не входило в его ~ы he had not reckoned with that; it was more than he had bargained for; в ~е на (вн.) reckoning; calculating (on); обмануться в своих ~ах miscalculate, be out in one's reckoning; 2. тех. calculation; ~ парового котла calculation of a boiler; 3. (с тв.; уплата) settling (with); производить ~ settle (with); ~ы не закончены the account is not closed; быть в ~е (с тв.) be quits / even (with); за наличный ~ for cash (payment); по безналичному ~у by written order; 4. (увольнение): давать ~ (дт.) dismiss (d.); fire (d.), sack (d.) разг.; брать ~ leave* one's work / job.

расчёт II м. воен. team, crew, detachment; орудийный ~ gun crew; gun squad амер.; пулемётный ~ machine-gun team [-ˈfiː-...].

546

расчётлив||**о** *нареч.* 1. (*осмотрительно*) prúdently; 2. (*экономно*) ecónomically [i:-], spáring┆ly; жить ~ live económically / spáring┆ly [lıv...] ~**ость** *ж.* 1. (*осмотрительность*) prúdence; 2. (*бережливость*) économy [i:-], thrift. ~**ый** 1. (*осмотрительный, осторожный*) prúdent, cálculàting; 2. (*бережливый*) económical [i:-], thrífty.

расчётн||**ый** 1.: ~ая таблица càlculátion table; ~ая ведомость páy-ròll, páy-sheet; ~ая книжка páy-book; ~ баланс bálance of páyments; 2. *тех.* ráted, cálculated, desígned [-'zaınd]; desígn [-'zaın] (*attr.*). ~ая мощность ráted pówer / capácity; ~ая скорость ráted speed; ~ая орбита cálculàted órbit.

расчёт||**чик** *м.*, ~**чица** *ж.* éstimàtor, desígner [-'zaınə].

расчехлить *сов. см.* расчехлять.

расчехлять, расчехлить: ~ орудия take* off the gún-còvers [...-kʌv-].

расчист||**ить(ся)** *сов. см.* расчищать (-ся). ~**ка** *ж.* cléaring.

расчихаться *сов. разг.* sneeze repéatedly.

расчихвостить *сов.* (*вн.*) *разг.* = раздраконить.

расчищать, расчистить (*вн.*) clear (*d.*). ~**ся**, расчиститься 1. (*о небе и т. п.*) clear; 2. *страд. к* расчищать.

расчленение *с.* 1. dismémberment; 2. *воен.* bréaking up [-eık-]; bréakdown [-eık-] *амер.*

расчленённый 1. *прич. см.* расчленять; 2. *прил.*: ~ строй *воен.* ópen fòrmátion, exténded órder.

расчленить(ся) *сов. см.* расчленять(ся).

расчленять, расчленить (*вн.*) 1. dismémber (*d.*); 2. *воен.* break* up [-eık-] (*d.*), ópen out (*d.*); break* down (*d.*) *амер.*; ~ в глубину distríbute in depth (*d.*). ~**ся**, расчлениться 1. become* / get* dismémbered; 2. *воен.* break* up [-eık-...], ópen out; 3. *страд. к* расчленять.

расчувствоваться *сов. разг.* be déeply moved / touched [...mu:- tʌ-].

расчух||**ать** *сов.* (*вн.*) *разг.* nose out (*d.*); (*перен.*) scent (*d.*), sense (*d.*); ~ал, в чём дело I sensed what was the mátter.

расшалиться *сов.* get* up to mís┆chief [...-tʃıf], start pláying pranks.

расшаркаться *сов. см.* расшаркиваться.

расшаркиваться, расшаркаться bow scráping one's feet; (*перед*; *перен.*) bow and scrape (befóre).

расшат||**анность** *ж.* shákiness [ʃeı-]; ~ нервов sháttered nerves *pl.* ~**анный** 1. *прич. см.* расшатывать; 2. *прил.* sháky, ríckety; (*о здоровье, нервах*) sháttered. ~**ать(ся)** *сов. см.* расшатывать(ся).

расшатывать, расшатать (*вн.*) shake* loose [...-s] (*d.*); (*о мебели*) make* ríckety (*d.*); (*перен.*; *о дисциплине*) slácken (*d.*); (*перен.*; *о здоровье, нервах*) shátter (*d.*), impáir (*d.*). ~**ся**, расшататься 1. get* loose [...-s]; (*о мебели*) get* / become* ríckety (*d.*); (*перен.*; *о дисциплине*) become* slack; (*перен.*; *о здоровье, нервах*) get* / become* sháttered / impáired; 2. *страд. к* расшатывать.

расшвыр||**ивать**, расшвырять (*вн.*) *разг.* throw* right and left [-ou...] (*d.*), throw* abóut (*d.*). ~**ять** *сов. см.* расшвыривать.

расшевелить *сов.* (*вн.*) *разг.* move [mu:v] (*d.*), stir (*d.*); (*перен.*) shake* up (*d.*), stir up (*d.*), rouse (*d.*). ~**ся** *сов. разг.* begin* to stir; (*перен.*) rouse òne┆self.

расшиб||**ать**, расшибить (*вн.*) 1. (*ушибать*) hurt* (*d.*); knock (*d.*); 2. *разг.* (*разбивать*) break* to pieces [-eık... 'pi:-] (*d.*), smash to bits (*d.*). ~**ся**, расшибиться 1. hurt* òne┆self; 2. *разг.* к расшибать; ◇ расшибиться в лепёшку *разг.* lay* òne┆self out.

расшибить(ся) *сов. см.* расшибать(ся).

расши||**ть** *сов.* (*вн.*) *разг.* 1. (*украшать вышивкой*) embróider (*d.*); 2. (*распарывать, делить на части*) ùndó (*d.*), ùnpíck (*d.*).

расшивной embróidered.

расширение *с.* 1. bróadening [-ɔ:d-]; (*о торговле, промышленности и т.п.*) expánsion; ~ посевных площадей expánsion of the área / ácreage únder cùltivátion [...ɛəɪə 'eıkərıdʒ...]; ~ междунаро́дных контактов expánsion of intèrnátional cóntacts [...-'næ-...]; ~ кругозора bróadening of one's óutlook; ~ гласности gréater ópen┆ness and pùblicity [...eıtə-рʌ-]; 2. *физ.* expánsion; ~ сердца *мед.* dilátion [daı-], distènsion; ~ сердца dilátion of the heart [...hɑ:t]; ~ вен várì̇còse veins [-kous...].

расширенн||**ый** 1. *прич. см.* расширять; глаза, ~ые от ужаса dilàted with térror [aız daı-...]; 2. *прил.* (*более полный по составу, содержанию*) bróadened [-ɔ:d-]; ~ пленум bróadened assémbly; ~ое заседание enlárged séssion; ~ая программа bróadened / còmprehénsive prógram(me) [...'prou-]; ~ое воспроизводство *эк.* rè┆prodúction on a lárger scale; exténded rè┆prodúction.

расширитель *м.* dilátor [daı-].

расширительн||**ый**: ~ое толкование текста broad intèrpretátion (of a text) [-ɔ:d...].

расширить(ся) *сов. см.* расширять (-ся). ~**яемость** *ж.* expànsibílity; dìlatability [daıleı-].

расширять, расширить (*вн.*) 1. widen (*d.*), bróaden [-ɔ:d-] (*d.*); ~ улицу widen a street; 2. (*увеличивать в числе, объёме*) in┆créase [-s] (*d.*), enlárge (*d.*), expánd (*d.*); 3. (*делать более широким по содержанию, углублять*) bróaden (*d.*), exténd (*d.*); ~ кругозор ópen one's mind, bróaden one's óutlook; ~ чей-л. кругозор expánd smb.'s horízon; ~ сферу влияния extènd the sphere of ínfluence. ~**ся**, расшириться 1. widen, bróaden [-ɔ:d-], gain in breadth [...-edθ]; 2. *физ.* diláte [daı-]; 3. (*увеличиваться в числе, объёме*) be enlárged / expánded; 4. (*становиться более широким по содержанию*) bróaden, in┆créase [-s], becòme* wíder; его кругозор расширился his óutlook has bróadened; 5. *страд. к* расширять.

расшитый 1. *прич. см.* расшивать; 2. *прил.* (*украшенный вышивкой*) embróidered.

расшить *сов. см.* расшивать.

РАС—РАЦ

расшифровать *сов. см.* расшифровывать.

расшифров||**ка** *ж.* decíphering [-'saı-], decóding. ~**щик** *м.*, ~**щица** *ж.* decóder.

расшифровывать, расшифровать (*вн.*) decípher [-'saı-] (*d.*), decóde (*d.*); (*перен.*) ínterpret (*d.*).

расшнуровать(ся) *сов. см.* расшнуровывать(ся).

расшнуровывать, расшнуровать (*вн.*) ùn┆láce (*d.*). ~**ся**, расшнуроваться 1. come* ùn┆láced, come* ùn┆dóne; 2. *страд. к* расшнуровывать.

расшуметься *сов. разг.* get* nóisy [...-zı], kick up a din.

расщедриться *сов. разг.* have a fit of gènerósity, show* a bit of gènerósity [ʃou...].

расщелина *ж.* 1. (*ущелье в горах*) cleft, crévice, físsure; 2. (*трещина*) crack.

расщеп||**ить(ся)** *сов. см.* расщеплять (-ся). ~**ление** *с.* 1. splítting, splíntering; 2. *хим.* bréaking up [-eık-], dè┆composítion [-'zı-]; *физ.* splítting, físsion; ~ление ядра núclear físsion; ~ление атома splítting (of) the átom [...-æ-], atómic físsion.

расщеплять, расщепить (*вн.*) 1. split* (*d.*), splínter (*d.*); 2. *хим.* break* up [-eık-] (*d.*), dè┆compóse (*d.*); *физ.* split* (*d.*). ~**ся**, расщепиться 1. split*, splínter; 2. *хим.* break* up [breık...]; *физ.* split*; 3. *страд. к* расщеплять.

расщепляющийся 1. *прич. см.* расщепляться; 2. *прил. физ.* físsionable, físsile.

ратификацио́нн||**ый**: ~ые грамоты *дип.* ínstruments of ràtificátion.

ратифи||**кация** *ж. дип.* ràtificátion. ~**цировать** *несов. и сов.* (*вн.*) *дип.* rátify (*d.*).

ратн||**ик** *м. уст.* wárrior, sóldier [-dʒə]. ~**ый** mílitary; war (*attr.*); ~ый подвиг feat of arms.

ратовать *уст.* 1. (*за вн.*) fight* (for), stand* up (for); 2. (*против*) decláim (against), invéigh (against).

ратуша *ж.* town hall.

рать *ж. уст., поэт.* 1. (*войско*) host [hou-], arráy; 2. (*битва, война*) battle; идти на ~ go* into battle.

раунд *м. спорт.* round.

раут *м. уст.* rout; recéption.

рафинад *м.* lump súgar [...'ʃu-]. ~**ный** *прил. к* рафинад; ~ный завод (súgar) refínery [ʃu- -'faı-].

рафинированный 1. *прич. см.* рафини́ровать; 2. *прил.* púrified; (*перен.*; *утончённый*) fine, refíned; ~ вкус refíned taste [...teı-].

рафинировать *несов. и сов.* (*вн.*) púrefy (*d.*); refíne (*d.*).

рахат-лукум *м.* ráhat lakóum ['rɑ:--'ku:m], Túrkish delight.

рахит *м. мед.* ràchítis [-'kaı-], ríckets. ~**ик** *м.* súfferer from ríckets / ràchítis [...-'kaı-]. ~**ический**, -**ичный** *мед.* rachític [-'kı-], ríckety.

рацион *м.* (*паёк*) rátion ['ræ-], food allówance.

РАЦ — РЕВ

рационализа́тор *м.* ràtionalízer [ræ-]. ~ский ràtionalizátion [ræ- -laɪ-] (*attr.*); ~ское предложе́ние ràtionalizátion propósal [...-z-].

рационал∥иза́ция *ж.* ràtionalizátion [ræ- -laɪ-]. ~изи́ровать *несов. и сов.* (*вн.*) rátionalize (*d.*); stréamline (*d.*) *амер. неол.*

рационал∥и́зм *м. филос.* rátionalism ['ræ-]. ~и́ст *м.* rátionalist ['ræ-]. ~исти́ческий ràtionalístic ['ræ-]. ~исти́чный rátional ['ræ-], réasonable [-z-].

рациона́льн∥о *нареч.* rátionally ['ræ-]; наибо́лее ~ испо́льзовать (*вн.*) make* the most efficient use [...juːs] (of). ~ость *ж.* ràtionálity [ræ-]. ~ый *1.* rátional ['ræ-]; ~ая организа́ция труда́ rátional òrganizátion of lábour [...-naɪ-...]. *2.*: ~ые чи́сла *мат.* rátional quántities.

ра́ция *ж.* pórtable ràdio trànsmítter [...-nz-].

ра́чий cráyfish (*attr.*), cráwfish (*attr.*). ◇ ра́чьи глаза́ goggle eyes [...aɪz].

рачи́тельн∥ость *ж.* zeal, zéalous:ness ['ze-]. ~ый zéalous ['ze-].

ра́шкуль *м. жив.* chárcoal-pèncil.

ра́шпер *м.* grídiron [-daɪən].

ра́шпиль *м. тех.* rasp, rasp file.

рвани́на *ж.* 1. *разг.* rags *pl.*, worn out clothes [wɔːn...-ouðz] *pl.*; 2. *тех.* (*на металли́ческих изде́лиях*) crack, flaw, fissure.

рвану́ть *сов. разг.* 1. (*вн.*) jerk (*d.*), tug (at); 2. (*без доп.*; *ре́зко трону́ться с ме́ста*) start with a jerk, get* off with a jerk; ло́шади рвану́ли с ме́ста the hórses stárted with a jerk. ~ся *сов. разг.* rush, dash, dart.

рва́н∥ый torn; láceràted; ~ые башмаки́ torn / bróken shoes [...ʃuːz]; ~ые паруса́ torn sails; ~ая ра́на *мед.* láceràted wound [...wuː-], làcerátion.

рвань *ж. тк. ед.* 1. rags *pl.*; 2. *бран.* (*него́дный челове́к, мерза́вец*) scóundrel, scamp; *собир.* rabble, ríff-ràff.

рванье́ *с. разг.* = рвань 1.

рвать I (*вн.*) 1. (*на ча́сти*) tear* [tɛə] (*d.*), rend* (*d.*); ~ пи́сьма в клочки́ tear* létters to pieces [...piː-]; ~ на себе́ оде́жду rend* one's gárments; 2. (*срыва́ть*) pick (*d.*); ~ цветы́ pick / pluck flówers; 3. (*выдёргивать*) pull out [pul...]; ~ зу́бы pull out teeth; ~ из рук у кого́-л. snatch out of smb.'s hands (*d.*); ~ с ко́рнем ùp:róot (*d.*), ùn:róot (*d.*); 4. *разг.* (*производи́ть взрыв*) blow* up [blou...] (*d.*); 5. (*прекраща́ть, ликвиди́ровать*) break* [breɪk] (*d.*); ~ отноше́ния с кем-л. break* off, *или* séver, relátions with smb. [...'sevə...]; ◇ ~ и мета́ть ≅ be in a rage; rant and rave; ~ на себе́ во́лосы tear* one's hair; его́ рвут на ча́сти he is béːing torn to pieces.

рвать II, **вы́рвать** *безл. разг.* vómit, throw* up [-ou...], be sick.

рва́ться I 1. (*разрыва́ться*) break* [-eɪk], burst*; (*о пла́тье и т. п.*) tear* [tɛə]; ~ от одного́ прикоснове́ния tear* at a touch [...tʌtʃ]; 2. (*взрыва́ться*) burst*; снаря́ды рвутся shells are búrst-

ing; ◇ где то́нко, там и рвётся *посл.* ≃ the chain is no strónger than its wéakest link.

рва́ться II (+ *инф.*; *стреми́ться*) long (+ to *inf.*), be dýing (+ to *inf.*); (*с рд.*; *с привя́зи и т. п.*) strain (at); ~ на свобо́ду long, *или* be dýing, to be free; ~ в дра́ку be spóiling for a fight; ~ в бой be búrsting to go into áction.

рвач *м. разг.* sélf-séeker, grábber.

рва́че∥ский *разг.* sélf-séeking, grábbing. ~ство *с. разг.* sélf-séeking, grábbing.

рве́ние *с.* zeal, férvour, árdour.

рво́т∥а *ж.* vómiting, rétching. ~ное *с. скл. как прил.* emétic. ~ный vómitive, emétic; ~ный ко́рень ìpecàcuánha [-'ænə]; ~ное сре́дство emétic.

рдеть glow [-ou-].

ре *с. нескл. муз.* D [diː]; re; ре-дие́з D sharp.

реабилитацио́нный *мед.* rèhabilitátion ['riːə-] (*attr.*).

реабилит∥а́ция *ж.* rèhabilitátion ['riːə-] (*тж. мед.*). ~и́ровать *несов. и сов.* (*вн.*) rèhabilitàte ['riːə-] (*d.*); быть по́лностью ~и́рованным be fúlly exóneràted [...fu-...]. ~и́роваться 1. *несов. и сов.* prove one:sélf in the right [pruːv...]; 2. *страд. к* реабилити́ровать.

реаге́нт *м. хим.* rè:ágent.

реаги́ровать, **прореаги́ровать** 1. (*на вн.*) rè:áct (to, on, upːón); (*перен.*) respónd (to); 2. *тк. несов.* (*с тв.*) *хим.* rè:áct (with).

реакти́в *м. хим.* rè:ágent.

реакти́вн∥ый 1. réactive; rè:áction (*attr.*); 2. *тех.* jet (*attr.*); *воен. тж.* rócket (*attr.*); ~ дви́гатель jet éngine [...'endʒ-]; ~ое движе́ние jet propúlsion; ~ миномёт mórtar rócket; ~ая турби́на rè:áction túrbine; самолёт jèt-propélled áircraft; ~ое ору́жие rócket wéapon [...'wep-]; ~ снаря́д rócket míssile.

реа́ктор *м.* reáctor; я́дерный ~ núclear reáctor.

реакционе́р *м.* rè:áctionary.

реакцио́нн∥ость *ж.* rè:áctionary cháracter [...'kæ-]; ~ взгля́дов rè:áctionary cháracter of *the* views [...vjuːz]; ~ый rè:áctionary.

реа́кция I *ж.* (*в разн. знач.*) rè:áction.

реа́кция II *ж. полит.* rè:áction.

реа́л I *м.* (*испа́нская моне́та*) reál ['riːəl].

реа́л II *м. полигр.* compósing frame.

реализа́ция *ж.* 1. realizátion [rɪəlaɪ-]; 2. (*прода́жа*) sale.

реали́зм *м.* réalism ['rɪə-]; социалисти́ческий ~ sócialist réalism; крити́ческий ~ crítical réalism.

реализова́ть *несов. и сов.* (*вн.*) 1. réalize ['rɪə-] (*d.*); 2. (*продава́ть*) sell* (*d.*); ~ це́нные бума́ги réalize secúrities. ~ся *несов. и сов.* 1. réalize ['rɪə-] (*d.*); 2. *страд. к* реализова́ть.

реали́ст *м.* réalist ['rɪə-]. ~и́ческий 1. realístic [rɪə-]; 2. *иск.* réalist ['rɪə-] (*attr.*); ~и́ческое направле́ние в иску́сстве réalist trend in art.

реалисти́чный = реалисти́ческий.

реа́льн∥ость *ж.* reálity [rɪ'æ-]. ~ый 1. (*действи́тельный*) real [rɪəl]; 2. (*осу-

ществи́мый*) réalizable [rɪə-], prácticable, wórkable; ~ый план prácticable / féasible / wórkable plan [...-z-...]; 3. (*соотве́тствующий действи́тельному положе́нию дел*) práctical; ~ая поли́тика práctical / realístic pólitics [...rɪə-...] *pl.*; ~ая зарабо́тная пла́та real wáges *pl.*; ~ые дохо́ды real ínːcome *sg.*; ◇ ~ое учи́лище *ист.* nòn-clássical sécondary school.

реанима́тор *м.* rèːánimàtor.

реанимацио́нный *м.* rèːanimátion (*attr.*).

реанима́ция *ж. мед.* rèːanimátion.

реаними́ровать (*вн.*) rèːánimàte (*d.*) (*тж. перен.*).

ребёнок *м.* child*; ínfant; грудно́й ~ báby, child* in arms; беспризо́рный ~ neglécted child*; он уже́ не ~ he is no lónger a child*.

ребе́рный cóstal.

ребо́рд∥а *ж. ж.-д.* flange; колесо́ с ~ой flanged wheel.

ребри́ст∥ость *ж. тех.* ríbbing. ~ый 1. ribbed, cóstate; 2. *тех.* finned, ribbed.

ребро́ *с.* 1. *анат., тех.* rib; коро́ткие рёбра short ribs; охлажда́ющее ~ *тех.* cóoling rib / fin; 2. (*край*) edge, verge; ~ ата́ки *ав.* léading edge; ~ обтека́ния *ав.* tráiling edge; ста́вить ~м (*вн.*) set* / place édgeːwise (*d.*); ◇ ста́вить вопро́с ~м put* *a* quéstion póint-blánk [...-stʃ-...].

ре́бус *м.* rébus.

ребя́та *мн.* 1. children; 2. *разг.* (*о взро́слых*) lads, boys.

ребя́тишки *мн. разг.* children, kids; (*в семье́ тж.*) the chicks.

ребя́че∥ский chíldːish, ínfantile; (*несерьёзный тж.*) chíldːlike. ~ство *с.* chíldːishness; э́то ~ство this is ínfantile.

ребя́чий chíldːish.

ребя́читься *разг.* beháve like a child*, be chíldːish.

ребя́чливый *разг.* chíldːlike.

рёв *м.* 1. (*тж. перен. о ве́тре, мо́ре и т. п.*) roar; (*звере́й тж.*) béllow, howl; 2. *разг.* (*гро́мкий плач*) howl; подня́ть стра́шный ~ raise / start, *или* set* up, a dísmal howl [...zː-...].

рёва *м. и ж. разг.* crý-bàby.

ревальва́ция *ж. эк.* rèːvaluátion.

рева́нш *м.* revénge; *спорт.* retúrn match.

реванш∥и́зм *м.* revánchism [-'vɑː-]. ~и́ст *м.* revánchist [-'vɑː-], revénge-séeker. ~и́стский revánchist [-'vɑː-]; ~и́стские настрое́ния revánchist séntiments.

реввоенсове́т *м.* (*революцио́нный вое́нный сове́т*) *ист.* Rèvolútionary War Cóuncil.

реве́нный rhúbarb (*attr.*); ~ порошо́к grégory-powder.

реве́нь *м. бот.* rhúbarb.

ревера́нс *м.* cúrtsy; де́лать ~ make* / drop a cúrts(e)y, cúrts(e)y.

реверба́ция *ж. тех.* rèverberátion.

реверси́вный *тех.* (*о маши́не*) revérsible; (*о при́воде*) revérsing.

реве́∥ть 1. (*тж. перен. о ве́тре, мо́ре и т. п.*) roar; (*о зверя́х тж.*) béllow, howl; бу́ря ~ла the storm was ráging; 2. *разг.* (*пла́кать*) howl; ◇ ревмя́ ~ *разг.* howl, wail.

ревизион||и́зм *м. полит.* revisionism. ~**и́ст** *м.* revísionist. ~**и́стский** revísionist.
ревизио́нн||ый revísion (*attr.*); ~**ая коми́ссия** inspéction committee [...-tɪ]; áuditing commíssion.
реви́зия *ж.* 1. (*обследование*) inspéction; 2. (*пересмотр теории и т.п.*) revísion; 3. *ист.* (*перепись населения*) cénsus.
ревизова́ть *несов. и сов.* 1. (*сов. тж.* обревизова́ть) (*вн.*) inspéct (*d.*); 2. (*пересматривать теорию и т.п.*) revíse (*d.*).
ревизо́р *м.* inspéctor.
ревко́м *м.* (революцио́нный комите́т) *ист.* Revolútionary Committee [...-tɪ].
ревм||ати́зм *м. мед.* rhéumatism; rheumátics *pl. разг.*; сустано́й ~ acúte rhéumatism; ревматический фе́вер. ~**а́тик** *м.* rheumátic. ~**ати́ческий** rheumátic.
ревмато́лог *м.* rheumatólogist.
ревматоло́гия *ж.* rheumatólogy.
ревмокарди́т *м. мед.* rheumátic heart diséase [...ha:t -'zi:z].
ревмя́: ~ реве́ть *разг.* howl, wail.
ревни́в||ец *м. разг.* jéalous man* ['dʒe-...]. ~**ица** *ж. разг.* jéalous wóman* ['dʒe-'wu-]. ~**ый** jéalous ['dʒe-].
ревни́тель *м.*, ~**ница** *ж. уст.* adhérent, zéalot ['ze-].
ревнова́ть (*вн.*) be jéalous [...'dʒe-] (of).
ре́вностный zéalous ['ze-], árdent, éarnest ['ə:-], férvent.
ре́вность *ж.* 1. jéalousy ['dʒe-]; 2. *уст.* (*усердие*) zeal, férvency.
револьве́р *м.* revólver, (револьвер) pístol; шестизаря́дный ~ six-shóoter. ~**ный** 1. revólver (*attr.*); 2. *тех.* cápstan (*attr.*); ~**ный стано́к** cápstan / túrret lathe [...leɪð]; ~**ная голо́вка** *тех.* cápstan head [...hed]; ~**щик** *м.* cápstan lathe óperàtor [...leɪð-...].
революционе́р *м.*, ~**ка** *ж.* revolútionary; ~ в иску́сстве, литерату́ре и т.п. revolútionizer of art, literature, etc.
революционизи́ровать *несов. и сов.* (*вн.*) revolútionize (*d.*). ~**ся** 1. *несов. и сов.* be / become* revolútionized; 2. *страд. к* революционизи́ровать.
революцио́нно *нареч.* in a revolútionary way; ~ настро́енный revolútionary-minded, revolútionary-dispósed; ~ настро́енные ма́ссы revolútionary másses.
революцио́нно-демократи́ческий revolútionary-demòcrátic.
революцио́нн||ость *ж.* revolútionary cháracter [...'kæ-]. ~**ый** revolútionary; ~**ое движе́ние** revolútionary móve:ment [...'mu:-]; ~**ый подъём** rise of the revolútionary móve:ment, the revolútionary rise.
револю́ция *ж.* revolútion; Вели́кая Октя́брьская социалисти́ческая ~ the Great Óctober Sócialist Revolútion [...-eɪt...]; пролета́рская ~ pròletárian revolútion [proʊ-...]; нау́чно-техни́ческая ~ scientífic and technológical revolútion; культу́рная ~ cúltural revolútion.
революциона́л *м.* (*революционный трибуна́л*) *ист.* Revolútionary Tribúnal.
реву́н *м. зоол.* hówler.
ревю́ *с. нескл.* revúe.
рега́лии *мн.* (*ед.* рега́лия *ж.*) regália.

рега́та *ж. спорт.* regátta.
ре́гби *с. нескл.* Rúgby, Rúgby fóotball [...'fut-]; rúgger *разг.*
регби́ст *м.* Rúgby-player.
регенерати́вн||ый *тех.* regénerative; ~**ая печь** regénerative fúrnace.
регенера́||тор *м. тех.* regénerator. ~**ция** *ж. тех.* regenerátion.
ре́гент *м.* 1. régent; 2. (*дирижёр церковного хора*) precéntor. ~**ство** *с.* régency ['ri:-].
регио́н *м.* région.
региона́льный régional; ~ **пакт** régional pact.
реги́стр *м.* (*в разн. знач.*) régister.
регистр||а́тор *м.*, ~**а́торша** *ж.* régistrár, régistering clerk [...klɑ:k].
регистр||ату́ра *ж.* régistry. ~**ацио́нный** règistrátion (*attr.*). ~**а́ция** *ж.* règistrátion.
регистри́ровать *несов. и сов.* (*сов. тж.* зарегистри́ровать) (*вн.*) régister (*d.*); (*о приборе тж.*) récord (*d.*); ~ поступа́ющую корреспонде́нцию régister létters; ~ брак régister smb.'s márriage [...-rɪdʒ]. ~**ся** *несов. и сов.* (*сов. тж.* зарегистри́роваться) 1. régister (òne:sélf); 2. (*оформлять брак*) régister one's márriage [...-rɪdʒ]; 3. *страд. к* регистри́ровать.
регистри́рующий recórding; ~ **прибо́р** recórding ínstrument, recórder.
регла́мент *м.* 1. (*свод правил*) règulátions *pl.*; 2. (*на заседании*) time-límit; устана́вливать ~ fix a time-límit; приде́рживаться ~**а** stick* to the time-límit, keep* within the time-límit. ~**а́ция** *ж.* règulátion.
регламенти́ровать *несов. и сов.* (*вн.*) régulàte (*d.*).
регла́н 1. *прил. неизм.* ráglan ['ræ-]; рука́в ~ ráglan sleeve; 2. *м. как сущ. разг.* (*пальто*) ráglan (coat).
регре́сс *м.* régress, rètrogréssion. ~**и́вный** regréssive. ~**и́ровать** regréss, rètrogréss.
регули́рование *с.* règulátion, adjústment [ə'dʒʌ-], adjústing [ə'dʒʌ-]; ~ **ули́чного движе́ния** tráffic contról [...-oul], hándling of tráffic.
регули́ровать *несов. и сов.* (*вн.*) régulàte (*d.*); *тех. тж.* adjúst [ə'dʒʌ-] (*d.*); ~ **ули́чное движе́ние** contról tráffic [-oul-...].
регули́р||о́вка *ж. разг.* = регули́рование. ~**о́вочный** règulátion (*attr.*). ~**о́вщик** *м.*, ~**о́вщица** *ж.* (*уличного движения*) tráffic-contróller [-oulə-].
ре́гулы *мн. мед. уст.* ménses [-i:z]; menstruátion *sg.*
регуля́рн||ость *ж.* règulárity. ~**ый** régular; ~**ая доста́вка по́чты** régular delívery of mail; ~**ые войска́** régular troops; the régulars *разг.*
регуля́тор *м. тех.* régulàtor; (*паровой машины*) góvernor ['gʌ-]; ~ **то́ка** cúrrent régulàtor.
редакти́рование *с.* éditing.
редакти́ровать, отредакти́ровать (*вн.*) 1. (*подвергать редакции*) édit (*d.*); 2. *тк. несов.* (*формулировать*) word (*d.*); 3. *тк. несов.* (*руководить изданием*) édit (*d.*), be éditor (of).
реда́ктор *м.* éditor; гла́вный ~ éditor-in-chíef [-i:f]; отве́тственный ~ mán-

aging éditor; ~ **отде́ла** (*газеты и т.п.*) sub-éditor. ~**ский** èditórial.
редакцио́нн||ый èditórial; ~**ая колле́гия** èditórial board; ~**ая статья́** léading árticle, èditórial.
реда́кци||я *ж.* 1. (*коллектив редакторов*) èditórial staff; (*помещение*) èditórial óffice; 2. (*редактирование*) éditorship; под ~**ей** (*рд.*) édited (by); 3. (*обрабо́танный текст*) wórding; первонача́льная ~ first / original wórding.
реде́ть, поре́деть (*тж. о лесе*) thin; thin out, get* thin; (*уменьшаться в числе*) be depléted, thin out.
реди́с *м. тк. ед.* gárden rádish(es) (*pl.*). ~**ка** *ж.* 1. *разг.* = реди́с; 2. (*отдельный корешок редиса*) rádish.
ре́дк||ий 1. (*негустой*) thin, sparse; ~**ие зу́бы** wíde:ly spaced teeth; ~ **лес** sparse wood [...wud]; 2. (*о ткани — неплотный*) flímsy [-zɪ]; 3. (*редко встречающийся*) rare; (*необычайный*) úncommon; ~**ая кни́га** rare book; ~**ой красоты́** of úncommon / rare béauty [...'bju:-]; 4. (*случайный*) occásional.
ре́дко I *прил. кратк. см.* ре́дкий.
ре́дко II *нареч.* 1. (*не густо*) few and far-betwéen; дома́ стоя́ли о́чень ~ the hóuses were few and far-betwéen; 2. (*не часто*) séldom, ráre:ly; о́чень ~ very séldom; once in a blue moon [wʌns...] *идиом. разг.*; ◇ ~, да ме́тко *погов.* séldom but to the point.
редколе́сье *с.* sparse growth of trees [...grouθ...].
редколле́гия *ж.* (*редакционная колле́гия*) èditórial board.
редконаселённый thín:ly / spárse:ly pópulàted.
ре́дкостный rare; (*необычайный*) úncommon.
ре́дкост||ь *ж.* 1. rárity ['rɛə-]; 2. (*редкостная вещь*) rárity, curiósity, cúriò; худо́жественные ~**и** óbjects of virtú [...-'tu:]; ◇ **на** ~ úncommonly; **на** ~ **до́брый, жа́дный и т.п.** of rare kínd:ness, gréediness, *etc.*; не ~, что it is not úncommon.
реду́ктор *м. тех.* redúction gear [...gɪə], redúcer.
редукцио́нный *тех.* redúcing; ~ **кла́пан** redúcing valve, redúcer.
реду́кция *ж.* (*в разн. знач.*) redúction.
реду́т *м. воен. ист.* redóubt [-aut].
редуци́рованный 1. *прич. см.* редуци́ровать; 2. *прил. лингв.* redúced.
редуци́ровать *несов. и сов.* (*вн.*; *в разн. знач.*) redúce (*d.*). ~**ся** *несов. и сов.* 1. redúce; 2. *страд. к* редуци́ровать.
ре́дьк||а *ж.* (black) rádish; ◇ надое́ло э́то ему́ ху́же го́рькой ~**и** ≅ he is sick and tired of it, he is bored to death with it [...deθ...].
рее́стр *м.* list, roll, régister.
режи́м *м.* 1. (*государственный строй*) règíme [reɪ'ʒi:m]; 2. (*установленный поря́док чего-л.*) routíne [ru:'ti:n-]; санато́рный, шко́льный ~ sànatórium, school routíne; 3. *мед.* régimèn; ~ **пита́ния** díet; 4. *тех.* condítions *pl.*; rate; температу́рный ~ témperature condítions

РЕЖ — РЕК

pl., témperature rate; рабо́чий ~ óperàting / wórking condítions *pl.*; ◇ ~ эконо́мии pólicy / règime of ècónomy [...i:-].

режиссёр *м.* prodúcer; помо́щник ~а assístant prodúcer, stage mánager. ~ский *прил.* к режиссёр.

режисси́ровать (*вн.*) prodúce (*d.*), stage (*d.*).

режиссу́ра *ж. театр.* 1. (*де́ятельность режиссёра*) prodúcing; proféssion of prodúcer; 2. (*режиссёрское оформление*) prodúction; 3. (*руководство постано́вкой спекта́кля, фи́льма*) diréction; 4. *собир.* (*режиссёры*) prodúcers *pl.*

ре́жущий 1. *прич. см.* ре́зать; 2. *прил.* (*о́стрый, ре́зкий*) cútting, sharp.

реза́к *м.* (*нож*) chópping-knife*, cútter; (*мясника́*) póle-àxe.

ре́заль||ный: ~ая маши́на cútting-machìne [-ʃi:n].

ре́зать, заре́зать, среза́ть 1. *тк. несов.* (*вн.*) cut* (*d.*); (*ломтя́ми*) slice (*d.*); 2. *тк. несов.* (*вн.*) *разг.* (*опери́ровать*) óperàte (*d.*); 3. *тк. несов.* (*об о́стрых предме́тах*) cut* *d.*; нож не ре́жет the knife does not cut; 4. *при сов.* заре́зать (*вн.*) kill (*d.*); (*ножо́м*) sláughter (*d.*), knife (*d.*); ~ кур kill hens; волк заре́зал овцу́ the wolf* killed a sheep* [...wulf...]; 5. *тк. несов.* (*по дт.; по де́реву, мета́ллу и т.п.*) carve (on), en:gráve (on); 6. *тк. несов.* (*вн.; причиня́ть боль*): верёвка ре́жет па́льцы the string cuts into the fingers; ~ под мы́шками bind*, или be tight, únder the arms; у него́ ре́жет в желу́дке he has gríping pains in the stómach [...-ʌmək]; 7. *тк. несов.* (*вн.; вызыва́ть неприя́тное ощуще́ние*): ~ глаза́ írritàte the eyes [...aɪz]; ~ слух grate on / up:ón the ears; 8. *при сов.* сре́зать (*вн.*) *разг.* (*на экза́мене и т.п.*) pluck (*d.*); 9. *тк. несов. мор.*: ~ корму́ pass close astérn [...klous...]; ~ нос pass close ahéad [...əˈhed]; 10. *при сов.* сре́зать (*вн.*) *спорт.* slice (*d.*), cut* (*d.*), chop (*d.*); ◇ пра́вду в глаза́ *разг.* speak* the truth bóld:ly [...-u:θ...]; ~ся, проре́заться 1. (*о зуба́х*): у него́ ре́жутся зу́бы he is cútting (his) teeth, he is téething; 2. *тк. несов. разг.* (*игра́ть с аза́ртом*) play; 3. *страд. к* ре́зать 1, 4, 5, 8, 10.

резви́ться sport, gámbol, frisk, romp.

ре́зв||ость *ж.* 1. spórtive:ness, pláyfulness; 2. *спорт.* (*о ло́шади*) speed; показа́ть хоро́шую ~ show* a good* time [ʃou...]. ~ый 1. spórtive, pláyful, frísky; 2. *спорт.* (*о ло́шади*) fast.

резеда́ *ж.* mignonétte [mɪnjə-].

резе́кция *ж. мед.* ré:séction.

резе́рв *м.* resérve(s) [-ˈzə:v(z)] (*pl.*); име́ть в ~е (*вн.*) have in resérve (*d.*); произво́дственные ~ы prodúction resérves; ~ гла́вного кома́ндования *воен.* Géneral Héadquárters resérve [...ˈhed-...], Resérve of the High Commánd [...-a:nd]; перевести́ (*вн.*) (*в вое́нно-морски́х суда́х и т.п.*) tránsfèr to the resérve (*d.*); ◇ трудовы́е ~ы indústrial traìnées.

резерва́ция *ж.* reservátion [-zə-].

резерви́ровать *несов. и сов.* (*вн.*) resérve [-ˈzə:v] (*d.*).

резерви́ст *м. воен.* resérvist [-ˈzə:-].

резе́рвный resérve [-ˈzə:v] (*attr.*).

резервуа́р *м.* réservoir [-zəvwa:], véssel.

резе́ц *м.* 1. *тех.* cútter; cútting tool; (*гравёра, ску́льптора*) chísel [ˈtʃɪzˈl]; 2. (*зуб*) incísor [-zə], cútting tooth*.

резиде́нт *м.* 1. résident [-zɪ-]; 2. (*иностра́нец*) fóreign résident [ˈfɔrɪn...]; 3. (*та́йный представи́тель разве́дки в иностра́нном госуда́рстве*) fixed-pòst spy [-poust...].

резиде́нция *ж.* résidence [-zɪ-].

рези́н||а *ж.* (índia)rùbber. ~ка *ж.* 1. (*тесьма́*) elástic; 2. (*для стира́ния*) eráser, índiarùbber. ~овый rúbber (*attr.*); ~овые гало́ши rúbber galóshes / óvershòes [...-ʃu:z], rúbbers; ~овые сапоги́ rúbber boots; wéllingtons = gum boots *разг.*; ~овая промы́шленность rúbber índustry.

ре́зка *ж.* cútting.

ре́зк||ий (*в разн. знач.*) sharp, harsh; (*о письме́, диплома́тической но́те и т.п.*) sharp, stróngly-wórded; ~ ве́тер keen / bíting / cútting wind [...wɪ-]; ~ие слова́ sharp words; ~ хара́ктер sharp / short témper; ~ие черты́ лица́ sharp féatures; ~ челове́к harsh pérson; ~ое измене́ние пого́ды sharp change in the wéather [...tʃe-...ˈwe-]; ~ перехо́д от жары́ к хо́лоду sharp change from heat to cold; ~ое измене́ние поли́тики switch in pólicy; ~ое повыше́ние цен sharp rise in príces; ~ое движе́ние sharp móve:ment [...ˈmu:v-]; ~ие мане́ры abrúpt / short mánners; ~ го́лос shrill voice; ~ свет strong / harsh light; ~ за́пах strong smell; ~ие тона́ (*кра́сок*) vívid / gárish cólours [...ˈgɛə- ˈkʌ-]; ~ отве́т sharp ánswer [...ˈa:nsə]; ~ тон sharp / rough tone [...rʌf...]; ~ая кри́тика sevére críticism.

ре́зк||о *нареч.* shárply; (*внеза́пно; отры́висто*) abrúptly; ~ отрица́тельный dístinctly négative; ~ повы́сить вы́работку achíeve a steep rise in óutpùt [-i:v... -put]. ~ость *ж.* 1. shárpness; (*отры́вистость*) abrúptness; 2. (*ре́зкое сло́во, выраже́ние*) sharp words *pl.*; наговори́ть ~остей use sharp words; они́ наговори́ли друг дру́гу ~остей they used sharp / harsh words to each other.

резн||о́й carved, frétted; ~а́я рабо́та *арх.* frétwòrk.

резня́ *ж.* sláughter, bútchery [ˈbu-], cárnage.

резолю́ц||ия *ж.* 1. (*реше́ние собра́ния и т.п.*) rèsolútion [-zə-]; предлага́ть ~ию move a rèsolútion [mu:v...], выноси́ть, принима́ть ~ию pass / adópt / appróve / cárry a rèsolútion [...-u:v...]; 2. (*распоряже́ние на докуме́нте*) instrúctions *pl.*; накла́дывать ~ию appénd instrúctions (on an àpplicátion, repòrt, *etc.*).

резо́н *м. разг.* réason [-zˈn].

резона́||нс *м.* résonance [ˈrez-]; (*перен.*) èchò [ˈekou], respónse; дава́ть ~ (*перен.*) have rè:percússions. ~тор *м. физ.* résonàtor [ˈrez-].

резонёр *м.* árguer, réasoner [-z-], philósophizer. ~ствовать árgue, réason [-zˈn], philósophize.

резони́р||овать resóund [-ˈzaund]. ~ющий 1. *прич. см.* резони́ровать; 2. *прил.* résonant [-z-].

резо́нный *разг.* réasonable [-z-].

резорци́н *м. хим.* résórcin [-ˈzɔ:-].

результа́т *м.* resúlt [-ˈzʌl-], óut:còme; ~ы обсле́дования fíndings; явля́ться ~ом (*рд.*) aríse* (from), grow* [-ou] (out of); дава́ть ~ы yield resúlts [ji:-...]; доби́ться хоро́ших ~ов get* good* resúlts; (*в учёбе*) make* good* prógress; ◇ в ~е as a resúlt; в ~е проте́ста со стороны́ кого́-л. fóllowing a prótèst on the part of smb.

результати́вный efféctive, effìcácious; ~ игро́к *спорт.* a good scórer.

ре́зус *м.* 1. (*вид обезья́н*) rhésus, rhésus mónkey [...ˈmʌŋ-]; 2. *биол. разг.* = ре́зус-фа́ктор; отрица́тельный ~ Rhésus-négative; положи́тельный ~ Rhésus-pósitive [...-zɪ-].

ре́зус-фа́ктор *м. биол.* Rhésus fáctor.

резчик I *м.* (*по мета́ллу, де́реву*) en:gráver, cárver; ~ чека́нов díe-sìnker.

ре́зчик II *м.* (*инструме́нт*) chísel [ˈtʃɪz-].

резь *ж.* cólic; gripes *pl.*

резьба́ *ж.* 1. cárving, frétwòrk; 2. *тех.* (*наре́зка*) thréad(ing) [-ed-].

резюм||е́ *с. нескл.* súmmary, résumé (*фр.*) [ˈrezjumeɪ]. ~и́ровать *несов. и сов.* (*вн.*) sum up (*d.*), súmmarize (*d.*), rè:capítulàte (*d.*).

рей *м. мор.* yard.

рейд I *м. мор.* road, róadstead [-ed]; roads *pl.*

рейд II *м.* 1. *воен.* raid; 2. (*обсле́дование*) spót-chéck, swoop.

ре́йдер [-дэр] *м. воен.* ráider.

ре́йка *ж.* 1. lath*; 2.: зубча́тая ~ *тех.* rack; землеме́рная ~ *геод.* survéyor's pole / rod.

рейнве́йн *м.* Rhine wine, hock.

рейс *м.* trip, run; *мор. тж.* vóyage, pássage; пе́рвый ~ (*но́вого по́езда, су́дна, самолёта*) máiden trip; *мор. тж.* máiden vóyage; очередно́й ~ régular cruise [...kru:z].

ре́йсовый régular(-route) [-ru:t], schéduled [ˈʃe-]; ~ авто́бус régular bus / coach; ~ самолёт air líner.

рейсфе́дер *м.* (*чертёжный инструме́нт*) dráwing-pèn, rúling-pèn; 2. (*для каранда́ша*) péncil-hòlder.

рейсши́на *ж.* T-square [ˈti:-].

рейту́зы *мн.* 1. (*для верхово́й езды́*) bréeches [ˈbrɪ-]; ríding-brèeches [-brɪ-]; 2. (*дли́нные же́нские и де́тские трикота́жные штаны́*) pàntalóons, long pants.

ре́йхс||ка́нцлер *м.* Reichschàncellor [raɪksˈtʃa:n-]. ~та́г *м.* Réichstàg [ˈraɪkstɑ:g].

рек||а́ *ж.* river [ˈrɪ-]; stream (*тж. перен.*); вверх по ~е́ ùp-stréam, up the river; вниз по ~е́ dòwn-stréam, down the river; ~ ста́ла the river is íce-bound; располо́женный вдоль ~и́ river:side [ˈrɪ-] (*attr.*); ◇ ли́ться ~о́й flow like wáter [-ou...ˈwɔ:-].

ре́квием *м.* réquièm [ˈre-].

реквизи́ровать *несов. и сов.* (*вн.*) rèquisítion [-ˈzɪ-] (*d.*); (*для вое́нных на́добностей*) còmmandéer (*d.*).

реквизи́т *м. театр.* próperties *pl.*; props *pl. разг.*

реквизи́ция ж. rèquisítion [-'zɪ-].
рекла́ма ж. 1. *тк. ед.* (*как мероприятие*) públicity [pʌ-], ádvertising; театра́льная ~ théatre bill ['θɪə-...], pláybill; 2. (*объявление*) advértise:ment [-s-]; светова́я ~ eléctric sign [...saɪn].
реклама́ция ж. rèclamátion, claim for replácе:ment (of deféctive goods, *etc.*) [...gudz].
реклами́ровать *несов. и сов.* (вн.) ádvertise (*d.*); públicize ['pʌ-] (*d.*); (*чрезмерно расхваливать*) boost (*d.*) *разг.*; ~ свой това́р push one's wares [puʃ...].
рекла́мный públicity [pʌ-] (*attr.*).
рекогносци́р||овать *несов. и сов.* (вн.) *воен.* rèconnóitre (*d.*). ~**о́вка** ж. *воен.* rèconnáissance (of the ground) [-nɪs-...], rèconnóitring; производи́ть ~о́вку rèconnóitre, scout. ~**о́вочный** rèconnóitring; rèconnáissance [-nɪs-] (*attr.*). ~**о́вщик** м. rèconnóitrer.
рекоменд||а́тельный *прил.* к рекоменда́ция; ~а́тельное письмо́ létter of introdúction; ~ о́тзыв rècommèndátion; ~ спи́сок книг list of rècommènded books. ~**а́ция** ж. 1. rècommèndátion; (*выдаваемая лицу*) (cháracter) réference ['kæ-...]; 2. (*совет*) advíce; выполня́ть ~а́ции врача́ fóllow médical advíce. ~**ова́ть** *несов. и сов. тж.* порекомендова́ть 1. (вн.) rècomménd (*d.*); это его́ пло́хо ~ет that speaks bád:ly for him; это его́ хорошо́ ~ет that speaks in (his) fávour; 2. (+ *инф.*, *советовать*) advíse (+ *to inf.*), rècomménd (+ *to inf.*); он ~ет мне сде́лать это he advíses / rècomménds me to do it. ~**ова́ться** 1. *несов. и сов.* (*при знакомстве*) òne:sélf; 2. *страд.* к рекомендова́ть; тако́й спо́соб не ~ется this méthod is not advísable / rècomménded; в тако́м слу́чае ~ется сле́дующее in this case the fóllowing is rècomménded [...keɪs...].
реконве́рсия ж. эк. rè:convérsion.
реконструи́ровать *несов. и сов.* (вн.) rè:constrúct (*d.*). ~**ся** *несов. и сов.* be rè:constrúcted.
реконструкти́вный rè:constrúctive, rè:constrúcting; rè:constrúction (*attr.*); ~ пери́од périod of rè:constrúction.
реконстру́кция ж. rè:constrúction.
реко́рд м. récord ['re-]; поби́ть ~ break* / beat* a récord [-eɪk...]; устана́вливать ~ estáblish, *или* set* up, a récord; поби́ть свой со́бственный ~ beat* one's own récord [...oun...].
рекорди́ст м., ~**ка** ж. chámpion.
реко́рдн||ый récord ['re-] (*attr.*); récòrd-bréaking ['re- -eɪk-]; ~ая ско́рость récord speed; дости́гнуть ~ой ци́фры reach a récord figure.
рекордсме́н м., ~**ка** ж. récòrd-hólder ['re-], récòrd-bréaker ['re- -eɪkə].
ре́крут м. *ист.* recrúit [-ru:t]. ~**и́ровать** *несов. и сов.* (вн.) *ист.* recrúit [-ru:t] (*d.*). ~**ский** *прил.* к ре́крут; ~ский набо́р recrúiting; recrúitment [-ru:t-].
ректифика́т м. *хим.* réctified próduct [...'prɔ-].
ректифи||ка́ция ж. *хим.* rèctificátion. ~**ци́ровать** *несов. и сов.* (вн.) *хим.* réctifỳ (*d.*).
ре́ктор м. réctor, head of *a* úniversity [hed...]; (*английского университета*) více-cháncellor.
ректора́т м. ùniversity admìnistrátion; (*помещение*) réctor's óffice.
реле́ [рэ-] *с. нескл. тех.* ré:láy.
реле́йный *тех.* ré:láy (*attr.*).
религио́зн||ость ж. relígious:ness, relìgiósity; (*набожность*) píety. ~**ый** relígious; (*набожный*) píous; ~ые во́йны *ист.* relígious wars; ~ый обря́д relígious rite / céremony.
рели́гия ж. relígion.
рели́квия ж. rélic.
рели́кт м. rélic. ~**овый** rélic (*attr.*).
релье́ф м. relíef [-i:f] (*shape*); ~ ме́стности relíef [...-i:f], bóld:ly. ~**ность** ж. relíef [-i:f]. ~**ный** relíef [-i:f] (*attr.*), raised; (*перен.*) vívid, stríking; ~ная рабо́та embóssed work; ~ная ка́рта relíef map.
рельс м. rail, *мн.* rails, métals ['me-]; сходи́ть с ~ов be deráiled; leave* / jump the métals; ◊ поста́вить что-л. на ~ы get* smth. góing, launch smth. ~**овый** rail (*attr.*); ~**овый** путь ráilway track, ráilway line; ~**овая** сеть ráilway nétwork.
рельсопрока́тный ráil-ròlling; ~ стан ráil-ròlling mill.
релятиви́зм м. *филос.* rèlatívity.
реля́ция ж. *уст.* communiqué (*фр.*) [kə'mju:nɪkeɪ], repórt.
рема́рка ж. *театр.* stage diréction.
реме́нн||ый belt (*attr.*); ~ая переда́ча *тех.* belt drive; с ~ым приво́дом bélt-driven [-rɪ-].
рем||е́нь м. strap, thong; (*пояс*) belt; поясно́й ~ *воен.* (wáist-)belt; ружёйный ~ rifle sling; доро́жные ~ни́ straps; ~ни́ безопа́сности *авт.* sáfety-bèlts.
реме́сленн||ик м. artisán [-'zæn], cráftsman*; (*перен.*) пренебр. hack. ~**ический** пренебр. háck-wòrking, mechánical [-'kæ-]. ~**ичество** с. wórkmanship; (*перен.*) пренебр. háck-wòrk. ~**ый** 1. hándicràft (*attr.*); trade (*attr.*); (*перен.: нетворческий*) mechánical [-'kæ-], stéreotýped; 2.: ~ое учи́лище *уст.* indústrial / trade / vocátional school.
ремесл||о́ с. 1. trade, hándicràft; вы́учиться ~у́ learn* a trade [lə:n...]; 2. (*профессия*) proféssion.
ремешо́к м. small strap; thong; (*для часов*) wríst:let.
реми́з м. *карт.* fine; поста́вить ~ pay* a fine.
ремилитариза́ция ж. rè:militàrizátion [-raɪ-].
реминисце́нция ж. rèminíscence.
ремо́нт I м. repáir(s) (*pl.*); máintenance; капита́льный ~ óver:hául; / fit; major / cápital repáirs *pl.*; теку́щий ~ routíne / cúrrent / rúnning repáirs [ru:'ti:n...] *pl.*; профилакти́ческий ~ prevéntive máintenance; быть в ~е be únder repáir; нужда́ться в ~е be in need / want of repáir.
ремо́нт II м. *воен.* (*пополнение лошадьми*) rè:móunt sérvice.
ремонтёр м. *воен. уст.* rè:móunt ófficer.
ремонти́ровать I *несов. и сов.* (*сов. тж.* отремонти́ровать) (вн.) repáir (*d.*), rè:fít (*d.*); rè:condítion (*d.*), òver:hául (*d.*).
ремонти́ровать II *несов. и сов.* (вн.) *воен. уст.* (*пополнять лошадьми*) rè:móunt (*d.*).
ремо́нтник м. repáir:man*, repáirer, repáir(s) mechánic [...-'kæ-].
ремо́нтн||ый I repáir (*attr.*), ~ая мастерска́я repáir shop; ~ рабо́чий repáirer, repáir:man*; ~ая брига́да bréakdown gang [-eɪk-...] *разг.*
ремо́нтн||ый II *воен.* rè:móunt (*attr.*); ~ая ло́шадь rè:móunt.
ренега́т м., ~**ка** ж. rénegàde, túrncoat. ~**ский** *прил.* к ренега́т. ~**ство** с. desértion [-'zə:-]; apóstasy.
Ренесса́нс м. the Renáissance, Renáscence.
ренкло́д м. (*сорт слив*) gréen:gàge.
реноме́ [-мэ] *с. нескл.* rèputátion.
рено́нс м. *карт.* revóke.
ре́нт||а ж. rent; rente (*фр.*) [rɑ:nt]; ежего́дная ~ annúity; земе́льная ~ gróund-rènt; натура́льная ~ rent in kind; госуда́рственная ~ (íncome from) góvernment secúrities [...'gʌ-...].
рента́бельность ж. эк. pròfitabílity, prófitable:ness.
рента́бельн||ый эк. prófitable, páying; ~ое предприя́тие páying concérn.
рентге́н м. 1. (*просвечивание*) X-ráy photógraphy ['eks-...]; 2. *физ.* Röentgen, Röntgen ['rɔntjən].
рентгениз||а́ция ж. X-ráying ['eks-]. ~**и́ровать** *несов. и сов.* (вн.) X-ráy ['eks-] (*d.*).
рентге́нов: ~ы лучи́ X-ráys ['eks-], Röntgen / Röentgen rays ['rɔntjən...].
рентге́новск||ий: ~ кабине́т X-ráy ['eks-...] room, институ́т X-ráy / Röentgen / Röntgen Ínstitute [...'rɔntjən...]; ~ие лучи́ = ре́нтгеновы лучи́ *см.* рентге́нов.
рентгено||гра́мма ж. X-ráy phóto:gràph ['eks-...], rádio:gràph, ròntgénogram [rɔnt'ge-], röntgénogràph [rɔnt'ge-]. ~**графи́ческий** rádio:gráphic(al). ~**гра́фия** ж. ràdiógraphy, ròntgenógraphy [rɔntgə-].
рентгено́||лог м. ràdiólogist, ròntgenólogist [rɔntgə-]. ~**логи́ческий** ròntgenológic(al) [rɔntgə-]. ~**ло́гия** ж. ròntgenólogy [rɔntgə-]; институ́т ~ло́гии Ìnstitúte of ròntgenólogy.
рентгеноскопи́я ж. röntgenóscopy [rɔntgə-].
рентгенотерапи́я ж. X-ráy thérapy ['eks-...], röntgenothérapy [rɔntgə-], X-ráy tréatment.
Реомю́р м. Réaumùr ['reɪə-]; 30° по ~у 30 degrées Réaumùr.
реорганиз||ацио́нный *прил.* к реорганиза́ция; ~ пери́од périod of rèorganizátion [...-naɪ-], rèorganizátion périod. ~**а́ция** ж. rèorganizátion [-naɪ-]. ~**ова́ть** *несов. и сов.* (вн.) rèórganize (*d.*).
реоста́т м. эл. rhéostàt.
ре́п||а ж. túrnip; ◊ про́ще па́реной ~ы *разг.* ≅ as éasy as pie [...'i:zɪ...].
репар||ацио́нный rèparátion (*attr.*). ~**а́ция** ж. rèparátion.

РЕП — РЕЧ

репатри́||а́нт *м.*, ~а́нтка *ж.* rèːpátriate [-ˈpæ-]. ~а́ция *ж.* rèːpàtriátion [-pæ-].

репатрии́ров||анный 1. *прич. см.* репатрии́ровать; 2. *м. как сущ.* rèːpátriate [-ˈpæ-]. ~а́ть *несов. и сов.* (*вн.*) rèːpátriàte [-ˈpæ-] (*d.*). ~а́ться 1. *несов. и сов.* rèːpátriàte oneːsélf [-ˈpæ-...]; 2. *страд. к* репатрии́ровать.

репе́й *м.*, ~ник *м.* búrdòck.

репе́р *м.* 1. *геод.* bénch-màrk; 2. (*для стрельбы*) règistrátion tárget [...-g-]; règistrátion point.

репертуа́р *м. театр.* répertoire [-twɑː] (*тж. перен.*), répertory. ~ный répertoire [-twɑː] (*attr.*).

репети́ровать, прорепети́ровать (*вн.*) 1. *театр.* rehéarse [-ˈhəːs] (*d.*); 2. *тк. несов.* (*ученика*) coach (*d.*).

репети́тор *м.* coach.

репетицио́нный rehéarsal [-ˈhəː-] (*attr.*).

репети́ци||я *ж.* 1. rehéarsal [-ˈhəː-]; генера́льная ~ dress rehéarsal; 2.: часы́ с ~ей repéater *sg.*

ре́пица *ж. анат.* dock.

репланта́ция *ж. мед., с.-х.* rèːplàntátion [-ɑːn-].

ре́плик||а *ж.* 1. *театр.* cue; подава́ть ~и give* the cue; 2. (*замечание*) remárk; (*возражение*) retórt, rejóinder.

репо́лов *м. зоол.* línnet.

репорта́ж *м.* repórting; accóunt, piece of repórting [piːs...]; (*со стадиона*) (rúnning) cómmentary.

репортёр *м.* repórter.

репресса́лии *мн.* (*ед.* репресса́лия *ж.*) *полит.* reprísals [-z-], sánctions.

репресси́вный représsive.

репресси́ровать *несов. и сов.* (*вн.*) subjéct to represssion (*d.*).

репре́ссия *ж.* représsion.

репроду́ктор *м. рад.* lóud-spéaker.

репроду́кция I *ж. иск.* rèːprodúction.

репроду́кция II *ж.* (*размножение племенных животных или сортовых семян*) rèːprodúction.

репс *м. текст.* rep(p), reps.

репти́лия *ж. зоол.* réptile.

репута́ци||я *ж.* rèputátion; ímage *разг.*; по́льзоваться хоро́шей, дурно́й ~ей have a good*, bad* rèputátion / name; спасти́ свою́ ~ю save one's face; дорожи́ть свое́й ~ей hold* dear, или vàlue, one's rèputátion.

ре́пчатый: ~ лук ónions [ˈʌ-] *pl.*

рескри́пт *м. уст.* réscript [ˈriː-].

ресни́||ца *ж.* éyeːlàsh [ˈaɪ-]. ~чки *мн. биол.* cilia. ~чный *биол.* cíliary.

респекта́бель||ность *ж.* respectabílity. ~ый respéctable.

респира́тор *м.* réspiràtor.

респу́блика *ж.* repúblic [-ˈpʌ-]; Сове́тская Социалисти́ческая ~ Sóviet Sócialist Repúblic; сою́зная ~ Únion Repúblic; автоно́мная ~ Autónomous Repúblic; Наро́дная ~ People's Repúblic [piː-...].

республика́н||ец *м.*, ~ка *ж.* repúblican [-ˈpʌ-]. ~ский repúblican [-ˈpʌ-]. ~ство *с.* repúblicanism [-ˈpʌ-].

рессо́р||а *ж.* spring (*of vehicle*); на ~ах on springs. ~ный spring (*of vehicle*) (*attr.*).

реставра́||тор *м.* restórer. ~цио́нный rèstorátion (*attr.*). ~ция *ж.* rèstorátion. ~и́ровать *несов. и сов.* (*вн.*) restóre (*d.*).

рестора́н *м.* réstaurant [-tərɔːŋ]. ~ный *прил. к* рестора́н.

рестора́тор *м. уст.* rèstauratéur [restɔːˈtəː], réstaurant-kéeper [-tərɔːŋ-].

ресу́рс *м.* 1. *чаще мн.* resóurces [-ːsɪz]; людски́е ~ы mánpower resóurces, 2. (*средство*) resórt [-ˈzɔːt], resóurce [-ˈsɔːs]; испро́бовать после́дний ~ try the last resórt.

рети́в||о *нареч.* zéalously [ˈze-], with zeal / árdour. ~ость *ж.* zeal, árdour. ~ый zéalous [ˈze-], árdent.

рети́на *ж. анат.* rétina (*pl.* -nas, -nae).

ретирова́ться *несов. и сов.* 1. *уст.* (*отступать*) retréat, retíre, withːdráw*; 2. *разг. ирон.* (*уходить*) make* off.

рето́рта *ж. хим., тех.* retórt.

ретрансли́ровать *несов. и сов.* (*вн.*) *рад.* rèːtransmít (*d.*), rèːláy (*d.*).

ретрансля́ция *ж. рад.* rèːláying, rèːtransmíssion.

ретрогра́д *м.*, ~ка *ж. уст.* rèːáctionary, rétrogràde pérson; stick in the mud *разг.* ~ный *уст.* rétrogràde.

ретроспекти́в||а *ж.* 1. rètrospéctive review [...-ˈvjuː]; 2. *кин.* rètrospéctive show [...ʃou]. ~ный rètrospéctive; ~ный взгляд на что-л. rètrospéctive / báckward glance at smth.

ретушёвка *ж.* réːtouch [-ˈtʌtʃ].

ретушёр *м.* réːtoucher [-ˈtʌ-]. ~и́рование *с.* réːtouching [-ˈtʌ-]. ~и́ровать *несов. и сов.* (*вн.*) réːtouch [-ˈtʌtʃ] (*d.*).

ре́тушь *ж.* réːtouch [-ˈtʌtʃ], réːtouching [-ˈtʌtʃ-].

рефера́т *м.* 1. (*краткое содержание*) ábstract, synópsis; 2. (*доклад*) páper, éssay. ~и́вный ábstract; ~и́вный журна́л ábstract journal / bulletin [...ˈdʒəː- ˈbu-]; Хими́ческий ~и́вный журна́л Chémical Ábstracts [ˈke-...] *pl.*

рефере́ндум *м. полит.* rèferéndum.

рефере́нт *м.* réader, reviewer [-ˈvjuː]. ~и́ровать *несов. и сов.* (*вн.*) read* (*d.*), review [-ˈvjuː] (*d.*), àbstract (*d.*), make* a synópsis (of).

рефле́кс *м.* réflèx; усло́вный ~ condítioned réflèx; безусло́вный ~ únːcondítioned réflèx.

рефле́ксия *ж.* refléxion.

рефлексо́ло||г *м.* rèflèxólogist [riː-]. ~логи́ческий rèflèxológical [riː-]. ~гия *ж.* rèflèxólogy [riː-]: stúdy of réflèxes [ˈstʌ-...ˈriː-].

рефлекти́вный = рефлекто́рный.

рефле́ктор *м.* refléctor.

рефлекто́рный *физиол.* réflèx (*attr.*).

рефо́рм||а *ж.* refórm; де́нежная ~ cúrrency refórm; агра́рная ~ land refórm; производи́ть ~у (*рд.*) refórm (*d.*). ~а́тор *м.* refórmer. ~а́торский reformatory, refórmative.

реформа́ция *ж. ист.* Rèformátion.

реформи́зм *м. полит.* refórmism.

реформи́ровать *несов. и сов.* (*вн.*) refórm (*d.*).

реформи́ст *м. полит.* refórmist. ~ский *полит.* refórmist (*attr.*).

рефракто́метр *м. физ.* rèfràctómeter [riː-].

рефра́к||тор *м. физ., астр.* refráctor. ~ция *ж. физ., астр.* refráction.

рефре́н *м. лит.* refráin, búrden.

рефрижера́тор *м. тех.* 1. refrígeràtor; 2. (*о вагоне, судне и т. п.*) refrígeràtor van, ship, *etc.*

рехну́ться *сов. разг.* go* / be off one's head [...hed], go* / be mad.

рецензе́нт *м.* reviewer [-ˈvjuː]; (*рукописей*) réader. ~и́ровать, прорецензи́ровать (*вн.*) críticize (*d.*), review [-ˈvjuː] (*d.*); (*рукописи*) read* (*d.*); ~и́ровать кни́гу review a book; ~и́руемая кни́га the book únder review.

рецензи́||я *ж.* review [-ˈvjuː]; *театр.* nótice [ˈnou-]; ~ на кни́гу book review; дать на ~ю (*вн.*) send* for review (*d.*).

реце́пт *м.* récipe [-pi]; (*докторский тж.*) prescríption; (*перен.*) fórmula (*pl. тж.* -ae).

рецепти́вный recéptive; ~ слова́рь recéptive vocábulary.

рециди́в *м.* 1. sétːbàck, recúrrence; 2. *мед.* relápse; 3. *юр.* repéated commíssion (of offénce). ~и́зм *м. юр.* recídivism. ~и́ст *м.*, ~и́стка *ж. юр.* recídivist, old offénder, repéater.

речев||о́й vócal; speech; ~ аппара́т vócal órgans *pl.*, órgans of speech *pl.*; ~ы́е на́выки speech hábits; ~о́е мышле́ние thínking-in-wórds.

рече́ние *с.* expréssion.

речи́стый *разг.* vóluble, tálkative.

речитати́в *м. муз.* rècitatíve [-iːv].

ре́чка *ж.* small ríver [...ˈrɪ-], brook, rívulet.

речни́к *м.* ríver tránspòrt wórker [ˈrɪ-...].

речн||о́й ríver [ˈrɪ-] (*attr.*); flúvial, ríverine; ~ песо́к ríver sand; ~а́я ры́ба ríver fish; ~о́е судохо́дство ríver nàvigátion, ríverine tráffic; ~ вокза́л ríver (stéamer and'bus) státion; ~о́е сообще́ние ríver commùnicátion; ◇ ~ трамва́й ríver / wáter bus [...ˈwɔː-...].

реч||ь *ж.* 1. (*способность говорить*) speech; дар ~и gift / fáculty of speech [g-...], pówer of spéaking; 2. (*характер произношения*) enùnciátion; отчётливая ~ distínct / clear enùnciátion; 3. (*стиль языка*) style of spéaking, lánguage; делова́я ~ búsiness lánguage [ˈbɪz-...]; 4. (*рассуждение, беседа*) díscourse [-ˈkɔːs]; о чём ~? what are you tálking abóut?; what is the quéstion? [...-stʃən]; об э́том не́ было и ~и it was not éven méntioned, there was no quéstion of that; ~ идёт о том the quéstion is; об э́том не мо́жет быть и ~и it is out of the quéstion; заводи́ть ~ (*о пр.*) lead* the cònversátion (towárds); ~ зашла́ (*о пр.*) the talk / cònversátion turned (to); 5. (*выступление*) speech, orátion; (*обращение*) addréss; торже́ственная ~ orátion; засто́льная ~ dínner speech, áfter-dinner speech; приве́тственная ~ salútatory addréss, speech of wélcome; вступи́тельная ~ ópenːing addréss / speech; обличи́тельная ~ díatribe; защити́тельная ~ speech for the defénce; 6. *грам.* speech; пряма́я ~ dírect speech; ко́свенная ~ índirect speech; oblíque orátion / nàrrátion

552

speech [-iːk...]; ◇ части ~и parts of speech.

реш|а́ть, реши́ть 1. (+ инф.; принимать решения) decide (+ to inf., on, for ger.), determine (+ to inf., on ger.), resolve [-'zɔlv] (+ to inf.), make* up one's mind (+ to inf.); сов. тж. be determined (+ to inf.); он ~и́л е́хать he decided / determined (+ to inf.), to go; судья́ ~и́л де́ло в его́ по́льзу the judge decided the case in his favour [...-s...]; зна́чит, ~ено́ that's settled then; 2. (вн.; о задаче, вопросе и т.п.) solve (d.); э́то ~а́ет де́ло, вопро́с that settles the matter, question [...-stʃ-]; ~ зада́чу work out a problem [...'prɔ-]; сов. тж. solve a problem; (перен.) work on a task; сов. тж. achieve / accomplish a task [-iːv...]; cope with a task; э́то не ~а́ет вопро́са it does not decide / settle the question; ◇ ~ уча́сть боя́ decide the outcome of the battle; ~и́ть судьбу́ (рд.) seal the fate (of). ~а́ться, реши́ться 1. (на вн., + инф.) make* up one's mind (+ to inf.), decide (+ to inf., on, for ger.), determine (+ to inf., on ger.), resolve [-'zɔlv] (+ to inf.), bring* oneself (+ to inf.); сов. тж. be determined (+ to inf., that); (осмелиться) venture (d., + to inf.); не ~а́ться на что-л. not dare* (to) do smth.; 2. страд. к реша́ть; ◇ ~а́лась судьба́ наро́да the fate of the country was at stake [...'kʌ-...].

реша́ющ|ий 1. прич. см. реша́ть; 2. прил. decisive; ~ фа́ктор determinant; ~ая побе́да decisive victory; ~ уча́сток (рд.) key sector [kiː...] (of); быть ~им фа́ктором be a decisive factor; tip the balance / scale, turn the scale идиом.; ◇ ~ го́лос deciding / casting vote; он име́ет, ему́ принадлежи́т ~ го́лос he has the deciding vote, the decision rests with him.

реше́н|ие с. 1. decision, determination; (суда́) judg(e)ment, decree; (прися́жных) verdict; ~ зао́чное ~ judg(e)ment by default; принима́ть ~ decide, make* up one's mind, make* / take* a decision, come* to a decision; выноси́ть ~ (о суде́) deliver a judg(e)ment [-'lɪ-...]; (о собрании) pass a resolution [-'luː-]; отменя́ть ~ cancel / revoke a decision; (о судебном решении) revoke / quash a sentence; 2. (разрешение задачи, вопроса и т.п.) solution; (ответ) answer [' ɑːnsə]; 3. заключение conclusion.

решётк|а ж. grating, lattice; (у камина) fender, fireguard; (ограды) railing, grille; (лёгкая деревянная) trellis; (на окне) bars pl.; колосниковая ~ fire-grate; с желе́зной ~ой iron-barred ['aɪən-]; посади́ть за ~у разг. put* behind bars; за ~ой разг. (в тюрьме) behind bars.

решето́ с. sieve [sɪv]; протира́ть сквозь ~ (вн.) sift (d.), sieve (d.); ◇ че́рпать во́ду ~м draw* water in a sieve [...'wɔː-...]; голова́, как ~ head like a sieve [hed...].

решётчат|ый, решётчатый lattice (attr.), latticed; (о лёгком деревянном сооружении) trellised; ~ая констру́кция lattice-work; ~ая фе́рма тех. lattice truss; ~ая кость анат. ethmoid bone.

реши́мост|ь ж. resolution [-zə-], resoluteness [-zə-]; по́лный ~и firm, determined, (fully) resolved ['fuli -'zɔlvd].

реши́тельн|о нареч. 1. (смело, твёрдо) resolutely [-zə-]; 2. (категорически) decidedly; positively [-z-]; он ~ отрица́л это he denied it positively / flatly / emphatically; он ~ про́тив этого he is vigorously / definitely opposed to it; 3. (абсолютно) absolutely; он ~ ничего́ не де́лает he does absolutely nothing; это ему́ всё равно́ it is all / quite the same to him. ~ость ж. resolution [-zə-], resoluteness [-zə-]. ~ый 1. (решающий) decisive; critical; ~ая борьба́ decisive struggle; предприня́ть ~ое наступле́ние launch an all-out attack / offensive; ~ый моме́нт critical moment; 2. (категорический, резкий) resolute [-zə-], firm; all-out разг.; ~ые ме́ры drastic measures [...'me-]; ~ый отпо́р resolute rebuff; 3. (твёрдый) firm; ~ая похо́дка firm step; ~ый тон decisive tone; ~ым о́бразом decisively; ~ый вид decided / resolute air; 4. (о характере человека) resolute, decided, determined; ~ый челове́к man* of decision.

реши́ть(ся) сов. см. реша́ть(ся).

ре́шка ж. разг. tail (of coin); орёл или ~? heads or tails? [hedz...].

резваку|а́ция ж. re-evacuation. ~и́ровать несов. и сов. (вн.) re-evacuate (d.). ~и́роваться несов. и сов. be re-evacuated.

ре́я ж. мор. yard.

ре́ять несов. 1. (парить) soar, hover ['hɔ-, 'hʌ-]; 2. (развеваться) stream, fly*.

ржа ж. уст. = ржа́вчина.

ржа́в|еть, заржа́веть become* rusty, rust. ~ость ж. rustiness. ~чина ж. 1. rust; изъе́денный ~чиной eaten away with rust; 2. бот. mildew. ~ый rusty.

ржа́ние с. neigh.

ржа́нка ж. зоол. plover ['plʌ-]; ~ глу́пая dotterel.

ржан|о́й rye (attr.); ~а́я мука́ rye flour; ~ хлеб rye bread [-ed].

ржать 1. neigh; 2. груб. (смеяться) give* a neighing / coarse laugh [...lɑːf].

рибонуклеи́нов|ый; ~ая кислота́ ribonucleic acid (сокр. RNA).

ри́га ж. threshing barn.

ригор|и́зм м. rigorism. ~и́ст м. rigorist. ~исти́ческий rigoristic.

ридикю́ль м. уст. handbag.

ри́з|а ж. церк. 1. (облачение свяще́нника) chasuble [-z-]; 2. (на иконах) riza ['riːzə] (metal mounting of an icon); ◇ напи́ться до положе́ния риз разг. drink* oneself, drink* oneself insensible. ~ница ж. церк. sacristy, vestry.

рикоше́т м. ricochet [-ʃet], rebound. ~и́ровать [-ʃet]. ~ом нареч. (прям. и перен.) on / at the rebound.

ри́кша м. ricksha(w), jinricksha.

ри́м|лянин м., ~лянка ж. Roman. ~ский Roman; ~ский па́па the Pope; ~ский нос Roman nose; ~ские ци́фры Roman numerals; ~ское пра́во Roman law; ~ская це́рковь Roman Catholic Church; ~ская свеча́ Roman candle.

ринг м. спорт. ring.

РЕШ — РИТ P

ри́нуться сов. rush, dash, dart, make* a run / rush.

рис м. rice; (на корню́, в шелухе́) paddy.

риск м. 1. risk; с ~ом для жи́зни at the risk of one's life*; никако́го ~а quite safe; пойти́ на ~ run* risks, take* chances; 2. (действие наудачу) taking risks / chances; ◇ ~ — благоро́дное де́ло погов. ≅ nothing venture, nothing win / gain; на свой страх и ~ at one's own peril [...oun...], at one's own risk. ~ну́ть сов. см. рискова́ть.

риско́ванность ж. riskiness.

риско́ванн|ый 1. risky, venturesome, speculative; ~ое предприя́тие venture; risky business [...'bɪzn-]; ~ая игра́ risky game, gamble; 2. (двусмысленный) risqué (фр.) [rɪ'skeɪ].

рискова́ть, рискну́ть 1. (без доп.; подвергаться риску) run* risks, take* chances; мы не мо́жем ~ we can't take any chances [...kɑːnt...]; 2. (тв., + инф.) risk (d.); run* / take* the risk (of); ~ деньга́ми risk / stake one's money [...'mʌ-]; ~ голово́й stick* one's neck out; ~ жи́знью risk / imperil / stake one's life*; ниче́м не ~ run* no risk; не хоте́ть ниче́м ~ take* no risks / chances; ~ опозда́ть на по́езд risk missing the train; 3. тк. сов. (+ инф.: осмелиться, отважиться) venture (+ to inf.).

рисова́л|ьный drawing; ~ная бума́га drawing-paper. ~щик м., ~щица ж. graphic artist.

рисова́н|ие с. drawing; учи́ться ~ию study drawing ['stʌ-...].

рисова́ть, нарисова́ть (вн.) 1. draw* (d.); (кра́сками) paint (d.); (перен.: представлять себе) picture (d.); ~ с нату́ры draw* / paint from life; ~ карандашо́м draw* in pencil; ~ перо́м draw* with a pen; ~ акваре́лью paint in water-colours [...'wɔːtək-...]; 2. (описывать) depict (d.); ~ что-л. в я́рких, мра́чных кра́сках paint smth. in bright, dark colours [...'kʌ-]. ~ся 1. (виднеться) be silhouetted [...-ɪd...]; (перен.: представляться) present itself [-'zent-...]; жизнь рису́ется ему́ he pictures his life; 2. (красоваться) pose, show* off [ʃou-...]; 3. страд. к рисова́ть.

рисо́вка ж. posing, showing off ['ʃou-...].

рисово́д м. rice-grower [-ouə]. ~ство с. rice-growing [-ou-]. ~ческий rice-growing [-ou-] (attr.).

ри́сов|ый rice (attr.); ~ суп rice soup [...suːp]; ~ая ка́ша boiled rice; ~ая бума́га rice-paper.

риста́лище с. уст. stadium (pl. тж. -ia); hippodrome.

рису́н|ок м. drawing; (в книге) picture, illustration; (узор) design [-'zaɪn], tracery ['treɪ-]; как пока́зано на ~ке 1, 2 и т.п. as shown in figure 1, 2, etc. [...ʃoun...]; ~ та́нца pattern of a dance.

ритм м. rhythm [-ðm]; чу́вство ~а sense of rhythm.

ри́тм|ика ж. 1. лит., лингв. rhythmics [-ð-] pl., rhythm system [-ð-...]; 2. (уче-

РИТ — РОД

ние о ритме) rhýthmics *pl.*, théory of rhythm [ˈθɪə-...]; **3.** *спорт.* eurhýthmics [juːˈrɪð-]. ~и́ческий rhýthmic(al) [-ðm-]. ~и́чность *ж.* rhythm [-ðm]; доби́ться ~и́чности в рабо́те achíeve a rhýthmical pace of work [-iː...-ðm-...]. ~и́чный rhýthmic(al) [-ðm-]; ~и́чная рабо́та smooth fúnctioning [-ð...], rhýthmical work.

ри́тор *м.* rhetorícian.

ритор||ика *ж.* rhétoric. ~и́ческий rhetórical; ~и́ческий вопро́с rhetórical quéstion [...-stʃən].

ритуа́л *м.* rítual. ~а́льный rítual.

риф I *м.* (*подводная скала*) reef; кора́лловый ~ córal reef [ˈkɔ-].

риф II *м. мор.* reef; брать ~ы reef; отдава́ть ~ы let* / shake* out the reefs.

рифлён||ый *тех.* grooved, córrugàted; ~ое желе́зо córrugàted íron [...ˈaɪən].

ри́фм||а *ж.* rhyme; мужска́я ~ single / male / másculine rhyme; же́нская ~ double / fémàle / féminine rhyme [dʌblˈfiː-...]; бога́тая, бе́дная ~ strong, weak rhyme. ~ова́нный *прич. и прил.* rhymed. ~ова́ть **1.** (*вн.*) rhyme (*d.*); **2.** (*вн. с тв.*) rhyme (*d.* to, with). ~ова́ться **1.** rhyme; **2.** *страд.* к рифмова́ть.

рифмоплёт *м. разг.* rhýmer, rhýmester [ˈraɪmstə].

РККА *ж.* (Рабо́че-Крестья́нская Кра́сная А́рмия) *ист.* Wórkers' and Péasants' Red Ármy [...ˈpez-...].

РКП(б) *ж.* [Росси́йская Коммунисти́ческая па́ртия (большевико́в)] *ист.* Rússian Cómmunist Párty (Bólsheviks) [-ʃən...].

РНК *ж. неизм.* = рибонуклеи́новая кислота́ *см.* рибонуклеи́новый.

ро́ба *ж.* óverːàlls *pl.*

ро́ббер *м. карт.* rúbber.

робе́||ть be tímid; funk *разг.*; (*перед*) quail (before, at); не ~й!, не ~йте! cóurage! [ˈkʌ-], don't be scared! / afráid!

ро́бк||ий shy, tímid; (*застенчивый*) báshful; он не ~ого деся́тка he is not éasily fríghtened [...ˈiːz-...].

ро́бость *ж.* shýness, timídity.

ро́бот *м.* róbòt.

ров *м.* ditch; крепостно́й ~ moat, fosse [fɔs]; противота́нковый ~ (ánti-)tànk ditch.

рове́сни||к *м.*, ~ца *ж.* pérson of the same age; они́ ~ки, ~цы they are (of) the same age; быть чьим-л. ~ком be (of) the same age.

ровн||о́ *нареч.* **1.** (*одинаково*) équalːly; **2.** (*точно*) sharp, exáctly; ~ де́сять рубле́й ten roubles exáctly [...ruː-...]; ~ (в) два, три *и т.д.* часа́ sharp at two, three, *etc.*, o'clóck; (at) two, three, *etc.*, o'clóck sharp, *или* on the dot; on the stroke of two, three, *etc.*; **3.** (*гладко*) smóothly [-ð-]; **4.** *разг.* (*совершенно, совсем*) ábsolùtely; ~ ничего́ не понима́ть, не знать *и т.п.* únderstánd*, know*, *etc.*, ábsolùtely nothing [...nou...]; **5.** (*равномерно*) régularly, évenːly; се́рдце би́лось ~ the heart beat régularly [...hɑːt...]. ~ый **1.** (*гладкий*) flat, éven; ~ая доро́га éven / lével road [...ˈle-...]; ~ая по-

ве́рхность plane súrface; **2.** (*прямой*) straight; ~ая ли́ния straight line; **3.** (*равномерный*) éven, régular; ~ый шаг éven step; ~ый го́лос smooth voice [-ð...]; **4.** (*уравновешенный*) éven, équal, équable; ~ый хара́ктер éven / équal témper; équable témperament; ~ый кли́мат équable clímate [...ˈklaɪ-]; **5.** *разг.* (*одинаковый, равный*) équal; ~ые до́ли éven shares; ◇ ~ый счёт éven accóunt; для ~ого счёта to make it éven; ~ым счётом ничего́ just nothing; ~ый вес éven weight; не ровён час *разг.* ≃ one never knows [...nouz...].

ровн||я́ *м. и ж.* équal; он тебе́ не ~ he is not your équal, he is no match for you.

ровня́ть, сровня́ть (*вн.*) make* éven (*d.*), lével off [ˈle-...]; ~ катка́ми roll smth. smooth [...-ð]; ◇ сровня́ть с землёй raze to the ground (*d.*). ~ся *страд.* к ровня́ть.

рог *м.* **1.** (*в разн. знач.*) horn; (*оленьи*) ántler; **2.** (*музыкальный инструмент*) bugle, horn; (*охотничий*) húnting-hòrn, húntsman's bugle; труби́ть в ~ blow* the horn [blou...]; ◇ наста́вить ~ кому́-л. *разг.* cúckold smb.; ~ изоби́лия horn of plénty, cornucópia; согну́ть в бара́ний ~ (*вн.*) ≃ make* (*d.*) knúckle únder / down; брать быка́ за ~а́ take* the bull by the horns [...bul...]; ~а́стый lárge-hórned.

рога́т||ина *ж.* béar-spear [ˈbɛə-]. ~ка *ж.* **1.** (*на дороге*) túrnpike; *воен.* knífe-rèst; cheval-de-frise (*фр.*) [ʃəˈvældəˈfriːz] (*pl.* chevaux-de-frise [ʃəˈvouː-]); (*перен.*: *препятствие*) óbstacle; **2.** (*для стрельбы*) (boy's) cátapùlt; стреля́ть из ~ки cátapùlt.

рога́тый 1. horned; ~ скот (horned) cattle; кру́пный ~ скот cattle, neat cattle; ме́лкий ~ скот small cattle; sheep and goats *pl.*; **2.** *разг.* (*обманутый женой*) cúckolded.

рога́ч *м.* **1.** (*олень*) stag; **2.** (*жук*) stág-beetle.

рогови́дный 1. (*в форме рога*) hórn-shaped; cornículate *научн.*; **2.** (*о роговом веществе*) córneous.

рогови́ца *ж. анат.* córnea [-nɪə].

рогов||о́й *ж.* hórny; córneous *научн.*; ~ы́е очки́ hórn-rimmed spéctacles; ◇ ~а́я оболо́чка гла́за córnea [-nɪə].

рого́жа *ж.* bast mat / mátting.

рого́жка *ж.* **1.** *уменьш. от* рого́жа; **2.** *текст.* hópsàck.

рого́з *м. бот.* reed mace.

рогоно́сец *м. разг.* cúckold.

род I *м.* **1.** fámily, kin, clan; э́то у них в ~у́ this runs in their fámily; **2.** (*происхождение*) birth, órigin, stock; (*поколение*) gèneration; он хоро́шего ~а he comes of good* stock; из ~а в ~ from gèneration to gèneration; **3.** *биол.* génus (*pl.* génera); ◇ ему́ во́семь, де́вять *и т.д.* лет от ~у he is eight, nine, *etc.*, years old, *или* of age; ему́ на ~у́ напи́сано (+ *инф.*) it was preórdáined that he should (+ *inf.*); he was preórdáined (+ *inf.*); без ~у, без пле́мени, ни ~у ни пле́мени without kith or kin; челове́ческий ~ mankínd, húman kind / race.

род II *м.* **1.** (*сорт, вид*) sort, kind;

(*жанр*) genre [ʒɑːŋr]; вся́кого ~а of all kinds; all kind of; вся́кого ~а това́ры all kind of goods [...gudz...]; ~ войск arm of the sérvice; **2.** (*образ деятельности*) line; ◇ в не́котором ~е to some degrée / extént; в своём ~е in his, its, *etc.*, way; продолжа́ть в том же ~е contínue in the same vein; что́-то в э́том ~е sómeːthing of this sort, sómeːthing to that effect.

род III *м. грам.* génder; мужско́й ~ másculine génder [ˈmɑː-...]; же́нский ~ féminine génder; сре́дний ~ néuter génder.

рода́нист||ый *хим.*: ~ая кислота́ thiocýanic / sùlphocýanic ácid; ~ ка́лий potássium sùlphocýanàte.

роддо́м *м.* = роди́льный дом *см.* роди́льный.

ро́дий *м. хим.* rhódium.

роди́льн||ица *ж.* = роже́ница. ~ый: ~ый дом matérnity hóspital; ~ое отделе́ние (*в больнице, родильном доме*) delívery room; ~ая горя́чка pùérperal féver.

роди́мчик *м. разг.* convúlsions *pl.*

роди́м||ый *разг.* = родно́й 2, 3; ◇ ~ое пятно́ bírthmàrk, mole.

ро́дин||а *ж.* **1.** nátive land; home, hómeːlànd, fátherːlànd [ˈfɑː-]; (*место рождения*) bírthplace; Социалисти́ческая Ро́дина Sócialist MótherːlÀnd; защи́та ~ы defénce of one's cóuntry, *или* nátive land [...ˈkʌ-...]; тоска́ по ~е hóme-sickness; nòstálgia; любо́вь к ~е love for one's nátive land [lʌv...], love of cóuntry; **2.** (*место происхождения чего-л.*) home.

ро́динка *ж.* bírthmàrk, mole.

роди́ны *мн. разг.* cèlebrátion of birth of child.

роди́те||ли *мн.* párents. ~ль *м. уст.* fáther [ˈfɑː-]. ~льница *ж. уст.* móther [ˈmʌ-].

роди́тельный: ~ паде́ж *грам.* génitive case [...keɪs].

роди́тельск||ий patérnal, paréntal, párents'; ~ дом one's párents' home; ~ комите́т (*в школе*) párents' commíttee [...-tɪ]; ~ое собра́ние párents' méeting.

род||и́ть *несов. и сов.* (*вн.*) **1.** give* birth (to); (*перен.*) give* rise (to); **2.** (*о земле*) bear* [bɛə] (*d.*); (*ср. тж.* рожда́ть); ◇ в чём мать ~и́ла in his (her) bírthday suit [...sjuːt]. ~и́ться *несов. и сов.* **1.** be born; (*перен.*) come* into béːing, aríse*; **2.** (*произрастать*) thrive*; пшени́ца роди́лась хорошо́ there is a good* wheat crop this year; (*ср. тж.* рожда́ться); ◇ ~и́ться учёным, худо́жником *и т.п.* be a born scíentist, ártist *etc.*

ро́дич *м. уст.* = ро́дственник.

родни́к *м.* spring (*water welling up from the earth*). ~о́вый spring (*attr.*); ~о́вая вода́ spring wáter [...ˈwɔː-].

родни́ть, породни́ть, сродни́ть (*вн.*) **1.** *при сов.* сродни́ть bring* near / togéther [...ˈge-] (*d.*); **2.** *при сов.* породни́ть make* reláted (*d.*); **3.** *тк. несов.* (*сближать, делать похожими*) make* reláted / símilar (*d.*). ~ся, породни́ться (*с тв.*) becóme* reláted (with).

родничо́к I *м. уменьш. от* родни́к.

родничо́к II *м. анат.* fòntanél(le).
родн‖**о́й** *прил.* 1. own [oun]; они́ ~ы́е бра́тья, сёстры they are bróthers, sísters [...'brʌ-...]; э́то его́ ~ дя́дя, брат *и т. п.* it is his own úncle, bróther, *etc.*; 2. (*отечественный*) nátive, home; ~а́я страна́, земля́ nátive land; ~ го́род home town; ~ дом nátive home; 3. (*в обращении*) (my) dear, (my) dárling; 4. *мн. как сущ.* (*родственники*) rélatives, relátions, kínsfolk [-z-], kin, one's people / folk [...pi:-...]; мой ~ы́е my péople; ◊ ~ язы́к móther tongue ['mʌtʌŋ]; vernácular *научн.*

родня́ *ж. тк. ед.* 1. *собир.* rélatives *pl.*, relátions *pl.*, kínsfolk [-z-] *pl.*, kin; бли́зкая ~ near relátions; да́льняя ~ dístant rélatives / relátions, remóte kínsfolk [-z-]; 2. *разг.* (*родственник*) rélative, relátion; он мне ~ he is my rélative / relátion, he is a rélative of mine, he is reláted to me.

родови́т‖**ость** *ж.* high / good birth. ~ый wéll-bòrn, high-bòrn.

родов‖**о́й** I (*наследственный*) áncestral, pátrimónial; ~о́е име́ние, иму́щество *и т. п.* pátrimony; ~а́я месть fámily feud; 2. *этн.* tríbal; ~ строй tríbal sýstem; 3. *биол.* genéric; ~ы́е и видовы́е назва́ния расте́ний genéric and specífic names of plants [...-a:nts].

родов‖**о́й** II *грам.* génder (*attr.*); ~ы́е оконча́ния génder infléxions.

родов‖**о́й** II *мед.:* ~ы́е поту́ги, схва́тки lábour of chíld: birth *sg.*, birth throes, pangs, lábour pains.

рододе́ндрон [-дэ-] *м. бот.* rhododéndron [rou-].

ро́дом *нареч.* by órigin, by birth; он ~ францу́з, не́мец *и т. п.* he is a Frénch: man*, a Gérman, *etc.*, by órigin / birth; он ~ из Москвы́, Ленингра́да *и т. п.* he is a Múscovite, Léningràder, *etc.*, by birth.

родонача́льник *м.* áncestor, fóre: fàther [-fa:-]; (*перен.*) fáther ['fa:-].

родосло́вн‖**ая** *ж. скл. как прил.* gèneálogy [-nɪ'æ-], pédigree. ~ый gènealógical [-nɪə-]; ~ое де́рево gènealógical tree, fámily tree; ~ая кни́га fámily régister; (*лошадей, породистого скота*) stúd-book.

ро́дственн‖**ик** *м.,* ~**ица** *ж.* relátion, rélative; *м. тж.* kíns: man* [-z-]; *ж. тж.* kíns: wòman* [-zwu-]; *мн.* kíndred *sg.*, kínsfolk [-z-]; бли́зкий ~ near relátion; да́льний ~ dístant relátion; ближа́йшие ~ики the next of kin.

ро́дственн‖**ость** *ж.* 1. (*сходство*) líke: ness; 2. (*об отношениях*) clóse: ness [-s-]. ~ый 1. (*основанный на родстве*) kíndred, cóngener [-ndʒ-], cóngenéric [-ndʒ-] *книжн.*; ~ые свя́зи ties of relátionship / blood [...-ʌd]; 2. (*близкий по происхождению или содержанию*) kíndred, allíed; ~ые наро́ды kíndred nátions; relàted péoples [...-pi:-...]; ~ые языки́ cógnate lánguages; ~ые нау́ки allíed / kíndred / reláted scíences; 3. (*свойственный родственникам*) famíliar, íntimate.

родств‖**о́** *с.* relátionship, kíndred, kínship; (*перен.*) allíance; propínquity; кро́вное ~ blood relátionship [-ʌd...], cònsànguínity; быть в ~е́ (*с тв.*) be reláted (to); свя́занный у́зами ~а́ (*с тв.*) reláted in kínship (with); ~ языко́в affínity of lánguages.

ро́ды *мн.* child: birth *sg.*, lýing-in *sg.*, child: bèd *sg.*, confíne: ment *sg.*, delívery *sg.* (*фр.*) [ə'ku:ʃmɑ:ŋ]. *sg.*; лёгкие ~ éasy birth / delívery ['i:zi...] *sg.*; преждевре́менные ~ prèmatúre birth *sg.*; у неё бы́ли тру́дные ~ it was a dífficult birth / delívery; she had a very bad time *разг.*

рое́ние *с.* (*о пчёлах*) swárming.

ро́ж‖**а** I *ж. разг.* 1. (*лицо́*) mug; 2. (*некрасивое лицо́*) úgly mug ['ʌ-...]; ◊ стро́ить ~и (*дт.*) make* fáces (at).

ро́жа II *ж. мед.* erysípelas.

рожа́ть (*вн.*) *разг.* give* birth (to), bear* [bɛə] (*д.*).

рожд‖**а́емость** *ж.* birth rate. ~**а́ть**, роди́ть (*вн.*) give* birth (to); (*перен.*) give* rise (to); она́ родила́ сы́на, дочь she gave birth to, *или* she had, a son, a dáughter [...sʌn...]; роди́ть кому́-л. сы́на, дочь bear* smb. a son, a dáughter [bɛə...], presént smb. with a son, a dáughter [-'zent...]; ◊ жела́ние роди́т мысль the wish is fáther to the thought [...'fa:-...]. ~**а́ться**, роди́ться 1. be born; он роди́лся слепы́м, глухи́м *и т. п.* be born blind, deaf, *etc.* [...def]; у него́ роди́лся сын, родила́сь дочь a son, a dáughter has been born to him [...sʌn...], his wife has presénted him with a son, a dáughter [...-'ze-...]; 2. (*появляться, возникать — о мыслях*) occúr, come*; (*о подозрении, сомнении и т. п.*) aríse*; spring* up; 3. (*вырастать, произрастать*) thríve*, flóurish ['flʌ-...]; овёс и пшени́ца роди́лись хорошо́ в э́том году́ oats and wheat are thríving this year. ~**е́ние** *с.* 1. (*прям. и перен.*) birth; (*роды*) delívery; день ~е́ния bírthday; ме́сто ~е́ния bírthplace; слепо́й, глухо́й *и т. п.* от ~е́ния blind, deaf, *etc.*, from birth [...def...]; стати́стика ~е́ний birth statístics; 2. (*дата рождения*) bírthday.

рожде́ственск‖**ий** *рел.* Christmas [-sm-] (*attr.*); ~ соче́льник Christmas Eve; ~ая ёлка Christmas tree [-sm-]; ~ие кани́кулы Christmas hólidays [...-dɪz]; ◊ ~ дед Sánta Claus [...-z], Fáther Christmas ['fa:-...].

рождество́ *с. рел.* Christmas [-sm-], *сокр.* Xmas ['krɪsməs].

роже́ница *ж.* (*рожающая*) wóman* in child: birth ['wu-...]; (*родившая*) wóman* récent: ly confined.

роже́чник *м.* horn-player, búgler.

рожи́ст‖**ый** *мед.* erysípelatous; ~ое воспале́ние erysípelas.

рож‖**о́к** *м.* 1. small horn, hórnlet; 2. (*музыкальный инструмент*) horn, clárion ['klæ-]; *воен.* búgle; францу́зский ~ French horn; 3. (*для кормления*) féeding-bòttle; корми́ть из ~ка́ (*вн.*) bring* up on the bóttle (*д.*), bóttle-feed* (*д.*); 4. (*для надевания обуви*) shóe-hòrn ['ʃu:-]; 5.: га́зовый ~ gás-bùrner, gás-jèt; 6.: слухово́й ~ éar-trùmpet.

рож‖**о́н** *м.* лезть на ~ *разг.* ≃ ask for trouble [...trʌbl], kick agáinst the pricks; како́го ещё ~на́ на́до? what the hell more do you need?

рожь *ж.* rye; ози́мая, ярова́я ~ wínter, spring rye.

ро́з‖**а** *ж.* 1. (*цветок*) rose; ча́йная ~ téa-rose; нет ~ы без шипо́в *погов.* no rose without a thorn; 2. (*куст*) róse(-tree), róse-bùsh [-buʃ]; 3. *арх.* rósáce ['rouzeɪs], rose window; ◊ ~ ветро́в wind-róse ['wɪ-]. ~**ан** *м. разг.* = ро́за 1, 2.

роза́рий *м.* ròsárium [rou'z-], rósary ['rouz-].

ро́звальни *мн.* ròzvalni (*low wide sledge*).

ро́зг‖**а** *ж.* birch(-ròd); нака́зывать ~ами (*вн.*) birch (*д.*).

розгове́нье *с. церк.* first meal áfter fast.

ро́здых *м. разг.* pause (*from work*); bréather.

розе́тка *ж.* 1. (*украшение*) rosétte [-'zet] (*тж. арх.*); 2. *эл.*: штépseль-ная ~ sócket, wall óutlet; 3. (*блюдечко для варенья*) jam dish.

ро́злив *м. разг.* = разли́в 2.

розмари́н *м. бот.* róse: mary.

ро́зниться *разг.* be dífferent.

ро́знич‖**а** *ж. тк. ед.* retáil; в ~у by retáil; о́птом и в ~у whóle: sàle and retáil ['houl-...]. ~**ный** retáil (*attr.*); ~ная торго́вля retáil trade; ~ный торго́вец retáiler, retáil-dealer; ~ные това́ры retáil goods [...gudz]; ~ная цена́ retáil price.

ро́зно *нареч. разг.* (*врозь*) apárt, séparate: ly.

рознь *ж. тк. ед.* dífference; ◊ се́ять ~ (*между*) sow* (seeds of) díscord / disséntion [sou...] (betwéen, amóng); челове́к челове́ку ~ ≃ there are no two péople alíke [...pi:-...], péople díffer; it takes all sort to make a world.

ро́зовáто-бе́лый pínky-whíte, pínkish-whíte.

ро́зовáтый pínkish, whítish-pínk.

розове́ть, порозове́ть 1. (*становиться розовым*) turn pink; 2. *тк. несов.* (*виднеться*) show* pink [ʃou...].

розовощёкий pínk-chéeked, rósy-chéeked [-zɪ-].

ро́зов‖**ый** 1. (*о цвете*) pink, róse-còlour: ed [-kʌ-], rósy [-zɪ] (*тж. перен.*); ви́деть всё в ~ом све́те see* évery: thing through róse-còlour: ed spéctacles; 2. *прил. к* ро́за; ~ куст róse-bùsh [-buʃ]; ~ое ма́сло áttar (of róses); ◊ ~ое де́рево róse: wood [-wud].

розоцве́тные *мн. скл. как прил. бот.* Rosáceae [-'zeɪsɪi:].

ро́зыгрыш *м.* 1. (*лотереи, займа*) dráwing; 2. *спорт.* (*ничья́*) draw, drawn game; 3. *спорт.*: ~ ку́бка cúp-tie; 4. (*шутка*) práctical joke.

ро́зыск *м.* search [sə:tʃ]; *юр. тж.* investigátion; Уголо́вный ~ Críminal Investigátion Depártment.

ро́йться swarm; (*перен.; о мыслях*) crowd.

рой *м.* swarm.

рок *м.* fate; злой ~ ill fate.

рока́да *ж. воен.* belt road, láteral road.

РОК — РОТ

роки́р||ова́ть(ся) *несов. и сов. шахм.* castle. **~о́вка** *ж. шахм.* cástling.

роково́й 1. *(гибельный)* fátal, déadly ['ded-], fáte:ful; **2.** *уст. (решающий)* fáte:ful, decísive:ly impórtant.

рококо́ *м. и с. нескл. арх., иск.* rocóco.

ро́кот *м.* roar, low rúmble [lou...], múrmur; ~ волн roar of the waves. **~а́ть** roar; múrmur.

рол *м.* roll.

ро́лик *м. тех.* **1.** róller; **2.** *(изолятор для проводов)* pórcelain insulátor [-sln...]; **3.** *мн. (коньки)* róller skates. **~овый** *прил. к* ро́лик; ~овые коньки́ róller skates; ~овый подши́пник róller béaring [...'bɛə-].

рол||ь *ж. (в разн. знач.)* role; *театр. тж.* part; *(текст роли)* lines *pl.*; ~ без слов wálking-on part; игра́ть ~ Га́млета play / act Hámlet [...'hæ-], take* the part of Hámlet; игра́ть ~ хозя́йки, сове́тчика *и т. п.* play hóstess, advíser, *etc.* [...'hou-...]; игра́ть гла́вную ~ play the léading part; *(перен.)* play first fiddle; распределя́ть ~и cast* roles / parts; ◊ игра́ть ~ mátter, count, be of impórtance; э́то сыгра́ло свою́ ~ it has played its part; игра́ть глу́пую ~ act a silly part; э́то не игра́ет ~и it is of no impórtance, it does not mátter at all; вы́держать ~ keep* up a part, sustáin an act.

ром *м.* rum.

рома́н *м.* **1.** nóvel ['nɔ-]; *(героический)* románce; бытово́й ~ nóvel of évery:day life; **2.** *разг. (любовные отношения)* love affáir [lʌv...]; *(любовная история)* románce.

романиз||а́ция *ж. ист.* Ròmanizátion [roumənaɪ-]. **~ова́ть** *несов. и сов. (вн.) ист.* Rómanize ['rou-] *(d.)*. **~ова́ться** *несов. и сов.* **1.** becóme* / be Rómanized [...'rou-]; **2.** *страд. к* романизова́ть.

романи́ст I *м. (автор)* nóvelist.

романи́ст II *м. (филолог)* Rómanist, spécialist in Románce philólogy ['spe-...], Románce philólogist.

романи́стика *ж.* Románce philólogy.

романи́ческ||ий romántic; ~ое приключе́ние romántic advénture.

рома́нс *м. муз.* románce.

рома́нск||ий Románce, Románic; ~ие языки́ Románce / Románic lánguages; ~ая филоло́гия Románce philólogy; ~ стиль *арх.* Ròmanésque [rou-].

романти́зм *м.* ròmánticism.

рома́н||тик *м.* romántic, románticist. **~тика** *ж.* románce, rómanticism. **~ти́ческий** romántic. **~ти́чность** *ж.* románticism, romántic quálity. **~ти́чный** = романти́ческий.

рома́шк||а *ж.* cámomile; *(крупная полевая)* óx-eye dáisy [-aɪ -zɪ]. **~овый** *прил. к* рома́шка.

ромб *м.* rhómb(us) *(pl.* -buses*)*, díamond; в ви́де ~a díamond-shàped. **~и́ческий** rhómbic.

ромбови́дный díamond-shàped.

ро́мбовый = ромби́ческий.

ромбо́ид *м. мат.* rhómboid. **~а́льный** *мат.* rhombóidal.

ро́мовый *прил. к* ром.

ромште́кс [-тэ-] *м. кул.* rump steak [...steɪk].

ро́ндо *с. нескл. муз.* róndò.

рондо́ *с. нескл.* **1.** *лит.* róndeau ['rɔndou]; **2.**: перо́ ~ J-pèn ['dʒeɪ-], soft nib.

роня́||ть, урони́ть *(вн.)* **1.** drop *(d.)*, let* fall *(d.)*; **2.** *тк. несов. (о листьях)* shed* *(d.)*; *(об оперении)* moult [mou-] *(d.)*; **3.** *(дискредитировать)* ínjure *(d.)*; э́то ~ет его́ в обще́ственном мне́нии it ínjures him in the eyes of the públic [...aɪz...'pʌ-]; ◊ ~ слёзы shed* tears.

ро́пот *м. (прям. и перен.)* múrmur, grúmble.

ропта́ть múrmur, grúmble; *(на вн.)* grúmble (at, abóut).

рос||а́ *ж.* dew; у́тренняя ~ éarly-dew ['ə:-]; вече́рняя ~ night-dew; появля́ется ~ the dew is fálling; то́чка ~ы́ *метеор.* déw-point; медвя́на́я, медо́вая ~ *бот.* hóneydew ['hʌ-]; ◊ по ~é while the dew is still on the ground. **~и́нка** *ж.* déw-drop; ◊ у него́ ма́ковой ~и́нки во рту не́ было *разг.* ≃ néither food nor drink has passed his lips ['paɪ-...]. **~и́стый** déw:y.

роско́шество *с.* extrávagance.

роско́ш||ествовать, ~ничать luxúriàte; live on the fat of the land [lɪv...] *идиом.* **~но** *нареч.* lùxúrious:ly, súmptuous:ly; жить **~но** live lùxúrious:ly / súmptuous:ly [lɪv...]; live like a lord *идиом.* **~ный** lùxúrious, súmptuous; *(о растительности)* lùxúriant; *(великолепный)* spléndid.

ро́скошь *ж.* lúxury [-kʃə-]; *(великолепие)* spléndour.

ро́слый tall, stálwart ['stɔ:-], strápping.

ро́сный: ~ ла́дан bénzoin [-zou-], bénjamin.

росома́ха *ж. зоол.* glútton; *(американская)* wólverène ['wul-].

ро́спись *ж.* **1.** *(действие)* páinting; **2.** *собир. (живопись)* páinting(s) *(pl.)*; ~ стен wáll-painting(s) *(pl.)*; múral(s) *pl.*

ро́спуск *м. (учащихся)* bréaking up [-eɪk...]; *(слушателей, собрания и т. п.)* dismíssal; *(общества, парламента)* dissolútion; *воен. (расформирование)* disbándment.

росси́йский Rússian [-ʃən].

россия́нин *м. уст.* = ру́сский 2.

ро́ссказни *мн. разг.* old wives' tale *sg.*, cóck-and-búll stóry [-'bul...] *sg.*, yarn *sg.*; э́то всё ~ it is an old wives' tale.

ро́ссыпь *ж.* **1.** *обыкн. мн. горн.* plácer, plácer / allúvial depósit [...-zɪt]; золотоно́сная ~ góld-plàcer mine, góld-field [-fi:-]; алма́зная ~ díamond-plàcer; **2.** *разг. (то, что рассыпано)* scáttering; грузи́ть ~ю *(вн.)* load in bulk *(d.)*.

рост I *м.* growth [-ouθ]; *(перен. тж.)* ín:crease [-s], rise, devélopment, úpgrowth [-ouθ]; ~ культу́рный ~ cúltural advánce; ~ посевно́й пло́щади expánsion of área únder crops [...'ɛərɪə...]; ín:crease in cùltivátion; ~ благосостоя́ния наро́да в СССР rise in the líving standards of the Sóviet péople [...'lɪv...pi:-]; ~ поголо́вья скота́ ín:crease of líve:stòck; ~ тяжёлой индустрии growth of héavy índustry [...'he-...]; ~ произво́дства expánsion of prodúction, rise in prodúction; ◊ боле́знь ~a grówing pains ['grou-...] *pl.*; дава́ть де́ньги в ~ *уст.* lend* móney on ínterest [...'mʌ-...]; на ~ *(о платье и т. п.)* to allów for growth.

рост II *м. (вышина)* height [haɪt], státure; быть ~ом с кого́-л. be smb.'s height, be the same height as smb.; высо́кого ~a tall, of large státure; ма́лого, ни́зкого ~a short, of small státure; по ~y accórding to height; в ~ челове́ка as tall as a man, of a man's height; ~ом 175 сантиме́тров 175 céntimetres in height; он ~ом не вы́шел *разг.* he is ány:thing but tall, he is no gíant; ◊ во весь ~ *(выпрямившись)* stánding up straight; *(перен.)* in all its mágnitude; встать во весь ~ stand* úp:right; stand* up straight; растяну́ться во весь ~ *(упасть)* go* spráwling; méasure one's length ['me-...] *идиом.*; портре́т во весь ~ fúll-length pórtrait [...-rɪt]; пе́ред ни́ми во весь ~ вста́ла пробле́ма the próblem faced them in all its mágnitude [...'prɔ-...].

ростби́ф *м. кул.* roast beef.

ростовщи́||к *м.* úsurer ['ju:ʒ-]; móney-lènder ['mʌ-]. **~ческий** usúrious [ju:'z-]. **~чество** *с.* úsury ['ju:ʒ-].

рост||о́к *м.* **1.** sprout; shoot *(тж. перен.)*; пуска́ть ~ки́ sprout, shoot*; **2.** *(черенок)* cútting, graft.

ро́стра *ж. ист., арх.* róstrum *(pl. тж.* -ra*)*.

ростра́льн||ый róstral; ~ая коло́нна róstral cólumn.

ро́стры *мн. мор.* booms.

ро́счерк *м.* flóurish ['flʌ-]; ◊ одни́м ~ом пера́ with a stroke of the pen.

роси́нка *ж. бот.* súndew.

рот *м. (тж. перен.: едок)* mouth*; по́лость рта óral cávity; дыша́ть ртом breathe through the mouth; говори́ть с наби́тым ртом talk with one's mouth full; у него́ шесть ртов в семье́ *разг.* he has six mouths to feed in his fámily; ◊ рази́нув ~ *разг.* agápe, ópen-móuthed; оста́ться с рази́нутым ртом *(от удивления)* stand* agápe; зажа́ть, заткну́ть ~ кому́-л. *разг.* stop smb.'s mouth; не брать в ~ *(рд.)* not touch [...tʌtʃ] *(d.)*; он вина́ в ~ не берёт he néver tóuches wine; — не открыва́ть рта néver ópen one's lips / mouth; хло́по́т по́лон ~ *разг.* ≃ have one's hands full; зева́ть во весь ~ give* long yawns; yawn one's head off [...hed...].

ро́та *ж. воен.* cómpany ['kʌ-]; ~ свя́зи signal cómpany; commùnicátions cómpany *амер.*; миномётная ~ mórtar cómpany; сапёрная ~ field (ènginéer) cómpany [fi:- endʒ-...]; стрелко́вая ~ rifle cómpany; штабна́я ~ héadquàrter(s) cómpany ['hed-...].

ротапри́нт *м.* rótaprint.

рота́тор *м. тех. (rótary sténcil)* dúplicàtor ['rou-...].

ротацио́нн||ый: ~ая печа́тная маши́на *полигр.* rótary press ['rou-...], rótary prínting machíne [...-ʃi:n].

рота́ция *ж. полигр.* rótary press ['rou-...].

ро́тмистр м. воен. ист. cáptain (of cávalry).

ро́тный воен. 1. прил. cómpany ['kʌ-] (attr.); 2. м. как сущ. cómpany commánder [...-ɑ:n-].

ротово́й прил. к рот.

ротозе́й м. разг. 1. (зевака) gawk, gáper; 2. (разиня) dáy-dreamer. **~ничать** разг. stand* (about) gáping, loaf. **~ство** с. héedless:ness.

рото́нда ж. 1. арх. rotúnda; 2. (одежда) (lády's) cloak.

ротоно́гие мн. скл. как прил. зоол. stomatópoda [stou-].

ро́тор м. тех. rótor.

ро́хля м. и ж. разг. dawdle, dáwdler, slówcoach ['slou-].

ро́ща ж. grove, copse.

роял|и́зм м. полит. róyalism. **~и́ст** м. полит. róyalist. **~и́стский** полит. róyalist.

роя́л|ь м. piáno ['pjæ-], grand piáno; конце́ртный **~** cóncert grand; игра́ть на **~**е play the piáno; у **~**я at the piáno.

РТС ж. (ремо́нтно-техни́ческая ста́нция) RMS (repáir and máintenance státion).

рту́тн||ый mércurial; mércury (attr.); (содержащий ртуть тж.) mercúric; **~ое** лече́ние мед. mercurializátion, tréatment with mércury; **~ое** отравле́ние мед. mercúrialism, mércury póisoning [...-z-]; **~ая** мазь фарм. mercúrial óintment; **~** термо́метр mércury thermómeter; **~** баро́метр cómmon / mércury barómeter; **~** столб mércury (cólumn).

ртуть ж. mércury, quícksilver.

руба́ка м. разг. fine swórds:man* [...'sɔ:-].

руба́нок м. тех. plane.

руба́ть (вн.) разг. (есть) góbble (d.).

руба́ха ж. shirt.

руба́ха-па́рень м. разг. plain / stráightfórward féllow.

руба́шк||а ж. 1. (мужская) shirt; (женская) chemíse [ʃɪˈmi:z]; ночна́я **~** (мужская) níght-shirt; (женская, детская) níght-gown, níght-dress; ни́жняя **~** úndershirt; в бе́лой **~**е in a white shirt; 2. тех. jácket, cásing; 3. карт. back; ◇ своя́ **~** бли́же к те́лу посл. ≅ self comes first, chárity begíns at home; роди́ться в **~**е ≅ be born with a sílver spoon in one's mouth.

рубе́ж м. 1. bóundary, bórder(-line); за **~**о́м (за границей) abróad [-ɔ:d]; 2. воен. line; **~** ата́ки assáult position [...-'zɪ-]; оборони́тельный **~** defénsive line; ◇ брать но́вые **~**и́ make* fresh gains / advánces.

руберо́ид м. стр. rúberoid.

рубе́ц I м. 1. (шрам) scar, cícatrice; (от удара кнутом) weal, wale; 2. (шов) hem, seam.

рубе́ц II м. 1. анат. paunch; 2. кул. tripe; chítterlings pl.

руби́дий м. хим. rubídium.

Рубико́н м.: перейти́ **~** cross the Rúbicon.

руби́льник м. эл. knífe-switch.

руби́н м. мин. rúby. **~овый** 1. rúby (attr.); 2. (о цвете) rúby(-cólour:ed) [-kʌ-].

руби́ть (вн.) 1. (о деревьях) fell (d.); 2. (о дровах) hew (d.), hack (d.), chop (d.); 3. (о капусте, мясе и т.п.) mince (d.), chop (up) (d.); 4. (саблей) cut* (d.), sabre (d.), slash (d.); 5. (строить из брёвен) put* up (d.), eréct (d.) (d.); 6. горн. cut* (d.), hew* (d.); **~** у́голь cut* coal; 7. разг. (действовать, говорить резко) give* it to smb. straight from the shóulder [...'ʃou...], not mince mátters; ◇ лес ру́бят — ще́пки летя́т посл. ≅ you cánnot make an ómelette without bréaking eggs [...'ɒmlɪt...-eɪk-...]. **~ся** fight* (with cold steel).

ру́бище с. тк. ед. rags pl., tátters pl.; в **~** in (rags and) tátters.

ру́бка I ж. 1. (деревьев) félling; 2. (дров) héwing, chópping; 3. (мяса, капусты и т.п.) míncing, chópping.

ру́бка II ж. мор. déck:house* [-s], déck-cábin; рулева́я **~** whéel-house* [-s]; боева́я **~** cónning-tower; штурманская **~** chart house* [...-s].

рублёв||ка ж. разг. óne-rouble note [-ru:-...]. **~ый** óne-rouble [-ru:-] (attr.).

-рублёвый (в сложн. словах, не приведённых особо) of... roubles [...ru:-]; -rouble [-ru:-] (attr.); напр. двадцатирублёвый of twénty roubles, twénty-rouble (attr.).

ру́блен||ый 1. minced, chopped; **~ое** мя́со minced meat; **~ые** котле́ты ríssoles ['rɪ:-]; **~ая** капу́ста chopped cábbage; 2. (бревенчатый) log (attr.); **~ая** изба́ log hut / cábin.

рубл||ь м. rouble [ru:-]; цена́ пять **~**е́й the price is five roubles; золото́й **~** gold rouble; ◇ копе́йка бережёт посл. ≅ take care of the pence and the pounds will take care of them:sélves.

ру́брик||а ж. 1. (заголовок) rúbric, héading ['he-]; под **~**ой únder the héading; 2. (графа) cólumn.

рубрика́ция ж. dividing accórding to súbject héadings [...'hed-].

рубцева́ться (о ране) cícatrize.

ру́бчатый (о ткани) ribbed.

ру́бчик м. 1. уменьш. от рубец I; 2. (на ткани) rib.

руга́нь ж. abúse [-s], bad lánguage, swéaring ['sweə-].

руга́тель м. разг. swéarer ['sweə-], habítual úser of bad lánguage.

руга́тель||ный 1. abúsive; 2. (отрицательный) crítical. **~** наре́ч.: **~**ски руга́ть (вн.) разг. scold víolently (d.). **~ство** с. curse, oath*, swéar-word ['sweə-].

руга́ть, вы́ругать (вн.) 1. scold (d.), rail (at), abúse (d.); 2. (порицать, критиковать) críticize sevére:ly (d.). **~ся**, вы́ругаться 1. swear* [sweə], curse, use bad lánguage, call names; **~ся** как изво́зчик ≅ swear* like a tróoper; 2. тк. несов. (между собой) abúse each óther, или one anóther, swear* at each óther; они́ постоя́нно руга́ются they are álways abúsing each óther [...'ʌðəz...].

ругну́ть сов. (вн.) swear* (d.). **~ся** сов. swear* [sweə].

руд||а́ ж. ore; сере́бряная, золота́я, ма́рганцевая, ме́дная **~** sílver, gold, mánganese, cópper ore; желе́зная **~** íron-òre ['aɪən-]; обогаща́ть **~**у́ dress ore; промыва́ть **~**у́ wash ore.

рудиме́нт м. rúdiment. **~а́рный** rúdimentary.

рудни́к м. mine, pit. **~овый** mine (attr.); **~овый** газ fíre-damp; **~овая** сто́йка pít-prop.

ру́дн||ый ore (attr.); **~ое** месторожде́ние ore depósit [...-zɪt]; **~ая** жи́ла ore vein, lode; **~** бассе́йн ore field / básin [...fi:ld 'beɪs'n].

рудоко́п м. уст. míner.

рудоно́сный óre-bearing [-beə-].

рудоподъёмник м. ore lift.

руже́йник м. gúnsmith.

руже́йный gun (attr.); rifle (attr.); **~** ма́стер gúnsmith, ármour:er; **~** вы́стрел rífle-shot.

ружь||ё с. gun, hánd-gun, rifle; дробово́е **~** shótgun; охо́тничье **~** fówling-piece [-pi:s]; спорти́вное **~** spórting gun; двуство́льное **~** dóuble-bárrelled gun / piece ['dʌbl...-pi:s]; противота́нковое **~** ánti-tànk rifle; стреля́ть из **~**я́ fire a gun; ◇ под **~**ём únder arms; в **~**! to arms!

руи́на ж. чаще мн. rúin.

рук||а́ ж. 1. (кисть) hand; (от кисти до плеча) arm; уме́лые ру́ки skílful hands; брать на́ руки (вн.) take* in one's arms (d.); держа́ть на **~**а́х (вн.) hold* in one's arms (d.); носи́ть на **~**а́х (вн.) cárry in one's arms (d.); (перен.) make* much (of), make* a fuss (óver); брать кого́-л. под руку take* smb.'s arm; идти́ под руку с кем-л. walk árm-in-árm with smb., walk with smb. on one's arm; бра́ться за́ руки join hands, take* each óther's hand, link arms; вести́ за́ руку (вн.) lead* by the hand (d.); из рук в ру́ки from hand to hand; маха́ть **~**о́й wave one's hand; перепи́сывать от **~**и́ (вн.) cópy by hand ['kɔ-...] (d.); подава́ть ру́ку (дт.) hold* out one's hand (to); offer one's hand (to) (тж. даме); пожима́ть ру́ку (дт.), здоро́ваться за́ руку (с тв.) shake* hands (with); протя́гивать ру́ку (дт.) stretch out, или exténd, one's hand (to); ◇ об **~**у́ hand in hand (тж. перен.); ру́ки вверх! hands up!; тро́гать **~**а́ми (вн.) touch [tʌtʃ] (d.); **~**а́ми не тро́гать! please do not touch!; 2. (почерк) hand, hándwriting; э́то не его́ **~** it is not his wríting; ◇ взять в свои́ ру́ки (что-л.) take* smth. in hand, take* smth. into one's own hands [...oun...]; брать себя́ в ру́ки pull òne:self togéther [pul...-'ge-], contról òne:sélf [-oul-]; попа́сться в ру́ки кому́-л. fall* into smb.'s hands; прибра́ть к **~**а́м кого́-л. take* smb. in hand; прибра́ть к **~**а́м что-л. apprópriàte smth., lay* one's hands on smth.; быть без чего́-л., без кого́-л. как без рук feel* hélpless without smth., smb., be lost without smth., smb.; держа́ть в свои́х **~**а́х (вн.) have in one's hands (d.), have únder one's thumb (d.); быть в чьих-л. **~**а́х be in smb.'s hands; быть в хоро́ших **~**а́х be in good hands; быть пра́вой **~**о́й кого́-л. be smb.'s right hand; быть свя́занным по **~**а́м и нога́м be bound hand

557

and foot [...fut]; в собственные руки (надпись на конверте и т.п.) personal; у него всё из рук валится (от неловкости) he is very awkward / clumsy [...-zɪ]; his fingers are all thumbs идиом.; (от бессилия, нежелания что-л. сделать) he has not the heart to do anything [...hɑ:t...]; выдавать на руки (вн.) hand out (d.); давать волю ~ам разг. be ready / free with one's hand / fists [...'redɪ...]; давать руку на отсечение ≃ stake one's life on it / hope less [...]; из первых, вторых рук at first, second hand [...'se-...]; знать что-л. из верных рук know* smth. from good* authority [nou...]; играть в четыре ~й (с тв.) play duets on the piano [...'pjæ-] (with); из рук вон плохо разг. thoroughly bad; иметь на ~ах (вн.; на попечении) have on one's hands (d.); иметь золотые руки be a handyman*, be master of one's craft, have a clever pair of hands [...'kle-...]; как ~ой сняло разг. it vanished as if by magic; ему и книги в руки разг. ≃ he knows best [...nouz...]; he knows the ropes; ломать руки wring* one's hands; мастер на все руки Jack of all trades; он мастер на все руки he can turn his hand to anything; he is a Jack of all trades идиом.; махнуть ~ой (на вн.) give* up as lost / hopeless (d.); give* up as a bad job (d.), say* goodbye (to) разг.; набить руку на чём-л. become* a skilled hand at smth.; наложить на себя руки уст. lay* hands on oneself, take* one's own life*; это ему на руку that is playing into his hands; that serves his purpose [...-s]; он на руку нечист he is light-fingered; на скорую руку off-hand; in rough-and-ready fashion [...'rʌf- -'re-...]; у него ~ не дрогнет сделать это he will not hesitate / scruple to do it [...-zɪ-...]; не поднимается ~ (+ инф.) one can't bring oneself [...kɑ:nt...] (+ to inf.); у него руки опускаются he is losing heart [...'lu:zɪŋ...]; передавать дело и т.п. в чьи-л. руки put* the matter, etc., into smb.'s hands; переходить в другие руки change hands [tʃeɪ-...]; подать руку помощи (дт.) lend* / give* a helping hand (i.); поднять руку (на вн.) raise one's hand (against); по правую, левую руку at the right, left hand; по ~ам! разг. a bargain!, 'tis a bargain! / deal!, done!; ударить по ~ам (прийти к соглашению) strike* hands, strike* a bargain; под ~ой (near) at hand, within easy reach of one's hand ['i:zɪ...]; под ~ами ready to hand ['re-...]; под пьяную руку under the influence of drink; приложить руку (к) (принять участие) bear* / take* a hand [bɛə...] (in); put* one's hand (to); (подписаться) sign [saɪn] (d.), add one's signature (to); положа руку на сердце with one's hand upon one's heart; потирать руки (от) rub one's hands (with); предлагать руку кому-л. offer smb. one's hand; propose (márriage) to smb. [...-rɪdʒ..]; просить, домогаться чьей-л. ~й seek* smb.'s hand in marriage; разводить ~ами ≃ make* a helpless gesture,

lift one's hands (in dismay); развязать руки кому-л. untie smb.'s hands, give* smb. full scope; ~ руку моет погов. ≃ you roll my log and I'll roll yours; it's a matter of give-and-take [...'gɪv...]; руки прочь! hands off!; (отсюда) ~ой подать it is but a step from here, или a stone's throw from here [...θrou...]; сидеть сложа руки разг. be idle, sit* by; сон в руку the dream has come true; с рук долой off one's hands; сбыть с рук (вн.) get* off one's hands (d.); сойти с рук: это ему не сойдёт с рук he won't get away with it [...wount...]; умыть руки wash one's hands of it; у него лёгкая ~ разг. he brings luck; у него руки чешутся (+ инф.) his fingers are itching (+ to inf.); что под руку попадётся anything one can lay hands on / up on; шить на ~ах sew* by hand [sou...].

рука́в м. 1. (одежды) sleeve; 2. (реки) branch [-ɑ:-], arm; 3. тех. hose; пожарный ~ fire-hose; ◇ делать что-л. спустя ~а разг. do smth. carelessly, или in a slipshod manner.

рукави́ца ж. mitten; (шофёрская, для фехтования и т.п.) gauntlet; ◇ держать кого-л. в ежовых ~х ≃ rule smb. with a rod of iron [...'aɪən].

рука́вчик м. 1. short sleeve; 2. (манжета) cuff.

рука́стый разг. long-armed; (перен.; предприимчивый) efficient.

руководи́тель м. leader; manager; (инструктор) instructor; классный ~ class teacher, form master; научный ~ supervisor of studies [-zə...'stʌ-].

руководи́ть (тв.) 1. lead* (d.), guide (d.); 2. (управлять) direct (d.), be in charge (of), be at the head [...hed] (of), head (d.). ~ся (тв.) follow (d.), be guided (by).

руково́дство с. 1. guidance ['gaɪ-], leadership; оперативное ~ operative management; под (непосредственным) ~м (рд.) under the (direct) leadership / guidance (of); квалифицированное ~ competent direction; ~ экономикой economic management [i:k-...]; осуществлять повседневное ~ (тв.) give* day-by-day advice and leadership (to); 2. собир. (руководители) leaders pl., governing body ['gʌ-'bɔ-]; партийное ~ party leaders; 3. (то, чем следует руководствоваться) guiding principle; ~ к действию guide to action; 4. (книга) handbook, guide, manual.

руково́дствоваться (тв.) follow (d.); be guided (by); ~ указаниями follow directions; ~ опытом be guided by experience; ~ соображениями be guided by considerations.

руководя́щ||ий прич. и прил. leading; ~ая роль партии the leading role of the Party; ~ая идея leading idea [...aɪ'dɪə]; ~ие органы authorities; ~ая и направляющая сила the leading and guiding force; ~ая нить dominating idea; ~ая статья (в газете) leading article, leader, editorial.

рукоде́лие с. needle work, fancy-work.

рукоде́льни||ца ж. needlewoman* [-wu-]; она искусная ~ she is clever with her needle [...'kle-...]. ~чать do needlework, do fancy-work.

рукокры́лые мн. скл. как прил. зоол. cheiroptera [kaɪə-].

рукомо́йник м. wash-hand-stand, wash-stand.

рукопа́шн||ая ж. скл. как прил. hand-to-hand fight(ing), man-to-man fight(ing). ~ый: ~ый бой hand-to-hand fight(ing) / combat.

рукопи́сный manuscript; ~ шрифт cursive, italics.

ру́копись ж. manuscript; (напечатанная на машинке тж.) typescript; полигр. (оригинал для набора) copy ['kɔ-].

рукоплеск||а́ние с. чаще мн. applause, clap(ping). ~а́ть (дт.) applaud (to), clap (to).

рукопожа́т||ие с. handshake, handclasp; обмениваться ~иями (с тв.) shake* hands (with).

рукоприкла́дств||о с. разг. assault and battery; дело дошло до ~а they came to blows [...-ouz-].

рукоя́||тка ж. handle, grip; (ножа тж.) haft; (топора) helve; (молотка) shaft; (оружия) hilt; (рычаг) lever; ~ затвора operating lever; по ~тку up to the hilt.

рукоя́ть ж. handle.

рула́да ж. муз. roulade [ru:'lɑ:d], run.

рулев||о́й 1. прил. rudder (attr.); steering; ~ое устройство, ~ механизм steering gear [...gɪə]; ~ое колесо steering wheel; 2. м. как сущ. helmsman*, man* at the wheel; quartermaster амер.

руле́т м. 1. (кушанье) roll; мясной ~ beef-roll, meat loaf*; 2. (кондитерское изделие) Swiss roll; 3. (окорок) boned gammon.

руле́тк||а ж. 1. (измерительная) tape-measure [-me-], tape-line; 2. (игра) roulette [ru:-]; играть в ~у play roulette.

рули́ть ав. taxi.

руло́н м. roll, rouleau [ru:'lou] (pl. -eaus, -eaux [-ouz]).

рул||ь м. (у судна) rudder; helm (тж. перен.); (у автомашины) (steering-)wheel; (велосипеда) handlebars pl.; слушаться ~я answer the helm; ~ поворота ав. rudder-bar; горизонтальный ~ (подводной лодки) horizontal rudder; ~ высоты ав. elevator; править ~ём, сидеть за ~ём, быть на ~е, стоять на ~е steer; стать за ~е, take* the helm; ◇ без ~я и без ветрил ≃ without any sense of purpose [...-s], without aim or direction.

румб м. мор. (compass) point ['kʌ-...].

ру́мпель м. мор. tiller.

румы́н м., ~ка ж., ~ский Romanian; ~ский язык Romanian, the Romanian language.

румя́на мн. rouge [ru:ʒ] sg.

румя́н||ец м. (high) colour [...'kʌ-]; (от волнения, стыда и т.п.) flush, blush; заливаться ~цем blush crimson [...-z'n], flush red.

румя́н||ить, нарумянить (вн.) rouge [ru:ʒ] (d.). ~иться, нарумяниться rouge, use rouge. ~ый rosy [-zɪ], pink, rubicund, ruddy.

руни́ческий лингв. runic.

руно́ с. *уст., поэт.* fleece, wool [wul]; золото́е ~ *миф.* the Gólden Fleece.

ру́ны *мн.* (*ед.* ру́на *ж.*) *лингв.* runes.

ру́пия *ж.* (*денежная единица*) rúpee [ru:-].

ру́пор *м.* spéaking-trùmpet, mégaphòne; (*перен.*) móuthpiece [-pi:s].

руса́к *м.* (*заяц*) (grey) hare.

руса́л‖**ка** *ж.* mérmaid, wáter-nýmph [ˈwɔː-]. ~**очий** mérmaid's.

руси́зм *м. лингв.* Rússism.

руси́ст *м.* spécialist in Rússian philólogy [ˈspe-...-ʃən...].

русифи‖**ка́тор** *м. ист.* Rússifìer. ~**ка́ция** *ж. ист.* Rùssificátion. ~**ци́ровать** *несов. и сов.* (*вн.*) *ист.* Rússify (d.), Rússianize [-ʃə-] (d.).

ру́сло *с.* ríver-bèd [ˈrɪ-]; chánnel (*тж. перен.*); измени́ть ~ реки́ change the course of the ríver [tʃeɪ-... kɔːs... ˈrɪ-].

русоволо́сый (with) líght-brown hair.

ру́сская I *ж. скл. как прил.* Rússian (wòman*) [-ʃən ˈwu-].

ру́сская II *ж. скл. как прил.* (*пляска*) Rússkàyà [ˈruːskɑːjɑː] (*a Russian folk dance*).

ру́сск‖**ий** 1. *прил.* Rússian [-ʃən]; ~ язы́к Rússian, the Rússian lánguage; говори́ть по-~и *см.* по-ру́сски; 2. *м. как сущ.* Rússian. ~**ая печь** Rússian stove; говори́ть, сказа́ть ~им языко́м speak*, say* pláinly.

ру́сско- Rússian [-ʃən]: ~-**англи́йский** Rússian-Ènglish [-ɪŋg-].

ру́сый light brown.

руте́ний [-тэ-] *м. хим.* ruthénium.

рути́л *м. мин.* rútile [-tiːl].

рути́на *ж.* routíne [ruːˈtiːn], rut, groove.

рутинёр *м.*, ~**ка** *ж.* slave to routíne [...ruːˈtiːn]; pérson in a rut / groove. ~**ский** *прил. к* рутинёр. ~**ство** *с.* slávery to routíne [ˈsleɪ-..ruːˈtiːn].

рути́нный routíne [ruːˈtiːn] (*attr.*).

ру́хлядь *ж. собир. разг.* lúmber, junk; (*о негодной мебели*) rámshàckle fúrniture.

ру́хну‖**ть** *сов.* crash down, túmble down, collápse; (*перен.*) be destróyed, fall* to the ground; все его́ пла́ны ~ли all his plans were destróyed, *или* have fállen to the ground.

руча́тельство *с.* guárantèe, guáranty, wárrant(y); с ~м guárantèed, wárranted.

руча́‖**ться**, поручи́ться (*за что-л.*) wárrant (smth.), guárantèe (smth.); cértifỳ (smth.); (*за кого-л.*) ánswer [ˈɑːnsə] (for smb.), (a)vóuch (for smb.); я ~ю́сь за э́то голово́й I'll ánswer / vouch for it with my life, I'll stake my life on it; ~ю́сь за то, что I guárantèe that; ~ю́сь, что сде́лаю э́то I assúre you, *или* I prómise, I will do it [...əˈʃuə..., -s...]; ~ю́сь, что вам э́того не сде́лать I defý you to do it; ~ю́сь тебе́, что I'll wárrant you that.

ручеёк *м.* tíny brook, stréamlet, rívulet.

руче́й *м.* brook, stream; ◇ лить слёзы ручьём, в три ручья́ shed* floods of tears [...flʌdz...].

ру́чка I *ж. уменьш. от* рука́ 1.

ру́чка II *ж.* (*рукоятка*) handle; (*круглая*) knob; (*кресла, дивана*) arm; (*корзины*) grip; ~ две́ри dóor-hàndle [ˈdɔː-]; (*круглая*) dóor-knòb [ˈdɔː-].

ру́чка III *ж.* (*для пера*) pénhòlder; автомати́ческая ~ fóuntain-pèn; ша́риковая ~ báll-point (pen), pen, bíro.

ручни́к *м. тех.* bench hámmer.

ручн‖**о́й** I 1. hand (*attr.*), arm (*attr.*); ~**ы́е часы́** wrist-wàtch *sg.*; ~ бага́ж hand / pérsonal / small lúggage; ~**ы́е кандалы́** hándcùffs; mánacles; 2. (*производимый руками*) mánual; ~**ая рабо́та** hándwòrk; ~ труд mánual lábour; уро́к ~о́го труда́ mánual tráining class; 3. (*для приведения в действие руками*) hand-; ~**ы́е тиски́** hánd-vìce *sg.*; ~**ая пила́** hándsaw.

ручно́й II (*приручённый*) tame.

ру́шить I, разру́шить (*вн.*) pull down [pul...] (d.).

ру́шить II, пору́шить (*вн.*; *о зерне*) husk (d.).

ру́шиться *несов. и сов.* fall* in; (*перен.*) fall* to the ground.

ры́б‖**а** *ж.* fish; уди́ть ~у fish, angle; ◇ ни ~ ни мя́со néither fish, nor fowl [ˈnaɪ-...]; néither fish, flesh, nor good red hérring *идиом.*; би́ться как ~ об лёд strúggle désperately; (чу́вствовать себя́ где-нибудь) как ~ в воде́ feel* in one's élement, feel* complétely at home.

рыба́к *м.* físher;man*; ◇ ~ ~á ви́дит издалека́ *посл.* ≃ birds of a féather flock togéther [...ˈfe-... -ˈge-].

рыба́лк‖**а** *ж. разг.* físhing; пое́хать на ~у go* físhing.

рыба́‖**цкий**, ~**чий** físhing (*attr.*), físher;man's; piscátory *научн.*; ~ посёлок físhing víllage; ~**чья ло́дка** físhing-boat. ~**чить** fish. ~**чка** *ж.* 1. físher;wòman* [-wu-]; 2. (*жена рыбака*) físher;man's wife*.

рыбёшка *ж. разг.* small fry.

ры́бий fish (*attr.*); píscine [-siːn] *зоол.*; (*перен.*) cóld-blóoded [-ˈblʌd-]; ~ клей ísinglàss [ˈaɪzɪŋg-], físh-glue; ~ жир cód-liver oil [-lɪ-...]; ◇ ~**ьи глаза́** físhy gaze, cód;like glance.

ры́бина *ж. разг.* a big fish.

рыбнадзо́р *м.* (*рыболовный надзор*) físhing contról [...-oul]; físhing inspéctors *pl.*

ры́бник *м.* 1. spécialist in físh-breeding [ˈspe-...]; písciculturist *научн.*; 2. *уст.* (*торговец рыбой*) físhmònger [-mʌ-].

ры́бн‖**ый** 1. (*в разн. знач.*) fish (*attr.*); ~ садо́к físh-pònd; ~ суп fish soup [...suːp]; ~ ры́нок físh-màrket; ~**ая торго́вля** fish trade; ~**ая промы́шленность** físhing índustry; ~**ая ло́вля** físhing; ~ про́мысел físhery; ~**ые консе́рвы** tinned / canned fish *sg.*; 2. (*богатый рыбой*): ~**ая река́** a good ríver for físhing [...ˈrɪ-...].

рыбово́д *м.* físh-breeder; písciculturist *научн.* ~**ство** *с.* físh-breeding; písciculture *научн.* ~**ческий** físh-breeding; písciculturаl *научн.*; ~**ческое хозя́йство** fish-fàrm.

рыбозаво́д *м.* físh-fàctory; плаву́чий ~ físh-fàctory ship.

рыбоконсе́рвный: ~ заво́д fish cánnery.

рыболо́в *м.* físher, físher;man*; (*с удочкой*) ángler.

рыболове́цк‖**ий** físhing (*attr.*); ~ колхо́з físhing kolkhóz, colléctive físhery; ~**ая арте́ль** físhing artél; ~ тра́улер cátching trâwler.

рыболо́в‖**ный** físhing (*attr.*); piscatóry, piscatórial *научн.*; ~**ые принадле́жности** físhing-tàckle *sg.*; ~**ая снасть** físhing-tàckle; ~**ое су́дно** físhing-boat. ~**ство** *с.* físhing, físhery; соглаше́ние о ~стве (*в чужих водах*) físhery agréement.

рыбообраба́тывающий físh-pròcessing; ~ комбина́т físh-pròcessing plant / fáctory [...-ɑːnt...].

рыбопромы́шленность *ж.* físhing índustry.

рыбопромы́шленный: ~ райо́н físhing / físhery dístrict.

рыборазведе́ние *с.* físh-fàrming.

рыботорго́в‖**ец** *м. уст.* físhmònger [-mʌ-]. ~**ка** *ж. уст.* físh;wife*.

рыбохо́д *м.* (*в плотине*) físh-pàss.

Ры́бы *мн. астр.* the Físh(es), Písces [-siːz].

рыв‖**о́к** *м.* 1. jerk; (*перен.*) spurt; ~**ка́ми** by jerks, jérkily; 2. *спорт.* dash, burst, spurt.

рыга́ть, рыгну́ть belch.

рыгну́ть *сов. см.* рыга́ть.

рыда́ни‖**е** *с.* sóbbing; разрази́ться ~**ями** burst* out sóbbing.

рыда́ть sob.

рыдва́н *м.* large coach.

рыжеборо́дый réd-bèarded.

рыжева́тый réddish, rúst-còlour;ed [-kʌ-], fáwn-còlour;ed [-kʌ-].

рыжеволо́сый réd-hàired.

рыже́ть, порыже́ть 1. turn réddish; 2. *тк. несов.* (*виднеться*) show* réddish [ʃəu...].

ры́жий 1. *прил.* red, réd-hàired; gínger (*attr.*); (*о лошади*) chéstnùt [-sn-]; (*о белке*) red; 2. *прил.* (*выцветший*) rúst-còlour;ed [-kʌ-], réddish-brown; 3. *м. как сущ.* (*в цирке*) círcus clown.

ры́жик *м.* (*гриб*) sáffron milk cap.

рык *м.* roar; льви́ный ~ líon's róaring.

ры́кать roar.

ры́ло *с.* 1. (*у свиньи*) snout; 2. *груб.* (*лицо*) mug.

ры́льце I *с. уменьш. от* ры́ло.

ры́льце II *с. бот.* stígma.

рым *м. мор.* ring.

ры́нда I *м. ист.* rýnda (*bodyguard of the tzars of Russia in 14th — 17th centuries*).

ры́нда II *ж. мор.* ship's bell.

ры́н‖**ок** *м.* 1. márket(-plàce); 2. *эк.* márket; ~ сбы́та commódity márket. ~**очный** márket (*attr.*); ~**очная торго́вля** márketing; по ~**очной цене́** at the márket price; по цене́ вы́ше ~**очной** above márket price.

рыса́к *м.* trótter.

ры́сий lynx (*attr.*).

рыси́ст‖**ый**: ~**ая ло́шадь** trótter; ~**ые испыта́ния** trótting ráces.

ры́сить trot.

ры́скать 1. rove, roam; scour abóut; ~ по бе́регу, ле́су *и т.п.* scour the

РЫС — С

coast, woods, *etc.* [...wudz]; 2. *мор.* gripe, yaw.

рысц‖**а́** *ж.* jóg-trót. ~**о́й** *нареч.*: е́хать ~о́й go* at a jóg-trót.

рысь I *ж.* (*животное*) lynx; америка́нская ~ bóbcàt.

рыс‖**ь** II *ж.* (*аллюр*) trot; ме́лкая ~ light trot; кру́пная ~ long trot; на ~я́х at a trot.

ры́сью *нареч.* at a trot; пусти́ть ло́шадь ~ trot *a* horse; бежа́ть, идти́ ~ trot.

ры́твина *ж.* rut, groove.

рыть (*вн.*) 1. dig* (*d.*); (*нору*) búrrow (*d.*); (*копытом — о лошади*) paw (*d.*); (*рылом — о свинье*) nuzzle (*d.*), root up (*d.*); 2. *разг.* (*разбрасывать, ворошить что-л.*) rúmmage (in, through); ◇ самому́ себе́ я́му ~ ≅ ask for trouble [...trʌ-]; make* a rod for one's own back [...oun...] *идиом.*

рытьё *c.* digging; ~ коло́дцев well-sinking.

ры́ться, порыться (в *пр.*) 1. dig* (in); (*в архивах и т. п.*) búrrow (in), rake (óver, through); 2. (*в вещах*) rúmmage (in), ránsack (*d.*).

рыхли́ть (*вн.*) lóosen [-s-] (*d.*), make* light / fríable (*d.*).

рыхл‖**ость** *ж.* friabílity. ~**ый** fríable; crúmb(l)y; (*о земле*) loose [-s-], light, méllow; (*перен.*) flábby.

ры́цар‖**ский** knightly, chívalrous [ˈʃɪ-]; ~ турни́р tóurnament [ˈtuə-]; ~ поеди́нок joust; ~ские доспе́хи ármour *sg.*; ◇ ~ рома́н tale of chívalry [...ʃɪ-]. ~**ство** *c. ист.* knights *pl.*, knighthood [-hud]; (*перен.*) chívalry [ˈʃɪ-].

ры́царь *м.* knight; стра́нствующий ~ knight érrant; ◇ ~ печа́льного о́браза knight of the rúeful cóuntenance; ~ без стра́ха и упрёка a knight without fear and without repróach.

рыча́г *м.* léver; (*перен.*) key fáctor [ki:...]; ~ управле́ния contról léver [-oul-...]; спускно́й ~ sear; ~ поворо́та stéering léver; переводно́й ~ (*стре́лки*) *ж.-д.* switch-lèver.

рыча́‖**ние** *c.* growl, snarl. ~**ть**, прорыча́ть growl, snarl.

рья́н‖**о** *нареч.* with zeal, zéalous‖ly [ˈze-]. ~**ость** *ж.* zeal, férvour. ~**ый** zéalous [ˈze-], férvent.

рюкза́к *м.* rúcksàck [ˈruk-], knápsàck.

рю́м‖**ка** *ж.* wine‖glàss. ~**очка** *ж.* liquéur-glàss [-ˈkjuə-].

рюш *м.* ruche [ruːʃ].

ряби́на I *ж.* 1. (*дерево*) móuntain ash, rówan(-tree); 2. (*ягода*) áshberry, rówan(bèrry).

ряби́на II *ж. разг.* (*от оспы*) pit, pock; лицо́ с ~ми póck-màrked face.

ряби́нник I *м.* thícket of rówan (-trees).

ряби́нник II *м. зоол.* fíeldfàre [ˈfiː-].

ряби́н‖**овка** *ж.* rówan(bèrry) vódka. ~**овый** *прил.* к ряби́на I.

ряб‖**и́ть**, заряби́ть 1. *тк. несов.* (*вн.*) во́ду *и т. п.*) ripple (*d.*); 2. *безл.*: у него́ ~и́т в глаза́х he is dazzled.

ряб‖**ова́тый** speckled. ~**о́й** 1. (*от оспы*) pítted, pocked, póck-màrked; 2. (*с пятнами*) speckled.

ря́бчик *м.* házel-grouse [-s], házel-hèn.

рябь *ж. тк. ед.* 1. (*на воде*) ripple(s) (*pl.*); 2. (*в глазах*) dazzle.

ря́вкать, ря́вкнуть (на *вн.*) *разг.* béllow (at), roar (at).

ря́вкнуть *сов. см.* ря́вкать.

ряд *м.* 1. row [rou]; line; ~ за ~ом, за ~ом ~ row upón row; ~ автомаши́н line of véhicles [...ˈviːɪ-]; 2. *театр.* row; пе́рвый ~ front row [-л-...]; после́дний ~ back row; 3. *воен.* (*в строю́*) file, rank; непо́лный ~ blind file; ~ы́ вздво́й! form fours! [...fɔːz]; 4. (*некоторое количество чего-л.*) séries [-iːz] *sg. и pl.*; a númber, цéлый ~ a séries, a númber; мы мо́жем привести́ це́лый ~ приме́ров we can give a númber of exámples [...-ɑː-]; в це́лом ~е слу́чаев in a númber of cáses [...-s-]; 5. (*лавки, магазины*) row of stalls; ры́бный ~ row of fish stalls; ◇ в ~а́х а́рмии in the ranks of the ármy; в пе́рвых ~а́х in the first ranks, in the front line [...frʌ-...]; из ~а вон выходя́щий óutstànding, extraórdinary [ɪksˈtrɔːdnrɪ], ùnˈùsual [-ʒu-], out of the cómmon (run); стоя́ть в ~у́ (*рд.*), стоя́ть в одно́м ~у́ (с *тв.*) rank (with).

ряди́ть I (*вн. тв.*) dress up (*d.* as), get* up (*d.* as); ~ кого́-л. шуто́м (*перен.*) make* a láughing-stòck (of smb.) [...ˈlɑːf-...].

ряди́ть II *уст.* 1. (*устана́вливать поря́док*) ordáin (that), lay* down the law; 2. (*вн.*; *нанима́ть*) contráct (*d.*).

ряди́ться I, поряди́ться (с *тв.*) *разг.* (*усла́вливаться о цене́, усло́виях*) bárgain (with); make* a deal (with).

ряди́ться II, наряди́ться 1. dress onesélf up; 2. *тк. несов.* (*маскирова́ться*) disˈguise onesélf.

ря́дом *разг.* = ря́дом.

ря́дность *ж.* lane; соблюда́ть ~ *авт.* stay / keep* in lane; наруша́ть ~ get* out of lane.

рядово́й I 1. *прил.* órdinary, cómmon; 2. *прил. воен.*: ~ соста́в rank and file; the ranks *pl.*; 3. *м. как сущ. воен.* prívate (sóldier) [ˈpraɪ- ˈsouldʒə], man*.

рядов‖**о́й** II *с.-х.*: ~**а́я** се́ялка drill (séeder); ~ посе́в sówing in drills [ˈsou-...], drill sówing.

ря́дом *нареч.* 1. (*один после другого*) near, next to; (*с кем-л. тж.*) side by side, besíde; by (*smb.'s side*); сиде́ть ~ sit* side by side; сиде́ть ~ с кем-л. sit* next to smb.; сесть ~ с кем-л. sit* down by smb., *или* by smb.'s side; 2. (*поблизости*) next (to), next door [...dɔː]; э́то совсе́м ~ it is quite near, it is close by [...klous...]; он живёт ~ he lives next door [...-ˈ...], he lives close by; ◇ сплошь да ~ more óften than not [...ˈɔːf(t)n...], prétty óften [ˈprɪ-...].

ря́женка *ж. кул.* ryázhenka (fermented baked milk).

ря́женый *м. скл. как прил.* múmmer, másker.

ря́са *ж.* cássock.

ря́ска I *ж. уменьш. от* ря́са.

ря́ска II *ж. бот.* dúckweed.

С

с I, **со** *предл.* (*тв.*) with; (*и*) and; он прие́хал с детьми́ he came with *the* children; с перо́м в руке́ with *a* pen in one's hand; чай с молоко́м tea with milk; с улы́бкой with a smile; с интере́сом with ínterest; с удово́льствием with pléasure [...ˈple-]; со сме́хом with a laugh [...lɑːf], with láughter [...ˈlɑːf-]; с пе́снями и сме́хом with song and láughter; кни́га с карти́нками pícture-book; повида́ть отца́ с ма́терью see* one's father and mother [...ˈfɑː-... ˈmʌ-]; брат с сестро́й ушли́ bróther and síster went awáy [ˈbrʌ-...]; мы с тобо́й, мы с ва́ми you and I; ◇ с рабо́той всё хорошо́ the work's góing on all right; что с тобо́й? what is the mátter with you?; у него́ нехорошо́ с лёгкими he has got lung trouble [...trʌbl]; с года́ми, с во́зрастом э́то пройдёт it will pass with the years, with age; просну́ться с зарёй aˈwáke* with the dawn; с ка́ждым днём every day; с после́дним по́ездом by the last train; с курье́ром by cóurier / méssenger [...ˈkurɪə- -ndʒə]; спеши́ть с отъе́здом be in a húrry to leave; *други́е осо́бые слу́чаи приведены́ под те́ми слова́ми, с кото́рыми образу́ет те́сные сочета́ния*.

с II, **со** *предл.* (*рд.*) 1. (*в разн. знач.*) from; (*прочь тж.*) off: упа́сть с кры́ши fall* from *a* roof; сбро́сить со стола́ throw* off / from *the* table [θrou...]; сойти́ с балко́на come* down from *a* bálcony; снять кольцо́ с па́льца take* a ring off / from one's finger; прие́хать с Кавка́за come* from the Cáucasus; ры́ба с Во́лги fish from the Vólga; верну́ться с рабо́ты retúrn from work; съе́хать с да́чи, с кварти́ры move from *a* country-house*, from *a* flat [muːv... ˈkʌ-haus...]; — уйти́ с поста́ leave* one's post [...poust]; писа́ть портре́т с кого́-л. paint smb.'s pícture; брать приме́р с кого́-л. fóllow smb.'s exámple [...-ɑːmpl]; с ра́дости, с го́ря with / for joy, grief [...-iːf]; с доса́ды, со зло́сти with vexátion, with ánger; со стыда́ for / with shame; 2. (*о времени: от*) from; (*начиная с такого-то времени — о прошлом*) since; (*о будущем*) beginning from; (*о года́х, ме́сяцах*) in; (*о днях*) on; (*о часа́х*) at: с сентября́ по дека́брь from September to Dеcémber; с трёх до пяти́ from three to five; он не ви́дел её с про́шлого го́да he has not seen her since last year; он бу́дет рабо́тать там с января́, пя́тницы, трёх часо́в he will start wórking there beginning from Jánuary, Friday, three o'clóck [...ˈfraɪdɪ...]; он начнёт рабо́тать там с января́, с пя́тницы, с трёх часо́в he will start wórking there in Jánuary, on Friday, at three o'clóck; ◇ с пе́рвого взгля́да at first sight; с головы́ до ног from head to foot [...hed... fut]; с нача́ла до конца́ from beginning to end; со сна полу́а‖ва́ке [hɑːf...]; взять с бо́ю take* by storm; писа́ть с большо́й бу́квы write* with *a* cápital létter; с мину́ты на мину́ту every mínute [...ˈmɪnɪt]; с чьего́-л. разреше́ния, с чьего́-л. позволе́ния with

560

smb.'s permission; с вашего согласия with your consént; с виду in appéarance; устать с дороги be tired áfter a jóurney [...'dʒə:-]; с меня довольно I have had enóugh [...ɪ'nʌf]; *другие особые случаи по возможности приведены под теми словами, с которыми предл. с образует тесные сочетания.*

с III, *со предл.* (*вн.*) the size of; (*с оттенком приблизительности*) abóut: с булавочную головку the size of a pin's head [...hed]; с вас ростом abóut the same height as yours [...haɪt...]; с лошадь величиной the size of a horse; туда будет с километр it is abóut a kílomètre from here.

саа́м *м.*, саа́ми *м. нескл.* Lapp, Láplànder.

саа́ми *ж. нескл.* lapp (wóman*) [...'wu-].

саа́мский Láppish, Lapp.

сабанту́й *м. разг. шутл.* mérry-màking, drínking-bout.

са́бельный sabre (*attr.*).

сабли́ст *м.*, ~ка *ж.* féncer (with sabres).

са́бля *ж.* sabre; sáber *амер.*

сабо́ *м. нескл.* sábòt ['sæbou].

сабота́ж *м.* sábotàge [-tɑ:ʒ]; ~ник *м.*, ~ница *ж.* sabotéur [-'tə:], wrécker. ~ничать *разг.* engáge in sábotàge [...-tɑ:ʒ].

саботи́ровать *несов. и сов.* 1. (*вн.*) sábotàge [-tɑ:ʒ] (*d.*); 2. *тк. несов.* (*заниматься саботажем*) adópt sábotàge táctics, commít sábotàge.

сабу́р *м. фарм.* áloes.

саван *м.* shroud, cérement ['sɪə-]; снежный ~ blánket of snow [...snou].

саванна *ж.* savánna(h).

савра́сый (*о масти лошади*) líght-brown with black mane and tail.

са́га *ж.* sága ['sɑ:-].

сагити́ровать *сов. см.* агити́ровать 2.

са́го *с. нескл.* ságò. ~вый ságò (*attr.*); ~вая пальма ságo palm [...pɑ:m].

сад *м.* gárden; фруктовый ~ órchàrd; городской ~ (the) gárdens *pl.*; ботанический ~ botánical gárdens *pl.*; зоологический ~ zòológical gárdens *pl.*; zoo *разг.*; ◇ детский ~ kíndergàrten ['kɪ-].

садану́ть *сов.* (*вн.*) *разг.* strike* (*d.*), strike* a blow [...blou] (at).

сади́зм *м.* sádism. ~и́ст *м.* sádist. ~и́стский sadístic.

сади́ть, посади́ть 1. (*вн.*) *разг.* (*о растениях*) plant [-ɑ:nt] (*d.*); 2. *тк. несов.* (*без доп.*) *разг.* (*быстро бежать*) dash, hurtle.

сади́ться I, сесть 1. sit* down; (*переходя из лежачего положения*) sit* up: ~ за́втракать, обе́дать *и т. п.* sit* down to bréakfast, dínner, etc. [...'brek-...]; он сел на стул, в кре́сло he sat down on a chair, in an ármchair; он сел в посте́ли he sat up in bed; он сел в ва́нну he got into the bath; сади́(те)сь! won't you sit down! [wount...], take a seat!; сядь(те)! sit down!; 2. (*на поезд, пароход и т. п.*) take* (*d.*), board (*d.*); (*попадать, делать посадку*) get* in(to); он сел на поезд в Москве he took the train in Móscow; ему надо сесть на этот трамвай he must take

36. Русско-анг словарь

this tram; пора ~ time to get in / abóard; он не мог сесть в поезд, в трамвай he could not get into the train, into the tram; ~ на лошадь mount a horse; сади́(те)сь! (*в автомобиль, экипаж*) get in!; 3. (*о самолёте, дирижабле и т. п.*) land; (*опускаться — о птице*) alight, perch; (*о мухе, комаре и т. п.*) alight, settle. 4. (*о пыли*) settle; (*о тумане*) come* down; 5. (*заходить — о солнце, луне*) set*; ◇ сесть в гало́шу get* into a mess / fix, be in a spot; сесть в лу́жу get* into a mess / fix, slip up.

сади́ться II, сесть 1. (*о ткани*) shrink*; 2. (*о строении*) settle.

сад||ни́ть *безл. разг.* burn*, smart; у него ~т в горле his throat smarts. садо́вник *м.*, ~ница *ж.* gárdener.

садово́д *м.* gárdener; hòrticúlturist *научн.* ~ство *с.* 1. gárdening; hòrticúlture *научн.*; 2. (*хозяйство, заведение*) gárdening / hòrticúltural estáblishment. ~ческий gárdening (*attr.*); hòrticúltural *научн.*

садово-парков||ый: ~ая архитекту́ра lándscàpe árchitècture.

садо́в||ый 1. gárden (*attr.*); 2. (*противоп. дикорастущий*) cúltivàted; ~ые цветы́ cúltivàted flówers; ~ая мали́на cúltivàted ráspberry [...'rɑ:zb-]; ◇ голова́ ~ая *разг.* dím-wit.

садо́к *м.* 1. (*живорыбный*) fish-well, físh-pònd; (*для разведения рыбы*) núrse-pònd; 2.: кроли́чий ~ rábbit-hùtch.

са́ж||а *ж.* soot [sut]; cárbon-blàck; в ~е sóoty ['su-].

са́жалка *ж. с.-х.* plánter [-ɑ:ntə], plánting machíne [-ɑ:nt- -'ʃi:n].

сажа́ть I, посади́ть (*вн.*) 1. seat (*d.*); (*предлагать сесть*) óffer a seat (*i.*); ~ на судá embárk (*d.*); ~ в тюрьму́ put* into príson [...'prɪz-], impríson [-'prɪz-] (*d.*); jail (*d.*) *амер.*; ~ под аре́ст put* únder arrést (*d.*); ~ ку́рицу на я́йца set* a hen on eggs; ~ пти́цу в кле́тку cage a bird; ~ собаку на цепь chain a dog; 2.: ~ хлеб в печь put* the bread into the óven [...bred... 'ʌ-]; ◇ ~ на хлеб и на во́ду put* on bread and wáter [...'wɔ:-] (*d.*).

сажа́ть II, посади́ть (*вн.; о растениях*) plant [-ɑ:nt] (*d.*); (*в горшки*) pot (*d.*).

са́женец *м. с.-х.* séedling; (*молодое растение*) sápling, young plant [jʌŋ -ɑ:nt].

саже́нки *мн.* óver:àrm stroke (*in swímming*).

саже́нн||ый, сажённ||ый: ~ого роста of tówering státure.

са́ж||ень *ж.* (2,134 м) sázhèn ['sɑ:ʒen]; морска́я ~ (1,83 м) fáthòm [-ð-]; коса́я ~ в плеча́х *разг.* ≅ broad shóulders [brɔ:d 'ʃou-]; broad as an ox.

саза́н *м.* sazán (*a fresh-water fish belonging to the carp family*).

саи́б *м.* Sáhib ['sɑ:ɪb].

сайга́ *ж.*, сайга́к *м. зоол.* sáiga ['saɪgə].

са́йка *ж.* roll (*bread*).

сак *м.* 1. bag. 2. (*женское пальто́*) sácque(-coat).

саквоя́ж *м.* trávelling-bàg, gríp; gríp-sàck *амер.*

С — САМ

са́кля *ж.* sáklya (*Caucasian mountain hut*).

сакраме́нтальный sàcraméntal; sácred.

саксау́л *м. бот.* háloxylon, sáxaul [-oul].

саксо́н||ец *м.*, ~ка *ж.*, ~ский Sáxon; ~ский язы́к *ист.* Sáxon, the Sáxon lánguage; ~ский фарфо́р Drésden / Méissen chína [-zd- 'maɪ-...].

саксофо́н *м.* sáxophòne.

сала́||га *м. разг. шутл.* young inexpérienced sáilor [jʌŋ...]. ~жо́нок *м. уменьш.* от салага.

сала́зк||и *мн.* 1. sledge *sg.*, tobóggan *sg.*; ката́ться на ~ах tobóggan; 2. *тех.* slide *sg.*; *мор.* slíding cárriage ways [...-rɪdʒ...].

сала́ка *ж.* (*рыба*) sprat.

салама́ндра *ж. зоол.* sálamànder.

сала́т *м.* 1. (*растение*) léttuce [-tɪs]; 2. (*кушанье*) sálad ['sæ-]. ~ник *м.*, ~ница *ж.* sálad-dìsh ['sæ-], sálad bowl ['sæ- boul]. ~ный (*о цвете*) líght-green.

са́линг *м. мор.* cróss-trees *pl.*

са́лить, оса́лить (*вн.*) 1. *тк. несов.* (*пропитывать чем-л. жирным*) grease (*d.*); 2. (*в игре в салки*) catch* (*d.*).

салици́лка *ж. разг.* salícylàte.

салици́лов||ый *хим.:* ~ая кислота́ salicýlic ácid.

сали́ческий *ист.* Sálic; ~ зако́н the Sálic law.

са́лки *мн.* (*детская игра*) tag *sg.*, tóuch-làst ['tʌ-] *sg.*

са́ло *с.* 1. fat; (*нутряное*) súet ['sjuɪt]; (*топлёное свиное*) lard; (*топлёное для свечей*) tállow; 2. (*тонкий лёд*) thin bróken ice.

сало́л *м. фарм.* sálol [-æ-].

сало́н *м.* salon (*фр.*) ['sælɔ̃:ŋ]; (*в гостинице, на пароходе*) salóon.

сало́н-ваго́н *м.* salóon(-càr), salóon-càrriage [-rɪdʒ], lóunge-càr.

сало́нн||ый: ~ разгово́р small talk; ~ые мане́ры socíety mánners.

сало́п *м. уст.* wómen's coat ['wɪ-...].

салото́пенный tállow-mèlting.

салфе́т||ка *ж.* (táble-)nápkin, sèrviétte. ~очка *ж.* (*круглая*) dóily. ~очный nápkin (*attr.*); ~очное полотно́ díaper-clòth, dámask ['dæ-].

сальварса́н *м. фарм.* sálvarsan.

са́льдо *с. нескл. бух.* bálance.

са́льник *м.* 1. *анат.* epíplòon [-ouɔn]; 2. *тех.* stúffing-bòx, (pácking) gland.

са́льность *ж.* (*непристойность*) obscéneness, obscénity [-'si:-], báwdiness.

са́льн||ый 1. (*сделанный из сала*) tállow (*attr.*); ~ая свеча́ tállow cándle; 2. *анат.* sebáceous [-ʃəs]; ~ая железа́ sebáceous gland; 3. (*запачканный салом*) gréasy [-zɪ]; ~ое пятно́ gréasy spot; 4. (*непристойный*) obscéne, báwdy; ~ анекдо́т báwdy stóry.

са́льто *с. нескл.*, са́льто-морта́ле *с. нескл.* sómersault ['sʌ-].

салю́т *м.* salúte; произвести́ ~ двадца́тью артилле́рийскими за́лпами fire a salúte of twénty sálvòes. ~ова́ть *несов. и сов.* (*дт.*) salúte (*d.*).

сам, сама́, *с.* само́, *мн.* са́ми, *мест. переводится соответственно ли-*

561

САМ — САМ

сам *му, числу и роду*: 1. *sg.* mysélf; *pl.* oursélves; 2. *sg.* yoursélf; thysélf [ð-] *поэт. уст.*; *pl.* yoursélves; 3. *sg. m.* himsélf, *f.* hersélf, *n.* itsélf; *pl.* themsélves; ~ это сделал he did it by himsélf; ◊ я ~ себе хозяин I am my own máster [...oun...]; это говорит ~ó за себя it tells its own tale, it speaks for itsélf; ~ó по себе это не имеет значения in itsélf it is of no impórtance; ~ по себе by himsélf; (она) ~á виновата she has ónly hersélf to blame, it's her (own) fault; он ~а честность he is hónesty itsélf [...'ɔn-...].

самá *ж. см.* сам.

самáн *м.* adóbe [-bɪ]. ~**ный**: ~ный кирпич adóbe (brick) [-bɪ...].

самбист *м.* únarmed sélf-defénce spórtsman*.

сáмбо *с. нескл.* (самозащита без оружия) *спорт.* únarmed sélf-defénce.

самбýк *м. бот.* élder, sambúcus.

сам-друг 1. (*о людях*) with one óther; two (togéther) [...-'ge-]; not alóne but accómpanied by anóther pérson [...ə'kʌ-...]; 2. (*об урожае*) double [dʌ-], twice as much.

самéц *м.* male; (*при названии животного тж.*) he-; (*оленя, антилопы, зайца, кролика*) buck; (*лисы, волка*) dog; (*слона, кита*) bull [bul]; (*птиц*) cock.

сáмка *ж.* fémale ['fiː-]; (*при названии животного тж.*) she-; (*слона, носорога, кита, тюленя*) cow; (*оленя, антилопы, зайца, кролика*) doe; (*птиц*) hen; (*леопарда*) shé-léopard [-'lep-], léopardess ['lep-].

самó *с. см.* сам.

само- (*в сложн.*) self-; áuto-.

самоанáлиз *м.* sélf-examinátion, introspéction.

самобичевáние *с.* sélf-flàgellátion, sélf-tórture; (*перен.*) sélf-repróach.

самобрáнка *ж.*: скатерть-~ *фольк.* mágic táble-clòth (*serving meals when required*).

самобы́тн‖**ость** *ж.* originálity. ~**ый** original, distínctive.

самовáр *м.* sámovàr; стáвить, разжигáть ~ set* *the* sámovàr to boil; start *the* sámovàr.

самовлáст‖**ие** *с. уст.* autócracy; ábsolute rule. ~**ный** (*облечённый единоличной, неограниченной властью*) ábsolute, autocrátic; (*деспотический*) dèspótic; ~ный правитель ábsolute / dèspótic rúler.

самовлюблённ‖**ость** *ж.* sélf-admirátion. ~**ый** sélf-enámoured, vain, concéited [-'siːtɪd].

самовнушéние *с.* áuto-suggéstion [-'dʒestʃ-].

самовозгорá‖**ние** *с.* spontáneous ignítion / combústion [...-stʃən]. ~**ться** ignite spontáneously. ~**ющийся** spontáneously ignítíng.

самовóлие *с.* lícence ['laɪ-].

самовóлка *ж. разг.* ábsence without leave.

самовóльн‖**ичать** *разг.* act wílfully.

~**ый** 1. (*своенравный*) sélf-willed, wílful; 2. (*без разрешения*) únáuthorized; without permíssion; ~ая отлучка *воен.* ábsence without leave.

самовоспитáние *с.* sélf-èducátion.

самовоспламенéние *с.* = самовозгорáние.

самовосхвалéние *с.* sélf-glòrificátion, sélf-práise.

самовыражéние *с.* sélf-exprèssion.

самогóн *м.* hóme-distilled vódka. ~**щик** *м.*, ~**щица** *ж.* bóot-lègger.

самодвижущийся sélf-propélled.

самодéйствующий sélf-ácting, automátic.

самодéлка *ж. разг.* hóme-máde próduct / thing.

самодéльный hóme-máde.

самодéльщина *ж. разг.* búngle.

самодержá‖**вие** *с.* autócracy; цáрское ~ the tsárist autócracy [...'zɑː-, 'tsɑː-...]. ~**ный** autocrátic.

самодéржец *м.* áutocràt.

самодéятельн‖**ость** *ж.* 1. indepéndent áction, spontáneous àctivity; 2. (*художественная*) ámateur tálent àctivities [-tə'tæ-...] *pl.*, ámateur perfórmances *pl.*; вечер ~ости ámateurs' night. ~**ый** 1. ámateur [-tə:] (*attr.*); ~ая труппа ámateur troupe [...truːp]; ~ый спектáкль ámateur perfórmance (of a play); 2. *эк.* (*имеющий самостоятельный заработок*) gáinful; ~ое населéние gáinfully emplóyed pòpulátion.

самодисциплина *ж.* sélf-díscipline.

самодовлéющий sélf-sufficing, sélf-contáined.

самодовóльн‖**о** *нареч.* complácently; smúgly *разг.* ~**ный** sélf-sátisfied, complácent; smug *разг.*; ~ая улыбка complácent / sélf-sátisfied smile. ~**ство** *с.* sélf-sàtisfáction, complácency [-eɪs-], smúgness *разг.*

самодýр *м.* pétty týrant, wilful and stúpid pérson. ~**ство** *с.* pétty týranny, stúpid wilfulness.

самозабвéн‖**ие** *с.* sélf-oblívion, forgétfulness of self [-'ge-...]. ~**ный** sélfless.

самозаготóвка *ж.* láying-in one's own stores [...oun...], láying-in of one's own supplíes.

самозажигá‖**ние** *с.* sélf-ignítion. ~**ющийся** sélf-igníting.

самозакáлка *ж. тех.* sélf-hárdening.

самозаписывающий sélf-recórding.

самозарождéние *с. биол.* sélf-gènerátion, spontáneous gènerátion.

самозаря́дн‖**ый** sélf-lóading; áutoloading *амер.*; ~ая винтóвка sélf-lóading rifle.

самозащит‖**а** *ж.* sélf-defénce; в положéнии ~ы *юр.* in sélf-defénce.

самозвáн‖**ец** *м.*, ~**ка** *ж.* impóstor, preténder; Дмитрий Самозвáнец the False Deméstrius [...fɔːls...]. ~**ство** *с.* impósture. ~**ый** false [fɔːls], sélf-styled.

самоиндýкция *ж. физ.* sélf-indúction.

самоистреблéние *с.* sélf-destrúction.

самоистязáние *с.* sélf-tórture.

самокáт *м.* 1. *воен.* bícycle ['baɪ-], pédal cycle ['pe-...], púsh-cycle ['puʃ-]; cycle, bike *разг.*; 2. (*игрушка*) scóoter. ~**чик** *м. воен.* bícyclist ['baɪ-], cýclist ['saɪ-].

самоконтрóль *м.* sélf-contról [-oul].

самокритика *ж.* sélf-críticism; критика и ~ — дéйственное оружие в борьбе за коммунизм críticism and sélf-críticism are a pówerful wéapon in the struggle for Cómmunism [...'we-...].

самокритич‖**еский** sélf-crítical. ~**ный** contáining sélf-críticism.

самокрýтка *ж. разг.* cigaréttè rólled by smóker.

самолёт *м.* áircràft, áeroplàne ['ɛə-]; áirplàne, plane; (*пассажирский тж.*) áir-liner; ~ связи líaison plane [liː-'eɪzɔːn...]; бомбардирóвочный ~ bómbing áircràft, bómber; (áir)plàne *амер.*; разведывательный ~ reconnaissance áircràft [-nɪsəns...], scout plane; санитáрный ~ air ámbulance, ámbulance plane; транспортный ~ tránspòrt áircràft / plane; учéбный ~ tráining plane; ~-торпедонóсец tòrpédò áircràft. ~**ный** *прил. к* самолёт.

самолётовождéние *с.* air nàvigátion.

самолёто-вы́лет *м.* sórtie (of áircràft).

самолётостроéние *с.* áircràft constrúction.

самолёт-перехвáтчик *м.* intercéption plane.

самолёт-снаря́д *м.* flýing bomb; *ист.* buzz bomb.

самолечéние *с.* sélf-tréatment, áutothérapy.

самоличн‖**о** *нареч. разг.* ònesélf; (*сделать что-л.*) by ònesélf; он ~ видел это he saw it himsélf. ~**ый** *разг.* pérsonal.

само‖**любивый** proud; tóuchy ['tʌ-]. ~**любие** *с.* sélf-respéct, sélf-estéem, pride; ложное ~любие false pride [fɔːls...]; щадить чьё-л. ~любие spare smb.'s pride.

самомнéние *с.* (sélf-)concéit [-'siːt], sélf-impórtance; с большим ~м concéited [-'siːt-], háving a high opínion of ònesélf.

самонаблюдéние *с. психол.* introspéction.

самонаводя́щийся *воен.* sélf-gúided; ~ снаря́д sélf-gúided míssile.

самонадéянн‖**о** *нареч.* concéitedly [-'siːt-], presúmptuously [-'zʌ-], pértly. ~**ость** *ж.* concéit [-'siːt], sélf-sufficiency, presúmption [-'zʌ-]. ~**ый** sélf-sufficient, presúmptuous [-'zʌ-], presúming [-'z-].

самообвинéние *с.* sélf-accusátion [-zeɪ-], sélf-còndèmnátion.

самообладáние *с.* sélf-contról [-oul], sélf-posséssion [-'ze-], sélf-commánd [-ɑːnd], sélf-mástery; (*спокойствие*) compósure [-'pou-]; теря́ть ~ lose* one's sélf-contról [luːz...].

самообличéние *с.* sélf-accusátion [-zeɪ-].

самообложéние *с.* vóluntary ráte-pàying.

самообмáн *м.* sélf-decéption, sélf-delúsion.

самообогащéние *с.* sélf-enríchment.

самообожáние *с.* sélf-adorátion.

самообольщéние *с.* delúsions about ònesélf *pl.*, sélf-delúsion.

самооборóна *ж.* sélf-defénce.

самообразовáние *с.* sélf-èducátion.

самообслýживан‖**ие** *с.* sélf-sérvice; магазин ~ия sélf-sérvice shop / store.

самоограничéние *с.* sélf-restríction, sélf-restráint.

самооку́па||емость ж. self-rè:páyment. **~ющийся** rè:páying, páying back, páying its way.

самооплодотворе́ние с. биол. self-fèrtilizátion [-laɪ-], autógamy.

самооправда́ние с. self-jùstificátion.

самоопредел||е́ние с. полит. self-detèrminátion; пра́во на́ций на ~ the right of nátions to self-detèrminátion. **~и́ться** сов. см. самоопределя́ться.

самоопределя́ться, самоопредели́ться cónstitùte òne:sélf; полит. gain indepéndence.

самоопроки́дывающийся self-dúmping.

самоопыле́ние с. бот. self-fèrtilizátion [-laɪ-].

самоосужде́ние с. self-còndemnátion.

самоотверже́ние с. = самоотве́рженность.

самоотве́рженн||о нареч. sélflessly. **~ость** ж. sélflessness. **~ый** sélfless; **~ый труд** sélfless lábour.

самоотво́д м. refúsal to accépt (an óffice, one's nòminátion) [-z'l...], rejéction (of an óffice, of one's nòminátion).

самоотравле́ние с. мед. áuto-intòxicátion.

самоотрече́ние с. renùnciátion, self-deníal; (self-)àbnegátion.

самоохра́на ж. self-protéction.

самооце́нка ж. self-appráisal [-z'l].

самоочеви́дный sélf-évident.

самопи́ска ж. разг. fóuntain-pèn.

самопи́ш||ущий (sélf-)régistering, (sélf-)-recórding; ◇ **~ее перо́** fóuntain-pèn.

самопоже́ртвование с. self-sácrifice.

самопозна́ние с. филос. self-knówledge [-'nɔ-].

самопо́мощь ж. self-hélp, mútual aid.

самопроизво́льн||ость ж. spòntanéity [-'niː-]. **~ый** spontáneous.

самопря́лка ж. spínning-wheel.

самопу́ск м. тех. self-stárter.

саморазгружа́ющ||ийся self-dúmping; **~ ваго́н** hópper(-cár); **~аяся ба́ржа** hópper(-bàrge).

саморазоблаче́ние с. self-expósure [-'pou-].

саморегистри́рующий self-régistering.

саморегули́рующий self-régulàting.

самореклама ж. self-advértise:ment [-s-].

саморо́д||ный native; (о мета́ллах тж.) virgin; **~ное зо́лото** nátive gold; **~ная медь** nátive cópper. **~ок** м. горн. núgget; (перен.) a pérson of nátural gifts [...gɪ-]; **~ок зо́лота, золото́й ~ок** gold núgget.

самоса́д м. разг. hóme-grown tobáccò [-groun...].

самоса́дочн||ый: **~ая соль** láke-sàlt.

самосва́л м. dúmp-bòdy truck [-bɔ-...]; dúmp-trùck, típper; típping / dúmping / típ-ùp lórry.

самосе́в м. биол., с.-х. 1. sélf-séeding; 2. (расте́ние) sélf-sown plant [-sоun -ɑːnt]; sélf-séed crop.

самосоверше́нствование с. self-perféction.

самосожже́ние с. self-immolátion.

самосозна́ние с. (self-)cónscious:ness [-nʃəs-]; кла́ссовое ~ пролетариа́та cláss-cónscious:ness of the prólètáriat [-nʃəs-... prou-].

самосохране́ние с. self-prèservátion [-zə-]; инсти́нкт, чу́вство **~ия** ínstinct of sélf-prèservátion.

самостоя́тельн||о нареч. (незави́симо) indepéndently; (без посторо́нней по́мощи) without assístance, on one's own [...oun]; рабо́тать ~ work without assístance, work on one's own. **~ость** ж. indepéndence; self-depéndence, self-depéndency. **~ый** (в разн. знач.) indepéndent; self-depéndent; **~ое иссле́дование** indepéndent / original reséarch [...-'səːtʃ].

самостре́л I м. ист. árbalèst, cróssbow [-bou].

самостре́л II м. 1. (ране́ние, умы́шленно нанесённое самому́ себе́) sélf-inflícted wound [...wuː-]; 2. разг. (челове́к, умы́шленно ра́нивший себя́) man* with a sélf-inflícted wound [...wuː-].

самостре́льный self-fíring, automátic.

самосу́д м. mob law; lýnching.

самотёк м. drift (тж. перен.); тех. grávity flow [...flou]; пусти́ть на ~ (вн.) negléct (d.), let* take its course [...kɔːs] (d.).

самотёком нареч. 1. тех. by grávity; 2. (стихи́йно, неорганизо́ванно) in a háp:házard / ún:organized mánner; предоставля́ть де́лу идти́ ~ let* things drift, leave* things to them:sélves.

самоторможе́ние с. self-bráking. **~ющийся** self-bráking, self-cátching, self-stópping.

самоуби́йственный suicídal.

самоуби́й||ство с. súicide, self-múrder; félò-dè-sé (pl. félònes-dè-sé [-niːz-]) юр.; конча́ть ~ством commit súicide. **~ца** м. и ж. súicide, self-múrderer; félò-dè-sé (pl. félònes-dè-sé [-niːz-]) юр.

самоуваже́ние с. self-estéem.

самоуве́ренн||о нареч. with self-cónfidence, with self-assúrance [...-'ʃuə-]. **~ость** ж. self-cónfidence, self-assúrance [-'ʃuə-]. **~ый** self-cónfident, self-opínionàted, self-assúred [-'ʃuəd].

самоуглублённый self-absórbed.

самоуни||же́ние с., **~чиже́ние** с. self-abáse:ment [-s-], self-humiliátion, self-dispárage:ment.

самоуничтоже́ние с. self-destrúction, self-annihilátion [-naɪə-].

самоуплотн||е́ние с. 1. тех. self-pácking; 2. (жили́щное) vóluntary gíving up of a part of one's dwélling space. **~и́ться** сов. см. самоуплотня́ться.

самоуплотня́ться, самоуплотни́ться give* up vóluntarily a part of one's dwélling space.

самоуправле́ни||е с. self-góvernment [-'gʌ-]; о́рганы **~я** self-góvernment institútions; о́рганы ме́стного **~я** institútions of lócal góvernment [...'gʌ-].

самоуправля́ющийся self-góverning [-'gʌ-].

самоупра́в||ный árbitrary. **~ство** с. árbitrariness.

самоусоверше́нствование с. = самосоверше́нствование.

самоуспокое́ние с., **самоуспоко́енность** ж. complácency [-eɪs-].

самоустрани́ться сов. см. самоустраня́ться.

самоустраня́ться, самоустрани́ться (от) keep* òne:sélf alóof (from); несов. тж. try to keep òne:sélf alóof (from); (удаля́ться) get* out (of).

самоутвержде́ние с. self-àffirmátion, sélf-assértion.

самоучи́тель м. mánual for sélf-tuítion, téach-your:sélf book; ~ англи́йского языка́ Énglish sélf-táught ['ɪŋ-...].

самоу́чк||а м. и ж. sélf-táught / sélf-éducàted pérson. **~ой** нареч. разг.: вы́учиться чему́-л. **~ой** learn* ~ smth. without a téacher [ləːn...], teach* òne:sélf smth.

самохва́льство с. разг. self-advértise:ment [-s-], bóasting.

самохо́дка ж. воен. разг. sélf-propélled gun.

самохо́дн||ый sélf-propélled; **~ комба́йн** sélf-propélled cómbine; **~ая артилле́рия** воен. sélf-propélled ártillery; **~ая устано́вка** воен. sélf-propélled móunting.

самоцве́т м. sèmi-précious stone [-'preʃ-...].

самоце́ль ж. end in it:sélf.

самочи́нный árbitrary; (незако́нный) illégal.

самочу́вствие с.: у него́ хоро́шее, плохо́е ~ he feels well*, bad* / ill*; ~ больно́го улу́чшилось, уху́дшилось the pátient feels / is bétter, worse; как ва́ше ~? how do you feel?

сам-пя́т разг. 1. (о лю́дях) with four others [...fɔː...]; 2. (об урожа́е) fivefold.

сам-сём разг. 1. (о лю́дях) with six others; 2. (об урожа́е) sévenfold ['se-].

сам-тре́тей разг. 1. (о лю́дях) with two others; 2. (об урожа́е) three times as much.

саму́м м. simóom.

самура́й м. Sámurai [-muraɪ].

сам-четвёрт разг. 1. (о лю́дях) with three others; 2. (об урожа́е) fóurfòld ['fɔː-].

сам-шёст разг. 1. (о лю́дях) with five others; 2. (об урожа́е) sixfold.

самши́т м. бот. bóx(-tree). **~овый** прил. к самши́т.

са́м||ый мест. 1. (в то́чности, как раз) the very; во мно́гих слу́чаях не перево́дится: в **~ом** це́нтре in the very centre; в **~ом** нача́ле, конце́ at the very beginning, end; с **~ого** ни́за from the very bóttom; **~ая** су́щность the very éssence; в **~ом** проце́ссе рабо́ты in the prócess of the work it:sélf; — до **~ого** ве́чера right up, или until, night; до **~ой** ста́нции right up to the station; all the way to the station; о́коло **~ой** апте́ки just next to the chémist's [...'ke-]; с **~ого** до́ма all the way home; 2. (с указа́т. местоиме́ниями) тот же ~ (что, кото́рый), тако́й же ~ (как) the same (as); тот ~ (кото́рый) (just) the (who, which), (exáctly) the (who, which); э́тот же ~; the same; в, на том же **~ом** ме́сте, где in the same place where, exáctly where; в то же **~ое** вре́мя, когда́ just when; э́то тот ~ челове́к, кото́рый э́то сде́лал it is the very man* who did it; э́то тот ~ челове́к, кото́рый нам ну́жен that /

he is the very man* we want; **3.** *как частица* (*наиболее*) most *или передаётся простой формой* superl.: ~ интересный the most interesting; ~ трудный, длинный, старый the most difficult, the longest, the oldest; ◇ в ~ом деле indeed; в ~ом деле.? indeed?, really? ['гɪɔ-]; на ~ом деле as a matter of fact, in fact, actually, in reality [...ɪ'æ-]; сейчас ~ое время now is as good a time as any.

сан *м.* dignity; (*духовный*) order, cloth; быть посвящённым в духовный ~ take* (holy) orders, be ordained; лишать духовного ~а (*вн.*) defrock (*d.*), unfrock (*d.*); из уважения к его ~у out of respect for his cloth.

санаторий *м.* sanatórium (*pl.* -ria), health centre [-helθ-...].

санаторно-курортн‖**ый** обеспечить ~ым лечением (*вн.*) provide facilities in sanatória and health resorts [...helθ -'zɔ:ts] (for).

санаторный sanatórium (*attr.*); ~ режим sanatórium régimen / routine [...ru:'ti:n].

санбат *м.* (санитарный батальон) = медсанбат.

сангвина *ж. жив.* sanguine.

сангвин‖**ик** *м.* sánguine pérson. ~**ический** sánguine.

сандал *м. бот.* sándalwood [-wud], sándal.

сандалии *мн.* (*ед.* сандалия *ж.*) sándals.

сандалов‖**ый** sándal (*attr.*); ~ое дерево sándalwood tree [-wud...].

сандвич *м.* sándwich.

сан‖**и** *мн.* **1.** sledge *sg.*, sleigh *sg.*; ехать на, в ~ях drive* in *a* sledge / sleigh; **2.** *спорт.* tobóggan *sg.*, luge [-u:ʒ] *sg.*

санинструктор *м.* (санитарный инструктор) *см.* санитарный.

санитар *м.* hóspital atténdant; *воен.* médical órderly, corps man* [kɔ:...] *амер.* ~**ия** *ж.* sanitátion. ~**ка** *ж.* júnior nurse; *воен.* (girl) médical órderly [g-...].

~**ный** sánitary; médical; ~ный врач sánitary inspéctor; ~ный поезд hóspital train; ~ный самолёт air ámbulance ['ɛə-...], ámbulance plane; ~ный надзор médical inspéction / sérvice, sánitary inspéction; ~ный инструктор médical instructor; ~ная сумка first-aid kit; ~ный пункт médical post [...poust]; ~ная часть médical únit; ~ный узел lávatory cum báthroom [...'bɑ:θ-].

санки *мн. разг.* **1.** = сани; **2.** = салазки 1.

санкционировать *несов. и сов.* (*вн.*) sánction (*d.*).

санкци‖**я** *ж.* **1.** (*утверждение*) appróval [-ru:-]; (*правительства*) sánction; давать ~ю (*на вн.*) give* one's sánction (to), appróve [-ru:v] (*d.*); **2.** *об. мн.* (*мероприятие против стороны, нарушившей соглашение и т. п.*) (púnitive) sánctions; применять ~и apply / use sánctions.

санкюлот *м. ист.* sànsculótte [sɑ:ŋk-].

санный sledge (*attr.*), sleigh (*attr.*); ~ путь sléigh-road; ~ спорт tobógganing, lúging [-u:ʒ].

сановитый = сановный.

сановник *м. ист.* dígnitary, high official.

сановный of exálted rank.

саночки *мн. уменьш. от* санки; ◇ любишь кататься, люби и ~ возить *посл.* ≃ áfter the feast comes the réckoning.

саночник *м.*, **-ница** *ж. спорт.* tobógganer, lúger ['lu:ʒə].

санскрит *м.* Sánskrit, the Sánskrit lánguage. ~**олог** *м.* Sánskritist, Sánskrit schólar [...'skɔ-]. ~**ский** Sánskrit; ~ский язык Sánskrit, the Sánskrit lánguage.

сантехника *ж.* (санитарная техника) sánitary ènginéering [...endʒ-].

сантиграмм *м.* céntigrámme [-græm].

сантим *м.* céntime ['sɑ:nti:m].

сантиментальничать, сантиментальный = сентиментальничать, сентиментальный.

сантименты *мн. разг.* sèntimèntálity *sg.*, sèntiméntalism *sg.*; разводить ~ о чём-л., по поводу чего-л. sèntimèntalize óver / abóut smth.

сантиметр *м.* **1.** céntimètre [-me-]; **2.** (*лента с делениями*) tápe-measure [-me-]; (*линейка*) tápe-line.

сантонин *м. фарм.* sántonin.

санузел *м.* = санитарный узел *см.* санитарный.

санчасть *ж.* (санитарная часть) médical únit.

сап *м. вет., мед.* glánders *pl.*

сап‖**а** *ж. воен.* sap; ◇ тихой ~ой on the sly.

сапёр *м. воен.* field ènginéer [fi:- endʒ-], sápper, pionéer; cómbat ènginéer *амер.* ~**ный** field-ènginéer ['fi:ldendʒ-] (*attr.*), cómbat-ènginéer [-endʒ-] (*attr.*); ~ная рота field(-ènginéer) cómpany [...'kʌ-]; ~ные лопатки digging tools.

сапной *вет., мед.* glánderous.

сапог *м.* (high) boot; (*с отворотами*) tóp-boot; (*выше колена*) jáckboot; ~ а́х bóoted; кожа для сапог shóe-leather ['ʃu:le-]; ◇ под ~ом (*рд.*) únder the heel (of); два ~а пара *разг.* ≃ they make a pair.

сапожн‖**ик** *м.* **1.** shoe:máker ['ʃu:-], bóot-máker; **2.** *разг.* (*о неумелом работнике*) búngler. ◇ ~ без сапог *погов.* ≃ the shoe:máker's wife is the worst shod. ~**ичать** be a shoe:máker [...'ʃu:-]. ~**ый** shoe [ʃu:] (*attr.*); ~ая щётка shóe-brush ['ʃu:-]; ~ый крем, ~ая вакса blácking, shóe-polish ['ʃu:-]; ~ое ремесло shóe:máking ['ʃu:-].

сапфир *м.* sápphire ['sæf-]. ~**ный**, ~**овый** *прил. к* сапфир.

сапфическ‖**ий** *лит.* Sápphic ['sæf-]; ~ая строфа Sápphic stánza.

сарабанда *ж. муз.* sáraband.

сарай *м.* shed; (*перен.: неуютное помещение*) barn; ~ для дров wóod-shed ['wud-]; ~ для сена háy-loft; каретный ~ cóach-house* [-s].

саранча *ж.* lócust.

сарафан *м.* **1.** (*русская женская крестьянская одежда*) sàrafán; **2.** (*летнее платье*) sún-dress.

сарацин *м. ист.* Sáracen.

сарделька *ж.* small sáusage.

сардин‖**а** *ж.*, ~**ка** *ж.* pílchard, sàrdíne [-'di:n]; ~ы в масле (tinned) sardínes.

сардоникс *м. мин.* sárdonyx.

сардонический sàrdónic.

саржа *ж. текст.* serge.

сари *с. нескл.* sári ['sɑ:ri].

сарк‖**азм** *м.* sárcàsm. ~**астический**, ~**астичный** sàrcástic.

саркома *ж. мед.* sárcóma (*pl.* -ata).

саркофаг *м.* sàrcóphagus (*pl.* -agi).

сарпинка *ж. текст.* printed cálico.

сарыч *м. зоол.* búzzard.

сатан‖**а** *м. тк. ед.* Sátan. ~**инский** sàtánic.

сателлит *м. астр.* (*тж. перен.*) sátellite.

сатин *м.* sàtéen [sæ-]. ~**ет** *м.* sàtinét(te).

сатинировать *несов. и сов.* (*вн.*) sátin (*d.*).

сатиновый sàtéen [sæ-] (*attr.*).

сатир *м. миф.* sátyr ['sæ-].

сатир‖**а** *ж.* sátire. ~**ик** *м.* sátirist. ~**ический** sàtíric(al).

сатрап *м. ист.* sátrap ['sæ-].

Сатурн *м. миф., астр.* Sáturn ['sæ-].

сатурналии *мн. ист.* Sàtùrnália.

сафьян *м.* morócco. ~**ный**, ~**овый** morócco (*attr.*).

сахар *м.* súgar ['ʃu-]; тростниковый ~ cáne-sùgar [-ʃu-]; свекловичный ~ beet súgar; молочный ~ *хим.* milk súgar, lactòse [-s].

сахарин *м.* sáccharin [-kə-]. ~**овый** *прил. к* сахарин.

сахар‖**истый** sáccharine [-kə-]. ~**ить**, **посахарить** (*вн.*) *разг.* súgar ['ʃu-] (*d.*). ~**ница** *ж.* súgar-bàsin ['ʃugəbeɪs-].

сахарн‖**ый** *прил. к* сахар; súgary ['ʃu-] (*тж. перен.*); sáccharine [-kə-] *научн.*; ~ песок gránulàted súgar [...'ʃu-]; ~ая пудра ícing súgar; ~ая голова súgar-loaf* ['ʃu-]; ~ тростник súgar-cáne ['ʃu-]; ~ая свёкла súgar-beet, white beet; ~ая глазурь ícing; ~ая промышленность súgar índustry; ~ая кислота *хим.* sacchàric ácid [-'kɑ:-...]; ~ завод súgar-refínery ['ʃugərifaɪ-]; ~ая болезнь *мед.* diabètès [-i:z].

сахароварение *с.* súgar refíning ['ʃu-...].

сахароза *ж. хим.* sáccharòse [-kərous].

сахарозаводчик *м.* ówner of *a* súgar-refínery ['ounə... 'ʃugərifaɪ-], súgar mànufácturer ['ʃu-...].

сачковать *разг.* skive (off); góof-òff *амер.*

сачок I *м.* net; ~ для рыбы lánding-nèt; ~ для бабочек bútterfly-nèt.

сачок II *м. разг.* (*бездельник*) skíver; góldbricker *амер.*

саше *с. нескл.* sáchet ['sæʃeɪ].

сбав‖**ить** *сов. см.* сбавлять. ~**ка** *ж. разг.* = скидка.

сбавлять, сбавить (*вн. с рд.*) take* off (*d.* from); ~ с цены redúce / abàte the price; ~ в весе (*о человеке*) lose* weight [lu:z-]; ◇ сбавить спеси кому-л. *разг.* ≃ take* smb. down a peg or two; ~ тон change one's tune [tʃeɪ-...]; sing* small *идиом.*

сбагрить *сов.* (*вн.*) *разг.* shake* off (*d.*); (*о человеке*) send* pácking (*d.*).

сбалансировать *сов. см.* балансировать 2.

сбега́||ть *сов. разг.* run*; (*за тв.*) run* (for); ~й за до́ктором run for a doctor; ~й в магази́н run to the shop.

сбега́ть, сбежа́ть 1. (*с рд.; спуска́ться све́рху*) run* down (from above); ~ с горы́ run* down a hill; он бы́стро сбежа́л с ле́стницы he ran quickly downstairs; **2.** (*от; убега́ть*) run* a:wáy (from); соба́ка сбежа́ла от хозя́ина the dog ran a:wáy from its máster; ◊ кра́ска сбежа́ла с его́ лица́ the cólour vánished / fled from his cheeks [...'kʌ-...]. ~ся, сбежа́ться come* rúnning; gáther, collect; сбежа́лся наро́д péople gáthered round [ri:-...], péople collécted.

сбежа́ть(ся) *сов. см.* сбега́ть(ся).

сберега́тельн||ый: ~ая ка́сса sávings bank; ~ая кни́жка sávings-bank book.

сберега́ть, сбере́чь (*вн.*) **1.** (*сохранять*) save (*d.*), presérve [-'zɔ:v] (*d.*); (*предохраня́ть*) protéct (*d.*); сбере́чь вре́мя save time; сбере́чь пальто́ от мо́ли protéct the coat from moth; **2.** (*копи́ть*) save (*d.*), save up (*d.*), put* aside (*d.*).

сбереже́н||ие *с.* **1.** économy [i:-]; ~ сил *воен.* économy of fórces; ~ ору́жия *воен.* care / úpkeep of wéapons [...'we-]; **2.** *мн.* (*нако́пленная су́мма де́нег*) sávings, économies; ме́лкие ~ия pétty économies.

сбере́чь *сов. см.* сберега́ть.

сбер||ка́сса *ж.* = сберега́тельная ка́сса *см.* сберега́тельный. ~ кни́жка *ж.* = сберега́тельная кни́жка *см.* сберега́тельный.

сбива́ть I, сбить (*вн.*) **1.** (*уда́ром*) bring* / knock down (*d.*); **2.** (*я́блоки с де́рева и т.п.*) cause (*d.*) to fall, shake* down (*d.*); ~ кого́-л. с ног knock smb. down, knock smb. off his feet; ~ самолёт bring* / shoot* down an áircraft; сбить пти́цу (*уда́ром, вы́стрелом*) drop a bird; **2.** (*пу́тать*) put* out (*d.*); он счита́л, а вы его́ сби́ли he was counting and you put him out; ~ с та́кта put* / throw* out of time [...θroʊ...] (*d.*); **3.** *разг.* (*ста́птывать*): ~ каблуки́ tread* / wear* one's shoes down at the heels [tred wɛə... ʃu:z...]; ◊ ~ це́ну beat* down the price; ~ кого́-л. с то́лку bewílder / confúse smb. [-'wɪ-...]; muddle smb.; ~ спесь с кого́-либо ≅ take* smb. down a peg, cut* smb. down to size; сбить с пути́ и́стинного lead* astray (*d.*).

сбива́ть II, сбить (*вн.; скола́чивать*) knock togéther [...-'ge-] (*d.*); сбить я́щик из досо́к knock togéther a box out of planks.

сбива́ть III, сбить (*вн.*) (*о ма́сле*) churn (*d.*); (*о сли́вках, я́йцах*) whisk (*d.*), beat* up (*d.*), whip (*d.*).

сбива́ться I, сби́ться 1.: ~ с пути́, с доро́ги lose* one's way [lu:z...]; go* astráy (*тж. перен.*); ~ с та́кта get* out of time; ~ с то́на go* off key [...ki:]; ~ с ног lose* the step, fall* out of step; ~ в показа́ниях be inconsistent in one's téstimony, contradict oneself in one's évidence; **2.** (*на сто́рону*): шля́па сби́лась набо́к the hat is a:wrý, *или* all on one side; у него́ га́лстук сби́лся на́ сто́рону his nécktie / tie is all on one side; **3.** (*об обу́ви*) wear* down at the heels [wɛə...]; **4.** *страд. к* сбива́ть I; ◊ сби́ться с ног *разг.* be run off one's legs / feet.

сбива́ться II, сби́ться 1. (*о ма́сле*) be churned; (*о сли́вках, я́йцах*) be whisked, be béaten up; **2.** *разг.:* ~ в ку́чу, ~ толпо́й bunch.

сбива́ться III *страд. к* сбива́ть II.

сби́вчив||ость *ж.* inconsistency. ~ый confúsing, confúsed, inconsistent.

сби́тый I 1. *прич. см.* сбива́ть I; **2.** *прил. разг.* (*сто́птанный*) down at heel.

сби́тый II *прич. и прил.* (*о сли́вках и т.п.*) whisked.

сбить I, II, III *сов. см.* сбива́ть I, II, III.

сби́ться I, II *сов. см.* сбива́ться I, II.

сближа́||ть, сбли́зить (*вн.*) draw* / bring* togéther [...-'ge-] (*d.*); ~ться, сбли́зиться **1.** (*приближа́ться*) draw* togéther [...-'ge-]; *воен.* appróach; close in; на́ши то́чки зре́ния сбли́зились our points of view have drawn néarer [...vju:...]; we are beginning to understand each other's point of view; **2.** (*с тв.; станови́ться друзья́ми*) become* good* / close friends [...kloʊs fre-] (with). ~е́ние *с.* **1.** rapprochement (*фр.*) [ræ'proʃmɑ:ŋ]; *воен.* appróach; clósing in; **2.** (*дру́жба*) íntimacy.

сбли́зить(ся) *сов. см.* сближа́ть(ся).

сбой I *м. спорт.* lósing the step, fálling out of step.

сбой II *м. кул.* head, legs and éntrails (of ánimal) [hed...] (*as meat*).

сбо́ку *нареч.* (*со стороны́*) from one side; (*на одно́й стороне́*) on one side; (*ря́дом*) at the side; смотре́ть ~ look from one side, take* a side view [...vju:]; вид ~ síde-view [-vju:]; смотре́ть на кого́-л. ~ look at smb. síde:ways, look at smb. out of the córner of one's eye [...aɪ]; ~ есть пятно́ there is a spot on one side; коло́нна освещена́ ~ the cólumn is líghted from one side; обойти́ что́-л. ~ pass round smth.

сболта́ть *сов. см.* болта́ть I 1.

сболтну́ть *сов.* (*что-л.*) *разг.* just háppen to say smth., say smth. sílly, blurt out smth.

сбор *м.* **1.** colléction; ~ урожа́я hárvest; ~ виногра́да víntage; ~ ча́я tea picking; ~ нало́гов tax colléction; ~ све́дений colléction of informátion, gáining informátion; ~ по́дписей colléction of sígnatures; **2.** (*со́бранные де́ньги*) tákings *pl.*; по́лный ~ *теа́тр.* full house* [...-s]; хоро́шие ~ы *теа́тр.* good* box óffice *sg.*; де́лать хоро́шие ~ы *теа́тр.* play to full hóuses; get* good* bóx-óffice retúrns; **3.** (*нало́г*) tax, dúty; dues *pl.*; тамо́женный ~ cústoms dúties *pl.*; порто́вый ~ hárbour dues *pl.*; гéрбовый ~ stámp-dùty; **4.** (*встре́ча*) assémblage, gáthering; **5.** *воен.* assémbly, múster; periódical tráining; ла́герный ~ ánnual camp; пункт ~a assémbly place / point / post [...poʊst]; **6.** *мн.* (*приготовле́ния*) preparátions; ◊ быть в ~е be assémbled, be in séssion; все в ~е all are assémbled.

сбо́рище *с. разг.* assémblage, médley ['me-]; mob.

сбо́рка *ж. тех.* assémbling, assémblage; секцио́нная ~ séctional / únit assémbly.

сбо́рк||и *мн.* (*на пла́тье и т.п.*) gáthers; в ~ах, со ~ами with gáthers.

сбо́рная *ж. скл. как прил. спорт. разг.* combined team; (*страны́*) the national team [...'næ-...]; ~ Сове́тского Сою́за the USSR team.

сбо́рник *м.* **1.** (*кни́га*) colléction; ~ расска́зов, стате́й colléctéd stóries, árticles *pl.*; **2.** *тех.* (*вмести́лище*) stórage tank, recéptacle.

сбо́рн||ый *прил.* **1.** (*из отде́льных часте́й*) collápsible [-sə-]; ~ые дома́ prè:fábricáted hóuses; ~ые констру́кции prè:fábricáted élements; **2.** (*из разноро́дных часте́й*) combined; ~ая кома́нда *спорт.* combined team; (*страны́*) the national team [...'næ-...]; **3.** (*явля́ющийся ме́стом сбо́ра*) assémbly (*attr.*), rállying; ~ пункт assémbly point / place.

сбо́рочный assémbly (*attr.*); ~ конве́йер assémbly belt / line; ~ цех assémbly shop.

сбо́рщик *м.* **1.** colléctor; ~ чле́нских взно́сов colléctor of mémbership dues; ~ хло́пка cótton pícker; **2.** *тех.* fitter, assémbler, éngine fitter ['endʒ-...].

сбра́сывать, сбро́сить (*вн.*) **1.** (*броса́ть вниз*) throw* down [-oʊ...] (*d.*), drop (*d.*); конь сбро́сил седока́ the horse threw its ríder; ~ снег с кры́ши throw* the snow off the roof [...snoʊ...]; ~ бо́мбы drop bombs; ~ в ку́чу pile (*d.*), heap (*d.*); ~ с парашю́том parachúte [-ʃu:t] (*d.*), drop by parachúte (*d.*); **2.** (*сверга́ть*) throw* off (*d.*); **3.** (*о ко́же, ли́стьях*) shed* (*d.*); **4.** *разг.* (*снима́ть оде́жду, о́бувь и т.п.*) throw* off (*d.*); он сбро́сил (с себя́) боти́нки he kicked off his shoes [...ʃu:z]; ~ ма́ску (*прям. и перен.*) throw* off, *или* discárd, the mask; (*перен. тж.*) show* one's true self [ʃoʊ...]; ◊ ~ со счето́в no lónger take* into account (*d.*), disregárd (*d.*).

сбра́сываться I, сбро́ситься 1. (*с рд.; броса́ться вниз*) throw* oneself [θroʊ...] (from); **2.** *страд. к* сбра́сывать.

сбра́сываться II, сбро́ситься *разг.* (*скла́дываться*) have a whíp-round, chip in.

сбрива́ть, сбрить (*вн.*) shave* off (*d.*).

сбрить *сов. см.* сбрива́ть.

сброд *м. тк. ед. собир. разг.* the rábble, ríff-ráff, rágtàg and bóbtail.

сброс *м.* **1.** *геол.* fault; **2.** (*отто́к, отво́д воды́*) wáter escápe ['wɔ:-...].

сбро́сить *сов. см.* сбра́сывать.

сбро́ситься I, II *сов. см.* сбра́сываться I, II.

сброшюрова́ть *сов. см.* брошюрова́ть.

сбру́я *ж.* hárness.

сбры́згивать, сбры́знуть (*вн.*) sprínkle (*d.*).

сбры́знуть *сов. см.* сбры́згивать.

сбыва́||ть I, сбыть (*вн.*) **1.** (*продава́ть*) márket (*d.*), sell* (off) (*d.*); **2.** (*отде́лываться*) dispóse (of), get* rid (of); (*о това́ре*) dump (*d.*), push off [puʃ...] (*d.*); ~ с рук

СБЫ — СВЕ

get* off one's hands (d.); 3. (навязывать) palm off [pɑːm...] (d.).

сбыва́ть II, сбыть (об уровне воды) fall*.

сбыва́ться I, сбы́ться come* true, be réalized [...'rɪə-].

сбыва́ться II страд. к сбыва́ть I.

сбыт м. тк. ед. эк. sale, márket; име́ть хоро́ший ~ meet* a réady sale [...'reː-...]; име́ть ~ (для) have a márket (for); легко́ находи́ть себе́ ~ command a réady márket [-ɑːnd...]; sell* well*; ры́нок ~a márket.

сбытово́й прил. к сбыт.

сбы́точн‖ый: ~ое ли э́то де́ло? разг. is that póssible?

сбыть I, II сов. см. сбыва́ть I, II.

сбы́ться сов. см. сбыва́ться I.

сбы́читься сов. см. бы́читься.

сва́дебный wédding (attr.); núptial; ~ пода́рок wédding présent [...'prez-].

сва́дьб‖а ж. wédding; день ~ы wédding-day; быть на ~e be présent at a wédding [...-ez-...]; справля́ть ~у célebrate one's wédding.

сва́йн‖ый (attr.) pile (.); ~ые постро́йки pile-dwéllings, láke-dwèllings; ~ мост píle-brídge.

сва́ливать, свали́ть (вн.) 1. knock down / óver (d.), dump (d.); ~ в ку́чу pile up (d.); ~ дрова́ в ку́чу heap the fíre wood [...-wud]; боле́знь свали́ла его́ the íllness forced him to take to his bed; he is ill in bed; 2. разг. (сверга́ть) òver:thrów* [-ou] (d.); ◊ свали́ть вину́ (на вн.) shift / lump the blame (ón to). ~ся, свали́ться 1. fall* down; 2. разг. (заболева́ть) be ill in bed; (от слабости) collápse; ◊ свали́ться как снег на́ голову ≅ come* like a bolt from the blue.

свали́ть сов. см. сва́ливать и вали́ть II. ~ся сов. см. сва́ливаться.

сва́лк‖а ж. 1. dump; scráp-heap; выбра́сывать на ~у (вн.) dump (d.); 2. разг. (дра́ка) scuffle, scramble; о́бщая ~ mêlée (фр.) ['meleɪ].

сва́лочн‖ый: ~ое ме́сто = сва́лка 1.

сваля́ть сов. см. валя́ть II.

сваля́ться сов. (о волоса́х, шерсти) get* tangled.

сва́ра ж. (nóisy) quárrel [-zɪ...], sláng:ing match.

сва́ривать, свари́ть (вн.) тех. weld (d.). ~ся, свари́ться тех. 1. weld; 2. страд. к сва́ривать.

свари́ть(ся) сов. 1. см. вари́ть(ся); 2. см. сва́ривать(ся).

сва́рка ж. тех. wéld(ing); автоге́нная ~ autógenous wélding.

сварли́в‖ость ж. quárrelsome ness, pée vishness, shréwishness. ~ый quárrelsome, péevish, shréwish, cantánkerous; ~ая же́нщина shrew.

сварно́й тех. wélded; ~ шов wélded joint, weld.

сва́рочн‖ый тех. wélding (attr.); ~ая сталь wrought íron [...'aɪən].

сва́рщик м. wélder.

сва́стика ж. swástika, fýlfòt.

сват м. 1. mátchmàker; 2. (оте́ц зя́тя) fáther of the són-in-law ['fɑː-...

'sʌn-]; (оте́ц неве́стки) fáther of the dáughter-in-law.

сва́т‖ать, посва́тать, сосва́тать 1. (кого́-л. кому́-л., за кого́-л.) propóse smb. to smb. as a wife*, húsband [...-z-]; 2. при сов. посва́тать (вн.; проси́ть согласия на брак) ask in márriage [...-rɪdʒ] (d.). ~аться, посва́таться (к; за вн.) woo (d.), ask / seek* in márriage [...-rɪdʒ] (d.). ~овство́ с. mátch máking.

сва́тья ж. (мать зя́тя) móther of the són-in-law ['mʌ-... 'sʌn-]; (мать неве́стки) móther of the dáughter-in-law.

сва́ха ж. mátchmaker.

сва́я ж. pile; на ~х on piles.

све́дать (вн.) уст. learn* [lɜːn] (d.), get* to know [...nou] (d.).

све́дени‖е с. 1. об. мн. (изве́стие, сообще́ние о чём-л.) informátion sg., intélligence sg.; (да́нные) informátion; по полу́ченным ~ям according to informátion recéived [...-'siː-]; по мои́м ~ям to my knówledge [...'nɒ-]; отчётные ~я retúrns; 2. мн. (зна́ния) knówledge sg.; ◊ принима́ть что-л. к ~ю take* smth. into considerátion; доводи́ть что-л. до ~я кого́-л. bring* smth. to smb.'s nótice [...'nou-], infórm smb. of smth.

сведе́ние с. 1. redúction; ~ (ли́чных) счётов с кем-л. squáring of accóunts with smb.; 2. мед. contráction, cramp.

све́дущий (в пр.) versed (in), expérienced (in).

свежева́ть, освежева́ть (вн.) skin (d.), flay (d.).

свежевы́беленный néwly white washed.

свежезаморо́женный frésh-frózen.

свеже испечённый néwly-báked; (перен.) разг. raw, néwly-flédged. ~моро́женый = свежезаморо́женный. ~просо́льный frésh-sálted; ~просо́льное мясо frésh-sálted meat; ~просо́льные огурцы́ frésh-sálted cúcumbers.

све́жесть ж. (в разн. знач.) fréshness; (прохла́да тж.) cóolness, críspness.

свеже́‖ть, посвеже́ть 1. becóme* cóol(er); (о ветре) fréshen (up); мор. come* (on) to blow [...blou]; на у́лице ~ет it is becoming cóol(er) óutside; ве́тер ~ет the wind is becoming cóoler [...wɪ-...]; 2. (о челове́ке) fréshen up, acquíre a glow of health [...glou... helθ].

све́ж‖ий 1. (в разн. знач.) fresh; ~ая ры́ба, ~ие я́йца и т.п. fresh fish, eggs, etc.; ~ цвет лица́ fresh compléxion; со ~ими си́лами with renéwed strength; ~ ве́тер fresh wind [...wɪ-]; мор. fresh breeze; ~ во́здух fresh / cool / crisp air; ~ее бельё clean únderclòthes [...-'klou-] pl.; 2. (неда́вний) látest; ~ие но́вости látest news [...-z] sg.; ~ая ра́на fresh wound [...wuː-]; ◊ ~о́ в па́мяти fresh in one's mind / mémory.

свежо́ I 1. прил. кратк. см. све́жий; 2. предик. безл. it is fresh, it is cool; it is chílly; здесь ~ it is chílly (in) here.

свежо́ II нареч. frésh(ly), cóolly.

свезти́ I сов. см. свози́ть I.

свезти́ II сов. = свози́ть II.

свёкла ж. тк. ед. beet, béetrоot; кормова́я ~ mángel(-wúrzel); столо́вая

~ red beet; са́харная ~ súgar-beet ['ʃu-], white beet.

свеклови́‖ца ж. súgar-beet ['ʃu-]. ~чный прил. к свеклови́ца; ~чный са́хар béet-sùgar [-ʃu-].

свеклово́д м. (súgar-)beet grówer ['ʃu- -ouə].

свеклово́д ство с. (súgar-)beet gró wing ['ʃu- -ou-]. ~ческий (súgar-)béet-gró wing ['ʃu- -ou-] (attr.).

свеклокопа́тель м. beet hárvester.

свеклоса́харный súgar-beet ['ʃu-] (attr.), béet-sùgar [-ʃu-] (attr.); ~ заво́д béet-sùgar fáctory.

свеклосовхо́з м. State béetroot farm.

свеклоубо́рочн‖ый béet-hárvesting; ~ая маши́на beet hárvester, béetroot púller [...'pu-]; ~ комба́йн béet-hárvesting combíne.

свеко́льн‖ик м. 1. (ботва́) beet tops pl.; 2. (суп) béetroot soup [...suːp]. ~ый béet(root) (attr.).

свёкор м. fáther-in-law ['fɑː-] (pl. fáthers-) (húsband's fáther).

свекро́вь ж. móther-in-law ['mʌ-] (pl. móthers-) (húsband's móther).

свеликоду́шничать сов. см. великоду́шничать.

свербе́ть разг. itch, be írritated.

сверга́ть, све́ргнуть (вн.) throw* down [-ou...] (d.), òver:thrów* [-ou] (d.); све́ргнуть ца́рское прави́тельство òver:thrów* the tsárist góvernment [...'zɑː-, 'tsɑː- 'gʌ-]; ~ с престо́ла dethróne (.). ~ся, све́ргнуться 1. уст. precípitàte one self; 2. страд. к сверга́ть.

све́ргнуть(ся) сов. см. сверга́ть(ся).

сверже́ние с. óver throw [-ou]; ~ ца́рского прави́тельства óver throw of the tsárist góvernment [...'zɑː-, 'tsɑː- 'gʌ-]; ~ с престо́ла dethróne ment.

све́рзиться сов. (с рд.) разг. tumble (off, from).

свер‖и́ть(ся) сов. см. сверя́ть(ся). ~ка ж. (ко́пии с по́длинником) collátion.

сверка́ние с. spárkling, twínkling, lámbency; (я́ркое) glítter; (ослепи́тельное) glare. ~ть spárkle, twínkle; (я́рко) glítter; (ослепи́тельно) glare; мо́лния ~ет lightning is fláshing. ~ну́ть сов. flash; ~ну́ла мо́лния there was a flash of lightning; он ~ну́л глаза́ми his eyes flashed (fire) [...aɪz...].

сверли́льный drílling; ~ стано́к drílling / bóring machíne [...-'ʃiːn].

сверли́ть (вн.) drill (d.), pérforàte (d.); (перен.) nag (at), gnaw (at).

сверл‖о́ с. drill, pérforàtor, áuger ['ɔːgə]. ~о́вщик м. dríller. ~я́щий 1. прич. см. сверли́ть; 2. прил. (о боли и т.п.) gnáwing, nágging.

сверну́ть(ся) сов. см. свёртывать(ся).

сверста́ть сов. см. свёрстывать и верста́ть.

све́рстн‖ик м., ~ица ж.: мы с ним ~ики we are the same age; он мой ~, она́ моя́ ~ица he, she is my age.

свёрстывать, сверста́ть (вн.) полигр. impóse (d.).

свёрток м. páckage, párcel, búndle; ~ бума́г búndle of pápers.

свёртываемость ж. co àgulabílity.

свёртывание с. 1. (тру́бкой) rólling up; 2. (сокраще́ние) cùrtáilment, redúction, cútting down; ~ произвóдства cùrtáilment of prodúction, prodúction cútting; cuts *pl. разг.*; 3. (*о сливках, молоке*) túrning, sétting; (*о крóви*) còagulátion.

свёртывать, свернýть 1. (*вн.*) roll up (*d.*); ~ ковёр roll up *the* cárpet; ~ папирóсу roll *a* cigarétte; ~ парусá furl sails. 2. (*вн.; сокращáть*) cùrtáil (*d.*); redúce (*d.*), cut* down* (*d.*); ~ произвóдство cùrtáil prodúction. 3. (*без доп.; повора́чивать*) turn; ~ в стóрону turn asíde; ~ напрáво, налéво turn to the right, left; ~ с дорóги turn off *the* road; свернýть шéю комý-л. wring* smb.'s neck; свернýть комý-л. гóлову *разг.* screw smb.'s head off [...hed...]. ~ся, свернýться 1. curl up, roll up (*о змее*) coil up; ~ся клубкóм, клубóчком roll onesélf up into a ball; ~ся в колóнну *воен.* break* into cólumn [-eɪk...]; 2. (*о молокé, сливках*) curdle; (*о крóви*) còagulàte; 3. *страд.* к свёртывать 1, 2.

сверх *предл.* (*рд.*) 1. (*на чём-л., на что-л.*) óver; ~ скатерти лежит клеёнка there is a piece of óilcloth óver the táble-clòth [...piːs...]; 2. (*помимо*) besídes; (*превосхóдя*) abóve; (*вне*) beyónd; ~ (всякого) ожидáния beyónd (all) èxpectátion; ~ прогрáммы in addítion to the prógramme [...-ou-]; ~ сил beyónd one's strength; ~ плáна in excéss of the plan, óver and abóve the plan; ~ зарплáты on top of wáges; ~ тогó mòreóver; ~ всегó to crown all; on top of évery:thing.

сверхдальнобóйный *воен.* sùper-ránge [-'reɪ-] (*attr.*).

сверхзадáча *ж.* the most impórtant task.

сверхзвуков||óй *физ.* sùpersónic; ~áя скóрость sùpersónic speed.

сверхкомплéктный sùpernúmerary.

сверхмóщн||ый sùper-pówer (*attr.*); èxtra-high-pówer (*attr.*); ~ая гидростáнция high-pówer hýdro-eléctric státion.

сверхни́зк||ий extrémely / ùltra low [...lou]; ~ие температýры ùltra low témperatures.

сверхплáнов||ый óver and abóve the plan; ~ая продýкция prodúction abóve the plan, abóve-plàn prodúction.

сверхпри́быль *ж. эк.* sùperprófit.

сверхпровод||и́мость *ж. эл.* sùperconductívity. ~ни́к *м. эл.* sùperconductor. ~я́щий *эл.* sùperconducting, sùperconductive.

сверхсекрéтный top sécret.

сверхскоростнóй sùper-high-spéed (*attr.*).

сверхсмéтный in excéss of éstimates.

сверхсрóчник *м.* = сверхсрочнослужащий.

сверхсрочнослýжащий *м. скл. как прил. воен.* man* rè-en:gáging áfter complétion of státutory military sérvice, exténded--sèrvice man*.

сверхсрóчн||ый 1. *воен.* rè-en:gáged, rè-enlísted; ~ая воéнная слýжба addítional sérvice (*voluntarily undertaken after completion of statutory period*); 2. *разг.* (*крáйне спéшный*) éxtra úrgent.

свéрху *нареч.* (*с вéрхней сторонý, с высоты*) from abóve; (*считая свéрху*) from (the) top; (*наверхý*) on top: вид ~ view from abóve [vjuː...]; свет пáдает ~ the light falls from abóve; пя́тая строкá ~ the fifth line from the top; трéтий этáж ~ the third stórey from the top; ~ донизу from top to bóttom; положи́ть кни́гу ~ place / put* the book on top; — смотрéть на когó-л. ~ вниз look down on smb.; ~ всегó on top of évery:thing.

сверхурóчн||о *нареч.* óver:time; рабóтать ~ work óver:time. ~ый 1. *прил.* óver:time (*attr.*); ~ая рабóта óver:time work; 2. *мн. как сущ.* óver:time móney / pay [...mʌ...] *sg*.

сверхчеловé||к *м.* súper:mán*. ~чeский sùperhúman.

сверхчýвственный prèter:sénsual.

сверхчувстви́тельн||ый sùpersénsitive; ~ые прибóры ùltrasénsitive ínstruments.

сверхштáтный sùpernúmerary.

сверхъестéственный sùpernátural, prèter:nátural.

сверчóк *м.* crícket; ◇ всяк ~ знай свой шестóк *посл.* ≃ the cóbbler should stick to his last.

свершáть, свершúть = совершáть, совершúть.

сверш||áться, свершúться be done, be in prógress; (*о надéждах, мечтáх и т.п.*) come* true; ~и́лось! the inévitable (has) occúrred! ~éние *с.* achíeve:ment.

свершúть *сов. см.* свершáть. ~ся *сов. см.* свершáться.

сверя́ть, свéрить (*вн. с тв.; кóпию с пóдлинником*) còllàte (*d.* with). ~ся, свéриться 1. *разг.* check; 2. *страд.* к сверя́ть.

свес *м.* óver:hàng; ~ кормы́ *мор.* cóunter.

свéсить(ся) *сов. см.* свéшивать(ся).

свести́(сь) *сов. см.* своди́ть I. ~сь *сов. см.* своди́ться.

свет I *м.* light; дневнóй ~ dáylight; сóлнечный ~ sún:light, súnshine; лýнный ~ móonlight; при ~e (*рд.*) by the light (of); при ~e свечи́ by the light of *a* candle, by cándle:light; при электри́ческом ~e by eléctric light; при ~e луны́ by móonlight; ~ и тéни *жив.* lights and darks; ◇ в ~e (*рд.*) in the light (of): в ~e марксúстской теóрии in the light of Márxist théory [...'θɪə-]; в ~e нóвых откры́тий in the light of new discóveries [...-'kʌ-]; в и́стинном ~e in its true light; ~ брóсить (на *вн.*) throw* light [-ou-] (on): проливáть (*на вн.*) shed* / throw* light (on); загорáживать ~ комý-л. stand* in smb.'s light; представля́ть что-л. в вы́годном ~e show* smth. to the best advántage [ʃou... -'vɑː-], place smth. in a good light; чуть ~ at dáybreak [...-eɪk], at first light; ни ~ ни заря́ at the crack of dawn; что ты встал ни ~ ни заря́? why did you get up, *или* what got you up, at this ùn:éarthly hour? [...-'əːθ- auə]; он ~a не взви́дел *разг.* évery:thing went dark befóre him, évery:thing swam befóre his eyes [...aɪz]; ~ очéй *поэт.* light of one's eyes.

свет II *м.* 1. (*земля́, мир*) world; Стáрый, Нóвый ~ the Old, the New World; чáсти ~a *геогр.* parts of the world; стрáны ~a the cárdinal points; весь ~ the whole world [...houl...]; по всемý ~y all óver the world, the (whole) world óver; объéхать вокрýг ~a go* round the world; путешéствие вокрýг ~a a trip round the world; 2. (*óбщество*) world, society; вы́сший ~ society, high life; знать ~ know* the world [nou...]; выезжáть в ~ go* out; ◇ появля́ться на ~ (*рождáться*) be born, come* into the world; производи́ть на ~ (*вн.; издавáть*) bring* into the world (*d.*); выпускáть в ~ (*вн.; издавáть*) públish [-'ʌ-] (*d.*); покидáть ~ quit the world; тот ~ the next / other world; он на том ~e, егó нет на ~e he has left / depárted this life; такóв ~ such is the world; that is the way of the world; so the world goes; ни за что на ~e! not for the world!; ничтó на ~e no pówer on earth [...-əːθ]; бóльше всегó на ~e abóve all / évery:thing; ~ не клúном сошёлся ≃ the world is large enóugh [...ɪ'nʌf]; (*есть ещё выбор*) there are other fish in the sea; ругáться на чём ~ стоúт ≃ swear* like nothing on earth [sweə...], swear* like hell; curse blue; конéц ~a dóomsday [-z-]; the end of the world; край ~a a world's end.

свет||áть *безл.*: ~áет, начинáет ~ it is dáwning, day is bréaking [...-eɪk-].

светёлка *ж. уст.* áttic.

свети́л||о *с.* (*прям. и перен.*) lúminary; небéсные ~a héavenly bódies ['he-bə-]; ~ наýки a léading light in science.

свети́льник *м.* lamp.

свети́льный: ~ газ líghting-gàs.

свет||и́ть 1. (*излучáть свет*) shine*: лунá, сóлнце свéтит the moon, the sun shines, *или* is shíning; на нéбе ~и́ли звёзды in the sky the stars were shíning; 2. (*дт.*) give* some light (*i.*). ~и́ться (*в разн. знач.*) shine*: на нéбе ~и́лись звёзды the stars were shíning in the sky; егó глазá ~и́лись от рáдости his eyes shone with joy [...aɪz ʃɒn...]; — в окнé ~и́лся огонёк there was a light in the window.

светлéть, посветлéть 1. brighten; (*о нéбе*) clear up; 2. *тк. несов.* (*виднéться*) show* [ʃou]. ~ся = светлéть 2.

светли́ца *ж. уст.* front room [frʌ-...].

свéтло *прил. кратк. см.* свéтлый.

свéтло- (*в сложн.*) light: ~-голубóй, ~-сéрый light blue, light grey.

светлó I *предик. безл.* it is light; на двор́е ~ it is dáylight; на двор́е совсéм ~ it is broad dáylight [...-ɔːd...]; мне ~ there's light enóugh for me [...ɪ'nʌf]; когда́ стáло ~ (*рассвелó*) when it becáme light.

светлó II *нареч.* bríghtly.

светловолóсый fáir(-háired).

светлоглáзый bríght-éyed [-'aɪd].

свéтлость *ж.* 1. líghtness, bríghtness; 2.: вáша, егó *и т. д.* ~ Your, His, *etc.*, Híghness.

свéтл||ый (*в разн. знач.*) light; bright; ~ая кóмната light room; ~ое плáтье light-cóloured dress [-kʌləd...]; ~ день bright day; ~ шрифт *полигр.* líght-fàce; ◇ ~ая головá, ~ ум lúcid mind, bright intellèct, bright spírit; ~ой па́мяти of bléssed mémory; ~ая ли́чность ≅ pure soul [...soul]; ~ое бу́дущее bright / rádiant fúture.

светля́||к м., ~чо́к м. зоол. glów-wòrm [-ou-]; (летающий) fíreflỳ.

светобоя́знь ж. мед. phòtophóbia.

светов||о́й light (attr.); ~ сигна́л light sìgnal; ~а́я волна́ light wave; ~а́я рекла́ма illúminàted signs [...saɪnz] pl.; ~ эффе́кт театр. líghting effect.

светогра́мма ж. воен. flash(ed) / vísual méssage [...'vɪz-...].

светоза́рный bright, rádiant.

светокопирова́льный phòto:státing; blúe:prìnting.

светоко́пия ж. phòto:stàt, blúe:prìnt.

светолече́бница ж. hélio:thèrapy ínstitùte; phòto:thèrapéutic ínstitùte.

светолече́ние с. мед. hélio:thèrapy; phòto:thèrapy.

светолюби́вый бот. líght-requíring.

светомаскиро́вка ж. bláck-òut.

светому́зыка ж. son et lumière (фр.) [sɔn ei 'luːmjeə].

светонепроница́емый líght-proof.

све́топись ж. уст. photógraphy.

светопреставле́ние с. церк. the end of the world, dóomsday [-z-]; (перен.) разг. cháos ['keɪ-].

светосигнализа́ция ж. воен. lamp sìgnalling.

светоси́ла ж. опт. illuminátion; cándle:pòwer.

свето́тень ж. (в живописи) chiaroscúro [kɪ-]; treatment of light and shade (in painting).

светоте́хника ж. líghting / illúminàting èngineering [...endʒ-]; líghting technólogy.

светофи́льтр м. физ. hélio:fìlter, light fìlter.

светофо́р м. light sìgnal; tráffic lights pl.

све́точ м. уст. lamp; (перен.) lúminary, léading light.

светочувстви́тельн||ость ж. phòto:sènsitivity; (плёнки тж.) speed. ~ый líght:-sènsitive; ~ая бума́га, пласти́нка sénsitized pàper, plate.

све́тск||ий уст. 1. (не церковный) sécular, témporal, wórldly; ~ая власть témporal pówer; ~ое образова́ние sécular educátion. 2.: ~ая жизнь high life; ~ая же́нщина wóman of the world ['wu-...], wóman of fáshion; ~ челове́к man* about town, man* of fáshion, man* of the world; ~ разгово́р políte cònversátion; ~ое о́бщество (high) society. ~ость ж. уст. good mánners pl.; good bréeding.

светя́щ||ийся 1. прич. см. свети́ться; 2. прил. lúminous, lùminéscent [lu-], fluoréscent; (фосфоресцирующий) phòsphoréscent; ~аяся кра́ска lúminous paint.

свеч||а́ ж. 1. candle; (зажжённая тж.) light; (тонкая) táper; зажига́ть, туши́ть ~у́ light*, put* out, a candle; 2. (единица измерения силы света) cándle-pòwer; ла́мпочка в три́дцать ~е́й lamp of thírty cándle-pòwer; 3. мед. suppósitory [-zɪ-]; 4. тех.: ~ зажига́ния,

запа́льная ~ spárking plug; ◇ игра́ не сто́ит свеч the game is not worth the candle; жечь ~у́ с двух концо́в burn* the candle at both ends [...bəʊθ...].

свече́ние с. lùminéscence [lu-], fluoréscence; phòsphoréscence.

све́чка ж. = свеча́ 1, 3.

свечно́й candle (attr.); ~ заво́д cándle-wòrks; огаро́к cándle-ènd.

све́шать сов. см. ве́шать III.

све́шаться сов. см. ве́шаться III.

све́шивать, све́сить (вн.) let* down (d.), lówer ['loʊə]; све́сить верёвку let* the rope down, lówer the rope; сиде́ть, све́сив но́ги sit* with one's legs dángling. ~ся, све́ситься (перегибаться) lean* over; (склоняться; о ветвях и т.п.) hang* over, óver:háng*.

свива́льник м. swáddling-bànds pl., swáddling-clòthes [-klouðz] pl.

свива́ть, свить (вн.) 1. wind* (d.), twist (d.), twine (d.); ~ верёвку twist / twine a rope; свить вено́к make* a wreath*; weave* a gárland; свить гнездо́ build* a nest [bɪld...]; 2. тк. несов. (о ребёнке) swaddle (d.). ~ся, сви́ться 1. coil, roll up; 2. страд. к свива́ть.

свида́ни||е с. méeting; (заранее условленное) appóintment, réndezvous ['rɔndɪvuː]; date разг.; назнача́ть ~ (на вн.) make* an appóintment (for); приходи́ть, не приходи́ть на ~ keep*, break* an appóintment / date [...-eɪk...]; до ~я! good-býe!; до ско́рого ~я! see you soon!

свиде́те||ль м., ~льница ж. witness (тж. юр.); (очевидец) éye-wìtness ['aɪ-]; ~ обвине́ния witness for the prosecútion; ~ защи́ты witness for the defénce; безмо́лвный ~ mute witness; призыва́ть, брать кого́-л. в ~ли call smb. to witness; быть ~лем (рд.) be a witness (of), witness (d.); вызыва́ть в ка́честве ~ля (вн.) юр. subpóena as a witness [-'piː-...] (d.).

свиде́тельск||ий witness (attr.); ~ие показа́ния téstimony sg.

свиде́тельство с. 1. (показание) évidence, téstimony; 2. (доказательство) évidence, illustrátion; я́ркое ~ (рд.) stríking illustrátion (of); 3. (удостоверение) certíficate (разрешение) license ['laɪ-]; ~ о рожде́нии, метри́ческое ~ birth-certíficate; медици́нское ~ certíficate of health [...-he-]; ~ о бра́ке certíficate of márriage [...-rɪdʒ]; márriage lines pl.

свиде́тельств||овать 1. (о пр.; служить уликой, доказательством) witness (d.); téstify (to); (против) téstify (against); юр. give* évidence (concérning); 2. (подтверждать, доказывать) be évidence (of); ~ующий о чём-л. indicative of smth.

сви́деться сов. (с тв.) разг. meet* (d.).

свилева́тый (о дереве) knótty, knággy.

свина́рка ж. píg-tènder.

свина́рник м. pígsty, pígpèn.

свина́рь м. píg-tènder.

свине́ц м. lead [led].

свини́на ж. pork.

сви́нка I ж. уменьш. от свинья́ 1; ◇ морска́я ~ gúinea-pig ['gɪnɪ-].

сви́нка II ж. мед. mumps pl.

свиново́д м. píg-brèeder. ~ство с. píg-brèeding, swíne-brèeding; hóg-brèeding. ~ческий píg-brèeding (attr.), swíne-brèeding (attr.); hóg-brèeding (attr.).

свин||о́й прил. к свинья́ 1; ~о́е мя́со pork; ~о́е са́ло lard; ~а́я котле́та pork chop; ~а́я ко́жа pígskin; ~о́е ры́ло snout.

свинома́тка ж. с.-х. sow.

свинопа́с м. swíne-hèrd.

свинофе́рма ж. pig farm.

сви́н||ский разг. swínish ['swaɪ-]. ~ство с. разг. swínishness ['swaɪ-], swínish trick ['swaɪ-...].

свинти́ть I, II сов. см. сви́нчивать I, II.

свину́ха ж., свину́шка ж. (гриб) flát-càp múshroom.

свинцо́в||ый léaden ['le-]; lead [led] (attr.); (свинцового цвета) léaden-còloured ['led'nkʌl-], plúmbeous; ~ые облака́ léaden clouds; ~ая руда́ lead-òre ['led-]; ~ая труба́ lead pipe; ~ое отравле́ние léad-poisoning ['ledpɔɪz-], sáturnism, plúmbism; ~ блеск мин. galéna; ~ые бели́ла white lead sg., cérùse ['sɪəruːs] sg.; ~ая примо́чка Goulárd (wáter) [guˈlɑːd 'wɔː-].

сви́нчивать I, свинти́ть (вн.; соединять) screw togéther [...-'ge-] (d.).

сви́нчивать II, свинти́ть 1. (вн.; отвинчивать) unscréw (d.); 2.: ~ резьбу́ strip the thread [...θred].

свинь||я́ ж. 1. pig, swine*; hog; (самка) sow; (боров) boar; 2. разг. (о человеке) swine*; ◇ подложи́ть ~ю́ кому́-л. ≅ play a dírty / mean trick on / upón smb, do the dírty on smb.

свире́ль ж. pipe, réed(-pipe).

свирепе́ть grow* fúrious [-ou-...].

свире́п||ость ж. fíerce:ness ['fɪəs-], ferócity. ~ствовать (прям. и перен.) rage. ~ый fierce [fɪəs], ferócious, trúculent ['trʌ-]; (об эпидемии и т.п.) víolent.

свиристе́ль ж. (птица) wáxwing ['wæ-].

свиса́ть, сви́снуть hang* down, droop, dangle; (о растениях, волосах тж.) trail; (о полях шляпы) slouch.

сви́снуть сов. см. свиса́ть.

свист м. whistle, síng:ing; (птиц тж.) píping; (пуль) whine; (несущейся ракеты) whizz; ◇ худо́жественный ~ cóncert whístling.

свиста́ть, свисте́ть whistle, sing; (о птицах тж.) pipe; (о пулях) whine; свисте́ть в свисто́к blow* a whistle [bloʊ...]; свиста́ть на обе́д мор. pipe (to) dínner; свиста́ть всех наве́рх! pipe all hands on deck!; ◇ ищи́ свищи́ разг. you can whistle for it; свисте́ть в кула́к разг. be pénniless / broke.

сви́стнуть [-сн-] сов. 1. whistle, give* a whistle; 2. (вн.) разг. (сильно ударить) slap (d.), smack (d.); 3. (вн.) разг. (украсть) sneak (d.), pinch (d.).

свисто́к м. whistle.

свистопля́с||ка ж. разг. pandemónium; подня́ть ~ку let all hell loose [...-s].

свист||у́лька ж. разг. pénny / tin whístle. ~у́н м., ~у́нья ж. whístler. ~я́щий 1. прич. см. свисте́ть; 2. прил. лингв. síbilant.

сви́та ж. 1. suite [swiːt], rétinùe; 2. геол. suite.

свитер [-тэр] *м.* swéater ['swe-].
свиток *м.* roll, scroll.
свить *сов. см.* вить *и* свивать 1. ~ся *сов. см.* свиваться.
свихнуть *сов.* (*вн.*) *разг.* díslocàte (*d.*), put* out of joint (*d.*); ◇ ~ себе шею come* a crópper.
свихнуться *сов. разг.* 1. (*помешаться*) go* off one's head [...hed]; 2. (*сбиться с правильного пути*) go* wrong, go* astráy.
свищ *м.* 1. *мед.* fístula; 2. (*в металле*) flaw, hóneycòmb ['hʌnɪkoum]; 3. (*в дереве*) knot hole.
свобод||**а** *ж.* fréedom, líberty; демократические ~ы dèmocrátic líberties; ~ слóва fréedom of speech; ~ печáти fréedom of the press; ~ собрáний fréedom of assémbly; ~ сóвести líberty of cónscience [...nʃəns]; ~ вóли free will; ~ торгóвли free trade; выпускáть на ~у (*вн.*) set* free (*d.*), set* at líberty (*d.*); предоставлять пóлную ~у (*дт.*) give* free rein (to); ~ дéйствий a free hand; предоставлять комý-л. пóлную свобóду дéйствий give* smb. a free hand, give* smb. carte blanche [...'ka:t 'bla:nʃ]; на ~е at large; (*на досуге*) at léisure [...'le-]; преступник ещё на ~е the críminal is still at large.
свобóдно I *прил. кратк. см.* свобóдный.
свобóдн||**о** II *нареч.* 1. fréely; (*с лёгкостью*) éasily ['i:z-]; (*непринуждённо*) with ease; он мóжет достáть э́ту кни́гу в любóм магази́не he can éasily get this book in any shop; говорить, читáть ~ speak*, read* flúently; 2. (*просторно, широко*— *о платье*) loose [-s], lóose:ly [-s-]. ~ый free; (*непринуждённый*) nátural, éasy ['i:zɪ]; ~ый нарóд free péople [...pi:-]; ~ая торгóвля free trade; ~ый дóступ éasy áccess; ~ые манéры éasy mánners; ~ый от недостáтков free from deféctes; 2. (*не занятый*) vácant; (*о человеке*) free; путь свобóден the way is clear; 3. (*об одежде*) loose [-s], lóose-fitting [-s-]; 4. (*лишний, которым можно располагать*) spare; ~ые получáса spare half hour [...ha:f auə] *sg.*; ~ое врéмя spare / free time, léisure ['leʒə]; ~ые часы́ off / free / léisure hours; в ~ые минýты, в ~ое врéмя in one's spare time; at odd móments; ~ые дéньги spare cash *sg.*; 5. *хим.* free, ún:combined; ◇ ~ая профéссия free proféssion; человéк ~ой проféссии proféssional man*.
свободо||**люби́вый** fréedom-lòving [-lʌ-]; ~люби́вые нарóды fréedom-lòving nátions; ~люби́вые рéчи fréedom-lòving spéeches. ~лю́бие *с.* love of fréedom [lʌv-].
свободомы́сл||**ие** *с.* frée-thinking. ~**ящий** 1. *прил.* frée-thinking; 2. *м. как сущ. уст.* frée-thinker.
свод I *м.* arch, vault; небéсный ~ firmament; the vault / cánopy / dome of héaven [...he-] *поэт.*
свод II *м.* (*собрание документов, материалов и т.п.*) code; ~ закóнов code of laws.
сводить I, свести́ 1. (*вн. с рд.*) take* (*d.* down), ~ с горы́ take* / condúct down *the* hill (*d.*); ~ с лéстницы take* dównstáirs (*d.*); 2. (*вн.; соединять*) bring* / throw* togéther [...-ou -'ge-] (*d.*); судьбá свелá нас fate brought / threw us togéther; 3. (*вн. к, на; доводить до чего-л.*) redúce (*d.* to), bring* (*d.* to); ~ на нет, ~ к нулю́ bring* to naught / nothing (*d.*), redúce to zéro (*d.*); свести́ к шýтке turn into a joke (*d.*); свести́ разговóр на что-л. lead* the convérsation to smth.; 4. (*вн.*) remóve [-u:v] (*d.*); 5. (*вн.; о судороге*): у негó свелó нóгу he has (a) cramp in the leg; 6. (*о рисунке и т.п.*) trace (*d.*); ◇ ~ концы́ с концáми *разг.* make* both ends meet [...bouθ...]; ~ с умá drive* mad [...]; ~ счёты с кем-л. settle a score with smb.; square accóunts with smb.; ~ дрýжбу, знакóмство (*с тв.*) make* friends [...fre-] (with); глаз не ~ с когó-л. not take* / tear* one's eyes off smb. [...tɛə... aɪz...]; свести́ когó-л. в моги́лу bring* smb. to his grave; гóре свелó егó в моги́лу he died of grief [...gri:f]; ты меня в моги́лу сведёшь you'll be the death of me [...deθ...].
сводить II *сов.* (*вн.; куда-л.*) take* (*d.*): он сводил детéй в кинó he took the children to the cinema.
сводиться, свести́сь 1. (к) come* (to); э́то свóдится к томý же сáмому it comes to the same (thing); ~ к нулю́, ~ на нет come* to naught / nothing; 2. (*о переводной картинке*) come* off: картинка хорошó, неудáчно свелáсь the tránsfer picture came off well, bád:ly; 3. *страд. к* сводить I.
свóдка *ж.* 1. súmmary, repórt; оперативная ~ war communiqué (*фр.*) [...kəm'ju:nɪkeɪ], súmmary of óperations; ~ погóды wéather fóre:càst ['we-...]; (*за определённый период*) wéather repórt; 2. *неперех.* revíse.
свóдни||**к** *м.* procúrer, pánder, pimp. ~**ца** *ж. к* свóдник; *тж.* procúress. ~**чать** procúre, pánder, pimp. ~**чество** *с.* procurátion, pándering, pímping.
свóдн||**ый** 1. súmmary; ~ая табли́ца súmmary table; ~ая театрáльная афи́ша théatre guide ['θɪə-...] (*bill listing all current productions*); 2. (*собранный из разных мест*) combined, cómposite [-zɪt]; ~ батальóн cómposite battálion [...-'tæ-]; 3.: ~ые брáтья stépbròthers [-brʌ-]; ~ые сёстры stépsisters.
свóдня *ж. разг.* = свóдница.
свóдчатый arched, váulted.
своё *мест. с.* 1. *см.* свой; 2. (*в знач. сущ.*) one's own [...oun]; стоять на ~м hold* one's own, hold* / stand* one's ground; настоять на ~м insist on, *или* get*, one's own way; получи́ть ~ *разг.* (*о чём-л. неприятном*) get* one's desérts [...-'zə:-]; (*о выгоде*) get* one's own back.
своевлáстный [-сн-] *уст.* despótic.
своевóлие *с.* sélf-will, wilfulness.
своевóльн||**ичать** *разг.* be sélf-willed, be wilful. ~**ый** sélf-willed, wilful.
своевремéнно I *прил. кратк. см.* своевременный.
своевремéнн||**о** II *нареч.* in (good) time, in próper time [...'prɔ-...], opportúne:ly. ~**ость** *ж.* timeliness, opportúneness. ~**ый** timely, opportune; (*при-урóченный*) wéll-timed; это óчень ~о it is very time:ly; принять ~ые мéры take* time:ly méasures [...'meʒ-].
своекоры́ст||**ие** *с.* sélf-interest. ~**ный** [-сн-] sélf-interested, sélf-seeking.
своекóштный *уст.* páying.
своенрáв||**ие** *с.*, ~**ность** *ж.* wilfulness, wáywardness; (*своеволие*) sélf-will; (*капризность*) capríciousness. ~**ный** wilful, wáyward; (*своевольный*) sélf-willed; (*капризный*) capricious.
своеобрáз||**ие** *с.*, ~**ность** *ж.* originálity; (*особенность*) peculiárity. ~**ный** original, distinctive; (*особенный*) peculiar.
свози́ть I, свезти́ (*вн.*) 1. (*в одно место*) bring* togéther [...-'ge-] (*d.*); 2. (*вниз*) take* / bring* down (*d.*); ~ с горы́ take* / bring* down the hill (*d.*).
свози́ть II *сов.* (*вн.; куда-л.*) take* (*d.*); свози́ ребя́т в Москвý take the children to Móscow.
свой 1. *мест. переводится соответственно лицу, числу и роду обладающего, как* мой my, наш our, твой thy [ðaɪ] *поэт. уст., об.* your, ваш your; егó (*о человеке*) his, её (*о человеке*) her; егó, её (*о животных, неодушевл. предметах*), *тж.* his, its (*ср.* он, онá, онó); их their; *неопред. лица* one's; (*собственный*) my own [...oun], our own *и т. д.*: я потеря́л (свою́) шля́пу I have lost my hat; он признаёт свои́ недостáтки he acknówledges his faults [...'nɔ-...]; слéдует признавáть свои́ недостáтки one should acknowledge one's faults; объяснéние это по сáмой своéй сýщности непрáвильно this explanátion is wrong in its very éssence; моя́ рабóта в сáмом своём начáле прекрати́лась my work had to be stopped at its very óutsèt; он знáет своё дéло he knows his búsiness [...nouz... 'bɪzn-]; он живёт в своём дóме he lives in his own house [...lɪvz...-s]; — своегó произвóдства hóme-máde; 2. *мн.* (*в знач. сущ.*): пойти́ к свои́м go* to see one's péople [...pi:-]; здесь все свои́ no strángers here [...-eɪn-...]; свои́ войскá friendly troops ['fre-...]; они́ бы́ли отрéзаны от свои́х *воен.* they were cut off from their own fórces; он сам не ~ he is not hím:sélf; в своё врéмя (*когда-то*) at one time; in its, my, his, *etc.*, time; (*своевременно*) in due course [...kɔ:s], in good time; умерéть своéй смéртью die a nátural death [...deθ]; он не в своём умé he is not right in the head [...hed]; на свои́х (на) двои́х *разг. шутл.* (*пешкóм*) on Shanks's mare / póny; ~ своемý поневóле брат ≅ blood is thicker than wáter [-ʌd... 'wɔ:-]; он там ~ человéк he is quite at home there; кри́кнуть не свои́м гóлосом give* / útter a frénzied scream / shriek [...-i:k].
свóйский *разг.* simple, hóme:ly.
свóйственник *м.* relátion / rélative by márriage [...-rɪdʒ]; он мне, мой ~ he is reláted to me by márriage.
свóйственн||**ый** (*дт.*) peculiar (to); это емý ~о that's his way / náture [...'neɪ-]; человéку ~о ошибáться to err is húman.

СВО — СГО

сво́йство *с.* 1. (*предметов*) próperty; (*человека*) vírtue; 2. *мн.* characterístics [kæ-].

сво́йств∥**о́** *с.* relátion;ship by márriage [...-rɪdʒ-]; affínity; в ~é (с *тв.*) reláted by márriage (to).

свола́кивать, **своло́чь** (*вн.*) *разг.* drag (*d.*).

сволочно́й *бран.* wórthless, rúbbishy.

сво́лочь *ж. бран.* 1. *тк. ед. собир.* (*сброд*) riff-ráff; 2. (*ругательство*) (dírty) scum, swine*.

сво́лочь *сов. см.* свола́кивать.

сво́ра *ж.* 1. (*ремень для собак*) lead, leash; slip(s) (*pl.*); 2. *собир.* (*о собаках*) pack; (*перен.*) gang.

свора́чивать, **свороти́ть** *разг.* 1. (*вн.*) displáce (*d.*), remóve [-u:v] (*d.*); он с трудóм свороти́л ка́мень he displáced / remóved the stone with dífficulty; 2. (*без доп.*; *поворачивать*) turn; swing*; ~ напра́во, нале́во turn to the right, to the left; ~ с доро́ги turn off the road; 3. *тк. несов.* = свёртывать.

сво́рка *ж.* = сво́ра 2.

сворова́ть *сов.* (*вн.*) *разг.* steal* (*d.*), pílfer (*d.*).

свороти́ть *сов. см.* свора́чивать 1, 2.

своя́ *ж. см.* свой.

своя́∥**к** *м.* bróther-in-law ['brʌ-] (*pl.* bróthers-) (*husband of wife's sister*). ~**ченица** *ж.* síster-in-law (*pl.* sísters-) (*wife's sister*).

свыка́ться, **свы́кнуться** (с *тв.*) get* used [...ju:st] (to), accústom / habítuate òne'sélf (to).

свы́кнуться *сов. см.* свыка́ться.

свысока́ *нареч.* in a háughty mánner; смотре́ть на кого́-л. ~ look down on / upón smb.; обраща́ться с кем-л. ~ look down on / upón smb.; condescénd to smb.

свы́ше I *нареч.* 1. (*сверху*) from above; 2. *церк., поэт.* (*с небес*) from héaven [...'he-].

свы́ше II *предл.* (*рд.*; *более*) óver; (*вне, сверх*) be:yónd; ~ тридцати́ челове́к óver thírty men; ~ 60% upwards of 60% [-dz-]; э́то ~ его́ сил it is be:yónd his strength / pówer.

свя́занный 1. *прич. см.* свя́зывать; 2. *прил.* (*не свободный — о движении*) constráined (*d.*); (*о речи*) hálting (*d.*); 3. *прил. хим.* cómbined.

связа́ть I *сов. см.* свя́зывать и вяза́ть I, 1.

связа́ть II *сов. см.* свя́зываться.

связа́ться *сов. см.* свя́зываться.

связи́ст *м.* 1. (*работник связи*) póstal and telecommunicátions wórker ['pou-...]; 2. *воен.* sígnaller.

свя́зк∥**а** *ж.* 1. sheaf*; bunch; ~ бума́г sheaf* of pápers; ~ ключе́й bunch of keys [...ki:z]; 2. *анат.* chord [k-], cópula, lígament; голосовы́е ~и vócal chords; 3. *лингв.* cópula; глаго́л-~ link-vèrb.

связно́й *м.* méssenger [-ndʒə].

связно́й 1. *прил.* liáison [li:'eɪzɔ̃:ŋ] (*attr.*); ~ самолёт liáison áircraft; 2. *м. как сущ. воен.* méssenger [-ndʒə], órderly, rúnner.

свя́зн∥**ость** *ж.* connéctedness, còhérency [kou'hɪə-], cohérence [kou'hɪə-]. ~ый connécted, cohérent [kou-]; ~ый расска́з connécted nárrative.

свя́зочный *анат.* lìgaméntous.

свя́зующий 1. *прич. см.* свя́зывать; 2. *прил.* connécting, linking.

свя́зывание *с.* týing / bínding togéther [...-'ge-].

свя́з∥**ывать**, **связа́ть** (*вн.*) tie togéther [...-'ge-] (*d.*); bind* (*d.*; *тж. перен.*); (*вн. с тв.*; *по ассоциации идей*) connéct (*d.* with); ~ концы́ верёвки tie togéther the ends of *the rope*; ~ в у́зел búndle (up) (*d.*); make* a búndle (of); связа́ть кому́-л. ру́ки (*прям. и перен.*) tie smb.'s hands; ~ по рука́м и нога́м (*прям. и перен.*) tie / bind* hand and foot [...fut] (*d.*); ~ обеща́нием bind* by prómise [...-s] (*d.*); ~ свою́ судьбу́ (с *тв.*) throw* / cast* in one's lot [-ou-...] (with); (*о народе, стране*) link one's déstiny (with); ~ свои́ наде́жды (с *тв.*) pin one's hopes (on); быть ~анным с ке́м--либо be connécted with smb.; быть ~анным с чем-л. be bound up with smth.; (*влечь за собой*) entáil smth., invólve smth.; те́сно ~анный (с *тв.*) clósely assóciated [-sh...] (with); ~ тео́рию с пра́ктикой link theory with práctice [...'θɪə-...]; э́тот вопро́с те́сно ~ан с други́ми this próblem is bound up with others [...'rɡə-...]; э́то ~ано с больши́ми расхо́дами this will entáil great expénse [...greɪt...]. ~**ываться**, связа́ться (с *тв.*) 1. (*устанавливать общение с*) commúnicate (with); ~ываться по телефо́ну, по ра́дио get* in touch (by télephòne, rádio) [...tʌtʃ...] (with); тесне́е связа́ться с ма́ссами get* into clóser cóntact with the másses [...'klousə...]; 2. (*входить в какие-л. отношения*) have to do (with); не ~ывайся с ним *разг.* don't have ánything to do with him; 3. *страд. к* свя́зывать.

связ∥**ь** *ж.* 1. tie, bond; (*по ассоциации идей*) connéction; стоя́ть в те́сной ~и (с *тв.*) be clósely connécted [...-s-...] (with); логи́ческая ~ lógical connéction; причи́нная ~ cáusal relátion;ship [-zəl...]; *филос.* causátion [-'zeɪ-...]; 2. (*общение*) connéction, relátion; устана́вливать дру́жеские ~и (с *тв.*) estáblish friendly relátions [...'fre-...] (with); установи́ть те́сную ~ (с *тв.*) estáblish close links [...-s...] (with); теря́ть ~ (с *тв.*) lose* touch [lu:z tʌtʃ] (with); кро́вная ~ па́ртии с наро́дом indissóluble connéction of the Párty with the people [...pi:-]; 3. (*любовная*) liáison [li:'eɪzɔ̃:ŋ]; вступи́ть в ~ form a connéction; 4. *мн.* (*знакомства*) connéctions; с хоро́шими ~ями well-connécted; 5. *тк. ед.* (*о средствах сношения и сообщения*) communicátion; слу́жба ~ commùnicátion sérvice; 6. *тех.* tie; connéction; 7. *воен.* intercommunicátion; sígnals *pl.*; (*взаимодействия*) liáison; слу́жба ~и sígnal sérvice; commùnicátion sérvice *амер.*; ◇ в ~и́ с чем-л. in connéction with smth.; in view of smth. [...vju:...]; в ~и́ с э́тим, в э́той ~и́ in this connéction.

святе́йш∥**ество** *с. церк.* Ва́ше, его́ Your, His Hóliness. ~**ий** *церк.* most hóly (*pertaining to the Patriarchs and synod of the Orthodox church, also to the Pope*).

святи́лище *с.* sánctuary.

святи́ть, **освяти́ть** (*вн.*) *церк.* cónsecrate (*d.*), sánctify (*d.*).

свя́тки *мн.* Chrístmas-tide [-ɪsm-] *sg.*, yúle-tìde *sg.*

свя́то I *прил. кратк. см.* свято́й 1.

свя́то II *нареч.* pious;ly; ~ чтить (*вн.*) hold* sácred (*d.*); ~ чтить чью-л. па́мять pious;ly revére smb.'s mémory.

свят∥**о́й** 1. *прил.* hóly; (*перед именем*) Saint [sənt]; (*священный*) sácred; ~ долг sácred dúty; ~ дух *церк.* the Hóly Spirit / Ghost [...goust]; для него́ нет ничего́ ~о́го nothing is sácred to / with him; 2. *м. как сущ.* saint; ◇ ~а́я святы́х hóly of hólies, sánctum; ~а́я (неде́ля) Éaster-wèek; на ~о́й (неде́ле) at Éaster.

свя́тость *ж.* hóliness ['hou-], sánctity.

святота́тство *с.* sácrilege. ~**вать** commít sácrilege.

свя́точный Chrístmas [-sm-] (*attr.*); ~ расска́з Chrístmas stóry / tale.

свято́ша *м. и ж.* hýpocrite, sanctimónious pérson.

свя́тцы *мн. церк.* (church) cálendar *sg.*

святы́ня *ж.* 1. (*что-л. особенно дорогое*) sácred óbject / thing; 2. *церк.* óbject of wórship; (*место*) sácred place.

свяще́нн∥**ик** *м.* priest [pri:-]; clérgyman*. ~**и́ческий** priest;ly ['pri:-], sacerdótal, ecclèsiástical [-li:z-].

свяще́ннодействи∥**е** *с.* relígious rite; (*перен.*) sólemn perfórmance (of céremony, dúties, etc.). ~**овать** do smth. with solémnity / pomp.

свяще́ннослу**жи́тель** *м.* = свяще́нник.

свяще́нн∥**ый** sácred; ~ое писа́ние *рел.* Hóly Writ, Scripture; Свяще́нный сою́з *ист.* The Hóly Alliance; ~ долг sácred dúty. ~**ство** *с.* priesthood ['pri:sthud].

сгиб *м.* 1. bend; 2. *анат.* fléxion. ~**а́тель** *м. анат.* fléxor.

сгиба́ть, **согну́ть** (*вн.*) bend* (*d.*); crook (*d.*), curve (*d.*); (*складывать*) fold (*d.*); (*перен.*) bow; ~ коле́ни bend* one's knees. ~**ся**, согну́ться bend* (down); bow (down); (*склоняться*) stoop; ~ся под тя́жестью чего́-л. bend* / sag únder the weight of smth.

сги́нуть *сов. разг.* disappéar, vánish; сгинь! begóne! [-'gɔn], get thee gone! [...gɔn].

сгла́дить(ся) *сов. см.* сгла́живать(-ся).

сгла́живать, **сгла́дить** (*вн.*) smooth out [-ð...] (*d.*); (*перен.*; *уничтожать, смягчать*) smooth óver / a:wáy (*d.*); ~ противоре́чия smooth óver contradíctions. ~**ся**, сгла́диться 1. smooth out [-ð...]; become* smooth (*тж. перен.*); 2. *страд. к* сгла́живать.

сгла́зить *сов.* (*вн.*) *разг.* òver:lóok (*d.*), put* the évil eye [...'i:v'l aɪ] (on, upón), put* off (by too much praise) (*d.*); ~, что́бы не ~! ≃ touch wood! [tʌtʃ wud].

сглупи́ть *сов. см.* глупи́ть.

сгнива́ть, **сгнить** rot, decáy.

сгнить *сов. см.* сгнива́ть и гнить.

сгнои́ть *сов. см.* гнои́ть.

сгова́риваться, **сговори́ться** (с *тв.*

arránge things [-eɪndʒ...] (with), come* to an arránge|ment / agréement [...-eɪndʒ-...] (with) (с тв. + инф.) make* an appóintment (with + to inf.); с ним трýдно сговори́ться it is difficult to arránge things with him; он сговори́лся с ней встре́титься на ста́нции he arránged to meet her at the státion.

сго́вор м. 1. agréement; cómpact; deal разг.; (та́йный) collúsion, collúsive|ness; по ~у in agréement; 2. уст. (помо́лвка) betróthal [-ouð-].

сговори́ться сов. см. сгова́риваться.

сгово́рчив||ость ж. complíancy, tràctabílity. ~ый complíant, tráctable, compláisant [-zənt].

сгоня́ть, согна́ть (вн.) 1. (с ме́ста) drive* a:wáy (d.); 2. (в одно́ ме́сто) drive* togéther [...-'ge-] (d.); ◊ ~ со двора́ разг. turn out of the house [...-s] (d.).

сгора́ни||е с. combústion [-stʃən]; дви́гатель вну́треннего ~я тех. intérnal combústion éngine [...-'endʒ-].

сгора́ть, сгоре́ть 1. be burnt down; burn* down / out; дом сгоре́л the house* was burnt down [...-s...]; свеча́ сгоре́ла the candle burned out / down; ~ дотла́ be burnt / redúced to áshes; 2. разг. (расхо́доваться при горе́нии) be consúmed, be used up; за зи́му (у нас) сгоре́ло пять кубоме́тров дров we burned, или used up, five cúbic mètres of wood this winter [...wud...]; 3. (от) burn* (with); ~ от стыда́, жела́ния burn* with shame, desíre [...-'zaɪə].

сго́рб||ить(ся) сов. см. го́рбить(ся). ~ленный прич. и прил. cróoked, bent, hunched.

сгоре́ть сов. см. сгора́ть.

сгоряча́ нареч. разг. (вспыли́в) in a fit of témper, in the heat of the móment; (необду́манно) ráshly.

сгото́вить сов. (вн.) разг. cook (d.), make* (d.).

сгреба́ть, сгрести́ 1. (вн.; гра́блями) rake up / togéther [...-'ge-] (d.); (лопа́той) shóvel up / in ['ʃʌ-...] (d.); 2. (вн. с рд.; гребя́, ски́дывая) shóvel (d. off, from); сгрести́ снег с кры́ши shóvel snow off the roof [...snou...].

сгрести́ сов. см. сгреба́ть.

сгруди́ться сов. разг. crowd, bunch.

сгружа́ть, сгрузи́ть (вн.) ún:lóad (d.).

сгрузи́ть сов. см. сгружа́ть.

сгруппирова́ть(ся) сов. см. группирова́ть(ся).

сгрыза́ть, сгрызть (вн.) разг. chew (up) (d.).

сгрызть сов. см. сгрыза́ть.

сгуби́ть сов. (вн.) разг. rúin (d.); ~ себя́ rúin òne:sélf; ~ свою́ мо́лодость waste one's youth [weɪ-...ju:θ].

сгусти́ть(ся) сов. см. сгуща́ть(ся).

сгу́сток м. clot; ~ кро́ви clot of blood [...blʌd].

сгуща́емость ж. condénsability.

сгуща́||ть, сгусти́ть (вн.) thicken (d.) (тж. перен.); (конденси́ровать) condénse (d.); ~ кра́ски (перен.) exággerate [-dʒə-]; lay* it on thick идиом. разг. ~аться, сгусти́ться thícken (тж. перен.); (о кро́ви) clot; (конденси́роваться) condénse; ~а́ющиеся су́мерки gáthering dusk sg., glóaming.

сгущ||е́ние с. thíckening; (кро́ви) clótting; (конденса́ция) còndènsátion. ~ённый прич. (тж. как прил.) см. сгуща́ть; ~ённое молоко́ condénsed milk, evápo:rated milk.

сда́бривать, сдо́брить (вн. тв.) flávour (d. with); (о те́сте) make* rich (d.); (пря́ностями) spice (d. with); сдо́бренный (тв.; перен.) lárded (with).

сдава́ть I, сдать (вн.) 1. (передава́ть) hand óver (d.), pass (d.); (о телегра́ммах, пи́сьмах и т.п.) hand in (d.); (возвраща́ть) retúrn (d.), turn in (d.); ~ дела́ turn óver one's dúties; ~ ве́щи в бага́ж régister one's lúggage, have one's lúggage régistered; ~ бага́ж на хране́ние leave* in the cloákroom, depósit / leave* one's lúggage [-zɪt...]; ~ внаём let* (d.), let* out (d.), hire out (d.); (о кварти́ре и т.п.) let* (d.), rent (d.); ~ в аре́нду lease [-s] (d.), grant on lease [-a:nt...] (d.), rent (d.); 2. (о кре́пости, го́роде и т.п.) surrénder (d.), yield [jiː-] (d.); 3. карт. deal* (round) (d.): кому́ ~? whose deal is it?; 4.: он сдал ей три рубля́ he gave her three roubles change [...ru:tʃeɪ-]; ◊ ~ экза́мен sit* for an examinátion; успе́шно сдать экза́мен pass an examinátion; он всегда́ сдаёт экза́мены на отли́чно he álways recéives éxcellent marks in the examinátions [...'ɔːlwəz -iːvz...]; ~ но́рмы pass the (stándard) tests.

сдава́ть II, сдать (без доп.; ослабева́ть) be wéakened, be in a redúced state; он о́чень сдал по́сле боле́зни he looks much worse áfter his íllness; (постаре́л) he looks years ólder áfter his íllness; се́рдце сда́ло the heart gave out [...hɑːt].

сдава́ться I, сда́ться 1. (дт.) surrénder (to), yield [jiː-] (to); ~ в плен yield òne:sélf prísoner [...-ɪz-], give* òne:sélf up; ~ на ми́лость победи́теля surrénder at discrétion [...-re-]; ~ 2. (отступа́ть пе́ред тру́дностями) give* up / in; 3. (уступа́ть) give* in, give* way; (на вн.) yield (to), give* in (to); 4. страд. к сдава́ть.

сдава́ться II, сда́ться безл. разг.: мне, ему́ и т. д. сдаётся it seems to me, to him, etc.

сдави́ть сов. см. сда́вливать.

сда́вленный 1. прич. см. сда́вливать; 2. прил. constráined; ~ го́лос constráined voice.

сда́вливать, сдави́ть (вн.) squeeze (d.): он сдави́л мне ру́ку he squeezed my hand.

сда́точный офиц. delívery (attr.); ~ пункт delívery point.

сдать I, II сов. см. сдава́ть I, II.

сда́ться I, II сов. см. сдава́ться I, II.

сда́ться III сов. разг. be nécessary; на что мне сдали́сь твои́ сове́ты? what need had I of advíce from you?

сда́ч||а I ж. 1. (о кре́пости, го́роде и т.п.) surrénder; 2.: ~ в бага́ж régistering of lúggage; ~ багажа́ на хране́ние depósiting / léaving one's lúggage [-zɪ-...]; ~ внаём létting (out), híring out; (о кварти́ре и т.п.) létting, rénting; ~ в аре́нду lease [-s] 3. карт. deal; ва́ша ~ your deal, it is for you to deal.

сда́ч||а II ж. (изли́шек де́нег при опла́те) change [tʃeɪ-]; пять рубле́й ~и five roubles change [...ruː-...]; дава́ть ~и де́сять рубле́й (дт.) give* ten roubles change (i.); получи́ть ~и де́сять рубле́й get* ten roubles change; ◊ дава́ть ~и (дт.) разг. hit* back (d.).

сдва́ивание с. dóubling ['dʌb-].

сдва́ивать, сдво́ить (вн.) double [dʌ-] (d.).

сдвиг м. 1. displáce:ment; (перен.) change for the bétter [tʃeɪ-...], prógress; (в рабо́те, учёбе и т.п.) impróve:ment [-ruː-]; 2. геол. displáce:ment, dìslocátion; 3. тех. shear.

сдвига́ть, сдви́нуть (вн.) 1. (с ме́ста) move [muːv] (d.): он не мог сдви́нуть стол (с ме́ста) he could not move the table; — его́ с ме́ста не сдви́нешь he won't budge [...wount...], you can't get him to budge [...kɑːnt...]; сдви́нуть с ме́ста (о вопро́се, де́ле и т.п.) разг. set* afóot [...ə'fut] (d.); сдви́нуть де́ло с мёртвой то́чки get* things móving [...'muːv-]; ~ шля́пу на заты́лок push one's hat back [puʃ...]; 2. (соединя́ть) push togéther [...-'ge-] (d.); он сдви́нул два стола́ he pushed two tables togéther; ◊ сдви́нуть бро́ви knit* one's brows. ~ся, сдви́нуться 1. move [muːv], budge; он не сдви́нулся с ме́ста he néver budged; вопро́с не сдви́нулся с ме́ста no héadway has been made in the mátter [...'hed-...]; де́ло сдви́нулось с ме́ста things begán to move; 2. (соединя́ться) come / draw togéther [...-'ge-]; 3. страд. к сдвига́ть.

сдвига́емый móvable ['muːv-].

сдви́нуть(ся) сов. см. сдвига́ть(ся).

сдво́ить сов. см. сдва́ивать.

сде́лать(ся) сов. см. де́лать(ся).

сде́лк||а ж. trànsáction [-'z-], deal, bárgain; гря́зная ~ shády trànsáction / deal; входи́ть в ~у с кем-л. strike* a bárgain with smb.; заключа́ть (торго́вую) ~у conclúde a bárgain; arránge a deal [-eɪndʒ...]; ◊ ~ с со́вестью a bárgain with one's cónscience [...-nʃəns...].

сде́ль||но нареч. by the job. ~ный by the job; job (attr.); ~ная опла́та piece-ràte pay ['piːs-...], píece-wòrk páyment ['piːs-...]; ~ная рабо́та píece-wòrk ['piːs-]. ~щик м. píece-wòrker ['piːs-]. ~щина ж. píece-work ['piːs-].

сдёргивать, сдёрнуть (вн.) pull off [pul...] (d.): сдёрнуть ска́терть со стола́ pull the cloth off the table; они́ сдёрнули с него́ ша́пку they pulled off his hat.

сде́ржанн||о нареч. with restráint, with discrétion [...-re-]; with resérve [...-'zə:v]. ~ость ж. restráint, resérve [-'zə:v]; (в ре́чи) réticence, discrétion [-re-], resérve; проявля́ть ~ость show* restráint [ʃou...]. ~ый 1. прич. см. сде́рживать; 2. прил. restráined, resérved [-'zə:-]; (в ре́чи) discréet, resérved; вне́шне ~ый óutwardly restráined; ~ый отве́т, тон, смех restráined ánswer, tone, laugh [...'ɑːnsə...lɑːf].

сдержа́ть(ся) сов. см. сде́рживать(-ся).

сде́рживать, сдержа́ть (вн.) 1. hold* in (d.), keep* back (d.), restráin (d.); (о неприятеле и т.п.) hold* in check (d.), contáin (d.); (об агрессии) detér (d.); (о лошадях и т.п.) hold* (back) (d.); (перен.; о чувствах) keep* in (d.); (о слезах, рыданиях и т.п.) suppréss (d.), restráin (d.), check (d.); сдержа́ть смех suppréss a laugh [...la:f]; 2.: сдержа́ть своё сло́во, обеща́ние keep* one's word, prómise [...-s]; be as good as one's word идиом. ~ся, сдержа́ться 1. contról / restráin òne:self [-oul...]; сов. тж. hold* òne:self in check; он едва́ сдержа́лся, он не мог сдержа́ться he could not contról him:sélf, he could hárdly contáin him:sélf; 2. страд. к сдерживать.

сде́рживающий: ~ фа́ктор detérrent.

сдёрнуть сов. см. сдёргивать.

сдира́ть, содра́ть (вн.) 1. strip (d.), strip off (d.); scratch off (d.); ~ кожу (с рд.) skin (d.), strip the skin off (d.); ~ кору́ с берёзы bark a birch; ~ кожу с животного flay / skin an ánimal. ~ся, содра́ться 1. ùndergó* téaring [...'tɛə-]; 2. страд. к сдира́ть.

сдо́ба ж. 1. (в тесте) shórtening; 2. собир. (булки) fáncy cakes pl., buns pl.

сдо́бн||ый rich, short; ~ая бу́лка bun; ~ое те́сто fáncy / short pástry [...'peɪ-].

сдо́брить сов. см. сдабривать.

сдорова́ть разг.: ему́ не ~ it will turn out bádly for him, it will be a bad look out for him.

сдо́хнуть (о скоте) die; груб. croak.

сдре́йфить сов. см. дрейфить.

сдружи́ть сов. (вн.) bring* togéther [...-'ge-] (d.), ùnite in fríendship [...'frend-] (d.). ~ся сов. (с тв.) become* friends [...fre-] (with).

сдува́ть, сдуть, сду́нуть 1. (вн.) blow* awáy / off [-ou...] (d.); 2. при сов. сдуть (вн. у) разг. спи́сывать crib (d. from).

сду́нуть сов. см. сдува́ть 1.

сду́ру нареч. разг. out of fóolishness, fóolishly.

сдуть сов. см. сдувать.

сё мест.: то да сё, ни то ни сё, ни с того́ ни с сего́, о том о сём см. тот.

сеа́нс м. séance (фр.) ['seɪɑːns]; (представление) perfórmance; (портретиста) sítting; пе́рвый, второ́й ~ (в кино) first, sécond house* [...'se- -s]; first, sécond show / perfórmance [...ʃou...]; ~ одновреме́нной игры́ в ша́хматы displáy of múlti-board chéss-play.

СЕАТО (Организа́ция догово́ра Юго-Восто́чной А́зии) SEATO [sɪ'eɪtou, 'siːtou] (Sóuth-Éast Ásia Tréaty Òrganizátion [...'eɪʃə... -naɪ-]).

себе́ дт., пр. см. себя́.

себе́ (без удар.) частица разг. не переводится: а он ~ спит and he just goes on sléeping; а он ~ молчи́т and he just keeps sílent (as if nothing had háppened); and he says / útters néver / not a word [...sez...]; ◇ ничего́ ~ not so bad; так ~ só-sò, míddling.

себесто́имост||ь ж. эк. (prime) cost, cost price; продава́ть по ~и sell* at cost price.

себя́ рд., вн. (дт., пр. себе́, тв. собо́й, собо́ю) мест. перево́дится соотве́тственно лицу́, числу́ и ро́ду: 1. sg. my:sélf; pl. our:sélves; 2. sg. your:sélf; thy:sélf [ð-] поэт., уст.; pl. your:sélves; 3. sg. m. him:sélf, f. her:sélf, n. it:sélf; pl. them:sélves. ◇ мне ка́к-то не по себе́ I don't feel quite my:sélf; прийти́ в ~ come* to one's sénses; чита́ть про ~ read* to òne:sélf.

себялюб||ец м. égoìst, sélf-lóver [-'lʌ-]. ~и́вый sélfish, ègoístical, sélf-lóving [-'lʌ-]. ~ие с. sélf-lóve [-'lʌv], ègo:ism.

сев м. sówing ['sou-].

се́вер м. north; на ~, к ~у (от) to the north (of), nórth(wards) [-dz] (of); мор. тж. to the nórthward (of); на ~е in the north; идти́, е́хать на ~ go* north. ~нее нареч. (рд.) to the north (of), nórthward (of); fúrther north [-ðə...] (than). ~ный north, nórthern* [-ðən]; ~ный ве́тер north / nórtherly wind [...-ðəlɪ wɪ-]; ~ный жи́тель nórtherner [-ðə-]; Се́верный по́люс North Pole; ~ный поля́рный круг Árctic Círcle; ~ный оле́нь réindeer*; ~ное сия́ние nórthern lights pl.; Auróra Bòreális [...-ɪ'eɪ-] научн.

североатланти́ческий North-Atlántic.

се́веро-восто́||к м. nórth-éast. ~чный nórth-éast, nórth-éastern; (о ветре тж.) nórth-éasterly.

се́веро-за́пад м. nórth-wést. ~ный nórth-wést, nórth-wéstern; (о ветре тж.) nórth-wésterly.

северомо́рец м. sáilor of the (Sóviet) Nórthern Sea fleet [...-ðən...].

северя́нин м. nórtherner [-ðə-].

севооборо́т м. с.-х. rotátion of crops, crop rotátion, shift of crops.

се́врский (сэ́-): ~ фарфо́р Sèvres (фр.) [seɪvr].

севрю́га ж. stéllate stúrgeon.

севрю́жий прил. к севрю́га.

сегме́нт м. мат., биол. ségment. ~а́ция ж. биол. ségmentation.

сего́дня [-во́-] 1. нареч. to:dáy; ~ у́тром this mórning; ~ ве́чером this évening [...'iːv-], to:níght; 2. как сущ. с. нескл. to:day, the présent day [...-z-...]; на ~ (в настоящее время) to date; на ~ дово́льно that'll do for to:dáy; ◇ ~ гу́сто, а за́втра пу́сто ≃ feast to:day and fast to:mórrow; не ~-за́втра any day now. ~шний [-во́-] to:day's; на ~шний день to:dáy, at présent [...'prez-]; жить ~шним днём live for the day [lɪv...].

сегрега́ция ж. sègregátion.

седа́лищ||е с. анат. seat. ~ный анат. sciátic; ~ная кость sciátic bone; ~ный нерв sciátic nerve; воспале́ние ~ного не́рва мед. sciática.

седёлка ж. saddle.

седе́льник м. sáddler, sáddle-màker.

седе́льн||ый прил. к седло́; ~ая лука́ sáddle-bow [-bou].

седе́||ть, поседе́ть go* / turn grey; (о волосах тж.) be touched with grey [...tʌ-...]. ~ющий 1. прич. см. седе́ть; 2. прил. grizzled, gréying.

седина́ ж. 1. grey hair; 2. (проседь в мехе) grey streaks (in fur).

седла́ть, оседла́ть (вн.) saddle (d.).

седло́ с. saddle.

седлови́на ж. 1. (выгиб в спине животного) saddle; 2. метеор. col; 3. геол. saddle.

седоборо́дый grey-béarded.

седова́тый gréyish, grizzly.

седовла́сый grey-héaded [-'he-], grèy-háired.

сед||о́й 1. (о волосах) grey; 2. (о человеке) gréy-háired; 3. (с примесью белой шерсти) flecked with white; ◇ ~а́я старина́ hóary àntiquity.

седо́к м. (всадник) hórse:man*, rídеr; (в экипаже) fare.

седоу́сый with grey moustáches [...-məs'tɑːʃ-].

седьм||о́й séventh ['se-]; ~о́е ма́я, ию́ня и т.п. the séventh of May, June, etc.; May, June, etc., the séventh; страни́ца, глава́ ~а́я page, chápter séven [...'se-]; ~ но́мер númber séven; ему́ пошёл ~ год he is in his séventh year; ему́ деся́ток пошёл he is past síxty; уже́ ~ час (it is) past six; в ~о́м часу́ past / áfter six; полови́на ~о́го half past six [hɑːf...]; три че́тверти ~о́го a quárter to séven; одна́ ~а́я one séventh; ◇ на ~о́м не́бе разг. in the séventh héaven [...'he-].

сеза́м I м. бот. sésame [-mɪ].

сеза́м II м.: ~, откро́йся! ópen, sésame! [...-mɪ].

сезо́н м. séason [-zn]; ◇ мёртвый ~ the dead / off / dull séason [...ded...]. ~ник м. разг. séasonal wórker [-zn-...]. ~ность ж. séasonal prévalence [-zə-...]. ~ный séasonal [-zə-]; ~ный рабо́чий séasonal wórker; ~ный биле́т séason-ticket [-zn-]; còmmutátion ticket амер.

сей, ж. сия́, с. сие́, мн. сии́, мест. this, pl. these; на ~ раз for this once [...wʌns]; this time; — до сих пор (о месте) up to here, up to this point; (о времени) up to now, till now, híther:tó; (ещё, всё ещё) still; по ~ день, по сию́ по́ру up till now; сего́ го́да of this, или the présent, year [...'prez-...]; сего́ ме́сяца inst. сокр.: 5-го сего́ ме́сяца on the 5th inst.; что сие́ зна́чит? what is the méaning of this?; дано́ сие́ в том, или the présent, is given; сим удостоверя́ется this is to cértify; при сём прилага́ется hére:wìth please find; за сим сле́дует here follows; под сим ка́мнем поко́ится here lies; сию́ мину́ту (только что) this véry mínute [...'mɪnɪt]; (сейча́с) ínstantly, at once; (подожди́те) just a móment!; ◇ от сих и до сих ≃ within a límited range [...-eɪ-], néver be:yónd a définite scope.

сейм м. Seim (representative assembly in Poland).

се́йна ж. (рыболовная сеть) seine [seɪn].

се́йнер м. (рыболовное судно) séiner. ~ный séiner (attr.).

се́йсмика ж. seismícity [saɪz-].

сейсми́ческий séismic ['saɪz-].

сейсмогра́мма ж. séismogram ['saɪz-].

сейсмо́граф м. séismograph ['saɪz-]. ~и́ческий seismográphic [saɪz-].

сейсмогра́фия ж. seismógraphy [saɪz-].

сейсмо́лог м. seismólogist [saɪz-].

сейсмологи́ческий seismológical [saɪz-].

сейсмоло́гия ж. seismólogy [saɪz-].

сейсмо́метр м. seismómeter [saɪz-].

сейф [сэ-] *м.* safe.
сейчас *нареч.* 1. (*теперь*) now, at présent [...'prez-]; (*в данный момент*) just / right now; где он ~ живёт? where is he living now? [...li-...]; сделайте это ~ do it immédiately / now; только ~ just, just now; он только ~ ушёл he has just gone a;wáy [...'gɔn...], he has only just left; 2. (*очень скоро*) présently [-z-], soon; (*немедленно*) at once [...wʌns]; он ~ придёт he'll be here présently / soon; ~ же после immédiately áfter; ~ в минуту! ['mɪnɪt] (*иду*) cóming!
секанс [сэ-] *м. мат.* sécant.
секатор *м.* sécateur(s) (*фр.*) ['sekətə:(z)] (*pl.*); prúning-shears *pl.*, prúning-scissors *pl.*, prúners *pl.*
секач I *м.* (*орудие для рубки, сечки чего-л.*) chópper.
секач II *м.* (*взрослый самец кабана, морского котика*) boar.
секвестр *м.* 1. *юр.* sèquestrátion [si:-]; накладывать ~ (на *вн.*) séquestrate (*d.*), séquester (*d.*); 2. *мед.* seqúestrum. ~**овать** *несов. и сов.* (*вн.*) séquestrate (*d.*), séquester (*d.*).
секира *ж.* póle-áxe.
секрет I *м.* 1. (*в разн. знач.*) sécret; по ~у sécret;ly, cònfidéntially, in cónfidence; под большим ~ом in strict cónfidence, as a great sécret [...-eɪt...]; держать что-л. в ~е keep* smth. a sécret; выдать, разболтать ~ betráy a sécret; let* the cat out of the bag *идиом.*; не составлять ~а be géneral knowledge [...'nɔ-]; ни для кого не ~, что it is no sécret that, it is an ópen sécret that; ~ успеха зависит (от) the sécret of succéss lies (with); 2. *воен.* listening post ['lɪsⁿ- pou-]; ◇ ~ полишинеля ≅ an ópen sécret.
секрет II *м. физиол.* secrétion.
секретариат *м.* sècretáriate.
секретар‖**ский** sècretárial, sécretary's. ~**ство** *с.* sécretaryship; sècretárial dúties *pl.* ~**ствовать** gate be a sécretary.
секретарша *ж. разг.* (wóman*) sécretary ['wu-...].
секретарь *м.* (*рд.*) sécretary (of, to); личный ~ pérsonal / prívate sécretary [...'praɪ-...]; ~ собрания sécretary to the méeting; учёный ~ scientífic sécretary; генеральный ~ sécretary géneral; непременный ~ *уст.* pérmanent sécretary; ◇ Государственный ~ (*в США*) Sécretary of State.
секретер [-тэр] *м.* sècretáire, èscritóire [eskri:'twa:].
секретин *м. физиол.* secrétin [-ri:-].
секретничать *разг.* 1. (*держать в секрете*) be secrétive, keep* *things* sécret / dark; 2. (*разговаривать тихо по секрету*) convérse in cònfidéntial tones.
секретн‖**о** *нареч.* sécret;ly, cóvertly ['kʌ-], in sécret; весьма ~ with great sécrecy [...-eɪt 'si:-]; (*надпись на документах и т.п.*) strictly còndifential, top sécret. ~**ость** *ж.* sécrecy ['si:-]. ~**ый** sécret; (*о документах и т.п. тж.*) cònfidéntial; (*напр. приказ*) sécret órder; ~ый замок còmbination lock.
секреторный *физиол.* secrétory [-ri:-].
секреция *ж. физиол.* secrétion; внутренняя ~ intérnal secrétion.
секс *м.* sex.

сексолог *м.* sexólogist.
сексология *ж.* sexólogy.
секста [сэ-] *ж. муз.* sixth.
секстант *м. тех., мат.* séxtant.
секстет *м. муз.* sèxtét(te), sèstét.
сексуальн‖**ость** *ж.* sèxuálity. ~**ый** séxual.
сект‖**а** *ж.* sect. ~**ант** *м.* sèctárian, mémber of a sect. ~**антский** sèctárian. ~**антство** *с.* sèctárianism.
сектор *м.* 1. séctor; социалистический ~ хозяйства sócialist séctor of èconomy [...i:-]; государственный ~ народного хозяйства Státe-owned séctor of nátional èconomy [-ound... 'næ-...]; ~ обороны *воен.* séctor of defénce; 2. (*отдел учреждения*) depártment.
секуляриз‖**ация** *ж.* sèculàrizátion [-raɪ'z-]. ~**ировать** *несов. и сов.* (*вн.*) sécularize (*d.*).
секунд‖**а** *ж.* sécond ['se-] (*sixtieth part of a minute*); подожди ~у wait a móment; сию ~у just a móment / mínute [...-nɪt].
секундант *м.* sécond ['se-] (*in a duel or boxing match*); быть чьим-л. ~ом be smb.'s sécond.
секундн‖**ый** *прил. к* секунда; ~**ая стрелка** sécond hand ['se-...].
секундомер *м.* stóp-wàtch.
секущая *ж. скл. как прил. мат.* sécant.
секционный séctional.
секция *ж.* séction.
селевой: ~ поток múd-tòrrent, mud stream.
селёдка *ж.* = сельдь. ~**очница** *ж.* hérring-dish. ~**очный** hérring (*attr.*).
селезён‖**ка** *ж. анат.* spleen; воспаление ~ки *мед.* splenítis. ~**очный** *анат.* splénic [-i:n-], spleenétic.
селезень *м.* drake.
селектор *м. тех.* seléctor, seléctor switch. ~**ный** *прил. к* селектор; ~**ная связь** seléctive télephony; ~**ное управление эл.** gate contról [...oul].
селекционер *м.* sèléctionist.
селекционный *с.-х.* seléction (*attr.*), seléctive.
селекция *ж. с.-х.* seléction.
селен *м. хим.* selénium.
селение *с.* séttle;ment, víllage, hámlet ['hæ-].
селенистый *хим.* sèlenític(al).
селенит *м. мин.* selénite.
селеновый *хим.* selénic, selénium.
селенография *ж. астр.* sèlenógraphy.
селенолог *м.* spécialist in selénology ['spe-...].
селенология *ж. астр.* sèlenólogy.
сели *мн.* (*ед.* сель *м.*) mud flows [...flouz], múd-tòrrents.
селитр‖**а** *ж. хим.* sáltpètre, nitre; калиева ~ potássium nítrate [...'naɪ-]; натриева ~ sódium nítrate. ~**яный** sáltpètre (*attr.*); nitre (*attr.*); ~**яный завод** sáltpètre-wòrks, nitre works.
селить (*вн.*) séttle (*d.*); (*размещать*) lodge (*d.*). ~**ся** séttle, take* up one's résidence ['rez-].
сел‖**о́** *с.* víllage; ◇ ни к ~у́ ни к го́роду ≅ for no réason at all [...-z’n...]; néither here nor there ['naɪ-...].
сельдевый *прил. к* сельдь.
сельдерей *м.* célery.

сельд‖**ь** *ж.* hérring; копчёная ~ red hérring, blóater; ◇ как ~и в бочке ≅ like sárdines [...-'di:nz]. ~**яной** hérring (*attr.*).
селькор *м.* (сельский корреспондент) rúral còrrespóndent.
сельпо *с. нескл.* víllage géneral stores *pl.*
сельск‖**ий** rúral; ~**ая местность** cóuntryside ['kʌ-]; rúral área [...'ɛərɪə]; ~**ая жизнь** cóuntry life ['kʌ-...]; ~**ое хозяйство** ágriculture, fárming; ~ учитель víllage téacher; ~ житель cóuntry;man* ['kʌ-], víllager; *мн. собир.* cóuntryfólk ['kʌ- -pi-]; ~**ое население** rúral pòpulátion; ~**ая молодёжь** víllage youth [...ju:θ]; young cóuntryfólk [jʌŋ...].
сельскохозяйственный àgricúltural; fárming; ~ рабочий àgricúltural wórker; (*батрак*) fárm-hànd.
сельсовет *м.* (сельский Совет народных депутатов) Víllage Sóviet (of Péople's Députies) [...pi:-...].
сельтерск‖**ий**: ~**ая вода** séltzer (wáter) [-tsə 'wɔ:-].
селянин *м. уст., поэт.* péasant ['pez-], víllager.
семант‖**ика** *ж. лингв.* 1. semántics; 2. (*значение слова*) méaning (of *a* word). ~**ический** *лингв.* semántic; ~**ическое развитие** semántic devélopment.
семасио‖**логический** *лингв.* sèmàsiológical. ~**логия** *ж.* semàsiólogy.
семафор *м. ж.-д., мор.* sémaphòre, signal post [...poust].
сёмга *ж.* sálmon ['sæm-].
семейн‖**ый** 1. doméstic; fámily (*attr.*); ~**ая жизнь** doméstic / fámily life; ~**ое счастье** fámily háppiness; ~ круг fámily circle; ~**ые отношения** fámily relátions; ~ совет doméstic / fámily cóuncil; ~ вечер fámily párty; ~**ые связи** fámily ties; ~**ая вражда** fámily feud; ~**ое положение** fámily státus; márital state; по ~**ым обстоятельствам** for doméstic réasons [...-z’nz]; в ~**ой обстановке** in doméstic surróundings; 2. (*имеющий семью*) fámily (*attr.*); ~ человек fámily man*; быть ~ым have a fámily; be head of a fámily [...hed...].
семейственн‖**ость** *ж.* 1. attáchment to fámily life; 2. *неодобр.* (*в ведении дел, в работе*) népotism. ~**ый** 1. doméstic; fámily (*attr.*); ~**ый человек** domésticàted man*; 2. *неодобр.* (*основанный на предоставлении льгот родственникам*) népotic.
семейство *с.* fámily.
семена *мн. см.* семя 1.
семенить mince (alóng).
семенник *м.* 1. *биол.* tésticle; 2. *бот.* péricàrp; ~ й трав grass seeds; ~ й овощных культур végetable seeds.
семенн‖**ой** 1. seed (*attr.*); ~**ая ссуда** seed loan; ~ фонд séed-fùnd; ~**ое хозяйство** séed-fàrm; засыпать ~**ые фонды** lay* in seed stocks; ~ картофель seed potátòes *pl.*; 2. *биол.* séminal ['si:-], spèrmátic; ~**ая нить** spèrmatozóon [-'zouɔn] (*pl.* -zoa [-'zouə]).
семеновод *м.* séed-grówer [-grouə].

573

СЕМ — СЕН

семенов́од||ство с. с.-х. séed-gŕowing [-ou-], séed-fárming. **~ческий** с.-х. séed-gŕowing [-ou-] (attr.).

семенон́осный бот. sèmíniferous.

семер́ичный sèpténary [-'ti:-].

сем́ёрка ж. 1. разг. (цифра) séven ['se-]; 2. карт. séven; козырн́ая ~ the séven of trumps; ~ черв́ей, пик и т. п. the séven of hearts, spades, etc. [...hɑ:ts...]; 3. разг. (номер трамвая, автобуса и т. п.) number séven.

семерн́ой sévenfòld, séptuple.

с́емеро числ. séven ['se-]; для всех семер́ых for all séven; нас ~ there are séven of us; ⬦ одного́ не ждут посл. ≃ for one that is míssing there's no spóiling a wédding.

сем́естр м. term, seméster. **~овый** términal; seméster (attr.).

с́емечк||о с. 1. уменьш. от с́емя 1; 2. мн. (семена подсолнуха) súnflower seeds.

семи- (в сложн. словах, не приведённых особо) of séven [...'se-], или séven- — соотв. тому, как даётся перевод второй части слова; напр.: семидн́евный of séven days, séven-day (attr.) (ср. -дн́евный: of... days, -day attr.); семим́естный with berths, seats for 7; (об автобусе и т. п.) séven-seater ['se-] (attr.) (ср. -м́естный).

семидесяти- (в сложн. словах, не приведённых особо) of séventy, или séventy- — соотв. тому, как даётся перевод второй части слова; напр. семидесятидн́евный of séventy days, séventy-day (attr.) (ср. -дн́евный: of... days, -day attr.); семидесятим́естный with berths, seats for 70; (об автобусе и т. п.) séventy-seater (attr.) (ср. -м́естный).

семидесятил́ет||ие с. 1. (годовщина) sèventieth ànnivérsary; (день рождения) séventieth bírthday; 2. (срок в 70 лет) séventy years pl. **~ний** 1. (о сроке) of séventy years; séventy-year (attr.); 2. (о возрасте) of séventy; séventy-year-óld; **~ний** челов́ек man* of séventy; séventy-year-óld man*.

семидес́ят||ый séventieth; страни́ца **~ая** page séventy; ~ номер númber séventy; ему́ пошёл ~ год he is in his séventieth year; ~ые ѓоды (столетия) the séventies; в нача́ле ~ых годо́в in the éarly séventies [...'ə:-...]; в конце́ ~ых годо́в in the late séventies.

семиж́ильный разг. tough [tʌf], hárdy.

семикл́ассн||ик м. séventh-fòrm boy ['se-...]; séventh-fórmer ['se-] разг. **~ица** ж. séventh-fòrm girl ['se- g-].

семикр́атн||ый sévenfòld, séptuple; в **~ом** разм́ере sévenfòld.

семил́етие с. 1. (годовщина) séventh ànnivérsary ['se-...]; 2. (срок в 7 лет) séven years ['se-...] pl.

семил́ет||ка ж. 1. séven-year school ['se-...]; 2. разг. (о ребёнке) séven-year-óld child* ['se-...], child* of séven [...'se-]; 3. (план развития) Séven-Year Plan. **~ний** 1. (о сроке) of séven years [...'se-...]; séven-year ['se-] (attr.); sèpténnial научн.; 2. (о возрасте) of séven (years); séven-year-óld ['se-]; **~ний** ребёнок child* of séven: séven-year-óld child*.

семими́льн||ый: дви́гаться **~ыми** шага́ми advánce with séven-league / gigánt̀ic / rápid strides [...'se- -li:g...]; take* great strides fórward [...greɪt...].

семин́ар м. sèminàr.

семинари́ст м. sèminárian, séminarist.

семин́ария ж. séminary; дух́овная ~ theológical séminary.

семин́арский I прил. к семин́ар.

семин́арский II прил. к семин́ария.

семисот́лет||ие с. 1. (годовщина) séven-húndredth ànnivérsary ['se-...]; 2. (срок в 700 лет) séven húndred years ['se-...] pl., séven cénturies pl. **~ний** 1. (о сроке) of séven húndred years [...-...]; 2. (о годовщине) séven-húndredth ['se-].

семис́от||ый séven-húndredth ['se-]; страни́ца **~ая** page séven húndred [...'se-...]; ~ая годовщи́на séven-húndredth ànnivérsary, ~ год the year séven húndred.

семист́опный: ~ ямб лит. iámbic hèptámeter.

семистр́унный séven-stringed ['se-], hèptachòrd [-k-].

сем́ит м. Sémìte ['si:-]. **~и́ческий** Semític; **~и́ческие** языки́ Semític lánguages. **~́олог** м. sèmítologist. **~оло́гия** ж. sèmítology. **~ский** = семити́ческий.

семиты́сячный 1. the séven-thóusandth [...'se- -zə-]; 2. (ценою в 7000 рублей) séven thóusand roubles worth ['se- -zə-ru:-...], cósting 7000 roubles; 3. (состоящий из 7000) 7000 strong.

семиуѓольн||ик м. мат. hèptagon, séptàngle. **~ый** hèptágonal, sèptángular.

семичасов́ой 1. (о продолжительности) of séven hours [...'se- auəz]; séven-hour ['se- -auə] (attr.); 2. (назначенный на семь часов) séven o'clóck (attr.); ~ по́езд the séven o'clóck train; the séven o'clóck разг.

семнадцати- (в сложн. словах, не приведённых особо) of sévent́een, или séventéen- — соотв. тому, как даётся перевод второй части слова; напр.: семнадцатидн́евный of séventéen days, sèventéen-day (attr.) (ср. -дн́евный: of... days, -day attr.); семнадцатим́естный with berths, seats for 17; (об автобусе и т. п.) sèventéen-seater (attr.) (ср. -м́естный).

семнадцатил́етний 1. (о сроке) of sèventéen years; séventéen-year (attr.); 2. (о возрасте) of séventéen; séventéen-year-óld; ~ ю́ноша boy of séventéen; séventéen-year-óld boy.

семн́адцат||ый séventéenth; **~ое** января́, февраля́ и т. п. the séventéenth of Jánuary, Fébruary, etc.; Jánuary, Fébruary, etc., the séventéenth; страни́ца, глава́ **~ая** page, chápter séventéen; но́мер númber séventéen; ему́ пошёл ~ год he is in his séventéenth year; одна́ **~ая** one séventéenth.

семн́адцать числ. séventéen; ~ раз ~ sèventéen times sèventéen; séventéen sèventéens.

сем||ь числ. séven ['se-]; ⬦ ~ бед — оди́н отве́т посл. ≃ as well be hánged for a sheep as for a lamb; in for a pénny, in for a pound; у **~́и** ня́нек дитя́ без гла́зу посл. ≃ too many cooks spoil the broth; ~ раз приме́рь, оди́н раз отре́жь посл. ≃ look befóre you leap.

сем||ьдеся́т числ. séventy; ~ оди́н и т. д. séventy-òne, séventy-first, etc.; ~ лет (о времени) about séventy years; (о возрасте) about séventy; лет ~ тому́ наза́д about séventy years agó; ему́ лет ~ he is / looks about séventy; ему́ óколо семи́десяти he is about séventy; ему́ под ~ he is néarly séventy; ему́ (перевали́ло) за ~ he is óver séventy; челове́к лет семи́десяти a man* of about séventy; в семи́десяти киломе́трах (от) séventy kílomètres (from). **~с́от** числ. séven húndred ['se-...].

сем́ью нареч. séven times ['se-...]; ~ семь séven times séven; séven sévens.

семь||я́ ж. fámily; ~ наро́дов commúnity of nátions; бра́тская ~ сове́тских наро́дов fratérnal fámily of Sóvièt nátions; из хоро́шей **~́и** of good* stock; ⬦ ~ языко́в fámily of lánguages, linguístic fámily; в **~́е** не без уро́да посл. ≃ évery fámily has its black sheep.

семьян́ин м. fámily man*.

с́емя с. 1. бот. (тж. перен.) seed; пойти́ в семена́ go* / run* to seed; семена́ раздо́ра seeds of díscord; 2. биол. sémèn, sperm.

сем́я||доля ж. бот. séed-lòbe, còtyledon. **~излия́ние** с. физиол. èjaculátion. **~по́чка** ж. бот. séed-bùd.

сен́ат м. sénate. **~ор** м. sénator. **~орский** sènatórial. **~ский** прил. к сена́т.

сенберн́ар [сэ-] м. (собака) St. Bérnard (dog).

сенега́||лец м., **~лка** ж., **~льский** Sènegalése.

с́ени мн. ínner porch, óuter éntrance hall.

сенн́||ик м. 1. (матрас, набитый сеном) háy-máttress; 2. (сарай для сена) barn. **~ой** hay (attr.); **~ой** ры́нок háy-màrket; **~ая** лихора́дка мед. hay féver.

се́н||о с. hay; вороши́ть ~ ted the hay; скла́дывать ~ в стога́ cock hay; оха́пка **~а** a bottle of hay; стог **~a** háyrick, háystàck.

сенова́л м. mow [mou], háylòft.

сеноворо́шилка ж. с.-х. hay spréader [...-re-], hay tédder.

сенозаготови́тельный прил. к сенозагото́вки.

сенозагото́вки мн. (State) hay púrchasing [...-s-].

сенокопни́тель м. с.-х. háy-stàcker.

сеноко́с м. 1. háy-mówing [-mou-], háymàking, háying; 2. (время косьбы) háymàking time, mówing time ['mou-...]; 3. (луг, место косьбы) háyfield [-fi:ld]. **~и́лка** ж. с.-х. mówing-machine ['mou- -ʃi:n]. **~ный** háying.

сеносуши́лка ж. háy-drìer.

сеноубо́р||ка ж. hay hárvesting, háymàking. **~очный**: **~очная** маши́на háymàking machíne [...-ʃi:n].

сенсацио́нн||ый sènsátional; **~ое** собы́тие sènsátion, sènsátional / stártling évent.

сенса́ци||я ж. sènsátion; вызыва́ть **~ю** cause a sènsátion, cause / make* a big stir.

сенсимон||изм [сэ-] *м.* Sáint-Símonism [-saɪ-]. **~и́ст** [сэ-] *м.* Sáint-Símonist [-saɪ-].

сенсо́рный sénsory.

сенсуал||изм [сэ-] *м. филос.* sènsátionalism, sénsualism. **~и́ст** [сэ-] *м.* sènsátionalist, sénsualist.

сенсуа́льный [сэ-] *филос.* sènsátional, sénsual.

сентенцио́зный [сэнтэ-] sènténtious.

сенте́нция [сэнтэ-] *ж.* máxim.

сентиментали́зм [сэ-] *м.* sèntiméntalism.

сентимента́льн||ичать [сэ-] *разг.* be sèntiméntal, sèntiméntalize. **~ость** [сэ-] *ж.* sèntiméntálity; без **~ости** without sèntiméntálity. **~ый** [сэ-] sèntiméntal.

сентя́бр||ь *м.* Septémber; в **~é** этого го́да in Septémber; в **~é** про́шлого го́да last Septémber; в **~é** бу́дущего го́да next Septémber.

сентя́брьский *прил.* к сентя́брь; **~** день a Septémber day, a day in Septémber.

сень *ж. поэт.* cánopy; под **~ю** (*рд.*) únder the cánopy (of); (*перен.*) únder the protéction (of).

сеньо́р [-ньёр] *м.* séignior ['si:njə], seignéur [seɪn'jɜː].

сепарат||и́зм *м. полит.* séparatism. **~и́ст** *м.,* **~и́стка** *ж. полит.* séparatist. **~и́стский** *полит.* séparative.

сепара́тн||ый séparate; **~** мир séparate peace; **~** ми́рный догово́р séparate peace tréaty.

сепара́тор *м. с.-х., тех.* séparator.

се́пия *ж.* 1. (*краска*) sépia. 2. (*рисунок*) sépia dráwing; (*фотогра́фия коричневого тона*) sépia phóto:ǃgraph; 3. (*моллюск*) cúttleǃfish.

се́псис [сэ́-] *м. мед.* septicáemia, sépsis.

септе́т [сэп-] *м. муз.* septét(te).

се́птима [сэ-] *ж. муз.* séventh ['se-].

септи́ческий [сэ-] *мед.* séptic.

се́ра *ж.* 1. *хим.* súlphur; brímstòne; 2. (*ушная*) éar-wàx [-wæks], cerúmèn.

сера́ль *м.* seráglio [-'rɑːl].

серафи́м *м. рел.* séraph ['se-] (*pl.* -phim, -phs).

серб *м.,* **~ка** *ж.* Serb, Sérbian.

се́рбский Sérbian.

сербохорва́тский Sérbo-Cròátian; **~** язы́к Sérbo-Cròátian, Sérbo-Cròát, the Sérbo-Cròátian / Sérbo-Cròát lánguage.

сервáнт *м.* sídeǃboard.

серви́з *м.* sérvice, set; столо́вый **~** dínner sérvice / set; ча́йный **~** tea sérvice / set.

сервир||ова́ть *несов. и сов.* (*вн.*) serve (*d.*); **~** стол lay* the table. **~о́вка** *ж.* 1. (*действие*) láying, sérving; 2. (*убранство стола*) table appóintments (*crockery and table linen*).

се́рвис *м.* [сэ-] sérvice.

серде́чник I *м. тех.* core.

серде́чник II *м. разг.* 1. (*о враче*) heart spécialist [hɑːt 'spe-]; 2. (*о больном*) heart case [hɑːt -s], heart súfferer [hɑːt -s].

серде́чник III *м. бот.:* **~** лугово́й cúckoo-flower ['ku-].

серде́чно-сосу́дист||ый cárdio-váscular; **~ые** заболева́ния cárdio-váscular diséases [...-'zi:z].

серде́чн||ость *ж.* warmth / ténderness of féeling, còrdiálity. **~ый** 1. heart [hɑːt] (*attr.*); cárdiac *научн.*; **~ое** лека́рство cárdiac; **~ый** припа́док heart attáck; **~ая** боле́знь heart diséase [...-'zi:z]; специали́ст по **~ым** боле́зням heart spécialist [...'spe-]; **~ая** мы́шца heart múscle [...mʌsl]; 2. (*искренний*) ténder, lóving ['lʌv-]; córdial; **~ый** челове́к warm-héarted pérson [-'hɑːt-...]; **~ая** благода́рность sincére / héartfelt grátitude [...'hɑːt-...]; héarty thanks ['hɑːtɪ...] *pl.*; (*ср.* благода́рность 1 и 2); оказа́ть **~ый** приём (*дт.*) exténd a córdial / warm wélcome (to).

серди́т||ый 1. (на кого́-л.) ángry (with smb.), cross (with smb.); (на что́-л.) ángry (at / abóut smth.); 2. *разг.* (*о горчице, хрене*) strong; **◇** дёшево и **~о** cheap but good; a good bárgain.

серди́ть (*вн.*) make* ángry (*d.*), ánger (*d.*). **~ся** (на кого́-л.) be ángry (with smb.), be cross (with smb.); (на что́-л.) be ángry (at / abóut smth.); не серди́тесь на меня́ don't be ángry / cross with me.

сердобо́льн||ость *ж.* ténder-héartedness [-'hɑː-], compássion. **~ый** ténder-héarted [-'hɑː-], compássionate.

сердоли́к *м. мин.* còrnélian, sard. **~овый** *прил.* к сердоли́к.

сердц||е [-рц-] *с.* (*в разн. знач.*) heart [hɑːt]; до́брое, мя́гкое **~** kind heart, ténder heart; золото́е **~** heart of gold; у него́ **~а** нет he has no heart; прижима́ть кого́-л. к **~у** press / hold* smb. to one's heart / bósom [...'buz-]; у него́ **~** упа́ло, за́мерло his heart sank; с замира́нием **~а** with a sínking / pálpitàting heart; у него́ **~** за́мерло от ра́дости his heart mélted with joy; у него́ **~** разрыва́ется his heart is bréaking [...'breɪ-]; у него́ тяжело́ на **~** his heart is héavy [...'he-], he is sick at heart; у него́ **~** кро́вью облива́ется his heart is bléeding; принима́ть что́-л. (бли́зко) к **~у** take* / lay* smth. to heart; предлага́ть кому́-л. ру́ку и **~** óffer smb. one's hand and heart; с тяжёлым **~ем** with a héavy heart; с лёгким **~ем** with a light heart, light-héartedly [-'hɑːt-]; от всего́ **~а** from the bóttom of one's heart, whóle-héartedly ['houl-'hɑːt-]; иду́щий от **~а** héartfelt ['hɑːt-]; всем **~ем** with all one's heart, with one's whole heart [...houl...]; скрепя́ **~** relúctantly, grúdgingly; чу́ет его́ **~** беду́ his mind misǃgives him [...-'gɪ-...]; с **~ем** véxedly, téstily; в **~áх** *разг.* in a témper, in a fit of témper; у него́ не лежи́т **~** (к) he has no líking (for); по́ **~у** *разг.* to one's líking; áfter one's heart; от чи́стого **~а** in all sincérity; у него́ отлегло́ от **~а** he felt relíeved [...-'liːvd]; с глаз доло́й — из **~а** вон *погов.* out of sight, out of mind.

сердцебие́ние [-рц-] *с.* pálpitátion; *мед.* tàchycárdia [-kɪ-].

сердцеве́д [-рц-] *м.* réader / intérpreter of the húman heart, или of húman náture [...hɑːt... 'neɪ-].

сердцеви́дный [-рц-] héart-shàped ['hɑːt-]; *бот.* córdate.

сердцеви́н||а [-рц-] *ж.* (*прям. и перен.*) core, pith, heart [hɑːt]. **~ный** [-рц-] *прил.* к сердцеви́на.

сердцее́д [-рц-] *м. разг.* lády-killer.

серебре́ние *с.* sílvering.

серебреник *м.* (*монета*) silver coin, piece of sílver [piːs...].

серебрёный sílver-pláted.

серебри́ст||ость *ж.* sílveriness. **~ый** sílvery; sílver (*attr.*); **~ый** звук sílver(y) sound; **~ый** то́поль *бот.* sílver póplar [...'rɔ-], abéle.

серебри́ть, посеребри́ть (*вн.*) sílver (*d.*), sílver-pláte (*d.*). **~ся** 1. sílver, becóme* sílvery; 2. *страд.* к серебри́ть.

серебр||о́ *с.* 1. sílver; суса́льное **~** sílver-leaf; 2. *собир.* (*серебряные вещи, деньги*) sílver; столо́вое **~** sílver, plate; 3. *разг.* (*медаль за второе место в спортивных соревнованиях*) sílver. **~но́сный** *геол.* àrgentíferous.

серебря́ник *м.* (*серебряных дел мастер*) sílversmith.

серебря́н||ый 1. sílver; **~ая** посу́да *собир.* sílver, plate; **~ые** изде́лия sílver goods [...gudz]; sílverwàre *sg.*; **~** звон sílvery peals *pl.*; **~** го́лосок sílvery voice; в **~ой** опра́ве sílver-móunted; **~** блеск *мин.* sílver glance; 2. (*являющийся обладателем медали за второе место в спортивных соревнованиях и т.п.*): **~** призёр sílver médallist [...'me-]; **◇ ~ая** сва́дьба sílver wédding.

середи́н||а *ж.* (*в разн. знач.*) míddle, midst; золота́я **~** the gólden mean; в (са́мой) **~е** in the (very) míddle; в **~е** ле́та in the míddle / height of súmmer [...haɪt...]; **~ы** не мо́жет быть there is no míddle / intermédiate cóurse [...kɔːs]. **~ный** míddle, mean, céntral.

середка *ж. разг.* = середи́на; **◇** серёдка наполови́нку *разг.* néither one thing, nor the óther ['naɪ-...].

середня́к *м.* 1. péasant of áverage means ['pez-...]; 2. *разг.* (*человек посредственных способностей*) míddling / undistínguished pérson. **~цкий** *прил.* к середня́к 1.

серёжка *ж.* 1. *бот.* cátkin; améntum; 2. *разг.* = серьга́ 1, 2.

серена́да *ж.* sèrenáde.

сере́ньк||ий *уменьш., ласк.* grey; (*перен. тж.*) dull; **~** денёк múrky day; **~ая** жизнь dull life.

сере́||ть, посере́ть 1. (*становиться серым*) grow* / turn grey [-ou...], grey; 2. *тк. несов.* (*виднеться*) show* grey [ʃou...]; что-то **~ет** вдали́ smth. shows grey in the dístance, smth. grey can be seen in the dístance.

сержа́нт *м. воен.* sérgeant ['sɑːdʒənt]; ста́рший **~** sénior sérgeant; мла́дший **~** júnior sérgeant. **~ский** sérgeant's ['sɑːdʒənts].

сери́йн||ый sérial; **~ое** произво́дство sérial prodúction.

се́рия *ж.* séries [-riːz] *sg. и pl.*; кинофи́льм в не́скольких **~х** sérial (film); **~** вы́стрелов *воен.* sérial.

сермя́га *ж.* 1. (*сукно*) coarse héavy cloth [...he-...]; 2. (*кафтан*) coarse héavy cáftan.

се́рна *ж. зоол.* chámois ['ʃæmwɑː].

се́рнист||ый *хим.* sùlphúreous, sùlphúrоus; ~ на́трий sùlphúreous sódium; ~ мета́лл súlphide; ~ая ртуть súlphide of mércury.

сернокисл||ый *хим.*: ~ая соль súlphate.

серн||ый sùlphúric, súlphurous, súlphurу; ~ая кислота́ sùlphúric ácid; ~ цвет *хим.* flówers of súlphur *pl.*

серова́тый gréyish.

сероводоро́д *м. хим.* sùlphurètted hýdrogen [...'haɪ-], hýdrogen súlphide.

сероглазый grey-eyed [-aɪd].

серо́зный *физиол.* sérous.

се́рость *ж.* 1. grey cólour [...'kʌ-]; 2. (*бесцветность*) dúllness; 3. (*необразованность*) ígnorance.

серотерапи́я [сэ-] *ж. мед.* sèrothérapy.

сероуглеро́д *м. хим.* cárbon bi:súlphide.

серп *м.* sickle, réaping-hook; ~ и мо́лот hámmer and sickle; ◊ ~ луны́ créscent / sickle moon [-eznt...] *поэт.*

серпанти́н *м.* 1. páper stréamer; 2. (*извилистая дорога в горах*) sérpentine road.

серпенти́н *м. мин.* sérpentine.

серпови́дный créscent(-shàped) [-eznt-], fálcàte.

серсо́ [сэ-] *с. нескл.* 1. (*игра*) hóoplà [-lɑ:]; 2. (*кольцо*) ring.

сертифика́т *м.* certíficate.

се́рум [сэ-] *м. мед.* sérum (*pl.* -ms, séra).

се́рфинг [сэ-] *м. спорт.* súrfing.

серча́ть, осерча́ть, рассерча́ть *разг.* be ángry / cross.

се́р||ый grey; (*перен.*: *бесцветный, неинтересный*) dull; (*перен.*: *необразованный*) *разг.* dull, ignorant; ~ые глаза́ grey eyes [...aɪz]; ~ в я́блоках (*о лошади*) dápple-grèy; ~ое вещество́ (*мозга*) grey mátter; ~ая жизнь dull life, drab / húmdrùm existence; ~ день grey day.

серьга́ *ж.* 1. éar-rìng; 2. *mex.* link; 3. *мор.* slíp-ròpe.

серьёз: на по́лном ~е *разг.* in éarnest [...'ə:n-]; in all sérious:ness.

серьёз||неть, посерьёзнеть *разг.* become* / grow* sérious [...-ou-...]. ~ничать *разг.* preténd to be sérious.

серьёзно I *прил. кратк. см.* серьёзный.

серьёзн||о II *нареч.* sérious:ly, éarnest:ly ['ə:n-], in éarnest [...'ə:n-]; ~? réally? ['rɪə-]; я говорю́ ~ I am in éarnest, I mean it; относи́ться ~ к чему́-л. be in éarnest about smth. ~ость *ж.* sérious:ness, éarnestness ['ə:n-]; (*важность*) grávity; со всей ~остью in all sérious:ness. ~ый sérious, éarnest ['ə:n-]; (*важный*) grave; серьёзное положе́ние, вопро́с о́чень ~ым take* a grave view of the mátter [...vju:...].

сессио́нный séssional.

се́ссия *ж.* 1. séssion; (*судебная*) term; выездна́я ~ assíses *pl.*; ~ Верхо́вного Сове́та СССР séssion of the Supréme Sóviet of the USSR; 2.: экзаменацио́нная ~ exàminátions *pl.*

сесте́рций [сэстэ́-] *м. ист.* sèstèrce.

сестра́ *ж.* 1. síster; двою́родная ~ (first) cóusin [...'kʌz-]; 2.: медици́нская ~ (sick-)núrse; (*с квалификацией фельдшерицы*) trained (hóspital) nurse; ~ -хозя́йка (*в больнице и т. п.*) mátron; ◊ ~ милосе́рдия *уст.* (médical) nurse.

се́стр||ин *прил.* síster's. ~ица *ж.*, ~ичка *ж. уменьш., ласк. от* сестра́.

сесть I, II *сов. см.* сади́ться I, II.

сетев||о́й: ~ гра́фик *тех.* íntegràted òperátional schédule [...'ʃe-].

се́тка *ж.* 1. net, nétting; (*очень мелкая*) gauze; (*для вещей в вагоне*) lúggage) rack; (*для ловли бабочек*) búttěrflу-nèt, swéep-nèt; про́волочная ~ wire nétting, (*мелкая*) wire mesh. 2. *разг.* (*сумка*) string-bàg; 3. (*географическая*) gráticùle; (*квадратная на карте*) grid; 4. (*радио*) grid; 5. (*тарифная и т. п.*) scale.

се́тование *с.* làmèntátion, complaint.

се́товать, посе́товать (на *вн.*) lamént (*d.*), compláin (of); (на *пр.*; *скорбеть*) lamént (for, óver), compláin (of).

се́точный 1. net (*attr.*); 2. *рад.* grid (*attr.*).

се́ттер [сэтэр] *м.* sétter.

сетча́тка *ж. анат.* rétina.

сетчатокры́лые *мн. скл. как прил. зоол.* neuróptera.

се́тчат||ый: ~ая оболо́чка гла́за *анат.* rétina.

сет||ь *ж.* 1. net; *мн.* (*перен.*) net *sg.*, méshes, toils; рыболо́вная ~ fishing net; плавна́я ~ drift-nèt; попа́сть в ~и be caught in a net; fall* into a net; расста́вить ~и кому́-л. set* a trap for smb.; 2. (*система путей, линий связи, учреждений и т. п.*) nétwòrk, sýstem; circuit [-kɪt]; торго́вая ~ tráding nétwòrk; ~ де́тских учрежде́ний sýstem of childcáre institútions.

се́ча *ж. уст.* battle.

сече́ние *с.* séction; золото́е ~ *иск.* gólden séction; ◊ ке́сарево ~ Caesárean séction / birth / òperátion [-'zeə-rɪən-...].

се́чка I *ж.* (*нож*) chópping-knífe*, cléaver.

се́чка II *ж.* 1. (*рубленая солома*) chopped straw, chaff; 2. (*дроблёная крупа*) ríce ground rice.

Сечь *ж.*: Запоро́жская ~ *ист.* Zaporózhskaya Sech.

сечь I, вы́сечь (*вн.*) (*розгами*) flog (*d.*); (*кнутом*) whip (*d.*).

сечь II (*вн.*; *рубить*) cut* / slash to píeces [...'piːs-] (*d.*).

се́чься (*о волосах*) split*; (*о тканях*) cut*.

се́ялка *ж. с.-х.* séeding-machine [-'ʃiːn-], sówing-machine ['sou- -'ʃiːn]; рядова́я ~ seed drill, drill séeder.

се́яльщик *м.* sówer ['souə].

се́янец *м. с.-х.* séedling; лук-~ séedling-ònion [-ʌn-], ónion set(t) ['ʌn-...].

се́ятель *м.* sówer ['souə]; (*перен.*) dissémìnàtor.

се́ять, посе́ять (*вн.*) sow* [sou] (*d.*); (*рядами*) drill (*d.*); (*перен.*; *терять*) *разг.* lose* [luːz] (*d.*); ◊ ~ вражду́ (*между*) créate hòstílity (betwéen, amóng); ~ па́нику (*среди*) spread pánic [-ed...] (amóng); ~ раздо́р breed* strife, sow* díscòrd; что посе́ешь, то и пожнёшь *посл.* ≃ you must reap what you have sown [...soun]; as you sow, you shall mow [...mou]; you have made your bed, and you must lie on it.

се́яться (*об осадках*) drizzle.

сжа́литься *сов.* (над) take* píty / compássion [...'pɪ-...] (on, up:ón).

сжа́т||ие *с.* 1. préssing, préssure; (*рукой*) grasp, grip; 2. (*жидкости, газа*) compréssion. ~ость *ж.* 1. (*жидкости, газа*) compréssion; 2. (*краткость*) concíse:ness [-'saɪs-].

сжа́т||ый I 1. *прич. см.* сжима́ть; 2. *прил.* condénsed, compréssed; (*краткий*) concíse [-s]; ~ кула́к clenched fist; ~ во́здух compréssed air; ~ стиль compréssed style; в ~ой фо́рме in a condénsed form.

сжа́тый II *прич. см.* жать II.

сжать I *сов. см.* сжима́ть.

сжать II *сов. см.* жать II.

сжа́ть *сов. см.* сжима́ть.

сжева́ть *сов.* (*вн.*) *разг.* chew up (*d.*).

сжечь *сов. см.* жечь 1 и сжига́ть.

сжива́ть, сжить (*вн.*) *разг.*: ~ со све́та be the death [...deθ] (of), wórry to death ['wʌ-...] (*d.*), hound to death (*d.*).

сжива́ться, сжи́ться (с *тв.*) *разг.* get* used / accústomed [...juːst...] (to); сжи́ться с ро́лью *театр.* idéntify òne:sélf with a part [aɪ-...].

сжига́ть, сжечь (*вн.*) burn* (down, out) (*d.*); (*в крематории*) cremáte (*d.*); ~ дотла́ incínerate (*d.*), burn* to áshes (*d.*); ◊ сжечь свои́ корабли́ burn* one's boats; ≃ burn* one's bridges behind one.

сжи́ж||ать (*вн.*) *хим.* líquefy (*d.*). ~е́ние *с. хим.* líquátion [laɪ-], liquefáction.

сжи́женный *прич. и прил. хим.* líquefied.

сжима́емость *ж.* condénsability, compréssibility.

сжима́ть, сжать (*вн.*) squeeze (*d.*); (*жидкость, газ тж.*) compréss (*d.*); ~ гу́бы compréss one's lips, press one's lips togéther [...-'ge-]; ~ зу́бы, ру́ки, кулаки́ clench one's teeth, hands, fists; ~ ру́ку в кула́к make* a fist; ball / double one's hand into a fist [...dʌbl...]; ~ ру́ку кому́-л. wring* / squeeze smb.'s hand; ~ в объя́тиях hug (*d.*); сжать стальны́м кольцо́м grip in a steel vice (*d.*); ~ кольцо́ окруже́ния (*вокруг*) *воен.* tíghten the ring (round). ~ся, сжа́ться 1. shrink*, contráct; (*о жидкости, газе*) compréss; (*о губах*) contráct; (*о зубах, руках и т. п.*) clench; его́ се́рдце сжа́лось (от) his heart was wrung [...hɑːt...] (with); 2. *страд. к* сжима́ть.

сжить *сов. см.* сжива́ть.

сжи́ться *сов. см.* сжива́ться.

сжу́лить *сов. см.* жу́лить.

сжу́льничать *сов. см.* жу́льничать.

сза́ди I *нареч.* (*с задней стороны*) from behínd; from the rear; (*позади*) behínd; (*считая с конца*) from the end / tail; вид ~ view from behínd [vju:...], back / rear view; он шёл ~ he was wálking behínd; толка́ть, напира́ть ~ push, press from behínd [puʃ...].

сзади II *предл.* (*рд.*) behind: ~ дома behind the house* [...-s].

сзыва́ть, **созва́ть** (*вн.*) call (*d.*); (*о гостях*) gáther (*d.*).

си *с. нескл. муз.* В [biː]; si [siː]; си-бемо́ль В flat.

сиа́мск‖**ий** Siamése; ~ язы́к Siamése, the Siamése lánguage; ◇ ~ие близнецы́ Siamése twins; ~ кот Siamése (cat).

сибари́т *м.*, ~**ка** *ж.* sýbarite. ~**ский** sybarític. ~**ство** *с.* sýbarítism, sybarític life. ~**ствовать** lead* the life of a sýbarite.

сибиля́нт *м. лингв.* síbilant.

сиби́рск‖**ий** Sibérian [saɪ-]; ~ая я́зва *мед.* ánthrax; ◇ ~ая ко́шка Pérsian cat [-ʃən...].

сиби́р‖**я́к** *м.*, ~**я́чка** *ж.* Sibérian [saɪ-].

Сиви́лла *ж. миф.* Síbyl.

си́вка *м. и ж. разг.* grey (horse).

сиволя́пый *уст. разг.* rough [rʌf], clúmsy [-zɪ].

сиву́‖**ха** *ж. разг.* raw vódka. ~**шный** fúsel [-z-] (*attr.*); ~шное ма́сло fúsel-oil.

си́вый grey.

сиг *м.* sig (*freshwater fish of the salmon species*).

сигану́ть *сов. см.* **сига́ть**.

сига́ра *ж.* cigar.

сигаре́т‖**а** *ж.*, ~**ка** *ж.* cigarétte (*without mouthpiece*). ~**ница** *ж.* cigaréttecàse [-s].

сига́рный cigár (*attr.*).

сигарообра́зный cigár-sháped.

сига́ть, **сигану́ть** *разг.* jump, leap*.

сигна́л *м.* 1. signal; (*го́лосом, звука́ми*) call; световой ~ light signal; передава́ть ~ами signal; дымово́й ~ smoke signal; ~ бе́дствия signal of distréss; distréss signal; SOS call / signal; пожа́рный ~ fire-alàrm; дава́ть ~ give* the signal; ~ к возвраще́нию *воен.* recáll; ~ к отступле́нию *воен.* retréat; ~ возду́шной трево́ги áir-raid alárm / signal; ~ на трубе́ *воен.* trúmpet-càll; ~ на рожке́, го́рне *воен.* búgle-càll; ~ы то́чного вре́мени time-sìgnals; 2. (*сообщение о чём-л. нежелательном*) nòtificátion [nou-], wárning.

сигнализ‖**а́тор** *м. тех.* signalling dévice / índicàtor; ~**а́ция** *ж.* signalling. ~**и́ровать** *несов. и сов.* (*сов. тж.* просигнализи́ровать) (*дт. о пр.*; *давать сигналы*) signal (to *d.*); *несов. тж.* give* signals (to of); *сов. тж.* give* a signal (to of); (*перен. тж.*) warn (*d.* against), give* wárning (*i.* of).

сигнали́ст *м. воен.* búgler.

сигна́лить = **сигнализи́ровать**.

сигна́ль‖**ный** signal; ~ная ла́мпа *воен.* signal lamp; ~ флаг, флажо́к signal flag; ~ фона́рь signal lántern; ~ная бу́дка signal-box, signal cábin; ~ ого́нь signal light; ~ные раке́ты signal róckets; ~ экземпля́р *полигр.* advánce cópy [...'kɔ-]. ~**щик** *м.* signal‖man*, signaller.

сигнату́р‖**а** *ж.*, ~**ка** *ж.* 1. *фарм.* label; 2. *полигр.* signature.

сиде́лка *ж.* (síck-)núrse.

сиде́ни‖**е** *с.* sitting; он уста́л от до́лгого ~я he is tired from sitting so long.

сиде́нье *с.* seat; ~ сту́ла cháir-bóttom.

37. Русско-англ. словарь.

сидери́т *м. мин.* síderite ['saɪ-].

сиде́ть 1. sit*; (*о птицах*) be perched; ~ в кре́сле sit* in *an* árm-cháir; ~ за столо́м sit* at *the* table; ~ поджа́в но́ги sit* cróss-lègged; оста́ться / remáin séated; ~ верхо́м на ло́шади be on hórse‖back; ~ верхо́м (*на сту́ле и т.п.*) sit* astríde (on); ~ на ко́рточках squat; ~ на насе́сте roost, perch; ~ и разгова́ривать be sítting (there) tálking; де́лать что-л. си́дя be doing smth. in a sítting position [...-'zɪ-]; 2. (*находиться, пребывать в каком-л. состоянии*) be; ~ по ноча́м sit* up; ~ без де́нег be withóut móney [...'mʌ-]; ~ без де́ла have nóthing to do; (*ничего не делая*) do nóthing; ~ в тюрьме́ be imprísoned [...-ɪz-], serve a term of imprísonment [...-ɪz-]; do time *разг.*; ~ под аре́стом be únder arrést; 3. (*о судне*): ~ глубоко́ be deep in the wáter [...'wɔː-], draw* much water; ~ неглубоко́ draw* líttle wáter; 4. (*на пр.; об одежде*) fit (*d.*), sit* (on); хорошо́ ~ fit well* (*d.*), sit* well* (on); пло́хо ~ not fit (*d.*), sit* bád‖ly* (on); ◇ ~ на я́йцах be hátching, brood, sit* (on eggs); си́днем не стир from *a* place. ~**ся** *безл.*: ему́, им *и т.д.* не сиди́тся до́ма *разг.* he hates, they hate, *etc.*, stáying at home; ему́ не сиди́тся на ме́сте *разг.* he can't stay long in one place [...kɑːnt...]; he can't keep still.

сидр *м.* cíder.

сидя́ч‖**ий** 1. sitting; sédentary [-dn-]; в ~ем положе́нии, в ~ей по́зе in sítting / sédentary position / pósture [...-'zɪ-...]; ~ о́браз жи́зни sédentary life; 2. *бот., зоол.* séssile.

сие́ *с. см.* **сей**.

сие́на *ж.* (*краска*) siénna; жжёная ~ burnt siénna.

сиени́т *м. мин.* sýenite.

си́живать be in hábit of sítting, be wont to sit [...wount...].

сизиги́‖**йный** *астр.*: ~ая амплиту́да spring range [...reɪ-]; ~ прили́в spring tide.

сизи́гия *ж. астр.* sýzygy.

сизи́фов: ~ труд Sisyphéan toil [-'fiːən...], lábour of Sísyphus.

сизокры́лый gréy-winged.

си́зый dóve-cólour‖ed ['dʌvkʌ-], warm grey, blúish; ~ го́лубь rock pígeon [...'pɪdʒɪn dʌv]; ~ тума́н blúe-grey mist.

сий *мн. см.* **сей**.

сиккати́в *м. тех.* síccative.

сико́мор *м. бот.* sýcamore.

си́л‖**а** *ж.* 1. strength, force; по́лный сил full of strength; изо всех сил with all one's strength / might; бежа́ть изо всех сил run* as fast / quickly as one can; крича́ть изо всех сил cry at the top of one's voice; ~ой by force; ~ой ору́жия by force of arms, at the point of the báyonet / sword [...sɔːd]; брать ~ой take* by force; ходи́ть че́рез ~у be hárdly able to walk; есть че́рез ~у force òne‖self to eat; это сверх сил, свы́ше сил, не по ~ам it is beyónd *one's* power(s); (*вне чьей-л. компетенции*) it is outsíde *one's* cómpetence; (*непереносимо*) one can endúre it no

СЗА — СИЛ   С

longer; приложи́ть все ~ы do éverything in one's pówer; испы́тывать чьи-л. ~ы test smb.'s strength; вы́биться из сил strain òne‖sélf to the út‖mòst, becóme* exháusted; набира́ться сил gáther strength; быть ещё в ~ах be still vígorous enóugh [...-ʌf]; не в ~ах (+ *инф.*) ún‖ableɪ (+ to *inf.*); общими ~ами with combined fórces / éffort; без примене́ния ~ы without the use of force [...juːs]; с по́мощью гру́бой ~ы by brute force; ~ во́ли will-power; ~ ду́ха, хара́ктера strength of mind, fórtitude; ~ привы́чки force of hábit; в ~у привы́чки by force of hábit, from sheer force of hábit; собира́ться с ~ами colléct one's strength, gáther òne‖sélf up; 2. *тех., физ.* pówer, force; уда́рная ~ stríking / hítting pówer; impact; лошади́ная ~ hórse-power (*сокр.* HP, h. p.); ~ тя́ги tráctive force; ~ сцепле́ния còhésive force [kou-...], còhésion [kou-]; ~ тя́жести grávity; ~ тяготе́ния attráction, grávity; ~ сопротивле́ния resístance [-'zɪ-]; подъёмная ~ cárrying capácity / pówer; *ав.* lift; ~ зву́ка sound inténsity; ~ ве́тра strength of wind [...wɪ-]; ~ то́ка current inténsity; 3. *мн. воен.* force *sg.*; вооружённые ~ы armed fórces; вое́нно-возду́шные ~ы air fórce(s); морски́е ~ы nával fórces; сухопу́тные ~ы land fórces; гла́вные ~ы main bódy [...'bɔ-] *sg.*; накопле́ние сил *воен.* build-úp ['bɪld-]; 4. *юр.*: ~ зако́на validity / force of the law; входи́ть, вступа́ть в ~у come* into force, take* efféct; обра́тная ~ зако́на retrōactive efféct of the law; име́ющий ~у válid; остава́ться в ~е remáin válid, hold* good / true; (*о судебном решении, приговоре*) remáin in force; оставля́ть в ~е (*вн.*; *о решении, приговоре*) confírm (*d.*); утра́тить ~у lose* validity [luːz...], becóme* inválid; 5.: в ~у (*рд.*) becáuse of [bɪ'kɔz...], on accóunt of [əˈkaunt], by vírtue of ['ou-...]; в ~у э́того on that ground, accórding‖ly; в ~у обстоя́тельств ówing to the force of círcumstances ['ou-...]; в ~у зако́на, декре́та *и т.п.* on the force of the law, decrée, *etc.*; in vírtue of the law, decrée, *etc.*; ◇ он в большо́й ~е he has great crédit [...-eɪt...], he is very pówerful; жива́я ~ mánpower; рабо́чая ~ lábour force, mánpower.

сила́ч *м.* strong man*.

силика́т *м. мин.* sílicate.

силико́новый sílicòne (*attr.*).

силико́ны *мн.* (*ед.* силико́н *м.*) sílicònes.

си́литься *разг.* try, make* éfforts.

сили́ций *м. хим.* silícium.

силко́м *нареч. разг.* by (main) force.

силлаби́ческий *лит.* syllábic.

силлоги́зм *м. филос.* sýllogism.

силов‖**о́й** 1. pówer (*attr.*); ~а́я устано́вка pówer-plant [-ɑːnt]; ~а́я ста́нция pówer-stàtion, pówer-house* [-s]; ~о́е по́ле *физ.* force field [...fiː-], field of force; ~а́я ли́ния *физ.* line of force; 2. *спорт.* invólving strength *после сущ.*;

577

~ые упражнения weight-lifting exercises; ~ приём body-check ['bɔ-].
силой *нареч. разг.* by (main) force.
силок *м.* noose [-s], snare.
силомер *м.* dynamometer [daɪ-].
силон *м. текст.* silon.
силос *м. с.-х.* silo [ˈsaɪ-]; (*корм*) silage [ˈsaɪ-]. ~ный *с.-х.* silo (attr.); ~ная яма, башня silo; ~ная траншея silo trench. ~ование *с. с.-х.* siloʻing, ensilage. ~овать *несов. и сов.* (*вн.*) *с.-х.* silo (d.), ensile (d.).
силосо||**резка** *ж. с.-х.* silage-cutter [ˈsaɪ-], ensilage-cutter. ~уборочный *с.-х.*: ~уборочный комбайн ensilage harvester.
силурийск||**ий** *геол.* Silurian [saɪ-]; ~ая формация Silurian formation.
силуэт *м.* silhouette [-lu-].
сильно I *прил. кратк. см.* **сильный**.
сильно II *нареч.* strongly; violently, heavily [ˈhev-], greatly [-eɪt-]; (*очень*) badly, vastly; быть ~ привязанным (к) be strongly attached (to); ~ действовать (*о яде*) act violently; ~ ударить strike* with force; ~ биться (*о сердце*) beat* high, pound; ~ занемочь be dangerously ill [...ˈdeɪndʒ-...]; ~ нуждаться (в чём-л.) be in great / extreme need / want [...ˈqreɪt...] (of smth.), need / want smth. badly; ~ пострадать suffer heavily; ~ чувствовать feel* keenly / deeply; ~ пить drink* hard / heavily; ~ потеть perspire freely; ~ прозябнуть be chilled to the marrow ◇ ~ сказано that's going too far, that's putting it too strongly.
сильнодействующий (*о яде*) virulent; (*о средстве, лекарстве*) drastic.
сильн||**ый** 1. (*в разн. знач.*) strong; (*о моторе и т.п.*) powerful; (*о жаре*) fierce [fɪəs]; (*о зрении и т.п.*) keen; (*о желании, чувстве*) intense; (*о гневе*) violent, towering; (*о влиянии, аргументе*) potent; (*о речи, пьесе и т.п.*) powerful, impressive; (*об ударе, морозе*) hard; (*о дожде, буре, огне, атаке*) heavy [ˈhe-]; ~ человек strong man*; ~ запах strong smell; ~ая страсть violent passion; ~ая воля strong will; 2. (*хорошо знающий, умеющий*) good*, strong; (*в пр., сведущий*) good* (at); ~ ученик good* pupil; силён в математике good at mathematics; (his) forte is mathematics.
сильф *м.*, ~ида *ж. миф.* sylph.
симбиоз *м. биол.* symbiosis.
символ *м.* symbol. ~изация *ж.* symbolization [-laɪ-]. ~изировать *несов. и сов.* (*вн.*) symbolize (d.). ~изм *м.* symbolism.
символ||**ика** *ж.* symbolism. ~ист *м.* symbolist. ~истский symbolist. ~ический symbolic(al); (*относящийся к символизму*) symbolistic(al). ~ичность *ж.* symbolicalness. ~ичный symbolic(al).
симметрич||**еский** symmetric(al). ~ность *ж.* symmetry. ~ный symmetric(al).
симметрия *ж.* symmetry.
симония *ж. ист.* simony.
симпатизировать (*дт.*) be in sympathy (with), sympathize (with); не ~ be out of sympathy (with).
симпатическ||**ий** sympathetic; ◇ ~ая нервная система sympathetic system; ~ие чернила invisible ink [-ˈvɪz-...] *sg.*
симпатичн||**ость** *ж.* lik(e)ableness. ~ый lik(e)able, nice, attractive.
симпати||**я** *ж.* 1. (*к*) liking (for), sympathy (with, for); чувствовать ~ю к кому-л. feel* drawn to smb.; take* a liking to smb.; питать ~и (к) cherish kindly feelings (for); завоевать чьи-л. ~ win* the sympathy of smb.; 2. *разг.* (*о человеке*) one's sweetheart [...-hɑːt].
симпозиум *м.* symposium [-zjəm] (pl. -sia [-zjə]).
симптом *м.* symptom. ~атика *ж. мед.* symptomatology. ~атический symptomatic. ~атичность *ж.* symptomatic character [...ˈkæ-]. ~атичный = симптоматический.
симул||**ировать** *несов. и сов.* (*вн.*) simulate (d.), feign [feɪn] (d.), sham (d.); ~ негодование simulate indignation; ~ безумие feign madness; ~ болезнь feign sickness; malinger; ~ равнодушие feign / sham indifference. ~янт *м.*, ~янтка *ж.* simulator; (*болезни*) malingerer. ~яция *ж.* simulation.
симфоническ||**ий** symphonic; ~ оркестр symphony orchestra [...ˈɔːk-]; ~ая музыка symphonic music [...-zɪk]; ~ концерт symphony concert.
симфония *ж.* symphony (*тж. перен.*).
синагога *ж.* synagogue.
синдетикон *м.* (*сорт клея*) seccotine [-iːn].
синдикал||**изм** *м.* syndicalism. ~ист *м.* syndicalist. ~истский syndicalist, syndicalistic.
синдикат *м.* syndicate.
синдициров||**анный** *прич. и прил.* syndicated. ~ать *несов. и сов.* (*вн.*) syndicate (d.).
синдром *м. мед.* syndrome.
синева *ж.* (dark) blue colour [...ˈkʌl-]; blue; ~ небес the blue of the sky; ~ под глазами blue shadows under one's eyes [...ˈʃæ-... aɪz].
синеватый bluish.
синеглазый blue-eyed [-aɪd].
синедрион *м. ист.* (*тж. перен.*) sanhedrim [-nɪ-].
синекдоха *ж. лит.* synecdoche [-kɪ].
синекура *ж.* sinecure [ˈsaɪ-].
синель *ж.* chenille [ʃəˈniːl].
синерама *ж.* Cinerama [-ɑːmə].
сине||**ть**, посинеть 1. (*становиться синим*) turn / become* blue; 2. *тк. несов.* (*виднеться*) show* blue [ʃəʊ...]; вдали ~ет море the sea shows (deep) blue in the distance, the (deep) blue sea is seen in the distance.
син||**ий** dark blue; ~ие глаза blue eyes [...aɪz] ◇ ~ чулок bluestocking.
синильн||**ый**: ~ая кислота *хим.* hydrocyanic / prussic acid.
синить (*вн.*) blue (d.), rinse in blue (d.).
синица *ж.* tomtit, blue tit mouse* [...-s], blue tit.
синклит *м. шутл.* senate, council.
синкоп||**а** *ж. муз.* syncope [-pɪ]. ~ический *муз.* syncopic.
синкретизм *м.* syncretism. ~ический syncretic.
синод *м.* synod [ˈsɪ-]. ~альный synodal. ~ский synodic.
синолог *м.* sinologist. ~ия *ж.* sinology.
синоним *м. лингв.* synonym; близкие ~ы close synonyms [-əs...].
синоним||**ика** *ж. лингв.* 1. (*отдел языкознания*) study of synonyms [ˈsɪ-...]; 2. (*совокупность синонимов какого-л. языка*) synonyms *pl.* ~ический, ~ичный *лингв.* synonymous, synonymic; ~ичный чему-л. synonymous to / with smth. ~ия *ж. лингв.* synonymy, synonymity.
синопт||**ик** *м.* weather forecaster [ˈweðə...], weather-chart maker [ˈweð-...]. ~ика *ж.* weather forecasting [ˈweð-...]. ~ический weather [ˈweðə] (attr.), synoptical; ~ическая карта synoptic chart, weather map.
синтагма *ж. лингв.* syntagma.
синтакс||**ис** *м.* syntax. ~ический syntactic(al).
синтез [-тэз] *м.* synthesis (*pl.* -theses [-iːz]); термоядерный ~ nuclear fusion. ~ировать [-тэ-] *несов. и сов.* (*вн.*) synthesize (d.).
синтетика [-тэ-] *ж. собир.* synthetic materials.
синтетич||**еский** [-тэ-] (*в разн. знач.*) synthetic(al); ~ метод исследования synthetic method of inquiry; ~еское волокно synthetic fibre; ~еские языки synthetic languages. ~ность [-тэ-] *ж.* synthetical character [...ˈkæ-].
синус *м.* 1. *мат.* sine; 2. *анат.* sinus.
синусоид||**а** *ж. мат.* sinusoid [ˈsaɪ-]. ~альный *мат.* sinusoidal [saɪ-].
синхрониз||**атор** *м. тех.* synchronizer. ~ация *ж. тех.* synchronization [-naɪ-]. ~ировать *несов. и сов.* (*вн.*) *тех.* synchronize (d.).
синхрон||**изм** *м.* synchronism. ~ический synchronistic(al). ~ия *ж.* synchronism.
синхрон||**но** *нареч.* synchronously. ~ный synchronous; ~ный перевод simultaneous translation [...-ɑːn-].
синхро(но)скоп *м. эл.* synchroscope.
синхротрон *м. физ.* synchrotron [-ŋ-].
синхрофазотрон *м. физ.* synchrophasotron [-ŋkrəˈfeɪz-].
синхроциклотрон *м. физ.* synchrocyclotron [-ŋ-].
синь *ж.* = синева.
синька *ж.* 1. (*для подсинивания*) blue; blueing; 2. (*светописная копия*) blueprint.
синьор [-ньёр] *м.* signor [ˈsiːnjɔː] (*pl.* -ri [-riː]).
синьора [-ньё-] *ж.* signora [siːˈnjɔː-] (*pl.* -re [-reɪ]).
синюха *ж. мед.* cyanosis.
синяк *м.* bruise [-uːz]; ~ под глазом black eye [...aɪ]; избивать до ~ов (*вн.*) beat* black and blue (d.); ~и под глазами shadows under the eyes [ˈʃæ-...aɪz].
сион||**изм** *м.* Zionism. ~ист *м.*, ~истка *ж.* Zionist. ~истский Zionist (attr.), Zionistic.
сипай *м. ист.* sepoy.
сип||**еть** 1. (*издавать сиплые звуки*) make* hoarse sounds; (*говорить сиплым голосом*) speak* hoarsely; 2. *безл.*: у меня в горле ~ит I am hoarse.
сиплый husky, hoarse.

си́пнуть become* húsky / hoarse.
сире́на *ж.* (*в разн. знач.*) síren.
сире́невый 1. lilac; ~ куст lílac bush [...buʃ]; 2. (*о цвете*) lílac(-cólour;ed) [-ˈkʌl-].
сире́нь *ж.* lílac.
сир‖**и́ец** *м.*, ~**и́йка** *ж.*, ~**и́йский** Sýrian.
Си́риус *м. астр.* Sírius, Dóg-stàr.
сиро́кко *м. нескл.* siróccò.
сиро́п *м.* sýrup [ˈsɪ-], sírup [ˈsɪ-]; вода́ с ~ом sýrup and wáter [...ˈwɔː-].
сирот‖**а́** *м. и ж.* órphan; оста́ться ~о́й become* an órphan; ◇ каза́нская ~ *разг. ирон.* pérson with "hard luck stóry".
сиротли́в‖**о** *нареч.* lóne;ly; чу́вствовать себя́ ~ feel* lóne;ly. ~ый lóne;ly; lone *поэт.*
сиро́т‖**ский** *прил.* к сирота́; ~ дом *уст.* órphanage; ◇ ~ская зима́ *разг.* mild winter. ~ство *с.* órphanhood [-hud], órphanage.
си́рый *уст.* órphaned, lóne;ly, desérted [ˈzə:-].
систе́м‖**а** *ж.* (*в разн. знач.*) sýstem; избира́тельная ~ eléctoral sýstem; не́рвная ~ nérvous sýstem; ~ счисле́ния scale of notátion; со́лнечная ~ sólar sýstem; стать ~ой, войти́ в ~у *разг.* become* the rule.
систематиз‖**а́ция** *ж.* sýstematizátion [-taɪ-]. ~**и́ровать** *несов. и сов.* (*вн.*) sýstematíze (*d.*).
системат‖**ика** *ж.* 1. sýstematizátion [-taɪ-]; занима́ться ~икой чего́-л. sýstematíze smth.; 2. (*растений, животных*) taxónomy. ~**и́чески** *нареч.* sýstemátically, methódically. ~**и́ческий** sýstemátic, methódical. ~**и́чность** *ж.* sýstemátic cháracter [...ˈkæ-]. ~**и́чный** sýstemátic.
си́стола *ж. мед.* sýstole [-lɪ].
си́т‖**ец** *м.* prínted cótton; cálico (print); chintz [-ts] (*преим. мебельный*); оби́тый ~цем úp;hólstered in chintz [-ˈhou-...].
си́течко *с. уменьш. от* си́то; ча́йное ~ téa-stráiner; ~ в кофе́йнике pércolàtor.
си́тник I *м. разг.* (*хлеб*) sítnik (*loaf made of sifted flour*).
си́тник II *м. бот.* rush.
си́тный sifted; ~ хлеб = си́тник I.
си́то *с.* sieve [sɪv]; bólter (*преим. для муки́*).
ситуа́ция *ж.* situátion.
си́тцевый *прил.* к си́тец.
ситценаби́вн‖**ой** *текст.*: ~ая фа́брика print works, cótton-prínting fáctory.
сифилидо́‖**лог** *м. мед.* sýphilólogist. ~**ло́гия** *ж. мед.* sýphilólogy.
сифили́‖**тик** *м. мед.* sýphilític. ~**ити́ческий** sýphilític.
сифо́н *м.* síphon [ˈsaɪ-]. ~**ный** síphon [ˈsaɪ-] (*attr.*).
сиюмину́тный móméntary.
сия́ *ж. см.* сей.
сия́ние *с.* rádiance; (*ореол*) áureòle, auréola [ˈɔ:rɪə-]; се́верное ~ nórthern lights [-ðən...] *pl.*; Auróra Boreális [...-rɪˈeɪ-] *научн.*
сия́тельство *с. уст.*: его́, её, их, ва́ше ~ his, her, their, your Éxcellency.
сия‖**ть** shine*, beam; со́лнце ~ет the sun shines; ~ от восто́рга beam with

delíght; его́ лицо́ ~ет ра́достью his face is rádiant with joy. ~**ющий** *прич. и прил.* shíning, béaming.
скабио́за *ж. бот.* scábious.
скабрёзн‖**ость** *ж.* scábrous;ness; говори́ть ~ости use scábrous lánguage. ~**ый** scábrous.
сказ *м. лит.* 1. (*устный народный рассказ*) tale; 2. (*повествование от лица рассказчика*) nàrrátion in first pérson; ◇ вот тебе́ и весь ~ *разг.* that's the long and the short of it.
сказа́ние *с.* stóry, légend [ˈle-].
сказа́н‖**уть** *сов.* (*вн.*) *разг.* blurt out (*d.*); ну и ~у́л! that's a fine thing to say!
сказа́ть *сов. см.* говори́ть 1; ◇ так ~ so to say / speak; ле́гче ~, чем сде́лать éasier said than done [ˈiːz- sed...]; легко́ ~ it's éasy to say [...ˈiːzɪ...], éasier said than done; тру́дно ~ there is no sáying / télling; и на́до ~ and it must be said; как вам ~ how shall I put it?; ска́зано — сде́лано *разг.* no sóoner said than done; по пра́вде / пра́вду ~ to tell / say the truth [...-uːθ], truth to tell / say; не́чего ~! indéed!; well, I néver (did)!
сказа́ться *сов. см.* ска́зываться.
сказа́тель *м.*, ~**ница** *ж.* nàrrátor (of folk tales).
ска́з‖**ка** *ж.* tale, stóry; волше́бная ~ fáiry-tàle; наро́дные ~ки pópular tales, fólk-tàles; расска́зывать ~ки tell* stóries / tales; это ~ки! *разг.* don't tell me tales!; ◇ ~ про бе́лого бычка́ ≃ the same old stóry. ~**очник** *м.* tále-tèller, stóry-tèller. ~**очный** fáiry-tàle (*attr.*); (*перен.*) fàntástic, impróbable; со ~очной быстрото́й with / at an in;crédible speed; ~очная страна́ Fáirylànd.
сказу́емое *с. скл. как прил. грам.* prédicate.
ска́з‖**ываться**, сказа́ться 1. (*на, в* *пр.*) tell* (on, up;ón); отрица́тельно ~а́ться на чём-л. ádverse;ly affect smth.; боле́знь си́льно ~а́лась на нём his illness told on him gréatly [...-eɪt-]; в э́том ~а́лась его́ хоро́шая подгото́вка that is the resúlt of his good* tráining [...-ˈzʌ-...]; о́ба э́ти фа́ктора ~а́лись both these fáctors cóunted [bouθ...]; 2. (*тв.*; *сообщать о себе*) repórt one;self; ~а́ться больны́м repórt one;self sick.
скак: на ~у́, на всём ~у́ at full tilt.
скака́лка *ж.* (*игрушка*) skípping-ròpe.
скак‖**а́ть**, поскака́ть 1. skip, jump, cáper; (*на одной ноге*) hop; (*о зайце*) lope; 2. (*на коне*) gállop; *сов. тж.* set* off at a gállop; во весь дух ~а́ть gállop at full speed; 3. *тк. несов. разг.* (*резко изменяться*) be very únstéady [...-edɪ]; баро́метр ~е́т the glass is very únstéady. ~**ово́й** race (*attr.*), rácing; ~ова́я ло́шадь ráce;hòrse, rácer; ~ова́я доро́жка ráce;course [-kɔːs]; ~ово́й круг rácing track. ~**у́н** *м.* (*конь*) fast horse; rúnner, rácer.
скал‖**а́** *ж.* rock; отве́сная ~ cliff. ~**истый** rócky.
ска́лить, оска́лить: ~ зу́бы grin; show* / bare one's teeth [ʃou...]; *тк. несов.* (*перен.*) *разг.* laugh [lɑːf], grin. ~**ся**, оска́литься *разг.* grin; bare one's teeth.

ска́лка *ж.* (*для теста*) rólling-pin; (*для белья*) béater.
скалола́з *м.* róck-clímber [-klaɪmə]. ~**ание** *с.* róck-clímbing [-klaɪ-].
ска́лывать I, сколо́ть (*вн.*; *сбивать*) split* off (*d.*), chop off (*d.*).
ска́лывать II, сколо́ть (*вн.*; *прикалывать*) pin togéther [...-ˈge-] (*d.*).
скальд *м. ист.* skald, scald.
скальки́ровать *сов. см.* кальки́ровать.
скалькули́ровать *сов. см.* калькули́ровать.
ска́льный *геол.* rock (*attr.*), rócky; ~ грунт rócky soil.
скальп *м.* scalp.
ска́льпель *м. хир.* scálpel.
скальпи́ровать *несов. и сов.* (*сов. тж.* оскальпи́ровать) (*вн.*) scalp (*d.*).
скам‖**е́ечка** *ж.* small bench; ~ для ног fóotstool [ˈfut-]. ~**е́йка** *ж.* bench; садо́вая ~е́йка gárden bench.
скамь‖**я́** *ж.* bench; ◇ ~ подсуди́мых dock; на ~е́ подсуди́мых in the dock; сиде́ть на ~е́ подсуди́мых be in the dock; посади́ть на ~ю́ подсуди́мых (*вн.*) put* in the dock (*d.*); попа́сть, сесть на ~ю́ подсуди́мых find* onesélf in the dock; со шко́льной ~и́ ≅ since *one's* school-days.
сканда́л *м.* 1. scándal; како́й ~! what a scándal!; 2. (*ссора, сцена*) row, brawl.
скандал‖**изи́ровать** *несов. и сов.* (*вн.*) scándalìze (*d.*). ~**и́ст** *м.*, ~**и́стка** *ж.* bráwler, tróuble-màker [ˈtrʌ-], rówdy.
сканда́лить, наскандалить brawl, make* a row.
сканда́льн‖**ость** *ж.* scándalous;ness. ~**ый** 1. scándalous; 2. *разг.* (*любящий скандалить*) quárrelsome, rówdy.
ска́ндий *м. хим.* scándium.
скандина́в *м.*, ~**ка** *ж.*, ~**ский** Scàndinávian.
сканди́ров‖**ание** *с. лит.* scánsion. ~**ать** *несов. и сов.* (*вн.*) scan (*d.*).
ска́пливать, скопи́ть (*вн.*; *о товарах*) store (up) (*d.*); (*о деньгах*) save (*d.*); скопи́ть состоя́ние amáss a fórtune [...-tʃən]. ~**ся**, скопи́ться 1. (*о товарах*) accúmulàte, pile up; 2. (*о людях*) gáther, crowd; 3. *страд. к* ска́пливать.
ска́пывать, скопа́ть (*вн.*) shóvel a;wáy [ˈʃʌ-...] (*d.*), lével with a spade [ˈle-...] (*d.*).
скарабе́й *м.* scárab [ˈskæ-].
скарб *м. тк. ед. разг.* goods and cháttels [gudz...] *pl.*; со всем ~ом (with) bag and bággage.
скаре́д *м. разг.* stíngy pérson [-n-...], níggard, skínflint. ~**ничать** *разг.* be stíngy / níggardly [...-n-...], be tíght-físted. ~**ность** *ж. разг.* stínginess [-n-], níggardliness. ~**ный** *разг.* stíngy [-n-], níggardly, tíght-físted, mean.
скарифика́тор *м. с.-х.* scárifier.
скарлати́н‖**а** *ж. мед.* scárlet féver, scàrlatína [-ˈtiː-]. ~**ный** *мед.* scàrlatínal [-ˈtiː-], scàrlatínous [-ˈtiː-]; ~ный больно́й scárlet-féver pátient; ~ное отделе́ние scàrlatína ward, séction for scárlet-féver pátients. ~**о́зный** = скарлати́нный.

СКА — СКЛ

ска́рмливать, скорми́ть (*вн. дт.*) feed* (*d.* to).

скат I *м.* (*склон*) slope, descént; ~ кры́ши pitch / slope of *a* roof.

скат II *м.* зоол. ray, skate; электри́ческий ~ eléctric ray; игли́стый ~ thórn-bàck.

скат III *м.*: колёсный ~ ж.-д., авт. pair of wheels.

ската́ть *сов. см.* ска́тывать I. ~ся *сов. см.* ска́тываться I.

ска́терть *ж.* táble-clòth; ◇ ~ю доро́га! *разг.* ≅ good riddance!; nó:body is stópping him, you!, *etc.*

скати́ть *сов. см.* ска́тывать II. ~ся *сов. см.* ска́тываться II.

ска́тка *ж.* воен. gréatcoat roll [-eɪt-...].

ска́тывать I, ската́ть (*вн.*) 1. (*свора́чивать*) roll (up) (*d.*); ~ па́рус furl *a* sail; 2. *школ. разг.* (*тайком*, *спи́сывать*) crib (*d.*).

ска́тывать II, скати́ть (*вн.*) roll down (*d.*); ~ с горы́ slide* / roll dównhill (*d.*).

ска́тываться I, ската́ться 1. get* / be rolled up; 2. *страд. к* ска́тывать I.

ска́тываться II, скати́ться 1. roll down; (*перен.*) *разг.* slide*; slip; 2. *страд. к* ска́тывать II.

ска́ут *м.* scout.

скафа́ндр *м.* (*водола́зов*) diving-dréss, díving-sùit [-sjuː-]; (*космона́втов*) spáce:sùit [-sjuːt], environ:méntal suit [...sjuːt].

ска́чка *ж. тк. ед.* gállop(ing); (*бе́шеная*) fúrious / víolent gállop(ing).

скачка́ми *нареч.* by leaps, (*неравноме́рно*) by fits and starts.

ска́чки *мн.* hórse-ràce *sg.*; the ráces; ~ с препя́тствиями flat ráce(s); ~ с препя́тствиями óbstacle--ràce *sg.*; (*по пересечённой ме́стности*) stéeple:chàse [-s] *sg.*

скачкообра́зный spàsmódic [-z-]; (*неравноме́рный*) únéven.

скач||о́к *м.* 1. (*прыжо́к*) jump, bound, leap; сде́лать бы́стрый ~ make* a rápid leap; 2. (*ре́зкое измене́ние чего-л.*) great advánce [-eɪt-...], leap fórward; вне́запный ~ [...tʃeɪ-], súdden change [...tʃeɪ-]; 3. *филос.* leap; ка́чественный ~ quálitative leap.

ска́шивать I, скоси́ть (*вн.*; *сре́зать траву́*) mow* (down) [mou...] (*d.*).

ска́шивать II, скоси́ть (*вн.*; *глаза́*) squint (*d.*).

ска́шивать III, скоси́ть (*вн.*; *ребро́*, *край*) bével [ˈbe-] (*d.*); (*при земляны́х рабо́тах*) slope (*d.*).

сква́ж||ина *ж.* 1. (*щель*) chink, slit; замо́чная ~ kéyhòle [ˈkiː-]; 2. (*отве́рстие в по́чве*) hole, well; бурова́я ~ bóre:hòle; нефтяна́я ~ oil well. ~**истость** *ж.* pórosity, póroùs:ness. ~**истый** póroùs.

сквалы́||га *м. и ж.*, **сквалы́жник** *м. разг.* míser, skínflint. ~**жничать** = скаре́дничать. ~**жный** = скаре́дный.

сквер *м.* públic gárden [ˈɡɑː-...].

скве́рно *нареч.* bád:ly; ~ па́хнуть smell* bad*; ~ чу́вствовать себя́ feel* bad* / póorly; пальто́ ~ сиди́т на нём the coat does not fit him, the coat sits bád:ly on him; его́ дела́ иду́т ~ his affáirs are gó:ing bád:ly; поступа́ть ~ по отноше́нию к кому́-л. treat smb. bád:ly.

скверносло́в *м.* ríbald [ˈrɪ-], fóul--móuthed man*. ~**ие** *с.* ríbaldry, foul lánguage. ~**ить** use foul / bad lánguage.

скве́рный bad*, nástу; (*га́дкий*) foul.

сквита́ть *сов.*: ~ счёт *спорт.* tie / éven the score.

сквита́ться *сов.* (*с тв.*) *разг.* be quits / éven (with).

сквоз||и́ть 1. *безл.* (*о сквозно́м ве́тре*): здесь ~и́т there is a draught here [...drɑːft...]; 2. (*проника́ть*, *просве́чивать*; *тж. перен.*) show*, *или* be seen, through [ʃou...]; свет ~и́т че́рез занаве́ску light shines, *или* is seen, through the blind; в его́ мане́рах ~и́т не́которая самонаде́янность there is a hint of presúmption in his mánner [...-ˈzʌ-...]; 3. *уст.* (*о тка́ни*) be transpárent; (*об изно́шенной*) be thréadbàre [...-ed-]. ~**но́й** through; ~**но́й** прохо́д through pássage; ~ по́езд through train; ~**но́й** ве́тер = сквозня́к. ~**няк** *м.* draught [drɑːft].

сквозь *предл.* (*вн.*) through: ~ тума́н through the fog; ~ дыру́ through *a* hole; говори́ть ~ зу́бы speak* through clenched teeth; ◇ как ~ зе́млю провали́лся ≅ vánished into thin air; он гото́в был ~ зе́млю провали́ться he wished the earth could swállow him up [...ɔː θ...].

скво́р||ец *м.* stárling. ~**е́чник** [-шн-] *м.*, ~**е́чница** [-шн-] *ж.*, ~**е́чня** [-шн-] *ж.* stárling-house* [-s].

скеле́т *м.* skéleton; (*перен.*) fráme:wòrk.

скеп||сис *м.* scépsis [ˈskeː-]. ~**тик** *м.* scéptic [ˈskeː-]. ~**тици́зм** *м.* scépticism [ˈskeː-]. ~**ти́ческий** scéptic(al) [ˈskeː-].

ске́рцо *с. нескл. муз.* schérzò [ˈskɛət sou].

скетч *м.* sketch.

ски́дк||а *ж.* rébàte [ˈriː-], redúction, abàte:ment; allówance (*тж. перен.*); де́лать ~у (*дт.*) give* a redúction (*i.*); (*на вн.*; *перен.*) make* allówance(s) (for); со ~ой with a rébàte / redúction / abàte:ment; at cut rates; со ~ой в 10% at a díscount of 10%.

ски́дывать, ски́нуть (*вн.*) 1. throw* down / off [-ou-] (*d.*); 2. *разг.* (*об оде́жде и т. п.*) take* / throw* off (*d.*); 3. *разг.* (*уступа́ть в цене́*) knock off (*d.*).

ски́ния *ж.* tábernàcle [-næ-]; (*перен.*) sánctuary.

ски́нуть *сов. см.* ски́дывать.

ски́нуться *сов. разг.* have a whip--round, chip in.

ски́петр *м.* sceptre.

скипида́р *м.* túrpentine; очи́щенный ~ oil / spírit of túrpentine. ~**ный** túrpentine (*attr.*).

скирд *м.*, ~**а́** *ж.* stack, rick. ~**ова́ть**, заскирдова́ть (*вн.*) rick (*d.*), stack (*d.*).

ски́снуть *сов. см.* скиса́ть.

скиса́ть, ски́снуть turn / go* sour, sour.

скит *м. уст.* small and seclúded mónastery.

скит||а́лец *м.* wánderer. ~**а́льческий** wándering. ~**а́ние** *с.* wándering. ~**а́ться** wánder; stray; ~**а́ться** по бе́лу све́ту *разг.* knock abóut the world.

скиф *м.*, ~**ский** *ист.* Scýthian [-ð-].

склад I *м.* 1. (*помеще́ние*) store:house* [-s]; *воен.* dépôt [ˈdepou]; това́рный ~ wáre:house* [-s]; тамо́женный ~ bónded wáre:house*; ~ боеприпа́сов àmmunítion dépôt / dump; 2. (*запа́с*) store; (*большо́е коли́чество*) a lot of.

склад II *м.* (*хара́ктер*) constitútion; ~ ума́ cast / turn of mind; лю́ди осо́бого ~а a people of a particular stamp / quálity / méntality [piː-...], people of a spécial mould [...ˈspe-mou-]; ◇ ни ~у ни ла́ду *разг.* néither rhyme nor réason [ˈraɪ-... -z'n].

склади́ровать *несов. и сов.* (*вн.*) store (*d.*).

скла́дк||а *ж.* 1. fold; plait [plæt], crease [-s]; (*на пла́тье тж.*) pleat, tuck; ~ на брю́ках tróuser crease; попере́чная ~ cross tuck; де́лать ~и на пла́тье make* pleats in *a* dress; в ~у плеа́тед; ю́бка в ~у pléated skirt; 2. (*морщи́на*) wrinkle; 3. *геол.* fold, fléxure; ~ земно́й коры́ fold; ~ ме́стности áccident of the ground.

скла́дно *нареч. разг.* well*; говори́ть ~ speak* well*.

складно́й fólding; collápsible; ~ стул fólding chair; ~ бино́кль collápsible ópera-glàss(es) (*pl.*); ~ нож clásp--knìfe*.

скла́дн||ость *ж.* hármony, còherence [kouˈhɪə-]. ~**ый** 1. *разг.* (*о фигу́ре*) wéll-knít, well sét-ùp; wéll-bùilt [-ˈbɪ-]; 2. (*о ре́чи*, *расска́зе*) wéll-róunded, neat; 3. *разг.* (*хорошо́ сде́ланный*) well órdered; wéll-máde.

скла́дочн||ый: ~ое помеще́ние = склад I 1.

скла́дск||ой wáre:house* [-s] (*attr.*); ~**ие** помеще́ния stórage facilities.

скла́дчат||ый *геол.* plícate [ˈplaɪ-], fólded; ~**ые** го́ры fólded móuntains / hills.

складчи́н||а *ж.* clúbbing, póoling; устра́ивать ~у club; pool one's móney / resóurces [...ˈmʌl- -ˈsɔːs-]; де́лать что-л. в ~у club togéther to do smth. [...-ˈge-...]; купи́ть что-л. в ~у club togéther to buy smth. [...baɪ...].

скла́д||ы *мн. уст.* sýllables; чита́ть по ~а́м spell* out.

скла́дывать I, сложи́ть (*вн.*) 1. put* / lay* (togéther) [...-ˈge-] (*d.*); (*в ку́чу*) pile (*d.*), heap (*d.*), stack (*d.*); ~ ве́щи пе́ред отъе́здом pack up; 2. *мат.* add (up) (*d.*), sum up (*d.*); ~ два и четы́ре add two to four [...fɔː]; 3. (*составля́ть что-л. из часте́й*) make* (*d.*), assémble (*d.*), put* togéther [...-ˈge-] (*d.*); 4. (*о пе́сне*, *были́не и т. п.*) make* up (*d.*), compóse (*d.*); 5. (*сгиба́ть*) fold (up) (*d.*); ~ вдво́е fold in two (*d.*); ~ газе́ту fold up a néwspàper; ◇ сложа́ ру́ки with arms fólded; сиде́ть сложа́ ру́ки *разг.* be idle, sit* by; twíddle one's thumbs *идиом.*; не сиде́ть сложа́ ру́ки be up and doing; сложи́ть ору́жие lay* down one's arms; сложи́ть го́лову fall* on the field of báttle [...fiː-...].

скла́дывать II, сложи́ть (*снима́ть*) take* off (*d.*), put* down (*d.*).

скла́дываться I, сложи́ться 1. (*с тв.*; *устра́ивать складчи́ну*) club togéther

580

(with) [...-'ge-...], pool (with); pool one's móney / resóurces [...'mʌ- -'sɔːs-]; 2. (*образовываться*) form, turn out; take* shape; (*об обстановке*) aríse*; обстоятельства сложи́лись благоприя́тно the círcumstances are fávourable; у него́ сложи́лось твёрдое убежде́ние a strong convíction has grown up in him [...-oun...]; у него́ сложи́лось мне́ние he formed the opínion; хара́ктер его́ ещё не сложи́лся his cháracter has not yet formed [...'kæ-...]; истори́чески сложи́вшиеся свя́зи histórically estáblished ties; 3. *страд. к* скла́дывать I.

скла́дываться II *страд. к* скла́дывать II.

склева́ть *сов. см.* склёвывать.

склёвывать, склева́ть (*вн.*) peck (*d.*).

скле́ивать, скле́ить (*вн.*) glue togéther [...-'ge-] (*d.*); paste togéther [peɪ-...-'ge-] (*d.*); stick* togéther (*d.*). ~ся, скле́иться 1. stick* togéther [...-'ge-]; 2. *страд. к* скле́ивать.

скле́ить(ся) *сов. см.* скле́ивать(ся).

скле́йка *ж.* glúing / pásting togéther [...'peɪ- -'ge-].

склеп *м.* (búrial) vault ['be-...], crypt.

склепа́ть *сов. см.* склёпывать.

склёпка *ж.* ríveting ['rɪ-].

склёпывать, склепа́ть (*вн.*) rívet ['rɪ-] (*d.*).

склеро́з *м. мед.* sclerósis [-ɪə-]. ~ный *мед.* sclerótic [-ɪə-].

склеро́ма *ж. мед.* scleróma.

склероти́ческий *мед.* sclérous, sclerótic [-ɪə-].

скли́кать *сов. см.* склика́ть.

склика́ть, скли́кать (*вн.*) *разг.* call togéther [...-'ge-] (*d.*).

скло́ка *ж.* squábble, row.

склон *м.* slope; отло́гий ~ gentle slope; ◇ на ~е лет, дней in one's declíning years, in the évening of life [...'iːv-...].

склоне́ни||е *с.* 1. *астр.* declinátion; ~ ко́мпаса variátion of the cómpass [...'kʌ-]; круг ~я свети́ла hour circle of *a* celéstial bódy [auə...'bɔ-]; 2. *мат.* inclinátion.

склоне́ние II *с. грам.* declénsion.

склони́ть *сов. см.* склоня́ть I. ~ся *сов. см.* склоня́ться I.

склонн||ость *ж.* (к) inclinátion (to, for); disposítion [-'zɪ-] (to, towards); (*способность*) bent (for), turn (for); ~ к полноте́ inclinátion / téndency to córpulence; ~ к языка́м gift for lánguages [gɪft...]; ~ к заболева́нию susceptibílity to íllness; прирождённая ~ (к) constitútional bías (towards); пита́ть ~ к кому́-л. be well / kíndly dispósed towards smb. ~ый (к) inclíned (to), dispósed (to, towards), gíven (to); ~ый к полноте́ inclíned to córpulence; ~ый к заболева́нию suscéptible to íllness; он скло́нен ду́мать he is prone to think.

склоня́емость *ж. грам.* declinabílity [-laɪ-].

склоня́емый I *прич. см.* склоня́ть I.

склоня́емый II 1. *прич. см.* склоня́ть II; 2. *прил. грам.* declínable.

склоня́ть, склони́ть (*вн.*) 1. (*наклоня́ть*) inclíne (*d.*), bend* (*d.*), bow (*d.*); склони́ть го́лову на грудь droop / bend* one's head on one's breast [...hed]; bre-]; ~ боевы́е знамёна dip one's báttle stándards; 2. (*уговаривать*) inclíne (*d.*); *несов. тж.* try to persuáde, *или* to win óver [...-'sweɪd...] (*d.*); *сов. тж.* persuáde (*d.*), win* óver (*d.*); ~ склони́ть ча́шу весо́в в чью-л. по́льзу tilt the bálance to smb.'s advántage, *или* in smb.'s fávour [...'vɑː-...].

склоня́ть II, просклоня́ть (*вн.*) *грам.* declíne (*d.*).

склоня́ться I, склони́ться 1. (*наклоня́ться*) inclíne, bend*; ~ над колыбе́лью bend* óver *the* crádle; де́рево склони́лось под тя́жестью плодо́в the tree is bent down by the weight of the fruit [...fruːt]; 2. (*к*; *решаться*) inclíne (to), be inclíned (to); (*поддаваться уговорам*) yield [jiːld] (to); 3. (*о солнце*) declíne (*d.*).

склоня́ться II *грам.* be declíned.

скло́чни||к *м.*, ~ца *ж. разг.* squábbler, tróuble-màker ['trʌbl-]. ~чать *разг.* squábble, cause rows.

скло́чный *разг.* tróublesome ['trʌ-], tróublemàking ['trʌ-].

скля́нка I *ж.* phíal; bóttle.

скля́н||ка II *ж. мор.* 1. (*полчаса вре́мени*) bell; проби́ло шесть ~ок six bells went; 2. *мн. уст.* (*судовые песочные часы́*) wátch-glàss *sg.*, hóur-glàss ['auə-] *sg.*

скоба́ *ж. тех.* cramp(-ìron) [-aɪən], crámpon, stáple, *мор.* sháckle; ~ я́коря ánchor ring ['æŋkə-...]; я́корная ~ (це́пи) ánchor sháckle.

ско́бель *м.* sháving-knìfe*, dráwing-knìfe*; spóke̞shàve.

ско́бка I *ж. уменьш. от* скоба́.

ско́бк||а II *ж.* (*знак препинания, тж. мат.*) brácket; квадра́тные ~и square bráckets; кру́глые ~и (round) bráckets, parénthesès [-siːz]; фигу́рные ~и bráces; в ~ах, в ~и ax in bráckets.

ско́бк||а III *ж.* (*способ стрижки воло́с*): стри́чься в ~у cut* one's hair éven all aróund the head [...hed].

скобли́ть (*вн.*) 1. scrape (*d.*); 2. *тех.* plane (*d.*); 3. (*в хирургии*) scárify ['skɛə-] (*d.*).

скобяно́й: ~ това́р, ~ы́е изде́лия hárdwàre *sg.*

ско́ванн||ость *ж.* constráint. ~ый 1. *прич. см.* ско́вывать; ~ый льда́ми íce-bound; ~ый моро́зом fróst-bound; 2. *прил.* (*о движениях*) constráined.

скова́ть *сов. см.* ско́вывать.

сковорода́ *ж.* 1. frýing-pàn; 2. *тех.* pan.

сковоро́день *м. тех.* dóve̞tail [-ʌv-]; соедине́ние в ~ dóve̞tail joint.

сковоро́дка *ж. разг.* = сковорода́ 1.

ско́выва||ть, скова́ть (*вн.*) 1. (*выковывать*) forge (*d.*), hámmer out (*d.*); 2. (*соединять путём ковки; тж. перен.*) forge togéther [...-'ge-] (*d.*); 3. (*заковывать*) chain (*d.*); (*перен.: лишать свободы*) fétter (*d.*), bind* (*d.*); её молча́ние ~ет меня́ her sílence binds me [...'saɪ-...]; 4. *воен.* hold* (*d.*), fix (*d.*); ~ проти́вника páralỳse the énemy; скова́ть огнём (down) by fire (*d.*); 5. (*покрывать льдом*) lock (*d.*); моро́з, лёд скова́л ре́ку the river is frózen óver [...'rɪ-...], the river is íce-bound.

ско́выривать, сковырну́ть, сковыря́ть (*вн.*) *разг.* pick off (*d.*), scratch off (*d.*).

сковырну́ть *сов. см.* ско́выривать.

сковыря́ть *сов. см.* ско́выривать.

скок *м.* gállop; тяжёлый ко́нский ~ the héavy gállop of a horse [...'hevɪ...].

ска́лачивать, сколоти́ть (*вн.*) *разг.* knock togéther [...-'ge-] (*d.*); (*перен.: организо́вывать*) knock togéther (*d.*), knit* togéther (*d.*); ~ я́щик из досо́к knock up a box (*d.*); ~ гру́ппу knock togéther a group [...-uːp]; ◇ сколоти́ть состоя́ние scrape togéther / up, *или* knock up, a fórtune [...tʃən].

ско́лок *м. разг.* (*подобие*) cópy ['kɔ-].

сколопе́ндра *ж. зоол.* scolopéndra.

сколоти́ть *сов. см.* ска́лачивать.

сколо́ть I, II *сов. см.* ска́лывать I, II.

сколь *нареч. уст.* how.

скольже́ние *с.* slíding, slip; *авт.* skid; ~ зву́ка *муз., лингв.* glide; ~ винта́ propéller slip; ~ на крыло́ *ав.* síde-slìp; ~ на хвост *ав.* tail slide.

скользи́ть slip, slíde*; (*пробегать*) float, glíde.

ско́льз||кий slíppery; (*перен. тж.*) dángerous ['deɪndʒ-]; ◇ говори́ть на ~кую те́му be on slíppery ground. ~ну́ть *сов.* slip, slíde*. ~я́щий 1. *прич. см.* скользи́ть; 2. *прил.* (*не фиксированный*) slíding; ~я́щая шкала́ slíding scale; ~я́щий у́зел slíp-knòt.

ско́лько 1. (*о количестве и числе*) (*с сущ. в ед. ч.*) how much; (*с сущ. во мн. ч.*) how many; ~ э́то сто́ит? how much does it cost?; how much is it?; ~ у вас книг? how many books have you?; — сто́лько (же) (*с сущ. в ед. ч.*) as much as; (*с сущ. во мн. ч.*) as many as; 2. *как нареч.*: не сто́лько ~ not so much... as: он не сто́лько уста́л, ~ го́лоден he is not so much tired, as húngry; ◇ ~ ду́ше уго́дно to one's heart's cóntent [hɑːts...]; ~ лет, ~ зим! *разг.* ≃ it's áges since we last met!, we have̞n't met for áges!

ско́лько-нибудь *нареч. разг.* any (amóunt); есть у вас ~ вре́мени? have you any time?

скома́ндовать *сов.* give* out an órder, órder, command [-ɑːnd].

скомбини́ровать *сов. см.* комбини́ровать.

ско́мкать *сов. см.* ко́мкать.

скоморо́х *м. ист.* skomorókh (*wándering mínstrel-cum-clòwn*); (*перен.*) buffóon, mountebànk.

скоморо́ш||ество *с. ист.* béing a skomorókh; (*перен.*) buffóonery. ~ничать *разг. неодобр.* play the buffóon.

скомпили́ровать *сов. см.* компили́ровать.

скомпонова́ть *сов. см.* компонова́ть.

скомпромети́ровать *сов. см.* компромети́ровать.

сконструи́ровать *сов.* (*вн.*) constrúct (*d.*); (*спроектировать*) design [-'zaɪn] (*d.*).

сконфу́||женный *прич. и прил.* abáshed, confóunded, disconcérted. ~зить(ся) *сов. см.* конфу́зить(ся).

СКО — СКР

сконцентри́ровать(ся) *сов. см.* концентри́ровать(ся).

сконча́н||ие: до ~ия ве́ка to the end of time.

сконча́ться *сов.* pass away, decease [-s].

скопа́ть *сов. см.* ска́пывать.

скопе́ц *м.* 1. éunuch [-k]; 2. *(сектант)* skópets; *мн.* skóptsi *(sect practising castration).*

скопидо́м *м. разг.* hóarder, míser. ~**ничать** *разг.* be a hóarder / míser. ~**ство** *с. разг.* thrift, thríftiness.

скопи́ровать *сов. см.* копи́ровать.

скопи́ть I *сов. см.* ска́пливать.

скопи́ть II = оскопля́ть.

скопи́ться *сов. см.* ска́пливаться.

ско́пище *с. неодобр.* gáthering, crowd.

скопл||е́ние *с.* accumulátion; *(народа)* gáthering, crowd; звёздные ~е́ния *астр.* stár-clùsters; ~ гала́ктик *астр.* accumulátion of gálaxies. ~**я́ть(ся)** = ска́пливать(ся).

ско́пом *нареч. разг.* in a crowd, all togéther [...-'ge-]; en masse *(фр.)* [ɑ:ŋ'mæs].

ско́рая *ж. скл. как прил. разг.* = ско́рая по́мощь *см.* ско́рый.

скорбе́ть *(о пр.)* grieve [-i:v] (abóut, óver), mourn [mɔ:n] *(d., for, over).*

ско́рбный sórrowful, mórnful ['mɔ:n-], dóleful.

скорбу́т *м. мед.* scúrvy.

скорбь *ж.* sórrow, grief [-i:f]; мирова́я ~ *ист. лит.* Wéltschmèrz ['velt-ʃmɛrts].

скоре́||е, ~й 1. *сравн. ст. см. прил.* ско́рый *и нареч.* ско́ро; 2. *нареч. (лучше, предпочтительнее)* ráther ['rɑ:-], sóoner; *(верне́е)* ráther; он ~ умрёт, чем сда́стся he will sóoner die than surrénder; ◊ ~ всего́ most líkely / próbably.

скорлуп||а́ *ж.* shell; ~ оре́ха nútshell; ~ яйца́ éggshell; очища́ть от ~ы́ *(вн.)* shell *(d.);* ◊ уйти́ в свою́ ~у́ retíre / retréat into one's shell.

скорми́ть *сов. см.* ска́рмливать.

скорня́жн||ый: ~ това́р fúrriery; furs *pl.;* ~ое де́ло fúrriery.

скорня́к *м.* fúrrier, fúr-drèsser.

ско́ро *нареч.* 1. *(быстро)* quíckly, fast: он шёл ~ he walked quíckly / fast; — как мо́жно скоре́е as soon as póssible; *(быстре́е)* as quíckly / spéedily as póssible; 2. *(вско́ре)* soon: он ~ придёт he will come soon; ~ весна́ spring will soon be here.

скорова́рка *ж.* préssure cóoker.

скорогово́рк||а *ж.* 1. pátter; говори́ть ~ой pátter; 2. *(труднопроизносимое сочетание слов)* tóngue-twister ['tʌŋ-].

скоро́миться, оскоро́миться *уст.* break* a fast [-eɪk...], eat* meat, *etc.,* dúring a fast.

скоро́мн||ый: ~ая пи́ща díshes contáining meat *and* milk próducts [...'prɔ-]; ~ые дни meat days.

скоропали́тельный *разг.* hásty ['heɪ-], rash.

скоропеча́тный: ~ стано́к éngine-prèss ['endʒ-].

скоропи́сный cúrsive.

ско́ропись *ж.* cúrsive (wríting).

скороподъёмность *ж. ав.* rate of climb [...klaɪm].

скоропо́ртящ||ийся périshable; ~еся това́ры, проду́кты périshables, périshable goods [...gudz].

скоропости́жн||о *нареч.:* умере́ть ~ die súddenly. ~**ый**: ~ая смерть súdden death [...deθ].

скоропреходя́щий tránsitory, tránsient [-zɪ-], fugácious.

скороспе́лка *ж. разг.* éarly fruit, végetable ['ə:lɪ fru:t...].

скороспе́л||ый *(прям. и перен.)* precócious; *(о плодах тж.)* éarly ['ə:-], fást-rìpening; ~ое реше́ние premáture decísion.

скоростни́к *м.* hígh-spéed wórker / perfórmer; сталева́р-~ hígh-spéed stéel-màker; лётчик-~ (flýing) ace.

скоростно́й velócity *(attr.),* hígh-spéed; rápid; ~ самолёт hígh-spéed áircràft / (áir)plàne; ~ ме́тод строи́тельства hígh-spéed méthod of constrúction; ~ бег на конька́х spéed-skáting; ~ спуск (на лы́жах) dównhill.

скоростре́льн||ость *ж.* rate of fire. ~**ый** rápid-fíring, quíck-fíring.

ско́рость *ж.* speed; rate; *физ., мех.* velócity; максима́льная ~ máximum / top speed; переме́нная ~ váriable speed; развива́ть, набира́ть ~ gáther, *или* pick up, speed; дозво́ленная ~ *(езды)* speed límit; со ~ю сто киломе́тров в час at a speed of one húndred kílomètres per hour [...auə]; ~ све́та velócity of light; ~ движе́ния rate of móvement [...'mu:v-]; ~ враще́ния speed of rotátion; нача́льная ~ inítial velócity; ~ подъёма *ав.* rate of climb [...klaɪm]; крити́ческая ~ *ав.* stálling speed; возду́шная ~ *ав.* air speed; путева́я ~ *ав.* ábsolùte / ground speed; перейти́ на другу́ю ~ change gear [tʃeɪ- gɪə]; большо́й ~ю *ж.-д.* by fast goods train [...gudz...]; ма́лой ~ю *ж.-д.* by (slow) goods train [...slou...].

скороснива́тель *м.* lóose-leaf bínder [-s-...].

скороти́ть *сов. см.* корота́ть.

скороте́чн||ый 1. tránsient [-zɪ-]; 2. *мед.* fúlminant; ~ая чахо́тка *разг.* gálloping consúmption.

скорохо́д *м.* 1. *спорт.* fast rúnner; конькобе́жец-~ spéed-skàter; 2. *ист.* fóotman* ['fut-].

скорпио́н *м.* scórpion.

ско́рчить *сов. см.* ко́рчить 1, 2. ~**ся** *сов. см.* ко́рчиться.

ско́р||ый 1. *(быстрый)* quick, fast; *(о человеке)* quick; ~ шаг quick step; ~ полёт fast flýing; ~ое выздоровле́ние rápid / spéedy recóvery [...-'kʌ-]; ~ по́езд fast train; 2. *(близкий по времени)* near, fòrthcóming; в ~ом бу́дущем in the near fúture; ~ прие́зд impénding arríval; до ~ого свида́ния! see you soon!; в ~ом вре́мени befóre long; ◊ ~ая по́мощь first-aid; *(машина)* ámbulance; на ~ую ру́ку óffhand; in róugh-and-réady fáshion [...'rʌf- -'re-]; убра́ть ко́мнату на ~ую ру́ку give* a room a lick and a prómise [...-s] идио́м.

скос *м.* slant [-ɑ:nt]; chámfer.

скоси́ть I *сов. см.* коси́ть I *и* ска́шивать I.

скоси́ть II *сов. см.* коси́ть II *и* ска́шивать II.

скоси́ть III *сов. см.* ска́шивать III.

скособо́читься *сов. см.* кособо́читься.

скости́ть *сов. (вн.) разг. (о долге)* strike* off *(d.);* (*о цене́)* knock off *(d.).*

скот *м. собир.* cattle, líve;stòck; моло́чный ~ dáiry cattle; мясно́й ~ beef cattle; племенно́й ~ blóodstòck [-ʌd-], pédigree cattle; 2. *бран.* brute, beast. ~**и́на** 1. *ж. собир. разг.* = скот 1; 2. *м. и ж. бран.* brute, beast. ~**ник** *м.,* ~**ница** *ж.* cáttle-fàrm wórker; fármyàrd wórker. ~**ный**: ~ый двор fármyàrd.

скотобо́йня *ж.* sláughter-house* [-s].

скотово́д *м.* cáttle-breeder, stóck-breeder. ~**ство** *с.* cáttle-breeding, cáttle-ràising, cáttle-rèaring, stóck-breeding. ~**ческий** cáttle-breeding *(attr.),* stóck-breeding *(attr.).*

скотопри́го́нный: ~ двор stóckyàrd.

скотопромы́шленн||ик *м. уст.* cáttle-dealer. ~**ость** *ж. уст.* cáttle-dealing, cáttle-tràde. ~**ый** *уст.* cáttle-tràding *(attr.).*

ско́т||ский brútal, brútish, béstial. ~**ство** *с.* bestiálity.

скра́дывать *(вн.)* concéal *(d.),* make* less évident *(d.).*

скрап *м. метал.* scrap.

скра́сить *сов. см.* скра́шивать.

скра́шивать, скра́сить *(вн.):* ~ жизнь bríghten up one's life, add charm to life; ~ недоста́тки smooth óver *the* defécts [-ð-].

скребко́вый: ~ конве́йер scráper convéyor.

скребни́ца *ж. (для лошаде́й)* cúrry-còmb [-koum], hórse-còmb [-koum].

скребо́к *м.* scráper; *(для чи́стки льда)* róad-scraper; *(для соска́бливания кра́ски)* páint-scraper.

скре́жет *м.* gritting / grinding sound; ~ зубо́в gnáshing / gritting of teeth. ~**а́ть** *(тв.)* grind*; ~а́ть зуба́ми grind* / gnash / grit one's teeth.

скре́п||а *ж.* 1. *тех.* tie, clamp; 2. *(втора́я по́дпись)* cóunter-signature, authènticátion; за ~ой секретаря́ cóunter-signed / authénticàted by the sécretary [-saɪnd...].

скре́пер *м. тех.* scráper; ~-волоку́ша drag / slip scráper.

скрепи́ть *сов. см.* скрепля́ть.

скре́п||ка *ж.* clip, (páper-)fástener [-fɑ:sⁿə]. ~**ле́ние** *с.* 1. fástening [-sⁿ-], stréngthening; 2. *тех.* = скре́па 1; 3. *(подписи)* cóunter-signature, authènticátion.

скрепля́ть, скрепи́ть *(вн.)* 1. fásten (togéther) ['fɑ:sⁿ- -'ge-] *(d.),* stréngthen *(d.);* ~ була́вкой pin (togéther) *(d.),* fásten with a pin *(d.);* 2. *тех.* tie *(d.),* clamp *(d.); (болтами)* bolt *(d.); (извёсткой)* mórtar *(d.);* 3. *(подписью)* cóuntersign [-saɪn] *(d.),* rátify *(d.),* authénticàte *(d.);* ◊ скрепя́ се́рдце relúctantly, grúdgingly; скреплённый кро́вью *(о дру́жбе и т.п.)* séaled with blood [...blʌd].

скрести́ *(вн.)* scrape *(d.); (когтя́ми,*

ногтя́ми) scratch (d.), claw (d.); (перен.) nag (d.), goad (d.). ~ся scratch.

скрести́ть(ся) сов. см. скре́щивать(-ся).

скреще́ни|е с. (в разн. знач.) cróssing; тео́рия ~я лингв. the cróssing théory [...'θɪə-].

скре́щивание с. 1. cróssing; 2. биол. cross, cróssing, ínterbréeding.

скре́щивать, скрести́ть (вн.) 1. cross (d.); скрести́ть ру́ки на груди́ fold one's arms; скрести́ть мечи́, шпа́ги (с тв.) cross / méasure swords [...'me- sɔːdz] (with); скрести́ть но́ги cross one's legs; 2. биол. cross (d.), ínterbréed* (d.). ~ся, скрести́ться 1. cross; (перен.) clash; 2. биол. cross, ínterbréed*; 3. страд. к скре́щивать.

скриви́ть(ся) сов. см. криви́ть(ся).

скрижа́ль ж. table, táblet ['tæ-] (with sacred text inscribed upon it).

скрип м. (двери, телеги) squeak, creak; (пера) squeak; (сапог) creak; (песка, снега и т.п. под ногами) crunch.

скрипа́ч м., ~ка ж. víolinist; (уличный) fíddler.

скрипе́ние с. = скрип.

скрипе́ть, проскрипе́ть (о двери, колёсах, экипаже) squeak, creak; (о пере) squeak; (о сапогах) creak; (о песке, снеге и т.п. под ногами) crunch; ~ зуба́ми grit one's teeth; (перен.) be just alive, just keep góing.

скрипи́чный violin (attr.); ~ ма́стер violín-màker; ~ ключ муз. treble clef, G clef [dʒi:...].

скри́пк|а ж. víolin; fíddle разг.; игра́ть на ~е play the víolin; пе́рвая ~ first víolin; (перен.) first fíddle.

скри́п|нуть сов. (о двери) squeak, creak. ~у́чий разг. (о двери, телеге) squéaking, squéaky, créaking; (о пере) scrátchy; (о сапогах) créaky; (о песке, снеге и т.п.) crúnching; (о голосе) rásping.

скрои́ть сов. см. крои́ть.

скро́мни|к м. разг. módest man* ['mɔ-...]; ~ца ж. разг. módest wóman* ['mɔ- 'wu-].

скро́мнич|ать разг. put* on a módest air [...'mɔ-]; be óver-módest [...-'mɔ-]; не ~айте! come, come!, now, now!, don't be so módest!

скро́мн|ость ж. módesty; ло́жная ~ false módesty [fɔːls...]. ~ый módest ['mɔ-]; (о питании) frúgal; (без претензий) únassúming, únpreténtious; сли́шком ~ый óver-módest [-'mɔ-]; ~ый наря́д simple attíre; ~ый обе́д frúgal dínner; по моему́ ~ому мне́нию in my húmble opínion; ~ый за́работок módest éarnings [...'ɜːn] pl.

скрупулёзн|ость ж. scrúpulousness, scrupulósity. ~ый scrúpulous.

скрути́ть сов. см. скру́чивать.

скру́чивать, скрути́ть (вн.) 1. (о верёвке, нитке и т.п.) twist (d.); (о папиросе) roll (d.); 2. (связывать) bind* (d.), tie up (d.); ~ ру́ки кому́-л. pínion smb.'s arms, pínion smb.; 3. разг. (одолевать, овладевать) get* down (d.); боле́знь его́ скрути́ла his illness is getting him down.

скрыва́ть, скрыть (вн.) 1. (прятать) hide* (d.), concéal (d.); ~ престу́пника hide* / concéal / shélter a críminal; 2. (утаивать, не обнаруживать) hide* (d.), dissémble (d.), keep* back (d.); (о чу́вствах тж.) keep* to onesélf (d.), cóver ['kʌ-] (d.); ~ что-л. от кого́-л. keep* smth. from smb.; ~ свой гнев hide* / dissémble one's ánger; он засмея́лся, что́бы скрыть своё беспоко́йство he laughed to cóver his ánxiety [...lɑːft...-ŋz-]; не ~ того́, что make* no sécret of the fact that; он не скрыва́ет от себя́ he fúlly appréciates / réalizes [...ˈfuː-... 'tɪə-]; ~ смерть сы́на от ма́тери concéal the son's death from his móther [...sʌnz deθ... 'mʌ-]; ~ своё и́мя concéal one's name; скры́тый от взо́ра hídden from view [...vjuː]. ~ся, скры́ться (от) 1. (пря́таться) hide* (onesélf) (from); несов. тж. skulk, lie* in híding; партиза́ны скрыва́ются в гора́х the guer(r)íllas hide in the móuntains; ему́ удало́сь скры́ться в толпе́ he mánaged to lose himsélf in the crowd [...luːz...]; со́лнце скры́лось за ту́чами the sun was hídden behínd the clouds; здесь что́-то скрыва́ется there is smth. behínd that; 2. (удаляться, избегать) escápe (d.), steal* awáy (from), hide* (from), avóid (d.); ~ся от креди́торов avóid one's créditors; скры́ться от кредито́ров escápe from one's créditors, give* one's créditors the slip; ~ся от любопы́тства elúde curiósity; скры́ться незаме́тно slip awáy / off; ~ся из ви́да pass out of sight, disappéar, vánish.

скры́тн|ичать разг. be resérved / réticent [...-'zɜː-...]. ~ость ж. resérved cháracter [-'zɜː- 'kæ-], réticence; sécrecy ['siː-], secrétiveness. ~ый resérved [-'zɜː-], réticent, secrétive; быть ~ым be resérved / réticent / secrétive.

скры́т|ый 1. прич. см. скрыва́ть; 2. прил. sécret; concéaled; физ. látent [ˈleɪ-]; ~ая ра́дость sécret joy; ~ мотив ultérior mótive; ~ая теплота́ физ. látent heat; ~ое состоя́ние látency ['leɪ-].

скры́ть(ся) сов. см. скрыва́ть(ся).

скрю́ч|ивать, скрючи́ть (вн.) разг. crook (d.); double up [dʌ-...]; его́ ~ило от бо́ли he is doubled up with pain. ~иваться, скрючи́ться разг. huddle (onesélf) up. ~ить сов. см. скрю́чивать и крючи́ть; ~иться сов. см. скрю́чиваться и крю́читься.

скря́га м. и ж. разг. níggard, míser, skínflint.

скря́жнич|ать разг. be níggardly, be a míser / skínflint. ~ество с. разг. míserliness.

скуде́ть, оскуде́ть grow* scánty [-ou-...].

ску́д|ный scánty, poor, slénder; (об урожае, обеде тж.) méagre; (о знаниях, освещении тж.) small, scant; (о почве) bare, bárren, méagre; ~ные све́дения, сообще́ния scant informátion sg., scánty repórts. ~ость ж. scárcity ['skɛə-]; (бедность) póverty.

скудоу́мие с. feeble mind, póverty of intellèct. ~ный féeble-mínded, dull.

ску́к|а ж. bóredom, tédium; от ~и of bóredom; наводи́ть, нагоня́ть ~ (на вн.) bore (d.); кака́я ~! what a bore!

скула́ ж. cheek-bòne. ~стый with high / próminent chéek-bones; ~стое лицо́ broad face [brɔːd...].

скули́ть разг. whine, whímper (тж. перен.).

скулов|о́й анат. málar; ~а́я кость málar (bone).

ску́льптор м. scúlptor.

скульпту́р|а ж. scúlpture. ~ный scúlptural; (перен. тж.) státuesque.

ску́мбрия ж. máckerel [-kr-], scómber.

скунс м. (животное и мех) skunk.

скупа́ть, скупи́ть (вн.) buy* up [baɪ...] (d.); (с целью повысить цену) córner (d.).

скуперда́й м. разг. míser, skínflint.

скупе́ц м. míser, níggard, skínflint.

скупи́ть сов. см. скупа́ть.

скуп|и́ться, поскупи́ться (на вн.) be spáring (of); scant (d.), stint (d.); skimp (in); grudge (d.); он не ~и́тся на похвалы́ he does not stint his praise; ~ на слова́ be spáring of words.

ску́пка ж. (рд.) búying up ['baɪ-...] (of); (с целью повышения цены) córnering (in).

ску́по нареч. stíngily [-n-], spáring;ly; ~ отме́ривать, отпуска́ть (вн.) dole out (d.).

скуп|ова́тый clóse-físted ['klous-]. ~о́й 1. прил. stíngy [-n-], níggardly, míser;ly; ~о́й на слова́, похвалы́ cháry of words, praise; 2. м. как сущ. míser, níggard.

ску́пость ж. stínginess [-n-], níggardliness, míser;liness.

ску́пщик м. búyer-úp ['baɪə-]; ~ кра́деного fence.

ску́тер [-тэр] м. спорт. óutboard-mótor boat.

скуф|е́йка ж., ~ья́ ж. calótte, skúll-càp.

скуча́|ть 1. be bored, have a tédious time; 2. (по пр., дт.) miss (d.). ~ющий прич. и прил. bored; ~ющий взгляд vácant look.

ску́ченн|о нареч. dénse;ly; in dénsity [...-n'dʒe-]. ~ость ж. (населения) dénsity, congéstion [-n'dʒes-], óvercròwding. ~ый (о населении) dense, congésted [-n'dʒe-].

ску́ч|иваться, ску́читься разг. huddle togéther [...-'ge-], flock, clúster. ~иться сов. см. ску́чиваться.

скучне́ть, поскучне́ть become* mélancholy / sómbre [...-k-...].

ску́чно I 1. прил. кратк. см. ску́чный; 2. предик. безл. it is dull / tédious / bóring; мне ~ I am bored; ему́ ~ до сме́рти he is bored to death [...deθ]; he is bored stiff разг.

ску́чно II нареч. bóring;ly, tédious;ly.

скучнова́тый dúllish; sómewhat bóring / tédious, ráther tédious ['rɑː-...].

ску́чный 1. (наводящий скуку) dull, bóring, tédious, tíresome; 2. (испытывающий скуку) bored; (грустный) sad.

скуша́ть сов. (вн.) eat* (d.), have (d.), take* (d.).

слаба́к м. разг. пренебр. weak / féeble créature, wéakling.

слабе́ть, ослабе́ть wéaken, grow* wéak(er) / féeble [-ou-...]; (о ветре, буре и т.п.) slack off, slácken.

слаби́н|а ж. 1. мор. slack; вы́брать ~у haul in the slack; 2. разг. (сла-

СЛА — СЛЕ

бость, *недостаток*) weak point, weak spot.

слаби́тельное *с. скл. как прил.* purge, púrgative, láxative.

слаб‖**и́ть**, прослаби́ть *безл.*: его́ ~и́т he has diàrrhóea [...-'rɪə].

сла́бо *нареч.* 1. fáintly; féebly; wéakly; он чу́вствует себя́ ~ he feels weak; he is féeling póorly; 2. (*пло́хо*) bád(ly)*, póorly.

слабова́т‖**о** *нареч. разг.* (*пло́ховато*) ráther bád;ly ['rɑ:-...]. ~**ый** *разг.* (*пло́ховатый*) ráther bad ['rɑ:-...].

слабово́л‖**ие** *с.* weak will. ~**ьный** weak of will; ~**ьный челове́к** wéakling.

слабогру́дый wéak-chèsted.

слабоне́рвный nérvous.

слабоси́л‖**ие** *с.* wéakness, féebleness, debílity. ~**ьный** 1. (*недоста́точно си́льный физи́чески*) weak, féeble; 2. (*небольшо́й мо́щности*) ùnderpówered; lów-power ['lou-] (*attr.*).

сла́бост‖**ь** *ж.* 1. wéakness, féebleness, debílity; *мед.* asthénia; в мину́ту ~и in a weak móment; приступ ~и fit of wéakness; чу́вствовать ~ feel* low / póorly [...lou...]; по ~и здоро́вья on accóunt of poor health [...he-]; 2. (*к, скло́нность*) wéakness (for); пита́ть ~ к кому́-л. have a soft córner / spot in one's heart for smb. [...hɑ:t...]; 3. (*недоста́ток*) weak point / side; (*хара́ктера*) fóible.

слабоу́м‖**ие** *с.* ìmbecílity, wéak-mìnded;ness, wéak-headedness [-he-]; ста́рческое ~ dótage ['dou-]. ~**ный** ìmbecile, wéak-mìnded, wéak-headed [-he-].

слабохара́ктерн‖**ость** *ж.* lack of cháracter ['kæ-], flábbiness; ~**ый** flábby, wéak-wìlled, cháracterless ['kæ-].

слаб‖**ый** 1. (*в разн. знач.*) weak; (*о зву́ке, све́те*) faint; (*хи́лый*) féeble; (*не туго́й, не пло́тный*) loose [-s], slack; ~ **ребёнок** weak / féeble child*; ~ **го́лос** weak / small voice; ~**ые глаза́** weak eyes [...aɪz]; ~**ое здоро́вье** weak / délicate / poor health [-he-]; ~ **ве́тер** light / géntle breeze; ~ **чай** weak tea; ~**ое пи́во** weak / thin / small beer; ~**ая наде́жда** faint / slénder hope; ~**ая во́ля** weak will; ~**ое разви́тие** poor devélopment; ~**ая попы́тка** féeble attémpt; ~ **у́зел** loose knot; ~ **глаго́л** *грам.* weak verb; 2. *разг.* (*плохо́й*) poor; ~ **ора́тор** poor spéaker; ~ **учени́к** bad* / báckward púpil; ~ **конта́кт** poor cóntact; ~**ое оправда́ние**, ~**ая отгово́рка** lame excúse [...-s]; ~ **аргуме́нт** lame árgument; ◊ ~ **пол** wéaker sex; ~**ое ме́сто** weak spot / point / place; находи́ть ~**ое ме́сто** find* a weak spot / point / place; ≅ find* the joint in the ármour *идиом*.

сла́в‖**а** *ж. тк. ед.* 1. glóry; (*изве́стность*) fame; всеми́рная ~ wórld-wide fame; дости́гнуть ~ы achíeve / win* fame [-i:v...]; его́ ~ греми́т по всему́ све́ту the world rings with his fame; ~ **геро́ям!** glóry to *the* héroes!; 2. (*репута́ция*) fame, name; rèputátion; до́брая ~ good name / rèputátion; дурна́я ~ ill fame; dìsrepúte; приобрести́ дурну́ю ~у fall* into dìsrepúte, becóme* notórious; ◊ во ~у (*рд.*) to the glóry (of); на ~у *разг.* wónderfully well ['wʌ-...], éxcellent.

слави́ст *м.* spécialist in the hístory, philólogy, *etc.*, of the Slavs ['spe-...-a:vz], Slavónic schólar [...-'sko-]. ~**ика** *ж.* Slavónic philólogy; Slavónic stúdies [...'stʌ-...].

сла́вить (*вн.*) glórify ['glɔ-] (*d.*), célebrate (*d.*); (*восхваля́ть*) sing* the práises (of); ~ **кого́-л.** sing* smb.'s práises. ~**ся** (*тв.*) be fámous (for), be famed (for), be renówned (for); (*по́льзоваться репута́цией*) have a rèputátion (for).

сла́вно I 1. *прил. кратк. см.* сла́вный; 2. *предик. безл.* it is nice.

сла́вн‖**о** II *нареч. разг.* (*хорошо́*) fámous;ly, well. ~**ый** 1. glórious, fámous, renówned; 2. *разг.* (*хоро́ший*) nice; ~**ый ма́лый** nice / good* féllow / chap.

славосло́в‖**ие** *с.* glòrificátion [glɔ-]. ~**ить** (*вн.*) glórify [-'glɔ-] (*d.*), éulogize (*d.*), hymn (*d.*).

славяни́зм *м. лингв.* 1. (*заи́мствование из како́го-л. славя́нского языка́ несла́вянским*) Slávism [-a:-]; 2. (*заи́мствование в ру́сском языке́ из церковно-славя́нского языка́*) Slavónicism; word derived from Church Slavónic.

славяни́н *м.*, **славя́нка** *ж.* Slav [-a:v].

славянове́д *м.* = слави́ст. ~**ение** *с.* = слави́стика.

славянофи́л *м. ист.* Slávophil(e) ['sla:-].

славянофи́ль‖**ский** *ист.* Slávophil(e) ['sla:-] (*attr.*). ~**ство** *с. ист.* Slávophilism ['sla:-].

славянофо́б *м. ист.* Slávophòbe ['sla:-].

славя́н‖**ский** Slavónic, Slávic; ~**ские языки́** Slavónic lánguages; ~**ство** *с. собир.* the Slavónic péoples [...pi:-].

слага́емое *с. скл. как прил. мат.* (*тж. перен.*) ítem.

слага́ть I, сложи́ть (*вн.; сочиня́ть*) compóse (*d.*); ~ **стихи́** make* vérses; про него́ сложи́ли пе́сню a song was compósed about him.

слага́ть II, сложи́ть (*вн. с рд.; сняв, кла́сть куда́-л.*) put* / lay* down (*d. from*); (*перен.*) lay* down (*d.*); ~ с себя́ обя́занности resígn [-'zaɪn] (*d.*); ~ с себя́ вся́кую отве́тственность ábdicàte / declíne all responsibílity.

слага́ться I, сложи́ться 1. (*из; составля́ться*) be made up (of); 2. *страд.* к слага́ть I.

слага́ться II *страд.* к слага́ть II.

слад *м.*: с ним ~у нет *разг.* he is ùnmánage;able, he has got out of hand.

сла́деньк‖**ий** swéetish; (*перен.*) súgary ['ʃu-], hóneyed ['hʌnɪd]; ~**ая улы́бка** súgary / máwkish smile.

сла́дить *сов. разг.* 1. *см.* сла́живать; 2. (*с тв.*) cope (with), mánage (*d.*), bring* round (*d.*); мне с ним не ~ I can't mánage him [...kɑ:nt...].

сла́диться *сов. см.* сла́живаться.

сла́дк‖**ий** sweet; (*перен. тж.*) hóneyed ['hʌnɪd], hónied ['hʌ-]; ~**ое вино́** sweet wine; ~ **го́лос** sweet voice; ~ **сон** sweet sleep; спать ~**им сном** be fast asléep, be in a sweet sleep; ~**ое мя́со** *кул.* swéetbread [-ed].

сла́дко I 1. *прил. кратк. см.* сла́дкий; 2. *предик. безл.* (+ *инф.*) it is sweet (+ to *inf.*).

сла́дко II *нареч.* swéetly.

сладкова́тый swéetish.

сла́дкое *с. скл. как прил.* 1. (*десе́рт*) sweet course [...kɔ:s], dessért [-'zə:t]; 2. = сла́сти.

сладкое́жка *м. и ж.* = сластёна.

сладкозву́чный *уст.* sweet, mèlliflùent, mèlliflùous.

сладкоречи́вый *уст.* smóoth-tòngued [-ðtʌnd], smóoth-spòken [-ð-]; (*льсти́вый, лицеме́рный*) méaly-móuthed.

сла́достный [-сн-] sweet, delíghtful.

сладостра́ст‖**ие** *с.* volúptuous;ness. ~**ный** [-сн-] volúptuous.

сла́дость *ж.* 1. swéetness; (*наслажде́ние*) delíghts *pl.*; 2. *мн.* (*конди́терские изде́лия*) sweets, swéetmeats; cándies *амер.*

сла́ж‖**енный** 1. *прич. см.* сла́живать; 2. *прил.* hàrmónious, (well) co-órdinàted, (well) órganized; ~**енная рабо́та** well co-órdinated work. ~**ивать**, сла́дить (*вн.*) *разг.* arránge [-eɪndʒ] (*d.*). ~**иваться**, сла́диться *разг.* be arránged [...-eɪndʒd].

сла́зить *сов. разг.*: ~ за чем-л. go* and fetch smth.

сла́лом *м. спорт.* slálom ['sla:-].

слаломи́ст *м.*, ~**ка** *ж.* slálomist ['sla:-].

сла́н‖**ец** *м. геол.* shale, schist [ʃ-], slate; гли́нистые ~**цы** àrgilláceous slates [-ʃəs...]; нефтено́сные, горю́чие ~**цы** óil-shales. ~**цева́тый** schístose ['ʃɪstous], schístous ['ʃɪ-], sláty. ~**цевый** shale (*attr.*), slate (*attr.*), schist [ʃ-] (*attr.*).

сластёна *м. и ж. разг.* one who likes sweets; он, она́ ~ he, she has a sweet tooth.

сла́сти *мн.* sweet stuff *sg.*, sweets, swéetmeats; cándy *sg. амер.*

ласти́ть, посласти́ть (*вн.*) swéeten (*d.*).

сластолю́б‖**ец** *м.* volúptuary. ~**и́вый** volúptuous. ~**ие** *с.* volúptuous;ness.

сласть *ж. разг.* (*что-л. прия́тное*) pléasure ['ple-], fun; что за ~ сиде́ть до́ма? what fun is it to stay at home?, where's the fun in stáying at home?

слать (*вн.*) send* (*d.*).

слаща́в‖**о** *нареч.* all súgar and hóney [...ʃu-... 'hʌ-]; ~ улыба́ться give* a súgary smile [...ʃu-...]. ~**ость** *ж.* súgariness ['ʃu-]. ~**ый** súgary ['ʃu-], síckly-sweet.

сла́ще *сравн. ст. см. прил.* сла́дкий.

сле́ва *нареч.* (от) to / at / from / on the left (of); ве́тер ду́ет ~ the wind is blówing from the left [...wɪ-... 'blou-...]; ~ был лес there was a fórest on the left (side) [...'fɔ-...]; ~ от него́ to / at / on his left, *или* the left of him; ~ напра́во from left to right.

слегка́ *нареч.* (*немно́го*) sóme;what; (*незначи́тельно*) slíghtly, géntly; он ~ уста́л he is sóme;what tired; ~ удиви́ться be sóme;what surprísed; ~ тро́нуть (*вн.*) touch géntly [tʌtʃ...] (*d.*).

след I *м.* 1. track; (*челове́ка тж.*) fóotprint ['fut-], fóotstèp ['fut-]; (*перен.*) trace, sign [saɪn], véstige; све́жие ~ы fresh tracks / fóotprints; навести́ кого́-л.

на ~ (рд.) put* smb. on the trail (of); напа́сть на ~ (рд.) find* tráces (of), come* upón the tracks (of); (перен.) get* on the tracks / trail (of); идти́ по ~у́ ≈ follow in the tracks of smb.; (следовать учению и т.п.) fóllow in smb.'s fóotsteps; идти́ по горя́чим ~а́м (прям. и перен.) be hot on the trail; возвраща́ться по свои́м ~а́м retráce one's path / tracks; (тж.) retráce one's steps; сбива́ть со ~а (вн.) put* off the track (d.); (о живо́тном тж.) put* off the scent (d.); потеря́ть ~ (рд.) lose* track [luːz...] (of); замета́ть свои́ ~ы́ cóver one's tracks ['kʌ-...]; запу́тывать ~ы́ foul the trail; не оста́лось и ~а́ not a trace remáins; со ~а́ми слёз на глаза́х with tráces of tears in one's eyes [...aɪz]; ~ы́ труда́ signs of lábour; со ~а́ми о́спы на лице́ póck-màrked. 2. (подошва ноги́) sole.

след II: не ~ тебе́ туда́ ходи́ть разг. you shouldn't go there.

следи́ть I (за тв.) 1. watch (d.); (исподтишка́) spy (on, upón), shádow ['ʃæ-...] (d.); (перен.) fóllow (d.); (быть в ку́рсе де́ла) have / keep* an eye [...aɪ] (on); ~ за полётом птиц watch the birds flýing; ~ за чьи́ми-л. мы́слями fóllow the thread of smb.'s thoughts [...θred...]; внима́тельно ~ watch clósely [...-s-] (d.); бди́тельно ~ keep* vígilant watch (on, óver); он сли́шком бы́стро говори́т, о́чень тру́дно ~ за ним he speaks too fast, it is very difficult to fóllow him; ~ за це́лью воен. fóllow the tárget [...-gɪt]; ~ глаза́ми за кем-л. fóllow with one's eyes, keep* one's eyes on smb.; ~ за поли́тикой keep* up with pólitics; 2. (присма́тривать) look (áfter); ~ за детьми́ look áfter children; ~ за чьим-л. здоро́вьем watch óver smb.'s health; ~ за выполне́нием чего́-л. see* to smth.; ~ за тем, что́бы see* to it that; зо́рко ~ за кем-л. keep* one's eye on smb.; ◇ ~ за собо́й look áfter onesélf.

следи́ть II, наследи́ть (оставля́ть следы́) leave* tráces / fóot-màrks / fóotprints [...'fut- 'fut-]; (на полу́) leave* fóotprints all óver the floor [...flɔː], mark the floor.

сле́довани||е с. móvement ['muː-...]; по́езд да́льнего ~я long-distance train; на всём пути́ ~я throughóut the entíre journey [...'dʒəː-]; по пути́ ~я войск alóng / on the line of march.

сле́дователь м. invéstigàtor.

сле́довательно союз cónsequently, thérefòre, hence.

сле́д||овать I, после́довать 1. (за тв.; идти́ сле́дом) fóllow (d.), go* (áfter); ~ за кем-л. по пята́м fóllow smb. close(ː)ly [...-s-], fóllow hard on smb.'s heels; за ним ~овал сын he was fóllowed by his son [...sʌn]. 2. (за тв.; быть сле́дующим) fóllow (d.), come* next (to); ле́то ~ует за весно́й súmmer fóllows spring; 3. (дт.; поступа́ть подо́бно кому́-л.) fóllow (d.), take* (áfter); во всём ~ отцу́ take* áfter one's fáther in éverything [...'fɑː-...]; fóllow in one's fáther's fóotsteps [...'fut-...]; 4. (дт.; поступа́ть согла́сно чему́-л.) fóllow (d.); ~ мо́де, обы́чаям и т.п. fóllow the fáshion, cústoms, etc.; ~ чьему́-л. приме́ру fóllow smb.'s exámple [...-ɑːm-]; ~ пра́вилам confórm to the rules, stick* to the rules разг. 5. тк. несов. (в вн., до; отправля́ться куда́-л.; о по́езде, парохо́де и т.п.) be bound (for); по́езд ~ует до Москвы́ the train is bound for Móscow; 6. тк. несов. (быть сле́дствием) fóllow; из э́того ~ует, что it fóllows / resúlts from this that [...-zʌlts...]; как ~ует из ска́занного as appéars from the above.

сле́д||овать II безл. 1.: ему́ ~ует сде́лать э́то неме́дленно he ought to do it at once [...wʌns]; ~ует по́мнить it should be remémbered; не ~ует ду́мать, что it should not be suppósed that; ~ует обрати́ть внима́ние note should be táken; э́того ~овало ожида́ть it was to be expécted; кому́ ~ует to the próper pérson [...'prɒ-...]; куда́ ~ует in / to the próper quárter / place; обраща́ться куда́ ~ует apply to / in the próper quárter. 2. (дт. с рд.; причита́ться): ему́ ~ует с вас сто рубле́й you have to pay, или you owe, him one húndred roubles [...ou... ruː-]; ско́лько с него́ ~ует? what does he owe?; ◇ как ~ует разг. well, próperly, well and trúly; отдохни́те как ~ует have a good rest; отколоти́ть кого́-л. как ~ует give* smb. a sound béating.

сле́дом нареч. (за тв.) immédiately (áfter); идти́ ~ за кем-л. fóllow smb. close(ː)ly [...-s-], fóllow hard on smb.'s heels; ходи́ть ~ за кем-л. dog smb.'s steps; войти́ ~ come* next.

следопы́т м. páthfinder, trácker.

сле́дственно уст. = сле́довательно.

сле́дственн||ый юр. investigátion (attr.), invéstigàtory [-geɪ-]; ~ материа́л évidence; ~ая коми́ссия commíttee of inquiry [-tɪ...]; ~ые о́рганы invéstigating ágencies / bódies [...'eɪdʒ- 'bɒ-].

сле́дствие I с. (вы́вод, результа́т чего́-л.) cónsequence; (логи́ческое) córollary; причи́на и ~ cause and efféct.

сле́дстви||е II с. тк. ед. юр. investigátion; ínquest; предвари́тельное ~ prelíminary investigátion; суде́бное ~ judícial investigátion, ínquest; находи́ться под ~ем be únder examinátion; производи́ть ~ hold* an investigátion / ínquest; зако́нчить ~ по де́лу (рд.) compléte the investigátion of a case [...-s] (of), finish investigating the case (of); о́рганы ~я investigátion ágencies / bódies [...'eɪdʒ- 'bɒ-].

сле́дуем||ый 1. прил. (дт.) due (to); ~ые ему́ де́ньги móney due to him ['mʌ-...]. 2. как сущ. one's due; отдава́ть ка́ждому ~ое give* each his due.

сле́дующ||ее с. скл. как прил. the fóllowing. ~ий 1. прич. см. сле́довать I; ~ие оди́н за други́м succéssive; 2. прил. next, fóllowing; на ~ий день the next day; в ~ий раз next time; ~им о́бразом in the fóllowing way; ~ий по ка́честву, поря́дку, разме́ру next in quálity, órder, size; ~ий! (при вы́зове) next, please!

слежа́ться сов. см. слёживаться.

слёживаться, слежа́ться become* caked / compréssed.

слёжк||а ж. shádowing; устана́вливать ~у за кем-л. have smb. shádowed.

слеза́ ж. tear; в ~х in tears; доводи́ть кого́-л. до слёз make* smb. cry / weep; разрази́ться, зали́ться ~ми burst* into tears; пла́кать го́рькими ~ми cry bítterly; смея́ться сквозь слёзы smile through tears; laugh with one eye and weep* with the other [lɑːf... aɪ...] идиом.; смея́ться до слёз laugh until one cries; красне́ть до слёз blush till the tears come into one's eyes; до слёз бо́льно, оби́дно и т.п. enóugh to make anybody cry / weep [ɪ'nʌf...]; ~ми го́рю не помо́жешь tears are no help in sórrow; ◇ крокоди́ловы слёзы ирон. crócodile tears.

слеза́ть, слезть (с рд.) 1. (спуска́ться) come* / get* down (from); (с ло́шади) dismóunt (from); 2. разг. (выходи́ть из трамва́я, по́езда и т.п.) get* out (of), get* off (d.), alight (from); 3. разг. (о кра́ске, ко́же) peel / come* off (d.).

слез||и́ться wáter ['wɔː-...]; глаза́ ~я́тся the eyes are wátering [...aɪz...]. ~ли́вость ж. téarfulness. ~ли́вый 1. given to crýing; 2. (пла́чущий, жа́лобный) téarful, láchrymòse [-s].

слезни́к м. арх. drípstòne.

слезни́ца ж. ирон. humble / pláintive petítion.

слёзн||о нареч. разг. téarfully, with tears in one's eyes [...aɪz]. ~ый 1. анат. láchrymal; ~ый прото́к láchrymal duct; ~ая железа́ láchrymal gland; 2. разг. (жа́лобный) humble; ~ая про́сьба humble requést; ~ое письмо́ humble létter.

слезо||тече́ние с. мед. epíphora. ~точи́вый 1. (слезя́щийся) rúnning; ~точи́вые глаза́ rúnning eyes [...aɪz]; 2. (вызыва́ющий слёзы) tear-, láchrymatory; ~точи́вый газ téar-gas.

слезть сов. см. слеза́ть.

слезя́щийся прич. и прил. (о глаза́х) rúnning.

слепе́нь м. gádflỳ, hórse-flỳ, breeze.

слепе́ц м. blind man*; (о ма́льчике) blind boy.

слеп||и́ть I (вн.; меша́ть ви́деть) blind (d.); (бле́ском) dazzle (d.); снег ~и́т глаза́ the snow is dázzling / blínding [...snou...].

слепи́ть II сов. см. лепи́ть 2.

слепи́ть III сов. см. слепля́ть.

слепи́ться сов. см. слепля́ться.

слепля́ть, слепи́ть (вн.) stick* togéther [...-'ge-] (d.). ~ся, слепи́ться stick togéther [...-'ge-].

сле́пнуть, осле́пнуть become* / go* blind, lose* one's sight [luːz...].

сле́по I прил. кратк. см. слепо́й.

сле́по II нареч. 1. (не рассужда́я) blíndly, blíndfòld; ~ повинова́ться кому́-л. obéy smb. blíndly; ~ сле́довать (дт.) fóllow blíndfòld (d.); 2. (нея́сно) blíndly.

слеп||о́й 1. прил. (в ра́зн. знач.) blind; почти́ ~ púrblind; соверше́нно ~ stóne-blind; ~ на оди́н глаз blind in one eye [...aɪ]; ~а́я любо́вь blind /

585

СЛЕ — СЛО

únsée:ing love [...lʌv]; 2. *как сущ. м.* blind man*; (*о мальчике*) blind boy; *ж.* blind wóman* [...'wu-]; (*о девочке*) blind girl [...g-]; *мн. собир.* the blind; ◊ ~ая кишка́ blind gut, cáecum; ~ полёт blind flýing; ~ ме́тод (*машинописи*) tóuch-týping [ˈtʌtʃ-]; ~ая ку́рица ≃ blind mole, blind as a mole; ~ое подража́ние blind imitátion.

слёпок *м.* mould [mou-], cópy [ˈkɔ-].

слепорождённый 1. *прил.* blind from birth, born blind; 2. *м. как сущ.* man* blind from birth.

слепота́ *ж.* blínd:ness.

слепы́ш *м. зоол.* móle-ràt.

слеса́р||ичать *разг.* (*о профессионале*) work in métal [...ˈme-]; (*о любителе*) do métalwòrk [...ˈme-]. ~ый métalwòrker's [ˈme-], lócksmith's; ~ое де́ло métalwòrk [ˈme-]; ~ый молото́к fítter's hámmer.

слеса́рня *ж. разг.* métal wórkshòp [ˈme-...].

сле́сарь *м.* métalwòrker [ˈme-]; (*специалист по замкам*) lócksmith; ~-монта́жник fítter; ~-инструмента́льщик tóol-màker; ~-водопрово́дчик plúmb:er.

слёт *м.* 1. (*о птицах*) flight; 2. (*собрание, съезд*) gáther:ing, méeting, rálly; ~ демократи́ческой молодёжи rálly of dèmocrátic youth [...juːθ].

слета́ть I *сов. разг.* fly* there and back; (*перен.*: *сбегать и т.п.*) be there and back (agáin) in no time.

слет||а́ть II, **слете́ть** 1. (*вниз*) fly* down; *разг.* (*падать*) fall* down; воробе́й ~е́л с кры́ши the spárrow flew down from *the* roof; бума́ги ~е́ли со стола́ the pápers fell off *the* táble; ма́льчик ~е́л с ло́шади the boy fell off *the* horse; 2. (*улетать*) fly* a:wáy; ба́бочка ~е́ла с цветка́ the bútterfly flew a:wáy from *the* flówer.

слета́ться, **слете́ться** fly* togéther [...-ˈge-]; *разг.* (*собираться*) cóngregàte.

слете́ть *сов. см.* слета́ть II. ~ся *сов. см.* слета́ться.

слечь *сов.* (*в постель*) take* to one's bed.

слив *м. тех.* dis:chárge, sink.

сли́ва *ж.* 1. (*плод*) plum; 2. (*дерево*) plúm-tree.

слива́ть, **слить** (*вн.*; *выливать*) pour out [pɔː...] (d.); (*отливать*) pour off (d.); (*вместе*) pour togéther [...-ˈge-] (d.); (*перен.*: *объединять*) fuse (d.); (*о словах, буквах*) slur (d.); слить две шко́лы в одну́ combíne / amálgamàte two schools (in one). ~ся, сли́ться (*о реках и т.п.*) flow togéther [-ou -ˈge-], ínterflòw [-ˈflou], join; (*перен.*; *об организациях*) merge, amálgamàte (*о красках, звуках*; *тж. перен.*) blend, merge; ~ся воеди́но merge / combíne (all togéther); ~ся с тума́ном fade into mist; ~ся с фо́ном melt into the báckground.

сли́вк||и *мн.* cream *sg.*; ко́фе со ~ами cóffee with cream [-f-]; снима́ть ~ с молока́ skim milk, take* the cream off milk; снима́ть ~ (*с рд.*; *перен.*) skim the cream (off); пастеризо́ванные ~ pásteurized cream [-tə-...]; сби́тые ~ whipped cream; ◊ ~ о́бщества cream of socíety.

сли́вов||ый plum (*attr.*); ~ое де́рево plúm-tree.

сли́воч||ик *м.* (*посуда*) créam-jùg. ~ый cream (*attr.*); créamy; ~ое ма́сло bútter; ~ый сыр cream cheese; ~ое моро́женое íce-cream.

сливя́нка *ж.* slivyánka, plum brándy.

слиза́ть *сов. см.* сли́зывать.

сли́зень *м.* = слизня́к 1.

сли́зист||ый múcous, mùciláginous, slímy; ~ая оболо́чка *анат.* múcous mémbràne.

слизну́ть *сов. см.* сли́зывать.

слизня́к *м.* 1. *зоол.* slug; 2. *разг.* (*о человеке*) slúggard.

сли́зывать, слиза́ть, слизну́ть (*вн.*) lick off / a:wáy (d.).

слизь *ж.* múcus, múcilage; slime.

слиня́ть *сов. разг.* (*о красках*) fade.

слип *м. мор.* slíp(wày).

слип||а́ться, сли́пнуться stick* togéther [...-ˈge-]; ли́сты кни́ги сли́плись the páges of the book stuck togéther; у него́ глаза́ ~а́ются he can hárdly keep his eyes ópen [...aɪz...].

сли́пнуться *сов. см.* слипа́ться.

сли́тн||о *нареч.* (*вместе*) togéther [-ˈge-]. ~ый: ~ое написа́ние э́тих слов встреча́ется ча́сто these words are óften wrítten in one [...ˈɔːf(t)n...]; ~ое предложе́ние *грам.* fused séntence.

сли́т||ок *м.* íngot; (*золота, серебра тж.*) bar; зо́лото, серебро́ в ~ках gold, sílver búllion [...ˈbu-].

слить(ся) *сов. см.* слива́ть(ся).

слич||а́ть, сличи́ть (*вн. с тв.*) còlláte (d. with); check (d. with, agáinst); ~ что-л. с оригина́лом còlláte smth. with the oríginal; ~ по́черк compáre the hándwrìting. ~е́ние *с.* collátion, chécking.

сличи́ть *сов. см.* слича́ть.

сли́шком *нареч.* too; э́то уж ~ it is too much, it is the límit; э́то ~ до́рого it is too expénsive; ~ ма́ло, мно́го (*с сущ. в ед. ч.*) too líttle, much; (*с сущ. во мн. ч.*) too few, mány; ~ ма́ло, мно́го воды́ too líttle, too much wáter [...ˈwɔː-]; ~ ма́ло, мно́го люде́й too few, too mány péople [...piː-]; э́то ~ мно́го that's too much, that's more than enóugh [...ɪˈnʌf]; он ~ си́льно э́то лю́бит he is óver:fònd of this; ~ больша́я до́за óver:dòse [-s]; он не ~ умён *ирон.* he is no génius.

слия́ние *с.* 1. (*рек и т.п.*) cónfluence, júnction; (*красок*; *тж. перен.*) blénding, mérging; (*организаций*) amàlgamátion, mérger; ~ ба́нковского капита́ла с промы́шленным капита́лом the mérging of bank cápital and indústrial cápital; 2. (*место слияния*) cónfluence.

слоб||ода́ *ж.* 1. *ист.* a large víllage or séttle:ment (*often inhábited by free, non-serf péasants*); 2. *уст.* (*пригород*) súburb. ~о́дка *ж.* = слобода́ 2.

слобожа́н||ин *м.*, ~ка *ж.* inhábitant / dwéller of *a* séttle:ment (*ср.* слобода́).

слова́к *м.* Slóvàk.

слова́рник *м. разг.* lèxicógrapher.

слова́рн||ый 1. *прил.* к слова́рь 2; léxical *научн.*; ~ соста́в языка́ vocábulary; ~ ми́нимум mínimum vocábulary; 2. *прил. к* слова́рь 1; *тж.* lèxicográphic; ~ая рабо́та lèxicográphic work.

слова́р||ь *м.* 1. (*общий или специа́льный*) díctionary; (*глосса́рий*) glóssary; (*к определённому тексту*) vocábulary; состави́тель ~е́й lèxicógrapher; 2. *тк. ед.* (*запас слов*) vocábulary.

слова́||цкий Slóvàk, Slovákian [-ˈvæ-]; ~ язы́к Slóvàk, the Slóvàk lánguage. ~чка *ж.* Slóvàk (wóman*) [...ˈwu-].

слове́н||ец *м.*, ~ка *ж.* Slóvène [ˈslou-]. ~ский Slòvénian [slou-]; ~ский язы́к Slòvénian, the Slòvénian lánguage.

слове́сн||ик *м.* (*филолог*) philólogist; (*студент*) stúdent of philólogy; (*преподаватель*) lánguage and líterature téacher. ~ость *ж.* 1. líterature; у́стная ~ость fólklòre; 2. *уст.* philólogy. ~ый 1. (*устный*) vérbal, óral, wórdy; ~ая война́ war of words; 2. *уст.* phìlológical; ~ые нау́ки philólogy *sg.*; ~ый факульте́т, ~ое отделе́ние phìlológical fáculty, depártment.

слове́чко *с. уменьш. от* сло́во; ◊ замо́лвить ~ за кого́-л. put* in a word for smb., say* a good / kind word for smb.

слови́ть *сов.* (*вн.*) *разг.* catch* (d.); (*схватить*) grip (d.), grasp (d.).

слове́ник *м.* glóssary, wórd-list, seléction of words (for inclúsion in a díctionary).

сло́вно *союз* 1. (*будто*) as if; ~ он знал as if he knew; 2. *разг.* (*как, подобно*) как; он поёт ~ солове́й he sings like a níghtingàle.

сло́в||о *с.* 1. (*в разн. знач.*) word; ла́сковое ~, ла́сковые ~а́ endéaring words; оскорби́тельное ~ insúlting word; ~ утеше́ния word of consolátion; сдержа́ть ~ keep* one's word; be as good as one's word; челове́к ~а man* of his word; наруша́ть ~ break* one's word [-eɪk...], go* back up:ón / on one's word; брать свои́ ~а́ наза́д retráct, *или* take* back one's words; eat* one's words *идиом.*; я заста́влю его́ взять свои́ ~а́ наза́д I shall make him take back his words; I shall force him to eat his words *идиом.*; ве́рить на́ ~ кому́-л. в чём-л. take* smb.'s word for smth.; че́стное ~ word of hónour [...ˈɔ-]; че́стное ~! hónest:ly! [ˈɔn-]; hónour bright! (*в детской речи*); дава́ть (че́стное) ~ (*дт.*) give* / pledge one's word (of hónour) (*i.*); взве́шивать ~а́ weigh one's words; дар ~а a gift of words [g-...]; тала́нт для спикинга [ˈtæ-...]; ни ~а not a word, not a sýllable; он не произнёс ни ~а he didn't say / útter a word, he néver said / úttered a word [...sed...]; мне ну́жно сказа́ть вам два ~а I want a word with you; помя́ните моё ~ mark my words *pl.*; в по́лном смы́сле ~а in the true sense of the word; одни́, пусты́е ~а́ mere words; он не находи́л слов (*от возмущения и т.п.*) words failed him; ~ в ~ word for word; одни́м ~ом in a / one word; in short; други́ми ~а́ми in óther words; свои́ми ~а́ми in one's own words [...oun...]; на ~а́х by word of mouth, in óther words; и ~ом и де́лом by word and deed; игра́ слов play on words; pun; к ~у by the way, by the by(e); реша́ющее ~ принадлежи́т ему́ it is for him to decíde; he has the fínal say *разг.*; сказа́ть своё ве́ское ~ pronóunce (on); неосторо́жно бро́шенное ~ cárelessly spóken word; после́днее ~ остаётся (за *тв.*) the final word rests (with); по его́ ~а́м accórding to him; слов нет *разг.* it goes without sáying; нет слов, чтобы описа́ть one can't find the lánguage, *или* there are no words, to descríbe [...kɑ:nt...]; ~ за́ слово *разг.* líttle by líttle; one word led to anóther; ~á но́вой пе́сни the lýric of a new song; рома́нс на ~á Пу́шкина póem by Púshkin set to músic [...'pu-... -z-], song to words from Púshkin; 2. (*речь на собрании*) speech, addréss; проси́ть ~ ask for the floor [...flɔ:]; дава́ть ~ (*дт.*) give* the floor (*i.*); ask (*d.*) to speak; брать ~ take* the floor; ~ принадлежи́т ему́ he has the floor; пе́рвое ~ принадлежи́т ему́ I call up:ón him to ópen the debáte / discússion; заключи́тельное ~ con:clúding remárks *pl.*; надгро́бное ~ fúneral orátion; ◊ «Сло́во о полку́ И́гореве» "The Song of Ígor's Cámpáign" [...-'peɪn].

словоблу́дие *с.* (mere) vérbiage, phráse-mòngering [-mʌŋg-].

словоизверже́ние *с.* tórrent / flow of words [...flou...].

словоизмене́ние *с.* грам. inflé́xion, áccidence.

словоли́тня *ж.* týpe-fóundry.

сло́вом *вводн. сл.* in short, in a word.

словообразова́∥ние *с.* лингв. wòrd-fòrmátion. ~тельный *лингв.* wòrd-fórmative; ~тельный су́ффикс wòrd-formátive / dèrivátional súffix.

словоохо́тлив∥ость *ж.* tálkative:ness, loquácity, loquácious:ness. ~ый tálkative, loquácious, gárrulous.

словопре́ние *с. разг.* lógomachy [-kɪ].

слово∥произво́дный = словообразова́тельный. ~произво́дство *с.* лингв. = словообразова́ние. ~сочета́ние *с.* лингв. wòrd-còmbinàtion, phrase; усто́йчивое ~сочета́ние set expréssion; свобо́дное ~сочета́ние free còmbinátion of words. ~тво́рчество *с.* word creàtion. ~толкова́ние *с.* interpretátion of a word. ~употребле́ние *с.* word úsage [...'ju:z-]; (*о данном слове*) use of the word [ju:s...].

словцо́ *с.*: для кра́сного ~а́ in órder to be wítty, for efféct.

словчи́ть *сов. см.* ловчи́ть.

слог I *м. лингв.* sýllable; после́дний ~ the last sýllable; предпосле́дний ~ the last sýllable but one, the penúltimate sýllable.

слог II *м. тк. ед.* (*стиль*) style.

слого́в∥ой *лингв.* 1. syllábic; ~áя а́збука sýllabary; ~óe письмо́ syllábic wríting; 2. (*образующий слог*) sýllable-fòrming.

слогообразу́ющий = слогово́й 2.

слогоразде́л *м. лингв.* sýllable-bóundary.

слоён∥ый puff (*attr.*); fláky; ~ пиро́г púff-pàstry [-peɪ-]; ~ое те́сто puff / fláky paste [...peɪ-].

сложе́ние I *с.* 1. (*действие*) ádding; compósing; ~ сил *физ.* còmposítion of fórces [-'zɪ-...]; 2. *тк. ед. мат.* addítion.

сложе́ни∥е II *с.* (*тела*) cònstitútion, build [bɪld]; кре́пкого ~я of strong / square / stúrdy build, stúrdily-búilt [-'bɪlt].

сложённый fórmed, built [bɪlt]; хорошо́ ~ of fine physíque [...-'zi:k], well fórmed / built.

сложи́ть I, II *сов. см.* скла́дывать I, II, слага́ть I, II *и* класть III.

сложи́ться *сов. см.* скла́дываться I *и* слага́ться I.

сло́жно I 1. *прил. кратк. см.* сло́жный 1; 2. *предик. безл.* it is cómplicated, it is a cómplicated thing.

сло́жно II *нареч.* in a cómplicated mánner.

сло́жно∥подчинённый *грам.*: ~подчинённое предложе́ние complex séntence. ~сокращённый *грам.* abbréviated; ~сокращённое существи́тельное abbreviátion. ~сочинённый *грам.*: ~сочинённое предложе́ние cómplex séntence.

сло́жност∥ь *ж.* còmplicátion, cómplicacy, complexity; ◊ в о́бщей ~и in sum, in all; altogéther [ɔ:ltə'ge-].

сложноцве́тные *мн. скл. как прил. бот.* Còmpósitae [-zɪ-].

сло́жн∥ый 1. (*трудный*) cómplicated, cómplex; (*запутанный*) íntricate; (*о сюжете и т.п.*) invólved; ~ вопро́с cómplicated quéstion [...-stʃən], knótty próblem [...'rɔ-]; 2. (*составной*) cómpound; ~ое сло́во лингв. cómpound / cómposite word [...-zɪt]; ~ое предложе́ние *грам.* (*сложноподчинённое*) cómpound séntence; (*сложносочинённое*) cómplex séntence; ~ое число́ *мат.* cómplex númber; ~ые проце́нты *мат.* cómpound ínterest *sg.*

слои́ст∥ый fláky, fóliàted; lamèllar; *мин.* schístòse ['ʃɪstous], strátified, láminàted; ~ые облака́ strátus clouds ['streɪ-...].

сло∥и́ть (*вн.*) strátify (*d.*), make* (*d.*) in láyers; ~и́ть те́сто make* pástry in láyers [...'peɪ-...]; слюда́ хорошо́ ~и́тся míca strátifies well; 2. *страд. к* слои́ть.

слой *м.* láyer; *геол.* (*тж. перен.*) strátum (*pl.* -ta); (*краски*) cóat(ing); на́нести́ то́нкий ~ (*рд.* на *вн.*) apply a thin film / láyer (of to) ◊ широ́кие слои́ населе́ния várious strátu of society, wide séctions of the pòpulátion; все слои́ населе́ния all lévels / séctions of the pòpulátion / people [...'le-...pi:-].

сло́йка *ж.* bun, puff.

слом *м.* púlling down ['pul-...]; на ~ for púlling down, for scrap; пойти́ на ~ be scrápped. ~а́ть *сов. см.* лома́ть I 1. ~а́ться *сов. см.* лома́ться I 1. ~и́ть *сов.* (*вн.*) break* [-eɪk] (*d.*); crush (*d.*); ~и́ть чье-л. упо́рство subdúe / crush smb.'s óbstinacy; ~и́ть сопротивле́ние врага́ break* down *the* énemy's resístance [...-'zɪ-...] ◊ ~я́ го́лову *разг.* like mad, at bréakneck speed [...-eɪk-...]. ~и́ться *сов.* break* [-eɪk].

слон *м.* 1. élephant; 2. *шахм.* bíshop; ◊ де́лать из му́хи ~а́ *разг.* make* a móuntain out of a mólehill. ~ёнок *м.* élephant calf* [...kɑ:f]. ~и́ха *ж.* ców-elephant, élephant cow, shé-elephant. ~о́вость *ж. мед.* èlephàntíasis. ~о́вый élephant's; (*похожий на слона*) èlephántine; ~о́вая кость ívory ['aɪ-...]; (*краска*) ívory black; ~о́вая боле́знь *см.* слоно́вость.

слоня́та *мн. см.* слонёнок.

слоня́ться *разг.* loaf, lóiter abóut; ~ без де́ла loaf / lóiter one's time awáy.

слопа́ть *сов. см.* ло́пать.

слуга́ *м.* 1. sérvant; 2. *презр.*: ве́рные слу́ги (*в отрицат. смысле*) fáithful sérvitors; 3. *уст.* man*, (mán:)sèrvant.

служа́ка *м. разг.* càmpáigner [-'peɪnə]; ста́рый ~ old càmpáigner.

служа́нка *ж. уст.* sérvant, máidsèrvant, hóuse:màid [-s-].

служа́щий I *прич. см.* служи́ть; (для; для того́, что́бы + *инф.*) used (for; for ger., + to inf.).

служа́щ∥ий II *м. скл. как прил.* employée; óffice wórker; white-còllar wórker; госуда́рственный ~ óffice employée; (*в Англии*) cívil sérvant; вольнонаёмный, гражда́нский ~ (*в военном учреждении*) civílian employée; рабо́чие и ~ие indústrial and óffice wórkers; blúe-còllar and white-còllar wórkers.

слу́жб∥а *ж.* 1. sérvice, work; вое́нная ~ mílitary sérvice, sérvice with the cólours [...'kʌl-]; действи́тельная ~ áctive sérvice; состоя́ть на действи́тельной ~е be on the áctive list; быть на вое́нной ~е serve in the (ármed) fórces; иска́ть ~у look for work, *или* for a job; быть без ~ы be out of work; идти́ на ~у go* to work; принима́ть кого́-л. на ~у empló́y smb., take* smb. on; быть на ~е у кого́-л. be in smb.'s sérvice; поста́вить что-л. на ~у (*дт.*) place smth. in / at the sérvice (of); по дела́м ~ы on offícial búsiness [...'bɪz-]; карау́льная ~ guard dúty; строева́я *воен.* sérvice with troops; 2. (*специальная область работы, учреждение*): ~ путе́й *ж.-д.* track máintenance; ~ движе́ния *ж.-д.* train sérvice; *ав., мор.* tráffic mánage:ment; ~ свя́зи *воен.* sígnal sérvice; commùnicátion sérvice; ~ бы́та commúnal sérvices and aménities *pl.*; 3. *церк.* (dívine) sérvice; отстоя́ть ~у atténd sérvice; ◊ сослужи́ть кому́-л. ~у stand* in good stead [...sted]; не в ~у, а в дру́жбу *погов.* ~ out of fríendship [...'frend-], as a fávour.

служби́ст *м. разг.* rèd-tàpe-mónger [-'mʌŋgə].

слу́жбы *мн. уст.* (*подсобные помещения*) óutbùildings [-bɪl-].

служе́бн∥ый 1. *прил. к* слу́жба; *тж.* offícial; ~ые обя́занности offícial dúties / fúnctions; ~ые часы́, ~ое вре́мя óffice hours [...auəz] *pl.*; 2. (*вспомогательный*) auxíliary; ~ое сло́во *лингв.* syntáctic / syncàtegoremátic word.

служ∥е́ние *с.* sérvice; ~ наро́ду sérvice of / to the péople [...pi:-]; ~ де́лу социали́зма devótion to the cause of sócialism. ~и́вый *м. скл. как прил. уст.* sóldier [-dʒə]. ~и́лый *ист.*: ~и́лые лю́ди, ~и́лое сосло́вие sérvice class (*persons bound by obligations of sérvice, esp. mílitary sérvice, to the Múscovite Rússian state*). ~и́тель *м.* 1. *уст.* sérv-

СЛУ — СЛУ

ant, attèndant; больни́чный ~и́тель hóspital attèndant; 2. (тот, кто слу́жит чему́-л.) vótary ['vou-], ~и́тель нау́ки, иску́сства vótary of science, of art; ◊ ~и́тель ку́льта mínister, priest [pri:st].

служи́ть, послужи́ть 1. (дт.) serve (d.); кому́-л. ве́рой и пра́вдой serve smb. fáithfully; це́ли serve a púrpose [...-s]; ~ де́лу револю́ции serve the cause of the rèvolútion; ~ иску́сству, нау́ке devóte ònesélf, или be devóted, to the sérvice of art, science; 2. (кем-л. и без доп.; состоя́ть на слу́жбе) serve (as smb.), work (as smb.); act (as smb.); ~ во фло́те serve in the Návy; ~ в а́рмии serve in the Ármy; ~ секретарём be, или work as, a sécretary; 3. (чем-л.; быть, явля́ться) be (smth.), serve (as smth.); ~ приме́ром (дт., для) be an exámple [...-ɑ:m-] (for); (рд.) exémplify (d.); ~ при́знаком (рд.) serve as a sign, или an índicàte [...sain...] (of), be a sign (of), índicàte (d.); ~ доказа́тельством (рд.) serve as proof / évidence (of); э́то послужи́ло причи́ной неуда́чи that is what caused the fáilure; that was the réason for the fáilure [...-z'n...]; 4. тк. несов. (для или чем-л.; име́ть свои́м назначе́нием) be used (for); serve / do (for); э́та ко́мната слу́жит ему́ для заня́тий, э́та ко́мната слу́жит ему́ кабине́том this room serves him for a stúdy [...'stʌ-]; 5. (без доп.; быть поле́зным) be in use [...ju:s], do one's dúty; э́то пальто́ слу́жит ему́ два го́да he has had this coat for two years; this coat has done dúty for two years; э́ти сапоги́ хорошо́ послужи́ли these boots have stood a good deal of wear [...stud ...wɛə]; э́та маши́на ещё послу́жит this machine is still fit for use [...-'ʃi:n...]; 6. тк. несов. (вн.) церк. serve (d.); officiàte (d.); ~ обе́дню say* / cèlebràte the mass; 7. тк. несов. (без доп.; о соба́ке) sit* up and beg; ◊ и на́шим и ва́шим ≃ run* with the hare and hunt with the hounds; чем могу́ ~? what can I do for you?

слу́жка м. церк. láy-bróther [-'brʌ-].
слука́вить сов. play a cúnning trick.
слупи́ть сов. см. лупи́ть III.

слух м. 1. ear, héaring; о́рган ~а ear; то́нкий, о́стрый ~ keen ear; плохо́й ~ dull héaring; хоро́ший ~ good* ear; име́ть хоро́ший музыка́льный ~ have a good* ear for músic [...-zik]; абсолю́тный ~ ábsolùte pitch; игра́ть, петь по ~у, на ~ play, sing* by ear; лишённый (музыка́льного) ~а tóne-deaf [-def]; 2. (молва́) rúmour, héarsay; по ~ам it is said / rúmour:ed [...sed...], they / people say [...pi-:...], from héarsay; пусти́ть ~ set* a rúmour abróad / afloát [...-ɔːd...], что there is some talk that; хо́дят ~и it is rúmour:ed, rúmours are afloát / abróad [...hə:d...]; до него́ дошли́ ~и rúmours reached him; ◊ он весь обрати́лся в ~ he is all ears; о нём ни ~у ни ду́ху nothing is heard of him [...həd...]; ~ом земля́ по́лнится посл. news flies quickly; не вся-

588

кому ~у верь ≅ belìeve ónly half of what you hear [-'li:v... hɑ:f...].

слуха́ч м. воен. lístener [-sⁿə]; mónitor.

слухов||о́й áuditory, acóustic [-u:s-]; ~ нерв анат. áuditory nerve; ~ прохо́д анат. acóustic duct; ~а́я тру́бка éar-trùmpet; ~ аппара́т déaf-aid ['def-]; ◊ ~о́е окно́ dórmer(-window).

слу́чаем вводн. сл. разг. by any chance.

случа́||й м. 1. case [-s]; в подо́бном ~е in such a case, in a case like that; возмо́жный ~ póssible case; в (тако́м) ~е in (that) case; в ~е чего́-л. if ánything crops up; на ~ (рд.) in case (of); в ~е, е́сли if by chance; на ~ сме́рти in case of death [...deθ]; во вся́ком ~е in any case, ány:how, ány:way; на вся́кий ~ см. вся́кий; в не́которых ~ях in cértain cáses; в отде́льных ~ях sóme:times; для да́нного ~я for the présent ínstance [...'prez-...]; на сей ~ in this case; по ~ю чего́-л. on the occásion of smth.; on account of smth.; ни в ко́ем ~е on no account, by no means; в проти́вном ~е óther:wise; в лу́чшем, ху́дшем ~е at the best, worst; в ~е необходи́мости in case of need; в ~е кра́йней необходи́мости in a spécial emérgency [...'spe-...]; 2. (возмо́жность) occásion, chance; òpportúnity; воспо́льзоваться удо́бным ~ем seize an òpportúnity [si:z...], prófit by the occásion; упусти́ть удо́бный ~ miss the òpportúnity, lose* the chance [lu:z...]; э́то предста́вит удо́бный ~ (для) it will provìde an éxcellent occásion (for); при ~е on occásion, when òpportúnity óffers; при вся́ком удо́бном ~е whèn:éver an òpportúnity presénts it:sélf [...-'ze-...]; ждать удо́бного ~я bide* one's time; от ~я к ~ю occásion:ally; 3. (происше́ствие) event, íncident; occúrrence; обы́чный ~ évery:day occúrrence; стра́нный ~ strange occúrrence [-eindʒ-]; несча́стный ~ áccident; с ним произошёл несча́стный ~ he met with an áccident; 4. (случа́йность) chance; по счастли́вому ~ю by a lúcky chance; ◊ купи́ть по ~ю (вн.) buy* by chance [bai...] (d.), buy* sécond-hánd [...'se-] (d.); pick up (d.) разг.

случа́йн||о 1. нареч. by chance, by áccident; àccidéntally; ~ встре́титься (с тв.) háppen (up:ón); он ~ встре́тился с ней he háppened up:ón her, he háppened to meet her; он ~ был там he háppened to be there; 2. как вводн. сл. разг. by any chance; вы, ~, не ви́дели това́рища X? do you háppen to have seen cómrade X?; вы, ~, не зна́ете его́? do you háppen to know him? [...nou...]; ◊ не ~ it is no mere chance, it is no cò:íncidence. ~ость ж. 1. chance; по счастли́вой ~ости by a lúcky chance, by a háppy áccident, by sheer luck; по несча́стной ~ости as ill luck would have it; зави́сеть от ~остей be góverned by (the rule of) chance [...gʌ-...]; огражда́ть себя́ от ~остей put* òne:sélf be:yónd the reach of chance; 2. (случа́йный хара́ктер) fòrtúity, fòrtúitous:ness ['-tjui-], ~ость встре́чи fòrtúity of a méeting, cásual / àccidéntal / chance náture of a méeting ['kæz-...

'nei-...]; ~ость оши́бки àccidéntal náture of a mistáke, или an érror. ~ый 1. (непредви́денный) àccidéntal, cásual ['kæz-], fòrtúitous [-'tjui-]; ~ая встре́ча chance méeting; ~ое обстоя́тельство àccidéntal / cásual círcumstance; ~ый престу́пник юр. offénder by áccident; ~ое уби́йство юр. hómicide by misadvénture; 2. (непостоя́нный, от слу́чая к слу́чаю) chance (attr.); (побо́чный) incidéntal; ~ый за́работок cásual éarnings [...'ə:n-] pl.; ~ые расхо́ды incidéntal expénses.

случа́ть, случи́ть (вн. с тв.; о живо́тных) couple [kʌ-] (d. with), pair (d. with), mate (d. with).

случа́||ться I, случи́ться 1. (без доп.) háppen, come* to pass, come* about; (с тв.) háppen (to); (встреча́ться) occur (to); (о несча́стном слу́чае и т.п.) befáll* (d.); ~илось, что it háppened that, it came to pass that; что ~илось? what has háppened?; what's up?; что́-нибудь ~илось? is ánything the mátter?; как бу́дто ничего́ не ~илось as if nothing had háppened; что́ бы ни ~илось whàt:éver háppens, come what may; э́то ~а́ется с ним ре́дко he's not óften like this [...'ɔːf(t)ⁿ...]; не дать чему́-л. случи́ться сно́ва prevént smth. háppening agáin; с ним ~илось несча́стье he has had a misfórtune [...-tʃən]; 2. безл. (дт.) перево́дится ли́чными фо́рмами глаг. háppen; ему́ ~а́лось встреча́ться с ней he used to meet her sóme:times [...ju:st...].

случа́||ться II, случи́ться 1. (с тв.; о живо́тных) couple [kʌ-] (with), pair (with); 2. страд. к случа́ть. ~и́ть сов. см. случа́ть.

случи́ться I сов. см. случа́ться I.
случи́ться II сов. см. случа́ться II.

слу́ч||ка ж. cóupling ['kʌ-], páiring. ~но́й for cóvering [...'kʌ-], for páiring.

слу́шанн||е с. 1. audítion; (певца́, пиани́ста и т.п.) héaring; (ле́кции, ку́рса нау́к) atténding; 2. юр.: ~ де́ла héaring of the case [...-s]; де́ло назна́чено к ~ю на 10-е ма́я the case will be brought befòre the court, или will come on, или will come up for tríal, on the 10th of May [...kɔ:t...].

слу́шатель м., ~ница ж. 1. héarer, lístener [-sⁿə]; 2. (студе́нт) stúdent; 3. мн. собир. áudience sg., áuditory sg.

слу́ша||ть, послу́шать (вн.) 1. lísten [-sⁿ] (to); (певца́, пиани́ста и т.п.) hear* (d.); ~ с напряжённым внима́нием lísten inténtly (to); ~ ра́дио lísten to the rádiò; ~айте после́дние изве́стия! stand by for the news! [...-z]; 2. (ле́кции и т.п.) atténd (d.); 3. (о враче́) exámine smb.'s chest; àuscultàte (d.) научн. 4. (слу́шаться) lísten (to), obéy (d.); 5. тк. несов. юр. hear* (d.); ◊ ~ю! (по телефо́ну) hèlló!; (отве́т на про́сьбу) at your sérvice; very well, very good; (отве́т на распоряже́ние) yes, sir!; вы ~аете? (по телефо́ну) are you there?; ~ай(те)!, послу́шай(те)! lísten!, look here! ~аться, послу́шаться (вн.) 1. (повинова́ться) obéy (d.); (поступа́ть согла́сно чьи́м-л. сове́там) lísten [-sⁿ] (to); ~аться чьего́-л. сове́та fóllow / take* smb.'s advíce; ребёнок никого́ не ~ается the child* heeds nó:body;

~аться руля *мор.* ánswer the helm [ˈɑːnsə...]; ~аюсь! *воен.* yes, sir!; **2.** *страд. к* слушать 1, 2, 3, 5; дело ~ается завтра the case will be brought before the court, *или* will come on, *или* will come up for tríal, toˈmórrow [...keɪs... kɔːt...].

слыть (*тв.*, *за вн.*) have a rèputátion (for); be said / repúted (...sed...) (+ *to inf.*), pass (for); он слывёт учёным человеком, за учёного человека he is said / repúted to be very léarned [...ˈləː-], he has a rèputátion for béːing a léarned man*.

слыханный: слыхано ли (это) дело? *разг.* have you ever heard of such a thing? [...həːd...], was such a thing ever heard?

слыхá‖ть (*тк. прошедшее*; *вн.*, *о пр.*, *про*) *разг.* hear* (*d.*, abóut, of); ~ли вы об этом? have you heard abóut it? [...həːd...]; о нём давно ничего не ~ *разг.* nothing has been heard of him, *или* he has not been heard of, for a long time.

слыхом: ~ не слыхать *разг.* (*о чём-либо*) who ever heard (of, that); (*о ком-либо*) there is no trace (of smb.).

слы́ш‖ать, услы́шать **1.** (*вн.*) hear* (*d.*); он ~ал плач ребёнка he heard a child* crýing [...həːd...]; здесь нас никто не (у)слы́шит there is nóbody here to hear us; **2.** (*о пр.*) hear* (of); бóльше о нём не ~али he was not heard of agáin; **3.** *тк. несов.* (*без доп.*; *обладать слухом*) hear*; не ~ (*быть глуховатым*) be hard of héaring. ~аться, послы́шаться **1.** be heard [...həːd]: за стеной ~алось пéние sínging was heard in the next room; ему послы́шалось (*показалось*) he thought he heard; **2.** *разг.* (*чувствоваться*) be felt; в его словах ~ится рáдость one can sense the joy in his words, there is joy in his voice.

слы́шим‖ость *ж.* àudibílity; хорошая, плохая ~ good*, poor àudibílity. ~ый áudible.

слы́шно I 1. *прил. кратк. см.* слы́шный; **2.** *предик. безл.* (*можно слышать*) one can hear: ~, как он читает one can hear him read; было ~, как она пéла one could hear her sing; было ~, как пáдали капли дождя one could hear the ráindrops fálling; ему, им *и т.д.* ~ he, they, *etc.*, can hear; **3.** *предик. безл.* (*о пр.*, *про вн.*; *имеются известия*): о нём давно ничего не ~ nothing has been heard of him for áges [...həːd...], there has been no news of him for a long time [...ˈiː...]; **4.** *как вводн. сл. разг. уст.* (*говорят*) they say, it is said [...sed], it is rúmouːred; ~, он приéхал he has arrived, they say; ◊ что ~? what's the news?; any news?; ~, как мýха пролетит ≅ you might have heard a pin drop.

слы́шн‖о II *нареч.* áudibly. ~ый áudible.

слышь *вводн. сл. разг.* say, lísten! [-sᵊn], look here!

слюбиться *сов. разг.* love one anóther [lʌv...].

слюд‖á *ж.* míca. ~янóй *прил. к* слюдá.

слюн‖á *ж. тк. ед.* salíva; отделéние ~ы́ salìvátion.

слюни *мн.* slóbber *sg.*; пускать ~ slóbber, dríbble; у него ˈtekút his mouth* is wátering [...ˈwɔː-].

слюнить, послюнить (*вн.*) wet with salíva (*d.*).

слюн‖ки *мн.*: у него ~ текут his mouth* is wátering [...ˈwɔː-]; от этого ~ текут it makes one's mouth* wáter [...ˈwɔː-]. ~ный *анат.* sálivary; ~ная железá sálivary gland.

слюноотделéние *с. физиол.* sàlivátion.

слюнотечéние *с.* siàlorrhéa [-ˈriːə].

слюнтя́й *м. разг. презр.* dítherːer.

слюня́вый *разг.* slóbbery, dríbbling, drível(l)ing.

сляб *м. тех.* slab.

сля́бинг *м. тех.* slábbing.

сля́котный *разг.* (*о доро́ге*) slúshy; (*о пого́де*) ráiny (and snówy) [...-ouɪ].

сля́коть *ж.* slush, mire.

смá‖зать(ся) *сов. см.* смазывать(ся). ~ка *ж.* **1.** (*действие*) sméaring; (*жиром*) gréasing; (*маслом*) óiling; (*машины*) lùbricátion; ~ка лыж ski wáxing [skiː, ʃiː ˈwæ-]; **2.** (*вещество*) grease [-s], oil, lúbricant.

смазлúвый *разг.* prétty [ˈprɪ-]; cute *амер.*; ~ое лúчико prétty (líttle) face.

смазн‖о́й: ~ы́е сапоги́ blacked boots.

смáзочн‖ый lúbricàting; ~ое масло lùbricàting oil; ~ материáл lúbricant; ~ая канавка *тех.* lùbricàting groove; ~ое приспособлéние lúbricàtor.

смáзч‖ик *м.*, ~ица *ж.* gréaser, lúbricator.

смáзывание *с.* **1.** sméaring; gréasing; **2.** (*смягчéние*) slúrring; ~ вопрóса slúrring óver of a quéstion [...-stʃən]; ~ противорéчий slúrring óver of còntradíctions.

смáзывать, смáзать (*вн.*) **1.** (*жиром*) smear (*d.*), grease (*d.*); (*маслом*) oil (*d.*); (*о машине*) lúbricàte (*d.*); (*о коже*) dub (*d.*); ~ йодом paint with íodine [...-diːn] (*d.*); **2.** (*стирáть*, *размáзывать*) wipe off (*d.*); смáзать краску рукавóм wipe the paint off on one's sleeve, smear the paint with one's sleeve; **3.** *разг.* (*давáть взя́тку*) grease the palm [...pɑːm] (of), grease the wheels (of); **4.** (*смягчáть*, *лишáть определённости и остроты́*) slur (óver); смáзать вопрóс slur óver a quéstion [...-stʃən]; **5.** (*вн. по*) *разг.* (*удáрять*) bash (*d.*), dot (*d.* on). ~ся, смáзаться **1.** (*о крáске*) becóme* smudged; come* off; **2.** *разг.* (*лишáться чёткости*, *остроты́*) be blurred, be glossed óver, be slurred (óver); **3.** *страд. к* смáзывать.

смак *м. тк. ед. разг.* rélish, sávour; со ~ом with rélish, with gústo. ~овáть (*вн.*) (*прям. и перен.*) *разг.* sávour (*d.*), rélish (*d.*).

смáлец *м.* lard.

смалоду́шествовать *сов. см.* малодýшествовать.

смалоду́шничать *сов. см.* малодýшничать.

смáльта *ж.* smalt.

смáн‖ивать, сманить (*вн.*) entice (*d.*), lure (*d.*). ~и́ть *сов. см.* смáнивать.

смарáгд *м. мин. уст.* smárágd [ˈsmæ-], émerald. ~овый *прил. к* смарáгд.

СЛЫ — СМЕ

смастерить *сов. см.* мастерить.

смáтывать, смотáть (*вн.*) wind* (*d.*), reel off (*d.*); ~ в клубо́к wind* into a ball (*d.*); ◊ ~ у́дочки *разг.* ≅ make* off, take* to one's heels.

смáтываться, смотáться *разг.* **1.** (*уходи́ть*, *уезжáть откýда-л.*) make* off, take* to one's heels, depárt in haste [...heɪst]; **2.** *тк. сов.* (*сбéгать кудá-л.*) dash (there and back).

смáхивать I, смахнýть (*вн.*) whisk (aˈway, off) (*d.*), flap (aˈway, off) (*d.*), brush (off) (*d.*), flick aˈway (*d.*); ~ пыль (с *рд.*) dust (*d.*), brush the dust off (*d.*); смахнýть слезý brush aˈway a tear.

смáхивать II (на *вн.*) *разг.* (*быть похо́жим*) look like (*d.*), resémble [-ˈze-] (*d.*), smack (of).

смахнýть *сов. см.* смáхивать I.

смáчивá‖ние *с.* móistening [-sᵊn-], wétting. ~ть, смочить (*вн.*) móisten [-sᵊn] (*d.*), wet (*d.*).

смáчн‖о *нареч. разг.* with rélish. ~ый *разг.* **1.** sávoury [ˈseɪvə-]; **2.** (*óчень выразительный*) frúity [ˈfruː-].

смежáть, смежить: ~ глазá shut* / close one's eyes [...aɪz].

смежи́ть *сов. см.* смежáть.

смéжник *м.* fáctory prodúcing parts for use by anóther [...ˈjuːs...].

смéжн‖ость *ж.* còntigúity [-ˈgjuɪ-]; ассоциáция по ~ости *психол.* assòciátion by còntigúity. ~ый adjácent [əˈdʒeɪ-], adjóining; (*с тв.*) contíguous (to); ~ые комнаты adjóining rooms; ~ый ýгол *мат.* adjácent angle; ~ые государства adjóining / néighbourːing states; ~ое предприятие *эк.* coːóperàting plant / énterprise [...-ɑː-]; ◊ ~ые понятия clóseːly-related cóncepts [-s-...].

смекáл‖истый *разг.* sharp, keen-wítted. ~ка *ж. разг.* móther wit [ˈmʌ-...], shárpness, kéenness of wit.

смекáть, смекнýть *разг.* see*, réalize [ˈrɪə-]; (*вн.*) grasp the méaning (of); ~нýть, в чём дело get* it, see* the point of it. ~нýть *сов. см.* смекáть.

смелéть, осмелéть grow* bólder [-ou-].

смéло I *прил. кратк. см.* смéлый.

смéло II *нареч.* bóldly; (*храбро*) bráveːly, féarlessly; говорить ~ speak* bóldly / fréely; я могý ~ сказáть I may say with cónfidence, I can sáfeːly say; ~! (pluck up your) cóurage! [...ˈkʌ-].

смéл‖ость *ж.* bóldness, cóurage [ˈkʌ-]; audácity; брать на себя́ ~ (+ *инф.*) make* bold (+ to *inf.*), take* the líberty (of *ger.*); иметь ~ сказáть что-л. have the cóurage to say smth.; ◊ ~ городá берёт *посл.* ≅ cóurage óverːcomes all óbstacles. ~ый bold, coúrageous, dáring, audácious.

смельчáк *м. разг.* bold spirit; dáreːdevil.

смéн‖а *ж.* **1.** (*действие*) chánging [ˈtʃeɪn-], change [tʃeɪn-]; (*замéна*) replácement; (*лошадéй*) reláy; *воен.* relief [-ˈliːf]; (*впечатлéний*) change of impréssions; на ~у кому́-л. to repláce smb.; ~ дня и ночи àlternátion of day and night; ~ караýла relief / chánging of the guard; ~ руководства change of leadership; 2. (на заводе и т. п.) shift; (в школе и т. п.) séssion; ýтренняя, дневнáя, вечéрняя ~ mórning, day, night shift; рабóтать в две, три ~ы work in two, three shifts; 3. (молодое поколение) young / rísing gèneration [jʌŋ...]; succéssors pl.; молодёжь — нáша ~ the young are our succéssors; 4.: ~ белья́ change of línen [...'lɪ-]; ◇ идти́ на ~у комý-л. come* up to take smb.'s place.

смени́ть сов. см. сменя́ть I. ~ся сов. см. сменя́ться.

смéнность ж. shift sýstem.

смéнн||ый 1. тех. chánge:able ['tʃeɪ-]; ~ое колесó spare wheel; 2. (связанный со сменной работой) shift (attr.); ~ мáстер shift fóre:man*; ~ инженéр shift èngineer [...endʒ-]; ~ая рабóта shift lábour; ~ая вырабóтка per-shift perfórmance; ~ая систéма relay sýstem.

смéнщ||ик м., ~ица ж. relíef (wórker) [-'li:f...].

сменя́ем||ость ж. replácement. ~ый 1. прич. см. сменя́ть 1; 2. прил. repláceable; ~ые чáсти тех. repláceable parts.

сменя́ть I, смени́ть (вн.) 1. (заменив другим) change (tʃeɪ-] (d.), superséde (d.); (работника) repláce (d.), воен. relíeve [-'li:v] (d.); смени́ть лошадéй change hórses; смени́ть караýл relíeve the guard; ~ мотóр(ы) change the èngine(s) [...'endʒ-]; смени́ть ши́ны на автомоби́ле change the tyres on a car; 2. (замещать) repláce (d.), take* smb.'s place; вы смéните егó на врéмя you will repláce him for a time, you will take his place for a time; 3. (появляться на смену кому-л., чему-л.) repláce (d.), superséde (d.); вéчер смени́л жáркий день the scórching day gave way to évening [...'i:v-]; ◇ смени́ть гнев на ми́лость ≅ témper jústice with mércy.

сменя́ть II сов. (вн.) разг. (променять) exchánge [-'tʃeɪ-] (d.).

сменя́ться, смени́ться 1. (по очереди) take* turns; смени́ться с дежýрства go* off dúty; 2. (тв.) change (tʃeɪ-] (into), give* place (to); испýг смени́лся рáдостью fright changed into, или gave place to, joy; дневнóй зной смени́лся прохлáдой the day's heat gave way, или yíelded, to cóolness [...'ji:l-...]; 3. страд. к сменя́ть I.

смердéть stink*.

смерзáться, смёрзнуться freeze* togéther [...-'ge-]; be fused into a frózen mass; régelate научн.

смёрзнуться сов. см. смерзáться.

смéрить сов. см. мéрить I; ◇ ~ взгля́дом méasure with one's eye [...aɪ] (d.), look up and down (d.), eye from head to foot [...hed... fut] (d.), eye all óver (d.).

смеркá||ться, смéркнуться безл.: ~ется it is getting dark, night is dráwing on, twílight has fállen ['twaɪ-...].

смéркнуться сов. см. смеркáться.

смертéльно I прил. крат. см. смертéльный.

смертéльн||о II нареч. mórtally; ~ рáненный mórtally wóunded [...'wu:-];

~ ненави́деть когó-л. hate smb. mórtally, have a déadly hátred for smb. [...'ded-...]; ~ скучáть be bored to death [...ded...]; ~ устáть be dead tired [...ded...], be tired to death; ~ устáлый разг. dóg-tired, déad-béat ['ded-]. ~ость ж. fátal náture [...'neɪ-]. ~ый (в разн. знач.) fátal, déadly ['ded-]; (о ране) fátal; ~ый враг déadly énemy; ~ый яд déadly póison [...-z-]; ~ая враждá déath-feud ['def-], mórtal énmity; ~ый бой intèrnecíne báttle [-'ni:-...]; ~ая блéдность déathly páller ['def-...]; ~ая скýка útter bóredom.

смéртник м. prísoner sèntenced to death ['prɪz-...deθ], condémned man*.

смéртн||ость ж. mòrtálity, déath-rate ['deθ-]; дéтская ~ infant / infántile mòrtálity; таблица ~ости mòrtálity table. ~ый 1. прил. mórtal; человéк смéртен man* is mórtal; 2. прил. (относящийся к смерти) death [deθ] (attr.); ~ый час déath-hour ['deθauə]; ~ое лóже déath-bèd; ~ый пригово́р death séntence; (перен.) déath-wàrrant ['deθ-]; ~ая казнь cápital púnishment [...'pʌ-], death pénalty; ~ый грех mórtal sin; 3. м. как сущ. mórtal; простые ~ые mere mórtals.

смертонóсн||ый mórtal, fátal, déath-dealing ['deθ-]; (о яде, газе и т. п.) léthal ['li:-]; ~ое орýжие léthal wéapon [...'we-]; ~ удáр mórtal blow [...-ou-].

смерт||ь I ж. death [deθ]; decéase [-s] (особ. юр.); естéственная, наси́льственная ~ nátural, víolent death; граждáнская ~ cívil death; голóдная ~ death from stàrvátion; умерéть голóдной ~ью starve to death, die of stàrvátion / húnger; он ýмер ~ью герóя he died a héro's death; свидéтельство о ~и death certíficate; спасáть от ~и save from death; ◇ лáгерь ~и death / èxtèrminátion camp; в когтя́х ~и ≅ in the jaws of death; быть мéжду жи́знью и ~ью be betwéen life and death; быть при ~и be dýing, be near death; на волоскé от ~и within a hair's breadth of death [...bre-...]; до ~и разг. to death; надоедáть до ~и (дт.) pèster to death; напугáть когó-л. до ~и fríghten smb. to death; до сáмой ~и to / till one's dýing day; двум ~ям не бывáть, а однóй не минoвáть посл. ≅ you ónly die once [...wʌns-...].

смерть II нареч. разг. (очень): (емý) ~ как хóчется (+ инф.) he is dýing (for); емý ~ как хóчется курить he is dýing for a smoke.

смерч м. (на море) wáterspout ['wɔ:-]; (в пустыне) sándstorm, tòrnádo.

смеси́тель м. тех. míxer.

смеси́ть сов. см. меси́ть.

смести́ сов. см. сметáть I.

смести́ть(ся) сов. см. смещáть(ся).

смесь ж. míxture; blend; (мешанина) médley ['me-].

смéт||а ж. éstimate; составля́ть ~у éstimate; draw* / make* up an éstimate; превышáть ~у excéed the éstimate.

сметáна ж. sour cream.

сметáть I, смести́ (вн.) sweep* off / awáy (d.); ~ в кýчу sweep* into a heap (d.); ~ пыль с чегó-л. dust smth.;

◇ смести́ с лицá земли́ wipe off the face of the earth [...ə:θ] (d.).

сметáть II сов. см. метáть II и смётывать I.

сметáть III сов. см. смётывать II.

смéтка I ж. разг. (находчивость, сообразительность) quíckness on the úptàke, shárpness, gúmption.

смётка II ж. (сшивание крупными стежкáми) baste [beɪst].

смéтлив||ость ж. shárpness, kéen-wíttedness, gúmption. ~ый sharp, kéen-wítted, quick on the úptàke.

смéтн||ый éstimate (attr.); ~ые ассигновáния búdget allówances; ~ые предположéния éstimated expénditure sg.

смётывать I, сметáть (вн.; сшивать) baste [beɪst] (d.), tack (togéther) [...-'ge-] (d.).

смётывать II, сметáть (вн.; меча, складывать) stack (d.), rick (d.).

сметь, посмéть 1. (иметь смелость) dare*, make* bold / free; смéю сказáть I make bold to say, I dare say; 2. (иметь право) dare*; не смéйте дéлать этого don't you dare to do it; как вы смéете! how dare you!

смех м. láughter ['lɑ:f-], laugh [lɑ:f]; взрыв ~а óutbùrst / roar of láughter; заразительный ~ cátching / infectious láughter; подави́ть ~ suppréss one's láughter; разрази́ться ~ом burst* out láughing [...'lɑ:f-]; ~ души́л егó his láughter was chóking him; егó разбирáет ~ he can't help láughing [...kɑ:nt...]; ◇ емý не до ~у he is past láughter, he is in no mood for láughter; поднимáть когó-л. нá ~ make* a láughing-stòck of smb. [...'lɑ:f-...]; отдéлаться от чегó-л. ~ом laugh smth. off; ~а рáди in jest, for sheer fun; ~ да и тóлько разг. ≅ it's enóugh to make a cat laugh [...'lʌf...]; it just makes you laugh.

смехотá ж. разг.: это пря́мо ~, ~ да и тóлько it just makes you laugh [...lɑ:f].

смехотвóрн||ость ж. láughable:ness ['lɑ:f-], rídiculous:ness; (нелепость) absúrdity. ~ый láughable ['lɑ:f-], ridículous; (нелепый) absúrd.

смéшанн||ый 1. прич. см. смéшивать; 2. прил. (в разн. знач.) mixed; (разнородный) cómpound; (о породе) hýbrid ['haɪ-], cróssbrèd; ~ лес mixed fórest / wood [...'fɔ- wud] (ср. лес); ~ое числó мат. mixed númber; ~ая коми́ссия mixed / joint commíssion; ~ая компáния эк. joint-stòck cómpany [...'kʌ-]; ~ое чýвство грýсти и рáдости féelings of mixed sórrow and joy pl.

смешáть сов. 1. см. смéшивать; 2. как сов. к мешáть II 2; ~ когó-л. с грязью súlly smb.'s name / rèputátion.

смешáться I сов. см. смéшиваться.

смешáться II сов. (смутиться) becóme* be confúsed.

смешéние с. confúsion; (оттенков, красок) blénd(ing), mérging; ~ поня́тий confúsion of idéas [...aɪ'dɪəz...]; ~ языкóв confúsion of tóngues / lánguages [...tʌŋz...], bábel; ~ порóд cross betwéen breeds.

смéшивание с. míxing.

смéшивать, смешáть (вн.) 1. mix (d.), mix up (d.); ~ крáски blend / merge

сме́ш||ить (вн.) make* (d.) laugh [...lɑ:f]. **~ли́вость** ж. risibility [-zɪ-]. **~ли́вый** risible [-z-], much given to laughter [...'lɑ:f-], easily amused ['i:z-...].

смешно́ I 1. *прил. кратк. см.* смешно́й. 2. *предик. безл.* it is ridiculous, it makes one laugh [...lɑ:f]; ~ смотре́ть на них it makes one laugh to look at them; ему́ ~ it makes him laugh; ~ сказа́ть it is ridiculous; вам ~? do you find it funny?; как ~! how funny!; э́то про́сто ~! it's simply ridiculous / absurd!

смешно́ II *нареч.* in a funny manner / way, comically.

смешно́||й (*смехотворный*) ridiculous, ludicrous; (*забавный*) funny, droll, amusing; (*нелепый*) absurd; в э́том нет ничего́ ~о́го there is nothing to laugh at [...lɑ:f...]; как он смешо́н he is!; выставля́ть кого́-л. в ~о́м ви́де make* a laughing-stock of smb. [...'lɑ:f-...], expose smb. to ridicule; ◇ до ~о́го to the point of absurdity.

смешо́к *м. разг.* 1. *тк. ед.* chuckle, short laugh [...lɑ:f], giggle [g-]; 2. *мн.* (*насмешки, шутки*) jokes, jeers.

смещ||а́ть, смести́ть (вн.) 1. displace (d.), remove [-'mu:v] (d.); 2. (*с должности*) remove [-'mu:v] (d.). **~а́ться, смести́ться** 1. shift; (*вертикально*) heave*; 2. *страд.* к смеща́ть. **~е́ние** *с.* 1. displace:ment, removal [-'mu:-]; *опт.* parallax; 2. (*с должности*) dismissal; 3. *геол.* displace:ment, dislocation; 4. *рад.* bias.

смея́ться 1. laugh [lɑ:f]; (*тихо*) chuckle; гро́мко ~ laugh loudly; принуждённо ~ give* a forced laugh; ~ исподтишка́ ~ в кула́к laugh to oneself; laugh up one's sleeve *идиом.*; ~ шу́тке laugh at a joke; ~ до слёз laugh until one cries; 2. (*над тв.*) laugh (at), mock (at), make* fun (of); 3. (*шутить*) joke, have say* in jest; ◇ хорошо́ смеётся тот, кто смеётся после́дним he laughs best who laughs last.

сми́ловаться *сов.* (над) *уст.* have mercy (on), take* pity / compassion [...'pɪ-...] (on).

сми́лостивиться *сов.* = сми́ловаться.

смире́н||ие *с.* humble:ness, humility, meekness; (*покорность судьбе*) resignation [-zɪ-]. **~ник** *м.,* **~ница** *ж.* humble / meek person. **~но** *нареч.* humbly, with humility, meekly. **~ность** *ж.* humility. **~ный** humble, meek; (*покорный*) submissive.

смири́тельн||ый: **~ая руба́шка** strait-jacket.

смири́ть(ся) *сов. см.* смиря́ть(ся).

сми́рно 1. *нареч.* quietly; вести́ себя́ ~ be very quiet; сиде́ть ~ sit* still; 2.: ~! attention! **~ый** quiet (*кроткий*) mild.

смиря́ть, смири́ть (вн.) subdue (d.); (*страсти и т.п.*) restrain (d.), subdue (d.); (*гордость и т.п.*) humble (d.).

абáse [-s] (d.). **~ся, смири́ться** submit; resign oneself [-'zaɪn...].

смог *м.* smog.

смодели́ровать *сов.* (вн.) model ['mɔ-] (d.).

смо́ква *ж.* 1. (*плод*) fig; 2. (*дерево*) = смоко́вница.

смо́кинг *м.* dinner-jacket.

смоко́вница *ж. бот.* fig-tree.

смол||á *ж.* resin [-z-]; (*жидкая*) pitch, tar; (*твёрдая*) rosin [-z-]; го́рная ~ mineral pitch. **~ёный** resined [-z-]; tarred, pitched; (*ср.* смолá); **~ёный трос** tarred rope. **~и́стый** resinous [-zɪ-], resinaceous [-zɪ'neɪəs]; **~и́стое де́рево** resiniferous tree [-zɪ-...]; **~и́стый за́пах** resinous smell. **~и́ть** (вн.) resin [-z-] (d.); tar (d.), pitch (d.); (*ср.* смолá).

смолка́ть, смо́лкнуть 1. (*о звуке, шуме*) cease [-s]; 2. (*переставать говорить, петь*) grow* silent [-ou-], fall* into silence [...'saɪ-], fall* silent.

смо́лкнуть *сов. см.* смолка́ть.

смо́лоду *нареч. разг.* in one's youth [...ju:θ], from one's youth (on).

смолоку́р *м.* tar extractor. **~е́ние** *с.* extraction of tar. **~енный:** **~енный заво́д** tar-works. **~ня** *ж.* tar-works.

смолоти́ть *сов. см.* молоти́ть.

смоло́ть *сов. см.* моло́ть.

смолча́ть *сов. разг.* hold* one's tongue [...tʌŋ].

смоль *ж.:* чёрный как ~ jet-black.

смоля́н||ой *прил. к* смола́; **~ое ма́сло** resin oil [-z-...]; **~а́я обма́нка** *мин.* pitchstone.

смонти́ровать *сов. см.* монти́ровать.

сморгну́||ть *сов.* (вн.) *разг.* (*слезу и т.п.*) blink away (d.); remove by winking ['mu:v...]; **не ~ в гла́зом** ≅ at a moment's notice [...'nou-], without batting an eye(lid) [...'aɪ-].

смор||и́ть *сов.* (вн.): жара́ **~и́ла** его́ the heat was too much for him; сон **~и́л** его́ he was overcome by sleep.

сморка́ть, вы́сморкать: ~ нос blow* one's nose [-ou-]. **~ся, вы́сморкаться** blow* one's nose [-ou-].

сморо́дин||а *ж. тк. ед. собир.* currants *pl.*; кра́сная, бе́лая, чёрная ~ red, white, black currants; 2. (*об отдельной ягоде*) currant; 3. (*куст*) currant (bush) [...bu∫]; кусты́ **~ы** currants, currant bushes.

сморо́динный *прил. к* сморо́дина.

сморо́зить *сов.* (вн.) *разг.* blurt out (d.).

сморчо́к *м.* (*гриб*) morel [mɔ-]; (*перен.*) *разг.* (*о человеке*) shrimp.

смо́рщ||енный 1. *прич. см.* смо́рщить; 2. *прил.* wrinkled. **~ить** *сов. см.* мо́рщить 2. **~иться** *сов. см.* мо́рщиться 2, 3.

смота́ть *сов. см.* сма́тывать.

смотр *м.* 1. review [-'vju:], inspection; производи́ть ~ (*дт.*) review (d.), inspect (d.); *воен.* parade (d.); 2. (*общественная проверка, показ чего-л.*) public showing ['pʌ- ∫ou-]; ~ худо́жественной самоде́ятельности amateur arts festival [-tə:...].

смотр||е́ть, посмотре́ть 1. (*без доп.*) look; (*на вн.*) look (at); ~ при́стально (*на вн.*) look fixedly / intently (at), stare (at), gaze (at); ~ в окно́ (*изнутри*) look out of *the* window; (*снаружи*) look through the window; ~ вперёд (*перен.*) look ahead [...ə'hed]; ~ вслед (*дт.*) follow with one's eyes [...aɪz] (d.); сиде́ть и ~ sit* looking / gazing; 2. (*вн.*; *о книге, журнале и т.п.*) look through (d.); 3. (*вн.*; *о кинофильме, пьесе и т.п.*) see* (d.); (*о скачках, состязании; тж. о телевизионной передаче*) watch (d.); 4. (*вн.*; *производить осмотр, смотр*) (*о больном*) inspect (d.), examine (d.); (*о войсках*) parade (d.); 5. (*за тв.*; *присматривать*) look (after); ~ за поря́дком keep* order; ~ за рабо́тами superintend work; 6. *тк. несов.* (на кого-л.) *разг.* (*брать с кого-л. пример*) follow smb.'s example [...-'zɑ:m-], imitate (smb.); ~ на кого-л., что-л. как на образе́ц look up:on smb., smth., *или* regard smb., smth., as an example; 7. *тк. несов.* (*виднеться*) peep out: из-за туч ~е́ло со́лнце the sun peeped out from behind the clouds; 8. *тк. несов.* (*на, в вн.*; *быть обращённым*) look (into, on, over); о́кна смо́трят в сад the windows look on:to *the* garden; 9. (*тв.; иметь вид*) look like (d.); он смо́трит победи́телем he looks triumphant; ◇ **~и́(те)!** (*берегись*) look out!, take care!; **~и́(те), не де́лай(те) э́того** take care not to do that; **(ты) ~и́ (у меня́)!** you dare!; ~и́, он тебя́ обма́нет take care, he will deceive you [...-'si:v...]; ~и́, как бы ху́же не́ было mind smth. worse doesn't happen; beware lest worse befall [...-'fɔ:l]; ~я́ по обстоя́тельствам; ~я́ как, ~я́ когда́ it depends; как вы на э́то смо́трите? what do you think of it?; он смо́трит на э́то бо́лее мра́чно he takes a gloomier view of it [...vju:...]; с трево́гой, беспоко́йством на что-л. view smth. with great concern [...greit...]; ~ сквозь па́льцы на что-л. *разг.* look through one's fingers at smth.; wink at smth.; ~ в лицо́ опа́сности, сме́рти look danger, death in the face [...'deɪn- deθ...]; ~ в о́ба keep* one's eyes open / skinned, be on one's guard.

смотре́ться, посмотре́ться 1. look at oneself; ~ в зе́ркало look at one:self in the looking-glass / mirror; 2. *тк. несов. разг.* (*хорошо воспринимается*) be acceptable to the eye [...aɪ]; фильм хорошо́ смо́трится the film is worth see:ing; 3. *тк. несов. разг.* (*производить впечатление*) produce an effect, look effective; 4. *страд.* к смотре́ть.

смотри́ны *мн. уст.* ≅ bride-show [-∫ou] *sg.*

смотри́тель *м.*, **~ница** *ж.* supervisor [-zə], inspector; (*в музее и т.п.*) keeper, custodian; **станцио́нный ~** *уст.* postmaster ['pou-]; **тюре́мный ~** *уст.* warder.

смотров||о́й 1. *воен.* review [-'vju:] (*attr.*); 2. **~а́я щель** observation slit [-zə-...]; (*в танке*) vision slit; **~о́е окно́** inspection window.

смочи́ть *сов. см.* сма́чивать.

смочь *сов. см.* мочь I.

смоше́нничать *сов. см.* моше́нничать.

смрад *м.* stink, stench. **~ный** stinking.

смуглéть become* dárk-compléxioned.
смуглова́тый sóme⁞what dark.
смуглоли́цый dárk-compléxioned.
смугл‖ость ж. swárthiness ['swɔːð-]. **~ый** swárthy ['swɔːðɪ]. **~я́нка** ж. разг. swárthy girl ['swɔːðɪ gəːl], dárk-compléxioned wóman* [...'wu-].
смут‖а ж. уст. distúrbance, sedítion; сéять **~у** sow* / spread* díscord [sou spred...].
смути́ть(ся) сов. см. смуща́ть(ся).
сму́тн‖о нареч. vágue⁞ly ['veɪg-], dím⁞ly. **~ый** 1. (мятежный) troubled [trʌ-]; **~ое вре́мя** ист. Time of Troubles [...trʌ-]; 2. (тревожный, беспокойный) ánxious, distúrbing; 3. (неопределённый) vague [veɪg]; (неясный) dim: **~ое представлéние** dim / vague idéa [...aɪ'dɪə]; **~ые воспомина́ния** dim mémories / recolléctions.
смутья́н м., **~ка** ж. разг. tróuble-màker ['trʌ-]; rábble-rouser.
смухлева́ть сов. см. мухлева́ть.
сму́шк‖а ж. àstrakhán. **~овый** àstrakhán (attr.).
смуща́ть, смути́ть (вн.) 1. (приводить в замешательство, смущение) confúse (d.), put* out of cóuntenance (d.), embárrass (d.); 2. (вызывать волнение, смятение) distúrb (d.), trouble [trʌbl] (d.); stir up (d.); **~ (душéвный) покóй** distúrb the peace (of mind). **~ться**, смути́ться be confúsed, be embárrassed, be put out of cóuntenance. **~éние** с. confúsion, embárrassment; **к велúкому моемý ~éнию** to my great confúsion [...-eɪt...]; **краснéть от ~éния** blush. **~ённый** прич. и прил. confúsed; (растерявшийся) embárrassed.

смыва́ть, смыть (вн.) 1. wash off (d.); (перен.: искупать что-л. тж.) whìte⁞wàsh (d.); 2. (сносить водой, течением) wash a⁞wáy / down (d.); **~ волнóй с сýдна** wash óver⁞board (d.). **~ся**, смы́ться 1. (при мытье) wash / come* off; 2. разг. (убегать) disappéar, vánish, slip a⁞wáy; 3. страд. к смыва́ть.
смыка́ть, сомкну́ть (вн.; в разн. знач.) close (d.); **сомкну́ть глаза́** close one's eyes [...aɪz]; **не ~ глаз** not sleep* a wink, not get* a wink of sleep; **сомкну́ть ряды́** воен. close ranks. **~ся**, сомкну́ться 1. (в разн. знач.) close (up); (вокруг) close down (up⁞ón); close in (on); **у негó глаза́ смыка́ются от устáлости** he is so tired he cánnot keep his eyes ópen [...aɪz...]; 2. страд. к смыка́ть.
смысл м. (в разн. знач.) sense; (значение тж.) méaning; (цель тж.) púrport; **прямóй, перенóсный ~** líteral, mètaphórical / fígurative sense; **здрáвый ~** cómmon sense; **имéть ~** make* sense; **не имéть (никакóго) ~а** make* no sense (at all); (быть бесполезным) be of no use / avail [...juː...]; **нет никакóго ~а** (+ инф.) there is no point (in ger.), it is no good (+ ger.); **в э́том нет ~а** there's no sense / méaning / point in it; **~ жи́зни** méaning / púrport of life; **~ закóна** méaning of the law; **в извéстном ~е** in a sense; **в том ~е, что** in the sense that; **понима́ть в дур-** нóм **~е** (вн.) take* in the wrong spírit (d.); **нет ~а туда́ идти́** there is no point in gó⁞ing there; **не стóит** (не стоит) it is not worth gó⁞ing there; ◊ **в широ́ком ~е** in the broad sense [...brɔːd...]; **в пóлном ~е э́того слóва** разг. in the true / full sense of the word; **в лу́чшем ~е э́того слóва** in the finest sense of the word; **весь ~ в том, что** the whole point is, that [...houl...]; **весь ~ э́тих собы́тий** the full implicátion of these evénts; **в ~е** (рд.; в отношении) as regárds (to).

смы́слить разг. 1. be able to réason [...-zn]; 2. (в пр.) únderstand* (d.); ◊ **ни ýха, ни ры́ла не ~ в чём-л.** разг. ≈ not make* head or tail of smth. [...hed...].
смыслов‖óй sense (attr.); semántic научн.; **~ые оттéнки** shades of méaning.
смы́ть(ся) сов. см. смыва́ть(ся).
смы́чк‖а ж. (союз) únion; **~ мéжду гóродом и дерéвней** únion betwéen town and cóuntry [...'kʌ-], línking of town and cóuntry.
смычкóв‖ый bow [bou] (attr.); **~ые инструмéнты** муз. bow ínstruments.
смычнóй м. скл. как прил. лингв. òcclúsive; óbstruent.
смышлёный cléver ['kle-], bright.
смягч‖а́ть [-хч-], смягчи́ть (вн.) 1. sóften [-fn] (d.); (успокаивать) móllify (d.); (ослаблять) allá y (d.), alléviàte (d.), assuáge [ə'sweɪdʒ] (d.), mítigate (d.); (свет, краски) tone down (d.); (строгость) reláx (d.); **~ гнев** assuáge ánger; **~ когó-л.** móllify smb.; **~ винý** èxténuate smb.'s guilt; **~ наказáние, приговóр** mítigàte a púnishment, a séntence [...'pʌ-]; **~ боль** alléviàte pain; **~ удáр** cúshion the blow ['ku-... -ou]; **~ впечатлéние** play down the impréssion; **~ душéвную скорбь** mítigàte / assuáge grief [...-iːf]; **~ напряжéние** ease ténsion; **ничéм не ~ённый** without any mitigátion; 2. лингв. (о звуке) pálatalize (d.). **~а́ться** [-хч-], смягчи́ться 1. sóften [-fn], becóme* sóft, grow* sófter [-ou-...], reláx; (о человеке) relént, únbénd*; (о погоде) grow* mild; 2. страд. к смягча́ть. **~а́ющий** [-хч-] 1. прич. см. смягча́ть; **~а́ющие винý обстоя́тельства** èxténuating círcumstances; 2. прил. emóllient. **~éние** [-хч-] с. 1. sóftening [-fn-]; (гнева, боли) mòllificátion; (вины) èxtenuátion; (приговора) mitigátion; **~éние междунарóдной напряжённости** re⁞laxátion of internátional ténsion [...-'næ-...]; 2. лингв. (звука) pàlatalizátion [-laɪ-]. **~и́ть(ся)** [-хч-] сов. см. смягча́ть(-ся).
смятéние с. 1. (состояние смущения, замешательства) confúsion, disárray; 2. (паника, растерянность) commótion, pèrturbátion; **приводи́ть в ~** (вн.) pertúrb (d.).
смять сов. (вн.) 1. (о бумаге, ткани и т.п.) rumple (d.), crumple (d.); (о платье) crush (d.); (о траве) trample (up⁞ón) (d.); 2. воен. crush (d.), òver⁞rún* (d.); (ср. мять). **~ся** сов. get* / becóme* creased, crumple.
снабди́ть сов. см. снабжа́ть.
снабж‖а́ть, снабди́ть (вн. тв.) supplý (d. with), fúrnish (d. with), províde (d. with); **~ продовóльствием** víctual ['vɪtl] (d.); **~ кни́гу предислóвием** supplý a book with a préface, contríbute a préface to a book. **~éнец** м. supplíer, províder. **~éние** с. supplý, provísion; **воéнное ~éние** war supplíes pl.
сна́добье с. разг. drug.
сна́йпер м. sníper, shárpshooter. **~ский** прил. к сна́йпер.
снару́жи нареч. on the óutside; (с нару́жной сторон́ы) from the óutside.
сна́ряд м. 1. воен. prójectile (артиллери́йский тж.) shell; **оскóлочно-фуга́сный ~** high-explósive shell; **~ со слезоточи́вым га́зом** téar-gàs shell; **управля́емый ~** guíded míssile; 2. (механизм) contrívance [-'traɪ-], gear [gɪə]; **дноуглуби́тельный ~** drédger; 3. спорт. (гимнасти́ческий) gymnástic appáratus.
снаряди́ть(ся) сов. см. снаряжа́ть (-ся).
снаря́дн‖ый 1. shell (attr.), projéctile, àmmunítion (attr.); **~ пóгреб** мор. shéll-room; 2. спорт.: **~ая гимна́стика** àpparátus work.
снаряж‖áть, снаряди́ть (вн.) equíp (d.), fit out / up (d.). **~а́ться**, снаряди́ться 1. (для чего-л.) equíp òne⁞sélf (for smth.), get* réady [...'re-] (for smth.); 2. страд. к снаряжа́ть. **~éние** с. equípment, óutfìt, táckle; **ли́чное ~éние** accóutrement [ə'kuːtə-]; **кóнское ~éние** hárness.
снасть ж. 1. собир. (приборы, инструменты) táckle; **рыболóвная ~** físhing-tàckle; 2. чаще мн. мор. rope sg., rígging sg.
снача́ла нареч. 1. (сперва) fírst⁞ly, at first; from / at the begínning; 2. (снова) all óver agáin, afrésh.
сна́ш‖ивать, сноси́ть (вн.) разг. wear* out [wɛə...] (d.), **~ся**, сноси́ться разг. wear* out [wɛə...].
снег м. snow [-ou]; **та́лый ~** slush, mélting snow; **~ идёт** it is snówing [...'snou-], it snows; **па́дает снег** is fálling; **покры́тый ~ом** cóvered with snow ['kʌ-...], snów-cóvered ['snoukʌ-], snów-clád ['snou-]; (о горах) snów-càpped ['snou-], snów-tòpped ['snou-]; ◊ **как ~ нá голову** ≈ like a bolt from the blue; **нýжен как прошлогóдний ~** разг. ирон. it's as impórtant, as snows of yéster-year.
снеги́рь м. búllfinch ['bul-].
снегов‖óй snow [snou] (attr.); **~ покрóв** cóver of snow ['kʌ-...], snow cóver; **~а́я ли́ния** snów-line; **~а́я вода́** snów-wàter ['snouwɔː-].
снего‖задержа́ние с. reténtion of snow on fields [...snou... fiːl-]. **~защи́тный: ~защи́тное ограждéние** snów-fènce ['snou-], snów-scrèen ['snou-]. **~очисти́тель** м. snów-plóugh ['snou-].
снегопа́д м. snówfàll ['snou-].
снегоступы́ мн. (ед. снегосту́п м.) snów-shòes ['snouʃuːz].
снего‖та́ялка ж. snow mélter [snou...]. **~та́яние** с. mélting of snow [...snou]. **~убо́рочный** snów-remóval ['snouri-'muːv-] (attr.); **~убо́рочная маши́на** snów-plóugh ['snou-].
снегохóд м. snów-tráctor ['snou-] (tracked vehicle used by Antarctic expedítions).

снегу́р||ка ж., **~очка** ж. фольк. Snow-Máiden ['snou-].

снеда́||ть (вн.) consúme (d.), gnaw (d.); его́ ~ет раска́яние he is consúmed / filled with remórse; ~емый раска́янием consúmed with remórse.

снедь ж. тк. ед. уст. food; éatables pl.

снежи́нка ж. snówflake ['snou-].

сне́жн||ый 1. snow [snou] (attr.); (оби́льный сне́гом) snówy [-ои]; ~ покро́в cóver of snow; ~ кл-..], snow cóver, blánket of snow; ~ сугро́б snów-drift [-ou-]; ~ обва́л snów-slip [-ou-], ávalánche [-laːnʃ]; на доро́гах ~ые зано́сы the roads are snow-blócked [...'snou-]; ~ая зима́ snówy wínter; ~ая ба́ба ≅ snow man*. **2.** (похо́жий на снег) snówy; ~ая белизна́ snow-whíte;ness ['snou-], snówy white.

снеж||о́к м. **1.** тк. ед. light snow [...snou]; идёт ~ it is snówing a little [...'snou-...]; **2.** (комо́чек) snówball ['snou-]; **3.** мн. (игра́) snówball fight; игра́ть в ~ки́ play at snówballs, have a snówball fight.

снести́ I сов. (вн. дт., к; отнести́) take* (d. to), cárry (d. to).

снести́ II сов. см. нести́ II.

снести́ III, IV, V сов. см. сноси́ть I, II, III.

снести́сь I сов. см. нести́сь II.

снести́сь II сов. см. сноси́ться I.

снето́к м. (ры́ба) Européan smelt [-'prən-...], spárling.

снижа́||ть, сни́зить (вн.) **1.** bring* down (d.), lówer ['louə] (d.); **2.** (уменьша́ть) redúce (d.); (о це́нах тж.) bring* down (d.), lówer (d.), cut* (d.), abáte (d.); ~ себесто́имость продукции cut* prodúction costs; ~ требо́вания redúce one's demánds [...-'maː-]; **3.** (по слу́жбе) degráde (d.), demóte [di:-] (d.), redúce in appóintment (d.); ◇ ~ тон lówer one's tone, sing* small; ~ стиль use an inférior style, defláte one's style. **~ся, сни́зиться 1.** descénd, go* / come* down; (о самолёте тж.) lose* height [luːz hait]; **2.** (уменьша́ться) be redúced; (о це́нах, у́ровне воды́ тж.) sink*, fall*, come* down; drop разг.

сниже́ни||е с. **1.** lówering ['lou-]; (о ка́честве) detérioration; ~ себесто́имости продукции cútting of prodúction costs; ~ у́ровня произво́дства drop in prodúction; ~ зарабо́тной пла́ты wage cut; ~ у́ровня жи́зни declíne in líving stándards [...'liv-...]; ~ цен redúction of príces, price cut; **2.** (по слу́жбе) demótion [di:-]; ~ в чи́не воен. redúction in rank; **3.** ав.: идти́ на ~ (о самолёте) redúce height / áltitúde [...hait 'æl-], fly* lówer [...'louə].

сни́зить(ся) сов. см. снижа́ть(ся).

снизойти́ сов. см. снисходи́ть.

сни́зу нареч. **1.** (с ни́жней стороны́) from belów [...-'lou]; (счита́я сни́зу) from (the) bóttom; (внизу́) belów; посмотре́ть ~ look from belów; вид ~ view from belów [vjuː...]; коло́нна освещена́ ~ the cólumn is líghted from belów; пя́тая строка́ ~ (страни́цы) the fifth line from (the) bóttom (of the page); ~ вверх úpwards [-dz]; посмотре́ть ~ на кого́-л. look up at smb. **2.** (со сто-

38. Русско-англ. словарь

роны́ широ́ких масс наро́да) on the inítiative of the másses; кри́тика ~ críticism from belów; ◇ ~ до́верху from top to bóttom.

снима́ть, снять (вн.) **1.** (в ра́зн. знач.) take* (a:wáy) (d.); (об оде́жде, о́буви и т. п.) take* off (d.); (об оде́жде тж.) lay* off (d.); (све́рху) take* down (d.); ~ шля́пу take* one's hat off; (для приве́тствия тж.) lift one's hat; не ~ шля́пу keep* / leave* one's hat on; ~ сли́вки с молока́ skim milk, take* the cream off milk; ~ сли́вки (с рд.; перен.) skim the cream (off); ~ нага́р со свечи́ snuff a candle; ~ урожа́й gáther in, или reap, the hárvest; ~ бога́тый урожа́й gáther in, или reap, an abúndant hárvest; ~ ма́ску (с рд.) unmásk (d.); (с себя́) take* off one's mask; ~ с крючка́ take* off a hook (d.); ~ дверь с пе́тель take* a door off its hínges [...dʒ-...]; ~ с рабо́ты dismíss (d.); ~ пье́су (с репертуа́ра) take* a play off; ~ кора́бль с ме́ли get* a ship off, refloat a ship; set* a ship afloat; ~ оса́ду raise the siege [...siːdʒ]; ~ войска́ с фро́нта with;dráw* troops from the front [...frʌ-]; ~ запреще́ние remóve a ban, lift a ban; ~ с учёта strike* / cross off the régister (d.); drop from the róster (d.); ~ с себя́ отве́тственность declíne all respónsibility; ~ с кого́-л. отве́тственность relíeve smb. of respónsibility [-'liːv...]; ~ взыска́ние remit a púnishment [...'pʌ-...]; ~ с пове́стки дня remóve from the agénda (d.); ~ своё предложе́ние with;dráw* one's mótion; ~ с кого́-л. показа́ния take* (down) smb.'s évidence, intérrogate smb.; ~ показа́ния (рд., счётчика, прибо́ра) read* (d.); ~ ко́пию с чего́-л. make* a cópy of smth. [...'kɔ-...], cópy smth.; ~ ме́рку с кого́-л. take* smb.'s méasure;ments [...'me-]; **2.** (то́чно воспроизводи́ть) make* (d.), take* (d.); (фотографи́ровать) phóto;graph (d.), take* a phóto;graph (of); ~ ко́пию с докуме́нта make* a cópy of a dócument; ~ план make* a plan; ~ фильм shoot* a film; **3.** (нима́ть — о кварти́ре и т. п.) rent (d.), take* (d.); ~ в аре́нду lease [-s] (d.), take* on lease (d.); **4.** карт.: ~ коло́ду cut* the cards; ◇ как руко́й сняло́ разг. it vánished as if by mágic. **~ся, сня́ться 1.**: ~ся с учёта be struck / crossed off the régister, be dropped from the róster; ~ся с я́коря weigh ánchor [...'æŋkə]; (перен.) get* únder way; ~ся с ме́ли get* afloat again; **2.** фот. have one's phóto;graph táken; кин. act in a film; **3.** страд. к снима́ть.

сни́мок м. phóto(;graph); рентге́новский ~ rádio;graph, röntgénográph [rə;n-], röntgénográm [rə;n-], X-ray phóto;graph ['eks-...].

сниска́ть сов. (вн.) win* (d.), gain (d.), get* (d.); ~ сла́ву win* fame; ~ уваже́ние win* respéct.

снисходи́тельн||о нареч. **1.** (терпи́мо, нестро́го) indúlgently, lénienly; **2.** (покрови́тельственно-высокоме́рно) cóndescénding;ly. **~ость** ж. **1.** (терпи́мость) indúlgence, lénience, léniency; проявля́ть ~ость (к) be indúlgent (to); **2.** (покрови́тельственное высокоме́рие) cónde-

scénsion, cóndescénding mánner. **~ый 1.** (терпи́мый) indúlgent, lénient; **2.** (покрови́тельственно-высокоме́рный) cóndescénding.

снисхо́||ди́ть, снизойти́ (к) cóndescénd (to); ~ к чьей-л. про́сьбе deign to concéde smb.'s requést [dein...]. **~жде́ние** с. **1.** (нестро́гое отноше́ние) léniency, indúlgence; проявля́ть, име́ть ~жде́ние (к) make* allówance (for); заслу́живает ~жде́ния юр. уст. récomménded for mércy; **2.** (высокоме́рное отноше́ние) cóndescénsion.

сни́||ться, присни́ться dream*; ему́ ~лось, что he dreamt that [...dremt...]; ему́ ~лся сон he had a dream; ему́ ~лся родно́й дом he dreamt about home; ему́ э́то да́же не ~лось he had néver éven dreamt of that.

сноб м. snob. **~и́зм** м. snóbbery.

сно́ва нареч. anéw, afrésh, (óver) agáin; (с глаг. тж.) re-, re-; начина́ть ~ begín* óver agáin; он ~ с на́ми he is agáin with us; ~ расска́зывать (вн.) re-téll* (d.); ~ наби́ть тру́бку refíll one's pipe; ~ заговори́ть speak* agáin; ~ сесть resúme one's seat [-'zjuːm...].

снова́л||ьный текст. wárping; ~ная маши́на wárping machíne [...-'ʃiːn]. **~щик** м., **~щица** ж. wárper.

снова́ть I (дви́гаться взад и вперёд) scúrry abóut, dash abóut.

снова́ть II (вн.) текст. warp (d.).

сновиде́ние с. dream.

сногсшиба́тельный разг. stúnning.

сноп м. **1.** sheaf*; **2.**: ~ луче́й shaft of light; ~ пуль воен. cone of búllets [...'bu-]; ◇ упа́сть, повали́ться как ~ fall* héavily to the ground [...'hev-...]; hit* the ground like a rock.

сноповяза́лка ж. с.-х. (self-)bínder, shéafer.

снорови́стый разг. déxt(e)rous, nímble, quíck-fíngered.

сноро́вк||а ж. разг. skill, knack; име́ть ~у в чём-л. be skilled in smth., have a knack for smth.

снос I м. **1.** (разруше́ние) púlling down ['pul-]; demolítion; **2.** (ве́тром и т. п.) drift; ~ возду́шной волно́й wind drift / defléction; ~ тече́нием drift.

снос II м. разг. (изна́шивание) wear [weə]; ~у, ~а нет you can't wear it out [...kaːnt...].

сно́с||ы: на ~ях разг. (о бере́менной же́нщине) near her time.

сноси́ть I, снести́ (вн.) **1.** (све́рху вниз) fetch down (d.); (по ле́стнице тж.) take* dównstairs (d.); **2.** (срыва́ть) (о ве́тре, бу́ре и т. п.) blow* off [-ou-...] (d.); (о воде́) cárry awáy (d.); бу́ря снесла́ кры́шу the storm blew the roof off; мост был снесён наводне́нием the bridge was swept awáy by the flood [...-ʌd]; **3.** (разруша́ть) demólish (d.), take* down, pull down [pul...]; ~ зда́ние tear* down a búilding [teə... 'bil-]; **4.** (в ка́ртах) discárd (d.); ◇ снести́ го́лову кому́-л. cut* / slice off smb.'s head [...hed], strike* smb.'s head off.

сноси́ть II, снести́ (вн.; в одно́ ме́сто) bring* togéther (d.), pile up (d.).

СНО — СОБ

сноси́ть III, снести́ (*вн.*; *терпеть, выдерживать*) endúre (*d.*), bear* [bɛə] (*d.*), súffer (*d.*); (*мириться*) put* up (with).

сноси́ть IV *сов.*: ему́ не ~ головы́ it will cost him his head [...hed], he will pay déarly for that.

сноси́ть V *сов. см.* сна́шивать.

сноси́ться I, снести́сь (*с тв.*; *входить в сношения*) commúnicate (with); ~ друг с дру́гом, ме́жду собо́й (ìnter)commúnicate.

сноси́ться II, III *страд. к* сноси́ть I, II.

сноси́ться IV *сов. см.* сна́шиваться.

сно́ска *ж.* (*внизу страницы*) fóotnòte ['fut-].

сно́сн||**о** *нареч.* tólerably; só-sò, prétty well ['prɪ-...] *разг.* ~**ый** suppórtable, tólerable; (*неплохой*) fáirly good.

снотво́рн||**ый** 1. *прил.* soporífic [sou-]; sómnolent; (*перен.: скучный*) tédious; ~**ое сре́дство** sòporífic, sléeping draught [...dra:ft]; 2. *как сущ.* sopórific.

сноха́ *ж.* dáughter-in-law (*pl.* dáughters-).

сноше́ни||**е** *с. чаще мн.* 1. íntercourse [-kɔ:s] *sg.*; déalings; дру́жеские ~**я** fríendly íntercourse ['fre-...]; дипломати́ческие ~**я** diplomátic relátions; прерыва́ть ~**я с кем-л.** break* off with smb. [-eɪk...], séver relátions with smb. ['se-...]; 2. (*совокупление*) (séxual) íntercourse.

снюха́ться *сов. разг.* 1. (*узнать друг друга по нюху — о собаках*) get* to know one anóther by scent [...nou...]; 2. (*с тв.*) (*перен.*) *презр.* (*о людях*) come* to terms, come* to an ùnderstánding.

сня́тие *с.* (*в разн. знач.*) táking down; ~ **урожа́я** (*злаков*) gátherʲing in the hárvest; réaping, hárvesting, (*фруктов*) gátherʲing; ~ **с рабо́ты** dismíssal; ~ **оса́ды** ráising of *a* siege [...si:dʒ]; ~ **запреще́ния** remóval / lífting of *a* ban [-'mu:v-...]; ~ **взыска́ния** remíssion of púnishment [...'рʌ-...]; ~ **с учёта** remóval from the régister; ~ **с себя́ отве́тственности** declíning all respònsibílity.

сня́т||**ой**: ~**ое молоко́** skimmed / skim milk.

сня́ть(**ся**) *сов. см.* снима́ть(ся).

со = с.

соа́втор *м.*, cò-áuthor; *мн. тж.* joint áuthors; (*технического проекта*) cò-desígner [-'zaɪnə-]. ~**ство** *с.* cò-áuthorship; joint áuthorship; (*в техническом проекте*) cò-desígnership [-'zaɪnə-].

соба́||**ка** *ж.* dog; дворо́вая ~ wátchdòg; охо́тничья ~ gun dog; (*гончая*) hound; ~-**ище́йка** sléuth-hound, blóodhound ['blʌd-...] ['li:s-]; служе́бная ~ guard / patról dog [...-oul-...]; морска́я ~ *зоол.* séa-dòg, dógfish; ◇ ~ **на се́не** a dog in the mánger [...'meɪndʒə]; уста́ть как ~ be dóg-tired; ~**ку съел** *разг.* he knows his ónions [...nouz... ʌ-], he knows the ropes; **вот где ~ зары́та!** so that's the crux of the mátter!, that's where the próblem lies! [...'prɔ-...], that's where the shoe pínches! [...ʃu:...]; ~**ке соба́чья**

смерть *погов.* ≅ a cur's death for a cur [...deθ...].

собаково́д *м.* dóg-breeder. ~**ство** *с.* dóg-breeding.

соба́||**чий** *прил. к* соба́ка; cánine ['keɪ-] *научн.*; ~**чья конура́** kénnel; dóg-hòle (*тж. перен.*); ◇ ~**чья жизнь** dog's life; ~**чий хо́лод** béastʲly cold.

соба́чка I *ж.* little dog, dóggie, láp-dòg.

соба́чка II *ж. тех.* trígger.

соба́чн||**ик** *м.*, ~**ица** *ж. разг.* dóg-lòver [-lʌ-].

собезья́нничать *сов. см.* обезья́нничать.

собе́с *м.* (*социа́льное обеспе́чение*) 1. sócial secúrity; 2. (*учреждение*) sócial secúrity depártment.

собесе́д||**ник** *м.* ìnterlócutor; the pérson smb. is tálking to; **он интере́сный, ску́чный** ~ he is good*, bad* cómpany [...'kʌ-]. ~**ница** *ж.* ìnterlócutress, ìnterlócutrix. ~**ование** *с.* ínterview [-vju:].

собира́ние *с.* colléction, colléсting.

собира́тель *м.*, ~**ница** *ж.* gátherʲer, colléctor; ~ **книг** bóok-collèctor; ~ **наро́дных пе́сен** colléctor of fólk-sòngs.

собира́тельн||**ый** *грам.* colléctive; ~**ое и́мя существи́тельное** colléctive noun.

собира́ть, собра́ть (*вн.*) 1. (*в разн. знач.*) gáther (*d.*), (*тж.*) ~**ge** (*d.*), colléct (*d.*); ~ **я́годы, цветы́** gáther / pick bérries, flówers; ~ **ка́мешки** pick up pébbles; ~ **грибы́** gáther múshrooms, go* múshroom-pìcking; ~ **свои́ ве́щи** colléct one's belóngʲings; ~ **тра́вы** gáther herbs, (*ботанизировать*) bótanize; ~ **де́ньги** colléct móney [...'mʌ-]; ~ **войска́** assémble / múster troops; ~ **хоро́ший урожа́й** gáther in, *или* reap, a good* hárvest; ~ **све́дения** colléct infòrmátion; 2. (*созывать совет, парламент и т. п.*) convóke (*d.*); 3. (*прибор, машину и т. п.*) assémble (*d.*); ~ **дом из кру́пных бло́ков** assémble a búilding out of large précást strúctural éleménts [...'bɪl-...]; 4. (*снаряжать в путь и т. п.*) equíp (*d.*), fit out / up (*d.*); 5. *разг.*: ~ **на стол** lay* the táble; ~ **со стола́** clear the table; 6. (*делать сборки*) gáther (*d.*), make* gáthers (in); ◇ ~ **после́дние си́лы** gáther one's last strength; ~ **мне́ния, голоса́** colléct opínions, votes; **собра́ть большинство́ голосо́в** colléct a majórity; ~ **кво́рум** múster a quórum; **собра́ть мы́сли** colléct one's thoughts; ~ **всё своё му́жество** pluck up one's cóurage / spírit [...'kʌ-...], múster / screw (up) one's courage. ~**ся**, собра́ться 1. gáther (togéther) [...-'ge-], assémble, собра́ться всем вме́сте (*после долгой разлуки*) get* togéther; hold* a réuʲnion; **мы соберёмся за́втра** we shall meet to-mórrow; **собрало́сь мно́го наро́ду** many péople gátherʲed [...pi:-...]; **собрала́сь хоро́шая колле́кция** a good* collection has been amássed; 2. (+ *инф.*; *намереваться*) inténd (+ to *inf.*), be abóut (+ to *inf.*); **make*** up one's mind (+ to *inf.*); **он собира́ется е́хать в Москву́** he inténds to go to Móscow; ~**ся в путь** prepáre, *или* make* all réady, for a jóurney [...'re-... 'dʒə-]; **наконе́ц-то он собра́лся сде́лать э́то** at last he made

up his mind to do it; **то́лько собра́ться** (+ *инф.*) be just on the point (of *ger.*); **он и не собира́лся** (+ *инф.*), he wasn't góʲing (+ to *inf.*), he had no inténtion (of *ger.*); 3. *страд. к* собира́ть; ◇ **собра́ться с ду́хом** take* heart [...ha:t], pluck up one's cóurage / spírit [...'kʌ-...], brace òneʲsélf, screw up enóugh cóurage [...'kʌf-...]; ~**ся с си́лами** súmmon one's strength, brace òneʲsélf, nerve òneʲsélf; ~**ся с мы́слями** colléct one's thoughts.

соблаговоли́ть *сов.* (+ *инф.*) *уст., ирон.* deign [deɪn] (+ to *inf.*); ~ **дать отве́т** deign to give an ánswer [...'a:nsə].

собла́зн *м.* temptátion; **вводи́ть в** ~ (*вн.*) tempt (*d.*).

соблазни́тель *м.* 1. témpter; 2. (*обольститель*) sedúcer. ~**ница** *ж.* témptress. ~**ность** *ж.* sedúctiveʲness; allúreʲment. ~**ный** 1. sedúctive, sedúcing; 2. (*заманчивый*) témpting, allúring, suggéstive [-'dʒe-].

соблазни́ть(**ся**) *сов. см.* соблазня́ть(ся).

соблазня́ть, соблазни́ть 1. (*вн.* + *инф.*) entíce (*d.* + to *inf.*), allúre (*d.* + to *inf.*), tempt (*d.* + to *inf.*); 2. (*вн.; обольщать*) sedúce (*d.*). ~**ся, соблазни́ться** 1. be témpted / entíced; 2. *страд. к* соблазня́ть.

соблюд||**а́ть, соблюсти́** (*вн.*; *о законе, обычае и т. п.*) obsérve [-'zə:v] (*d.*); (*о правилах тж.*) keep* (*d.*, to); **стро́го ~ установленный поря́док** keep* stríctly to the estáblished órder; **заста́вить кого́-л.** ~ **дие́ту** keep* smb. to *a* díet; ~ **сро́ки** keep* to the schédule [...ʃe-]. ~**е́ние** *с.* (*закона, обычая*) obsérvance [-'zə:v-]; (*порядка*) máintenance.

соблюсти́ *сов. см.* соблюда́ть и блюсти́.

соболе́знов||**ание** *с.* condólence [-'dou-]; **выража́ть кому́-л. своё** ~ condóle with smb., presént one's condólences to smb. [-'zent...]. ~**ать** (*дт.*) condóle (with).

собо́лий sable (*attr.*); ~ **мех** sable(s) (*pl.*).

соболи́н||**ый** 1. sable (*attr.*); ~ **запове́дник** sable resérve [...-'zə:v]; 2. *поэт.*: ~**ые бро́ви** sable brows.

со́бол||**ь** *м.* 1. (*мн.* ~**и**, ~**я́**) (*животное*) sable; 2. (*мн.* ~**я́**) (*мех*) sable (fur).

собо́р *м.* 1. (*церковь*) cathédral; 2. *ист.* (*собрание*) cóuncil, sýnod ['sɪ-]; **вселе́нский** ~ òecuménical cóuncil [i:k-...]. ~**ный** *прил. к* собо́р.

собо́ров||**ание** *с. церк.* extréme únction. ~**ать** *несов. и сов.* (*вн.*) *церк.* adminíster extréme únction (to).

собо́ю *тв. см.* себя́; ◇ **само́** ~ (*разумеется*) it goes without sáying, it stands to réason [-'z-n]; **сам, сама́, само́** ~ by himsélf, hersélf, itsélf (*ср.* он, она́, оно́); **оно́ дви́жется само́** ~ it moves by itsélf [...mu:vz...]; **он хоро́ш** ~ he is góod-lóoking / hándsome [...-ns-].

собра́ние *с.* 1. méeting, gátherʲing; **о́бщее** ~ géneral méeting; **вы́борное** ~ eléction méeting; ~ **правле́ния** Board méeting, méeting of the Board of diréctors; **многолю́дное** ~ crówded gàther:ing 2. (государственный орган) assémbly; законодательное ~ Législative Assembly; Учредительное ~ Constituent Assembly; 3. (коллекция) colléction; 4. (произведений): ~ сочинений colléctd works pl.; полное ~ сочинений compléte works pl.; ~ законов юр. code of laws.

собранный 1. прич. см. собирать; 2. прил. (о человеке) précise [-s], áccurate, sélf-dísciplined.

собрат м. féllow; (по профессии) cólleague [-li:g]; ~ по оружию bróther-in-àrms ['brʌ-] (pl. bróthers-).

собрать(ся) сов. см. собирать(ся).

собственн|ик м. ówner ['ou-], proprietor; земельный ~ lándowner [-ounə]. ~ица ж. proprietress. ~ический proprietary; ówner(ship) (attr.).

собственно 1. частица (в собственном смысле) próper ['prɔ-]: ~ геометрия geómetry próper; ~ город the cíty próper [...'si-...]; 2. как вводн. сл., тж. ~ говоря; as a mátter of fact, strictly / próperly speaking; это, ~, не совсем так strictly / próperly speaking it is not quite like that; этим, ~, и объясняется... this, in fact, expláins.

собственноручн|о нареч. with one's own hand [...oun...]; ~ый autográphic; ~ая подпись sign mánual [sain...], autograph; ~ое письмо hólograph (létter).

собственн|ость ж. 1. (имущество) próperty; общественная ~ sócial próperty; социалистическая ~ sócialist próperty; государственная ~ State próperty; личная ~ pérsonal próperty; частная ~ private próperty ['prai-...]; земельная ~ (próperty in) land, real estáte [riəl...]; общая ~ cómmon / joint próperty; 2. (на вн., принадлежность кому-л.) ównership ['oun-] (of); ~ на землю ównership of land; стать ~остью народа pass into the posséssion of the people [...'ze-...pi:-.]; ~ый (one's) own [...oun]; ~ый дом one's own house* [...-s], a private house [...'prai-...]; в ~ые руки in smb.'s own hands; (надпись на конверте и т. п.) pérsonal; чувство ~ого достоинства próper pride ['prɔ-...], sélf-respéct, dígnity; ~ая выгода one's own prófit; ~ой персоной как нареч. in pérson; имя ~ое грам. próper name / noun; в ~ом смысле in the true sense; ◊ ~ый корреспондент our own corréspondent.

собутыльник м. разг. boon compánion [...-'pæ-].

событи|е с. event; текущие ~я cúrrent evénts; последние ~я látest devélopments; ~я развиваются evénts are móving [...'mu:-]; это было большим ~ем it was a great evént [...-eit...].

сова ж. owl; белая ~ snówy owl ['snou-]; ушастая ~ lóng-éared owl, hórned owl.

совать, сунуть (вн.) poke (d.), thrust* (d.), shove [ʃʌv] (d.), slip (d.); ~ что-л. в карман thrust* / slip / tuck smth. into one's pócket; ~ руки в карманы stick* one's hands into one's póckets ◊ ~ нос во что-л. разг. poke / thrust one's nose into smth., pry into smth. ~ся, сунуться 1. (в вн.) разг. butt (in), poke one's nose (into); 2. страд. к совать.

соваться, совать в разг. butt in, или be óver-réady with. advice [...'re-...]; 2. страд. к совать.

совёнок м. ówlet.

соверш|ать, совершить (вн.) 1. accómplish (d.), perfórm (d.); (о преступлении и т. п.) commit (d.), pérpetrate (d.); ~ подвиг accómplish a feat, perfórm a feat of válour [...'væ-]; ~ кругосветное путешествие go* round the world; ~ поездку go* for a trip; ~ поездку по стране go* on a tour of the cóuntry [...tuə...kʌl-]; ~ посадку (о самолёте) make* a lánding; ~ ошибку make* a mistáke; (грубую) commit / pérpetrate a blúnder; 2. (заключать): ~ сделку make* / strike* a bárgain. ~ся, совершиться 1. уст. (происходить) háppen; 2. поэт. (кончаться) be perfórmed / accómplished; 3. страд. к совершать.

совершение с. accómplishment, fulfilment [ful-]; (о преступлении и т. п.) perpetrátion.

совершенно нареч. absolúte:ly, quite, tótal:ly, útterly; (в совершенстве) pérfectly; ~ незнакомый человек tótal / pérfect stránger [...'strei-]; ~ голый quite / stark náked; ~ недостаточный altogéther / útterly inádequate [-'ge-...]; ~ верно quite so, quite right, pérfectly true; вы ~ правы you are pérfectly / quite right.

совершеннолет|ие с. majórity, full age; достигать ~ия come* of age, attáin one's majórity ~ний adúlt ['æ-], of the full légal age; быть ~ним be of age.

совершенн|ый I 1. (превосходный) pérfect; 2. (несомненный, полный) ábsolute; ~ая правда ábsolute / exáct / précise truth [...'sais -u:θ]; ~ дурак pérfect idiot, dównright fool; ~ое разорение tótal rúin.

совершенный II: ~ вид грам. perféctive áspect.

совершенств|о с. perféction; верх ~а the peak / pink of perfection; достигать ~а attáin / achíeve perféction [...-i:v...]; доводить до ~а (вн.) bring* to perféction (d.); в ~е pérfectly. to perféction. ~ование с. perféction; ~ование государственного аппарата impróvement of the machínery of State [-u:v-...-ʃi:-...].

совершенствовать, усовершенствовать (вн.) perféct (d.), impróve [-u:v] (d.). ~ся, усовершенствоваться 1. (в пр.) perféct oneːsélf (in); 2. страд. к совершенствовать.

совершить(ся) сов. см. совершать(ся).

совестить, усовестить (вн.) уст. shame (d.), put* to shame (d.).

совеститься, посовеститься (рд., + инф.) be ashámed (of, of ger.).

совестлив|ость ж. consciéntiousːness [-ʃi'en-]. ~ый conscientious [-ʃi'en-].

совестно [-сно] предик. безл.: ему ~ за неё he is ashámed of her; ему ~ сделать это he would be ashámed to do it; как вам не ~! you ought to be ashámed of yourːsélf!

совест||ь ж. cónscience [-ʃəns]; чистая ~ good / clear cónscience; нечистая ~ guilty cónscience; иметь что-л. на (своей) ~и have smth. on one's cónscience; с чистой ~ью with a clear cónscience;

для очистки, успокоения ~и for cónscience' sake; to clear / salve one's cónscience; поступать против ~и act against one's cónscience; поступать по ~и act according to one's cónscience, fóllow the díctates of one's cónscience; усыплять ~ lull the cónscience; без зазрения ~и shámeːlessly, without a twinge of cónscience; чувствовать угрызения ~и be cónscience-strícken [...-ʃəns-]; по ~и говоря to be hónest [...'ɔnist], to tell the truth [...-u:θ].

совет I м. (орган государственной власти в СССР) Sóviet; Верховный Совет СССР the Supréme Sóviet of the USSR; Совет Союза the Sóviet of the Únion; Совет Национальностей the Sóviet of Nationálities [...næ-]; Совет народных депутатов Sóviet of People's Députies [...pi:-...]; областной ~ régional Sóviet; краевой ~ Sóviet of a térritory; районный ~ district Sóviet; городской ~ town Sóviet; сельский ~ village Sóviet; Съезд Советов Cóngress of Sóviets; Совет рабочих, крестьянских и красноармейских депутатов ист. Sóviet of Wórkers', Péasants' and Red Ármymen's Députies ['pez-...].

совет II м. (административный или общественный орган) cóuncil; Совет Министров Cóuncil of Ministers; Совет Безопасности Security Cóuncil; Совет Экономической Взаимопомощи the Cóuncil for Mútual Económic Aid [...ik-...].

совет III м. (наставление) advíce, cóunsel; (юриста) opínion; по его ~у accórding to his advíce, on his advíce; он дал мне хороший ~ he gave me a piece of good advíce [...pi:s...]; он дал мне много ~ов he gave me many pieces of advíce; следовать чьему-л. ~у fóllow / take* smb.'s advíce; послушайтесь моего ~а take my advíce.

совет IV м. (совещание) cóuncil; военный ~ cóuncil of war; семейный ~ doméstic / family cóuncil; держать ~ (с тв.) take* cóunsel (with).

советник м. 1. advíser, cóunsellor; технический ~ téchnical advíser; 2. (чин, должность) cóuncillor; посольства cóunsellor of the Émbassy.

советовать, посоветовать (дт. вн.; дт. + инф.) advíse (d. + to inf.); cóunsel (i. d.). ~ся, посоветоваться 1. (с тв., спрашивать совета) consúlt (d.); seek* advíce / cóunsel (from), ask advíce (of); talk things óver (with) разг.; 2. (между собой) take* cóunsel.

советолог м. Soviétólogist.
советология ж. Soviétology.

советск||ий Sóviet (attr.); Советский Союз the Sóviet Únion; ~ая власть Sóviet pówer, Sóviet góvernment [...'gʌ-]; ~ строй Sóviet form of góvernment; ~ое государство Sóviet State.

советч|ик м., ~ица ж. advíser.

совеща||ние с. (заседание) cónference, meeting; (обсуждение) deliberátion, consultátion, debáte; производственное ~ prodúction méeting; cónference on prodúction; ~ на вы́сшем у́ровне súmmit cónference / talks. ~**тельный** consúltative, delíberative; ~тельный го́лос delíberative vote; ~тельный о́рган delíberative / consúltative bódy [...'bɔ-].

совеща́ться 1. (о *пр.*) delíberàte (on), consúlt (on, abóut), hold* a cònsultátion (on); 2. (с *тв.*) confér (with), take* cóunsel (with).

Совинформбюро́ с. (Сове́тское информацио́нное бюро́) *ист*. Sóvièt Informátion Buréau [...-'rou].

сови́ный owl's, ówlish.

совлада́ть *сов.* (с *тв.*) *разг.* contról [-oul] (*d.*); (*одолеть кого́-л.*) get* the bétter (of); ~ с собо́й contról oneself.

совладе́лец *м.* joint ówner / propríetor [...'oun...]. ~**ние** *с.* joint ównership / próperty [...'oun-].

совмести́мость ж. compatibílity. ~**ый** (с *тв.*) compátible (with).

совмести́тель *м.* plúralist; hólder of more than one óffice. ~**ство** *с.* plúralism; hólding of more than one óffice; по ~ству plurálistically; рабо́тать по ~ству = **совмести́тельствовать**.

совмести́тельствовать hold* more than one óffice, combíne jobs.

совмести́ть *сов. см.* **совмеща́ть** 1, 2. ~**ся** *сов. см.* **совмеща́ться**.

совме́стн‖**о** *нареч.* in cómmon, jóintly; (*решать, обсуждать*) in cónference; ~ владе́ть (*тв.*) share (*d.*), posséss jóintly [-'zes...] (*d.*). ~**ый** joint, combíned: ~ое владе́ние joint ównership [...'ou-]; ~ое заявле́ние joint státe:ment / dèclarátion; ~ое заседа́ние joint sítting; ~ое произво́дство joint mànufácture; *кин.* joint prodúction; — ~ые де́йствия joint / concérted áction *sg.*; *воен.* combíned òperátions; в тече́ние их ~ой жи́зни during their life togéther [...-'ge-]; ~ая рабо́та tèam-wòrk; ~ое обуче́ние coéducàtion.

совмеща́‖**ть**, **совмести́ть** 1. (*вн.* с *тв.*) combíne (*d.* with); ~ рабо́ту с учёбой combíne work with stúdy [...'stʌdɪ]; ~ поле́зное с прия́тным combíne búsiness with pléasure [...'bɪzn-... 'pleʒə]; 2. (*вн.*) *мат.* súper:pòse (*d.*); 3. *тк. несов.* = **совмести́тельствовать**; рабо́ту маши́нистки и секретаря́ work as týpist and sécretary [...'taɪ-...]. ~**а́ться**, **совмести́ться** 1. combíne, be combíned; 2. *мат.* (*совпада́ть при наложе́нии*) be súper:pòsed, còincíde; *тех.* match. ~**е́ние** *с.* 1. còmbinátion; 2.: ~е́ние не́скольких до́лжностей hólding of more than one óffice / appóintment; 3. *мат.* (*совпаде́ние при наложе́нии*) súper:position [-'zɪ-]; *тех.* mátching; ~е́ние стре́лок mátching the póinters; систе́ма ~е́ния стре́лок fóllow-the-póinter sýstem.

Совнарко́м *м.* (Сове́т Наро́дных Комисса́ров)*ист.* Council of Péople's Còmmissárs [...pi:-...].

Совнархо́з *м.* (сове́т наро́дного хозя́йства) *ист.* Cóuncil of Nátional Ècónomy [...'næ- i:-], Èconómic Cóuncil [i:-...].

сово́к *м.* scoop; (*для сора*) dústpàn.

совоку́п‖**и́ться** *сов. см.* **совокупля́ться**. ~**ле́ние** *с.* còpulátion.

совокупля́ться, **совокупи́ться** cópulàte.

совоку́пн‖**о** *нареч.* jóintly, in cómmon. ~**ость** *ж.* totálity [tou-], the ággregate; the sum tótal; ~ость пробле́м the whole cómplèx of próblems [...houl-... 'prɔ-]; в ~ости in tótal, in the ággregate; по ~ости ули́к on the strength of all the évidence; по ~ости дохо́дов on the básis of one's tótal ín:come. ~**ый** joint, combíned, ággregate; ~ые уси́лия combíned éfforts.

совпада́‖**ть**, **совпа́сть** (с *тв.*) còincíde (with); concúr [-n-] (with); не ~ disagrée (with); свиде́тельские показа́ния не ~а́ют the évidence is conflícting, *или* does not agrée. ~**е́ние** *с.* còincídence.

совпа́сть *сов. см.* **совпада́ть**.

соврати́тель *м.*, ~**ница** *ж.* sedúcer.

соврати́ть(**ся**) *сов. см.* **совраща́ть**(**ся**).

совра́ть *сов. см.* **врать** 1, 3.

совраща́‖**ть**, **соврати́ть** (*вн.*) sedúce (*d.*), pervért (*d.*); ~ с пути́ (и́стинного) lead* astráy (*d.*). ~**ться**, **соврати́ться** 1. go* astráy; 2. *страд.* к **совраща́ть**. ~**е́ние** *с.* sedúcing, sedúction.

совреме́нн‖**ик** *м.*, ~**ица** *ж.* contémporary. ~**ость** *ж.* 1. contèmporanéity [-'ni:tɪ], úp-to-dáte:ness; 2. (*современная эпоха*) the présent [...'prez-]. ~**ый** contémporary; (*соответствующий эпохе*) módern ['mɔ-]; úp-to-dáte; ~ая литерату́ра módern líterature; ~ые маши́ны и механи́змы úp-to-dáte ímplements; ~ое положе́ние présent sìtuátion ['prez-...]; быть ~ым be on módern lines, be úp-to-dáte.

совсе́м *нареч.* quite, entíre:ly, tótal:ly; он ~ молодо́й he is quite a young man* [...jʌŋ...]; ~ не то nóthing of the kind; он ~ разорён he is entíre:ly rúined; ~ не not in the least; мне э́то ~ не нра́вится I don't like it a bit; он меня́ ~ не зна́ет he does:n't know me at all [...nou...]; он э́того ~ не ожида́л he never expécted that; ~ нет not at all; ~ слепо́й stóne-blind; ~ глухо́й stóne-déaf [-'def]; ~ сумасше́дший stark / ráving mad; он ~ не горд he is by no means proud; уйти́, уе́хать ~ (*навсегда́*) leave* for good.

совхо́з *м.* State farm, sóvkhòz. ~**ый** State farm (*attr.*), sóvkhòz (*attr.*).

согбе́нный *уст.* bent, stóoping.

согла́с‖**ие** *с.* 1. consént, assént; дава́ть своё ~ give* one's consént; с о́бщего ~ия by cómmon consént; взаи́мное ~ mútual consént; по обою́дному ~ию, с обою́дного ~ия in consént; by mútual consént / agréement; молча́ние — знак ~ия *посл.* sílence gives consént ['saɪ-...]; 2. (*взаимопонима́ние, дру́жба*) accórd; cóncòrd; hármony; жить в ~ии live in hármony / cóncòrd [lɪv...]; ◇ в (по́лном) ~ии (с *тв.*) in (compléte) agréement (with). ~**и́тельный** concíliatory. ~**и́ться** *сов. см.* **соглаша́ться**.

согла́сно 1. *нареч.* in accórd, in hármony; жить ~ live in hármony / cóncòrd [lɪv...]; петь ~ sing* in pérfect hármony; 2. *как предл.* (*дт.*) accórding to; ~ конститу́ции únder the cònstitútion; ~ междунаро́дному пра́ву únder internátional law [...-'næ-...]; ~ мо́де accórding to fáshion, áfter the fáshion; 3. *как предл.*: ~ с (*тв.*) in accórdance with; ~ с реше́нием комите́та in accórdance with the decísion of the committee [...-tɪ].

согла́сность *ж.* 1. (*мне́ний, показа́ний и т. п.*) con:córdance; 2. (*пения и т. п.*) hármony.

согла́сн‖**ый** I 1. (на *вн.*) agréeable [ə'grɪə-] (to); быть ~ым agrée (to), consént (to); (*быть гото́вым*) be réady [...'re-] (for); be willing (+ to *inf.*); 2. be con:córdant (with); быть ~ым agrée (with smb., to smth.); он с ва́ми не согла́сен he does:n't agrée with you, he is not of your opínion, he does:n't hold with your view [...vju:]; все ~ы с э́тим every:òne agrées to this; 3. (*гармони́чный*) hàrmónious, con:córdant.

согла́сный II *лингв.* 1. *прил.* cònsonántal, cónsonant; 2. *м. как сущ.* cónsonant.

согласова́ние *с.* 1. con:córdance, agréement; 2. *грам.* cóncòrd, agréement, cóngruence; граммати́ческое ~ grammátical agréement; ~ времён séquence of ténses ['si:-...].

согласо́ванн‖**о** *нареч.* in cóncòrd. ~**ость** *ж.* co-òrdinátion. ~**ый** 1. *прич. см.* **согласо́вывать**; 2. *прил.* co-órdinàted, (pré:)concérted; ~ые де́йствия concérted áction *sg.*; ~ый текст (*догово́ра и т. п.*) agréed text.

согласова́ть *сов. см.* **согласо́вывать**. ~**ся** *несов. и сов.* 1. (с *тв.*; *сообразова́ться, соотве́тствовать*) confórm (to); 2. *грам.* agrée (with).

согласо́вывать, **согласова́ть** (*вн.* с *тв.*) 1. co-órdinàte (*d.* with); ~ что-л. с кем-л. submít smth. to smb.'s appróval [...-ru:-...]; come* to an agréement with smb. abóut smth.; 2. *грам.* make* (*d.*) agrée (with). ~**ся** *страд.* к **согласо́вывать**.

соглаша́тель *м. полит.* cómpromìser, cònciliátor, òpportùnist. ~**ский** *полит.* concíliàting; ~ский подхо́д (к) cómpromising áttitùde / appróach (to). ~**ство** *с. полит.* cònciliátion, cómpromìse; поли́тика ~ства the pólicy of cómpromise.

соглаша́ться, **согласи́ться** 1. (на что-л.; + *инф.*) consént (to smth.; + to *inf.*), agrée (to smth.; + to *inf.*), assént (to smth.; + to *inf.*); 2. (с чем-л.; с мне́нием) agrée (with smth.), concúr [-n-] (with smth.); (с кем-л.) agrée (with smb.); (*уступа́ть*) concéde (to smb.); (*без доп.*; *между собо́й*) agrée; согласи́тесь, что you must admít that; все согласи́лись с ора́тором every:one agréed / concúrred with the spéaker; не ~ disagrée, dissént.

соглаше́н‖**ие** *с.* 1. agréement, ùnderstánding; приходи́ть к ~ию, достига́ть ~ия come* to an agréement / ùnderstánding, reach an agréement; come* to terms; по взаи́мному ~ию by mútual agréement / consént; по ~ию с кем-л. in agréement with smb.; 2. (*догово́р*) agréement, cóvenant ['kʌ-]; заключа́ть ~ (с тв.) con:clúde an agrée-ment (with); cóvenant (with).

согляда́тай м. уст. spy.

согна́ть сов. см. сгоня́ть.

согну́ть сов. см. гнуть 1 и сгиба́ть. ~ся сов. см. гну́ться 1 и сгиба́ться.

согражда́нин м. féllow-cítizen.

согрева́ние с. wárming.

согрева́ть, согре́ть (вн.) warm (d.), heat (d.); (перен.) (утешать) cómfort ['kʌ-] (d.), (оживлять) inspíre (d.); согре́ть ру́ки warm one's hands; согре́ть во́ду heat the wáter [...'wɔː-]. ~ся, согре́ться 1. warm (òne:sélf), get* warm; 2. страд. к согрева́ть.

согрева́ющий: ~ компре́сс hot cómpress.

согре́ть(ся) сов. см. согрева́ть(ся).

согреш||е́ние с. уст. sin, tréspass, transgréssion. ~и́ть сов. см. греши́ть.

со́да ж. хим. sóda; (питьевая) hóuse:hòld sóda [-s-...]; (стиральная) wáshing sóda.

содействи||е с. assístance, help; good óffices pl.; при ~и кого́-л. with smb.'s assístance / help; оказывать ~ кому́-л. rénder smb. assístance.

соде́йствовать несов. и сов. (сов. тж. посоде́йствовать) (кому-л.) assist (smb.), help (smb.); (чему-л.) fúrther [-ðə-] (smth.), promóte (smth.), contríbute (to smth.); make* (for smth.); (чему-л. дурному) abét (smth.); ~ разви́тию промы́шленности fúrther the devélopment of índustry; ~ успе́ху smb.'s contríbute to smb.'s succéss; ~ осуществле́нию чего́-л. facílitàte the èxecútion of smth.

содержа́н||ие с. 1. máintenance, kéeping, úpkeep; расхо́ды по ~ию máintenance costs, rúnning costs; ~ под аре́стом cústody; 2. уст. (иждивение): быть на ~ии у кого́-л. be kept / suppórted by smb.; 3. (заработная плата) pay, sálary; (рабочих) wáges pl., окла́д ~ия rate of pay / sálary; о́тпуск без сохране́ния ~ия hóliday without pay [-dɪ...]; 4. (содержимое) cóntènt; ~ кислоро́да в во́здухе cóntènt of óxygen in the air; 5. (сущность) mátter, súbstance; фо́рма и ~ form and cóntènt; культу́ра, национа́льная по фо́рме и социалисти́ческая по ~ию cúlture nátional in form, and sócialist in cóntènt [...'næ-...]; ~ письма́ и т. п. cóntènts of a létter, etc., pl.; (тема) súbject-màtter of a book; кра́ткое ~ súmmary, ábstract; ~ всей его́ жи́зни the bé-àll and énd-àll of his life; 6. (оглавление) table of cóntènts.

содержа́нка ж. уст. kept wóman* [...'wu-].

содержа́тель м. уст. (гостиницы и т. п.) lándlord. ~ница ж. (гостиницы и т. п.) lándlàdy.

содержа́тельн||ость ж. ríchness of cóntènt, píthiness. ~ый rich in cóntènt, substántial; méaty разг.; (о книге, речи и т. п.) interesting.

содержа́ть (вн.) 1. keep* (d.), maintáin (d.), suppórt (d.); ~ семью́ suppórt / keep* a fámily; ~ а́рмию maintáin an ármy; 2. (вмещать, заключать в себе) contáin (d.); руда́ содержит мно́го желе́за the ore contáins much íron [...'aɪən], the ore is rich in íron; буты́лка содержит литр the bottle holds a litre [...'liːtə]; статья́ содержит мно́го поле́зных све́дений the árticle contáins much úse:ful informátion [...'juːs-...]; 3. (держать) keep* (d.); ~ в поря́дке keep* in órder (d.); ~ в чистоте́ keep* clean (d.); ~ в испра́вности keep* in (wórking) órder (d.); ~ под аре́стом keep* únder arrést (d.); ~ в тюрьме́ keep* in príson [...-ɪz-] (d.). ~ся 1. (в пр.; находиться) contáin (+ subject; причём подлежащее при русск. глаг. передаётся через прямое доп. (d.): в э́той руде́ содержится мно́го желе́за this ore contáins much íron [...'aɪən]; в э́той кни́ге содержится мно́го поле́зных све́дений this book contáins much úseful informátion [...'juːs-...]; — в буты́лке содержится два ли́тра the bottle holds two litres [...'liː-]; (ср. быть, находи́ться, име́ться); 2. страд. к содержа́ть.

содержи́мое с. скл. как прил. cóntènts pl.

со́дов||ый sóda (attr.); ~ая вода́ sóda (wàter) [...'wɔː-].

содокла́д м. sùppleméntary repórt, sùppleméntary páper. ~чик м. réader of sùppleméntary repórt / páper.

содо́м м. úp:ròar, row; подня́ть це́лый ~ raise hell.

содр||а́ть сов. 1. см. сдира́ть; 2. как сов. к драть 3; ~ втри́дорога с кого́-л. разг. make* smb. pay through the nose; он ~а́л с меня́ сто рубле́й he rushed me a húndred roubles [...ruː-]. ~а́ться сов. см. сдира́ться.

содрога́ние с. shúdder; приводи́ть кого́-л. в ~ make* smb.'s flesh creep.

содрог||а́ться, содрогну́ться shúdder. ~ну́ться сов. см. содрога́ться.

содру́жеств||о с. cóncòrd; рабо́тать в те́сном ~е с кем-л. work in close cò-òperátion / collàborátion with smb. [...-s-.]; ~ социалисти́ческих на́ций cóncòrd / cò-òperátion of sócialist nátions; ~ нау́ки и произво́дства cò-òperátion / collàborátion of science and índustry; ◊ Брита́нское ~ на́ций British Cómmonwealth of Nátions [...-we-...]; страны́ социалисти́ческого содру́жества (cóuntries of) sócialist commúnity ['kʌ-...].

со́евый sóy-bean (attr.).

соедине́н||ие с. 1. (действие) jóining, júnction; (сочетание) còmbinátion; 2. (место) júnction, joint; 3. хим. cómpound; 4. мн. мат. còmbinátion sg.; 5. воен. formátion; общевойсково́е ~ formátion; large unit амер.

соединённый прич. и прил. únited; прил. тж. joint; ~ыми уси́лиями by joint éfforts.

соедини́тельн||ый connécting; ~ая ткань биол. connéctive / conjúnctive tíssue; ~ сою́з грам. cópulative conjúnction; ~ая части́ца грам. connéctive párticle; ~ гла́сный лингв. connécting vówel.

соедини́ть(ся) сов. см. соединя́ть(ся).

соединя́ть, соедини́ть (вн.) 1. join (d.), uníte (d.); 2. (о средствах связи или путях сообщения) connéct (d.); (по телефону) put* through (d.); 3. хим. combíne (d.). ~ся, соедини́ться 1. uníte; join; Пролета́рии всех стран, соединя́йтесь! Wórkers of the world, uníte!; 2. хим. combíne; 3. страд. к соединя́ть.

сожале́н||ие с. 1. (о пр.) regrét (for); чу́вство ~ия a féeling of regrét; 2. (к; жалость) píty ['pɪ-] (for); из ~ия (к) out of píty (for); возбужда́ть ~ в ком-л. aróuse / inspíre smb.'s píty; ◊ к его́ ~ию to his regrét; вы́разить ~ expréss regrét; к ~ию unfórtunately [-tʃnɪt-]; к ~ию у меня́ нет книг unfórtunately, I have no books.

сожале́||ть 1. (о чём-л.) regrét (smth.); deplóre (smth.); be sórry (that); он ~ет, что не поду́мал об э́том ра́ньше he wishes he had thought of it before; 2. (о ком-л.) píty ['pɪ-] (smb.), be sórry (for smb.).

сожже́ние с. búrning, consúming; (кремация) cremátion; предава́ть ~ию (вн.) commít to the flames (d.).

сожи́тель м. 1. (по комнате) róom-màte; 2. разг. (любовник) lóver ['lʌ-]. ~ница ж. 1. (по комнате) róom-màte f.; 2. разг. (любовница) cóncubìne, mistress. ~ство с. 1. (совместная жизнь) life / líving togéther [...lɪv- -'ge-]; 2. разг. (связь) cò:hàbitátion. ~ствовать 1. (с тв.; жить совместно) live [lɪv] (with), lodge (with); live togéther [...-'ge-]; 2. разг. (находиться в связи) cò:hábit, live togéther.

сожра́ть сов. см. жрать.

созва́ниваться, созвони́ться (с тв.) разг. get* in touch óver the télephòne [...tʌtʃ...] (with), call up (d.), arránge on the phone [-eɪndʒ...] (d.).

созва́ть сов. см. созыва́ть и сзыва́ть.

созве́здие с. constellátion.

созвони́ться сов. см. созва́ниваться.

созву́ч||ие с. accórd, cónsonance. ~ный (дт.) cónsonant (with, to), in kéeping / hármony (with); ~ный эпо́хе in kéeping / tune with the times.

создава́ть, созда́ть (вн.; в разн. знач.) creáte (d.); (об учении, теории) found (d.), oríginàte (d.); (об организации и т. п.) set* up (d.), estáblish (d.); ~ роль театр. creáte a part; ~ иллю́зию creáte / fóster an illúsion; ~ настрое́ние creáte the mood; ~ усло́вия для рабо́ты creáte condítions for work; ~ мо́щную промы́шленность creáte a pówerful / vígorous índustry; ~ архитекту́рные анса́мбли creáte àrchitéctural ensémbles [...ɑːkɪ- ɑːnˈsɑːmblz]; ~ коми́ссию set* up a commíttee [...-tɪ]; ~ впечатле́ние creáte the impréssion; он не со́здан для э́того he is not made for it; he is not cut out for it разг. ~ся, созда́ться 1. be creáted; (возникать) aríse*, spring* up; созда́лось о́строе положе́ние a crítical situátion aróse; у него́ созда́лось впечатле́ние, что he gained / gáthered the impréssion that; 2. страд. к создава́ть.

созда́ние с. 1. (действие) creátion, máking; ~ материа́льно-техни́ческой ба́зы коммуни́зма láying the matérial and téchnical foundátion of cómmunism;

СОЗ — СОЛ

2. (*произведение*) créàtion, (piece of) work [pi:s...]; 3. (*существо*) créature.

созда́тель *м.*, ~**ница** *ж.* créàtor; (*учения, теории*) fóunder, orígìnàtor.

созда́ть(ся) *сов. см.* создава́ть(ся) *и* созида́ть(ся).

созерца́ние *с.* còntemplátion.

созерца́тель *м.*, ~**ница** *ж.* cóntemplàtor. ~**ный** cóntemplàtive méditàtive.

созерца́ть (*вн.*) cóntemplàte (*d.*).

созида́ние *с.* créàtion.

созида́тель *м.* créàtor. ~**ный** créàtive, constrúctive; ми́рный ~**ный** труд péaceful constrúctive lábour.

созида́ть, созда́ть (*вн.*) créàte (*d.*). ~**ся**, созда́ться be créàted.

сознава́ть, созна́ть (*вн.*) 1. (*понимать*) be cónscious [...-nʃəs] (of), réalize ['rɪə-] (*d.*); я́сно ~ (*опасность и т. п.*) be alíve (to), be fúlly awáre [...'fu-...] (of); он не сознаёт, что де́лает he does not réalize what he is doing; 2. (*признавать*) récognize (*d.*), acknówledge [-'nɔ-] (*d.*); ~ свою́ вину́ acknówledge one's guilt; ~ свой долг récognize one's dúty. ~**ся**, созна́ться 1. (в *пр.*) conféss (*d.*); подсуди́мый созна́лся the accúsed pléaded guílty; 2. *страд. к* сознава́ть; ◇ нельзя́ не созна́ться, на́до созна́ться it must be conféssed.

созна́ни||**е** *с.* 1. cónsciousness [-nʃəs-]; кла́ссовое ~ cláss-cónsciousness [-nʃəs-]; развива́ть кла́ссовое ~ масс devélop the cláss-cónsciousness of the másses [-'ve-...]; ~ до́лга sense of dúty; с ~ем своего́ превосхо́дства with cónscious supérióríty [...-ʃəs...]; 2. (*признание*) conféssion; ◇ теря́ть ~ lose* cónsciousness [lu:z...], faint; swoon; приходи́ть в ~ recóver / regáin cónsciousness [-'kʌ-...]; come* to one's sénses, быть, лежа́ть без ~я be, lie* úncónscious [...-nʃəs...] быть в ~и be cónscious.

созна́тельн||**о** *нареч.* 1. cónsciously [-nʃəs-]; (*добросовестно*) conscientiously [kɔnʃɪ-]; ~ относи́тьсяк свои́м обя́занностям be míndful of one's dúties; 2. (*с умыслом*) delíberately. ~**ость** *ж.* 1. cónsciousness [-nʃəs-], conscientiousness [kɔnʃɪ-]; кла́ссовая ~ость cláss-cónsciousness [-nʃəs-]; высо́кая полити́ческая ~ость high polítical cónsciousness / intélligence; 2. (*намеренность, обдуманность*) delíberateness. ~**ый** 1. cónscious [-nʃəs-]; (*добросовестный*) conscientious [kɔnʃɪ-]; ~ый рабо́чий cláss-cónscious wórker [-nʃəs...]; челове́к — существо́ ~ое man* is a cónscious béing; ~ое отноше́ние к труду́ conscientious áttitude towards / to lábour / work; 2. (*намеренный, обдуманный*) delíberate; ~ый посту́пок delíberate act.

созна́ть(ся) *сов. см.* сознава́ть(ся).

созрева́ние *с.* rípening; matúring (*тж. перен.*); полова́я ~ pubéscence.

созрева́ть, созре́ть rípen; matúre (*тж. перен.*); план созре́л the plan has matúred.

созре́вший 1. *прич. см.* созрева́ть; 2. *прил.* ripe; matúre (*тж. перен.*).

созре́ть *сов. см.* созрева́ть *и* зреть I.

созы́в *м.* còncovátion; ~ заседа́ния cálling of *a* méeting, пя́тая се́ссия девя́того ~а a fifth session of the ninth convocation [...naɪnθ...].

созыва́ть, созва́ть (*вн.*) call (togéther) [...-'ge-] (*d.*), súmmon (*d.*); (*о Верхо́вном Сове́те и т. п.*) convéne (*d.*), convéne (*d.*); (*о ми́тинге*) call (*d.*); (*о гостя́х*) invite (*d.*); ~ Сове́т Безопа́сности súmmon the Secúrity Cóuncil.

соизволе́ние *с. уст., ирон.* assént, àpprobátion.

соизво́лить *сов. см.* соизволя́ть.

соизволя́ть, соизво́лить (+ *инф.*) *уст., ирон.* deign [deɪn] (+ to *inf.*), be pleased (+ to *inf.*).

соизда́тель *м.* cò-públisher [-'pʌ-].

соизмери́м||**ость** *ж.* comménsurability. ~**ый** comménsurable; ~**ые** величи́ны comménsurable quántities, ~**ые** поня́тия compárable idéas [...aɪ'dɪəz].

соиска́ние *с.* competítion; предста́вить диссерта́цию на ~ учёной сте́пени до́ктора нау́к presént / submít one's thésis for a dóctor's degrée [-'zent...]. ~**тель** *м.*, ~**тельница** *ж.* (*рд.*) competítor (for).

со́йка *ж. зоол.* jay.

сойти́ *сов. см.* сходи́ть I. ~**сь** *сов. см.* сходи́ться.

сок *м.* juice [dʒuːs]; (*расте́ний тж.*) sap; берёзовый ~ birch sap / wine; фрукто́вые ~и fruit júices [-uːt...]; желу́дочный ~ *физиол.* gástric juice; ◇ в по́лном ~у in the prime of life; вари́ться в со́бственном ~у *разг.* stew in one's own juice [...oun...].

соковыжима́лка *ж.* squéezer; júicer ['dʒuːsə] *амер.*

со́кол *м.* fálcon ['fɔː-]; го́рдые ~ы (*перен.; о лётчиках*) dáring hawks / éagles; ◇ гол как со́кол *разг.* ≃ as poor as a church mouse* [...-s].

соко́лик *м.* ≃ my dear, my dárling.

соколи́н||**ый** *прил.* к со́кол; ~**ая** охо́та fálconry ['fɔː-]; ◇ о́чи ~**ые** hawk eyes [...aɪz].

соко́льничий *м. скл. как прил. ист.* fálconer ['fɔː-].

сокоотжима́лка *ж.* squéezer; júicer ['dʒuːsə] *амер.*

сократи́м||**ость** *ж.* 1. *мат.* reducibility; 2. *физиол.* còntráctility. ~**ый** 1. *мат.* redúctible; 2. *физиол.* contráctive, contráctile.

сократи́ть(ся) *сов. см.* сокраща́ть(ся).

сокращ||**а́ть**, сократи́ть (*вн.*) 1. (*делать короче*) shórten (*d.*), cùrtáil (*d.*); (*о сло́ве*) abbréviàte (*d.*), (*о кни́ге и т. п.*) abrídge (*d.*); 2. (*уменьшать*) redúce (*d.*), cut* (down) (*d.*), cùrtáil (*d.*), retrénch (*d.*); сократи́ть вдво́е cut* by half [...hɑːf] (*d.*), ~ расхо́ды cut* down expénses, cùrtáil / retrénch expénses, штат redúce the estáblishment, cut* down the staff; ~ произво́дство чего́-л. cùrtáil (the) prodúction of smth.; 3. *разг.* (*увольнять*) dismíss (*d.*), dis:chárge (*d.*), lay* off (*d.*); 4. *мат.* cáncel (*d.*), abbréviàte by càncellátion (*d.*). ~**а́ться** 1. (*становиться короче*) shórten, grow* short [-ou...]; дни сократи́лись the days have grown shórter [-ou...]; 2. (*уменьшаться в объёме, величине*) redúce, declíne; 3. *мат.* (*на вн.*) be cáncelled (by); дробь ⁴/₈ ~а́ется на 4 the fráction ⁴/₈ can be cáncelled by 4; 4. *физиол.* contráct; мы́шца ~а́ется the muscle contrácts [...mʌsl...]; 5. *разг.* (*ограничивать себя*) cut* down (on expénses), tíghten the púrse-strings; придётся сократи́ться we'll have to cut down, we'll have to tíghten the púrse-strings; 6. *страд. к* сокраща́ть.

сокраще́ни||**е** *с.* 1. (*укорочение*) shórtening; (*в те́ксте*) abrídgement; ~ рабо́чего дня shórtening of the wórking day; с ~ями (*о печа́тном труде́*) abrídged; 2. (*уменьшение*) cútting down; cùrtáilment, redúction, cút-báck; ~ вооружённых сил и вооруже́ний redúction in / of armed fórces and ármaments, перегово́ры о ~и вооруже́ний árms-redúction talks; ~ шта́тов staff redúction, cútting down (of) the staff; уво́лить по ~ю шта́тов dismíss on grounds of redúndancy; ~ расхо́дов *a* cut in expénditure; ~ вре́мени écono:my / redúction of time [iː-...]; 3. (*сокращённое обозначение*) abbreviátion; 4. *мат.* cáncellátion; 5. *физиол.* contráction; ~ се́рдца sýstole [-lɪ].

сокращённ||**о** *нареч.* (*суммарно*) brìefly [-iːf-]; (*употребляя сокраще́ния*) in abbréviated form. ~**ый** 1. *прич. см.* сокраща́ть; 2. *прил.* (*краткий*) brief [-iːf]; ~ый курс (*какой-л. науки*) short course [...kɔːs]; 3. *прил. лингв.* (*о сло́ве*) contrácted; (*в виде аббревиату́ры*) abbréviàted; ~ое предложе́ние contrácted séntence.

сокрове́нн||**ость** *ж.* sécrecy ['siː-]. ~**ый** sécret; concéaled; (*о чу́вствах, мы́слях и т. п.*) ínnermòst, ínmòst.

сокро́вищ||**е** *с.* tréasure ['tre-]; ◇ ни за каки́е ~а not for the world. ~**ница** *ж.* tréasure-house* ['tre- -s], depósitory [-zɪ-]; (*перен. тж.*) tréasury ['tre-], stórehouse* [-s]; ~ница зна́ний depósitory of léarning [...'lɜː-n...]; ~ница иску́сства, литерату́ры tréasure-house* of art, líterature.

сокру||**ша́ть**, сокруши́ть (*вн.*) 1. smash (*d.*), sháttter (*d.*); ~ наде́жды sháttter / rúin hopes; ~ неприя́теля òver:whélm / rout the énemy; 2. (*печалить*) distréss (*d.*). ~**ша́ться** 1. be distréssed; (*о пр.*) grieve [-iːv] (for, óver); 2. *страд. к* сокруша́ть. ~**ше́ние** *с.* 1. smáshing, destrúction; 2. (*печаль, раскаяние*) contrítion, grief [-iːf]; с ~ением with contrítion.

сокрушённый 1. *прич. см.* сокруша́ть; 2. *прил.* sad, gríeving ['griːv-].

сокруш||**и́тельный** sháttering; destrúctive; ~ уда́р sháttering / crúshing / knóck-out blow [...-ou]; наноси́ть ~ уда́р (*дт.*) deal* / strike* a crúshing / crípping blow (to). ~**и́ть** *сов. см.* сокруша́ть.

сокры́т||**ие** *с.* concéalment; (*о кра́деном*) recéiving [-'siː-]. ~**ый** concéaled, sécret.

сокры́ть *сов.* (*вн.*) *уст.* hide* (*d.*), concéal (*d.*). ~ **ся** *сов. уст.* hide* (ònesélf), concéal ònesélf.

солга́ть *сов. см.* лгать 1.

солда́т *м.* sóldier ['souldʒə] (*тж. перен.*); регуля́р, private ['praɪ-]; служи́ть в ~ах *уст.* be a sóldier, sóldier; be in the sérvice; ~ы и офицéры men and ófficers; ófficers and men; вéрный ~ революции fáithful sóldier of the Revolútion. ~ик м. 1. уменьш. от солдáт; 2. (игрушка) tin toy sóldier [...'souldʒə]. ~ка ж. sóldier's wife* ['souldʒəz...].

солдатня́ ж. собир. пренебр. sóldiery ['souldʒə-].

солдáт||ский sóldier's ['souldʒəz]. ~чина ж. ист. 1. (рекрутский набор) conscríption; 2. (солдатская служба) sóldiering ['souldʒəriŋ].

солдафóн м. разг. презр. mártinet.
солевáр м. sált-wòrker.
солеварéние с. salt prodúction.
солевáр||енный, ~ный: ~енный завóд sált-wòrks. ~ня ж. sáltern, sált-wòrks.
солéние с. sálting; (заготовление впрок) píckling.
соленóид м. эл. sólenoid ['sou-].
солён||ость ж. salínity, sáltness, sáltiness. ~ый (в разн. знач.) salt; sálty, sálted; ~ая водá salt wáter [...'wɔ:-]; ~ая рыба salt fish; ~ый огурéц sálted / píckled cúcumber; ~ое мя́со corned beef. ◇ ~ый анекдóт spícy stóry.
солéнье с. об. мн. sálted foods pl., píckles pl.
солепромы́шленность ж. salt índustry.
солецизм м. линг. sólecism.
солидариз||áция ж. máking cómmon cause. ~и́роваться несов. и сов. (с тв.) hold* (with), idéntify onesélf [aɪ-...] (with), make* cómmon cause (with); ~и́роваться с чьим-л. мнéнием express one's agréement with smb.'s opínion, express one's sòlidárity with smb.
солидáрн||о нареч. jóintly. ~ость ж. sòlidárity; клáссовая ~ость class sòlidárity; междунарóдная ~ость трудя́щихся internátional sòlidárity of the wórking people [-'næ-...pi:-]; из ~ости (с тв.) in sýmpathy (with). ~ый 1. (с тв.) united (with), at one (with); 2. юр. sólidary; ~ое обязáтельство юр. sólidary òbligátion.
солидн||ость ж. 1. solídity; 2. (степенность, серьёзность) relìabílity. ~ый 1. sólid, strong; ~ая постройка stúrdy búilding [...'bɪ-...]; ~ые знáния sound knówledge [...'nɔ-] sg.; 2. (надёжный, серьёзный) relíable, sedáte; ~ый человéк relíable man*; ~ый журнáл réputable mágazine [...'ziːn]; 3. (значительный, большой) consíderable; ~ая сýмма consíderable / sízable sum; 4. разг. (о возрасте) míddle-áged; 5. разг. (большой, полный — о человеке) mássive, stout.
солипси́зм м. филос. sólipsism.
соли́ст м., ~ка ж. sólo:ist.
солитéр [-тэр] м. мин. sòlitáire (diamond).
солитéр м. зоол. tápe:wòrm.
соли́ть, посоли́ть (вн.) 1. salt (d.); 2. (заготовлять впрок) píckle (d.); (о мясе тж.) corn (d.).
сóлка ж. 1. sálting; 2. (заготовление впрок) píckling; (о мясе тж.) córning.
сóлнечн||ый sun (attr.); sólar научн.; (с ярким солнечным светом) súnny; ~ свет súnlight, súnshine; ~ луч súnbeam; ~ день súnny day; ~ое затмéние sólar eclípse; ~ая систéма sólar sýstem; ~ые пя́тна астр. súnspòts; ~ая батарéя sólar báttery; окнó выхóдит на ~ую стóрону the window is on the súnny side; ◇ ~ая вáнна sún-bàth*; ~ удáр мед. súnstròke; ~ые часы́ sún-dìal sg.; ~ое сплетéние анат. sólar pléxus.

сóлн||це [-он] с. sun; лóжное ~ астр. mock sun; pàrhélion; на (я́рком) ~ (под его лучами) in the (bright) sun; грéться на ~ bask in the sun, sun onesélf; по ~у (при помощи солнца) by the sun; (о направлении) with the sun, clóckwise; прóтив ~а against the sun; (о направлении тж.) cóunter-clóckwise, anti-clóckwise; ~ взошлó, зашлó the sun has rísen, has set [...rɪz-...]; ◇ гóрное ~ artifícial sún:light; до ~а befóre dawn.

солнцепёк [сон-] м.: на ~e right in the sun, in the full blaze of the sun.
солнцестоя́ние [сон-] с. астр. sólstice.
сóло с. нескл., нареч. муз. sólo.
солóв||ей м. níghtingàle; ◇ ~ья́ бáснями не кóрмят посл. ≃ fine words bútter no pársnips.
соловéть, осоловéть разг. becóme* drówsy.
соловый (о масти лошадей) light bay.
соловьи́ный прил. к соловéй.
сóлод м. malt.
солодкóвый: ~ кóрень фарм. líquorice [-kərɪs].
солодóвенный: ~ завóд mált-house* [-s].
соложéние с. тех. máltage.
солóм||а ж. straw; (для крыши) thatch, haulm; цвéта ~ы stráw-cólour:ed [-kʌləd]. ~енный straw (attr.); ~енная шля́па straw hat; ~енная крыша thatched roof, thatch; ◇ ~енная вдовá разг. grass widow [...'wɪ-]. ~инка ж. straw; ◇ хвататься за ~инку catch* at a straw, clutch at straws. ~ка ж. 1. уменьш. от солóма; 2. кул. stíck-like bíscuits [...-kɪts] pl.; 3. собир. (для изготовления спичек) mátchwood [-wʊd].
соломорéзка ж. с.-х. cháff-cùtter, stráw-cùtter.
солонéц м. salíne soil ['seɪ-...].
солони́на ж. sálted / córned beef.
солóнка ж. sált-cèllar.
солóно предик. безл.: емý ~ пришлóсь разг. ≃ he had it rough [...rʌf]. ~вáтый sáltish.
солончáк м. álkali soil, salíne land, sált-màrsh. ~óвый прил. к солончáк.
соль I ж. salt; (перен.) gist; повáренная ~ (cómmon) salt, sódium chlóride; столóвая ~ táble-sàlt; кáменная ~ róck-sàlt; морскáя ~ séa-sàlt; ню́хательная ~ smélling salts pl.; вот в чём ~ that's the whole point [...hoʊl...]; ~ земли́ the salt of the earth [...ə:θ].
соль II с. нескл. муз. G [dʒi:], sol; ~-диéз G sharp; ~-бемóль G flat; ключ ~ treble clef, G clef.
сóльн||ый муз. sólo; ~ нóмер ~ая пáртия sólo.
сольфéджио с. нескл. муз. sòlféggiò [-dʒɪoʊ], sòl-fá [-'faː-]; петь ~ sòl-fá.
соля́нка ж. кул. 1. solyánka (a sharp tasting thick soup of vegetables and meat or fish); 2. solyánka (dish of stewed meat and cabbage with spices).
соля́н||ой salt (attr.); ~ые шáхты sált-mines; ~ое óзеро sált-làke.
соля́н||ый: ~ая кислотá hýdro:chlóric ácid.
соля́рий м. solárium (pl. -ria).
сом м. (рыба) shéat-fish.
сомати́ческий sòmátic(al).
сомбрéро [-рэ-] с. нескл. sòmbréro (pl. -òs).
сóмкнут||ый 1. прич. см. смыкáть; 2. прил.: ~ строй воен. close órder [-s...]; ~ым стрóем in close órder.
сомкнýть(ся) сов. см. смыкáть(ся).
сомнамбýл||а ж. sléep-wàlker; sòmnámbulist. ~и́зм м. sléep-wàlking, sòmnámbulism. ~и́ческий sòmnàmbulístic.
сомневá||ться (в пр.) doubt [daʊt] (d.), have one's doubts (as to); не ~ в чём-л. make* / have no doubt of smth.; мóжете не ~ (в пр.) you may trust (d.), you may relý (upón), you need not wórry [...'wʌ-] (about); мóжно не ~, что there need be no doubt that; ~ в чьей-л. чéстности quéstion smb.'s hónesty [...-stʃ-...'ɔn-]; ~юсь в егó и́скренности I doubt his sincérity.
сомнéни||е с. 1. doubt [daʊt]; ~ в чём-л. doubt as to smth., doubt abóut / of smth.; в этом нет ~ия there is no doubt abóut that; нет ~ия в том, что there can be no doubt that; без ~ия, вне ~ия without / beyónd doubt, ùndóubtedly [-'daʊt-]; подвергáть что-л. ~ию call smth. in quéstion [...-stʃən], cast* doubt on smth.; устранять ~ия remóve all doubts [-'muːv...]; не подлежáть ~ию be beyónd (any) doubt; егó взя́ло ~ he begán to doubt / hésitate [...-zɪ-...]; чтóбы не оставáлось ~ий let there be any doubt; 2. (затруднение, недоумение) próblem ['prɔ-]; разреши́ть все ~ия solve all próblems.
сомни́тельн||о 1. прил. кратк. см. сомни́тельный; 2. предик. безл. it is dóubtful [...'daʊt-]. ~ость ж. dóubtfulness ['daʊt-]. ~ый 1. dóubtful ['daʊt-], quéstionable [-stʃən-]; ~ое преимущество quéstionable advántage [...-'vɑː-]; ещё бóлее ~ым является то, что it is still more árguable that; 2. (не внушающий доверия, подозрительный) dúbious; (о репутации тж.) shády; ~ой чéстности of dúbious hónesty [...'ɔn-]; ~ые делá shády déalings; 3. (двусмысленный) dúbious, equívocal; ~ый комплимéнт equívocal cómpliment.
сомножи́тель м. мат. fáctor.

сон м. 1. (состояние) sleep; slúmber (тж. перен.); во снé in one's sleep; сквозь ~ in one's sleep; со снá half awáke [həf...]; послеобéденный ~ áfternoon nap; крéпкий ~ sound sleep; неспокóйный ~ troubled slúmber [trʌ-...]; вéчный ~, непробýдный ~ the etérnal rest; спать сном прáведника sleep* the sleep of the just; на ~ грядýщий befóre (góing to) bed, befóre bédtime; егó клóнит ко сну he is sléepy; не однý ночь провёл он без снá he has not slept for many a night; 2. (сно-

СОН — СОП

видение) dream; видеть ~ dream*, have a dream; видеть во сне (*вн.*, *что*) dream* (about, that) (*ср. тж.* видеть); как во сне as if dreaming; ему это и во сне не снилось he never dreamt of it [...dre-...].

сонаследник *м.* có:heir [-'ɛə]; *юр.* có:párcener.

сонаследница *ж.* có:héiress [-'ɛə-]; *юр.* có:párcener.

сонат||**а** *ж. муз.* sonáta [-'nɑː-]. ~**ина** *ж. муз.* sònatína [-iːnə].

сонет *м. лит.* sónnet.

сонлив||**ость** *ж.* sléepiness, drówsiness [-zɪ-]; sómnolence, sómnolency *научн.* ~**ый** sléepy, drówsy [-zɪ], slúmb(e)rous; sómnolent *научн.*

сонм *м. уст.* assémbly, crowd.

сонмище *с.* = сонм.

сонник *м.* book of dream interpretátions.

сонн||**ый** 1. (*в разн. знач.*) sléepy, drówsy [-zɪ], slúmberous; ~ое состояние sleepy / drowsy state; ~ая болезнь *мед.* sléeping-sickness; ~ая артерия *анат.* carótid (ártery); 2. (*снотворный*) sléeping, sopórific [sou-]; ~ые капли sléeping-draught [-'drɑːft] *sg.*; ◇ ~ое царство the kíng:dom of sleep; the land of Nod *идиом.*

сонорный *лингв.* résonant [-z-].

соня 1. *м. и ж. разг.* (*о человеке*) sléepy:head [-hed], drówsy-head [-zɪhed]; 2. *ж. зоол.* dór:mouse* [-s].

сображ||**ать**, **сообразить** 1. (*вн.*; *размышлять*) consíder [-'sɪ-] (*d.*), pónder (*d.*, óver), think* out (*d.*); (*взвешивать*) weigh (*d.*), weigh the pros and cons (of); 2. (*понимать*) ùnderstánd*; хорошо ~ grasp quickly; be quick in the úptake; плохо ~ be slow to grasp [...slou...]. ~**ение** *с.* 1. cònsiderátion; принимать в ~ение take* into cònsiderátion; 2. (*понимание*) ùnderstánding; 3. (*причина*, *мысль*) cònsiderátion, réason [-zn]; по финансовым ~ениям for fináncial réasons [...faɪ-...]; по семейным ~ениям for fámily réasons; высказать свои ~ения make* one's òbservátions [...-z-], expréss one's view [...vjuː]; у него свои ~ения he has réasons of his own [...oun].

сообразитель||**ность** *ж.* quick wits *pl.*, quickness of wit, quick-wittedness. ~**ый** quick-witted, sharp, bright.

сообразить *сов. см.* соображать.

сообразно I *прил. кратк. см.* сообразный.

сообразно II *нареч.*: ~ с (*тв.*) in confórmity / complíance (with).

сообразн||**ость** *ж.* confórmity. ~**ый** (с *тв.*) confórmable (to); ни с чем не ~ый quite out of place; это ни с чем не ~о this is no good at all, it makes no sense at all.

сообразовать *несов. и сов.* (*вн. с тв.*) confórm (*d.* to), adápt (*d.* to); ~ расходы с доходами adápt expénditure to íncome. ~**ся** *несов. и сов.* (*с тв.*) confórm (to); ~ся с обстоятельствами confórm to círcumstances.

сообща *нареч.* togéther [-'ge-], (con-)jóintly; действовать ~ (*с тв.*) make* cómmon cause (with).

сообщ||**ать**, **сообщить** 1. (*дт. о пр.*, *дт. вн.*) repórt (to *d.*); let* (*d.*) know [...nou] (of), commúnicate (to *d.*), impárt (to *d.*); *офиц.* infórm (*d.* of); ~ известие convéy / impárt / break* news [...-eɪk -z] (to); как ~ают as it is repórted; он отказался сообщить подробности he refused to give any détails [...'diː-]; 2. (*вн. дт.*; *придавать*) impárt (*d.* to). ~**аться** 1. (*иметь связь*, *соединение*) be commúnicated, commúnicate; ~ающиеся сосуды commúnicating véssels; 2. (*с тв.*; *находиться в общении*) be in commùnicátion (with), commúnicate (with); 3. *страд. к* сообщать; как ~алось as it was repórted / annóunced. ~**ение** *с.* 1. (*известие*) repórt, informátion, commùnicátion; официальное ~ение official commùnicátion / informátion; по ~ениям печати accórding to press repórts, accórding to the press; сделать ~ение (*на научной конференции и т. п.*) read* a commùnicátion, make* a repórt; 2. (*связь*) commùnicátion; пути ~ения means of commùnicátion; телеграфное ~ение tèlegráphic commùnicátion / méssage; железнодорожное ~ение ráilway commùnicátion / sérvice; воздушное ~ение air commùnicátion; установить регулярное воздушное ~ение estáblish a régular air sérvice; прямое ~ение through sérvice.

сообществ||**о** *с.* àssociátion; ◇ в ~е (*с тв.*) togéther [-'ge-] (with), in cò-òperátion (with).

сообщить *сов. см.* сообщать.

сообщ||**ник** *м.*, ~**ица** *ж.* accómplice, confédérate; *юр.* accéssory. ~**ичество** *с.* complícity.

сооруди́ть *сов. см.* сооружать.

сооруж||**ать**, **соорудить** (*вн.*) build* [bɪld] (*d.*), erect (*d.*); ~áемый únder constrúction. ~**ение** *с.* 1. (*действие*) búilding ['bɪl-], eréction; 2. (*строение*) strúcture, constrúction, eréction; военные ~ения mílitary ìnstallátions; долговременные оборонительные ~ения *воен.* pérmanent defénsive works; головное ~ение héadwòrk ['hed-].

соответственн||**о** 1. *нареч.* accórding:ly, corrèspónding:ly, confórmably; 2. *предл.* (*дт.*) accórding to, in accórdance / confórmity / complíance with; ~ указаниям in confórmity with, *или* accórding to, instrúctions. ~**ый** (*дт.*) corrèspónding (to), confórmable (to).

соответств||**ие** *с.* accórdance, confórmity, complíance, còrrespóndence; приводить в ~ие (*вн. с тв.*) bring* to confórmity (*d.* with), bring* in còrrespóndence (*d.* with), bring* into line (*d.* with); ◇ в ~ии с чем-л. in accórdance / confórmity / complíance with smth. ~**овать** (*дт.*) còrrespónd (to, with), confórm (to); be in kéeping / line (with); ~овать действительности còrrespónd to the facts, be true; ~овать обстановке meet* / fit the situátion; ~овать цели ánswer the púrpose ['ɑːnsə- ... -s]; ~овать требованиям meet* / sátisfy the requíre:ments; не ~овать (требованиям и *т. п.*) fall* short (of). ~**ующий** 1. *прич. см.* соответствовать; не ~ующий образцу úntrue to type; 2. *прил.* (*пригодный для данного случая*) próper ['prɒ-], apprópriate, súitable ['sjuː-]; поступать ~ующим образом act accórding:ly.

соответчик *м. юр.* cò-respóndent, cò-deféndant.

соотечественн||**ик** *м.* compátriot [-'pæ-], féllow-cóuntry:man* [-'kʌntrɪ-]. ~**ица** *ж.* compátriot [-'pæ-], cóuntry:wòman* ['kʌntrɪwu-].

соотнести *сов. см.* соотносить.

соотносительный còrrélative.

соотносить, **соотнести** (*вн. с тв.*) còrrélate (*d.* with), bring* into còrrelátion (*d.* with); (*сравнивать*) compáre (*d.* to, with).

соотношение *с.* còrrelátion; (*количественное отношение*, *пропорция*) rátio; ~ сил còrrelátion of fórces; (*перен. тж.*) the alignment of fórces; устанавливать правильное ~ (*между*) bring* into próper còrrelátion [...'prɒ-...] (*d.*).

сопение *с.* (quiet) púffing.

соперни||**к** *м.*, ~**ца** *ж.* rival; не иметь ~ков be ùnrivalled, have / find* no match, be without a rival.

сопер||**ничать** (*с тв. в пр.*) compéte (with in), rival (*d.* in) (*тж. перен.*); vie (with in). ~**ничество** *с.* rivalry ['raɪ-].

сопеть breathe héavily and nóisily through the nose [...'he-...-zɪ-...].

сопка *ж.* (*холм*, *возвышенность*) knoll, hill, mound; 2. (*вулкан*) volcáno.

соплеменн||**ик** *м. уст.* féllow-tríbes:man*. ~**ый** *уст.* of the same tribe, reláted.

сопли *мн. груб.* snível ['snɪ-] *sg.*, snot *sg.*

сопливый *груб.* snótty.

сопло *с. тех.* nozzle.

соплодие *с. бот.* colléctive fruit [...fruːt].

сопл||**як** *м.*, ~**ячка** *ж. разг.* 1. whímperer, sníveller; 2. (*молокосос*) mílksòp; 3. *презр.* (*ничтожество*) spíne:less créature.

соподчин||**ение** *с. грам.* còllateral subòrdinátion. ~**ённый** *грам.* cóllaterally subórdinàted.

сопоставимый cómparable.

сопостав||**ить** *сов. см.* сопоставлять. ~**ление** *с.* compárison, cònfrontátion [-frʌ-].

сопоставлять, **сопоставить** (*вн. с тв.*) compáre (*d.* to, with), confrónt [-ʌnt] (*d.* with).

сопрано *с. нескл. муз.* sopráno [-rɑː-].

сопредельный (*с тв.*) contíguous (to).

сопредседатель *м.* cò-cháirman.

сопреть *сов. см.* преть 1.

соприкас||**аться**, **соприкоснуться** (*с тв.*) 1. *тк. несов.* (*иметь смежные границы*) be contíguous (to); (*прилегать*) adjóin [ə'dʒɔɪ-] (*d.*); (*перен.*; *иметь отношение к чему-л.*) concérn (*d.*); наши интересы ни в чём не ~аются we have no ínterests in cómmon; 2. (*общаться*) come* into cóntact (with).

соприкоснов||**ение** *с.* còntigúity [-'gjuː-]; *воен.* (*тж. перен.*) cóntact; иметь ~ с кем-л. come* into cóntact with smb. ~ность ж. уст. contiguity [-'gju:-]. ~ный (с тв.) уст. contiguous (to).

соприкоснуться сов. см. соприкасаться 2.

сопричастн||ость [-сн-] ж. complicity, participation. ~ый [-сн-] (со-)participant, implicated.

сопроводительн||ый accompanying [ə'kʌ-]; ~ое письмо covering letter ['kʌ-...].

сопровожд||ать (вн.) accompany [ə'kʌ-] (d.); (провожать тж.) attend (d.); (для безопасности, почёта) escort (d.), convoy (d.). ~аться (тв.) be accompanied [...ə'kʌ-] (by). ~а́ющий 1. прич. и прил. accompanying [ə'kʌ-]; ~ее судно escort; 2. м. как сущ. escort. ~ение с. accompaniment [ə'kʌ-]; escort, convoy; (ср. сопровождать); в ~ении (рд.) accompanied [ə'kʌ-] (by) (тж. муз.); escorted (by).

сопромат м. разг. (сопротивление материалов) study of strength of materials ['stʌ-...].

сопротивл||ение с. тк. ед. (в разн. знач.) resistance [-'zɪ-], opposition [-'zɪ-]; тех., физ. strength; ~ воздуха air resistance; ~ материалов тех. strength / resistance of materials; (наука) study of strength of materials ['stʌ-...]; ~ среды физ. resistance of medium; удельное ~ тех., эл. specific resistance; ~ власти юр. resistance to authority; ~ противника воен. enemy opposition; оказывать ~ (дт.) show / offer, или put up, resistance [ʃou...] (i.); не оказывать ~ения (дт.) offer / make* no resistance (to); встречать ~ meet* with resistance / opposition; сломить чью-л. break* / crush smb.'s resistance [-eɪk...], break* down smb.'s opposition; ◇ идти по линии наименьшего ~ения take* / follow the line of least resistance; движение ~ения resistance movement [...'mu:-].

сопротивляемость ж. resistibility [-zɪ-], resistive capacity [-'zɪ-...], эл. resistivity [rɪz-].

сопротивляться (дт.) resist [-'zɪ-] (d.), oppose (d.); не ~ (дт.) offer / make* no resistance [...-'zɪ-] (to); ~ болезни resist disease [...'zi:z]; ~ противнику воен. stand* up to the enemy.

сопряжённ||ый 1. (с тв.) attended (by); это сопряжено с большими затруднениями that will entail great difficulties [...-eɪt...]; 2. мат., физ., тех. conjugate; ~ые углы conjugate angles.

сопутств||овать (дт.; прям. и перен.) accompany [ə'kʌ-] (d.), attend (d.). ~ующий прич. и прил. accompanying [ə'kʌ-]; прил. тж. attendant, concomitant; ~ующее обстоятельство attendant / concomitant circumstance, concomitant.

сор м. litter; sweepings pl.; вымести ~ из комнаты sweep* a room clean, sweep* out a room; ◇ выносить ~ из избы разг. ≃ wash one's dirty linen in public ['lɪ...rʌb-].

соразмер||ить сов. см. соразмерять. ~но нареч.: ~но (с тв.) in proportion (to, with). ~ность ж. proportionality. ~ный proportionate, commensurate; (пропорциональный) balanced.

соразмерять, соразмерить (вн. с тв.) proportion (d. to), adjust [ə'dʒʌ-] (d. to).

соратн||ик м., ~ица ж. companion-in-arms [-'pæ-] (pl. companions-); (товарищ по борьбе) comrade(-in-arms) (pl. comrades-).

сорванец м. (о ребёнке) a terror; (о девочке) tomboy, hoyden.

сорвать сов. см. срывать I. ~ся сов. см. срываться I.

сорвиголова м. разг. 1. madcap, romp; 2. (смельчак) dare-devil.

сорганизовать сов. (вн.) organize (d.). ~ся сов. be / become* organized.

сорго с. нескл. бот. sorghum [-gəm], sorg(h)o ['-gou].

соревнова||ние с. competition, emulation; (спортивное) contest; (по отдельному виду спорта) event; социалистическое ~ socialist emulation; вызывать на ~ (вн.) challenge to competition / emulation (d.); отборочные ~ния elimination matches / contests; предварительные ~ния preliminary rounds; ~ по атлетике, борьбе contest in athletics, wrestling; ~ на кубок cup competition. ~ться (с тв. в пр.) compete (with in), emulate (d. in), engage in competition (with).

соревнующийся 1. прич. см. соревноваться; 2. м. как сущ. contender, competitor.

сориентировать сов. (вн.) orientate (d.), control the attitude [-oul-] (of); (перен.) give ~ guidance [...'gaɪd-] (i.). ~ся сов. (прям. и перен.) get* / find* one's bearings [...'bɛə-].

соринка ж. mote; speck (of dust).

сор||ить, насорить (вн., тв.) drop / scatter rubbish / litter; ◇ ~ деньгами squander money [...'mʌ-].

сорн||ый 1. прил. к сор; 2.: ~ая трава, ~ое растение weed; ~ая трава собир. weeds pl.

сорняк м. weed.

сородич м. 1. уст. kinsman* [-nz-]; 2. (земляк) fellow-countryman* [-'kʌ-].

сорок числит. forty; ~ один и т. д. forty-one, etc.; ~ первый и т. д. forty-first, etc.; лет ~ (о времени) about forty years; (о возрасте) about forty; лет ~ тому назад about forty years ago; ему ~ лет he is / looks about forty; ему около ~á he is about forty; ему под ~ he is nearly forty; ему (перевалило) за ~ he is over forty, he is in his forties; человеку лет ~ a man* of / about forty; в ~ километрах (от) forty kilometres (from).

сорока ж. magpie; трещать как ~ разг. chatter like a magpie; ◇ ~ на хвосте принесла погов. ≃ a little bird told me.

сорока- (в сложн. словах, не приведённых особо) of forty, или forty- — соотв. тому, как даётся перевод второй части слова, напр. сорокадневный of forty days, forty-day (attr.) (ср. -дневный: of ... days, -day attr.); сорокаместный of berths, seats for 40; (об автобусе и т. п.) forty-seater (attr.) (ср. -местный).

сорокалет||ие 1. (годовщина) fortieth anniversary; (день рождения) fortieth birthday; 2. (срок в 40 лет) forty years pl. ~ний 1. (о сроке) of forty years / forty-year (attr.); 2. (о возрасте) of forty; forty-year-old; ~ний человек man* of forty; forty-year-old man*.

сороков||ой fortieth; страница, глава ~ая page, chapter forty; ~ номер number forty; ему (пошёл) ~ год he is in his fortieth year; ~ые годы (столетия) the forties; в начале ~ых годов in the early forties [...'ɔ:-...]; в конце ~ых годов in the late forties.

сороконожка ж. зоол. centipede.

сорокопут м. зоол. shrike.

сорокоуст м. церк. (forty day's) prayers for the dead [...prɛəz...ded].

сорочк||а ж. (мужская) shirt; (женская) chemise [ʃə'mi:z]; ночная ~ (мужская) night-shirt; (женская) night-gown, night-dress; ◇ родиться в ~е ≃ be born with a silver spoon in one's mouth.

сорт м. sort; (разновидность) kind, variety; (качество) quality, grade; (о табаке) brand; (о хлопке) growth [-ouθ]; высший ~ highest / best quality / grade; первый, второй ~, первого, второго ~а first-rate, second-rate [...'se-]; такого ~а люди разг. that kind of people [...pi:-].

сортамент м. тех. assortment.

сортимент м. = сортамент.

сортир||овать (вн.) assort (d.), sort (d.), grade (d.); (по размерам) size (d.). ~овка ж. 1. (действие) assortment, sorting, grading; sizing; (ср. сортировать); 2. тех., с.-х. (машина) separator, sorter. ~овочная ж. скл. как прил. ж.-д. (станция) marshalling yard. ~овочный sorting; ~овочная станция ж.-д. marshalling yard. ~овщик м., ~овщица ж. sorter.

сортн||ость ж. grade, quality. ~ый of high quality; ~ый товар goods of high quality [gudz...] pl., quality goods pl.

сортов||ой: ~ прокат profiled / section / special iron [-oufɪld...'spe- 'aɪən]; ~ое зерно grain of good* / high quality.

сорфинг м. = сёрфинг.

соса||ние с. sucking, suction. ~тельный sucking.

сосать 1. (вн.) suck (d.); ~ грудь suck; be a suckling; 2. безл.: у меня сосёт под ложечкой I have a sinking sensation in the pit of my stomach [...'stʌmək]; 3. (вн.) причинять душевную боль) gnaw; nag at; тоска сосёт меня grief is gnawing at my heart [-i:f...hɑ:t].

сосватать сов. см. сватать 1.

сосед||, ~ка м. neighbour; ~ слева, справа neighbour on the left, right. ~ний neighbouring; neighbour (attr.); (ближайший, смежный) next, adjacent [ə'dʒeɪ-], near by; ~ний дом the house* next door [-s... dɔ:]; ~няя комната next room; ~ние страны neighbour(ing) countries [...'kʌ-]. ~ский прил. к сосед; (добрососедский тж.) neighbourly; ~ские отношения neighbourly relations. ~ство с. neighbourhood [-hud], vicinity; по ~ству in the neighbourhood; по ~ству с чем-л. in the vicinity of smth.

СОС — СОС

соси́ска *ж.* sáusage ['sɔs-], fránkfùrter.

со́ска *ж.* báby's dúmmy, sóother; *(надеваемая на бутылочку)* teat, nipple.

соска́бливать, соскобли́ть *(вн.)* scrape off *(d.)*.

соска́кивать, соскочи́ть 1. *(спрыгивать)* jump off / down, spring* down; ~ с крова́ти jump out of bed; ~ на́ пол jump (down) to the floor [...fɔ:]; ~ с ло́шади jump off one's horse; **2.** *(отделяться)* come* off; соскочи́ть с пе́тель *(о двери и т. п.)* come* off *its* hinges.

соска́льзывание *с.* slide.

соска́льзывать, соскользну́ть slide* down / off; glide down; *(падать)* slip (off); ~ с чего́-л. slide* off smth.

соскобли́ть *сов. см.* соска́бливать.

соскользну́ть *сов. см.* соска́льзывать.

соскочи́ть *сов. см.* соска́кивать.

соскреба́ть, соскрести́ *(вн.)* scrape a;wáy / off *(d.)*, rasp off / a;wáy *(d.)*.

соскрести́ *сов. см.* соскреба́ть.

соску́читься *сов.* **1.** *(без доп.)* become* bored; **2.** *(о пр., по дт.)* miss *(d.)*; ~ по де́тям miss one's children; ~ в ожида́нии кого́-л. wéary for smb. to come.

сослага́тельн‖ый *грам.:* ~ое наклоне́ние subjúnctive mood.

сосла́ть *сов. см.* ссыла́ть.

сосла́ться *сов. см.* ссыла́ться I.

со́слепа, со́слепу *нареч. разг.* due to poor sight.

сосло́в‖ие *с.* estáte; тре́тье ~ third estáte; дворя́нское ~ the nobílity; *(о среднем дворянстве)* the géntry; духо́вное ~ the clérgy; купе́ческое ~ the mérchants *pl.*; меща́нское ~ the pétty bourgeoisíe [...buəʒwa:'zi:]; крестья́нское ~ the péasantry [...'pez-]; ~ный class *(attr.)*; ~ный предрассу́док class préjudice; ~ное представи́тельство class rèpresèntátion [...-ze-]; ~ная мона́рхия límited mónarchy [...-kı].

сослужи́в‖ец *м.*, ~ица *ж.* cólleague [-li:g]; *(об учителе тж.)* féllow-téacher; *(о служащем тж.)* féllow-èmployée, féllow-clérk [-'klɑ:k].

сослужи́ть *сов.:* ~ слу́жбу кому́-л. *(оказать услугу)* stand* smb. in good stead [...sted]; *(оказаться полезным)* be of use [...ju:s].

сосн‖а́ *ж.* píne(-tree). ~ о́вый pine *(attr.)*; *(из сосны)* pine;wood [-wud] *(attr.)*; deal; ~ о́вая ро́ща pine grove; ~ о́вая смола́ pine tar; ~ о́вый бор pine fórest [...'fɔ-], pínery ['paı-]; ~ о́вые дрова́ pine;wood *sg.*; ~ о́вая доска́ déal-board.

сосну́ть *сов. разг.* take* / have a nap; ~ немно́го take* / have a short nap; have fórty winks.

сосня́к *м. разг.* pine fórest [...'fɔ-], pínery ['paı-].

сосо́к *м. анат.* nipple, teat.

сосредото́чен‖ие *с.* còncentrátion. ~ но *нареч.* with còncentrátion. ~ ность *ж.* còncentrátion. ~ ный *прич. и прил.* cóncèntràted; ~ ное внима́ние rapt atténtion; ~ ный взгляд fixed look; ~ ная нагру́зка *тех.* point load; ~ ный ого́нь *воен.* còncèntrated fire.

сосредото́ч‖ивать, сосредото́чить *(вн.)* cóncentràte *(d.)*; *(о взгляде тж.)* fix *(d.)*, fócus *(d.)*; ~ внима́ние (на *пр.*) còncèntrate one's atténtion (on, up;ón). ~ иваться, сосредото́читься 1. (на *пр.*) còncentrate (on, up;ón); 2. *(о силах, войсках и т. п.)* be còncèntrated; 3. *страд. к* сосредото́чивать. ~ ить(ся) *сов. см.* сосредото́чивать(ся).

соста́в *м.* **1.** còmposítion [-'zı-]; *(структура)* strúcture; социа́льный ~ sócial strúcture; хими́ческий ~ *(совокупность частей)* chémical còmposítion ['ke-...]; *(само соединение)* chémical cómpound; входи́ть в ~ *(рд.)* form / be (a) part (of); be an òrgánic part (of); **2.** *(о коллективе людей)* staff; *(конференции, делегации)* còmposítion, mémbership; профе́ссорский ~ the pròféssórial staff; ли́чный ~ pèrsonnél, staff; ~ исполни́телей *театр.* cast; основно́й ~ *спорт.* first team; нали́чный ~ avàilable pèrsonnél / staff; *воен.* efféctives *pl.*; офице́рский ~ ófficers *pl.*; *(штатный)* cómplement of ófficers; рядово́й и сержа́нтский ~ nòn-commíssioned ófficers and other ranks *pl.*; в по́лном ~е with its full cómplement; in / at full strength; заседа́ние в по́лном ~е full séssion; делега́ция в по́лном ~е full dèlegátion; чи́сленный ~ numérical strength; коми́ссия в ~е пяти́ челове́к commíttee (consísting) of five (men, people) [-tı...pi:]; входи́ть в ~ *(рд.)* be a mémber (of); be allótted (to); входи́ть в ~ делега́ции becóme* a mémber of *the* dèlegátion; **3.** *ж.-д.* *(о поезде)* train; подвижно́й ~ rólling-stòck; ◇ ~ преступле́ния *юр.* córpus delícti.

соста́витель *м.*, ~ница *ж.* compíler; *(автор)* writer, áuthor; *(о женщине тж.)* áuthoress.

соста́вить I, II *сов. см.* составля́ть I, II.

соста́виться *сов. см.* составля́ться.

составле́ние *с.* còmposítion [-'zı-]; *(словаря, справочника тж.)* compíling; *(плана и т. п.)* wórking out, dráwing up; ~ табли́цы tàbulátion; ~ по́езда máking up *a* train.

состав‖ля́ть I, соста́вить *(вн.)* *(собирать, ставить несколько предметов вместе)* put* togéther [...-'ge-] *(d.)*, make* up *(d.)*; соста́вить два стола́ put* two tables togéther; соста́вить кни́ги вме́сте put* the books togéther; ~ винто́вки в ко́злы *воен.* stack / pile arms; ~ по́езд make* up *a* train.

состав‖ля́ть II, соста́вить *(вн.)* **1.** *(быть автором)* compóse *(d.)*, compíle *(d.)*; ~ слова́рь compíle *a* díctionary; **2.** *(о деловом письме, документе и т. п.)* draw* up; ~ план make*, *или* work out, *или* draw* up, *a* plan, fórmulàte *a* plan; ~ прое́кт draw* up *a* draft; ~ протоко́л draw* the récord [...'re-], draw* up the státe;ment of *the* case [...-s]; ~ спи́сок make* *a* list. **3.** *(образовывать)* cónstitùte *(d.)*, form *(d.)*, make* *(d.)*, make* up *(d.)*; ~ предложе́ние form / constrúct *a* séntence; ~ уравне́ние work out *an* equátion; ~ табли́цу make* / draw* up *a* table; ~ себе́ мне́ние form *an* opínion; ~ себе́ мне́ние о ком-л. size smb. up; **4.** *(представлять, являться)* be; ~ затрудне́ние presént a dífficulty [-'zent...]; сде́лать э́то не ~ля́ет большо́го труда́ it won't be very dífficult to do it [...wount...]; э́то ~ля́ет исключе́ние из о́бщего пра́вила this is an excéption to the géneral rule; **5.** *(равняться, давать в результате)* form *(d.)*, make* *(d.)*, make* up *(d.)*; ~ в сре́днем áverage *(d.)*; капиталовложе́ния ~ля́ют миллио́н рубле́й the invéstments tótal a míllion roubles [...ru:-]; расхо́ды ~ля́ют 80% бюдже́та expénditure accóunts for, *или* makes up, 80% of the búdget; ◇ ~ кому́-л. компа́нию keep* smb. cómpany [...'kʌ-].

составля́ться I, соста́виться 1. *(образовываться)* form; соста́вилось о́бщество a cómpany was formed [...'kʌ-...]; соста́вилась компа́ния a párty was got togéther [...-'ge-]; соста́вился капита́л a cápital was formed; **2.** *страд. к* составля́ть II 1, 2, 3.

составля́ться II *страд. к* составля́ть I.

состав‖но́й 1. *(составляющий)* compónent, cónstitùtive; ~на́я часть compónent, constítuent; compónent / constítuent part; **2.** *(составленный)* cómpound, cómposite [-zıt]; ~но́е колесо́ cómpound wheel; ~но́е сказу́емое *лингв.* cómpound prédicate.

соста́рить(ся) *сов. см.* ста́рить(ся).

состоя́ни‖е I *с.* *(в разн. знач.)* state; *(положение тж.)* státus, condítion; газообра́зное ~ gáseous state [-zı-...]; в хоро́шем ~и in a good* state, in good* condítion; в плохо́м ~и in a bad* state, in bad* condítion; прийти́ в него́дное ~ becóme* úse;less [..-s-], be past repáir; в безнадёжном ~и *(о больном)* in a hópe;less condítion, past cure; мора́льное ~ mòrále [-ɑ:l]; норма́льное ~ nórmal state, nórmalcy; ~ здоро́вья state of health [...helθ]; в ~и войны́ in a state of war; быть находи́ться в ~и войны́ (с *тв.*) be at war (with); ◇ быть в ~и (+ *инф.*) be able (+ to *inf.*); be in a posítion [...-'zı-] (+ to *inf.*); он в ~и, не в ~и купи́ть э́то he can, cánnòt affórd it; быть не в ~и (+ *инф.*) be únáble (+ to *inf.*).

состоя́ние II *с.* *(капитал, имущество)* fortune [-tʃən]; получи́ть ~ come* into *a* fortune; соста́вить ~ make* *a* fortune.

состоя́тельность I *ж.* **1.** *(платёжеспособность)* sólvency; **2.** *(денежное благосостояние)* wealth [we-]; *(достаток)* cómpetence, cómpetency.

состоя́тельность II *ж.* *(обоснованность)* jùstifiabílity; *(аргумента, претензии)* strength.

состоя́тельный I 1. *(платёжеспособный)* sólvent; **2.** *(с достатком)* wéll-to-dó, wéll-off; ~ челове́к wéll-to-dó man*, man* of súbstance / próperty.

состоя́тельный II *(обоснованный)* wéll-gróunded; sólid; не вполне́ ~ аргуме́нт (ráther) lame árgument ['rɑ:-...].

состо‖я́ть 1. *(находиться, быть)* be; ~ подпи́счиком be a subscríber; ~ чле́ном нау́чного о́бщества be a mémber of *a* scientífic socíety; ~ при ком-л. be attáched to smb.; ~ на слýжбе be in the sérvice; ~ в дóлжности (*рд.*) óccupỳ the post [...poust] (of); ~ на вооружéнии (*рд.*) *воен.* have been adópted (by, in); **2.** (в чём-л.; *заключáться*) consíst (in smth.), be (in smth.); рáзница ~ит в том the dífference is: егó обязанности ~ят в слéдующем his dúties inːclúde the fóllowing, his dúties are as fóllows; прáвило ~ит в том, что the rule is to the efféct that; значéние этого собы́тия ~ит в том, что the significance of this évent lies in the fact that; **3.** (*из*; *быть составленным, иметь в своём составе*) consíst (of); be made (of), inːclúde (*d.*); водá ~ит из водорóда и кислорóда wáter consísts of hýdrogen and óxygen [ˈwɔː-... ˈhaɪ-...]; квартѝра ~ит из трёх кóмнат the flat consísts of three rooms.

состоя́∥ться *сов.* take* place; спектáкль не ~лся the perfórmance did not take place; издáние не ~лось the edition was néver prínted; сдéлка ~лась the deal went through.

состра́гивать, **сострога́ть** (*вн.*) plane off / awáy (*d.*).

сострада́∥ние *с.* compássion; относи́ться с ~нием (к) have / take* compássion (on, upón), compássionate (*d.*); испы́тывать ~ (к) feel* compássion / sýmpathy (for). **~тельный** compássionate.

сострада́ть (*дт.*) *уст.* compássionàte (*d.*).

сострига́ть, **состри́чь** (*вн.*) shear* / clip off (*d.*).

состри́ть *сов.* make* a wítty remárk; (*сказáть каламбýр*) make* a pun.

состри́чь *сов.* см. сострига́ть.

сострога́ть *сов.* см. состра́гивать.

состро́ить *сов.* (*вн.*): ~ гримáсу, рóжу *разг.* make* / pull *a* face [...pul...].

состря́пать *сов. см.* стря́пать.

состыкова́ть(ся) *сов. см.* состыко́вывать(ся).

состыко́вывать, **состыкова́ть** (*вн.*) *тех.* join (*d.*), attách (*d.*); (*о космических кораблях*) dock (*d.*). **~ся**, **состыкова́ться** *тех.* join; (*о космических кораблях*) dock.

состяза́∥ние *с.* **1.** cóntest, còmpetítion; (*между командами тж.*) match; ~ в бéге foot-ràce [ˈfut-]; ~ в плáвании swímming cóntest; ~ по атлéтике àthlétics match; ~ по баскетбóлу básket-bàll match; ~ в остроýмии báttle of wits; **2.** *юр.* cóntroversỳ. **~тельный** *юр.* (*о процессе*) contrôvérsial.

состяза́ться (с *тв.* в *пр.*) compéte (with in), conténd (with for); ~ в плáвании, бéге take* part in a swímming cóntest, in a race; ~ в остроýмии compéte in wit.

сосу́д *м.* (*в разн. знач.*) véssel. **~истый** *биол., анат.* váscular.

сосудо∥расширя́ющий vàso-dilàting. **~сужива́ющий** vàso-constrìctive.

сосу́лька *ж.* ícicle [ˈaɪ-].

сосу́н *м.*, **~óк** *м.* súckling, súcker.

сосуществов∥а́ние *с.* còexístence; ми́рное ~ госудáрств с разли́чным общéственным стрóем péaceːful còexístence of States with different sócial sýstems. **~а́ть** còexíst.

сосу́щий 1. *прич. см.* соса́ть; **2.** *прил. зоол.* sùctórial.

сосцеви́дный mámmifòrm, màmmíllifòrm.

сосчита́ть *сов.* **1.** *см.* сосчи́тывать; **2.** *как сов. к* счита́ть 1. **~ся** *сов. см.* сосчи́тываться.

сосчи́тывать, **сосчита́ть** (*вн.*) count (*d.*), cálculàte (*d.*). **~ся**, **сосчита́ться 1.** (с *тв.*; *прям. и перен.*) *разг.* square accóunts (with); (*перен. тж.*) get* éven (with); **2.** *страд.* к сосчи́тывать.

сота́я *ж. скл. как прил.* húndredth.

сотворе́∥ние *с.* creátion, máking; от ~éния мира since the creátion of the world. **~и́ть** *сов. см.* твори́ть I. **~и́ться** *сов. см.* твори́ться I.

сотво́рчество *с.* cò-áuthorship.

соте́йник *м.* deep stéwing pan.

соте́нн∥ая *ж. скл. как прил. разг.* húndred-rouble note [-ruː-...]. **~ый** (*сторублёвый*) worth a húndred roubles [...ruː-].

со́т∥ка *ж. разг.* húndredth part; огорóд, сад в пять ~ок a garden five húndred parts (of a héctare) in size [...-tɑː...].

сотка́ть *сов. см.* ткать.

со́т∥ник *м. ист.* sótnik (*lieutenant of cossacks*). **~ня** *ж.* **1.** a húndred; **2.** *разг.* (*сто рублей*) a húndred roubles [...ruː-] *pl.*; **3.** *ист.* sótnia (*cossack squadron*).

сотова́рищ *м.* assóciate, pártner.

сотови́дный hóneycòmb [ˈhʌnɪkoum] (*attr.*).

со́тов∥ый hóneycòmb [ˈhʌnɪkoum] (*attr.*); ~ мёд cómb-hóney [ˈkoumhʌ-], fresh hóney in the comb [...ˈhʌ-...koum]; ~ая катýшка *рад.* hóneycòmb coil.

сотрапе́зник *м. уст.* táble-compànion [-pæ-].

сотру́дни∥к *м.*, **~ца** *ж.* **1.** (*помощник в работе*) collábořator; (*учреждéния и т. п.*) employée, official; наýчный ~ reséarch wórker [-ˈsəːtʃ-]; ~ газéты, журнáла contríbutor; ~ посóльства émbassy official.

сотру́дни∥чать 1. (с *тв.*) collábořate (with), cò-óperate (with); **2.** (*писать для газеты и т. п.*) contríbute (to *a* néwspàper, *etc.*); (*быть сотрýдником редакции*) work on *a* néwspàper, *etc.* **~чество** *с.* **1.** collàboration; в тéсном ~честве (с *тв.*) in close collàboration / cò-òperátion [...-s...] (with); откáз от ~чества refúsal to cò-óperàte[-zˈl...], nòn-cò-òperátion **2.** (*в газете и т. п.*) contribútion.

сотряс∥а́ть, **сотрясти́** (*вн.*) shake* (*d.*); ~ вóздух rend* the air. **~а́ться**, **сотрясти́сь 1.** shake*, trémble; ~а́ться от рыдáний be sháken with sobs; **2.** *страд.* к сотряса́ть. **~éние** *с.* sháking, concússion; ~éние мóзга concússion of the brain. **~ти́(сь)** *сов. см.* сотряса́ть(ся).

со́т∥ы *мн.* hóneycòmb [ˈhʌnɪkoum] *sg.*; мёд в ~ах fresh hóney in the comb [...ˈhʌ-... koum], cómb-hóney [ˈkoumhʌ-].

со́т∥ый húndredth; ~ая страни́ца page one húndred; ~ нóмер númber one húndred; ~ая годовщи́на húndredth ànnivérsary; ~ год the year one húndred; (однá) ~ая one-húndredth.

СОС—СОЦ   С

соумы́шленн∥ик *м.*, **~ица** *ж.* accómplice.

со́ус *м.* sauce; (*мясной*) grávy; (*к салату и т. п.*) dréssing; ◇ под рáзными ~ами served up with different dréssings; под другим ~ом with a different dréssing, in a different wrápper. **~ник** *м.* sáuce-bòat, grávy-bòat.

соуча́ст∥вовать (в *пр.*) pàrtícipàte (in), take* part (in). **~ие** *с.* pàrticipátion; (*в преступлении и т. п.*) complícity. **~ник** *м.*, **~ница** *ж.* pàrtícipàtor; (*в преступлении и т. п.*) accómplice; *юр.* accéssary.

соучен∥и́к *м.*, **~и́ца** *ж.* schóolmàte; schóolfèllow.

софа́ *ж.* sófa.

софи́∥зм *м.* sóphism. **~ст** *м.* sóphist. **~стика** *ж.* sóphistry. **~стический** sophístic(al).

соха́ *м.* wóoden plough [ˈwu-...].

соха́тый 1. *прил.* with / hàving bránching ántlers [...ˈbrɑː-...]; **2.** *м. как сущ.* elk.

со́хнуть dry, get* dry; (*о языке, губах и т. п.*) be parched; (*перен.*) *разг.* pine (awáy), waste awáy [weɪ-...].

сохран∥éние *с.* prèservátion [-zə-], cònservátion, prèservátion [-zə-]; закóн ~éния энéргии the law of cònservátion of énergy; брать на ~ (*вн.*) take* into one's charge (*d.*); давáть на ~ комý-л. (*вн.*) give* into smb.'s charge (*d.*). **~и́ть(ся)** *сов. см.* сохраня́ть(ся).

сохра́нн∥о *нареч.* sáfeːly. **~ость** *ж.* sáfeːty, safe kéeping; быть в ~ости be intáct; посы́лка пришлá в ~ости the párcel arrived sáfeːly / intáct. **~ый** safe; ~ое мéсто safe place.

сохран∥я́ть, **сохрани́ть** (*вн.*) **1.** (*беречь*) keep* (*d.*), presérve [-ˈzəːv] (*d.*), retáin (*d.*); (*о мире, порядке*) maintáin (*d.*); ~ секрéт keep* a sécret; ~ продýкты presérve fóodstuffs; ~и́ть на пáмять keep* as a sóuvenir [...ˈsuːvənɪə] (*d.*); **2.** (*удéрживать, не терять*) keep* (*d.*), presérve [-ˈzəːv] (*d.*); ~ за собой резéрв / keep* for oneˈself [-ˈzəːv] (*d.*); ~и́ть здорóвье до стáрости presérve one's health to old age [...he-...]; enjóy a green old age *идиом.*; ~ хладнокрóвие keep* cool, keep* one's head [...hed]; ~ присýтствие дýха keep* one's présence of mind [...-ez-...]; ◇ ~и́ бог! God forbíd! **~я́ться**, **сохрани́ться 1.** remáin; (*о человеке*) be well presérved [...-ˈzəːvd]; он хорошó ~и́лся he is well presérved; это ~и́лось ясно в моéй пáмяти it has remáined cléarly in my mémory; **2.** *страд.* к сохраня́ть.

соц- *сокр.* социáльный; социалисти́ческий.

соцвéтие *с. бот.* inflòréscence.

соцдоговóр *м.* (*договор на социалисти́ческое соревнование*) sócialist émulátion agréement.

социа́л-демокра́т *м.* Sócial Démocràt. **~и́ческий** sócial-dèmocrátic. **~ия** *ж.* Sócial Demócracy.

социал∥иза́ция *ж.* sòcializátion [-laɪ-]. **~изи́ровать** *несов. и сов.* (*вн.*) sócialize (*d.*).

социал||**и́зм** м. sócialism; нау́чный ~ scièntífic sócialism; реа́льный ~ real / exísting sócialism; построе́ние ~и́зма búilding up of socialism ['bɪ-...]. ~**и́ст** м. sócialist.

социалисти́ческ||**ий** sócialist; ~ое госуда́рство sócialist State; ~ая револю́ция sócialist rèvolútion; ~ое строи́тельство sócialist constrúction; ~ое общенаро́дное госуда́рство the péople's sócialist State [...pi:-...], sócialist State of the whóle péople [...houl pi:-]; ~ая систе́ма хозя́йства sócialist sýstem of èconomy [...i:-]; культу́ра, национа́льная по фо́рме и ~ая по содержа́нию cúlture nátional in form and sócialist in cóntènt [...'næ-...]; ~ая дере́вня rúral èconomy on sócialist lines; ~ое соревнова́ние sócialist èmulátion.

социали́ст-революционе́р м. ист. Sócialist-Rèvolútionary.

социа́льно нареч. sócially.

социа́льно-бытов||**о́й**: ~ые усло́вия sócial condítions, life condítions.

социа́льно-культу́рн||**ый**: ~ые мероприя́тия sócial and cúltural púrposes [...-sɪz].

социа́льно-экономи́ческ||**ий** sóciò-èconómic [-i:k-]; sócial and èconómic [...i:k-]; ~ие преобразова́ния sócial and èconómic trànsformátions.

социа́льн||**ый** (в разн. знач.) sócial; ~ое страхова́ние sócial insúrance [...-ʃuə-]; ~ое обеспе́чение sócial secúrity; ~ая гигие́на sócial hýgiene [...-dʒi:n]; ~ая опа́сность sócial dánger [...-deɪ-]; ~ое положе́ние sócial státus; ~ое происхожде́ние sócial órigin; ~ая справедли́вость sócial jústice.

социо́||**лог** м. sòciólogist. ~**логи́ческий** sòciológical. ~**ло́гия** ж. sòciólogy.

соцсоревнова́ние с. (социалисти́ческое соревнова́ние) sócialist èmulátion; вызыва́ть на ~ (вн.) chállenge to sócialist èmulátion (d.).

соцстра́х м. (социа́льное страхова́ние) sócial insúrance [...-ʃuə-].

соче́льник м. церк. (рожде́ственский) Christmas Eve [-sməs...]; (креще́нский) eve of the Epíphany, Twélfth-night.

сочета́||**ние** с. (в разн. знач.) còmbinátion; в ~ нии (с тв.) in còmbinátion (with), in conjúnction (with), coupled [kʌ-] (with); ~ тео́рии с пра́ктикой únity / cóncòrd of théory and práctice [...'θɪə-...]. ~**тельный** còmbinátive; ~**тельный рефле́кс** còmbinàtive réflèx.

сочета́||**ть** несов. и сов. (вн. с тв.) 1. combíne (d. with); ~ тео́рию с пра́ктикой bring* into cóncòrd théory with práctice [...'θɪə-...]; ~ в себе́ combíne (d.); ~ бра́ком уст. márry / wed (d. to). ~**ться** несов. и сов. 1. (с тв. и без доп.) combíne, go* (with); в нём ~ются два ва́жных ка́чества he combínes two impórtant quálities; 2. тк. несов. (с тв.) гармони́ровать (с тв.), go* (with); (о кра́сках тж.) match (d.); одно́ не ~ется с другим one does not go with the other; э́ти кра́ски не ~ются the cólours clash [...'kʌ-...]; 3. (с тв.): ~ться бра́ком

уст. contráct mátrimony (with); uníte in mátrimony (with); 4. страд. к сочета́ть.

сочине́||**ние** с. 1. (действие) compósing, máking; 2. (литературное произведение) work, wríting; (музыкальное) composítion [-'zɪ-]; и́збранные ~ия selécted works, seléctions; по́лное собра́ние ~ий Пу́шкина the compléte works of Púshkin [...'pu-] pl.; 3. (школьное) composítion, éssay; 4. грам. cò-òrdinátion.

сочини́тель м. 1. уст. wríter, áuthor; 2. разг. (выдумщик) stóry-tèller, invéntor.

сочини́тельный грам. cò-órdinàtive, cò-órdinàting; ~ сою́з cò-órdinàting conjúnction.

сочини́тельство с. 1. уст. wríting; 2. разг. (выдумывание) invénting.

сочини́ть сов. см. сочиня́ть.

сочиня́ть, сочини́ть 1. (вн.) (о писа́теле) write* (d.); (о композиторе) compóse (d.); ~ стихи́ write* vérses; 2. (вн.) разг. (выдумывать) invént (d.), make* up (d.); (без доп.) tell* stóries.

сочи́ться ooze (out), exúde, tríckle; ~ кро́вью bleed*, run* blood [...-ʌd].

сочле́н м. féllow mémber.

сочлене́ние с. анат., тех. àrtìculátion, joint.

сочлени́ть сов. см. сочленя́ть.

сочленя́ть, сочлени́ть (вн.) join (d.).

со́ч||**ность** ж. júiciness ['dʒu:s-], sáppiness, súcculence. ~**ый** 1. júicy ['dʒu:sɪ], sáppy, súcculent; ~ое я́блоко júicy ápple; 2. (о растительности; о красках и т. п.) rich; ~ая трава́ rich / lush / súcculent grass; ~ый стиль rich style.

сочу́вственн||**о** нареч. with sýmpathy, sympathétically; отнести́сь ~ к кому́-л. be kind to smb. ~**ость** ж. sýmpathy. ~**ый** sympathétic.

сочу́встви||**е** с. (к) sýmpathy (with); выража́ть своё ~ (к) expréss sýmpathy (with); из ~я out of sýmpathy; иска́ть ~я seek* smb.'s sýmpathy; не встреча́ть ~я meet* with no sýmpathy.

сочу́вств||**овать** (дт.) sýmpathize (with), feel* (for); он ~ует ва́шему го́рю he sýmpathizes with you in your sórrow; он ~ует ва́шим иде́ям he is in sýmpathy with your idéas [...aɪ'dɪ-əz].

сочу́вствующий 1. прич. см. сочу́вствовать; 2. прил. sympathétic; 3. м. как сущ. sýmpathizer.

со́шка ж.: ме́лкая ~ разг. small fry.

сошни́к м. 1. с.-х. plóughshàre; 2. (лафе́та) trail spade.

сощу́ривать, сощу́рить: ~ глаза́ screw up one's eyes [...aɪz]. ~**ся**, сощу́риться screw up one's eyes [...aɪz].

сощу́рить(ся) сов. см. сощу́ривать(ся).

сою́з I м. 1. (единение) únion, allíance; ~ рабо́чего кла́сса и трудя́щихся масс крестья́нства the allíance / únion betwéen the wórking class and the wórking péasant másses [...'pez-...]; в ~е (с тв.) in allíance / únion (with); вступи́ть в ~ (с тв.) énter into allíance (with); 2. (объединение нескольких государств в одно целое) Únion; Сове́тский Сою́з the Sóviet Únion; 3. (организация)

únion, league [li:g]; Всесою́зный Ле́нинский Коммунисти́ческий Сою́з Молодёжи Léninist Young Cómmunist League of the Sóviet Únion [...jʌŋ...]; профессиона́льный ~ trade únion; «Сою́з борьбы́ за освобожде́ние рабо́чего кла́сса» ист. "League of Strúggle for the Emàncipátion of the Wórking Class"; 4. (соглашение) allíance, agréement; заключа́ть ~ (с тв.) conclúde an allíance (with); вое́нный ~ mílitary allíance; торго́вый ~ trade agréement; Свяще́нный ~ ист. the Hóly Allíance.

сою́з II м. грам. conjúnction.

сою́зка ж. (в обуви) vamp.

сою́зн||**ик** м., ~**ица** ж. álly. ~**и́ческий** allíed, ìnter-allíed.

сою́зно-республика́нский Únion-Repúblic ['-pʌ-] (attr.).

сою́зн||**ый I** 1. allíed; únion (attr.); ~ые держа́вы allíed pówers; 2. (относящийся к СССР) Únion (attr.), of the Únion; ~ая респу́блика Únion Repúblic [...-'pʌ-]; ~ое гражда́нство cítizenship of the (Sóviet) Únion.

сою́зный II грам. conjúnctional.

Сою́з Сове́тских Социалисти́ческих Респу́блик The Únion of Sóviet Sócialist Repúblics [...-'pʌ-].

со́я ж. тк. ед. sóy-bean.

спад м. slump; (жары, воды) abátement; ~ делово́й акти́вности recéssion in trade.

спада́ть, спасть 1. (с рд.) fall* down (from); 2. (без доп.; о воде, жаре и т. п.) abáte; ◊ ~ с го́лоса lose* one's voice [lu:z...]; ~ с лица́ become* thin in the face; ~ с те́ла lose* weight.

спазм м., ~**а** ж. spasm. ~**ати́ческий** spàsmódic [-z-].

спа́ивать I, спои́ть (вн.; вином) accústom to (hard) drínking (d.); сов. тж. make* a drúnkard (of).

спа́ивать II, спая́ть (вн.) sólder ['sɔ-] (d.); (твёрдым припоем) braze (d.); (перен.) uníte (d.), knit* togéther [...-'ge-] (d.), weld (d.).

спай м. тех. sóldered joint / júnction / seam ['sɔ-...]. ~**ка** ж. 1. тех. (действие) sóldering ['sɔ-]; 2. (место соединения) joint; (перен.) cohésion; únion; те́сная ~ка close cohésion [-s...], únion and fríendship [...'fre-]; 3. мед., геол. commissure.

спали́ть сов. (вн.) burn* (d.), scorch (d.).

спа́льн||**ый** sléeping; ~ ваго́н sléeping-càr; sléeper разг.; ~ое ме́сто berth; ~ мешо́к sléeping-bàg; ~ые принадле́жности bédding sg.

спа́льня ж. 1. bédroom; 2. (комплект мебели) bédroom suite [...swi:t].

спание́ль м. (порода собак) spániel ['spæ-].

спанье́ с. разг. sléep(ing).

спарде́к [-дэ́к] м. мор. spár-dèck, shélter deck; súperstrùcture deck амер.

спа́ренн||**ый** прич. и прил. páired, cóupled [kʌ-]; прил. тж. twin; ~ая езда́ ж.-д. dòuble-mánning ['dʌ-]; ~ая устано́вка воен. twin mount.

спа́ржа ж. aspáragus.

спа́ривание с. cóupling ['kʌ-], páiring.

спа́ривать, спа́рить (вн.) cóuple [kʌ-] (d.), pair (d.); (о животных) mate (d.).

~ся, спа́риться 1. couple [kʌ-]; (*о животных*) mate, co̒pulate; 2. *страд. к* спа́ривать.

спа́рить(ся) *сов. см.* спа́ривать(ся).

спартакиа́да *ж. спорт.* sports and athletics meeting.

спарта́н||ец *м.*, ~ка *ж.*, ~ский Spártan; ~ское воспита́ние Spártan education.

спа́рхивать, спорхну́ть fly* / flutter awáy.

спа́рывать, спороть (*вн.*) rip off (*d.*).

спас *м.*: ~у нет *разг.* there is no salvátion.

спаса́||ние *с.* rescue, life-sàving. ~тель *м.* 1. réscuer, life-sàver; (*на водах*) worker of life-sàving sérvice; 2. (*судно*) réscue-boat, sálvage véssel. ~тельный (*attr.*), life-sàving; ~тельная экспеди́ция réscue expedition / párty; ~тельный по́яс lífebèlt; ~тельный круг ring-buoy [-bɔɪ]; ~тельная ло́дка lifeboat.

спас||ти́, спасти́ (*вн.*) save (*d.*); (*от опа́сности*) réscue (*d.*); (*имущество — от пожа́ра и т. п.*) sálvage (*d.*); ~ утопа́ющего réscue a drówning man*; ~ жизнь (*дт.*) save the life* (of) ◇ ~ти́ положе́ние save the situátion, redeém the position [...-'zɪ-]; save the day *идиом.* ~ти́сь, спасти́сь 1. save òneself, escápe; он едва́ спа́сся he had a narrow escápe; ~ти́ся бе́гством flee*, escápe; run* awáy; 2. *страд. к* спаса́ть. ~е́ние *с.* 1. (*действие*) réscue, life-sàving; 2. (*результат*) réscue; escápe; (*перен.*) salvátion, reprieve [-riːv]; э́то на́ше еди́нственное ~е́ние that is our ònly salvátion.

спаси́бо 1. *частица* thanks; (*благодарю́ вас*) thank you; 2. *с. как сущ.* thanks *pl.*; большо́е ~ many thanks; (*о́чень вам благода́рен*) thank you very much (indéed); 3. *предик. безл.*: ~ ему́, что помо́г, сказа́л *и т. п.* we must thank him for hélping, sáying, *etc.*; ◇ и на том ~ ≅ it's sómething at least; де́лать что-л. за ~ do smth. for nothing, *или* for love [...lʌv].

спаси́тель *м.* 1. réscuer, sáviour; 2. *церк.* Our Sáviour. ~ный sálutary [-lju-]; ~ное сре́дство sáving rémedy; means of escápe.

спасова́ть *сов. см.* пасова́ть I.

спасти́(сь) *сов. см.* спаса́ть(ся).

спасти́ческий *мед.* spástic.

спасть *сов. см.* спада́ть.

спать sleep*, be aslèep; slúmber; ложи́ться ~ go* to bed; turn in *разг.*; пора́ (идти́) ~ it is time to go to bed; укла́дывать ~ (*вн.*) put* to bed (*d.*); не ложи́ться ~ sit* up; хоте́ть ~ want to sleep, feel sléepy; ~ по́сле обе́да have a nap áfter dínner; кре́пко ~ sleep* sóundly, be fast aslèep; ~ чу́тко be a light sléeper; ~ под откры́тым не́бом sleep* in the òpen; ~ вале́том *разг.* sleep* tops to tails; ◇ он спит как уби́тый ≅ he sleeps like a log; ~ сном пра́ведника sleep* the sleep of the just; ~ и ви́деть (*вн.*) dream* (of). ~ся *безл.*: ему́ не спи́тся he cánnòt sleep; хорошо́ спи́тся под у́тро sleep is sound toward the mórning.

спа́янн||ость *ж.* cohésion, únity. ~ый 1. *прич. см.* спа́ивать II; 2. *прил.* unitéd; кре́пко ~ый коллекти́в well-knit colléctive.

спая́ть *сов. см.* спа́ивать II.

спева́ться, спе́ться rehearse (a chórus, a part, a song, *etc.*) [...'hɜːs...'kɔː-...]; (*перен.*) *разг.* come* to terms.

спе́вка *ж.* chórus práctice / rehéarsal ['kɔː-... -'hɜːs-].

спека́ние *с. тех.* (*об угле*) cáking; (*о порошко́вых материа́лах*) síntering.

спека́ться, спе́чься 1. (*о крови*) còágulate, curdle; 2. *тех.* (*об угле*) cake; (*о порошко́вых материа́лах*) sínter.

спека́ющийся: ~ ка́менный у́голь cáking coal.

спекта́кль *м.* play, perfórmance; дневно́й ~ matinée (*фр.*) ['mætɪneɪ].

спектр *м. физ.* spéctrum (*pl.* -ra).

спектра́льный *физ.* spéctral; ~ ана́лиз spéctral / spéctrum ánalysis.

спектро́граф *м. физ.* spéctrogràph.

спектро́метр *м. физ.* spectrómeter.

спектроме́трия *ж. физ.* spectrómetry.

спектроско́п *м. физ.* spéctroscòpe. ~и́я *ж.* spectróscopy.

спекули́рование *с.* spéculàting, speculátion.

спекули́ровать 1. (*тв.*; *занима́ться спекуля́цией*) spéculàte (in); 2. (*на пр.; испо́льзовать*) profitéer (in); prófit (by); ~ на ра́знице в це́нах gamble on the rise and fall of prices.

спекуля́нт *м.*, ~ка *ж.* spéculàtor, profitéer.

спекуляти́вн||ый I spéculative; по ~ым це́нам at spéculative prices.

спекуляти́вный II *филос.* spéculative.

спекуля́ция I *ж.* speculátion, pròfiteering, jóbbery.

спекуля́ция II *ж. филос.* speculátion, spéculative, meditátion.

спелена́ть *сов. см.* пелена́ть.

спелео́лог *м.* spéleólogist; спортсмéн-~ pót-hòler *разг.*

спелеол||оги́ческий spèleológical. ~о́гия *ж.* spéleólogy.

спе́л||ость *ж.* rípe:ness. ~ый rípe.

сперва́ *нареч. разг.* at first, fírst:ly.

спервонача́л||а, ~у *нареч. разг.* = сперва́.

спе́реди *нареч. и предл.* (*с пере́дней стороны́*) at / from the front [...-ʌnt]; (*впереди́*) in front; вид ~ front view [...vjuː]; смотре́ть ~ look at the front, take* a front view; он стоя́л ~ he stood in front [...stud...].

спере́ть I *сов. см.* спира́ть.

спере́ть II *сов.* (*вн.*) *разг.* (*укра́сть*) filch (*d.*), pílfer (*d.*), swipe (*d.*), pinch (*d.*), lift (*d.*).

спе́рма *ж. биол.* sperm. ~тозо́ид *м. биол.* spèrmatozó:òn (*pl.* -zòa [-'zouə]).

спермаце́т *м. фарм.* spèrmacéti.

спе́ртый close [-s], stúffy, stífling; ~ во́здух close air.

спеси́в||ец *м.* árrogant / concéited / háughty / lófty pérson [...-'sìːt-...]. ~ость *ж.* árrogance, concéit [-'sìːt], háughtiness, lóftiness. ~ый árrogant, concéited [-'sìːt-], háughty, lófty.

спесь *ж.* árrogance, háughtiness, lóftiness; ◇ сбива́ть ~ с кого́-л. ≅ take* smb. down a peg, cut* smb. down to size.

СПА — СПЕ   С

спеть I (*созрева́ть*) rípen.

спеть II *сов. см.* петь 1, 2, 3.

спе́ться *сов. см.* спева́ться.

спех *м. разг.*: э́то не к ~у there's no húrry.

спец *м. разг.* = специали́ст.

специализ||а́ция *ж.* spècializátion [spe-ʃəlaɪ-]. ~и́рованный *прич. и прил.* spécialized ['spe-].

специализи́ровать *несов. и сов.* (*вн.*) assign a spècializátion [ə'saɪn... speʃə-laɪ-] (to); éarmark for a spécial role [...'spe-...] (*d.*). ~ся *несов. и сов.* (в *пр.*, по *дт.*) spécialize ['spe-] (in).

специали́ст *м.* (по *дт.*, в *пр.*) spécialist ['spe-] (in), éxpèrt (in); в э́той о́бласти он кру́пный ~ he is a great authórity in this field [...-eɪt...fíː-].

специа́льно I *прил. кратк. см.* специа́льный.

специа́льно II *нареч.* spécially ['spe-], espécially [-'pe-]; э́то ~ для вас сде́лано it is done spécially for you.

специа́льн||ость *ж.* spéciality [spe-]; (*профе́ссия*) proféssion; приобрести́ ~ acquíre a proféssion; learn* a trade [lɜːn...] *разг.* ~ый spécial ['spe-], espécial [-'pe-]; со ~ой це́лью with the expréss púrpose [...-s].

специ́фика *ж.* specific cháracter [...'kæ-], spècificity.

специфика́ция *ж.* spècificátion.

специфици́ровать *несов. и сов.* (*вн.*) spécifỳ (*d.*).

специфи́ческий specific.

специфи́чность *ж.* spècificity.

спе́ция *ж. чаще мн.* spice.

спецко́р *м.* (*специа́льный корреспонде́нт*) spécial corréspòndent ['spe-...].

спецо́вка *ж. разг.* = спецоде́жда.

спецоде́жда *ж.* óver:àlls *pl.*, wórking clothes [...-ouðz].

спецподгото́вка *ж.* (*специа́льная подгото́вка*) spécial tráining ['spe-...].

спечь *сов.* (*вн.*) *разг.* bake (*d.*).

спе́чься I *сов. см.* пе́чься I 1.

спе́чься II *сов. см.* спека́ться.

спе́ш||ивать, спе́шить (*вн.*) dismóunt (*d.*). ~иваться, спе́шиться dismóunt. ~ить *сов. см.* спе́шивать.

спеш||и́ть, поспеши́ть 1. húrry, make* haste [...heɪst], hásten ['heɪs'n]; ~ вперёд húrry on, push on [puʃ...]; ~ к кому́-л. на по́мощь hásten to smb.'s help, rush to help smb.; ~ на по́езд be in a húrry to catch *the* train; не ~á léisurely ['leʒ-], unhúrriedly; де́лать не ~á not be in a húrry; take* one's time óver; он ве́чно ~и́т he is álways in a húrry [...'ɔːlwəz...]; не ~и́те уходи́ть don't be in a húrry to leave; you don't need to dash awáy *разг.*; 2. *тк. несов.* (*о часа́х*) be fast; его́ часы́ ~а́т на де́сять мину́т his watch is ten mínutes fast [...'mɪnɪts...].

спеши́ться *сов. см.* спе́шиваться.

спе́шк||а *ж. разг.* húrry, haste [heɪst]; в ~е in a húrry.

спе́шно I *прил. кратк. см.* спе́шный.

спе́шн||о II *нареч.* in haste [...heɪst], hástily ['heɪ-]. ~ость *ж.* húrry, haste [heɪst]. ~ый úrgent, préssing; ~ое де́ло

605

СПИ — СПО

úrgent mátter; ~ый закáз préssing / rush órder; ~ое письмó expréss létter; ~ая пóчта expréss delívery; в ~ом порядке quickly.

спивáться, спи́ться becóme* an invéterate drúnkard, rúin onesélf by drínking, или with drink.

спидóметр м. speedómeter.

спи́кер м. spéaker.

спики́ровать сов. ав. dive, swoop; go* into a pówer dive.

спи́ливать, спили́ть (вн.) 1. saw* down / off / awáy (d.). 2. (напильником) file down (d.).

спили́ть сов. см. спи́ливать.

спин||á ж. back; ~ к ~é back to back; пáдать на ~ý fall* on one's back; плáвать на ~é swim* on one's back; за чьей-л. ~óй (прям. и перен.) behínd smb.'s back; согнýть спи́ну stoop; гнуть спи́ну (пéред; перен.) crínge (befóre), kówtow (to); выгибáть спи́ну (о кошке) arch its back; вéтер нам в спи́ну the wind is at our back [...wɪ-...].

спи́нк||а ж. 1. уменьш. от спина́; 2. (у мебели, одежды) back.

спи́ннинг м. 1. (способ ужения рыбы) spínning; 2. (снасть) spínning rod.

спиннóй spínal; ~ хребéт spínal cólumn, báckbone spine; ~ мозг spínal cord / márrow; ~ плавни́к dórsal fin.

спинномозговóй анат. spínal; ~ая жи́дкость spínal flúid.

спирá́ль ж. spíral; ~ю, по спирáли in a spíral. ~ный spíral, hélical; ~ная пружи́на volúte spring.

спирáнт м. лингв. spírant.

спирáть, сперéть безл. разг.: у негó дыхáние спéрло it took his breath awáy [...breθ...].

спири́т м. spíritist, spíritualist. ~и́зм м. spíritism, spíritualism. ~и́ческий spiritístic, spiritualístic. ~и́ческий сеáнс (spiritualístic) séance (фр.) [...'seɪɑ:ns].

спиритуал||и́зм м. spíritualism. ~и́ст м. spíritualist. ~исти́ческий spiritualístic.

спирóметр м. spirómeter [spaɪə-].

спирохéта ж. бакт. spirocháete [spaɪərəˈkiːt].

спирт м. álcohòl, spírit(s) (pl.); древéсный ~ wood álcohòl [wud...], methýl(ic) álcohòl; нашаты́рный ~ líquid ammónia; денатури́рованный ~ dènátured álcohòl [-'neɪ-...]. ~нóй 1. àlcohólic; ~ны́е напи́тки (àlcohólic) líquor [...-kə] sg., àlcohólic drinks; 2. с. как сущ. àlcohólic drinks pl., spírits pl. ~óвка ж. spírit-lamp. ~овóй spírit (attr.), spírituous.

спиртомéр м. тех. àlcohòlómeter.

списáть(ся) сов. см. спи́сывать(ся).

спис||óк м. 1. list; составля́ть ~ make* a list; ~ избирáтелей vóters' list, eléctoral roll; ~ опечáток erráta pl.; именнóй ~ nóminal list, roll; ~ ли́чного состáва воен. múster-ròll; ~ уби́тых и рáненых cásualty list [-ʒju-...]; ~ поги́бших déath-ròll ['deθ-], list of deaths [...deθs]; ~ уби́тых на войнé roll of hónour [...'ɔnə]; 2. (документ) récord ['re-]; послужнóй ~ воен. sérvice récord.

спи́сывать, списáть 1. (вн. с рд.; копировать) cópy ['kɔ-] (d. from); 2. (вн. у рд.) cópy off (d. from); crib (d. from) разг.; списáть сочинéние у товáрища crib a friend's éssay [...fre-...]; 3. (вн.; записывать в расход) write* off (d.); ~ задóлженность write* off a debt [...det]; ~ устарéлое оборýдование write* off ólsolète equipment; 4.: ~ с корабля́ (вн.) мор. tránsfer / post from a ship [...poust...] (d.). ~ся, списáться 1. (с тв.) exchánge létters [-'tʃeɪ-...] (with); (уславливаться) séttle by létter (with); 2. мор.: ~ся на бéрег leave* ship; 3. страд. к спи́сывать.

спитóй разг.: ~ чай weak tea; ~ кóфе weak cóffee [...-fi].

спи́ться сов. см. спивáться.

спи́хивать, спихнýть разг. (в сторону) push / shove aside [puʃ ʃʌv...] (d.); (вниз) push down (d.); (перен.) get* rid (of), kick out (d.).

спихнýть сов. см. спи́хивать.

спи́ц||а ж. 1. (для вязания) knítting needle; 2. (колеса) spoke; ◇ послéдняя ~ в колесни́це ≅ a tíny cog in the machíne [...-'ʃiːn]; пя́тая ~ в колесни́це fifth wheel of a coach.

спич м. speech, públic addréss ['prʌ-...]; произноси́ть ~ make* / delíver a speech [...-'iː-...].

спи́ч||ечница ж. mátch-bòx. ~ечный match (attr.); ~ечная корóбка mátch-bòx. ~ка ж. match; зажéчь ~ку light* / strike* a match; худóй как ~ка разг. ≅ thin as a rake / tóothpick.

сплав I м. (о лесе) float, flóating; (плотами) ráfting.

сплав II м. тех. állóy.

сплáвить I, II сов. см. сплавля́ть I, II.

сплавля́ть I, **сплáвить** (вн.; о лесе) float (d.); (плотами) raft (d.); (перен.) разг. (отделываться) get* rid (of); send* pácking (d.); ~ лес плотáми raft tímber.

сплавля́ть II, **сплáвить** (вн.; о металлах) állóy (d.).

сплавнóй flóatable.

сплáвщик м. (леса) ráfts;man*, ráfter, tímber-floater.

спланирова́ть I сов. см. плани́ровать I 1.

спланирова́ть II сов. см. плани́ровать II.

сплáчивать, сплоти́ть (вн.) join (d.), raft (d.); (перен.) uníte (d.), rálly (d.); ~ ряды́ close ranks. ~ся, сплоти́ться 1. uníte, rálly; ещё теснéе сплоти́ться (вокрýг) rálly / uníte éven more clósely [...-s-] (round); 2. страд. к сплáчивать.

сплёвывать, сплюнýть 1. (вн.) spit* out (d.). 2. (без доп.) spit*.

сплести́ сов. см. сплетáть и плести́. ~сь сов. см. сплетáться.

сплетáть, сплести́ (вн.) interláce (d.), weave* (d.), plait [-æt] (d.); сплести́ корзи́ну weave* a básket; сплести́ венóк make* a wreath*. ~ся, сплести́сь 1. interláce; 2. страд. к сплетáть.

сплетéние с. interlácing, interlácement; ~ обстоя́тельств còmbinátion of círcumstances; còmplicátions pl.; ~ лжи tíssue of lies; 2. анат. pléxus (pl. -xes); сóлнечное ~ sólar pléxus.

сплéтни||к м., ~ца ж. góssip, tále-tèller, tále-bearer [-bɛə-]; (злостный) scándal-mònger [-mʌ-].

сплéтничать, насплéтничать góssip, títtle-tàttle, tell* tales; (злостно) talk scándal.

сплéтня ж. góssip, títtle-tàttle; (злостная) piece of scándal [pi:s...]; мн. scándal sg.

сплечá нареч. straight from shóulder [...'ʃou-]; (перен. тж.) on the spur of the móment.

сплин м. уст. spleen.

сплоти́ть(ся) сов. см. сплáчивать(ся).

сплохова́ть сов. разг. make* a blúnder, slip up.

сплочéние с. rállying, únity.

сплочённ||ость ж. solidárity, únity, cohésion. ~ый 1. прич. см. сплáчивать; 2. прил. sérried, sólidary, sólid; ~ая пáртия united párty; ~ые ряды́ sérried ranks.

сплошáть сов. см. плошáть.

сплошн||óй contínuous, entíre; (о породе, массе) sólid, compáct; ~ая коллективизáция áll-round / compléte / 100% còllectivizátion [...-vaɪ-]; ~ая мácca sólid mass; ~ лёд sólid ice; íce-field [-fiː-]; ~ лес dense fórest [...'fɔ-...]; ~ страна́ грáмотности a cóuntry of únivèrsal líteracy [...'klʌ-...]; ◇ ~ вздор разг. sheer nónsense; ~óе удовóльствие разг. sheer joy.

сплошь нареч. (целиком, всецело) complétely, entírely; (всюду) évery:whère; (без исключения, только) nóthing but; ~ одни́ цветы́, кáмни и т. п. flówers, stones, etc., évery;whère; a mass of flówers, stones, etc.; nóthing but flówers, stones, etc.; егó лицó бы́ло ~ покры́то морщи́нами his face was cóvered (all óver) with wrinkles [...'klʌ-...]; ◇ ~ да ря́дом мóre óften than not [...-'ɔf(t)'n...], prétty óften ['prɪ-...].

сплутова́ть сов. см. плутова́ть.

сплывáться, сплы́ться разг. run* togéther [...-'ge-], merge, blend.

сплыть сов.: был (была́, бы́ло) да сплыл (сплыла́, сплы́ло) разг. ≅ just came and went, it's all gone for good / ever [...gɔn...]. ~ся сов. см. сплывáться.

сплю́нуть сов. см. сплёвывать.

сплю́снутый разг. = сплю́щенный.

сплю́снуть сов. (вн.) разг. flátten (d.).

сплю́щ||енный прич. и прил. fláttened out. ~ивание с. fláttening.

сплю́щивать, сплю́щить (вн.) flátten (d.). ~ся, сплю́щиться 1. becóme* flat; 2. страд. к сплю́щивать.

сплю́щить сов. см. сплю́щивать и плю́щить. ~ся сов. см. сплю́щиваться.

сплясáть сов. (вн.) dance (d.).

сподви́жн||ик м., ~ица ж. assóciate; (в борьбе за что-л.) féllow-fíghter, féllow-chámpion.

сподóб||ить сов. (вн. + инф.) уст. разг. mánage (+ to inf.), come* (+ to inf.), contríve (+ to inf.); как э́то егó ~ило упáсть с лóшади? how did he mánage to fall from his horse? ~иться сов. (рд., + инф.) уст., разг. be consídered wórthy [...-sɪ-ðɪ] (of, of ger.), be hónoured (with).

сподрýчный разг. hándy, convénient.

спозара́нку *нареч. разг.* very éarly (in the mórning) [...'ə:-...].

спои́ть *сов. см.* спа́ивать I.

споко́йно I *прил. кратк. см.* споко́йный.

споко́йно II *нареч.* quíetly, cálmly ['ka:m-]; чу́вствовать себя́ ~ be éasy in one's mind [...'i:zı...]; день для него́ прошёл ~ (*о больном*) he had a cómfortable day [...'kʌm-...].

споко́й||ный 1. quíet, calm [ka:m], tránquil; (*мирный, безмятежный*) plácid, seréne; ~ное мо́ре calm / tránquil sea; со ~ной со́вестью with a clear cónscience [...-ʃəns]; ~ го́лос calm voice; ~ное настрое́ние calm / éasy mood [...'i:zı...]; ~ная уве́ренность calm cónfidence; ~ больно́й quíet pátient; ~ное рассужде́ние calm réasoning [...-zə-]; ~ной но́чи! good night!; бу́дьте ~ны! don't wórry! [...'wʌl-]; 2. (*уравновешенный*) éasy-témpered ['i:zı-]; (*сдержанный*) compósed; 3. (*удобный*) éasy; ~ное кре́сло éasy chair. ~ствие *с.* 1. calm [ka:m], cálmness ['ka:m-]; quíet, trànquíllity; обще́ственное ~ствие públic trànquíllity / quíet ['pʌl-...]; охраня́ть обще́ственное ~ствие presérve law and órder [-'zə:v...]; сохраня́ть ~ствие и поря́док remáin calm and órderly; 2. (*уравновешенное состояние*) compósure [-'pou-]; душе́вное ~ствие peace of mind; невозмути́мое ~ствие ún:ruffled calm.

споко́н: ~ ве́ку, ~ веко́в *разг.* from time immemórial.

спола́скивать, сполосну́ть (*вн.*) rinse (out) (*d.*).

сполза́ние *с.* slípping down.

сполза́ть, сползти́ 1. slip / work down (к *дт.*; *перен.*) slip (into), fall* awáy (into); 2. *разг.* (*спускаться с трудом*) scrámble down. ~ся, сползти́сь crawl togéther [...-'ge-].

сползти́(сь) *сов. см.* сполза́ть(ся).

сполна́ *нареч.* compléte:ly, in full; де́ньги полу́чены ~ (*надпись на счёте*) recéived in full [-'si:-...]; выпла́чивать (*вн.*) pay* in full (*d.*).

сполосну́ть *сов. см.* спола́скивать.

спо́лохи *мн.* (*ед.* спо́лох *м.*) 1. (*северное сияние*) nórthern* lights [-ðən...]; 2. (*вспышки молнии*) (flashes of) súmmer lightning; (*вспышки света*) flashes.

спонде́йческий [-дэ-] *лит.* sòndá:ic.

спонде́й [-дэ́й] *м. лит.* spóndee.

спонта́нный spòntáneous.

спор *м.* 1. árgument, àrgumèntátion, cóntroversy; горя́чий ~ héated árgument, héated / hot discússion; учёный ~ (scientífic) debáte, àrgumèntátion; бесполе́зный ~ úse:less árgument ['ju:s-...], mere árguing; затева́ть ~ start *an* árgument; вступа́ть в ~ get* into an árgument; 2. *юр.* dispúte; ◇ ~у нет it goes withóut sáying, it stands to réason [...-z'n].

спо́ра *ж. биол.* spore.

споради́ческий sporádic(al).

спора́нгий *м. бот.* sporángium.

спо́рить, поспо́рить 1. (*о пр.*, про́тив *рд.*) árgue (abóut, agáinst), dispúte (abóut, agáinst); (с *тв.*) árgue (with), dispúte (with); ~ о слова́х quíbble óver words; ~ о насле́дстве dispúte a légacy; 2.

(*без доп.; дискутировать*) debáte, discúss; 3. (с *тв.* о *пр.*) *разг.* (*держать пари*) bet (on), wáger (*d.*); ◇ о вку́сах не спо́рят tastes díffer [teɪ-...].

спо́ри́||ться *разг.* (*удаваться*) succéed; (*о работе*) go* on swímming:ly; де́ло не ~ся there is a hitch sóme:where; у него́ всё ~ся évery:thing he does turns out well; he can't put a foot wrong [...ka:nt...fut...] *идиом*.

спо́рн||ость *ж.* debátable:ness. ~ый quéstionable [-stʃən-], dispútable, debátable, árguable, moot; at íssue; ~ый вопро́с íssue, moot point; véxed quéstion [-stʃən...]; ~ый пункт còntrovérsial / árguable point.

спо́ровый *бот.* cryptógamous, cryptogámic.

спороли́стик *м.* = спорофи́лл.

споро́ть *сов. см.* спа́рывать.

спорофи́лл *м. бот.* spórophyl ['spou-].

спорт *м.* sport; гребно́й ~ rówing ['rou-]; ло́дочный ~ bóating; во́дный ~ aquátics *pl.*, aquátic sports *pl.*; лы́жный ~ skíing ['ski:-, 'ʃi:-]; па́русный ~ sáiling (sport); занима́ться ~ом go* in for sport, indúlge in sport.

спорти́вн||ый 1. spórting, àthlétic; ~ые и́гры sports and games; ~ая площа́дка sports ground, pláying-field [-fi:-]; ~ инвента́рь sports kit; sports goods [...gudz] *pl.*; ~ые состяза́ния sports, spórting còmpetítions; ~ зал gymnásium [-z-] (*pl.* -siums, -sia); ~ стадио́н sports stádium (*pl.* -dia); ~ое о́бщество sports socíety; ~ая ба́за sports céntre; 2. (*о внешнем виде*) àthlétic(-looking); ◇ из ~ого интере́са just for the fun of it, just for fun; out of spórting ínterest.

спортсме́н *м.* spórts:man*; ~-разря́дник ráted spórts:man*. ~ка *ж.* spórts:woman* [-wu-]. ~ский spórtsmanlíke.

спорхну́ть *сов. см.* спа́рхивать.

спо́рщ||ик *м.*, ~ица *ж. разг.* debáter, squábbler; (*крикливый*) wrángler; ло́вкий ~ skílful debáter.

спо́рый *разг.* quick; (*успешный*) succéssful, prófitable.

спорынья́ *ж. бот.* érgot, spur.

спо́соб *м.* way, mode; (*метод*) méthod; таки́м ~ом in this way; други́м ~ом in a dífferent way; выраже́ния ма́нner of expréssing òne:sélf; «~ употребле́ния» (*надпись*) "diréctions for use" [...ju:s] *pl.*; механи́ческим ~ом mechánically [-'kæ-]; каки́м бы то ни́ было ~ом by hook or by crook; испро́бовать все ~ы try / test évery póssible means.

спосо́бн||ость *ж. чаще мн.* (к) ability (for), áptitùde (for), fáculty (of, for); capácity (for); ~ к му́зыке áptitùde / tálent for músic [...'tæ-...-zık]; челове́к с больши́ми ~остями pérson of great abílities [...-eıt...]; у́мственные ~ости méntal / intelléctual fáculties; ◇ покупа́тельная ~ (*денег*) púrchasing pówer [-tʃəs-...]; (*населения*) púrchasing capácity; пропускна́я ~ доро́ги capácity of híghway / road. ~ый 1. áble, cléver ['kle-]; (к) gífted ['gı-] (in), cléver (at); ~ый к му́зыке gífted in músic [...-zık]; 2. (на *вн.*) cápable (of); он спосо́бен на всё he is cápable of

ány:thing; 3.: вода́ ~а превраща́ться в пар wáter can be convérted into steam ['wɔ:-...].

спосо́бствовать 1. (чему́-л.) promóte (smth.); fúrther [-ðə] (smth.), fávour (smth.); be condúcive (to); ~ разви́тию промы́шленности fávour the devélopment of índustry; ~ чьему́-л. сча́стью contríbute to, *или* make* for, smb.'s háppiness; 2. (кому́-л. в чём-л.) assíst (smb. in smth.).

спотыкну́ться *сов. см.* спотыка́ться.

спотыка́ние *с.* stúmbling.

спотыка́||ться, споткну́ться (о *вн.*) stúmble (óver); (*перен.*) get* stuck (on); идти́ ~ясь stúmble / stágger alóng; в перево́де он споткну́лся на тру́дном сло́ве in his trànslátion he got stuck on a dífficult word [...-a:n-...].

спохвати́ться *сов. см.* спохва́тываться.

спохва́тываться, спохвати́ться *разг.* remémber / rècolléct / think* súddenly.

спра́ва *нареч.* (от) to the right (of); ~ от него́ to his right, on his right; ~ от трибу́ны to the right of the tríbune.

справедли́в||ость *ж.* 1. jústice; (*беспристрастие*) équity, fáirness; добива́ться ~ости strúggle / fight* for jústice; доби́ться ~ости obtáin jústice; по ~ости (говоря́) in jústice, in (all) fáirness, by rights; jústifiably; ~ тре́бует, что́бы это́ бы́ло сде́лано jústice demánds that it be done [...-a:ndz...]; ~ тре́бует призна́ть, что it should be said in all fáirness that [...sed...]; ~ судьи́ fáirness / impàrtiálity of *a* judge; 2. (*правильность*) truth [-u:θ]; corréctness; ◇ отдава́ть ~ (*дт.*) rénder / do* jústice (to). ~ый 1. (*в разн. знач.*) just; ~ый пригово́р just séntence; ~ый судья́ impártial / fair judge; ~ая война́ just war; ~ый мир just peace; ~ые тре́бования just demánds [...-a:n-]; быть ~ым (к) be just / fair (to); 2. (*правильный*) true, corréct; э́то осо́бенно ~о (для) this is espécially true [...-'pe-...] (of).

спра́вить *сов. см.* справля́ть.

спра́виться I, II *сов. см.* справля́ться I, II.

спра́вк||а *ж.* 1. informátion, réference; наводи́ть ~и in:quíre; (о *пр.*) make* in:quíries (abóut); обраща́ться за ~ой (к; в *вн.*) apply for informátion (to); 2. (*документ*) certíficate; ~ о состоя́нии здоро́вья health certíficate [he-...]; ~ с ме́ста рабо́ты réference.

справля́ть, спра́вить (*вн.*) *разг.* (*праздновать*) célebrate (*d.*); ~ день рожде́ния célebrate one's birthday; ~ сва́дьбу célebrate one's wédding.

справля́ться I, спра́виться (о *пр.*, *осведомляться*) ask (abóut); in:quíre (abóut); ~ в словаре́ look up (*a* word) in *a* díctionary, consúlt *a* díctionary.

справля́ться II, спра́виться (с *тв.*) 1. (*быть в состоянии выполнить*) cope (with); mánage (*d.*); с рабо́той mánage / hándle one's job well; hold* down a job *разг.*; спра́виться со свое́й зада́чей cope with one's task;

СПР — СРА

он не спра́вится с э́тим де́лом he won't be able to cope with it [...wount...]; он не спра́вился со свое́й зада́чей he was not equal to the task at hand; 2. (*быть в состоянии побороть*) mánage (*d.*); *сов. тж.* get* the bétter (of); с ним нелегко́ спра́виться he is difficult to mánage.

справля́ться III *страд. к* справля́ть.

спра́вочн∥ик *м.* réference book; карма́нный ~ pócket réference book, váde-mécum ['veɪdɪ-]; железнодоро́жный ~ ráilway guide; телефо́нный ~ télephone diréctory. **~ый** 1. inːquiry (*attr.*); ~ое бюро́ inːquiry óffice, informátion buréau [...-'rou]; 2.: ~ое изда́ние, ~ая кни́га réference book.

спра́шивать, спроси́ть 1. (*кого́-л. о чём-л.*; *что-л. у кого-л.*) ask (smb. abóut smth.); (*узнавать тж.*) inːquire (of smb., abóut, áfter, for smth.); (*требовать*) demánd [-ɑːnd] (smth. of, from smb.); ~ о чём-л. здоро́вье ask / inːquire áfter smb.'s health [...he-]; ~ себя́ wónder ['wʌn-]; 2. (*вн.*) *желать видеть*) ask (for), want (to see) (*d.*); desíre to speak [-'zaɪə...] (to); 3. (*с рд.*) *разг.* (*требовать ответственности*) make* respónsible (*d.*); с вас бу́дут ~ за э́то you will be respónsible for that; ◇ сли́шком высо́кую це́ну ask an exórbitant price.

спра́шива∥ться, спроси́ться 1. (*у рд.*) ask (smb.'s) permíssion; 2. *тк. несов. безл.* [...-stʃən...]; 3. *безл.* (*с рд.*): за э́то с тебя́ спро́сится you will have to ánswer for that [...'ɑːnsə...].

спрессова́ть *сов. см.* прессова́ть.

спринт *м. спорт.* sprint.

спри́нтер *м. спорт.* spŕnter. **~ский** *прил. к* спри́нтер.

спринцев∥а́ние *с.* sýringing [-ndʒ-]. **~а́ть** (*вн.*) sýringe [-ndʒ-].

спринцо́вка *ж.* 1. (*действие*) sýringing [-ndʒ-]; 2. (*прибор*) sýringe.

спрова́дить *сов. см.* спрова́живать.

спрова́живать, спрова́дить (*вн.*) *разг.* show* out [ʃou...], send* on his way (*d.*); (*отделываться*) get* rid (of).

спровоци́ровать *сов.* (*вн.*) provóke (*d.*).

спроекти́ровать *сов. см.* проекти́ровать I 1.

спрос *м. тк. ед.* 1. *эк.* demánd [-ɑːnd]; (*на вн.*) demánd (for), run (on); вну́тренний ~ home demánd; ~ и предложе́ние demánd and supplý; по́льзоваться больши́м ~ом be in popular demánd, be much in demánd; на това́р есть ~ there is a great demánd for the goods [...-eɪt...gudz]; э́то в большо́м ~e it is in great requést, it is génerally sought áfter; 2.: без ~a, без ~y *разг.* without permíssion; уходи́ть без ~a leave* without permíssion.

спроси́ть *сов. см.* спра́шивать. **~ся** *сов. см.* спра́шиваться 1, 3.

спросо́нок *нареч. разг.* béːing ónly hálf-aːwáke [...'haːf-].

спросо́нья *нареч.* = спросо́нок.

спроста́ *нареч. разг.* 1. ártlessly, with an ópen heart [...hɑːt]; 2. (*без умысла*) without refléction.

спрут *м. зоол.* óctopus.

спры́г∥ивать, спры́гнуть (*с рд.*) jump / leap* off / down (from). **~нуть** *сов. см.* спры́гивать.

спры́скивание *с.* sprínkling.

спры́с∥кивать, спры́снуть (*вн.*) *разг.* 1. sprínkle (*d.*); 2. (*выпивать по случаю чего-л.*) wet (*d.*), célebrate (*d.*); wet the bárgain. **~нуть** *сов. см.* спры́скивать.

спряга́ть, проспряга́ть (*вн.*) *грам.* cónjugate (*d.*). **~ся** *грам.* be cónjugated.

спряже́ние *с. грам.* cónjugation.

спрями́ть *сов. см.* спрямля́ть.

спрямля́ть, спрями́ть (*вн.*) straight (*d.*), stráighten (*d.*); *мат.* réctify (*d.*); ~ ли́нию stráighten a line; ~ путь *ж.-д.* réctify the track.

спрясть *сов. см.* прясть I.

спря́тать(ся) *сов. см.* пря́тать(ся).

спу́г∥ивать, спугну́ть (*вн.*) fríghten off / awáy; scare off / awáy (*d.*). **~ну́ть** *сов. см.* спу́гивать.

спуд *м.*: держа́ть что-л. под ~ом *разг.* ≃ hide* smth.; (*не использовать*) keep* smth. back; вы́тащить, извле́чь из-под ~а *разг.* bring* into the light of day (*d.*).

спуск *м.* 1. (*действие*) lówering ['lou-], háuling down; (*с высоты*) descént; (*корабля на воду*) láunch(ing); (*шлюпки*) lówering. 2. (*откос*) slope; круто́й ~ steep slope; отло́гий ~ gentle / éasy slope [...'iːzɪ...]; 3. (*в оружии*) sear; detént *амер.*; 4. *полигр.* (*формы*) impozition [-'zɪ-]; ◇ не дава́ть ~y кому́-л. *разг.* ≃ give* smb. no quárter.

спуска́ть, спусти́ть (*вн.*) 1. (*опускать*) let* / get* down (*d.*), lówer ['louə] (*d.*), down (*d.*); (*о занавеске и т. п.*) pull / draw* down [pul...] (*d.*); ~ флаг lówer a flag; *мор.* haul down the énsign [...-saɪn]; (*как знак капитуляции*) strike* (the cólours) [...'kʌləz]; 2. (*на воду — о корабле*) launch (*d.*); (*шлюпке*) lówer (*d.*); 3. (*выпускать, освободив от чего-л.*) reléase [-s] (*d.*); ~ с при́вязи únːleash (*d.*); ~ с це́пи únːcháin (*d.*), let* loose [...-s] (*d.*); 4. (*выпускать — о жидкости, воздухе*) let* out (*d.*); (*о жидкости тж.*) drain (*d.*); ~ во́ду из пруда́ drain a pond; ~ во́ду в убо́рной flush a wáter-clóset [...'wɔːtəklɔz-]; 5. *разг.* (*отправлять нижестоящим организациям*) send* down (*d.*), send* out (*d.*); ~ директи́ву send* out a diréctive; 6. (*дт. вн.*) *разг.* (*прощать*) párdon (*i. d.*); она́ ему́ э́того не спу́стит she will make him pay for that; 7. *разг.* (*растрачивать*) squánder (*d.*), díssipate (*d.*); ~ в ка́рты gamble awáy (*d.*); 8. *полигр.* (*о печатной форме*) impóse (*d.*); ◇ ~ куро́к pull the trígger; спусти́ть петлю́ drop a stitch; ~ с ле́стницы *разг.* kick dównstairs (*d.*); спустя́ рукава́ *разг.* in a slípshòd mánner, cáreːlessly; не ~ глаз с кого́-л. (*любоваться*) not take* one's eyes off smb., keep* one's eyes glued on smb.; (*не выпускать из виду*) not let smb. out of one's sight. **~ся**, спусти́ться 1. go* / come* down; (*более торже́ственно*) descénd; (*перен.*; *о ночи, тумане и т. п.*) fall*; ~ся по ступе́нькам go* / come* down the steps; (*более торжественно*) descénd the steps; ~ся по ле́стнице go* / come* dównstairs; у неё на чулке́ спусти́лась петля́ she has láddered her stócking; 2. (*вниз по реке*) go* with the stream, go* down stream; 3. *страд. к* спуска́ть; ~ся с облако́в face reálity [...rɪˈæ-], come* down to earth [...əːθ].

спускн∥о́й *тех.* drain (*attr.*); disːcharge (*attr.*); ~ кран dráin-còck; ~а́я труба́ disːcharge-pipe.

спусково́й trígger (*attr.*), sear (*attr.*); ~ крючо́к (*в оружии*) trígger; ~ механи́зм trígger mechanism [...-kə-]; ~ рыча́г sear.

спусти́ть(ся) *сов. см.* спуска́ть(ся).

спустя́ *предл.* (*вн.*) áfter; láter (*после сущ.*): ~ неде́лю, не́сколько дней áfter a week, a few days; a week, a few days láter; немно́го ~ not long áfter.

спу́т∥анно *нареч.* confúsingly, in a confúsed way. **~ать** *сов.* 1. *см.* спу́тывать; 2. *как сов. к* пу́тать 1, 2, 3, 4. **~аться** *сов.* 1. *см.* спу́тываться; 2. *как сов. к* пу́таться.

спу́тник *м.* 1. compánion [-'pæ-]; (*по путешествию тж.*) féllow-trável(l)er; (*в названиях справочных изданий*) Guide; (*перен.*: *сопутствующее обстоятельство*) conːcómitant; ~ жи́зни hélpmate; 2. *астр.* sátellite; ~ Земли́ Earth sátellite [əːθ...]; иску́сственный ~ Земли́ artifícial Earth sátellite; Spútnik ['spu-].

спу́тниковый sátellite (*attr.*).

спу́тница *ж.* (*по путешествию и т. п.*) (*female*) trávelling compánion [fɪː-...-'pæ-]; ~ жи́зни hélpmàte.

спу́тывать, спу́тать (*вн.*) 1. (*о нитках, волосах и т. п.*) entángle (*d.*), mat (*d.*); 2. (*сбивать с толку*) confúse (*d.*); 3. (*надевать путы*): ~ ло́шадь hobble a horse; ◇ спу́тать чьи́-л. ка́рты ≃ spoil* / rúin smb.'s game; upsét smb.'s plans, или áppleːcàrt; спу́тать чьи́-л. расчёты upsét smb.'s cálculations. **~ся**, спу́таться 1. (*о нитках, волосах и т. п.*) becóme* entángled; 2. *страд. к* спу́тывать.

спьяна́, спья́ну *нареч. разг.* in a state of drúnkenness, in one's cups.

спя́тить *сов. разг.* go* bálmy [...'bɑː-], go* off one's rócker.

спя́чка *ж.* 1. (*у животных*) hibernátion [haɪ-]; 2. *разг.* (*сонливость*) sléepiness, léthargy.

спя́щ∥ий *прич. см.* спать; притворя́ться ~им feign sleep [feɪn...]; ◇ ~ая краса́вица sléeping béauty [...ˈbjuː-].

сраба́тывать, срабо́тать 1. (*вн.*) make* (*d.*); 2. (*производить нужное действие*) work, snap into áction.

сраба́тываться I, срабо́таться (*с тв.*; *о совместной работе*) achíeve hármony in work [əˈtʃiːv...] (with); work well togéther [...-ˈge-] (with).

сраба́тываться II, срабо́таться (*изна́шиваться*) wear* out [wɛə...].

срабо́танность I *ж.* (*согласованность в работе*) hármony in work.

срабо́танность II *ж.* (*изно́шенность*) wear [wɛə].

срабо́тать *сов. см.* сраба́тывать.

сработаться I, II *сов. см.* срабатываться I, II.

сравне́ни‖е *с.* 1. compárison; по ~ю (с *тв.*) in compárison (with), as compáred (with); вне ~я be:yónd compárison; не поддава́ться ~ю be be:yónd compárison; увели́читься на 200% по ~ю с про́шлым го́дом ín:créase 200 per cent against last year [-s...]; 2. (*фигура речи*) símile [-lɪ]; 3.: сте́пени ~я *грам.* degrées of compárison; ◊ не идёт ни в како́е ~ (с *тв.*) it cánnòt be compáred (with).

сра́внивать I, сравни́ть (*вн.* с *тв.*; *сопоставлять*) compáre (d. with); (*уподоблять*) compáre (d. to).

сра́внивать II, сравня́ть (*делать одинаковым*) equal (d. with); сравня́ть счёт *спорт.* équalize / bring* the score lével [...'le-].

сра́внивать III, сровня́ть (*вн.*; *делать ровным*) lével ['le-] (d.); ◊ сровня́ть с землёй raze to the ground (d.).

сравни́м‖ый cómparable; ~ые поня́тия cómparable cóncèpts.

сравни́тельно *нареч.* compárative:ly, in / by compárison.

сравни́тельно-истори́ческий: ~ ме́тод в языкозна́нии *и т. п.* the compárative-históric method in linguistics, *etc.*

сравни́тельн‖ый compárative; ~ ме́тод иссле́дования compárative method of in:quiry; ~ая грамма́тика compárative grammar; ~ая сте́пень *грам.* compárative (degrée).

сравни́ть *сов. см.* сра́внивать I.

сравни́ться *сов.* (с *тв.* в *пр.*) touch [tʌtʃ] (d. in), come* up (with in); никто́ не мо́жет с ним ~ he has no équal.

сравня́ть *сов. см.* равня́ть *и* сра́внивать II.

сравня́ться *сов. см.* равня́ться 1.

сража́ть, срази́ть (*вн.*) 1. slay* (d.), strike* down (d.); (*о болезни*) smite* (d.); 2. (*поражать*) strike* (d.), òver:whélm (d.).

сража́ться, срази́ться 1. (с *тв.*; *вести бой*) fight* (d.); *сов. тж.* join battle (with); 2. (в *вн.*) *шутл.* (*играть с азартом*) play (d.); *несов. тж.* have a game (of); ~ся в ша́хматы play chess.

сраже́ни‖е *с.* battle; вы́игрывать ~ win* *a* battle; прои́грывать ~ lose* *a* battle [lu:z...]; дать ~ give* battle; по́ле ~я báttle:fíeld [-fi:-], field of áction [fi:-...]; генера́льное ~ decísive battle; ~ при Бородине́ the battle of Borodinó.

срази́ть *сов. см.* сража́ть *и* разбить I. ~ся *сов. см.* сража́ться.

сра́зу *нареч.* 1. (*одновременно*) at once [...wʌns]; 2. (*в тот же момент*) right a:wáy; straight a:wáy *разг.*; (*не подумав*) straight off, out of hand; 3. (*рядом*) just; наш ла́герь ~ за ре́чкой our camp is just across the river [...'rɪ-].

срам *м.* shame; ~! for shame!

срами́ть, осрами́ть (*вн.*) shame (d.), put* to shame (d.). ~ся, осрами́ться cóver òne:sélf with shame ['kʌ-...], bring* shame up:ón òne:sélf.

срамн‖**и́к** *м.*, ~**и́ца** *ж. разг.* sháme:less pérson. ~**о́й** *разг.* sháme:less.

сраст‖**а́ние** *с.* àccrétion; (*костей*) knitting; (*кровеносных сосудов, волокон*) inòscula̋tion. ~**а́ться**, срасти́сь accréte, grow* togéther [-ou -'ge-]; (*о костях*) knit*; (*о волокнах, кровеносных сосудах*) inòsculàte; сло́манная кость хорошо́ срасла́сь the bróken bone (has) knítted well*.

сраст‖**и́сь** *сов. см.* сраста́ться. ~**и́ть** *сов. см.* сра́щивать.

сраще́ние *с.* únion; непра́вильное ~ кости vícious únion of *a* bone.

сра́щивание *с.* (*деревянных частей*) jóint-màking, jóinting; (*тросов, проводов*) splicing; (*перен.*) ìnterlócking, fúsing; (*организаций и т. п. тж.*) còaléscence.

сра́щивать, срасти́ть (*вн.*) 1. join (d.), joint (d.); (*перен.*) ìntertwíne, ìntertwíst (d.); 2. (*о костях*) knit* (d.); (*о волокнах, кровеносных сосудах*) inòsculàte (d.); 3. *тех.* (*о проводах, тросах*) splice (d.).

сре́бреник *м.* (*монета*) sílver coin, piece of sílver [pi:s...].

сребри́стый *поэт.* = серебри́стый.

сребро‖**люби́вый** *уст.* móney-lóving ['mʌ- -'lʌv-], gréedy for móney [...'mʌ-]. ~**лю́бие** *с. уст.* greed for móney [...'mʌ-].

сребронóсный *уст.* = серебронóсный.

сред‖**а́** I *ж.* 1. (*окружение*) environ:ment; surróundings *pl.*; milieu (*фр.*) ['mi:ljə:]; окружа́ющая ~ surróundings; (*о природе*) environ:ment; охра́на окружа́ющей ~ы presèrvátion of the environ:ment [-zə-...]; социа́льная ~ sócial environ:ment; в на́шей ~е in our midst, amídst us; подня́ться вы́ше своей ~ы rise* above one's environ:ment; есте́ственная ~ *биол.* hábitàt; 2. *физ.* médium (*pl.* -ia, -ums); преломля́ющая ~ refrácting médium.

среда́ II *ж.* (*день недели*) Wednesday ['wenzdi]; по ~м on Wédnesdays, évery Wédnesday.

среди́ *предл. (рд.)* 1. (*в числе*) amóng, amóngst; amídst (*чаще о чужой, враждебной среде*); ~ его́ книг amóng his books; ~ друзе́й amóng friends [...frendz]; ~ враго́в amídst énemies; ~ нас, вас, них amóng us, you, them; in our, your, their midst. 2. (*посредине, внутри*) in the middle: ~ у́лицы in the middle of the street; ~ ко́мнаты in the middle of the room; — но́чи in the middle of the night; (*поздней но́чью*) in the dead of night [...ded...]; ◊ ~ бéла дня in broad dáylight [...brɔ:d...].

средиземномо́рский Mèditerránean.

среди́н‖**а** *ж.* = середи́на. ~**ный** middle.

сре́дне *нареч. разг.* (*так себе*) míddling, sò-sò.

среднеазиа́тский Céntral Àsiátic [...-ʃɪ-'æ-], Céntral Àsian [...'ʒən].

среднеангли́йский *лингв.* Middle English [...'ɪŋ-].

средневек‖**о́вый** mèdiéval. ~**о́вье** *с.* the Middle Ages *pl.*

среднегодо́в‖**о́й** áverage ánnual; ~ая температу́ра áverage ánnual témperature.

среднекали́берный *воен.* médium(-cálibre).

среднеме́сячн‖**ый** áverage mónthly

СРА — СРЕ С

[...'mʌ-]; ~ая вы́работка áverage mónthly óutpùt [...-put].

среднено́бный *фон.* médiò:pálatal.

среднесу́точн‖**ый** áverage dáily; ~ая добы́ча *горн.* áverage dáily óutpùt [...-put].

среднетехни́ческ‖**ий** 1. *тех.* áverage schédule [...'ʃe-] (*attr.*); ~ая ско́рость áverage schédule speed; 2. (*об образовании*) téchnical sécondary.

среднеязы́чный *фон.* dórsal.

сре́дн‖**ий** 1. *прил.* middle; ~ эта́ж middle stórey; ~ее у́хо *анат.* middle ear; ~ рост médium height [...haɪt]; ~ техни́ческий персона́л médium-lével téchnical pèrsonnél [-le-...]; ~ их лет míddle-áged; ~ член *мат.* mean (*of a ratio*); держа́ться ~его ку́рса fóllow a middle course [...kɔ:s], fóllow a míddle-of-the-road pólicy; 2. *прил.* (*в среднем*) áverage, mean; ~яя вы́работка áverage óutpùt [...-put]; ~яя величина́, ци́фра *и т. п.* mean quántity, númber, *etc.*; ~ за́работок áverage éarnings [...ɜ:n-] *pl.*; 3. *с. как сущ.* ни́же ~его below the áverage [-'lou...]; вы́ше ~его above the áverage; в ~ем on / up:ón the áverage, at an áverage; составля́ть в ~ем 10% áverage 10 per cent; ~ее арифмети́ческое *мат.* àrithmétical mean; ~ее пропорциона́льное *мат.* the mean propórtional; 4. *прил. разг.* (*посредственный*) míddling, áverage; ~ие спосо́бности áverage abílities; удово́льствие из ~их ≅ nothing to write home about; 5. *прил. грам.*: ~ род néuter (génder); ~ зало́г middle voice; ◊ ~ па́лец middle finger, third finger; ~ие века́ the Middle Ages; ~яя исто́рия History of the Middle Ages; ~яя шко́ла sécondary school; high school *амер.*; ~ее образова́ние sécondary èducátion; ~ее специа́льное образова́ние spécialized sécondary èducation; ~ америка́нец *и т. п.* áverage Américan, *etc.*

средосте́ние *с. анат.* mèdiàstínum; (*перен.*) pàrtítion.

средото́чие *с. тк. ед.* fócus.

сре́дств‖**о** I *с.* 1. (*в разн. знач.*) means *sg. и pl.*; 2. (*лекарство*) rémedy; лече́бное ~ rémedy; предохрани́тельное ~ presérvative [-'zə:-]; радика́льное ~ drástic rémedy; ме́стные ~a local resórces [...-'sɔ:s-]; огнево́е ~ *воен.* fire wéapon [...'we-]; ◊ пуска́ть в ход все ~a ≅ leave* no stone ùn:túrned; move héaven and earth [mu:v 'he-...ə:θ] идиом.

сре́дств‖**о** II *с. об. мн.* (*материальный достаток*) means; ~а к существова́нию means of subsistence; livelihood [-hud] *sg.*; жить по ~ам live within one's means [lɪv...]; жить не по ~ам live be:yónd one's means; челове́к со ~ами man* of means; — мне э́то не по ~ам I can't afford it [...kɑ:nt...].

сре́дств‖**о** III *с. об. мн.* (*предмет, совокупность приспособлений*) an ob:géния commùnicátive means; язы́к — ~ обще́ния люде́й lánguage is a means of commùnicátion between people [...pi:-]; ~a ма́ссовой информа́ции mass (informátion) média; ~а обращения эк. means of circulátion; ~а производства means of prodúction; ~а передвижения, перевозочные ~а means of convéyance; ~а сообщения means of mùnicátion; ~а тránспорта tránspòrt facílities.

средь = среди́.

срез м. cut (in / off); (*для микроскопи́ческого ана́лиза*) microscópic séction [maɪ-...].

сре́зать *сов. см.* среза́ть *и* ре́зать 8, 10.

среза́ть, сре́зать (*вн.*) 1. cut* off (*d.*); 2.: ~ сре́зать на экза́мене *разг.* plough (in *an* exàminátion) (*d.*).

сре́заться *сов. см.* среза́ться.

среза́ться, сре́заться 1. *разг.* (*на экза́мене и т. п.*) fail; be ploughed; 2. *страд. к* среза́ть.

сре́зывать(ся) = среза́ть(ся).

срис||ова́ть *сов. см.* срисо́вывать. ~о́вка *ж.* cópying.

срисо́вывать, срисова́ть (*вн.*) cópy ['kɔ-] (*d.*).

срифмова́ть *сов.* (*вн.*) rhyme (*d.*).

сробе́ть *сов. разг.* get* fríghtened, funk.

сровня́ть *сов. см.* сра́внивать III *и* ровня́ть.

сродни́ *нареч.* akín; in relátionship; быть ~ кому́-л. be reláted to smb.

сродни́ть *сов. см.* родни́ть 1. ~ся *сов.* (*с тв.*) become* íntimate (with); (*с коллекти́вом и т. п.*) become* clósely linked [...-s-...] (with); (*свы́кнуться*) get* used [...juːst] (to); ~ся с рабо́той get* the hang of a job.

сро́д||ный (*дт.*, *с тв.*) akín (to), reláted (to). ~ство́ *с.* (*с тв.*) affínity (with), between).

сро́ду *нареч. разг.*: ~ не never in one's life.

срок м. 1. (*определённый моме́нт вре́мени*) date; (*ве́кселя, платежа́ и т. п.*) term; кра́йний ~ the last term / date; к усло́вленному ~у, в ука́занный ~, в ~ in time; by the time fixed, by a spécified date; to time; выполня́ть план до ~а fulfil the plan ahéad of time [ful-...əʹhed...]; ~ аре́нды term of lease [...-s]; ~ платежа́ date / term of páyment; ~ действи́я договора pèriod of validity of *a* tréaty; ~ да́вности *юр.* prescríption, term of lìmitátion; ~ полномо́чий term of óffice; избира́ть ~ом на три го́да eléct for a term of three years; ~ом до двух, трёх *и т. п.* ме́сяцев within two, three, *etc.*, months [...mʌ-...]; э́тот ве́ксель ~ом на три́дцать дней this bill runs thírty days; по истече́нии ~а when the time expíres, at the èxpirátion of the pèriod [...-raɪə-...]; за коро́ткий ~ in a short / brief space of time [...briːf...]; ◇ да́й(те) ~ *разг.* wait a bit, have pátience; give us time; keep your shirt on *идиом*.

сро́сшийся 1. *прич. см.* сраста́ться; 2. *прил. бот.* accréte.

сро́чно I *прил. кратк. см.* сро́чный.

сро́чно II *нареч.* (*бы́стро*) quíckly; (*спе́шно*) úrgently. ~ость *ж.* úrgency; *разг.* (*спе́шка*) húrry. ~ый 1. (*спе́шный*) préssing, úrgent; ~ый зака́з préssing / rush órder; ~ое де́ло úrgent mátter; в ~ом поря́дке quíckly; ~ая телегра́мма expréss télegrám; 2. (*произво́димый в определённый срок*) at a fíxed date; fíxed-dàte (*attr.*); ~ый платёж páyment delívered at a fíxed date [...-ʹlɪ-...]; ~ый вклад depósit accóunt [-z-...]; ~ое донесе́ние *воен.* pèriódic / routíne repórt [...ruːʹtiːn...].

сруб м. 1. félling; продава́ть лес на ~ sell* wood for tímber [...wud...]; 2. (*избы́, коло́дца и т. п.*) fráme(ːwòrk).

сруб||а́ть, сруби́ть (*вн.*) 1. fell (*d.*), cut* down (*d.*); 2. (*стро́ить*) build* (of logs) [bɪld,..] (*d.*). ~и́ть *сов. см.* сруба́ть.

срыв м. derángeːment [-ʹreɪ-], frustrátion; (*неуда́ча*) fáilure; ~ рабо́ты disrúption of work, stóppage; ~ пла́на wrécking / frustrátion of *the* plan; ~ перегово́ров bréakdown of talks [-eɪk-...].

срыва́ть I, сорва́ть 1. (*вн.*) tear* aːwáy [teə...] (*d.*), tear* down (*d.*), tear* off (*d.*); (*о цветке*) pick (*d.*), pluck (*d.*); ~ ма́ску с кого́-л. (*перен.*) únmàsk smb., tear* the mask off smb.; 2. (*вн. на пр.*) *разг.* (*вымеща́ть*) vent (*d.* upːón); ~ зло на ком-л. take* it out on smb.; ~ раздраже́ние на ком-л. vent one's spleen upːón smb.; ~ своё (*дурно́е*) настрое́ние на ком-л. work off one's bad témper on smb.; 3. (*вн.*) *разг.* (*по́ртить, губи́ть*) wreck (*d.*), spoil* (*d.*), frústràte (*d.*), bring* to naught (*d.*); ~ рабо́ту deránge / hámper the work [-ʹreɪ-...]; ~ план rúin / frústràte *a* plan; ~ пла́ны (*вражде́бные и т. п.*) deféat / foil the plans; ~ перегово́ры wreck the talks; ~ забасто́вку break* a strike [breɪk...]; ◇ сорва́ть го́лос strain / lose* one's voice [...luːz...]; сорва́ть банк break* the bank.

срыва́ть II, срыть (*вн.*) lével to the ground [ʹle-...] (*d.*), raze (to the ground) (*d.*).

срыва́ться I, сорва́ться 1. (*с це́пи*) break* loose [-eɪk -s], break* aːwáy; get* aːwáy; 2. (*с пете́ль*) come* únhinged; 3. (*па́дать отку́да-нибудь*) fall*; рабо́чий сорва́лся с ле́сов the wórkːman* fell from *the* scáffolding; 4. *разг.* (*зака́нчиваться неуда́чей*) fall* to the ground, fall* through, fail, miscárry; 5. *разг.* (*утра́чивать самоконтро́ль*) lose* one's témper [luːz...]; 6. *страд. к* срыва́ть I; ◇ сорва́ться с языка́ escápe *one's* lips; у него́ э́то с языка́ сорвало́сь he let it slip; сорва́ться с ме́ста dart off / aːwáy.

срыва́ться II *страд. к* срыва́ть II.

сры́гивать, срыгну́ть *разг.* belch.

срыгну́ть *сов. см.* сры́гивать.

сры́тие *с.* lévelling to the ground, rázing (to the ground).

срыть *сов. см.* срыва́ть II.

сря́ду *нареч. разг.* rúnning: три дня ~ three days rúnning.

сса́дина *ж.* scratch; abrásion.

ссади́ть I, II *сов. см.* сса́живать I, II.

сса́живать I, ссади́ть (*вн.*; *сдира́ть ко́жу, цара́пать*) scratch (*d.*); abráde (*d.*), èxcóriàte (*d.*).

сса́живать II, ссади́ть (*вн.*) 1. (*помога́ть сойти́*) help to alíght (*d.*); сcади́ть ребёнка (*со стола́ и т. п.*) help a child* down; 2. (*выса́живать с по́езда и т. п.*) put* off (*d.*), make* get off (*d.*).

сседа́ться, ссе́сться *разг.* shrink*, be made to shrink (by cóoling, tháwing, etc.).

ссек м. hind shank.

ссе́сться *сов. см.* сседа́ться.

ссо́р||а *ж.* quárrel; начина́ть ~у start a quárrel; быть в ~е с кем-л. be at odds with smb.; они́ в ~е друг с дру́гом they have fáll en out; иска́ть ~ы с кем-л. be spóiling for a fight with smb.

ссо́рить, поссо́рить (*вн. с тв.*) embróil (*d.* with), cause (*d.*) to quárrel (with). ~ся, поссо́риться (с *тв.*) quárrel (with), fall* out (with).

ссо́хнуться *сов. см.* ссыха́ться.

ссу́д||а *ж.* loan; с проце́нтами, проце́нтная ~ (*о вы́данной*) ínterest-béaring loan [-ʹbeə-...]; (*о полу́ченной*) loan on ínterest; беспроце́нтная ~ (*о вы́данной*) loan béaring no ínterest [...ʹbeə-...]; (*о полу́ченной*) ínterest-frée loan; дава́ть ~у кому́-л. accómmodàte smb. with a loan, grant a loan to smb. [-ɑːnt-]; брать ~у take* a loan (from), bórrow (from). ~и́ть *сов. см.* ссужа́ть. ~ный loan (*attr.*); ~ный банк loan bank; ~ный капита́л loan cápital; ~ный проце́нт loan ínterest.

ссужа́ть, ссуди́ть (*вн. тв.*; *дт. вн.*) lend* (*i. d.*); loan (*i. d.*).

ссуту́лить(ся) *сов. см.* суту́лить(ся).

ссу́чивать, ссучи́ть (*вн.*; *о ни́тке*) spin* (*d.*); (*о шёлке тж.*) throw* [-ou] (*d.*).

ссучи́ть *сов. см.* ссу́чивать.

ссыла́ть, сосла́ть (*вн.*) éxile (*d.*), bánish (*d.*).

ссыла́ться I, сосла́ться (на *вн.*) 1. refér (to), allúde (to); (*цити́руя*) cite (*d.*), quote (*d.*); (*призыва́я в свиде́тели*) call to wítness (*d.*); 2. (*опра́вдываться*) plead (*d.*), allége [əʹledʒ] (*d.*); ~ на боле́знь allége / plead íllness; ~ на головну́ю боль plead a héadàche [...ʹhedeɪk].

ссыла́ться II *страд. к* ссыла́ть.

ссы́лк||а I *ж.* (*вид наказа́ния*) éxile, bánishment; в ~е in éxile.

ссы́лка II *ж.* (*указа́ние исто́чника*) réference.

ссы́лочный réference (*attr.*).

ссыльнопоселе́нец м. *ист.* dèportée [diː-] (*convict allowed to live at liberty in a restricted area*).

ссы́льный м. *скл. как прил.* éxile, cónvict.

ссыпа́ние *с.* póuring [ʹpɔː-].

ссы́пать *сов. см.* ссыпа́ть.

ссыпа́ть, ссы́пать (*вн.*) pour [pɔː] (*d.*).

ссы́п||ка *ж.* póuring [ʹpɔː-]. ~ной: ~но́й пункт gráin-collécting státion.

ссыха́ться, ссо́хнуться shrink*; (*коро́биться*) shrível [ʹʃrɪ-].

стабилиз||**а́тор** *м. тех.* stábilizer ['steɪ-]; вертика́льный ~ *ав.* fin; горизонта́льный ~ *ав.* hòrizóntal stábilizer, táil-pláne. ~**а́ция** *ж.* stàbilizátion [steɪbɪlaɪ-]; ~**а́ция** валю́ты stàbilizátion of cúrrency. ~**и́ровать**(**ся**) *несов. и сов.* = стабилизова́ть(ся). ~**ова́ть** *несов. и сов.* (*вн.*) stábilize ['steɪ-] (*d.*). ~**ова́ться** *несов. и сов.* **1.** become* stable; **2.** *страд.* к стабилизова́ть.

стаби́льн||**ость** *ж.* stability. ~**ый** stable; ~**ый** уче́бник stándard téxt-book.

ста́вень *м.* = ста́вня.

ста́вить, поста́вить (*вн.*) **1.** put* (*d.*), place (*d.*), set* (*d.*); ~ в ряд put* in a row (*d.*); ~ цветы́ в во́ду set* the flówers in wáter [...'wɔ:-]; ~ кувши́н на стол stand* the jug on the table; ~ кни́ги на по́лку shelve the books; ~ но́гу на зе́млю plant one's foot* on the earth [-ɑ:nt...fut...ɔ:θ]; ~ па́мятник (*дт.*) eréct, *или* put* up, a mónument (to); ~ телефо́н have a télephone installed; **2.** (*о компрессе, горчи́чнике и т. п.*) apply (*d.*), put* on (*d.*); ~ ба́нки apply cúpping-glásses; ~ кому́-л. термо́метр take* smb.'s témperature; **3.** (*о пьесе и т. п.*) put* on the stage (*d.*), stage (*d.*), prodúce (*d.*); **4.** (*вн. на вн.; в азартных играх*) stake (*d.* on); (*вн.* про́тив) bet (*d.* to); он ста́вит два́дцать рубле́й he stakes twénty roubles [...ru:-]; он ста́вит двадцать рубле́й про́тив пяти́ he'll bet, *или* is wílling to bet, twénty roubles to five; ~ всё на ка́рту (*перен.*) stake one's all; ~ на ло́шадь back a horse; **5.** (*выдвига́ть*) raise (*d.*), put* (*d.*); ~ пробле́му raise a próblem [...'prɔ-]; ~ вопро́с raise a quéstion [...-stʃ-]; ~ пе́ред кем-л. вопро́с (*о пр.*) bring* smb.'s atténtion to the quéstion (of); ~ вопро́с ребро́м put* a quéstion póint-blánk; ~ на голосова́ние put* to the vote (*d.*); ~ вопро́с на обсужде́ние bring* up a quéstion for discússion; ~ усло́вия make* terms, lay* down condítions / terms; **6.** (*счита́ть, полага́ть*): ~ за пра́вило make* it a rule; ~ це́лью make* it one's aim, set* òneself smth. as an óbject; высоко́ ~ кого́-л. think* highly of smb.; ни в грош, ни во что не ~ кого́-л. *разг.* not care, *или* give* a pin / damn, for smb., not give* a brass fárthing for smb., think* little of smb.; **7.** (*дело, работу*) устра́ивать) órganize ⟡ ~ го́лос кому́-л. train smb.'s voice; ~ часы́ set* the clock; ~ по́дпись appénd one's signature; ~ кому́-л. препя́тствия place / put* óbstacles in smb.'s way; ~ кого́-л. в безвы́ходное положе́ние drive* smb. into a córner; ~ в тупи́к be nónplùssed, be at a loss; ~ кого́-л. в нело́вкое положе́ние put* smb. in an áwkward posítion [...-'zɪ-]; ~ пе́ред соверши́вшимся фа́ктом presént with a fait accompli (*фр.*) [-'zent...'feit ɔ'kɔmplɪ]; ~ в необходи́мость compél (*d.*); ~ в изве́стность let* (*d.*) know [...nou], inform (*d.*); ~ что́-л. в вину́ кому́-л. blame smb. for smth., accúse smb. of smth.; ~ кого́-л. в приме́р hold* smb. up as an exámple [...-ɑ:m-]; ~ что́-л. кому́-л. в упрёк repróach

smb. with smth., place the blame for smth. on smb.; ~ часово́го *воен.* post a séntry [poust...]; ~ на посто́й bíllet (*d.*); ~ кого́-л. на коле́ни bring* / force smb. to his knees; ~ в у́гол (*в виде наказания*) stand* in the córner (*d.*); ~ те́сто make* dough [...dou]; ~ диа́гноз (*дт.*) diagnóse (*d.*); ~ реко́рд set* up, *или* créate, a récord [...'re-]; ~ то́чки над «и» dot one's "i's" and cross one's "t's"; ~ на ме́сто кого́-л. put* smb. in his place.

ста́вк||**а I** *ж.* **1.** (*тарифа, налога и т. п.*) rate; ~ зарабо́тной пла́ты wage rate, rate of wáges; тари́фная ~ rate of táriff; ~ проце́нта rate of ínterest; **2.** (*в игре́*) stake; ◊ э́то после́дняя ~ ≅ it is the last throw of the die [...θrou]; де́лать ~у на что́-л., на кого́-л. count on smth., on smb.; (на что.л *тж.*) stake on smth.

ста́вка II *ж. воен.*: ~ главнокома́ндующего Géneral Héadquárters [...'hed-].

ста́вка III *ж.*: о́чная ~ *юр.* cònfrontátion [-frʌn-].

ста́вленник *м.* protégé (*фр.*) ['proute-ʒeɪ].

ста́вня *ж.* shútter.

ставри́да *ж.* hórse-máckerel.

стадиа́льн||**ый** phásic ['feɪzɪk]; by stáges; ~**ое** разви́тие phased devélopment; devélopment by stáges.

стади́йный = стадиа́льный.

стадио́н *м. спорт.* stádium (*pl.* -dia).

ста́дия *ж.* stage; первонача́льная ~ initial stage; по ~м by / in stáges.

ста́дн||**ость** *ж.* herd / grègárious ínstinct. ~**ый** grègárious; ~**ый** инсти́нкт = ста́дность.

ста́до *с.* herd; (*овец, коз, гусей*) flock.

стаж *м.* **1.** length of sérvice; парти́йный ~ length of Párty mémbership; с боевы́м ~**ем** with a récord of áctive sérvice [...'re-...]; **2.** испыта́тельный ~ probátion, probátionary périod; проходи́ть испыта́тельный ~ work on probátion.

стажёр *м.*, ~**ка** *ж.* probátioner.

стажи́ровать, стажи́роваться work on probátion.

стажиро́вка *ж.* probátion périod.

ста́ивать, ста́ять melt (awáy).

ста́йер *м. спорт.* stáyer. ~**ский** *прил.* к ста́йер.

ста́йка *ж. уменьш.* от ста́я.

стака́н *м.* glass.

стакка́то *нареч. муз.* staccáto [-'kɑ:-].

сталагм||**и́т** *м. мин.* stálagmìte. ~**овый** *прил.* к сталагми́т.

сталакт||**и́т** *м. мин.* stáláctìte. ~**овый** *прил.* к сталакти́т.

сталебето́н *м.* stéel-àggregate grànolíthic cóncrète [...-nk-].

сталева́р *м.* steel fóunder / máker.

сталелите́й||**ный**: ~ заво́д steel mill / fóundry / works. ~**щик** *м.* steel fóunder.

сталепла́ви́льн||**ый**: ~**ая** печь stéel-smèlting fúrnace.

сталепрока́тный: ~ стан stéel-ròlling mill.

ста́лкивать, столкну́ть (*вн.*) **1.** push off / awáy [puʃ...] (*d.*); ~ ло́дку в во́ду push the boat into the wáter

[...'wɔ:-]; столкну́ть с ме́ста push off (*d.*); **2.** (*заставля́ть уда́риться*) knock togéther [...-'ge-] (*d.*); (*перен.*) cause a clash (betwéen); столкну́ть кого́-л. лба́ми knock smb.'s heads togéther [...hedz...]; (*перен.*) set* smb. at lóggerheads [...-hedz]; **3.** *разг.* (*вместе*) bring* togéther (*d.*); обстоя́тельства сно́ва столкну́ли их círcumstances brought them togéther.

ста́лкиваться, столкну́ться 1. (*с тв.*) collíde (with), come* into collísion (with); (*перен.: неожиданно встречаться*) run* (into); bump (into); (*перен.: вступа́ть в противоре́чие, конфли́кт*) *разг.* clash (with), conflíct (with); автомоби́ли столкну́лись the cars collíded; мы вчера́ случа́йно столкну́лись we ran into each other yésterday [...-dɪ]; вам не раз придётся ~ с э́тим явле́нием you will come acróss this phenómenon more than once [...wʌns], you will quite óften encóunter this kind of thing [...'ɔ:f(t°)n...]; интере́сы их столкну́лись their interests clashed; **2.** *страд.* к ста́лкивать.

сталь *ж.* steel; нержаве́ющая ~ stáinless steel; закаля́ть ~ témper / hárden steel. ~**но́й** steel (*attr.*); (*перен.*) íron ['aɪən]; ~ **но́й** цвет stéel-blue; ~**на́я** во́ля íron will; ~**ные** не́рвы nerves of steel, íron nerves.

стаме́ска *ж. тех.* chísel ['tʃɪz-].

стан I *м.* (*туловище*) fígure, státure; то́нкий ~ slénder waist.

стан II *м.* (*лагерь*) camp; полево́й ~ field-càmp ['fi:-]; **2.** (*вою́ющая, борю́щаяся сторона́*) camp; переходи́ть в ~ врага́ go* óver to the énemy.

стан III *м. тех.* mill; прока́тный ~ rólling-mìll; трубопрока́тный ~ tube mill; листопрока́тный ~ plate / sheet mill.

станда́рт *м.* **1.** stándard; **2.** (*шаблон, трафарет*) cliché (*фр.*) ['kli:ʃeɪ], stéreotỳpe; stock tricks *pl.* ~**иза́ция** *ж.* stàndardizátion [-daɪ-]. ~**изи́ровать**, ~**изова́ть** *несов. и сов.* (*вн.*) stándardize (*d.*). ~**ный** stándard; ~**ные** дома́ stándard hóuses; prèfábricated hóuses.

стани́на *ж. тех.* bed (plate); бокова́я ~ side (plate), cheek; ~ лафе́та cheek, *или* side plate, of gún-càrriage [...-rɪdʒ].

станио́ль *м. тех.* tin foil.

стани́ца I *ж.* (*селение*) stanítsa (*large Cossack village*).

стани́ца II *ж. уст.* (*ста́я птиц*) flock.

стани́чник *м.* inhábitant of stanítsa. ~**ный** stanítsa (*attr.*).

станко́в||**ый 1.** *иск.*: ~**ая** жи́вопись éasel páinting ['i:z-...]; **2.** *воен.*: ~ пулемёт héavy machíne-gùn ['he- -'ʃi:n-].

станкостроéние *с.* machíne-tool constrúction [-'ʃi:n-...].

станкострои́тельн||**ый** machíne-tool [-'ʃi:n] (*attr.*); ~**ая** промы́шленность machíne-tool índustry.

станови́ться I, стать 1. (*встава́ть, занима́ть место*) stand*, take* one's stand; ~ на коле́ни kneel*; ~ на цы́почки stand* on típtòe; ~ на стул get* on a chair; ~ в о́чередь

СТА — СТА

stand* in a queue / line [...kju:...], queue (up); ~ на учёт be / get* régistered; ~ в позу strike* an áttitude; ~ на чью-л. сторону take* smb.'s side, side with smb., stand* up for smb.; 2. (располагаться): ~ лагерем camp, encámp; ~ на якорь ánchor ['æŋkə], come* to ánchor; 3. тк. сов. (остановиться) stop; часы стали the watch has stopped; река стала the river has frózen óver [...'гɪ-...], the river is ice-bound; ◊ за чем дело стало? what's hólding mátters / things up?; what's the hitch? разг.; за ним дело не станет he has no objéction.

становиться II, стать 1. (тв.; делаться) becóme*, get*, grow* [-ou]; стать учителем becóme* a téacher; становится холодно it is gétting cold; становится темно it is grówing dark [...-ou...]; мне становится жарко, холодно I'm féeling hot, cold; всем стало скучно éverybody was / felt bored; ~ подозрительным becóme* suspícious; больному становится всё хуже the pátient is gétting worse and worse; ~ жертвой кого-л., чего-л. fall* a víctim / prey to smb., to smth.; 2. тк. сов. безл.: его не стало he has passed awáy, he is no more; ◊ во что бы то ни стало at any price, at all costs; стало быть вводн. сл. разг. (итак) so, thus [ð-]; (следовательно) thérefòre, cónsequently; it fóllows that.

становище с. camp; ~ кочевников nómad camp ['nɔ-...].

становлени|e с. филос. formátion; в процессе ~я in the máking.

станово́й I: ~ пристав ист. dístrict sùperinténdent of políce [...-'li:s-].

становой II: ~ хребет (перен.) báckbone, main suppórt.

стан|о́к м. 1. тех. lathe [leɪð]; (металлорежущий) machíne-tool [-'ʃi:n-], machíne [-'ʃi:n]; ткацкий ~ (wéaving-)loom; печатный ~ prínting-press; токарный ~ lathe; револьверный ~ túrret lathe; фрезерный ~ mílling machíne; строгальный ~ plánner; 2. воен. (оружия) móunt(ing); прицельный ~ áiming rest; ~ лафета bódy of gún-càrriage ['bɔ-... -rɪdʒ]; пулемётный ~ machíne-gùn mount [-'ʃi:n-...].

станочни|к м., ~ца ж. machíne-óperàtor [-'ʃi:n-].

станcы мн. лит. stánzas.

станционный státion (attr.); ~ зал wáiting-room.

станци|я ж. (в разн. знач.) státion; узловая ~ ж.-д. ráilway júnction; конечная ~ términal (státion); términus (pl. -nuses, -ni); товарная ~ ж.-д. goods státion [gudz...]; сортировочная ~ ж.-д. márshalling yard; заправочная ~ авт. sérvice / fílling státion; ~ техобслуживания авт. sérvice státion; ~ снабжения воен. ráilhead [-hed]; начальник ~и státion-màster; электрическая ~ pówer plant [...-ɑːnt]; гидроэлектрическая ~ hýdro-eléctric pówer státion; опытная ~ с.-х. expériment státion; телефонная ~

telephòne exchánge [...-'tʃeɪ-]; орбитальная научная (пилотируемая) ~ manned órbital devélopment, или órbiting space, státion; ský:làb амер.

ста́пел|ь м. мор. búilding slip(s) ['bɪ-...] (pl.); stocks pl.; на ~e on the stocks; корабль сошёл со ~ей the ship came off the stocks.

стапливать, стопить (вн.) fuse (d.); melt (d.).

стаптывать, стоптать (вн.) wear* down at the heels [weə...]. ~ся, стоптаться 1. (об обуви) be down at heel; 2. страд. к стаптывать.

стара́ни|e с. endéavour [-'de-], éffort; (усердие) díligence; прилагать все ~я (+ инф.) make* / exért / strain évery éffort (+ to inf.), do one's útmòst (+ to inf.), do one's best (+ to inf.).

стара́тель м. (на золотых приисках) (gold) próspector, góld-dìgger.

стара́тельн|о нареч. разг. with àpplicátion, with àssidúity, stúdiously; assíduously; (с усердием) with díligence, díligently, zéalously ['ze-]. ~ость ж. àpplicátion; àssidúity; (усердие) díligence, páinstàkingness [-nz-]. ~ый assíduous; (усердный) díligent, páinstàking [-nz-].

старáться, постарáться endéavour [-'de-]; (пытаться) try; seek*; ~ изо всех сил разг. ≅ do one's útmòst [...-mou-]; try / do one's best; ~ впустую waste one's éfforts [weɪst...]; ≅ mill the wind [...wɪ-] идиом.; beat* the air идиом.; постарайтесь (+ инф.) see if you can (+ inf.); ~ выиграть время try to gain time, или témporize; play for time идиом. разг.

старейшина м. ист. élder; ◊ Совет старейшин Cóuncil of Élders (of the USSR Supréme Sóviet).

старе́ние с. áging.

старе́ть, постареть, устареть 1. при сов. постареть grow* old [-ou...], age; advánce in age / years; постареть на десять лет put* on ten years; 2. при сов. устареть becóme* out of date.

ста́рец м. 1. old man*, áged man*; 2. церк. élder.

стари́к м. old man*. ~а́шка м. (little) old man* / chap. ~о́вский прил. к старик.

старин|á I ж. тк. ед. 1. (о времени) old times pl.; àntíquity; в ~ý in old times, fórmerly; in the old days; 2. (старинные вещи) àntíquities pl., àntíque(s) [-i:k(s)] (pl.); любитель ~ы lóver of the àntíque ['lʌ-...].

старина II м. разг. (обращение) old man / boy / chap / féllow.

старинк|а ж.: по ~e in / áfter the old way / fáshion / mánner; держаться ~и keep* up the old cústoms.

стари́нн|ый (древний) àntíque [-i:k], áge-òld; (давнишний) old; (старомодный) óld-fáshioned; ~ая мебель àntíque fúrniture; ~ замок áncient cástle; ~ друг old friend [...frend]; ~ обычай áge-òld / tíme-hònoured cústom [-ɔnəd...]; ~ метод old méthod.

стари́|ть, состарить (вн.) make* old (d.), make* look old (d.), age (d.); эта шляпа ~т её this hat makes her look older (than she is); горе преждевременно состарило его sórrow has aged him

prèmatúrely. ~ться, состариться grow* old [-ou...], age.

ста́рица I ж. церк. áged nun.

ста́рица II ж. (старое русло реки) fórmer ríver-bèd [...'rɪ-].

стари́ч|о́к м. little old man*. ~ова́тый óldish.

старове́р м. (старообрядец) óld-believer [...-'li:-].

старода́вний áncient ['eɪn-].

старожи́л м. old résident [...-zɪ-]; óld-tìmer амер.

старозаве́тн|ый 1. (о человеке) óld-fáshioned, consérvative; 2. неодобр. (устарелый) old, àntiquàted; ~ые взгляды àntiquàted views [...vju:z].

старомо́дн|ость ж. outmódedness, óld-fáshionedness. ~ый outmóded, óld-fáshioned, óut-of-dàte; ~ый человек óld-fáshioned pérson.

старообра́зный óld-lóoking.

старообря́д|ец м. óld-believer [-li:-]. ~чество с. рел. Old Belíef [...-'li:f].

старопеча́тн|ый ист. ~ые книги books públished in Rússia befòre the 18th céntury [...'rʌ-...-ʃə-...].

старорежи́мный of the old règíme [...reɪ'ʒi:m].

старосве́тский уст. óld-fáshioned, óut-of-dàte; óld-time (attr.), óld-wòrld (attr.).

старославя́нский лингв. Old Slavónic; ~ язык the Old (Church) Slavónic lánguage.

ста́роста м. 1. (административно-должностное лицо) head [hed]; sénior(man*); сельский ~ ист. stárosta, víllage élder / héadman* [...'hed-]; церковный ~ chúrchwàrden; 2. (выборное лицо): ~ класса mónitor; ~ курса course léader [kɔːs...], sénior stúdent of year; ~ кружка́ sénior mémber of a círcle, или stúdy group ['stʌ-...-uːp].

ста́рост|ь ж. old age; на ~и лет, под ~ in one's old age; умереть в глубокой ~и die at a great / ripe age [...greɪt...]; дожить до глубокой ~и live to a vénerable age [lɪv...], live to be véry old.

старт м. 1. start; ав. táke-òff; давать ~ start; брать, взять хороший ~ make* a good start; 2. (место) stárting line, start; на ~! спорт. on your marks!

ста́ртер I м. тех. stárter.

ста́ртер II м. спорт. stárter.

стартова́ть несов. и сов. start; ав. take* off; (перен.: начинаться) ópen, start.

ста́ртовый 1. спорт. stárting (attr.); ~ пистолет stárting / stárter's pístol; 2. ав. láunching (attr.).

стару́|ха ж. old wóman* [...'wu-], old lády, ~шечий óld-wómanish [-'wu-]; of an old wóman [...'wu-]; ánile ['eɪn-]. ~шка ж. (little) old lády, old wóman* [...'wu-], old dame.

ста́рческий sénile ['si:-].

старшекла́ссник м. sénior púpil.

старшеку́рсник м. sénior stúdent.

ста́рш|ий 1. прил. (по годам) élder; (из всех) óldest, éldest, sénior; ~ брат élder bróther [...'brʌ-]; ~ сын éldest son [...sʌn]; в ~их классах (школы) in the hígher forms; 2. прил. (по положению) sénior; ~ врач head physician [hed -'zɪ-]; ~ научный сотрудник sénior reséarch wórker [...-'sɜːtʃ...]; 3. м. как сущ. (начальник) chief [tʃiːf]; man* in charge; кто здесь ~? who is in charge here?; 4. мн. как сущ. (взрослые) one's élders; уважать ~их респéct one's élders.

старшина́ м. 1. уст. fóre⫶man*; 2. воен. sérgeant-májor ['sɑːdʒənt-]; máster sérgeant [...'sɑːdʒənt] амер.; мор. pétty ófficer; ◊ ~ дипломатического кóрпуса dóyen of the diplomátic corps [...'dwaɪæ⫶ŋ ...kɔː].

старшинств||о́ с. seniórity; по ~ý by seniórity, by right of seniórity.

ста́р||ый 1. прил. (в разн. знач.) old; ~ друг лучше но́вых двух посл. an old friend is worth two new ones [...frend...]; 2. прил. (дре́вний) áncient ['eɪn-]; 3. с. как сущ. the old, the past; принима́ться за ~ое fall* back into one's old ways; кто ~ое помя́нет, тому́ глаз вон посл. ≅ let bý⫶gones be bý⫶gones [...-goʊ...]; 4. мн. как сущ. (старики́) the old; ~ые и ма́лые the young and the old [...jʌŋ...]; ◊ Ста́рый свет the Old World; ~ стиль old style (Julian calendar); по ~ой па́мяти ≅ for old times' sake; (по привы́чке) by force of hábit; ~ая де́ва old maid, spínster.

старьё с. тк. ед. собир. разг. old things / clothes [...kloʊ-] pl., old stuff; old junk амер.

старьёвщ||ик м. óld-clòthes man* / déaler [-kloʊ-...]; júnk⫶man* амер. ~ица ж. óld-clòthes wóman* [-kloʊ- 'wʊ-].

ста́скивать, стащи́ть (вн.) drag / pull off / down [...pʊl...] (d.).

стасова́ть сов. см. тасова́ть.

ста́тика ж. státics.

стати́ст м. театр. súper, éxtra.

стати́ст||ик м. statistícian. ~ика ж. statistics pl.; ~ика рожда́емости и сме́ртности vítal statístics. ~и́ческий statístic(al); ~и́ческие да́нные statístical dáta; Центра́льное ~и́ческое управле́ние Céntral Statístics Board.

стати́стка ж. театр. súper, éxtra.

стати́ч||еский státic(al). ~ность ж. státic cháracter [...'kæ-].

ста́тн||ость ж. státe⫶liness. ~ый státely.

ста́тор м. эл. státor.

ста́точн||ый: ~ое ли де́ло? уст. разг. can it be?, how could it be?

статс-да́ма ж. ист. lády-in-wáiting.

ста́тский уст. 1.: ~ сове́тник cóuncillor of State (rank in civil service in tsarist Russia); 2. = шта́тский.

статс-секрета́рь м. 1. Sécretary of State; 2. ист. high-ránking court official [...kɔːt...].

ста́тус м. юр. státus.

ста́тус-кво́ м. нескл. státus quo.

стату́т м. юр. státute.

стату́этка ж. statuétte, figurine [-riːn].

ста́туя ж. státue.

ста||ть I сов. (+ инф.; нача́ть) begín* (+ to inf.); come* (+ to pass. inf.); он ~л чита́ть, писа́ть he begán to read, to write; вопро́с ~л рассма́триваться the quéstion came to be consídered [...-stʃən...-sɪ...]; он ~л заду́мываться he fell to bróoding / móping; он ~л

пить he took to drink; ◊ я бы не ~л тебя́ беспоко́ить, е́сли бы не I wouldn't have disturbed you but for.

стать II, III сов. см. станови́ться I, II.

стат||ь IV ж. разг.: с како́й ~и? for what réason? [...-z-]; с како́й ~и он бу́дет э́то де́лать? why should he do it?; быть под ~ (дт.) be a match (for); она́ ему́ под ~ she is a match for him, they are well mátched; ему́ не под ~ так себя́ вести́ it does not become him to beháve like this.

ста́ться чаще безл. become*; (приключи́ться) háppen: что с ним ста́лось? what has become of him?; мо́жет ~, что э́то мо́жет happen that; (вполне́) мо́жет ~ it is (quite) póssible / próbable.

статья́ ж. 1. árticle; передова́я ~ léading árticle, léader, editórial; 2. фин. ítem; прихо́дная ~ crédit ítem; 3. (докуме́нта) ~ зако́на árticle of law; 4. (осо́бенность фигу́ры, те́ла, чаще о живо́тных) point; 5. (разря́д, гру́ппа) class, ráting; матро́с пе́рвой статьи́ able séa⫶man*; ◊ э́то осо́бая ~ that is another mátter.

стафилоко́кк м. бакт. stàphylocóccus (pl. -cócci).

стаха́нов||ец м., ~ка ж. Stakhánovite. ~ский: ~ское движе́ние Stakhánovite móvement.

стациона́р м. 1. pérmanent estáblishment; 2. (лече́бное учрежде́ние) hóspital. ~ный 1. (не изменя́ющийся) státionary; 2. (постоя́нный) pérmanent, fixed; ~ная библиоте́ка pérmanent líbrary [...'laɪ-]; 3.: ~ный больно́й ín-pàtient, hóspital pátient.

стационе́р м. мор. státion / guard ship.

стача́ть сов. см. тача́ть.

ста́чечн||ик м. stríker. ~ый strike (attr.); ~ый комите́т strike committee [...-tɪ].

ста́чивать, сточи́ть (вн.) grind* off (d.). ~ся, сточи́ться 1. grind* off; 2. страд. к ста́чивать.

ста́чк||а I ж. (забасто́вка) strike; всео́бщая ~ géneral strike; полити́ческая ~ polítical strike; экономи́ческая ~ económic strike [iːk-...]; устра́ивать ~у strike*, go* on strike, come* out; руководи́ть ~ой condúct a strike; свобо́да ста́чек fréedom to strike; разгоня́ть ~у disrúpt a strike; ~ распространи́лась (на вн.) охвати́ла (вн.) the strike móve⫶ment has spread [...'muː-... spred] (to / óver).

ста́чк||а II ж. разг. (сго́вор): войти́ в ~у (с тв.) come* to terms (with).

стащи́ть сов. 1. см. ста́скивать; 2. (вн.) разг. (укра́сть) filch (d.); pinch (d.); swipe (d.).

ста́я ж. (о пти́цах) flock, flight; (о ры́бах) run, school, shoal; (о соба́ках, волка́х) pack.

ста́ять сов. см. ста́ивать.

ствол м. 1. (де́рева) trunk, stem, bole; 2. (ору́жия) bárrel; (оруди́йный тж.) gun tube; 3. (часть ша́хты) mine shaft; 4. анат. tube, pipe. ~ово́й м. скл. как прил. горн. háng⫶er-ón (pl. háng⫶ers-), cáger.

створ м. range [reɪ-], alígnment [ə'laɪn-]; приводи́ть в ~ bring* in range.

ство́рка ж. leaf*, fold.

створо́житься сов. curdle.

ство́рчатый fólding, hinged.

стеари́н м. stéarin ['stɪə-]. ~овый stéarin ['stɪə-] (attr.); ~овый заво́д stéarin works; ~овая свеча́ stéarin candle.

сте́бель м. stem, stalk. ~ный бот. caulescent.

стебе́льчатый: ~ шов féather stitch ['fe-...].

стёганка ж. разг. quílted jácket.

стёган||ый quílted, wádded; ~ое одея́ло quilt.

стега́ть I, вы́стегать (вн.; об одея́ле и т. п.) quilt (d.).

стега́ть II, вы́стегать, отстега́ть, стегну́ть (вн.; хлеста́ть) whip (d.), lash (d.).

стегну́ть сов. см. стега́ть II.

стёжка I ж. (шов) quílting.

стёжка II ж. разг. (тропи́нка) páthway.

стежо́к м. stitch.

стезя́ ж. path*, way.

стек [стэк] м. ríding-cròp.

стека́ть, стечь flow (down) [-oʊ...], stream down; (ка́плями, стру́йками) tríckle down. ~ся, сте́чься (о пото́ках) flow togéther [-oʊ -'ge-]; (перен.; о лю́дях) gáther, throng.

стеклене́ть, остеклене́ть (о глаза́х) become* glássy / dull.

стекл||о́ с. glass; собир. the glass; glásswàre; око́нное ~ (window-)pàne; (стекло́ для о́кон) window-glàss; зерка́льное ~ plate glass; зелёное ~ green glass; ла́мповое ~ lamp-chímney; увеличи́тельное ~ mágnifying glass / lens [...-nz], mágnifier; часово́е ~ watch-glàss, watch-crýstal; стёкла очко́в lénses, glásses; пере́днее ~ (автомоби́ля) windscreen ['wɪ-]. ~ва́рение с. glass manufácturing. ~ви́дный 1. glássy; 2. анат. hýaline, hýaloid; ~ви́дное те́ло hýaloid (mémbrane).

стеклаволокно́ с. glass fíber / fibre.

стеклогра́ф м. (print) cóllotỳpe press.

стеклографи́ровать несов. и сов. print on cóllotỳpe press.

стеклогра́фия ж. (print) cóllotỳpe.

стеклоду́в м. glàss-blówer [-oʊə].

стеклопла́стики мн. (ед. стеклопла́стик м.) gláss-fibre plástics.

стёклышко с. 1. уменьш. от стекло́; 2. (кусо́чек стекла́) bit / frágment of glass; ◊ как ~ чист clean as a new pin; че́стен, как ~ hónest as the day is long ['ɒn-...]; трезв, как ~ sóber as a judge.

стекля́нн||ый glass (attr.); ~ая дверь glass door [...dɔː]; ~ые изде́лия това́р glásswàre, gláss-wòrk; ~ая бума́га gláss-pàper.

стекля́рус м. собир. bugles pl.

стекля́шка ж. разг. piece of glass [piːs...].

стеко́льн||ый glass (attr.); vítreous; ~ заво́д gláss-wòrks, gláss-fáctory; ~ая промы́шленность glass índustry. ~щик м. glázier, gláss-cùtter.

стели́ть(ся) = стла́ть(ся).

стелла́ж м. shélving; shelves pl.

СТЕ — СТИ

стéль‖**ка** *ж.* ínsòle, ínner sole, sock; ◇ пьян как ~, в ~у пьян *разг.* ≅ drunk as a cóbbler, *или* as a lord.

стéльная ~ корóва cow with calf.

стемнéть *сов. см.* темнéть II.

стен‖**á** *ж.* (*в разн. знач.*) wall; капитáльная ~ main wall; гóлые стéны bare walls; обносúть ~óй (*вн.*) wall in (*d.*); ◇ жить в ~é с кем-л. be close néighbours with smb. [...klous...]; припéреть когó-л. к ~é ≅ drive* smb. into a córner, back smb. against the wall; быть припёртым к ~é ≅ have one's back against the wall; be at bay; в четырёх ~áх within four walls [...fɔ:...]; в ~áх университéта within the précincts of the ùnivérsity [...'prɪ-...]; у стен Москвы́ at the walls of Móscow; лезть нá ~у *разг.* ≅ be besíde òne:sélf; go* into a frénzy; у стен есть ýши walls have ears.

стенá *с. уст.* gróan(ing), móan(-ing). ~**ть** *уст.* groan, moan.

стенгазéта *ж.* (стеннáя газéта) wall néwspàper.

стенд [стэ-] *м.* 1. stand; 2. *тех.* (*устанóвка для испытáния машúн*) test bench.

стéнк‖**а** *ж.* 1. wall; гимнастúческая ~ wáll-bàrs *pl.*, ríb-stàlls *pl.*; 2. (*сосýда и т. п.*) side, wall; 3. *мор.* séa-wáll; ◇ постáвить когó-л. к ~е *разг.* shoot* smb.

стенн‖**óй** (*в разн. знач.*) wall (*attr.*), múral; ~áя жи́вопись múral páinting; múrals *pl.*; ~áя газéта wall néwspàper; ~ы́е часы́ clock *sg.*; ~ шкаф wáll-cùpboard [-kʌbəd], búilt-in cúpboard ['bɪlt- 'kʌbəd].

стенобúтный *ист.* báttering; ~ тарáн báttering-ràm.

стеногрáмм‖**а** *ж.* shórt:hànd récord / repórt [...'re-...], vèrbátim repórt [-'beɪ-...]; расшифровáть ~у read* shórt:hànd back.

стеногрáф *м.* stènógrapher. ~**úровать** *несов. и сов.* (*вн.*) take* down (in) shórt:hànd (*d.*). ~**úст** *м.*, ~**úстка** *ж.* stènógrapher, stènógraphist; ~**úческий** stènográphic(al); shórt:hànd (*attr.*).

стеногрáфи‖**я** *ж.* stènógraphy, shórt:hànd; пóльзоваться ~ей use shórt:hànd.

стенóз *м. мед.* stenósis.

стенокардúя *ж. мед.* stènocárdia.

стéнопись *ж. тк. ед.* múral páinting.

стéньга *ж. мор.* tópmàst.

степéнн‖**о** *нареч.* gráve:ly; выступáть ~ advánce with méasured steps [...'meʒ-...]. ~**ость** *ж.* stáidness, sedáteness. ~**ый** staid, sedáte.

стéпен‖**ь** *ж.* 1. degrée, extént; в дóлжной ~и to the right degrée, sufficiently; не в мáлой ~и to (a) no(t) inconsíderable degrée; to no small degrée; в ещё большей ~и to an éven gréater degrée [...-eɪtə...]; до послéдней ~и to the last degrée / extént; до нéкоторой, до извéстной ~и to some extént, to a cértain extént / degrée; до какóй ~и? to what extént?; до

такóй ~и to such an extént, to such a degrée; до такóй ~и совершéнства to such a degrée of perféction; 2. *грам.*: ~и сравнéния degrées of compárison; положúтельная, сравнúтельная, превосхóдная ~ pósitive, compárative, supérlative degrée [-zɪ-...]; 3. *мат.* pówer; возводúть во вторую, трéтью ~ raise to the sécond, third pówer [...'se-...]; 4. (*учёное звáние*) (àcadémic) degrée; ~ дóктора dóctorate, dóctor's degrée; ~ кандидáта наýк cándidate's degrée; присуждáть учёную ~ (*дт.*) confér a degrée (on); awárd / grant a degrée [...-ɑ:nt...] (*и.*); ◇ пéрвой, вторóй ~и (*об órdене*) First, Sécond Class.

степнóй *прил. к* степь.

степня́к *м.* 1. inhábitant of steppe régions [...step...]; 2. (*порóда лошадéй*) breed of steppe horse.

степь *ж.* steppe [step].

стéр‖**ва** *ж. бран.* stínker. ~**венéть**, остервенéть *разг.* become* fúrious, get* mad.

стервя́тник *м. зоол.* Egýptian vúlture; (*перен.*: *о врáжеском самолёте*) cárrion crow [...krou].

стерео‖**гра́фия** *ж.* stèreógraphy. ~**дальномéр** *м. воен.* stèreoscópic ránge-fìnder [...'reɪ-].

стереокинó *с. нескл.* 1. stèreoscópic cínema; 2. (*кинотеáтр*) stèreoscópic cínema théatre [...'θɪə-].

стерео‖**метрúческий** stèreométric(al). ~**мéтрия** *ж.* stèreómetry, sólid geómetry.

стереоскóп *м.* stéreoscòpe. ~**úческий** stèreoscópic; ~úческий фильм stèreoscópic; three-diménsional film.

стереотúп *м. полигр.* stéreotỳpe. ~**úровать** *несов. и сов.* (*вн.*) *полигр.* stéreotỳpe (*d.*). ~**úя** *ж. полигр.* stéreotỳpe (*attr.*). ~**ный** *полигр.* (*тж. перен.*) stéreotỳped; ~ное издáние stéreotỳpe edítion; ~ная фрáза stock phrase.

стереотрубá *ж. воен.* stèreoscópic télescope; báttery commánder's télescope [...-ɑ:n-...] *амер.*

стереофонúческий stèreophónic.

стереофотогрáфия *ж.* 1. stèreophotógraphy; 2. (*снúмок*) stèreoscópic phóto:gràph.

стереохúмия *ж.* stèreochémistry [-'ke-].

стерéть *сов. см.* стирáть I. ~**ся** *сов. см.* стирáться I.

стерéчь (*вн.*) 1. (*охраня́ть, караýлить*) guard (*d.*), watch (óver); 2. (*подстерегáть*) watch (for).

стерéчься *разг.* = остерегáться.

стéрж‖**ень** *м. тех.* bar, rod; pívot ['pɪ-] (*тж. перен.*). ~**невóй** bar (*attr.*), rod (*attr.*); pívotal (*тж. перен.*). ~**невáя** антéнна rod áerial [...'εəɪ-].

стерилиз‖**áтор** *м.* stérilizer, stérilizing machine [...-'fi:n]. ~**áция** *ж.* stèrilizátion [-laɪ-]. ~**овáть** *несов. и сов.* (*вн.*) stérilize (*d.*).

стерúльн‖**ость** *ж.* stèrílity. ~**ый** stérile.

стéрлинг *м.* stérling; фунт ~ов pound stérling. ~**овый** stérling (*attr.*); ~овая зóна эк. stérling área [...'εəɪə].

стéрлядь *ж.* stérlet.

стерля́жий stérlet (*attr.*).

стерня́ *ж.* stúbble.

стерпéть *сов.* (*вн.*) bear* [bεə] (*d.*). endúre (*d.*). ~**ся** *сов.* (*с тв.*) *разг.* get* used [...ju:st] (to), accépt (*d.*); стéрпится — слю́бится you will like it (him, her) when you get used to it (him, her).

стёртый *прич. и прил.* effáced, oblíteràted.

стесáть *сов. см.* стёсывать.

стеснéни‖**е** *с.* 1. constráint; ~ в срéдствах straitened círcumstances *pl.*; причиня́ть ~я cause constráint; ~ в грудú dífficulty in bréathing; 2. (*нелóвкость*) ùn:éasiness [-zɪ-]; без ~я withóut céremony; пожáлуйста, без ~й! don't stand on céremony!

стеснённ‖**ый** 1. *прич. см.* стесня́ть; 2. *прил.* stráitened; быть в ~ых обстоя́тельствах, быть ~ым в деньгáх be in stráitened / redúced circumstances; be hard up *разг.*

стеснúтельн‖**ость** *ж.* 1. (*засте́нчивость*) shýness, díffidence; излúшняя ~ néedless, *или* ùn:cálled for, shýness / délicacy; 2. (*неудóбство*) in:convénience. ~**ый** 1. (*застéнчивый*) shy, díffident; 2. (*неудóбный*) in:convénient, embárrassing.

стеснúть *сов. см.* стесня́ть 1 *и* теснúть II. ~**ся** *сов. см.* стесня́ться II.

стесня́ть, стеснúть (*вн.*) 1. (*затруднять, ограничивать*) put* / lay* restráint (on), hínder ['hɪ-] (*d.*), hámper (*d.*); ~ движéния hínder móve:ments [...'mu:-]; ваш приéзд не стеснúт нас your cóming will not hámper us in any way; я вас не стесню́? won't I be in the way? [wount...]; 2. *тк. несов.* (*смущáть*) embárrass (*d.*).

стесня́ться I, постесня́ться 1. *тк. несов.* (*смущáться*) feel* shy; не стесня́йтесь! make* yoursélf at home!; don't be shy!; 2. (*не решáться сдéлать что-л.*) (+ *инф.*) be ashámed (+ to *inf.*); (когó-л.) feel* shy (befóre smb.); (чегó-л.) be ashámed (of smth.); он стесня́ется сказáть вам he is ashámed to tell you; не ~ в выражéниях not be fàstídious in one's choice of words / expréssions; be frée-spóken, be frée-tóngued [...-'tʌŋ-].

стесня́ться II, стеснúться 1. (*сдвигáться*) crowd (togéther) [...-'ge-]; все стеснúлись у двéри all crówded at the door [...dɔ:]; 2. (*ограни́чивать себя́*) restríct òne:sélf; 3. *страд. к* стесня́ть.

стёсывать, стесáть (*вн.*) trim (*d.*), square (*d.*).

стетоскóп [стэ-] *м. мед.* stéthoscòpe.

стечéни‖**е** *с.* cónfluence; ~ нарóда cóncourse [-kɔ:s]; ◇ ~ обстоя́тельств còincidence; òc:cúrrence of círcumstances; the way things came out; при такóм ~и обстоя́тельств in such a contíngency.

стечь(ся) *сов. см.* стекáть(ся).

стúбрить *сов.* (*вн.*) *разг.* pinch (*d.*).

стилевóй *прил. к* стиль I.

стилéт *м.* stilétto, stýlet.

стилизá‖**тор** *м.* stýlist ['staɪ-]. ~**ция** *ж.* 1. stỳlizátion [staɪlaɪ-]; 2. *лит.* pàstíche [-'ti:ʃ].

стилизóванный *прич. и прил.* stýlized ['staɪ-].

614

стил||изова́ть *несов. и сов.* (*вн.*) stýlize ['staɪ-] (*d.*). ~**и́ст** *м.* máster of (líterary) style. ~**и́стика** *ж.* 1. stylístics [staɪ-]; 2. (*писа́теля, произведе́ния и т. п.*) style.

стилисти́ческий stylístic [staɪ-]; ~ **приём** stylístic device.

стиль I *м.* (*в разн. знач.*) style; возвы́шенный ~ élevàted style, grand style.

стиль II *м.* (*спо́соб летосчисле́ния*) style; но́вый ~ new style (*Gregorian calendar*); ста́рый ~ old style (*Julian calendar*).

сти́льн||ый stýlish ['staɪ-]; быть ~ым be stýlish; ~ая ме́бель périod fúrniture.

стиля́га *м.* fop, dándy.

сти́мул *м.* stímulus (*pl.* -li), incéntive. ~**и́рование** *с.* stimulátion; мора́льное и материа́льное ~и́рование matérial and móral incéntives [...'mɔː-...]. ~**и́ровать** *несов. и сов.* (*вн.*) stímulàte (*d.*).

стимуля́тор *м. биол.* stímulant, stímulàtor.

стипендиа́т *м.* grant, *или* scholarship, hólder [-ɑːnt...].

стипе́ндия *ж.* grant [-ɑːnt]; (*повы́шенная, именна́я*) scholarship;(*аспира́нтская*) reséarch grant [-'sɜːtʃ-...].

стира́льн||ый wáshing; ~**ая маши́на** wáshing machine [...-'ʃiːn]; ~ **порошо́к** wáshing pówder, detérgent.

стира́ние *с.*: ~ **кла́ссовых разли́чий** eliminátion of class dífferences.

стира́ть I, **стере́ть** (*вн.*) 1. wipe (off) (*d.*); clean (*d.*); (*о напи́санном*) eráse (*d.*), blot out (*d.*), rub out (*d.*); (*перен.*) oblíteràte (*d.*); пыль dust (*d.*); пот с лица́ mop the sweat from one's brow [...swet...], mop one's face 2. (*повреждать тре́нием*) rub sore (*d.*); ◇ стере́ть с лица́ земли́ raze (to the ground) (*d.*), wipe smb. off the face of the earth [...ɜːθ]; стере́ть кого́-л. в порошо́к *разг.* grind* smb. into dust, grind* smb. down, make* míncemeat of smb.

стира́ть II, **вы́стирать** (*вн.*) wash (*d.*), láunder (*d.*).

стира́ться I, **стере́ться** 1. (*исчеза́ть*) be obliteràted / effáced; (*о во́рсе и т. п.*) rub awáy; (*перен.*) become* oblíteràted; на́дпись стёрлась от вре́мени the inscription has become obliteràted by age; стере́ться в па́мяти be erased / effáced from mémory; 2. *страд. к* **стира́ть** I.

стира́||ться II 1. wash (*d.*); э́та ткань хорошо́ ~**ется** this cloth washes well*; 2. *страд. к* **стира́ть** II.

сти́рк||а *ж.* wásh(ing), láundering; отдава́ть в ~у (*вн.*) send* to the wash (*d.*); (*в пра́чечную*) send* to the láundry (*d.*).

сти́с||кивать, сти́снуть (*вн.*) squeeze (*d.*); ~ **в объя́тиях** hug (*d.*); ~ **зу́бы** clench one's teeth. ~**нуть** *сов. см.* **сти́скивать**.

стих I *м. лит.* 1. verse; (*стро́чка стихотворе́ния тж.*) line; бе́лый ~ blank verse; во́льный ~ free verse; разме́р ~а́ metre; владе́ть ~о́м write* good verse; 2. *мн.* vérses; poetry *sg.*; писа́ть ~и́ write* poetry.

стих II *м. нескл. разг.* (*настрое́ние*) mood; на него́ ~ нашёл ≅ he is, he was in a queer mood.

стиха́рь *м. церк.* súrplice, alb.

стиха́ть, сти́хнуть calm down [kɑːm...], subside, quíeten down; (*о раска́тах гро́ма и т. п.*) die down; (*о стихи́и тж.*) abáte; (*о ве́тре тж.*) drop.

стихи́йн||о *нареч.* (*самопроизво́льно*) spontáneously; ~**ость** *ж.* spontanéity [-'niː-]. ~**ый** eleméntal; (*перен.*) spontáneous; ~**ое бе́дствие** nátural calámity; ~**ая си́ла** eleméntal / primórdial force [...praɪ-...]; ~**ое движе́ние** spontáneous móvement [...'muːv-].

стихи́||я *ж.* élement; покори́ть ~**ю** subdúe the élements; ◇ быть в свое́й ~**и** be in one's élement.

сти́хнуть *сов. см.* **стиха́ть**.

стихоплёт *м. разг.* rhýmer, rhýmester ['raɪmstə]; vérsifier.

стихосложе́ние *с.* versificátion; (*как нау́ка*) prósody.

стихотворе́ние *с.* póem; (*коро́ткое*) rhyme. ~**тво́рец** *м. уст.* póet. ~**тво́рный** wrítten / expréssed in verse; ~**тво́рный разме́р** metre; ~**тво́рная речь** verse, póetic díction.

стишо́к *м. разг.* rhyme, rime, verse.

стлать [сл-] (*вн.*) 1. spread* [-ed] (*d.*); ~ ска́терть lay* a táble-clòth; ~ посте́ль make* the bed; 2. (*насти́лать*) lay* (*d.*); ~ парке́т lay* párquet flóoring [...-keɪ 'flɔː-]. ~**ся** [сл-] 1. spread* [-ed] (*о тума́не и т. п.*) float, drift; ~**ся по земле́** (*о расте́ниях*) creep*; дым стле́тся по́низу the smoke hangs low [...loʊ]. 2. *страд. к* **стлать**.

сто *числит.* húndred.

сто- (*в сложн. слова́х, не приведённых осо́бо*) of a húndred *или* húndred-— *соотв. тому́, как даётся перево́д второ́й ча́сти сло́ва; напр.* **стодне́вный** of a húndred days, húndred-day (*attr.*) (*ср.* -дне́вный); of... days, -day *attr.*); **стоме́стный** with berths, seats for 100; (*об авто́бусе и т. п.*) húndred-séater (*attr.*) (*ср.* -ме́стный).

стог *м.* stack; ~ **се́на** háystack, háyrick.

стогова́ние *с.*: ~ **се́на** háystàcking. **стогомета́тель** *м. с.-х.* háystàcker.

стогра́дусный céntigràde; ~ **термо́метр** céntigràde thermómeter.

сто́ик *м.* stóic ['stoʊɪk].

сто́имость *ж.* cost; *эк.* válue; меново́я ~ *эк.* exchánge válue [-'tʃeɪ-...]; приба́вочная ~ *эк.* súrplus válue; потреби́тельная ~ *эк.* use válue [-s...]; ~ **произво́дства** cost of prodúction; ~ **рабо́чей си́лы** cost of lábour; номина́льная ~ face / nóminal válue; ~ **электроэне́ргии** electrícity chárges *pl.*; ~ **перево́зки** cárriage [-rɪdʒ-]; о́бщей ~**ю в сто рубле́й** to a tótal válue of a húndred roubles [...ruː-...].

сто́и||ть 1. (*о дене́жной сто́имости тж. перен.*) cost*; ско́лько ~т э́та су́мка? how much is this bag?; ничего́ не ~ cost* nothing; (*перен.*) be wórthless, be no good; э́то ~ло ему́ большо́го труда́, больши́х уси́лий this cost him much trouble, much éffort [...trʌ-...]; он ~т семеры́х *разг.* ≅ he is worth a dózen / húndred such [...'dʌ-...]; 2. (*заслу́живать*) desérve [-'zɜːv]; он ~т э́той же́ртвы he is worth this sácrifice; 3. *безл.* be worth; ~т проче́сть э́то it is (well) worth réading; ◇ не ~т благода́рности don't méntion it, not at all; не ~т того́ it is not worth while; ему́ ~т то́лько (+ *инф.*) he has only (+ to *inf.*), he needs ónly (+ *inf.*); ничего́ не ~т (*сде́лать, спроси́ть и т. п.*) doesn't cost ánything (*to do, ask, etc.*); ему́ ничего́ не ~т оби́деть челове́ка he thinks nothing of húrting a man's / pérson's féelings; ~т то́лько заколеба́ться, и вы пропа́ли once you hésitàte you are lost [wʌns...-zɪ-...].

стоици́зм *м.* stóicism ['stoʊɪ-].

стои́ческий stóic ['stoʊɪk]; (*перен.*) stóic(al) ['stoʊɪ-].

сто́йбище *с. этн.* nómad camp ['nɒməd-].

сто́йк||а I *ж.* 1. (*прила́вок в буфе́те и т. п.*) bar, cóunter; 2. *тех.* post [poʊ-], pole; (*подпо́рка*) úpright, stánchion [-ɑːn-]; *горн. prop.*

сто́йк||а II *ж.* 1. *охот.* set; де́лать ~**у** point, come* to a point; 2. *спорт.* hándstand.

сто́йк||ий 1. firm, stéadfast [-ed-], stéady ['ste-], staunch, stanch [-ɑːntʃ], stable; ~ **боре́ц за де́ло ми́ра** staunch chámpion of, *или* fighter for, peace; 2. *хим., физ.* stable; (*об отравля́ющих вещества́х*) persístent; ~ **газ** stable gas; ~**ое равнове́сие** stable equilíbrium [...iː-]. ~**ость** *ж.* 1. fírmness, stéadfastness [-ed-], stáunchness, stáble;ness; прояви́ть ~**ость** displáy fórtitùde / determinátion; 2. *хим.* stability; 3. *тех.* resístance [-zɪ-], dùrability.

сто́йло *с.* stall. ~**вый**: ~**ое содержа́ние скота́** stalled kéeping of cattle, kéeping cattle stalled.

стоймя́ *нареч.* úpright.

сток *м.* 1. (*де́йствие*) flow [-oʊ], flówing [-oʊ-], dráinage; 2. (*ме́сто или устро́йство*) drain, gútter; (*сто́чная труба́*) séwer.

сто́кер *м. тех.* stóker.

стокра́т *нареч. уст.* a húndred times, húndredfòld. ~**ный** húndredfòld, céntuple.

стол *м.* 1. table; пи́сьменный ~ wríting-tàble, desk; (*с выдвижны́ми я́щиками тж.*) buréau [-'roʊ]; за ~**о́м** at table; сади́ться за ~ sit* down to table; накрыва́ть (на) ~ lay* the table; убира́ть со ~**а́** clear the table; 2. (*о пита́нии*) board, díet; (*ку́хня*) cóoking, cuisíne [kwɪ'ziːn]; ~ **и кварти́ра** board and lódging; дома́шний ~ plain cóoking; диети́ческий ~ ínvalid díetary [-liː-...]; 3. (*отде́л в учрежде́нии*) depártment, séction; ~ **зака́зов** depártment for órders / delívery; а́дресный ~ addréss buréau; ли́чный ~ pérsonnel óffice.

столб *м.* post [poʊst], pole, píllar; (*воды́, во́здуха и т. п.*) cólumn; верстово́й ~ ≅ mílestòne; километро́вый ~ (*на желе́зной доро́ге и т. п.*) kílomètre post; телегра́фный ~ télegràph-pòle; télegràph-pòst [-poʊst]; по-

СТО — СТО

граничный ~ fróntier post ['frʌ-...]; позвоночный ~ анат. spine, báckbòne, spínal / vértebral cólumn; ◊ позóрный ~ уст. píllory; постáвить к позóрному ~у (вн.) put* in the píllory (d.), píllory (d.).

столбе́ц м. cólumn; газéтный ~ néwspàper cólumn.

сто́лбик м. 1. уменьш. от столб; ~ ртýти mércury (cólumn); 2. бот. style.

столбня́к м. 1. (состояние оцепенения) stúpor; на негó ~ нашёл he is stunned; 2. мед. tétanus.

столбов||óй: ~áя дорóга high road.

столéт||ие с. сéntury; 2. (годовщина) cèntenáry [-'ti:-], cèntènnial; ~ний cèntenáry [-'ti:-], cèntènnial, cèntenárian.

столéтник м. бот. agáve [-vɪ], céntury plant [...-ɑ:nt].

сто́лик м. уменьш. от стол.

столи́||ца ж. cápital, metrópolis. ~чный cápital (attr.), mètropólitan; ~чный гóрод cápital (cíty) [...'sɪ-]; ~чный жи́тель mètropólitan.

столк||новéние с. collísion; (перен. тж.) clash; ~ поездóв train collísion; ~ интерéсов clash of ínterests; collísion; приходи́ть в ~ come* into collísion; — воружённое ~ armed cónflict; (стычка) skírmish, pássage of arms. ~нýть(ся) сов. см. стáлкивать(ся).

столковáться сов. (с тв. о пр.) разг. come* to an agréement (with about).

столовáться board; (с тв.; питáться совмéстно) mess (with); ~ у когó-л. board at / with smb.

столóв||ая ж. скл. как прил. 1. (о комнате) díning-room; (в учебном заведéнии и т. п.) díning-hàll; (в армии, флóте) méss(-room); 2. (заведéние) díning-room(s) (pl.). ~ый table (attr.); ~ая лóжка táble;spoon; ~ое вино́ table wine; ~ая соль table salt; ~ый прибóр cóver ['kʌ-]; ~ое серебрó собир. sílver, plate; ~ое бельё táble-lìnen [-lɪ-]; ◊ ~ая горá геогр. mésa ['meɪsə].

столоначáльник м. ист. head of a "desk" [hed—...] (in civil service in tsarist Russia).

столóчь сов. (вн.) pound (d.), grind* (d.); ~ сáхар с кори́цей pound súgar togéther with cínnamon [...'ʃu-ˈge-...].

столп м. уст. píllar; ~ы́ óбщества píllars of socíety; ~ы́ наýки píllars of science.

столпи́ться сов. crowd.

столпотворéние с.: вавилóнское ~ bábel.

столь нареч. so: ~ мáло (с сущ. в ед. ч.) so little; (с сущ. во мн. ч.) so few; ~ мнóго (с сущ. в ед. ч.) so much; (с сущ. во мн. ч.) so many; ~ вáжный вопрóс so impórtant a quéstion [...-stʃən]; — э́то не ~ вáжно this is of no particular impórtance.

стóлько нареч. 1. (о количестве и числе) (с сущ. в ед. ч.) so much; (с сущ. во мн. ч.) so many; (вопросительно — так мнóго) that much?; that many?; ~ врéмени so much time; ~ книг so many books; — ~ (же) скóлько as much as; as many as; ещё ~ же as much agáin; as many agáin; ~-то so much; so many; 2.: не ~... [ɡɑ:-...] (с обрáтной послéдовательностью); он не ~ устáл, скóлько гóлоден he is húngry ráther than tired.

стóльный уст. = столи́чный.

столя́р м. jóiner. ~ничать (о профессионáле) be a jóiner; (о любителе) do a jóiner's work. ~ный jóiner's; ~ная мастерскáя jóiner's shop; ~ное ремеслó, ~ное дéло jóinery, jóiner's work; ~ный верстáк jóiner's bench; ~ный клей jóiner's glue.

стомати́т м. мед. stomatítis.

стоматóлог м. stòmatólogist [stou-].

стомато||логи́ческий stòmatológical [stou-]. ~лóгия ж. stòmatólogy [stou-]. ~скóп м. stomátoscòpe.

стометрóвка ж. спорт. the 100-metre sprint.

стон м. moan, groan.

стонáть moan, groan; (перен.: страдáть) súffer, lánguish.

стоп стоп stop.

стоп||á I ж. (ногú) foot* [fut]; направлять свои́ ~ы́ diréct / bend* one's steps; ◊ идти́ по чьим-л. ~áм fóllow in smb.'s fóotstèps [...'fut-]; идти́ по ~áм отцá fóllow in one's fáther's fóotstèps [...'fɑ:-...].

стопá II ж. лит. foot*; метри́ческая ~ métric foot*; тони́ческая ~ tónic foot*.

стопá III ж. 1. (ряд, кýчка) pile; 2. (мéра бумáги) ream.

стопи́ть сов. см. стáпливать.

стóпка I ж. (кýчка) pile; (монет) rouléau [ru:'lou] (pl. -leaus, -leaux [-louz]).

стóпка II ж. (стакáнчик) cup, wine glass.

стоп-крáн м. ж.-д. emérgency brake.

стóпор м. 1. тех. stop; lócking devíce; 2. мор. stópper. ~ить (вн.) stop (d.). ~ный 1. тех. stop (attr.); (запирáющий) lócking; ~ный клáпан stop valve; 2. мор. stópper (attr.); ~ный ýзел stópper knot.

стопроцéнтный húndred-per-cént (attr.).

стоптáть(ся) сов. см. стáптывать(ся).

сторговáться сов. см. торговáться 1.

сторицей нареч.: воздáть ~ (дт.) retúrn a húndredfòld (to); окупи́ться ~ be repáid a húndredfòld, be repáid with ínterest, be génerously repáid.

стóрож м. wátch(;man*), guard; ночнóй ~ night-wátchman*; леснóй ~ fórest wárden ['fɔ-...]; церкóвный ~ séxton; тюрéмный ~ wárder.

сторожев||óй watch (attr.); ~áя бýдка wátch-box, séntry-box; ~ пёс wátchdòg; ~áя вы́шка wátch-tower; ~óе охранéние воен. óutpòsts [-pous-] pl.; ~ пост séntry post [...-pou-]; ~óе сýдно patról ship [-oul...], patról véssel.

сторож||и́ть (вн.) guard (d.), keep* watch (óver), watch (d.); ~ дом guard / watch the house* [...-s]; он ~и́т кáждое её движéние he fóllows every móve;ment she makes, или her every móve;ment [...'mu:-...]. ~и́ха ж. разг. 1. (женá стóрожа) wátch(;man's wife*; 2. (жéнщина-стóрож) fémàle wátch(;man* ['fi:-...].

сторóжка ж. lodge; леснáя ~ fórest wárden's hut ['fɔ-...].

сторон||á ж. 1. (в разн. знач.) side; с прáвой, лéвой ~ы́ on the right, left side; по ту стóрону, на той ~é реки́, ýлицы acróss the ríver, the street [...'rɪ-...]; прáвая, лицевáя ~ ткáни the right side of the cloth; лéвая ~ ткáни the wrong side of the cloth; лицевáя ~ дóма façáde [-'sɑ:d], front [-ʌnt]; обрáтная ~ медáли the revérse of the médal [...'me-]; с внýтренней ~ы́ on the ínside; ни с той, ни с другóй ~ы́ on néither side [...'naɪ-...]; с какóй ~ы́ вéтер? from what quárter is the wind blówing? [...wɪ- 'blou-...]; вéтер дýет с востóчной ~ы́ the wind blows from the East [...-ouz-...]; откла́дывать в стóрону (вн.) put* aside (d.); в стóрону театр. aside; ~ é лáying aside; отводи́ть когó-л. в стóрону take* smb. aside, или on one side; отскочи́ть в стóрону jump aside; идти́ в рáзные стóроны go* in dífferent diréctions, go* dífferent ways; свóрачивать в стóрону turn aside; уклоня́ться в стóрону dévìate; проходи́ть ~óй (о тýче и т. п.) pass by; он мой рóдственник со ~ы́ (моегó) отцá he is my rélative on my fáther's side [...'fɑ:-...]; 2. (в спóре, процéссе и т. п.) párty; юр. side; брать чью-л. стóрону, станови́ться на чью-л. стóрону take* smb.'s part / side, side with smb.; перейти́ на чью-л. стóрону come* óver to smb.'s side; он на нáшей ~é he is on our side, he sides with us; Высóкие Догоáвривающиеся Стóроны дип. the High Contrácting Párties; заинтересóванная ~ ínterested párty; 3. (странá) land, place; parts pl.; роднáя ~ nátive land, bírthplàce; чужáя ~ fóreign cóuntry / parts ['fɔrɪn 'kʌ-...]; 4. (тóчка зрéния) áspect; slant [-ɑ:nt]; рассмáтривать вопрóс со всех сторóн consíder a quéstion in all its áspects [-'sɪ-... -stʃən...]; подойти́ к вопрóсу с другóй ~ы́ look at the mátter the óther way round; ◊ с чьей-л. ~ы́ on the part of smb.; с моéй ~ы́ for my part; я со своéй ~ы́ поддéрживаю предложéние for my part I suppórt the mótion; с однóй ~ы́... с другóй ~ы́ on the one hand... on the óther hand; э́то хорошó, дýрно с егó ~ы́ it is good, wrong of him; смотрéть со ~ы́ take* a detáched view [...-vju:]; истолкóвывать что-л. в хорóшую, дýрную стóрону take* smth. in a good, bad sense; разли́чные стóроны жи́зни várious áspects of life; имéть свои́ хорóшие стóроны have one's points; шýтки в стóрону jóking apárt; держáться в ~é stand* aside / off; (перен.) keep* / hold* / stand* alóof; егó дéло ~ it does;n't concérn him; узнавáть что-л. ~óй know* smth. by héarsay [nou...]; найти́ ~ой know* smth. by héarsay [nou...]; find* out indiréct;ly; искáть на ~é (вн.) seek*; else;whère (d.).

сторони́ться, посторони́ться 1. stand* / step aside; 2. тк. несов. (рд.; чуждáться) avóid (d.), shun (d.).

сторо́нний *уст.* strange [-eɪn-], fóreign ['fɒrɪn]; ~ наблюда́тель detáched ónlooker / obsérver [...-'zɜːvə].

сторо́нни||**к** *м.*, ~**ца** *ж.* suppórter, adhérent, ádvocate; (*приверженец*) partisán [-'zæn], hénch₋man*; ~ки ми́ра defénders / suppórters of peace.

сто́ртинг *м.* (*парламент в Норвегии*) stórt(h)ing.

сторублёвка *ж. разг.* húndred-rouble note [-ru:-...].

сторублёвый húndred-roubled [-ru:-].

стоскова́ться *сов.* (о, по *пр.*) *разг.* pine (for), yearn [jɜːn] (for).

стоу́ст||**ый**: ~ая молва́ ≅ the húndred-mouthed góddess *идиом.*

сточи́ть(ся) *сов. см.* ста́чивать(ся).

сточн||**ый**: ~ая труба́ séwer; ~ые во́ды séwage *sg.*; устано́вка для очи́стки ~ых вод séwage purificátion plant [...-ɑːnt].

стошни||**ть** *сов. безл.*: его́ ~ло he vómited, he was sick.

сто́я 1. *деепр. см.* стоя́ть I; **2.** *нареч.* (стоймя) úp₋right: укрепи́ть столб, ба́лку ~ set* / fix *a* pole, *a* beam úp₋right.

стоя́к *м.* post [pou-], stánchion [-ɑːnʃ-]; дымово́й ~ stack, chímney; га́зовый ~ gás-pipe.

стоя́л||**ый** stale, stágnant; ~ая вода́ stágnant wáter [...'wɔː-].

стоя́н||**ие** *с.* stánding. ~**ка** *ж.* **1.** (*остановка*) stand, stop; (*судов*) móoring; (*автомобилей*) párking; ~ка запрещена́! no párking!; **2.** (*место*) stand, (*судов*) móorage [-rɪdʒ]; *воен.* (*войсковой части*) station, post [poust], stópping place; (*автомобилей*) párking place; párking lot *амер.*; ~ка такси́ táxi-stand, táxi-rank; я́корная ~ка ánchorage ['æŋk-]; **3.** *археол.* site.

сто||**я́ть** I **1.** stand*; ~ на нога́х (*прям. и перен.*) stand* on one's feet; про́чно, твёрдо ~ на нога́х (*перен.*) be firmly estáblished; ~ на коле́нях kneel*; ~ на цы́почках stand* on típ₋toe; ~ на четвере́ньках be on all fours [...fɔːz]; ~ и разгова́ривать, кури́ть stand* tálking, smóking; стой! (*остановись*) stop!, halt!; (*находиться*) be; (*о войсках и судах*) lie*; (*быть расположенным*) be situated: таре́лка ~и́т в шкафу́ the plate is in the cúpboard [...'kʌbəd]; дом ~и́т на берегу́ реки́ the house* is situated on the bank of *the* river [...haus...'rɪ-]; ~ на посту́ be at one's post [...poust]; — ~ на часа́х stand* guard; ~ на стра́же be on guard; ~ на стра́же ми́ра stand* on guard of peace; ~ на ва́хте keep* watch, be on watch; ~ у руля́ be at the helm; ~ на я́коре be at ánchor [...'æŋkə], lie* / ride* at ánchor; ~ у прича́ла *мор.* lie* alóng₋síde; be docked *амер.*; ~ в о́череди stand* in a queue [...kjuː]; ~ на чьём-л. пути́ be in smb.'s way; (*перен. тж.*) stand* in smb.'s light; его́ и́мя ~и́т ря́дом с имена́ми... his name ranks side by side with the names of...; **3.** (*быть*) be: ~ на пове́стке дня be on the agénda; це́ны ~ят высо́кие prices are high; со́лнце ~и́т высоко́ на не́бе the sun is high in the sky; ~и́т моро́з there is a frost; ~и́т хоро́шая пого́да the wéather keeps fine [...'we-...]; ~ на у́ровне тре́бований дня come* up to the requíre₋ments of the day; **4.** (*быть неподвижным*) stop; (*о непроточной воде*) be stágnant; по́езд ~и́т де́сять мину́т the train stops ten mínutes [...-nɪts]; **5.** (*находиться в бездействии*; *о машине, заводе и т. п.*) be at, *или* come* to, a stándstill; часы́ ~ят the watch, the clock has stopped; рабо́та ~и́т the work has come to a stándstill; **6.** *уст.* (*жить*) stay, live [lɪv]; ~ в гости́нице stay / live at / in *a* hotél; ~ (на кварти́ре) *воен.* be bílleted; ~ ла́герем be en₋cámped, be únder cánvas; ◇ ~ на́смерть stand* to the last man; die in the last ditch *идиом. разг.*; ~ над душо́й у кого́-л. *разг.* péster / hárass / plague smb. [...'hæ- pleɪg...], wórry the life out of smb. ['wʌ-...]; он ~и́т пе́ред вы́бором, пе́ред ним ~и́т вы́бор he is faced with the choice; зада́чи, ~я́щие пе́ред на́ми the tasks confrónting us [...-ʌnt-...]; ~ у вла́сти hold* pówer, be in pówer, be in óffice; ~ во главе́ (*рд.*) be at the head [...hed] (of), head (*d.*).

сто||**я́ть** II **1.** (за кого́-л.; *защища́ть*) stand* up (for smb.); (за что-л.) be for smth.; ~ за то, что́бы попыта́ться ещё раз be for trýing once agáin [...wʌns...]; ~ горо́й (за *вн.*) defénd with might and main (*d.*), stand* through thick and thin (by); be sólidly behínd (*d.*); ~ за де́ло ми́ра stand* for the cause of peace; **2.** (*на пр.*; *настаивать*) stand* on / upón; ~ на своём (мне́нии) hold* one's own [...oun], hold* / stand* one's ground.

стоя́ч||**ий 1.** stánding, stánd-up; ~ее положе́ние stánding pósture; в ~ем положе́нии (*о человеке, животном*) stánding; ~ая ла́мпа table / desk lamp; воротни́к, воротничо́к stánd-up cóllar; **2.** (*неподвижный*) stágnant; ~ая вода́ stágnant wáter [...'wɔː-]; ~ие во́лны *физ.* stánding / státionary waves.

стоя́щ||**ий 1.** *прич. см.* стоя́ть; **2.** *прил. разг.* wórthwhile; wórth doing (*predic.*); э́то де́ло ~ее it is worth (*one's*) while; ~ая вещь a good thing.

страви́ть *сов. см.* стра́вливать.

стра́вливать, страви́ть (*вн.*) set* on to fight (*d.*); ~ одного́ с други́м play off one agáinst another.

страда́ *ж.* hard work dúring hárvest₋-time; (*перен.*) toil, drúdgery.

страда́л||**ец** *м.*, ~**ица** *ж.* súfferer.

страда́льческий full of súffering (*после сущ.*); ~ вид an air of súffering, a mártyr's air.

страда́ние *с.* súffering.

страда́тельный: ~ зало́г *грам.* pássive voice.

страда́||**ть, пострада́ть 1.** *тк. несов.* (от; *тв.*; *мучиться, болеть*) súffer (from); ~ от разлу́ки с кем-л. pine / long for smb., miss smb.; ~ невралги́ей súffer from neurálgia; **2.** (*от*; *терпеть ущерб, урон*) súffer (from); урожа́й пострада́л от за́сухи the crops súffered from drought [...draut]; они́ пострада́ли от наводне́ния they were víctims of *the* flood [...-ʌd]; дом пострада́л от пожа́ра the house* was dámaged by fire [...-s...]; **3.** (*за вн.*) súffer (for); ~ за пра́вду súffer for the truth [...-uːθ]; пострада́ть за де́ло, иде́и *и т. п.* súffer for *a* cause; **4.** *тк. несов.* (*быть плохим*) be poor: у него́ ~ет орфогра́фия his spélling is poor.

стра́дн||**ый**: ~ая пора́, ~ое вре́мя búsy séason ['bɪzɪ -zᵊn].

страж *м.* guard, guards₋man*.

стра́ж||**а** *ж.* guard, watch; пограни́чная ~ *уст.* fróntier guard(s) ['frʌ-...] (*pl.*); ◇ быть, стоя́ть на ~е be on the watch; быть, стоя́ть на ~е ми́ра stand* on guard of peace; быть на ~е чьих-л. интере́сов watch óver smb.'s ínterests; брать под ~у (*вн.*) take* into cústody (*d.*); содержа́ться под ~ей be únder arrést; освободи́ть из-под ~и (*вн.*) reléase from cústody [-s...] (*d.*).

стра́жник *м. уст.* políce cónstable [-'lɪs...] (*in rural areas in tzarist Russia*).

стран||**а́** *ж.* (*в разн. знач.*) cóuntry ['kʌ-]; (*государство тж.*) land; по всей ~е́ all óver the cóuntry; Страна́ Сове́тов the Land of the Sóviets; стра́ны социалисти́ческого содру́жества sócialist commúnity; развива́ющиеся стра́ны devéloping cóuntries; ◇ четы́ре ~ы́ све́та the four cárdinal points [...fɔː...].

стран||**и́ца** *ж.* page; нумера́ция ~и́ц páginátion; на ~и́цах газе́т in the news páges [...-z...], in the cólumns of the press; вписа́ть я́ркую ~и́цу (в *вн.*) write* a vívid page (in), contríbute a vívid page (to).

стра́нн||**ик** *м.*, ~**ица** *ж.* wánderer. ~**ичать** *уст.* lead* the life of a wánderer. ~**ический** wándering, wánderer's.

стра́нн||**ый** I **1.** *прил. кратк. см.* стра́нный; **2.** *предик. безл.* it is strange [...-eɪndʒ]; как ~, что what a fúnny thing that, how fúnny / strange it is that; как ни ~ strange as it may seem.

стра́нн||**о** II *нареч.* in a strange way [...-eɪn-], strángely [-eɪn-]. ~**ость** *ж.* **1.** *тк. ед.* strángeness [-eɪn-]; **2.** (*странная манера*) singulárity, óddity; челове́к со ~остями queer man*, odd man*, óddity. ~**ый** strange [-eɪndʒ], queer, odd, fúnny; rum *разг.*; э́то ка́жется ~ым it seems strange; ~ая мане́ра strange mánner; ~ый челове́к strange / queer man*, odd man*, óddity; ~ое де́ло queer thing / búsiness [...'bɪzn-]; (*как вводн. сл.*) strange to say, strángely enóugh [-eɪn- ɪ'nʌf].

странове́дение *с.* régional geógraphy; área stúdies ['ɛərɪə 'stʌ-] *pl.*

стра́нств||**ие** *с.*, ~**ование** *с.* wándering; trávelling.

стра́нствовать wánder, trável ['træ-].

стра́нствующий 1. *прич. см.* стра́нствовать; **2.** *прил.*: ~ актёр strólling pláyer; ~ музыка́нт wándering musícian [...-'zɪ-]; ~ ры́царь knight-érrant.

страсти́шка *ж. разг.* fóible.

стра́стно [-сн-] *нареч.* pássionate₋ly, with pássion.

страсти́||**о́й** [-сн-] *церк.* 1. *прил.*: ~ четве́рг Máundy Thúrsday [...'θə:zdɪ]; ~а́я пя́тница Good Fríday [...'fraɪdɪ]; ~а́я неде́ля Hóly Week; 2. *ж. как сущ.* = страстна́я неде́ля см. 1.

стра́сти||**ость** [-сн-] *ж.* pássion; ~ нату́ры, хара́ктера pássionate témperament. ~ый [-сн-] pássionate, impássioned; (*о желании тж.*) árdent, férvent.

страсть I *ж.* (к; *сильное чувство*) pássion (for); име́ть ~ к чему́-л. be crázy on / abóut smth.; проника́ться ~ю к кому́-л. love smb. pássionate:ly [lʌv...].

страсть II *ж. разг.* (*страх, ужас*) hórror.

страсть III *нареч. разг.* (*очень*) áwfully, fríghtfully; ему́ ~ как хо́чется пойти́ туда́ he wants áwfully to go there, he's dýing to go there.

стратаге́ма *ж.* strátagem.

страте́г *м.* strátegist. ~и́ческий stratégic(al) [-'ti:-]. ~ия *ж.* (grand) strátegy (*наука тж.*) strátegics [-'ti:-].

стратифика́ция *ж. физ.* stràtificátion.

стратона́вт *м.* strátosphère flíer ['streɪ-...].

страто||**ста́т** *м. ав.* strátosphère ballóon ['streɪ-...]. ~**сфе́ра** *ж. метеор.* strátosphère ['streɪ-]. ~**сфе́рный** stratosphéric [streɪ-].

стра́ус *м.* óstrich. ~**овый** *прил. к* стра́ус; ~овые пе́рья óstrich féathers [...'fe-].

страх I *м.* 1. fear, fright; ~ пе́ред неизве́стностью fear of the únknown [...-'noun]; ~ сме́рти fear / dread of death [...-ed... deθ]; сме́ртельный ~ mórtal fear; быть в ~е be afráid; охва́ченный ~ом grípped / seized by fear [...si:-...]; из ~а for fear, out of fear; дрожа́ть от ~а a trémble with fear; 2. *мн. разг.* (*что-л., внушающее страх*) térrors; 3. (*риск, ответственность*) risk, responsibílity; на свой ~ at one's risk, on one's own respònsibílity [...oun...]; ◇ под ~ом сме́рти on pain of death; держа́ть в ~е (*вн.*) keep* in awe / fear (*d.*); у ~а глаза́ велики́ *погов.* ≃ fear takes mólehills for móuntains.

страх II *нареч. разг.* (*очень*) térribly; ему́ ~ как хо́чется пойти́ туда́ he wants térribly to go there, he's dýing to go there.

страхка́сса *ж.* (*страховая ка́сса*) insúrance óffice [-'ʃuə-...].

страхова́||**ние** *с.* insúrance [-'ʃuə-]. социа́льное ~ sócial insúrance; ~ от несча́стных слу́чаев insúrance against áccidents [...-'ʃuə-]; ~ жи́зни life insúrance; ~ дома́шнего иму́щества doméstic próperty insúrance; госуда́рственное ~ State insúrance. ~**тель** *м.* insúrant [-'ʃuə-].

страхова́ть 1. (*вн. от*) insúre [-'ʃuə] (*d.* agáinst) (*тж. перен.*); ~ жизнь insúre life; 2. (*вн.*) *спорт.* stand* by (*d.*). ~**ся** 1. insúre onesélf [-'ʃuə...] (*тж. перен.*); 2. *страд. к* страхова́ть.

страх||**о́вка** *ж.* insúrance [-'ʃuə-]. ~**ово́й** insúrance [-'ʃuə-] (*attr.*); ~ова́я ка́сса insúrance óffice; ~ово́й по́лис insúrance pólicy; (*от огня*) fire-pólicy. ~**о́вщик** *м.* insúrer [-'ʃuə-].

стра́шилище *с. разг.* fright, scáre:crow [-ou].

страши́ть (*вн.*) fríght(en) (*d.*); scare (*d.*), awe (*d.*); э́та мысль страши́т его́ the thought / idéa fríghtens him [...aɪ-'dɪə...]. ~**ся** (*рд.*) be afráid (of), fear (*d.*).

стра́шно I 1. *прил. кратк. см.* стра́шный; 2. *предик. безл.* it is térrible; ~ поду́мать, что... it is térrible to think that...; здесь ~ остава́ться одному́ it is térrifying to remáin alóne here; ему́ ~ he is térrified / afráid.

стра́шн||**о** II *нареч.* térribly, áwfully; fríghtfully; он ~ испуга́лся he got a térrible fright. ~**ый** térrible, fríghtful, féarful, dréadful [-ed-]; ~ая боле́знь dréadful diséase [...-'zi:z]; ~ый расска́з térrifying stóry; ~ый сон bad* dream; ~ый моро́з térrible frost; ~ая жара́ tórrid heat; ~ый на́сморк fríghtful cold; ◇ Стра́шный суд Dóomsday [-z-], Day of Júdg(e:)ment, the Last Júdg(e:)ment.

страща́ть, **постраща́ть** (*вн.*) *разг.* fríghten (*d.*), scare (*d.*).

стре́жень *м.* deep stream.

стрека́ч *м.*: дать, зада́ть ~а́ *разг.* take* to one's heels, run* for it.

стрекоза́ *ж.* drágon-fly ['dræ-].

стре́кот *м.* (*кузнечиков*) chirr; (*пулемёта и т. п.*) rattle, chátter.

стрекот||**а́ние** *с.* (*насекомых*) chírring; (*пулемёта*) rattle, chátter. ~**а́ть** chirr; (*о пулемёте и т. п.*) rattle, chátter. ~**ня́** *ж. разг.* = стре́кот.

стрел||**а́** *ж.* 1. árrow; (*перен. тж.*) shaft; пуска́ть ~у́ shoot* an árrow; стре́лы сати́ры shafts of sátire; он промча́лся ~о́й he flew like an árrow from the bow [...bou]; 2. *бот.* shaft; 3. *тех.* (*крана, экскаватора*) boom, jib; грузова́я ~ dérrick; ~ проги́ба sag.

Стреле́ц *м. астр.*: созве́здие Стрельца́ Sàgittárius, the Árcher.

стреле́ц *м. ист.* streléts (*sóldier in regular ármy in Rússia of* 16 — 17 *cent.*). ~**кий** *прил. к* стреле́ц.

стре́лк||**а** *ж.* 1. póinter; (*часов тж.*) hand; (*на чертеже и т. п.*) árrow; магни́тная ~ ко́мпаса cómpass néedle ['kʌm-...]; 2. *ж.-д.* ráilway points *pl.*, switch; перевести́ ~у change the points [tʃeɪ-...]; 3. (*узкий и длинный полуостров*) spit; 4. *зоол.*: рогова́я ~ (*копы́та*) (hórny) frog.

стрелко́вый rífle (*attr.*), ínfantry (*attr.*); shóoting (*attr.*); ~ полк ínfantry / rifle régiment; ~ кружо́к shóoting círcle; ~ спорт shóoting.

стрелови́дный árrow-shàped, sággittàte; ~ шов че́репа *анат.* sággittàte súture of skull.

стрело́к *м.* shot; (*солда́т*) rífle:man*; *ав.* gúnner; отли́чный ~ éxpert shot / rífleman*; иску́сный ~ márks:man*.

стре́лочник *м. ж.-д.* switch:man*, póints:man*.

стрельба́ *ж.* 1. shóot(ing); fíring; (*из орудий*) gún-fire; руже́йная ~ smáll-àrms fire; ~ из пулемёта machíne-gùn fire [-'ʃi:n-...]; ~ на пораже́ние fire for efféct; 2. *мн. воен.* (*учебные занятия*) fíring práctice *sg*.

стре́льбище *с.* shóoting-gròund, shóoting-ràngè [-reɪ-].

стрельну́ть *сов. см.* стреля́ть 1, 4.

стре́льчатый *арх.* láncet (*attr.*).

стре́ляН||**ый** *разг.* 1. (*о дичи*) shot; 2. (*бывавший в боях*) that has been únder fire; он солда́т ~ he has had his báptism of fire; 3. (*использованный*) used, fired, spent; ~ая ги́льза used cártridge, émpty case [...-s]; ◇ ~ воробе́й *разг.* knówledge:able old bird ['nɔl-...], old stáger.

стреля́||**ть**, **вы́стрелить**, **стрельну́ть** 1. (*в вн.; по дт.; без доп.*) shoot* (at), fire (at); *сов. тж.* fire a shot (at); ~ из винто́вки, пистоле́та *и т. п.* fire a rifle, pístol, *etc.*; 2. *тк. несов.* (*вн.*; *убивать охотясь*) shoot* (*d.*); 3. *тк. несов. безл.* (*о боли*) shoot*; у него́ ~ет в у́хе he has a shóoting pain in his ear; 4. *при сов.* стрельну́ть (*вн.*) *разг.* (*добывать, прося у кого́-л.*) cadge (*d.*); ◇ ~ глаза́ми make* eyes [...aɪz] (at), give* the glad eye (*i.*); ~ из пу́шек по воробья́м ≃ break* a bútterfly on the wheel [-eɪk...], crush a fly with a stéam-ròller. ~**ться** 1. (*с тв.; драться на дуэли*) fight* a dúel (with); 2. (*кончать жизнь самоубийством*) commít suícide; 3. *страд. к* стреля́ть 2.

стремгла́в *нареч.* héadlòng ['hed-].

стре́мечко *с.* 1. *уменьш. от* стре́мя; 2. *анат.* stírrup (bone).

стреми́тельн||**ость** *ж.* swíftness, impètuósiry, dash. ~**ый** swift, héadlòng ['hed-]; impétuous; ~ым на́тиском *воен.* with a swift thrust; ~ое (про)движе́ние swift móve:ment [...'mu:v-].

стрем||**и́ться** 1. *уст.* (*быстро дви́гаться*) speed, rush; 2. (*к* + *инф.*; *добива́ться*) seek* (*d.*, + to *inf.*), aim (at), aspíre (to), strive* (for); (*страстно жела́ть*) long (for), crave (for); ~ к побе́де strive* for víctory. ~**ле́ние** *с.* (*к*) àspirátion (for), stríving (for); (*страстное жела́ние*) yéarning ['jə:n-] (for), urge (towárds).

стремни́на *ж.* (*реки́*) rápid, chute [ʃu:t].

стре́мя *с.* stírrup.

стремя́нка *ж.* stép-làdder; steps *pl.*; pair of steps.

стремя́нный *м. скл. как прил. ист.* groom.

стрено́жить *сов. см.* трено́жить.

стре́пет *м. зоол.* little bústard.

стрептоко́кк *м. бакт.* strèptòcóccus [-tou-] (*pl.* -ci). ~**овый**: ~овая анги́на strèptocóccic angína [-tou- æn-].

стрептомици́н *м. фарм.* strèptomýcin [-maɪsɪn].

стресс *м. мед.* stress. ~**овый** stress (*attr.*).

стреха́ *ж.* (*крыши*) eaves *pl.*

стрига́ль *м.* shéarer.

стрига́льн||**ый** 1. *текст.*: ~ая маши́на clóth-shéaring machíne [...-'ʃi:n]; 2. *с.-х.*: ~ пункт shéaring shed, wóolshèd ['wul-].

стригу́н м., **стригуно́к** м. yéarling (foal).

стригу́щий прич. см. стричь; ◇ ~ лиша́й мед. ríng:wòrm.

стриж м. swift.

стриж||еный (*о человеке*) shórt-haired; (*об овце*) shorn; (*о дереве*) clipped; (*о волосах*) short; ~**еная гри́ва** hog mane. ~**ка** ж. 1. (*действие; волос*) háir-cùtting; (*овец*) shéaring; (*деревьев, шерсти*) clípping; маши́нка для ~ки clíppers pl.; 2. (*форма причёски*) háir-cùt.

стрипти́з м. strip-tease.

стрихни́н м. мед. strýchnin(e) [-kni:n], strýchnia.

стричь, остри́чь (*вн.; о волосах*) cut* (*d.*), clip (*d.*); (*о ногтях*) cut* (*d.*); (*об овцах*) shear* (*d.*), clip (*d.*); ~ кого́-л. cut* smb.'s hair; ◇ всех под одну́ гребёнку ≅ treat all alíke, redúce all to the same lével [...'le-]. ~**ся**, остри́чься cut* one's hair; (*у парикмахера*) have one's hair cut.

стробоско́п м. физ. stróbo:scòpe.

строга́ль м. = строга́льщик.

строга́льн||ый ~ **стано́к** pláner; ~ **резе́ц** pláning cútter.

строга́льщик м. pláner.

строга́ть (*вн.*) plane (*d.*), shave* (*d.*).

строга́ч м. разг. sevére réprimànd [...-ɑːnd].

стро́г||ий 1. strict; (*суровый*) sevére; ~ **учи́тель** strict téacher; ~ **взгляд** sevére look; ~ **тон** sevére tone of voice; ~ **кри́тик** sevére crític; ~**ая дисципли́на** strict díscipline; 2. (*определённый, точный*) strict; ~ **поря́док** strict órder; ~ **прика́з** strict órders pl.; ~**ое пра́вило** strict rule; ~**ая эконо́мия** rígid èconomy [...iː-]; ~**ая дие́та** strict díet; в ~**ом смы́сле сло́ва** in the strict sense of the word; 3. (*суровый, не допускающий снисхождения*) sevére; ~ **вы́говор** sevére réprimànd [...-ɑːnd]; ~ **пригово́р** sevére séntence; ~ **ие ме́ры** strong méasures [...'me-]; принима́ть ~**ие ме́ры** take* strong méasures; ~ **зако́н** stríngent law [-ɪndʒ-]; 4. (*о поведении, жизни*) strict, austére; ~ **нрав** strict mórals [...'mɔ-]; в ~**ом уедине́нии** in strict seclúsion; ◇ ~**ие черты́ лица́** régular féatures; ~ **стиль** sevére / austére style; под ~**им секре́том** in strict cónfidence.

стро́го нареч. strictly; (*сурово*) sevére:ly; ~ **говоря́** strictly spéaking; «~ **запреща́ется**» "strictly forbídden".

стро́го-на́строго нареч. разг. very strictly.

стро́гость ж. 1. stríctness; sevérity; stríngency [-ndʒ-]; austérity; (*ср.* стро́гий); 2. мн. (*строгие меры*) strong méasures [...'meʒ-].

строеви́||к м. 1. cómbatant sérvice:man*; 2. (*знаток строевого дела*) éxpèrt in (frónt-)lìne sérvice [...'frʌ-...].

строево́||й I воен. cómbatant; ~ **офице́р** ófficer sérving in line; cómbatant ófficer; ~ **уста́в** drill regulátions pl., drill mánual; ~**ая подгото́вка** drill, paráde drill; ~**ая слу́жба** (frónt-)lìne, или cómbatant, sérvice ['frʌ-...]; ~ **шаг** ceremónial step.

строево́й II: ~ **лес** tímber.

строе́ние с. 1. (*структура*) strúcture; биол. téxture; (*камня*) grit; 2. (*здание, постройка*) búilding ['bɪl-], constrúction.

строи́тел||ь м. búilder ['bɪl-] (*тж. перен.*); ~**и коммуни́зма** búilders of cómmunism; ~ **и но́вой жи́зни** búilders of a new life.

строи́тельн||ый búilding ['bɪl-] (*attr.*); constrúction (*attr.*); ~**ые материа́лы** búilding matérials; ~ **му́сор** búilder's rubble ['bɪl-...]; ~ **рабо́чий** búilder ['bɪl-]; ~ **сезо́н** búilding séason [...-z'n]; ~**ая конто́ра** búilding óffice; ~**ая площа́дка** búilding site / plot; ~**ая брига́да** constrúction gang; ~**ая те́хника** constrúction(al) ènginéering [...endʒ-].

строи́тельство с. 1. (*процесс*) búilding ['bɪl-] (*тж. перен.*); constrúction; доро́жное ~ road búilding; ~ **коммуни́зма** búilding of cómmunism; 2. (*объект*) (constrúction) próject [...'prɔ-].

стро́ить I, постро́ить (*вн.*) 1. build* [bɪld] (*d.*); constrúct (*d.*); ~ **дом** build* a house* [...-s]; ~ **плоти́ну** build* a dam; ~ **коммуни́зм** build* (up) cómmunism; ~ **пла́ны** plan, make* plans; 2.: ~ **фра́зу, предложе́ние** constrúct *a* séntence; ~ **треуго́льник** constrúct *a* tríangle; ~ **у́гол** plot *an* angle; ◇ ~ **возду́шные за́мки** build* castles in the air; ~ **ко́зни** máchinàte [-k-].

стро́ить II, постро́ить (*вн.*) воен. form (up) (*d.*), draw* up (*d.*); ~ **в коло́нну** form in cólumn (*d.*).

стро́иться I, постро́иться 1. be built [...bɪlt], be únder constrúction; (*строить себе*) build* *a house, etc.*, for òne:sélf [bɪld... -s...]; 2. *страд. к* стро́ить I.

стро́иться II, постро́иться воен. draw* up; form, assúme formátion; стро́йся! fall in*.

строй I м. 1. *тк. ед.* (*система*) sýstem, órder; **госуда́рственный** ~ State sýstem; **режи́м** [reɪ'ʒiːm]; **сове́тский социалисти́ческий** ~ Sòvièt sócialist sýstem; **республика́нский** ~ repúblican órder [-'rʌ-...]; **обще́ственный** ~ sócial sýstem; **колхо́зный** ~ colléctive-fàrm sýstem; 2.: **граммати́ческий** ~ **языка́** grammátical sýstem of *the* lánguage; 3. муз. pitch; (*перен.:* слаженность, гармония) hármony.

стро||й II м. воен. formátion; **ко́нный** ~ móunted formátion; в ко́нном ~**ю́** móunted; **пе́ший** ~ dismóunted formátion; в пе́шем ~**ю́** dismóunted; **развёрнутый** ~ (exténded) line; **со́мкнутый** ~ close órder [-s...]; **разо́мкнутый** ~ ópen órder; ~ **фро́нта** мор. line abréast [...-est]; ~ **пе́ленга** мор. line of béaring [...'bɛə-]; ~ **кильва́тера** мор. line ahéad [...ə'hed]; cólumn *амер.*; **полётный** ~ flýing formátion; ◇ вводи́ть в ~ (*вн.*) put* into sérvice (*d.*), put* into òperátion (*d.*), commíssion (*d.*); выводи́ть из ~**я** (*вн.*) disáble (*d.*), put* out of áction (*d.*), wreck (*d.*); остава́ться в ~**ю́** remáin in the ranks; вступа́ть в ~ (*о предприятии*) be put in operátion, come* into sérvice, be commíssioned.

стро́йк||а ж. 1. (*действие*) búilding ['bɪl-], constrúction; 2. (*место*) búilding site; рабо́тать на ~**е** work on a búilding / constrúction job; важне́йшие ~**и пяти**ле́тки májor constrúction prójècts of the five-year plan.

стройматериа́лы мн. (*строительные материалы*) búilding matérials ['bɪl-...].

стройн||ость ж. 1. (*о человеческой фигуре*) slénderness; (*о рядах*) órderliness, sýmmetry; (*о здании*) just propórtion; 2. (*о звуках*) hármony. ~**ый** 1. (*о человеке, фигуре*) slénder, slim; svelte [svelt]; (*о здании*) wéll-propórtioned; 2. (*о докладе, речи и т. п.*) wéll-compósed; (*о системе и т. п.*) harmónious; в ~**ом поря́дке** in an órderly mánner; 3. (*о звуках*) harmónious.

строк||а́ ж. line; начина́ть с но́вой ~**й** make* a new páragràph; **кра́сная** ~ indénted line; ◇ чита́ть ме́жду строк read* between the lines.

стро́нуть сов. (*вн.*) move out [muːv...] (*d.*), shift (*d.*). ~**ся** сов. move (out) [muːv...].

стро́нций м. хим. stróntium.

строп м. *тех., мор.* sling; (*у парашюта*) shroud (line).

стропи́ло с. ráfter, truss.

стропти́в||ец м., ~**ица** ж. óbstinate pérson. ~**ость** ж. óbstinacy, óbduracy, refráctoriness. ~**ый** óbstinate, óbdurate, refráctory.

строфа́ ж. stánza; stróphe [-oufi].

строфа́нт м. фарм. strophánthus.

строчи́ть, настрочи́ть 1. (*вн.; шить*) stitch (*d.*); 2. (*вн.*) разг. (*писать*) scríbble (*d.*), dash off (*d.*); 3. *тк. несов. (без доп.)* разг. (*стрелять*) bang a:wáy.

стро́чка I ж. (*шов*) stitch.

стро́чка II ж. = строка́.

строчн||о́й: ~**а́я бу́ква** small létter; *полигр.* lówer-càse létter ['loυə- -s...].

струбци́н||а ж., ~**ка** ж. *тех.* scréw-clàmp; cramp, crámp-fràme.

струг I м. *тех.* plane, plough; **у́гольный** ~ coal plough.

струг II м. (*ладья*) boat.

струга́ть = строга́ть.

стру́ж||ка ж. sháving; *собир.* shávings *pl.*, chips *pl.*; ◇ снима́ть ~**ку** с кого́-л. *шутл.* tear* smb. off a strip [tɛə...].

стру́иться run*, stream; flow [flou] (*тж. перен.*).

структу́р||а ж. strúcture; ~ **наро́дного хозя́йства** nátional ècónomy páttern ['næiː-...]; **организацио́нная** ~ fráme:wòrk of òrganizátion [...-naɪ-]. ~**али́зм** м. лингв. strúcturalism. ~**ный** strúctural.

струна́ ж. string; натя́гивать стру́ны; перебира́ть стру́ны а́рфы *и т. п.* run* one's fingers óver the strings of *a* harp, *etc.*; touch the strings of *a* harp, *etc.* [tʌtʃ...]; ◇ **сла́бая** ~ weak point / spot, the sénsitive chord [...-k-]; (*ср.* стру́нка).

стру́нк||а ж. *уменьш. от* струна́; ◇ вытя́гиваться в ~**у** stand* at atténtion; заставля́ть кого́-л. ходи́ть по ~**е** redúce smb. to sérvile obédience; **чувстви́тельная** ~ the right chord [...-k-]; заде́вать сла́бую ~**у** разг. ≅ touch the right chord [tʌtʃ...].

стру́нник м. pláyer on stringed ínstruments.

СТР — СУБ

стру́нн||ый stringed; string (*attr.*); ~ инструме́нт stringed ínstrument; ~ые инструме́нты the strings; ~ орке́стр string órchestra [...-kɪ-].

струп *м.* scab.

стру́сить *сов. см.* тру́сить.

струхну́ть *сов. разг.* lose* cóurage [luːz ˈkʌ-].

стручко́в||ый lèguminous; ~ые расте́ния lèguminous plants [...-ɑːn-]; ~ пе́рец cápsicum; (*красный*) cayénne.

стручо́к *м.* pod.

стру́||я *ж.* 1. (*текущая*) stream; (*бьющая*) jet, spurt, spirt; бить ~ёй spurt; ~ све́жего во́здуха cúrrent of fresh air; ~ све́та stream / ray of light; ~ па́ра steam jet; ~ от возду́шного винта́ (propéller) slíp-stream; 2. (*направление, черта*) cúrrent; внести́ све́жую ~ю (*в вн.*) infúse a fresh spírit (into); попа́сть в ~ю swim* with the cúrrent.

стря́п||ать, состря́пать (*вн.*) cook (*d.*); (*перен.*) concóct (*d.*), cook up (*d.*); состря́пать обвине́ние про́тив кого́-л. frame smb. up. ~ня́ *ж. разг.* cooking; (*перен.*) concóction. ~у́ха *ж. разг.* cook.

стря́пчий *м. скл. как прил. ист.* scrívener; attórney [-ˈtəː-].

стряс||ти́ (*вн.*) shake* off / down (*d.*). ~ти́сь *сов.* (над, с *тв.*) *разг.* befáll* (*d.*); с ним ~ла́сь беда́ a misfórtune beféll him [...-tʃən...].

стря́хивать, стряхну́ть (*вн.*) shake* off (*d.*).

стряхну́ть *сов. см.* стря́хивать.

студени́стый jélly-like.

студе́нт *м.*, ~ка *ж.* stúdent; ~-ме́дик médical stúdent; ~-юри́ст law stúdent; ~ истори́ческого факульте́та history stúdent.

студе́нче||ский *прил. к* студе́нт; ~ колленти́в stúdent bódy [-ˈbɔ-]; ~ское общежи́тие stúdents' hóstel. ~ство *с.* 1. *собир.* the stúdents *pl.*; 2. (*пребывание в высшем учебном заведении*) stúdent days; в го́ды моего́ ~ства in my time as a stúdent, in my cóllege / stúdent days.

студёный *разг.* very cold.

сту́день *м. кул.* gálantine [-tiːn]; (*мясной тж.*) méat-jélly.

студ||и́ец *м.*, ~и́йка *ж. разг.* stúdent (*of art, drama, etc., school*).

студи́ть, остуди́ть (*вн.*) cool (*d.*). ~ся, остуди́ться becóme* cool.

сту́дия *ж.* 1. (*художника*) stúdio; wórkshòp *разг.* 2. (*школа, готовящая художников или актёров*) school; театра́льная ~ dráma school [ˈdrɑː-...]; 3. (*радио, телевидение, кино*) stúdio.

сту́жа *ж. тк. ед.* sevére cold, hard frost.

стук *м.* 1. knock; (*тихий*) tap; (*шум*) noise; ~ в дверь knock / tap at the door [...dɔː]; ~ копы́т clátter of hooves; ~ колёс rumble of wheels. 2.: ~, ~! tap, tap!

сту́к||ать, сту́кнуть 1. knock; (*тихо*) tap; *сов. тж.* give* a knock / tap / rap; ~нуть кулако́м по́ столу bang one's fist on the table, pound the table;

~нуть в дверь knock / tap at the door [...dɔː]; 2. (*вн.*) *разг.* (*ударять*) strike* (*d.*), bang (*d.*), hit* (*d.*). ~аться, сту́кнуться (*о, обо вн.*) knock (agáinst); бump agáinst; ~нуться голово́й (*обо что-л.*) bang / bump one's head (agáinst smth.) [...hed...]. ~нуть *сов.* 1. *см.* сту́кать; 2. *разг.* (*о годах — исполниться*): ему́ ~нуло 40 лет he is past 40. ~нуться *сов. см.* сту́каться.

стул *м.* 1. chair; мя́гкий ~ pádded chair; складно́й ~ folding chair; предлага́ть ~ óffer a chair; 2. *мед.* stool; ◇ сиде́ть ме́жду двух сту́льев fall* betwéen two stools.

стульча́к *м.* lávatory seat.

сту́п||а *ж.* mórtar; ◇ толо́чь во́ду в ~е ≅ beat* the air, mill the wind [...wɪ-].

ступ||а́ть, ступи́ть 1. step; *сов. тж.* take* / make* a step; ступи́ть шаг, два шага́ take* / make* one step, two steps; ступи́ть че́рез поро́г cross the thréshòld; ступи́ть на зе́млю, бе́рег set* foot on land, on the shore [...fut...]; где никогда́ не ~а́ла нога́ челове́ка where the foot of man has never stépped / trod; 2. *тк. несов. пов.:* ~а́й(те)! go!; ~а́й(те) туда́! go there!; ~а́й(те) за ним! follow him!; ~а́й(те) (отсю́да)! get (awáy)!; be off!; clear off!, on your way now!

ступе́нчатый stepped.

ступе́нь *ж.* 1. (*лестницы*) step, fóotstèp [ˈfut-]; 2. (*этап в развитии чего-л.*) stage; 3. (*степень, уровень*) degrée, grade, lével [ˈle-]; на высо́кой ступе́ни at a high stage; ◇ ~ раке́ты stage; после́дняя ~ раке́ты-носи́теля fínal stage of cárrier rócket. ~ка *ж.* step; (*стремянки*) rung (of a ládder); поднима́ться по ~кам go* up the steps; спуска́ться по ~кам go* down the steps.

ступи́ть *сов. см.* ступа́ть 1.

сту́пица *ж.* nave, hub.

сту́пка *ж.* = сту́па.

ступня́ *ж.* foot* [fut].

стуч||а́ть knock; (*шуметь*) make* a noise; (*о зубах*) chátter; ~ в дверь knock at the door [...dɔː]; ~ кулако́м по столу́ bang one's fist on the table; дождь ~и́т в окно́ the rain is béating agáinst the window; ~и́т в виска́х blood hámmers in the temples [blʌd...]. ~а́ться в дверь knock at the door [...dɔː].

стушева́ться *сов. см.* стушёвываться.

стушёвываться, стушева́ться efface òneːsélf; retíre to the báckground, keep* in the báckground.

стыд *м.* shame; к его́ ~у́ to his shame; не име́ть ни ~а́, ни со́вести be dead to shame and have no cónscience [...ded...-nʃəns]; потеря́ть ~ lose* all sense of shame [luːz...], be lost to shame; отбро́сить ~ throw* off all shame [-ou...]; сгора́ть от ~а́ burn* with shame; ~ и позо́р ≅ a sin and a shame; ~ и срам! (for) shame!

стыд||и́ть (*вн.*) shame (*d.*), put* to shame (*d.*). ~ся (*рд.*, + *инф.*) be ashámed (of, + to *inf.*); стыди́(те)сь! you ought to be ashámed (of yourːsélf)!, for shame!

стыдли́в||о *нареч.* díffidently; (*застенчиво*) báshfully, shýly. ~ость *ж.* díffidence, módesty; (*застенчивость*) báshfulness, shýness. ~ый díffident, módest [ˈmɔ-]; (*застенчивый*) báshful, shy.

стыдн||о *предик. безл.* it is a shame; ~ отстава́ть it makes one (feel) ashámed to lag behínd; ему́ ~ he is ashámed; ему́ ~ за неё he is ashámed of her; как ~!, как вам не ~! you ought to be ashámed (of yourːsélf)!, for shame! ~ый sháme:ful.

стык *м.* joint; júnction (*тж. воен.*); ~ доро́г road júnction.

стыков||а́ть (*вн.*) *тех.* join (*d.*), attách (*d.*). ~а́ться join; (*о космических кораблях*) dock.

стыко́вка *ж. тех.* jóining, attáchment; (*частей ракетной системы*) máting; (*в космосе*) dócking; ~ на околозе́мной орби́те éarth-órbital dócking [ˈəːθ-...].

сты́н||уть 1. be gétting cold, cool; (*перен.*) be cóoling down; 2. (*замерзать*) freeze*, be frózen, be cold; ◇ кровь ~ет (в жи́лах) one's blood runs cold [...blʌd...], it makes* one's blood curdle.

стыть = сты́нуть.

сты́чка *ж.* skírmish; *воен. тж.* affáir, encóunter; (*перен.*) bíckering, squabble.

стю́ард *м.* stéward.

стюарде́сса [-дэ-] *ж.* stéwardess; (*на самолёте тж.*) air hóstess.

стяг *м.* bánner.

стя́г||ивать, стяну́ть (*вн.*) 1. tíghten (*d.*); (*верёвкой*) tie up (*d.*); 2. (*о войсках*) gáther (*d.*); draw* up (*d.*); ~ си́лы draw* up fórces; 3. (*стаскивать*) pull off / awáy [pul...] (*d.*), (*д.*), ~ся, стяну́ться 1. tíghten; 2. (*о войсках*) gáther; draw*; 3. *страд. к* стя́гивать.

стяж||а́тель *м.* grábber; (*в отношении денег*) móney-grùbber [ˈmʌ-], pérson on the make. ~а́тельство *с.* móney-grùbbing [ˈmʌ-]. ~а́ть *несов. и сов.* (*вн.*) gain (*d.*), win* (*d.*); ~а́ть сла́ву, изве́стность win* fame; catch* the líme:light *идиом.*

стяну́ть *сов.* 1. *см.* стя́гивать; 2. (*вн.*) *разг.* (*украсть*) filch (*d.*); swipe (*d.*), pinch (*d.*). ~ся *сов. см.* стя́гиваться.

су *с. нескл.* (*франц. монета в пять сантимов*) sou [suː].

суахи́ли *нескл.* 1. *м. и ж.* Swahíli [swɑːˈhiːliː]; 2. *м.* (*язык*) Swahíli, the Swahíli lánguage.

субаре́нд||а *ж. эк.* súbléase [-s]. ~а́тор *м.* súbléssée, súbténant [-ˈte-].

субаркти́ческий sùbárctic.

суббо́т||а *ж.* Sáturday [ˈsætədɪ]; по ~ам on Sáturdays, every Sáturday; вели́кая ~ *церк.* Hóly Sáturday. ~ний *прил. к* суббо́та. ~ник *м.* subbótnik (*a day of voluntary unpaid labour*).

субдомина́нта *ж. муз.* sùbdóminant.

субконтине́нт *м.* sùbcóntinent.

сублим||а́т *м. хим.* súblimàte. ~а́ция *ж. хим.* sùblimátion. ~и́ровать *несов. и сов.* (*вн.*) *хим.* súblimàte, sublíme (*d.*).

субнорма́ль *ж. мат.* súbnórmal.

субордина́ция *ж.* (sýstem of) sènióritý.

субре́тка ж. *театр.* soubrétte [su:-].
субсиди́ровать *несов. и сов.* (*вн.*) súbsidize (*d.*).
субси́дия ж. súbsidy, gránt-in-áid ['gra:-], bóunty.
субстанти́вировать *несов. и сов.* (*вн.*) *лингв.* substántivize (*d.*). ~ся *несов. и сов. лингв.* substántivize.
субста́нция ж. *филос.* súbstance.
субстра́т м. 1. *филос.* súbstance; 2. *биол., геол., лингв.* substrátum (*pl.* -ta).
субстратосфе́ра ж. sùbstrátosphère [-reɪ-].
субти́льн||**ость** ж. slénderness, fráilty. ~**ый** slénder, frail.
субти́тр м. *кин.* súbtitle.
субтро́п||**ики** *мн.* súbtropics. ~**и́ческий** sùbtrópical.
субъе́кт м. 1. *филос., грам.* súbject; 2. *разг.* (*о человеке*) féllow. ~**ивизм** м. *филос.* subjéctivism. ~**иви́ст** м. sùbjéctivist. ~**и́вность** ж. sùbjectívity. ~**и́вный** subjéctive; ~**и́вный идеали́зм** *филос.* subjéctive ideálism [...aɪˈdɪə-], sùbjéctivism.

сувени́р м. sóuvenir ['su:vənɪə]. ~**ный** sóuvenir ['su:vənɪə] (*attr.*).
сувере́||**н** м. *ист.* sóvereign ['sɒvrɪn]. ~**ите́т** м. sóvereignty ['sɒvrɪn-]. ~**нный** sóvereign ['sɒvrɪn]; ~**нное госуда́рство** sóvereign state.
суво́ров||**ец** м. Suvórovets (*pupil of a Suvorov Military School*). ~**ский**: ~**ское учи́лище** Suvórov Military School.
сугли́нистый lóamy.
сугли́нок м. loam, lóamy soil.
сугро́б м. snów-drift [-ou-].
сугу́б||**о** *нареч.* espécially [-ˈpe-], particularly, э́то моё ~ ли́чное мне́ние this is my púrely pérsonal opínion. ~**ый** espécial [-ˈpe-], particular.
суд м. 1. (*государственный орган*) láw-court [-kɔːt], court [kɔːt], Court of Law / Jústice; Верхо́вный Суд СССР Sùpréme Court of the USSR; наро́дный ~ Péople's Court [piː-...]; вое́нный ~ court mártial; вое́нно-полево́й ~ drúm--head court mártial [-hed...]; на ~е́ in court; опра́вдан по ~у́ found not guilty; вызыва́ть в ~ (*вн.*) súmmons (*d.*), cite (*d.*), subpóena [-ˈpiːnə] (*d.*); подава́ть в ~ take* it into court; подава́ть в ~ на кого́-л. bring* an áction agáinst smb.; се́ссия ~а́ Court séssion; заседа́ние ~а́ sítting of the Court; зал ~а́ cóurt-room ['kɔːt-]; быть под ~о́м be on, *или* stand* trial; отдава́ть под ~, предава́ть ~у́ (*вн.*) prósecute (*d.*); добива́ться чего́-л. ~о́м take* smth. to court; трете́йский ~ court of àrbitrátion; (*правосудие*) jústice; иска́ть ~а́ seek* jústice; 3. (*суждение*) jùdg(e)ment; ~ пото́мства the vérdict of pòsterity; 4. (*разбор дела*) trial; в день ~а́ on the day of the trial; 5. *собир.* (*судьи*) the júdges *pl.*, the bench; ◊ ~ че́сти court of hónour [...ˈɒnə]; пока́ ~ да де́ло before the vérdict is in.
суда́к м. (*рыба*) píke-pèrch, zánder.
суда́н||**ец** м. Sùdanése [suː-]. ~**ка** ж. Sùdanése (wóman*) [suː- ˈwuː-]. ~**ский** Sùdanése [suː-].
суда́рыня ж. *уст.* mádam ['mæ-], ma'am [mæm].

су́дарь м. *уст.* sir.
суда́чить (*о пр.*) *разг.* góssip (abóut), títtle-tàttle (abóut).
суде́бник м. *ист.* code of law.
суде́бн||**ый** judícial; légal, forénsic; ~**ое сле́дствие** ín:quèst; investigátion in court [...kɔːt]; ~**ое разбира́тельство**, ~ **проце́сс** trial; **ле́гал procéedings** *pl.*; **héaring of a case** [...-s]; ~**ые изде́ржки** costs; в ~**ом поря́дке** in légal form; ~**ая медици́на** forénsic médicine; ~**ое красноре́чие** láwyer's éloquence; ~**ое заседа́ние** sítting of the court [...kɔːt], court sítting; ~ **сле́дователь** investigátor; ~ **исполни́тель** báiliff; ófficer of the law; ~ **при́став** *уст.* báiliff; ~**ая оши́бка** miscárriage of jústice [-rɪdʒ...].
суде́йский 1. *прил.* judícial; 2. *прил. спорт.* rèferée's, úmpire's; 3. *м. как сущ. уст. разг.* ófficer of the court [...kɔːt].
суде́йство с. *спорт.* júdging; (*в футболе, боксе*) rèferéeing; (*в теннисе*) úmpiring.
суде́нышко с. *разг.* little ship / craft.
суди́||**лище** с. *уст.* trial. ~**мость** ж. (*previous*) convíctions *pl.*; не име́ть ~**мости** have no prévious convíctions; снять ~**мость с кого-л.** expúnge smb.'s prévious convíctions.
суди́||**ть** 1. (*вн.*) try (*d.*); 2. (*вн.*) *спорт.* rèferée (*d.*), úmpire (*d.*); 3. (*о пр.*: *составлять, высказывать мнение*) judge (*d.*); ~ **по чему́-л.** judge by smth.; ~ **по вне́шнему ви́ду** judge by appéarances; ~ **по дела́м, а не по слова́м** judge by deeds and not by words; **су́дя по всему́** to all appéarances, júdging from appéarances; **е́сли** ~ **по его́ слова́м** to judge from his words; **е́сли мо́жно** ~ **по э́тому** if it is ány:thing to go by; **наско́лько он мо́жет** ~ to the best of his júdg(e)ment; 4. *уст., поэт.* (*предназначать, предопределять*) predéstine (*d.*), prè:détermine (*d.*); **ему́ суждено́ бы́ло стать** (*кем-л.*) he was fáted to be / become (smb.); **бы́ло су́ждено, что он стал** (*кем-л.*) it was fáted that he becáme (smb.); ◊ ~ **да ряди́ть** *разг.* discúss and árgue. ~**ться** 1. go* to law; (*с тв.*) be at law (with); have légal procéedings (with); 2. (*иметь судимость*) have a críminal récord [...ˈre-], have been convícted in court [...kɔːt]; 3. *страд. к* суди́ть 1, 2.
су́дно I с. *мор.* boat, ship, véssel, craft; **гребно́е** ~ rówing boat [ˈrou-...]; **па́русное** ~ sáiling véssel; **парово́е** ~ steam véssel; **вое́нное** ~ *уст.* mán-of--wàr (*pl.* mèn-), wárship; **грузово́е** ~ freight ship / boat; **госпита́льное** ~ hóspital ship; **китобо́йное** ~ whále-boat, whále:shìp, wháler; **рыболо́вное** ~ físh-ing-boat; **кабота́жное** ~ cóasting véssel; **наливно́е** ~ tánker; **нефтеналивно́е** ~ oil-tànker; **уче́бное** ~ tráining ship; ~ **на подво́дных кры́льях** hýdro:fòil; ~ **на возду́шной поду́шке** hóver:cràft [ˈhɔ-]; **air-cùshion véhicle** [-ku- ˈviːɪ-] *амер.*; ~ **водоизмеще́нием в 2000 то́нн** ship with a displácement of 2,000 tons [...tʌnz]; **2,000-то́ннер** [-tʌ-]; **речны́е суда́** river boats [ˈrɪ-...]; **морски́е, океа́нские суда́** séa-gò:ing / ócean-gò:ing ships [...ˈouʃn-...]; **взойти́ на** ~ go* on board *a* ship.
су́дно II с. (*для больного*) béd-pan.

СУБ — СУЕ

судове́рфь ж. shíp:yàrd.
судовладе́лец м. ship-owner [-ou-].
судоводи́тель м. návigàtor.
судовожде́ние с. nàvigátion.
судов||**о́й** ship's; ship (*attr.*); ~**а́я кома́нда** ship's crew; ~**о́е свиде́тельство** ship's certíficate of régistry.
судоговоре́ние с. *юр.* pléadings *pl.*
судо́к м. 1. (*столовый прибор*) crúet-stànd [ˈkruː-] *pl.*; 2. (*для соусов*) sáuce-boat, grávy-boat; 3. *мн.* (*для переноски кушаний*) set of dishes with cóvers [...ˈkʌ-].
судомо́йка I ж. (*работница*) kítchen--hèlp, scúllery-màid, wásher-ùp.
судомо́йка II ж. (*помещение*) scúllery.
судоподъё||**м** м. *тех.* shíp-ràising. ~**ник** м. *тех.* ship élevàtor.
судопроизво́дство с. *юр.* légal procédure [-ˈsiːdʒə]; légal procéedings *pl.*
судоремо́нт м. ship repáir. ~**ный** ship-repáir (*attr.*), ship-repáiring; ~**ная верфь** shíp-repáir(ing) yard; ~**ные рабо́ты** ship-repáir work *sg.*
су́дорог||**а** ж. cramp, convúlsion; **вызыва́ть** ~**у** cramp, convúlse.
су́дорожный convúlsive, spàsmódic [-z-] (*тж. перен.*).
судостро́||**éние** с. shípbùilding [-bɪl-]. ~**и́тель** м. shípbùilder [-bɪl-], shípwrìght. ~**и́тельный** shípbùilding [-bɪl-] (*attr.*); ~**и́тельная верфь** shíp:yàrd.
судоустро́йство с. *юр.* judícial sýstem.
судохо́д||**ность** ж. návigabìlity; ~**ный** návigable; ~**ная река́** návigable river [...ˈrɪ-]; ~**ный кана́л** shípping canál. ~**ство** с. nàvigátion.
судьб||**а́** ж. (*в разн. знач.*) fate, fórtune [-tʃən]; (*удел*) déstiny; **су́дьбы наро́дов** the fórtunes of nátions; **реша́ть** ~**у́ ми́ра** decíde the fate of peace; ◊ **каки́ми** ~**а́ми?** *разг.* by what chance?, how on earth did you get here? [...ˈəːθ...]; **благодари́ть** ~**у́** thank one's lúcky stars; **соедини́ть свою́** ~**у́ (с** *тв.***)** link one's déstiny / life (with); **распоряжа́ться со́бственной** ~**о́й (с** *тв.***)** be the árbiter of one's own déstiny [...oun...], take* one's déstiny into one's own hands; **во́лею** ~**ы́, су́деб** as the fates decrée, as fate (has) willed; **игру́шка** ~**ы́** pláything of déstiny; **иска́ть** ~**ы́** tempt fate; **не** ~ **ему́** (+ *инф.*) he has no luck (+ to *inf.*), he is not fáted (+ to *inf.*).
судьби́на ж. *поэт.* = судьба́.
судья́ м. 1. judge; **мирово́й** ~ *ист.* Jústice of the Peace (*сокр.* J. P.); **трете́йский** ~ árbitràtor; **наро́дный** ~ Péople's Judge [piː-...]; **он вам не** ~ who is he to judge you?; **он плохо́й** ~ **в э́том де́ле** he cánnot judge of the case [...keɪs], he is no authórity on this quéstion [...-stʃən]; 2. *спорт.* rèferée, úmpire.
суеве́р м. sùperstítious pérson. ~**ие** с. sùperstítion. ~**ный** sùperstítious.
суесло́вие с. *уст.* idle talk.
сует||**а́** ж. 1. fuss, bústle; 2. *уст.* (*тщетность*) vánity; ◊ ~ **суе́т** vánity of vánities. ~**и́ться** fuss, bústle. ~**ли́вость** ж. fússiness. ~**ли́вый** fússy,

СУЕ — СУТ

суетли́вый fídgety, bústling; ~ли́вый челове́к fússy pérson.

суетн||ость ж. *уст.* vánity. **~ый** *уст.* vain.

суетня́ ж. *разг.* = суета́ 1.

сужде́ние с. júdg(e:)ment (*тж. лог.*); (*мнение*) opínion.

су́женая ж. *скл. как прил.* (*невеста*) inténded / prómised (wife*) [...-st...].

суже́ние с. 1. (*действие*) nárrowing, contráction; 2. (*узкое место*) nárrow spot.

су́женый м. *скл. как прил.* (*жених*) one's inténded / prómised (húsband) [...-st ˈhʌz-].

су́живать, су́зить (*вн.*) nárrow (*d.*). **~ся, су́зиться** 1. nárrow, get* / grow* nárrow [...grou...]; (*к концу*) táper; 2. *страд.* к су́живать.

су́зить(ся) *сов. см.* су́живать(ся).

сук м. 1. bough; 2. (*в бревне, доске*) knot.

су́ка ж. bitch.

су́кин *прил.* к су́ка; ◇ ~ сын *бран.* son of a bitch [sʌn...].

сукно́ с. cloth, bróadcloth [-ɔːd-]; ◇ класть под ~ (*вн.*) shelve (*d.*), pígeon-hòle [-dʒɪn-] (*d.*). **~ва́л** м. fúller [ˈfu-]. **~ва́льный** fúlling [ˈful-]. **~ва́льня** ж. fúllery [ˈfu-], fúlling mill [ˈful-...].

сукова́тый with many boughs / knots.

суко́н||ка ж. piece of cloth [piːs...]. **~ный** cloth (*attr.*); ◇ ~ный язы́к clúmsy / áwkward style [-zɪ...].

су́кровица ж. íchor [ˈaɪkɔ-].

сулем||а́ ж. *хим.* (corrósive) súblimate. **~о́вый** *хим.* súblimate (*attr.*).

сули́ть, посули́ть (*вн.*) prómise [-s] (*d.*); ◇ ~ золоты́е го́ры (*дт.*) ≅ prómise wónders / the moon [...ˈwʌ-...] (*i*).

султа́н I м. (*титул монарха*) súltan.

султа́н II м. (*на шляпе*) plume.

султана́т м. súltanate.

султа́нша ж. sultána [-ˈtɑː-], súltaness.

сульф||а́т м. *хим.* súlphate; ~ аммо́ния ammónium súlphate. **~и́д** м. *хим.* súlphide. **~и́т** м. *хим.* súlphite.

сульфокислота́ ж. *хим.* súlpho-àcid.

сум||а́ ж. bag, pouch; перемётная ~ sáddle-bàg; ходи́ть с ~о́й *разг.* beg, go* a-bégging; пусти́ть с ~о́й (*вн.*) rúin (*d.*); ~ перемётная ≅ wéather-còck [ˈweðə-], wéather-wàne [ˈweðə-].

сумасбро́д м., **~ка** ж. mádcap. **сумасбро́д||ничать** beháve wíld:ly / extrávagantly [...-zɪ-]. **~ный** extrávagant; (*о плане и т. п.*) wild. **~ство** с. wild / extrávagant beháviour.

сумасше́||дший 1. *прил.* mad, insáne; (*перен.*) lúnatic; ~ дом lúnatic asýlum, mád:house* [-s]; ~ая ско́рость lúnatic speed; ~ие це́ны exórbitant príces; э́то бу́дет сто́ить ~их де́нег it will cost a enórmous sum; it will cost the earth [...ɜːθ]; 2. *как сущ.* м. mád:man*, lúnatic; méntally ill pérson; ж. mád:wòman* [-wu-], lúnatic; бу́йный ~ víolent / ráving lúnatic.

сумасше́стви||е с. méntal íllness; mádness (*тж. перен.*); бу́йное ~ ráving mádness; доводи́ть до ~я (*вн.*) drive* / send* mad (*d.*).

сумасше́ствовать *разг.* act like a mád:man*.

сумато́ха ж. bustle, túrmoil.

сумато́ш||ливый, ~ный *разг.* bústling, given to fússing.

сумбу́р м. confúsion; (*путаница*) múddle. **~ность** ж. confúsion. **~ный** confúsed; múddled.

су́меречный twílight [ˈtwaɪ-] (*attr.*); dusk; crepúscular (*тж. зоол.*).

су́мерк||и мн. twílight [ˈtwaɪ-] *sg.*; (*вечерние*) glóaming *sg.*; в ~ах in the twílight; спуска́ются ~ dusk is fálling.

су́мерничать *разг.* take* one's rest, *или* sit*, in the glóaming / twílight [...ˈtwaɪ-].

суме́||ть *сов.* (+ *инф.*) be able (+ to *inf.*); mánage (+ to *inf.*); succéed (in *ger.*); он не ~ет э́того сде́лать he will not be able to do it; он ~л его́ убеди́ть he succéeded in persuáding him [...ˈsweɪ-...]; не ~ю сказа́ть I can't say / tell [...kɑːnt...].

су́м||ка ж. 1. bag; ~ для поку́пок shópping bag; доро́жная ~ hóld:àll; ~ почтальо́на póst:man's bag [ˈpou-...]; патро́нная ~ *воен.* cártridge-pouch; полева́я ~ *воен.* map case [...-s]; 2. *биол.* pouch.

су́мм||а ж. (*в разн. знач.*) sum; о́бщая ~ sum tótal; ◇ в ~е in sum; all in all. **~а́рный** tótal; (*перен.: обобщённый*) súmmary; ~а́рное число́ оборо́тов tótal númber of revolútions; ~а́рные све́дения géneral informátion *sg.* **~и́рование** с. súmming up, sùmmátion.

сумми́ровать *несов. и сов.* (*вн.*) sum up (*d.*); (*перен.: обобщать*) súmmarize (*d.*).

сумня́ся, сумня́шеся: ничто́же ~ without dóubting for a móment [...daut-...].

су́мочка ж. 1. small bag; 2. (*дамская*) hándbàg; fáncy-bàg; би́серная ~ béaded bag.

су́мрак м. dusk, twílight [ˈtwaɪ-].

сумрачн||ость ж. gloom, dúskiness. **~ый** glóomy (*тж. перен.*); múrky.

су́мчат||ые мн. *скл. как прил. зоол.* màrsúpials. **~ый** 1. *зоол.* màrsúpial; 2. *бот.*: ~ые грибы́ àscomycétes [-maɪˈsiːtiːz].

сумя́тица ж. = сумато́ха.

сунду́к м. trunk, box, chest.

су́нн||а ж. Súnna(h) [ˈsu-]. **~и́т** м. súnnite [ˈsu-].

су́нуть(ся) *сов. см.* сова́ть(ся).

суп м. soup [suːp].

суперарби́тр м. chief úmpire / árbitràtor [tʃiːf...].

супергетероди́н м. *рад.* súperhétero-dỳne.

суперме́н м. *ирон.* súper:màn*.

суперобло́жка ж. jácket, dúst-còver [-kʌ-].

суперфосфа́т м. *хим.* sùperphósphàte.

су́песок м. sándy loam.

супесча́ный sándy-loam (*attr.*).

су́песь ж. = су́песок.

супина́тор м. ínstèp / arch suppórter.

су́п||ник м., **~ница** ж. turéen.

супов||о́й soup [suːp] (*attr.*); ~а́я ло́жка (soup) spoon; ~а́я ми́ска turéen.

супо́нь ж. háme-stràp.

супоро́сая: ~ свинья́ sow in fárrow.

супоста́т м. *уст.* ádversary, foe.

су́ппорт м. *тех.* suppórt.

супру́||г м. húsband [-z-]. **~га** ж. wife*. **~жеский** màtrimónial, cónjugal; **~жеская па́ра** márried couple [...kʌ-]. **~жество** с. mátrimony, cònjugálity, wéd:lòck.

сургу́ч м. séaling-wàx [-wæ-]. **~ный** séaling-wàx [-wæ-] (*attr.*).

сурди́н||ка ж. *муз.* mute, sòrdíno [-ˈdiːnou]; ◇ под ~у *разг.* on the sly.

сурдопедаго́гика ж. déaf-and-dúmb pédagògy [ˈdef- -gɔ-], méthods of téach-ing deaf mutes [...def...].

суре́п||ица ж., **~ка** ж. *бот.* winter-cress.

су́рик м. *хим.* (*свинцовый*) mínium, red lead [...led].

суро́во I *прил. кратк. см.* суро́вый I.

суро́в||о II *нареч.* sévere:ly, stérnly; обраща́ться с кем-л. ~ be sevére with smb., treat smb. in a strict / sevére way. **~ость** ж. severity, stérnness; rígour.

суро́в||ый I (*в разн. знач.*) sevére, stern; (*о зиме, погоде и т. п.*) sevére, inclément [-ˈkle-]; (*о климате*) rígorous, inclément; **~ая дисципли́на** sevére / stern díscipline; ~ взгляд sevére / stern look; ~ое обраще́ние sevére tréatment; ~ пригово́р sevére séntence; ~ое наказа́ние sevére púnishment [...ˈpʌ-]; ~ зако́н, ~ые ме́ры drástic law, méasures [...ˈme-]; ~ое испыта́ние stern test, sevére tríal; ~ые го́ды войны́ stern / grim years of war; пройти́ ~ую жи́зненную шко́лу go* through a hard school of expérience.

суро́в||ый II (*небелёный*) un:bléached, brown; ~ое полотно́ brown Hólland.

суро́к м. mármot; ◇ спать как ~ ≅ sleep* like a top / log.

суррога́т м. súbstitute. **~ный** érsatz [ˈɛəzæts].

сурьма́ ж. 1. *хим.* ántimony, stíbium; 2. (*краска*) háir-dyè.

сурьми́ть, насурьми́ть (*вн.*) *уст.* dye (*d.*), dárken (*d.*). **~ся, насурьми́ться** *уст.* 1. dye / dárken one's hair, éye:bròws [...ˈaɪ-]; 2. *страд.* к сурьми́ть.

суса́льн||ый 1.: ~ое зо́лото tínsel, gold leaf; ~ое серебро́ tínsel, sílver leaf; 2. (*слащавый*) súgary [ˈʃu-].

су́слик м. gópher [ˈgou-], ground squírrel.

су́сло с.: виногра́дное ~ must; пивно́е ~ wort.

суста́в м. joint, àrticulátion; неподви́жность ~ов *мед.* ànchylósis [-kaɪˈlou-]. **~но́й** àrtículate; ~но́й ревмати́зм *мед.* rhéumatism; (*острый*) rheumátic féver.

сута́на ж. soutáne [suːˈtɑːn].

сутенёр м. souteneur (*фр.*) [suːtəˈnəː], ponce.

су́тки мн. twénty-four hours [-fɔːrˈauəz]; рабо́та шла кру́глые ~ work went on round the clock.

суто́лока ж. commótion, húrly-bùrly, húbbùb.

су́точн||ые мн. *скл. как прил.* per diem subsístence allówance *sg.* **~ый** twénty-four-hóurs' [-fɔːrˈauəz]; dáily.

сутýл||ить, ссутýлить (*вн.*) stoop (*d.*). **~иться**, ссутýлиться stoop. **~оватость** *ж.* stoop. **~оватый**, **~ый** róund-shóuldered [-ʃou-], stóoping.

сут||ь I *ж. тк. ед.* éssence, gist; **~ дéла** the éssence of the mátter, the main point; **~ вопрóса, проблéмы** the crux / kérnel / heart of the próblem [...-ha:t, 'prɔ-]; **вся ~ в том, что** the whole point is that [...houl...]; **по ~и дéла** as a mátter of fact, in point of fact; **дойти до ~и дéла** come* to the point, touch the ground [tʌtʃ...].

суть II 3 *л. мн. ч. наст. вр. от* быть; ◇ (это) не ~ вáжно (this is) not esséntial, (this is) not impórtant.

сутя́||га *м. и ж. разг.* litígious pérson / féllow. **~жнический** *разг.* litígious. **~жничество** *с. разг.* litigiousness, malícious litigátion.

суфле́ *с. нескл. кул.* soufflé (*фр.*) ['su:fleɪ].

суфлёр *м. театр.* prómpter. **~ский** *прил. к* суфлёр; **~ская бýдка** prómpt-box.

суфли́ровать (*дт.*) prompt (*d.*).

суфражи́стка *ж.* súffragétte.

сýффикс *м. грам.* súffix.

сухáрница *ж.* bíscuit dish [-kɪt...]; bíscuit bárrel (*об. закрытая*).

сухáр||ь *м.* dried crust; (*сладкий*) rusk; (*перен. о человеке*) dríed-úp man*; **a dry old stick** *идиом. разг.*; **паниро́вочные ~и** dried bréadcrumbs [...'bred-].

сухмéнь *ж. разг.* 1. (*о погоде*) dry wéather [...'weðə], drought [draut]; 2. (*о почве*) dry soil.

сýхо I 1. *прил. кратк. см.* сухóй; 2. *предик. безл.* it is dry; **на улице ~** it is dry out of doors [...dɔ:z].

сýхо II *нареч.* dríly; (*холодно, безучастно*) cóld:ly; **приняли его́ ~** he was recéived ráther cóld:ly [...-'si:-'rɑ:-...]; **~ возрази́ть** retórt stíffly.

суховáтый drýish.

суховéй *м.* hot dry wind [...wɪ-].

сухогрýз *м. мор.* 1. (*сухой груз*) dry cárgo; 2. (*судно*) dry cárgo ship. **~ный: ~ное сýдно =** сухогрýз 2.

суходóл *м.* wáterless válley ['wɔ:-...].

сухожи́лие *с. анат.* téndon, sinew.

сух||óй (*в разн. знач.*) dry; (*засушливый тж.*) árid; **~ клúмат** dry clímate [...'klaɪ-]; **~óе дéрево** dry wood [...wud]; (*не растущее*) dead tree [ded...]; **~ кáшель** dry cough [...kɔf]; **~ приём** cold / chílly recéption; **~ человéк** dríed-úp man*; **~ пéречень фáктов** bare lísting of facts; **~áя игла́** *иск.* drý-point; **~ нап** dry steam; **~ элемéнт** *эл.* dry pile; **~áя перегóнка** dry / destrúctive distillátion; **~ док** drý-dòck; **~ие сýчья** déad-wood ['dedwud] *sg.*; **~ие фрýкты** dried fruit [...fru:t] *sg.*; **~óе молокó** dried milk (*sg.*); **~óе вино́** dry wine; **~ закóн** prohibítion (law) [proui-...]; **~ паёк** dry rátions [...'ræ-] *pl.*; **~им путём** (*по суше*) by / óver land; **выйти ~им из воды́** *разг.* ≃ come* through únscathed [...-'skeɪ-]; **на нём нитки не было** he had not a dry stitch on.

сухолюби́вый *бот.* xeróphilous [zɪə'rɔ-].

сухомя́тка *ж. разг.* dry food (*without any beverage*).

сухопáрый *разг.* lean.

сухопýтн||ый land (*attr.*); (*о путешествии*) by land; **~ые войскá** land fórces; **~ая война́** land wárfare.

сухорýкий without the use of one arm, having a wíthered arm.

сухостóй *м. тк. ед. собир.* dead wood [ded wud]; dead stánding trees *pl.*

сýхость *ж.* (*в разн. знач.*) drýness; (*засушливость тж.*) arídity.

сухотá *ж. разг.* 1. (*ощущение сухости*) drýness; **у меня́ ~ в горле** my throat is parched; 2. (*о погоде*) dry spell; 3. *фольк.* (*тоска, забота*) lónging (for), yéarning ['jə:n-] (for).

сухóтка *ж.*: **~ спиннóго мозга** *мед.* (*dórsal*) tábes [...-bi:z], lócal atáxy.

сухофрýкты *мн.* dried fruits [...fru:ts].

сухощáв||ость *ж.* léanness, méagreness. **~ый** lean, méagre.

сухоядéние *с. разг. шутл.* dry food.

сучён||ый twisted; **~ая нить** twisted thread [...-ed].

сучи́ть 1. (*вн.*) spin* (*d.*); twist (*d.*); (*о шёлке тж.*) throw* [-ou] (*d.*); 2. (*тв.*) двигать jerk (*d.*), work (*d.*); **~ нóжками** (*о ребёнке*) kick.

сýчка *ж. уменьш. от* сýка.

сучковáтый (*о доске, палке*) knótty; (*о дереве*) snággy, gnarled, gnárly.

суч||óк *м.* twig; (*в древесине*) knot; ◇ **без ~кá, без задóринки** *разг.* ≃ without a hitch.

сýш||а *ж. тк. ед.* (dry) land; **на ~е и на мóре** by / on land and sea.

сýше *сравн. ст. см. прил.* сухóй *и нареч.* сýхо II.

сушéние *с.* 1. (*действие*) drýing; 2. *разг.* (*сушёные фрукты*) dried fruit [...fru:t].

сушени́ца *ж. бот.* cúdweed.

суш||ёный dry, dried; **~ёные фрýкты** dried fruit [...fru:t] *sg.* **~и́лка** *ж.* 1. (*аппарат*) drýing appárátus, drýer; 2. (*помещение*) drýing-room. **~и́льный** drýing. **~и́льня** *ж.* drýing-room. **~и́льщик** *м.* drýer.

суши́ть, вы́сушить (*вн.*) dry (*d.*); **~ бельё** air / dry the línen [...'lɪ-]; **~ сéно** dry the hay. **~ся**, вы́сушиться 1. dry, get* dried; 2. *страд. к* суши́ть.

сýшка I *ж.* (*действие*) drýing.

сýшка II *ж.* (*вид баранки*) sóoshka (*small ring-shaped cracker*).

сушь *ж. разг.* 1. (*жаркая, сухая пора*) dry spell; 2. (*что-л. сухое*) dry óbject; 3. (*сухая местность*) dry place.

существенн||ость *ж.* impórtance. **~ый** esséntial, matérial; (*значительный*) consíderable; (*важный*) impórtant, substántial; (*жизненный*) vítal; **~ое замечáние** remárk very much to the point; **~ая попрáвка** impórtant améndment; **~ое значéние** vítal impórtance; **~ые разли́чия** esséntial distínctions; **~ых изменéний не произошло́** no matérial change (in the situátion) [...tʃeɪ-...].

существи́тельное *с. скл. как прил.* *грам.*, **имя ~** noun, substántive.

существ||ó I *с.* (*живое*) béing, créature; **люби́мое ~** loved one [lʌvd...].

существ||ó II *с. тк. ед.* (*сущность*) éssence; **по ~ý** in éssence, esséntially; **по ~ý** (*рд.*) **резолю́ции и т. п.** on the substance (of); **не по ~ý** beside the point; **рассмотрéть предложéние по ~ý** examine the propósal on its mérits [...-z-...]; **говорить, отвечать по ~ý** speak*, ánswer to the point [...'ɑ:nsə...].

существовáн||ие *с.* existence; (*жизнь*) life; **срéдства к ~ию** lívelihood [-hud]; **зарабáтывать срéдства к ~ию** earn one's líving [ə:n... 'lɪ-]; **поддéрживать ~** keep* bódy and soul togéther [...'bɔ-... soul -'ge-]; **отравлять кому́-л. ~** make* smb.'s life a mísery [...'maɪz-].

существ||овáть exíst, be; **этот закон ~ует давно́** it is an old law; **~ует мнéние, что** there is / exísts an opínion that; **~уют люди, котóрые** there are péople who [...pi:-...].

сýщ||ий real [rɪəl]; (*явный*) dównright; **~ая прáвда** real / exáct truth [...-u:θ]; **~ вздор** dównright nónsense; **úttter rúbbish** *sg.*; **~ее наказáние** a núisance [...'nju:s-], pain in the neck.

сýщност||ь *ж.* éssence, main point; **клáссовая ~** class náture [...'neɪ-]; **~ дéла** the point of the mátter; **в ~и, по свое́й ~и** vírtually; at the bóttom, in the main; ◇ **в ~и (говоря́)** as a mátter of fact, práctically spéaking.

сýягная: **~ овцá** ewe in yean.

сфабрикóванный *прич. и прил.* trúmped-úp, fáked-úp.

сфабриковáть *сов. см.* фабриковáть 2.

сфáгнум *м. бот.* sphágnum (*pl.* -na), bóg-mòss.

сфальши́вить *сов. см.* фальши́вить.

сфантази́ровать *сов. см.* фантази́ровать 2.

сфéр||а *ж.* (*в разн. знач.*) sphere; (*область тж.*) realm [relm]; **небéсная ~** *астр.* celéstial sphere; **~ влия́ния** *полит.* sphere of ínfluence; **вы́сшие ~ы** the hígher / úpper spheres; **в вы́сших ~ах** in the léading socíety; **быть в свое́й ~e** be on one's own ground [...oun...]; be in one's élement; **это вне его́ ~ы** it is out of his sphere / line.

сфери́ческ||ий sphérical; **~ая геомéтрия** sphérics *pl.*, sphérical geómetry.

сфери́чность *ж.* sphericity.

сферóид *м. мат.* sphéroid. **~áльный** *мат.* sphéroidal.

сферóметр *м. физ.* sphérómeter [sfɪə-].

сфигмóграф *м. мед.* sphýgmogràph.

сфинкс *м.* sphinx.

сфи́нктер [-тэ-] *м. анат.* sphíncter.

сформировáть(ся) *сов. см.* формировáть(ся).

сформовáть *сов. см.* формовáть.

сформули́ровать *сов.* (*вн.*) fórmuláte (*d.*).

сфотографи́ровать(ся) *сов. см.* фотографи́ровать(ся).

сфуговáть *сов. см.* фуговáть.

схáпать *сов. см.* хáпать 1.

схвати́ть *сов.* 1. *см.* хватáть I; 2. *см.* схвáтывать.

схвати́ться *сов.* 1. *см.* хватáться 1; 2. *см.* схвáтываться.

схвáтк||а *ж.* (*стычка*) skirmish; mêlée (*фр.*) ['meleɪ]; close fight [-s...], close engágement; **рукопáшная ~** hand-to-

СХВ — СЧЕ

-hand fight, man-to-man fight; воздушная ~ dogfight (in the air); в смертельной ~е (с тв.) locked in mortal combat (with).

схватки мн. contractions; fit sg., spasm sg.; родовые ~ labour sg., birth pangs.

схватывать, схватить (вн.; в разн. знач.) grip (d.), grab (d.), catch* (d.), grasp (d.); схватить беглеца catch* the fugitive; схватить кого-л. за руку seize smb.'s hand [si:z...]; схватить насморк разг. catch* cold (in the head) [...hed]; ~ смысл grasp the meaning, catch* on.

схват∥ываться, схватиться 1. (за вн.) seize [si:z] (d.); ~иться за руки join hands; 2. (с тв.; вступать в борьбу) grapple (with); (драться) come* to blows [...-ouz] (with), skirmish (with); ~иться с неприятелем close with the enemy.

схема ж. 1. (чертёж) diagram; (план) scheme, layout; ~ проводки wire diagram; ~ радиоприёмника receiver diagram [-'si:və...]; 2. (описание чего-л. в общих чертах) plan, outline, sketch; (перен.) stereotyped pattern.

схематизировать несов. и сов. (вн.) schematize ['ski:-] (d.).

схемат∥изм м. sketchiness. **~ический** 1. diagrammatic(al), schematic; 2. (об описании, изложении) sketchy, oversimplified. **~ичность** ж. sketchy character [...'kæ-], sketchiness. **~ичный** schematic, outlined.

схизм∥а ж. церк. schism [sɪ-]. **~атик** м. церк. schismatic [sɪz-]. **~атический** церк. schismatic [sɪz-].

схим∥а ж. церк. schéma (strictest monastic rule). **~ник** м. monk having taken vows of schéma [mʌ-...]. **~ница** ж. nun having taken vows of schéma.

схитрить сов. см. хитрить.

схлопотать сов. разг. 1. (вн.; добиться) obtain (after much trouble) [...trʌ-] (d.); 2. (вн.; без доп.; получить): ~ по шее get* it in the neck.

схлынуть сов. (о воде) rush back; (перен.; о толпе) break* up [-eɪk...]; (о чувстве) subside, let* up.

сход м. уст. (собрание) gathering.

сходить I, сойти 1. (с рд.) (спускаться) go* / come* down (from); (более торжественно) descend (d.); (слезать) get* off (d.); (с трамвая и т. п.) alight (from); ~ с лестницы go* downstairs, come* down; ~ с корабля land; 2.: ~ с дороги leave* the road; (сторониться) get* out of the way, stand* / step aside; ~ с рельсов be derailed, run* / come* off the rails; 3. (с рд.; исчезать с поверхности чего-л.) come* off (d.); краска сошла со стены the paint came off the wall; 4. (миновать) pass (by); всё сошло благополучно everything went off all right; сойдёт! that will do!; 5. (за вн.) pass (for), be taken (for); ◇ ~ со сцены leave* the stage, go* off; (перен.) quit the stage; retire from the stage; снег сошёл the snow has melted [...snou...]; не сходить с места on the spot; это сошло ему с рук he got away with it; сойти в могилу sink* into the grave; ~ на нет come* to naught; ~ с ума go* mad, go* off one's head [...hed]; ~ с ума (от) go* crazy (with); вы с ума сошли! are you out of your senses?

сходить II сов. go*; (за тв.) (go* and) fetch (d.); ~ посмотреть go* and see; ~ за кем-л. go* and fetch smb.

сходиться, сойтись 1. (с тв.) meet* (d.); мы сошлись у двери we met at the door [...dɔ:]; дороги здесь сходятся the roads meet here; пояс не сходится the belt won't buckle [...wount...]; 2. (собираться) gather, come* together [...-'ge-]; 3. (с тв.; сближаться) become* friends [...fre-] (with); (вступать в связь) become* (sexually) intimate (with); 4. (с тв. в, на пр.; соглашаться) agree (with in, about); мы сошлись с ними на том, что we have agreed with them that; они не сошлись характерами they could not get on; не сойтись в цене not agree about the price; 5. (совпадать) coincide (with), tally (with); все показания сходятся all the evidence fits / tallies; счёт не сходится the figures don't tally / balance, the accounts won't come right.

сходка ж. уст. meeting, gathering.

сходни мн. (ед. сходня ж.) gangway sg., gang-board sg., gang-plank sg.

сход∥ный 1. (похожий) similar; ~ная черта similarity; 2. разг. (подходящий, недорогой) reasonable [-z-], fair; по ~ной цене at a reasonable price. **~ство** с. likeness, resemblance [-'ze-]; фамильное ~ство family likeness; уловить ~ство catch* a likeness.

схож∥есть ж. разг. similarity, likeness. **~ий** разг. similar, like.

схоласт м., **схоластик** м. scholastic.

схоласт∥ика ж. scholasticism. **~ический, ~ичный** scholastic.

схоронить(ся) сов. см. хоронить(ся).

сцапать сов. (вн.) разг. catch* hold (of), lay* hold (of).

сцарапать сов. (вн.) scratch off / away (d.).

сцедить сов. см. сцеживать.

сцеживать, сцедить (вн.) decant (d.), strain off (d.).

сцен∥а ж. 1. (в театре; тж. перен.) stage; boards pl.; вращающаяся revolving stage; ставить на ~е (вн.) stage (d.); put* on the stage (d.); produce (d.); всю жизнь он провёл на ~е he has been on the stage all his life; 2. (часть действия; эпизод в литературном произведении; происшествие) scene; 3. разг. (крупный разговор, ссора) scene; устраивать ~у make* a scene.

сценарий м. scenario [-'nɑ:-]; (для кино тж.) (screen) script; (по дт.; по литературному произведению) screen version / adaptation (of).

сценарист м. scenario / script writer [-'nɑ:-...].

сценическ∥ий 1. stage (attr.); ~ шёпот stage whisper; ~ая ремарка stage direction; ~ое воплощение stage impersonation; 2. = сценичный.

сценичн∥ость ж. theatrical effectiveness [θɪ'æ-...]. **~ый** suitable for the theatre ['sju:t-...'θɪə-], effective on the stage; эта пьеса не ~a this play does not stage well, или is not good theatre.

сценка ж. sketch.

сцеп м. тех. hook, link, tractive connection; ~ из трёх платформ string of three platforms / flatcars.

сцепить(ся) сов. см. сцеплять(ся).

сцеп∥ка ж. ж.-д. coupling ['kʌl-]; автоматическая ~ automatic coupling. **~ление** с. 1. физ. cohesion; adhesion; 2. ж.-д. coupling ['kʌl-]; (механизм) clutch; ~ление обстоятельств уст. chain of events.

сцеплять, сцепить (вн.) couple [kʌl-] (d.). **~ся, сцепиться** 1. ж.-д. be coupled [...kʌl-]; 2. (с тв.) разг. (ссориться) grapple (with); 3. страд. к сцеплять.

сцепн∥ой тех. coupling ['kʌp-]; clutch (attr.); ~ вес adhesive / adhesion weight; ~ая муфта clutch.

сцепщик м. coupler ['kʌp-].

счаливать, счалить (вн.) lash together [...-'ge-] (d.); fasten together [-s'n...] (d.).

счалить сов. см. счаливать.

счастлив∥ец [-сл-] м. lucky man*; какой он ~! how lucky he is! **~ица** ж. lucky woman*, girl [...wu- g-].

счастлив∥о нареч. happily; ~ отделаться ≅ have a narrow / lucky escape, be none the worse for it [...nʌn...]; fall* on one's feet; ~ оставаться! good luck! **~чик** [-сл-] м. = счастливец. **~ый** [-сл-] 1. happy; 2. (удачный) fortunate [-tʃnɪt], lucky; ~ый случай lucky chance; ~ого пути! happy journey! [...'dʒə-]; bon voyage! [bɔ:ŋ vɑ:'jɑ:ʒ]; ~ого плавания happy sailing.

счасть∥е с. 1. happiness; 2. (удача) luck, good fortune [...-tʃən], a piece of good fortune / luck [...pi:s...]; ◇ к ~ю fortunately [-tʃnɪt-], luckily; по ~ю as luck would have it; пожелать ~я wish good luck; военное ~ fortunes of war pl.; иметь ~ (+ инф.) be lucky / fortunate enough [...-tʃnɪt ɪ'nʌf] (+ to inf.), have the good fortune (+ to inf.); на наше ~ luckily for us, to our good fortune, fortunately, luckily; дать руку на ~ give* one's hand for luck; ваше ~, что вы не опоздали you are lucky not to be late.

счесть I, II сов. см. считать I, II.

счесться сов. (с тв.) square accounts (with); (перен. тж.) get* even (with).

счёт м. 1. тк. ед. (действие) counting, reckoning, calculation; вести строгий ~ keep* strict count; в уме mental arithmetic; по его ~у according to his reckoning; 2. бух. account; текущий ~ account current (сокр. a/c); лицевой ~ personal account; на ~ кого-л. on smb.'s account; ~ чего-л. on account of smth.; открывать ~ open an account; 3. (за товар, за работу) bill, account; подать ~ present a bill [-'ze-...]; платить по ~у settle the account; 4. тк. ед. спорт. score; ~ очков score; со ~ом 3 : 0 with a score of 3 goals to nil; 5. муз. time; ~ на два, на три two, three time; binary, ternary measure ['baɪ-...'me-]; ◇ на ~ (рд.) on account (of); за ~ (рд.) at the expense (of); (благодаря чему-л.)

by, owing to ['ou-...]; на этот ~ можете быть спокойны you may be easy on that score [...'ɪ:zɪ...]; в конечном ~е in the end, finally, in the long run, in the final analysis; на свой ~ at one's own expense [...oun...]; принять что-л. на свой ~ take smth. as referring to oneself; быть у кого-л. на хорошем счету stand* well with smb.; быть на хорошем, дурном счету be in good, bad repute; be in smb.'s good, bad books идиом.; личные ~ы private reckonings ['praɪ-...]; старые ~ы old scores; сводить ~ы с кем-л. settle a score with smb., square accounts with smb.; сводить старые ~ы pay* off old scores; в два ~а разг. in no time, in two ticks, in a jiffy; круглым ~ом in round numbers; без ~у countless, without number; ~у нет (с сущ. в ед. ч.) very much; (с сущ. во мн. ч.) very many; не в ~ not counted; он не в ~ he doesn't count; пятый, шестой по ~у the fifth, the sixth in succession; не знать ~а деньгам have more money than one can count [...мл-...]; иметь на своём боевом счету воен. have to one's credit, have accounted for; потерять ~ (дт.) lose* count [lu:z...] (of).

счётно||-вычислительный computer (attr.). ~-решающий: ~-решающая машина, ~-решающее устройство computing device; ~-решающая техника computers pl.

счёт||ный account (attr.); ~ная линейка slide-rule; ~ная машина calculator; calculating machine [...-ʃɪn]; ~ работник accounts clerk [...klɑ:k].

счетовод м. accountant, accounts clerk [...klɑ:k], ledger clerk. ~ный accounting (attr.). ~ство с. accounting.

счётчик I м. тех. counter; (электрический, газовый) meter; ~ оборотов revolution counter, speedometer, speed counter; ~ Гейгера Geiger counter ['gaɪgə...].

счётчик II м. (лицо, производящее подсчёт голосов) teller.

счёты мн. abacus sg. (pl. -ci), counting frame sg.

счислени||е с. 1. numeration; система ~я scale of notation; 2. мор.: ~ пути dead reckoning [ded...].

счистить(ся) сов. см. счищать(ся).

счита||ть I, счесть (вн.) count (d.); (вычислять) compute (d.); ~ в уме (без доп.) do mental arithmetic; (о школьнике) do sums in one's head [...hed]; ~ по пальцам count on one's fingers (d.); не ~я not counting; ~я в том числе including.

счита||ть II, счесть (вн. тв.; вн. за вн.) consider [-'sɪ-] (d. d.), think* (d. d.); он ~ет его честным человеком, за честного человека he considers / thinks him an honest man* [...'ɔn-...]; его ~ют умным человеком he is reputed to be a man* of sense; он ~ет, что he holds that; ~ своим долгом (+ инф.) consider it to be one's duty (+ to inf.), consider oneself in duty bound (+ to inf.); он ~ет необходимым сказать he considers / deems it his duty to tell; он ~ет необходимым сделать это he considers it necessary to do this; ~ возможным see* fit; ~ себя consider / believe oneself (to be) [...-'li:v].

считать III сов. см. считывать.

счита||ться I, посчитаться (с тв.) consider [-'sɪ-] (d.), take* into consideration (d.), reckon (with); не ~ ни с чем act regardless of everything; не хотеть ~ с действительностью refuse to face realities [...rɪ'æ-]; с ним нечего ~ he may safely be ignored; с ним ~ются his opinion is taken into consideration / account; с этим надо ~ one must take it into consideration / account; 2. тк. несов. (кем-л.; слыть) be considered / reputed (smb.); он ~ется хорошим специалистом he is considered / reputed a good* specialist [...'spe-]; ~ется, что it is considered that, they say that; ◇ это не ~ется разг. that does not count.

считаться II страд. к считать I, II.

считка ж. comparison, checking; ~ гранок с рукописью comparison of proofs with manuscript.

считч||ик м., ~ица ж. proof-reader.

считывать, считать (вн. с тв.) compare (d. with), check (d. against).

счища||ть, счистить (вн.) clear away (d.); (щёткой) brush off (d.); ~ снег clear the snow away [...snou...]; ~ шелуху с чего-л. peel smth. ~ться, счиститься 1. come* off; грязь не ~ется the dirt won't come off [...wount...]; 2. страд. к счищать.

сшиба||ть, сшибить (вн.) разг. knock down (d.) (тж. перен.); ~ с ног knock down (d.); ~ спесь с кого-л. take* smb. down a peg. ~ся, сшибиться разг. 1. collide; 2. страд. к сшибать.

сшибить(ся) сов. см. сшибать(ся).

сшива||ние с. sewing together ['sou-'ge-]. ~ть, сшить (вн.) sew* together [sou-'ge-] (d.); мед. suture (d.).

сшить сов. см. шить 1 и сшивать.

съеда||ть, съесть (вн.) eat* (d.), eat* up (d.).

съедение с.: отдать кого-л., что-л. на ~ кому-л. неодобр. put* smb., smth. at the mercy (of) smb.

съедобн||ый 1. (достаточно вкусный) eatable; 2. (годный в пищу) edible; ~ые грибы edible mushrooms.

съёживаться, съёжиться shrivel ['ʃrɪ-], shrink*.

съёжиться сов. см. съёживаться.

съезд I м. 1. (собрание) congress; conference, convention; Съезд Советов Congress of Soviets; ~ партии Party Congress; Съезд Коммунистической партии Советского Союза Congress of the Communist Party of the Soviet Union; делегат ~а delegate to a congress / conference; 2. (прибытие) arrival.

съезд II м. (спуск) descent.

съездить сов. go*; ~ за город go* to the country [...'kʌ-], go* out of town; ~ ненадолго (в вн.; к дт.; в другой город и т. п.) go* for a short time (to), make* a short trip (to); ему надо ~ по делу he has to go on business [...'bɪzn-].

съездовский congress (attr.).

съезжа́ть, съехать 1. (сверху) go* down, come* down; (соскальзывать) slide* / slither down; съехать набок be on one side; 2. (с квартиры) move [mu:v]. ~ся, съехаться 1. (с тв.; встречаться) meet* (d.); 2. (собираться вместе) assemble, come* together [...-'ge-], gather.

съём м.: ~ стали steel output [...-put].

съёмк||а ж. 1. survey; топографическая ~ topographical survey; глазомерная ~ measurement by eye ['meʒə-aɪ], eye measurement; производить ~у (рд.) make* a survey (of); 2.: ~ фильма shooting a film; 3. мор.: ~ с якоря weighing anchor [...'æŋkə].

съёмный demountable, removable ['-mu:v-]; ~ обод тех. demountable / removable rim.

съёмочн||ый 1. кин.: ~ая группа film crew; ~ процесс shooting, filming; ~ая площадка shooting stage; 2. геод. survey (attr.); ~ые работы на местности field surveying [fi:ld...].

съёмщик м. 1. (плана) surveyor; 2. (наниматель) tenant ['te-].

съестн||ое с. скл. как прил. eatables pl., foodstuffs pl. ~ой: ~ые припасы eatables, victuals ['vɪtəlz].

съесть сов. см. съедать и есть I 1, 4; ◇ собаку ~ (на пр.) разг. know* the ropes, или one's onions [nou...'ʌ-].

съехать(ся) сов. см. съезжать(ся).

съехидничать сов. см. ехидничать.

съязвить сов. см. язвить 2.

сыворотка ж. 1. (молочная) whey; (пахтанье) buttermilk; 2. мед. serum.

сыгранн||ость ж. team-work. ~ый 1. прич. см. сыграть; 2. прил. perfectly co-ordinated.

сыграть сов. см. играть 1; ~ вничью draw*; ◇ ~ шутку с кем-л. play a trick on smb., play a practical joke on smb.

сыграться сов. (об актёрах и т. п.) achieve a good ensemble [ə'tʃi:v... ɑ:n'sɑ:mbl]; (о спортсменах) achieve team-work; play well together [...-'ge-].

сызмала нареч. разг. from, или ever since, one's childhood [...-hud], from a child, since one was a child*.

сызмальства = сызмала.

сызнова нареч. разг. anew, afresh; начинать ~ make* a fresh start, begin* all over again.

сымпровизировать сов. (вн.) improvise (d.), extemporize (d.).

сын м. 1. (мн. ~овья) son [sʌn]; 2. (мн. ~ы́) son, child*; ~ всего народа son of the people [...pi:-]; ~ своего времени child* of his time; он ~ своего времени he is as the times have made him.

сынишка м. (little) son [...sʌn]; (в обращении) sonny ['sʌ-].

сыновн||ий filial; ~ долг filial duty; ~яя любовь filial love [...lʌv].

сынок м. son [sʌn]; (в обращении к маленьким) sonny ['sʌ-].

сы́пать (вн.) pour [pɔ:] (d.), strew* (d.); ◇ ~ словами, остротами и т. п.

СЫП — ТАЗ

spout words, jokes, etc.; ~ деньгáми squánder móney [...'mʌ-]. ~ ся 1. fall*; (о сыпучем) pour [pɔ:], run* out; штукатýрка сы́плется the pláster flakes off; 2. (о звуках, словах и т. п.) rain down, pour forth; удáры сы́пались грáдом blows were ráining down, или fálling thick and fast [blouz...]; 3. (о ткани — разрушáться) fray out.

сыпнóй: ~ тиф мед. týphus ['taɪ-], spótted féver.

сыпня́к м. разг. týphus ['taɪ-], spótted féver.

сыпýч∥ий: ~ песóк quícksand; ~ грунт loose / fríable soil [-s...]; ~ие телá dry súbstances; мéры ~их тел dry méasures [...'me-].

сыпь ж. rash, erúption; показáлась ~ the rash broke out.

сыр м. cheese; зелёный ~ sápsago cheese; швейцáрский ~ Swiss cheese; gruyère (фр.) ['gruːjɛə]; плáвленый ~ prócessed cheese; ◇ как ~ в мáсле катáться разг. ≃ live in clóver [lɪv...].

сыр-бóр м. разг.: вот откýда, из-за чегó (весь) ~ загорéлся ≃ that was the beginning of the strife; that was the spark that set the fórest on fire ['fɔ:-...].

сырéть, отсырéть grow* / becóme* damp [-ou...].

сырéц м.: шёлк-~ raw silk; кирпи́ч-~ raw brick; adóbe [-bɪ].

сы́рник м. curd frítter, cóttage cheese páncake.

сы́рный cheese (attr.).

сы́ро 1. прил. кратк. см. сырóй; 2. предик. безл. it is damp.

сыровáр м. chéese-màker. ~éние с. chéese-màking. ~енный chéese-màking (attr.). ~ня ж. cheese dáiry, créamery.

сыровáтый 1. (влáжный) dámpish; 2. (недовáренный, недожáренный и т. п.) hálf-cóoked ['hɑːf-], hálf-dóne ['hɑːf-]; (о хлебе и т. п.) hálf-báked ['hɑːf-]; 3. (недостáточно зрéлый) not quite ripe.

сыроéжка ж. (гриб) rússula.

сыр∥óй 1. (влáжный) damp; ~óе дéрево, ~ие дровá damp wood [...wud] sg.; ~áя погóда damp wéather [...'we-]; ~óе лéто wet súmmer; 2. (неварёный, некипячёный) raw, ún:cóoked; ~óе мя́со raw meat; ~óе молокó ún:bóiled milk; пить сырýю вóду drink* ún:bóiled wáter [...'wɔ:-]; 3. (недовари́вшийся, недожáрившийся, недопёкшийся) hálf-dóne ['hɑːf-], sóggy; (о хлебе и т. п.) sódden; 4. (необрабóтанный) raw; ~ые материáлы raw matérials; 5. (незрéлый) ún:rípe, green.

сырóк м. cheese curd.

сыромя́тн∥ый raw; ~ая кóжа raw hide / léather [...'le-].

сы́рость ж. dámpness.

сырьё с. тк. ед. тех. raw matérials / stuff; собир. raw matérials pl.

сырьев∥óй эк.: ~áя бáза, ~ы́е ресýрсы source of raw matérials [sɔːs...] sg.

сырьём нареч. разг. raw; есть óвощи ~ eat* végetables raw.

сыск м. уст. detéction (of críminals).

сыскáть сов. (вн.) разг. find* (d.). ~ся сов. разг. be found.

сыскн∥óй: ~áя полиция ист. críminal invèstigátion depártment.

сы́тно I прил. кратк. см. сы́тный.

сы́тн∥о II нареч. well*; ~ пообéдать have a good* dínner. ~ый (об обéде и т. п.) substántial, cópious, fílling; (о пи́ще) nóurishing ['nʌ-].

сы́тость ж. satíety, sàtiátion, replétion.

сы́т∥ый sátisfied, repléte; full; он сыт he has had his fill; he is full up разг.; ◇ быть ~ым по гóрло be full up; (перен.) be fed up.

сыч м. зоол. little owl; ◇ ~óм сидéть look glóomy.

сычý∥г м. анат. àbomásum, rénnet bag. ~жный: ~жный фермéнт rénnet.

сы́щик м. detéctive; políce spy [-'liːs...]; sleuth разг.; (переодéтый) pláin-clóthes man* [-ouðz-].

СЭВ (Совéт Экономи́ческой Взаимопóмощи) the Cóuncil for Mútual Èconómic Aid [...iːk-...].

сэкономить сов. см. экономить 1, 2.

сэр м. sir.

сюдá нареч. here; иди́те ~ come here; (указание дороги) come this way; пожáлуйста, ~ (step) this way, please.

сюжéт м. súbject; (тéма) tópic; (фáбула) plot.

сюжéтный прил. к сюжéт; (о литератýрном произведéнии) with a plot.

сюзерéн [-зэрэ́н] м. ист. súzerain ['suː-]. ~ный [-зэрэ́-] прил. к сюзерéн.

сюи́та ж. муз. suite [swiːt].

сюрпри́з м. surprise.

сюрпри́зом нареч. by surprise.

сюрреал∥и́зм м. иск. surréalism [-'riːə-]. ~и́ст м. surréalist [-'riːə-].

сюртýк м. fróck-coat.

сюсю́канье с. lísping.

сюсю́кать lisp.

сяк нареч. разг.: и так и ~ this way, that way and évery way; то так то ~ sómetimes one way, sómetimes the other; now like this, now like that.

сякóй: ах ты, такóй-~! you old só-and-sò! [-ən-].

сям нареч.: и там и ~ here and there; here, there and évery:where; ни там ни ~ néither here nor there ['naɪ-...], nó:where at all.

Т

та ж. см. тот.

табáк м. tobácco; (растение тж.) tobácco-plànt [-aːnt]; ню́хать ~ take* snuff; ◇ дéло — ~! разг. things are in a bad way.

табакá: цыплёнок ~ chicken tàbàká [taːbaːˈkaː] (flattened and grilled on charcoal).

табакéрка ж. snúff-bòx.

табаковóд м. tobácco-gròwer [-'grouə], tobácco-plànter [-aːn-]. ~ство с. tobácco-cùltivátion, tobácco-gròwing [-'grou-]. ~ческий прил. к табаковóдство.

табáнить спорт., мор. back wáter [...'wɔː].

табáч∥ник м., ~ица ж. 1. (рабóтник табáчной промы́шленности) tobácco-wórker; 2. уст. разг. (курящий или нюхающий табáк) tobácco-úser. ~ый 1. tobácco (attr.); ~ый лист tobácco leaf*; ~ый кисéт tobácco-pouch; ~ая фáбрика tobácco fáctory; 2.: ~ый цвет snúff-còlour [-kʌ-]: шерсть ~ого цвéта snúff-còlour:ed wool [-kʌ- wul].

тáбель м. 1. (спи́сок) table; ~ о рáнгах ист. Table of Ranks; 2. (для контрóля я́вки на рабóту; доскá) tíme-board; (нóмер) númber; 3. (шкóльный) school prógress récord [...'re-]. ~ный 1.: ~ная доскá tíme-board; ~ная систéма tíme-board sýstem; ~щик м., ~щица ж. tíme:keeper.

тáбес м. мед. (dórsal) tábes [...-iːz].

таблéтка ж. táblet ['tæ-], pill.

табли́ца ж. table; (рисунков, чертежéй) plate; ~ умножéния mùltiplicátion table; ~цы логари́фмов lógarithm tables; ~ вы́игрышей príze-list; турни́рная ~ спорт. (score-)tàble; возглавля́ть ~цу ро́зыгрыша спорт. be at the top of the table; пéрвый в ~це спорт. at the top of the table, tóp-scòrer; послéдний в ~це спорт. at the bóttom of the table, bóttom team; послéдние местá в ~це спорт. the bóttom of the table sg. ~чный tábular.

таблó с. нескл. índicàtor board, score-board (with neon-lit figures); световы́е ~ на стадиóне illúminàted índicàtor boards at a stádium.

табльдóт м. table d'hôte (фр.) ['taːbl 'dout].

тáбор м. camp; цыгáнский ~ Gípsy en:cámpment; расположи́ться ~ом en:cámp. ~ный 1. прил. к тáбор; 2. (цыгáнский) Gípsy (attr.); ~ные пéсни Gípsy songs.

табý с. нескл. taboo; накла́дывать ~ (на вн.) tabóo (d.).

табýн м. herd (прям. и перен.). ~ный herd (attr.). ~щик м. hórse-hèrd.

табурéт м., ~ка ж. stool.

тавéрна ж. távern ['tæ-].

тáволга ж. бот. méadow-sweet ['med-].

тавóт м. тех. axle grease [...-s], lúbricàting grease.

таврёный brándeд; ~ скот brándeд cattle.

таври́ть (вн.) brand (d.).

таврó с. 1. (клеймó) brand; накла́дывать ~ (на вн.) brand (d.); 2. (орýдие для клеймéния) brándиng-ìron [-aɪən].

таврóв∥ый тех. T-shàped ['tiː-]; ~ая бáлка T-beam ['tiː-], tée-beam.

тавто∥логи́ческий tautológical. ~лóгия ж. tautólogy.

тагáн м. trívet ['trɪ-].

таджи́к м., ~ский Tàjík [taːˈdʒɪk]; ~ский язы́к Tàjík, the Tàjík lánguage.

таджи́чка ж. Tàjík wóman* [taːˈdʒɪk 'wuː-].

таёжн∥ик м. táigà dwéller ['taɪgɑː...]. ~ый táigà ['taɪgɑː] (attr.).

таз I м. (посýда) básin ['beɪ-]; (для умывáния) wásh-bàsin [-beɪ-], wásh-hànd-básin [-beɪ-]; (для варéнья) presérving pan [-'zɜː-...].

таз II *м. анат.* pélvis.

тазобедренн∥ый *анат.* hip (*attr.*); ~ сохал научн.; ~ая кость híp-bòne.

тазов∥ый *анат.* pélvic; ~ые кости pélvic bones.

таинственн∥ость *ж.* mýstery; к чему такая ~? why such mýstery? ~ый 1. mystérious; (*загадочный*) ènigmátic; 2. (*секретный*) sécret; 3. (*выражающий тайну*) secrétive; ~ый вид secrétive look.

таинство *с. церк.* sácrament.

таить (*вн.*) hide* (*d.*), concéal (*d.*); ~ злобу против кого-л. bear* smb. málice [bɛə...], bear* smb. a grudge; hárbour a grudge agáinst smb.; ◇ ~ в себе (*вн.; заключать*) hárbour (*d.*), be fraught (with); ~ в себе угрозу войны be fraught with the threat of war [...θret...]; нечего греха ~ it must be conféssed / owned [...ound...]; ≅ we may as well conféss. ~ся 1. be hídden / concéaled (*d.*), (*прятаться*) hide* / concéal òneˈsélf; 3. (*скрывать что-л. от кого-л.*) concéal smth. from smb., keep* smth. back from smb.; не тайсь от меня don't concéal ányˈthing from me, don't hold ány:thing back from me.

тайга *ж. геогр.* táiga ['taɪɡɑː]..

тайком *нареч.* sécretˈly, in sécret, sùrreptítiousˈly, by stealth [...-elθ]; on the quíet, on the sly *разг.*; уйти ~ steal* aˈwáy / out; от кого-л. without smb.'s knówledge [...ˈnɔ-]; (*в плохом смысле*) behínd smb.'s back.

тайм *м. спорт.* time, half* [hɑːf], périod.

тайм-áут *м. спорт.* time off; time out *амер.*

тайн∥а *ж.* (*то, что непонятно*) mýstery; (*то, что скрывается*) sécret; (*секретность*) sécrecy [ˈsiː-]; выдавать ~у betráy / revéal, *или* let* out, *a* sécret; посвящать кого-л. в ~у let* smb. into *a* sécret; быть посвящённым в ~у be in the sécret; сохранять ~у keep* *a* sécret; держать что-л. в ~е keep* smth. sécret; в ~е от кого-л. without smb.'s knówledge [...ˈnɔ-], únˈknówn to smb. [-ˈnoun...]; доверять свои ~ы кому-л. take* smb. into one's cónfidence, let* smb. into one's sécrets; госуда́рственная ~ State sécret; служебная ~ official sécrecy / sécret; делать из чего-л. ~у make* a mýstery of smth.; под покровом ~ы únder a veil of sécrecy; узнать ~у learn* a sécret [ləːn...]; (*неожиданно*) light* up:ón *a* sécret; ◇ не ~, что it is no sécret that.

тайник *м.* hiding-plàce; (*тайный склад*) cache [kæʃ]; в ~ах сердца, души in the ín:most recésses of one's heart [...hɑːt], in one's heart of hearts.

тайно *нареч.* sécretˈly, in sécret; (*за чьей-л. спиной, скрытно*) in an únderhànd way.

тайнобрачн∥ые *мн. скл. как прил. бот.* Cryptogámia [-ˈɡæ-]. ~ый *бот.* cryptogámic [-tou-], cryptógamous; ~ое растение crýptogàm.

тайнопись *ж.* cryptógraphy.

тайн∥ый sécret; (*скрытый*) cóvert [ˈkʌ-], veiled; (*конспиративный*) clandéstine; ~ое свидание sécret méeting; ~ брак sécret / clandéstine márriage [...-rɪdʒ]; ~ое желание sécret wish; ~ая мечта únˈavówed / sécret dream; ~ая надежда lúrking / sécret hope; ~ая типография clandéstine / únderground / sécret press; ◇ ~ое голосование (sécret) bállot; ~ совет *ист.* Prívy Cóuncil [ˈprɪ-...]; ~ советник *ист.* Prívy Cóuncillor.

тайфун *м.* typhóon [taɪ-].

так *нареч.* 1. (*в разн. знач.*) so; (*таким образом тж.*) thus [ð-], like this, this way: ~ страшно so térrible; ~ необходимо so nécessary; ~ важно so impórtant; сделайте ~, чтобы do it so that; вся неделя ~ прошла the whole week passed thus, *или* like that [...houl...]; сделайте ~! do it like this!;—дело обстоит ~ this is how mátters stand; он говорил ~, как будто he spoke as though [...ðou]; он ~ говорил, что he spoke in such a way that; я ~ и сказал ему, что I told him in so many words that; пусть ~ останется let it remáin as it is; ~ выйти нельзя you cánnot go out this way; он отвечал ~ he ánswered thus, *или* as fóllows [...ˈɑːnsəd...], this is the ánswer he gave [...ˈɑːnsə...]; здесь что-то не ~ there is smth. wrong here; я ~ и говорю, делаю *и т.п.*? am I right?, am I doing right?, *etc.*; точно ~ in exáctly the same way; именно ~ just so; вот ~! that's the way!, that's right!; ~, как это было how it was, the way it was; ~ же (как) just as; the same way as; будьте ~ добры (+ *повелит.*) please (+ *imperat.*); (+ *инф.*) would you be so kind (+ *to inf.*); ~ ли это? is that so?; ~ ли это? is that (réally) the case? [...ˈɪə-... -s], is that so?; не ~ ли? isˈn't that so?; ~ и есть so it is; ~ чтобы (+ *инф.*) so as (+ *to inf.*); ~ чтобы не (+ *инф.*) so as not (+ *to inf.*); ~ что бы so that; ~ и не never: он ~ и не пришёл, не сделал, не сказал *и т.п.* he never came, did it, said, *etc.* [...sed], he did not (didn't) come, say, *etc.*, áfter all; я ~ и не узнал I never found out, *или* learnt [...ləːnt]. 2. (*в таком случае, тогда*) then; (*итак*) so: ты не пойдёшь, ~ я пойду if you don't go, then I shall; не тут, ~ там if (it is) not here, then (it is) there; ~ (итак) он приехал! so he has come!; ~ вы его знаете! so you know him! [...nou...]; ~ вот где ~ that is where; ~ и скажите then say so; 3.: ~ как *союз* as, since: он не может передать ей книгу, ~ как она уже уехала he can't give her the book as / since she has alréady left [...kɑːnt...ɔːlˈredɪ...]; ◇ ~ или иначе in any evént, in any case [...-s]; one way or another, (*в том и другом случае*) in either evént [...ˈaɪðə...]; ~ и этак this way and that, éither way; a ~ as it is; ему *и т. д.* и надо! *разг.* (it) serves him, *etc.*, right!; ~ называемый (the) só-called; ~ сказать so to speak / say; как ~? how is that?, how do you mean?; ~ например thus, for exámple [...-ɑːm-]; и ~ и сяк, и ~ и этак this way and that, this way, that way and every way; и ~ далее etcétera [ɪtˈsetrə], and so on / forth; и т. д. *etc.*; ~ и быть all right, very well; so be it, right you are; так себе sóˈsò, míddling; книжка это так себе this book is not up to much; и ~ (*и без того уже*) as it is; как бы не ~! not líkeˈly!; nothing of the kind!; если ~ if that's the case; ~-то, но that's true, but; он это ~ (только) сказал, сделал he said it, did it, for no spécial réason, *или* for no réason in partícular [...ˈspe- -zˈn...]; ~ бы ...! (*взять бы да и...*) wouldˈn't I just...!; ~ он это и сделает! (*не сделает*) like hell he'll do it!; you áctually think he'll do it!; ~ и знай(те) get this straight; now únderstánd me (*в начале предложения*); ~ точно! *воен.* yes!

такелаж *м.* 1. *мор.* rígging; бегучий ~ rúnning rígging; стоячий ~ stánding rígging; 2. (*для подъёма тяжестей*) lifting gear [...ɡɪə]. **~ник** *м.* 1. *мор., ав.* rígger; 2. *стр.* scáffolder, scáffold wórker.

также *нареч.* álsò [ˈɔːl-]; as well, too (*в конце предложения*); (*в отриц. предложениях*) éither [ˈaɪ-] (*ставится в конце*); он ~ поедет he will álsò go, he will go as well, he will go too; he, too, will go; он ~ не поедет he will not go éither; а ~ и as well as.

-таки *частица разг.* áfter all; он-~ пришёл he has come áfter all; опять-~ agáin.

таков, *ж.* такова, *с.* таково, *мн.* таковы, *мест.* such; все они ~ы they are all like that, they are all the same; он не ~, как вы думали he is not what you thought (he was); кто он ~? who is he?; ~ы факты such are the facts; (*вот всё, что известно*) so much for the facts; ◇ и был ~ *разг.* and off he went; and that was the last we, *etc.*, saw of him.

таков∥ой *мест.* such; *канц.* (*вышеозначенный*) the same; если ~ые имеются if any; ~ое было получено 20-го этого месяца the same was recéived on the 20th inst. [...-ˈsiːvd...]; ◇ как ~ as such.

таковский *разг.*: не ~ он человек he is not that sort (of pérson).

так∥ой *мест.* 1. such; (*перед прил.*) so; such *разг.*; ~ человек such a man*, a man* such as that, a man* like that / him; ~ие книги such books (as these), books such as these, books of this kind; ~ая интересная книга so ínteresting a book; such an ínteresting book; ~ие глубокие мысли thoughts so profóund, such profóund thoughts; ~ие хорошенькие котята such prétty kíttens [...ˈprɪ-...]; ~ же the same; ~ же как the same as; это совершенно ~áя же книга it is the very, *или* exáctly the, same book; вы всё ~ вы are always the same [...ˈɔːlwəz...], you havˈen't changed [...tʃeɪ-]; это ~ое удовольствие! it is such a pléasure! [...-eʒə]; ~, какой есть such as *he* is; он ~ умный! he is so cléver!; [...ˈkle-]; he is such a cléver man*! *разг.*; он ~ уж великодушный he is not so very génerous; ~ же большой, как as big as; ~óго же размера, как of the same size as; точно ~ just like this; 2. *разг.* (*известного рода*) a sort /

ТАК — ТАН

такой kind of, that sort of, like this / that: ~и́е цветы́ that sort of flówers, flówers like these; — он не ~ (челове́к) he is not the sort (of man*); я никогда́ не ожида́л э́того от ~о́го челове́ка, как он I never expécted it of a man* like him; ◊ в ~о́м слу́чае in that case [...-s], if that is so; ~и́м о́бразом thus [ð-], in that way; до ~ сте́пени so, to such an exténd, to such a degrée; кто ~? who is it?; кто ~и́е are they?; кто ~и́е вы? who are you?; что ~о́е? (что случи́лось) what's the mátter?; (при переспра́шивании) what's that?, what did you say?; что же э́то ~о́е? what is this?; что ж тут ~о́го? what is there so wónderful about it? [...'wʌ-...]; и всё ~о́е разг. and so on.

тако́й-сяко́й мест. разг. só-and-sò [-ən-].

тако́й-то мест. 1. (вме́сто и́мени и т.п.) só-and-sò [-ən-]; (в докуме́нте) such pérson; 2. (пе́ред сущ.) súch-and-súch [-ən-]; в ~ час at súch-and-sùch an hour [...auə].

та́кс||а I ж. (на це́ны) (fixed) rate; táriff; продава́ть по ~е (вн.) sell* at the fixed rate (d.); ~ пла́ты за прое́зд táriff of fares.

та́кса II ж. (соба́ка) dáchshund ['dækshund].

такса́||тор м. 1. príce-fixer; (оце́нщик) váluer; 2. (лесно́й) àfforestátion inspéctor. ~ция ж. 1. príce-fixing; (оце́нка) valuátion; 2. (лесна́я) fórest valuátion ['fɔ-...], àfforestátion inspéction.

такси́ с. нескл. táxi; грузово́е ~ táxi-lòrry; шофёр ~ táxi-driver.

такси́ровать несов. и сов. (вн.) fix the price (of).

такси́ровщик м. = такса́тор 1.

такси́ст м. разг. táxi-driver.

таксо́метр м. taxímeter.

таксомото́р м. táxi. ~ный táxi (attr.); ~ный парк fleet of táxis.

так-сяк предик. разг. it is tólerable / pássable.

такт I м. (в разн. знач.) time; муз. тж. méasure ['me-]; (в но́тах) bar; двудо́льный ~ cómmon time; трёхдо́льный ~ triple / three time [tri-...]; раздели́ть но́ты на ~ы divide músic into bars [...-zɪk-...]; в ~ (петь и т.п.) in time; отбива́ть ~ beat* time; сби́ться с ~а get* out of time.

такт II м. (о поведе́нии) tact; челове́к с ~ом a man* of tact, táctful man*; соблюда́ть ~, держа́ть себя́ с ~ом be táctful; отсу́тствие ~а táctlessness.

та́к-таки части́ца разг. réally ['rɪə-].

та́ктик м. tactícian.

та́ктика ж. воен. táctics sg. или pl.; (перен.) táctics pl.

такти́ческ||ий táctical; ~ая зада́ча táctical scheme; ~ое заня́тие táctical éxercise.

такти́чн||о нареч. táctfully, with tact. ~ость ж. tact; ~ость его́ слов, поведе́ния his táctful words, beháviour. ~ый táctful; ~ый челове́к táctful man*, man* of tact; тре́бующий ~ого подхо́да (о вопро́се и т.п.) délicate, tícklish; быть ~ым be táctful, have tact.

та́к-то so; ~ так that's as it may be.

та́ктов||ый прил. к такт I; ~ая черта́ bar.

тала́нт м. 1. (к) tálent ['tæ-] (for), gift [gɪ-] (for); у него́ большо́й ~ he is véry gífted [...gɪ-]; у него́ мно́го ~ов разг. he has many abílities, he can do all sorts of things; пока́зывать свои́ ~ы разг. display one's tálents; 2. (тала́нтливый челове́к) man* of tálent, gifted pérson, great tálent [-eɪt...].

тала́нтлив||о нареч. ábly; (прекра́сно) fínely. ~ость ж. tálent ['tæ-]; (чего́-л. тж.) giftedness ['gɪ-], gifted náture ['gɪ- 'neɪ-]; приро́дная ~ость nátural tálent, nátural endówments / gifts [...gɪ-] pl. ~ый gifted ['gɪ-], tálented (иску́сный тж.) cléver ['kle-]; ~ое произведе́ние a work of great tálent [...-eɪt 'tæ-]; ~ая нату́ра gifted, или richly endówed, náture [...'neɪ-]; э́то ~ая нату́ра he, she is a pérson of mánifold gifts [...gɪ-].

талды́чить (вн.) разг. harp (on).

та́лер м. (моне́та) tháler ['tɑ:lə].

та́ли мн. мор., тех. block and tackle sg.

талисма́н м. tálisman [-z-], charm.

та́ли||я I ж. waist; то́нкая ~ slénder waist; оси́ная ~ разг. wasp waist; в ~ю (о пла́тье) fítting at / in the waist; обня́ть кого́-л. за ~ю put* one's arm round smb.'s waist.

та́лия II ж. карт. two packs of pláying cards.

та́ллий м. хим. thállium.

талму́д м. рел. Tálmud. ~и́ст м. Tálmudist; (перен.: схола́ст) pédant ['pe-], dòctrináire. ~и́стский Tàlmudístic; (перен.: начётнический) pedántic; dòctrináire (attr.). ~и́ческий Tàlmúdic(al) [-'mu-]; (перен.: начётнический) pedántic, dòctrináire (attr.).

тало́н м. cóupon ['ku:-]; (отдельный тж.) cóunterfoil.

та́лреп м. мор. (тросово́й) lányard; (винтово́й) túrn-bùckle, tightening screw.

та́л||ый thawed; mélted; pártly mélted (especially on or below surface); ~ снег mélted snow [...snou]; (на у́лице, доро́ге) slush; ~ая земля́ thawed ground / soil; ◊ ~ая вода́ water from mélted snow ['wɔ:-...].

та́львег м. геогр. thálweg ['tɑ:lveɪk].

та́льк м. мин. talc; фарм. тж. talc / tálcum pówder. ~овый мин. tálcòse [-s], talc (attr.); ~овый сла́нец talc shist.

та́льма ж. уст. tálma.

тальни́к м. бот. purple / rose willow.

там 1. нареч. there: он нашёл их ~ he found them there; ~ бы́ло мно́го наро́ду there were many people there [...pi:-...]; по́сле шести́ часо́в ~ никого́ не быва́ет there is nó:body there áfter six o'clock; то ~ то сям now here, now there; — ~ и сям here, there and évery:where, here and there; ни ~ ни сям nó:where at all, néither here nor there ['naɪ-...]; ~ же in the same place; (при ссы́лках в печа́ти) ibid ['aɪ-]; ~, где where?; 2. наре́ч. (пото́м) láter, by and by; ~ ви́дно бу́дет we shall see when the time comes; 3. как части́ца разг. с отте́нком сомне́ния, пренебреже́ния; не перево́дится: вся́кие ~ глу́пости говори́т he is tálking all sorts / kinds of nónsense; что бы ~ ни́ было ≅ ány:way, at any rate; ◊ како́е ~! nóthing of the kind!, quite the cóntrary!; чего́ ~! (не стесня́йтесь) go on!, go ahéad! [...ə'hed].

тамада́ м. tóast-máster.

тамари́нд м. бот. támarind.

тамари́ск м. бот. támarisk.

та́мбур I м. 1. арх. támbour [-buə]; 2. (пристро́йка у входны́х двере́й) lóbby; 3. ж.-д. plátform (of a railway carriage).

та́мбур II м. (вышива́ние и вяза́ние) cháin-stitch; вышива́ть ~ом (вн.) embróider in cháin-stitch (d.).

тамбу́р м. 1. уст. (бараба́н) támbour [-buə]; 2. (музыка́льный инструме́нт) tambóura [tʌm'bu:ərə].

тамбури́н м. 1. (музыка́льный инструме́нт) tambouríne [-i:n]; 2. (бараба́н с удлинённым ко́рпусом) támbourin [-burin].

тамбурмажо́р м. воен. уст. drúm-májor.

та́мбурный: ~ шов cháin-stitch.

тамо́женник м. cústoms offícial.

тамо́женн||ый cústom(s) (attr.); ~ тари́ф cústoms-táriff; ~ осмо́тр cústoms examinátion; ~ слу́жащий cústom-house ófficer [-haus...]; ~ые по́шлины cústoms, cústoms dúties; cústoms dúty sg.

тамо́жня ж. cústom-house* [-s].

тамо́шн||ий разг. of that place, of those pláces; (ме́стный) local; ~ие жи́тели the inhábitants there, the inhábitants of that place; the local inhábitants.

тампли́ер м. [-эр] м. ист. (Knight) Témplar; мн. (о́рден) Knights Témplars.

тампо́н м. мед. támpon; wad (of cótton wool, of gauze) [...wul...] разг.; вста́вить ~ в ра́ну támpon a wound [...wu:nd], plug a wound with a támpon, или wad (of cótton, of gauze).

тампона́ж м. горн.: ~ нефтяно́й сква́жины óil-wèll cèmèntátion [...si:-].

тампон||а́ция ж. мед. tampónàde. ~и́ровать несов. и сов. (вн.) мед. támpon (d.); plug with a támpon, или wad (of cótton, of gauze) (d.).

там-ся́м нареч. разг. here and there.

тамта́м м. муз. tómtom.

та́нген||с м. мат. tángent [-n-]. ~циа́льный мат. tàngéntial [-n'dʒe-].

та́нго с. нескл. tángò.

та́ндем [-дэм] м. (в разн. знач.) tándem.

та́н||ец м. 1. dance; учи́тель ~цев dáncing-màster; уро́ки ~цев dáncing léssons; ве́чер с ~цами dance, dáncing-pàrty; ~цы на льду dances on ice, íce-dàncing; 2. мн. (танцева́льный ве́чер) dance sg.; сего́дня бу́дут ~цы there will be dáncing to:night; пойти́ на ~цы go* to a dance.

танза́н||ец м., ~и́йка ж., ~и́йский Tànzaníаn [tɑ:nzə'nɪən].

тани́н м. tánnin.

танк I м. воен. tank.

танк II м. (резервуа́р для перево́зки жи́дкостей) contáiner.

та́нкер м. мор. tánker.

танкетка I ж. воен. tànkétte, small tank.

танкетка II ж. см. танкетки II.

танкетки I мн. см. танкетка I.

танкетки II мн. (ед. танкетка ж.) (дамские туфли) wédge-héeled shoes [...ʃuːz], slippers.

танкист м. tánk:man*; mémber of tank crew; tánker амер.

танков||ый tank (attr.); ármour:ed; ~ая часть tank únit; ~ая дивизия ármour:ed division; ~ батальон tank battálion [...-'tæ-]; ~ая атака tank attáck.

танкодром м. tánk-tráining área [...'ɛə-rɪə].

танкостроение с. tánk-bùilding [-bɪld-], tánk-constrúction.

Тантал м. миф. Tántalus; муки ~а the tórments of Tántalus.

тантал м. хим. tántalum.

тантьема ж. эк. bónus.

танцевальн||ый dáncing, dance (attr.); ~ое искусство art of dáncing; ~ вечер (a) dance, dáncing-párty; ~ая музыка dance músic [...-zɪk]; ~ая площадка dance pavílion.

танцевать (без доп.) dance (тж. перен.); (вн.) dance (d.).

танц||класс м. уст. school of dáncing; dáncing-clásses pl. ~мейстер м. уст. dáncing-màster.

танц||овщик м., ~овщица ж. (bállet) dáncer [-eɪ...]. ~óр м. dáncer. ~улька ж. разг. dance.

тапёр м., ~ша ж. bállroom piánist [...'pjæ-].

тапиока ж. tàpióca.

тапир м. зоол. tápir ['teɪ-].

тапочки мн. (ед. тапочка ж.) разг. slippers; (спортивные) sports / gym shoes [...ʃuːz]; (на резине) plímsolls.

тара ж. тк. ед. 1. (упаковка) páckage, pácking. 2. торг. (вес упаковки) tare.

тарабанить разг. clátter.

тарабар||ский: ~ская грамота ист. kind of cryptógraphy; (перен.) smth. in:compréhensible. ~щина ж. gíbberish ['gɪ-]; double Dutch [dʌ-...].

таракан м. cóckroach; (чёрный тж.) bláck-béetle. ~ий cóckroach (attr.).

таран м. 1. ист. báttering-ràm; 2. тех.: гидравлический ~ hydráulic ram [haɪ-...]; 3. воен. ram; (атака) ram attáck. ~ить (вн.) ram (d.).

таранта м. и ж. разг. jábberer.

тарантас м. tàràntáss [tɑːrɑːn'tɑːs] (springless carriage).

тарантелла [-тэ-] ж. tàràntélla.

тарантить разг. jábber, nátter.

тарантул м. зоол. tarántula.

тарань ж. (рыба) séa-roach.

тарарам м. тк. ед. разг. hùllabalóo, row; устраивать ~ make* a hùllabalóo / row; kick up a hùllabalóo / row.

тарара||ть, тарарахнуть (вн.) разг. bang (d.); (без доп.; о пушке и т. п.) crash, thúnder. ~хнуть сов. см. тарарахать.

таратайка ж. разг. càbriolét [kæbrɪə-'leɪ], gig [gɪg]; (тележка) twó-wheeled cart.

тарато́р||ить разг. chátter, jábber, gábble. ~ка м. и ж. разг. chátterbox, bábbler, gábbler.

тарахтеть разг. rattle, rúmble.

таращить, вытаращить разг.: ~ глаза (на вн.) stare (at); góggle (at). ~ся, вытаращиться разг. stare, góggle, stare.

тарелк||а ж. 1. plate; глубокая ~ sóup-plàte ['suːp-]; мелкая ~ (большая) dínner-plàte; (небольшая) side plate; полная ~ чего-л. a pláte:ful of smth.; 2. мн. муз. cýmbals; 3. тех. plate, disc; ~ буфера ж.-д. búffer disc; ◇ быть не в своей ~е разг. be (down) in the dumps, be not quite òne:sélf.

тариф м. táriff; запретительный ~ эк. prohíbitive táriff; ~икация эк. táriffing. ~ицировать несов. и сов. (вн.) táriff (d.). ~ный táriff (attr.); ~ная сетка táriff scale.

тартание с. горн. (нефти) (óil-)báiling.

тартанов||ый: ~ая дорожка спорт. tártan track.

тартар м. миф. Tártarus.

тартарары мн. нескл.: провалиться ему, им и т. д. в ~ разг. confóund / damn him, them, etc.; провалиться в ~ (о себе) I'll be damned.

тартинка ж. slice of bread and bútter [...-ed...], cànapé (фр.) ['kænəpeɪ].

та́ры-ба́ры мн. нескл. разг. títtle-táttle sg.; и пошли ~ and all the tongues began to wag [...tʌŋz... wæg].

таскать, опред. тащить, сов. потащи́ть (вн.). 1. (носить) cárry (d.); (волочить) drag (d.); (тянуть) pull [pul] (d.); (что-л. тяжёлое) lug (d.); (за собой) pull / drag alóng (d.); куда он тащит эти книги? where is he cárrying / táking these books?; две лошади тащили сани two hórses were púlling / drágging the sledge; ~ воду fetch wáter [...'wɔː-]; ~ всюду с собой drag all óver the place (d.); он еле ноги таскает разг. he can hárdly drag his feet; 2. тк. неопред. разг. (об одежде) wear* [wɛə] (d.); 3. тк. несов. разг. (воровать) pinch (d.), swipe (d.); pílfer (d.), filch (d.); 4. тк. несов. разг.: ~ кого-л. за волосы разг. pull smb.'s hair, pull smb. by the hair. ~ся, опред. тащи́ться, сов. потащи́ться 1. (в разн. знач.) drag / trail alóng; подол платья тащился по полу the skirt tráiled on the floor [...flɔː]; еле тащиться drag òne:sélf alóng; он еле тащится he can hárdly walk, или drag hìm:sélf alóng; ~ся за кем-л. разг. trail áfter smb.; 2. тк. неопред. (бродить) gad abóut; (слоняться) hang* abóut.

тасовать, стасовать (вн.) shúffle (d.); ~ карты shúffle the cards.

тасовка ж. shúffle, shúffling.

ТАСС м. (Телеграфное агентство Советского Союза) TASS (Télegràph Ágency of the Sóvièt Únion) [...'eɪdʒ-...].

татар||ин м., ~ка ж. Tátar ['tɑː-].

тата́рник м. a kind of thístle.

татарский Tátar ['tɑː-]; ~ язык Tátar, the Tátar lánguage.

татуировать несов. и сов. (вн.) tattóo (d.). ~ся несов. и сов. 1. have òne:sélf tattóoed; (самому) tattóo òne:sélf; 2. страд. к татуировать.

татуировка ж. 1. (действие) tattóo:ing; 2. (узоры) tattóo.

тафта ж. текст. táffeta.

тахикарди||я ж. мед. tàchycárdia [-kɪ-].

ТАН — ТВЕ   **T**

тахиметр м. геод. tàchýmeter [-'kɪ-].

тахометр м. тех. tàchómeter [-'kɔ-].

тахта ж. óttoman.

тачанка ж.: пулемётная ~ machíne-gùn cart [-'ʃiːn-...].

тачать, стачать (вн.) stitch (d.).

та́чк||а ж. wheelbàrrow; везти на ~е (вн.) wheel in a bárrow (d.).

тащить см. таскать 1, 3. ~ся см. таскаться 1.

таяние с. tháw(ing).

таять, растаять 1. melt; (о снеге, льде тж.) thaw; 2. безл.: тает it is tháwing, a thaw has set in; 3. (исчезать) melt a:wáy, wane, dwíndle; его силы тают his strength is dwíndling, или is on the wane; звуки тают sounds fade a:wáy; наши запасы тают our stocks are dwíndling; 4. тк. несов. (чахнуть) waste a:wáy [weɪ-...]; (от горя, тоски) pine (with), lánguish (with); 5. (от; умиляться) melt (with).

тва́р||ь ж. créature; собир. créatures pl.; all creátion; ◇ всякой ~и по паре разг. шутл. all kinds of péople [...piː-], péople of évery description.

твердеть hárden, becóme* hard.

тверд||и́ть (вн.) 1. say* / repéat óver and óver agáin (d.), rè:íteràte (d.); ~ кому-л. tell* smb. óver and óver agáin (d.); об этом ~ят все éverybody repéats it, éverybody says (it is) so [...sez...], it is cómmon talk; 2.: ~ наизусть learn* by heart / rote [lə:n... hɑːt...] (d.), mémorize (d.).

твёрдо I прил. кратк. см. твёрдый.

твёрдо II нареч. fírmly, firm; ~ выучить (вн.) learn* thóroughly [lə:n 'θʌl-] (d.); ~ держаться stand* firm / fast; ~ запомнить (вн.) remémber well (d.); он ~ запомнил её слова he remémbered her words well, her words remáined fixed in his mémory; ~ решить (+ инф.) detérmine (+ to inf., on ger.), resólve [-'zɔ-] (+ to inf., on ger.); он ~ решил уехать he is detérmined to go, или on góːing; he has fírmly resólved to go, или on góːing; ~ стоять на ногах be stéady on one's legs [...'ste-...]; ~ стоять на своём stand* one's ground (fírmly), hold* one's own [...oun], stand* firm.

твердоватый hárdish; sóme:whàt / ráther hard [...'rɑː-...].

твердокаменный stéadfast ['sted-], staunch, ùnflínching, ùn:wávering.

твердолобый 1. thíck-héaded [-'hed-], chúckle-héaded [-'hed-], thíck-skúlled, dúll-wítted; 2. (упорно консервативный) díe-hàrd (attr.).

твёрд||ость ж. hárdness; solídity; (перен.) fírmness, stéadfastness ['sted-]; (ср. твёрдый); ~ духа strength of mind. ~ый (не мягкий) hard; (не жидкий) sólid; (крепкий) firm, strong; (перен.: непоколебимый) firm; (стойкий) stéadfast ['sted-]; (установленный) stáble; ~ая пшеница dúrum wheat, hard wheat; ~ый грунт firm soil; с.-х. stiff soil; ~ый переплёт hard cóver [...'kʌ-]; ~ый согласный лингв. hard cónsonant; ~ое тело физ. sólid; он остался твёрд he remáined firm / stéadfast; ~ый дýхом человéк a stéadfast / únflinching man*; ~ое намéрение ùn:wáver:ing / stéady / fixed púrpose [...'ste-... -s]; ~ое решéние firm decísion; ~ое убеждéние strong / firm convíction; ~ая увéренность firm belief [...-i:f]; ~ые знáния sound knówledge [...'nɔ-] sg.; стать ~ой ногóй где-л. secúre a firm fóoting sóme:where [...'fut-...]; ~ые цéны fixed / stáble príces; ~ое задáние spécified / définite task; он не твёрд в хи́мии разг. he is not strong in chémistry [...'ke-]; ◊ ~ый знак hard sign [...-saɪn], the Rússian létter "ъ" [...-ʃən...]; в здрáвом умé и ~ой пáмяти of sound mind and mémory.

твердыня ж. strong:hold.

твист м. (танец) twist. ~овáть разг. twist.

твоё с. см. твой.

твой 1. мест. (при сущ.) your; (без сущ.) yours; (при сущ.) thy [ð-], (без сущ. и перед сущ., начинающимся с гласной или с h немого) thine [ð-] поэт., уст. (тж. при обращении к природе, мифологическим существам и т. п.); это карандáш this is your péncil; это твоё this is yours; 2. мн. (в знач. сущ.) your people [...pi:-]; как поживáют твой? how are your people?; how is everybody at home?; ◊ мне твоегó не нýжно I don't want ány:thing of yours; он знáет бóльше твоегó разг. he knows more than you do [...nouz...]; что ~ (словно, как настоящий) разг. just like.

творéние с. 1. (действие) creátion; 2. (существо) créature, bé:ing; 3. (художественное произведение) work.

твор:éц м. creátor; máker (автор) áuthor; ~ истóрии máker of history; ~цы́ нóвой жи́зни creátors / mákers of a new life.

творило с. тех. lime-pit.

творительный ~ падéж грам. instruméntal (case) [...keɪs].

твори́ть I, сотвори́ть (вн.) 1. (создавать) creáte (d.); 2. (делать) do (d.), make* (d.); ~ чудесá work wónders [...'wʌ-]; ~ суд и распрáву уст. adminíster jústice and mete out púnishment [...'pʌ-].

твори́ть II (вн.) тех. knead (d.); ~ и́звесть slake lime.

твор:и́ться I, сотвори́ться 1. háppen, go* on; что здесь ~ится? what is háppening, или what is gó:ing on, here?; 2. страд. к твори́ть I.

твори́ться II страд. к твори́ть II.

творóг м. curds pl., cóttage cheese.

творóж:истый clótted, cúrdled. ~ник м. curd pán:cake. ~ный curd (attr.); ~ная мáсса curds pl.; ~ный сырóк piece of sweetened and pressed cóttage cheese [pi:s...].

твóрческ:ий créative; ~ая си́ла créative pówer; creative:ness; ~ие си́лы creátive fórces; ~ие искáния créative search [...sə:tʃ] sg., quest for inspirátion sg.; ~ий путь худóжника devélopment of an ártist; ~ вéчер, отчёт (музыканта) recítal; (писателя) réading; ~ая командирóвка trip to gáther matérial for créative work; ~ая акти́вность трудя́щихся the créative initiative of the wórking people [...pi:-]; ~ маркси́зм créative Márxism.

твóрчеств:о с. тк. ед. 1. (действие) creátion; (деятельность) créative work; рáдость ~а the joy of creátion; научное ~ scientífic work; нарóдное худóжественное ~ ámateur and folk arts [-tə:...]. 2. (совокупность созданного) work; (литературные произведения) works pl.

твоя́ ж. см. твой.

те мн. см. тот.

т. е. сокр. (= то есть) i. e. (= that is от латинск. id est).

теáтр м. (в разн. знач.) théatre [ˈθɪə-]; (здание тж.) pláy-house* [-s]; (драматические произведения тж.) dramátic works pl.; (the) plays pl.; пойти́ в ~ go* to the théatre; быть в ~е be at the théatre; ~ был пóлон the house* was full [...haus...]; óперный ~ ópera-house* [-s]; ~ оперéтты théatre of músical cómedy [...-zɪ-...], théatre of operétta; ~ и кино́ stage and screen; ◊ ~ воéнных дéйствий the théatre of war / òperátions; анатоми́ческий ~ disséсting room.

театрáл м. théatre-gòer ['θɪə-], pláygòer; théatre-lòver ['θɪətələ-].

театрализ:áция ж. àdaptátion for the stage. ~овáть несов. и сов. (вн.) drámatize (d.); adápt for the stage (d.).

театрáлка ж. к театрáл.

театрáльн:ость ж. theatricálity [θɪæ-]. ~ый théatre [ˈθɪə-] (attr.); theátrical [θɪˈæ-]; (перен.: неестественный) theátrical, stágy, mèlodramátic; ~ое представлéние theátrical perfórmance; ~ое иску́сство dramátic art; ~ый зал auditórium; ~ый билéт théatre ticket [ˈθɪə-...]; ~ая кáсса bóx-òffice; ~ая шкóла dráma school [ˈdrɑ:-...]; ~ый жест theátrical / mèlodramátic gésture.

театровéд м. spécialist in dráma stúdy [ˈspe-...ˈdrɑ:-ˈstʌ-].

театровéдение с. théatre science [ˈθɪə-...], science of the théatre, dráma stúdy [ˈdrɑ:- ˈstʌ-].

тебé дт. см. ты.

тебя́ рд., вн. см. ты.

тевтóнский ист. Teutónic.

тевтóны мн. ист. the Téutons.

тéзис [тэ-] м. thésis (pl. théses [-si:z]).

тёзк:а м. и ж. náme:sake; он мне ~ he is my náme:sake; мы с вáми ~и you and I share the same name.

теи́зм [тэ-] м. филос. théism [ˈθi:1-].

теи́ст [тэ-] м. théist [ˈθi:ɪst].

тейлори́зм [тэй-] м. эк. Táylor sýstem.

теки́нский Túrkomàn; ~ ковёр Túrkomàn cárpet.

текст м. text; (к музыке) words pl.

тексти́ль м. тк. ед. собир. téxtile fábrics pl. ~ный téxtile; ~ная промы́шленность téxtile índustry. ~щик м., ~щица ж. téxtile-wòrker.

текстовóй text (attr.), téxtual.

текстóлог м. téxtual crític.

текстолóгия ж. téxtual críticism / stúdy [...ˈstʌ-].

текстуáльный téxtual.

тектóн:ика ж. геол. tectónics. ~и́ческий tectónic.

текýч:есть ж. 1. физ. flúidity; 2. (непостоянство) flùctuátion, instability; ~ рабóчей си́лы flùctuátion of mánpower, lábour flúidity. ~ий 1. физ. flúid; 2. (непостоянный) flùctuáting, únstáble.

текýчка ж. разг. routíne búsiness [ru:ˈti:n ˈbɪzn-].

текýщ:ий 1. прич. см. течь I; 2. прил. (настоящий) cúrrent; (сегодняшний) present-dáy [ˈprez-]; в ~ем году́, мéсяце in the cúrrent year, month [...mʌ-]; 12-го числá ~его мéсяца the twelfth ínstant, the 12th inst.; ~ момéнт the présent situátion [...ˈprez-...]; ~ие задáчи présent-dáy próblems [...ˈprɔ-]; ~ая поли́тика cúrrent pólitics pl.; ~ие событи́я cúrrent evénts; 3. прил. (повседневный) éverу:day; routíne [ru:ˈti:n] (attr.); ~ие делá cúrrent / routíne affáirs; (на повестке дня) cúrrent búsiness [...ˈbɪzn-] sg.; ~ ремóнт routíne repáirs pl.; ◊ ~ счёт cúrrent accóunt.

теле- (в сложн.) téle-.

телеавтомáтика ж. tèleautomátics, remóte / wíre:less contról [...-oul].

телеателье́ с. нескл. télevision sérvice shop.

телебáшня ж. télevision tówer, TV tówer [ˈtiːviː...].

телеви́|дение с. télevision; TV [ˈtiːviː] разг.; цветнóе ~ cólour télevision [ˈkʌ-...]; передавáть, покáзывать по ~дению (вн.) show* on télevision [ʃou...] (d.); show* on TV (d.), télevise (d.).

телевизиóнн:ый télevision (attr.); ~ая передáча télevision bróadcàst [...-ɔ:d-], télecàst; ~ центр télevision / TV centre [ˈtiːviː...]; ~ое ателье́ télevision sérvice shop.

телевизиóнщик м. разг. TV-màn* [ˈtiːviː-].

телеви́зор м. télevision set; TV set [ˈtiːviː...] разг.; по ~у on télevision.

~ный прил. к телеви́зор.

телéга ж. cart, wággon [ˈwæ-].

телегрáмм:а ж. télegràm; wire разг.; (каблограмма) cable; дать ~у send* a télegràm / wire; вызывáть когó-л. ~ой wire / télegraph for smb.

телегрáмма-мóлния ж. expréss télegràm.

телегрáф м. 1. télegràph; беспровóлочный ~ уст. wíre:less telégraphy, wíre:less; по ~у by télegraph; by wire разг.; (по кабелю) by cable; вызывáть когó-л. по ~у wire / télegraph for smb.; cable for smb. амер.; 2. (учреждение) télegraph óffice. ~и́ровать несов. и сов. télegraph, wire; (по кабелю) cable; ~и́руйте мне wire me, send me a wire / cable; ~и́ровать день въéзда wire one's day of depárture. ~и́ст м., ~и́стка ж. telégraphist; télegrapher амер. ~и́я ж. telégraphy. ~ный tèlegráphic; télegraph (attr.); ~ный столб télegraph-pòle, télegraph-pòst [-poust]; ~ный áдрес tèlegráphic addréss; ~ная лéнта télegraph tape; ~ный стиль tèlegráphic style; ~ное сообщéние tèlegráphic méssage; ◊ ~ное агéнтство news / télegraph àgency [-z...ˈeɪdʒ-].

теле́жка ж. 1. small cart; (*ручна́я*) hánd-càrt; 2. *тех.* trólley; (*ваго́нная*) bógie [-gɪ].

телезри́тель м. (téle)viewer [-ˈvjuːə], TV víewer [ˈtiːˈviːˈvjuːə].

телеизмере́ние с. telémetry.

телеинтервью́ [-тэ-] с. *нескл.* TV-ínterview [ˈtiːˈviːˈɪntəvjuː].

телека́мера ж. TV cámera [ˈtiːˈviːˈ...].

телекоммента́тор м. TV cómmèntàtor [ˈtiːˈviːˈ...].

те́лекс м. télex.

телеметр||и́ческий tèlemétric. **~и́я** ж. telémetry.

телемеханиза́ция ж. introdúction of remóte contról [...-oul].

телемеха́ника ж. tèlemechánics [-ˈkæ-] *pl.*, remóte contról [...-oul].

телемехани́ческий tèlecontról [-roul].

телёнок м. calf* [kɑːf]; (*бычо́к*) bull calf* [buʔ...].

телеобъекти́в м. *фот.* telescópic lens [...-nz-], tèlehphóto-léns [-nz].

телео||логи́ческий *филос.* tèleológic. **~ло́гия** ж. tèleólogy.

телепа́тия ж. telépathy.

телепереда́тчик м. télevision trànsmítter [...-nz-].

телепереда́ча ж. télevision bróadcàst [...-ɔːd], télecàst; програ́мма телепереда́ч télevision / TV prógrám(me) [...ˈtiːˈviːˈprou-]; де́тская chíldren's prógràmme.

телеприёмник м. télevision set.

телеса́ мн. *разг. шутл.* frame (*of a stout person*).

телесвя́зь ж. tèlecommùnicátion(s) (*pl.*), remóte-contról link [...-oul...].

телеско́п м. 1. télescòpe; 2. *зоол.* télescòpe-fish. **~и́ческий** tèlescópic. **~и́я** ж. telescopy. **~ный** télescope (*attr.*).

телесн||ый córpòreal; of the bódy [...-bɔ-]; (*материа́льный*) còrpóreal [-rɪəl]; **~ые поврежде́ния** phýsical / bódily ínjuries [-zɪ-...]; **~ое наказа́ние** córporal púnishment [...-ˈpʌ-]; **~ого цве́та** flésh-cólourːed [-kʌ-].

теле||ста́нция ж. télevision bróadcàsting státion [...ˈbrɔːd-...], télecàsting státion. **~сту́дия** ж. TV stúdio [ˈtiːˈviːˈ...].

телета́йп м. téletype, téleprinter. **~ный** téletype (*attr.*); **~ная ле́нта** téletàpe.

телетеа́тр м. T.V. théatre [ˈtiːˈviːˈθɪə-].

телеуправле́ние с. (тèlemehаnи́ческое управле́ние) tèlecontról [-oul], remóte contról [...-oul].

телеуправля́емый remóteːly óperated, remóte contrólled [...-ould]; (*о самолёте*) pílotːless.

телефи́льм м. télefilm.

телефо́н м. télephòne; phone *разг.*; междугоро́дный ~ trúnk-line; полево́й ~ *воен.* pórtable télephòne set; спа́ренный ~ párty / shared line; говори́ть по ~у speak* on the télephòne / phone; позвони́ть кому́-л. по ~у télephòne / phone (to) smb., ring* smb. up; вы́звать к ~у (*вн.*) call to the télephòne / phone (*d.*); вы́зов по ~у télephòne call; вы́зов по междугоро́дному ~у trúnk-call; сообщи́ть кому́-л. по ~у télephòne smth.; подойти́ к ~у ánswer the télephòne / phone [ˈɑːnsə-...]; я у ~а (*отве́т на вы́зов*) ≃ hùllò; у вас есть дома́шний ~? are you on the, *или* have you a, télephòne at home?; ◊ испо́рченный ~ gárbled vérsion, mìsintèrpretátion.

телефо́н-автома́т м. (*обще́ственный*) públic télephòne [ˈpʌ-...]; (*бу́дка*) télephòne box, públic cáll-bòx; télephòne booth [...-ð] *амер.*

телефониза́ция ж. installátion of télephònes; **~ сёл** installátion of télephones in víllages.

телефон||и́ровать *несов. и сов.* (*дт.*) télephòne (*d.*); phone (*d.*) *разг.* **~и́ст** м. télephòne óperàtor, teléphonist. **~и́стка** ж. télephonist, télephòne girl [...-g-]. **~и́я** ж. teléphony.

телефо́нн||ый télephòne (*attr.*), tèlephónic; **~ая ста́нция** télephòne exchánge [...-tʃeɪ-]; **~ая тру́бка** (télephòne) recéiver [...ˈsiː-...]; **~ая бу́дка** télephòne box, públic cáll-bòx [ˈpʌ-...]; télephòne booth [...-ð] *амер.*; **~ая кни́га** télephòne diréctory; **~ разгово́р** télephòne cònversátion.

телефоногра́мма ж. télephòne méssage, télephoned / phoned télegràm.

телефотоаппара́т м. lóng-ràngе cámera [-reɪ-...].

телефотогра́фия ж. télephotógraphy.

Теле́ц м. *астр.* Táurus, Bull [bul].

теле́ц м. *уст.* calf* [kɑːf]; ◊ золото́й ~ the gólden calf.

телеце́нтр м. télevision centre, TV centre [ˈtiːˈviːˈ...].

телеэкра́н м. télevision screen.

телеэкраниза́ция ж. tèlescréening.

тели́ться, отели́ться calve [kɑːv]; (*об оле́нях*) fawn.

тёлка ж. héifer [ˈhefə].

теллу́р м. *хим.* telúrium.

теллу́рий м. *астр.* tèllúrion.

те́л||о с. (*в разн. знач.*) bódy [ˈbɔ-]; **твёрдое ~** *физ.* sólid; **жи́дкое ~** *физ.* líquid; **геометри́ческое ~** sólid; **небе́сное ~** héavenly bódy [ˈhev-...]; **~ом tremble all over**; ◊ **в ~е** stout, plump; **спасть с ~а** lose* weight [luːz...]; **быть пре́данным душо́й и ~ом** be devóted bódy and soul (*д.*); **держа́ть в чёрном ~е** (*вн.*) ill-tréat (*d.*), maltréat (*d.*); **иноро́дное, посторо́ннее ~** fóreign bódy [ˈfɔrɪn...].

телогре́йка ж. pádded jácket, quílted jácket.

телодвиже́ние с. móvement / mótion (of the bódy) [ˈmuːv-... ˈbɔ-]; bódily móvement; (*жест*) gésture.

телёк м. *разг.* = телёнок.

телосложе́ние с. *тк. ед.* build [bɪld], frame; (*фигу́ра*) figure.

телохрани́тель м. *уст.* bódy-guàrd [ˈbɔ-].

телу́шка ж. héifer [ˈhefə].

тельн||ый *разг.*: **~ цвет** flesh cólour [...-kʌ-]; **~ого цве́та** flésh-cólourːed [-kʌ-].

тельня́шка ж. *разг.* (sáilor's) striped vest.

те́льце с. 1. little bódy [...ˈbɔ-]; 2. *биол.* córpuscle [-sl].

теля́та мн. см. телёнок.

теля́тин||а ж. veal; жарко́е из ~ы roast veal.

теля́тник I м. (*хлев*) cálf-house* [ˈkɑːfhaus], cálf-shèd [ˈkɑːf-].

теля́тн||ик II м., **~ица** ж. cálf-tènder [ˈkɑːf-].

теля́||чий 1. *прил. к* телёнок; **~чьи но́жки** calves' feet [ˈkɑːvz...]; из ~чьих но́жек *кул.* cálves-foot [ˈkɑːvzfut] (*attr.*); 2. (*сде́ланный из теля́тины*) veal (*attr.*); **~чьи котле́ты** veal cútlets [...ˈkʌ-]; ◊ **~ восто́рг** *разг.* fóolish enthúsiàsm [...-zɪ-]; fóolish ráptures *pl.*; **прийти́ в ~ восто́рг** get* fóolish enthúsiàstic [...-zɪ-]; **~чьи не́жности** *разг.* slóppy sèntimentálity *sg.*, slóppy endéarments.

тем I *тв. ед.*, *дт. мн. см.* тот.

тем II 1. *союз* the: **чем бо́льше, ~ лу́чше** the more, the bétter; 2. *нареч.* so much the: **~ лу́чше** so much the bétter; **~ ху́же** so much the worse; — **~ бо́лее, что** the more so, as; espécially as [-ˈpe-...]; ◊ **~ не ме́нее** nèverːthèːléss, none the less [nʌn...].

те́м||а I ж. súbject, theme; (*разгово́ра, статьи́ тж.*) tópic; *муз.* theme; **отклоня́ться от ~ы** wánder / déviàte from the súbject; dígrèss; **перейти́ к друго́й ~е** change the súbject [tʃeɪ-...]; **~ с вариа́циями** *муз.* theme and vàriátions.

те́ма II ж. *лингв.* theme, foundátion.

тема́тика ж. *тк. ед.* súbjects *pl.*, themes *pl.*; súbject-màtter.

темати́ческий I 1. súbject (*attr.*); **~ план** (lóng-tèrm) plan of súbjects / súbject-màtter; 2. *муз.* themátic.

темати́ческий II *лингв.* thematic.

тембр [тэ-] м. timbre [tɛ̃ːmbr]; **мя́гкий ~** méllow timbre; **ре́зкий ~** harsh timbre.

темен||но́й *анат.* paríetal; **~а́я кость** paríetal bone.

те́мень ж. *разг.* dárkness; **кака́я там ~!** how dark it is there!; **там така́я ~!** it's so dark there!

те́ми *тв. мн. см.* тот.

темля́к м. *воен.* sword-knot [ˈsɔːd-].

темне́||ть I, потемне́ть 1. grow* / get* / become* dark [-ou...]; (*о цве́те*) dárken; кра́ски потемне́ли the cólours have dárkened [...ˈkʌ-...]; не́бо ~ет the skies are dárkening; у него́ потемне́ло в глаза́х éverythìng went dark befóre his eyes [...aɪz]; 2. *тк. несов.* (*видне́ться*) перево́дится глаго́лом appéar, *или* оборо́том be vísible [...-zɪ-] *с прил.* dark *по́сле сущ.*; (*о больши́х предме́тах*) loom; вдали́ что-то ~ет smth. dark can be seen, *или* is vísible, in the dístance.

темне́||ть II, стемне́ть *безл.*: **~ет** it is gétting dark.

темне́ться = темне́ть I 2.

темни́ть 1. (*вн.*) dárken (*d.*), make* dárker (*d.*); 2. *разг.* (*пу́тать, обма́нывать*) múddle, decéive [sːv].

темни́ца ж. *уст.* dúngeon [-ndʒən].

темно́ 1. *прил. кратк. см.* тёмный; 2. *предик. безл.* it is dark; **~ в глаза́х** éverythìng goːes dark befóre one's eyes [...aɪz]; ◊ **хоть глаз вы́коли** *разг.* ≃ it is pítch-dárk.

темнова́тый dárkish, ráther· dark [ˈrɑː-...].

темно||воло́сый dárk-haired. **~ко́жий** dárk-skínned, swárthy [-ðɪ].

тёмно-кра́сный dárk-rèd.

тёмно-си́ний dárk-blùe, déep-blùe; (*о тка́ни, ле́нте и т. п.*) návy-blùe; **~ костю́м** návy-blùe suit [...sjuːt].

ТЕМ — ТЕП

темнот||**á** ж. 1. (*мрак*) dark, dárkness; в ~é in the dark; прийти́ домо́й до ~ы́ come* home befóre dark; кака́я здесь ~! how dark it is here!; здесь така́я ~! it's so dark here!; 2. (*невежество*) ignorance; 3. (*неясность*) obscúrity.

тёмн||**ый** 1. dark; (*о цвете тж.*) deep; (*о коже тж.*) swárthy [-ði]; ~ая ночь dark night; ~ая вода́ *мед.* àmauròsis; 2. (*неясный*) obscúre, dark; (*смутный*) vague [veɪg]; ~ое ме́сто в те́ксте obscúre pássage in the text; 3. (*мрачный*) glóomy, sombre; 4. (*вызывающий подозрение, сомнительный*) suspícious, shády; físhy *разг.*; (*нечестный*) wícked; ~ое де́ло suspícious / físhy / shády búsiness [...ˈbɪzn-]; ~ая ли́чность suspícious / dúbious / shády cháracter [...ˈkæ-]; ~ые слу́хи dark rúmours; ~ое про́шлое shádowy past; 5. (*невежественный*) ígnorant, benighted; ◊ ~ое пятно́ (*что-л. невыясненное*) obscúre place; (*что-л. позорящее*) dark stain, blémish; темна́ вода́ во о́блацех ≅ the mátter is wrapped in mýstery, *или* is unfáthomable [...-ð-].

темны́м-темно́ *нареч. разг.* pítch-dárk.

темп [тэ-] *м.* rate, speed, pace; *муз.* time; témpò (*тж. перен.*); ~ ро́ста rate of growth [...-ouθ]; в уско́ренном ~е brískly, rápidly; at a brisk / rápid pace, with incréased speed [...-st-]; ме́дленным ~ом at a slow pace [...-ou...], slówly [ˈslou-]; бе́шеный / бре́акне́ск speed / pace [...ˈbreɪk-...]; ускоря́ть ~ àccélerate; замедля́ть ~ slácken (speed, *или* one's pace); не снижа́ть ~ов keep* up, *или* maintáin one's / the pace; ~ наступле́ния, ~ продвиже́ния *воен.* pace of the advánce, rate of prógress.

те́мпера [тэ-] *ж., тж. нескл.* témpera.

темпера́мент *м.* témperament. ~**ный** spírited; (*легко возбудимый*) éxcitable; э́то бы́ло ~ное исполне́ние the perfórmance was full of vígour / life / spírit; it was a spírited / vígorous perfórmance.

температу́р||**а** *ж.* 1. témperature; ~ кипе́ния bóiling-point; ~ замерза́ния fréezing-point; высо́кая ~ high témperature; ни́зкая ~ low témperature [lou...]; паде́ние ~ы fall in témperature; повыше́ние ~ы rise in témperature; повы́шенная ~ high témperature; у него́ повы́шенная ~ he has a high témperature; he has a témperature *разг.*; норма́льная ~ nórmal témperature; ко́мнатная ~ room témperature; ме́рить ~у take* the témperature; 2. *разг.* (*жар*) high témperature; у него́ нет ~ы *разг.* he hasn't a témperature. ~**ить** *разг.* have / run* a témperature; он по вечера́м ~ит his témperature goes up in the évening [...ˈiːv-]. ~**ный** *прил. к* температу́ра.

темпер||**а́ция** [тэ-] *ж. муз.* témperament. ~**и́рованный** [тэ-] *прич. и прил. муз.* témpered. ~**и́ровать** [тэ-] *несов. и сов.* (*вн.*) *муз.* témper (*d.*).

темь *ж. разг.* dark, dárkness.

те́мя *с. анат.* sínciput; (*макушка*) crown, top of the head [...hed].

тена́кль *м. полигр.* tenáculum (*pl.* -la).

тенденцио́зн||**ость** [тэндэ-] *ж.* tendéntiousness; (*предвзятость*) bías(s)ed náture [...ˈneɪ-]. ~**ый** [тэндэ-] tendéntious; (*предвзятый*) bías(s)ed; ~ый рома́н tendéntious nóvel [...ˈnɔ-].

тенде́нци||**я** [тэндэ-] *ж.* 1. téndency; (*в неодобр. смысле тж.*) bías; основна́я ~ básic téndency [ˈbeɪ-...]; 2. (*к; склонность*) téndency (towards, to); проявля́ть ~ю (к) exhíbit a téndency (to), tend (to); у а́втора ~ к преувеличе́нию the writer has a téndency to exággerate, *или* towards exággeration [...-dʒə-...-dʒə-].

те́ндер [тэндэр] *м.* 1. *ж.-д.* ténder; 2. *мор.* (*парусное судно*) cútter.

тенев||**о́й** shády; ~ы́е места́ на карти́не áreas of shade in a pícture [ˈɛərɪəz...]; ~а́я сторона́ shády side; (*перен.*) séamy / dark side.

тенелюби́вый *бот.* sháde-requíring, umbráticolous.

тенёта *мн.* snare *sg.*; попа́сть в ~ be caught in a snare.

тени́ст||**ость** *ж.* shádiness [ˈʃeɪ-]. ~**ый** shády.

те́ннис [тэнис] *м.* (lawn) ténnis; насто́льный ~ table ténnis; игра́ть в ~ play ténnis. ~**и́ст** *м.*, ~**и́стка** [тэни-] *ж.* ténnis-player. ~**ка** [тэни-] *ж.* ténnis shirt, shórt-sleeved shirt. ~**ный** [тэни-] ténnis (*attr.*); ~ный корт, ~ная площа́дка ténnis-court [-kɔːt]; ~ная раке́тка (ténnis-)rácket; ~ный мяч ténnis-báll.

те́нор *м.* 1. (*голос*) ténor [ˈte-]; петь ~ом have a ténor (voice); 2. (*певец*) ténor. ~**о́вый** ténor [ˈte-] (*attr.*). ~**о́к** *м. разг.* gentle ténor voice [...ˈte-...].

тент [тэ-] *м.* áwning.

тен||**ь** *ж.* 1. shade; *жив. тж.* shádow [ˈʃæ-]; свет и ~ light and shade; chiaroscúro [kɪɑːrəsˈkuərou]; сиде́ть в ~и́ sit* in the shade; сиде́ть в ~и́ (*рд.*), под ~ью (*рд.*) sit* únder the shade (of); иска́ть ~и look for a shády place, look for the shade; ночны́е ~и shádows / shades of night; держа́ться в ~и́ remáin in the shádow, keep* in the báckground; 2. (*человека, предмета*) shádow; кита́йские ~и theátre, galánty show [...ʃou] *sg.*; ~и ложа́тся shádows fall; дава́ть дли́нную ~ cast* a long shádow; 3. (*призрак*) shádow, àpparítion, phántom; (*дух умершего*) ghost [goust]; ~ей ца́рство ~ей realm of shádows [relm...]; бле́ден как ~ pale as a ghost; 4. (*малейшая доля*) véstige, párticle, átom [ˈæ-]; ни ~и пра́вды not a párticle / véstige of truth [...-uːθ]; ни ~и сомне́ния not a shádow of doubt [...daut]; ◊ броса́ть ~ (на вн.) cast* a shádow (on); (*перен.: опорочивать*) cast* aspérsions (on); от него́ оста́лась одна́ ~ he is a shádow of his fórmer self; боя́ться со́бственной ~и be afráid of one's own shádow [...oun...]; ~и про́шлого shades of the past; наводи́ть ~ на я́сный день *разг.* ≅ confúse the íssue.

теого́ния [тэ-] *ж.* theógony.

теодице́я [тэ-] *ж. филос.* theódicy.

теодоли́т *м. геод.* theódolite; универса́льный ~ tránsit [-z-].

теократи́ческий [тэ-] *ист.* theocrátic.

теокра́тия [тэ-] *ж. ист.* theócracy.

теологи́ческий [тэ-] theológical.

теоло́гия [тэ-] *ж.* theólogy.

теоре́м||**а** *мат.* théorem [ˈθɪə-]; доказа́ть ~у prove a théorem [-uːv...].

теоретизи́ровать théorize [ˈθɪə-].

теоре́тик *м.* théorist [ˈθɪə-].

теорети́че||**ски** *нареч.* in théory [...ˈθɪə-], theorétically. ~**ский** theorétical.

теорети́чн||**ость** *ж.* theorétical / spéculative náture [...ˈneɪ-]. ~**ый** ábstract, àbstrúse [-s-].

тео́рия *ж.* théory [ˈθɪə-]; ~ и пра́ктика théory and práctice; маркси́стско-ле́нинская ~ Márxist-Léninist théory; ~ социалисти́ческой револю́ции théory of sócialist rèvolútion; ~ кла́ссовой борьбы́ théory of class struggle; ~ относи́тельности (théory of) relatívity; ~ вероя́тностей *мат.* théory of probàbílity; ~ информа́ции informátion théory.

теосо́фия [тэ-] *ж.* theósophy.

тепе́решн||**ий** *разг.* présent [ˈprez-]; в ~ее вре́мя at the présent time, nów:a:days; ~ие лю́ди présent-dáy people [ˈprez- piː-], people (of) to:dáy.

тепе́рь *нареч.* now; (*в настоящее время*) at présent [...ˈprez-]; (*в наше время*) nów:a:days, to:dáy; ~, когда́ now that; э́то на́до сде́лать ~ же it must be done at once [...wʌns].

тёпленьк||**ий** tépid, lúke:wàrm; *ласк. разг.* nice (and) warm; чуть ~ with the chill off; вы́дался ~ денёк *разг.* the day was mild; ◊ ~ое месте́чко *см.* тёплый.

тепле́ть, **потепле́ть** get* warm, warm up.

те́пли||**ться** (*прям. и перен.*) glímmer, gleam; в нём ещё ~тся наде́жда he still has a glímmer of hope; he still has a faint hope.

тепли́||**ца** *ж.* hót:house* [-s], gréen:house* [-s], consérvatory. ~**чный** hót:house [-s] (*attr.*); ~чное расте́ние (*прям. и перен.*) hót:house plant [...-ɑːnt]; ~чное огоро́дничество hót:house márket-gàrdening.

тепл||**о́** I *с.* 1. (*тепловая энергия*) heat; 16 гра́дусов ~а́ sixtéen degrées abóve zéro (C.), 16°С; 2. (*тёплое состояние чего-л.*) warmth; (*перен. тж.*) còrdiálity; пе́чка не даёт никако́го ~а́ the stove gives out no warmth; держа́ть в ~е́ (*вн.*) keep* (in the) warm (*d.*); серде́чное ~ sincére afféction.

тепло́ II 1. *прил. кратк. см.* тёплый; 2. *предик. безл.*: сего́дня ~ it is warm / mild to:dáy; ему́, им *и т. д.* ~ he is, they are, *etc.*, warm; ~ на со́лнышке it is warm in the sun; в ко́мнате ~ the room is warm, it is warm in the room.

тепло́ III *нареч.* wármly; (*перен. тж.*) còrdially; одева́ться ~ dress wármly; ~ встре́тить кого́-л. give* smb. a warm / córdial / héarty wélcome [...ˈhɑːt...], wélcome smb.; ~ встре́тить сообще́ние *и т.п.* wélcome the news, *etc.* [...-z].

теплова́тый wármish, tépid, lúke:wàrm.

теплово́з *м.* díesel lócomòtive [ˈdiːz-lou-]. ~**ный** *прил. к* теплово́з; ~ная тя́га díesel tráction [ˈdiːz-...].

632

тепловозостро‖ение с. díesel lócomòtive building ['di:z- 'lou-'bɪld-]. **~и́тельный**: ~и́тельный заво́д díesel-lócomòtive-búilding works ['di:z-'lou-'bɪld-...].

теплов‖о́й thérmal; heat (attr.); ~ дви́гатель héat-èngine [-endʒ-]; ~ эффе́кт физ. calorífic effect, heat efficiency; ~ая эне́ргия heat / thérmal energy; ~ бала́нс физ. thérmal / heat bálance; ~ луч heat ray; ~áя изоля́ция тех. thérmal ìnsulátion; ~óе расшире́ние физ. thérmal expánsion; ~ уда́р мед. heat stroke; thèrmò:plégia научн.; ~áя электроста́нция thèrmò:eléctric pówer státion.

теплоёмкость ж. физ. thérmal / heat capácity; уде́льная ~ specífic heat.

теплокро́вн‖ые мн. скл. как прил. зоол. wárm-blooded ánimals [-blʌ-...]. **~ый** зоол. wárm-blooded [-blʌ-].

теплолюби́в‖ый héat-lòving [-lʌv-]; ~ые расте́ния héat-lòving plants [...-ɑ:nts].

тепломе́р м. физ. calorímeter.
теплонепроница́емый héat-proof.
теплообме́н м. heat exchánge [...-'tʃeɪ-]. **~ник** м. тех. heat exchánger [...-'tʃeɪ-].
теплоотда́ча ж. физ. heat irràdiátion, heat emíssion.
теплопереда́ча ж. физ. heat tránsfer / trànsmíssion [...-nz-].
теплопрово́д м. hòt-wáter sýstem [-'wɔ:-].
теплопрово́дн‖ость ж. физ. heat / thérmal condùctívity. **~ый** физ. héat-condùcting.
теплопрозра́чн‖ость ж. физ. dìathérmancy. **~ый** физ. dìathérmic.
теплосе́ть ж. (теплофикационная сеть) héating sýstem.
теплосилов‖о́й: ~áя устано́вка thèrmopower plant [...-ɑ:nt].
теплоснабже́ние с. heat supplý.
теплосто́йкий héatproof, héat-resístant [-'zɪ-].
теплот‖á ж. 1. (тёплое состояние чего-л.) warmth; (перен.: серде́чность) warmth, còrdiálity; (нежность) afféction; ~ во́здуха warmth of the air; душе́вная ~ wárm-héartedness [-'hɑ:t-]; говори́ть о ком-л. с ~ой speak* wármly / córdially of smb.; (с не́жностью) speak* afféctionate:ly of smb.; 2. физ. (тепловая энергия) heat; едини́ца ~ы cálorie; thérmal únit.
теплотво́рн‖ость ж. физ. héating / calorífic válue. **~ый** физ. calorífic; ~ая спосо́бность héating / calóric / calorífic válue.
теплоте́хник м. héating enginéer [...-endʒ-].
теплоте́хника ж. héating enginéering [...-endʒ-].
теплотра́сса ж. héating main.
теплофика́ция ж. тех. ìntrodúction of a héating sýstem.
теплофици́ровать несов. и сов. (вн.) ìntrodúce a héating sýstem (in).
теплохо́д м. mótor ship.
теплоцентра́ль ж. (dístrict) héating plant [...-ɑ:nt].
теплоэлектроста́нция ж. = теплова́я электроста́нция см. теплово́й.
теплоэлектроцентра́ль ж. heat and pówer plant [...-ɑ:nt].

теплоэнерге́тика ж. héat-and-pówer èngineering [...-endʒ-].
теплу́шка ж. 1. (тёплое помещение) (héated) shélter; 2. ж.-д. héated goods van [...gudz...].
тёпл‖ый warm; (о погоде тж.) mild; (перен.: серде́чный) warm, córdial, kínd:ly; (нежный, ласковый) afféctionate; ~ые кра́ски warm cólours [...'kʌl-]; ~ приём warm / héarty / córdial wélcome [...'hɑ:tɪ...]; ~ые слова́ kind / warm words; (сочувственные) sỳmpathétic words; ◊ ~ое месте́чко разг. snug / cúshy job [...'ku-...]; ~ая компа́ния cósy little gáther:ing [-zɪ-...]; (о жуликах и т.п.) ráscally crew, bunch of rogues [...rougz].
теплы́нь ж. разг. warm weáther [...'we-]; сего́дня ~ it is warm to:dáy.
тепля́к м. стр. témporary cóvered and héated en:clósure on búilding site [...'kɑ-...'klou-...'bɪl-...].
терапе́вт м. thèrapéutist, physícian [-'zɪ-], géneral pràctítioner. **~и́ческий** thèrapéutic.
терапи́я ж. 1. (лечение внутренних болезней) thérapy; 2. (отдел медицины) thèrapéutics pl.
терато‖логи́ческий [тэ-] биол. tèratológical. **~ло́гия** [тэ-] ж. биол. tèratólogy.
те́рбий м. хим. térbium.
тереби́ть (вн.) 1. (дёргать) pull [pul] (at, abóut), pluck (at), pick (at); (трогать) fínger (d.); (перен.) разг. bóther (d.), péster (d.); ~ во́лосы tóusle the hair [-zl...]; 2. с.-х.: ~ лён pull flax.
теребле́ние с. с.-х.: ~ льна fláx--pùlling [-pul-].
те́рем м. ист. (комната) (tówer-)room, (tówer-)chàmber [-tʃeɪ-]; (дом) tówer.
тере́ть (вн.) 1. rub (d.); ~ глаза́, ~ себе́ лицо́ rub one's eyes, one's face [...aɪz...]; 2. (очищая, делая блестящим) pólish (d.). 3. (причинять боль — об обуви и т.п.) rub sore (d.), chafe (d.), abráde (d.); 4. (измельчать) grate (d.); (растирать) grind* (d.). **~ся** 1. rub one:sélf; ~ся обо что-л. rub agáinst smth.; 2.: ~ся о́коло кого́-л. разг. hang* aróund smb.; ~ся среди́ кого́-л., ме́жду кем-л. разг. mix with smb., hóbnob with smb.; 3. страд. к тере́ть.
терза́н‖ие с. tormént, ágony; ~ милли́он ~ий a thóusand tórments [...-zə-...].
терза́ть (вн.) 1. tear* to píeces [teə ...'pi:-] (d.); (теребить) pull abóut [pul...] (d.); 2. (мучить) tormént (d.), tórture (d.); (гнести) prey (up:ón). **~ся** 1. tormént one:sélf, súffer tórments; ~ся сомне́ниями be a prey to doubts [...dauts]; ~ся угрызе́ниями со́вести be racked with / by remórse; 2. страд. к терза́ть.
тёрк‖а ж. gráter; натере́ть на ~е (вн.) grate (d.).
термидо́р м. ист. Thèrmidòr. **~иа́нец** м., **~иа́нский** ист. Thèrmidórian.
те́рмин м. term.
термина́л м. полигр. términal.
термино‖логи́ческий tèrminológical. **~ло́гия** ж. tèrminólogy.
терми́т I м. хим. thèrmíte, thèrmit.
терми́т II м. зоол. términte, white ant.

терми́тн‖ый хим., тех. thèrmìte (attr.); ~ая бо́мба thèrmìte bomb.
терми́ческ‖ий физ., тех. thérmal, thérmic; ~ая обрабо́тка thérmal / heat tréatment.
термобатаре́я ж. эл. thèrmò:eléctric pile, thèrmò:báttery, thèrmò:pile.
термо́граф [тэ-] м. физ., тех. thèrmogràph.
термодина́м‖ика ж. физ. thèrmò:dynámics [-daɪ-]. **~и́ческий** физ. thèrmò:dynámic [-daɪ-].
термоизоляцио́нн‖ый физ., тех. thèrmò:ínsulàting; ~ строи́тельный материа́л thèrmò:ínsulàting búilding matérials [...'bɪ-...] pl.; ~ые пли́ты thèrmò:ínsulàting slabs.
термоизоля́ция ж. физ., тех. thèrmò:ínsulàtion.
термока́мера ж. heat chámber [...'tʃeɪ-].
термо́метр м. thermómeter; ~ Це́льсия, Реомю́ра, Фаренге́йта céntigràde, Réaumur, Fáhrenheit thermómeter [...'reɪəmjuə 'færənhaɪt...]; медици́нский ~ clínical thermómeter; поста́вить ~ больно́му ≅ take* a pátient's témperature.
термометри́ческий физ. thèrmométric(al).
термообрабо́тка ж. = терми́ческая обрабо́тка см. терми́ческий.
термопа́ра ж. физ. thèrmò:cóuple [-kʌ-], thèrmò:pair.
терморегули́рование с. témperature contról [...-oul].
терморегуля́тор м. физ. thèrmò:régulàtor.
терморегуля́ция ж. физиол. heat règulátion.
те́рмос [тэ-] м. thérmòs, vácuum flask.
термоско́п [тэ-] м. физ. thérmoscòpe.
термоста́т [тэ-] м. физ., тех. thèrmostàt.
термосто́йкий 1. héat-resistant [-zɪ-]; 2. бот. thèrmò:tólerant; 3. хим. thèrmò:stáble.
термотерапи́я [тэ-] ж. thèrmothérapy.
термохи́мия ж. thèrmò:chémistry [-'ke-].
термоэлектри́че‖ский thèrmò:eléctric(al). **~ство** с. thèrmò:eléctricity.
термоэлектро́нный thèrmò:iónic.
термоэлеме́нт м. физ. thèrmò:élement, thèrmò:cóuple [-kʌ-].
термоя́дерн‖ый thèrmò:núclear; ~ая фи́зика thèrmò:núclear phýsics [...-zɪ-] pl.; ~ая эне́ргия thèrmò:núclear énergy; ~ая реа́кция thèrmò:núclear reáction; ~ое ору́жие thèrmò:núclear wéapon [...'wep-]; ~ая бо́мба thèrmò:núclear bomb; ~ая война́ thèrmò:núclear war.
те́рмы [тэ-] мн. ист. thérmae.
тёрн м. (дерево и ягода) sloe; (кустарник тж.) bláckthòrn.
те́рнии мн. thorns, príckles.
терни́стый thórny, príckly; ◊ ~ путь thórny path.
терно́в‖ник м. бот. bláckthòrn, sloe. **~ый** 1. bláckthòrn (attr.), sloe (attr.); ~ая я́года sloe; 2. (колючий) thórny, príckly; ◊ ~ый вене́ц crown of thorns.

терпеливо I *прил. кратк. см.* терпеливый.

терпелив‖**о** II *нареч.* pátiently, with pátience. ~**ость** *ж.* pátience; (*выносливость*) endúrance; (*снисходительность*) forbéarance [-'beə-]. ~**ый** pátient.

терпéн‖**ие** *с.* 1. pátience; (*выносливость*) endúrance; (*снисходительность*) forbéarance [-'beə-]; выводить кого-л. из ~ия try smb.'s pátience, exásperate smb.; он меня выводит из ~ия I have no pátience with him; выйти из ~ия lose* pátience [lu:z...]; егó ~ лóпнуло he lost all pátience, his pátience gave way; у меня не хватило ~ия I hadn't the pátience, my pátience gave out; запастись, вооружиться ~ием be pátient, have pátience, arm òneːself with pátience; проявлять ~ show* pátience [ʃou...]; 2. (*упорство*) pátience, pèrseveránce [-'viərəns]; переполнить чашу чьего-л. ~ия exásperate smb.; ◇ и труд всё перетрут *посл.* ≃ pèrseveránce wins; it's dógged does it *разг.*; if at first you don't succéed, try, try, try agáin *разг.*

терпентин *м. хим.* túrpentine. ~**ный**, ~**овый** *прил. к* терпентин; ~овое мáсло (oil of) túrpentine; turps *разг.*

терпéть 1. (*вн.*; *испытывать*) súffer (*d.*), endúre (*d.*), ùndergó* (*d.*); ~ боль súffer pain; ~ хóлод endúre cold; ~ нуждý súffer privátions [...praɪ-], ùndergó* hardships; ~ крушéние (*прям. и перен.*) be wrecked; 2. (*вн.*; *безропотно переносить*) stand* (*d.*), bear* [beə] (*d.*), súffer (*d.*), endúre (*d.*); (*без доп.*) bear* it, put* up with it; он не мóжет бóльше ~ такóй бóли he cánnot bear / stand such pain any lónger; было óчень хóлодно, но им пришлóсь ~ it was very cold, but they had to put up with it; 3. (*без доп.*; *запасаться терпением*) have pátience; 4. (*вн.*; *допускать, мириться*) tólerate (*d.*), endúre (*d.*), suppórt (*d.*); как мóжно ~ такýю нáглость? how can such ínsolence be tóleràted?; он не терпит шýток he cánnot take a joke; ◇ не ~ (*рд.*) not bear* / stand* / endúre (*d.*); он их ~ не мóжет he can't bear / stand* them [...kɑːnt...]; ~ этого не могý I can't stand it, I hate it; ~ не могý, когдá меня прерывáют I hate béːing ìnterrúpted; врéмя терпит there is no húrry, there's plénty of time; врéмя не тéрпит time is préssing, there's no time to be lost, time is getting short; дéло не тéрпит отлагáтельства the mátter is úrgent / préssing, the mátter brooks no deláy, *или* permits of deláy. ~**ся** *безл.*: емý, им *и т. д.* не тéрпится (+ *инф.*) he is, they are, *etc.*, impátient / éager [...'iːgə] (+ *to inf.*).

терпимо I *прил. кратк. см.* терпимый; это ещё ~ it is béarable / endúrable [...'beə-...].

терпим‖**о** II *нареч.* 1. (*относиться к людям и т. п.*) tólerantly; 2. (*сносно*) tólerably. ~**ость** *ж.* tólerance; (*снисходительность*) indúlgence; ~ость к чужим мнéниям tólerance of other people's views [...piː- vjuːz]; ◇ дом ~ости *уст.* bróthel. ~**ый** 1. (*о человеке*) tólerant; (*снисходительный*) indúlgent, forbéaring [-'beə-]; 2. (*допустимый*) tólerable, béarable ['beə-], endúrable.

терпк‖**ий** astríngent [-ndʒ-], tart; ~ое винó rough / ácid / sour wine [rʌf...]. ~**ость** *ж.* astríngency [-ndʒ-], acérbity, tártness.

Терпсихóра *ж. миф.* Tèrpsíchore [-kəɪ].

терпýг *м. тех.* rasp.

терракóт‖**а** [тэ-] *ж.* térracòtta. ~**овый** [тэ-] térracòtta (*attr.*); ~ового цвéта térracòtta.

террáрий [тэ-] *м.*, **террáриум** [тэ-] *м.* terrárium, ánimal case [...-s] (*for keeping small animals, especially reptiles, etc.*).

террáса *ж.* (*в разн. знач.*) térrace; сад располóжен ~ми the gárden is térraced.

террикóн *м. горн.* waste bank [weɪ-...]; pit refúse heap [...-s...].

территориáль‖**ный** tèrritórial; ~ая áрмия tèrritórial ármy; ~ые вóды tèrritórial wáters [...'wɔː-]; ~ая цéлостность tèrritórial íntegrity.

территóрия *ж.* térritory.

террóр *м.* térror. ~**изировать** *несов. и сов.* (*вн.*) térrorize (*d.*). ~**изм** *м.* térrorism. ~**изовáть** *несов. и сов.* = терроризировать.

террорист *м.* térrorist. ~**ический** térrorist (*attr.*); ~ический акт act of térrorism. ~**ка** *ж. к* террорист.

тёртый 1. *прич. см.* тереть; 2. *прил.* (*о красках*) ground; 3. *прил.* (*об овощах, фруктах*) gráted; 4. *прил. разг.* (*опытный, бывалый*) hárdened, expérienced; ~ калáч ≃ old stáger / hand.

терцéт [тэ-] *м.* 1. *муз.* tèrzéttò [təːˈtsɛtou]; 2. *лит.* tércet.

терцина [тэ-] *ж. лит.* térzà rímà ['tertsɑː ˈriːmɑː].

тéрция [тэ-] *ж.* 1. *муз.* (*третья ступень*) médiant; (*интервал*) third; большáя ~ májor third; мáлая ~ mínor third; 2. *мат., астр.* third; 3. *полигр.* great prímer [-eɪt...].

терьéр [тэ-] *м.* (*порода собак*) térrier.

теря‖**ть**, потерять (*вн., в пр. и без доп.*; *в разн. знач.*) lose* [luːz] (*d.*); (*о листьях и т. п.*) shed* (*d.*); ~ кого-л. из виду lose* sight of smb.; не ~ из виду (*вн.*) keep* in sight (*d.*); (*помнить*) bear* in mind [beə...] (*d.*); не ~ из виду, что not lose* sight of the fact that; ~ ясность lose* clárity; ~ в чём-л. мнéнии, в чьих-л. глазáх sink* in smb.'s èstimátion; не ~ мýжества not lose* heart [...hɑːt], take* heart; ~ авторитéт lose* préstige [...-'tiːʒ]; ~ врéмя на что-л. waste time on smth. [weɪ-...]; нельзя было ~ ни минýты there was not (wasːn't) a móment to lose; ~ на чём-л. (*терпеть ущерб*) lose* on / by smth.; я не ~ю надéжды I don't lose hope, I am not únhopeːful; ~ терпéние lose* pátience; он от этого ничегó не ~ет he lóses nothing by it; вы потеряли не потеряли you have missed nothing; ~ пóчву под ногáми have / feel* the ground slipping aːwáy from únder one's feet; ~ сознáние lose* cónsciousːness [...-nʃəs], become* uncónscious [...-nʃəs]; ~ сúлу become* inválid, lose* its force; ~ сúлу за дáвностью *юр.* be lost by limitátion; ~ подкóву (*о лошади*) throw* / cast* a shoe [-ou... ʃuː]; ◇ ~ гóлову lose* one's head [...hed]; не ~ головы keep* one's head. ~**ться**, потеряться 1. be lost; (*особ. о вещах*) get* lost; (*исчезать*) disappéar; 2. (*терять самооблада́ние*) lose* one's présence of mind [luːz...-z-...]; (*смущаться*) become* flústered; ~ ~юсь, умá не приложý I am at my wit's end, I am útterly at a loss; 3. (*утрачиваться*) fail, decline, wéaken; 4. *прост. к* терять; ◇ ~ться в догáдках be lost in conjéctures; be at a loss.

тёс *м. собир.* boards *pl.* (*for roofing, etc.*).

тесáк *м.* 1. *воен. ист.* ≃ bróadswòrd [-ɔːdsɔːd]; (*у моряков*) cútlass ['klʌ-]; 2. (*плотничий топор*) hátchet.

тесáть (*вн.*) cut* (*d.*), hew (*d.*), (*обтёсывать*) trim (*d.*); ◇ емý хоть кол на головé теши ≃ he is so píg-héaded [...-'hed-], he's as stúbborn as a múle.

тесём‖**ка** *ж.* = тесьмá. ~**очный** braid (*attr.*); tape (*attr.*); (*ср.* тесьмá).

тесина *ж.* board.

теснина *ж.* gorge, pass, ravíne [-'viːn]; *воен.* defíle ['diː-].

тесни́ть I, потеснить (*вн.*) press (*d.*), crowd (*d.*); ~ противника press the énemy.

тесни́ть II, стесни́ть (*сжимать*) squeeze (*d.*); (*об одежде тж.*) be too tight; мне теснит грудь I feel / have a tíghtness in my chest.

тесниться 1. (*толпиться*) crowd; be hérded; (*небольшими группами*) clúster; (*толкать друг друга*) jóstle one another; 2. (*ютиться, жаться*) be squeezed; (*сидеть тесно*) sit* close [...-s]; 3. (*о мыслях, чувствах*) crowd.

тéсно I 1. *прил. кратк. см.* тéсный; 2. *предик. безл.*: здесь ~ it is crówded here; в вагóне было óчень ~ the cárriage was packed, *или* very crówded [...-rɪdʒ...]; нам ~ в нáшей квартире we are cramped in our flat, our flat is too small for us; нам ~ так сидéть we are sítting all squáshed togéther [...-'ge-], there is no room for us all to sit here; мне ~ под мышками it feels tight únder the arms.

тéсно II *нареч.* nárrowly; tight (*реже* tíghtly); clóseːly [-sl-]; (*перен.*: *близко*) clóseːly, íntimateːly; (*ср.* тéсный); ~ сидéть sit* crówded togéther [...-'ge-]; sit* squáshed up, sit* on top of one another *разг.*

тесновáтый ráther small ['rɑː-...]; ráther nárrow; ráther tight; (*ср.* тéсный).

тесно́т‖**а** *ж.* 1. nárrowness; tíghtness; clóseːness [-s-]; (*ср.* тéсный); 2. (*недостаток места, толкотня*) cram, crush; какáя ~! what a crush!, how crówded it is here!; жить в ~, да не в обиде *погов.* ≃ the more the mérrier.

тéсн‖**ый** 1. (*о пространстве*) cramped; (*об улице, проходе и т. п.*) nárrow; (*о помещении*) small; 2. (*о платье, обуви*) tight; быть ~ым be too tight; 3. (*сплочённый*) close [-s], compáct; (*крепко*

соединённый) tight; (*перен.*) close, íntimate; идти ~ым строем march shóulder to shóulder [...'ʃou-...], go* in close órder; ~ ряд книг clóse;ly packed, *или* close-pácked, row of books [-s-...'klousrou...]; ~ые объя́тия tight embráce *sg.*; ~ая дружба close / íntimate fríendship [...'fre-]; в ~ом кругу́ in an íntimate circle; находи́ться в ~ой зави́симости от чего́-л. stand* in close relátion to smth.; ~ая связь close connéction.

тесо́вый board (*attr.*), plank (*attr.*).

тест [тэ-] *м. психол.* test.

тест||**о** *с.* 1. (*для хлеба*) dough [dou]; (*для пирогов и т. п.*) pástry ['peɪ-]; сдо́бное ~ fáncy / short pástry; слоёное ~ flákу / puff pástry; ~ для блинов bátter; замеси́ть ~ make* dough / pástry; меси́ть ~ knead dough; 2. (*тестообра́зная ма́сса*) paste [peɪst]; ◇ из того́ же ~а of the same kídney, of the same ilk; из друго́го ~а not of the same kídney.

тестомеси́лка *ж.* knéader.

тестообра́зн||**ый** dóughy ['dou-], pásty ['peɪ-]; dóugh-like ['dou-], páste-like ['peɪ-]; ~ая ма́сса paste [peɪst].

тесть *м.* fáther-in-law ['fɑ:-] (*pl.* fáthers-) (*wife's father*).

тесьма́ *ж. тк. ед.* (*плетёная*) braid; (*тка́ная*; *для свя́зывания*) tape; (*шнур*) lace.

тета́ни||**я** [тэ-] *ж. мед.* tétany.

тётенька *ж. разг.* áunty ['ɑ:ntɪ].

тетерев *м.* héath-còck, bláck-còck, black grouse [...-s].

тете́рка *ж.* gréy-hen.

тете́ря *ж. разг.*: глуха́я ~ ≃ deaf féllow [def...], (pérson) as deaf as a post [...poust]; со́нная ~ sléepyhead [-hed].

тетива́ *ж.* 1. (*лука*) bów-string ['bou-]; 2. *стр.* (*у лестницы*) stríng-board, stríng;er.

тётка *ж.* 1. aunt [ɑ:nt]; 2. *разг.* (*в обраще́нии*) móther ['mʌ-], ma [mɑ:], lády (*as term of address to elderly woman*); ◇ го́лод не ~ *погов.* ≃ needs must when the dévil drives.

тетраго́н [тэ-] *м. мат.* tétragon. ~**áльный** [тэ-] *мат.* tetrágonal.

тетра́дка *ж.*, **тетра́дь** *ж.* 1. wríting-book, (*школьная*) éxercise-book; (*школьная*, *для перепи́сывания*) cópy-book ['kɔ-]; черновая тетра́дь rough nóte;book [rʌf...]; тетра́дь для рисова́ния dráwing-book, skétch-book; но́тная тетра́дь músic book [-zɪk...]; тетра́дь пи́счей бума́ги wríting-pàd, nóte-pàd; 2. (*отде́льный вы́пуск произведе́ния*) part.

тетрало́гия [тэ-] *ж. лит.* tetrálogy.

тетра́эдр [тэ-] *м. мат.* tetrahédron [-'he-].

тетушка *ж.* aunt [ɑ:nt]; *ласк.* áunty ['ɑ:ntɪ].

тётя *ж.* 1. aunt [ɑ:nt] (*в соедине́нии с и́менем пи́шется с прописно́й бу́квы*); 2. (*в обраще́нии*) áunty ['ɑ:ntɪ]; 3. *шутл.* wóman* ['wu-]; 4. (*о незнако́мой же́нщине — в де́тском употребле́нии*) lády.

тефте́ли *мн. кул.* (small) méat-bàlls.

тех *рд., вн., пр. мн. см.* тот.

техми́нимум *м.* (техни́ческий ми́нимум) (requíred) mínimum of téchnical knówledge [...'nɔ-]; сдать ~ take* one's examinátion in the requíred mínimum of téchnical knówledge.

техниза́ция *ж.* technicalizátion [-laɪ-].

те́хник *м.* 1. technícian; 2. (*специали́ст в о́бласти те́хники*) téchnically qualified pérson; ◇ зубно́й ~ déntal mechánic [...'kæ-].

те́хник||**а** *ж.* 1. engineering [endʒ-]; téchnics *pl.*, technique [-'ni:k]; ~ безопа́сности sáfety méasures / appliances [...'meʒ-...] *pl.*, áccident prevéntion; наука и ~ science and engineering / technólogy; 2. (*приёмы исполне́ния*) technique; овладе́ть ~ой máster the art; 3. *собир.* (*оборудование, вооруже́ние*) (téchnical) équipment; (*машины*) machínery [-'ʃi:-]; 4. *воен.* matériel (*фр.*) [mətɪərɪ'el]; боева́я ~ military equípment; wéapons and equípment ['wep-...] *pl.*

те́хникум *м.* téchnical sécondary school.

техници́зм *м.* preòccupátion with téchnical áspèct of smth.

техни́ческ||**ий** (*в разн. знач.*) téchnical; ~ий термин téchnical term; ~ое образова́ние téchnical educátion; ~ прогре́сс technológical prógress; ~ие культуры *с.-х.* industrial crops; ~ие науки téchnical / engineering sciences [...endʒ-...].

техни́чка *ж. разг.* cléaner (*in offices, etc.*), char;wòman* [-wu-].

техни́чный *спорт.* highly skilled / qualified.

техно́||**лог** *м.* technólogist, prodúction engineer [...endʒ-]. ~**логи́ческий** technológical. ~**ло́гия** *ж.* technólogy.

техобслу́живание *с.* (техни́ческое обслу́живание) máintenance.

техре́д *м.* (техни́ческий реда́ктор) téchnical éditor.

тече́ни||**е** *с.* 1. flow [-ou]; (*о времени, событиях и т. п.*) course [kɔ:s]; пла́вное ~ речи éven flow of speech; ~ дел course of affáirs; 2. (*ток, струя́*) cúrrent, stream; морско́е ~ (sea) cúrrent; бы́строе ~ rápid / swift cúrrent; си́льное ~ strong cúrrent; тёплое ~ warm cúrrent; возду́шное ~ air cúrrent; постоя́нное ~ *мор.* cúrrent; вниз по ~ю dówn-strèam; плыть по ~ю go* with the stream (*тж. перен.*); плыть, идти́ про́тив ~я go* against the stream (*тж. перен.*); 3. (*направление в науке, искусстве, политике*) cúrrent, trend, téndency; ◇ в ~ *предл.* (*рд.*) dúring; в ~ дня dúring the day; в ~ всего́ дня through;óut the day, the whole day long [...houl...]; в ~ неде́ли in the course of a week, within a week; с ~ем вре́мени in time, in due course, evéntually.

те́чка *ж. тк. ед. биол.* heat (*of animals*).

теч||**ь** I *гл.* 1. flow [-ou], run*; (*дви́гаться пла́вно*) glide; (*о зву́ках, мы́слях*) flow; (*о толпе́*) pour forth / down [pɔ:...]; (*о вре́мени*) pass; река́ ~ёт the river flows [...'rɪ-...]; у него́ кровь ~ёт из носу his nose is bléeding; у него́ слюнки теку́т his mouth is wátering [...'wɔ:-]; у него́ из носу ~ёт his nose is rúnning, he has a rúnning nose; с него́ пот ~ёт he is bathed in perspirátion / sweat [...beɪ-...swet], the sweat is póuring off him [...'pɔ:r-...]; у него́ слёзы текли́ the tears streamed / ran down his cheeks; время́ ~ёт бы́стро time flies, time slips by; дни ме́дленно теку́т the days pass slówly by [...'slou-...]; (*томи́тельно*) the days drag on / by; 2. (*име́ть течь*) leak, be léaky.

течь II *ж.* leak; дать ~ spring* a leak.

тёша *ж.* = тёшка.

те́шить, поте́шить (*вн.*; *развлека́ть*) amúse (*d.*), entertáin (*d.*); (*угожда́ть*) please (*d.*), grátify (*d.*); ~ взор be;guíle the eye [...aɪ]. ~**ся**, поте́шиться (*тв.*; *развлека́ться*) amúse / enjóy one;sélf (with); 2. (*над*) make* fun (of); ◇ чем бы дитя́ не те́шилось, лишь бы не пла́кало *посл.* ≃ ánything for a quíet life; ми́лые браня́тся — то́лько те́шатся *посл.* ≃ lóvers' tiffs are hármless ['lʌ-...], the course of true love néver runs smooth [...kɔ:s...lʌv...-ð].

тёшка *ж.* tyóshka (*smoked belly of sturgeon, etc.*).

тёща *ж.* móther-in-law ['mʌ-] (*pl.* móthers-) (*wife's mother*).

тиа́ра *ж.* tiára [-'ɑ:-].

тибе́т||**ец** *м.* Tibétan [-'be-]. ~**ка** *ж.* Tibétan wóman* [-'be-'wu-]. ~**ский** Tibétan [-'be-].

ти́гель *м. тех.* crúcible. ~**ный** crúcible (*attr.*); ~ная сталь crúcible steel.

тигр *м.* tíger [-gə]. ~**ёнок** *м.* tíger cub [-gə...]. ~**и́ный** tíger's [-gəz]. ~**и́ца** *ж.* tígress. ~**о́вый** tíger [-gə] (*attr.*); (*полоса́тый*) striped; ~овая шку́ра tíger-skin [-gə-].

тик I *м. мед.* tic.

тик II *м.* (*ткань*) tick, tícking (*material*).

тик III *м. бот.* teak.

ти́канье *с. разг.* tick, tícking (*of clock*).

ти́кать *разг.* tick.

ти́ккер *м. рад.* tícker.

ти́ковый I *прил. к* тик II.

ти́ков||**ый** II *прил. к* тик III; ~ое де́рево teak (tree).

тик-так *разг.* tíck-tòck.

ти́льда *ж. полигр.* tílde [-dɪ].

тимиа́н *м. бот.* thyme [t-].

тимо́л *м. хим.* thýmol.

тимофе́евка *ж. бот.* tímothy(-gràss).

тимпа́н *м.* 1. *муз.* tímbrel; 2. *арх.* týmpanum (*pl.* -nums, -na).

тиму́ровец *м.* Timúrovets [tɪ'mu:rəvets] (*pioneer who helps elderly people and invalids*).

тимья́н *м.* = тимиа́н.

ти́н||**а** *ж. тк. ед.* slime, mud, ooze; mire (*тж. перен.*). ~**истый** slímy, múddy, óozy, míry.

тинкту́ра *ж. фарм.* tíncture; ~ йо́да tíncture of íodine [...-di:n]; ~ о́пия láudanum ['lɔ:dnəm].

тип *м.* 1. (*в разн. знач.*) type; (*моде́ль*) módel ['mɔ-], páttern; (*разнови́дность*) spécies [-'ʃi:z]; ~ корабля́ class of ship; 2. *разг.* (*индиви́дуум*) féllow; (*стра́нный челове́к*) cháracter ['kæ-], strange / queer féllow [-eɪndʒ...], queer bird.

типа́ж *м. лит., иск.* type. ~**ный** *прил.* к типа́ж.

типиз||**а́ция** *ж.* typificátion. ~**и́ровать** *несов. и сов.* (*вн.*) týpify (*d.*).

ТИП — ТЛЕ

типи́ческий týpical, chàracterístic [kæ-].

типи́чн||ость *ж.* týpicalness, týpical náture [...'neɪ-]. **~ый 1.** týpical, chàracterístic [kæ-]; **~ая фигу́ра** type; **2.** (*самый настоящий*) módel ['mɔ-]; **он ~ый преподава́тель** he is a módel téacher.

типов||о́й type (*attr.*); módel ['mɔ-] (*attr.*), stándard (*attr.*); **~ дого́вор** módel agréement; **~а́я моде́ль** stándard módel; **~о́е проекти́рование домо́в** house plánning on a mass scale [-s...].

типо́граф *м.* **1.** (*работник*) prínter; **2.** (*машина*) týpograph [taɪ-].

типогра́ф||ия *ж.* prínting-house* [-s], prínting-works, press; **посла́ть ру́копись в ~ию** send* an MS (*a mánuscript*) to the press. **~ский** týpográphical [taɪ-]; **~ское иску́сство** týpógraphy [taɪ-]. **~щик** *м. уст.* prínter.

типолитогра́фия *ж.* týpolithógraphy [taɪ-].

типо||логи́ческий týpológical [taɪ-]. **~ло́гия** *ж.* týpólogy [taɪ-].

типу́н *м.* (*болезнь птиц*) pip (*disease of birds*); ◇ **~ тебе́ на язы́к!** ≃ curse that tongue of yours! [...tʌŋ...].

тир *м.* (*открытый*) shóoting-range [-eɪndʒ]; (*закрытый*) shóoting-gàllery.

тира́да *ж.* tiráde [taɪ-].

тира́ж I *м.* **1.** (*займа и т. п.*) dráwing; **вы́йти в ~** be drawn; (*перен.: отслужить*) have served one's time, retíre from the scene; (*станови́ться устаре́лым*) become* óbsolète / óut-of-dáte; **э́та облига́ция вы́шла в ~** this bond has been drawn.

тира́ж II *м. полигр.* (*о периодическом издании*) cìrculátion; (*о книге*) edítion (*of so many copies*).

тира́н *м.* týrant (*тж. перен.*). **~ить** (*вн.*) týrannìze (*d.*); (*мучить*) tòrmént (*d.*). **~и́ческий** týránnical. **~ия** *ж.* týranny. **~ствовать** (*над*) *разг.* týrannìze (óver), be a týrant (to).

тире́ [-рэ] *с. нескл.* dash.

тиро́лец *м.* Tyrólese.

тиро́льский Tyrólean [-'rou-], Tyrólese.

тирс *м. миф.* thýrsus (*pl.* -si).

тис *м. бот.* yew(-tree).

ти́скальщик *м. полигр.* préssman*.

ти́скать, ти́снуть (*вн.*) **1.** *тк. несов.* (*сжимать*) squeeze (*d.*), press (*d.*); **2.** *полигр.* pull [pul] (*d.*).

тиск||и́ *мн. тех.* vice *sg.*; (*перен.*) grip *sg.*; **зажа́ть в ~** (*вн.*) grip in a vice (*d.*); **в ~а́х чего́-л.** (*перен.*) in the grip / clútches of smth.

тисн||е́ние *с.* stámping. **~ёный** stamped.

ти́снуть *сов. см.* ти́скать 2.

тита́н I *м. миф.* (*тж. перен.*) Títan.

тита́н II *м. хим.* titánium [taɪ-].

тита́н III *м.* (*кипятильник*) bóiler.

тита́нистый *хим.* titaníferous [taɪ-].

титани́ческий titánic [taɪ-].

тита́новый *хим.* titánic [taɪ-].

ти́тло *с. лингв.* títlo ['tɪ-] (*diacritic in ancient and medieval writing*).

титр *м.* **1.** *хим.* titre [taɪ-]; **2.** *кин.* cáption, sùbtítle; (*перед началом фильма*) crédit.

титрова́ние *с. хим.* tìtrátion [taɪ-].

титрова́ть *несов. и сов.* (*вн.*) *хим.* títràte [taɪ-] (*d.*).

ти́тул *м.* (*в разн. знач.*) title.

титуло́ванный *прич. и прил.* títled.

титулова́ть *несов. и сов.* (*вн.*) style (*d.*), entítle (*d.*), call by one's title (*d.*).

ти́тульный *полигр.* title (*attr.*); **~ лист** title-page.

титуля́рный: **~ сове́тник** *ист.* títular cóunsellor (*lowest civil rank in tsarist Russia*).

тиф *м.* týphus [taɪ-]; **брюшно́й ~** týphoid / ènteric féver [taɪ-...], týphoid; **сыпно́й ~** týphus, spótted féver; **возвра́тный ~** relápsing féver.

ти́фдрук *м. полигр.* mézzotìnt ['medzou-].

тифлопедаго́гика *ж.* méthods of téaching the blind.

тифо́зн||ый 1. *прил.* týphus [taɪ-] (*attr.*); týphoid [taɪ-]; **~ая лихора́дка** týphoid féver; **~ больно́й** týphus pátient; **2.** *как сущ.* týphus pátient.

ти́х||ий (*не громкий*) quiet; low [lou] (*особ. о голосе*); (*бесшумный*) sílent; (*безмолвный*) still; (*мягкий, нежный*) soft, géntle; (*слабый*) faint; **~ое журча́ние ручья́** géntle múrmur of *a* brook; **~ие шаги́** nóise=less steps; light fóotfall [...'fut-] *sg.*; **~ лес, бе́рег** sílent fórest, shore [...'fɔ-...]; **~ая ночь** still / seréne night; **~ стон** low / faint moan; **говори́ть ~им го́лосом** speak* in a low voice, speak* in hushed / low tones; (*спокойный*) calm [kɑːm], quiet; (*мирный*) péace=ful; **~ая грусть** géntle mélancholy [...-kə-]; **~ая пого́да** calm wéather [...'we-]; **~ ребёнок** quiet child*; **~ нрав** géntle / plácid dispozítion [...-'zɪ-]; **~ая жизнь** péace=ful / quíet life; **~ая вода́** still wáter [...'wɔ:-]; **3.** (*медленный*) slow [-ou-]; (*неторопливый*) ùnhúrried; **~им ша́гом** slówly ['slou-], with a slow step; **~ ход** slow speed; **~ая торго́вля** slack trade; ◇ **в ~ом о́муте че́рти во́дятся** *посл.* ≃ still wáters run deep.

ти́хо I 1. *прил. кратк. см.* ти́хий; **2.** *предик. безл.* (*о погоде*) it is calm [...kɑːm], there is not a breath of air [...breθ...]; (*нет шума*) it is quiet, there is not a sound to be heard [...hə:d]; **ста́ло ~** it becáme quíet, the noise died awáy; **на душе́ у него́, у них и т. д. ста́ло ~** he, they, *etc.*, regáined his, their, *etc.*, peace of mind; his, their, *etc.*, mind / heart has been set at rest [...hɑːt...]; **в до́ме бы́ло ~** the house* was quíet [...haus...].

ти́хо II *нареч.* **1.** (*негромко*) quíetly, sóftly, géntly; sílent=ly; (*ср.* ти́хий 1); **~ говори́ть** speak* in a low voice [...lou...], speak* in low / hushed tones; **~ стуча́ть в дверь** knock géntly, tap at the door [...dɔ:]; **2.** (*спокойно*) quíetly; cálmly ['kɑːm-]; péace=fully; (*ср.* ти́хий 2); **де́ти веду́т себя́ ~** the chíldren are not máking any noise, the chíldren are behávíng quíetly; **сиде́ть ~** sit* still; **жить ~** live quíetly / péace=fully [lɪv-]; **3.** (*медленно*) slówly [-ou-]; **дела́ иду́т ~** things are slack; **4.** *разг.*: **~!** (*осторожно*) géntly!, cáreful!

тихомо́лком *нареч. разг.* quíetly, withóut a word / sound; (*незаметно, украдкой*) on the quiet.

тихо́нько *нареч. разг.* **1.** (*негромко*) quíetly, sóftly, géntly; **2.** (*медленно*) slówly [-ou-]; **3.** (*потихоньку, тайком*) on the sly.

тихо́н||я *м. и ж. разг.* meek créature / pérson; a góody-góody *ирон.*; **прики́дываться, смотре́ть ~ей** ≃ look as if bútter would not melt in one's mouth *идиом.*

тихоокеа́нский Pacífic.

тихохо́д *м.* **1.** slów-wálker ['slou-], slów-móver ['slou'muːvə]; **2.** *зоол.* sloth [-ouθ].

тихохо́дный slow [-ou]; lów-speed ['lou-] (*attr.*).

тихо́хонько *нареч. разг.* véry quíetly.

ти́ше 1. *сравн. ст. см. прил.* ти́хий и *нареч.* ти́хо II; **2.:** **~!** hush!, (be) quíet!; (*молчать!*) sílence! ['saɪ-]; (*осторожнее!*) cáreful!, géntly!; ◇ **~ во́ды, ни́же травы́** *погов.* ≃ meek and mild, meek as a lamb.

тишин||а́ *ж.* quíet, sílence ['saɪ-]; (*спокойствие*) calm [kɑːm], peace; **соблюда́ть ~у́** make* no noise, keep* quíet; **водвори́ть ~у́** impóse / estáblish sílence; **наруша́ть ~у́** distúrb / break* the sílence [...-eɪk...]; **в ~е́ in** (the) sílence; **~ и споко́йствие** peace and quíet.

тишко́м *нареч. разг.* on the sly.

тиш||ь *ж.* **1.** = тишина́; **2.** (*безветренная погода*) calm [kɑːm]; ◇ **в ~и́** in (the) sílence [...'saɪ-]; quíetly; **в ночно́й ~и́** in the sílence of the night; **~ да гладь** *разг.* peace and quíet.

ткане́вый tíssue (*attr.*); **~ая терапи́я** tíssue thérapy.

тка́ный wóven.

ткан||ь *ж.* **1.** *текст.* cloth, fábric, matérial, téxtile; **шёлковая ~** silk (cloth); **шёлковые ~и, шерстяны́е ~и** silks; **~ое сукно́** wóollen cloth ['wul-...]; **вя́заная ~** knítted fábric; **2.** *биол.* tíssue; **3.** *тк. ед.* (*существо, основа*) súbstance; **~ собы́тий** gist of evénts.

тканьё *с.* **1.** (*действие*) wéaving; **2.** *собир.* (*ткани*) cloth; wóven fábrics *pl.*

тканьёв||ый wóven; **~ое одея́ло** wóven blánket.

ткать, сотка́ть (*вн.*) weave* (*d.*); **~ паути́ну** spin* a web.

тка́цк||ий wéaving, wéaver's; **~ стано́к** loom; **~ челно́к** shuttle; **~ое де́ло** wéaving; **~ая фа́брика** wéaving mill.

тка́цко-пряди́льный téxtile (*attr.*).

ткач *м.* wéaver. **~ество** *с.* wéaving. **~и́ха** *ж.* к ткач.

ткнуть *сов. см.* ты́кать I. **~ся** *сов. см.* ты́каться.

тле́н||ие *с.* **1.** (*гниение*) decáy, pùtrefáction, dècomposítion [-'zɪ-]; **2.** (*горение без пламени*) smóuldering ['smou-]. **~ность** *ж.* pèrishabílity, périshable=ness. **~ный** périshable.

тлетво́рн||ость *ж.* nóxious=ness, pèrnícious=ness. **~ый 1.** (*порождённый тлением*) pútrid; **2.** (*вредный, разлагающий*) nóxious, pèrnícious; **~ая пропага́нда войны́** pèrnícious war pròpagánda.

тлеть 1. (*гнить*) rot, decáy, pútrefỳ; (*разрушаться и рассыпаться*) móulder ['moul-]; **2.** (*гореть без пламени; тж. перен.*) smóulder ['smoul-]; **в его́ се́рдце**

ещё тлеет надежда he still has a glimmer of hope. ~ся *разг.* smoulder ['smoul-].

тля *ж. зоол.* plant-louse* [-a:ntlaus], aphid ['eɪ-], greenfly; aphis ['eɪ-] (*pl.* -ides [-di:z]) *научн.*

тмин *м.* 1. (*растение*) caraway; 2. *собир.* (*семена*) caraway-seeds *pl.* ~**ный** caraway (*attr.*).

то I *с.* 1. *мест. см.* тот; то, что what, the fact that, that which; он узнал то, что ему надо he learned what he wanted to know [...lɔ:nd...nou]; 2. *как сущ.*: то был, была, было that was; то были those were; то были трудные годы those were difficult years; ◇ то есть (*сокр.* т. е.) that is (*сокр.* i. e.), that is to say; то бишь that is to say; (да) и то and even (then): у меня остался один карандаш, да и то плохой I have one pencil left, and even then it is a bad* one; — (a) не то or else, otherwise: приезжай вовремя, (а) не то уеду без тебя come in time, or else, *или* otherwise, I shall go without you; — то-то же now you understand; то-то и оно ≃ that's what it is; то ли (ещё) будет! what will it / things be like then?; то и дело (*часто*) every now and then; (*беспрестанно*) continually, perpetually, incessantly; time and again; *часто переводится глаг.* keep* on (+ *ger.*): то и дело раздаются звонки the bell keeps on ringing.

то II *союз* (*в таком случае*) then; *часто не переводится*: если вы не пойдёте, то я пойду if you don't go, (then) I shall; раз так, то я не пойду if so, then I shall not go.

то III *союз*: то..., то now..., now...; sometimes..., sometimes; first..., then; at one moment..., at another; то тут то там now here, now there; не то... не то (either)... or ['aɪ-...]; half... half [ha:f...]: не то по неопытности, не то по небрежности (either) through inexperience or through carelessness; не то снег, не то дождь half snow, half rain [...snou...]; — то ли... то ли whether... or.

-то *частица* just, precisely [-s-], exactly: в том-то и дело that is just it; этого-то я и хотел that is precisely what I wanted.

тобою *тв. см.* ты.

товар *м.* 1. *эк.* commodity; 2. (*предмет торговли*) article; goods [gudz] *pl.*, wares *pl.*; ходкий ~ marketable / saleable goods *pl.*; популярные articles *pl.*; партия ~a a consignment (of goods) [...'saɪn-...]; продовольственные ~ы foodstuffs; промышленные ~ы manufactured goods; ~ы широкого потребления consumer goods; ◇ показать ~ лицом *разг.* ≃ show* smth. to good effect, *или* to (full) advantage [ʃou...-'va:-...].

товарищ *м.* 1. comrade; (*друг*) friend [fre-]; (*спутник*) companion [-'pæ-]; (*коллега*) colleague [-li:g]; по работе fellow worker; (*в устах рабочего*) mate; ~ по несчастью fellow-sufferer, companion in distress, fellow victim (*pl.* fellow victims); школьный ~ schoolfriend [-fre-], schoolfellow; ~ детства childhood friend [-hud-...], play-mate; ~ по классу class-mate; ~ по оружию companion in arms [-'pæ-...] (*pl.* companions-); ~ по плаванию (*на корабле*) shipmate; 2. (*обращение; тж. перед фамилией*) Comrade; 3. *уст.* (*помощник, заместитель*) assistant, under-; ~ министра deputy / assistant minister; (*в Англии*) under-secretary; ~ председателя vice-chairman*, vice-president [-z-].

товарищеск||ий comradely; (*дружеский*) friendly ['frend-]; *спорт.* unofficial; с ~им приветом (*в конце письма*) ≃ friendly greetings; ~ поступок friendly act; ~ие отношения friendly / amicable relations; ~ая встреча *спорт.* friendly / unofficial match; ◇ ~ суд comrades' court [...kɔ:t].

товариществ||о I *с.* (*товарищеские отношения*) comradeship; чувство ~a feeling of solidarity / fellowship.

товарищество II *с.* (*объединение*) association; (*компания*) company ['kʌ-]; ~ на паях joint-stock company; ~ по совместной обработке земли agricultural association.

товарка *ж. уст. разг.* friend [fre-].

товарно-денежн||ый: ~ые отношения commodity-money relations [-'mʌ-...].

товарн||ость *ж. эк.* ratio of commodity output to the total output [...-put...], marketability, marketable value; высокая ~ high marketability, high marketable surplus(es) (*pl.*); высокая ~ колхозного производства the production of a high marketable surplus by the collective farms. ~ый 1. goods [gudz] (*attr.*), commodity (*attr.*); ~ый знак trade mark; ~ый склад warehouse* [-s]; ~ая биржа commodity exchange [...-'tʃeɪ-]; ~ый голод goods shortage; 2. *эк.* commodity (*attr.*), marketable; ~ая продукция commodity output [...-put]; ~ое производство commodity production; при ~ом производстве under the commodity production system; ~ое хозяйство commodity economy [...i:-]; ~ое обращение commodity circulation; ~ые излишки marketable surpluses; ~ая сельскохозяйственная продукция marketable agricultural produce; 3. (*относящийся к перевозке товаров*) goods (*attr.*), freight (*attr.*); ~ый поезд goods train; freight train *амер.*; ~ый вагон goods wagon [...'wæ-]; freight car *амер.*; ~ая станция goods station / yard; freight yard *амер.*

товаровед *м.* 1. (*специалист по товароведению*) commodity researcher / expert [...-'sɜ:tʃə...]; 2. (*работник*) goods manager [gudz...], expert on merchandise [...-'sɜ:tʃ].

товароведение *с.* commodity research [...-'sɜ:tʃ].

товаро||обмен *м. эк.* barter. ~**оборот** *м. эк.* commodity circulation / turnover. ~**отправитель** *м.* forwarder of goods [...gudz], consignor [...'saɪnə].

товаро-пассажирский: ~ поезд mixed goods-and-passenger train [...'gudz-ndʒə-...].

товаро||получатель *м.* recipient of goods [...gudz], consignee [-saɪ'ni:]. ~**проводящий** *эк.*: ~проводящая сеть commodity distribution network. ~**производитель** *м. эк.* commodity producer.

тога *ж. ист.* toga.

тогда *нареч.* 1. (*в разн. знач.*) then; (*в то время тж.*) at that time; ~-то и нужно было это сделать it was then that it should have been done; ~-то и нужно будет это сделать it is then that it must be done, that will be the time to do it; ~ же at the same time; когда..., ~ when... (*тогда не переводится*): когда он отказался, ~ я решил действовать when he refused I decided to act, it was when he refused that I decided to act; что ~? *разг.* what of it?; 2.: ~ как *союз* whereas, while.

тогдашн||ий *разг.* of that time, of those times / days; ~ее время those times / days *pl.*

того *рд. см.* тот.

тоголез||ец *м.*, ~**ка** *ж.*, ~**ский** Togolese.

тождественн||ость *ж.* identity [aɪ-], sameness; ~ точек зрения identity of outlook. ~**ый** identical [aɪ-], (one and) the same; ~ый чему-л. identical with smth.

тождество *с.* identity [aɪ-] (sameness); представлять собой ~ be identical [...aɪ-].

тоже *нареч.* also ['ɔ:l-], as well, too: он ~ пойдёт he is also going, he is going as well, *или* too; вы его знаете? Я ~ do you know him? So do I, *или* I do, too [...nou...]; я там был, мой брат ~ I was there, and my brother was there also, *или* so was my brother [...'brʌ-...]; я буду там, мой брат ~ I shall be there, and my brother will also be there, *или* so will my brother; вы видели это? Они ~ did you see it? They did too, *или* so did they; — ~ не not... either [...'aɪ-]: он ~ не знает he does not know either; его там ~ не было he was not there either; — я не шучу. — Я ~ не шучу I am not joking. — Neither / nor am I [...'naɪ-...]; у меня ~ нет neither have I; я ~ не буду neither shall I; ◇ ~ хорош! you're a fine one, to be sure! [...ʃuə].

тожественный = тождественный.

тожество *с.* = тождество.

ток I *м.* (*течение; тж. эл.*) current; ~ воздуха air current; ~ высокого напряжения high-tension current; ~ высокой частоты high-frequency current [-'fri:-...]; включить, выключить ~ switch on, switch off the current.

ток II *м.* (*головной убор*) toque [touk].

ток III *м. охот.* (birds') mating-place, display ground.

ток IV *м.* (*площадка для молотьбы*) threshing-floor [-flɔ:].

токай *м.*, ~**ское вино** Tokay [tou-].

токарн||ый turning; ~ая мастерская turnery (*workshop*); ~ станок lathe [leɪð]; ~ цех turning shop, turnery; ~ая стружка *собир.* turnings *pl.*

токарь *м.* turner, lathe operator [leɪð...]; ~ по дереву wood turner [wud...]; ~ по металлу metal turner ['me-...].

токката *ж. муз.* toccata [-'ka:-].

толов||ание *с.* (birds') courtship display ['kɔ:t-...]. ~**ать** display; perform courtship rituals [...'kɔ:t-...].

токовище *с.* = ток III.

ТОК — ТОЛ

токоприёмник м. эл. cúrrent colléctor; (складной) pántográph; (дуговой) bow [bou]; (роликовый) trólley.

токсикоз м. мед. toxicósis [-'kou-].

токсиколо́гия ж. toxicólogy.

токси́н м. мед. tóxin.

токси́ческий мед. tóxic.

тол м. хим. (тринитротолуол) tólite.

то́левый стр. of tar páper.

толи́ка ж.: ма́лая ~ (с сущ. в ед. ч.) a little, a little bit; (с сущ. во мн. ч.) a few.

толк м. 1. (смысл) sense; (польза) use [ju:s]; с ~ом (со смыслом) intélligently, sénsibly, with sense; (с результа́том) succéssfully; бéз ~y (бестолково) sénse⋮lessly; (напрасно) to no púrpose [...-s], for nothing; что ~y? what is the use?; сбить с ~y (вн.) confúse (d.), múddle (d.), bewílder ['wɪ-] (d.); добиться ~y attáin one's óbject; от него́ ~y не добьёшься you can't get any sense out of him [...kɑːnt...]; не вы́йдет ~y (из) nothing will come (of); 2. уст. (направление) trend; (религиозный) persuásion [-'sweɪ-]; ◊ взять в ~ (вн.) únderstánd* (d.), see* (d.); понима́ть, знать ~ в чём-л. be a good judge of smth., be an éxpert in smth.

толк||а́ть, толкну́ть 1. (вн.) push [puʃ] (d.); shove [ʃʌv] (d.) разг.; (нечаянно) jog (d.); сов. тж. give* a push / shove (i.); ~ ло́ктем кого́-л. nudge smb.; (нечаянно) jog smb.'s élbow (d.); 2. (вн., двигать вперёд) push on (d.); ~ ядро́ спорт. put* the shot; 3. (кого-л. на что-л.; побуждать) incíte (smb. to), ínstigate (smb. to); ~ кого́-л. на преступле́ние incite / drive* smb. to crime. **~а́ться, толкну́ться 1.** тк. несов. (толкать друг друга) push one another, или each other [puʃ...], jóstle; не ~а́йтесь don't push; ~а́ться локтя́ми (one and another); 2. (куда-л., к кому-л.) разг. knock at / on smb.'s door [...dɔː]; (пытаться увидеть кого-л.) try to get áccess to smb., try to see smb.; 3. тк. несов. разг. (слоняться) loaf / lounge abóut.

толка́ч м. 1. тех. stamp; 2. ж.-д. púsher ['pu-]; 3. разг. (о человеке) púsher, gó-getter [-'ge-].

толк||и́ мн. (слухи) talk sg., rúmours; (сплетни) góssip sg.; иду́т ~ о том, что people say that [pi:-...], it is said that [...sed...], there is a rúmour, или are rúmours, that, it is rúmour⋮ed that; вы́звать мно́го ~ов give* rise to a lot of talk; станови́ться предме́том ~ов become* the óbject / tárget of góssip [...-ɡɪt...]; положи́ть коне́ц ~ам put* a stop to idle talk.

толкну́ть сов. см. толка́ть. **~ся** сов. см. толка́ться 2.

толкова́||ние с. 1. interpretátion; (де́йствие тж.) ínterpreting; (тк. о поступке, о чьих-л. словах) constrúction; дать непра́вильное ~ чего́-л., чему́-л. give* a wrong interpretátion of smth., put* a wrong constrúction on smth. 2. (объяснительный текст) cómmentary.

~тель м., **~тельница** ж. intérpreter; (комментатор) cómmentator.

толкова́ть 1. (вн.) ínterpret (d.); ~ зако́н ínterpret the law; ~ нея́сные места́ ínterpret abstrúse pássages [...-s...]; ~ всё в дурну́ю сто́рону put* an ill constrúction on éverything, see* éverything in the worst light; э́тот посту́пок мо́жно ~ и так, и ина́че this áction may be ínterpreted in many ways; ло́жно ~ misínterpret (d.), misconstrúe (d.); 2. (вн. дт.; объяснять) разг. expláin (d. to); ско́лько ему́ ни толку́й, он ничего́ не понима́ет you can go on expláining till you're blue in the face, you won't make him únderstánd [...wount...]; it's a waste of time trýing to expláin things to him [...weɪst...]; 3. (с тв. о пр.; разговаривать) talk (with abóut); (обсуждать) discúss (with d.); что тут мно́го ~ it's no use tálking about it, или discússing it [...ju:s...]; ◊ он всё своё толку́ет he keeps on hárping on the same string; толку́ют, бу́дто people / they say that [pi:-...].

толко́вый 1. (понятный) intélligible, clear; **2.** (о человеке) sénsible, intélligent; он ~ челове́к he has a head on his shóulders [...hed...'ʃou-]; **3.**: ~ слова́рь explánatory díctionary.

то́лком нареч. разг. (ясно) pláinly, cléarly; (серьёзно) sérious⋮ly, éarnest⋮ly ['əːn-]; скажи́ ~ say pláinly, tell me pláinly.

толкотня́ ж. разг. crush, squash; там така́я ~ it is such a crush there, there is a crowd there.

толку́ч||ий: ~ ры́нок разг. sécond-hánd márket ['se-...]. **~ка** ж. разг. **1.** = толкотня́; **2.** = толку́чий ры́нок см. толку́чий.

толма́ч м. уст. intérpreter.

толокно́ с. oat flour.

толокня́нка ж. бот. béarberry ['bɛə-].

толоко́нный прил. к толокно́; ◊ ~ лоб blóckhead [-hed], númbskùll.

толо́чь, растоло́чь (вн.) pound (d.); ◊ ~ во́ду в сту́пе ≅ beat* the air, mill the wind [...wɪnd]. **~ся 1.** разг. (слоняться) hang* abóut; (шляться) gad / knock abóut; **2.** страд. к толо́чь.

толпа́ ж. crowd; (большая тж.) throng; (перен.: множество) múltitùde, crowd.

толпи́ться crowd; (о большой толпе) throng; (собираться группами) clúster.

толпо́й нареч. in a bódy [...'bɔ-]; дви́гаться ~ flock.

то́стенький разг. plump, stóutish; ~ ребёнок chúbby báby.

толст||е́ть, потолсте́ть grow* fat / stout [-ou...], put* on weight. **~и́ть** (вн.) разг. make* (d.) look fát(ter).

толстова́тый stóutish, plúmpish, ráther stout / plump ['rɑː-...].

толстове́ц м. Tólstoyan.

толсто́вка I ж. к толстове́ц.

толсто́вка II ж. (блуза) tolstóvka (man's long belted blouse).

толсто́вство с. Tólstoyism, the téachings of Tólstoy pl.

толстогу́бый thick-lípped.

толстоко́ж||ие мн. скл. как прил. зоол. Pachydérmata [-kɪ-] научн.; pachydérms [-kɪ-] разг. **~ий 1.** зоол. pachydérmatous [-kɪ-]; ~ее живо́тное páchydèrm [-kɪ-]; **2.** (о фруктах и т.п.) thick-skinned; (перен.; о человеке) thick-skinned; (неотзывчивый) únfeeling, cáse-hárdened ['keɪs-], insénsitive.

толсто||мо́рдый груб. búll-fáced ['bul-], fát-fáced. **~но́гий** thick-légged. **~пу́зый** груб. pót-béllied.

толстосте́нный тех. thíck-wálled.

толстосу́м м. уст. разг. móney-bàgs ['mʌ-] pl.

толсту́||ха ж. разг. stout / fat wóman* [...'wu-]; (о девочке) stout / fat girl [...gəːl]. **~шка** ж. разг. fátty; plump wóman* [...'wu-]; (о девочке) fátty; plump girl [...gəːl].

то́лст||ый 1. thick; (о ткани тж.) héavy ['he-]; ~ слой чего́-л. thick láyer of smth.; ~ая па́лка thick / stout stick; ~ая кишка́ анат. large intéstine; ~ое сукно́ héavy / stout cloth; ~ ковёр héavy / thick cárpet; **2.** (о человеке) stout, fat, córpulent; (о губах, пальцах и т.п.) thick; ~ые щёки fat cheeks; ◊ ~ журна́л (ежемесячник) "fat mágazine" [...-'ziːn], líterary mónthly [...'mʌ-].

толстя́к м. stout / fat / córpulent man*; (о юноше, мальчике) fat boy.

толуо́л м. хим. tóluène, tóluòl.

толч||е́ние с. póunding, crúshing. **~ёный** póunded, crushed; (дроблёный) ground; ~ёный минда́ль ground álmonds [...'ɑːm-] pl.

толче́я ж. разг. crowd, crush.

толч||о́к м. 1. push [puʃ], shove [ʃʌv]; (при езде) jolt, bump, jerk; (при землетрясении) shock, (earth) trémor [əː'tre-]; (перен.: побуждение) incíte⋮ment, stímulus (pl. -li); дава́ть ~ чему́-л. stímulàte smth., give* ímpetus to smth., start smth. off; дать мо́щный ~ чему́-л. give* / be a pówerful incéntive, be a pówerful spur to smth.; э́то послужи́ло для него́ ~ко́м (к) this was an incíte⋮ment to him (to), this spurred / stímulàted him (to); **2.** спорт. (о ядре) put; (о штанге) clean and jerk.

то́лща ж. thíckness; (перен.) the thick.

то́лще сравн. ст. прил. см. то́лстый.

толщина́ ж. 1. thíckness; 2. (человека) stóutness, córpulence.

толь м. стр. tar páper.

то́лько 1. нареч. (в разн. знач.) ónly, mére⋮ly; (единственно) sóle⋮ly; он ~ хоте́л узна́ть he ónly / mére⋮ly wánted to know [...nou]; ~ вчера́ с ним ви́делся I saw him ónly yésterday [...-dɪ]; вы ви́дите ~... all you can see is...; ~ случа́йно ónly by chance, not... excépt by chance; э́то могло́ произойти́ ~ случа́йно it could not háppen, или have háppened, except by chance; ~ потому́, что just / ónly becáuse [...-'kɔz]; ~ в после́днюю мину́ту not till the last móment; ~ по́здно ве́чером it was not until late in the evening [...'iːv-]; сейча́с ~ два часа́ it is ónly two o'clóck now; ~ попро́буй э́то сде́лать you just try to do it; каки́х ~ книг он не чита́л! what books has he not read! [...red]; где ~ он не быва́л! where has he not been!; ~ за 1985-й год in 1985 alóne; поду́май(те) ~, ты ~ поду́май just think; **2.** как союз only, but: он согласен, ~ имейте в виду, что he agrees, only / but bear in mind that [...bɛə...]; ◇ éсли ~ if ónly; ~ что just, just now; ~? is that all? ~ бы if ónly; ~ бы не заболеть if ónly I do not fall ill, as long as I don't fall ill, I hope I don't fall ill; лишь ~, как ~ as soon as; the móment...; лишь ~ он вошёл as soon as he came in, no sóoner had he come in that; ~ он вошёл just as he came in; откуда ~, кто ~, зачем ~ where, who, why on earth [...ɜ:θ]; ~ егó и видели! and that was the last they saw of him!; ~ и всего and that is all, and nothing more; ~-~ ónly just, bárely; мы ~-~ поспевали за ним it was as much as we could do to keep pace with him; не ~..., но и not ónly... but álso [...ɔ:l-]: он не ~ прилежен, но и способен he is not ónly páinstaking but álso cléver [...-nz-... 'kle-]; — пьеса не ~ не серьёзна, но и не интересна far from béing sérious, the play is not éven ínteresting; ~ когдá я узнáю, услышу и т. д. not until I know, hear, etc.

том м. vólume.

томагáвк м. tómahawk.

томáт м. (помидор) tomátò [-'mɑ:-]; (паста) tomátò paste [...peɪst]. ~ный tomátò [-'mɑ:-] (attr.); ~ный сок tomátò juice [...dʒu:s]; ~ный соус tomátò sauce.

томик м. small vólume.

томительн||о 1. прил. кратк. см. томительный; 2. предик. безл. it is wéari;some. ~ость ж. ánguish, páinfulness; ~ость ожидáния wéari;ness of wáiting; (неизвестность) ágony of suspénse. ~ый wéari;some, tédious; (тяжкий) trýing; (мучительный) ágonizing, páinful; ~ая жарá trýing / oppréssive heat; ~ая жáжда terrible thirst; ~oe ожидáние ágonizing suspénse; ~ая тоскá mórtal ánguish; ~ая скука déadly bóredom ['ded-...].

том||ить (вн.) 1. wéary (d.), tire (d.), wear* out [wɛə...] (d.); (мучить) tormént (d.), tórture (d.); ~ когó-л. в тюрьме let* smb. lánguish in prison [...-ɪz]; ~ когó-л. голодом и жáждой make* smb. súffer húnger and thirst, tormént smb. with húnger and thirst; ~ когó-л. неизвестностью keep* smb. in suspénse; ~ когó-л. расспрóсами wéary smb., или tire smb. out, with quéstions [...-stʃənz]; егó ~ит жарá he is exháusted / oppréssed by the heat; егó ~ит жáжда he is parched with thirst; 2. тех. cemént (d.); 3. кул. stew (d.). ~ься 1. (тв.) pine (for); (без доп.) lánguish; ~иться ожидáнием be in an ágony of suspénse; ~иться жáждой be parched with thirst, pant / pine for a drink; ~ся жáждой чегó-л. thirst for smth.; ~иться в плену, в тюрьме и т. п. lánguish in cáptivity, in prison, etc. [...'prɪz-]; ~иться тоской pine awáy; ~иться по чему-л. pine for smth.; 2. кул. stew; 3. мед. ~ся. ~ление с. 1. lánguor [-gə]; испытывать ~ление lánguish; 2. тех. cementátion [si-]. ~лёный 1. кул. stewed; 2. тех. ~лёная сталь cement(ed) steel.

томн||ость ж. lánguor [-gə]. ~ый lánguid, lánguorous [-gə-].

томпáк м. тех. (сплав меди с цинком) tómbac, pínchbèck. ~овый тех. tómbàc (attr.); pínchbèck (attr.).

томý дт. см. тот.

тон м. (в разн. знач.) tone (о голосе часто pl.); ~ом выше муз. one tone hígher; (перен.) in a more excíted tone; ~ом ниже муз. one tone lówer [...'louə]; (перен.) in a cálmer tone [...'kɑ:mə...], in a cálmer tone of voice; повелительным ~ом in a high / perémptory / impérious tone; не говорите такúм ~ом don't use, или talk in, that tone of voice; переменить ~ change one's tone [tʃeɪ-...]; сбáвить ~ change one's tune; sing* small; pipe down разг.; повысить ~ raise one's voice; светлые ~á light cólours [...'kʌl-]; ◇ попáсть в ~ strike* the right note; хороший, дурнóй ~ good, bad form; задавать ~ муз. set* the pitch; (перен.) set* the fáshion.

тонáльность ж. муз. key [ki:]; ~ до мажóр key of C májor [...si:...].

тоненький thin; (о фигуре и т. п.) slénder, slim; ~ голос thin little voice; ~ стебелёк slénder little stalk.

тонзиллит м. мед. tònsillítis.

тонзýра ж. tónsure [-ʃə].

тонизировать несов. и сов. (вн.) физиол. tone up (d.).

тоника ж. муз. tónic, kéy-nòte ['ki:-].

тонинá ж. thinness.

тонический I лит., муз. tónic.

тонический II физиол., мед. tónic.

тонк||ий 1. thin; (не грубый) fine, délicate; (изящный — о фигуре и т. п.) slénder, slim; ~ слой thin láyer; ~ лист бумáги thin sheet of páper; ~ая пыль fine dust; ~ шёлк fine / délicate silk; ~ие нитки thin / fine thread [...-ed] sg.; ~ое бельё fine línen [...'lɪ-]; ~ие ткáни délicate / fine-spùn fábrics; ~ие пáльцы slénder / délicate fíngers; ~ие нóги (изящные) slim / slénder legs; (худые) thin / skínny legs; ~ие черты лицá délicate / refíned féatures; ~ие кишки анат. small intéstines. 2. (утончённый) délicate, súbtle [sʌtl]; (изящный) dáinty; ~ зáпах délicate perfúme; ~ ум súbtle intelléct; ~ вкус délicate taste [...teɪ-]; ~ая лесть súbtle fláttery; ~ намёк délicate / géntle hint; óчень ~ вопрос a point of great nícety [...-eɪt 'naɪ-], a nice quéstion [...-stʃ-]; ~ оттéнок súbtle shade; ~ое различие súbtle / délicate / fine./ nice distínction, súbtle dífference; ~ ужин dáinty / élegant súpper; ~ая рабóта délicate work; (о рукоделии и т. п.) dáinty work; 3. (о голосе) hígh-pìtched, thin; 4. (о слухе, зрении и т. п.) keen; 5. (хорошо разбирающийся в чём-л.) súbtle; ~ знаток connoísseur [kɔnɪ'sə:]; ~ критик súbtle / shrewd crític; ~ худóжник súbtle ártist; ~ наблюдатель keen obsérver [...-'zə:-]; 6. (хитрый) súbtle, shrewd, astúte; ~ политик astúte polìtícian; ◇ это слишком ~o that is too súbtle; где ~o, там и рвётся посл. ≃ the chain is no strónger than its wéakest link.

тóнко I прил. кратк. см. тóнкий.

тóнко II нареч. 1. thín;ly; ~ очúненный карандáш fine péncil-point; ~ нáрезанные лóмтики хлеба thín;ly sliced bread [...-ed] sg., thin slíces of bread; 2. (утончённо) súbtly ['sʌtlɪ]; ~ разбирáться в чём-л. have a súbtle / délicate percéption of smth. [...sʌtl...].

тóнко||волокнúстый fine-fibre (attr.). ~зернúстый геол. fine-gráined. ~кóжий thín-skìnned. ~нóгий slim-légged. ~рýнный fine-fléeced. ~стéнный thin-wálled.

тóнкост||ь ж. 1. thínness; (ткáни, нúток и т. п.) fíne;ness; (вкуса, зáпаха и т. п.) délicacy; (фигуры) slénderness, slimness; (перен.) súbtlety ['sʌtltɪ]; ~ умá súbtlety of mind; 2. (мелкая подрóбность) fine point, nícety ['naɪ-], piece of súbtlety [pi:s]; до ~ей до нúцеты; знать какóе-л. дéло до ~ей smth. in all its mínutest détails [nou... maɪ-'dɪ:-], know* smth. to a nícety; вдавáться в ~и subtilize ['sʌtɪ-]; split* hairs ирон.

тонкосукóнн||ый: ~ые ткáни fine cloths; ~ая фáбрика fine-clòths fáctory; ~ комбинáт large fine-clòths mill.

тонкошерстн||ый, тонкошёрстый fine-wóol [-'wul] (attr.), ~oe сукнó fine wóollen cloth [...'wul-...].

тонмéйстер м. sound diréctor.

тóнна ж. ton [tʌn]; метрúческая ~ tonne [tʌn], métric ton; англúйская ~ tonг; регистрóвая ~ régister ton.

тоннáж м. tónnage ['tʌn-]; ~ морских и речных судóв marine and ínland-wàterway tónnage [-i:n...-wɔ:-...].

тоннель [-нэ-] м. túnnel.

тóнный разг., ирон. grand, fine.

-тóнный (в сложн. словах, не приведённых особо) -ton [-tʌn]; напр. двадцатитóнный twenty-tòn.

тóнус м. физиол., мед. tone; жизненный ~ vitálity [vaɪ-], vígour.

тонýть I, потонýть (идти ко дну) sink*; (о судне тж.) go* down.

тонýть II, утонýть (гибнуть) drown; (перен.) be lost; ~ в снегу, в подушках sink* in the snow, pillows [...snou...]; ~ в делáх разг. be up to one's eyes in work [...aɪz...], be snowed únder with work [...snoud...]; мысль тóнет в ненужных подрóбностях the idéa is lost, или disappéars, in a mass of ùnnécessary détails [...aɪ'dɪə...-'di:-].

тонфúльм м. sound film; рад. recórding; записанный на ~ recórded.

тóньше сравн. ст. прил. тóнкий и нареч. тóнко II.

тóня ж. рыб. 1. (место, предприятие) fishery, fishing ground; 2. (одна закидка невода) haul.

топáз м. мин. tópàz; дымчатый ~ smóky quartz / tópàz [...-ts...].

топáзовый прил. к топáз.

тóпа||ть, тóпнуть 1. (тв.) stamp (d.); ~ ногáми stamp one's foot / feet [...fut...]; он шёл по улице, тяжелó ~я ногáми he went trámping down the street; 2. тк. несов. (без доп.) разг. (идти) tramp, go*, walk.

ТОП — TOP

топи́ть I (*вн.*) 1. (*о печи и т.п.*) stoke (*d.*); 2. (*отапливать*) heat (*d.*).

топи́ть II (*вн.*; *плавить*) melt (*d.*); (*о сале и т.п.*) melt down (*d.*); rénder (*d.*); ◇ ~ молоко́ bake milk.

топи́ть III, потопи́ть (*вн.*) sink* (*d.*); потопи́ть су́дно sink* a ship.

топи́ть IV, утопи́ть (*вн.*) (*о человеке, животном*) drown (*d.*); (*перен.: губить*) rúin (*d.*), wreck (*d.*); ◇ ~ го́ре в вине́ drown one's sórrows in drink.

топи́ться I 1. (*о печи*) burn*; 2. *страд.* к топи́ть I.

топи́ться II 1. (*плавиться*) melt; 2. *страд.* к топи́ть II.

топи́ться III, утопи́ться (*в реке и т.п.*) drown òne;sélf.

то́пка I *ж.* 1. (*действие*) héating; stócking; 2. (*часть печи, котла*) fíre-chàmber [-tʃeɪ-], fúrnace; *ж.-д.* fire-bòx.

то́пка II *ж.* (*жиров и т.п.*) mélting (down).

то́пк||**ий** bóggy, swámpy, márshy. **~ость** *ж.* swámpiness, márshiness.

топлён||**ый**: ~ое молоко́ baked milk; ~ое ма́сло mélted bútter; ~ое са́ло mélted / réndered fat.

то́пливно-энергети́ческий: ~ бала́нс, ко́мплекс fuel and énergy bálance, cómplèx [fju-...].

то́пливн||**ый** *прил.* к то́пливо; ~ая промы́шленность fuel índustry [fju-...]; ~ые ресу́рсы fuel resóurces [...-'sɔ:s-].

то́пливо *с. тк. ед.* fuel [fju-]; твёрдое ~ sólid fuel; жи́дкое ~ (fuel) oil; ди́зельное ~ díesel oil ['di:z-...]; древе́сное ~ fíre-wòod [-'wud]; раке́тное ~ (rócket) propéllant.

топля́к *м.* log (*sunk during timber floating*).

топну́ть *сов. см.* то́пать 1.

топо́граф *м.* topógrapher. **~и́ческий** tòpográphic; ~и́ческая анато́мия tòpográphical anátomy; ~и́ческая съёмка tòpográphical súrvey.

топогра́фия *ж.* topógraphy.

то́полевый póplar ['pɔ-] (*attr.*).

тополо́гия *ж. мат.* topólogy.

то́поль *м.* póplar ['pɔ-]; бе́лый ~ white póplar, abéle.

топони́м||**ика** *ж.*, **~ия** *ж. лингв.* topónymy, pláce-nàme stúdy [...'stʌ-].

топо́р *м.* axe; пло́тничий ~ bench axe. **~ик** *м.* hátchet. **~ище** *с.* áxe-hàndle, axe helve.

топо́рн||**ый** clúmsy [-zɪ], coarse; (*тк. о человеке*) ùn;cóuth [-'ku:θ]; ~ая рабо́та clúmsy work.

топо́рщить (*вн.*) *разг.* brístle (*d.*). **~ся** *разг.* (*щетиниться*) brístle; (*надуваться, расширяться*) puff up / out; (*о ткани*) púcker.

то́пот *м.* fóotfàll ['fut-], tread [tred]; (*тяжёлый*) tramp; ~ шаго́в tra̋mping; топотли́вых шаго́в sound of húrried fóotstèps [...'fut-]; (*лёгкий*) pátter of feet; ко́нский ~ thud / clátter of hórses' hoofs.

топота́ть *разг.* stamp; (*о торопливых лёгких шагах*) pátter; ко́ни топо́чут по мостово́й hórses clátter down the street.

то́почн||**ый** fúrnace (*attr.*); ~ свод fúrnace arch; ~ые га́зы fúrnace gáses.

то́псель *м. мор.* (fóre-and-àft) tópsail [...'tɔps'l].

топта́ть (*вн.*) 1. trample down (*d.*); 2. (*грязнить*) make* dírty (with one's feet) (*d.*); ~ пол гря́зными башмака́ми dirty the floor with one's múddy boots [...flɔ:...]; 3.: ~ гли́ну knead clay. **~ся** 1. stamp; ~ся на ме́сте (*прям. и перен.*) mark time; (*перен. тж.*) make* no héadway [...'hed-]; 2.: ~ся без де́ла hang* abóut, dáwdle, lounge abóut.

Топты́гин *м. шутл.* (*медведь*) Brúin.

топча́н *м.* (*койка*) tréstle-bèd.

топь *ж.* swamp, marsh.

то́рб||**а** *ж.* bag; ◇ носи́ться с кем-л., чем-л. как (дура́к) с пи́саной ~ой *разг.* ≃ make* much of smb., smth., fuss óver smb., smth. like a child óver a new toy.

торг *м.* 1. (*действие*) haggle, hággling, bárgaining; (*перен. тж.*) wrangle; ~ дли́лся о́чень до́лго this hággling / wrangle went on for a long time; 2. *уст.* (*базар*) márket.

торга́ш *м. разг.* (*петти*) trádes;man* / shópkeeper; (*перен.: мелочный человек*) mércenary-mínded pérson; húckster.

торга́ше||**ский** *разг.* shópkeeper's, mércenary, húckstering. **~ство** *с. разг.* small tráding / shópkeeping; (*перен.*) mércenariness, mércantilism [-taɪ-].

торг||**и́** *мн.* áuction *sg.*; продава́ть с ~о́в (*вн.*) sell* by áuction (*d.*).

торг||**ова́ть** 1. (*тв.*) deal* (in); (*чем-л.*) trade (in smth.); (*с кем-л.*) trade (with smb.); (*продавать*) sell* (*d.*); (*без доп.*; *быть торговцем*) be en;gáged in cómmerce; ~ о́птом be a whóle;sàler [...'houl-], sell* by whóle;sàle; ~ в ро́зницу be a rétailer [...'ri:-], sell* by retáil. 2.: магази́н ~у́ет до восьми́ часо́в ве́чера the shop is open till eight p. m. [...'pi:'em]; магази́н сего́дня не ~у́ет the shop is closed to;dáy; 3. (*вн.*) *разг.* (*прицениваться*) bárgain (for).

торгова́ться, сторгова́ться 1. (*с тв.*; *прям. и перен.*) bárgain (with), haggle (with); (*перен. тж.*) wrangle (with); 2. *тк. несов.* (*без доп.*) *разг.* (*спорить*) árgue; ~ из-за чего́-л. árgue about smth., wrangle óver / abóut smth.

торго́в||**ец** *м.* mérchant, déaler; (*купец*) tráder; (*лавочник*) trádes;man*; кру́пный ~ mérchant, whóle;sàle mérchant ['houl-...]; ме́лкий ~ small tráder; у́личный ~ street véndòr, bárrow-boy, háwker. **~ка** *ж.* (*рыночная*) márket-wòman* [-wu-]; ~ка я́блоками wóman* sélling apples ['wu-...], ápple-sèller.

торго́вл||**я** *ж.* trade, cómmerce; госуда́рственная ~ State trade; менова́я ~ bárter; опто́вая ~ whóle;sàle trade ['houl-...]; ро́зничная ~ retáil trade ['riː-...]; ча́стная ~ prívate trade ['praɪ-...]; коопера́тивная ~ co-óperative trade; вести́ ~ю trade; рабо́тник ~и sáles;man*, sáles;wòman* [-wu-], shóp-assístant.

торго́во-промы́шленный commércial and indústrial.

торго́в||**ый** *прил.* к торго́вля; *тж.* commércial; ~ капита́л trade cápital; ~ бала́нс bálance of trade; ~ая поли́тика trade pólicy; ~ые перегово́ры trade negòtiátions / talks; ~ые отноше́ния trade relátions; ~ догово́р trade / commércial agréement; ~ порт commércial port; ~ флот mérchant návy; (*совокупность торговых судов*) mércantile maríne [...-i:n]; ~ое су́дно mérchant ship / véssel; ~ представи́тель trade / commércial rèpresentátive [...-'ze-...]; ~ая то́чка trade óutlèt; shop; ~ центр shópping centre, súper;màrket; ~ая сеть trade shops *pl.*; ~ая монопо́лия trade monópoly; ~ое пра́во commércial law; ~ го́род márket town; ~ дом firm.

торгпре́д *м.* (торго́вый представи́тель СССР) trade rèpresentátive of the USSR [...-'ze-...]. **~ство** *с.* (торго́вое представи́тельство СССР) Trade Dèlegátion of the USSR.

торгу́ющ||**ий** *прич. и прил.* tráding; *прил. тж.* trade (*attr.*); ~ие организа́ции trade / tráding òrganizátions [...-naɪ-].

тореадо́р *м.* tóreadòr.

тор||**е́ц** *м.* 1. (*бревна и т.п.*) bútt-ènd ['wu-...]; 2. (*для мощения*) wóoden páving-blòck ['wu-...]; 3. *тк. разг.* (*мостовая*) páve;ment of wóoden blocks.

торже́ственн||**о** *нареч.* sólemnly; ~ отпра́здновать (*вн.*) célebràte (*d.*), hold* a rálly / méeting in cèlebrátion (of). **~ость** *ж.* solémnity. **~ый** sólemn; cèremónial; (*праздничный*) féstive; gála ['gɑː-] (*attr.*); ~ый день féstival, réd-lètter day [-eɪt...] (of); ~ый день (*рд.*) great day [-eɪt...] (of); ~ое откры́тие (*рд.*) inaugurátion (of), grand ópen;ing (of); ~ое откры́тие па́мятника unvéiling of a memórial; ~ое собра́ние grand / great rálly / méeting; ~ый тон sólemn tones *pl.*; ~ая кля́тва sólemn vow; ~ый слу́чай sólemn occásion; ~ая встре́ча cèremónial recéption, grand wélcome; ~ый въезд cèremónial éntry.

торже́ств||**о́** *с.* 1. (*празднество*) féstival; fête (*фр.*) [feɪt]; *мн.* cèlebrátions, fèstívities; Октя́брьские ~á Óctober cèlebrátions; 2. *тк. ед.* (*победа*) tríumph; ~ сове́тского стро́я tríumph of the Sóviet system; ~ коммуни́зма tríumph of Cómmunism; ~ справедли́вости tríumph of jústice; 3. *тк. ед.* (*радость успеха*) exultátion, tríumph; сказа́ть что-л. с ~о́м say* smth. triúmphantly.

торжеств||**ова́ть** 1. (*вн.*) *уст.* (*праздновать*) célebràte (*d.*); ~ побе́ду (*над*) célebràte víctory (óver); 2. (*над*; *быть победителем*) tríumph (óver), be triúmphant (óver); (*в личных отношениях*) exúlt (óver); crow [-ou] (óver) *разг.* **~у́ющий** 1. *прич. см.* торжествова́ть; 2. *прил.* (*победный*) triúmphant, exúltant; ~у́ющий взгляд exúltant air; ~у́ющий тон exúltant tones *pl.*

то́ри *м. нескл. полит.* (*о члене консервативной партии*) Tóry; (*о консервативной партии*) the Tóries *pl.*; па́ртия ~ the Tóry párty.

то́рий *м. хим.* thórium.

торкре́т *м. тех.*: ~-бето́н gúnite ['gʌ-]. **~и́ровать** *несов. и сов. тех.* gúnite ['gʌ-].

торма́шк||**и** *мн.*: вверх ~, вверх ~ами head óver heels [hed...]; (*перен.: в по́лном беспорядке*) úpside-dówn, tópsy-túrvy; полете́ть вверх ~ами fall* head óver heels; всё пошло́ вверх ~ами évery;

thing was turned úpside-dówn, évery⸴thing went tópsy-túrvy.

торможéние с. 1. тех. bráking; 2. физиол.: ~ рефлéксов inhibítion of réflex⸴es.

тормоз м. brake; (в пр.; перен.) óbstacle (in), híndrance (to), drag (on); воздýшный ~ air / pneumátic brake [...nju:-...]; автоматúческий ~ (поездной) automátic / self-ácting brake; ~ откáта воен. recóil brake; стать ~ом (в пр.; в развитии и т.п.) becóme* a drag (on), become* a híndrance, или an óbstacle, или an impédiment (to); ◇ спустúть что-л. на ~áх let* smth. drop, drop smth. ~úть 1. (вн.) тех. apply the brake (to), brake (d.); (перен.) hámper (d.), hínder ['hɪ-] (d.), impéde (d.), be a drag (on), be an óbstacle (to), be an óbstacle in the way (of); 2. (без доп.; об автомобиле) brake, pull up [pul...]; 3.: ~úть рефлéксы inhíbit réflex⸴es. ~нóй тех. brake (attr.); ~нóй башмáк bráke-shòe [-ʃu-]; ~нóй кондýктор brákes⸴man*; ~нáя площáдка bráke⸴plátform.

тормошúть (вн.) разг. 1. pull [pul] (at, abóut); ~ ребёнка wórry a báby ['wʌ-...], pull a báby abóut, give* a báby no peace; 2. (беспокоить) bóther (d.), pésterer (d.). ~ся разг. bustle abóut.

тóрн∥ый éven, smooth [-ð]; пойтú по ~ой дорóжке (перен.) stick* to the béaten track.

торовáт∥ость ж. уст. liberálity, gènerósity. ~ый уст. líberal, génerous.

тороп∥úть, поторопúть (вн.) hásten ['heɪsn] (d.); (приближать наступление чего-л.) precípitàte (d.); ~ когó-л. (с тв.) húrry smb. (for, + to inf.): он торóпит меня с окончáнием рабóты he is húrrying me to fínish my work; он торóпит меня с отвéтом he is húrrying / préssing me for an ánswer [...'ɑ:nsə]. ~úться, поторопúться húrry, be in a húrry, hásten ['heɪsn]; ~úться на рабóту húrry to work, в теáтр ~úться húrry to the théatre [...'θɪə-]; ~úться к пóезду húrry to catch a train; он (óчень) торóпится he is in a (great) húrry [...greɪt...]; он торóпится кóнчить рабóту he is in a húrry to fínish his work; вам нáдо ~úться you must make haste [...heɪst], you must húrry up; ~úтесь! make haste!, húrry (up)!, (be) quick!, поторопúтесь! get a move on! [...mu:v...], look alíve!; buck up!; не ~úтесь! don't húrry!, take your time!; не ~úтесь закóнчить свою рабóту don't rush through your work; кудá вы торóпитесь? where are you gó⸴ing in such a húrry?, where are you rúshing off to?; не ~ясь léisurely ['leʒ-], déliberate⸴ly; without haste.

тороплúв∥о нареч. húrriedly, hástily ['heɪ-], (двигаться и т.п.) in haste [...heɪ-]. ~ость ж. haste [heɪ-], húrry. ~ый hásty ['heɪ-], húrried; ~ый человéк man* (who is álways) in a húrry [...'ɔ:lwəz...]; ~ые шагú húrried steps.

торопыга м. и ж. разг. bústler.

торóс м. (íce-)húmmock, húmmocky. ~истый húmmocked, húmmocky; ~истый лёд pack ice; ~истые ледяные поля húmmocked /

húmmocky íce⸴fields [...-fi:l-]. ~úться (о льде) form into húmmocks.

торошéние с. húmmocking.

торпéда ж. tòrpédò.

торпедúров∥ание с. воен. мор. tòrpédò⸴ing. ~ать несов. и сов. (вн.) воен. мор. tòrpédò (d.) (тж. перен.).

торпедúст м. воен. мор. tòrpédò àrtíficer.

торпéдн∥ый воен. мор. tòrpédò (attr.); ~ аппарáт tòrpédò-tube; ~ая атáка tòrpédò attáck; ~ кáтер mótor tòrpédò-boat.

торпедонóсец м. tòrpédò-boat; (самолёт) tòrpédò-bómb⸴er.

торс м. trunk; иск. tórsò.

торт м. cake.

торф м. peat.

торфодобывáние с., ~ добыча ж. peat extráction, peat-cútting.

торфокомпóст м. с.-х. peat cómpost.

торфоперегнóйн∥ый: ~ые горшóчки péat-còmpòst pots.

торфоразрабóтки мн. péatery sg., péat⸴bòg sg.

торфянúк I м. (болото) péat⸴bòg.

торфянúк II м. (работник торфяной промышленности) péat-cùtter.

торфян∥úстый péaty. ~ой peat (attr.); ~óе болóто péat⸴bòg; ~áя промышленность peat índustry; ~ые разрабóтки péatery sg., péat⸴bòg sg.; ~ой брикéт peat briquétte; ~ой мох бот. bog moss, peat moss; ~áя подстúлка с.-х. peat lítter.

торцóв∥ый: ~ая мостовáя páve⸴ment of wóoden blocks [...'wud-...].

торчáть разг. 1. (высовываться) jut out, protrúde; (вверх) stick* up; (наружу) stick* out; (стоять) stand*; (виднеться) be seen; (о волосах) stand* on end, brístle; 2. (постоянно находиться) hang* abóut, stick* aróund, stick*; ~ пéред глазáми álways be befóre one's eyes ['ɔ:lwəz... aɪz]; ~ где-л. цéлый день stick* aróund, или hang* abóut, sóme⸴where for a whole day [...houl...]; ~ дóма цéлыми днями stick* at home for days on end.

торчкóм, торчмя нареч. разг. on end, erect, úp⸴right.

торшéр м. stándard lamp.

тоск∥á ж. 1. mélancholy [-kə-], deprèssion; (томление) yéarning ['jɜ:n-]; (мучительная) ánguish; у негó ~ на сéрдце he is sick at heart [...hɑ:t], he feels depréssed, his heart is héavy [...'hevɪ]; предсмéртная ~ (mórtal) ágony; death throes [deθ...] pl.; невынóсимая ~ теснúт грудь únbéarable ánguish oppresses the heart [-'bɛə-...]; ~ любвú pangs of love [...lʌv] pl.; 2. (скука) ennúi [ã:'nwi:], wéariness, bóre⸴dom; ~ берёт разг. it makes one sick, it is síckening; наводúть (стрáшную) ~ý на когó-л. bore smb. (to death, to tears); там такáя ~ it is so dréary / dull there; эта кнúга ~ — однá разг. this book bores you to death, this book is a fríghtful bore; 3. (по дт., пр.; стремление) lóng⸴ing (for), yéarning (for), (печаль) grief [-i:f] (for); испытывать ~ý по ком-л. miss smb., long / pine for smb.; ~ по рóдине hóme-sickness, nòstálgia.

ТОР — ТОТ T

тосклúво I 1. прил. кратк. см. тосклúвый; 2. предик. безл.: ему́ ~ he feels míserable / depréssed [...-zə-...]; (скучно) he is bored.

тосклúв∥о II нареч. dréarily; (грустно) sád⸴ly; (скучно) dúlly; глядéть ~ look wístfully. ~ость ж. dréariness; (грусть) sádness, mélancholy [-kə-]; (о взгляде, глазах) wístfulness. ~ый dréary; (грустный) sad, mélancholy [-kə-]; (скучный) dull; ~ое настроéние depréssed mood, low spírits [lou...] pl.; ~ая жизнь dréary life; ~ые глазá sad / wístful eyes [...aɪz]; ~ая погóда dull / deprèssing wéather [...'we-].

тоск∥овáть 1. (грустить) be sad / mélancholy [...-kə-...]; он там ~ýет he is / feels míserable there [...-zə-...]; 2. (скучать) be bored; 3. (по дт., пр.) long (for), pine (for), miss (d.); (горевать) grieve [-i:v] (for); он óчень ~ýет по дрýгу he misses his friend very much [...fre-...]; ~ по рóдине be hóme⸴sick.

тост I м. toast; (за чьё-л. здоровье) smb.'s health [...he-]; провозглашáть, предлагáть ~ за когó-л. drink* to smb., propóse a toast to smb.; предлагáть ~ за чьё-л. здорóвье propóse a toast to smb.'s health, drink* smb.'s health.

тост II м. (поджаренный ломтик хлеба) toast.

тóстер м. tóaster.

тот, ж. та, с. то, мн. те, мест. 1. that, pl. those: дáйте мне ~ карандáш give me that péncil; где ~ кнúги? where are those books?; — úли другóй éither ['aɪ-]; и ~ и другóй both [bouθ]; ни ~ ни другóй néither ['naɪ-]; ~ же the same; не ~, так другóй if not one, then the other; он тепéрь не ~ he is a different man* now, he is not the same man*; в ту же минýту at that very móment; с тогó врéмени, с тех пор since that time, since then; 2. (другой, не этот) the other: на той сторонé, на том берегý on the other side; он остáвил это на той квартúре he left it at the other flat; 3. (такой, какой нужен) the right: это ~ карандáш? is that the right péncil?; ~ сáмое как сущ. the very thing; не ~ как сущ. the wrong thing / one, not that one; не совсéм то not quite the right / same thing; не ~ the wrong: он взял не ту кнúгу he took the wrong book; это не ~ пóезд it is the wrong train; (ср. тж. сáмый 2); 4. (в сочетании с относит. местоимением) the: это употребляется в том слýчае, который был опúсан выше it is used in the case descríbed above [...keɪs...]; примéр дан в тех предложéниях, котóрые мы вúдели на предыдýщей странúце the exámple is given in the séntences which we saw on the precéding page [...-ɑ:m-...]; ~, кто говорúт, дýмает и т.д. he who says, thinks, etc. [...sez...]; ◇ до тогó, что (так долго, что) till; (до такой степени, что) so... that; дéло в том, что the fact / point is that; по мéре тогó, как as; пóсле тогó, как áfter; пéред тем, как befóre; междý тем, как whére⸴as, while; **с тем, чтобы** (+ *инф.*) in órder (+ to *inf.*); with a view [...vju:] (to *ger.*); **несмотря на то, что** in spite of the fact that; **вместе с тем** at the same time; **кроме того besídes; тем самым** thére:by; **тем временем, между тем** méan:while; **со всем тем** nòt:with:stánd-ing all this; **тем не менее** nèver:the:léss; **как бы то ни было** be that as it may, how:éver that may be; **и тому подобное** and so on; and so forth; **к тому же** mòre:óver, besídes; in addítion; **тому назад** agó; **много лет тому назад** many years agó; **тому (будет) три года, как** it is three years since, it is three years agó that; **и без того** as it is; (**да) и то сказать** and indéed; **не то, чтобы** not exáctly; it is not that: **он не то, чтобы был глуп, но ленив** he was not exáctly stúpid, but lázy; it was not that he was stúpid, but he was lázy; **не то, чтобы мне не было интересно, но я просто устал** it is not that I am not ínterested, but I am símply tíred; **— ни с того ни с сего** all of a súdden; for no réason at all [...z'n...]; without rhyme or réason *идиом. разг.*; **ни то ни сё** néither one thing nor the other; (**так себе**) só-sò; **то да сё** one thing and anóther; (**поговорить) о том, о сём** (talk) about one thing and anóther.

тотализа́тор *м.* tótalizàtor ['toutəlaɪ-].

тоталитари́зм *м.* tòtalitárianism [tou-].

тоталита́рный tòtalitárian [tou-].

тота́льный tótal.

тоте́м [-тэм] *м.* tótem.

тотеми́зм [-тэ-] *м.* tótem:ism.

то́-то *частица разг.* 1. (**как**) how: **~ он удивится** how surprísed he will be!, won't he be surprísed? [wount...]; 2. (**вот видите**) ahá! [-a:], there you are!, what did I tell you!

то́тчас *нареч.* immédiate:ly, at once [...wɒns], ínstantly.

точёный 1. (*острый*) shárpened; 2. (*резцом*) chíselled [-z-]; (*на токарном станке*) turned; 3. (**с правильно красивыми, чётко очерченными линиями**) fíne:ly-móulded [-'moul-], chíselled; (*о пальцах*) táper:ing.

точ||и́лка *ж. разг.* steel, knífe-shàrpener. **~и́ло** *с.* (*камень, круг*) whétstòne; **~ грінд:стоне.**

точи́льн||ый: **~ брусо́к, ка́мень** grínd:stòne, whétstòne; **~ реме́нь** strop; **~ стано́к** grínding machíne [...-'ʃi:n]; **~ая мастерска́я** grínding shop.

точи́льщик *м.* grínder; (*ножей*) knífe-grinder.

точи́ть I, **наточи́ть** (*вн.*) 1. (*делать острым*) shárpen (*d.*); (*о ноже, топоре и т.п. тж.*) grind* (*d.*); (*на точильном камне*) whet (*d.*); (*о бритве*) strop (*d.*); **~ каранда́ш** shárpen *a* péncil; 2. *тк. несов.* (*на токарном станке*) turn (*d.*) ◊ **~ зу́бы на кого́-л.** *разг.* ≃ have a grudge agáinst smb.; **~ меч** whet one's sword [...sɔ:d].

точи́ть II (*вн.; прогрызать*) eat* a:wáy (*d.*), gnaw (a:wáy) (*d.*); (*о ржавчине и т.п.*) corróde (*d.*); (*перен.: терзать*)

gnaw (*d.*), prey (up:ón), wear* out [wɛə...] (*d.*); **ка́пля то́чит ка́мень** cónstant drópping wears a:wáy the stone.

точи́ть III (*вн.*) *уст.* (*источать*) secréte (*d.*); **~ смолу́** secréte résin [...-zɪn]; **~ слёзы** shed* tears.

точи́ться I, II *страд. к* точи́ть I, II.

точи́ться III *уст.* ooze.

то́чк||а I *ж.* 1. (*в разн. знач.*) point; (*пятнышко*) dot, spot; **~ пересече́ния** point of interséction; **~ кипе́ния** bóiling-point; **~ замерза́ния** fréezing-point; **исхо́дная ~** stárting-point; **~ опо́ры** *физ.* fúlcrum (*pl.* -ra); *тех. тж.* béaring ['bɛə-]; (*перен.*) fóoting ['fut-]; **мёртвая ~** *тех.* dead point [ded...], dead centre; (*перен.*) dead stop; **на мёртвой ~е** at a stop / stándstill; **дойти́ до мёртвой ~и** come* to a stándstill, come* to a full stop; **сдви́нуть с мёртвой ~и** (*вн.*) get* off the ground (*d.*), get* stárted (*d.*); **~ наво́дки** *воен.* áiming point; **~ прице́ливания** *воен.* áiming mark, point of aim; **огнева́я ~** *воен.* wéapon emplácè:ment ['we-...]; **торго́вая ~** trade óutlet; shop; **ка́ждая ~ земно́го ша́ра** évery spot on the globe; 2. *грам.* full stop; **~ с запято́й** sémicolon; 3. *муз.* dot; **четвертна́я па́уза с ~ой** a dótted crótchet rest; ◊ **~ зре́ния** point of view [...vju:], stándpoint; **попа́сть в ~у** hit* the nail on the head [...hed], strike* home, hit* the mark; **дойти́ до ~и** be at the end of one's téther / resóurces [...-'sɔ:-]; **~ соприкоснове́ния** point of cóntact; (*перен.*) cómmon ground; **поста́вить ~** (*кончить*) fínish; **в (са́мую) ~у** *разг.* to a T [...ti:]; exáctly, precíse:ly [-'saɪs-]; **ста́вить ~и над «и»** dot one's "i's" and cross one's "t's"; **~!** (*конец*) (that's) enóugh! [...ɪ'nʌf], that'll do!

то́чка II *ж. тех.* 1. (*острение*) shárpening; (*на точильном камне*) whétting; (*бритвы*) strópping, hóning; 2. (*на токарном станке*) túrning.

то́чно I *прил. кратк. см.* то́чный.

то́чно II *нареч.* exáctly, precíse:ly [-'saɪs-]; (*пунктуально*) púnctually; (*действительно*) indéed, réally ['rɪə-]; **~ в пять часо́в** at five (o'clóck) precíse:ly / sharp; **он пришёл в пять часо́в** he came púnctually at five, he came at five on the dot, he came on the dot of five; **определи́ть что-л. ~** defíne smth. exáctly; **~ переводи́ть** tránsláte áccurate:ly / corréctly [traːns-...]; **~ так** just so, exáctly, precíse:ly; **~ так же (как)** just as; **~ тако́й** just / exáctly / precíse:ly the same; **так ~!** yes!

то́чно III *союз* (*как будто*) as though [...ðou...], as if; (*как*) like *prep.*: **~ он чита́ть не уме́ет** as though / if he cánnot read; **~ он поме́шанный** he is like a mád:man; **зелёные глаза́, ~ у ко́шки** green eyes like a cat's [...aɪz...].

то́чн||ость *ж.* exáctness, precísion; (*правильность*) áccuracy; (*пунктуальность*) punctuálity; **~ перево́да** fáithfulness / áccuracy *of a* tránslátion [...traːns-]; **с ~остью часово́го механи́зма** like clóckwòrk; **с ~остью до 0,1** to within 0.1 (*читается* point one); ◊ **в ~ости** exáctly, precíse:ly [-'saɪs-];

(*пунктуа́льно*) púnctually; (*пра́вильно*) áccurate:ly; (*буква́льно*) to the létter. **~ый** exáct, precíse [-s]; (*пра́вильный*) áccurate; (*пунктуа́льный*) púnctual; **~ый перево́д** exáct / áccurate / fáithful tránslátion [...traːns-]; **~ое вре́мя** exáct time; **~ый челове́к** púnctual man; **~ые нау́ки** exáct sciences; **~ые прибо́ры** precísion ínstruments; **~ый расчёт** nice calculátion; **~ый расчёт вре́мени** áccurate tíming; **что́бы быть ~ым** to be precíse.

то́чь-в-то́чь *разг.* exáctly; (*точная копия*) the exáct cópy of [...'kɒ-...]; (*слово в слово*) word for word.

тошн||и́ть *безл.*: **его́, их** *и т.д.* **~и́т** he feels, they feel, *etc.*, sick; **его́ ~и́т от э́того** it makes him sick, it síckens / disgústs / náuseàtes him [...-sɪeɪts...]; **от э́того ~и́т** it is síckening / disgústing; **э́то доста́точно, что́бы ~и́ло** it is enóugh to make one sick [...ɪ'nʌf...].

то́шно *предик. безл.*: **ему́, им** *и т.д.* **~** he feels, they feel, *etc.*, sick; (*перен.*) he feels, they feel, *etc.*, míserable / wrétched [...'mɪz-...]; **~ смотре́ть** (*на вн.*) it is síckening to see (*d.*), it makes one sick to see (*d.*); *тж.* **перево́дится** is síckening / disgústing to see: **на его́ безде́лье ~ смотре́ть** his ídle:ness is síckening / disgústing to see.

тошно||та́ *ж.* síckness, náusea [-sɪə]; **испы́тывать ~ту́** feel* sick; **вызыва́ть ~ту́ у кого́-л.** make* smb. sick, náuseàte smb. [-sɪeɪt...], turn smb.'s stómach [...'stʌmək]; **ему́ э́то надое́ло до ~ты́** *разг.* he is sick to death of it [...deθ...]. **~тво́рный** (*прям. и перен.*) síckening, síck-màking; náuseàting [-sɪeɪt-]; (*перен. тж.*) lóath:some.

то́шный *разг.* 1. (*доку́чный*) tíre:some, tédious; 2. (*отврати́тельный*) náuseous.

тоща́ть, отоща́ть *разг.* get* / grow* / becóme* emáciàted / thin [...grou...]; (*чахнуть*) waste a:wáy [weɪst...].

тощ||ий 1. emáciàted; scrággy, skínny *разг.*; **за фигу́ра** emáciàted / méagre / gaunt frame; **~ее лицо́** gaunt face; 2. *разг.* (*пустой*) émpty; **на ~ желу́док** on an émpty stómach [...'stʌmək]; **~ кошелёк** émpty pócket; 3. (*ску́дный*) poor; **~ее мя́со** lean meat; **~ая по́чва** méagre / poor soil; **~ у́голь** hard coal, nón-bitúminous coal; **~ сыр** dry cheese, skímmed-milk cheese.

тпру *межд.* whoa! [wou] ◊ **ни ~ ни ну!** *разг.* ≃ *he* won't budge, *или* make* a move [...wount...muːv].

трав||а́ *ж.* grass; **со́рная ~** weed; **морска́я ~** séa-weed, gráss-wràck; **лека́рственные, целе́бные тра́вы** (médicinal) herbs; **паху́чие тра́вы** herbs; **лежа́ть на ~е́** lie* on the grass; ◊ **хоть ~ не расти́** *разг.* ≃ I cóuldn't care less what háppens, évery:thing else can go to hell; **~ о́й, как** **~** it's ábsolute:ly táste:less [...'teɪ-], it tastes like grass [...teɪ-...], it has no taste at all.

тра́верз *м. мор.* beam; **на ~е** on the beam, bróadside on ['brɔːd-...], abéam.

тра́верс *м.* 1. *воен.* trávèrse; **ты́льный ~** *стр.* trávèrse, cróss-beam, cróss-arm.

травести́ *с. нескл. театр.* trávesty.

трави́нк||а *ж.* blade (*of grass*); **ни ~и** not a blade of grass.

травить I (*вн.*; *на охоте*) hunt (*d.*); (*перен.*: *преследовать*) pérsecùte (*d.*), bádger (*d.*); (*мучить*) tòrmént (*d.*); ~ собáками set* the dogs (on).

травить II (*вн.*) **1.** (*истреблять*) póison [-z'n] (*d.*); ~ крыс, тараканов *и т. п.* extérminàte / destróy rats, cóckroaches, *etc.*; **2.** *тех.* etch (*d.*).

травить III, **потравить** (*вн.*; *делать потраву*) trample down (*d.*), spoil* (*d.*), dámage (*grass, crops, etc.*).

травить IV (*вн.*) *мор.* pay* out (*d.*), slácken out (*d.*), slack a:wáy (*d.*), ease out (*d.*); (*о якорной цепи*) veer (*d.*); быстро ~ slack a:wáy róundly.

травиться I *страд.* к травить I.

травиться II 1. *разг.* (*о человеке*) póison òne:sélf [-z'n...]; **2.** *страд.* к травить II.

травиться III, IV *страд.* к травить III, IV.

трáвка *ж.* уменьш. *от* травá.

травлéние *с. тех.* étching.

трáвленый étched; ~ узор étched design / páttern [...-'zaɪn...].

трáвля *ж. охот.* húnting; (*перен.*: *преследование*) pèrsecútion, báiting, bádgering.

трáвма *ж. мед.* tráuma, ínjury; психи́ческая ~ shock, tráuma. ~ти́зм *м. мед.* tráumatism; произвóдственный ~ти́зм indústrial ínjuries *pl.* ~ти́ческий *мед.* traumátic. ~толóгия *ж.* traumatólogy, traumátic súrgery.

травми́ровать *несов. и сов.* (*вн.*) tráumatize (*d.*).

трáвник I *м. уст.* (*настойка из травы*) hérb-tea, hérb-wàter [-wɔː-].

трáвник II *м.* (*старинная книга с описанием лечебных трав*) hérbal.

травопóлье *с.* grásslànd ágrìcùlture. ~ пóльный: ~пóльная системá земледéлия grásslànd ágrìcùlture; ~пóльный севооборóт grásslànd crop rotátion. ~сéяние *с.* fóddergràss cùltivátion. ~стóй *м. с.-х.* grass, hérbage.

травоя́дн||ый *зоол.* hèrbívorous; ~ое живóтное hèrbívorous ánimal; hèrbìvòre.

травя́н||и́стый 1. grássy; hèrbáceous [-ʃəs] *научн.*; **2.** *разг.* (*о вкусе*) tásteless ['teɪ-], insípid. ~óй grássy; hèrbáceous [-ʃəs]; grass (*attr.*); ~óй зáпах grássy smell; ~óй цвет grass green; ~ые угóдья grásslànds; ~ые растéния grásses, herbs; ~óй покрóв grass, hérbage; ~ые дерéвья *бот.* grass-trees; xánthorrhóea [-'rɪə] *научн.*

трагéдия *ж.* trágedy. ~и́зм *м.* trágedy; trágic élement; ~и́зм положéния the trágedy of the situátion.

трáгик *м.* **1.** (*об актёре*) trágic áctor, tragédian; **2.** (*об авторе*) tragédian.

траги||комéдия *ж.* tragicómedy. ~коми́ческий tragicómic.

траги́ческ||и *нареч.* trágically; ~ относи́ться к чему́-л. see* smth. in a trágic light; окóнчиться ~ end in (a) trágedy, have a trágic end. ~ий (*в разн. знач.*) trágic; (*тк. в смысле ужасный*) trágic, térrible; ~ий стиль trágic style; ~ий актёр trágic áctor; ~ая актри́са trágic áctress; ~ое зрéлище trágic sight; приня́ть ~ий оборóт take* a trágic turn, becóme* trágic.

траги́чно I *прил. кратк. см.* траги́чный.

траги́чн||о II *нареч.* = траги́чески. ~ость *ж.* trágedy, trágic náture / cháracter [...-'kæ-]. ~ый trágic(al).

традицио́нн||ость *ж.* tradítional náture / cháracter [...-'peɪ- 'kæ-]. ~ый tradítional; ~ый обря́д tradítional céremony; ~ый обы́чай tradítion; ~ый велопробéг tradítional cýcling race.

традиц||и́я *ж.* tradítion; по ~и by tradítion.

траекто́рия *ж.* trájectory; крутáя ~ high trájectory; curved trájectory *амер.*; отлóгая ~ flat trájectory.

трак *м. тех.* track (*of caterpillar tractor*).

тракт *м.* **1.** high road, híghway; почтóвый ~ post road [poust...]; **2.** (*маршрут*) route [ruːt]; **3.** (*часть сложной радиоэлектронной схемы*) séction; звуковóй ~ sound séction / chánnel; ◇ желу́дочно-кишéчный ~ àliméntary canál.

трактáт *м.* **1.** (*научное сочинение*) tréatise; **2.** (*международный договор*) tréaty.

трактир *м. уст.* távern ['tæ-]; (*постоялый двор*) inn; (*ресторан*) éating-house [-s]. ~щик *м.*, ~щица *ж.* távern-keeper ['tæ-], ínnkeeper; éating-house kéeper [-s...].

трактовáть 1. (*о пр.*; *обсуждать*) treat (of), discúss (*d.*); **2.** (*вн.*; *давать толкование чему-л.*) ínterpret (*d.*). ~ся **1.** *безл.* be tréated, be discússed; о чём трактýется в этой кни́ге? what is the súbject of this book?; **2.** *страд. к* трактовáть 2.

тракто́вка *ж.* **1.** tréatment; **2.** (*толкование*) interpretátion.

трáктор *м.* tráctor; ~ на колёсном ходý, колёсный ~ wheeled tráctor; ~ на гýсеничном ходý, гýсеничный ~ cáterpillar tráctor; ~ óбщего назначéния géneral púrpose tráctor [...-s...].

тракторизáция *ж.* introdúction of tráctors (into ágrìcùlture).

тракторист *м.*, ~ка *ж.* tráctor dríver.

трáкторн||ый tráctor (*attr.*); ~ая тя́га tráctor tráction; на ~ой тя́ге tráctor-drawn; ~ парк fleet of tráctors.

трáкторо||ремóнтный tráctor-repáiring. ~сбóрочный tráctor-assémbly (*attr.*).

тракторострое́||ние *с.* tráctor constrúction. ~тельный: ~тельный завóд tráctor works.

трал *м.* **1.** (*рыболовный*) trawl; **2.** *воен.* (mine-)sweep; **3.** (*для исследования дна*) trawl. ~ение *с.* **1.** (*рыболовное*) tráwling; **2.** *воен.* mine-sweeping; **3.** (*дна*) tráwling. ~ер *м. уст.* = трáулер. ~ить (*вн.*) **1.** *рыб.* trawl (*d.*); **2.** *воен.* sweep* (*d.*); **3.** (*дно*) trawl (*d.*). ~овый **1.** *рыб.* tráwling; ~овый лов tráwling; ~овая флоти́лия fishing fleet; **2.** *воен.* mine-sweeping (*attr.*); ~овое вооружéние mine-sweeping equipment; ~овый флот mine-sweeping fleet.

трáльщик *м.* **1.** *мор.* tráwler; **2.** *воен.* mine-sweeper.

трамб||овáть (*вн.*) ram (*d.*), (*легко ударяя*) tamp (*d.*). ~óвка *ж.* **1.** (*действие*) rámming; **2.** (*орудие*) rámmer; beetle.

ТРА — ТРА

трам||вáй *м.* **1.** (*вид транспорта*) tram, trámway; street ráilway *амер.*; **2.** (*вагон*) tram, trám-càr; stréet-càr *амер.*; éхать в ~вáе go* by tram; сесть на ~ get* on *the* tram, take* *the* tram; вы́йти из ~вáя get* out of *the* tram, alíght from *the* tram; попáсть под ~ be run óver by *a* tram; ◇ речнóй ~ river / wáter bus ['rɪ- 'wɔː-...].

трамвáйн||ый tram (*attr.*); ~ билéт trám-tìcket; ~ парк tram dépòt [...-'depou]; stréet-càr yard *амер.*; ~ вагóн trám-càr; stréet-càr *амер.*; ~ кондýктор tram condúctor; ~ая останóвка tram stop; ~ая сеть trám(-way); ~ые рéльсы trám-lines.

трамвáйщик *м.* tram wórker.

трамплин *м. спорт.* spring-board; (*лыжный*) ski jump [skiː..., ʃiː...]; (*перен.*) júmping-off plàce.

транжир||а *м. и ж. разг.* spéndthrift; pródigal. ~ить (*вн.*) *разг.* squánder (*d.*), waste [weɪ-] (*d.*); blow* [-ou] (*d.*) *разг.*

транзистор *м.* **1.** (*полупроводник*) transístor [-'zɪ-]; **2.** (*радиоприёмник*) transístor rádio. ~ный: ~ный приёмник transístor / transístorized recéiver [...-'zɪ- -'siːvə]; tránny *разг.*

транзит *м.* tránsit; перевозить ~ом (*вн.*) convéy as tránsit goods [...gudz] (*d.*); проходи́ть ~ом, перевози́ться ~ом go* as tránsit goods. ~ный *прил. к* транзи́т; ~ный товáр tránsit goods [...gudz] *pl.*; ~ная торгóвля tránsit tráde; ~ная тáкса tránsit dues *pl.*; ~ная ви́за tránsit vísa [...-'viːzə]; ~ный пассажи́р tránsit pássenger [...-ndʒə].

транквилизáтор *м.* tránquilizer, sédative.

транс *м.* trance; впадáть в ~ fall* into a trance.

транс||альпи́йский tránsálpìne [-nz-]. ~аркти́ческий tránsárctic [-nz-]. ~атланти́ческий tránsatlántic [-nz-].

трансгрéссия *ж. геол.* trànsgréssion.

трансконтинентáльн||ый trànscontinéntal [-nz-]; ~ рейс trànscòntinéntal trip; *ав.* trànscòntinéntal flight; ~ая баллисти́ческая ракéта trànscòntinéntal ballístic rócket.

транскриби́ровать *несов. и сов.* (*вн.*) trànscríbe (*d.*).

транскри́пция *ж.* trànscríption.

трансли́ровать *несов. и сов.* (*вн.*) *рад.* trànsmít [-nz-] (*d.*), bróadcàst ['brɔːd-] (*d.*); (*через усилительную установку*) rè:láy (*d.*).

транслитерáция *ж. лингв.* trànsliterátion [-nz-].

трансляцио́нн||ый *рад.* trànsmíssion [-nz-] (*attr.*), bróadcàsting ['brɔːd-]; rè:láying; (*ср.* транслировать); ~ая сеть rè:láying sýstem; ~ ýзел rè:láying státion.

трансля́ция *ж.* trànsmíssion [-nz-], bróadcàst ['brɔːd-]; (*через усилительную установку*) rè:láy.

трансмиссио́нный *тех.* trànsmíssion [-nz-] (*attr.*).

трансми́ссия *ж. тех.* trànsmíssion [-nz-].

ТРА — ТРЕ

трансокеа́нский tránsòceánic [-zouʃiæ-].

транспара́нт м. 1. (натянутая на раму ткань с изображениями, надписями) transpárency [-'reə-]; 2. (для письма) únderlines pl.; bláck-lined páper.

транспланта́т м. мед. tránsplànt [-plɑ:nt].

транспланта́ция ж. мед. trànsplàntátion [-plɑ:n-].

транспланти́ровать несов. и сов. (вн.) мед. tránsplànt [-'plɑ:nt] (d.).

транспози́ция ж. trànsposítion [-'zɪ-].

транспони́р||овать несов. и сов. (вн.) муз. trànspóse (d.). **~о́вка** ж. муз. trànsposítion [-'zɪ-].

тра́нспорт м. 1. tránspòrt; (перевозка тж.) trànspòrtátion; во́дный ~ wáter tránspòrt ['wɔ:-...]; железнодоро́жный ~ ráil(way) tránspòrt; возду́шный ~ áir tránspòrt; морско́й ~ séa tránspòrt; гужево́й ~ cártage, cárting; авто-гужево́й ~ róad tránspòrt, háulage; автомоби́льный ~ mótor tránspòrt; городско́й ~ úrban tránspòrt; ~ гру́зов góods tráffic [gʌdz...]; 2. (партия грузов и т.п.) consígnment [-'saɪn-]; 3. воен. (обоз) tránspòrt, tràin; артиллери́йский ~ tràin of àrtíllery; 4. мор. (судно) tránspòrt, súpply shìp; (войсковой) tróop tránspòrt, tróopshìp, tróop-càrrier.

трансшо́рт м. бух. (перенос на другую страницу) cárrying fórward.

транспорта́бельный trànspórtable.

транспортёр м. 1. тех. convéyer; 2. воен. cárrier.

транспорти́р м. тех. protráctor.

транспорти́ровать I несов. и сов. (вн.) (перевозить) trànspórt (d.), convéy (d.).

транспорти́ровать II (вн.) бух. (переносить на другую страницу) cárry fórward (d.).

транспортиро́вка ж. tránspòrt, trànspòrtátion.

тра́нспортн||ик м., **~ица** ж. tránspòrt wórker. **~ый** прил. к тра́нспорт; ~ое су́дно = тра́нспорт 4; ~ый самолёт tránspòrt plàne; ~ый тж. tróop-càrrier; ~ые сре́дства méans of tránspòrt, trável facìlities ['træ-...].

транссиби́рск||ий Tràns-Sìbérian [-nzsaɪ-'bɪə-]; ~ая магистра́ль the Tràns-Sìbérian Ráilway.

трансфе́рт м. фин. tránsfer. **~ный** фин. tránsfer (attr.).

трансформа́тор I м. эл. trànsfórmer.

трансформа́тор II м. 1. (актёр) quíck-chánge áctor [-tʃeɪ-]; 2. (фокусник) cónjurer ['kʌ-], illúsionist.

трансформа́ция ж. trànsformátion.

трансформи́зм м. биол. tránsfórmism.

трансформи́ровать несов. и сов. (вн.) trànsfórm (d.), convért (d.). **~ся** несов. и сов. 1. be / become* trànsfórmed / áltered; 2. страд. к трансформи́ровать.

трансфу́зия ж. мед. trànsfúsion.

трансцендента́льный филос. trànscèndéntal.

трансценде́нтны||й 1. филос. trànscéndent; 2. мат. trànscendéntal; ~е чи́сла trànscéndents.

транше́йн||ый воен., с.-х. trench (attr.); ~ое земледе́лие trench ágriculture; ~ си́лос trench síló.

транше́я ж. trench.

трап м. 1. мор. ládder, shíp's ládder; забо́ртный ~ accòmmodátion ládder; сходно́й ~ compánion ládder [-'pæ-...]; 2. (приставная лестница самолёта) ládder; 3. тех. trap.

тра́пез||а ж. 1. сидеть за ~ой sit* at táble; дели́ть ~у (с тв.) sháre a méal (with). **~ная** ж. скл. как прил. reféctory.

трапециеви́дный trapézifòrm [-'pi:-].

трапе́ци||я ж. 1. мат. trapézium; 2. спорт. trapéze.

тра́сс||а ж. 1. (направление) líne, diréction; возду́шная ~ áir route [...ru:t], áirway; ~ кана́ла canál track; 2. разг. (дорога) route; е́хать по но́вой ~е take*, или go* by, a néw route; 3. (план местности) plán, draught [drɑ:ft]; (чертёж) sketch.

трасс||а́нт м. фин. dráwer. **~а́т** м. фин. drawée.

трасси́р||овать несов. и сов. (вн.) márk óut (d.), tráce (d.). **~ующий** воен. trácer (attr.); **~ующая пу́ля** trácer búllet [...'bul-]; **~ующий снаря́д** trácer shell.

тра́та ж. expénditure; де́нежная ~ expénse; пуста́я ~ чего́-л. wáste of smth. [weɪ-...].

тра́тить, истра́тить (вн.) spend* (d.), expénd (d.); (понапрасну) wáste [weɪ-] (d.); не ~ мно́го слов not wáste wòrds. **~ся,** истра́титься 1. (на вн.) spénd móney [...'mʌnɪ] (on); spénd* úp (on); 2. страд. к тра́тить.

тра́тта ж. фин. bíll of exchánge [...-'tʃeɪ-].

тра́улер м. tráwler; морози́льный ~ refrígerator tráwler.

тра́ур м. móurning ['mɔ:-]; глубо́кий ~ déep móurning; обле́чься в ~ gó* into móurning; носи́ть ~ по ком-л. be in móurning for smb.

тра́урница ж. (бабочка) móurning-cloak ['mɔ:-] (butterfly).

тра́урн||ый 1. móurning ['mɔ:-] (attr.); (погребальный) fúneral; ~ое ше́ствие fúneral procéssion; ~ марш fúneral déad márch [...ded...]; ~ая повя́зка crápe bánd; 2. (скорбный) móurnful ['mɔ:-], sórrowful; ~ вид fúnéreal appéarance [-'nɪərɪəl...].

трафаре́т м. (модель, шаблон) sténcil; (перен.) convéntional / stéreotyped / cómmonplàce páttern; (литературный) cliché (фр.) ['kli:ʃeɪ], stéreotyped / háckneyed phràse [...-nɪd...]; раскра́шивать, расписывать по ~у (вн.) sténcil (d.); по ~у (перен.) convéntionally, accórding to a convéntional / stéreotyped / cómmonplàce páttern.

трафаре́тн||ость ж. convèntionálity, banálity, convéntional / stéreotyped / cómmonplàce náture / cháracter [...'neɪ-'kæ-]; (литературного выражения и т.п.) tríteness. **~ый** sténcilled; (перен.) convéntional, stéreotyped, cómmonplàce, banál [-'nɑ:l]; (обычный, типичный) of the convéntional type; (о литературном выражении и т.п.) cliché'd (фр.) ['kli:ʃeɪd], tríte, stéreotyped, háckneyed [-nɪd]; ~ая улы́бка stéreotyped / convéntional smile.

трах 1. межд. bang!; 2. предик.: он ~ кулако́м по́ столу he bánged his físt on the táble.

трахеи́т м. мед. tràcheítis [treɪkɪ'aɪ-].

трахе́йный анат. tráchéal [-'ki:əl].

трахеотоми́я ж. мед. tràchéotomy [-kɪ-].

трахе́я ж. анат. tráchéa [-'ki:ə], wíndpipe ['wɪ-].

тра́хнуть сов. разг. crásh, báng; ~ кого́-л. по голове́ báng smb. on the héad [...hed]; ~ кулако́м по́ столу báng one's físt on the táble, bríng* one's físt dówn on the táble. **~ся** сов. разг. have a bád fáll.

трахо́ма ж. мед. trachóma [-'kou-].

тре́б||а ж. церк. occásional relígious ríte (christening, marriage, funeral, etc.). **~ник** м. церк. práyer-book ['preə-].

тре́бован||ие с. 1. demánd [-ɑ:nd]; (просьба) requést; (претензия) cláim; (потребность) requíre;ment; по ~ию кого́-л. at smb.'s requést, by smb.'s órder; настоя́тельное ~ úrgent requést; по ~ию суда́ by órder of the cóurt [...kɔ:t]; удовлетвори́ть ~иям compíy with, или sátisfy, smb.'s demánds; выдвига́ть ~ия máke* demánds, pút* in cláims; отказа́ться от своего́ ~ия gíve* up one's cláim, abándon / surrénder / relínquish one's cláim; соглаша́ться на чьи-л. ~ия agrée to smb.'s demánds; отвеча́ть ~иям méet* the requíre;ments; вы́полнить ~ия чего́-л. fulfíl the requíre;ments of smth. [ful-...]; предъявля́ть к кому́-л. больши́е ~ия máke* great / hígh demánds of smb. [...greɪt...], demánd múch of smb.; остано́вка по ~ию requést stóp; ~ вре́мени demánds of the tímes pl.; 2. мн. (запросы) àspirátions, wánts, desíres [-'zaɪəz]; 3. (документ) órder, rèquisítion [-'zɪ-]; ~ на дрова́ órder for wóod [...wud]; ~ на перево́зку воен. trànspòrtátion requést.

тре́бовательн||ость ж. exácting;ness; изли́шняя ~ únréasonable demánds / preténtions [-zə- -ɑ:ndz...] pl. **~ый** exácting, éxigent; (разборчивый) partícular, fastídious.

тре́б||овать, потре́бовать 1. (рд. от) demánd [-ɑ:nd] (d. of, from); ~ то́чности от рабо́тников expéct / demánd áccuracy of / from the stáff; ~ объясне́ния у кого́-л. demánd an èxplanátion of / from smb., insíst on an èxplanátion from smb.; 2. (рд.; нуждаться) néed (d.), requíre (d.), cáll (for); э́то ~ует специа́льных зна́ний it requíres / demánds, или cálls for, spécial knówledge [...'spe- -nɔ-]; больно́й ~ует поко́я the pátient néeds / requíres rést; э́то ~ует мно́го вре́мени it tákes a lóng tíme; 3. тк. несов. (рд. от; ожидать) expéct (d. from); 4. (вн.; вызывать) súmmons (d.); (звать) cáll (d.); ~ кого́-л. домо́й cáll smb. hóme; ~ кого́-л. в суд súmmons smb. **~оваться,** потре́боваться 1. néed, requíre; (о количестве чего-л.) táke*; на э́то ~уется мно́го вре́мени it tákes a lóng tíme, it requíres / tákes a gréat déal, или a lót, of tíme; заво́ду ~уются рабо́чие wórkers are wánted /

required for the fáctory, the fáctory requires wórkers; от служащих ~уется аккуратная работа cáreful work is required / demánded of èmployées [...-'mɑ:-...], èmployées are required to be cáreful in their work; ~уется кóмната (объявление) room wánted; что и оказáлось доказáть which was to be proved / shown [...pru:vd ʃoun]; мат. Q. E. D. (quod èrat dèmònstrándum) [...'æræt...]; 2. страд. к требовать.

требухá ж. тк. ед. éntrails pl.; (как пища) óffal.

тревóг‖а ж. 1. (беспокойство) alárm, ànxiety, ùnéasiness [-zɪ-]; быть в ~e be alármed / ánxious / ùnéasy [...-'i:zɪ]; вызывáть ~y aróuse / cause alárm / ànxiety; выражáть ~y expréss (one's) alárm / ànxiety; 2. (сигнал) alárm, alért; поднять ~y give* the alárm, raise an alárm; бить в ~y (прям. и перен.) sound the alárm; пожáрная ~ fire-alárm; боевáя ~ báttle alárm; воздушная ~ alért, áir-raid wárning; áircràft wárning амер.; химическая ~ gas alért; gás--alárm амер.; лóжная ~ false alárm [fɔ:ls...].

тревóжить I, потревóжить (вн.; беспокоить, нарушать покой) distúrb (d.); ~ противника hárass the énemy ['hæ-...].

тревóж‖ить II, встревóжить (вн.; волновать) wórry ['wʌ-] (d.), trouble [trʌ-] (d.), hárass ['hæ-] (d.); (не сильно) make* ùnéasy [...-zɪ] (d.); егó по всякие слухи he is wórried / troubled / hárassed by all sorts of rúmours; его молчáние ~ит их his sílence alárms them [...'saɪ-...].

тревóж‖иться I, потревóжиться 1. wórry òneself ['wʌ-...]; (затруднять себя) trouble òneself [trʌ-...], bóther òneself разг.; напрáсно вы ~ились you should not have troubled / bóthered; 2. страд. к тревóжить I.

тревóжиться II, встревóжиться (о пр.; беспокоиться) be ánxious / ùnéasy / wórried [...-zɪ 'wʌ-] (abóut); сов. тж. become* ánxious (abóut).

тревóжн‖ость ж. ànxiety, ùnéasiness [-zɪ-]. ~ый 1. (полный тревоги, волнения) ánxious, ùnéasy [-zɪ], troubled [trʌ-], pertúrbed, wórried ['wʌ-]; ~ый гóлос ánxious voice; ~ый взгляд ánxious / wórried look; 2. (сопровождáющийся тревóгой) distúrbed, ùnéasy, troubled; ~ая ночь distúrbed night; 3. (вызывающий тревóгу) distúrbing, disquíeting; (о сильной тревоге) alárming; ~ое извéстие alárming news [...-z]; 4. (предупреждáющий) alárm (attr.); ~ый сигнáл alárm sígnal.

треволнéние с. разг. trouble [trʌ-], àgitátion, disquíet.

треглáв‖ый: ~ая цéрковь a church with three cúpolas.

тред-юнион [трэ-] м. trade únion. ~изм [трэ-] м. tràde-únionism. ~ист [трэ-] м. tràde-únionist. ~истский [трэ-] tràde-únionist (attr.).

трéзвенник м. разг. teetótaller [-'tou-], (tótal) abstáiner.

трезвéть, отрезвéть sóber (up); сов. тж. become* / grow* sóber [...grou-...].

трéзво нареч.: (перен.: разумно) sénsibly; смотрéть на вéщи take* a sóber view of things [...vju:...];

view / regárd things in a sóber / sénsible light.

трезвóн м. 1. peal (of bells); (звонки) rínging; 2. разг. (толки) góssip; rúmours pl.; 3. разг. (шум, переполох, скандал) row, shíndy; поднять ~ kick up a row.

трезвóнить, растрезвóнить 1. тк. несов. (о колоколах) peal, ring* (a peal); 2. (о пр.) разг. (разносить слухи) spread* (abróad) [-ed -ɔ:d]; noise abróad (d.); ~ по всему гóроду procláim from the hóusetòps [...-s-] (d.).

трéзвость ж. sóberness; (воздержанность) témperance; (состояние трéзвого человека) sobríety; ~ умá sóberness of mind.

трезвýчие с. муз. tríad.

трéзв‖ый (в разн. знач.) sóber; (непьющий тж.) ábstinent; человéк ~ого умá sóber-minded man*; имéть ~ взгляд на вéщи take* a sóber / sénsible view of things [...vju:...]; ~ человéк sóber man*; (разумный) sénsible man*; ◊ что у ~ого на умé, то у пьянoro на языкé погов. what the sóber man* thinks, the drúnkard reveáls; drink lóosens the tongue [...-sᵊnz... tʌŋ].

трезýбец м. trídent.

трек [-рэ-] м. спорт. track.

трелевáть (вн.) skid (logs).

трелёвка ж. skídding, lógging; механизированная ~ méchanized skídding / lógging [-k-...].

трел‖ь ж. муз. trill; (птицы) wárble; ~и соловья wárble / wárbling of the nightingàle sg.; пускáть ~и trill; wárble.

трельяж м. 1. (решётка) tréllis; 2. (зеркало) thrée-léaved mírror.

трéмоло [-рэ-] с. нескл. муз. trémolò.

трен [-рэ-] м. уст. (шлейф) train (of dress).

тренáж м. drill.

тренажёр м. tráiner, símulàtor; космический ~ space símulàtor.

трéнер м. спорт. tráiner, coach. ~ский прил. к трéнер.

трéнзель м. snáffle.

трéние с. 1. fríction, rúbbing; 2. мн. (споры, столкновéния) fríction sg.; cláshes, cónflicts.

тренировáнный прич. и прил. trained.

тренировáть, натренировáть (вн.) train (d.); спорт. тж. coach (d.). ~ся, натренировáться train (òneself), coach (òneself), be in tráining.

тренирóвк‖а ж. tráining; спорт. тж. cóaching; проходящий ~у tráinee.

тренирóвочный tráining (attr.), práctice (attr.); ~ костюм tràck-sùit [-sju:t].

треногá ж. trípòd; пулемётная ~ machìne-gùn trípòd [-'ʃi:n-...].

треногий thrée-légged.

треножить, стреножить (вн.) hóbble (d.).

треножник м. trípòd.

трéнькать разг. strum.

треп м. разг. idle talk, blether.

трепáк м. (танец) trepák [-ɑ:k] (Rússian fólk-dance).

трепáло с. swíngle, scútcher (ímplement).

трепáль‖ный: ~ная машина scútching-machìne [-ʃi:n]. ~щик м., ~щица ж. scútcher.

трепáн м. мед. trepán. ~áция ж. мед. trèpanátion. ~áция чéрепа trèpanátion of the skull.

трепáнг м. зоол. trepáng.

трепáние с. (льна и т.п.) scútching.

трепанировáть несов. и сов. (вн.) мед. trepán (d.).

трёпаный разг. 1. (о льне) scútched; 2. (изóрванный) torn, táttered; 3. (непричёсанный) dishévelled.

трепáть, потрепáть (вн.) 1. тк. несов. (о льне и т.п.) scutch (d.), swíngle (d.); 2. (тормошить, приводить в беспорядок) pull abóut [pul...] (d.); (о ветре) blow* abóut [-ou...] (d.), flútter (d.); (волосы) tousle [-zl] (d.); ~ когó-л. за волосы pull smb.'s hair; 3. разг. (об одежде, обуви и т.п.) wear* out [wɛə...] (d.); (о книге и т.п.) fray (d.), tear* [tɛə] (d.); 4. (похлопывать) pat (d.); ~ кого́-л. по плечý pat smb.'s shóulder [...ʃou-]; ◊ его трéплет лихорáдка he is féverish, he is shívering with féver; ~ комý-л. нéрвы tormént smb., fray smb.'s nerves; ~ языкóм разг. twáddle, práttle, bléther. ~ся, потрепáться разг. 1. (изнашиваться) get* worn out [...wɔ:n...]; 2. тк. несов. разг. (болтать) twáddle, práttle; (говорить глупости) talk nónsense / rúbbish; 3. страд. к трепáть.

трепáч м. разг. twáddler, práttler.

трéпет м. trémbling, quívering; (от страха, волнéния) trèpidátion; с ~ом with trèpidátion; страх и трéпет fear and trémbling / trèpidátion; привести кого́-л. в ~ make* smb. tremble; (взволновáть) ágitàte smb.; привести кого́-л. в рáдостный ~ make* smb. tremble with joy; ~ счáстья thrill of joy; ~ ужаса shúdder of hórror. ~ние с. 1. trémbling, quívering; (от страха, волнéния) trèpidátion; 2. (плáмени) flicker(ing).

трепетáть 1. (дрожáть) trémble, (колыхáться) quíver ['kwɪ-]; (о плáмени) flicker; (испытывать волнéние) thrill, tremble; ~ за кого́-л. tremble for smb.; ~ при мысли (о пр.) tremble at the thought (of); ~ от рáдости thrill with delíght, be thrilled; ~ от ужаса shúdder / thrill with hórror; крылья бабочки трепéщут the bútterfly's wings quíver; 2. (биться) flútter, pálpitàte.

трéпетн‖о нареч.: сéрдце ~ бьётся the heart pálpitàtes [...hɑ:t...]; the heart goes pít-a-pát разг. ~ый 1. (дрожáщий) trémbling; (о свете) flíckering; 2. (взволнóванный) ánxious; ~ое ожидáние ánxious expectátion; 3. (робкий) tímid.

трёпк‖а ж. 1. (о льне) scútching; 2. разг. (побои) thráshing; (нагоняй) dréssing-dówn; (гл. обр. ребёнку) scólding; задáть ~у кому́-л. give* smb. a (sound) thráshing; give* smb. a dréssing-dówn, give* it (hot) to smb., scold smb.; ◊ ~ нéрвов nérvous strain, strain on the nerves.

трепыхáться разг. flútter, quíver ['kwɪ-].

треск м. crash, crack; (хруст) cráckle; (перен.: шумиха) разг. fuss; ~ ружéйных выстрелов cráckle of gún-fire; ~

645

ломающихся сучьев snápping of twigs; ~ огня cráckling of a fire; ~ мотора pópping of an éngine [...'endʒ-]; ◇ с ~ом (выгнать и т.п.) ≅ ignomíniously; с ~ом провалиться be an ignomínious fáilure; come* a crópper, flop разг.

треска ж. тк. ед. cod; вяленая ~ dried cod, stóckfish.

трескать (вн.) груб. guzzle (d.), gobble (d.).

трескаться, потрескаться crack; (о коже, руках и т.п.) chap.

тресковый cod (attr.); ~ жир cód-liver oil [-lɪ-...].

трескотня ж. cráckling; (кузнечиков и т.п.) chirr; (перен.: болтовня) разг. jábber, twáddle, gábble, bléther; ~ ружейных выстрелов crackle / cráckling of gún-fire; ~ пулемётов rattle of machíne-guns [...-'ʃiːn-].

трескуч||ий 1.: ~ мороз sharp frost, hard frost; на дворе ~ мороз it is fréezing hard; it is fréezing cold разг.; 2. (высокопарный): ~ие фразы pómpous / high-flown / bombástic words [...-floun...].

треснуть сов. 1. crack; (лопнуть) burst*, pop; 2. разг. (тв. по дт.; вн. по дт.; ударить) hit* (d. on); ~ кого-л. по голове hit* / bang smb. on the head [...hed...]; 3. см. трещать 4; ◇ хоть тресни груб. ≅ for the life of me; не могу добиться от него ответа, хоть тресни I can't for the life of me get him to ánswer [...kɑːnt... 'ɑːnsə]; не могу найти, хоть тресни I can't for the life of me find it. **~ся** сов. (тв. об вн.) разг. knock (d. against), bang (d. against); ~ся лбом об стол bang / knock one's head against the table [...hed...].

трест м. эк. trust. **~ирование** с. эк. (развитие трестов) devélopment / formátion of trusts; (образование треста) òrganizátion of a trust [-naɪ-...]. **~ирование промышленности** òrganizátion of índustry into trusts. **~ировать** несов. и сов. (вн.) эк. combíne into a trust, или into trusts (d.).

третейск||ий: ~ суд àrbitrátion tribúnal [...traɪ-]; ~ое решение àrbitrátion; ~ судья árbitràtor, árbiter.

трет||ий third; ~ье мая, июня и m.n. the third of May, June, etc.; May, June, etc., the third; страница, глава ~ья page, chápter three; ~ номер númber three; ему (пошёл) ~ год he is in his third year; уже ~ час it is past two; в ~ьем часу past / áfter two; половина ~ьего half past two [hɑːf...]; три четверти ~ьего a quárter to three; ~ье лицо грам. third pérson; говорить в ~ьем лице speak* in the third pérson; ~ье сословие ист. third estáte; ~ья часть, одна ~ь(я) one third; ◇ ~ьего дня the day befóre yésterday [...-dɪ]; из ~ьих рук indiréctly.

третировать (вн.) slight (d.).

третичный геол., мед. tértiary.

трет||ь ж. a / one third; две ~и two thirds.

третье с. скл. как прил. (третье блюдо, десерт) third course [...kɔːs], sweet, dessért [-'zɜːt]; áfters разг.

третьеклассн||ик м. third-fòrm boy; third-fórmer разг. ~**ица** ж. third-fòrm girl [...g-].

третье||очередной of third-ráte impórtance. ~**сортный** third-ráte, inférior, médiòcre. ~**степенный** 1. (несущественный) insigníficant; 2. (посредственный) médiòcre, third-ráte.

треугол́ка ж. cocked hat.

треугольн||ик м. tríangle. ~**ый** three-córnered; мат. triángular.

треух м. уст. fur cap with éar-flàps and back flap.

трефовый карт. of clubs; ~ король the king of clubs.

трефы мн. (ед. трефа ж.) карт. clubs; ходить с треф lead* clubs.

трёх- (в сложн. словах, не приведённых особо) of three или three-—соотв. тому, как даётся перевод второй части слова; напр. трёхдневный of three days, three-day (attr.) (ср. -дневный: of... days, -day attr.); трёхместный with berths, seats for 3; (о машине и т.п.) three-séater (attr.) (ср. -местный).

трёхактный three-àct (attr.).

трёхвалентный хим. triválent [traɪ-].

трёхвёрстка ж. (карта) map on the scale of three versts to an inch.

трёхгодичный three-year (attr.); triénnial.

трёхгодовалый three-year (attr.); three-year-old; ~ ребёнок three-year-óld child*, child* of three (years).

трёхголос(н)ый муз. three-pàrt (attr.).

трёхгранный 1. three-édged; мат. trihédral [traɪ-]; ~ клинок three-édged blade; 2. бот. (о стебле) triquétrous.

трёхдневн||ый three-day (attr.); of three days; в ~ срок within three days; ~ая лихорадка tértian áigue.

трёхдюймовый three-inch (attr.).

трёхзначный three-digit (attr.), three-figure (attr.).

трёхколёсный three-wheeled; ~ велосипед trícycle ['traɪ-]; ~ мотоцикл mótor trícycle.

трёхкомнатн||ый three-róom (attr.); ~ая квартира three-róom flat.

трёхкратный = троекратный.

трёхлемешный: ~ плуг three-share plough.

трёхлетие с. 1. (годовщина) third ànnivérsary; 2. (срок в 3 года) (périod of) three years; triénnial périod.

трёхлетн||ий 1. (о сроке) of three years; three-year (attr.); triénnial; 2. (о возрасте) of three; three-year-óld; ~ ребёнок child* of three (years); three-year-óld child*; 3. бот. triénnial; ~ее растение triénnial.

трёхлистный 1. three-léaved; 2. бот. trifóliate [traɪ-].

трёхмачтов||ый three-másted; ~ое судно three-máster.

трёхмерный three-diménsional.

трёхместный three-séater (attr.).

трёхмесячн||ый 1. (о сроке) of three months [...mʌ-]; three-mònth [-mʌ-](attr.); 2. (о возрасте) three-mònth-óld [-mʌ-]; ~ ребёнок three-mònth-óld báby, báby of three months.

трёхмоторный (о самолёте) three-éngined [-'endʒ-].

трёхнедельный 1. (о сроке) of three weeks; three-wéek (attr.); 2. (о возрасте) three-week-óld; ~ ребёнок three-week-óld báby, báby of three weeks.

трёхногий разг. three-légged.

трёхорудийн||ый three-gún (attr.); ~ая башня triple túrret [trɪ-...].

трёхосновный хим. tribásic [traɪbeɪ-].

трёхосный triáxial; ~ автомобиль six-wheel mótor véhicle [...-'viː-], six-whéeler.

трёхпалубн||ый three-décker (attr.); ~ое судно three-décker.

трёхпалый three-fíngered; tridáctyl (-ous) [traɪ-] научн.

трёхполь||е с. с.-х. three-field sýstem [-fiː-...]; ~**ный** с.-х. three-field [-fiː-] (attr.); ~ная система three-field sýstem; ~ное хозяйство three-field sýstem of ágriculture.

трёхпроцентный three-per-cént (attr.).

трёхразов||ый: ~ое питание three meals a day pl.

трёхрублёвка ж. разг. three-rouble note [-ruː-...].

трёхсложн||ый грам. trisýllabic ['traɪ-]; ~ое слово trisýllable ['traɪ-].

трёхслойн||ый three-láyered; ~ая фанера three-ply.

трёхсменн||ый three-shift (attr.); ~ая работа three-shift work.

трёхсотлет||ие с. 1. (годовщина) three-húndredth ànnivérsary, tèrcéntenary [-'tiː-]; праздновать ~ чего-л. cèlebràte the tèrcèntenary of smth.; 2. (срок в 300 лет) three húndred years pl., three céntùries pl. ~**ний** 1. (о сроке) of three húndred years; 2. (о годовщине) tèrcenténnial; ~ний юбилей tèrcenténary [-'tiː-].

трёхсот||ый three-húndredth; страница ~ая page three húndred; ~ номер númber three húndred; ~ая годовщина three-húndredth ànnivérsary; ~ год the year three húndred.

трёхстволка ж. разг. three-bárrel (-led gun).

трёхствольный 1. (об оружии) three-bárrelled; 2. бот. three-stémmed.

трёхстворчатый three-léaved; ~ шкаф three-léaved wárdròbe.

трёхстопный лит. of three feet; ~ стих verse of three feet; ~ ямб iámbic trímeter.

трёхсторонний 1. three-síded; мат. trìláteral ['traɪ-]; 2. (с участием трёх сторон) trìláteral; (о соглашении и т.п.) trìpártite ['traɪ-]; ~ договор three-power tréaty.

трёхструнный муз. three-stringed.

трёхступёнчат||ый three-stàge (attr.); ~ая ракета three-stàge rócket.

трёхтомник м. edition in three vólumes, three-vólume edition.

трёхтонка ж. разг. three-tón lórry / truck [-'tʌn...].

трёхтысячн||ый 1. the three-thóusandth [-zə-]; 2. (ценою в 3 000 рублей) three thóusand roubles worth [...-zə- ruː-...], cósting 3 000 roubles; 3. (состоящий из 3 000) 3 000 strong.

трёхфазный эл. three-phàse (attr.); ~ ток three-phàse cúrrent.

трёххóдов||ой 1. *тех.* three-way (*attr.*), three-pàss (*attr.*); ~ кран three-way stópcòck; ~ клáпан three-way valve; **2.** *шахм.*: ~áя задáча three-móve próblem [-'mu:v 'prɔ-].

трёхцвéтный three-còlour;ed [-kʌ-], of three cólours [...'kʌ-]; (*о флаге и т. п.*) trícolour(;ed) ['traɪkʌ-]; (*о фотографии, печати*) trichromátic [traɪ-].

трёхчасовóй 1. (*о продолжительности*) of three hours [...auəz]; three-hour [-auə] (*attr.*); **2.** (*назначенный на три часа*) three o'clóck (*attr.*); ~ пóезд the three o'clóck train; the three o'clóck *разг.*

трёхчлéн *м. мат.* trinómial [traɪ-]. **~ный** *мат.* trinómial [traɪ-]; **~ное уравнéние** trinómial equátion.

трёхъязы́чный trílingual ['traɪ-]; (*о словаре и т. п., тж.*) tríglot [-].

трёхэтáжный three-stóreyed [-rɪd].

трёшка *ж.,* **трёшница** *ж. разг.* three roubles [...ru:-] *pl.*; (*бумажка*) thrée-rouble note [-ru:-...].

трещ||áть, треснýть, протрещáть 1. *тк. несов.* crack; (*о дровах при сгорании*) crackle; (*о мебели*) creak; **2.** *при сов.* протрещáть (*о кузнечиках и т. п.*) chirr; **3.** *при сов.* протрещáть *разг.* (*болтать*) chátter, jábber; **4.** *при сов.* трéснуть *разг.* (*находиться накануне краха*) be on the point of collapse; ◊ у меня́ головá ~и́т (*от боли*) I have a splitting héadàche [...'hedeɪk], my head is réady to burst [...hed...'re-...]; ~ по всем швам ≃ go* to píeces [...'pi:s-], crumble (a;wáy); ~áт морóзы there is a hard / biting frost.

трéщин||а *ж.* crack, split; (*на земле*) cleft, físsure; (*на коже*) chap; (*перен.: в отношениях*) breach; (*начало разлада*) rift; покры́тый ~ами cracked; (*о коже и т. п.*) chapped; дать ~у crack, split*; их дрýжба далá ~у their friendship is showing signs of bréaking up [...'fren-... 'ʃou- saɪnz... 'breɪk-...], there are signs of a rift in their friendship.

трещóтка *ж.* **1.** (*у сторожа; детская*) rattle; (*перен.: о человеке*) *разг.* chátterbòx, rattle; **2.** *тех.* rátchet.

три *числит.* three.

триáда *ж.* tríad.

триангуля́ция *ж. мат., геод.* triàngulátion.

триáс *м. геол.* trías. **~овый** *геол.* triássic.

триацетáт *м.* triácetàte.

трибрáхий *м. лит.* tríbràch ['tribræk].

трибýн *м.* tríbùne.

трибýн||а *ж.* **1.** (*для оратора*) plátfòrm, róstrum (*pl.* -ra); (*перен.*) tríbune; ~ Мавзолéя róstrum of the Mausoléum [...-'li:əm]; подня́ться на ~у mount the plátfòrm / róstrum; **2.** (*на стадионе и т. п.*) stand (for spectators).

трибунáл *м.* tribúnal [traɪ-]; **воéнный ~** mílitary tribúnal.

тривиáльн||ость *ж.* triviálity, banálity; tríte;ness; (*ср.* тривиáльный). **~ый** trívial, banál [-ɑ:l], cómmonplàce; (*о выражении и т. п.*) trite, háckneyed [-nɪd].

триглиф *м. арх.* tríglyph.

тригонометри́ческ||ий trigonométric(al); **~ие фýнкции** trigonométrical fúnctions.

тригономéтрия *ж.* trigonómetry; **прямолинéйная ~** plane trigonómetry; **сферúческая ~** sphérical trigonómetry.

три́девять: за ~ земéль *разг.* (at) the other end of the world, miles and miles a;wáy.

тридцати- (*в сложн. словах, не приведённых особо*) of thirty, *или* thirty- — *соотв. тому, как даётся перевод второй части слова; напр.* тридцатиднéвный of thirty days, thírty-day (*attr.*) (*ср.* -днéвный: of... days, -day *attr.*); **тридцатимéстный** with berths, seats for 30; (*о самолёте и т. п.*) thirty-séater (*attr.*) (*ср.* -мéстный).

тридцатилéт||ие *с.* **1.** (*годовщина*) thírtieth ànnivérsary; (*день рождения*) thírtieth bírthday; **2.** (*срок в 30 лет*) thirty years *pl.* **~ний 1.** (*о сроке*) of thirty years; thirty-year (*attr.*); ~ний юбилéй thirtieth ànnivérsary; **2.** (*о возрасте*) of thirty; thirty-year-óld; ~ний человéк man* of thirty; thirty-year-óld man*.

тридцáт||ый thírtieth; ~ое января́, мáрта *и т. п.* the thírtieth of Jánuary, March, *etc.*; Jánuary, March, *etc.*, the thírtieth; **страни́ца, главá ~ая** page, chapter thirty; ~ номер number thirty; **емý (пошёл) ~ год** he is in his thírtieth year; **~ые гóды** (*столетия*) the thírties; в начáле ~ых годóв in the early thírties [...'ɜːl...]; в концé ~ых годóв in the late thírties; однá ~ая one thírtieth.

три́дцат||ь *числит.* thirty; ~ оди́н *и т. д.* thirty-òne, *etc.*; ~ пéрвый *и т. д.* thírty-first, *etc.*; лет ~ (*о времени*) about thirty years; (*о возрасте*) about thirty; лет ~ тому́ назáд about thirty years agó; емý лет ~ he is / looks about thirty; емý óколо ~и́ he is about thirty; емý под ~ he is nearly thirty; емý (перевалило) за ~ he is óver thirty, he is in his thírties; человéк лет ~и́ a man* of / about thirty; в ~и́ километрах (от) thirty kílomètres (from).

три́дцатью *нареч.* thirty times; **~ три́дцать** thirty times thirty, thirty thirties.

триеди́ный triúne.

трие́р *м. с.-х.* grain cléaner, séparàtor, sifter.

три́жды *нареч.* three times; thrice *уст., поэт.*; ~ четы́ре three times four [...fɔ:], three fours; ◊ ~ прóклятый thríce-cùrsed.

три́зна *ж. ист.* fúneral feast; **совершáть ~у** (по *дт.*; *перен.: скорбеть о чём-л.*) mourn [mɔːn] (for).

трикó *с. нескл.* **1.** (*ткань*) trícot ['trikou] (woollen cloth); **2.** (*одежда*) tights *pl.*; (*телесного цвета*) fléshings *pl.*, flésh-tìghts *pl.*; **3.** (*дамские панталоны*) (stóckinèt) knickers *pl.*, pants *pl.*

трикотáж *м.* **1.** (*ткань*) stóckinèt, knitted fábric; jérsey; **2.** *собир.* (*изделия*) knitted gárments *pl.* **~ный** stóckinèt (*attr.*), knitted jérsey (*attr.*); ~ные издéлия knitted wear [...weə] *sg.*, knitted gárments *pl.*; ~ная фáбрика knitted-goods factory [-gudz...].

трикrак *м.* (*игра*) báckgammon.

трили́стник *м.* **1.** *бот.* tréfoil, shám;ròck; **2.** (*на эмблемах*) tréfoil.

триллиóн *м.* bíllion; trillion *амер.*

ТРЕ — ТРО

трилóгия *ж. лит.* trílogy.

тримéстр *м.* (*в вузах и т. п.*) term.

тримéтр *м. лит.* trímeter.

три́ммер *м. ав., эл.* trímmer.

тринадцати- (*в сложн. словах, не приведённых особо*) of thírtéen, *или* thírtéen- — *соотв. тому, как даётся перевод второй части слова; напр.* тринадцатиднéвный of thirtéen days, thírtéen-day (*attr.*) (*ср.* -днéвный: of... days, -day *attr.*); тринадцатимéстный with berths, seats for 13; (*об автобусе и т. п.*) thírtéen-séater (*attr.*) (*ср.* -мéстный).

тринадцатилéтний 1. (*о сроке*) of thírtéen years; thírtéen-year (*attr.*); **2.** (*о возрасте*) of thírtéen; thírtéen-year-óld; ~ мáльчик boy of thírtéen; thírtéen-year-óld boy.

тринáдцат||ый thírtéenth; ~ое мáя, ию́ня *и т. п.* the thírtéenth of May, June, *etc.*; May, June, *etc.*, the thírtéenth; страни́ца, главá ~ая page, chapter thírtéen; ~ нóмер number thírtéen; емý (пошёл) ~ год he is in his thírtéenth year; однá ~ая one thírtéenth.

тринáдцать *числит.* thírtéen; ~ раз ~ thírtéen times thírtéen, thírtéen thírtéens.

тринитротолуóл *м. хим.* trinítro;tóluène [traɪ-] (*сокр.* TNT); **тритón** *амер.*

трином *м. мат.* trinómial [traɪ-].

трио *с. нескл. муз.* trío [-i:ou]; стрýнное ~ string trío.

триолéт *м. лит.* tríolèt.

триóль *ж. муз.* tríplet ['trɪ-].

триплáн *м. ав.* tríplane ['traɪ-].

три́ппер *м. мед.* gònorrhóea [-'riːə].

три́птих *м. иск.* tríptych [-k].

тирéма *ж. ист.* trírème ['traɪ-].

три́сель *м. мор.* trýsail ['traɪsəl].

три́тий *м. физ., хим.* trítium.

Тритóн *м. миф.* Tríton.

тритóн *м. зоол.* tríton.

триумви́р *м. ист.* triúmvir (*pl.* -s, -viri [-viri;]). **~áт** *м. ист.* triúmvirate.

триумф *м.* tríumph; с ~ом in tríumph, tríumphantly; (*с блестящим успехом*) with sígnal succéss. **~áльный** triúmphal; ~áльный въезд triúmphal éntry; ~áльная áрка triúmphal arch. **~áтор** *м. ист.* tríumpher; (*перен.: победитель*) víctor.

трифтóнг *м. лингв.* tríphthòng.

трихи́на *ж. зоол.* trichína [-'k-].

трихинóз *м. мед.* trichinósis [-k-].

трихотоми́я *ж.* trichótomy [-'k-].

троакáр *м. хир.* trócàr.

трóгательно I *прил. кратк. см.* трóгательный **2.** *предик. безл.* it is tóuching [...tʌ-]; ~ смотрéть it is tóuching / móving to see [...'mu:v-...].

трóгательн||о II *нареч.* tóuching;ly ['tʌ-], móving;ly ['mu:v-]; in a tóuching way / mánner [...tʌ-...]; pathétically; (*ср. тж.* трóгательный). ~ость *ж.* tóuching / móving / afféctíng náture ['tʌ-'mu:v-... 'neɪ-], páthòs ['peɪ-]. ~ый (*волнующий*) tóuching ['tʌ-], móving ['mu:v-], afféctíng; (*жалкий*) pathétic.

трóг||ать I, трóнуть (*вн.*) **1.** (*прикасаться*) touch [tʌtʃ] (*d.*); **2.** (*беспо-*

ко́ить) disturb (d.); не тронь его́! leave him alóne!, leave him be!; ◊ ~ай! go ahéad! [...ə'hed], get gó:ing!

тро́г∥ать II, **тро́нуть** (вн.; *волнова́ть, умиля́ть*) touch [tʌtʃ] (d.), move [muːv] (d.), affect (d.); э́то его́ не ~ает it does not touch / move him, it leaves him cold; ~ до слёз move to tears (d.).

тро́гаться I, **тро́нуться 1.** (в вн.; *направля́ться*) start (for), be off (for); (*без доп.*; *сдвига́ться с ме́ста*) make a move [...muːv]; ~ в путь set* out, start on a jóurney [...'dʒəː-]; по́езд тро́нулся the train stárted off, the train was off; автомоби́ль тро́нулся the car stárted, the car was off; он не тро́нулся с ме́ста he did not budge; лёд тро́нулся the ice (on the ríver) has begún to break [...'rɪ-...-eɪk]; **2.** *страд.* к тро́гать I, II.

тро́гаться II, **тро́нуться** (*умиля́ться*) be moved / touched / afféсted [...muːvd tʌ-...].

троглоди́т *м.* tróglodyte.

тро́е *числит.* three; для всех трои́х for all three; нас ~ there are three of us.

троебо́рье *с. спорт.* tríathlon.

троекра́тн∥о *нареч.* three times. **~ый** thrice-repéated; **~ое** тре́бование thrice-repéated súmmons.

тро́ица *ж.* **1.** *рел.* Trínity; (*пра́здник*) Whítsun, Whítsúnday [-dɪ]; **2.** *разг.* (*тро́е*) trío ['triːou] (*group of three persons*).

тро́йк∥а *ж.* **1.** *разг.* (*ци́фра*) three; **2.** (*отме́тка*) three (*out of five*); учени́к получи́л ~у по исто́рии the púpil got / recéived three for hístory [...-'sɪvd]; **3.** *карт.* three; козырна́я ~ three of trumps; ~ черве́й, пик и *т.п.* the three of hearts, spades, *etc.* [...hɑːts...]; **4.** (*лошаде́й*) tróika (*three horses harnessed abreast*), cárriage-and-three [-rɪdʒ-]; **5.** *разг.* (*по́лный мужско́й костю́м*) thrée-piece suit [-piːs sjuːt]; **6.** (*об авто́бусе, трамва́е и т.п.*) No 3 bus, tram, *etc.*

тройни́к *м. тех.* tee, T-joint ['tiː-], T-bend ['tiː-]; *эл.* branch box [brɑː-...], júnction box.

тройни́чный: ~ нерв *анат.* trigéminus [traɪ-], trifácial [traɪ-].

тройн∥о́й thréefold, tríple [trɪ-]; ~о́е пра́вило *мат.* the rule of three; в ~о́м разме́ре thréefold, tréble; ~ толщины́ of tríple thíckness; ~ ряд tríple row [-rou]; ~ кана́т thrée-ply rope.

тройня *ж.* tríplets ['trɪ-] *pl.*

тро́йственн∥ость *ж.* triplícity. **~ый** tríple [trɪ-]; Тро́йственный сою́з *ист.* Tríple Allíance; Тро́йственное согла́сие *ист.* Tríple Enténte [...ɑːn'tɑːnt].

тройча́тка *ж. разг.* tríplet ['trɪ-].

трок *м.* (*подпру́га*) súrcingle.

тролле́йбус *м.* trólleybùs. **~ный** trólleybùs (*attr.*); ~ная ли́ния trólleybùs route [...ruːt]; ~ный парк trólleybùs depót ['depou].

тромб *м. мед.* thrómbus (*pl.* -bī), clot of blood [...ʌd]. **~о́з** *м. мед.* thrombósis (*pl.* -óses [-ousiːz]).

тромбо́н *м. муз.* trombóne. **~и́ст** *м.* trombónist [-'bou-].

тромбофлеби́т *м. мед.* tròmbophlebítis.

трон *м.* throne. **~ный** throne (*attr.*); ~ный зал thróne-room; ~ная речь King's / Queen's speech, speech from the throne.

тро́нуть I, II *сов. см.* тро́гать I, II.

тро́ну∥ть III *сов.* (*вн.; о моро́зе, сы́рости и т.п.— по́ртить*) touch [tʌtʃ] (d.); моро́з ~л ли́стья, моро́зом ~ло ли́стья the frost has touched / nípped the leaves; ли́стья ~ты моро́зом the leaves are touched with frost; ли́стья ~ты моро́зом the leaves have been nipped by the frost *разг.*

тро́нуться I, II *сов. см.* тро́гаться I, II.

тро́ну∥ться III *сов. разг.* **1.** (*помеша́ться*) be touched [...tʌ-]; он немно́го ~лся he is a bit touched; he has a screw loose [...luːs], he is not all there; **2.** (*испо́ртиться*) go* bad.

троп *м. лит.* trope.

тропа́ *ж.* (*прям. и перен.*) path*.

тро́пик *м. геогр.* **1.** trópic; ~ Ра́ка trópic of Cáncer; ~ Козеро́га trópic of Cápricòrn; **2.** *мн.* (*наибо́лее жа́ркий по́яс земно́го ша́ра*) the trópics.

тропи́нк∥а *ж.* path*; идти́ ~ой, по ~е fóllow *the* path*.

тропи́ческ∥ий trópical; ~ кли́мат trópical clímate [...'klaɪ-]; ~ по́яс tórrid zone; ~ая расти́тельность trópical vegetátion; ~ая лихора́дка júngle féver.

тропосфе́ра *ж. метеор.* trópospère.

трос *м.* rope, line; про́волочный ~ wire rope / háwser [...-zə]; стально́й ~ wire háwser / rope, steel rope / cable.

тро́стинка *ж.* thin reed.

тростни́к *м.* reed; (*с гу́бчатым ство́лом*) rush; са́харный ~ súgar-càne ['ʃu-]; ~о́вый reed (*attr.*), rush (*attr.*); ~о́вый са́хар cáne-súgar [-'ʃu-]; ~о́вые за́росли reeds, réed-bèd.

тро́сточка *ж.*, **трость** *ж.* cane, wálking-stick.

троти́л *м. хим.* trótyl, trìnítro:tóluòl [traɪ- -oul] (*сокр.* TNT).

тротуа́р *м.* pá:vemènt; síde:wàlk *амер.*

трофе́й *м.* **1.** tróphy ['trou-]; **2.** *мн. воен.* cáptured matérial *sg.*; spoils of war. **~йный** tróphy ['trou-] (*attr.*), cáptured; ~йная вы́ставка exhibítion of war tróphies, *или* of cáptured equípment [eksɪ-...]; ~йная пу́шка cáptured gun.

трофи́ческ∥ий *анат.* tróphic; ~ие не́рвы tróphic nerves.

трохеи́ческий *лит.* trocháic [-'keɪk].

трохе́й *м. лит.* tróchee [-oukɪ].

троцк∥и́зм *м.* Trótskyism. **~и́ст** *м.* Trótskyite. **~и́стский** Trótskyist.

трою́родн∥ый: ~ брат, ~ая сестра́ sécond cóusin ['se- -'kʌz-]; ~ племя́нник sécond cóusin once remóved [...wʌns -'muːvd] (*son of second cousin*).

трой∥кий thréefold, tríple [trɪ-]; ~ смысл thréefold méaning; ~ким о́бразом in three ways. **~ко** *нареч.* in three (différent) ways, in a thréefold mánner.

трóянский *ист.* Trójan.

труб∥á *ж.* **1.** pipe; (*пе́чная*) chímney; (*парово́зная, парохо́дная*) fúnnel, smóke-stack; подзо́рная ~ télescòpe; аэродинами́ческая ~ wind túnnel [wɪ-...]; дрена́жная ~ dráin-pipe; фабри́чная ~ fáctory chímney; ~ парово́го отопле́ния stéam-heat pipe; **2.** *муз.* trúmpet; (*рожо́к*) horn; игра́ть на ~е́ blow* the trúmpet, the horn [blou...]; (*в орке́стре*) play the trúmpet; ~ орга́на órgan-pipe; **3.** *анат.* tube; duct; ◊ вы́лететь в ~у́ *разг.* go* bust / bánkrupt; де́ло ~ things are in a bad way; it's a wásh-out; пройти́ ого́нь и во́ду и ме́дные тру́бы *погов.* go* through fire and wáter [...'wɔː-], go* through thick and thin.

трубаду́р *м. ист. лит.* tróubadour ['truːbədɔə].

труба́ч *м.* trúmpeter; (*в орке́стре*) trúmpet-player.

труб∥и́ть, **протруби́ть 1.** (в вн.) blow* [blou] (d.); ~ в трубу́ trúmpet; blow* / sound the trúmpet; ~ в рог blow* the horn; **2.** (*звуча́ть*) sound, blare; тру́бы ~ят trúmpets sound / blare; **3.** (*вн.; дава́ть сигна́л*) sound (d.); ~ трево́гу sound the alárm; ~ сбор sound the assémbly; **4.** (*о пр.*) *разг.* (*разглаша́ть*) trúmpet (d.), procláim from the hóuse-tòps [...'haus-] (d.); протруби́ть все у́ши кому́-л. чем-л. din smth. into smb.'s ears.

тру́бк∥а *ж.* **1.** tube; дрена́жная ~ *мед.* drain; сифо́нная ~ sýphon ['saɪ-]; пая́льная ~ blów-pipe ['blou-], blówtòrch ['blou-]; электро́нно-лучева́я ~ (*в телеви́зоре*) cáthode-ray tube; TV tube ['tiː'viː...] *разг.*; снаря́да *воен.* fuse; уда́рная ~ *воен.* percússion tube; percússion prímer *амер.*; вытяжна́я ~ *воен.* friction tube; fríction prímer *амер.*; алмазоно́сная ~ *геол.* díamond pipe; **2.** (*свёрток*) roll, scroll; сверну́ть бума́гу ~ой roll up (the) páper; **3.** (*телефо́нная*) (téléphòne) recéiver [...-'siː-]; пове́сить ~у hang* up the recéiver; **4.** (*кури́тельная*) (tobácco-)pipe; вы́курить ~у ми́ра smoke the pipe of peace.

тру́бный trúmpet (*attr.*); ~ звук blare, bláring sound; ~ сигна́л trúmpet-càll.

-тру́бный (*в сложн. словах, не приведённых особо*) -tube (*attr.*), -fúnnelled; -stack (*attr.*); *напр.* двухтру́бный (*о су́дне*) twó-fúnnelled; twó-stack (*attr.*).

труболите́йный túbe-càsting; ~ заво́д túbe-càsting plant [...-ɑːnt].

трубонарезно́й *тех.* píp:e-threading [-ed-].

трубопрово́д *м.* cónduit, píping, túbing; (*для переда́чи не́фти или га́за на расстоя́ние*) píp:e:line; магистра́льный ~ trunk píp:e:line.

трубопрока́тный túbe-rolling; ~ стан tube mill; ~ заво́д túbe-rólling mill, tube works.

трубоукла́дчик *м. тех.* píp:e:laying crane.

трубочи́ст *м.* chímney-sweep; чёрный как ~ black as a sweep.

тру́бочн∥ый pipe (*attr.*); ~ таба́к pipe tobácco; ~ая гли́на píp:e:clay.

тру́бчатый túbular; pipe (*attr.*), tube (*attr.*).

трувéр *м. ист. лит.* trouvère (*фр.*) [truː'vɛə].

труд *м.* **1.** *тк. ед.* lábour, work; (*тяжёлый, однообра́зный*) toil; жить свои́м ~о́м live by one's own lábour [lɪv... oun...]; у́мственный ~ méntal / brain work; физи́ческий ~ mánual lábour; тво́рческий, созида́тельный ~

créative, constrúctive lábour; обще́ственно поле́зный ~ sócially úseʼful work [...ʼjuːs-...]; производи́тельный ~ prodúctive work / lábour; производи́тельность ~á pròductívity of lábour, lábour pròductívity; разделе́ние ~á a divísion of lábour; охра́на ~á protéction of lábour; конкре́тный ~ cóncrete lábour / work; абстра́ктный ~ ábstract lábour / work; овеществлённый ~ matérialized lábour; предме́т ~á object of oneʼs lábour / work; сре́дства ~á a means of lábour / work; 2. (забо́ты, хло́поты, уси́лия) trouble [trʌ-]; (тру́дность) difficulty; положи́ть на что-л. мно́го ~á take* trouble with smth., put* a lot of work into smth.; взять на себя́ ~, дать себе́ ~ (+ инф.) take* the trouble (of ger., + to inf.); напра́сный ~ wásted / lost lábour [ʼwei-...]; не сто́ит ~á it is not worth the trouble, it is not worth troubling / bóthering about [...ʼtrʌ-...]; ему́ сто́ило большо́го ~á it meant a lot of work for him [...ment...], he took a great deal of trouble óver it [...greit...]; вы не зна́ете, каки́х ~о́в мне э́то сто́ит you donʼt know what úpʼhill work it is, или what a job I have [...nou...]; сли́шком мно́го ~á (it is) too much trouble; с ~о́м with difficulty, hárdly; он с ~о́м её понима́ет he understánds her with difficulty, he has difficulty / trouble in understánding her, he hárdly understánds her; с ~о́м подня́ться strúggle up; с ~о́м подня́ться на́ ноги strúggle to oneʼs feet; идти́ с ~о́м drag òneʼsélf alóng, go* alóng with difficulty; без ~á without (any) difficulty, without any trouble, without éffort; без большо́го ~á without much trouble, with hárdly any trouble; без ~á сде́лать что-л. have no trouble (in) doing smth.; 3. (нау́чное сочине́ние) (schólarly) work [ʼskəu-...]; ~ы́ (нау́чного общества) (заглавие периодического издания) tránsactions [-nʼzæk-]; ◇ отдыха́ть по́сле ~о́в пра́ведных ≅ take* a wéll-earned rest [...-ʼəːnd...]; без ~á не вы́тащишь и ры́бку из пруда́ посл. ≅ no pains, no gains.

труд||и́ться work; (тяжело́) toil, lábour; fag разг.; ~ над чем-л. work / toil / lábour at smth.; ◇ не ~и́тесь! (please) donʼt trouble! [...trʌ-...].

тру́дно I 1. прил. кратк. см. тру́дный; 2. предик. безл. it is difficult / hard; ~ пове́рить э́тому it is difficult / hard to belíeve it [...-ʼliːv...]; ему́ ~ поня́ть э́то it is difficult / hard for him to understánd; ~ сказа́ть itʼs hard to say; мне ~ суди́ть itʼs hard for me to tell.

тру́дно II нареч. with difficulty; ему́ ~ прихо́дится he has a hard time, he is having a hard time of it. ~ва́то 1. прил. кратк. см. трудноватый; 2. предик. безл. it is not éasy [...ʼiːzɪ], it is fáirly / ráther / sómeʼwhat difficult / hard [...ʼraː-...].

трудновоспи́туемый difficult (to bring up); ~ ребёнок difficult child*.

труднодосту́пный difficult of áccess; ~ райо́н région (which is) difficult of áccess.

труднопреодоли́мый àlmòst insúperable / insurmóuntable [ʼɔːlmoust...].

труднопроизноси́м||ый difficult to pronóunce; ~ое сло́во jáw-breaker [-eikə] разг.

труднопроходи́м||ый difficult to travérse; ~ая ме́стность difficult, или àlmòst impássable, région [...ʼɔːlmoust...]; région (which is) difficult to travérse.

тру́дн||ость ж. difficulty; (препя́тствие) óbstacle; (затруднение) trouble [trʌ-]; представля́ть не́которые ~ости présent some dífficulties [-ʼzent...], be a mátter of some difficulty; не представля́ть ~ости présent no difficulty. ~ый (в разн. знач.) difficult, hard; (требующий большого напряжения) árduous; ~ый вопро́с difficult próblem [...ʼprɔ-]; ~ая зада́ча difficult / árduous task; ~ый ребёнок difficult / únmánageʼable child*; ~ое вре́мя hard time(s) (pl.); в ~ую мину́ту in oneʼs (hour of) need [...auə...]; ~ое положе́ние difficult / páinful situátion, predícament; tícklish sìtuátion.

трудов||о́й (в разн. знач.) wórking; lábour (attr.); ~ ко́декс Lábour Code; ~ наро́д wórking-people [-piː-]; ~о́е населе́ние wórking / láboʼuring populátion; ~о́е крестья́нство wórking / tóiling péasantry [...ʼpez-]; ~а́я интеллиге́нция wórking intèlligéntsia; ~а́я жизнь life of work, áctive / indústrious life; ~о́е воспита́ние wórking educátion, educátion based on work [...-st...]; ~ день dayʼs work; по́сле ~о́го дня áfter a dayʼs work; ~а́я дисципли́на lábour díscipline; ~а́я кни́жка wórk-book (service record); ~а́я коло́ния lábour séttleʼment; ~ догово́р, ~о́е соглаше́ние lábour cóntract; ~ы́е коллекти́вы wórking / lábour colléctives; ~ы́е де́ньги hárd-earned móney [-ʼəːnd ʼmʌ-] sg.; ~ дохо́д earned ínʼcome [əːnd...]; ~ы́е сбереже́ния earned sávings; ~ы́е резе́рвы lábour resérves [...-ʼzəː-...]; ~ы́е ресу́рсы эк. mánpower sg.; ~ы́е по́двиги сове́тского наро́да the feats of lábour of the Sóviet people [...piː-]; ~а́я тео́рия сто́имости эк. lábour théory of válue [...ʼθiə-...].

трудоде́нь м. wórk-day (unit of work on collective farms).

трудоёмк||ий lábour-inténsive, labórious. ~ость ж. lábour-inténsiveʼness, labóriousʼness.

трудо||люби́вый indústrious, díligent; (много работающий) hárd-wórking; (старательный) assíduous. ~лю́бие с. industry, díligence.

трудоспосо́бн||ость ж. ability to work, capácity for work; порази́тельная ~ remárkable capácity for work. ~ый ábleʼ-bódied [-ʼbɔ-], cápable of wórking, able to work.

трудотерапи́я ж. мед. work thérapy.

трудоустра́ивать, трудоустро́ить (вн.) офиц. place in a job.

трудоустро́ить сов. см. трудоустра́ивать.

трудоустро́йство с. офиц. plácing in a job, (job) pláceʼment.

трудя́га м. и ж. разг. slógger.

трудя́щ||ийся I прич. и прил. wórking; ~иеся ма́ссы the wórking másses.

трудя́щийся II м. скл. как прил. wórker; мн. wórkers, work people [...-piː-], wórking-pèople [-piː-].

тру́жен||ик м., ~ица ж. tóiler. ~ический прил. к тру́женик.

труни́ть (над) разг. make* fun (of), mock (d.), rídicule (d.).

труп м. dead bódy [ded ʼbɔ-]; (гл. обр. человека) corpse; (крупного животного) cárcass; как у ~а, похо́жий на ~ cadáverous; ◇ то́лько че́рез мой ~! разг. óver my dead bódy! ~ный: ~ный за́пах pútrid smell, smell of pùtrefáction; ~ное разложе́ние pùtrefáction (of a corpse); ~ный яд ptómaine [ʼtoumein]; отравле́ние ~ным я́дом ptómaine póisoning [...-zə-...].

тру́ппа ж. troupe [-uːp], cómpany [ʼklʌm-] (of actors).

трус м. cóward; жа́лкий ~ míserable / ábject cóward [-zə-...]; cráven; по́длый ~ dástard, dástardly cóward; ◇ ~а пра́здновать разг. ≅ show* the white féather [ʃouʼfe-], get* / have cold feet.

тру́сики мн. (для спорта) shorts; (купа́льные) swímming trunks; (нижнее бельё) pants.

тру́сить, стру́сить (перед, рд.) be afráid (of), fear (d.), dread [-ed] (d.); (без доп.; испы́тывать страх) be frightened; be in a (blue) funk, have the wind up [...wind...]; сов. тж. get* cold feet; chícken out разг.; пе́ред опа́сностью shrink* in the face of dánger [...ʼdein-].

труси́ть I (вн.) разг. shake* (d.); (разбрасывать) scátter (d.).

труси́ть II разг. (бежать рысцо́й) trot; ~ ме́лкой рысцо́й go* trótting alóng.

труси́||ха ж. разг. cóward, cówardly wóman*, girl [...ʼwu-gəːl]. ~шка м. и ж. разг. little cóward, yéllow-belly.

трусли́в||о нареч. in a cówardly mánner / fáshion; (боязливо) àpprehénsiveʼly. ~ый cówardly; (робкий) fáint-héarted [-ʼhaːt-], tímid; (боязливый) àpprehénsive.

трусова́тый fáint-héarted [-ʼhaːt-], tímorous, pùsillánimous; он трусова́т he is a bit of a cóward.

тру́сость ж. cówardice; вы́казать ~ betráy cówardice; show* the white féather [ʃouʼfe-] идиом.

трусц||а́ ж.: бежа́ть ~о́й разг. go* at a jóg-tròt.

трусы́ мн. = тру́сики.

трут м. tínder; (высушенный тру́тник) ámadou [-duː].

тру́тень м. (прям. и перен.) drone.

тру́тник м. бот. tínder-fúngus [-ng-] (pl. -ses, fúngi).

трутови́к м. бот. pólypòre, polýporus (pl. -rì); brácket-fùngus [-ng-] (pl. -ses, -gi).

трух||а́ ж. тк. ед. dust (of rotten wood) [...wud]; (измельчившееся сено) háy-dùst; (перен.) trash; преврати́ться в ~у́ móulder aʼwáy [ʼmou-...].

трухля́вый разг. móuldering [ʼmou-]; (гнилой) rótten.

трущо́ба ж. 1. (заросли) thícket; óverʼgrówn place [-oun...] (in forest); 2. (захолу́стье): провинциа́льная ~ pro-

ТРЫ—ТУМ

vincial hole, gódforsàken / óut-of-the-wáy place; 3. *об. мн.* (*бедная грязная окраина города*) slum.

трын-травá *предик. разг.*: ему всё ~ it is all one, *или* all the same, to him, he doesn't care two hoots / straws (about ánything).

трюи́зм *м.* trúism, plátitùde, bànálity.

трюк *м.* (*в разн. знач.*) trick; sléight-of-hánd ['slaɪt-]; stunt *разг.*; (*неожиданный*) feat; acrobátic feat. ~**и́ческий** ~áческий приём stunt; cráfty trick. ~**áчество** *с. разг.* stunt; wíliness ['waɪ-].

трюм *м. мор.* hold.

трюмó *с. нескл.* 1. (*зеркало*) chevál-glàss [ʃə'væl-], píer-glàss ['pɪə-]; 2. *арх.* pier [pɪə].

трю́фель *м.* 1. (*гриб*) truffle; 2. (*конфета*) chócolate truffle.

тряпи́чн‖ик *м.* rágman*, ràg-pìcker. ~**ица** *ж.* 1. rágwòman* [-wu-], ràg-pìcker; 2. (*женщина, чрезмерно интересующаяся нарядами*) còquétte [kou'ket]. ~**ый** (*attr.*); ~ая бумáга rágpàper; ~ая кýкла ràg-dòll [-dɔl]; 2. *уст. разг.* (*слабовольный*) spíneless, wéak-willed.

тря́пк‖а *ж.* 1. rag; (*пыльная*) dúster; (*половая*) flóor-clòth ['flɔ:-], 2. *мн. разг.* (*о нарядах*) clothes [klou-]; fínery ['faɪ-] *sg.*; 3. *разг.* (*о человеке*) mílksòp, sófty; spíneless créature; быть ~ой have no báckbòne / grit, be feeble / spíneless / báckbòneless.

тря́поч‖ка *ж. уменьш. от* тря́пка 1 ◇ молчáть в ~ку *разг., шутл.* keep* mum.

тряпьё *с. собир.* rags *pl.*

тряси́на *ж.* quag, quágmire.

тря́ск‖а *ж.* sháking, jólting; дорóжная ~ утоми́ла егó the jólty jóurney tired / fatígued him [...'dʒɔ:-...-'tiːgd...]. ~**ий** 1. (*об экипаже*) jólty; 2. (*о дороге*) búmpy.

трясогýзка *ж. зоол.* wágtail ['wæg-].

тряст‖и́ (*вн., тв.*) 1. shake* (*d.*); ~ я́блоню shake* *an* ápple-tree; ~ головóй shake* one's head [...hed]; (*о лошади*) toss its head; ~ гри́вой toss its mane; ~ комý-л. рýку shake* smb.'s hand; 2. *безл.*: егó ~ёт от хóлода he is shívering with cold; егó ~ёт от стрáха he is trémbling with fear; в экипáже *и т.п.* ~ёт the cárriage, *etc.*, jolts [...-rɪdʒ...]; 3. (*без доп.*) *разг.* (*быть тряски́м*) jolt. ~**и́сь** 1. shake*; ~ти́сь от смéха shake* with láughter [...'lɑːf-]; 2. (*дрожать*) tremble, shíver ['ʃɪ-]; ~ти́сь от хóлода shíver with cold; ~ти́сь от стрáха quake / tremble with fear; ~ти́сь в лихорáдке shíver with féver; он весь ~ётся he is trémbling all óver; he is all of a tremble *разг.*; 3. *разг.* (*ехать на чём-л. тря́ском*) be jólted, jog; 4. (*над*) tremble (óver); ~ти́сь над кáждой копéйкой watch évery pénny.

тряхнýть *сов.* shake*; ~ головóй shake* one's head [...hed]; ◇ ~ старинóй *разг.* ≃ rèlíve the past, *или* one's youth [-'lɪv... juːθ]; revíve the cústoms of the (good) old days; ~ мошнóй *разг.* ópen one's purse.

тсс *межд.* hush!, sh!

туалéт *м.* 1. (*одéжда*) dress; (*роскóшный тж.*) tóilet; (*наряд*) attíre; вечéрний ~ évening dress ['iːvn-...]; 2. (*одевáние*) tóilet, dréssing; занимáться ~ом dress; совершáть ~ *уст.* make* one's tóilet; 3. (*стол*) dréssing-tàble, tóilet-tàble. 4. *уборная* lávatory, w. c. ['dʌbljuː'siː]; públic convénience ['ɒl-...] *офиц.*; loo *разг.*; tóilet *амер.*; дáмский ~ Ládies *sg.*; мужскóй ~ Géntlemen *sg.*; Gents *sg. разг.* ~**ый** *прил.* к туалéт; ~ное мы́ло tóilet soap; ~ная бумáга tóilet páper; ~ные принадлéжности tóilet-sèt *sg.*, tóilet árticles.

тýба I *ж. муз.* túba.

тýба II *ж.* (*тю́бик*) tube; пищевы́е концентрáты в ~х páste-type, *или* concentràted, food in (squeeze) tubes ['peɪ-...].

туберкулёз *м. мед.* tubèrculósis; ~ лёгких pùlmonary tubèrculósis, (pùlmonary) consúmption. ~**ник** *м. разг.* 1. (*врач*) tubèrculósis spécialist [...'spe-]; 2. (*больнóй*) = туберкулёзный больнóй *см.* туберкулёзный 1. ~**ый** 1. *прил.* tubércular; tubérculous; ~ный процéсс tubércular prócess; ~ный больнóй tubércular pátient; (*легочный*) consúmptive (pátient); ~ный санатóрий sànatórium for consúmptives; ~ный диспансéр Т.В. pròphyláctic centre ['tiː'biː:-...]; 2. *м. как сущ.* tubércular pátient, (*легочный*) consúmptive.

туберкули́н *м. фарм.* tubérculine.

туберóза *ж. бот.* túberòse.

туви́н‖ец *м.*, ~**ка** *ж.*, ~**ский** Tùvínian [tuː-]; ~ский язы́к Tùvínian, the Tùvínian lánguage.

тугó I 1. *прил. кратк. см.* тугóй; 2. *предик. безл. разг.* (*трудно, плохо*): ему прихóдится ~ he is in difficulties, he is in difficult straits; нам пришлóсь ~ we had a bad time of it; с деньгáми у негó ~ he is hard pressed for móney [...'mʌ-]; he is in a tight spot finánciàlly [...faɪ-], he is in finánciàl straits [...faɪ-...].

тугó II *нареч.* 1. (*плотно, крепко*) tight(ly); ~ наби́ть мешóк pack *a* sack tight, cram *a* sack full; ~ натянýть stretch tight; *мор.* stretch taut; 2. (*с трудóм*) with difficulty; (*медленно*) slówly [-ou-]; ~ подвигáться вперёд make* slow prógress [...slou...].

тугодýм *м.* slówcoach ['slou-], slów-wítted pérson ['slou-...].

туг‖óй (*в разн. знач.*) tight; *мор.* taut; ~ ýзел tight knot; ~ воротничóк tight cóllar; ~ая пружи́на tight spring; ~ á нá ухо *разг.* hard of héaring; ~ на расплáту *разг.* tíght-físted, clóse-físted [-ous-], stíngy [-n-].

тугоплáвкий *тех.* refráctory.

тугоýздый hárd-móuthed.

тугоýхий hard of héaring.

тýгрик *м.* (*денежная единица Монгольской Народной Республики*) túgrik.

тудá *нареч.* there; (*указание дороги*) that way; ~ и обрáтно there and back; билéт ~ и обрáтно retúrn tícket; постоя́нная ходьбá ~ и обрáтно cónstant coming and góing; ~ и сюдá here and there, híther and thíther; не ~ (*не куда нýжно*) in the wrong diréction, to the wrong place; (*как восклицание*) not there, not that way; ◇ ~ емý и дорóга ≃ (it) serves him right; ни ~ ни сюдá *разг.* néither one way nor the other ['naɪ-...]; и он ~ же! ...and he has to go and do the same!

тудá-сюдá *разг.* 1. *нареч.* (*в разные стороны*) híther and thíther; 2. *предик.* (*сносно, годится*) it will do, it is pássable, it will pass múster.

тýер *м. мор.* cháin-tùg, tug.

тýже *сравн. ст. от прил.* тугóй *и нареч.* тугó II.

тужи́ть (*о, по пр.*) *разг.* grieve [-iː-v] (for).

тýжиться *разг.* exért òneself, make* an éffort.

тужýрка *ж.* (man's) dóuble-bréasted jácket [...'dʌbl'brestɪd...].

туз I *м.* 1. *карт.* ace; червóнный, пи́ковый *и т.п.* ~ the ace of hearts, spades, *etc.* [...hɑːts...]; пойти́ с ~á lead* *an* ace; 2. *разг.* (*влиятельный человек*) bígwig, big noise; big shot *амер.*

туз II *м. мор.* (*twó-oar*) dínghy [...-gɪ].

тузéм‖ец *м.*, ~**ка** *ж.* nátive, índigène. ~**ный** nátive, indígenous; ~ный обы́чай nátive cústom; ~ное населéние nátive pòpulátion; abòrígines [-niːz] *pl.*

тузи́ть, оттузи́ть (*вн.*) *разг.* pómmel (*d.*), thrash (*d.*); (*кулаками*) punch (*d.*).

тузлýк *м.* concentràted brine; brine (for cúring hides).

тýки *мн. с.-х.* míneral fértilizers.

тукосмéси *мн.* (*тýковые смéси*) *с.-х.* fértilizer míxtures.

тук-тýк *разг.* ràt-tát.

тýллий *м. хим.* thúlium.

тýловище *с.* trunk, bódy ['bɔ-]; (*статуи*) tórso.

тулýп *м.* shéepskin (coat).

тýлья *ж.* (*шляпы*) crown (of *a* hat).

тумáк *м. разг.* cuff, punch; дать комý-л. ~á cuff / punch smb.

тумáн *м.* (*прям. и перен.*) mist; (*густой*) fog; (*дымка*) haze; на дворé, на ýлице ~ it is místy / fóggy, there is a fog; сегóдня густóй ~ there is a thick mist / fog todáy; ~ рассéялся the mist / fog has lífted, *или* has cleared awáy; ~ поднимáется a mist is rísing; быть как в ~е be in a fog, be befógged; ~ в глазáх a mist before one's eyes [...aɪz]; ви́деть что-л. слóвно в ~е see* smth. through a mist; напусти́ть ~у *разг.* obscúre the issue; у негó ~ в головé his mind is in a haze, he is in a fog.

тумáнить (*вн.*; *о взоре, рассудке*) dim (*d.*), obscúre (*d.*). ~**ся** 1. become* / grow* místy / házy [...grou...], become* envéloped in mist; (*затемняться*) dárken; 2. (*омрачáться*) grow* glóomy, dárken; 3. (*о глазáх*) dim; (*о голове, сознании*) be in a fog, be befógged; 4. *страд. к* тумáнить.

тумáнн‖о I 1. *прил. кратк. см.* тумáнный; 2. *предик. безл.* (*о погоде*): сегóдня ~ it is místy / fóggy todáy (*ср.* тумáн).

тумáнно II *нареч.* (*неясно*) házily ['heɪ-], obscúrely, váguely ['veɪ-]. ~**ость** *ж.* 1. *тк. ед.* (*скопление тумана*) mist; (*сильная*) fog; 2. *астр.* nébula (*pl.* -lae); 3. (*неясность*) háziness ['heɪ-],

obscúrity, vágue:ness ['veɪ-]. ~ый 1. místy; fóggy; fog (attr.); házy; (ср. туман); ~ая погода fóggy weather [...'we-]; ~ая даль házy distance; 2. (неясный) házy, obscúre, vague [veɪg]; ~ые объяснения vague / confúsed explanátions; ~ая речь obscúre speech; ~ый смысл házy méaning; в ~ых выражениях in nébulous / vague terms; 3. (тусклый — о взоре) láckustre, lústre:less; ◇ ~ые картины dissólving views [-'zɔ:l- vju:z].

тумба 1. ж. (уличная) stone; (деревянная) post [poust]; 2. ж. (подножие) pédestal; 3. ж. = тумбочка I; 4. м. и ж. разг., шутл. (о человеке) lump, lúmpish féllow, (clúmsy) oaf [-zɪ...].

тумбочка I ж. (шкафчик) bédside--table.

тумбочка II ж. уменьш. от тумба 1, 2.

тунг м. бот. túng-tree.

тунгов||ый tung (attr.); ~ое масло tung oil.

Тунгус м., ~ка ж., ~ский Tùngús [tʌn'guz].

тундра ж. túndra.

тундровый прил. к тундра.

тунец м. зоол. túnny(-fish).

тунея́д||ец м. spónger [-ʌn-], párasite. ~ство с. spónging [-ʌn-], párasitism [-saɪ-]. ~ствовать sponge [-ʌ-], live as a párasite [lɪv...].

туника ж. túnic.

Тунис||ец м., ~ка ж., ~ский Tùnísian [-z-].

туннéль [-нэ-] м. = тоннéль.

тупéй м. уст. toupée [tu:-].

тупéть (о ноже и т. п.) becóme* blunt; (перен.: глупеть) get* / grow* stúpid / dull [...grou...]; (об уме, памяти; тж. о боли) grow* dull.

тупи́к м. blind álley; ж.-д. déad-énd síding ['ded-...]; (перен.: безвыходное положение) blind álley, impásse [æm'pɑ:s], cúl-de-sác ['kuldə-], déadlock ['ded-]; в ~é in a blind álley, at a déadlock; зайти в ~ (о переговорах и т. п.) reach a déadlock, be at a déadlock; найти выход из ~á (try to) end the déadlock, find* a way out of the impásse; выйти из ~á end / òvercóme* the déadlock; ◇ поставить кого-л. в ~ nónplús smb.; стать в ~ be nónplússed, be at a loss.

тупи́ть (вн.) blunt (d.). ~ся 1. grow* blunt [-ou...]; 2. страд. к тупи́ть.

тупи́ца м. и ж. разг. dim-wit, blóckhead [-hed], dolt; dunce (особ. о школьнике).

ту́по нареч. dúlly, stúpidly; (с тупым видом) with a stúpid air.

тупо||ва́тый (о человеке) dúllish, ráther stúpid ['rɑ:-...]. ~голо́вый dím-wítted; ~голо́вый челове́к númskull, blóckhead [-hed], dúnderhead [-hed].

туп||о́й 1. (о ноже, карандаше и т. п.) blunt; (о форме) obtúse [-s-]; ~ мат. obtúse angle; 2. (бессмысленный) vácant, stúpid, méaningless; ~ взгляд vácant look; 3. (несообразительный) dull, obtúse, stúpid, slów-wítted ['slou-]; (ограниченный) nárrow(-minded); ~ учени́к dunce; ~ ум dull / slow brain [...slou...]; dull / slow wits pl.; 4. (нерезкий, ноющий) dull, ~áя боль dull ache [...eɪk]; 5. (безропотный) blind, ùnquéstioning [-stʃ-]; ~áя поко́рность blind submíssion.

тупо||конéчный blúnt-pointed; obtúse [-s-]. ~лобый разг. dull, dím-wítted. ~носый blúnt-nòsed.

тупость ж. 1. (ножа и т. п.) blúntness; 2. (непонятливость, несообразительность) dúllness, stupídity; 3. (бессмысленность) vácancy ['veɪ-]; 4. мед.: ~ звука (при выслушивании) dúllness.

тупоуго́льный мат. obtúse-ángled [-s-].

тупоу́м||ие с. stupídity, dúllness, obtúse:ness [-s-]. ~ный stúpid, dull, obtúse [-s-]; (ограниченный) nárrow(-minded); ~ный челове́к dím-wit.

тур I м. 1. (танца) turn; 2. (часть состязания; тж. перен.) round.

тур II м. воен. уст. gábion.

тур III м. зоол. 1. (вымерший дикий бык) áurochs; 2. (горный кавказский козёл) Caucásian goat [-'keɪzɪən...].

тура́ ж. шахм. rook, castle.

турба́за ж. (туристская база) tóurist centre ['tuə-...]; молодёжная ~ youth hóstel [ju:θ...].

турби́н||а ж. тех. túrbine. ~ный túrbine (attr.).

турбобу́р м. тех. túrbodrill.

турбовинтово́й ав., тех. túrbo-pròp (attr.); ~ дви́гатель túrbo-pròp éngine [...'endʒ-]; ~ самолёт túrbo-pròp / próject áircraft.

турбово́з м. тех. túrbine lócomòtive [...'lou-].

турбогенера́тор м. тех. túrbo:génerator. ~ный túrbò:génerator (attr.); ~ный заво́д túrbò:génerator works.

турбонасо́с м. túrbine pump.

турбореакти́вный ав. túrbò-jèt (attr.); ~ дви́гатель túrbò-jèt éngine [...'endʒ-], jet túrbine éngine.

турбострое́ние с. túrbine constrúction.

туре́ль [-рэ-] ж. воен. ring mount, (machine-)gun ring [-'ʃi:n-...].

туре́цкий Túrkish; ~ язы́к Túrkish, the Túrkish lánguage; ◇ ~ бараба́н bass / big / double drum [...dʌ-...].

тури́зм м. tóurism ['tuə-], (пешеходный) híking; го́рный ~ mountaineering; во́дный ~ bóating; (морской) crúising ['kru:z-].

ту́рий прил. к тур III; ~ рог áurochs horn.

тури́ст м. tóurist ['tuə-]; (пешеходный) híker. ~и́ческий = тури́стский. ~ка ж. к тури́ст. ~ский tóurist's ['tuə-], tráveller's; trávelling (особ. о костюме и т. п.); ~ская база tóurist centre; ~ский похо́д hike, wálking-tour [-tuə]; ~ский ла́герь tóurist camp.

туркме́н м., ~ка ж. Túrk:man*. ~ский Túrkmen; ~ский язы́к Túrkmen, the Túrkmen lánguage.

турма́н м. зоол. túmbler(-pìgeon [-dʒən].

турне́ [-нэ-] с. нескл. tour [tuə]; отпра́виться в ~ go* on a tour; соверши́ть ~ (по дт.) tour (d.).

турне́пс [-нэ-] м. с.-х. túrnip.

турни́к м. спорт. = перекла́дина 2.

турнике́т м. 1. túrnstile; 2. мед. tóurniquèt ['tuənɪkeɪ].

ТУМ — ТУЧ   T

турни́р м. tóurnament ['tuən-]; ша́хматный ~ chess tóurnament.

турну́ть сов. (вн.) разг. chuck out (d.).

турню́р м. bustle.

ту́рок м. Turk.

турпохо́д м. = тури́стский похо́д см. тури́стский.

туру́сы мн.: ~ на колёсах разг. nónsense sg., twáddle sg., còck-and-búll story [-'bul...] sg.

турухта́н м. зоол. ruff; (самка) reeve.

турча́нка ж. к ту́рок.

ту́скл||о нареч. (без блеска) dímly ['dɪ-]; (очень бледно) wánly ['wɔ-]; глаза́ глядя́т ~ eyes are lústre:less [aɪz...]. ~ость ж. (света, блеска) dúllness, dímness, wánness ['wɔ-]; (стиля и т. п.) cólour:lessness ['kʌl-], dréariness. ~ый dim, dull, díngy; (о лучах — очень бледный) wan [wɔn]; (о глазах) lácklustre, lústre:less (о металле и т. п.) tárnished; (перен.) dull, dréary; ~ый свет dim / wan light; ~ые о́кна dim / dull window--panes; ~ый стиль cólour:less / insípid / tame / lífe:less style ['kʌl-...]; ~ая жизнь dull / dréary / cólour:less life.

тускне́||ть, потускне́ть grow* dim [-ou...], dull, lose* its lustre [lu:z...]; (бледнеть) pale; взгляд ~ет eyes grow dim [aɪz...]; сла́ва его́ ~ет his glóry is wáning, или on the wane; всё э́то ~ет перед all this pales befóre, или besíde; серебро́ ~ет silver tárnishes.

ту́скнуть разг. = тускне́ть.

тут нареч. 1. (о месте) here; ~ же on the spot; кто ~? who's there?; 2. (о времени) here, now; ~ же there and then; ◇ и всё ~ разг. and that's that, and that's all; не ~-то бы́ло far from it, nothing of the sort; (он, они́) ~ как ~ разг. there he is, there they are; а я ~ при чём? what have I got to do with it?

ту́товник м. 1. (дерево) múlberry (tree); 2. (участок) múlberry grove.

тутово́дство с. múlberry gró wing [...-ou-] (for silkworm breeding).

ту́тов||ый múlberry (attr.); ~ое де́рево múlberry (tree); ~ая я́года múlberry; ~ шелкопря́д silkwòrm.

туф м. геол. túfa, tuff.

ту́фель м. = ту́фля.

ту́фл||я ж. shoe [ʃu:]; дома́шние ~и slíppers; закры́тые ~и láce-úp shoes; лакиро́ванные ~и pátent-léather shoes [-'leðə...]; ба́льные ~и dáncing-slíppers; (мужские) pumps.

ту́хл||ость ж. róttenness. ~ый ró tten, bad*; ~ое яйцо́ bad* / rótten egg; ~ая ры́ба bad* / rótten fish; ~ое мя́со táinted meat; ~ый за́пах músty smell. ~я́тина ж. разг. móuldy / rótten stuff ['mou-...].

ту́хнуть I, поту́хнуть (гаснуть) go* out, die out; сов. тж. be out.

ту́хнуть II (по́ртиться) go* bad, becóme* rótten.

ту́ч||а ж. 1. (black) cloud; (грозовая; тж. перен.: что-л. угрожа́ющее) stórm--cloud; дождевы́е ~и ráinclouds; снеговы́е ~и snówclouds ['snou-]; покры́ться

651

ТУЧ—ТЮР

~ами be óver:cást / cóvered with clouds [...'klʌ-...], be clóuded; ~и собрались, нависли над кем-л. the clouds are gáther:ing óver smb.; 2. (*масса, множество*) swarm, host [houst], cloud; ~ пыли cloud of dust; ~ мух swarm of flies; ◊ смотрéть ~ей lówer; ходить как ~ go* abóut with black looks, *или* with a lówering face; ~ ~ей (*о человеке*) glóomy, súllen.

тучка *ж.* clóudlet.

тучнéть, потучнéть 1. grow* stout / fat [grou...], put* on flesh; 2. (*о земле*) becóme* fértile.

тучн||ость *ж.* 1. fátness; (*о человеке тж.*) obésity [-'biː-], córpulence, stóutness; 2. (*о почве*) richness, fertílity. ~ый 1. fat; (*о человеке тж.*) obése [-s], stout, córpulent; (*о земле*) rich, fértile; 3. (*о лугах*) súcculent.

туш *м. муз.* flóurish ['flʌ-]; сыгрáть ~ play a flóurish; раздáлся ~ a flóurish was sóunded.

тýша *ж.* cárcass; (*перен.; о тучном человеке*) hulk, bulk.

тушé *с. нескл. муз.* touch [tʌtʃ].

тушевáть (*вн.*) shade (*d.*).

тушёвка *ж.* sháding.

тушéние I *с.* (*огня*) extínguishing, putting out.

тушéние II *с. кул.* stéwing, bráising.

тушёнка *ж. разг.* tinned stew(ed meat).

тушён||ый stewed, braised; ~ое мясо (*блюдо*) stew; ~ые овощи stewed végetables.

тушить I, потушить (*вн.*) 1. (*гасить*) put* out (*d.*); ~ свечý blow* out *a* candle [blou...]; ~ газ turn off the gas; ~ электричество switch / turn off, *или* put* out, the light; ~ пожар extínguish, *или* put* out, *a* fire; ~ свет put* out the light; 2. (*подавлять, смирять*) quell (*d.*), suppréss (*d.*), put* down (*d.*), stifle (*d.*).

тушить II (*вн.*) *кул.* stew (*d.*), braise (*d.*).

тушкáнчик *м. зоол.* jèrbóa [-'boue].

тушь *ж.* Índian ink.

тýя *ж. бот.* thúja ['θjuː-jə], thúya.

тщáние *с. уст.* àssidúity, zeal.

тщáтельн||ость *ж.* cáre:fulness, thóroughness ['θʌrə-]; (*внимание*) care; дéлать что-л. с большóй ~остью do smth. with great care [...greɪt...], do smth. very cáre:fully / thóroughly [...'θʌrə-]; ~ работы thóroughness of the work. ~ый cáre:ful, thórough ['θʌrə]; (*старательный*) páinstàking [-nz-]; ~ая рабóта cáre:ful / áccurate work.

тщедýш||ие *с.* féeble:ness, fráilty; debílity. ~ый feeble, frail, weak; púny (*особ. о ребёнке*); ~ый старик frail old man*; ~ый человéк wéakling.

тщеслáв||ие *с.* vánity, vainglóry, concéit [-'siːt]. ~ный vain, vainglórious, concéited [-'siːt-].

тщетá *ж. уст.* vánity.

тщéтн||о *нареч.* váinly, in vain. ~ость *ж.* futility, váin:ness, úse:lessness ['juːs-]. ~ый vain, fútile; (*безрезультатный тж.*) ùn:aváiling; ~ые усилия fútile / ùn:aváiling éfforts; ~ые надéжды vain hopes; ~ая попытка fútile / vain endéavour / attémpt [...-'de-...].

тщиться (+ *инф.*) *уст.* endéavour [-'devə] (+ *inf.*).

ты, *рд., вн.* тебя, *дт., пр.* тебé, *тв.* тобóй, тобóю, *мест.* you; thou [ðau], *obj.* thee [ðiː] *поэт. уст.* (*тж. при обращении к природе, мифологическим существам и т. п.*): это ты it is you; мы с тобóй (*я и ты*) you and I; ◊ быть «на ты» с кем-л., говорить «ты» комý-л. thou smb. [ðau...]; be on famíliar / close terms with smb. [...-s...]; быть «на ты» с чем-л. *разг.* be an éxpèrt in smth.

тыкать I, ткнуть *разг.* 1. (*тв. в вн., вн. в вн.*) poke (*d.* into); (*сильно*) jab (*d.* at, into); (*вонзать*) stick* (*d.* into); (*чем-л. острым*) prod (with *d.*); ~ пáлкой во что-л. prod smth. with *a* stick; ~ пáльцем во что-л. poke / stick* / shove one's finger into smth. [...ʃʌv...]; ~ булáвки во что-л. stick* pins into smth.; 2. (*вн. в вн.; ударять*) hit* (*d.* on); ◊ ~ пáльцем в когó-л., на когó-л. poke one's finger at smb.; ткнуть когó-л. нóсом во что-л. *разг.* thrust* smth. únder smb.'s nose; *груб.* rub / stick* smb.'s nose into smth.

тыкать II (*вн.*) *разг.* (*называть «на ты»*) thee and thou [ðiː... ðau] (*d.*); treat with unwánted fàmiliárity (*d.*).

тыкаться, ткнуться *разг.* 1. (*в вн.; в двери и т.п.*) knock (agáinst); 2. (*суетливо метаться*) bustle / fuss abóut; он всюду тычется he is bústling / fússing abóut all óver the place.

тыква *ж.* púmpkin, gourd [guəd].

тыквенн||ые *мн. скл. как прил. бот.* Cucùrbitáceae [-siː], gourd fámily [guəd...]. ~ый púmpkin (*attr.*), gourd (*attr.*); ~ое сéмя púmpkin seed.

тыквообрáзный púmpkin-shàped, góurd-shàped ['guəd-].

тыл *м.* 1. (*задняя сторона чего-л.*) back, rear; 2. *воен.* rear; (*вся страна в противоположность фронту*) home front [...frʌnt]; служить в ~ý serve on the home front; по ~áм противника in the énemy('s) rear; напáсть с ~a tàke* in the rear; выйти в ~ противнику gain the rear of the énemy; обеспéчить свой ~ secúre one's rear; в ~ý у когó-л. at the rear of, *или* in rear of, smb.; 3. *мн.* (*организации, воинские части, обслуживающие армию*) rear sérvices, rear òrganizátions [...-naɪ-]. ~овик *м.* man* sérving in rear. ~овóй *воен.* rear (*attr.*); (*находящийся в тылу*) in the rear; ~овóй гóспиталь base hóspital [-s-...].

тыльн||ый back, rear; ~ая поверхность руки back of the hand.

тын *м.* páling.

тысяч||a 1. *числит.* a thóusand [...-z-]; пять тысяч five thóusand; в ~y раз бóльший a thóusand times gréater [...'greɪ-]; он ~у раз прав he is ábsolùte:ly right; ~ семьсóт, восемьсóт и т. д. сóрок шестóй год sevèntéen, èightéen, *etc.*, húndred and fórty-six; семьсóт, èightéen, *etc.*, fórty-six; семьсóт рублéй one thóusand séven húndred roubles [...'se-...ruː-]; 2. *ж. как сущ.* a thóusand; ~ и людéй thóusands of people [...piː-]; ~у извинéний a thóusand apólogies; один на ~y one in a thóusand; ◊ ~ и однá ночь The Thóusand and One Nights; (*перен.*) smth. wóndrous [...'wʌndrəs].

тысячекрáтный thóusandfòld [-zənd-].

тысячелéт||ие *с.* 1. a thóusand years [...-zənd...] *pl.*; millénnium; 2. (*годовщина*) thóusandth ànnivérsary [-zə-...]. ~ний millénnial; thóusand-year [-zə-] (*attr.*); ~няя годовщина thóusandth ànnivérsary [-zə-...].

тысячелистник *м. бот.* mílfoil.

тысячн||ый 1. thóusandth [-zə-], millésimal; ~ая дóля one thóusandth; 2. (*из нескольких тысяч*) of many thóusands [...-zə-]; ~ая толпá a crowd of many thóusands, a crowd rúnning into thóusands.

тычинка *ж. бот.* stámen.

тычóк *м. разг.* 1. (*торчащий вверх острый предмет*) spike; (*сидéть*) на тычкé be in an ùn:cómfortable posítion [...-'klʌ- -'zɪ-]; 2. (*лёгкий удар*) hit, jab, prod.

тьма I *ж. тк. ед.* (*мрак; тж. перен.*) dark, dárkness; ночнáя ~ the dárkness / obscúrity of night; ◊ кромéшная ~ pitch-dárkness; ~ египéтская *уст.* óuter dárkness; pitch-dárkness; сквозь тьму векóв from remóte àntíquity.

тьма II *ж.* 1. (*в древней Руси: десять тысяч*) ten thóusand [...-z-]; 2. (*рд.*) *разг.* (*множество*) thóusands [-zə-] (of) *pl.*, a múltitùde (of), a host [...houst] (of); ~ нарóду thóusands of people [...piː-]; ◊ ~-тем (*в древней Руси: сто тысяч*) a húndred thóusand; ~-тьмýщая cóuntless múltitùdes *pl.*, an enórmous númber.

тьфу *межд. разг.* pah!; ~, пропасть! bòther:átion!, confóund it!

тюбетéйка *ж.* (embróidered) skúll-càp.

тюбик *м.* tube; ~ зубнóй пáсты tube of tóothpaste [...-peɪst].

тюбинг *м. тех.* tube, túbing.

тюк *м.* páckage; (*товара*) bale.

тюк||ать, тюкнуть (*вн.*) *разг.* chop (*d.*), hack (*d.*). ~нуть *сов. см.* тюкать.

тюлев||ый tulle [tjuːl] (*attr.*), of tulle; ~ое плáтье tulle dress; ~ая ткань (*для занавесок*) cúrtain lace; ~ые занавéски lace cúrtains.

тюленев||ые *мн. скл. как прил. зоол.* seals; Phócidae ['fou-] *научн.* ~ый séalskin (*attr.*).

тюлéний seal (*attr.*); ~ прóмысел séal-fishery, séaling; ~ жир séal-oil.

тюлéнь *м.* 1. seal; 2. *разг.* (*неуклюжий человек*) clúmsy clot [-zɪ...].

тюль *м.* tulle [tjuːl]; (*для занавесок*) cúrtain lace.

тюлька *ж.* (*рыба*) sardélle.

тюльпáн *м.* túlip. ~ный túlip (*attr.*); ~ное дéрево túlip-tree.

тюрбáн *м.* túrban.

тюрéм||ный *прил. к* тюрьмá; ~ная кáмера príson cell [-ɪz-...]; ~ное заключéние imprísonment [-ɪz-]; два гóда ~ного заключéния two years' imprísonment. ~щик *м.* wárder; jáiler, gáoler ['dʒeɪ-] (*тж. перен.*). ~щица *ж.* wárdress.

тюрки *мн. этн.* Túrki [-ki-].

тюрколог *м.* spécialist in Túrkic philólogy ['spe-...].

652

тюркология ж. stúdy of Túrkic lánguages ['stʌ-...].
тю́рко-тата́рский Túrkic-Tátar [-'tɑː-].
тю́ркск||ий Túrkic; ~ие языки́ Túrkic lánguages.
тюрьм||а́ ж. príson [-ɪz-]; jail, gaol [dʒeɪl]; заключа́ть в ~у́ (вн.) put* into príson (d.), imprison [-ɪz-], jail (d.), incárcerate (d.); бро́сить в ~у́ (вн.) throw* into príson [θrou...] (d.); вы́пустить из ~ы́ (вн.) reléase (from príson) [-s...] (d.); убежа́ть из ~ы́ break* out of prison [-eɪk...], escápe from príson; сиде́ть в ~е́ be in príson.
тю́ря ж. túria (*soup of bread and water or kvass*).
тю́тельк||а ж.: ~ в ~у *разг.* to a T [...tiː], exáctly.
тю-тю́ *предик. разг.* it's all gone [...gɔn]; we've (you've, they've, *etc.*) had it.
тютю́н м. shag (*tobácco*).
тюф||я́к м. 1. máttress; соло́менный ~ stráw-bèd, straw máttress, pálliàsse ['pælæs]; волосяно́й ~ hórse:hair máttress. 2. *разг.* (*о человеке*) lump. **~я́чный** máttress (*attr.*).
тя́вк||анье с. *разг.* yélping, yápping. ~ать yelp, yap. ~нуть *сов.* give* a yelp.
тяг м.: дать ~у́ *разг.* take* to one's heels.
тяг||а́ I ж. 1. *тк. ед.* (*в трубе и т. п.*) draught [-ɑːft]; в трубе́ нет ~и́ the chímney does not draw; 2. *тк. ед. тех.* (*тянущая сила*) tráction; си́ла ~и tráctive force; ко́нная ~ hórse tráction; на ко́нной ~е hórse-drawn; парова́я ~ steam tráction; механи́ческая ~ mechánical tráction [-'kæ-...]; электри́ческая ~ eléctric tráction; 3. *тех.* (*приспособление*) (contról-)ròd [-oul-]; 4. *тк. ед.* (*к; влечение*) thirst (for), cráving (for); (*склонность*) propénsity (to, for), bent (for), inclinátion (to, for); (*вкус*) taste [teɪ-] (for); ~ к зна́ниям thirst / cráving for knówledge [...'nɔ-], hánkering áfter knówledge; ~ к учёбе éagerness to stúdy ['iːgə-... 'stʌ-]; ~ к чте́нию bent / taste for réading; ~ на ро́дину yéarning for home ['jəːn-...].
тя́га II ж. *охот.* róding, flight of wóodcòck in máting-sèason [...'wud-... -zn].
тяга́ться (с *тв.*) 1. *уст.* (*судиться*) be at law (with); lítigàte (with); 2. *разг.* (*меряться силами*) méasure swords ['meʂɔːdz] (with), méasure one's strength (with), vie (with), émulàte (d.), méasure one:self (against); тру́дно с ним ~ it is hard to vie with him, there's no compéting with him.
тяга́ч м. tráctor; prime móver [...'muː-] *амер.*
тягло́ с. 1. *ист.* tax; (*по́дать*) ímpòst [-poust]; 2. *тк. ед. собир.*: живо́е ~ draught ánimals [-ɑːft...] *pl.*
тя́гловый 1. *ист.* taxed; 2. (*о скоте*) draught [-ɑːft] (*attr.*).
тя́гов||ый *тех.* tráctive; tráction (*attr.*); ~ое уси́лие tráctive éffort.
тя́гостн||ый páinful, distréssing; (*обременительный*) búrden:some, ónerous; ~ое впечатле́ние páinful impréssion; ~ое зре́лище distréssing / páinful sight; ему́ ~ o he is grieved / pained [...-iːvd...].
тя́гость ж.: быть кому́-л. в ~ be a

búrden on smb., be búrdensome / írksome to smb., weigh (héavy) upón smb. [...'heᴠɪ...].
тягота́ ж. *чаще мн.* búrden, weight.
тяготе́н||ие с. 1. *физ.* grávity, gravitátion; зако́н всеми́рного ~ия the law of grávity; земно́е ~ terréstrial grávity; 2. (*к; влечение*) inclinátion (to, for), bent (for).
тяготе́||ть 1. (*к*) *физ.* grávitàte (towards); 2. (*к; иметь влечение*) have a propénsity (for), be drawn (towards), be stróngly attrácted (by); (*стремиться*) grávitàte (towards); 3. (*над; на пр.; о проклятии, роке и т. п.*) hang* (óver), weigh (upón), thréaten ['θreː-] (d.); над ним ~ет стра́шное обвине́ние he lies únder a térrible àccusátion [...-'zeɪ-], a térrible àccusátion hangs óver him, *или* his head [...hed].
тягот||и́ть (*вн.*), обременя́ть опрéss (*d.*); меня́ ~и́т его́ дру́жба his friendship irks me [...'fren-...], I find his friendship búrden:some / írksome; э́то ~и́т его́ со́весть it lies héavy on his cónscience [...'he-...-nʃəns]; одино́чество его́ ~и́т his lóne:liness oppresses / depresses him. ~и́ться (*тв.*) feel* sóme:thing as a búrden; он э́тим не ~и́тся he doesn't find it hard / difficult; он ~и́лся прису́тствием э́того челове́ка the présence of that man* was a búrden, *или* was búrden:some / trýing, to him [...'prez-...], he found that man's présence trýing.
тягу́ч||есть ж. (*о жидкости*) viscósity; (*о металлах*) màlleability [-lɪə-], dùctility. ~ий 1. (*о жидкости*) víscous, víscid; sýrupy *разг.*; (*о металлах*) málleable [-lɪə-], dúctile; 2. (*о песне и т. п.*) slow [-ou], léisured ['leʒ-], léisurely ['leʒ-].
тягча́йш||ий *превосх. ст. прил. см.* тя́жкий; ~ее преступле́ние very grave / sérious crime.
тя́жб||а ж. 1. *уст.* (*судебное дело*) suit [sjuːt], láwsùit [-sjuːt]; вести́ ~у (с) be at law (with); lítigàte (d.); 2. *разг.* (*состязание, спор*) competítion.
тя́жебный: ~ое де́ло = тя́жба 1.
тяжеле́||ть 1. grow* héavy [-ou 'he-]; (*прибавлять в весе*) becóme* héavier [...'hev-], incréase in weight [-s...]; (*толстеть*) put* on weight, gain weight, grow* stout; 2. (*о глазах, веках*) becóme* héavy with sleep.
тяжели́ть (*вн.*) make* héavy [...'he-] (*d.*).
тяжело́ I 1. *прил. кратк. см.* тяжёлый; 2. *предик. безл.*: ему́, ему́ *и т. д.* ~ he feels, they feel, *etc.*, míserable / wrétched [...'mɪz-...] únhappy; ему́ ~ (+ *инф.*) it is páinful / hard for him (+ to *inf.*); ему́ ~ идти́ в го́ру it is hard for him to go upːhill, he has difficulty góːing upːhill; ему́ ~ ду́мать об э́том it is páinful for him to think abóut it; ему́ ~ расста́ться с ва́ми it is hard for him to part with you; ~ э́то переноси́ть it is hard to bear it [...beə...]; ~ ви́деть, слы́шать *и т. п.* it is páinful to see, hear, *etc.*; ~ э́то ви́деть it is a páinful / distréssing sight; у него́ ~ на душе́ his heart is héavy [...hɑːt... 'he-].
тяжело́ II *нареч.* 1. (*о весе*) héavily ['he-]; 2. (*серьёзно*) sériousːly, gráveːly;

(*опасно*) dángerousːly ['deɪndʒ-]; ~ бо́лен sériousːly ill; ~ ра́нен bádːly wóunded [...'wuː-]; sériousːly ínjured; (*ср. ра́неный*); 3. (*трудно*) with difficulty; ~ писа́ть (*о стиле*) have a héavy style [...'he-...], write* in a héavy style; ~ вздыха́ть sigh héavily; ~ вздохну́ть heave* a deep sigh.
тяжелоатле́т м. *спорт.* wéight-lìfter; áthlète compéting in wéight-lìfting or wréstling.
тяжелова́тый héavyish ['he-], ráther héavy ['rɑː- 'he-]; (*перен.*) hárdish, ráther hard.
тяжелове́с м. *спорт.* héavy-wèight ['he-].
тяжелове́сн||ость ж. héaviness ['he-]; (*перен. тж.*) pónderousːness, únwieldiness [-'wiː-]; (*об остроте и т. п.*) clúmsiness [-zɪ-]. ~ый héavy ['he-]; (*с тяжёлым грузом*) héavily-láden ['he-], héavily-lóaded ['he-]; (*перен.*) héavy, pónderous, únwieldy [-'wiː-]; (*об остроте и т. п.*) clúmsy [-zɪ-]; ~ый соста́в héavy freight train; ~ый стиль pedéstrian style.
тяжело́||воз м. cárt-hòrse. ~ду́м м. *разг.* slów-wìtted pérson [-ou-...], slów-coach [-ou-].
тяжелора́неный 1. *прил.* sériousːly / bádːly wóunded [...'wuː-]; 2. *м. как сущ.* sériousːly wóunded man*.
тяжёл||ый 1. héavy ['he-]; ~ груз héavy load; боре́ц ~ого ве́са *спорт.* héavy-wèight ['he-]; 2. (*суровый*) héavy, sevére, ~ое наказа́ние sevére púnishment [...'pʌ-]; ~ая ка́ра héavy / sevére pénalty; ~ые испыта́ния войны́ the òrdéal(s) of war; ~ уда́р héavy blow [...-ou]; 3. (*трудный, утомительный*) hard, dífficult; ~ая рабо́та hard work / toil; ~ые рабо́ты labórious work *sg.*, labórious tasks; ~ая зада́ча difficult próblem [...'prɔ-]; ~ые ро́ды difficult confíneːment *sg.*; ~ое уси́лие strénuous éffort; ~ое дыха́ние héavy bréathing; в ~ых усло́виях únder trýing condítions; 4. (*серьёзный*) sérious, grave; ~ая боле́знь sérious / páinful illness; ~ое состоя́ние grave condítion; больно́й в ~ом состоя́нии the pátient's condítion is very sérious; the pátient is very bad *разг.*; ~ое преступле́ние grave / sérious crime; ~ая отве́тственность héavy respònsibílity; 5. (*мучительный*) páinful; (*горестный*) hard; ~ые мы́сли páinful / glóomy thoughts; ~ая обя́занность páinful dúty; ~ое впечатле́ние páinful / grim impréssion; ~ые времена́ hard times; a time of stress *sg.*; ~ое зре́лище páinful / distréssing sight; ~ое чу́вство héartàche ['hɑːteɪk]; misgívings ['gɪ-] *pl.*; с ~ым чу́вством with a héavy heart [...hɑːt]; 6. (*о человеке, характере*) dífficult; у него́ ~ хара́ктер he is a dífficult man*, he is hard to get on with; 7. (*о стиле и т. п.*) pónderous, héavy; (*затруднительный для понимания*) túrbid; 8. (*неприятный для обоняния*) héavy, close [-s]; ~ за́пах oppréssive / héavy smell; ~ во́здух close air; в ко́мнате ~ во́здух the room is stúffy / close; ◇ ~ая промы́шлен-

ТЯЖ — УБЕ

ность héavy índustry; ~ое машиностроéние héavy èngineering [...endʒ-], héavy èngineering índustry; ~ая артиллéрия héavy àrtíllery; ~ая пи́ща héavy / indigéstible food; ~ день ùn:lúcky day, быть ~ым на подъём *разг.* ≅ be hard to move [...muːv], be slúggish.

тя́жест||ь *ж.* 1. (*вес*) weight; (*тяжёлый вес*) héaviness ['he-]; поднятие ~ей *спорт.* wéight-lifting; 2. *физ.* grávity; центр ~и centre of grávity; 3. (*груз*) load, weight; 4. (*серьёзность, значительность*) héaviness, weight; (*трудность*) difficulty; (*бремя*) búrden; ~ забо́т weight of cares; ~ ули́к weight of évidence; выноси́ть на свои́х плеча́х всю ~ чего́-л. bear* the brunt of smth. [beə...]; вся ~ лежи́т на the whole weight / búrden falls on [...houl...]; ◇ ложи́ться ~ью ли́* héavy [...'he-], weigh héavily [...'he-], weigh up:ón.

тя́жк||ий 1. héavy ['he-]; 2. (*серьёзный*) grave, térrible; ~ая боле́знь dángerous íllness ['deɪndʒ-...]; ~ уда́р térrible blow [...-ou]; ~ое преступле́ние grave / héinous crime; 3. (*мучительный*) distréssing, páinful; (*о страданиях*) excrúciating; ◇ пусти́ться во все ~ие *разг.* ≅ cast* prúdence to the winds [...wɪn-]; let* onesélf go.

тя́жущийся *м. скл. как прил.* lítigant.

тя́н||у́ть, потяну́ть 1. (*вн.*) pull [pul] (*d.*), draw* (*d.*); (*о локомотиве и т. п. тж.*) haul (*d.*); (*волочить*) drag (*d.*); (*о чём-л. тяжёлом*) haul (*d.*); (*о кабеле и т. п.*) lay* (*d.*); ~ на букси́ре tow [tou] (*d.*); have in tow (*d.*; *тж. перен.*); ~ кого́-л. за рука́в pull smb. by the sleeve, tug at smb.'s sleeve; ~ жре́бий draw* lots; ~ в ра́зные сто́роны pull in dífferent diréctions (*d.*); 2. *тк. несов.* (*вн.*; *о проволоке*) draw* (*d.*); 3. *тк. несов.* (*вн.*; *медленно произносить*) drawl (*d.*), drag out (*d.*); ~ слова́ drawl (*d.*), drag out (*d.*); ~ но́ту sustáin a note; ~ пе́сню, мело́дию sing* a slow song, mélody [...slou...]; ~ всё ту же пе́сню (*перен.*) go* on abóut smth., harp on the same string; 4. *тк. несов.* (*вн.*; *с тв.*; *медлить*) drag out (*d.*), deláy (*d.*), protráct (*d.*), procrástinate (*d.*); ~ с отве́том deláy one's ánswer [...'ɑːnsə]; не ~ и́! quick!; húrry up!; 5. *тк. несов.* (*вн.*) *разг.* (*звать, приглашать*) make* (*d.*) go, force / compél (*d.*) to go; никто́ его́ си́лой не ~у́л no one made him go, no one forced him to go; 6. (*без доп.*; *весить*) weigh; 7. (*без доп.*; *обладать тягой — о трубе и т. п.*) draw*; 8. *безл.* (*тв.*; *о струе воздуха, о запахе и т. п.*): ~ет хо́лодом от о́кон the cold (air) is coming from the windows, there is a cold draught from the windows [...drɑːft...]; 9. (*вн.*; *вбирать, всасывать*) draw* up (*d.*); ~ в себя́ во́здух inhále déeply, *или* draw* in, the air; ~ через соло́минку suck through a straw (*d.*); ~ во́дку *разг.* swill vódka; 10. *тк. несов.* (*вн. из, с рд.*; *вымогать*) squeeze (*d.*; out of); (*о деньгах и т. п.*) extórt (*d.* from); 11. *безл.* (*влечь*): его́ тя́нет (к, + *инф.*) he longs (for, + to *inf.*),

he has a lóng:ing (for); he wants (+ to *inf.*); его́ тя́нет в теа́тр he is lóng:ing to go to the théatre [...'θɪətə], he has a lóng:ing for the théatre; его́ тя́нет отсю́да he longs / wants to get a:wáy from here; его́ тя́нет ко сну he is sléepy; его́ тя́нет к рабо́те he is lóng:ing to work; его́ тя́нет домо́й he longs to go home, he yearns / longs for home [...jə:nz...]. ~**у́ться**, потяну́ться 1. *тк. несов.* (*о резине, проволоке и т. п.*) stretch; stretch out; 2. *тк. несов.* (*простираться*) stretch, exténd; равни́на тя́нется на сто киломе́тров the plain strétches for a húndred kílometres; вдали́ тя́нутся го́ры there is a móuntain range in the dístance [...reɪndʒ...], a range of móuntains can be seen in the dístance; ~у́ться вдоль чего́-л. skirt smth.; 3. *тк. несов.* (*длиться*) drag on; (*о времени*) crawl, wear* on [weə...], hang* héavy [...'he-]; боле́знь тя́нется уже́ два ме́сяца the íllness has been drágging on for two months [...mʌ-...]; бесе́да до́лго ~у́лась the cònversátion lásted a long time; дни тя́нутся однообра́зно the days drag on monótonous:ly; 4. (*потягиваться*) stretch onesélf; 5. (*к*; *за тв.*) reach (for), reach out (for), stretch one's hand (for); ребёнок ~у́лся к ма́тери the baby reached out for its móther [...'mʌ-]; цвето́к тя́нется к со́лнцу the flówer turns towards the sun; 6. *тк. несов.* (*к*; *стремиться*) reach (for); (*к сла́ве и т. п.*) strive* (áfter); 7. *тк. несов.* (*за тв.*; *стремиться сравняться*) try to équal (*d.*), try to keep up (with); (*подражать*) ímitate (*d.*); 8. (*без доп.*; *двигаться*) move one áfter the óther [muːv...], fóllow each óther; (*медленно*) move slówly [...'slou-]; (*о тучах, дыме и т. п.*) drift.

тяну́чка *ж.* (soft) tóffee [...-fɪ].

тя́пка *ж.* chópper.

тяп-ляп *разг.* ány:how, in a slípshòd way.

тя́пнуть *сов.* (*вн.*) *разг.* 1. (*ударить*) hit* (*d.*); (*топором*) chop (at); (*укусить*) bite* (*d.*); ~ кого́-л. по руке́ hit* smb.'s hand, hit* smb. on the hand; 2. (*схватить*) grab (*d.*), snatch (*d.*); 3. (*выпить спиртного*) knock back (*d.*).

тя́тя *м. разг.* dad; (*в детской речи тж.*) dáddy.

У

у *предл.* (*рд.*) 1. (*возле*) by: сиде́ть у окна́ sit* by *the* window; поста́вить у две́ри stand* by *the* door [...dɔː]; — у изголо́вья by / at one's béd-side; у подно́жья горы́ at the foot of *the* móuntain [...fut...]; он стоя́л у са́мой две́ри he stood close to the door, *или* right by the door [...stud -s...]; 2. (*при, вместе и т. п.*) with: жить у свои́х роди́телей live with one's párents [lɪv...]; останови́ться у свои́х прия́телей stay with one's friends [...frendz...]; — у себя́ at one's (own) place [...oun...]; (*дома*) at home; у нас with us; (*в доме*) at our place; (*в стране*) in our cóuntry [...'kʌ-]; 3. (*при обозна-

чении принадлежности*) of: но́жка у сту́ла the leg of *the* chair; 4.: у меня́, у тебя́ *и т. д.* (*я имею и т. д.*) I, you, *etc.*, have; у него́ краси́вые глаза́ he has béautiful eyes [...'bjuː- aɪz]; (*ср.* быть); у меня́ нет *см.* нет II; ◇ у вла́сти in pówer, in óffice; не у дел *разг.* out of it; *тж. и др. особые случаи, не приведённые здесь, см. под теми словами, с которыми предл. у образует тесные сочетания.*

уба́в||ить(ся) *сов. см.* убавля́ть(ся). ~**ле́ние** *с.* diminishing, decréase ['diːkriːs]; (*укорачивание*) shórtening; ~ле́ние в ве́се lósing weight ['luː-...].

убав||ля́ть, уба́вить (*вн., рд.*) dimínish (*d.*); léssen (*d.*); (*о скорости, темпе*) redúce (*d.*); (*укорачивать*) shórten (*d.*); (*суживать*) nárrow (*d.*); ~ це́ну lówer / redúce the price ['louə...]; он ~ля́ет себе́ го́ды he makes himsélf (out) yóunger than he is [...'jʌŋgə...]; уба́вить ша́гу slow down [slou...]; нельзя́ ни уба́вить, ни приба́вить ни сло́ва one cánnòt change a single word [...tʃeɪ-...]. ~**ля́ться**, уба́виться 1. dimínish; decréase [diːˈkriːs]; дни уба́вились the days have become shórter; воды́ в реке́ уба́вилось the wáter / wáter-lèvel of the river has fáll:en [...'wɔː- 'wɔːtəl-... 'rɪ-...]; 2. *страд.* к убавля́ть.

убаю́кать *сов.* 1. *см.* убаю́кивать; 2. *как сов. к* баю́кать.

убаю́кив||ание *с.* lúll(ing). ~**ать**, убаю́кать (*вн.*; *прям. и перен.*) lull (*d.*).

убега́||ть, убежа́ть 1. run* a:wáy, make* off; 2. (*спасаясь бегством*) escápe; 3. *разг.* (*о кипящей жидкости*) boil óver; молоко́ ~ет the milk is bóiling óver; 4. *тк. несов.* (*быстро удаляться*) flee*; ~ проноси́ться stream a:wáy; 5. *тк. несов.* (*простираться вдаль*) stretch, run*.

убеди́тельн||ость *ж.* convíncing:ness, persuásive:ness [-ˈsweɪs-], cógency ['kou-]. ~**ый** 1. convíncing, persuásive [-ˈsweɪs-]; ~ый приме́р convíncing exámple [...ɪgˈzɑːm-]; ~ый до́вод cógent árgùment, conclúsive proof; э́то ~о it is convíncing; быть ~ым cárry convíction; 2. (*настоятельный*) éarnest ['ə:-]; ~ая про́сьба éarnest requést.

убеди́ть(ся) *сов. см.* убежда́ть(ся).

убежа́ть *сов. см.* убега́ть 1, 2, 3.

убежда́ть, убеди́ть 1. (*вн. в пр.*; *доказывать*) (*d.* of); *несов. тж.* try to convince (*d.* of); убеди́ть кого́-л. в правоте́ свои́х слов convínce smb. of the truth of one's words / státe:ment [...-uːθ...]; 2. (*вн.* + *инф.*; *уговаривать*) persuáde [-ˈsweɪd] (*d.* + to *inf.*); *несов. тж.* try to persuáde (*d.* + to *inf.*); *сов. тж.* prevaíl (on, up:ón + to *inf.*); убеди́ть кого́-л. приня́ть уча́стие в чём-л. persuáde smb. to take part in smth. ~**ся**, убеди́ться 1. (*в пр.*, *что*) make* sure / cértain [...ʃuə...] (of; that), be convínced (of), sátisfy onesélf (that); 2. *страд.* к убежда́ть.

убежде́н||и||е *с.* 1. (*действие*) persuásion [-ˈsweɪ-]; все ~я бы́ли напра́сны all persuásion was ùn:aváiling; путём ~я by means of persuásion; 2. (*мнение*) belíef [-ˈliːf], persuásion, convíction; полити́ческие ~я political convíctions; действовать по ~ю act according to one's convictions; нужно действовать по ~ю one must have the courage of one's convictions [...'кл-...]; менять свой ~я take*, или come* round to, a different view [...vju:].

убеждённ||о *нареч.* with conviction. ~ость *ж.* conviction, persuasion [-'swei-]. ~ый *прич. и прил.* convinced, confirmed, persuaded [-'swei-]; (*в пр.*) convinced (of), persuaded (of); *прил. тж.* sure [ʃuə] (of); ~ый сторонник staunch supporter.

убежищ||е *с.* 1. refuge, asylum; (*место, обеспечивающее неприкосновенность*) sanctuary; искать ~а seek* refuge / asylum / sanctuary; предоставить ~ grant asylum [-a:nt...]; найти ~ (*в пр.*) take* refuge (in), preserve ['-'zə:v] (*d. from*); политическое ~ political asylum; право ~a right of sanctuary; нарушать право ~a violate / break* the sanctuary [...-eik...]; тайное ~ place of concealment; hide-out *разг.* 2. *воен.* (*укрытие*) shelter; (*подземное*) dug-out.

убелённый: ~ сединами hoary with age.

уберегать, уберечь (*вн. от*) safeguard (*d.* against), guard (*d.* against); (*предостерегать*) keep* (*d.* from), preserve ['-'zə:v] (*d.* from); уберечь ребёнка от простуды keep* the child* from, *или* guard the child* against, catching cold. ~ся, уберечься (*от*) guard oneself (against), protect oneself (from, against); уберечься от волнений avoid excitement / anxiety [...æŋz-].

уберечь *сов.* 1. *см.* уберегать; 2. *как эксп. к* беречь 2. ~ся *сов. см.* уберегаться.

убивать, убить (*вн.*) kill (*d.*); (*предумышленно*) murder (*d.*); (*при помощи наёмных убийц*) assassinate (*d.*); slay* (*d.*) (*гл. обр. поэт.*) ◇ время kill (the) time; ~ молодость waste one's youth [wei-...ju:θ]; убить надежды на успех dash / destroy every hope of success; хоть убей, не знаю *разг.* I couldn't tell you to save my life; не могу сделать это, хоть убей! *разг.* I can't do it for the life of me! [...ka:nt...]. ~ся, убиться 1. *разг.* (*ушибаться*) hurt*, bruise oneself [...-u:z...]; 2. *тк. несов.* (*о пр.*) *разг.* (*горевать*) grieve [...i:v] (over); 3. *страд. к* убивать.

убийственн||ый killing; (*ужасный*) murderous; ~ взгляд devastating / murderous glance; ~ая жара terrible heat, killing heat.

убий||ство *с.* murder; (*при помощи наёмных убийц*) assassination; непредумышленное ~ *юр.* manslaughter. ~ца *м. и ж.* killer; (*совершивший предумышленное убийство*) murderer; *ж.* murderess; наёмный ~ца hired assassin.

убирать, убрать (*вн.*) 1. take* away (*d.*); remove ['-'mu:v] (*d.*); dispose (of); с дороги (*прям. и перен.*) get* out of the way (*d.*); ~ со стола clear the table, clear away (*d.*); ~ декорации *театр.* strike* the set; ~ паруса furl the sails, take* in the sails, strike* sail; ~ якорь stow the anchor [stou-...'æŋkə]; 2. (*прятать куда-л.*) put* (away) (*d.*); (*в склад*) store (*d.*); 3. (*об урожае*) harvest (*d.*), gather in (*d.*); 4. (*приводить в порядок*) tidy (*d.*); ~ комнату do, *или* tidy up, a room; ~ постель make* the bed; 5. (*украшать*) decorate (*d.*), adorn (*d.*). ~ся, убраться *разг.* 1. (*приводить в порядок*) tidy up, clean* (*d.*); 2. (*удаляться*) clear off; beat* it *разг.*; убирайся! be off!, get away!; убирайся подобру-поздорову go while the going is good; 3. *страд. к* убирать.

уби́т||ый 1. *прич. см.* убивать; 2. *прил.* depressed, crushed; ~ горем broken-hearted [-'ha:t-]; с ~ым видом looking crushed; 3. *м. как сущ.* dead man* [ded...]; *мн.* the killed; неприятель потерял 100000 ~ыми the enemy lost 100 000 killed. ◇ спать как ~ *разг.* sleep* like a log.

убить *сов. см.* убивать. ~ся *сов. см.* убиваться.

ублаготвор||ить *сов. см.* ублаготворять. ~ять, ублаготворить (*вн.*) *уст., шутл.* satisfy (*d.*).

ублажа́ть, ублажи́ть (*вн.*) *разг. ирон.* humour (*d.*); (*баловать*) indulge (*d.*); (*доставлять удовольствие*) gratify (*d.*), please (*d.*).

ублажи́ть *сов. см.* ублажа́ть.

ублю́док *м. разг.* cur, mongrel ['mʌŋ-].

убо́г||ий 1. *прил.* wretched; poor, poverty-stricken; (*о жилище и т. п.*) squalid, miserable [-zə-]; (*перен.*) beggarly; 2. *прил.* (*имеющий увечье*) crippled; 3. *м. как сущ.* (*бедняк*) pauper; 4. *м. как сущ.* (*калека*) cripple. ~ость *ж.* wretchedness; (*о жилище и т. п.*) squalor.

убо́жество *с.* 1. wretchedness; squalor; ~ идей poverty of ideas [...ai'diəz]; 2. *уст.* (*увечье*) infirmity.

убо́й *м. тк. ед.* slaughter; откармливать, кормить на ~ (*вн.*; *о скоте*) fatten (*d.*); ◇ кормить как на ~ (*вн.*) *разг.* stuff with food (*d.*); ≃ feed* like a prize turkey (*d.*).

убо́йн||ость *ж. воен.* destructive / killing power. ~ый 1. *с.-х.* (intended) for slaughter; ~ый скот livestock for slaughter; 2. *воен.*: ~ая сила destructive / killing power.

убо́р *м. уст.* attire, dress; ◇ головной ~ head-dress ['hed-], hat; headgear ['hedgiə].

убо́рист||о *нареч.* closely [-s-]; писать ~ write* in a small hand. ~ый close [-s-]; (*о почерке*) small.

убо́рк||а *ж.* 1. *с.-х.* harvesting, gathering in; ~ хлопка cotton-picking; 2. (*помещения и т. п.*) tidying up, cleaning, doing up; сделать ~у в комнате do, *или* tidy up, a room.

убо́рная *ж. скл. как прил.* 1. *театр.* (actor's) dressing-room; 2. (*клозет*) lavatory, w. c. ['dʌblju:'si:]; loo *разг.*; общественная ~ public convenience ['рл-...]; дамская ~ Ladies *sg.*; мужская ~ Gentlemen *sg.*; Gents *sg.*

убо́рочная *ж. скл. как прил. с.-х.* harvesting time.

убо́рочн||ый *с.-х.* harvesting; ~ая машина harvester; ~ая кампания harvesting campaign [...-'pein].

убо́рщица *ж.* charwoman* [-wu-], charlady; (*в учреждении*) office-cleaner; (*в гостинице*) maid.

убранство *с.* decoration; attire *поэт.*;

УБЕ—УВА У

(*меблировка*) furniture; (*обстановка*) appointments *pl.*

убра́ть(ся) *сов. см.* убирать(ся).

убыва́ние *с.* (*уменьшение*) diminution, decrease ['di:kri:s]; (*о воде*) subsidence, going down, falling; (*о луне*) waning.

убыва́ть I, убыть (*уменьшаться*) diminish, decrease [di:'kri:s]; (*о воде*) become* lower [...'louə], subside, go* down; (*о луне*) wane, be on the wane; ◇ тебя от этого не убудет you won't be any the worse for it [...wount...], nothing will happen to you.

убыва́ть II, убыть *офиц.* (*уезжать*) leave*; ~ в отпуск go* on leave; ~ в командировку go* away on business [...'bizn-]; *воен.* go* on detachment.

у́быль *ж. тк. ед.* 1. diminution, decrease ['di:kri:s]; (*о воде*) subsidence; 2. *воен.* (*потери*) losses *pl.*; casualties ['kæʒ-] *pl.*; ◇ идти на ~ begin* to decline; be on the wane *идиом.*; (*о воде*) fall*, recede, subside; go* down.

убыстр||и́ть *сов. см.* убыстря́ть. ~я́ть, убыстрить (*вн.*) *разг.* speed* up (*d.*), hasten ['heisn] (*d.*).

убы́т||ок *м.* loss; чистый ~ dead loss [ded...]; прямой ~ sheer loss; взыскивать ~ки claim damages; возмещать ~ки recover losses [-'кл-...]; нести, терпеть ~ки incur losses; определять ~ки assess damages; компенсировать ~ки pay* damages; с ~ком, в ~ at a loss; быть в ~ке lose* [lu:z]; be out of pocket, be down *разг.*

убы́точно I *прил. кратк. см.* убы́точный.

убы́точн||о II *нареч.* at a loss. ~ость *ж.* unprofitableness. ~ый (*приносящий убыток*) unprofitable; (*невыгодный*) disadvantageous [-va:-].

убы́ть I, II *сов. см.* убывать I, II.

уважа́емый 1. *прич. см.* уважать; 2. *прил.* respected; (*в обращении, в письме*) dear.

уважа́||ть (*вн.*) respect (*d.*), esteem (*d.*), have respect (for), hold* in respect (*d.*); глубоко ~ hold* in high respect (*d.*); ~ себя have self-respect. ~ние *с.* respect, esteem; пользоваться (глубоким) ~нием be held in (high) respect; пользоваться общим ~нием enjoy universal esteem; win* the respect of all; питать ~ние к кому-л. respect smb.; питать глубокое ~ние к кому-л. have a profound respect for smb.; внушать ~ние command respect [-a:nd...]; из ~ния (к) out of respect / regard (for), in deference (to); при всём его ~нии к ней in spite of all his respect for her, despite his great respect for her [...greit...]; относиться с ~нием (к) treat with respect (*d.*), be respectful (to); относиться без ~ния (к) have no respect (for); be disrespectful (to); достойный ~ния worthy of respect [-ði...]; он достоин ~ния he is worthy of respect, he deserves respect [...-'zə:vz...]; с ~нием (*в письме*) yours sincerely, truly.

уважи́тельн||ость *ж.* 1. (*основательность причины и т. п.*) validity; 2.

(*почтительность*) respéctfulness. ~ый 1. (*о причине и т. п.*) válid; good*; он отсýтствовал по ~ым причи́нам he was ábsent for válid / good* réasons [...'ri:z-]; 2. (*почтительный*) respéctful, déferéntial.

ува́жить *сов. разг.* 1. (*кого-л.*) húmour (smb.); be nice (to smb.); 2. (*что-л.*) comply (with smth.); ~ про́сьбу comply with *a* request.

у́вален *м. разг.* clódhòpper, búmpkin.

ува́ливаться *мор.*: ~ под ве́тер fall* off to léeward, cárry lee helm.

ува́риваться, увари́ться 1. *разг.* (*доходи́ть до гото́вности*) be thóroughly cooked [...'θʌrəli...], be quite réady [...'redi]; 2. (*уменьша́ться в объёме*) boil a:wáy, cook down.

увари́ться *сов. см.* ува́риваться.

уведоми́тельн∥ый *офиц.*: ~ое письмо́, сообще́ние létter of advíce; nótice ['nou-].

уве́домить *сов. см.* уведомля́ть.

уведомле́ние *с. офиц.* informátion, nòtificátion [nou-].

уведомля́ть, уве́домить (*вн.*) *офиц.* infórm (*d.*), nótify ['nou-] (*d.*).

увезти́ *сов. см.* увози́ть.

увекове́чен∥ие *с.* immòrtalizátion [-laɪ-]; (*систе́мы, поря́дка и т. п.*) perpètuátion; для ~ия па́мяти (*рд.*) to perpétuate the mémory (of).

увекове́ч∥ивать, увекове́чить (*вн.*) immórtalize (*d.*); (*о систе́ме, поря́дке и т. п.*) perpétuate (*d.*). ~ить *сов. см.* увекове́чивать.

увеличе́ние *с.* 1. íncrease [-s] (*прирост*) augmèntátion; (*расшире́ние*) exténsion, expánsion; ~ посевно́й пло́щади exténsion of land únder crops; ~ оборо́та íncrease in túrnòver; ~ чи́сленного соста́ва íncrease in mánpower; ~ за́работной пла́ты íncrease / rise in wáges; 2. (*при по́мощи опти́ческого прибо́ра*) màgnificátion; *фот.* enlárge:ment.

увели́чивать, увели́чить (*вн.*) 1. íncrease [-s] (*d.*); (*расширя́ть*) enlárge (*d.*), exténd (*d.*); (*повыша́ть*) augmént (*d.*); ~ дохо́ды íncrease prófits; ~ произво́дство (*рд.*) íncrease / exténd (the) óutput [...-put] (of), íncrease prodúction (of); 2. (*опти́ческим стекло́м*) mágnify (*d.*); *фот.* enlárge (*d.*); ~ портре́т enlárge *a* pórtrait [...-rɪt]. ~ся, увели́читься 1. íncrease [-s]; (*возраста́ть*) rise*; 2. *страд. к* увели́чивать.

увеличи́тельн∥ый 1. mágnifying; ~ое стекло́ mágnifying lens / glass [...-nz...], mágnifier; ~ аппара́т *фот.* enlárger; 2. *лингв.*: ~ су́ффикс augméntative súffix.

увели́чить(ся) *сов. см.* увели́чивать (-ся).

увенч∥а́ние *с.* crówning. ~а́ть(ся) *сов. см.* уве́нчивать(ся).

уве́нч∥ивать, увенча́ть (*вн. тв.*) crown (*d.* with); ~а́ть лавро́вым венко́м crown / wreathe with láurels [...'lɔ-] (*d.*). ~иваться, увенча́ться 1. be / get* crowned; ~а́ться успе́хом be crowned with succéss; 2. *страд. к* уве́нчивать.

увере́ние *с.* assúrance [ə'ʃuə-]; (*торжественное заверение*) protestátion [prou-].

уве́ренн∥о *нареч.* cónfidently, with cónfidence; ~ смотре́ть вперёд look ahéad with cónfidence [...ə'hed...]; face the fúture with cónfidence; говори́ть, отвеча́ть ~ speak*, ánswer with cónfidence [...'a:ns...]. ~ость *ж.* (*в пр.*) cónfidence (in); cértitùde (in); с ~остью with cónfidence; with cértainty; мо́жно с ~остью сказа́ть one can say with cértainty; it is safe to say; в по́лной ~ости, что in the firm belíef that [...'li:f...]; ~ость в себе́ sélf-relíance; ~ость в за́втрашнем дне cónfidence in the fúture; ~ость в успе́хе assúrance of succéss [ə'ʃuə-...], cónfidence of succéss. ~ый 1. (*о челове́ке*) assúred [ə'ʃuəd], sure [ʃuə], cónfident, pósitive [-z-], cértain; быть ~ым be sure / pósitive; быть твёрдо ~ым be fúlly cónfident [...'fu-...], be firmly convínced; ~ый в себе́ sure of onesélf, sélf-cónfident; 2. (*о движе́ниях, то́не*) cónfident, sure; ~ый го́лос cónfident / stéady voice [...'ste-...]; ~ый шаг résolúte step [-zə-...]; ~ая рука́ sure hand; ◇ бу́дьте уве́рены! *разг.* you may be sure!, you may relý on it!; belíeve me! [-'li:v...].

уве́рить(ся) *сов. см.* уверя́ть(ся).

уверну́ться *сов. см.* увёртываться.

уве́ровать *сов.* (*в вн.*) come* to belíeve [...-'li:v] (in).

увёртка *ж.* súbterfùge, dodge, evásion; *мн.* wiles.

увёртлив∥ость *ж.* evásive:ness, shíftiness. ~ый evásive, shífty.

увёртываться, уверну́ться (*от*) dodge (*d.*); eváde (*d.*); уверну́ться от уда́ра eváde / dodge *a* blow [...blou]; уверну́ться от прямо́го отве́та avóid máking / gíving a diréct ánswer [...'a:ns-].

увертю́ра *ж. муз.* óver:tùre.

уверя́ть, уве́рить (*вн. в пр.*) assúre [ə'ʃuə] (*d.* of); make* (*d.*) belíeve [...-'li:v] (that); (*убежда́ть*) convínce (*d.* of), persuáde [-'sweɪd] (*d.* of); *несов. тж.* try to convínce (*d.* of), try to persuáde (*d.* of); уверя́ю вас, что I assúre you that; он хо́чет нас уве́рить he would have us belíeve. ~ся, уве́риться (в *пр.*) be convínced (of); уве́риться в невино́вности кого́-л. becóme* convínced of smb.'s ínnocence.

увеселе́ние *с.* amúse:ment, èntertáin:ment, divérsion [daɪ-].

увесели́тельн∥ый pléasure ['pleʒə] (*attr.*); ~ая пое́здка pléasure-trip ['pleʒə-]; (*на автомоби́ле и т. п.*) pléasure-ride ['pleʒə-], jaunt.

увесели́ть *сов. см.* увеселя́ть.

увеселя́ть, увесели́ть (*вн.*) amúse (*d.*), èntertáin (*d.*), divért (*d.*).

уве́систый wéighty; (*об уда́ре и т. п.*) héavy ['he-].

увести́ *сов. см.* уводи́ть.

уве́ч∥ить (*вн.*) maim (*d.*), mútilàte (*d.*). ~иться 1. maim onesélf, crípple onesélf; 2. *страд. к* уве́чить. ~ный *уст.* 1. *прил.* maimed, mútilàted; dísàbled; 2. *м. как сущ.* crípple.

уве́чье *с.* mùtilátion, sevére ínjury.

уве́шать *сов. см.* уве́шивать.

уве́шивать, уве́шать (*вн. тв.*) hang* (*d.* with); ~ сте́ну карти́нами cóver a wall with píctures ['kʌ-...].

увещ∥а́ние *с.* èxhortátion, àdmoní:tion, admónishment. ~а́ть, ~ева́ть (*вн.*) exhórt (*d.*), admónish (*d.*), remónstràte (with).

увива́ть, уви́ть (*вн. тв.*) twine (round *d.*).

увива́ться (*за тв.*) *разг.* dangle (áfter), hang* round (*d.*).

уви́деть (*вн.*) *разг.* see* (*d.*). ~ся *сов. разг.* see* one anóther.

уви́деть *сов. см.* ви́деть. ~ся *сов. см.* ви́деться 1.

уви́ливать, увильну́ть (от) *разг.* shirk (*d.*), elúde (*d.*), eváde (*d.*); *несов. тж.* try to get out (*of dóing smth.*); ~ от отве́та get* out of replýing.

увильну́ть *сов. см.* уви́ливать.

уви́ть *сов. см.* увива́ть.

увлажн∥е́ние *с.* móistening [-sⁿ-], dámping, wétting. ~и́ть(ся) *сов. см.* увлажня́ть(ся).

увлажни́ть, увлажни́ть (*вн.*) móisten [-sⁿ-] (*d.*), damp (*d.*), wet (*d.*). ~ся, увлажни́ться 1. becóme* moist / damp / wet; 2. *страд. к* увлажня́ть.

увлека́тельн∥ость *ж.* fàscinátion. ~ый fáscinàting, absórbing, cáptivàting; ~ое зре́лище enthrálling sight.

увлека́ть, увле́чь (*вн.*) 1. cárry alóng (*d.*); (*перен.*) cárry a:wáy (*d.*); ~ чита́теля cárry one's réader with one; 2. (*восхища́ть*) fáscinàte (*d.*), cáptivàte (*d.*); enthrál (*d.*); (*пленя́ть, соблазня́ть*) allúre (*d.*), entíce a:wáy (*d.*). ~ся, увле́чься 1. be cárried a:wáy; (*чем-л.*) take* a great ínterest [...greit...] (in smth.); be keen (on smth.), go* mad (on smth.) *разг.*; (*кем-л.*) take* a fáncy (to smb.); легко́ ~ся be éasily cárried a:wáy, *или* infátuàted [...'i:z-...]; ~ся те́ннисом, ша́хматами *и т. п.* be keen on ténnis, chess, *etc.*; 2. (*кем-л.*; *влюбля́ться*) be enámoured (of smb.); fall* (for smb.); 3. *страд. к* увлека́ть.

увлека́ющийся 1. *прич. см.* увлека́ться; 2. *прил.* éasily cárried a:wáy ['i:z-...]; 3. *прил.* (*влю́бчивый*) of an ámorous disposítion [...-'zɪ-].

увлече́ние *с.* 1. (*пыл, воодушевле́ние*) enthúsiàsm [-z-], ànimátion; говори́ть с ~м speak* with enthúsiàsm / ànimátion; 2. (*чем-л.*) pássion (for smth.); ~ теа́тром pássion for the théatre [...'θɪətə]; ~ футбо́лом enthúsiàsm for, *или* kéenness on, fóotball [...'fut-]; 3. (*кем-л.*; *любо́вь*) love [lʌv] (for smb.), infátuàtion (for smb.); 4. (*предме́т любви́*) flame; его́ ста́рое ~ an old flame of his.

увлечённо *нареч.* with enthúsiàsm [-z-], with ànimátion.

увлечённ∥ость *ж.* (*тв.*) kéenness (on). ~ый *прич. и прил.* (*тв.*) cárried a:wáy (by, with); infátuàted (with, by); *прил. тж.* keen (on).

увле́чь(ся) *сов. см.* увлека́ть(ся).

уво́д *м.* 1. with:dráwal; ~ войск with:dráwal of troops; 2. (*похище́ние*) cárrying off; lifting *разг.*

уводи́ть, увести́ (*вн.*) 1. take* a:wáy (*d.*), lead a:wáy (*d.*), walk off (*d.*); (*о войска́х*) with:dráw* (*d.*); 2. (*похища́ть*) cárry off (*d.*), lift (*d.*) *разг.*

увоз *м. разг.* (*похищение*) abduction; carrying off; свадьба ~ом *уст.* elopement.

увози́ть, увезти́ (*вн.*) 1. drive* / take* away (*d.*); 2. (*похищать*) carry off (*d.*); (*о человеке тж.*) kidnap (*d.*), abduct (*d.*); (*красть*) steal* (*d.*); lift (*d.*) *разг.*

увола́кивать, уволо́чь (*вн.*) *разг.* 1. drag away (*d.*); волк уволок овцу a wolf* carried off a sheep* [...wulf...]; 2. (*красть*) steal* (*d.*); ◊ е́ле но́ги уволо́чь have a narrow escape, have a hairbreadth escape [...-bredθ...]; have a close shave [...-s...] *идиом*.

уво́лить *сов.* 1. см. увольня́ть; 2. (*вн. от; освободить*) spare (*i. d.*); уво́льте меня́ от необходи́мости (+ *инф.*) spare me the necessity (of *ger.*), save me from having (+ to *inf.*). ~ся *сов. см.* увольня́ться.

уволо́чь *сов. см.* увола́кивать.

увольне́н||ие *с.* release [-s], discharge, dismissal; ~ от до́лжности *уст.* discharge / dismissal from office; ~ в отста́вку retiring; *воен.* discharge; (*с пенсией*) pensioning off; ~ в запа́с *воен.* transfer to the reserve [...-'zə:v]; в о́тпуск *воен.* giving a holiday [...-lədɪ]; granting leave of absence [-a:nt-...]; предупрежде́ние об ~ии notice (of dismissal) ['nou-...]; он получи́л предупрежде́ние об ~ии he got, *или* was given, notice.

увольни́тельн||ая *ж. скл. как прил. воен.* leave warrant. ~ый: ~ая запи́ска *воен.* leave-pass; discharge-ticket.

увольня́ть, уво́лить (*вн.*) discharge (*d.*), dismiss (*d.*); fire (*d.*), give* the sack (*i.*) *разг.*; ~ с рабо́ты discharge / dismiss from office (*d.*); ~ по сокраще́нию шта́тов discharge on grounds of staff reduction (*d.*); ~ в запа́с *воен.* transfer to the reserve [...-'zə:v] (*d.*); ~ в отста́вку retire (*d.*); *воен.* place on the retired list (*d.*); (*с пенсией, по возрасту*) pension off (*d.*); ~ в о́тпуск *воен.* give* a holiday [...-lədɪ] (*i.*); grant leave of absence, *или* a furlough [-a:nt...-lou] (*i.*). ~ся, уво́литься 1. leave* the service; *воен.* get* one's discharge; (*в отставку*) retire (*d.*); 2. *страд. к* увольня́ть.

уворова́ть *сов.* (*вн.*) *разг.* steal* (*d.*).

уврачева́ть *сов.* (*вн.*) *уст.* heal (*d.*).

увуля́рный *лингв.* 1. *прил.* uvular; ~ согла́сный uvular consonant; 2. *м. как сущ.* uvular.

увы́ *межд.* alas!

увяд||а́ние *с.* (*о цветах*) fading, withering; (*перен.*) wasting away ['weɪ-...]. ~а́ть, увя́нуть (*о цветах*) fade, wither, droop; (*перен.*) waste away [weɪ-...].

увя́дший *прич. и прил.* withered; faded (*тж. перен.*).

увяза́ть I *сов.*, увя́знуть (в *пр.*) stick* (in); (*перен.*) get* bogged down (in); маши́на увя́зла в грязи́ the car (got) stuck in the mud; по́ уши увя́знуть в долга́х *разг.* be up to the neck in debt [...det].

увяза́ться *сов. см.* увя́зываться.

увя́зка *ж.* 1. (*багажа и т.п.*) roping, baling; 2. (*согласованность*) co-ordination.

увя́знуть *сов. см.* увяза́ть II.

увя́зывать, увяза́ть (*вн.*) 1. tie up (*d.*), pack up (*d.*); (*ремнями*) strap (*d.*); 2. (*вн. с тв.*, *согласовывать*) co-ordinate (*d.* with), link (*d.* with). ~ся, увяза́ться *разг.* 1. pack; 2. (*с тв.*, *согласовываться*) tie in (with), be co-ordinated (with); 3. (*за кем-л., пойти тэ́га́ть*) tag after (*smb.*), tag along (with *smb.*), insist on accompanying [...'ə'kʌ-] (*smb.*); (*следовать по пятам*) dog *smb.*'s footsteps [...'fut-]; 3. *страд. к* увя́зывать.

увя́нуть *сов. см.* увяда́ть.

угада́ть *сов. см.* уга́дывать.

уга́дчик *м. разг. см.* отга́дчик.

уга́дывать, угада́ть (*вн.*) guess right (*d.*); (*разгадывать*) divine (*d.*); вы угада́ли! you have guessed right!

уга́р I *м. тк. ед.* 1. carbon monoxide; па́хнет ~ом there is a smell of charcoal fumes; 2. (*о состоянии человека*) carbon monoxide poisoning [...-z'n...], charcoal poisoning; (*перен.: опьянение, упоение*) intoxication; у него́ ~ he has been poisoned by (charcoal) fumes [...-z'nd...]; he is suffering from carbon monoxide poisoning; в ~е стра́сти in the heat of passion.

уга́р II *м. тех.* waste [weɪ-]; ~ мета́лла waste of metal [...'me-]; маши́на для ~ов текст. waste carding machine [...-'ʃi:n].

уга́рно *предик. безл.*: здесь ~ there is a smell of (charcoal) fumes here.

уга́рный: ~ газ *хим.* carbon monoxide.

угаса́||ние *с.* extinction; fading (away); (*перен.*) dying (away). ~ть, уга́снуть go* out, become* extinct; (*перен.: слабеть; умирать*) die away; костёр ~ет the fire is dying down; си́лы ~ют one's strength is failing.

уга́снуть *сов. см.* угаса́ть.

углево́д *м. хим.* carbohydrate [-'haɪ-].

углеводоро́д *м. хим.* hydrocarbon.

угледобы́ча *ж.* coal mining, coal output [...-put].

угледроби́лка *ж. тех.* coal breaker [...'breɪ-], coal crusher.

углежже́ние *с.* charcoal burning.

углежо́г *м.* charcoal burner.

углекислота́ *ж. хим.* carbonic acid (gas), carbon dioxide.

углеки́слый *хим.*: ~ газ carbonic acid (gas); ~ на́трий sodium carbonate; ~ минера́льный исто́чник carbonaceous mineral spring [-ʃəs...].

углеко́п *м. уст.* (coal-)miner, collier.

углепромы́шленн||ость *ж.* coal-mining industry, coal industry. ~ый coal-mining (*attr.*).

углеро́д *м. хим.* carbon. ~истый *хим.* carbonaceous [-ʃəs]; ~истый ка́льций *и т.п.* carbonaceous calcium, *etc.*; ~истое соедине́ние carbide.

углова́т||ость *ж.* angularity. ~ый angular; (*неловкий, неуклюжий тж.*) awkward.

углов||о́й 1. (*имеющий форму угла́*) angle (*attr.*); 2. (*находящийся на углу, в углу́*) corner (*attr.*); ~ уда́р *спорт.* corner kick; 3. *мат., физ.* angular; ~а́я ско́рость angular velocity.

угломе́р *м.* 1. *тех.* goniometer, azimuth disk; 2. *воен.* deflection. ~ный *тех.* goniometrical.

углуби́ть(ся) *сов. см.* углубля́ть(ся).

углубл||е́ние *с.* 1. deepening; (*перен. тж.*) intensification; ~ в ~ения свои́х зна́ний in order to extend one's knowledge [...'nɔ-]; 2. (*впадина*) hollow; depression; 3. *мор.* (*осадка судна*) draught [-a:ft]. ~ённый 1. *прич. см.* углубля́ть; 2. *прил.* (*основательный*) profound; ~ённое изуче́ние литерату́ры deep / profound / thorough study of literature [...'θʌrə 'stʌ-...]; 3. *прил.* (в *вн.*) deep (in), absorbed (in); ~ённый в воспомина́ния deep / absorbed in one's memories.

углубля́ть, углуби́ть (*вн.*) deepen (*d.*), make* deeper (*d.*); (*перен.*) extend (*d.*), intensify (*d.*); углуби́ть кана́ву deepen the ditch, make* the ditch deeper; ~ свои́ зна́ния extend one's knowledge [...'nɔ-]; ~ противоре́чия intensify contradictions. ~ся, углуби́ться 1. deepen, become* deeper; (*перен.*) become* more profound, be intensified; противоре́чия углуби́лись the contradictions were / became intensified; 2. (в *вн.*) go* deep (into); get* deeper (into); (*в породу и т.п.*) cut* (into); (*перен. тж.*) delve deeply (into), become* absorbed (in); углуби́ться в лес go* deep into the forest [...'fɔ-]; ~ся в кни́гу, в предме́т be deep / absorbed in *a* book, in *a* subject; 3. *страд. к* углубля́ть.

угляд||е́ть *сов.* (за *тв.*) *разг.* look after (*d.*); take* proper care [...'prɔ-...] (of); не ~ fail to take proper care (of); за всем не ~и́шь ≅ one can't see to everything [...ka:nt...], one can't attend to everything.

угна́ть *сов. см.* угоня́ть.

угна́ться *сов.* (за *тв.*) keep* pace (with); (*перен.*) *разг.* keep* up (with); за ним не ~ you can't keep up with him [...ka:nt...], there is no keeping up with him.

угнезди́ться *сов. разг.* nestle.

угнета́тель *м.*, ~ница *ж.* oppressor. ~ский oppressive.

угнет||а́ть (*вн.*) (*в разн. знач.*) oppress (*d.*); (*удручать*) depress (*d.*), dispirit (*d.*); поме́щики ~а́ли крестья́н the landlords oppressed the peasants [...'pez-...]; чу́вство неизве́стности ~а́ло его́ a sense of uncertainty oppressed him; he was oppressed by a sense of uncertainty. ~а́ющий 1. *прич. см.* угнета́ть; 2. *прил.* oppressive; (*удручающий*) depressing. ~е́ние *с.* oppression; (*удручённость*) depression. ~ённость *ж.* depression. ~ённый *прич. и прил.* oppressed; (*удручённый*) depressed; ~ённое состоя́ние depression; быть в ~ённом состоя́нии be in low spirits [...lou...]; be in, *или* have a fit of, the blues *разг.*

угова́рив||ать, уговори́ть (*вн.* + *инф.*) persuade [-'sweɪd] (*d.* + to *inf.*); talk (*d.* into *ger.*); (*склонять, побуждать*) induce (*d.* + to *inf.*); (*настойчиво*) urge (*d.* + to *inf.*); *несов. тж.* try to persuade (*d.* + to *inf.*); не ~а́йте меня́ don't try to persuade me. ~аться, уговори́ться (с *тв.*, + *инф.*) arrange [-eɪndʒ]

УГО—УГР

(with, + to *inf.*), agrée (with, + to *inf.*); он уговори́лся с ней о встре́че he arránged to meet her; они́ уговори́лись встре́титься в библиоте́ке they arránged / agréed to meet at the líbrary [...'laɪ-]; уговори́ться о цене́ agrée about the price.

угово́р *м.* 1. persuásion [-'sweɪ-]; не поддава́ться никаки́м ~ам yield to no persuásion [ji:ld...], stand* one's ground; 2. (*соглашение*) agréement, cómpact; ùnderstánding; с ~ом on condítion; по предвари́тельному ~у accórding to a pré:arránged plan [...-eɪndʒd...] ◇ до́роже де́нег *посл.* ≅ a prómise is a prómise [...-mɪs...], a bárgain is a bárgain.

уговори́ть(ся) *сов. см.* угова́ривать(-ся).

уго́д||а *ж.:* в ~у (*дт.*) to please (*д.*).

угоди́ть I *сов. см.* угожда́ть.

угоди́ть II *сов. разг.* 1. (в вн.) (*очутиться*) fall* (into), get* (into); (*удариться*) bang (agáinst); bump (into); ~ в я́му fall* / get* into a hole; ~ голово́й в дверь bang one's head agáinst the door [...hed... dɔ:]; 2. (*дт.* в вн.) hit* (*д.* in); кому́-л. пря́мо в глаз hit* smb. slap in the eye [...aɪ].

уго́длив||ость *ж.* obséquious:ness [-'si:-]. **~ый** obséquious [-'si:-].

уго́дник *м.* 1. *разг.* one ánxious to please; да́мский ~ ládies man*; 2. *церк.* saint.

уго́дничать (пе́ред) *разг.* be obséquious [...-'si:-] (towards); fawn (upón), cringe (to).

уго́дничество *с.* sèrvílity.

уго́дно I *предик.:* как вам ~ as you wish, as you please; please yoursélf; что вам ~? what can I do for you?; ~ ли вам? (+ *инф.*) would you like (+ to *inf.*); не ~ ли вам вы́пить молока́? would you like to have some milk?; не ~ ли вам молока́? will you have some milk?

уго́дно II *частица* (*с мест. или нареч. в знач. «любой»*): кто ~ ánybody; что ~ ány:thing; де́лайте всё, что (вам) ~ (you may) do whàt(:éver) you like; как ~ ány:how; како́й ~ any; задава́йте каки́е ~ вопро́сы ask any quéstions you like [...-stʃ-...]; куда́ ~, где ~ ány:where; ско́лько ~ *разг.* as much as one wants / likes, any amóunt.

уго́дный (*дт.*) wélcome (to), pléasing (to).

уго́дь||е *с.:* лесны́е ~я fórests ['fɔ-]; полевы́е ~я árable land ['æ-...] *sg.*

угожда́ть, угоди́ть (*дт.*); на вн.) please (*д.*), oblíge (*д.*); (*с оттенком лести*) play up (to); ему́, или на него́, не угоди́шь, ему́ тру́дно угоди́ть he is hard to please, there is no pléasing him; на всех не угоди́шь you can't sátisfy éverybody [...ka:nt...]; ~ и на́шим и ва́шим ≅ run* with the hare and hunt with the hounds.

у́гол *м.* 1. córner; на углу́ at the córner; в углу́ in the córner; за угло́м round the córner; из-за угла́ from round the córner; поста́вить ребёнка в ~ put* the child* in(to) the córner, make* the child* stand in the córner; 2. *мат., физ.* angle; под угло́м в 60° at an angle of 60°; под прямы́м угло́м at right angles; поворо́т под прямы́м угло́м ríght-àngle turn; ~ зре́ния *физ.* vísual angle [-zjuəl...]; (*перен.*) point of view [...vju:]; под э́тим угло́м зре́ния from this point of view, from this stándpoint; 3. (*приют, пристанище*) home; име́ть свой ~ have a home / place of one's own [...oun]; 4. (*часть комнаты, сдаваемая в наём*) part of a room; ◇ из-за угла́ ùnderhándedly; on the sly; behínd smb.'s back; загна́ть в ~ (вн.) drive* into a córner (*д.*); среза́ть ~ cut* off a córner; загну́тые углы́ (*в книге*) dóg-eared páges; глухо́й ~ gód-forsáken place.

уголёк *м.* 1. *уменьш. от* у́голь; 2. small piece of coal [...pi:s...].

уголо́вн||ик *м.,* **~ица** *ж. разг.* críminal.

уголо́вн||ый 1. *прил.* críminal; pénal; ~ проце́сс críminal procédure [...-'si:dʒə]; ~ное де́ло críminal case [...-s]; ~ ко́декс críminal code; ~ное преступле́ние críminal offénce; ~ суд críminal / pénal court [...kɔ:t]; ~ное пра́во críminal law; ~ное пресле́дование críminal pròsecútion; ~ ро́зыск Críminal Invèstigátion Depártment (*сокр.* CID); ~ престу́пник críminal; 2. *м. как сущ.* críminal. **~щина** *ж. тк. ед. разг.* críminal act.

уголо́к *м. уменьш. от* у́гол; ую́тный ~ cósy nook [-zɪ...].

у́голь *м.* coal; ка́менный ~ bitúminous coal; древе́сный ~ chárcoal; бу́рый ~ brown coal; пыла́ющие у́гли live coals; ◇ бе́лый ~ white coal, wáter-power ['wɔ:-]; голубо́й ~ wínd-power ['wɪ-]; как на у́гольях (быть, сиде́ть) *разг.* ≅ be on thorns, be on ténterhooks.

уго́льник *м. тех.* 1. set square; 2. (*стального профиля*) angle bar.

у́гольн||ый coal (*attr.*); ~ая промы́шленность coal índustry, cóal-míning índustry; ~ пласт cóal-bèd, cóal-seam; ~ая я́ма cóal-bùnker; ~ бассе́йн cóal-field(s) [-fi:-] (*pl.*); ~ая кислота́ *хим.* càrbónic ácid.

у́гольный *разг.* (*о комнате и т. п.*) córner (*attr.*).

у́гольщик I *м.* 1. (*рабочий*) cóal-miner, cóllier; 2. (*торговец древесным углем*) chárcoal-dealer.

у́гольщик II *м.* (*судно*) cóal-ship, cóllier.

угомо́н *м.:* на них ~у нет *разг.* they give one no peace.

угомони́ть *сов.* (вн.) *разг.* calm [ka:m] (*д.*). **~ся** *сов. разг.* calm down [ka:m...], becóme* / get* quíet; де́ти наконе́ц ~и́лись at last the chíldren séttled down, *или* becáme quíet.

уго́н *м.* 1. dríving a:wáy; 2. (*похищение*) stéaling; (*об автомобиле*) hí:jàcking, hígh-jàcking; (*о самолёте*) hí:jàcking, ský:jàcking *разг.*

угоня́ть, угна́ть (вн.) 1. drive* a:wáy (*д.*); ~ скот в по́ле drive* the cáttle out to graze / pásture; 2. (*похищать*) steal* (*д.*); (*об автомобиле*) hí:jàck (*д.*), hígh-jàck (*д.*); (*о самолёте*) ský:jàck (*д.*) *разг.*; угна́ть ло́шадь со двора́ steal* a horse out of the stable.

угора́зди||ть *сов. разг. чаще безл. переводится личн. оборотами:* его́ ~ло попа́сть под автомоби́ль he sóme:how mánaged to get óver by a car; как э́то вас ~ло прийти́ сюда́? what on earth made you come here? [...-ɜ:θ...].

угор||а́ть, угоре́ть be póisoned by chárcoal fumes [...'pɔɪz-...], get* cárbon mònóxide póisoning [...'pɔɪz-]; ◇ ~е́л ты, он и т. д., что ли? *разг.* are you, he, *etc.*, out of your, his, *etc.*, mind / wits?

угоре́лый *разг.:* он ме́чется как ~ he is rúnning abóut like a mád:man*, *или* like one posséssed [...-'zest].

угоре́ть *сов. см.* угора́ть.

у́горь I *м.* (*на коже*) bláckhead [-hed].

у́горь II *м.* (*рыба*) eel, grig; морско́й ~ cónger (eel), séa-éel; ◇ живо́й как ~ as líve:ly as a grig; ≅ as líve:ly as a crícket.

угости́ть(ся) *сов. см.* угоща́ть(ся).

угото́ванный *уст.* prepáred, made réady [...'re-].

угото́вить *сов.* (вн.) *уст.* prepáre (*д.*).

угоща́ть, угости́ть (вн. тв.) entertáin (*д.* to; *д.* at *офиц.*); treat (*д.* to); («ста́вить угоще́ние») stand* a treat (*i.*) *разг.* **~ся**, угости́ться *разг.* 1. (тв.) treat òne:sélf (to); regále (òne:sélf) (on) *уст., шутл.*; 2. *страд. к* угоща́ть.

угоще́ние *с.* 1. (чем-л.) entertáinment (with smth.), tréating (to smth.); regáling (with smth.); (кого-л.) entertáinment (of smb.); 2. (*то, чем угощают*) food, fare; (*лёгкое*) refréshments *pl.*

угрева́тый cóvered with bláckheads ['kʌ-...-hedz].

угро́бить *сов.* (вн.) *груб.* kill (*д.*); (*перен.*) rúin (*д.*), wreck (*д.*).

угрожа́емый thréatened ['θret-], ménaced; ~ райо́н *воен.* thréatened área [...'ɛərɪə].

угрож||а́ть (*дт. тв.*) thréaten ['θret-] (*д.* with), ménace (*д.* with); ему́ ~а́ет смерте́льная опа́сность mórtal dánger thréatens him [...'deɪn-...], he is thréatened by mórtal dánger; ему́ ничто́ не ~а́ет he is in no dánger.

угрожа́ющ||е *нареч.* thréatening:ly ['θret-], ménacing:ly. **~ий** *прич. и прил.* thréatening ['θret-], ménacing; ~ее положе́ние precárious sìtuátion; ~ая катастро́фа ímminent disáster [...-'za:-].

угро́з||а *ж.* threat [θret], ménace; ~ войны́ (*заявление, предупреждение*) threat of war; (*грозящая опасность*) ménace of war; под ~ой чего́-л. únder the threat of smth.; ста́вить под ~у (вн.) thréaten ['θret-] (*д.*), imperíl (*д.*), jéopardize ['dʒepə-] (*д.*).

угро́зыск *м.* (*уголовный ро́зыск*) Críminal Invèstigátion Depártment (*сокр.* CID).

у́гро-фи́нск||ий *лингв.* Úgro-Fínnic; ~ие языки́ Úgro-Fínnic lánguages.

угрызе́ни||е *с.:* ~я со́вести remórse *sg.;* чу́вствовать ~я со́вести be cónscience-stricken [...-ʃəns-], feel* pangs of cónscience [...-ʃəns].

угрю́м||ость ж. súllen:ness, glóominess, móróse:ness [-s-]. **~ый** súllen, gloomy, moróse [-s].

уда́в м. зоол. bóa ['bouə], bóa constríctor.

уда||ва́ться, уда́ться 1. (завершаться успешно) turn out well, work well, be a succéss; о́пыт сра́зу уда́лся the expériment was an immédiate succéss; э́то не всегда́ ~ётся it does not álways work [...'ɔːlwəz...]; **2.** безл. (дт. + инф.) succéed (+ subject in ger.), mánage (+ subject + to inf.): ему́ ~ло́сь найти́ э́то he succéeded in finding it, he mánaged to find it; — ему́ не ~ло́сь найти́ э́того he failed to find it.

удави́ть сов. (вн.) strángle (d.). **~ся** (повеситься) hang òne:sélf.

уда́вка ж. (узел) rúnning knot, slip-knot, tímber-hitch.

удавле́н||ие с. strángling; смерть от ~ия death from strangulátion [deθ...].

удале́ние с. **1.** móving off / a:wáy ['muː-...]; **2.** (кого-л.) sénding a:wáy; ~ с по́ля спорт. sénding off the field [...fiː-]; **3.** (устранение) remóval [-'muː-...]; (в хирургии) ablátion; ~ зу́ба extráction of a tooth*.

удалённ||ость ж. remóte:ness. **~ый 1.** прич. см. удалять; **2.** прил. remóte.

удале́ц м. разг. dáring / bold féllow; dáre-devil.

удали́ть(ся) сов. см. удаля́ть(ся).

удало́й dáring, bold.

у́даль ж. dáring, bóldness. **~ство** с. разг. = у́даль.

удаля́ть, удали́ть (вн.) **1.** move off / a:wáy [muːv...] (d.); **2.** (заставлять уйти) make* (d.) leave, send* a:wáy (d.); ~ из за́ла заседа́ния remóve from the hall [-'muː...] (d.); ~ с по́ля спорт. send* off the field (d.); **3.** (устранять) remóve (d.); (в хирургии) ablate (d.); ~ пятно́ remóve a stain; ~ зуб extráct a tooth*; **4.** (увольнять) dismíss (d.). **~ся, удали́ться 1.** (от) move off / a:wáy [muːv...] (from); ~ся от бе́рега move off / a:wáy from the shore; ~ся от те́мы wánder from the súbject; ~ся от дел, ~ся на поко́й retíre from affáirs; ~ся от о́бщества with:dráw* / retíre from, или shun, society; **2.** (уходить) take* òne:sélf off, retíre, with:dráw*; поспе́шно удали́ться beat* a hásty retréat hástily [...'heɪ-...,...'heɪ-...]; **3.** страд. к удаля́ть.

уда́р м. **1.** (в разн. знач.) blow [-ou]; stroke; воен. тж. thrust; (острым оружием) stab; (плетью) lash, slash; (ногой, копытом) kick; (кулаком) punch, cuff; свобо́дный ~ (в футболе) free kick; ~ в спи́ну stab in the back; ~ попа́л в цель the blow went home; э́то для него́ тяжёлый ~ it is a hard / sad blow to him, he's hard hit; ~ы пу́льса béat(ing) of the pulse sg.; одни́м ~ом at one blow / stroke; смерте́льный, роково́й ~ fátal blow; déath-blow ['deθblou]; бо́мбовый ~ воен. bómb:ing raid / attáck; ~ с во́здуха воен. air strike; ~ в штыки́ воен. báyonet assáult; гла́вный ~ воен. main blow / attáck; наноси́ть ~ (дт.) strike* / deal* (i.); отби́ть ~ párry a blow; возврати́ть ~, нанести́ отве́тный ~ (дт.) strike* back (d.); **2.** (звук) stroke; ~ гро́ма thúnder-clàp, crash / peal of thúnder; **3.** (кровоизлияние в мозг) stroke, àpopléctic stroke / séizure [...'siːʒə]; ◇ ста́вить под ~ (вн.) endánger [-'deɪn-] (d.), jéopardize (d.); быть в ~е разг. be at one's best, be in good / great form [...greɪt...]; одни́м ~ом уби́ть двух за́йцев погов. ≃ kill two birds with one stone.

ударе́ние с. **1.** áccent, stress; (перен. тж.) émphasis; экспирато́рное ~ expiratory áccent [-'paɪə-...]; музыка́льное, тони́ческое ~ músical stress [-zɪ-...]; логи́ческое ~ lógical stress; о́строе ~ acúte áccent / stress; тупо́е ~ grave áccent / stress [grɑːv...]; облечённое ~ slúrred áccent; де́лать ~ (на пр.) accént (d.); stress (d.), lay* stress (on; тж. перен.); (перен. тж.) émphasize (d.); акценти́ровать (d.); **2.** (знак) stréss(-màrk).

уда́ренный 1. прич. см. ударя́ть; **2.** прил. лингв. accénted; (о силовом ударении об.) stressed.

уда́рить(ся) сов. см. ударя́ть(ся).

уда́рник I м. udárnik, shóck-worker; ~ коммунисти́ческого труда́ cómmunist-way wórker.

уда́рник II м. муз. drúmmer; (в симфоническом оркестре) tímpanist.

уда́рник III м. (в оружии) stríker; firing pin; (во взрывателе снаряда) péllet, plúnger [-n-]; дистанцио́нный ~ time plúnger, lighting péllet.

уда́рн||ица ж. к уда́рник I. **~чество** с. shock work; shóck-wòrker móve:ment [...'muː-].

уда́рно нареч.: рабо́тать ~ perfórm shock work, work fast and well.

уда́рн||ый I 1. (передовой по работе) shock (attr.); ~ая брига́да shóck-brigàde; ~ые те́мпы accelerated témpò sg., high témpò sg.; **2.** (срочный, важный) ~ое зада́ние úrgent task; быть на по́рядке with great dispátch [...greɪt...].

уда́рн||ый II 1. (в технике) percússive; percússion (attr.); ~ое буре́ние percússion bóring; ~ая тру́бка воен. percússion tube; percússion prímer амер.; ~ое де́йствие (снаряда) percússion áction; ~ взрыва́тель ímpact détonàting fuse [...'diː-...]; ~ ка́псюль percússion cap; **2.** муз. ~ые инструме́нты percússion ínstruments; **3.** воен. (о войсках) shock (attr.); ~ые ча́сти shock troops; **4.** лингв.: ~ слог stressed sýllable.

ударопро́чный тех. shóckproof.

ударя́ть, уда́рить (вн. в разн. знач.) strike* (d.), hit* (d.); (холодным оружием) stab (d.); (плетью) lash (d.), slash (d.); (ногой, копытом) kick (d.); (кулаком) punch (d.); ~ па́лкой strike* with a stick (d.); уда́рить себя́ по́ лбу strike* one's fórehead [...'fɔrɪd]; уда́рить по физионо́мии give* a slap in the face (i.); ~ по́ столу и т.п. strike* one's hand on the table, etc., bring* one's fist down on the table, etc., bang on the table, etc.; гром уда́рил the thúnder struck; мо́лния уда́рила (в вн.) the lightning struck (d.); уда́рить в ко́локол strike* the bell; уда́рить в наба́т sound / give* the alárm; (перен.) raise an alárm; уда́рить в бараба́н beat* / play the drum; уда́рить во фланг воен. strike* at / into the flank; уда́рить в штыки́ воен. assáult with the báyonet; ◇ уда́рить кого́-л. по карма́ну разг. hit* one's pócket, set* one back; уда́рить по интере́сам (рд.) hit* at the ínterests (of); уда́рить по недоста́ткам strike* at the weak points; ~ по рука́м (прийти к соглашению) shake* hands on it, strike* a bárgain; ~ в го́лову rush to the head [...hed]; (о вине и т.п.) go* to, или get* into, one's head; па́лец о па́лец не уда́рить разг. not stir / lift / raise a finger. **~ся 1.** (о, в вн.) hit* (d.), strike* (agáinst); уда́риться голово́й о дверь strike* one's head agáinst the door [...hed...dɔː]; ло́дка уда́рилась о скалу́ the boat struck (agáinst) a rock; **2.** (в вн.) разг. предава́ться чему-л. addict òne:sélf (to); ◇ ~ся в кра́йность run* to an extréme; ~ся из одно́й кра́йности в другу́ю rush / go* from one extréme to another; уда́риться бежа́ть, уда́риться в бе́гство break* into a run.

уда́ться сов. см. удава́ться.

уда́ч||а ж. good luck; (успех) succéss; stroke / piece of luck [...piːs...], good fórtune [...-tʃən]; жела́ть ~и (дт.) wish good luck (i.); ему́ всегда́ ~ he is álways lúcky [...'ɔːlwəz...], he álways has luck; ~и и неуда́чи ups and downs. **~ливость** ж. luck. **~ливый** lúcky, succéssful. **~ник** м. разг. lúcky man*. **~но** нареч. **1.** (успешно) succéssfully; ~но вы́ступить (в состязании и т.п.) do well, make* a good shówing [...'ʃou-]; **2.** (хорошо) well*; ~но, что it was fórtunate that [...-tʃə-...]. **~ный 1.** (успешный) succéssful; ~ная попы́тка succéssful attémpt; **2.** (хороший) good*; (о цитате, обороте и т.п.) apt; felícitous; (о фразе, стихе и т.п.) well turned; ~ный перево́д good* / felícitous translátion [...trɑːns-]; ~ное выраже́ние apt turn of phrase; ~ный вы́бор háppy choice; э́то бы́ло ~но that was fórtunate [...-tʃnɪt].

удва́ивать, удво́ить (вн.) double [dʌbl] (d.), redóuble [-'dʌbl] (d.); лингв. (о слоге и т.п.) redúplicàte (d.); удво́ить свои́ уси́лия redóuble one's éfforts. **~ся, удво́иться 1.** double [dʌbl], redóuble [-'dʌbl]; лингв. (о слоге и т.п.) redúplicàte; **2.** страд. к удва́ивать.

удвое́ние с. dóubling ['dʌ-], redóubling [-'dʌ-]; лингв. (слога и т.п.) redùplicátion.

удво́енн||ый 1. прич. и прил. doubled [dʌ-], redóubled [-'dʌ-]; **2.** прил. лингв. (о слоге и т.п.) redúplicàted; (о буквах) double [dʌ-]; ~ое «о» double "s".

удво́ить(ся) сов. см. удва́ивать(ся).

уде́л м. **1.** (участь) lot, déstiny; **2.** ист. áp(p)anage; indepéndent principálity (in mediaeval Russia).

удели́ть сов. см. уделя́ть.

уде́льн||ый I физ. specífic; ~ вес specífic grávity; (перен.) share, propórtion; ~ая теплота́ specífic heat; ~ое сопротивле́ние specífic resístance [...-'zɪ-...]; ~ объём specífic vólume.

уде́льный II ист.: ~ пери́од périod of áp(p)anage principálities (in mediaeval

УДЕ—УДО

Russia); ~ князь áp(p)anage prince (in mediaeval Russia).

удел||я́ть, удели́ть (вн.) spare (d.), give* (d.); ~и́те мне пять мину́т spare me five mínutes [...'mınıts]; ~ чему́-л. вре́мя find* time for smth.; на́до ~и́ть э́тому внима́ние it should be given consideration; ~и́ть из бюдже́та часть на что-л. appróprìate búdget funds for smth.

у́держ м.: без ~у разг. uncontrollably [-oul-], unrestrainedly, without restraint; смея́ться без ~у laugh helplessly / uncontrollably [la:f...]; он смея́лся без ~у he couldn't stop láughing [...'la:f...]; не знать ~у разг. know* no restraint [nou...]; (на нём) нет ~у разг. there is no holding him.

удержа́ние с. 1. (сохранение) kéeping; reténtion; 2. (вычет из чего-л.) dedúction; ~ из зарпла́ты móney stopped from wáges ['mʌ-...].

удержа́ть(ся) сов. см. уде́рживать(ся).

уде́рживать, удержа́ть 1. (вн.; не выпускать, сохранять) retáin (d.); hold* (d.); not let* (d. go); удержа́ть в рука́х hold* (d.), keep* fast (d.); ~ в па́мяти bear* / keep* in mind [beə...] (d.), retáin in one's mémory (d.); удержа́ть свои́ пози́ции hold* one's positions [...-'zɪ-], hold* one's own [...oun]; плоти́на не удержа́ла воды́ the dam could not withstand the préssure of the wáter [...'wɔ:-], the dam gave way; 2. (вн. от; не давать сделать) hold* back (d. from), keep* (d. from); ~ кого́-л. от риско́ванного ша́га keep* smb. from táking a risk; 3. (вн.; подавлять) suppréss (d.); ~ рыда́ния suppréss sobs; он не мог удержа́ть слёзы he couldn't help, или stop himsélf from, crýing; he couldn't restráin his tears; 4. (вн.; вычитать) dedúct (d.); keep* back (d.); удержа́ть сто́имость чего́-л. из чьей-л. зарпла́ты stop the válue of smth. from smb.'s wáges. ~**ся**, удержа́ться 1. (устоять) hold* one's ground, hold* out; неприя́тель стара́лся удержа́ться на реке́ the énemy tried to hold out, или make a stand, on the ríver [...'rı-]; удержа́ться на нога́х keep* one's feet, remáin on one's feet; удержа́ться в седле́ keep* / stay in the sáddle; 2. (оставаться) keep*; 3. (от) keep* (from), refráin (from); удержа́ться от соблазна resíst the temptátion [-'zı-...]; ~ся от куре́ния refráin from smóking; он не мог удержа́ться от сме́ха he couldn't help láughing [...'la:f...], he couldn't refráin from láughing; нельзя́ удержа́ться (от) one cánnot help (+ ger.).

удесятер||ённый ténfòld; décuple [-kju-]. ~**и́ть(ся)** сов. см. удесятеря́ть(ся).

удесятеря́ть, удесятери́ть (вн.) incréase ténfòld [-s...] (d.); décuple [-kju-] (d.). ~**ся**, удесятери́ться 1. incréase ténfòld [-s...], be / becóme* incréased ténfòld; décuple [-kju-]; 2. страд. к удесятеря́ть.

удеше́в||и́ть(ся) сов. см. удешевля́ть (-ся). ~**ле́ние** с. redúction of príces.

удешевля́ть, удешеви́ть (вн.) redúce the price (of). ~**ся**, удешеви́ться 1. becóme* chéaper, chéapen; 2. страд. к удешевля́ть.

удиви́тельно I 1. прил. кратк. см. удиви́тельный; 2. предик. безл. it is astónishing; (странно) it is fúnny / strange [...-eɪndʒ]; не ~, что no wónder that [...'wʌ-...]; ◊ и не ~! no wónder!, and small wónder!

удиви́тельно II нареч. 1. wónderfully ['wʌ-]; astónishingly, surprísingly; 2. (очень) very, extrémely; 3. (чудесно) ádmirably, márvellously.

удиви́тельн||ый 1. astónishing, surprísing, stríking, amázing; ничего́ ~ого no wónder [...'wʌ-]; (it is) small wónder; что ~ого? what is there (so) strange in that? [...-eɪndʒ...]; 2. (чудесный, замечательный) wónderful ['wʌ-], márvellous.

удиви́ть(ся) сов. см. удивля́ть(ся).

удивле́ни||е с. astónishment, surpríse, wónder ['wʌ-], amázement; к моему́ вели́кому ~ю to my great surpríse [...-eɪt...]; рази́нуть рот от ~я разг. be ópen-móuthed with astónishment / surpríse; ◊ на ~ разг. (очень хороший) spléndid; на ~ кому́-л. to smb.'s delíght.

удивлённ||ый прич. и прил. astónished, surprísed, amázed; смотре́ть ~ыми глаза́ми look in wide-eyed astónishment [...-aɪd...].

удивля́ть, удиви́ть (вн.) astónish (d.), surpríse (d.), amáze (d.). ~**ся**, удиви́ться (дт.) wónder ['wʌ-] (at), be astónished / surprísed / amázed (at); мо́жно ли ~ся по́сле э́того can it be wóndered then.

удила́ мн. bit sg.; мундшту́чные ~ cúrb-bit sg.; тре́нзельные ~ snáffle-bit sg.; закуси́ть ~ (прям. и перен.) take ~ the bit between one's teeth.

уди́лище с. fishing-ròd, rod.

уди́льщ||ик м., ~**ица** ж. ángler.

удира́ть, удра́ть разг. make* off, run* awáy, take* to one's heels, bolt.

уди́ть (вн.) ángle (d.), fish (d.).

удлине́ние с. lengthening, máking lónger; (о сроке) prolòngátion, exténsion.

удлинённый 1. прич. см. удлиня́ть; 2. прил. (продолговатый) óblòng ['ɔb-]; (вытянутый в длину) elóngated ['í:-].

удлини́ть(ся) сов. см. удлиня́ть(ся).

удлиня́ть, удлини́ть (вн.) lengthen (d.), make* lónger (d.); (о сроке) prolóng (d.), exténd (d.); (вытягивать) elóngate ['í:-] (d.); ~ черту́ prolóng / exténd a line. ~**ся**, удлини́ться 1. lengthen, becóme* lónger; (о сроке) be prolónged / exténded; (вытягиваться) becóme* elóngated [...'í:-]; 2. страд. к удлиня́ть.

удму́рт м., ~**ка** ж., ~**ский** Udmúrt; ~ский язы́к Udmúrt, the Udmúrt lánguage.

удо́бно I 1. прил. кратк. см. удо́бный; 2. предик. безл. (дт.) перево́дится ли́чными фо́рмами глаг. feel* / be cómfortable [...'kʌ-], be at one's ease: ему́ удо́бно he feels / is cómfortable, he is at his ease; 3. предик. безл. (дт. + инф., подходит) it is convénient (for + to inf.); it suits [...sju:ts] (me, him, etc. + to inf.); ему́ на́чать рабо́ту сего́дня it is convénient for him to begín the work todáy; е́сли ему́ э́то ~ if (it is) convénient for him; 4. предик. безл. (прилично) it is próper [...'prɔ-]; ~ ли прийти́ так по́здно? is it próper, или all right, to come so late?

удо́бн||о II нареч. cómfortably ['kʌ-]. ~**ый** 1. cómfortable ['kʌ-]; (для пользования) hándy; (уютный) cósy [-zı]; ~ое кре́сло cómfortable / cósy chair; 2. (подходящий) convénient; ópportùne; ~ое сообще́ние convénient means of tránspòrt pl.; ~ый моме́нт convénient / ópportùne móment; ~ый слу́чай good* opportúnity.

удобовари́м||ость ж. digestibílity. ~**ый** digéstible.

удобо||исполни́мый éasy to cárry out ['ɪzɪ...] (predíc.); féasible [-z-]. ~**поня́тный** comprehénsible, intélligible. ~**произноси́мый** éasy to pronóunce ['ɪzɪ...] (predíc.), éasily pronóunceable ['í:z-...]; ~**чита́емый** (о почерке, шрифте) légible; (о книге и т. п.) réadable.

удобре́ние с. с.-х. 1. (действие) fértilìzing, applýing fértilizer(s); (унаваживание) manúring; 2. (вещество) fértilizer; есте́ственное ~ órganic manúre; минера́льное ~ fértilizer.

удобри́ть сов. см. удобря́ть.

удобря́ть, удобри́ть (вн.) fértilize (d.); (унаваживать) manúre (d.), dung (d.).

удо́бств||о с. 1. тк. ед. cómfort ['kʌ-]; с ~ом with cómfort; 2. (устройство) convénience; кварти́ра со все́ми ~ами flat with all convéniences.

удовлетворе́ни||е с. satisfáction, gràtificátion; с больши́м ~ем with great satisfáction [...-eɪt...]; дава́ть кому́-л. ~ give* satisfáction to smb.; получи́ть по́лное ~ be fúlly / complétely sátisfied [...'fu-...], obtáin compléte satisfáction; находи́ть ~ (в пр.) find* satisfáction (in); ◊ тре́бовать ~я у кого́-л. demánd satisfáction from smb. [-a:nd...].

удовлетворённ||о нареч. with satisfáction. ~**ость** ж. satisfáction, conténtment. ~**ый** 1. прич. см. удовлетворя́ть; 2. прил. contént (predíc.), conténted.

удовлетвори́тельн||о 1. нареч. satisfáctorily; 2. как сущ. с. нескл. (отметка) sàtisfáctory, fair; ~**ость** ж. sàtisfáctoriness. ~**ый** sàtisfáctory.

удовлетвори́ть(ся) сов. см. удовлетворя́ть(ся).

удовлетворя́ть, удовлетвори́ть 1. (вн.) sátisfy (d.), contént (d.), complý (with); ~ потре́бности sátisfy the requíreménts; ~ про́сьбу complý with a requést; ~ чьи-л. жела́ния meet* smb.'s wíshes; ~ аппети́т sátisfy / appéase / assuáge one's áppetite [...ə'sweɪdʒ...]; 2. (вн. тв.; офиц., снабжать) supplý (d. with); (о провизии) víctual ['vɪt'l] (d. with); (об инвентаре) stock (d. with); 3. (дт.; соответствовать) ánswer ['a:nsə]; ~ тре́бованиям ánswer / meet* the demánds / requíreménts [...-a:ndz...]. ~**ся**, удовлетвори́ться 1. (тв.) contént onesélf (with); 2. страд. к удовлетворя́ть.

удово́льств||ие с. 1. тк. ед. (чу́вство) pléasure ['ple-]: испы́тывать ~ от чего́-л. feel* / expérience pléasure in smth.; get* pléasure from, или out of, smth.; находи́ть ~ в чём-л. find* / take* (a) pléasure in smth.; доставля́ть ~ (дт.) give* / afford pléasure (i.); проси́ять от ~ия brighten with pléasure; с (величайшим) ~ием with (the gréatest) pléasure [...'grei-...]; — к о́бщему ~ию to éverybody's delight; 2. (развлечение) amúse:ment; ◊ жить в своё ~ enjóy one's life.

удово́льствоваться сов. см. дово́льствоваться 1.

удо́д м. (птица) hóopoe [-pu:].

удо́||й м. 1. yield of milk [ji:ld...]; 2. (доение) milking; молоко́ у́треннего ~я mórning milk.

удо́йн||ость ж. с.-х. milking capácity; milking quálities pl., milk yield [...ji:ld]; ~ый с.-х. yielding / giving much milk ['ji:l-...]; ~ый скот cattle giving much milk; ~ая коро́ва good* milker, good* milch cow.

удорож||а́ние с. rise in price(s); ~ строи́тельства rise in the cost of constrúction / building [...'bi-]. ~а́ть, ~а́ться, удорожи́ть (вн.) raise the price (of). ~а́ться, удорожи́ться 1. rise* in price; 2. страд. к удорожа́ть.

удорожи́ть(ся) сов. см. удорожа́ть(ся).

удоста́ивать, удосто́ить 1. (вн. рд., степени) confér (on d.); (награды и т. п.) awárd (to d.); 2. (вн. тв.; ока́зывать внимание) fávour (d. with), hónour ['ɔ-] (d. with), vouchsáfe (d.); deign [dein] (+ to inf.); он не удосто́ил её отве́том he vouchsáfed her no ánswer [...'a:nsə], he did not deign to ánswer her. ~ся, удосто́иться 1. (рд.) be hónoured [...'ɔnəd] (with); (награды) be awárded (d.); 2. страд. к удоста́ивать.

удостовере́ние с. 1. (действие) certificátion; attestátion; в ~ (рд.) in witness (of); 2. (документ) certíficate; выдава́ть ~ (дт.) give* a certíficate (i.); ~ ли́чности idéntity card [ai-...].

удостове́рить(ся) сов. см. удостоверя́ть(ся).

удостоверя́ть, удостове́рить (вн.) certifý (d.); attést (d.); ~ по́дпись witness a signature; ~ ли́чность кого́-л. identifý smb. [ai-...], prove smb.'s idéntity [pru:v...ai-...]. ~ся, удостове́риться 1. (в пр.) ascertáin (d.), make* sure [...ʃuə] (of); make* cértain (that); удостове́риться в и́стинности, пра́вильности показа́ния be convinced of the corréctness of the téstimony; 2. страд. к удостоверя́ть.

удосто́ить(ся) сов. см. удоста́ивать(-ся).

удосу́ж||иваться, удосужи́ться (+ инф.) разг. find* time (for ger.); get* aróund (to ger.), mánage (+ to inf.). ~иться сов. см. удосу́живаться.

удочер||и́ть сов. см. удочеря́ть. ~я́ть, удочери́ть (вн.) adópt (d.) (as a daughter).

у́дочк||а ж. fishing-rod, rod; заки́нуть ~у cast* the line, put* a line out; (перен.) drop a hint; попа́сться на ~у swallow / take* the bait; (перен. тж.) fall* for the bait; пойма́ть, подде́ть на ~у (вн.; перен.) catch* out (d.).

удра́ть сов. см. удира́ть.

удружи́ть сов. (дт.) разг. do a good turn (i.), ирон. do an ill / bad turn (i.).

удруч||а́ть, удручи́ть (вн.) depréss (d.), dispírit (d.), aggríeve [-i:v] (d.); make* despóndent (d.); э́то меня́ ~а́ет it is a weight on my mind. ~а́ющий 1. прич. см. удруча́ть; 2. прил. páinful, oppréssive.

удручённ||ость ж. depréssion, despóndency. ~ый прич. и прил. depréssed; прил. тж. despóndent; wóebegòne [-gɔn]; ~ое состоя́ние depréssion; ~ый челове́к depréssed / despóndent pérson.

удручи́ть сов. см. удруча́ть.

удуш||а́ть, удуши́ть (вн.) súffocàte (d.), smóther ['smʌ-] (d.), stifle (d.); (газом) asphýxiàte (d.). ~а́ющий 1. прич. см. удуша́ть; 2. прил. = удуши́ливый; ◊ отравля́ющее вещество́ ~а́ющего де́йствия воен. chóking gas, asphýxiàtor, asphýxiant, súffocant. ~е́ние с. suffocátion, smóther:ing ['smʌ-]; (газом) asphyxiátion. ~и́ть сов. см. удуша́ть.

удуши́лив||ость ж.: ~ атмосфе́ры stúffiness of the air. ~ый 1. súffocàting, chóking; stifling; ~ая атмосфе́ра stifling átmosphère; 2. (отравляющий) дыха́тельные пути́ asphýxiàting; ~ый газ asphýxiàting / chóking gas.

удушь||е с. ásthma [-sm-], asphýxia; suffocátion; припа́док ~я asthmátic fit [-sm-...].

уединён||ие с. sólitùde, sclúsion, retíre:ment; жить в ~ии live in sólitude / retíre:ment / sclúsion [liv...].

уединённо нареч. sólitarily, in sólitude; жить ~ live in sólitude [liv...]. ~ость ж. sclúsion, sólitariness. ~ый 1. прич. см. уединя́ть; 2. прил. sclúded, sólitary; (одинокий) lóne:ly, retíred; ~ое ме́сто lóne:ly / remóte / sclúded place.

уедини́ть(ся) сов. см. уединя́ть(ся).

уединя́ть, уедини́ть (вн.) sclúde (d.). ~ся, уедини́ться (от) sclúde onesélf (from), retíre (from).

уе́зд м. ист. uyézd [u:'jezd]; dístrict. ~ный ист. uyézd [u:'jezd] (attr.), dístrict (attr.); ~ный го́род chief town of a uyézd / dístrict [tʃi:f...].

уезжа́ть, уе́хать (из в вн.) leave* (d. for), depárt (from to); сов. тж. have left (d. for); (без доп.) be awáy; ~ отсю́да, отту́да leave* here, there.

уе́хать сов. см. уезжа́ть.

уж I м. зоол. grass-snake.

уж II 1. нареч. = уже́; 2. части́ца (ведь, наверное) переводится ли́чными фо́рмами be sure [...ʃuə]; (в самом деле) об. уж и) réally ['riə-]; уж он на всё узна́ет he is sure to find out évery:thing; уж он всё э́то сде́лает he is sure to do it all; уж я не зна́ю I réally don't know [...nou]; 3. части́ца (усилительная): э́то не так уж тру́дно it is not so very difficult.

у́жа́ленный прич. см. жа́лить.

ужа́лить сов. см. жа́лить.

ужа́риваться, ужа́риться 1. (о мясе и т. п.) be thóroughly róasted [...'θʌ-...], be quite réady [...'re-...]; 2. (уменьшаться в весе, объёме) roast awáy; be róasted up.

ужа́риться сов. см. ужа́риваться.

у́жас м. тк. ед. (чувство стра́ха) térror, hórror; приводи́ть, поверга́ть в ~ (вн.) instíl térror (into); térrifý (d.); внуша́ть ~ (дт.) hórrify (d.); inspíre with awe (d.); объя́тый ~ом térror-strúck, térror-stricken, hórror-strúck, hórror-stricken; содрога́ться от ~а shúdder with hórror; приходи́ть в ~ (от), быть в ~е (от) be hórrified (by); како́й ~! how térrible / hórrible!; к его́ ~у to his hórror; 2. ча́ще мн. (предмет страха) hórror; ~ы войны́ the hórrors of war; 3. (траги́чность, безвыходность) hórror; почу́вствовать весь ~ своего́ положе́ния feel* how térrible / hópe:less one's position is [...'zi-...], réalize what a térrible / hópe:less position one is in ['riə-...]; 4. предик. (о чём-л. необычайном, изумля́ющем) it is terrific; ~ как вку́сно! it tastes fríghtfully good! [...tei-...]; 5. как нареч. разг. térribly, hórribly; áwfully; ~ как fríghtfully, áwfully, térribly, hórribly; ~ как хо́лодно it is térribly cold.

ужас||а́ть, ужасну́ть (вн.) térrify (d.), hórrify (d.), awe (d.). ~а́ться, ужасну́ться be térrified / hórrified. ~а́ющий 1. прич. см. ужаса́ть; 2. прил. (вызыва́ющий ужас) hórrific; 3. прил. разг. (отвратительный) térrible, hórrible; ~а́ющая пого́да áwful / béast:ly / ghást:ly wéather [...'we-].

ужа́сно I 1. прил. кратк. см. ужа́сный; 2. предик. безл. it is térrible / hórrible.

ужа́сно II нареч. 1. térribly, hórribly; 2. разг. (о́чень, чрезвыча́йно) áwfully, fríghtfully; я ~ рад вас ви́деть (I am) áwfully glad to see you; ~ ми́ло с ва́шей стороны́ (it is) térribly nice of you.

ужасну́ть(ся) сов. см. ужаса́ть(ся).

ужа́сн||ый (в разн. знач.) térrible, hórrible; ~ вид áwful / ghást:ly sight; ~ое несча́стье térrible misfórtune [...-tʃən]; ~ые муче́ния térrible tórtures; он у́мер в ~ых муче́ниях he died in térrible pain; ~ ве́тер térrible wind [...wi-]; ~ая пого́да térrible / násty wéather [...'we-]; ~ на́сморк fríghtful cold.

уже́ сравн. ст. см. прил. у́зкий и нареч. у́зко II.

уже́ нареч. alréady [ɔ:l're-]; (в настоя́щее вре́мя) by this time, by now; (тепе́рь) now; (в отрица́нии) no lónger; ~ двена́дцать часо́в it is alréady twelve o'clock; он ~ ко́нчил рабо́ту he has alréady fínished his work; ~ давно́ (с глаголом в сов. виде) long since, long agó; (с глаголом в несов. виде) for a long time; э́то давно́ ~ забы́то it has long since been forgótten, it was forgótten long agó; он давно́ ~ хо́дит в шко́лу he has been gó:ing to school for a long time now; его́ ~ нет там he is no lónger there; ~ не ребёнок he is no lónger a child*; он ~ взро́слый he is grówn-up now; ~ не раз more than once; его́ ~ нет (в живы́х) he is no more; ◊ э́то ~ хорошо́, э́то ~ что-то ány:way that's sóme:thing.

уже́ли, уже́ль нареч. уст. = неуже́ли.

уже́ние с. fishing, ángling.

УЖЕ—УКА

ужесточ||а́ть, ужесто́чить (вн.) tóughen ['tʌf'n] (d.), make* tougher [...'tʌf-] (d.). ~а́ться, ужесточи́ться become* tougher [...'tʌf-]. ~е́ние с. toughening ['tʌf-]. ~и́ть(ся) сов. см. ужесточа́ть(ся).

ужива́ться, ужи́ться (с тв.) get* on (with); get* alóng togéther [...-'ge-] (with); они́ не ужили́сь they couldn't get on.

ужи́вчив||ость ж. éasy disposítion ['iːzɪ -'zɪ-]. ~ый éasy to get on with ['iːzɪ...].

ужи́мка ж. чаще мн. grimáce.

у́жин м. súpper; за ~ом at súpper; по́сле ~а áfter súpper. ~ать, поу́жинать take* / have súpper.

ужи́ться сов. см. ужива́ться.

ужо́ нареч. разг. 1. (потом, позже) láter, by and by; 2. (дт. и без доп.): вот, ~ тебе́! just you wait!; I'll show you! [...ʃou...].

узаконе́н||ие с. 1. (действие) legalizátion [liːgəlaɪ-], legitimátion, legitimizátion [-maɪ-]; 2. уст. (закон) státute, law; сбо́рник ~ий colléction of státutes, státute-book.

узако́н||ивать, узако́нить (вн.) légalize ['liː-] (d.), legítimate (d.), legítimatize (d.). ~ить сов. см. узако́нивать. ~ять = узако́нивать.

узбе́к м., ~ский Uzbék [uːz-]; ~ский язы́к Uzbék, the Uzbék lánguage.

узбе́чка ж. к узбек.

узд||а́ ж. (прям. и перен.) bridle; curb (об. перен.); держа́ть в ~е́ (вн.) keep* in check (d.), hold* in leash (d.).

узде́чка ж. 1. bridle; мундшту́чная ~ curb; тре́нзельная ~ snaffle, bridóon; 2. анат. fráenum (pl. -na).

узды́: держа́ть ло́шадь под ~ hold* the horse by the bridle.

у́зел I м. 1. (на верёвке; тж. перен.) knot; морско́й ~ bend, hitch; завя́зывать ~ tie / make* a knot; завя́зывать что-л. узло́м knot smth.; развя́зывать ~ undó a knot; ~ противоре́чий knot of contradíctions; 2.: доро́г ~ road júnction; железнодоро́жный ~ (ráilway) júnction; ~ свя́зи воен. signal óffice centre; ~ оборо́ны, ~ сопротивле́ния воен. centre of resístance [...-'zɪ-]; ~ коммуника́ций воен. commùnicátions hub; 3. (свёрток) bundle, pack; 4. анат. ́не́рвенный ~ ́ne̓rve-knòt, gánglion; 5. бот. node; 6. тех. (установки) únit, assémbly.

у́зел II м. мор. (мера скорости) knot.

узело́к м. 1. small knot; nódule научн.; 2. (свёрток) small párcel / bundle.

у́зк||ий (в разн. знач.) nárrow; (об одежде, обуви) tight; ~ая колея́ ж.-д. nárrow gauge [...geɪdʒ]; ~ие взгля́ды nárrow views [vjuːz]; ~ челове́к nárrow(-mínded) pérson; ~ гла́сный лингв. nárrow / slénder vówel; ~ая специа́льность particular speciálity [...spe-]; ◊ в ~ом смы́сле сло́ва in the nárrow sense of the word; ~ое ме́сто weak point, bóttle-nèck.

у́зко I прил. кратк. см. у́зкий.

у́зко II нареч. nárrowly; tíghtly; (ср. у́зкий).

узкова́тый ráther / somewhat nárrow ['rɑː-...], nárrowish; (о платье, обуви) ráther / somewhat tight.

узкове́домственный nárrow depártmental.

узкого́рлый nárrow-nécked.

узкогру́дый nárrow-chésted.

узкоколе́||йка ж. ж.-д. разг. nárrow-gauge ráilway [-geɪdʒ...]. ~йный ж.-д. nárrow-gauge [-geɪdʒ] (attr.); ~йная желе́зная доро́га nárrow-gauge line.

узколи́стный бот. nárrow-leaved, with nárrow leaves; àngustifóliate научн.

узколо́бый 1. (с узким лбом) háving a nárrow fórehead [...'fɒrɪd]; 2. (узкий по взглядам) nárrow-mínded.

узкоря́дный: ~ посе́в close sówing [-s 'sou-].

узкоспециа́льный strictly / highly spécialized [...'spe-].

узлова́тый knótty; nódose ['noudous], nodulóse [-s], nódulous научн.

узлов||о́й 1. (главный) main; ~ы́е пу́нкты the main / fócal points; ~ вопро́с the main / céntral quéstion [...-stʃən]; 2.: ~а́я ста́нция ж.-д. (ráilway) júnction; 3. бот. nódal.

узнава́ть, узна́ть (вн.) 1. (признавать) know* (again) [nou...] (d.), récognize (d.); он узна́л её по го́лосу he knew her by her voice; 2. (о новостях и т. п.) learn* [lɜːn] (d.), get* to know (d.); он узна́л мно́го но́вого he learned much that was new (to him); 3. (справляться) find* out (d.); inquíre (about); узна́йте по телефо́ну, когда́ нача́ло спекта́кля find out by télephòne when the play begins, télephòne and find out when the play begins; 4. (знакомиться) get* to know* (d.); тепе́рь он её лу́чше узна́л he knows her bétter now; 5. (испытывать) expérience (d.).

узна́ть сов. см. узнава́ть.

у́зн||ик м., ~ица ж. prísoner [-z-].

узо́р м. páttern, design [- zaɪn]; trácery ['treɪ-]. ~ный, ~чатый pátterned.

у́зость ж. (прям. и перен.) nárrowness; (об одежде, обуви) tíghtness; (ограниченность) nárrow-míndedness.

узре́ть сов. см. зреть II.

узурп||а́тор м. usúrper [juː'z-]. ~а́ция ж. usùrpátion [juːz-]. ~и́ровать несов. и сов. (вн.) usúrp [juː'z-] (d.).

у́зы мн. (прям. и перен.) bonds, ties; ~ дру́жбы bonds / ties of fríendship [...'fre-].

уйгу́р м., ~ка ж. Uígur ['wiːguə]. ~ский Uígur ['wiːguə], Uigúrian [wɪ-'guərɪən], Uigúric [wɪ'guərɪk]; ~ский язы́к Uígur, the Uígur lánguage.

уйма́ ж. тк. ед. (рд.) lots (of) pl., heaps (of) pl.; a treméndous lot (of) / másses (of) pl.

уйти́ сов. см. уходи́ть I 1, 2, 4, 5.

ука́з м. 1. decrée, édict ['iː-]; ukáse [-z]; 2. предик. (дт.) разг.: ты ему́ не ~ you can't lay down the law for him [...kɑːnt...], you are no authórity for him.

указа́н||ие с. 1. (действие) indicátion; 2. (инструкция) instrúctions pl.; diréctions pl.; дава́ть ~я give* instrúctions.

ука́занный прич. и прил. státed, méntioned; índicated.

указа́тель м. 1. (в книге; цен) índex (pl. -xes, índices [-siːz]); алфави́тный ~ àlphabétical índex; библиографи́ческий ~ bibliógraphy; 2. (справочная книга): железнодоро́жный ~ ráilway-guide; ~ абоне́нтов телефо́нной се́ти télephòne diréctory; 3. (прибор, стрелка) índicator, póinter; ~ (возду́шной) ско́рости ав. áir-speed índicàtor. ~ный índicating, índicatory [-keɪ-]; ~ная стре́лка póinter, índex (pl. -xes, índices [-siːz]); ~ное местоиме́ние грам. demónstrative prónoun; ◊ ~ный па́лец fórefinger, índex (finger).

указа́ть сов. см. ука́зывать.

указ||ка ж. 1. póinter; 2. разг. (указание, распоряжение) órders pl.; по чужо́й ~е at smb. else's bídding.

ука́зч||ик м., ~ица ж. разг.: он ей не ~ he can't órder her abóut [...kɑːnt...], she won't take órders from him [...wount...].

ука́зывать, указа́ть 1. (вн.) show* [ʃou] (d.); índicate (d.); ~ доро́гу show* the way; указа́ть литерату́ру по э́тому вопро́су point out the books déaling with this quéstion [...-stʃən]; ~ то́чную да́ту name the exáct date; указа́ть свою́ профе́ссию (в анкете и т. п.) índicate one's proféssion; ~ путь к чему́-л. point the way to smth.; 2. (на вн.) point (to, at); (перен.) point out (d.); стре́лка ука́зывает на юг the needle points to the south; ~ на недоста́тки point out the deféctis; 3. (без доп.; инструкти́ровать) give* instrúctions; expláin; указа́ть, как вы́полнить рабо́ту point out, или expláin, how to do the work; ◊ указа́ть кому́-л. на дверь show* smb. the door [...dɔː].

ука́л||ывать, уколо́ть (вн.) prick (d.); (перен.) pique [piːk] (d.), sting (d.); уколо́ть ру́ку иго́лкой prick one's hand with a needle; уколо́ть кого́-л. замеча́нием touch smb.'s pride with one's words [tʌtʃ...]. ~ся, уколо́ться prick onesélf.

укарау́лить сов. (вн.) разг. watch (d.), guard (d.), mánage to watch / guard (d.); не ~ fail to watch (d.); let* (d.) go / escápe.

уката́ть сов. см. ука́тывать I. ~ся сов. см. ука́тываться I.

укати́ть сов. см. ука́тывать II. ~ся сов. см. ука́тываться II.

ука́тка ж. rólling.

ука́тывать I, уката́ть (вн.) 1. roll (d.); ~ доро́гу make* a road smooth [...-ð]; (катком) roll a road; 2. разг. (мучить, лишать сил) wear* out [weə-...], tire out (d.); 3. разг. = упека́ть.

ука́тывать II, укати́ть 1. (вн.; о шаре, мяче) roll away (d.); 2. (без доп.) разг. (уезжать) leave*, drive* off.

ука́тываться I, уката́ться 1. (о дороге и т. п.) get* / become* smooth [...-ð]; 2. страд. к ука́тывать I.

ука́тываться II, укати́ться 1. roll awáy; 2. страд. к ука́тывать II 1.

ука́чать сов. см. ука́чивать.

ука́чивать, укача́ть (вн.) 1. (усыплять) rock to sleep (d.); 2. безл. (на море) cause séa-sickness; (при езде в автомобиле, поезде) make* sick (d.); его укачало (на море) he was (séa-)sick; (в автомобиле и т. п.) the mótion (of the car, etc.) made him sick; he súffered from trável sickness [...'træ-...].

укипа́ть, укипе́ть *разг.* boil down / a;wáy.

укипе́ть *сов. см.* укипа́ть.

укла́д *м.*: ~ жи́зни way of life; обще́ственно-экономи́ческий ~ the sócial and ecónomic strúcture [...i:k-...].

укла́д||**ка** *ж.* 1. (в груду) píling; (в штабеля) stácking; (вещей) pácking; (груза) stówage ['stou-]; (рельсов, волос) láying ['stou-]; (рельсов) arránging [-eɪndʒ-], sétting; 2. (причёска) set; 3. уст. (ящик, сундук) (little) chest / box. ~**чик** *м.*, ~**чица** *ж.* 1. pácker; 2. (рельсов, шпал и т. п.) láyer.

укла́дывать, уложи́ть (вн.) 1. lay (d.); уложи́ть в посте́ль put* to bed (d.); 2. (упако́вывать) pack up (d.); 3. (о грузе, дровах и т. п.) stow [stou] (d.); (в груду) pile (d.); (штабелями) stack (d.); 4. (о рельсах, шпалах и т. п.) lay* (d.); 5. (делать причёску) arránge [-eɪndʒ] (d.); (в парикма́херской) style (d.); ◊ уложи́ть на ме́сте kill on the spot (d.).

укла́дыв||**аться** I, уложи́ться 1. pack (up), be pácking (up), be pácking one's things; 2. (в вн., в пр.; умеща́ться) go* (in, into); не всё ~ается в э́том сундуке́ not éverything will go into the trunk; 3.: э́то не ~ается в голове́ it is hard to believe / grasp it [...-'li:v...], this is hard to take in; 4. (в вн.; в определённые пределы) keep* (within), confíne òneself (to); мо́жет ли он уложи́ться в де́сять мину́т? can he mánage in ten mínutes? [...'mɪnɪts]; can he confíne òneself to ten mínutes?; 5. *страд. к* укла́дывать.

укла́дываться II, уле́чься lie* down; ~ в посте́ль go* to bed.

укле́йка *ж. зоол.* bleak.

укло́н *м.* 1. incliná́tion; (от отвесной линии) rake; (дороги) slope, declívity; *ж.-д.* grádient; идти́ под ~ go* dównhill; 2. (направленность) bías; шко́ла с техни́ческим ~ом school with a téchnical bias; 3. *полит.* deviá́tion; ле́вый, пра́вый ~ left-wing, right-wing deviá́tion. ~**е́ние** *с.* deviá́tion; (перен.; от обя́занностей, долга и т. п.) evá́sion; (от те́мы и т. п.) digréssion [daɪ-]. ~**и́ться** *сов. см.* уклоня́ться.

укло́нчив||**о** *нареч.* evá́sive;ly. ~**ость** *ж.* evá́sive;ness. ~**ый** evá́sive.

уклоня́ться, уклони́ться (от) devíate (from); (избега́ть) avóid (d.), shun (d.); (от уда́ра и т. п.; тж. перен.: от обя́занностей, долга и т. п.) evá́de (d.), elúde (d.); dodge (d.); (от те́мы) digréss (from), wánder a;wáy (from); ~ от встре́чи с кем-л. avóid méeting smb.; ~ от отве́та evá́de a quéstion [-stʃən], párry a quéstion; ~ от уда́ра dodge a blow [...blou]; ~ от бо́я *воен.* avoid áction; ~ от отве́тственности avoid / evá́de (d.) dodge the responsibility.

уклю́чина *ж.* rówlock ['rɒlək].

укоко́шить *сов.* (вн.) *разг.* kill (d.); bump off (d.).

уко́л *м.* 1. prick; 2. (подкожное впры́скивание) injéction; сде́лать ~ give* an injéction.

уколо́ть(ся) *сов. см.* ука́лывать(ся).

укомплектова́ние *с.* má́king up of the staff; bríng:ing (smth.) up to strength.

укомплекто́ванн||**ость** *ж.* full strength. ~**ый** *прич. и прил.* recrúited [-ru:t-], manned, staffed; *прил. тж.* compléte; (о ли́чном соста́ве тж.) with a compléte staff; быть ~ым be at full strength.

укомплектова́ть *сов. см.* комплектова́ть и укомплекто́вывать. ~**ся** *сов. см.* укомплекто́вываться.

укомплекто́вывать, укомплектова́ть (вн.) compléte (d.); (ли́чным соста́вом) fill up staff vácancies [...'veɪ-]; *воен.* (ré)man (d.), bring* up to strength (d.). ~**ся**, укомплектова́ться 1. becóme* compléte; (ли́чным соста́вом) get* / have all the vácancies filled [...'veɪ-...]; 2. *страд. к* укомплекто́вывать.

уко́р *м.* repróach; ~ы со́вести pangs / pricks / twinges of cónscience [...-nʃəns] remó́rse *sg.*; ~ не в ~ бу́дь ска́зано *разг.* (it's) not meant as a repró́ach [...ment...]; do not take it amíss.

укора́чивать, укороти́ть (вн.) shó́rten (d.). ~**ся**, укороти́ться 1. shó́rten; 2. *страд. к* укора́чивать.

укоре́н||**е́ние** *с.* tá́king / stríking root. ~**и́вшийся** 1. *прич. см.* укореня́ться; 2. *прил.* déep-róoted, ín;gráined. ~**и́ть**(**ся**) *сов. см.* укореня́ть(ся).

укореня́ть, укорени́ть (вн.) implá́nt [-ɑ:nt] (d.). ~**ся**, укорени́ться 1. (прям. и перен.) take* / strike* root; 2. *страд. к* укореня́ть.

укори́зн||**а** *ж.* repró́ach. ~**енный** repró́achful.

укори́ть *сов. см.* укоря́ть.

укороти́ть(ся) *сов. см.* укора́чивать(-ся).

укоря́ть, укори́ть (вн. в пр.) repró́ach (d. with).

уко́с *м. с.-х.* hay há́rvest, há́y-crop.

уко́сина *ж. тех.* strut, brace; (крана) jib, boom.

укра́дкой *нареч.* by stealth [...ste-], stéalthily ['ste-], fúrtively.

украи́н||**ец** *м.*, ~**ка** *ж.*, ~**ский** Ùkráinian; ~ский язы́к Ùkráinian, the Ùkráinian lánguage.

укра́сить(ся) *сов. см.* украша́ть(ся).

укра́сть *сов. см.* красть.

украша́тельство *с.* embéllishment.

украша́ть, укра́сить (вн.; прям. и перен.) adórn (d.), béautify ['bju:-] (d.); ~ фла́гами décorate (d.), órnament (d.); ~ цвета́ми décorate with flags (d.); ~ цвета́ми décorate with flówers (d.). ~**ться**, укра́ситься 1. adórn òneself; 2. *страд. к* украша́ть. ~**е́ние** *с.* 1. (действие) adó́rning, dècorá́tion, òrnamentá́tion; 2. (предмет) adó́rnment, dècorá́tion, órnament; лепно́е ~ stúcco mó́ulding [...'mou-...].

укрепи́ть(ся) *сов. см.* укрепля́ть(ся). ~**ле́ние** *с.* 1. (действие) stréngthening; (власти, положения) cònsolidá́tion; *воен.* fórtifying; 2. *воен.* (сооружение) fòrtificá́tion; берегово́е ~ле́ние cóastal fòrtificá́tion; долговре́менное ~ле́ние pérmanent work; ло́жное ~ле́ние dú́mmy work; полево́е ~ле́ние field work [fi:-...]; предмо́стное ~ле́ние brídge;head [-hed].

укрепл||**я́ть**, укрепи́ть (вн.) 1. (в разн. знач.) consólidate (d.); (о власти, положе́нии и т. п.) consólidate (d.); *воен.* fórtify (d.); укрепи́ть квалифици́рованными ка́драми rè;inforce / replénish with skilled pèrsonnél (d.); укрепи́ть экономи́ческую мощь incréase the strength of the ecónomy [-s...i:-]; укрепи́ть еди́нство (рд.) consólidate the únity (of); ~ ве́ру (в вн.) stréngthen smb.'s cónfidence (in); 2. (прикрепля́ть) fix (d.). ~**я́ться**, укрепи́ться 1. (в разн. знач.) becóme* stró́nger; (о власти и т. п.) consó́lidate; *воен.* fó́rtify one's position [...-'zɪ-]; не́рвы у него́ ~и́лись his nerves becá́me stró́nger; 2. *страд. к* укрепля́ть. ~**я́ющее** *с. скл. как прил.* tó́nic, restó́rative; *мед.* ró́borant ['rou-].

укро́мн||**ый** seclúded; (ую́тный) có́mfortable ['kʌ-], có́sy [-zɪ]; ~ое месте́чко, ~ уголо́к seclúded có́rner, nook.

укро́п *м.* dill, fénnel; морско́й ~ sá́mphire.

укроти́тель *м.*, ~**ница** *ж.* (á́nimal-) tá́mer; ~ змей sná́ke-chá́rmer.

укроти́ть(ся) *сов. см.* укроща́ть(ся).

укро́щ||**а́ть**, укроти́ть (вн.; прям. и перен.) tame (d.); (подчиня́ть) subdúe (d.); (заставля́ть повинова́ться) curb (d.). ~**а́ться**, укроти́ться 1. becó́me* tame; (о гневе, я́рости и т. п.) calm (down) [kɑ:m...]; 2. *страд. к* укроща́ть. ~**е́ние** *с.* (прям. и перен.) tá́ming; (перен.) cú́rbing.

укрупн||**е́ние** *с.* enlá́rge;ment, exténsion; (объедине́ние) cònsolidá́tion; ~ колхо́зов amàlgamá́tion of colléctive farms (into bígger únits). ~**и́ть**(**ся**) *сов. см.* укрупня́ть(ся).

укрупня́ть, укрупни́ть (вн.) enlá́rge (d.), exténd (d.); (объединя́ть) consó́lidate (d.); amá́lgamate (d.). ~**ся**, укрупни́ться 1. becó́me* / get* cònsolidá́ted; 2. *страд. к* укрупня́ть.

укрыва́ние *с.* concéalment, há́rbour;ing; (о кра́деном) recéiving (of stó́len goods) [-'si:v-... gudz].

укрыва́тель *м.*, ~**ница** *ж. юр.* concéaler; ~ кра́деного recéiver [-'si:və]; fence *разг.* ~**ство** *с.* concéalment, há́rbour;ing; (кра́деного) recéiving (of stó́len goods) [-'si:v-... gudz].

укрыв||**а́ть**, укры́ть (вн.) 1. (укуты́вать) cóver ['kʌ-] (d.); ~ одея́лом cóver with a blá́nket (d.); 2. (пря́тать, защища́ть) shélter (d.); (престу́пника) concéal (d.), hárbour (d.); (о кра́деном) recéive [-'si:v] (d.); ~**а́ться**, укры́ться 1. (уку́тываться) cóver / wrap òneself ['kʌ-...]; 2. (пря́таться) seek* shélter; *сов. тж.* find* / take* shélter / cóver; (от неприя́теля) take* cóver; 3. (остава́ться незаме́ченным) escá́pe; от него́ ничто́ не укро́ется nothing escá́pes him; 4. *страд. к* укрыва́ть.

укры́ти||**е** *с. воен.* cóver ['kʌ-], shélter; ~ от огня́ cóver (from fire); ~ от наблюде́ния cóver / concéalment from view [...vju:]; в ~и under cóver.

укры́тый 1. *прич. см.* укрыва́ть; 2. *прил. воен.* shéltered, cóvered ['kʌ-];

УКР — УМ

~ ход сообщения cóvered commùnicátion; ~ подступ cóvered appróach.

укры́ть(ся) *сов. см.* укрыва́ть(ся).

у́ксус *м.* vínegar; древе́сный ~ wood vínegar [wud...]; туале́тный ~ tóilet vínegar. **~ница** *ж.* vínegar-crùet [-kru-].

уксусноки́сл‖ый *хим.* ácetous; **~ая соль** ácetate.

у́ксусн‖ый ácetous, acétic [ə'si:-]; ~ая эссе́нция éssence of vínegar, vínegar éssence; ~ая кислота́ acétic ácid.

уку́пор‖ивать, уку́порить (*вн.*) 1. cork up (*d.*); гермети́чески ~ seal (*d.*); 2. (*упаковывать*) pack (up) (*d.*). **~ить** *сов. см.* уку́поривать.

уку́порка *ж.* 1. (*закупоривание*) córking; гермети́ческая ~ séaling; 2. (*упаковка*) pácking, cráting.

уку́с *м.* bite; (*насекомого*) sting. **~и́ть** *сов.* (*вн.*) bite* (*d.*); (*о насекомом*) sting* (*d.*); ◇ кака́я му́ха его́ ~и́ла? ≅ what's got into him?, what's bítten him?

уку́тать(ся) *сов. см.* уку́тывать(ся).
уку́тывание *с.* wrápping.
уку́тывать, уку́тать (*вн.*) wrap up (*d.*), múffle (up) (*d.*). **~ся, уку́таться** 1. wrap òne:sélf up; 2. *страд. к* уку́тывать.

ула́вливать, улови́ть (*вн.; в разн. знач.*) catch* (*d.*); (*о звуковой волне*) pick up (*d.*), locáte (*d.*); улови́ть взгляд catch* smb.'s eye [...aɪ]; ~ схо́дство catch* a líke:ness; ~ смысл catch* the méaning; улови́ть моме́нт *разг.* snatch a móment.

ула́дить(ся) *сов. см.* ула́живать(ся).
ула́живать, ула́дить (*вн.*) séttle (*d.*), arránge [-eɪndʒ] (*d.*); fix up (*d.*) *разг.*; (*примирять*) réconcile (*d.*); (*о ссоре тж.*) make* up (*d.*), patch up (*d.*); ~ де́ло séttle *an* affáir; ~ спо́рный вопро́с séttle *a* còntrovérsial / moot / vexed quéstion [...-stʃən]. **~ся, ула́диться** 1. get* séttled, be in a fair way; 2. *страд. к* ула́живать.

ула́мывать, уломи́ть (*вн.* + *инф.*) *разг.* try to prevái̇́l (up:ón + to *inf.*); *сов. тж.* prevái̇́l (up:ón + to *inf.*); talk (*d.* into *ger.*).

ула́н *м. воен. уст.* úhlàn ['u:la:n]. **~ский** *воен. уст.* úhlàn ['u:la:n] (*attr.*).

улежа́ть *сов. разг.* remái̇́n lýing.
у́лей *м.* (bée)hive; сажа́ть пчёл в ~ hive *the* bees.

улепетну́ть *сов. см.* улепётывать.
улепётывать, улепетну́ть *разг.* bolt; take* to one's heels; show* a clean pair of heels [ʃou...] *идиом.*

улести́ть *сов. см.* улеща́ть.
улет‖а́ть, улете́ть fly* (a:wáy); (*перен.*) fly*, vánish; (*миновать*) pass; самолёт ~е́л на се́вер the plane flew a:wáy to the North; бума́жка ~е́ла со стола́ the páper flúttered off the table.
улете́ть *сов. см.* улета́ть.

улету́чиваться, улету́читься eváporàte, vòlatilize; (*перен.: исчезать*) *разг.* vánish (into thin air).
улету́читься *сов. см.* улету́чиваться.

уле́чься *сов.* 1. *см.* укла́дываться II; 2. (*о пыли и т.п.*) séttle; (*перен.: успокоиться*) calm down [ka:m...], subsíde; волне́ние улегло́сь the excíte:ment abáted; стра́сти со вре́менем уля́гутся the pássions will calm / die down in time.

улеща́ть, улести́ть (*вн.*) *разг.* cajóle (*d.*).
улизну́ть *сов. разг.* slip a:wáy.
ули́к‖а *ж.* évidence; прямы́е, ко́свенные ~и dirèct, circumstántial évidence *sg.*

ули́тка *ж.* 1. *зоол.* snail, hélix ['hi:-] (*pl.* -ices [-si:z]); 2. *анат.* cóchlea [-lɪə] (*pl.* -leae [-liː]).

у́лиц‖а *ж.* street; на ~е in the street; (*вне дома*) out of doors [...dɔ:z]; outsíde; он живёт на ~е Го́рького в до́ме но́мер 10 he lives at númber 10 Górky Street [...li-...]; ◇ бу́дет и на на́шей ~е пра́здник *погов.* ≅ our day will come; очути́ться на ~е be out in the street; get* / have the key of the street [...ki:...] *идиом.*; челове́к с ~ы any pásser-bý.

улич‖а́ть, уличи́ть (*вн.*) estáblish the guilt (of); (*изобличать*) expóse (*d.*); ~ кого́-л. во лжи catch* smb. in a lie, catch* smb. lýing, expóse smb. as a líar. **~е́ние** *с.* expósure [-'pouʒə]. **~и́ть** *сов. см.* улича́ть.

у́личн‖ый street (*attr.*); ~ое движе́ние (street) tráffic; ~ бой street fíghting; ~ мальчи́шка street úrchin, gúttersnipe, múd:làrk; ~ торго́вец street véndor; háwker.

уло́в *м.* catch, take.
улов‖и́мый 1. *прич. см.* ула́вливать; 2. *прил.* percéptible; (*слухом*) áudible; едва́ ~ шёпот an álmòst ináudible whísper [...'ɔ:lmoust...], a véry soft whísper. **~и́ть** *сов. см.* ула́вливать.

уло́вка *ж.* ruse, dodge, trick, súbterfùge; прибега́ть к ра́зным ~м resórt to vá̇rious devíces / tricks [-'zɔ:r...].

уложе́ние *с. юр. уст.* code.
уложи́ть *сов. см.* укла́дывать. **~ся** *сов. см.* укла́дываться I 1, 2, 4.

улома́ть *сов. см.* ула́мывать.
у́лочка *ж.* sìde-street.
улу́с *м.* ulús [u'lu:s] (*settlement or nomad camp of some nationalities in Siberia*).

улуч‖а́ть, улучи́ть (*вн.*) find* (*d.*), seize [si:z] (*d.*), catch* (*d.*); ~ и мину́тку try to find a mínute [...'mɪnɪt], spare a mínute; ~и́ть моме́нт snatch *a* móment; seize an òpportúnity [si:z...]. **~и́ть** *сов. см.* улуча́ть.

улучш‖а́ть, улу́чшить (*вн.*) impróve [-ru:v] (*d.*), make* bétter (*d.*), améliorà̇te (*d.*); (*поправлять*) aménd (*d.*); (*о породе скота*) grade up (*d.*); *спорт.* (*о рекорде, времени*) bétter (*d.*), impróve on (*d.*). **~á́ться, улу́чшиться** 1. impróve [-ru:v], améliorà̇te; take* a turn for the bétter; его́ здоро́вье улу́чшилось his health has impróved [...he-...]; пого́да улу́чшилась the wéather has picked up [...'we-...]; the wéather has picked up *разг.* **~е́ние** *с.* impróve:ment [-ru:v-], améliorátion; ~е́ние окружа́ющей челове́ка среды́ impróve:ment of the húman enví̇ron:ment.

улу́чшить(ся) *сов. см.* улучша́ть(ся).
улыб‖а́ться, улыбну́ться 1. smile; ~ счастли́вой, гру́стной улы́бкой smile a háppy, a sad smile; не ~а́ясь únsmíling:ly, withóut a smile; ~а́ясь одни́ми глаза́ми with smíling eyes [...aɪz]; ~ну́ться на проща́ние smile fáre:wéll; ~ сквозь слёзы smile through one's tears; 2. (*дт.*; *благоприятствовать*) smile (at, on); жизнь, судьба́ ему́ ~а́лась life, fórtune smiled up:ón him [...-tʃən...]; 3. *тк. несов.* (*дт.*) *разг.* (*нравиться*): ему́ э́то не ~а́ется he does not like the idéa [...-aɪ'dɪə]; ему́ не ~а́лась перспекти́ва (*рд.*) he didn't rélish the próspèct (of).

улы́б‖ка *ж.* smile; с дово́льной ~кой на лице́ (with) a pleased smile up:ón one's face; с хи́трой ~кой with a cúnning smile; чуть заме́тная ~ a scárce:ly percéptible smile [...'skɛəs-...]; a ghost of a smile [...goust...] *идиом.* **~ну́ться** *сов. см.* улыба́ться 1, 2. **~чивый** *разг.* smíling, (álways) with a smile ['ɔ:lwəz...].

ультим‖ати́вный càtegórical, háving the náture of an ùltimátum [...'neɪ-...]. **~а́тум** *м.* ùltimátum.

у́льтра *м. и ж. нескл.* (*о политическом деятеле и т.п.*) últra.
ультразву́к *м.* últrasound.
ультразвуково́й ùltrasónic; (*о скоростях*) sùpersónic.
ультракоро́тк‖ий *физ., рад.* ùltra-shó̇rt; ~ие во́лны ùltra-shó̇rt waves.
ультрале́вый 1. *прил.* far left; of the far left; 2. *мн. как сущ.* left últras, far léftists.
ультрамари́н *м.* ùltramari̇́ne [-'ri:n]. **~овый** ùltramari̇́ne [-'ri:n] (*attr.*).
ультрамикроско́п *м. физ.* ùltramicroscòpe [-'maɪ-].
ультрапра́вый 1. *прил.* far right; of the far right; 2. *мн. как сущ.* right últras, far rí̇ghtists.
ультрасовреме́нный ùltra-módern [-'mɔ-].
ультрафиоле́тов‖ый *физ.* ùltra-víolet; ~ые лучи́ ùltra-víolet rays.

улюлю́к‖анье *с. охот.* hallóo:ing; (*перен.*) hóoting. **~ать** *охот.* hallóo. (*перен.*) *разг.* hoot.

ум *м.* mind; brains *pl. разг.*; (*разум*) wit, íntellect; челове́к большо́го ума́ man* of great íntellèct [...greɪt...]; óчень умный челове́к *разг.* óvér:cléver man* [...'kle-...]; ◇ в своём, в здра́вом уме́ in one's sénses, in one's right mind; не в своём уме́ not right in the head [...hed], out of one's sénses; сходи́ть с ума́ go* mad, go* off one's head; вы с ума́ сошли́! are you out of your sénses?; своди́ть с ума́ (*вн.*) drive* mad (*d.*); ума́ не приложу́ *разг.* I am at a loss, I am at my wit's end; ско́лько голо́в — сто́лько умо́в *погов.* many men, many minds; ум хорошо́, а два лу́чше *посл.* two heads are bétter than one; ≅ four eyes see more than two [fɔ:r aɪz...]; у него́ друго́е на уме́ *разг.* he has sóme:thing at / in the back of his mind, he's thínking of sóme:thing else; у него́ то́лько развлече́ния на уме́ he thinks of nóthing but pléasure [...'ple-]; бра́ться за ум *разг.* come* to one's sénses, becóme* / grow* réasonable [...-ou 'ri:z...]; ему́ пришло́ на ум it occúrred to him; it crossed his mind; э́то не его́ ума́ де́ло *разг.* it is none of his búsiness [...'bɪzn-]; э́то у него́ из ума́ нейдёт *разг.* he cánnòt get it out of his head / mind; счёт в уме́ méntal aríthmetic; счита́ть в уме́ count in one's head; do méntal aríthmetic; 1, 2 и т.д. в уме́ (при сложении и умножении) cárry one, two, etc.; быть себе́ на уме́ ≅ know* on which side one's bread is búttered [nou... bred...]; быть без ума́ от кого-л., чего-л. be crázy / wild abóut smb., smth.; у него́ что на уме́, то и на языке́ разг. ≅ he wears his heart on his sleeve [...wɛə... hɑ:t...]; научи́ться уму́-ра́зуму learn* sense [lən...], grow* wise [-ou...].

умал||е́ние с. belíttling, dèrogátion, dèpreciátion. ~и́ть(ся) сов. см. умаля́ть(-ся).

умалишённ||ый 1. прил. mad, lúnatic; 2. м. как сущ. mád:man*, lúnatic; méntally ill* pérson; дом ~ых ménтal home / institútion; mád:house* [-s] разг.

ума́лчив||ание с. pássing óver in sílence [...'sai-]. ~ать, умолча́ть (о пр.) pass óver in sílence [...'sai-] (d.); hold* back (d.); hush up (d.).

умаля́ть, умали́ть (вн.) belíttle (d.), detráct (from), depréciate (d.); ~ чьи-л. заслу́ги belíttle smb.'s sérvices; detráct from smb.'s mérit. ~ся, умали́ться 1. dimínish; 2. страд. к умаля́ть.

ума́сливать, ума́слить (вн.) разг. coax (d.), cajóle (d.), bútter up (d.).

ума́слить сов. см. ума́сливать.

ума́ять сов. (вн.) разг. tire out (d.). ~ся сов. разг. get* tíred; be fagged out.

у́мбра ж. (краска) úmber.

уме́лец м. skilled cráfts:man*.

уме́л||о нареч. skílfully; ~ испо́льзовать возмо́жности make* the best use of one's òpportúnities [...-s...], skílful, skílfull; ~ый рабо́тник áble wórk:man*; ~ые ру́ки skílful hands; ~ое руково́дство cápable gúidance, effícient / cápable mánage:ment.

уме́ние с. ability, skill; know-how ['nou-]; ~ де́лать что-л. knack of smth.

уменьша́емое с. скл. как прил. мат. mínuènd.

уменьш||а́ть, уме́ньшить (вн.) dimínish (d.), dècréase [di:'kri:s] (d.), léssen (d.); (о цене и т.п.) redúce (d.); (о боли и т.п.) abáte (d.); (о расходах) cut* down (d.); (о вине) èxténuate (d.); ~ ско́рость slow down [slou...]. ~а́ться, уме́ньшиться 1. dimínish, dècréase [di:'kri:s]; (о ценах) fall*, be redúced; (о боли) abáte; (о расходах) be cut down; (о скорости) slow down [slou...]; 2. страд. к уменьша́ть. ~е́ние с. dìminútion, décrease, dècréase ['di:kri:s], léssening; (цен и т.п.) redúction; (боли и т.п.) abáte:ment; (вины) èxtenuátion; ~е́ние ско́рости dèceleration [di:-].

уменьши́тельн||ый 1. dimínishing; 2. грам. dimínutive; ~ое и́мя dimínutive; 3.: ~ое и́мя (об имени собственном) famíliar váriant of first name.

уме́ньшить(ся) сов. см. уменьша́ть(-ся).

уме́ренн||ость ж. mòderátion, móderate:ness; témperance; (скромность) frugálity; ~ кли́мата the témperate náture of the clímate [...'neɪ-...'klaɪ-]; ~ взгля́дов móderate:ness of views [...vju:z]. ~ый móderate; témperate; (скромный) frúgal; ~ый кли́мат témperate clímate [...'klaɪ-]; ~ые взгля́ды móderate views [...vju:z].

умере́ть сов. см. умира́ть.

уме́рить(ся) сов. см. уменя́ть(ся).

умертви́ть сов. см. умерщвля́ть.

уме́рш||ий 1. прич. умере́ть; 2. м. как сущ. the dead [...ded]; the depárted, the decéased [...-'si:st], the defúnct.

умерщвле́ние с. killing; ~ не́рва мед. destrúction of the nerve; ◊ ~ пло́ти mòrtificátion of the flesh.

умерщвля́ть, умертви́ть (вн.) kill (d.); do awáy with (d.); (о нерве и т.п.) destróy (d.); ◊ ~ плоть mórtify one's flesh.

умеря́ть, уме́рить (вн.) móderate (d.); (смягчать) abáte (d.); ~ пыл restráin one's árdour; ~ аппети́т móderate, или keep* down, one's áppetite; ~ тре́бования tíghten one's belt идиом.; уме́рить тре́бования lówer one's demánds ['louə-...-ɑ:ndz]. ~ся, уме́риться 1. becóme* móderate / témperate; 2. страд. к умеря́ть.

умеща́ть(ся) см. умести́ть(ся).

уме́стно I 1. прил. кратк. см. уме́стный; 2. предик. безл. it is appróopriate [...ə'prou-], it is not out of place; ~ заме́тить, что э́то appróopriate, или not out of place, to méntion here that; бы́ло бы ~ сде́лать э́то сейча́с it would be a good thing to do it now.

уме́стн||о II нареч. appróopriately [ə'prou-], áptly, in place; opportúne:ly. ~ость ж. appróopriate:ness [ə'prou-], áptness, oppórtune:ness; (своевременность) time:liness. ~ый appróopriate [ə'prou-], pértinent, in its place; oppórtune (своевременный) time:ly, well-tímed; э́тот расска́з здесь вполне́ уме́стен this stóry is quite appróopriate / súitable here [...sju:t-...]; э́то ~ое замеча́ние this remárk is to the point, it is a rélevant òbservátion [...-zə-], this is quite a time:ly / apt remárk; э́то ~ый вопро́с this question is to the point [...-stʃən...]; он за́дал вполне́ ~ый вопро́с that was a good quéstion.

уме́ть (+ инф.) be áble (+ to inf.), know* [nou] (how + to inf.); can (+ inf.); be good (at ger.), be a good hand (at ger.); он ~ет чита́ть, писа́ть и т.п. he can read, write, etc.; он сде́лает э́то как ~ет he'll do it as best he can, или to the best of his ability; он не ~ет притворя́ться he is únable to dissémble; он не ~ет де́лать э́того he dóesn't know how to do it.

уме́стщать, умести́ть (вн.) find* room (for); make* (d.) go in, put* in (d.); он не мо́жет умести́ть все ве́щи в э́тот чемода́н he can't find room for all the things in the súitcase / trunk [...kɑ:nt...'sju:tkeis...]. ~ся, умести́ться 1. find*, have room, go* in; все ве́щи умести́лись в чемода́не éverything went into the trunk; все го́сти умести́лись за столо́м there was room for all the guests at the table; 2. страд. к умеща́ть.

уме́ючи нареч. разг. skílfully, with skill.

умил||е́ние с. ténder emótion. ~ённый прич. и прил. touched [tʌ-], moved [mu:vd].

умили́тельный tóuching ['tʌ-], móving ['mu:v-], afféсting; ~ительное зре́лище tóuching sight. ~и́ть(ся) сов. см. умиля́ть(ся).

уми́лостивить сов. (вн.) уст. propítiate (d.).

уми́льн||ость ж. sweetness; (трогательность) tóuching:ness ['tʌ-]. ~ый 1. sweet; (трогательный) tóuching ['tʌ-]; ~ый го́лос sweet voice; 2. разг. (угодливый) compláisant [-zənt], offícious.

умиля́ть, умили́ть (вн.) touch [tʌtʃ] (d.), move [mu:v] (d.). ~ся, умили́ться be touched / moved [...tʌ- mu:-].

умина́ть, умя́ть (вн.) 1. (разминать) knead (d.), work up well (d.); 2. (приминать ногами) tread* down / in [-ed...] (d.); 3. разг. (есть) stuff down (d.). ~ся, умя́ться 1. be well knéaded, be well worked up; 2. страд. к умина́ть.

умира́ние с. dýing.

умира́ть, умере́ть die; pass awáy; depárt офиц.; сов. тж. be dead [...ded]; (о чувствах и т.п.) die (awáy / down / off); (от; от болезни, старости и т.п.) die (of); (за вн.) die (for); он у́мер he is dead; he is gone [...gɔn]; ~ есте́ственной, наси́льственной сме́ртью die a nátural, a víolent death [...deθ]; не умере́ть (уцелеть) come* through; умере́ть сме́ртью геро́я die the death of a héro; умере́ть скоропости́жно die súddenly; умере́ть на своём посту́ die at one's post [...poust]; ~ с го́лоду die of stàrvátion / húnger, starve to death; ◊ ~ со́ смеху die láughing [...'lɑ:f-]; ~ от ску́ки be bored to death.

умира́ющий 1. прич. и прил. dýing; прил. тж. móribund; 2. м. как сущ. dýing man*.

умиротвор||е́ние с. pàcificátion; cònciliátion; поли́тика ~е́ния pólicy of appéase:ment. ~и́тель м., ~и́тельница ж. péace:maker; pácifier. ~и́ть(ся) сов. см. умиротворя́ть(ся).

умиротворя́ть, умиротвори́ть (вн.) pácify (d.); (успокаивать) appéase (d.). ~ся, умиротвори́ться 1. becóme* appéased; 2. страд. к умиротворя́ть.

умля́ут м. лингв. úmlaut ['umlaut], mutátion.

умне́е сравн. ст. см. прил. у́мный и нареч. умно́ II; тж. wíser; быть ~ have more sense; я ду́мал, (что) он ~ I thought he had more sense.

умне́ть, поумне́ть grow* wíser [-ou...].

у́мник м. 1. cléver man* ['kle-...]; (о ребёнке) cléver / good boy; 2. ирон. know-àll ['nou-].

у́мница 1. ж. cléver / good girl ['kle-...-gə:l]; 2. м. и ж. very clever man*, wóman, child [...'wu-...]; man*, wóman of sense; clear head [...hed].

у́мничать разг. show* off one's intélligence [ʃou...]; (мудрить) súbtilize ['sʌtɪ-], be óver-súbtle [...-sʌtl]; split* hair идиом.

умно́ I 1. прил. кратк. см. у́мный; 2. предик. безл. it is wise.

умно́ II нареч. cléverly, wíse:ly; (разумно) sénsibly; говори́ть ~ talk sénsibly / cléverly; поступа́ть ~ act wíse:ly.

УМН — УНИ

умнож||**а́ть**, умно́жить (вн.) **1.** (*увеличивать*) in:crease [-s] (d.), múltiply (d.); (*повышать*) augmént (d.); ~ дохо́ды in:crease / raise the in:come; умно́жить си́лы in:crease / múltiply the strength; умно́жить уси́лия inténsify one's éfforts, ~ зна́ния in:crease / enrích one's knówledge [...'nɔ-]; ~ сла́ву enhánce the glóry; **2.** *мат.* múltiply (d.); ~ на 2, 3 *и т. д.* múltiply by 2, 3, *etc.* (d.). ~**а́ться,** умножи́ться **1.** in:crease [-s]; **2.** *страд.* к умножа́ть. ~**е́ние** *с.* **1.** (*увеличение*) in:crease [-s], augmèntátion; **2.** *мат.* mùltiplicátion; табли́ца ~ения mùltiplicátion table.

умно́жить *сов. см.* умножа́ть *и* мно́жить **2.** ~**ся** *сов. см.* умножа́ться.

у́мный cléver ['kle-], íntélligent; (*разумный*) sénsible; ~ челове́к cléver man*, man* of sense.

умозаключ||**а́ть**, умозаключи́ть (вн.) con:clúde (d.), dedúce (d.). ~**е́ние** *с.* con:clúsion, dedúction; де́лать ~ение draw* the con:clúsion, con:clúde. ~**и́ть** *сов. см.* умозаключа́ть.

умозре́ние *с.* spèculátion.

умозри́тельн||**ость** *ж. филос.* spèculative:ness. ~**ый** *филос.* spéculative.

умоисступле́н||**ие** *с.* delírium; в ~ии in delírium, besíde òne:sélf.

умоли́ть *сов.* (*вн.* + *инф.*) move [mu:v] (d. + to *inf.*), move by entréaties (d.); (*ср.* умоля́ть).

у́молк *м.*: без ~у ùncéasing:ly [-'si:s-], incéssantly; говори́ть без ~у talk without a stop.

умолка́ть, умо́лкнуть (*о человеке*) fall* / become* sílent, lapse into sílence [...'saɪ-]; (*о звуке, шуме*) stop; он умо́лк he fell sílent; го́лос внеза́пно умо́лк the voice súddenly stopped; гром умо́лк the thúnder stopped.

умо́лкнуть *сов. см.* умолка́ть.

умоло́т *м. тк. ед. с.-х.* yield (of threshed grain) [ji:ld].

умолч||**а́ние** *с.* **1.** pássing óver in sílence [...'saɪ-]; fáilure to méntion; **2.** *лит.* prè:terítion. ~**а́ть** *сов. см.* ума́лчивать.

умоля́ть (вн. + инф.) entréat (d. + to inf.), beg (d. + to inf.), implóre (d. + to inf.); (*о пр.*) súpplicàte (for); (*ср.* умоли́ть).

умоля́ющий 1. *прич. см.* умоля́ть; **2.** *прил.* pléading, súppliant, súpplicatory, imploring; ~ взгляд, го́лос pléading look, voice.

умонастрое́ние *с.* frame of mind.

умопомеша́тельство *с.* méntal deránge:ment [...-'reɪ-], insánity.

умопомрач||**е́ние** *с. уст.* (*тéмporary*) insánity; ◇ до ~е́ния to distráction. ~**и́тельный** *разг.* prodígious; э́то ~и́тельно it is astóunding / magníficent.

умо́ра *ж. нескл. предик. разг.*: э́то (*про́сто*) ~ it's enóugh to make one split one's sides (with láughter) [...'nʌf... 'lɑ:f-]; вот ~-то! it's killing!, it's in:crédibly fúnny!

умори́тельно I 1. *прил. кратк. см.* умори́тельный; **2.** *предик. безл. разг.* it is extréme:ly fúnny, it makes one rock with láughter [...'lɑ:f-]; it's símply killing.

умори́тельн||**о II** *нареч. разг.* in an extréme:ly fúnny way / mánner; вы́глядеть ~ look extréme:ly fúnny. ~**ый** *разг.* extréme:ly fúnny; killing.

умори́ть *сов.* (вн.) *разг.* **1.** kill (d.); (*голодом*) starve to death [...deθ] (d.); **2.** (*утомить*) exháust (d.), tire out (d.). **3.** *разг.* (*довести до изнеможения чем-л.*) be the death (of); ~ кого́-л. со́ сме́ху make* smb. die of láughing [...'lɑ:f-]; ~**ся** *сов. разг.* be quite exháusted, be dead tired [...ded...].

у́мственн||**о** *нареч.*: ~ отста́лый retárded, báckward; ~ отста́лый ребёнок méntally retárded / hándicàpped child*. ~**ый** méntal, ìntelléctual; ~ые спосо́бности méntal / intelléctual fáculties; ~ый труд, ~ая рабо́та méntal work, bráin:work; рабо́тник ~ого труда́ méntal wórker; bráin:wòrker; за́нятый ~ым трудо́м en:gáged in intelléctual pursúits [...-'sju:ts]; ◇ ~ый бага́ж méntal óutfit; store of knówledge [...'nɔ-], èrudítion.

у́мствов||**ание** *с. разг.* réasoning [-z-], philosophìzing; sophisticátion. ~**ать** *разг.* réason [-z'n], philósophize.

умудрённый *прич. см.* умудря́ть; ~ о́пытом grown wise with expérience [-oun...].

умудр||**и́ть(ся)** *сов. см.* умудря́ть(ся). ~**я́ть,** умудри́ть (вн.) make* wíse(r) (d.); teach* (d.). ~**я́ться,** умудря́ться (+ *инф.*) *разг.* **1.** contríve (+ to *inf.*), mánage (+ to *inf.*); да́же здесь он ~и́лся сде́лать оши́бку he contrived to make a mistáke éven here; **2.** *страд. к* умудря́ть.

умча́ть *сов.* (вн.) whirl a:wáy (d.). ~**ся** *сов.* dash / whirl a:wáy (d.); (*перен.; о времени*) fly* past.

умыва́льн||**ик** *м.* wash-stànd, wásh-hànd-stànd. ~**ый** wash (*attr.*); ~ый прибо́р wáshing-sèt; ~ый таз wásh-bàsin [-beɪs-].

умыва́ние *с.* wáshing, wash; для ~ия for wáshing.

умыва́ть, умы́ть (вн.) wash (d.); ◇ ~ ру́ки wash one's hands of it. ~**ся,** умы́ться wash (òne:sélf).

умык||**а́ние** *с.* àbdúction. ~**а́ть,** умыкну́ть (вн.) àbdúct (d.). ~**ну́ть** *сов. см.* умыка́ть.

у́мы́сел *м.* design [-'zaɪn], inténtion; с ~лом intèntionally, delíberate:ly; of set púrpose [...-s]; без ~ла ùn:intèntionally; злой ~ malícious inténť; со злым ~лом with malícious inténť; *юр.* of málice prepénse.

умы́слить *сов. см.* умышля́ть.

умы́ть(ся) *сов. см.* умыва́ть(ся).

умы́шленн||**ость** *ж.* desígnedness [-'zaɪn-], prèmèditátion. ~**ый 1.** *прич. см.* умышля́ть; **2.** *прил.* desígned [-'zaɪnd], inténtional, delíberate; ~ое уби́йство prèmèditàted múrder.

умышля́ть, умы́слить *уст.* **1.** (+ *инф.*) plan (+ to *inf.*), inténd (+ to *inf.*); **2.** (*вн. на вн.*) plot (d. agáinst).

умягч||**а́ть** [-хч-], умягчи́ть (вн.) sóften [-f'n] (d.), make* sóft(er) (d.); móllify (d.). ~**и́ть** [-хч-] *сов. см.* умягча́ть.

умя́ть(ся) *сов. см.* уминáть(ся).

унава́жив||**ание** = унавóживание. ~**ать** = унавóживать.

унавóжив||**ание** *с. с.-х.* manúring, dúng:ing. ~**а́ть,** унавóзить (вн.) manúre (d.), dung (d.).

унавóзить *сов. см.* унавóживать.

унасле́довать *сов.* (вн.) inhérit (d.).

унди́на *ж.* úndine [-di:n], wáter nymph ['wɔ:-...].

унести́(сь) *сов. см.* уноси́ть(ся).

униа́т *м.*, ~**ка** *ж. ист.* mémber of Úniàt(e) Church.

универма́г *м.* = универса́льный магази́н *см.* универса́льный.

универса́л *м.* àll-róund cráfts:man*.

универсали́зм *м. филос.* ùnivérsalism.

универса́льн||**ость** *ж.* ùnivérsality. ~**ый** ùniversal; (*о приспособлении, станке тж.*) mùlti-púrpose [-s] (*attr.*); ~ое образова́ние mány-sìded / líberal èducátion; ~ое сре́дство ùnivérsal rémedy, pànacéa [-'sɪə]; ~ый магази́н depártment store.

универса́м *м.* sélf-sérvice store.

универсиа́да *ж. спорт.* (World) Stúdent Games.

университе́т *м.* ùnivérsity; окончи́вший ~ ùnivérsity gráduate. ~**ский** ùnivérsity (*attr.*); ~ское образова́ние ùnivérsity èducátion; получи́вший ~ское образова́ние ùnivérsity gráduate.

униж||**а́ть,** уни́зить (вн.) húmble (d.), humíliàte (d.), abáse [-s] (d.), belíttle (d.); ~ себя́ abáse òne:sélf. ~**а́ться,** уни́зиться **1.** abáse òne:sélf [-s...]; gróvel [-ɔv-]; (*до*) stoop (to); уни́зиться до лжи stoop to a lie; уни́зиться до про́сьбы о чём-л. (stoop to) beg for smth.; **2.** *страд. к* унижа́ть. ~**е́ние** *с.* humiliátion, abáse:ment [-s-]; cóme-dówn *разг.*; дойти́ до тако́го ~е́ния humíliàte òne:sélf to such an exténť; терпе́ть ~е́ния stand* / bear* humiliátion [...bɛə...]; подверга́ться ~е́ниям súffer indígnity.

уни́жённость *ж.* humílity, húmble:ness.

уни́женн||**ый 1.** *прич. см.* унижа́ть; **2.** *прил.* húmble; ~ая про́сьба húmble requést.

унижённый húmble, oppréssed.

униза́ть *сов. см.* уни́зывать.

унизи́тельн||**ость** *ж.* humiliátion. ~**ый** humíliating, degráding; э́то ~о it is humíliating.

уни́зить(ся) *сов. см.* унижа́ть(ся).

уни́зывать, униза́ть (вн. тв.) cóver ['kʌ-] (d. with); (*усеивать*) stud (d. with); униза́ть пла́тье же́мчугом stud the dress with pearls [...pə:-].

уника́льный ùníque [-'ni:k].

у́никум *м.* ùníque óbject [-'ni:k...] (*of it's kind*).

унима́||**ть,** уня́ть (вн.) **1.** quíet (d.), calm [kɑ:m] (d.), soothe (d.); (*подавлять чувство и т. п.*) représs (d.); уня́ть ребёнка calm / quíet(en) / soothe a child*; **2.** *разг.* (*прекраща́ть*) stop (d.); ~ кровотече́ние (из ра́ны) sta(u)nch a wound [...wu:-], stop the bleeding. ~**ться,** уня́ться **1.** grow* quíet [-ou...], quíet down; он не ~ется there's no stópping / cálming / quíetening him [...'kɑ:m-...]; **2.** *разг.* (*прекраща́ться*) abáte (d.); (*о кровотече́нии*) stop; **3.** *страд. к* унима́ть.

униполя́рный *физ.* ùnipólar.

унисо́н *м. муз., физ.* únison; в ~ (*прям. и перен.*) in únison.

унита́з *м.* lávatory pan, w.c. pan ['dʌblju:'si:...].

унита́рный únitary.

унификация ж. unification.
унифицировать несов. и сов. (вн.) unify (d.).
униформ||а ж. 1. uniform; 2. собир. (в цирке) circus staff. ~ист м. (в цирке) circus hand.
уничижение с. уст. humiliation, disparagement.
уничижительный лингв. pejorative ['pi:-]; deteriorative.
уничтож||а́ть, уничто́жить (вн.) 1. (разрушать) destroy (d.); (избавляться) do away (with); (полностью) annihilate [ə'naɪə-] (d.), obliterate (d.); wipe / blot out (d.), (перен.) crush (d.); огонь всё уничтожил the fire has destroyed everything; ~ противника annihilate the enemy; ~ зло exterminate the evil [...'i:-], 2. (упразднять) abolish (d.), do away (with); ~ рабство abolish slavery [...'sleɪ-], 3. (унижать) crush (d.). ~а́ющий 1. прич. см. уничтожать; 2. прил. destructive; ~а́ющий взгляд killing glance, scathing look ['skeɪ-...]; ~а́ющая критика destructive / annihilating criticism [...ə'naɪə-...]; ~а́ющий аргумент crushing argument. ~е́ние с. 1. destruction; annihilation [ənaɪə-]; extermination; 2. (упразднение) abolishment, abolition.
уничтожить сов. см. уничтожать.
у́ния ж. ист., церк. union.
уноси́ть, унести́ (вн.) take* away (d.), carry away (d.); разг. (похищать) carry off (d.); ~ с собой take* (away) with one (d.); воображение унесло́ его́ далеко́ his fancy carried him away, he was carried away by his fancy, his imagination ran away with him. ~ся, унести́сь 1. speed* away; pass away; его мысли унеслись в прошлое his thoughts travelled / went back to the past, his thoughts carried / took him back to the past; 2. страд. к уносить.
у́нтер м. уст. разг. = у́нтер-офицер.
у́нтер-офице́р м. воен. уст. non-commissioned officer.
у́нты мн. (ед. унт м. и у́нта ж.) high fur boots.
у́нция ж. ounce (сокр. oz).
уныв||а́ть lose* heart [lu:z hɑ:t], be cast down, be dejected / depressed; не ~а́й! cheer up!, don't give up!
уны́л||о нареч. despondently, dolefully, dejectedly. ~ость ж. despondency, dejection. ~ый sad, cheerless, doleful, dismal [-z-]; (павший духом) despondent, crestfallen, downcast; ~ая песня sad / melancholy / cheerless song [...-k-...]; ~ый голос sad voice; ~ые мысли sad / cheerless thoughts; ~ый вид downcast appearance / air.
уны́ние с. despondency, dejection; low spirits [lou...] pl.; наводить ~ (на вн.) depress (d.); впасть в ~ lose* heart [lu:z hɑ:t], be cast down, be dejected.
уня́ть(ся) сов. см. унима́ть(ся).
упа́вш||ий 1. прич. см. падать; 2. прил. (о голосе, тоне) cheerless, disappointed; ~им го́лосом in a cheerless / disappointed voice / tone.
упа́д м.: до ~у till one drops, till one is quite exhausted; смеяться до ~у split one's sides with laughter [...'lɑ:f-], rock with laughter; танцевать до ~у dance till one drops.

упа́д||ок м. тк. ед. 1. decline, decay; (в литературе, искусстве и т. п. тж.) decadence; приходи́ть в ~ fall* into decay; в состоянии ~ка on the decline; 2.: ~ сил collapse, breakdown ['breɪk-]; ~ духа despondency, low spirits [lou...] pl.; depression. ~ниче||ский decadent. ~ство с. decadence.
упа́дочн||ый depressive; (о литературе, искусстве) decadent; ~ое настрое́ние low spirits [lou...] pl.; ~ое состояние depression.
упакова́ть(ся) сов. см. упако́вывать(ся).
упако́вк||а ж. 1. (действие) packing; (завёртывание) wrapping; 2. (материал) wrapping, wrapper, packing, packaging; цена без ~и packing not included.
упако́вочный (for) packing; ~ материа́л packing / packaging material.
упако́вщ||ик м., ~ица ж. packer.
упако́вывать, упакова́ть (вн.) pack (up) (d.); упакова́ть товар pack up the goods [...gudz]; упакова́ть ве́щи в чемода́н pack (up) things in / into a trunk / suitcase [...'sju:tkeɪs]. ~ся, упакова́ться 1. pack (up), do one's packing; 2. (о вещах — вмещаться) go* in; 3. страд. к упаковывать.
упа́ривать, упа́рить (вн.) тех. steam (d.); soften by steam [-f'n...] (d.). ~ся, упа́риться 1. разг. be in, или get* into, a sweat [...swet]; 2. страд. к упа́ривать.
упа́рить(ся) сов. см. упа́ривать(ся).
упасти́ сов. (вн.) разг. save (d.), preserve [-'zə:v] (d.); ◇ упаси́ бог!, бо́же упаси́! уст. разг. good God, no!, God forbid!
упа́сть сов. см. па́дать 1.
упека́ть, упе́чь (вн.) разг. send* away (d.); ~ в тюрьму́ send* to prison [...-ɪz-] (d.); упекли́ его почти на край света he was sent off almost to the ends of the earth [...'ɔːlmoust... ə:θ].
упере́ть сов. см. упира́ть 1, 2. ~ся сов. см. упира́ться 1, 2.
упе́чь сов. см. упека́ть.
упива́ться, упи́ться 1. get* drunk; 2. (тв.; наслаждаться) revel ['re-] (in); be intoxicated (by); (созерцанием тж.) feast one's eyes [...aɪz] (up:on).
упира́ть, упере́ть 1. (вн. в вн.) rest (d. against), set* (d. against), lean* (d. against); ~ шест в стену rest a pole against the wall; ~ ру́ку в бок place / put* one's hand on one's hip; 2. (вн.) разг. (красть) pilfer (d.); 3. тк. несов. (на вн.) разг. (настоятельно указывать, подчёркивать) lay* stress (on). ~ся, упере́ться 1. (тв. в вн.) rest (d. against), set* (d. against); ~ся локтём в стену set* one's elbow against the wall; lean* one's elbow on / against the wall; ~ся ногами в землю take* a firm stand; dig* one's heels in the ground; упере́ться глазами в кого-л. stare at smb.; 2. (упрямиться) jib; 3. тк. несов. (в вн.; встречать препятствие) rest (on), turn (on); весь вопрос упирается в недостаток времени the whole question rests / turns on lack of time [...houl -stʃən...].
уписа́ть I, II сов. см. упи́сывать I, II.
уписа́ться сов. см. упи́сываться.

УНИ—УПО

упи́сывать I, уписа́ть (вн.) write* in (d.).
упи́сывать II, уписа́ть (вн.) разг. (есть) eat* with gusto (d.); eat* heartily [...'hɑ:t-] (d.).
упи́сываться, уписа́ться 1. (умещаться на странице и т. п.) get* in; 2. страд. к упи́сывать I.
упи́танн||ость ж. fatness; nutritional state; скот средней ~ости cattle of average fatness. ~ый well-fed, fattened; (о человеке) well-nourished [-'nʌ-]; (полный) plump.
упи́ться сов. см. упива́ться.
упла́т||а ж. тк. ед. payment, paying; ~ по векселю discharge of a bill; ~ долга discharge of a debt [...det]; произвести ~у pay*; в счёт ~ы, в ~у on account; остаётся к ~е is due. ~и́ть сов. см. упла́чивать.
упла́чивать, уплати́ть (вн.) pay* (d.); уплати́ть долг pay* / discharge a debt [...det]; уплати́ть по счёту pay* a bill, settle one's account; уплати́ть по векселю pay* / meet* a bill; уплати́ть наличными pay* cash.
уплести́ сов. см. уплета́ть.
уплета́ть, уплести́ разг. = упи́сывать II.
уплотне́ние с. 1. consolidation, concentration, compression; 2.: ~ рабочего дня tightening up time-schedules to increase amount of work done [...ʃe... -s...]; 3. мед. infiltration; hardening.
уплотни́ть(ся) сов. см. уплотня́ть(ся).
уплотня́ть, уплотни́ть (вн.) 1. condense (d.), compact (d.); тех. pack (d.); 2.: ~ рабочий день plan the working day to increase amount of work done [...-s...]; 3. (о квартире) reduce space per person in living accommodation [...lɪ-...]. ~ся, уплотни́ться 1. give* up a part of one's accommodation to smb. else; 2. страд. к уплотня́ть.
уплыва́ть, уплы́ть (о пловце) swim* away; (о корабле) steam / sail away; (о предметах) float away; (перен.) разг. (о деньгах) be spent quickly, melt away; (проходить незаметно) pass / slip away / by, elapse.
уплы́ть сов. см. уплыва́ть.
упов||а́ние с. уст. hope; возлагать ~а́ния (на вн.) set* all one's hopes (up:on). ~а́ть (на вн.) уст. set* hopes (up:on).
уподо́бить(ся) сов. см. уподобля́ть(ся).
уподобле́ние с. 1. liken:ing; 2. лингв. assimilation.
уподобля́ть, уподо́бить (вн. дт.) 1. liken (d. to); 2. лингв. assimilate (d. to, with). ~ся, уподо́биться 1. become* like (d.), become* similar (to); 2. лингв. assimilate (to, with); 3. страд. к уподобля́ть.
упое́ни||е с. rapture, ecstasy, thrill; быть в ~и be in raptures / ecstasies (с успехом) flush of success.
упоённый прич. и прил. (тв.) intoxicated (with); thrilled (by); enraptured

667

УПО — УПР

(by); *прил. тж.* in ráptures (óver); ~ успéхом intóxicated with succéss.

упойтельный rávishing, entráncing.

упокóй *м.*: за ~ for the peace (of smb.'s soul); ◇ начáть за здрáвие, а кóнчить за ~ start on a mérry note, but fínish on a sad one; start smth. well and end bádːly.

уползáть, уползтй creep* / crawl aːwáy.

уползтй *сов. см.* уползáть.

уполномáчивать = уполномóчивать.

уполномóченный 1. *прич. см.* уполномóчивать; 2. *м. как сущ.* commíssioner; plènipoténtiary; *(представитель)* rèpresentátive [-'ze-].

уполномóчивать, уполномóчить *(вн. на вн.; вн. + инф.)* áuthorize (*d.* + to *inf.*), empówer (*d.* + to *inf.*); depúte (*d.* + to *inf.*).

уполномóчи|е *с.*: по ~ю upːon authorizátion [...-raɪ-].

уполномóчить *сов. см.* уполномóчивать.

упоминáни|е *с.* méntion, méntioning; *лингв.* allúsion; письменное ~ о чём-л. récord of smth. ['re-...]; при ~и *(рд.)* at the méntion (of).

упоминáть, упомянýть *(вн., о пр.)* méntion *(d.)*; refér to ~ вскользь, случáйно méntion in pássing *(d.)*, make* cásual méntion [...-ʒjuəl...] (of).

упóмнить *сов. (вн.) разг.* remémber *(d.)*.

упомянýть *сов. см.* упоминáть.

упóр *м.* rest; *тех.* stop; ◇ дéлать (основнóй) ~ на что-л., на чём-л. lay (spécial) stress / émphasis on smth. [...'spe-...], émphasize smth.; стрелять в ~ fire póintːblánk; смотрéть в ~ на когó-л. look stéadily at smb. [...'sted-...], stare at smb.

упóр‖**ный** 1. *(настойчивый, стойкий)* persístent; *(упрямый)* stúbborn, óbstinate; ~ человéк persístent pérson; ~ная борьбá, ~ное сопротивлéние stúbborn strúggle, resístance [...-'zɪ-]; ~ные усúлия tenácious éfforts [...]; ~ные бои stúbborn fíghting *sg.*; 2. *тех.* ~ подшипник thrust béaring [...'bɛə-]; *мор.* thrust block. ~**ство** *с. (настойчивость)* persístence, ùnːyíeldingːness [-'ji:l-]; *(упрямство)* óbstinacy, stúbbornness, pèrtinácity, dóggedness.

упóрствовать (*в пр.*) persíst (in); *(без доп.)* be stúbborn / óbstinate / ùnːyíelding [...-'ji:l-].

упорхнýть *сов.* fly* / flit aːwáy.

упорядочéние *с.* régulàting; pútting in (good) órder.

упорядочить *сов. (вн.)* régulàte *(d.)*; put* in (good) órder *(d.)*. ~**ся** *сов.* come* right.

употребúтельн‖**ость** *ж.* use [ju:s]; úsualness [-ʒu-]; *(частота)* fréquency of use ['fri:-...]. ~**ый** cómmon, génerally used; ~ые выражéния expréssions in cómmon use [...ju:s].

употребúть *сов. см.* употреблять.

~**лéние** *с.* use [ju:s], úsage ['ju:z-]; *(применение)* àpplicátion; выходúть из ~лéния get* / go* out of use, be no lónger in use, fall* into dísúse [...-'ju:s], cease to be used [si:s...]; *(о слове, выражении и т.п.)* becóme* óbsolète; вышедший из ~лéния out of use, вводúть в ~лéние *(вн.)* bring* into use *(d.)*, put* in use *(d.)*; в широком ~лéнии wídeːly used, in wídeːspread use [...-spred...]; бывший в ~лéнии used; непрáвильное ~лéние *(рд.)* mísúse [-'ju:s] (of); пéред ~лéнием взбáлтывать to be well sháken befóre úsing; *(этикетка)* shake the bottle!; спóсоб ~лéния *(надпись)* diréctions for use *pl.*; для внýтреннего ~лéния *(о лекарстве)* (to) be táken intérnally.

употреб‖**лять**, употребúть *(вн.)* use *(d.)*, make* use [...-s] (of); *(о лекарствах и т.п.)* take* *(d.)*, apply *(d.)*; ~ спиртные напúтки take* álcohólic / strong drinks; он не ~ляет спиртных напúтков he doesːn't drink; he is a teetótaller [...-'tou-]; ~úть два, три часá на что-л. spend* two, three hours on smth. [...auʒ...]; ~úть во зло abúse *(d.)*; ~úть все усúлия exért / make* évery éffort; do one's útːmòst *разг.*; leave* no stone untúrned *идиом.*; ~úть в дéло make* use (of); ~úть насúлие use víolence; ~úть власть exércise / emplóy one's authórity; ~ с пóльзой bénefit (from, by), prófit (from, by). ~**ляться** 1. be used, be in use [...-s]; широкó ~ляться be in wide / cómmon úsage [...'ju:z-]; ~ в широком виде, be wídeːly used; не ~ляться be out of use; 2. *страд. к* употребля́ть.

упрáв‖**а** *ж.* 1. *тк. ед. разг.* jústice; искáть ~ы seek* jústice; найтú ~у find* jústice; на негó нет ~ы there is no kéeping him in check; 2. *ист.* board; городскáя ~ town cóuncil.

управдóм *м. (управляющий домом)* hòuse-mànager [-s-].

управúтель *м. уст.* stéward; *(имения тж.)* estáte mánager.

упрáвиться *сов. см.* управля́ться.

управлéние *с.* 1. mánageːment, administrátion; *(государством)* góvernment ['gʌ-]; 2. *тех., воен.* contról [-oul], diréction; *(автомобилем)* dríving; ~ на расстоянии, дистанциóнное ~ remóte contról; двойнóе ~ — *ав.* dúal contról; ~ бóем contról of òperátions; ~ огнём *воен.* fire contról; ~ рулём stéering; терять ~ *(о самолёте)* get* out of contról; 3. *(учреждение)* óffice, administrátion; dìrectoráte; board; *(отдел)* depártment; ~ делáми admínistrative depártment; 4. *грам.* góvernment; 5. *(дирижирование)* condúcting.

управлéнческ‖**ий** admínistrative; mánageːment *(attr.)*; ~ие расхóды mánageːment expénses; ~ персонáл *(на предприятии и т.п.)* mànagérial staff.

управля́ем‖**ость** *ж. тех.* contròllabílity [-oul-], manòeuvrabílity [-nu:v-]; *(самолёта)* contròllability, dìrigibílity; ~**ый** 1. *прич. см.* управлять; 2. *прил. ав.* dírigible; ~ый аэростáт dírigible; ~ый снарáд guíded míssile; ~ый космúческий корáбль a guíded spáceːship, или space véhicle [...'vɪə-...].

управля́ть *(тв.)* 1. *(руководить)* góvern ['gʌ-] *(d.)*; *(страной тж.)* rule *(d., over)*; *(предприятием, производством и т.п.)* contról [-oul] *(d.)*; run* *(d.)*; *(делами)* mánage *(d.)*; 2. *(машиной)* óperate *(d.)*, run* *(d.)*; *(автомобилем)* drive* *(d.)*; *(рулём)* steer *(d.)*; 3. *грам.* góvern *(d.)*. 4. *(оркестром)* condúct *(d.)*. ~**ся**, упрáвиться 1. *(с тв.) разг.* mánage *(d.)*; cope (with); 2. *страд. к* управлять.

управля́ющий 1. *прич. см.* управлять; 2. *м. как сущ.* mánager; *(имением и т.п.)* stéward; ~ делáми búsinessːmànager ['bɪzn-].

упражнéние *с. (в разн. знач.)* éxercise.

упражня́ть *(вн.)* éxercise *(d.)*, train *(d.)*. ~**ся** *(в пр.)* práctise [-s] *(d.)*, train (at); ~ в пéнии práctise síngːing; ~ся в англúйском, немéцком и т.п. языкé práctise one's Énglish, Gérman, *etc.* [...'ɪŋ-...]; ~ся на роя́ле práctise the piáno [...'pjæ-].

упраздн‖**éние** *с.* àbolítion; abólishment. ~**úть** *сов. см.* упраздня́ть.

упраздня́ть, упразднúть *(вн.)* abólish *(d.)*, cáncel *(d.)*.

упрáшивать, упросúть *(вн.)* entréat *(d.)*, beg *(d.)*, beséech* *(d.)*; *сов. тж.* prevaíl (upːón).

упревáть, упрéть be well stewed.

упредúть *сов. см.* упреждáть.

упрежд‖**áть**, упредúть *(вн.)* 1. *уст., разг. (предупреждать)* warn *(d.)*; 2. *(опережать)* fòreːstáll *(d.)*; ~ протúвника fòreːstáll the énemy. ~**éние** *с.* 1. *уст., разг. (предупреждение)* wárning; 2. *(опережение)* fòreːstálling.

упрёк *м.* repróach, repróof; rebúke; с ~ом repróachfully, repróvingːly [-u:v-]; осыпáть когó-л. ~ами hurl repróaches at smb., cast* repróaches upːon smb. ◇ стáвить что-л. комý-л. в ~ repróach smb. with smth., place the blame for smth. on smb.; не в ~ емý he is not to blame.

упрек‖**áть**, упрекнýть *(вн. в пр.)* repróach *(d.* with*)*, upbráid *(d.* with, for*)*; ~ себя́ repróach onèːsélf. ~**нýть** *сов. см.* упрекáть.

упрéть *сов.* 1. *см.* упревáть; 2. *как сов. см.* преть 2.

упросúть *сов. см.* упрáшивать.

упростúтель *м.* vúlgarizer, óverːsímplifier.

упростúть(ся) *сов. см.* упрощáть(ся).

упрóчение *с.* stréngthening, consòlidátion; ~ единства cemènting of únity.

упрóчи‖**вать**, упрóчить 1. *(вн.)* stréngthen *(d.)*, consòlidáte *(d.)*; он ~л своё положéние he has consòlidáted / impróved his posítion [...-u:vd...-'zɪ-]; 2. *(вн. за тв.)* fírmly estáblish *(d.* as*)*, ensúre [-'ʃuə] *(d.* as*)*; егó Пéрвая симфóния ~ла за ним репутáцию выдающегося композúтора his First Sýmphony ensúred his rèputátion as an óutstanding compóser. ~**ваться**, упрóчиться 1. be stréngthened, gain strength, becóme* consòlidáted; 2. *страд. к* упрóчивать. ~**ть(ся)** *сов. см.* упрóчивать(ся).

упрощ‖**áть**, упростúть *(вн.)* 1. símplify *(d.)*; ~ задáчу símplify a próblem [...'prɔ-]; ~ орфогрáфию símplify spélling; 2. *(обеднять)* òverːsímplify *(d.)*; ~ смысл событий òverːsímplify the sígnificance of evénts; ~ идéю произведéния òverːsímplify the idéa of *the* book [...aɪ'dɪə...]. ~**ся**, упростúться 1.

упрости́ть be simplified; become* simpler; 2. *страд.* к упроща́ть.

упрощёнец *м. разг.* vúlgarizer.

упрощён||ие *с.* simplificátion. ~ство *с.*, ~чество *с.* vulgarizátion [-raɪ-], óver- simplificátion.

упру́г||ий elástic, resílient [-'zɪ-]. ~ость *ж.* elàsticity, resíliency [-'zɪ-], resílience [-'zɪ-].

упря́жка *ж.* 1. team, reláy; 2. (*упряжь*) hárness, gear [gɪə].

упряжн||о́й draught [-ɑːft] (*attr.*); ~áя ло́шадь dráught-hòrse [-ɑːft-], cárriage- hòrse [-rɪdʒ-].

у́пряжь *ж. тк. ед.* hárness, gear [gɪə].

упря́мец *м. разг.* píghead [-hed]; óbstinate / stúbborn pérson.

упря́миться be óbstinate; (*настаивать на своём*) persíst.

упря́мица *ж.* к упря́мец.

упря́мство *с.* óbstinacy, stúbbornness. ~вать (в *пр.*) persíst (in).

упря́м||ый óbstinate, stúbborn; refráctory; opínionàted; píg-héaded [-'hed-] *разг.*; фа́кты — ~ая вещь facts are stúbborn things, you can't get a:wáy from facts [...kɑːnt...], you can't fight facts.

упря́тать(ся) *сов. см.* упря́тывать (-ся).

упря́тывать, упря́тать (*вн.*) *разг.* hide* (*d.*); (*убирать*) take* / put* a:wáy (*d.*); (*перен.*) put* a:wáy (*d.*), bánish (*d.*); упря́тать в тюрьму́ send* to prison [...'prɪz] (*d.*), put* a:wáy / inside (*d.*) *разг.* ~ся, упря́таться 1. *разг.* hide*; 2. *страд.* к упря́тывать.

упуска́ть, упусти́ть (*вн.*) 1. let* (*d.*) go / slip; упусти́ть коне́ц верёвки let* the end of the rope slip; 2. (*прозёвывать, терять*) miss (*d.*); (*не замечать*) òver:lóok (*d.*); ~ слу́чай miss the òppòrtúnity; lose* the chance [luːz...]; ◊ ~ что-л. из ви́ду lose* sight of smth.; fail to bear smth. in mind [...beə...], fail to take smth. into accóunt / consìderátion.

упусти́ть *сов. см.* упуска́ть.

упуще́ни||е *с.* omíssion; (*халатность*) neglèct, dèrelíction; ~я в рабо́те neglèct of one's dúties *sg.*, dèrelíction of dúty *sg.*; непрости́тельное ~ unpárdonable / inéxcùsable omíssion [...-zəbl...].

упы́рь *м.* vámpire.

ура́ 1. *межд.* hurráh!, hurráy!; 2. *как сущ. с. нескл.* hurráh; громово́е ~ thúnderous hurráh; ◊ на ~ *воен.* by storm; (*перен.*) by luck; (*горячо, с одобрением*) éagerly ['iːgəlɪ], with enthúsiàsm [...-zɪ-].

уравне́ние *с.* 1. (*действие*) èqualizátion [iːkwəlaɪ-]; ~ в права́х èqualizátion of rights; 2. *мат.* equátion; ~ с двумя́ неизве́стными equátion with two ún- knòwn quántities [...-'noun...]; ~ пе́рвой сте́пени simple equátion; квадра́тное ~ quadrátic (equátion).

ура́внивать I, уравня́ть (*вн.; делать равным*) équalize ['iː-] (*d.*), make* lével [...'le-] (*d.*); put* on a par (with); ~ в права́х équalize in rights (*d.*), give* équal rights (*i.*).

ура́внивать II, уровня́ть (*вн.; делать ровным*) lével ['le-] (*d.*), éven (out) (*d.*), smooth [-ð] (*d.*); ~ доро́гу éven / smooth the road; make* the road smooth / éven.

ура́вниваться I, уравня́ться 1. get* / become* équal; be équalized [...iː-]; ~ в права́х recéive équal rights [-'siːv...]; 2. *страд.* к ура́внивать I.

ура́вниваться II *страд.* к ура́внивать II.

уравни́ловка *ж. разг.* ègalitárian:ism; (*в оплате труда*) wáge-lèvelling [-'lev-].

уравни́тельный équalizing ['iː-], lévelling ['lev-].

уравнове́сить(ся) *сов. см.* уравнове́шивать(ся).

уравнове́шенн||ость *ж.* (*о характере*) bálance, stéadiness ['ste-], éven témper. ~ый 1. *прич. см.* уравнове́шивать; 2. *прил.* (*о характере, человеке*) stéady ['ste-], bálanced, éven-témpered.

уравнове́шивание *с.* bálancing, èquilibrátion [iːkwɪlaɪ-], cóunterpoising.

уравнове́шивать, уравнове́сить (*вн.*) bálance (*d.*), cóunterbalance (*d.*); (*перен.*) counterbálance (*d.*), cóunterváil (*d.*); ~ ча́шки весо́в bálance the scale(s); ~ си́лы проти́вников équalize the strength of the oppónents, *или* oppósing sides ['iː-...]. ~ся, уравнове́ситься 1. become* / get* bálanced; (*перен.*) become* / get* équal; 2. *страд.* к уравнове́шивать.

уравня́ть *сов. см.* ура́внивать I. ~ся *сов. см.* ура́вниваться I.

урага́н *м.* húrricane (*тж. перен.*); tòrnádò; ~ войны́ the túrmoil of war. ~ный húrricane (*attr.*); ~ный ого́нь *воен.* a húrricane of fire, drúmfire.

уразуме́ть *сов.* (*вн.*) còmprehénd (*d.*), make* out (*d.*).

Ура́н *м. астр.* Úranus.

ура́н *м. хим.* uránium.

урани́нит *м. мин.* uráninite [juː-].

урани́т *м. мин.* uránite.

ура́нов||ый uránic; uránous; ~ая руда́ uránic óre; реа́ктор на ~ом то́пливе *физ.* uránium reáctor, uránium-fúelled reáctor [-'fjuː-...].

уранография *ж. астр.* uránography.

уранопла́стика *ж. мед.* uranoplàstics.

ураноско́п *м. астр.* úranoscòpe.

урбан||иза́ция *ж.* urbanizátion [-naɪ-]. ~и́зм *м.* úrbanism. ~и́ст *м.*, ~и́стка *ж.* úrbanist.

урва́ть *сов. см.* урыва́ть.

урду́ *м. нескл.* (*язык*) Úrdú [əˈduː].

урегули́ров||ание *с.* règulàting, règulátion, règularizátion [-naɪ-]; (*о вопросе и т. п.*) séttle:ment, séttling; ми́рное междунаро́дных пробле́м péace:ful séttle:ment / adjústment of world próblems [...əˈdʒʌ-... 'prɔ-]; ~ дипломати́ческим путём diplomátic adjústment. ~ать *сов.* (*вн.*) régulàte (*d.*), (*о вопросе и т. п.*) séttle (*d.*); (*об отношениях и т. п.*) adjúst [əˈdʒʌ-] (*d.*).

уре́зать *сов. см.* уре́зывать.

уреза́ть = уре́зывать.

урезо́н||ивать, урезо́нить (*вн.*) bring* to réason [...-zn] (*d.*); make* (*d.*) see réason; *несов. тж.* réason (with).

урезо́нить *сов. см.* урезо́нивать.

уре́зывать, уре́зать (*вн.*) 1. cut* off (*d.*); 2. (*уменьшать, сокращать*) cut* down (*d.*), redúce (*d.*); (*о программе и т. п.*) curtáil (*d.*); (*скупиться*) skimp (in); ~ расхо́ды redúce one's expéndi- ture; ~ чьи-л. права́ curtáil smb.'s rights.

урем||и́ческий *мед.* uráemic. ~и́я *ж. мед.* uráemia.

уре́тр||а *ж. анат.* uréthra [-iː-θ-]. ~и́т *м. мед.* urethrítis.

уретроско́п *м. мед.* uréthroscòpe [-iː-θ-].

уретротоми́я *ж. мед.* urethrótomy.

ури́на *ж. мед.* uríne.

у́рна *ж.* 1. urn; 2. (*для избира́тельных бюллетеней*) bállot-bòx; 3. (*для мусора*) réfuse bin [-s...], lítter recéptacle.

у́ров||ень *м.* 1. lével ['le-]; ~ воды́ wáter-lével ['wɔːtələ-]; над ~нем мо́ря above séa-lével [...-le-]; ни́же ~ня мо́ря belów séa-lével [...-'lou-...]; 2. (*экономики, культуры и т. п.*) stándard; жи́зненный ~ líving stándard ['lɪv-...]; stándard of life / líving; материа́льный и культу́рный ~ жи́зни трудя́щихся the people's líving and cúltural stándards [...piː-...] *pl.*; высо́кий ~ зна́ний high stándard of knówledge [...'nɔ-...]; ~ дохо́да lével of in:còme; 3. (*прибор*) lével (gauge) [...geɪdʒ]; боково́й ~ *воен.* èlevátion lével; попере́чный ~ *воен.* cross lével; ◊ быть на ~не be up to stándard; подня́ть что-л. на до́лжный ~ bring* smth. up to stándard; совеща́ние на вы́сшем ~не híghest-lével cónference [-'le-...], súmmit talks / méeting; на ~не посло́в, мини́стров at àmbássador, mínister lével; на ~не лу́чших мировы́х станда́ртов on a lével with the highest world stándards; на высо́ком идейном ~не at a high ideological lével [...aɪdɪə-...].

уровня́ть *сов. см.* ура́внивать II.

уро́д *м.* 1. freak (of náture) [...neɪ-]; (*чудовище*) mónster; mònstrósity; нра́вственный ~ morally depráved pérson; 2. (*некрасивый человек*) úgly pérson ['ʌ-...]; fright *разг.*; ◊ в семье́ не без ~а *посл.* ≅ every family has its black sheep.

уро́дина *м. и ж. разг.* = уро́д.

уроди́||ть *сов.* (*вн.*) bear* [beə] (*d.*); bring* forth (*d.*). ~ться *сов.* 1. (*о злаках, плодах*): пшени́ца ~лась в э́том году́ there is a good wheat crop this year, the wheat crop is good this year; 2. (*в ком*) *разг.* (*о человеке*) take* (áfter); в кого́ он ~лся? who(m) does he take áfter?

уро́длив||ость *ж.* 1. deformity; 2. (*некрасивость*) úgliness ['ʌ-]. ~ый 1. defórmed, mìs:shápen; (*ненормальный*) àbnórmal; ~ое воспита́ние wrong / bad* úpbring:ing; 2. (*некрасивый*) úgly ['ʌ-].

уро́д||овать, изуро́довать (*вн.*) 1. (*де́лать некрасивым*) disfígure (*d.*); make* (*d.*) look úgly [...'ʌ-], make* (*d.*) look a fright *разг.*; ~ себя́ (*тв.*) spoil* one's appéarance (by); э́та причёска ~ует её this way of doing her hair makes her look úgly, *или* makes her look a fright; 2. (*калечить*) disfígure (*d.*), mútilate (*d.*), maim (*d.*), cripple (*d.*; *тж. перен.*); о́спа ~ует лицо́ small:pòx disfígures the face; у него́ изуро́довано всё те́ло he is maimed /

УРО — УСИ

mutiláted / **crippled**. ~**оваться**, изуродоваться **1**. disfígure onesélf; make* onesélf look úgly [...'ʌ-]; **2**. *страд*. к уродовать. ~**ский** úgly ['ʌ-]. ~**ство** *с*. **1**. defórmity; (*ненормальность*) àbnormálity; **2**. (*некрасивость*) úgliness ['ʌ-].

урожа́й *м*. **1**. hárvest, yield [ji:-], crop; ~ э́того го́да this year's hárvest / yield; ~ на корню́ crop on the root, on-the-root hárvest / yield; бога́тый, хоро́ший ~ rich / héavy hárvest / crop [...'he-...]; собира́ть ~ gáther in, *или* reap, the hárvest; убра́ть ~ (*в амбары, склады и т. п.*) gárner the crop; добива́ться реко́рдных урожа́ев achíeve récord hárvests [-'i:v 'rе-...]; обеспе́чить высо́кие и усто́йчивые урожа́и secúre high and consístent hárvests; **2**. (*изобилие*) abúndance, a búmper crop (*тж. перен.*). ~**ность** *ж*. prodúctivity, crop capácity; высо́кая ~ность good* crop capácity; подня́тие ~ности поле́й incréasing the crop capácity of the fields [-s-...i:-]; повыше́ние ~ности сельскохозя́йственных культу́р ráising the lével of crop yield [...'le-...ji:ld]. ~**ный** *прил*. к урожа́й; ~ный год good year for the crops, prodúctive year, búmper-crop year; ~ные сорта́ high-yíelding varíeties [-'ji:-...].

урождённая (*перед девичьей фамилией*) née (*фр.*) [neɪ], born.

уроже́н||**ец** *м*., ~**ка** *ж*. (*рд.*) nátive (of); он ~ Москвы́ he is Móscow born.

уро́к *м*. **1**. (*прям. и перен.*) lésson; дава́ть, проводи́ть ~ give* a lésson; брать ~и английского языка́ take* Énglish léssons [...ɪŋg-...], take* léssons in Énglish; это бу́дет тебе́ ~ом let that be a lésson to you; **2**. (*задание*) hómewòrk; task; lésson; де́лать ~и do one's léssons; отвеча́ть ~ say* / repéat one's lésson; ◊ ~и исто́рии the léssons of hístory.

уро́лог *м*. ùr(in)ólogist. ~**и́ческий** *мед*. ùr(in)ológical.

уроло́гия *ж. мед*. ùr(in)ólogy.

уро́н *м. тк. ед*. lósses *pl*.; нести́ большо́й ~ súffer great lósses [...-eɪt...].

урони́ть *сов. см*. роня́ть 1, 3.

уротропи́н *м. фарм*. urótropin(e).

уро́чн||**ый 1**. *уст*. (*определённый*) fixed; в ~ час at a fixed time; at the úsual hour [...'ju:ʒ- auə]; **2**. (*полагающийся, установленный*) task (*attr*.); ~ая рабо́та set task.

урча́ние *с*. rúmbling; ~ в желу́дке *разг*. túmmy-rúmbling.

урча́ть rúmble.

урыва́ть, урва́ть (*вн.*) snatch (*d*.); урва́ть полчаса́ для о́тдыха snatch hálf-an-hóur's rest [...'hɑ:fən'auəz...].

уры́вками *нареч. разг*. in snátches, by fits and starts; рабо́тать ~ work in snátches, *или* by fits and starts, *или* at odd móments.

урю́к *м. тк. ед. собир*. dried àprìcòt(s) [...'eɪ-] (*pl*.).

уря́дник *м. ист*. **1**. víllage cónstable; **2**. (*в казачьих войсках*) Cóssàck sérgeant [...'sɑ:dʒənt].

ус *м*. **1**. (*человека*) moustáche [məs'tɑ:ʃ]; **2**. (*животного*) whísker; **3**. (*насекомого*) féeler, àntènna (*pl*. -ae); **4**. (*растения*) téndril; (*злака*) awn; ◊ кито́вый ус whále:bòne, baléen; мота́ть что-л. себе́ на ус *разг*. take* good note of smth.; и в ус (себе́) не дуть *разг*. not care a straw, *или* a rap; по ~а́м текло́, а в рот не попа́ло *погов*. ≅ there's many a slip 'twixt cup and lip; (мы) са́ми с ~а́ми *разг., шутл*. we were:n't born yésterday [...-dɪ].

уса́дебный *прил*. к уса́дьба.

усади́ть I, II *сов. см*. уса́живать I, II.

уса́дка *ж. тех*. shrínkage; ~ бето́на cóncrète shrínkage [-nk-...].

уса́дьба *ж*. **1**. fármstead [-sted]; **2**. *ист*. (*помещика*) cóuntry ['kʌ-], cóuntry estáte ['kʌ-...]; **3**. (*колхоза, совхоза*) farm centre.

уса́живать I, усади́ть **1**. (*вн.*) seat (*d*.); (*заставлять сесть*) make* (*d*.) sit down; (*просить сесть*) ask (*d*.) to sit down; **2**. (*вн. за вн.*) set* (*d*. to); усади́ть кого́-л. за рабо́ту set* smb. down to work; усади́ть кого́-л. за шитьё, рисова́ние *и т. п*. set* smb. to séwing, dráwing, *etc*. [...'sou-...]; усади́ть кого́-л. за кни́гу set* smb. to read / stúdy [...'stʌ-], make* smb. sit down and read / stúdy; put* a book in front of smb. [...frʌ-...], sit* smb. down with a book.

уса́живать II, усади́ть (*вн. тв.*; *растениями, цветами*) plant [-ɑ:nt] (*d*. with).

уса́живаться, усе́сться **1**. (*садиться*) take* a seat, take* seats, seat onesélf; (*находить место*) find* a seat, find* seats, find* room; **2**. (*за вн.*; *приниматься, начинать*) set* (to); ~ за рабо́ту set* / settle to work; ~ за кни́гу settle down to réading, apply onesélf to stúdy [...'stʌ-].

уса́тый 1. (*о человеке*) with a big moustáche [...məs'tɑ:ʃ]; moustáched [məs'tɑ:ʃt]; **2**. (*о животном*) whískered.

уса́ч *м*. **1**. *разг*. man* with a big moustáche [...məs'tɑ:ʃ]; **2**. (*рыба*) bárbel; **3**. (*жук*) cápricòrn beetle.

усва́ивать, усво́ить (*вн.*) **1**. (*запомина́ть, зау́чивать*) máster (*d*.); learn* [lə:n]; (*об обычае, манере*) adópt (*d*.), acquíre (*d*.); ~ привы́чку get* into *the* hábit; хорошо́ усво́ить уро́к learn* a lésson well*; (*перен*.) learn* one's lésson; **2**. (*о пище и т. п*.) assímilàte (*d*.).

усвое́ни||**е** *с*. **1**. (*овладение*) mástering, léarning ['lə:-]; (*обычая и т. п*.) adóption; предме́т тру́дный для ~я súbject dífficult to learn / máster [...lə:n-...]; **2**. (*пищи и т. п*.) assimilátion.

усво́ить *сов. см*. усва́ивать.

усвоя́емость *ж*. **1**. comprehènsibility; **2**. *мед., физ., хим*. assìmilability.

усе́ивать, усе́ять (*вн. тв.*) dot (*d*. with), strew* (*d*. with); (*разбрасывать*) litter (*d*. with); (*усыпать*) pépper (*d*. with); не́бо усе́яно звёздами the sky is stúdded with stars.

усека́ть, усе́чь (*вн.*) **1**. cut* off (*d*.), trúncàte (*d*.); **2**. *разг*. (*понимать*): усёк? got it?

усе́рдие *с*. zeal; (*прилежание*) díligence; àssidúity; páinstaking:ness; рабо́тать с ~м work with zeal / díligence; ◊ ~ не по ра́зуму ≅ more zeal than sense.

усе́рдный zéalous ['ze-]; (*прилежный, стара́тельный*) díligent; àssíduous, páinstàking.

усе́рдствовать be zéalous [...'ze-], take* pains.

усе́сться *сов. см*. уса́живаться.

усечён||**ный 1**. *мат*. trúncàted; ~ ко́нус trúncàted cone; ~ая пирами́да trúncàted pýramid; **2**.: ~ая ри́фма *лит*. impérfect rhyme.

усе́чь *сов. см*. усека́ть.

усе́ять *сов. см*. усе́ивать.

усид||**е́ть** *сов*. **1**. keep* one's place / seat; (*остаться сидеть*) remáin sítting; тру́дно бы́ло ~ на ме́сте he was hard to keep one's place / seat; он не ~и́т мину́тки he can't keep still (for a mínute) [...kɑ:nt...'mɪnɪt]; едва́ ~е́л от бо́ли could hárdly bear / stand the pain [...bɛə...]; **2**. *разг*. (*съесть, выпить до конца́*) eat* up (*d*.), knock back (*d*.).

уси́дчи||**вость** *ж*. àssidúity, díligence; pèrseveránce [-'vɪə-]. ~**ый** àssíduous, díligent.

у́сик *м*. **1**. *мн*. little / short moustáche(s) [...məs'tɑ:ʃ-]; **2**. (*рыбы*) bárbel, **3**. (*насекомого*) féeler, àntènna (*pl*. -ae); **4**. (*растения*) téndril; (*злака*) awn; (*клубники, земляники*) rúnner.

усиле́ние *с*. rè:infórce:ment, stréngthening; (*о боли и т. п*.) àggravátion; (*о звуке, ветре*) intènsificátion; *эл., рад*. àmplificátion; ~ наро́дного контро́ля stréngthening of the sýstem of péople's contról [...pi:- -oul].

уси́ленный 1. *прич. см*. уси́ливать; **2**. *прил*.: ~ое пита́ние hígh-càlorie diet, nóurishing diet ['nʌ-...]; ~ые заня́тия cóncèntrated stúdy [...'stʌ-] *sg*.; ~ое наблюде́ние inténsified supervísion; ~ые про́сьбы éarnest / úrgent requésts / entréaties ['ə:n-...].

уси́ливать, уси́лить (*вн.*) stréngthen (*d*.), rè:infórce (*d*.); (*делать более интенсивным*) inténsify (*d*.); (*о звуке, тоне*) ámplify (*d*.); ~ наблюде́ние (*за тв.*) keep* a clóser watch [...-sə...] (for, óver), redóuble one's vígilance [-'dʌ-...] (for, óver); ~ пита́ние in:créase nóurishment [-s 'nʌ-...]; ~ го́лод, жа́жду in:créase smb.'s húnger, thirst; ~ междунаро́дную напряжённость héighten / inténsify intèrnátional ténsion ['haɪ-...-'næ-...], ~ борьбу́ за всео́бщее и по́лное разоруже́ние stréngthen the struggle for ùnivérsal and compléte disármament. ~**ся**, уси́литься **1**. become* strónger, intènsify; gain strength; (*о шуме, звуках и т. п*.) swell*; grow* lóuder [-ou...]; (*о чувстве*) déepen; (*об общественном движении и т. п*.) gáther mòméntum; ве́тер уси́лился the wind becáme strónger [...wɪ-...]; эпиде́мия уси́ливается the èpidémic is gáining ground; **2**. *страд*. к уси́ливать.

уси́ли||**е** *с*. éffort; о́бщими ~ями by cómmon éffort(s); прилага́ть ~я make* éfforts; прилага́ть все ~я make* / exért évery éffort, spare no éffort; напра́вить все ~я (на *вн.*) bend* évery éffort (to); все их ~я оказа́лись тще́тными all their éfforts were unaváiling, *или* in vain; велича́йшие ~я supréme éffort *sg*.; сде́лать ~ над собо́й force onesélf.

усили́тель *м*. **1**. *фот*. inténsifier; **2**. *рад*. ámplifier; **3**. *тех*. bóoster.

~ный 1. *тех.* booster (*attr.*); 2. *рад.* amplifying; 3. *лингв.* intensifying.

усилить(ся) *сов. см.* усиливать(ся).

ускака́||ть *сов.* 1. skip away / off; заяц ~л the hare bounded away / off; 2. (*на коне*) gallop off / away.

ускольз||а́ть, ускользну́ть slip off / away; (*уходить тайком*) steal* (away); sneak off *разг.*; ~ от кого́-л., от чего́-л. escape smb., smth.; ~ give* smb. the slip; ~ от чьего́-л. внима́ния escape smb.'s attention / notice [...'nou-]; э́то ~ну́ло от моего́ внима́ния it escaped my notice / attention, I overlooked it. **~ну́ть** *сов. см.* ускольза́ть.

ускоре́ние *с.* acceleration; (*строительства и т. п.*) speeding-up; ~ си́лы тя́жести *физ.* acceleration of gravity.

уско́ренн||ый 1. *прич. см.* ускоря́ть; 2. *прил.* speeded up, rapid; ~ вы́пуск враче́й accelerated training of doctors; план был вы́полнен ~ыми те́мпами fulfilment of the plan was speeded up [ful-...].

ускори́тель *м. тех.* accelerator; *хим.* accelerant. **~ный** accelerating, accelerative.

уско́рить(ся) *сов. см.* ускоря́ть(ся).

ускоря́ть, уско́рить (*вн.*) hasten ['heisn] (*d.*), quicken (*d.*); *тех. тж.* accelerate (*d.*); (*о переговорах и т. п.*) expedite (*d.*); (*о выполнении*) speed up (*d.*); (*о событиях*) precipitate (*d.*); ~ шаг mend* / increase one's pace [...-s], quicken one's steps; ~ ход gather speed, pick up speed, increase the speed; ~ выполне́ние пла́на speed up the fulfilment of *the* plan [...ful-...]; ~ чью-л. смерть hasten smb.'s death [...deθ], serve to precipitate smb.'s death. **~ся**, уско́риться 1. quicken; *тех. тж.* accelerate; ход по́езда уско́рился the speed of the train increased [...-st], the train picked up speed; де́ло от э́того не уско́рилось matters were not brought to a point / finish any quicker; that didn't help to speed things up; 2. *страд. к* ускоря́ть.

усла́вливаться = усло́вливаться.

усла́д||а *ж. поэт.* delight, pleasure ['ple-], delectation [di:-]. **~и́ть(ся)** *сов. см.* услажда́ть(ся).

услажда́ть, услади́ть (*вн.*) *поэт.* delight (*d.*); ~ свой взор (*тв.*) feast one's eyes [...aɪz] (on, upon); ~ чей-л. слух пе́нием charm smb.'s ear by singing. **~ся**, услади́ться *поэт.* 1. (*тв.*) delight (in), rejoice (in); 2. *страд. к* услажда́ть.

усла́ть *сов. см.* усыла́ть.

уследи́ть *сов.* (за *тв.*) keep* an eye [...aɪ] (on); (*за мыслью, за аргумента́цией*) follow (*d.*), keep* track (of); не ~ за ребёнком fail to keep an eye on *the* child*.

усло́ви||е *с.* 1. condition; (*соглашения и т. п.*) term; (*как пункт договора*) clause; непреме́нное, обяза́тельное ~ indispensable condition; (*condition*) sine qua non [...'saınıkweınɔn]; необходи́мые ~я the requisite / necessary conditions [...-zɪt...]; ~я догово́ра terms of *the* treaty; ста́вить ~ем (*вн.*, что́бы) stipulate (for, that); make* it a condition (that); ста́вить ~я make* terms, lay* down conditions / terms; каки́е ва́ши ~я? what are your terms?; с ~ем, что

при ~и, что on condition that, provided, providing; я э́то сде́лаю при ~и, что мне помо́гут I will do it provided I get help; 2. *мн.* (*обстоятельства, обстановка*) conditions; при да́нных, благоприя́тных ~ях under existing, favourable conditions; ни при каки́х ~ях under no circumstances; при про́чих ра́вных ~ях other things being equal; ~я труда́ conditions of work; бытовы́е ~я, ~я жи́зни conditions of life, living conditions ['lɪv-...]; жили́щные ~я housing conditions; предоста́вить все необходи́мые ~я (для) offer all necessary facilities (for); 3. *уст.* (*договор*) contract, agreement; заключи́ть ~ enter into a contract; ◇ ~я зада́чи conditions of a problem [...'prɔ-].

усло́виться *сов. см.* усло́вливаться.

усло́вленн||ый 1. *прич. см.* усло́вливаться; 2. *прил.* agreed, fixed; ~ая встре́ча appointment; в ~ час at the hour agreed [...əɡ-].

усло́вливаться, усло́виться (с *тв.* о *пр.*, с *тв.* + *инф.*) arrange [-eindʒ] (with *d.*, with + to *inf.*); agree (with on, with + to *inf.*); (*договариваться*) settle (with *d.*, with + to *inf.*); ~ встре́титься arrange to meet; ~ о встре́че arrange a meeting; они́ усло́вились бо́льше об э́том не говори́ть they agreed not to speak about it any more; ~ о дне settle the day, fix the date, agree on the day; ну́жно оконча́тельно усло́виться we must get it settled (once and for all) [...wʌns...].

усло́вно I *прил. кратк. см.* усло́вный.

усло́вн||о II *нареч.* on condition that, conditionally; ~ осуди́ть кого́-л. *юр.* put* smb. on probation. **~ость** *ж.* 1. conditional character [...'kæ-]; 2. (*общепринятый порядок*) convention, conventionality. **~ый** 1. (*с условием*) conditional; ~ое согла́сие conditional consent; ~ый пригово́р *юр.* suspended sentence; 2. (*принятый*) conventional; ~ знак conventional sign [...sain]; ~ый а́дрес agreed address; ~ый сигна́л prearranged signal [-ə'reɪn-...]; 3. (*относительный*) relative; всё э́то о́чень ~о all this is very relative; 4. *грам.* conditional; ~ое наклоне́ние conditional mood; ~ое предложе́ние conditional clause; ~ый сою́з conditional conjunction; ◇ ~ый рефле́кс conditioned reflex.

усложне́ние *с.* complication.

усложнённ||ость *ж.* complicated nature [...'neɪ-], complexity. **~ый** *прич. и прил.* complicated; ~ая програ́мма more sophisticated programme [...'prou-].

усложни́ть(ся) *сов. см.* усложня́ть(ся).

усложня́ть, усложни́ть (*вн.*) complicate (*d.*). **~ся**, усложни́ться 1. (*тв.*) get* / become* complicated (by); 2. *страд. к* усложня́ть.

услу́г||а *ж.* 1. service; good turn *разг.*; до́брые ~и good offices; плоха́я ~, ill turn; injury; ока́зывать кому́-л. ~у do / render smb. a service; do smb. a good turn *разг.*; ока́зывать кому́-л. плоху́ю ~у do smb. ill turn; ~ за ~у one good turn deserves another [...-'zə:vz...]; плати́ть ~ой за ~у pay* back; предлага́ть свои́ ~и come forward, offer one's services; к ва́шим

УСИ—УСО У

~ам at your service; моя́ ко́мната к ва́шим ~ам my room is at your disposal [...-zl]; 2. *мн.* (*бытовые удобства*) services; коммуна́льные ~и public utilities ['jʊ-...].

услуже́ни||е *с. уст.* service; в ~и у кого́-л. in smb.'s service; поступи́ть в ~ к кому́-л. take* service with smb.

услу́ж||ивать, услужи́ть (*дт.*) do / render a service (*i.*); do a good turn (*i.*) *разг.*; (*угождать*) oblige (*d.*). **~и́ть** *сов. см.* услу́живать.

услу́жлив||о *нареч.* helpfully, obligingly. **~ость** *ж.* helpfulness, obligingness, complaisance [-zəns]. **~ый** obliging, complaisant [-zənt]; ~ый дура́к опа́снее врага́ *посл.* ≅ God deliver me from fools [...'lı-...].

услыха́ть *сов. разг.* = услы́шать.

услы́шать *сов. см.* слы́шать 1. 2.

усма́тривать, усмотре́ть 1. (*вн.* в *пр.*) perceive [-'sɪv] (*d.* in); (*об обмане, ошибке и т. п.*) discover [-'kʌ-] (*d.* in), detect (*d.* in); усмотре́ть оби́ду в предложе́нии feel* slighted / offended by the suggestion [...-'dʒestʃn]; 2. (за *тв.*) look (after); attend (to); keep* an eye [...aɪ] (on); за всем не усмо́тришь ≅ one can't be in two places at once [...kɑ:nt...wʌns].

усмеха́ться, усмехну́ться grin; ирони́чески, го́рько ~ smile ironically, bitterly [...aɪə-...]; кри́во ~ smile wryly / crookedly.

усмехну́ться *сов. см.* усмеха́ться.

усме́шка *ж.* (ironical) smile [aɪə-...], grin.

усмир||е́ние *с.* pacification; (*о мятеже и т. п.*) suppression, putting down. **~и́тель** *м.* (*мятежа и т. п.*) suppressor. **~и́ть** *сов. см.* усмиря́ть.

усмиря́ть, усмири́ть (*вн.*) pacify (*d.*), quiet (*d.*); (*о мятеже и т. п.*) suppress (*d.*), put* down (*d.*).

усмотре́н||ие *с.* discretion [-re-], judg(e)ment; представля́ть, передава́ть на чьё-л. ~ (*вн.*) leave* to smb.'s discretion / judg(e)ment, leave* to smb. (*d.*); на ~ кому́-л. at smb.'s discretion; де́йствовать, поступа́ть по со́бственному ~ию use one's own discretion / judg(e)ment [...oun...]; act as one thinks best.

усмотре́ть *сов. см.* усма́тривать.

усна́щать, уснасти́ть (*вн. тв.*) garnish (*d.* with); (*о речи, стиле тж.*) lard (*d.* with); ~ цита́тами lard / stuff with quotations [...-'prou-].

усну́ть *сов.* 1. fall* asleep, go* to sleep; 2. (*о рыбе*) die; ◇ ~ наве́ки, *или* ве́чным сном sleep* for ever; go* / pass to one's eternal rest.

усо́бица *ж. ист.* intestine war.

усоверше́нствован||ие *с.* improvement [-ruː-], perfection; ку́рсы ~ия advanced training courses [...'kɔː-]; refresher course [...kɔːs] *sg.*; институ́т ~ия враче́й institute of advanced medical studies [...'stʌ-]. **~ный** *прич. и прил.* improved [-ruːvd], perfected.

усоверше́нствовать(ся) *сов. см.* соверше́нствовать(ся).

УСО — УСТ

усо́вестить *сов. см.* усовещивать *и* совестить.

усо́вещивать, усо́вестить (*вн.*) exhórt (*d.*), appéal to the cónscience [...-nʃəns] (*of*).

усомни́ться *сов.* (в *пр.*) doubt [daut] (*d.*), feel* a doubt (abóut); ~ в пра́вильности показа́ний doubt *the* évidence; ~ в дру́ге doubt *a* friend [...fre-].

усо́пший 1. *прил.* decéased [-'si:st]; 2. *м. как сущ.* the decéased.

усо́хнуть *сов. см.* усыха́ть.

успева́емость *ж.* prógress (in stúdies [...'stʌ-]), advánce;ment; хоро́шая ~ good* prógress; good* resúlts [...-'zʌ-] *pl.*; ни́зкая ~ poor prógress; poor resúlts *pl.*; повы́сить ~ в шко́ле impróve school resúlts [-u:v...].

успева́ть, успе́ть 1. (+ *инф.*) have time (+ to *inf.*); он успе́л ко́нчить he had time to fínish; он успе́л до отве́тить before he had time to ánswer [...'a:nsə]; 2. (к *дт.*, на *вн.*) *разг.* (*прибывать к сроку*) be in time (for); успе́ть к обе́ду be in time for dínner; ему́ уже́ не успе́ть на по́езд he cánnot be in time for the train; he can't make the train [...ka:nt...] *разг.*; 3. (в *пр.*; *достигать успеха*) be succéssful (in); 4. *тк. несов.* (в *пр.*; *хорошо учиться*) get* on well (in, at), make* prógress (in), advánce (in); не ~ *школ.* lag behind; ~ по матема́тике get* on well in mathemátics; ◇ не успе́ешь огляну́ться, как я э́то ко́нчу I shall fínish it in no time.

успева́ющий 1. *прич. см.* успева́ть; 2. *м. как сущ.* (*об ученике*) advánced púpil.

успе́ется *безл. разг.* there is still time, there is no need to húrry.

успе́ние *с. церк.* Assúmption.

успе́ть *сов. см.* успева́ть 1, 2, 3.

успе́х *м.* succéss; (*good*) luck *разг.*; *мн.* (*хорошие результаты*) prógress *sg.*; жела́ю вам ~а! I wish you every succéss!; good luck to you! *разг.*; как ва́ши ~и? how are you gétting on?; де́лать ~и (в *пр.*) make* prógress (in), advánce (in), do well (in); он де́лает больши́е ~и he is máking great / good* prógress [...greɪt...], he is máking great strides; доби́ться кру́пных ~ов score big succésses; име́ть ~ make* a succéss; э́та пье́са име́ла большо́й ~ the play was a great succéss; the play was a great hit *идиом.*; по́льзоваться ~ом be a succéss, be succéssful, succéed; не име́ть ~а be a fáilure, fail; ◇ с ~ом with succéss; very well; с тем же ~ом équal;ly well; с тем же ~ом мо́жно бы́ло сде́лать быстре́е it could have been done quícker and just as well; он с тем же ~ом мог бы и не де́лать э́того he might just as well not have done it.

успе́шно I *прил. кратк. см.* успе́шный.

успе́шн;о II *нареч.* succéssfully, well; идти́ ~ (*о деле*) be gó;ing on well; get* on well; *школ.* make* great / good* prógress [...-eɪt...]. ~ость *ж.* succéss, succéssfulness. ~ый succéssful.

успока́ив;ать, успоко́ить (*вн.*) calm [ka:m] (*d.*), quíet (*d.*); soothe (*d.*); (*смягчать — о горе, боли*) assuáge [ə'sweɪdʒ] (*d.*); (*о гневе и т.п.*) appéase (*d.*); (*убеждать не тревожиться*) re;:assúre [-ə'ʃuə] (*d.*); set* at rest / ease (*d.*), set* smb.'s mind at rest; ~ ребёнка quíeten / soothe *the* child*; ~ свою́ со́весть soothe / salve one's cónscience [...-nʃəns]. ~аться, успоко́иться 1. calm / quíet / settle down [ka:m...]; (*о боли и т.п.*) abáte; успоко́йтесь! don't wórry! [...'wʌ-], rest assúred! [...ə'ʃuəd]; не ~аться на дости́гнутом never rest contént with what has been achíeved [...-i:vd], álways strive* fórward ['ɔ:lwəz...]; never rest on one's láurels [...'lɔ-] *идиом.*; он не успоко́ится, пока́ не he will never know rest until [...nou...]; 2. *страд. к* успока́ивать. ~ающий 1. *прич. см.* успока́ивать; 2. *прил.*: ~ающее сре́дство sedátive. 3. *с. как сущ.* sédative.

успоко;е́ние *с.* 1. (*действие*) cálming ['ka:m-], quíeting, sóothing; для ~е́ния со́вести to soothe / salve one's cónscience [...-nʃəns]; for cónscience' sake; 2. (*состояние*) calm [ka:m], quíet.

успоко́енность *ж.* 1. cálmness ['ka:m-], tranquíllity; 2. *неодобр.* cáre;free calm [...ka:m].

успокойтельн;ый cálming ['kam-], quíeting, sóothing; ~ые изве́стия re;:assúring news [-ə'ʃuə- -z] *sg.*

успоко́ить(ся) *сов. см.* успока́ивать (-ся).

уста́ *мн. поэт.* mouth* *sg.*, lips; ◇ из уст в ~ by word of mouth; на ~х у всех on everybody's lips; ва́шими бы ~ми да мёд пить *погов.* ≅ it is too good to be true; if ónly you were right!

уста́в I *м.* regulátions *pl.*, státutes *pl.*; chárter; sérvice regulátions *pl.*; mánual; Уста́в Коммунисти́ческой па́ртии Сове́тского Сою́за Rules of the Cómmunist Párty of the Sóviet Únion; ~ сельскохозя́йственной арте́ли regulátions of *a* colléctive farm; ~ ООН UNO Chárter; Chárter of the United Nátions; боево́й ~ tráining regulátions; field mánual [fi:-...] *амер.*; полево́й ~ *воен.* Field Sérvice Regulátions; строево́й ~ *воен.* drill regulátions / mánual.

уста́в II *м. лингв.* ustáv [u:'sta:v].

уста;ва́ть, уста́ть (от) get* tired (with); *сов. тж.* be tired (of).

уста́вить(ся) *сов. см.* уставля́ть(ся).

уставля́ть, уста́вить 1. (*вн. тв.*) set* (*d.* with), cóver ['kʌ-] (*d.* with); ~ стол буты́лками cóver the table with bóttles; 2. (*вн.*; *размещать*) place (*d.*), put* (*d.*); уста́вить все кни́ги на по́лку put* all the books on *the* shelf; 3.: уста́вить глаза́ (на *вн.*) *разг.* stare (at), fix one's eyes [...aɪz] (up;ón). ~ся, уста́виться 1. (*размещаться*) find* / have room, *или* a place; 2. (на *вн.*) *разг.* (*устремлять взгляд*) stare (at), fix one's eyes / gaze [...aɪz] (on); 3. *страд. к* уставля́ть 1.

уста́л;ость *ж.* tired;ness, weáriness; fatigue [-'ti:g] *поэт.*; ~ мета́лла *тех.* métal fatígue ['me-...]; испыта́ния на ~ *тех.* fatígue tests. ~ый tired, wéary, fatígued [-'ti:gd] *поэт.*; ~ый вид tired appéarance; он вы́глядит ~ым he looks tired, *или* worn out [...wɔ:n...]; ~ым го́лосом in a tired voice; ~ой похо́дкой with wéary steps.

у́стал;ь *ж.* = уста́лость; не знать ~и *разг.* be néver tired; без ~ *разг.* tíre;lessly, untíring;ly (*беспрерывно*) un;céasing;ly [-sɪŋ-].

устана́вливать, установи́ть (*вн.*) 1. (*помещать*) place (*d.*); *тех.* mount (*d.*), instáll (*d.*), rig up (*d.*); (*о приборе*) set* (*d.*); ~ в ряд range [reɪ-] (*d.*); ~ радиоприёмник, телефо́н *и т.п.* instáll a rádio set, a télephòne, etc.; 2. (*устраивать, осуществлять*) estáblish (*d.*); ~ дипломати́ческие отноше́ния estáblish diplomátic relátions; ~ связь (с *тв.*) *воен.* estáblish commùnicátion (with), estáblish a connéction (with), get* in touch [...tʌtʃ] (with); ~ контро́ль (над) institúte contról [...-oul] (óver); ~ поря́док estáblish órder; ~ соприкоснове́ние (с *тв.*) *воен.* estáblish / make* cóntact (with); ~ наблюде́ние (за *тв.*) keep* únder òbservátion [...-zə-] (*d.*); 3. (*определять*) detérmine (*d.*), fix (*d.*); (*выяснять*) àscertáin (*d.*); ~ вре́мя, це́ну fix the time, the price; установи́ть чью-л. вино́вность estáblish smb.'s guilt; ~ фа́кты estáblish facts; экспеди́ция установи́ла во́зраст го́рных поро́д the èxpedítion estáblished the age of the rocks. ~ся, установи́ться 1. (*складываться, формироваться*) be séttled, be formed / fixed; (*наступать, водворяться*) set* in; его́ взгля́ды не установи́лись his views are still úncertain [...'vju:z...]; установи́лась зима́ winter has set in; установи́лась тёплая пого́да warm wéather has set in [...'we-...]; пого́да установи́лась the wéather has becóme séttled; 2. *страд. к* устана́вливать.

установи́ть(ся) *сов. см.* устана́вливать (-ся).

устано́вк;а *ж.* 1. (*действие*) pútting, plácing, arránge;ment [-eɪn-]; *тех.* móunting, installátion; rígging; (*о приборе*) sétting; 2. *тех.* (*устройство*) plant [-a:nt]; силова́я ~ pówer-plànt [-a:nt]; холоди́льная ~ refrígeràting / cóoling plant; котёльная ~ bóiler plant; 3. (*цель, ориентация*) aim, púrpose [-s]; име́ть ~у (на *вн.*) aim (at); 4. (*директива*) dirèctions *pl.*, line(s) (*pl.*), diréctive.

установле́ние *с.* 1. estáblishment; 2. (*констатирование*) àscertáinment; ~ фа́кта estáblishment / àscertáinment of *the* fact; ~ отцо́вства affiliátion.

устано́вленн;ый *прич. и прил.* estáblished, fixed; (*правилами, уставом и т.п.*) prescríbed; ~ поря́док, факт estáblished órder, fact; ~ час fixed hour [...auə]; в ~ом поря́дке in prescríbed mánner; по ~ой фо́рме in accórdance with, *или* according to, *a* set form; ~ая ско́рость regulátion speed; ~ого разме́ра of stándard / regulátion size.

устано́вочный *тех.* adjústing [ə'dʒʌ-].

устано́вщик *м.* fítter, móunter; *воен.* (instrument) sétter.

устарева́ть, устаре́ть becóme* àntiquáted, *или* out of date; (*о слове, выражении; о машинах, оборудовании*) becóme* óbsolète; (*о взглядах, идеоло-*

672

гии) become* old(-fáshioned) / ántiquated.

устарéл||ость *ж.* óbsolète:ness, òbsoléscence. **~ый** ántiquàted, out of date, outdáted; (*о слове, выражении; о машинах, оборудовании*) óbsolète; (*о взглядах, идеологии*) óld(-fáshioned), ántiquàted; **~ая** мóда ántiquàted / óbsolète fáshion.

устарéть *сов. см.* устаревáть *и* старéть 2.

устáть *сов. см.* уставáть.

устерегáть, устерéчь (*вн. от*) *разг.* presérve [-'zɜːv] (*d.* from), guard (*d.* against).

устерéчь *сов. см.* устерегáть.

устилáть, устлáть (*вн. тв.*) cóver ['kʌ-] (*d.* with); (*о дороге и т.п.*) pave (*d.* with); **~** камнями stone (*d.*); **~** ковром cárpet (*d.*).

устлáть *сов. см.* устилáть.

ýстн||о *нареч.* órally, vérbally, by word of mouth. **~ый** óral, vérbal; **~ая** речь speech; spóken lánguage; **~ое** сообщéние vérbal commùnicátion; **~ое** соглашéние vérbal agréement / cóntract; ◇ **~ая** словéсность fólk-lòre.

устóи *мн.* foundátions; básis ['beɪ-] *sg.* (*pl.* báses ['beɪsiːz]); нравственные **~** móral prínciples ['mɔ-...].

устóй I *м. тех.* (*моста*) abútment, pier [pɪə].

устóй II *м. разг.* (*сливки*) cream.

устóйчив||ость *ж.* stéadiness ['sted-], firmness, stabílity. **~ый** stéady ['stedɪ], firm, stable; (*о судне*) stéadfast ['sted-], stéady; (*о порядке, погоде*) séttled; **~ое** равновéсие equilíbrium [...iː-]; **~ые** урожáи stable hárvest / crops; **~ые** цéны stable príces; **~ая** валюта stable cúrrency; **~ые** взгляды stable / séttled opínions.

устоя́ть *сов.* 1. (*на ногах*) keep* one's bálance; remáin on one's feet; (*перен.*) stand* one's ground; stand* fast; не **~** lose* (one's) ground [luːz...]; 2. (*против; о соблазне и т.п.*) resíst [-'zɪ-], withstánd* (*d.*), stand* up (agáinst); **~** перед искушением resíst *the* temptátion.

устоя́ться *сов.* (*о вине, воде и т.п. тж. перен.*) séttle; (*о молокé*) cream.

устрáив||ать, устрóить (*вн.*) 1. (*организовывать*) arránge [-eɪndʒ] (*d.*), órganize (*d.*); (*создавáть*) estáblish (*d.*); устрóить концéрт arránge a cóncert; **~** так, чтобы do so as to, arránge so that; **~** пикник make* up a pícnic; устрóить приём в честь когó-л. give* / hold* a recéption in hónour of smb. [...'ɔnə...]; **~** бал give* *a* ball; 2. *разг.* (*учинять*) make* (*d.*); комý-л. сцéну make* a scene; скандал make* a row; 3. (*приводить в порядок*) séttle (*d.*), put* in órder (*d.*); **~** свои дела put* one's affáirs in órder, séttle one's affáirs; **~** свою жизнь régulate one's life; 4. (*помещáть, определять*) place (*d.*), fix up (*d.*), set* up (*d.*); устрóить больнóго в больницу get* *a* sick man*, *или a* pátient, in(to) hóspital; устрóить ребёнка в школу place *the* child* in school, get* *the* child* into school; 5. *безл.* (*подходить*) suit [sjuːt] (*d.*); (*о времени тж.*) be convénient (to, for); **~ает** ли это вас? does it suit you?; (*о времени тж.*) is it convénient to you?; **~аться** устрóиться 1. settle down, get* séttled; **~аться** на работу get* fixed up in a job; он хочет устрóиться в Москвé he wants to settle in Móscow; (*на работу*) he wants to find a situátion in Móscow; he wants to get a job in Móscow; **~аться** в нóвой квартире séttle, *или* estáblish onesélf, in *a* new flat; **~аться** поудóбнее make* onesélf cómfortable [...'kʌm-]; 2. (*налаживаться*) come* right; всё устрóилось things have come right, éverything has turned out all right; 3. *страд. к* устрáивать.

устранéние *с.* (*в разн. знач.*) remóval [-'muː-]; (*уничтожение*) eliminátion; **~** от должности remóval from óffice; **~** недостáтков eliminátion of defécts. **~ить(ся)** *сов. см.* устранять(ся).

устраня́ть, устранить (*вн.*; *в разн. знач.*) remóve [-'muːv] (*d.*); (*уничтожáть*) elíminate (*d.*); **~** от должности remóve from óffice (*d.*); dismíss (*d.*); **~** препятствия remóve / óbviate óbstacles; **~** прегрáды remóve, *или* break* down, bárriers [...breɪk...]; **~** ошибки, недостáтки elíminate érrors, defécts; **~** трудности, затруднéния óbviate difficulties; устранить разноглáсия compóse / elíminate dífferences; устранить угрóзу войны lift / elíminate / remóve the threat of war [...θret...]. **~ся,** устраниться 1. (*от*) keep* (from); **~ся** от дел retire; with:dráw*; 2. *страд. к* устранять.

устраш||áть, устрашить (*вн.*) fríghten (*d.*), scare (*d.*). **~áться, устрашиться** 1. (*рд.*) be fríghtened (at), fear (*d.*); **~иться** опáсности, затруднéний take* fright at, *или* be detérred by, dánger, dífficulties [...'deɪn-]; 2. *страд. к* устрашáть. **~éние** *с.* frightening; для **~éния** (*рд.*) to frighten (*d.*), to scare (*d.*); срéдство **~éния** *воен., полит.* detérrent. **~ить(ся)** *сов. см.* устрашáть(ся).

устремл||я́ть, устремить (-ся). **~éние** *с.* 1. (*желание, намерение*) aspirátion; 2. (*порыв*) rush. **~ённость** *ж.* trend, téndency.

устремля́ть, устремить (*вн.*) rush (*d.*); (*перен., внимание, взгляд*) diréct (*d.*), fix (*d.*). **~ся,** устремиться rush (на *вн.; перен.: о взгляде*) be turned (to), be dirécted (at, towards); be fixed (up:ón).

ýстри||ца *ж.* óyster. **~чный** óyster (*attr.*).

устроитель *м.,* **~ница** *ж.* órganizer.

устрóить(ся) *сов. см.* устрáивать(ся).

устрóйств||о *с.* (*действие*) arránge:ment [-eɪn-]; organizátion [-naɪ-]; для своих дел to settle one's affáirs; он зáнят **~ом** квартиры he is búsy pútting his apártment in órder [...'bɪzɪ...]; 2. (*оборудование*) equipment; facilities *pl.*; (*механизм*) device; (*приспособление*) arránge:ment; 3. (*строй*) strúcture; (*система*) sýstem; государственное **~** State sýstem; общественное **~** sócial órder; 4. (*расположение*) arránge:ment, láy-óut; удóбное **~** квартиры good* láy-out of *the* flat; ◇ запоминáющее **~** stórage device, store.

устýп *м.* 1. (*в стене, скалé*) ledge;

УСТ — УСЫ

арх. projéction; *геол.* bench, térrace; 2. *воен.* échelòn ['eʃ-].

устуn||áть, уступить 1. (*дт. вн.*) let* (smb.) have (smth.); (*о территории*) cede (to *d.*); **~ите** это емý let him have it; **~** комý-л. дорóгу make* way for smb.; 2. (*дт.*), (*силе и т.п.*) yield [jiːld] (to); (*без доп., соглашáться*) give* in, give* way; concéde; **~** насилию, давлéнию *и т.п.* yield to force, préssure, *etc.*; give* way before préssure; **~** трéбованиям врéмени yield to the times; 3. (*дт. в пр.*) be inférior (to in), yield (to in); он никомý не уступит в этом отношéнии he is inférior / sécond to none in this respéct [...'seː-... nʌn-...], he yields to no one in this respéct; 4. (*вн.; снижáть цéну*) abáte (*d.*), take* off (*d.*); он не уступит ни копéйки he won't take a fárthing less [...wount... -ð-...]; 5. (*дт. вн. за вн.; продавáть*) let* (*d.*) have (*d.* for): он уступил мне плащ за пятьдеся́т рублéй he let me have the ráincoat for fifty roubles [...ruː-].

уступительный *грам.* concéssive.

уступить *сов. см.* уступáть.

устýпк||а *ж.* 1. concéssion; идти́ на **~и** cómpromise; (*дт.*) make* concéssions (to); взаимные **~** mútual concéssions; 2. *тк. ед.* (*в цене*) abáte:ment, redúction.

уступообрáзный ledged.

уступчáтый ledged, stepped, térraced.

устýпчив||ость *ж.* pliabílity, plíancy, compliance; (*сговорчивость*) tractabílity. **~ый** yíelding ['jiːl-], plíable, plíant, compliant; (*сговорчивый*) tráctable.

устыдить *сов.* (*вн.*) shame (*d.*), put* to shame (*d.*). **~ся** *сов.* (*рд.*) be ashámed (of).

ýстье *с.* 1. (*реки́*) mouth*, óutfàll; (*покрывáемое приливом*) éstuary; 2. (*отвéрстие*) órifice; mouth*.

устьице *с. бот.* stóma (*pl.* -ata).

усугуб||и́ть(ся) *сов. см.* усугубля́ть (-ся). **~лéние** *с.* redóubling [-dʌ-]; (*ухудшение*) àggravátion.

усугубля́ть, усугубить (*вн.*) redóuble [-'dʌ-] (*d.*); inténsify (*d.*); (*ухудшáть*) ággravàte (*d.*); **~** вину́ ággravàte *a* fault. **~ся,** усугубиться be redóubled [...-'dʌ-]; (*ухудшаться*) be àggravated.

усýшка *ж. тк. ед. торг.* loss of weight (through drýing).

усы́ *мн. см.* ус 1, 2.

усылáть, услáть (*вн.*) send* a:wáy (*d.*).

усынов||ить *сов. см.* усыновля́ть. **~лéние** *с.* adóption. **~лённый** *прич. и прил.* adópted.

усыновля́ть, усыновить (*вн.*) adópt (*d.*).

усыпáльница *ж.* búrial-vault ['be-].

усы́пать *сов. см.* усыпáть.

усыпáть, усы́пать (*вн. тв.; прям. и перен.*) strew* (*d.* with), bestréw* (*d.* with); нéбо усы́пано звёздами the sky is stúdded with stars.

усыпительн||ый drówsy [-zɪ] (*тж. перен.*); sòporífic [sou-]; **~ое** срéдство sléeping-draught [-draːft], sòporífic.

усып||**и́ть** *сов. см.* усыпля́ть. ~**ле́ние** *с.* lúlling to sleep; (*перед операцией и т. п.*) pútting to sleep; (*гипнотизи́рование*) hýpnotism.

усыпля́||**ть, усыпи́ть** (*вн.*) lull to sleep (*d.*); (*монотонным пением, чтением и т. п.*) sing*, read*, *etc.*, to sleep (*d.*); (*перед операцией и т. п.*) put* to sleep (*d.*); (*гипнозом*) hýpnotize (*d.*), put* into hypnótic sleep / trance (*d.*); (*перен.; о подозрении и т. п.*) lull (*d.*); ~ бди́тельность lull / blunt *smb.'s* vígilance. ~**ющий** 1. *прич. см.* усыпля́ть; 2. *прил.* = усыпи́тельный.

усыха́ть, усо́хнуть dry up / out.

у́сь|**кать** *разг.* = натра́вливать.

ута́ивать, утаи́ть (*вн.*) 1. (*скрывать*) concéal (*d.*); (*умалчивать*) keep* to onesélf (*d.*), keep* a sécret (*d.*); 2. (*присваивать*) steal* (*d.*), apprópriate (*d.*).

утаи́ть *сов. см.* ута́ивать.

утаи́ться *сов. разг.* hide*.

ута́йк||**а** *ж. разг.* conceálment; без ~и (*откровенно*) únresérvedly [-'zə:-], fránkly.

ута́птывать, утопта́ть (*вн.*) trámple down (*d.*), pound (*d.*): ~ траву́ trámple down grass; — ~ снег stamp on snow [...-ou-].

ута́скивать, утащи́ть (*вн.*) *разг.* 1. cárry off (*d.*), make* awáy (with); (*перен.: уводить с собой*) lead* awáy (*d.*); он утащи́л его́ на конце́рт he drágged him off to *a* cóncert; 2. (*красть*) make* off (with).

утащи́ть *сов. см.* ута́скивать.

у́тварь *ж. собир.* uténsils *pl.*; ку́хонная ~ pots and pans *pl.*; церко́вная ~ church plate.

утверд||**и́тельно** *нареч.* affírmatively, in the affírmative; ~ кивну́ть голово́й nod assént; отвеча́ть ~ ánswer in the affírmative ['ɑ:nsə...]. ~**и́тельный** affírmative; ~и́тельный отве́т affírmative ánswer / replý [...'ɑ:nsə...]. ~**и́ть** *сов. см.* утвержда́ть 2, 3. ~**и́ться** *сов. см.* утвержда́ться.

утвержда́||**ть, утверди́ть** 1. *тк. несов.* (*вн.*) affírm (*d.*), maintáin (*d.*), assért (*d.*); (*в споре*) conténd (that); (*без оснований*) allége [-edʒ] (*d.*); (*торжественно объявлять*) assévaráte (*d.*); ~, что assért that, insíst that; он ~ет, что он не вино́вен he assérts / insísts that he is ínnocent; 2. (*вн.; санкциони́ровать*) appróve [-ru:v] (*d.*), confírm (*d.*), sánction (*d.*); (*о договоре, пакте*) rátifý (*d.*), confírm (*d.*); (*о завещании*) prove [-u:v] (*d.*); утверди́ть прое́кт appróve / pass a desígn [...-'zaɪn]; утверди́ть кого́-л. в до́лжности дире́ктора confírm *smb.'s* appóintment as diréctor; 3. (*вн.*; *укреплять*) stréngthen (*d.*), consólidate (*d.*); (*вн. в пр.*; *в намерении, в мнении*) confírm (*d.* in). ~**ться, утверди́ться** 1. stréngthen onesélf, becóme* consólidated; (*укрепляться, обосновываться*) gain a fóothold [...'fut-]; (*о системе, строе и т. п.*) becóme* fírmly estáblished; 2. (*в пр.*; *убеждаться*) becóme* fírmly convínced (of); 3. *страд. к* утвержда́ть.

утвержде́ние *с.* 1. (*мысль, положение*) assértion, státement, affirmátion; (*торжественное*) asseverátion; (*голословное*) allegátion; противополо́жное, обра́тное ~ cóntrary assértion; 2. (*санкциони́рование*) appróval [-u:v-]; (*договора, пакта*) ratificátion, confirmátion; (*завещания*) próbate [-oub-]; 3. (*укрепле́ние*) stréngthening, consolidátion.

утек||**а́ть, уте́чь** flow awáy [-ou...], run* awáy; (*о газе*) escáe; (*перен.*) pass, go* by; ◇ мно́го воды́ ~ло́ с тех пор much wáter has flowed únder the brídge(s) since then [...'wɔ:-...].

утёнок *м.* dúckling.

утеп||**ле́ние** *с.* wárming (*рд.*; *о жилом помещении*) máking hábitable in wínter (*d.*). ~**лённый** 1. *прич. см.* утепля́ть; 2. *прил.* warm, héated; (*о жилом помещении*) with héating put in; ~лённый гара́ж héated gárage [...-ɑ:ʒ], gárage with héating put in. ~**ли́ть** *сов. см.* утепля́ть.

утепля́ть, утепли́ть (*вн.*) warm (*d.*); (*о жилом помещении*) make* hábitable in wínter (*d.*).

утере́ть(ся) *сов. см.* утира́ть(ся).

утерпе́||**ть** *сов.* restráin onesélf; (*с отрица́нием об.*) keep* (from *ger.*), help (+ *ger.*): тру́дно ~ it is hard to restráin onesélf; он не ~л, что́бы не сказа́ть he couldn't help sáying.

уте́ря *ж.* loss.

утеря́||**ть** *сов.* (*вн.*) lose* [lu:z] (*d.*); (*о праве, уважении и т. п.*) fórfeit [-fit] (*d.*).

утёс *м.* rock; (*береговой*) cliff. ~**истый** rócky; (*о береге*) steep, precípitous.

утеха́ *ж.* 1. (*радость*) joy, delíght; (*удовольствие*) pléasure ['ple-]; 2. (*утешение*) cómfort ['kʌ-], consolátion.

уте́чка *ж. тк. ед.* léakage; ~ га́за gas escápe; ~ рабо́чей си́лы mánpower drain.

уте́чь *сов. см.* утека́ть.

утеш||**а́ть, уте́шить** (*вн.*) cómfort ['kʌ-] (*d.*), consóle (*d.*); ~ себя́ consóle onesélf. ~**а́ться, уте́шиться** 1. consóle onesélf; 2. *тк. несов.* (*тв.*) take* cómfort [...'kʌ-] (in), seek* consolátion (in), be cómforted / consóled [...'kʌm-...] (by). ~**е́ние** *с.* cómfort ['kʌ-], consolátion; иска́ть ~ения в чём-л. seek* consolátion in smth.; находи́ть ~ение в чём-л. find* cómfort / consolátion in smth.; ◇ сла́бое ~ение poor consolátion.

утеши́тель *м.*, ~**ница** *ж.* cómforter ['kʌ-], consóler. ~**ный** consóling, cómforting ['kʌ-]; э́то ~но that's a cómfort [...'kʌ-].

уте́шить *сов. см.* утеша́ть. ~**ся** *сов. см.* утеша́ться 1.

утилиз||**а́ция** *ж.* utilizátion [-laɪ-]. ~**и́ровать** *несов. и сов.* (*вн.*) utilíze (*d.*).

утилит||**а́ризм** *м. филос.* utilitárianism. ~**а́рность** *ж.* utílity. ~**а́рный** utilitárian.

ути́ль *м.*, ~**сырьё** *с. тк. ед. собир.* sálvage, utílity réfuse [...-s], scrap.

ути́ный *прил. к* у́тка I.

утира́ть, утере́ть (*вн.*) wipe (*d.*); (*осушать*) dry (*d.*); ~ пот с лица́ wipe sweat from one's face [...swet...]; ~ себе́ нос wipe one's nose; ◇ утере́ть нос кому́-л. *разг.* ≃ get* the bétter of smb. ~**ся**, **утере́ться** 1. wipe onesélf, dry onesélf; 2. *страд. к* утира́ть.

утиха́ть, ути́хнуть (*о шуме*) cease [-s], fade, die awáy; (*успокаиваться*) becóme* calm [...kɑ:m], quíet(en) down; (*о буре, возбуждении, боли*) abáte, subsíde; (*о ветре*) fall*, drop.

ути́хнуть *сов. см.* утиха́ть.

утихоми́р||**ивать, утихоми́рить** (*вн.*) *разг.* calm down [kɑ:m...] (*d.*), pácifý (*d.*), placáte (*d.*). ~**ся, утихоми́риться** *разг.* becóme* quíet; (*остепеняться*) stéady up / down ['ste-...], séttle down; *сов. тж.* have had one's fling *идиом.*

утихоми́рить(ся) *сов. см.* утихоми́ривать(ся).

у́тка I *ж.* duck; ди́кая ~ wild duck; mállard (*гл. обр. о селезне*).

у́тк||**а II** *ж.* (*ложный слух*) canárd; false repórt [fɔ:ls...]; газе́тная ~ canárd; néwspaper hoax; пусти́ть ~у start / spread* a false repórt, *или* false rúmours [...spred...].

у́тка III *ж.* (*для лежачих больных*) bédpan.

уткну́ть *сов.* (*вн.*) *разг.* búry ['be-] (*d.*), hide* (*d.*); ~ лицо́ в воротни́к búry one's face in one's cóllar; ◇ ~ нос в кни́гу búry onesélf in a book. ~**ся** *сов.* (*в вн.*) *разг.* 1. búry ['be-...] (in) (*тж. перен.*); hide* (one's face) (in); ~ся в у́гол hide* (one's face) in a córner; ~ся голово́й в поду́шку búry one's head in the píllow [...hed...]; 2. (*наткнуться*) come* to rest (upón, agáinst), be stopped (by); ◇ ~ся но́сом в кни́гу búry onesélf in a book.

утконо́с *м. зоол.* dúck-bill, plátypus.

у́тлый frágile, frail.

уто́к *м. тк. ед. собир. текст.* weft, woof.

утол||**е́ние** *с.* (*жажды*) sláking, quénching; (*голода*) sátisfýing; (*боли*) lúlling, sóothing, allévaiting; для ~ения го́лода to sátisfy one's húnger. ~**и́ть** *сов. см.* утоля́ть.

утол||**сти́ть(ся)** *сов. см.* утолща́ть(ся). ~**ща́ть, утолсти́ть** (*вн.*) thícken (*d.*), make* thícker (*d.*). ~**ща́ться, утолсти́ться** 1. thícken, becóme* thícker; 2. *страд. к* утолща́ть. ~**ще́ние** *с.* 1. (*действие*) thíckening; 2. (*выпуклость*) bulge.

утоля́ть, утоли́ть (*вн.*; *о жажде*) slake (*d.*), quench (*d.*); (*о голоде*) sátisfý (*d.*), appéase (*d.*); (*о боли*) lull (*d.*), soothe (*d.*), allévaite (*d.*).

утоми́тельно I 1. *прил. кратк. см.* утоми́тельный; 2. *предик. безл.* it is (véry) tírĕsome / wéarĭsome.

утоми́тельн||**о II** *нареч.* tírĕsomely, wéarĭsomely. ~**ость** *ж.* tírĕsomeness, wéarĭsomeness. ~**ый** tírĕsome, tíring, wéaring, wéarĭsome; fatíguing [-'ti:g-]; ~ая рабо́та hard / exháusting work.

утом||**и́ть(ся)** *сов. см.* утомля́ть(ся). ~**ле́ние** *с.* tírĕdness, wéarĭness, fatígue [-'ti:g]; кра́йнее ~ле́ние exháustion [-stʃən]. ~**лённый** *прич. и прил.* tíred.

утомля́емость *ж.* fatiguabílity; у него́ бы́страя ~ he is éasily tíred [...'i:z-...], he gets tíred, *или* tíres, éasily.

утомля́ть, утоми́ть (*вн.*) tire (*d.*), wéary (*d.*); fatígue [-'ti:g] (*d.*); ~ себе́ глаза́ tire one's eyes [...aɪz]. ~**ся, утоми́ться**

утому́ть 1. get* tired / fatigued [...-'ti:gd], tire / weary òneself, fatigue òneself; 2. страд. к утомля́ть.

утону́ть сов. см. утопа́ть 1 и тону́ть II.

утонч||а́ть, утончи́ть (вн.) thin (d.), make* thinner (d.); (перен.) refine (d.). **~а́ться**, утончи́ться 1. become* / get* thin; (перен.) become* refined 2. страд. к утонча́ть.

утончённ||ость ж. refinement; finesse [-'nes]. **~ый** 1. прич. см. утонча́ть; 2. прил. refined, subtle [sʌtl], éxquisite [-zɪt]; ~ый вкус refined taste [...teɪst]; ~ая жестокость refinement of cruelty [...-uəl-]; ~ое удовольствие exquisite pleasure [...'ple-].

утончи́ть(ся) сов. см. утонча́ть(ся).

утопа́||ть, утону́ть 1. = тону́ть II; 2. несов. тк. несов. (в пр.) roll (in); ~ в роскоши roll in luxury [...'lʌkʃ-]; ~ в богатстве roll / wallow in money [...'mʌ-]; ~ в зелени be buried in verdure [...'bə-...'və:dʒə]. **~ющий** 1. прич. см. утопа́ть; 2. м. как сущ. drowning man*.

утопи́зм м. Utopism. **~и́ст** м. Utopian, Utopist.

утопи́ть сов. см. топи́ть IV.

утопи́ться сов. см. топи́ться III.

утопи́ческий Utopian.

уто́пия ж. Utopia.

уто́пленн||ик м. drowned man*; везёт (ему) как ~ику разг. ≅ (he) has always the worst luck [...'ɔ:lwəz...]. **~ица** ж. drowned woman* [...'wu-].

утопта́ть сов. см. ута́птывать.

у́точк||а ж. уменьш. от у́тка I; ◊ ходи́ть ~ой waddle along.

уточн||е́ние с. more precise / accurate definition [...-'saɪs...]; specification; внести ~ения (в вн.) give* a more precise definition (to), introduce clarity (into). **~и́ть(ся)** сов. см. уточня́ть(ся).

у́точный текст. woof (attr.), weft (attr.).

уточня́ть, уточни́ть (вн.) specify (d.), make* more exact / precise / accurate [...-'saɪs...] (d.), define more exactly / precisely / accurately [...-'saɪs...] (d.); уточни́ть пу́нкты догово́ра determine / specify each point of the contract; уточни́ть све́дения get* / obtain more specific information, make* the information more exact / precise / accurate. **~ся**, уточни́ться 1. become* / be defined more exactly / precisely / accurately [...-'saɪs-...]; 2. страд. к уточня́ть.

утра́ивать, утро́ить (вн.) treble [tre-] (d.). **~ся**, утро́иться 1. treble [tre-]; 2. страд. к утра́ивать.

утрамб||ова́ть сов. 1. см. утрамбо́вывать; 2. как сущ. к трамбова́ть. **~ова́ться** сов. см. утрамбо́вываться. **~о́вка** ж. ramming.

утрамбо́вывать, утрамбова́ть (вн.) ram (d.). **~ся**, утрамбова́ться 1. become* even; 2. страд. к утрамбо́вывать.

утра́т||а ж. loss; понести́ ~у suffer a loss; ~ трудоспособности disability, disablement.

утра́тить(ся) сов. см. утра́чивать(ся).

утра́чивать, утра́тить (вн.) lose* [lu:z] (d.); ~ права forfeit one's rights [-fɪt...]. **~ся**, утра́титься 1. be lost, be gone [...gɒn]; 2. страд. к утра́чивать.

у́тренн||ий morning (attr.); ~ее время morning; ~ за́втрак breakfast [-ek-]; ~яя заря́ dawn, daybreak [-eɪk]; ~яя заря́дка morning exercises pl.

у́тренник I м. (спектакль) morning performance; матине́е (фр.) ['mætɪneɪ].

у́тренник II м. (мороз) morning frost.

у́треня ж. церк. matins pl.

утри́рованный прич. и прил. exaggerated [-dʒə-].

утри́р||овать несов. и сов. (вн.) exaggerate [-dʒə-] (d.). **~о́вка** ж. exaggeration [-dʒə-].

у́тр||о с. morning; morn поэт.; в девять часов ~а́ at nine o'clock in the morning; под ~ towards morning; (на рассвете) at dawn, at daybreak [...-eɪk]; по ~а́м in the morning(s); спать долго по ~а́м sleep* late in the mornings; на (следующее) ~ next morning, in the morning; ◊ в одно прекрасное ~ one fine morning; ~ вечера мудренее посл. ≅ take counsel with your pillow; sleep on it!; с добрым ~ом!, доброе ~! good morning!; ~ жи́зни the morning of life.

утро́б||а ж. womb [wu:m]; (о животе) belly; ◊ ненасытная ~ бран., шутл. glutton. **~ный** 1. uterine; ~ный плод foetus ['fi:-]; 2. (глухой, низкий) hollow, deep; ~ный смех belly-laugh [-lɑ:f].

утрое́ние с. trebling ['tre-].

утро́енный 1. прич. см. утра́ивать; 2. прил. threefold, triple [trɪ-].

утро́ить(ся) сов. см. утра́ивать(ся).

у́тром нареч. in the morning; сего́дня ~ this morning; за́втра ~ tomorrow morning; вчера́ ~ yesterday morning [-dɪ...]; ра́нним ~ early in the morning ['ɔ:lɪ...]; одна́жды ~ one morning.

утру||ди́ть сов. см. утружда́ть. **~жда́ть**, утруди́ть (вн.) trouble [trʌ-] (d.); bother; он не хочет себя ~жда́ть he doesn't want to take the trouble, или to be bothered. **~жда́ться**, утруди́ться trouble oneself [trʌ-...], take* the trouble, give* oneself trouble.

утру́ска ж. тк. ед. торг. spillage.

утряс||а́ть, утрясти́ (вн.) 1. shake* down (d.); 2. разг. (улаживать) settle (d.); утрясти́ вопро́с have the matter out. **~ся**, утрясти́сь 1. get* in (by shaking); 2. разг. (улаживаться) settle; 3. страд. к утряса́ть.

утрясти́(сь) сов. см. утряса́ть(ся).

утучн||и́ть(ся) сов. см. утучня́ть(ся). **~я́ть**, утучни́ть (вн.) уст. fatten (d.); (о земле) manure (d.), enrich (d.). **~я́ться**, утучни́ться уст. 1. fatten; 2. страд. к утучня́ть.

уты́кать сов. см. утыка́ть.

утыка́ть, уты́кать (вн. тв.) set* (d. with).

утю́г м. (flat) iron [...'aɪən], smoothing-iron [-aɪən]; портно́вский ~ goose [-s] (pl. gooses); электри́ческий ~ electric iron.

утю́||жить, вы́утюжить (вн.) press (d.), iron ['aɪən] (d.); сов. тж. iron out (d.). **~жка** ж. pressing, ironing ['aɪən-].

утя́гивать, утяну́ть (вн.) разг. 1. drag away / off (d.); 2. (сильно затягивать) tighten (d.); 3. (красть) steal* (d.).

утяжел||и́ть сов. (вн.) make* heavier [...'hev-] (d.), increase the weight [-s...] (of); ~ констру́кцию increase the weight of a construction.

утяну́ть сов. см. утя́гивать.

утя́тина ж. разг. duck's flesh.

утя́тница I ж. (работница) duck breeder.

утя́тница II ж. (посуда) stewing-dish, stew-pan.

уф межд. ooh!

ух межд. ooh!, gosh!

уха́ ж. тк. ед. fish-soup [-su:p].

уха́б м. pot-hole; ~ы pits and bumps (on an uneven road). **~истый** bumpy.

ухажёр м. разг. ladies' man*; admirer.

уха́живание с. 1. (за больным, за ребёнком) nursing; (за больным тж.) tending; 2. (за женщиной) courting ['kɔ:t-]; addresses pl., attentions pl.

уха́живать (за тв.) 1. (за больным, за ребёнком) nurse (d.); (за больным тж.) tend (d.); (за животными, растениями) look (after); (прислуживать) wait (on); ~ за цветами look after the flowers; 2. (за женщиной) court [kɔ:t] (d.), pay* one's addresses (to), pay* / make* court (to).

уха́р||ский разг. dashing. **~ство** с. разг. dashing behaviour, bravado [-'vɑ:-].

у́харь м. разг. dashing fellow.

у́хать, у́хнуть разг. 1. (издавать громкий звук) crash, bang; где-то ухнул снаря́д somewhere a shell exploded with a crash; 2. (о филине) hoot; 3. (вн.) разг. (расходовать) squander (d.); сов. тж. lose* at one stroke [lu:z...] (d.); 4. разг. (падать, проваливаться) slip, fall*; у меня́ се́рдце у́хнуло от страха my heart sank to my boots from fear [...hɑ:t...]; 5. (вн., по дт.; с силой ударить) bang (d.), slap (d.); у́хнуть кулако́м по столу́ bang one's fist on the table.

ухва́т м. oven fork ['ʌv°n...].

ухват||и́ть сов. (вн.; прям. и перен.) catch* (d.), lay* hold (of), grasp (d.). **~и́ться** сов. (за вн.) catch* / lay* hold (of), grasp (of); (перен.) catch* (at), snatch (at), grasp (at); ~и́ться за перила grip / grasp / seize the (hand-)rail [...si:z...]; ~и́ться за случай seize an opportunity; ~и́ться за предложение, за мысль jump at an offer, at the idea [...aɪ'dɪə]; он ~и́лся за это предложение he snatched / grasped, или caught at, the offer.

ухва́тка ж. разг. 1. (манера) way, manner; 2. (ловкость) skill, trick.

ухитр||и́ться сов. см. ухитря́ться. **~я́ться**, ухитри́ться (+ инф.) разг. contrive (+ to inf.).

ухищре́ни||е с. contrivance [-traɪ-], shift, device; прибегать к разным ~ям resort, или have recourse, to various tricks [-'kɔ:s...].

ухищрённый artful, cunning.

ухищря́ться contrive, shift.

ухлёстывать (за тв.) разг. court [kɔ:t] (d.), run* after (d.).

ухло́пать сов. см. ухло́пывать.

УХЛ—УЧЕ

ухлóп‖**ывать**, ухлóпать (*вн.*) *разг.* 1. (*убивать*) kill (*d.*), múrder (*d.*); 2. (*тратить*) squánder (*d.*), waste [weɪ-] (*d.*); он ~ал на это цéлый день he wásted *a* whole day on it [...houl...].

ухмы́лка *ж. разг.* = усмéшка.

ухмыльнýться *сов. см.* ухмыля́ться.

ухмыля́ться, ухмыльнýться *разг.* smirk, grin.

ýхнуть *сов. см.* ýхать.

ýхо *с.* ear; нарýжное ~ áuricle; срéднее ~ middle ear; воспалéние ýха inflammátion of the ear; отúтис *научн.*; говорúть комý-л. на ~ whísper in smb.'s ear, have a prívate word with smb. [...'praɪ-...]; ◇ быть тугúм на ~ be hard of héaring; держáть ~ вострó *погов.* ≅ be on one's guard; навострúть ýши prick up one's ears; дать комý-л. в ~ box smb.'s ears *pl.*, give* smb. a box on the ear(s); в однó ~ вошлó, в другóе вы́шло in at one ear and out at the other; слýшать кра́ем ýха lísten with half an ear ['lɪs'n... hɑːf...]; он и ýхом не ведёт he pays no heed (to); затыкáть ýши close / stop one's ears; ýши вя́нут (от) *разг.* ≅ it makes one sick to hear (*d.*); прокричáть, прожужжáть ýши комý-л. о чём-л. *разг.* din smth. into smb.'s ears; влюбúться по́ уши (в *вн.*) be óver head and ears in love [...hed...lʌv] (with); пропускáть мúмо ушéй (*вн.*) *разг.* turn a deaf ear [...def...] (to); pay* no heed (to); он ушáм своúм не вéрил he could not belíeve his ears [...-iːv...].

уховёртка *ж. зоол.* éarwig.

ухóд I *м.* góing aːwáy / out / off; léaving, depárture; (*с должности*) resignátion [rez-], retíring; (*с конференции и т. п.*) withdráwal (from); пéред сáмым ~ом just befóre léaving.

ухóд II *м.* (*за тв.*) 1. (*ухáживание, заботы*) núrsing (*d.*), lóoking (áfter); care (of); в э́том санатóрии хорóший ~ за больны́ми the pátients are táken good* care of in this sànatórium; это растéние нуждáется в ~е this plant needs care [...-ɑːnt...]; 2. (*техническое обслуживание машин*) máintenance (of).

уходúть I, уйтú 1. leave*; go* aːwáy / off; depárt; ~ с рабóты leave* work; ~ в отстáвку resígn [-'zaɪn], retíre; с постá leave* one's post [...poust], resígn one's posítion [...-'zɪ-]; ~ со сцéны quit the stage, retíre from the stage; ухóдит, ухóдят (*театральная ремарка*) éxit, éxeunt; часы́ ушлú вперёд the watch is fast; корáбль ухóдит в мóре the ship is pútting out to sea*; ~ в вóздух *ав.* take* the air; 2. (*проходить, миновать*) pass, elápse; мóлодость ухóдит youth is soon óver [juːθ...], youth is slípping aːwáy; врéмя ещё не ушлó there is still time; 3. *тк. несов.* (*простираться*) stretch; дорóга ухóдит вдаль the road recédes into the dístance; 4. (*от наказания, расплаты и т. п.*) escápe (*d.*); от э́того не уйдёшь you can't get aːwáy from it [...kɑːnt...]; уйтú от преслéдования *воен.* outstríp one's pursúer; 5. (*расходоваться*) be spent; все сúлы ухóдят на э́то *one's* whole énergy is spent on it [...houl...], it takes all *one's* énergy; на подготóвку ухóдит мнóго врéмени the preparátions take much time; ◇ с ним далекó не уйдёшь you won't go véry far with him [...wount...]; уйтú ни с чем go* aːwáy émpty-hánded, *или* háving achíeved nóthing [...ə'tʃiːvd...]; get* nóthing for one's pains; ~ в себя́ retíre / shrink* into one's shell; уйтú в прóшлое becóme* a thing of the past.

уходúть II *сов.* (*вн.*) *разг.* (*измучить*) wear* out [wɛə] (*d.*), tire out (*d.*).

уходúться *сов. разг.* (*устать*) be tired out.

ухóженный *разг.* wéll-gróomed.

ухудш‖**áть**, ухýдшить (*вн.*) make* worse (*d.*), wórsen (*d.*). **~áться**, ухýдшиться 1. becóme* worse; deterióarate, take* a turn for the worse; его́ здорóвье ухýдшилось his health has becóme worse [...helθ...]; отношéния ухýдшились the relátions have becóme worse; кáчество ухýдшилось the quálity has deterióarated; 2. *страд. к* ухудшáть. **~éние** *с.* wórsening, change for the worse [tʃeɪ-...], deteriorátion; ~éние отношéний deterioration of relátions; fálling off in relátions; ~éние кáчества deteriorátion.

ухýдшенный 1. *прич. см.* ухудшáть; 2. *прил.* inférior, deterióarated.

ухýдшить(ся) *сов. см.* ухудшáть(ся).

уцелéть *сов.* (*остаться нетронутым*) be left whole [...houl], remáin whole / intáct; (*остаться неповреждённым*) come* off unhúrt; escápe destrúction; (*остаться в живых*) survíve; (*при сохраниться*) be spared (by); дом ~л при пожáре the house* was spared by the fire [...haus...], the house* survíved the fire.

уценённый *прич. и прил. торг.* márked-down; *прил. тж.* cút-príce.

уценúть *сов.* (*вн.*) *торг.* mark down (*d.*), redúce the price (of).

уцепúться *сов.* (*за вн.*) catch* / lay* hold (of), seize [siːz] (on); grasp (*at; тж. перен.*); ~ за предложéние *разг.* catch* / jump at *a* propósal, *или* at *an* óffer [...-zˈl...].

уча́ст‖**вовать** (в *пр.*) 1. (*принимать участие*) take* part (in), pàrticipáte (in), be (in); (*сотрудничать*) collàboráte (in); ~ в голосовáнии, в вы́борах take* part in vóting, in the eléction; ~ в спектáкле take* part in *a* play; ~ в зáговоре pàrtícipate in *the* plot; 2. (*иметь долю*) have a share / hand (in); ~ на рáвных правáх share alíke; ~ в расхóдах share in expénses / expénditure. **~ующий** 1. *прич. см.* учáствовать; 2. *м. как сущ.* pàrtícipant, pàrticipátor.

учáст‖**ие** *с. тк. ед.* 1. (*совместная деятельность*) pàrticipátion; (*сотрудничество*) collàborátion; привлекáть когó-либо к ~ю в чём-л. get* smb. to take part in smth., enlíst smb., *или* smb.'s help; (*заинтересовывать*) ínterest smb. in smth.; не допускáть когó-л. к ~ю в чём-л. debár smb. from pàrticipátion in smth.; принимáть ~ в чём-л. take* part in smth. *разг.*; принимáть ~ в рабóте contríbute one's share to the work; дéятельное ~ áctive pàrticipátion; при ~ии когó-л. with the pàrticipátion of smb., with the assístance of smb.; 2. (*обладание долей, паем в чём-л.*) share, sháring; 3. (*сочувствие*) sýmpathy, ínterest, concérn; с живéйшим ~ием with the gréatest sýmpathy / ínterest [...-eɪt-...]; принимáть (большóе) ~ в ком-л. take* / show* great ínterest in smb. [...ʃou -eɪt...].

участúть(ся) *сов. см.* учащáть(ся).

участкóв‖**ый** 1. *прил.* divísional; dístrict (*attr.*); ~ая избирáтельная комúссия divísional eléction commíttee [...-tɪ]; ~ надзирáтель *ист.* divísional inspéctor (of políce) [...-'lɪs]; ~ уполномóченный (*милиции*) dístrict milítia ófficer; 2. *м. как сущ. разг.* (*милиционер*) dístrict milítia ófficer.

учáстлив‖**ый** sympathétic, compássionate; проявúть ~ое отношéние (к) be compássionate (towards), have sýmpathy (for).

учáстник *м.* pàrtícipant, pàrticipátor; (*в пае*) shárer; (*преступления*) accómplice; (*состязания*) compétitor; (*в игре*) pláyer; (*съезда*) mémber; он ~ граждáнской войны́ he took part in the cívil war; ~ экспедúции mémber of *an* èxpedítion; он ~ зáговора he is, *или* was, a párty to *the* plot, he takes, *или* took, part in *the* plot.

учáст‖**ок** *м.* 1. (*земли́*) lot, plot; (*небольшой*) strip, párcel; дробúть, делúть на ~ки (*вн.*) párcel out (*d.*); 2. (*часть поверхности*) part, séction; (*дороги, реки*) séction, length; поражённые ~ки кóжи affécted parts / áreas of the skin [...'ɛərɪəz...]; 3. (*сфера деятельности*) área ['ɛərɪə]; ~ рабóты allótted work; 4. *воен.* séctor, área, zone; ~ фрóнта séctor of the front [...-ʌnt]; заражённый контамúнированная área / ground; 5. (*административный*) dístrict; избирáтельный ~ éctoral / eléction dístrict / área, constítuency; (*помещение*) pólling place / státion, eléction céntre; 6. *ист.* (*полицейский*) políce-óffice [-iːs-], políce-státion [-ɪs-].

учáст‖**ь** *ж.* lot, fate; разделúть ~ когó-л. share smb.'s fate; (*добровольно*) throw* in *one's* lot with smb. [-ou...]; избежáть óбщей ~и escápe the cómmon lot; их постúгнет та же ~ they will súffer the same fate.

учащáть, участúть (*вн.*) make* more fréquent (*d.*), incréase the fréquency [-s... 'friː-] (of). **~ся**, участúться becóme* more fréquent; (*о пульсе*) becóme* more rápid.

учащённый 1. *прич. см.* учащáть; 2. *прил.* quick, quíckened; ~ пульс rápid pulse.

учáщ‖**ийся** 1. *прич.* (*тж. как прил.*) *см.* учúться; ~аяся молодёжь stúdents *pl.*; 2. *как сущ. м.* stúdent; (*школьник*) schóolboy, púpil; *ж.* stúdent; (*школьница*) schóolgirl [-gəːl], púpil; *мн. собир.* the stúdents; (*школьники*) the púpils.

учёб‖**а** *ж.* stúdies ['stʌ-] *pl.*; (*подготовка*) tráining; за ~ой at one's stúdies; закóнчить ~у complete one's stúdies.

учебник м. téxtbook; (руководство) mánual; (начальный) prímer; ~ химии, физики и т. п. course / mánual of chémistry, phýsics, etc. [kɔ:s... ˈkeɪ-zɪ-].

учебно-воспитательный téaching and éducátional.

учебн||ый éducátional; (школьный) school (attr.); (тренировочный) tráining; ~ год académic year; (в школе) school-year; (в вузе) school hours [...auəz] pl.; (в вузе) stúdy hours [ˈstʌdɪ...] pl.; ~ые занятия stúdies [ˈstʌl-] ~ план currículum (pl. -la); ~ая часть óffice of the head of stúdies [...hed...]; ~ предмет súbject; ~ое заведение éducátional institútion; ~ые пособия tráining aids / appliances; school supplíes; ~ батальон воен. tráining battálion [...-ˈtæ-]; ~ое судно tráining ship; ~ое плавание tráining vóyage; ~ое поле воен. éxercise ground; ~ая стрельба práctice shoot.

учен||ие с. 1. stúdies [ˈstʌ-] pl., léarning [ˈlɜ:-]; (ремеслу) appréntice;ship; годы ~ия school-years, school-days; время ~ия clásses pl.; быть в ~ии be an appréntice; кончить ~ fínish one's stúdies; (ремеслу) finish one's appréntice;ship; 2. (преподавание) téaching; 3. (совокупность теоретических положений) téaching, dóctrine; ~ Ленина the téaching of Lénin; 4. воен. éxercise; строевое ~ drill; тактическое ~ táctical éxercise.

учен||ик м., ~ица ж. 1. (в школе) púpil; (в ремесле) appréntice; léarner [ˈlɜ:-]; 2. (последователь) disciple, follower. ~ический прил. к ученик; (перен.) незрелый, несамостоятельный raw, crude, immatúre. ~ичество с. тк. ед. périod spent as a púpil / stúdent; (ремеслу) appréntice;ship.

учён||ость ж. léarning [ˈlɜ:-], erudítion; мнимая ~ scíolism. ~ый 1. прил. (о человеке) léarned [ˈlɜ:-], érudíte; 2. прил. (относящийся к науке) scientífic; ~ый совет académic cóuncil; ~ое общество scientífic society; ~ая степень académic degrée; 3. прил. (дрессированный) tráined, perfórming; 4. м. как сущ. scíentist; schólar [ˈskɔ-].

учесть сов. см. учитывать.

учёт м. тк. ед. 1. cálculátion; (товаров) stock-tàking; вести ~ (рд.) take* stock (of); не поддаваться ~у be beyónd all cálculátion; закрыто на ~ closed for stóck-tàking; 2. (регистрация) règistrátion; брать на ~ (вн.) régister (d.); становиться на ~ be / get* régistered; состоять на ~е be on the books; снимать с ~а (вн.) strike* off the régister (d.); take* off the books (d.); сниматься с ~а be struck off the régister, be táken off the books; 3. (принятие во внимание чего-л.) táking into accóunt; с должным ~ом (рд.; фактов, условий и т. п.) with due regárd (for); ~ общественного мнения respónsive;ness of públic opínion [...ˈpʌ-...]; 4. фин. (векселей) díscount, díscounting.

учетвер||ённый 1. прич. см. учетверять; 2. прил. quádruple, quadrúplicate. ~ить(-ся) сов. см. учетверять(ся).

учетверять, учетверить (вн.) quádruple (d.), quadrúplicate (d.). ~ся, учетверяться 1. become* / be quádrupled; 2. страд. к учетверять.

учётн||ый 1. прил. к учёт 1, 2; ~ стол règistrátion board / depártment; ~ бланк, лист(ок), ~ая карточка règistrátion form; ~ая ведомость tálly sheet; 2. фин. díscount (attr.); ~ процент díscount; ~ банк díscount bank.

учётч||ик м., ~ица ж. accóunting clerk [...klɑ:k].

училище с. (spécialized) school [ˈspe-...], cóllege; военное ~ mílitary school; Нахимовское ~ Nakhímov Nával School; Суворовское ~ Suvórov Mílitary School.

учинить сов. см. учинять.

учинять, учинить (вн.) разг. make* (d.), commít (d.); ~ скандал kick up a row; ~ пакость кому-л. play a dírty / mean trick on smb. ~ расправу inflíct reprísals [...-ˈzlz].

учитель м. (в разн. знач.) téacher; tútor (особ. домашний); школьный ~ school-teacher, schóolmàster; school;màn амер.; ~ английского языка Énglish téacher [ˈɪŋ-...]; ~ математики mathemátics téacher; ~ пения síng;ing;màster; ~ танцев dáncing-màster. ~ница ж. téacher; школьная ~ница schóolmistress. ~ская ж. скл. как прил. téachers' cómmon room, staff (cómmon) room. ~ский прил. к учитель; ~ский институт téachers' cóllege; ~ский съезд téachers' cónference. ~ство с. тк. ед. 1. собир. téachers pl.; 2. (деятельность) téaching, dúties of a téacher pl.

учительствовать be a téacher.

учитывать, учесть (вн.) 1. (принимать во внимание) take* into accóunt / considerátion (d.); take* accóunt (of), allów (for); учитывая tàking into accóunt / considerátion (d.); учитывая пожелания (рд.) tàking into accóunt, или in respónse to, или héeding, the wíshes (of); не leave* out of accóunt (d.); не учесть fail to take into accóunt (d.); 2. (вести учёт, брать на учёт) take* stock (of); 3. фин. (о векселе) díscount (d.).

учить 1. (вн.) teach* (d.), instrúct (d.); ~ кого-л. чему-л. teach* smb. smth.; 2. (с союзом что; развивать теорию) teach* (that); say* (that) (вн.; изучать, усваивать) learn* [lɜ:n] (d.), stúdy [ˈstʌ-] (d.); ~ наизусть learn* by heart / rote [...hɑ:t...] (d.); ~ роль learn* the part; 4. воен. drill (d.). ~ся 1. (дт.) learn* [lɜ:n] (d.), stúdy [ˈstʌ-] (d.); ~ся читать learn* to read; ~ся английскому языку learn* / stúdy Énglish [...ˈɪŋ-]; ~ся портновскому делу learn* táiloring; хорошо ~ся stúdy well*, do well* at school, at the Úniversity, etc.; 2. (в пр.) stúdy (at); (у кого-л.) learn* (from smb.); (ремеслу) be an appréntice (to smb.); ~ся в университете stúdy at the Úniversity, atténd the Úniversity, be a stúdent; ~ся в школе go* to school; be at school; ~ся у портного be appréticed to a táilor; ◇ ~ся на собственных ошибках prófit / learn* by one's own mistákes [...oun...]; век живи — век учись посл. live and learn [lɪv...].

учредитель м. fóunder, cónstitútor. ~ница ж. fóundress. ~ный constítutive,

constítuent; ~ное собрание Constítuent Assémbly.

учредить сов. см. учреждать.

учрежд||ать, учредить (вн.) found (d.), estáblish (d.), set* up (d.); (об ордене, медали) institúte (d.); ~ комиссию estáblish / appóint a commíssion; ~ премии institúte prízes. ~ение с. 1. (действие) fóunding, estáblishment, sétting up; 2. (организация) institútion, estáblishment; государственные ~ения State institútions; культурные и общественные ~ения cúltural and públic-sérvice institútions [...ˈpʌ-...]; научные ~ения scientífic institútions; детские ~ения child wélfare (institútions).

учтив||ость ж. civílity, cóurtesy [ˈkɜ:t-]. ~ый cívil, cóurteous [ˈkɜ:t-]; (внимательный) considerate.

учуять сов. (вн.) разг. smell* (d.); nose out (d.), sense (d.) (тж. перен.).

ушанка ж. cap with ear-flàps.

ушастый разг. bíg-éared.

ушат м. tub; ◇ как будто вылить ~ холодной воды (на вн.) pour cold wáter [rɔ:...ˈwɔ:-] (on, óver).

уши мн. см. ухо.

ушиб м. injury; (место ушиба) brúise [-u:z]; мед. contúsion. ~áть, ушибить (вн.) hurt* (d.); (до синяка) brúise [-u:z] (d.); мед. contúse (d.). ~áться, ушибиться hurt* one;self, brúise one;self [-u:z...]. ~ить(ся) сов. см. ушибать(ся).

ушивать, ушить (вн.) take* in (d.).

ушить сов. см. ушивать.

ушк||о I с. (уменьш. от ухо; ◇ у него, у неё и т. д. ушки на макушке разг. he, she, etc., is all ears; he, she, etc., is on his guard, или on the qui-vive (фр.) [...kiːˈviːv].

ушко II с. 1. (у иглы и т. п.) eye [aɪ]; 2. (сапога) tab, tag.

ушкуй м. ист. flát-bóttomed boat (propélled by sail or oars). ~ник м. ист. ríver-pìrate [ˈrɪ-paɪə-].

ушн||ик м. разг. (о враче) éar-spècialist [-spe-]. ~óй прил. к ухо; áural научн.; ~áя железá áural gland; ~áя раковина cóchlea (pl. -leae); ~áя сера éar-wàx [-wæks]; ~óe зеркало otoscópe [ˈou-]; ~óй врач éar-spècialist [-spe-]. ~áя боль éar-àche [-eɪk].

ущелье с. gorge, ravíne [-iːn]; cányon.

ущем||ить сов. см. ущемлять. ~ление с. pínch(ing), nípping; (перен.: оскорбление) wóunding [ˈwu-]; (перен.: ограничение) infringe;ment; ~ление грыжи мед. strangulátion of hérnia; ~ление чьего-л. самолюбия húrting smb.'s pride / self-estéem; ~ление чьих-л. интересов, прав infringe;ment of smb.'s interests, rights.

ущемлять, ущемить (вн.) pinch (d.), nip (d.), jam (d.); (перен.: оскорблять) wound / hurt* smb.'s pride [wu:nd...]; (перен.: уменьшать, ограничивать) infrínge (upón); чьи-л. интересы, права infrínge upón smb.'s interests, rights.

ущерб м. тк. ед. 1. (убыток) dámage; loss; détriment; (вред) préjudice; наносить ~ (дт.) cause / do dámage (to), dámage (d.); понести ~ súffer dámage;

УЩИ — ФАЛ

в ~ кому́-л. to the préjudice of smb., in préjudice of smb.; to smb.'s détriment; в чему́-л. to the détriment of smth.; в ~ здра́вому смы́слу to the détriment of cómmon sense; без ~а (для) without préjudice (to); ~ был невели́к the dámage was not great [...-eɪt]; **2.:** на ~е (*о луне*) on the wane; (*о славе и т. п., тж.*) on the declíne. **~ный** (*о луне*) on the wane; wáning; (*перен. тж.*) on the declíne. **~ная пси́хика** deféctive state of mind; declíning méntal degenerátion.

ущипну́ть *сов.* (*вн.*) pinch (*d.*), tweak (*d.*).

ую́т *м.* cósiness ['kouz-]; (*комфорт*) cómfort ['kʌ-]. **~но** *нареч.* cósily ['kouz-], cómfortably ['kʌ-]; чу́вствовать себя́ ~но feel* cósy [...-zɪ]. **~ность** *ж.* cómfortableness ['kʌ-], cósiness ['kouz-]. **~ный** (*о месте*) cómfortable ['kʌ-], cósy [-zɪ]; cómfy ['kʌ-] *разг.*; (*приятный*) agréeable [-rɪə-]; **~ная ко́мната** cómfortable / cósy room.

уязви́м||ость *ж.* vulnerabílity. **~ый** vúlnerable; легко́ ~ый ópen to ínjury, críticism, *etc.*; **~ый с во́здуха** *воен.* vúlnerable to air attáck.

уязв||и́ть *сов. см.* уязвля́ть. **~ле́ние** *с.* stínging, wóunding ['wu:-].

уязв||ля́ть, уязви́ть (*вн.*) sting* (*d.*), wound [wu:-] (*d.*); **~и́ть чьё-л. самолю́бие** hurt* smb.'s pride; **~и́ть са́мое больно́е ме́сто** touch / cut* / wound to the quick [tʌtʃ...].

уясни́ть *сов. см.* уясня́ть.

уясня́ть, уясни́ть (*вн.*) (*тж.* ~ себе́) size up (*d.*), make* out (*d.*), understánd* (*d.*); **~ себе́ положе́ние** size up *the* situátion.

Ф

фа *с. нескл. муз.* F [ef]; fa [fɑ:]; **ключ фа** bass clef [beɪs...]; F clef.

фабзавко́м *м.* (*фабри́чно-заводско́й комите́т*) fáctory (trade únion) commíttee [...-tɪ].

фабко́м *м.* (*фабри́чный комите́т*) = фабзавко́м.

фаблио́, фаблъо́ *с. нескл. лит.* fábliau ['fæblɪou].

фа́брика *ж.* fáctory, mill; **суко́нная ~** cloth fáctory; **бума́жная ~** páper-mill; **краси́льная ~** dýe-house* [-s], dýe-wòrks; **пряди́льная ~** spínning-mill, spínning-fàctory; **тка́цкая ~** wéaving-mill.

фа́брика-ку́хня *ж.* (lárge-scàle) méchanized cantéen [...-kə-...].

фабрика́нт *м.* manufácturer, fáctory ówner [...'ou-].

фабрика́т *м.* fínished próduct [...'prɔ-].

фабрика́ция *ж.* (*прям. и перен.*) fabricátion.

фабрикова́ть, сфабрикова́ть (*вн.*) **1.** *тк. несов.* (*изготовля́ть*) manufácture (*d.*); (*производи́ть*) prodúce (*d.*); **2.** (*измышля́ть, подде́лывать*) fábricàte (*d.*);

forge (*d.*); **сфабрико́ванные обвине́ния** frámed-ùp / trúmped-ùp chárges.

фабри́ть, нафа́брить (*вн.*) *уст.* dye (*d.*); **~ усы́** use moustáche-dye [...-ɑ:ʃ-].

фабри́чно-заводск||о́й fáctory-and-wórks (*attr.*); **~о́е обуче́ние на рабо́те** on the job indústrial tráining; **шко́ла ~о́го обуче́ния** fáctory-and-wórkshòp school.

фабри́чн||ый I 1. *прил. к* фа́брика; (*промы́шленный*) indústrial, manufácturing; **~ рабо́чий** fáctory wórker; **~ые цеха́** fáctory shops / séctions; **~ая труба́** fáctory chímney; **~ое произво́дство** manufácturing; **~ое законода́тельство** fáctory legislátion; **~ город** manufácturing town; **~ая ма́рка** trade mark; **2.** (*некустарный*) fáctory-màde.

фабри́чный II *м. скл. как прил. уст.* fáctory wórker.

фа́була *ж. лит.* plot, stóry.

фавн *м. миф.* faun.

фаво́р *м. тк. ед.:* **быть в ~е у кого́-л.** *разг.* be in smb.'s good gráces; **быть не в ~е у кого́-л.** be out of fávour with smb.; be in smb.'s bad books *идиом.* **~и́т** *м.* fávourite; mínion. **~ити́зм** *м.* favouritism. **~и́тка** *ж. к* фавори́т.

фаго́т *м. муз.* bassóon.

фаготерапи́я *ж. мед.* phagothérapy.

фаготи́ст *м.* bassóonist.

фагоци́т *м. биол.* phágocyte.

фа́з||а *ж.* (*в разн. знач.*) phase; stage; **газообра́зная, жи́дкая, твёрдая ~а** *астр.* gáseous (-eous), líquid, sólid phase; **~ы Луны́** *астр.* pháses of the Moon.

фаза́н *м.* phéasant ['fez-]. **~ий** *прил. к* фаза́н.

фа́зис *м.* phase.

фа́зн||ый *физ., тех.* phase (*attr.*); **~ компенса́тор** phase módifier; **~ое напряже́ние** phase vóltage [...'vou-]; **~ая обмо́тка** phase wínding.

фа́зов||ый *прил. к* фа́за; **~ая ско́рость** phase velócity.

фазо́метр *м. физ., тех.* phase méter, phásometer [feɪ'zɔ-].

фазотро́н *м. физ.* sýnchro-cýclotròn, phásotron.

фай *м. текст.* faille [faɪ].

файдеши́н [-дэ-] *м. текст.* faille de Chine ['faɪdɪ'ʃin].

фа́кел *м.* **1.** torch; **2.** (*конусообра́зное пла́мя*) jet, tongue [tʌŋ].

фа́кель||ный *прил. к* фа́кел; **~ное ше́ствие** tórch-light procéssion. **~щик** *м.* **1.** (*участник процессии*) tórch-bearer [-bɛə]; **2.** (*поджига́тель*) incéndiary; fire-bug *разг.*

факи́р *м.* fakír [-kɪə].

факси́миле *с. нескл.* fácsímile ['-lɪ].

факт *м.* fact; (*случай*) case [-s]; **общеизве́стный ~** notórious fact; **достове́рный ~** estáblished fact; **cértainty; соверши́вшийся ~** fait accomplí [feta:kɔ:ŋ'pli:]; accómplished fact; **поста́вить пе́ред соверши́вшимся ~ом** (*вн.*) confrónt with a fait accomplí [-'frʌ-...] (*d.*). **стоя́ть пе́ред ~ом** be faced with the fact; **име́ют ме́сто ~ы** facts / cáses are on récord [...'re-...]; **приводи́ть ~ы** méntion facts; **привести́ ~ы** point to a fact; **показа́ть на ~ах** show* proofs [ʃou...]; **оби́льный ~ами** rich in facts; **счита́ться с ~ом** face the fact; **~ы говоря́т**

о том, что the facts show that; ◊ **э́то ~!** it's a fact!; **~, что** (*верно, действи́тельно*) it is a fact that; **~ тот, что** (*дело в том, что*) the fact is that; **го́лые ~ы** bare / náked facts; **~ы — упря́мая вещь** facts are stúbborn things; **you can't fight facts** [...kɑ:nt...]; **you can't get awáy from facts; ~ остаётся ~ом** the fact remáins.

факти́ческ||и *нареч.* práctically; áctually; (*в сущности*) in fact, vírtually. **~ий** áctual; real [rɪəl]; (*осно́ванный на фа́ктах*) fáctual; (*действи́тельный*) vírtual; **~ое доказа́тельство** áctual proof; **~ое положе́ние де́ла** the áctual state of affáirs; **~ая сторона́** the facts *pl.*; **~ий материа́л, ~ие да́нные** the facts; **~ие хозя́ева** vírtual másters.

факти́чный fáctual, authéntic.

фактографи́ческий fáctual, based on fact, authéntic.

фактогра́фия *ж.* fáctual accóunt.

фа́ктор *м.* fáctor; **вре́менные, преходя́щие ~ы** tránsitory / tránsient fáctors [...-z-...]; **постоя́нно де́йствующие ~ы** pérmanent fáctors.

факто́рия *ж.* tráding státion.

факто́тум *м.* factótum.

факту́ра *ж.* **1.** *торг.* ínvoice, bill; **2.** *муз., жив.* téxture, mánner of execútion.

факультати́вный óptional; **~ уче́бный предме́т** óptional súbject, eléctive course [...kɔ:s].

факульте́т *м.* fáculty, depártment; **медици́нский ~** médical fáculty / depártment; **исто́рико-филологи́ческий ~** histórical and philológical fáculty / depártment; **юриди́ческий ~** fáculty / depártment of law; **быть на юриди́ческом ~е** be a stúdent of the fáculty of law. **~ский** *прил. к* факульте́т.

фал *м. мор.* hályard, hálliard.

фала́нга I *ж. ист.* phálanx (*pl.* -xes).

фала́нга II *ж. анат.* phálanx (*pl.* -xes), phálange.

фала́нга III *ж. зоол.* phálanx (*pl.* -xes).

фа́лда *ж.* tail, skirt (*of coat*).

фа́линь *м. мор.* páinter (*rope attached to the bow of boat*).

фалли́ческий phállic.

фалло́пиев: **~а труба́** *анат.* Fallópian tube.

фа́ллос *м.*, **фа́ллус** *м.* phállus (*pl.* -lli).

фалре́п *м. мор.* mán-ròpe, síde-ròpe.

фальсифик||а́т *м.* falsificátion ['fɔ:l-], cóunterfeit [-fit]. **~а́тор** *м.* fálsifier ['fɔ:l-], adúlterator. **~а́ция** *ж.* **1.** (*действие*) falsificátion ['fɔ:l-], adùlterátion; fórgery; **2.** (*подделанная вещь, фальсифицированный продукт*) falsificátion, cóunterfeit [-fit].

фальсифици́рованн||ый *прич. и прил.* cóunterfeited [-fɪtɪd], forged; adúlterated; **~ое ма́сло** adúlterated bútter.

фальсифици́ровать *несов. и сов.* (*вн.*) fálsify ['fɔ:l-] (*d.*), forge (*d.*); adúlterate (*d.*).

фальста́рт *м. спорт.* false start [fɔ:ls...].

фальц *м. тех.* **1.** (*вы́емка*) rábbet; **2.** (*паз*) groove; **3.** (*сгиб*) fold.

фальцева́льн||ый: **~ая маши́на** *полигр.* fólder, fólding machíne [...-'ʃi:n].

ФАЛ — ФАШ

фальцева́ть (вн.) тех. 1. (делать выемки) rábbet (d.), groove (d.); 2. (сгибать бумажный лист) fold (d.); 3. (сгибать листовой металл) seam (d.).

фальце́т м. муз. fàlsétto [fɔːl-].

фальцо́вка ж. 1. (газет, книг) fólding; 2. (листового металла) séaming.

фальцо́в||очный прил. к фальцо́вка. ~щик м., ~щица ж. fólder.

фальшбо́рт м. мор. búlwark ['bul-].

фальши́в||ить, сфальши́вить 1. (быть неискренним) dissémble, be a hýpocrite; be false [...fɔːls]; 2. (в пении) sing* out of tune; (в игре на муз. инструменте) play out of tune. ~ка ж. разг. forged / faked dócument, fraud.

фальшивомоне́тчик м. cóunterfeiter [-fɪtə]; cóiner (of false móney) [...fɔːls 'mʌ-].

фальши́в||ый false [fɔːls]; (поддельный) spúrious; (о документах) forged; (искусственный, ненастоящий) àrtificial; imitátion (attr.); (неискренний) insincére; ~ые во́лосы false hair sg.; ~ые зу́бы false teeth; ~ая моне́та false / spúrious coin; ~ая но́та муз. false note; ~ые драгоце́нности pínchbèck sg., paste jéwelry [peɪ-...] sg.; ~ челове́к insincére man*; ~ая улы́бка ìnsincére / afféctéd smile.

фальшки́ль м. мор. false keel [fɔːls...].

фальшь ж. тк. ед. 1. fálsity ['fɔː-l-], (лицемерие) hypócrisy, fálseness ['fɔː-l-]; (неискренность) insincérity; (неверное исполнение, неверная игра на музыкальном инструменте) sínging / pláying out of tune.

фами́лия ж. 1. (súr)nàme, fámily name; как его́ ~? what is his (súr)nàme?; деви́чья ~ máiden name; 2. уст. (род, семья) kin, fámily.

фами́льн||ый fámily (attr.); ~ое схо́дство fámily líkeness; ~ые драгоце́нности fámily jéwels.

фамилья́рничать (с тв.) разг. take* líberties (with), be (too) familiar (with).

фамилья́рно нареч. ùncerèmóniously, without céremony.

фамилья́рн||ость ж. líberties pl., ùncerèmóniousness, familiárity; не допуска́ть ~остей с кем-л. allow no familiárities; keep* smb. at arm's length, ùли at a dístance. ~ый ùncerèmónious, (excessively) famíliar; ~ый тон familiar / ùncerèmónious mánner; ~ое обраще́ние ùncerèmónious behàviour / tréatment.

фанабе́рия ж. разг. árrogance, snóbbishness.

фанати́зм м. fanáticism.

фана́тик м. fanátic.

фанати́ч||еский fanátical. ~ка ж. к фана́тик. ~ность ж. fanáticism. ~ный fanátic(al).

фанда́нго с. нескл. (танец) fàndángò.

фане́р||а ж. (полированная однослойная) venéer; (клеёная) plýwood [-wud]; покры́ть ~ой (вн.) venéer (d.). ~ный прил. к фане́ра; ~ная перегоро́дка plýwood pártition [-wud...]; ~ный лист sheet of plýwood.

фанза́ I ж. (китайский крестьянский дом) fànzà.

фанза́ II ж. (ткань) fóulard ['fuːlɑːd].

фант м. fórfeit [-fɪt]; игра́ть в ~ы play fórfeits.

фантазёр м., ~ка ж. dréamer, vísionary.

фантази́ровать, сфантази́ровать 1. тк. несов. dream*; let* one's ìmaginátion run a:wáy with one разг.; 2. разг. (выдумывать) make* up, dream* up; 3. тк. несов. муз. ímprovise.

фанта́зия ж. 1. fántasy, fáncy; (воображение тж.) ìmaginátion; богáтая ~ rich / fértile ìmaginátion; у него́ богáтая ~ he is very ìmáginative; 2. (мечта) fáncy; пустáя ~ idle fáncy; 3. (выдумка, ложь) fib, fàbricátion; 4. разг. (причуда, прихоть) fáncy, whim; ему́ пришлá в го́лову ~ (+ инф.) he took it into his head [...hed] (+ to inf.); 5. муз. fàntásia [-'tɑːzɪə].

фантасмагори́ческий phàntàsmagóric [-zm-].

фантасмаго́рия ж. phàntàsmagória [-zm-].

фанта́ст м. fántast, vísionary. ~ика ж. 1. fántasy, fábulousness; на гра́ни ~ики almòst únréal ['ɔːlmoust -'rɪəl]; 2. собир. разг. (литература) fiction; нау́чная ~ика science fiction. ~и́ческий fantástic(al); (невероятный тж.) fábulous. ~и́чность ж. irreálity [-rɪ-]; fantástic náture [...'neɪ-], fábulousness. ~и́чный fábulous.

фанто́м м. phántom.

фанфа́ра ж. муз. 1. fánfàre; 2. (труба) trúmpet, bugle.

фанфаро́н м. brággart. ~а́да ж. fànfàronáde [-'nɑːd], bràggadócio [-tʃɪou]. ~ить разг. brag, boast. ~ство с. brágging.

фа́ра ж. (на автомобиле, локомотиве) héadlight ['hed-].

фара́да ж. эл. fárad ['fæ-].

фарадиза́ция ж. мед. fàradizátion.

фарао́н I м. ист. Pháraoh [-rou].

фарао́н II м. карт. fáro.

фарва́тер [-тэр] м. мор. fáirway; (nàvigáting) chánnel; плыть, быть в ~e (рд.) (перен.) go* alóng (with), fóllow lead (of).

Фаренге́йт м.: термо́метр ~а Fáhrenheit thermómeter [-haɪt...]; 50°, 60° и т. д. по ~у 50, 60, etc., degrées Fáhrenheit.

фаринги́т м. мед. phàryngítis [-n-].

фарисе́й м. ист. (тж. перен.) Phárisee. ~ский ист. (тж. перен.) Phàrisáical [-'seɪk-], hỳpocrítical. ~ство с. ист. (тж. перен.) Pháriisàism [-seɪ-], hypócrisy.

фармако́лог м. phàrmacólogist. ~и́ческий phàrmacológical.

фармаколо́гия ж. phàrmacólogy.

фармакопе́я ж. phàrmacopóeia [-'piːə].

фармаце́вт м. phàrmacéutist, phàrmacéutical chémist [...'ke-]. ~ика ж. phàrmacéutics. ~и́ческий phàrmacéutical.

фарма́ция ж. phármacy.

фарс м. (прям. и перен.) farce.

фарт м. разг. luck. ~и́ть, пофарти́ть безл. разг.: ему́ ~и́т he is in luck. ~о́вый разг. 1. lúcky; 2. (замечательный) fine; smáshing; ~о́вый па́рень fine féllow.

фа́ртук м. ápron.

фарфо́р м. тк. ед. 1. (материал) chína, pórcelain [-slɪn]; 2. собир. (изделия) chína(wàre).

фарфо́ров||ый chína; pórcelain [-slɪn] (attr.); ~ая гли́на chína / pórcelain clay, káolin; ~ серви́з chína set; ~ заво́д pórcelain / cerámic works.

фарцо́вщ||ик м. разг., ~ица ж. разг. black-markèteer, spiv.

фарш м. stúffing; (мясной) minced meat; (для колбасы) sáusage-meat ['sɔ-].

фарширо́ванный прич. и прил. stuffed.

фарширова́ть, зафарширова́ть (вн.) stuff (d.).

фас м. front [-ʌ-]; сфотографи́роваться в ~ have one's picture táken en face (фр.) [...ɑːŋ'fɑːs].

фаса́д м. façáde [-'sɑːd], front [-ʌ-]; ~ы магази́нов shop fronts.

фасе́т м. fácet ['fæ-]. ~очный прил. к фасе́т.

фа́ска ж. тех. (flat) face.

фасова́ть (вн.; о товарах) páckage (d.) (in méasured quántities); pré-páck (d.).

фасо́в||ка ж. pré-pácking. ~очный (pré-)páckaging; ~очный цех pácking depártment.

фасо́вщик м. pácker.

фасо́левый прил. к фасо́ль.

фасо́ль ж. тк. ед. 1. (растение) háricòt [-kou]; háricòt / French / kídney bean; 2. собир. háricòt / French / kídney beans pl.

фасо́н м. fáshion, style; (платья тж.) cut; на друго́й ~ in a different fáshion; снять ~ take* a páttern, cópy a dress ['kɔ-...].

фасо́н||истый разг. fáshionable, stýlish ['staɪ-]. ~ить разг. swank, show* off [ʃou...].

фасо́нн||ый тех. shaped; form (attr.); ~ резе́ц form tool, sháper tool; ~ое литьё shaped cástings pl.; ~ая сталь steel shapes / séctions; ~ кирпи́ч móulded brick ['mou-...].

фат м. уст. fop.

фата́ ж. brídal veil.

фатали́зм м. fátalism ['feɪ-].

фатали́ст м. fátalist ['feɪ-]. ~и́ческий fàtalístic [feɪ-].

фата́льн||ость ж. fatálity. ~ый fátal.

фа́та-морга́на ж. fàta mòrgána ['fɑː- -'gɑː-].

фатова́т||ость ж. уст. fóppishness. ~ый уст. fóppish.

фатовско́й уст. dándified; ~ вид dándified air.

фатовство́ с. уст. fóppery.

фа́тум м. тк. ед. fate.

фа́уна ж. fáuna.

фаустпатро́н м. воен. pánzerfaust [-faust].

фаце́т м. = фасе́т.

фаце́ции мн. лит. fácétiae.

фашиз||а́ция ж. rúnning on Fáscist lines. ~и́ровать несов. и сов. (вн.) run* on Fáscist lines (d.), impóse Fáscism (upón).

фаши́зм м. fáscism ['fæʃɪzm].

фаши́н||а ж. fàscine [-'siːn]. ~ный прил. к фаши́на; ~ная да́мба fàscine dam [-'siːn...].

ФАШ — ФИЗ

фаши́ст м., ~ка ж. fáscist. ~ский fáscist (attr.).
фаэто́н м. (экипаж) pháeton ['feɪtⁿn].
фая́нс м. тк. ед. 1. (материал) faïence [faɪ'ɑ:ns], highly glazed póttery; 2. собир. (изделия) highly glazed póttery; faïence, délft-wàre.
фая́нсов‖**ый** прил. к фая́нс; ~ая таре́лка plate of highly glazed póttery; ~ заво́д faïence fáctory [faɪ'ɑ:ns...].
февра́л‖**ь** м. Fébruary; в ~е́ э́того го́да in Fébruary; в ~е́ про́шлого го́да last Fébruary; в ~е́ бу́дущего го́да next Fébruary.
февра́льский прил. к февра́ль; ~ день a Fébruary day, a day in Fébruary; ◇ Февра́льская револю́ция the Fébruary Revolùtion.
федерал‖**и́зм** м. féderalism. ~и́ст м. féderalist. ~и́стский fèderalístic.
федера́льн‖**ый** féderal; на ~ых нача́лах on féderal prínciples.
федерати́вн‖**ый** féderàtive; féderal; ~ое госуда́рство féderal State.
федера́ция ж. fèderátion; Росси́йская Федера́ция the Rússian Fèderátion [...-ʃən...]; Всеми́рная демократи́ческой молодёжи the World Fèderátion of Dèmocrátic Youth [...juːθ]; Междунаро́дная демократи́ческая ~ же́нщин the Wómen's Internátional Dèmocrátic Fèderátion [...'wɪmɪn -'næ-...]; Всеми́рная ~ профсою́зов World Fèderátion of Trade Únions.
фееричес‖**кий**, **фееричн**‖**ый** mágical, encha̐nting [-ɑ:n-], bewítching; ~ое зре́лище encha̐nting sight.
фее́рия ж. play, bállet, etc., based on a fáirytàle [...-leɪ...beɪst...]; (перен.) mágical enchánting sight [...-ɑ:n-...].
фейерве́рк м. fíre‖wòrk(s) (pl.).
фека́льный физиол. fáecal.
фелла́х м. féllah (pl. fèllahéen, féllahs).
фелу́ка ж. = фелю́га.
фельдма́ршал м. Fíeld-Márschal ['fiːld-].
фельдма́ршальский прил. к фельдма́ршал; ~ жезл Field-Márshal's báton ['fiːld- -'bæ-].
фельдфе́бель м. ист. sérgeant májor ['sɑːdʒ-...]. ~ский прил. к фельдфе́бель.
фе́льдшер м., ~и́ца ж. dóctor's assístant, médical atténdant. ~ский прил. к фе́льдшер.
фельдъе́герск‖**ий** прил. к фельдъе́герь; ~ая связь commùnicátion by State, или mílitary, méssenger [...-n-].
фельдъе́герь м. cóurier ['kurɪə]; State, или mílitary, méssenger [...-n-].
фельето́н м. néwspàper / tópical sátire. ~и́ст м., ~и́стка ж. néwspàper / tópical sátirist. ~ный прил. к фельето́н; ~ный стиль light líterary style.
фелю́га ж. мор. felúcca.
Феми́да ж. миф. Thémis.
фемин‖**и́зм** м. féminism. ~и́ст м., ~и́стка ж. féminist. ~и́стский fèminístic.
фен м. háir-drìer.
фён м. метеор. foehn [fəːn].
фена́цетин м. фарм. phenácetin.
фе́никс м. миф. Phóenix ['fiː-].

фени́л м. хим. phényl.
фено́л м. хим. phenól. ~овый прил. к фено́л.
феноло́гия ж. биол. phenólogy.
феноме́н м. phenómenon (pl. -ena). ~али́зм м. phenómenalism. ~а́льный phenómenal.
феноменоло́гия ж. филос. phenòmenólogy.
феод м. ист. feud, fief [fiːf].
феода́л м. ист. féudal lord. ~иза́ция ж. feudalizátion [-laɪ-]. ~и́зм м. féudalism.
феода́льно-крепостни́ческий: ~ гнёт the yoke of sérfdom and féudal oppréssion.
феода́льн‖**ый** féudal; ~ая раздро́бленность féudal divísion.
ферзь м. шахм. queen.
фе́рма I ж. с.-х. farm; моло́чная ~ dáiry(-fàrm); ~ кру́пного рога́того скота́ cáttle-brèeding farm.
фе́рма II ж. стр. gírder ['gəː-]; truss; стропи́льная ~ truss.
ферма́та ж. муз. fèrmátà [feˈmɑːtɑ].
ферме́нт м. биол., хим. fèrmènt; énzyme. ~а́ция ж. биол., хим. fèrmentátion. ~и́ровать биол., хим. fèrmènt.
фе́рмер м. fármer. ~ский прил. к фе́рмер; ~ский дом fárm-house* [-s]. ~ство с. 1. (занятие) fárming; 2. собир. (фермеры) the fármers pl. ~ша ж. fármer's wife*.
фермуа́р м. уст. 1. (застёжка) clasp; 2. (ожерелье) nécklace.
феррома́рганец м. fèrromángànèse.
ферросили́ций м. fèrrosílicon.
ферроспла́в м. fèrroálloy.
феррохро́м м. fèrrochrómium.
ферт м. разг. fop; ◇ смотре́ть ~ом look fóppish; стоя́ть ~ом stand* with arms akímbò.
фе́ска ж. fez.
фестива́ль м. féstival; fête [feɪt]; Всеми́рный ~ молодёжи и студе́нтов The World Youth Féstival [...juːθ...]. ~ный прил. к фестива́ль.
фесто́н м. 1. (зубчатая кайма) scállops ['skɔ-] pl.; 2. арх. (гирлянда) fèstoon. ~чатый scálloped ['skɔ-].
фети́ш м. fétish.
фетиш‖**изи́ровать** (вн.) make* a fétish (of). ~и́зм м. fétishism. ~и́ст м. fétishist.
фетр м. felt. ~овый прил. к фетр; ~овая шля́па felt hat.
фефёла ж. разг. sláttern.
фехтова́льн‖**ый** féncing; ~ое иску́сство the art of féncing; ~ая ма́ска féncing mask.
фехтова́льщик м. féncer, máster of féncing.
фехтова́ни‖**е** с. féncing; учи́тель ~я féncing master.
фехтова́ть fence.
фешене́бельн‖**ость** [-нэ-] ж. fáshionableness. ~ый [-нэ-] fáshionable.
фе́я ж. миф. fáiry.
фи межд. fie!, pah!
фиа́кр м. fiácre [fiˈɑːkə].
фиа́л м. phíal; vial; поэт. góblet.
фиа́лка ж. víolet; альпи́йская ~ cýclamen.
фиа́лков‖**ые** мн. скл. как прил. бот. Víola. ~ый violáceous [-ʃəs]; ◇ ~ый ко́рень órris-root.

фиа́ско с. нескл. fiàscò; потерпе́ть ~ come* to grief [...-iːf].
фи́бра I ж. анат., бот. fibre; ◇ все́ми ~ми души́ heart and soul [hɑːt...soul], in every fibre (of one's béing).
фи́бра II ж. (прессованная гибкая и прочная бумажная масса) fibre.
фи́бровый fibre (attr.); ~ чемода́н fibre súitcase [...'sjuːtkeɪs].
фибро́зный анат., бот. fíbrous.
фибро́ма ж. мед. fibróma [faɪ-] (pl. -mata).
фи́га ж. 1. (плод) fig; 2. (дерево) fíg-tree; 3. разг. = ку́киш.
фига́ро́ с. нескл. bólero (short jacket).
фигля́р м. уст. разг. (circus) ácrobàt, clown; (перен.) pòseur [-'zəː], bùffóon. ~ить, ~ничать разг. bùffóon. ~ство с. разг. bùffóonery.
фи́гов‖**ый** fig (attr.); ~ое де́рево fíg-tree; ◇ ~ листо́к fíg-leaf*.
фигу́р‖**а** ж. 1. (в разн. знач.) fígure; у него́ хоро́шая ~ he has a fine / well-devéloped fígure; геометри́ческая ~ geométrical fígure; восковая ~ wax fígure [wæks...]; ритори́ческая ~ fígure of speech; ~ в та́нцах step; ~ высшего пилота́жа ав. àerobátics pl.; flight manòeuvre [-nuːvə]; áerial stunt ['ɛə-...]. разг.; 2. карт. pícture-càrd, fáce-càrd, cóurt-càrd ['kɔːt-]; шахм. chéss-màn*, piece [piːs]; ◇ кру́пная ~ outstánding fígure; представля́ть собо́й жа́лкую ~у cut* a poor / sórry fígure.
фигура́льн‖**о** нареч. fíguratively, trópically. ~ость ж. fígurative sense. ~ый fígurative, mètaphórical, trópical; ~ое выраже́ние fígurative expréssion; trope.
фигура́нт м. театр. súper, éxtra; (в балете) figurant. ~ка ж. театр. figuránte [-ɑːnt].
фигури́ровать fígure (as), appéar.
фигури́ст м., ~ка ж. спорт. fígure skáter.
фигу́рка ж. 1. уменьш. от фигу́ра 1; 2. (статуэтка) státuètte, figurine [-iːn]; (фарфоровая) pórcelain-figure [-slɪn].
фигу́рн‖**ый** fígured; ~ая скобка brace; ~ая резьба́ fígured cárving; ~ое ката́ние (на коньках) fígure skáting; ~ые коньки́ fígure skates; ~ый полёт ав. acrobátic flight; мн. àerobátics ['ɛərə-].
фи́дер м. тех. feeder.
фи́жмы мн. fárthingàle [-ðɪŋ-] sg.
фи́зик м. phýsicist [-zɪ-].
фи́зика ж. phýsics [-zɪ-].
фи́зико-математи́ческий phýsical and màthemátical [-zɪk-...], phýsico-màthemátical [-zɪk-].
физиогно́мика ж. physiógnomy [-zɪˈɔn-].
физиокра́т м. эк. phýsiocràt [-zɪ-]. ~и́ческий эк. physiocrátic [-zɪ-].
физио́лог м. phýsiologist [-zɪ-]. ~и́ческий physiológical [-zɪ-]; ~и́ческий раство́р physiológical / salt solútion.
физиоло́гия ж. physiólogy [-zɪ-].
физиономи́ст м. physiógnomist [-zɪˈɔn-].
физионо́мия ж. physiógnomy [-zɪˈɔn-].
физиотерапевти́ческий physiothèrapy [-zɪ-] (attr.); ~ кабине́т physiothèrapy room.

физиотерапи́я ж. мед. physiothérapy [-zɪ-], physical thérapy [-zɪ-...].

физи́ческ||ий 1. phýsical [-zɪ-]; ~ая си́ла phýsical strength; ~ая культу́ра phýsical tráining; ~ие упражне́ния phýsical éxercises; ~ труд mánual lábour; рабо́тник ~ого труда́ mánual wórker; ~ое лицо́ юр. phýsical pérson; **2.** прил. к фи́зика; тж. phýsical; ~ кабине́т phýsics láboratory [-zɪ-...]; ~ая хи́мия phýsical chémistry [...ke-]; ◇ ~ая геогра́фия phýsical geógraphy.

физкульту́р||а ж. (физическая культу́ра) phýsical tráining [-zɪ-...]; ~**ник** м., ~**ница** ж. áthlete; ~**ный** прил. к физкульту́ра; тж. sports (attr.); ~ный пара́д sports paráde.

фикс: иде́я ~ idée fixe (фр.) [iːdeɪˈfiːks].

фикса́ж м. **1.** фот. fíxing solútion, fíxer; **2.** = фиксати́в.

фиксати́в м. жив. fíxative.

фикса́тор м. тех. pawl; stop; latch, hólder.

фиксатуа́р м. fíxative, háir-grease [-s].

фикса́ция ж. **1.** (закрепление; установление) fixátion; **2.** фот. fíxing.

фикси́ровать, зафикси́ровать (вн.) fix (d.); (устана́вливать тж.) settle (d.), state (d.); ~ дни заседа́ний fix / state the days of the méetings, fix cónference dates; тк. несов. (пристально смотреть) stare fíxedly (at); ~ внима́ние (на пр.) fix atténtion (on, upón).

фикти́вн||ость ж. fictítious náture [...neɪ-]. ~**ый** fictítious; (поддельный) fake, sham; ~ый капита́л эк. fictítious cápital.

фи́кус м. бот. fícus; rúbber plant [...-ɑːnt].

фи́кция ж. fíction.

филантро́п м. philánthropist. ~**и́ческий** philanthrópic(al). ~**ия** ж. philánthropy. ~**ка** ж. к филантро́п.

филармони́ческий муз. philhármonic [-lɑː-].

филармо́ния ж. Philhármonic Socíety [-lɑː-...].

филатели́ст [-тэ-] м. philátelist, stamp colléctor. ~**и́ческий** [-тэ-] philatélic; ~ическое о́бщество Philatélic Socíety.

филатели́я [-тэ-] ж. philátely.

филе́ I с. нескл. **1.** sírloin; **2.** кул. fíllet; ры́бное ~ filleted fish.

филе́ II с. нескл. (вышивка) dráwn-thread work [-θred-].

филе́й = филе́ I 1.

филе́йн||ый I прил. к филе́ I 1; ~ая часть loin.

филе́йн||ый II прил. к филе́ II; ~ая игла́ needle for dráwn-thread work [...-θred-...].

филёнка ж. pánel [ˈpæ-].

филёр м. (сыщик) police spy [-ˈliːs-]; sleuth [sluːθ].

филиа́л м. branch (óffice) [-ɑːntf...]; subsídiary; ~ институ́та branch of the institute.

филиа́льн||ый: ~ое отделе́ние branch (óffice) [-ɑːntf...].

филигра́нн||ый (прям. и перен.) fíligree (attr.); ~ая рабо́та filigree work.

филигра́нь ж. **1.** (ювелирное изделие)

filigree; **2.** (водяной знак) wáter-mark [ˈwɔː-].

фи́лин м. éagle-ówl.

фили́ппика ж. (речь) philíppic.

филисте́р м. Philístine. ~**ский** Philistine. ~**ство** с. philístinism.

филлоксе́ра ж. зоол. phyllóxera.

филогене́з м. биол. phylogénesis [faɪ-].

филогенети́ческий биол. phylogenétic [faɪ-].

филоге́ния ж. phylógeny [faɪ-].

филоде́ндрон [-дэ-] м. бот. philodéndron.

фило́лог м. philólogist. ~**и́ческий** philológical; ~и́ческий факульте́т philológical fáculty / depártment.

филоло́гия ж. philólogy.

фило́н м. разг. lázy-bònes. ~**и́ть** разг. idle, loaf.

филосо́ф м. philósopher.

филосо́ф||ия ж. philósophy. ~**ски** нареч. philosóphically. ~**ский** philosóphical; ~ский материали́зм Márxist philosóphical matérialism; ◇ ~ский ка́мень philósophers' stone.

филосо́фствование с. philósophizing.

филосо́фствовать philósophize; be philosóphical.

филумени́ст м. (коллекционер спичечных коробок и этикеток от них) phillúmenist [-ˈluː-] (colléctor of mátchboxes and lábels).

филумени́я ж. phillúmeny [-ˈluː-].

фильдеко́с [-дэ-] м. текст. Lisle thread [laɪl θred]. ~**овый** [-дэ-] текст. Lisle-thread [ˈlaɪl θred] (attr.).

фильдепе́рс [-дэ-] м. текст. Pérsian thread [-ʃən-]. ~**овый** [-дэ-] текст. Pérsian-thread [-ʃənθred] (attr.).

филье́ра ж. тех. draw plate.

фи́лькин: ~а гра́мота разг. ≃ úseless scrap of páper [-s-...].

фильм м. (в разн. знач.) film; немо́й ~ sílent film; звуково́й ~ sóund-film; та́лки разг.; цветно́й ~ cólour film [ˈkʌl-...], technicólour film [-ˈkʌl-...]; полнометра́жный ~ full-length film; короткометра́жный ~ a short, документа́льный ~ a dócuméntary (film); хроника́льный ~ néws-reel [-z-]; снима́ть ~ shoot* / make* a film; выпуска́ть ~ reléase a film [-s...].

фильмоско́п м. film víewing device [...ˈvjuː-...].

фильмоте́ка ж. film líbrary / colléction [...ˈlaɪ-...].

фильтр м. fílter; рад. sífter; светово́й ~ light fílter.

фильтр||а́т м. fíltrate. ~**а́ция** ж. filtrátion.

фильтрова́льн||ый fílter (attr.); ~ая бума́га fílter páper. ~**а́ние** с. fíltering.

фильтрова́ть (вн.) fílter (d.).

фимиа́м м. íncense; ◇ кури́ть ~ (дт.) разг. burn* íncense (to), praise to the skies (d.).

фина́л м. **1.** finále [-ˈnɑːlɪ]; énding; (развязка пьесы) dénouement (фр.) [deɪˈnuːmɑːŋ]; **2.** спорт. fínal; вы́йти в ~ reach the fínal(s); ~ ку́бка cúp-final.

фина́льн||ый аккорд final chord [...kɔːd]; ~ расчёт эк. final séttlement; ~ая встре́ча спорт. fínal; ~ые

спорти́вные соревнова́ния sports fínals.

фина́нс||и́рование с. fináncing [faɪ-]. ~**и́ровать** несов. и сов. (вн.) finánce [faɪ-] (d.). ~**и́ст** м. financíer [faɪ-].

фина́нсов||ый finánsial [faɪ-]; ~ год físcal year; ~ отде́л finánce depártment [faɪ-...]; ~ инспе́ктор révenue inspéctor; ~ая систе́ма finánсial sýstem, sýstem of finánce; ~ капита́л finánсial cápital; ~ая олига́рхия finánсial óligarchy [...-kɪ]; ~ая дисципли́на finánсial díscipline.

фина́нсы мн. **1.** fínances [faɪ-]; **2.** разг. (деньги) móney [ˈmʌnɪ] sg.; (денежные обстоятельства) finánсial posítion [...-zɪ-] sg.

фи́ник м. date.

финики́||ец м., ~**йский** ист. Phoenícian [fiː-].

фи́ников||ый прил. к фи́ник; ◇ ~ая па́льма date, dáte-palm [-pɑːm].

фининспе́ктор м. (финансовый инспе́ктор) révenue inspéctor.

фини́фть ж. enámel [ɪˈnæ-].

фи́ниш м. спорт. fínish; (в скачках) wínning post [...poust]; прийти́ к ~у fínish; прийти́ к ~у пе́рвым fínish first.

финиши́ровать несов. и сов. fínish, come* in.

фини́шн||ый fínishing; рвать ~ую ле́нточку break* / breast the fínishing tape [breɪk brest...]; вы́йти на ~ую пряму́ю be on the last lap, be on the home straight.

фи́нка I ж. Finn, Fínnish wóman* [...wu-].

фи́нка II ж. разг. (нож) Fínnish knife*.

финн м. Finn.

финно́з м. вет. méasles [-zlz] pl. ~**ный** вет. méasly [-zlɪ]; ~ное мя́со méasly flesh / meat (únfit for food).

фи́нно-уго́рский Fínno-Úgric.

фи́нск||ий Fínnish; ~ язы́к Fínnish, the Fínnish lánguage; ◇ ~ нож Fínnish knife*.

финт м. **1.** trick, ruse; **2.** спорт. feint [feɪnt].

финти́ть разг. shúffle.

финтифлю́шка ж. разг. bagatélle.

фиоле́товый víolet; ~ цвет víolet (cólour) [...ˈkʌlə].

фио́рд м. геогр. fiord [fjɔːd], fjord.

фиориту́ра ж. муз. gráce-notes pl.

фи́рм||а ж. fírm; ◇ под ~ой (рд.) разг. únder the sign [...saɪn] (of); únder / in the guise (of). ~**енный** прил. к фи́рма; ~енный знак trade mark.

фирн м. геол. névé (фр.) [ˈneveɪ], glácier snow.

фисгармо́ния ж. муз. harmónium.

фиск м. фин. fisc, fisk.

фиска́л м. sneak, tále-bearer [-beə-]. ~**ить** разг. sneak, tell* / bear* tales [...beə-].

фиска́льн||ый фин. físcal; ~ое пра́во físcal law.

фиста́шка ж. **1.** (плод) pistáchio [-ˈtɑːʃɪou]; **2.** (дерево) pistáchio-tree [-ˈtɑːʃɪou-].

ФИС—ФОН

фисташков∥ый 1. pistáchiò [-ˈtɑːʃıou] (attr.); ~ое дерево pistáchiò-tree [-ˈtɑː- ʃıou-]; 2. (о цвете) pistáchiò-còlour;ed [-ˈtɑːʃıoukʌləd].
фистула ж. мед. fístula.
фистул∥а ж. муз. fàlséttò [fɔːl-]; петь ~ой sing* (in) fàlséttò.
фитиль м. 1. (свечи, лампы) wick; 2. (для воспламенения зарядов) fuse.
фитин м. фарм. phýtin [ˈfaı-].
фито∥биология ж. phýtobiólogy [faı-]. ~география ж. phytogeógraphy [faı-]. ~патология ж. phytopathólogy [faı-]. ~химия ж. phytochémistry [ˈfaıtəˈkeı-].
фитюлька ж. разг. little thing; (о человеке тж.) midget.
фишка ж. cóunter, fish, chip.
флаг м. flag; мор. énsìgn [-saın]; государственный ~ nátional flag [ˈnæ-...]; поднять ~ hoist a flag, мор. make* the cólours [...ˈkʌ-]; спустить ~ lówer a flag [ˈlouə...]; приспустить ~ (в знак траура) fly the flag / cólours at hálf-mást [...ˈhɑːf-]; мор. hálf-mást the cólours [ˈhɑːf-...]; парламентёрский ~ flag of truce; украсить ~ами (вн.) adórn with flags (d.); ◊ под ~ом (рд.) únder the flag (of), flýing the flag (of) (перен.) in the name (of); únder the slógan (of); (прикрываясь) under the guise (of).
флагдук м. мор. búnting.
флаг-капитан м. flág-cáptain.
флагман м. 1. (командующий) flág-òfficer; 2. (корабль) flágshìp; 3. (о чём-л. главном, ведущем в отрасли) léader. ~ский: ~ский корабль flágshìp.
флаг-офицер м. flág-òfficer.
флагшток м. flágstàff.
флажн∥ый flag (attr.); ~ая сигнализация flag sígnalling.
флажок м. (small) flag; сигнальный ~ sígnal flag.
флажолет м. муз. flàgeolét [-dʒo-].
флакон м. bottle; ~ духов bottle of pérfùme / scent.
фламанд∥ец м., ~ка ж. Fléming [-em-]. ~ский Flémish; ~ский язык Flémish, the Flémish lánguage.
фламинго ж. нескл. зоол. flamíngò.
фланг м. воен. flank, wing; атаковать кого-л. во ~, с ~a take* smb. on the flank; охват ~a outflánking; прикрытие ~a flank cóver [...ˈkʌ-].
флангов∥ый 1. прил. к фланг; ~ая атака flánk(ing) attáck; ~ое движение flánking march / móve;ment [...ˈmuːv-]; ~ огонь flánking fire; 2. м. как сущ. flank man*.
фланелевка ж. flánnel (sailor's blouse).
фланелев∥ый прил. к фланель; ~ая шерсть flánnel-wool [-wul]; wool for flánnels [wul...].
фланель ж. flánnel.
фланёр м. уст. разг. flâneur (фр.) [flɑːˈnəː]; ídler, stróller.
фланировать уст. разг. sáunter, stroll.
фланк м. воен. flank.
фланкиров∥ание с. воен. flánking. ~ать несов. и сов. (вн.) flank (d.).
флатов∥ый: ~ая бумага flat páper.

флебит м. мед. phlebítis.
флегма ж. 1. мед. уст. phlegm [-em]; 2. (невозмутимость) phlegm, cóolness, ápathy; 3. разг. (о человеке) phlègmátic pérson.
флегматик м. phlègmátic pérson.
флегматичный phlègmátic.
флегмона ж. мед. phlégmòn.
флейт∥а ж. flute; играть на ~e play the flute. ~ист м., ~истка ж. flútist.
флексия ж. лингв. infléxion; ~ основы, внутренняя ~ intérnal infléxion.
флексор м. анат. fléxor (muscle) [...mʌsl].
флексура ж. геол. fléxure.
флективн∥ый лингв. infléxional; ~ое окончание infléxion; ~ые языки infléxional lánguages.
флёр м. crape; crêpe (фр.) [kreıp]; (перен.) veil.
флёрдоранж м. órange blóssom.
флибустьер м. ист. filibúster.
флигель м. wing; (отдельно стоящий) óutbùilding [-bıl-], óut;house* [-s].
флигель-адъютант м. воен. уст. áide-de-cámp to the King / Émperor [ˈeıd-deˈkɑːŋ...].
флинтглас м. тех. flínt-gláss.
флирт м. flirtátion.
флиртовать (с тв.) flirt (with).
флокс м. бот. phlox.
флора ж. flóra.
флорентиец м. Flórentine.
флорентийский Flórentine.
флорин м. (монета) flórin.
флот м. fleet; военно-морской ~ návy; армия и ~ ármy and návy; морской ~ marine [-iːn]; речной ~ ínland wáter tránsport [...ˈwɔː-...]; гражданский ~, торговый ~ mércantile maríne; mérchant fleet; служить во, на ~e serve in the návy; ◊ воздушный ~ air force, air fleet; военно-воздушный ~ air force.
флотация ж. горн. flotátion.
флотилия ж. flotílla, small fleet; речная ~ ríver flotílla [ˈrı-...].
флотоводец м. nával commánder [...-ɑː-].
флотский 1. прил. nával; 2. м. как сущ. разг. sáilor.
флуктуация ж. физ. flùctuátion.
флуоресценция ж. физ. fluoréscence.
флуоресцир∥овать fluorésce. ~ующий fluoréscent.
флюгарка ж. 1. мор. pénnant, distínguishing plate; 2. (над дымовой трубой) (chímney) cowl; 3. (часть флюгера) wéather-vàne [ˈweðə-].
флюгер м. wéathercòck [ˈweðə-], wéather-vàne [ˈweðə-].
флюид м. éctoplàsm; (перен.) èmanátion.
флюктуация ж. = флуктуация.
флюорография ж. мед. flùorógraphy.
флюс I м. мед. déntal ábscess, gúmboil.
флюс II м. тех. flux.
фляг∥а ж. 1. flask; воен. wáter-bòttle [ˈwɔː-]; 2. (большой сосуд для перевозки жидкостей) churn.
фляжка ж. = фляга 1.
флянец м. = фланец.

фобия ж. мед. phóbia.
фойе с. нескл. fóyer [ˈfɔıeı]; crúsh-room разг.
фок м. мор. fóre;sail.
фокальн∥ый физ. fócal; ~ое расстояние fócal distance / length; ~ая поверхность fócal súrface.
фок-мачта ж. мор. fóre;màst.
фок-рей м. мор. fóre-yàrd.
фокстерьер [-тэ-] м. fóx-tèrrier.
фокстрот м. fóxtròt. ~ный прил. к фокстрот.
фокус I м. физ., мед. (тж. перен.: средоточие) fócus; не в ~e out of fócus; ~ землетрясения fócus of an éarthquàke [...ˈəːθ-].
фокус II м. 1. (трюк) (cónjuring) trick [ˈkʌn-...]; карточный ~ júggling with cards, card trick; показывать ~ы juggle, cónjure [ˈkʌn-], do cónjuring tricks; 2. разг. (уловка, проделка) dóuble-deáling [ˈdʌ-], tríckery; 3. разг. (каприз) whim, freak, trick; без ~ов! none of your tricks! [nʌn...]; ◊ в этом весь ~ that's the whole point [...houl...], there's the rub. ~ник м. cónjurer [ˈkʌn-...], júggler. ~ничанье с. разг. 1. júgglery; légerdemáin; 2. (капризы) capríces [-ˈriː-sız] pl., fínical ways pl. ~ничать разг. 1. juggle; 2. (капризничать) be caprícious / fínical.
фокусн∥ый физ. fócal; ~ое расстояние fócal distance / length.
фолиант м. vólume, fóliò.
фолликул м. анат. fóllicle. ~ярный анат., мед. follícular.
фольга ж. foil; золотая ~ gold foil.
фольклор м. fólklòre. ~ист м. stúdent of fólklòre. ~истика ж. stúdy of fólklòre [ˈstʌ-...]. ~ный прил. к фольклор.
фон м. báckground; на ~e agáinst a báckground; выделяться на ~e stand* out agáinst a báckground; служить ~ом чему-л., для чего-л. serve as a báckground for smth.; по светлому ~у on a light gróund(wòrk); against a light báckground.
фонарик м. уменьш. от фонарь 1; китайский ~ Chinése lántern [ˈtʃaı-...]; электрический карманный ~ eléctric torch, (pócket) flashlìght; (pócket) flash разг.
фонарный lántern (attr.), lamp (attr.); ~ столб lámppòst [-poust].
фонарщик м. lámplìghter.
фонарь м. 1. lántern; lamp; (на локомотиве, на судне, на берегу) light, lamp; уличный ~ street lamp; потайной ~ dark lántern; проекционный, волшебный ~ mágic lántern; электрический ~ (карманный, ручной) eléctric torch, (pócket) flashlìght; (pócket) flash разг.; 2. арх. (в крыше) light; skýlight; (остеклённый выступ в здании) bay (window); 3. разг. (синяк) black eye [...aı]; подставить ~ кому-л. give* smb. a black eye.
фонд м. 1. (денежный; тж. перен.) fund; (запас) stock; запасной ~ (денег) resérve fund [-ˈzəːv...]; оборотные ~ы círculàting / flóating cápital sg.; ~ заработной платы wage fund; основные ~ы промышленности básic funds

of índustry [ˈbeɪs-...]; общественные ~ы потребле́ния sócial consúmption funds; директорский ~ the diréctor's fund; земе́льный ~ страны́ the lands of a cóuntry [...ˈkʌ-] pl., the stock of land of a cóuntry; жили́щный ~ hóusing resóurces [...-ˈsɔːs-] pl.; золото́й ~ gold fund, fund / stock of gold; (перен.) cápital, most váluable posséssion [...-ˈze-]; ~ по́мощи relíef fund [-ˈliːf...]; вноси́ть, передава́ть в ~ (вн.) contríbute to the fund (d.); 2. мн. (ценные бумаги) funds, stocks.

фо́ндов‖ый прил. к фонд; ~ая би́ржа stock exchánge [...-ˈtʃeɪ-].

фоне́м‖а [-нэ-] ж. лингв. phonème [ˈfou-]. ~ати́ческий [-нэ-] лингв. phonétic. ~ный [-нэ-] phonémic [-ˈniː-].

фоне́т‖ика [-нэ-] ж. phonétics. ~и́ст [-нэ-] м., ~и́стка ж. phonetícian [fou-]. ~и́ческий [-нэ-] phonétic; ~и́ческая транскри́пция phonétic tránscription.

фони́ческий phónic [ˈfou-].

фоногра́мма ж. phóno:gràm.

фоно́граф м. phóno:gràph. ~и́ческий прил. к фоно́граф.

фонологи́ческий phònològical.

фоноло́гия ж. лингв. 1. sýstem of phonémes of a lánguage [...-ˈniː-...]; 2. (наука) phonólogy.

фоно́метр м. физ. phonómeter.

фоноте́ка ж. grámophòne récord líbrary / colléction [...re- ˈlaɪ-...].

фонта́н м. fóuntain; нефтяно́й ~ oil-gùsher; ◊ красноре́чия fount of éloquence. ~и́ровать тех. gush, gush forth.

фо́р‖а ж. тк. ед. (в игре) odds (gíven); дать ~у кому́-л. gíve* smb. odds, give* smb. a start.

фо́рвард м. спорт. fórward.

фордеви́нд [-дэ-] м. мор. stern wind [...wɪ-]; идти́ на ~ run* (straight) before the wind; поворо́т че́рез ~ wéaring [ˈweə-].

фордыба́чить разг. còntradíct óbstina:tely, objéct.

форе́йтор м. уст. postílion, póst-boy [ˈpoust-].

форе́ль ж. trout (pl. без изменения).

фо́рзац м. полигр. fly-leaf*.

фо́ринт м. (денежная единица Венгрии) fórint.

фо́рм‖а ж. 1. form; (внешнее очертание) shape; в ~е шара in the form of a globe; báll-shàped; в пи́сьменной ~е in wrítten form; in wríting; в оконча́тельной ~е in / its final shape; ~ правле́ния form of góvernment [...-ˈgʌ-]; 2. филос., грам. form; ~ и содержа́ние form and cóntent; глаго́льная ~ vérbal form; граммати́ческие ~ы grammátical forms; 3. тех. (для отливки) mould [mou-]; 4. (одежда) úniform; воен. тж. règiméntals pl.; похо́дная ~ márching órder, field dress [fiː-...]; пара́дная ~ full dress (úniform); в ~у úniformed, in úniform; надева́ть ~у wear*, или put* on, úniform [weə...]; по́лная ~ разг. full dress; оде́тый не по ~е impróperly dréssed; 5. канц. form; по ~е in due form; 6. полигр. form(e); ◊ быть в ~е разг. be in good form, be / feel* fit; быть не в ~е be out of form.

формали́зм м. 1. (соблюдение внешней формы) formálities pl.; 2. (направление в искусстве и т. п.) fórmalism.

формали́н м. фарм. fórmalin. ~овый прил. к формали́н.

формали́ст м. fórmalist.

формали́стика ж. разг. = формали́зм 1.

формалисти́ческий formalístic.

формали́стка ж. к формали́ст.

формальдеги́д м. хим. fòrmáldehýde.

форма́льн‖о нареч. nóminally, fórmally. ~ость ж. formálity; пуста́я ~ость mere formálity; ~ый (в разн. знач.) fórmal; ~ая ло́гика fórmal lógic; ~ое отноше́ние (к делу) fórmal áttitude; lack of ínterest; ~ый отка́з fórmal deníal; ~ое согла́сие fórmal agréement; ~ый ме́тод formalístic méthod.

форма́т м. size; (книги) fórmàt. ~ный прил. к форма́т.

форма́ция ж. полит., геол. formátion; обще́ственно-экономи́ческая ~ sócial and económic strúcture [...ˈiːk-...]; дево́нская, мелова́я, пе́рмская, трети́чная ~ Devónian, Cretáceous, Pérmian, Tértiary formátion.

фо́рменка ж. мор. разг. duck blouse.

фо́рменн‖ый 1. прил. к фо́рма 4; ~ая оде́жда úniform; ~ая фура́жка úniform cap; 2. разг. (сущий) régular, dównright; ~ плут régular scamp / cheat / knave; ~ дура́к pérfect fool.

формирова́ние с. 1. (действие) fórming; ~ кабине́та fórming of a cábinet; 2. воен. unit, formátion.

формирова́ть, сформирова́ть (вн.; в разн. знач.) form (d.); (придавать форму тж.) mould [mould] (d.); (о войсках тж.) raise (d.); ~ прави́тельство form a góvernment [...-ˈgʌ-]; ~ по́езд соста́в make* up a train; ~ хара́ктер mould, или build* up, the cháracter [...bɪld...ˈkæ-]. ~ся, сформирова́ться 1. shape; devélop into [-ˈve-...]; 2. страд. к формирова́ть.

формова́ть, сформова́ть (вн.) тех. mould [mould] (d.), form (d.).

формо́вка ж. тех. móulding [ˈmould-], fórming. ~о́чный тех. móulding [ˈmould-], fórming. ~щик м. móulder [ˈmou-].

формообразова́тельный лингв. fórm-building [-bɪl-].

фо́рмул‖а ж. fórmula (pl. -las, -lae); вы́разить в ~е (вн.) expréss by a fórmula (d.); ~и́ровать (d.).

формули́р‖овать несов. и сов. (сов. тж. сформули́ровать) (вн.) fórmulàte (d.); ~ свои́ тре́бования fórmulàte one's demánds [...-ɑːndz], séttle one's requíre:ments in définite terms. ~о́вка ж. 1. (действие) fórmulàting, fòrmulátion; 2. (формула) fórmula (pl. -las, -lae), wórding; дать ~о́вку fórmulàte; то́чная ~о́вка exáct wórding; но́вая ~о́вка fresh wórding.

формуля́р м. 1. уст. (послужной список) récord of sérvice [ˈre-...]; 2. (библиотечная карточка) líbrary card [ˈlaɪ-...]; réader's récord card; 3. (машины и т. п.) lóg-book. ~ный прил. к формуля́р; ~ный спи́сок offícial list.

ФОН — ФОС   Ф

форпи́к м. мор. fóre:peak.

форпо́ст м. advánced post [-ˈvɑːnst poust]; óutpòst [-poust] (тж. перен.). ~ный прил. к форпо́ст.

форс м. разг. swágger [ˈswæ-], swank [-æ-]; для ~а to show* off [...ʃou:...]; сбить ~ с кого́-л. take* smb. down a peg (or two).

форси́рование с. 1. fórcing; (ускорение) spéeding up; 2. воен.: ~ реки́ forced cróssing.

форси́рованн‖ый прич. и прил. forced; ~ марш воен. forced march; ~ыми те́мпами at high préssure / speed.

форси́ровать несов. и сов. (вн.) 1. force (d.); (ускорять) speed up (d.); 2. воен.: ~ реку́ force a cróssing (óver a ríver) [...ˈrɪ-].

форси́ть разг. swágger [ˈswæ-], swank [-æ-], show* off [ʃou...].

форс-мажо́р м. force majéur [...mæˈʒəːr].

фор-стеньга ж. мор. fóre-tòp-màst.

форсу́нка ж. тех. spráyer; oil (fuel) búrner [...fjuəl...].

форт м. воен. fort.

фо́рте [-тэ-] нареч. муз. fórte [-tɪ].

фо́ртель м. разг. trick, stunt; вы́кинуть ~ spring* a surprise.

фортепья́нн‖ый [-тэ-] piáno [ˈpjæ-] (attr.); ~ аккомпанеме́нт accómpaniment on the piáno [-ˈkʌm-...], piáno accómpaniment; исполня́ть ~ую па́ртию play the piáno part; ~ конце́рт piáno concèrto [...-ˈtʃəːtou].

фортепья́но [-тэ-] с. нескл. муз. piáno [ˈpjæ-]; (пианино) úpright piáno; игра́ть на ~ play the piáno.

форти́ссимо нареч. муз. fortíssimo.

фортифика́‖тор м. воен. fórtifier. ~цио́нный прил. к фортифика́ция; ~цио́нное иску́сство (art of) fòrtificátion; ~цио́нное сооруже́ние fòrtificátion (work). ~ция ж. воен. fòrtificátion; долговре́менная ~ция pérmanent fòrtificátion; полева́я ~ция field fòrtificátion [fiː-...].

фо́рточка ж. fórtochka, small ópening wíndow pane.

форту́на ж. тк. ед. уст. fórtune [-tʃən].

фо́рум м. fórum.

форшла́г м. муз. gráce-nòte.

форшма́к м. кул. fórshmak (dish made of mashed potatoes and hashed meat or herring).

форште́вень м. мор. stem.

фосге́н м. хим. phósgène [-z-].

фосфа́т м. хим. phósphàte.

фо́сфор м. хим. phósphorus.

фосфоресце́нция ж. физ. phòsphoréscence. ~и́ровать физ. phòsphorésce. ~и́рующий физ. phòsphoréscent.

фо́сфорист‖ый хим. phósphorous; ~ ангидри́д phósphorous ànhýdride [...-ˈhaɪ-]; ~ая бро́нза phósphorus bronze.

фосфори́т м. мин. phósphorite.

фосфори́ческий phòsphoréscent; ~ свет phòsphoréscence.

фосфорноки́слый: ~ ка́льций хим. cálcium phósphàte.

ФОС—ФРО

фóсфорн||ый *хим.* phòsphóric; phósphorus (*attr.*); ~ые спи́чки phòsphóric mátches; ~ая бóмба phósphorus bomb.

фот *м. физ.* (*единица освещённости*) phot.

фотáрий *м. мед.* ràdiátion thérapy room.

фóто *с. нескл. разг.* (*снимок*) phòtò.

фóто||аппарáт *м.* cámera. ~**ательé** [-тэ-] *с. нескл.* stúdiò; photographer's (stúdiò). ~**бумáга** *ж.* phóto͡gráphic páper. ~**вы́ставка** *ж.* phóto-èxhibítion [-eksɪ-]. ~**гени́чный** phòto͡génic. ~**гравю́ра** *ж. полигр.* phóto͡gravúre, phóto͡glyph [ˈfou-]. ~**граммéтрия** *ж.* phóto͡grámmetry; phòto͡gráphic súrvey.

фотóграф *м.* photógrapher.

фотографи́рование *с.* photo͡gráphing.

фотографи́ровать, сфотографи́ровать (*вн.*) phóto͡gràph (*d.*), take* a phóto͡gràph (of). ~**ся, сфотографи́роваться** 1. be phóto͡gràphed; have one's phòtò / pícture táken *разг.*; 2. *страд. к* фотографи́ровать.

фотографи́ческ||и *нареч.* phòto͡gráphically, ~ тóчный phòto͡gráphically exáct. ~**ий** phòto͡gráphic; ~ая пласти́нка (phòto͡gráphic) plate; ~ий аппарáт cámera; ~ий сни́мок phòto͡gràph, phòtò; pícture, snap *разг.*

фотогрáфи||я *ж.* 1. (*получение изображения*) photógraphy; занимáться ~ей take* up photógraphy; go* in for photógraphy; он занимáется тепéрь ~ей he has táken up photógraphy; он хóчет заня́ться ~ей he wants to take up, *или* to go in for, photógraphy; цветнáя ~ cólour photógraphy [ˈkʌ-...]; 2. (*снимок*) phóto͡gràph, phótò; pícture *разг.*; 3. (*учреждение*) photographer's (stúdiò).

фóто||докумéнт *м.* dòcuméntary phóto͡gràph. ~**донесéние** *с. воен.* recònnaissance / intélligence phóto͡gràph [-nɪs-...]. ~**журнали́ст** *м.* = фотокорреспондéнт. ~**за́пись** *ж.* phóto͡gráphic récord [...ˈre-]. ~**кáрточка** *ж.* phóto͡gràph. ~**кóнкурс** *м.* phóto͡gráphic còmpetítion. ~**кóпия** *ж.* phóto còpy[-kɔ-], xéròx [ˈzɪə-]. ~**корреспондéнт** *м.* (néwspàper) photógrapher. ~**лаборатóрия** *ж.* phóto͡gráphic lábor͡atory.

фотóлиз *м. физ., хим.* phòtólysis [fou-].

фóто||литогрáфия *ж. полигр.* phóto͡lithógraphy. ~**люби́тель** *м.* ámatèur photographer [-tə....].

фотóметр *м. физ.* photómeter; líght-mèter. ~**и́ческий** phòto͡métric(al); ~и́ческий аппарáт phòto͡métrical appàrátus.

фотомéтрия *ж. физ.* photómetry.

фóто||механика *ж.* phóto͡mechánics [-ˈkæ-]. ~**механи́ческий** phòto͡mechánical [-ˈkæ-]. ~**монтáж** *м.* phóto͡mòntáge [-ˈtɑːʒ].

фотóн *м. физ.* phóton.

фóто||объекти́в *м.* (cámera) lens [...-nz]. ~**охóта** *ж.* húnting with a cámera. ~**плáн** *м.* photo máp. ~**пласти́нка** *ж.* phòto͡gráphic plate. ~**плёнка** *ж.* (phòto͡gráphic) film. ~**развéдка** *ж. воен.* phò-to͡gráphic recònnaissance [...-nɪs-]. ~**репортáж** *м.* pícture stóry; phòtò-repórt. ~**репортёр** *м.* press photógrapher. ~**репортёрский** *прил. к* фоторепортёр. ~**ружьё** *с.* cámera gun.

фотоси́нтез [-тэз] *м. бот., биол.* phòto͡sýnthesis.

фóто||сни́мок *м.* phóto͡gràph. ~**стáт** *м.* phóto͡stàt. ~**стýдия** *ж.* phòto͡gráphic stúdiò.

фотосфéра *ж. астр.* phóto͡sphère.

фотосъёмка *ж.* photógraphy.

фототéка *ж.* phóto͡gràph líbrary / colléction [...ˈlaɪ-...].

фóто||телегрáмма *ж.* phòto͡télegram. ~**телегрáф** *м.* phóto͡télegraph.

фототерапи́я *ж. мед.* phóto͡thérapy.

фототи́пи́ческ||ий *полигр.* phòto͡týpe (*attr.*); ~ое издáние phòto͡týpe edítion.

фототи́пия *ж. полигр.* phòto͡týpe.

фотофи́ниш *м.* phóto-fínish.

фóто||хими́ческий phòto͡chémical [-ˈke-]. ~**хи́мия** *ж.* phòto͡chémistry [-ˈke-].

фотохрóмия *ж.* phóto͡chròmy.

фотохрóника *ж.* news in pictures.

фотоцинкогрáфия *ж. полигр.* phòto͡zincógraphy.

фотоэлектри́че||ский *тех.* phòto͡eléctric. ~**ство** *с.* phòto͡electrícity.

фотоэлектрóн *м. физ.* phòto͡eléctron.

фотоэлемéнт *м. эл.* phòto͡eléctric cell, phóto-céll.

фрагмéнт *м.* frágment. ~**áрность** *ж.* frágmentariness. ~**áрный** frágmentary.

фрáз||а *ж.* phrase; *грам. тж.* séntence; ходя́чая ~ stock phrase; пусты́е ~ы mere words / phráses; краси́вые ~ы fine words; общие ~ы géneral phráses.

фразеол||оги́ческий *лингв.* phràseológical [-eɪz-]; ~ словáрь phràseológical díctionary. ~**óгия** *ж.* 1. *лингв.* phràseólogy [-eɪz-]; 2. (*пустословие*) mere vérbiage.

фразёр *м.*, ~**ка** *ж.* phráse-mònger [-mʌ-], phráser. ~**ство** *с.* mere vérbiage; phráse-mòngering [-mʌ-].

фрази́р||овать (*вн.*) *муз.* obsérve phrásing [-ˈzə...] (of), phrase (*d.*). ~**óвка** *ж.* 1. *муз.* obsérvation of phrásing [-zə-...]; 2. *лингв.* declamátion.

фрáзов||ый *лингв.* phrásal; phrase (*attr.*); ~ое ударéние phrásal stress.

фрак *м.* táil-coat; swállow-tail(s) (*pl.*), évening dress [ˈiːv-...].

фраки́йский Thrácian.

фрактýра I *ж. мед.* frácture.

фрактýра II *ж. тк. ед.* (*шрифт*) Góthic type, black létter.

фракционéр *м. полит.* fáctionary, fáctionist.

фракциони́ров||ание *с. хим.* fráctionàting. ~**ать** (*вн.*) *хим.* fráctionàte (*d.*).

фракциóнность *ж. полит.* fáctionalism, fáctiousness.

фракциóнн||ый I *полит.* fáctional, fáctious; ~ая борьбá strúggle betwéen fáctions, fáctional cónflict.

фракциóнн||ый II *хим.* fráctionàting, fráctional, fráctionary; ~ая кóлба fráctionàting flask; ~ая перегóнка fráctional dìstillátion.

фрáкция I *ж. полит.* 1. (*внутри какой-л. партии*) fáction; 2. (*в парлáменте*) group [gruːp].

фрáкция II *ж. хим.* fráction.

фрамýга *ж. стр.* trànsom.

франк *м.* (*денежная единица и монета*) franc.

фрáнки *мн. ист.* Franks.

франки́р||овать *несов. и сов.* (*вн.*; *о письме и т. п.*) préˈpáy* (*d.*), pay* the póstage [...ˈpou-] (of). ~**óвка** *ж.* pré-páyment.

франкмасóн *м.* = масóн. ~**ский** = масóнский. ~**ство** *с.* = масóнство.

фрáнко- *торг.* free; ~-сýдно free on board (*сокр.* F.O.B.).

франт *м.* dándy.

франтирёр *м.* franc tireur (*фр.*) [frɑːŋ tɪəˈrəːr].

франт||и́ть *разг.* play the dándy. ~**и́ха** *ж. разг.* fáshionable / smart wóman* [...ˈwu-].

франтовáтый *разг.* dándyish, dándyfied. ~**ско́й** smart. ~**ство́** *с.* smártness, dándyism.

францýженка *ж.* Frénch wòman* [-wu-].

францýз *м.* Frénchman*; *мн. собир.* the French. ~**ский** French; ~ский язы́к French, the French lánguage.

фрахт *м. торг.* freight. ~**овáтель** *м.* chárterer.

фрахтовáть (*вн.*) *торг.* freight (*d.*); (*о судне*) chárter (*d.*).

фрахтóв||ка *ж.* fréightage. ~**щик** *м.* fréighter.

фрáчный *прил. к* фрак.

фрегáт *м.* 1. *мор.* frígate; 2. *зоол.* frígate(-bìrd).

фрезá *ж. тех.* cútter, mill, mílling cútter.

фрéзер||ный *тех.* mílling; ~ станóк mílling machíne [...-ˈfiːn]. ~**овáние** *с. тех.* mílling. ~**овáть** *несов. и сов.* (*вн.*) *тех.* cut* (*d.*), mill (*d.*). ~**óвка** *ж. тех.* mílling, cútting. ~**óвщик** *м.*, ~**óвщица** *ж.* mílling-machìne óperàtor [-ˈfiːn...].

фрéйлина [фрэ-] *ж.* maid of hónour [...ˈɔnə].

френологи́ческий phrènológical.

френолóгия *ж.* phrenólogy.

френч *м.* sérvice jácket.

фрéск||а *ж. иск.* fréscò. ~**овый** frés-cò (*attr.*); ~овая жи́вопись fréscò.

фриво́льн||ость *ж.* frivólity. ~**ый** frívolous.

фриги́йский Phrýgian; ◇ ~ колпáк Phrýgian cap.

фриз *м. стр.* frieze [friːz].

фрикадéлька [-дэ-] *ж. кул.* méat-bàll, fish-bàll.

фрикасé [-сэ] *с. нескл. кул.* fricassée.

фрикати́вный *лингв.* fricative; ~ звук fricative (sound).

фрикциóн *м. тех.* friction clutch; бортовóй ~ (*у танка*) side clutch. ~**ный** *тех.* friction (*attr.*), frictional; ~ная мýфта friction cóupling / clutch / cone [...ˈkʌr-...].

фритрéдер [-рэдэр] *м. эк.* free-trader. ~**ство** [-рэдэр-] *с. эк.* free-trade sýstem.

фрóнда *ж. ист.* Fronde; (*перен.*) (sélfish) òpposítion [...-ˈzɪ-].

фрондёр *м.* fròndéur [frɔːŋˈdəː], máṉcontent. **~ский** cáptious. **~ство** *с.* (sélfish) òpposition [...-ˈzɪ-].

фронди́ровать *уст.* expréss díscontent.

фронт *м.* (*в разн. знач.*) front [frʌnt]; (*передовые позиции*) báttle-frònt [-frʌnt]; широ́кий ~ wide / exténded front; находи́ться на ~е be at the front; отпра́виться на ~ go* to the front; идеологи́ческий ~ ideológical front [aɪ-...]; еди́ный ~ únited front; культу́рный ~ cúltural front; ~ рабо́т field of òperátions [fiː-...]; борьба́ на два ~а a fight on two fronts; переме́на ~а change of front [tʃeɪ-...]; перемени́ть ~ change front; протяже́ние по ~у *воен.* fróntage [ˈfrʌnt-]; ◊ стать во ~ stand* at atténtion.

фронта́льн‖**ый** fróntal [ˈfrʌ-]; ~ое наступле́ние fròntal / dɪrèct attáck; ~ уда́р fròntal attáck.

фронтиспи́с *м.* *полигр.*, *арх.* fróntispìece [ˈfrʌntɪspiːs].

фронтови́к *м.* frónt-line sóldier [ˈfrʌntˈsoʊldʒə].

фронтов‖**о́й** front [frʌnt] (*attr.*); ~а́я часть frónt(-lìne) únit [ˈfrʌnt-...]; ~ това́рищ frónt-line cómrade / pal.

фронто́н *м.* *арх.* pédiment. **~ный** *прил.* к фронто́н.

фрукт *м.* 1. fruit [-uːt]; 2. *разг.* (*о человеке*): что это за ~? what kind of a féllow is this?, who is this?; ну и ~! a nice féllow indéed! **~о́вый** *прил.* к фрукт 1; ~о́вый нож fruit knife* [-uːt...]; ~о́вое де́рево fruit tree*; ~о́вый сок fruit juice [...dʒuːs]; ~о́вая вода́ fruit drink; ~о́вый сад órchard; ~о́вые напи́тки soft drinks.

фрукто́за *ж.* *хим.* frúctòse [-s].

фта́лев‖**ый** *хим.* phthálic [ˈθæ-]; ~ая кислота́ phthálic ácid.

фтизиа́тр *м.* tubèrculósis spécialist [...ˈspe-], phthìsiatrícian [θɪz-].

фтизиатри́я *ж.* *мед.* phthìsiólogy [θɪz-].

фтор *м.* *хим.* flúorine [-iːn].

фто́ристый *хим.* fluóric; ~ ка́лий potássium flúoride; ~ ма́гний màgnésium flúoride [-zɪəm...].

фу *межд.* (*выражение отвращения*) fie!, faugh!, ugh!

фу́га *ж.* *муз.* fugue [fjuːg].

фуга́нок *м.* *тех.* smóothing plane.

фуга́с *м.* *воен.* fougásse [fuːˈgæs], field charge [fiː-...], lánd-mìne. **~ка** *ж.* *разг.* hígh-explósive bomb. **~ный** *прил.* к фуга́с; ~ный снаря́д hígh-explósive shell; ~ная бо́мба hígh-explósive bomb.

фугова́ть, сфугова́ть (*вн.*) *тех.* joint (*d.*).

фуже́р *м.* tall wine glass.

фузилёр *м.* *воен.* *уст.* fùsilíer [-zɪˈlɪə].

фу́к‖**ать**, фу́кнуть (*вн.*) *разг.* 1. (*задувать*) blow* [bloʊ] (*d.*), blow* out (*d.*); 2. (*в шашках*) huff (*d.*). **~нуть** *сов. см.* фу́кать.

фукси́н *м.* fúchsine [ˈfʊksɪn].

фу́ксия *ж.* *бот.* fúchsia [ˈfjuːʃə].

фу́кус *м.* *бот.* fúcus (*pl.* -сi).

фуля́р *м.* *текст.* fóulàrd [fuːˈlɑːd]. **~овый** *прил.* к фуля́р; ~овый плато́к fóulàrd (kérchief) [fuːˈlɑːd...].

фумига́ция *ж.* = оку́ривание.

фунда́мент *м.* (*прям. и перен.*) foundátion, base [-s]; постро́ить ~ build* the foundátion [bɪld...]; заложи́ть ~ lay* the foundátion; маши́нный ~ éngine séating [ˈendʒɪ-...]; коте́льный ~ bóiler séat(ing).

фундамента́льн‖**ость** *ж.* fùndaméntal náture / cháracter [...ˈneɪ- ˈkæ-], solídity. **~ый** fùndaméntal; sólid, substántial; ~ое зда́ние sólid building [...ˈbɪl-]; ~ая библиоте́ка main líbrary [...ˈlaɪ-]; ~ые зна́ния thórough knówledge [ˈθʌrə ˈnɔl-] *sg.*; ~ый труд básic work [ˈbeɪ-...]; ~ое иссле́дование fùndaméntal invèstigátion.

фунда́ментн‖**ый**: ~ая плита́ bed plate.

фунди́рованн‖**ый** *эк.* fúnded, consólidàted; ~ые за́ймы fúnded loans; ~ дохо́д fúnded ínːcome.

фуникулёр *м.* funícular (ráilway), cable ráilway.

функциона́льн‖**ый** fúnctional; *мед. тж.* dynámic [daɪ-]; ~ая зави́симость *мат.* fúnctional depéndence; ~ое заболева́ние *мед.* dynámic diséase [...-ˈziːz].

функциони́ров‖**ание** *с.* fúnctioning. **~ать** fúnction, fúnctionàte.

фу́нкци‖**я** *ж.* (*в разн. знач.*) fúnction; я́вная ~ *мат.* explícit fúnction; неявна́я ~ *мат.* implícit fúnction; обра́тная ~ *мат.* invérse fúnction; произво́дная ~ *мат.* derived fúnction; выполня́ть чьи-л. ~и perfórm the dúties of smb.

фунт I *м.* *уст.* (*мера веса*) pound; ◊ не ~ изю́му *разг.* ≃ it's not a trifle; it's not to be sneezed at; вот так ~! that's a fine hów-d'ye dó!

фунт II *м.* (*денежная единица*) (стéрлингов) pound (stérling); биле́т, ассигна́ция в пять ~ов five-pound note.

фу́нтик *м.* *разг.* (*мешочек*) (cóne-shàped) páper-bàg.

фу́ра *ж.* wággon [ˈwæ-].

фура́ж *м.* *тк. ед.* fórage, fódder; зерново́й ~ grain / hard fórage.

фуражи́р *м.* fórager. **~овать** fórage.

фуражиро́вка *ж.* fóraging.

фура́жка *ж.* peaked cap; *воен.* sérvice cap.

фура́жн‖**ый** fórage (*attr.*), fódder (*attr.*); ~ое зерно́ fódder grain.

фурго́н *м.* van; estáte car; cáravan.

фу́рия *ж.* 1. *миф.* Fúry; 2. (*злая женщина*) fúry, virágò.

фурниту́ра *ж.* accéssories *pl.*

фуро́р *м.* furóre [-rɪ]; произвести́ ~ *разг.* creáte a furóre.

furункул *м.* *мед.* fúruncle, boil.

фурункулёз *м.* *мед.* furùnculósis.

фурьери́зм *м.* *ист.* Fóurierism [ˈfʊ-].

фут *м.* foot* [fʊt]; длино́ю в два ~а two feet long.

футбо́л *м.* (assòciátion) fóotbàll [ˈfʊt-], sóccer *разг.* **~и́ст** *м.* fóotbàll-plàyer [ˈfʊt-], fóotbàller [ˈfʊt-].

футбо́лка *ж.* *разг.* sports shirt, fóotbàll-jérsey [ˈfʊt- -zɪ].

футбо́льн‖**ый** *прил.* к футбо́л; ~ мяч fóotbàll [ˈfʊt-]; ~ая кома́нда fóotbàll team.

футерова́ть [-тэ-] (*вн.*) *тех.* line (with refráctory bricks) (*d.*), fettle (*d.*).

футеро́вка [-тэ-] *ж.* *тех.* (brick-) líning, líning (with refráctory bricks). féttling.

футля́р *м.* case [-s]; (*маленький тж.*) etuí [eˈtwiː]; ~ для инструме́нтов ínstrument-càse [-s]; ◊ челове́к в ~е pérson who keeps himːsélf in cótton-wool [...-wʊl].

фу́товый óne-fòot [-ˈfʊt] (*attr.*).

футури́зм *м.* *иск.* fúturism.

футури́ст *м.* fúturist. **~и́ческий** fùturístic.

футшто́к *м.* *мор.* tíde-gauge [-geɪdʒ].

фу́-ты *разг.* (*выражение удивления, досады и т. п.*) my word!, my góodness!

фуфа́йка *ж.* jérsey [-zɪ], swéater [ˈswe-].

фуфу́: на ~ *разг.* ányhow, cáreːlessly.

фы́рканье *с.* snórting, sníffing.

фы́рк‖**ать**, фы́ркнуть 1. snort, sniff; презри́тельно ~нуть sniff scórnfully; 2. *разг.* (*смеяться*) chúckle; 3. (*ворчать*) grouse [-s]. **~нуть** *сов. см.* фы́ркать.

фюзеля́ж *м.* *ав.* fúselage [-zɪ-], hull. **~ный** *прил.* к фюзеля́ж.

X

хабане́ра *ж.* hàbànérà [(h)ɑːbɑːˈneɪrɑː].

хавро́нья *ж.* *разг.* sow.

хаджи́ *м.* *нескл.* (*мусульманин, побывавший в Мекке*) Hádji, Hájji.

ха́жива‖**ть**: он, они́ *и т. д.* ча́сто туда́ ~ли he, they, *etc.*, used to go there óften [...juːst... ˈɔf(t)n]; he, they, *etc.*, would go there óften.

хака́с *м.*, **~ка** *ж.*, **~ский** Khàkáss [kɑːˈkɑːs]; ~ский язы́к Khàkáss, the Khàkáss lánguage.

ха́ки *прил.* *неизм.* *и с.* *нескл.* khàki [ˈkɑː-].

хала́т *м.* 1. (*домашний*) dréssing-gòwn; купа́льный ~ báthròbe; 2. (*восточный*) òriental robe; 3. (*рабочий*) óverːàll; до́кторский ~ dóctor's smock; (*хирурга*) óperàting / súrgical coat; маскиро́вочный ~ *воен.* cámouflàge cloak [-muflɑːʒ...].

хала́тн‖**ость** *ж.* cáreːlessness, négligence; престу́пная ~ críminal négligence. **~ый** cáreːless, négligent; ~ое отноше́ние к свои́м обя́занностям, рабо́те néglect of one's dúties, work.

халва́ *ж.* hàlvá [hɑːlˈvɑː] (*paste of nuts, sugar and oil*).

хали́ф *м.* *ист.* cáliph. **~а́т** *м.* *ист.* cáliphàte.

халту́р‖**а** *ж.* *тк. ед.* *разг.* 1. (*плохая, небрежная работа*) slápdàsh / cáreːless work; háck-wòrk; (*в литературе, искусстве*) pót-boiler; 2. (*побочный лёгкий заработок*) móney made on the side [ˈmʌ-...]; móney spínning síde-line. **~ить** *разг.* 1. do cáreːless work; do háck-wòrk; turn out pót-boilers; 2. (*заниматься побочной работой*) make* móney on the side [...ˈmʌ-...]. **~ный**: ~ная рабо́та *разг.* slápdàsh / slípshòd work; (*в литературе, искусстве*) pót-boiler. **~щик** *м.* *разг.* háck-wòrker.

халу́па ж. разг. péasant house* ['pez-s]; (перен.) small módest house* [...'mɔ-...].
халцедо́н м. мин. chàlcédony [kæl-].
хам м. разг. boor.
хамелео́н м. зоол. (тж. перен.) chaméleon [kə-].
хаме́ть, охаме́ть разг. become* bóorish.
хами́ть, нахами́ть (дт.) разг. be rude (to).
хамса́ ж. khamsá [-'sɑ:] (small fish, common in the Black Sea).
ха́м‖ский разг. bóorish. ~ство с. разг. bóorishness.
хамьё с. собир. разг. boors.
хан м. khan [kɑ:n]; ~ Бату́й Batý-khàn [-kɑ:n].
хандра́ ж. spleen; the blues pl.; на него́ напа́ла ~ разг. he has a fit of spleen, he's got the blues, he's in a bad mood.
хандри́ть, захандри́ть be depréssed, have a fit of spleen, have the blues.
ханжа́ м. и ж. sànctimónious pérson, cánting hýpocrite.
ха́нже‖ский sànctimónious. ~ство с. sánctimony, hypócrisy.
ханжи́ть play the hýpocrite.
ха́н‖ский прил. к хан. ~ство с. khánàte ['kɑ:-].
ха́нты м. и ж. нескл. Khánty ['hɑ:n-].
хант‖ы́ец м., ~ы́йка ж., ~ы́йский Khánty ['hɑ:n-].
ха́ос м. миф. chàos ['keɪ-].
хао́с м. разг. mess, chàos ['keɪ-].
хаоти́ч‖еский chàótic [keɪ-]. ~ность ж. chàótic state [keɪ-...], state of cháos [...'keɪ-]. ~ный = хаоти́ческий.
ха́пать, схáпать, ха́пнуть (вн.) груб. 1. при сов. схáпать (хватáть) grab (d.), seize [si:z] (d.); 2. при сов. хáпнуть (о деньгах) grab (d.).
ха́пнуть сов. см. ха́пать 2.
хапу́га м. и ж. разг. thief* [θi:f], scróunger.
хараки́ри с. нескл. hára-kíri ['hæ-].
хара́ктер м. 1. disposition [-'zɪ-], témper, cháracter ['kæ-]; дурно́й ~ bad* témper; угрю́мый ~ súllen disposítion; тяжёлый ~ difficult náture [...'neɪ-]; си́льный ~ strong cháracter; прямота́ ~а straightfórwardness; име́ть твёрдый, си́льный ~ have a strong cháracter; челове́к с ~ом, си́льный ~ stróng-willed pérson; 2. (свойство) náture; ~ по́чвы náture of the soil; ~ ме́стности náture / chàracterístics of the locálity [...kæ-...]; воен. náture of the ground; cháracter of the térrain амер.; ◇ вы́держать ~ be / stand* firm, be stéadfast [...'sted-]; э́то не в ва́шем ~е that is:n't your way / náture, that's not like you.
характеризова́ть несов. и сов. (сов. тж. охарактеризова́ть) (вн.) 1. define (d.); (описывать) describe (d.); докла́дчик пра́вильно ~ова́л положе́ние спе́акера the speaker defined the situátion corréctly; 2. (быть характерным) cháracterize ['kæ-] (d.); э́тот посту́пок ~ует его́ this áction cháracterizes, или is týpical of, him.

характеризова́ться (тв.) be cháracterìzed (by).
характери́стик‖а ж. 1. descríption; 2. (отзыв о человеке) tèstimónial, réference; для его́ ~и to show what he is like [...ʃou...], to give an ɪdea of his pèrsonálity [...aɪ'dɪə...]; дать кому́-л. ~у give* smb. a tèstimónial; ~ с ме́ста пре́жней рабо́ты réference from fórmer place of work; 3. мат. chàracterístic [kæ-], índex of lógarithm.
характе́рно I 1. прил. кратк. см. характе́рный; 2. предик. безл.: ~, что it is significant that; для него́ ~ it is týpical of him.
характе́рн‖о II нареч. chàracterístically [kæ-]. ~ый 1. (типичный) týpical; ~ое лицо́ týpical face; вот ~ый приме́р there is an illustrátion in point; 2. (отличительный) chàracterístic [kæ-]; (своеобразный) distínctive; ~ая черта́ chàracterístic féature; 3. театр. cháracter ['kæ-] (attr.); ~ый та́нец cháracter dance; ~ый актёр cháracter áctor.
ха́риус м. (рыба) gráyling, úmber.
ха́рканье с. èxpèctorátion; ~ кро́вью èxpèctorátion of blood [...blʌd], blóod-spítting ['blʌd-].
ха́рк‖ать, ха́ркнуть spit*; (тв.) èxpéctorate (d.), spit* (d.); ~ кро́вью spit* blood [...blʌd]. ~нуть сов. см. ха́ркать.
ха́ртия ж. chárter; конституцио́нная ~ còstitútional chárter; Вели́кая ~ во́льностей ист. the Great Chárter [...greɪt...], the Mágna C(h)árta; Наро́дная ~ (чартистов) ист. the People's Chárter [...pi:-...].
харч м. = харчи́.
харче́вня ж. уст. éating-house* [-s], cóok-shòp.
харчи́ мн. разг. grub (food) sg.
харчи́ться разг. eat*; (тратить деньги на пропитание) spend* (money) on food [...'mʌ-...].
ха́ря ж. груб. muzzle; (ugly) mug ['ʌ-].
ха́та ж. hut; ◇ моя́ ~ с кра́ю (, ничего́ не зна́ю) погов. ≃ that is nothing to do with me, it is no búsiness / concérn of mine [...].
ха́ять (вн.) разг. find* fault (with); pick on (d.), run* down (d.).
хвал‖а́ ж. praise; воздава́ть ~у́ (дт.) praise (d.).
хвале́бн‖о нареч. in praise; ~ отзыва́ться (о пр.) praise (d.). ~ый láudatory, eulogístic; ~ая песнь song of praise; ~ая речь pànegýric, èn:cómium.
хвалёный gréatly praised ['greɪ-...], váunted ирон.
хвали́ть, похвали́ть (вн. за вн.) cómpliment (d. for); (вн.; восхвалять) praise (d.); ◇ хоро́ший това́р сам себя́ хва́лит ≅ good wine needs no bush [...buʃ]; вся́кий купе́ц свой това́р хва́лит ≃ every cook práises his own broth [...oʊn...]. ~ся, похвали́ться (тв.) boast (of), swágger ['swæ-] (about).
хва́ст‖ать(ся), похва́стать(ся) (тв.) brag (of, about), boast (of); не ~ясь without bóasting.
хвастли́в‖ость ж. bóastfulness, vainglórious:ness. ~ый bóastful, vainglórious.

хвастовство́ с. bóasting, brágging, vainglóry.
хваст‖у́н м., ~у́нья ж. bóaster, brággart, shów-òff ['ʃou-].
хват м. разг. dáshing féllow.
хвата́тельн‖ый биол. prehénsile; ~ые движе́ния prehénsile mòve:ments [...'muːv-].
хвата́ть I, схвати́ть (вн.) snatch (d.), seize [si:z] (d.), catch* hold (of), grasp (d.), grab (d.); (зубами) snap (at); ~ кого́-л. за́ руку seize / grasp smb. by the hand; ◇ ~ что-л. на лету́ be very quick at smth. ~ за́ душу tug at one's héart-strings [...'hɑːt-].
хват‖а́ть II, хвати́ть безл. suffíce, be sufficient / enóugh [...ɪ'nʌf]; last out; э́того хва́тит this will suffíce, this will be sufficient / enóugh; у него́ ~и́ло му́жества (+ инф.) he had the cóurage [...'kʌ-] (+ to inf.); ему́ ~и́ло вре́мени (+ инф.) he had time enóugh (+ to inf.); э́того должно́ ~и́ть на́ зиму this must last the winter; э́того ему́ хва́тит на ме́сяц it will last him a month [...mʌnθ]; дел хва́тит на це́лый день enóugh work to last the whole day [...houl...]; и до́ма дел хва́тит there is plénty to do at home, too; мне хва́тит that's enóugh for me, that will do for me; не ~ not be enóugh; не ~а́ет вре́мени (для, + инф.) there is:n't enóugh time (for, + to inf.); у него́ не ~а́ет вре́мени he is hard pressed for time; (для, + инф.) he has not time enóugh (for, + to inf.); ему́, им и т. д. не ~а́ет (рд.) he is, they are, etc., short (of); у него́, у них и т. д. не ~а́ет де́нег he is, they are, etc., short of móney [...'mʌ-]; he is, they are, etc., pressed for móney; ◇ хва́тит! (дово́льно!) that will do!; (переста́ньте!) enóugh of that!, enóugh!; с меня́ хва́тит! (мне надое́ло!) I have had enóugh!; на сего́дня хва́тит! that'll do for to:dáy!; let's call it a day; э́того ещё не ~а́ло разг. that's a bit too thick, that's the limit, that would be the last straw.
хвата́ться, схвати́ться, хвати́ться (за вн.) 1. snatch (at), grip (d.), pluck (at), catch* (at); 2. тк. несов. (браться за какое-л. дело) take* up (d.); ◇ ~ за соло́минку catch* at a straw, clutch at straws.
хвати́ть I сов. см. хвата́ть II.
хвати́‖ть II сов. (вн.) разг. (уда́рить) whack (d.), strike* (d.); ◇ ~ че́рез край ≅ go* too far; его́ ~л уда́р he has had an àpopléctic stroke; ~ ли́шнего have a drop too much, или one too many.
хвати́‖ться сов. 1. см. хвата́ться 1; 2. (рд.) разг. miss (d.); nótice the ábsence ['nou-...] (of); ~ кого́-л. miss smb., nótice the ábsence of smb.; его́ ~лись he was missed; — я сли́шком по́здно ~лся but I thought of it too late.
хва́тка ж. 1. grasp, grip, clutch; 2. (у животных) bite; ◇ мёртвая ~ death grip [deθ...].
хва́ткий разг. strong, tenácious; (перен.) skílful, cráfty.
хвойные мн. скл. как прил. бот. cònifers ['kou-].

хвойн∥ый cóniferous [kou-]; ~ лес cóniferous forest / wood [...'fɔ- wud] (ср. лес); ~ое дерево cónifer ['kou-]; ~ая древесина sóftwood [-wud].

хворать разг. be ill / áiling.

хворост м. собир. 1. brúshwood [-wud]; 2. (печенье) pástry straws ['pei-...] pl., twíglets [-i-] pl.

хворостина ж. (long) switch, (long) dry branch [...brɑː-].

хворость ж. = хворь.

хворый разг. áiling, sick.

хворь ж. разг. áilment, íllness.

хвост м. 1. tail; (павлина тж.) train; (лисицы) brush; (кролика, оленя) scut; ~ кометы tail / train of a cómet [...'kɔ-]; обрубленный ~ docked tail, bóbtail; ~ом lash / swish / whisk the tail; поджать ~ (прям. и перен.) have one's tail between one's legs; поджав ~ (прям. и перен.) with the tail between the legs; вилять ~ом (о собаке) wag the tail [wæg...]; (перен.) cringe; 2. (концевая часть) end, tail; (о процессии) táil-énd; ~ поезда rear (cóaches) of train; 3. разг. (очередь) queue [kjuː]; line; стоять в ~é за чем-л. stand* in a queue for smth., queue up for smth.; 4. разг. (несданный экзамен) arréars pl.; ◇ плестись в ~é lag / drag behínd; be at the táil-énd; trail alóng at the back.

хвостатый having a tail; cáudàte научн.

хвостик м. уменьш. от хвост 1; ◇ с ~ом разг. and (a little) more; сто рублей с ~ом one húndred roubles odd [...ruː-...]; ему пятьдесят лет с ~ом he is on the shády side of fifty.

хвостов∥ой tail (attr.); ~ молот тех. tilt / tail hámmer; ~ое колесо ав. tail wheel; ~ое оперение ав. tail únit; empénnàge [ɑːŋpeˈnɑːʒ]; ~ая вена анат. cáudal vein.

хвощ м. бот. hórse-tail, máre's-tail.

хвоя ж. тк. ед. бот. 1. needle(s) (pl.) (of a cónifer); 2. (ветки) bránches (of cónifer) [-ɑː-...'kou-] pl.

хек м. hake.

херес м. (вино) shérry.

херувим м. церк. (тж. перен.) chérub ['tʃe-].

хиазм м. лингв. chiásmus [kaɪˈæz-].

хибарка ж. shánty, hóvel ['hɔ-].

хижина ж. cábin, hut, shack.

хилеть разг. become* weak / síckly.

хилость ж. sícklyness, púniness.

хилус м. физиол. chyle [k-].

хилый síckly; púny; (о растениях) stúnted, úndergrówn [-oun].

химер∥а ж. миф. (тж. перен.) chiméra [k-]. ~ический chimérical [k-], fánciful. ~ичность ж. fáncifulness. ~ичный = химерический.

химизация ж. chèmicalizátion [ke-laɪ-].

химизм м. научн. chémism ['ke-].

химик м. chémist ['ke-]; (работник химической промышленности) chémical índustry wórker ['ke-...].

химикалии, химикаты мн. chémicals ['ke-].

химическ∥ий (в разн. знач.) chémical ['ke-]; воен. тж. gas (attr.); ~ анализ chémical análysis; ~ элемент chémical element; ~ое соединение chémical cómpound; ~ая лаборатория chémical labóratory; ~ая промышленность chémical índustry; ~ая чистка (одежды) drý-cleaning; ~ая война chémical / gas wárfàre; ~ая тревога воен. gás-alért; gás-alárm амер.; ~ снаряд gás-shéll; ~ое нападение gas attáck; ~ые средства борьбы с сорняками chémical means of déaling with weeds; ~ие средства защиты растений chémical weed and pest killers; ◇ ~ карандаш indélible / ink péncil.

химия ж. chémistry ['ke-]; органическая ~ òrgánic chémistry; неорганическая ~ inòrgánic chémistry; физическая ~ phýsical chémistry [-zɪ-...]; бытовая ~ hóusehòld chémical goods [-s- ˈke- gudz].

химус м. физиол. chyme [k-].

химчистка ж. (химическая чистка) разг. 1. (процесс) drý-cleaning; 2. (мастерская) drý-cleaner's.

хина ж. cinchóna [-ˈkounə], quinine [-ˈniːn].

хинди м. нескл. Híndi [ˈhɪnˈdiː].

хинин м. quinine [-ˈniːn].

хин∥ный cinchóna [-ˈkounə] (attr.); ~ное дерево cinchóna (tree); ~ная корка cinchóna (bark), Perúvian bark; ~ная настойка cinchóna decóction.

хиппи м. и ж. нескл. híppie, híppy.

хиреть, захиреть grow* síckly [-ou-...]; (о растениях) wíther, droop; (перен.: приходить в упадок) fall* into decáy.

хиромант м. chiromántist [kaɪəro-], chíromàncer [ˈkaɪəro-], pálmist [ˈpɑːm-]. ~ия ж. chíromàncy [ˈkaɪəro-], pálmistry [ˈpɑːm-].

хирург м. súrgeon. ~ический súrgical. ~ия ж. súrgery.

хитин м. биол. chítin [ˈkaɪ-].

хитон м. túnic.

хитрец м. a sly / cúnning one; slý-boots pl.

хитрещ∥а ж., **хитринка** ж. разг. finésse [-ˈnes], cúnning; с ~ой, не без ~ы not without cúnning / finésse; он с ~ой he is not without cúnning, he is a deep one; говорить с ~ой speak* disingénuously [-ˈdʒenjuəs-].

хитрить, схитрить 1. (лукавить) use cúnning, be cúnning / crafty; 2. (с кем-л.) dodge (smb.).

хитро прил. кратк. см. хитрый.

хитро нареч. 1. (лукаво) slýly, cúnningly; 2. (не просто) íntricately, with cúnning; 3. (ловко) adróitly.

хитросплетение с. ártful desígn [...-ˈzaɪn], strátagem.

хитростный разг. íntricate; subtle [sʌtl].

хитрост∥ь ж. 1. cúnning, slýness; (коварство) guile, craft; 2. (уловка, хитрый приём) ruse; военная ~ war ruse, strátagem; взять ~ью mánage by ruse, effect by strátagem; пуститься на ~и resórt to cúnning [-ˈzɔːt...]; 3. (трудность, сложность) íntricacy; abstrúseness [-ruːs-]; ◇ не велика ~ (+ инф.) dòesn't take many brains (+ to inf.), easy enóugh [ˈiːzɪ ɪˈnʌf] (+ to inf.).

хитроум∥ие с. finésse [-ˈnes], ártfulness. ~ный 1. cúnning; resóurceful; crafty, ártful; 2. (трудный, сложный) = хитрый 2.

хитр∥ый 1. (лукавый) sly, cúnning; (коварный) ártful; 2. (не простой, трудный) íntricate, invólved; это не ~о that's simple; это дело не ~о ≅ it is very simple; a child could do it; 3. (изобретательный) skílful, resóurceful.

хихик∥анье с. разг. gíggling [ˈgɪ-], títtering, snígger. ~ать, хихикнуть разг. gíggle [ˈgɪ-], títter, chúckle, snígger. ~нуть сов. см. хихикать.

хищение с. theft; (растрата) embézzlement; misappròpriátion.

хищ∥ник м. (о звере) beast of prey; prédator; (о птице) bird of prey; (перен.: о человеке) plúnderer, spóiler. ~ица ж. (о женщине) vamp.

хищническ∥и нареч. predátorily, rapáciously. ~ий 1. rapácious, prédatory; ~ие инстинкты prédatory ínstincts; 2. (бесхозяйственный) destrúctive, injúrious; ~ая вырубка лесов dèpredátion of fórests [...ˈfɔ-], injúrious félling of fórests.

хищничество с. 1. (у животных) préying on others; 2. (эксплуатация) rapáciousness, prédatoriness; 3. (в ведении хозяйства) dèpredátion.

хищн∥ость ж. rapácity. ~ый 1. prédatory, ráptórial; ~ые звери prédatory ánimals, beasts of prey; ~ые птицы birds of prey; 2. (о человеке) rapácious, grásping.

хлад м. уст., поэт. = холод.

хладнокров∥ие с. cóolness, èquanímity [iː-], compósure [-ˈpou-], présence of mind [-z-...]; sáng-fròid [ˈsɑːŋˈfrwɑː]; сохранить ~ keep* cool, keep* one's head [...hed]. ~но нареч. cóolly; in cold blood [...blʌd]. ~ный cool, compósed.

хладноломк∥ий тех. cóld-shórt, cóld-bríttle. ~ость ж. тех. cold bríttleness shortness.

хладобойня ж. sláughter-house* (with refrígeràtors) [-haus-...].

хлам м. тк. ед. собир. rúbbish, trash; (рухлядь) lúmber.

хламида ж. 1. ист. chlámys [-æ-]; 2. разг. long lóose-fitting gárment [...ˈluːs-...].

хлеб м. 1. тк. ед. bread [-ed]; чёрный ~ brown bread, rýe-bread [-ed]; белый ~ white bread, wheat bread; домашний ~ hóme-máde bread; пеклеванный ~ whóle-meal bread [ˈhoul-...]; чёрствый ~ stale bread; сажать ~ (в печку) put* the bread into the óven [...ˈʌvn]; свежий ~ frésh-báked / néwly-báked bread; ~ с маслом bread and bútter; 2. (мн. ~ы) (каравай) loaf*; 3. (мн. ~а) (в поле) corn; crops pl.; céreals [-rɪəl-] pl.; ~ на корню stánding corn; яровые ~а spring crops; озимые ~а winter crops; 4. (зерно) grain; ссыпка ~а delivery of grain to gránaries; экспорт ~а grain expórt; 5. разг. (средства к существованию) líving [ˈlɪv-]; means of subsístence pl., dáily bread; зарабатывать себе на ~ make* one's bread, earn one's living [ɜːn...]; лишить кого-л. куска ~а deprive smb. of a líve|lihood [...-hud]; отбить у кого-л. ~ take* the bread out of smb.'s mouth;

687

ХЛЕ — ХЛЫ

◊ быть у кого-л. на ~áx eat* smb.'s salt; жить на чужи́х ~áx ≃ be a depéndant, live at smb. élse's expénse [lɪv...]; дáром ~ есть ≃ not be worth one's salt; перебивáться с ~а на квас ≃ live from hand to mouth; ~ да соль! good áppetite!; э́то наш ~ it's our bread and bútter.

хлебáть (вн.) разг. 1. (есть жидкое ложкой) sup (d.); 2. (пить больши́ми глотка́ми) gulp down (d.); ◊ уйти́ несо́лоно хлеба́вши ≃ get* nothing for one's pains.

хле́бец м. small loaf* (of bread) [...bred].

хле́бник м. уст. báker.

хле́бница ж. (корзи́нка) bréad-básket ['bred-]; (блю́до) bréad-pláte ['bred-].

хлебну́ть сов. разг. take* a mouthful; ◊ ~ ли́шнего have a drop too much; ~ го́ря have seen / known much sórrow [...noun...], have had one's share of trouble / grief [...trʌbl griːf].

хле́б‖**ый** 1. прил. к хлеб 1; ~ магази́н báker's (shop); ~ая ка́рточка bréad-cárd [-ed]; 2. прил. к хлеб 3; ~ые зла́ки céreals [-rɪəlz], bread grains [bred-]; ~ ры́нок grain márket; ~ая торго́вля grain trade, córn-tráde; ~ э́кспорт grain éxport; ~ая би́ржа córn-exchánge [-tʃeɪ-]; ~ торго́вец grain / corn mérchant; 3. (бога́тый хле́бом) abúndant; gráin-prodúcing; ~ая страна́ gráin-raising cóuntry [...'kʌ-], gráin-prodúcing cóuntry; (жи́тница) gránary; 4. разг. (дохо́дный, при́быльный) lúcrative; ~ое ме́сто lúcrative job; ◊ ~ое де́рево bréad-frúit tree [-edfruːt...]; ~ое вино́ уст. vódka.

хлебобу́лочный bákery ['beɪ-] (attr.).

хлебозаво́д м. lárge-scále méchanized bákery [-kæ- 'beɪ-], bréad-báking plant ['bred- plɑː-].

хлебозагото́вки мн. (ед. хлебозагото́вка ж.) State grain procúrements / púrchases [...-sɪz] (ср. заготовка 1).

хлебопа́шество с. árable fárming, tíllage; занима́ться ~м till the soil, be a fármer; fóllow the plough поэт.

хлебопа́шец м. plóughman*, tíller of the soil.

хлебо‖**пёк** м. báker. ~пека́рня ж. bákery ['beɪ-], báke-house* [-s], báker's shop. ~пече́ние с. báking of bread [...-ed]. ~поста́вки мн. (State) grain delíveries.

хлебопроизводя́щий gráin-prodúcing; ~ райо́н gráin-prodúcing área [...'ɛərɪə].

хлеборо́б м. gráin-grower [-grouə].

хлеборо́дный prodúcing grain / corn, fértile in grain / corn; ~ год good year for grain crops.

хлебосо́л м., ~ка ж. hóspitable pérson; он был большо́й ~ he kept an ópen house [...-s].

хлебосо́ль‖**ный** hóspitable. ~ство с. hòspitálity.

хлеботорго́в‖**ец** м. córn-mérchant. ~ля ж. córn-tráde.

хлебоубо́р‖**ка** ж. corn hárvest(ing). ~очный hárvesting; ~очная кампа́ния hárvesting cámpáign [...-'peɪn]; ~очный комба́йн cómbine hárvester.

хлеб-со́ль ж. разг. bread and salt [-ed...]; (гостеприи́мство) hòspitálity; встреча́ть кого́-л. хле́бом-со́лью presént smb. with an óffering of bread and salt [-'z-...].

хлев м. (для кру́пного скота́) cáttle-shèd, ców-house* [-s]; (для ове́ц) shéep-còt(e); свино́й ~ (прям. и перен.) pígsty.

хлеста́ть 1. (вн.) lash (d.); (пру́том) switch (d.); (хлысто́м) whip (d.); 2. (в вн.; ударя́ть) beat* down (on); lash (agáinst); дождь хле́щет в окно́ the rain is béating down (on) the window-pànes; дождь хле́щет нам в лицо́ the rain is béating in our fáces; 3. (без доп.) разг. (ли́ться) gush: кровь хле́щет из ра́ны blood is gúshing from the wound [blʌd...wuːnd]; дождь так и хле́щет the rain is láshing down; 4. (вн.) разг. (пить) swill (d.), knock back (d.).

хлёстк‖**ий** bíting, trénchant, scáthing ['skeɪ-]; ~ое замеча́ние bíting remárk; ~ие слова́ scáthing terms.

хлестну́ть сов. (вн.) lash (d.), give* a lash (i.); (пру́том) switch (d.).

хли́пк‖**ий** разг. 1. (сла́бый) weak, frágile; ~ое здоро́вье weak health [...helθ]; 2. (непро́чный) sháky; ~ая ме́бель ríckety / sháky fúrniture.

хлоп межд. bang!

хло́пать, хло́пнуть 1. flap; ~ в ладо́ши clap one's hands; ~ кры́льями flap the wings; ~ кого́-л. по спине́ slap / clap smb. on the back; ~ по плечу́ tap on the shóulder [...'ʃou-]; 2.: ~ две́рью bang / slam the door [...dɔː]; ~ бичо́м, кнуто́м crack / smack a whip; ◊ ~ глаза́ми have a blank look, look blank; ~ уша́ми listen without understánding ['lɪsn...]; ≃ fall* on deaf ears [...def...]. ~ся, хло́пнуться разг. flop down.

хло́пец м. разг. boy.

хлопково́д м. cótton-grower [-grouə]. ~ство с. cótton-growing [-grou-].

хлопково́дческий прил. к хлопково́дство; ~ совхо́з cótton-growing State farm [-grou-...].

хло́пков‖**ый** cótton (attr.); ~ая промы́шленность cótton índustry; ~ое ма́сло cótton-seed oil; ~ое се́мя cótton-seed; ~ые планта́ции cótton plantátions.

хлопкоочисти́тельн‖**ый** cótton-cleaning; ~ заво́д cótton-cleaning plant [...-ɑːnt]; ~ая маши́на cótton-gin.

хлопкопря́д‖**ение** с. cótton-spinning. ~ильный cótton-spinning; ~и́льная фа́брика cótton-spinning fáctory.

хлопкоро́б м. cótton-grower [-grouə].

хлопкосе́ющий cótton-growing [-grou-]; ~ райо́н cótton-growing région / dístrict.

хлопкоубо́р‖**ка** ж. cótton-hárvesting, cótton-pícking. ~очный: ~очный комба́йн mechánical cótton hárvester [-'kæ-...], cótton-pícker.

хлопну́ть(ся) сов. см. хло́пать(ся).

хлопо́к м. cótton; ~-сыре́ц raw cótton, cótton-wool [-wul].

хлопо́к м. 1. clap; 2. (гро́мкий звук) bang.

хлопо́т‖**а́ть**, похлопота́ть 1. тк. несов. (быть в хло́потах) bustle abóut; (бес- покои́ться) (take*) trouble [...trʌbl]; не хлопочи́те don't trouble; 2. (о пр.) solícit (d.), petítion (for); 3. (за вн.) intercéde (for), plead (for); ~ за кого́-л. take* up smb.'s case [...-s]. ~ли́вость ж. 1. (де́ла и т. п.) tróublesòmeness ['trʌbl-]; 2. (сво́йство хара́ктера) fússiness. ~ли́вый 1. (о де́ле) tróublesome ['trʌbl-]; bóthersome; 2. (о челове́ке) bústling, fússy.

хлопотно́й = хлопотли́вый 1.

хлопоту́н м. разг. bústler. ~у́нья ж. к хлопоту́н; шутл. тж. a hen with one chícken идиом.

хло́поты мн. 1. (беспоко́йство) trouble [trʌbl] sg.; (о ком-л.) éfforts (on behalf of, for) [...-'hɑːf...]; (забо́ты) cares; несмотря́ на все его́ ~ in spite of all the trouble he has táken; наде́лать кому́-л. хлопо́т give* smb. (a lot of) trouble; не сто́ит хлопо́т it is not worth the trouble; 2. (суета́) bustle sg., fuss sg.; ◊ у него́ хлопо́т по́лон рот ≃ his hands are full.

хлопу́шка ж. 1. (для мух) flápper; flý-swátter; 2. (де́тская игру́шка) pópgùn; 3. (пра́здничная, с сюрпри́зом) Christmas crácker [-sməs...].

хлопча́тник м. бот. cótton(-plant) [-ɑːnt].

хлопчатобума́жн‖**ый** cótton (attr.); ~ая ткань cótton fábric; ~ая промы́шленность cótton índustry.

хлопча́т‖**ый** уст. cótton (attr.); ~ая бума́га cótton(-thread) [-ed].

хлопьеви́дный fláky.

хло́пья мн. 1. (сне́га и т. п.) flakes; (ше́рсти) flocks; ~ми in flakes; in flocks; 2.: кукуру́зные ~ corn flakes.

хлор м. хим. chlórine [-ɔːriːn].

хлора́л м. фарм. chlóral. ~ -гидра́т м. мед. chlóral hýdrate [...haɪ-].

хлорвини́л м. хим. vínyl chlóride [...'klɔː-], chlórvinyl. ~овый vínyl chlóride [...'klɔː-].

хлори́ров‖**ание** с. chlorinátion [klɔː-]. ~ать несов. и сов. (вн.) chlórináte ['klɔː-] (d.).

хлористоводоро́дн‖**ый** хим. muriátic, hýdrochlóric [-'klɔː-]; ~ая кислота́ hýdrochlóric ácid.

хло́рист‖**ый** хим. chlórous; ~ на́трий sódium chlóride [...'klɔː-]; ~ ка́льций cálcium chlóride; ~ ма́рганец mángenése chlóride; ~ая кислота́ chlórous ácid.

хлори́т м. мин. peach.

хло́рн‖**ый** хим. chlóric ['klɔː-]; ~ая кислота́ chlóric ácid; ~ая и́звесть chlóride of lime ['klɔː-...], bléaching pówder.

хлоро́з м. 1. мед. chlorósis, green síckness; 2. бот. chlorósis.

хлорофи́лл м. бот. chlórophyll.

хлорофо́рм м. хим. chlóroform; опера́ция под ~ом óperátion únder chlorofòrm. ~и́ровать несов. и сов. (вн.) уст. chlórofòrm (d.), treat with chlórofòrm (d.).

хлорпикри́н м. хим. chlóropicrin.

хлы́ну‖**ть** сов. gush out, spout; pour [pɔː] (тж. перен.); кровь ~ла из ра́ны blood gushed from the wound [blʌd... wuːnd]; слёзы ~ли у неё из глаз tears gushed from her eyes [...aɪz]; ~л дождь the rain came down in tórrents; толпа́

~ла на площадь a crowd poured into the square [...рɔːd...].

хлыст I *м.* (*прут*) whip, switch.

хлыст II *м.* (*сектант*) Khlyst (*member of a religious sect*).

хлыстовство *с.* Khlysts *pl.* (*a religious sect*).

хлыщ *м. разг. презр.* fop, coxcomb [-koum].

хлопать *разг.* 1. squelch, flounder; ~ по грязи squelch through *the* mud; 2. (*при насморке*) sniffle, snuffle; *пренебр.* (*плача*) snivel ['snɪ-]; ~ носом sniff.

хлопик *м. разг.* ninny, milksop.

хлюст *м. разг.* smart Alec.

хляб‖**ь** *ж.* abyss; ◇ ~и морские troughs of the sea [trɒfs...]; ~и небесные разверзлись the heavens opened [...he-...].

хлястик *м.* (*у одежды*) strap, half-belt ['hɑːf-].

хм *межд.* hem!, h'm!, hum!

хмелевод *м.* hop-grower [-grouə] ~ство *с.* hop-growing [-grou-].

хмелёк *м. разг.*: быть под хмельком be tipsy, be lit up; он немного под хмельком he's a bit tight, he is a bit lit up, he's rather merry [...'ra:-...].

хмелеть *разг.* become* tipsy, get* tight.

хмель *м. тк. ед.* 1. (*растение*) hop; 2. (*семена*) hops *pl.*; 3. (*опьянение*) drunkenness, intoxication; во хмелю in a state of intoxication / drunkenness.

хмельн‖**ое** *с. скл. как прил. разг.* intoxicating liquor [...-kə], (strong) drink; он ~ого в рот не берёт he never touches a drop [...'tʌ-...]. **~ой** *разг.* 1. (*о напитках*) intoxicating, heady ['he-]; 2. (*опьяневший*) intoxicated, light-headed [-'hed-]; tipsy.

хмурить, нахмурить: ~ лоб frown; ~ брови knit* one's brows. **~ся**, нахмуриться 1. (*о человеке*) frown; 2. (*о погоде, небе*) gloom, lower ['louə], lour, be overcast.

хмур‖**ый** 1. gloomy, sullen; 2. (*о погоде, небе*) overcast, cloudy; lowering ['lou-], louring ['lauə-]; ~ день dull day; ~ое небо lowering sky.

хмык‖**ать**, хмыкнуть *разг.* hem. **~нуть** *сов. см.* хмыкать.

хна *ж.* (*краска*) henna.

хныканье *с. разг.* whimpering, snivelling; (*перен.*) complaining.

хныкать *разг.* whimper, snivel ['snɪ-]; (*перен.*) complain.

хобби *с. нескл.* hobby.

хобот *м.* 1. *зоол.* trunk, proboscis; 2.: ~ лафета *воен.* trail of *a* gun-carriage [...-rɪdʒ]; *тех.* tool-holder.

хоботок *м.* (*у насекомого*) proboscis.

ход *м.* 1. *тк. ед.* (*движение*) motion, run; (*скорость*) speed; (*перен.: развитие, течение*) course [kɔːs]; ~ поршня piston stroke; ~ клапана valve stroke; тихий ~ slow speed [-ou...]; задний ~ backing, reverse; backward motion; дать задний ~ put* it into reverse; полный ~ full speed; малый ~ slow speed; средний ~ half-speed ['hɑːf-]; свободный ~ free wheeling; (*об автомобиле*) coasting; холостой ~ idling; замедлять ~ slow down, reduce speed; пустить в ~ (*вн.*) start (*d.*), set* going (*d.*); give* a start (*i.*), set* in train (*d.*); (*о деле, предприятии тж.*) get* under way (*d.*), get* started (*d.*); пустить в машину ~ give* (*d.*) *an* engine [...'endʒ-]; пустить в ~ фабрику start (up) *a* factory, put* *a* factory into operation; на ~у (*в движении*) in motion; (*о предприятии*) in working / running order; есть на ~у snatch a meal / bite; заснуть на ~у fall* asleep on one's feet, *или* standing up; по ~у часовой стрелки clockwise; ~ событий course / march of events; trend of developments; при таком ~е событий with the present course of events [...'prez-...]; в ~е переговоров in the course of negotiations; ~ мыслей train of thought; ~ болезни progress of the illness / disease [...-'ziːz]; ~ боя course of action; ~ социалистического соревнования, строительства *и т. п.* progress of socialist emulation, construction, *etc.*; 2. (*мн. ~ы; вход*) entrance, entry; (*проход*) passage; ~ со двора entry by the yard; потайной ~ secret passage; ~ сообщения *воен.* communication trench; 3. (*мн. ходы; в игре*) *шахм.* move [muːv]; *карт.* lead, turn; ваш ~ (*в шахматах*) it is your move; (*в картах*) it is your lead; чей ~? (*в шахматах*) whose move is it?; (*в картах*) who is it to lead?; ~ конём *шахм.* move of the knight; ◇ знать все ~ы и выходы *разг.* know* all the ins and outs [nou...], be perfectly at home; ловкий ~ clever / shrewd move ['kle-...]; быть в ~у be in vogue [...voug], be current, be popular, be in great request [...greɪt...]; этот товар в большом ~у this article is in great demand [...-ɑːnd], these goods are in great request [...gudz...]; пускать в ~ все средства ≃ leave* no stone unturned; move heaven and earth [...'he-... əːθ] *идиом.*; пустить в ~ аргумент put* forward *an* argument; дать ~ делу set* an affair going; дела идут полным ~ом affairs / things are in full swing; ему не дают ~а they won't give him a chance [...wount...]; не давать ~а (*чему-л.*) nonsuit [-'sjuːt] (smth.); с ~у *разг.* with a rush, straight off.

ходатай *м.* 1. *юр. уст.* (*тж.* ~ по делам) solicitor; 2. (*заступник*) intercessor. **~ство** *с.* 1. (*просьба*) application, solicitation, petition; 2. (*заступничество*).

ходатайствовать, походатайствовать (*о пр., за вн.*) solicit (for), petition (for), send* in an application (for), apply (for); ~ перед судьями solicit the judges; ~ за кого-л. intercede for smb.

ходить, *опред.* идти, *сов.* пойти 1. (*в разн. знач.*) go*; (*пешком тж.*) walk; он ходит на работу по этой улице he goes to (his) work along this street; он шёл по этой улице he was going along this street; ~ взад и вперёд walk to and fro, *или* up and down; ~ под руку walk arm-in-arm; ~ по траве walk on the grass; ~ большими шагами (по *дт.*) pace (*d.*); ~ тяжело ступая (по *дт.*) tramp (on); ~ на лыжах ski [skiː, ʃiː]; ~ в разведку *воен.* go* on reconnaissance [...-nɪs-]; ~ на охоту go* shooting; тучи ходят по небу storm-clouds are drifting over the sky; 2. *тк. неопред.* (в *пр.; носить*) wear* [weə] (*d.*): ~ в шубе wear* *a* winter coat; ~ в очках wear* glasses: 3. (в, на *вн.; посещать*) go* (to), attend (*d.*); (*к кому-л.*) visit [-z-] (*d.*), go* to see (*d.*): ~ в театр go* to the theatre [...'θɪə-]; ~ в школу go* to school; (*учиться в школе*) attend school; ~ на лекции attend lectures; он ходит к ним каждый день he visits them every day, he goes to see them every day; — ~ по магазинам go* shopping; 4. (*о поездах, пароходах и т. п.*) run*: поезда ходят во всех направлениях trains run in all directions; — ~ под парусами sail; поезда сегодня не ходят there are no trains (running) today, there is no train service today; (*ср.* идти); 5. (*о часах*) go*: часы не ходят the watch does not go; 6. (*в игре*) lead*, play; *шахм.* move [muːv]; ~ с дамы (*в картах*) play *a* queen; ~ с козыря lead* *a* trump; вам ~ (it is) your lead; ~ королём (*в картах*) play *a* king; (*в шахматах*) move the king; 7. *тк. неопред.* (*за тв.; ухаживать*) tend (*d.*), take* care (of); (*за больным и т. п. тж.*) nurse (*d.*); ~ за лошадью groom *a* horse; 8. *тк. неопред.* (*о деньгах*) go*, pass; эти деньги ходят всюду this currency passes anywhere, *или* is good everywhere; ◇ ходит слух it is rumoured; слухи ходят rumours are afloat, there are rumours; ~ гоголем *разг.* strut (about); ~ вокруг да около *разг.* ≃ beat* about the bush [...buʃ]; ~ по миру beg, be a beggar; live by begging [lɪv...].

ходк‖**ий** 1. (*о судне*) light, fast; 2. (*о товаре*) saleable, marketable; ~ая книга best-seller; 3.: ~ое выражение current / common expression.

ходов‖**ой** 1. *прил. к* ход 1; ~ винт guide / lead screw; ~ конец (*снасти*) running end; ~ая часть (*транспортных машин*) running gear [...gɪə]; ~ые качества (*автомобиля*) road performance *sg.*; riding / running characteristics [...kæ-]; 2. (*обычный*) of the current / usual type [...'juːʒ-...]; ~ые товары popular goods [...gudz].

ходок *м.* 1. walker; быть хорошим ~ом be a good* walker, walk fast; 2. *уст.* (*ходатай от крестьян*) (foot-)messenger ['fut- -ndʒə].

ходул‖**и** *мн.* stilts; ходить на ~ях walk on stilts.

ходульный (*о стиле, выражении*) stilted.

ходун *м.*: ~ом ходить *разг.* (*шататься*) shake*, tremble, rock.

ходьб‖**а** *ж.* walking, pacing; полчаса ~ы half an hour's walk [hɑːf... auəz...].

ходяч‖**ий** 1. walking; ~ больной walking patient; ambulant case [...-s]; 2. (*распространённый*) current; ~ая истина truism; ~ее мнение current / common opinion; ~ая фраза current phrase, catch-phrase; ◇ ~ая энциклопедия *разг.* walking encyclopaedia [...-saɪ-]; ~ая добродетель *ирон.* virtue personified.

ХОЖ — ХОЛ

хожде́ни‖**е** *с.* 1. (*ходьба*) wálking, pácing; 2. (*о деньгах*) circulátion; име́ть ~ pass; be in use [...-s]; ◊ по о́бразу пе́шего ~я on Shanks's mare / pόny *идиом.*

хоза́ры *ист.* Khazár(s), Chazár(s) [k-].

хозрасчёт *м.* (*хозя́йственный расчёт*) sélf-suppórting rúnning, sélf-finánсing [-faɪ-]; быть на ~е be run* on a sélf-suppόrting básis [...'beɪ-]; перевести́ на ~ (*вн.*) put* on a sélf-suppόrting básis (*d.*).

хозя́и‖**ин** *м.* 1. máster; boss *разг.*; (*владелец*) όwner ['ou-], propríetor; (*по отноше́нию к гостю́*) host [houst]; (*по отноше́нию к жильцу́*) lándlòrd; ~ до́ма máster of the house* [...-s]; ~ гости́ницы ínnkèeper, lándlòrd, host; он хорόший ~ he is thrífty and indústrious, he is a good* mánager; ~ева по́ля *спорт.* the home team; 2. *разг.* (*муж*) man*, húsband [-z-]; 3. *биол.* host; ◊ ~ положе́ния máster of the situátion; како́в ~, тако́в и слуга́ like máster like man; я сам себе́ ~ I am my own máster [...oun...]; ~ева свое́й страны́ másters of their own cόuntry [...'kʌn-]; ~ева свое́й судьбы́ másters of their own lives.

хозя́йка *ж.* 1. místress; (*владелица*) όwner ['ou-], propríetress; (*по отноше́нию к гостю́*) hόstess ['hou-]; (*по отноше́нию к жильцу́*) lándlàdy; ~ до́ма místress of the house* [...-s]; дома́шняя ~ hóuse:wife* [-s-]; хоро́шая ~ good* hóuse:wife*; 2. *разг.* (*жена*) wife*, míssis, míssus.

хозя́йничать 1. (*вести́ хозя́йство*) keep* house [...-s], mánage a hóuse:hòld [...-s-]; 2. (*распоряжа́ться*) boss it, play the máster, lord it.

хозя́йск‖**ий** *прил. к* хозя́ин 1; ~им гла́зом with a thrífty máster's eye [...aɪ]; прояви́ть ~ую забо́ту (*о пр.*) take* a propríetary ínterest (in); ◊ э́то де́ло ~ое *разг.* it is for you to decíde.

хозя́йственник *м.* búsiness / indústrial / econόmic exécutive / mánager ['bɪzn-...i:k-...].

хозя́йственн‖**ость** *ж.* thrift, ecόnomy [i:-]. ~ый 1. econόmic [i:-]; ~ый όрган econόmic organizátion [...-naɪ-]; ~ый год econόmic year; ~ый расчёт = хозрасчёт; ~ые ка́дры exécutive pèrsonnél *sg.*; 2. (*служа́щий для веде́ния хозя́йства*) hóuse:hòld [-s-] (*attr.*); ~ый инвента́рь hóuse:hòld equípment; ~ый магази́н hóuse:hòld shop, íronmònger's ['aɪənmʌl-]; ~ая су́мка на колёсиках shόpper on wheels; 3. (*о челове́ке*) thrífty, econόmical [i:-], práctical.

хозя́йств‖**о** *с.* 1. *тк. ед.* ecόnomy [i:-]; пла́новое ~ plánned ecόnomy; мирово́е ~ world ecόnomy; наро́дное ~ nátional ecόnomy; се́льское ~ àgricúlture, fárming; лесно́е ~ fόrestry; ры́бное ~ fish índustry; зерново́е ~ grain grόwing [...'grou-]; тра́нспортное ~ trànspòrtátion mánage:ment; городско́е ~ munícipal / cíty ecόnomy / sérvices [...'sɪ-...]; дома́шнее ~ hóuse:kèeping [-s-]; занима́ться (до-ма́шним) ~ом keep* house [...-s], look áfter the house, be όccupied with one's hóuse:hòld [...-s-]; обзавести́сь (дома́шним) ~ом acquíre hóuse:hòld effécts, быть за́нятым по ~у be búsy about the house [...'bɪzɪ...]; 2. *с.-х.* farm; кру́пное ~ lárge-scàle farm; коллекти́вное ~ colléctive farm; единоли́чное ~ indivídual farm; ли́чное ~ колхо́зника colléctive fármer's prívate prodúction [...'praɪ-...].

хозя́йствовани‖**е** *с.* mánage:ment; ме́тоды ~я methods of mánage:ment.

хозя́йствовать 1. mánage; 2. *разг.* (*вести́ дома́шнее хозя́йство*) keep* house [...-s].

хозя́йчик *м.* pétty propríetor, small όwner [...'ounə].

хозя́юшка *ж. разг.* (kind) hόstess [...'hou-].

хокке́ист *м.* hόckey pláyer; (*на льду*) íce-hòckey pláyer.

хокке́й *м. спорт.* hόckey; ~ с ша́йбой ice hόckey; ~ с мячо́м, ру́сский ~ Rússian hόckey [-ʃən...]; ~ на траве́, травяно́й ~ field hόckey [fi:ld...]. ~ный *спорт.* hόckey (*attr.*); íce-hòckey (*attr.*); ~ный мяч hόckey-bàll; ~ная кома́нда íce-hòckey team; ~ная клю́шка hόckey stick.

хо́леный (*о рука́х, о челове́ке*) well cáred-fór; wéll-gróomed, sleek; (*о живо́тном*) sleek.

холе́ра *ж. мед.* (Àsiátic, èpidémic, malígnant) chόlera [eɪʃɪ'æ-...kɔ-].

холе́рик *м.* chόleric súbject ['kɔ-].

холери́на *ж. мед.* chόlerine ['kɔ-].

холе́рн‖**ый** *прил. к* холе́ра; *тж.* choleráic [kɔləˈreɪɪk]; ~ая эпиде́мия èpidémic of chόlera ['kɔ-].

холестери́н *м.* chόlésterol [kɔ-]. ~**овый** chòlésteric [kɔ-].

холецисти́т *м. мед.* chòlecystítis [kɔ-].

холи́ть (*вн.*) tend (*d.*), care for (*d.*).

хо́лк‖**а** *ж.* wíthers *pl.*; ◊ набить ~у кому́-л. give* smb. a dréssing-down; haul smb. όver the coals *идиом.*

холл *м.* hall.

холм *м.* hill; (*небольшо́й*) knoll, híllock; моги́льный ~ (grave) mound; ту́мулус (*pl.* -li). ~**ик** *м.* híllock, knoll. ~**истый** hílly.

хо́лод *м.* 1. cold; (*перен. холодность*) cόldness; пять гра́дусов ~a five degrées belów zéro [...-'lou...]; 2. *мн.* cold wéather [...'we-] *sg.*

холода́ть 1. *безл.* grow* cold [grou...]; начина́ет ~ it is beginning to grow cold, the cold wéather is sétting in [...'we-...]; 2. *разг.* (*страда́ть от хо́лода*) endúre cold.

холоде́ть, похолоде́ть grow* cold [-ou...]; ~ от у́жаса grow* cold with térror.

холоде́ц *м. кул.* (*из мяса*) jéllied mínced meat; (*из рыбы*) jéllied fish.

холоди́ль‖**ник** *м.* 1. refrígerator; (*шкаф тж.*) fridge *разг.*; (*для вина*) wíne-cooler; (*склад*) cold store; ваго́н-~ refrígerator van; су́дно-~ refrígerator ship; 2. *тех.* (*конденса́тор парово́й маши́ны*) condénser. ~**ый** refrígeratory [-reɪ-]; ~ая устано́вка refrígerating, *или* cold stόrage, plant [...-ɑ:nt]; ~ое де́ло refrigerátion; ~ое обору́дование refrígerating equípment; ~ая те́хника refrigerátion engineéring [...endʒ-].

холоди́ть 1. (*вн.*) cool (*d.*); 2. *безл.* cause a cold sensátion.

хо́лодно I 1. *прил. кратк. см.* хо́лодный; 2. *предик. безл.* it is cold; сего́дня ~ it is cold to:dáy; ему́ ~ he is cold, he feels cold.

хо́лодно II *нареч.* cόld:ly; ~ встре́тить кого́-л. recéive smb. cόld:ly [-'si:v...], give* smb. a cool / cold recéption / give* smb. the cold shόulder [...'ʃou-] *идиом.*; ~ отнести́сь к кому́-л. treat smb. cόld:ly.

холоднова́тый chílly, ráther cold ['rɑː-...].

холо́дное *с. скл. как прил. кул.* (*из мя́са*) meat in áspic / jélly; (*из рыбы*) fish in jélly.

холоднока́таный *тех.* cόld-rolled; ~ лист cόld-rolled sheet.

холоднокро́вные *мн. скл. как прил. зоол.* cόld-blόoded créatures / ánimals [-'blʌ-...].

хо́лодность *ж.* cόld:ness.

холодноття́нутый *тех.* cόld-drawn.

холо́дн‖**ый** 1. (*прям. и перен.*) cold, cool; ~ое блю́до cold dish; ~ая вода́ cold wáter [...'wɔː-]; обли́ть ~ой водо́й (*вн.; прям. и перен.*) throw* cold wáter [-ou...] (on); поста́вить в ~ое ме́сто (*вн.*) put* in a cool / cold place (*d.*); ~ по́яс *геогр.* frígid zone; ~ая пого́да cold wéather [...'we-]; ~ая клёпка *тех.* cold ríveting; ~ая прока́тка *тех.* cold rόlling; ~ приём / cold recéption; оказа́ть кому́-л. ~ приём recéive smb. cόld:ly [-i:v...]; give* smb. a cold recéption; give* smb. the cold shόulder [...'ʃou-] *идиом.*; ~ взгляд cold glance; 2. *разг.* (*об оде́жде и т.п.*) light, thin; ◊ ~ое ору́жие cold steel; ~ая война́ cold war.

холод‖**о́к** *м.* (*прям. и перен.*) chill; у́тренний ~ chílly mόrning air; относи́ться с ~ко́м к чему́-л. lack enthúsiasm for smth. [...-zɪ-...].

холодосто́йк‖**ий** cόld-resístant [-'zɪ-]; ~ие сорта́ зерновы́х культу́р cόld-resístant váriеties of céreals [-rɪəlz].

холо́п *м. ист.* víllein [-lɪn], serf, slave; (*перен.*) láckey. ~**ка** *ж. ист.* bόndmaid, bόnd:wòman* [-wu-]. ~**ский** *прил. к* холо́п; (*перен.*) sérvile; ~**ство** *с.* víllеinage [-lɪn-], bond slávery [...'sleɪ-]; (*перен.*) servílity. ~**ствовать** (*пе́ред*) cringe (to), be sérvile (to).

холосте́цкий = холостя́цкий.

холости́ть, охолости́ть (*вн.*) *с.-х.* cástrate (*d.*), emásculate (*d.*); (*жеребца́*) geld [g-] (*d.*).

холост‖**о́й** 1. únmarried, síngle; ~ челове́к únmarried / síngle man*; ~áя жизнь únmarried / síngle life; 2. *тех.* idle, frée-rùnning; ~ ход idling, *тж. воен.* blank; blánk-fíre (*attr.*); ~ патро́н blank cártridge; ~ вы́стрел blank shot; ~ заря́д blank cártrige.

холостя́‖**к** *м.* báchelor; ста́рый ~ old báchelor. ~**цкий** *прил. к* холостя́к; ~**чка** *ж. разг.* síngle wóman* [...'wu-].

холоще́ние *с. с.-х.* castrátion, emasculátion; (*жеребцо́в*) gélding ['ge-].

холощёный *с.-х.* cástrated; emásculated; (*о жеребце́*) gélded ['ge-].

холст м. 1. cánvas, línen ['lɪ-], flax, cloth; (*грубый тж.*) sáckcloth, sácking; небелёный ~ únbléached línen; 2. *жив.* cánvas.

холстина ж. *тк. ед.* (piece of) únbléached línen [pi:... 'lɪ-].

холуй м. *презр.* láckey, gróveller.

холщовый *прил. к* холст 1.

хол|я ж. lóving care ['lʌ-...]; жить в ~е live in clóver [lɪv...]; be well cared for; держать в ~е (*вн.*) tend cáre:fully (*d.*).

хомут м. 1. (hórse's) cóllar; (*перен.*) yoke; надеть ~ (на *вн.*) put* a cóllar (on); (*перен.*) put* a yoke (on), yoke (*d.*); 2. *тех.* yoke, clamp.

хомяк м. *зоол.* hámster.

хор м. chórus ['k-]; (*церковный*) choir ['kwaɪə-].

хорал м. *муз.* chórál(e) [kɔˈrɑːl(ɪ)].

хорват м., ~ка ж. Cróat. ~ский Cróatian.

хорда ж. *мат.* chord [k-]; ~ дуги span.

хорейческ|ий *лит.* trocháic [-ˈkeɪɪk]; ~ие стихи trocháic vérses.

хорей м. *лит.* tróchee ['trouki:].

хорёк м. pólecàt.

хореограф м. chòreógrapher [kɔ-].

хорео||графический chòreográphic [kɔ-]. ~графия ж. chòreógraphy [kɔ-].

хорея ж. *мед.* chorèa ['kɔrɪə].

хорист м. chórister ['k-], mémber of *a* chórus [...ˈkɔ-]. ~ка ж. chórister ['k-], chórus-girl ['k- -gəːl].

хориямб м. *лит.* chóriàmb ['kɔ-], chòriámbus [kɔ-].

хормейстер м. *театр.* léader of *a* chórus [...ˈkɔː-]; chóirmàster ['kwaɪə-].

хоровод м. round dance; водить ~ sing* and dance in a ring. ~иться (с *тв.*) *разг.* fuss (abóut), waste (one's) time [weɪ-...] (óver); нéчего с этим ~иться no use fússing abóut it [...juːs...].

хороводн|ый: ~ые песни síng:ing and dáncing in a ring *sg.*; ~ые пляски round dánces.

хоров||ой *прил. к* хор; *тж.* chóral ['k-]; ~ кружок síng:ing circle, chórus ['k-]; ~ое пение chóral síng:ing; ~ые партии chóral parts; ~ая декламация rècitátion in chórus.

хором *нареч.* (*о пении*) in chórus [...ˈk-]; (*все сразу, дружно*) all togéther [...ˈge-]; всем ~, все ~ all togéther.

хоромы *мн. уст.* mánsion *sg.*

хоронить, схоронить, похоронить (*вн.*) 1. búry ['berɪ] (*d.*) (*тж. перен.*); intér (*d.*); 2. *при сов.* схоронить *уст. разг.* (*прятать*) hide* (*d.*), concéal (*d.*), lay a:wáy (*d.*); ◊ ~ концы *разг.* remóve / cóver the tráces [-ˈmuːv ˈkʌ-...]. ~ся схорониться 1. *уст. разг.* (*прятаться*) hide* / concéal one:sélf; 2. *страд. к* хоронить.

хорохориться *разг.* swágger ['swæ-]; boast.

хорош I *прил. кратк. см.* хороший.

хорош II *предик.* (*впору*) ботинки ему ~ й the shoes fit him [...ˈʃuːz...].

хорошеньк|ий prétty ['prɪ-], nice; ◊ ~ая истóрия! *разг.* a nice hów-d'ye--dó!, a prétty kettle of fish!, a fine state of affáirs!

хорошенько *нареч. разг.* thóroughly ['θʌrəlɪ], próperly; well and trúly; ◊ ~ его! *разг.* give it to him!, let him have it!

хорошеть, похорошеть grow* préttier [-ou ˈprɪ-].

хорош|ий 1. good*; ~ая погода good* / fine wéather [...ˈwe-]; ~его качества high-quálity (*attr.*), góod-quálity (*attr.*); это дело ~ее that's a good thing; 2. *тк. кратк. ф.* (*красивый*) béautiful ['bjuː-]; (*о мужчине чаще*) hándsome [-ns-]; она ~á (*собой*) she is góod-lóoking / béautiful; 3. *с. как сущ.*: что ~его? what news? [...-z]; всего ~его! góod-býe!, all the best!; ничего ~его из этого не получится no good will come of it; ◊ мы с ним очень хороши we are on very good terms with him; ты тоже хорош! *ирон.* you are a nice one, to be sure! [...ʃuə]; ~á истóрия!, ~ее дело! *ирон.* a nice hów-d'ye-dó!, a prétty kettle of fish [...ˈprɪ-...]; пока всё ~ó so far so good; ~ó то, что ~ó кончáется all's well that ends well.

хорошо I 1. *прил. кратк. см.* хорóший; 2. *предик. безл.* it is nice, it is pléasant [...ˈplez-]; здесь ~ гулять it is nice to walk here, it is a nice place for wálking; ~, ~ ! all right, all right!; óчень ~ ! very well!; вот ~ ! that's fine / good!; было бы ~ it would be a good thing; ему ~ he feels fine, he is cómfortable here [...ˈkʌm-...]; с вáшей стороны ~, что вы пришли it is nice of you to come; ~ вам говорить it is all very well for you to say.

хорошо II 1. *нареч.* well*; ~ пáхнуть smell* nice / good*; вы сдéлаете, éсли придёте you would do well to come; ~ отзывáться о ком-л., о чём-л. speak* well / híghly of smb., of smth.; ~ учиться do well in one's stúdies [...ˈstʌ-]; всё пойдёт ~ évery:thing will turn out well; évery:thing will go well; ~ скáзано well said [...sed]; 2. *как сущ. с. нескл.* (*отметка*) good; 3. *в знач. утвердит. частицы* (*согласен*) very well!, all right!, agréed!, OK! ['ouˈkeɪ], òkáy!

хоругвь ж. *церк.* gónfalon.

хорунжий м. *ист.* córnet (*junior commissioned rank in the Cossack cavalry*).

хоры *мн. арх.* gállery *sg.*

хорь м. = хорёк. **~ковый** *прил. к* хорёк.

хотение с. *разг.* desíre [-ˈzaɪə].

хотеть, захотеть (*вн., рд.*, + *инф.*) want (*d.*, + to *inf.*); like (*d.*, + to *inf.*); ~ чáю want tea; он очень хóчет её видеть he wants to see her very much; он хóчет, чтобы онá пришлá he wants her to come; ~ спать want to sleep, feel* sléepy; как хотите! just as you like!; он дéлает, что хóчет he does what he likes; что вы этим хотите сказáть? what do you mean by that?; хотéл бы я знать, кто это был I wónder who it was [...ˈwʌ-...]; он тóлько что собирáлся идти к вам he was just abóut to go and see you; хотéл бы я посмотрéть I should like to see; он не хóчет мне зла he means no harm to me; он не хотéл обидеть её he didn't mean to hurt her; ◊ хóчешь не хóчешь *разг.* wílly-nílly, like it or not.

хотеться, захотеться *безл. переводится личными формами* want, like; ему хóчется поговорить с вáми he wants to speak to you; ему совсéм не хóчется говорить об этом he has not the slíghtest wish to speak abóut it; ему хотéлось бы he would like; ему хóчется пить, есть he is thírsty, húngry; не так, как хотéлось бы not as one would like it to be.

хоть *союз* 1. (*даже; если хотите*): ~ сейчáс at once if you like [...ˈwʌns...]; 2. (*по крайней мере*): если не для негó, то ~ для его товáрища if not for him, at least for his friend [...fre-]; для этой работы ему нужно ~ два дня he ought to have at least two days for that work, he needs two days to do the job; 3. = хотя 1; ~ и пóздно, он всё же придёт late as it is he is sure to come [...ʃuə...]; 4.: ~ бы I wish; ~ бы он поскорéй пришёл! if ónly he would come!; ◊ ~ убéй, не знáю *разг.* I could:n't tell you to save my life; не могу сдéлать это, ~ убéй! *разг.* I can't do it for the life of me! [...kɑːnt...]; ~ куда! could:n't be bétter!; good all round!; он пáрень ~ куда he is a cápital féllow; мóкрый, ~ выжми wríng:ing wet; ему ~ бы что he does not care, he is none the worse for it [...nʌn...]; it's like wáter off a duck's back with him [...ˈwɔː-...] *идиом.*

хотя *союз* 1. though [ðou], althóugh [ɔːlˈðou]; он придёт, ~ ему нéкогда búsy as he is, he's sure to come ['bɪzɪ...ʃuə...]; 2.: ~ бы éven if: он кóнчит работу, ~ бы ему пришлóсь просидéть ночь he will finish the work, éven if he has to sit up all night; — ~ бы на день if ónly for a day; ◊ ~ бы и так éven if it were so.

хохлáтка ж. créstеd bird / hen.

хохлáтый créstеd, túfted.

хохмá ж. *разг.* joke.

хохóл м. (*у птиц*) crest; (*у людей*) tóp:knot, tuft of hair.

хохолóк м. *уменьш. от* хохóл.

хóхот м. (loud) láughter [...ˈlɑːf-]; гомерический ~ Hòméric láughter [hou-...]; взрыв ~a burst of láughter.

хохотáть laugh (loud / bóisterous:ly) [lɑːf...]; shout with láughter [...ˈlɑːf-]; ◊ ~ до упáду split* one's sides with láughter; ~ во всё гóрло roar with láughter.

хохотýн м. *разг.* mérry féllow.

хохотýнья ж. *разг.* jólly wóman* [...ˈwu-], jólly girl [...ˈgəːl].

хохотýшка ж. = хохотýнья.

храбрéц м. man* of cóurage [...ˈkʌ-]; brave spírit.

храбриться (*притворяться храбрым*) preténd to be brave, try not to appéar afráid; (*подбадривать себя*) súmmon up cóurage [...ˈkʌ-].

храбрость|| ж. brávery ['breɪ-]; (*отвага*) cóurage ['kʌ-], válour ['væ-]; набрáться ~и múster (up), *или* pluck up, one's cóurage.

ХРА—ХУД

хра́брый brave; (*отважный*) courágeous [kə-], váliant ['væ-], gállant; ◇ ~ во хмелю́ *шутл.* pót-vàliant [-væ-].

храм *м.* temple; ◇ ~ нау́ки temple of scíence.

храмо́вник *м. ист.* Knight Témplar (*pl.* Knights Témplars).

хране́н||**ие** *с.* kéeping, cústody; (*о товарах*) stóring, stórage ['stɔ:-]; отда́ть, сдать на ~ (*вн.*) depósit [-zɪt] (*d.*); ка́мера ~ия (багажа́) left lúggage óffice, clóak-room / chéck-room *амер.*; сдать бага́ж на ~ leave* one's lúggage in the clóak-room / chéck-room.

храни́||**лище** *с.* depósitory [-zɪ-], dépòt ['depou], stóre:house* [-s], repósitory [-zɪ-].

храни́тель *м.*, ~**ница** *ж.* kéeper, cùstódian; (*музея, библиотеки*) curátor.

храни́ть (*вн.*) 1. (*в разн. знач.*) keep* (*d.*); ~ де́ньги в сберега́тельной ка́ссе keep* one's móney in *a* sávings-bànk [...'mʌ-...]; ~ в па́мяти keep* / retáin in one's mémory (*d.*); ~ в чистоте́ presérve in púrity [-'zɔ:v...] (*d.*); ~ что-л. в та́йне keep* smth. (a) sécret; ~ та́йну keep* *a* sécret; ~ молча́ние keep* sílence [...'saɪ-]; ~ (*архи́вные*) дела́ have cústody of récords [...'re-]; ~ боевы́е тради́ции keep* up báttle tradítions; 2. (*оберегать*) save (*d.*), guard (*d.*). ~**ся** 1. be kept; де́ньги храня́тся в сберега́тельной ка́ссе móney is kept in the sávings-bànk ['mʌ-...]; 2. *страд. к* храни́ть.

храп *м.* 1. snore, snóring; 2. (*лошади*) snórt(ing).

храпе́ть 1. snore; 2. (*о лошади*) snort.

храпови́к *м. тех.* rátchet.

храпов||**о́й** rátchet (*attr.*); ~о́е колесо́ rátchet-wheel; ~ механи́зм rátchet-gear [-gɪə].

хребе́т *м.* 1. *анат.* spine, spínal cólumn; (*перен.*) báckbòne; 2. (*горная цепь*) móuntain ridge / range [...reɪ-].

хрен *м.* hórse-ràdish; ◇ ста́рый ~ *груб.* old grúmbler; old fógy; ~ ре́дьки не сла́ще *погов.* ≃ betwéen two évils 'tis not worth chóosing [...'i:v-...].

хрестома́тия *ж.* réader, réading-book.

хризоли́т [-тэ-] *ж.* chrysánthemum.

хризоли́т *м. мин.* chrýsolite.

хрип *м.* 1. wheeze; предсме́ртный ~ déath-rattle ['deθ-]; 2. *мн. мед.* (*в лёгких*) crepitátion *sg.*

хрипе́ть, прохрипе́ть 1. wheeze; 2. *разг.* (*говорить хрипло*) speak* hóarse:ly, croak.

хри́п||**лый** hoarse, ráucous; húsky; говори́ть ~лым го́лосом speak* hóarse:ly, speak* in a hoarse voice. ~**нуть** becóme* hoarse.

хрипот||**а́** *ж.* hóarse:ness, húskiness; крича́ть до ~ы́ shout òne:sélf hoarse; (*о ребёнке*) cry òne:sélf hoarse.

христи||**а́нин** *м.*, ~**а́нка** *ж.*, ~**а́нский** Chrístian; ◇ привести́ кого́-л. в ~а́нский вид *разг. шутл.* give* smb. an air of respèctabílity. ~**а́нство** *с.* Christiánity; обраща́ть в ~а́нство (*вн.*) convért to Christiánity (*d.*).

Христо́с *м.* Christ [kraɪst].

христо́соваться, похристо́соваться *рел.* exchánge a triple kiss [-'tʃeɪ-...] (*as Easter salutation*).

хром I *м.* 1. *хим.* chrómium, chrome; 2. (*краска*) chrome.

хром II *м.* (*кожа*) bóxcàlf [-kɑ:f].

хромати́зм *м.* 1. *муз.* chromátic scale; 2. *физ.* chromátism.

хромати́ческ||**ий** *физ., муз.* chromátic; ~ая аберра́ция chromátic àbberrátion; ~ая га́мма chromátic scale.

хрома́||**ть** limp; be lame; (*перен.*) be poor, leave* much to be desíred [...'zaɪəd], be far from pérfect, not be up to stándard; ~ на пра́вую но́гу be lame in the right leg; он ~ет на о́бе ноги́ (*перен.*) he is on his last legs; у него́ ~ет орфогра́фия his spélling is poor, his spélling leaves much to be desíred.

хроми́ров||**ание** *с. тех.* chrómium-plàting. ~**анный** *прич. и прил.* chrómium-plàted. ~**ать** *несов. и сов.* (*вн.*) *тех.* chrómium-plàte (*d.*), plate / coat with chrómium (*d.*), chróme-plàte (*d.*).

хро́мист||**ый** *хим.* chrómic ['krou-]; chrómite ['krou-]; ~ железня́к chrómic íron ore [...'aɪən...]; ~ая сталь chrómium steel.

хромоки́слый *хим.*: ~ ка́лий potássium chrómate [...'krou-].

хро́мов||**ый** I *хим.* chrome (*attr.*), chrómic ['krou-]; ~ая кислота́ chrómic ácid; ~ые квасцы́ chrome álum [...'æ-].

хро́мов||**ый** II (*о коже*) bóxcàlf [-kɑ:f] (*attr.*); ~ые сапоги́ bóxcàlf boots.

хром||**о́й** *прил.* lame, límping; он хром на пра́вую, ле́вую но́гу he is lame in his right, left leg; ~а́я нога́ *разг.* lame leg, game leg; 2. *как сущ. м.* lame man*; (*о мальчике*) lame boy; *ж.* lame wóman* [...'wu-]; (*о девочке*) lame girl [...gə:l]; *мн. собир.* the lame.

хромолитогра́фия *ж. полигр.* 1. (*процесс*) chrómo:lithógraphy; 2. (*оттиск*) chrómo:líthogràph, chrómo.

хромоно́гий lame, límping.

хромоно́жка *ж. разг.* (*о девочке*) lame girl [...gə:l]; (*о женщине*) lame wóman* [...'wu-].

хромосо́ма *ж. биол.* chrómosòme ['krou-].

хромосфе́ра *ж. астр.* chrómo:sphère.

хромота́ *ж.* láme:ness, límping.

хромоти́пия *ж. полигр.* chrómo:týpe.

хромофотогра́фия *ж.* 1. (*процесс*) chròmo:photógraphy; 2. (*изображение*) chròmo:phóto:gràph.

хро́ник *м. мед.* chrónic ínvalìd [...-lɪd].

хро́ника *ж.* 1. *ист., лит.* chrónicle; 2. (*сведения из текущей жизни*) chrónicle; (*газетная, радио*) news ítems [-z...] *pl.*; (*в кино*) néwsreel [-z-]; ~ происше́ствий chrónicle of evénts.

хроника́льный *прил. к* хро́ника; ~ фильм néwsreel [-z-], news film; històrical film.

хроникёр *м.* chrónicler, news repórter [-z...].

хрони́ческ||**ий** chrónic; ~ое заболева́ние chrónic diséase [...-'zi:z].

хроно́граф I *м. тех.* chrónogràph.

хроно́граф II *м.* (*памятник древней письменности*) chrónicle.

хроно́лог *м.* chronólogist. ~**и́ческий** chronológical.

хроноло́гия *ж.* (*в разн. знач.*) chronólogy.

хроно́метр *м.* chronómeter. ~**а́ж** *м.* tíme:keeping, tíme-stùdy [-stʌ-]. ~**а́жист** *м.* tíme:keeper. ~**и́ровать** *несов. и сов.* (*вн.*) time (*d.*). ~**и́ческий** chrònométric.

хроноско́п *м. тех.* chrónoscòpe.

хру́пать (*вн.*) *разг.* crunch (*d.*).

хру́пк||**ий** frágile, frail; (*ломкий*) brittle; (*перен.*) délicate; ~ое здоро́вье délicate health [...helθ]. ~**ость** *ж.* fragílity, fráilness, fráilty; (*ломкость*) brittle:ness; (*о металлах тж.*) shórtness; (*перен.: нежность*) délicacy; (*болезненность*) délicate health [...helθ].

хруст *м.* crunch; (*потрескивание*) crackle.

хруста́лик *м. анат.* crýstalline lens [...-nz].

хруста́ль *м. тк. ед.* 1. (*сорт стекла*) cut glass, crýstal; 2. *собир.* (*посуда*) cút-glàss ware; 3. (*горный*) (rock) crýstal. ~**ный** crýstal, cút-glàss (*attr.*); (*перен.*) crýstal-clear; ~ная посу́да cút-glàss ware.

хрусте́ть, хру́стнуть crunch; (*потрескивать*) crackle; ~ на зуба́х crunch in the teeth.

хру́стнуть *сов. см.* хрусте́ть.

хрущ *м. зоол.* cóckchafer.

хрыч *м. бран.*: ста́рый ~ old fóg(e)y / grúmbler. ~**о́вка** *ж. бран.*: ста́рая ~о́вка old hag, hárridan.

хрю́канье *с.* grúnt(ing).

хрю́кать, хрю́кнуть grunt.

хрю́кнуть *сов. см.* хрю́кать.

хрю́шка *ж. разг.* pig, swine.

хрящ I *м. анат.* cártilage, gristle.

хрящ II *м. тк. ед. геол.* grável ['græ-], grit.

хрящев||**а́тый**, ~**о́й** càrtiláginous, grístly.

ху́денький *разг.* slénder, slim.

худе́ть, похуде́ть lose* flesh [lu:z...], grow* thin [-ou-...].

худи́ть (*вн.*) *разг.* make* look slénder.

худ||**о́** I *с. тк. ед.* harm, évil ['i:vl]; он никому́ ~а не де́лает he does no harm to ànybody; ◇ нет ~а без добра́ *посл.* ≃ évery cloud has a sílver líning.

ху́до II *прил. кратк. см.* худо́й I.

ху́до III *нареч. кратк. см.* худо́й II; 2. *предик. безл.*: ему́ ~ he does not feel well, he feels queer / póorly, he is ùnwéll; ему́ сде́лалось ~ he felt ùnwéll.

ху́до IV *нареч.* ill*, bád:ly*; ~ отзыва́ться (*о пр.*) speak* ill* (of) *d.*; он не ~ пи́шет he does not write bád:ly; ему́ ~ пришло́сь he had a bad / hard time.

худоба́ *ж.* léanness, thínness.

ху́до-бе́дно *нареч. разг.* at the very least; the very smáll:est.

худо́жественн||**о** *нареч.* àrtístically. ~**ость** *ж.* ártistry; àrtístic mérit; ~ость отде́лки àrtístic fínish. ~**ый** ill àrtístic; ~ое воспита́ние àrtístic educátion; ~ое исполне́ние àrtístic perfórmance; ~ое чте́ние recitátion; ~ое произведе́ние work of art; ~ая литерату́ра bélles-léttres (*фр.*) ['bel'letr], fíction; ~ый фильм féature film; ~ая самоде́ятельность àmateúr art àctívities [-'tə:...] *pl.*; *театр.* àmateúr theátricals [...'θɪæ-...] *pl.*; ~ая вы́шивка fáncy / décorative néedle:wòrk; ~ая гимна́стика càllisthénics, free stánding éxercises; ◇ Худо́жественный теа́тр Arts Théatre [...'θɪətə].

худо́жеств‖о с. 1. art; Акаде́мия худо́жеств Acádemy of Arts; 2. разг. (проде́лка) trick; э́то всё его́ ~а this is some of his work, this is his doing.

худо́жн‖ик м., ~ица ж. ártist; (живопи́сец тж.) painter; ~ сло́ва literary ártist; ~-копии́ст cópyist painter.

худо́й I (худоща́вый) lean, thin; (тощий) skinny; (исхуда́вший) emáciated; ~ как спи́чка thin as a rake.

худ‖о́й II 1. (плохо́й) bad*; в ~о́м смы́сле in a bad sense; ~а́я сла́ва ill* fame; 2. (изно́шенный) worn out [wɔːn...]; (рва́ный) torn; (дыря́вый) hóley; сапоги́ ~ы́е the boots are torn, there are holes in the boots; ◇ на ~ коне́ц разг. if the worst comes to the worst; at worst; не говоря́ ~о́го сло́ва разг. without a word, without any wárning; ~ мир лу́чше до́брой ссо́ры посл. a lean cómpromise is bétter than a fat láwsuit [...-sjuːt].

худосо́ч‖ие с. cáchexy [-'keː-]. ~ный cacháctic [-'keː-].

худоща́в‖ость ж. léanness, thínness. ~ый lean, thin.

ху́дш‖ий 1. (сравн. и превосх. ст. от плохо́й и худо́й II) worse; the worst; ещё ~ still worse; в ~ем слу́чае at worst, if the worst comes to the worst; 2. как сущ.: переме́на к ~ему change for the worse [tʃeɪ-...]; измени́ться к ~ему (о состоя́нии, положе́нии) take* a turn for the worse; са́мое ~ее the worst thing.

худы́шка ж. tíny / púny líttle thing.

ху́же I 1. (сравн. ст. от прил. плохо́й и худо́й II) worse; пого́да сего́дня ~, чем вчера́ the wéather to‡dáy is worse than yésterday [...'weː-... -dɪ]; 2. предик. безл. it is worse; больно́му сего́дня ~ the pátient is worse to‡dáy; ему́ от э́того не ~ he is none the worse for it [...nʌn...]; тем ~ so much the worse; ~ всего́ worst of all; ~ всего́, что the worst of it is that; да́льше бы́ло ещё ~ worse was to come.

ху́же II (сравн. ст. от нареч. пло́хо и ху́до) worse; станови́ться всё ~ go* from bad* to worse.

хула́ ж. abúse, revíling.

хулига́н м. 1. hóoligan; 2. разг. (шалу́н) rówdy(-dówdy). ~ить beháve like a hóoligan. ~ский прил. к хулига́н. ~ство с. hóoliganism.

хули́тель м. one who abúses / revíles.

хули́ть (вн.) abúse (d.), revíle (d.).

ху́нта ж. júnta.

хурма́ ж. (плод и де́рево) pèrsímmon.

ху́тор м. khútor (séparated farm); fárm(-stead) [-ed]. ~ско́й прил. к ху́тор.

хуторя́нин м. fármer.

Ц

ца́пать, ца́пнуть (вн.) разг. 1. (хвата́ть) snatch (d.), seize [siːz] (d.); 2. (цара́пать) scratch (d.). ~ся, поца́паться разг. scratch; (перен.: ссо́риться) bícker

ца́пля ж. héron ['he-].
ца́пнуть сов. см. ца́пать.
ца́пфа ж. 1. тех. pin, jóurnal ['dʒəː-]; ~ о́си axle jóurnal; 2. воен. (в ору́дии) trúnnion.

цара́пать, цара́пнуть (вн.) 1. scratch (d.); 2. тк. несов. разг. (пло́хо писа́ть) scrawl (d.), scríbble (d.). ~ся scratch.

цара́п‖ина ж. scratch; (сса́дина) abrásion. ~нуть сов. см. цара́пать 1.

царе́в‖ич м. tsárevitch ['tsaː-, 'zaː-], czárevitch ['zaː-] (son of a tsar); Ива́н-~ Tsárevitch Iván (in Rússian fáiry-tales). ~на ж. tsarévna [tsaː-, zaː-], czarévna [zaː-] (dáughter of a tsar).

царедво́рец м. уст. cóurtier ['kɔːt-].

царёк м. prínce‡ling; pétty mónarch [...'mɔnək].

цареуби́й‖ственный règicídal. ~ство с. régicide. ~ца м. и ж. régicide.

цари́зм м. tsárism ['tsaː-, 'zaː-], czárism ['zaː-].

цари́ть (прям. и перен.) reign [reɪn]; ~л мрак dárkness réigned.

цари́ца ж. tsarína [tsaː'riː-, zaː'riː-], czarína [zaː'riː-] (wífe of a tsar; émpress of Rússia); (перен.) queen.

ца́рск‖ий king‡ly, régal; ~ взгляд régal look; ~ая оса́нка régal / king‡ly cárriage / béaring [...-rɪdʒ 'bɛə-].

ца́рство с. 1. (ца́рствование) reign [reɪn]; 2. (госуда́рство; тж. перен.: о́бласть, сфе́ра) king‡dom, realm [relm]; расти́тельное ~ the végetable king‡dom; живо́тное ~ the ánimal king‡dom; ◇ ~ грёз dréam-wòrld, dréam-lànd; же́нское ~ бабье pétticoat góvernment / rule [...'gʌ-...]; тёмное ~ land of dárkness.

ца́рствование с. reign [reɪn]; в ~ Петра́ Пе́рвого in / dúring the reign of Péter the First.

ца́рствовать (прям. и перен.) reign [reɪn].

ца́р‖ь м. tsar [tsaː, zaː], czar [zaː], tzar [zaː, tsaː]; (перен.) king, rúler; ~ звере́й king of beasts; ~ небе́сный Héavenly Fáther ['heː- 'faː-]; ~ царе́й King of kings; ◇ при ~е́ Горо́хе ≃ in days of yore; ~ и бог God Álmighty [...ɔːl-], the Álmighty; он с ~ём в голове́, у него́ в голове́ разг. he is wise; он без ~я́ в голове́, у него́ нет ~я́ в голове́ разг. he is dull / stúpid / ún‡intélligent.

ца́ца ж. разг. swell; ишь ~ кака́я! he, she thinks hìm‡sélf, hèr‡sélf a swell; he, she has a swóllen head [...-oul- hed].

ца́цкаться (с тв.) разг. make* a fuss (of).

цвести́ 1. (прям. и перен.) flówer, bloom, blóssom, be in blóssom / flówer; blow* [-ou] поэт.; ро́зы цвету́т the róses are flówering / blóssoming / blóoming, the róses are in flówer / blóssom / bloom; ли́пы, я́блони цвету́т the limes, ápple-trees are in blóssom; она́ цветёт (о де́вушке) she is blóoming, she is in the full bloom of youth [...juːθ]; 2. (процвета́ть) flóurish ['flʌ-], prósper; 3. (о воде́) become* óver‡grówn [...-oun], be cóvered with dúckweed [...'kʌ-...].

цвет I м. (окра́ска) cólour ['kʌ-]; кра́сный ~ red (cólour); основны́е ~а́ физ. prímary cólours ['praɪ-...]; дополни́тельные ~а́ физ. còmpleméntary cólours; ~ лица́ compléxion.

цвет II м. 1. тк. ед. (расцве́т) flówer, prime, blóssom-time; в по́лном ~у́ in blóssom; in full bloom; 2. тк. ед. (лу́чшая часть) flówer, pick, cream; ~ а́рмии the flówer / pick of the ármy; 3. собир.: ~ я́блони ápple blóssom; ли́повый ~ líme-blóssom; (лека́рство) dried líme-blóssoms pl. (used as febrífuge); ◇ во ~е лет in the prime of life, in one's prime.

цвета́стый разг. with bright flówer páttern; (пёстрый) váriegated.

цвете́ние с. бот. flówering, flórescence, blóssoming.

цве́тик м. поэт. flówer, flóweret.

цвети́стый (прям. и перен.) flówery, flórid; ~ слог flórid style.

цветко́в‖ый бот. flówering; ~ые расте́ния flówering plants [...-aːnts].

цветни́к м. flówer gárden; pàrtérre [-'tɛə]; (клу́мба) flówer-bèd; (перен.) arráy, gálaxy.

цветн‖о́й cólour‡ed ['kʌ-]; cólour ['kʌ-] (attr.); ~а́я ткань cólour‡ed stuff; ~о́е стекло́ stained glass; ~а́я фотогра́фия (сни́мок) cólour phóto‡grâph; ~ фильм cólour film; ~о́е телеви́дение cólour TV [...'tiːˈviː]; ◇ ~ы́е мета́ллы nòn-férrous métals [...'me-]; ~а́я металлу́ргия nòn-férrous métallurgy; ~а́я капу́ста cáuliflower ['kɔ-].

цветово́д м. flòriculturist, flówer-grower [-grouə]. ~ство с. flòriculture, flówer-growing [-grou-]. ~ческий flòricúltural.

цветов‖о́й прил. к цвет I; ~а́я слепота́ мед. cólour-blind‡ness ['kʌ-].

цвет‖о́к м. (мн. об. цветы́) flówer; (цвет на де́реве) blóssom; живы́е ~ы́ fresh / nátural flówers; (сре́занные) cut flówers; полевы́е ~ы́ wild flówers; ко́мнатные ~ы́ window plants [...-aːnts], índoor plants [-dɔː...]; иску́сственные ~ы́ àrtifícial flówers; ~ в петли́це búttonhòle.

цвето́ложе с. бот. recéptacle.

цветому́зыка ж. cólour músic ['kʌ- -zɪk].

цвето‖но́жка ж. бот. pedúncle, pédicle. ~но́сный бот. flòríferous, flówer-bearing [-bɛə-]. ~расположе́ние с. бот. ìnflorescence.

цвето́ч‖ек м. (líttle) flówer; flóweret поэт.; ◇ э́то (всё) ~ки, а я́годки впереди́ погов. ≃ the worst is still to come; this is nothing compared with what is to come. ~ник м. flórist, flówer-sèller. ~ница ж. flówer-girl [-g-], flówer-wòman* [-wu-]. ~ный прил. к цвето́к; ~ный горшо́к flówerpòt; ~ный покро́в бот. périanth; ~ный щито́к бот.

ЦВЕ — ЦЕН

córymb; ~ная вы́ставка flówer-show [-ʃou]; ~ный магази́н flórist's, flówer-shòp; ~ный чай flówer / rose tea.

цвету́щ‖**ий** 1. *прич. и прил.* (*о растениях*) blóoming, blóssoming; flówering; 2. *прил.* (*о человеке*) véry héalthy [...'hel-], blóoming, in one's prime; у него́ ~ вид he looks fine / blóoming, *или* in the pink (of health) [...helθ]; he is a pícture of health; ~ая де́вушка girl in the full bloom of youth [gə:l...ju:θ].

цветы́ *мн. см.* цвето́к.

це́вка *ж.* 1. *текст.* bóbbin; 2. *тех.* spíndle.

цеви́ца *ж. поэт.* pipe, reed, flute.

цевьё *с.:* ~ ло́жи *воен.* fóre-ènd of rífle stock; fóre:stòck.

цеди́лка *ж. разг.* stráiner, fílter.

цеди́ть (*вн.*) 1. strain (*d.*); (*фильтровать тж.*) fílter (*d.*); 2. (*лить через узкое отверстие*) decánt (*d.*); 3.: ~ слова́, ~ сквозь зу́бы speak* / say* through clénched teeth.

це́дра *ж. тк. ед.* dried lémon or órange peel [...'le-...].

це́зий *м. хим.* cáesium [-zɪəm].

цезу́р‖**а** *ж. лит.* caesúra [-ˈzjuə-]. ~ный *лит.* caesúral [-ˈzjuə-].

цейло́нский Ceylón [sɪˈlɒn] (*attr.*), of Ceylón; ~ чай Ceylón tea.

цейтно́т *м. шахм.* time tróuble [...trʌ-]; попа́сть в ~ excéed the time permítted for a move [...muːv].

цейхга́уз [-ейхá-] *м. воен.* stores *pl.*, ármoury.

целе́бн‖**ость** *ж.* cúrative / héaling próperties *pl.*; (*трав тж.*) médicinal náture [...'neɪ-]; (*воздуха, климата*) salúbrity. ~ый médicinal; (*о климате, воздухе*) salúbrious; héalthy ['hel-]; ~ое сре́дство médicinal / héaling rémedy; ~ая трава́ médicinal herb, símple.

целев‖**о́й** háving a spécial púrpose [...'spe- -s]; ~а́я устано́вка aim, púrpose.

целенапра́вленн‖**ость** *ж.* púrpose:fulness [...-s-], síngle-míndedness. ~ый síngle-mínded; púrposeful [-s-].

целесообра́зн‖**ость** *ж.* expédiency [-ˈpiː-], advisabílity [-vaɪz-]. ~ый expédient, advísable [-z-]; ~ый посту́пок expédient áction.

целеуказа́ние *с. воен.* tárget designátion [-gɪt dez-].

целеустремлённ‖**ость** *ж.* púrpose:fulness [-s-], fírmness of púrpose [...-s]. ~ый púrpose:ful [-s-], firm of púrpose [...-s].

целиба́т *м.* célibacy.

це́лик *м. воен.* sight.

целик *м. горн.* pillar.

целико́м *нареч.* (*в це́лом ви́де*) (as a) whole [...houl]; (*по́лностью*) whólly ['hou-]; entírely; он ~ отда́лся нау́ке he devóted himsèlf entírely to science; весь дом ~ the whole house* [...-s]; ◊ ~ и по́лностью complete:ly, entíre:ly.

цели́н‖**а́** *ж.* 1. new / vírgin lands / soil; по́днятая ~ néwly-plóughed vírgin soil, vírgin soil upturned; по ~е́ across cóuntry [...'kʌ-]; 2. (*нетро́нутая по-*

ве́рхность *чего́-л.*) ún:bróken / ún:tródden expánse.

цели́нник *м.* wórker in the vírgin lands.

цели́нн‖**ый** vírgin; ~ые зе́мли vírgin lands; ~ые за́лежные зе́мли vírgin and lóng-fàllow lands.

цели́тельн‖**ость** *ж.* héaling náture [...'neɪ-]; cúrative / héaling próperties *pl.* ~ый héaling, cúrative.

це́лить (*в вн.; прям. и перен.*) aim (at); (*перен. тж.*) drive* (at). ~ся (*в вн.*) aim (at), це из винто́вки, ружья́, пистоле́та *и т.п.* aim / lével a rífle, a gun, a pístol, etc. [...'le-...] (at).

целко́вый *м. скл. как прил. разг.* one róuble [...ruː-].

целлофа́н *м.* céllophàne. ~овый *прил.* к целлофа́н.

целлуло́за *ж.* = целлюло́за.

целлуло́ид *м.* célluloid. ~ный *прил.* к целлуло́ид.

целлюло́за *ж.* céllulòse [-s].

целлюло́зно-бума́жн‖**ый** pulp and páper (*attr.*); ~ая промы́шленность pulp and páper índustry; ~ комбина́т pulp and páper mill.

целлюло́зн‖**ый** céllulòse [-s] (*attr.*); ~ая промы́шленность céllulòse índustry.

целова́льник *м.* 1. *ист.* tàx-collèctor; 2. *уст.* (*продавец вина в кабаках*) públican ['pʌ-].

целова́ть, поцелова́ть (*вн.*) kiss (*d.*); *сов. тж.* give* a kiss (*i.*); ~ кого́-л. в гу́бы kiss smb.'s lips, kiss smb. on the mouth; ~ кого́-л. в щёку kiss smb.'s cheek; поцелова́ть в о́бе щеки́ kiss on both cheeks [...bouθ...] (*d.*). ~ся, целова́ться kiss.

це́лое *с. скл. как прил.* 1. the whole [...houl]; ~ и ча́сти the whole and the parts; архитекту́рное ~ àrchitéctural ensémble [...a:ŋ'sa:mbl]; 2. *мат.* ínteger.

целому́дренн‖**ость** *ж.* chástity. ~ый chaste [tʃeɪst].

целому́дрие *с.* chástity.

це́лостн‖**ость** [-сн-] *ж.* intégrity; территориа́льная ~ tèrritórial intégrity. ~ый [-сн-] íntegral.

це́лост‖**ь** *ж.* sáfety; в ~и intáct, safe; сохрани́ть в (*вн.*) keep* intáct (*d.*), presérve [-ˈzəːv] (*d.*); сохрани́ться в ~и remáin / survíve intáct; в ~и и сохра́нности safe and sound.

це́л‖**ый** 1. (*неповреждённый, сохра́нный*) intáct, safe; цел и невреди́м safe and sound, все ли ~ы? is éverybody safe?; уходи́, пока́ цел! *разг.* get awáy while you are safe!, get out while the gó:ing's good!; 2. (*по́лный, весь целико́м*) whole [houl], entíre; ~ го́род a whole cíty [...ˈsɪ-]; ~ая дю́жина a round dózen [...'dʌ-]; ~ день all day long; ~ час a whole hour [...auə]; ~ыми дня́ми for days togéther, *или* on end [...-'ge-...]; по ~ым неде́лям for weeks on end; прошло́ ~ых де́сять дней (*с рд.*) it is a full ten days (since); ~ых пятна́дцать лет for fiftéen long years; ~ые чи́сла *мат.* whole númbers; ◊ в ~ом as a whole; (*в общем*) on the whole; интере́сы госуда́рства в ~ом the ínterests of the State at large, *или* as a whole; в о́бщем и ~ом by and large, in géneral; ~ ряд вопро́сов quite a núm-

ber of quéstions [...-stʃ-]; э́то вы́звало ~ую бу́рю it caused / aróused a pérfect témpest, *или* a real storm [...rɪəl...].

цел‖**ь** *ж.* 1. aim, goal, óbject, end, púrpose [-s]; *воен.* óbjective; я́сная ~ clear aim; я́сность ~и cléarness of púrpose; с ~ю (*рд.,* + *инф.*) with / for the púrpose (of *ger.*), with the óbject (of *ger.*); (*умы́шленно*) púrposely [-s-], on púrpose; в це́лях (*рд.*) with a view [...vjuː] (+ to *inf.*); с еди́нственной ~ю (*рд.,* + *инф.*) with / for the sole / síngle púrpose (of *ger.*); с како́й ~ю? for what púrpose?; с э́той ~ю with that end in view; име́ть ~ю (*вн.,* + *инф.*) have for an óbject (*d.,* + to *inf.*); пресле́довать ~ pursúe one's óbject / aim, have as its óbject; ста́вить себе́ ~ю (*вн.,* + *инф.*) set* one:sélf as an óbject (*d.*); служи́ть це́ли serve the púrpose; дости́чь це́ли achíeve / gain / attáin one's óbject / end [əˈtʃiːv...]; secúre one's end; не име́ющий це́ли púrpose:less [-s-]; не достига́ющий це́ли inefféctual; отвеча́ть це́ли ánswer the púrpose ['ɑːns...]; задава́ться ~ю (+ *инф.*) aim (at *ger.*); в свои́х ли́чных це́лях to suit one's own ends [...sjuːt... oun...]; 2. (*мишень*) tárget [-gɪt], mark; попа́сть в ~ (*прям. и перен.*) hit* the mark; hit* the bull's eye [...bulz aɪ]; не попа́сть в ~ (*прям. и перен.*) miss the mark; ми́мо це́ли wide of the mark; уда́р попа́л в ~ (*прям. и перен.*) the blow went home [...-ou...]; ~ бомбомета́ния *воен.* bómb:ing tárget.

цельнометалли́ческий *тех.* àll-métal [-ˈme-]; ~ дирижа́бль àll-métal áirship; ~ ваго́н àll-métal car.

цельносва́рный àll-wélded.

цельнотя́нут‖**ый** *тех.* sólid-drawn, wéldless; ~ая труба́ wéldless pipe.

це́льн‖**ый** 1. whole [houl]; (*из одного́ куска́*) ún:bróken; of a / one piece [...piːs]; (*облада́ющий вну́тренним еди́нством*) íntegral; 2. (*неразба́вленный*) whole, ún:dilúted [-daɪ-]; ~ое молоко́ whole / ún:skímmed milk; ~ое вино́ pure / ún:dilúted wine; 3. (*о челове́ке, нату́ре и т.п.*) whóle-héarted ['houl'hɑːt-].

Це́льси‖**й** *м.* Célsius; термо́метр ~я céntigrade thermómeter; де́сять гра́дусов ~я ten degrées céntigrade.

цеме́нт *м.* cemént. ~а́ция *ж. тех.* cèmèntátion [si:-].

цементи́ров‖**анный** *прич. и прил.:* ~анная сталь càse-hárdened / ceméntèd steel. ~а́ть *несов. и сов.* (*сов. тж.* зацементи́ровать) (*вн.*) cemént (*d.*); (*о ста́ли тж.*) cáse-hàrden [-s-] (*d.*).

цеме́нтн‖**ый** cemént (*attr.*); ~ раство́р cemént solútion / mórtar; ~ая промы́шленность cemént índustry; ~ заво́д cemént works.

цен‖**а́** *ж.* price; (*перен. тж.*) worth, válue; (*сто́имость*) cost; ры́ночная ~ márket price; твёрдые це́ны fixed / stáble príces; кра́йняя (*ни́зшая*) ~ the lówest price [...ˈlou-...]; фабри́чная ~ prime cost; ~о́й (*в вн.*) at the price (of); cósting (*d.*); по высо́кой ~е́ at a high price; па́дать в ~е́ go* down (in price); поднима́ться в ~е́ go* up (in price); повыше́ние цен, рост цен rise in príces; пониже́ние цен fall / drop in prices, снижение цен price-cutting; колебание цен instability of prices; взвинчивать цены inflate prices; rig the market идиом.; ◇ знать себе цену know* one's own worth / value [nou... oun...]; have a high opinion of oneself; мы знаем им цену we know their worth; ~ою чего-л. at the cost / price of smth.; любой ~ой at any price / cost; ~ой жизни at the cost of one's life*; этому ~ы нет it is invaluable / priceless; это в ~е разг. one has to pay a good price for it.

ценз м. qualification; избирательный ~ electoral qualification; образовательный ~ educational qualification; имущественный ~ property qualification. ~овый прил. к ценз.

цензор м. censor.

цензур||а ж. censorship; дозволено ~ой passed by the censor; licensed ['laɪ-]. ~ный censorial.

ценитель м., ~ница ж. judge, connoisseur [kɔnɪ'sə:]; ~ искусств connoisseur of art.

ценить, оценить (вн.) прям. и перен.) value (d.), estimate (d.); (придавать цену) appreciate (d.); в сто рублей value / estimate at a hundred roubles [...ru:-] (d.); низко ~ set* little (store) (by); высоко ~ set* much (store) (by); rate highly (d.); (о человеке) think* much / highly (of); ~ чьи-л. заслуги перед родиной pay* high tribute to the services smb. rendered to his country [...'kʌ-]; высоко ~ себя think* much of oneself, have a high opinion of oneself; слишком высоко ~ overrate (d.), overestimate (d.); ~ кого-л. по заслугам value smb. according to his merits; его не ценят he is not appreciated; он ценит то, что для него делают he appreciates what is done for him. ~ся 1. (иметь цену) be valued / estimated; ~ся в сто рублей be valued / estimated at one hundred roubles [...ru:-]; 2. страд. к ценить; ◇ это ценится на вес золота it is worth its weight in gold.

ценник м. price-list.

ценност||ный эк. value (attr.); в ~ом выражении on the value basis.

ценн||ость ж. 1. тк. ед. (в разн. знач.) value; это представляет большую ~ it is of great value [...greɪt...]; 2. мн. valuables, values; материальные и духовные ~ости material and spiritual values. ~ый (в разн. знач.) valuable; ~ый подарок valuable present [...'prez-]; ~ая посылка registered parcel (with statement of value); ~ые бумаги securities; ~ое предложение a valuable suggestion [...'dʒestʃən].

ценообразование с. эк. price formation, pricing.

цент м. (монета) cent.

центифолия ж. бот. cabbage rose.

центнер м. (100 кг) metric centner.

центр м. (в разн. знач.) centre; ~ тяжести centre of gravity; ~ вращения centre of rotation; ~ водоизмещения, ~ величины мор. centre of buoyancy [...'bɔɪ-]; ~ торговли centre of trade; культурный ~ cultural centre; в ~е страны, города in the centre / heart of country, town [...hɑ:t...'kʌ-...]; ~ притяжения для кого-л. centre of attraction for smb.; в ~е внимания in the centre of attention; быть в ~е внимания be the focus of attention; be in the spotlight идиом.; поставить что-л. в ~ внимания make* smth. a centre of attention, focus attention on smth.; нервные ~ы анат. nerve-centres.

централ м. ист. central prison [...-ɪz-] (for political convicts).

централизация ж. centralization [-laɪ-].

централизм м. полит. centralism; демократический ~ democratic centralism.

централизован||ный прич. и прил. centralized; ~ное управление centralized direction.

централизовать несов. и сов. (вн.) centralize (d.). ~ся несов. и сов. 1. centralize, get* centralized; 2. страд. к централизовать.

централ||ьный (в разн. знач.) central; (столичный тж.) metropolitan; ~ комитет central committee [...-tɪ]; ~ые газеты national newspapers ['næ-...]; ~ая нервная система central nervous system; ~ое отопление central heating; с ~ым отоплением central(ly)-heated; ~ угол мат. central angle; ~ая телефонная станция (central) telephone exchange [...-'tʃeɪ-]; ~ нападающий спорт. centre-forward.

центризм м. полит. centrism.

центрировать несов. и сов. (вн.) тех. centre (d.).

центрист м. полит. centrist.

центрифуга ж. тех. centrifuge.

центробежн||ый тех. centrifugal; ~ая сила centrifugal force.

центровать несов. и сов. (вн.) тех. centre (d.), center (d.) амер.

центровка ж. тех. centering.

центровой centre (attr.), central; ~ круг футбольного поля centre circle of a football field [...'fut- fi:ld].

центростремительн||ый тех. centripetal; ~ая сила centripetal force.

центурион м. тех. centurion.

цеолит м. мин. zeolite.

цеп м. с.-х. flail.

цепенеть, оцепенеть grow* torpid [-ou...]; become* rigid, freeze*; ~ от страха freeze* with fear.

цепк||ий (прям. и перен.) tenacious; prehensile научн.; ~ие когти strong claws; ~ ум tenacious mind; ~ая память tenacious memory. ~ость ж. (прям. и перен.) tenacity; prehensility научн.

цепляться 1. (за вн.) catch (on); 2. (за вн.; хвататься) clutch (at); cling* (to; тж. перен.); 3. (к; за вн.; придираться) pick (on).

цепн||ой (в разн. знач.) chain (attr.); ~ пёс watchdog, house-dog [-s-]; ~ мост chain bridge; ~ая реакция физ., хим. chain reaction; ~ая передача тех. chain-drive; ~ое правило мат. chain rule.

цепочка ж. 1. chain; ~ для часов watch-chain; 2. (ряд, шеренга) file; ~ бойцов file of soldiers [...-dʒəz].

цеппелин м. ав. уст. Zeppelin.

цеп||ь ж. 1. (прям. и перен.) chain; посадить на ~ (вн.) chain (up) (d.); спустить с ~и (вн.) unchain (d.), let* loose [...-s] (d.); сорваться с ~и break* loose [breɪk...]; он как с ~и сорвался разг. ≃ he is raving; 2. мн. (оковы) fetters, shackles; (перен. тж.) bonds; закованный в ~и shackled; 3. (вереница) row [rou], series [...-ri:z]; (горная) range [reɪ-]; 4. (последовательный ряд) series, succession; ~ событий succession of events; 5. эл. electric circuit [...-kɪt]; 6. воен. line; стрелковая ~ line of skirmishers, skirmish line, extended line; ~ сторожевых постов line of outposts [...-pou-]; огневая ~ igniter train, powder train.

цепью нареч. in line.

цербер м. миф. (тж. перен.) Cerberus.

церебральный 1. анат. cerebral; 2. лингв.: ~ согласный cerebral consonant.

церемони||ал м. ceremonial. ~альный ceremonial; ~альный марш march past; ~альное шествие parade.

церемониймейстер м. Master of Ceremonies.

церемониться stand* upon ceremony; не ~ с кем-л. not stand* upon ceremony with smb.; не церемонься! make yourself at home!

церемон||ия ж. ceremony; подписания договора signing ceremony ['saɪn-...]; без ~ий without ceremony, informally; без дальнейших ~ий without any further formalities [...-ðə-...].

церемонн||ость ж. ceremoniousness. ~ый 1. ceremonious; 2. (жеманный) over-nice, finicking.

Церера ж. миф. Ceres [-ri:z].

церий м. хим. cerium.

церковник м. 1. church-goer; churchman*; 2. (служитель культа) clergyman*.

церковноприходск||ий parish (attr.); ~ая школа parish school.

церковнославянский Church Slavonic; ~ язык the Church Slavonic language.

церковнослужитель м. clergyman*, priest [-i:st]; (неангликанский) minister.

церковн||ый прил. к церковь; ~ приход parish; ~ староста churchwarden; ~ сторож sexton; ~ая служба church service; ~ые суды ист. spiritual courts [...kɔ:ts]; ~ое право юр. ecclesiastical / canon law [-zɪ-...]; ◇ беден как ~ая мышь погов. poor as a church mouse [...-s].

церковь ж. church.

цесаревич м. ист. Cesarevitch (heir to throne in tsarist Russia).

цесарка ж. зоол. guinea-fowl ['gɪnɪ-].

цех м. 1. (на заводе) shop, workshop; department; начальник ~а shop superintendent; прокатный ~ rolling shop; литейный ~ foundry; сборочный ~ assembly shop / department; 2. ист. guild [gɪld], corporation. ~овой прил. к цех.

цеховщина ж. неодобр. narrow professionalism.

цеце ж. нескл. зоол. tsétse [-sɪ].

циан м. хим. cyanogen. ~изация ж. хим. cyanidation.

цианистоводородный хим. hydrocyanic.

ЦИА — ЧАЙ

циани́ст||ый *хим.* cyánic; ~ ка́лий potássium cýanide; ~ая кислота́ cyánic ácid; ~ая ртуть mercúric cýanide.

циа́новый *хим.* cýanic.

циано́з *м. мед.* cyanósis.

ци́бик *м. уст.* tzíbik, téa-chèst (*weighing from 40 to 80 Russian pounds*).

цивилиза́тор *м.* cívilizer. ~**ский** cívilizing.

цивилиза́ция *ж.* civilizátion [-lai-].

цивилизо́ванный *прич. и прил.* cívilized.

цивилизова́ть *несов. и сов.* (*вн.*) cívilize (*d.*). ~**ся** *несов. и сов.* 1. become* cívilized; 2. *страд.* к цивилизова́ть.

цивилизова́ть *уст.* cívil, civílian; ◇ ~ лист cívil list.

цига́рка *ж. разг.* hóme-ròlled cigarétte.

циге́йк||а *ж.* (*мех*) béaver lamb. ~**овый** béaver lamb (*attr.*).

цика́да *ж.* cicáda, cicála [-'kɑ:-], cigála [-'gɑ:-].

цикл *м.* (*в разн. знач.*) cycle; произво́дственный ~ prodúction cycle; ~ ле́кций, конце́ртов a séries of léctures, cóncerts [...-ri:z...].

цикламе́н *м. бот.* cýclamen.

цикли́ч||еский cýclic, cýclical; ~ кри́зис recúrring crísis (*pl.* -sès [-si:z]). ~**ность** *ж.* (cýclic) recúrrence. ~**ный** cýclic, cýclical; ~ная организа́ция произво́дства synchronizátion of prodúction [-nai-...].

циклово́й 1. *прил.* к цикл; 2. = цикли́чный.

цикло́ид||а *ж. мат.* cýcloid ['sai-]. ~**а́льный** *мат.* cyclóidal [sai-].

цикло́н *м. метеор.* cýclòne ['sai-]. ~**и́ческий** *метеор.* cyclónic [sai-].

цикло́п *м. миф.* Cýclòp(s). ~**и́ческий** миф. Cyclópean [saiklo'pi:ən], Cýclópian [sai-].

циклотро́н *м. физ.* cýclo:tròn.

цико́рий *м. тк. ед.* chícory, súccory.

цили́ндр *м.* 1. *мат., тех.* cýlinder; *тех. тж.* drum (*d.*). 2. (*шляпа*) top hat; (high) silk hat. ~**и́ческий** cylíndrical; ~и́ческая шестерня́ spur gear [...giə]. ~**овый** cýlinder (*attr.*), drum (*attr.*).

цимбали́ст *м.* musícian pláying dúlcimer [-'zi-...].

цимба́лы *мн. муз.* dúlcimer *sg.*

цинг||а́ *ж. мед.* scúrvy; боле́ть ~о́й have the scúrvy.

цинго́тн||ый scorbútic; ~ больно́й scorbútic; ~ая трава́ scúrvy-gràss.

цинера́рия *ж. бот.* cinerária.

цини́зм *м.* cýnicism.

ци́ник *м.* cýnic.

цини́ч||еский cýnical. ~**ность** *ж.* cýnicism. ~**ный** cýnical.

цинк *м.* zinc. ~**ова́ние** *с.* zínc-plàting, gàlvanizátion [-nai-]. ~**ова́ть** (*вн.*). zínc-plàte (*d.*), gálvanize (*d.*).

ци́нков||ый zinc (*attr.*); ~ые кра́ски zinc paints; ~ая руда́ zinc ore; ~ая обма́нка *мин.* zínc-blènde; ~ые бели́ла zinc white *sg.*; ~ купоро́с zinc vítriol, white vítriol.

цинкогра́фия *ж. полигр.* 1. *тк. ед.* (*способ*) zincógraphy; 2. (*предприятие*) zincógrapher's shop.

ци́нния *ж. бот.* zínnia.

цино́вка *ж.* mat.

цирк *м.* círcus. ~**а́ч** *м. разг.* círcus áctor / artíste [...-'ti:-], ácrobàt. ~**а́ческий** *прил.* к циркач.

ци́рков||о́й *прил.* к цирк; ~ нае́здник círcus ríder; equéstrian; ~а́я нае́здница hórse;wòman* [-wu-]; círcus ríder; equèstriénne [-ri'en]; ~о́е представле́ние círcus perfórmance.

цирко́н *м. мин.* zírcòn.

цирко́ний *м. хим.* zircónium.

циркора́ма *ж. кин.* circoráma [-'rɑ:-].

ци́ркуль *м.* (pair of) cómpasses [...'kʌ-]; дели́тельный ~ divíders *pl.*; рыча́жный ~ beam cómpasses *pl.*; но́жка ци́ркуля cómpass leg ['kʌ-...]. ~**ный** *прил.* к ци́ркуль.

циркуля́р *м.* círcular, instrúction.

циркуля́рн||ый I círcular; ~ое письмо́ círcular létter.

циркуля́рн||ый II (*имеющий форму окружности*) círcular; ~ая пила́ círcular saw.

циркуляцио́нный círculàting; circulátion (*attr.*).

циркуля́ция *ж.* circulátion; *мор.* gyrátion [dʒaiə-]; ~ кро́ви circulátion of the blood [...blʌd]; ~ де́нег circulátion of móney [...'mʌ-].

цирро́з *м. мед.* cirrhósis [si'rous-].

цирю́ль||ник *м. уст.* bárber. ~**ня** *ж. уст.* bárber's shop.

цисте́рна *ж.* cístern; tank; ваго́н-~ tánk-trùck, tánk-càr.

цисти́т *м. мед.* cystítis.

цитаде́ль [-дэ-] *ж.* cítadel; (*перен. тж.*) stróng:hòld.

цита́т||а *ж.* quotátion, citátion; приводи́ть ~ы cite, quote. ~**ный** quotátion (*attr.*); ~ный материа́л quotátions *pl.*

цитва́рн||ый: ~ое се́мя wórm-seed, sàntónica seed.

цити́ров||ание *с.* quóting, cíting. ~**ать**, процити́ровать (*вн.*) quote (*d.*), cite (*d.*). ~**аться** *страд.* к цити́ровать.

цитоло́гия *ж. биол.* cytólogy [sai-].

ци́тра *ж. муз.* zíther(n) ['ziθə(n)].

ци́трус *м.* cítrus.

ци́трусовые *мн. скл. как прил. бот.* cítrus plants [...-ɑ:nts].

цифербла́т *м.* díal(-plàte); (*часов тж.*) face; часово́й ~ clock díal, clóck-fàce.

ци́фр||а *ж.* fígure; (*арабская тж.*) cípher ['sai-]; контро́льные ~ы planned / schéduled fígures [...'ʃe-...]. ~**ово́й** *прил.* к ци́фра; ~овы́е да́нные fígures.

ци́церо *с. нескл. полигр.* píca.

ЦК *м.* (*Центра́льный Комите́т*) the Céntral Commíttee [...-ti]; ЦК КПСС the Céntral Committee of the CPSU.

цо́канье I *с.* clátter.

цо́канье II *с. лингв.* tsókanje (*pronouncing „ч" as „ц", as in some North Russian dialects*).

цо́ка||ть I, цо́кнуть click; подко́вы ~ют по мостово́й there is a clátter of hoofs in the street.

цо́кать II *лингв.* tsókatj (*pronounce „ч" as „ц", as in some North Russian dialects*).

цо́кнуть *сов. см.* цо́кать.

цо́коль *м.* 1. *арх.* socle [so-], plinth; 2. *тех.* cap. ~**ный** *прил.* к цо́коль; ~ный эта́ж ground floor [...flɔ:].

цо́кот *м.*: ~ копы́т clátter of hórses' hoofs.

цу́гом *нареч.* tándem; е́хать ~ drive* tándem; запряга́ть ~ hárness tándem, hárness one behínd the óther.

цука́т *м.* cándied fruit [...fru:t], cándied peel. ~**ный** *прил.* к цука́т.

цуна́ми *с. нескл.* tsunámi [tsu'nɑ:-].

цыга́н *м.*, ~**ка** *ж.*, ~**ский** Gípsy; ~ский язы́к Gípsy, the Gípsy lánguage; Rómany, Rómani.

цы́кать, цы́кнуть (на *вн.*) *разг.* hush (*d.*), sílence ['sai-] (*d.*); (*без доп.*) tút-tút.

цы́кнуть *сов. см.* цы́кать.

цы́пка *ж. разг.* chícken, chick.

цы́пки *мн. разг.* red spots (*on hands etc.*).

цыпля́ёнок *м.* chícken; chick, poult [poult]; ◇ цыпля́т по о́сени счита́ют *посл.* ≅ don't count your chíckens befóre they are hátched.

цыпля́||та *мн. см.* цыплёнок. ~**чий** chícken (*attr.*), chícken's.

цы́почк||и: на ~ах (on) típtòe; ходи́ть на ~ах típtòe.

цып-цып *межд.* chúck-chúck.

цыц *межд. разг.* shut up!

Ч

чаба́н *м.* shépherd ['ʃepəd]. ~**ский** *прил.* к чаба́н.

чабёр *м. бот.* sávory ['sei-].

чабре́ц *м. бот.* thyme.

ча́вка||нье *с.* chámping. ~**ть** champ.

чад *м. тк. ед.* (*угар*) fumes *pl.*; (*дым*) smoke; (*перен.*) intoxicátion; ку́хонный ~ smell of búrning fat; он как в ~у́ he is dazed / bemúsed, he looks as if he has been drúgged.

чади́ть, начади́ть smoke, emít fumes.

ча́д||ный: здесь о́чень ~но the place is full of fumes / smoke.

ча́д||о *с. уст.* child*, óffspring; со все́ми ~ами и домоча́дцами ≅ with all one's goods and cháttels [...gudz...], with the whole hóuse:hòld [...houl -s-].

чадо||люби́вый *уст.* philoprògénitive [-prou-]; fond of one's chíldren. ~**лю́бие** *с. уст.* philoprògénitive:ness [-prou-].

чадр||а́ *ж.* yáshmàk; сбро́сить ~у́ take* off the yáshmàk; (*перен.*) become* emáncipàted.

чаёвн||ик *м.*, ~**ица** *ж. разг.* téa-drìnker.

чаёвничать *разг.* sit* long óver one's tea, have a cósy tea [...-zi...]; indúlge in téa-drìnking.

чаево́д *м.* téa-grower [-grouə]. ~**ство** *с.* téa-growing [-grou-]. ~**ческий** téa-growing [-grou-] (*attr.*).

чаевы́е *мн. скл. как прил.* tip *sg.*, gratúity *sg.*

чаёк *м. уменьш. от* чай I 1.

чаепи́тие *с. разг.* téa-drìnking.

чаеубо́рочн||ый *с.-х.* téa-plùcking; ~ая маши́на téa-plùcking machíne [...-'ʃi:n].

ча́йнка *ж.* téa-leaf*.

чай I *м.* 1. (*растение и напиток*) tea; кита́йский ~ China tea; цвето́чный

~ flówer / róse tea; кирпи́чный ~ brick-tea; tile tea; цейло́нский ~ Céylon tea [sɪˈlɔn...]; кре́пкий, сла́бый ~ strong, weak tea; ча́шка ча́ю cup of tea; 2. (*чаепитие*) tea; послеобе́денный ~ five-o'clock tea; 3. (*угощение*) téa-pàrty; устро́ить ~ arránge / give* a téa-pàrty [-eɪndʒ...]; пригласи́ть на ча́шку ча́ю (*вн.*) ask / invite to tea (*d.*); ◇ дать на ~ (*дт.*) tip (*d.*), give* a tip (*i.*).

чай II *вводн. сл. уст. разг.* (*вероятно*) methínks; máybè; он, ~, проголода́лся, уста́л he must be húngry, tired.

ча́йка *ж.* (séa-)gùll, méw(-gùll); крыло́ ти́па «ча́йка» *ав.* gúll-wing, cranked wing.

ча́й|ная *ж. скл. как прил.* téa-room(s) (*pl.*). ~ник *м.* (*для заварки чая*) téapòt; (*для кипятка*) kettle. ~ница *ж.* (téa-)càddy, (*небольшая металлическая*) cánister.

ча́йн|ый (*в разн. знач.*) tea (*attr.*). ~ая ло́жка téaspoon; ~ серви́з téa-sèt; ~ подно́с téa-tray; ~ стол téa-tàble; ~ая ска́терть téa-clòth; ~ая планта́ция téa-plàntátion; ◇ ~ая ро́за téa-ròse; че́рез час по ~ой ло́жке погов. ≅ in dríblets [...ˈdrɪ-], few and far between, in mínute dóses [...maɪ- -sɪz].

чак *м. мор.* chock; fúrring.

чако́на *м. муз.* chacónne [ʃ-].

ча́лить (*вн.*) *мор., ав.* moor (*d.*), tie up (*d.*).

ча́лка *ж. мор., ав.* tíe-ròpe, móoring-ròpe.

чалма́ *ж.* túrban.

ча́лый (*о масти*) roan; ~ конь roan.

чан *м.* vat, tub; (*пивоваренный*) tun; броди́льный ~ fèrmèntátion vat; дуби́льный ~ tán-vàt.

ча́ра *ж. уст.* cup, góblet [ˈɡɔ-].

ча́рдаш *м.* czárdàs [ˈtʃɑːdɑːʃ] (*Hungarian dance*).

ча́рка *ж.* cup; ~ во́дки glass of vódka.

чарльсто́н *м.* (*танец*) Chárleston.

чарова́ть (*вн.*) charm (*d.*); (*обольщать*) bewítch (*d.*).

чаро́вница *ж.* chármer.

чароде́й *м.* magícian, sórcerer. ~ка *ж.* sórceress; (*обольстительница*) enchántress [-ɑːnt-]. ~ство *с.* mágic, sórcery; charms *pl.*

ча́рочка *ж. уменьш. от* ча́рка.

ча́ртер *м. мор.* chárter; ~-па́ртия chárter-pàrty.

чарт|и́зм *м. ист.* chártism. ~и́ст *м. ист.* chártist. ~и́стский *ист.* chártist; ~и́стское движе́ние chártist móvement [...ˈmuː-].

чару́ющий *прич. и прил.* bewítching, enchánting [-ɑːnt-], fáscinàting.

ча́ры *мн.* sórcery *sg.*, wítchcràft *sg.*; (*перен.: очарование*) charms *pl.*; fàscinátion *sg.*; злы́е ~ évil spell [iːvˈl...] *sg.*, dévilment *sg.*

час *м.* 1. (*отрезок времени*) hour [auə]; полтора́ ~á an hour and a half [...hɑːf]; че́рез ~ in an hour; э́то потре́бует ~а вре́мени it will take an hour; с ~ about an hour; е́хать со ско́ростью сто киломе́тров в ~ trável at a speed of one húndred kílomètres an hour [ˈtræ-...]; ~а́ми for hours; 2. (*время по часам*): двена́дцать ~о́в twelve o'clock; в двена́дцать ~о́в at twelve o'clock; двена́дцать ~о́в дня noon; двена́дцать ~о́в но́чи mídnight; ~ дня one (o'clock) in the àfternóon [...ˈpiːem] *офиц.*; ~ но́чи one (o'clock) in the mórning; 1 a. m. [...ˈeɪem] *офиц.*; в ~ но́чи at one (o'clock) in the mórning; at 1 a. m. *офиц.*; в три ~а́ утра́ at three (o'clock) in the mórning; at 3 a. m. *офиц.*; (в) шесть ~о́в ве́чера (at) six (o'clock) in the àfternóon; (at) 6 p. m. *офиц.*; кото́рый ~? what is the time?, what time is it?; в кото́рый ~ is it?; 3. (*время, посвящённое чему-л.*) time; *мн. тж.* hours; ~ обе́да dínner-time; ~ о́тдыха rést-time, time of rest; приёмные ~ы́ recéption hours; (*у врача*) consultátion hours; свобо́дные ~ы́ léisure hours [ˈleʒə...]; служе́бные ~ы́ óffice hours; ◇ академи́ческий ~ téaching / school períod (*45 minutes in the Soviet Union*); стоя́ть на ~а́х stand* séntry, keep* watch; ~ от ~у не ле́гче! *разг.* ≅ from bad to worse, things are getting worse and worse; one thing on top of another; в до́брый ~! good luck!; не в до́брый ~ in an évil hour [...ˈiːvˈl...], at an ùnlúcky móment; на ро́вен ~ *разг.* ≅ one never knows [...nouz]; би́тый ~ for a sólid hour, for a good hour; ~-друго́й for an hour or two; ти́хий ~ quíet time (*in sanatorium, etc.*); расти́ не по дням, а по ~а́м *разг.* grow* befóre one's eyes [-ou- ...aɪz]; с ~у на ~ évery móment.

часа́ми *нареч.* for hours [...auəz].

ча́сик *м.* ~ча́сок.

часо́вня *ж.* chápel [ˈtʃæ-].

часов|о́й I *прил.* (*относящийся к часам*) clock (*attr.*), watch (*attr.*); ~ механи́зм clóckwòrk; ~а́я пружи́на máinspring; ~а́я стре́лка hóur-hànd [ˈauə-]; дви́гаться по ~ стре́лке move clóckwise [muːv...]; дви́гаться про́тив ~ стре́лки move cóunter-clóckwise / ánticlóckwise; ~ы́х дел ма́стер *уст.* wátch-màker; ~ магази́н wátch-màker's (shop);

часов|о́й II *прил.* к час 1; (*продолжительностью в 1 час тж.*) hóur-lòng [ˈauə-]; ~а́я бесе́да an hour's talk [...auəz...]; ~ переры́в one hour's ínterval; ~а́я опла́та páyment by the hour.

часов|о́й III *м. скл. как прил.* séntry; séntinel (*тж. перен.*); поста́вить ~о́го post a séntry [poust...]; сменя́ть ~о́го relíeve a séntry [-ˈliːv...].

-часово́й (*в сложн. словах, не приведённых особо*) 1. (*о продолжительности*) of... hours [...auəz], -hour (*attr.*); *напр.* двухчасово́й of two hours; two-hour [-auə] (*attr.*); 2. (*о поезде и т. п.*) the... o'clock (*attr.*): семичасово́й по́езд the séven o'clock train [...ˈse-...]; the séven o'clock *разг.*

часовщи́к *м.* wátchmàker.

часо́к *м. разг.* an hour or so [...auə...]; уйти́ на ~ leave* for an hour or so.

ча́сом *нареч. разг.* 1. sómetimes, at times, now and then; 2. (*случайно*) by chance.

часосло́в *м. церк.* práyer-book [ˈprɛə-], bréviary.

часте́нько *нареч. разг.* quite fréquently; fáirly óften [...ˈɔf(t)ⁿ].

част|и́ть *разг.* 1. do smth. rápidly / húrriedly; не ~и́, говори́ ясне́й don't gabble / jábber, speak more distínctly; 2. (*часто посещать кого-л.*) vísit smb. fréquently [ˈvɪz-...], see* much of smb.

части́|ца *ж.* 1. fráction, (little) part; párticle; заряжённая ~а *физ.* charged párticle; 2. *грам.* párticle. ~чка *ж.* уменьш. от части́ца 1.

части́чн|ый pártial; ~ое затме́ние *астр.* pártial eclípse.

ча́стник *м. разг.* prívate tráder [ˈpraɪ-]; (*о кустаре*) prívate cráftsman*.

частновладе́льческий *эк.* prívately owned [ˈpraɪ- ou-]; ~ капита́л prívately owned cápital.

ча́стное *с. скл. как прил. мат.* quótient.

частнокапиталисти́ческий prívate cápitalist [ˈpraɪ-...].

частнособственническ|ий prívate-ównership [ˈpraɪ- -ounə-] (*attr.*); prívate-òwner [ˈpraɪ- -ounə] (*attr.*); ~ие пережи́тки survívals of prívate-ównership ideólogy / mèntálity [...aɪdɪˈɔ-...]; ~ая психоло́гия prívate-òwner psychólogy [...saɪˈk-...].

ча́стност|ь *ж.* detáil [ˈdi-]; ◇ в ~и in partícular.

ча́стн|ый 1. *прил.* prívate [ˈpraɪ-]; ~ капита́л prívate / nón-státe cápital; ~ая со́бственность prívate próperty; ~ое предприя́тие prívately owned énterprise [ˈpraɪ- ou-...]; ~ое лицо́ prívate pérson; ~ые уро́ки prívate léssons; это его́ ~ое де́ло it is his prívate affáir; it's his own búsiness [...oun ˈbɪzn-] *разг.*; ~ым о́бразом prívately, únofficially; 2. *прил.* (*отдельный, особый*) partícular; ~ слу́чай partícular / spécial case [...ˈspe-s]; 3. *с. как сущ.* the partícular; заключе́ние от о́бщего к ~ому concluding from the géneral to the partícular.

ча́сто *нареч.* 1. óften [ˈɔf(t)ⁿ], fréquently; ~ ви́деться, встреча́ться с кем-л. meet* smb. fréquently; see* a lot of smb. *разг.*; 2. (*густо, плотно*) close [-s], thíck(ly); дере́вья поса́жены ~ the trees are plánted close to one anóther [...ˈplɑː-...].

частоко́л *м.* páling, pàlisáde; обнести́ ~ом (*вн.*) pàlisáde (*d.*).

частота́ *ж.* fréquency [ˈfriː-].

часто́т|ность *ж.* fréquency (of occúrrence) [ˈfriː-...]; ~ный fréquency [ˈfriː-] (*attr.*).

частуше́чный *прил.* к части́вушка.

части́вушка *ж.* chastóoshka (*two-line or four-line folk verse, usually humorous and topical, sung in a lively manner*).

ча́ст|ый 1. (*повторяющийся*) fréquent; ~ые посеще́ния fréquent vísits [...-z-]; 2. (*густой*) close [-s], thick; ~ лес thick wood [...wud]; ~ гре́бень fíne-tòoth comb [...koum]; ~ дождь stéady rain [ˈstedɪ-...]; 3. (*быстро следующий один за другим*) quick, fast; ~ пульс rápid pulse; ~ ого́нь *воен.* quick / rápid fire.

част|ь *ж.* 1. (*в разн. знач.*) part; (*доля*) share, pórtion; (*с сущ. рд. мн.*; *некоторые*) some (of); бо́льшая ~ the gréater / most part [...ˈɡreɪ-...], the majórity; (*с сущ. рд. мн. тж.*) most (of);

ЧАС—ЧЕМ

bulk (of); a third (part); ~и тела parts of the body [...'bɔ:-]; ~и света *геогр.* parts of the world; ~и речи *грам.* parts of speech; составная ~ constituent / component part; component, constituent; роман в трёх ~ях novel in three parts ['nɔ-...]; по ~ям in parts; платить по ~ям pay* by instalments [...-'stɔ:l-]; разобрать на ~и (*вн.*) take* to pieces [...'pi:-] (*d.*); запасные ~и spare parts; spares; ~и машин parts / pieces of a machine [...-'ʃi:n]; неотъемлемая ~ чего-л. integral part of smth., part and parcel of smth.; 2. (*отдел*) department; учебная ~ office of the head of studies [...hed...'stʌ-]; 3. *воен.* unit; воинская ~ military unit; кадровая ~ regular unit; запасная ~ dépôt (unit) ['depou...]; training unit; 4. *ист.* (*отделение полиции*) police-station [-'li:s-] ◇ большей ~ью, по большей ~и for the most part, mostly; это не по моей ~и *разг.* it is not in my line; он знаток по этой ~и he knows all there is to know about it [...nouz...]; he is an expert at / in this; материальная ~ matériel (*фр.*) [mətɪərɪ'el], equipment.

частью *нареч.* partly; in part; это сделано ~ из дерева, ~ из железа this is made part of wood, part of iron [...wud.. 'aɪən].

час||ы I *мн.* (*настольные, стенные*) clock *sg.*; (*карманные, ручные*) watch *sg.*; (*ручные тж.*) wrist-watch *sg.*; ~ с будильником alarm-clock *sg.*; песочные ~ sand-glass *sg.*, hour-glass ['auə-] *sg.*; солнечные ~ sun-dial *sg.*; поставить ~ set* a watch, a clock; завести ~ wind* a watch, a clock; спешат the watch, clock is fast; ~ отстают the watch, clock is slow [...-ou]; по моим ~ам двенадцать it is twelve (o'clock) by my watch; ~ бьют десять the clock is striking ten; проверить ~ (по *дт.*) see* if one's watch, clock is right (by) ◇ как ~ (*работать и т. п.*) like clock-work.

часы II *мн. см.* час.

чахлый 1. (*о растительности*) stunted; poor; wilted; 2. (*о человеке*) sickly, puny, unhealthy-looking [-'hel-].

чахнуть, зачахнуть 1. (*о растениях*) wither; wilt; 2. (*о людях*) pine.

чахот||ка *ж. разг.* consumption; скоротечная ~ galloping consumption. **~очный** *разг.* 1. *прил.* consumptive; ~очный румянец hectic flush / colour [...'kʌlə]; 2. *м. как сущ.* consumptive (patient).

чаш||а *ж.* cup, bowl [boul]; (*церковная*) chalice; ◇ ~ весов scale, pan; у них дом — полная ~ they live in plenty [...lɪv...]; испить горькую ~y drink* / drain the cup of woe; ~ его терпения переполнилась his patience was exhausted.

чашелистик *м. бот.* sepal.

чашечка *ж.* 1. small cup; 2. *бот.* calyx (*pl.* -xes [-ksi:z], calyces ['keɪlɪsi:z]); 3. = чашка 3.

чашк||а *ж.* 1. cup; (*как мера*) cupful; выпить ~y чаю drink* / take* a cup of tea; 2. (*весов*) scale, pan; 3. *анат.:* коленная ~ knee-cap, knee-pan; patella, scutum *научн.*

чаща *ж.* thicket; ~ леса thicket; heart / thick of the forest [hɑ:t... 'fɔ-]; the depths of the forest *pl.*

чаще I (*сравн. ст. от прил.* частый) more often [...'ɔ:f(t)ⁿ].

чаще II (*сравн. ст. от нареч.* часто) more often / frequent:ly [...'ɔ:f(t)ⁿ...]; (*более густо*) closer [-sə], more thickly.

чащоба *ж.* = чаща.

чаяни||е *с.* expectation, hope; *мн. тж.* aspirations ◇ сверх ~я, паче ~я beyond, *или* contrary to, expectation, unexpectedly.

чаять (*рд.,* + *инф.*) *уст.* expect (*d.,* + to *inf.*), hope (for) ◇ души не ~ (в *пр.*) worship (*d.*), dote (up:on).

чван||иться *разг.* swagger ['swæ-], swank [swæ-]. **~ливость** *ж.* swaggering ['swæ-], swank [swæ-]. **~ливый** swaggering ['swæ-], self-conceited [-'si:t-], swanky ['swæ-]. **~ный** presumptuous [-'z-], self-conceited [-'si:t-]. **~ство** *с.* swagger ['swæ-], self-conceit [-'si:t-].

чебур||ек *м. кул.* cheburék (*kind of meat pasty eaten in the Crimea and the Caucasus*). **~ечная** *ж. скл. как прил.* cheburéks-house* [-s].

чего [-во] *рд. см.* что I.

чей *мест.* whose: ~ это нож? whose knife* is it?; чья это книга? whose book is it?; человек, чью книгу вы взяли, — студент нашего института the man* whose book you have taken is a student of our Institute.

чей-либо, чей-нибудь *мест.* somebody's, someone's, anyone's.

чек *м.* 1. (*банковый*) cheque; check *амер.*; платить по ~y meet* a cheque; выписать ~ draw* a cheque; получить деньги по ~y cash a cheque; погасить ~ cash a cheque; ~ на предъявителя bearer-cheque ['bɛə-]; просроченный ~ overdue cheque; 2. (*из кассы*) receipt [-'si:t]; (*от продавца*) bill.

Чека *ж. нескл. ист.* Cheká; *см. тж.* ВЧК.

чека *ж.* (*у колеса*) linchpin.

чекан||ить (*вн.*) 1. mint (*d.*), coin (*d.*); ~ монету mint coins, coin money [...'mʌ-]; ~ медали strike* / stamp medals [...'me-]; 2. *тех.* chase [-s] (*d.*); (*швы*) caulk (*d.*) ◇ ~ слова rap out the words; ~ шаг measure out one's pace ['meʒə...]. **~ка** *ж.* 1. coining, coinage; ~ка монеты coining money [...'mʌ-], coinage; право ~ки монеты mintage; 2. *тех.* chasing [-s-]; (*о швах*) caulking. **~ный** chased [-st]; (*перен.*) measured ['meʒ-]; ~ный шаг firm / measured tread / pace [...tred...]; ~ный образ chiselled image [-z-...]. **~очный:** очный пресс stamping-press. **~щик** *м.* chaser [-sə]; caulker.

чекист *м.*, **~ка** *ж.* official of Cheká; security officer.

чеков||ый *прил. к* чек 1; ~ая книжка cheque-book.

чекушка *ж. разг.* quarter-litre bottle of vodka [-li:tə...].

чёлка *ж.* fringe; bang (of hair); (*у лошади*) fore:lock.

челн *м.* dug-out, canoe [-'nu:]; bark *поэт.*

челнок I *м.* (*лодка*) dug-out, canoe [-'nu:]; плыть в ~е canoe.

челнок II *м.* (*ткацкий, швейной машины*) shuttle.

челночный shuttle (*attr.*); ◇ ~ маршрут (*транспорта*) shuttle service (*of train, buses, etc.*).

чело *с. тк. ед. уст., поэт.* brow; ◇ бить ~м кому-л. ask smb. humbly; go* cap in hand to smb. *идиом.*

челобит||ная *ж. скл. как прил. ист.* petition. **~чик** *м. ист.* petitioner.

человек *м.* (*мн.* люди) man*; person; обыкновенный ~ ordinary / average man*; выдающийся ~ eminent person; опытный ~ man* of experience; учёный ~ érudite person; деловой ~ business-man* ['bɪzn-]; (*дельный, практичный*) business-like / practical person ['bɪzn-...]; молодой ~ young man* [jʌŋ...]; нас было десять ~ we were ten, there were ten of us; пять ~ детей five children, по пяти рублей на ~a five roubles per head, *или* apiece [...ru:-...hed ə'pi:s]; все до одного ~a to a man; ~ устал, болен, занят *и т. п.*, а его беспокоят, спрашивают *и т. п.* can't you, he, they, *etc.*, see the man* is tired, ill, busy, *etc.*, and leave him alone! [kɑ:nt...'bɪzɪ...].

человековедение *с.* study of human nature ['stʌ-... 'neɪ-].

человеко-день *м. эк.* man-day.

человеко||любивый philanthropic. **~любие** *с.* philanthropy, love of fellow-men [lʌv...].

человеконенавистни||к *м.* man-hater, hater of mankind, misanthrope [-z-]. **~ческий** misanthropic [-z-], man-hating. **~чество** *с.* hatred of mankind, misanthropy [-'zæ-].

человекообразн||ый anthropomorphous; anthropoid; ~ая обезьяна anthropoid ape.

человеко-час *м. эк.* man-hour [-auə].

человечек *м.* little man*.

человеческ||ий 1. human; ~ разум the human mind; ~ая природа human nature [...'neɪ-]; ~ род the human race; 2. (*человечный, гуманный*) humane; ~ое обращение humane / kind treatment.

человеч||ество *с.* humanity, mankind. **~ий** human. **~ность** *ж.* humane:ness, humanity. **~ный** humane.

челюстн||ой maxillary; ~ая кость jaw-bone; maxilla (*pl.* -ae) *научн.*

челюст||ь *ж.* jaw; maxilla (*pl.* -ae) *научн.*; верхняя ~ upper jaw; нижняя ~ lower jaw ['louə-...]; (*млекопитающих и рыб*) mandible; выступающая (вперёд) ~ prognathous jaw; вставные ~и dentures.

челядь *ж. тк. ед. собир. уст.* servants *pl.*, menials *pl.*

чем I *тв.*, **чём** *пр. см.* что I; ◇ уйти ни с чем go* a:way empty-handed, *или* having achieved nothing [...ə'tʃi:vd...]; get* nothing for one's pains.

чем II *союз* 1. (*после сравн. ст.*) than: эта книга лучше, ~ та this book is better than that one; в этом году посевная площадь больше, ~ в прошлом this year the area under crops is lárger than it was last year [...'eəгɪə...]; 2. (перед сравн. ст.): чем..., тем the ... the; ~ бо́льше, тем лу́чше the more the bétter; ~ да́льше (о времени) as time goes on; (о расстоянии) as you move on, или go* fúrther [...muːv... -ðə]; 3. (+ инф.; вместо того, чтобы) instéad of [-'sted...] (+ger.) причём глаг. в личн. форме переводится через had bétter + inf.; ~ говори́ть, ты пойди́ туда́ сам you'd bétter go there yoursélf instéad of tálking abóut it; ~ писа́ть, вы бы ра́ньше спроси́ли you'd bétter ask first and write áfterwards [...-dz].

чем III частица: чем свет at dáybreak [...-eɪk].

чемери́ца ж. бот. héllebore.

чемода́н м. súitcase ['sjuːtkeɪs]; (большо́й) trunk; уложи́ть ~ pack a súitcase / pòrtmánteau [...-tou].

чемпио́н м. chámpion; títle-hòlder; ~ ми́ра chámpion of the world; ~ по ша́хматам, бо́ксу и т. п. chess, bóxing, etc., chámpion. ~а́т м. chámpionship; ~а́т ми́ра по борьбе́ world chámpionship for wréstling. ~ский прил. к чемпио́н. ~ство с. (звание чемпиона) chámpion's title.

чему́ дт. см. что I.

чепе́ц м. cap.

чепра́к м. shábràck ['ʃæ-], sáddle-clòth.

чепуха́ ж. тк. ед. разг. 1. nónsense, rot, rúbbish; болта́ть, городи́ть ~ý talk nónsense / rúbbish; talk rot; э́то ~ this is nónsense / rúbbish; 2. (пустя́к, ерунда́) trifle; ~о́вый разг. trífling; э́то ~о́вое де́ло it is a trífling búsiness / mátter [...'bɪzn-...].

че́пчик м. (ládies') night cap; (де́тский) bónnet.

червеобра́зный vérmifòrm, vermícular; ~ отро́сток анат. (vérmifòrm) appéndix (pl. -icès [-iːz]).

че́рви I мн. см. червь.

че́рв‖и II мн. (ед. разг. че́рва ж.) карт. hearts [hɑːts]; ходи́ть с ~ей lead* a heart.

черви́в‖еть, очерви́веть becóme* wórm-eaten. ~ый wórm-eaten, wórmy.

червлёный уст. (о цвете) dark red.

черво́н‖ец м. 1. разг. tchervónets (ten--rouble bánknote); 2. уст. (золотая моне́та) gold piece / coin [...piːs...].

черво́нн‖ый I карт. of hearts [...hɑːts]; ~ вале́т, ~ая да́ма, ~ая деся́тка и т. п. knave of hearts, queen of hearts, ten of hearts, etc.

черво́нн‖ый II (о цвете) red, dark red; ◊ ~ое зо́лото pure gold.

червото́чина ж. wórm-hòle; (перен.) róttenness.

че́рвы мн. = че́рви II.

червь м. worm; шелкови́чный ~ sílkwòrm.

червя́к м. worm (тж. тех.).

червя́чн‖ый тех. worm (attr.); ~ая переда́ча wórm-gèar(ing) [-gɪə-]; ~ое колесо́ wórm-wheel.

червяч‖о́к м. уменьш. от червя́к; ◊ замори́ть ~ка́ разг. have a snack / a bite; take* the edge off one's húnger.

черда́к м. gárret.

черда́чный прил. к черда́к; ~ое помеще́ние gárret.

черёд м. разг. turn; тепе́рь твой ~ it is your turn now; ◊ идти́ свои́м чередо́м take* its nórmal course [...kɔːs].

черед‖а́ I ж. уст., поэт. train, séquence ['siː-]; file; дли́нной ~о́й in a long train.

череда́ II ж. бот. búr-márigòld.

чередова́ние с. àlternátion, ìnterchánge [-eɪndʒ]; ~ зву́ков лингв. automátic àlternátion; ~ гла́сных лингв. vówel gradátion; ~ согла́сных лингв. ìnterchánge of cónsonants.

чередова́‖ть (вн. с тв.) àltèrnàte (d. with). ~ся àltèrnàte; (делать что-л. по очереди) take* turns.

че́рез предл. (вн.) 1. (поверх препя́тствия) óver; (поперёк) acróss: пры́гнуть ~ барье́р jump óver the húrdle; перейти́ ~ доро́гу walk acróss the road; ступи́ть ~ поро́г step acróss the thréshòld; 2. (сквозь) through: пройти́ ~ лес walk through the fórest [...'fɔ-]; ~ окно́ through the wíndow; пройти́ ~ испыта́ния go* through many tríals; 3. (о пунктах следования) via; е́хать в Ки́ев ~ Москву́ go* to Kíev via Móscow [...'kiːev...]; 4. (по прошествии) in; ~ два часа́ in two hours [...auəz]; ~ не́сколько часо́в in a few hour's time; ~ год in a year; (в прошлом) a year láter; ~ не́которое вре́мя áfter a while; приходи́ть ~ день come* évery óther day; ~ час по ло́жке a spóonful évery hour; 5. (посре́дством) through; by way of; ~ кого́-л. through smb.; ◊ ~ пень коло́ду разг. ány;how; другие особые случаи, не приведённые здесь, см. под теми словами, с которыми предл. через образует тесные сочетания.

черёмуха ж. 1. (дерево) bird chérry tree; 2. (ягода) bird chérry.

черемша́ ж. бот. rámsons [-mz-] pl.

черенкова́ть (вн.) 1. graft (d.); 2. (отсаживать черенком) take* a cútting (of).

черено́к м. 1. (ру́чка) handle, haft, heft; 2. бот. cútting, graft.

че́реп м. skull; cránium (pl. -nia) научн.; (эмблема смерти) death's head [deθs hed]; ~ и ко́сти skull and cróss--bones.

черепа́х‖а ж. 1. tórtoise [-təs]; (морска́я) turtle; 2. тк. ед. (материа́л) tórtoise-shèll [-təs-]. ~овый прил. к черепа́ха; ~овый суп turtle soup [...suːp]; ~овый гре́бень tórtoise-shèll comb [...koum].

черепа́‖ший прил. к черепа́ха 1; ◊ ~шьим ша́гом ≅ at a snail's pace.

черепи́ц‖а ж. собир. tile, tíling; кры́тый ~ей tiled.

черепи́чн‖ый tiled; tile (attr.); ~ая кры́ша tiled roof, tíling; ~ заво́д tile fáctory.

черепн‖о́й анат. cránial; ~а́я коро́бка cránium (pl. -nia).

черепо́к м. crock, piece of bróken cróckery [...piːs...].

чересполо́сица ж. strip fárming; strip hólding (of land).

чересседе́льник м. saddle girth [...g-].

чересчу́р нареч. too; ~ холо́дный too cold; ~ мно́го much too much; ~ ма́ло too little; ◊ э́то уже́ ~! that's too much!, that's gó;ing too far!, that's a bit / little too thick!

чере́шневый прил. к чере́шня.

чере́шня ж. 1. тк. ед. собир. (sweet) chérries pl.; 2. (об отдельной ягоде) (sweet) chérry; 3. (дерево) chérry-tree.

черешо́к м. разг. = черенок.

черка́ть, чёркать (вн.) разг. (вычёркивать) cross out (d.), cross off (d.).

черке́с м. Circássian.

черке́ска ж. (одежда) Circássian coat (long-waisted outer garment).

черке́сский Circássian; ~ язы́к Circássian, the Circássian lánguage.

черке́шенка ж. Circássian wóman* [...'wu-]; (о девочке) Circássian girl [...gəːl].

черкну́ть сов. (вн.) разг. (написа́ть) write* (d.), scríbble (d.); ~ не́сколько слов (дт.) drop a line (i.).

чернёный níellòed.

черне́‖ть, почерне́ть 1. (станови́ться чёрным) turn / becóme* / grow* black [...-ou...]; bláckеn; 2. тк. несов. (ви́днеться) show* black [ʃou...]; вдали́ ~л лес the fórest showed black in the dístance [...'fɔ-...]; что́-то ~ло вдали́ smth. black loomed in the dístance, there was a black spot in the dístance. ~ться = черне́ть 2.

чернéц м. уст. monk.

черни́ка ж. тк. ед. 1. собир. bílberries pl., whórtle;bèrries pl.; 2. (об отдельной ягоде) bílberry, whórtle;bèrry; 3. (куст) bílberry-bùsh [-buʃ], whórtle;bèrry-bùsh [-buʃ].

черни́ла мн. ink sg.; копирова́льные ~ cópying ink; несмыва́емые ~ indélible ink; ◊ не успе́ли ещё вы́сохнуть ~, как the ink had hárdly dried when.

черни́льн‖ица ж. ínk-pòt, ínk-wèll; (прибор) ínkstànd. ~ый ink (attr.); ~ое пятно́ ínk-stain; ~ый каранда́ш cópying / indélible péncil; ◊ ~ый оре́шек óak-gàll, nút-gàll; ~ая душа́ péttifògger, búreaucràt ['bjuərо-].

черни́‖ть I, начерни́ть (вн.; кра́сить в чёрное) bláckеn (d.).

черни́‖ть II, очерни́ть (вн.; клевета́ть) slánder ['slɑː-] (d.); smear (d.); cast* slurs (up;ón); сов. тж. cast* a slur (up;ón); ~ чью-л. репута́цию bláckеn / soil smb.'s repùtátion.

черни́чный bílberry (attr.); whórtleː-bèrry (attr.).

чёрно-бе́лый black-and-white (attr.).

черно‖боро́дый black-béarded. ~бро́вый dárk-browed.

чернобу́рка ж. разг. sílver fox.

черно-бу́р‖ый dárk-brown; ~ая лиса́ sílver fox.

чернова́т‖ый bláckish; с ~ым отли́вом shot with black.

чернови́к м. 1. (черновой набросок) rough cópy [rʌf 'kɔ-]; 2. (черновая тетрадь) rough nóte;book.

черново́й rough [rʌf]; (предварительный) draft (attr.).

черно‖воло́сый dárk-haired. ~гла́зый dárk-eyed [-aɪd].

черноголо́вка ж. зоол. bláckcàp.

ЧЕР — ЧЕС

черноголо́в|ый 1. (*о человеке*) dárk-haired; 2. (*о птице, животном*) having a black head [...hed].
черного́р|ец *м.*, ~ка *ж.*, ~ский Montenégrin [-'ni:-].
черногри́вый bláck-màned.
чернозём *м.* chérnozèm, black earth [...ə:θ]. ~ный chérnozèm (*attr.*), black earth [...ə:θ] (*attr.*); ~ная полоса́ chérnozèm zone, black earth zone / belt.
чернокни́жие *с. уст.* black mágic.
чернокни́жник *м. уст.* práctitioner of black mágic.
черно||ко́жий 1. *прил.* black, bláck-skinned; 2. *м. как сущ.* black; black man*. ~ку́дрый with black curls.
чернолéсье *с.* decíduous fórest [...'fɔ-].
чернома́зый *разг.* swárthy [-ði].
черномо́рец *м.* sáilor of the (Sóviet) Black Sea Fleet.
черномо́рск|ий Black Sea (*attr.*); ~ое побере́жье Black Sea coast; Черномо́рский флот the (Sóviet) Black Sea Fleet.
черноо́кий *поэт.* bláck-eyed [-aɪd], dárk-eyed [-aɪd].
чернорабо́чий *м. скл. как прил.* únskilled lábour:er.
чернорубашéчник *м.* bláck:shirt.
черносли́в *м. тк. ед. собир.* prunes *pl.*
черносо́тен|ец *м. ист.* one of the Black Húndreds, Bláck-Húndreder. ~ный *ист.* Bláck-Húndred (*attr.*).
чернота́ *ж.* bláckness.
черноста́л *м. бот.* báy-leaf willow.
черно||у́сый with a black moustáche [...məs'tɑ:ʃ], bláck-moustáched [-məs-'tɑ:ʃt]. ~ше́рстый bláck-fùrred.
чёрн||ый 1. *прил.* (*прям. и перен.*) black; ~ хлеб brown / black bread [...bred], rýe-bread [-ed]; ~ как смоль jét-bláck; ~ как у́голь cóal-bláck; ~ые мета́ллы *тех.* férrous métals [...'me-]; ~ая металлу́ргия férrous mètállurgy; ~ые па́ры *с.-х.* fállow land *sg.*; ~ая неблагода́рность base in:grátitude [-s...]; э́то у него́ ~ая за́висть he is green with énvy; ~ая меланхо́лия deep mélancholy [...-kə-]; ~ые мы́сли dark / glóomy thoughts; ~ое де́ло crime, black deed; 2. *прил.* (*не главный, подсобный*) back (*attr.*); ~ двор báck:yard; ~ая ле́стница báckstairs *pl.*; ~ ход back éntrance; 3. *с. как сущ.* black; ходи́ть в ~ом wear* black [wɛə...], be dressed in black; 4. *мн. как сущ. шахм.* Black *sg.* ◇ ~ым по бéлому in black and white; ~ая работа́ únskilled lábour; ~ое де́рево ébony; тóполь black póplar [...'pɔ-]; ~ая би́ржа illégal exchánge [...-'tʃeɪ-]; ~ рынок black márket; держа́ть кого́-л. в ~ом тéле ill-tréat / màltreat smb. [...mæl-...]; ви́деть всё в ~ом свéте see* évery-thing in the worst light; на ~ день for a ráiny day; бере́чь, откла́дывать на ~ день put* by for a ráiny day; ~ая сотня́ *ист.* the Black Húndred; ~ое духове́нство the régular clérgy; мéжду ни́ми пробежа́ла ~ая ко́шка ≅ there is a cóolness betwéen them, they have fáll:en out óver sómething.
черны́м-черно́ *нареч.* pítch-dárk.

чернь I *ж. уст.* (*простонародье*) cómmon people [...pi:-], mob.
чернь II *ж.* (*чернёное серебро*) niéllò.
черпа́к *м.* scoop; (*землечерпалки, экскаватора*) búcket.
черпа́лка *ж. разг.* scoop.
чéрп||ать (*вн.*) draw* (*d.*); (*ковшом*) ládle (out) (*d.*); (*ложкой*) spoon (up / out) (*d.*); (*перен.*) draw* (*d.*); ~ во́ду draw* wáter [...'wɔː-]; ~ све́дения draw* informátion; ~ зна́ния get* knówledge [...'nɔ-]; ~ си́лы (из) derive (one's) strength (from). ~ну́ть *сов.* (*вн.*) scoop up (*d.*).
черстве́ть I, зачерстве́ть get* stale.
черстве́ть II, очерстве́ть (*о человеке*) become* hárdened / cállous; hárden.
чéрств||ость *ж.* 1. stále:ness; 2. (*о характере*) hárd-héartedness [-'hɑ:tɪd-], cállous:ness. ~ый 1. stale; ~ый хлеб dry / stale bread [...bred]; 2. (*о человеке*) hárd-héarted [-'hɑ:t-], cállous.
чёрт *м.* dévil, deuce; ◇ иди́ к ~у! go to the dévil!, go to hell!; ~ возьми́!, ~ побери́! the dévil take it!, to hell with it!; ~ зна́ет что! what the díckens / dévil!; како́го ~а! what on earth! [...ə:θ], what the hell!: како́го ~а он там дéлает! what the hell is he doing there!; — на кой ~? why the hell?; не поня́ть ни черта́ not understánd a thing; сам ~ не разберёт, сам ~ но́гу сло́мит ≅ there is no máking head or tail of it [...hed...]; ~а с два! like hell!; чем ~ не шу́тит ≅ don't be too sure [...ʃuə]; you never can tell; у ~а на кули́чках at the world's end, in the back of be:yónd; не так стра́шен ~, как его́ малю́ют *посл.* the dévil is not so térrible as he is páinted; (*не так плох*) the dévil is not so black as he is páinted; ну и ~ с ним! to hell with him!; the hell with him! *амер.*
черт||á *ж.* 1. (*линия*) line; провести́ ~у́ draw* a line; проводи́ть ~у́ (мéжду) (*перен.*) draw* a distínction (betwéen); 2. (*граница, предел*) bóundary, précinct ['pri:-]; ~ го́рода city / town bóundaries ['sɪ-...] *pl.*; в ~é го́рода withín the précincts of a town; пограни́чная ~ bóundary; ~ осéдлости *ист.* the Jéwish pale; 3. (*свойство, особенность*) trait [treɪ]; (*характера тж.*) streak; отличи́тельная ~ distínguishing féature; э́то фами́льная, семéйная ~ it is a fámily trait; it runs in the fámily идиом.; ◇ ~ы́ лица́ féatures; в о́бщих ~áx róughly ['rʌf-], in (géneral) outline, in a géneral way.
чертёж *м.* draft, (*набросок*) sketch; рабо́чие чертежи́ wórking dráwings. ~ная *ж. скл. как прил.* dráwing óffice / dráfting room. ~ник *м.* dráfts:man*.
чертё||жница *ж.* dráfts:wòman* [-wu-]. ~ный dráwing (*attr.*); ~ное перо́ dráwing-pèn; ~ная игла́ dráwing-point; ~ная доска́ dráwing-board; ~ные ку́рсы cóurses of dráughtsmanship ['kɔ:s-... 'drɑ:ft-].
чертёнок *м.* imp.
чёртик *м.*: до ~ов *разг.* till one is sick.
черти́ть, начерти́ть (*вн.*) draw* (*d.*); ~ план draw* a plan; ~ ка́рту make* a map.

чёртов *прил.* 1. the dévil's own [...oun]; 2. (*очень плохой*) dévilish, héllish; ◇ ~ па́лец *мин.* thúnderstòne, thúnderbòlt; бéлемнит *научн.*; ~а дю́жина báker's dózen [...'dʌ-].
чертóвка *ж. бран.* shé-devil; (*ведьма*) hag, witch.
чертовщи́ня *ж. разг.* = чертовщи́на.
чертовск||и́ *нареч. разг.* dévilishly; он ~ спеши́т he is in a dévilish / deuced hurry, he's in a hell of a hurry; он ~ го́лоден he is áwfully húngry, he is rávenous; ~ далеко́ a hell of a way, a confóunded long way; ~ий *разг.* dévilish, héllish; ~ая рабо́та deuced hard work; ~ая хи́трость dévilish cúnning.
чертовщи́на *ж. разг.* dévilry; что за ~? what sort of dévilry is this?
чертóг *м. поэт.* (*помещение*) hall, chámber ['tʃeɪ-]; (*великолепное здание*) pálace.
чертополо́х *м. бот.* thistle.
чёрточка *ж. разг.* 1. уменьш. от черта́ 1, 3; 2. (*дефис*) hýphen ['haɪ-].
чертыха́ться, чертыхну́ться *разг.* swear* [swɛə].
чертыхну́ться *сов. см.* чертыха́ться.
черче́ние *с.* dráwing; техни́ческое ~ téchnical dráwing.
чеса́лка *ж. текст.* cómbing-machine ['kou-ʃi:n]; (*для льна*) flax comb [...koum], háckle.
чеса́льн||ый *текст.* cárding; cómbing ['koum-]; háckling; ~ая маши́на = чеса́лка.
чеса́льщ||ик *м.*, ~ица *ж. текст.* cómber ['koumə], cárder.
чеса́ние *с. текст.* cómbing ['koum-], cárding; háckling.
чёсаный *текст.* combed [koumd], cárded.
чеса́ть, почеса́ть (*вн.*) 1. *тк. несов.* (*о волосах*) comb [koum] (*d.*); 2. *тк. несов. текст.* comb (*d.*), card (*d.*); 3. (*о руке, носе и т. п.*) scratch (*d.*); ◇ ~ заты́лок scratch one's head [...hed]; ~ язы́к *разг.* wag one's tongue [wæg...tʌŋ].
чеса́ться, почеса́ться 1. scratch onesélf; 2. *тк. несов.* (*об ощущении*) itch; у него́ чéшется нос his nose itches; 3. *тк. несов. разг.* (*причёсываться*) do one's hair; ◇ у него́ ру́ки чéшутся э́то сде́лать he is ítching to do it; у него́ ру́ки чéшутся взять э́ту кни́гу, или for that book; у него́ язы́к чéшется сказа́ть э́то his tongue ítches to say it [...tʌŋ...].
чесно́к *м.* gárlic.
чесно́чн||ый *прил. к* чесно́к; ~ая голо́вка a gárlic bulb.
чесо́т||ка *ж. мед.* scab; rash; (*у животных*) mange [meɪndʒ]; (*перен.*) itch. ~очный scábby; mángy ['meɪndʒɪ]; ~ный клещ ítch-mite.
чéствование *с.* (*рд.*) cèlebrátion in hónour [...'ɔnə] (of) (*ср.* чéствовать).
чéствовать (*вн.*) cèlebrate (*d.*), arránge a cèlebrátion in hónour [-eɪnd3...'ɔnə] (of); ~ кого́-л. по слу́чаю возвраще́ния cèlebrate the retúrn of smb.; ~ кого́-л. по слу́чаю годовщи́ны cèlebrate smb.'s ànnivérsary.

че́стер [-тэр] *м.* (*сыр*) Chéshire cheese.
чести́ть (*вн.*) *разг.* abúse (*d.*).
че́стно I *прил. кратк. см.* че́стный.
че́стно II *нареч.* hónestly [ˈɒn-]; (*справедливо*) fair, fáirly; (*прямо, откровенно*) fránkly; он ~ отве́тил, что he ánswered hónestly / fránkly that [...ˈɑːnsəd ˈɒn-...]; де́йствовать, поступа́ть ~ по отноше́нию к кому́-л. act fáirly by smb.; play fair by smb. *идиом.*
че́стн||**о́й** *уст.* wórthy [-ðɪ], hónoured [ˈɒnə-]; ◊ мать ~а́я! *разг.* good héavens! [...ˈhev-]; вся ~а́я компа́ния *ирон.* the illústrious gáthering.
че́стн||**ость** *ж.* hónesty [ˈɒn-], intégrity, úp;rightness; ~ в дела́х straight déaling. **~ый** hónest [ˈɒn-], hónest-minded [ˈɒn-], úp;right; (*справедливый*) fair; ~ый челове́к hónest pérson / man*; ~ые лю́ди people of intégrity [piː-...], hónest-minded people; ~ое и́мя a good name; э́то не ~о that is not hónest; (*несправедливо*) that is not fair; ◊ дать ~ое сло́во give* / pledge one's word of hónour [...ˈɒnə]; ~ое сло́во! upón my word!, upón my hónour!; hónestly! [ˈɒn-].
честолю́б||**ец** *м.* ámbitious man*, man* of great ámbition [...greɪt...]. **~и́вый** ambítious. **~ие** *с.* ámbition; неудовлетворённое ~ие, обма́нутое ~ие thwárted ambítion.
чест||**ь** *ж.* 1. hónour [ˈɒnə]; де́ло ~и mátter of hónour; челове́к ~и man* of hónour; его́ ~ заде́та his hónour is at stake; счита́ю за ~ I consider it an hónour [...ˈsɪ-...]; на его́ до́лю вы́пала ~ (+ *инф.*) the hónour fell on / to him (+ *to inf.*); he had the hónour (+ *to inf.*); он де́лает ~ свое́й шко́ле he is an hónour to his school; поддержа́ть ~ (*рд.*) úp;hold* the hónour (of); э́то де́лает ему́ ~ that does him crédit; к его́ ~и на́до сказа́ть to his crédit be it said [...sed]; 2. (*почёт, уважение*) regárd, respéct; он у них в ~и *разг.* they make much of him; оказа́ть кому́-л. ~ do smb. the hónour (of) [...ˈɒnə]; ◊ отдава́ть ~ (*дт.*) *воен.* salúte (*d.*); отда́ние ~и salúting, salúte; име́ю ~ I have the hónour; не име́ю ~ю знать вас I have not the hónour of knówing you [...ˈnou-...]; вы́йти с ~ю из положе́ния come* out of *a* situátion with crédit; come* off with flýing cólours [...ˈkʌ-]; *идиом.* с ~ью вы́полнить что-л. accómplish smth. with crédit; с ~ью вы́полнить свой долг (пе́ред) hónour;ably dis;chárge one's dúty [ˈɒnə-...] (*to*); в ~ кого́-л., чего́-л. in hónour of smb., of smth.; ~ и ме́сто! *разг.* you are very wélcome!; please, be séated!; пора́ и ~ знать *разг.* one ought not to abúse (*smb.*'s hòspitálity, kínd;ness, *etc.*), we mustn't outstáy our wélcome; ~ ~ю в próper fáshion [...ˈpro-...].
чесуча́ *ж. текст.* tússore (silk).
чесучо́вый tússore(-silk) (*attr.*).
чёт *м. разг.* éven number; ~ и не́чет odd and éven.
чета́ *ж.* couple [kʌ-], pair; супру́жеская ~ márried couple; ◊ он тебе́ не ~ (*не пара*) he is no match for you; (*не идёт в сравнение*) there is no compáring you two.

четве́рг *м.* Thúrsday [ˈθəːzdɪ]; по ~а́м on Thúrsdays, every Thúrsday; ◊ по́сле до́ждичка в ~ one fine day.
четвере́ньк||**и** *мн.*: на ~ax on all fours [...fɔːz]; стать на ~ go* down on all fours.
четвери́к *м. уст.* (*мера*) tchètverík.
четвёрка *ж.* 1. (*цифра*) four [fɔː]; 2. (*отметка*) four (*out of five*); 3. *карт.* four; ~ черве́й, пик и *т. п.* the four of hearts, spades, *etc.* [...hɑːts...]; 4. (*лошадей*) fóur-in-hànd [ˈfɔː-]; team of four hórses; 5. *спорт.* (*лодка*) a four; 6. *воен. ав.* flight of four áircraft.
четверно́й fóurfold [ˈfɔː-], quádruple.
четверня́ *ж.* = четвёрка 3.
че́тверо *числит.* four [fɔː]; для всех четверы́х for all four; их ~ there are four of them.
четверокла́ссн||**ик** *м. разг.* fourth form boy; fóurth-fórmer *разг.* **~ица** *ж.* fourth form girl [...-gˈ-].
четвероно́г||**ие** *мн. скл. как прил. зоол.* quádrupeds. **~ий** *зоол.* fóur-fóoted [ˈfɔːfut-], fóur-légged [ˈfɔː-]; quadrúpedal *научн.*
четверору́кие *мн. скл. как прил. зоол.* fóur-handed ánimals [ˈfɔː-...]; quadrúmana *научн.*
четверости́шие *с. лит.* quátrain.
четверта́к *м. уст. разг.* twénty five cópecks *pl.*
четверти́нка *ж. разг.* quárter-litre bottle [-liːtə...] (*of vodka, etc.*).
четверти́чн||**ый** *геол.* Quatérnary; **~ая** систе́ма Quatérnary system.
четверти́||**но́й** = биле́т *уст. разг.* twenty-five rouble note [...ruːbl...]; **~а́я** но́та *муз.* crótchet; quárter-nòte *амер.*
четвертова́ние *с. ист.* quártering. **~а́ть** *несов. и сов.* (*вн.*) *ист.* quárter (*d.*).
четверту́шка *ж. разг.* a quárter.
четвёрт||**ый** fourth [fɔːθ]; ~ое января́, февраля́ и *т. п.* the fourth of Jánuary, Fébruary, *etc.*; Jánuary, Fébruary, *etc.*, the fourth; страни́ца, глава́ ~ая page, chápter four [...fɔː]; ~ но́мер number four; ему́ (пошёл) ~ год he is in his fourth year; ему́ ~ деся́ток пошёл he is past thirty; ~ час it is past three; в ~ом часу́ past / áfter three; полови́на ~ого half past three [hɑːf...]; три че́тверти ~ого a quárter to four; одна́ ~ая one fourth.
четвёрт||**ь** *ж.* 1. a quárter, a fourth [...fɔːθ]; *муз.* crótchet; ~ го́да three months [...mʌ-] *pl.*; ~ ве́ка a quárter of a céntury; ~ ча́са a quárter of an hour [...auə]; ~ второ́го a quárter past one; без ~и час a quárter to one; купи́ть за ~ цены́ (*вн.*) get* for a quárter (of) the price (*d.*); ~ листа́ *полигр.* quártò; 2. (*часть учебного года*) term.
четвертьфина́л *м. спорт.* quárter-fínal.
чётки *мн. церк.* rósary [ˈrouz-] *sg.*; beads.
чётк||**ий** clear; cléar-cùt; (*разборчивый тж.*) légible; (*точный*) áccurate; (*об исполнении*) efficient; ~ по́черк clear / légible hánd;writing; ~ие директи́вы clear / precíse diréctions [...-s...]; ~ое исполне́ние зада́ния efficient perfórmance of *a* task. **~ость** *ж.* cléarness; (*разбор-*

ЧЕС — ЧЕТ   **Ч**

чивость тж.) legibílity; (*точность*) áccuracy; precísion, précise;ness [-s-].
чётн||**ый** éven; ~ое число́ éven number.
четы́ре *числит.* four [fɔː]; ◊ на все ~ сто́роны whèr;éver one chóoses [ˈwɛər-...].
четы́режды *нареч.* four times [fɔː...]; ~ четы́ре four times four, four fours.
четы́реста *числит.* four húndred [fɔː...].
четырёх- (*в сложн. словах, не приведённых особо*) of four [fɔː...], *или* fóur- — *соотв. тому, как даётся перевод второй части слова, напр.* четырёхдне́вный of four days, fóur-day [ˈfɔː-] (*attr.*); (*ср. -дне́вный*: of... days, -day *attr.*); четырёхме́стный with berths, seats for 4; (*о самолёте и т. п.*) fóur-séater [ˈfɔː-] (*attr.*); (*ср. -ме́стный*).
четырёхвесе́льный fóur-oar [ˈfɔː-] (*attr.*).
четырёхгоди́чный fóur-year [ˈfɔː-] (*attr.*).
четырёхголо́сный *муз.* fóur-pàrt [ˈfɔː-].
четырёх||**гра́нник** *м. мат.* tétrahédron [-ˈhe-]. **~гра́нный** *мат.* tètrahédral [-ˈhe-].
четырёхдне́вный fóur-day [ˈfɔː-] (*attr.*).
четырёхколёсный fóur-wheel(ed) [ˈfɔː-].
четырёхкра́тн||**ый** fóurfold [ˈfɔː-]; в ~ом разме́ре four times the amóunt [fɔː...], fóurfold, four times óver.
четырёхле́т||**ие** *с.* 1. (*годовщина*) fourth ánniversary [fɔːθ...]; 2. (*срок в 4 года*) four years [fɔː...] *pl.*, fóur-year périod [ˈfɔː-...]. **~ний** 1. (*о сроке*) of four years [...fɔː...]; fóur-year (*attr.*); quadrénnial *научн.*; 2. (*о возрасте*) of four; fóur-year-óld [ˈfɔː-]; ~ний ребёнок a child* of four; fóur-year-óld child*.
четырёхме́сячн||**ый** 1. (*о сроке*) of four months [...fɔː... mʌ-], fóur-month [ˈfɔːmʌ-] (*attr.*); 2. (*о возрасте*) fóur-month-òld [ˈfɔːmʌ-]; ~ ребёнок fóur-mònth-óld báby.
четырёхмото́рный fóur-éngined [ˈfɔː-ˈendʒ-].
четырёхнеде́льный 1. (*о сроке*) of four weeks [...fɔː...]; fóur-wéek [ˈfɔː-] (*attr.*); 2. (*о возрасте*) fóur-week-óld [ˈfɔː-].
четырёхпроце́нтный four percént [fɔː...] (*attr.*).
четырёхря́дный *с.-х.* fóur-row [ˈfɔːrou] (*attr.*); ~ культива́тор fóur-row cúltivàtor.
четырёхсло́жный *лингв.* fóur-sýllable [ˈfɔː-] (*attr.*); tètrasyllábic *научн.*
четырёхсотле́т||**ие** *с.* 1. (*годовщина*) fóur-húndredth ànnivérsary [ˈfɔː-...], quàdricenténnial [-ˈti-]; пра́здновать ~ чего́-либо célebrate the quàdricenténnial of smth.; 2. (*срок в 400 лет*) four húndred years [fɔː...] *pl.*, four cénturies. **~ний** 1. (*о сроке*) of four húndred years [...fɔː...]; 2. (*о годовщине*) quàdricenténnial.
четырёхсо́т||**ый** fóur-húndredth [ˈfɔː-]; страни́ца ~ая page four húndred [...fɔː-]; ~ но́мер númber four húndred; ~ая годовщи́на fóur-húndredth ánniversary; ~ год the year four húndred.

ЧЕТ — ЧИС

четырёх∥стопный *лит.* tetrámeter (*attr.*); ~ ямб iámbic tetrámeter. **~сторо́нний** 1. *мат.* quadrilátéral; 2. (*о договоре и т. п.*) quadripártite. **~стру́нный** four-string:ed ['fɔ:-].

четырёхступе́нчатый four-stàge (*attr.*).

четырёхты́сячный 1. the fourthóusandth ['fɔ:- -zə-]; 2. (*ценою в 4000 рублей*) four thóusand roubles worth [fɔ: -zə-ru:-...], cósting 4000 roubles; 3. (*состоящий из 4000*) 4000 strong.

четырёхуго́льн∥ик *м.* quadrángle; (*квадрат*) square. **~ый** quadrángular.

четырёхчасово́й 1. (*о продолжительности*) of four hours [...fɔ:rauəz]; four-hour ['fɔ:rauə] (*attr.*); 2.: ~ поезд the four o'clóck train; the four o'clóck разг.

четырёхэта́жный four-stórey(ed) ['fɔ:-'stɔ:ri(d)].

четырнадцати- (*в сложн. словах, не приведённых особо*) of fourtéen [...'fɔ:-], или fourtéen-— *соотв. тому, как даётся перевод второй части слова, напр.* четырнадцатидне́вный of fourtéen days, fourtéen-day ['fɔ:-] (*attr.*); (*ср. -дне́вный*: of ... days, -day *attr.*); четырнадцатиме́стный with berths, seats for 14; (*о самолёте и т. п.*) fourtéen-séater (*attr.*); (*ср. -ме́стный*).

четырнадцатиле́тний 1. (*о сроке*) of fourtéen years [...'fɔ:-...]; fourtéen-year ['fɔ:-] (*attr.*); 2. (*о возрасте*) of fourtéen; fourtéen-year-óld ['fɔ:-]; ~ ма́льчик fourtéen-year-óld boy.

четы́рнадцат∥ый fourtéenth ['fɔ:-]; ое ма́я, ию́ня *и т. п.* the fourtéenth of Jánuary, Fébruary, *etc.*; Jánuary, Fébruary, *etc.*, the fourtéenth; страни́ца, глава́ ~ая page, chápter fourtéen [...'fɔ:-]; ~ но́мер númber fourtéen; ему́ (пошёл) ~ год he is in his fourtéenth year; одна́ ~ая one fourtéenth.

четы́рнадцать *числит.* fourtéen ['fɔ:-]; ~ раз ~ fourtéen times fourtéen; fourtéen fourtéens.

чех *м.* Czech [tʃek].

чехарда́ *ж.* léap-fròg; (*перен.*) reshúffle.

чехли́ть, зачехли́ть (*вн.*) cóver ['kʌ-] (*d.*), put* cóver / hood (on).

чехо́л *м.* (soft) cóver [...'kʌ-], case [-s]; (*для мебели и т. п.*) cóver ['kʌ-]; (*под платье*) únderdrèss; бе́лый холщо́вый ~ slip-còver of white Hólland [-kʌ-...].

чехослова́цкий Czèchò-Slóvàk ['tʃek-].

чечеви́ца *ж.* 1. *бот.* léntil; 2. *уст.* (*линза*) lens [-nz].

чечеви́чн∥ый *прил. к* чечеви́ца 1; ◊ ~ая похлёбка mess of póttage; прода́ться за ~ую похлёбку sell* one's birthright for a mess of póttage.

чече́н∥ец *м.*, **~ка** *ж.*, **~ский** Chéchen; **~ский язы́к** Chéchen, the Chéchen lánguage.

чечётка I *ж.* (*птица*) rédpòll.

чечётк∥а II *ж.* (*танец*) tchetchótka (*a tap-dance*); танцева́ть ~у táp-dànce.

чеш∥ка *ж.* Czech wóman* [tʃek 'wu-]. **~ский** Czech [tʃek]; ~ский язы́к Czech, the Czech lánguage.

чешу́й∥ка *ж.* (fish-)scàle. **~чатый** scály.

чешу́∥я *ж. тк. ед.* scales *pl.*; сбро́сить ~ю shed* the / its scales, scale; снима́ть ~ю (*с рд.*) scale (*d.*).

чи́бис *м.* lápwing, pé(e)wit.

чиж *м.* siskin.

чи́жик I *м.* = чиж.

чи́жик II *м.* (*игра*) típ-càt.

чил∥и́ец *м.*, **~и́йка** *ж.* Chílean. **~и́йский** Chílean; Chíle ['tʃɪlɪ] (*attr.*); ◊ ~и́йская сели́тра Chíle sáltpètre.

чили́кать, чили́кнуть = чири́кать, чири́кнуть.

чили́м *м. бот.* wáter chéstnùt ['wɔ:-sn-].

чин *м.* 1. rank; име́ть высо́кий ~ have a high rank; повыше́ние в ~е promótion; быть в ~áх be of high rank, hold* a high rank; 2. (*чиновник, служащий*) official; ~ы дипломати́ческого ко́рпуса officials of the diplomátic corps [...ɔ:]; ◊ ~ ом *разг.* in good órder, próperly; без ~ов without céremony.

чина́р *м.*, **~а** *ж. бот.* plane (tree).

чини́ть I, **починить** (*вн.*; *исправлять*) repáir (*d.*); (*о белье, платье и т. п.*) mend (*d.*); ~ ко́е-ка́к tínker (*d.*).

чини́ть II, **очини́ть** (*вн.*; *заострять*) point (*d.*), shárpen (*d.*).

чини́ть III (*вн.*; *создавать*) cause (*d.*), put* in the way (*d.*); ~ препя́тствия кому́-л. put* óbstacles in smb.'s way; impéde (*d.*); ~ суд и распра́ву admínister jústice and mete out púnishment [...pʌ-].

чи́нн∥ость *ж.* sedáte:ness; (*приличие*) decórum. **~ый** sedáte; (*приличный*) décorous; (*церемонный*) cerémónious.

чино́вни∥к *м.* official; fúnctionary; (*бюрократ*) búreaucràt [-rok-]. **~ческий** *прил. к* чино́вник; (*бюрократический*) bùreaucrátic [-ro'k-]; **~ред-та́пе** (*attr.*); **~чество** *с. собир.* officialdom; the officials *pl.* **~чий** *прил. к* чино́вник.

чино́вный *уст.* 1. (*служащий*) official, hólding an official post [...poust]; 2. (*имеющий высокий чин*) of high rank.

чино∥почита́ние *с. уст.* respéct for rank; (*подобострастие*) sèrvility. **~производство** *с. уст.* promótion in rank.

чину́ша *м. презр.* búreaucràt [-rok-].

чи́рей *м. разг.* boil, fúruncle.

чири́к∥анье *с.* chirp(ing), twittering. **~ать** chirp, twitter. **~нуть** *сов.* give* a chirp; гро́мко ~нуть give* a loud chirp.

чи́рк∥ать, чи́ркнуть (*тв.*): ~ спи́чкой strike* a match. **~нуть** *сов. см.* чи́ркать.

чиро́к *м. зоол.* teal.

чи́сленн∥ость *ж.* númber(s) (*pl.*); quántity; (*о войсках*) strength; ~остью в сто челове́к one húndred in númber; one húndred strong; увеличе́ние ~ости (*рд.*) íncrease in the númber [-s...] (of); óбщая ~ а́рмии óverall strength of the ármy. **~ый** númeral, numérical; ~ое превосхо́дство numérical supèriórity; ~ый соста́в (númerical) strength.

числи́тель *м. мат.* númerator.

числи́тельное *с. скл. как прил. грам.*, и́мя ~ númeral; коли́чественное ~ cárdinal númber / númeral; поря́дковое ~ órdinal númber / númeral.

чи́слить (*вн.*) count (*d.*), réckon (*d.*); ~ кого́-л. больны́м put* smb. on the sick-list. **~ся** be réckoned; ~ся в спи́ске be on the list; ~ся больны́м be on the sick-list; ~ся в отпуске́ be (recórded as) on leave; э́та кни́га чи́слится за ним this book is down in his name; ~ся среди́ be among, be one of; (*о нескольких, многих*) be some of.

числ∥о́ *с.* 1. (*в разн. знач.*) númber; *мат. тж.* quántity; це́лое ~ whole númber [houl...]; дро́бное ~ fráctional númber; имено́ванное ~ cón:crète númber; отвлечённое ~ ábstràct númber; просто́е ~ prime númber; чётное ~ éven númber; нечётное ~ odd númber; мни́мое ~ imáginary quántity; кра́тное ~ múltiple quántity; передаточное ~ *тех.* gear rátiò [gɪə...]; неизве́стное ~ ún:known quántity [-'noun...]; еди́нственное ~ *грам.* síngular (númber); мно́жественное ~ *грам.* plúral (númber); 2. (*дата*) date; како́е сего́дня ~? what is the date (to:dáy)?, what date is it to:dáy?; сего́дня 5-е ~ to:dáy is the fifth; помеча́ть ~о́м (*вн.*) date (*d.*); поме́тить за́дним ~о́м (*вн.*) ántedáte (*d.*); без ~а́ (*не датированное*) without date, úndáted; dáte:less; в пе́рвых чи́слах ию́ня éarly in June [ˈdʒɪ:-...], in the first days of June ◊ без ~а́ (*много*) without númber, in (great) númbers [...-eɪt...]; оди́н из их ~а́ one of their númber, one of them; в том ~е́ in:clúding; средним ~о́м on an áverage; в большо́м, небольшо́м ~е́ in great, small númbers; по ~у чле́нов by the númber of mémbers; ~о́м in númber; ~о́м в два́дцать челове́к twenty in númber; превосходи́ть ~о́м (*вн.*) excéed in númber (*d.*); outnúmber (*d.*).

числово́й numérical.

чи́стилище *с. рел.* púrgatory.

чи́стильщик *м.*: ~ сапо́г shóe:blàck ['ʃu:-], bóotblàck.

чи́стить, почи́стить (*вн.*) 1. clean (*d.*); (*отчищать, промывать тж.*) scour (*d.*); (*щёткой*) brush (*d.*); (*скрести*) scrub (*d.*); (*себе́*) сапоги́, башмаки́ clean (one's) boots, shoes [...ʃu:z]; (*ваксой*) pólish (one's) boots, shoes; ~ (*себе́*) зу́бы clean / brush one's teeth; ~ пла́тье (*щёткой*) brush clothes [...klou-]; ~ металли́ческие изде́лия scour métal [...'me-]; ~ посу́ду scrub / scour dishes; ~ ло́шадь rub down *a* horse; ~ тру́бы sweep* chímneys; ~ дно реки́ (*земснаря́дом*) dredge; 2. (*о фруктах, овоща́х*) peel (*d.*); (*об орехах*) shell (*d.*); (*о рыбе*) scale (*d.*). **~ся, почи́ститься** 1. clean one:sélf, brush one:sélf; (*ср.* чи́стить); 2. *страд. к* чи́стить.

чи́стк∥а *ж.* 1. cléaning; (*уборка*) cléan-ùp; отда́ть что-л. в ~у have smth. cleaned, send* smth. to the cléaner's; 2. (*фру́ктов, овоще́й*) péeling; (*орехов*) shélling; 3. *полит.* purge; cómbing-out ['koum-].

чи́сто I 1. *прил. кратк. см.* чи́стый; 2. *предик. безл.* it is clean; здесь ~ it is clean here.

чи́сто II *нареч.* 1. cléanly; (*аккуратно, точно*) néatly; 2. (*исключительно*) púre:ly, mére:ly.

чистови́к *м. разг.* fair / clean cópy [...'kɔ-].

чистов||о́й clean, fair; ~ая тетра́дь éxercise book for fair cópies [...'kɔ-]; ~ экземпля́р clean / fair cópy; ~ая обрабо́тка (чего-л.) fínishing (of smth.).

чистога́н м. разг. cash, réady móney ['redɪ 'mʌ-]; заплати́ть ~ом pay* cash down.

чистокро́вн||ый púre-blooded [-blʌd-], thóroughbred ['θʌrə-]; ~ая ло́шадь thóroughbred horse.

чистописа́ние с. callígraphy; pénmanship.

чистопло́тн||ость ж. cléanliness ['klen-]. ~ый clean; cléanly ['klen-].

чистоплю́й м. разг. císsy, fastídious pérson.

чистоплю́йство с. разг. over-fastídiousness.

чистопоро́дный of pure breed; thóroughbred ['θʌrə-]; ~ скот thóroughbred cattle.

чистосерде́чие с. = чистосерде́чность.

чистосерде́чн||ость ж. cándour, fránkness, sincérity. ~ый cándid, sincére, frank, ópen-héarted [-'hɑːt-]; ~ое призна́ние frank / ópen-héarted conféssion.

чистосо́ртн||ый: ~ые семена́ selécted seeds.

чистот||а́ ж. 1. (отсутствие грязи) cléanness; ~ ко́мнаты cléanness of the room; 2. (опрятность) néatness; (чистоплотность) cléanliness ['klen-]; 3. (отсутствие примеси) púrity; ~ воды́ púrity of wáter [...'wɔː-]; ~ во́здуха cléarness / clárity / púrity of the air; 4. (намерений, побуждений и т. п.) púrity; ◊ говори́ на ~у́ speak out.

чистоте́л м. бот. gréater célandine ['greɪ-...].

чи́ст||ый 1. clean; ~ воротни́к clean cóllar; ~ые ру́ки clean hands; ~ая страни́ца clean / blank page; 2. (опрятный) neat, tídy; 3. (без примеси) pure; (неразбавленный тж.) straight, neat; ~ое зо́лото pure gold; ~ое серебро́ pure silver; бриллиа́нт ~ой воды́ díamond of the first wáter [...'wɔː-]; ~ая вода́ pure wáter; ~ во́здух clear / pure air; ~ спирт pure / neat álcohol; 4. (о голосе, произношении) clear; 5. (о доходе и т. п.) net, clear; ~ вес net weight; ~ая при́быль net / clear prófit; ~ бары́ш разг. clear prófit; име́ть сто рубле́й ~ого барыша́ make* a clear húndred roubles [...ruː-], clear húndred roubles; 6. (честный, безупречный, беспорочный) pure; 7. (сущий) mere, pure; (о невежестве, озорстве и т. п.) sheer; ~ая случа́йность mere / pure chance; ~ое совпаде́ние mere / pure coíncidence; из ~ого сострада́ния from pure compássion; ~ое недоразуме́ние pure misúnderstanding; ~ вздор sheer / dównright nónsense; ~ая пра́вда simple truth [...truːθ]; ~ое безу́мие sheer mádness; 8. (неисписанный) blank; ~ принима́ть что-л. за ~ую моне́ту разг. take* smth. at its face válue, take* smth. in all good faith; ~ое по́ле ópen cóuntry [...'kʌ-]; вы́йти ~ым clear óneself; ~ая рабо́та neat job; ~ая отста́вка уст. final retírement.

чита́льный: ~ зал = чита́льня.

чита́льня ж. réading-hall, réading-room.

чита́тель м., ~ница ж. réader; благоскло́нный ~ уст. gentle réader; любе́зный ~ cóurteous réader ['kəːt-...]. **~ский** прил. к чита́тель; ~ская конфере́нция réaders' cónference.

чита́ть, прочесть, прочита́ть (вн.) 1. read* (d.); ~ вслух read* aloúd; ~ про себя́ read* sílent-ly, read* to onesélf; ~ по склада́м spell* (d.); бы́стро ~ кни́ги be a quick réader; 2.: ~ ле́кции give* léctures; lécture; ~ докла́д read* a páper; ◊ ~ чьи-л. мы́сли read* smb.'s thoughts; ~ стихи́ recíte póetry; ~ ка́рту read* a map; máp-read* неол.; ~ наставле́ния, нравоуче́ния, нота́ции кому́-л. lécture smb., give* smb. a píece of one's mind [...piːs...].

чита́ться 1. read*; кни́га легко́ чита́ется this book reads éasily [...'iːz-]; 2. страд. к чита́ть; ◊ ему́ что́-то не чита́ется he does not feel like réading.

чи́тка ж. 1. réading; 2. театр. (first) réading, réading through.

чиха́||нье с. snéezing; sternutátion научн.; ◊ на вся́кое ~ не наздра́вствуешься ≅ you can't please éveryone [...kɑːnt...]; ~тельный snéezing; sternútative, sternútatory научн.; ~тельный газ воен. хим. snéezing gas.

чих||а́ть, чихну́ть 1. sneeze; 2. тк. несов. (на вн.) разг. (не обращать внимания) scorn (d.); мне ~ на него́! I don't give a damn for him! ~ну́ть сов. см. чиха́ть 1.

чичеро́не [-нэ] м. нескл. cicerόne [tʃɪtʃəˈrouni], guide.

чи́ще сравн. ст. от прил. чи́стый 1, 2, 3, 4 и нареч. чи́сто II, 1.

член м. 1. (в разн. знач.) mémber; (конечность тж.) limb; (учёного общества, учреждения тж.) féllow; мат. тж. term; ~ коммунисти́ческой па́ртии mémber of the Cómmunist Párty; ~ профсою́за mémber of a trade únion; ~ парла́мента mémber of párliament [...-ləm-] (сокр. M. P.); почётный ~ hónorary mémber ['ɔ-...]; быть ~ом комите́та и т. п. be on the committee, etc. [...-tɪ...]; ~ уравне́ния мат. mémber / term of an equátion; ~ пропо́рции propórtional; кра́йний ~ (пропорции) extréme; сре́дний ~ (пропорции) mean; ~ы предложе́ния грам. parts of the séntence; 2. грам. árticle; определённый ~ définite árticle; неопределённый ~ índefinite árticle.

члене́ние с. articulátion.

чле́ник м. анат. ségment.

членистоно́гие мн. скл. как прил. зоол. arthrópoda.

член||и́ть (вн.) árticulàte (d.), divíde into parts (d.). ~и́ться be àrticulàted, be divíded into parts.

член-корреспонде́нт м. Correspónding Member.

членовреди́тельство с. mutilátion, máiming.

членоразде́льн||о нареч. cléarly, distínctly. ~ость ж. árticulàteness. ~ый árticulate; ~ая речь árticulate speech.

член||ский mémbership (attr.); ~ биле́т mémbership card; ~ взнос mémbership dues pl. ~ство с. mémbership.

чмо́к||ать, чмо́кнуть разг. 1. (губа́ми) make* a smácking sound with one's lips; 2. (вн.; целовать) give* smácking kisses (i.); сов. тж. give* a smácking kiss (i.); 3. (о грязи) squelch. ~нуть сов. см. чмо́кать.

чо́глок м. (птица) hóbby.

чо́каться, чо́кнуться (с тв.) clink glásses (with) (when drinking toasts).

чо́кнутый разг. cránky.

чо́кнуться сов. 1. см. чо́каться; 2. разг. (свихнуться) get* cránky.

чо́порн||о нареч. stíffly, prímly ['prɪm-]; stand-óffishly [-'ɔ-]; ~ держа́ться be prim / stand-óffish [...-'ɔ-]. ~ость ж. stíffness, prímness, stand-óffishness [-'ɔ-]. ~ый stiff, prim, stand-óffish [-'ɔ-].

чрева́тый (тв.) fraught (with); ~ серьёзными после́дствиями fraught with sérious cónsequences; ~ собы́тиями fraught with evénts.

чре́во с. уст. bélly; (матери) womb [wuːm]. **~веща́ние** с. ventríloquy. **~веща́тель** м., **~веща́тельница** ж. ventríloquist. **~уго́дие** с. gluttony. **~уго́дник** м., **~уго́дница** ж. glútton. **~уго́дничать** gluttonize.

чреда́ ж. уст., поэт. succéssion, turn.

чрез = че́рез.

чрезвыча́йно нареч. extraórdinarily [ɪksˈtrɔːdnrɪlɪ]; (крайне) extréme-ly, útterly; ~ интере́сно extréme-ly ínteresting.

чрезвыча́йн||ый extraórdinary [ɪks-ˈtrɔːdnrɪ]; (крайний) extréme; ~ представи́тель àmbássador extraórdinary; ~ и полномо́чный посо́л Àmbássador Extraórdinary and Plènipoténtiary; ~ые полномо́чия extraórdinary pówers; (в особых случаях) emérgency pówers; ~ое собра́ние extraórdinary méeting; ~ые ме́ры extraórdinary / emérgency méasures [...'meʒ-]; ~ое положе́ние state of emérgency; ~ декре́т decrée extraórdinary.

чрезме́рн||ость ж. excéssiveness. ~ый excéssive; ~ое употребле́ние óver-úse [-'juːs].

чре́сла мн. уст., поэт. hips, loins.

чте́ни||е с. 1. réading; бе́глое ~ cúrsory réading; провести́ пе́рвое, второ́е и т. д. ~ законопрое́кта (в парламенте) give* the bill its first, sécond, etc., réading [...'seː-...]; 2.: ~ ле́кций lécturing; во вре́мя ~я ле́кций dúring the léctures; ◊ ~ мы́слей thought-réading; ~ стихо́в recitátion; ~ ка́рт(ы) máp-réading.

чтец м. 1. уст. (читатель) réader; 2. (артист, выступающий с художественным чтением) elocútionist [-'kjuːʃn-], recíter.

чти́во с. разг. пренебр. réading-mátter.

чтить (вн.) hónour ['ɔnə] (d.); ~ чью-л. па́мять revére smb.'s mémory; ~ па́мять поги́бших геро́ев hónour / revére the mémory of fállen héroes, или of the fállen.

что I, рд. чего́, дт. чему́, вн. что, тв. чем, пр. чём, мест. 1. (в разн. знач.) what: ~ э́то (тако́е)? what is this?; ~ зна́чит э́то сло́во? what does this word mean?; он не зна́ет, ~ э́то зна́чит he does not know what this means [...nou...]; ~ (вы сказа́ли)? what

ЧТО — ЧУВ

did you say?; ~ если он не придёт? and if he does not come?; ~ делать? what is to be done?; для чего это употребляется, служит? what is that used for?; ~ он, она и т. д. из себя представляет? what is he, she, etc., like?; 2. (и это, а это) which: он пришёл поздно, что не было обычно he came late, which was not usual [...'juːʒuəl]; 3. (который, -ая и т. д.) that; как дополнение часто опускается (об. разг.): (та) книга, ~ на столе the book that is on the table; (та) книга, ~ он дал ей the book that he gave her; the book he gave her, это всё, ~ там написано that is all that is written there; всё, ~ он знал all he knew; тот самый ..., ~ the same ... that; это та самая книга, ~ он дал ей this is the very book that he gave her; тот, ~, та, ~ и т. п. that which: дайте ему не это письмо, а то, ~ она принесла вчера do not give him this letter, but the one she brought yesterday [...-dɪ]; — то, ~ what: он помнит то, ~ она сказала he remembers what she said [...sed], это не то, ~ он думал it is not what he thought, это не то, чего он ожидал it is not what he expected; 4. (что-нибудь) anything: если что(-нибудь) случится if anything happens; 5.: ~ ... ~ (одно... другое) this... that: ~ оставил, ~ взял с собой this he left, that he took with him; 6.: ~ за, ~... за разг. (при вопросе: какой) what; (какого рода и т. п.) what kind / sort of; (при восклицании) what (+ a, an, если данное слово может употребляться с неопред. артиклем): ~ за книги там?, ~ там за книги? what are those books over there?; ~ это за дерево? what kind of tree is it?; ~ за шум! what a noise!; ~ за мысль! what an idea! [...aɪ'dɪə]; ◊ ~ до with regard to, concerning; ~ до него, он согласен as to / for him, he agrees; ~ до меня... as far as I am concerned; ~ ему и т. д. до этого what does he, etc., care for / about it; what does it matter to him, etc.; — ~ ж(е) разг. (ладно) why (not); ~ ж, он сделает это сам why, he will do it himself; — ну и ~ ж(е)! well, what of that?; ~ ж(е) из этого? what of it?; ~ ли разг. perhaps: оставить это здесь, ~ ли? perhaps leave it here; leave* it here?; — ~ ни (при сущ.) every: ~ ни день, погода меняется the weather changes every day [...'we-ˈtʃeɪn-...]; — ~ ...ни (при глаголе) whàtˈéver: ~ он ни скажет, интересно whàtˈéver he says is interesting [...sez...]; ~ бы ни случилось whàtˈéver happens; ~ пользы, ~ толку разг. what is the use / sense [...juːs...]; не ~ иное как nothing other than, nothing less than, nothing short of; хоть бы ~ (дт. безразлично) nothing (to); (ничего не стоит) make* nothing of (+ subject); (дт. + инф.) think* nothing (+ subject) of (ger.): это ему хоть бы ~ that is nothing to him; he thinks nothing of

that, ему хоть бы ~ пройти двадцать километров he thinks nothing of walking twenty kilometres; — чего бы не what: чего бы он не дал за это! what wouldn't he give for that!; — чего только не what... not: чего только он не видел! what hasn't he seen!, the things he has seen!, there's precious little he hasn't seen! [...ˈpre-...]; — чего там (+ инф.) разг. what's the use (of ger.): чего там разговаривать what is the use of talking; — в чём дело?, ~ случилось? what is the matter?; ~ с вами? what is the matter with you?; ~ чего доброго разг. may: для всего я не знаю he may be late for all I know; — ~ вы! you don't say so!; с чего бы это вдруг? what's the cause?, now, why?; — ~ и говорить разг. there is no denying, it cannot be denied; не понимать, ~ к чему not know* what is what; знать, ~ к чему know* the how and why of things; уйти ни с чем go* aːˈweɪ émpty-hànded, или having achíeved nothing [...əˈtʃiːvd...]; get* nothing for one's pains; при чём я тут? what have I to do with it?; он остался ни при чём he has got nothing for his pains; чего стоит! разг. counts for a lot!; одно название чего стоит! the name alone counts for a lot!

что II союз that; часто не переводится (об. разг.): он сказал, ~ она придёт he said (that) she would come [...sed...]; это так просто, ~ каждый поймёт it is so simple that anybody can understand it; это такое трудное слово, ~ он не может его запомнить it is such a difficult word that he cannot remember it; — то, ~ (the fact) that: то, ~ он это сделал, их удивило the fact that he did it surprised them; он узнал о том, ~ она уехала he learnt that she had left [...ləːnt...]; они узнали, думали, воображали, предполагали и т. п., ~ он умный человек they knew, thought, imagined, supposed, etc., him to be a clever man* [...ˈkle-...]; они ожидали, ~ он придёт they expected him to come; потому... — см. потому I.

что III нареч. (почему) why ~ он молчит? why is he silent?

чтобы, чтоб 1. союз (+ личн. формы глагола; в разн. знач.) that (+ should + inf. + subjunctive I уст., амер.); (при обозначении цели — с оттенком возможности) (so) that (+ may + inf.); in order that (+ may + inf.; ср. ниже): необходимо, ~ они имели это it is necessary that they should have it; they must have it; невозможно, ~ он сказал это it is impossible that he should have said that [...sed...]; he could not possibly have said that; они предложили, ~ он прочёл письмо they suggested that he should read, или that he read, the letter [...səˈdʒe-...]; он говорил громко, ~ все они слышали его слова he spoke loud (so) that all of them might hear his words; — он хотел, сказал (им), приказал (им), попросил (их) и т. п., ~ они сделали это he wanted, told, ordered, asked, etc., them to do it; — ~ ... не that... not (+ may + inf.); lest (+ should + inf.): ~ он не забыл that

he may not forget [...-ˈget]; lest he should forget; — на том, о том и т. п., ~ = чтобы: он настаивает на том, ~ они были приглашены he insists that they should be invited; he insists on their being invited; — так, ~ so that (+ may + inf.); — для того, ~ in order that (+ may + inf.); 2. как частица (+ инф.) in órder (+ to inf.) и не переводится; (so) that (+ may + inf. — с повторением подлежащего главного предложения); in order that (+ may + inf. — с таким же повторением; ср. выше): он встал в шесть (часов), ~ быть там вовремя he got up at six (o'clock) (in order) to be there in time, или (so) that he might be, или in order that he might be, there in time; — ~ не (в order) not (+ to inf.); (so) that... not (+ may + inf.; ср. выше); in order that... not (+ may + inf.; ср. выше); lest (+ should + inf.; ср. выше): он встал в шесть, ~ не опоздать he got up at six (in order) not to be late, или (so) that, или in order that, he might not be late, или lest he should be late; — на том, о том и т. п. ~ on, of, etc. (+ ger.): он настаивает на том, ~ (им) пойти туда he insists on (their) going there, — без того, ~ не without (+ ger.) он не может написать ни строчки без того, ~ не сделать ошибки he can't write a line without making a mistake [...kaːnt...].

что-либо, что-нибудь мест. (в вопросе) anything; (в утверждении) something: знает ли он что-либо, что-нибудь об этом? does he know anything about it? [...nou...]; он вам что-нибудь скажет he will tell you something; что-либо подобное anything of this kind; ждать два часа́ с чем-нибудь wait (for) two hours and more [...auəz...], wait (for) over two hours.

что-то 1. мест. something; тут ~ не так something is wrong here; 2. как нареч. (как-то) somehow; мне ~ нездоровится I don't feel very well, somehow; 3. как нареч. (с оттенком сомнения) it looks as if; ты ~ врёшь it looks as if you are lying; ~ не помню I don't think I remember I can't recall [...kaːnt...]; ~ он скажет I wonder what he will say [...wʌ-...].

чу межд. hark!

чуб м. fóre:lòck.

чуба́рый (о масти) dappled, mottled.

чуба́тый разг. with a fóre:lòck.

чубу́к I м. chibóuk [ʃɪˈbuk], chibóuque [ʃɪˈbuːk].

чубу́к II м. (черенок винограда) gráp̀e-stàlk.

чува́ш м. Chùvásh [tʃuːˈvaːʃ]. ~ка ж. Chùvásh wóman* [tʃuːvaːʃ ˈwu-]. ~ский Chùvásh [tʃuːˈvaːʃ]: ~ский язык Chùvásh, the Chùvásh lánguage.

чу́вственн||ость ж. 1. percéiving; 2. (склонность к чувственным влечениям) sènsuálity; sèxuálity. ~ый 1. percéptible, sènsible; ~ое восприятие percéptible percéption; 2. (плотский) sénsual; séxy.

чувстви́тельн||ость ж. 1. (ощутимость) àpprehènsibílity, percèptibílity; 2. (восприимчивость) sénsitiveˈness; sènsitívity (*тж. о радиоприёмнике*), (*о плёнке*) speed; 3. (*сентиментальность*) sèntimèntálity. ~ый 1. (*ощутимый, заметный*) sénsible, àpprehénsible, percéptible, felt; (*болезненный*) páinful; ~ая ра́зница sénsible difference; ~ая утра́та páinful / déeply-félt loss; ~ый уда́р télling blow [...-ou]; 2. (*восприимчивый*) sénsitive (*тж. о радиоприёмнике*); ténder; (*к чему-л.*) suscéptible (to smth.); ~ый челове́к sénsitive man*; ~ое ме́сто ténder spot; 3. (*сентиментальный*) sèntiméntal.

чу́вство *с.* (*в разн. знач.*) sense; (*ощущение, эмоция тж.*) féeling; пять чувств the five sénses; о́рганы чувств órgans of sense; ~ отве́тственности sense of respònsibílity; ~ ме́ры sense of propórtion; ~ ю́мора sense of húmour; ~ до́лга sense of dúty; ~ че́сти sense of hónour [...'ɔnə]; ~ удово́льствия sense / féeling of sàtisfáction; ~ бо́ли sense féeling of pain; ~ безопа́сности féeling of sáfety; ~ жа́лости féeling of píty [...'pɪ-]; ~ го́рдости féeling of pride; ~ прекра́сного féeling for the béautiful [...'bju:-], sense of béauty [...'bju:-]; ~ но́вого sense of the new; ~ раздраже́ния féeling of irritátion; ~ хо́лода sènsátion of cold; ◊ прийти́ в ~ come* to one's sénses, come* to òneself, come* to *разг.*; привести́ кого́-л. в ~ bring* smb. to his sénses; bring* smb. round *разг.*; без чувств insénsible, ùnconscious [-nʃəs]; лиши́ться чувств, упа́сть без чувств lose* cónsciousness [lu:z -nʃəs-], faint; swoon *поэт.*; обма́н чувств illúsion, delúsion.

чу́вствование *с.* sènsátion.

чу́вствова||**ть**, почу́вствовать (*вн.*) 1. feel* (*d.*); have a sènsátion (*of*); ~ го́лод, жа́жду, уста́лость feel* / be húngry, thírsty, tíred; ~ себя́ больны́м feel* / be ùnwéll / ill; ~ себя́ лу́чше, ху́же feel* bétter, worse; ~ себя́ оби́женным feel* hurt; ~ жа́лость, ра́дость feel* píty, joy [...'pɪ-...]; ~ свою́ вину́ feel* one's guilt; он ~л, как красне́ет he felt himsélf rédden; 2. (*понимать, сознавать*) sense (*d.*); ◊ ра́на даёт себя́ ~ the wound is máking itsélf felt [...wu:nd]; дава́ть кому́-л. почу́вствовать что-л. make* smb. feel smth. ~ться be felt; чу́вствуется све́жесть there is a chill in the air.

чугу́н I *м. тк. ед.* cast íron [...'aɪən]; ~ в чу́шках, ~ в болва́нках píg-iron [-aɪən]; ко́вкий ~ málleable cast íron [-ɪəbl...]; се́рый ~ grey íron; лите́йный ~ foundry, zérkal'nyj ~ spécular cast íron, spíegeleisen ['spi:gəlaɪzən].

чугу́н II *м.* (*посуда*) cást-iron kettle / pot [-aɪən...].

чугу́нка *ж. уст. разг.* ráilway.

чугу́нный cást-iron [-aɪən] (*attr.*).

чугунолите́йный: ~ заво́д íron fóundry ['aɪən...].

чуда́к *м.* crank, eccéntric (man*); óddity; queer fish *разг.*; како́й он ~! what an odd féllow he is! **~ова́тый** *разг.* sómewhat eccéntric.

чуда́ч||**ество** *с.* cránkiness, extrávagance, èccentrícity. **~ка** *ж.* óddity, eccéntric wóman* [...'wu-]; кака́я она́ ~ка! what an odd wóman* she is!

чуде́сн||**ый** 1. wónderful ['wʌ-], miráculous; ~ое избавле́ние miráculous escápe; 2. (*прекрасный*) lóvely ['lʌ-], béautiful ['bju:-], márvellous; у него́ ~ вид he looks spléndid.

чуди́ть *разг.* beháve in a queer way; beháve eccéntrically / óddly; (*оригинальничать*) try to be original.

чуди́||**ться**, почу́диться (*дт.*) *разг.*: ему́ ~тся he seems to see, hear, *etc.*; it seems to him that; ему́ ~тся стук he seems to hear, *или* it seems to him that he hears, a knock; вам э́то то́лько почу́дилось it was ónly your imaginátion.

чу́дище *с. уст.* mónster.

чу́дно I 1. *прил. кратк. см.* чу́дный; 2. *предик. безл.* it is béautiful [...'bju:-]; béautifully ['bju:-].

чу́дно II *нареч.* wónderfully ['wʌ-]; béautifully ['bju:-].

чудно́ I 1. *прил. кратк. см.* чудно́й; 2. *предик. безл.* it is odd strange [...streɪ-].

чудн||**о́ II** *нареч. разг.* óddly, strángely ['streɪ-]. **~о́й** *разг.* (*странный*) odd, strange [streɪ-], queer; (*смешной*) fúnny.

чу́дный 1. wónderful ['wʌ-], márvellous; 2. (*прекрасный*) béautiful ['bju:-], lóvely ['lʌ-].

чу́д||**о** *с.* (*мн.* чудеса́) míracle; (*перен. тж.*) wónder ['wʌ-], márvel, ~, что он спа́сся it is a wónder (that) he escáped; ~ иску́сства míracle of art; ~еса́ те́хники wónders of èngineéring [...endʒ-]; ~ красоты́, доброде́тели páragon of béauty, vírtue [...'bju:-...]; страна́ ~ес wónderland ['wʌ-]; каки́м-то ~ом by some míracle, miráculously; ◊ ~ как (*хорош и т. п.*) very, extrémely; márvellously; не ~, что no wónder, that.

чудо́вищ||**е** *с.* mónster. **~ность** *ж.* mònstrósity, enórmity. **~ный** mónstrous, ~ные разме́ры mónstrous size *sg.*; ~ное преступле́ние mónstrous / appálling shócking crime.

чудоде́й *м. разг.* míracle wórker **~ственный** wónder-working ['wʌ-], miráculous.

чу́дом *нареч.* miráculously, он ~ спа́сся he was saved by a míracle.

чудотво́р||**ец** *м.* míracle man*, wónder-wórker ['wʌ-]. **~ный** wónder-wórking ['wʌ-].

чу́до-ю́до *с. фольк.* mónster.

чужа́к *м. разг.* stránger ['streɪn-], álien.

чужби́на *ж.* fóreign strange land ['fɔrɪn streɪ-...].

чужда́ться (*рд.*) avóid (*d.*), shun (*d.*), keep* awáy (from), keep* alóof (from).

чу́жд||**ый** 1. (*дт., для*) álien (to); э́то мне ~о it is álien to me; ~ элеме́нт álien élement; ~ая идеоло́гия álien ideólogy [...aɪ-]; 2. (*чего-л.*) stránger [streɪn-], (*to smth.*); он чужд интри́г he is a stránger to schéming.

чужезе́м||**ец** *м.*, **~ка** *ж.* stránger ['streɪn-], fóreigner ['fɔrɪnə]. **~ный** strange [streɪn-], fóreign ['fɔrɪn], outlándish; ~ное и́го yoke ['fɔrɪn-], álien enslávement.

чужестра́н||**ец** *м.*, **~ка** *ж.* = чужезе́мец, чужезе́мка.

чуж||**о́й I** *прил.* 1. (*принадлежащий другим*) smb. élse's, another's; на ~ счёт at smb. élse's expénse, at the expénse of another: э́то ~ая кни́га it is smb. élse's book, that book is not mine; назва́ться ~им и́менем bórrow a name; под ~им и́менем únder an assúmed name; 2. (*посторонний*) strange ['streɪn-], fóreign ['fɔrɪn]; álien; в ~ие ру́ки into strange hands; ~ие края́ fóreign / strange lands; ◊ ~и́ми рука́ми жар загреба́ть ≅ make* a cát's-paw out of smb.; в ~ мо́настырь со свои́м уста́вом не хо́дят *посл.* ≅ when in Rome do as the Rómans do.

чужо́й II *м. скл. как прил.* stránger ['streɪn-], fóreigner ['fɔrɪnə].

чуко́тский: 1. Chúkchi, Chúkchee; ~ язы́к Chúkchi; the Chúkchi lánguage 2. *геогр.* Chukót(ski).

чу́кча *м.* Chúkchi man*; *ж.* Chúkchi wóman* [...'wu-]; *мн.* Chúkchi.

чукча́нка *ж.* Chúkchi wóman* [...'wu-].

чула́н *м.* (*для вещей*) stóre-room, bóx-room, lúmber-room; (*для провизии*) lárder, pántry.

чул||**о́к** *м.* stócking; ажу́рные ~ки́ ópen-wòrk stóckings; ~ки́ с неспуска́ющейся пе́тлей nón-rún stóckings; шерстяны́е ~ки́ wóollen stóckings ['wul-...] шёлковые ~ки́ silk stóckings; в чёрных ~ка́х bláck-stòcking;ed; ◊ си́ний ~ blúe:stòcking.

чуло́чн||**ик** *м.*, **~ица** *ж.* stócking-máker.

чуло́чно-носо́чн||**ый**: ~ые изде́лия hósiery ['houʒ-] *sg.*

чуло́чный *прил. к* чуло́к.

чум *м.* tent (of skins *or* bark).

чум||**а́** *ж. тк. ед.* plague [pleɪg], black death [...deθ]; ~ рога́того скота́ rínderpèst, cáttle-plàgue [-pleɪg]; бубо́нная ~ bubónic plague; лёгочная ~ pneumónic plague [nju:-...].

чума́зый *разг.* dírty-fáced, smúdgy.

чума́к *м. уст.* tchoomák (*Ukráinian óx-cart dríver*).

чуми́чка *ж. разг.* (*замарашка*) slut.

чумно́й 1. pestiléntial; 2. (*заражённый чумой*) plágue-strìcken ['pleɪg-].

чумово́й *разг.* crázy, hálf-witted ['ha:f-].

чур *межд. разг.* mind!, keep awáy!, (*в игре*) keep awáy from me!; ~ молча́ть! keep mum about it!; mum's the word!

чура́ться (*рд.*) *разг.* shun (*d.*), avóid (*d.*), stand* apárt (from).

чурба́н *м.* block, (*перен.*) blóckhead [-hed].

чу́рка *ж.* chock.

чу́тк||**ий** sénsitive; (*о слухе*) keen, (*перен.*) délicate, táctful; ~ сон light sleep; ~ая соба́ка kéen-nósed dog; ~ое отноше́ние к лю́дям sénsitive / táctful áttitude towards péople [...'pi:-...]; ~ подхо́д táctful / délicate appróach. **~о** *нареч.* kéenly; (*перен.*) táctfully; ~о прислу́шиваться lísten kéenly ['lɪsn...]; ~о спать sound* light sleep. **~ость** *ж.* sénsitiveness; (*слуха*) kéenness; (*перен.*) délicacy, táctfulness, consideration.

чу́точ||**ка** *ж. разг.*: ни ~ки not a bit, not in the least. **~ку** *нареч. разг.* a little, a wee bit, just a bit.

ЧУТ — ШАП

чуть *нареч.* 1. (*едва*) hárdly; (*немного*) slíghtly; (*с трудом*) just; он ~ дышит he can hárdly breathe; отсюда ~ ви́дно it can hárdly be seen from here; ~-~ just a little; slíghtly; ~ не néarly, álmòst ['ɔːlmoust]: он ~ не упа́л he néarly fell; он ~ не разби́л ча́шку he very néarly broke the cup; — ~ ли не néarly, álmòst; ~ заме́тная улы́бка a faint smile; a ghost of a smile [...goust...] *идиом.*; 2. ~ то́лько as soon as; то́лько он вошёл as soon as he came in; ◇ ~ свет at dáybreak [...-eɪk], at first light; ~ что at every trifle.

чутьё *с.* (*у животных*) scent; (*перен.*) flair; худо́жественное ~ artístic flair; языково́е ~ linguístic féeling, féeling for lánguage.

чу́чело *с.* 1. (*животного*) stuffed ánimal, (*птицы*) stuffed bird; 2. (*пугало*) scárecrow [-krou]; соло́менное ~ man* of straw; ◇ ~ горо́ховое scárecrow.

чу́шка I *ж. разг.* píglet.

чу́шка II *ж. тех.* pig, íngot; ~ чугуна́ píg(-iron) [-aɪən]; ~ свинца́ bar.

чушь *ж. тк. ед. разг.* nónsense, rúbbish; говори́ть ~, нести́ ~ talk rot, talk through one's hat.

чу́ять, почу́ять (*вн.*) smell* (*d.*), scent (*d.*); (*перен.*) feel* (*d.*), sense (*d.*); чу́ет его́ се́рдце, что he has a féeling / preséntiment that [...-ˈzeː-...].

чьё *с. см.* чей.

чьи *мн. см.* чей.

чья *ж. см.* чей.

Ш

ша́баш *м. рел.* sábbath (day); ◇ ~ ведьм wítches' sábbath.

шаба́ш *предик. разг.* no more of it, that'll do; ~! *мор.* (*команда*) in oars! ~ить, пошаба́шить *разг.* stop (work), knock off, down tools.

шабло́н *м.* témplet, páttern; (*для рисунка*) sténcil; (*форма*) mould [mould]; (*литейный*) strickle (*перен.*) cliché (*фр.*) [ˈkliːʃeɪ]; (*избитая мысль и т. п.*) cómmonpláce; рабо́тать по ~y work únimaginativeˈly. ~ность *ж.* banálity, tríteness, cómmonplaceness. ~ный páttern (*attr.*), témplet (*attr.*); (*перен.*) banál [-ɑːl]; háckneyed [-nɪd], únoríginal, trite; ~ное произведе́ние stéreotyped / banál work; ~ный отве́т stéreotyped ánswer [...ˈɑːnsə]; ~ная фра́за trite expréssion, háckneyed phrase; ~ный, это бана́л / únoríginal; ~ный подхо́д (*к делу и т. п.*) a routíne appróach [...ruːˈtiːn...] (to).

ша́вка *ж. разг.* háiry móngrel [...-].

шаг *м.* (*прям. и перен.*) step; (*большо́й*) stride; (*походка*) pace; *мн.* (*звук шагов*) tread [tred] *sg.*, fóotstèps [ˈfut-]; ро́вный ~ éven stride; твёрдым ~ом with resólùte step [...-zə-...]; приба́вить ~у, уско́рить ~ mend / quícken one's pace; идти́ ти́хим ~ом walk slówly [...ˈslou-]; walk at a slow pace [...slou...]; идти́ бы́стрым ~ом walk quíckly, walk with a rápid step, *или* with húrried steps; ~ за ~ом step by step; ни ~у да́льше not a step fúrther [...-ðə]; больши́ми ~а́ми with long strides; гига́нтские ~и́ gíant('s) stride *sg.*; ~ резьбы́ винта́ *тех.* screw pitch; бе́глый ~ dóuble-quíck time [ˈdʌbl-...]; бе́глым ~ом at the dóuble [...dʌbl]; ◇ не отступа́ть ни на ~ not go* back, *или* not retréat, a step; в двух ~а́х a few steps aˈwáy; near by; он живёт в двух ~а́х it is but a step to his house [...-s]; не отходи́ть ни на ~ от кого́-л. not move / stir a step from smb.'s side [...muːv...]; не отпуска́ть кого́-л. ни на ~ (от) not let* smb. stray one step (from); not let* smb. stir a step from one's side; на ка́ждом ~у́ at every step / turn; сде́лать пе́рвый ~ (*к примире́нию и т. п.*) take* the first step; сде́лать реши́тельный ~ take* a decísive step; дипломати́ческий ~ diplomátic step / move; démarche (*фр.*) [deɪˈmɑːʃ]; ло́жный ~ false step; ло́вкий ~ cléver move [ˈkleː-...]; пе́рвые ~и́ the first steps; э́то ~ вперёд по сравне́нию (с *тв.*) it is an advánce (óver); брю́ки узки́ в ~у́ the tróusers are tight in the seat.

шага́ть 1. (*ступа́ть*) step; (*ходи́ть*) walk; (*большими шага́ми*) stride; (*ме́рными шага́ми*) pace; бо́дро ~ walk with vígorous strídes, step out brískly; ~ по доро́ге take* / fóllow the road; ~ в но́гу (с *тв.*) march in step (with); 2. (*че́рез*; *переступа́ть*) step (óver, acróss); ~ че́рез что-л. step óver smth.; step acróss smth. (*тж. перен.*).

шаги́стика *ж.* squáre-báshing *разг.*

шагну́ть *сов.* take* / make* a step; бы́стро ~ (вперёд) take* a quick / swift step / stride (fórward); ◇ далеко́ ~ make* great prógress [...greɪt...].

ша́гом *нареч.* at a walk, at a wálking pace; (*ме́дленно*) slówly [ˈslou-], at a slow pace [...slou...]; е́хать ~ go* slówly, go* at a slow pace; ~ марш! quick march!

шагоме́р *м.* pedómeter, passómeter.

шагре́нев||ый shagréen (*attr.*); ~ая ко́жа shagréen léather [...ˈleðə].

шагре́нь *ж.* shagréen léather [...ˈleðə].

шажко́м *нареч.* slówly [ˈslou-], at a slow pace [...slou...].

шаж||о́к *м.* small / short step; ме́лкими ~ка́ми with small steps.

ша́йба *ж.* 1. *тех.* wásher; 2. *спорт.* (*в хоккее*) puck.

ша́йка I *ж.* (*банда*) gang; ~ воро́в, разбо́йников band / gang of thieves, róbbers [...θiːvz...].

ша́йка II *ж.* (*для воды*) small wásh-tùb.

шайта́н *м.* 1. (*в мусульманской мифологии*) shaitán [ʃaɪˈtɑːn], évil spírit [ˈiː-...]; 2. (*как бранное слово*) dévil.

шака́л *м. зоол.* jáckal [-kɔː].

шала́нда *ж.* 1. (*баржа́*) scow; саморазгружа́ющаяся ~ hópper (barge); 2. (*ло́дка*) shalánda (*flat-bottomed Black Sea fishing-boat*).

шала́ш *м.* shélter of bránches [...ˈbrɑː-].

шале́ *с. нескл.* chálet [ˈʃæleɪ].

шале́ть, ошале́ть lose* one's head [luːz... hed], go* crázy / mad.

шал||и́ть play pranks; (*баловаться*; *о детях*) be náughty; (*резвиться*) romp; не ~и́! don't be náughty!; ◇ здесь ~я́т (*гра́бят*) *разг.* the place is not safe; ~и́шь! (*как бы не так*) *разг.* don't try that on!, don't come that with me!

шаловли́в||ость *ж.* pláyfulness. ~ый pláyful, fróliсˈsome.

шалопа́й *м. разг.* góod-for-nòthing, lóafer, scápeˈgràce. ~ничать *разг.* loaf / lóiter abóut.

шалопу́тный *разг.* góod-for-nòthing, wild.

ша́лость *ж.* prank.

шалу́н *м.* pláyful / fróliсˈsome féllow; (*о ребёнке*) náughty / míschievous boy. ~и́шка *м. ласк. разг.* little imp.

шалу́нья *ж.* pláyful / fróliсˈsome girl [...-əːl]; (*о ребёнке*) náughty / míschievous girl.

шалфе́й *м. бот.* sage.

ша́лый *разг.* mad, crázy.

шаль *ж.* shawl; ◇ воротни́к ~ю shawl / súrplice cóllar.

шальн||о́й crázy, mad; ◇ ~а́я пу́ля stray búllet [...ˈbulɪt]; ~ы́е де́ньги éasy móney [...ˈmʌ-].

валя́й-валя́й *нареч. разг.* ányˈhow.

шама́н *м.* sháman [ˈʃɑː-]. ~ить be a sháman [...ˈʃɑː-], práctice shámanism [-tɪs ˈʃɑː-]. ~ский *прил. к* шама́н и шама́нство. ~ство *с.* shámanism [ˈʃɑː-].

ша́мканье *с.* múmbling.

ша́мкать múmble.

шамо́т *м. тех.* chamótte [ʃ-]; fire clay.

шампа́нское *с. скл. как прил.* champágne [ʃæmˈpeɪn]; fizz *разг.*

шампиньо́н *м.* (*гриб*) ágaric [ˈæg-], field múshroom [fiːld...].

шампу́н||ь *м.* shampóo; мыть (*себе*) го́лову ~ем shampóo one's hair / head [...hed].

шанкр *м. мед.* chancre [ˈʃæŋkə].

шанс *м.* chance; име́ть мно́го ~ов have a good / fair chance; име́ть бо́льше ~ов stand* a bétter chance; име́ть все ~ы на успе́х have every próspèct of succéss, stand* to win; име́ть ма́ло ~ов на успе́х have / stand* little chance of succéss; у него́ нет никаки́х ~ов на вы́игрыш ≃ he is quite out of the rúnning; ни мале́йшего ~а not the ghost of a chance [...goust...].

шансоне́тка *ж.* 1. (*песня*) cábaret song [ˈkæbəreɪ...]; 2. (*певица*) cábaret sínger.

шанта́ж *м.* bláckmail. ~и́ровать (*вн.*) bláckmail (*d.*). ~и́ст *м.*, ~и́стка *ж.* bláckmailer.

шанта́н *м.* = кафешанта́н.

шантрапа́ *ж. тк. ед. собир. груб.* ríff-ráff, scum.

ша́нцевый *воен.*: ~ инструме́нт entrénching tool.

ша́пк||а *ж.* 1. cap; мехова́я ~ fúr-càp; без ~и cápˈless; 2. (*заголовок крупным шрифтом, общий для нескольких статей в газете*) bánner héadline(s) [...ˈhed-] (*pl.*); ◇ ~ воло́с

shock, head of hair [hed...]; ~-невидимка (в сказке) magic hat; получить по ~е разг. get* it in the neck; дать по ~е разг. deal* a blow [...-ou]; на воду ~ горит погов. ≃ an uneasy conscience betrays itself [...-'i:zɪ -ʃəns...]; ~ами закидать ≃ boast of an easy victory [...'i:zɪ...]; win* by sheer numbers.

шапокляк м. opera-hat.

шапочка ж. little cap; ◇ Красная ~ (в сказке) Little Red Riding Hood [...hud].

шапочн||ик м. hatter. ~ый прил. к шапка; ◇ прийти к ~ому разбору разг. ≃ come* when the show is over [...ʃou...], come* after the feast; miss the bus; ~ое знакомство nodding acquaintance.

шар м. ball; sphere научн.; земной ~ the (terrestrial) globe; воздушный ~ balloon; выпускать ~ release a balloon [-s...]; избирательный ~ ballot; бильярдный ~ billiard-ball; ~ пробный ~ ballon d'essai [ba'lɔ:ŋ de'seɪ]; хоть ~ом покати разг. ≃ (quite) empty, not a thing.

шарабан м. char-à-banc (фр.) ['ʃærəbæŋ], chariot ['tʃær-].

шарада ж. charade [ʃə'rɑ:d].

шарахаться, шарахнуться разг. dash aside; (о лошади) shy.

шарахнуться сов. см. шарахаться.

шарашкин: ~а контора разг. shady concern, clique [kli:k].

шарж м. cartoon, grotesque, caricature; дружеский ~ friendly jest ['fren...]; хармless / well-meant caricature [...-ment...].

шаржировать 1. (вн.) caricature (d.); 2. (без доп.; впадать в шарж) overact, overdo.

шар-зонд м. sounding balloon.

шарик м. small ball, bead; globule научн.; ~ для подшипников ball for bearings [...'bɛə-]; красные, белые кровяные ~и физиол. red, white blood corpuscles [...blʌd -pʌslz]; ◇ у него не хватает ~ов разг. he is not all there.

шариков||ый: ~ подшипник = шарикоподшипник; ~ая ручка ball-point pen, biro; ~ая бомба pellet bomb.

шарикоподшипник м. тех. ball-bearing [-bɛə-].

шарить, пошарить (в пр.) fumble (in, about), rummage (in, about); пошарить в кармане feel* in one's pocket.

шарканье с. shuffling, shuffle.

шарка||ть, шаркнуть (тв.) shuffle (d.); ~ ногами shuffle one's feet; ~ туфлями shuffle (about) in one's slippers; уйти, ~я ногами shuffle away; ◇ шаркнуть ножкой уст. click one's heels.

шаркнуть сов. см. шаркать.

шарлатан м. charlatan ['ʃ-], mountebank, fraud; quack [-æk]; ~ить разг. behave like a charlatan, или like a quack [...ʃ-...-æk]. ~ский прил. к шарлатан; тж. fraudulent. ~ство с. charlatanism ['ʃ-], charlatanry ['ʃ-], quackery [-æk-].

шарлотка ж. кул. charlotte ['ʃɑ:lət].

шарм м. charm.

шарман||ка ж. street-organ, barrel-organ; играть на ~ке grind* a street-organ / barrel-organ. ~щик м. organ-grinder.

шарнир м. тех. hinge, joint; на ~ах on hinges; hinged; универсальный ~ universal / gimbal joint [...'gɪm-...]; ◇ быть как на ~ах ≃ fidget, be on edge.

шаровары мн. wide trousers (as worn by certain Eastern peoples).

шаровидн||ость ж. sphericity. ~ый globe-shaped, spheric(al).

шаров||ой ball (attr.), globe (attr.), globular; ~ая молния ball lightning; ~ сегмент мат. spherical segment; ~ клапан тех. ball-valve; ~ шарнир тех. ball and socket joint.

шаромы||га м. и ж., ~жник м. разг. parasite.

шарообразн||ость ж. sphericity. ~ый ball-shaped, spheric(al).

шарф м. scarf*; вязаный ~ comforter ['kʌm-], muffler.

шасси с. нескл. (автомобиля) chassis ['ʃæsɪ] (pl. chassis ['ʃæsɪz]; (самолёта) undercarriage [-rɪdʒ].

шастать разг. неодобр. roam, hang* about.

шатание с. 1. (качание) swaying, reeling; (перен.: колебание) hesitation [-zɪ-], vacillation; 2. разг. (ходьба без цели) roaming, loafing.

шат||ать 1. (вн.) sway (d.), rock (d.); (трясти) shake* (d.); 2. безл.: его ~ает he is reeling / staggering. ~аться 1. (о гвозде, гайке, зубе и т. п.) come* loose [...lu:s]; (о столе, стуле и т. п.) be unsteady [...-'stedɪ]; (нетвёрдо держаться на ногах) reel, stagger; выйти ~аясь stagger out; 2. разг. (слоняться) lounge about, roam, loaf; ~аться без дела idle about; ~аться по свету knock about the world.

шатён [-тэ-] м., ~ка [-тэ-] ж. brown-haired person.

шатёр м. 1. marquée; (навес) tent; 2. арх. hipped roof.

шатия ж. груб. gang; mob; вся ~ the whole gang [...houl...].

шатк||ий 1. unsteady [-'stedɪ]; shaky; (о мебели) rickety; 2. (переменчивый, ненадёжный) precarious, wavering; (слабый) weak; (неустойчивый) unsteady; ~ое положение precarious / shaky position [-'zɪ-]; ◇ ни ~о ни валко погов. ≃ neither good nor bad ['naɪðə...], middling well. ~ость ж. 1. (неустойчивость) unsteadiness [-'stedɪ-]; 2. (переменчивость, ненадёжность) precariousness.

шатров||ый 1. прил. к шатёр; 2. арх. hip (attr.); ~ая крыша hipped roof, hip-roof.

шатун м. тех. connecting-rod; conrod.

шафер м. best man*.

шафран м. бот. saffron. ~ный, ~овый прил. к шафран).

шах I м. (титул) shah.

шах II м. шахм. check; ~ королю check to the king; ~ и мат checkmate; под ~ом in check.

шахиня ж. wife* of a shah.

шахматист м., ~ка ж. chess-player.

шахматн||ый chess (attr.); ~ая игра (game of) chess; ~ турнир chess tournament [...'tuən-]; ~ая доска chess-board; ~ая партия game of chess; в ~ом порядке as on a chess-board, in staggered rows [...rouz]; ~ые фигуры chess-men; ~ дебют chess opening.

шахматы мн. 1. chess sg.; играть в ~ play chess; 2. (фигуры) chess-men.

шаховать (вн.) шахм. check (d.), give* check (i.), put* in check (d.).

шахта ж. 1. mine, pit; каменноугольная ~ coal mine; 2. (шахтный ствол) shaft; вентиляционная ~ ventilating shaft, air trunk.

шахтёр м. miner; день ~а Miner's Day. ~ский miner's.

шахтн||ый 1. прил. к шахта; 2.: ~ая печь метал. shaft furnace.

шашечн||ица ж. draught-board ['drɑ:ft-], checker-board. ~ый: ~ая доска draught-board ['drɑ:ft-], checker-board.

шашист м. draught-player ['drɑ:ft-].

шашка I ж. (оружие) sabre, cavalry sword [...sɔ:d].

шашк||а II ж. 1. (в игре) draught [drɑ:ft], draughtsman ['drɑ:fts-]; 2. мн. (игра) draughts, checkers; играть в ~и play draughts, play checkers.

шашка III ж.: дымовая ~ smoke-box, smoke-pot; подрывная ~ blasting cartridge; пироксилиновая ~ gun-cotton slab.

шашлык м. кул. shashlík (pieces of mutton roasted on a spit).

шашлычная ж. скл. как прил. shashlík-house* [-s].

шашни мн. разг. 1. tricks, pranks; 2. (любовные) amorous intrigues [...-'tri:gz]; affair sg.

швабр||а ж. mop, swab; чистить ~ой (вн.) swab (d.), swab (d.).

шваль ж. тк. ед. собир. riff-raff.

швальня ж. уст. tailor's shop.

швартов м. мор. mooring line / rope; (для тяги) warp; (стальной) mooring wire; отдать ~ы! cast off!

швартовать (вн.) мор. moor (d.). ~ся мор. 1. make* fast; moor; 2. страд. к швартовать.

швах предик. разг. poor, bad; дела у него ~ his affairs are in a bad way.

швед м., ~ка ж. Swede. ~ский Swedish ['swi:-]; ~ский язык Swedish, the Swedish language.

швейн||ик м. worker of the sewing industry [...'sou-...]. ~ый sewing ['sou-]; ~ая машина sewing-machine [-'ʃi:n]; ~ая игла sewing needle; ~ая мастерская sewing workshop; ~ая фабрика clothes / garment factory [klouðz...]; ~ая промышленность clothing industry ['klouð-...].

швейцар м. hall porter, doorkeeper ['dɔ:-].

швейцар||ец м., ~ка ж. Swiss.

швейцарская ж. скл. как прил. (комната) porter's lodge.

швейцарский I (относящийся к Швейцарии) Swiss.

швейцарский II прил. к швейцар.

швеллер м. тех. channel.

швертбот м. мор. centerboarder.

швец *м. уст.* táilor; ◇ и ~, и жнец, и в дудý игрéц *погов.* ≅ jack of all trades.

швея *ж.* séamstress ['sem-]; ~-мотори́стка eléctric séwing-machíne óperàtor [...'sou- -'ʃi:n...]; ~-ручни́ца hand fínisher.

шво́рень *м.* = шкво́рень.

швырко́в||ый: ~ые дрова́ firewood cut into 10—12-inch logs [-wud...].

швырну́ть *сов. см.* швыря́ть.

швыро́к *м. разг.* = швырко́вые дрова́ *см.* швырко́вый.

швыря́ние *с.* húrling, tóssing.

швыря́||ть, швырну́ть (*вн., тв.*) *разг.* fling* (*d.*), hurl (*d.*), toss (*d.*); ~ ка́мни throw* / hurl stones [-ou...]; шлю́пку ~ло (волна́ми) the boat was tossed abóut (by the waves); ◇ ~ де́ньги, ~ деньга́ми throw* / fling* one's móney abóut [-ou...'mʌ-...]; ~ться (*тв.*) *разг.* fling* (*d.*), throw* [-ou] (*d.*), hurl (*d.*); ~ться друг в дру́га fling* / throw* / hurl at one another (*d.*).

шевели́ть, шевельну́ть (*вн., тв.*) stir (*d.*), move [mu:v] (*d.*); губа́ми move one's lips; ~ руко́й, ного́й stir a hand, a foot* [...fut]; ◇ ~ се́но turn / ted hay; он па́льцем не шевельнёт he won't lift a finger [...wount...]; ~ мозга́ми *разг.* use one's brains, put* on one's thinking-cap. ~ся, шевельну́ться stir, move [mu:v]; сиде́ть не шевеля́сь sit* without stírring; ◇ он не шевельну́лся he never stirred, he did not éven budge; шевели́сь! look líve:ly!, get a move on!

шевельну́ть(ся) *сов. см.* шевели́ть(ся).

шевелю́ра *ж.* chevelúre [ʃev'lu:ə], head of hair [hed...].

шевио́т *м.* chéviot. ~овый chéviot (*attr.*).

шевро́ *с. нескл.* kid (léather) [...'leðə]. ~вый kid (*attr.*); ~вые боти́нки kid shoes [...ʃu:z].

шевро́н *м. воен.* chévron ['ʃe-].

шеде́вр *м.* [-дэ-] *м.* másterpìece [-pi:s]; chef-d'oeuvre (*фр.*) [ʃeɪ'də:vr].

шезло́нг *м.* chaise longue (*фр.*) [ʃeɪz-'lɔ:ŋ].

ше́йка *ж.* 1. *уменьш. от* шея; 2. (*узкая часть чего-л.*) neck; ~ ва́ла *тех.* shaft jóurnal [...'dʒə:n°l]; ~ ре́льса web; ~ ма́тки *анат.* cérvix of the úterus; 3. (*у раков*) cráwfish tail.

ше́йн||ый neck (*attr.*); júgular ['dʒʌ-] *научн.*; ~ плато́к néckerchief; ~ая цепо́чка néck-chain; ~ позвоно́к *анат.* júgular / cérvical vértebra (*pl.* -rae).

шейх *м.* sheikh.

шекспирове́дение *с.* Shákespeare schólarship / stúdies.

шёл *ед. прош. вр. см.* идти́.

ше́лест *м.* rustle, rústling.

шелесте́ть rustle.

шёлк *м. тк. ед.* (*ткань*) silk (cloth); (*нитки*) silk (thread) [...-ed]; ~-сыре́ц raw silk; floss; иску́сственный ~ artifícial silk, ráyon; кручёный ~ twisted silk; на шелку́ sílk-lined, lined with silk; вы́шивка ~ом embróidery in silk; ◇ в долгу́ как в шелку́ ≅ óver head

and ears in debt [...hed...det], up to the eyes in debt [...aiz... det].

шелкови́нка *ж.* silk thread [...-ed].

шелкови́ст||ый sílky; ~ые во́лосы sílky hair *sg.*

шелкови́ца *ж. бот.* múlberry(-tree).

шелкови́чный: ~ червь sílkworm; ~ ко́кон silk cócoon [...-kə-].

шелково́д *м.* sílkworm bréeder. ~ство *с.* sílkworm bréeding; séri(ci)cùlture *научн.* ~ческий *прил. к* шелково́дство.

шёлков||ый silk (*attr.*); ~ая ткань silk cloth; ~ое пла́тье silk dress; ~ые чулки́ silk stóckings; ◇ он стал как ~ *разг.* ≅ he has become as meek / mild as a lamb.

шелкопря́д *м. зоол.* bómbyx, sílkworm.

шёлкопряд||е́ние *с.* sílk-spìnning. ~и́льный sílk-spìnning. ~и́льная фа́брика sílk-mill.

шёлкотка́ц||кий sílk-wèaving; ~ая фа́брика sílk-wèaving mill; ~ стано́к sílk-wèaving loom.

шелла́к *м.* (*смола*) shellác.

шелопа́й *м.* = шалопа́й.

шелох||ну́ть *сов.* (*вн.*) stir (*d.*). ~ну́ться *сов.* stir, move [mu:v]; стоя́ть — не ~ну́ться stand* stóck-still; листо́к не ~нётся not a leaf is stírring.

шелуди́вый *разг.* mángy ['meɪn-], scábby.

шелуха́ *ж. тк. ед.* (*зерна*) husk; husks *pl.*; (*фруктов и овощей*) peel; (*бобовых растений*) pod; (*рыбы*) scale; карто́фельная ~ potáto péelings *pl.*

шелуше́ние *с. мед.* péeling.

шелуши́ть (*вн.*) shell (*d.*); (*о горохе, бобах*) hull (*d.*); ~ся 1. peel / come* / scale off; 2. *страд. к* шелуши́ть.

шельма *м. и ж. разг.* scóundrel, ráscal.

шельмова́ние *с. ист.* públic díshonour ['рʌ- dɪs'ɔ-]; (*перен.*) defamátion.

шельмова́ть, ошельмова́ть (*вн.*) *ист.* expóse to públic díshonour [...'рʌ- dɪs'ɔ-] (*d.*); deféme (*d.*).

шельф *м. геогр.* shelf; континента́льный ~ continéntal shelf.

шемя́кин: ~ суд ≅ unjúst tríal.

шёнкель *м.* leg (*of rider*).

шепеля́в||ить lisp. ~ость *ж.* lísping. ~ый lísping; ~ое произноше́ние lisp.

шепну́ть *сов. см.* шепта́ть.

шёпот *м.* whísper.

шёпотом *нареч.* in a whísper, únder one's breath [...-eθ].

шептала́ *ж. тк. ед. собир.* dried péaches and ápricòts [...'eɪ-] *pl.*

шепта́ть, шепну́ть, прошепта́ть (*вн.*) whísper (*d.*); ~ кому́-л. на́ ухо whísper in smb.'s ear. ~ся whísper, convérse in whispers.

шепту́н *м. разг.* 1. whísperer, sneak; 2. (*сплетник*) télltàle, infórmer.

шербе́т *м.* shérbet.

шере́нг||а *ж.* rank; file; ~ами in ranks; в две ~и in two ranks.

шери́ф *м.* shériff.

шерохова́т||ость *ж.* (*прям. и перен.*) róughness ['rʌf-]. ~ый (*прям. и перен.*) rough [rʌf]; (*неровный*) únéven; ~ый стиль únéven style.

шерсти́нка *ж.* strand of wool [...wul].

шерсти́||стый wóolly ['wu-], fléecy. ~ть (*о шерстяной одежде*) írritàte (the skin).

шерстопря́д||е́ние *с.* wóol-spìnning ['wul-]. ~и́льный wóol-spìnning ['wul-]; ~и́льная фа́брика wóol-spìnning mill.

шерстотка́чество *с.* wóol-wèaving ['wul-].

шерсточеска́льн||ый wóol-càrding ['wul-]; ~ая маши́на cárding machíne [...-'ʃi:n].

шерст||ь *ж.* 1. (*на животных*) hair; 2. (*волос, состриженный с животных*) wool [wul]; чёсаная ка́рдная ~ cárded wool; 3. (*шерстяная ткань*) wóollen cloth ['wul...]; wórsted ['wus-]; ◇ гла́дить кого́-л. по ~и flátter smb., grátify smb.; гла́дить кого́-л. про́тив ~и stroke smb. the wrong way, rub smb. up the wrong way.

шерстян||о́й wóollen ['wul-]; wool (*attr.*); ~ая ткань wóollen cloth; ~ые ве́щи (*носильные*) wóollens; ~о́е пла́тье wóollen dress; ~о́е одея́ло wóollen blánket; ~ая промы́шленность wool índustry [wul...].

шерхе́бель *м.* jáck-plàne.

шерша́веть become* rough [...rʌf], róughen ['rʌf-].

шерша́в||ый rough [rʌf]; ~ые ру́ки hórny hands.

ше́ршень *м. зоол.* hórnet.

шест *м.* pole; (*барочный*) bárge-pòle; (*лодочный*) púnt-pòle.

ше́ствие *с.* procéssion, train; погреба́льное ~ fúneral procéssion / train.

ше́ствовать walk (*as in procession*); ва́жно ~ stalk (alóng).

шестерёнка *ж. уменьш. от* шестерня́.

шестери́к *м. уст.* (*упряжка лошаде́й*) síx-in-hànd.

шестёрк||а *ж.* 1. (*цифра*) six; 2. *карт.* six; ~ черве́й, пик *и т. п.* the six of hearts, spades, *etc.* [...hɑ:ts...]; 3. (*лошадей*) síx-in-hànd; е́хать на ~е лошаде́й drive* in a cóach-and-six; пра́вить ~ой лошаде́й drive* síx-in-hànd; 4. (*лодка*) síx-oar; 5. *воен. ав.* flight of six áircràft.

шестерно́й síxfòld, séxtuple.

шестерня́ *ж. тех.* gear (wheel) ['gɪə-], cóg-wheel; pínion; веду́щая ~ dríving gear; кони́ческая ~ bével gear / pínion ['be-...]; mítre gear; цилиндри́ческая ~ spur gear.

ше́стеро *числит.* six; для всех шестеры́х for all six; их ~ they are six, there are six of them.

шести- (*в сложн. словах, не приведённых особо*) of six, или six- — *соотв. тому, как даётся перевод второй части слова, напр.* шестидне́вный of six days, síx-day (*attr.*) (*ср.* -дне́вный: of... days, -day *attr.*); шестиме́стный with berths, seats for 6; (*о самолёте, автомашине и т. п.*) síx-sèater (*attr.*) (*ср.* -ме́стный).

шестигра́нн||ик *м. мат.* hexahédron [-'he-]. ~ый *мат.* hexáhedral [-'he-].

шестидесяти- (*в сложн. словах, не приведённых особо*) of sixty, или síxty- — *соотв. тому, как даётся перевод второй части слова, напр.* шестидесятидне́вный of síxty days, síxty-day (*attr.*) (*ср.* -дне́вный: of... days, -day *attr.*); шестидесятиме́стный with berths, seats for 60; (*об автобусе и т. п.*) síxty-sèater (*attr.*) (*ср.* -ме́стный).

шестидесятилет||ие с. 1. (*годовщина*) síxtieth ànnivérsary; (*день рождения*) síxtieth bírthday; 2. (*срок в 60 лет*) síxty years pl.

шестидесятилетний 1. (*о сроке*) of síxty years; síxty-year (*attr.*); ~ юбиле́й síxtieth ànnivérsary; 2. (*о возрасте*) of síxty; síxty-year-òld; ~ челове́к man* of síxty; síxty-year-òld man*.

шестидеся́т||ник м., **~ница** ж. ист. "man* / wóman* of the síxties" [...'wu-...] (*of progressive Russian public figures and social thinkers in the 1860's*).

шестидеся́т||ый síxtieth; страни́ца ~ая page síxty; ~ но́мер númber síxty; ему́ (пошёл) ~ год he is in his síxtieth year; ~ые го́ды (*столетия*) the síxties; в нача́ле ~ых годо́в in the éarly síxties [...'ɔːl...]; в конце́ ~ых годо́в in the late síxties.

шестидне́вный six-day (*attr.*).

шестикла́сс||ник м. sixth form boy; sixth-fórmer разг. **~ица** ж. sixth form girl [...g-].

шестикра́т||ный síxfòld; в ~ом разме́ре six times the amóunt, síxfòld, six times óver.

шестиле́т||ие с. 1. (*годовщина*) sixth ànnivérsary; 2. (*срок в 6 лет*) six years pl., six-year périod. **~ний** 1. (*о сроке*) of six years; síx-year (*attr.*); sèxénnial научн.; 2. (*о возрасте*) of six; síx-year-òld; ~ний ребёнок a child* of six; síx-year-òld child*.

шестиме́сячный 1. (*о сроке*) of six months [...mʌ-]; síx-mònth [-mʌ-] (*attr.*); 2. (*о возрасте*) síx-mònth-òld [-mʌ-]; ~ ребёнок síx-mònth-òld báby.

шестинеде́льный 1. (*о сроке*) of six weeks; síx-wéek (*attr.*); 2. (*о возрасте*) síx-week-òld.

шестипа́лый síx-fìngered.

шестисотле́т||ие с. 1. (*годовщина*) síx-húndredth ànnivérsary, sèxcèntenary [-'ti:-]; пра́здновать ~ чего́-л. célebràte the sèxcéntenary of smth.; 2. (*срок в 600 лет*) six húndred years pl., six cénturies pl. **~ний** 1. (*о сроке*) of six húndred years; 2. (*о годовщине*) síxth-húndredth, sèxcènténnial.

шестисо́т||ый síx-húndredth; страни́ца ~ая page six húndred; ~ но́мер númber six húndred; ~ая годовщи́на síx-húndredth ànnivérsary; ~ год the year six húndred.

шестисто́пный лит. síx-foot [-fut] (*attr.*); ~ ямб iámbic hèxámeter.

шеститы́сячный 1. the síxthóusandth [...-zə-]; 2. (*ценою в 6000 рублей*) six thóusand roubles worth [...-zə- ru:-...], cósting 6000 roubles; 3. (*состоящий из 6000*) 6000 strong.

шестиуго́льн||ик м. мат. héxagon. **~ый** hèxágonal.

шестичасово́й 1. (*о продолжительности*) of six hours [...auəz]; síx-hour [-auə] (*attr.*); 2.: ~ по́езд the six o'clóck train; the six o'clóck разг.

шестнадцати- (*в сложн. словах, не приведённых особо*) of síxtéen, или síxtéen-- соотв. тому́, как даётся перево́д второ́й ча́сти сло́ва, напр. шестнадцатидне́вный of síxtéen days, síxtéen-day (*attr.*) (*ср.* -дне́вный: of ... days, -day *attr.*); шестнадцатиме́стный with berths, seats for 16; (*об автобусе и т.п.*) síxtéen-séater (*attr.*) (*ср.* -ме́стный).

шестнадцатиле́тний 1. (*о сроке*) of síxtéen years; síxtéen-year (*attr.*); 2. (*о возрасте*) of síxtéen, síxtéen-year-òld; ~ ма́льчик boy of síxtéen, síxtéen-year-òld boy.

шестна́дца||тый síxtéenth; ~ое января́, февраля́ и т.п. the síxtéenth of Jánuary, Fébruary, *etc.*; Jánuary, Fébruary, *etc.*, the síxtéenth; страни́ца, глава́ ~ая page, chápter síxtéen; ~ но́мер númber síxtéen; ему́ (пошёл) ~ год he is in his síxtéenth year; одна́ ~ая one síxtéenth.

шестна́дцать *числит.* síxtéen; ~ раз ~ síxtéen times síxtéen; síxtéen síxtéens.

шест||о́й sixth; ~о́е января́, февраля́ и т.п. the sixth of Jánuary, Fébruary, *etc.*; Jánuary, Fébruary, *etc.*, the sixth; страни́ца, глава́ ~а́я page, chápter six; ~ но́мер númber six; ему́ (пошёл) ~ год he is in his sixth year; ему́ ~ деся́ток пошёл he is past fifty; уже́ ~ час it is past five; в ~о́м часу́ past / áfter five; полови́на ~о́го half past five [haːf...]; три че́тверти ~о́го a quárter to six; одна́ ~а́я one sixth.

шесто́к м. 1. (*в русской печи*) hearth [haːθ] (*in Russian stove*); 2. (*насест*) perch.

шесть *числит.* six.

шестьдеся́т *числит.* síxty; ~ оди́н и т.д. síxty-óne, *etc.*; ~ пе́рвый и т.д. síxty-fírst, *etc.*; лет ~ (*о времени*) abóut síxty years; (*о возрасте*) abóut síxty; лет ~ тому́ наза́д abóut síxty years agó; ему́ лет ~ he is / looks abóut síxty; ему́ о́коло шести́десяти he is abóut síxty; ему́ под ~ he is néarly síxty; ему́ (перевали́ло) за ~ he is óver síxty, he is in his síxties; челове́к лет шести́десяти a man* of / abóut síxty; в шести́десяти киломе́трах (от) síxty kílomètres (from).

шестьсо́т *числит.* six húndred.

ше́стью *нареч.* six times; ~ шесть six times six.

шеф м. 1. (*руководитель*) chief [-iːf]; *разг.* boss; 2. (*организация, принявшая шефство*) pátron.

шеф-по́вар м. chef [ʃef], héad-cook ['hed-].

ше́фство с. pátronage; ~ над чем-л. pátronage of smth.; взять ~ (над) take* únder one's pátronage (*d.*).

ше́фствовать (над) act as pátron (of), have the pátronage (of), pátronize (*d.*).

ше́я ж. neck; ◊ броса́ться на ше́ю кому́-л. throw* one's arms aróund smb.'s neck [...θrou...]; получи́ть по ше́е get* it in the neck; вы́гнать, вы́толкать кого́-л. в ше́ю, в три ше́и throw* / chuck / kick smb. out; слома́ть, сверну́ть себе́ ше́ю break* one's neck [breɪk...]; дать кому́-л. по ше́е give* it smb. in the neck; сиде́ть у кого́-л. на ше́е be a búrden to smb., live at smb.'s expénse [lɪv...]; по ше́ю up to the neck.

ши́бкий *разг.* quick, fast.

ши́бко *нареч. разг.* 1. smártly, quíckly; 2. (*очень*) hard, much; ~ уда́рить кого́-л. give* smb. a hard knock; он ~ скуча́ет he is very lónely.

ши́ворот м. *разг.* cóllar; взять кого́-л. за ~ seize smb. by the scruff of the neck [siːz...]; take* smb. by the cóllar.

ши́ворот-навы́ворот *нареч. разг.* tópsy-túrvy; the wrong way round; úpside-dówn; де́лать ~ ≅ do things tópsy-túrvy; put* the cart befóre the horse идиом.

шизофре́н||ик м. *мед.* schizophrénic. **~ия** ж. *мед.* schizophrénia.

шии́т м. Shíah ['ʃiːə], Shíite ['ʃiː-].

шик м. stýlishness ['staɪ-], òstentátious smártness; с ~ом stýlishly ['staɪ-], in style, smart; ра́ди ~а for swank.

ши́канье с. híssing, cátcàlling.

шика́рн||о *нареч.* smártly. **~ый** 1. chic [ʃiːk], smart; име́ть ~ый вид look very chic / smart / stýlish; 2. *разг.* (*отличный*) fine, spléndid, grand.

ши́кать, **ши́кнуть** *разг.* 1. (на *вн.*) hush (*d.*); 2. (*дт.; выражать неодобрение*) hiss (at).

ши́кнуть *сов. см.* ши́кать.

шикова́ть *разг.* paráde, show* off [ʃou...].

ши́ллинг м. shílling.

ши́л||о с. awl; ◊ ~а в мешке́ не утаи́шь *посл.* ≅ múrder will out.

шимпанзе́ [-зэ] м. *нескл. зоол.* chimpanzée.

ши́на ж. 1. (*колеса*) tyre; tire *амер.*; пневмати́ческая ~ pneumátic tyre; 2. *мед.* splint; 3. *эл.* bús-bàr.

шине́ль ж. gréatcoat [-eɪt-]; óvercoat.

шинка́рка ж. *уст.* místress of a távern.

шинка́рь м. *уст.* távern kéeper ['tæ-...], públican ['pʌ-...].

шинко́ванн||ый *прич. и прил. кул.* shrédded; ~ая капу́ста shrédded cábbage.

шинкова́ть (*вн.*) chop (*d.*), shred* (*d.*).

шино́к м. *уст.* távern ['tæ-], pub [pʌb].

шиншилла́ ж. (*животное и мех*) chinchílla.

шиньо́н м. chignon ['ʃiːnjɔːŋ].

шип I м. 1. *бот.* thorn; без ~о́в without thorns; 2. *тех.* ténon ['te-], pin; dówel; 3. (*подковы, каблука*) calk; (*на спортивной обуви*) spike, crámpon.

шип II м. (*звук*) híssing sound.

шипе́ние с. híssing; spítting; sízzling; fízzing; spúttering; (*ср.* шипе́ть).

шипе́ть, **прошипе́ть** 1. hiss (*тж. перен.*); 2. *тк. несов.* (*о кошке*) spit*; (*о змее, гусе*) hiss; 3. *тк. несов.* (*о масле на сковороде*) sízzle; (*о напитках*) fizz; (*о сырых дровах*) spútter.

шипо́вки *мн.* (*ед.* шипо́вка ж.) *разг.* (*спортивная обувь с шипами*) (a pair of) spikes.

шипо́вник м. 1. dóg-rose; 2. (*ягоды*) hips pl.

шипу́чий spárkling, fízzy.

шипу́чка ж. *разг.* pop (*effervescent drink*), fízzy drink.

шипя́щий 1. *прич. и прил.* híssing; 2. *м. как сущ. лингв.* húshing sound.

ши́ре (*сравн. ст. от прил.* широ́кий *и нареч.* широ́ко) bróader ['brɔː-], wíder;

ШИР — ШКО

~ развернуть самокритику unfold / devélop sélf-críticism on a broader scale [...-'ve-...].

ширин||а *ж.* width, breadth [-edθ]; ~ дороги width of the road; ~ой в десять метров ten metres wide; десять метров в ~у ten metres wide / broad [...-ɔ:d]; в палец ~ой the breadth of a finger; в ~у in breadth / width; ~ хода (колёс) tread [-ed].

ширинка *ж.* fly (*of trousers*).

ширить (*вн.*) widen (*d.*).

шириться (*распространяться*) widen; spread* [-ed], expánd.

ширм||а *ж.* screen; створчатая, складная ~ fólding screen; служить ~ой serve as a screen; (*перен.*) serve as a cloak / cóver [...'kʌ-].

широк||ий wide (*обширный, тж. перен.*) broad [-ɔ:d]; ~ая дверь wide door [...dɔ:]; ~ая дорога wide road; ~ая река wide river [...'rɪ-]; ~ое сукно wide cloth; ~ая юбка wide skirt; ~ие поля (*у шляпы*) wide brim *sg.*; ~ простор broad lands *pl.*; ~ая колея *ж.-д.* broad gauge [...geɪdʒ]; ~ экран wide screen; ~ое обобщение sweeping generalizátion [...-laɪ-]; ~ кругозор broad óutlook; в ~ом смысле in the broad sense; ~ая публика the géneral públic [...'pʌ-]; ~ие массы the broad / vast másses; ~ие общественные круги large séctions of the públic; пользоваться ~ой поддержкой (*рд.*) enjóy wídespread suppórt [...-spred...] (of); ~ие планы exténsive / big plans; в ~ом масштабе, в ~их размерах on a large scale; ~ое внедрение достижений науки *и т. п.* wídespread adóption of scientífic advances, *etc.*; товары ~ого потребления cómmon consúmer goods [...gudz]; ~ое наступление fúll-scale offénsive; ◊ жить на ~ую ногу live in (grand) style [lɪv...], live in ópulence; ~ая натура génerous náture [...'neɪ-]; у него ~ая натура he likes to do things in a big way.

широко I *прил. кратк. см.* широкий.

широко II *нареч.* wide, wídely; (*перен. тж.*) bróadly [-ɔ:d-]; двери были ~ открыты the doors stood wide ópen [...dɔ:z stud...]; ~ раскрыть глаза ópen one's eyes wide [...aɪz...]; с ~ раскрытыми глазами with wíde-òpen eyes; ~ улыбаться smile bróadly; ◊ жить ~ live in grand style [lɪv...], live grándly; live in ópulence; смотреть ~ на вещи take* a broad view of things [...-ɔ:d vju:...], be bróad-mínded [...-ɔ:d-]; ~ толковать (*вн.*) intérpret lóosely [...'lu:s-] (*d.*), stretch the meaning (of); ~ развернуть работу place the work on a wide fóoting [...'fut-].

широковеща||ние *с. рад.* bróadcàsting [-ɔ:d-]; ~тельный 1. *рад.* bróadcàsting [-ɔ:d-]; ~тельная станция bróadcàsting stàtion; 2. (*обещающий многое*) loud, lóud-móuthed; contáining large prómises [...-sɪz].

широкогрудый bróad-chèsted [-ɔ:d-].

ширококолейн||ый *ж.-д.* bróad-gauge [-ɔ:dgeɪdʒ] (*attr.*); ~ая железная дорога bróad-gauge line.

ширококостый bíg-bòned.

ширококрылый lárge-wìnged.

широко||лиственный decíduous. ~лиственный bróad-leaved [-ɔ:d-].

широкоплечий bróad-shóuldered [-ɔ:d-].

широкополый 1. (*о шляпе*) wíde-brimmed; 2. (*об одежде*) fúll-skìrted.

широкоформатный: ~ фильм wíde-fràme film.

широкоэкранный wíde-screen (*attr.*); ~ фильм wíde-screen film.

широт||а *ж.* 1. width; breadth [-edθ] (*тж. перен.*); ~ взглядов breadth of views [...vju:]; ~ ума breadth of mind; 2. *геогр.* látitude; на тридцатом градусе северной ~ы in látitude 30° (thirty degrées) North; низкие, высокие широты low, high látitudes [lou...].

широтный *геогр.* latitúdinal, of látitude.

ширпотреб *м. разг.* consúmer goods [...gudz] *pl.*, mass consúmption (goods).

ширь *ж.* wide ópen space; (wide) expánse; во всю ~ to the full extént; развернуться во всю ~ unfóld to the full.

шито-крыто *нареч. разг.* quíetly, on the sly; всё ~ it was all done on the sly; it's all being kept dark.

шитый *прич. и прил.* embróidered; ~ шёлком *и т. п.* embróidered in silk, *etc.*

шить, сшить 1. (*вн.*) sew* [sou] (*d.*); ~ на машине sew* on *a* machine [...-'ʃi:n]; ~ себе что-л. (*у портного, портнихи*) have / get* smth. made; 2. *тк. несов.* (*тв.; вышивать*) embróider (with, in); ~ шёлком embróider in silk; ~ серебром, золотом embróider in silver, gold.

шитьё *с.* 1. séwing ['sou-]; (*рукоделие тж.*) néedlewòrk; 2. (*вышивка*) embróidery.

шифер *м.* 1. *мин.* slate; 2. (*кровельный*) róofing slate; крыть ~ом (*вн.*) slate (*d.*). ~ный slate (*attr.*).

шифон *м. текст.* chiffòn ['ʃɪfɔn]. ~овый chiffòn ['ʃɪfɔn] (*attr.*).

шифоньер *м.* wárdrobe.

шифоньерка *ж.* chiffonier [ʃɪ-].

шифр *м.* 1. (*условное письмо*) cípher ['saɪ-], cýpher ['saɪ-]; code; ~ом in cipher; ключ ~а a cipher key [...ki:]; 2. (*библиотечный*) préss-màrk; 3. (*вензель*) mónogràm.

шифровальщик *м.* cípher òfficer ['saɪ-...].

шифрованн||ый *прич. и прил.* (en)cíphered [-'saɪ-], written in cipher [...'saɪ-]; *прил. тж.* cípher (*attr.*), code (*attr.*); ~ая телеграмма cipher télegràm / méssage.

шифр||овать (*вн.*) encípher [-'saɪ-] (*d.*). ~овка *ж.* 1. (*действие*) encíphering [-'saɪ-]; 2. *разг.* cípher commùnicátion ['saɪ-...].

шихта *ж. тех.* (fúrnace) charge.

шиш *м. груб. fig.* показать ~ (*дт.*) ≃ pull a long nose [pul...] (at); ◊ у него ни ~а нет he hasn't got a thing.

шишак *м. ист.* (*шлем*) spiked hélmet.

шишк||а *ж.* 1. *бот.* cone; 2. (*от ушиба*) bump; (*опухоль, нарост*) lump; knob; он весь в ~ах he is all bumps; 3. *тех.* (*литейная*) (mould) core [mou-...], kérnel; 4. *разг.* (*важная персона*) bígwig, big wheel; ◊ на бедного Макара все ~и валятся *погов.* ≅ an ùnfórtunate man would be drowned in a téa-cùp [...-'fɔ:tʃən-...].

шишко||ватый knóbbly. ~видный cóne-shàped. ~носный *бот.* coníferous [kou-]; ~носные растения cónifers ['kou-].

шкала *ж.* scale; ~ термометра scale of *a* thermómeter; ~ зарплаты scale of wáges.

шкалик *м. уст. разг.* 1. shkálik (*old Russian unit of vodka or wine, equivalent to 0.06 litres*); 2. (*стакан или небольшая бутылка водки*) bottle or glass of vódka.

шканцы *мн. мор. уст.* quárter-dèck *sg.*

шкап *м.* = шкаф.

шкатулка *ж.* box, case [-s]; cásket.

шкаф *м.* cúpboard ['kʌbəd]; (*посудный*) drésser; платяной ~ wárdrobe; книжный ~ bóokcàse [-s]; несгораемый ~ safe; stróng-bòx; стенной ~ búilt-in clóset ['bɪl- -ɔz-].

шквал *м.* squall; (*вихревой; тж. перен.*) tòrnádo.

шквалистый squálly.

шквальный: ~ огонь *воен.* héavy fire ['he-...], mass bárràge [...-rɑ:ʒ].

шкварки *мн. кул.* crácklings.

шкворень *м. тех.* pintle, pivot, cóupling-bòlt ['kʌ-].

шкет *м. разг.* lad.

шкив *м. тех.* púlley ['pu-]; sheave; ведущий ~ dríving púlley; ремённый ~ belt púlley.

шкипер *м.* skipper.

шкир||ка *ж. разг.:* взять, схватить кого-л. за ~ку seize smb. by the scruff of the neck [si:z...].

школ||а *ж.* (*в разн. знач.*) school; (*о здании тж.*) schóolhouse* [-s]; начальная ~ eleméntary / primary school [...'praɪ-...]; средняя ~, ~-десятилетка sécondary school; high school, tén-year school (*from the age of* 7—17); неполная средняя ~ shórtened sécondary school; ~-восьмилетка éight-year school; высшая ~ cóllege, ùniversity; бесплатная ~ free school; ~ рабочей молодёжи school for wórking youth [...ju:θ]; ~ взрослых school for adúlt èducátion [...æ-]; вечерняя ~ évening-school ['i:v-], night-school; ~ рисования dráwing school; ~ верховой езды ríding school; ходить в ~у go* to school; отдать в ~у (*вн.*) send* to school (*d.*); окончить ~у leave* school; романтическая, классическая *и т. п.* ~ (*в литературе*) the romántic, clássical, *etc.*, school; венецианская, английская *и т. п.* ~ (*в искусстве*) the Venétian, the Brítish, *etc.*, school; суровая ~ жизни the hard / stern school of life; пройти суровую жизненную ~у pass through the hard / stern school of life; человек старой ~ы a man* of the old school; пройти хорошую ~у get* sỳstemátic tráining, be well trained; (*перен.*) gain wisdom by expérience [...'wɪzdəm...].

школа-интернат *ж.* bóarding school.

школить (вн.) разг. school (d.); (держать строго, муштровать) discipline (d.), train (d.).

школьн||ик м. schoolboy. ~ица ж. schoolgirl [-gə:l].

школьничать разг. behave like a schoolboy.

школьническ||ий schoolboy (attr.), schoolboyish; ~ие проделки schoolboy pranks / tricks.

школьничество с. (ребячество) schoolboy tricks pl., schoolboyish behaviour.

школьн||ый school (attr.); scholastic; ~ учитель schoolteacher, schoolmaster, school:man амер.; ~ работник school worker, teacher; ~ое образование school education; ~ совет school-board; ~ые годы school years, school-days; ~ое здание school:house [-s]; ~ учебно-опытный участок school experimental plot; ~ товарищ schoolmate; ребёнок ~ого возраста child* of school age; ~ жаргон schoolboy slang.

школяр м. уст. = школьник.

шкот м. мор. sheet; марса-~ topsail sheet ['tɔps'l...]; выбирать ~ haul a sheet; sheet.

шкур||а ж. skin, hide; (с шерстью) fell; сдирать ~у (с рд.) flay (d.), skin (d.); ◇ драть ~у с кого-л. разг. skin smb. alive; дрожать за свою ~у be concerned for one's own skin [...oun...]; спасать свою ~у save one's bacon / skin; испытать что-л. на собственной ~е have felt smth. on one's own back; знать, что smth. feels like [nou...]; быть в чьей-л. ~е be in smb.'s shoes / boots [...ʃu:z...]; я не хотел бы быть в его ~е I would not like to be in his shoes; волк в овечьей ~е a wolf in sheep's clothing [wulf... 'klou-]; с одного вола двух шкур не дерут погов. you can't flay the same ox twice [...ka:nt...].

шкурка I ж. 1. (о мехе) skin, fell; 2. (наждачная бумага) emery-paper, sandpaper.

шкурка II ж. разг. (кожица) rind.

шкурн||ик м., ~ица ж. презр. self--seeker; он ~ he takes care of number one, he's all for himself. ~ический презр. self-centred. ~ичество с. презр. self-seeking, self-interest. ~ый презр. selfish; ~ый вопрос question of self-interest [-stʃən...].

шла ед. ж. прош. вр. см. идти.

шлагбаум м. bar.

шлак м. slag; dross.

шлакобетон м. slag concrete [...-nk-].

шлаковый прил. к шлак.

шланг м. hose; пожарный ~ fire--hose.

шлейка ж. 1. уменьш. от шлея; 2. (широкая лямка) breast-band ['brest-].

шлейф м. train (of dress).

шлем I м. helmet, head-piece ['hedpi:s]; стальной ~ steel helmet; тропический ~ tropical helmet, topee; водолазный ~ diving-helmet, diver's helmet.

шлем II м. карт. slam; большой ~ grand, little slam.

шлём мн. наст. вр. см. слать.

шлемник м. бот. skull-cap.

шлемофон м. (protective) helmet with earphones; (космонавта) intercom head-set [...'hed-]; combined head-set and laryngophone.

шлёпанцы мн. (ед. шлёпанец м.) разг. bed:room-slippers.

шлёпать, шлёпнуть 1. (вн.) slap (d.), spank (d.), smack (d.); сов. тж. give a smack (i.); 2.: ~ туфлями drag one's slippers; 3. тк. несов.: ~ по воде, грязи splash through the water, the mud [...'wɔ:-...]. ~ся, шлёпнуться разг. tumble, fall* with a plop; plop down.

шлёпнуть сов. см. шлёпать 1, 2. ~ся сов. см. шлёпаться.

шлеп||ок м. разг. slap, smack; надавать ~ков (дт.) slap (d.), smack (d.).

шлёт ед. наст. вр. см. слать.

шлёте мн. наст. вр. см. слать.

шлёшь ед. наст. вр. см. слать.

шлея ж. breast-band ['brest-].

шли мн. прош. вр. см. идти.

шлиф м. геол., тех. (thin) section.

шлифовальный grinding; (полирующий) polishing; ~ станок grinding machine [...-'ʃi:n], grinder; ~ диск, круг grinding wheel.

шлифовальщик м. = шлифовщик.

шлифование с. grinding; (полировка) polishing; (напильником) filing.

шлифовать (вн.) grind* (d.); (полировать; тж. перен.) polish (d.); (напильником) file (d.).

шлифов||ка ж. grinding; (полировка; тж. перен.) polishing. ~щик м. grinder; (полировщик) polisher.

шлихта ж. тех. size.

шлихтовать (вн.) тех. size (d.).

шлица ж. тех. spline.

шло ед. с. прош. вр. см. идти.

шлюз м. sluice [slu:s]; lock; открыть, закрыть ~ы open, shut* / close the locks; пропустить через ~ lock through (d.); ворота ~а lock-gate sg., sluice-gate ['slu:s-] sg.; камера ~а lock chamber [...'tʃeɪ-]; судоходный ~ shipping lock.

шлюзование с. 1. (реки) locking; 2. (судов) locking through.

шлюзовать несов. и сов. (вн.) 1. (о реке) lock (d.); 2. (о судах) lock through (d.), convey through a lock (d.).

шлюзовой прил. к шлюз.

шлюп м. мор. sloop.

шлюпбалка ж. мор. (boat) davit.

шлюпка ж. (ship's) boat; гребная ~ pulling boat ['pul-...]; парусная ~ sailing boat; спасательная ~ life-boat.

шлюпочн||ый прил. к шлюпка; ~ые гонки rowing races ['rou-...], boat races.

шлют мн. наст. вр. см. слать.

шляп||а 1. ж. hat; (дамская тж.) bonnet; надеть ~у put* on one's hat; снять ~у take* off one's hat; надвинуть ~у на глаза pull one's hat over one's eyes [pul... aɪz]; ходить в ~е wear* a hat [wɛə...]; он был в ~е he wore a hat, he had a hat on; без ~ы hat:less; 2. м. и ж. разг. (о человеке) helpless / unpractical person; ◇ дело в ~е it's in the bag, it's a sure thing [...ʃuə...]. ~ка ж. уменьш. от шляпа 1; дамская ~ка lady's hat, bonnet; 2. (гвоздя) head [hed]; (гриба) cap. ~ница ж. (модистка) milliner. ~ный прил. к шляпа 1; ~ный магазин (муж-

ШКО — ШОР

ских шляп) hatter's; (дамских шляп) milliner's, millinery establishment.

шляться разг. gad (about); ~ без дела loaf about.

шлях м. high road (in the Ukraine).

шляхет||ский прил. к шляхта. ~ство с. = шляхта.

шляхт||а ж. ист. (Polish) gentry ['pou-...]. ~ич м. ист. (Polish) gentle:man* ['pou-...].

шмелиный прил. к шмель.

шмель м. bumble-bee.

шмотки мн. разг. belongings; собрал свои ~ и ушёл moved out bag and baggage [mu:-...].

шмуцтитул м. полигр. half-title ['ha:f-], bastard-title.

шмыг предик. разг.: а он ~ в дверь and off he went ' slipped through the door [...dɔ:].

шмыгать, шмыгнуть разг. slip, dart; несов. тж. run* about, run* to and fro; ◇ ~ носом sniff.

шмыгнуть сов. см. шмыгать.

шмякать, шмякнуть (вн.) разг. drop with a thud (d.). ~ся, шмякнуться разг. fall* plop, plop down.

шмякнуть(ся) сов. см. шмякать(ся).

шницель м. кул. schnitzel (fillet of pork or veal).

шнур м. 1. cord; запальный ~ fuse; бикфордов ~ Bickford's fuse, safety fuse; 2. (провод) flex.

шнуровать (вн.) 1. lace up (d.); 2. (прошивать шнуром) tie (d.). ~ся 1. lace oneself up; 2. страд. к шнуровать.

шнуровка ж. lacing.

шнур||ок м. lace; ~ки для ботинок shoe-laces ['ʃu:-]; shoes-strings ['ʃu:-] амер.

шнырять разг. poke / dart about; dart in and out; ◇ ~ глазами dart one's eyes around [...aɪz...].

шов м. 1. seam; (в вышивании) stitch; (хирургический) stitch, suture; без шва seamless; костный ~ анат. commissure; накладывать швы мед. put* in (the) stitches; снимать швы мед. remove (the) stitches [-'mu:v...]; 2. стр., тех. joint, junction; сварной ~ weld; welded joint; ◇ руки по швам! attention!; стоять руки по швам stand* to attention; трещать по всем швам ≅ go* to pieces [...'pi:-], crumble (away).

шовин||изм м. chauvinism ['ʃou-], jingo:ism. ~ист м. chauvinist ['ʃou-], jingo:ist. ~истический chauvinistic [ʃou-], jingo:istic.

шок м. мед. shock.

шокировать (вн.) shock (d.), scandalize (d.).

шоколад м. chocolate; ~ в плитках chocolate in bars. ~ка ж. разг. bar of chocolate, a chocolate (sweet). ~ный chocolate (attr.); ~ая фабрика chocolate factory.

шомпол м. воен. ram:rod, cleaning rod.

шорн||ик м. harness-maker; saddler, saddle-maker. ~ый: ~ый магазин, ~ая мастерская saddler's, saddle-maker's; harness-maker's.

711

ШОР — ШТА

шо́рох *м.* rustle.
шо́рты *мн.* shorts.
шо́ры *мн.* blinkers; blinders *амер.*
шоссе́ [-сэ́] *с. нескл.* highway; (*со щебёночным покрытием*) macádam road [-'kæ-...]; гудрони́рованное ~ tarred road, tármac road; автомоби́льное ~ mótor road.
шоссе́й∥ный [-сэ́-] *прил. к* шоссе́; ~ая доро́га métalled / màcádam road [-'kæ-...].
шосси́ровать *несов. и сов.* (*вн.*) métal ['me-] (*d.*).
шотла́ндец *м.* Scot; Scóts∶man*.
шотла́ндка I [-нк-] *ж.* Scóts∶wòman* [-wu-].
шотла́ндка II [-нк-] *ж.* (*клетчатая ткань*) tártan, plaid [plæd].
шотла́ндский [-нск-] Scóttish, Scot's.
шофёр *м.* chauffeur [ʃou'fə:], (mótor-càr) dríver; ~ такси́ táxi-càb dríver, táxi-dríver, táxi-man*. ~ский *прил. к* шофёр; ~ское свиде́тельство dríver's / dríving licence [...'laı-].
шпа́г∥а *ж.* sword [sɔ:d], rápier; обнажи́ть ~у draw* the sword; скрести́ть ~и (с кем-л.) cross / méasure swords [...'meʒə...] (with smb.).
шпага́т I *м.* string, cord (bínder-) twine.
шпага́т II *м.* (*спортивная фигура*) the splits *pl.*
шпа́жник *м. бот.* flag, swórd-lily ['sɔ:dlı-].
шпаклева́ть (*вн.*) putty (*d.*); *мор.* caulk (*d.*).
шпаклёвка *ж.* 1. (*действие*) pútтying; 2. (*материал*) pútty; 3. *мор.* (*инструмент*) spáddle.
шпа́ла *ж. ж.-д.* sléeper; tie *амер.*
шпале́р∥а *ж.* 1. (*для растений*) tréllis, espálier [-'pæ-]; 2. (*ряд деревьев, кустов*) line of trees; hedge; 3. *мн. уст.* (*обои*) wáll-pàper *sg.*; 4. *воен.* line; выстра́ивать ~ами (*вн.*) line up (*d.*); стоя́ть ~ами line the route [...ru:t].
шпана́ *ж. тк. ед. чаще собир.* гру́б. riff-ràff, rabble.
шпанго́ут *м. мор.* rib; *ав.* frame.
шпа́ндырь *м.* shóe∶màker's stírrup [ʃu:-...].
шпа́нка *ж.* 1. (*вишня*) black chérry; 2. (*овца*) merìno sheep* [-'ri:-...]; 3. = шпа́нская му́шка *см.* шпа́нский.
шпа́нск∥ий: ~ая му́шка (*насекомое*) Spánish fly; (*пластырь*) canthárides [kæn'θærıdi:z] *pl.*; ~ая ви́шня black chérry.
шпарга́лка *ж. разг.* crib.
шпа́рить, ошпа́рить *разг.* 1. (*вн.*; *кипятком*) scald (*d.*); 2. *тк. несов.* (*без доп.*; *делать, говорить и т.п. без остановки*) fire a∶wáy; do, speak*, *etc.*, in a rush.
шпат I *м. мин.* spar; полево́й ~ féldspàr; плавико́вый ~ flúor-spàr; алма́зный ~ corúndum; бу́рый ~ brown spar.
шпат II *м. вет.* spávin.
шпа́тель *м.* 1. *тех., жив.* pálette-knife*; 2. *мед.* spátula.
шпа́ци∥я *ж.* 1. *полигр.* space; разби́ть на ~и (*вн.*) space (*d.*); 2. *мор.* fráme-spàcing.
шпенёк *м. тех.* pin, peg; (*пряжки*) prong.
шпига́т *м. мор.* scúpper; dráin-hòle.
шпигова́ть, нашпигова́ть (*вн.*) lard (*d.*); (*перен.*) *разг.* work up∶ón (*d.*); put* it into smb.'s head [...hed].
шпик I *м.* (*сало*) sálted pork fat.
шпик II *м. разг.* (*сыщик*) sleuth; plain clothes detective [...-ouðʒ...].
шпиль *м.* 1. (*остриё*) spire, steeple; 2. *мор.* cápstan.
шпи́льк∥а *ж.* 1. (*для волос*) háir-pin; 2. (*гвоздь*) tack; 3. (*каблук женской туфли*) spike heel, stilétto heel; 4. *тех.* stud, brad; ◇ подпусти́ть ~у (*дт.*) ≅ get* in, *или* have a dig (at).
шпина́т *м. бот.* spínach ['spınıdʒ]. ~ный *прил. к* шпина́т.
шпингале́т *м.* 1. (*задвижка*) úp∶right bolt; catch, latch; 2. *разг.* (*о маленьком мальчишке*) úrchin, lad.
шпи́ндель [-дэ-] *м. тех.* spindle.
шпине́ль [-нэ́-] *м. мин.* spínel ['spı-].
шпио́н *м.* spy. ~а́ж *м.* espionáge [-'na:ʒ].
шпио́н∥ить spy; (*за тв.*) spy (on). ~ка *ж. к* шпион. ~ский espionáge [-'na:ʒ] (*attr.*); ~ская организа́ция espionáge òrganizátion / ring [...-naı-...]. ~ство *с.* = шпиона́ж.
шпиц I *м.* (*остриё*) spire, steeple.
шпиц II *м.* (*порода собак*) spítz(-dòg), Pomeránian.
шпицру́тен *м. ист.* rod.
шпон *м.*, ~а *ж. полигр.* lead [led]; на ~ах léaded ['led-].
шпо́нка *ж. тех.* búshing key ['buki∶], dówel.
шпор *м. мор.* heel (of *a* mast).
шпо́р∥а *ж.* spur; дать ~ы (*дт.*) spur (*d.*).
шприц *м.* sýringe.
шпро́ты *мн.* sprats.
шпу́льк∥а *ж. тех.* spool, bóbbin; нама́тывать на ~у (*вн.*) spool (*d.*).
шпунт *м. тех.* groove, rábbet.
шпунтова́н∥ие *с. тех.* gróoving; стано́к для ~ия gróoving lathe [-leıð].
шпунтова́ть (*вн.*) groove (*d.*).
шпур *м.* bóre-hòle, blást-hòle.
шпыня́ть *разг.* (*вн.*) nag (*d.*).
шрам *м.* scar.
шрапне́ль *ж. воен.* shrápnel (shell). ~ный *прил. к* шрапне́ль; ~ный ого́нь shrápnel fire; ~ная пу́ля shrápnel ball.
шрифт *м.* print, type; ме́лкий, кру́пный ~ small, large print; жи́рный ~ thick / bold type; bold face *амер.*; курси́вный ~ itálic type, itálics; готи́ческий ~ Góthic type; прямо́й ~ Róman type; ме́лким, кру́пным, жи́рным и *т.п.* ~ом in small, large, thick, *etc.*, print.
шрифтово́й *прил. к* шрифт.
штаб *м.* 1. *воен.* staff, héadquàrters (staff) ['hed-...]; в ~ to héadquàrters; в ~е at héadquàrters; войсково́й ~ héadquàrter(s) staff; морско́й ~ nával staff; офице́р ~а staff officer; 2. (*руководящий орган чего-л.*) héadquàrters ['hed-] *pl.*
шта́бель *м.* stack, pile.
штаби́ст *м.* staff officer.
штаб-кварти́ра *ж. воен.* héadquàrters ['hed-] *pl.*
штабни́к *м. разг.* = штаби́ст.
штабно́й *воен.* 1. *прил.* staff (*attr.*); ~ офице́р staff officer; 2. *м. как сущ.* staff officer.
штаб-офице́р *м. воен. ист.* field-officer ['fi:ld-].
штабс-капита́н *м. воен. ист.* ≅ stáff-càptain (*officer of rank intermediate between lieutenant and captain*).
штаг *м. мор.* stay; ~-блок stáy-blòck.
штаке́тник *м.* fence, féncing.
шталме́йстер *м. ист.* équerry, Máster of the Horse.
штамп *м.* 1. *тех.* punch; 2. *канц.* stamp; 3. (*шаблон*) cliché (*фр.*) ['kli∶ʃeı]; (*о выражении тж.*) stock phrase.
штампова́льный *тех.* púnching; ~ пресс púnching-prèss.
штампова́ние *с. тех.* púnching.
штампо́ванный 1. *прич. и прил.* stamped; punched; 2. *прил.* (*трафаретный*) trite, háckneyed [-nıd], cut and dried.
штампова́ть (*вн.*) 1. *тех.* punch (*d.*), press (*d.*); 2. (*ставить штамп*) stamp (*d.*); 3. (*делать, не продумывая*) prodúce mechánically [...-'kæ-] (*d.*), rúbber-stàmp (*d.*).
штампо́вка *ж.* 1. stámping; 2. *тех.* púnching.
штампо́вщ∥ик *м.*, ~ица *ж.* púncher; stamp óperàtor.
шта́нга *ж.* 1. *тех.* bar, rod, beam; 2. *спорт.* (*снаряд*) weight; 3. *спорт.* (*у футбольных или хоккейных ворот*) cróss-bàr.
штангенци́ркуль *м.* slíding / vérnier cállipers *pl.*
штанги́ст *м.* wéight-lìfter.
штанда́рт *м. уст.* stándard.
штани́на *ж. разг.* tróuser-lèg.
штани́шки *мн. разг.* pánties.
штаны́ *мн. разг.* tróusers, bréeches ['brı-].
шта́пель *м.* staple. ~ный staple (*attr.*); ~ное воло́кно staple fibre; ~ное полотно́ staple fábric.
штат I *м.* 1. (*административно-территориальная единица*) state; 2. *мн. ист.*: Генера́льные ~ы States Géneral.
штат II *м.* 1. (*постоянный состав сотрудников*) staff, estáblishment; быть в ~е be on the staff / estáblishment; сокраще́ние ~ов redúction of the staff; зачисля́ть, включа́ть кого́-л. в ~ take* smb. on the staff; 2. *обыкн. мн.* (*штатное расписание*) list of mémbers of staff; утвержде́ние ~ов confirmátion of staff.
штати́в *м.* support, foot* [fut], trípòd.
шта́тн∥ый regular; on the staff / estáblishment; ~ая до́лжность estáblished post [...poust]; ~ рабо́тник mémber of the staff, pérmanent employée; ~ преподава́тель téacher on the staff; ~ соста́в regular / áuthorized estáblishment; cómplement.
шта́тск∥ий 1. *прил.* cívil; civílian; ~ое пла́тье civílian clothes [...klou-] *pl.*, múfti; (*a suit of*) cívvies [...sju∶t...] *разг.*; 2. *с. как сущ.* = ~ое пла́тье; генера́л, офице́р *и т.п.* в ~ом a géneral, an ófficer, *etc.*, in múfti / cívvies; 3. *м. как сущ.* civílian.

штевень [штэ-] *м. мор.* (форштевень) stem; (ахтерштевень) stérn-pòst [-poust]; *мн.* stem and stérn-pòst.

штейгер [штэ-] *м.* fóre:man míner.

штемпелевать [штэ-], заштемпелевать (*вн.*) stamp (*d.*), póstmàrk ['poust-] (*d.*).

штемпель [штэ-] *м.* stamp; почтовый ~ póstmàrk ['poust-]; письмо со ~ем «Москва» létter with a Móscow póstmàrk.

штемпельный [штэ-] *прил. к* штемпель; ~ая подушка pad.

штепсель [штэ-] *м. эл.* plug, sócket. ~ный [штэ-] *прил. к* штепсель; ~ная вилка plug.

штиблеты [щи-] *мн.* (láce-ùp) boots.

штивать (*вн.*) *мор.* stow [stou] (*d.*).

штивка *ж. мор.* stówing [-ou-].

штилевой *прил. к* штиль; экваториальные ~ые полосы *мор.* the dóldrums [...'dɔ:-].

штиль *м. мор.* calm [kɑ:m]; мёртвый ~ dead calm [ded...].

штифт *м. тех.* (jóint-)pìn, sprig.

штихель *м.* búrin, gráver.

шток *м.* 1. *тех.* rod; ~ поршня píston-ròd; 2. *мор.* (якоря) stock (of an anchor).

штокроза *ж. бот.* hóllyhòck.

штольня *ж. горн.* gállery, ádit.

штопальный dárning; ~альная игла dárning needle. ~аный darned. ~анье *с.* dárning.

штопать, заштопать (*вн.*) darn (*d.*). ~ка *ж. тк. ед.* 1. (*действие*) dárning; художественная ~ка invísible ménding [-zə-...]; 2. (*нитки*) dárning thread [...θred]; 3. (*заштопанное место*) darn.

штопор *м.* 1. córkscrew; 2. *ав.* spin; входить в ~ go* / get* into a spin.

штопорить *ав.* descénd in a spin. ~ом *нареч. ав.* in a spin.

штора *ж.* blind; опустить ~ы draw* the blinds.

шторм *м.* (strong) gale; жестокий ~ storm; сильный ~ héavy gale ['hevɪ...], whole gale [houl...]; попасть в сильный ~ run* into héavy wéather [...'weðə].

штормовать *мор.* ride* out a storm.

штормовка *ж. мор.* wéatherproof jácket ['weðə-...].

штормовой *прил. к* шторм; ~ сигнал cóast-wàrning, stórm-còne; ~ силы (о ветре) of gale force.

штормтрап *м. мор.* Jácob's ládder.

штоф I *м. уст.* (мера жидкости) shtoff (about 1.2 litres).

штоф II *м.* (ткань) dámask ['dæ-].

штофный dámask ['dæ-] (attr.); ~ые обои dámask wáll-pàper sg.; ~ая мебель dámask-ùp:hólstered fúrniture [-'houl-...], fúrniture up:hólstered in dámask [...'houl-...].

штраф *м.* fine, pénalty; заплатить ~ pay* a fine. ~ной pénal; pénalty (attr.); ~ной журнал уст. pénalties book; ~ная площадка *спорт.* pénalty àrea [...'eərɪə]; ~ной удар *спорт.* pénalty kick; ~ное время pénalty time.

штрафовать, оштрафовать (*вн.*) fine (*d.*).

штрейкбрехер *м.* stríke-breaker [-breɪ-], bláckleg; scab *разг.* ~ский *прил. к* штрейкбрехер. ~ство *с.* strike-breaking [-breɪ-], blácklègging.

штрек *м. горн.* drift.

штрипка *ж.* fóotstràp ['fut-].

штрих *м.* stroke; (*мн.; на карте*) háchures [ɑ:'ʃu:əz]; (*перен.*) trait [treɪ], féature; характерный ~ chàracterístic trait [kæ-...].

штриховать, заштриховать (*вн.*) shade (*d.*), hatch (*d.*).

штриховка *ж.* sháding, hátching.

штриховой *прил. к* штрих; ~ рисунок line dráwing.

штудировать, проштудировать (*вн.*) stúdy ['stʌ-] (*d.*).

штука *ж.* 1. piece [pi:s]; штук десять about ten píeces; несколько штук яблок séveral apples; ~ полотна píece of línen [...lɪ-]; 2. *разг.* (*вещь*) thing; что это за ~? what sort of thing is this?; 3. *разг.* (*выходка*) trick; сыграть ~у с кем-л. play smb. a trick; это его ~ that is his doing; ◇ вот так ~! that's a nice thing!; в том-то и ~! that is just the point!

штукатур *м.* plásterer.

штукатурить, оштукатурить (*вн.*) pláster (*d.*), párget (*d.*). ~ка *ж. тк. ед.* 1. pláster; 2. (*действие*) plástering. ~ный *прил. к* штукатурка; ~ная работа pláster work, plástering.

штуковать (*вн.*) mend invísibly [...-zə-] (*d.*).

штуковина *ж. разг.* thíng:umajig [-mɪdʒɪg].

штуковка *ж.* invísible ménding [-zə-...].

штурвал *м. мор.* stéering contról [...-oul]; stéering-wheel; *ав.* contról cólumn; стоять у ~а be / stand* at the wheel / helm, be at the contróls.

штурвальный 1. *прил.:* ~ое колесо stéering-wheel; 2. *м. как сущ.* hélms:man*, pílot.

штурм *м.* assáult, storm; брать ~ом (*вн.*) take* by storm (*d.*).

штурман *м. мор., ав.* návigàtor; (*на речном теплоходе*) mate. ~ский návigàtor's, návigàting; navigátion (*attr.*); ~ское дело nàvigátion; ~ская рубка chart house.

штурмовать (*вн.*) 1. storm (*d.*), assáult (*d.*); 2. *разг.* (*беспорядочно осаждать*) rush (*d.*); 3. (*упорно овладевать*) cónquer (*d.*).

штурмовик *м. ав.* lów-flýing attáck áircràft ['lou-...]; attáck plane *амер.*

штурмовка *ж. воен. ав.* lów-flýing air attáck ['lou-...]. ~ой *воен.* assáult (*attr.*); ~ая авиация assáult áircràft; lów-flýing attáck áircràft ['lou-...]; attáck aviátion *амер.*; ~ая атака *ав.* lów-flýing attáck ['lou-...]; ~ая группа assáult group [...gru:p]; ~ой отряд assáult detáchment; ~ая лестница *уст.* scáling-làdder.

штурмовщина *ж. неодобр.* rush work.

штуртрос *м. мор.* stéering rope; (*цепной*) stéering chain, rúdder chain.

штуф *м. геол.* piece of ore [pi:s...].

штуцер *м.* 1. (*ружьё*) cárbine; 2. *тех.* connécting pipe.

штучка *ж. уменьш. от* штука. ~ный piece [pi:s] (*attr.*); ~ная работа píece-wòrk; ~ный товар píece-goods ['pi:sgudz] *pl.*; ~ная продажа sale by the piece [gudz...pi:s]; ~ная оплата páyment by the piece.

штык *м.* 1. *воен.* báyonet; клинковый ~ sword-bayonet ['sɔ:d-]; бросаться в ~и charge with the báyonet; встретить в ~и (*вн.; перен.*) give* a hóstile recéption (to); 2. *мор.* (*узел*) bend.

штыковой *прил. к* штык; ~ удар báyonet thrust; ~ая атака báyonet attáck / charge, assáult with the báyonet; ~ бой báyonet fight.

штырь *м. тех.* pin, dówel.

шуба *ж.* fur coat.

шубейка *ж.* winter fur jácket.

шубёнка *ж. разг.* shábby fur coat.

шуга *ж. тк. ед. собир.* sludge ice.

шугануть *сов. см.* шугать.

шугать, шугнуть, шугануть (*вн.*) *разг.* scare off (*d.*).

шугнуть *сов. см.* шугать.

шулер *м.* cheat, shárper, cárd-shàrper. ~ский *прил. к* шулер. ~ство *с.* cárd-shàrping, sharp práctice.

шум *м.* noise; (*звук*) sound; (*приглушённый*) múrmur; (*гам, гвалт*) húbbub, úp:roar; поднять ~ make* a noise; (*перен.*) raise, *или* set* up, a clámour [...'klæ-]; прекратите ~! stop this noise!; ~ ветра, волн noise / sound of the wind, the waves [...wɪnd...]; ~ боя roar / din of battle; ~ леса múrmur of the fórest [...'fɔ-]; ~ листьев rustle of leaves; под ~ дождя to the accómpaniment of the rain [...ə'klʌ-...]; with the sound of rain in the báckground; ◇ ~ в ушах búzzing in the ears; tínnitus *мед.*; ~ в сердце cárdiac múrmur; наделать ~у, поднять большой ~ make* a rácket, kick up a row; cause a sensátion; без ~а without a fuss, without any fánfares; много ~а из ничего much adó about nothing [...ə'dʌ:...]; áдский ~ hell of a noise; ~ и гам húe-and-crý; húbbub.

шуметь 1. make* a noise; be nóisy [...-zɪ]; дети ~ят the chíldren are máking a lot of noise; the chíldren are nóisy; море ~ит one can hear the noise of the sea; 2. *разг.* (*скандалить, браниться*) kick up a row; 3. (*суетиться, делать шум по поводу чего-л.*) make* a fuss; 4. (*излишне много говорить о чём-л.*) go* on about smth., talk a lot. ~иха *ж. разг.* sensátion, rácket, bállyhoo.

шумливость *ж.* nóisiness [-zɪ-], bóisterousness; ~ый nóisy [-zɪ], bóisterous.

шумный nóisy [-zɪ]; loud; ~ые города nóisy / bústling towns; ~ успех sensátional succéss, sensátion; ~ое приветствие accláim.

шумовик *м. театр.* sound effécts man*.

шумовка *ж.* skímmer, pérforàted spoon.

шумовой: ~ фон *рад.* báckground noise, ~ые эффéкты *театр.* sound effécts.

шумок *м. разг.:* под ~ on the quíet.

шумопеленгатор *м. мор.* hýdro:phòne.

шунт *м. эл.* shunt.

шурин *м.* bróther-in-law ['brʌ-] (*pl.* bróthers-) (*brother of the wife*).

шуровать *тех.* poke, stoke.

ШУР — ЩЕН

шуру́п *м. тех.* screw.

шурф *м. горн.* próspèct-hòle, bore pit; explóring / prospécting shaft.

шурфова́ние *с.* dígging / sínking a próspèct-hòle.

шурфова́ть dig / sink* próspèct-hòles.

шурша́ние *с.* rústling.

шурш||**а́ть** rustle; ли́стья ~а́т под нога́ми the leaves rustle ùnderfóot [...-ʹfut].

шу́стрик *м. разг.* smart / sharp lad.

шу́стрый *разг.* bright, smart.

шут *м.* fool; jéster; *ист. тж.* man* of mótley [...ʹmɔ-]; быть ~о́м wear* the mótley [weə...]; ◊ ~ горо́ховый *разг.* clown, bùffóon, láughing-stòck [ʹlɑ:f-]; ~ его́ зна́ет! *разг.* deuce knows! [...nouz]; ~ с ним! hell with him!

шут||**и́ть, пошути́ть** 1. joke; jest; люби́ть ~ be fond of *a* joke; 2. (*над; насмеха́ться*) make* fun (of), play a joke (on); 3. (*говори́ть не всерьёз*) be in jest; be fúnny *разг.*; (*дура́читься*) fool; он не шу́тит he is sérious, he is in no jóking mood; 4. (*с тв.; несерьёзно относи́ться*) trifle (with), play (with); э́тим не ~и́ don't trifle with this; ~ с огнём play with fire. ~и́ха *ж.* 1. *уст.* (fire:)cràcker; 2. *ист.* fémale jéster [ʹfi:-...].

шу́тк||**а** *ж.* 1. joke; jet; зла́я ~ spíteful / malícious / mean joke; в ~у in jest; не обижа́ться на ~у not take* offénce at *a* joke, not take* it sériously; ему́ не до шу́ток he is in no láughing mood; ~ами не отде́лаешься ~ами от чего́-л. laugh smth. aʹway / off [lɑ:f...]; 2. (*шалость*) trick; (*прока́за*) prank; сыгра́ть ~у с кем-л. play a trick on smb.; га́дкие ~и dirty / shábby tricks; 3. *театр.* jest, farce; ◊ и в сто́рону, кро́ме шу́ток jóking apárt; ~ сказа́ть it's not so éasy [...ʹi:zɪ], it's no joke; ~ ли э́то сде́лать that is not so éasily done [...ʹi:z-...]; с ним ~ пло́хи he is not one to be trifled with; he is a tough cústomer [...tʌf...] *идиом.*; он на ~у рассерди́лся he is dównright ángry; не ~ no trifle, no láughing mátter [...ʹlɑ:f-...].

шут||**ли́вый** 1. witty, húmorous, pláyful; (*склонный к шуткам*) jócular, facétious; flíppant. ~**ни́к** *м.*, ~**ни́ца** *ж.* wag [wæg]; jóker, jéster.

шутовск||**о́й** ~ шут; ~ колпа́к fool's cap; ~ наря́д mótley [ʹmɔ-]; ~а́я вы́ходка bùffóonery.

шутовство́ *с.* bùffóonery.

шу́точн||**ый** 1. (*комический*) cómic, facétious; ~ая поэ́ма cómic vérses *pl.*; 2. (*пустяко́вый*) trífling; э́то де́ло не ~ое it is no joke, it is no láughing mátter [...ʹlɑ:f-...], that is no trífling mátter.

шутя́ 1. *дееприч. см.* шути́ть; 2. *нареч.* in jest, for fun; jóking:ly; facétious:ly; не ~ sérious:ly, in éarnest [...ʹə:-]; 3. *нареч.* (*очень легко*) éasily [ʹi:z-...]; э́то мо́жно сде́лать ~ ≅ you could do it in your sleep.

шу́шера *ж. собир. разг.* ríff-ràff, rúbbish.

шушу́ка||**нье** *с. разг.* whíspering. ~**ться** *разг.* exchánge whíspered sécrets [-tʃeɪ-...].

шхе́ры *мн. геогр.* skérries.

шху́на *ж. мор.* schóoner; ~-**бриг** schóoner-brig; ма́рсельная ~ tópsail schóoner.

ш-ш *межд.* hush!

Щ

щавелев||**ый** 1. *прил. к* щаве́ль; 2. *хим.* òxálic; ~ая кислота́ òxálic ácid; соль ~ой кислоты́ óxalàte.

щаве́ль *м.* sórrel.

щади́ть, пощади́ть (*вн.*) spare (*d.*); не щадя́ себя́ regárdless of one's own féelings, health, *etc.* [...oun... helθ], ùnspáring:ly, whóle-héartedly [ʹhoulʹhɑ:t-]; ~ чью-л. жизнь spare smb.'s life; ~ чьи-л. чу́вства spare smb.'s féelings; ~ чьё-л. самолю́бие spare smb.'s sélf-estéem / sélf-respéct / vánity.

щебёнка *ж.* = щебень 1.

щёб||**ень** *м.* 1. róad-mètal [-me-]; кирпи́чный ~, кли́нкерный ~ bróken brick; мости́ть ~нем (*вн.*) métal [ʹme-] (*d.*); 2. *геол.* detrítus.

щебет *м.*, ~**а́ние** *с.* twitter, chirp.

щебета́ть twitter, chirp; (*перен.: говори́ть бы́стро, без умо́лку*) chátter, prattle.

щебету́нья *ж. разг.* (*о пти́це, тж. о де́вушке, ребёнке*) chírper; práttler, chátterbòx.

щегл||**ёнок** *м.* 1. (*птенец*) young góldfinch [jʌŋ...]; 2. *уменьш. от* щегол.

щего́л *м.* góldfinch.

щеголев||**а́тость** *ж.* dándyism, fóppery. ~**ый** dándyish, fóppish, dándified; ~**ый** молодо́й челове́к dándified young man* [...jʌŋ...].

щеголи́ха *ж.* wóman* of fáshion [ʹwu-...].

щёголь *м.* dándy, fop.

щегольну́ть *сов. см.* щеголя́ть 2.

щеголь||**ско́й** fóppish, dándified; dándy (*attr.*); ~ вид air of *a* dándy. ~**ство́** *с.* fóppishness, dándyism.

щеголя́ть, щегольну́ть 1. *тк. несов.* dress últra-fáshionably / fóppishly; cut* a dash; (*в пр.*) sport (*d.*); ~ в но́вом костю́ме sport *a* new suit [...sju:t]; 2. (*тв.*) *разг.* (*хва́статься*) flaunt (*d.*), paráde (*d.*), show* off [ʃou...] (*d.*); make* a show / paráde (of).

щёдр||**ость** *ж.* gènerósity, lìberálity. ~**о́ты** *мн.* bóunties. ~**ый** génerous, líberal; ~ой руко́й with an ópen hand, ópen-hándedly, lávishly, ùnstínting:ly; ~ые дары́ génerous / lávish gifts [...-g-]; ~ый на обеща́ния lávish with prómises [...-sɪz].

щек||**а́** *ж.* cheek; впа́лые щёки súnken cheeks; уда́рить кого́-л. по ~é give* smb. a slap in the face; подста́вить щёку turn the cheek; поцелова́ть в о́бе ~и́ kiss on both cheeks [...bouθ...]; ◊ упи́сывать за о́бе ~и́ (*вн.*) *разг.* ≅ eat* héartily [...ʹhɑ:t-] (*d.*), tuck (into).

щеко́лда *ж.* latch.

щекота́ние *с.* tíckling.

щекота́ть, пощекота́ть 1. (*вн.; прям. и перен.*) tíckle (*d.*); ~ чьё-л. самолю́бие tíckle smb.'s vánity; 2. *безл.*: у меня́ в го́рле, в носу́ щеко́чет I have a tíckle in my throat, nose; my throat, nose tickles.

щеко́тк||**а** *ж.* tíckling; боя́ться ~и be tícklish.

щекотли́в||**ость** *ж. разг.* (*прям. и перен.*) tícklishness; (*перен. тж.*) délicacy; ~ положе́ния délicacy of the situátion. ~**ый** (*прям. и перен.*) tícklish; (*перен. тж.*) délicate; ~ый вопро́с tícklish quéstion [...-stʃ-]; ~ая те́ма délicate tópic.

щеко́тно *предик. безл.* (*дт.*) it tickles; ему́ ~ it tickles him.

щелево́й *прил. к* щель; *лингв.* frícative.

щели́нный *лингв.* frícative; ~ звук frícative sound.

щели́стый *разг.* chínky, full of chinks.

щёлк *м. разг.* crack; (*па́льцами*) snap (of the fingers).

щёлк||**а** *ж.* chink (*a narrow opening*); смотре́ть в ~у look through a chink.

щёлканье *с.* 1. (*языком, замком, щеколдой*) clícking; (*пробки*) pópping; ~ па́льцами snápping one's fingers; ~ зуба́ми cháttering of teeth; 2. (*щелчок*) fílliping; 3. (*орехов и т. п.*) cráckìng; 4. (*пение птиц*) trílling; (*о соловье́*) jug.

щёлк||**ать, щёлкнуть** 1. (*тв.; языко́м, замко́м, щеко́лдой*) click (*d.*); (*кнуто́м*) crack (*d.*), smack (*d.*); (*про́бкой*) pop (*d.*); бичо́м crack *the* whip; ~ па́льцами snap one's fingers; ~ каблука́ми click one's heels; у него́ ~ают зу́бы his teeth are cháttering; 2. (*вн.*; *дава́ть щелчо́к*) flick (*d.*), fillip (*d.*); ~нуть кого́-л. по́ носу give* smb. a flick / fillip on the nose; 3. *тк. несов.* (*вн.*; *об оре́хах и т. п.*) crack (*d.*); 4. *тк. несов.* (*без доп.*; *о пти́цах*) trill; (*о соловье́*) jug.

щёлкнуть *сов. см.* щёлкать 1, 2.

щелкопёр *м. уст.* scríbbler, pén-pùsher [-pu-].

щелку́нчик *м.* (*в ска́зках*) nútcràcker.

щёлок *м. хим.* álkaline solútion, lye.

щелочно́й *хим.* álkaline; ~ раство́р álkaline solútion.

щёлочность *ж. хим.* àlkalínity.

щёлочь *ж. хим.* álkali.

щелчо́к *м.* flick, fillip; (*звук*) click, (*перен.*) slight; дать ~ (*дт.*) give* a fillip (*i.*); дать ~ по́ носу (*дт.*) give* a flick / fillip on the nose (*i.*).

щель *ж.* 1. chink; (*тре́щина*) crack; (*на земле́ тж.*) chap; (*разре́з*) slit, slot; голосова́я ~ *анат.* glóttis; смотрова́я ~ obserrvátion / vísion slit / slot [-zə-...]; 2. *воен.* (*узкая транше́я*) slit trench.

щем||**и́ть** *безл.*: у меня́ се́рдце, грудь ~и́т my heart aches [...hɑ:t eiks]; ~**я́щий** ду́шу напе́в pláintive / méláncholy tune [...-k-...].

щени́ться, ощени́ться whelp, cub; (*тк. о соба́ках*) pup.

щено́к *м.* (*мн. тж.* щеня́та) púppy (*тж. перен.*); (*у ди́ких живо́тных*) cub, whelp.

щепа́ ж. тк. ед. собир. wood chips [wud...] pl.; splinter; (для растопки) kíndling(s) (pl.).

щепа́ть (вн.) chip (d.), splínter (d.).

щепети́льн||ость ж. (добросовестность) (óver:)scrúpulous:ness; не проявля́ть осо́бой ~ости в отноше́нии чего́-л. not to be óver:scrúpulous abóut in smth., not to make* too many scruples abóut smth. **~ый** 1. púnctilious; (добросовестный) (óver:)scrúpulous; 2. (о деле, вопросе) délicate.

щепк||а ж. chip, slíver ['slɪ-]; ◇ худо́й как ~ thin as a rake; лес ру́бят — ~и летя́т посл. ≅ you cánnot make an ómelet(te) without bréaking eggs [...'ɒmlɪt... 'breɪ-...].

щепо́тка ж., **щепо́ть** ж. pinch; ~ со́ли pinch of salt; ~ табаку́ pinch of snuff.

щерба́тый 1. (о лице) póck-màrked; (о посуде) dénted; chípped; 2. разг. (беззубый) gáp-toothed [-θt].

щерби́н||а ж. 1. indentátion; 2. (на лице) póck-mark; 3. (между зубами) gap.

щети́н||а ж. тк. ед. brístle. **~истый** brístly, brístling; setáceous [-ʃəs].

щети́ниться, ощети́ниться (прям. и перен.) bristle (up).

щетинообра́зный setáceous [-ʃəs], sétiform.

щётк||а ж. 1. brush; зубна́я ~ tóoth-brush; ~ для воло́с háirbrush; ~ для ногте́й náil-brush; платяна́я ~ clóthes-brùsh ['klou-]; полова́я ~ broom; почи́стить ~ой (вн.) brush (d.); 2. (над копы́том ло́шади) fét:lòck; 3. эл. brush.

щёточн||ик м. brúsh-màker; (продавец) brúsh-sèller. **~ый** прил. к щётка 1; ~ое произво́дство brush fáctory.

щёчка ж. 1. уменьш. от щека́; 2. тех. (щипцов) jaw.

щёчный анат. cheek (attr.).

щи мн. shchi (cabbage soup) sg.; све́жие, ленивые щи cábbage soup [...su:p] sg.; щи из ки́слой капу́сты sáuerkraut soup ['sauǝkraut...] sg.; зелёные щи sórrel soup sg.

щи́колка ж., **щи́колотка** ж. ankle.

щипа́ть, щипну́ть (вн.) 1. pinch (d.), nip (d.), tweak (d.); 2. тк. несов. (о морозе, горчице и т.п.) bite* (d.); 3. тк. несов. (о пеньке, льне и т.п.) shred* (d.); 4. тк. несов. (о траве) níbble (d.); (о листьях, побегах) browse [-z] (on); (о курице, дичи) pluck (d.). **~ся** разг. pinch; (щипать друг друга) pinch each other.

щипко́в||ый муз.: **~ые** инструме́нты stringed músical instruments played by plúcking [...-zɪ-...].

щипко́м нареч. муз. pizzicáto [pɪtsɪ-'ka:tou].

щипну́ть сов. см. щипа́ть 1.

щипо́к м. nip, pinch, tweak.

щипцы́ мн. (pair of) tongs; (клещи) píncers; ~ для оре́хов nútcrackers; ~ для зави́вки cúrling-ìrons [-aɪǝnz]; ками́нные ~ fíre-ìrons [-aɪǝnz], fíre-tòngs; ~ для са́хара súgar-tòngs ['ʃugǝ-]; хирурги́ческие ~ fórceps.

щи́пчики мн. (pair of) twéezers.

щит м. 1. shield [ʃi:ld]; (круглый)

búckler; 2. (ограждение) shield [ʃi:ld], screen; (от снежных заносов) snów-screen ['snou-], snów-fènce ['snou-]; оруди́йный ~ gun shield; 3. тех. (шлюза) slúice-gàte ['slu:s-]; 4. тех. pánel ['pæ-]; ~ управле́ния contról pánel [-roul pæ-]; распредели́тельный ~ switchboard; 5. зоол. (у черепахи и т.п.) tórtoise-shèll [-tǝs-]; scútum; ◇ поднима́ть на ~ (вн.) laud to the skies (d.), extól (d.); make* much (of).

щитови́дка ж. разг. = щитови́дная железа́ см. щитови́дный.

щитови́дн||ый анат. thýroid ['θaɪ-]; **~ая** железа́ thýroid gland; ~ хрящ thýroid cártilage.

щито́к м. 1. уменьш. от щит; 2. (у насекомых) córse:let, thórax; 3. бот. (соцветие) cyme, córymb; 4. тех. dáshboard.

щитоно́сец м. ист. ármour-bearer [-bɛǝ-].

щитообра́зный shíeld-shàped [ʃi:ld-]; scútiform.

щу́ка ж. pike; (морская) ling.

щуп м. 1. тех. probe; 2. (инструмент для обнаружения мин) próbing rod.

щу́пальце с. зоол. téntacle, pálpus (pl. -pì); (членистое) anténna (pl. -ae).

щу́пать, пощу́пать (вн.) feel* (d.), touch [tʌtʃ] (d.); (исследовать щупом) probe (d.); ~ пульс feel* the pulse; ◇ ~ глаза́ми scan (d.).

щу́плый púny, frail.

щур м. (птица) píne-gròsbeak [-ous-].

щурёнок м. young pike [jʌŋ...].

щу́рить: ~ глаза́ screw up one's eyes [...aɪz]. **~ся** 1. (о человеке) screw up one's eyes [...aɪz]; (на солнце) squint; 2. (о глазах) nárrow.

щу́чий прил. к щу́ка; ◇ по щу́чьему веле́нью ≅ by a wave of the wand.

Э

эбе́нов||ый ébony (attr.); **~ое** де́рево ébony; **~ого** цве́та ébony.

эбони́т м. ébonite. **~овый** ébonite (attr.).

эбуллиоско́п м. хим. ebúllioscòpe. **~ия** ж. хим. ebùlliòscopy.

эвакопу́нкт м. = эвакуацио́нный пункт см. эвакуацио́нный.

эвакуацио́нный прил. к эвакуа́ция; ~ пункт evacuátion centre; ~ го́спиталь evacuátion hóspital.

эвакуа́ция ж. evacuátion.

эвакуи́рованный 1. прич. см. эвакуи́ровать; 2. знач. как сущ. evàcuée.

эвакуи́ровать несов. и сов. (вн.) evácuàte (d.). **~ся** несов. и сов. 1. evácuàte; 2. страд. к эвакуи́ровать.

эвдио́метр м. физ. eudíometer.

эве́н м. Evén.

эве́нк м. Evénk.

эве́нка ж. Evén (wóman*) [...'wu-].

эвенк||и́йка ж., **~и́йский** Evénk; ~и́йский язы́к Evénk, the Evénk lánguage.

эве́нский Evén; ~ язы́к the Evén lánguage.

эвентуа́льный evéntual, póssible.

эвкали́пт м. бот. eucalýptus. **~овый**

ЩЕП — ЭКЗ

прил. к эвкали́пт; **~овое** ма́сло eucalýptus oil.

ЭВМ (электро́нная вычисли́тельная маши́на) (elèctrónic) compúter.

эвольве́нта ж. мат. evólvent.

эволю́та ж. мат. evolúte ['i:v-].

эволюциони́||зм м. èvolútionism [i:v-]. **~ровать** несов. и сов. evólve. **~ст** м. èvolútionist [i:v-].

эволюцио́нн||ый èvolútional [i:v-], èvolútionary [i:v-]; **~ая** тео́рия théory of èvolútion ['θɪǝ-... i:v-], dóctrine of èvolútion.

эволю́ция ж. èvolútion [i:v-].

эвристи́ческий heurístic; ~ ме́тод heurístic méthod.

эвфеми́||зм м. лингв. éuphemism. **~сти́ческий** лингв. euphemístic.

эвфони́ческий лит. euphónic.

эвфони́я ж. лит. éuphony.

эвфу||и́зм м. лит. éuphuism. **~исти́ческий** лит. euphuístic.

эги́д||а ж. áegis; под **~ой** (рд.) únder the áegis (of).

эго||и́зм м. sélfishness, égoism. **~и́ст** м. égoist, sélfish pérson.

эгоисти́ч||еский sélfish, ègoístic(al). **~ность** ж. sélfishness, égoism. **~ный** sélfish, ègoístical.

эгои́стка ж. к эгои́ст.

эготи́зм м. égotism.

эгоцентр||и́зм м. ègocéntrism. **~и́ческий** ègocéntric.

эгре́т [-рэ́т] м., **~ка** [-рэ́-] ж. égret-plùme, áigrette.

э́дак = э́так.

Э́дда ж. лит. Édda; Ста́ршая ~ Ólder / Poètic Édda; Мла́дшая ~ Younger / Prose Édda ['jʌŋǝ-...].

эдельве́йс [-дэ-] м. бот. édelweiss ['eɪdlwaɪs].

эде́м [эдэ́м] м. (тж. перен.) Éden.

эди́кт м. ист. édict ['i:-].

эже́ктор м. тех. ejéctor.

эзо́пов(ский) Aesópian; ~ язы́к Aesópian lánguage.

эзотери́ческий [-тэ-] esotéric.

эй межд. hey!, hi!; I say!; мор. ahóy!

эква́тор м. геогр. equátor [ɪ'kweɪtǝ].

экваториа́л м. астр. equatórial.

экваториа́льный геогр. equatórial.

эквивале́нт м. equivalent. **~ность** ж. equivalence. **~ный** equivalent; **~ная** сто́имость equivalent válue.

эквилибри́ст м. tíghtrope-wàlker, èquilíbrist [i:-]. **~ика** ж. tíghtrope-wàlking (тж. перен.).

эквипотенциа́льн||ый [-тэ-] физ. èquipoténtial [i:k-]; **~ая** пове́рхность èquipoténtial súrface.

экзальт||а́ция ж. èxaltátion. **~иро́ванный** in a state of èxaltátion, ècstátic.

экза́мен м. èxaminátion; exàm разг.; (перен.: испытание) test; держа́ть ~ go* in for an èxaminátion, take* / sit* an èxaminátion; вы́держать ~ pass an èxaminátion; провали́ться на ~e fail (in) an èxaminátion; be plucked разг. вступи́тельный ~, приёмный ~ éntrance èxaminátion; выпускно́й ~ fínal(s) (pl.); переводны́е ~ы énd-of-yéar èxàm-

715

inátions; ~ на аттестáт зрéлости examinátion for the school-léaving certíficate. ~áтор м. examíner.

экзаменациóнн‖ый прил. к экзáмен; ~ая сéссия examinátions périod, exáms; ~ билéт examinátion quéstion-pàper [...-stʃ-]; ~ая комúссия examíning board.

экзаменовáть, проэкзаменовáть (вн.) examíne (d.). ~ся, проэкзаменовáться 1. go* in for an examinátion, take* an examinátion; 2. страд. к экзаменовáть.

экзаменýющийся 1. прич. см. экзаменовáться; 2. м. как сущ. examínee.

экзекýция ж. уст. córporal púnishment [...'рʌ-].

экзéма [-зэ-] ж. мед. éczema. ~тóзный [-зэ-] мед. eczématous.

экземпля́р [-зэ-] м. 1. cópy ['kɔ-]; в двух ~ах in dúplicate; в трёх ~ах in tríplicate; 2. (образец) spécimen; рéдкий ~ растéния и т. п. rare spécimen of a plant, etc. [...-ɑ:nt].

экзистенциали́зм м. филос., лит. existéntialism.

экзогéнный геол. exógenous.

экзотери́ческий [-тэ-] exotéric.

экзотерми́ческ‖ий физ. exothérmal; ~ие реáкции exothérmal reàctions.

экзóт‖ика ж. тк. ед. exótic cháracter [kæ-]. ~и́ческий exótic.

эквивóк м. équivòque, quibble.

э́кий разг. what (a); э́кое счáстье! what luck!; ~ шалýн! what an imp!

экипáж I м. (коляска) cárriage [-rɪdʒ].

экипáж II м. 1. (личный состав судна, самолёта, танка) crew; 2.: флóтский ~ nával dépòt [...'depou].

экипировáть несов. и сов. (вн.) equip (d.). ~ся несов. и сов. 1. equip òne:sélf; 2. страд. к экипировáть.

экипирóвка ж. 1. (действие) equipping; 2. (снаряжение, обмундирование) equipment.

э́ккер м. геод. cróss-stàff, óptical square.

эклáмпсия ж. мед. éclampsy.

эклекти́зм м. eclécticism.

эклéкт‖ик м. ecléctic. ~ика ж. eclécticism. ~и́ческий, ~и́чный ecléctic.

экли́пт‖ика ж. астр. ecliptic; наклóн ~ики obliquity of the ecliptic. ~и́ческий астр. ecliptic.

эклóга ж. лит. éclogue.

экологи́ческий биол. ecológical [i:k-].

эколóгия ж. ecólogy [i:'kɔ-].

экóном м. уст. 1. hóuse:keeper [-s-], stéward; 2. (специалист) ècónomist [i:-].

экономáйзер [-зэр] м. тех. ecónomìzer [i:-].

экономи́зм м. ист. ècónomism [i:-].

эконóмика ж. 1. (способ производства) ècónomy [i:-]; социалисти́ческая ~ sócialist ècónomy [i:-]; (структура хозяйственной жизни) ecónomics [i:k-]; ~ сéльского хозя́йства rúral ècónomics; 3. (научная дисциплина) ècónomics [i:k-].

экономи́ст м., ~ка ж. ecónomist [i:-]. ~-планови́к м. ecónomic plánner [i:k-...]. ~-стати́стик м. statistícian.

экономи́ть, сэкономи́ть 1. (вн.) ècón- omìze [i:-] (d.); (расходовать бережно) use spáring:ly (d.); húsband [-z-] (d.); ~ дéньги save móney [...'mʌ-]; ~ тóпливо save fuel [...fju-]; ~ свои́ си́лы spare one's strength; 2. (на пр.) save (on), ècónomize (on); ~ на материáлах save on matérials; 3. тк. несов. (без доп.) cut* down expénses.

экономи́ческ‖ий económic [i:k-]; ~ая поли́тика economíc pólicy; ~ая геогрáфия economíc géography; ~ая эконóмический регион; междунарóдные ~ие отношéния internátional economíc relátions.

экономи́чн‖ость ж. ecónomy [i:-]. ~ый economíc [i:k-], ecónomy-type [i:k-]; efficient; ~ый спóсоб изготовлéния чегó-л. economícal méthod of manufácturing smth.

эконóми‖я ж. 1. (в разн. знач.) ecónomy [i:-]; для ~и врéмени, дéнег и т. п. to save time, móney, etc. [...'mʌ-]; соблюдáть ~ю ècónomize [i:-], save; борьбá за ~ю ecónomy drive; это даст ~ю (в пр.) this will effect a sáving (of); 2. уст. (имение) estáte; ◊ полити́ческая ~ political ècónomy.

экономка ж. hóuse:keeper [-s-].

экономничать разг. ècónomìze [i:-], be excéssive:ly ecónomical [i:k-]. ~ость ж. ecónomy [i:-]; (хозяйственность) thrift. ~ый ecónomical [i:k-]; (хозяйственный) thrifty.

экрáн м. 1. (прям. и перен.) screen; вы́пустить на ~ (о фильме) rè:léase a film [-s...]; голубóй ~ T. V. set; 2. физ., тех. shield [ʃi:ld], screen; защи́тный ~ реáктора protéctive screen / shield of a reáctor. ~изáция ж. 1. fílming, scréening; 2. screen vérsion.

экранизи́ровать несов. и сов. (вн.) film (d.), screen (d.); ~ ромáн film a nóvel [...'nɔ-], make* a screen / film vérsion of a nóvel.

экрани́рование с. scréening; эл., рад. shielding [ʃi:-].

экрани́ровать несов. и сов. (вн.) screen (d.); эл., рад. shield [ʃi:-] (d.).

экс- (бывший) ex-; экс-чемпиóн èx--chámpion; экс-мини́стр èx-mínister.

эксгумáция ж. èx:humátion.

экскавáтор м. тех. éxcavàtor, pówer shóvel [...'ʃʌ-]; шагáющий ~ wálking éxcavàtor ~ный прил. к экскавáтор. ~щик м., ~щица ж. éxcavàtor óperàtor.

экскавáция ж. тех. excavátion.

экскремéнты мн. éxcrement sg., fáeces [-si:z].

экскрéты мн. физиол. excréta. ~ция ж. физиол. excrétion.

э́кскурс м. éxcursus, digréssion [daɪ-].

экскурсáнт м., -ка ж. excúrsionist, sightseer.

экскурсиóнн‖ый excúrsion (attr.); ~ая бáза excúrsion centre; ~ое бюрó excúrsion óffice.

экскýрси‖я ж. 1. (коллективная поéздка и т. п.) excúrsion, trip; (прогулка) óuting; соверши́ть ~ю по гóроду make* a tour of the cíty [...tuə-'sɪ-]; 2. (группа людей) excúrsion párty, párty of excúrsionists, group of sightseers [gru:p...].

экскурсовóд м. guide.

экслúбрис м. èx-líbris [-'laɪ-], bóok--plàte.

экспанси́вн‖ость ж. effúsive:ness. ~ый effúsive; ~ая натýра expánsive nátûre [...'neɪ-].

экспансион‖и́зм м. expánsionism. ~и́ст м. expánsionist.

экспансиони́стск‖ий expánsion (attr.); of expánsion; ~ая поли́тика pólicy of expánsion.

экспáнсия ж. expánsion.

экспатриáнт м. expátriate.

экспатриáция ж. èxpatriátion [-pæ-].

экспатри́ровать несов. и сов. (вн.) expátriàte [-'pæ-] (d.). ~ся несов. и сов. 1. expátriàte [-'pæ-]; 2. страд. к экспатри́ровать.

экспеди́‖ровать несов. и сов. (вн.) dispátch (d.), expedíte (d.). ~тор м. 1. (грузов) fórwarding àgent, fórwarder; 2. уст. head clerk [...klɑ:k].

экспедициóнн‖ый 1. dispátch (attr.), fórwarding; 2. (предназначенный для экспедиции) expedítionary; ~ кóрпус воен. expedítionary corps [...kɔ:]; ~ые войскá expedítionary force sg., expedítionary fórces.

экспеди́ция ж. 1. expedítion; научная ~ scientífic expedítion, reséarch expedítion [-'sə:tʃ...]; спасáтельная ~ réscue párty; 2. (учреждение или отдел для рассылки) dispátch óffice.

эксперимéнт м. expériment; результáты ~а experiméntal results [...-'zʌ-]. ~áльный experiméntal; ~áльные дáнные experiméntal dáta. ~áтор м. experíménter, experiméntalist.

эксперименти́ров‖ание с. experimentátion. ~ать (над, с тв.) expériment (on, with).

экспéрт м. expért. ~úза ж. 1. (éxpèrt) examinátion; производи́ть ~úзу make* an examinátion; проходи́ть ~úзу undergò* an examinátion (by éxpèrts); результáт ~úзы results of examinátion [-'zʌ-...] pl.; 2. (комиссия экспертов) commíssion of éxpèrts; заключéние ~úзы opínion / decísion of a commíssion of éxpèrts. ~ный прил. к экспéрт; ~ная комúссия commíssion of éxpèrts.

экспиратóрн‖ый лингв. expíratory [-'paɪə-]; expirátorial [-paɪə-]; ~ое ударéние expíratory stress.

экспирáция ж. лингв. expirátion [-paɪə-].

экспланáция ж. биол. explantátion.

эксплика́ция ж. explicátion.

эксплози́вный лингв. plósive; ~ звук plósive (sound).

эксплуатáтор м. exploíter. ~ский прил. к эксплуатáтор; ~ские клáссы the exploíter clásses.

эксплуатáнник м. разг. óperative.

эксплуатациóнн‖ый óperation (attr.); óperational; ~ые расхóды óperating / rúnning costs; ~ые услóвия wórking condítions; ~ые кáчества (машины) perfórmance.

эксплуатáц‖ия ж. 1. exploitátion; 2. (предприятия, железной дороги, механизмов и т. п.) exploitátion, exploíting; òperátion, rúnning; (здания и т. п.) máintenance; сдать, ввести́ в ~ию put* into òperátion (d.), commíssion (d.); turn òver for òperátion (d.); ввод в ~ию putting into òperátion, commíssioning.

эксплуати́ровать (вн.) 1. explóit (d.); ~ труд explóit lábour; 2. (о предприятии и т.п.) explóit (d.); óperàte (d.), run* (d.); (разрабатывать) work (d.); ~ ша́хту explóit / work a mine.

экспо́ ж. нескл. Éxpo.

экспозе́ [-зэ́] с. нескл. уст. exposé (фр.) [eks'pouzeɪ].

экспози́ция ж. (в разн. знач.) èxposítion [-'zɪ-]; displáy; фот. тж. expósure [-'pouʒə].

экспона́т м. exhíbit; ~ы the displáys; the exhíbit sg.

экспоне́нт м. 1. (на выставке) exhíbitor; 2. мат. èxpónent; (показатель) índex (pl. -es [-ksɪz] и indicès ['ɪndɪsiːz]).

экспони́ровать несов. и сов. (вн.) 1. (на выставке) exhíbit (d.); 2. фот. expóse (d.).

э́кспорт м. тк. ед. éxpòrt.

экспортёр м. èxpórter.

экспорти́ров||ание с. èxpòrtátion. ~ать несов. и сов. (вн.) expórt (d.).

экспо́ртн||ый expórt (attr.); ~ая торго́вля éxpòrt trade.

экспре́сс м. expréss.

экспресси́вный expréssive.

экспре́сс-информа́ция ж. expréss informátion.

экспрессион||и́зм м. иск. expréssionism. ~и́ст м. иск. expréssionist.

экспрессионисти́ческий иск. èxprèssionístic.

экспре́ссия ж. expréssion.

экспре́ссн||ый expréss (attr.); ~ая пассажи́рская ли́ния expréss pássenger line [...-ndʒə...].

экспро́мт м. imprómptù. ~ом нареч. imprómptù, èxtémpore [-rɪ]; óffhànd; off the cuff разг.; спеть что-л. ~ом sing* smth. èxtémpore; сказа́ть ~ом èxtémporize.

экспроприа́||тор м. èxprópriàtor. ~ция ж. èxpròpriátion.

экспроприи́ровать несов. и сов. (вн.) èxprópriàte (d.), dispossèss [-'zes] (d.).

экста́з м. écstasy; приводи́ть в ~ (вн.) throw* / drive* into ècstasies [θrou...] (d.); впасть в ~ go* into ècstasies.

экстенси́вн||ость [-тэ-] ж. extènsive:ness. ~ый [-тэ-] exténsive; ~ое хозя́йство exténsive àgricùlture.

экстéрн [-тэ́-] м. в высшем учебном заведении èxtérnal stúdent; сдава́ть экза́мены ~ом pass exàminátions without attènding léctures; окончить университе́т ~ом take* an èxtérnal degrée. ~а́т [-тэ-] м. èxtérnal stúdies [-'stʌ-...] pl.

экстерриториа́льн||ость ж. дип. èxtèrritoriálity; пра́во ~ости èxtèrritórial right. ~ый физ. èxtèrritórial.

экстерье́р [-тэ-] м. èxtèriór.

экстрава́гантн||ость ж. èccèntrícity, extràvagance. ~ый èccéntric, extràvagant.

экстраги́рование с. хим., тех., мед. extrácting.

экстраги́ровать несов. и сов. (вн.) хим., тех., мед. extráct (d.).

экстра́кт м. (в разн. знач.) éxtràct.

экстракти́вный хим. extráctive; ~ые вещества́ extráctive súbstances.

экстра́к||тор м. тех. extráctor. ~ция ж. хим., тех., мед. extráction.

экстраордина́рный extraórdinary [ɪksˈtrɔːdnrɪ].

экстраполи́рование с., экстраполя́ция ж. мат. èxtrapolátion.

экстрема́льный extréme, extrémal.

экстрем||и́зм м. extrémism [-'triː-]. ~и́ст м. extrémist [-'triː-].

э́крен||о нареч. úrgently. ~ость ж. úrgency; spécial cháracter ['spe- 'kæ-]. ~ый 1. (чрезвычайный) spécial ['spe-], extraórdinary [ɪksˈtrɔːdnrɪ]; ~ый по́езд spécial train; ~ый вы́пуск spécial edítion; ~ое заседа́ние extraórdinary méeting; 2. (срочный) úrgent; emérgency (attr.); в ~ом слу́чае in case of emérgency [...-s...].

эксуда́т м. мед. èxudátion.

эксце́нтрик I м. тех. cam; (в паровой машине) eccéntric.

эксце́нтрик II м. (клоун) clown; (артист) cómic(-áctor).

эксцентрико́вый тех. eccéntric; ~ диск eccéntric disk.

эксцентрисите́т м. тех. eccèntrícity.

эксцентри́ческий eccéntric; (тех. тж.) off-cénter.

эксцентри́чн||ость ж. èccèntrícity. ~ый eccéntric.

эксце́сс м. excéss.

эласти́ч||ность ж. èlàstícity, flèxibílity. ~ый elástic, fléxible.

элева́тор м. 1. с.-х. gráin-élevàtor; 2. тех. èlevàtor.

элега́нтн||ость ж. élegance. ~ый élegant, smart.

элеги́ч||еский лит. èlegíac; (перен.) mélancholy [-k-]. ~ный mélancholy [-k-].

эле́гия ж. лит., муз. élegy.

электриза́ция ж. 1. физ. èlèctrizátion [-raɪ-]; 2. мед. tréatment by eléctric charge(s).

электризова́ть несов. и сов. (вн.) 1. физ. eléctrify (d.) (тж. перен.); 2. мед. subjéct to eléctric charge(s) (d.). ~ся несов. и сов. 1. физ. eléctrify, becòme* eléctric; 2. страд. к электризова́ть.

эле́ктрик м. разг. elèctrícian; инжене́р-~ elèctrical èngineér [...endʒ-]; те́хник-~ elèctrícian.

электри́к прил. неизм. (цвет) eléctric blue.

электрифи||ка́ция ж. elèctrificátion. ~ци́ровать несов. и сов. (вн.) eléctrify (d.).

электри́ческ||ий eléctric(al); ~ ток eléctric cúrrent; ~ая батаре́я (eléctric) báttery; ~ая ла́мпочка eléctric (light) bulb; ~ звоно́к eléctric bell; ~ое освеще́ние eléctric líghting; ~ свет eléctric light; ~ая желе́зная доро́га eléctric ráilway; ~ая ста́нция (eléctric) pówer státion; ~ая маши́на eléctrical machíne [...-'ʃiːn]; ~ у́горь зоол. eléctric eel.

электри́честв||о с. elèctrícity; (освеще́ние тж.) eléctric light; положи́тельное ~ pósitive elèctrícity ['pɔz-...]; отрица́тельное ~ négative elèctrícity; заже́чь, потуши́ть ~ разг. turn on, turn off the light; посре́дством ~а elèctrically, by means of elèctrícity.

электри́чка ж. разг. eléctric ráilway; (о поезде) (subúrban) eléctric train.

электро- (в сложн.) eléctro-.

электроаку́ст||ика ж. eléctrò-acóustics [-ˈkuːs-]. ~и́ческий eléctrò-acóustic [-ˈkuːs-]; ~и́ческие прибо́ры eléctrò-acóustic àpparátus sg.

электроаппарату́ра ж. elèctrical equípment.

электробри́тва ж. eléctric rázor / sháver.

электробытов||о́й: ~ые прибо́ры elèctrical (hóusehòld) appliances [...-s-...].

электрово́з м. eléctric lócomòtive [...'lou-...].

электрогита́ра ж. eléctric guitár.

электро́д м. физ. eléctròde.

электродви́||гатель м. тех. eléctric mótor. ~жущий физ. eléctròmòtive; ~жущая си́ла eléctròmòtive force.

электродина́м||ика ж. физ. eléctròdynàmics [-daɪ-]. ~и́ческий физ. eléctròdynàmic [-daɪ-].

электродинамо́метр м. физ. eléctròdynamómeter [-daɪ-].

электро́дн||ый прил. к электро́д; ~ потенциа́л eléctròde poténtial.

электродое́ние с. eléctric mílking.

электродо́йка ж. eléctric mílker.

электродо́йльн||ый: ~ая маши́на eléctric mílking machine [...-ˈʃiːn].

электродо́йка ж. 1. (процесс) eléctric mílking; 2. = электродо́йлка.

электроёмкость ж. физ. eléctrò-capácity.

электрозапа́л м. тех. eléctric fuse / prímer.

электрока́р м. тех. eléctric (trólley-)càr.

электрокардио||гра́мма ж. мед. elèctròcàrdiogràm. ~гра́фия ж. мед. elèctròcàrdiógraphy.

электрола́мповый eléctric-bùlb (attr.).

электролече́бница ж. elèctròthèrapéutic estáblishment.

электролече́ние с. мед. elèctrothérapy, elèctrical tréatment.

электро́лиз м. физ. elèctrólysis.

электроли́т м. физ. electrolỳte. ~и́ческий физ. elèctrolýtic.

электро||магнети́зм м. физ. eléctròmàgnetism. ~магни́т м. физ. eléctròmàgnet. ~магни́тный физ. eléctròmàgnétic; ~магни́тное по́ле eléctròmàgnétic field [...fiːld]; ~магни́тные во́лны eléctròmàgnétic waves.

электромаши́на ж. eléctric machíne [...-'ʃiːn].

электрометаллу́ргия ж. eléctròmétallùrgy.

электро́метр м. физ. elèctrómeter.

электро||меха́ник м. elèctrícian. ~меха́ника ж. elèctròmechánics [-'kæ-].

электромолотьба́ ж. eléctric thréshing.

электромонтёр м. elèctrícian.

электромото́р м. тех. eléctric mótor. ~ный тех. eléctròmòtive.

электромузыка́льный: ~ инструме́нт elèctric músical ínstrument [...-zɪ-...].

электро́н м. физ. elèctròn.

электронагрева́тельн||ый: ~ые прибо́ры eléctric héaters.

электро́ника ж. elèctrónics.

ЭЛЕ — ЭНЕ

электро́нно-вычисли́тельн||ый elèctrónic compúter (*attr.*); ~ая маши́на elèctrónic compúter; ~ центр elèctrónic compúter centre.

электро́нно-счётный = электро́нно-вычисли́тельный.

электро́нн||ый *физ.* elèctrónic; ~ая тео́рия elèctrónic théory [...'θɪə-]; ~ая фи́зика elèctrónic phýsics [...-z-]; ~ая ла́мпа elèctrónic tube; ~ые вычисли́тельные маши́ны elèctrónic compúters; ~ые счётно-реша́ющие и управля́ющие устро́йства compúters and contról sýstems [...-oul...]; ~ые контро́льно-вычисли́тельные систе́мы elèctrónic contról and dáta-pròcessing sýstems; ~ая па́мять elèctrónic mémory, mémory tube; ~ мозг elèctrónic brain.

электрообору́дование *с.* eléctrical equipment.

электроотрица́тельный *физ.* eléctro̵-négative.

электропа́хота *ж.* eléctric plóughing.

электропереда́ча *ж. тех.* elèctrícity trànsmíssion [...-nz-].

электроплу́г *м.* eléctric plough.

электропо́езд *м.* eléctric train.

электроположи́тельный *физ.* eléctro̵-pósitive [-zə-].

электрополотёр *м.* eléctric flóor-pòlisher [...'flɔː-].

электроприбо́р *м.* eléctrical appliance.

электропри́вод *м.* eléctric drive.

электропро́вод *м.* eléctricity cable.

электропрово́д||ка *ж.* eléctric wíring. ~ность *ж. физ.* eléctro̵-cònductívity. ~ный *физ.* eléctro̵-condúctive.

электропромы́шленность *ж.* eléctrical industry.

электросва́р||ка *ж. тех.* eléctric wélding. ~щик *м.* eléctric wélder.

электросе́ть *ж.* (elèctrícity supplý) nètwòrk.

электросилов||о́й: ~а́я ста́нция eléctric pówer stàtion.

электроско́п *м. физ.* eléctroscòpe.

электроста́ль *ж. тех.* eléctric steel.

электроста́нция *ж.* eléctric pówer stàtion.

электроста́т||ика *ж. физ.* eléctro̵-státics. ~и́ческий *физ.* eléctro̵-státic.

электротабло́ *с. нескл.* elèctrónic annóuncement board.

электротерапи́я *ж. мед.* eléctro̵-thérapy, eléctro̵-theràpéutics.

электроте́хн||ик *м.* elèctrícian; eléctrical èngineér [...endʒ-]. ~ика *ж.* eléctrical èngineéring [...endʒ-], eléctro̵-technólogy. ~и́ческий elèctrotéchnical.

электротя́га *ж. тех.* eléctric tráction.

электрофизиоло́гия *ж.* eléctro̵-phỳsiólogy [-zɪ-].

электрофо́р *м. тех.* eléctrophòre, eléctróphorus.

электрофоре́з *м. мед.* eléctro̵-phorésis.

электро||хими́ческий eléctro̵-chémical [-'ke-]. ~хи́мия *ж.* eléctro̵-chémistry [-'ke-].

электрохо́д *м.* mótor ship (*with electric propulsion*).

электрошо́к *м.* eléctro̵-shóck (thérapy).

электроэне́ргия *ж.* eléctric pówer.

элеме́нт *м.* (*в разн. знач.*) élement; *эл.* cell; ~ы матема́тики the élements of màthemátics; периоди́ческая систе́ма ~ов the pèriódic sýstem of élements; гальвани́ческий ~ *эл.* gàlvánic pile; прогресси́вные ~ы о́бщества progréssive élements in socíety; престу́пный ~ críminal élement.

элемента́рн||ость *ж.* èleméntary quálity / náture [...'neɪ-]. ~ый (*в разн. знач.*) èleméntary; ~ые зна́ния élements, rúdiments (of knówledge) [...'nɔ-]; ~ая че́стность cómmon hónesty [...'ɔn-].

элеро́н *м. ав.* áileròn [-rɔ:n].

элефантиа́з(ис) *м. мед.* èlephàntíasis.

эли́зия *ж. лингв.* elísion.

эликси́р *м.* elíxir; ◊ жи́зненный ~ elíxir of life.

элимин||а́ция *ж.*, ~и́рование *с.* elìmínation. ~и́ровать *несов. и сов.* (*вн.*) elíminàte (*d.*).

эли́та *ж. собир.* **1.** *бот., с.-х., зоол.* best spécimens; **2.** (*лучшие представители какой-л. части общества*) élite (*фр.*) [eɪ'liːt].

э́ллин *м. ист.* áncient Greek ['eɪ-], Héllène.

э́ллинг *м.* **1.** *мор.* slípway; **2.** *ав.* shed, hángar.

эллин||и́зм *м.* Héllenism. ~исти́ческий Hèllenístic.

э́ллинский Héllénic [-'liː-].

э́ллипс(ис) *м.* **1.** *мат.* ellípse; **2.** *лингв.* ellípsis.

эллипсо́ид *м. мат.* ellípsoid.

эллипти́ческий ellíptic(al).

эль *м.* (*пиво*) ale.

эльза́с||ец *м.*, ~ка *ж.*, ~ский Àlsátian.

эльф *м. миф.* elf*.

элю́вий *м. геол.* elúvium.

эма́лев||ый enámel [ɪ'næ-] (*attr.*), enámelled; ◊ ~ые кра́ски enámel *sg*.

эмалирова́ние *с. тех.* enámelling.

эмалиро́ванн||ый *прич. и прил.* enámelled; бе́лый ~, си́ний ~ *и т. п.* whíte-enámelled, blúe-enámelled, *etc.*; ~ая кастрю́ля enámel sáuce̵pan [ɪ'næ-...].

эмалирова́ть (*вн.*) enámel [ɪ'næ-] (*d.*).

эмалиро́вка *ж.* enámel [ɪ'næ-], enámelling.

эмалиро́вочный enámelling.

эма́ль *ж.* enámel [ɪ'næ-]; покрыва́ть ~ю (*вн.*) enámel (*d.*); зубна́я ~ *анат.* enámel.

эмана́ция *ж. физ., хим.* èmanátion; ~ ра́дия rádium èmanátion.

эмансипа́ция *ж.* èmàncipátion.

эмансипи́ровать *несов. и сов.* (*вн.*) emáncipàte (*d.*). ~ся *несов. и сов.* **1.** becòme* / get* emáncipàted; **2.** *страд. к* эмансипи́ровать.

эмба́рго *с. нескл. юр.* embárgò; наложи́ть ~ на что-л. put* an embárgò on smth.; pláce / lay* smth. únder an embárgò.

эмбле́ма *ж.* émblem. ~ти́ческий èmblemátic(al).

эмболи́я *ж. мед.* émbolism.

эмбриогене́з [-зэ-] *м. биол.* èmbryogénesis.

эмбрио́лог *м.* èmbryólogist. ~и́ческий èmbryológical.

эмбриоло́гия *ж.* èmbryólogy.

эмбрио́н *м. биол.* émbryò. ~а́льный *биол.* èmbryónic; в ~а́льном состоя́нии in émbryò.

эмбриотоми́я *ж. мед.* èmbryótomy.

эмигра́нт *м.* émigrant; émigré (*фр.*) ['emɪgreɪ]; éxile. ~ка *ж.* émigrant; émigrée (*фр.*) ['emɪgreɪ]; éxile. ~ский *прил.* к эмигра́нт.

эмигр||ацио́нный émigràtory [-greɪ-]. ~а́ция *ж.* **1.** èmigrátion; **2.** *собир.* émigrants *pl.*; émigrés (*фр.*) ['meɪgreɪz] *pl.*; **3.** (*пребывание в другой стране*): жить в ~а́ции live as an émigrant [lɪv...].

эмигри́ровать *несов. и сов.* emigràte.

эми́р *м.* èmír [e'mɪə].

эмисса́р *м.* émissary.

эмиссио́нный *фин.* emíssive; ~ банк bank of íssue.

эми́ссия I *ж. фин.* íssue.

эми́ссия II *ж. физ.* emíssion.

эмоциона́льный emótional.

эмо́ция *ж.* emótion.

эмпире́||и *мн.* èmpỳrean [-'rɪən]; ◊ вита́ть в ~ях have one's head in the clouds [...hed...].

эмпири́зм *м. филос.* èmpíricism.

эмпи́рик *м.* èmpíricist.

эмпириокритици́зм *м. филос.* èmpírical críticism.

эмпири́ческий èmpíric(al).

эму́ *м. нескл. зоол.* èmù.

эму́льсия *ж. хим.* emúlsion.

эмфа́за *ж. лингв., лит.* émphasis.

эмфати́ческий *лингв., лит.* emphátic.

эмфизе́ма [-зэ-] *ж. мед.* èmphyséma.

энгармони́ческий *муз.* ènhàrmónic.

энде́ми́ческий *мед., биол.* èndémic.

эндога́мия *ж. этн.* èndógamy.

эндоге́нный èndógenous.

эндоде́рма [-дэ-] *ж. биол.* éndodèrm.

эндокарди́т *м. мед.* èndocàrdítis [-dou-].

эндокри́нн||ый *биол.*: ~ые же́лезы éndocrine glands.

эндокриноло́гия *ж. физиол.* èndocrinólogy [-dou-].

эндоте́лий [-тэ-] *м. биол.* èndothélium.

эндотерми́ческ||ий *хим.* èndothérmic; ~ие реа́кции èndothérmic rè̵áctions.

э́ндшпиль *м. шахм.* énd-gàme.

энерге́тик *м.* pówer èngineéring spécialist [...endʒ-'spé-...].

энерге́тика *ж.* pówer èngineéring [...endʒ-].

энергети́ческ||ий pówer (*attr.*); énergy (*attr.*); ~ое хозя́йство pówer économy [...iː-]; ~ая ба́за pówer base [...-s]; énergy supplý sóurces [...'sɔːs-] *pl.*; ~ бала́нс énergy bálance; ~ая програ́мма énergy prógram(me) [...'prou-]; ~ кри́зис fúel and énergy crísis ['fjuː-...].

энерги́чн||ый ènergétic, vígorous; ~ челове́к ènergétic pérson; ~ые ме́ры drástic méasures [...'meʒ-].

эне́рги||я *ж.* (*в разн. знач.*) énergy; потенциа́льная ~ poténtial énergy; кинети́ческая ~ kinétic énergy [kaɪ-...]; теплова́я ~ thérmal énergy; зако́н сохране́ния и превраще́ния ~и cònservátion of énergy; жи́зненная ~ vítal énergy; затра́та ~и *тех.* énergy consúmption.

энергобло́к *м.* pówer(-gèneráting) únit.

энергоёмк||ий: ~ие произво́дства pówer-consúming industries.

энергозатра́ты *мн.* pówer ímputs; ни́зкие ~ low pówer ímputs [lou...].
энергосе́ть *ж.* pówer grid.
энергосисте́ма *ж.* pówer (supplý) sýstem; еди́ная ~ pówer grid.
энкли́т||**ика** *ж. лингв.* en⁞clític. **~и́ческий** *лингв.* en⁞clític.
э́нн||**ый** únspécified; n ['en] (*attr.*); ~ое число́ any númber, n númber; в ~ой сте́пени to the nth degrée [...'enθ...].
э́нский N ['en], a cértain; ~ полк a cértain régiment; ~ заво́д a cértain fáctory.
энтери́т [-тэ-] *м. мед.* entherítis.
энтомо́лог *м.* entomólogist. **~и́ческий** entomológical.
энтомоло́гия *ж.* entomólogy.
энтропи́я *ж. физ., мед.* entropy.
энтузи||**а́зм** *м.* enthúsiàsm [-zı-]; проявля́ть ~ show* enthúsiàsm [ʃou...], be enthúsiástic [...-zı-]; рабо́тать с ~а́змом work with gústo. **~а́ст** *м.*, **~а́стка** *ж.* enthúsiast [-zı-].
энцефали́т *м. мед.* encèphalítis.
энцефалогра́мма *ж. мед.* encéphalogràm.
энци́клика *ж.* en⁞cýclic.
энциклопеди́зм *м.* encỳclopǽdic léarning [-saı- 'lə:n-].
энциклопеди́ст *м.* 1. *ист.* Encỳclopǽdist [-saı-]; 2. (*широко образованный человек*) pérson of encỳclopǽdic léarning / knówledge [...-saı- 'lə:n- 'nɔ-].
энциклопеди́ческ||**ий** encỳclopǽdic [-saı-]; ~ слова́рь encỳclopǽdia [-saı-]; ~ие зна́ния encỳclopǽdic knówledge [...'nɔ-] *sg*.
энциклопе́дия *ж.* encỳclopǽdia [-saı-].
Эо́л *м. миф.* Áeolus.
эоли́т *м. археол.* éolith. **~и́ческий** *археол.* eolíthic.
эо́лов||**а а́рфа** *миф.* Aeólian harp.
эоце́н *м. геол.* éocene.
эпенте́за [-тэ-] *ж. лингв.* èpénthesis.
эпиго́н *м.* ímitàtor, ún⁞original fóllower. **~ский** ímitàtive. **~ство** *с.* féeble imitàtion.
эпигра́мм||**а** *ж. лит.* épigràm; сочиня́ть ~ы на кого́-л. èpigrámmatize about smb. **~ати́ческий** *лит.* èpigrammátic.
эпи́граф *м.* épigràph.
эпигра́фика *ж.* epígraphy.
эпидемио́лог *м.* epidèmiólogist. **~и́ческий** *мед.* epidèmiológical. **~ло́гия** *ж.* epidèmiólogy.
эпидеми́ческ||**ий** epidémic; ~ая боле́знь epidémic.
эпиде́мия *ж.* epidémic.
эпиде́рма [-дэ-] *ж.*, **эпиде́рмис** [-дэ-] *м. биол.* epidérmis.
эпидиаско́п *м.* epídiascòpe.
эпизо́д *м.* épisòde. **~и́ческий** èpisódic(al); ~и́ческий персона́ж *лит.* incidéntal cháracter [...'kæ-].
эпизооти́ческий *вет.* èpizoótic.
эпизоо́тия *ж. вет.* èpizoóty.
э́пика *ж. лит.* épics.
эпикур||**е́ец** *м.*, **~е́йский** èpicuréan [-'rí:ən]. **~е́йство** *с.* èpicuréanism [-'rí:ən-].
эпиле́п||**сия** *ж. мед.* épilèpsy. **~тик** *м. мед.* èpiléptic. **~ти́ческий** *мед.* èpiléptic.
эпило́г *м. лит.* épilògue.
эпистоля́рный *лит.* epístolary.

эпита́фия *ж.* épitàph.
эпителиа́льный [-тэ-] *анат.* èpithélial.
эпите́лий [-тэ-] *м. анат.* èpithélium.
эпи́тет *м. лит.* épithèt.
эпифи́т *м. бот.* épiphỳte.
эпице́нтр *м.* épicèntre.
эпици́кл *м. мат.* épicycle. **~и́ческий** *мат., тех.* épicýclic [-'saı-]; **~и́ческая переда́ча** èpicýclic gear.
эпи́ческий *лит.* épic (*тж. перен.*).
эполе́т *м. воен.* épaulèt(te).
эпопе́я *ж. лит.* épopee; épic (*тж. перен.*).
э́пос *м. лит.* épòs ['e-], épic líterature.
эпо́ха *ж.* épòch [-k]; age; éra; геологи́ческая ~ geológical épòch; ~ феодали́зма age of féudalism; герои́ческая ~ heróic éra.
эпоха́льный épòchal ['i:pɔk-], épòch-mäking ['i:pɔk-].
э́ра *ж.* éra; в 575 году́ на́шей э́ры A. D. 575 ['eı'di:...]; в 575 году́ до на́шей э́ры 575 B. C. [...'bi:ˈci:].
э́рбий *м. хим.* érbium.
эрг *м. физ.* erg, érgòn.
эрготи́зм *м. мед.* érgotism.
эре́кция *ж. физиол.* eréction.
эрза́ц *м.* érsatz ['eəzæts].
Эри́нии *мн. миф.* Erínyès [-i:z].
эри́стика *ж.* erístic.
эрите́ма [-тэ-] *ж. мед.* erythéma.
эритроци́ты *мн.* (*ед.* эритроци́т *м.*) *физиол.* red córpùscles [...'kɔ:pʌslz]; erýthrocỳtes.
Эрмита́ж *м.* the Hérmitage.
эроди́ровать *геол.* eróde.
эрози́йный, **эрозио́нный** erósive.
эро́зия *ж.* (*в разн. знач.*) erósion; ~ почв soil erósion.
Эро́с, **Эро́т** *м. миф.* Érös ['e-].
эроти́зм *м.* eróticism.
эро́т||**ика** *ж.* sènsuálity. **~и́ческий**, **~и́чный** erótic; sénsual.
эротома́н *м.* èrotomániàc [ırou-], séxual mániàc. **~ия** *ж. мед.* èrotománia [ırou-].
эруди́рованный érudìte.
эруди́т *м.* érudìte pérson.
эруди́ци||**я** *ж.* èrudítion; он челове́к с большо́й ~ей he is a man* of great èrudítion / léarning [...greıt...].
эрцге́рцог *м. ист.* árchdùke.
эсе́р [эсэ́р] *м. ист.* sócialist-rèvolútionary. **~овский** [эсэ́-] *ист.* sócialist-rèvolútionary.
эска́др||**а** *ж. мор.* squádron ['skwɔ-]. **~енный** *прил. к* эска́дра; **~енный миноно́сец** (tòrpédò-boat) destróyer.
эскадри́лья *ж. ав.* (air) squádron [...'skwɔ-]; бомбардиро́вочная ~ bómber squádron; ~ истреби́телей fíghter squádron.
эскадро́н *м. воен.* (cávalry) squádron [...skwɔ-]; (cávalry) troop *амер.*; разве́дывательный ~ recónnaissance squádron [-nıs-...]. **~ный** *воен.* squádron ['skwɔ-] (*attr.*).
эскала́тор *м.* éscalàtor, móving stáircàse / stáirway ['mu:v- -s...].
эскала́ция *ж.* èscalátion.
эска́рп *м. воен.* scarp.
эсква́йр *м.* esquire.
эски́з *м.* 1. *жив.* sketch; stúdy ['stʌ-]; càrtóon; 2. (*чертёж*) draft, óut-line. **~ный** *прил. к* эски́з; ~ный прое́кт draft.

ЭНЕ—ЭТА   Э

эскимо́ *с. нескл.* chóc-ice.
эскимо́с *м.* Éskimò. **~ка** *ж.* Éskimò wóman* [...'wu-]. **~ский** Éskimò; ~ский язы́к Éskimò, the Éskimò lánguage.
эско́рт *м.* éscòrt. **~и́ровать** *несов. и сов.* (*вн.*) escórt (*d.*). **~ный** éscòrt (*attr.*).
эскула́п *м. уст., шутл.* Aesculápius.
эсми́нец *м.* (эска́дренный миноно́сец) *мор.* (tòrpédò-boat) destróyer.
эспадро́н *м.* cútting-swòrd [-sɔ:d], báck-swòrd [-sɔ:d], spadróon.
эспаньо́лка *ж.* impérial (*beard*).
эсперанти́ст *м.* Èsperántist.
эспера́нто *с. нескл.* Èsperántò.
эсплана́да *ж.* èsplanáde.
эссе́ [-сэ́] *с. нескл. лит.* éssay.
эссе́нция *ж.* éssence.
эстака́д||**а** *ж.* 1. (*для причала*) pier [pıə]; 2. (*для проведения одного пути над другим*) óverpàss. **~ный** *прил. к* эстака́да; ~ная желе́зная доро́га élevàted ráilway; ~ный кран gántry crane.
эста́мп *м. иск.* print, plate.
эстафе́т||**а** *ж. спорт.* rè⁞lay-ràce; переда́ть ~у (*дт.*) hand / pass on the báton [...'bæ-] (to). **~ный** *прил. к* эстафе́та; ~ный бег rè⁞lay-ràce.
эсте́т [-тэ́т] *м.* áesthète. **~и́зм** [-тэ-] *м.* aestheticism. **~ика** [-тэ-] *ж.* aesthétics; ~ика произво́дства indústrial design [...-'zaın]. **~и́ческий** [-тэ-] aesthétic.
~и́чный [-тэ-] aesthétically béautiful [...'bju:-]. **~ство** [-тэ-] *с.* aestheticism.
эсто́н||**ец** *м.*, **~ка** *ж.*, **~ский** Estónian; ~ский язы́к Estónian, the Estónian lánguage.
эстраго́н *м. бот.* tárragon; у́ксус-~ tárragon vínegar.
эстра́д||**а** *ж.* 1. (*площадка*) stage, plátfòrm; 2. (*вид искусства*) variety (art); арти́ст, арти́стка ~ы variety perfórmer / áctor, áctress; **~ный** variety (*attr.*); váudeville ['voudəvıl] (*attr.*) *амер.*; ~ный арти́ст variety perfórmer; ~ная арти́стка variety áctress; ~ный конце́рт variety show [...ʃou].
эстуа́рий *м. геогр.* éstuary.
э́та *ж.* см. э́тот.
эта́ж *м.* floor [flɔ:], stórey; пе́рвый ~ ground floor; второ́й ~ first floor; тре́тий ~ sécond floor ['se-...]; дом в пять ~е́й fíve-stòrey house* [...-s], house* of five stóreys; он живёт на тре́тьем ~е́ he lives on the sécond floor [...lıvz...]; ко́мнаты в ве́рхнем ~е́ the tóp-floor rooms [-flɔ:...].
этаже́рка *ж.* (*для книг*) bóok-stànd; (*для безделушек*) whátnòt.
эта́жность *ж.* númber of stóreys.
-эта́жный *в сложн. словах, не приведённых особо* -stòrey(ed) [-rıd]; *напр.* двадцатиэта́жный twénty-stòrey(ed).
э́так *разг.* 1. *нареч.* so, in this mánner, thus [ðʌs]; и так и ~ this way and that; 2. *как вводн. сл.*: кило́метров ~ 20 some 20 kílometres.
э́так||**ий** *разг.* such, like this; (*такой*) what (a); по́сле ~ой неуда́чи áfter such a fáilure; ~ дура́к! what a fool!; ~ая неуда́ча! what bad luck!

ЭТА — ЮНЕ

эталóн *м.* stándard; (*перен.*) módel ['mɔ-]; ~ мéтра *физ.* stándard metre.

этáн *м. хим.* ethåne.

этáп *м.* 1. (*стадия*) stage; 2. *спорт.* lap; 3. *ист.* hálting place (for tránspórted cónvicts); 4. *воен.* hálting place; ◇ отпрáвить по ~у (*вн.*) tránspórt (*d.*) (*under guard*); depórt (*d.*) (*under guard*); ~ный 1. *воен.* líne-of-commùnicátion (*attr.*); ~ная слýжба líne-of-commùnicátion sérvice; 2. *ист.*: послáть ~ным порядком (*вн.*) tránspórt (*d.*) (*under guard*).

э́ти *мн. см.* э́тот.

э́тика *ж..* éthics.

этикéт *м.* ètiquétte; соблюдáть ~ obsérve ètiquétte [-'zɛːv...].

этикéтк||а *ж.* lábel; наклéивать ~у (на *вн.*) attách a lábel (to).

эти́л *м. хим.* éthyl.

этилéн *м. хим.* éthylène.

эти́ловый *прил.* к эти́л; ~ спирт éthyl álcohòl; ~ эфи́р ethýlic éther [...'i:θə].

этимóлог *м.* ètymólogist, ètymóloger.

этимологизи́ровать *лингв.* ètymólogize.

этимологи́ческий *лингв.* ètymológical; ~ словáрь ètymológical díctionary.

этимолóгия *ж. лингв.* ètymólogy; нарóдная ~ pópular ètymólogy.

этиологи́ческий *мед.* aetiológical.

этиолóгия *ж. мед.* aetiólogy.

эти́ческий, эти́чный éthic(al).

этни́ческий éthnic.

этнóграф *м.* èthnógrapher, sócial ànthropólogist. ~и́ческий èthnográphic(al).

этногрáфия *ж.* èthnógraphy, sócial ànthropólogy.

э́то *мест.* 1. им., вн. см. э́тот; 2. (*этот предмет, вещь, явление и т.п.*) that; (*о предмете, вещи, и т.п., находящемся в непосредственной близости*) this; (*при ответе на вопрос тж.*) it; (*без определённого указания*) it; (*как повторение подлежащего*) не переводится: моя́ кни́га that / this is my book; ~ товáрищ Петрóв that / this is cómrade Petróv; ~ не он that is not he; that's not him *разг.*; ~ хорошó that is good*; я ~ ви́жу I can see that; об ~м about that; пóсле ~го áfter that; с э́тим that; для ~го for that; от ~го becáuse of that [-'kɔz...]; что ~? what is that?; реши́ть э́ту задáчу — ~ сáмое глáвное the most impórtant thing is to solve this próblem [...'prɔ-]; кто ~? — Э́то егó сестрá who is that? — That / it is his síster; ~ был он it was he; рабóта — ~ для негó сáмое глáвное work is the most impórtant thing for him; work comes first with him; дéти — ~ большáя рáдость children are a great joy [...greɪt...]; при всём ~м in spite of all this, for all this; ◇ что ~ он не идёт? why doesn't he come?; что ~ с вáми? what is the mátter with you?; как ~ мóжно? how can *you*?

э́тот, *ж.* э́та, *с.* э́то, *мн.* э́ти, *мест.* this, *pl.* these; возьми́те э́ту кни́гу, а я возьмý ту take this book and I shall take the other one (*ср.* э́то 2).

этрýс||ки *мн. ист.* Etrúscans. ~ский *ист.* Etrúscan; ~ский язы́к Etrúscan, the Etrúscan lánguage.

этю́д *м.* 1. *лит., иск.* stúdy ['stʌ-], sketch; 2. *муз.* etúde [eɪ'tjuːd], éxercise; 3. *шахм.* próblem ['prɔ-].

этю́дник *м.* páinter's case [...-s].

этю́дный *прил.* к этю́д.

эфеми́да *ж.* 1. *мн. астр.* ephémeris *sg.*; 2. *зоол.* ephémera.

эфемéрн||ость ephèmerálity. ~ый ephémeral.

эфéс *м.* sword-hilt ['sɔːd-].

эфиóп *м.*, ~ка *ж.*, ~ский Ethiópian [-:θ-].

эфи́р *м.* 1. éther ['i:θə]; передавáть в ~ (*вн.*) put* on the air (*d.*), bróadcàst ['brɔːd-] (*d.*); 2. *хим.* éther; превращáть в ~ (*вн.*) ethérify (*d.*); образовáние ~а ethèrificátion. ~ность *ж.* ethèreálity [-rɪ'æ-]. ~ный 1. *хим.* éther ['i:θə] (*attr.*), ethéric; ~ные маслá esséntial vólatile oils [...-s...] (*of*). 2. (*лёгкий, воздушный*) ethéreal [-rɪəl].

эфироно́с *м.* vólatile-oil-bearing plant [-bɛə- -ɑːnt]. ~ный vólatile-oil-bearing [-bɛə-]; ~ные растéния vólatile-oil-bearing plants [...-ɑːnts].

эффéкт *м.* 1. *тк. ед.* efféct; рассчи́танный на ~ done for efféct; кальцули́рованный на ~ done for efféct; calculated to prodúce an efféct; 2. *мн. театр.* efféct; световы́е ~ы líghting efféct.

эффекти́вн||ость *ж.* efféctiveness, effíciency; éfficacy, èfficáciousness; повы́сить ~ произвóдства in:créase the effíciency of prodúction [-s...] (*of*). ~ый efféctive, èfficácious; ~ый мéтод efféctive méthod; ~ая мóщность *тех.* efféctive pówer.

эффéктный spectácular, efféctive, shówy ['ʃoʊɪ].

эффузи́вн||ый *геол.* effúsive; ~ые порóды effúsive rocks.

эффýзия *ж. физ.* effúsion.

эх *межд.* eh, oh, what a...; эх, ты... well, you are a...

эхинокóкк *м. биол.* èchinocóccus [ɪkaɪ-].

э́хо *с. тк. ед.* échò ['ekoʊ].

эхолóт *м. мор.* èchò-sóunding device ['ekoʊ...], échò dépth-sóunder; sónic dépth-finder *амер.*

эшафóт *м.* scáffold.

эшелóн *м.* 1. *воен.* échelòn ['eʃəlɔn]; боевóй ~ attáck échelòn; 2. *ж.-д.* spécial train ['spe-...]; (*воинский поезд*) troop train; ~ ýгля и *т.п.* tráinload of coal, etc.

эшелони́рование *с. воен.* èchelònment ['eʃə-].

эшелони́ровать *несов. и сов.* (*вн.*) *воен.* échelòn ['eʃə-...] (*d.*); ~ в глубинý dispóse in depth.

Ю

юáнь *м.* (*денежная единица Китайской Народной Республики*) yùan [juːˈɑːn].

юбилéй *м.* ànnivérsary; júbilee; (*празднование*) ànnivérsary cèlebrátions *pl.*; двадцатилéтний ~ twéntieth ànnivérsary; двадцатипятилéтний ~ twénty-fifth ànnivérsary, sílver júbilee; столéтний ~ cènténary; прáздновать, справля́ть ~ cèlebráte a júbilee. ~ный *прил.* к юбилéй; ~ные торжествá ànnivérsary / júbilee cèlebrátions.

юбиля́р *м.*, ~ша *ж.* pérson (*or* institútion) whose ànnivérsary / júbilee is célebrated.

ю́бк||а *ж.* skirt; ни́жняя ~ pétticoat, únderskirt; ~ в склáдку pléated skirt; ◇ держáться за чью-л. ~у ≅ cling* to smb.'s ápron-strings.

ю́бочка *ж. уменьш.* от ю́бка.

ю́бочный *прил.* к ю́бка.

ювели́р *м.* jéweller. ~ный jéwellery (*attr.*); (*перен.*) fine, minúte [maɪ-], íntricate; ~ный магази́н jéweller's; ~ное искýсство, дéло jéweller's art; ~ные издéлия jéwelry.

юг *м.* south; на юг south; éхать на юг go* south; (*на Кавказ, в Крым на отдых*) go* to the South; на ю́ге in the South; (*обращенный*) на юг, к ю́гу (turned) sóuthward(s) [...-d(z)...]; держáть курс на юг head for the south [hed...].

ю́го-востóк *м.* sóuth-éast. ~чный sóuth-éast (*attr.*); ~чный вéтер sóuth-éaster.

ю́го-зáпад *м.* sóuth-wést. ~ный sóuth-wést (*attr.*); ~ный вéтер sóuthwéster ['sau-'we-].

югослáв *м.*, ~ка *ж.* Yúgò:slàv ['juːgouˈslɑːv]. ~ский Yúgò:slávian ['juːˈslɑːv-].

юдóль *ж. поэт. уст.* vale; земнáя ~ the vale of life.

юдофóб *м.* ànti-Sémite [-'siː-]. ~ство *с.* ànti-Sémitism [-'siː-].

южá||нин *м.*, ~ка *ж.* sóutherner ['sʌð-].

ю́жнее *нареч.* (*рд.*) to the south (of), sóuthward (of); fúrther south [-ðə...] (than).

ю́жн||ый south (*attr.*), sóuthern* ['sʌð-]; ~ бéрег south coast; ~ вéтер south (wind) [...wɪ-], sóutherly; на 40° ~ой широты́ *геогр.* in látitúde 40° (fórty degrées) South; Ю́жный пóлюс *геогр.* South Pole; ~ поля́рный круг Antárctic Circle; ~ое полушáрие the Sóuthern Hémisphère; сáмый ~ the sóuthern:mòst [...'sʌð-].

ю́кка *ж. бот.* yúcca.

юлá *ж.* 1. (*игрушка*) whirlígig [-gɪg], top, húmming-tòp; 2. *тк. ед. разг.* (*непоседа*) fidget.

юлиáнский: ~ календáрь Júlian cálendar.

юли́ть *разг.* 1. (*суетиться*) bustle, fuss (about); 2. (*перед; лебезить*) play up (to); 3. (*хитрить, изворачиваться*) wriggle.

ю́мор *м.* húmour; чýвство ~a sense of húmour.

юморéска *ж. муз.* hùmorésque.

юмори́ст *м.* húmo(u)rist. ~ика *ж.* hùmour:ístics.

юмористи́ческий húmorous, cómic; ~ журнáл cómic màgazíne [...-'ziːn].

ю́нга *м. мор.* ship's boy; sea cádet.

Юнéско *с.* (*Организáция Объединённых Наций по вопросам образования, науки и культýры*) Unéscò, UNESCO (Uníted Nátions Èducátional, Sciéntific and Cúltural Òrganizátion) [...-naɪ-].

юне́ц м. youth* [juːθ].

юнио́р м. спорт. júnior; кома́нда ~ов júnior team.

ю́нкер м. 1. воен. ист. cadét; 2. (помещик в Пруссии) júnker ['jʊŋkə].

ю́нкерск||ий прил. к ю́нкер; ~ое учи́лище mílitary school.

юнна́т м. = ю́ный натурали́ст см. ю́ный.

Юно́на ж. миф. Júnò.

ю́ность ж. 1. youth [juːθ]; 2. собир. (о молодёжи) young people [jʌŋ piːpl] pl., youth[-].

ю́ноша м. youth* [juːθ].

ю́ношe||ский yóuthful ['juːθ-]; ~ пыл yóuthful árdour / enthúsiàsm [...-zɪ-]. ~ство с. 1. собир. young people [jʌŋ piːpl] pl.; 2. (пора, время) youth [juːθ].

ю́н||ый yóuthful ['juːθ-]; с ~х лет from one's youth up [...juːθ]; ~ пионе́р young pionéer [jʌŋ...]; ~ натурали́ст young náturalist [jʌŋ...]; mémber of júnior nátural hístory stúdy group [...'stʌ- gruː-].

Юпи́тер м. астр., миф. Júpiter.

юпи́тер м. (осветительный прибор) flóodlight ['flʌd-].

юр м.: на юру́ (на проходе) in the way; (на открытом месте) in an expósed / ópen place; (перен.) in the límeːlight, in the fóreːfront [...-frʌnt].

Юра́ ж. 1. геогр. the Júra Móuntains pl.; 2. геол. Juràssic périod; the Júra; ве́рхняя (белая) ~ White Júra.

юриди́чески нареч. légalːly.

юриди́ческ||ий jurídical; légal; jurístic(al); ~ факульте́т fáculty / depártment of law; ~ие нау́ки = юриспруде́нция; ~ое лицо́ jurídical pérson; ~ая консульта́ция légal advíce / cònsultátion óffice.

юрисди́кци||я ж. jurisdíction; облада́ть ~ей have jurisdíction (óver); подлежа́ть чьей-л. ~и be únder the jurisdíction of smb.

юрисконсу́льт м. légal advíser / expért.

юриспруде́нция ж. júrisprùdence, (science of) law.

юри́ст м. láwyer, júrist; (о студенте) stúdent of law; профе́ссия ~a légal proféssion.

ю́ркий brisk, nímble, quíck-mòving [-muː-].

юркну́ть сов. whisk; flit; ~ в толпу́ plunge into the crowd.

ю́ркость ж. brískness, nímbleːness; líveːliness, quíckness.

юро́д||ивый 1. прил. fóolish, cracked; 2. м. как сущ. yuródivy, "God's fool". ~ство с. beháving like a yuródivy.

юро́дствовать 1. (быть юродивым) lead* the life of a yuródivy (см. юро́дивый 2); 2. (валять дурака) play the fool.

ю́рск||ий геол. Juràssic; ~ая форма́ция Juràssic formátion.

ю́рта ж. jurt [jʊət], yúrta ['juətə].

Ю́рьев: ~ день St. George's day; ◊ вот тебе́, ба́бушка, и ~ день! погов. ≃ here's a fine how d'ye do!

юсти́ция ж. jústice.

ют м. мор. quárter-dèck.

юти́ться húddle; (о людях) húddle togéther [...-'ge-]; take* shélter.

юфть ж. juft; Rússian léather [-ʃən 'le-].

46. Русско-англ. словарь

Я

я 1. рд., вн. меня́, дт., пр. мне, тв. мной, мно́ю, мест. I, obj. me: я ви́дел его́ I saw him; э́то я it is I; it's me разг.; отпусти́те меня́ let me go; да́йте мне э́то give that to me; идёмте со мной come with me; он говори́л обо мне he spoke about me; мне хо́лодно I am cold, I feel cold; мне э́то изве́стно I am aːwáre of it; у меня́ э́то есть I have (got) it; у меня́ э́того нет I have not got it; я сам э́то сде́лаю I will do it myːsélf; я, нижеподписа́вшийся, свиде́тельствую, что I, the ùndersígned, téstify that [...-'saɪnd...]; для меня́ for me; — э́то меня́ не каса́ется it is no búsiness of mine [...ˈbɪzn-...], it is none of my búsiness [...-nʌn...]; ни мой това́рищ, ни я néither my cómrade nor I ['naɪ-...]; 2. с. сущ. нескл. I, the égo [...'e-]; моё друго́е я my álter égo, my óther self; ◊ не я бу́ду, е́сли... I'll bet you that...

ябед||а 1. ж. уст. (клевета, донос) informátion, slánder [-aː-]; sneak школ.; 2. м. и ж. разг. = я́бедник, я́бедница. ~ник м., ~ница ж. разг. infórmer, tellːtàle; sneak школ.

я́бедничать, наябе́дничать (на вн.) разг. infórm (on), tell* tales (about); sneak (on).

я́блок||о с. ápple; ◊ Ада́мово ~ Ádam's ápple ['æd-...]; глазно́е ~ éyeːbàll ['aɪ-], ло́шадь се́рая в ~ax dáppled (horse); ~ раздо́ра ápple of díscòrd, bone of conténtion; ~y не́где упа́сть ≃ there's not an inch of room, there's no room to move [...muːv]; ~ от я́блони недалеко́ па́дает посл. ≃ like fáther like son [...'faː- ...sʌn].

я́блон||евый прил. к я́блоня; ~евая ве́тка ápple-tree branch [...-aː-]. ~ный apple (attr.); ~ный цвет ápple blóssom.

я́блоня ж. ápple-tree.

я́блоч||ко с. 1. уменьш. от я́блоко; 2. (центр мишени) búll's eye [-aɪ]; 3. (матросский танец) yáblochko ['jaː-] (sailor's dance). ~ный прил. к я́блоко; ~ный пиро́г ápple-pìe [...-aɪ]; ~ный сок ápple juice [...dʒuːs]; ~ное варе́нье ápple jam.

яви́ть сов. см. явля́ть.

яви́ться сов. см. явля́ться 1.

я́вк||а ж. 1. appéarance, présence [-z-], atténdance; ~ обяза́тельна (на собрание и т. п.) atténdance compúlsory; ва́ша ~ обяза́тельна your présence is obligátory; 2. (явочная квартира) sécret addréss; знать ~y know* the sécret addréss [nou...]; дать кому́-л. ~y give* smb. the sécret addréss.

явле́н||ие с. 1. appéarance; phenómenon (pl. -na) (событие, случай) occúrrence; ~ приро́ды nátural phenómenon; стра́нное ~ strange occúrrence [-eɪndʒ-...]; обы́чное ~ éveryːday occúrrence; ~ия обще́ственной жи́зни sócial phenómena; 2. театр. scene; 3. физ., тех. effect; ~ резона́нса résonance condítion ['rez-...].

явля́ть, яви́ть (вн.) show* [ʃou] (d.); be; лицо́ её явля́ло следы́ замеча́тельной красоты́ her face showed tráces of surpássing béauty [...'bjuː-]; яви́ть собо́й приме́р (рд.) be / give* an exámple [...-aːm-] (of), displáy (d.).

явля́ться, яви́ться 1. appéar, presént òneːsélf [-'z-...]; офиц. repórt; (на место тж.) régister (at a place); (прибывать) arríve; ~ на рабо́ту repórt for work; ~ в суд appéar befóre the court [...kɔːt]; ~ в ука́занное вре́мя presént òneːsélf at the appóinted / fíxed time; repórt at the appóinted / fíxed time; ~ кста́ти arríve at the right móment; presént òneːsélf very ópportùneːly; ~ с пови́нной (в суд) give* òneːsélf up; (перен.) acknówledge one's fault / guilt [ək'nɔ-...]; как то́лько я́вится подходя́щий слу́чай as soon as ópportúnity óffers / preséntsitːsélf; у него́ яви́лась мысль an idéa occúrred to him [...aɪ'dɪə...], it occúrred to him; 2. тк. несов. (быть, представлять собой) be; ~ авторите́том в чём-л. be an authórity on smth.; он явля́ется дире́ктором he is the diréctor; э́то яви́лось причи́ной его́ сме́рти that was the cause of his death [...deθ]; э́то яви́лось серьёзным препя́тствием it rèpreséntеd a sérious óbstacle [...-ˈzeː-...].

я́вно I 1. прил. кратк. см. я́вный; 2. предик. безл. it is évident / mánifèst / óbvious.

я́вно II нареч. évidently, óbviouslːy, mánifestlːy, pátentlːy.

явнобра́чн||ые мн. скл. как прил. бот. phànerogàms. ~ый бот. phàneróga-mous.

я́вн||ый 1. évident, óbvious; ~oe неудово́льствие évident / óbvious displéasure [...-eʒə]; 2. (совершенно очевидный) mánifèst, pátent; ~ вздор dównright / sheer nónsense; ~ая ложь dównright / báreːfàced lie.

я́вор м. бот. sýcamòre (maple).

я́вочн||ый: ~ая кварти́ра sécret addréss; ~ым поря́дком withóut prelíminary permíssion; withóut príor arrángeːment [...-eɪn-].

я́вственный clear; (о звуке, голосе) distínct.

я́вствовать appéar; fóllow; be clear / óbvious; из э́того ~ует, что hence it appéars that, hence it is clear / óbvious that, it cléarly fóllows that.

явь ж. тк. ед. reálity [rɪ'æ-].

яга́ ж. = ба́ба-яга́.

ягдта́ш м. охот. gáme-bàg, fówling bag.

я́гель м. бот. Íceːland / réindeer moss.

ягнёнок м. lamb; кро́ткий как ~ lámbːlike; as meek as a lamb.

ягни́ться, оягни́ться lamb, yean.

ягня́та мн. см. ягнёнок.

ягня́тник м. зоол. lämmergeyer [-gaɪə].

я́год||а ж. bérry; собира́ть ~ы gáther bérries; ходи́ть по ~ы go* bérry-pìcking; дава́ть ~ы (о растении) come* into bérry, bérry; ◊ ви́нная ~ fig; на́шего, одного́ по́ля ~ разг. ≃ one of our kind, sóul-màte ['soul-].

я́годица ж. анат. búttock.

я́годник м. 1. bérry-field [-fiːld]; bérry plantátion; (кусты) bérry bush; 2. (сборщик ягод) bérry-pícker.

721

ЯГО — ЯЛ

я́годный *прил.* к *я́года*; ~ сок frúit-jùice [ˈfruːtdʒuːs].

ягуа́р *м. зоол.* jáguar [ˈdʒægwɑː].

яд *м.* póison [-zn]; (*ядовитое вещество*) tóxin, toxic súbstance (*змеиный и т. п.*; *тж. перен.*) vénom [ˈve-]; приня́ть яд take* póison; ме́дленно де́йствующий яд slow póison [slou...]; яд его́ рече́й the vénom of his spéeches / words.

я́дерн||**ый** núclear phýsics [...-zɪ-]; ~ая реа́кция núclear reáction; ~ые проце́ссы núclear prócesses; ~ая радиа́ция núclear ràdiátion; ~ реа́ктор núclear reáctor; ~ое ору́жие núclear wéapons [...ˈwep-] *pl.*; ~ое горю́чее núclear fúel [...ˈfjuː-]; ~ая держа́ва núclear pówer; ~ые испыта́ния núclear tests; ~ое разоруже́ние núclear disármament; догово́р о запреще́нии ~ых испыта́ний test ban tréaty.

я́дерщик *м. разг.* núclear enginéer [...endʒ-].

ядови́то I *прил. кратк. см.* ядови́тый.

ядови́т||**о** II *нареч.* (*язвительно*) vénomously, malíciously. ~ость *ж.* póisonousness [-zə-]; toxícity; (*змеи и т. п.*; *тж. перен.*) vénomousness. ~ый póisonous [-zə-]; toxic (*о змеи и т. п.*; *тж. перен.*) vénomous; ~ое вещество́ póisonous súbstance; ~ый газ póison / tóxic gas [-zn...]; ~ая змея́ vénomous snake; ~ый язы́к *разг.* vénomous / bíting tongue [...tʌŋ].

ядохимика́ты *мн.* chémical wéed-kìllers and pést-killers [ˈkeː-...].

ядрёный *разг.* (*о человеке*) vígorous, héalthy [ˈhel-]; (*о воздухе*) brácing; (*о яблоке*) súcculent, júicy [ˈdʒuːsɪ].

я́дрица *ж.* ún:gròund búckwheat.

ядро́ *с.* 1. (*прям. и перен.*) kérnel; (*клетки и т. п.*) núcleus [-lɪəs] (*pl.* -lei); (*основная группа*) main bódy [...ˈbɔ-]; ~ оре́ха kérnel of *a* nut; а́томное ~ *физ.* atómic núcleus; 2. *спорт.* shot; толка́ть ~ put* *the* shot; 3. *воен. ист.* (round) shot, ball; пу́шечное ~ cánnon-bàll.

я́дрышко *с.* 1. *уменьш. от* ядро́; 2. *биол.* nucléolus.

я́зва *ж.* 1. úlcer, sore; (*перен.*) sore, évil [ˈiː-]; морова́я ~ plague [pleɪg]; ~ желу́дка stómach úlcer [ˈstʌmək...]; 2. *разг.* (*о злобном человеке*) pest, víper.

я́звенн||**ик** *м.*, ~**ица** *ж. разг.* one súffering from stómach úlcer [...ˈstʌmək...].

я́звенный úlcerous.

язви́тельн||**ость** *ж.* causticity, mórdancy. ~**ый** cáustic, bíting, mórdant; ~ое замеча́ние cáustic remárk.

язви́ть, съязви́ть 1. *тк. несов.* (*вн.*) *уст.* bite*, sting*; 2. (*говорить язвительно*) say* sarcástically; ~ на чей-л. счёт be sarcástic at smb.'s expénce.

язы́к I *м.* 1. *анат.* (*тж. перен.*) tongue [tʌŋ]; обло́женный ~ *мед.* cóated / fúrred tongue; воспале́ние ~á *мед.* glossítis; показа́ть ~ (*дт.*; *врачу и т. п.*) show* one's tongue (*to a doctor, etc.*) [ˈou-...]; (*кому-л.*; *из озорства*) put out one's tongue (at smb.); о́стрый ~ sharp tongue; злой ~ wícked / bítter / vénomous tongue; 2. (*кушанье*) tongue; копчёный ~ smoked tongue; 3. (*колокола*) clápper, tongue of *a* bell; ◇ вы́сунув ~ with one's tongue hánging out; as fast as one's legs will cárry one; у него́ отня́лся ~ his tongue failed him; ~ до Ки́ева доведёт *погов.* ≃ you can get ánywhere if you know how to use your tongue [...nou...]; а cléver tongue will take you ánywhere [...ˈkle-...]; у него́ хорошо́ ~ подве́шен *разг.* he has а réady / glib tongue [...ˈre-...]; держа́ть ~ за зуба́ми hold* one's tongue; придержа́ть ~ *разг.* keep* a still tongue in one's head [...hed]; развяза́ть ~ lóosen the tongue [-s-...]; тяну́ть, дёргать кого́-л. за ~ make* smb. say smth.; у него́ ~ не повернётся сказа́ть э́то he won't have the heart, *или* bring* himsélf, to say it [...wount... hɑːt...]; у него́ ~ че́шется сказа́ть э́то he is ítching to say it; э́то сло́во ве́ртится у меня́ на ~е́ *разг.* the word is on the tip of my tongue; у него́ дли́нный ~ he has a long tongue; чеса́ть ~ *разг.* wag one's tongue [wæɡ...]; у него́ что на уме́, то и на ~е́ *разг.* ≃ he wears his heart on his sleeve [...weːz... hɑːt...]; ~и́ пла́мени tongues of flame.

язы́к II *м.* 1. (*речь*) lánguage, tongue [tʌŋ]; ру́сский ~ the Rússian lánguage [...-ʃən...]; национа́льный ~ nátional lánguage [ˈnæ-...]; родовы́е ~и́ clan lánguages; племенны́е ~и́ tríbal lánguages; о́бщий ~ cómmon lánguage; родно́й ~ mother tongue [ˈmʌ-...]; nátive lánguage; vernácular *научн.*; живо́й ~ líving lánguage [ˈlɪv-...]; мёртвый ~ dead lánguage [ded...]; обихо́дный ~ évery:dày lánguage; разгово́рный ~ collóquial / famíliar speech; spóken lánguage; литерату́рный ~ líterary lánguage; иностра́нный ~ fóreign lánguage [ˈfɔrɪn...]; но́вые ~и́ módern lánguages [ˈmɔ-...]; владе́ть каки́м-л. ~о́м know* *a* lánguage [nou...]; владе́ть каки́м-л. ~о́м в соверше́нстве have a pérfect command of *a* lánguage [...-ɑːnd...]; говори́ть ~о́м (*рд.*) use the lánguage (of); 2. *воен. разг.* (*пленный*) prísoner for interrogátion [ˈprɪz-...]; добы́ть ~а́ cápture, *или* bring* in, a prisoner for interrogátion, *или* who will talk; ◇ найти́ о́бщий ~ come* to terms.

язы́к III *м. уст.* (*народ*) people [piː-], nátion.

язы́к||**а́стый, ~а́тый** *разг.* shárp-tóngued [-ˈtʌ-].

языкове́д *м.* línguist. ~**е́ние** *с.* = языкозна́ние. ~**е́ческий** linguístic.

языков||**о́й** *лингв.* linguístic; lánguage (*attr.*); ~а́я структу́ра linguístic strúcture; ~о́е родство́ linguístic affínity; ~а́я самостоя́тельность linguístic indepéndence; материа́льная ~а́я оболо́чка matérial linguístic intégument.

языкозна́ние *с.* linguístics *pl.*; science of lánguage; сравни́тельное ~ compárative philólogy.

язы́ческий héathen [-ð-], págan. ~**тво** *с.* héathenism [-ð-], páganism.

язычко́вый 1. *анат.* úvular; 2. *муз.* réeded; ~ инструме́нт reed ínstrument.

язы́чник *м.* héathen [-ð-], págan.

язы́чн||**ый** *прил. к* язы́к I 1; ~ые мы́шцы the múscles of the tongue [...mʌslz... tʌŋ].

язычо́к *м.* 1. *уменьш. от* язы́к I 1, 3; ~ пла́мени tongue of flame [tʌŋ...]; 2. *анат.* úvula (*pl.* -ae); 3. *муз.* reed; 4. *тех.* catch, lug.

язь *м.* (*рыба*) ide.

яи́чко *с.* 1. (small) egg; 2. *анат.* tésticle.

яи́чник *м. анат.* óvary [ˈou-]; воспале́ние ~а òvarítis [ou-].

яи́чница *ж.*: ~-глазу́нья fried eggs *pl.*; ~-болту́нья scrambled eggs *pl.*

яи́чн||**ый** (*attr.*); ~ желто́к yolk (of egg); ~ бело́к white (of egg), éggwhite; ~ая скорлупа́ égg-shèll; ~ поро́шок dried eggs *pl.*; egg pówder; pówdered eggs *pl.*

яйла́ *ж. тк. ед.* móuntain pásture (in the Criméa) [...ˈkraɪmɪə].

яйце||**ви́дный** égg-shàped; óviform [ˈouv-], óvoid [ˈouv-] *научн.*; ~ лист *бот.* òvàte leaf* [ˈou-...]. ~**во́д** *м. анат.* ovidúct [ˈou-]. ~**кла́д** *м. зоол.* òvipósitor [ˈouvɪpɔz-]. ~**кладу́щий** *зоол.* òvipósitor [ˈouvɪpɔz-] (*attr.*), ovíparous [ouˈvɪpərəs]. ~**кле́тка** *ж. биол.* óvule [ˈou-]. ~**но́ский** *с.-х.*: ~ноские ку́ры good láying hens. ~**но́скость** *ж. с.-х.* égg-làying quálities. ~**ро́дный** *зоол.* ovíparous [ou-].

яйц||**о́** *с.* egg; *биол.* óvum (*pl.* óva); ~ всмя́тку sóft-bòiled / líghtly-bòiled egg; свари́ть ~ всмя́тку boil *an* egg líghtly; ~ в мешо́чек médium-tìmed egg; ~ вкруту́ю, круто́е ~ hárd-bòiled egg; свари́ть ~ вкруту́ю boil *an* egg hard; я́йца из-под ку́рицы néw-làid eggs; ◇ я́йца ку́рицу не у́чат *посл.* ≃ don't teach your grándmòther to suck eggs [...-mʌðə...].

як *м. зоол.* yak.

якоби́н||**ец** *м. ист.* Jácobin. ~**ский** *ист.* Jàcobínic.

я́кобы *частица* as if, as though [...ðou...]; suppósedly; он ~ всё по́нял he says he has understóod éverything [...sez...-ˈstud...]; он прие́хал к нам ~ для того́, что́бы рабо́тать he came to us with the alléged púrpose of wórking [...-pəs...], he came to us suppósedly to work.

я́корн||**ый** ánchor [ˈæŋkə] (*attr.*); ~ая стоя́нка ánchorage [ˈæŋk-]; ~ая цепь ánchor chain, (chain) cable; ~ая лебёдка cápstan.

я́кор||**ь** *м. мор., тех.* ánchor [ˈæŋkə]; эл. ármature; ròtor; мёртвый ~ móoring ánchor; станови́ться на ~ ánchor; come* to ánchor; бро́сить ~ cast* / drop ánchor; стоя́ть на ~е be ánchored; ride* at ánchor; снима́ться с ~я weigh ánchor; (*перен.*) get* únder way; ◇ ~ спасе́ния sheet ánchor.

яку́т *м.*, ~**ка** *ж.*, ~**ский** Yakút [jəˈkuːt]; ~ский язы́к Yakút, the Yakút lánguage.

якша́ться (*с тв.*) *разг.* hób-nòb (with), keep* cómpany [...ˈkʌm-] (with), rub élbows (with).

ял *м. мор.* yawl.

я́лик *м. мор.* skiff, whérry.
я́личник *м.* whérry-màn*.
я́лов‖**еть, оя́ловеть** (*о коро́ве*) be bárren / dry. **~ость** *ж. с.-х.* bárrenness, drýness. **~ый** *с.-х.* bárren, dry; **~ая коро́ва** dry cow.
ям *м. ист.* mail stáging-pòst [...-pou-].
я́ма *ж.* (*в разн. знач.*) pit; hole (*тж. перен.*); вы́рыть я́му dig* a hole; му́сорная **~**, помо́йная **~** dúst-heap; рефу́зе pit [-s...]; вы́гребна́я **~** césspool, césspit; у́гольная **~** coal búnker; ◇ возду́шная **~** áir-pòcket; рыть кому́-л. я́му ≅ make* / prepáre a pítfall for smb.; lay* a trap for sóme⁚one; не рой друго́му я́мы, сам в неё попадёшь *посл.* ≅ he that mís⁚chief hátches, mís⁚chief cátches [...-tʃɪf...]; mind you don't fall into your own trap [...oun...].
яма́йский Jamáican; **~ ром** Jamáica (rum).
ямб *м. лит.* ìámbus; двусто́пный **~** ìámbic díměter; четырёхсто́пный **~** ìámbic tètrámeter; шестисто́пный **~** ìámbic hèxámeter; восьмисто́пный **~** ìámbic òctámeter. **~и́ческий** *лит.* ìámbic.
я́мка *ж. уменьш. от* я́ма.
я́мочка *ж.* (*на щеке́*) dimple.
ямщи́к *м. ист.* cóach⁚man*.
янва́рский *прил. к* янва́рь; **~ день** a Jánuary day, a day in Jánuary.
янва́р‖**ь** *м.* Jánuary; в **~е́** э́того го́да in Jánuary; в **~е́** про́шлого го́да last Jánuary; в **~е́** бу́дущего го́да next Jánuary.
я́нки *м. нескл.* Yánkee [-kɪ].
янта́рный 1. ámber (*attr.*); **2.** (*о цве́те*) ámber-còloured [-кл-].
янта́рь *м.* ámber; чёрный **~** black ámber.
Я́нус *м. миф.* Jánus.
янычар *м. ист.* jánizary.
япо́нец *м.* Jàpanése; *мн. собир.* the Jàpanése.
япо́нка I *ж.* Jàpanése (wóman*) [...'wu-].
япо́нка II *ж.* (*о кро́е*) cap sleeve.
япо́нск‖**ий** Jàpanése; **~ язы́к** Jàpanése, the Jàpanése lánguage; **~ лак** japán lácquer, japán; **~ая борьба́** jiù-jítsù [dʒjuː'dʒɪtsu].
яр *м.* **1.** (*круто́й бе́рег*) steep bank; **2.** (*овра́г*) ravíne [-iːn].
яра́нга *ж.* yaránga [-ɑːŋɡə] (*skin tent*).
ярд *м.* (*ме́ра длины́*) yard.
ярём *м. уст.* = ярмо́.
ярёмн‖**ый**: **~ая ве́на** *анат.* júgular vein.
яри́ться 1. *уст.* rage; be in a fúry; **2.** *физиол.* (*о живо́тном*) be on / in heat.
я́рка *ж.* young ewe [jʌŋ juː] (*up to first lambing*).
я́рк‖**ий** bright; (*о пла́мени тж.*) blázing; (*крича́щий* — *о цве́те и т. п.*) gáudy; (*перен.*) stríking; (*блестя́щий*) brílliant; (*живо́й*) vívid, líve⁚ly; **~ свет** bright light; **~ цвет** bright cólour [...кл-]; **~ приме́р** stríking exámple / ínstance [...-ɑːmpl...]; (*в отрица́т. смы́сле*) gláring

exámple; **~ тала́нт** brílliant tálent [...'tæ-]; outstánding gifts [...gɪ-] *pl.*; **~ое описа́ние** vívid description; **~ое свиде́тельство** (*рд.*) gráphic évidence (of); нарисова́ть **~ую** карти́ну paint a gráphic / vívid pícture.
я́рко I *прил. кратк. см.* я́ркий.
я́рко II *нареч.* brightly; (*перен.*) stríking⁚ly; (*блестя́ще*) brílliantly; (*жи́во*) vívidly; **~** освещённый brílliantly / brightly lit; **~** вы́раженный pronóunced; **~** раскра́шенный gáily cóloured [...'кл-].
я́рко-бе́лый dázzling white.
я́рко-зелёный bright green.
я́ркость *ж.* brightness; (*перен.: блеск*) brílliance; (*живость*) vívidness.
ярлы́к *м.* **1.** *ист.* yárlyk, édict [ˈiː-]; **2.** lábel (*тж. перен.*), tag; прикле́ить **~** кому́-л. pin a lábel on sóme⁚one.
ярлычо́к *м. уменьш. от* ярлы́к **2**.
я́рмар‖**ка** *ж.* fair. **~очный** *прил. к* я́рмарка.
ярмо́ *с.* (*прям. и перен.*) yoke; сбро́сить с себя́ **~** cast* off the yoke.
я́ро *нареч.* with férvour.
ярови́за́ция *ж. с.-х.* vèrnalizátion; **~ семя́н** yarovizátion of seed.
ярови́зи́ровать *несов. и сов.* (*вн.*) vèrnalize (d.).
яров‖**о́й** *с.-х.* **1.** *прил.* spring (*attr.*); **~ы́е хлеба́** spring crop *sg.*; **~о́е по́ле** spring-sown field [-soun fiːld]; клин **~ы́х** spring crop área [...ˈɛərɪə]; **2.** *мн. как сущ.* spring crops.
я́рост‖**ный** [-сн-] fúrious, víolent; véhement [ˈviː-], fierce [fɪəs]; **~ая ата́ка** fierce assáult / attáck.
я́рост‖**ь** *ж.* fúry, rage; бе́шеная **~** frénzy, blind fúry; привести́ в **~** (*вн.*) infúriàte (d.); прийти́ в **~** becóme* fúrious; fly* into a rage; вне себя́ от **~и** transpórted with rage, beside òne⁚self with rage.
я́рус *м.* **1.** tier [tɪə]; *театр.* circle; пе́рвый **~** first circle; **2.** *геол.* stage, láyer.
я́рый (*рья́ный*) árdent; (*неисто́вый*) víolent, fúrious, véhement [ˈviː-].
я́сельный *прил. к* я́сли II.
я́сеневый *бот.* áshen.
я́сень *м. бот.* ásh-tree, ash.
я́сли I *мн.* (*корму́шка для скота́*) crib *sg.*; mánger [ˈmeɪndʒə] *sg.*, trough [trɒf] *sg.*
я́сли II *мн.* (*де́тские*) crèche (*фр.*) [kreɪʃ] *sg.*, day núrsery *sg.*
ясне́ть becóme* cléar(er).
я́сно I 1. *прил. кратк. см.* я́сный; **2.** *предик. безл.* (*о пого́де*) it is fine; **3.** *предик. безл.* (*поня́тно*) it is clear; ◇ **~** как (бо́жий) день it is as clear as nóonday.
я́сно II *нареч.* cléarly, clear; (*отчётливо*) distínctly; (*вы́раженно*) cléarly expréssed; ко́ротко и **~** terse and clear; **~** говори́ть speak* cléarly / distínctly; **~** выража́ться expréss òne⁚sélf cléarly, make* òne⁚sélf clear; **~** представля́ть себе́ обстано́вку take* a clear view of the situátion [...vjuː...].

яснови́д‖**ение** *с.* clairvóyance. **~ец** *м.* clairvóyant. **~ящий** clairvóyant.
я́сность *ж.* cléarness; (*о сти́ле, языке́ тж.*) lucídity; **~ мы́сли** lucídity of mind; **~ це́ли** clárity of aim; внести́ **~** make* things clear, put* things right.
я́сн‖**ый** clear; (*о сти́ле, языке́ тж.*) lúcid; (*отчётливый тж.*) distínct; (*све́тлый, безо́блачный*) serène; **~ое не́бо** clear / serène sky; име́ть **~ое** представле́ние о чём-л. have a clear idéa of smth. [...aɪˈdɪə...]; сде́лать соверше́нно **~ым** для кого́-л. make* it pérfectly clear to smb.; **~** ум precíse mind [-s...]; **~ая улы́бка** serène smile; **~ая поли́тика** cohérent pólicy; ◇ (как) гром среди́ **~ого** не́ба (like) a bolt from the blue.
я́ства *мн. уст.* víands, víctuals [vɪtlz].
я́стреб *м.* hawk; **~-перепеля́тник** spárrow-hawk; **~-тетеревя́тник** góshawk [ˈɡɒʃɔːk]; ◇ променя́ть куку́шку на **~а** *погов.* ≅ give* a lark to catch a kite, change bad for worse [tʃeɪ-...].
ястреби́н‖**ый** *прил. к* я́стреб; accípitral *научн.*; **~ая охо́та** fálconry [ˈfɔː-]; с **~ым** взгля́дом háwk-èyed [-aɪd].
ястребо́к *м.* **1.** *уменьш. от* я́стреб; **2.** *воен. разг.* fighter; pursúit plane [-ˈsjuːt...].
ятага́н *м.* yátaghan.
ять: на **~** first-class, spléndid(ly); знать что-л. на **~** *разг.* know* smth. pérfectly.
я́хонт *м. уст.* (*о руби́не*) rúby; (*о сапфи́ре*) sápphire. **~овый** *уст.* rúby (*attr.*); sápphire (*attr.*).
я́хта *ж.* yacht [jɒt].
я́хтенный *прил. к* я́хта.
яхт-клу́б *м. спорт.* yácht-clùb [ˈjɒt-].
яхтсме́н *м.* yáchts⁚mán* [ˈjɒt-].
яче́истый céllular, pórous.
яче́йка *ж.* (*в разн. знач.*) cell; *воен.* rífle-pit; fóxhole *амер.*
яче‖**я́ 1.** (*в со́тах*) cell; **2.** (*невода́, тра́ла*) mesh.
ячме́нн‖**ый** bárley (*attr.*); **~ отва́р** bárley-wàter [-wɔː-]; **~ са́хар** bárley súgar [-ˈʃu-]; **~ое зерно́** bárley-còrn.
ячме́нь I *м.* (*расте́ние*) bárley.
ячме́нь II *м.* (*на гла́зу*) sty(e).
я́чнев‖**ый**: **~ая крупа́** fine-ground bárley.
я́шма *ж. мин.* jásper.
я́шмовый jásper (*attr.*).
я́щер *м. зоол.* pàngólin [-ˈɡou-].
я́щерица *ж.* lízard [ˈlɪ-].
я́щик *м.* **1.** box; case [-s]; (*ларь*) chest; му́сорный **~** dústbin; почто́вый **~** létter-box; (*на цоко́ле*) píllar-bòx; заря́дный **~** *воен.* àmmunítion-wàgon [-ˈwæ-]; cáisson *амер.*; **2.** (*выдвижно́й*) dráwer [drɔː]; ◇ откла́дывать в до́лгий **~** (*вн.*) shelve (d.); put* off (d.).
я́щур *м. вет.* foot-and-mouth diséase [ˈfut- -ˈziːz].

СПИСОК ГЕОГРАФИЧЕСКИХ НАЗВАНИЙ

Абака́н *г.* Abakán [-ˈkɑːn].
Абиджа́н *г.* Àbidján [æbɪˈdʒɑːn].
Абу́-Да́би *г.* Àbú Dhábì [ˈæˈbuː ˈðæbiː].
Абу́джа *г.* Abúdja [əˈbuːdʒə].
Абха́зская АССР the Àbkházian Autónomous Sóvièt Sócialist Repúblic [...ɑːbˈkɑː-...-ˈpʌ-].
Австрали́йский Сою́з the Cómmonwealth of Austrália [...-welθ...].
Австра́лия Austrália.
А́встрия Áustria.
Адди́с-Абе́ба *г.* Áddis Ábaba [...ˈɑːb-].
А́ден *г.* Áden.
Аджа́рская АССР the Adzhár Autónomous Sóvièt Sócialist Repúblic [...əˈdʒɑː...-ˈpʌ-].
Адмиралте́йства о-ва́ the Ádmiralty Íslands [...ˈaɪl-].
Адриати́ческое мо́ре the Àdriátic Sea.
Адыге́йская автоно́мная о́бласть the Àdygéi Autónomous Région [...ɑːdəˈɡeɪ...].
Азербайджа́нская Сове́тская Социалисти́ческая Респу́блика the Àzèrbaiján Sóvièt Sócialist Repúblic [...ɑːzəˈbaɪˈdʒɑːn...-ˈpʌ-]; **Азербайджа́н** Àzèrbaiján [ɑːzəˈbaɪˈdʒɑːn].
А́зия Ásia [ˈeɪʃə].
Азо́вское мо́ре the Sea of Ázòv, the Sea of Ázòf [...ˈɑːzɔv].
Азо́рские о-ва́ the Azóres.
А́ккра *г.* Accrá [əˈkrɑː].
Але́ндские о-ва́ the Alànd Íslands [...ˈoʊlɑːnd ˈaɪl-].
Алба́ния Àlbánia; **Наро́дная Социалисти́ческая Респу́блика Алба́ния** the People's Sócialist Repúblic of Àlbánia [...piː-...-ˈpʌ-...].
Александри́я *г.* Àlexándria [-ɡˈzɑːn-].
Алеу́тские о-ва́ the Aléutian Íslands [...ˈaɪl-].
Алжи́р 1. (*страна*) Àlgéria; **2.** (*город*) Àlgíers [-ˈdʒɪəz].
Аллега́нские го́ры Állegheny Móuntains.
Алма́-Ата́ *г.* Álmà-Ata [ˈɑːlmɑːˈɑːtə].
Алта́й the Àltái [...æl'taɪ].
Алта́йский край Àltái Térritory [ælˈtaɪ...].
А́льпы the Alps.
Аля́ска Aláska.
Амазо́нка *р.* the Ámazon.
Аме́рика América.
Амма́н *г.* Ammán [əˈmɑːn].
Амстерда́м *г.* Ámsterdám.
Амударья́ *р.* the Àmú Dàryá [...ɑːˈmuːdɑːrˈjɑː].

Аму́р *р.* Amúr [...əˈmʊə].
Ангара́ *р.* the Àngàrá [...ɑːŋɡɑːˈrɑː].
А́нглия England [ˈɪŋɡ-].
Анго́ла Àngóla.
Андама́нские о-ва́ the Ándamàn Íslands [...ˈaɪl-].
Андо́рра Àndórra [-ˈdɔ-].
А́нды the Ándès [...-diːz].
Анкара́ *г.* Ánkara.
Антананари́ву *г.* Àntanànarívò [-ˈriː-].
Антаркти́да the Àntárctic Cóntinent, Àntárctica.
Анта́рктика the Àntárctic Régions.
Антве́рпен *г.* Ántwèrp.
Анти́гуа и Барбу́да Antígua and Barbúda [ænˈtiːɡə ənd bɑːˈbuːdə].
Анти́льские о-ва́ the Àntíllès [...-liːz].
Аомы́нь Aomín [ɑːo(u)-].
Апенни́нские го́ры, Апенни́ны the Àpennìnes.
А́пиа *г.* Àpíà [ɑːˈpiːɑː].
Аппала́чские го́ры the Àppaláchian Móuntains [...-ˈleɪtʃ-...].
Арави́йский п-ов Arábia.
Арави́йское мо́ре the Arábian Sea.
Ара́льское мо́ре the Áral Sea [...ˈɑː-...].
Аргенти́на Àrgentína [-ˈtiːnə].
А́рктика the Árctic.
Армя́нская Сове́тская Социалисти́ческая Респу́блика the Àrménian Sóvièt Sócialist Repúblic [...-ˈpʌ-]; **Арме́ния** Àrménia.
Арха́нгельск *г.* Àrkhángèlsk [ɑːˈkɑːnɡelsk].
А́страхань *г.* Àstràkhán [-rɑːˈkæn].
Асунсьо́н *г.* Asùnción [əsʊnsɪˈoʊn].
Атланти́ческий океа́н the Àtlántic (Ócean) [...ˈoʊʃⁿ].
Атла́сские го́ры the Átlas Móuntains [...ˈæt-...].
Афганиста́н Àfghánistàn.
Афи́ны *г.* Áthens [-nz].
А́фрика África.
Ашхаба́д *г.* Àshkhàbád [ɑːʃkɑːˈbɑːd].

Баб-эль-Манде́бский проли́в Báb-èl-Mándèb.
Бага́мские Острова́, Бага́мы the Baháma Íslands [...-ˈhɑː- ˈaɪl-], the Bahámas [...-ˈhɑː-].
Багда́д *г.* Bág(h)dàd.
Ба́зель *г.* Básel [ˈbɑːz-], Basle [bɑːl].
Байка́л *оз.* Lake Baikál [...baɪˈkɑːl].
Байкону́р *г.* Baikonúr [baɪkəˈnʊə].
Баку́ *г.* Bàkú [bɑːˈkuː].

Балеа́рские о-ва́ the Bàleáric Íslands [...bælɪˈæ- ˈaɪl-].
Балка́нские го́ры the Bálkan Móuntains, the Bálkans.
Балка́нский п-ов the Bálkan Península.
Балти́йское мо́ре the Báltic Sea.
Балтимо́р *г.* Báltimòre.
Балха́ш *оз.* Bàlkhásh [bɑːlˈkɑːʃ].
Бама́ко́ *г.* Bàmàkó [bɑːmɑːˈkoʊ].
Банги́ *г.* Bàngúi [bɑːŋˈɡiː].
Бангко́к *г.* Bàngkók.
Бангладе́ш Bànglàdésh [bɑːŋləˈ-].
Банджу́л *г.* Banjúl.
Банду́нг *г.* Bándung [ˈbɑːndʊŋ].
Барба́дос Bàrbádòs [-douz].
Ба́ренцево мо́ре the Bárènts Sea [...ˈbɑː-...].
Барнау́л *г.* Bàrnàúl [-nɑːˈuːl].
Барсело́на *г.* Bàrcelóna.
Бату́ми *г.* Bàtúmi [bɑːˈtuːmɪ].
Ба́ффинов зали́в Báffin Bay.
Бахре́йн Bahráin [bəˈreɪn].
Башки́рская АССР the Bàshkír Autónomous Sóvièt Sócialist Repúblic [...bɑːʃˈkɪə...-ˈpʌ-].
Бейру́т *г.* Beirút [-ˈruːt], Beyróuth [-ˈruːt].
Белгра́д *г.* Bèlgráde.
Бели́з Bèlíze [beˈliːz].
Бе́лое мо́ре the White Sea.
Белору́сская Сове́тская Социалисти́ческая Респу́блика the Byèlorússian Sóvièt Sócialist Repúblic [...-ʃən...-ˈpʌ-]; **Белору́ссия** Byèlorússia [-ʃə].
Бе́лфаст *г.* Bélfàst.
Бе́льгия Bélgium.
Бельмопа́н *г.* Bèlmopán [belmˈoʊ-].
Бена́рес *г.* Benáres [-ˈnɑːrɪz]; *см.* Вара́наси.
Бенга́зи *г.* Bèngási [benˈɡɑːzɪ].
Бенга́льский зали́в the Bay of Bèngál [...-ˈɡɔːl].
Бени́н Benín.
Бе́рег Слоно́вой Ко́сти Ívory Coast [ˈaɪv-...].
Бе́рингово мо́ре the Béring Sea [...ˈbe-...].
Бе́рингов проли́в the Béring Straits [...ˈbe-...].
Берли́н *г.* Bèrlín.
Берму́дские Острова́ the Bèrmúda Íslands [...ˈaɪl-], the Bèrmúdas.
Берн *г.* Berne.
Би́рма Búrma(h).
Би́рмингем *г.* Bírmingham [-mɪŋəm].
Биробиджа́н *г.* Birobidzhán [-ˈdʒɑːn].
Биса́у *г.* Bissáu [bɪˈsaʊ].

Биска́йский зали́в the Bay of Bíscay.
Богота́ *г.* Bògotá [bougo′ta:].
Болга́рия Bùlgária; **Наро́дная Респу́блика Болга́рия** the People's Republic of Bùlgária [...pi:- -′pʌ-...].
Боли́вия Bolívia.
Бомбе́й *г.* Bòmbáy.
Бонн *г.* Bonn [bɔn].
Борне́о *о-в* Bórneò; *см.* Калимантан.
Бородино́ Bòrodinó [-′nɔ:].
Бо́стон *г.* Bóston.
Босфо́р the Bósporus.
Ботни́ческий зали́в the Gulf of Bóthnia.
Ботсва́на Bòtswána [...-′swa:nə].
Браззави́ль *г.* Brázzaville [-vɪl].
Брази́лия 1. (*страна*) Brazíl; 2. (*город*) Brasília [-′zɪlɪə].
Бра́йтон *г.* Bríghton.
Братисла́ва *г.* Brátislàvà [′bra:tɪsla:va:].
Братск *г.* Bratsk [-a:-].
Брест *г.* Brest.
Брета́нь Bríttany.
Бри́джтаун *г.* Brídge︱town.
Бри́столь *г.* Brístol.
Брита́нские о-ва́ the Brítish Isles [...aɪlz].
Брно *г.* Brno.
Бруне́й Brúnei [-naɪ].
Брю́гге *г.* Bruges [bru:ʒ].
Брюссе́ль *г.* Brússels [′brʌs°lz].
Буг *р.* the Bug [...bu:g].
Будапе́шт *г.* Búdapést [′bjudə′pest].
Бужумбу́ра *г.* Bùjumbúra [bu:dʒəm-′burə].
Було́нь *г.* Boulógne [bu′loun].
Буру́нди Burúndi.
Буря́тская АССР the Buryát Autónomous Sóviet Sócialist Repúblic [...bu-′rja:t...-′pʌ-].
Бута́н Bhután [bu′ta:n].
Бухара́ *г.* Bukhará [bu:′ka:rə].
Бухаре́ст *г.* Búcharèst [′bju:kə-].
Буэ́нос-А́йрес *г.* Búenos Áires [′bwenəs-′aɪərɪz].

Ваду́ц *г.* Váduz [′va:duts].
Валле́тта *г.* Vallétta.
Вальпараи́со *г.* Vàlparáisò [-zou].
Ванку́вер *г.* Vàncóuver [-n′ku:-].
Вануа́ту Vanuátu [va:nu:′a:tu:].
Варана́си *г.* Varánasi [va:′ra:nəsi].
Варша́ва *г.* Wársaw.
Ватика́н Vátican Cíty State [...sɪ-...].
Вашингто́н *г.* Wáshing︱ton.
Везу́вий Vesúvius [-′su:-].
Великобрита́ния Great Brítain [greɪt...].
Ве́ллингтон *г.* Wélling︱ton.
Ве́на *г.* Viénna.
Ве́нгрия Húngary; **Венге́рская Наро́дная Респу́блика** the Hùngárian People's Repúblic [...pi:- -′pʌ-].
Венесуэ́ла Vènezuéla [-′zweɪlə].
Вене́ция *г.* Vénice.
Верса́ль *г.* Vèrsáilles [vɛə′saɪ].
Ве́рхнее о́зеро Lake Supèrior.
Ве́рхняя Во́льта Úpper Vólta.
Вест-И́ндия *ист.* the West Índies.
Викто́рия *г.* Victória [-ou-].
Ви́ла *г.* Víla [′vi:lə].
Ви́льнюс *г.* Vílnius [-nɪus].
Ви́ндхук *г.* Wíndhoek [′vɪnthuk].
Ви́ннипег *г.* Wínnipèg.
Ви́сла *р.* the Vístula.
Виши́ *г.* Víchy [′vi:ʃi:].

Владивосто́к *г.* Vlàdivòstók [vla:dɪvɔs-′tɔ:k].
Влади́мир *г.* Vladímir [vlə′di:mɪ(ə)r].
Во́лга *р.* the Vólga.
Волгогра́д *г.* Vòlgográd [-a:d].
Во́лго-Донско́й судохо́дный кана́л и́мени В. И. Ле́нина the V. I. Lénin Vólga-Dón Nàvigátion Canál.
Во́логда *г.* Vólogda [′vɔ:ləgdə].
Во́лхов *р.* the Vólkhov [...-kof].
Воро́неж *г.* Voróne︱zh [və′rɔ:nɪʃ].
Восто́чно-Сиби́рское мо́ре East Sibérian Sea [...saɪ′bɪərɪən...].
Восто́чный Тимо́р East Tímor [...′ti:-].
Вы́борг *г.* Víbòrg [′vi:bɔrk].
Вьентья́н *г.* Vièntiáne [vjæŋ′tja:n].
Вьетна́м Vietnám [vjet′na:m]; **Социалисти́ческая Респу́блика Вьетна́м** the Sócialist Repúblic of Vietnám [...-′pʌ-...].

Гаа́га *г.* the Hague [...heɪg].
Габо́н Gàbón [ga:′bɔ:ŋ], Gabóon.
Габоро́не *г.* Gaboróne.
Гава́йи *о-в* Hàwáii [ha:′waɪi:].
Гава́йские о-ва́ the Hàwáiian Íslands [...ha:′waɪiən ′aɪl-].
Гава́на *г.* Havána [-′væ-].
Гавр *г.* Havre [ha:vr].
Гаи́ти Háiti.
Гайа́на Guyána [gaɪ′ænə].
Гала́пагос the Gàlápagòs Íslands [...ga:′la:pa:gɔs ′aɪl-].
Га́мбия Gámbia.
Га́мбург *г.* Hámburg.
Га́на Ghána [′ga:nə].
Ганг *р.* the Gángès [...-ndʒi:z].
Гваделу́па Guadelóupe [gwa:dɪ′lu:p].
Гватема́ла Guatemála [gwa:tɪ′ma:-].
Гвиа́на Guiána [gɪ′a:-].
Гвине́я Guínea [′gɪnɪ].
Гвине́я-Биса́у Guínea-Bissáu [′gɪnɪ-].
Гда́ньск *г.* Gdansk.
Гебри́дские о-ва́ the Hébridès [...-di:z].
Гент *г.* Ghent.
Ге́нуя *г.* Génoa [′dʒe-].
Герма́нская Демократи́ческая Респу́блика the Gérman Dèmocrátic Repúblic [...-′pʌ-].
Гибралта́р Gibráltar.
Гибралта́рский проли́в the Straits of Gibráltar.
Гимала́и, Гимала́йские го́ры the Hìmaláya(s).
Гиндуку́ш the Híndù-Kúsh [...-du:-′ku:ʃ].
Гла́зго *г.* Glásgow [′gla:s-].
Го́би the Góbi [...′goubɪ].
Голла́ндия Hólland; *см.* Нидерла́нды.
Голубы́е го́ры the Blue Móuntains.
Гольфстри́м the Gulf Stream.
Гондура́с Hòndúras.
Гонко́нг Hong Kong; *см.* Сянга́н.
Гонолу́лу *г.* Hònolúlù.
Горн (Мыс) Cape Horn.
Го́рно-Алта́йская автоно́мная о́бласть the Górno-Altái Autónomous Région [...-æl′taɪ...].
Го́рно-Бадахша́нская автоно́мная о́бласть the Górno-Bàdàkhshán Autónomous Région [...-ba:da:k′ʃa:n...].
Го́рький *г.* Górky [-ki].
Грена́да Grenáda.
Гренла́ндия *о-в* Gréenland.
Гре́ция Greece.
Гри́нвич *г.* Gréenwich [′grɪnɪdʒ].

БИС — ЗАП

Гро́зный *г.* Gróznỳ.
Грузи́нская Сове́тская Социалисти́ческая Респу́блика the Geórgian Sóviet Sócialist Repúblic [...′dʒɔ:-...-′pʌ-]; **Гру́зия** Geórgia [′dʒɔ:-].
Гудзо́н *р.* the Húdson.
Гудзо́нов зали́в Húdson Bay.
Гулль *г.* Hull.
Гуро́н *оз.* (Lake) Húron.

Дагеста́нская АССР the Dàghestán Autónomous Sóviet Sócialist Repúblic [...da:ges′ta:n...-′pʌ-].
Дака́р *г.* Dàkár [da:′ka:].
Да́кка *г.* Dácca.
Дама́ск *г.* Damáscus.
Да́ния Dénmark.
Дарданеллы, Дарданелльский проли́в the Dàrdanélles [...-′nelz].
Дар-эс-Сала́м *г.* Dar es Saláam [′da:r-essə′la:m].
Дежнёва Мыс Cape Dezhnév.
Де́ли *г.* Délhi [-lɪ].
Детро́йт *г.* Detróit.
Джака́рта *г.* Djakárta, Jakárta.
Джибу́ти Djibóuti [-′bu:tɪ].
Джомолу́нгма Chómo-lúngma [′tʃoumo′luŋmə]; *см.* Эвере́ст.
Джо́рджтаун *г.* Géorge︱town [′dʒɔ:-].
Ди́ли *г.* Díli.
Днепр *р.* the Dníeper [...′dni:pə].
Днепропетро́вск *г.* Dnièpropetróvsk.
Днестр *р.* the Dníester [...′dni:stə].
Домини́ка Dòmínica [dɔmə′ni:kə].
Доминика́нская Респу́блика the Dominican Repúblic [...-′pʌ-].
Дон *р.* the Don.
Донба́сс (Доне́цкий у́гольный бассе́йн) the Dònbás (Dònèts cóal-fields [...-fi:-], the Dònèts Básin [...-′beɪ-]).
Доне́ц *р.* the Dónèts.
Доне́цк *г.* Dónètsk.
До́ха *г.* Dóha.
Дре́зден *г.* Drésdèn [-z-].
Ду́блин *г.* Dúblin [′dʌ-].
Дубна́ *г.* Dùbná [dub′na:].
Дувр *г.* Dóver.
Дуна́й *р.* the Dánube.
Душанбе́ *г.* Dyùshámbe [dju:′ʃa:mbə].
Дюнке́рк *г.* Dùnkírk.

Евпато́рия *г.* Yèvpatória.
Евре́йская автоно́мная о́бласть the Jéwish Autónomous Région.
Евро́па Európe.
Евфра́т *р.* the Euphrátès [...-ti:z].
Еги́пет Egypt.
Е́лгава *г.* Jélgàvà [-ga:va:].
Енисе́й *р.* the Yènisèi [...jenɪ′seɪ].
Ерева́н *г.* Yèreván [jere′va:n].
Ессентуки́ *г.* Yessentukí.

Жёлтое мо́ре the Yellow Sea.
Жене́ва *г.* Genéva.

За́греб *г.* Zágreb [′za:-].
Заи́р Zaíre [za:′i:rə].
Замбе́зи *р.* the Zàmbézi [...-′bi:zi].
За́мбия Zámbia.
За́падная Двина́ *р.* the Západnaya Dviná [...′za:- -a:].
За́падная Саха́ра Wéstern Sahára [...-′ha:-].

ЗАП — ЛИВ

За́падное Само́а Wéstern Samóa.
За́падный Берли́н West Bèrlín.
Запоро́жье *г.* Zàporózhye [zɑ:pɔˈrɔʒje].
Зела́ндия *о-в* Zéaland.
Земля́ Фра́нца Ио́сифа *о-ва* Franz Jósèf Land [-ɑ:nts -zef...].
Зимба́бве Zimbábwè [-ˈba:bwi:].
Зунд *пролив* the Sound.

Ива́ново *г.* Ivánovo [ɪˈvɑ:nəvə].
Ига́рка *г.* Igárka [iːˈgɑ:rkə].
Иерусали́м *г.* Jerúsalem.
Иже́вск *г.* Ízhevsk.
Изми́р *г.* Izmír [-ˈmi:r].
Изра́иль Ísráel [ˈɪzreɪəl].
Инд *р.* the Índus.
Инди́йский океа́н the Índian Ócean [...ˈouʃn].
И́ндия Índia.
Индокита́й *п-ов* Índò-Chína.
Индоне́зия Ìndonésia [-ˈni:zjə].
Индоста́н *п-ов* Hindustán [-ɑ:n].
Иони́ческое мо́ре the Iónian Sea.
Иорда́н *р.* the Jórdan.
Иорда́ния Jórdan.
Ира́к Iráq [-ɑ:k].
Ира́н Irán [-ɑ:n].
Ирку́тск *г.* Irkútsk [ɪ(ə)rˈku:tsk].
Ирла́ндия Íreːland [ˈaɪə-].
Ирты́ш *р.* the Irtísh.
Исламаба́д *г.* Islámabàd [ɪsˈlɑ:məbɑ:d].
Исла́ндия Íceːland.
Испа́ния Spain.
Иссы́к-Ку́ль *оз.* Ìssyk-Kúl [ɪsɪkˈkul].
Исфаха́н *г.* Ìsfáhán [-ɑ:n], Ìspàhán [-ɑ:n].
Ита́лия Ítaly

Йе́менская Ара́бская Респу́блика the Yémen Árab Rɘpúblic [ˈjem- ˈæ- -ˈpʌ-].
Йокоха́ма *г.* Yòkoháma [joukəˈhɑ:mə].
Йоха́ннесбург *г.* Jòhánnesbùrg [dʒou-].
Йошка́р-Ола́ *г.* Yoshkár-Olá [-ɑ:].

Кабарди́но-Балка́рская АССР the Kàbàrdín-Bàlkár Autónomous Sóvièt Sócialist Repúblic [...-ˈdi:nbɑːl-...-ˈpʌ-].
Кабу́л *г.* Kaɔúl [-ˈbu:l].
Кавка́з the Cáucasus.
Ка́дис *г.* Cádiz [ˈkeɪ-].
Каза́нь *г.* Kazán [kɑːˈzɑ:n].
Каза́хская Сове́тская Социалисти́ческая Респу́блика the Kàzákh Sóvièt Sócialist Repúblic [...kɑː-...-ˈpʌ-]; **Казахста́н** Kàzakhstán [kɑːzɑːkˈstɑ:n].
Казбе́к *г.* Kàzbék [kɑː-].
Каи́р *г.* Cáirò [ˈkaɪə-].
Кале́ *г.* Cálaːs [-leɪ].
Калиманта́н *о-в* Kàlimántàn [kɑːlɪˈmɑ:ntɑ:n].
Кали́нин *г.* Kalínin [kəˈli:nɪn].
Калинингра́д *г.* Kàliningrád [kʌliːnɪnˈgrɑ:d].
Калмы́цкая АССР the Kálmyk Autónomous Sóvièt Sócialist Repúblic [...-ˈpʌ-].
Калу́га *г.* Kɑɫúga [kəˈlu:gə].
Кальку́тта *г.* Càlcútta.
Ка́ма *р.* the Káma [...ˈkɑ:mə].
Камеру́н Càmeróun [kæmˈruːn], Cámeroon [ˈkæmə-].

Кампа́ла *г.* Kàmpálà [kɑːmˈpɑːlɑː].
Кампучи́я Kàmpuchéa [-ˈtʃɪə].
Камча́тка *п-ов* Kàmchátka.
Кана́да Cánada.
Кана́рские о-ва́ the Canáry Íslands [...ˈaɪl-].
Канбе́рра *г.* Cánberra.
Канн *г.* Cannes [kæn].
Караганда́ *г.* Kàragandá [kærəgənˈdɑ:].
Каракалпа́кская АССР the Kàrà-Kàlpák Autónomous Sóvièt Sócialist Repúblic [...kɑːrɑːkɑːlˈpɑːk...-ˈpʌ-].
Кара́кас *г.* Caràcas [-ˈrɑ:kəs].
Караку́мский кана́л the Kàrà-Kúm Canál [...kɑːrɑːˈkuːm...].
Караку́мы the Kàrà-Kúm [...kɑːrɑːˈku:m].
Карача́ево-Черке́сская автоно́мная о́бласть the Kàràchái-Circássian Autónomous Région [...kɑːrɑːˈtʃaɪ-...].
Кара́чи *г.* Karáchi [kəˈrɑ:tʃɪ].
Ка́рдифф *г.* Cárdiff.
Каре́льская АССР the Karélian Autónomous Sóvièt Sócialist Repúblic [...-ˈpʌ-].
Кари́бское мо́ре the Càribbéːan Sea.
Кароли́нские о-ва́ the Cároline Íslands [...ˈaɪl-].
Карпа́тские го́ры, Карпа́ты the Càrpáthian Móuntains [...-ˈpeɪ-...], the Càrpáthians [...-ˈpeɪ].
Ка́рское мо́ре the Kárà Sea [...ˈkɑːrɑː...].
Каспи́йское мо́ре the Cáspian Sea.
Ка́стри *г.* Cástries [ˈkæstri:z].
Ка́тар Qátàr [ˈkɔtɔː].
Катманду́ *г.* Kàtmàndú [kɑːtmɑːnˈdu:].
Каттега́т *пролив* the Kàttegát.
Ка́унас *г.* Káunas [ˈkauna:s].
Квебе́к *г.* Quebéc.
Кви́нсленд Quéensːland [-nz-].
Кейпта́ун *г.* Cape Town, Capeːtown.
Кёльн *г.* Cológne [-ˈloun].
Ке́мбридж *г.* Cámbridge [ˈkeɪm-].
Ке́ния Kénya.
Керчь *г.* Kerch [ˈke(ə)rtʃ].
Кесо́н-Си́ти *г.* Quézòn Cíty [ˈkeɪsɔːnˈsɪ-].
Ки́гали *г.* Kigáli [-ˈgɑː-].
Ки́ев *г.* Kíèv [ˈkiːev].
Килиманджа́ро Kìlimanjárò [-ˈdʒɑː-].
Киль *г.* Kiel [kiːl].
Ки́нгстаун *г.* Kíngstown.
Ки́нгстон *г.* Kíngston [-ŋz-].
Кинша́са *г.* Kinshásà [-ˈʃɑːsɑː].
Кио́то *г.* Kiótò.
Кипр *о-в* Cýprus.
Кирги́зская Сове́тская Социалисти́ческая Респу́блика the Kirghíz Sóvièt Sócialist Repúblic [...kɪrˈgiːz...-ˈpʌ-]; **Кирги́зия** Kirghízia [kɪrˈgiː-].
Кириба́ти Kiribáti [kɪrɪˈbɑːtɪ].
Ки́ров *г.* Kírov [ˈkiːrɔv].
Кислово́дск *г.* Kìslovódsk [kɪslɔˈvɔːdsk].
Кита́й Chína; **Кита́йская Наро́дная Респу́блика** the People's Republic of China [...piː- -ˈpʌ-...].
Ки́то *г.* Quítò [ˈkiːtou].
Кишинёв *г.* Kishinév [-ˈnjɔːf].
Кла́йпеда *г.* Kláipèda [ˈklaɪpedə].
Клонда́йк *р.* the Klóndìke.
Ключевска́я со́пка Klyuchevskáya Sópka.
Ко́вентри *г.* Cóventry.

Коло́мбо *г.* Colómbò.
Колу́мбия Colómbia.
Колыма́ *р.* Kolymá [kəˈliːmə].
Ко́льский п-ов the Kólà Península [...ˈkɔːlɑː...].
Ко́ми АССР the Kómi Autónomous Sóvièt Sócialist Repúblic [...-ˈpʌ-].
Комо́рские Острова́ Cómorè Íslands [...aɪl-].
Комсомо́льск-на-Аму́ре *г.* Kòmsòmólsk on Amúr [...əˈmuːə].
Кона́кри *г.* Cónakry.
Ко́нго 1. (*государство*) Cóngò; 2. (*река*) the Cóngò.
Копенга́ген *г.* Còpenhágen [koupnˈheɪgən].
Кордилье́ры the Còrdilléras [...-ˈljɛə-].
Коре́я Koréa [-ˈrɪə]; **Коре́йская Наро́дно-Демократи́ческая Респу́блика** Democrátic People's Repúblic of Koréa [...piː- -ˈpʌ-...-ˈrɪə].
Ко́рсика *о-в* Córsica.
Ко́ста-Ри́ка Cósta Ríca [...ˈriː-].
Краснода́р *г.* Kràsnodár [krɑː-].
Краснода́рский край Kràsnodár Térritory [krɑː-...].
Кра́сное мо́ре the Red Sea.
Красноя́рск *г.* Kràsnoːyársk [krɑːsnɔ-].
Красноя́рский край Kràsnoːyársk Térritory [krɑː-...].
Крит *о-в* Créte.
Кроншта́дт *г.* Kronstádt [-ˈʃtɑːt].
Крым the Criméa [...kraɪˈmɪə].
Куа́ла-Лу́мпур *г.* Kuála Lúmpur [ˈkwɑːlə ˈlumpuə].
Ку́ба Cúba; **Респу́блика Ку́ба** the Repúblic of Cúba [...-ˈpʌ-...].
Куба́нь *р.* the Kubán [...kuˈbɑːn].
Куве́йт Kuwáit.
Кузба́сс (**Кузне́цкий у́гольный бассе́йн**) the Kuzbás [...kuz-] (Kuznétsk cóal-fields [kuz- -fiː-], the Kuznétsk Básin [...ˈbeɪ-]).
Ку́йбышев *г.* Kúibyshev [ˈkuɪbɪ-].
Кури́льские о-ва́ the Kùríl Íslands [...kuˈriːl ˈaɪl-].
Курск *г.* Kursk [ˈku(ə)rsk].
Кызы́л *г.* Kizíl [kɪˈzɪl].
Кызылку́м the Kízil-Kúm [...ˈkɪzilˈkuːm].

Лабрадо́р *п-ов* Lábradòr.
Ла́гос *г.* Làgòs; *см.* Абу́джа.
Ла́дожское о́зеро Lake Ládòga [...ˈlɑː-].
Ла-Ма́нш the Énglish Chánnel [...ˈɪŋg-...].
Ла́нкашир Láncashire [-ʃɪə], Láncaster.
Лао́с Láos [ˈlɑːous].
Ла-Па́с *г.* La Paz [lɑːˈpɑːs].
Ла-Пла́та *р.* La Plàta [lɑːˈplɑːtə], the Plate.
Ла́птевых мо́ре the Láptèv Sea.
Латви́йская Сове́тская Социалисти́ческая Респу́блика the Látvian Sóvièt Sócialist Repúblic [...-ˈpʌ-]; **Ла́твия** Látvia.
Лати́нская Аме́рика Látin América.
Ле́йпциг *г.* Léipzig [ˈlaɪ-].
Ле́на *р.* the Léna [...ˈleɪ-].
Ленингра́д *г.* Léningràd [-ɑːd].
Лесо́то Lèsótho [-ˈsɔtə].
Либе́рия Libéria [laɪ-].
Либреви́ль *г.* Librevílle [liːbrəˈviːl].
Лива́н the Lébanon.
Ливерпу́л *г.* Líverpool.

Ли́вия Líbia, Líbya.
Ливо́рно *г.* Léghòrn.
Лило́нгве *г.* Lilòngwe.
Ли́ма *г.* Líma ['li:mə].
Лио́н *г.* Lýons [-nz].
Лис(с)або́н *г.* Lísbon ['lız-].
Лито́вская Сове́тская Социалисти́ческая Респу́блика the Lìthùánian Sóvièt Sócialist Repúblic [...-'pʌ-]; Литва́ Lìthùánia.
Лихтенште́йн Líechtenstein ['lıktənʃtaın].
Ломе́ *г.* Lòmé [lɔ:'meı].
Ло́ндон *г.* Lóndon ['lʌn-].
Лос-А́нджелес *г.* Los Ángelès [...'ændʒı-li:z].
Лофоте́нские *о-ва́* the Lòfòten Íslands [...'aıl-].
Луа́нда *г.* Lùánda.
Луа́ра *р.* the Loíre [...lwɑ:].
Луса́ка *г.* Lùsáka [lu:'sɑ:kə].
Львов *г.* Lvov.
Льеж *г.* Liége [lı'eıʒ].
Люксембу́рг Lúxembùrg.

Маври́кий Maurítius [-'rıʃəs].
Маврита́ния Mauritánia.
Магада́н *г.* Màgadán [mɑ:gə'dɑ:n].
Магелла́нов проли́в the Straits of Magéllan [...-'ge-].
Магнитого́рск *г.* Màgnitogórsk [mɑ:-gnì-].
Мадагаска́р Màdagáscar.
Маде́йра *о-в* Madéira [-'dıərə].
Мадра́с *г.* Madrás [-ɑ:s].
Мадри́д *г.* Madríd.
Мака́о Macáo [mə'kau]; *см.* Аомы́нь.
Мала́бо *г.* Malábo.
Мала́ви Màláwi [mɑ:'lɑ:wı].
Мала́йзия Maláysia [-'leıʒə].
Мала́ккский проли́в the Straits of Malácca.
Ма́лая А́зия *п-ов* Ásia Mínor ['eıʃə...].
Ма́ле *г.* Má́le ['mɑ:leı].
Мали́ Máli ['mɑ:-].
Мальди́вская Респу́блика the Máldive Repúblic [...-'pʌ-], the Máldìves.
Мальо́рка *о-в* Mallórca [mə'jɔ:rkə].
Ма́льта Málta.
Мана́гуа *г.* Mànágua [mɑ:'nɑ:-gwa:].
Мана́ма *г.* Manáma [mə'næmə].
Мани́ла *г.* Manila [-'nı-].
Ма́нчестер *г.* Mánchester.
Мапу́ту *г.* Mapútò [-'pu:-].
Мариа́нские *о-ва́* the Màriánàs Íslands [...mɑ:rı'ɑ:nɑ:s 'aıl-].
Мари́йская АССР the Mári Autónomous Sóvièt Sócialist Repúblic [...'mɑ:-ri...-'pʌ-].
Марки́зские *о-ва́* the Màrquésàs Íslands [...-'keısæs 'aıl-].
Маро́кко Mòróccò [mə-].
Марсе́ль *г.* Màrséilles [-'seılz].
Мартини́ка Màrtiníque [-'ni:k].
Марша́лловы *о-ва́* the Márshall Íslands [...'aıl-].
Ма́серу *г.* Máserù [-zəru:].
Маска́т *г.* Músqàt ['mʌskæt].
Махачкала́ *г.* Màkhách-Kàlá [mɑ:-'kɑ:tʃkɑ:'lɑ:].
Мбаба́не *г.* Mbàbáne [mbɑ:'bɑ:n].
Меди́на *г.* Mèdína [-'di:-].
Ме́кка *г.* Mécca.
Ме́ксика Méxicò.

Мексика́нский зали́в the Gulf of Méxicò.
Мелане́зия Mèlanésia [-zıə].
Ме́льбурн *г.* Mélbourne [-bən].
Мено́рка *о-в* Menórcà [-kɑ:].
Мёртвое мо́ре the Dead Sea [...ded...].
Ме́хико *г.* Méxicò Cíty [...'sı-].
Мила́н *г.* Milán.
Минск *г.* Mínsk.
Миссиси́пи *р.* the Mìssissíppi.
Миссу́ри *р.* the Missóuri [...-'zuə-].
Мичига́н *оз.* Lake Míchigan [...-ʃ-].
Могади́шо *г.* Mògadíscio [mɔgə'dıʃıou].
Мозамби́к Mòzambíque [mouzəm'bi:k].
Молда́вская Сове́тская Социалисти́ческая Респу́блика the Mòldávian Sóvièt Sócialist Repúblic [...-'pʌ-]; Молда́вия Mòldávia.
Молу́ккские *о-ва́* the Molúcca Íslands [...'aıl-], the Molúccas.
Мона́ко Mónacò.
Монбла́н Mont Blanc [mɔ:ŋ'blɑ:ŋ].
Монго́лия Mòngólia; Монго́льская Наро́дная Респу́блика the Mòngólian Péople's Repúblic [...pi:- -'pʌ-].
Монреа́ль *г.* Mòntreál [-rı'ɔ:l].
Монро́вия *г.* Monróvia.
Монтевиде́о *г.* Mòntevidéò [-'deıou].
Мо́нте-Ка́рло *г.* Mónte Cárlo [-tı....].
Мордо́вская АССР the Mòrdóvian Autónomous Sóvièt Sócialist Repúblic [...-'pʌ-].
Моро́ни *г.* Morónì.
Москва́ *г.* Móscow.
Москва́ *р.* the Moskvá [...-ɑ:].
Мра́морное мо́ре the Sea of Mármora.
Му́рманск *г.* Múrmànsk ['mu:rmɑ:nsk].
Мыс До́брой Наде́жды the Cape of Good Hope.
Мыс Кана́верал Cape Canáveral.
Мю́нхен *г.* Múnich ['mju:nık].

Нагаса́ки *г.* Nàgàsáki [nɑ:gɑ:'sɑ:-].
Наго́рно-Караба́хская автоно́мная о́бласть the Nagórno-Kàràbákh Autónomous Région [...-kɑ:rɑ:'bɑ:k...].
Найро́би *г.* Naíróbi [naı'roubı].
На́льчик *г.* Nálchik ['nɑ:-].
Нами́бия Namíbia [nə'mıbıə].
Нанки́н *г.* Nànkín(g).
На́рвик *г.* Nárvik.
Наро́дная Демократи́ческая Респу́блика Йе́мен the Péople's Dèmocrátic Repúblic of Yémen [pi:...-'pʌ-...'jem-].
На́ссо *г.* Nássau.
Нау́ру Nàùrù [nɑ:'u:ru:].
Нахичева́нская АССР the Nàkhichèván Autónomous Sóvièt Sócialist Repúblic [...-ɑ:n...-'pʌ-].
Нахичева́нь *г.* Nàkhichèván [-ɑ:n].
Нджаме́на *г.* N'Djaména.
Неа́поль *г.* Naples.
Нева́ *р.* the Néva [...'neı-].
Не́ман *р.* the Níemen [...'ni:-].
Непа́л Nepál [nı'pɔ:l].
Ниага́ра *р.* the Niágara.
Ниаме́й *г.* Niàmèy [njɑ:'meı].
Ни́гер 1. (*республика*) Níger; 2. (*река*) the Níger.
Ниге́рия Nigéria [naı-].
Нидерла́нды the Nétherlands.
Никара́гуа Nìcarágua [-'rɑ:-].
Никоси́я *г.* Nicosía [-'si:ə].
Нил *р.* the Níle.
Ни́цца *г.* Nice [ni:s].

ЛИВ—ПЕР

Но́вая Гвине́я New Guínea [...'gını].
Но́вая Зела́ндия New Zéaland.
Но́вая Земля́ *о-ва* Nóvàyà Zèmlyá ['nɔ:vɑ:jɑ: zem'ljɑ:].
Но́вгород *г.* Nóvgorod ['nɔvgə-].
Новоросси́йск *г.* Nòvoròssíisk.
Новосиби́рск *г.* Nòvosibírsk [-'bi:rsk].
Но́вые Гебри́ды *о-ва* the New Hébridès [...-di:z].
Но́вый Орлеа́н *г.* New Órleans [...-lıənz].
Но́вый Южный Уэ́льс New South Wales [...-z].
Норве́гия Nórway.
Норве́жское мо́ре Norwégian Sea.
Нори́льск *г.* Norílsk [nə'ri:lsk].
Норма́ндия Nórmandy.
Нуакшо́т *г.* Nouakchótt [nwɑ:k'ʃɔ:t].
Нукуало́фа *г.* Nùkualófa [nu:kuə'lɔ:fə].
Нуку́с *г.* Nukús [-'ku:s].
Нью-Йо́рк *г.* New York.
Ньюфаундле́нд *о-в* Newfoundlánd.
Нюрнбе́рг *г.* Núrembèrg ['njuərəmbə:g].

Объединённые Ара́бские Эмира́ты Únited Árab Èmirates [...'æ- e'mıə-].
Обь *р.* the Ob.
О́гненная Земля́ *о-в* Tèrra del Fùègò [...-'eıgou].
О́дер *р.* the Óder.
Оде́сса *г.* Odéssa [ou-].
Ока́ *р.* the Oká [...o'kɑ:].
Океа́ния Oceánia [ouʃı-].
О́ксфорд *г.* Óxford.
О́льстер Úlster.
Ома́н Omán [o'mɑ:n].
Омск *г.* Omsk [ɔ:msk].
Оне́жское о́зеро Lake Onéga [...ou-].
Онта́рио *оз.* Lake Òntàríò.
Ора́нжевая река́ the Órange Ríver [...'rı-].
Орджоники́дзе *г.* Òrdzhònikídze [ɔ:r-dʒɔ:nə'kıdzə].
Орёл *г.* Orél [ɔ:r'jɔ:l].
Орино́ко *р.* the Orinócò.
Оркне́йские *о-ва́* the Órkney Íslands [...'aıl-].
О́сака *г.* Òsáka [ou'sɑ:-].
О́сло *г.* Òslò ['ɔz-].
Острова́ Зелёного Мы́са Cape Verde Íslands [...və:d 'aıl-].
Отта́ва *г.* Óttawa.
Охо́тское мо́ре the Sea of Òkhótsk [...ou-].

Па-де-Кале́ the Straits of Dóver.
Пакиста́н Pàkistán [pɑ:kıs'tɑ:n].
Пала́нга *г.* Palánga.
Палести́на Pálestine.
Пами́р the Pamírs [...pə'mıəz].
Пана́ма Pànamá [-'mɑ:].
Пана́мский кана́л the Pànamá Canál [...-'mɑ:...].
Папе́эте *г.* Papééte [pɑ:pi:'eıtı:].
Па́пуа — Но́вая Гвине́я Pápua New Guinea ['pæpjuə... 'gını].
Парагва́й Páraguay [-gwaı].
Парамари́бо *г.* Pàramaríbò.
Пари́ж *г.* Páris.
Пеки́н *г.* Pèkín(g) [pi:'kın].
Пе́нза *г.* Pénza.
Пермь *г.* Perm ['pe(ə)rm].

ПЕР — ТИР

Перси́дский зали́в the Pérsian Gulf [...-ʃən...].
Перу́ Perú [-ʹruː].
Петрозаво́дск г. Pètrozàvódsk [-zɑːʹvou-].
Печо́ра p. the Pechóra.
Пире́й г. Piráeus [paɪʹriːəs].
Пирене́и the Pỳrenées [...-ʹniːz].
Пли́мут г. Plýmouth [ʹplɪməθ].
Пномпе́нь г. Pnómpénh, Pnóm-Pénh [ʹpnɔmʹpenj].
По p. the Po [pou].
Полине́зия Pòlynésia [-zɪə].
Полта́ва г. Poltáva [pɔlʹtɑːvə].
По́льша Póland; **По́льская Наро́дная Респу́блика** the Pólish People's Repúblic [...ʹpou- piː- -ʹpʌ-].
Порт-Луи́ г. Port Louis [ʹpɔːtʹluː(s)].
Порт-Мо́рсби г. Port Móresby [...ʹmouəzbɪ].
По́рто-Но́во г. Pórto Nóvò [ʹpour-...].
Порт-о-Пре́нс г. Pòrt-au-Prínce [pɔːrtouʹpræns].
Порт-оф-Спе́йн г. Pòrt-of-Spáin.
Порт-Саи́д г. Port Said [-ʹsaɪd].
По́ртсмут г. Pórtsmouth [-məθ].
Португа́лия Pórtugal.
Потсда́м г. Pótsdàm.
Пра́га г. Prague [prɑːg, preɪg].
Пра́я г. Práia [ʹpraɪə].
Прето́рия г. Pretória [-ʹtou-].
Примо́рский край Primórski Térritory.
Псков г. Pskov [pəʹskɔːf].
Пуэ́рто-Ри́ко Puèrto Rìco [ʹpwəːtouʹriːkou].
Пхенья́н г. Pyóngyáng [ʹpjəːŋʹjɑːŋ].
Пятиго́рск г. Pyàtigórsk [pɪːætɪʹgɔːrsk].

Раба́т г. Rabát [rəʹbɑːt].
Равалпи́нди г. Ràwalpíndì [rɑːvəlʹpɪndiː].
Рангу́н г. Ràngóon.
Ре́йкьявик г. Réykjavìk [-kjəviːk].
Реймс г. Reims [riːmz].
Рейн p. the Rhine.
Реюньо́н Rèunion [riːʹjuːnjən].
Ри́га г. Ríga [ʹriː-].
Ри́жский зали́в the Gulf of Ríga [...ʹriː-].
Рим г. Rome.
Ри́о-де-Жане́йро г. Rìo de Janéirò [ʹriːoudədʒəʹnɪərou].
Ро́дос о-в Rhodes [roudz].
Розо́ г. Roséau [rɔʹzou].
Ро́на p. the Rhone.
Росси́йская Сове́тская Федерати́вная Социалисти́ческая Респу́блика the Rússian Sóvièt Féderàtive Sócialist Repúblic [...ʃən... -ʹʃə].
Росси́я Rússia [-ʹʃə].
Росто́в-на-Дону́ г. Rostóv-òn-Dón [rəʹstɔːfʹɔːnʹdɔn].
Ро́ттердам г. Rótterdàm.
РСФСР (**Росси́йская Сове́тская Федерати́вная Социалисти́ческая Респу́блика**) the RSFSR (the Rússian Sóvièt Féderàtive Sócialist Repúblic [...-ʃən... -ʹpʌ-...].
Руа́нда Rwánda [ruːʹɑːndə].
Румы́ния R(o)umánia [ruː-]; **Социалисти́ческая Респу́блика Румы́ния** the Sócialist Repúblic of R(o)umánia [...-ʹpʌ-...].

Рур p. the Ruhr [...ruːr].
Ряза́нь г. Ryàzán [rɪəʹzɑːnj].

Сало́ники г. Salónika.
Сальвадо́р г. El Sàlvadòr.
Самарка́нд г. Sámarkànd [ʹsæmərkænd].
Само́а о-ва Samóa.
Сана́ г. Sànʹá, Sànáa [sɔnʹæ].
Сан-Мари́но San Màríno [sɑːn mɑːʹriːno].
Сан-Сальвадо́р г. San Sálvadòr.
Са́нто-Доми́нго г. Sánto-Domíngò.
Сан-Томе́ г. São Tomé [sauŋtəʹmeɪ].
Сан-Томе́ и При́нсипи São Tomé and Príncipe [sauŋtəʹmeɪənʹpriːŋsɪpɪ].
Сантья́го г. Sàntiágò [-ʹɑːg-].
Сан-Франци́ско г. San Francíscò.
Сан-Хосе́ г. San José [sænhoʹzeɪ].
Сан-Хуа́н г. San Juan [sɑːn hwɑːn].
Сара́нск г. Sàránsk [sɑːʹrɑː-].
Сара́тов г. Sarátov [səʹrɑːtəf].
Сарди́ния о-в Sàrdínia.
Сау́довская Ара́вия Sàùdi Arábia [sɑːʹuː-...].
Са́утгемптон г. Southámpton.
Сахали́н о-в Sàkhalín [-ʹliːn].
Саха́ра the Sahára [...-ʹhɑː-].
Са́яны горы Sayán [sɑːʹjɑːn].
Свази́ленд Swázilànd [ʹswɑː-].
Свердло́вск г. Svèrdlóvsk.
Свято́го Лавре́нтия (река́) the Saint Láwrence.
Свято́й Еле́ны о́стров Saint Heléna [...ʹiʹliː-].
Сева́н оз. Sèváng [sjeʹvɑːŋ].
Севасто́поль г. Sèvàstópòl [-vɑːʹs-].
Се́верная Аме́рика North América.
Се́верная Двина́ p. the Sévernaỳa Dviná [-jɑː -ɑː].
Се́верная Земля́ о-в Sévernaỳa Zèmlyá [-jɑː zemʹljɑː].
Се́верное мо́ре the North Sea.
Се́верный Ледови́тый океа́н the Árctic Ócean [...ʹouʃn].
Се́веро-Осети́нская АССР the North Ossétian Autónomous Sóvièt Sócialist Repúblic [...-ʹpʌ-].
Сейше́льские Острова́ Seychélles [-ʹʃelz].
Се́на p. the Seine [...seɪn].
Сенега́л 1. (государство) Sènegál [-ʹgɔːl]; 2. (река) the Sènegál.
Сент-Ви́нсент и Гренади́ны Saint Vincént and Grènadínes [...grenəʹdiːnz].
Сент-Джо́нс г. Saint Johns.
Сент-Джо́рджес г. Saint Géorge's [...ʹdʒɔː-].
Сент-Лю́сия Saint Lúcia [...ʹljuːʃə].
Сеу́л г. Seoul [soul].
Сиби́рь Sibéria [saɪʹbɪərɪə].
Си́дней г. Sýdney.
Симферо́поль г. Sìmferópol [sɪmfəʹrɔːpəl].
Сингапу́р Singapóre.
Си́рия Sýria [ʹsɪ-].
Сици́лия о-в Sícily.
Сиэ́тл г. Seáttle [sɪʹætl].
Скагерра́к пролив the Skágerràck.
Скали́стые го́ры the Rócky Móuntains, the Róckies.
Скандина́вский п-ов Scàndinávia.
Слова́кия Slovákia [sloʹvɑːkɪə].
Смоле́нск г. Smolénsk.
Соединённое Короле́вство Великобри-

та́нии и Се́верной Ирла́ндии Ùníted Kíng;dom of Great Brítain and Nórthern Íre;land [...greɪt... -ð- ʹaɪə-].
Соединённые Шта́ты Аме́рики the Ùníted States of América.
Соломо́новы Острова́ the Sólomon Íslands [...ʹaɪl-], the Sólomons.
Со́лсбери г. Sálisbury [ʹsɔːlzbərɪ].
Сомали́ Somáli(a) [soʹmɑː-].
Со́фия г. Sófia.
Со́чи г. Sóchi [ʹsɔː-].
Сою́з Сове́тских Социалисти́ческих Респу́блик the Únion of Sóvièt Sócialist Repúblics [...-ʹpʌ-].
Средизе́мное мо́ре the Mèditerránean (Sea).
СССР (**Сою́з Сове́тских Социалисти́ческих Респу́блик**) the USSR (the Únion of Sóvièt Sócialist Repúblics [...-ʹpʌ-]).
Ста́врополь г. Stávropol [ʹstɑː-].
Ставропо́льский край Stávropol Térritory [ʹstɑː-].
Стамбу́л г. Ìstànbúl [-ʹbuːl].
Стокго́льм г. Stóckhòlm [-houm].
Стра́сбург г. Strásb(o)urg [-z-].
Стра́тфорд-он-Э́йвон г. Strátford-on-Ávon.
Су́ва г. Súva [ʹsuː-].
Суда́н the Sùdán [...suː-].
Су́здаль г. Súzdal [ʹsuzdəl].
Су́кре г. Súcre [ʹsuːkrə].
Сулаве́си о-в Sùlàwési [suːlɑːʹweɪsɪ].
Сума́тра о-в Sùmátra [suːʹmɑː-].
Сурина́м г. Súrinàm [ʹsuərɪ-].
Суху́ми г. Sùkhúmi [suʹkuː-].
Суэ́цкий кана́л the Súez Canál [...ʹsuː-ɪz...].
США (**Соединённые Шта́ты Аме́рики**) the USA (the Ùníted States of América).
Сыктывка́р г. Sìktivkár [sɪktɪfʹkɑː].
Сырдарья́ p. the Syr Dàriá [...dɑːrʹjɑː].
Сье́рра-Лео́не Sièrra Leóne.
Сянга́н г. Siángán [ʹsjɑːŋʹgɑːn].

Таджи́кская Сове́тская Социалисти́ческая Респу́блика the Tàjík Sóvièt Sócialist Repúblic [...tɑː-...-ʹpʌ-]; **Таджикиста́н** Tàjikistán [tɑː- -ʹstɑːn].
Таила́нд Tháilànd [ʹtɑːɪ-].
Таи́ти о-в Tàhíti [tɑːʹhiː-].
Тайва́нь о-в Táiwán [-ʹwɑːn].
Таймы́р п-ов Taimír [taɪʹmɪr].
Та́ллин г. Tállinn [ʹtɑː-].
Тамбо́в г. Tambóv [tɑːmʹbɔːf].
Танганьи́ка оз. Tànganyíka [-ʹnjiː-].
Танже́р г. Tàngíer [-ʹdʒɪə].
Танза́ния Tànzánia [tænzəʹniːə].
Тара́ва г. Taráwa [təʹrɑːwə].
Тасма́ния о-в Tàsmánia [-z-].
Тата́рская АССР the Tatár Autónomous Sóvièt Sócialist Repúblic [...-ʹpʌ-].
Ташке́нт г. Tàshként.
Тбили́си г. Tbilísi.
Тегера́н г. Teh(e)rán [tɪəʹrɑːn].
Тегусига́льпа г. Tegùcigálpà [təguːsɪʹgɑːlpə].
Тель-Ави́в г. Tél Àvív [ʹtelɑːʹviːv].
Те́мза p. the Thames [...temz].
Тибе́т Tibét, Thibét.
Тибр p. the Tíber.
Тигр p. the Tígris [...ʹtaɪ-].
Тимо́р о-в Tímòr [ʹtiː-].
Тира́на г. Tiránà [-ʹrɑːnɑː].
Тиро́ль Tyról [-ʹroul].

728

Тирре́нское мо́ре Tyrrhénian Sea.
Ти́хий океа́н the Pacífic (Ócean) [...'ouʃⁿn].
То́го Tógò.
То́кио г. Tókyò.
Толья́тти г. Togliátti [tɔl'jatɪ].
Томск г. Tomsk.
То́нга Tónga.
Торо́нто г. Torónto.
Торре́сов проли́в the Tórres Straits.
Тринида́д и Тоба́го Trínidád and Tobágò.
Три́поли г. Trípoli.
Тронхе́йм г. Tróndheim [-nheɪm].
Тува́лу Tuválu [tu'va:lu:].
Туви́нская АССР the Túva Autónomous Sóviet Sócialist Repúblic [...-'pʌ-].
Ту́ла г. Túla ['tu:lə].
Туло́н г. Toulón [tu:'lɔ:ŋ].
Туни́с 1. (страна) Tunísia [tju:-]; 2. (город) Túnis ['tju:-].
Туркме́нская Сове́тская Социалисти́ческая Респу́блика the Túrkmén Sóviet Sócialist Repúblic [...-'pʌ-]; **Туркмениста́н** Tùrkmènistán [-'sta:n].
Ту́рция Túrkey.
Тхимпху́ г. Thímphù, Thímbù.
Тюме́нь г. Tyumén [tju:'men].
Тянь-Ша́нь Tien Shan [...ʃa:n].

Уагаду́гу г. Ouàgadóugou [wa:gɔ-'du:gu:].
Уа́йт о-в the Isle of Wight [...aɪl..].
Уга́нда Ùgánda [ju:-].
Удму́ртская АССР the Udmúrt Autónomous Sóviet Sócialist Repúblic [...-'pʌ-].
Узбе́кская Сове́тская Социалисти́ческая Респу́блика the Uzbék Sóviet Sócialist Repúblic [...-'pʌ-]; **Узбекиста́н** Ùzbèkistán [-'sta:n].
Украи́нская Сове́тская Социалисти́ческая Респу́блика the Ukráinian Sóviet Sócialist Repúblic [...ju:-...-'pʌ-]; **Украи́на** the Ukráine [...ju:'kreɪn].
Ула́н-Ба́тор г. Ulhán-Bátor [-a:n'ba:-].
Ула́н-Удэ́ г. Ulhán-Udé [-a:n-].
Улья́новск г. Uliánovsk [-a:-].
Ура́л the Úrals.
Уругва́й Úruguay ['urugwaɪ].
Уфа́ г. Úfa.
Уэ́льс Wales.

Фаре́рские о-ва́ the Fáeròes Íslands [...'fɛərouz 'aɪl-].
Федерати́вная Респу́блика Герма́нии Féderal Repúblic of Gérmany [...-'pʌ-...].
Фергана́ г. Fergána [fər'ga:nə].
Фи́джи Fiji [fi:'dʒi:].
Филаде́льфия г. Philadélphia.
Филиппи́ны the Philíppines [...-pi:nz].
Финля́ндия Fínland ['fɪn-].
Фи́нский зали́в the Gulf of Fínland [...'fɪn-].
Флоре́нция г. Flórence ['flɔ:rən(t)s].
Флори́да п-ов Flórida ['flɔ:rɪdə].
Фолкле́ндские (Мальви́нские) Острова́ the Fálkland (Malvínas) Íslands [...'aɪl-].
Фра́нция France.
Францу́зская Полине́зия French Pòlynésia [-zɪə].
Фри́таун г. Fréetown.
Фру́нзе г. Frúnze ['fru:nze].
Фудзия́ма Fújiyámà ['fu:dʒɪ'ja:ma:].
Фунафу́ти г. Fùnafútì [fu:nə'fu:ti:].

Хаба́ровск г. Khàbárovsk [ka:-].
Хаба́ровский край Khàbárovsk Térritory [ka:-...].
Ха́йфа г. Háifà ['haɪfa:].
Хака́сская автоно́мная о́бласть the Khàkáss Autónomous Région [...ka:-ka:s...].
Хано́й г. Hànói.
Хара́ре г. Hárarè ['ha:rərə].
Харби́н г. Hárbin.
Харту́м г. Khàrt(ó)um [-'tu:m].
Ха́рьков г. Khárkov.
Хе́льсинки г. Hélsinki.
Хиби́ны the Khibíni Móuntains.
Хироси́ма г. Hiróshimà [hɪ'rɔ:ʃɪma:].
Хониа́ра г. Hòniára [həuni:'a:rə].
Хошими́н г. Ho Chi Minh [-tʃi:-].
Хуанхэ́ р. the Hwang Ho [...'hwæŋ'hou].

Цейло́н Céylon; см. **Шри-Ла́нка**.
Целиногра́д г. Zèlinográd [tselɪno-'gra:d].
Центра́льная Аме́рика Céntral América.
Центральноафрика́нская Респу́блика Céntral Àfrican Repúblic [...-'pʌ-].
Цуси́ма о-ва Tsúshima ['tsuʃɪ-].
Цю́рих г. Zúrich ['zjuərɪk].

Чад Chad.
Чебокса́ры г. Chèboksári.
Челя́бинск г. Chèliábinsk.
Черни́гов г. Chernígov [tʃer'ni:gəf].
Чёрное мо́ре the Black Sea.
Чехослова́кия Czéchòslóvákia ['tʃekouslou'vækɪə]; **Чехослова́цкая Социалисти́ческая Респу́блика** the Czéchò:slóvàk Sócialist Repúblic ['tʃe-...-'pʌ-].
Чече́но-Ингу́шская АССР the Chèchén-Ingúsh Autónomous Sóviet Sócialist Repúblic [...tʃe'tʃenɪŋ'guʃ...-'pʌ-].
Чика́го г. Chicágò [ʃɪ'ka:-].
Чи́ли Chíle ['tʃɪlɪ].
Чува́шская АССР the Chùvásh Autónomous Sóviet Sócialist Repúblic [...tʃu:-'va:ʃ...-'pʌ-].
Чудско́е о́зеро Lake Chúdskoye [...'tʃu:d-].
Чуко́тка, Чуко́тский п-ов Chukót(ski) Peninsula.
Чуко́тское мо́ре the Chúckchee Sea.

ТИР — ЯУН

Шанха́й г. Shànghái [ʃæŋ'haɪ].
Швейца́рия Switzerland.
Шве́ция Swéden.
Шербу́р г. Chérbourg ['ʃə:buəg].
Шетле́ндские о-ва́ the Shétland Íslands [...ʃe-'aɪl-], the Shétlands.
Ше́ффилд г. Shéffield [-fi:ld].
Шотла́ндия Scót;land.
Шпицбе́рген о-в Spítsbergen.
Шри-Ла́нка Sri Lánka [srɪ'læŋkə].
Шу́шенское Shúshenskoye ['ʃu:ʃənskɔje].

Эвере́ст Éverèst.
Эге́йское мо́ре the Aegéan (Sea) [...i:'dʒi:ən...].
Эдинбу́рг г. Édinburgh [-bərə].
Экваториа́льная Гвине́я Èquatóriàl Guínea [...'gɪnɪ].
Эквадо́р Ècuadór [ekwə-].
Эли́ста г. Èlìsta [e'lɪstə].
Э́льба 1. о-в Élba; 2. р. the Elbe [...elb].
Эльбру́с Élbrùs [-ru:s].
Эль-Куве́йт г. (Àl) Kuwáit.
Э́ри оз. Lake Érie [...'ɪərɪ].
Эр-Рия́д г. Riyádh [rɪ'ja:d].
Эсто́нская Сове́тская Социалисти́ческая Респу́блика the Èstónian Sóviet Sócialist Repúblic [...-'pʌ-]; **Эсто́ния** Èstónia.
Э́тна Étna.
Эфио́пия Èthiópia [i:-].

Ю́го-Осети́нская автоно́мная о́бласть the South Ossétian Autónomous Région.
Югосла́вия Yùgòslávia [ju:gou'sla:-]; **Социалисти́ческая Федерати́вная Респу́блика Югосла́вия** the Sócialist Féderal Repúblic of Yùgòslávia [...-'pʌ-...].
Ю́жная Аме́рика South América.
Ю́жная Коре́я 'South Koréa [...'rɪə].
Ю́жно-Африка́нская Респу́блика Repúblic of South África [-'pʌ-...].
Юко́н р. the Yúkòn [...'ju:-].
Ютла́ндия п-ов Jútland ['dʒʌ-].

Я́ва о-в Jáva ['dʒa:-].
Яку́тск г. Jàkútsk [ja:'kutsk].
Яку́тская АССР the Jàkút Autónomous Sóviet Sócialist Repúblic [...ja:'kut...-'pʌ-].
Я́лта г. Yálta ['ja:lta:].
Яма́йка Jamáica.
Янцзы́ р. Yángtze ['jæntsɪ].
Япо́ния Japán.
Япо́нское мо́ре the Sea of Japán.
Яросла́вль г. Yàroslávl [ja:rə'sla:vəl].
Яунде́ г. Yàoundé [ja:u:n'deɪ].

проф. А. И. СМИРНИЦКИЙ

О ЧТЕНИИ (ПРОИЗНОШЕНИИ) АНГЛИЙСКИХ СЛОВ

Несмотря на то, что для английского языка в общем характерно очень значительное расхождение между произношением и правописанием, большинство английских слов читается все же в соответствии с определенными (хотя и довольно сложными) *правилами* чтения букв и буквенных сочетаний. Ряд таких правил приводится ниже (стр. 732 и след.).

Важнейшим условием для правильного чтения английских слов является знание места *ударения*. Поэтому многие английские слова даются в словаре со знаками ударения, хотя в английской орфографии (как и в русской) ударение обычно не отмечается (см. стр. 731).

В известных случаях для правильного чтения английских слов необходимо знать их *деление на составные части*. В таких случаях составные части слова, если они не отделяются друг от друга дефисом (черточкой) в английской орфографии, разделяются в словаре пунктирной чертой (см. стр. 732).

Произношение тех английских слов, которые читаются полностью по приводимым здесь правилам, в словаре особо не обозначается (если не считать применения знаков ударения и пунктирной разделительной черты).

Кроме того, в словаре вообще не указывается произношение наиболее употребительных слов (местоимений, наречий, предлогов, вспомогательных глаголов и т. п.), которые предполагаются хорошо известными каждому, хотя бы немного знающему английский язык. Список этих слов дан в приложении к правилам чтения (стр. 739).

Произношение слов, не входящих в упомянутый список, если оно не соответствует приводимым правилам чтения, обозначается в словаре посредством знаков *Международной фонетической транскрипции* (см. ниже). При этом нужно заметить следующее:

1) фонетическая транскрипция (там, где она необходима) дается в квадратных скобках [ ] после тех слов, к которым она относится choir [ˈkwaɪə]; love [lʌv];

2) нередко обозначается произношение только части слова, что отмечается соответствующим употреблением дефиса (черточки): house [-s], whole [h-]. При таком частичном транскрибировании всегда подразумевается, что в остальном данное слово читается по правилам (так, house = [haus] — потому что по общим правилам начальное h = [h], ou = [au], а конечное e является немым; whole = [houl], так как и о в ударном слоге перед одной согласной + немое e читается [ou], а l обычно = [l]);

3) если транскрибируемое слово приводится в сочетании с другим или другими, то его транскрипция обычно дается после всего словосочетания: live out [lɪv...]. При этом, посредством многоточия (...) указывается, к какой части словосочетания относится данная транскрипция: live beˈyónd one's means [lɪv...]; made to méasure [...ˈme-]; méasure a pérson with one's eye [ˈme-... aɪ].

ЗНАКИ МЕЖДУНАРОДНОЙ ФОНЕТИЧЕСКОЙ ТРАНСКРИПЦИИ, ПРИМЕНЯЕМЫЕ В СЛОВАРЕ

1) Знаки для гласных

а) Простые

Совпадающие с латинскими буквами

[e] = e *в* pen, get
[o] = o *в* November
[u] = oo *в* book, u *в* put

Особые

[æ] = a *в* man, cat
[ə] = e *в* finger, a *в* about
[ɪ] = i *в* pin, bit
[ɔ] = o *в* dog, box
[ʌ] = u *в* run, cut

б) Составные

С [ɪ, u, ə]

[aɪ] = i *в* time, bite; = I
[eɪ] = ai *в* rain, ay *в* day
[ɔɪ] = oi *в* boil, oy *в* boy
[au] = ow *в* now, ou *в* loud

Со знаком [:], обозначающим долготу

[ɑ:] = a *в* park, farm
[ə:] = e *в* verb, i *в* girl
[i:] = ee *в* see, ea *в* meat
[ɔ:] = aw *в* law, o *в* port

[ou] = oa *в* boat, o *в* go
[ɛə] = ai *в* chair, a *в* care
[ɪə] = ee *в* beer, ea *в* hear
[uə] = oo *в* poor

[u:] = oo *в* moon, food

О знаке [˚] см. ниже.

2) Знаки для согласных (включая полугласные)

а) Простые

Совпадающие с латинскими буквами

[b] = b *в* but, be
[d] = d *в* do, did
[f] = f *в* full, fish
[g] = g *в* go, give
[h] = h *в* how, hear
[j] = y *в* you, yes
[k] = k *в* kind, keep
[l] = l *в* look, tale, old
[m] = m *в* most, me
[n] = n *в* now, new
[p] = p *в* put, pit
[r] = r *в* run, read
[s] = s *в* so, see
[t] = t *в* top, tea
[v] = v *в* voice, very
[w] = w *в* was, we
[z] = z *в* zone, lazy

Особые

[ŋ] = ng *в* long, sing, n *в* thank, think
[θ] = th *в* thank, both
[ð] = th *в* that, then
[ʃ] = sh *в* show, she
[ʒ] = s *в* pleasure, vision, g *в* bourgeoisie
            (приблиз. = русск. ж)

б) Составные

Особые

[tʃ] = ch *в* chair, teach
[dʒ] = j *в* just, joy,
       dg *в* bridge

3) Знак ударения [′]

Знак ударения [′] помещается в транскрипции *перед* ударным слогом: fever [′fi:və], enough [ɪ′nʌf], November [no′vembə].

4) Знак [˚]

Помимо знаков Международной фонетической транскрипции, приведенных выше, в определенных случаях применяется знак [˚]. [˚] обозначает особо слабый вариант звука [ə], имеющий тенденцию исчезать в беглой речи; так ocean [′ouʃ˚n] в беглой речи обыкновенно = [′ouʃn], но при более тщательном произношении может быть [′ouʃən]. Если безударный слог изображается в орфографии с гласной буквой i, то знак [˚] обозначает соответствующий исчезающий вариант звука [ɪ]: evil [′i:v˚l] = [′i:vl] или, при тщательном произношении, [′i:vɪl], с безударным гласным типа [ɪ].

ЧТЕНИЕ БЕЗ ТРАНСКРИПЦИИ

УДАРЕНИЕ

В словаре употребляются *два знака* ударения [′ и `], которые ставятся *над* гласными буквами выделяемых слогов; так, напр., слово constitution (имеющее главное ударение на -tu- и второстепенное на con-) дается в словаре как cònstitútion (без транскрипции, так как оно читается по правилам: [kɔnstɪ′tju:ʃ˚n]).

Знак ′ обозначает *главное* ударение: cíty [′sɪtɪ], efféct [ɪ′fekt]; ср. также приведенный выше пример cònstitútion [kɔnstɪ′tju:ʃ˚n]. Если слог, имеющий главное ударение, содержит одно из постоянных (устойчивых) сочетаний гласных букв — ae, ai, au, ay, ea, ee, ei, eu, ey, oa, oi, oo, ou, oy, — то знак главного ударения (′) ставится над *первой* буквой данного сочетания: dáily [′deɪlɪ], méeting [′mi:tɪŋ], pronóunce [prə′nauns].

Знак ` обозначает *второстепенное*, подчиненное ударение различной силы, но, во всяком случае, заметно менее сильное, чем главное ударение. Этим знаком в словаре отмечаются те гласные, которые, не имея главного ударения, все же произносятся почти так же *ясно*, как в слогах с главным ударением: cóncàve [ˈkɔnkeɪv] (или [ˈkɔnˌkeɪv]), órganize [ˈɔ:gənaɪz], cònstitútion [ˌkɔnstɪˈtju:ʃ°n]. Во многих случаях (напр. в órganize) второстепенное ударение близко к безударности, но при изложении правил чтения слоги даже с таким *слабым* второстепенным ударением следует считать, хотя бы более или менее условно, ударными слогами.

Ударение (главное) *не* обозначается:

а) в *односложных* словах: pen, day; в том числе — в односложных словах, которые в **написании** представляются двухсложными ввиду наличия в них **немого** e: make [meɪk], times [taɪmz], named [neɪmd] (о немом е см. стр. 734);

б) в тех *двухсложных* словах, в которых безударный конечный слог изображается в орфографии посредством -le (-led, -les), -re (-red, -res) — с немым e — или посредством -r, -rs: cable [ˈkeɪbl] (cabled [ˈkeɪbld], -bles [-blz] — co слоговым [l]), acre [ˈeɪkə] (acres [ˈeɪkəz]), fire [ˈfaɪə] (fired [ˈfaɪəd], fires [ˈfaɪəz]), flour [ˈflauə], ours [ˈauəz];

в) во всех словах, произношение которых предполагается *известным*: above [əˈbʌv], having [ˈhævɪŋ], many [ˈmenɪ].

Второстепенное ударение не отмечается в тех случаях, когда соответствующий гласный звук изображается в орфографии через какое-либо *постоянное сочетание* гласных (ae, ai, au, ay, ea, ee, ei, eu, ey, oa, oi, oo, ou, oy) или через одно из *постоянных сочетаний* гласных с w (aw, ew, ow): Européan [ˌjuərəˈpi:ən] (с второстепенным ударением на Eu-), prónoun [ˈprounaun] с второстепенным ударением на -noun), sómehow [ˈsʌmhau] (с второстепенным ударением на -how). В известных случаях, однако, гласные, обозначенные такими сочетаниями, являются *безударными*. Важнейшие из таких случаев отмечены в «правилах чтения» соответствующих сочетаний.

В словах, сопровождаемых пометой (*фр.*), ударение не ставится. Знаки ударения в таких словах являются французскими орфографическими знаками, принятыми и в английском написании соответствующих слов, напр.: **вéчер**... 2. (*собрание*) soirée (*фр.*) [ˈswɑ:reɪ]; **невéста** *ж.* fiancée (*фр.*) [fɪˈɑ:nseɪ].

ДЕЛЕНИЕ СЛОВА НА СОСТАВНЫЕ ЧАСТИ

Пунктирная черта (:̣) помещается в словаре между различными составными частями слова (между частями сложного слова, пишущегося слитно; между основной частью и суффиксом и т. п.) в тех случаях, когда такое деление слова дает возможность подвести его чтение под общие правила.

Буква, стоящая непосредственно *перед* чертой (:̣), должна рассматриваться, с точки зрения правил чтения, как *конечная*, а та буква, которая стоит непосредственно *после* черты, как *начальная* lóne:̣ly [ˈlounlɪ] (lóne — основная часть, -ly — суффикс; е в lóne- *немое*, как вообще *конечное* е, не обозначающее ударного звука: ср. alóne [əˈloun]; следовательно o в lóne- читается [ou], т. к. по общему правилу *ударное* o = [ou] *перед одной согласной + немое* e; ср. alóne); a:̣wáke [əˈweɪk] (a- — приставка, -wáke — основная часть слова; w в -wáke читается как *начальное* w перед гласной; ср. wake [weɪk]; оно *не* должно рассматриваться в слове a:̣wáke как элемент постоянного сочетания aw, так как a и w в этом слове принадлежат разным его составным частям; ср. áwful [ˈɔ:fl], где aw [ɔ:] — постоянное сочетание).

Дефис (-), который в английской орфографии применяется довольно часто, играет для чтения ту же роль, что и пунктирная черта: stóne-mason [ˈstounmeɪsᵊn] (ср. отдельное слово stone [stoun]).

Как те слова, которые в словаре разделяются на части *пунктирной чертой*, так и те, которые пишутся с *дефисом*, по отношению к *ударению* должны рассматриваться как *цельные*. Так, напр., -у в lóne:̣ly обозначает такой же *безударный* звук, как -у в shórtly [ˈʃɔ:tlɪ], в котором суффикс -ly не отделяется в словаре пунктирной чертой (т. е. отделение суффикса -ly в lóne:̣ly *не* должно давать повода читать букву у в нем так же, как в sky [skaɪ] и т. п.); ср. также ský-scràper [ˈskaɪskreɪpə]: у читается здесь, как в отдельном слове sky, не только потому, что за ним следует дефис, — чем его положение приравнивается к *конечному*, — но и потому, что оно обозначает *ударный* гласный звук, как это указано знаком ударения на нем.

ПРАВИЛА ЧТЕНИЯ БУКВ И БУКВЕННЫХ СОЧЕТАНИЙ

Гласные, их сочетания друг с другом и с w

Отдельные гласные и их постоянные сочетания, а также их постоянные сочетания с w приводятся в алфавитном порядке. Следующие *сочетания* гласных друг с другом и с w считаются *постоянными*, т. е. рассматриваются как особые единицы:

—	ae	ai	—	au	aw	ay
ea	ee	ei	—	eu	ew	ey
oa	—	oi	oo	ou	ow	oy

Прочие сочетания гласных букв (напр. ao, oe, ie) следует рассматривать как свободные соединения, в которых каждая буква читается сама по себе — по правилам чтения отдельных букв.

a

Под ударением
(главным или второстепенным)

a = [eɪ] 1) в *конечном* положении или *перед гласной*: a [eɪ], báobàb [ˈbeɪəbæb]; также Ptòlemá:̣ic [ˌtɔlɪˈmeɪɪk]; (об ae, ai, au, ay см. ниже).

2) *перед одной согласной* (*не* r, w, x) или *одной согласной* (*не* l, r, w, x) + l, r, если далее непосредственно следует —

a, e, o, u, у *конечного слога, не имеющего немого е после согласной*: fátal ['feɪtᵊl], páper ['peɪpə], lábour ['leɪbə], àpparátus [æpə'reɪtəs], návy ['neɪvɪ]; ápron ['eɪprən], ábly ['eɪblɪ]; также áqua-fórtis ['eɪkwə'fɔːtɪs] (но pálace ['pælɪs], т. к. после с есть немое е);

e, i + *гласная*: miscelláneous [mɪsə'leɪnɪəs]; rádiàte ['reɪdɪeɪt], státion ['steɪʃⁿn];

окончание -able(s), -ing(s), -is или -ive(s): cápable ['keɪpəbl], máking ['meɪkɪŋ], básis ['beɪsɪs], nátive ['neɪtɪv];

a = [ɛə] *перед одним* r *при тех же условиях, при которых перед другими согласными* a = [eɪ] (т. е., если далее следует немое е и т. п., см. выше, 2): care [kɛə]; párents ['pɛərənts], váry ['vɛərɪ]; várious ['vɛərɪəs]; dáring ['dɛərɪŋ];

a = [ɑː] 1) *перед конечным -r, перед* r + *другая согласная, а также перед конечными* -rr(s), -rrh(s) *и перед* rr + *окончание* -ed, -er(s), -est *или* -ing(s): car [kɑː]; part [pɑːt], ármour ['ɑːmə]; barred [bɑːd], catárrh [kə'tɑː]; также stárr:y ['stɑːrɪ] (но márry ['mærɪ] и т. п.); *см. также* a = [ɔː], 1;

2) *перед конечным* -h *или* h + *согласная*: bah [bɑː]; Fáhren:heit ['fɑːrənhaɪt];

3) см. Примечание ниже;

a = [ɔː] 1) *в сочетаниях* qua, wa, wha *при тех же условиях, при которых вне этих сочетаний* a = [ɑː] (см. выше): quárter ['kwɔːtə], war [wɔː], wharf [wɔːf];

2) *перед* ld, lk, lt, *а также перед конечным* -ll(s) *и перед* ll + *окончание* -ed, -er(s), -est *или* -ing(s): bald [bɔːld], tálkative ['tɔːkətɪv], álternàte ['ɔːltəneɪt], fall [fɔːl], cálling ['kɔːlɪŋ], tállest ['tɔːlɪst];

a = [æ] *перед согласными в прочих случаях* (не указанных выше; см. также Примечание ниже): cat [kæt], battle ['bætl], axle ['æksl], stándard ['stændəd], pálace ['pælɪs]; cátalògue ['kætəlɔg], fábulous ['fæbjuləs], tácit ['tæsɪt] (ср. a = [eɪ], 2); — páradòx ['pærədɔks] (ср. a = [ɛə]); — márry ['mærɪ], árrow ['ærou] (ср. a = [ɑː], 1); — gálvanism ['gælvənɪzm], gállop ['gæləp] (ср. a = [ɔː], 2); *но* —

a = [ɔ] в *сочетаниях* qua, wa, wha в тех же положениях, в которых вне этих сочетаний a = [æ] (см. выше): quálity ['kwɔlɪtɪ], watch [wɔtʃ], what [wɔt]; wárrior ['wɔrɪə]; — (об aw см. ниже).

Без ударения
(как главного, так и второстепенного)

a = [ə] *в большинстве безударных слогов*: fórmula ['fɔːmjulə], cómparable ['kɔmpərəbl], agó [ə'gou]; *но обычно* —

a = [ɪ] *перед одной согласной* + *конечное* -e(s), *напр. в* -ace(s), -age(s), -ate(s): pálace ['pælɪs], lánguages ['læŋgwɪdʒɪz], pálate ['pælɪt] (однако в тех же словах возможно и [ə]: pálaces ['pæləsɪz] и т. п.); *кроме того обычно* —

a = [ᵊ] *в конечных* -al(s), -am(s), -an(s) *после согласной* (не r, w) *или после* ci [ʃ], ti [ʃ] (см.): fátal ['feɪtᵊl], sócial ['souʃᵊl], pártial ['pɑːʃᵊl], mádam ['mædᵊm], physícian [fɪ'zɪʃⁿn]; — *но* -man(s) = [-mən(z)]: Nórman ['nɔːmən]; *после* r *или* w *обычно* = [ə]: óral ['ɔːrəl], nárwal ['nɑːwəl] (также после гласной: médial ['miːdɪəl]).

Сочетания: a + *гласная или* w

ae = [iː]: áegis ['iːdʒɪs], fórmulae ['fɔːmjuliː]; *но* —
ae = [ɪə] *перед* r: hètáera [he'tɪərə];
ai, ay = [eɪ]: main [meɪn], pláyer ['pleɪə]; *но* —
ai, ay = [ɛə] *перед* r: fair [fɛə], fáiry ['fɛərɪ]; *кроме того*
ai = [ɪ] *в безударном конечном* -ain(s): móuntain ['mauntɪn];
au, aw = [ɔː]: áuthor ['ɔːθə], austére [ɔːs'tɪə], law [lɔː];
ay *см.* ai.

Примечание. Во многих словах a = [ɑː] перед nce (ncing), sk, sp, st, а в ряде слов также перед ff, ft, ph, ss, th: dance [dɑːns], ask [ɑːsk], grasp [grɑːsp], past [pɑːst]; staff [stɑːf], áfter ['ɑːftə], télegràph ['telɪgrɑːf], pass [pɑːs], path [pɑːθ]. Но поскольку в таких словах, наряду с [ɑː], значительное распространение имеет [æ] (особенно в Америке), указание на произношение [ɑː] в словаре не делается; напр., при ask не дается транскрипции [ɑː], т. к. произношение [æsk] не исключается.

e

Под ударением
(главным или второстепенным)

e = [iː] при тех же условиях, при которых a = [eɪ], т. е. —

1) *в конечном положении или перед гласной* (o): he [hiː]; péony ['piːənɪ], néòn ['niːɔn]; также rè-láy ['riː'leɪ]; — (об ea, ee, ei, eu, ey см. ниже);

2) *перед одной согласной* (не r, w, x) *или одной согласной* (не l, r, w, x) + l, r, *если далее непосредственно следует* — *е немое* (см. ниже): theme [θiːm]; metre ['miːtə];

a, e, o, u, у *конечного слога, не имеющего немого е после согласной*: légal ['liːgᵊl], féver ['fiːvə], démon ['diːmⁿn], génus ['dʒiːnəs];

e, i + *гласная*: hòmogéneous [hɔmə'dʒiːnɪəs]; ['miːdɪəl], héliogràph ['hiːlɪəgrɑːf, -æf];

окончание -able(s), -ing(s), -is или -ive(s): compléting [kəm'pliːtɪŋ], thésis ['θiːsɪs], complétive [kəm'pliːtɪv];

e = [ɪə] *перед одним* r *при тех же условиях, при которых перед другими согласными* e = [iː] (т. е., если далее следует немое е и т. п., см. выше, 2): here [hɪə]; zéro ['zɪərou]; matérial [mə'tɪərɪəl]; interféring [ɪntə'fɪərɪŋ];

e = [ə:] *перед конечным* -r, *перед* r + *другая согласная, а также перед конечным* -rr(s), -rrh(s) *и перед* rr + *окончание* -ed, -er(s), -est *или* -ing(s): preférr [prɪˈfəː], verb [vəːb], nérvous [ˈnəːvəs]; err [əː], reférred [rɪˈfəːd], reférring [rɪˈfəːrɪŋ] (*но* mérry [ˈmerɪ]) *и т. п.*);

e = [e] *перед согласными в прочих случаях* (не указанных выше): let [let], settle [ˈsetl], néxus [ˈneksəs], bétter [ˈbetə], sénate [ˈsenɪt], mémory [ˈmemərɪ], dévil [ˈdevl̩] (ср. e = [iː], 2);— genéric [dʒɪˈnerɪk], mèritórious [merɪˈtɔːrɪəs] (ср. e = [ɪə]);— mérry [ˈmerɪ], érrant [ˈerənt] (ср. e = [əː]);—(*об* ew *см. ниже*).

Без ударения
(как главного, так и второстепенного)

e = [ɪ] *в большинстве безударных слогов*: geómetry [dʒɪˈɔmɪtrɪ], preférr [prɪˈfəː], respéct [rɪˈspekt], expéct [ɪksˈpekt]; *но обычно* —

e = [ə] 1) *перед* r: ferócious [fəˈroʊʃəs], génerally [ˈdʒenərəlɪ]; bétter [ˈbetə]; fingers [ˈfɪŋɡəz];
  2) *внутри слова* (т. е. *не в начальном положении*) *перед* l, m, n + *согласная* (также перед ll и т. д.): cònstellátion [kɔnstəˈleɪʃn̩], nóvelty [ˈnɔvəltɪ], ábsence [ˈæbsəns], stúdent [ˈstjuːdənt]; также *в конечных* -el(s). -em(s), -en(s) *после гласной*, w *или* r: vówel [ˈvauəl]; máckerel [ˈmækərəl];

e = [ˀ] *в конечных* -el(s), -em(s), -en(s) *после согласной* (не r, w) *или после* ci [ʃ], ti [ʃ] (см.): wéasel [ˈwiːzˀl], whíten [ˈwaɪtˀn].

Немое e

e является *немым* 1) в *конечном* положении, *если в слове есть еще какая-либо гласная*: make [meɪk], toe [tou], lie [laɪ]; также stóne-màson [ˈstounmeɪsˀn], lóne:ly [ˈlounlɪ];
  2) перед *конечным* -d при том же условии: baked [beɪkt], played [pleɪd], tied [taɪd], cared [kɛəd]; *но в* -ded, -ted e читается: ádded [ˈædɪd], wánted [ˈwɔntɪd];
  3) перед *конечным* -s при том же условии: stones [stounz], cakes [keɪks], lies [laɪz], cíties [ˈsɪtɪz]; также *перед* ʼs: wife's [waɪfs]; *но* в -ces, -ches, -ges, -jes, -ses, -shes, -xes, -zes, а также в -ce's и т. п., e читается: fáces [ˈfeɪsɪz], wátches [ˈwɔtʃɪz], cáges [ˈkeɪdʒɪz], hórses [ˈhɔːsɪz], díshes [ˈdɪʃɪz], bóxes [ˈbɔksɪz], frèezes [ˈfriːzɪz]; также prínce's [ˈprɪnsɪz] и т. п. (перед -ss e всегда читается: góodness [ˈɡudnɪs]).

Сочетания: e + *гласная или* w

ea, ee = [iː]: eat [iːt], meet [miːt], payée [peɪˈiː]; *но* —
ea, ee = [ɪə] *перед* r: ear [ɪə], deer [dɪə], snéering [ˈsnɪərɪŋ];
ei, ey = [eɪ]: eight [eɪt], héinous [ˈheɪnəs], convéy [kənˈveɪ];
eu, ew = [juː]: néuter [ˈnjuːtə], new [njuː], sínew [ˈsɪnjuː]; *но* —
eu, ew = [juə] *перед* r: néural [ˈnjuərəl]; *кроме того* —
eu, ew = [uː] *после* ch, j, l, r, rh, y: chew [tʃuː], jéwel [ˈdʒuːəl], flew [fluː], screw [skruː], rhéumatism [ˈruːmətɪzm], yew [juː]; *и* —
eu, ew = [uə] *между теми же согласными и* r: pléurisy [ˈpluərɪsɪ];
ey см. ei; *но кроме того* —
ey = [ɪ] *в безударном конце* слова: dónkey(s) [ˈdɔŋkɪ(z)].

i

Под ударением
(главным или второстепенным)

i = [aɪ] 1) *в конечном* положении *или перед гласной*: pi [paɪ], I [aɪ]; lie [laɪ], díamond [ˈdaɪəmənd];
  2) *перед одной согласной* (*не* r *и не* x) *или одной согласной* (*не* l, r, x) + l, r, *если далее непосредственно следует* — e *немое* (см. выше): life [laɪf], idle [ˈaɪdl], fíbre [ˈfaɪbə]; также life-boat [ˈlaɪfbout], life:less [ˈlaɪflɪs]; a, e, o, u, y *конечного слога, не имеющего немого* e *после согласной*: fínal [ˈfaɪnˀl], ítem [ˈaɪtem], wríter [ˈraɪtə], ídol [ˈaɪdˀl], Títus [ˈtaɪtəs], ívy [ˈaɪvɪ]; fíbrous [ˈfaɪbrəs], tígress [ˈtaɪɡrɪs] (*но* tríbune [ˈtrɪbjuːn], т. к. после n есть немое e); *окончание* -able(s), -ing(s), -is *или* -ive(s): advísable [ədˈvaɪzəbl], wríting [ˈraɪtɪŋ], crísis [ˈkraɪsɪs], decísive [dɪˈsaɪsɪv];
  3) *перед* gh: high [haɪ], fíghter [ˈfaɪtə];
  4) *перед конечными* -ld(s), -nd(s) *и перед* ld, nd + *окончание* -ed, -er(s), -est *или* -ing(s): mild [maɪld], find [faɪnd], mínded [ˈmaɪndɪd], míldest [ˈmaɪldɪst], wínding [ˈwaɪndɪŋ].

i = [aɪə] *перед одним* r *при тех же условиях, при которых перед другими согласными* i = [aɪ] (т. е., *если далее следует немое* e *и т. п.*): fire [ˈfaɪə]; míry [ˈmaɪərɪ]; aspíring [əsˈpaɪərɪŋ];

i = [əː] *в тех же положениях, в которых* e = [əː], *т. е. перед конечным* -r, *перед* r + *другая согласная, а также перед конечными* -rr(s), -rrh(s) *и перед* rr + *окончание* -ed, -er(s), -est *или* -ing(s): stir [stəː], dírty [ˈdəːtɪ]; whirr [wəː], chirred [tʃəːd], stírring [ˈstəːrɪŋ]; *также* fir-nèedle [ˈfəːˈniːdl], fírr:y [ˈfəːrɪ] (*но* mírror [ˈmɪrə] и т. п., см. ниже).

i = [ɪ] *перед согласными в прочих случаях* (не указанных выше): sit [sɪt], bítter [ˈbɪtə], míddle [ˈmɪdl], tímorous [ˈtɪmərəs], tríbune [ˈtrɪbjuːn], límit [ˈlɪmɪt], merídian [məˈrɪdɪən], vísion [ˈvɪʒn̩] (ср. i = [aɪ]);— míracle [ˈmɪrəkl] (ср. i = [aɪə]);— mírror [ˈmɪrə], stírrup [ˈstɪrəp] (ср. i = [əː]).

Без ударения

(как главного, так и второстепенного)

i = [ɪ] *в большинстве безударных слогов*: divíde [dɪ'vaɪd], mílitary ['mɪlɪtərɪ], itálics [ɪ'tælɪks]; *но —*
i = [ə] *перед* r *не в начальном слоге*: ádmiral ['ædmərəl] (*но* virídity [vɪ'rɪdɪtɪ], т.к. i, стоящее перед r, находится в начальном слоге); *кроме того обычно —*
i = [ˠ] *в конечном* -il(s): péncil ['pensˠl], púpil ['pjuːpˠl]; *однако после* r *гласный звук регулярно сохраняется*: péril ['perɪl], nóstrils ['nɒstrɪlz] (или [-əlz]).

Об i в сочетаниях ci, gi, si, ti, xi *перед гласными в безударных слогах* см. также под соответствующими согласными.

o

Под ударением

(главным или второстепенным)

o = [ou] при тех же условиях, при которых a = [eɪ], e = [iː], т.е. —
 1) *в конечном положении или перед гласной* (e): go [gou]; toe [tou], póetry ['pouɪtrɪ], poétical [pou'etɪkˠl]; также só-cálled ['sou'kɔːld], nóˆbody ['noubədɪ] (об oa, oi, oo, ou, oy см. ниже);
 2) *перед одной согласной* (не r, w, x) *или одной согласной* (не l, r, w, x) + l, r, *если далее непосредственно следует —*
 e *немое* (см. стр. 734): home [houm]; noble ['noubl], ogre ['ougə].
 a, e, o, u, y *в конечного слога, не имеющего немого* e *и после согласной*: óval ['ouvˠl], ópen ['oupˠn], mótor ['moutə], ópus ['oupəs], póny ['pounɪ]; nóbly ['noublɪ], cóbra ['koubrə]; также óver-éstimàte ['ouvər'estɪmeɪt], óverˆséa ['ouvə'siː] (*но* nódule ['nɔdjuːl], т.к. после l есть немое e);
 e, i + *гласная*: erróneous [ɪ'rounjəs], Napòleónic [nəpouʌ'ɔnɪk]; sódium ['soudɪəm], mótion ['mouʃˠn];
 окончание -able(s), -ing(s), -is или -ive(s): nótable ['noutəbl], gróping ['groupɪŋ], diagnósis [daɪəg'nousɪs], mótive ['moutɪv];
 3) *перед* ld, lk, lt, *а также перед конечным* -ll(s) *и перед* ll + *окончание* -ed, -er(s), -est или -ing(s): bold [bould], yolk [jouk], cóltish ['koultɪʃ]; roll [roul], stróller ['stroulə].
o = [ɔː] 1) *перед одним* r *при тех же условиях, при которых перед большинством других согласных* o = [ou] (т.е., если далее следует e немое и т.п., см. выше, 2): more [mɔː], glóry ['glɔːrɪ]; glórious ['glɔːrɪəs], èditórial [edɪ'tɔːrɪəl]; bóring ['bɔːrɪŋ].
 2) *перед конечным* -r, *перед* r + *другая согласная, а также перед конечным* -rr(s), -rrh(s) *и перед* rr + *окончание* -ed, -er(s), -est или -ing(s): nor [nɔː], port [pɔːt], stórmy ['stɔːmɪ]; abhórred [əb'hɔːd], abhórring [əb'hɔːrɪŋ]; *но —*
o = [əː] *в сочетании* wor + *согласная*: work [wəːk], wórship ['wəːʃɪp];
o = [ɔ] *перед согласными в прочих случаях* (не указанных выше): stop [stɔp], bond [bɔnd], bottle ['bɔtl], dóctor ['dɔktə], ópera ['ɔpərə], óxen ['ɔksˠn], nódule ['nɔdjuːl], àstronómic [æstrə'nɔmɪk] (ср. o = [ou], 2); — fóllow ['fɔlou] (ср. o = [ou], 3); — óracle ['ɔrəkl], majórity [mə'dʒɔrɪtɪ] (ср. o = [ɔː], 1); — sórry ['sɔrɪ], bórrow ['bɔrou] (ср. o = [ɔː], 2); — (об ow см. ниже).

Без ударения

(как главного, так и второстепенного)

o = [ə] *в большинстве безударных слогов*: contáin [kən'teɪn], oppréss [ə'pres], oríginal [ə'rɪdʒɪnˠl], cólony ['kɔlənɪ], fáctor ['fæktə], ídiom ['ɪdɪəm]; *но обычно —*
o = [ˠ] *в конечных* -ol(s), -om(s), -on(s) *после согласной* (не r, w), *а также в безударных конечных* -geon(s), -gion(s), -sion(s), -tion(s), -xion(s) (см.): ídol ['aɪdˠl], séldom ['seldˠm], párdon ['paːdˠn]; súrgeon ['səːdʒˠn], région ['riːdʒˠn], vísion ['vɪʒˠn], mótion ['mouʃˠn], compléxion [kəm'plekʃˠn] (*но* ídiom ['ɪdɪəm], ápron ['eɪprən] и т.п.).

Примечание. Во многих словах при более отчетливом произношении безударное o = [o] в положении *перед одной согласной + гласная ударного слога*: Novémber [no'vembə]. Однако, так как различие между [o] и [ə] не очень значительно и (более небрежное) произношение с [ə] большею частью не будет искажать слова, в словаре это различие обычно не принимается во внимание, если нет надобности по каким-либо другим причинам дать транскрипцию.

Сочетания: o + гласная или w

oa = [ou]: boat [bout], cócoa ['koukou]; *но —*
oa = [ɔː] *перед* r: oar [ɔː], hóary ['hɔːrɪ];
oi, oy = [ɔɪ]: boil [bɔɪl]; boy [bɔɪ], jóyous ['dʒɔɪəs];
oo = [uː]: moon [muːn], salóon [sə'luːn]; *но —*
oo = [uə] *перед* r: poor [puə]; *кроме того —*
oo = [u] *перед* k: book [buk];
ou, ow = [au]: round [raund], town [taun], pówer ['pauə]; *но —*
ou, ow = [auə] *перед* r: our [auə], dówry ['dauərɪ]; *кроме того —*
ou = [ɔː] *перед* ght: thought [θɔːt];

ou = [ə] в *безударных конечных* -our(s), -ous: lábour [ˈleɪbə], várious [ˈvɛərɪəs], nérvous [ˈnəːvəs];
ow = [ou] в *конечном* положении, *если главное* ударение падает на *другой* слог, а также перед *окончаниями* -ed, -er(s), -est, -ing(s), -s при *том же* условии: window [ˈwɪndou], fóllower [ˈfɔlouə], bórrowing [ˈbɔrouɪŋ], fúrrows [ˈfʌrouz] (*но* allów [əˈlau], bówer [ˈbauə] и т. п.— с ow под главным ударением);
oy см. oi.

u

Под ударением
(главным или второстепенным)

u = [juː] 1) в *конечном* положении или *перед гласной*: gnu [njuː]; dúalism [ˈdjuːəlɪzm], due [djuː]; также cúeˌist [ˈkjuːɪst];
  2) *перед одной согласной* (не r, w, x) или *одной согласной* (не l, r, w, x) + l, r, *если* далее непосредственно следует *гласная*: mute [mjuːt], stúdent [ˈstjuːdənt], dúty [ˈdjuːtɪ], fúture [ˈfjuːtʃə], músic [ˈmjuːzɪk], púpil [ˈpjuːpˀl], mútiny [ˈmjuːtɪnɪ], redúplicàte [rɪˈdjuːplɪkeɪt]; *но* —
u = [uː] *после* ch, j, l, r, rh, sh, y *при тех же условиях* (см. выше, 1, 2): júnior [ˈdʒuːnɪə], lúnar [ˈluːnə], rúin [ˈruːɪn], yule [juːl];
u = [juə] *перед одним* r + *гласная*: pure [pjuə], fúrious [ˈfjuərɪəs]; *но* —
u = [uə] *между* ch, j, l, r, rh, sh, y и *одним* r + *гласная* (ср. выше u = [uː]): júry [ˈdʒuərɪ], plúral [ˈpluərəl], rúral [ˈruərəl];
u = [əː] в тех же положениях, в которых e = [əː], i = [əː], т. е. *перед конечным* r, *перед* r + *другая согласная*, а также *перед конечными* -rr(s), -rrh(s) и *перед* rr + *окончание* -ed, -er(s), -est или -ing(s): fur [fəː], occúr [əˈkəː], cúrling [ˈkəːlɪŋ], búrden [ˈbəːdˀn]; burr [bəː], occúrred [əˈkəːd], occúrring [əˈkəːrɪŋ] (*но* fúrrow [ˈfʌrou] и т. п.);
u = [ʌ] *перед согласными в прочих случаях* (не указанных выше): cut [kʌt], bútter [ˈbʌtə], búcket [ˈbʌkɪt], bubble [ˈbʌbl], cúnning [ˈkʌnɪŋ] (ср. u = [juː]); — rúbber [ˈrʌbə] (ср. u = [uː]); — cúrrent [ˈkʌrənt], fúrrow [ˈfʌrou] (ср. u = [juə] и u = [əː]).

Без ударения
(как главного, так и второстепенного)

u = [ju] *перед гласной* или *перед одной согласной* + *гласная*: contínuous [kənˈtɪnjuəs], mútual [ˈmjuːtjuəl]; régular [ˈregjulə], òccupátion [ˌɔkjuˈpeɪʃn]; *но* в *конечном* слоге *перед немым* e (т. е. в сочетании ue) и при отчётливом произношении изображает звукосочетание, более близкое к ударному [juː]: contínue [kənˈtɪnjuː]; в словаре знак второстепенного ударения для указания на чтение [juː] в таких случаях, обычно, не применяется (поскольку наряду с этим произношением большею частью вполне допустимо и [ju]);
u = [u] 1) *после* ch, j, l, r, rh, sh, y *при тех же условиях*, при которых u = [ju] (см. выше): préjudice [ˈpredʒudɪs], Fébruary [ˈfebruərɪ]; в *конечном* слоге *перед немым* e буква u в данном случае может обозначать звук, более близкий к [uː] (ср. выше относительно u [ju] и [juː]).
  2) в *окончании* -ful(s): hándful [ˈhændful]; но как суффикс *прилагательных* это окончание может произноситься и менее ясно, как [-fəl, -fˀl]: áwful [ˈɔːful, ˈɔːfəl, ˈɔːfˀl];
u = [ə] 1) *перед группой согласных* или *перед конечной согласной*: íllustràte [ˈɪləstreɪt], fáculty [ˈfækəltɪ], sódium [ˈsoudɪəm], òctópus [ɔkˈtoupəs];
  2) в ur обычно *также и перед гласной*: fígure [ˈfɪgə], cénsure [ˈsenʃə], úsurer [ˈjuːʒərə], préssure [ˈpreʃə], féatures [ˈfiːtʃəz] (ср. о сочетаниях sur, ssur, tur под соответствующими согласными); см. также gu, ngu, qu.

y

Под ударением и без ударения

y = [aɪ, aɪə, əː, ɪ, ə] соответственно *при тех же условиях*, при которых i = [aɪ, aɪə, əː, ɪ, ə] (см. выше): sky [skaɪ]; cyánic [saɪˈænɪk]; — type [taɪp], cycle [ˈsaɪkl]; phýlum [ˈfaɪləm], hýdra [ˈhaɪdrə], cýpress [ˈsaɪprɪs], rhýming [ˈraɪmɪŋ], lýsis [ˈlaɪsɪs], Wyld [waɪld]; — týrant [ˈtaɪərənt]; — myrtle [ˈməːtl], myrrh [məː]; — nymph [nɪmf], sýnonym [ˈsɪnənɪm], sýringe [ˈsɪrɪndʒ]; — synthétic [sɪnˈθetɪk], análysis [əˈnælɪsɪs], bóldly [ˈbouldlɪ]; — sátyr [ˈsætə]; *но* —
y = [j] в *начальном* положении *перед гласной*: yard [jɑːd], yes [jes], yolk [jouk], yule [juːl]; также cóurtˌyárd [ˈkɔːtˈjɑːd], beˌyónd [bɪˈjɔnd].

Согласные, их сочетания друг с другом и с гласными

Двойные согласные (напр. ss) даются *вместе с простыми* (напр. s), а затем в алфавитном порядке приводятся определённые *сочетания* данных согласных с другими и с гласными.

B, bb = [b]: báobàb [ˈbeɪəbæb], rúbber [ˈrʌbə]; *но* —
b *немое* в *конечном* -mb(s) и в mb + *окончание* -ed: lamb [læm], bombed [bɔmd]; также bómbˌer [ˈbɔmə] (*но* lúmber [ˈlʌmbə], **так** как здесь разделения на части нет.

C, cc = [k]: cat [kæt], crócus [ˈkroukəs], cúbic [ˈkjuːbɪk], accóunt [əˈkaunt]; *но* —
c = [s] *перед* ae, e, i, y: Cáesar [ˈsiːzə], centre [ˈsentə], ice [aɪs], circle [ˈsəːkl], ícy [ˈaɪsɪ]; и *соответственно этому* —
cc = [ks] *перед* ae, e, i, y: áccent [ˈæksənt], áccident [ˈæksɪdənt] и т. п. (ср. также sc);
ch = [tʃ]: church [tʃəːtʃ], béechen [ˈbiːtʃn]; *но* —
ch = [k] 1) *перед согласной*: chrónicle [ˈkrɔnɪkl], ìchthýology [ˌɪkθɪˈɔlədʒɪ];

        2) *после* s: school [skuːl]; — см. также tch;
ci = [ʃ] *внутри слова перед безударной гласной* (но *не перед немым* e): sócial [ˈsouʃl], áncient [ˈeinʃənt], grácious [ˈgreiʃəs] (*но* pólicies [ˈpɔlısız], т. к. e немое);
ck = [k]: back [bæk], dócker [ˈdɔkə];
cqu = [kw]: acquíre [əˈkwaiə].

D, dd = [d]: deed [diːd], rúdder [ˈrʌdə]; *но* —
d = [t] в *окончании* -ed (с немым e) *после* c, ch, f, k, p, ph, *после* s = [s] (см.) *и после* sh, ss, x: faced [feist], sniffed [snift], looked [lukt], hoped [houpt], stopped [stɔpt], elápsed [ıˈlæpst], wished [wıʃt], pressed [prest], vexed [vekst];
dg = [dʒ] *перед* e, i, y: edge [edʒ], brídging [ˈbrıdʒıŋ].

F, ff = [f]: fífty [ˈfıftı], roof [ruːf], efféct [ıˈfekt].

G, gg = [g]: grog [grɔg], agó [əˈgou], bígger [ˈbıgə]; *но* —
g = [dʒ] *перед* e, i, y: gem [dʒem], gíant [ˈdʒaiənt], gýps(um) [ˈdʒıps(əm)], philólogy [fıˈlɔlədʒı] (тогда как gg = [g] *также и перед этими гласными*: bígger [ˈbıgə], píggish [ˈpıgıʃ], fóggy [ˈfɔgı]); *кроме того* —
g *немое в начальном* gn-: gnat [næt], gnu [njuː]; ср. также ng, ngu, ngue(s);
geon, gion = [dʒən] или [dʒɔn] в *безударном положении*: súrgeon [ˈsəːdʒən], région [ˈriːdʒn], régional [ˈriːdʒənl];
geous, gious = [dʒəs] в *безударном конечном положении*: outrágeous [autˈreidʒəs], contágious [kənˈteidʒəs];
gh = [g] в *начальном положении*: ghérkin [ˈgəːkın]; *но* —
gh *немое внутри слова и в конечном положении*: eight [eit], thought [θɔːt], hígher [ˈhaiə], high [hai];
gion см. geon;
gious см. geous;
gu = [g] в *начальном положении перед гласной*: guard [gɑːd], guest [gest]; см. также ngu, ngue(s).

H = [h] *перед гласной*: how [hau], beháve [bıˈheıv];
h *немое в конечном положении, перед согласной, а также после* x: bah [bɑː], Fáhrenheit [ˈfɑːrənhait]; exháust [ıgˈzɔːst]; см. также ch, gh, kh, ph, rh (rrh), sh, tch, th, wh.

J = [dʒ]: joy [dʒɔi], préjudice [ˈpredʒudıs].

K, kk = [k]: kind [kaind], make [meik], Fókker [ˈfɔkə]; *но* —
k *немое в начальном* kn-: knee [niː], knight [nait];
kh = [k]: khan [kæn, kɑːn]; — см. также ck.

L, ll = [l]: like [laik], meal [miːl], róller [ˈroulə]; *но* —
l *немое в* alk, olk: talk [tɔːk], yolk [jouk].

M, mm = [m]: may [mei], home [houm], hámmer [ˈhæmə].

N, nn = [n]: noon [nuːn], dínner [ˈdınə]; *но* —
n *немое в конечном* -mn(s) *и в* mn + *окончание* -ed: áutumn [ˈɔːtəm], condémned [kənˈdemd]; также condémn:ing [kənˈdemıŋ]; *кроме того* —
n = [ŋ] *перед* k, q, x, *а также перед* c = [k] (но обычно *не в приставках* con-, en-, in-, un-): ink [ıŋk], bánquet [ˈbæŋkwıt], lynx [lıŋks], uncle [ˈʌŋkl] (*но* con:clúde [kənˈkluːd], en:clóse [ınˈklouz], in:quíre [ınˈkwaiə], ún:kínd [ˈʌnˈkaind]; *произношение* [n] в таких случаях указывается в словаре пунктирной чертой после приставки);
ng = [ŋg]: single [ˈsıŋgl], ángry [ˈæŋgrı], fínger [ˈfıŋgə], lóngest [ˈlɔŋgıst]; *но* —
ng = [ŋ] в *конечном положении, в конечных* -ngs, -ngth *и перед окончанием* -ed: long [lɔŋ], songs [sɔŋz], strength [streŋθ], belónged [bıˈlɔŋd]; также síng:er [ˈsıŋə], lóng:ing [ˈlɔŋıŋ], lóng-síghted [ˈlɔŋˈsaıtıd];
nge(s) = [ndʒ(ız)] в *конечном положении*: singe [sındʒ], hínges [ˈhındʒız];
ngu = [ŋgw] *перед гласной*: lánguage [ˈlæŋgwıdʒ]; *но*
ngue(s) = [ŋ(z)] в *конечном положении*: tongue -ngues [tʌŋ, -ŋz].

P, pp = [p]: pipe [paip], pépper [ˈpepə];
ph = [f]: phósphorus [ˈfɔsfərəs].

Q употребляется обычно только в сочетании
qu = [kw]: quick [kwık], requíre [rıˈkwaiə]; *но* —
qu = [k] *перед немым* e: mosque [mɔsk]; —
см. также cqu.

R, rr = [r] только *перед звучащей* (т. е. *не немой*) *гласной*: red [red], cry [krai], héaring [ˈhıərıŋ], cárry [ˈkærı], árrow [ˈærou]; также *перед* (*звучащей*) *гласной следующего слова*, если перед ним не делается паузы: far a:wáy [fɑːr əˈwei]; *а следовательно и в таких случаях, как:* stárr:y [ˈstɑːrı];
r, rr *немые в конечном положении и перед согласной, а также перед немым* e (т. е. *перед конечными* -e, -ed, -es): car [kɑː], port [pɔːt], err [əː], errs [əːz]; more [mɔː], inférred [ınˈfəːd], cares [kɛəz]; также cáre:less [ˈkɛəlıs]; *но* —
r = [ə] *между согласной и немым* e: acre [ˈeikə], centre [ˈsentə], fíbred [ˈfaibəd];
rh, rrh = [r] в *том же положении, в котором* r, rr = [r]: rhyme [raim], Pýrrhic [ˈpırık];
rrh *немое в тех же условиях, в которых* r *и* rr *также являются немыми*: catárrh [kəˈtɑː] (rh в таких условиях не встречается).

S, ss = [s]: sense [sens], speak [spiːk], básis [ˈbeisis], áctress [ˈæktrıs], dréssing [ˈdresıŋ]; *но* —
s = [z] 1) *между гласной и конечным* -e, -ed, -er(s), -es *или* -ing(s): rise [raiz], used [juːzd], gréaser [ˈgriːzə], tróusers [ˈtrauzəz], hóuses [ˈhauzız], chóosing [ˈtʃuːzıŋ];
        2) в *конечном* -sm(s): sóphism [ˈsɔfızm], prisms [prızmz];
        3) в большинстве случаев в *окончаниях множ. числа сущ.* (pl. -s, -es), *притяжат. падежа* (poss. ʼs) *и 3-го лица единств. числа настоящ. врем.* (pres. 3. sg. -s, -es): cabs [kæbz], swítches [ˈswıtʃız], deeds [diːdz], áges [ˈeidʒız], sighs [saiz], mills [mılz], bars [bɑːz], cares [kɛəz], hórses [ˈhɔːsız], díshes [ˈdıʃız], leaves [liːvz], cows [kauz], bees [biːz], days [deiz]; — hórseʼs [ˈhɔːsız], cowʼs [kauz], dogʼs [dɔgz]; — téaches [ˈtiːtʃız], hears [hıəz], sees [siːz] *и т. п.*; — *в указанных формах* s = [s] *обычно только после* c, ch = [k], f(e), k(e), kh(e), p(e), ph(e), que, t(e), th (т. е. *после букв и сочетаний, обозначающих глухие согласные звуки, но не свистящие и не шипящие*): cýnics [ˈsınıks], -icʼs [ˈsınıks], roofs [ruːfs], wifeʼs [waifs], docks [dɔks], cakes [keiks], lips [lıps], pipes [paips], tríumphs [ˈtraiəmfs], mosques [mɔsks], cats [kæts], dates [deits], myths [mıθs]; *кроме того* —
s = [ız] в *окончании притяжат. падежа* (poss. ʼs) *после* ch = [tʃ], s, sh, x, z: wenchʼs [ˈwentʃız], fishʼs [ˈfıʃız] и т. п.; —
sc = [s] *перед* e, i, y: scene [siːn], scíence [ˈsaiəns], Scýlla [ˈsılə] (cp. screen [skriːn] и т. п.); —
sch см. ch =ˈ[k], 2;

sh = [ʃ]: short [ʃɔ:t], dish [dɪʃ], rúshing [ˈrʌʃɪŋ];
sion = [ʒ'n, ʒən] в *безударном положении после гласной*: vísion [ˈvɪʒ'n], provísional [prəˈvɪʒənᵊl];
sion = [ʃ'n, ʃən] в *безударном положении после согласной*: ténsion [ˈtenʃ'n];
ssion = [ʃ'n, ʃən] в *безударном положении*: pássion [ˈpæʃ'n], pássionate [ˈpæʃənɪt];
stl = [sl]: whistle [ˈwɪsl];
sur = [ʒə(r)] в *безударном положении между гласными*: méasure [ˈmeʒə], úsurer [ˈjuːʒərə];
sur = [ʃə(r)] в *безударном положении между согласной и гласной*: cénsure [ˈsenʃə], cénsurable [ˈsenʃərəbl];
ssur = [ʃə(r)] в *безударном положении перед гласной*: préssure [ˈpreʃə].
T, tt = [t]: treat [triːt], turn [təːn], bétter [ˈbetə]; *но —*
t *немое* в stl: whistle [ˈwɪsl] (ср. béast̩ly [ˈbiːstlɪ]);
tch = [tʃ]: catch [kætʃ], wátching [ˈwɔtʃɪŋ];
th = [θ]: thin [θɪn], three [θriː], length [leŋθ], áuthor [ˈɔːθə], pathétic [pəˈθetɪk]; *но —*
th = [ð] *между гласной и конечным* -e, -ed, -er(s), -es *или* -ing(s): seethe [siːð], breathed [briːðd], híther [ˈhɪðə], breathes [briːðz], smóothing [ˈsmuːðɪŋ];
ti = [ʃ] *внутри слова перед безударной гласной, но не после* s (и *не перед немым* e): pártial [ˈpɑːʃl], pátient [ˈpeɪʃənt], státion [ˈsteɪʃ'n], séction [ˈsekʃ'n]; *но* celéstial [sɪˈlestɪəl] (или [-stjəl]), т. к. ti находится после s (ср. также cóunties [ˈkauntɪz], где e немое);
tur = [tʃə(r)] (или [tjuə(r)]) в *безударном положении перед гласной*: féature [ˈfiːtʃə], nátural [ˈnætʃərᵊl], vénturing [ˈventʃərɪŋ], céntury [ˈsentʃərɪ].
V, vv = [v]: vívid [ˈvɪvɪd], drive [draɪv], flívver [ˈflɪvə].
W = [w]: want [wɔnt], wish [wɪʃ], aːwáke [əˈweɪk], súbway [ˈsʌbweɪ]; *но —*
w *немое* в начальном сочетании wr: write [raɪt]; также aːwrý [əˈraɪ]; *кроме того —*
w с предшествующими *гласными* a, e, o образует постоянные сочетания (aw, ew, ow), о которых см. под соответствующими гласными;
wh = [w]: which [wɪtʃ], when [wen].
X = [ks]: box [bɔks]; expréss [ɪksˈpres], táxi [ˈtæksɪ], éxercise [ˈeksəsaɪz]; *но —*
x = [gz] *перед ударной гласной*, а также *перед* (немым) h + *ударная* гласная: exért [ɪgˈzəːt], exèmplificátion [ɪgzemplɪfɪˈkeɪʃ'n]; exháust [ɪgˈzɔːst] (*но* exːhúme [eksːˈhjuːm]);
x = [z] в *начальном положении*: xýloːphòne [ˈzaɪləfoun];
xc = [ks] перед e, i, y: excépt [ɪkˈsept], excíte [ɪkˈsaɪt];
xion = [kʃ'n, kʃən] в *безударном положении*: compléxion [kəmˈplekʃ'n], compléxioned [kəmˈplekʃənd];
xious = [kʃəs] в *безударном положении*: ánxious [ˈæŋkʃəs] (ср. о чтении ou в безударном -ous).
Z, zz = [z]: zone [zoun], zígzàg [ˈzɪgzæg], búzzing [ˈbʌzɪŋ].

Приложение

СПИСОК СЛОВ, ЧИТАЮЩИХСЯ С ОТСТУПЛЕНИЯМИ ОТ ИЗЛОЖЕННЫХ ПРАВИЛ, НО ПРИВОДИМЫХ В СЛОВАРЕ БЕЗ ТРАНСКРИПЦИИ

Слова, входящие в этот список, даются в словаре *без* знаков ударения — независимо от числа слогов. Но когда то или иное из этих слов входит в состав *сложного*, на нем может быть знак ударения — *по общим правилам*: ср. any, но ány⋮òne, ány⋮thing.

Многие из слов этого списка встречаются в виде составных частей различных сложных слов. *Если при этом такое слово отделено от другой части сложного (пунктирной чертой или дефисом), то данное слово в составе сложного читается так же, как и отдельно*; так, any- в ány⋮òne, ány⋮thing и т.п. имеет то же произношение, что и отдельное слово any (т. е. ['enɪ]).

above [ə'bʌv]; **also** ['ɔːlsou]; **among** [ə'mʌŋ]; **amongst** [ə'mʌŋst]; **another** [ə'nʌ-]; **any** ['e-]; **anybody** ['enɪbɔdɪ]; **are** [ɑː], *без удар.* [ə]; **as** [æz], *без удар.* [əz];
become(s), becoming [-'kʌ-]; **begin(s)**, beginning [-'g-];
come(s), coming ['kʌ-]; **could** [kud], *без удар.* [kəd];
do [duː], *без удар.* [du, də]; **doing** ['duː-]; **does** [dʌz], *без удар.* [dəz]; **done** [dʌn]; **don't** [dou-];
ever ['e-]; **every** ['evrɪ]; **everybody** ['evrɪbɔdɪ];
full [ful];
get(s), getting ['g-]; **give(s)**, giving, given ['gɪ-]; **good** [gud];
have [hæv], *без удар.* [(h)əv]; having ['hæ-]; **hers** [-z]; **his** [-z];
into ['ɪntu, -tə] (ср. to); **is** [ɪz];
many ['me-]; **most** [mou-];
never ['ne-]; **nothing** ['nʌ-];
of [ɔv], *без удар.* [əv]; **off** [ɔːf]; **one** [wʌn]; **one's, ones** [wʌnz]; **other('s), others(')** ['ʌ-]; **ours** [-z];
put(s), putting ['pu-];
shall [ʃæl], *без удар.* [ʃl]; **should** [ʃud], *без удар.* [ʃəd]; **some** [sʌm], *без удар.* [səm];
than [ðæn], *без удар.* [ðən]; **that** [ðæt], *без удар.* [ðət] (*относит. местоим., союз*); **the** [ðiː], *без удар.* [ðɪ] *перед гласной*, [ðə] *перед согласной*; **their(s)** [ðɛə(z)]; **them** [ðem], *без удар.* [ðəm]; **then** [ðen]; **there** [ðɛə(r)], *без удар.* [ðə(r)] *в* there is / are / was / were / came *и т. п.*; **these** [ð-]; **they** [ð-]; **this** [ð-]; **those** [ð-]; **through** [-uː]; **to** [tuː], *без удар.* [tu] *перед гласной*, [tə] *перед согласной*; **toward(s)** [tə'wɔːd(z), tɔːd(z)]; **two** [tuː];
very ['ve-];
was [wɔz], *без удар.* [wəz]; **were** [wɛə(r), wəː(r)], *без удар.* [wə(r)]; **where** [wɛə(r)]; **who(m)** [huː(m)]; **whose** [huːz]; **with** [-ð]; **within** [-'ð-]; **without** [-'ð-]; **would** [wud], *без удар.* [wəd];
you [juː], *без удар.* [ju, jə]; **your** [jɔː(r), juə(r)], *без удар.* [jə(r)]; **yours** [jɔːz, juəz].

Примечание. Неопределенный артикль читается по правилам: a [eɪ], an [æn]; обычно без ударения — [ə], [ən].

проф. А. И. СМИРНИЦКИЙ

КРАТКИЕ СВЕДЕНИЯ ПО АНГЛИЙСКОЙ ГРАММАТИКЕ

I. СУЩЕСТВИТЕЛЬНЫЕ (NOUNS)

Sg. = *Singular*, единственное число
Pl. = *Plural*, множественное число

C. = *Common case*, общий падеж
P. = *Possessive case*, притяжательный падеж

Таблица 1

	Образцы		
	основные:	с орфографическими особенностями:	
	boy «мальчик» cat «кошка» horse «лошадь»	На -s, -x, -z, -ch [tʃ], -sh или на -o: fox «лиса»	На -y после согласной: báby «ребёнок»
Sg. { C. P.	boy cat horse boy's cat's hórse's	fox fox's	báby báby's
Pl. { C. P.	boys cats hórses boys' cats' hórses'	fóxes fóxes'	bábies bábies'

Примечания: 1. О произношении конечных -'s и -s см. стр. 737; о произношении конечных -e's и -es см. стр. 734 и 737. Конечный апостроф (' в boys', cats' и т. п.) никакого звукового значения не имеет.

2. Притяжательный падеж (*possessive case*) у всех существительных образуется по общему правилу. Этот падеж, однако, употребителен преимущественно у существительных, обозначающих *одушевлённые* существа (людей, животных), у названий *времён года, месяцев и дней*, у слов sun «солнце», moon «луна», earth [ə:θ] «земля» (планета), world «мир», life «жизнь», náture ['neɪ-] «природа», ócean ['ouʃn] «океан», cóuntry ['kʌ-] «страна», town «город», ship «корабль» и т. п., а также вообще при *персонификации* (Dúty's call «призыв долга»); кроме того — у слов, обозначающих *длительность* и *расстояние* (a day's work «работа (одного) дня»). В прочих случаях вместо притяжательного падежа обычно употребляется сочетание «of + *общий падеж* (*common case*)». Этим сочетанием притяжательный падеж нередко может заменяться и у существительных, указанных выше: the boy's hand «рука мальчика» — the hand of the boy. Ставится *притяжательный падеж перед* определяемым существительным, тогда как сочетание «of + *общий падеж*» — *после* определяемого существительного (ср. приведенные примеры).

3. Множественное число (*plural*) у некоторых существительных образуется не по общим правилам; см. список слов на стр. 751. Латинские, греческие и т. п. формы множественного числа, употребляемые в английском языке, указаны при соответствующих словах в самом словаре.

4. У слов, оканчивающихся в общем падеже ед. числа на -ch, читаемое как [k], множественное число образуется прибавлением -s: pátriarch ['peɪtrɪɑ:k] — *pl.* pátriarchs(').

II. АРТИКЛИ (ЧЛЕНЫ, ARTICLES)

Определенный артикль (*definite article*): **the**; грамматически не изменяется the boy, the boy's; the boys, the boys' (ср. табл. 1; о произношении см. стр 739).

Неопределенный артикль (*indefinite article*): **a** или **an**; по падежам не изменяется; обе формы имеют значение *единственного числа*; при этом:

a употребляется перед *согласными* (за исключ. *немого* h-), перед y- с последующей гласной, перед eu-, ew-, перед u-, когда эта буква читается как [ju:, ju] или [juə], и перед словом one, например: a boy, a horse; a year; a eucalýptus, a ewe; a únit, such a one;

an — перед *гласными* (за исключ. указанных выше случаев), перед немым h- и нередко вообще перед h- в начале *безударного слога*; например: an act, an umbrélla; an hour [...auə]; a(n) histórian.

Артикли *предшествуют* другим определениям данного существительного: the most impórtant quéstion [...-stʃ-] «самый важный вопрос»; a very cold day «очень холодный день». *Но* **the** *ставится после* all «весь», both «оба», half «половина, пол-», а *неопределенный* артикль — *после* what «какой», such «такой», many «многий, не один» и *после* прилагательных, которым предшествует as, so «так, такой», too «слишком» или how «как, насколько», а также *после* half «половина, пол-» и обычно *после* quite «совсем» и ráther «довольно», например: all the boys «все (те) мальчики», half the mórning «пол-утра»; what a day! «какой день!», too impórtant a quéstion «слишком важный вопрос».

III. ПРИЛАГАТЕЛЬНЫЕ (ADJECTIVES)

Posit. = *Positive degree*, положительная степень
Comp. = *Comparative degree*, сравнительная степень
Superl. = *Superlative degree*, превосходная степень

По числам и падежам прилагательные в английском языке не изменяются.

Таблица 2

	Прилагательные в положительной степени односложные, а также те двухсложные, которые имеют ударение на конце или оканчиваются на -y, -ow, -some, -er, на -re или -le после согласной.			
	Образцы			
основные:	с орфографическими особенностями:			
short «короткий» narrow «узкий»	На одну согласную (не -w, -x) после одной ударной гласной: big «большой» hot «горячий»	На -e или -ee: able «способный»	На -y после согласной: háppy «счастливый»	
Posit. short narrow	big hot	able	háppy	
Comp. shórter nárrower *Superl.* shórtest nárrowest	bígger hótter bíggest hóttest	ábler áblest	háppier háppiest	
Прочие прилагательные. Образец: impórtant «важный»				
Posit. impórtant; *Comp.* more impórtant; *Superl.* most impórtant				

Примечания: 1. Прилагательные shy «застенчивый» и sly «хитрый» пишутся с y во всех степенях сравнения: shýer, shýest; slýer, slýest (но в Америке обычно по общему правилу: shíer, shíest; slíer, slíest).

2. Сравнительная и превосходная степени (*comparative*, *superlative*) у некоторых прилагательных образуются не по общим правилам; см. список слов на стр. 751.

IV. ОБРАЗОВАНИЕ НАРЕЧИЙ (ADVERBS) ОТ ПРИЛАГАТЕЛЬНЫХ (ADJECTIVES)

Таблица 3

	Различные прилагательные			Прил. на -le после согласной Образец: able «способный»
	Образцы			
основные:	с орфографическими особенностями:			
jóyful «радостный» dry «сухой»	На -y после согласной в безударном слоге или на -ay: háppy «счастливый» gay «весёлый»	На -ue: due «должный»		
Adjective jóyful dry	háppy gay	due		able
Adverb jóyfully drýly	háppily gáily	dúly		ábly

741

Примечания: 1. Сравнительная и превосходная степени наречий, образованных от прилагательных по общим правилам, обычно образуются посредством more и most, соответственно: *posit.* jóyfully; *comp.* more jóyfully; *superl.* most jóyfully.

2. От мно*гих*, в особенности от наиболее употребительных, прилагательных наречия образуются не по общим правилам. В частности, многие наречия *совпадают* по форме с соответствующими *прилагательными*; например: прил. long «длинный, долгий» (*comp.* lónger; *superl.* lóngest) — наречие long «долго» (*comp.* lónger; *superl.* lóngest). У таких наречий сравнительная и превосходная степени обычно образуются так же, как у соответствующих *прилагательных* (ср. приведенный пример). Отклонения от общих правил образования наречий по возможности учтены в самом словаре. Случаи неправильного образования степеней сравнения наречий приведены в списке слов на стр. 751.

V. ОБРАЗОВАНИЕ СУЩЕСТВИТЕЛЬНЫХ (NOUNS) ОТ ПРИЛАГАТЕЛЬНЫХ (ADJECTIVES) ПОСРЕДСТВОМ СУФФИКСА -ness «-ость»

Таблица 4

	Образцы		
	основные:		с орфографическими особенностями:
	jóyful «радостный» dry «сухой»		На -y после согласной в безударном слоге sticky «липкий»
Adjective	jóyful	dry	sticky
Noun	jóyfulness	drýness	stickiness

VI. МЕСТОИМЕНИЯ (PRONOUNS)

Sg. = *Singular*, единственное число
Pl. = *Plural*, множественное число
Nom. = *Nominative case*, именительный падеж
Obj. = *Objective case*, объектный падеж
Attr. = Attributive form, атрибутивная форма (т. наз. *conjoint* form)
Abs. = *Absolute form*, самостоятельная форма (употребляемая без существительного)
О произношении форм, читающихся не по общим правилам, см. стр. 739.

Таблица 5

	I «я»; thou *уст., поэт.* «ты»; he «он»; she «она»; it «оно (он, она)»; we «мы»; you «вы (ты)»; they «они»; who «кто»								
	Sg.					*Pl.*	*(Pl. Sg.)*	*Pl.*	
Nom.	I	thou	he	she	it	we	you	they	who
Obj.	me	thee	him	her	it	us	you	them	whom

Таблица 6

	my «мой»; thy *уст., поэт.* «твой»; his «его»; her «её»; its «его (её)»; our «наш»; your «ваш (твой)»; their «их»; whose «чей, которого»								
Attr.	my	thy	his	her	its	our	your	their	whose
Abs.	mine	thine	his	hers	its	ours	yours	theirs	whose

Примечание. По числам и падежам эти местоимения не изменяются.

Таблица 7

Местоимения со значениями «себя (-ся)» и «сам (сама и т. д.)»	òne͵sélf	one	Соответствующие личные местоимения
	mỳ͵sélf thỳ͵sélf *уст., поэт.* yourˈ͵sélf himˈ͵sélf herˈ͵sélf itˈ͵sélf	I thou you *sg.* he she it	
	ourˈ͵sélves yourˈ͵sélves themˈ͵sélves	we you *pl.* they	

Примечание. Местоимение òne͵sélf (как и соответствующее ему one, ср. ниже) является *неопределенно-личным*; ср.: (one can) see òne͵sélf in a mírror «(можно) видеть себя в зеркале». При подлежащем, выраженном другим местоимением (*не* one) или существительным, употребляется то местоимение на -self (-selves), которое соответствует лицу, роду и числу данного подлежащего; например: she saw herˈ͵sélf in the mirror «она увидела себя в зеркале»; the boys made this themˈ͵sélves «мальчики сделали это сами».

Таблица 8

this «этот»; that «тот»			
	Sg.	this	that
	Pl.	these	those

Примечание. По падежам эти местоимения не изменяются.

Прочие местоимения

one — неопределенно-личное местоимение
sómeˈ͵body «кто-либо, кто-то»
anybody «кто-либо, всякий»
everybody «всякий»
nóˈ͵body «никто»
sómeˈ͵one «кто-либо, кто-то» и др. на -one

образуют *притяжательный падеж как существительные*:

one's; sómeˈ͵body's; nóˈ͵body's; и т. п.

one как заменитель существительного имеет *множественное число* ones: *sg.* the big one «большой» — *pl.* the big ones «большие».
other «другой» с неопределенным артиклем пишется слитно: another; если относится к человеку и при этом употребляется само как существительное, может иметь *притяжательный падеж*, образуемый как у существительных other's (another's); например: the other's face «лицо другого (человека)»; но: the other man's face «лицо другого человека». При употреблении в качестве существительного имеет *множественное число* others; например: and others «и другие»; но: and other things «и другие вещи».

Остальные местоимения, за исключением указанных здесь и в табл. 5 и 8, ни по числам, ни по падежам не изменяются.

VII. ГЛАГОЛЫ (VERBS)

А. Простые формы (*положительные — affirmative*)

Inf. = *Infinitive*, инфинитив
Imp. = *Imperative*, повелительное наклонение (2-е лицо)
Pr. = *Present*, настоящее время (изъявительное наклонение)
Past, прошедшее время (изъявительное наклонение)
(1., 3.) *Sg.* = (*first, third person*) *singular* (первое, третье лицо) единственного числа
Pl. = *Plural*, множественное число (все лица)

⎫ неперфектные формы общего вида действительного залога

Pc. I = *Participle I* (*one*), причастие первое (т. наз. причастие настоящего времени, *present participle*; неперфектная форма действительного залога)
Pc. II = *Participle II* (*two*), причастие второе (или причастие прошедшего времени, *past participle*; страдательный залог)
Ger. = *Gerund*, герундий (неперфектная форма действительного залога).

Таблица 9

Правильные глаголы

	Образцы						
основные:	с орфографическими особенностями:						
play «играть» look «смотреть» end «кончать(ся)»	На -s, -z -x, -ch [tʃ], -sh или на -o: mix «смешивать»	На -y после согласной: try «пробовать»	На 1 согласную (не w, x) после 1 ударной гласной: dip «окунать»	На -e			
				после согласной или u: use «употреблять»	на -ie: tie «завязывать»	на -ee, -oe, -ye: dye «красить»	

Inf. Imp. Pr. 1. sg. » pl.	play	look	end	mix	try	dip	use	tie	dye
Pr. 3. sg.	plays	looks	ends	míxes	tries	dips	úses	ties	dyes
Past sg. » pl. Pc. II	played	looked	énded	mixed	tried	dipped	used	tied	dyed
Pc. I Ger.	pláying	lóoking	énding	míxing	trýing	dípping	úsing	týing	dýe:ing

Примечания: 1. По правилам орфографии, принятой в Англии, согласная l удваивается в конце основы перед -ed и -ing не только после *ударной* гласной, но также и после *безударной*; например: trável [-æv-]: «путешествовать» — trávelled, trávelling (так же, как compél «принуждать» — compélled, compélling, т.е. по типу dip—dipped, dipping). По правилам американской орфографии l после безударной гласной *не* удваивается: tráveling (в отличие от compélled, compélling).
2. В глаголах на -c, как pícnic «участвовать в пикнике», перед -ed и -ing вставляется k: picnicked, picnicking.
3. О произношении конечного -s см. стр. 737, конечного -es — стр. 734 и стр. 737. О произношении конечного -ed см. стр. 734 и 737.
4. Список неправильных глаголов приведен на стр. 751 и сл. Глаголы в этом списке даются в формах *инфинитива* (*inf.*), *прошедшего времени* (*past sg., pl.*) и *причастия второго* (*pc. II*). Формы повелительного наклонения (*imp.*) и формы на -ing (*pc. I, ger.*) вообще не приводятся, так как эти формы у всех глаголов образуются по общим правилам; прочие же простые формы даются лишь в тех исключительных случаях, когда они образуются не по общим правилам. Таким образом отсутствие этих форм в списке является указанием на правильность их образования.
5. Вопросительные, отрицательные и усилительные личные формы являются составными (см. Б стр. 745 и табл. 11). Отрицательные формы инфинитива, причастий и герундия образуются с частицей **not** «не», которая ставится *перед* глаголом: not to play, not played, not playing (об инфинитивной частице to см. примечание 2 к табл. 11).

Таблица 10

Вспомогательные и недостаточные модальные глаголы

be «быть» (для образования форм длительного вида – *continuous* – и страдательного залога – *passive*; также как глагол-связка);
have «иметь» (для образования перфектных форм — *perfect*);
do «делать» (для образования вопросительных, отрицательных и усилительных неперфектных форм изъявительного наклонения общего вида действительного залога – *interrogative, negative, emphatic, indicative indefinite active* – и отрицательных и усилительных форм повелительного наклонения – *imperative*);
shall «должен» ⎫ (для образования форм будущего времени — *future*; should, would — для образования форм **will** «хочет»   ⎭ условного наклонения — *conditional*; should — также предположительного наклонения — *suppositional*; ср. примеч. 1 к табл. 11).
may «могу»; **can** «могу»; **must** «должен»; **ought** «должен (бы)»

Продолжение табл. 10

Inf. Imp. Pr. 1. sg. » pl.	}	be am are	}	have	do	}	—	—	—	—	—	—	—
Pr. 3. sg. Past sg. » pl. Pc. II		is was were been	}	has had	does did done	}	shall should	will would	may might	can could	must	ought	
Pc. I Ger.	}	bé:ing		having	doing	}	—	—	—	—	—	—	

Примечания: 1. Многие из этих форм читаются не по общим правилам, см. стр. 739.
2. Вопросительные формы (*interrogative*): глагол ставится перед подлежащим; например: am I?; are you?; were they?; have you?; do you?; shall I; и т. п. (I «я»; you «вы, ты»; they «они»); ср. примечание 5.
3. Отрицательные формы (*negative*) образуются с частицей **not** «не», которая ставится *после* глагола в *личной* форме; например: I am not; they were not; you have not; you do not; I shall not; с формой can пишется слитно: I cánnòt (но I could not и т. д.). Та же частица ставится *перед инфинитивом, причастиями и герундием*: not to be, not bé:ing; not to have, not having (т. е. так же, как у полнозначных глаголов; ср. примечание 5 к табл. 9; об инфинитивной частице to см. примечание 2 к таблице 11).— Отрицательная форма повелительного наклонения образуется (так же, как у полнозначных глаголов, см. табл. 11) с глаголом do + not: do not be.
4. Усилительные формы (*emphatic*) отличаются от обычных *ударением* на глаголе в личной форме (на письме обозначается *курсивом*): I *was*; I *shall* be. Усилительная форма повелительного наклонения (так же, как у полнозначных глаголов, см. табл. 11) образуется с глаголом **do**: do be! «будь(те)!».
5. Вопросительные, отрицательные и усилительные формы глагола do в качестве полнозначного, со значением «делать, совершать», образуются так же, как и у других полнозначных глаголов. У глагола **have** в качестве полнозначного эти же формы образуются,— в зависимости от его значения и от стиля речи,— либо так же, как и у других полнозначных глаголов, либо так же, как при его употреблении в качестве вспомогательного глагола.
6. Сокращенные личные формы (*разг.*):

am: I'm (not) = I am (not); are:n't I? [ɑ:nt...],
  ain't I? = am I not?;
are: 're; are:n't = are not;
is: 's; is:n't = is not;
was: was:n't = was not;
were: were:n't = were not;
have: 've; have:n't = have not;
has: 's; has:n't = has not;
had: 'd; hadn't = had not;
do: don't [dount] = do not;
does: does:n't = does not;

did: didn't = did not;
shall: shan't [ʃɑ:nt] = shall not;
should: shouldn't = should not;
will: 'll; won't [wount] = will not;
would: 'd; wouldn't = would not;
may: mayn't = may not;
might: mightn't = might not;
can: can't [kɑ:nt] = cánnòt;
could: couldn't = could not;
must: mustn't = must not;
ought: oughtn't = ought not.

Старые формы 2-го лица единственного числа

С местоимением 2-го лица ед. числа **thou** *уст., поэт.* «ты» употребляются особые формы — с окончанием -(е)st: *pr.* (thou) pláyest, tiest; *past* (thou) pláyedst, tiedst (от play, tie) и т. п.; *pr.* hast, dost [dʌst] или dóest ['dɪnst], máyest, canst; *past* hadst, didst, mightst, couldst (от have, do, may, can); shouldst, wouldst (от shall, will);— с окончанием -t: *pr.* art, shalt, wilt (от be, shall, will) — от глагола be в прошедшем времени (*past*): wast (или wert).

Б. Составные формы

В составных формах главный глагол употребляется:
1) в *инфинитиве* (*infinitive*) в неперфектной форме общего вида действительного залога (*indefinite active*):
а) после **do** (does, did; вопросительные, отрицательные и усилительные формы — *interrogative, negative, emphatic* — настоящего и прошедшего неперфектных времен общего вида изъявительного наклонения действительного залога — *present, past, indefinite indicative active*; отрицательные и усилительные формы повелительного наклонения — *imperative* — того же залога, также соответствующие формы сослагательного наклонения — *subjunctive*; (см. табл. 11); например: **do** they play? «играют ли они?»; **did** they do? «(с)делали ли они?»; **do** not do it! «не делай(те) этого!»;
б) после **shall, will** (будущее время — *future* — в неперфектной форме общего вида изъявительного наклонения действительного залога — *indefinite indicative active*; после should, would — условное наклонение — *conditional* — в неперфектной форме того же вида и того же залога; после should — предположительное наклонение — *suppositional* — того же вида и залога); например: I **shall** play «я буду играть»; he **will** do it «он сделает это»; they **would** do it «они (с)делали бы это»;
2) в *причастии первом* (т. наз. прич. настоящего времени — *participle I, present participle*) — в неперфектной форме действительного залога (*indefinite active*):
после **be** (am, is, are, was, were, been; все формы длительного вида действительного залога — *continuous active*); например: I **am** pláying «я играю»; he **was** doing it «он делал это»;
3) в *причастии втором* (прич. прошедшего времени — *participle II, past participle*):
а) после **have** (has, had, having; все перфектные формы общего вида действительного залога — (*common perfect active*); например: I **have** played «я играл, сыграл»; he **has** done it «он сделал это»;

б) после **be** (am, is, are, was, were, bé:ing, been; все формы страдательного залога — *passive*); например: it **is** played «это играется»; it **is** done «это сделано»; it **was** done «это было сделано, делалось»; it is **bé:ing** done «это делается».

Составные формы у всех глаголов образуются по общим правилам. При этом, однако, нужно заметить следующее:

1. Глагол **be** не имеет форм с do (does, did) — за исключением форм повелительного наклонения (*neg.* do not be, *emph.* do be!); ср. примеч. 2—4 к табл. 10.

2. Глагол **have** в качестве полнозначного глагола может иметь формы с do, но он нередко употребляется в соответствующих случаях также без do; как глагол вспомогательный, он форм с do не имеет; ср. примеч. 2—5 к табл. 10.

3. Глаголы **dare** и **need** (см. список неправильных глаголов, стр. 751) наряду с формами с do имеют и соответствующие формы без do, причем употребление тех или других определяется значением этих глаголов в данных словосочетаниях.

4. Все недостаточные глаголы (shall, will, may и др.) составных форм не имеют (поскольку у них нет инфинитива и причастий).

Примеры составных форм глаголов **be** и **have:**

Future indef.   indic. active: shall be, shall have; will be, will have;
Present perfect   »   »: have been, have had; has been, has had;
Past perfect   »   »: had been, had had;
Future perfect   »   »: shall have been, shall have had; will have been, will have had;
Present continuous   »   »: am bé:ing, am having; is bé:ing, is having; are bé:ing, are having;
Present indef. indic. passive: —, is had, are had;
Future   »   »   »: —, will be had.

Таблица 11

Сводная таблица спряжения правильного глагола

Образец: call «звать, называть и т. п.»

Active

		Подлежащее	(Common) Indefinite	Perfect	Continuous	Perfect Continuous
Infinitive			(to) call	(to) have called	(to) be calling	(to) have been calling
Indicative Present	Affirm. (unemph.) Sg. {1. 3. Pl. {1.2. 3	I he, etc. we, you they	call calls call	have called has called have called	am calling is calling are calling	have been calling has been calling have been calling
	Interrog. 1. sg.	I	do I call?	have I called?	am I calling?	have I been calling?
	Neg. 1. sg.	I	do not call	have not called	am not calling	have not been calling
	Emph. 1. sg. (affirm.)	I	do call см. табл. 12.	have called	am calling см. примечания 2–4 к табл. 10.	have been calling
Past	Affirm. (unemph.) sg. {1.2. 3.	I, he, etc. we, you they	} called	had called	} was calling were calling	} had been calling
	Interrog. 1. sg.	I	did I call?	had I called?	was I calling?	had I been calling?
	Neg. 1. sg.	I	did not call	had not called	was not calling	had not been calling
	Emph. 1. sg. (affirm.)	I	did call	had called	was calling	had been calling
Future	Sg. {1. 3. Pl. {1., 2. 3.	I he, etc. we you they	shall call will call shall call will call will call	shall have called will have called shall have called will have called will have called	shall be calling will be calling shall be calling will be calling will be calling	shall have been calling will have been calling shall have been calling will have been calling will have been calling
Imperative	Affirm. (unemph.)		call			
	Negative		do not call			
	Emphatic (affirm.)		do call			

747

Продолжение табл. 11

Образец: call
«звать, называть и т. п.»

Active

	Подлежащее	(Common) Indefinite	Perfect	Continuous	Perfect Continuous
Infinitive		(to) call	(to) have called	(to) be calling	(to) have been calling
Affirm. (Subjunctive I, т. наз. Pr.)	I, he, etc. we, you they	call		be calling	
Negative	I, he, etc. we, you they	do not call		be not calling	
Affirm. (Subjunctive II, т. наз. Past)	I, he, etc. we, you they	called	had called	were calling	had been calling
Negative	I, he, etc. we, you they	did not call	had not called	were not calling	had not been calling
Conditional Sg. {1. 3.} Pl. {1. 2. 3.}	I, he, etc. we you they	should call would call should call would call would call	should have called would have called should have called would have called would have called	should be calling would be calling should be calling would be calling would be calling	should have been calling would have been calling should have been calling would have been calling would have been calling
Suppositional	I, he, etc. we, you they	should call		should be calling	
Participle I		calling	having called		having been calling
Gerund		calling	having called		having been calling

748

Продолжение табл. 11

		Passive		
Образец: call «звать, называть и т.п.»	Подлежащее	(Common) Indefinite	Perfect	Continuous (Perf. Cont. не употр.)
Indicative				
Infinitive		(to) be called	(to) have been called	
Present Sg. {1. / 3.} Pl. {1.2. / 3.}	I / he, etc. / we, you / they	am called / is called / are called	have been called / has been called / have been called	am bé;ing called / is bé;ing called / are bé;ing called
Past Sg. 1.3. Pl. {1.2. / 3.}	I, he, etc. / we, you / they	was called / were called	} had been called	was bé;ing called / were bé;ing called
Future Sg. {1. / 3.} Pl. {1. / 2. / 3.}	I / he, etc. / we / you / they	shall be called / will be called / shall be called / will be called / will be called	shall have been called / will have been called / shall have been called / will have been called / will have been called	
Imperative				
Affirm. (unemph.)		be called		
Negative		do not be called		
Emphatic (affirm.)		do be called		
Subjunctive I (т. наз. Past)	I, he, etc. / we, you / they	} be called / were called		
Subjunctive II (т. наз. Past)	I, he, etc. / we, you / they		had been called	
Conditional Sg. {1. / 3.} Pl. {1. / 2. / 3.}	I / he, etc. / we / you / they	should be called / would be called / should be called / would be called / would be called	should have been called / would have been called / should have been called / would have been called / would have been called	
Suppositional	I, he, etc. / we, you / they	} should be called		
Participle I (т. наз. Present)		bé;ing called	having been called	
Participle II, или Past Part.		called		
Gerund		bé;ing called	having been called	

749

Примечания: 1. Неправильные глаголы спрягаются в общем по той же схеме, что и правильные, но отличаются от последних образованием отдельных *простых* форм (ср. примеч. 4 к табл. 9). В частности, у многих неправильных глаголов *причастие II* (прич. прошедшего времени — *participle II*, или *past participle*) отличается по форме от простого *прошедшего времени* общего вида действительного залога (*past indefinite active*), тогда как у правильных глаголов обе эти формы одинаковы (оканчиваются на -ed); ср.: правильные глаголы call, play — *past indef.* и *participle II* (*past pc.*) called, played; — неправильные глаголы take («брать»), see («видеть») — *past indef.* **took, saw**, но *participle II* (*past pc.*) **táken, seen**. В таблице форма простого *прошедшего времени* общего вида действ. залога — *past indefinite active* — выделена разрядкой (c a l l e d); так же выделена и совпадающая с ней форма *сослагательного наклонения II* — *subjunctive II*; во всех остальных случаях форма на -ed (called) является *причастием II* — *participle II* (*past pc.*). Таким образом, например, форме (I, he, *etc.*, we, you, they) called от глагола call, данного в таблице, будут соответствовать: у *неправильных* глаголов take и see — формы (I, he, *etc.* ...) **took, saw**, тогда как формам (I, he, *etc.* ...) had called, having called, were called и т. п. от глагола call — формы (I, he, *etc.* ...) had **táken**, had **seen**; having **táken**, having **seen**; were **táken**, were **seen** и т. п.

2. Инфинитив (*infinitive*), когда он не является частью составной формы глагола, в большинстве случаев употребляется с частицей **to** перед ним; например: he wants **to** call «он хочет (по)звать, назвать *и т.п.*»; it is nécessary **to** call «необходимо (по)звать, назвать *и т.п.*»; to be or not to be «быть или не быть». В известных случаях, однако, инфинитив *употребляется без* **to** также и тогда, когда он не является частью составной формы. Важнейшие из этих случаев следующие:

а) сочетания с *недостаточными* глаголами **may, can, must; shall, will** (но *не* **ought**!); например: you may call «вы можете (по)звать *и т.п.*», he must call «он должен (по)звать *и т.п.*» (но: he ought **to** call);

б) сочетания с глаголами **let*** «пускать *и т.п.*», **make*** в знач. «заставлять», **bid*** «велеть» в формах *действительного* залога и **dare** (not) в знач. «сметь»; например: he made them call «он заставил их (по)звать *и т.п.*»;

в) сочетания с глаголами **see*** «видеть», **hear*** «слышать», **nótice** ['nou-] «замечать» и некоторыми другими, обозначающими восприятие (по-русски инфинитив в этих случаях передаётся обычно через «как + *личная* форма соответствующего глагола»); например: he heard them call [...hə:d...] «он слышал, как они звали *и т.п.*», — как и в предыдущем случае, инфинитив употребляется без to лишь при формах *действительного* залога указанных глаголов;

г) сочетания с **had bétter** «лучше бы, следовало бы»: he had bétter call «ему лучше бы, *или* следовало бы, позвать *и т.п.*»;

д) сочетания с **why not** «почему не»: why not call...? «почему не (по)звать, не назвать...? *и т.п.*».

В самом словаре употребление инфинитива с to указывается сокращением (+ to *inf.*), а употребление инфинитива *без* to — сокращением (+*inf*); ср. стр. 11.

3. Формы 2-го лица единственного числа совпадают с формами того же лица *множественного* числа, поскольку подлежащим при тех и других является местоимение **you** «вы, (ты)», имеющее значение как множественного, так и единственного числа. Относительно старых особых форм 2-го лица ед. числа, употребляемых с местоимением **thou**, см. стр. 745.

4. Обычная вопросительная форма 2-го лица (*ед., мн.*) будущего времени образуется с **shall**: shall you call? «позовёте ли вы, будете ли вы звать? *и т.п.* (позовёшь ли ты? *и т.п.*)». Вопросительная форма 2-го лица будущего времени с **will** имеет оттенок вопроса о *желании, согласии* и т. п.: will you call? «не позовёте ли вы? (не позовёшь ли ты? *и т.п.*)», т.е. «не хотите ли вы (не хочешь ли ты) позвать? *и т.п.*». В прочих случаях употребление **shall** вместо **will** придаёт оттенок долженствования, необходимости принуждения (shall — «должен»); **will** в 1-м лице выражает волю, желание, намерение (will — «хочу»).

5. Предположительное наклонение (*suppositional*) обычно рассматривается либо как вариант условного (*conditional*), либо как свободное сочетание **should** с инфинитивом. Однако имеются достаточные основания выделять его в качестве особого наклонения, отличного и от условного наклонения и от тех свободных сочетаний should с инфинитивом, в которых should имеет свое самостоятельное значение «должен (бы)». Глагол в предположительном наклонении обозначает предполагаемое, предлагаемое или требуемое действие, цель другого действия и т. п. и обычно употребляется после союзов **if** «если», **unless** «если не», **that** «что(бы)», **lest** «чтобы не»; например: if he should call «если (случится, что) он позовёт (назовёт) *и т.п.*»; it is nécessary that he should call «необходимо, чтобы он позвал *и т.п.*». Союз **if** может опускаться; тогда should ставится перед подлежащим: should he call = if he should call.

Таблица 12

Вопросительные, отрицательные и усилительные формы (interrogative, negative, emphatic) настоящего и прошедшего времени (*present, past*), образуемые с глаголом **do**

		Образец: call «звать, называть»		Interrogative		Negative	Emphatic
Indicative	Present Indefinite	Sg.	1. 3.	do I does he, *etc.*	call? call?	I he, *etc.* do not call does not call	do call does call
		Pl.	1.2. 3.	do { we, you they }	call?	we, you they } do not call	do call
	Past Indef.	Sg. Pl.	1.3. 1.2. 3.	did { I, he, *etc.* we, you they }	call?	I, he, *etc.* we, you they } did not call	did call

СПИСОК ВАЖНЕЙШИХ СЛОВ, ИЗМЕНЯЮЩИХСЯ НЕ ПО ОБЩИМ ПРАВИЛАМ

(в словаре даны со звездочкой:*)

I. СУЩЕСТВИТЕЛЬНЫЕ:

образование *множественного* числа (формы *мн.* числа приведены *после двоеточия*; ср. примечание к табл. 1).

bath «ва́нна»: baths [-ðz].
bróther ['brʌ-] «брат (*член братства*)»: bréthren ['breðrɪn] *уст.*; — *в прочих случаях* («брат — *родственник, товарищ и т. п.*») — *по общим правилам:* bróthers.
calf [kɑ:f] «телёнок»: calves [kɑ:vz].
child «дитя́»: children.
corps [kɔ:] «ко́рпус» *воен.*: corps [kɔ:z].
deer «оле́нь»: deer.
elf «эльф»: elves.
foot [fut] «нога́; фут»: feet.
goose [gu:s] «гусь»: geese.
half [hɑ:f] «полови́на»: halves [hɑ:vz].
house [-s] «дом»: hóuses [-zɪz].
knife «нож»: knives.
lath «дра́нка»: laths [-ðz].
leaf «лист»: leaves.
life «жизнь»: lives.
loaf «бу́лка, карава́й»: loaves.
louse [-s] «вошь»: lice.
man «мужчи́на, челове́к»: men.
mouse [-s] «мышь»: mice.
mouth «рот»: mouths [-ðz].
oath «кля́тва»: oaths [-ðz].
ox «вол, бык»: óxen.
path «тропа́»: paths [-ðz].
scarf «шарф»: scarves / scarfs.
sheaf «сноп»: sheaves.
sheath «футля́р»: sheaths [-ðz].
sheep «овца́»: sheep.
shelf «по́лка»: shelves.
staff «жезл *и т. п.*»: staffs; staves *уст.*; «но́тная лине́йка»: staves.
swine «свинья́»: swine.
thief [θi:f] «вор»: thieves [θi:vz].
tooth «зуб»: teeth.
wharf «прича́л»: wharves / wharfs.
wife «жена́»: wives.
wolf [wu-] «волк»: wolves [wu-].
wóman ['wu-] «же́нщина»: wómen ['wɪmɪn].
wreath «вено́к»: wreaths [-ðz].
youth [ju:θ] «ю́ноша»: youths [ju:ðz].

II. ПРИЛАГАТЕЛЬНЫЕ И НАРЕЧИЯ:

образование *сравнительной* и *превосходной* степеней (формы этих степеней приведены в данном порядке *после двоеточия*).

bad «плохо́й»: worse; worst.
éastern «восто́чный»: more éastern; éastern-mòst.
élder «ста́рший»: *superl.* éldest.
évil ['i:-] «дурно́й»: worse; worst.
far «далёкий» *и* **far** «далеко́»: fárther / fúrther [-ðə -ðə]; fárthest / fúrthest [-ð- -ð-] (*в перен. знач. тк.* fúrther).
good «хоро́ший»: bétter; best.
hind, hínder «за́дний»: *superl.* hínd-mòst.
ill «дурно́й; больно́й» *и* **ill** «пло́хо»: worse; worst.
ínner «вну́тренний»: *superl.* ín-mòst / ínner-mòst.
little «ма́лый»: less (*об. при отвлеч. сущ.*) lésser (*об. при конкретн. сущ.*); least; — *при значении* ма́ленький *в качестве сравнит. и превосх. степ. к* little *употребляются соотв. степени от* small: smáller smállest.
little «ма́ло» *sg.*: less; least.
lówer ['louə] «ни́жний»: *superl.* lówer-mòst.
many «мно́го» *pl.*: more; most.
much «мно́го» *sg.*: more; most.
nórthern [-ð-] «се́верный»: more nórthern; nórthern-mòst [-ð-].
óuter «вне́шний»: *superl.* óut-mòst / óuter-mòst.
rear «за́дний»: *superl.* réar-mòst.
sóuthern ['sʌð-] «ю́жный»: more sóuthern; sóuthern-mòst [-ð-].
top «ве́рхний»: *superl.* tóp-mòst.
úpper «ве́рхний»: *superl.* úpper-mòst / úp-mòst.
útter «кра́йний»: *superl.* út-mòst / útter-mòst.
well «хорошо́»: bétter; best.
wéstern «за́падный»: more wéstern; wéstern-mòst.

III. ГЛАГОЛЫ:

образование *прошедшего* времени (изъявит. накл. общего вида действит. залога) и *причастия II* (причастия прош. вр.; — эти формы приведены в данном порядке *после двоеточия*; отклонения от общих правил в образовании прочих форм отмечены особо; ср. примечание 4 к табл. 9).

abíde «пребыва́ть; твёрдо держа́ться (*чего-либо*) *и т. п.*»: abóde / abíded; abóde / abíded; — *при значении* «пребыва́ть жить» *об.* употребляются формы abóde.
aríse «возника́ть; *поэт.* восстава́ть»: aróse; arísen [-ɪz-].
awáke «буди́ть; просыпа́ться»: awóke, awáked *и, реже,* awóke.
be «быть»: *см. табл.* 10.
bear [bɛə] «носи́ть; роди́ть»: bore; borne *и* born; *последняя форма* (born) *употребля́ется в* be born «роди́ться» (was born «роди́лся», were born «роди́лись» *и т. д.*) *и самостоятельно в значении* «рождён (-ный), роди́вшийся», *если с этим причастием не связывается сочетание* by + *существительное или местоимение:* born 1900 «рождён(ный), роди́вшийся в 1900 г.» (*но:* borne by her «рождённый е́ю»).
beat «бить»: beat; béaten.
becóme «станови́ться, де́латься»: becáme; becóme.
befáll «случа́ться»: beféll; befáll-en.
begét [-'g-] «порожда́ть»: begót; begótten.
begín «начина́ть»: begán; begún.
begírd [-'g-] *уст.* «опоя́сывать»: begírt [-'g-]; begírt [-'g-].
behóld «зреть (*видеть*)»: behéld; behéld.
bend «сгиба́ться»: bent; bent.
beréave «лиша́ть»: beréft / beréaved; beréft / beréaved.
beséech «упра́шивать»: besóught; besóught.
besét «осажда́ть»: besét; besét.
bespít «заплёвывать»: bespát; bespát.
bestríde «сади́ться *или* сиде́ть верхо́м *и т. п.*»: bestróde; bestrídden.
betáke (òne:sélf) «принима́ться; отправля́ться»: betóok; betáken.
bid «веле́ть»: bad(e) / bid; bíd(den), — «предлага́ть (*цену*)»: bid; bid.
bind «свя́зывать»: bound; bound.
bite «куса́ть»: bit; bít(ten).
bleed «кровоточи́ть»: bled; bled.
blow [-ou] «дуть» *и* **blow** [-ou] «цвести́»: blew; blown [-oun].
break [-eɪk] «лома́ть»: broke; bróken.
breed «выра́щивать»: bred; bred.
bring «приноси́ть»: brought; brought.
build [bɪld] «стро́ить»: built [bɪlt]; built [bɪlt].
burn «жечь; горе́ть»: burnt; burnt.
burst «разража́ться, взрыва́ть(ся)»: burst; burst.
buy [baɪ] «покупа́ть»: bought; bought.
can *pr.* «могу́»: *см. табл.* 10.
cast «кида́ть; лить (*металл*)»: cast; cast.
catch «лови́ть»: caught; caught.
chide «брани́ть»: chid; chíd(den).
choose «выбира́ть»: chose; chóse-n.
cleave I «рассека́ть(ся)»: clove / cleft; clóven cleft.
cleave II «остава́ться ве́рным»: clave / cleaved; cleaved.
cling «(с)цепля́ться, льнуть»: clung; clung.
clothe [-ouð] «одева́ть»: clothed [-ou-]; clothed [-ou-] *и* clad *уст. книжн.*
come «приходи́ть»: came; come.
cost «сто́ить»: cost; cost.
creep «ползти́»: crept; crept.

751

crow [-ou] «петь (*о петухе*)»: crowed [-oud] и crew; crowed [-oud].
cut «резать»: cut; cut.
dare «сметь» (*pr. 3. sg.* dares и dare; *вопросит. и отрицат. формы* dare I?, dare he?, dare not *и т. д.*; *но также и по общим правилам*): *past* durst / dared; — *в значении «бросать вызов» глагол* dare *является правильным*.
deal «иметь дело, обходиться и т. п.»: dealt [de-]; dealt [de-].
dig «копать»: dug; dug.
do «делать» (*pr. 3. sg.* does): did; done; *ср. табл. 10 и примечания 5 и 6 к этой таблице*.
draw «тащить, тянуть; рисовать»: drew; drawn.
dream «грезить»: dreamt [-e-] и dreamed; dreamt [-e-] и dreamed.
drink «пить»: drank; drunk.
drive «гнать; ехать»: drove; driven [-ɪv-].
dwell «обитать; задерживаться (*на чём-л.*)»: dwelt; dwelt.
eat «есть»: ate [et, eɪt]; éaten.
fall «падать»: fell; fállen.
feed «кормить»: fed; fed.
feel «чувствовать»: felt; felt.
fight «сражаться»: fought; fought.
find «находить»: found; found.
flee «бежать (*прочь*), избегать»: fled; fled.
fling «бросать»: flung; flung.
fly «летать»: flew; flown [-oun].
forbéar [-ɛə] «воздерживаться»: forbóre; forbórne.
forbíd «запрещать»: forbád(e) [-æd]; forbídden.
forgét [-'g-] «забывать»: forgót; forgótten.
forgíve [-'gɪv] «прощать»: forgáve; forgíven [-'gɪvᵊn].
forsáke «покидать»: forsóok; forsáken.
freeze «замерзать, замораживать»: froze; frózen.
get «получать, достигать; делаться и т. п.»: got; got (gótten *амер.*).
gild [gɪ-] «золотить»: gílded / gilt ['gɪ- gɪ-]; gílded / gilt ['gɪ- gɪ-].
gird [g-] *поэт.* «опоясывать»: gírded / girt ['g- g-]; gírded / girt ['g- g-].
give «давать»: gave; given.
go «идти, уходить»: went; gone [gɔn].
grave «гравировать»: graved; graved / gráven.
grind «молоть; точить»: ground; ground.
grow [-ou] «расти»: grew; grown [-oun].
hang «висеть, вешать»: hung; hung; — *при значении «вешать (казнить)»*: hanged; hanged.
have «иметь» (*pr. 3. sg.* has): had; had; *ср. табл. 10 и примечания 5 и 6 к этой таблице*.
hear «слышать»: heard [hə:d]; heard [hə:d].
heave «подымать(ся)»: heaved / hove; heaved / hove.
hide «прятать»: hid; hid(den).
hit «ударять; попадать»: hit; hit.
hold «держать»: held; held.
hurt «причинять вред, боль»: hurt; hurt.
interwéave «воткать»: interwóve; interwóven.
keep «хранить»: kept; kept.
kneel «становиться на колени, стоять на коленях»: knelt; knelt.
knit «вязать»: knít(ted); knít(ted).
know [nou] «знать»: knew; known [noun].
lade «грузить»: láded / láded / láden.
lay «класть»: laid; laid.
lead «вести»: led; led.

lean «опираться, прислоняться»: leant [le-] и leaned; leant [le-] и leaned.
leap «прыгать»: leapt [le-] и leaped; leapt [le-] и leaped.
learn [lə:n] «учить (*что-л.*)»: learnt / learned [lə:- lə:-]; learnt / learned [lə:- lə:-].
leave «оставлять»: left; left.
lend «одалживать»: lent; lent.
let «пускать»: let; let.
lie «лежать»: lay; lain.
light «освещать»: lit; lit.
lose [lu:z] «терять»: lost; lost.
make «делать»: made; made.
may *pr.* «могу»: *см. табл. 10*.
mean «значить; подразумевать»: meant [me-]; meant [me-].
meet «встречать»: met; met.
mis꞉gíve «внушать опасения»: mis꞉gáve; mis꞉gíven.
mis꞉héar «ослышаться»: mis꞉héard [-ə:d]; mis꞉héard [-ə:d].
misláy «класть не на место»: misláid; misláid.
misléad «вводить в заблуждение»: misléd; misléd.
mís-spéll «писать с орфографическими ошибками»: mís-spélt; mís-spélt.
mistáke «неправильно понимать»: mistóok; mistáken.
mow [mou] «косить (*траву и т. п.*)»: mowed [moud]; mown [moun].
must *pr.* «должен»: *см. табл. 10*.
need «иметь надобность (*что-л. сделать*), быть обязанным» (*вопросит. и отрицат. формы* need I?, need he?, need not *и т. п.*): *формы прошедшего времени и причастия II* (néeded) *неупотребительны*; *вместо* did not need to go «не нужно было идти» *и т. п. об.* need not have gone *и т. п.*; — *в значении «нуждаться, иметь надобность (в чём-л.)» глагол* need *является правильным*.
ought *pr.* «должен (бы)»: *см. табл. 10*.
partáke «принимать участие»: partóok; partáken.
pay «платить»: paid; paid.
put «класть, ставить»: put; put.
read «читать»: read [red]; read [red].
re꞉búild [-'bɪld] «перестраивать»: re꞉búilt [-'bɪlt]; re꞉búilt [-'bɪlt] — *так же, как* build [bɪld] «*строить*»; *подобным же образом и другие глаголы с приставкой* re- *изменяются так же, как соответствующие глаголы без приставки*.
rend *уст., поэт.* «раздирать»: rent; rent.
rid «избавлять»: ríd(ded); ríd(ded).
ride «ехать (*верхом и т. п.*)»: rode; rídden.
ring «звонить»: rang; rung.
rise «подниматься»: rose; rísen ['rɪz-].
rive «расщеплять»: rived; ríven ['rɪv-].
run «бегать»: ran; run.
saw «пилить»: sawed; sawn / sawed.
say «говорить, сказать» (*pr. 3. sg.* says [sez]): said [sed]; said [sed].
see «видеть»: saw; seen.
seek «искать»: sought; sought.
sell «продавать»: sold; sold.
send «посылать»: sent; sent.
set «устанавливать и т. п.»: set; set.
sew [sou] «шить»: sewed [soud]; sewn / sewed [soun soud].
shake «трясти»: shook; sháken.
shall *pr.* «должен»: *см. табл. 10*.
shave «брить(ся)»: shaved; shaved и, *об. как прил.*, sháven.

shear «стричь, срезать»: sheared и *уст.* shore; shorn.
shed «проливать; сбрасывать»: shed; shed.
shine «светить(ся), сиять»: shone [ʃɔn]; shone [ʃɔn].
shoe [ʃu:] «обувать; подковывать»: shod; shod.
shoot «стрелять; давать побеги»: shot; shot.
show [ʃou] «показывать»: showed [ʃoud]; shown [ʃoun].
shred «кромсать; расползаться (*на части*)»: shréd(ded); shréd(ded); — *краткие формы уст*.
shrink «сокращать(ся); отступать»: shrank; shrunk.
shrive *уст.* «исповедовать»: shrove / shrived; shríven [-ɪv-] и shrived.
shut «закрывать»: shut; shut.
sing «петь»: sang; sung.
sink «опускаться»: sank; sunk.
sit «сидеть»: sat; sat.
slay «убивать»: slew; slain.
sleep «спать»: slept; slept.
slide «скользить»: slid; slid.
sling «швырять; подвешивать»: slung; slung.
slink «идти крадучись»: slunk; slunk.
slit «раздирать(ся), разрезать (*вдоль*)»: slit; slit.
smell «пахнуть, нюхать»: smelt; smelt.
smite «ударять»: smote; smitten.
sow [sou] «сеять»: sowed [soud]; sowed / sown [soud soun].
speak «говорить»: spoke; spóken.
speed «ускорять»: sped; sped.
spell «составлять (*слово*) из букв»: spelt / spelled; spelt / spelled.
spend «тратить»: spent; spent.
spill «разливать(ся), рассыпать(ся)»: spilt / spilled; spilt / spilled.
spin «крутить(ся), прясть»: spun; spun.
spit «плевать»: spat; spat.
split «расщеплять(ся)»: split; split.
spoil «портить»: spoilt / spoiled; spoilt / spoiled.
spread [-ed] «распространять(ся)»: spread [-ed]; spread [-ed].
spring «вскакивать; возникать и *т. п.*»: sprang; sprung.
stand «стоять»: stood [-ud]; stood [-ud].
steal «красть(ся)»: stole; stólen.
stick «колоть, втыкать» и **stick** «приклеивать (-ся) и *т. п.*»: stuck; stuck.
sting «жалить»: stung; stung.
stink «вонять»: stank / stunk; stunk.
strew «разбрасывать; устилать и *т. п.*»: strewed; strewn / strewed.
stride «шагать (*большими шагами*), перешагивать»: strode; stríd(den).
strike «ударять(ся)»: struck; struck.
string «натягивать; нанизывать»: strung; strung.
strive «стараться; бороться»: strove; stríven [-ɪv-].
swear [-ɛə] «клясться»: swore; sworn [-ɔ:n].
sweep «мести; мчаться»: swept; swept.
swell «вздуваться»: swelled; swóllen [-ou-].
swim «плавать»: swam [-æm]; swum.
swing «качать(ся), размахивать»: swung; swung.
take «брать»: took; táken.
teach «учить»: taught; taught.
tear [tɛə] «рвать»: tore; torn.
tell «рассказывать, сказать»: told; told.
think «думать»: thought; thought.
thrive «процветать»: throve; thríven [-ɪv-].

throw [-ou] «бросáть»: threw; thrown [-oun].
thrust «совáть, толкáть»: thrust; thrust.
tread [-ed] «ступáть»: trod; tródden.
ùn⁞bénd «разгибáть(ся) и т. п.»: ùn⁞bént; ùn⁞bént — так же, как bend «сгибáть(ся) и т. п.»; подóбным же образом и другие глагóлы с пристáвкой **un-** изменяются так же, как соотвéтствующие глагóлы без пристáвки.
ùnderstánd «понимáть»: ùnderstóod [-ud]; ùnderstóod [-ud].
ùndertáke «предпринимáть»: ùndertóok; ùndertáken.

ùpsét «опрокúдывать(ся), расстрáивать»: ùpsét; ùpsét.
wake «просыпáться; будúть»: woke / waked; waked / wóken.
wear [wεə] «носúть(ся) (*об одежде и т. п.*)»: wore; worn [wɔ:n].
weave «ткать»: wove; wóven.
weep «плáкать»: wept; wept.
will *pr.* «хочý»: *см. табл.* 10.
win «выúгрывать, добивáться»: won [wʌn]; won [wʌn].
wind «крутúть(ся), обвивáть(ся) *и т. п.*»: wound; wound.

with⁞dráw «брать назáд; удалйться»: with⁞dréw; with⁞dráwn.
with⁞hóld «не давáть, удéрживать»: with⁞héld; with⁞héld.
with⁞stánd «протúвиться»: with⁞stóod [-ud]; with⁞stóod [-ud].
work «обрабáтывать»: wrought; wrought (*рéдко*: worked; worked); — *при значéнии* «рабóтать *и т. п.*»: worked; worked (*уст.* wrought; wrought; *при перенóсных значéниях употребляются и те и другие фóрмы*).
wring «скрýчивать, жать»: wrung; wrung.
write «писáть»: wrote; wrítten.

A. I. SMIRNITSKY, *Professor*

THE RUSSIAN SOUND-SYSTEM AND THE RUSSIAN ALPHABET

THE VOWELS

In Russian phonetics the Russian vowel-sounds are denoted by phonetic signs based on the letters of the Russian alphabet. Square brackets are employed throughout this article to show that the letters in question do not appear as letters in the alphabet or as part of a written word, but are used simply to symbolize the sounds of the language. Thus:

[и, и, э, ы, ы, е, а, о, у]

The vowels [и, ы, а, у] occur in both stressed and unstressed syllables; the vowels [э, о] (except in studied elocution) appear in standard Russian only as stressed vowels, while [и, ы, е] are always unstressed.

The vowels [ы, ы] occur only **after** hard **consonants**.

The Russian vowel-sounds are denoted in spelling by the letters а, е, ё, и, о, у, ы, э, ю, я.

All these letters are therefore usually called vowel-letters or simply vowels, though the letters **е, ё, ю, я** often represent their respective vowel-sounds in combination with the sound [й], which properly belongs to the consonant-system.

The letters **е, ё, ю, я** and **и** which, when they occur immediately after consonants, indicate the softness of the latter, are often called **soft vowels** and so distinguished from the **hard vowels э, о, у, а** and **ы**.

THE CONSONANTS

The Russian consonant-system comprises the following sounds:
Hard —[б, п; в, ф; д, т; з, с; ц; — ж, ш; — г, к; — х; — м; н; л; р]
Soft —[бь, пь; вь, фь; дь, ть; зь, сь; — жжь, щ; ч; — гь, кь; й; хь; — мь; нь; ль; рь]

These consonant-sounds (both hard and soft) are further divided into several classes according to the organs of speech used to form the separate consonants and the mode of using these organs. The consonants [б, бь, п, пь, м, мь], for instance, are classed together as **bilabial** consonants (or **lip**-consonants proper), as all of them are made by the action of both lips; but [м, мь] at the same time belong, together with [н, нь], to the class of **nasals**, which are pronounced with the **nose passage open**, though otherwise the separate nasal consonants may be quite different, as [м, мь] and [н, нь], the former being bilabial, while the latter are **dental**, that is, produced by bringing the **point of the tongue against the upper teeth**.

The various classes of the Russian consonants are shown in the table given below, page 755.

The Russian consonants are represented by the letters б, в, г, д, ж, з, й, к, л, м, н, п, р, с, т, ф, х, ц, ч, ш, щ. These letters are called consonant-letters, or simply consonants, with the exception of **й**, which is known as a semi-vowel. It should also be remembered that the sound [й] is often denoted by means of the letters **е, ё, ю, я**.

Apart from **й, ч, щ**, which always represent **soft** sounds, the **soft** consonant-sounds are denoted by the same letters as are used for the corresponding **hard** sounds. The softness of a consonant is usually indicated either by the following vowel-letter (**е, ё, ю, я** or **и**) or by the **soft sign ь.**

The letters **б, в, г, д, ж, з** usually denoting **voiced** consonants, under certain conditions represent the corresponding **voiceless** consonants. And, on the other hand, the letters that are generally used as symbols for **voiceless** consonants, as **к, п, с, т**, may, though less often, denote the corresponding **voiced** sounds.

The Russian Consonant System			Lip Consonants		Tongue Consonants		
			Bilabial (the lower lip against the upper lip)	**Labio-dent.** (the lower lip against the upper teeth)	**Dental** (the point or blade against the upper teeth)	**Post-dent.** (the point and blade against the gums)	**Palatal** (the middle or back against the palate)
Oral Consonants (the nose passage closed)	**Stop Consonants** (the mouth passage completely closed)	voiced voiceless	hard soft [б] [бь] [п] [пь]	hard soft	hard soft [д] [дь] [т] [ть]	hard soft	hard soft [г] [гь] [к] [кь]
	Compound Consonants (stop+open)	voiceless			[ц]	[ч]	
	Open Consonants (the mouth passage narrowed)	voiced voiceless		[в] [вь] [ф] [фь]	[з] [зь] [с] [сь]	[ж] [жжь] [ш] [щ]	[й] [х] [хь]
	Side Consonants (air passes along the sides of tongue)	voiced			[л] [ль]		
	Trill Consonants (the tongue vibrates)	voiced				[р] [рь]	
	Nasal Consonants (the nose passage open)	voiced	[м] [мь]		[н] [нь]		

Note the following: 1. [ц] and [ч] are **compound** consonants: in beginning to pronounce these consonants the tongue stops the air-stream completely, but then moves slightly back leaving a narrow passage. The consonant [ц] is therefore similar to [тс] and [ч] to [тшь].

2. [жжь] differs from [ж] not only in softness but also in **length** thus, for ex., уезжа́ть [-жжь-]; so also [щ] from [ш] (unless [щ] is pronounced as [шьч]): as in щу́ка [щ:]; сча́стье [щ:], etc.

3. [й] is known as a semi-vowel. At the end of a word and before a consonant or unstressed it is often pronounced like the vowel [и], but it never forms a separate syllable. Before a stressed vowel, and after a consonant in general, [й] is a voiced **consonant** corresponding to the voiceless [хь], and on the whole the function of [й] in Russian is that of a consonant.

4. [гь, кь, хь] only occur before [э, и] (both spelled е) and before [и]. In all the other positions only the **hard** [г, к, х] are found (except for ткёт [ткьот] weaves); but there are no such combinations as [гы, кы, хы] in Russian words (except in some borrowings), the combinations [ги, ки, хи] occurring instead.

THE SPECIAL SIGNS

ь and ъ

The signs ь and ъ are used only after consonants, but not after all of them; neither of these signs is used, in native Russian words, after г, к, х, й and ц; in addition, the sign ъ is never used after ж, л, м, п, р, ф, ш, щ, while after н it mainly occurs in words of Latin origin.

The sign ь is called **the soft sign**, as it is generally used to indicate the softness of consonants; but it is also used as a **separation sign**—to show that the following vowel-letter denotes a combination of the sound [й] with the corresponding vowel-sound, for ex., дьяк [д'йак], пьянство [п'йанство]. In some cases the use of ь is merely traditional.

The sign ъ is used in modern Russian spelling **only as a separation sign.**

THE ALPHABET

	Letters Printed	Letters Written	Names of Letters		Letters Printed	Letters Written	Names of Letters
1	А а	*A a*	[а]	17	Р р	*P p*	[эр]
2	Б б	*Б б*	[бэ]	18	С с	*C c*	[эс]
3	В в	*В в*	[вэ]	19	Т т	*T m*	[тэ]
4	Г г	*Г г*	[гэ]	20	У у	*У у*	[у]
5	Д д	*D g*	[дэ]	21	Ф ф	*Ф ф*	[эф]
6	Е е, Ё ё	*E e, Ë ë*	[йэ] [йо]	22	Х х	*Х х*	[ха]
7	Ж ж	*Ж ж*	[жэ]	23	Ц ц	*Ц ц*	[цэ]
8	З з	*З з*	[зэ]	24	Ч ч	*Ч ч*	[чэ]
9	И и	*И и*	[и]	25	Ш ш	*Ш ш*	[ша]
10	Й й	*Й й*	"и" краткое	26	Щ щ	*Щ щ*	[ща]
11	К к	*К к*	[ка]	27	ъ	*ъ*	отделительный знак
12	Л л	*Л л*	[эл]	28	ы	*ы*	[ы]
13	М м	*М м*	[эм]	29	ь	*ь*	мягкий знак
14	Н н	*Н н*	[эн]	30	Э э	*Э э*	[э]
15	О о	*О о*	[о]	31	Ю ю	*Ю ю*	[йу]
16	П п	*П п*	[пэ]	32	Я я	*Я я*	[йа]

Note: 1. The letter Ё, ё, as regards its alphabetical place, is usually considered equal to E, e.
2. The letters ъ, ы, ь never occur at the beginning of a word, and no capital forms of these letters are therefore given. Compare the remarks on the Vowels and on the Special Signs in this chapter.
3. The letter Э, э is also called "э" оборотное, that is, "the inverted э".

NOTES ON RUSSIAN GRAMMAR

Summary Tables

Nom. = *Nominative case*, именительный падеж
Gen. = *Genitive case*, родительный падеж
Dat. = *Dative case*, дательный падеж

Acc. = *Accusative case*, винительный падеж
Inst. = *Instrumental case*, творительный падеж
Prep. = *Prepositional case*, предложный падеж

NOUNS

Masculine Gender

Type I. **-ов, -ев** in the genitive plural

a) **Nouns Ending in a Hard Consonant** (*except* **the Open Ones**)

1

	Singular	Plural	
Nom.	завóд	завóды	-и[1]
Gen.	завóда	завóдов	-ев[2]
Dat.	завóду	завóдам	
Acc.	{ завóд (*anim.* -а)	завóды (*anim.* -ов)	-и[1] (-ев[2])
Inst.	завóдом -ем[2]	завóдами	
Prep.	завóде	завóдах	

[1]**-и** (*instead of* **-ы**)
– *after* **г, к, х**: лóзунги.
[2]**-ев, -ем** (*instead of* **-ов, -ом** *respectively*) – *after* **ц** *when the stress is on the stem*: мéсяцев, -ем.

b) **Nouns Ending in -й**

2

	Singular	Plural	
Nom.	трамвáй	трамвáи	
Gen.	трамвáя	трамвáев[1]	
Dat.	трамвáю	трамвáям	
Acc.	{ трамвáй (*anim.* -я)	трамвáи (*anim.* -ев)	
Inst.	трамвáем	трамвáями	
Prep.	трамвáе -и[2]	трамвáях	

[1]*Stressed* **-ев = -ёв**: боёв.
[2]**-и** (*instead of* **-е** *in the prep. sg.*) – *after an* **и**: (*о*) пролетáрии.

Note:

бéрег, год, лес, мост, пол, сад, ýгол, шкаф — *Prep. sg.* (*after the prepositions* **в, на**) *ends in* **-ý**: на берегý, *etc*.
бéрег, вéчер, глаз, гóлос, гóрод, дом, пóезд, цвет — *Nom., Acc. pl. ends in* **-á**: берегá, вечерá, глазá, голосá, *etc*.
глаз, раз, солдáт, человéк — *Gen. pl. has no ending*: из глаз, пять раз, *etc*.
брат, стул — *plural*: *Nom*. брáтья, стýлья; *Gen*. -ьев; *Dat*. -ьям; *Acc*. брáтьев, стýлья; *Inst*. —-ьями; *Prep*. -ьях.
сын — *plural*: *Nom*. сыновьЯ; *Gen., Acc*. сыновéй; *Dat*. -овьЯм; *Inst*. -овьЯми; *Prep*. -овьЯх.
англичáнин, крестьЯнин (*and similarly most nouns ending in* -áнин, -Янин) — *plural*: *Nom*. англичáне, крестьЯне; *Gen*. англичáн. крестьЯн; *Dat*. англичáнам, крестьЯнам, *etc., without* -ин.
Masculine nouns ending in -а, -я, *as* мужчúна, судьЯ, *change like feminine nouns with the same endings* (*see Table* 4):

Type II. **-ей** in the genitive plural

a) **Nouns Ending in -ь**

3

	Singular	Plural	
Nom.	автомобúль	автомобúли	
Gen.	автомобúля	автомобúлей	
Dat.	автомобúлю	автомобúлям	
Acc.	{ автомобúль (*anim.* -я)	автомобúли (*anim.* -ей)	
Inst.	автомобúлем[1]	автомобúлями	
Prep.	автомобúле	автомобúлях	

[1]*Stressed* **-ем = -ём**: вождём.

b) Nouns Ending in -ж, -ш, -ч, -щ

	Singular	Plural
Nom.	этáж	этажи́
Gen.	этажá	этажéй
Dat.	этажý	этажáм
Acc.	{ этáж (anim. -á)	этажи́ (anim. -éй)
Inst.	этажóм -ем[1]	этажáми
Prep.	этажé	этажáх

[1] -ем (instead of -ом)—when the stress is on the stem: товáрищем.

Note:

день (Nom., Acc.)—the -е- is dropped in other forms: Gen. дня, etc.
учи́тель—Nom. pl. ordinarily учителя́.

Feminine Gender

Type I. **No ending** in the genitive plural; -у, -ю in the accusative singular; -ой, -ей in the instrumental singular

a) Nouns Ending in -а

4

	Singular	Plural
Nom.	странá	стрáны -и[1]
Gen.	страны́ -и[1]	стран
Dat.	странé	странáм
Acc.	{ странý (anim. the same ending)	стрáны -и[1] (anim. no ending)
Inst.	странóй -ей[2]	странáми
Prep.	странé	странáх

[1] -и (instead of -ы)—after г, к, х; ж, ш, ч, щ: фáбрики; задáчи.
[2] -ей (instead of -ой)—after ж, ш, ч, щ and ц, when the stress is on the stem: задáчей, рабóтницей.

b) Nouns Ending in -я Preceded by a Consonant

	Singular	Plural
Nom.	земля́	зéмли
Gen.	земли́	земéль–[1]
Dat.	землé	зéмлям
Acc.	{ зéмлю (anim. the same ending)	зéмли–[2] (anim. -ь)
Inst.	землёй	зéмлями
Prep.	землé	зéмлях

[1] No -ь after -ен with an unstressed inserted е: читáлен (nom. sg. читáльня).

c) Nouns Ending in -ия

5

	Singular	Plural
Nom.	стáнция	стáнции
Gen.	стáнции	стáнций
Dat.	стáнции	стáнциям
Acc.	{ стáнцию	стáнции (anim. -й)
Inst.	стáнцией	стáнциями
Prep.	стáнции	стáнциях

The -й of the gen. pl. is not an ending, but the last sound of the stem, as -ия = ийа: when the ending (the vowel) is dropped in the gen. pl. the й is restored in spelling.

Note:

семья́, статья́—Gen. pl. семéй, статéй (other forms according to Table 4, b).

Type II. -ей in the genitive plural; accusative singular similar to nominative; -ью in the instrumental singular

Nouns Ending in -ь

6

	Singular	Plural
Nom.	часть	чáсти
Gen.	чáсти	частéй
Dat.	чáсти	частя́м -ам*
Acc.	{ часть (anim. the same ending)	чáсти (anim. -ей)
Inst.	чáстью	частя́ми -ами*
Prep.	чáсти	частя́х -ах*

*-ам, -ами, -ах (instead of -ям, -ями, -ях)—after ж, ш, ч, щ: вещáм, вещáми, вещáх.

Note:

дочь, мать (Nom., Acc.)—all other forms with -ер- added to the stem: Gen. дóчери, мáтери, etc.

Neuter Gender

Type I. No ending in the genitive plural

a) Nouns Ending in -o or -e Preceded by ж, ш, ч, щ, ц

7

	Singular	Plural
Nom.	ме́сто -е*	места́
Gen.	ме́ста	мест
Dat.	ме́сту	места́м
Acc.	ме́сто -е*	места́
Inst.	ме́стом -ем*	места́ми
Prep.	ме́сте	места́х

*-е, -ем (*instead of* -о, -ом) — after ж, ш, ч, щ, *and* ц, *when the stress is on the stem*: жили́ще, жили́щем; полоте́нце, полоте́нцем.

b) Nouns Ending in -ие

8

	Singular	Plural
Nom.	собра́ние	собра́ния
Gen.	собра́ния	собра́ний
Dat.	собра́нию	собра́ниям
Acc.	собра́ние	собра́ния
Inst.	собра́нием	собра́ниями
Prep.	собра́нии	собра́ниях

The -й of the genitive plural is not an ending, but the last sound of the stem: compare Note to Table 5.

Note:

плечо́ — *plural*: *Nom.*, *Acc.* пле́чи.
коле́но — *plural*: *Nom.*, *Acc.* коле́ни; *Dat.* -ям; *Inst.* -ями; *Prep.* -ях.
у́хо — *plural*: *Nom.*, *Acc.* у́ши; *Gen.* уше́й; *Dat.* уша́м, *etc.*
перо́ — *plural*: *Nom.*, *Acc.* пе́рья; *Gen.* пе́рьев; *Dat.* пе́рьям, *etc.*

Type II. -ей in the genitive plural

Nouns Ending in -ле, -ре

9

	Singular	Plural
Nom.	мо́ре	моря́
Gen.	мо́ря	море́й
Dat.	мо́рю	моря́м
Acc.	мо́ре	моря́
Inst.	мо́рем	моря́ми
Prep.	мо́ре	моря́х

Type III. -ен- added to the stem, except in the nominative and accusative singular

Nouns Ending in -мя

10

	Singular	Plural
Nom.	и́мя	имена́
Gen.	и́мени	имён
Dat.	и́мени	имена́м
Acc.	и́мя	имена́
Inst.	и́менем	имена́ми
Prep.	и́мени	имена́х

Surnames (фамилии) Ending in -ов, -ев, -ин

11

	Singular		Plural
	Masculine	*Feminine*	*Both genders*
Nom.	Ивано́в	Ивано́ва	Ивано́вы
Gen.	Ивано́ва	Ивано́вой	Ивано́вых
Dat.	Ивано́ву	Ивано́вой	Ивано́вым
Acc.	Ивано́ва	Ивано́ву	Ивано́вых
Inst.	Ивано́вым	Ивано́вой	Ивано́выми
Prep.	Ивано́ве	Ивано́вой	Ивано́вых

ADJECTIVES

a) Adjectives Ending in -ой, -ый, or -ий (the latter preceded by г, к, х; ж, ш, ч, щ)

12

	Singular			Plural
	Masculine	*Feminine*	*Neuter*	*All genders*
Nom.	но́вый -ой[1] / -ий[2]	но́вая	но́вое -ее[4]	но́вые -ие[3]
Gen.	но́вого -его[4]	но́вой -ей[4]	но́вого -его[4]	но́вых -их[3]

Dat.	но́вому	-ему[4]	но́вой	-ей[4]	но́вому	-ему[4]	но́вым	-им[3]
Acc.	=Nom. or Gen.		но́вую		но́вое	-ее[4]	=Nom. or Gen.	
Inst.	но́вым	-им[3]	но́вой	-ей[4]	но́вым	-им[3]	но́выми	-ими[3]
Prep.	но́вом	-ем[4]	но́вой	-ей[4]	но́вом	-ем[4]	но́вых	-их[3]

Note:

1. -о́й — *when the* **stress** *is on the* **ending**: молодо́й, друго́й, большо́й.
2. -ий (*instead of* -ый) — *after* г, к, х; ж, ш, ч, щ, *when the* **stress** *is on the* **stem**: сове́тский; хоро́ший.
3. -ие, -их, -им, -ими (*instead of* -ые, -ых, -ым, -ыми, *respectively*) — *after* г, к, х; ж, ш, ч, щ: други́е, -и́х, -и́м, -и́ми; сове́тские, -их, -им, -ими; больши́е, -и́х, -и́м, -и́ми; хоро́шие, -их, -им, -ими, *etc.*
4. -ее, -его, -ему, -ем, -ей (*instead of* -ое, -ого, -ому, -ом, -ой, *respectively*) — *after* ж, ш, ч, щ, *when the stress is on the* **stem**: хоро́шее, -его, -ему, -ем, *etc.*

b) Adjectives Ending in -ний

13

	Singular			Plural
	Masculine	*Feminine*	*Neuter*	*All genders*
Nom.	си́ний	си́няя	си́нее	си́ние
Gen.	си́него	си́ней	си́него	си́них
Dat.	си́нему	си́ней	си́нему	си́ним
Acc.	=Nom. or Gen.	си́нюю	си́нее	=Nom. or Gen.
Inst.	си́ним	си́ней	си́ним	си́ними
Prep.	си́нем	си́ней	си́нем	си́них

PRONOUNS

Interrogative

14

	Animate	*Inanimate*
Nom.	кто	что
Gen.	кого́	чего́
Dat.	кому́	чему́
Acc.	кого́	что
Inst.	кем	чем
Prep	ком	чём

Interrogative-Possessive

15

	Singular			Plural
	Masculine	*Feminine*	*Neuter*	*All genders*
Nom.	чей	чья	чьё	чьи
Gen.	чьего́	чьей	чьего́	чьих
Dat.	чьему́	чьей	чьему́	чьим
Acc.	=Nom. or Gen.	чью	чьё	=Nom. or Gen.
Inst.	чьим	чьей	чьим	чьи́ми
Prep.	чьём	чьей	чьём	чьих

како́й, кото́рый *are declined as adjectives* (*see Table* 12).

Personal: 1st and 2nd Person

16

	Singular		Plural	
	1st p.	*2nd p.*	*1st p.*	*2nd p.*
Nom.	я	ты	мы	вы
Gen.	меня́	тебя́	нас	вас
Dat.	мне	тебе́	нам	вам
Acc.	меня́	тебя́	нас	вас
Inst.	мной	тобо́й	на́ми	ва́ми
Prep.	мне	тебе́	нас	вас

Possessive

17

	Singular			Plural
	Masculine	*Feminine*	*Neuter*	*All genders*
Nom.	мой	моя́	моё	мои́
Gen.	моего́	мое́й	моего́	мои́х

	Masculine	Feminine	Neuter	Plural (All genders)
Dat.	моему́	мое́й	моему́	мои́м
Acc.	= Nom. or Gen.	мою́	моё	= Nom. or Gen.
Inst.	мои́м	мое́й	мои́м	мои́ми
Prep.	моём	мое́й	моём	мои́х

Singular / Plural

	Masculine	Feminine	Neuter	All genders
Nom.	наш	на́ша	на́ше	на́ши
Gen.	на́шего	на́шей	на́шего	на́ших
Dat.	на́шему	на́шей	на́шему	на́шим
Acc.	= Nom. or Gen.	на́шу	на́ше	= Nom. or Gen.
Inst.	на́шим	на́шей	на́шим	на́шими
Prep.	на́шем	на́шей	на́шем	на́ших

твой, свой *change like* мой; ваш *like* наш.

Personal: 3rd Person

18

Singular

	Masculine	(After prep.)	Feminine	(After prep.)	Neuter	(After prep.)	Plural (All genders)	(After prep.)
Nom.	он		она́		оно́		они́	
Gen.	его́	него́	её	неё	его́	него́	их	них
Dat.	ему́	нему́	ей	ней	ему́	нему́	им	ним
Acc.	его́	него́	её	неё	его́	него́	их	них
Inst.	им	ним	е́ю	не́ю, ней	им	ним	и́ми	ни́ми
Prep.		нём		ней		нём		них

Demonstrative

19

Singular / Plural

	Masculine	Feminine	Neuter	All genders
Nom.	э́тот	э́та	э́то	э́ти
Gen.	э́того	э́той	э́того	э́тих
Dat.	э́тому	э́той	э́тому	э́тим
Acc.	= Nom. or Gen.	э́ту	э́то	= Nom. or Gen.
Inst.	э́тим	э́той	э́тим	э́тими
Prep.	э́том	э́той	э́той	э́тих

Singular / Plural

	Masculine	Feminine	Neuter	All genders
Nom.	тот	та	то	те
Gen.	того́	той	того́	тех
Dat.	тому́	той	тому́	тем
Acc.	= Nom. or Gen.	ту	то	= Nom. or Gen.
Inst.	тем	той	тем	те́ми
Prep.	том	той	том	тех

Generalizing

20

Singular / Plural

	Masculine	Feminine	Neuter	All genders
Nom.	весь	вся	всё	все
Gen.	всего́	всей	всего́	всех
Dat.	всему́	всей	всему́	всем
Acc.	= Nom or Gen.	всю	всё	= Nom. or Gen.
Inst.	всем	всей	всем	все́ми
Prep.	всём	всей	всём	всех

NUMBERS

21 a) оди́н

	Singular			Plural*
	Masculine	*Feminine*	*Neuter*	*All genders*
Nom.	оди́н	одна́	одно́	одни́
Gen.	одного́	одно́й	одного́	одни́х
Dat.	одному́	одно́й	одному́	одни́м
Acc.	= Nom. or Gen.	одну́	одно́	= Nom. or Gen.
Inst.	одни́м	одно́й	одни́м	одни́ми
Prep.	одно́м	одно́й	одно́м	одни́х

22 b) два, три and четы́ре

	Masculine Neuter	*Feminine*		*All genders*
Nom.	два	две	три	четы́ре
Gen.	двух		трёх	четырёх
Dat.	двум		трём	четырём
Acc.	= Nom. or Gen.		= Nom. or Gen.	= Nom. or Gen.
Inst.	двумя́		тремя́	четырьмя́
Prep.	двух		трёх	четырёх

23 c) From пять to три́дцать

	All genders	
Nom.	пять	во́семь
Gen.	пяти́	восьми́
Dat.	пяти́	восьми́
Acc.	пять	во́семь
Inst.	пятью́	восемью́
Prep.	пяти́	восьми́

24 d) со́рок, девяно́сто, сто

		All genders	
Nom. and Acc.	со́рок	девяно́сто	сто
Other cases	сорока́	девяно́ста	ста

25 e) From пятьдеся́т to во́семьдесят

		All genders
Nom. and Acc.	пятьдеся́т	во́семьдесят
Instrumental	пятью́десятью	восемью́десятью
Other cases	пяти́десяти	восьми́десяти

26 f) From две́сти to девятьсо́т**

		All genders		
Nom.	две́сти	три́ста	четы́реста	пятьсо́т
Gen.	двухсо́т	трёхсо́т	четырёхсо́т	пятисо́т
Dat.	двумста́м	трёмста́м	четырёмста́м	пятиста́м
Acc.	две́сти	три́ста	четы́реста	пятьсо́т
Inst.	двумяста́ми	тремяста́ми	четырьмяста́ми	пятьюста́ми
Prep.	двухста́х	трёхста́х	четырёхста́х	пятиста́х

PREPOSITIONS

27

Genitive		*Dative*	*Accusative*	*Instrumental*	*Prepositional*
без	напро́тив	к (ко)	в (во)	за	в (во)
вме́сто	о́коло	по *according*	за	ме́жду	на
вокру́г	от	*to, along*	на	над	о (об, обо)
для	по́сле		по	пе́ред	при
до	посреди́		под	под	
из	про́тив		сквозь	с (со)	
из-за	с (со)		че́рез		
из-под	среди́				
кро́ме	у				

---

* The plural одни́ is used:
1) *with nouns that have no singular*: одни́ я́сли.
2) *when* оди́н *means alone*: Он был оди́н. Они́ бы́ли одни́.
3) *when* оди́н *is opposed to* друго́й: Оди́н ушёл, друго́й — нет. Одни́ ушли́, други́е — нет.

** The -е- *in* восемьсо́т *is replaced by* ь *in the same cases* (Gen., Dat., Prep.) *as in the simple number* во́семь (*see Table* 23).

VERBS

a) Verbs Ending in -ить (Perfective) Preceded by a Consonant

28

		Perfective			Imperfective	
Inf.		исправить			исправля́ть[1]	-а́ть[4]
Present	я			я	исправля́ю	-а́ю[4]
	ты			ты	исправля́ешь	-а́ешь[4]
	он			он	исправля́ет (See note 1.)	-а́ет[4]
	мы			мы	исправля́ем	-а́ем[4]
	вы			вы	исправля́ете	-а́ете[4]
	они			они	исправля́ют	-а́ют[4]
Past	я	испра́вил, -а		я	исправля́л, -а	-а́л[4]
	ты	испра́вил, -а		ты	исправля́л, -а	"
	он	испра́вил		он	исправля́л	"
	она́	испра́вила		она́	исправля́ла	-а́ла[4]
	оно́	испра́вило		оно́	исправля́ло (See note 1.)	-а́ло[3]
	мы	испра́вили		мы	исправля́ли	-а́ли[4]
	вы	испра́вили		вы	исправля́ли	"
	они	испра́вили		они	исправля́ли	"
Future	я	испра́влю[1]	-у[2]	я	бу́ду	
	ты	испра́вишь		ты	бу́дешь	
	он	испра́вит		он	бу́дет	
	мы	испра́вим		мы	бу́дем	исправля́ть	-а́ть[4]
	вы	испра́вите		вы	бу́дете	
	они	испра́вят	-ат[3]	они	бу́дут	
Imperative	Sg.	испра́вь	-й[5]	Sg.	исправля́й[1]	-а́й[4]
	Pl.	испра́вьте	-йте	Pl.	исправля́йте	-а́йте[4]

Notes: 1. *Consonant changes*: I. б—бл, п—пл, в—вл, ф—фл, м—мл;
II. д—жд (imperf.)—ж (1st pers. sg. perf. future), з—ж, т—щ, ст—щ, с—ш.
2. -у (*instead of* -ю)—*after* ж, ш, ч, щ: я изучу́; посещу́.
3. -ат (*instead of* -ят)—*after* ж, ч, ш, щ: они́ изуча́т.
4. -а́ть, -а́ю, -а́ешь, etc., -а́л, -а́ла, etc., -а́й, -а́йте (*instead of* -я́ть, -я́ю, etc., respectively)—*after* жд, ж, ш, ч, щ: побежда́ть, я побежда́ю, etc.; изуча́ть, я изуча́ю, etc.
5. -й, -йте (*instead of* -ь, -ьте)—*when the* stress *in the* 1st *pers. sg. of the perf. future is on the* ending: изучу́, изучи́, изучи́те.

b) Verbs Ending in -ить (Perfective) Preceded by a Vowel

29

		Perfective			Imperfective	
Infinitive		удво́ить			удва́ивать	
Present				я	удва́иваю	
				ты	удва́иваешь	
				. . .		
				они	удва́ивают	
Past	я	удво́ил, -а, etc.		я	удва́ивал, -а, etc.	
Future	я	удво́ю		я	бу́ду	
	ты	удво́ишь		ты	бу́дешь	
	. . .			. . .		удва́ивать
	они	удво́ят		они	бу́дут	
Imperative	Sg.	удво́й			удва́ивай	
	Pl.	удво́йте			удва́ивайте	

c) Verbs Ending in -ать (Perfective)

30

		Perfective			Imperfective
Infinitive		зарабо́тать			зараба́тывать
Present				я	зараба́тываю
				ты	зараба́тываешь
				. . .	
				они	зараба́тывают

		Perfective		Imperfective	
Past	я	зарабо́тал, -а, *etc.*	я	зараба́тывал, -а, *etc.*	
Future	я	зарабо́таю	я	бу́ду	
	ты	зарабо́таешь	ты	бу́дешь	} зараба́тывать
	. . . .	. . . .	. . . .	. . . .	
	они́	зарабо́тают	они́	бу́дут	
Imperative	*Sg.*	зарабо́тай		зараба́тывай	
	Pl.	зарабо́тайте		зараба́тывайте	

d) (1) Verbs Ending in -еть (Perfective)

31

		Perfective		*Imperfective*	
Infinitive		овладе́ть		овладева́ть	
Present			я	овладева́ю	
			ты	овладева́ешь	
			. . .	. . . .	
			они́	овладева́ют	
Past	я	овладе́л, -а, *etc.*	я	овладева́л, -а, *etc.*	
Future	я	овладе́ю	я	бу́ду	
	ты	овладе́ешь	ты	бу́дешь	} овладева́ть
	. . .	. . . .	. . .	. . . .	
	они́	овладе́ют	они́	бу́дут	
Imperative	*Sg.*	овладе́й		овладева́й	
	Pl.	овладе́йте		овладева́йте	

(2) Verbs Ending in -ыть (Perfective)

32

		Perfective		*Imperfective*	
Infinitive		откры́ть		открыва́ть	
Present			я	открыва́ю	
			ты	открыва́ешь	
			. . .	. . . .	
			они́	открыва́ют	
Past	я	откры́л, -а, *etc.*	я	открыва́л, -а, *etc.*	
Future	я	откро́ю	я	бу́ду	
	ты	откро́ешь	ты	бу́дешь	} открыва́ть
	. . .	. . . .	. . .	. . . .	
	они́	откро́ют	они́	бу́дут	
Imperative	*Sg.*	откро́й		открыва́й	
	Pl.	откро́йте		открыва́йте	

33 #### e) Verbs with the Perfective Aspect Formed by Prefixation

	1st Conjugation		*2nd Conjugation*	
	Imperfective	*Perfective*	*Imperfective*	*Perfective*
Infinitive	де́лать	сде́лать	стро́ить	постро́ить
Present	я де́лаю		я стро́ю	
	ты де́лаешь		ты стро́ишь	
	. . . . . .		. . . . . .	
	они́ де́лают		они́ стро́ят	
Past	я де́лал, *etc.*	я сде́лал, *etc.*	я стро́ил, *etc.*	я постро́ил, *etc.*

Future	я бу́ду ты бу́дешь . . . . . они́ бу́дут ⎱де́лать	я сде́лаю ты сде́лаешь . . . . . они́ сде́лают	я бу́ду ты бу́дешь . . . . . они́ бу́дут ⎱стро́ить	я постро́ю ты постро́ишь . . . . . они́ постро́ят
Imperative	Sg. де́лай Pl. де́лайте	сде́лай сде́лайте	строй стро́йте	постро́й постро́йте

f) Conjugation of Verbs Ending in -ся

34

Infinitive (Imperfective): учи́ться

	Present	*Past*	*Future*
Imperfective	я учу́сь ты у́чишься он у́чится мы у́чимся вы у́читесь они́ у́чатся	я учи́лся, -ась ты учи́лся, -ась он учи́лся она́ учи́лась оно́ учи́лось мы учи́лись вы учи́лись они́ учи́лись	я бу́ду ты бу́дешь он бу́дет мы бу́дем вы бу́дете они́ бу́дут ⎱учи́ться
Imperative	Sg. учи́сь Pl. учи́тесь		

**РУССКО-
АНГЛИЙСКИЙ
СЛОВАРЬ**

Зав. редакцией
Е. А. МУЖЖЕВЛЕВ

Ведущие редакторы
Н. П. ГРИГОРЬЕВА,
Т. М. КРАСАВИНА

Редакторы
О. С. ЛЮБИМОВА,
Н. И. МАКСАКОВА

Младший редактор
Т. Р. ИЛЬИНА

Художественный редактор
Г. П. ВАЛЛАС

Технические редакторы
Э. С. СОБОЛЕВСКАЯ,
И. В. БОГАЧЕВА

Корректоры
Н. А. АЛЕКСЕЮК,
Г. Н. КУЗЬМИНА,
М. А. ЛУПАНОВА

ИБ № 4021

ДЛЯ ЗАМЕТОК

Сдано в набор 04. 07. 83. Подписано в печать 26. 11. 84. Формат 84х108/16. Бумага типограф. № 1. Гарнитура таймс. Печать высокая. Усл. печ. л. 80,64. Усл. кр. -отт. 80,64. Уч.-изд.л. 146, 53. Тираж 145000 экз. Заказ № 1886. Цена 7 руб. Издательство „Русский язык". 103012, Москва, Старопанский пер., 1/5.

Набрано в Можайском полиграфкомбинате Союзполиграфпрома при Государственном комитете СССР по делам издательств, полиграфии и книжной торговли. 143200, г. Можайск, ул. Мира, 93.

Отпечатано в Московской ордена Трудового Красного Знамени типографии № 2 Союзполиграфпрома при Государственном комитете СССР по делам издательств, полиграфии и книжной торговли. 129301, Москва, проспект Мира, 105.